U0110187

自由人（一）

自由人總目錄

一
民國四十年三月七日~民國四十一年六月二十八日
二
民國四十一年七月二日~民國四十二年六月二十七日
三
民國四十二年七月一日~民國四十三年六月三十日
四
民國四十三年七月三日~民國四十四年六月二十九日
五
民國四十四年七月二日~民國四十五年六月三十日
六
民國四十五年七月四日~民國四十六年六月二十九日
七
民國四十六年七月三日~民國四十七年六月二十八日
八
民國四十七年七月二日~民國四十八年六月二十七日
九
民國四十八年七月一日~民國四十九年十二月三十一日

十
民國五十年一月四日～民國五十年十二月三十日
十一
民國五十一年一月三日～民國五十一年十二月二十九日
十二
民國五十二年一月二日～民國五十二年十二月二十八日
十三
民國五十三年一月一日～民國五十三年十二月三十日
十四
民國五十四年一月二日～民國五十四年十二月二十九日
十五
民國五十五年一月一日～民國五十五年十二月二十八日
十六
民國五十六年一月一日～民國五十六年十二月十六日
十七
民國五十七年一月十三日～民國五十七年十二月二十八日
十八
民國五十八年一月一日～民國五十八年十二月三十一日
十九
民國五十九年一月三日～民國五十九年十二月三十日
二十
民國六十年一月二日～民國六十年十一月十三日

動盪時代的印記——《自由人》三日刊始末

陳正茂（北台灣科學技術學院通識教育中心教授）

一、前言：《自由人》三日刊創刊之背景

民國三十八年是中國歷史上驚天動地的一年，隨著戡亂戰局的逆轉，中共席捲大陸，國府敗退遷台，真是國命如絲風雨飄搖的危急存亡之秋。處此動盪時代中，除大批軍民同胞隨政府播遷來台外；尚有一部分人士選擇避難香江，南下港九一隅，這些人當中，有不少是失意政客和知識份子。基本上，當年選擇避秦來港的知識份子，其心態上有兩種，一則對國、共兩黨均感不滿；再則係看上香港為自由民主之地，較能有揮灑發展的空間。此情勢考量，誠如雷嘯岑所言：「在一九四九－五〇年之間，因大陸淪陷，香港乃成了反共非共的中國人士望門投止的逋逃之藪」。

這些投奔港九的政治難民，以高級知識份子居多；兼以香港時為英屬自由之地，所以只要不違背港府法令，一般而言從事任何活動是百無禁忌，相當自由的。不僅可以高談政治問題，甚至於從事政治活動亦不加以限制。於是，「從大陸流亡到港九的高級知識份子群，乃相率呼朋引類，常舉行座談會，交換對國事意見，而美國國務院的巡迴大使吉塞普（Philip Jessup），斯時亦在香港鼓勵中國人組織『第三勢力』運動，目的以反共為主。」在此背景下，港九地區的自由民主人士，在美國幕後撐腰下，「各種座談會風起雲湧，熱鬧非凡；而諸多以反共為職志的大小刊物，更是應運而興，琳瑯滿目了。」[1]所以，《自由人》三日刊，就是在此大時代氛圍下孕育而生的。

二、《自由人》三日刊誕生之經過

《自由人》三日刊醞釀誕生之經過，最早鼓吹者，一般而言，說法有二，一為由王雲五號召發起。據其《岫廬八十自述》書中提及：「自民國三十九年開始以來，由於中共匪幫建立偽政權，並先後獲得蘇俄、緬甸、印度、巴基斯坦及英國的承認，於是匪幫的勢力在香港突然大振，不少反共分子漸呈動搖態度。旅港有識之士深感囂風日長，漸使全港華人隨而動搖，乃相與集議挽救之道。我因在港主辦一個小規模出版事業（按：即華國出版社），尤以一貫堅持反共方針，遂由多數參加集議人士推任領導。由臨時的集會，變為固定的座談；其地點經常利用國民黨在銅鑼灣某街所租賃之四樓房屋一層。每次參

1 馬五，〈「自由人」之產生與夭折〉，見馬五（雷嘯岑）著，《政海人物面面觀》（香港：風屋書店出版，一九八六年十二月初版），頁二一二。又此種座談會多在週末舉行，也有人稱之為「週末座談會」或「星期六座談會」。見馬五先生著，《我的生活史》（台北：自由太平洋文化事業公司出版，民國五十四年三月一日初版），頁一六一。

加座談者，多至三十餘人，少亦一二十人，皆為文化界人士，或為舊日與政治有關係者，各政黨及無黨派人士皆有之。後來我以香港政府最忌政治性的集會，凡參加人數較多，尤易引起猜疑，動輒干涉。加以如此散漫的座談，亦未必能持久，因於某次座談中提議創辦一小型之定期刊物，每週或半週出版一次，既可藉此刊物益鞏固反共人士之維繫，且刊物一經向港政府註冊，則在刊物辦公處所舉行的座談，皆可諉稱編輯會議，可免港政府之干涉。此議一出，諸人咸表贊同，遂計劃如何組織與籌款。結果決辦三日刊，定名為自由人，其資金由參加坐談人士各自量力提供。我首先代表華國出版社提供港幣一千五百元，此外各發起人分別擔任，或一千，或五百不等；並經決定撰文者一律用真姓名，以明責任。其後，又決定委託香港時報代為印刷發行。因是，籌備進行益力，發起人等每星期至少集會一次，間或二次，一切進行甚為順利。」[2]

二為眾人集議，早有志於此，雷嘯岑即主此說。雷言：「這時候，即有原在大陸上服務新聞界的報人成舍我、陶百川、程滄波，協同青年黨人左舜生、民社黨人金侯成，以及國民黨人阮毅成、無黨無派的王雲五，外加香港時報社長許孝炎、新聞天地雜誌社社長卜少夫一干人等，於每週末午後在香港高士威道某號住宅中，舉行文化座談會。大家談來談去，得到一項結論，要辦一份刊物，以闡揚民主自由思想，在文化上進行反共鬥爭。……適韓戰爆發，預料東亞局勢將有變化，刊物必須及時問世，刊物取名「自由人」，由程滄波書寫報頭兼撰〈發刊詞〉，標題是〈我們要做自由人〉。」[3]

2 王雲五，《岫廬八十自述》（台北：商務版，民國五十六年七月一日初版），頁一〇四～一〇五。

3 馬五，〈「自由人」之產生與夭折〉，同註一，頁二一二～二一三。

然由當事人之一的阮毅成事後追記，似乎《自由人》三日刊能草創成功，仍是由王雲五一手主導的。阮說：「民國三十九年十二月二十日，雲五先生在香港高士威道約大家茶敘，其中特別提及『今日我約諸位來，是想創辦一份反共的刊物，以正海外的視聽。間接幫助臺灣，說幾句公道話。我們讀書人，今日所能為國家效力的，也只有此途。』」[4]由阮之記載，合理推論，《自由人》三日刊能順利催生問世，王氏為登高呼籲之首倡者，可能性是很高的！

但就在王氏積極創辦《自由人》三日刊之際，突發一件暗殺事件，則頗值得一述；且對後來《自由人》三日刊的發展不無影響。事緣於三十九年十二月下旬，王氏在《自由人》三日刊諸人集會散會後，在香港寓所遭遇暗殺，幸子彈未命中，逃過一劫，這突如其來之舉，使王氏決定立即離港赴台定居。此事來台後，王氏曾將真相告訴繼我而來的成舍我。王氏謂：「到臺以後，除將此次提前來臺的秘密暗中告知兒女外，他人皆不使知。後來事過境遷，才漸漸透露給若干至好的朋友，首先是對於不久繼我而來的成舍我君；因為他覺得我向

又見馬之驌，《雷震與蔣介石》（台北：自立晚報社文化出版部出版，一九九三年十一月一版），頁八一。

4 阮毅成，〈王雲五先生與自由人三日刊〉，見蔣復璁等著，《王雲五先生與近代中國》（台北：商務版，民國七十六年六月初版），頁三〇～三一。有關《自由人》之發起，另有一說為萬麗鵑博士論文所言：「《自由人》為『自由中國協會』成員所辦之三日刊。」見萬麗鵑，〈一九五〇年代的中國第三勢力運動〉（台北：國立政治大學歷史研究所博士論文，民國九十年七月），頁一六四。但根據「自由人」社發起人之一的雷嘯岑回憶說：「『自由中國協會』為當時在美國的胡適、蔣廷黻、曾琦等人所發起，胡、蔣、曾諸氏希望以『自由人』全體發起人為主幹，先在香港成立總會，台灣暨歐美各省都設立分會。嗣經提出座談會詳細研討，大家認為總會以設在台灣為安，香港亦只設分會，庶合體制。結果不知如何，這個會沒有成立，終於流產了。」馬五，〈「自由人」之產生與夭折〉，同註一，頁二一四～二一六。故萬氏此說，恐不確。

來很少患病，在約定聯合宴客之日，我竟稱病缺席，舍我不免將信將疑。其後到我家探病，見我毫無病容，更不免懷疑。及我不別而赴臺，他懷疑益甚，所以在他來臺後，偶爾和我詳談及此，我也就不好意思對朋友有所隱瞞了。」[5]

上述言及之十二月下旬，實際上是民國三十九年十二月三十一日，除夕。阮氏說：是日「王雲五先生約在高士威道午餐，我應約前往，王臨時以腹瀉未到，由成舍我兄代作主人，謂『自由人』籌備事，大致已妥。」而四十年的元月三日，阮氏也說到是日，「應卜少夫、程滄波二兄之約，到高士威道二十二號四樓午膳。據滄波兄言，是日原應由王雲五先生作東，而王於當天上午，離港飛台，臨行前以電話托其代為主人。」[6]

王氏的不告而別倉促離港赴台，也使得後續有不少參與「自由人」社同仁跟進，紛紛來台，這對於原本人力吃緊資金短絀的《自由人》三日刊之發展，當然有不小的影響。至於《自由人》三日刊籌組的經過梗概，雖在王氏離港來台後，仍按部就班的進行。四十年元月十日下午，阮毅成與程滄波及左舜生又約至高士威道聚談。關於創辦刊物事，左舜生主張宜立即出版，卜少夫則以須現款收有相當數目，方能創刊。是月三十一日，雷震自台灣來，亦參加「自由人」社活動。會中大家一致決定《自由人》三日刊，於農曆年後出版。並在職務安排上初步有了規劃，即推程滄波撰〈發刊詞〉，以辦報經驗豐富的成舍我任總編輯，陶百川為副總編輯。又另推編輯委員十四人，分別是劉百閔、雷嘯岑、陶百川、彭昭賢、程滄波、陳石孚、許孝炎、張丕介、吳俊升、金侯城、成舍我、左舜生、王雲五、卜少夫。[7]

5 王壽南編，《王雲五先生年譜初稿》第二冊（台北：商務版，民國七十六年六月初版），頁七四三。

6 阮毅成，〈「自由人」參加記〉，《傳記文學》第四十三卷第六期（民國七十二年十二月），頁一四～一五。

四十年二月九日，內定為總編輯的成舍我自香港致函王雲五，說到：「自由人半週刊已將登記手續辦妥，『館主』係由少夫出名，因渠後來未再提出不能兼任之困難，……編輯人經由弟以本名登記。股款雖交者仍不太多，但讀者則頗踴躍。……據弟觀察，維持六個月，在經濟上當可辦到。惟編輯方面，則危機太大，因主力軍如我兄及秋原兄均不在此，其他如滄波兄等不久亦將赴臺，（即弟本身亦恐將於三月間來臺）稿件來源，異常枯涸，然既已決定辦，弟亦只有勉力一試。」[8]尚未正式創刊，但資金人才捉襟見肘的窘境，已被成氏料中，這對好事多磨的《自由人》三日刊日後之發展，已埋下艱困之伏筆。

二月十四日，成舍我向雷震、洪蘭友等人報告，《自由人》三日刊已得港府核准登記，一俟台灣方面准予內銷，即行出版。二十八日，成舍我向「自由人」社同仁報告：台灣內銷事已辦好，《自由人》三日刊即將出版，並出示創刊號大樣。因與會者多係辦報老手，提供不少意見，而成舍我也很有風度，博採眾議，為慎重起見，同意改遲數日出版，以便從容改正，並呼籲社員踴躍撰稿以光篇幅。[9]可見在王氏離港後，《自由人》三日刊真正之台柱角色，已責無旁貸的落到成舍我肩上。

7 見《自由人》創刊號（民國四十年三月七日）第一版的編輯委員會名單。《自由報二十年合集》（一）（香港：自由報社出版，民國六十年十月十日）。阮毅成說為十六人，疑有誤。見阮毅成，〈「自由人」參加記〉，同上註。

8 〈成舍我致王雲五函〉，同註五，頁七四六。

9 阮毅成，〈「自由人」參加記〉，同註六，頁一五。

三月七日，《自由人》三日刊正式創刊，社址位於香港德輔道中一四九號四樓。目前所知參與的發起人有王雲五、王新衡、王聿修、端木愷、程滄波、胡秋原、吳俊升、黃雪村、閻奉璋、樓桐孫、陳石孚、陳訓悆、陶百川、雷震、阮毅成、劉百閔、左舜生、雷嘯岑、徐道鄰、徐佛觀、陳克文、成舍我、金侯城、張丕界、彭昭賢、許孝炎、卜少夫、卜青茂、范爭波、陳方、張純鷗、張萬里、丁文淵等三十餘人。[10]

發刊後，一紙風行，各方咸予重視，發行之初，每期印八千份。為打開台灣銷路市場，內容安排方面，特別增加一些軟性文字，勿使論文過多，淪為說教。雷嘯岑即言：「『自由人』的作者確實很自由，各人所寫的文字題材雖相同，而見解不必一致，祇要不違背民主憲政與反共抗俄的大前提，儘可各抒己見，言人人殊，真有百家爭鳴，百花齊放的景象，……首任的『自由人』主編是成舍我兄，他包辦大陸通訊版，把大陸上的共報消息，參以陸續從國內逃到香港的難民所述情形，寫成有系統的通訊稿，可謂費苦心。」[11]

誠然如是，由於文章精彩，見解深入，內容多元，析論入理，所以出版後不久，南洋各地僑報即紛紛轉載《自由人》文章。故在香港一隅辦一刊物，無形中等於在數地辦了幾個刊物，影響所及，至為廣大。不僅如此，有關《自由人》所發揮的影響力，可以曾任該刊主編雷嘯岑之回憶為證，雷說：「自由人半週刊，頗受台灣以及海外；尤其是美國一般華僑的注意，原有的每週座談會照常舉行，參加的人亦陸續增多了，風聲所播，國際人士來到香港的，亦來參加我們的座談會，交換政治意見，如美聯社遠東特派員賓定，南韓內閣總理李範日本工商與新聞界人士前來訪談者尤多，……唯有駐在香港鼓勵華人組織『第三勢力』的美國巡迴大使吉塞普，始終沒有接觸過，大概是他認為『自由人』半週刊這些人，多數係國民黨員，氣味不相投，我們亦以對『第三勢力』之說，不感興趣，因而絕交息游，毫無來往。」[12]

雷氏這段記載很重要，不只說明了《自由人》發刊後之影響力；也道出了《自由人》與「第三勢力」毫無瓜葛，這對坊間有不少人一直以為《自由人》是「第三勢力」刊物有澄清作用。《自由人》三日刊甫發行，負責盡職之成舍我隨即寫信給王雲五提到：「連日為自由人半週刊事，頭昏腦暈，尊函稽答，至為罪歉。現半週刊已於今日出版，附奉一份，即希鑒察。大著分兩期刊佈，並盼源源見賜。今後應如何改進之處，統希指示為荷。」[13]另針對其後外界對《自由人》諸多揣測，如與「自由中國協會」之關係等等，「自由人」社也在三月二十一日的高士威道聚會中也做出決議，大家皆一致表示，「自由人」應獨立組織，以別於其他團體，乃推定董事九人，以左舜生為董事長。監事三人，為金侯城、王雲五、雷儆寰。成舍我為社長兼總編輯，卜少夫為總經理。[14]

10 「自由人」社成員，據筆者統計為此三十餘人，且各會員加入時間先後不一，有關會員名單散見於雷嘯岑、阮毅成等人之回憶文章及《雷震日記》中。

11 馬五先生著，《我的生活史》，同註一，頁一六一。

12 馬五，〈「自由人」之產生與夭折〉，見其著，《政海人物面面觀》，同註一，頁二一三～二一四。另萬麗鵑博士論文也提到，為打擊「第三勢力」運動，「國民黨亦透過黨報如《香港時報》、新加坡《中興日報》、美國《美洲日報》，及其所資助的報刊如《自由人》報、《民主評論》等，展開對第三勢力的文宣戰，此即是《香港時報》社長許孝炎所說的以『與論對與論』的鬥爭。」萬麗鵑，〈一九五〇年代的中國第三勢力運動〉，同註四，頁一六四～一六五。又見〈許孝炎意見〉，《總裁批簽》，台（四一）央秘字第〇〇八五號（一九五二年二月二十二日），黨史會藏。

13 〈成舍我致王雲五函〉，同註五，頁七四七。

14 阮毅成，〈「自由人」參加記〉，同註六，頁一五。至於《自由人》與「自由中國協會」之關係，馬五在〈「自由人」之產生與夭折〉已言之甚

為了稿源，三月二十二日總編輯成舍我又致函王雲五拉稿，其中說到：「自由人在香港銷路尚好，一般觀感亦不錯。惟共匪刊物正以全力抨擊，弟等亦一反過去自由派刊物置之不理的辦法，強烈反攻。臺灣發行未辦好，少夫兄不日來臺，或能有所改進。同人撰稿，此間仍不太踴躍，盼公能以日撰五千字之精神，多寫數篇，並乞即賜惠寄，無任感幸。又此間稿酬，公議千字港幣十元，前稿之款，已送託香港書局轉交。此數雖微細不足道，然吾輩合力創業，知識勞動之所獲，在道德標準上說，固遠勝於以吃人為業之共匪萬萬矣。盼尊稿如望歲，望即賜寄，以慰饑渴。」[15]除簡略報告社務外，重點仍是稿源問題，而此問題也是《自由人》三日刊以後長期揮之不去的夢魘。

三、《自由人》之命名與經費及發刊宗旨

華路藍縷，創業維艱，有關《自由人》之命名，似乎是由阮毅成所起。原本成舍我欲名為《自由中國》，因與台灣雷震負責的《自由中國》半月刊同名而不獲採納。故阮毅成認為可參考台灣趙君豪所辦之《自由談》，而稍改其為《自由人》，卒獲大家一致同意，名稱問題因此而敲定。[16]其實若從五〇年代的背景去觀察，刊物取名為《自由人》並不足為奇。蓋彼時海外正刮起一陣「自由中國反共運動」浪潮，其中尤以香港地區為最。為壯大「自由中國反共運動」，於是乎，海內外的一些知識份子刻意以「自由」二字為雜誌刊物名稱，以凸顯有別於大陸的獨裁極權。職係之故，各種以「自由」為名之刊物如《自由中國》、《自由陣線》、《自由談》、《自由世界》等雜誌，如雨後春筍般紛紛出籠，《自由人》三日刊之命名，應該是在此時代背景下而正名的，且的確有其時空的特殊意義存在。[17]

至於現實的經費來源問題，早在三十九年十二月二十日的聚會中，王雲五即定調說：「我要先與諸位約定，這是一份自由的刊物，所以，一不能接受外國的幫助，二不能接受政府的支援。同仁不但要寫稿，還要負擔經費。」[18]王氏之所以要如此約法三章，是要避免外界將《自由人》視為拿美國人錢所辦的「第三勢力」之刊物的疑慮或揣測；另外，不接受政府支援，也是想以獨立身分之姿，能在言論上暢所欲言，而不受政府掣肘，更不想貼上政府刊物之標籤。揆之《自由人》草創之初，因經費來源由各會員出資，確實能夠如此。例如在籌備階段，王雲五首捐港幣三千元，各會員至少認捐港幣一千元，所以誠如雷嘯岑言：「大家分途進行，未到一個月，即籌募到港幣一萬七千元了。」[19]

創刊經費有著落，但接下來長期的經費支出，恐怕就不是由會員認捐可解決。到最後仍不得不仰賴台灣國府的金錢支助，在《雷震日記》中即披露不少箇中內幕，茲舉日記一則為證。民國四十年五月二十五日：「雪公（按：指王世杰（字雪艇），時任總統府秘書長）

詳，同註一。

15 〈成舍我致王雲五函〉，同註五，頁七四七～七四八。為稿源及素質起見，成舍我亦曾寫信向阮毅成拉稿，信上提到：「在臺同人寫稿，原約每期供給八千字。希望以兄之熱忱毅力，催請同人，公誼私交，達此標準。」又說：「自由人聲譽，雖日有增進。惟經濟及稿件，均危機太大。現此間已只賸左（舜生）、許（孝炎）、雷（嘯岑），及弟共四人，稿荒萬分。如濫用一般投稿，則水準即無法維持。」阮毅成，〈「自由人」參加記〉，同註六，頁一六。可見身為主編的成舍我，為稿源及《自由人》之內容水準，真是心力交瘁，煞費苦心。

16 同註六，頁一四。

17 馬之驌，《雷震與蔣介石》，同註三。

18 同註六，頁一四。

19 同註一二，頁二一三。

來電話，可助《自由人》三千港幣，但不可明言，因《新聞天地》一再要求援助而未允許也。……《自由人》因經費困難，而負責又無專人，致有停頓之可能，由予（雷震）約集雲五、滄波、孝炎、毅成、端木愷、少夫諸君會商，由予等籌款接濟，每月假定虧二千五百元，至年底約為一萬七千五百港元，改組組織，推定成舍我為社長，左舜生代理董事長，予負臺北催稿及催款之責，總統府之三千元，由予負責，予另外再籌五百元。」[20]由《雷震日記》可知，創刊才二月餘之《自由人》，經費已拮据如此，而不得不靠政府補貼，在此情況下，其日後之文章言論，就頗受台灣國府當局之制約影響了。

另有關《自由人》之創刊宗旨，其實早在刊物出版以前，對於未來言論與編輯方針，「自由人」社同仁即做了幾點規約：（一）、發揚民主自由主義；（二）、發起人按期撰寫頭條論文，且須署出真姓名；（三）、文責各人自負，但須不違背民主自由思想暨反共救國的大原則；同時將全體發起人的姓名亦在報頭下面，表示集體責任。[21]創刊後，首由程滄波撰發刊詞，題為〈我們要做自由人〉，擲地有聲的強調：「我們今天大膽向全世界人類提出一個問題：便是世界人類，現在與將來，要不要做人？如果想做人，從什麼地方去著手奮鬥？……今天世界人類只有兩個壁壘，一個是『人的社會』之壁壘，一個是「非人社會」之壁壘。這兩個社會的磨擦，今天已到了白熱化的程度。『人的社會』中每一個人，是有人性，有人格，根據人性與人格，發揮其個性，以增加社會之幸福與個人之生活水準，從而增進世界的和平與人類的文明。反觀『一個非人社會』中，人除了具備人的形態外，沒有思想與靈魂。『非人社會』中，人只是一群動物，既不許其有人性，亦不讓其有人格，他們是奴隸、是機器。」

程滄波言：很不幸的，今天的中國大陸，全大陸數萬萬同胞一年來，即陷入共匪的非人社會中。因此我們和全世界愛好和平民主的人們，要發動正義的呼聲，救自己，救同胞，救人類。我們要揹著自由的大纛，叫著「做人」的口號，開始「自由人」的運動。爭自由，爭人性，發動全人類自由人性的力量，去打倒與剷除共產帝國主義反人性的非人社會。不殘殺，不掠奪，在不流血革命的原則下，使人人有飯吃。本此目的，以建立新中國新世界。所以，「從今天起，根據以上主張，我們謹以此小刊物『自由人』，貢獻於全世界凡是不願做奴隸的人們，也就是我們這一群人，決心獻身於這一運動的開始。全世界和平民主的人士：我們要做人，我們要做自由人。每個人爭取了自由，世界才有民主和平，人類才有幸福與光明。」[22]我們要做人，我們要做自由人，起來，不願做奴隸的人們！程滄波這篇發刊詞，簡直是一篇慷慨激昂的宣示詞，代表全世界不願在「非人社會」生活下的自由人，向共產專制極權政權，發出堅決的怒吼。[23]

《自由人》三日刊，每星期出兩次，每次十六開一張。主編人規定由原先的「座談會」同仁輪流擔任，一年一換，為義務職，故內部人事組織極為簡單，只有一主編，一助理員和事務員，共三人而已。

20 《雷震日記》（民國四十年五月二十五日），見傅正主編，《雷震全集》（三三）（台北：桂冠版，一九八九年八月初版），頁一〇〇～一〇一。

21 同註一二，頁二一三。吳相湘，〈成舍我為新聞自由奮鬥〉，見其著，《民國百人傳》第四冊（台北：傳記文學出版社印行，民國六十年元月初版），頁二七五。

22 程滄波，〈「自由人」發刊詞〉，見其著，《滄波文存》（台北：傳記文學出版社印行，民國七十二年三月十五日初版），頁一五七～一六〇。

23 阮毅成也說到，這是一篇代表知識份子愛國反共心聲的大文章，義正辭嚴，擲地有聲。同註六，頁一五。

該刊內容，第一版分「專論」、「時局漫談」、「自由談」各欄；第二版刊大陸共匪消息；三版則記述港、台的社會新聞；四版是「副刊」。「專論」亦由座談會同仁分別撰寫，或徵用外界志同道合人士之作品；唯「時局漫談」和「自由談」二專欄，係由左舜生與雷嘯岑二氏負責包辦。《自由人》三日刊，因撰寫團隊堅強，且作者大多具有清望，故在海隅香港頗有號召力，銷路亦不壞；又可以銷台灣，雖無廣告收入，仍可勉強維持下去，在五〇年代的香港，可謂雜誌期刊界之奇葩。[24]

四、《自由人》的艱苦經營

平情言，《自由人》三日刊從四十年三月七日發行，到四十八年九月十三日停刊，維持約八年餘。這八年多的歲月，可謂艱辛撐持，多災多難。

首先為組織渙散不健全，於是才有民國四十年下半年的重組之舉。此中最大原因為「自由人」社大多數同仁均已離港在台，分別有：王雲五、王新衡、端木愷、程滄波、胡秋原、吳俊升、黃雪村、閻奉璋、樓桐孫、陳石孚、陶百川、陳訓悆、雷震，及阮毅成，幾乎佔了一半以上；而在港的僅有左舜生、金侯城、許孝炎、成舍我、劉百閔、卜少夫、雷嘯岑等人。其後在台參加的，又增加徐道鄰，共二十二人。為連絡方便起見，在台同仁乃公推王雲五為董事長，但又因刊物在港出版，故推左舜生為在港之代理董事長，就近處理刊物，成舍我則為社長。[25]

24 雷嘯岑：《憂患餘生之自述》（台北：傳記文學出版社印行，民國七十一年十月十五日初版），頁一七六。

25 同註二三，頁一六。

然因「自由人」社未有組織章程，也未在台辦理社團登記，所以才有民國四十一年一月十日，在台同仁在王新衡家為此商議之事。時適值端木愷甫自香港返台，報告港方同仁最近決定取消社長制，亦推左舜生代董事長，成舍我為總經理，劉百閔為總編輯。此事，在台「自由人」社同仁有不同意見，在三月七日及十五日的兩次餐敘商討論中，均決定仍採社長制，並仍推成舍我兄任社長。只是一個三十餘人的「自由人」社，就為了區區的刊物人事組織問題，港、台同仁即不同調，其他之事就可想而知了。所幸意見儘管有異，但同仁感情尚佳，阮毅成即言：「自由人在香港創辦之初，同仁常有餐會，交換意見。在臺同仁，於民國四十年七月十二日起，舉行聚餐或茶會，由同仁輪流作東，平均每兩週一次。除談自由人社各事外，亦泛論時局，交換見聞。」[26]

民國四十一年二月九日，「自由人」社在台同仁餐敘時，有鑒於《自由人》三日刊創刊已近一年，但組織與人事及編輯立論之困擾問題仍在，因此大家有必要提出意見交換，以尋求解決之道。席間程滄波首次提出編輯態度問題，但遭雷震反對。程又謂：「劉百閔不宜任總編輯，上次，此間同仁推成舍我任社長，何以改變？此間皆未知悉。」雷震與陶百川又認為，台方不宜干涉港方人事，雙方爭論甚久。最後由阮毅成提出折衷解決方案為：（一）、自由人本係超黨派立場。只知民主、自由、反共，不知其他。此後仍須守定此項立場。（二）、港方報刊如對台灣中華民國政府，有惡意攻訐，或無理批評，自由人不可自守中立，須起而加以駁斥。（三）、人事問題，另函在港之許孝炎查詢，不作決議。

26 同上註，頁一七。

眾皆贊成阮毅成之方法，並請其起草一函，致在香港之左舜生、許孝炎、成舍我、劉百閔、雷嘯岑諸人。阮函送各人簽名後發出，信中報告：「弟等今午聚餐，談及自由人編輯態度。回溯創辦之初，原屬超於黨派之外。……兄等在港主持，辛勞至佩，自亦必贊同弟等態度也。邇後港方報刊如對於臺灣中華民國政府惡意攻訐，或無理批評，自由人似不便自居中立，宜即加以駁斥。如有中國之聲作者來稿，希勿予以刊登，以嚴立場。再則，此間對第三方面各事，多持私人消息。語多片斷，難窺全貌。斯後尚懇時將各方動態，擇要見示。既可為撰稿時之參考，亦為知彼知己之一道。自由人素以民主反共為宗旨。署名：王雲五、程滄波、黃雪村、王新衡、樓桐孫、吳俊升、陳石孚、陶百川、雷震、阮毅成。」[27]

民國四十一年三月十五日，《自由人》創刊已屆滿一年，留台「自由人」社舉行全體會議。會議主席推王雲五擔任，其中：

（一）報告事項：（甲）、經費小組許孝炎報告——擬募集港幣三萬元（其中成舍我、許孝炎約洪蘭友，被分配擬向各紗廠募台幣一萬元）。（乙）、編輯小組成舍我報告：1、組織擬仍採現制，並請加推一人為必要時接替編務工作之用。2、發行擬請先行籌集基金以期達到日後之自給自足。3、編輯方針方面：積極在倡導民主自由，消極在反共抗俄，至對於台灣態度應仍許有批評，但不可損及自由中國之根本。4、在台同人集體意見推定專人執筆寄港，決登載第一版，並不易一字，如係個人稿件，在編輯方面擬請仍保有斟酌之權。5、每期需要稿件二萬四千字，在港同人無多未能盡任，在台同人時惠稿件。

（二）討論事項：（甲）、《自由人》三日刊社是否仍採社長制案。決議：仍採社長制，成舍我擔任社長。（乙）、《自由人》三日刊社費應如何加募案。決議：1、經費小組在進行籌募之港幣三萬元，於兩個月內籌足，作為基金，備日後擴充發行之用。2、另由經費小組加募港幣一萬元，作為最近數月經常費不足之需，在未募起前由許孝炎、成舍我負責維持現狀。3、加推樓桐孫、程滄波參加經費小組，並以王董事長雲五兼經費小組召集人。（丙）、《自由人》立論態度應如何確定案。決議：1、除積極的主張民主自由，消極的反共抗俄外，並須維護現行憲法倡導議會政治。2、凡外界對台灣有惡意攻擊影響國本時，應予駁斥，立場務須堅定，態度務須明確。3、除專門問題研究外，宜多載通訊及趣味性文字，理論文字及新聞性宜各佔三分之一。[28]此次會議至關重要，它為已紛擾年餘的《自由人》定調，但此為台方同仁之共識，港方同仁只是被動告知，並不見得完全同意，所以日後港、台雙方仍存有歧見。

其次更嚴重的是經費短絀，入不敷出，以至於時有停刊之議。這棘手問題其實打從創刊起即已浮現，只是苦撐待變，能維持多久算多久，但情況並沒改善且持續惡化中。四十一年六月十四日，王雲五、阮毅成與程滄波等聚會，商議如何應付《自由人》三日刊之困難。王雲五謂得左舜生與成舍我二君信，信上，成舍我堅辭社長，又每月不足港幣二千元。如無法解決，則自本月十八日起停刊。劉百閔則說香

27 〈阮毅成致左舜生諸氏函〉，見王壽南編，《王雲五先生年譜初稿》第二冊，同註五，頁七六八。

28 同註五，頁七七〇～七七一。

港紙價日跌，印刷係由《香港時報》代辦，印費可以欠付。以往亦每月虧空，並不自今日始。

對此，王雲五建議是否能改為月刊，移台出版，但眾意覺得移台出版，則《自由人》功用全失，仍宜繼續在港發行。最後決定由王雲五函復，請成舍我維持至七月底止。[29]是年十二月二日，「自由人」社同仁又再行會商，由王雲五主持，會中卜少夫表示願接辦，至少可免招致停刊命運。然未幾（十二月六日），卜少夫以有人表示異議，乃謂其《新聞天地社》同仁不贊成其再兼辦另一刊物，打消原意。王雲五即席宣布仍在港出版，推成舍我兄回港主持，並改為有給職。[30]成謙辭未果，旋即表示接受。後當場推定王雲五、程滄波、樓桐孫、胡秋原、陶百川、黃雪村為在臺撰述委員，程為召集人。另推成舍我、程滄波、胡秋原三人起草言論方針。王雲五、端木愷、王新衡為財務委員。香港方面撰稿委員，由成到港後約定人員擔任。事後，當事者之一的阮毅成，對是晚之會的結果表示很滿意，還稱為是《自由人》中興之會，同仁莫不興奮。但其後，主要的重點之一，《自由人》未來的言論方針並未草成。[31]四十二年三月十四日下午，「自由人」社同仁聚集在成舍我處，參加茶會。會中，成舍我出示香港許孝炎來信，謂自由人又不能維持。因已積欠《香港時報》印刷費港幣六千元，稿費十一期。且人力亦明顯不足，雷嘯岑將來台灣，左舜生又將赴日本旅行，主持無人，不如停刊。經同仁交換意見，仍認為不能停辦，並催成舍我兄速赴港負責。

因茲事體大，三月二十一日，「自由人」社另一要角阮毅成，也在家中約集在台同仁茶敘。會上，成舍我表示其有困難不願赴港，而港方近日來函，支持為難。眾意乾脆移台編印，仍推成舍我主持。[32]二十五日下午阮氏親訪成舍我，成表示三點立場：（一）、決不去香港。（二）、《自由人》如移台出版，願意主持。（三）、未移台前，可先在台編輯，寄港印行。同月二十八日下午，以《自由人》問

29 同註五，頁七七四。《自由人》經費之窘困，自創刊伊始至結束均如此，阮毅成即言：「我只記得在創刊第一年中，就賠去了港幣參萬參仟元。時歷八年半，為數甚為可觀。這尚是距今三十多年前的幣值，如以現在幣值計算，則更為巨大。」阮毅成，〈王雲五先生與自由人三日刊〉，同註四，頁三四。到《自由人》停刊止，其經費仍入不敷出，茲舉結束前致王雲五等人之二信函為證。四十八年九月十一日許孝炎自港來信王雲五，報告「自由人」結束時經費情況。「雲五先生並轉鑄秋舍我儆寰滄波新衡秋原佩蘭少夫諸兄惠鑒：關於自由人停刊事，前經兄等決定函達克文。兄弟回港後，復經再三磋商，始於前日由在港各有關友人舉行特別會議議決定停刊，並於本月十三日起實行。茲將會議紀錄抄奉敬祈鑒察。」「預計自由人可能收入之款（連登記費在內）約為乙萬四千餘元，支出除舊欠稿費約乙萬三千元；及克文兄之欠薪近九千三百元暫不計入外，此外薪工紙張印刷房租，今年稿費應退報費及空運費等，共計約為二萬乙千餘元，不敷之數約為七千餘元。倘預計可能收入之款有一部分不能收入時則虧欠之數將必更多，如何籌還以資結束頗費周章。而有把握之登記費乙萬元則尚待少夫兄回港簽字後始能提出備用。」又十二日社長陳克文亦致函王雲五。「岫公賜鑒：茲奉上『自由人』在港同人特別會議紀錄一份，請　察閱。『自由人』經濟情形截至本年九月十二日止，共欠債務三萬餘元，除登記費一萬元外，尚可能收回之款二千餘元，結束用費約五百餘元，並此奉告，統請轉知在台各位同人為禱。」見王壽南編，《王雲五先生年譜初稿》第三冊（台北：商務版，民國七十六年六月初版），頁一〇五二～一〇五三。

30 同註五，頁七七九。《自由人》主編是不支薪的，可見其艱困於一般。同為主編的雷嘯岑曾說：「首任主編人成舍我兄苦幹了一年之後，因為準備移家台灣，不能繼續盡義務了——主編人不支薪——大家公推下走承其乏，因係義務職，唯有接受而已。」馬五，〈「自由人」之產生與夭折〉，同註一，頁二一六。

31 同註五，頁七七九。

32 雷震日記當天即記載：「下午三時半至《自由人》座談會，阮毅成提議《自由人》表面在港，實際遷台，無一人反對。我內心不贊成，但不願表示，因《自由人》遷台完全失去效用。今日雲五未到，他們囑我報告。」《雷震日記》（民國四十二年三月二十一日），見傅正主編，《雷震全集》（三五）（台北：桂冠版，一九九〇年七月二十日初版），頁四八。

題緊迫，急待解決。「自由人」社同仁乃在端木愷家中餐敘。對《自由人》前途，共有四種主張：（一）、停刊。（二）、移台出版。（三）、在台編輯，寄港印行。（四）、推成舍我赴港主持。討論結果，決定用第四法，成亦首肯。然成謂：《自由人》除發行收入外，每月須虧四千元，此問題亟需解決。[33]

四月十八日，因港方同仁頻頻催促速做決定，眾議又思移台編印，王雲五亦同意移台出版，但謂須改為半月刊或月刊。三十日下午，成舍我與端木愷、阮毅成、王新衡、程滄波等人，又應王雲五約茶敘。時端木愷甫自港返，謂港方「自由人」社已無現款，勢不能繼續。因以由今日到會者商定：（一）、香港方面自五月十日起停刊。（二）、在台登記改為月刊，推王雲老為發行人，成舍我兄為總編輯。[34]然不久，港方同仁又變掛，五月十一日，阮毅成訪成舍我，成即謂卜少夫前日到台，攜有左舜生致王雲五函，主張《自由人》仍在港出版。

此事經緯，雷震在其日記亦提到：「見到雷嘯岑來函，對我們囑香港停刊，決議移臺辦月刊則大不以為然，來信措詞甚劣，決定去電並去函說明，以免誤會。」[35]雷嘯岑甚至為此來函欲辭去社長職務。

33 雷震日記載：「下午四時，在端木愷處討論《自由人》移台問題，王雲五、徐佛觀、端木愷及我均不贊成，程滄波、阮毅成、成舍我願移台，最後決定請成舍我至港辦至六月再說，因行政院之款發至六月底止，如停刊或移台亦須至六月底再說。」《雷震日記》（民國四十二年三月二十八日），見傅正主編，《雷震全集》（三五），同上註，頁五二。

34 這問題一直延伸至四十三年依舊如此。雷震日記：「《自由人》在港不易維持，決遷台辦週刊，由成舍我任社長，王雲五任發行人。」《雷震日記》（民國四十三年八月七日），見傅正主編，《雷震全集》（三五），同上註，頁三一四。

35 《雷震日記》（民國四十二年五月九日），見傅正主編，《雷震全集》（三五），同上註，頁七四。

《雷震日記》記載：「今日午間約來臺之《自由人》報有關各位來鄉午膳，除端木鑄秋、阮毅成、吳俊升、胡秋原外，到有十五人，即王新衡、樓桐孫、陶百川、張純鷗、陳訓悆、卜少夫、卜青茂、程滄波、范爭波、王雲五、成舍我、黃雪村、閻奉璋等及另約陳方。飯後討論雷嘯岑來函辭去社長職務一事，經決議慰留。」為此事，雷震感慨的說：「《自由人》發起人在臺者，不過十餘人，港方不過數人，兩方意見不合，終會扯垮。民主自由人士之不易合作，於此可見一班。」[36]

由於雷嘯岑堅決辭社長職務，八月一日，《自由人》在台同仁藉由茶敘機會，聽取甫自香港來台之劉百閔報告，劉謂：在港同仁意見為（一）、必須在港繼續出版。（二）、改推陳克文任社長。（三）、每月不足港幣八百元，在港有辦法可以籌得。王雲五說：「左舜生有信來，克文係其物色，本人絕對贊同。」眾亦皆表示贊成。但成舍我認為每月八百元之說，計算必有錯誤，至少每月亦需賠二千五百元，所以決定請王雲五再去函新社長，請重為估計。其實《自由人》經費之短絀，可由總其事的總編輯都不支薪一事更可看出，四十三年七月十日，左舜生自香港致函王雲五即說到：「弟意，自由人編輯者，原規定每月可支三百元，以舍我、百閔兩兄任編輯時，未支此款，後任編輯一年，亦即未支。」[37]如此窘境，要不是有台灣國府當局在幕後經費贊助，《自由人》三日刊能支撐八年餘，根本是不可能的。[38]

36 《雷震日記》（民國四十二年六月二日），見傅正主編，《雷震全集》（三五），同上註，頁八五。

37 〈左舜生致王雲五函〉，同註五，頁八二四。

38 雷震日記：「王雲五約『自由人』社在台同仁晚餐，以「自由人」在港經濟困難，重申移台出版，由成舍我任編輯之議。」《雷震日記》（民國

最後為文章之尺度問題，除上述言及《自由人》三日刊甫創刊即面臨稿源不濟的困難外，更麻煩的為自從接受政府補助後，基本上，《自由人》的言論立場在相當程度上已受政府箝制。以至於在很多議題上，不僅不能秉公立論、暢所欲言；且須為政府妝抹門面，極力辯解。稍一不慎，隨即惹禍，遭致抗議。如民國四十一年六月一日，「自由人」社王新衡即訪阮毅成，談話重點就說到，《自由人》最近兩期，刊載左舜生〈論中國未來的政黨〉一文，有人表示不滿。[39]為避免誤會，乃一起同訪王雲五，請其以董事長身份，致函香港總編輯成舍我，請其勿再刊出此類文字。[40]

雖係如此，但言論自由乃是知識份子的普世價值觀，用強制力約束是沒用的。果然到民國四十四年又發生更嚴重的文字賈禍事件，差一點讓《自由人》無法在台銷售。事緣於是年三月二十三日，王雲五即接到司法行政部部長谷鳳翔來函，表示《自由人》三日刊，登載雷嘯岑文章，影響政府信譽，要求王雲五代向該社方面解釋。全函內容為：「頃閱本月二十三日自由人刊載『自由談』及『半週展望』雷嘯岑先生文內謂，揚子公司貪污案牽涉本部，曷勝駭異，此種無稽之詞，殊足影響政府信譽，茲特寄上函稿二份，送請　察閱，並祈賜檢一份轉致雷君查明更正，仍乞代向該報社方面照拂解釋為幸。」[41]

由於《自由人》所刊文章得罪當道，引起了國民黨中央黨部對《自由人》言論的不滿。三月二十六日，時任《中央日報》社長，亦是「自由人」社同仁的阮毅成至中央黨部參加宣傳政策指導小組會議時，即受到中央黨部秘書長張厲生的警告：「香港《自由人》三日刊，近日言論記載，愈益離奇，須採取停止進口處分。」幸阮毅成趕快緩頰，除報告《自由人》艱難創辦經過外，並謂：「現在台北各同仁，久未與聞港事。王雲老曾去函港方，請以後勿再刊載不妥文字。又以所載台省情形，與事實相距甚遠，曾通知港方，以後遇有記載台省情形稿件，先行寄台複閱。認為可用者，方予刊布，亦未承照辦。惟自由人參加者，多為各方知名之人。如忽予停止進口，恐反而使海外人士，對政府有所批評。不如一面先採取警告程序，依照出版法，由內政部為之。一面通知在台之董事長王雲五氏，促其改組。如再有違反政府法令之事發生，則採取停止進口處分。」[42]

為此，是晚十時，阮氏尚先訪成舍我，說明會議經過；再與成同訪王雲五，報告此事。王雲五似乎對此頗為不悅，乃決定於三月三十日下午五時，在端木愷家中，約集「自由人」社在台全體同仁會商。在三月三十日的決議中，提到《自由人》的現實問題，「本刊如不能銷台，勢必停刊。為避免使政府蒙受摧殘言論之嫌，希望政府妥慎處理，使其能繼續出版。在台同仁，願意退出。惟在港同仁意見如何，亦盼政府遷與洽商。」並推阮毅成與許孝炎二人將此項決議，轉達黃少谷，另函告在港同仁。[43]

四十三年七月十一日），見傅正主編，《雷震全集》（三五），同註三二，頁三〇二。有關國民黨高層提供《自由人》之經費支援，尚可參閱〈對港澳政治活動之指示〉，見中國國民黨中央改造委員會第一六五次會議紀錄（一九五一年七月四日——附件），黨史會藏。

39 左舜生〈中國未來的政黨〉（上）、〈中國未來的政黨〉（下）二文分別發表在《自由人》第一二九期（民國四十一年五月二十八日）、《自由人》第一三〇期（民國四十一年五月三十一日）。

40 同註五，頁七七三。

41 雷嘯岑，〈半週展望〉，《自由人》第四二三期（民國四十四年三月二十三日）。雷文所寫之論揚子公司案，因涉及上海時期之揚子公司，對孔祥熙有所批評，遂奉命查辦。又〈谷鳳翔致王雲五函〉，同註五，頁八四七。

42 同註五，頁八四七～八四八。

43 同上註，頁八四九。

換言之，針對當局對《自由人》的不滿，「自由人」社在台同仁採取了委曲求全的態度，一方面願意退出，此舉可能有兩層深意，一為逼香港「自由人」社同仁，小心謹慎，莫再刊登批評政府之文章，否則與渠無關，二為多少有向政府交心之意，明哲保身，不想惹禍上身；再方面亦有請政府介入之意，希望儘量保留能讓《自由人》繼續在台銷售。[44]果然如此，四月七日，王雲五即致函總統府秘書長張群，說明「自由人」之情形，並建議將「自由人」社改組，由政府指定負責主持言論之人實行接辦。信的內容為：「惟是該刊經費本奇絀，全恃內銷而維持，一旦停止內銷，勢必停止刊行，外間不察，或不免對政府妄加揣測，弟愛護政府，耿耿此心，竊認為消極制裁，不如積極輔導，將該刊改組，由政府指定負責主持言論之人實行接辦，可變無用為有用，弟當力勸原發起各人，本擁護政府之初衷，竭誠合作。」[45]

一週後，以國民黨並無接手之意，在恐不能銷台的情況下，成舍我與王雲五、陶百川、徐道鄰、陳訓畬、程滄波、胡秋原、吳俊升、端木愷、黃雪村、阮毅成等決議：「茲因環境困難，經濟無法支持，決議停刊，由主席（王雲五）根據本決議徵求在港同人意見。」其後，在台同仁復在成舍我宅聚餐，決定在台同仁既已必須退出，而中央黨部又規定不得再與《香港時報》發生關聯，則無地可以印刷，亦無處可再欠印刷費。外界聞知中央處分，亦必不願再行認指，環境困難如此，只可宣布停刊。並請王雲五函詢港方同仁意見，如港方同仁堅持續辦，在台同仁自不能再行參加。[46]

由於文章得罪當局，以致有禁止銷台之聲，在港負責《自由人》編輯工作之陳克文旋致函阮毅成、王雲五等人，表示「咎衍實無可辭」，「自由人停止出版，唯覺可惜，形勢如此，亦復無可如何，文與左劉兩公對此均無成見，惟此間尚有其他股東，又年來出錢出力者，頗不乏人，此事似不宜由文等三人遽作決定，即為港方同人之全體意見，擬於最近邀集會議，提出報告，徵求多數意見，再作正式答覆。」[47]但不久，事情又有變化，四月二十九日，一向敢言的左舜生，終於自香港來函，明確表示反對《自由人》停刊，並謂在港「自由人」社同人決暫予維持。信中言：

> 「雲老賜鑒：四月七日阮毅成兄來信，並附有留台同人退出決議一紙，十八日奉　公手書，知同人復有集議，以經濟環境關係，主張停刊；均已誦悉。此間於當地環境，已洞悉無遺；對　公等所採態度，並無不能諒解之處。惟念同本刊宗旨，一面在『堅決反共』，一面在『爭取民主』，四年以來，奉此週旋，雖不無一、二開罪他人之處，但大體上並未

44 《自由人》三日刊，國民黨中央當指示「扶助」之，以批判中共，擁護政府並同情國民黨為原則。故該刊早期立場為中間偏右，後來對國民黨的批評言論日益激烈，台灣當局乃禁止其輸入，並停止所有經費資助。故《自由人》能否銷台，對該刊影響至鉅。萬麗鵑，〈一九五〇年代的中國第三勢力運動〉，同註四，頁一六四。

45 〈王雲五致總統府秘書長張群函〉，同註四三。

46 同註五，頁八五〇。有關王雲五在此問題之角色，阮毅成有相當持平之看法，阮說：「雲五先生名為董事長，出錢出力，卻不使範圍各黨及無黨人士，一定均作統一的宣傳，致反而完全成為俗套，失去向海外為政府說話的影響力。於是在發刊期中，常常發生選稿欠當的問題。每次有問題發生，雲五先生首當其衝，常為他人所不諒解，致生煩惱。臺港兩地同仁，為此書信往返，謀求各種補救辦法，效果均不甚彰。」阮毅成，〈王雲五先生與自由人三日刊〉，同註四，頁三六。

47 〈陳克文致王雲五、阮毅成信〉，同註五，頁八五一～八五二。

逾越範圍。今赤燄正復高張，而民主亦勢非實現不可；大約在二、三月內或有變化，前途殊未可知！故此間同人，經過再三考慮，仍決定暫予維持，並囑舜代為奉復，即乞轉達諸友為荷。公等即不得已而必須退出，仍望不遺在遠，隨時予以指導，除宗旨不能犧牲以外，同人無不樂於接受。海天遙望，曷勝悲憤憂念之至！」[48]

從此以後，《自由人》三日刊似乎終於渡過了這段風風雨雨的歲月，儘管港、台大多數「自由人」社同仁情誼依舊，但經費、稿源、立論尺度等問題仍在。《自由人》三日刊即帶此痼疾，跌跌撞撞的支撐八年餘，在民國四十八年九月十三日宣佈停刊。[49]

五、結論——從《自由人》到《自由報》

無論如何，在五〇年代那段風雨飄搖的歲月，《自由人》能以香江一隅之地，在內外環境相當險惡的情況下，擎起「我們要做自由人」的大旗，反抗共產極權，與中共做誓不兩立的言論鬥爭，其勇氣和決心仍另人刮目相看的。另一方面，《自由人》雖義無反顧的支持台灣國府當局，但在恨鐵不成鋼的期待心理下，對台灣當局若干錯誤的舉措，仍一本忠言逆耳之立場，毫不留情的提出批判或建言，即使在經費斷炊的威脅下，亦不為所動，這份苦心孤詣之意，也令吾人感佩。

而此即所以《自由人》在發行的八年餘中，雖屢有遷台之議，但大多數同仁始終仍以在香港立足為佳之看法，因其言論立場較客觀中立，雖稍偏向國府，但非無原則的一面倒，兼以香港為基地，較少政府、政黨色彩之觀感，且因對國、共雙方均有批評，是以其在香港作用較大之故也。當然《自由人》之悲劇，除上文已詳述之經費、稿源、言論立場受到制約等外緣因素外，尚有深一層內緣因素存在，此即中國傳統知識份子屬性使然。知識份子主性強的「書生本色」，誰也不服誰之個性，長落人「秀才造反，三年不成」之譏，因渠主觀意識強，所以容易堅持己見，是其所是，不大能夠為大局著想，且因自視太高，未能屈己就人，所以較乏團隊精神。

這情況在「自由人」社這批高級知識份子間亦是如此，雷嘯岑曾舉一事證明之，在《自由人》是否遷台之際，「王雲五以董事長資格，致函於我，囑將自由人報遷赴臺北發行，且將繳存港府的押金萬元一併匯去。旋由代董事長左舜生召集在港同仁會商，決議仍在香港出版，但在臺北的同仁，亦可刊行臺灣版，然王雲五很不高興，說我不以他為對象，悻悻然嘖有煩言，殊堪詫異。未幾，許孝炎由臺北回港，主張自由人停刊，他怕我不贊成，先囑我莫持異議，我表示無所謂，而自由人三日刊，即於一九五八年九月十二日宣告停刊了。現代中國高級知識份子之沒有團隊精神，於此又得一實驗的證明，曷勝慨嘆！」[50]所以當年左舜生在《自由人》創辦之初，樂觀的夸談「自由人」社同仁可以組織聯合政府，永遠合作無間之見解，雷嘯岑說，實係幼稚幻想。文人相輕，自古而然，《自由人》三日刊的緣起緣滅，依然落得一個「殺雞聚會，打狗散場」的結局，這也是中國現代高級知識份子的悲劇，想來仍不禁令人浩歎！[51]

48 〈左舜生致王雲五函〉，同上註。

49 雷嘯岑說為四十八年九月十二日停刊，恐有誤。雷嘯岑，《憂患餘生之自述》，同註二四，頁一八二。

50 同上註。

51 馬五，〈「自由人」之產生與夭折〉，同註一，頁二二〇。其實雷嘯岑自己亦如是，當《自由人》剛成立時，「大家的情感很融洽，精神上團結

《自由人》雖然走入歷史停刊了，但未及五個月，一份延續《自由人》餘波的《自由報》在民國四十九年二月十七日，另起爐灶又在香港創刊了。《自由報》社址位於香港銅鑼灣高士威道二十號四樓，也是採取半週刊（三日刊）的形式，於每個星期三、六發行。社長為雷嘯岑，督印人黃行奮，出版第一期有由以本社同人署名撰寫的〈我們的志願和立場〉為發刊詞。該文強調「我們是一群崇尚自由主義的文化工作者。對社會生活篤信『人是生而平等的』這項義理，珍重個人的人格尊嚴；對政治生活認定『政府是為人民而存在的』，要求基本人權之確立與保障。……我們膺受著共產極權主義的荼毒，深感國破家亡之痛苦，流落海隅，於茲十載，內心上大家不期然而然地具有強烈的愛國情操和政治理想，要從文化思想方面，努力培育民主自由精神，發揚其潛能，成為救國救民的偉大力量。職是之故，本報的言論方針是國家至上，民生第一，我們的立場是超黨派的。」[52]

簡言之，民主、自由、愛國、反共乃為《自由報》創刊之四大宗旨，嚴格而言，此宗旨仍是延續《自由人》三日刊的精神而來。阮毅成曾說：「後來，雷嘯岑兄在香港出版自由報，乃係另一新刊物，與原來的自由人，完全無關。」[53]此話恐有商榷之餘地。《自由報》在《自由人》的基礎上，發行至民國六十幾年才結束，期間刊布了《香港自由報二十年合集》、《自由報》合訂本、《自由報二十週年年鑑》，影響力不在《自由人》之下。

無間，對任何事體決無爾詐我虞，或以多數箝制少數的作風。我（雷嘯岑）當時曾聲言：假使憑這種精神組織『聯合政府』，擔當國家政務，國事沒有不振興的。」馬五先生著，《我的生活史》，同註一，頁一六一。

52 本社同人，〈我們的志願和立場〉，《自由報二十年合集》（一九）（香港：自由報社出版，民國六十年十月十日）。

53 阮毅成，〈「自由人」參加記〉，同註六，頁一八。

是人非人 壁壘分明

共黨之下，沒有人性

要做堂堂正正的人 經過這一個分析

香港德輔道中一四九號四樓
電話三二八二〇
自由人報社發行
編輯委員會
（以筆劃先後為次）
劉百閔 雷嘯岑 陶百川 彭昭賢 程滄波 陳石孚 許孝炎
張丕介 吳俊升 金侯城 成舍我 左舜生 王雲五 卜少夫
承印者：東南印務出版社
地址高士打道六四號
電話二〇八四八

我們需要那一種生活

試以人權宣言為標準將英美法的民主制與蘇德意的法西斯制互作比較（上）

王雲五

陳獨秀氏於其發表的最後意見，曾對（甲）英美及法國的民主制與（乙）俄德意的法西斯制作過一個很簡明的比較，計開：

甲．英美法民主制

（一）議會選舉由各黨（政府反對黨也在內）發布競選的政綱及演說，以迎合選民的要求，因為選民畢竟最後還有投票權。開會時有相當的討論爭辯。

（二）無法院命令，不能捕人殺人。

（三）政府的反對黨公開存在。

（四）思想，言論，出版相當自由。

（五）罷工本身非犯罪行為。

乙．俄德意法西斯制

（原注，蘇俄的政制是德意的老師，故列為一類）

（一）蘇維埃或國會選舉均由政府黨指定。開會時只有舉手，沒有爭辯。

（二）秘密政治警察可以任意捕人殺人。

（三）一國一黨，不容許別黨存在。

（四）思想，及言論出版，絕對不自由。

（五）絕對不許罷工，罷工即是犯罪。

用這樣簡短的文字把世界上兩種相反的政制比較得這樣明瞭，實值得我人的注意。但因其過於簡單，以致有些可供比較的原則還沒有括入，又因其限於原則，沒有將實例列入，加以俄國集團中崛起的中共，在陳氏逝世時正從事於偽裝的宣傳與表演，沒有像目前的原形畢露，而德意的法西斯制在目前已成為過去，所以我略仿陳氏之意，另作一種現實的而在可能時附入實例的比較。我所擬比較的兩集團，甲方為英美法等民主國家，乙方為蘇俄與其東歐各衛星國，並包括中共的偽政權，比較的對象為生息於這兩集團中的人民的生活。

作為這種比較的項目，莫如根據一九四八年十二月十日聯合國大會通過的世界人權宣言規定。此一宣言的內容經過了兩年半的研討而後起草，把世界各民主國家的憲法和習慣所包括的人權悉數括入。在提付表決時，除蘇俄集團之六國及南非與沙地阿剌伯棄權外，以四十八對零票而通過，足見除蘇俄集團及一二有特殊情形的國家外，所有聯合國會員國已一致贊同，然蘇俄集團也怵於公論，縱因不願贊同而棄權，卻也不敢公然投反對票。查該宣言所包括的人權，計有下列各項；（一）一切人類生而自由，其地位與權利平等；（二）個人對於生命，自由與安全的權利；（三）在法律之前人人平等，（四）免受武斷的逮捕拘禁或放逐的自由；（五）受獨立的公正的法院審判的權利；（六）刑事嫌疑人在證實有罪以前視同無罪；（七）私人秘密，家庭，住宅或通信免受武斷的干涉之自由；（八）在國境內遷徙與居住的自由；（九）享有國籍與變更國籍的權利；（十）互為婚姻與成立家庭的權利；（十一）婚姻絕對依未來配偶之自由與完全的同意；（十二）獨自享有財產或與他人共有財產的權利；（十三）思想良心與宗教的自由，及意見與其發表自由的權利；（十四）和平集會與結社的權利；（十五）直接的或經由自由選舉的代表參加政府的權利；（十六）用秘密投票的普遍平等選舉權；（十七）社會安全的權利，工作的權利，對於職業的自由選擇權，對於工作上公平而優惠的條件，與對於失業的保障；（十八）同工同酬的權利與組織及加入工會的權利；（十九）休息休閒及適當生活標準的權利。

現就上開十九種人權中之較重要而具體者，（編者按：（二）（六）（九）（一一）（一六）（一七）（一九）等項，其意義或可與他項參證，或重要性較減，故作者未逐一列舉比較）按英美法集團（以下省稱甲）及蘇俄集團（以下省稱乙）互為比較，間附實例。

（下接第四版）

還我自由 開始新生

半週展望

冷眼看巴黎會議 妙論將層出不窮

斗罵是最大收穫

究竟誰是傻瓜

（舍我）

對日和約與東方

（滄波）

韓戰前途

（一）

看樣子，韓戰似乎是一定要延續下去的了。在戰場上的兩出兩進，雙方傷亡的情況究竟如何？雖然報紙每天都有數字公布，但不一定完全可靠，而且天天都在變動中。大致說來，聯軍與中韓共軍傷亡比率爲一與十之比，可能性是很大的。換言之，即聯軍傷亡到六萬左右，共軍便可能殺到六十萬。這個比率也不是一成不變的，只要殺人的武器有變，傷亡的比率即隨之而變。假如蘇聯看人力的保全重於武器的節約，則看未來傷亡數字的比例加大，共軍也許依然可能。但共軍經過最近的慘敗，減低死亡率之戰術的運用，[illegible]武器掉換呢？待不如人，蘇聯又不敢用中韓以外的共軍，然好變參加，則在亞洲的戰場，蘇聯決不會限於韓國一處。已可斷言，在運用中韓共軍，當去年六月史太林在亞洲發動韓戰的時候，原沒有目的開始演變爲大戰的意思，也沒有自己出馬的打算，經過這八個月以來的演變，韓國戰場已成大戰主要的一環，加上台灣的加強，非日本在同一時間以同等力量應付不可，未來對歐對亞，凡此都是由蘇聯的再起，太平洋公約的訂立，都是非，蘇聯的長短如此。於美國在韓國戰場堅持不退，極權國家失敗的命運，已經確定。大戰時間的長短，如強權國家的成功，不管未來大戰已經確定。

（二）日德再起

杜爾斯東來的使命完成，將於返抵華府以後，即着手對日和約的草擬；同時由於去年九月英美法三國外長會議的結果，西德政府也將於最近期內恢復其外交主權，其進一步爲武裝重建，亦屬既定的事實。

對世界人類侵略者的領導人史太林，他顯然看見這個趨勢已經大大的着惱，但他目前可能採取的步驟卻只有兩着：其一是對美國這一個將完成而尚未完成的，立即先發制人，加以無情的打擊，[illegible]

時局漫談

左舜生

今年中共總預算　共需美金四十億

一九五〇年九月中共財政收支概算，據一九五一年二月四日中共財政部長薄一波列舉總收入…

中共如此好戰　決無理由不敗

有許多財政經濟的數字作證

——傾家蕩產爲蘇聯火中拾栗——

張丕介

中共介入韓戰以後，一方面掀起「抗美援朝」的狂潮，指「美帝」爲「紙老虎」，以自壯聲威，一方面加緊全面動員，進一步厲行搜括，以張羅戰費。據麥帥去年年底宣稱，一九五一年中共的戰費預算，將達銀元八十億，折合戰前幣值爲美金四十億。這一數字若與美國五百億元的軍事預算相較，自屬渺不足道，但在中國財政史上，則爲空前未有的紀錄。不僅充分顯露中共傾家蕩產以進行軍事冒險替蘇聯火中拾栗的決心，同時更象徵着中共經濟，將隨大戰的進行而趨於崩潰。

月中旬宣佈進入緊急狀態後，即提增至五百億元，增加幾達四倍。因此，今年中共預算，經提高至四十億美元，較去年增加百分之七十五，但衡以近半年來中共軍事行動的頻仍和廣泛，這一數額，應絕無誇大之可言。

稅收方面，由於大陸工商業的頹敗蕭條，及各處躲稅，逃稅，拖欠更成爲普通現象。八月上海從易手欠稅達八百七十二萬五千餘戶，廣州欠稅情形更爲嚴重，據穗共統計，到去年十二月初，共達五百餘億元，共雖運用鐵腕，以拍賣，封鋪，拉人爲要挾，終無法遏止拖欠現象。這並不是

大陸商民的「刁頑」，而是一般工商業對租稅的負擔力，已抵達了最高的極限。

各方面羅掘已盡　再壓迫必起民變

去年中共對戰費的籌措，已搜括殆盡之能事，其主要財源爲「三徵一稅」，三徵爲徵收公糧…

假如韓戰拖下去　軍費年需五十億

中共的懷惶　夢醒無法下床

丁公

駝鳥式自我麻醉

尼赫魯注定倒台

印度建國週年總檢討

（上）

●程滄波●

印度共和國是去年一月正式成立的，到現在這一個新邦恰恰過了一週年。一年來世界局勢在空前的震盪中，這一個新邦的遭遇，當然不能離開整個世界形勢的支配。印度共和國一年來的真相是相當困惱的，這種困惱，可分成對內對外兩方面來講，先講對內，印度國內一年來所遭的天災是十分嚴重，地震，水災，旱災，在印度境內不斷地普遍地侵襲着各處。天災造成印度農產品收獲的重大損害，印度的民食，現在完全要靠外國的輸入來維持，在本年（一九五一年）的估計中，她除非能由國外輸入六百萬噸糧食，今年全國各地的災荒情形是十分可怕。這一個問題，是印度當前的大問題，戰後英國人民的生活水準，據許多英國人的考察，印度人民現在的生活水準，原來已十分降低，可是印度人民今天的生活水準，還不及英國人民六分之一，災荒對人民的生活水準，更有壓倒的降低的壓力。災荒可以釀成民間普遍的不滿與騷動，而那種狀態，正是培養共產主義的酵素。

國大陸，在軍事方所我顧弊，印度新邦今天外來的軍事威脅並不比國內的糧食問題性質稍覺輕鬆，不過在表面上還未十分顯露罷了，現在印度只是一個駝鳥式的自

親者所痛　仇者稱快

脫離西方　如何中立

迫老闆出錢　騙青年送命

踴躍參軍・眞相如此　有報爲憑・如假包換

（大哀）

是否能一掃關門猜疑 台灣正醞釀聯合陣線

——雷震等到港內幕所聞如此——

兩文先後發表 號召聯合反共

由胡適出名，雷震主辦的「自由中國」，於今年一月十六日發表了「建立聯合陣綫正是時候了」一篇論文，這在台北，相當引起了人們的注意……

雷震與洪蘭友 赴港任務有二

雷震到港不久，洪蘭友也繼續前往，他們究負有何種任務，此間人士，還是不知道……

廬山談話辦法 或將再度上演

反共只有鼓勵 拆台從無此說

「老共」騙術在香港 三幕慕慕失敗

曾向東北某前主任騙到千餘元 最近則手法失靈到處碰壁

香港是「東方之珠」，珠寶之鄉，撈家自然不少。香港又是「民主窗櫥」，民主之地，更有各形各色的民主自由人士，其間，而以號稱世界最民主革命的「人民民主」份子尤爲活躍，本傳奇的主角即是其中之一。

以某部長爲對象 請代籌旅館欠費

他有時姓葉，有時又姓孫，百家姓中之任何一字，……

以某社長爲對象 出示周恩來手令

以台灣客爲對象 願出賣中共秘密

鐵幕叢談

殺光民族資本家 浙「主席」譚震林有此預言

切勿請名人題簽 要追究與李濟琛等有何關係

袁衛陽

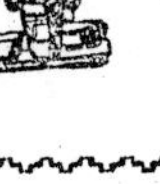

考古家被迫下跪

衛先生逃出重慶

張文黑公禮讚詞
—一頁將軍靠攏史—
諸葛文侯

客有自北平來者，為述張將軍文黑公近事[illegible]

當年西北王的氣派不見了。巍巍乎矗立於迪化市區的昔日官邸「長官大樓」，已經另有主人。怨不接篤，「請看待人者，人亦待其人」，將軍只好垂首抱懷，走入往時自己所設備以招待二三流來賓的招待所下榻，好一派淒涼光景也！繼至蘭州，坐席未煖，「人民」指其過去駐節的華屋，是為「反動份子」某某的地皮，何「反動派」某某所營造，「張軍政長官」所添設，另有三輛汽車，都是盜竊人民財產，營私享受的官僚資本，要與清算之師。將軍急得一佛出世，氣得二佛涅槃，忍氣吞聲，往懇於彭大將軍，自願決不入駐舊居，且即將此全部「人民」財產，捐作「中蘇友好協會」的會址，但乞「人民」免開清算尊口。幸好彭大將軍尚未使用唯物辯證法，多少表示了一點溫情主義，准予勸告「人民」，不為已甚，好一幕驚險鏡頭也！將軍奔馳西陲，既辛勞，又悶氣。遄返北平，以為當蒙主恩，重有新命。詎知福無雙至，禍不單行，故鄉的「革命人民」，以厲行土改，連電促將軍還鄉坦白，將軍大恐，急求救於政務總理，乞取恩惠。來臨，總理固不敢開罪「人民」的，頗憐將軍之窘，乃復電「人民」，說將軍正有緊要任務在身，馬上不能回鄉，請稍假時日，再行歸去。「人民」雖看在總理面上，姑予寬限，但仍要將軍把限期自行約定見告，以免延誤土改大事。將軍至今憂悶寡歡，回去既了不得，不回又不得了，思想起來，好不愁煞人也！

不過，將軍素來善言革命的，這些滋味，都是「革命過程中應有的陣痛」，應該大力忍受，無所容心。況有經「美帝」作育歸來的巾幗女丈夫，頗邀垂眷，自有承恩之日，如是，區區不揣謭陋，再拜而為將軍恭獻禮讚詞，以慰之曰：

人民民主眞正巧，把戲知多少？故鄉土改鬥爭中，西北不堪回首，靠疏通！「夫人萬歲」聲猶在，只是沒人睬。將軍休要嘆窮途，幸有隨身瓌寶，一靈珠。

西德突被侵略 英請譴責蘇聯
美代表反對多促通過

情景逼眞原來是英國「經濟學人」的一篇幽默通訊

當譴責中共侵略的提案，在聯合國中討論時，英代表的初期態度，不特美國人深為憤慨，即正義感比較豐富的英國人士也異常不滿。一月廿七日英國「經濟學人」發表了一篇幽默通訊。牠假設，蘇聯侵入了西德，英代表向聯合國提出譴責蘇聯侵略案，美國代表力主慎重，不肯迅予通過。通訊中描寫英代表焦急如焚，美代表幽閒自在，恰恰將這次聯合國中討論中共侵略案情景，倒轉過來。英國實際政治家的功利主義，究竟不能完全抹煞盎格魯撒克遜民族的正義呼聲。因此，我們特為譯出，以餉讀者……」

停火案在聯合國的辯論

一九五二年一月廿二日成功湖通訊

自聯合國軍隊，在波恩 Bonn 撤退以後，大會意見傾向贊同美國的主張，認為要恢復歐洲和平，必須共同放棄德國。英代表傑伯爵士，繼續力爭，請大會通過指斥蘇聯為侵略國，如大會對蘇聯進攻西德的侵略行為，拒絕予以指責，那末聯合國的目的，將被全部歪曲。美代表奧斯汀對此仍保持審慎的態度，認為太快決定行動，並非和平之福，希望大家對最後的反提案，需要一時間作慎重考慮。

[illegible] ULBRICHT [illegible]

蘇聯參加為條件。英國在德國作戰中，已傷亡五萬餘人，輿論大為焦急，猛烈抨擊政府，對國內政策的無能，英首相指出，皇家空軍因沒有聯合國的決定，不能越過英國劃區，施行轟炸，但一般的看法表示，要求聯合國指斥蘇聯為侵略國，認為一時尚無實現的可能。

華盛頓有關方面意見，似仍在譴責的避免，更戰爭繼續擴大，認為英國頑固的舉動，及其舊帝國傳統的好戰心理，應負此次歐洲事變的責任，國務院尚未放棄分化蘇聯與中國的希望，反對一切可以激使史達林投入毛澤東懷抱的政策。

參議員倍布普 BEBOP 在聖那地（CINCINATI）發表重要演說，在演詞中警告美國人民：阿拉斯加，日本，與菲律賓。隨時可以有中國與蘇聯攻擊的危險，不應使美國軍隊絆住在歐洲，他說：艾森豪威爾元帥的行動，似乎無人能夠加以控制，這是一件不幸的事情，當他把東德侵略軍隊，逐出劃區的時候，對於蘇聯的加入戰爭，恢復和平，顯然完全估計錯誤。[illegible]

北京[illegible]河[illegible]CHIN[illegible]維辛斯基[illegible]「停火決定」[illegible]

馮華譯

強笑集
—鐵幕中的幽默—

史太林照片

一個蘇聯人想偷渡過蘇聯邊境，受另一個國家的警察全身搜查和盤詢。

「這是什麼？」警察問，拿着他行李的一瓶藥片。

「噢，這是治頭痛的。」

「這又是什麼？」警察看到了另一瓶藥片。

「我牙痛時服的。」

警察接着搜出一張史太林的相片，問道：「這個呢？」

那俄人說：「是用來治思鄉病的。」

亞當夏娃在蘇聯

巴黎有許多人這樣傳說：馬倫柯夫一天向史太林報告，亞當和夏娃已被證實是俄人。

「要是我們這樣宣佈的時候，美國之音卻說，這祇是我們的宣傳。」史太林問：「我們能拿得出什麼確定的證據？」

馬倫柯夫回答：「這最容易也沒有了！我們的證據是最可靠。因為據聖經說：亞當和夏娃不穿衣服，沒有居室，他們所吃的，祇是蘋果……而他們自以為處身於天堂。這樣的生活，除俄國人外沒有什麼別的國度，可以比擬。」

（周明譯自讀者文摘二月號）

試驗中之新武器
雪泥

×……飛碟原名天鈎……×

飛碟的謎，雖有過不少傳說，但直到最近，才從美國海軍研究機關的首席核子物理學家烏納李德爾博士，得到一個確切的解答。

李氏說，所謂飛碟，實際上是海軍方面，于一九四七年送上天空的巨大塑膠汽球，叫做天鈎（SKYHOOK），帶有電子儀器，用以測驗宇宙線。當這一百呎大的汽球愈升愈高（最高可達十九英哩），因空氣稀薄而膨漲，並為高空的風所推動，時速可達二百英哩。故從底下看來，尤其是當汽球底下有反射光的時候，恰恰像一個巨大的「碟」。

李氏又說，在一九四八年，有一架美空軍駕駛的天鈎，在肯特基（KENTUCKY）上空失事墮毀。他解釋說：當這計劃開始時嚴守祕密，不過現在已無再守大家在其中摸索之必要了。

一九四九年，空軍方面曾派出很多天鈎，此即為飛碟謠言最盛的主要來源。但因為種種理由，從未有人曾經解釋這天鈎在高空時的形狀，並給與照片證明。

×……華克小哈叭狗……×

旬日前，以在阿貝登（ABERDEEN）試驗區，杜魯門總統曾檢閱美國的最新武器，詳情尚未透露，據說，主要有下列三種：

（一）步槍：輕量的（30CAL. T—25）具有巨大火力，（每分鐘七百五十發），較標準步槍輕二磅半。此種T—25使用二十發彈夾，亦可單放，能自動發射，亦可代替卡賓及步槍，不獨可代替機槍，如能獲得較好槍筒，甚至亦可代替最可靠而少嫌過重（十九磅）的白朗寧自動步槍。

（二）機槍：一種（60CAL.）空氣冷卻的武器，具有此種同型槍枝的最高發射速率，可在距離甚遠之處，用電控制發射。如槍手于發射時暴露目標，可另找一極好掩蔽處繼續發射。另一優點，即槍身可以拆下換上一20M.M.的槍身。

（三）坦克：新T—41型為軍方認為世界最好的輕型坦克，因設計作為運用靈巧的巡邏和偵察車，故時速超過四十英哩。一架帶有自動轉彎的空氣冷卻機，由簡單的控制桿，加以運轉。它的高速度口徑76m.m.的機槍，組成熾烈火網，并且裝有迴轉描準器，故發射極為準確，全部僅重二十五噸八，可用飛機載運。陸軍參謀長柯林斯於杜魯門總統檢閱時，將這新型坦克，正式命名為華克哈叭狗，以紀念韓戰中因吉普車失事殉職的第八軍軍長華克（他生時綽號小叭狗）。柯林斯承認最初在韓國的輕型坦克不能抵敵蘇聯T—34中型坦克，但他很堅決的說：「我敢斷言這新的小東西，一定能夠勝任愉快」。

×……原子潛艇……×

海軍方面最[illegible]美的憧憬，即為製造一艘眞正潛艇，一艘水底下船隻，永遠不要為了充電而浮出水面，並且不需要像斯諾克爾的呼吸管設備。上週有許多主要跡象顯示，眞正潛艇將有實現的可能。原子能委員會麟模納派克說：吾人企圖從原子爆裂獲得巨大的能，以設計建造一海軍潛艇的動力廠。兩件實用而昂貴的滑艇推進器械的設計，已實際完成，其中之一，並已部份開始製造。不出數年，定可在一艘眞正潛艇上開始工作。

酬邵鏡人
劉百閔

結廬在人境，種竹欲凌煙：蔓草春來長，寒流澗底涓：聞雞聲不惡，觀物君獨賢：（邵堯夫有觀物篇）芻狗論天地，無言祇悄然。

除夕憶母弟
劉百閔

老憶鄉關怯歲殘，梅花無信報平安；誰家此夕猶燒臘，幾處收山正揭竿；待罪羔羊心躑躅，倚閭霜雪淚闌干；太平可望依天地，春草明年共笑歡。

我們需要那一種生活
上接第一版：王雲五著

（二）個人對於生命，自由與安全的權利

（甲）在民主國家，此項權利為一切人權之母，最被重視。非依法律規定的逮捕或審判，不得束縛人的自由；非依法律的及慎重的審判，不得剝奪人的生命權。工廠礦廠儘可能為工人安全，作種種適當的措施。

（乙）在蘇俄集團中，特務警察不依法律，隨時可以束縛人民的自由；又不經法院審判，得以祕密處決的方式剝奪無數人的生命權。間有為裝點面子計，舉行公開審判，然被告供詞皆於特務警察拘押中私刑勒迫而成。

（三）在法律之前人人平等的權利

（甲）英美兩國不但無一人在法律之上，而且全國人民，不論為富為貴，為貧為賤，一律受治於普通法律，並受同樣的普通法院所管轄。政府官吏無論以私人資格，或以執行公務之資格，如有違法越權之行為，一律與平民受同樣的普通法院管轄，及同樣的普通法所制裁。法國雖專為官吏制定行政法，及設置行政法院，表面似與在法律之前人人平等稍異；然此特為官吏執行公務時之行政訴訟而設，至於一般人民及官吏私人資格的行為，仍受治於普通法律與普通法院，與英美尚無大差別，究不失為大體的平等。

（乙）蘇俄與其衛星國的法律均成具文，一切可由特務警察任意處置；中共偽政權於其侵占我國大陸各地時，立即廢止我國施行多年之全部法典，邦未代以其他法律，更可謂無法的政權。這些國家與政權根本上談不到法律，其司法機構，皆唯共黨幹部之命令是從，根本上不成其為法院，故對於法律之前人人平等一條件，相距不可以道里計。

（四）免受武斷的逮捕拘禁或流放的自由

（甲）提審法為盎格魯撒克遜民族的發明，亦即英國憲政的始基；此制流布甚廣，迄今所有立憲國家對於人權為保障，莫不利用提審法，即凡因犯罪嫌疑而被逮捕拘禁者，本人或他人均得聲請法院於若干小時內提審，如果有罪嫌者，必須依照法律規定，方可繼續拘禁與制裁處刑，無罪嫌者並應立予釋放。流放當然亦須有法律根據，並依法辦理。

（乙）蘇俄的特務警察無需搜查狀或逮捕狀，任何房屋，得搜查之；任何人或認為應行預防逮捕，以預其認可為有犯罪嫌疑之人，得逮捕之；又不依法律手續，可將被逮捕者無限期拘禁，又不經審判，可以無限期的流放於遼遠的集中營，令服無限期的奴役。其衛星國如保加利亞者，竟公然以法令規定「任何人散布謠言，足以解釋為惡意或虛偽者，得不經任何法律程序而處以勞動營中的勞役」。又其刑事法典中，公然否認「刑事犯無明文規定者不為罪」的原則，而規定祇要其人的行為「被認為類似於刑法所規定之另一罪名，即可處以刑罰」。中共偽政權後來居上，近來更變本加厲，對我國大陸上的人民任意逮捕拘禁流放與殺戮，不可勝計，凡無故失蹤者，其命運即在不可知之數，與蘇俄境內同一型式，或且有過之無不及。

（五）受獨立的公正的法院審判的權利

（甲）司法獨立為立憲國不易的原則，然實際上的獨立與公正程度各有不同，要皆以此為鵠的。

（乙）法院祇是特務警察的直接工具，也就是共黨的間接工具，無所謂獨立，更談不到公正與否。

（六）私人秘密，家庭，住宅或通信免受武斷干涉的自由

（甲）私人家宅認為不可侵犯，通信祕密，關係個人自由，盎格魯撒克遜民族對此特別重視。除犯有刑事嫌疑者由法院頒發搜查狀外，非經本人同意不得入家宅；除由國家宣布戒嚴外，不得干涉通信自由。

（乙）侵入家宅，檢查通信，視為家常便飯。

（七）在國境內遷徙居住的自由

（甲）此在平時是絕無例外的自由。

（乙）蘇俄境內，平時人民遷徙與選擇住所的自由，均受政府控制。政府有權，而且往往實行，命令其人民離開家宅，遷往國中另一地點，而不顧此命令所釀成的痛苦。蘇俄為發展其新近攫取的領土，迫令無數人民離開家，遠徙於亞洲中部北部或東部的荒涼地區。蘇俄政府縱然對此事力守祕密，然據確實消息，千千萬萬的立陶宛，拉特維亞，愛沙尼亞人民，被迫向東遷徙，猶太人之被迫遷徙者，據一九四九年十月美國政府宣布，約有一萬七千名被流放於高加索地區。所有被迫遷徙者事前都未接到預告，臨時被驅入運牛的火車，經一二星期的行程後，復被強卸於鐵路旁邊，露宿多日，才分配到各集體農場服役。至於人民自動願由一地遷往他地者，非將所持國內通行護照呈送主管官署核准蓋印，絕對不能前往他地。中共偽政權的境內通行必需路條，雖然還沒有蘇俄那般周密，性質也正相同，至其強徵各地丁壯移往東北，並聞有遣送西伯利亞服勞役者不少，則又已步蘇俄的後塵了。

自由人

THE FREEMAN

（半週刊每星期三六出版）

每份零售港幣壹毫半

（第二期）

督印人：梁大成

社址　香港德輔道中一一四九號四樓　電話三二八二〇

自由人報社發行

對日和約的我見

日本與自由中國應同時參加太平洋公約

左舜生

抗日的時間，以中國爲最長，所吃苦頭，以中國爲最大。自一九四五年八月日本投降以迄今日，經過的時間，已經是五年又七個月，我們回想在抗日期間所遭受的種種，實在是感慨萬端。

在這五年半以上的時間，日本以一戰敗國的地位，得着美國的提攜保育，除軍事一點以外，幾乎一切已恢復常態，而人民勤奮有加，工業製造力之強，更爲舉世所屬目。我們細看他們若干領導人物的言論與行動，也大率小心謹慎，處處以復興國家爲念，更隨時表現他們對與論的尊重。麥克阿瑟告杜爾斯說：

『日本人民已獲得恢復在自由國家社會中的平等地位的權利。』

我相信他這個判斷並不是對日本作一種泛泛的恭維，而確有其事實的根據。

現在民主與共產兩壁壘的形勢，已一天天趨於緊迫，美國以民主國家的領導者自任，其態度之公正與實力之雄厚，確實也沒有任何其他國家能與之爭。可是美國知道共產集團決非易與，未來戰爭的慘烈，八個月的韓戰經驗，已可認識一斑。因此她在歐亞兩方加緊布置之中，乃不勝其嚶鳴求友之意。

推行的民主教育，二十億美元的經濟扶持，在韓戰中美國更不惜重大犧牲，對侵略者作有效的抵抗，均足使日本人民對美國增加無限的希望與信心。因此美國要在亞洲找一個有力而可靠的朋友，當然以日本爲首選，自屬毫無疑義。

本月一日，杜爾斯在華盛頓發表了一篇重要的廣播演說，報告他最近與日本及菲澳紐三國的接洽經過，對日本可以說是揄揚備至，體貼入微，其認識之週到，措辭之得體，確實表現了一個政治家的風度。現在他已着手爲對日和約的起草，雖說前途的困難，還是很多，可是美國對於這樣一個既定的國策，必將排除萬難以求貫澈到底。

美空軍第十八戰鬥轟炸中隊韓戰出擊第一萬次紀錄

勾銷過去　從頭做起

我們對於對日和約的看法，自來是抱定一種寬大的尺度的。因爲回想過去八年的抗戰，乃至追溯已往七十年間所表現於中日關係的一切，我們誠然不免要痛定思痛；可是基於人類的福祉，基於民主國家的集體安全，乃至基於中日兩國有識人士的澈底覺醒，而假定未來的中日關係未嘗不能找出一個根本的改善之道，我們依然願意把已往種種，一筆勾銷，未來種種，從頭做起。

依照美國關於簽訂對日和約所預定的種種步驟，似乎覺得自由中國對此一事件的態度如何，根本可以置之不議不論之列，這實在是一個嚴重的錯誤。因爲對日簽訂的和約之有無意義，必須看能否以國際共同力量改造中國的現狀爲前提，否則即令若干關係國家，分別的或集體的與日本恢復了正常關係，甚至一個確保太平洋集體安全的公約也能繼續實現，只要整個中國大陸依然陷於蘇聯的勢力支配之下，則一切工作皆將等於徒勞。假定美國所以急於與日本訂立和約的原因之一，乃在期待日本爲參與恢復亞洲秩序工作的一員，則未來中日關係，及其相互間的義務，更不能不於和約中明白規定，以杜絕將來可能的紛擾。基于上述理由，我們願意在這裏提出如下的若干與日約有關的基本原則：

基本原則　共十四點

（一）日本宜絕對拋棄「獨善」觀念，對改造遠東局勢可能的貢獻，提出切實的保證，以促成和約的順利進行。

（二）日本宜充分了解目前遠東一般情況之激成惡化，係由於日本一九三七年所發動侵略中國的戰爭而來，以加強其責任感。

（三）我們贊成關係國家分別與日本簽訂和約，但不受美日和約之任何拘束。

（四）除台灣與朝鮮在過去確係由日本侵略而得，應絕對保持現狀，不得變更以外，關於日本恢復其他領土一點，千島、庫頁島、琉球群島，以及小笠原群島在內，我們不願表示反對的意見。

（五）放棄賠償。

（六）贊成於適當時期，許日本加入聯合國。

（七）日本宜與自由中國同時參加太平洋公約。

（八）日本武裝的重建，須與太平洋公約國求得適當的配合，以加強集體安全的保障。

（九）在日本自衛力量及太平洋公約集體安全未達到適當程度以前，我們不反對美國在日本繼續駐軍，並運用若干海空軍基地。

（十）日本得與各民主國家分別締定平等互惠的通商條約。

（十一）除與日本軍需工業的發展有直接關係的部門，須與太平洋公約國講求適當的配合以外，其餘不受限制。

（十二）關於日本工業原料的取得，簽約國宜予以同情的考慮。

（十三）關於日本過剩人口的和平移殖，太平洋公約國宜加以適當的安排。

（十四）中日兩國關於技術合作與知識交換，在中日和約中宜有明文的規定。[illegible]

共產中毒還不太深

日本目前在亞洲所處的地位，算是一個和平統一，潛力甚大，而共產中毒還不太深的國家；擁有八千三百萬的人口，其可能提供的壯丁數字爲八百萬至一千萬；加以麥帥五年以來所[illegible]

蘇俄帝國瓦解先兆

林詩

[illegible]

自由世界兩套法寶

[illegible]

捷總統女婿被捕

[illegible]

東歐附庸更難控制

[illegible]

沈鈞儒之子在滬瘐斃獄中

僞最高法院院長沈鈞儒，四子一女，女嫁范長江，嫁時，范尚爲一窮記者，其後，范在中共的宣傳官中，地位益崇，外遇亦多，而夫婦勃谿亦益甚，沈以范與中共關係，較已親切，雖不値范所爲，然亦無可如何也。三子均早經[illegible]，在僞府各有一官半職，惟第二子因曾留學德國習兵工，歸國後，任職於國府所屬兵工機關，且平時對中共深感不滿，故父雖貴爲僞院長，渠則不見容於中共。京滬淪陷後，始終困居上海，[illegible]某案牽涉被捕，據最近消息，此雖僞院長之第二公子，[illegible]法營救，迄無效果。渠原娶一德女爲妻，被捕未久，亦告失蹤。入獄後，中共多方陵虐，結果，竟於旬日前瘐斃獄中。按中共對所謂民主人士之有關親屬，用法特嚴，所以如此，一則向民主人士示威，俾不敢自恃高位，[illegible]，一則使彼[illegible]大人物，尚不能庇其親族，芸芸衆生，自然只能聽其宰割，萬難倖邀寬典也。（默）

半週展望

大反攻有其必要

中共大反攻，似乎即將開始。反攻，就中共說，確乎有其必要。即除開任何理由不談，單從救救中共的宣傳機關一點着眼，也萬萬不容再緩。因爲這幾十天來，不特殲滅美軍的頭條大字標題，早已絕跡於中共報紙，即一切有關韓戰消息，也幾至一字不提。「韓戰」，在中共報紙失蹤了。關在鐵幕中的羔羊們，固然不敢東探西問，但至少他們腦筋總會這樣想，如果打了勝仗，爲什麼以宣傳起家的中共卻如此作風突變，裝聾作啞，諱莫如深？何況另一方面，還可以冒着危險，有美國之聲，可以偷聽。昨晚的最後廣播，就說：八日麥帥公報，在過去二十四小時內，共軍死傷，爲整個韓國戰役中最重大的一次，連同俘虜，總數爲五千二百五十名。

所以，我說：爲救救中共的「宣傳」頹勢，大反攻確有必要。（舍我）

人力是否眞無窮？

中共自詡人力無窮，即使這句話是眞的，鐵幕內的羔羊，可以源源不絕，被驅上屠場，但是第一，補充了陣亡的一百萬甚至一千萬人，是否就還另有一百萬人甚至一千萬人的裝備，在那裏儲存着，如果沒有，試問赤手空拳，除非眞有像義和團時代的神符，又何從與大砲、飛機、坦克、汽油彈對抗？第二，補充了陣亡的一百萬人甚至一千萬人的傷亡，是否就還另有足以領導這一百萬人甚至一千萬人訓練有素的下級幹部，如果沒有，試問這些剛從農村，市場，或高中初中趕上屠場的各個羔羊，見了大砲、飛機、坦克、汽油彈，如何能不魂飛魄散，漫山遍野，四散逃命。「人力無窮」，必須先答復了這兩個問題，然後才有牠存在的價值！（舍我）

德欽努的中立論

緬甸總理德欽努大談其中立政策，說緬甸不願作任何東西集團國家的附庸。又說中共不是帝國主義者，可與建立友好關係。其言甚壯，其意若誠。自古以來，眞正能夠中立的國家，如果不是自身有足夠自衛的武力，即是那國家在地緣政治上並無絲毫價值可言。否則，談中立，越是受禍無窮的。尤其在交通發達，地球距離縮小，金融資本勢力衝破了任何民族藩籬的今日，談中立，乃是愚昧不切實際的烏托邦夢想！二次大戰期間，緬甸當政者亦說過「寧願與魔鬼交往，不願和天使接近」的話，表示要投入「大東亞共榮圈」，如今又強調跟中共友好，這可說都是從民族思想出發的一種錯覺。民族主義原是落後地區人民爭取獨立自主的興奮劑，若應用失當，便足以亡國戕生，緬甸當局很有這種危險哩！（嘯岑）

從貝文戀棧說起

英外相貝文辭職否？新聞報導與官方公報還是兩歧。看形勢，貝文雖在病後，前天還出席閣議一次，但他的下台，只是時間問題了。一個外相的去留，經過全國輿論一年多的抨擊與迫促[illegible]（滄波）

介紹「德國獨立勞工黨」

——一個反抗克里姆林宮的新共產黨

許孝炎

在德國鐵幕的內外，現在已產生一個反克里姆林宮的新共產黨。總部設在魯爾區的杜塞爾道夫，領袖是德國共產黨機關報「自由人民報」的前任副總編輯，約瑟夫沙白（JOSEF SCHAPPE）。

這一個新黨的正式名稱，為「德國獨立勞工黨」（INDEPENDENT GERMAN WORKERS'S PARTY），雖然成立不久，但它的勢力似乎在一天天的擴張。它辦了一張規模相當大的報紙，並且經常在魯爾工人區散發很多的傳單，小冊子，及其他各種宣傳品。宣傳的重心，着重在脫離莫斯科的羈絆，反對克里姆林宮的獨裁，主張澈底改善勞工狀況，並主張仿照英國的榜樣，實行各種社會福利計劃。這些宣傳頗能得到德國工人階級的同情。據該黨的領袖們宣稱，德國共產黨和社會黨黨員脫離舊黨，參加這一個新黨的為數很多，而且數目還在一天一天的增加。

夫婦一致

黨魁沙白，是一個在德國共產黨內，有二十多年歷史的黨員，在過去二十年中，幾乎有十一年是過着集中營的生活，在他的週圍，還有幾個重要人物：一個是利昂哈德（WOLFGANG LEONHARDT），他是東德馬克斯學院的教授，於一九四九年由東德逃往南斯拉夫；一個是費舍爾（GEORG FISCHER），他是魯尼赫共產黨部的書記，因反對克里姆林宮對德國共產黨極端的控制，同時又極端仰慕狄托元帥，所以於一九四九年九月十四日毅然決定宣佈脫離德國共產黨；還有一個是波普爾（WILLI BOPPLE），他是曼海姆地方共產黨部祕書處的處員，在狄托宣佈與共產國際情報局破裂之後，他極端擁護南斯拉夫的立場，與德國的史太林主義者，變成水火，因此也脫離了德國共產黨。

但與沙白最接近而且對他貢獻最大的，還要算他的太太威爾瑪（WILMA）。她是一個共產黨的老黨員。當沙白與德國史太林主義者宣告決裂時，她很堅定的同她的丈夫站在同一立場上。她不但不服從共產黨的命令，與他的丈夫離婚，而且還向西德共產黨黨魁雷曼（MAX REIMANN）威脅，倘若他不收回這一命令，她就要將共產黨干涉她的種種情形全部公開。雷曼拒絕了，於是沙白爾夫婦，就毫不客氣的履行諾言，在魯爾區到處貼廣告，散傳單，宣佈共產黨的黑幕。不過那時他們窮得眞可憐，為了要印一千份傳單，費了幾個星期的工夫，纔能籌足這一筆印刷費。在變方開始攻擊之下，沙白夫婦便於一九五〇年二月六日被德國共產黨開除黨籍，主要罪名是「他們的獨立思想，危害了黨的意識觀念的統一，他們並與狄托匪幫暗中勾結。」

重要政綱

沙白與共產黨正式破裂後，即着手發起組織德國獨立勞工黨。他先辦了一張報紙，名「自由論壇報」，鼓吹反克里林姆宮的運動，並發表獨立勞工黨的政綱。政綱中之重要主張如左：

（一）無條件的反對德國重整軍備，因重整軍備的結果，「勢將引起戰爭」，同時主張，將東西德國現有的軍隊一律遣散，並以全民投票的方式要求各盟國撤退佔領軍；

（二）主張統一德國全國的職工聯合會；

（三）主張每週工作五日，減低工人的所得稅，礦工每週工作三十六小時，童工每週最多工作四十小時，免費教育，每年至少休假四十天，工資照發；

（四）主張廢除職工聯合會之官僚風氣，職工聯合會所有職員之薪水，應規定其最高額，務使彼等所得之報酬，不超過其所代表的工人們之收入；

（五）反對職工聯合會與僱主的同業公會合作；

（六）拒絕以奧德爾。尼塞河（ODER NEISSE）為德波兩國的邊界（此線東德已經承認），因此一界線的劃分，使德國割讓三分之一的領土給予波蘭；

（七）主張以幾十億馬克增建房屋，並興辦各種社會安全事業，改善行政及稅收制度。

這些主張發表之後，在德國工人中引起很多同情。魯爾礦區工人，是德國共產黨的中心勢力所在，現在也發生動搖，工人紛紛脫離共產黨，加入沙白所領導獨立勞工黨。

德國獨立勞工黨現在究竟有多少黨員，沙白拒絕宣佈具體數字；不過他間接透露，他的報紙銷路，現在已達到兩萬五千份。在魯爾的某一礦區中，只有工人一萬二千人，而他的報紙竟能行銷五百份。他現在正在定購新機器，俾能應付日益擴張的銷路。據沙氏表示，在他開始組織新黨時，最大的困難，是在英軍佔領區，不能成立組織，不過，不管法軍當局怎樣留難，他在那一個區域內，仍然有二千名黨員。

經濟來源

關於這一個新黨的經濟來源，外間有種種的傳說：有的說西方各盟國曾給它大量的援助；有的說，它的大部份黨費，是由南斯拉夫供給的。但是這些謠言都由沙白否認了，有一次他帶着忿怒的口吻對人說，他的黨的唯一收入，是每一黨員每月交納黨費一馬克（合美金二角五分）但據住在魯爾區的聯邦觀察家的判斷，狄托元帥一定給它相當數目的經濟援助。

這一個新黨成立不久，它對德國共產黨的潛在威脅究竟有多大，現在還沒有人能夠正確估計，因為它還沒有經過一次選舉競爭，不過就最近它的活動成績看來，它在德國職工聯合會中的力量，正不斷增長，而在德國一般人民的心目中，也發生了良好的印象。德國共產黨為打擊這一個新興的敵黨，會在魯爾區發動一個「反沙白運動」，其規模之大，與反美運動，不相上下，亦可見共黨對沙白的反克里姆林宮的新黨運動之焦慮與忙亂了。（三月三日）

駝鳥式自我麻醉

尼赫魯注定倒台

印度建國週年總檢討（下）

程滄波

國民議會醞釀分裂

在去年年底十一月及十二月兩月中，印度新國會及各邦議會的選舉，均將次第舉行。這是印度獨立後一件內政上的大事，在印度歷史上，這次是根據普選原則舉行的第一次大選，在世界民主制度歷史上，印度未來的選舉，其選民將及一億七千萬人民，也是選舉技術上一個大的試驗。印度今天還祗有一個政黨，就是大家知道的印度國民議會黨，到現在為止，印度政府中，雖尚包含着許多無黨無派的份子，但印度國民議會黨是唯一的政黨，這個黨承襲了過去為印度獨立自由奮鬥的餘蔭，它在中央在地方，掌握了全國實際的大權，中央與地方的行政機構，實際在這一黨的掌握中，中央與地方的議會，大多數的議員都隸屬於這一個黨的黨員。照目前的選舉區域，照目前的政情，除非國民議會黨為重大的不良措施，今年的選舉，它的繼續執政是沒有疑問的，但是印度將來是否停止於一個政黨的國家，實是一個疑問，根據英國及印度許多報章的報導，印度未來政黨的趨勢，似將由合而分，換句話說，印度不能停止在一個政黨的國家，而這種分離因素，一種是發生在國民議會黨內，一種是來自黨外。國民議會黨內部，早已醞釀着一種分離的份子，譬如在西彭谷邦的「喀拉度普羅傑系KRISHAK PROJA PARTY及以前的聯合各省United Provinces 及那塔系The Janata，除此而外，國民議會黨內，還逐漸醞釀出現一個「民主陣綫」。「民主陣綫」是在黨內與現今的黨內領袖互爭雄長，將來這一派是否跳出國民黨會議而另組新黨，還看時勢的演進而定。在國民議會黨黨外，右翼組織如「印度莫赫色巴」HINDUMAHASABBA 及「西華森」RASHTRIYA SWAYAMSEWAKSANGH，都是地方性的組織，他們組織中份子在區域選舉時極易獲得勝利。左翼組織如社會主義及共產黨，將來也是對國民議會黨的霸權是一種強大的威脅，一般觀察者認為，左翼組織比較容易贏得足夠的議席，組織一個反對黨，尤其社會主義黨的領袖那拉揚M R.JAYAPRAKASH NARAYAM，許多印度人認為他將代尼赫魯而興起，所以社會黨的前途，在印度未來的政黨中，尤其值得注意，共產黨在印度因為它的暴動政策，為一般民眾所不喜，故至今還看不出有什麼進展的跡象。」

有何資格代表亞洲

綜觀印度共和國成立一年後的內政外交，內政是受着天災，外交是受着人禍，尼赫魯便是造成印度外交上失敗的主角，大家不要以為一年來尼赫魯在國際外交上相當有聲勢，這個評價是完全錯誤的，印度共和國成立後最失敗的是外交，這個失敗的外交，對印度人民將來是一種災禍。半年前我曾著論剖視尼赫魯，說他是各種「挖搭」（Co-plex）的集台，他的思想與行為，充滿了矛盾，尼赫魯有什麼資格靦然代表亞洲人說話，亞洲今天所恐懼的，難道還是資本主義的帝國主義嗎？資本主義過去自有其罪惡，然而它對人類，還是功過參半，就說印度，今天國內各種建設，今天能夠獨立，平心而論，資本帝國主義也不是完全沒有功績，尼赫魯思想是太落後了，他在二十世紀的五十年代，認不清時代的大敵，是共產帝國主義，而亞洲人當前不共戴天之仇，是克里姆宮的陰謀，亞洲人今天急迫所捍衛而爭取的是自由，是國際的自由與國內的自由，國際間不能確保自由，國內的自由是無法維持的，尼赫魯半年來的倒行逆施，至最近而變本加厲，他否認了正義，無視乎人道，他只知道崇奉國際間的橫暴而壓抑了人道與正義。印度數千年的文明，印度一年的共和國，被尼赫魯的表現全盤污辱了，尼赫魯個人的失敗是看得到的了，他的外交政策，在近代歷史上，好像是第二次大戰前波蘭的波克上校Colonel Beck的東歪西倒，與尼赫魯的白種中間路綫，同樣是將來歷史上一個笑話，國民議會黨黨內最不幸的事，是把外交部門完全交給這一位顛倒昏亂的人，國民議會黨將來內部分裂，與印度國家所受的果報，尼赫魯一定是一位罪孽深重的人，我們站在亞洲自由人民的立場，追述印度建國的一週年，是十分感慨而悲歎的。（完）

我們需要那一種生活

試以人權宣言為標準將英美法的民主制蘇德意的法西斯制互作比較——（下）

王雲五

（十）互為婚姻與成立家庭的權利

（甲）此乃絕無例外的自由。

（乙）自一九四二年二月以來，蘇俄人民與他國人民的結婚已為蘇俄法律所禁止。從彼時起，在俄國中沒有一個俄籍人獲准隨同其夫或妻住居於蘇俄國境以外。

（十一）獨自享有財產或與他人共有財產之權利

（甲）此乃絕無例外的自由。

（乙）蘇俄一九三〇年的法律，准許沒收一切不動產與動產，並得遷徙擁有地產的富農家庭，而以其所有土地併入集體農場。自一九二九年六月，迄一九三七年四月間，至少有六，九〇七，四〇〇的農家依此法律而喪失其家宅與財產。

（十二）思想良心與宗教的自由及意見與其發表自由的權利

（甲）此為西方民主國家不易的原則，亦為一切進步之所依賴。由於思想自由，故學術得以日益發展；由於良心與宗教的自由，故道德與信仰得各隨其心之所安，而共同為人類的樂利致力；由於意見與其發表的自由，故政治與社會得因反對派的批評而改進，并可依和平方式變更各級政府，而避免暴力的衝突。

（乙）蘇俄與其衛星國人民在思想上絕對沒有自由，不僅社會科學必須完全以馬克斯列主義為依據，即自然科學亦必符合馬克思的教條；音樂戲劇為政治的武器；文藝專為其黨作宣傳；著名學者音樂家與文藝作家因違反或不合此原則而被清算者不可勝計。其在良心與宗教的信仰，則除舊道德標準一切被推翻外，信教的自由亦遭否認。一九一八年蘇俄的憲法雖明定『宗教的與反宗教的宣傳自由同樣授與於一切的公民』。然在實際上蘇俄所准許惟一的眞正自由，祇是反宗教的自由。一九三二年當蘇維埃發表其『五年的反神計劃』時對於宗教的迫害達於最高潮。適有在納粹軍隊，於第二次大戰中侵入蘇俄時，蘇維埃始認為教會在戰爭的難關或會成為有效的精神因素，同時又為討好西方盟國，故於一九四三年表面上變更其宗教政策，而利用教會的勢力以為共黨的工具。但同時引誘青年於反神方向的努力仍然積極進行。其在東歐各衛星國中，雖然蔑視信仰堅強的民眾反對，表面上改取控制宗教勢力的政策，期於可能時利用之以推進共黨目的，然其對於教會僧侶的迫害仍層出不窮，無辜而處死刑或長期拘禁者比比皆是，與蘇俄無二致。中共為政，在控制中國大陸後，雖為時未久，其對於壓迫各教會與殘殺天主教神父之事已迭有所聞，將來定與蘇俄走上同一路徑。關於意見與其發表之自由，則蘇俄圈子裏的人民絕對不能具有。所有一切傳布意見與消息的中介，包括報紙書籍雜誌播音戲劇及電影等均由政府絕對控制。維辛斯基氏於其所著蘇維埃國家法律一書內，簡直明言『在蘇聯內自然不會有言論出版等的自由，以供社會主義敵人的利用』即此一語，可知其梗概矣。中共控制中國大陸後，對於人民發表意見的控制，比蘇俄似更進一步，即在竹幕以內人民不僅沒有絲毫發表言論的自由，甚至在中共政權認為必要時，任何人不願發表言論的自由也被剝奪了。試觀那些知識分子紛紛發表的悔過書，或為中共作應聲蟲者，便都是沒有不發表言論自由的實例。深信在這些人之間，至少有一大部分在內心上所感覺的痛苦，比之沒有言論自由者為更甚。

（十三）和平集會與結社的權利

（甲）此在平時為不易的原則。戰時間有多少的限制，但須依照法律的規定。

（乙）在蘇俄圈子內，此與前項關於言論自由者相同，不僅沒有積極的自由，而且在共黨認為必須之時，人民要想有不參加集會結社的自由也不可得。觀於中共政權之強迫人民參加非所願意的與極端疲勞的集會，便是明顯的例子。

（十四）直接的或經由自由選舉之代表參加政府的權利

（甲）盎格魯撒克遜民族對於不出代表不納稅的原則，成為憲政基石之一。其後在西方國家亦有發展為直接行使政權者，例如創制複決兩權是。

（乙）在蘇俄一切的選舉，祇是形式的權利。無論候選人的提名或是選舉權的行使沒有一項可以脫離惟一的共產黨的控制。共產黨員僅數百萬人，在蘇俄將及兩億的人口中，祇有極微的成分，而且雖然在共產黨中也僅由上層的極少數人掌握其全權；故此種選舉與其稱為人民的選舉，又無寧稱為黨員的選舉，與其稱為黨員的選舉，又無寧稱為共黨極少數領導人物的指定。

（十五）同工同酬的權利與組織及加入工會的權利

（甲）在英美等國家，同工同酬尚多未能實施；然組織及加入工會的權利則絕無問題。

（乙）在蘇俄以經濟平等自詡，然以同工同酬而論，黨員與非黨員間相差固巨，即同為黨員或非黨員，其無辜被禁閉於集中營，迫任奴役的勞動者，在蘇俄全國至少有二千萬人，其勞苦與工作且遠過於自由工作者。然後者待遇雖薄，尚勉強足以維持生計；而強迫勞動者所得常不能維持一飽。在他國監獄中之作業所得雖也低於自由工作者，然此項在獄中工作之刑事犯皆曾經依法審判而定讞者，其報酬特薄，寓有教誨與懲罰之意，而在蘇俄之數千萬名強迫勞動者中，絕大多數固未嘗犯罪，且未經依法審判，遽行移送集中營，迫令担任等於無報酬的苦役。試問以蘇俄人口的二億，其中包括不能工作之老幼假定占其半數，設被強迫勞動之人皆曾犯罪，是則俄國成年人中每五人有一犯罪者，其國家尚成為國家，其民族尚成為民族乎？又蘇俄工人雖有加入工會之權利，然其工會的作用不能代表工人從事團體協約之交涉，亦絕對不許代表工人，僅為供共黨約束工人的機構而已。

以上各項皆與人民的生活攸關，經過了甲乙兩方的比較以後，人民究竟需要那一種的生活，是用不着我們再作結論了。（完）

「刊誤」本文上篇所載比較項目，其㈥㈦兩項，係㈦㈧之誤。

巴蜀降臣羣象

共黨花樣百出竭盡侮辱能事　只有不靠攏者一死還算英雄

·巴客·

就省區來說，大陸上對秋歟王朝投靠歸降的文臣武吏羣，比較的以巴蜀一隅爲濟濟多士。軍閥如劉文輝，鄧錫侯，潘文華，王纘緒，范紹增，嚴嘯虎；文臣如向傳義（省參議會議長）余中英（前成都市長）「社會賢達」如熊克武，呂超等人，皆其著者。這羣人之中，除熊克武多少爲着私人恩怨外，其投靠心理既非源於政治思想，也非環境迫使其不能不啣淚偷生，而是遯其若干年來翻雲覆雨的故技，以爲朝代雖然變與了，新的統治主未必不需要他們所具有的政治資本——武力，金錢，社會地位——而且，有的過去和賀龍有交誼（如呂超），有的做過劉伯承的上司（如熊克武），有的自命是文武兼資，無黨無派的才子（如余中英），憑着這些資格，在共黨「寬大政策」之下，那有不能立足之理？果然，賀劉兩新貴初入巴蜀時，好像眞是「寬大爲懷」的樣兒，如是乎這羣人樂了！主持歡迎儀式，送禮物，上條陳，忙個不休，一心以爲鴻運來哉！曾幾何時，情勢就有些異樣了。現在，由於「毛主席」認爲賀劉過於「寬大」，電令其要把四川的「解放」成績與吉林省看齊（吉林省城原有十六萬人，現已解放成四萬人，其餘都不知去向了。）如是乎，這羣文武官員和賢達們，目前已相繼趨於幻滅深淵，悔之晚矣。

劉文輝

先說劉文輝，他的兩師西康省政權和私人隊伍，早已交還「人民政府」，不在話下。家藏金錢財寶都是人民血汗，除繳還「人民政府」外，成都方正街的劉公館內，經「人民」掘地三尺，挖去了不少的窖金和雲土。自從去年秋間被「特邀」北上出席「政協會議」，上奉派講話，當着大衆面前，大呼「我是軍閥兼大地主！我的土地，等到完成人民政府的征糧工作後，自然要歸還「人民」」以來，現在伏處於「人民政府」給他留下的成都方正街那所房子，見人即須複述「我是軍閥兼大地主」那句錚錚有聲之言，以示前進。有甚麼「人民」集會，更要前去複述如儀，恭聽台下人「么爸你也有今日」的回敬語。（么爸是文輝家鄉人對他的稱呼，因其爲老么也。）最壞是雲土不能再抽，形容枯槁如死人。家裏朝夕有很禮貌的來賓過訪，說是「向前輩叩教」。非奉核准，不許出城外一步，兩個兒子已北上參軍。西康省的「人民」還要他去當面談談。他哀求賀龍幫忙，賀特他打了一個電，說稍緩再來。他憂懼疑懼，隨時彷彿見着死神站在面前！

鄧錫侯

亦有兩師私人隊伍，由軍長黃隱率領，駐在川西北一帶。去春成都附近十餘縣人民，暴動反共，聲勢浩大，賀龍淺些招架，曾經一度出走到灌縣山，乞援於劉伯承。鄧氏深覺「爲人民立功」的時機到了，自告奮勇，出師勦辦暴民。[illegible]係多年的袍哥，其部將謝德堪更爲袍哥大爺，人地熟悉，兵力相當，不到一個月，反共的「暴民」果被他打垮了。以功被「特邀」出席「政協」，又取得一個「川西水利部長」頭銜，衣錦還鄉，走馬上任，但「水利部」只許「部長」辦公，連書記也由「人民」派定了。

潘文華

去年因奉派鉅額公債和被迫交出部隊，而大感家敗人亡之痛，繼而乃弟××受邀北上，又被派公債黃金二十萬元，兄弟二人財產頃告蕩然，文華一氣而病，病不數日而死了。

王纘緒

現被監視在成都，住在重慶的三位姨太太被集中於金湯街的一間房子內，所有田地產業一律交還「人民」。最近以退租退押繳不出鉅款，電其在港代管財產的女婿熊某求援，熊知此事終無了局，業已攜眷飛到美國去了也。

范紹增

把軍隊帶到漢口，即留漢「學習」，因軍隊不知去向了，其右手殘廢，係當年在洪湖勦匪所致，由賀龍指證，所要清算血債，先在湖北清算，再解回四川。

嚴嘯虎

以其十餘年前[illegible]成都衛戍司令，[illegible]大作苦工，[illegible]人指他當年會勦過匪，[illegible]近已解到武漢，聽候[illegible]鬥爭。

向傳義

與熊克武是同盟會老同志，熊向兩人當年在川一直合作的。這次倚仗熊的關係而投靠，以爲可以無事。但「人民」指他在省參議會贊成國府征兵征糧，大逆不道，現在奉命在成都附近的中興場做苦工，限定他每天要挖土挑泥八小時。六十歲以上的向議長，大概挖不了幾天就要長眠了！

余中英

自恃爲劉文輝舊部，北陸大將官班畢業第一名，又能寫字吟詩，過去幾年又常[illegible]國民黨，可見上邀青睞於「人民」，誰知他所自命不凡的技能，正是「人民」眼中的罪惡，而且在郫縣擁有膏腴的大量土地，近已押解赴縣交「人民」公審了。

呂超

[illegible]社，「人民」指他是倚仗「反動政府」勢力，壓迫人民，劫奪民地而來的，請他到繳社清算，他求救於賀龍，賀以「人民」意見未便阻止，但看在舊交上，准不逮捕解送，要他自己好好應付，他只好潛逃到重慶，一面具呈「人民政府」，一面把繳社全部財產通同成渝兩地產[illegible]

[illegible]粱，請予贖罪，一概繳交「人民」，下文如何，尚不可知。

熊克武

伏居井研故鄉，不見人，不說話，閉門裝病，[illegible]歟。

冷開泰

另有一位袍哥大爺冷開泰，倒不失爲英雄好漢。他作過劉湘綏靖公署的稽查處長，共黨逮捕他後，勒令繳納財物，[illegible]結束了有價值的生命！

喜怒哀樂　都必須服從命令

我從中共俘虜營逃出

歌樂山受苦一年多

·陳越仁·

大陸的戰鬥將近尾聲，胡（宗南）宋（希濂）兩支僅存的勁軍，正向四川西南運動，亟圖能夠會合，以守西昌，不料胡軍在成都，新津之線，不戰而潰，宋部則以川南慘敗之餘，已前後受敵，卒至上自統帥，下至伙伕喂令，都變成了戰俘，這一幕可恥可惜，可歌可泣的活劇，至今思之，猶令人頓足惋嘆！

我是宋部的一個高級幹部，不幸也做了這幕活劇的演員，現在，我已從慘絕人寰的俘虜營中逃了出來，走向了自由的天堂——台灣！

我是在川西的峨眉山附近被俘的，被俘後輾轉解送到重慶第二野戰軍總部「高級俘虜管理處」。

「起解」是步行，背着破破的包袱，由峨眉向重慶進發，沿途經過大小市鎮，必以我們在最繁榮的廣場上，席地休息，在休息中向我們訓話，這些訓話中，句句脫不了什麼「匪幫」「反動」，把受訓者大罵一頓。休息過了，還要掃街！

經過二十多日的翻山涉水，總算到達了重慶，是夜，宿於李子壩的山頭上，露宿風寒，衣履盡濕，深夜二時許，來來軍車數輛，載了不少裝着雪亮刺刀的武裝匪軍，爲首的叫我們上車，並命令不准出聲！上了車，更不准動彈，如果動，在厲聲言責斥之後，繼之便捶來槍柄！當時，恐怖場面，實在陰森可怕！

車行約兩小時，才停住了，樂風呼嘯，黑夜中，不知到了什麼地方，待至天明才叫下車，始知我們已到了歌樂山！

我被關押在一間從前的肺病療養室，行動沒有自由，和同伴說話，先要四周張望有無「八路」，如果不幸被發覺了，兩造會被立刻叫去審問，若是兩個說得不同，那麼「企圖不軌」的帽子戴上來了，這時，會被送到不知下落的地方，永遠沒有下落！

在營中，一切自由被毀滅了，來往信件，要經過極嚴密的檢查，如果有親友來會，更會引起可怕的後果，心情好點，臉帶笑容吧，會被指爲「幻想第三次大戰到來了」或「輕視共產黨」，心情惡劣點呢？又被指爲「懷念作惡的舊生活」，「企圖再作反人民的勾當」，說話吧？「你有政治問題」，不說話吧？「思想沒有搞通」，鬼名堂實在多，使人啼笑皆非！

日常要被押去挑水，担屎，抬煤，掃街，担米，修路，之外，強迫我們跳肉麻的秧歌舞，上大課，學習，討論，漫談，自我回憶，控訴舊社會，鬥爭，清算，弄得有的被送公安局，嚴刑處決了，有的實在受不了，只好自殺！

偶然，「文工團」來營演出不三不四，捏造事實的話劇，演出中，如果我們笑，羣匪會怒叱：「反動思想一點沒有除掉」，它是要我們個個看得淚流滿襟，才算「進步」。總之：生活在馬牛，血淚，奴役的深淵裏，極盡侮辱，恐怖的能事，喜怒哀樂，須服從命令。

我沒被處決，也不願自殺，我要活命，我要自由，在我種種僞裝接受改造之下，減少了他們的監視。我決心冒最大的危險，開始實施「逃走」的準備，能周密地僞造了「解放證」，在一個天朗氣淸的良辰，換上了老百姓的破衣，告別了相處了一年多的歌樂山——

八千里路雲和月，我已艱苦地到達了自由的天堂——台灣了，在亡命旅程疲乏之餘，見到了青天白日滿地紅的國旗，在碧空中飄揚，一股辛酸而興奮的熱淚，禁不住滾滾而來。

紅色上海的內景

·蘇瑜徽·

客從上海來，且製上海事。據中共官方統計，目下上海人口，有五百四十萬六千六百四十四，與前光怪陸離之內景，無異。其五方雜處，抑或過之。我們且來窺視一下這紅色的萬花筒。

逃亡路線近有變更

中共對上海市民「寬大」了一年。在這一年中，蘇浙皖三省的「問題人物」，大都流亡在上海，藏匿在上海。可是在韓戰發生之後，中共的政策又來一個大轉變，僞善的假面具是除去了，代之而起的聲音是鎮壓！鎮壓！原已登記的人物如前忠救軍策反專員鄭子良被捕了，前民政局長張曉崧被押回浙東溫嶺以「惡霸」罪名被槍決了，前南京副市長馬元放捉了又放，放了再捉，聽說已解往武進交付「人民大會」公審了。前新聞報總經理詹文滸在北站被捕，倒給了人們一個啓示：逃逸直通車趁不得！要逃，還是搭長江輪船先到漢口再轉廣州香港，比較安當。前江蘇民政廳視察某君，跟幾位黨部書記長，便都是從漢口轉道逃來香港的。

疲勞遊行一大虐政

中共把示威遊行，當作是一件表現力量的大事。而實際上，上海五百萬市民，卻把示威遊行，看作一大虐政。從「勝利大遊行」到「抗美援朝」大遊行，前後不下舉行過十餘次，有時遇颶風，有時晒烈日，有時逢驟雨，每次都會病死過十餘人，扮演「解放戲文」的少女，活活被小便脹死，尤屬慘不忍睹。今年二月二十六日至三月四日，中共又不斷發動「反美扶日」示威大遊行，每家每戶均須派人參加，咒詛之聲，到處可聞，共幹亦但苦笑而已。

認鄉隊員生財有道

地主階級和反共人物既都藏匿在上海，中共各地方政府，不斷將黑名單送到上海，要求拘人。可是上海市公安局的祕密警察，也並無三頭六臂的本事，黑名單上被捕的人，百不得一。於是中共各地方政府，復紛紛指派「認鄉隊」，到上海實地查訪拿人。認鄉隊員到了上海，不料見錢眼開，十担白米的代價（約合港幣五百元）任何「惡霸」「地主」，皆可通融「私了」。所以一班鄉幹，把當認鄉隊員看作最好的差使。

家庭官司特種戶口

上海人最怕吃「家庭官司」，吃「家庭官司」的人，又一定是「特種戶口」。中共初到上海，早已辦過登記，但在去年多天，又奉命擴大辦理。[illegible]記之後，便受「公安局」便衣戶籍警察的管制，行動不便，自由。親友亦相戒不再來往，以免牽連。估計上海一地特種戶口，目前已在一萬五千戶以上。

青年團員包辦免費

上海各大中學校已開學。中共市教育局規定，免費學額不得超過百分之二十，對私立學校，可謂十分「照顧」。上海市民現在困苦的多，因之各中學申請免費的學生，達半數以上。中共青年團團員，一面操縱學生會，舉行「民主評定」，評定的結果，免費額均爲團員所佔，非團員均被剔除。乃在明一項事實：「如欲免費，乃可入團」。然以入團之後必須帮頭參幹，故多數家長寧願多繳數十個折實單位學費，而不讓子女入團。上海人對中共的態度，蓋可於此等事覘之。（三月五日）

鐵幕叢談

升官發財裙帶最靈

[illegible]居然毫不例外。嗚呼！（不赤）

中共對男女關係，早在延安時代，就因爲「一杯水」主義的流行，彼此均盡情放縱，毫無掛礙。尤其高級人員，尋求對象，更是予取予求，莫敢抗拒。不過以前僻處一隅，人才零落，國色天香，不易發現，等到中共勝利進軍，佔領了紙醉金迷的各大都市，這種性慾的「解放」，在中共領袖們看來，實比任何其他方面的解放，更需要迫切，更需要徹底。

兩位小姐光生門楣

[illegible]

女民主人士吃糞　救夫不成慘遭陵虐

[illegible]

窮婦哭窮被改造

[illegible]（王伯霖）

餓死也不許發牢騷

[illegible]

自由人

中華民國四十四年三月十日

捷共整肅理髮師

薩東牙譯

原載世界文摘

共黨統治下的捷克，目前正進行大規模殘酷而無情的整肅，前外長克萊曼蒂斯以西方間諜的罪名而被捕，駐印度大使克拉吐克維爾因反抗暴政而逃亡；即連理髮師也竟被列入「資產階級」，被迫害，被放逐。

虛耗時間 罪大惡極

在那些小理髮店裏，理髮師們在等待顧客到來，一個個時間無從打發，如一個蜘蛛在等待牠的蒼蠅。任何時間的虛耗都是政治的罪惡，捷克共產黨徒認為過份熱心的，估計捷克理髮師百分之六十的時間都消耗在等待中。從不事生產的觀點，這些時間可以放在別的更有用的地方，因此他們決定把捷克的理髮師，「移植」到別的職業去。

強迫轉業 且剪羊毛

還有一個關於「移植」特別有趣的例子：最近發生在捷克北部邊疆多山的地帶，那本是德國人聚居的地方。一夜之間，所有在那兒的理髮店都關了門。老百姓自然奇怪那些失蹤的理髮師們到底怎樣了。經過幾天的緘默之後，眞相大白：政府已把他們整批徵調送到平原去——去剪羊毛！

在布拉格的共黨主子也自有他們的道理：「假使一個人能修剪別人的頭髮，他們為甚麼不能好好地剪羊毛？」

另一件事來說明理髮師的困難：有一個理髮師的代表團從鐵白里斯前往布拉格，要求當局特別分配幾百碼麻布以製造理髮師衣巾的急需。他們非但拿不到麻布，反而給教訓了一頓。國內商業部的共產黨說他們應當找出去一些從前剩下來的零碎麻布，不然最好另謀出路。

取消例假 以件計酬

在布拉格現有一百四十七家理髮店加入共產黨的理髮業工會。該地首先受政府法令影響的理髮店自然是最大的和最漂亮的。理髮師和侍役們引以為苦的是他們每天在工作八小時之後還得不到休息，要繼續修頭好幾小時，新統治者更取消了「星期日例假休息」和每星期可放半天假的規例，事實上，在布拉格最熱鬧的溫塞爾方場，兩家大理髮店一直要開到午夜。在蘇維埃的以件計的工作制度之下，理髮師頭剃得越快便掙錢越多。

捷共對理髮同志的政治可靠程度是極端懷疑的。他們認為一個理髮師不論單獨營業或受僱於人，都可列入布爾喬亞之流。他較之在工廠或礦場工作的人來得高優。而且他的營生使他每天能和共產政權的敵人發生密切的接觸。

在一九四八年春天共黨奪取政權之後，新統治者自始便對理髮師有些看不順眼。當時即有一部份理髮店被迫停業。從未吃過大苦頭的年青的理髮師最先被大批運到礦場去工作。

客人光顧 噤若寒蟬

在每一個國家都有人喜歡光顧某一特殊的理髮店和指定某一理髮師為他們修理。但在捷克，由於理髮店被迫延長營業時間而且工作人員不時交換，一個客人無從選擇他所喜歡的理髮師。

在理髮師椅子上聊天也成為過去的記憶了，因為不時有似乎是密探似的人坐在你旁邊的椅子上。他的存在使理髮師和顧客都噤若寒蟬。同時政府正不遺餘力設法改變理髮師的政治觀念。他們都得參加特別學習，領略共產主義的「眞諦」。

「那眞是太糟了，」捷克共黨頭子說，「我們的理髮師竟有那麼多的人，似乎不願意看見光明」。

吊韓戰場

仿「弔古戰場文」

馬五先生

浩浩乎，遼東平原，地凍天寒，冰封弱水，雲滿層樹。伏屍遍野，流血成川，大地死寂，狐鼠奔搏，茫茫四顧，闃無人煙。記者告余曰：此韓戰場也，常覆共軍，火燔人海，慘不忍聞。傷心哉！韓歟？漢歟？將俄共歟？

吾聞夫共產國際，蘇俄把戲，製造附庸，弱戚俄帝；利用爪牙，開闢池，侈言和平。肆行詭計，三十年來，顧覷東方；先併中蒙，乃圖三韓；卅八界綫，彼此相安，無端構釁，嗾北攻南。南北戰爭一掀起，義憤喧騰國際間。嗚呼噫嘻！吾觀夫聯軍討伐，理直氣壯，義旗所指，羣情歡忭，蒙騎豕突，韓共鼠竄；初復漢城，進克平壤，元山登陸，仁川鏖戰；殲敵衆途，斃俘無算，侵略勢窮，和平光放。

乃有秧歌傀儡，受命幫兇，託名「志願」，恣意盲從，竟遣人海，思奪火攻，長驅深入，直闖橫衝。時當苦寒，身陷長圍，未見敵影，倏成砲灰！大兵百萬，餘衆稀微，將軍魄散，顧問魂飛；尸塡巨港之岸，骨積長途之堆，男女老幼，有去無歸，可勝言哉！氣衰兮力盡，心驚兮胆寒，彈藥罄兮機鏢場，飛機來兮狐洞滅。降矣哉，終身流亡，戰矣哉，性命交關；覩戰艦兮如閻王，遇坦克兮念柳棺，汽油彈兮眞要命，火箭砲兮不敢當，郊垌赤兮血濺，河流壅兮屍攔。傷心慘目，有如是耶？

吾聞之：韓戰勃發，與我何涉？中共荒唐，興兵介入，為人作嫁，竟傾全力，賣國而已，豈有他說？俄帝陰謀，毒佈亞歐，自西徂東，鼠竊狗偷。嬉蒙嘍囉，祇能效用，火中取栗，乃泊中共，源源大軍，節節葬送。初渡鴨綠，繼越漢江，驅脅多衆，枉死他鄉。螳螂奮臂，井蛙式怒，致命一擊，走頭無路。蠢蠢毛朱，別具肺腑，承歡俄酋，認賊作父；哀我同胞，逢此豺虎，反美援朝，離鄉別土，不死即殘，非亡則虜！其存其沒，音信杳茫，妻兒父母，咽淚傍徨；呑聲忍氣，竊覽報章，每看戰訊，黯然神傷；魂魄入夢，覺兒呼孃，淒絕號奐，哭望天方，相彼遼東，宛若屠場。嗚呼噫嘻！時耶？命耶？遭此凶孽，為之奈何，反共抗俄！

你們眞是可憐的人人！

除了哭喪着臉，小哈巴狗汪汪狂吠而外，因此共產黨疑神疑鬼，猜是有其他任務，不足為奇。對自由世界，這是天天的職務。

民財骨髓，不做「人民官」，又騎在「人民」頭上，往返南北，坐地分贓，黑臉招呼，口袋裏裝滿了錢，又不「發」人民一只，但我們自然不說，張好一個「小報」，說他們的爸爸的光榮史，這是我們老板的最光榮的創辦白報，宗旨並不是說什麼爸爸的，今天的報紙不是一份，能大張旗鼓，有「火花」，看不起我們的爸爸，我們也就是——那麼的狗飯！

是的，但是——到底看不在那裏，只能在上面看一下這個「狗道」，你們的心裏為什麼不能生存，究竟為什麼？總有一點辣辣的。你們才是眞可憐呀！

旅美雜紀

陳香梅

陳香梅女士（前中央社記者）上月隨陳納德將軍自美返臺，所寫遊美雜記，頗能反映美國最近一般生活情況，茲分期刊佈如次：

遊船上的雨夜

選入勞利田莊來渡假已是第三天了，第一晚宿遊船上。遊船是前任魯易絲安那州長奴爾底所有物，他和陳納德將軍是密交，這次他把遊船借給我們使用。奴爾底遊船，佈置堂皇，仿如富豪人家的玲瓏別墅，裏面有餐間，臥室，浴室和櫥房；冷熱水管；甲板上層還可以做各種遊戲。這船價值萬元以上，僱有船長，專司船務，每年光是化費在整理遊船內部裝飾和外觀的費用就要四五千元。美國人有的是錢，既會享福，又未曾直接遭受戰爭的威脅，眞可以說是天之驕子！

遊船停泊在漢特河上，兩岸風景絕佳，一望無際的海天，盡在綠陽紅樹的隱約間。而且兩岸了無人煙，於黃昏時候的情景就如王勃的詞句：「落霞與孤鶩齊飛，秋水共長天一色。」再加上那無盡的寂寥，異鄉異客，祖國烽火連年，眞不勝感慨系之！

夜宿船上，宵間沒有月，飄着微雨，寒意侵人，擁衾而睡，那是：「江水碧於天，畫船聽雨眠。」——丁香一般的夢，丁香一般的幽怨。

郊外的天亮得早，五時左右太陽就照滿了一船，只是秋意已深，一點新愁，寸心萬里。在船傍垂竿而釣，一個早上毫無所得。外子在天未亮以前就背着小雪船到山林去狩獵，午間拖着疲倦的腳步回來，亦一無所獲。此間狩獵季節正開始，到處可聞鎗聲和狗吠聲，不過此間的鎗聲，並不是戰爭的殘殺聲，與在遠東的炮火聲相比，眞有天淵之別。

船長是一個年青的小伙子，他是北方人，在南方討了一個太太，因此就落籍此間。他說去年因為經營失敗，不見了幾千塊錢，因此才想來船上謀生，一個月也有三四百美元可賺，而且船上生活非常寫意，此間樂不思蜀矣。

下午無事，學駕汽車，把船長嚇得滿頭大汗。美國一九五〇年的新式汽車簡便得很，不過也需要一些練習，否則也會出毛病。美國人駕車失事的紀錄就年年直綫上升，尤其是在假日大家喝個半醉，天昏地黑，橫衝直撞，其驚險鏡頭，在中國少見。前兩天此間有一位富翁，駕着汽車，送生日禮餅去給他那病在醫院中的兒子，半路上汽車開得太快，撞到山路上去，車翻人覆，一命嗚呼，喜事成喪事，眞是樂極生悲。又有一個結婚才兩週的新娘，和丈夫大鬧意見後與男友駕車郊遊，中途汽車與貨車相撞，造成一死兩傷的慘劇。美國每年枉死在車下的人要比任何一個地方多，這也算是黃金國的一個特色。（一）

從體育新聞看「一面倒」

望平

我們提倡體育，不祗為了有益于「身」，同時也為了有益于「心」。民主政治的基本精神，正是所謂「體育精神」（Sportsmanship）。這種精神包括：公正、信義，與忠實。如果人類喪失了這種精神，我們試想那將是怎樣一個世界？球場不啻屠場，除了蠻力之外更有什麼理性可言？

然後看一看我們大陸上今天的體育新聞吧。

今年國內第一件最重要的體育新聞便是蘇聯籃球隊征華。這客隊的全名是「蘇聯體育代表團籃球隊」，去年聖誕節時浩浩蕩蕩開到北平，在不到三個星期中，從北平到廣州，在各大都市中賽了二十一場。以五十六比四十三勝北平滬台隊，打到一百二十三比十二勝廣州的軍聯隊，百戰百勝，無賽不捷。

中國人打籃球足足有半世紀的歷史，（美國青年會發明籃球之後，很快就傳到了中國的青年會），而俄國人都是「後起之秀」，何以我們的選手竟一敗塗地呢？也許因為俄國人高大，打球可佔便宜，但這不是眞正的原因，（體格總不如技術重要）。眞正的原因却是：他們帶來了他們自己的規則，他們所用的特重的球，與他們自己的裁判員！中國人一向打籃球是依照美國規則的，可是這一次，「蘇聯大老哥」說，蘇聯的規則是「國際規則」，而蘇聯的裁判員是更熟練的用「國際規則」的手。

在這樣「一面倒」的情形之下，勝負記錄便也一面倒了。球員心裏縱然不服，可是中共當局的指示說：「我們必須向蘇聯體育界的高度的國際主義，愛國主義與集體主義精神學習：與打倒美帝的不健康體育的出風頭主義」。這意思很明白：打球如要打勝，便是「美帝的風頭主義」。於是蘇聯籃球隊席捲了全中國。從體育新聞看大陸政治，够了！

對付潛艇的潛艇

美國海軍最新和最祕密的殺人武器，將於本週在電氣船隻公司的船塢下水了。這就是K1型的袖珍（重七百五十噸）潛艇。計劃和建造這種潛艇的目的，是在捕捉並毀滅其他的潛艇。K1型潛艇的大小，只有一般潛艇的一半多。它的任務是潛藏在敵人海軍艦隊中潛艇常經過的路線一帶，伺機伏擊；用水底探測裝置，找出敵方潛艇的所在位置，然後用裝有電耳能識別方向的魚雷擊沉它們。這是對付蘇聯方面日益強大的水底艦隊的一種有效武器。據潛艇作戰專家莫姆遜說：「根據我自已的經驗，最使一個潛水艇員感到恐佈的，莫過於在附近的海底發現敵人的潛艇，兩個敵對的人在黑暗中盲目決鬥，誰先被擊中誰就會陷於毀滅。」

時代科學

膠狀汽油燃燒彈

×　×　×　×

膠狀汽油燃燒彈是經過化學順序濃化而成為膠狀的汽油，燃燒時能蔓延於地面，而不會像普通汽油一樣在一小塊地方冒起一陣濃烟，一燒而盡。第一種效果美滿的濃化劑，是第二次大戰時的實驗中，發現於鋁和椰子中一種脂肪化合物的混合劑。在韓國戰場，膠狀汽油炸彈裝於空軍、海軍和陸戰隊飛機的翼下，每枚裝有一百或一百五十介侖，落地時，為白磷訊管所燃發，每顆炸彈的火燄可高至華氏三千度，可燃及半英畝。美國空軍和陸軍都喜歡它，戰場上的使用情形，已足夠證明，共軍對它的憎恨和恐懼，甚於美國其他任何支持地面行動的武器。（雷門譯自時代週刊）

強笑集

周明譯

小偷的大收穫

慕尼黑一家啤酒店，傳出一個幽默的故事。一個小賊闖進了德國蘇管區宣傳部長辦公室，臨走帶出了下一年東德普選的全部當選人名單。——讀者文摘

怎樣紀念詩人

西歐流傳着一個笑話：蘇聯當局為紀念詩人普式庚，以獎金徵求普式庚石像的模型。應徵的石像素描和模型，不下數百件，——普式庚騎馬、普式庚散步，普式庚凭几而坐、普式庚向詩神祈求，普式庚托頰凝思。結果中選而樹立在一個廣場上的，却是一個史太林的石像，在讀一本普式庚的詩集。——讀者文摘

史太林的允諾

遠東某地一個共黨總部掛起了一張史太林的大相片，第二天早晨，下面多了一句語註，寫着：「我將給你們另一個韓戰，隨時，隨地。」——「笨拙」雜誌

紅色的維也納

河上的浮屍

這美麗古都的表面，有歡笑與寧靜，有歌唱與酒香；在其地下，東西間却整日夜在戰鬥，這不是紙上勾心鬥角的外交冷戰，而是殘酷的熱戰。

我們初來維也納的一個星期中，奧國警察就在「美麗的藍色多瑙河」上發現了九具浮屍。他們不是游泳時為激流所淹斃的人。這些屍首早在沒有及水面之前即已僵硬的了。其中兩個，被認明為蘇聯的間諜，其餘的，則已腐爛不堪，而且已無從辨認。他們全是這深藏於歐洲中部的可愛古都中整日夜在進行着的殘酷地下戰爭的犧牲者。這是俄人與美國人間的戰爭，但它不是在紙上勾心鬥角的外交冷戰，它的熾熱程度，一如去年春天蘇聯間諜勃倫與美國反間諜機構人員在維也納一角衝突時被射中的那顆子槍。

勃倫姆別名波利索夫，是個保加利亞籍的無惡不作的私梟，一個蘇聯綁票組織的頭子。他的狡黠與歹惡，無異於偵探電影中所見的歹徒。像多瑙河上的屍首一樣，他的斃命，是這世界最不為外人所知的戰爭中的一個小鏡頭而已。

在維也納被俄人擄去而永遠不見回來的男子、女子和兒童，已在一千八百名以上。一九四五年以來，至少已有美國情報機構的間諜——三百八十名——多數是奧國人——被擊斃或失蹤。此外還有幾十宗找不出一點綫索的暗殺案，和人口交易、未經透露的黑市、為金錢女色所誘惑腐化的美國士兵。

會令人猜疑到維也納的情形，下令區分的界綫，越過這一個分界綫，你決不會想到這裏靜穆的田野可以看到很少有這種景色。（一）

秦辛寧譯自「礦夫」雜誌

忌諱的「故都」

魯廷

有一張晚報上說：「時至今日，仍有人把北京當作故都的，請看九龍××飯店的廣告，列有著名的故都烤鴨！」

意思是：「時至今日」的「故都」這個字，居然還有人不避一下忌諱！

去年有一家電影公司拍了一張片子，剛剛完成，叫「故都妖姬」，公司老闆立刻把「故都妖姬」改名「一代妖姬」了，好好的路牌廣告連夜重漆，經過油漆。

雖然「故都」改「一代」，空間變了，時間還是時間。「你仔細想想，這裏面還有諷刺的，只是一個時間而已。」不更糟嗎？所以劇中人的名字運到了國內做了片名，才安然無事。

放映時，「×」字，不得不特別敏感。「時至今日」，中共統治下的人，在九龍自由地，也犯了忌諱，安全了「×」，為了沒有這種敏感，是在無意中犯了忌諱。

自卑，這種忌諱，如果不是出于心虛，便是對什麼？這種忌諱，足以說明：促使人們敏感的，是一種怎樣的壓力！

自由人
THE FREEMAN
（半週刊每星期三六出版）
每份零售港幣壹毫半
（第三期）
督印人：梁大成
社址
香港德輔道中一四九號四樓
電話三二八二〇
自由人報社發行
149, 3rd FLOOR,
DES VOEUX RD. C.
HONGKONG
TEL: 32820
承印者：東南印務出版社
地址：高士打道六四號
電話二〇八四八

我們亞洲人

亞洲人今日面臨的問題，不是西方資本帝國主義，而是莫斯科主持的共產帝國主義

滄波

一

我們是亞洲人，我們的親故朋友都是亞洲人，在今天二十世紀五十年代，亞洲正受着全世界注意的時候，立在亞洲人的立場，我們應該說幾句話：

十九世紀時代的亞洲人是被壓迫，被剝削的，在當時，亞洲人和其他有色人種一樣的受着白種人的壓迫與剝削。那種壓迫與剝削的方式，最初是軍事和政治的，後來是經濟及文化的。砲艦轟擊，軍事佔領，漸漸變成政治統治，所謂附屬國，殖民地，租界，租借地，勢力範圍。領事裁判權，關稅協商等等。一連串的西方帝國主義手法，目的都在迫害與剝削，兩次世界大戰的結果，西方的力量內部發生變化，帝國主義思想的本身上也有修正，同時東方的民族自已覺醒了。前一世紀西方帝國主義的如荼，現在到了「再衰三竭」的階段。中國的民族革命，日本的崛起，非列濱印度的獨立，都是二十世紀東方的大事，也是世界改觀的原因與結果。

買辦文化 貽害亞洲

不錯，亞洲人提到殖民主義，至今猶有餘恨。殖民主義把我們的政治與經濟自由都束縛了，殖民主義尤其把我們的文化毀傷了。在政治經濟方面的桎梏，一朝把束縛掙脫了，我們還容易恢復；便是惟有文化方面的自由，在政治經濟恢復以後，還須經過很長的時間，纔能恢復我們的活力。中國買辦文化幾十年來的貽害，使我們政治及社會方面受害幾十年，至今還沒有洗滌乾淨。中山先生所領導的革命，其顯著的破壞工作，是廢除不平等條約及打倒帝國主義。這一個目標，在我們抗日戰爭的後期，方始完成。今天我們痛定思痛的回溯，中國政治在勝利以後，內政方面沒有辦法，而至於全面的大崩潰，何嘗不是受着買辦的買辦文化的遺毒。買辦文化乃是十九世紀帝國主義通過殖民主義一手造成的，買辦文化對於一切落後民族的貽害，猶如鴉片與海洛因之於一個人身，一個人在一時受着拳打腳踢的傷害，與侮辱是容易恢復的，但是中了鴉片海洛因的毒，一輩子兩輩子使你不能站起來。殖民主義對一個落後民族，不僅使用了各種拳打腳踢，還逼着使它吸着鴉片與海洛因，使它永遠不能翻身。

亞洲人對殖民主義的深惡痛絕，是不折不扣的。十九世紀的末期，與二十世紀的初期，是亞洲人在那時期平等與努力自由爭取平等的時期。亞洲人由是不得平等與自由的，是西方的帝國主義。中國的孫中山先生，印度的甘地先生，其畢生奮鬥之目的，都在於此。二十世紀初期日俄戰爭中，當時不但中國民間對於日本寄着無限的希望，就是全部亞洲也同樣存着熱烈的希望，日本戰勝了帝俄，當時全亞洲的歡欣鼓動，象徵着亞洲人的共同希望。但在崛起後前日本在二十世紀的半段不但辜負了全亞洲人的期望，並且轉了亞洲人的命運，逆是歷史上幾十年的遺憾，最可悲歎的一件事。

共產帝國 變本加厲

時代的演化，兩次大戰的結果，亞洲人所努力反對的帝國主義，一方面西方帝國主義勢力日漸衰退，一方面同時它本身的性質也在變化，二十世紀的初期英國帝國主義就經過一個近乎九十度的轉角。在二十世紀的二十年代，東亞的中國和西方民主國家攜手並肩對法西斯集團的國家作戰，東西世界限的消除亞洲人在世界上平等地位的確立是中國八年血戰所換來，所以今天世界上站出來代表亞洲人的只有中國人。說話的只有中國人可以正告世中國今天可以正告世人。

是第二次大戰結束後，亞洲人所受西方帝國主義的壓迫與剝削過去已經漸漸不是問題了。而且，西方帝國主義已逐漸解除。當前的問題，亞洲人所面臨的，不是過去西方資本帝國主義，而是莫斯科主持的共產帝國主義。

過去西方帝國主義加於亞洲人的，是政治與經濟的束縛，今天共產帝國主義所加於我們的，所有自由我們的固有自根本消滅，過去我們所受的，是剝削，今天我們所遭的是屠殺，共產帝國主義是直對我們個個都是屠殺的機器，使我們那部機器，亞洲人在屠殺的設計，使我們互相殘殺的設施，殘酷的吸血，並相互強迫過殘酷的帝國主義，吸血對亞洲人而方面的設施，拳打腳踢，西方帝國主義加上了敲詐勒索，而今天共產帝國主義是整批的屠殺於我們。

僵屍失靈 活鬼可怕

際此莫斯科共產帝國主義已裝置了各國，把國際政治分化為機關分子的工具，屠殺分子手中的統治機構，他們按照了可隨意使上各國的必須以他們的機構分批整肅，以圖使我們能夠服從，只可以執行，屠殺過去帝國主義的統治，乃使生存苦憤，不堪生活，過去帝國主義的，不能使我們生存，亞洲人今天根本不是一個帝國主義帝國，是今天亞洲人一個問題，而是亞洲人要平等與自由生存。

過去的歌美民主國家對亞洲人，輕視而出賣，亞洲人過去愛了尼赫魯等蠻說那的道路，反恐代表，去魔尼赫魯還說，一個資格反對，尼赫魯今天與殖民主義，已經死的共產黨，於是殖民主義的周旋，乃是怕僵屍，於是共產黨的掌握，如活鬼，尼赫魯自頂至踵，怕如僵屍，擺脫不了他，如活鬼，尼赫魯自頂至踵都怯他。

北行已將近一月 章士釗渺無消息

章士釗於上月十九日奉召北返，迄今已將一月，據其在港親屬告人，除二十日在廣州曾寄回一平安到達的簡單信外，此後即消息渺然。中共報紙，於章離港及抵穗，曾各宣傳一番，以表示外間屢傳，章準備反「擁」之說，絕對無稽。但二十多天以來，亦從未再提隻字。因此，章之親友好，對章最近狀況，不勝關念。章最親近之親屬中，說：「章先生已經上了年紀，經不起刺激，他肉體上不起，但有些我們不能告訴他，去也是決不會上帝跟我們祝他平安的。」

一位七十歲的老人，受不了這樣的折磨，又有甚麼辦法呢！據曾經和他接近的人感嘆地說：中共只是一再要他的精神上的殘暴，叫他安心自己的「有」甚麼「無」呢，這個話說到從前，批准其有名無實的歌王朝，控制了整個大陸，以能夠使他在中共清算三幹部八慘案之呼聲，參加政協，一部尚份子，以章為中共的正本，幾乎會毛澤東之特許，已在港數月，振有幹部始護者，反對「擁」多方，章幸全港也，方才出來的，新消息傳出，在港更振「擁」，章自己亦確乎太欠檢點，有事使章大為煩言，中共兩次擁護，有無不當反責，而時有觸避，中共不太捧場之言論，在港有外流人士，且時猶相忌諱，亦不好與國民政府在港有關之人士，然而猜忌殘酷之事，中共必然，雖來日未必真有任何政治大意，當然是逆不義。

離港匆促。當晚赴澳 留別友人。語似訣別

道。離港前兩星期，有人詢章，何時北返，章微笑不答，最後，始云：我老了，還是住在香港吧！有同鄉向章叩請指示，則云今後行止如何，一切代毛要活下去，以本身為毛所不能諒解，因深信毛若不去，章晚年羅不恩索，就覺好一點，章還是去台灣為佳，定是毛所不能原諒者，章又對其老悖，或可多些時間，悠遊海外也。

不久章離港後，會有兩種傳說，一謂中共專使將函交章，謂「等我收拾，即行」；一謂章決之語調，毛主使者立以堅決之語調：「等章先生於收拾到此，即行」。時章一再吩咐先生，要章先生於關於一切準備，已到交通工具，現在立即起程，請今晚上船到澳門，如果要收拾，其他各行李，我們也還派有專人，來替章先生收拾，大漢二事，此言畢，即另有敲門聲，則彪形大漢二人，來替章先生幫忙者。章住所，一男僕，亦中共所派來，至此，已共有中共四人，供章役使。章知無可抗，即遵照使者所命，當晚首途。行前仍設法留有數函分致友好，辭意懇摯，謂匆促北旋，不及走辭，甚謂之意。惟另据一函述之，則謂章奉召而行，其匆迫不並以後，章如外出，兩中共追從惟謹，其意不如上，或恐老人途中顚躓，故左右扶持以示愛護云。（歟）

悼朱經農先生

吳俊升

據美聯社的報道，教育家朱經農先生，已於本月十日在美國逝世了！教育界的老成人，又少了一個，這是國家的損失。我想海內外教育文化人士，必定同聲悼惜的。

朱經農先生是因參加教育會議赴美的。後來大陸失陷，便留在美國，直到最近的逝世。他本有高血壓及心臟病的。這次大概是觸犯舊疾，猝然不治。他的年紀剛過六旬，不久。就其魁梧的身軀，軒昂的氣宇而論，雖然有宿疾，如在承平時期，善加保養，或者可以多延若干年的。無如祖國的憂患，家屬的陷禍，絕地死生活的拮据種種，不幸的時會，的鐵性者，寂寞以死，可悲在異鄉。

朱先生是一個具有學問的教育家，他學問的造詣，曾經任過北京大學教授，在國內教育界，朱經農先生曾經擔任過湖南教育廳長，後來又曾經任教育部次長，中央大學教務長等職，對於教育行政工作多年。他一生的事業，始終是在教育方面。

身長久以來一直為湖南教育界所敬重，他於民國十年在江蘇主持過省立教育，以後又任湖南省教育廳長，對於湖南的教育是很有貢獻的。他是一個深受湖南人敬重的。

他是一個很不好言語的人，對於事業很重實際，對他做事的人，都很覺得他為人很平易而可親。

在我與他共事的短期內，對他的為人與學問，覺得朱先生是一個恭謹的長者。

家教育，是在湖南中小學教育之外，他又以發展農業教育，推行鄉村教育為主張，民國十年以後，加入平民教育運動，在湖南推行民眾教育，

他是三民主義最誠摯的信仰者，他早年在美國參加革命，到後來仍信仰三民主義，自處一世。

自由而死，是他可悲的事。他死於自由之邦，死得其所，亦可謂死得其所了。

賺錢還應講是非

香港銀行公會聯合發行的英國報紙，最近出版了一本經濟年鑑，這本書是由香港總會出版，內容包括香港的工商業及遠東的經濟情況。

（滄波）

半週展望

馬來亞的「政治勦匪」

災難中的馬來亞，英國政府對於馬來亞的情形，一面防範，一面宣傳，一面加強政治，馬來亞華僑在當地的處境如何，已被共黨所利用，其恐怖與殘殺行為，並非任何人所能瞭解。

中共傷亡何日公布

北韓聯軍方面最近消息，中共軍隊傷亡人數，據聯軍報告，已達三十萬以上，中共方面則從未公布過傷亡數字，我們從這個數字看來，中共已經傷亡慘重。中共的宣傳家說這是「偉大的勝利」，但非中共官方所得公布傷亡數字，中共不但不公布傷亡數字，而且還宣傳勝利。我們的宣傳家，所以說中共將來一定不能公布其死傷人數，不過是不可能的！（天討）

時局漫談

左舜生

一 蘇聯眞要進攻日本嗎？

在杜勒斯正着手草擬對日和約的時候，蘇聯準備利用日共日俘以侵略日本的傳說，又已甚囂塵上。

本來鐵幕外的任何一個地點，無一不可構成蘇聯侵略的對象，其下手的遲早，只根據三個條件決定：一，能不能予美國以有效打擊，二，是否直接關係她自身的安全，三，有不有可供她利用的工具。

美國早已把日本看成她太平洋防線上的主要[illegible]，要把美國逐出遠東亞洲，當然以由蘇聯控制整個的日本為最有效。

日本的人力與工業潛力不可侮，其地形與蘇聯的東區，韓國和中國的東北，僅一衣帶水之隔，日本北海道，更與蘇聯新近佔領的南庫頁島、千島群島[illegible]日本復興，並加速完成其武備，史太林當然認為心腹之患。

日共已有近三十年的歷史，與蘇共中共的關係，自來密切，加以若干萬的日俘，更經過蘇聯長期的訓練，當然可以成為她合手的工具。

侵日的條件雖然具備，能不能成功卻是另一問題。

第一，美國對於日本，絕對不會放棄，蘇聯侵韓以後，繼以侵日，已十足證明蘇聯隨有發動大戰的決心，則不能得聯合國一致的贊助，美國亦將不惜與蘇一戰。

第二，日本已有二十萬的警察，美國駐日的地面部隊，至少可有三師（包括本月內可運到的第四十師及第四十五師），配以優勢的海空力量，足以保衛日本有餘。

第三，即令蘇聯能扶助日共在北海道建立一根據地，假定在半年中無法進展，一如今日韓戰的膠着，則日本十師至二十師的武裝重建即可完成，這便不是如何保衛日本的問題，而是如何出擊蘇聯和中共的問題了。

第四，美蘇在遠東發生正面戰的初期，蘇聯在遠東的海空基地，可能遭遇毀滅，中共也可能遭受毀滅性的打擊。

第五，形勢發展至此，台灣五十萬的力量如何運用，美國將不能不加以考慮。

第六，日本民間的愛國團體，多至不可勝數，最低限度，這類組織在防止日共暴動一點上，必有很大的作用。

第七，天皇依然是日本人民信仰的中心，共產黨不容易在日本得手，這也是最基本的原因之一。

第八，日本人受俄國的欺騙與侮辱實在太多了，且對蘇作戰，他們同仇敵愾的堅強決心無可懷疑，何況這是他們翻身最好的機會呢？

第九，最好大戰爆發，蘇聯將無法在歐亞兩方同時應敵，這在俄國的歷史上是沒有這種經驗的。究竟他的準備如何，把握如何，總還是問題吧？

以理知，就且舉這些利害推敲，也許侵日傳說還不會成為事實，可是「史太林是偉大的」，偉大到不是我們的常識所能推測，說他一定不幹，最好還是不要判斷得太早啊！

二 破紀錄的大屠殺！

中共在大陸上的大屠殺，正在有計劃的進行中，假定還有人要以一種悲天憫人的心情，希望他們中止這種行動，這實在是多餘的。

一提到中國歷史上那些殺人的故事，人們容易聯想到「揚州十日」、「嘉定三屠」一類的紀錄，其實這也是一種「落伍的想法」。

[illegible]劇：黃巢、張獻忠明明是[illegible]，揚州、嘉定的那類慘[illegible]；今天所根據的，明明是一種「主義」，明明是「前進」的。[illegible]

我們這個民族所謂「格殺」，[illegible]……也許他們就是破世界的殺人紀錄，也就在[illegible]。

從蘇聯減低物價說起

且減低後的物價是否低於別處

陶百川

跟着史太林抨擊艾德禮的談話，蘇聯政府最近減低若干種物品（包括麵包在內）之價格，從百分之十到百分之廿。這次減價的動機，雖在反證蘇聯並沒有擴軍（有如史太林談話所宣傳的），但是蘇聯人民因此未始不受到相當好處。可是假如有人因而羨慕蘇聯人，因而歌頌共產主義，則我得提醒他：「先生，且慢羨慕！且慢歌頌！你得先看看減低後的物價是否低於別處，你又得看看蘇聯人民的購買力是否高於別處人民的購買力」。

但單價怎樣？我查了好幾本最近蘇聯物品的資料，可以寫出來供讀者參考。

牛肉一磅（自由市場價格）二〇〇盧布

香烟一支 二〇盧布

火柴一盒 一〇盧布

髮夾一小包 五盧布

照同一匯率，皮鞋一雙要合港幣四百五十餘元，牛肉一磅一百五十餘元，（香港價格是七元），香烟一支三元三角。因此

十五年前比上海高

（一）一九三六年秋天，我在莫斯科一家旅館請英國大使館一位朋友吃早點，他吃的是一杯咖啡，一客麵包，一碟水果，一個炒蛋，代價是十一個盧布，照那時的匯率，約合美金二元，約合國幣六元六角，而我在上海大西洋西餐館的全餐（兩菜一湯外加麵包咖啡）祇要國幣一元二角。那時我假如不是親在蘇聯，我必不能相信蘇聯的物價竟貴到這步田地。而蘇聯那時革命成功已十九年，土地改革（集體農場）早已完成。

成，工業建設經過兩次五年計劃已有很大的進步，食物的配給已廢除八個月前取消人民可以自由購糧，然而食物的價格尚貴得這樣！而那時人民的收入呢？每月平均工資是八十九個盧布，女工替我打掃房間的五個盧布。那時蘇聯人民的生活，是談不到幸福的，雖然那時已在宣傳怎樣共產黨的蘇聯人民是最幸福的了。

（二）依照一九四九年六月的讀者文摘登載英國國會議員 J. B. White 一文，蘇聯各色人民的薪金如下：

一月所入購鞋一隻

	月薪
科學研究院士	八，〇〇〇盧布
歷史學博士	六，〇〇〇盧布
莫斯科馬戲場小丑明星	一四，〇〇〇盧布
礦場首席工程師	二，〇〇〇盧布
學校教員	九〇〇盧布
鍋爐熟練技工	八〇〇盧布
電廠裝配技工	八〇〇盧布
會計員	五〇〇盧布
鋸木廠不熟練女工	二六〇盧布
不熟練火夫	

若照蘇聯自定的匯率，四個盧布合美金一元，（但實際是有價無市），月薪二百六十盧布的一個火夫，月得美金六十五元，合成港幣三百九十餘元，這在香港人看來豈不眼紅之至！但請看看物價！同一文中登載：

鞋一雙 三〇〇〇盧布

男服一套 七〇〇〇盧布

女服一套 六〇〇—四〇〇〇盧布

年代	國別	生鐵	鋼	煤	汽油	電力
		單位百萬長噸				十萬萬[illegible]
一九四〇	蘇	一五·〇	一八·三	一六六·〇	三一·〇	四八·〇
	美	四一·九	五九·八	四五七·四	一七八·〇	一四一·八
	英	八·二	十三·〇	二二四·三	……	二八·八
一九四五	蘇	八·八	一二·四	一五〇·〇	一九·五	四五·〇
	美	四八·四	七一·二	五〇九·四	二二七·九	二二五·五
	英	七·一	一一·八	二〇六·三	……	三七·三
一九四八	蘇	一三·八	一八·九	二一〇·〇	二九·二	六五·五
	美	五四·三	七九·一	六一〇·一	二七二·四	二八二·七
	英	九·三	一四·九	二〇九·四	……	四六·五
一九四九	蘇	一六·四	二三·六	二三八·〇	三三·三	七七·五
	美	四八·四	六九·六	四二九·一	二四八·一	二九一·一
	英	九·五	一五·六	二一五·一	……	四九·一
一九五〇	蘇	一九·二	二七·六	二六四·〇	三七·六	八六·七
	美	五八·二	八六·三	四九一·三	二六三·九	三二八·九
	英	九·六	一六·三	二一六·三	……	五五·〇

一個很熟練的鐵工，每月工資雖然多至一千二百盧布，然在政府高物價政策之下，一個月的房租和伙食便用去八百二十餘盧布，政府所得稅和工會會費一百九十五盧布，尚剩一百八十五盧布，僅可購鞋一隻，香烟十支和髮夾一小包而已！這樣高的物價，雖在去年和今年一再減低，仍在世界物價的最高峯。在這高物價政策壓迫之下，蘇聯人民的幸福是極有限的。

從物價的一再降低，可見蘇聯經濟建設的猛晉。然這與共產主義並沒有多大關係，美國的進步就比蘇聯快而大（請看下表：【附表如上】）。蘇聯戰後經濟建設的重心，顯然放在「重工業」。她的口號是「機器工具先於衣服」。所以蘇聯人民的生活程度雖經一再提高，但還趕不上資本主義的英美，距離所謂幸福愉快的標準，自更遙遠了。

印度國內反共

——印國會制定法律，囚禁共產黨人，不需經過審訊。——

寧人

印度共和國成立後，首相兼外交部長尼赫魯，一年來好像代表了亞洲人，在西方民主國家及莫斯科共產帝國主義集團中間，騎牆猶豫，似乎想打出另一條路線，尼赫魯對中共，凡盡了各種諂媚的能事。美國許多激進的右傾者，甚至說尼赫魯是共產黨，最近，尼赫魯在印度演講，忽然大駁特駁所謂第三勢力的揣測，似乎尼赫魯的印度，不承認走着中間路線，這眞是太奇怪了，尼赫魯的孤魂，究竟飄蕩到那裏去呢？

在印度國會中，國大黨是控制絕大多數的，在一週前，通過一件議案，延長取締共產黨的法律，這個法律規定，凡是共產黨黨員及操縱黑市的人，政府可以不經審訊而加以囚禁，印度各地有一個退職的律師委員會，各地警察辦理這種案件時，只須和這一個委員會商量便夠了。印度政府內政部長拉茄谷帕拉契禮 Rajagopalachar 是國大黨領袖之一，對這個法案答覆許多批評的人：「個人自由的原則是好的，但是個人自由的用意，是為社會增進福利，不是去毀滅社會的福利。我們不能讓人去利用好的原則，為他們各種罪行的掩護，譬如我們掘一口井，是為濟汲水喝，不是叫我們跳井淹沒而死。」國大黨在國內反共，似是該黨一致的決策，如上次在瑞典京城共產黨所發動的「和平呼籲」，尼赫魯私下勸告國大黨領袖，不要簽名參加。

有人說印度對共產主義的安撫與容忍，只是對外的。印度在國內，還是照樣的嚴厲反共。這種事例太多了，所以說印度太天眞，不認識共產主義，這是錯誤的，唯其如此，我們對尼赫魯的行為與用心，更不能寬恕，他不知道共產主義之與消長，是世界性的，共產主義的對象是整個人類，它決不會對亞洲人稍厚，而對美國人特別苛刻，國內反共，國外容共，不成其為一種政策，其結果只是替共產主義造成更大的滲進機會，尼赫魯口頭上滿嘴「悲天憫人」，而骨子裏是一個騎牆取巧的機會主義者，替這一個新邦惋歎而悲哀。

不會再有中立

最後，由人對自由世界，全世界的人類發出今天最大的呼籲：人類將分為兩種，一種是慣於專橫的，一種是有獨裁的力量；一種是民權的人，為維護自由而奮鬥的力量。在這中間，不會再有眞正的中立：[illegible]。

人類的思想，人格，人人的利益，人底世界，不會再有人以暴力，欺騙，陰謀，不擇手段，排除異己；而平等，仁慈，忠誠，寬容，智慧，公正的美德，都無所不有；任天下為公，上下無所恐懼，經濟上有正義，政治上有自由，是自由主義者所期望之人類自由社會之初步的實現。

論自由人

將來人類幸福要靠自由人自己努力

劉百閔

自然，自由人是對不自由人而言的：人類有不自由人，這是人類的悲哀。

中山先生在中國革命運動過程中，沒有倡導過個人自由。他主張國家自由，團體自由，但不主張放蕩不羈一盤散沙底個人自由。

但是，先生所講底自由人，決不是中山先生所謂放蕩不羈一盤散沙底自由人；自由人就是對于全世界有擔當，有勇氣，有熱誠底一些人。

歷史是血寫的

有人類歷史以來，前進者，革命者，他們總是以鬥士底姿態出現在人類歷史上。他們用他們底熱血，踏着前進的道路，人類底歷史，是人類用血寫的，是人類奮鬥爭得來的。

人類有了生存，才有自由。人類生存底權利，是天賦的麼？不，是上帝賜予的麼？不，都要靠人類自己努力奮鬥，而獲得，而保存。人類時常遭遇災害，危險，死亡，以及猛獸和洪水，都要人類努力去奮鬥。

人類和獨裁鬥

人類和猛獸鬥，和洪水鬥，和暴君鬥，和全世界人類底惡人鬥。上帝在那兒？不，上帝有他的最後的裁決。最後的裁決，總是暴君上了斷頭台，獨裁者受到人類的拳棒交加而死。然後人類獲得生存，人類恢復自由。

尼文孫不是說過麼：「自由如同愛情，不是你搶得了她，她就不會為你所有。假如你以為可以一勞永逸，因為時時刻刻去爭取她的勝利，以至于搶劫奪去。」自由的戰爭，永無終止；自由的戰場，永不安寧。

然而，所有的自由底爭取，是為了人類底推進；而科學的發明和政治的，經濟的改造，都是人類努力的成果，在自由底勢力範圍，人類所作底一切政治理想和社會理想底實現，都要人們必須繼續努力，以求其實現。

無自由談自由

十年前，失敗的人們常說一句話：「自由，那就根本算不得是自由主義。」這句話，真是太好了。談自由，要對無自由的國家談自由，才算得是自由主義。談自由，對我們的時代，現在的世界，是太需要了，太急迫了。

我們還在這世界上，五分之二以上的人類，正在饑餓死亡線上掙扎，還有將近二十萬萬的人類，屈服于大小獨裁者底皮鞭之下，完全喪失了自由，他們被迫在新的沙皇的統治之下，每個人被奴役，每個人被虐待；工人被束縛于一定的工廠裏，農人被束縛于一定的[illegible]

征服新的沙皇

萬千人變成了新的農奴，長期過着高工率低工資的奴役生活，而他們的國家，又被改造成為新的殖民地，人類底生命財產，被殘酷的屠殺，而他們在這個世界上的一切正義底權利，都被剝奪，人類的貴族，新的統治階級，新的沙皇，暴君，正在吞沒人性。

但是，可以征服洪水，征服猛獸，征服暴君，征服了。今後，他們亦必將征服新的獨裁者，新的沙皇。

將來人類的幸福，不是來自上帝的恩賜，也不是來自新的貴族，新的統治階級，而是來自人類自身。人類自己努力，要使這世界成為一個最適宜于人類居住的世界，人類要由自己來創造，由自己來努力；一切自由的人，要在這世界上[illegible]

自由人，在全世界上，要擔當起來。人類終歸是自然的，真正自由底自覺的人類，要由自己的努力，從歷史的壓迫和暴君底壓迫下，從人類自己的悲劇中，解放出來。

自由人，在這個世界上，唯一的標準是：理性和正義。他們不肯承認這世界上有任何一個專斷者；他們要有頭腦，要站着，不要跪着；他們要用理性，要用正義，來批判一切，而不是受任何人底統治。時代是要追求一切，追求到最正確的理想，最正義底批判。人人要使這世界變為人人的世界，人人親愛，人人扶持，而不再為仇恨，人人提攜。

我們要使這世界上的一切獨裁者，從地上消滅，我們要使人人都可以自由的生活，人人都可以得到他們應得的幸福，而人類和平共處，不可再互相殘殺[illegible]

多少罪惡，假汝之名以行；多少人死了，以自由之名，自殺了；[illegible]

不甘使人們再受欺騙

江南萍文字殺身

逃出虎口在香港做報販　發掘眞實入魔窟遭毒手

紀年

繼去年十一月卅日集體槍殺趙非，葉雲笙，鄒孝平，羅金泉，陳賓平，駱樹濂等六記者之後，本月九日又一位新聞記者江南萍和其他「人犯」四十四名死於廣州中共的血手裏。本來，公開屠殺新聞記者在中共統治的區域裏已不能算是新聞，爲千萬良善老百姓犧牲在莫須有的「特」字銜頭和各種清算方式下也早成爲中共的遊戲，何況是證據確鑿曾經對它口誅筆伐過的新聞記者，其被視爲極端「惡毒反動」非置諸死地不可，更不在話下了。所以我寫這篇文字的動機，絕不是替江南萍呼冤道枉，而在表明他「死得有其代價」。他用生命來爭取「新聞自由」，如果「自由」與「生命」不能並存時，他又是寧可舍棄生命。他之生，曾使廣州中共憎惡而窘惱：他之死，更給予中共□□者一種無可彌縫的諷刺。

一覺悟了的親共青年

他的「罪狀」

現在，先把廣州中共軍管會「佈告」的「罪狀」照錄一通：[illegible]

我在文化學院　認識這個青年

我第一次認識江南萍，是在文化學院裏，他是那個學院的教室裏才二十二歲的小伙子，時常穿[illegible]……

[illegible]

初入南大學習　懷抱無限幻想

[illegible]

徘徊十字路口中　變成賣報小販

[illegible]

學生請假離校　不料竟算犯罪

[illegible]

爲了發掘眞實　不惜犧牲生命

[illegible]

[illegible]

還鄉記

毛澤東子　劉少奇兄

——一切罪惡都說出自「偏差」——

諸葛文侯

毛澤東是湖南湘潭人，劉少奇，謝覺哉（中共政府內政部長）是湖南寧鄉人，湖南各縣的農民協會鬧得最兇，去年春季鬧退租退押，秋季鬧土改，因而鬥爭致死的地主，富農，惡霸，善霸，不知若干，傾家蕩產的人民更不勝枚舉。毛劉等人的家鄉自不例外，到處流血殺人，連這般新貴們的親族也身受其禍。最近由湘省潛逃來港的友人，爲述毛子劉兄關於土改的故事，值得報告大衆。

弟弟革命成功　哥哥將難生存

劉少奇的親兄本農，略識之無，是因不忍家鄉中慘劇，去秋會赴北平。少奇爲表示友于之誼，除招待乃兄的起居飲食至爲優厚外，另買皮袍二件贈兄，乃兄卻之曰：「我不需要皮衣，也不想戴着要人哥哥的榮銜，我只希望你能制止家鄉共產黨人的濫殺濫鬥。現在地方上鬧得雞犬不安，流血成渠，無論貧富皆將同歸於盡了！」即將他在縣裏親身目擊的慘狀，逐一敘述，并謂：「你在外面革命成功了，家中卻大遭革命之禍，連我也將無法生存了！」少奇聽罷乃兄歷歷如繪的事實報告後，不便說別的，只簡復答道：「這是他們的偏差！是偏差！」這位新貴之兄，又以小同鄉關係往晤謝覺哉，作同樣的敘述與呼籲。謝比少奇具有中國人的心性，傾聽之餘，不斷的搖頭歎氣，表示驚訝，但也不能說別的，只說：這是革命過程的偏差行動。劉兄不得要領，心情沮喪，乃言道：一次偏差即已弄成這樣慘象，假如再來一次偏差，豈不是人民都要死光了嗎？謝只是安慰他而已。

老丈母尚健在　大舅子發牢騷

毛澤東的原配夫人楊氏，是湘潭人，她的老母今年八十一歲了，尚健在，現由湖南「人民政府」配給房屋，住在長沙城內小營盤街，尚有一個六十歲的哥哥和老母同住奉養。去年秋季，毛子「鶴民」奉父命由北平帶着鹿茸，皮衣等共計四件禮物，回到長沙祝外婆八十歲壽誕。「省主席」王首道特爲備了四桌酒席致敬，祝壽之日，賓朋宴會，甚爲熱鬧。席間，這位六十歲的舅舅多飲了幾杯，便對外甥說道：「鶴民，當年你父親大革命失敗時，軍警密探時時來緝捕你們，我設法先將你改名換姓，藏匿別處，再致你父親潛逃。現在你父親革命成功了，身爲人民政府主席，你也長大了。但，家鄉人民卻個個慘遭革命之禍，天怒人怨。早曉得是這樣結果，當年我何必掩護你們呢！」如是，舉他將共幹清算鬥爭和土改時的一切殘暴事實，爆證指述，激昂憤慨。毛子聽過亦只答道：這是他們的偏差！舅舅沒有再說，只勸他到湘潭鄉里去看看親屬們。

毛澤東有一堂兄弟在鄉里務農爲生，家道小康，毛子還鄉之日，這位叔叔煮了一鍋蠶豆粥款待他。他看見叔叔吃這種豆粥，即說：「我們湘潭乃魚米之鄉，爲何叔叔竟過這樣生活呢？」叔叔凄然答曰：「這是今天因爲招待賢侄纔煮的，平時我們那敢私吃這種豆粥呀！萬一被他們知道了，又要來鬥爭我，說我是富農哩！希望你回去告訴你父親，他做了中央政府主席，我這個兄弟卻比在國民黨壓迫下所過的日子更痛苦，我不希望作官發財，只希望你父親讓我多活兩年纔死！」毛子對於叔叔這番話，除安慰幾句外，也只答道：這是他們的偏差！

法國大革命時代，一些專政的暴民，僞稱自由之口實，濫事屠殺，因有羅蘭夫人臨死的沈痛之語：「[illegible]天下許多罪惡，假汝之名以行！」今日共黨在大陸上[illegible]皆出「偏差」[illegible]

[illegible]

烏雲遮太陽

現在北平市內，已普遍的唱傳着兩首民歌，從這兩首民歌中，我們可以看出眞正的人民，對中共的反映如何：

天上的烏雲遮太陽，
地下的人兒淚汪汪；
大兒子被迫參了軍，
二姑娘一去沒下場，
西北風吹不散這心頭的恨，
又來了幹部要軍糧。

× × ×

人民的自由像月亮，
失掉了自由遭了殃，
吃飯穿衣不能隨便，
走路閒談要細心腸，
一句話兒錯出口，
三年五載的牢獄嘗。

（孟超然）

鐵幕叢談

北京暴政下攤販破產

繳不起重稅被罰做苦工

中共曾宣言北平市內的剝削階級已被徹底的消滅了，假如這話是眞實的，那也僅能解釋爲舊的剝削階級已被消滅，而新的剝削階級卻正方興未艾。在中共新的法律保護下，這個新的剝削階級新的大小官僚，——以中共黨員幹部爲基礎的「政府」，利用各種「合法」的捐稅，搜括民財。捐稅名目之多，數量之巨，破中國有史以來任何時期的紀錄；僅就一九五〇年，下半年度而言，中共在北平新徵捐稅，計有一九五〇年下半年度工商稅五億斤小米，上半年度追加數一億六千四百萬斤小米；[illegible]

[illegible]

（孟超然）

鎮江商會理事長挨打

不許說「他們的人民政府」

既是國大代表，又是江蘇全省的商聯會理事長，鎮江縣商會主席陸小波，在鎮江褪色以前，開口民主，閉口自由，掛着前進招牌，自以爲是了不起的人物，不問商會的大小事情，無不一手包辦。

他原是錢莊學徒出身，三十年前漂流到鎮江，由親友支持，開了一家小錢莊，因此竄進了商會。二次大戰期間，避難重慶，以江蘇商界領袖姿態交接達官顯宦。勝利以後，他以「路路通」躋身於工商界，且受王曉籟的幫忙，便躍登鎮江商會主席的「寶座」。

鎮江「解放」以後，他們仍以過去的態度坐着包車；口聲民主自由，卻不知道中共到了鎮江，第一次就要他交四萬雙膠鞋「慰勞」，他一口承認：「照辦、照辦」。第二次攤派二百萬分「公債」，[illegible]

[illegible]終年老了，嚇得一哄而散。他回去躺在床上，托病居家不出，什麼都不管，對家人表示，但求早死。

（勃居）

生活思想

看誰贏得「民衆」

——陶樂居——

東方思想的沖激，一百多年來的不斷泛濫與提高，在目前，已經抵達到一種明晰的境界：一方面是強烈的民族氣質，民主素質，堅決爭取人類全體的自由；[illegible]本位的自由，而轉換到人類全體的自由。這一境界的現實場面，特別是中華民族，從部份東方民族覺醒中，徹頭徹尾的熱烈，大力提前，忍耐的民族今天大醒，從過去幻覺中最鮮明，從分裂的歷史，孤立的反極個體，以虛僞過去，一個非英雄主義，不能夠而且也有尼古拉，能熔臣屬，以抗俄，共成的加不可大推翻，彼德洛夫的東方形式而先天上且政權。

另一個境界是把民族背景的本位，知道自由，是個人體的本位自由，把一種新的文化，附隸於一種民族累積下來的民主主義侵略的思想體系之內。這一境界的現實場面，是東歐在歷史上從未有過的；一種附庸制度的成熟；在亞洲，一個從窰洞中蛻變而成的奴隸朝廷，和一班古城的林彪們背負兩個境界是東方民族歷史性的最後抉擇，兩個境界的本質是各走一極而絕對沒有中間性的幻覺或者妥協；但是在先天上，後者具有不可抵抗的否定性，離心性，但它仍不能自生自滅，必須前者的強大，把它連根拔起，以排山倒海的力量，把它繼結，杜絕另一代的滋長。而前者最大的優勢，是人民的緊密團結，沒有人民，力量仍舊是微弱的，結果只會成爲一種秀才造反。

兩種境界鬭爭的目標，百米也罷，萬米也罷，接力也罷，最終的決定，是誰贏得了「衆民」，不是「廣土」。

小人之心

·林達史·

七日在德國美蘇兩佔領區交界處有一個東德巡邏兵被美軍擊斃，次日夜間東德「人民」政府發布一段公告，說這件事是杜魯門，艾森豪威爾和阿特諾爾，有計畫的行動，用以加深國際間的危機。原因是杜魯門，艾森豪威爾和阿特諾爲了德國民主共和國改造戰功，與西歐危機加深，而感到焦慮，因而要挑起國際間的緊張局勢。[illegible]

[illegible]

我們不過，仔細一想，這是巧合也罷，這是事實也罷，總而言之，人在歷史上「自由人的產生」，除卻希臘，羅馬而外，似乎不只在俄國纔有，摧毀巴士底獄以後的巴黎市民，擺脫了英治的北美十三州的民治，難道都不是自由民嗎？難道他們都不是自由的統治階級，他們確乎不是什麼人家資本家治下的奴隸嗎？我們也要封建地主，壓迫奴隸的歷史上去尋一定例證，俄國歷史上是怕數典忘祖嗎？

自由人與奴才

·酉之·

黑暗，必敵視光明，魔鬼要殘害人類，這本是事理之常。無足驚異；只是，如果爲了服侍自己的主子，而不惜顛倒黑白，狂獗亂吠，眞是可恥而又可鄙。

[illegible]

照這樣說來，那麼，從史達林毛澤東以至他們的徒子徒孫，當然都不是自由人。如果要說人民大衆，是爲了使於統治奴役和殘殺，而先讓人們相信人類是生下就沒有自由，設計雖巧，即使向共心可誅，設想也最壞的方面，相信眞會有還不敢相信的存心。不過，在這樣的極權統治之下，所有的人民一定不會享有自由，到是千眞萬確的事實。

旅美雜記

爭看中國太太

陳香梅

昨天傍晚遷入勞利田莊的別墅暫住，這田莊的男主人才於今年四月間謝世。據說他生前爲人慷慨好施，而且好客。他在這縱橫數百里的田莊上蓋了四五座極其漂亮的別墅，專爲招待賓客之用。田莊上種了瓜菜，棉花，養了牛羊，雞犬，還備了佃戶爲他照管；秋收的時候，一望無際的棉田，恍如雪後羣山，微風過處，又如海上的白浪，此起彼伏。美國南方最多棉田，富戶們多擁有油井與棉田，這是南方生產的。

勞利已去世，他死得很自然，據說有一天早上，當他正躺在床上和小孩子玩耍的時候，忽然心臟病發，呼吸停止，醫生挽救不及，就此與世長辭。他底太太年近耳順，但仍非常有朝氣，爲人和藹可親，她聽說我們來此渡假，就邀請我們到這別莊上來住幾天。

別莊上住了幾家農戶，聽說飛虎將軍和他底中國太太到來，大家都跑來訪問，半個鐘頭之間，我們所住的那幢房子門前已擠滿了人，其實我和外子結婚已有五個年頭，而且孩子也有二歲大了，他們還把我當作新娘看待，眞使我啼笑皆非。你能怪他們嗎？他們就像我們中國那些鄉下人似的，總是以好奇的眼光看洋鬼子，他們世世代代住在人口不過三五千人的小鎭上，中國人是個什麼樣子，他們毫不清楚。

鄉下人一團和氣，送來新鮮的牛奶和才摘下來的瓜菜，晚間山着野味，自已下廚烹調，別有一番滋味。

雇了一個黑人來幫工，她是個大胖子，午餐時吃了一塊牛排，一盤飯，兩個山芋，一片麵包，一杯牛乳，一塊雞，一杯冰淇淋，一杯咖啡之後，還問我要朱古力糖，她說要節食減輕體重，因爲她太胖，不是，她對我說，所以她要節食的話，連廚房裏的碗碟也被她一掃而光了！

說要一晚上我剛把她來打開門，問她何事，她說我要一包駱駝牌香煙，我只好把陳將軍的香煙分一半給她，所謂主僕平等，至此而極。她的名字是碧茜，週薪廿四元，每週工作五天，星期六星期日休假。每天早上九時上班，下午六時下班，上午以下班前的一過，不以下班（二）後情事的一

圖：合家歡

——自然還有歌頌史達林爸爸的自由。

則就俄國而論，二月革命至十月革命，當時也都被解放出來，但是到後來，也不能不算是自由，人們的一切都被剝奪了，只有集中營的自由，和進受清算的自由，與上斷頭台的自由。

仁慈表演圖

·君提·

香港有一張晚報登了一張「爲仁慈表演」圖。是一家親美的新聞社播自韓國的照片。但是這報紙所加的說明是：

「一羣爲戰火毀滅了家庭，喪失了父母之愛的朝鮮孤兒，收養在育嬰堂裏。爲了表現仁慈，美國的大兵帶來一些糖菓，招呼這羣天眞無知的孩童在一起，於是好奇而貪饞的孩童，就成了他們的臨時演員，爲宣傳美軍仁慈而表演。」

這樣的「仁慈表演」，我們看來似曾相識。有人每年做壽，拿出一些鈔票散發，雖道也是爲了表現仁慈，才「招呼一羣天眞無知的」老人「在一起」，「於是好奇而貪饞的」老人「就成了」臨時演員，爲仁慈而表演」。

並且，這同類的照片曾登在報同的地位，（新聞版的左上角）。在過去，我們不反對那位壽翁所做的仁慈表演，因爲，在這個殺人不眨眼時代，無論表演者動機何在，「仁慈」，總是值得稱讚的：何況仁慈的戲機大概總不會太壞。我們所奇怪的，就是同爲仁慈，何以這張報的姿態，揚與諷刺，能後判若雲泥。有人說：這是聯計關老闆的技巧。正爲着老闆文化程度提不上他的財富，所以聯計們敢如此放肆，不然的話，豈不是跟自已飯碗開玩笑

什麼：「自由只是財產的化身」，「俄國農民在十月革命成功後，土地國有令宣佈後，成爲蘇維埃的名符其實的自由，才有了政權的擁護者，無產階級應該是眞正的自由人了，那麼自由」，這樣講自由人的「自由」，不過是一些理論上相互矛盾，用十月革命突然出現的，他們已三十多年，不好也算是歷史上的假事呀。如果爲了宣傳與上抄來的濫調，還是少引用爲妙。寬大政策（）這名詞現在已過時了的德政，竹幕裏的人們已經領教夠了。即使這裏還是你們可以自由出賣靈魂的地方，到底也不甚容易找到主顧。

自由人的相對者是奴隸或奴才，奴隸固然可悲，而奴才卻極其可鄙，因爲奴才的任務就是替主子把自由人壓迫成奴隸或販賣成奴隸。如果奴隸都得了自由，主子固然完蛋，奴才自然也失所依托。所以奴才之所以曲解自由，甚至不肯敵視自由，

然而，就通鐵幕也禁不起自由洪流的衝擊，沙皇的後代一定會走上與沙皇同樣的命運。上算了吧，奴才是沒有這種地方，多少用處的。

◆原子彈轟炸機◆

美國能載原子彈的B36式遠程轟炸機是一種雪茄煙形的飛行怪物，它的造價是每架四百七十萬美元（一艘小型滑艇也不過六百萬美元）。在它長達二百三十呎的兩翼中的油箱可以一次裝入兩輛半運油車所載的汽油，足夠機翼後面的六個推進器將近兩天的使用。它可以飛翔於敵人在地面所不能見的高空，而這種高度是超出一般阻截飛機的性能範圍以外的，在它兩翼的尖端下面另外還裝着四個新式的噴射推進器，使它能夠以至少每小時四百三十五哩的速度衝向目標地點的上空。它裝載炸彈的容量等於三十架B17式機，或是四架B29式機。假如一個機上的人員要從頭部的駕駛室到尾部的休息室，他必須平躺在一個手推的滑車上經過八十五呎的距離才能到。

◆雷達操縱火箭◆

美國空軍的另一種新式武器是裝在戰鬥機兩翼下面的李安式「火鳥」，這是一種空戰中用的火箭，當一個火鳥射出以後，裝在他尾部的火箭推進器就以高速將火箭推進，當一個火箭推進器的力量耗盡之後，就會自動墮下，而由第二個火箭推進器繼續推進。在火鳥的頭部有一個雷達的裝置，它能夠在任何氣候中發現敵機的方向而操縱「這火鳥的追蹤。等到了貼近的適當的距離時就自動爆炸。

（未央譯自時代週刊）

時代科學

自由之歌

·星星·

縱爲一聲低喚，在獰獰的鑾鬻圍逼中將如水銀瀉地，震撼每一不拔的弱草。

敢敲小片燧石，在無邊的如霧如墨裏當看熊熊燒起，無數眼睛憤怒的光輝。

遙望「電影展覽」

·······毛斯基

中共正舉行着「國營電影廠出品新片展覽會」，通訊社爲此大發電訊，似乎很隆重的樣子。仔細看了關于這件事的報導，才知道是把去年各電影廠的出品，分在二十個城市六十家戲院輪流上映。

這倒的確是一個值得大加傳播的創舉。既宣傳「新中國」的電影事業，又可強迫學校團體機關工會全體出動集體觀影，共襄票房盛舉。有警察政治，更有警察企業，高明之至！

×　×　×

沈雁冰以主管「部長」身份，在電影展覽開幕典禮中大致其詞，宣布「國營電影廠」的工作成績說：「去年一年中，東北，北京和上海三地十部……攝影故事片二十六部……翻譯故事片二十三部，翻譯教育片四十二部……」

電影工作上，以前沒有聽說過「翻譯」這一部門。查了查大陸報紙上的電影廣告，才知道所謂「翻譯」，原來是只在蘇聯影片上加譯華語對白而已。影片還是蘇聯的。

然而這也列入了「出品」記錄！

×　×　×

奴才露主子傳播聲管的，叫「傳聲筒」。

現在則又有了「傳影機」！

×　×　×

以前中國的電影市場是美國片佔優勢的。不必舉行「展覽會」，也毋需強迫集團觀影，更沒有「翻譯片」，但是一直到去年年底被肅清的前夕，上海放映美片的戲院依然常常客滿。這優勢壓得蘇聯片抬不起頭來。

于是，「抗美」政策之下，美國電影一夜禁光。表面上用

然而，我們這位沈雁冰「部長」卻說道：「由于我們製片在思想上和藝術上的優點，使過去曾經在我國電影市場上佔優勢的美國影片，到去年年底已經完全被肅清了：這是一個很大的勝利。」

假使他不是掠人之美，他的「部」不該叫「文化部」，而是「暴力部」了。

×　×　×

結論：美國電影是「帝國主義文化侵略」，而蘇聯電影是「國營新片」！

强笑集

·唐明·

共區，一個高小班上，「學習」學生肚痛，請求早退。老師反斥爲裝病，堅決不准。

當「學習」到「我們的時代」，專制時代學生按着肚子站起來，問：「老師，現在是怎樣的時代？」「民主時代，」「民主時代，還沒有攪通？」學習了這麼久，生病時也得學習。學生肚痛的時候，又是怎樣學習的呢？「……」

紅色的維也納

·男女特務活躍

維也納這裏的人民，似已恢復了他們傳統性的歡愉和活力。午刻的莫札脫咖啡店走廊上，坐滿了青年和少女，在安享溫煦的陽光或撥弄着面前的茶杯，到了週末，普拉特和維也納森林從一羣羣遊客帶來了生氣。夜晚在啤酒間裏，充滿酒香的空氣中，蕩漾着使維也納聞名於全世界的歌聲。

維也納，和整個奧國一樣，劃分成四個單獨的區域，相同一區由四個佔領國家中的一個管理着。在遮掩林斯特寨場的營提樹下，美、俄、英、法四國的軍服自由地混雜於人羣之間。勃立斯都旅館前的美國憲兵，每看到一個蘇聯軍官經過，就馬上有禮貌地立正舉手敬禮，使你或許會以爲四個盟國在這裏正融洽地相處和諧地工作，或許以爲冷戰祇是某些人的噩夢。

但在午夜逛過蘇管區旁邊的小街，或散步於多瑙河畔的狹街，或滯飲於風化區的小酒吧裏，你將突見一種截然不同的面貌。你或會看到一個屬於共產黨某一個組織的酒吧女郎

正歸說着美國或其他西方國家的士兵在那裏的苦衷。在這裏你將明瞭世界最激烈的地下戰鬥在怎樣的進行着。你可發現任何國家的秘密人員：不和任何人合作的南斯拉夫人，溫雅圓滑而消息靈通的瑞士人，數以百計的匈牙利人，法國人，保加利亞人和以色列人。他們正以尖銳的目光注視着你，或在你身邊經過的每一個人，或者正在交頭接耳密談於街道或酒吧的一角。你可看見年輕壯健的美方反間諜員，你也可能恰巧坐在一個兒手的鄰座。

一部叫「黑獄亡魂」的電影中攝過幾幕鏡頭。這夜總會的標會在「東方夜總會」的主要奏着電影裏的弄寃者，仍在奏着電影裏的主題曲。但其中的顧客却尤險惡於電影裏的那個歹徒。繞尼西林並非他們的主要交易對象。他們正在幹着冷戰中最森嚴和最歹惡的行業——搜集情報，計劃綁架或密謀行刺。

一位美國情報機構的官員對我說：「我在戰時對世界的種種事情原已有了相當的認識。我曾到過歐洲幾個間諜活動中心地區，諸如里斯本，伊斯坦布和斯都哥爾摩。但這三個城市合併起來，還抵不上今日在維也納激盪着的洶濤」。（二）

泰辛寧譯自「礦夫」雜誌

自由人

THE FREEMAN

（半週刊每星期三六出版）
每份零售港幣壹毫半

（第四期）

督印人：梁大成

社址

香港德輔道中一四一—一四九號四樓
電話三二八二〇

自由人報社發行

149, 3rd FLOOR,
DES VOEUX RD. C.
HONGKONG
TEL: 32820

承印者：東南印務出版社
地址高士打道六四號
電話二〇八四八

反攻大陸以後怎樣辦？

——人民所盼望的是要享受民主自由生活而不是將過去的一套政治作風仍照舊搬回大陸——

雷嘯岑

世界的形勢演進，國內外人心所趨，自由中國之必須規復大陸，還我河山，已屬勢所必至，理有固然的了。但，大家先得記取過去失敗了的歷史教訓，大激大悟，卓然有爲，表現「非復昔日之我」，才能夠適應這種時代要求。不然的話，縱使回到大陸，還是要失敗的！而大陸固然要靠軍事，然軍事制勝了，政治如果無辦法，也是枉然。我們不能再像抗戰勝利後那樣「重疊人」滿天飛的奇蹟，江山依樣，風物無殊，到處接收，躊躇寫意。今後大家所面對的祖國，乃是一幅天翻地覆，面目全非的可怖景象，不特過去所作所爲的那一套完全不合時宜了，即大家平日的思想習慣，也非從新變革不可。共產黨以無恩想爲思想，以仇恨心情來誘脅人民釀成「人相食」的悲劇。今天每一個中國的自由人，直接間接皆受到了這項「人相食」的慘禍，不是父母兄弟橫遭屠戮，即是妻兒子女枉被清算，而財產之蕩析無存，尤爲普遍而且徹底的共同結果。造成這亘古未有的浩劫者，是以「人造革命」說爲經典的共產黨徒，而與一般人民無涉。假使大陸光復，我們對於這些被脅迫蠱惑以串演人類悲劇的人民大衆，只有哀矜撫循之不暇，豈忍懷挾仇視報復的意念？私有財產制並非人類向上發展的幸福生活，我們反共抗俄，是反其「人造革命」之反動的「惡作劇」，是抗其奴役人類，滅人國家的新沙俄帝國主義，而不是盲目的反對眞正的進步思想。中山先生所倡導的耕者有其田之說，我們如果認爲是眞理，那末，凡不是「耕者」，即不必「有其田」了。因此，我們在大陸上的田地產業，無論其爲承受祖宗遺業，或是自己所創立，今後都應改變觀念，從新衡量，沒有這種思維與勇氣，即不足担負反共救國的時代任務。

共產黨以無孔不入方法，釀天翻地覆的大亂，所謂「鄉村幹部」，是他們奪取人民的蠱惑大衆的基本工具。自由中國政府要規復大陸，即須針對現實，具有適當的對策和人才。過去一切人力物力集中少數都市的政策，如不用「分區負責」的辦法，反其道而行之的決策，依然注意於徒有其表的幾個「點」，把廣大的「面」棄置不顧，將來回到大陸之後，少數都市和交通線之外，所有的鄉僻地區，共幹潛伏游擊，處處都是「井岡山」，又得回復過去「十年剿匪」的舊局，寧不可驚！要達成全面政治建設目的，不是一套法規，幾張公文所能奏效，也非委派一些縣市長即可垂拱而天下平。最重要是儲備廣大的政治幹部，是中下級的青年幹部！因此，目前自由中國政府的急務，我以爲飛機大砲還在其次，如何集中大量人才，訓練中下級幹部，纔是首要工作。廣漠的國土一旦收復後，百孔千瘡，到處啼痕，如無相當的中下級幹部負担善後之責，那是怎樣一種不可想像的現象！

大陸上的社會本質與結構，由於共產黨應用列寧所謂先把「舊社會財富一律放入大造口袋」的辦法，已完全變了。這種破壞的結果，十之八九是違反人性的，更喪失了社會進化，然在此大毀滅中，官僚豪門的財富則再使有恢復的機會。即如所謂「土改」，依據我們向所主張的原則，本沒有甚麼新奇。不過應站在平均地權的立場，不能藉此爲誘起階級仇恨，吸取兵源的算門爭手段。其合於平均地權原則的，有些部份，也未始不是替我們奠下若干基礎。恩格斯於一八七○年普法戰爭時寫給馬克斯的一封信上說道：「俾斯麥現在和在一八六六年一樣，總是以他的方式，將我們的一部分工作做了。」他和從前一樣，替我們創造乾淨的地皮！我們今日也不妨以這樣心情來對策，以及對於收復大陸後的經濟政策，土地問題，經濟生活狀態，應一律在回到大陸之時，暫維現狀，按照下徵集眞實的民意，用民主方式，予以公平合理的處置。消除階級的仇恨，恢復人類的親愛，非如此，即不足以安定人心，更不足以表示自由中國與民更始的興國氣象。我們過去的失敗，大半是失敗在經濟政策上，中山先生本留下一套最公平合理的辦法，而國民黨沒有好好地切實奉行，痛定思痛，不能再蹈覆轍了。

上述從思想到政策的幾點概念，若要詳說，雖十萬言亦不能盡其辭，這兒只是略發其凡，以爲談反攻大陸人士的參考而已。反攻大陸云云，單就軍事觀點看，只要時機到來，是不成問題的，反攻以後的政治問題，卻非簡易的事。人民渴望國軍解放大陸，爲的是要享受民主自由生活，而不是教我們把過去那一套政治行爲照舊復原，這點莫之無甚高論，我們應該認識清楚，思慮明白纔對哩！

慰勞今天歸國的蔣廷黻

他遭遇到古今外交家所沒有經歷過的困苦艱難

滄波

我國駐聯合國常任代表蔣廷黻博士，將於今日（十七日）啓程飛返台北。他預定留台兩週向蔣總統及政府首長提出直接報告，並接受指示。政府遷台以後，蔣氏係第一次歸國述職，他於歸國述職之外將由此獲得機會，對自由中國狀況作親自的觀察。

最成功的外交家，最忠誠的愛國者

我們聽到蔣氏回國述職的消息，立刻聯想到他一年來在聯合國各種奮鬥的英勇史績。也同時使我們對這位自由中國的使節表示衷心的敬佩與熱烈的慰勉。他一年來在聯合國的奮鬥，表現他是一個最成功的外交家，證明他是一個忠誠的愛國者，更說明了他具備崇高的理想完整的人格，不僅愛護祖國的利益，並且維護整個人類的文明。他在國際政治上的成功，在聯合國中，在美國的輿論界，已有一致的讚許，所以我們的推崇，可以說是世界的公論，而並不是我們一國人的私言。

從前有人說：辦理弱國的外交難，辦理戰敗國的外交更難。歷史上許多大外交家，每產生在弱國，也每產生在戰敗的國家。有人說外交家是職業的說謊者，但是我們稍稍研究外交史的人，總覺得辦理外交是嘔心血，嘔氣的職業。負責弱國與戰敗國外交的人，誰能爭得住那一口氣，誰能熬得住那一把心血，誰能爭得上外交的運用。拿破崙戰爭以後，維也納會議中的泰柳朗（Talleyrand 1754—1838）。就是辦理戰敗國外交的一個典型成功者，泰柳朗到今天還是世界外交史上最成功的外交家，是因爲他當時辦理的外交，是法國一敗塗地後的外交。

孤軍奮鬥的代表，嘗盡了明鎗暗箭

蔣廷黻兩年來在聯合國的遭遇，在世界外交歷史上是空前的，從前外交家的不幸，不過其代表的國家是弱國，或者他代表的國家是一個新近戰敗的國家，而蔣廷黻氏兩年來所遭遇，不是自己所代表的國家之強弱或勝敗，而人家根本不想否認你所代表的國家，人家更根本要想取銷你的代表資格。在聯合國中，從大會到各種小會幾十次的會議中，無時無刻不遇見這種襲擊，孤軍奮鬥的自由中國代表，不僅要防明槍，還須提防着暗箭。有時候暗箭還要比明槍來得可怕，兩年來像什麼英國與印度對自由中國的暗箭。自由中國全國人民已深深受到他們的射擊，蔣氏首當其衝，他所受到的當然更尖銳而痛苦，但是一年來，蔣氏竟在這種環境中，出生入死與明的暗的敵人，大小交鋒數百回合，到今天陣地還是屹然不動，而且前途已確定了勝利的基礎，世界古今外交家所沒有遭遇的困苦艱難，蔣氏都遭遇到了，世界外交史上空前的困厄，蔣氏都磨練不了[illegible]成就了這一位偉大的外交家，這是自由中國今天最大的光榮，這是中國偉大文化傳統最特殊最榮譽的考驗，也是蔣氏自己今天足以自豪與自慰的地方，我們在這種重大的意義上，歡迎蔣氏歸國，慰勞鼓勵蔣氏繼續奮鬥努力。

共黨承襲軸心國，草寇流氓露原形

二十世紀三十年代中，世界經過一個大變化，是極權國家乘時而起，集團國家[illegible]。軸心國家直接造成第二次世界大戰，於人類社會的各種影響，至今尚難悉數，即從外交的部門而言：最近二十年來實在經過一個空前的變化，自從「軸心國家」在歐亞橫行了十幾年，把十八世紀以來外交上各種慣例，一切的一切都打破了，從二十世紀的三十年代開始，過去外交上的禮節，辭令，教育，道德以及方式，整個變了。法西斯匪幫把這許多都踢翻了，在第二次大戰以後，承襲了法西斯的衣缽，什麼布爾什維克在聯合國中盡量顯露他們草寇及流氓的原形，交壇坫變成了混戰廝殺的場子，世界外交界一天不能回復自由與民主，這種大打出手的風氣，一天不能消弭。蔣廷黻氏一年來在外交上衝鋒陷陣，行有餘力，對於自由民主關係外交的上，似宜憑其親受之經驗，配合學理，作進一步的發揮。

在敬佩蔣氏今日成功之餘。我們對於作育人才，更得着一種新的認識。蔣氏是一位學者，是一位飽受英美自由教育的學者，他今天的成功，今天培養他成功的條件，如勇敢與毅力。判斷與見解，都是由他的自由教育所陶練與修養。並不是從什麼訓練得來。中國今天要多培植偏才，要希望能多儲備通才，必需從完美的自由的大學教育入手，不獨外交，便在政治，經濟，軍事任何方面，都應該從這個關鍵着手，蔣氏今天回國述職，看見自由中國欣欣向榮，當然中心可得無限的安慰，但是我們屬望於蔣氏者在外交戰爭而外，對國家復興建國的根本大計，還須盡量貢獻其所見，我們今天祝望蔣氏外交的成功，但是我們今天希望於蔣氏者不僅是一個成功的外交家。

廣州新鬼前三名

黃劍秋做過記者

榜首及第二名都是靠攏份子

廣州中共的大屠殺，本月十一日的那一批其中，一部份是幫會大亨，易手時曾被中共重視，引爲同調，建過大功的人物，可憐今日皇基稍固便被首先開刀。另一部份則是被指爲「特務」而又「假裝自首」的靠攏份子，名列榜首的，深圳中共邊防處綏署高參，在良，官至廣州察主任，廣州警備部參謀處長，如非事前有滿關係，何以還會留在廣州？及第二名的廖其廣，都同樣是上了中共「脅從不究立功受獎」的大當而自投羅網。至名列第三的黃劍秋，罪名是「組織反動武裝自任政治部主任」，更是滑稽可笑。如果他有本領組織起反動武裝，不做司令官也要做參謀長了，豈僅自任政治部主任而已。其實黃劍秋在這批被殺者中，死得最爲不值。他十多年前，也是一名新聞記者，早已改行業商，易手前數日，廣州風聲鶴唳，市民都担心大禍來臨，地方上的惡勢力又都劃定範圍，準備乘時而動。黃劍秋爲自保計向「沙塘皇帝」李某討得一「諮議」之類的名義，以期藉此免於劫掠之來時，李某準備武裝自衛組織起來，黃劍秋任所又適在李某勢力範圍內，李卻因此惹下殺身之禍。易手後中共當局撲滅此類勢力，黃劍秋與李某的關係，又早爲中共所知，風聲日緊，會逃來香港暫避。直至去年五月，廣州局勢漸定，中共又故爲寬大絕無清算此舊賬跡象，黃劍秋在港時以自問無他，且在港寄居生活困苦，又迭函力言穗家屬，廣州安定，於是不理港中親友的勸告，毅然返穗。原來穗共老早有了黑名單，而定勸，同時廣佈耳目，黃劍秋一抵家之夜，即被拘捕。所謂「組織反動武裝」，「自任政治部主任」，總而言之，眞相即是如此。在今日的中共統治下，如果你不幸被懷疑爲「反動」，你就只能眞「反動」下去，「不反動」也非絕對沒（反動）之可能，否則儘管你想盡方法，仍難逃出魔掌。嘻！明的靠攏，甚至如「起義」、「自首」之類，都結果一樣是「一槍斃」。（延年）

被疑反動，反動到底
靠攏自新，同樣槍斃

聯軍爲什麼不越過三八線

由於聯軍收復漢城，重越三八線的問題，又甚囂塵上。前兩天，謠言最多，如重劃緩衝地帶；聯合國調解委員會，與中共已有接觸；英法正極力設法阻止麥帥越界；甚至有人揣測，幾天之內，韓戰即可告結束。這一切迷離惝恍的說法，使人如墜五里霧中。但從昨天起，一方面麥帥答復合衆社社長電詢，痛切說明，三八線無險可守，如果你的兵力，可以守住三八線，那麼你就一定同樣有這力量，將中共驅到鴨綠江邊。因爲在朝鮮，要從東到西劃一橫綫作陣地戰的確太長也太笨，沒有這樣奇怪的戰略。一方面，則美國國務院發言人已出警告，中共還是抱着逐聯軍下海的企圖，所謂韓戰即將結束，實際等於作夢。根據這兩項負責表示，我們可以斷言，如果他們有擺在聯軍面前的課題，只是有力量越過三八綫，自然有紛紛擾擾不許越過的說法，都會烟消雲散，一掃而空。則，「兵不厭詐」，以及「實者虛之，虛者實之」，是古今中外任何戰略家的起碼「兵法」。假若你僅僅因爲前天聽見李奇威說，聯軍只以到達三八線爲滿足，昨天又聽見麥帥說，三八線無法扼守，你即以爲未免太天眞了。同樣的道理，甚至報紙上所有英美意見發生衝突的各種消息，我也常是用這個尺度去推斷。英國對聯合國譴責中共案的通過，事先屢傳反對，到了投票最後的關頭，不也就和美國一樣，投了贊同票麼？所以，只要目的一致，利害相同，儘管見智見仁，會有若干細微的差別，但其結果，總沒有不殊途同歸的。因此，中共一天不宣布取銷「一面倒」，我就一天有理由相信，只要聯軍掌握了充分兵力，不但會越過三八線，並會打到鴨綠江。最後，時機到來，並一定會轟炸中共基地，蕩滅秧歌王朝。（舍我）

伊朗通過了煤油國有

伊朗前總理慘遭暗殺後一週，伊朗國會已於本月十五日通過煤油國有化法案，這兩件事連接起來，伊朗現在的動亂，完全可以「思過半」矣。伊朗對世界的重要性，就在於煤油，在去年一年間伊朗所產的總油量，是三千二百萬噸的油田。這個數量佔英國全世界產油總量百份之廿四，伊朗的油田，過去均與英國合作，近年加入了美國的合作，伊朗豐富的油，均在西方民主國家手中。前總理拉士瑪拉將軍是反對煤油國有化的，換句話講，也就是說把外國資本合作勾銷了，此次暗殺前總理的兇手，他屬於回教組織，表面看來，那個組織的主張，是保守的國家主義和嚴重的國際主義夾雜，但就一週來探討這種陰謀的背景，是毫無疑問的。五十年來，英國海軍半世紀以來，是靠伊朗煤油生存的，近代戰爭工業，離不開油，伊朗油田是主要目標之一。伊朗與蘇聯境界毗聯，近東是世界全盤戰爭進行中，最重要的一個據點，何況伊朗油田，怎能不先佔領這塊油田。近東問題中包括了阿剌伯人的問題，近河問題，尤需一讀。去年美國有一位世界權威的觀察家曾經說過，「一九五一年是近東一個決定命運之年」，蘇聯對近東，今年是不放手的了。英國的綏靖外交，看他今天怎麼表現罷，中間外交的人士是否也同樣叫喊？這是現實，什麼二千萬英鎊的投資，應該慷慨地放棄呀！（滄波）

整個歐洲命運 由地中海掌握

他說：一切活動均應以地中海爲中心

軍事評論家鮑爾文最近的看法

許孝炎譯

在艾森豪威爾將軍就職，歐洲聯軍最高統帥部正式成立之後，北大西洋同盟的各種機構，可能將有一翻新的佈署。（編者按：各項佈署已有一部份發表）此次改組將涉及政治和軍事兩方面，而且將以下述幾個基本問題作爲考慮的基礎：

1. 簡化同盟組織內各種複雜機構；
2. 成立新的指揮部；
3. 訂定地中海的戰略。

北大西洋同盟組織的機構，現在確已過嫌其陳舊，機關重疊，複雜紛歧，不但延誤工作，而且職責亦難劃分清楚，倘艾森豪威爾將軍要執行他的有限度而且嚴格規定的職權，實有重新加以簽訂之必要。同盟的五個區域分組必須撤銷，或至少應減削其職權，而將其工作歸併入最高統帥部中。

同樣的，西歐同盟的各地區司令部亦必須廢止，或併入最高統帥部。將來實現的制度，最可能的是：在西歐方面，從斯堪底納維亞半島到的里雅斯德（包括意大利及奧大利在內）設一中央最高統帥及參謀機構，而在斯堪底納維亞及北歐，西歐及中歐，以及意奧及的里雅斯德三個區域，分設三個戰區指揮部。

在艾帥職權範圍內成立新的指揮部，是北大西洋同盟機構中的一個重要發展。在艾帥指揮下的空軍及海軍司令官必須指派。除此之外，在大西洋區必須成立一海軍指揮部，不隸屬於艾帥的指揮，其重要性與職權範圍且與艾帥相等。根據以前的協議，美國大西洋艦隊司令官費希勒將被指派爲大西洋海軍總司令。但因邱吉爾在英議會中的反對，可能這一個問題要重新考慮。

由地中海水道進攻蘇聯心臟

第三個問題，即地中海的戰略問題，可能是三個問題中最辣手的一個。關於地中海的重要性，在大西洋公約各國，甚至於在美國軍部內，對戰略上的考慮，有不少紛歧的意見。艾森豪威爾將軍對於這一個問題，並沒有公開表示過意見，不過據說，他也只把地中海當作他在歐洲所據地位之側翼掩護而已；換言之，他只打算在地中海的戰略上取守勢，而將其主力集中於西歐。

但是美國和英國的海軍，則根據海軍一貫的傳統，視地中海不但爲海上通衢，而且認它爲到達蘇聯心臟部份的捷徑。海軍軍官一般的看法，是地中海的戰略應該是機動的，而不應該是靜止的。因此，現在已經有一個趨勢，主張把這一個區域劃爲獨立戰區，不隸屬於艾森豪威爾，而可能劃歸大西洋區海軍總部指揮。無論如何，現在已經有一派強有力的主張，認爲我們應該利用我們優勢的海軍力量，由地中海水道，向蘇聯的南翼進攻。爲要達成這一項任務，我們必須在大西洋公約之內或其外，把土耳其，希臘，近東各國，甚至於南斯拉夫及西班牙各國組織起來，形成一個地中海的勢力。這種主張，在今後幾個月內一定會逐漸抬頭，發生很大的影響。

土耳其和希臘的問題，本質上是戰略地理和計算的問題；它們被海洋或共產黨的佔領區隔絕，與西歐脫節。它們與西歐之間既無陸上接壤的共同邊界，則彼此間的聯繫，只有依賴海上的海軍力量或空軍力量。因爲地理上是孤立的，所以這兩個國家在每一個國家的戰略考慮中，應該當作一個單獨的問題，特殊的加以考慮，然後在較廣泛的意義上，把它配合組織在北大西洋同盟中。不過在大戰略上，比較合理而且容易的，還是將土耳其和希臘的問題併在地中海的戰略中去考慮，這應該是一個戰略區的範圍，包括近東，中東，北非，及南歐的幾個反史太林的國家在內。

西班牙的軍隊難於出國作戰

在西班牙和南斯拉夫的問題中，政治成份多於地理成份。兩個國家都處於「特殊情形」，理由，不易併入任何戰略的區劃中。

西班牙是一個法西斯國家，潛在的武裝力量相當大，但是裝備很不好，士氣也不十分可靠。它的地理位置非常重要，但是除非它的軍力大大增強，足以阻止敵軍在沒有通過直布羅陀海峽，進入西地中海。至於它的進攻力量，更談不上了。就算是那些由美國裝備起來的軍隊，我們若以爲佛朗哥的大部軍隊能夠調出西班牙作戰，能夠或能防守西德或法國北部的某一條防線，那眞是等於作夢。換一句話來說，西班牙在西歐防禦上所能作的貢獻，大部份只限於防守伊比利安半島，這一條防線，無論在何種情形之下，都是最後的一段。這即是表示，我們對於西班牙只能在某一軍事限度之內，而且要在適當的「監督」之下，還要把它當作一種次要的努力而已，因爲這一條防線，要在比里牛斯山以外的歐洲全部淪陷後，才發生第二道防線的作用。更說得明白一點，對西班牙的軍援，主要作用在政治和心理上，把西班牙的大腕入北大西洋公約的組織中，在軍事方面並無實際上任何大的利益。

南國內部複雜 不能視作同盟

南斯拉夫這一個共產主義的，但反史太林的國家，又提出了另一個政治問題。南斯拉夫強大的軍力，和它控制的地勢，足以爲莫斯科附庸國帶來很大的威脅，具有絕大的戰略意義。但是南斯拉夫之下，[illegible]，因爲它的政治一旦爆發於大戰，我們只能把它當做一個共同交戰國看待，而不能當做同盟國看待。除此之外，狄托元帥和南斯拉夫人又恐接受美國援助之後，會引起蘇聯的進攻。這一個問題，假使無法避免，更是複雜得多。[illegible]

但是這一切又依賴一個歐洲的再度整頓，整個歐洲的命運掌握在地中海的一切活動中了。

中共還有顧忌 對外諱言暗殺

（大哀）

不久以前，接二連三的暗殺案，使和平安樂的香島，佈滿了恐怖氣氛，許多人都揣測這是秩歐王朝的玩藝，但王朝所屬的大小刊物，都一口咬定，一切均不外自華「內鬨」。他們的筆調和說法，也好像同一格式，或許中共的黨八股，又將添上一種「暗殺案內幕八股」。

邵力子等說：毛澤東曾親口表示暗殺爲中共所不取

記得中共未渡江前，李德公派遣和平專使邵力子章士釗等，第一次返自北平。他們很欣欣然有喜色，似向人稱述中共各種優點，其中一項，邵等特別強調，即毛澤東曾向彼等，中共對政敵，向來是公開鬥爭，像過去統治階級，動輒施行暗殺，這是最卑劣行爲，爲中共所厲禁的。當時，我也曾笑問他們，誠如所說，中共是沒有特務組織，推而上之，史太林沒有格別烏，那末，托洛斯基之被殺，又究竟是什麼人幹的？

不過話雖如此，我仍不完全拒絕他們的說法，因爲靠暗殺來消滅反動，這本是一個最愚蠢也最下流的辦法。一八八一年，俄國革命黨人用炸彈把沙皇亞歷山大第二炸死，並盡力提倡個人恐佈主義，但馬克思一派的共產主義者，對這種辦法，曾力持反對，他們認爲炸死一個沙皇，接着就另有一個沙皇繼起，這徒然白費氣力，對革命前途，並無多大用處。邵力子等所說毛澤東斥責暗殺，或許正也是共產黨一貫的傳統理論。可從秩歐王朝所屬刊物要故意造成一「暗殺案內幕」的八股說法，至少可以證明，他們還不敢有勇氣拍着胸口，坦然承認，咱家老子在大陸上是明殺，在大陸以外就暗殺，逆我者死，無論天涯海角，都是逃不脫的！

其實共產黨是最瞭解以牙還牙原則的。如果過分鼓勵暗殺，則無疑地，所將召致的結果，定是以暗殺對付暗殺！

蘇聯新預算說明了什麼？

蘇聯新預算案的公佈、揭開了「和平建設」的烟幕、暴露了「減低物價」的戲法。

・張丕介・

二月十六日，史太林發表了詭辯式的談話，極力打擊西方各國的積極備戰，並強調蘇聯「和平建設」的成就，二月廿八日，蘇聯部長會議宣佈第四次減低消費品價格，三月七日，蘇維埃最高會議公佈蘇聯新預算案，在短短二十天中，先後發生了上述三件事，並不是偶然的巧合，而係克里姆林爲掩飾鐵幕後擴軍行動，並企圖鬆懈自由國家反共抗俄情緒有計劃的詐術和詭計。

史太林認爲擴軍與經建不能同時進行，因此，用減低物價反證其並未從事擴軍，誇大其歲出中經建費用的百分比，以證明其經建的積極。實際上，凡稍有常識的人，都知道這完全是欺人的手法。

大部重要撥款 均出秘密項目

蘇聯是一個政治極權與經濟統制的國家，其編造預算之法，與自由經濟國家的截然不同，單憑數字的對照，原不易獲得事實的眞相。按照蘇維埃的原則，生產原動力既概屬於國家，則所有國家支出的最高額，即等於國家生產的總數；預算的編造，不過用以僞裝支出而已。其大部份重要撥定之數，均出自「秘密」項目。根據過去的經驗，所有軍事基地飛機場及營房等的修建及擴充，都混雜在公共工程及建設項目之下。而軍事訓練則列入教育項下。據去年八月十二日倫敦「經濟學人」的分析，蘇聯一九五〇年財政經濟預算中，各支出項下均有相當龐大的「未定」目。這些「未定」額的存在，完全在於便利擴軍和備戰。

除了上述的基本事實外，在史維列夫所宣佈的數字中，同樣可以證明前項事實：

比較人口生產 軍費仍高於美

第一，本年度歲入爲四千五百七十九億九千二百萬盧布，歲出爲四千五百一十五億三百萬盧布，其中軍費達九百六十三億盧布，佔總預算百分之廿一點三。照去年調整後的匯率折算，每一盧布合美元二角五分，全部軍費適合二百四十一億美元。從絕對數字觀之，僅合美國本年度國防費二分之一。但如根據人口比例及一般總值予以比較，美國人口爲一億六千萬人，蘇聯僅一億七千萬人（附屬國在外），美國去年生產總值爲二千八百億美元，而蘇聯的生產總值，照其收入預算推計，不會超過一千五百億美元。這幾項數字予以比較，蘇聯的軍費絕不在美國之下。

第二。蘇聯上年度的軍費爲七百九十四億盧布，佔歲出百分之十八點五。今年的軍費則提高至九百六十三億盧布，增加一百六十九億，假如史太林所言，蘇聯以埋頭建設爲目標，則這增加軍費的事實，將不知作何解釋？

抵補預算不敷 仍須限制消費

第三，在蘇聯的歲入預算中，照史維列夫的說明，普通稅收僅佔百分之九點四，營業稅及企業所得稅合佔百分之六十。後二者皆包括於物價之中，成爲蘇聯消費物成本的主要項目。因此，這次蘇聯宣佈減低物價後，莫斯科電台宣稱國家收入將減少二百七十五億盧布。去年國家預算中盈餘僅四十一億盧布，連今年的歲入盈餘六十四億盧布合計不過一百零五億盧布，而因物價之減低以致減少之歲入則達二百七十五億盧布，相抵之後不敷額達一百七十億盧布。這一差額，如非以變相稅收予以彌補，必然從根本上限制消費的數量，然後始能維持其預算之平衡。在這兩項的措施下，所謂「減低物價」完全有名而無實。

綜合上述的分析，蘇聯這一預算的公布，不但揭開了「和平建設」的烟幕，而且更根本暴露了「減低物價」的謊言。

史太林政權在動搖中

敵人已眞要站起來了

董狐筆

最近，蘇俄有幾件事，非常值得注意：第一、莫斯科政府宣佈若干種消費品減低售價百分之十到百分之二十；第二、本月十二日晚，蘇維埃最高委員會頒佈一項緊急法例，凡以任何方式處「宣傳戰爭」者，有期徒刑廿五年；第三、「自由俄羅斯」電台首先對外發出廣播，號召所有反布爾什維克壓迫之人士，以迅速起來推翻蘇維埃政權。[illegible]「史太林在動搖中」。自蘇俄十月革命以後，史太林掌握了蘇維埃政權三十年，[illegible]陰謀和消滅了[illegible]，而建立起一個俄國大帝國，在史太林的極權統治之下，去失了自由生活三十年，他們每個人都是史太林的農奴，他們在集體農場中，是奴隸，是被監視的犯人，個個都是嫌疑犯；[illegible]決定的，西伯利亞的荒漠之上，[illegible]時，等待死神的召喚，然而俄國人民一個個都做了[illegible]史太林的奴隸，[illegible]不思反抗嗎？不是的，完全不是的！

不過由於俄帝鐵幕的嚴密，蘇俄人民的抗暴運動，外間所知極少。如柯羅金納，克拉夫欽科等「選擇自由」的人才，其向自由世界逃出，由於他們，蘇俄內部不穩的消息，多少流傳出外，這才是我們瞭解莫斯科政府宣佈減低物價和最高蘇維埃宣佈「宣傳戰爭有罪」的動機，實際就是由於史太林政權的不穩。因爲任何一個共產黨政府，都是不施行「仁政」的，如果到了要施行「仁政」的時候，這個政權就顯然大有「問題」了。

根據本月十五日自由俄羅斯電台的廣播，首次發出的消息：今天已有史太林[illegible]，我們之下知道[illegible]自由山區[illegible]，克羅斯[illegible]革命委員會正在召開[illegible]，用「一種地下宣傳」號召[illegible]。

[illegible]蘇俄人民一致起來「將暴政者處死」，T.S.N.T.Z.的呼聲，已逐漸傳開來。[illegible]史太林更加知道，他們的反抗[illegible]。蘇俄人民的反抗日增，且一旦發生大戰，[illegible]史太林所以要宣佈「宣傳戰爭有罪」，[illegible]收買人心，安定人心，[illegible]。

大陸上「家」「國」何在

家破國亡尚要抗美援朝

・陳石孚・

[illegible]

方面也充份表示毛記政權內心的恐懼，[illegible]

「志願軍」是對外的一套。至於對內，他們又另有一套，那就是「抗美援朝保家衛國」八個大字。據他們宣傳家范長江很得意地說：「抗美援朝是手段，保家衛國是目的」。倘若在今天的大陸上尚有「家」「國」的存在，他這種解釋或可言之成理。但是事實卻正與此相反。今天大陸上的中國人，正遭受着家破國亡的痛苦，這是鐵一般的事實，凡非喪心病狂者是絕對不會否認的。先就家庭而論，鬥爭，清算，土改，參軍，這一連串的把戲，破壞了一切正常家庭生活和家庭關係。其結果是父子反目，兄弟鬩牆，夫妻離散，更不必說那些掃地出門以及無家可歸的難民了。在這種慘痛的情形之下，還要宣傳「保家」，眞可謂自欺欺人。至於說到「國」，那更是一個虛無縹渺的名詞。因爲所謂「中華人民共和國」，不過是蘇聯的附庸或傀儡，不然，它何以在降生以前，老早就宣布「一面倒」呢？娼妓一面倒，倒在公子哥兒的懷抱裏，任憑公子哥兒玩弄。同樣，「中華人民共和國」「一面倒」，倒在蘇聯的懷抱裏，任憑克里姆宮主子的玩弄。君不見「國際友人」的派頭，大鼻子的威風嗎？這就是「志願軍」所要保衛的「中華人民共和國」！

揭穿了說，大陸地圖早已變了顏色，個人家庭早已毀滅，但是秩歐王朝還要不斷地喊出「保家衛國」的口號。爲甚麼？因爲它要奉行莫斯科的御旨。「抗美援朝」固然是手段，「保家衛國」更是手段的手段，只有徹底「一面倒」，永遠做着克里姆宮主子的奴隸，那才是秩歐王朝唯一的目的。

強姦了十五歲女工

廠長、黨部、工會、袒庇淫犯
反誣工人父女通姦
河北益華紗廠黑暗寃獄
中共官僚的眼中，窮苦工人究竟取得了何等地位？

【北平特約通訊】中共天天拿人民做幌子，尤其無產階級的農工大衆，他們早捧爲至高無上。其實中共的新官僚政治，貪污腐敗，互相勾結，欺壓農工，暗無天日，較任何朝代，加上幾千百倍。像最近無法掩飾的一件巨案——一個紗廠廠長強姦了一個十五歲的女工，等到女工珠胎暗結，又強迫她打胎，不料終被發覺，一告到法院，廠長不但向法院保衛淫犯，反幫助淫犯，誣稱係他們父女通姦，將父親扣押，女兒開除，而法院於提審此被姦幼女時，竟不顧其打胎後迄未恢復健康，迫令三次走六十里山路，致下身至今不能直立，已成殘廢。這一件黑暗寃獄，掀起了華北最近工人方面重大風潮，致北平中共當局，不得不被迫平反。經過如下：

女年十五　被姦打胎

這件寃獄，發生在河北省峯峯礦區益華紗廠。民國三十八年七月，該廠老工人連好坤的長女連吉平有病，就到醫務所看病。該所醫生郭月宇係廠長至戚，中共老黨員，歷來作風不正派，就將這十五歲的女工連吉平強姦了。當時連吉平怕丟人，沒敢向人家說出這事。後來，她因身體不舒服，又去醫務所看病，郭月宇當時發現連吉平有孕，即威脅連吉平不許告訴其父母，並強行替連吉平打胎。先後共給連吉平打了二十二針。每打一次針，連吉平就流血兩三次。最後，孩子打下來了（已死），連吉平的身體却遭到嚴重摧殘。現連吉平下身已不能站立，將成殘廢。

連好坤的老友，該廠工人劉金富於三十九年六月間發現這一件事，即向連吉平再三查問；連吉平才說出了眞實情形。工會於六月十八日追問郭月宇。但郭月宇強詞奪理，堅不承認。工會不得已乃將郭月宇送到和村鎮派出所。

包庇淫犯　誣蠛父女

但是，該廠廠長郝誠却毫無道理，不理不睬，將淫犯郭月宇保出，並顛倒是非，幫助郭犯誣衊老工人連好坤與其女連吉平通姦，在廠內私立公堂，將老工人連好坤押了二天。並將被侮辱的女工連吉平開除。該廠工人萬分不平，乃全體動員將連好坤，郭月宇送交礦區政府人民法院處理，郝誠還替郭月宇辯護。該廠中共支部書記崔貴元工會正副主任郝高翔，劉金福，均以同黨關係，不問是非，包庇郭犯。經過多次審訊，郭月宇才承認了犯罪事實，礦區人民法院乃於去年九月八日正式判決郭月宇有期徒刑二年半。該廠工人認爲如此處置，過於輕縱，羣情憤激之下，幾乎發生暴動。於是由工會出頭，一面將經過詳情於今年一月十七日，在總工會機關報北平工人日報上發表，一面於一月二十四日，由全國總工會，中央人民政府紡織工業部，中國紡織工會全國委員會合推代表到該廠進行調查。河北省人民政府工業廳並電令輕工業處處長劉標武就地調查，各代表到達該廠後，分別在工廠工人、職員、幹部、黨員、村中羣衆、幹部、鄰居、當事人等各方面再三探詢，並召開了一次全廠幹部會議。結果，把全部案件弄清。

聯合調查　無法掩飾

二月十三日下午，全國總工會、中央人民政府紡織工業部、中國紡織工會全國委員會三個單位邀請中央人民監察委員會、中央人民政府勞動部、最高人民法院、全國民主婦聯、中央人民政府衛生部、中共中央華北局紀律檢查委員會、工人日報等單位代表，開了一次座談會，報告了調查經過和調查結果。對此事件，均認爲絕非敷衍掩飾所能了事。一致主張（一）淫犯郭月宇應從重判刑（二）袒護淫犯之廠長郝誠，黨部書記崔貴元，工會正副主任郝高翔，劉金福分別懲處（三）連好坤、連吉平生活，應予維持。此暗無天日之寃獄，始告一段落。中共徹頭徹尾的官僚政治及其慘無人道的迫害窮苦工人，於此實已獲一鐵證。上述座談會所通過的決議案，因工人堅決要求，已於本月六日，全文公布。茲再照錄如下：以見中共政權之腐敗黑暗，絕非外人所能憑空誣捏也。

處理辦法　業經通過

座談會通過處理辦法：（一）女工連吉平遭郭月宇強姦，且遭非法打胎，受到嚴重摧殘，郭月宇應負責任，行政上錯誤亦應嚴予處分，負擔疾病之醫療，恢復連吉平之工作，如果治療不癒而殘廢，連吉平之生活費應由郭月宇負主要的責任，保障連吉平之生活和治療。（二）醫生郭月宇，破壞新民主主義社會秩序，強姦未成年之婦女，並非法打胎殺命，實屬嚴重違法；同時，事件暴露後，審訊中不但無悔過表示，反狡詐詭辯，倚仗廠長及黨部等支持，誣賴連好坤父女通姦，這是對工人階級莫大侮辱。因此，地方政府原判二年半的徒刑，實屬太輕；應重新判判，依法加重治罪。（三）廠長郝誠，平日驕傲自大，不依靠工人階級，壓制民主；在事件發生後又不依靠羣衆，主觀偏信，不據實辦理，顛倒是非，私立公堂，庇護罪犯，污辱好人，破壞法紀，故在行政上應給以撤銷本兼各職的處分，並建議黨委和政府給予黨紀和法紀的處分。（四）該廠共產黨支部書記崔貴元，失去共產黨的立場，沒有及時糾正或制止錯誤的發生，反而親到政府替郭犯說謊，應建議華北局給以應得處分，以教育全黨和崔貴元本人。（五）該廠工會正副主任郝高翔、劉金福平時脫離羣衆，在此事件中又沒有體會連氏父女所受的污辱與困苦，堅決保護工人利益，向行政上的錯誤作鬥爭，喪失了工人階級的立場，因此，另行上級工會應給以撤職處分，由職工羣衆後改選。（六）峯峯礦區政府在受理此案後未到當地就審，讓打胎後迄未恢復健康的連吉平連續提審三次，每次往返都要走六十里山路，致成疾病，至今下身仍不能直立，如此不體貼羣衆疾苦的工作方法，應作深刻檢討。

（不毛，三月七日寄自北平）

親共的美國女記者
葛蘭翰在平暴斃
最近態度突變函父即將回國

美國女記者葛蘭翰Retty Graham兩星期前在北平暴斃，致命原因，至今尚成一謎。近數年來，葛蘭翰讚美中共，一再拒絕她父親要她回國的提示，說不願離開這一個偉大而富有活力的新國家，但自去年七月起，語氣突變，表示已決心回國，但一再說，出境手續沒辦好，直到最近，她父親忽接北平中共衛生部通告，葛已突然病故，中共廣播、並說已安葬西山。她因什麼病而死，中共迄未提及。許多人疑心是中共因她態度轉變，加以殺害。本月五日，時代週刊，曾有一篇關於她的報告，茲摘譯如下：

沒工夫交男友　到中國愛中國

葛蘭翰女士，西雅圖人，身軀頎長，[illegible]還能闖，記起她的朋友們，都是活潑的婦女。她是一個婦女俱樂部第一流的會員。但她沒工夫交男朋友，

華盛頓大學留心理學，又是……部第一流的會員。但她沒工夫交男朋友，

一般人看來，[illegible]……一九[illegible]年夏天，她才二十六歲[illegible]……父親，是一個工程師，在西雅圖和上海，都設有事務所。她到上海看望父親，不料從此就熱愛了中國。她要將中國的一切，介紹給全世界，因此，就決心做一個女記者。

不特目的達到，而且成績優良。最初，到英文大美報做練習外勤。一九三七年，她爲了在朝鮮拍攝了幾張照片，竟被日本人將她當做間諜，拘捕下獄。後來審問明白，只處了極小數目罰款，即予釋放。四年以後，她給N.E.A.做記者，採訪中日戰訊。宜昌之役，日本人使用毒氣，這一幕，她親身看見，並攝得許多照片。日本人兇殘面目，因此遂爲全世界所親切認識。

由擁護國民黨　到擁護共產黨

一九四二年，她已是一個小有名氣的人物，她到中國來，替抗日大事宣傳。國民黨國際新聞社，請她在華盛頓採訪外務院消息。未幾轉入另一新聞社，旋改在紐約前鋒論壇報工作。但她總不願長此離開中國，一九四六年，去美返華。

此時她的國民黨一班老友，發覺她的態度改變，她已成爲毛澤東和其他共黨高級人員的朋友。從紅色中國寄給她在西雅圖老父的信中，對美國政策的譴責，與日俱增。

去年五月，她拒絕父親要她返美國的提示。她說：從每一位前進的朋友口中，無時不聽見一些同樣消息——迫害，虛假的控訴，供人指使的法官，和非法的判決。你如何能叫我回來目覩諸如此類的現實。這將和回到一個夢魘的世界一樣。我在中國很快樂，我不需要離開這樣一塊奇偉而富有活力的地區。

態度突然轉變　接着傳來噩耗

然此後，不料突然間寄回的信件，語調大變。去年七月，她信內說：事情有新的發展，我嚴重地考慮，決意返回美國。九月，她仍說「正在交涉船位，預定兩個月內，可以到家」。但過了四個月，她的父親，接到她一張聖誕節賀柬，這張賀柬，使葛蘭翰先生知道其間她父曾寫回過幾封信，並未收到。她告訴父親，她還沒有將一切手續辦好，不能離開天津。

這聖誕賀柬竟成了她向家庭最後的告別辭。兩星期前，葛蘭翰先生，接到北平衛生部一封短短的電報，說葛蘭翰女士突然逝世。上星期，中共廣播說，已將她安葬於北平之西山勝地，葛蘭翰先生悽然地說：她正要回家，但她沒有回家。

（天尉）

中共屠殺在閩南
八十老翁難倖免
前清的翰林，進士，舉人，秀才，竟均成捕殺目標

最近有一位新從廈門脫險來港的青年，可說明中共已經到了窮途末路，一般人民希望國軍提早反攻，已等於大旱之望雲霓，下面所記種種慘無人理的舉動，都是這位青年得之耳聞目擊確有憑實據的口述：

金門無事　中共胆寒

中共何故對一衣帶水之隔之金門，遲遲迄未大舉進攻，據這位青年說，實因爲過去兩次慘敗得不敢再試。當中共初到廈門的時候，滿以爲奪取金門，可不費吹灰之力，因此在第一次進攻金門的時候，特別對一般整裝待發的士兵，予以酒肉的慰勞，並且特准他們大抽鴉片，這般士兵，酒肉塡滿，煙癮過足，莫不興高采烈，以爲馬到即可成功。可是這次進攻的結果，乃是全軍覆沒，總共一萬多人，絕對無一生還！第二次進攻，共匪又如法泡製，仍以酒肉犒賞，但一般士兵，鑒於第一次的慘敗，已食之不得下咽，等到第三次出發的時候，老百姓看見他們一個個的眼睛，已哭腫得和桃子一樣！這次所選擇的時間是一個風浪較大的時間，滿以爲金門不會防備，一定可以得手，但結果則除有一營左右確在金門登岸被全體繳械以外，其餘六七千人，則因爲風高浪大，船小人多，立腳不穩，一一葬身魚腹！不到一年，經這兩次失敗的教訓，中共乃從此不敢小看金門，目前雖不時向金門來幾下砲轟，但這不過是爲了撐撐面子，作爲一種象徵的進攻而已。

共匪在廈門原有駐軍，均分別住在老百姓的家裏，少則三到五個，多到十個二十個不等。確實的總數雖無法統計，但看樣子似乎是不少的。自從去年六月韓戰爆發以後，即已抽調一空，最近雖然又調來了一點，可是他們已經知道，只要國軍反攻，他們絕對無法抵抗，因此，他們把一切重要物資，包括十幾門高射砲，以及廈門大學的儀器圖書，已全部予以疏散。

閩南捕殺　數達十萬

最近三個月以來，共匪爲鎮壓「反動」，以保持所謂「革命秩序」，並防範國軍反攻時老百姓起來響應，乃大肆拘捕屠殺，被拘捕的，統計閩南各縣已達十萬，被處決的總數也已達萬人。「惡霸」、「善霸」，凡屬「地主」，「財主」，「國特」，「文特」，「民主人士」，「知識分子」，以及從海外回返祖國的「華僑」，甚至由前清科舉出身，年齡已達七十八十的「老頭子」，也均或拘或殺，無可倖免！下面所舉的便是幾個福建人人知道的例子：

（一）張琴，莆田人，前清翰林，八十歲，最近被捕，生死未卜。

（二）林騷，晉江人，進士，八十以上，最近被捕，傳已處決。

（三）曾遒，晉江人，舉人，七十以上，上月被捕。

（四）陳維楨，南安人，曾任省參議員，六十以上，經過三區「公審」，證明確係好人，但仍在第三次公審時，以「善霸」資格，當場槍斃。

（五）李昭逾，安溪人，秀才，八十三歲，剝去長袍，露出膝蓋，跪在碎磁片上，經過嚴刑拷打，暴家侮辱，然後予以槍殺。

特別注意：筆者希望讀者們注意中共最近在全國各地普遍殘殺，並不是什麼「偏差」下級幹部執行錯誤，完全是一個確定的政策，直接殺中國人的是劉少奇、毛澤東，間接殺中國人的是史太林，「冤有頭，債有主」，我們千萬不要忘記。（仲安）

廿年前辦報有罪
唐三在湘被槍殺
即女立委唐國楨之兄

二十年前，南京報界中，大家均知有唐三其人。當時曾辦「青白報」，銷數不多，且周旋於名公巨卿之間，極爲活躍。現任湘籍女立委以女兒婚事與東床涉訟之唐國楨，即其胞妹。抗戰期間，渠離報返湘，不知何故竟看破紅塵，於南獄某大寺，剃度出家。勝利以後，一度到京滬訪問親故，渠長髮盈尺，故舊幾不復相識，有詢以是否將恢復青白報者，渠喟然歎稱：劫後餘生，已從未再作此想。共黨入湘，渠仍在南獄修生活。最近有人自長沙來，謂大陸屠殺，湘省最慘，中共竟仍冠以「文特」之罪，於上月自南獄押解到省，處以死刑，誣其與僞世遺伏之陰謀不軌，同時被殺者，尚有辭職多年之中央社記者數人云。（默）

鐵幕叢談

「好日子快到了　老兄不必焦急」
算卦算掉了校長老命

江西省立第二中學校長車駒，近傳已被處決。我與車校長同服務於江西教育界多年，略知其爲人。他長該校二十餘年，以服勤著稱，且善醫術，學生如有疾病，輒精心處方，親調藥餌，因此深受學生愛戴。南昌淪陷後，他自問一生服務教育，從來不與聞政治，在「三生有幸」的傳說下或能安居無事，旋中共接收該校，接收大員雖多方清算其任內廿餘年賬目，亦始終找不出任何弊病，不料卸職年餘，竟仍遭殺身之禍。據說他的死因：緣有南昌佛學大師李某精通命理，和他是多年知交，有一天李某占一個文王課，竊秋歇王朝將被推翻，國民政府可於本年四月間重返大陸。他在目覩中共暴政，滿腔怒憤下，得到了此消息，竟樂而忘形，作書告其滬上友人，「說好日子快到了，老兄不必焦急」。不幸信被郵政檢查員察覺，指爲特務造謠，加以拘捕，嚴刑拷打，判處槍決。讀占課之李某，則早經聞訊遠逃，尚未同遭毒手。（莉莎）

跟魔鬼跑的僵屍

·陶樂居·

把個性埋葬之後，盲目的跟着魔鬼跑地獄深處跑。魔鬼唱歌、狂舞，他們也唱，也跳；魔鬼憎恨善良，他們也露出一副陰森的臉相。所有這些人，活着的僵屍，但他們會愚弄人類，說魔鬼是太陽，主宰萬物。

這羣人自已承認是「半知識份子」，願「甘心做孺子牛」，凡是魔鬼喜愛的，他們都拍掌附和；凡是魔鬼忌厭的，他們都表示深惡痛絕。

魔鬼說：有一班愚昧的人，他們只知道自由，只知道民主，都是陽間的惡霸，扼殺他們，消滅他們，讓陽世間不會再找到一個脚印，叫他下一代也迷了途，永遠找不到自由，民主。於是這班奉承魔鬼的僵屍，歡歌載舞，大賊殺、殺、殺得完全符合魔鬼的理想，四億七千五百萬人，除了魔鬼魔衆和僵屍們外，都可以殺光。

魔鬼又說：這些蠢材是「騎在人民背上」，把陽間的光、熱、山、河、森林都統治了，不殺他們，我們是永遠活在地獄裏。僵屍們齊呼萬歲，都說：我們過去做了這些「騎在人民背上」的寵兒，看不到黑暗愚昧，我們願永遠接受領導，立功贖罪。

——魔鬼心裏却在暗思：你們這班僵屍，遲早有一天，跟那些枯了骨頭的善良人們，埋葬在一個萬人坑裏。

鉤「星」鬥角記

第一「前進女明星」的信

……我是首先出一千塊錢買「公債」的

·李迷。

我在二百支光的電燈下面照着鏡子：我老了嗎？我醜了嗎？沒有，一點兒也沒有！我還是中國第一個好看的女明星！

可是這一張三萬五千元港幣的新片合同却跟藍明訂下了，我，比她少些，我才三萬。我那一點兒不如藍明？我走到馬路上，那一個不對我指手劃脚的談着說着？就是我戴着黑眼鏡，人家也老遠就看了出來，大聲叫着「看，莫芝莉呀，莫芝莉！」

你怎末跟我說的？打前年我們開會的那一天起，你們不是說我已經「澈底改造」了的？那時候，你們就祇還一句話，我也壓根兒沒瞧見一張什麼「勝利折實公債」的紙片兒，就憑你的一句話，我第一個就交了你兩張五百塊錢的大鈔子。第二天報上說我這樣好，那樣好。「前進」，對的，我不是第一號「前進」女明星」嗎？你還說，從前拍漢奸電影不要緊，從前陪着日本軍官喝酒跳舞說「阿里阿嗎」也不要緊，只要現在「參加人民的隊伍」，「擁護毛澤東」，加入「學習小組」就行。我那一樣沒有做到？你們說資本家剝削我們「人民」，所以我跟電影公司的胖老闆提了每部片子三萬塊錢的條件，每年拍四張片子，一年酬勞一次付清。這個你說做得對。不然，你問我借的兩萬我那兒來？這件事兒做的對了，那末，我還有什麼別的不對呢？

噢，你為了我跟那個紗廠小開去吃飯的事嗎？還怎末怪得了我？你知道我跟小章離了婚，一個人在家裏，悶得多難受？後來你駡了我，說我腐化，我不是就不再去啦？至於他送我的那個鑽戒，不也給了你？你說，我們要多研究馬列主義，少跳舞，我不是跟你談馬列主義談了個通宵？那天，你還記得嗎？就是你第一次睡在我床上的那次。

我什麼都聽你的說話。你們說你們一定捧我，將來我的名字可以讓莫斯科的人都知道。那天學習小組開完會，你們在說：「莫芝莉花南洋賣座第一，我們不能不用她！」所以，你們在報上說我思想「搞通」了。那天你陪我到那個祕密醫生那兒去，你不是拿着報紙唸給我聽了的？

你們開會，不會比跳舞有趣，但是我從來沒有缺席過。我的高跟鞋上濺滿了泥水，你們稱讚我「放棄了明星架子」，我不再穿長旗袍，穿「美帝 的牛仔褲」，你們說不要緊，這是「香港的解放裝」！我跟了你們上廣州，在廣州車站上給人偷走了小皮箱，回來了之後你們要我寫文章，說「廣州解放之後成了天堂」，我寫了三個晚上才寫出來，你們知道我寫文章多苦，可是我還是寫了。那三天的晚上，就為了這篇四百字的文章，還害你等在我床上先睡，你一定不會忘記的。

可是，你們到底給了我什麼？為什麼今天南洋影片商來電報說南洋的觀衆更歡迎藍明，就讓公司老闆給她簽了一張三萬五千塊錢的合同？我說得明白一點，我不許你們「爭取」她，不許她拿的酬勞蓋過我的尺寸！你若什麼都不記得，也該記得我是第一個出一千塊錢買公債的。還有我……我……我為了你，吃過那個祕密醫生的苦頭！我想我知道這「搞通」了，我知道這是「新時代新社會的新戀愛觀」，但是就恨，我要恨，我要愛就愛，我愛做「中國第一個女明星」，我恨藍明。我相信你一定會支持我的！

「三頭政策」

中共有「三頭政策」即點頭、「搖頭」、「殺頭」，自下至上，切實執行。「解放軍」初到之處，必向人民低頭，口口聲聲「向你學習」；到了第二步，「學習」了，不問，他已控制一切，你有什麼事，向他要求，所得結果，他總是「搖頭」不許。最後他要鞏固政權，因此，大陸上的「殺頭」政策，所以就盛極一時了。（齋聲）

時代科學

◆空中管導航行法◆

美國空軍最近在韓國應用的短距空中測位管導航行法，是一種方便而正確的航行管導制度，它不像雷達操縱制度那樣必須靠雷達電波來「發現」目標，而是能夠把炸彈投中根本看不見的目標。它所需要的只是一張上面註明目標所在的精確地圖。使用這種設備的轟炸機上面裝一架無綫電發報機，這架發報機不斷發出頻率極高而震幅甚短的電波。這些電波被在友方陣綫後方的兩處距離相當遠的地面聯絡站收得後，再發出經過擴大的回波。而機上的設備則測出從發出電波到收得兩個聯絡站回波所需要的時間。這樣就可以繼續不斷地測得飛機與兩個聯絡的距離，因而也就知道了飛機本身在地圖上的位置。這種制度的準確程度可以使測定飛機的位置差誤不到五十呎。不論在黑暗或是濃雲中，應用這種設備的飛行員都可以正確地測得應當投彈的地點。另外由一個測算的機械計算出風力，高度等，而幫助飛機飛達選定的地點。當紅燈一亮的時候，轟炸員就將炸彈投落。這種短距空中測位管導航行制度在第二次大戰將近結束時曾經應用過。現在美國空軍已經有了更進步的方法，這些方法在目前仍然保守祕密，不過他們認為這種短距空中測位管導制度的效率已經足夠在韓國作戰的應用了。

苦悶的趣味

·濮丁茶·

四強外長代表在巴黎福煦路的粉紅色的大理石築成的玫瑰宮中開會。但是在其中一個代表的眼中看來，每一方大理石都變了深紅色。

就在這種色彩的錯覺中，葛羅米柯儼然以這所故宮當日的主人加斯蒂闞伯爵自居，做然「站在大理石樓梯的頂層」，以調侃和嘲諷來接待他的賓客，讓他們的一團高興化作破碎的幻滅。因此，「以巴羅地致開幕詞時而觀，我人似已向前稍稍進展，但當葛羅米柯發言時，我人似又在後退中」。因此，「余傾聽葛羅米柯之演詞。余再撫摸前額。余疑惑余是否諦聽。即余之腦是否工作亦不無可疑。」因此，「葛羅米柯之演詞，大部份欲證明任何人均出乎正軌，唯有蘇聯之步驟適當。」

西方代表小心翼翼，唯恭唯謹靜候葛羅米柯的顏色，因為他半句說話便可以使「稍獲進展」的討論，倒退十萬八千里，他手一指，便可以使一個禮拜的努力化作烏有。

在粉紅色的宮中，葛羅米柯有着無比的自信，他以虐待狂者的喜悅，冷眼欣賞西方代表被他們本身的誠意所纏繞的扭曲的痛苦。他是唯一真能享受這個會議的人，因為祇有他最有把握，知道他自已和對方所需要的是甚麼。在這冷酷的會議中，祇有他感覺到如此的適得其所，他把他自已鬆個兒沐浴在溫暖的粉紅色的光輝中。

玫瑰宮的建築，是代表十九世紀末葉一個法國紈袴公子的苦悶的趣味。這次會議，西方代表在第二天已經覺着「蘇聯的建議永遠無法接受」，「吾人之間實有鴻溝之隔」。「可憐他們知其不可為而為」，希冀協議於萬一，結果談了一個多禮拜，擡頭一看，葛羅米柯的眼睛却是和開會頭一天那樣令人不敢逼視的冷酷。這可能是二十世紀一羣無可救藥的和平覓取者的「苦悶的趣味」吧！

吹牛的驢

·蒼茫·

一條小虎從未下過山，一天偷偷溜出，想看山下景物。一隻驢，被圈在樹脚；一根繩子一丈長，這是它的最大限度的自由。小虎遠遠看到了驢，渾身冷汗因曾聽爸爸說過山下異已者衆，陷阱遍設，私忖此四腿高高怪物，當為所噬；驢看到小虎，魂散發抖，料此番難逃虎吻。彼此猶豫，岔道裏出來一隻猴子，猴子聽過人跑到小虎面前，問道：「小王何以徘徊不前？」小虎遙指驢，露出畏色。小猴說：此乃驢子，小王可飽餐一頓。驢遙見猴哥在旁，料想必出惡計，小虎依猴言，信步跑驢來，在此一瞬間，驢忽智上心頭，唱道：「兩耳尖尖四蹄高，我乃山中萬獸王。」又指了小猴：「昨天許我三隻虎，為甚只帶一隻來？」小虎聽罷，疑上了小猴的奸計，一脚將小猴踢死，疾奔上山。

旅美雜紀

陳香梅

美國女人並不特別漂亮

這樣的女僕，我實在有點吃不消，用了幾天以後，我只好請她走路。

之後，我一直自已操勞，煮飯，收拾房間，帶孩子，買菜，洗衣……等等。城里有幾位美國太太常來看我。有一天，一個太太見我正工作得起勁，就問道，『你怎麼不叫你底丈夫幫忙？』我說：『我需要他的時候他會來的。』那太太不以為然的說道：『這樣懶惰的丈夫，我是不敢領教，若說我底丈夫對我如此，我早就和他離婚了！』這就是美國女人，她們不肯讓步，悲劇常因此發生。

說起來笑話，不過這也是事實，不久以前有一位紐約的名女人請求離婚，其理由是：在早餐的時候，他底丈夫只顧看報紙，不和他交談，法官認為理由充足，判准離婚。美國女人常常因為過份追求於表面的虛華，反而忽略了內心的嫻美。她們以為能與男人喝同量多的酒，吸同量多的煙為榮耀。他們一切模仿男人，她們過於僞裝，又常在男人面前誇耀自己，到頭來還是女人自己吃虧。不過，話得說回來，美國女人底工作效能的確很高，因此她們是男人理想的祕書，却不是理想的妻子與情人。

美國女人也不特別漂亮，一切只靠裝飾，當她們洗盡鉛華的時候，她們面目全非。譬如說，美國雖以影城領袖自誇，但負盛名的美國女明星多是歐洲的尤物。例如英格烈褒曼和葛特拉嘉寶都來自瑞典，姬莉雅嘉信來自英國，此外還有來自法國和南美洲的。在政治上言，美國有女官僚，沙龍主人，以及操各種不同職業的婦女，可是現任助理國防部長的羅森堡夫人却是原籍匈牙利的美國人。

五時天未大亮，約翰就在外面大聲開門，他是此間捕魚，射獵的能手，專門以領導遊客釣魚打獵為業，每天酬勞費美金二十元，還要供他飲食。沒有生意的時候，他就在街上閒蕩，飽食終日，有生意的時候他就生龍活虎般為你服務。約翰貌容奇醜，五年內已結婚三次，離婚三次。去年見他時，他還和他太太親親愛愛，今年見他，已和太太分手。他自己說已另有新歡，舊寵實不足一道云云。

午餐吃陳將軍捕來的松鼠，其肉香嫩，有如子鷄，只是顏色較為鮮紅。晚上吃河上鯉魚，其味無窮。晚飯後在船上的甲板散步，半鈎新月，一船秋意，使人有世外之想。外子和我都希望待世界昇平之後，到離市區不遠的鄉村，買幾畝田，蓋所小房子，過點比較平靜的生涯。不過人類和平，不知到什麼時候才實現，我們的理想或許也只是心靈上的一種象牙塔而已。

（三）

賦得何處春光好

·馬五先生。

春光明媚，草長鶯飛，緬懷故國，忽興遐想，為賦何處春光好四章，以誌不忘云爾。

何處春光好？秧歌腰鼓潮。蠢兒多自貴，八路更天驕；小灶厭燉肉，校花忝慰勞；聲聲反美帝，袋袋藏金鈔！

何處春光好？「蘇聯老大哥」。美金論待遇，氣燄勝妖魔；顧問三軍列，威權百事詢；猶歟一面倒，晚向莫斯科！

何處春光好？人民民主家。發言唯應制，開會是當差；馬屁千聲拍，鋤頭半面遮；妾身滋曖昧，承寵望終賒。

何處春光好？惶惶黨派中。階層分彼此，分子禁農工；職位同儀仗，功能遜附庸；黨魁俱已矣，懷絕悔從龍！

◆巨型噴射轟炸機◆

據美國空軍部長芬列特本月一日報告說，美國已經決定大量生產B52式巨型斜翼噴射轟炸機，雖然這種飛機還沒有經過試驗飛行。他說，這是一個正當而謹慎的冒險。B52是一種比B47更大而且更快的飛機，準備用來代替龐大的雪茄烟形的B36式原子彈轟炸機，而足以和新型斜翼全噴射式的B36相抗衡。B52式機裝有八個噴射引擎，續航距離和載彈容量與B36機將近相等而速度却快得多。如果一切工作進行順利的話，B52將可在本年秋天作第一次的處女飛行，再過十二月以後就可以正式開始生產，這一個日期距離第一次的設計共有六年，而將比原來預計的正式生產時期提早一年。（雷門譯自三月十二日，時代週刊）

談命運

·鹿菸·

人類的命運觀念，是在文字出現之前就奠定了的，希臘神話中，命運之神是具有最高權威的，人與神都逃不了他的控制；直到現在，古老的傳說還具有若干力量。譬近日報載，如英國之與直布羅陀的猿猴，這是屬於國家命運的傳聞，據說：猿猴死絕時，英國人便會失去它，記得二次大戰之時，邱吉爾為了延長猿猴在空襲中的死亡而下過保護命令，現在又到了需要保護的時候了，雖然直布羅陀今天還沒有遭到空襲。

「冥冥之中，自有神明，」這是我國民間的俗諺，其意思當然是由神明操縱着人的生命，冥冥之中者，則命運之神也。而預言又是替命運之神鑑立威望的工具，中古時期的歐洲，預言者稱為先知。

但今天發為預言，較之古時，則又似容易得多，猿猴存亡，關乎帝國衰榮，這是玄妙的事情，但如從另外一個角度去看，則環境安定，猿猴自然不會死亡，兵荒馬亂中，人命尚且不保，何況猿猴，人猿同盡，則國運如何，便也可想而知了。

至於個人的命運，在今天預言者雖也是容易之極，在共黨的統治區域，由共黨所造成的恐佈區，死亡是極平常的事故，假如每一個人的生死，都由命運之神管理，則大陸上那位司命運之神，也必然是一個共產黨無疑。

紅色的維也納

俄人卵翼下的綁票頭子

譬如說勃羅姆吧。美國反間諜人員本要將他生擒的，後來將他擊斃，是出於失手。他是蘇聯間諜中的老手，要是活着，一定可能告訴我們許多我們所不知道的關於他的蘇聯主子的事，以及他工作的情形。

勃羅姆的過去沒有人清楚。他體幹高大，身重足有二百二十磅，雙角下斜的唇上掛着一道黑鬚。他生在德國，後來入籍保加利亞。戰時他又回到德國，專幹黑市買賣，同時當着幾個已獨幹國家傀儡政府的情報員。一九四七年，他的活動地區轉移到奧國，將美國香烟偷運入維也納——這種香烟走私幕後有着大老闆，他們出錢以美鈔向瑞士和比利時進出口商買妥後，轉交勃羅姆一夥人私帶入境。但這種合股性質的國際組織並沒有使勃羅姆滿意，他懷着更大的獨佔的野心，他常將後台老闆託運的香烟祕密留下，私自售出，而對收貨人說貨色已在過境時為蘇聯邊境戍兵查出沒收。不久勃羅姆在奧國黑市圈子裏已據有重要地位，也認識了不少俄人。其中之一，是維也納蘇區公安局首腦，叫做卡爾泰索夫上校的。約在一年以前，卡爾泰索夫去找勃羅姆，和他談起一樁交易。俄方將保護他在蘇管區內的香烟私賣活動，但交換條件是：勃羅姆和他的夥計必須潛入維也納的美管區，每月至少擄回一個蘇聯所要的人，交與蘇方。

沒有人確知在過去九個月中，勃羅姆和他的一黨害了多少良善的難民及反共的奧人。據估計，大致是十五名至三十名之間。在去年一月十日，這一夥中的一個人出了事，美方反間諜人員繼之抓住了二名他的同夥，並監視了其他十二個人。俄方聽到這個消息，立刻把勃羅姆送入監獄，這樣可以使他避免落到美方之手。他的八個重要夥伴隨即逃出了奧國。

但勃羅姆厭倦於拘禁，情願再到外面去冒險。不到一個月，他就[illegible]潛出蘇聯監獄，[illegible]維也納[illegible]。[illegible]五個國籍[illegible]自有隱居的辦法。然而，四月二日深夜，美國反間諜人員才得到眼綫的報告，說他正要到法管區一所破房子去找一個俄人。（三）

泰辛寧譯自「礦夫」雜誌

自由人

THE FREEMAN

（半週刊每星期三六出版）
每份零售港幣壹毫半
（第五期）
督印人：梁大成

社址
香港德輔道中一四九號四樓
電話三二八二〇
自由人報社發行
149, 3rd FLOOR,
DES VOEUX RD. C.
HONGKONG
TEL: 32820

承印者：東南印務出版社
地址高士打道六四號
電話二〇八四八

俄帝眞是可怕嗎？

「與其攻瑕而待堅者瑕，不如攻堅而使瑕者潰！」

左舜生

儘管世界和平所遭受的威脅一天天趨於深刻而且普遍，儘管在遠東一個還不能算大戰的戰場，在不到九個月的時間已經造成近百萬的傷亡，可是世人祈求和平的希望，並沒有輕言放棄。

不錯，和平是人類衷心所期待的，這一點我們決不加以否認。

儘管史太林也說：『至少戰爭在「目前」還不是不可避免的；』儘管在蘇俄境內逕提到戰爭一名詞也要加以嚴厲的處罰；可是戰爭的陰影，曾沒有片刻停止給予人類以精神上的侵襲，以致舉世皇皇，不問居住在世界任何一個角落的人們，也莫不朝夕惴惴憂慮着戰爭的爆發就在今年，就在本月，甚至就在明天！而且事實也告訴大家：在東方的一個半島上，戰爭早已在那裏進行，以一個縮小的世界戰爭形態在那裏進行；也還有若干地帶，或者是若斷若續，始終打得沒有停；或者是磨拳擦掌，一觸即發。那些遍布在全世界以製造殺人武器為事業的工廠，在過去的四五年之間，本來是局部的已經停頓的，現在又已重振舊業，而且在推陳出新，不只在繼續製造，而且在加速製造。還有那些精明強幹或已鬚髮皓然的學者，老師，他們本來可以以他們研究的所得，從宇宙奧秘的深處所尋求得來的發現或發明，全部貢獻以增加人類幸福的，可是他們現在依然只好鳩首於研究室，埋頭於顯微鏡，以從事尋覓那些更精良，更有效的殺人武器！我們眼看見一大羣一大羣天眞活潑的青年，已經是或準備着趕上屠場，有如待罪的羔羊；我們眼看見一大羣一大羣良善無邪的老弱婦孺，已經是或準備着陷入顚沛流離，宛轉就死。

在今天，人類追求和平的熱忱，可以說是空前的；同時，人類痛感戰爭的威脅，也可以說是空前的。這為什麼把我們陷於這樣的一種矛盾？原因究竟在那裏？很簡單，祇要你不是耳無聞，目無見，一說你便可以明白：世界上有一個人所共知的魔窟，那裏有一羣殺人不眨眼的魔王，說他們眞有一種什麼足以自信的學說，那是騙人的；說他們眞有一種什麼熱烈追求的理想，那也是欺罔的；他們的目的，就在打倒別人，以成就自己；在擾亂別人，以安定自己；在削弱別人，以加強自己；他們覺得，人類數千年來所積累，人類所選擇，所改進的文化，都不算是文化，只有他們的那一套，才是可寶貴的眞正文化；各國數千年來所建立，所推行，所則傚的制度，都不是良好的制度，只有他們的那一套，才是最理想的優良制度。你們不肯放棄你們的去接受他們的，他們便要打擊你們，詛咒你們，造謠中傷你們，離間挑撥你們，甚至以武力威脅你們，征服你們，毀滅你們！想在你們與他們之間去建立和平，這是由於你們的無知；想在你們與他們之間保有自由，這是由於你們的錯覺；以為在你們與他們之間，還可以共同生存，共策進步，那更是由於你的愚妄！他們是一羣充滿自卑感的人們，他們直在妒嫉你們之所有，而羞憤於他們自己之所無，所以他們籌顧生息於一種不同形態的文化，不同結構的制度之下，以掩蓋他們的卑劣而發揮他們的自大，貌似堅強，實際脆弱；貌似充實，實際空虛；他們其所以要深深的隱藏在漆黑的鐵幕後面，實在是出於它無可與人以共見；其所以要閉塞他們的人民，不許與另一世界去接觸，實在是由於他們所享有的，所思索的，所營運的，幾無一足與他人比短較長！他們才眞正是一隻「紙老虎」，我們深信不疑他們是可以被打倒，被擊潰的，而且「擒賊擒王」，不首先搗毀這個魔窟，乃欲枝枝節節而為之，其結果是浪費時間，浪費物資，浪費人力，而適足以中其詭計！

你們以為只要擁有廣大的土地，就是一個不可戰敗的國度嗎？拿破崙的時代，希特勒的時代早成過去，輻射時代，是無所謂不可克服的廣大空間的。

你們以為只要擁有衆多的人力，就是一個不可摧毀的集團嗎？在原子彈的投擲與射擊之下，造成百比一，千比一，萬比一的死亡率是儘有可能的。

你們以為他們眞正擁有更多更好的原子武器嗎？果然如此，他們決不會嬉皮笑臉，時硬時軟，時緊時鬆，藏頭露面，鱉馬彎弓的拖到現在！

你們以為他們的祖國與藩屬之間，政府與人民之間，民族與民族之間，眞可以堅強團結無懈可擊嗎？「運雞不可共棲」，事實恰好相反，只要魔窟一經動搖，行見一切狐穴狗洞無不紛紛瓦解！

假定你確實認定大戰是終於無可避免的，則與其遲發而禍大，不如速發而禍小，「與其攻瑕而待堅者瑕，不如攻堅而使瑕者潰」啊！

我們也需要一個「中國人節」

「不替外國人打仗」，應是中國人做人的八大原則中最重要的一項。

李景偉

最近美國選定了五月二十日（星期日）為「我是美國人節」，業已由杜魯門總統於本月十二日發表佈告，指定該日為「一公共節日，以認識，遵守，並擁護美國之公民權」。

杜魯門總統在其佈告內稱：「在此世界歷史之緊張時期內，我國家必須獻身於個人自由，平等機會及大公無私等基本原則，以資加強目標之一致。」杜魯門總統並力促聯邦各州，各地方民政官員與各機關，準備在該日佈置適當之儀式，務使「新舊公民，對於其作為公民之權利，特權，義務及責任，有更充分之瞭解」。

在我們中國人（尤其是知識份子）的一般觀念中，美國是民主先進國家，美國人民所享有的基本人權的自由，在民主國家中，實為最充實豐富，而幾乎近於浪漫。已故第十六任大總統林肯所作的「人權宣言」，迄今已成美國歷史上燦爛的寶典，美國人民對於作為一個公民所應享有的權利，其所應履行的義務，應該有一種充分的認識，所以我們以為美國此次特別選定五月二十日為「美國人節」，除了如杜魯門總統所宣稱的一般意義之外，無疑尚有其國家觀念的更高意識之存在，以美國這樣一個科學發達，社會進步，人民享有充分自由生活的民主國家，它們今天也要透過一種公民集會的儀式，以加強他們對於國家的警覺，這不會是偶然的，也不會是多餘的。現在看看我們的中國，自從共產政權出現在大陸之後，人民喪失了一切基本的自由，每一個人所過的都是奴隸牛馬的生活，在共產政權之下，祇有蘇俄的利益，沒有國家的利益，所謂「中華人民共和國」，不過就是毛澤東「一面倒」的私人資產，人民根本就無從過問。更由於中共極權黑暗的統治，人民但以免於饑餓、坐牢、死亡為滿足，也不敢再存民主、自由以至國家民族利益之想，所謂「公民權」云云，在「新中國」字典上，是找不到的！

因此，我們以為今天自由中國以及正在海外致力於救國運動的人們，為了爭取我們國家的自由和獨立，為了激發每一個公正同胞的忠誠愛國心，實在也很應該及時創造一個「中國人節」，使到每一個黃膚黑髮的炎黃子孫，都知道我們生來就是「中國人」，中國就應該有中國人的生活，有中國人的立場，而不是史太林的奴隸。在「中國人節」裏面，我們有幾點「做人」的原則是必須積極發揚的：（一）中國人不替外國人打仗；（二）中國人不接受外國統治（包括形式的和實質的）；（三）中國人有自己選舉政府的權利；（四）中國人有思想、言論、行動、居住的自由；（五）中國之土地資源，屬於中國人民全體，中國人有絕對保衛以及使用此等土地資源之權利與義務；（六）中國人的生命權，應有公平法律之保障，反對任何祕密的，誣陷的專制淫威之迫害；（七）中國人對救國責任義不容辭；（八）中國人的共同目標是親愛，團結，自由，康樂；而不是仇恨，鬥爭，恐怖。

上述八項做人原則，祇要他自承是「中國人」，就一定表示擁護，如果有人提出反對，他就不是「中國人」。

自辛亥革命成功以來，中國有過大大小小而幾乎計算不清的紀念節，但對於一個眞正是以提高民族民權意識的「中國人節」，卻一直無人倡導，致使喪心病狂者得以任意出賣中國而毫無顧忌。像今天大陸上的共產政權，本來就非「中國人」所能容忍，但因我們沒有一種足以號召羣衆的力量與之對抗，這才使毛澤東之流得以肆其荼毒。因此，一個時代性的「中國人節」的提倡，不僅不會是多餘的，而且正是必要的。

在中國農村習俗上，原本也有一個「人日」，那就是每年正月的初七。不過這個「人日」的意義是十分顯晦的，而封建氣息則非常濃厚，這是我們無法利用的。現在我們所要提倡的「中國人節」，一定要有豐富的時代意義，然後才能夠使人產生信仰，進而形成為一種指導行為的精神力量。這是一種運動，不是一種玩藝，更與迎合美國，爭取美援的作用無關。但願自由中國的有識之士共起圖之！

老翁蓄鬚有罪 每人拔他兩根

中共殺人之多且慘，已鐵證如山。而殺人及其百端磨折，致人於死之方法，則推陳出新，更非常人意想所能及。最近廣西陸川縣紳耆呂芋農，以反動罪名為中共拘捕。呂年逾七十，清末一度任新軍管帶，鼎革以來，四十年間，不特未再入軍界，任何政治工作，亦從不參與，鄉居務農，怡然自得。不料仍為中共邀去指為反動分子。「公審」之日，中共見呂長鬚盈尺，向衆大呼，此人蓄鬚能如是之長，僅此一點，即足證明其平日養尊處優，不事生產，剝削大衆，今每人可先拔其長鬚二根，以示懲戒。衆相顧愕然，未及應，中共幹部即已爭呂前，頃刻之間，將呂鬚拔除淨盡。時呂已痛楚交並，氣絕至再。中共仍不肯釋手，又經種種侮辱及非刑，最後始予槍決。然呂究有何反動確證，則中共固始終無一語提及也。（大哀）

呂芋農七十高年 被中共無故槍殺

朱德

總司令變資本家

[illegible]

朱德資格要在毛澤東以上，但今天北京城裏，他確是最失勢最閑散的一人。據某君在北京告訴我，朱德雖負着紅軍總司令名義，實權全等於零。他不是國際派，所以中共許多小組會議，朱是不被邀參加的。最近舉行的一些運動會，游泳池開幕，新建築奠基，及交際茶會之類，他雖是悠然實臨，但沉默寡言，從不說話。當我由北京經上海來港時，在上海遇見一位原在中紡紗廠的工程師，據他說：他現在石家莊新近開辦的石門紗廠工作，原計劃是五萬紗錠，現已開工的有二萬紗錠，這個紗廠是以民族資本姿態來創辦的，朱德就是特許的大股東，要佔股本三分之二以上。這或許是中共一種安插元老的辦法，也未可知。（磊）

半週展望

是否眞要和狄托攤牌？

——史太林已四路不通——

[illegible]

能坐視「[illegible]」的正式表示。史太林如果還沒有將第三次大戰準備得十拿九穩，那麼，儘管局勢越來越嚴重，這第一顆原子彈似乎還需要躲在砲壕中，再多睡一些日子！（舍我）

好一個國際宣傳講壇！

——替葛羅米柯之類可憐——

[illegible]

（舍我）

時局漫談

左舜生

（一）韓戰與大戰

聯軍又打近了『三八』綫，而且第二度奪回了漢城，於是成功湖畔，乃至倫敦，華盛頓，新德里……一切富於幻想的人們，又被催眠進入一種和平的夢境。

現在在韓作戰的聯軍，名義上包括美、英、法、加、澳、土、希、紐、菲、荷、比、泰、南韓十三個國家，實際則以美國爲主體。共軍一面，以中共爲主，北韓爲副，而蘇聯實操指揮之權。

聯軍無法擅進，看聯合國，美國務院，以及倫敦所領導的輿論，意旨如何。

共軍，也無法擅退，一切須聽從莫斯科的命令。

古今中外的戰史，似乎從來沒有這樣的先例，要判斷未來的演變，究竟如何，實在是一件大困難的事。可是，有幾點事實，我們是可以知道的：

一、聯軍絕對不會退出韓國，除非[illegible]軍眞有力量趕它下海，但聯軍下海的後果，便是大戰的爆發。

二、中共軍也絕對不會退出韓國，除非聯軍採用非常手段，一鼓作氣把它驅過鴨綠江，但中共軍退到鴨綠江北岸以後，也還是大戰的爆發。

三、兩軍相持在『三八』綫附近，假定居然有一個調解性質的會議出現，但要中共接受和平，她必以加入聯合國及聯軍退出韓國爲先決條件，如此，即無異以聯合國代表一切民主國家，向蘇聯投降，與其如此投降，又爲什麼不痛快一戰？

四、兩軍進退於『三八』綫附近，再苦戰三月五月，因雙方的火力與空軍加強，共軍可能再犧牲五十萬至一百萬，聯軍也可能再犧牲十萬至二十萬，如此，聯軍可能感到這種消耗太不値得，蘇聯也可能感到自己的準備已經加強，大戰在今年的夏秋之交，便大有爆發的危險。

五、假定在韓國繼續相持三月五月的期間，不論在亞洲或歐洲，均有發生意外重大事件的可能，只要對這種意外事件有一方到底不能忍耐，結果也還是以大戰以來求解決。

總而言之，韓戰已無單獨解決的可能，大戰終於無可避免，民主國家眞正的敵人只有一個，就是蘇聯，不直接同蘇聯幹，一切零零碎碎的犧牲，都是等於自殺。

（二）毛澤東生病？

毛澤東生病的消息可能不是眞的，但毛澤東幹不下去，則可能是一種事實。

毛澤東的內心，自來就是矛盾的：『一面倒』，在毛澤東只是爲保全自己的地位與生命而叫出的，『一面倒』有這樣嚴重的後果，却出於毛澤東的意料之外。

『參加蘇戰』，這是根據『一面倒』的邏輯只好服從的，他頂多只有一種僥倖心理，假定美國不會太認眞，蘇聯不會太冷酷，現在韓戰發展到非動用他全部的資本不可，而且得不出一個結果來，這也大概不是他的意料所及。

『殺人』，多少殺一點，在毛澤東也是未嘗不可以的，像現在大陸上這種殺法，毛澤東也許和其他中共內部的穩健分子一樣，覺得過分。但蘇聯要殺，眞正的國際派也要殺，便只好殺，殺來殺去，可能殺到中共的外圍，也可能殺到中共的內部，這在蘇聯是毫不稀奇，也許認爲『必要』，但毛澤東却未必能看出這個『必要』來。

毛澤東最美滿的想法，是既能保全生命，又能保全地位，現在便只能選擇於二者之間，自己到莫斯科去求史太林的原諒，把事權向劉少奇一交，前途的變化如何，他不管，事實上也早已不能管。我想，他這樣做，史太林是樂於許可他的。

假定毛澤東眞走了，周恩來及類似周恩來這樣的人，其勢也不能不走，至於一切所謂『民主人士』，不能逃，便只有進一步的變，否則自殺或被殺。

一個政權，只要失掉了自主，遲早是無法自存的，這個原則，即不適用於中共的今天，也還是要適用於將來的。

看中東危機益迫

從伊朗石油國有及蘇彝士運河埃及將採新對策

九個中東國家多對英美不滿　但蘇聯凶惡大家也各有戒心

林詩。

在今日的世界上，有幾處特別危險的地方：朝鮮、中東、西歐、南斯拉夫。這些地方一旦發生事故，都有擴大成爲第三次世界大戰的可能。朝鮮的砲火已經響了，快九個月，以後如何演變，尚難預料，設若蘇俄爲要打破朝鮮的僵持局面，又在別處燃起野火，人類的空前浩刼，就將不可避免了。

從本月六日伊朗總理賴茲馬拉的被刺，僅隔十天，接着伊朗下院就通過了石油國有案。這兩天，又有埃及準備對蘇彝士運河採取某種新措置之說。這些事件的幕後，根據各方報告，當然少不了蘇聯關係；難道蘇聯眞要在中東這塊火藥氣息最濃厚地方點起一根火柴嗎？果然如此，則三次大戰就眞會首在中東爆發。

現在讓我來談談中東問題。

中東危機，簡略言之，計有兩方面：一是中東在蘇俄戰略上處於十分重要的地位，使它成爲蘇俄侵略的對象；另一方面是中東本身的脆弱，軍事的，政治的，經濟的缺陷使它完全無法抵抗蘇俄的侵略。

如此要地　蘇聯必爭

先說中東二字，意義頗爲含糊，並沒有一定範圍。然大概總包括下列九個國家：伊朗，埃及，敍利亞，黎巴嫩，外約旦，伊拉克，沙地阿拉伯，也門，以色列。這九個國家面積的總和約二百萬方英里，大半是沙漠。在地理位置上，這一區域正當歐，亞，非三洲接壤的尖端，區內蘇彝士運河又是東西海路往來的捷徑，今日航空事業發達，中東更成爲世界交通的樞紐，正是兵法所謂「諸侯之地三屬，先至而得天下之衆」的「衢地」。地理位置如此重要，自來懷有獨霸全球野心的人，於是都以掌握這一地區爲進取的首一目標。亞歷山大，拿破崙，威廉二世，希特勒都曾在這一地區馳騁角逐，廝殺搏鬥。幼弗拉底河畔，金字塔前，深深印有他們的足跡。史太林不與自由世界戰爭則已，要與自由世界戰爭，就非抓住中東不可，這是毫無疑問的。

石油是蘇俄必奪中東的第二個原因。中東面積雖廣達二百萬方英里，但多荒野不毛，經濟上毫無價値。不料于發現石油以來，中東的地下蘊藏特別豐富，年產約五千萬噸，遂頓使昔日視爲毫無價値之沙漠，地位突然提高。蘇俄與自由世界戰爭，各方面的準備都頗充分，祇是資源微嫌不足。現代戰爭所需兩項最主要的資源，第一是鋼鐵，第二是石油，蘇俄及其附庸國家所生產者，均遠不及美國。它要與自由世界戰爭，必須先發制人，一舉佔領西歐，尤其是魯爾工業區，然後它在鋼鐵方面的生產量，才可與美國抗衡。石油則美國年產約二萬萬六千萬噸，蘇俄年產不過三千五百萬噸，即併其附屬國家如羅馬尼亞等所生產而供其用者計之，亦不足四千萬噸。雖蘇聯的消耗遠較美國爲少，但據最保守的估計，也非八千萬噸不可，不足的四千萬噸就地綠關係說，自然向中東攫取最爲便利。所以蘇聯一旦決定進行第三次世界大戰，勢必先取中東，同時我們也可以肯定的說，中東一動手，西歐方面也會動手的。

軍事防衛　全等於零

中東是一片軍事的眞空地帶，除了蘇彝士運河區法依得一處基地外，民主國家在整個中東區域再沒有第二個據點。並且，除了在蘇彝士運河區，駐有英軍五千人外，整個中東再沒有第二支名符其實的軍隊足以抵抗蘇俄的侵略。

伊朗，埃及是中東九個國家中兩個最大的，但也不過各有陸軍約三萬人，空軍飛機約二百架，裝備陳舊，訓練疏懶，戰鬥力可以說等於零。在英國軍官指導統率之下，伊拉克有一隊擁有飛機四百架的空軍，外約旦有一支一萬二千人的「阿拉伯兵團」，這是中東各國所引以自豪的精銳隊伍。實際上，四百架飛機，一萬二千人兵團有什麼用處？何況都是警察隊伍，根本沒有重武器配備。這一軍事眞空地帶原應由美國填補，然而美國既受防衛西歐的約束，又在朝鮮作戰，而且負責以後備軍接應整個自由世界，負荷已極沉重，那裏再有餘力，防衛中東。

家庭政府　中古生活

政治上中東的危機，簡直一言難盡。中東號稱獨立國家，實際上，具有現代國家型態的不及一半，像外約旦全國人口不過四十萬；也門閉關孤立，社會生活仍停滯在中古階段。沙地阿拉伯雖擁有遊牧人民約四百萬，但其所謂政府，僅是伊本沙特國王的家庭而已。內政部長是他的兒子，外交部長也是他的兒子，「外交部」連部長在內共有職員三人，其中一個是埃及人，一個是敍利亞人，經常住在開羅。這九個國家的相互關係極不和諧。伊朗與埃及不和，外約旦與敍利亞不和，伊拉克與沙地阿拉伯不和，所有阿拉伯國家與以色列至今處於交戰的狀態。中東國家，普遍反英，埃及的反英情緒尤稱激昂。敍利亞，黎巴嫩反法，最近因爲摩洛哥的阿拉伯人與法國發生衝突，七個阿拉伯國家立起支援，於是也一致反法了。中東國家對美國感情也不太好。一九四八年杜魯門總統在以色列宣布獨立後二十分鐘內即刻予以承認一事，至今使阿拉伯國家餘恨猶存，他們覺得這是美國幫助猶太人的鐵證，幫助猶太人就是與阿拉伯人爲仇，阿拉伯人在沙漠中生活，自然環境養成偏激的性格，同他們結了仇是不容易消解的。似此，列強之中，未遭中東國家呼叫打倒的，僅一蘇聯，認敵作友，顚倒善惡，我們眞爲中東國家痛惜！最近還有一個値得特別注意的事實，就是中東各國內部極右份子與左派的結合。中東九國都沒有正式的共黨，換句話說，僅有地下組織。右派則以所謂回教兄弟會勢力最大，散佈最廣。這是一個狂熱的回教徒下層組織，中東各國處處有它的分部。刺殺伊朗總理的兇手據傳是一個狂熱的回教徒，也許就是回教兄弟會會員。兩霸相滙，中東政局的混亂可以想見。

掃地出門　虎狼可畏

中東各國的經濟狀況也是危機重重。

上面說過，中東二百萬方英里土地，大半是沙漠，祗因發現石油，於是頓成巨富，得以建立如許獨立國家。但石油是在沙漠地下發現的，沙漠都屬於政府，就沙地阿拉伯來說，亦即屬於國王一家。統治階級發財，老百姓[illegible]苦，懸殊依然。國家的招牌有了，少數貴族獲得了二十世紀豪華的享受，人民却還在過着中古時代的生活。其次，土地的分配，也極不合理。以埃及爲例：全國百分之九十七的人口集中在百分之二．五土地上，即尼羅河兩岸及其下游三角洲。這百分之二．五土地又由爲數不足一千個地主把持，國王就是其中最大的一個。因爲煤鐵缺乏，工業根本談不上，大商業操在猶太人手裏，小本經營操在希臘人手裏，中東的土著除了耕地，農奴或遊牧之外，再沒有其他事情好做，於是認得兩個字的玩玩政治，喊喊革命，反這個，反那個，認不得字的既一無所事，也就是只好聽他們擺佈，蘇俄煽動，挑撥的對象，就在這班人身上。

不過，蘇俄呑併全世界的野心，中東民族，是已漸漸地快要認清楚了。尤其他們的政府當局，最低限度，他們知道，英美人拿走他們的石油，多少總還可以分回一點利潤，像伊朗，英伊石油公司，一年就可以納稅幾千萬鎊，如果他們的土地，被蘇聯佔領了，那麼，不但分不回利潤，恐怕以前向英美分來的財富，都會被全數括光。「掃地出門」。這個持現實的教訓，也許不會使民主國家太悲觀。因爲兇惡的虎狼，無論裝出怎樣和善，他吃人本性，總無法可以掩飾到底的。

五十年來英伊間石油關係

美國曾一再勸英早作解決

英表示經驗豐富自有辦法

時代週刊兩月前一篇有系統的報告

伊前總理賴茲馬拉被刺後，伊朗石油國有案，接着就在伊朗下院通過。關於伊朗石油問題，老早就醞釀着爆炸危機，華盛頓方面並曾異常關心，勸英國早作解決。惟英政府似成竹在胸，不以爲意。今年一月八日，時代週刊，曾有一篇對此問題的系統報告，不料兩月以後，此事件果然爆發。而此篇兩月前之報告，遂彌覺其可貴。茲覓譯如左：以供參考。「編者附註」

距今五十年前英人發現寶藏

一九〇一年，一位在澳洲掘金致富的冒險性的英人名威廉達爾西者，在伊朗發現他的財源。他以二萬美元，向伊朗國王取得獨營伊朗全境六分之五地區的全部石油開採權，定期六十年，並允諾分派利潤百分之十六予伊朗。七年後，達爾西的事業日見蓬勃，一九〇九年，英波（波斯）石油公司（一九三五年易名爲英伊石油公司）成立，此後即持續獲利極豐，在亞巴頓建立世界最大煉油廠，成爲原油主要出產者。然而，這公司亦日漸引起伊朗政府的不滿，至本年初，英伊公司的緊張關係，已成中東抗共防線的主要障礙。對於如何加以補救，英美兩國，意見並不一致。

英伊公司幾自創立之始即已在政治及戰略上具有重大影響。一九一四年間，英政府將英伊公司購入，以確保其海軍石油資源。目前英方控制公司股票百分之五二，五五。在美國鼓勵之下，戰後的歐洲日益依賴中東的石油，目前歐洲所用石油，百分之七十來自蘇彝士運河以東，其中約三分之一係英伊公司所供應。

伊朗提高油稅　英國延長期限

許多年來，伊朗自英伊公司取得油稅，至少佔政府歲入六分之一至五分之一。但公司業務愈繁榮，伊朗亦愈堅持應增高利潤分配比率。一九三二年末，伊朗政府撕毀原訂合約，迫使英伊公司提高油稅，使之按照股票紅利多寡而增減。同時亦將石油使用期限延至一九九三年，作爲交換條件。

一九四八年，當時英財相克里浦斯要求英國各公司減低紅利，以遏止通貨膨脹。由於這命令一旦實行，將激減伊朗油稅，英伊公司明知德黑蘭必將抗議，隨即自向伊朗，先行提議修正一九三三年合約。公司董事長弗拉塞爵士親往德黑蘭，於一九四九年七月與伊朗政府達成折衷協議，訂明大量提高油稅。在新約下，以一九四八年爲例，伊朗油稅可達一千八百七百萬英鎊，按舊約則僅可得九百二十萬鎊。

現在同意提高　過去證明太低

這折衷辦法，無疑是對伊朗的讓步，但另一方面，却證明英伊公司過去的石油稅率太低。伊朗下院議員，遂群起抗議，說他們欺騙伊朗人民。下院的憤怒，卒至推翻伊朗政府，而成立前總理賴茲馬拉新的革新政權。今年初，賴茲馬拉預知折衷協議當難獲議會通過，政府在議會未表決前即將上述折衷案自行撤回。

華盛頓原希望伊朗能強大而力足防禦蘇聯，

美國對此問題早即表示關切

美國曾與英國磋商，表示英伊石油問題的延不解決，可以危及歐洲主要石油來源，而貧困的伊朗更將使共產黨徒有機可乘。華盛頓雖無意干涉英伊公司，但由於西方的遠期防禦責任在美國肩上，英伊之不獲諒解，其最後損害，終將爲美國所蒙受。

去年九月，美助理國務卿麥琪在倫敦時，曾將美國的關注轉達英外交部。英國向他有禮貌地指出，他們對應付伊朗，已積有長期經驗，表示自有辦法。英外相貝文訪問紐約時，美國務卿艾奇遜向他提出這個問題試求解決，亦同樣毫無結果。貝文對艾奇遜暗示，伊朗似並不敢亟於要錢，否則他們自會較急於接納新條件的。

在另一方面，伊朗則處於極困窮及幾無防禦的情況下，使英美外交官負起過大責任——而蘇聯却在旁虎視眈眈，正圖伺機而入。

（楊際光譯）

岳西「土改」紀實
幾無法相信人類有此殘酷

安徽岳西縣，地鄰鄂東，風俗醇樸，此次共黨實行土改鬥爭，其殘酷辦法，幾不信二十世紀人類，竟能發揮獸性，一至於此。茲分述如下：

汪在田五樹分屍

岳西縣黃羊鄉象形保，有士紳汪在田者，年已五十餘，向曾服務省縣參會，爲人公正熱心，極得鄉民愛戴，去年年底土改鬥爭會時，被指爲惡霸，反動派，子姪十二人，先後被處死刑後，對汪本身，另設新鮮刑具，用大樹五株、樹尖用繩索縛緊，矗立地面，再將汪置于樹尖之上，頭顱四肢，各縛一樹，然後猛將繩索割斷，五樹分離，屍被裂成幾塊，血肉模糊，肢體搖曳於樹顚。此係模彷小說上五牛分屍辦法。見者無不膽裂，聞者無不傷心！

吳保長割肉抵欠

鵞鵞河地方，吳保長爲人忠厚，在鬥爭大會中，共幹宣佈：「偽保長」如何如何罪大惡極，但羣衆則加以辯護，嗣詢「偽保長經手征糧收款否」？衆答：「那是有的，原係奉令征收，並非他入私囊」。又問：「今天我着偽保長退還糧米和捐費，你們願意嗎？」衆唯唯。「不知共幹所說，你們就對大家默認通過」：要每一個人剪他一塊肉，作爲退還經收的糧米和保甲經費。這聲催命符一下，到會的民衆，面面相覷，人人失色，遲遲無人動手。可是惱了一班政工人員，其中有位女同志，氣憤憤的走了上來，拿起刀子，舉手割下吳保長一個耳朵，即丟下刀子和血淋淋的耳朵，怒道：「你們再不動手，我們帶頭來割。」於是共幹隨員你一刀，我一剪，從臉上到脚上，連皮帶肉，割得一塌糊塗：：好像一隻剝皮刮肉的猪羊一樣，鮮血淋漓，筋骨狼藉。吳保長在哀號中死去活來，慘不絕口，最後始以木棍洞胸而死。

了」，便命令將吳保長剝光吊起來，把預備好的刀子拿出來，剪……

儲王氏鐵絲穿乳

馬家畈有孀婦儲王氏，年已四十餘，劉遺田產五十畝，尚堪溫飽，旋在鬥爭會中，被指地主，並勒索地下所藏金銀，儲王氏無以應命。共幹認她不够坦白，乃以鐵絲貫穿雙乳，她受苦不過，不堪陵虐，最後乘人不備，觸石而死。（曼華）

脫出火海的共軍

談韓戰心驚肉跳
撞電網挨油彈情況慘烈
一位下級軍官千辛萬苦逃回

去年十月間，當「援朝」之議，自北平唱出，風靡大陸的時候，中共首腦部似對肉彈「人海」有預見的估價一樣。在隨着「志願軍」蜂湧入韓之際，同時便派遣了大量的醫療人員同往。起初是參戰的三四兩野戰軍的後方醫院抽派熟練人員；第二步又調遣一二兩野的野戰醫院人員，遠在川鄂的各軍分區中，也調去不少；在這同時，又在北平，瀋陽，上海，漢口，等大城市發動職業醫生看護「自願」去効命；接着，並在各城市中巨量招收青年學生，施以醫療訓練，作爲儲備，只是成都重慶兩地就收容了七千餘名。

傷兵入院都成啞吧

更因爲這次的對手是「美帝」一個擁有機械化軍隊的國家的緣故，所以中共在醫療的技術上，亦亟謀提高，在俄籍專家指導下，以北平的協和醫院作爲基礎，醫療的高級機構便有了。各地招考的學生，各在原地受訓二至三月之後，都須送到這裏來施以最後一次的訓練，再派往韓國戰場去。

隨着戰事的急劇變化，中共處理傷兵成爲一件重要的工作。從在韓國運回的傷兵，只在韓境的醫務站中，包紮之後，即運至錦州新鄉等地治療，則中上級的傷官，一律送往哈爾濱，那裏有一所俄式醫院，兩年前徐向前從太原戰役下來，在裏面調養過很長的時間。

這些醫院的組織，都如共軍的傳統政治工作制度一樣，設有處理傷兵一切事情的指導員。對於前綫作戰情形，以至怎樣負傷，任何人，不許告訴裏面的單位的人，對於每一數字，都不許透露出一點點。等於說，傷兵入院，都必須變成啞吧。

作戰未死逃出韓國

筆者抑從一個親身參戰的「志願軍」口中，獲知一些前綫傷亡的驚人情形。那是去年十二月我在宜昌的事。一個十八兵團（原羅廣文部改編）的下級軍官從平壤千辛萬苦溜回來了。他說：「我當十來年的兵，就沒有打過這樣的仗，像這一次「援朝」。在開城地區白白的跑了個多月，一天都像賽跑似的，始終沒有和美國兵一照面。只須和他們一接觸，便像雨一般的砲彈，從一二十里外射過來了，沒有人敢在這種緊張的場合下，抬起頭來。

「但是又有指導員緊張跟在身邊，不拚那裏會行？拚吧！就模糊糊的跑到異地，模糊糊的死了。」

「一次，大伙兒就在這種莫明其妙的心理支配之下，向那佈滿丈多高的高壓綫的電網直衝，指導員不斷的在打着氣，每個人就用扯下的「布條」，包紮着手肢。僅在短短的一小時內，我這一連人的同伴，僅剩下不滿二十人。」：：：：經過如此這般的驚險場面，這位朋友，他便設法溜過鴨綠江回到中國了。

油彈威力無法抵抗

最近，又從一位先我而由漢口逃至香港的朋友口中，知道「志願軍」的傷兵，有許多運到漢口來治療了。據說：彼等都是中了汽油彈的，因爲前綫還沒有一種特效藥能醫治這種創傷。據說自高空投下的油彈，雖然四射，近距離內黏上，立刻被兩千度的熱力燃化成灰燼，殘骸碎骨都見不了一點兒。黏着輕微的，皮膚灼成鮮紅，有如患着深沉梅毒一般的繼續腐爛，患處筋骨的刺痛，感到難以忍受，在較冷的空氣下更是無法支持。他們從韓國運回，曾被送入協和醫院，但是中俄的醫生都悵然地給他們數上一些紅色藥膏。每個中了油彈的傷兵，都是從受傷時起奇怪，對飲食已不大感興趣。和西藏出來的[illegible]兵，差不多一樣地變成白痴。

當這些「火海」中的餘生者，經過北平的時候，有些親屬去探視他們，彼此偷偷地在病房角落裏，流了不少的淚水，偷偷地談着他們彼此戰場情形，無不心驚肉跳。

毛澤東們，就是在這樣地慷慨着自己之慨而「援朝」。（黃狐聞）

靠攏的幼專校長

陳鶴琴一切剝光
現在只要他以「美帝教授」的資格，從早到晚痛罵美帝

前國立上海幼稚師範專科學校校長兼市立女師校長陳鶴琴，是一個頗有名氣的幼稚教育專家。上海「解放」，向「人民」靠攏。

他以爲只要自己在上海能將幼專，女師，幼稚園，託兒所，兒童福利站，兒童玩具工廠，和一切慈幼團體繼續辦下去，管他那一個政黨來主政，想來總不會有什麼問題的。

：：：：他從參加「教育工作者協會」「人民政協」，一直到主持南京大學師範學院，已經快兩年了！他的遭遇如何？據我所知，是碰足了軟硬釘子。在前年暑假前，他第一次奉令參加「教育工作者協會」成立大會。「市教育局長」戴白韜暗示，要他辭去市女師兼職，他未加可否；他以爲，戴是他的學生，他不辭職，該不會把他撤職。等到會罷歸來，免職的命令，已先到達。女師移交後，接着幼專奉令結束，併入南大。大場托兒所和兒童福利站移交給[illegible]，兒童玩具工廠，也就無法生根。這許多教育和慈幼團體的招牌，也沒有地方懸掛了。到了這個時候，他才明白，過去的想法，是太天真了！一切剝光，當他帶了一張教職員的名單，到南京師範學院去就職時，商量結果除了他本人和幼專八十幾個學生以外，連校工也不准帶一個。他悄悄的回到上海，對同人宣佈接洽經過以後，便一直住在家裏，連幼專的遷併，女師的移交，也一概不管了。

有一次，爲了營救一個被捕的人，向上海「高教處」唐守愚設法，結果，不獨沒有答應，還被奚落了一頓，幾乎使他走不出門。唐守愚事後對人說：「陳鶴琴封建意識太濃厚，他要想在新社會裏辦教育，還得從新學習，大加改造才行」。

這話當然傳到了他的耳朶裏。到了前年九月，南大開學了，而陳的師範學院院長還是遲遲不到職，催促的函電，像雪片飛來。他幾次想辭職，忽然得到了一位朋友從北平寄來的信，[illegible]切勿再辭，否則不免更難堪。[illegible]把已經接洽好的上海某[illegible]解除了，[illegible]精一個窮苦學生取得。[illegible]向南京[illegible]校長潘菽提出要求，結果沒得。師範學院「人民獎學金」名單公佈，最少的一個學生[illegible]，都是榜上無名。[illegible]起了「抗美援朝」的狂潮，大家早已給他一個「美帝教授」的[illegible]，居然有人在他的壁報上寫「請美帝[illegible]」，使他十分難堪。[illegible]又借故辭職，[illegible]以「美帝教授」的資格從早到晚痛罵美帝。（方定一）

張雲卿潛伏待變
以人民武力會挫敗了共軍多次的進攻
雪峯山下的遊擊英雄

湖南西南部在萬山重圍中，有一個民性強悍的縣份——武崗，在南宋岳家軍的隊伍中，最饒勇的健兒就出生在那裏。楊再興，也是出生在那裏。滿清時，武崗兵以勇敢善戰著稱，當抗日戰爭發生的時候，國府曾經在那裏辦了個中央軍校第三分校，三萬以上的軍事幹部，在那裏畢業，參加抗戰。民國三十八年的秋天，因程潛陳明仁在長沙的叛變，國軍在衡寶的失利，武崗就被

「解放」。共黨的「征糧」和「支前」、運動，把整個武崗城鄉、鬧得鷄犬不甯。在這個時候，人人飢餓，許多農民，紛紛起來反抗，強烈的到那縣高沙鄉去，張雲卿走國。張雲卿救林傑，在抗日時期，以慣打遊擊著名，他有基本幹部五百人，在民衆熱烈的推戴之下，和共軍首先以一千餘人和共軍在竹蒿塘一帶接觸，因爲路徑的熟諳，和人民的擁

護，每戰皆捷。總是以少勝多，最多的時候，他的人數也就逐漸的增加，到達二萬人以上。

共黨在縣城裏，洞口，發伏在城北方幹部不敢出城一步，縣安江中，兩邊埋伏和名貴的公路上，共軍在山中都遭遇過軍的時候，陷中了他們的遊擊，商人的車，槍響一彈，解放軍求救的，包圍，都被他們擊斃，居一個遊擊隊的下落，不知請放軍地方去，連在初共軍到達以後，也不得而聞，用全部派人來護送，多的時候共軍全部死亡，一個人部落沒有下來了。營救不到，就把它們化了，但是共軍就是這樣的戰法，他們一直被困，堅壁清野，在這樣軍事上空而歸。

不斷的戰鬥下，不下廿餘次挫敗了共軍。在去年正二月間，鄉近武崗的綏甯、城步、新甯、黔陽等十餘萬人，開始下十餘萬人的放棄公路線，江口，條不泊的沅陵路等，被打通黔公路線，去除雪峯山的雄據，張雲卿與交通黔的公路線七個月之久，據稱桂八縣的治理，不可能不指導，同時能夠組織糧食，軍力給養，都在共軍地方以全力的搜劫，滿地捕陣，雖以他們有方給工人，人民家屬，從出全家都被拘禁，家屬就被緊禁，家有子弟在遊擊隊裏，作主，共軍都以甘言蜜語來自首，他們就不追究，一概不問。

否則全家誅戮，張雲卿的兒子就是在這種押起來給老共黨下被抵押，於是本人受盡之苦，張首先，威脅他不有共產黨部份，紛紛脫離，絕過他們的，但他仍舊以給黨老，在瀧潛潛着一個部隊，與中共死不，在門外，坚持遊擊，他沒有屈服，前面直撑着，曹振西正在鬥，等失敗了，排湘，張的部隊，到楊永清，潘化等黔陽，平陽一帶，蕭化等，山嶺，才開始放棄，在滿被投降的時候，鐵，他懷恨開始離，曾一帶山地，在他遊擊案，大陸開始的時候，當他說聽另一個者，都待機而動，山，中共說他在武崗人民中潛伏，也是一就共黨深恨，在之對刺武崗，，人民就是不下五六縣被屠殺的，不去年十一月間一天，在高沙洞口，一千人，就屠殺了六百餘人。（楚囚）

中共恐華南不守
曾勸陳嘉庚離厦
陳對中共已不如以前癡愛

向以風骨嶙峋，直言無忌著稱之陳嘉庚，自參加秧歌王朝後，迄今兩年，久已默默無聲。頃據與陳友誼極篤之某君談：陳現在厦門，重建厦門大學及集美中學。陳久已破產，身無分文，經費來源得自星洲兩巨商捐助。一爲陳之東床李光前，捐三助星幣五百萬，一爲堂弟陳六使，捐三百萬，以人民幣折合，達六百億以上，此在大陸，要爲一比較驚人之數字。故重建結果，絕料或可較以前更爲閎大。陳自謂年屆垂暮，決不顧一切，竭盡全力，以了此畢生心願。

當去年十二月，聯軍迫近中韓邊界時，中共於決定參戰大計以後，恐美國另以大力在中國沿海援助台灣反攻大陸，來制中共，則華南沿海，勢將發生血戰，或中共不戰而退。曾由中共當局電陳，請其離厦北上。陳毅然謝絕，謂厦大重建工作，正在緊要關頭，如此時離去，即不啻功虧一簣。嗣中共以戰事順利，美國並無援台反攻跡象，對陳之不願離厦，亦遂未再行強勸。故至今陳終日在厦督工，毫無遷地他去的準備。

陳在去年夏季以前，往返香港，或在其他處所，對人輒勸早回大陸，不應逗留異國，自外生成。韓戰發生以來，中共對外則徹底一面倒，對內則厲行鬥爭清算，以陳向日愛國熱忱及其直言無忌之作風，臨此局面，其內心苦痛殆可想見。最近閩南大屠殺，陳親屬多人，均遭毒手，陳多方營救，毫無效驗。僅一隨陳多年經營汽車業之某氏，經出全力奔走，始倖獲免於一死。月初有人自厦來，謂行前晤陳，談及在港親故，陳已一反以前態度，不再致語諄勸，早回大陸，且暗示窩老死海外，亦較回到大陸受中共陵辱殘殺爲佳。說者更謂其不肯接受中共邀勸，離厦北上，殆亦對中共作風，表示無言之抗議云。（一丁）

鐵幕叢談

副總統禰延宗祠
祖宗靈牌被迫令劈開煑粥

廣西桂林二塘鄉，爲副總統李宗仁梓里，自「解放」後，李氏宗祠[illegible]……祖宗靈牌……劈開煑粥……（全文多處模糊，僅可辨識零星字句）

梅縣「好女十八嫁」
尼姑二十餘人亦不免

廣東梅縣共黨，近爲調劑「同志們」性的飢渴，發起「好女十八嫁運動」，號召婦女「爭取戰士」，「爭取英雄」，「爭取勞動階級」，遠赴南洋謀生之華僑，其眷屬多爲共黨幹部以說服辦法，誘致改嫁軍中同志，凡改嫁者，即由共幹以大鑼大鼓，敲敲打打，歡送成親，有不從者，每遭意想不到之侮辱，甚且時有失踪者。又縣城城郊有尼姑菴曰清修堂，內有尼姑二十餘人，迫令參加生產與學習，最近亦難倖免，通通在共軍教育之下，飭令還俗改嫁，其中最漂亮者三人，分嫁共軍三營長，結婚時當地共幹均來參加觀禮，一時傳爲「佳話」。其餘則分別匹配隊與共軍下級幹部及勞動階級，有的不願受辱，投河自盡。

台山菩薩被鬥爭
人民替九天玄女報仇

廣東台山縣共黨，爲藉口破除迷信，以防當地反共組織活動，連日大舉[illegible]……將各地廟宇菩薩神像……「無情鬥爭」……毛澤東……（李桂民）

談「大家來」

·陶樂居·

有人喊出了「大家來」的口號，這是在反共抗俄這一亙古未有的歷史性任務中，一種屬於自發性的成熟發展。沒有「大家」，反共抗俄失去了堅穀的基礎，只能代表一種「呻吟」，廣大的力量無法凝聚，只能變成一種「推磨」。大家不「來」，反共抗俄必然要變成一種上層的「清談」，整個運動所能放射的幅度，空間是極端狹窄。

「大家來」是最生動鮮明的號召，但是：大家怎樣來了又做些什麼？這是「大家來」的具體內容，整個運動的骨幹。單是提出口號是不够的，要把它的內容羅列出來。

目前，從最慘痛的啓示中，我們不能否認一種極端嚴重的傾向存在（不平衡的發展結果，這種傾向或隱或現）：關起門來，自成天地。「關門」要大家來，任憑喊得多響，多清脆，仍離免是一種「表演」的自我欣賞，自我陶醉。迴響不強，不會也不能冲激起一小朶浪花。

這兩種本質上是對立的，而且是互相排斥的。門關得越緊，雙扉深鎖，大家來顯得越貧弱，空虛，只能代表一共抗俄大空間中的彩虹，生命是短暫的，留下來只是一副自然的驅殼。

大家來的最高理想，是爲大家的生存自由；打開大門，讓大家來。

有人說，門開了大家不來，或不一定都來，又怎樣。我說：那就是不來的人，是否不準備反共抗俄，如果是，當然沒有不來的道理。如果不，這種人又何必要他來！

生活思想

劉少奇供狀

·酉之·

過去的一切宣傳目的原只是欺騙

前此不久，曾有擁護過的「民主人士」劉某在報紙刊登啓事，說自己過去是被中共美麗宣傳所誘惑而擁護，現在發現中共所爲完全與其所標榜的「新民主主義」相悖謬，表示悔恨莫及，願意從此反共到底云云。對於這一件事，許多人見仁見智，批評不一，我們自然不敢一定相信他此次所說一定是由衷之言，而將來不再對此舉重來一次「悔恨莫及」；但像他所說這種情形，到是普遍的存在着。自己過於天眞，因而上了中共的大當，這種人在今日正不知凡幾。但至今日止，肯公開把這種心境公之社會者，卻還只有劉某一個人。如不嫌擬於不倫，也可算是疾風勁草了。

這些人到今天大都已吃盡苦頭，甚至有人連性命都送掉。本着「哀矜勿喜」的古訓，對於此輩已不必再加苛責，到是大家都應該提防共黨宣傳，不要再蹈覆轍，上大當。像過去一些擁護人士的經驗，一方面固難免有投機心理作祟，另一方面到底不會認清共黨的本質，不認爲他們所說的話就和自己頭腦同樣的簡單。而根本問題還是共黨的宣傳工作，實在做得美麗動人，像醇酒，又像鴉片，不只沒有卓議定見的人一接觸就會中毒，就連若干著名思想藝術家和科學家，都會在不經意中受其麻醉。像紀德，柯斯特勒等人幸而在迷途未深之際佛然歸返，而皮卡梭與英國紅色大主教約翰遜之流，卻至今尚在沉緬中呢！好像是日本近衛文麿說過：一個青年如果沒有相信過共產主義，一定是個沒出息的青年；其實共產主義的和共產黨的誘惑力，又何只對青年發生功效呢？

共黨的宣傳技倆，是以宗教的熱情配合麥契維利式的權術。天下的政黨或宗教團體雖多至不可勝數，但像共黨之致力宣傳工作及其技術之能大收功效者，卻絕對找不出第二個。這也就是共黨所以能在現世界特別得勢的原因之一。不過，無論如何，宣傳仍舊只是宣傳，當一切都還停留在宣傳階段時；自然不易窺破其底蘊；若一旦有了相反的事實來對照，則鐵案如山，百口莫辯，再高明的宣傳都只有崩潰。

有一些朋友，當他們開始信仰共產主義時，無不嚮往蘇聯如天國，及至一旦親自到達那「無產階級的祖國」，親自領略了現實的一切，大都不是沮喪，就是失望。然而即以紀德的成就與聲望，在其「蘇聯歸來」一書出版後，且受盡了蘇聯和各國共黨的無情攻擊和辱駡。這樣就無怪有些人只好把話閑在肚皮裏。至於業已成形的克里姆林宮的御用工具們，自然又當別論。

其實，在共黨的宣傳技術中，本有宣傳口號與行動口號之分，前者作用在號召，後者準備見之行動。比如像「實現新民主主義」，與「奪取政權」者，是他們的行動指標。而前者卻完全爲了宣傳。人們不懂這套技巧，自然會在其口號驅使下，幫助他們達成了其眞正的目標。

「再」奴才記者

週末老人

儘管稍微有點自尊感的人，尤其視自由爲第二生命的新聞記者，前，中共魔掌遮蔽了整個大陸，誰也不會出賣人格，跪在奴才面如何去做奴才的奴才。因此，替中共吹喇八，當鼓手的，其品質這些，自然不待否問，即可肺肝畢露。何況人民眼睛是雪亮的，奴才的奴才，他們畢生醜史，怎能掩節過去。一位會向×練領律貼，在蘇州辦小報內瘧三，不知什麼時候「改造」成功，經奴才恕他無罪，於是跑到海外，做了一名不 [illegible]

直昇飛機的發展

最近美國直昇飛機之父西柯斯基曾說：「直昇飛機猶在嬰孩階段。」然而對於他的寵兒的迅速成長，他自己也感到驚愕。西柯斯基所主持的聯合飛機公司中的一部門，宣佈廠址將擴大三分之一而達五十萬平方呎。美國民航局已經認可了他的新型高速（時速一一一哩）四座YH-18式直昇機，同時，軍部的定單更使他忙於生產較舊式的S-55型機。這種直昇機較大除了飛行員二名外，尚能載士兵八名。軍部用於製造六百架直昇機及新式直昇機研究及改良上的費用，目前已到達三億美元左右。直昇機製造的增多是由於它在韓國戰場的救護效果所造成。八個月來，這種簡捷的飛機已自戰地救出了一千七百名傷兵和陷於孤立的兵士，使他們免於死亡或被俘。戰地指揮官以直昇機的便利已將其代替吉普車而作前線視察之用。最近直昇機並又得到了其他的主顧。陸軍部將組織單位二十三架直昇機的運輸隊，裝以特殊設備，以供在兩棲戰事和山丘叢林戰事中運送士兵之用。海軍部且準備在直昇機上裝置雷達，用以搜索潛艇。西柯斯基認爲直昇飛機的研究及生產在加速進行的情況下，將來當有噴射式的直昇機出現，其載客量可容五十人，速度達每小時一百五十哩。

時代科學

新型空用照相機

美國普爾金埃爾姆公司最近公開展覽一種新穎的巨型空用照相機，高八呎，重一千五百磅，焦點距離四十八吋。它的鏡頭能四面轉動，適宜於「空中偵察」之用。飛機在四萬呎高度時，這相機所攝影的地區，可及一百哩闊。每一次攝成的照片，闊十八吋，長十呎，照相機的軟片重達四百磅。它雖然還沒有在空中試用過，不過空軍當局相信它在高空所拍的照片，將能清析地顯出地面的纖小物件，諸如個別的機槍陣地，和敵人公路上行駛着的車輛的型式等。（路繆譯）

篇名感

·紅萱·

最近劉少奇在北平市「第三屆人民代表會議」中致辭，他倒坦白的指出了在共黨主張「普遍平等直接無記名投票」的口號，只是對付國民黨的；而「對於中國目前的實際情況，則人民還不完全適合的」，因而也是不能完全採用的，這眞是赤裸裸的說明了共黨宣傳的欺騙本質。你要抱怨中共爲何「反新民主主義之道以行」，你眞是太糊塗了，那只是對付國民黨政權的口號啊！

餘痛猶深

聯軍隔漢江砲轟漢城，尾巴報心血來潮，大登「美軍進入漢城」，結果：飽受訓斥，活像孫子。及至聯軍眞正重得漢城，起初好多天，尾巴報却隻字不提，此所謂「餘痛猶深，不敢再試。」該登的不登，不登的却登，這就是尾巴報的特色。

土改真諦

一向躲殿後游擊起家的新貴們，乍一進城，覺得凡物皆罕，不到三天，鑲金牙，搽油頭，擦亮鞋，搖身一變，儼如城裏人。這就是「土改」的眞諦。

爲「人海」悲！

·齊簡·

據南韓前線的聯軍公佈：在最近四十天的作戰過程中，聯軍與中共軍的傷亡率，是一與一百之比。

這是以人海投向火海的一種結果。過去，人海戰術會經被擴大宣傳，韓戰的某一個時期，中國人的生命會換得若干外國土地，現在，這些外國土地，變了人海底廣大的墳場。

我們內心雖然希望中共的暴力統治崩解，凡予我們以損害者的不幸，我們都應該是欣然樂聞的，但對于人海的投向火海，對于我們同胞的生命供作外國火海的試驗品，生爲同根，及其離也，終不能免于深沉的悲痛。

不久以前，曾聞北方來人談，山海關內外，居留的傷兵在三十萬以上，最近又聽說林彪的人海主力，已被火海融盡，這些消息與數字，雖然是屬于宣傳性的，就把他打個折扣，至少在有五十萬的生命，在短短的幾個月中消失了；而這些死難者，與我們都有着血緣的關係！

然而，于人海的狂夫，也是我們的同胞。

中國以人口衆多而著稱于世，不幸人口多祇能作塡炮火的人海用，悲痛之餘，忝爲中國人，不免慚愧矣。

火藥，中國人最先發現，外國人接受了我們運用火藥的知識，拿來製造槍砲，則火藥發明者的我們，以「人海」去對抗自己的發明。火藥是我們的，人海也是我們的啊！但我們現在只有人海而失去了火藥。

失去了火藥的民族，並非不能生存，但以人海對抗火海的民族恐怕祇有毀滅之路！

這應該抱怨我們聰明的祖先始作俑呢？還是要責怪不肖的兒孫的猖狂？落後的泰戈爾對着愚昧的印度叫道：「我的天。讓我們的祖國醒醒罷！」眼看着我們的人海內毀滅着，我們也祇有翹首向天，同此祈禱。

紅色的維也納

奧境蘇聯特務首腦

勃羅姆帶着他纖條美麗的年輕女友，正在和一對姓克勞斯的夫婦密談。當一位美方反間諜人員將門衝開，見室內一片漆黑，但勃羅姆的影子閃動在窗口，顯然擬越窗而逃。反間諜人員二名快步奔到窗前，另一名則把電灯扭亮。勃羅姆突然轉身，手中執着一把利刀。

一名美方人員上前和他搏鬥時，卻失手把自己的槍跌落在地，正當勃羅姆伸手去拾那把槍的時候，其餘的反間諜人員扳動槍機，五顆子彈迅即鑽入了他巨大的軀幹。

他不久即死在救護車裏，臨死還曾與車內的反間諜人員拚命掙扎。

第二天下午，辛勤的奧國共產黨徒在維也納蘇管區牆上和屋外貼起剛印就的標語，寫着：「殺人者！強盜！幹通風報訊的人！你們沒有工作嗎？你們要不要求職？請到——」下面是維也納美方反間諜機構的地址和主管人的姓名。

在美方反間諜總部裏，一位官員却正以滿意的神情在研究着一張標語。「他們的慌張，正是一個好現象，」他說：「他們對我們的攻擊，可以表示他們的懼怕，也可以說明，我們正擊中了他們的要害。」

從維也納共產黨報紙上每天抨擊美國「間諜」的消息和評論上看來，共產黨方面似確乎對美方的反間諜組織不敢輕視。這是有其理由的，美國陸軍方面的反間諜機構和迅速擴充中的中央情報局，現在對地下戰術已比六年前在歐對付納粹的未經訓練的反間諜人員懂得多了。現在，他們且必須具有高度的技巧，因爲他們正在維也納面對着蘇聯間諜活動的幾個最出色的能手。

他們是誰？在美國情報官員的合作下，我們可以在這裏首次披露在奧主持共產黨反西方間諜網的幾個蘇聯特務頭子的身份了，同時也可報導幾機構他們在指揮着的活動。

奧境蘇聯地下組織的爲首者，是貝爾金中將，他的辦事處設於蘇軍佔領總部內，在距離維也納約二十哩的巴頓。這個嚴峻、精細、殘酷的軍人，曾教導一名下屬以猛踢腰部的方法迫使囚徒從速作供。但他本人對於間諜活動是從不露臉的，這已成爲蘇聯間諜機構中的規例。他是機構內的頭腦——直接向莫斯科國家安全部報告的人。

秦辛寧譯自「鑛夫」雜誌

旅美雜紀

陳香梅

在華盛頓住旅館

我和外子是在去年九月初到華盛頓的，算來一住却住了四個月。我們一直住在華盛頓酒店，這華盛頓酒店雖然算不上是一等酒店，却大有來頭。首先，這旅店是美國議員所開設的，因此華盛頓的政客們多在此處歇脚；其次，這酒店的地點可說是最適中，因爲剛剛和白宮遙遙相對，同時又是靠近公園的市中心區，戲院，大酒家，百貨公司等等都在附近，所以可以說得上是地利人和。這酒店開張已有三十多年，生意實在好，終年客滿，尤其是在放假期間和櫻花盛開的時節，若不是預先定好了房間，休想問津。杜魯門也常在此宴客，這酒店共有八層樓，房間也不太多，實不能與紐約的帝國大廈（高一百三十二層）媲美；不過這酒店別有它的風趣和尊嚴，與那些大酒店完全兩樣作風。比方說華盛頓大酒店素倫和史且娜兩家，這兩家酒店都有一千以上的房間，許多人走進去就不知道從那處出來。而且總免不了有小偸，有許多人住在酒店裏，有時不幸就會被小偸光顧。據說昆明有名的劉太太，（她是昆明南屏戲院的大老板，同時又是安寧溫泉旅店的董事長，在雲南住過的人大概都知道她）在去年到紐約的時候，住在紐約最有名的華都酒店，就在那兒失去了一件名貴波斯羊皮大衣。懊悔得不得了。

華盛頓酒店地方不太大，第七層樓是全由議員常包的。因此政治色彩非常濃厚，時常見到當朝顯貴出入其間。做議員的不消說是富於口才的，他們常愛到我們房間來談天說地，口若懸河，一開話匣子就是兩三個鐘頭，他們多半不滿意杜魯門和艾契遜的政策，可是爲了自身利益，能够站起來敢說敢爲的也不多。

由於韓國戰事的影響，物價大漲，住在酒店裏，費用更是可觀，一塊牛扒要三塊至五塊錢。洗衣服的價錢更是貴得嚇人。洗一件襯衫要五角至七角，洗一對襪子也要兩角，洗一件女裝長衫要一元五角，眞吃不消。後來我就只好買了熨斗，好在那時天氣已冷，在酒店的浴室做洗衣老媽子，房間有暖氣，衣物一烤即乾，熨一下就可以穿用，也不至太辛苦。許多人以爲美國人，尤其是婦女養尊處優，其實也不盡然，因爲美國工價奇昂，所以中上人家也用不起人，家中一切勞作都由太太包辦，一天忙到晚，簡直談不到休息。孩子多的人家則更糟，所幸美國科學昌明，一切都有機器，幫忙不少。不過許多中國太太到了那兒，一切不慣，有些又言語不通，那就非常吃苦了。

「英雄」變「鸚鵡」

一九四七年十月號的莫斯科文學雜誌裏面的一段描寫：「當微風如撫摸般輕輕吹動這位人民英雄的金黃色頭髮的時候，他微笑了。他寬廣而雄偉的臉上發射着如此的活力，如此的意志和溫暖，他美麗的灰色的眼睛中輝映出如此的敏銳，活潑和被激發的智慧，使人更加深切地瞭解爲什麼這位人民的領袖，這位和平與民主的不屈戰士，在國內外會具有這樣偉大的聲威。」

一九四九年九月號文學雜誌的一段描寫說：「隨便那一個只要見過他一面甚至聽過他說話的人都會注意到他正像一隻饒舌的鸚鵡，自鳴得意，喜愛誇張，而且妄自尊大。這隻鸚鵡穿上了元帥的制服，在檢閱遊行和參加宴會時，他裝飾得像一顆聖誕樹般地出現，向民衆們賣弄風騷。你們將看見他如何地裝模作樣——胸部向前挺出，頭部向後縮，兩隻眼睛凸出。」

這兩段文字所描寫的都是同一個人——狄托。

（史璜譯自「新聞」週刊）

強笑集

自由人

THE FREEMAN

（逢星期三六出版）每份售港幣壹毫半

（第六期）

督印人：梁大成

社址：香港德輔道中一四九號四樓　電話：三二八二〇

149, 3rd FLOOR, DES VOEUX RD. C. HONGKONG TEL: 32820

承印者：東南印務出版社　地址：高士打道六四號

台灣經銷處：中國書報發行所　地址：台北館前路八十五號　電話：三〇三三

英國太錯看了遠東

從澈底檢討「貝文外交」談起

程滄波

貝文終究離開英國外相的職位了。在本刊第三期中，我們對這位負病的外相戀留不去，表示惋惜，現在他終於調職離開外務部，他在政府任職，從戰時的混合內閣起至今已是十年，而他調任外相，也逾五年，貝文外交的政績何在？我想最好引用他的政敵邱吉爾的話：「雖然在許多問題的處理上，我和他意見不同，但我不能否認他是英國一個偉大的外相。他的功績，在於堅忍抵拒共產黨的侵略，加強對美的關係，以及促進大西洋公約的成立。他對國家的功勛將永為英國所記憶。」

英國下次大選恐難挨過夏天

邱吉爾現在對工黨內閣，正用全力加以進攻。英國今天政局，正如世界局勢，已臨攤牌的時候。照我們猜測，英國的大選，決不能挨過夏天。工黨政府今天實在是下台的時候了。工黨政府現今的神情，有點像貝文外相，五年半的執政，實在把它拖得夠疲乏了。工黨內閣中兩位幹部，一位是前財相克里浦斯，一位是前外相貝文。這兩位大將都被病魔拖倒了。前幾時倫敦經濟學人雜誌評論英國現內閣的閣員，包括貝文在內，如國防大臣、陸軍大臣，總共有五位[illegible]

是一個極大的諷刺。貝文的外相任期從一九四五年七月工黨競選勝利後，工黨組織政府開始，到本月十四日正式調職，任期約為五年又七月。這五年七個月的任期中，貝文的政績是在他起初三年半的任期中。後來的兩年，他身體受了極大的病魔，健康經年在最後養病之中。在最後的一年半中，他經常不是在外務部辦公，而是在療養院中。他出席國會的時候不多，即使出席，旁邊隨帶着醫生與看護。所以評論貝文外相任內的政績，只有開頭三年半是真正在那兒努力苦幹。在後來的兩年半，他是帶病做官的，既沒有成績，並也沒有政績。所謂「堅忍抵拒共黨的侵略，與加強對美的關係，促成大西洋公約的成立」，這許多工作都是在他頭三年的任期中。[illegible]去年一月，英國政府承認中共北京偽政權。

和其他工黨中的要角一樣，貝文沒有受過什麼高深的教育，他是一個派報人出身。他的教育，比起上一次工黨內閣中的漢德森相差甚遠。在英國工黨中的思想，在第二次戰後瀰漫着反美的空氣，浸潤在左傾的洪流中，是毫無疑義的事實。外交與財政兩種行政的性質，都帶着高度的技術性，也都是一種純理智的專業。像十九世紀英國政論家白芝浩的論著中，他認為英國的貴族，將來只有靠着外交的專業，可以維持貴族地位於不敗，他以為貴族是最宜於辦理外交，因為貴族受着極高深優良的教育，有貴族家庭背景中，有禮節辭令訓練的素養。自從英國的工黨執政，白芝浩一百年前的議論完全推翻了。貝文在工黨中，與克里浦斯為兩個支柱，而貝文所處的地位大概尤為困難，觀於他在工黨多次會議中所發的牢騷，尤為信而有徵。

英美貧富懸殊最易引起摩擦

一個工黨的外相，尤其第二次大戰後英國工黨的外相最難應付的，是對美外交。英國在第二次大戰後，幾乎是整個破產了。人民說不上財富的享受，即就衣食兩項，[illegible]

[illegible]

貝文最大失敗糊塗承認中共

[illegible]

反共抗俄與第三勢力

大家應放大胸襟精誠合作

萬不要自相猜疑減弱力量

王厚生

許多朋友對於第三勢力發生誤會，議論紛紛，惴惴不安，因此，我想就第三勢力問題，作一個客觀的看法，以釋疑慮。

首先，我們知道第三勢力當前所標榜的口號是民主自由與反共抗俄，這是一條非常正確的政治路線，不僅迎合在大陸上受苦受難的同胞們的要求，就是與台灣的自由中國政府的奮鬥目標亦相一致。從前，在台灣以外，沒有其他的反共力量團結，今天，在台灣以外產生一支由人民自身組織起來的力量，對於台灣不能不認為是一大助力。因為在台灣以外的力量，從前是散漫的，不起作用的，今天，這種散漫的力量已經開始自動地組織起來，能夠發生很大的反共作用了，對於台灣的民主自由與反共抗俄運動，我們不得不認為是一件可喜的事。

目前，醞釀第三勢力的地點是在××，由於××與台灣在地理上的隔離，因口言傳說，蔽於事實眞相，以致引起種種側言，影響台灣與××間的諒解，無形中阻礙了反共的聯合行動，遲延了反共抗俄的目的之完成，這是民主自由與反共抗俄運動美中不足之處。

無論如何，第三勢力與台灣所揭示的宗旨是一致的，第三勢力何時成功是另一回事，但至少台灣與第三勢力不應有所誤會。尤其我個人以為國民黨應視新興的第三勢力，為一個反對黨，而反對黨在民主政治的實踐中是很平常的事，而且可以說是應該的，我們甚至可以說：沒有反對黨存在的國家的政治，絕對不會是民主的，所以，反對黨的有無，成了衡量民主政治的標準。在蘇聯除布爾什維克黨以外，大家知道是沒有反對黨的，在西班牙，除法朗黨（FALANGIST）以外亦是沒有反對黨的，因此，這些國家的政治都不夠民主的標準。眞正實行民主政治，反對黨的存在固然必要，對執政黨而言也是毫無妨礙的，而且按常例，反對黨可以批評政府，指責政府，進一步還可以要求政府定期舉行大選，改組政府，取執政黨的地位而代之。對於反對黨的這些舉動，法律上不但許可，還給以保障，故不能認為是一種「叛逆」的行為，反而是反對黨應盡的職務，愛國的義舉。執政黨對反對黨的各種反政府措置，不應抱敵視的態度，尤須時時事事聽取反對黨的意見，接受反對黨的挑戰，答覆反對黨的質詢，直到對方滿意為止。

這種政黨政治的運用，也許有人以為在現階段不大適合。我不以為然。有人覺得在現階段互作批評指實不好，抵消力量，饒自己的氣張敵人的威。我以為這種見解似是而非。以前，政府犯過種種錯誤是衆所周知的，當局承認的，在現階段，批評適可以求改進求團結，充實反共的力量，試看英國美國的情形，蘇聯的擴張愈大，國內政界的非難愈盛，這種現象很好，而且絕對必要，因為這正表現全國人的關切國事，反映救國的躁急心情，如果一個國家受到外國的侵陵而無人出主張，便表示這個國家的民心麻木，其前途也就可想而知了。

說句笑話：今天自由中國在台灣就是皆希望於美國共和黨的反對行動，沒有共和黨的呼籲，援台反攻大陸的聲音幾乎要聽不到了。

因此之故，我們不要自相紛擾，千萬不能把第三勢力當做敵人看，也不要想得太遠，以為第三勢力將來一定要與國民黨爭一日之長，平分天下，這種顧慮是多餘的，想法是錯誤的。[illegible]

搶救流亡港澳難胞

[illegible]

英國關閉駐華領事館

[illegible]

半週展望

朝鮮　伊朗　巴黎

這幾天世界局勢幾個關鍵，在朝鮮，伊朗與巴黎。在朝鮮方面，從聯合國軍收復春川，向北推進，在前日已進至三八綫四哩之內。三八綫問題上，過去十日內會引退各種報導，華府及倫敦方面似為此事商討頻繁，但現在聯軍的越綫，大概是既定事實了，聯軍越綫後推進到多少遠，這是看軍事上的發展[illegible]近數日的消息，蘇軍在過去數星期內，已在伊朗邊境調勁，一切蘇邊前哨站兵力最低限度已增至一倍，同時莫斯科巴庫廣播對伊朗態度突轉強硬。種種情勢，使戒嚴中的伊京，更為緊張。英國外相莫里遜在下院謂英[illegible]

如果列寧生於今日

他從前批評沙皇的話好像是批評了史太林毛澤東

黎晉偉

列寧是共產黨人最崇拜的偶像，列寧的著作，是共產黨人的聖經，列寧有許多「先見之明」，常爲共產黨人所稱道。因此，列寧的言論，應該是「放之四海而皆準」的。

我不是共產主義的信徒，沒有歌頌列寧的義務，但我也十分佩服在列寧的若干「遺教」中，他竟然似乎預知俄帝政府今天正走着沙皇的道路，所以他也爲俄帝及其僕從懸上一面鏡子，如果共產黨人有讀過「列寧全集」的，他就應該照照這面鏡子，試看列寧眞正的「偉大」地方在什麼。

在「列寧全集」中，有一篇題爲「中國的戰爭」的文章，是列寧在一九〇〇年十二月，正當沙皇政府的軍隊佔領了我國的東北，和其他各國軍隊佔領北京（按：即庚子之役）之時寫的。在那篇文章之中，他有好幾處批評沙皇政府的文字，到今天還是可以適用於批評史太林和毛澤東政府，如果列寧地下有知，他是應該引爲驕傲的。

列寧批評帝俄侵略中國的面孔說：「可憐無告的沙皇帝國政府啊！它是這樣的基督教的仁慈行爲，而別人却這樣不公道地歸怨於你啊！」它曾於數年前「沒有野心地」佔領了旅順，現在又「沒有野心地」佔領了東三省，它「沒有野心地」派遣大批百貨商人，工程師和軍官，到與俄國毗連的中國區域，而這般人對待中國的行爲，直使大家都知道的誠實中國人也起來反抗。」

其次又批評帝俄政府的戰爭惡果說：「俄國工人階級和一切勞動的人民對於在中國的勝利，有怎樣的利益呢？驅逐成千成萬的勞動者走上戰場，許多勞動者破產了，國家公債和國家支付的最大增加，各種苛捐雜稅的增加，資本家和剝削者對於工人權力的增加，工人生活狀況的惡化，農民每年死亡的數目增加，在西伯利亞的饑荒等等，所有這些現象都是現在中國戰爭所給與勞動人民的惡果，而將來尙不知伊於胡底啊！俄國一切奴隸成性的報章雜誌，如不得政府官僚的許可，任何消息，也不敢登載。」

列寧又批評沙皇政府的低能統治說：「一切僅僅靠槍桿子維持自己統治的政府，時常要鎭壓人民的憤怒，它們早已認識無論怎樣也不能消滅人民的不滿意，因此企圖把人民對政府的不滿意，轉移到其他對象上去。例如：挑動反猶太人的運動，各種下流的報紙竭力號召人民反對猶太人。」

上面這三節文字，第一節是完全適合於現存的史太林政府的。這個以「恢復帝俄」標榜爲唯一使命的極權統治者，他今天對於中國的侵略行爲，完全就是走着沙皇的舊路：「沒有野心地」佔領了我們的旅順，大連和整個東北，更到任何一個最誠實的中國人都起來反抗。這不能不說是列寧「遠見」過人的地方。

第二和第三節文字，對於中共實在是一面活生生的鏡子，當年沙皇因爲侵略中國而使成千成萬的勞動者被迫走上戰場，爲了應付戰爭消耗而使苛捐什稅不斷的增加，這與中共今天參加韓戰而造成的一切惡果，簡直絲毫沒有兩樣。特別如出一轍的，就是「一切奴隸成性的報章雜誌，如不得政府官僚的許可，任何消息，也不敢登載」。這從共軍最近撤出漢城多日，而它們報紙還是噤若寒蟬，就是最好的證據。如果此話不是出諸列寧之口，一定會誣爲「國特謠言」，但因這是列寧說的，還有錯嗎？又如，當年沙皇自知其槍桿統治，無法鎭壓人民的憤怒，因而鼓動排猶運動，以求轉移人民的視綫，現在中共也自知其屠殺政策，無法消滅人民的反抗，所以也拚命製造「反帝運動」，以掩飾其內心的恐慌。證以列寧之言，就可知道沙皇與史太林，史太林與毛澤東之間，它全是一脈相傳的父子兄弟，他們有同一類型的政治作風，當然也有同一類型的政治末路，這是可以相信，也可以斷言的。

如果列寧生於今日，我也想向他「學習」，因爲他的遠見太「偉大」了，連史太林的罪惡，和毛澤東的愚蠢，都看得如此清楚透澈，誰敢說他不是個「怪傑」呢？不過，如果列寧生於今日，他是會上斷頭台的，因爲史太林根本就不能容許有這樣一個「文化的戰士」！

毛澤東在北平說

「老子不怕大戰」萬一挫折儘可再來一次加倍的二萬五千里長征

傳史太林責毛，前年渡長江太快，提早了大戰時間表五年，毛允負責解放亞洲，立功自贖。

黃悠然

本文作者，是一位十餘年前退役老記者，大陸淪陷，關入鐵幕，近以中共仇殺報人，雖投筆多年，亦難倖免，因輾轉自北平逃抵香港。在鐵幕兩年，往北平最久，見聞既極廣泛，論斷自較眞切。雖若干傳說，未必全係事實，然最低限度，可證明如莫洛托夫到北平之類，在鐵幕中亦言之鑿鑿，至其他有關羅隆基程潛者，則固得自羅等親口面述，總之，此爲鐵幕中一有系統之報道，彌足珍貴。詩爲刊佈如次。

毛澤東可變狄托的幻想，雖大部份業已打破，但民主集團，仍有人企圖韓戰可和平解決，因之，經由瑞典，向中共試探新條件，及三八綫劃緩衝區種種說法，尙照常繼續不斷。但以筆者留住在中共統治區域內兩年的經驗，以及和中共幹部及民主人士交談所得，可斷言這些企圖，結果一定失敗。因爲中共已抱有與蘇聯共存亡的決心，即使三次大戰，不能立獲勝利，他們仍認爲最後勝利，必屬於我。他們已喊出不惜再來一次二萬五千里加倍的長征。韓戰自係三次大戰的前奏，蘇聯不打退堂鼓，中共就沒有與民主集團暫時妥協的可能。

以下是我記憶中寫下來的一些從大陸得來的內幕怪消息。

聯軍開入平壤時　毛澤東失眠一週

去年八月間，筆者由漢口到達北京，那時北韓共軍，正在大邱潰敗，接着聯合國軍隊又在仁川登陸，收復漢城一直越過三八綫，向北前進。中共當局，惶恐萬狀。在平壤將要失守的前後幾天，毛澤東有一星期之久，通宵未睡。同時蘇俄的莫洛托夫，銜着史太林的命令，飛到北平，催促毛澤東出兵援韓，據中共一高級幹部透露：「莫洛托夫一到北京就對毛說：『當你（指毛）在莫斯科時，史太林元帥曾問你，（指毛）前年他叫你（指毛）不要立即渡過長江，你爲甚麼一定馬上就要渡過？你曾說明，是由於士氣高昂，幹部集體請願，而國民黨軍隊，又確乎不值一擊，所以就乘勝前進了。大元帥向你表示，你雖然渡江成功，統一中國大陸，但是刺激美帝國主義過甚，第三次世界大戰，要提前五年爆發，亞洲的事，要你負擔最主要責任。你（指毛）當着大元帥，願欣然接受這個任務。現在北韓共軍已經戰敗，這是你主管範圍，你應該以人民共和國名義，正式參戰，把美帝軍隊擊退，以免北韓萬一崩潰動搖全局，我這次來，就是爲着傳達大元帥這個意思。』」

這番話是否完全眞實，我當然無法證實，但在北平，多認爲至少有八成可靠。據說：毛澤東奉到這個命令之後，很感頭痛，同時也很膽怯，因爲士氣雖堪一試，但武器不够，海空軍根本沒有。他一面滿口答應，送走了莫洛托夫，一面召集最高小組會議，商討決策。會議席上，許多老幹部如董必武之類認爲中共政權還沒有十分穩固，不宜對外用兵，都主張暗中援助北韓，不必要公開參戰。甚至把安東幾個縣，劃給北韓，作爲臨時政府所在地，訓練韓共，分批潛回韓國，實行長期游擊戰，也比直接參戰爲佳。一些站在門外聽砲響的各黨派民主人士，也同情這種議論。無如毛澤東身不自主，且還擠他左右的俄國顧問及國際派如劉少奇任弼時，（尙未死）高崗，周恩來，李立三，李富春之流，認老幹部這派說法，太不識世界革命潮流，一致駁斥。最後，決定參戰，但要求蘇聯切實支持。

莫洛托夫回俄後　周恩來追踪赴蘇

毛澤東在幹部會議以後，就派周恩來于十月五日飛赴莫斯科，向史太林報告會議結果。並提出補充武器，加强海空設備等要求。出乎意外的收獲，史太林表示，只要中國出人，其他一切援助，蘇聯都不成問題。史太林答應，二次大戰在歐洲繳獲的大砲，坦克車，儘量撥交中共。大連，海參威造船所，可幫助中共造海軍船隻，並加派幾百架新式飛機，幾百門高射砲，除在韓協助北外，並將代爲保衛北京、瀋陽、天津、上海、漢口、廣州、西安、太原、徐州、南京等要地。蘇俄允將現駐西伯利亞的五十個師，內中包括二十餘萬日俘由海參威赤塔，移往佳木斯，哈爾濱一帶，以作中共後盾。倘美軍渡過鴨綠江，蘇俄即出而助戰。中共方面，担負蘇俄的有色鑛產，如鎢、鐵、鉛、錫、銻、鋅、水銀，及一切有關作戰原料。又如糧食、大豆、茶葉之類，中共尤應無限制的供給。同時中共並担任在香港採購英美南洋等所產橡膠五金等物資，轉供蘇聯。另一方面，由蘇聯責成捷克、東德、波蘭、羅馬尼亞，供給中共一切有關武器、機器、儀器、及汽油，蘇聯也可以替中共在歐洲自由國家內搶購軍戰物資。中共的外匯黃金，槪行集中，由蘇聯調用。這就是周恩來「朝聖」的成功。十月十六日，周回到北京，將上面情形報告了毛澤東。

簽字推重羅隆基　美特帽子隨時來

毛澤東讀了周的報告，馬上發表一篇文告，說和平要爭取，不可等待，他有充足的國際情報，認爲美國目前雖是無意向新中國開戰，但美國本質，是領導整個世界上資本主義國家，她將永遠是社會主義的敵人。戰爭勝負，大部份依靠人力，以現階段而言，中國人力，是比美國優厚。他主張上策作戰于國境之外。沿海沿江作戰，是中策。退守內地，是下策。他主張先以志願軍名義入韓，他預料可以將美軍趕下海。并料到三次大戰，會跟着美軍下海，而爆發加速。中共軍隊，就在這樣的決策下，開入韓國。據毛澤東估計美國縱不能立刻整個打倒，然十年到十五年的時間，世界上資本國家，必然崩潰。某次，毛澤東在北京出席某一會議，有人問他對第三次世界大戰看法，他作下面簡單答復，我們共產黨，是要維護和平，避免戰爭，但若眞到了無可避免的時候，老子（湖南土音）也不怕的。

有一插曲可想見毛如何玩弄「民主人士」。當抗美援朝決策已定，開始大規模宣傳煽動時，毛邀了羅隆基許德珩之流，要聽取他們對此問題的意見。那一次談話，達數小時之久。正談話間，左右把抗美援朝的一篇宣言文稿，請毛簽名，毛即將稿指向羅等說，誰不知道我是親蘇的，簽名有什麼用，這個宣言，是要在美國留過學的美國人一向所想拉攏的，像羅隆基先生一樣，纔能喚起世界注意，這才是對美帝的一個有趣諷刺。羅等聞言，若受殊寵，欣然在稿上，將三字一一簽妥。但事後回味毛的說話，顯然是認定了羅等與美帝素有關係，又不禁汗流浹背，皇皇不安。

程潛馬屁不合拍　毛說要解放歐美

現在，再讓我們追述一些小故事：一九四九年，程潛在長沙向中共投降後，應邀出席中共召集的新政協會議，程潛向毛大拍馬屁，說現在全國解放，總算你廿八年的辛苦和懷抱，得到最後勝利了，中國共產黨革命的目的，總算達到了，這眞是我們中國人尤其是湖南人的光輝。毛立即答稱：統一中國大陸，僅是革命過程中萬步路剛走了一步，前途仍無限遙遠。他指出革命共有三大難關，解放中國，不過渡了第一個難關，還有兩個難關，那就是統一亞洲，解放歐美。毛澤東的野心居然敢狂妄至此！

南斯拉夫狄托的轉變，自然是史太林最傷心的一件事，對東方的毛澤東，不問他如何忠誠坦白，除命令中共的國際派以小組會議對毛加緊控制外，去年三月間更把遠東情報局，移到北京，表面上指揮東南亞各國和日本的共黨組織，實際上則是加強監視毛澤東。到韓戰發生後，派了更多的俄國顧問到北京，和毛澤東一室辦公，北京人民，以爲毛澤東是新華宮的主人，一定坐在三十年前袁世凱的辦公室內發號施令。其實毛澤東去的次數很少，毛經常是住在香山附近。據他的左右說，他辦公室裏，設了七個桌子，除了俄國五名顧問外，就是他和一個通譯。中共黨政軍一切大事，必須經俄國顧問核定。假若俄國顧問沒作結論，毛澤東是不敢擅行決定的。好在毛澤東自命是一個親俄者，他在卅年來，都是受蘇俄驅使，所以他也安之若素。不過中共許多幹部，也有看不慣的，替毛澤東在北京城裏預備了七八處地方，每過必有幾天晚上，藉故請毛來開會，這些會議的內容，最機密，誰也不會知道，筆者祗能說，這是可注意的。毛澤東這種行動，不敢作其他臆測。不過整個共黨全在俄國顧問指揮之下。目前「反美」「仇美」「蔑美」那樣徹底廣泛，對於知識份子，大舉屠殺，對美國在華所辦的慈善，教育，醫藥，各種事業盡量摧殘，對于曾經爲美國服務過的人員，留過學的人，都是嚴加控制，實行思想上的檢查。策動基督教徒的反美反宗教行動，正如火一般的展開。假若表示得稍慢一點，就會用不穩份子，美帝走狗等罪名，拘捕起來，或加屠殺。假若毛澤東本人，有萬分之一轉變的可能，整個中共組織上也不會跟他走，那麼，他眞有稍一流露，即將喪命的危險，毛奸詐一生，豈反有不知之理。從這些事實和毛的環境，加以評斷，中共絕不會靠近民主國家。毛澤東絕不可能變成狄托。韓戰也決不會和平，將來世界大戰爆發，中共如不得勢，即會放棄東南，退守西北，實現中共幹部新近流行的口號，以二萬五千里加倍，再作一次五萬里的長征，回到他們的祖國蘇俄去！

傅作義與張聞天

從這裏去預測中共未來的演變——

季子

在不久以前，根據各方面的報導，知道傅作義董其武已前往莫斯科；據前天（二十一）新華社的北京電，又知道原已於去年八月廿七日被任命代表中共政權出席聯合國的首席代表張聞天，忽又被任爲駐蘇聯的全權大使，我們對於這兩件事，與一般的看法，微有不同：

平心而論，在北方諸將領中，傅作義在過去所給予老百姓的印象是不壞的，他不僅在治兵方面具有相當的成績，即他個人的言論與行事，也相當的謹嚴；尤其在八年抗日戰爭中，他沒有離開綏遠一步，且曾有過百靈廟的輝煌戰績。也許正是因爲抗日這一點，乃被史太林看中了他。我們要知道，從韓戰開始的遠東大戰，是可能延續到一個相當時間的，尤其進入到中國大陸的作戰，更可能有日本的志願軍出現。從現在開始，中共還有一連串的失敗，不只要放棄沿海，放棄東南與西南，甚至整個的東北與大部的華北，中共也很難立足，可是等到他們退到西北一角的時候，他們一定還是作困獸之鬥，即蘇俄爲了它自身直接的利益，也不能不予以大力的支持，除非它自身已遭遇一蹶不振的慘敗。可是到了那樣一個時候，中共今天若干有資格的將領，如林彪，劉伯承，彭德懷，陳毅，葉劍英，聶榮臻，陳賡之流，一定是死的死了，變的變了，史太林爲了發動中國西北的人力，爲了在東方適用民族主義以發動中國人民再度抗日的情緒，他不能不未雨綢繆，早作第二步的準備，於是傅作義乃成了他心目中最適當的人選，過去新疆的馬仲英與滿洲的溥儀，史太林且一度居爲奇貨，何況是傅作義呢？加以美國爲了重建日本的武裝，不惜把日本若干的戰犯予以釋放，或且進一步準備加以利用，蘇俄爲對抗美國計，他們也會覺得這種步驟是不可少的。因此我們判斷，傅作義等之去莫斯科，這是史太林爲了準備第二套的工具所發出的一個命令，決不是毛澤東還有什麼資格可以對傅等加以放逐。傅作義到達莫斯科以後，可能得着相當的優待，其眞實優待的情形，不會低於優待毛澤東這個工具一樣也很難說。

張聞天在十幾年來，一直是以一個國際派領袖之一的資格，與陳紹禹輩同樣被毛澤東打入冷宮的，甚至毛澤東在延安的時候，可以把張聞天叫到房間裏去，以湖南口音跳起腳罵他的娘！可是因爲時移世易，國際派在蘇聯的庇護之下，終於不能不抬頭，儘管毛澤東搖身一變棄其所守而高呼「一面倒」；儘管他一再跑到莫斯科向史太林去輸誠；儘管他對於反美援朝衷心一百二十個不願意，而還是奉命惟謹；但史太林到底還是沒有信任毛澤東的可能，他還是非把若干國際派巨頭一一扶植起來作爲將來代毛集團而起的工具不可！去年八月毛周協議任命張聞天爲出席聯合國的首席代表，這明明是知道永遠不能到任，藉此對史太林來一個敷衍，但毛周憑什麼可以騙得過史太林？因此他到底非要張聞天去做駐蘇俄大使不可！

我們必須把這些事實的內幕一一揭穿，我們才可以作爲毛澤東算命的一種參攷，也才可以預測中共政權未來的演變。

不許直接輸出 蘇聯跌價競賽

大豆

中共運滬貨品因此無法脫手

東北大豆，馳名世界，每年出口數字最巨，當日本佔領東北時，即以此項出產，向德國交換各種武器及飛機引擎。中共攫取東北後，實際上蘇聯是東北的眞正控制者，像大豆一項，就完全操縱在蘇聯手中，壟斷世界市場。筆者最近在上海遇見一位出口商人，很痛心疾首，把去年東北貿易公司運五萬噸大豆到上海，被蘇聯在歐洲減價拋售，致上海無法成交的情形見告。蘇聯狠毒狡猾，由此更可得一證。

去年夏秋之交，東北貿易公司，運五萬噸大豆到上海，首先聯絡幾家出口商，每噸開價一百一十美元，當時歐洲市場價格每噸是一百卅美元左右。出口商即分電各國接洽，過了幾天回電，說歐洲現貨每噸僅一百一十美元，何必在遠東購買？東北貿易公司就降低價格，每噸作價一百美元；但二次去電的結果，歐洲市場又跌至每噸九十餘美元。這筆貿易延擱數月之久，始終無法成交。事後調查，方知是蘇聯在東北，因每噸僅作價六十元，用記帳方式，或易貨辦法，無限制的榨取，運到東歐，轉拋英美市場，故可隨時比照中共在上海向歐洲求售的價格，儘量作減價比賽。致中共本身，無法售出。無形中，此中共最大的出口貨，遂爲蘇聯獨家包辦，中共只好俯首聽命，不敢作任何不滿的表示。（磊）

編者按：上述情形，爲蘇聯控制附庸國對外貿易之一貫辦法，中共旣甘爲尾巴，當然不容例外。

更詳盡的報告 陳嘉庚意態消沉

——被保險的莊慶斯結果仍被鎗決，同安同鄉被殺者已數百人——

上一期自由人，登過一篇陳嘉庚態度似有轉變的消息，現在又接到一篇更詳盡報告，足與前文互相參證，並誌如下：

當陳嘉庚「隱居」在廈門的時候，離廈極近，他的故鄉——福建同安縣——這個人口不滿二十萬的小縣，和其他大小城市沒有兩樣，正遭受共產黨徒空前慘酷的大屠殺！

這位貴爲「人民中委」的陳嘉庚先生常回到同安的集美學村，慘酷的屠殺照樣在門外殺進他的門內來了，——他所扶植的同美汽車路公司經理（也即是他的多年老友）莊慶斯，和集美學校出身的曾任集美小學校長的同安商會主席王登沂，也遭受屠殺了！

小小一個同安縣，被屠殺的已達數百人，較知名的除前述兩人外，尙有葉伶泰、楊春亩、楊孟識、曾成三、陳鐵、陳斯卿、蔡健生、蔡家株、陳春霖、陳留青、陳勃水、朱克修、李宗題三兄弟、許宗取、許秉心，……幾乎凡是曾任國民黨保長以上或地方上稍有名望的人都全部殺光。

在這些殺殺者之中，最慘酷的要算楊孟識老先生了，這位老先生已七十高齡，原是教會創辦的啓悟學校校長，桃李甚多，（李良榮將軍就是他的學生），平生做的是地方公益及教育建設事業，躬親操作，廉潔公正，幾乎沒有一個同安人不說他是個好人。當共黨要處決他的時候，甚至同安的共產黨員和所謂人民代表出來阻止，並且要替他担保，然而共黨的老幹們，拒不處理，結果這位老先生以「善霸」的資格犧牲在共匪的槍下。

王登沂先生莊慶斯被捕入獄的，當王被捕後，莊曾請示過陳嘉庚：像他這樣的人，是否會遭遇不測？是否需要避開？陳答：「人民政府是不會冤枉好人的，你放心吧！」莊於是「放心」住下去，照樣經營交通業務，甚是賣力，到了被捕以後，陳爲履行諾言，曾親到縣「人民政府」交涉了好幾次，不得要領，最後一次雖允許他暫不處決，但當交涉出來回到廈門不久，莊氏就被槍斃了。

陳嘉庚現在照舊「隱居」在廈，並時常回到同安集美學村，但閉門謝客，在興建的廈門大學，你可以在那裏看見他，然而他默無一語，有關政治的話一句也不再說了，想來是有點意興闌珊了吧？（蔡沂）

西北降將近貌

——都是一幅可憐相 屈膝者如此下場——

自由人第二期，曾刊載了一篇「巴蜀降臣畫象」，現在就我所知，也來報告一些西北方面降將的消息。

前年秋，紅旗漫捲西北時，由於共軍滲透的絕技，宣傳的妙用，一時冲昏了那些軟骨頭們的頭腦，「起義」，「靠攏」，相繼而起。結果，讓彭德懷率帶着老弱殘兵，只經過乾縣與八十二軍的一戰（蘭州不是眞正拚殺，因爲隴東兵團撤到蘭州，目的在逃難，而非佈防），便囊括了數百萬平方里的膏沃之地，幷將數十萬國軍罩入鐵幕。

這些降將軍，今天究竟得到了一些什麼好處，請看：

陶峙岳 這個不放一槍便把新疆交給共軍的叛將，最初受任共軍新疆警備司令頭銜，官封原職，一心滿以爲可以就這樣混下去，誰知經過一年的時間，共軍的六十一，六十二兩軍，穩紮穩打開入新疆，接收了陶部校級官員以下的部隊，原班人馬向着堯樂博士「進剿」去了，把空頭司令單丟一邊，日日領受那些軍官們，自「軍官教導團」偷偷地跑來向他的訴苦聲。去年九月，筆者在重慶時，聽到一位從新疆逃出的人講，陶峙岳苦悶已極，曾經要求到北京去看看，卻沒有得到允許，想和彭德懷見面亦沒有希望。投降時，簽的條件，被中共完全不理。他每天只好愁對着張治中留給他的「新民主主義」之類的「聖經」，就地改造。

裴昌會 前年十二月廿五日在四川德陽投降時，名義是西安綏署副主任兼第五兵團總司令。接着，受賀龍之命，收容了胡宗南潰散在川所有的部隊約六萬八，集中在三台改編，半年以後，這枝部隊經過「教育」「訴苦」，「評幹」等等花樣之後，校官以上的各遣回原籍，交當地公安局「再改造」，士兵則編進共軍的第七兵團，於去年九月開往西北。

裴昌會身邊則連他的女婿兼副官，都給調走，另由共軍分派兩名勤務，輪流通宵「侍候」。去年五月成都召開「人民代表會議」時，賀龍給了他個「特邀代表」名義，要他去實地「學習」一下。七月間，他又到北京去「高級」的「學習」過一番，仍然發回四川，戴上頂「西南軍政委員會委員」的帽子，住在重慶大樑子的招待所裏。見到他的人說；已經消搜得不成樣了。

馬鴻賓 在狂流中，以一貫反對國民黨作資本而投敵，迄今「身亦未顯」，掛個「西北軍政委員會委員」空銜，時常由共軍政工人員「伴同」往改編的馬家軍進行「說服」工作。自從他家中窖藏的銀元，被查出充公後，幾經交涉未獲結果，對中共，已經沒有過去那樣熱心了。

張鈁 投敵時他僅光桿一人，賀龍原有意教他回西北去招撫游擊隊和西北黨會，因爲有「人民」說：他在河南還有不少血債，所以他僅在他的兒子（也是投降部隊的旅長）那裏住了不久時間，便被送回河南登縣，以後，就沒有消息了。

鄧寶珊 他和左協中，把原來駐榆林的部隊，交給彭德懷後，鄧經常往來於北京甘肅間，左則往來陝甘；鄧係前者，備北平咨詢；後者則忙於「應付」。都沒有家鄉的實權。

何文鼎 第五兵團副司令，和裴昌會分手後，回到陝西原籍「學習」，在公安局裏「再學習」。

徐經濟 新五軍軍長，在陝南投降，亦回到了陝西渭南「再學習」。

王友直 西安特別市長，在成都撤退前夕，他上了去台飛機，忽然心血來潮，自已退下。等到成都失陷，便和劉伯承，賀龍等打起交道。軍區公祭楊虎城時，他飛奔前往代表陝西旅川同鄉致祭，一眼碰見楊虎城的兒子楊成明，便對他說：「西安的人民要你回去見見面」。接着便帶回西安，還沒有接近他的玄風檑堡壘式的住宅，便送到南郊太乙宮的勞動營，以叛黨復叛人民之罪，接受着時期漫長的「勞改」。跟着他一起「靠攏」的財政局長龔屏如，社會局長于志純，教育局長王樹滋亦在西安「學習」。（萬孤閣）

我在瀋陽親眼看見的一幕

大規模捕捉奴隸勞工

國民政府下的文武人員，都被以「無業遊民」資格儘量當選。

大陸上的大屠殺，最先從東北發動。在東北，中共一方面正式屠殺，一方面，還舉行所謂「動員無業游民參加生產」，這是倣效蘇聯集中營，和奴隸勞工的辦法，凡他們認爲不需要馬上正式處死的，即歸入這一項。筆者剛從瀋陽來，一個月前，在某一早晨，親眼目見下述的一幕。那是大約八點多鐘，瀋陽城區的馬路上，還沒有多少人，由於一大隊汽車的轟動，突破了這清晨的靜謐。這些汽車有公共巴士，有載貨卡車，車廂裏蹲滿了人，每輛車的前後角，站着四個荷槍士兵。車從四面駛來，先後集中，馳向大南門裏路東的「人民監獄」。車上的人，各帶着一個小行李包，以及碗筷杯子等吃飯用具。由士兵指揮着，魚貫下車，鑽進那扇大鐵門下面的一個小門，這些人不像囚犯那樣蓬首垢面，但也不像逃往戰場新徵來的壯丁。

兒子捕去生產 母親流淚感謝

天隔了幾小時，就從瀋陽「東北日報」一個不顯著的角落，看到一段消息，使筆者明白那些送往「人民監獄」的人們，將受到何種處置，該報說：「政府爲執行本市二屆人民代表會議第×項議決案，動員無業游民參加生產，爲求不妨礙羣衆生產工作，特於昨夜由人民警察及執法隊，協同勸說動員，希各階層羣衆，勿自驚擾，這一工作，由於事先計劃週密，業已順利完成，參加的特別踴躍。北市區與工街無業游民王××，聽到人民警察的勸說動員，馬上自動參加。大東區一位老大娘被感動得流下淚來說：我兒子一年多沒有職業了，若不得人民政府的照顧，咱還不餓死……」。

由於東北惟一的中共機關報這段報導，和那位老大娘感動得流淚後所說的話，我們又可以了解，那些被「動員」的「無業游民」究竟是些甚麼人。三十七年十一月瀋陽被共軍攻陷，東北全境淪入鐵幕，留下了一大批失了業的政府各機構的文武人員，在中共眼裏，這批人大多數，非黨團，即「特務」，就是自己想給「人民服務」，居住地的「公安分所」和「區政府」也不會發給介紹信，依照東北規定，沒有公安分所和區政府介紹信，即無法尋求職業。因此他們確成了不折不扣的「無業游民」，也正是中共需要「動員」的對象。至於「人民代表會議」議決案云云，卻以前從未聽過，大約臨時帶上這樣一頂帽子，好在這類會議，根本就是中共自吹自唱的玩藝，決議案之有無，以及事先擬定，或事後追加，那都無關宏旨，不足深究。

半夜夢中叫醒 不許片刻停留

在那羣被動員的無業游民中，筆者有一個親戚，名叫李××，在國軍部隊裏作過團長，那天夜裏正在酣睡，突聞「居民組長」叫門，以爲又是查戶口，不料開門後，闖進來四五個警察和「執法隊」，進屋後，驗明正身，迫令他整理一小包行李，不許停留，馬上帶走。還有軍糧籌委會佟處長，第九兵團部李營長，全是用同樣方式「動員」而去。據一般估計，僅瀋陽一地，即「動員」了五千餘名。

不久聽說，同一日子，不但瀋陽，連鞍山，遼陽，撫順，本溪，安東等地，也都同樣「動員無業游民參加生產」，他們住了一兩天各地的人民監獄，就被分別送往吉林水電廠，阜新礦坑，哈爾濱農場，安東林業廠等去「生產」。我的親戚李××被送到安東林業廠，當我離開瀋陽時，由「區政府」轉來一封他給他家裏的信，大意謂，在林業廠工作很好，組織上照顧得很週到，勸自已六十二歲常年痰喘的爸爸，和已有四個孩子（最大的孩子九歲）的老婆不必掛念。據說，中共還準備繼續動員，怕有資格而尚未動員的人們，害怕逃走，所以這第一批遊民，於到達目的地後，即迫令寫信回家，好讓漫山遍野的羔羊，安心等候，靜待他們再動員時，不費吹灰之力，順手牽走。（崇凡）

「自由人」稿約

本報各版，均歡迎投稿，敬訂稿約如左：

（一）除事先約定外，每篇最長以一千五百字爲限，請勿過長。

（二）新聞要點，記述時事，須註明時間地點；評論雜文，不要消息，以便刊登。

（三）來稿除附有足夠郵費外，概不退還。

（四）稿末請附註眞實姓名，地址，發表時須用筆名者聽便。

（五）但經發表，稿酬即於刊登後五日內寄奉，每千字五元至十元。

（六）來稿請寄本報編輯部收，信封面勿書私人姓名，以免延誤。

鐵幕叢談

吉安朱孝子愛母殺母

恐寡母慘遭非刑 願母子同歸於盡

最近有同鄉冒死自鐵幕逃出，據告家鄉（吉安）土改，地主慘遭各種嚴刑或殺戮。尤以下述一事最爲殘酷。

孀婦朱氏，今年不過五十歲，可是從她面部的纖紋看去，似乎至少也有六十歲了。風霜在她刻苦而缺乏營養的臉上，多寫下十年歷史。命苦的她，在廿五歲時便失去了同心協力的丈夫，遺下孤兒還待撫育。她勇敢的母兼父職，親自耕種了丈夫遺下的幾畝薄田，晚上在月光下紡着棉紗。在如此晝夜辛勤下，十餘年來居然稍有積蓄，略置田地。她的兒子叫朱繼志，初中也快畢業了。平時事母極孝；有孝子之稱，土改開始，她竟亦被列入地主階級，除將其畢生血汗換來的一切都予沒收外，兒子還被農會拘去「打地財」。

用粗布舊被單縫成一條大褲。叫繼志裸身穿上，上齊頭項，下至腳踝，然後放進一隻懸貓，兩頭用繩緊緊，用馬鞭遍身猛打。不但被打之人、無法忍受，尤其懸貓被打，便在繼志身上亂咬亂抓，不一會、全身皮肉破碎，鮮血染透了被單。但他實在沒有地財可埋，毒打也無法供出，結果只好將他放了。另定當日下午換他母親來烤打。

繼志回家對母親泣訴拷打經過，並說此種非刑實難忍受，不如死了還好。繼志痛定思痛，不忍母親受此暴刑，朱氏一時惜生命，不肯就死，繼志乃竟拿刀向母親頭部猛砍，可憐母親慘死刀下，繼志見母親已氣絕，隨即拿刀向自已頸子上一抹，倒在母親屍身旁死去。（莉莎）

化縣李區長強迫生產

共幹作事太荒唐 竟如此侮辱婦女

中共以肅清封建思想，解放被壓迫婦女爲名；實行廢除禮教，破壞貞操。廣東化縣長岐墟，附近各鄉村，僻處粵南，鄉人性頗守舊，該處婦女甚重名節，平日絕少桑間濮上之行。如稍有不檢，鄉人必視爲奇恥大辱，與衆共棄。不幸共黨徒李某，就在該處出生。李某參加共黨多年，一向不敢回鄉。迨粵南陷入鐵幕，李某即以勝利者姿態出現，返長岐墟充任區長。到任之初，首先強迫附近各鄉村婦女，所屬共幹好友。倘被害之女稍有抗拒，即指爲深中封建遺毒，尚未灌通思想，百餘年青婦女，將其驅入區所學習，三數日間，上自區長，下至警役，該區公所皆大歡喜。但學習完畢，放出以後，竟多有羞憤自殺者。又藉改變附近各鄉村風俗爲名，竟張貼佈告。獎勵寡婦及處女，與人私通產生私生子，名爲「獎勵生產」。凡寡婦私生子女者，每次獎給人民券五十萬元，處女產私生子女者，每次獎給人民券一百萬元，並由該區公所贈送豬雞酒，以示思想前進嘉獎。倘父兄家長，干涉婦女與人苟合。則加以頑固腐敗罪名，拘去處罰。因此，婦女逃往他處躲避者極多。（更生）

史太林會遭暗殺嗎？

·酉之·

曾在亞歷山大第一時代作過哈奴佛大公國外交史節的曼斯特伯爵說過，俄國的政制是「一個由暗殺來調節着的暴君制」。在已往帝俄的歷史中，這是個相當正確的觀察。俄國的沙皇，幾乎什九都遭受暗殺，因而他們的殘暴，有時就不能不多少有所顧忌，史太林的殘暴，較之沙皇有過之無不及，在俄國內外，希望這新沙皇的暴君制，也能藉暗殺而獲得緩和者，頗不乏其人。此舉雖迄未成功，卻並非無人去嘗試，據一般所知，至少有過一次組織嚴密的陰謀，準備以清除史太林以及紅軍主要將領爲目標，但結果卻失敗了。

史太林的故鄉喬治亞，在中世紀以產生刺客著名，暗殺英文 assassination 一字的字源，就是來自喬治亞。自從那一古國（在我國古書中稱爲「角爾只」）併入帝俄版圖後，暗殺風氣也瀰漫着俄國，俄羅斯民族那種陰險沉狠的氣氛正好成爲這一罪行的溫床。

然而史太林畢竟是生自暗殺之邦，他懂得如何去防範和應付，所以，儘管英明如列寧，都不免內中了刺客一槍而促損天年，基洛夫則立即死於暗殺者的槍下，史太林卻能躋達古稀，如果沒有特殊的意外變動，看來大概是可以不死於暗殺了。這絕不[illegible]足以服人，而完全有恃於周到而嚴密的防範。

大家都知道，俄國的赤色恐怖是從列寧被刺繼大舉開始，爲了報復基洛夫被刺，更不惜大興黨獄，把許多十月革命功臣，都送上了斷頭臺，在這種情形下，想暗殺史太林，幾乎絕對沒有可能。

首先，一個手持武器的人，休想得近史太林，克里姆林宮的來客，每個人都必受到嚴密搜檢，不管你是何等人物，至於下毒，則史太林的膳食，永遠由多年服侍他的親信廚師來製備，並要由他的左右先行試嘗。一九三二年他的第二位夫人之死，有人就猜想是以此之故。至於在公共場所，不只他難得出席，且也戒備得無微不至。例如他出席五一勞動節大會，第一，他[illegible]於主席台欄杆之後，對他瞄準極難。第二，所有受檢閱部隊所持槍枝都經過檢查，子彈不許上膛，每個士兵也逐一加以搜身。第三，凡是參加閱兵典禮的部隊都是絕對可靠的。此外，參加典禮的飛機，一概把槍枝卸下，每個駕駛員的歷史也都一再加以清查。即使如此，他還是站在通道附近之處，以便遇有意外，即可立即藏避。以此之故，史太林絕難遇到被刺的機會。

也有人希望也許有一天他會坐汽車遇刺而死。但史氏每次出門，沿途無不嚴加戒備和保護，汽車則絕塵而馳，很難發生意外。最後的希望，只有：也許有一天，他會死於某一個最親信的同志或政治局高級人員之手。不過這種情形，在東方的暴君政制下是很難發生的。

史太林現在已是七十一歲的高齡，即不遇暗殺，他的生命也不會活得很長久。他若一旦死去，俄國內部以至各衛星國之間，一定會引起[illegible]明爭暗鬥，不數年間，難以平息。那時，鐵幕以外的人們，可以鬆一口氣。

世紀末的悲哀

·陶樂居·

瞿秋白在世的時候，曾寫過一篇自嘲爲最俏皮的短文，題目是「世紀末的悲哀」。他把那些中外狂徒，妻孥無分的「革命鬥士」，自行奉承爲「世紀初」的一羣，正逢「黃金時代的開始」。他把那些不甘附和的正直之士，比做「動物園裏的豺狼貓狗」，說這些人都懷着「世紀末的悲哀」，躑躅向沒落的路上前奔。

這是二十多年的舊話了，想不到在今天完全靈驗：不幸的是瞿秋白的話說錯了，「世紀末」的人依然屹立搏鬥，追求人類最酷愛的自由，沒有如他所咒詛的陷入地獄；而那一些自己覺得自己應該屬於「世紀初」的傢伙們，卻如喪家之犬，露天公廁裏的蛆虫，既醜復臭，一步又一步的接近斷頭台。

眼前現象，就是最確切的萬靈應驗：

香港有些蛆虫，狗奴才，心裏明知滿懷世紀末的悲哀，惶惶終日，但強裝前進，自己也明白曉得：做蛆虫做狗的命，是前世注定，渾身奇臭，徒喚奈何。於是乾脆「進步」一番，光天化日之下，做一套猙獰狀，跳跳咬咬，得意萬狀。

有些蛆虫經過一泡溺的「洗禮」，顯得更臭，索性不管自己是那一對公婆蛆虫的精液成胚，都換上一個「毛」姓，顯得是「正統蛆虫」後代；不管生長在大小公廁，都標上「湘潭」兩字，八面威風，大有「我是忠誠蛆虫」之概。

有些狗奴才，生來就只會汪汪叫，主人夜寢，牠會睜目瞷瞷，担任防哨。凡主人所嗜，牠必搖尾。主人喊：「抗美」！牠一想：昔年我全家靠「美帝」剩餘物資吃穿，老婆曾在「美帝」機關賣笑賺錢，現在橫豎「美帝」走了，只當昔年我不該把老婆送去賺美金，主人既「抗美」，何樂而不爲汪汪一吠？

世紀末的悲哀底奴才們，瞿秋白地下看到你們的狗狀，豈不要大喊：不爭氣的敗類！

旅美雜紀

六十歲最漂亮的貴婦

陳香梅

我在華盛頓和毛邦初，李維果，顧維鈞，曾琦等太太們見面時，她們對於中國的生活都嚮往不置。

就以我自己來說吧，我於去年八月初，自己帶着兩個孩子返美，大的當時只不過一歲半，小的還在襁褓中，她們都是第一次旅行。我們坐的是菲律賓航空公司飛機，飛行四十多小時，到了舊金山已疲倦不堪，可是到了家後還得自己照顧小孩子。我在娘家住了一個多月，他們有一所小房子在舊金山對岸，沒有用人，一切自己動手，我有幾件比較大的行李，自己拿不動，於是請臨時工人代搬一下，也要五元工錢，其他可以類推。不過話得說回來，美國有許多事情做來也非常方便，比如說小孩子用的衣服尿布等等，就有專門爲兒童服務的洗衣店照管，只要和他們接洽，每週給他們三五元，他們一切包辦，每星期爲你送清潔的衣物到家，又把污穢的拿去清理，眞爲有孩子的母親造福不淺。

在華盛頓的華僑並不太多，他們多半是學生和中國使館人員，生活非常清苦。有一位中國官員對我說：『我們一月薪不過二三百元，而且有時還欠薪，除了養活一家大小之外，還不得不稍事應酬，眞是苦差事！』韓戰未發生前，美國人對於中國人的態度很不好，最近因爲時局轉變，中國地位增高，於是一向消沉的中國人也算有機會稍爲吐一口氣。將來如何，那就要靠中國人自己的努力了。

在華盛頓的官場中打過轉的人，一定不會忘記華盛頓的「點綴」，那就是華盛頓一向負盛名的舞會和鷄尾酒會。華盛頓的貴婦們，以多開宴會招待，能多邀貴賓出席爲榮。那一個的宴會最多，佈置最豪華，對於官場人物最會奉迎，就被封爲華盛頓的第一夫人。她是個寡婦，父親和丈夫生前都是萬頃油田的主人。她在華盛頓常開盛大的晚會，杜魯門夫婦和女兒經常是她的座上客，華盛頓無人不以被邀請爲榮，有時數目在一千以上。女主人一次夜間宴客，我也被邀請，在她底下的小食和晚餐室內有各色各樣的美酒，男的女的都穿晚禮服，各色各樣的晚裝，周旋於客人間。馬史特夫人則談笑風生地周旋於客人間。這位年近六十的貴婦是最會裝扮的女人之一，可是一點也不漂亮。她於去年被任爲歐洲小國的公使，已走馬上任一年多。不過她有時回到華盛頓來，她一來，華府就像馬上更加熱鬧起來似的。（五）

不足為奇

據說：「拾金不昧，在今天的廣州，已經成爲見怪不怪的事情。」尾巴報逐一舉例，「請大家看看」。

廣州在半個月來有一千五百多人慘遭屠殺。

「香港以爲少有甚至沒有的事情，這裏已不足爲奇了。」

廣告費鬥爭

××報在它的副刊上「大價喊」「美國八大公司從港九觀衆身上究竟刮去了多少錢？」還有「美片謀殺過我們的思想」。同時卻堂而皇之刊登「那些荒唐胡鬧含有毒素的不健康的」美帝影片的廣告。

這大概是他們「經過長時期的思想鬥爭」，決定從八大公司頭上刮回一點廣告費吧。

選擇自由

脫離殘酷的共產情報局國家統治的議員與閣員，跑到美國去當刷子推銷員，製鈕子和開升降機。

這居然成爲尾巴報譏嘲的對象。

他們需要甚麼生活？

他們需要最低限度的生活條件，但他們更需要最基本的人權自由！

是的，祇有奴才的奴才會得勸人「樂天知命」，在主子的檯子下討飯吃。

感言篇

·薩東牙·

中共的忌諱

中共以狡黠手段奪取政權，故其施政行事，猜忌特深，人民一言一動，輒得罪咎，其酷烈比諸明清之文字獄尤甚，茲記最近事實二三項，以示其忌諱之多端：

蘇：中共黨徒，對此蘇字，諱莫如深。以其關係蘇聯也。客有自淪陷區來港者，帶有藥方一紙，內有紫蘇一味，檢查人員見之，大惑不解，（又蘇字右上角作一〇的記號，）旁註有「如不流鼻涕，可不用此味」字樣，更使其疑忌，其意蓋以爲蘇字是指蘇聯，而將此蘇字圈去，必有秘密作用，幾經盤駁，幸此客老態龍鍾，始獲放行。

毛：毛字在淪陷區中已成爲毛澤東之專用名詞，所有「毛病」、「毛虫」、「盜賊如毛」之類字句，皆在忌諱之列。最近油市商場不景，街內行進生意停頓，行人稀少，多一般商人，競置球拍，於路上隨便下雞毛球之戲，以資消遣，近來中共黨徒對於「打雞毛球」一語，甚感忌諱，已暗中令呼爲雞尾球。（查尾字從尸從毛，爲老毛已死之象，更屬不祥矣，不知共黨又將何以處之也？）

比二字爲中共最忌諱者，一爲其「祖國」之所關（共黨所言之祖國，乃指蘇俄而言），一則涉及其主子，故特別留心。

他如「國民」，則必須改稱爲人民，以其有國民黨之嫌也。人海戰術乃中共得意之傑作，但以其違背人道，又恐因把人民當作砲灰而有礙參軍之進行，故絕對禁止使用。凡此皆足以表明共黨之諱疾忌醫的心理，亦可哀矣。（按共黨極力爲張獻忠李自成等流寇捧場，而稱之爲革命偉人，不許呼之爲賊爲盜，蓋亦出於此種忌諱之心理作用耳）。

左右逢源

香港有這麼一份報，題目從左到右，新聞從右排左。左右逢源，恰是辦這份報的狗奴才們，一向搖尾乞憐的絕技。

·丁冬·

根本改造

大陸流行着「思想改造」，不改造的人便說包袱未丟，有一次「改造」改到一個六十歲的老頭子頭上，老頭子拒絕了共產黨幹部所提出的理由說：「我要根本改造」，共幹很高興，以爲說的對，他卻說，你猜差了，我要改造是我的腦袋，如果我的腦袋改成大鼻子黃頭髮，說的一口俄國話，思想自然也沒有問題了。

「認人」被「認」

中共的「認人隊」到了城裏，眼花撩亂，不大肯還鄉了。有的隊員，尋着了他要尋認的地主，地主給他一點賄賂，他也就混在城裏玩，結果，十個認人隊員，回去的不到五個。剩下的五個，反而成了地主的「俘虜」，只有再派第二批，將第一批的隊員尋回去，輾轉循環，城裏盡是認人隊的隊員，而這工作，也成了他們最好的優差。（胡雨）

目標錯誤

本月初，在丹麥船舶出入頻繁的亞爾赫斯港，駛進了蘇聯貨船「埃勒奕號」。船剛拋錨，船主的臉就脹得像船上所懸的國旗一樣的紅，並立即下令啓船駛出。原來它本是要開到瑞典愛霍斯港去的。（原載三月十九日新聞週刊）（周明）

強笑集

時代科學

三種新式噴射機

美國的洛克黑廠出產的F94式機是一種式樣與F80流星式噴射機類似的高空雙座戰鬥機，能在各種氣候中飛行。它的頭部機室特別擴大用以裝置雷達設備。這種飛機的第一批已經出廠了，但是由於若干製造的困難，所以現在的生產量極少。它的兩翼，降落設備，和中部的骨架都與目前正在生產中的其他飛機相同。它的水電力和管制設備則與F80式機一樣。F94式機裝有一種補充燃燒器，這是一種新的裝置，它可以把燃料引入排汽管，當燃料爆炸的時候就可以增加噴射引擎的推進力量。

北美公司製造的F86D是一種與F86刀軍式噴射機類似的飛機，它的頭部雷達室和通常的式樣沒有什麼差別。它也是適於在夜間和各種氣候飛行的。

另一種F89式機最近已經開始訂製，但是現在還沒有出貨。這也是一種頭部裝有探測設備（雷達）的噴射機，能在各種氣候中飛行。

以上三種飛機的數字是一個軍事祕密。但是據所知現在實際使用的極少。由於雷達設備的製造繁難，它們一時還不能大量生產，在沒有足夠的供應之前，還只能暫時使用不能夜航與在各種氣候中飛行的F80和F51式機來代替。

原子爆炸與原子砲彈

曾經參加一九四六年比基尼原子彈試驗的布萊德里醫生本月初在美國哈特福地方的三一學院發表演說，說最近在內華達州舉行的幾次原子爆炸中的一次，它的威力要比過去的原子彈（或稱T型原子彈）超出五百倍。因此布氏推斷這必定是一顆氫彈。他這一推斷的根據是這次爆炸的結果震破了拉斯未加斯地方的窗子，而這地方與爆炸地點的距離將近十倍於廣島那次爆炸所波及距離。

此外關於原子的研究還有其他方面的進展，這是趨向於更輕便的，「戰術性的」原子核分裂爆炸，可能就是一般人所殷切需求的原子砲彈。

美國陸軍部研究所所長馬利斯少將最近廣播說：我們在供給地面部隊作戰術性用途的強力而實用的武器，這一方面已經獲得了令人滿意的進展。

雷門譯自三月十九日時代週刊

紅色的維也納

·俄人的幕後間諜組織·

在貝爾命之下，有一個叫莫鐵諾夫上校的蘇聯軍人，身材高大，皮膚黝黑，性情暴躁，第二次大戰期間，蘇聯著名的加拿大原子彈秘密情報機構，即是他所主持的。現在他是蘇聯情報部的頭腦，負責「積極性」的間諜活動，全由他管理。

在維也納區城內積極策劃間諜活動的情報人員和指揮人，一是聲名狼藉的加倫歐夫上校，他就是被殺的勃倫嫣的主子。他常以旅行爲名，進入奧國美管區，和幾個人接觸上。除此之外，還有一個叫奧洛夫少校的，有時稱華斯特羅夫，又改姓彼德柯夫，化名多，專職是主持綁票活動。他善飲健談，一切誘拐和綁票，都在介乎奧國蘇管區與美管區之間的厄爾鐵城中的伐契克少校小組。值得注意的是伸入美管區的一個人，就是斯柯尼夫少校，他有金色的頭髮，不知爲了什麼緣故，胖得像一個少校，隱瞞着他的眞正階級，而對外誘稱上尉。除非你成爲一個囚徒，而對着盤詢時殘酷無情的明亮燈光，否則你不會有機會遇到這些蘇聯特務頭腦的。他們的存在，想起時令人不寒而慄。對於他們，暴露身份是極其危險的事，如被擒獲，則命運的悲慘尤過於死亡。蘇聯間諜系中對於惹禍的人是常處以嚴懲的。

在維也納市區的任何街頭，俄人極容易收買驚恐之下的流浪者來爲他們效勞。這些無國籍人士爲數衆多，且索價極低——祇要供以一餐或爲之安置住所就夠了。

俄人實際上可以走到其管區內任何一家低級公寓，而使其中任何一家人都替他們工作。如果一位妻子表示反對，他們可以拿在她丈夫身上加以報復作爲威脅。在過去三年中，俄人不斷調查其管區內每一個家庭的情況，紀錄下他們可以利用的人的姓名和身份。他們的詳細調查表內，從思想上的目標，所愛好的食物種類，以至書法等等，無不有精密的紀載。

奧國美管區，是俄方間諜活動的主要目標之一，不過現在他們已不再派穿制服的士兵進入美管區搜索心目中需要的人了。他們已利用無國籍人或奧國人來做他們的替身。去年秋季，蘇聯的組織會在美佔領軍總部所在地[illegible]爾茨堡內闖下大禍而洩漏了俄方的秘密。（五）

泰辛寧譯自「鐵夫」雜誌

自由人

THE FREEMAN

（半週刊每星期三六出版）

每份零售港幣壹毫半

（第七期）

督印人：梁大成

社址

香港德輔道中一四九號四樓

電話：三二八二〇

149, 3rd FLOOR, DES VOEUX RD. C. HONGKONG

TEL: 32820

承印者：東南印務出版社

地址：高士打道六四號

台灣經銷處：中國書報發行所

地址：台北館前路八十五號

電話：三〇三三

黃花節四十週年

張丕介

民國紀元前一年（一九一〇，辛亥）三月二十九日下午五時半，由黃克強先生等主持領導的廣州革命之役，雖慘遭失敗，但其精神之壯烈，影響之巨大，却是震鑠古今的。國父孫先生於民十出發桂林督師北伐時，曾爲「黃花崗烈士事略」作序，而慨然言之，曰：「是役也，碧血橫飛，浩氣四塞，草木爲之含悲，風雲因而變色，全國久蟄之人心，乃大興奮，怨憤所積，如怒濤排壑，不可遏抑，不半載而武昌之革命以成，則斯役之價值，直可驚天地而泣鬼神，與武昌革命之役並壽。」吾人生當四十年後之今日，回憶七十二烈士不朽之精神，猶覺其生氣虎虎，肅然起敬；然再一反省此四十年來國家與人民所遭遇之重重災難，尤其近年所受共禍之殘酷，殆更過於「三二九」革命前異族專制之黑暗程度，則不禁爲之欷歔太息。使七十二烈士地下有知，亦必捫膺痛恨國人之不肖也。四十年來，國人夢夢，徒知紀念，先烈而忘其完成先烈遺志之責，誠如國父所云，「不能繼述先烈遺志，且光大之，而徒感慨於其遺事，斯誠後死者之羞也。」以今日之事實觀之，夫豈僅後死者之羞已哉？

近代中國革命，始自國父倡導之興中會同盟會，由「驅逐韃虜，恢復中華」，擴進爲反帝國主義反侵略之民族主義，由「創立民國」，擴進爲實行民主政治之民權主義，由「平均地權」，擴張爲經濟平等及實業建設之民生主義，更由民族民權民生三主義聯合而成繼往開來一勞永逸之中國建國的偉大理想。在此理想之下，半世紀以來，我先烈前仆後繼，其成仁之烈，光芒萬丈，辛亥之役，最爲典型，而自後四十年來，國人緬懷革命往史者，亦莫不受「三二九」之深刻感召，使吾人一提黃花崗之名，即油然若見七十二烈士當日之精神，重現於目前。四十年之重重憂患，驚濤駭浪，卒幸未致於亡國者，豈非此一精神之遺烈所造成？然而撫今追昔，盱衡大勢，誠又不能不爲之憤慨太息矣！黃花節已四十週年，七十二烈士與先後成仁革命志士之墓木已拱矣，而三民主義所指導之中華民國，竟致有今日可悲可危之局，使吾人不能不痛切承認從頭收拾河山之急迫矣！三民主義又將退回爲類似同盟會時代之四句口號：「驅逐俄虜，恢復中華，重建民國，實行民生」，雖其精神爲三民主義精神，然四十年之時間，豈非浪擲，大可痛心耶？今日神洲陸沈，遍地血腥，異族肆虐，國將不國，蓋至神聖之黃花崗，亦爲國賊與民賊所踐踏，則吾人悲痛之情，又豈儻文字紀念，能盡此胸之悲憤？。

四十年後之今日，應易「驅除韃虜」四口號爲「驅除俄虜恢復中華重建民國實行民生」。

從阿根廷擁有原子能超級秘密 看貝隆五年作風

捧太太競選副總統，封報館利用送報人，原子秘密靠不住，政治秘密先拆穿

舍我

如果阿根廷總統貝隆的話可靠，他已擁有比世界任何國家（包括美蘇英）更進步更偉大的原子「超級祕密」，那麼，今後蘇聯尋求原子祕密的間諜活動，應該由美英轉向阿國。而同時，美英也將不能不以其科學領導的地位，向阿國低頭領教。這倒是值得貝隆驕傲的。不過這些國家，對貝隆本月廿四日所發公告，其可信程度，似乎還都存有重大的保留。

依照貝隆說法，阿根廷所擁有的原子祕密，第一、原料方面，不再需要物稀價貴，大家拚命向全世界搜尋爭奪的鈾—二三五而只是一種極便宜，極普遍的東西。第二、他暗示這種原料可能即是永恆的太陽。換言之，即在地球上，以人工將太陽燃燒起來。第三，以這種方法製造原子彈，在爆炸時，可用人力控制，爆炸力的強弱，聽憑投彈者隨意加減。他並向新聞記者介紹主持原子能研究，原籍奧國歸化阿根廷的李希德教授。李氏與貝隆互相唱和。但當記者們追問詳細內容時，李氏就以這是我們的「超級祕密」，不便宣佈爲詞，拒絕披露。「超級祕密」，自沒有向新聞記者披露的可能，要想知道，當然還只有「明求」與「暗偷」，那就看蘇聯如何施展他的間諜大才，以及美英如何以最優惠條件，俯首低眉，籲請合作。

許多著名科學家，對貝隆及李希德談話，表示懷疑。就兩天來報紙所已刊佈的，如德國原子專家海森堡博士、韓恩博士、美國海軍研究局原子核物理學主任李德爾博士，及前任局長拉普博士，加茂博士，他們都不大相信，阿根廷有此原子能驚人發展的可能。拉普博士更就人工控制原子彈爆炸力強弱一點，認爲除非能耐受一萬億度的高熱，否則無法控制原子彈的爆炸力。此外美國參院原子能委員會委員約翰遜及米里根，也有此懷疑感想。貝隆對一切懷疑的人，深感憤怒，他痛斥懷疑者，說那些外國人從不會說實話，而我則自始至終未撤過一次謊。

[illegible]

夫妻合作破紀錄 太太提名請聯任

貝隆最初本是一位低級軍官，因緣於運用機會，一九四六年竟一步登天，當選總統。阿根廷雖在名義上，有憲法，有國會，很像一民主國家，從實際看，都只是軍人獨裁的工具。前年國會選舉結果，三十位參議員，一百五十八位衆議員，完全爲貝隆黨徒。爲了讓貝隆好做終身總統，並於去年修改憲法，總統可無限制聯選聯任。現在，距離六年任滿的時期，已不太遠，而首先擁護貝隆聯選一九五二年總統，並提出此一口號的，不是別人，却正是他同床共枕的太太，易娃貝隆Eva Peron。上月底，貝隆太太以貝隆婦女會會長資格，[illegible]擁護貝隆爲下屆總統競選人。貝隆在此[illegible]大典禮中，接受[illegible]，會當衆演說：他感謝婦女會送給他紀念品，他尤其感謝上帝賜予他這樣一位能幹的婦女領袖，在許多方面，給他幫助。他很高興，貝隆婦女會，已構成一強大政治力量，今後，婦女們並應參加政治各部門實際工作。阿根廷的人們，業預料到，下屆總統，不特貝隆一定聯任，並且唯一的副總統候選人，將就是他的太太——易娃貝隆。這正是貝隆目前[illegible]

貝隆太太了不起 主持全國總工會

提起這位易娃貝隆，確實也了不起。她不僅是貝隆婦女會的會長，而且同時又兼任[illegible]阿根廷勢力最大的總工會主席。幾年來，貝隆費盡心機，仍無法使其停版的阿根廷第一家大報——新聞報La Prensa，今年一月，却經由易娃貝隆，略施小技，就立刻關門大吉。這件事已引起全世界，尤其美國新聞界普遍的憤怒，但易娃貝隆的本領，也就從此爲全世界所驚佩了。

新聞報原是阿根廷兩大著名報紙之一，但牠比民族報La Nacion銷路更大，聲勢尤隆。牠每日發行三十八萬份，星期日可達四十八萬份。[illegible]一百萬元。[illegible]主辦了許多社會福利事件。牠態度公正，不爲任何黨派所左右。貝隆執政後[illegible]

報夫逼倒新聞報 警察代頒特赦令

[illegible]

搶救流亡港澳難胞

工作應迅速進行萬不可一再遷延

卜少夫

立委胡純俞等七十二人緊急動議，咨請政院從速搶救港澳等地流亡難胞案，立院的內政，國防，僑務，法制四委員會聯合審查結果爲：

（甲）由胡純俞等所提搶救辦法六項，修正通過：（一）指定機構，核撥經費，負責辦理搶救逃出共匪區流亡各地之忠貞難胞工作；（二）關於入台寄簽放寬限制尺度；（三）在沿海口岸，洽定專人聯絡，便利忠貞難胞入台；（四）逃出共區之忠貞難胞，如能在外國，覓有生活之路，應接受其出國申請，簽發護照；（五）指撥的款，對流亡港澳等地難胞，予以緊急救濟；（六）指定地區爲來台忠貞難胞墾荒之所，在可能範圍內，予以協助。

（乙）爲嚴防共諜滲入，確保台灣安全者，對出入境酌可限制，如有必要，按照憲法第廿三條之規定，亦得以法律限制之，惟政府對現行辦法必須改訂爲法律案，咨送立院審議，以符憲法精神。

以上四委員會聯席審查的意見，大體上都很能針對事實有適當的照顧，相信在立院大會中定能通過。不過關於（乙）項，其實立院早就應該提出了。此時，由於搶救難胞的實際手續而連帶議及，爲時雖遲，總還算不幸中之大幸；

關於六項搶救辦法，願就個人所知，提供一點具體意見，作爲將來政府實施時的參考。

（一）應成立一專門機構直屬於行政院，此機構在×，設一工作委員會，其組成份子包括政府所派人員及港澳人士，經費之多寡，視實際工作情況而決定，換言之，預算可以追補，保留其伸縮性。

（二）入境的限制，如在台無親屬等保證，可採取五人聯保制，簡化手續。

（三）於金門，澎湖，基隆，高雄等地檢查機關內特約專人擔任難胞入境時之通信聯絡事宜。

（四）凡能提供在外國之生活工作證件者，得簽發護照，准其出國。

（五）調景嶺難民營的現行辦法，可作爲緊急救濟難胞的參考。

（六）應配合台灣目前進行的兵工築路，以及財[illegible]與善後救濟總署[illegible]的工程計劃，[illegible]

由立法院大會通過到行政院組織機構指撥款項，其間如果以最高度的行政效率行事，恐怕也需要一個月以上的時間，在這期間內，我們希望台灣先把調景嶺的難胞問題解決。[illegible]

[illegible]此事來測驗政府。

願先搶救留在調景嶺的一羣流亡者！

兩件故事戲劇化 原子秘密太神奇

[illegible]

以上就是我要告訴大家的一些有關貝隆的戲劇化故事。當然諸如此類的趣談，還有不少，但擁太太作副總統，交警察下特赦令，舉一反三，這位總統，在政治上，其作風是如何異乎尋常，也就不難想見。他確否眞如所說，從不撒謊，恐更難有人替他保證。因此，

（下接第三版）

啓事

本期「半週展望」因稿擠，暫停一次。關於半週來，應予注意之重大問題，可參看二版「時局漫談」。

中共有投降的自由嗎？

時局漫談　左舜生

本月二十三日，美傘兵三千餘人在漢城以北的汶山區降落，而第八軍軍長李奇威也隨同跳傘躍下在前綫指揮，這一冒險的鏡頭，實充分表現聯軍的戰志堅强，中韓共軍即令還想在「三八」綫以南作困獸之鬥，事實上殆已絕望。二十四日，麥克阿瑟又躬赴前綫作第十四次的巡視，同時發出一個有力的聲明，正面向中共作嚴重的警告，說明中共的人海戰術，在韓戰後期已完全無效；中國還沒有工業基礎，根本不適於從事現代戰爭；如果把戰爭帶到了中國的沿海或基地，中共的軍事可根本趨於崩潰；因此，他希望中共軍的統帥和他接觸，停戰言和，就韓戰以結束韓戰，不能涉及範圍以外，而南韓因這次戰爭所蒙受的犧牲，也決不能等於白費，換言之，即韓國問題的根本解決，必須遵照聯合國的原定目標，實現一個和平，獨立，民主的韓國統一的政府。

照我們看來，假定中共還沒有失掉清明的理知，對麥帥這篇聲明的內容，應該感到是平易近人，無一點不合於客觀的事實，不僅沒有表現過分的奢望，而且根本於中共有益。戰爭是一個殘酷的事實，勝就是勝，敗就是敗；能打就能打，不能打就硬不能打，決不是意氣用事所能解決得了的。一九四五年八月六日，美國第一顆原子彈落在廣島，同月九日，第二顆原子彈落在長崎，日本則毅然決然，承認科學失敗，接受無條件投降，這證明日本畢竟還是一個獨立的國家，同時她還是一個富有魄力的民族，她侵略別人是自動的侵略，投降也是自主的投降，因此，雖然經過一度的慘敗，她畢竟還能立國。中共的介入韓戰，既完全不是自動，因而即顯投降也絕對沒有自由，站在一個中國人的立場，實在覺得這種處境是太可悲了啊！

假定中共的首腦人物或重要將領，至少有少數還多少保留得有一點自主的精神，無論如何也不願以中國整個的國家和人民聽憑史太林這個獨夫來隨意擺布，則在韓國的前方將領，儘可和聯軍直接講和，第一步結束韓戰，第二步中共分家，第三步肅清出賣國家民族的國際派和蘇俄在華的第五縱隊，第四步與台灣的國民政府開誠協商，恢復一個和平，統一，獨立自由的中華民國。如此，則世界的和平可以實現，中國被毀滅的危機可以解除，一切被俄帝劫持的鐵幕國家可以得到解放，即令史太林還要窮兵黷武以求一逞，我相信不出半年，所謂世界的第三次大戰即可光榮結束，可是，我充分知道，在今天的中共，並沒有這樣一個超越秦皇漢武唐宗宋祖以至成吉思汗，其魄力確足旋乾轉坤的風流人物，因此韓戰還是必然要繼續下去，中國的毀滅決無可逃，世界的浩劫也無可倖免，這真正是整個人類的一個絕大悲劇！

原子武器將適用於韓戰

美國國防部部長馬歇爾二十五日正式宣稱：「現在在韓國作戰及他處的美軍，不久可獲得最近新武器發展之武器，包括原子武器在內。」他並且說：「美國在科學上之重大努力，不僅在原子武器方面業已獲有成就，且在『其他若干方面』亦已開始有實際收益矣。」又說：「美國軍隊已重新估定其戰略及戰術，以適應最近科學之發展。」我們記得：馬歇爾在一九四五年底迄一九四七年初，爲調停國共，曾以特使資格，在中國滯留一年以上，我們經常和他保持接觸，深知道他這個人有一種堅毅的軍人特質，而發言異常謹愼，他沒有實行的決心，決不會隨意亂說，他這個聲明不先不後與麥帥最近二十四日的聲明同時發表，這決不是沒有重大意義的。現在還有不少的人，爲錯綜離奇的消息所迷惑，總以爲麥帥與美國的國務院間，仍有若干歧見，決不能在韓戰中暢所欲爲，這實在是一種幻想。同時我們基於人道的見地，希望中共繼續實行人海戰術的時候，總還是多少加以考慮的好啊！

英國工黨政府的命運

——五年半執政的總檢討，何日下台將只能以星期計算了——

程滄波

英國工黨政府當政五年又半了。從最近種種跡象推測，工黨政府的命運，似已注定，其倒台之期蓋不遠矣。

去年二月大選後，工黨在下院的多數，只有六票。現在英國下院的席次分配，工黨三百十五席，保守黨及其友派二百九十八席，自由黨九席，愛爾蘭國家主義派一席，議長一席，照英國的歷史看，一個政府黨在議會控制的多數，僅有六票之多，它的倒台是隨時可以發生的，所以去年二三月間，一般的看法，大選後工黨政府的命運，不過幾個月的時間，但是到今天，工黨政府的壽命，居然已超過一年了。一個在議會控制極微弱多數席的政府黨，想長時間執政，簡直是不可能的。因爲在那種情勢下面，反對黨如果想與政府爲難，採取疲勞攻勢，接連提出重要問題的投票，在兩三個月中，政府是一定倒台的。

並非工黨擊敗敵黨　實由敵黨沒有進攻

工黨政府能夠延讀其生命到一年，不是工黨有什麼特別的本領，而是保守黨在若干時期中，故意停止動作，尤其在韓戰發生後，反對黨充分了解局勢的嚴重，無形中與政府成了諒解，不爲已甚，從七月到今年一月，這一個諒解是忠誠地維持着，在去年七月前，在六月一個月中，反對黨在八天之內，關於財政法案曾經提出過五次的投票。在今年二月，反對黨對於鋼鐵案，肉類案，國防案，蕃薯案，七天之內，一連提出投票，所以在一年之內，除了去年六月及今年二月中幾個星期，反對黨對政府都是採取消極的縱容政策，工黨政府能夠維持到現在，主因在此。工黨政府今天之生存，並不由於自身的力量能擊敗敵人，而實由敵人的沒有進攻。

工黨投票怪象百出　強化紀律拼命掙扎

近半年在報上看到英國下院投票時，我們每次注意工黨議員出席的情況，有的從醫院中用單架抬進議場，到了議場還由看護醫生陪伴着，有的從輪船飛機中途折回，各種形形色色，是英國議會中少見的情景，這種情景，還僅僅是外表的，據我們約略看到的報導，現在工黨中對黨員控制的嚴密，所謂紀律的強化，是空前的，在去年大選時，每一個獨立的候選人，沒有一個能幸獲當選，所以現在每次投票時，即使那位黨員平時對本黨政策不甚滿意，也非按照黨的命令投票不可，最近幾次重要的投票，都是那種黨紀強化的試驗，工黨一年來的幸運生存，依賴自己本黨紀律的強化，尤其保守黨在長時期按兵不動。但是這種辛苦掙扎的生存，代價是不少的，政府各部部長的疲勞，這一年來幾乎把多數閣員拖倒了，全體閣員長時間出席議會，阻礙部務的有效進行，閣員大部份的時間，都費在對付議會，他們沒有充分時間去應付部務，更沒有充分時間去思索各種有關的政策。這對於國家的損失，是難於計量的。

保守黨過去無把握　今年起已增强信心

從去年七月到今年一月，反對黨對政府，不發一矢，表面上看來，英國的政局 [illegible]

，忽然全力向政府猛攻，工黨甚至在下院提議，取消議會休息室晚間售酒，以爲這樣可以減少反對黨夜間攻勢的精神彈藥 [illegible]

[illegible]

貝文與莫禮遜性格　貝氏堅定莫較圓通

[illegible]

機所在選。一方面反對黨默察選民意旨，在過去則使另辦大選，保守黨並無絕對獲勝把握，另一方面則政府措施，若無大挑民意之事，尚未易遽予推倒。至於今年一月過後，各種民意測驗，都報告另一次大選，保守黨必獲勝利。而在另一方面，則工黨對內政外交，漸漸失去其控制之能力。

以一個代表平民勞工的政黨，而執政五年，人民之生活日苦，外交之困難愈窮，此反對黨因利乘便，大舉進攻，當然是一個絕好的機會。我在本刊歷次預測，工黨政府的壽命，已經屆指可待。以目前的形勢，與工黨政府內部人事，變方參的，工黨政府今天實在已到彌留狀態了。

承認北平中共偽府　實天真幻想大暴露

[illegible]

今後局面更難應付　工黨下台命運已定

[illegible]

自由思想與極權思想的搏鬥

——一九五一年以後的自由世界已有可能拔出災難的深淵

By Joseph G. Harrison　許孝炎譯

（上）

自有歷史以來，人類欲求解決其道德的及物質的各種問題，從沒有像二十世紀前半期這樣迫切的。

一經覺醒他們對於若干深切而緊急的問題——經濟的，社會的，和政治的——必須予以解決之後，於是整個國家和全體人民，乃不惜將他們舊有的觀念，理想，以至於政策，完全拋棄，而努力形成一種新的觀念，新的理想，和新的政策。即在若干國家之中，它的理想和生活方式業經證明爲成功者，在兩次大戰之後，亦因時移世轉，而被迫不能不予以修正。

就在這種情形之下，使過去的數十年變爲一個思想複雜，理念衝突最劇烈的時期；一切陳舊而爲世人所熟習的觀念，如民主政治及

自由世界　備受威脅

資本主義（姑無論其在每一不同的地方，各有一種形式），於瞬息之間，突遭各種粗心浮氣，專斷外表的新觀念，如共產主義，法西斯主義，納粹主義，甚至於社會主義之襲擊。民主政治與資本主義，在受世人普遍頌揚與廣泛採用之後，又突然遭受世界大部份人士的侮蔑與攻擊。

這些新運動，在事先毫無預兆的突然發動之後，對於實施民主政治的自由世界，已予以極嚴重之威脅。在它們宣稱將以最迅速而澈底的方法解決人類所有一切經濟和社會的問題之後，世上千百萬呻吟於特權階級下之人民，乃盡爲它們所吸引。它們以巧妙的攻擊，揭發民主政治的缺點，而迫使西方各國退處於防禦的地位。凡世人對世上一切不公平與窮困現象不甘再忍受者，乃不期然而然的對它們懷抱着種種幻想。

在民主社會中，有時自然不免發生各種紛亂和搖擺不定的現象，在自由世界中，有時亦難免不發生社會與經濟各種不平衡的缺點，許多人士，其中且不乏誠懇的理想家，而對着這種種現象，自難免不爲這些新運動的各種理念所誘惑，而希望能從這些理念中，產生出較民主政治爲佳的社會風紀，經濟公道，及其他各種「較善的事物。」

站穩脚根　拯救自己

在最初，自由世界還沒認清它所面對的挑釁情勢之嚴重，其後，又因爲對如何應付這種挑釁而意見紛歧，在它能站穩脚根，發揮力量 [illegible]

共產主義　毒素最深

不過，無論這一些集 [illegible]

[illegible]

共區觀感之一

我離開重慶的第一個原因，說文社被迫關門

代印財經彙報招來無數麻煩　多年辛苦經營結果全部括光

衛聚賢

〔考古學家衛聚賢先生，逃出了重慶魔窟，頃寫「共區觀感」八篇，投寄本刊。此均為衛先生親身經歷的實錄，與輾轉傳述共區情況者不同，亟為逐日刊佈，以供留心共區真相者之研討。「編者附註」〕

香港自由人第一期（一九五一年三月七日）有一段報道，標題是『考古家被迫下鄉，衛先生逃出重慶』文中是『以考古學家著稱，曾一度供職某國家銀行之衛××……』。這是很明顯的指着我。於是友人紛紛來函詢問，我是不能一一作答，故作此『共區觀感』，報道我在共區的見聞和感想。

我離開重慶的原因有四：即工廠、古物、演說、罰款，自由人上披露的只是原因之一。現在讓我分期報道於後：

託印刊物　鼓動搗亂

我在重慶開了一個印刷廠，名叫「說文社出版部」，是民國二十九年開的。先是在陝西街，後遷至上清寺七星崗，在七星崗時，適值抗戰正急，[illegible]，是以[illegible]說文社[illegible]，在抗戰期間出了國內唯一的國學刊物——說文月刊，出至五卷六期，共六十厚冊，而以第四卷以八十位名教授給吳稚暉老先生祝八十歲紀念刊，出了名。抗戰勝利後，出版陪都江湖話，銷路都二十餘萬冊。

我這個印刷廠，我始終沒有過問過，由沈季梅一人主持，[illegible]，這是我的主張——用人不疑，疑人不用，而且我希望是多出幾本書，[illegible]。

我沒有剝削過工人，到了重慶被共產黨估了，共產黨財經部在中二路，就近在我的印刷廠內印了一種三日刊，叫做『財經彙報』。在這裏就發生了問題：㈠重慶在當時，是隔日停電一次，無電時，到他們來印時，他們要人搖機器。他們的稿子都在十一點至十二點，拿來未編，夜裏未印，好排，排齊時，他們派人駐守，[illegible]，到他們戒嚴時，他們就住下，夜班趕印，完了天亮，但不加了他們工資。㈡他們的書籍，交給了共黨的工人張瑞生，轉交工人學習。但由工會派人指導，是學習，在這樣的方式下了，工會就開始。㈢暗中鼓動本廠工人，要求加薪。工人有一次職工會，還不算，他們派兩個人來出席，即暗暗中和鼓勵（他們常當場指出工人工資太少，工資可以加，工資也要多加）。你們不過因為印刷費出入差額，不然，相抵，何補？他說：「你有錢，是資本家，我們就給他化的」。我說：「你們還未到清算時，待你們清算時，我再拿出來」。他說：「你是反民黨的走狗」？我說「有何證據」？他說：「你為甚麼要在國民黨時期開工廠」？我說：「一九五〇年以前人都團死，為甚麼要生在國民黨時期」：㈣他們是二月十三日禁用銀元，十五日我們發工資，工人要銀元，每人發了二元。到了十六日他們來印財經彙報，知道了這事，馬上把主管人拉上公安局，[illegible]公安局，不應當直接抓人的。㈤工人張瑞生偷了一令薄型紙，八百斤鉛，我告訴他們，他們說，「工人窮，偷你的，他和你老闆一樣，自然不偷了」，又鼓動排字組鍾維谷等罷工，我到總工會找他們，他們派人來說，不能罷工。於是他們又工作，二萬字三個人排了六天未排完，版子機器工人張鈞階上了三天未上好。這樣怠工，使我沒法維持，而且沈季梅也辭職了，只好關門。

工廠關了門，印財經彙報的幾位算是送走了。不過，又來了總工會的指導員陳維他。

遣送工人　發款三次

我把印刷機器都賣了，作為遣散費，依照共匪黨化報上公布遣散工人的遣散費，最少不得少於半個月，最多不得超過三個月的工資。我和工人開會，工人照此規定接受，把遣散費已領了，各工人在領遣散費的單子上簽字蓋章。而總工會指導員陳維他主張，不分工作時間長短，一律發三個月，（連他們職工合作時所用的工人也要如此發）又補發了一次，在第二次發遣散費的單子上前，而有聲明，中間人名刪開，得人領若干，除由各工人親筆簽字蓋章外，『收清』二字，最後由陳維他寫了『證明人陳維他』。工人又領了若干，並將兩櫃書店的書，也都拿走了。

陳維他又帶着工人找我，又要補發，鬧到公安局，又鬧到勞動局，工廠。我在勞動局說，工廠的資本是我的，工廠沒了錢，就向我要，工廠出了版『江湖話』等書，售了約二三十萬冊，這版費，我也應拿，我一文也未拿。結果我又外加了錢，民國三十七年三十八年，由我個人的款下給工人，給了兩個工人的服裝，除了平時的[illegible]，又發了三次遣散費。[illegible]我說『由一九四九年十一月十六日起，職工合作，他們的工廠，合作期間，以維持一才他們關門。工合作以後辦法，自己所得的薪資作為工資』，我又說：「在工未合作時，每月吃八石米，燒十挑煤，職工合作了，人數未減，而每月吃八石米，燒五十挑煤。究竟是誰剝削」。勞動局說：「你總比他們好」。再拿出來一筆款子作為了事。結果又拿了一筆款子，寫明『以後勞方不能再用任何藉口要求資方發遣散費』。這纔算了事。

工人不能再要遣散費了，乃向軍管會告我是囤門資本家的結果，工人乃向公安局告我，不是要到台灣去。公安局我說『以我在抗戰期間，在文化上這樣努力，國民黨在重慶選委員，我連一個候補的委員都沒有，國民黨在極盛時都不要我，今天處於台灣一隅之際，於這兵荒馬亂之際，還要我考古嗎』？他們相信了我的話，沒有被捕。

為什麼不打腰鼓？俞安斌桃色案索隱

——行為不檢雖係事實　批評聶耳早種禍根——

芳草

自從秋歌主朝提出「抗美援朝」的口號，舉凡大陸上居民，由吃飯拉屎，以至檢討學習，事無大小，人無老幼，都非向這口號一面倒不可，不然，就得担心你的腦袋，縱不至砍下來，挖通了也就夠受。因此，繼李聖惠案後，廣州教育界又發生第二件大事——市師教員俞安斌被控訴，扣押，審訊，聽說已判了十五年的徒刑。表面的文章是：「俞安斌以教授鋼琴為手段，姦污女學生多人，去年暑假復誘姦女師學生林××，並加以污衊和迫害，最近被林××等公開揭發，引起女師及全市教育界婦女界的憤怒，紛紛要求人民政府予以嚴懲，市人民法院乃將之扣押審訊」。

事情是否這樣簡單？答案當然是「不」。去年暑假被姦污的林××，為什麼直至今年一月廿八日才「毅然向校方揭露」？中共當局又為什麼把案情隱瞞了兩月才「正式發表」？茲將筆者不久以前在廣州所得有關本案的見聞，舉為自由中人的讀者告：

音樂專家太頑固　不愛腰鼓愛鋼琴

要明瞭案情的起因，先得談談俞安斌這個人，據公告：「俞安斌浙江人，現年四十七歲，結婚二十多年，已有子女五人，先後在本市中大附中，知用中學，廣州女師等校任音樂教師」。

不錯，俞安斌先代原是「紹興師爺」，但已寄籍番禺，從小就在廣州唸書，畢業市立師範國工音體專科後，攻音樂，升學北平師大，專攻音樂，畢業後就一直在廣州各中等學校担任音樂課程，他的鐘點很多，所以曾在廣州不少學校任教的都無不中人，俞安斌自已以廣州人自居，完全由舉止談吐狀貌以至一切生活習慣，都純粹是浙江氣味，然以音樂為專技，卻又缺乏「藝術家」的素修，和得特才做物治，一般同業不甚與所謂「前進藝人」更是格格不入，「解放」後還是一樣，沒有改變，他仍舊生活在象牙塔裏享受他的古典「羅曼」的調子，不跟着大家扭秧歌，打腰鼓，對於如火如荼似瘋似狂的所謂抗美援朝運動，更似乎完全不關他的事。同時，他偏又在[illegible]。這種種內素湊合，他今日來無可逃於是遭定了厄運。

再據「官式」公告所透露：「俞安斌非但『落伍』，而且對前進作曲家聶耳的作品，常誣衊，貶抑」，更說明了俞安斌大肆貶抑聶耳的作品，也曾了大[illegible]，固然乃事所必至之理，清算誘姦云云，不過是導火綫吧了！

實際上，說來俞安斌如之「好色」，有若干目的是架上求「好貨色」，他還經常不擁琴，[illegible]以漁色，這事實，值得斟酌。不過，在我國傳統的「師道」之間，上師生之間[illegible]，方面也是甚至俞安斌愛悅主動，也許，何況是有人容許，最少也是有其罪，[illegible]為共對於男女關係持「一杯水主義」，[illegible]上自毛主席，下至小共幹，都一致，「解放」的青年男女由於投到這點，此女青年也能有今日的成就。而心嚮往於中共，星旗下，即不過為說大今日的成就，部得力於此，[illegible]作風，那末，俞安斌也是「一杯水主義」的中共超卓實踐者，行不之遐，相應自護無反加清算之理。由此更證實[illegible]。

大批證人找不到　三八公審未開成

俞安斌之被控訴，扣押，審訊以至判刑，另有其真正之罪狀，此罪狀為何？最少也是一個「不與工農階級結合」，「不倒向人民」的「藝術者」。個人自由主義音樂家被中共認為重要宣傳利器之一，又怎能容許你這擁有相當「信徒」的「非前進藝人」[illegible]的「大罪」，不費力地把[illegible]。

至於本案的女主角林××——一個十七歲的少女，是否確實是犧牲者，是由於當時年少無知，沒有計及[illegible]的後果，也許是[illegible]。

你從若干青年男女之「前進」的路，偶像中推倒而[illegible]，所以此案祕密研究了兩個多月才用「官式」新聞發表，把罪責完全推到俞安斌一人身上，而且被害者不只一個兩個而是十多個，甚至可能不止此數的，那才證實俞安斌是誘姦的確是迫害，漁色並不是愛行男女，更方單純的是所倡導的「一杯水」主義。

「組織」上拿到這項好題目，自非大搞一下不可，馬上派出女幹部向林××進行說服，挑撥，無奈這公開提出控訴，林××是個十七歲的女孩子，一個不肯出來，[illegible]。

不許站起與步行　入庭必須學狗爬

[illegible]檢討以解除她精神重負」，就是指此而說。不料在商討過程中，給共幹埋伏下的黨學生知道了，報告到「組織」上頭，[illegible]。

[illegible]

看貝隆五年作風

——上接第一版——

我雖然不是科學家，而當聽到貝隆宣佈有原子能的超級祕密云云，我立刻想起，實是不是又一套戲劇化的開始？因為以一個農業立國，科學並不特別發達的阿根廷，[illegible]。

何竟至事先無一國有此情報，如果至今還留於研究階段，以云沒試驗過，那就還停成功，自尚離題太遠。

英美關係不良好　反蘇反共極堅決

阿根廷這一國家，其傳統的法西斯氣質本不自貝隆始。從一八一六年獨立起，[illegible]在第二次大戰中，她仍嚴守中立，[illegible]。

[illegible]

竟正式宣佈，謂美國駐阿使館一職員，曾親身參預阿國報紙對美國時貝隆的報紙，[illegible]。

東南，英屬福克蘭島（Falkland Islands）之主權問題，於一九四八年發表宣言，謂應歸還阿國，然以英國態度強硬，迄未獲任何結果。英美對貝隆，老實說，並沒有若何好感。不過貝隆反蘇意志很堅決，英美也就只好看在這一點上，棄小異而就大同，多方容忍。總之阿根廷對民主集團的反蘇目標，固然不會有所妨害，但就英美說，早晚總是一個麻煩太多，令人不快的夥伴。

有人推測貝隆於本月廿四日宣佈阿根廷擁有原子能超級祕密，恰在華盛頓汎美祕會議開幕前兩天，顯然是有意提高阿根廷的地位的重要性。這看法是相當正確的。此次汎美會議，目的在團結反共，中南美國家，不過是不成問題，他們卻正可藉此，向美國當然大大敲一筆竹槓。貝隆是懂得共中奧妙的，如果民主國家，信他擁有這超級祕密，欣然向他低頭，一切爭執，都自會同時在國內提高了自已身分，明年選舉，也就更有把握，總統也不會太在話下。有原子能，這就是他的超級祕密宣佈的最主要目的，換一句話說，也就是本次政治劇化，又一戲上可惜是正的超級祕密，竟先於人家被超級祕密看破了！（完）

竟變為「特務證據」

一張民衆教育館名單　所謂長沙破獲大特務案真相

訊，據本月十八日中聯社電訊，「謂中共在長沙發現龐大特務組織，除長沙以外，各縣均有分支機構，人數在千人以上，目前正在大事搜捕中，其中一百餘人案情嚴重者，已在長沙處決。」

事，詳，筆者新自長沙來，知之甚詳，案，純出中共所謂長沙的「千人特務」之揑造，藉故還其「莫須有」殺人之兇鋒而已。

國民黨時代，中山文化教育館，各省設有民衆教育館，各縣亦有縣民衆教育館，由省教育廳主持民衆教育輔導機關，（非特務機關）推動各種社會教育活動，民衆教育館長王××，沙×在解放軍進城時，曾參加「起義」，將民衆教育館一切檔案財物，全部移交軍管會中，名單，組織，社團中有民衆教育館各級（如讀書會，劇團，球隊等）：在當時中共看來，這根本無甚特務組織，更談不上是特務組織。

[illegible]

被察判了，而所受的又是那樣悲慘而慘酷的。我只能替他寫下這樣的一句：「誰叫你打的是鋼琴而不是搞腰鼓」！

美國是否將試驗氫彈？

時代科學

・李秋生・

日來使全世界感到激動的一件事，也不是聯合國軍越過三八綫，也不是四外長代表巴黎的[illegible]僵持，而是美國準備再度到中太平洋馬歇爾羣島的恩尼威吐克礁湖從事空前大規模的原子彈試驗，即所謂「綠屋行動」。如果說只有原子彈纔是今日民主國家與極權鐵幕間具有決定因素的力量，則無疑此次試驗，對於當前國際危局，具有無比的比重。

恩尼威吐克是美國永久性的原子彈試驗場所，在一九四八年春夏之交舉行過三次爆炸試驗之後，次年十一月底，美國原子能委員會曾經宣佈準備在一九五〇年再度在該處作一連串的試驗，但在事實上並未舉行。今年一二月間，竟突然改在美國本土尼華達州拉斯費伽斯附近稱爲法蘭西人平原的一塊廣大荒野上面，舉行了五次原子爆炸試驗，當時原子能委員會即予表示，未來的試驗仍將利用恩尼威吐克島的永久試驗場。要想約略知曉未來試驗的性質和意義，先應該明瞭已經若干次原子爆炸試驗的性質，與原子武器的發展的大概情形。

科學首重實驗，武器也是如此。自從原子彈產生以來，用之於作戰者不過兩次，用之於試驗者到竟達十一次之多（另外有一次是蘇聯的原子彈試驗爆炸）。開始，一九四五年七月十六日新墨西哥州的首次原子彈爆炸，是把該彈置於距離地面不遠的鐵架上予以引發，結果地面竟炸成一個有類小湖的穴。因有此次的成功，乃有廣島長崎的投彈。其次在一九四六年七月間，在中太平洋比基尼礁湖舉行過兩次大爆炸，主要是試驗原子彈對軍艦的破壞力量。七月一日的一次是由B－二九式飛機由空中投彈。廿五日一次是把該彈置於海面下爆炸，結果證明了後者威力發揮得最大，遠非在空中投落所能比擬。還三次所用的原子彈雖幷非完全一樣，却與廣島長崎者大致相同。一九四八年四月到五月，在恩尼威托克舉行了三次爆炸試驗，其經過與效果迄未公佈，只知道此次是試驗原子彈的性能，其製造較之初期已大有進步，威力約大三倍。至於今春在拉斯費伽所舉行的五次試驗，詳情也未公布，大致所用並非是完成了的原子彈，而只是各式各樣的原子爆炸試驗，其中可能括有戰術性原子武器與氫彈雛型。但其威力已至可驚人。最兇猛的是第五次，較溫和的是第一次與第三次，却都是在幾百哩外都能看到或感到。那試驗場雖有五千方哩之巨，到底與居民地帶相毗連，威力最強的原子彈自然不可能抵條件在該處試驗，因而此次恩尼威吐克的試驗可說是尼華達州試驗的繼續和擴大。

近一二年間關於原子能的研究進步至可驚人，像利用原子動力以發動飛機潛艇的設計姑置不論，單就武器而言，其發展的方向約有兩途。一種是要適應於各種不同的用途，像早期的原子彈只能適用於戰略性轟炸敵人後方城市，並也只能用重型轟炸機載投。最近的發展，則在戰略而外，更擴大到戰術的使用，除却飛機投落而外，另外準備用之於大砲，火箭砲，魚雷，深水炸彈以至像地雷陣那樣用放射性物質在戰地佈成放射能陣地等等。另一方面的任務則要減少原子彈的體積重量，不只限於已往碩大無朋以噸計的那種；但其爆炸的功效則不但不因而減少，反予以增強。這在原理上不外改良其引發裝置，延緩從鈾－－二三五（或鈈）原子從開始分裂到實行爆炸的時間，減輕緩衝劑與彈殼的分量。現在的新式原子彈，仍只有若干種中型以上的轟炸機能夠裝載，也許有一天竟可利用戰鬥轟炸機或噴氣戰鬥機去投彈。此外還有關於氫彈的試製，其原理雖經H・A・BETHE與H・D・SMYTH諸氏加以說明，其作用與太陽內部所進行着的變化相同，稱爲原子核熱力反應，是利用原子核的組合把物質變成熱能，與鈾（或鈈）彈之利用原子核分裂者有異。如果能夠試製成功，其威力幾於難以想像，但現在却仍只在設計的初步試驗中。

從上述美國原子武器的發展趨勢，可以猜想到此次新的試驗的輪廓。爲了準備萬一，美國一定要在此次獲致一切的有關資料，在積極方面決定其應用，在消極方面作防禦的準備。凡是業已製成的各種原子武器或其雛型，都可能加以實際的考驗；另一方面，更要明瞭原子武器爆炸所引致的一切的可能的影響，無論是在室內室外高空以至水中，以補充過去若干次試驗的不足。一九四六年在比基尼的試驗（即所謂「十字街頭行動」），所派選的主持人是海軍人員，那次試驗的主要目標便是要獲致原子武器對於海軍艦艇的可能損害，此次所派出的主持者是空軍人員，我們也可推想主要當與空軍方面有關。此外關於氫彈雛型之是否參加試驗，也頗引起人們猜想。

總而言之，這次「綠屋行動」的規模與範圍是空前的，我們不難想像：其收穫，影響和意義也將同樣是空前的。

千錘百鍊自由人！

・陶樂居・

因爲我們的存在，壯大，凝聚，堅決，所以你們——魑魅世界的邪魔們纔震慄，顫抖，喪魂。任憑你們使出渾身吃奶的邪氣，啞了的嗓子在狂叫，用盡了人間最醜惡的話語來詛咒；但是，邪魔們，誰願聽你們「其鳴也哀」的變曲，誰又願把淨潔的心靈去感染那些「狗嘴裏長不出象牙」的穢語？

我們從來不謳歌自己的神聖，更不會殺利與勢沖昏，人類的最完美品質，就是爭取人的自由與人人的自由，我們毫無畏縮的告訴世界：我們是繼承這人類最完美的品質，把生命獻給自由。

我們是醇朴的，平凡的人，具有人類最高的良知。我們篤信個體的自由是凝體自由的原始因素，而對着最大的黑暗，我們絕不會放棄這樣的信仰與熱忱。因爲我們忠於人類的歷史，嚮往自然的光明，我們虔誠尊敬人的自由與人人的自由，對於扼殺自由，伸張極權，不只充滿了憎恨，而且大家要手攜手緊緊密密的站在一起，要爲人類復讎，一天不滅絕這些束縛生存個性自由的魔鬼，我們絕不會罷手。

我們高舉的自由火炬，照得大地通明，逼得你們這班邪魔原形畢露，五臟六腑都漏出，一絲無掛的醜相；於是你們狂跳，高喊，打算蠱惑人類的五官，繼續血腥的嗜殺。邪魔們，自由是人世間一道最大的洪流，它是滙合了地球上所有自由之泉的巨流，任憑你們掙扎，喊命，遲早是逃不了自由浪潮的席捲，最後的淹沒。

我們是千錘百鍊的人，世界上沒有任何邪魔，能夠叫我們寬恕。邪魔不斷，那是違背人類聖潔的良心。歷史上前一代自由人與今天的自由，要爲你們挖一個深坑，進去吧，那是你們逃不了的最後歸宿。

風雲人物

美陸軍第八軍軍長 李治威中將

・楊修・

近事：二十三日隨傘兵降落韓戰前綫汶山區，圍擊敵軍三個師。

年齡籍貫：五十六歲，生於美國華盛頓州華拉華拉堡。

家世：父親湯麥士，李治威上校，任職於美正規軍砲兵隊，曾參加中國庚子事變之八國聯軍。

出身：一九一七年畢業於西點軍校，與今日美國名將柯林斯和克拉克同級。

經歷：未及參加第一次大戰與艾森豪威爾將軍的情形相同。曾服役於中國，尼加拉瓜，菲律賓等地。戰前即以參謀之才見稱，一九四三年任美步兵第八十二師助理師長，後繼布魯德萊將軍（現任聯合參謀部主席）而昇任該師師長。數週後，美軍部即將第八十二師改爲美國兩個傘兵師之一。曾親自跳傘，以鼓勵受訓中之士兵。此後三年中八十二師之戰事日記，可謂美國傘兵戰事之歷史。李治威將軍曾率第八十二師作戰於諾曼第，其後又率第十八軍團作戰於瑞典奈美痕及法國東北部亞爾丁。戰後，成爲一軍事外交官而參加美國出席聯合國軍事代表團，兼任設於華盛頓之美洲國家聯防局主席。後任加里比安海區域司令，一九四九年八月復回美軍部任負責行政之副參謀長，力倡「空降垂直包圍戰術」。去年底前，第八軍軍長華克將軍因撞車殉職後，於十二月二十三日受命繼任該軍軍長。

生活及性格：治軍嚴明，處事精細，既通戰略，亦善作戰，爲第一流戰地司令官，第二次大戰中，某次作戰，在開始行動前，預先推測敵人可能採取之九種不同的應方式，而分作對策，以備萬一。目前李將軍居住於其總部一輛拖車內，每晨六時舉行簡報會議。通常晚九時入睡。

一九四七年李將軍與海軍部女祕書瑪麗安寡婦結婚，已育有一子，方一歲半，此爲其第三次結婚，二位前妻均已仳離，現已斷絕關係，不再來往。平時愛好舉行或參加小型晚宴。

李將軍容貌英俊，體格魁偉，能作西班牙語。現仍佩傘兵徽號，在戰地，胸前經常懸掛手榴彈一枚，與故巴頓將軍之常佩其心愛的象牙柄手槍，同樣著名。

旅美雜紀

陳香梅

美國交際花對華商行騙

紐約和華盛頓的風味完全不同，華盛頓代表政治文化；紐約代表金融和文藝、戲劇。紐約是美人窩，是紙醉金迷的花都；女人的時裝，都以紐約設計爲藍本。紐約是歌舞劇的權威，是最漂亮也是最醜惡的城市。我們中國許多撈飽了錢的要不得的官僚和富商都住在那兒。去年一位中國商人被美國交際花騙了十幾萬美元，新聞刊在報章上。美國人問：『中國有錢人既然有上萬的金元送給交際花，爲什麼不拿一點出來救國？』眞是醜事。

美國出版家說過一個笑話：在紐約的某大銀行，有一天來了一個衣冠不大入時的義大利人，手中提着一個舊紙袋。守門人有點看不起他，問他入銀行有什麼事，他說想存款五十萬元，守門人馬上轉倨爲恭，親自領他入經理室，經理和這義大利人親熱地握手，並和他談了十多分鐘，知道那義大利人業擦鞋，以擦鞋起家，至爲欽佩，即請他參加一個銀行家的晚會。晚會席上主人請這擦鞋匠致辭，他說：『我二十年前與一個妹妹自義大利來美，我在街上擦鞋，妹妹出來交際，後來我就發跡了。』大家以擦鞋而能致富百萬，非常欽佩，當他演說完畢，掌聲不絕。可是擦鞋匠有所補充，他說：『我的妹妹於來美第二年即與一大富翁結婚。』這個笑話，意味深長，極盡諷刺紐約人之能事。

我們到紐約主要是爲公事，頂多逗留二三天，紐約對於我，實在太都市化了，太僞裝了，使人有處身十字街頭之感。

× × × ×

說到住酒店，我想順便提及小費問題。不要以爲在中國到處要小費，其實在美國又何嘗不如此，而且或許比中國還要利害呢。先以早上茶房送報紙到房間來說吧，他本來可以放在地下走開了事的，可是他偏要扣門，當你接過報紙而不偶然給他廿五分錢的銀幣時，那麼第二天的報紙就會來得很晏了。其次是送信的，本來每個房間都有一個傳遞箱在樓下的，可是我們常常因爲太忙而忘記去取，於是過了下午六時，茶房就會送到房間來給你，那麼你又不好意思讓他空手而去。再說站在大門口爲客人開汽車門的侍者，他們其實最討厭，我覺得他們站在那兒是多餘的，有時若有要事趕時間，則反嫌他們誤事。你得從口袋或是錢包中掏出零錢給他們，這樣就不知礙了多少時間，尤其是下雨天而你又穿着晚禮服的話。

我住在華盛頓酒店的時候，早上總是用小車子推着孩子到外面散步，那小車子非常輕便，我從樓上乘升降機下來，完全不需要任何幫忙，到了樓下更可以運用自如，可是那看門人總要幫我推一兩下，看他堆着笑臉那付奉承的樣子，到了週末總得給他一點賞錢。（六）

理想的交換

蘇聯願以小麥五萬噸交換印度的苧麻。

印度而臨飢荒，正需要蘇聯倉庫裏東歐共產附庸國和中共由逼徵得來而獻給其主子的糧食。

中共最近抓人，數以萬計，手銬腳鐐固已不夠，恐連麻繩也感缺乏，這次倒有以奴工向蘇聯換取麻索的絕好機會了。

保險「自動」

中共在北平、南京、濟南、太原、武漢、西安等地，積極辦理勞工保險。

其實，有一點，是不要辦理就可以保險的，就是保險勞工「自動」減薪，「自動」延長工作時間，「自動」「參軍」。

互相學習

捷克青年團訪問大陸，向中共學習。

這次「學習」，眞可得益不淺，中共怎樣一口氣殺人數百萬，就是最好的學習對象。如果捷克青年團還和中共互相檢討的話，捷克前外長，黨部主席，中央委員等要人怎樣「叛國」，駐印度大使爲什麼逃亡英國等事，如何處置，如何預防，都是值得檢討的課題。

感應篇

・薩東牙・

論蚊子

・TDD・

香港有一家集「文妓」總滙的報紙，幾番經濟「失調」，眼看「瓜得」，但忽然財來有方，得以不死，然而大概是病後欠補，變得有點神經失常，除了本店老板和太老板之外甚麼都礙上使聽，唏哩嘩喇，除了「×你媽」等類的字句還沒有用到之外，罵人字眼已有羅掘俱窮之感，最近忽又妙想天開，把香港的許多家報紙叫做「蚊子」。其實，「蚊子」一名，該報實在最當之而無愧，第一，蚊子聲音，老是一陣嗡嗡，絕無異調，與該報「偉大的斯大林」三年而不變其聲，有異曲同工之妙。第二，蚊子長嘴，酷肖該報同仁。第三，蚊子要叮人一口時，必然亂叫。第四，還用說嗎？文字加上一條虫，不就是「蚊×報」！

套一句高論：「這名字起得實在不壞」。

辛卯元夜苦飲

・歸燕・

天南地北遍烽煙
檣被風塵悲白髮
偷生臣子猶爭寵
國破家亡成隔世
骨月流離路萬千
春燈街鼓詫新年
降賊將軍劇可憐
共揮涕淚話樽前

紅色的維也納

爲什麼俄方要密捕無辜

在維也納市內有一個蘇聯遣僑組織，在名義上，他們的工作是說服蘇聯難民，使他們回到蘇聯去。某日，美國情報人員得到限綫報告，說該組織的五個官員正計劃着暗地去捕捉一個對美方和蘇方都有重大價值的人，這個人的身份，當局到現在還保守着祕密。

美方的憲兵和反間諜人員聽到這消息，立刻提高警覺，嚴密戒備，他們派員守着蘇聯遣僑組織的附近，看着五個以便服大衣罩住制服的俄人走出，隨即跟蹤着他們。美方其他的人員，則在那目標人物的住所周圍，停放着幾輛裝有強烈燈光設備的卡車。

當俄人走進這所房子而帶着其俘虜出來的時候，車上的燈光馬上打開，美方憲兵和反間諜人員向他們圍攏去，以爲對方一定會俯首投降，而將其俘虜放棄。

然而事實恰相反，那班俄人雖放了那俘虜，自己却逃到街旁一角，發槍放射。美方反間諜人員爲這意外行動震驚了一陣，等俄人放了一排槍之後，才開始還擊。而且因爲有生擒俄人的命令，所以發槍時特別謹慎。結果俄方的三個人被逼入一條窮巷，最後因彈盡而祗好舉手降服。其餘二人則脫逃了。經過鞫詢之後，這三名蘇聯官員還是送還了蘇方。

爲什麼俄人這樣注重綁架？爲什麼他們不惜任何代價去擄走沒有什麼大不了的人呢？（其實有些人除了去當苦工之外，實在沒有其他什麼用途。）我們曾向一位能幹的美方情報機構官員提出這些問題，他對於蘇聯問題頗有研究，許多年來，蘇聯精細分析俄人所選用的種種方法，據他說：『美國人對於間諜活動的觀念，是搜集可以用於另一次戰爭中的情報，在組織中，這叫『積極』情報。我們決不會想到在美國可能發生叛亂。但在蘇聯方面，他們却十分注重偵察他們本國人民的行動。他們的對象，是設去破壞俄人思想和使他們反對莫斯科的人。這些人就是他們的「敵人」，譬如說，若有一個酒吧老板向一位俄籍的報紙編輯發表反蘇的言論，這老板就成了俄人的敵人。他們要捕捉或殺戮每一個自鐵幕後逃出，而表示反對蘇聯的人。這叫做『防禦性的間諜活動。』』（六）

泰辛寧譯自「鐵夫」雜誌

自由人
THE FREEMAN
（半週刊每星期三六出版）
每份零售港幣壹毫半
（第八期）
督印人：梁大成
社址
香港德輔道中一四九號四樓
電話：三二八二〇
149, 3rd FLOOR,
DES VOEUX RD. C.
HONGKONG
TEL: 32820
承印者：東南印務出版社
地址高士打道六十四號
台灣經銷處中國書報發行所
地址：台北館前路八十五號
電話：三〇三三〇

百餘年來一個大問題

申論顧孟餘先生的『平坦之路』

陶百川

三月十日在港出版的『今日』半月刊創刊號，登着存齋先生（聽說這是顧孟餘先生的筆名）的一篇『平坦之路』。不問是否出於名人之手，這是年來很少看到的一篇好文章。

文分三節。第一節指出中國沒有能夠產生一個『有能力適應世界新環境的統治階級』，這是中國的悲哀。存齋先生說：『一百餘年來的中國問題，是怎樣產生一個有能力適應世界新環境的統治階級』。滿清不必說，那是『集腐化，自私，懶惰，愚昧的大成』，『改造民國與國民黨治，雖然文辭上一時美觀，但是形式主義終究不能擦治社會病體，反而使統治階級更趨墮落，其流毒且多方傳染於上層與下層之中產階級』。『待其醒悟，亦已晚矣』。

第二節指出『一面倒』政策的錯誤，由此推論今日大陸上的新統治階級也沒有成功的可能。因爲『一面倒』政策的錯誤，第一、『是移花接木，借用外國的統治階級爲中國的統治階級』。第二、『是完全忽略一個國家因其歷史地理人種文化之特殊，而有其特別發展的路線。牠要完成歷史的使命，必須自己選擇發展的途徑。選擇才是自由自立，「一面倒」乃是自卑自貶』。第三、『一個統治階級，無法長久違反被統治者的個性，而使之盡棄其傳統，更無法長久違反被統治者的需要與願望，而使之移易其天性』。蘇聯式的共產主義並不能解決這些問題，而官僚專制，不平等甚』。

第三節指出『中國目前需要是民主革命』。它的目的『是使任何統治階級不能再壟斷國家權力與社會財富』。新的自由民主制度的『兩大柱石是地方自治與經濟民主。地方自治是代替官僚軍閥的主要力量。經濟民主是新制度中實現自由與平等的保障』。『這是免大禍少流弊近於人情合於中國需要的平坦之路』。

有好統治階級才有平坦之路

我同意存齋先生的看法。這樣的『平坦之路』確很平坦。但是誰來關這平坦之路？誰來領導『工人農人』（存齋說：『工人農人要佔重要地位』）走上這條平坦之路呢？地方自治和經濟民主，不是早就有人提倡，然而終究沒有實行麼？這是什麼原因呢？答案要在統治階級問題中去找。有好的統治階級才有平坦之路。因爲平坦之路要由好的統治階級來領導。在不良的統治階級手中，地方不能自治，經濟不能民主，因而不能有平坦之路。殷鑑不遠，活生生的事實就在眼前。所以存齋先生開宗明義就說：『一百餘年來的中國問題，是怎樣產生一個有能力適應世界新環境的統治階級』。（請我加上這麼一句：）而不是怎樣產生一個平坦之路的問題。存齋先生已經指出平坦之路的方向了，我很欽佩；存齋先生一顯來解答『怎樣產生一個有能力適應世界新環境的統治階級』的問題麼？這是一個比較急迫而基本的問題。

讀者以爲我太重視統治階級或人的問題麼？請講一個故事。十四年前我寫了一本小册子，研究蘇聯革命問題。在『第六章記取兩大教訓』中，我指出蘇聯革命的成功就是由於以前統治階級的無能。我引證聯共（布）黨史簡明教程第七章：『俄國資產階級既沒有像法國資產階級那樣大規模的政治上的把戲與政治上的欺詐的經驗，也沒有像英國的資產階級那樣大規模的欺詐與妥協的經驗。俄國資產階級昨天還在與已被二月革命所推翻的沙皇尋找妥協。二月革命後，俄國資產階級走上了政權，除了基本上整個的仍然繼續執行可恨的沙皇的政策外，不會想出一點更好的東西。那怕戰爭已變成國家所難以忍受的事，人民與軍隊已疲勞到了極點；但是，俄國資產階級還是像沙皇一樣，主張在基本上保持地主的土地私有制。至於說到對工人階級的政策，那麼俄國資產階級比沙皇更進一步地仇恨工人階級，因爲俄國資產階級不僅保持和鞏固了工廠主及製造廠主對於工人的壓迫，而且採取大批的歇業，而使這種壓迫達到不能忍受的程度。因此，人民沒有看見沙皇政策與資產階級政策之間的區別，把對於沙皇的仇恨，轉移到臨時政府的身上，這是不足奇怪的』。誰說唯物史觀不重視人的問題呢？

不幸我國勝利以後的情形，竟與蘇聯十月革命前夕的上述情形，有些相像，所以我早在那本册子中強調說：『一切統治階級都應記取這個教訓！』——記取克倫斯基政府覆滅的教訓！但是那時我們的黨和政府對於潛伏的危機沒有多大警覺，因而曲突徙薪的忠告，自然沒有效果。現在弄得焦頭爛額了，應該已經悔悟了吧。

統治階級中毒原因約有四項

檢查我國統治階級失敗的原因，我們不難發現責任不全在統治階級本身，但是統治階級本身的不健全，實在是許多惡因中的基本惡因。

統治階級所以不健全，乃因本身具有許多毒素：第一是愚昧。那時統治階級中的人，多半沒有求知慾以吸收現代的學識和技能。他們故步自封，還想以『半部論語治天下』。他們對於世界的情勢，估計往往錯誤。他們對於國家和社會的大問題，已經不能了解。而且『愚而好自用』，剛愎，頑固，不虛心，不求進步，自以爲是，自以爲了不起。他們是既不知己，更不知彼，所以百戰百殆。

第二是懶惰。明知火已燒到眉毛，但仍不能振作。做一日和尚撞一日鐘，得過且過。但求無過，不求有功，因循坐誤，而且怕改革，而且改革也祗是幾次會議，幾道命令，幾篇宣言，幾本工作報告，不能實幹，不問效果，不知改進，不加獎懲。一派官僚主義的作風。

第三是腐化。生活腐爛。貪污。官僚資本侵蝕了國計民生。尅扣軍餉，毀滅了三軍士氣。少數人作威作福於億萬勤苦的農民和士兵的背上。

第四是自私。這是最大最根本的惡因，許多罪惡都由此而生。民主政治對於黨治和中央集權本是對症發藥，然而一涉自私便變成了假民主，不獨無補時艱，而且反生了許多流弊。國營企業對於發展國家本來可收事半功倍之效，然而一涉自私，便變成了官僚資本，少數人因而可以公開的貪污。黨因自私而變成派系，派系因自私而互相鬥爭，所以過去一切假的民主，假的國營，派系鬥爭，以及若干要人的不能容物，妨賢害能，凡此，都是自私的化身。

「以前種種譬如昨日死」。改造中的黨，復興中的革命大業，不獨應該已經滌淨過去的舊污，消滅上述種種毒素，而且應該不致再受那些毒素的侵襲，不讓那些毒素的再生了。但請檢查一下吧，請繼續不斷的檢查下去吧！那些毒素是否還潛伏着呢？

厲行自我省察　尊重黨外諍友

一向統治階級要根絕那些毒素內而健全起來，第一要厲行自我省察，自我克治，自我存養。

但這不能僅靠那個統治階級的領袖或少數中央幹部，而應依靠支持那個統治階級的政黨來共同省察，共同克治，共同存養。一個人或少數人的耳目和力量自必遜於多數人的耳目和力量。所以必須發動全黨的民主力量來施行民主省察，民主克治，民主存養，然後那些殘留着的毒素方才不能潛伏，不能傳染，而有益於統治階級的維生素，方才易於發榮滋長起來。

其次，自我努力之外，統治階級之健全，還有待於外來的監督。民意機關，輿論，友黨甚至反對黨，都是統治階級的諍友，它們的批評和指摘，都可供統治階級的參考而促其反省和克治。它們的作用，有時較大於自己的黨的作用。相傳鄭人要毀鄉校，子產以爲不可，因爲鄉校的輿論乃是政府的藥石，應該歡迎之不暇。現代統治階級假如不是愚不可及，應該培養黨外的民主力量，歡迎黨外的民主監督。祇有如此，才能促成和長保統治階級的健全，由此走上平坦之路。

東方人「自由」不值錢！

舍我

自由世界爲阿根廷迫害新聞報，燃起了熾烈怒火，但共黨在中國大陸屠殺了無數記者，刼奪了無數民營報館，在聯合國，在美國，爲什麼却從不聽見有人說話。

全世界著名報紙之一——阿根廷新聞報——因爲始終要保持牠傳統的持正不阿作風，自貝隆當選阿根廷總統，五年以來，備受迫害。去年十月，在紐約舉行的全美洲報業協會，決議要支持新聞報，不料這一決議，不僅沒有軟化貝隆魔手，反更促使貝隆下了一不做二不休決心，於今年一月，由主持阿根廷總工會的貝隆太太，嗾使派報工會，印刷工會，同時向該報宣佈罷工。本月初，該報印刷工人，參加報社全體職工大會，決議復刊，但當復刊工作將近完成之時，竟被暴徒襲擊，傷工人十餘名，最後，仍爲武裝警察，將工人驅離工廠。該報復刊計劃，至此遂全告失敗，社長巴士博士，逃往烏拉圭。美國時代週刊及生活雜誌駐阿記者，爲企圖報導復工被阻的全部情形，被警察拘捕，經簽字申請特赦，始由警署代發總統特赦令，准許回寓。上一期自由人，我已將前後經過，在「看貝隆五年作風」一文中，詳細報告。畢竟新聞報是一個備受社會讚許的報紙，而最大多數美洲人，尤其北美合衆國，對新聞自由，又十分重視。最近幾天的發展，此問題已更見擴大。固然拿中國大陸尺度說，巴士博士沒有和廣州六記者及江南萍等一樣，被阿政府就地正法，已算是貝隆過分寬大。但非共國家，究和共黨不同，在共黨國家被笑爲過分寬大的貝隆，在非共國家則已視貝隆爲罪大惡極，羣起聲討。所可怪的，貝隆封了一家新聞報，趕走一位新聞報社長，就激起整個自由世界，輿議沸騰，中國呢，共黨在大陸不知封多少報館，殺多少報人，大家至今，反似乎毫無感覺。這眞是個奇異的對照。我們當然也是同情新聞報的，且讓我再繼續報告一下這幾天的發展，同時也可當作「看貝隆五年作風」一文的補充。

國際人權聯盟　對阿提出控訴

據廿七日美聯社成功湖電：「國際人權聯盟，昨指控阿根廷接管新聞報，係違反聯合國之義務。該聯盟以其理事會決議案提交聯合國，譴責阿根廷政府行動」。又同日該社阿根廷京城電：「調查新聞報一案之國會委員會昨稱，擁護政府之公民已要求政府接管該報，並控其業主陰謀非法組織」。就這兩條電訊所說，新聞報已被阿根廷政府接管，這是以前各種報導中，未經提及的。過去貝隆對該報之一切迫害，無論如何強橫，但最大限度，只在不許其出版，至報館產權，則並未予以任何損害。現在忽然國際人權聯盟，指控該報被阿政府接管，而阿根廷國會委員會，又宣稱擁護政府之公民，已要求政府接管。是貝隆又比禁止復刊更進一步，而要將該報產權沒收，擬爲己有。貝隆這種作法，不僅蹂躪了新聞自由，而且根本破壞了人民的財產權。這在充滿民主自由觀念的人們看來，實爲過分的大逆不道。貝隆究要用什麼理由，那種方式去接管新聞報呢？二十六日時代周刊，曾刊一簡短報告。說：阿根廷國會，某日曾召開特別會議，決定沒收新聞報。此案先由擠滿貝隆黨徒的衆院通過後，在送達參院不滿兩小時內又立由參院通過，參院並通過任命一兩院聯合委員會，決定沒收該報所應採程序，通過調查該報內容，及與該報有商務聯繫之各機構。委員會亦均爲貝隆黨徒，在委員會提出建議以前，該報之房屋，倉庫及機器，事實上即由政府接管。當衆院討論此案時，曾爲屠戶，現任非阿委員會主席之韋士楷，領導貝隆黨徒，主張極力。但他沒有法子，使唯一發言反對的方帝西閉口不說。方氏在這一面倒的高氣壓下，竟敢大胆地說：「是的，你們充滿了權力，但也充滿了恐懼，如果有任何反阿運動來自國外，則唯一原因，只由於你們政權，毀滅了阿國人民所有的一切自由。」

（下接第三版）

半週展望

「退却」爲何不向老大哥學習

中共一切師承蘇聯，學習老大哥，但一九一七年，蘇聯對德停戰，和這那一樣，爲什麼竟毫不考慮？聯共黨史第七章寫着：「在當時條件下，繼續戰爭，就無異把剛才產生的蘇維埃共和國的命運拿來孤注一擲。由於對德和約的簽訂，黨就有可能得到時間來鞏固蘇維埃政權，調整國家經濟」，「以最大的努力，利用和約所給予的喘息時間，來準備應付敵人未來的新進攻」，「以上種種，歷史完全證明了列寧路線的正確。」

如果中共是要打倒「帝國主義」，但威廉第二的德帝國主義，中共應該打倒的程度，總不下於美國，中共一定要在現在的條件下，繼續作戰，是否已顯然超過什麼「中華人民共和國」？中共還有什麼時間，拿來孤注一擲？是否剛才產生的政權，能夠更加穩固？作爲全中國人民的命運，不能喘息，恐怕蘇聯那些時候，也稍稍清醒，要注意本身的利益，日本和德國的和約，並不使中共受了什麼大賠款。而這個生死關頭的大教訓，中共却又偏要拖延，不肯學習老大哥？爲什麼列寧（史太林）當年能夠對德和約，而中共今天却要擁護毛澤東的路線，這是什麼道理？

他們的黨列寧，曾一度反對過和約，是到底被毛澤東批評，同時有人說，他是不知道他要毛澤東學習，還有老大哥的榜樣，所以就不許學習！老大哥的利益，不符合小弟弟的利益，小弟弟應該肚裏明白。

等待了一個星期

中共等待了一個星期，才由北平電台，非正式的答覆了麥克阿瑟本月廿四日的招降文告。答覆的內容，不但拒絕招降，且硬把外表似乎赫得發抖，生怕麥帥文告惹起大禍的英國，拉來和美國一起，平等待遇，痛罵一頓。並確切指出：「英美兩國現時正準備對中國實施直接進侵」。這就英國說來，眞算黑天冤枉，英國不正在那裏裝模作樣，指責麥帥，說不應威脅中共，以來，中共不投降，即要將轟炸帶往中國沿海，及若干中國軍事基地？中共縱不感激英國這番好意，也不應該將英國罪惡等於美國，以摩里遜之流，大感失望。這一點，英國最低限度，也當然要分別待遇，阿德里，摩里遜之流，幾天以來，中共完全漠視了英國的說不應威脅中共等等。

我們若再深刻地作一檢討，則我們不難發現，麥帥爲什麼中共一定要等一星期，才表示？英國拚命討好，不成？賀英美正準備直接侵入的威脅，這一切答案很簡單，即北平與莫斯科間，究竟隔着那樣遼遠，請示和訓令，往返要一星期，麥帥文告，英美，莫斯科總要在中共打上一個等，一，一星期的時間，且以英美拉在一起，並要中共對麥帥自主，這樣一來，中共一篇招降文告，難道麥帥的挑戰，就不能不拒絕麼？若對於麥帥，中共既然投降，日，明知道這理，竟要考慮六七天？這個道理，無論如何總有點說不通吧！

就這樣打下去了

中共就這樣地永遠打下去了。據今天報載，三八線中路共軍已加強抵抗，從中共南下的運輸車，及蘇製坦克，僅前日一天，就有千輛之多。我們早已指出，中共決不會退出韓戰，另一方面，聯合國軍不打過鴨綠江。有這足夠力量，也無法不擴大的三八線，形成僵局，無論從那方面發出，牠的意義，都只是製造煙幕，種種傳說，迷惑觀聽。因爲蘇聯既決心要征服世界，要叫中共死在韓戰如何可以結束？越過三八線，不越過三八線，是否中共可繼續談判，有那些迷濛的暗雲，就應可一掃而空了。（舍我）

每一顆運印度米 都含有中國人血

據日來各地電訊報導，大陸糧荒正日趨嚴重，尤其廣東全省，更普遍陷入饑荒中。根據中共「粵中報」消息，鶴山一帶居民，多以土茯苓及「黃狗頭」充飢，西江區屬之封川、開建、鬱南、羅定等縣，目前已入嚴重狀態，各縣無以爲炊人民，佔人口四分之一。而據本港工商日報報導：西江區現有飢民二十餘萬人，平均每日約有百數十人餓斃，羅定縣泗倫鄉，最近竟演出易子而食的慘劇。此時此際的大陸人民，輾轉掙扎於死亡邊緣，眞令人有人間何世之感。

正當這一饑荒擴展之際，消息傳來，中共的大米，卻不斷的運輸國外。除多次運至港澳之外，據「新華社」新德里三月二十一日電，中共輸印白米第一二批，已於二月十九，二十七，二天抵印，共計一萬三千一百噸，第三批亦已全部運抵馬德拉斯，總數共達五萬噸。中共駐加爾各答「總領事」姚仲康，特爲此舉行酒會，以誇揚對印度飢民的關切（見二月二十二日本港大公報）。每一個炎黃子孫，讀到了上列這二段消息，相信都會憤慨萬千，沉痛無限的。

這一現象的發生，絕不是偶然的巧合，而係中共執行莫斯科「消滅二億中國人」政策的具體表現。中共自竊取政權以來，即無時無刻不在貫澈這一政策。其達成的手段，一方面是政治上的大規模屠殺，一方面是經濟上盡量剝奪人民的生存資源，使列入中共消滅範圍內的人民，走上了求生不得的絕境。

近半年來，中共在大陸上所展開的屠殺，其規模之大，範圍之廣，即使中國歷史上以殺人起家的闖獻之徒，亦爲之黯然失色。然而，民不畏死，故「匪」愈「剿」而愈多，「特」愈「鏟」而愈業，於是乃更運用「土改」、「征借」及「收購」三巨斧，來砍斷人民的生活資源。用控制糧食來達成其消滅平民、鞏固政權的手段。據馬寅初的報告：去年一年中共征糧數量共三百四十億斤，折合大米一百八十億斤，中共一九五零年收支概算中，稅收與公糧大致相等，故搜括總額當在七百億斤以上，估大陸糧產總量百分之三十二。

從中共運糧濟印說起

・張丕介・

至於「土改」時期沒收地主富農存財家產之所得，更無法估計。此外，在「糧食公司」「貿易公司」及「土產公司」等「大力收購」下，民間「征借」「清算」後之餘糧，更一掃而空。總計這三項搜括所得，當達大陸糧食總額百分之五十以上。

中共控制了大陸半數的糧食，乃一方面集中輸出，以換取戰略物資。去年僅由香港輸入之戰略物資，即達二十億港元以上，這些物資的輸入，莫不以糧食及土產爲支付工具。據廣州沙基糧食批發商的估計，自去秋迄本年二月止，僅由粵輸出糧食，即達四十萬担以上。最近由華中撥出與印度交換麻包的四十萬包，及與日本易貨的五萬包尚不包括在內。桂粵一帶原爲缺糧之區，在糧食不斷外流之情勢下，饑荒之必至，乃淺而易見之事實。中共明知而故爲之，其殘民禍國之心，固已昭然若揭。

前年大陸饑荒時，災民曾達四千萬人，但中共對外仍一口咬定「中國無饑荒」。去年中共宣傳大陸糧產增加百分之九，「已達於完全自給地步」，因此能有餘糧以濟助印度的饑民。但對目前在大陸找野糧，咬草根的中國人，卻警告他們「不要存有『政府』倚賴」，「加開荒地，多種早熟雜糧」。這種「國際主義」的心理，「希望救濟」的精神，卻迅速……難怪印度朝野之讚賞不置。在毛澤東劉少奇等的眼光中，中國人反正只是他們的工具，犧牲一二百萬人以博取國際上的讚揚，正何樂而不爲呢！

蘇俄一九一七年起，推行戰時共產主義後，直到第一次五年計劃，國內人民因飢餓而致死者六百萬，但他同時施行大規模的「傾銷」，促成世界性的大恐慌，中共今天師承所自，正是如此一套「吃人鬼」故技。印度飢民今天吃下的中國大米，都含有中國老百姓的血啊！

儘量模倣初期蘇聯　國內餓死國外傾銷

救一個印度人 死一個中國人

——對中共大米輸印的透視，甘地有知應爲中國飢民一掬同情之淚。

・黎未頑・

最近，從「北京」電台以至中共一切大小刊物，都非常驕傲的宣傳着大米輸印的故事。據新華社的電報誇稱：「正當印度人民遭受嚴重的糧荒之際，我國根據與印度簽訂的換貨合同運到印度的大米，第一第二兩批已運抵加爾各答（日期從略），共計一萬三千一百噸。第三批大米亦全部安全運抵馬德拉斯港，「中國同意以印度麻袋一萬六千五百包，交換中國大米五萬噸。」

於是，所有屬於中共系統的報紙雜誌，便都認爲這是「抗美援朝」遭遇嚴重挫敗中，最好變換宣傳的「大消息」，他們幾乎一致動員了「生花之筆」，以描寫「新中國」糧食增產的「偉大成就」，他們最得意的論據是：「中國」能夠有大米輸出印度，當然就是「中國」糧食有「剩餘」，中國糧食有剩餘，當然就是由於中國人民的「豐衣足食」。因此，他們除了澈底推翻當必武所曾公開承認的饑荒報告之外，還非常用勁的向自由輿論放射了一支毒箭，說「造謠者啞了」！

照中共最近宣傳所處的低潮，他們能夠及時發表這個大米輸印的「好消息」，當然可以作爲「翻身」的資本。不過，這個消息之無補於大陸人民的饑荒，也無補於中共宣傳的貧乏，卻是任何一個有識之士所有目共睹的。因爲：第一、以共黨中國估地之廣，以人民政府」搜括之嚴，以五萬噸食米輸出的數字，實在微不足道。最近，台灣對日本食米輸出，就達二十餘萬噸，比對之下，中共祇有顯得相形見絀。第二、目前大陸人民實際就是普遍饑荒，華北人民多數食小麥小米，華南人民多數食蕃薯、大芋，這已算是「小康」之家，因爲過去吃樹皮草根者，早已填於溝壑了。第三、中共已往一年多，幾次所用的徵糧手段，都是渴澤而漁，民間根本粒穀無存，所有糧食都被「中共」收入「公倉」，「集中管理」。現在快要進入青黃不接時期了。祇廣東一省，就有二十幾縣呈現了饑荒現象，而中共反於此時有大米輸印，正是對北京王朝無言的諷刺。因爲由此適足證明，中共祇是爲了「粉飾太平」，它是可以不顧人民死活的！

或者我這種解釋，中共論客會表示不服，那麼，我可以再舉一件本來不願引證的事例，以見今天中共輸印的大米，其中就不知織了多少人民的血淚，如果印度是佛教發源地，如果印度人民都有「愛人猶己」的思想，我就希望他們在要吃這些中國大米之前，先看看這一節悲慘的故事。據廣州廿二日訊，有紫金縣人羅偉權者，過去曾任國軍連長，在「解放」後在東江組織「飢餓團」，號召鄉人反抗中共，最近失手被捕，廣東「省府」遂批准紫金縣「人民法院」將羅某就地槍決（大意見廿四日星島日報華南新聞版）。

這一節事實的本身，說明了甚麼呢？就是今天被關在大陸鐵幕的人民，根本就不許對飢餓提出控訴的，誰要不滿足於飢餓的生活，誰就是「國特」、「匪類」，非殺不可！中共便是靠了這一種「以殺止飢」的手段，一方面脅迫人民不敢保存糧食，一方面鎮壓人民不敢對飢餓反抗，這便是中共此次輸印大米的主要來源。我想印度人民如果有機會食到這些中國大米的，最好不要忘記在聖雄甘地的靈像之前，懺悔贖罪，因爲甘地生前悲天憫人，在他的許多偉大遺訓中，曾經說過有這樣的幾句話：「如果要我以暴力反抗奴役，我是願意捨棄暴力而忍受奴役的。」而在中國的古代格言中，也有孔子過盜泉不飲的說法，我想這種崇高的思想和節操，應爲印度人民所共喻。但是今天中共輸印的大米，每一顆都是出於暴力所刼奪，換言之，印度有一個人因食米而得生的，中國便有一個人因爲飢餓而致死！這一悲慘的對照，印度人民竟會無動於中嗎？

正當大陸人民掙扎在飢餓深淵，而期待自由世界給以援手之秋，中共爲了換取備戰物資，不惜犧牲人民之生命，以濟印度的糧荒，這眞是中印歷史上千古難磨的污點。如果甘地在天有靈，他應該爲中國飢民一掬同情之淚。只可憐尼赫魯之流，爲了自私和自蔽，竟然昧着良心，與中共成立換貨協定，這種「貨」，實際就是中國人民的血淚！如果後世有公平的歷史家，一定不會忘記寫上這一筆。中共論客說「造謠者啞了」嗎？我只希望他不要連一點起碼的良知都失掉！

滬共通知幹部 準備疏散西北

時代週刊說：延安窰洞已修整一新

第三次大戰，何時爆發，沒人可以預測，中共雖強作鎮定，但內心是焦急的。據上海傳來可靠消息，華東財經委員會副主任陳穆最近曾向所屬各機關以及人民銀行上海分行之類，下令集中重要文件，準備必要時向西北疏散。各機關職員因此大感恐慌，其中幹部份子，召開一祕密會要求陳出席報告，如果此必要時期到來，對渠等及眷屬生命，有何保障。陳當告以此事早經籌妥，現華東方面，已集中卡車一萬輛，隨時可以調派使用，重要物資，決不會留一絲一分給國民黨和美國人，我們的幹部，也決不會留下來讓敵人鬥爭清算。

本月廿六日時代週刊上，在「亞洲戰事」一欄中，也曾道及，中共已大量將津滬居民，疏散內地，北平偽府，已令所屬各機關準備隨時遷移，延安舊窰洞，業修整一新。該刊謂「此一革命的政黨，現已站在一被革命之危機前，驚懼發抖」。（大哀）

啟事

孟超、游子然、衣、蔡所諸先生：稿費已結算完畢，請示地址以便寄上稿費單爲荷。

編者白

楊亮功襲德柏在台

何來赴平靠攏之謠

・丁一・

楊亮功新任監院秘書長

此間報紙，近屢有載前安徽大學校長，老監察委員楊亮功如何受中共之遇靠攏消息者，謂楊在北平云云。查楊自大陸淪陷後，即隨政府遷台，全家住台。渠原由教部聘任爲國立編譯館館長，以繼梁實秋。惟監察院長于右任，則以該院祕書長一職，虛懸已久，堅請担任。楊因編譯館工作，於本人習性，比較適宜，而監院方面，則過於繁劇，不願棄彼就此。最近，于氏以病後衰弱，必得一幹練老友爲助，重申前議，楊情不可卻，業經承諾。據日昨由台到港者談，一週以來，楊已非正式的先到監院視事，現只待若干手續辦好，即可明令發表矣。可見楊在平靠攏，實完全無稽之談。

上海中共報紙謂襲已赴北平學習

中共一方面對知識份子大事屠殺，一方面則有時又故意造謠，謂如何歡迎知識份子，投奔大陸。尤其對忠貞昭著而深孚時譽者，不惜一再誣衊，一經傳播，聽者不察，極易受其利用。上述楊亮功靠攏之謠，其來源不外出此。又二十年來堅決反共，且有大砲稱號之襲德柏氏，自前年由京轉穗赴台，始終未離台一步，但中共報紙，曾一再載其如何向中共表示忠誠。最初謂南京淪陷時，渠曾執旗到下關歡迎解放軍進城。不久以前，中共在上海之唯一小型報——亦報——又載稱：襲某自台灣逃出，已經中共收容，送往北京學習云云。由此，可見中共處心積慮，無非欲將一切忠貞不屈之士，均塗上糞污，藉此欺騙大陸同胞，以爲中共尙如何能吸收知識份子也。

自由思想與極權思想的搏鬥（下）

欺騙決征服不了世界，自由確具有無限力量

By Joseph G. Harrison　許孝炎譯

在納粹主義，法西斯主義與共產主義之間，固有若干極端類似之點，但根本上卻有大不相同之處，前兩種主義，主要的是要用劇烈的手段，維持現狀，阻止社會的和經濟的關係發生變化，（我們從目前佛朗哥在西班牙的種種措施可以看出），但共產主義所根據的前題則恰恰相反，它主張凡目前在非共產主義國家中存在的一切社會秩序，應澈底推翻。

馬克思主義的基本教義，認爲在一個或幾個國家所組織的集團中，由現存經濟制度和機構的型態發展出新的生產力和生產手段，但在新的生產力和生產手段一產生之後，即時就衝破了現存的經濟制度和機構的型態，而使之不適合於現在的生產關係。馬克思主義者斷言，這一個過程，一定要產生勞動階級反抗資本家和中產階級的衝突，最後的結果，則爲「無產階級專政」，而使生產手段收歸國有。從這一個中心論點，發展而爲一套含義廣泛，內容複雜的教條，即大家所稱的馬克思、列甯主義。這一種主義已深入一切堅定的共產主義信徒的思想，而牢不可拔。

共產主義激起狂熱 人類天性終難改變

藉着這一個教條的推動，共產主義的傳播，竟可謂無遠弗屆，它變換了許多國家的型態，顛覆了許多國家的基礎，爭取了許多狂熱的信徒，而到今日，幾乎控制了七億五千萬人類。

不論它能得到怎樣的勝利，在馬克思主義的世界中，仍然存在着許多內在的矛盾。就經濟方面來說，莫斯科已發覺，要實施百分之百的共產主義，事實上是不可能的。列甯曾經說過：「官僚制度和常備軍，是資產階級社會的特徵的——是由那些足以使社會解體的內部對立所產生的寄生蟲。」但是現在，俄國是一個官僚制度色彩最濃厚的國家；而它的常備軍，除了共產黨所控制的中國之外，也是世界上最大的。

因爲無法誘導人民甘心情願的爲社會多做工作，而不要僅只爲個人打算，莫斯科現在被迫不得不採取提高工資的制度，藉以增加生產，其結果與資本主義社會中的所謂「激勵制度」毫無區別。因爲無法消滅個人奮鬥心理，莫斯科現在只好創造一個統治階級，讓大家拚命向上爬，希望爬上去坐享繁榮。因爲它不把人類當作有理性的生物看待，共產主義只好設立一座神廟，裏面供上許多神位，而把一套又一套令人聽來作三日嘔，而且還要笑破肚皮的歌功頌德的文章，向之讚誦。

爲大多數人謀幸福 美國成就大於蘇聯

馬克思主義者宣稱，要批判社會主義的哲學，只有根據一個正確的標準——爲大多數人謀最大的幸福，倘若這一句話是對的，那末，今日的美國在「社會主義」方面的成就，實在較蘇聯爲大。

至於俄國人對於共產主義的國家，究竟願否效忠，各方對這一個問題，還有不一致的意見，不過有一件事實不要忽略，即當德國軍隊於一九四一年第一次進攻烏克蘭時，有好幾十萬烏克蘭人請求入伍參加德軍，這是有記錄可資考證的。

在社會主義的英國，工黨也曾經和蘇聯一樣，遭遇過同樣的糾葛。這是很值得注意的。拿英國煤礦的情形來說明，在煤礦收歸國營之後，英國煤礦工人爲工黨政府所生產的煤，可能比較以前替他們私人雇主所生產的要多一點，但是比工黨政府希望他們能生產的量，還是要少得多。

礦工們不跨在煤礦裏，忠心耿耿的替社會主義的英國生產它所需要的數量，反而跑到其他的地方去，毫無顧惜的置煤礦於不顧，使倫敦政府被迫，不得不違背當時的經濟現實，提出種種金錢上的引誘，以圖增加煤產。共產主義和社會主義，對於企圖改變所謂人類本性，沒有那一種主義，能收到些微的效果。

在法西斯主義與納粹主義的兩種哲學中，全世界人士已經看到，由它所產生出的制度，無論從任何方面觀察，都完全是消極的。法西斯主義或納粹主義產生於經濟恐慌的時代，而其領袖又多爲亡命之徒和不滿意的份子，因此這兩種主義所賴以解決社會糾紛的手段，就是要樹立一個全能和半反抗性的國家，控制經濟的活動，消滅政治的選擇，和壓抑暴動。它利用種族偏見，國家主義和軍國主義，來當作這一種制度的支柱。

就義大利法西斯主義的情形而言，它的領袖們竟爲他們自己所說的話迷惑，而把罪惡，當做權力，因而這一種制度就在戰爭的緊力之下而告崩潰。德國的納粹主義雖比義大利法西斯主義產生較大的物質力量和穩定，但到了最後，也變成它自己宣傳的犧牲品。

假如自由世界把它思想上敵人——特別是共產主義——的力量和決心估計低了，那將爲一種嚴重甚且爲致命的錯誤，但是無論那一種主義，倘若它否定自由，而依賴強制，只講求欺騙，而不重道義，這一種主義的本身就潛伏着失敗的種子。

在面對危險的時候，只要我們能神智清明，團結一致，不爲孤立主義所誘惑，願意爲人類建立一個較好的世界而犧牲奮鬥，那末自由世界對於其未來的命運就無所用其焦慮。自由的本身就滿孕着一種內在的力量，這一種偉大的力量，絕不是二十世紀所產生的各種理念所能比擬的。（完）

共區觀感之二

古物一萬八千餘件 被迫全部捐獻

搬走了聽憑處置 不許附任何條件

衛聚賢

我是研究上古史的，感覺到書本子太空虛，乃注意古物。我在上海所搜集的，在二十八年我離開上海後遺失了。我是二十九年在抗戰的後方又開始搜集，在重慶，在成都，在西安，以及蘭州西寧敦煌，均是我親自去搜集的。而長沙的，大部分是由古董商運到重慶的。三十五年三十七年，我兩次到武漢南京上海杭州，又搜了一大部。我搜集的種類甚多，陶器、磁器、石器、玉器、銅器、漆器、字畫、拓片、繡花、苗民等服裝及用具，滿清及民國以來的檔案，宗教、門神、年畫，應有盡有，可以開一個通俗的博物館。我在抗戰期間，在重慶、成都，涪陵、內江、自流井，昆明各地，共開過三十多次展覽會。

命令捐献古物 要說全出自願

去年四月初，西南文教部，派馬耕愚（他是西南文教部文化處主管古物圖書的科長），到我家裏，是問我古物有多少，是些甚麼古物？我就指給他家中堆的這四十七箱，曾經整理過兩次，但都裝亂了，後來的未加進去，一時答不出來，是些甚麼，共有若干件；他說重慶在三個月以內，要成立西南博物館，希望我把古物全部捐了。我當時對他說我搜集古物的目的，是：

㈠不是將古物作買賣，即賤買貴賣，想從中圖利。

㈡不是爲賞玩，即自己愛好古物，而作保存。

㈢是擬陳列起來，求其演變之跡，將重要的照像繪圖，插入我的著作需要中。

關於第三點，因爲我沒大房子，陳列不下，是以在民國三十六年多，請求重慶市政府撥屋，名義爲「重慶市博物館」古物由我出，經費由我籌。重慶市政府以市祕二字第一一九九號批，以公園路九號無主房屋一幢，令地政局財政局會同接收交給我。後來房鄰袁宗周出首，與中央信託局徐紹穀及地政局梅局長勾結，不交出房屋，我沒有法子，只好仍放在家裏，我將以前交涉房子的其餘文件十餘項交馬耕愚，他帶回來看了，着我寫一封信給西南文教部。過一天他們來了三人，說在我原函上要加入「自願無條件捐獻」七個字，以後一切，不必我管，並不許我再提任何辦法，我就只好在原函上加入了這七個字。他馬上僱力夫搬去，共計四十七箱，搬到羅斯福圖書館，但須由我去負責整理，逐件標籤，註明種類、名稱、用途、時代、出土等，共計一萬八千餘件。尚有古錢約一萬枚，鈔票兩箱五大包，檔案十二綑，在未清理以前，已經發現一個整金製的佛遺失了，他們要澈底追查，因而就停止整理。以後也沒有再叫我去做整理工作。

捐獻數字 官報模糊

以後的發展如下：

（一）羅斯福圖書館改爲人民圖書館。開幕時，由共產黨西南軍政委員會副主席王維周演講，說：我們今天感謝衛聚賢先生，給我們捐了大批古物，共若干箱約若干件，那是些甚麼種類，報告了個大概。第二天大公報新民報都刊出來了，而新華報上一字不提。

（二）北京文物局派唐蘭到重慶，將我的古物提走一百三十餘件，他們在圖書館開歡迎會，唐蘭上去演講，除大罵中央研究院外，報告了各地捐古物情形，如背流水賬似的，背了一大片，但「衛聚賢」三個字未提。演講完了下了台，對我說：「對不起你，把你忘了」。

（三）北京文物局出了一本「文物參考資料」，將各地捐的古物，逐一開列，從他們當權起，至去年八月，共計四十八宗，別人捐了一枚開元錢也都記上，關於我的古物，他是如左列的記載：

「重慶說文社創辦人衛聚賢先生，將所搜集之古物及民俗物，約四十箱，九二一號，捐獻政府，已由西南軍政委員會接收」。

試問這『九二一號』四個字，如何解釋。是列入九百二十一號呢？還是只有九百二十一件呢？依照新華報上不發表消息，唐蘭演講不提我名字，文物參考資料上用含糊的數目字，是在玩什麼花樣，我眞無法推測。

教授反對搬京 中共置之不理

唐蘭到重慶提取我的古物，我知道了，我給西南文教部寫了封信，說北京爲遼金元明清五個朝代建都都一千年左右，以帝王之力搜集古物，當比我私人於民國二十九年開始搜集多而且精吧！何以要派專人來提取。如果提走了，不是只注重中央文化，而不注意地方文化麼？他沒有回信。又出重慶大學何魯等五十餘人去函，要求我這批古物不應提走，也沒有理。

郭沫若捧過我 現在信也不覆

鄭振鐸唐蘭都是老友，照一般情理講，鄭爲北京文物局長，就是要提我的古物，他私人也應給我一封信。唐蘭到了重慶，也應先來看我。他們均不如此作。他們是『一朝權在手，便把令來行』了。這裏我再附帶的說一句，郭沫若在抗戰時間，大家都知道他與我私人往來的相當好，而且他作文章捧我也捧的相當利害。但到了重慶解放後，我爲古物保管問題，給他去過兩封信，他未有回信，，他們都成了統治者，，被統治者那有資格和他們打交道！

博物館開辦要等三年 搶去古物已一部霉爛

我這批古物拿走後，沒有下文了，放在圖書館潮濕地方，去年重慶秋季下了三個月雨，這其中鈔票檔案繡花苗民服裝等，不是都霉爛了嗎？馬耕愚由北京開會回來，我問他重慶博物館何日成立，他說：一九五三年，昆明貴陽成立博物館，已列入預算，重慶[illegible]由原來文教部自行設法[illegible]文化事業費又減少了，是以重慶博物館[illegible]。我[illegible]七十[illegible]年多心血搜集[illegible]一批古物，[illegible]供大衆參考之用，[illegible]偷竊的，毀壞的，[illegible]結果，現在想起來，能不令人傷心！

學生不再被僞裝愛護

中共向華南青年開刀

閩雨中學學生被殺百餘人

・益志・

過去我們所聽到的，是共產黨在大陸上隨便拘捕扣押了許多無辜的順民，並無法無天的凌辱其精神身體，侮辱其人格。至去年多天，才聽到他們在各省市縣鄉鎮的普通集體屠殺，但其所屠殺的都是所謂政治地主，和普通的地主，及其所謂惡霸、善霸，國特等等。至於學生教職員和校長們，除華北和東北方面時常有被槍殺過外，華南方面還是少聽到的。

昨自福建來香港的青年，說閩南雲霄中學，講授歷史的教員，說民十五年北伐是葉挺領導的。對日本抗戰是毛澤東領導的。又說對日本的勝利是蘇聯出兵打勝的。學生的筆記對於他所說這點，在括弧內，或寫着「未必」，或寫着「靠不住」，或寫着「沒有這回事」，嗣後被學校當局發覺了，就扣押了幾十個學生，其中十八人被槍斃掉。

詔安中學的學生不知因何事故，也被拘捕了一百多人，其中被槍斃的達八十餘人，而教員亦被槍殺了六人。

兩校長鎗斃以後 再拖屍遊街示衆

前雲霄高中校長高連魁，及小學校長吳紹基，亦同時被槍殺於雲霄之海邊，讓其被潮水灃浸，次日復將該兩人之屍體拖到城內去遊街示衆，然後再拖到海邊去，而不許其家屬爲之安葬，任被鳥犬啄食，查高連魁原係一安份守已之士，一生最大部分的時間都是做中學的教員，抗戰期中才被選爲省參議員，雲霄高中成立時，省教育廳找不到相當的人士爲校長，乃要求該屬人士保薦，大家都說高爲最上選，但高始終謙辭不就，最後是由該屬人士及教育廳一再勸勉，高爲着公誼私情的難卻，乃說他祗能負責一學期，使該校開課成立，幸幸學子免受向隅之歎，但在該學期內必須迅選相當的人員接替他，以免再行發生校長的問題，他個人因身體的關係是不能担當一學期以上的校長職務的。但在該學期內他經央三託四的求去，結果是教廳和地方人士都找不到接替之人，所以再勉強他多担任了一個學期，那知他會因此得到這樣慘酷的橫禍。他本是東山縣的人民，因爲他做雲霄高中的校長，故被中共拘捕到雲霄去清算。

吳紹基一生是做雲霄集友小學的校長，後來因環境的關係，加入了青年團，解放前就已經辭掉了，然而也就受着這樣的慘死，眞是任何人所料想不到的。

其實虎狼成性的共黨，他不但是以同胞人民爲敵，而且是以全人類爲敵，說甚麼他是只要吞噬那些有地位資望的智識份子，有土地的地主，有資產的資本家，和共產黨的所謂惡霸善霸（據共黨對善霸的解釋，是說惡霸無辜衆，惡霸有辜衆，故善霸更宜從速處决。）國特反革命分子。然實際上，他是所有人類都是他吞噬的對象，幷沒有如一般人所說的，他最恨的是各階層的老年人和壯年人，而學生們都是他所要爭取的人，我們看雲霄中學的學生，對於歷史教員顛倒衆所周知的事實，不過起了一點小小的懷疑，並不敢和撤謊教員發生劇辯，這樣也被拘捕了幾十個人，幷且殺了十八個人，這能說虎狼的共黨，只要殺老的壯的，而不會殺掉青年的學生們嗎？

老實的說一句，虎狼的共產黨，今後不但會盡量的吞噬了中國的非共產黨人，（當然不論老的少的）且會殺盡了所有一切的叢擁分子，然後再殺盡他底狼羣中的比較的弱者，最後才殺掉他在目前虎威最盛的巨虎，因爲在中國的虎狼黨，還有克里姆林的虎狼王管着他們的，這個虎狼王最忌刻的是有軍權和有權勢的人，將來這羣中國虎狼吃够了中國人以後，假使莫斯科和北平這兩個虎窟還沒有毀滅掉，這些最有虎威的老虎，應該就會死於虎王的手了。

四家家屬被殺光 半歲嬰兒亦不免

我再舉共黨是虎狼成性的實據：漳浦的陳達元，陳祖康，華安的黃雨定，和廈門的李思賢這四人的家屬，據逃難來港之人所言：都盡被共黨屠殺了，並且連在襁褓的半歲嬰兒亦不能倖免，這若不是猛獸的心肝，何至這樣的毒辣呢？所以說共產黨一定是恨什麼人，才去殺什麼人，這完全是不確的。襁褓的嬰兒有何可恨，爲什麼他也要殺掉他呢？所以這羣的共黨，他們已經完全喪失了人之性了，最近期間他若是不會起了虎疫，恐怕大陸上的同胞們，不知道還要被噬多少千萬的無辜呢！

其最野蠻無人道者，莫過於槍斃無辜之良民時，概對準其頭蓋，使其腦漿噴塗地上，名爲「清洗頭腦」這種殘酷無人道之情形，雖當時日本征服我國的地方，亦未敢如是之殘暴，乃虎狼之共產黨敢到處用這種破古今中外歷史所未有的殘忍，來對待其自己的同胞，是誠亂世之猛虎，毫無人性之暴徒呀！

當心共區親友安全

香港寄信要注意

最近自海外寄往內地的信，回音總是那麼的輕描淡寫，或者是答非所問，甚至渺無回音。這個疑竇，筆者從一位新近到港的流亡客口中，得到一個解答。

約自去年二月起，與中共實行大屠殺同時，中共在「管制」上了軌道的若干地區，（按西北現已普遍實行，上海漢口是否也已實行，筆者不敢妄斷）已實施「通訊管制」，特別是對海外的通訊。海外寄去的信件（包括一切郵件）除經過當地郵局常駐的公安人員執行檢查之外，郵件已不復由信差直接交收件人，中間要經過收件人居住地的「居民組長」的轉手。

「居民組長」和收件人共同展讀了來書之餘，首先使得向收件人「瞭解」與寄件人的關係，跟着就是數不清的「疲勞訪問」。話題便以[illegible]

東方人「自由」不值錢

—上接第一版—

藉口公衆服務 政府接管報館

[illegible]

美國副國務卿 到阿無法開口

[illegible]

美國輿論憤激 主張打倒貝隆

[illegible]

一切為了大團結

·陶樂居·

總結過去我們經歷過的慘酸旅程，那怕是最微末的一片枯葉，都應該拾起來，珍惜它，拿來做我們痛楚啓示的財產。

我們不掩飾過去的挫折，更不怕敵人的冷嘲熱諷。自由主義者的靈魂永遠是一塊無瑕的聖玉，最大的和最高的品質是具有絕大的勇氣，接受那過去的教訓。自由主義者只能承認暫時的挫折，但不能同意我們從此失敗了。

誰還堅持我們已經敗了陣，那他是甘心束手，向自由主義者的共同敵人無條件投降，扯起白旗！

橫亘在我們過去旅途中的一道最深的壕溝，那應該是自私慾望的黑影。譬如一股山泉，一塘池水，四周都是大大小小的漏洞，分散了的水，怎能經得起陣陣勁風吹摧，烈日乾烘？人人都在奔忙，叫喊，但是：私的慾望卻一直在提高，結果呢，不是一陣又一陣的敗仗嗎？

揚棄私的，比什麼事，比什麼時候都重要了。

私的慾望過去曾成為一道可怕的高牆，隔開了真誠和友誼，像大廣場裏的玩藝人，散散落落的篷帳，各自獻技，敵人卻正乘這弱點，像一股魔風，篷帳不是都已連根拔起，各自失去了憑藉？

私的高牆不管它築得多高，天地是有限的！

把一切智慧，慾望都依附到整體上去，提高它，提煉它，匯集成自由運動雄厚力量的深根。

大團結比什麼都重要，猜忌最可僨事！

送夫參軍

短篇小說　·方人·

湖南岡陵起伏地帶，鄉政府所在地的一個村莊。

在「抗美援朝」的動員大會上，變喜嫂表現得十分積極。

婦女會來了，前面敲着鑼鼓，後面走着黑壓壓的婦女羣衆。變喜嫂便跑着迎上去，走在前面扭起秧歌來，嘴里高聲在唱。

婦女隊也隨聲起舞了。一曲過後，台上起了一陣吼聲，台下千百雙手掌在拍。一個穿着棉幹部服的區教導員，拉開嗓子在喊：

「變喜嫂同志唱的好不好」？

「好……」像雷一般的衝動。

「再來一個要不要」？

「要……」。

可是變喜嫂沒有循着羣衆的「民主」要求，而臉上紅紅的帶着花喜鵲樣的表情，領着婦女隊走進人叢中去，於是一串黑大鳥鴉樣的老大娘，大嫂子們，魚貫走到主席台最前面去，坐在鋪着稻草的場地上。一陣竊竊私語。

「誰家的」？

「劉家膽的，叫變喜嫂」。

教導員站在台上，如老鷹展翅般的揮着雙手。

台上排列着四條木凳上坐滿了人，區長，鄉長，鄉支書，新青團組長，農協會主任，中心小學校長，都在，像往常開鬥爭會一樣。

教導員向台下羣衆行了一個敬禮，操着北方人的官話：

「各位同志，美國戰爭販子要打到我們的國土上來了，毛主席號召我們出兵到朝鮮去參戰。今天，這一個動員大會，就是徵求我們的共產黨員，新青團員，積極份子，誰願意自動參軍，到朝鮮去爲黨立功？有勇氣的請站出來。婦女同志，應該是『母勸其子，妻勸其夫』來完成這一個光榮的任務。不要自私，不要拖腿，我最後提醒大家一句，參軍的是好漢，怕死的是歪蛋」！

「參軍是好漢……怕死是歪蛋……」。台上十幾張嘴吧在喊，台下也有七零八落的呼應。但人叢中有人在面面相覷，互相耳語。

教導員在台上來回的走着，低着頭想主意。突然！手指着掛在台中央的一面錦旗，向台下高聲說：

「說啊！誰願做第一名參軍英雄，這一面旗子便送給他，掛在他家大門上，是多麼光彩。」

寂然。

一個鄉自衛隊長，背着匣子槍，走向變喜嫂的背後去，推着坐下了。

「說啊！我們昨晚計劃的」。

頭搖了一下，兩隻眼睛打着問號，變喜嫂顯見有些變卦。

「沒有關係，這不過是起一個帶頭作用，我保證在支部里選你做組織」。

「什麼叫組織？」

「我不願意，我喜歡做個會長」，嘟着小嘴兒。

「好，隨你說，婦女會會長，是不是」？

「說啊！現在你已是候補黨員了，黨員是應該帶頭的」。

中隊長：「不要騙我喚，中隊長」，滿眼是疑雲。

「那里會騙你」。

中隊長說：半起身，半害羞的，又坐下了。

「喂！中隊長，我不過說着做做樣子，我不能讓變喜嫂真正去當兵」，變喜嫂最後又牢騷了一句。

「死腦筋嚜」。

第二次站起來，掠了一下辮髮，囁嚅的說：「教導員，我願意……」。

會場上千百隻眼睛，一齊釘準了這一個年紀輕輕地小婦人，變喜嫂好像遭受了什麼威脅，心里一急，胸口卜卜地，額角上冒着汗珠，想坐下去好像着了定身法，繼續說下去，已經沒有勇氣了。

「好，變喜嫂同志，志願參軍嚜？不過上級的指示，暫時不要女的，因爲農村的女同志，缺乏文化」。教導員挺着胸脯，站在台上。

「教導員，不是這樣，她願意送她的丈夫劉變喜志願參軍到朝鮮去」。中隊長代她答了話。

「歡迎，不過劉變喜同志本人意見如何」？

「也願意，她們先經過醞釀的」，又是中隊長代答。

台上的人，互相交換了一下意見。教導員重新又走到台口，領導着高呼起來：

「送夫參軍，無上光榮」！

「婦女模範光榮」！

人聲像潮水一樣，一起一伏地響着，變喜嫂站在人叢中，呆若木雞。耳朵里「嗡嗡嗡，……」。直到她回復了知覺，她是被叫到會棚台上去了。手里擎着一面「光榮之家」的錦旗，站在正中，兩邊並排着四個青年農民，胸前皆掛着一朵英雄大紅花，在羞澀的衣襟上，頗爲觸目，台下的人流，一簇一簇的散了。

一陣晚風，變喜嫂打了一個寒噤。她的丈夫是已被留下，參加當晚的英模會議了。

旅美雜紀

鮮花是奢侈品

陳香梅

還有一件事值得述及的，就是送鮮花的賞錢。當我們住在紐約和華盛頓期間，許多人送花爲禮。美國鮮花身價眞高，一打上好的玫瑰就要十元以上，還有一種美國蘭花（此花在台北的士林園藝所植很多，實在美麗。）美國婦女赴宴或舞會上帶的，上好的有時價值十五至二十元之鉅，爲了如此，每次茶房送花到房間來，你就最少給他廿五分至半元，其後要侍女拿花瓶到房間來，你又得化費廿五分錢。假如每天有人送花爲你插放，那麼你就不勝負担了。說起來也算是笑話，當時外子看見人家常送花給自己的太太，不免有點不好意思，所以三天兩天也以鮮花見贈，後來我老實對他說明，請他不要破費。鮮花在美國是奢侈品，以我們的經濟情形而論，實在沒有資格時時買花，何況我們又是老夫老妻了。

在華盛頓很多古跡名勝，我們在週末常駕車遊訪，外子對於歷史陳蹟頗爲熟悉，他常告訴我，那兒是南軍投降的地點，那兒是英軍大敗的戰場，那兒是林肯的紀念碑……。我覺得華盛頓的總統的故居最有歷史意味，那是在郊外山林叢中的一所非常莊嚴的古舊房子，有玫瑰園，有僕役的居室。在那數十個房間的大廈裏，還放着華盛頓所睡過的床，坐過的椅子，和許多零碎的東西。那兒遊人終日不絕，尤以在假日爲甚。

華盛頓的櫻花，要到四五月間天氣轉暖才開，開時雪白一片，在傑弗遜湖邊，微風過處，落花流水，無限詩意。據說這些櫻花是一百年前自日本移植來的，華盛頓的氣候和日本東京差不多，所以能如此繁殖。

女學生兼當保姆

在美國帶着孩子旅行最感不便的，就是當你有應酬而孩子又找不着適當的人來照顧的時候。在美國有些中學的女孩子每在晚上兼當保姆，以賺取幾個零用錢。她們的工作每一小時，可得七角五分至一元，可是這些女孩子們對於育嬰並沒有多大經驗，有之也是臨時抱佛脚，書本上得來的方式而已。爲了這個原故，我對她們實在不敢領教，因此假如在日間我要出去的話，就把孩子帶着一道，晚上要出去，我就請一位護士來照管孩子。她的工價比女學生稍貴一點，不過較有經驗。

（七）

學習的原則

越國共產黨勞動黨成立，致電毛澤東表示「敬意」，說要必向「毛澤東思想學習」。

毛澤東的「思想」中，最不該學習的當是「新民主主義」與「寬大政策」了，這一套人家早已洞悉，如加採用，豈不是在假面具還沒有戳上以前，就預先告訴人家其面目是怎麼一個樣子。

感謝史達林

匈牙利將明眞諦大主教囚之於獄，感謝史太林。

馬屁拍得過份，雖免露出馬脚，這是匈牙利還不如中共的地方。中共以數百萬青年送命於韓國戰場，到今還沒有明言感謝史達林爸爸呢。

牛乳與稻草

南方日報載廣東東江各縣「熱烈展開春耕。兒童發動檢糞運動，農協會設立鐵爐幫助農民製造農具……」。

要牛多產奶，當然須先設法多餵稻草。牛奶有了增產的希望，牛主子自應該多預備幾個盛奶的桶，所以，中共的徵糧當局也得早些有所準備才對，多備幾個特別大的米袋，還有，該是幾條特別短的褲帶。

感想篇　·巴大明·

向「部長」檢討

·周晉·

另一個名叫陳毅的，担任了中共的軍中文化部長，最近向二百萬爪牙提出「鼓勵」，要求除了「提槍」之外，還要瞭解文藝，必須寫作如托爾斯泰，唱歌如羅拔遜，繪畫如畢卡索，跳舞如尼金斯基，四個人之中，沒有一個是中國人，更沒有一個，是土生土長的土八路。

假如像「野百合花」「八月的鄉村」事件一樣，這位部長該大受批評了，四人之中，托爾斯泰是大有問題的，他的「戰爭與和平」是一部眞正反對戰爭的巨著，和今日僞裝的「保衛和平」大有距離。連「復活」在內，托爾斯泰只是一個描寫舊俄羅斯罪惡的能手，而今日囂張跋扈的紅色黨徒們，以爲類似的時代是過去了，托爾斯泰應該代之以高爾基（連普式庚，戈果里都是欠妥的）。這樣的錯誤，在這陳毅的主子方面，必定認爲不小。

事實上「鼓勵」也是多餘的，這二百萬人共着一個命運，有如托爾斯泰「復活」裏的流亡的悲劇，用着羅拔遜悲愴的低調，跳着死亡的舞步，而這悲而，將是少數惡魔驅使他人走進墳墓的前夜。

人造「原子衛星」的奇想

現在眞是進入了一個原子能的時代，不但各國都在拚命從事原子能的研究與發展，若干野心國家還想藉原子能方面的重大發明發現來控制世界，像近日阿根廷關於發明原子能熱力反應的聲明，不論事實究竟如何，其在國際政治上的野心確已昭然若揭。

在美國，確也在做着同樣企圖，她的方法却是要打破空間限制，使人類能藉原子能之力去征服天空。

據美國專欄作家皮爾遜透露，美空軍科學家正在鄭重考慮製造一種「原子火箭」，從懸在高空的一具金屬所製的「放射場」，向地球上的敵人射擊。因爲那發射場是高懸空中，可完全不受地球重力所影響。那簡直等於一具龐大無比的飛碟，用原子引擎做爲動力，用電子裝置來控制。

空軍的科學家正在從事有關奇想的研究，製造一種强力的原子引擎，可以衝破地球引力限制，從地面昇至高空。要衝過這一限制，達到距離地球表面二百哩高的發射場，需要有每小時二萬五千哩的超高速度。

把電子裝置的飛機，管導發射器和原子引擎結合起來，科學家相信他們能够製成「空間發射器」，可以衝破圍繞着地球的重力限制。

他們相信，首先能够衝破這一限制，並到地球外圍的空間去設置據點的國家，就一定能够控制世界。唯其如此，所以空軍在竭力從事。

在空間發射器完成之後，準備續製「空間船隻」，以便使人類能抵達月球。空軍科學家相信這能在二，〇〇〇年以前完成。

這聽來好像天方夜談的故事，但確是科學上未來的事實。

·紉之·

風雲人物

英新任外相　摩里遜

近事：本月九日繼貝文任英外相。

年齡籍貫：現年六十三歲，出生於南倫敦郡南部布利克斯頓地方。

家世：父爲警察，母曾爲女傭。

出身：曾受小學教育，十四歲時即輟學。

經歷：曾當聽差，店員，電話接綫員，一家工黨報紙之助理發行主任。二十七歲時兼任方成立之倫敦工黨祕書，週薪一鎊。一九二三年當選爲下院議員，一九二九至一九三一任運輸部長。其後（一九三四——一九四〇）成爲倫敦郡議會領袖。第二次大戰期間在邱吉爾之聯合政府中先後担任內務大臣及國內安全部長，負責國內防禦工作。自一九四五年工黨當政後即成爲艾德禮首相之主要政治策略顧問，渠身兼副首相，樞密院大臣，及下院領袖，而掌握立法與行政之大權。

生活及特性：出生甫三日即因意外而喪右目，身材較常人略低，稍見肥胖，髮强勁不曲。常穿現成服裝，不重修飾。喜跳舞及飲酒。愛好電視，并認爲應使電視機之售價儘量減低，俾人人均有機會享受。

·雷門·

紛紜的維也納

奧女官愛蘇聯軍人遭禍

秦辛寧譯自「鐵夫」雜誌

俄人好追究往事，他們所認爲遺忘也決不會涉嫌從事反蘇活動或使逃亡反蘇情報的任何人。蘇聯稱此種報復之下的犧牲者，可以一個美麗聰明的女郎爲例。

她叫瑪格麗，還二十九歲，曾經過奧國經濟計劃部的高級官員，她被一九四六年，一名蘇聯軍官愛上了。這軍官後來潛逃，避入西方國家，她就成了蘇聯目中的間諜人物。去年她乘車經過蘇管區，自以爲憑她的官員身份，照理是不受俄方干涉的，但結果還是給一個蘇聯武裝巡邏兵逮捕了。

奧國政府提出抗議，但祇得到維也納蘇管區紅軍副司令齊爾吐夫的冷酷答覆，說：「瑪格麗因教唆蘇聯軍官潛逃，已被蘇聯法庭判刑二十五年。」

俄人追究奧國官員的舊事，例證不勝枚舉，另一個受難的是卡歇爾。這人原是一位鐵道專家，曾在納粹監牢裏渡過七年。奧國解放後，他回復舊職，修理他祖國破損的鐵道體系。因此爲了工作上的關係他常入蘇管區，但俄人却以爲他會向西方國家報告蘇軍的行動。同時，他們亦需要他來協助修復中歐及東歐共產國家的鐵道網。

二年前，卡歇爾被奧國政府派到瑞士去參加一個國際會議。他乘的是埃爾堡特別快車，火車在未駛入美管區入口處時，而停在蘇區最後一個檢查站，即有三個蘇聯官員登車將他拖下，從此下落不明。根據祕密情報，他已在最近死在前波蘭的現劃歸蘇聯的勞沃城內，蘇聯的集中營裏了。

此外，還有一個名馬勒克的。他任奧國警官已有三十多年，解放後主持奧國國內安全局，他這部份對奧境俄人的活動，恐比任何西方國家知道得更加清楚。馬勒克的部下都是奧國人，所以能自由地往來於蘇管區。

一九四八年夏天一個下午，馬勒克接到一個電話，隨即對他的秘書說：「如國達歇夫上校，在他辦事處等着要看我。」

這事似並沒有什麼不妙，因爲他一向常着蘇聯和西方國家間關於政治事項的聯絡差使。他安詳地踱出辦公室，但走了沒有幾步，突有一輛汽車疾駛而來，在路邊停下，幾個人跳出車子把他抓了進去。四天後，俄方發表一篇公報，說馬勒克犯有從事反蘇陰謀之罪。關於他的最後的消息，是他已被囚入巴頓地方的俄方監獄。

（七）

自由人
THE FREEMAN
（半週刊每星期三六出版）
每份零售港幣壹毫半
（第九期）
督印人：梁大成
社址：香港德輔道中一四九號四樓
電話：三二八二〇
149, 3rd FLOOR, DES VOEUX RD. C. HONGKONG
TEL: 32820
承印者：東南印務出版社
地址：高士打道六四號
台灣總經銷處：中國書報發行所
地址：台北館前路八十五號
電話：三〇三三

大戰是否在今年爆發？

趁德日再武裝完成以前，蘇聯很可能來一個先發制人的突擊

王雲五

自從韓戰發生以來，共產世界併吞全球的企圖益顯明，而自由世界的軍備也更積極；於是前此或希冀第三次大戰可避免者，已不敢再存此想矣，問題祇在大戰究竟何時發生，尤其是一九五一年有無發生的可能。

第三次大戰的序幕實際上已於韓戰揭開，於是問題祇在何時演進為全面的戰爭，而那一個地區將為全面戰爭的導火點，也就是這問題的重要關鍵。

就大體而論，全面戰爭的導火地區可能有這幾處：（一）韓國；（二）日本；（三）西德；（四）其他。現在分別討論一下。

聯軍既未被趕下海 韓戰即難直接擴大

韓國於其戰事開始時，邱吉爾氏曾經發過，如果聯軍給共軍打下海去，第三次大戰將立即發生。亦不會，著者在去年亦會作類似的預測。原因是侵略者的欲望無止境，一度得逞，便進行不已。自由世界的讓步和忍耐終有止境，於是一方面連串的侵略，結果自然會演成全面的戰爭。尤其是當中共以數十萬大兵投入韓國戰場之初，若果聯軍統帥部沒有作保存實力徐圖反攻的適時撤退，一口氣給中共軍隊解決了他的主力，則打下海去在所不免。果有此一日，美國縱能忍辱整軍，徐圖報復，共產世界却斷不肯袖手，而讓美國有準備的機會，特別是武裝日本的機會，在那時候，我認為美軍被迫撤離韓國後，共產世界次一步的進攻，自然是完成越南的征服；再次，則為中共計，自然是先攻台灣，以實現其統一的夢想，而為蘇聯計，則或會先攻日本，乘美國不及再武裝日本以前先下手，以免將來東顧之憂。美國對韓國與越南的失敗，縱能隱忍一時，惟對於日本之得失，勢必不肯輕易放過，於是全面戰爭不免會由此演成。現在聯軍在韓境轉敗為勝，實力亦加強，故從韓戰直接演變為全面戰爭，似乎可能性已較微小。

日本武裝問題 蘇聯決不忽視

縱然在韓失敗，或相持不下，它們對於日本是否會袖手而聽美國再武裝呢？以日本的潛在武力，假若美國助其積極再武裝，則一年以內至少有百萬以上勁旅可用，那是蘇聯所絕對不肯坐視的，不過日本的再武裝，對於東方有些國家，也會引起揣測和恐懼，以致西歐與澳洲之要求，美國提出保證以防止日本軍國主義的再起，便是顯明的例子；其次為着對日和約的條件，日人在表面上也還不免有些期待。然而這些未滿之點終不難為當前大敵的威脅所克服，而且在實際上日本的再武裝也已逐漸進行。這樣一來，今後一年的期間，對於蘇聯在遠東的成敗，將為重大關鍵。因此，蘇聯繼藉中共日共以及在蘇聯手下訓練成熟的日俘，突然進攻，仍未嘗無可能，那時候全面戰爭的序幕正開始，恐將不能避免了。

第二韓國事件可能出自東德

西德具有在歐洲大陸最強大的潛力，也是鐵幕這邊惟一的精良人力倉庫。美國及西方聯軍首長幾一致認為，要使西歐防務實體不成為幻影，必須徵用西德武力。縱然再武裝西德也有不少困難，一是法國顧慮德人槍口可能有一日會轉向西方，二則德國再武裝所需的武器完全要仰賴於他國，當然是以美國為主。但是最提懼一個強大德國的民族，終久不得不重視另一方面，而武器的供應終久也可能解決。一旦這些問題解決，西德也就實行武裝，則蘇聯如在最近將來傾其大軍橫越德境易北河，可能於三個星期內進抵英倫海峽及庇里牛斯山脈……的強大軍隊，一舉而下西德，而按照「誰佔領德國，誰就控有歐洲」的原則，那也就是西方國家所萬難坐視的，那時候第三次大戰的全面戰爭恐怕不得不開始了。

其他地區危險較小

至於其他地區，如南斯拉夫，如伊朗，也有人以為會成為全面戰爭的導火點。蘇聯為着給西方國家與其潛伏不安的衛星國家一個警戒，可能利用巴爾幹的衛星國向南斯拉夫發動一個背後由蘇聯支持的韓國事件；同時伊朗的目前局勢已呈極度的不安，蘇聯如在此一方面實施其侵略，亦未嘗無可能。……當而不致因此而釀成全面戰爭。因此伊朗事件，蘇聯自必以其習慣的手段以達其目的，或不致因此擴成表面化的衝突，美國也不會因此而直接介入。

由於以上的簡單分析，全面戰爭很可能係於日本與西德；假使日本與西德的再武裝問題短期內一一解決，而積極付諸實施，全面戰爭的爆發即具備充分的可能性；於是一九五一年是否會發生第三次大戰，似不難由此推想到他們的時間表而作一合理的測定。（三月廿七日）

和乎？戰乎？

從中國過去一個內戰的實例談起

左舜生

韓戰相持在「三八」綫附近，因為麥帥上月二十四日的一個聲明，更引起世界若干愛和平的國家種種非難，儘管中共在失敗以後依然向韓國大舉增兵，爭就要繼續表演，是不肯輕於放棄。

不錯，我很承認，和平不只是一種美名，而且對於樂以和平方式生活下去的最大多數人類，……確實也是一種有打算的人的道理。

可是，理論只是理論，希望也僅僅止於希望，殘酷的事實，卻並不因為你的理論正確或希望正當，便居然可以不會到來。……

……

三千萬人餓死 一人安能獨生

毛澤東另一老師 柳五泉璧還聘函

符定一應該愧死

毛澤東中學時代的老師符定一，以七十衰翁，地主階級，封建餘孽，竟然因毛報答以前提拔獎勉之恩，竟得一步登天，榮任政協委員，符亦自誇老運亨通，倍感榮耀。惟毛另一老師，則痛恨共黨殘暴，不特拒絕毛任何饋贈，且安貧樂道，大有恥食周粟至死不悔之慨。其人名柳五泉，湘省名宿，梁任公主辦時務學堂時，為梁高足弟子。歷任長沙中等學校國文教員，授毛澤東國文有年，志行高超，持躬不苟，家境清貧，毛在校時即極敬重。秧歌王朝勝利後，毛馳函程潛，令予照顧。程奉命唯謹，即聘柳為「湖南軍政委員會顧問」。聘函送達，柳立予璧還。且憤然曰：吾湘三千萬人，正遭受共黨剝削，死亡枕藉，瘡痍滿目，余豈忍以垂暮之年食此不義之祿，三千萬人餓死，余一人豈能獨活。余願以粉筆生涯，終此餘生，無需此「顧問」為也。旋為毛澤東兄王季範所悉，力往勸阻，並告以倘拒聘消息一旦宣揚，恐在湘幹部，或對渠不利。柳終不為動。今年陰曆歲初，雨雪交加，柳以七十二歲高齡，仍每日步行至十餘里郊外，司馬沖麗雅中學上課。某日，因路滑氣衰，跌入山下幾死。經路人發現，雇車送歸。鄉人及學生來相慰問，渠口占一聯為答，並示早置生死於度外，決不向共黨屈服之意。聯文如下：

不跌死，定餓死，總是死；遲死不如早死；

恨今生，怨來生，同為生；再生莫若無生。

（伯磊）

七十二歲高齡 最近幾乎跌死

聯軍危機在七嘴八舌

艾森豪威爾，已宣佈自四月二日零時起，正式就任歐洲盟軍統帥。他和麥克阿瑟，都是以美國將領，……

[illegible]

半週展望

美對法第三勢力懷疑

法國總統歐禮和，寫下了法國總統第一次訪美紀錄，也可說，繼承大革命時拉法葉脫與華盛頓間傳統友誼，使此兩大民主國家，對當前世界大局，增加了解，鞏固團結。歐氏已定昨日起程返國，至於他此次在美，與美間一切問題究竟，已否與杜魯門商得若干解決，在未得確實報告前，我們此時，尚無法妄作推斷。

[illegible]……（舍我）

招降聲明　自有妙用

最近，因爲麥帥發表了一節要求中共停止參戰，否則將難免遭受軍事制裁的「驚人」聲明，頓時引起了所有援韓國家的驚慄失措，大起紛爭。雖然直到目前爲止，麥帥聲明發表已逾十天以上，加上大民主國家之責備麥帥言論「越權」者，如英國艾德禮，加拿大皮爾遜，尚紛至沓來，甚至連本來與韓戰無關的印度總理尼赫魯，也要向國會發表演說，譏評麥帥「不應干涉政治」。在那些批評者內心目中，似乎認定了麥帥是充滿危險的人物，中共之所以不肯退出韓戰，並不在於史太林的命令，而只在麥帥的幾句「招降」聲明。

自從韓戰發生以來，世人之批評麥帥者，已數見而不一見，而且批評麥帥最力與非難麥帥最多者，又不限於「象徵參戰」的民主國家，而尚有美國本身的輿論和政府。但不管世人所加於麥帥的劣點批評，達至何種程度，而事實上證明了，今天足以主宰遠東全局，不讓史太林的侵略野心得逞者，至今還是祗有一個七十高齡的麥克阿瑟。

就此次麥帥發表的「招降」聲明內容，雖然在某種角度上似乎也牽涉了「政治」問題，不過這種觀點實際是抽象而非具體的，在美國公正輿論中，已有人指出此係麥帥的「心理戰」。當一個統帥面對着一個頑強敵人的時候，他應該有各種戰術的運用自由，故有時候用近於震駭流俗的宣傳攻勢，以打擊敵人的士氣，應該是每一個統帥應有的權利，否則所謂「戰爭藝術」，又從何說起呢？

麥帥不會垮台

黎晉偉

就我個人的觀察，此次麥帥所發的聲明，除了對中共方面發動了一次最大的精神攻勢之外，對於若干民主國家，也似乎運用了一次心理作戰。因爲當聯軍克復漢城，而李奇威的[illegible]令部隊一舉攻克漢山之後，當時英法兩方均傳出消息，謂十四個參加韓戰的民主國家將共同會商與中共談和，止兵於三八綫。美國爲了使韓戰始終成爲聯合國對侵略者之戰，一向[illegible]有關國家對於韓局發展的意見，而在參加韓戰的許多國家中，特別以英法兩國的妥協心理最爲濃厚，倫敦與巴黎兩國當局，自始迄今均希望韓戰苟且結束，但求取目前的苟安，不顧考慮未來的禍患，因爲這兩國出兵不多，時時都恐怕激怒了中共，對於它們的所謂遠東權益，將會遭致不良的後果。同時，兩國的軍備擴張，又皆未達到理想的程度，深恐韓戰一旦演變而爲世界大戰，則其本身便要首先吃虧，得不償失。因此，英法的最大希望，便是「光榮的和平」，在不是失敗的戰爭態勢之下，最好雙方鳴金收兵，任由朝鮮人民去自己收拾殘局。這種妥協心理，由於聯軍進至三八綫而大見成熟，或者在麥帥聲明發表之前，英法的「和平」建議已經送到華盛頓，但在華盛頓的政治圈內，反對麥帥的人儘管有人，而支持麥帥的人却特別多，我們所知的美國支持麥帥的人物，至少有三種係有重大作用者：第一是共和黨議員，幾乎絕大多數均無條件支持麥帥；第二是不自私的民主黨議員，他們認爲由麥帥指揮韓戰，係無可非議者；第三是美國的退伍軍人，所有美國的退伍軍人協會，均對麥帥軍事天才懷有最高敬意。由於麥帥在國內有此廣泛的政治潛力，當然華盛頓的許多動態（包括內幕消息）都會直接間接的有人供給麥帥，而英法的「和平」建議，自然更不例外。

但是韓戰之不能以「光榮和平」而結束，是麥帥所深知的，如果盟國在聯軍順利進展聲中，竟向中共提出這種求和濫調，除了影響士氣之外，一定不會有甚麼效果。因此，麥帥爲了不使聯軍軍事行動受到意外拘束，也不願見其聯軍士氣受到不必要的損害，所以他以聯軍統帥的身份，召喚共軍將領到陣前談和，因爲這種談和是「招降」式的，共軍當然不會接受，如果共軍不肯接受，它便一定有其對抗的反應，於是不出麥帥所料的，中共「抗美援韓總會」決心把美軍「驅逐下海」的聲明，便由北京電台對外廣播了；於是，十四國預定聯合發表的「和平」建議，便不得不因爲「形勢轉變」，而臨時取消了。

民主國家政策不變　麥帥地位絕無動搖

如果民主國家反共抗俄的基本政策不變，麥帥主宰遠東全局的統帥地位也一定不變。今天眞正渴望麥帥垮台者，祗有毛澤東和史太林，而毛史這種希望是不會成爲事實的，因爲他們的侵略政策始終不會放棄的緣故。

從某銀行大廈說起

——中共接管以後如果眞珍惜人民血汗就不應再聽其繼續興建虛糜巨款——

寧人

美聯社星嘉坡三十日電訊：星嘉坡某某銀行大廈定於五月一日興工，全部工程費坡幣三百萬圓，行址在星洲之金融中心區砲台律，新廈高十七層，有辦公室面積共九萬尺，全部空氣調節設備，已費坡幣十萬元，全部房屋建築工程可望於一九五二年年底完成。

金融的阿房宮　港星互相輝映

上面一段電訊，內容雖然簡單，但由這一個電訊，可以想像某某銀行這一座大廈的美輪美奐。工程費三百萬坡幣，空氣調節設備費便是坡幣十萬元。其他陳設裝璜自可類推，儘從這一點簡單的描述，我們可以想像這一座金融阿房宮的壯麗精美，由星嘉坡這一條電訊，頓時使旅居香港的人們，每天在尖沙咀渡海船上瞭望着滙豐銀行附近，日夜進行的一個大工程。一月前美國時代雜誌特派員馬丁到香港訪問，他的新聞視覺與觸覺立刻集中到這一個偉大工程上，這一個偉大工程便是未來的香港某某銀行新廈。滙豐銀行是香港海邊商業中心區最高大的一座建築，在外洋輪船駛入香港內，在飛機上俯視香港，滙豐大廈幾成香港一個特殊的標幟。遠遠望見那一座高聳雲表的立體建築，我們就知道已經到了香港，滙豐銀行與遠東，滙豐與不列顛帝國，自有它密切的聯繫及特殊的標幟。在戰前，距離滙豐銀行大門前面幾十步路，便是女王維多利亞的大銅像，如果歷史意識豐富的人，當時在那一片草地上徘徊，偶發思古之幽情，在東方人，覺到其先民之創痛，而在英國人當然懷想維多利亞時代一切的壯觀。第二次大戰結束，英國人收復了香港，許多銅像都不見了，那一座維多利亞女王的銅像，至今沒有尋覓到，所以滙豐銀行門前那一塊草地，只容餘了銅像的石座，今年是不列顛帝國博覽會百年週年，英國籌備經年的博覽會，將於下月開會，愛而白脫王子魂返故國，歲月幽渺，維多利亞女王棄其臣民，鼎湖西去，亦整整五十年。這是我們看到某銀行大廈，由滙豐大廈而聯想的第一個回目。

錢是那裏來的　人民個個有份

星嘉坡某銀行大廈的建築費，初期預算爲坡幣三百萬元，香港某銀行大廈的建築費聽說合計約美金三百萬元。中國的銀行是中國人的，中國人看見這樣偉大建築，當然第一要問這許多錢是那裏來的？用當今一句時髦的話，某銀行是中國人民的，某銀行的錢是中國個個老百姓有份的，因爲過去某銀行是官商合辦，某銀行的股份，一半是官股。近代國家對外表示體面，在海外建築偉大大廈是說得通的，但是那許多龐大的建築費，既然完全是外滙投資，既然是國家的公產，應該配合了國家整個的財政經濟，某銀行在香港與星嘉坡兩處的建築費，一用就是幾百萬美金。姑且撇開國家民窮財產的情形不談，單是那幾百萬美元的外滙，便在生意的眼光上說，可做多少經營，可替國家賺多少錢。

某某銀行的外滙，實在是多得無法運用呢？還是姑且用了再說，所以大[illegible]到了某某銀行不斷的大興土木，一切道德的政治的問題都擱起不談，便在經濟上，商業上的論點上着眼，我們不知道某銀行所打的是什麼算盤，那種計劃當時決定的人，是一個什麼想法，經過什麼合法的手續？把國家大量的外滙，那樣盲目武斷地花費。

寧願把錢花光　不顧交還政府

香港某銀行決定撥出大量外滙建築大廈，是金元券時期匆匆決定的，因爲當時各銀行的外滙，都須撥交政府，所以當時銀行當局，便匆匆地決定了這一個政策，不去交還政府，寧可把錢花掉，這一個傳說，我們不在金融界，無從爲之證明，但是我想金融界中知道此事的人太多，其眞實性不必十分調查便可水落石出。如果銀行一所一所大廈，其來源是這樣的，那末，某銀行的大廈多一所，便是某銀行過去對國家對人民所犯的罪行，多一件鐵一般的證據，過去某銀行當局與中國財政當局對國家對人民負的罪惡，也永遠附在一所一所高聳雲表的大建築上，那一座一座的偉大壯麗的銀行大廈，象徵了過去財閥的自私與專橫，象徵了他們漠視政府與人民的利益，那一座一座的大廈等於一對社會的罪惡供狀，那一班自私腐惡財閥，一座一座大廈塗滿了人民的膏血，同時也反映了那許多腐惡財閥的醜惡面目。香港的銀行大廈，與星嘉坡砲台律的中國廣大的人民，告訴了那是過去二十年的買辦官僚財閥互相勾結的罪惡供狀。他們把國家與人民的財富，盡量看作私人的財產，以損害公利的職權，以便利個人，他們把國家金融機構當做自己的賬房，二十年的買辦財閥沒有替國家在財政經濟上打點基礎，而只是在自己職權上，盡量營私，盡量散布腐惡的風氣。買辦作風是可恨的，因爲他們目中

買辦官僚的黑心腸

無國家利益，而只知道私人的利益，他們不知培植人才，而只知道籠養奴才，買辦作風是可鄙的，因爲他們的眼光及驅殼，實在太渺小了，換句話說，那一班買辦官僚，亦實在太沒出息了！買辦官僚的氣派，實在夠不上稱豪門，他們的目光如豆，他們胃口也是很窄狹的，投奔買辦官僚最基本的方法是伺候及供應，伺候供應可以使買辦官僚入其彀中而不自覺，公館裏面飲食起居的供應，私人聲色犬馬之徵逐，還只需伺候稱心如意，那一班奴才便可躊躇金融機構的要津，任意上下其手，某銀行是過去中國金融界的牛耳，某銀行的形形色色，也就是二十年來中國金融界腐敗自私的縮影。

尤其可怪，現在這兩座大興土木的大廈，因爲起義結果，他們換了新主人。這新主人，一向都痛恨買辦官僚，互相勾結，而且大陸上老百姓，今天正餓到無以爲生、當易主的時候，港廈不過剛動工，星廈或許根本還未着手，中共如果珍惜人民血汗，爲什麼不下令停止。可見任何漂亮勵聽的名詞，都敵不過腐敗自私這一隻洪爐的鎔化。「天下老鴉一般黑」，換朝代也無法換去這投買計

一邊起義　一邊出洋

兩年來國家遭受空前災難，俄帝與赤匪，相互勾結，滅亡我們的國家，斬絕我們的人種，國家金融機構，平素受盡了優待，衣食住行，無一不比別人優厚豐裕，但臨到變亂，國家金融機構所表現的，不是「起義」，便是出洋。眼前那許多靠攏投降的金融界份子，都是平時我們財政當局最倚畀股肱之人，即舉[illegible]乞降的許多重要人某銀行而論，除了投靠外，今天住在美國，而仍舊坐領薪給者有多少高級職員？在國內在海外，搖身一變，照樣表現其昔日的奴才面目，於新主，這是一派，在美國領旅費，依舊領房貼領薪水，奴顏奉承舊日財經大員者，又是一派。[illegible]立國根本，是國家支柱的財政金融，二十餘年來一個國家的財政金融，那樣規模與風氣，鬪到民窮財盡，臨到危亂，腐化投降，逃亡中外，騰笑中外，穢德醜行，又何足怪：以上所說，都是其人其事，其人其事永遠成爲過去，在歷史上，永留汚跡，也無足深惜，但是將來建國大計，多少不能不受其影響。現今世界上的經濟民主與經濟平等，而在制度上則爲計劃經濟與國有公營。過去二十幾年中國的公營事業與所謂國家銀行，是那種表現，如果今天再有人談公營或國有，過去國家銀行局的黑影，便將立刻映單在我們眼前。而某銀行那種具體的事例與影象，也就立刻使人想到作嘔。三年前行憲以後，立法院初次集會，有的立委在立院提出收回中交兩行的商股，使其完全國有，當時就有人說，中交兩行乃至若干公營事業之病根，並不在於商股之專橫，或那幾個私人股東的壟斷，問題乃在於商股東太沒有發言權，其官股東及黨事之權力化公器爲私局。如果當時的國家行局，即使在私人股東手裏，其結果決不至孜孜爲利，做出許多倒行逆施之事。所以國家如果不把許多因素考慮在內，仍舊拾人牙慧，人家反對私人企業，主張國有公營，我們亦從而效之，則將來中國的大企業與重工業，「不變」或變「招商局」，便變成「漢冶萍」。數年前的國家行局，某銀行是國家行局的代表，在買辦的某銀行下面，某銀行的表現最出色，而造成子才所領導，行所[illegible]，罪惡亦最甚，民窮財盡[illegible]

[illegible]行還能撥出幾百萬外滙去興建摩天大廈，甚至於前一二年，某銀行的分子乃能領導「起義」，中國金融界的羞恥表現到了最高峯。時局震撼危疑到了前一二年，某銀行的某地的某銀行大廈的照相，應該高懸在今日自由中國復興的基地上，自由中國的志士知道過去自由中國的敗亡，某銀行等所代表的金融資本集團是一個功臣，而培養這種制度風氣的人物，應該永遠受到輿論與歷史的譴責。

香港與星嘉坡兩[illegible]

西班牙多年未有的奇事　反政府報出現

——巴薩羅納大罷工中一插曲——

一丁

最近震動世界的巴薩羅納大罷工，沒有幾天，結果仍由佛朗哥鎮壓下去了。其實這次罷工，參加者不過一萬二千人，[illegible]

[illegible]

（「自由」報，名「社會之聲」（Voz Social），也許就是社會主義的刊物[illegible]）

[illegible]

我所時常親炙的　偉大思想家紀德（上）

——「蘇聯歸來」得罪了蘇聯，逝世以後香港的左派報還在切齒痛罵——

謝永年

昂德烈·紀德（ANDRE GIDE）是當代[illegible]最偉大的散文家和小說家，同時代[illegible]和詩人，以八十三歲的高齡，於今年二月十九日長辭人世！和[illegible]蕭伯納翁的噩耗一樣，是同世界[illegible]損失，使普天下學士文人，同聲哀悼惜！

紀德爲着對被壓迫階級的同情和全人類的熱愛，承了近代法國一流大文豪囂俄，左拉，佛朗士：：的光榮傳統，極其關心人類命運和世界組織的將來。使他在六十歲以後的一個時期，由基督教的博愛慈悲轉變爲共產主義的信仰，而寄托其全部希望於蘇聯，就在這時期，他參加維護民主人權和自由文化的集會，以反抗法西斯和極權主義的侵略，當時我因還在巴黎留學的機會，得時常親炙紀德的言論丰采，至今還給我深刻的印象——一個高大，額高鼻，神采奕奕，似幾分傳教士般的態度，使一般青年聽衆，無不肅然對他起敬！

接着於一九三五年發表了新糧食等書之後，在一九三六年，接受蘇聯的邀請，到蘇聯去旅行。[illegible]「蘇聯歸來」[illegible]

（未完）

共區觀感之三

「你們做生意的都是奸商」稅額應憑中共「欽定」

「出得起也要出不起也要出」

衛聚賢

我離開重慶第三個原因——稅增加了二十倍。

我在重慶日感生活不易維持，乃與友人開了個拍賣行，名字叫『互利委託行』，在重慶保安路西方公司後門對面；因爲怕的是勞資糾紛，所以凡店員都有股，我也是股東之一，因我在重慶，金錢上尚有信用，拍賣行是以別人的東西爲貨物，故推我爲總經理，是使別人家的東西容易拿出來些，實際上我並未負責。

兩張稅票不同 大小相差念倍

互利委託行是去年九月五日開幕的，重慶的利得稅等，是三個月（一季）評一次，七八九月的一季是十一月初評議內，重慶共三十餘家拍賣行，各家將各家的賬抄去，開會時稅局派的指導員說：『你們商人都是奸商，賬是假的，不能作憑，由我們指定，共若干額，在這額內，由你們自己評議，看誰家該攤若干，由你們定』。由稅局的指定數，比賬上應出的約多三分之一，大家承認了指定數。但正式稅票出來，稅數又加了一倍，大家開會，以爲稅票已出，只有照稅票上數目繳款，要減恐怕辦不到的。

在我們正準備繳款，突又送來一張稅票，係加了二十倍，馬上問鄰居那兩家拍賣行，也是接到第二張稅票，也是加了二十倍。再問別家都未接到，我們鄰居兩家拍賣行馬上把第一次送來的小額稅票向人民銀行把款繳了。我們因爲股東多，晚上要開會商討，在下班時，稅局來了一個共產黨，說『聽說你們收到了兩張稅票，你們鄰居那兩家把小額稅票交了，你們不要避重就輕，那兩家我們非稍不可，我們共產黨說的出就作的出，明天你把賬簿及兩張稅票都送到我第一分局來，我們審核了再說』。

小票收回 大票照繳

原來第一張稅票，是第三分局發的，因同業公會的地址在第三分局管轄地域內，我們保安路這三家在第一分局管轄內。第二票我們把賬及兩張稅大都送去，賬簿他沒有看。大額稅票他看了看的放下，小額稅票他看了，馬上向袋內一裝，向送去的人說：『你們總經理是衛聚賢，他是考古家，古物甚多，拿一件古物就值幾千萬元，這一點稅還不交嗎？』；送去的人說：「互利委託行，是八九個人合股開的，納稅是應當按股攤的，不應當着他一個人出，況他的古物都捐了，那裏還有古物賣，何況你們不是因我們拍賣行有古物而加稅，而是在第一分局之下，都是二十倍，何以在第三分局下只一倍呢？』他說『這是第三分局偏差』，我們說：『第三分局偏差不偏差，是你們內部的事，在一個市政府之下，有兩種不同的稅。你們不是講唯物史觀，是講唯心史觀。我們這三家命運不好，在你們第一分局下開拍賣行，稅就要加二十倍。別的三十餘家命運好，在他們第三分局下開拍賣行，稅只加一倍』，他也并不理你的話。

偏差讓他偏差 要錯讓錯到底

我去交涉，向他們主管說，他們主管回答『這是下級幹部偏差』。我請他更改，他說『我們不能像國民黨一樣，由上級命令下級，我們是各級負各級的責』，我向他們辦事的人交涉，他說：『我們的作法，是既定的政策，上面的指示，沒法變更的』。我找他的統一戰綫部（是聯絡各方的），他說『這是偏差』，但又說『我不好反映（報告），反映上去要受批評的』，交涉沒有結果，只好用書面交涉，結果來了一個批評：『念及商人艱苦，該稅減作八倍繳納』，是我們比別家多出了八倍，迫得我不能不將互利委託行的股子退了，總經理職辭掉。

京劇的九件衣 卻爲中共寫照

另外一宗是我的印刷廠繳稅，稅是輕的，重暫不談，其中有一件很有趣的事，就是『新民主主義』的解辭。重慶印刷工業同業公會開會時，稅局的指導員說：『你們這一行的稅，上面共指定爲若干元』，他發表了數字，大家都說沒有東西印，數字太大出不起。他說：『數目已經確定了，出得起也要出，出不起也要出，至於誰家應出若干，由你們民主評議，我不加干涉的』，先是前一夜我剛在厲家班看了共黨權力提倡的一個京劇九件衣，劇情是一個大地主嫁女，要佃戶將欠租繳完，一個佃戶繳不出，向他姐借款，他姐將她出嫁時的九件衣給他去當，那夜大地主家被盜，失去了九件衣，[illegible]戶偷的，送到縣官，縣官對佃戶說：『你招也要死，不招也要死。不如招了，免得我『動大刑』』，我聽了還『招也要死』不招也要死』就很生氣。那知第二天就有『出得起也要出，出不起也要出』，兩相比較起來，共產黨與專制時代有何異？他所說的數目已確定了，誰家應出若干，由你們民主評議。這好比『這個人的死，是我們已經決定了。就是如何死法——打死？槍斃？由你們民主評議』。這就是共產黨的『民主』，因爲要與歐美各國『民主』有分別，是以才加了一個『新』字上去，這叫做『新民主』。這是他們上下必須遵守的原則，故加上『主義』二字，叫做『新民主主義』。

上海的新財神 陳穆鬧桃色案

便宜了皮條商人 氣壞了共產太太

離婚官司由黨外鬧回黨內

儘管中共如何的統制他幹部的行動，共產黨員是如何的「刻苦耐勞」；但上海「解放」還不到兩年，各種醜劇，便層出不窮，下面是上海最近發生的一件當污流[illegible]桃色案子，茲報導如下：

[illegible]子的主角，是現任華東財經委員會副主任委員陳穆，他是掌握上海財權的第一名要員，有「新財神」之稱。當「新四軍」在蘇北打游擊的時候，他便是陳毅手下一名大將；共軍到上海時，關於財經部門的接收，人事和規劃，幾乎都是他一手包辦，從此奠定了他在上海財經界的穩固地位。

上海海寧路的一所印刷廠，也是陳穆接收的單位之一；前年冬，正當「人民幣」慘跌的時候，由市政府公開拍賣，爲一吳姓商人拍去，這本來是過去的事情；去年冬天，廠內工人，聯名寫信給陳穆，信上指出全廠資產是如何的值錢，拍賣的代價太低，公家得不到什麼利益，反而把「人民的財產」移轉到私人手中，語氣中大有與師問罪之意。不久，陳穆寫了一封很長的信，答復工人；在該廠一個幹部聯席會議上宣佈。駐廠軍事代表，即席說明這件事是奉到上級命令辦的[illegible]

據內中人說：這一封質問信的發動，是有後台老板撐腰的，表面上是質問印刷廠的事，骨子裏[illegible]陳穆的太太[illegible]

[illegible]

遼陽門覇兒子鍘父

在蘇聯人指導下表演特別精彩

東北反霸運動，在蘇聯人的指揮和監督下，進行較內地各省，尤爲積極。一般愚昧無知的低級幹部們，在「破除情面」，「打倒溫情主義」的上級號召下，正以殺人競賽的方式，向他們親友家人開刀，以示其思想搞通的程度。今年一月間遼陽縣政府在擴大反霸運動中，有兩個被列爲「惡霸」者的兒子，蔡雨田，劉志中，原來均在瀋陽新民主主義青年團部工作，經過上級多方鼓勵，他們兩人願意回家，參加公審大會，并表示特別前進，願大義滅親，担任執刑者。經一級的批准嘉奬。於是蔡劉聯袂趕回家，參加大會。蔡雨田在他父親蔡夢不經過人民公審，宣佈了死刑之後，他便自動提議要用猟頭猟下他父親的頭來。這時他父親跪在地下淚流滿面，苦苦哀求，請他用手槍打死他，以免受罪，他心[illegible]，只好答應他父親的要求，打了他父親四槍。劉志中在他父親劉楚南經過公審，宣判死刑前，早準備好了的鍘刀，他認爲蔡雨田還有私情，不夠堅決，等到他執刑殺父時，脫去外衣，親自用鍘刀把他父親「大解八塊」，他父親在未遭殘殺剎那間，跺足大罵，說就憑他養活了這樣一個兒子，即應槍斃有餘。他請求鄉親們帶信告訴他在台灣做軍官的兒子，將來打回遼陽時，捉住這逆子，定要千刀萬剮替他父親報仇。據參加這一盛典的人說：所有被召參加的人們，當時都不敢正視，而且有二分之一以上的人民都爲之落淚。有許多神經衰弱的人們當場被嚇得暈了過去。只有中共幹部，則歡欣色喜，認爲該兩逆子，已確能做到有「黨」無「家」的境界。（彬之）

鐵幕叢談

棕陽索債老頭上吊

欠人的要還欠他的不理

我的故鄉棕陽，是安徽省沿江以北的一個小鎮。居民十分之五靠漁業生活。當地有一家雜貨鋪，老闆姓張，已經是五十多歲的人了，出身禮坊，司伕，一生省吃省用，掙了一份家當，平日爲人相當老成，對人接物，很是和氣。赤色魔掌」，統治了大陸以後，他的生意在首期「支前渡江」的捐糧任務中，就出了六十担米。後來又是什麼營業稅，折實公債，一錢如命的老頭兒，眼看自己一生血汗換來的錢，到頭來卻歸「共」，再加市面蕭條，只有關門大吉。張老頭兩個兒子在上海某工廠當技術工人，萬不得已就往依兩個兒子過活，無奈老頭子勞動慣了的，不願在兒子處坐享清福，吵死吵活，兩個兒子湊了十多担米的錢讓他回鄉擺攤糊口。當他回鄉數天，籌備做小生意的時候，鎮上人，誰都曉得這個老頭子向兒子要到了本錢回家，大家都很羨慕，而驚人慘案也就因以發生。

事因三十七年多天，張老頭子，曾因担保欠了一個姓吳的漁販子五担米。但姓吳的也會在他店中賖了不少東西，[illegible]兩抵，差不多少。可是事爲共幹某知道，（往在吳某緊鄰。）慫恿着吳某說：你欠他的店賬，既暫時用不着還他，但他欠你的五担米，現在[illegible]有錢，可以向他要，[illegible]欠了「政府」[illegible]，吳姓的聽了他的話，[illegible]叫妻子向張老頭子要錢，[illegible]非給不可[illegible]

[illegible]結束了他的生命。（野火）

同安的一羣女孩子

十七歲遭備蹂躪 得惡疾自縊身亡

「華東軍政大學」，「華東醫科專門學校」，這些名詞，使成千成萬的青年，不論資格，都趕去報名投考。最奇怪的，只要你去，除非體格有問題，否則就沒有不取的。因此，許多中小學原有學生，都想躐等入專科，進大學，人數就只剩下了十之二三。

當上述兩校在廈門招生時，我正在廈門隔岸的同安城裏的家中，親眼看見了許多女同學，紛紛趕往廈門報考。照我所知道的，這小小一縣，男女就有一百多去參加直接考試。此外還有各機關團體保送的。[illegible]還沒有畢業的李×美也[illegible]

小學生進了大學 逃回家立被捉走

[illegible]一位小學[illegible]取上了。我的朋友陳×英，高×珍，陳×初，陳×錠，吳×波——都金榜有名。不一兩天，滿街就看見許多掛着「軍大」「醫專」標誌的青年男女，他們是剛從廈門來的，得意洋洋，準備即到泉州去入學。

時間還沒過一個月，起初是陳×初回來，我和他見面談話的結果，才知道他是和高×珍開小差跑的。他說：什麼「大學」「專校」，根本是騙人，從早上到現在，整天挑泥土，修公路，只有早上一堂「時事學習」，晚上一堂「自我檢討」。女生除了[illegible]「慰勞團」，「縫軍衣」，[illegible]許多「大學夢」的人們，[illegible]感到失望和咒駡。但如你的不滿意表露於外，那馬上就會一個命令被調到更苦的地方去，因此開小差的同學很多。

可是沒有多久，陳×初就被當地共幹，奉命捉走。高×珍偷跑回家，和一個姓江的訂婚，但當離開結婚的日子只有三天，也與陳×初得到同一的命運。他們以後的情形如何我就不清楚了。

最可憐的要算陳×英她不但只有十七歲，而且很美麗天真，爲了還是個孩子，對社會的黑暗一點都不懂。自從她進大學後，閱了許多戀愛史，和同學，幹部，教師。大概是爲了她那顆純潔的心靈，被糟蹋的不堪，最後神經失常，時笑時哭。家裏知道這消息，去向學校要求領回，學校告訴她父親，本來一個青年進了學校，就是學校的人，家庭不應再管，現在爲了她有病，而且她行爲不好，暫時給你領回去，等她病好，再送還學校。父親爲了太愛自己的女兒，並不計較什麼，唯唯奉命。可是她的病，已無法醫好，她自己在背着父母時，就自縊而死了。她父親也萬分傷感，不到一個月，也因病而死了。

其他的大學生，進學校還不到三個月，就算畢業。並在「抗美援朝」的洪流中，走進了朝鮮「人海」，生死存亡，我是無法知道的。（處謙）

[illegible]

北大變了 由親共而反共

湯用彤報告：反動標語現已層出不窮

大陸上青年，對共黨政權的欺詐腐敗，貪汚殘酷，已深切的認識，因此，各大都市中的青年，祕密組織，風起雲湧，都以打倒共黨政權爲目的。這些組織，和自由中國，並沒有任何聯絡，但他們都盼望自由中國，能早日反攻大陸，恢復中華民族的自由。

赤都內北京大學在共黨認爲，本是最可靠的沒有問題的一個中共幹部大本營，不料今年一月以來，許多反共黨的組織，多半從這中共「堡壘」中發現，而且時時有反共黨的實際行動。據最近北大校務委員會主席湯用彤在鎮壓反革命運動大會公開報告，說北大「反革命」份子，潛伏日多，防不勝防，前幾天，五四圖書館，就有人澆上大量煤油準備縱火，幸發覺尚早，未釀大禍。校內經常均有各種反動標語，宿舍內，不時檢到反動傳單。尤其有一次，「毛主席和李大釗先生」的紀念堂內，這樣一個神聖莊嚴的場所，竟會有人寫上大量反動標語。學校當局，已感到反動份子如此猖獗，[illegible]

（大清）

今日的南韓

·一切都應拜共黨之賜·

經過九個月的戰爭，南韓的經濟幾已陷於麻痺狀態。煤礦已完全停頓；釜山以西一百哩處和順的南韓第二個最大礦場，數月來屢受游擊隊的騷擾。鎢原是政府歲入的重要來源，但現在已近乎完全沒有生產。

有幾家紡織廠雖還開着工，但它們全靠經濟合作總署所輸入的棉紗。其產品現祇供應南韓軍之用，而不流入民間市場，即使如此，它們尚不能達到南韓軍各部隊的全部需求，不足的軍服現由美國贈與。

正如一般人所意料的，南韓正遭受嚴重的通貨膨脹。釜山市場的米價，每月上漲一倍。韓人所穿的薄膠鞋，已比去年六月貴十倍。最近在釜山附近有一所重要的新工廠舉行揭幕禮，官方要員先後發表演說。這是一所鈔票印製廠。但縱使印刷工人的工作時間超過正常的韓國標準每天十小時，縱使八架印刷機不致不幸有一架損壞，這工廠大致仍然趕不上政府的貨幣需要。

南韓的難民，照目前的估計，約為數二百五十萬至三百五十萬，他們必須受救濟和照料。美陸軍的平民援助機構對於這件工作已搞得精疲力竭。除了供應糧食和醫藥品外，平民援助機構還得運入建築用的木材和農作物的肥料。今年南韓米的收成，大致可及往常的百分之五十。

最近漢城經過韓戰中第四次戰火而光復，全城幾已全部成為廢墟，原有的一百五十萬人口，現祇剩二十萬，但難民問題卻更為嚴重。一位平民救濟機構的官員說，留在漢城的平民，仍有少數不知怎樣還保持着他們的「肥胖」，然而很大多數都患着營養不良。載米七萬七千包的一艘美國運輸艦已駛入仁川港。孤兒院即將在漢城成立，以收容成羣無家可歸的難童。

在釜山的一所小工場中，穿帆布鞋的韓國工人正掛着慘笑在製造手榴彈。他們鎔鑄殼子按裝引綫，然後用手塡入火藥。

這種危險的工作使美方的旁觀者都為之震慄。但這已是南韓唯一的兵工廠。其他一切南韓軍的軍火，除了少數南韓軍所用的舊式日本步槍彈藥外，全部是美國所供給的。（路邈摘譯自時代週刊）

和韻酬吳子深先生

·遯廬·

夜幕低垂白日收，山川變色海橫流。
歸雲杳杳難為別，落木蕭蕭不可留。
苦李無須問道邊，庭前鵲起亦知天。
舟行萬里三篙水，極目平原起遠烟。
玄冬寒夜待天開，蠟炬燃心總不灰。
莫訝雞鳴頻戒旦，且看曙色自東來。
冰解波清見躍鱗，琪花瑤草雪中春。
聆君一片真誠語，自是眠雲鼓石人。

民主的涵養

·陶樂居·

自古都說：養氣不易。獨往於民主自由而又決心以此獻身的人，養氣的功夫應該是信念的營養源泉；具備着一種真誠的胸襟，純摯的涵養，把整個肉體和精神都滲透進去，磨練了又磨練，信念必然會不斷淨化，堅定。

一個忠實於自由主義的人，他不能也不允許否定客觀的現實，顯與真理方向背道而馳。自由主義的敵人，最大的本領是否定現實，而提出一些虛構的謊話去騙人，為了政權的暫時穩定，他所以把真理倒轉過來，甘心讓個性良知附庸在統治利益上。他不肯接受正直的批判，也沒有勇氣諦聽公平的民意。自由主義者恰恰相反，他從平凡人羣中來，是平凡人羣中的一個小細胞，把自己納入廣大的人羣的整體中去。他不只有勇氣接受人羣的批判，鞭策，他還朝朝夕夕在尋覓人羣的迴聲，走自由人羣一步又一步向前邁進的大路。

一個忠實於自由主義的人，他是願意從錯誤中找正確，要從狹窄的庭院衝到原野。心永遠像一面鏡子，磊磊落落。自由主義的敵人恰與此相反，將錯就錯，永遠不需要虛心，武斷自大，把頭埋在沙堆中，愚弄良心。

從最短的能見度看：自由主義者的敵人勝利了，以為自己佔據了天下的人，把字典上最殘酷血腥的字，都被描成美麗動人；但是從遠處展望，自由主義者的敵人不能逃避一場真理法庭的公審，刀山油鍋，廣大的人民已經在等候執刑。

自由主義者自信必能擊敗敵人，但這是一場空前絕後的艱苦搏鬥，保證我們的勝利，是我們的勇氣，涵養。

統治者的末路

·齊簡·

歷史上，統治者御下之術，大略可分為三個時期，第一個時期是：草創時期，當此時也，收羅天下的是賢俊，甚至異已，為的是可以穩定自已的江山；統治者本身在表面上是謙恭的，不惜以高官厚爵攏絡異已者，避免異已者另樹一幟，反對自己，因為治權尚未鞏固，經不起風浪也。

第二個時期是：全盛期，此時也，統治者顯露了它專橫的本來面目，對于臣下的要求也漸漸高了，對于異端，不但無容納的雅量，且儘力排除，負時譽的異已者，便免不了誅殺的命運，不過在這時期，統治者祇注意大的，小問題是不及顧到的，偶語棄市之類的事，不會發生。

第三個時期是：衰落期，到這個時候，統治者由專橫而至殘暴，「亂世用重典」「殺一儆百」等話都搬了出來，此無他，端在自己的治權開始動搖，想以兇辣的手段來鎮壓一下。因此統治者的衰落期，便開始有大規模的殺人紀錄。

但這也並非是統治者自己入末路而採的行動——衰落期的統治者的殺人，還存有中興之望以鎮壓來鞏固風雨飄搖的江山。所以那時候的殺，是明正典刑的，其方法仍然是承襲全盛期的；但一到自知已臨末路，則殺人就更不擇手段了！主要的殺人方法，已由明轉為暗，暗殺之所以成為主要的，因為是統治者已失去了大規模「明殺」的勇氣。

近數月來，中共在大陸上的殺戮，就是暗甚于明，據月來報載，西南各省，被殺者已及數十萬，而經中共正式宣佈者，不過數百。

前數日北平有所謂「公審大會」新華社電報則含糊地報導槍決一批特務，這種殺人方法，是介于明和暗之間的，明殺不敢，暗殺又怕流言，所以玩出一套手法，冀以掩盡天下耳目，其實是掩耳盜鈴，欲蓋彌彰。

這樣的殺戮是否能收到鎮壓的效果呢？從歷史上看越是依靠殺戮來鞏固統治的時候，便越顯出統治者已到了末路！

秦始皇搜集天下鐵器，但在暴力統治下的人民，卻會揭竿起義，終于顛覆了嬴秦的統治！

今天，中共的統治方法，雖比秦政高明，但所激起人民的反感事實也就更甚于秦皇，中國人一向就有「時日曷喪，予及汝偕亡」的決心，現在，已快接近了！無辜者的鮮血，映出了統治者的末路！

旅美雜紀

陳香梅

做中國旗袍工價驚人

中國太太們在美國還有一個不便就是沒有中國裁縫，有之其工價也大得驚人，譬如做一件旗袍就要十五至二十美元。所以許多中國太太們都學會了自己縫紉，不過所做的衣服自然比裁縫做的要欠高明。我們就那人所穿的衣服來判斷，就可以知道她在美國停留了多久；新到美國的太太小姐們所穿的中國旗袍，自然非常入時；反之，在美國過久的，其中國旗袍也就有點褪色了。華僑婦女多穿西服，不過在審美觀點來看並不漂亮，因為中國人的身材不及美國人的高長，胸部也不如她們健美，小腰不及她們纖細。

× × × × ×

沒有選擇也沒有還價

為了公事，外子在聖誕前兩天就匆匆離開了美國返台北，所以只剩下我和兩個孩子，在舊金山渡一個非常冷寂的聖誕節。

美國人對於聖誕節非常重視，這是一年一度家人團聚的節日，夫婦，父母，兒女都設法團圓，親友之間也互相饋贈禮物，尤其是孩子們更是歡天喜地，猶如中國孩子過新年一樣，因為他們都希望聖誕老人送給他們心愛的玩具。在十二月這一個月裏，報紙上的廣告都大事宣傳，各大公司以種種巧妙的方式招徠顧客。在靠近聖誕那幾天之內到公司裏買東西，真是最麻煩的事，因為裏面擠滿了人，售貨員有應接不暇之感，有些較大的公司還要排隊，有時為了買一點東西竟要等一兩個鐘頭。在紐約，其擁擠情形更為可怕。我常對外國人說，中國買賣時那種討價還價是一種藝術，譬方說以前在北平東安市場或是琉璃廠那種地方買東西，他說一個價錢，你還一個價錢，他不肯，你走開；他叫你：『回來，回來！』於是你走回去；他又再說一個價錢，你又不肯，又走開，這次得更遠一點；他又叫你回來，你又再走回去；他又再說一個價錢，這次大家似乎比較接近了，他又把貨色翻來覆去地讓你看，又說是老主顧啦，別人都不肯賣啦，只有你老先生識貨。諸如此類，天花亂墜地胡說一番，你也心動了，於是說下次買東西可不要亂開價，這次算了，於是大家成交。這其間的過程是非常富於人情味的，在美國那種科學昌明，商業立國的國家就永遠看不到。你走入一家百貨公司，賣貨員問你要什麼，你若說：「要手套」，她就問你要那一種貨，那一樣顏色，待都問齊楚後她才拿給你，你簡直連選擇的權利也沒有，更不要說還價了。

【八】

法國總統　歐禮和

·雷門·

近事：三月二十八日偕法外長舒曼抵美國作官式訪問，與美當局會談越南戰事，地中海防禦及大西洋公約會員國整軍等問題。此為歷史上第一位法總統訪美。

年齡籍貫：六十七歲。生於法國南部以葡萄酒及民謠著名之山區小鎮納苑爾。寄籍法國南部摩雷市。

家世：父為麵包商，對於政治活動極為反對。

出身：在土羅斯大學攻法科時，因參加政治活動，為父停止供給生活費及學雜費，遂賴教授法文及數學以維持生活，並繼續攻讀，卒獲該校法學博士及哲學碩士學位。

經歷：一九一四年由社會黨提名參加摩雷市議員競選而當選，此後其言行即備受其他議員之愛戴，地位亦與日俱增。後任摩雷市長，市議會議長，萊翁·勃魯姆內閣財政部長，旭丹內閣司法部長。在社會黨內，一九一九年至一九三九年任該黨國會議員團祕書，戰前及戰後（一九四四至一九四五年）代表法國出席社會黨大會。一九四〇年反對貝當實行執政，後維琪政府成立，被捕下獄，一九四一年在獄中患病垂危，被遣送至其摩雷寓所，旋趁機脫逃，從事地下工作，一九四二年十月逃赴英倫，參加戴高樂將軍之咨詢會議。解放後任國會社會黨議員，一九四五年十一月入戴高樂內閣，後出席聯合國大會及安理會任法國代表，一九四七年一月十六日當選為法蘭西第四共和國第一任大總統。當年曾訪問英國。

生活及性格：六歲時因玩弄手槍走火而喪失左目。一九一二年與工人報創辦人之女米萊連結婚，伉儷情篤，產有一子保羅。渠為一典型「有理性的」法人，自奉甚儉，每日晨起常自煮咖啡。對總統職並不感特別興趣，曾公開表示願退休而回其摩雷之平屋住宅，渡簡樸之鄉間生活。渠有藏書數千冊。曾著「今日與明日」一書，描述其地下工作情形文筆極受國際人士推許。

（圖：歐禮和及其孫）

風雲人物

時代科學

末日

·凌石春·

廣州二十日專訊：中共工商當局宣佈十七種商業不得再行開設，包括理髮，戲院，茶樓酒店，什糧，文教用具……

一面人民沒有飯喫，同時又不准人民自己找飯喫。從前共產黨說要從「有飯大家喫」做到「大家有飯喫」的日子，從一粒沙看世界，從一個廣州看大陸，大家有飯喫的支票是假的，大家走近末日的話，倒快兌現了！

俄間諜所供述原子彈構造秘密

·紉之·

蘇俄的製成原子彈，大家都知道是得力於間諜之助，從美英方面竊取了有關原子祕密的情報，但這批間諜們把整個原子彈的藍圖都供給了俄國，卻是從最近美國審訊羅森伯格和格林格拉斯一案纔暴露出來。

格林格拉斯是美國陸軍中一個技術中士，戰時在洛斯阿拉謨斯的原子彈製造廠工作，因而投到日本長崎的原子彈藍圖，便被他竊取，送給蘇聯了。

上月中旬，紐約曼哈坦的聯邦法庭審訊此案，格氏在供述時縷述他們供給蘇聯的原子彈構造內容；那原子彈，在現在看來已十分陳舊，但其構造上的祕密，卻是藉這間諜的供述纔首次公之於世。

據格氏說，那原子彈的引發，是利用一種「向內爆炸」的作用，這是一個很重要的事實。所謂「向內爆炸」者，便是正與普通的爆炸相反，爆炸的力量不向外散發，而向內部集中。在原子彈的內部，鎮質在中間，其周遭有三十六個「玻璃體」圍繞着，這玻璃體是用類如T·N·T·這類高級爆炸物製成的，這些玻璃體爆炸之後，便立即緊迫裏面的鎮質向着一個共同的中心點集中。

原子彈的一般原則已經不是祕密。把分離開的分裂性物質（如鎮或鈾——二三五）併合在一起，只要那總量是夠「臨界質量」的限度（大約是十公斤），便立時會自動爆炸。一個原子彈，大概是兩塊或兩塊以上的分裂性物質所構成，其每塊的質量都要少於「臨界質量」。要想獲得有效的爆炸，就必需以極快速的時間將其併合在一起。

格林格拉斯說原子彈裏的鎮質製成為球形，他的意思也許是指一個空心的球，更或者是把鎮質製成一端尖銳的柱體，在「向內爆炸」的強力緊迫之下，迅即合併成為一個球形，其質量超過了臨界質量的限度。

他又說，在鎮彈的中心，有一具鋅製的小球，以供應襲擊鎮質使其爆發的中子。他的意思也許是指一塊鋅與鐳的混合物，像普通試驗室內應用少量中子時所使用的。當鋅質受到鐳所放射的阿爾發質點（按即鋅原子核）襲擊，即放出中子，其本身則變成普通的炭。但那中心的球質應該是純用鋅質構成，因為鎮本身就能放用阿爾發質點，擊中鋅質後即可得到所需的中子。

他的供述自然是陳舊的，欠完備也欠精確，但卻十分可信。自從一九四五年史密斯報告書（軍事應用的原子能）發表而後，這是公眾所能獲悉的對原子彈構造的唯一說明。

紅色的細菌

俄方的美人計

俄人在綁票的工作方面，常利用美麗的女郎佈設美人計。一個名吉蓓拉的柏林籍年輕女子，初時跟着一個蘇聯軍官到了奧國，後來她的愛人葉勒納夫斯基中尉奉召回國，她的美貌、口才與苗條的身材使她得到奧境甚多蘇聯人士的傾心，同時她還藉了不少的化名，在黑市為她的俄方友人經營買賣。去年初，她忽想起回家一行，於是向蘇聯佔領軍當局請求赴柏林的許可證。這時，主持此事的俄人奧洛夫上尉卻說，她必須先替俄方辦一件差使。他們要捕一個在一美國兵營當勤務的流亡俄人莫萊傑夫。奧洛夫組織了一個綁票團體，包括吉蓓拉和二個無國籍難民。她先以假護照進入美管區，到那個美軍營房探察情形，並且設法交結莫萊傑夫。同時以「尼娜」為匿名和俄方保持聯絡。她與莫萊傑夫締結深交當然毫無困難。進行到這程度以後，她便回到蘇區，向奧洛夫報告，再由他詳述正式綁擄莫萊傑夫的計劃：俄方爪牙之一帶齊吉蓓拉駛汽車往美管區準備用這汽車將莫萊傑夫載回蘇區。她還預備好一個沉重的皮箱，存放在火車站，要莫萊傑夫代她去取。奧洛夫又給了吉蓓拉一瓶酸和一瓶滲有麻醉劑的白蘭地酒，準備在車上對莫萊傑夫施用。

按照原定計劃是待莫萊傑夫取了皮箱走出車站時，就由俄方的司機將他挾入汽車。但莫萊傑夫有一位目光銳利的朋友，對她起了疑竇。他暗中要莫萊傑夫暫時留在家裏，等他去通知美方的反間諜機構。

美方接報後，就派了幾個人跟蹤莫萊傑夫到車站，逮捕了吉蓓拉和那司機，而救了嚇得發抖的莫萊傑夫。

如今吉蓓拉仍在美方的扣押下，她曾坦白地供述了她和俄人的種種關係，她所患的梅毒已入第三期，現在正由美方治療中。

然而，俄方計劃中要密捕的蘇聯流亡人士，並不是個個都能像莫萊傑夫這樣幸運的。

（八）

秦辛亞譯自「鐵夫」雜誌

自由人

THE FREEMAN

（半週刊每星期三六出版）

每份零售港幣壹毫半

（第十期）

督印人：梁大成

社址

香港德輔道中一四一九號四樓

電話：三二八二〇

149, 3rd FLOOR,
DES VOEUX RD. C.
HONGKONG
TEL: 32820

承印者：東南印務出版社

地址高士打道六四號

台灣經銷處中國書報發行所

地址：台北館前路八十五號

電話：三〇三三

中國知識份子與史太林

中共向史太林學回了朱溫「投清流於濁流」的辦法，更進一步，一切勒逼「坦白」的文章，簡直要把知識份子，連靈魂都扔進茅坑去！

胡秋原

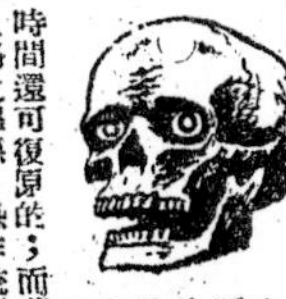

共產帝國主義最大罪惡，在其不僅謀殺人類肉體，而且謀殺人類靈魂。任何窮兇極惡，充其量不過謀財害命，而共產黨徒則除此以外，還要謀害你的精神，乃至子孫萬世的精神。一切知識份子與共產黨徒不能並存之故，即在於此。今日中共在大陸上殺人流血，乃至推銷鴉片的罪惡，是十年數十年的時間還可復原的；而若蹧污辱中國民族的人格，破壞中國讀書人人格之罪惡，恐非流毒百年數百年不止。一切知識份子與共黨決不能兩立之故，即在於此。

在共產黨人所有貽臭萬年的文字中，如所謂「一面倒」的宣布，所謂「中蘇友好互助協定」，所謂「反美援朝宣言」，固然傷天害理；而在所謂思想改造名義之下，許多「自我坦白」的文章，其勒索人類廉恥，喪盡人類天良，一種陰慘之氣，使毛骨悚然。這真是「鬼的文學」。被迫坦白者，固然可悲；而史太林主義者之下流也至此而極，共黨是人類之敵，尤其是知識份子之敵。

祖宗都是知識份子　現在何以如此仇視

世人嘗以共產主義祖宗都是知識份子，何以共產黨人如此虐待知識份子為怪。譬如馬克斯恩格斯，稱之為「唯一哲學家」，固然可笑，但不失為好學深思之士，總是無問題的。其後拉薩爾，柏倫斯坦，考茨基，倍貝爾，乃至盧森堡，皆博學能文，人品亦復不惡。俄國樸列汗諾夫極為好學。即列寧在學校中亦「成績甚佳」。十月革命參加者，如托洛斯基，季諾維夫，布哈林，拉狄克之流，亦均能以文采見稱。然則何以現在俄國共產黨人以及各國工具，竟殘酷毒辣，至於此極，對知識份子唯恐斬草除根之不盡呢？

這原因，一面是由俄國共黨之經驗來的，一面是由史太林的氣質來的。

俄羅斯自十世紀以來，以東方正教為國教。這東方正教成為專制政治與農奴制度最大工具。沙皇政治雖然不可忍受，然賴教會能夠控制人民精神，維護王朝，厥功實大。大彼得以前，學校由教會包辦。大彼得設了許多學校，但只學西方技術，精神教育還是東方正教。其後西方思想輸入，到了尼古拉一世，覺得十分危險，其教育大臣公然宣稱：東方正教專制政治農奴制度是俄國「三寶」。康德哲學因為違背正教，不准教授。東方正教能使俄人耳聾目盲，故得保持專制達千年之久。俄羅斯之為鐵幕也久矣。共產黨人由東方正教的作用，深知控制思想的效用。所以共黨執政之後，即以共產主義代替東方正教。到了現在，且用東方正教輔助共產主義了。

牢獄中仍能鼓吹革命　共黨不再學沙皇寬大

共產黨人深知思想的危險。沙皇千秋萬世之業，就是被外國思想打倒的。因為拿破崙戰爭後自由民權之說，就有十二月黨暴動；因為有聖西門的社會主義，才有赫爾岑及其「到民間去運動」，以及民粹主義；因有第一國際活動，才有無政府主義與共產主義。今天他們得到政權了，懲前毖後，自然特別要加強思想的萬里長城，保障共產黨人千秋萬世之業。尤其因為他們是靠虛偽宣傳偉獲成功的，所以對於真理傳播，特具戒心。他們尤其感到沙皇太不澈底。沙皇雖然取締「危險思想」，但多半止於流放，而流放者仍可看書著書。俄國思想家如拉地西且夫，赫爾岑，車爾尼綏夫斯基，都只處流刑。而這反給他們以宣傳機會。列寧亦曾被充軍，竟能在牢獄中寫成「俄國資本主義之發展」。至於托爾斯泰，且能仗其地位，不受危險。在共產黨人看來，這是「仁政」，未免疏忽，不，是「對自己殘忍」。所以沙皇澈底做不到的，共黨就要澈底做到了。

史太林卑劣感　恨別人知識高

根據沙皇的經驗及教訓，共產黨人重視思想危險，比什麼敵人還要厲害。至其迫害知識份子特別殘酷，至於下流者，則史太林之個性使然。

在十月革命黨人中，史太林是受教育程度最低的。他只在神學校混過三年。因此，他很久在黨內抓不起來。一直到做了「人類導師」之後，他還是「讀一本書的人」——即列寧的書。有人統計，他徵引的馬克斯，也不出乎列寧徵引之外。文字之拙劣，有時幽默之粗俗可怕（例如「不許帝國主義的豬鼻子擅進蘇維埃的菜園」之類名句），都表示他的不學。因此，他對於智識份子除了防範心之外，還有一種卑賤感。卑賤感一變為報復心，再變為優越感，正如劉邦溺儒冠，朱溫投清流於濁流一樣，史太林屠殺教育程度較他為高的同黨，先要他們自辱自賤藉感精神之滿足。但這滿足還不過癮。他說：不懂實踐論，就算不得學問，他說：如果不懂列寧主義科學，都算不得科學。他說：任何人如不懂俄文，即證明其沒有受過教育——，他既懂俄文，又懂列寧，還懂「實踐」，自然覺得大可以傲睨世界了。

史太林將他的卑劣經驗和心理，傳授各國共黨及中國共黨。他們的素質自更比史太林為低。因此，共產主義愈到東方愈卑鄙。

史太林之徒了解思想之重要性，是不錯的。的確，從來摧毀暴君的，是學者，是文人，是思想。暴君的武器是愚民，而思想啓蒙，即是為暴君掘墓。原子彈也是思想之產物。思想本身即是最基本的放射能。

但史太林之徒以為屠殺文人，表演坦白，封閉思想，傳播胡說，不僅投清流於濁流，簡直要將一切知識份子，連靈魂都扔入茅坑，如此就能保障江山，這真是可笑的妄想。兩千多年前焚書坑儒尚且無效，何況今日？如能統制空氣，乃可統制思想！

君要臣死　不得不死

今日身陷共黨羅網的知識份子，因共黨能用生理的恐怖方法，用饑餓人智種種方法，迫他或代他作一切鬼怪之談，我們無話可說。還有若干人，早已立下大志，要認為不拜史太林，屈膝何用；認為史太林作任何鷄鳴犬吠，都是天職所在；而即令有一天為史太林之徒所清算所殺戮，臣不得不死，畢竟是君要臣死，死無怨者。我們亦無話可說。但是，凡不甘心自覆自辱，不願意禍國殘民，不屑於做屠戶與鴉片販子、留聲機者，只有挺身而出，團結起來，對有史以來人類最大的罪惡與恥辱——史太林主義宣戰！

檢討史太林路線（上）

他犯了四大錯誤　這樣的領導如何配稱「英明」

王厚生

馬克思和恩格斯為共產黨提供了唯物史觀，階級鬥爭，剩餘價值等學說，以武裝共產黨員的思想，但我們必須明白：今天在世界上的共產黨人，其思想從學習馬，恩而來，但其行為，即共產黨人所謂的實踐，卻完全不是馬，恩的，甚至可以說根本違背了馬恩的原意。馬，恩在「共產黨宣言」中呼籲全世界勞工階級聯合起來！然勞工階級革命方法的真正建立者則是列寧。列寧對於馬，恩思想是全盤接受的，之後，他作了解釋，加了補充。列寧對馬，恩思想的解釋是：馬恩思想告訴我們：宇宙事物的變遷是辯證的，所以，我們革命黨人的態度和政策也不是一成不變的。列寧對馬，恩思想的補充是一些上述態度和政策的轉變，亦即革命黨人從地下工作到武裝暴動，奪取政權，以及當政後，鎮壓反革命的技術和政策。列寧自稱他的時常隨客觀形勢的不同而改換的革命技術和政策為「科學的方法論」，信仰馬，恩思想而同時又信賴他的革命方法的人，便叫做「科學的社會主義者」。[illegible]

我們亦必須知道：史太林主義與列寧主義之間是不一致的，[illegible]

為什麼不學狄托？

第一。今日史太林的路線顯然是錯誤的，[illegible]

方便，史太林可以說：列寧生前常說馬克思不可以說；列寧生前亦常說：馬克思並不……[illegible]在他們自己的名下，已經腐朽了，今天的俄國是史太林的天下，現在讓我們討論史太林的領導算不算得上英明？

國家利益高於共黨

[illegible]

時局漫談

左舜生

簽定日約的難題

對日和約的草案，已由美國送交有關各國，各方面最後的反應如何，此時尚不知道。但最為世人所注意的問題，卻有兩點：其一，蘇聯的態度究竟怎樣？其二，中國到底由那一方面簽字？[illegible]

美國已有炸東北必要

授權麥帥在必要時可以轟炸東北中共基地的消息，是聯合社由華盛頓發出的，不會假，過去十天關於麥帥招降聲明的一些紛擾，可以一掃而空；同時成功湖許多熱心和平的國家，總也應該默爾而息了吧？我們早知道：蘇聯對於韓國問題，是不會也不能讓步的：[illegible]

存糧不救饑荒

張丕介

所謂生產自救等於坐視不救

華南各地的饑荒，目前已發展到相當嚴重的階段。斷炊及上山採食的饑民，已不限於某一區縣，而業已成爲普遍現象。過去中共爲表示其統治的有辦法，對於饑荒現象很少提及。最近大概由於情勢過於嚴重，已開始不斷洩露了。如三月廿九日粵共的「南方日報」，即有下列的報導：「恩平六區永鄉祿村，去年十二月起，農民百分之六十是缺糧的，饑餓的農民，只靠吃野菜蔓頭果，黃狗頭，山馬甲等來過活，許多染上了黃腫病」。「結合查減退租運動，新會加緊春耕渡荒」。「文昌同德鄉農民，熱烈展開生產自救」。三月廿七該報「揭陽通訊」中，亦有類似的報導：「口糧缺少倒是一個嚴重問題，大部份農民存糧只能維持一個月或半個月」。連日廣州市區搶食現象已一再發生。面對着這一生「死掙扎」的慘景，中共迄今爲止所公開表現的反應，除了重申「搶糧者死」的禁令，以預防饑民暴動外，只高呼着「生產自救」的口號。

所謂「生產自救」，乃中共聲明不負責任的代名詞。其主要內容有三：一、是要求垂斃的饑民，從事生產勞動，否則餓死是活該。如以恩平爲例，目前斷炊者已達數千人，中共並不撥糧救濟，而要他們「靠山吃山，靠水吃水」。「加緊進行生產」。南路中共有色金屬管理站，乘機大力發動各地饑民上山採鎢，將挖得鎢鑛予以賤價收買，挖不得的便任其餓死溝壑；二、是要求饑民「就近清算」當地「富農」，以鬥爭所得果實來渡過春荒，據「南方日報」報導，新會貧僱農清算地富結果，每人可分到二三十斤糧食，（三月廿九日）；三、是發動「節約互濟」，要求附近不屬災區的人民捐獻救災。總括這三個辦法，無異說明，饑荒乃人民的事，應由人民自己解決，政府決不肯爲他們花費升斗或分毫。

從中共的立場觀之，「餓斃二億中國人」乃莫斯科既定的政策，目前對饑民能有這樣的安排，已算盡了「人民政府」對「人民」的責任。但從饑民們觀之，這一「生產自救」政策的實施，實際上等於坐視不救。擺在他們面前的只有兩條路：一是枵腹勞動，爲中共創造更多的「剩餘價值」，以苟延殘喘，直到不支倒下去爲止。一是發掘野食，等待死神的宣召。二者同樣是走向滅亡之路。今天饑荒的造成，百分之九十九是由於人爲因素的。在過去一年中，他們並非沒有努力生產，只要從中共宣佈去年大陸增產二百七十五億斤的數字中，即可獲得明證。但其生產之所得，不是在「夏徵」和「秋徵」的大力征糧中被征去，便是在「土改」期間「集中管理」下被沒收。過去努力增產，於他們何有？反之，目前中共手內所掌握的糧食正無路銷售。根據最近千家駒的表示，去年僅東北餘糧即達五百萬噸。因此，對印度不惜援運三大批輸出。第一批五萬噸剛抵印度，最近又再醞釀撥運一百萬噸。即以粵省各地而言，大批存糧均變壞，如寶安縣西鄉分倉，東莞縣厚街昭非倉，沙田君馬倉其，花縣炭步橫沙倉，存糧均發芽生秧。陽江恩平等縣則普遍發現蛀虫。中共苟有心救災，只須開放存糧，或停止外運即可辦到。何必在已倒下去的「地富」上轉念頭？至於種植最易成熟的瓜薯什糧，亦非一月半月所能收成。在這一段等待的期間中，他們除了「黃狗頭」外，還有什麼辦法？中共一手造成了大陸的饑荒，又忍心坐視不救，其心病狂的程度，爲歷史上任何「流寇」所不及。從中共對災荒的反應的淡漠及措施的乖謬觀察，「人民政府」對「人民」的基本態度，已不難思過半矣。

然而，這一切慘不忍睹的現象，卻被中共一筆寫在「革命」的賬上！革命，革命，永久不停的革下去，一切美醜的名詞，一切實際的收獲，都成了中共成功的資本，但它的資本積累卻完全是用「人民」的「命」革出來的啊！

號稱「人民政府」　安心餓死「人民」

莫里遜的「心理」錯誤

現在有何根據「心理上會是中共準備停止韓戰的時候」

滄波

英國新任外相莫里遜二日晚對工黨政治會議上演講：「現在是心理上準備停止韓國戰爭的時候了。」他特別提出中國的中共政權，「中國人民應知道他們地位的提高在於對國際的協議，這樣一個具備文化智慧的民族，必能排除一時的偏見及感情，選擇可以持久的福利，中國人民過去久受苦難，必不再願陷入自已行動所造成的災難。英國隨時準備且亟欲與中國（中共）恢復建立正常的外交關係。無論在遠東或在歐洲，英國隨時準備由交涉的途徑，希望達成合理與眞正的解決。」

莫里遜就任外相後，這篇演說是他第一次正式的發言，也等於他對外政策的宣布。莫里遜是繼貝文出任外相的，他們兩位同是工黨[illegible]本來以超越一黨一派著稱於世。[illegible]的演說分析內容，表面與實質，都相當四平八穩，並沒有多大可資研究之處。可是他談韓戰，談今天世界外交，談到中共，他都犯了一個心理的錯誤。他說：「現在是心理上準備停止韓戰的時候了。」這所謂心理上，是聯合國軍方面的心理呢？還是中共的心理呢？是自由民主國家方面的心理呢？還是共產帝國主義集團方面的心理呢？

又被趕同北韓去　中共此時不停手

如果說民主國家方面，他們在心理上，根本便沒有想用兵，根本上不想使韓國統一，獨立與自由民主，換句話說，照民主國家方面的心理上，根本不會有韓戰，也根本不會有今天世界這樣緊張的局面。若講到共產帝國主義集團方面，他們心理上，根本要征服世界，要完成世界革命，侵略韓國是全部計劃一個極小的部門，英美帝國資本主義一天沒有打倒，心理上那裏談得到停手，英美帝國資本主義控制着的聯合國軍，今天不但沒有打入朝鮮海峽，還讓他們反攻越過卅八綫，這正是共產主義世界中不共戴天之仇，這種恥辱一天不雪，[illegible]談不到解決問題，更談不到暫時的停手。何能在此時此地提及？莫里遜自以爲懂得心理，其實他所懂得的心理，只是自己的心理，而不是對方的心理。只是自己的心理說話，那就是自己一廂情願的心理。

大陸那裏有人民　人民如何擇禍福

我們感謝他關懷中國的人民，他想叫中國人民在今天自己抉擇禍福。莫里遜外相的心是好的，但是他的頭腦，大概是有病了，他提起了心理，而自己犯了極大的心理錯誤。莫里遜先生明瞭：今天中國那裏有人民呢？今天的人民從何處自己去抉擇禍福？今天英國承認的中國北京僞政權，它們是怎樣對付自己的人民？中國大陸上的人民，今天還保有絲毫的自由嗎？中國人民今天所得於共統治者，是饑餓、壓榨，與屠殺。中國人民所受的苦難，在現階段不僅在中國歷史上爲空前，便在世界任何國家歷史上也所僅見，我們眞慚愧而羞憤，這樣具備文化與智慧的民族，在這樣暴虐的統治下，還說得上選擇自己的福利？中國人民聽到了莫里遜先生的話，同樣地慚愧而羞憤。莫里遜先生的玩笑太惡作劇了，他對中國的情形完全無所知嗎？英國的外相不應該他對中國情形明知而故意和中國人民開玩笑嗎？此又是何所居心！

只看見人民仇敵　沒看見中國人民

英國對遠東有那樣大的利害關係、有那樣深遠歷史。看中國人民在那樣痛苦暴虐的統治下面，不僅視若無睹，而反朝朝暮暮想對中國人民的仇敵——中共統治者恢復正常關係，英國政府，只看見統治者，不看見億兆人民，英國政府能是政治的現實主義者嗎？莫里遜先生在心理上，眞是一誤再誤了，他看不懂共產主義國家的心理，也看不懂共產主義者的行爲，莫里遜先生要想這時，且亟欲與中共恢復建立正常的外交關係，莫里遜先生心目中的「正常」，正是中共心目中的「不正常」。自由世界中的「正常」，是共產主義世界中的「不正常」。今天莫斯科指揮下的，那一個附庸國和西方及自由國家能維持正常關係，西方國家心目中的「不正常」，總是共產主義國家的「正常」。大家看見南斯拉夫與希臘的關係麼？直待國際共產情報局開除了狄托，南斯拉夫對希臘的關係，才恢復正常。[illegible]英國在遠東的外交，[illegible]一天不結束，[illegible]統治世界的計劃一天不放棄，無論在遠東，或在歐洲，英國隨時準備由外交途徑，希望達成合理與眞正的解決，這種希望太遙遠了，這種希望簡直是痴人說夢了。英美西方國家所認爲合理與眞正的解決，共產主義國家認爲是不合理與不眞正的。工黨自以爲與共產黨淵源甚近，但是對共產黨如此不了解，對共產世界的心理如此隔了一層障，不但是一悲哀，也是一個極大的諷刺。

第二次世界大戰以後，在歐洲瀰漫了中立主義的運動，在法國及意大利，更流行着所謂第三勢力。這一個問題，我將另有長文詳爲論列，從去年開始，中立主義在國際政治上抬頭，今天聯合國中西方國家自己步伐凌亂，意志渙散，就是中了這個思想的毒，尼赫魯的印度，艾德里的英國，其所作所爲，實在顯露着中立主義或第三勢力的面目，這許多先生們，心術已經先壞了，從尼赫魯，艾德里，貝文到莫里遜，言論行爲處處無以自解，就是犯了這個毛病，莫里遜就任後，開口便錯誤，他們遺在中立主義的思想中太久了，心理錯誤，對政策是極有影響的，法國總統歐禮和的話，正是英國與印度今天最切要的諍言！

善惡之間無中立　法總統一針見血

最近法國總統歐禮和訪問美國，在華府參衆兩院聯席會議發表演說，告訴美國國會，法國在必要時，一定對蘇俄的侵略抗戰，他在演詞中提起了「中立主義」，他說：「所謂中立主義，導源於野心，[illegible]中立主義，不但在地理上或歷史上是一個荒謬的態度，在道德上也是沒有意義的，在奴役與自由之間，在善與惡之間，能保守中立嗎？」歐禮和是歐洲著名的「第三勢力」所提倡的「中立主義」思想極濃厚的人，他今天能揭開這中立主義的迷夢，是自由世界中一個好消息。

一切從剝削得來

所謂「建設進步」所謂「糧財兩足」只有被奴役的老百姓最清楚

·堅白·

秋歟王朝統治一年又半以來，憑着一個「殺」字訣，關起鐵閘，竭澤而漁，一面大吹大擂，建設如何進步，金融如何安定，糧食如何充足，近復侈言「百萬噸米助印」。一些以耳代目的外國觀察家，惑於中共的自我宣傳，以爲它「確有辦法」，甚至推許爲五十年來最強的中國統治者。其實，中共「強」在那裏？「有」的是什麼「辦法」？只有被奴役的中國老百姓才清楚。不但非那些外國皮相家所能道，就是近在邊緣的我們也知得不夠，現將來自故鄉者身受的事實，綜合報導如次：

先談所謂「建設進步」。中共爲了軍事上的需要，最近大舉征擴展公路交通，進行征用民工，凡年滿十八歲至四十五歲的「人民」，無論男女，都須服役，直至完成該項工程爲止。服役辦法是：貧農每人每日給米五市斤，中農每人每日自攜米十斤，富農地主十五斤至三十斤。因成年男女均須服役，既無人可僱以替代，亦不許僱人替代。中共收集中農富農地主繳交之米，幷非直接發給貧農，而是煮其「大鍋」，全體合食。所以名稱上是每人佔米五斤，實則三斤即已夠（包括柴、油、菜）同時中農、富農地主負担之米，[illegible]超過一倍以上，[illegible]不但無須中共籌措粒穀給養，且可從中供給監督工作人員之外，仍有大量盈餘撥歸國庫，而坐享免費勞役之「建設」，此名利雙收，黃埔港海陸各項建設，亦即採取此項勞役辦法。至於達成「金融安定」「糧食充足」的手法，那更夠你消受。且舉一二，以例其餘。

惠州某鎮名醫王某（遵述者之囑鎮名人名從略）以業務不錯，收入可觀，給中共看上了，去年在強銷公債時已迫購了五千分。後來又用征所得稅辦法，按日抽提收入總額百分之三十，但此數仍屬有限，月前藉口他藏有黃金甚多，未曾遵令兌換，將其拘禁，卒在籌繳五十兩黃金之比值後，始行釋放。未幾再又說他瞞報所得稅額，再度拘去處罰。所短報稅額一千倍，照處罰，最近又以其子均在香港，壓其子勸不及返，均有「漢美特」嫌疑，加以清算，判將全部產業沒收，只准留小房一間爲診所之用。後經多方苦求，以着令兩孫返國讀書爲條件，才討回一部份房屋田地。王某經此三番五次的刺激，哭笑無常，其子在港亦係業醫，雖萬分悲憤，亦不敢返鄉省視，且準備犧牲一切，命兩子回港免受惡化——這是一件。

佛岡縣第二區朱×森，已年逾八十，爲一忠厚長者，甚得鄉民愛戴，歷年所有公嘗，都推他管理。除修建學校之外，收益仍有盈餘，因而累積越多。共幹成立農會後，着人向他暗示把嘗產獻出。朱×森表示本人行將就木，不忍百年嘗產將在他手裏斷送。但可將管理權交回鄉族，任由公意處置。因此極得該區農民擁護，共幹用盡挑撥手段，仍是無奈之何，最近藉口他從前組織鄉自衛團，爲反動政權效力，拘向區政府嚴刑迫供，曾殺害共黨同志多人，提出槍決。於是全部嘗產和他本人的房屋耕地，都轉入了「人民政府」的戶口。——這又是一件。

如此這般，秋歟王朝的「金融」「糧食」，又如何不「安定」「充足」？據上月卅日港報，[illegible]陽江恩平九縣萬多石的倉穀，就有[illegible]虫蛀掉，全部毀壞，由此類推，則其整個可想而知。一百萬噸糧食的助印，確是綽有餘裕。至於全國大部餓殍春荒，尤其粵省南部各路（參閱連日本港各報），那當然只是「人民」本身的事，與「人民政府」無關。一切都從剝削得來。誰說秋歟王朝不是「中國五十年來最強的統治者」？

我所時常親炙的偉大思想家紀德（下）

當人類正在準備一場大殺戮的時節紀德提倡人類平等合作這精神是值得欽佩的

謝永年

紀德以一八六九年生於巴黎，叔父和父親都是著名的學者和大學教授，[illegible]宗教上，[illegible]承繼了南北兩方種族的血統和[illegible]，同時還融會了[illegible]古典派清明思想[illegible]象徵，神祕[illegible]。他一方面[illegible]精神世界的創造，一方面又能夠極度苦悶於道德問題的探討，[illegible]人類的[illegible]與世俗的[illegible]；[illegible]不斷努力於[illegible]世界，[illegible]宗教與世俗，[illegible]愛情及本能[illegible]，傳統與革新[illegible]，主義思想[illegible]作品中表現，[illegible]他底思想成分當中，還有許多[illegible]，例如尼采，王爾德影響到他底唯美主義和[illegible]，超越道德觀念和人生利害的藝術嗜好與天才，增益了他對貧苦大衆和全體人類的同情與博愛，此外沙士比亞，歌德和太戈爾幾位大詩人也給予他底人生觀和宇宙觀不少的影響，他對於上列諸外國作家都有相當的研究和介紹，增加法國文壇對於外來思想文藝的接觸。

如上所述，紀德藝術思想的來源既如是其廣博深厚，加以稟賦卓越的天才和表現的能力，使他在二十三歲以後到八十三歲的六十年悠長歲月當中，創造出許多傑作，成爲世界文學史上有名的主將，（參看拙著廿世紀法國文學鳥瞰）影響於世界文學運動，至深且鉅。文學史家朗松（G. LANSON）以爲紀德在精緻的描寫方面是獨一無二的作家，在時間和地域的美底統覺方面，是一個富於批評和分析天才的詩人，他在大膽地創作當中，對法國文學的優秀傳統，仍然保持一種密切而穩固的聯絡，文學批評家提博德（A. THIBAUDET）以爲紀德在思想方面的影響，勝過他在小說史上的地位，例如僞幣製造者一書（一九二五）居然恰到好處地說出第一次大戰後這一代法國青年內心的彷徨和苦悶，兩篇安的旅行（一八九三）一本記載的寓言小說，[illegible]（一八九七）[illegible]（一九二二）等書，能創造出若干微妙動人的神話，可能與希臘神話，共垂不朽。這都是知言，另一位法國文學家拉魯（R. LALOU）也很推崇紀德，以爲他是一個沒有民族偏見的純正古典主義代表作家，他底好奇心和興趣是以宇宙爲對象，而不拘泥於一國的範圍，他常常期待着一些新的藝術形式和新的思想內容，他努力上進，而不肯故步自封，也就爲着一種狹隘的國家主義可能防礙了整個世界進步和人類平等合作的前程。紀德於是不惜大聲疾呼，攻擊巴羅士（BARRES）和莫拉（CH. MAURRAS）的思想和法西斯主義，這種大公無私，人類平等的精神，時常流露在他底名著「地糧」和「新食糧」裏，代表人間地上的歷程，同時也代表了[illegible]的一變，[illegible]人類已經分成兩個陣營而又準備一場大廝殺，[illegible]漫漫長夜[illegible]，更增加了[illegible]宇宙哲人其萎之感，[illegible]！

共區觀感之四

專制時代無此橫暴

共幹說：「不許講話跪下」！

做順民的下場，我從此覺悟了

衛聚賢

我離開重慶原因之四——罰跪

我住重慶，住在上清寺我的印刷廠內，因為印刷廠關了門，我遷移到兩路口住。但在兩路口住了不久，房子被民航局收買去了，我又搬到國際村去住。兩路口的房東，抗戰時在石橋鋪買了幾石田，要減租退押，要退一千萬元。農會把他押進城，限他三天將款交清，要我到保才能釋放，他到校場口那新街茶館找我，（我在這茶館吃了八九年茶了），他們商量好，是六天交一千萬元，由我簽字担保。

六天硬變三天　証人改三為六

第四天是星期，第五天他先帶了二百萬來，因為那幾天退押甚急，在人民銀行用黃金兌人民幣的太多，擠不到，好容易，他先擠了兩百萬元，現款怕遺失，提前送去。我們到了石橋鋪勝利村農會，上午未辦公。下午去。農會的共幹看看票子：說『這是多少』？我說：兩百萬，他說『還有八百萬呢』？我說『明天』。他說：『限你三天，為何說到明天？』。我說：『條子上寫的是六天』。他看了看條子說：『六字是你改的』，我說『三字改六字不好改，』他說：『我們派去對保的人，不認得字』，我說『這個人另寫了一張「代收柴草費十七萬元」收條，不認得字何以會寫收條？他站在這裏，可問他是三天是六天』。他說『不准你講話，跪下』！

我不跪，於是裏邊跑出幾個人，強拉我下跪，我仍不跪，用槍把子打，將我打倒。跪下了，頭不准抬，也不准低，兩手垂下不准動。跪了有一點鐘，他再問：『你担保的尚有八百萬元，究竟那一天有？』我說：『這兩百萬是怕丟，所以先送來。他有黃金，明天他再到人民銀行去兌現，兌出了，馬上來交，如果你們要黃金更好，他就可以照銀行牌價折交黃金。』他說『他有黃金嗎？』我說『有』，他說：『你為何不早說』？『你不准我講話』。他說：『好！你起來』。

有黃金何不早說　起來！磕三個頭

對大衆道歉，向大衆叩三個頭』，我拒絕叩頭，結果，向大衆叩了三個頭。

把我簽字的一千萬元的條子抽回另寫了一張八百萬元條子，限即日交清，由我簽字，把我們押進城內，將黃金和銀元交他，才把我的保條抽回。這比原定的六天，更提早了一天。

共產黨喊的口號是『反封建』，今天無故逼人下跪，又無故逼人磕頭。專制時代也無此橫暴。把『人權』兩字拋開，單就這種下跪磕頭的方式說，究竟共產黨是在提倡封建呢，還在反對封建呢？舉一反三，可見他們所喊的口號在實行上，都是剛剛相反的。

中共若退出重慶　一定把我們綁走

我在重慶看中共報紙，說美國在朝鮮估了元山縣，新政府組織不起來，因為公務人員，及地方紳士都跟着共產黨走了。我想：這決不是他們自己願意走，而是被共產黨強迫着走的。因為共產黨怕當地人明瞭共黨的一切，怕美軍利用當地有聲望的紳士將他們慘無人道的一切事實廣播出來，於他們不利。是以才把紳士都拉走。共黨的作法，已注定非失敗不可。共黨是一個師父傳下來的，且中共由重慶退走，難道不也會把我拉走嗎？並且走出郊外一定就會把這些人犧牲的，是以我日夜考慮，決定要離開重慶。

我要向那方面走呢？當時我想走綏遠，因為（一）傅作義的軍隊，尚未改編（按現在已改編了），據說，在他的軍隊勢力範圍內行動言論尚有若干自由，（二）傅作義是山西榮河縣人，我是山西萬泉縣人，乃係近鄰，他的部下，多半是我的朋友和同學，住在那裏比較方便。（三）我的大女孩在綏遠某機關工作，去了可以暫時有地方住。我是「不苟全性命於亂世，不求聞達於諸侯」，到綏遠想點辦法，來避過這亂世。

我下了走的決心

究竟幾時走呢？總想過了陰曆年，天氣溫和一點動身。自從去年十二月十八日在重慶石橋鋪勝利村被罰跪以後，我下了離開重慶的決心。我向兩路口派駐所領遷移證，別人領證，三天就發下來，我的無下文，因為我在他們特別注意之列，是以將我的申請書，送到公安部去了。我知道他們要暗中調查我，我天天在那新街買皮衣皮帽皮褲皮手套等皮貨，讓他們相信，我確是向西北去。

到綏遠去

今年一月四日，我又去派駐所詢問，他說：今年辦法改過了，你將你的「戶口備查簿」拿來（這是他們統治滿了一年，認為戶口普查過了，沒有問題了，才發戶口備查簿的），我將戶口備查簿送去後，他就蓋了兩張表格，公安部的大印已蓋好，着我自己填好，送去，第二天下午就拿到了派駐所長的私章。我領到遷移證，就去登船，於一月十八日坐船動身，二十四日到了漢口。打算經過陰曆年，報載西比利亞冷流南來，我的禦寒設備不夠，擬在武漢過年。

天津朋友警告我　要逃命快走香港

聽說長沙最近出土一批古物，我的舊病復發，乘機到長沙去一趟，在粵漢路火車上遇到一友人，他是從天津來的，問我到長沙的情形，他說：「你還不快走，到甚麼地方去？」我說：「到綏遠避寒考古」，他說：「到那裏去好」？我說：「到香港去」！我說：「聽說出不去」！他說：「可以去」。於是在車上補了一張票，乘車到深圳，未久停，進入了這自由世界的香港。

奉告香港朋友　莫幻想做順民

自從上月七日「自由人」登載了我在重慶下跪，及逃來香港的消息後，許多關心我的朋友，都打聽我的消息，自由人登得太簡略，且稍有出入之處，為避免向友人一一答復，故將我離開重慶的詳細原因寫出。

我沒有談過政治，也沒有加入過任何黨派，各黨各派均有朋友，而共產黨中的郭沫若更是我的好朋友。我開了個小印刷廠，可以列在他們小資產階級工業和民族工業，是他們的約法八章所保護的，而且我又沒有剝削工人，我又是研究考古的專門家，我又是儉樸勤苦和平民化的，在共產黨統治下，當個順民，自以為不成問題的，而今才知道大謬不然。

國民黨在重慶退走時，友人問我既不走，我又無名義，如何走？而且我有一個工廠，兩個書店，四十餘箱古物，家中尚有三口人，走了交給誰？是以未走。不料竟遭受共黨那樣侮辱壓迫，且幾乎逃不出來。

今天在香港的朋友，過去的政治關係比我多的，以為只要今後不談政治，共產黨來了，總可做個順民，那就想錯了，以我這樣的人，都不能容於共產黨，比我地位更不同的人，不要再作幻想罷！

剷平別人祖墳數萬坵　毛澤東修祖墳

毛髮妻楊開惠墓亦大事培修

中共在長沙小吳門及北門外近郊一帶，修建中南區「兵工學校」和「儲糧倉庫」，工程浩大，佔地極廣。由去年春季動工。因此所有地區，如潘家坪，杜家山，司馬冲等十餘華里以內，居民祖墳數萬坵，大多數在明清以上者，均被毀掘一平。墳中，共幹部，紛紛拾取無數名貴漢玉珍珠，銅瓷，及金飾等，各飽私囊，且宣稱除墳墓則係同時除封建根芽。惟毛澤東故鄉湘潭韶山冲，則又發動大批農民，培修毛氏祖墳，並自湘潭至韶山，約八十華里，修築汽車路，指定韶山為風景區。又轉撥五十億人民幣，於湘潭市，修建毛澤東紀念堂。又毛澤東髮妻楊開惠，於湘省馬日事變，被何鍵槍斃後，亂葬于長沙高橋楊氏祖墳。該區共幹亦指定為風景區，並將原墳大事培修。一掘一修，湘人更為憤怒，以為同是墳墓，何以我等祖墳均是封建，而該剷平。毛氏祖墳，獨反以人民血汗，大事培修，然大家慄於共黨殺戮之慘，固無一人敢挺身而出，有所質詢也。（伯磊）

陳善人死於「善」

一醫生竟遭毒手

中共因恐自己的政權動搖，最懼在地方上能號召羣衆的人，於是在清算惡霸之後，跟着來一個鬥爭善霸的口號。陳景仁，廣東遂溪縣河邊村人，世代以中醫為業，至景仁，尤能涉獵醫書，精研醫理，為疾患者所景仰，景仁生性仁慈，對於求醫病人，皆能細心診視，對貧乏者不但不收診金，且贈以藥費及糧食，俾安心調治。每年三四月間，鄉間青黃不接，景仁必罄其所有，購稻穀借與貧民，不收利息，遇有旱潦天災，景仁奔走呼號，捐款救濟，一方賴以無害。以是人均稱之為陳善人，甚得鄉人擁護。粵南淪入鐵幕，遂溪縣土共最多，地方被害最慘，景仁以為向來並未涉足政治，亦未與人發生惡感，不作逃亡之想。不料該縣土共，於「肅特」「清霸」之際，忽於本年正月，指景仁為善霸，實行拘捕。旋組織所謂「人民法庭」，提出公審，在公審之時，附近各鄉，扶老攜幼，到場請求保釋者達數千人，共黨恐激變鄉民，是日暫行停止公審，翌日再將為首請保者老拘禁，謂為善霸走狗，但將景仁提出審判，事前先佈置共幹數十人於會場，提景仁到場後，充審判員之共幹迎問景仁：「你在鄉間連結黨徒，欲何為？」景仁答：「我並無連結黨徒，鄉人見我負屈，自動請保。我在事前並不知道。」問：「鄉人何以會擁護你？」答：「那我如何曉得」。共幹乃大聲問在場各人：「陳景仁以偽善欺騙民衆，博得羣衆同情，意圖反抗人民，應否判處死刑？」於是偽裝人民之共幹一致答稱：「應判處死刑」！所謂鬥爭善霸的活劇，遂宣告勝利閉幕，而陳景仁的生命，同時亦隨之結束。其實在中共眼中，根本沒有甚麼善惡，只是認為自己不需要的人，就製造一個「善霸」的罪名，來屠殺而已。（更生）

清算死人

共黨在成都已有三個先例

大陸上如火如荼的「清算鬥爭」，各色各樣的人少有倖免；連死人也不能例外，成都已有了三個：

：：戴傳賢：：

前年秋，自廣州將靈柩運至成都，葬於外撫琴台，戴母王夫人墓側，共軍入城時，墓地建造工程，僅及三份之一，一天，成都「軍管會」的大員們，游罷花會，路過撫琴台，[illegible]

：：劉湘：：

成都全部田房產，經於去年十二月三日在川西日報上公佈全部沒收，同時未亡人周書遭受通緝，劉湘在成都武侯祠和鹽市口的兩個銅像，亦由工商導報建議「予以鏟掉」。

：：鄭繼勛：：

鄭是紅軍中的一個旅長，後來在「長征」中死掉，鄉妻熊氏在成都一直守了悠長十七個年頭的寡婦。成都「解放」了，[illegible]（雷狐聞）

與中共在江北苦鬥十年

反共硬漢徐繼泰

至死不屈槍決前尚暢作反共演說

梅川

卅七八年間，江蘇灌雲縣有一麻臉將軍徐繼泰者，以地方雜牌部隊，由反共鬪爭有功漸升至軍長階級，渡江戰幕開始後，復率部轉戰江南京滬沿線，上海臨撤退前，尚率所部三師，孤軍苦戰於太倉縣城三晝夜。及奉命撤集滬郊，猶率數百精卒，突破共軍沿途層層埋伏的重圍，進入滬市。惜以十分鐘之差，未能趕登奉命留候接應撤退的登陸艇，遂致陷滬。又以面部特徵易識，未數日，即為共黨捕下監獄。凡六月，解回蘇北海州，歷將八縣公審，卒槍決於徐之原籍灌雲縣響水口。公審之日，徐始終慷慨激昂，事至壯烈，蘇北人在滬逃難聞其事者，多為泣下，但其事不彰，並政府亦未聞其事，使此一代反共硬漢，湮沒無聞，以視劉秉哲羅時賢兩軍長因逃獄在蘇州殉難，已列政院褒揚忠烈之例（最近見報載），筆者不勝為徐將軍死難痛惜，而致其委屈難平之意，爰簡述經過，以見徐將軍忠魂的偉烈：

『助盟軍登陸事小而易　防中共鑽隙事大而難』

徐繼泰在蘇北海屬一帶人民的腦海中，不論小至孩提，莫不知有「徐大麻子」其人，他是猛戰十年身經百戰堅強不屈的一員反共健將。他在灌雲縣是首屈一指的世代鄉紳，而擁有相當大的田產人家，少年時家境財力本可以做一名典型的紈袴子弟，但他受過大學教育以後，反投身軍伍，至廿六年，累升至前財政部稅警總團第三團上校團長。南京陷敵後，奉命編併，他把部隊交撥完竣後重返原籍，時敵騎已分擾蘇北，徐以地方物望，嘯起組織地方自衛隊，當時可算毀家紓難，補給接濟幾乎把他一份首富的財產貼完。在此時期蘇主席韓德勤，率九個省保安旅部以九十八軍李守維部如此雄厚的兵力，於黃橋一役先後全部瓦解。新四軍則自此以後，半年之內，囊括人槍數萬，聲勢浩大，赤燄囂張於整個蘇北，海州八屬，首當其衝，幸他艱苦撐持，終抗戰時期，海屬八縣，卒未受赤燄浸淡，這是海屬八縣人士念念不忘於徐繼泰維護地方的功德。卅三年冬，筆者奉命祕赴江北與抗日反共各義軍接洽。當時因他防地濱臨海蘇海口，正當連雲港預定盟軍登陸直趨徐海一綫，曾相偕祕赴濱海附近察地形，臨別時徐曾以「策應盟軍登陸事易而小；防共趁隙進事大而難」兩語，囑為轉達中樞，及今思之猶覺語重心長，眼光甚大。

陳毅曾兩次勸令投降　結果解原籍公審槍決

勝利以後，徐由中央收編，討共之役，徐作戰極力。當徐於太倉突圍到滬時，共軍已至南市滬西及浦東各處滲入市區。高級指揮部特撥一登陸艇，專供徐部撤出，乃以兩岸封鎖，火力過熾，艦艇不能久候，被迫駛離，先後僅十分鐘間隔，徐未及趕上，遂致將徐部分散，化裝潛伏，圖俟交通恢復後相機遁出。不料徐身軀偉岸，且滿臉大麻，面部特徵太著，終被眾裕部一蘇北土共所認出，遂捕入提籃橋監獄，據稱陳毅曾召談兩次，渠始終未發一言，後又予以六個月強迫教育，並故意提為教育小組長，對徐偽示善意，謂「一經坦白「即受人民政府寬大的保障」，徐沉默，不作任何表示。未半月，即卅八年十一月間，滬共宣稱，以接獲海屬八縣人民函電要求提徐回鄉公審，遂將徐由滬先解海州共軍專署。海屬共幹，均與徐具有十年血債的仇恨，日前布置一八縣連環公審的程序，每縣一日，由東海起，至徐原籍為止。一隨徐嘗過八年特務連長之某君在上海中，向筆者談述公審經過。當時渠以多年舊屬，欲為代辦後事，因究不知何日槍決，故亦每日加入羣衆觀審。渠稱徐素寡笑，既返鄉面見父老，頗表愉快，聞有八日長時間難得機會，乃提起全副精神，於每次公審台上，均作兩小時以上的演講，痛斥共軍欺騙，殘忍，禍國，殃民諸般罪行，並警告鄉里父老青年，不要為虎作倀，受騙中毒，聲洪氣壯，節奏從容，共幹氣為之奪，每次最後悲壯的呼聲，使在場被脅羣衆，感泣至於失聲，當時中共屠殺，尚未如今日兇惡，且上峯命令須公審八日，故未使中途戕害。徐乃得暢所欲言。已審結後，始將徐押至其司令部駐防八年縣史所在地之響水口槍決，執行共幹竟因其八日繪聲繪色的演講，亦予以八槍畢命，此一代反共硬漢遂完畢其成仁報國使命。死時年僅四十有八。中樞眷念忠魂，似可查明事實，倣劉羅兩先烈成例，明令褒揚，用彰義烈。

「自由人」稿約

本報各版，均歡迎投稿，茲訂稿約如左：

「一」除事先特約外，每稿最長請勿過一千五百字，以限於篇幅，無法刊登者，恕不退還。

「二」記述事實，評論時局，新聞消息，要人名稿，須附註明真實姓名，地址，[illegible]

「三」來稿除附足郵費外，概不退還。

「四」稿末請附真實姓名，地址，以便發還。

「五」稿件刊登後，即於五日內寄發稿費，每千字六元至十五元，一律通知單向本報領取。

「六」稿件請寄本報，封面書編輯部收，萬勿書私人姓名，以免延誤。

蘇聯的婦女

從擺脫鎖鍊到大量生產 從養子津貼到無子特稅

龐天燮節譯 原載世界文摘

不久以前，我所認得的兩個人第一次見面，一個是在假期中的駐莫斯科的外交官，另外一個是十年未到蘇聯的新聞記者。

那記者問：「你說你到過蘇聯了嗎？請告訴我，那兒的女人是否還是做一切的工作？」

這個問題並非一句無聊的俏皮話，相反的，那是對蘇維埃政權下婦女在地位的深刻的估價。

除了最高級的共產黨領導機構，如中央委員會與政治局之外，任何職位無有不容納婦女的。從法官，醫生到地下鐵道衛警，清道伕都有女人的份。男女之間，經濟機會的均等是絕對的。

在共產黨的國家，工作不是女人的選擇，而是責任與必需。把男人的薪水降低到不足以維持一家數口之需，女的自然也要工作了。

到現在，蘇維埃又把加速生產小孩的責任加在蘇聯婦女的身上。在它三十年的歷史中，國家對女人作為母親的態度已大大地改變。

當革命的初期，戈爾泰，自由戀愛與婦女解放的漂亮的倡導者，高喊：「擺脫你的鎖鍊！不要作宗教，婚姻，孩子的奴隸」。在歷史上從無一個國家的女人更接近這樣全部的性解放者。

但自此以後，鐘擺又擺回去了。第一次轉變見於一九三六年，當墮胎列為非法而代之以一項嬰孩獎金的辦法。八年之後，更富伸縮性的辦法來了，養子金從第三個小孩便開始，低齡母親的孩子更獲育嬰當與幼稚園半費的優待，產婦休假，得自六十三日至七十七日，更為有九或十個孩子的母親頒發母親光榮獎章，與母親女英雄獎章。

新法律並企圖鼓勵未結婚的女人養孩子，養出一個私生子，每月可領得一百盧布。

進一步職業女郎與獨身漢都受到刑戮，女人在廿歲到四十五歲，不論是否已婚，都要交無子稅。

同時，對離婚的手續也較前繁難。

嬰孩獎金并未多得使女人放棄她們的工作。她們儘把養孩子作為賺取外快的辦法。至於在都市地方生孩子或養孩子，其目的在免徵無子稅而已。

在傳統上，蘇聯的女人以溫柔出名，現在，這種現象僅存在於少數的職業與智識階級。我們只要看看每年進入幼稚園的孩子有三百萬，但讀到大學的，四十人中僅有一人。

這些女人都怕懷孕，結果，使她們變得暴燥，逐漸轉為情感的藍本，這種現象正蔓延於蘇聯的女人。

感應篇

·桑梅·

肅殺之氣

「白華農場中，牲畜死亡率比出生率還大。此輩手中，一派「肅殺之氣」。」

尾巴報紙如是說。

誰知在共產黨的殘酷統治下，人的死亡率比牲畜的死亡率更大。這能不能算「肅殺之氣」呢？

不同的東西

據自命「點得通」的羅素們說：「武器和人是兩個不同的東西，不能加在一起的」。

因此，共產黨執着於他們的人海戰術，繼續驅策大批「非武器論」的老百姓到韓國戰場去送死。希望「經過主觀能力的競賽」表現出他們的戰鬥力。

無法招架

某報論巴黎四強外長代表會議，發表了空前的高見。舉例：「蘇聯這幾次的修正案，已使西方國家無法招架，再也提不出什麼反對理由來。」

不料話剛說完，西方的折衷建議，又給葛羅米柯撕毀了。

祇許我「修正」，不許別人「修正」，這算是甚麼談判！

胡說八道，離題萬丈，祇想別人「無法招架」，「這算是什麼會議」！

談名氣

·陶樂居·

斗室面壁，陣風送爽，烟絲繞繞，知已聊天，偶爾談及今人變名，尤勝古人，大家唏噓。

名不妨越大，樓不怕膨脹，非如此不能顯示高雅；骨子裏却「樣樣通，樣樣稀鬆」。這一類人，好像任何大節俱不拘，論斤稱兩的是虛名。

有了名之後，還嫌身價不夠高，不夠調勻，於是乎上起盤古，下迄虛無玄境，神鬼牛馬乃至凡人，都要搬弄一套，好像都是他的朋友。眼看魔鬼稱雄，天昏地黑，他又靈機一動，偶爾搬出一兩個屠殺惡魔，穿插自己的經歷，滔滔不絕，做得意露牙狀，自詡古今中外，我「最稿通」。

徒擁虛名，自己也不勝貧困，必須設法充實一番，顯得淵博通家，於是文不論華洋，書不怕東西，統統都翻照碼不折不扣，鈔謄下來，一得機會，便五色雜陳，夾入一句半句，順手牽羊，不妨把原文也照樣「畫」下，直綫腦經，管它錯不錯，一視同仁，絕不走樣。如此這般，豈不淵博高雅？

還有一種人，唯恐自己名氣雖有，還不夠大，為了厚培名氣，計上心來，抬出上一輩的名字來，譬如老子祖父之流，點綴陪襯，讓戲台下的人，從後座也能指出：這是他的老子，那是他的兒子，唱工恍似一人。

愛名如命，君子處世之道；但因慕名而不擇手段，徒顯心虛。

一隻熊的故事

·越卿·

熊是俄羅斯民族的象徵，所以有人稱今日的蘇聯為「北極之熊」，現在就熊談熊，讓我來敘述皇冠讀本第二冊上，一個關於熊的故事：

「某次，一只飢餓的熊，一踏進一個農夫的廚房去偷吃的東西，灶上放着一把燒滾了的銅壺，發出吱吱的聲音，它不曉得這是什麼，認為是可以吃的，當它的鼻子一嗅上銅壺的時候，就被燙傷了，它以為遭遇了一個新的敵人，有着黃蜂的武器，刺傷了它的鼻子，大怒之下，它捧住了銅壺就咬，那裏知道嘴唇也給燙腫了，最後它把銅壺放在胸口，想用力把它壓碎，可是當它愈用力壓緊，痛苦也更厲害，胸口腳爪都受了創，但它仍不放手，又痛又急，狂怒不已，環着屋子亂叫亂跳，當吼聲驚動了農夫的時候，他拿了獵槍，就結果了熊的性命」。

這一個很簡單的故事，說明了一只愚蠢，頑強，野心的熊底遭遇，拿來同蘇聯對比，北極之熊，不是很好的寫照嗎？一手拿寶劍，一手拿可蘭經，認為共產主義是世界唯一的真理，順我者生，逆我者亡，除了共產主義的生活方式，其他的一切人必須斬盡殺絕，這些天真的錯誤與觀念，正如熊的愚蠢與無知。他想用世界革命的手段，以武力來達到征服全世界的目的，根本忽略了自由世界的反抗力量，其頑強與野心，正如熊的想把銅壺壓成碎片，玩火的人，終究會讓火燒了自身，它的野心與侵略無有止境的行動，如繼續維持不變的話，自然將走上毀滅的道路，正如熊的結果被打死一樣。

朝鮮戰爭，在戰場上送死的雖然是中共與北韓的冤鬼，但是蘇聯也投進了相當數量的武器，以及在今天火海與人海的對照下，證明這只是從蟲之下，無可抵抗的犧牲。但這僅是小試其端，在蘇聯亦不過剛燙傷鼻子，當然還要發動新的更大的冒險，最近局勢的發展，可以說明蘇聯在想進一步壓碎這個世界，不惜再把嘴唇，胸口，腳爪，甚至生命，再來冒一次大險，至於結果如何呢？看了上面這一段小故事，當可不言而喻了。

皇冠讀本第二冊，只是高小學生讀的課本，但對於北極之熊的蘇聯，該是一個良好的教訓，同時今日所謂「偉大的革命導師」，而其智不若一個讀過皇冠讀本的高小學生，真是匪夷所思了，共產黨變講「學習」，那末我希望上自「偉大的革命導師」起，下至猫腳爪之流的「同志」們，把皇冠讀本第二冊「熊的故事」，作為「學習」的第一課題，以免被燙傷，打死，則「北極之熊」幸甚，「猫腳爪」幸甚。

旅美雜記

陳香梅

「為孩子們幸福而戰」

聖誕前幾天，我到店裏買東西，大家領一個牌號，售貨員依照牌號招待，你若多躭誤時間，後面等着的人就議論紛紛，使你毫無辦法。有許多太太們帶着孩子到百貨公司去，人太擠了，有時連孩子也擠得不見了。如有人看到孩子在哭，就把他帶到詢問處去，再由服務處用傳聲筒宣佈孩子所穿衣服的顏色及年齡等等，請孩子的父母去認領，這也是節日常常發生的事情。

我底父母親及三個妹妹都住在舊金山對岸的屋崙市，我自己的生母早已死去，繼母於十年前和父親結婚，但無所出，三個妹妹都已入大學讀書，她們在美旅居很久，因此西洋習氣很深，聖誕節對於她們自然也是一件大事。在聖誕節前夕她們都和男友出外跳舞去了，到了翌晨四時才舞罷歸來。所以在家裏渡節只有父母親和我三人，在禮拜堂的清脆鐘聲中渡過子夜。

一九五零年的聖誕在美國並不是一個愉快的聖誕，韓戰發生已半年，許多青年人正在韓國冰天雪地的戰場中作殊死戰，他們的家人都擔心地等待他們歸來，有些人則已戰死沙場，有些人已失蹤或被困集中營，只有很少數有福回家和親人團聚。

聖誕前，我在報章上讀到一封女孩子寫給聖誕老人的信，悱惻動人，使讀者們不知不覺間洒下幾點同情之淚。信的大意說：這個聖誕她什麼都不想要，只希望聖誕老人把她的父親從韓國送回來，因為她和母親和兩個妹妹已很久沒有和父親見面，父親從軍，長年在外，已三年沒有在家渡假云云。又有一個在韓國作戰的士兵，在聖誕前寫了一封信給他底兩個孩子，信中說：他是為了正義，為了自由和為了孩子們將來的幸福而戰，假如他不能再回家的話，希望孩子們好好地照顧母親，永遠不要忘記父親的教訓云云。不料這封家書竟成了他底訣書，不到三天之後，他在戰場上成仁了。試想我們中國經過數十年的戰禍，其慘痛際遇更不知從何說起了。（九）

風雲人物

越南法軍總司令兼高級專員

塔西尼將軍

·雷門·

全名：Jean De Lattre De Tassigny

近事：三月中赴法請兵一萬五千名增援越南法軍，以對抗意料中越盟共軍對東京三角洲米倉的春季攻勢。三月底回越南返任所後，次日即親掌前線軍事行動指揮權，最近將越盟軍對海防港西北東潮毛溪間之進攻擊敗。

年齡籍貫：六十一歲，生於法老虎總理克萊蒙梭之故鄉牟蕓龍（Mouillre R nen）

家世：父任牟蕓龍市長，迄今已歷三十九年。

出身：畢業於法國著名聖西爾軍校（相等於美國之西點軍校）。

經歷：出校後即參加第一次大戰，首受傷四次。大戰結束，再入軍校深造，獲參謀銜。一九二一年開始服役於摩洛哥；一九二五年參加李夫之役，又受傷。一九二九年調入參謀總部，一九三五年與戴高樂、吉羅德兩將軍同駐麥次城。一九四〇年五月德軍攻法時，任第十四步兵師師長，駐在萊德爾區，曾却敵六次。法政府投降，請求赴英被拒，遂在未佔領之法國設立軍官訓練學校。一九四一年奉派赴突尼斯任司令，一九四二年在德軍壓制下，奉召返國任夢特彼列區司令；十一月德軍佔領法南部，計劃發動抗敵戰事，被維琪政府拘禁，判刑十年。藉其妻之助，以小鋼鋸插於花束內及繩索塞於衣服內送入獄中，得以越獄赴英，後轉赴亞爾及爾，投戴高樂將軍。自由法國第一軍成立，任該軍司令，一九四四年八月登陸於法國南部，直驅軍達萊茵河及多瑙河，因而第一軍獲「萊茵、多瑙軍」之別號，羅斯福總統曾授以勳章。十二月德軍反攻，深入德境，以堅守史特拉斯堡見稱於世。盟軍與德在柏林簽訂停戰協定時，將軍代表法國以證人名義簽署，解放後榮膺解放十字勳章，曾任陸軍總監及參謀總長等職。一九四八年調任英法比荷盧五國不魯捨爾公約西歐聯盟軍事委員會陸軍司令。去年底艾森豪威爾將軍之大西洋公約聯軍歐洲總部成立，西歐聯盟撤銷，將軍於十二月間調越南任法軍總司令兼駐越南高級專員，着手整編在越法軍，締建越南國軍，制止東京區撤僑，加強北圻堡壘體系，一月初擊潰越盟軍大規模攻勢。

性格：頑強，自信，幼年即好騎劣馬，為第一流軍人，[illegible]

時代科學

二種優越運輸飛機

最近在英國海外失事損毀的巨型飛機，是美國道格拉斯公司製造的全球霸主式C—124運輸機。它的頭部開有兩扇蚌殼式的大門，足供軍用大卡車出入。它能夠載重五萬磅，在效能，各方面都合乎空軍部的要求，唯一的缺點是飛行距離較短。

另外一種更新的運輸機是波音公司出品的C—97—B飛行貨車式機。其性能都較前一種優越，載重五萬三千磅，飛行高度三萬呎，速度每小時三百五十哩，飛行距離三千七百哩。目前已在大量生產中。

如何防禦原子空襲

美國海軍部船塢碼頭建造局的設計主任艾密里基安，在過去五年當中一直從事創始一門新的工程研究，這就是防禦原子彈的建築。經過多次的實地試驗之後，這位工程師深信一座現代的城市加以改建後就可以抵抗原子彈的攻擊。居住在這城市中的人民，可能被熱力和放射綫所傷害，但是城市本身却不會粉碎。他認為多數的住宅，建築防禦原子彈設備的費用太大了，並且對於一所舊的建築物除了加築一層水泥保護物之外，毫無辦法。不過新的醫院和其他的大建築物則只要在建造時多花百分之二十五的費用就可以抵抗原子彈的攻擊。他假定一顆原子彈在離地面二千呎的地方爆炸（因為這樣的損害面積最大），直接在爆炸面積之下的建築物將會受到相當的局部損傷，但是嚴重的不會倒塌。艾氏所建議的基本原則如下：用鋼筋混凝土建造房屋，高不要超過十層。

大建築物應有五呎厚的水泥屋頂，而下面的房屋因為要擔負這樣大的重量，所以也必需有很厚的水泥結構。

和紐約新建成的聯合國大廈不同，抗禦原子彈的房屋應當儘量避免採用玻璃和裝飾的石板，因為空中飛散的碎片比爆炸本身更為危險。不碎的塑形物是玻璃的良好代用品。（史璜譯自新聞週刊）

紅色的維也納

俄人魔掌下的幸與不幸

俄方一個綁票組織的爪牙亞特曼跑到沙茨堡去找着一名逃亡奧國的俄人埃吉葉夫，告訴他說，有一輛載運私貨的卡車需要一名司機，可以酬勞優厚，他可以負責介紹。他且慷慨地預支酬金二千奧幣（約等於八十美元）。埃吉葉夫在金錢的誘惑之下，馬上答應。隨着他和另外二個人同往蘇管區。在途中，亞特曼每隔二十哩即囑司機停車，偕埃吉葉夫進入酒店，堅請痛飲。這位無知的俄國難民迅即飲得半醉。

到了最後一個美區檢查站，亞特曼取出證件向檢查員一揚，並對埃吉葉夫堆着得意的笑容。但當汽車駛入美蘇兩區分界線的橋樑時，埃吉葉夫突然清醒過來，發覺事情不對，伸手一把將舵輪緊緊握住，汽車向橋上的一支鐵柱撞去，埃吉葉夫奪門而出，直向美管區飛奔。但在橋的另一端，蘇聯的警衛顯然對這次綁票行動已有了防衛的準備，他們舉起步槍，連放數槍。在驚恐之下，埃吉葉夫跌倒在地。

俄兵趕上來幫亞特曼和其他二人將埃吉葉夫押入蘇區，祇將目送這個不幸的人隨俄人蹣跚而去，無法營救。

後來據說，埃吉葉夫被關入蘇區特務警察牢獄內，不久就染上肺病，生命奄奄一息。

蘇聯的逮捕對象，偶而也有能乘機脫逃的，去年俄人要抓一個叫古普爾的奧人，但他們命令奧警去執行逮捕工作，所提出的理由是，古普爾涉嫌殺人，其實他們懷疑古普爾是西方國家的間諜。

古普爾每晨必騎着一頭白馬馳騁於維也納蘇管區的潑拉脫大公園。奧國警局在蘇聯的堅持之下，派出二個警員乘自行車去捉他，他們在一條林間大道上把他找到，要他跟他們前往警局。古普爾乘他們一時不備，帶轉馬頭，策鞭向通往英管區的橋樑馳去。

奧警雖在後面猛追，但終沒有趕得上。古普爾越過橋樑，而得到了英軍憲兵的保護。

古普爾的幸運足以與去夏蘇德曼教授的機智相比擬。他所以能逃下一輛俄人的吉普車，是由於路人聽到他的叫喊後阻塞交通而助他逸去之故。但在俄方的擄人案件中，脫逃是稀有的事。有時甚至美方阻止一宗綁票案件的計劃也會引起非常麻煩的後果。（九）

秦辛寧譯自「鐵夫」雜誌

自由人

THE FREEMAN

（半週刊每星期三六出版）每份零售港幣壹角半

（第十一期）

督印人：梁大成

社址：香港德輔道中一四九號四樓　電話：三二八二〇

149, 3rd FLOOR, DES VOEUX RD. C. HONGKONG TEL: 32820

承印者：東南印務出版社　地址：香港士丹利街六十號

台灣總經銷：自由人報社發行所　地址：台北館前路八十五號　電話：三〇三五

韓戰與世界大局討論專輯

從四強代表會議和整個歐洲局勢看

蘇聯還不會挺而走險

將一面仍唆使中共繼續去韓國送死一面令葛羅米柯在巴黎找機會佔便宜

許孝炎

英美法蘇四國外長代表自上月五日在巴黎藍石宮開始集會以來，算到前天（四月八日），剛剛一個月零四天。在這一個多月的期間，一共開了二十四次會議，其經過情形，好像是外交場上的一幕「馬拉松」，雙方面都在跑，可是跑得慢吞吞的不知何年何月他們才打算放快兩腿，跑向盡頭。在過去，一個替正式會議訂定議事程序的預備會，開兩三天也就足夠了。可是這一次預備會，時間已經過了三十五天，會議開過了二十四次，還是一點結果也沒有，眞可說是歷史上的創舉了。

好像最近不會破裂 還要再繼續開下去

他們的會是怎樣開的呢？會場上的空氣究竟怎樣呢？據某一個美國記者很幽默的報道說，每當一次會議開始的時候，先是美國代表吉塞普，英國代表戴維斯，法國代表巴洛底彼此互相問好，然後他們三人一齊向蘇聯代表葛羅米柯一鞠躬，表示敬意。於是各代表坐下來，正式發表演說，長篇大論，滔滔不絕，[illegible]那些代表老是那幾套，所聽到的話，都是老調，聽到都厭煩了。但他們

對會議的前途誰都不敢表示悲觀。因此，一般外交觀察家預料，會議能不能得到結果，是另一問題，但這個會議好像最近一定還不會破裂，還要繼續開下去。

那末，這些代表們在這三十五天二十四次會議中，究竟爭辯些甚麼呢？而得不到協議的焦點在那裏呢？問題的焦點就在蘇聯想利用未來的四強外長會議，[illegible]

……及聯軍自德國撤退等問題，至於整個裁軍問題，不過提出來當作陪襯，來掩蓋它的野心而已。蘇聯的目的很明顯，就是要將四外長會議當作一個冷戰的工具，來分化敵人的陣營，削弱敵方的力量，不戰而征服德國，去掉一心腹之患。

打破兩面包圍局勢 蘇聯最怕日德整軍

韓戰的爆發，刺激民主國家積極動員，增加防衛力量，這已是蘇聯始料所不及的。而最使蘇聯感覺頭痛的，則爲民主國家決心簽訂對日德兩國和約，重整日德的軍備，這無異使民主陣營憑空增加了五百萬大軍，而使蘇聯頓感受東西兩面作戰的威脅。蘇聯爲要衝破這一個不利的東西包圍局勢，所以一面唆使中共大規模參加韓戰，利用民主陣營中一二國家的懼戰心理，提出以中共參加聯合國，參加對日和約的討論，及進佔台灣，作爲結束韓戰的條件，[illegible]

……以西德爲一軍事單位，加入大西洋公約聯軍的計劃。所謂聯軍自德撤退，就無異要大西洋公約聯軍放棄易白河及萊茵河等天險，而退守無險可據的低地國家及法北。所論東西兩德合併，就無非將西德這一支哀哀無告的羔羊送往虎口，而任其吞噬。捷克亡國的慘痛經過，在世人的記憶印象極深。只要聯軍一撤退，全德合併舉行第一次議會的選舉，不要說德國共產黨能控制整個議會，只要在議會中能佔據一[illegible]

想藉討論德國問題 挑撥英美法間惡感

[illegible]

史太林正努力分化西方集團

攻擊麥克阿瑟者注意

——如果依照麥帥計劃，在中共渡過鴨綠江前，將中韓交通徹底炸斷，林彪不能有一兵一卒參戰，那麼，韓戰就早已經結束了！——

張六師

無論英國和印度想怎樣拖緩世界大戰，但史太林和中共早已發動推翻英美資本主義國家的運動，由言論和行爲都早已在事實上表露無餘。史太林有何把握敢如此的做，就是因爲英美在政略上的弱點，足以招致這種大禍。

因爲第一，史太林看淸楚英美在二次大戰後，全面復員，解除軍備，歐洲失去進攻退守的人力民心。[illegible]第三，是東南亞各國的民族主義，都要反抗殖民地統治，才給史太林的世界共產帝國的計劃，必有新政治機會。[illegible]

十月卅七日，聯合國以四十七國對五票通過韓國統一獨立，越過三八線，部份自由國家執行聯合國的決議，補充兵力，使韓國人的血流不止，再三縮短戰爭，只准別人來打，自己決不定[illegible]

准還手……甚至史太林已明白的說出「聯合國如不接受中共的條件，必被逐出韓國」……這已暗示中共控制之下的全韓國，並非中共一國的事，俄國還不只是參加韓戰，而且恐怕俄國自己也要打，[illegible]

英美政略上的失敗已非戰略所能挽回

可是問題還不在此，因爲第一，西歐國家只求自己不要備戰，甚至敵人如果打來，也準備防守和撤退。第二，只要自己不捲入戰爭，明知敵人也要打自己，但還希望別人先打，自己後來。第三，亞洲大陸的市場，都已被俄國奪去，然而還想向敵人說好話，希圖挽回。於是政略的失敗，造成整個亞洲烽火遍天，韓戰雖打勝，還是不能挽回其他各地的和平。[illegible]

本來麥克阿瑟已在執行安撫主義者的政策，打算先和中共停戰，以待政治外交的解決，然而共黨同路人，卻反對這種停戰和待政治的舉動，都說是干涉「政治」，是運用國際關係的政略，進攻民主國家的內部，卻是不能看透共產黨的陰謀。[illegible]

可是美國「中立台灣」的政策，卻替中共解除了絕大的忙，其結果是打擊中國政府的關閉政策（一），以致（一）大陸游擊隊無法獲得支援而遭重大犧牲，（二）安定中共全面經濟（三）從容編練新軍（包含空軍），（四）順利調軍援韓，（五）恢復和建設水陸交通與軍火生產（六）加強人口管制，擴大屠殺鎭壓，（七）集中糧食物資，以致大陸反共在十個月中改造成功，這樣把中共造成一個美國人今天在韓國恐怖的強大的俄式警察國家。中共這種政略的失敗也是美國戰略挽回不了的。

史太林不赤化日本 不敢兩面同時作戰

中共已一再明白說出：「堅決的，要把聯軍[illegible]

半週展望

舍我

麥克阿瑟「流年不利」

據說：杜魯門已命令麥克阿瑟，[illegible]這種人如何可輕言懲罰。民主國家究和獨裁不同，最高權力者的好惡，在用人行政上，不容許自由發揮。杜魯門爲了一位文藝批評家低評了他愛女的歌唱，怒不可遏，尙且除親筆寫信痛罵一頓以外，毫無辦法，豈有麥克阿瑟以統帥地位，竟可遭總統個人私意、任使斥逐？何況據我們推斷，杜麥之間，也絕不會有如外間所傳那樣私人深切嫌怨的存在。

也許麥克阿瑟「流年不利」，最近半月間，特別易「犯口舌」。[illegible]軍越三八線；如中共不停戰，就將轟炸東北；以及馬丁所宣佈，他在答覆馬丁函中，同意使用國民政府軍隊對共作戰；這三件事，在他說出以後，就立刻引起各方面猛烈攻擊。好容易，前兩點，鬧了許多天，終於杜魯門承認這是戰略問題，麥帥有權表示意見，攻擊才轉趨和緩，目前風波仍然洶湧的，乃在「使用國軍作戰」這一項。其實這又有什麼可責之處？當成功湖請求會員國派兵參加韓戰時，國民政府立即表示，願以三萬精兵，派往韓國，聯合國將此問題授權麥帥決定。迄至今日，此三萬精兵之未上戰場，據公開解釋，係麥帥認爲防守台灣，比參加韓戰，更能發揮效力。那麼，現在麥帥提到，應該使用國軍反共，這難道還算越權？那麼，還不是戰略範圍的問題？極簡單的問題，成了極複雜的爭論，我們只好用東方式說法，這是麥克阿瑟「流年不利」。

不過，引起爭論與容忍，本是民主國家的兩大法寶。尤其因麥克阿瑟的爭論，一方面有敵人的挑撥，一方面也未嘗沒有本身的煙幕作用。我們相信這爭論很快會平息下去，就是不平息了，仍將是有繼續而不斷的新爭論，其於民主國家的實際利益，或有損的！

野火不許燒起來

前天，法軍發言人說，中共軍已由滇開入安南。但昨天消息，法軍方面，經派飛機偵察，並調援軍開往後，似乎中共軍一營已退走，而且不是正規軍。即使仍隱匿分散在安南境內，但數目也不會超過一營。如果事情就這樣平靜下去，也不會使安南大燒起來。但在史太林的驅迫之下，這一把野火，然可使中共在安南大燒起來的。

制止中共大規模擾亂安南，唯一有效辦法，還是法軍的大規模增援，即所謂以戰止戰。現任法軍統帥塔西尼，他是最懂得這道理的。今年一月，他粉碎了胡志明攻勢。最近雖返國請援，終於說服了國防部長莫許，准增兵二萬赴越。這是一個很小數字，但也可以增強法軍士氣，尤其穩定了安南人心。他就任統帥時演說的幾句話，正是他迄今挽越局的唯一原因：

我們不能再幻想中立，必須與共黨戰到底。如果我們還像以前那樣鬆散，則一夜之間，安南就會陷入中共的魔掌。

塔西尼還要想安南不陷入中共——實則史太林——的魔掌，法軍還要更大努力，大規模繼續增援。

半週軍事

韓戰打了九個月，從統計數字看，已有形成世界戰史中最殘酷一役的趨勢，韓國全境面積僅八萬六千英方里（廣東省爲八萬五千英方里），人口二千三百萬，在此範圍裏，竟有三百萬軍隊在其中作戰，一百萬軍隊因戰爭而傷亡失蹤被俘，一百萬人民因屠殺及饑餓而死亡，一千萬以上的人民流離失所，全國的城市及鄉港多數夷爲平地，目前大多數民衆正蝟集全國極南極北兩部，卅八度南北的戰火地區幾無人煙，社會上所受之間接損失，尤無法估計，九個月的韓戰，已描繪出一副未來大戰的縮影。[illegible]

從數字看韓戰
——九月來的戰場統計——
黃震遐

（一）動員兵力：（甲）蘇俄集團方面。一、北韓動員七十萬。二、中共動員一百萬，共一百七十萬以上（北韓前後補充三次，中共出動三十餘軍，第一綫部隊補充一次）。（乙）西方集團方面。一、南韓動員五十萬（前後補充三次）；二、美國動員四十五萬（陸軍三十萬（戰止日前），海軍九萬，空軍六萬）。三、其他英澳紐加土希法荷菲暹等國動員陸軍四萬（不列顛聯邦包括加拿大援軍估四分之三）。海空軍五萬（不列顛聯邦佔大半）。共一百零四萬人。

（二）損害估計：（甲）蘇俄集團方面：一、北韓損失五十萬（死傷三十餘萬，被俘十四萬）。二、中共損失二十五萬，共七十萬（其中十四萬爲俘虜）（此外北韓民衆受空襲炮火傷亡者達五六十萬）。（乙）西方集團方面：一、南韓損失二十萬（死傷十五萬；失蹤被俘五六萬）。二、美軍損失六萬（戰至四月初）。三、其他聯軍損失五千人（戰至四月初），合計共二十六萬五千，此外南韓民衆因戰爭屠殺傷亡者，據本年二月李承晚報告，亦達四十萬人。[illegible]

蘇聯軍隊的弱點
將成爲史太林帝國一致命打擊
滄波譯

本文刊載上月二十一日倫敦「經濟學人報」，該報說明該文作者爲蘇聯參謀本部前任一要員，現留居倫敦，但不願洩露眞姓名，本篇節譯經濟學人報所載之文，照經濟學人報歷史與地位，本文價值，自不需再爲介紹。——譯者

蘇聯是一個包含着二百種不同民族的大帝國，那許多民族各有其不同的歷史，生活，文化，語言，及宗教。當第二次大戰進行時，蘇聯國內許多非俄羅斯人民，如北高加索人民不僅不願爲克里米宮作戰，並且在紅軍後方時時暴動與叛變，他們當時的口號是：「打倒希特勒與史太林」所以蘇聯國防部及其他重要的政治部門當時派駐德國，與及其他佔領區域的司令官及參謀人材，特別專由俄籍軍官中挑選出來。在蘇聯中央政治局中，上述二百種不同的民族中，一百九十七種民族是沒有代表參加的，這並不是因爲俄羅斯以外的民族，沒有訓練成熟的人員，事實上恰適得其反。非俄羅斯人在蘇聯，雖不能佔大多數，但實估計極大的比例，我們如果估計這一個事實，我們可以想像蘇聯國內潛藏着怎樣一個危險。所以過去在蘇聯軍隊中，各種出發於政治原因的鎮壓，都大多施之於非俄羅斯人。

幾百萬人逃亡

在最近一次大戰中，曾經有幾百萬人逃離蘇聯的軍隊，這是一件極確實的事實。在第二次大戰結束後，駐屯歐洲的許多蘇聯軍官與士兵，親眼反證蘇聯過去宣傳各[illegible]，接觸[illegible]自由世界的[illegible]，以現在蘇聯駐屯在國外的隊伍，已經是最不可靠的軍隊單位了。

軍糧貯備不善

講到軍糧，蘇聯軍隊對於軍食儲備，實有極大的缺點。先講糧食的徵，集體農場農民繳糧，只爲完成他應繳限額，所以穀類未熟，他們便促收穫下來去繳了，此外在完糧時有的故意浸水，有的夾着沙泥石子以湊足重量，糧倉官吏無法對每一件繳去的糧細細稽核查究，其次，蘇聯國內至今缺乏完美之貯藏倉庫，電梯設備尤不存在。此外如道路之不平及運輸情形之不良，都造成糧食大量之損失。所以蘇聯每個士兵得不到他應有[illegible]，山芋，魚及甜菜根所煮成的湯，是第一道菜，其餘的各種原料再撈出來做成第二道菜。

薪餉寄存國庫

蘇聯每個士兵，約得現金二十個盧比，這一個數目適足支付一個黨員的黨費，其餘所應得的薪餉都暫存國庫，作爲國家欠款。初級將校待遇較好，但不及英美同等軍官所受的待遇，中級軍官的伙食，相當於西方國家的士兵，但高級軍官及將級人員，常獲優厚的配給，而付極微的代價，其伙食尤佳，[illegible]

把士兵當禽獸
——在世界各國軍隊——

中，蘇聯的士兵可以說，地位最低，所享的人權也最少。上級軍官對於士兵，可以公然依法斥責，可用任何粗鄙的話加以咆哮，還可侮辱之後，再加侮辱，蘇聯軍官對士兵簡直不以人類相待，而當他們是禽獸。從不斷的各種秘密訓令中，可以知道各種體罰，在蘇聯軍隊中是極普遍的。普通一個士兵普遍沒有權利去「紅軍館」或戲院與電影院中公然露面。如果一個士兵偕其女友到一個[illegible]無意中遇見了他的軍官，那個士兵既不敢笑，不敢自己娛樂，甚至不敢坐下。假使他的女友或妻室偶然想對他的上級軍官討好獻媚，他亦沒有權利去反對。總之，一個蘇聯士兵所享受的普通人權，是所餘無幾的。蘇聯每一個士兵，既非個個是虔誠的宗教狂熱信徒，這許多事態，終有一天，會演成對史太林帝國的一個致命打擊。

美初步擴軍提早一年完成
大戰是否也會同樣提早？
舍我

世間最難預測的事，莫過於大戰何時爆發。因爲除如舊小說所載，甲方定好日期，送戰書約乙方決戰外，近代國家，任何一方，不但決不會通知對方，那一天要和你打仗，就連自己也不知道，究竟將在何年何月何日何時發生。所以現今，一切對三次大戰何時爆發的推測，誰都沒有把握，担保他所推測的確切可靠。不過，有些因素，是可以很科學地用作推測的根據，其結果就極能合上一句古話：「雖不中，不遠矣」。[illegible]

[illegible]可以轟炸東北。接着，中共方面，就一連串宣布東北境內的安東，輯安等城市，都已被美機光顧。雖然中共所說，或許想利用時機，趁英國一部份人正指謫麥帥不應說及準備轟炸東北；而火上加油，增強這部份人的反對力量，[illegible]

[illegible]這三百五十萬數字，就可完成。等於將兩年標準，提早了一年。當然，許多物質上的製造，是否也同樣提早，我們還無從知道，但以美國驚人的工業效率看來，也並不是不可能的。

美國的歷史告訴我們：第一次大戰時，美國在參戰時，僅有陸軍十萬人，不到一年，就擴充到四百萬。僅一九一八年三月到十月，在法國登陸的，就有一百七十五萬人。第二次大戰開始，陸軍也不過十幾萬人，珍珠港事變既起，加速動員，到一九四五年，竟已擴充到八百萬人，全部服軍役的，共達一千四百萬人。中共一向譏美國是「紙老虎」是「少爺兵」不堪一擊，但她過去兩次大戰的歷史確具有這樣奇妙。馬歇爾常說民主國家，不容易發動，發動了，便會以極大力量與決心爭取勝利，義無反顧。這幾句話，應該值得打紙老虎人們的深省！而此次馬歇爾初步擴軍，提早一年完成，尤可證明他的話，並不像中共宣傳，永不兌現。

固然，我們不能因美國初步擴軍提早完成，就肯定大戰也提早爆發，但最少可使那些「準備標準未達到今年決不致爆發」的推斷，感到動搖。我的看法，戰爭的形勢，早已造成，到處都埋下了地雷，如果沒機會碰到，也許無限期遲延下去，如果碰上了，戰爭自就會即日即刻突然開始。在珍珠港事變前，大家感到時局嚴重。但東條內閣上台，許多日本問題專家，都說這仍是主張與英美妥協的近衛內閣之延長，誰又想到即在來棲談判順利，和平即可成功的空氣中，日本就瘋狂發動，偷襲了美國的海軍基地，和轟炸了英國的香港新加坡呢！

蘇聯還不會挺而走險
（上接第一版）
西方國家態度堅決　葛羅米柯陰謀失效

在西方各國方面，又怎樣應付呢？自從去年年底蘇聯倡議召集此次會議時，西方三國——尤其是美國——對蘇方的動機即抱着極端懷疑的態度。因此對於此次會議的前途，根本不存任何幻想——更談不上希望。等到蘇方召集此會的動機逐漸顯露之後，於是它們經過了幾次協商，就決定一個基本立場，即在未來的四強外長會議中，應對東西兩大陣營相互衝突的基本原因，作一總清算。它們認爲歐洲局勢緊張的主要原因，在於蘇聯對外侵略的威脅，具體言之，即蘇聯在本國維持強大的軍備外，並對各附庸國軍隊，亦盡量使其擴充軍隊。西方各國之重整軍備——包括西德武裝計劃在內，完全是針對蘇聯侵略威脅的自衛行爲。倘若四強能夠誠心誠意使這一個核心問題得到實際的解決，則其他各種問題——德國問題當然包括在內——便不足輕重，可迎刃而解。因此西方三國代表堅決主張在未來四強外長會議中，應先討論「國際緊張局勢」的整個問題，而不主張把「德國的廢除軍備」當作一個單獨的問題列在議事程序上。

西方三國代表在這一次會議中所表現的態度非常堅決，步調也很一致。任葛羅米柯怎樣的耍手段，玩花樣，他們總是以不變應萬變，始終堅持一貫的立場，不稍退却。不但如此，他們從開始就對此次會議不抱任何幻想，在會議的反覆辯論中，更使他們加深了解蘇聯的陰謀與野心。因此：西方三國除在會內堅持一致主張外，對團結內部，增強抵抗侵略力量，更加倍努力。試看自三月五日後歐洲局勢的演進，都是往這一個方向走的：

歐洲從三月五日起　整個局勢如此演進

第一、美英法三國宣佈，修正對德佔領法規，授權西德設立外交部，與外國建立外交關係，俾西德可加入西方共同防衛工作，而歐洲議會所屬之部長會議，復在原則上通過西德爲該會正式會員國，這樣，西德加入民主陣營，成爲大西洋聯防之一員的基礎，便正式確定了。

第二、法、德、義、比、荷、盧六國建立「歐洲煤鐵集團」之「舒曼計劃」，已經正式簽定，計劃即可實行。這一個計劃的成立，不但使佔西歐產量半數以上的煤，和產量三分之一以上的鋼鐵，在合營體系之下，得合理的用於[illegible]強西歐防務，而且還可以借此消除法國對德的顧慮，調和法德的關係，[illegible]

第三、大西洋公約聯軍正式宣告成立，艾森豪[illegible]正式執行歐洲統帥職權，聯防組織及人事亦均確定並任用。日前在艾帥統率下之軍隊，雖只有英美法等國駐歐洲各軍的估值，實力雖尚不及蘇軍雄厚，但美加派陸軍四師赴歐增援一案，已經國會通過，不久即可首途，這對於振奮歐洲人心，提高士氣，發生絕大的作用。不久之前，據北大西洋聯盟組織發言人宣稱，美軍增援歐洲案通過後，英國可能增派四師，法軍可增加二十師，其他聯盟國家的軍隊，亦可酌量增加，除此之外，西德按照布魯塞爾會議決定，可有武裝部隊十四萬人，如是則在艾帥直接統率下之部隊，可達七十萬人，有此力量，縱不能在歐洲戰勝蘇聯，至少可延阻蘇聯的進攻，掩護各國的動員，並給予原子武器發揮效能的機會。

地中海聯防如成立　可突增百萬生力軍

第四、自三月五日以後，沿地中海的各個國家，不斷與美英法等國發生接觸，目的在組織一個地中海聯防，鞏固聯軍在歐洲主力的右翼，並對蘇聯南部側翼予以威脅。自然，這些國家彼此之間，及它們與英法之間，有不少矛盾衝突，阻礙着地中海國家大團結的實現，但經過這一個多月的會商折衝，許多主要的爭論之點，[illegible]大概都可以消除，地中海聯防的成立，只是一個時間問題而已。這一個聯盟的成立，不但使歐洲民主陣營增加百萬以上的生力軍，而且還[illegible]對蘇聯是一個嚴重的威脅。

四強外長代表會議的召集，在蘇聯方面的動機，是想藉此突破民主陣營東西包圍的局面；但葛羅米柯叫囂怒罵的結果，反促使西方各國堅定它們的立場，加強它們的團結，加速完成它們的防衛力量，使蘇聯感受包圍壓迫的力量更大。蘇聯會不會乘西方陣營佈署尚未完成之際，挺而走險呢？一般的推測，不會的，因爲原子武器的優勢仍然操在民主陣營方面。那末蘇聯在今後短期內的出路怎樣呢？在遠東，唆使中共繼續在韓國送死，希望拖住美國一支脚；在歐洲，則使葛羅米柯在巴黎石宮中鬼混，希望找一個機會佔便宜。

今日稿擠，「檢討史太林路線」下篇改下期刊登

在長沙擺過擂臺

有西南「拳王」之稱 柳森嚴也遭屠殺

被捕時曾手持棹腿 斃傷共幹三十餘人

中共在大陸上的殺人政策，所謂「國特」「惡霸」之流，固屬「罪無可逭」，對於地方知名之士，獲得普遍人民擁戴的人，尤千方百計，必置之死地而後快，以鞏固共暴烈的政權。像柳森嚴這樣一個完全與政治無關的人物，居然遭受殺戮，即可見中共用心狠毒之一斑了。

差不多每個湖南人，都知道柳森嚴，他早年曾浪跡江湖，得異人傳授，工武術：擅技擊，隻身走川黔道中，遇盜寇圍攻，柳揮拳奮擊，當者披靡，殺盜百餘人無法近身。何鍵主湘政時，提倡國術，不遺餘力，成立全省武術館，聞柳氏之名，重禮聘歸，使主持館政。數與湖南國術大家顧瀛章比武，顧數敗北。民國二十二年時，在教育會廣坪，設擂台一月，早二月發出請柬，邀南北名派咸來較量，設立梅花樁，卒無敵手，遂得西南拳王之雅號。

既擅武術 又開醫院

柳氏兼攻醫，傷科骨科，尤爲擅長，在長沙黨部東街設立森濟醫院，平日贈診施藥，活人無算。省銀行開同樂會，二樓倒坍，傷者百餘人，俱經柳氏診治，卒無一人殘廢者，名譽徧揚全省。

無法說服 決心清算

長沙淪陷後，共幹數次訪問，作說服工作。柳素恨共黨殘暴，然亦未敢公然指斥。僅謂本人對政治向無興趣，表示無意靠攏，但竟以此受共黨嫉視，尋釁找隙，屢次製造事件，惟柳安分守己，並有多數商民，爲之保證，卒無法得逞。

中共在湘大開殺戒，死者以數萬計，以遂其肅清異已之目的，因柳素著人望，號召力極强，且武術互擊，頗得民衆信仰，必欲鋤之而後甘心。於是在上月捏造罪報，設柳有「國特」嫌疑，僞警備部預知柳勇力過人，決不就範，當派兵一連，由共幹率領，將森濟醫院，層層包圍，共幹領前入內室。時已深夜，柳自夢中驚醒，知大禍臨頭，憤不能退，但手無寸鐵，無法抵禦，順手拳翻，一使木桌，分持桌腳，揮舞而前，領頭之共幹立被擊斃，死者六七人，餘衆不敢再進。軍隊開槍遙射，柳左右騰躍，無法命中，共軍亦恐誤傷共幹，未敢盡量掃射。相持至天明，共軍愈集愈多，柳棄桌腳，徒手奮擊，又傷斃二十餘人，終以衆寡懸殊被逮。共幹爲防其逃逸起見，以鐵索從其肋下洞穿之，縛於鐵椿之上，柳一呼吸間，即流血不止，但神色自若，毫不屈服。

從容就義 慷慨成仁

屢次用刑逼供，要他招出同黨，柳大怒，「我柳某做人，光明磊落，決不做特務，我無法捏造事實」，並大駡共黨傷天害理，毫無人性，死當爲厲鬼報復。

共黨恐事久多變，即判決槍斃。行刑之日，柳自獄中提出，據說數日未進水米，連續用刑，但仍精神矍健如平時。第一二槍以後，仍昂立未倒，再補發二槍，稍稍傾動，至第五槍時，始仆地不起。圍觀民衆，均不忍卒睹，有痛哭失聲者，但柳徒手斃傷共黨數十人，如此壯烈，亦足以寒共黨之膽矣。（綏章）

藉口經理是「國特」 連通公司被接收

汕共黨摧殘華僑資產

汕頭連通通行車公司，爲南洋馬來亞檳城華僑巨子林蓮登獨資經營。林爲潮屬惠來縣隆江鄉人，自幼經商海外，置有樹膠園，錫鑛多所、積貲甚鉅。勝利復員後，感于國府鼓勵僑胞投資，興建祖國事業，乃毅然投資港幣數百萬元成立連通行車公司，行走汕頭、潮陽、普寧、南山、惠來、各縣間，並駁通汕省公路幹綫。惟各公路在抗戰時，多已破壞，由林僱工修建橋樑涵洞，艱苦展築，遂次第暢通。並購新車數十輛行走各線，該公司商民咸稱便利。該公司之營業亦蒸蒸日上，不料潮汕易手，共黨佔領後，對該公司百般摧殘，最初支前捐獻，購債，並隨時征調車輛，運兵或爲貿易公司運貨，均資命報效並不付費。詎知共黨如此迫害，猶覺不夠，竟于本年一月間，藉口該公司經理林志見，曾任過縣長，現在以資金接濟國特，游擊隊，藉機關爲掩護作隱蔽鬥爭爲詞，將林拘押。一面派軍事代表駐公司指揮一切。查林志見係普寧縣人，受僱于林蓮登，已有數年，專心經營，摒絕政治，且渠不過一職員不應牽累公司，但共黨之拘捕林志見，不過爲達到接收該公司之計劃而已。果然三月初間，汕頭軍委會，遂派員將該公司全部接收矣。林蓮登在南洋聞訊，雖一再函電葉劍英申訴，葉均置不理。共黨之摧殘華僑資產，使海外僑胞聞之，咸憤恨不置。（公道）

中共已無法掩飾

貪污案各地爆發

上海人民法官 滿身黃金美鈔

中共的貪污腐化，在過去二年中，雖盡量掩飾，但究竟紙包藏不了火，最近數月，已和火山一樣，在各處爆發起來了。茲就筆者所知，報告上海和安徽兩件鐵證實據的貪污巨案如下：

第一件是上海「人民法院」，在這兩年來，賄賂公行，太鬧得不成樣子。社會上流行兩句歌謠，「法院大門八字開，有理無錢莫進來。」上月，居然有人向上級機關告發，經過種種周折，共黨當局，只好將兩名地位較低的審判員執行員（即檢察官）交付公審。這兩名法官，都和法院高級人員，尤其司法部長史良互相勾結甚深，所得賄款，史等均有分潤。現中共已將此兩人判處死刑，其餘則尚無下文。

據中共宣布他們貪污事實，首名貪污審判員名李欽后，共已被覺之賄案㈠劉潔芝犯詐欺罪，因賄李金鐲一雙，遂予開釋。㈡葉裕餘有大批香烟，託楊史智珍保管，楊拒不交還，葉向法院告訴，葉楊雙方均向李行賄，李無法處理，遂延不宣判，積懸至今，尚無結果。㈢劉虎臣於債務案敗訴後，賄李一千二百萬元，竟予翻案。㈣誘姦租賃糾紛案女當事人周璐英，爲有利於周之判決。此外尚有賄案二十餘件。總計已追出之賄款，爲人民幣二千九百十二萬元，黃金三十三兩，美鈔六十元，此外還有衣料，傢具，鋼筆，手錶等甚多。次名貪污「執行員」名何德隆。向各當事人借錢，或自開遠期客頭支票向當事人掉換現款。三北公司確積欠被其借去三百萬元。總計追出賄款，亦在三千萬以上。

皖中共黨委 吞救災衣物

第二件是安徽省潁上縣中共縣黨部委員，將救濟難民物資夥同吞沒掉換，現已被告發的，計徐大新民吞沒衣服九件，大衣一件，鞋子一雙，張良輔以爛衣偷換好衣五件，黨書記傅月波也偷換兩件，其後風聲傳開，區黨部委員也要求分潤，總計參加貪污的有二十一人。所有吞沒或掉換的證據，均非常確鑿。但中共中央，至今尚沒有表示將如何懲處。（淮人）

稱蘇聯普通顧問爲「永遠導師」

黃炎培做詩受檢討

有的疑他存心越過中共，直接獻媚蘇聯——有的責他措詞不知輕重，馬屁拍上馬腿——

黃炎培這個最不要臉的老傢伙，在抗戰時，曾奔走於孔財神之門，弄到了許多臭錢。他所以能夠錢弄得特別多，就是一方面卑鄙齷齪，結國民黨門路，一方面又故意與國民黨的反對派拉攏，向國民黨告密或勒索。他曾經出賣過民主同盟，在重慶參加民盟祕密會，担任了祕書長，但他卻將一切內幕，向國民黨報告，自己跑到香港，否認有允許担當祕書長那一回事。

曾以十六字尊號頌蔣 傳斯年笑其過份肉麻

他做了八年參政員，對當時的蔣委員長恭維得五體投地。有一次，蔣出席報告抗戰局勢，報告甫畢，黃即搶先發言。他說，「我們有這樣一位『偉大崇高聰明睿智忠勤勇毅神武英明』的領袖，我們如何會打不倒日寇，收不回失地……」

當時傅斯年在座，低聲對旁邊一位參政員說，「黃炎培替蔣先生上了十六個字尊號，簡直以慈禧太后待蔣先生，這個老不死，拍馬屁簡直拍得太肉麻了」。蔣向鄙黃之爲人，在台上聽黃讀得過分恭維，似乎也有點不安。然終抗戰時期，黃固以此類法術，左右逢源。迨毛王朝成立後，黃亦被北上，又能以向之恭頌蔣者頌毛，遂獲任僞輕工業部部長。黃知「王朝」之上，尚有「赤帝」，與其歌頌中共，不如拜倒蘇聯。兩年以來，所做謳頌蘇聯要人的詩歌，已不下數百首，對史太林，幾乎月有投贈。輕工業部一蘇聯顧問名謝爾久闊夫者，七月廿四日因事回國，黃竟亦大做其詩，題目爲：「你將永遠做我們的導師」。

詩贈謝爾久濶夫返國 你是我們永遠的導師

詩共四首。第一首：謝爾久闊夫！我們這一羣人，都是科學的信徒，下大決心爲人民服務。你是專家，是數一數二的專家，這短短的一年零幾個月，謝謝你，從工作上，指出了正確的道路，還毫不客氣的，糾正了我們的錯誤，這些，還是初步，已經替我們打下了很好的基礎。第四首：謝爾久闊夫！我們共同的敵人，紙老虎。牠正不惜窮兵黷武，自掘墳墓。謝爾久闊夫，我和你，代表着愛好和平的世界兩大民族——中、蘇。謝爾久闊夫，你將永遠做我們的導師。我們歡送你，替你餞行，讓我們高呼，乾杯——打帝奴！

士共國際二派都不滿 統戰部要黃說明動機

從上面所引這兩首看來，此老不死的肉麻作風，大有愈老愈不怕肉麻之概。但出他意料之外，爲了這幾首詩，竟引起了北平赤都共幹各方的不滿。第一；士共派認爲黃如此直接向蘇聯獻媚，顯有越過中共，直接和蘇聯拉關係的嫌疑。這在中共看來，簡直等於叛逆。毛澤東對此，也有同感。第二；國際派固然要大家謳歌蘇聯，但謳歌的重心，是要在中國人心目中，造成一史太林偶像的崇拜。「我們的導師」，這一個尊號，何等名貴，他們一向是限定獻給史太林的。現在，一個普通顧問，黃就尊他爲「永遠的導師」，那麼，將置史太林於何地？認爲黃不特不知輕重，且有藐視至正唯一而永遠的導師之嫌。兩派觀點雖有差別，而對黃不滿則完全相同。除已由統一戰綫部派人向黃提出質詢外，擬令其正式向共黨說明作詩動機，並擬考核其最近思想，說不定，也要把他檢討一番。黃求榮反辱，馬屁拍上馬腿，已終日愁眉深鎖，正在苦鬱應付中。（北客）

共幹欣然表示

贊同楚溪春自殺

反共傳單牽涉到他身上 聽說已回冀中生產去了

楚溪春是保定一期畢業生，在北方將領中資格是相當老的，當他任察綏邊區總司令時，拱衛大同，擊潰共軍進攻，戰功甚偉，任河北省政府主席時，每天騎自行車上辦公，他勤勞樸實的作風，亦得國人的好評。自從北平投降後，劊了省主席職務，一直住在西四牌樓寓所，不但門庭冷落，且在共幹包圍之下，隨時有被迫害危險，當年辛勞，結果如此。楚氏凄然曰「數十年……」言下頗有不勝悽愴之感。

不久以前，北大的紅色廣場發現了如下的標語：「當日白米白麵大家反饑餓，今日窩窩玉米還要替它扭秧歌，奈何，奈何！」不知共幹如何牽涉竟將楚氏成了嫌疑人物。西四牌樓的楚寓，也就成了共幹疲勞轟炸的目標，三五成羣的青年共幹，不斷向鬢髮斑白的楚氏訊問，使他深深地領略到『光榮和平』所得到的悲哀！接着調他到通縣政幹班受訓，他沒有依着召集的日期去政幹班報到，這樣一來，共幹們又加强其所謂說服工作了！

有一次，楚氏被磨折到忍無可忍時，憤憤地對共幹說：「我老了，行將就木，學習也沒有用，同時，我的精神和體力，也來不及，如果連這一點也得不到原諒，那我願意自殺。」共幹們聽見他願意自殺，欣然道：「你的願望，我可以向上級反映，上級本着一貫的寬大政策，當然能達到你的願望」。這是省了他們的動手了。古老的文化城，[illegible]楚氏也不知道他到底[illegible]，已經到冀中老家去從事生產了。（闓澤）

誓與共黨周旋到底 眞把我思想搞通了

共區觀感之五．衛聚賢

共產黨把我思想搞通了——包袱完全掉掉了。

共產黨所謂『思想搞通』，就是要把『包袱掉掉』。我的包袱是：

㈠工廠——關了！

㈡古物——捐了！

㈢眷屬——散了！

㈣本人——無地安居只好雲遊四海了！

不是把牠全部掉掉了嗎？我的掉掉是：

工廠，我的事業心重，爲的是多印些書，在文化上有些貢獻，並不計較賺錢不賺錢，實際上是賺錢的。不過我這老闆未拿到，被工人劃去了。

好古物，我吃沒好吃，住沒好住，穿沒好穿，把錢都買了古物。今天共產黨把我的古物都拿走了，要我簽字「自願無條件捐獻」。而且仍千方百計不讓我在大陸上生存，這是我實不甘心之處。

眷屬，我有二子三女，大兒子早已另有工作，大女在遠，二女在台灣，已出嫁了。這都不在我的範圍以內了。子及三女在重慶讀高中，我了幾個月的生活費，我也管不了那許多。內人係安徽人，我偕同她到武漢，請她回娘家去住了。

本人，一個人離開了大陸，到了這世外桃源的香港，昨天看見鄰居門上有一副對聯是：『救世無慚扶漢略，僑居且作避秦人』。但我是把包袱全部掉了，一切也無顧慮了，我要喚醒一些沒有親身遭受過共黨欺騙迫害者的迷夢。我現身說法，將與共產黨周旋到底，實在說，這才眞是共產黨把我「思想搞通」了。

仇鰲的一首詩

幾乎惹出大禍

前曾被捧爲黨國元老出任參政員多年之仇鰲——亦山。於中共南下時曾組織所謂湖南自救委員會，與投降將軍程潛相唱和，長沙易手後由秧歌王朝御命爲中南軍政委員會委員，除開會時，奉命作學習情況的報告外，其他毫無置喙餘地，去年舊曆除夕時，仇氏不勝感慨，邀一二老友圍爐痛飲，酒酣耳熟，仇口占七律一首，其詩爲：能識先機是我師，茫茫一局劇滄持，興亡未必關天數，禍福由來不自知；號楚靈王心已矣，毀秦宮室意何之，古今天下歸仁者，如此專橫能幾時！不料此詩竟被輾轉傳出，共黨曾一再向仇詰問，仇雖極力否認，然自此以後，仇之居處行動，已均在日夕監視中矣。

顧問不許過問

替老婆說情被斥

前湖北五區行政督察專員秦天民，武漢緊急時由於民盟的勾引，投靠中共，原圖保全財產和地位，中共亦利用其人地熟悉，派爲顧問，以爲立功贖罪的交換條件，因此被秦引線而遭殺害者甚多。但秦並不爲中共所信任。秦在專員任內，曾以其妻王鳳英名義置有田產五百餘畝，土改時其妻以地主罪名被捕入獄，苦刑拷打，還其繳納稻谷五萬斤銀元三千圓，秦曾請其上司減免，但回答的是：「不要管他人閑事。」並在其原來罰款上增加一倍，即稻谷十萬斤銀元六千圓，王鳳英無法繳納被迫自殺。秦悲憤厭世，也即投漢江自盡。立功贖罪，如此下場，這也許他初料所不及罷！（毛木聰）

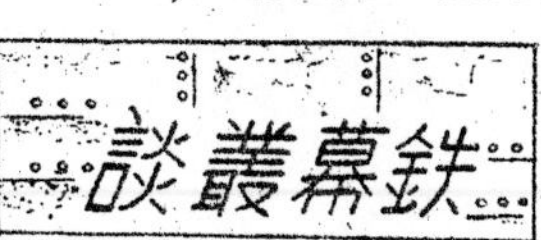

歷史上最大的沉澱

·陶樂居·

眼前是兩股歷史巨流澎湃呼嘯，人類進步與後退的最後分水嶺，清與濁的沉澱，正與邪的廓清，都在這一個歷史關頭產生絕續的作用；但是沉澱過程是殘酷的，非常痛楚。竊的消逝，正是人世間是是非非的一場大會審，誰是理直氣壯，誰是作賊心虛，上浮下沉，激濁揚清，最後是排山倒海的總淘汰。

沉澱過程不只僅僅有痛楚，而且是嚴肅無情，我們可以看到一些臭不堪聞的蟊賊，快速度下沉，一直到死海的深淵；他們可能高喊救命，但是不會獲得一隻助手，相反的只是憤怒的鄙視，大快的人心。

一些想上浮又想下沉的渣滓，迷戀大陸時代的一呼百應那樣的尊榮，通身患遍比梅毒還毒的懸瘡，優越感熾烈燃燒，今日沉淪上下，上浮力不從心，下沉又想掙扎。這些渣滓，孱弱無力，呻吟，正在沉澱溶化中悲泣，強裝笑面迎人。

濁的沉下去，清的愈顯得碧潔，欺騙的，虛偽的，驕縱的，都不能永久偽裝下去，一絲一毫都不會苟且，該沉下去的，或遲或早，都逃不了最後的澄清。這是中國歷史上最大一次沉澱，現在只是開始，它是要延續下去，偽善假扮，都不會瞞過天下的耳目。

麥格風前的熱戰

·西八·

自從史太林把李維諾夫邁斯基一批老練的外交家打入冷宮，派出來的外交使節幾乎盡是些年青後進的淺薄狂妄之徒，他們根本不懂外交，也不辦外交，所擅長的只有懸疆的漫罵與惹厭的宣傳。這批人們，自然沒有資格與聞克里姆林宮的根本大計，東西之間緊張局勢乃造成，並非此輩之過，但正因爲外交壞姑擬此輩所繼跡，以致任何想從外交打開東西僵局的企圖，也就絕對沒有成功的可能。

好像是戰後在倫敦召開的首次外長會議吧，莫洛托夫的劍拔弩張態度，連工人出身的貝文外相都看不過去，喊出了「這簡直和希特勒一樣」。其實第三帝國的外交長材，有如李賓特洛夫之流，其得意之作，不過是在白金漢宮行納粹式敬禮而已，比莫洛托夫及其後輩們的猖狂傲是望塵莫及，然而在蘇俄以外的一個鐵幕國家，其外交人員竟會有比維辛斯基葛羅米柯更精彩的表演，在一個學術性的會議中從事麥格風前的熱戰，這樣的青出於藍，卻更令人有觀止之嘆！

事情是這樣的：美國政治與社會科學會召開年會，波蘭出席聯合國永久代表的卡茲——蘇契博士，竟藉此機會大駡美國，說美軍在韓屠殺婦孺，却惹惱了美國前任副國務卿白爾登博士，即繼其登台斥爲侮辱。那位波蘭代表本已披衣將行，聞言一步跳上講台，搶過麥格風大喊：「美軍正在韓國屠殺韓人」，於是掀起了一幕爭奪麥格風之戰，幸虧主席出而干涉，才把扭成一團的兩位博士扯開。自己把旁人臭駡一番，到旁人出而爭辯時，竟連旁人使用麥格風的權利都要橫加剝奪，可惜過去[illegible]

義大利的智慧

兩個年青的義大利人，在閱讀報上關於韓戰的消息，談起假如三次大戰爆發，他們應選擇那一方。

「我將和俄國人一起入伍」，其中一個說。

「但你又不是共產黨，爲什麼要加入紅軍？」

「當然我不是一個共產黨，不過我認爲在美國當戰俘，總比在俄國當戰俘好。」（孟丁譯自展望雜誌）

立場甚明

中共廣州市副市長某某在會議席上大談其施政問題。其中有警句云：「專家方面有立場不明，敵我不分的模糊思想，還有『勝者爲王，敗者爲寇』的說法。」他高聲疾呼：「我們不能以勝敗論王寇」。

這位副市長倒也謙虛，他承認他們寇性未改。革了別人的命之後，依然是難登大雅之堂的草寇。

誰的勝利

據說，蘇聯國家政治書籍出版局最近出版了廉茨岸佐夫所著的「中華人民共和國的成立——中國人民的偉大勝利」一書。該書所記，包括中國人民「擺脫了帝國主義奴役的鎖鏈」和「今天新中國的國際地位」等。

是的，中國人民正在前所未有最兇狠的帝國主義的鎖鏈下被奴役。「今天新中國的國際地位」就是作爲蘇聯的奴隸與走狗。

我們建議蘇聯國家政治書籍出版局把書名作一個小小的修改：「中國人民」換作「史太林」。

感慨篇

·梅桑·

人代會議

紅色報紙的一個標題說：「穗四屆人代會議昨閉幕」。我們倒從來不會聽過有甚麼「狗代」會議的。

一條英國船的故事

一九四九年十二月，七千八百三十六噸的「元帥王國」號貨船自倫敦啓碇，駛往法國的幾個港口，準備裝載戰爭物資去越南，接濟遭受重壓的抗共法軍。到了鄧扣克港，共產黨方面的碼頭工人拒絕裝貨。宣傳性的傳單，神祕地出現於船員的室中，上面寫着：「法國的青年正日日在遠離家園及祖國的地方，死於這非法的殖民戰爭中，美帝國主義要將越南作爲一個反抗自由中國及蘇聯之據點。」在哈佛爾港，「元帥王國」號的大起重機，不知被什麼人所破壞。在聖那薩爾的碼頭工人拒絕去和這條船接觸。修理工作和裝貨，全由法軍負責。好容易駛到馬賽，「元帥王國」號的引擎又出了毛病，船員發現港中另一隻準備駛往越南的英輪也發生了同樣的神秘引擎故障。往越南的途中，總算一路平安，但到了湄公河口離西貢尚有四小時航程的時候，法軍列隊送船，搬開甲板上的貨物，並且架起機槍，他們解釋道，共軍已控制這河的兩岸，船員們曾目擊一艘被一枚共軍所佈的水雷而損毀的法軍船隻，正被向上游拖去。

當「元帥王國」號剛完成它運輸軍需品赴越南的任務時，韓戰發生了。它的主人倫敦航商浙台列斯公司簽約將它租與美國海軍海運機構運用。「元帥王國」號開始自日本運兵至韓國。船員都熟悉他們的旅客，也喜歡他們。仁川登陸戰發動後的那天早晨，「元帥王國」號首運去多輛坦克，去年十二月中共軍開始進迫元山和興南時，「元帥王國」曾泊於港外，撤運英軍和美軍。船員都曾受到南韓海軍指揮官陶埃爾少將的讚許。三月底，倫敦公司和美國海軍的契約滿期了。「元帥王國」號停於橫濱，它的銹蝕而滿佈的船頭高聳於海面上。船主拉特到公司代理人處接洽，帶回了一個消息：倫敦方面命令「元帥王國」號開往大連，裝載大豆駛返英國。一位船員高聲喊道：「那是中共的地方啊！」五十八名船員中，有四名波蘭人，五名流亡的中國人，其他是蘇格蘭人和英國人。他們當初在航程中，早已得到越南共產黨的教訓，他們開會討論此事，沒有一個人表示異議，通過了決定不開往任何共產國家港口。侍應長羅特加麥加解釋說：「我們已決定了我們的原則。我們一直是在反共這一方面的」。

隨後，一個長着濃密鬍鬚的英國領事館官員，前來對他們說，他們的決議所可能受到的懲處，將包括自己出發回國，償付一批新船員自倫敦到日本的費用和船隻繕延於橫濱的耗費。電機技師麥克諾頓說：「我們甘願接受這些處罰而不願幫助共黨」。

船員們的堅決態度終於勝利，也不會再受什麼懲處。「元帥王國」號的委託商自倫敦電告，這條船將不會再派到共黨國家港口去。（一路譯自時代週刊）

啓事

陳香梅女士所著旅美雜記，續稿未到，本期暫停。

時代科學

F九四型噴射式戰鬥機

周明譯

在美國新傑西州麥基空軍基地的停機場內，一種機長形的灰色噴射式飛機正整日夜戒備着，等待昇空的命令。它們是「全氣候（不受任何惡劣氣候或黑夜的影響）攔截機」（第五十二全氣候戰鬥機隊的F九十四型機），正準備隨時起飛迎擊任何敵人飛機的侵入。它們所等待的訊號，不過是雷達鏡上的一個符號，這符號或發自紐芬蘭，或發自海上的任何一隻船，倘使越過蘇聯北極或紐芬蘭（這是最短的距離）而來，首先昇空迎擊者，當是駐在新英格蘭機基地的飛機。如果敵機自大西洋方面侵入，則麥基基地的飛機將起飛在海上加以截擊。

麥基機場的飛機一直在準備狀態中，其引擎不需要加燒即能活動，其機員也在等待着，他們的營房就在等待中的飛機附近。他們穿起服裝，戴起頭盔，跳入機座放下塑膠機罩，一共只需數分鐘的時間。其後引擎即發出一陣怒吼，自其尾部排氣管噴出一陣火油的濃烟和一股淡藍色的火燄。

當每一架飛機馳過跑道時，其尾部放出一陣明亮而猛烈的火花。這是輔助燃燒器發生的作用：額外的燃料流入尾部排氣管，以增加昇空力。這股火花大得像飛機本身一樣，吼得像一陣連續的雷響，它先將飛機向前推，然後再使之上昇，猶如一座巨大的電梯將它拖上天空。當飛機垂直地上昇時，這火焰逐漸縮小爲一串光亮的小點，如同流星，然後突然全息。這是飛機已到了搜索的高度，探尋敵機的工作開始了。

在F九十四型機艙中，情報不斷傳入駕駛員和雷達管理員的耳機中。地面雷達正追蹤其目標，並將其報告傳播到一個地面管制站（其地位是祕密的），然後轉知「阻截機地面管制站」，再送達空中的飛機。有時，機員祇需根據指導的航線，以時速六百哩的速度飛行就可以了。

飛機頭部的塑膠窗內（這窗是雷達波所能透過的），一具金屬性的碟狀天線正迅速地在一軸心上旋轉，同時並前後搖動。在這種規律化的舞蹈中，它以雷達電波探測前面的空氣，如空中空無一物，則雷達鏡上可見出一條光所形成的直線，若電波遇到一架敵機而折回，則機上就會發出搖震的現象。

管理員調整着雷達機，使它跟隨着敵機並指導飛機向對方飛去。這搖震曲折的現象愈見明亮而清楚。到這時候駕駛員就必須親自注意雷達鏡了，鏡上現出一個綠色光亮的圓圈，其中再有一個小圈。這小圈就是敵機。即使在霧中或黑暗中，祇要遇有敵機，這小圈必會見於雷達鏡。敵機與阻截機間的距離愈縮短，這小圈則愈縮小。駕駛員謹愼地操縱着他的飛機，保持一個搖動的小點在於小圈的中央。待這小圈小到適當的程度（小點還在中央）他便知道敵機已在其機槍或小砲的射程之內了。他按動電鈕射擊之後，立即將飛機昇高，以免與敵機相撞。在惡劣氣候的一次交戰中，他可能不會看到被他所擊落的敵機。

這種利害的「盲目打擊」雖還沒有在美國領土上正式運用過，但麥基機場的飛行員卻已經過有足夠的訓練性出擊和實際演習。不過即使科學的昌明，使阻截機得到這樣多便利的武器，但這批飛行員並沒有以爲他們已能建立一個十全十美的防空體系，一部份敵人的轟炸機仍能滲過他們的防衛網而飛入美國領空，但以他們的新的工具和新的戰術，飛行員們堅信他們將能使一個侵略者在進攻時蒙受莫大的損失。（原載時代雜誌）

一舉兩得

友自鄉來，故急訪趙，給話舊敍，然對于「解放」後的商業情形則搖頭太息云：「稅捐之重，種類之多，爲空前未有，殘廢的叫化子亦須繳納牌照稅一萬元（人民幣），所以這些叫化子得在行乞的時候，如果你不給他，他就說：『我每月須納稅，難道你不給我嗎？』言外之意，好似你不給他不成，由此可想到商人稅額的負担程度了。……」

噫！乞丐徵稅，有史以來，聞所未聞。「秋獸王朝」不體恤這些殘廢孤零的可憐人，反而要他們納稅。中共之推動「援朝」，鼓勵一般青年到韓國去，換了殘廢人回來倒還可以在他們的身上徵一筆稅收哩，還能增加所謂「秋獸王朝」的「稅收」，同胞們，惜可憐。（漁人）

風雲人物

蘇聯外次　葛羅米柯

近事：代表蘇聯出席刻在巴黎舉行的英美法蘇外長代表會議，草擬四強外長會議議程。以向來著稱的冷峭陰險作風，將枝節問題牽入討論，多方延宕，關於議程談判的進展，使會議復陷於僵局。

年齡籍貫：一九〇九年七月十八日生於蘇聯白俄羅斯民族區名葛羅米基的小村，在明斯克附近。村中姓葛羅米柯的幾佔全村人口的百分之九十。

家世：父母是受過相當教育的農民。弟兄二人，都已陣亡於第二次大戰中。

出身：在莫斯科理學院攻讀政治經濟，一九三六年獲學士學位。

經歷：曾在母校任講師，識日丹諾夫（聯共中央委員會書記）後不久，即任職於外交部，一九三九年昇爲美國司司長，旋被派至美國任駐美大使館參議，時年僅二十九歲，一九四三年繼李維諾夫出任駐美大使，一九四六年卸職，調任出席聯合國安理會代表，曾一再在會議席上運用否決權十餘次，從外交界無名人物一躍而成世界報章頭條新聞人物。一九四九年奉召返國，任外交部次長。由於在美期間甚久，爲蘇聯最諳悉美國問題的專家之一。

生活性格：葛羅米柯幾完全成長於共產黨的環境中，其幼年時的玩具，夢想、書籍、或思想，即無不充滿共產色彩，故爲最熱誠的典型共產黨員。善守祕密，拘謹，寡言笑，少與人交往，富於俄式幽默感，不吸烟，略飲啤酒，好讀書，所讀多數爲經濟書籍，但在美時曾一度對人表示愛好拜倫的詩。偶而亦常下棋及玩排球。有子女各一。

彩色的維也納

許多美兵被誘入俄區

一個維也納的女郎受雇於一美方情報機構，任問事處職員，與她全家同住在蘇管區。二年前，俄國派人和她接洽，要她替他們担任間諜工作。她拒絕，她的家人對她加以威嚇，說如果她拒絕將遭背待。這女郎將此情形報告美方的上司，後者遂常供給她假情報，以此敷衍俄人。但到後來，俄方起了疑竇。一天她接到通知，要她到盟國管制委員會大廈附近一個石像下，會晤二個俄方的人員。

美情報機構及時派出一名便衣警和一名英軍憲兵尾隨着她，並準備將那二名俄人逮捕——因爲當時這會晤地點在英軍管轄範圍內。

晚上十時，一輛汽車駛到石像附近，其中跳出二名便衣的俄人。當他們剛抓住那女郎，旁邊一輛吉普車的美方人員和英憲兵迅即躍出，在槍口的指迫下將俄人逮捕了。女郎受命先回到美管區。那二個俄人則被押上吉普，由英憲兵駕車駛向總部。那知吉普剛駛過石像不遠，[illegible]便衣取去，關於另一房間。瞬息之間，那一卡車的俄兵已開到，手執自動步槍，衝入警局，不但將他們自己的人搶救了去，且帶走了那美方人員。

其後二十四小時間，美方總部與蘇聯總部不斷以電話談判，終於談出了一個結果。蘇方說，他們願交還美國警員，以此交換他們被扣的證件。這些證件可證明二個被捕的俄人之一，是蘇聯在奧情報機構的高級官員。美方同意了這個條件。

引誘美國士兵進入蘇區，是俄人所喜歡使用的另一技巧。有些美軍竟被蘇聯拘押達二年之久，多數士兵是中了蘇聯的計而犯了罪，不敢再回來，於是逃入蘇區，怕遭嚴懲。究竟有多少美國兵仍在俄方之手，這是軍事祕密，但傳說爲數仍多。

美方情報機構，洞悉俄人這種詭計的施用方式，還是不久以前的事啦。（十）

泰辛寧譯自「鐵夫」雜誌

自由人

THE FREEMAN

（半週刊每星期三六出版）

每份零售港幣壹毫半

（第十二期）

督印人：梁大成

社址：香港德輔道中一四九號四樓　電話：二二八二〇

149, 3rd FLOOR, DES VOEUX RD. C. HONGKONG TEL: 32820

承印者：東南印務出版社　地址高士打道六四號

台灣經銷處中國書報發行所　地址：台北館前路八十五號　電話：三〇三五

麥帥去職的我見

杜魯門與麥克阿瑟必須各有善處之道

左舜生

在過去將近十個月的時間，假如處在聯軍統帥地位的不是麥克阿瑟，而是另外一個尋常人物，我想他是不待罷免，而早已自動辭職，因爲像過去近十個月的韓戰這樣的一種戰爭，實在是不能打的：失敗要受責難，勝利也要受責難；不敗不勝還是要受責難，甚至一個負着對前敵數十萬將士生命安危最高責任的統帥，乃至對於一個如何才能夠克敵致勝的戰略，也絕對沒有發言建議的機會，像這樣一種史無前例的戰爭。教人如何打得下去呢？然而，麥克阿瑟竟忍辱含垢，任怨任勞，苦苦掙扎了近十個月，必待杜魯門總統正式下命令，免去他的本兼各職，然後他才輕輕卸下他的仔肩，僅此一點，我們已經可以看出麥克阿瑟的修養是何等的深厚，與那些徒憑意氣，不顧大局的悻悻小丈夫相比較，眞是不可以道里計了。

因爲麥克阿瑟的去職，可能影響整個遠東的局勢；搖動民主與極權兩壁壘力量上的均衡，挫折前方作戰聯軍的士氣；給予侵略者一種精神上鼓舞；刺激自由中國，日本，澳洲，菲律賓……這些休戚相關的國家而使之陷於一種極度的不安；甚至牽引到美國國內的政爭，使之日趨於尖銳，以致妨害對於未來在一個更艱難更險惡的局勢中，共和民主兩黨更難融洽無間的精誠合作；……這一切一切，自然都是顯然可有的，而且難於補救的一些後果。然而，我所引爲莫大的隱憂者還不止此。

以麥帥平日安詳審愼的態度，高瞻遠矚的目光，他便從來沒有存過一種『重亞輕歐』的希望，他不過主張敵人從亞洲侵入，便應該就亞洲給以有效的打擊，假定在韓國的戰爭能提早得着一個光榮的勝利，甚至對這個爲虎作倀的中共政權能給以一種無情的摧毀，則歐洲的戰爭根本可以不致爆發亦不一定。我們根據客觀的情勢，加以冷靜的攷慮，覺得麥帥以最高統帥的立場，依據他平日對共產集團的透視，而提出這樣一個計出萬全的建議，不僅是爲的亞洲，同時也就是爲的歐洲，不獨沒有錯誤，而且是有其必要的。今天美國的最高國策，應該是領導民主國家，對共產集團的侵略，不惜以武力作一種有效的制止。假定我們承認共產集團的侵略是『無限度的』，而且從事實上的表現也是『無限度的』，則民主國家對於共產集團的以戰止戰，也就不應該是『有限度的』！更假定共產集團的所謂世界革命確實是以整個世界爲對象，是根本上的無所謂對亞對歐的執着，甚至他們還以爲爲了完成世界革命，必須從亞洲着手乃能有把握，更爲有效，則民主國家即從亞洲以更大的力量，加共產集團以澈底的一擊，豈不更是十分合理？凡此種種，我們實在看不出麥克阿瑟的主張，在精神上與技術上與美國的國策究竟有什麼根本上的不同，而覺得不把麥克阿瑟去掉，便會妨礙美國國策的實現。

我們決不願以一種卑劣的動機去揣測杜魯門先生，及其若干參與最高決策的僚屬，說他們只是爲黨的私利上打算，不願看見麥克阿瑟造成一種偉大無比的聲光，給予共和黨一種鼓舞，即無異給民主黨一種精神的打擊，因而不惜以鐵腕加以無情的摧折，我們更不能否認杜魯門先生有美國憲法所賦予他的最高職權，可以變更一個前敵的統帥，確實是有這種權力，甚至就在一個極端嚴重的局勢中，也並無例外；有必要時，在一個由文人秉政，領導軍人的民主國家，看見一個手握重兵威權無比的高級將領，其言論與行事，多少有點迹近跋扈，不能不出以杜漸防微，以維持一種正常的民主傳統，這種心情，像我們這樣一種數十年來生息在軍人萬能的空氣之下，而看不見民主顯影的文人，尤其充分理解。可是，使我們不能不感到相當惶惑的，便是像杜魯門先生這樣一種未經周密考慮而多少近於操切的措施，會不會使世人誤會到美國的基本國策，即領導世界民主國家，對侵略的共產集團，不惜以武力週旋到底的方針，可能發生動搖？依照我們的理智判斷，美國的國策是決不會變更的，即共產集團的野心，也決不會因此而加以修正，或和緩。如此，則麥克阿瑟的何以自處，與杜魯門先生因此一舉措所可能發生的影響而想加以補救。我相信是可以措置裕如的。

假定麥克阿瑟給予杜魯門總統一個心平氣和的電報，感謝他在這樣一個時期，能夠一舉解除他本人這樣一種嚴重無比的責任，同時以一個美國公民的資格，依據他所特有的經驗，堂堂正正重申他對共產集團鬥爭所必須採取的主張，不獨以此供杜魯門總統的參考，亦即以此訴諸世界輿論的批判，如此，則不獨無損於麥克阿瑟的偉大，只要他的健康許可，甚至在不久的將來，美國國民可能有一種更重大的責任，要加在他的肩上：即世人亦將以更大的期待，應望於他的未來。反過來說，假定杜魯門總統在麥克阿瑟去職以後，仍舊力求貫徹他的國策，一面增加在韓作戰的實力，一面加速對日簽定和約，並完成日本武裝的重建，同時對台灣亦加強其支援，俟適當時機的到來，更不惜助成台灣對大陸的反攻；如此，則即令杜魯門總統此次舉動，不免稍稍予世人一種孟浪的印象，但也就等於『君子之過，如日月之食，』於美國，於世界，也就不會有怎樣不良的影響了。

統帥換，政策不變

——制止北韓侵略，派第七艦隊保衛台灣，不許中共進入聯合國，這都是杜魯門政策不是麥克阿瑟政策。——

·滄波·

麥克阿瑟去職的新聞，正所謂是戲劇性的大變化。一個戲劇性的大新聞，當然要使聽衆震動與迷惑。前天（十一日）下午，香港各方面所表現，與世界各國的反響，正是說明這一個道理。

天不能變地人不能變牛　反共的美國不能變親共

在我聽到這一消息的俄頃，我也同樣地爲之震動與迷惑，可是這種震動與迷惑，只是一剎那間。根據我所了解的國際情勢與美國歷史，我認爲麥帥雖然去職，其影響於一時精神及心理者大，而影響於實際的世事演變者甚微，「天有不測風雲，人有旦夕禍福」。這兩句成語，充分指出天時人事的變化，有時完全出人意料之外，但是反過來說，風雲儘管不測，天還是天，天不能因不測之風雲而變成地。一人的遭遇，哀樂禍福，旦夕雖有不同，然而人還是人，一個人可能因其所遭禍福之不同而變換性情，但那個人並不能因禍福而變了一隻雞犬或牛羊。用這一個常識來推斷麥帥的去職，我們可以肯定，在麥帥去職時，自由國家與共產主義集團，在那裏冷戰或熱戰，美國是反共，美國由防止共產主義的蔓延，到堵截迎擊共產主義的侵略。在麥帥去職後，美國不能立刻不反共了，東西間的冷戰熱戰不能一律停止了。在麥帥任職時，聯合國不能得着光榮的和平，朝鮮戰爭沒有方法結束。在麥帥去職後，朝鮮的光榮和平照樣不能立刻獲得結束。在麥帥任職時，美國準備趕快成立對日和約及武裝日本，在他去職後，對日和約不會成立無期，武裝日本的計劃也不會整個放棄了。再淺近一層說，麥帥在職時，中共進不了聯合國，美國第七艦隊緊在台灣海峽，麥帥去職後，中共不能進入聯合國。美國第七艦隊不能撤離台灣海峽。

史太林早與和平不兩立　去一麥帥何能安撫蘇聯

由於這幾種簡單的說明，人們對於這條新聞的震動立刻可以平靜下來了。再經過一番分析，我們大家明白今天的形勢，從共產主義集團發動的冷戰到侵略，既不是由麥克阿瑟所主使所造成，[illegible]而使那種形勢縮小或擴大，[illegible]對自由世界敵人之[illegible]此其一。美國今天領導對共產主義的防堵，甚至於所謂中立台灣（包括第七艦隊駐在台灣海峽）不承認中共政權，反對中共進入聯合國，這許多政策，並不是麥克阿瑟的政策，而是杜魯門的政策，此其二。美國是法治的國家，民主國家，美國總統可以依法任免任何軍或政官吏，但是美國總統並不能憑自己一人的好惡或感情去制定一個外交政策，美國總統不能操縱國會，更無法操縱輿論。杜魯門今天可以發狠免了一個麥帥，但不能發狠把美國的對外政策來一個一百八十度轉變。此其三。自由民主國家之立國根本方針不能變，一如共產主義國家之立國大計不能變。今天自由世界要想得着光榮的和平或解除世界的緊張，除非把克里姆林宮史太林政權摧毀了，這一個目的是無法達到的。假如不然，從「一號戰犯」邱吉爾，以及艾德禮杜魯門一律「尸於市朝」，也並不能使克里姆林宮稍爲回心轉意，區區免了一個遠東統帥麥克阿瑟，大目的如上所述，小目的如結束韓戰，同樣是絕對不能達到。此其四。

駑駘之材確屬不勝負荷　下居總統麥帥大有可能

我看一年來的杜魯門，正合着中國官樣文章中一句套語「駑駘之材，不勝負荷」。他這一塊料，挑着那麼一付担子，實在把他壓壞了。凡是駑駘之材，心中總是充滿了「自卑感」。杜魯門在美國以副總統繼承羅斯福的大業，他自己明瞭他的地位與能力，而他偏偏不服這口氣，他要表現，他要表現他的「特殊」，今天把麥帥免職，便是這種心理表現的最高峯。杜魯門這一舉動，對麥帥個人的幫助太大，而對自己所造的煩惱及損害，亦是萬劫不復。麥帥今後在美國國內及在國際間，要變成卓絕的英雄了。下一次美國的總統選舉，共和黨的候選人，多半會屬於他，而杜魯門[illegible]

（寫於十一日夜午）

半週軍事

麥帥去職的軍事背景

美國在環球戰略立場上認有調整遠東戰略必要。。。

黃震遐

本月十一日，麥克阿瑟將軍突被白宮解除遠東職務，遺缺由韓國戰地總指揮李治威接替，同時美政府另調[illegible]弗利特接充第八軍軍長。這是目前冷戰過程中最高人事的一個大調整，[illegible]

韓戰美陸軍原分兩派　本土增援與駐日部隊

在韓戰中的美國陸軍部隊顯然劃分兩派：一爲國防部派遣的本土增援部隊（多有歐戰光榮傳統），一爲麥帥的駐日部隊（有太平洋作戰傳統；及海軍陸戰部隊亦自太平洋起家）。這兩派作戰傳統有異，戰術思想上亦有分別。韓戰猝發，麥帥先後派遣其駐日部隊第廿四師（勝利師），第一騎兵師（閃電師），廿五師（熱帶閃電師）三師人注入戰場，與北韓十師兵力交戰至七月底，未能扼阻敵鋒於秋風嶺（大田大邱間）一鎖點以西。幸由本國派來第二師（印第安人頭師）及陸戰隊一旅，英國從香港增援廿七旅，始克守住釜山週邊陣地，這是國防部對麥帥不滿的開始。九月十五日，麥氏另編第十兵團在仁川登陸，使用陸戰第一師（曾隨麥氏轉戰太平洋各島），駐日第七師（登陸雷伊泰島主力）兩部，並由麥氏參謀長阿爾蒙中將出任指揮，收獲極光輝的戰果。同時騎一師從釜山週邊向北挺進，亦發揮其自林牙仁灣登陸後直衝馬尼拉的攻擊精神，南北兩鉗合攏。第廿四師，英廿七旅跟蹤而上，全綫進入追擊作戰。到十月初，達到全部擊破北韓軍的目的，這是麥氏在美國及全世界上聲譽的頂點。假使韓戰就此結束，麥氏的駐日兵力（四師一旅）當已寫下美軍戰史中最輝煌之一頁。

中共援韓台早有情報　美未重視致遭受慘敗

十月中旬，麥氏全軍分成三部。華格中將指揮第八軍兩師由西半，南韓軍三師由中，向鴨綠江進攻。阿爾蒙中將指揮第十兵團兩師，南韓軍兩師，沿東海岸向長津湖進攻。第九軍（美軍兩師）則被抑留在卅八度以南游擊。聯軍的全部兵力分得極散，交通綫過度延伸，天氣極冷，警戒疏忽。韓北鴨綠江以南的蓋馬高台隆起中部，將華格和阿爾蒙兩枝人馬隔絕，造成孤立進入的險勢。[illegible]

（多有歐戰光榮傳統）

[illegible]

李治威殺戮攻勢奏效　中共已開始走下坡路

一九五一年一月間，華格被迫放棄[illegible]

[illegible]萬人。由是美軍在國際上的聲譽，始得恢復，共方則發覺李治威用兵謹慎，火力強大，在戰術上開始走下坡路。

由於情況不明，輕敵深入，使美軍蒙受極大損失，單純在軍事上影響、麥帥的環境已陷逆境，加上政治及國際上的壓力，決定僅是時間問題。

[illegible]顯然已有另一總體戰的藍圖。

我看伊朗問題

左右兩派現有作法、似在合力促成崩潰

◦滄波◦

伊朗前國務總理蘭茲瑪於三月七日被暗殺出缺，到此文屬稿，恰一整月，伊朗今天仍處於內憂外患交逼之中，伊朗今後是否能夠渡過這一難關的？解答這個問題，伊朗局勢雖暫時回復寧靜，伊朗政府已決定在國會重開前，取銷戒嚴令。伊朗局勢是否從此和緩下去？會的，絕對不會的。伊朗的未來，大爆炸是無可免的，現今暫時的停頓，因為幾個原因：第一：伊朗的新年在公曆三月底，在這個時期，伊朗全國在假期中。第二；新任總理胡辛拉能鼓起勇氣，和緩前總理被殺後的緊張局勢。第三；伊朗國會煤油委員會要求兩個月的時間，訂擬油田國有的詳細辦法。

依據伊朗內外的情勢，局面是極難穩定下來，而局勢中所表露的病象，財政方面的情形最可担心，伊朗的財政年度終止於公曆每年三月底，開始於四月初，伊朗的財政，去年年度已經支絀到萬分，今年年度實到了羅掘俱窮，這從本年度的財政預算序言就可了然。「所有各種積存的基金，及凡可運用應付支出之財源，均已羅掘俱盡」。在去年度中，政府對國家銀行的支借已到最高額，不得已挪用各機關的款項，連公務員積存的養老金，也全數挪用乾淨，估計去年財政年度財政上的赤字，約在十億與十五億里耳（伊幣）之間，在此數字中，至少五分之一係政府的債券，按期應當還本的。

油田問題即使解決　內部矛盾仍極嚴重

伊朗今天被世界注意的是油田問題，前總理賴茲瑪的被刺，據兇手的供詞，說是為了他的「媚外」，賴茲瑪被刺後，伊朗國會立刻通過油田國有案，因為伊朗國會通過了這個案子引起中東國家同樣的騷動，更牽動英美對蘇聯的疑懼，所以現今伊朗問題與油田，似乎是不可分解。伊朗的內政外交，集中在這一個問題，東西兩大集團的視線，也膠着在這一個問題。不錯，油田問題在過去兩次大戰中，都曾成為一個重要的世界問題，油田問題是今天伊朗一切問題的導火線，但是經過詳細研究，我們可以大膽地說，即使油田問題解決了，伊朗的問題還是不得解決。即使今天伊朗政府與英伊油公司的爭辯獲得圓滿結果，伊朗的問題還是不能解決，油田是一個浮露在外面的問題，在伊朗國內，其端問題是一個內在的極端矛盾，國際政治變化常常產生一種環境，使這種內在的矛盾，隨時加深與擴大。伊朗的問題在世界政治上鬧了一百五十年，一般的看法，都說伊朗問題的震盪是隨着國際勢力的鬥爭，其實國際鬥爭只是伊朗問題的一面，另一面的問題，是國內內在的矛盾。而這種內部矛盾的主因，在於伊朗統治階級的愚蠢，貪婪，及缺乏判斷能力。伊朗國內社會，多年來顯示一種不平衡，社會各方面的不平衡，是造成今天伊朗各種問題的主因，所以談論今天的伊朗，不追究到這一個病源，一切看法，都是隔靴搔癢。

公務員額二百餘萬　薪給佔預算五分四

第一；伊朗的政府與人民的距離，相隔太遠。伊朗政府等於是寄生蟲，它對於自己生命所依的本體——被統治者的人民，只想到剝削他們，絕未會想到為他們服務，及造福，政府中任用私人與分贓制度，風氣甚盛，官家從來不曾為着人民打算，官吏不是為人民服務，官吏是衣食於人民而同時為害於人民的，伊朗全國人口約為一千二百萬至一千七百萬人（沒有精確的人口調查）。但伊朗全國公務員，則達二百二十五萬人。軍費及公務員薪給的總數，佔伊朗全國總預算百分之八十。官吏的俸給自來不足養廉，他們營生之道，不得不取之於各種方式的賄賂。伊朗政權的性質極不分明，究竟它是一個專制政體呢？還是一個議會責任政府呢？那個議會又究竟是什麼一個性質？它代表那一種階級的利益，還是代表着全民利益？政治的混亂與貪污如彼。其結果造成全國的不安與不穩定。

第二；首都與外省的不平衡，過去多年來伊朗的商業，經濟，及政治活動都集中於首都，因此外省的財富，智能以及專家均紛紛遷居首都，這一個現象，最近二十年來，尤為加強，一個國家的精華完全集中在首都，其影響是相當危險的，全國的財富，智能及專家集中於首都，當然使外省一切荒廢，國家不能專恃一個首都。首都畸形的繁榮，與各地畸形的貧乏，這種不平衡是國家平均發展的致命傷。也是一切分離與貧困的重要原因。

第三；城市與鄉村的乖離，在伊朗，城市與鄉村人民間幾乎存在着一條極大的鴻溝，近數年來，鄉村的伊朗人紛紛向城市遷移，那是說明了鄉村人民生活的艱難與農民地位的不安定，所以他們計劃放棄其土地，移殖到城市，企求一種低微的生活。伊朗的城市人民，對此種隔閡與距離，從來不想去補救，而且他們也永遠是輕視他們鄉村的同胞。

種族問題愈趨複雜　社會財富集中地主

第四；本土居民與若干游牧種族間的嫌恨。伊朗全國人口游牧種族構成一個重要的成份，在人力及資源方面，游牧種族是一種很大的潛在勢力，過去伊朗國內許多騷亂，都因為對游牧種族措置沒有得宜。伊朗前王李柴曾經想安置這許多種族，當時全國人也支持他這一個計劃，但他是沒有達到目的，他失敗的原因，大概由於執行政策的方式既鮮效能且極任性，尤其對衛生及教育等問題，完全沒有安排妥善，結果使政府與各種族間的猜忌增加。一九四一年前王李柴退位後，政府對國內各種族間題游移不定，而其政策中心，不外乎「分化」。所以本土居民與各種族間的問題，愈拖愈複雜而惡化。

第五；社會財富分配不均，伊朗社會財富大部分幾乎完全集中在地主階級，這所謂地主階級，一方面包括商人，另一方面包括軍官及高級官吏。因為土地並不能產生暴利，所以許多地主階級，多兼做各種商業投資。又因為地主在政治及社會均佔着優越地位，所以商人，軍官及官僚，仍樂於購置田地，以構成其地主的身份。

第六；西化份子與一般民衆的隔離。所謂西化份子，便是受過西洋教育，傾向西洋文化的份子，這種人看不起本國固有的文化傳統，但是他們與一般民衆脫節，他們不了解廣大的民衆，並且時時對民衆輕視，因為他們與西方勢力的接近，在社會上易抬頭，但因為這一羣人半當權，極不孚人望，他們自己知道單憑自己的力量不能有所成就，自然想尋求外面的背景做支持。當前伊朗的統治階級，一般人民都目為受着英國的支持人，批評及不滿他們的人，自然和左派及親俄派聯在一起。

未來變化出自被動　必將造成世界不幸

上述各種不平衡及隔閡的積累，使得伊朗的局勢一天天惡化，而至於不可忍受。有一部份人認為伊朗今天抉擇的道途，只有兩條，一條是大革命的崩潰，另一條是開明專制。抱這種見解的人不惜採取對各種反對團體的鎮壓，以為對人民但施口惠即可暫時苟安。其餘若干人民對現狀認為不可挽救，亦不能再謀調和，乃不得已採取沉默消極的態度，此外活動份子，就[illegible]宗教極端派[illegible]主義團體（此次暗殺賴茲瑪就是這一個宗教團體主動的）。極右極左兩方面的激進份子，自不免為人所利用，但是伊朗整個社會的崩潰，是促成激進份子挺而走險的根本原因。激進份子的血脈債與橫衝直撞，也是加速伊朗崩潰的原因。英國人在此中是代人受過的目標，多少年來，伊朗人民認為英國是包庇伊朗貪污腐敗官僚的，所以英國是伊朗改造的唯一阻力，反英運動之此起彼伏，原因在此，現在的情勢，伊朗人民的憤怒由反對英國政府移轉到英伊油公司。

伊朗今天真正的問題，在舊日秩序已臨崩潰的階段，時局問題的核心，不是油田問題，也不是民族運動與主權問題，而是整個伊朗的國內社會問題，伊朗今天的社會，猶如十八世紀中葉的法國，各種爆炸的藥綫都已伏在四方，只待一個藥綫燃燒，全部的大爆炸便開始了。今天伊朗與當時法國情形的不同，法國的爆炸是主動的，而伊朗的是被動的。法國大革命的結果，造成一個法國思想中所希望的法國，伊朗今天的對外環境，正是共產主義與西方國家競爭角逐到了尖銳的階段。伊朗國內黨派，今天抬頭的是極右派的國家主義陣綫與極左派的親共圖德黨，兩個黨派今天合力去促成伊朗的崩潰，但是親共派在將來一轉手間去掌握局勢重心，是順理成章的事。所以伊朗未來的變化，是一個被動性的變化，而其結果必然造成一個不幸的局面，——對於伊朗的不幸，——對於西方自由世界的不幸，對於整個人類的不幸。

由咖啡談到政治

「和而不同」的民主精神值得我們深省

・黎晉偉・

最近拉丁美洲二十一個國家，在華盛頓舉行一個不平凡的汎美會議，這個會議雖然業已結束，惟其中有一事，頗足以表現美國民主的風趣，亦大有助於我國談民主政治者之反省，而使我們感覺醰醰若有餘味者，此即喝咖啡故事是也。

據當時華盛頓合衆社電所報道：美國務院之熟悉國際禮儀專家，於汎美會議在此間開會，為各代表泡『咖啡』時，竟不知所措。事緣南美各國均輸出『咖啡』，亦無不以本國出產者為最佳。然則美國所嗜者為何乎？禮賓司將此一問題，交汎美咖啡局討論，該局乃熟悉南美國家之心理者，結果乃決定將所有十國之咖啡（有少至一顆者），混合於一爐而共冶。惟該局發言人不願宣佈其正確成分，蓋若公佈之，則危險實甚（意謂必引起各國爭執而造成不愉快也），於是南美之外交家乃無所爭論而祇有批評矣。

這一節消息，如果列在報紙上，當然祇能看作「花邊新聞」，但如果我們能夠比較細心的加以玩索，就一定會發覺這就是美國人民主精神的自然表現，民主政治的道理，雖然可以寫上十萬八千言而不能盡，但其基本精神則一句話便可以包括，即「和而不同」是也。

自有人類歷史以來，由於各個民族各個國家文化深淺的不同，所以也很自然的產生了各種宗教與政治不同的信仰，但在民主國家，對於個人的思想行為，除了憲法規定的大原則外，依例不加干涉，這就是「和而不同」的民主精神。以美國為例，譬如在憲法方面而言，每個人都有言論，行動，居住的自由，祇要你的言論不是在戲院當着人群中喊「火燒了」，你的言論是政府無權干涉的。又或者你的拳頭到了別人鼻子之前就停頓下來，你的行動也不算是犯法。這種規範，就是求大家之「和」，而不是要彼此之「同」。祇有極權國家，動輒提出「鐵的紀律」，以束縛人民的意志和生活，這是「同而不和」，所以使不能與民主國家相提並論。像目前蘇俄的統治，不管人民對史太林的獨裁壓迫，如何不滿，但在外表的行動上，他們卻沒有甚麼不同的地方，因為極權統治者根本「要同不要和」的緣故。

近代由於科學進步，地球距離已因航空發達而日見縮短，如果要使世界各國和平相處，自然更非積極發揚「和而不同」的民主主義不為功。故羅斯福總統倡導組織聯合國，以四大自由相號召，杜魯門總統繼承了羅斯福的餘緒，也提出了「第四點計劃」，以為協助開發世界落後地區的方針，其一貫精神，也可說是為了促進世界的和平，所以特別鋪築了這條「和而不同」的環球軌道。此次汎美會議在華盛頓舉行，原本就是由美國所召集，美國政府以會議主人的身份，理宜對其款客飲料的選擇，應該享有充分的自由，惟以南美國家莫不有豐富的咖啡出產，如果美國漫不經意的選用了某一國的咖啡，而使許多國家感到「面子」難過，或者在外交禮節上，這些國家未必即真正提出了無謂的爭執，不過美國為了保持會議客氣的和諧，因而把各國咖啡一爐共冶，甚至所用份量，也祕而不宣，這就是完全出於「和而不同」的民主精神的自然表現。如果我們要談民主，就不可忽視了人家這種並不平凡的「小節」。

目前自由中國也有不少人以民主政治相號召，在反抗極權的鬥爭意義上，當然是一種對症的良藥。不過我們談民主的人，究竟有多少「和而不同」的胸襟，卻難免不使人發生疑問，我們在此時此地，固然可以經常聽到離開台灣，另創「第三勢力」的論調，而在以爭取人心為復國基礎的台灣，也有人表示，對於台灣以外的反共力量，不願容納。這種現象，似乎說明了我們的政治人物（至少有一部份是如此）的政治氣度，大家都是想同而不想和，要「同」就得跟我來，而不是「大家來」，我想這種政治風氣，如果要用民主尺度來衡量，畢竟是有所短少的。我們今天也很像要喝咖啡！——就是反共抗俄的共同目標，但誰是我們泡「咖啡」的好手呢？在國內外的許多反共力量中，大家都把自己的「咖啡」看得夠香夠味，如果我們祇知喝一種，而不能把它「一爐共冶」，那就祇有表示我們的民主功課，尚未及格。因此，我便不能不促請大家注意汎美會議這回喝咖啡的故事。

檢討史太林路線（下）

救中國辦法很多何必追隨史太林

王厚生

專政沒有必要

第三，史太林承繼列寧的遺教，實行專政，所以專政也成為史太林路綫的一個特點。曾被列寧譽為馬克思主義權威學者的考茨基氏是最反對專政的，他在有關民主政治與社會主義的論文中一再強調民主的重要性，他說過：「民主在衰微的時候，那纔是勞工階級的衰微，沒有力量去衛護民主的勞工階級，纔是毫無能力。一遇民主制度消失；社會主義者和勞動者，第一項和最重要的工作，就是去恢復民主」考茨基以為民主的制度，用選舉投票的方法，亦能使勞工階級取得政權，也能達到社會主義革命的目的。他說：「民主最短捷的，最確實的，且是最經濟的，達到社會主義之道路，猶之乎民主是發展社會主義之政治的和社會的先決條件，最有效的工具一樣。民主，與社會主義是彼此聯結而不能分開的。」陳獨秀氏在晚年，亦有類似考茨基氏的言論，陳氏對於無產階級獨裁，深惡痛絕，他在「我的根本意見」文中說：「政治上的民主主義和經濟上的社會主義，是相成而非相反的東西。民主主義並非和資本主義資產階級是不可分離的。無產政黨若因反對資產階級及資本主義，而亦反對民主主義，對之即令各國所謂「無產階級革命」出現了，而沒有民主制做官僚制的消毒素，也只是在世界上出現了一些史太林式的官僚政權，橫暴、貪污、虛偽、欺騙、腐化、墮落，決不能創造甚麼社會主義，所謂「無產階級獨裁」，根本沒有這樣東西，即黨的獨裁，結果只能是領袖獨裁。任何獨裁都和殘暴、蒙蔽、欺騙、貪污、腐化的官僚政治是不能分離的。」可見專政與社會主義沒有結合的必然理由。

策略運用失靈

第四，史太林路綫的又一個錯誤是運用策略的失靈。現在民主國家的人民和政府，都不像從前那樣有一種如意的想法，以為俄國和西方國家可以和平相處，俄國的衛星國都有變成狄托第二的可能。他們業已明白過去想法的錯誤了，今後俄國要再玩策略，決不得售。因為策略的轉變次數多了，不但失信於西方人民，亦失信於黨內同志。由於政策的轉變太大，一方面使其黨員迷惘，另一方面，非要大力展開說服和教育黨員的工作不可，儘管教育黨員的工作用大力展開，但終不能十足收效，即使一次或二次能十足收效，卻不能收效於十次百次，策略愈多，轉變愈大，羣衆和黨員的迷惑和反感亦愈深，因此，反共的民衆便多起來，共產黨的統治亦隨着一天緊似一天，緊逼到甚至可以令人窒息而死。上月底在孟買舉行，印度文化自由大會，會期四日，從三月廿八日至卅日（我國有張君勱博士，周祥光教授參加），會中有猶太作家馬吾林報告：「在蘇聯一萬個集中營內，囚有二千萬人民。」馬吾林自己在白海附近之蘇聯三處強迫勞動營中，渡過五年時間，所述當完全確實可靠。這許多被囚在集中營內的人民，都是反對共產黨做法的人，其中包括着甚多反對史太林的共產黨人。

史太林路綫有此四大錯誤，注定要失敗，要悲慘的失敗，而避免失敗的唯一途徑，就是改變現行的政策，從放棄世界革命，解放衛星國，推行民主制度，廢止策略諸端下手。條條大路通羅馬，要達到社會主義，豈唯史太林路綫一條？事在人為，共產黨的路綫不能救中國，別的道路也還多着呢！

東北集中營一俘虜

我從牡丹江逃出

歷盡千辛萬苦居然重見光明

我是在錦州失陷，突圍不果而被俘的，原屬國軍第九十三軍盧濬泉部，當被俘時，我不禁失聲痛哭，認爲一切都完了，很想自殺，但覺得這麼死了，更不值得，因此在繳械搜身以前，把儲存的美金幾十元和戒指一隻，分別藏好，雖在入集中營前經共軍嚴密搜查，却沒有把我今日賴以逃命的一點點路費搜去。

偽裝前進　準備逃亡

在集中營裏，我們每天受着思想訓練，幾個月後，有些人被認爲思想已經搞通，如是被派到部隊裏去，這樣就鼓了許多頑固份子，偽裝「前進」，希望也有被派出的機會。在集中營裏，除少數外，幾乎每人都想逃亡，當然在逃亡前，沒有人不表現出是極端前進，以避免共軍的注意。

女共幹窮　浴室賣淫

爲了想逃亡，我們幾乎處心積慮在找尋路子，因此我們在例假出外時——實際每次只給四個鐘頭的假——也常常坐茶樓，進酒館，到老百姓家裏聊天和下浴室洗澡，在這些場合裏，最値得一提的，莫如下澡堂子。東北現在實際已沒有私營浴室，洗澡堂成了各個公辦合作社的一個附設部門，起首去洗澡的我們這些人，只洗完澡就回去了，後來去的日子一長，和招待浴室的人混熟了，大家除政治軍事外，無所不談，如是從烟酒賭博而談到嫖，有些人在集中營裏住久了，生活又那麼單調，似乎很需要有一個發洩「性」的機會，雖然大家平時喝茶洗澡的錢，大部靠在售賣衣物上，但爲了「性」的解決，是不惜犧牲更多的衣物的，招呼浴室的人，發現這麼一條財路，居然把合作社裏的女幹部給這羣「俘虜」撮合了，他也從中分潤幾文，我們之中，有人曾經問這些女幹部，爲什麼幹這種勾當，她們哭喪着臉說『做共黨幹部是苦的。雖能勉強養活本身一人，可是我們還有家呢？不幹這勾當，父母眞要餓死了』？一件祕密，不能長久隱瞞下去，終于浴室春光，洩露到管理集中營的共軍耳朵裏，他們除了禁止我們再進浴室外，並且通知市政府把合作社的女幹部調走，合作社負責人，還受到嚴厲的批評和警告。

人心未死　痛恨蘇聯

由于我們藉例假在外活動的結果，居然發現每個月都有幾個人逃亡，是不是眞正逃脫了，不得而知，但逃亡人數的百分率日益增高，却是事實。我這次逃亡，也是由于出外活動的結果。先是我常常到一家飯館裏小吃，一天，和飯館老板弄熟了。他和我談話很投機，而我的身世和被俘經過，他也完全知道。有一次，他嚴肅的對我說：『我們東北人恐怕永遠沒有翻身的機會了，因爲老毛子已經整個控制了這個地區，你要知道東北人是怎樣懼怕和憎恨老毛子，當抗日勝利開始，老毛子首先進入東北，姦淫搶刼，無所不來，到現在，許多女人，還是頭髮長起來沒有多久，就是在那時候，爲避免老毛子強姦，大家多把頭髮剃光了，裝成男人，這種慘痛的事實，永遠刻劃在我們東北人心坎裏。如今共產黨已經牢穩地掌握了政權，實施著「一面倒」的外交政策，這塊富饒的東北地帶，怕不是遲早屬于老毛子的。你這些當軍人的，被俘以後，心都死了，我們老百姓，還有何話可說』，他說得聲淚俱下，使我又感動，又慚愧，我終于被逼說出，我的心並沒有死，我沒有一時不計劃著逃亡！他聽了陡然興奮起來，握著我的手說：『行！有志氣！你逃亡！我竭力來幫助你逃亡』。

飯店老板　熱情可感

以後經過了一個短時期的策劃終于在一個約定了的例假逃亡。我到他店裏拿到一張汽車票和一套老百姓衣服，因爲坐火車怕出事——他還派了一個人送我，爲的是我不識路徑。在分別時，我眞感激得流下淚來，他說：『小伙子走吧！用不著難過，更用不着感激我，我是在替全東北人甚至全中華民族，竭力保全新生的種子，眞有一天，你帶著弟兄再開進東北來，我們痛快地盡情喝一杯吧』。我就是這麼離開了被困處一年多的牡丹江。

大概坐了一天半汽車，送我的人，拉我下車，又走了三天旱路，白天固然是忙著走路，夜裏也不敢住店，怕的是有人追捕，常常在夜間，兩人在深山裏，背靠背打磕睡，不怕毒蛇猛獸，也沒有意味到鬼怪妖魔，一顆振奮的心情，鼓舞著我早離絕地，終于第四天到達了瀋陽，送我的人也就到此爲止，在分別前，我深深感激他的熱情，送他搭上了北返的火車，好在東北境內，那時局勢還不太緊，沿途不用路票，金飾店也公開買賣，如是我換掉了那只深藏的戒指，買了一張到天津的三等火車票，到達後，接着再買票到北京，在北京，我仍然不敢住旅館，我在北京大學朋友那裏住了三天，又找朋友寫了幾封沿途託人照顧的介紹信，才搭平漢車到漢口。又經過若干周折，來到香港。

宜之。

三十年心腹幹部遵邀回平

趙仲容爲傅作義而死

鎗斃前中共揚言趙勸傅反靠攏　傅因此不敢說話只得看他鎗斃

上月二十四日在北平被中共屠殺的立法委員趙仲容，他本是傅作義最賞識也最親信的一個高級幹部。他是山西人，青年時期，在山西方面，就以擁護傅作義反對商震著稱，民國十五年前，在北京大學讀書，軍閥統治期間，他是國民黨一員健將。那時他屬於國民黨中的所謂孫文主義大同盟派。十五年到蘇聯進中山大學。國民黨北伐成功後，一向都跟傅作義做事。抗戰前，勝利後，在南京做傅的駐京代表最久。他是立法委員，國民黨青年部副部長，又李宗仁爲北平行轅主任時，他做過短時間的行轅政工處長。

北平被共軍圍攻時　傅作義邀趙共患難

三十七年錦州會戰失敗後，中共突進關平津，那時候，趙正在南京出席立法院會議。傅作義於被圍期間，曾祕密飛京謁蔣，住勵志社。傅在京只住了一夜，知道的人極少。來去均由趙接送，各有關方面，亦多由趙陪同前往。當傅回平時，原邀趙同行，趙以京中有許多事尙待料理，允無論如何，必回平與傅共患難。傅上機時，尙一再叮囑，務必速來。傅行後約十日，趙果乘平京間最後一次之聯絡機北飛。時共軍向傅誘降之消息，已甚普遍，趙之友人，多加勸阻，趙堅以個人與傅關係太深，今傅孤城久困，義難坐視，且行前反復邀約，實無法背棄不顧，倘彼眞有降意，正可及時規諫。比趙抵平，而投降局勢已定，其時共方所允條件，對傅尙存有少少禮貌，傅之左右，方深慶雜弱已此，新朝可仕，趙亦只得順水推舟，助傅料理善後。共軍入城後，面目突變，首將一助共誘降最爲出力之許惠東拘捕。所有條件，一概不理。傅至此始知上當。李宗仁對共送和談，邵力子等第一次到平，傅隨邵等到石家莊謁毛澤東，向毛提出唯一要求，請釋放許惠東，謂許奔走局部和平，功勞最大，如許不能釋放，爲公爲私，彼實再無面目見人，也無面目做人。傅爲此言，邵及章士釗等均在座，毛當時笑謂，既傅先生如此堅請，我一定就電北平放他出來。但北平方面，共黨又藉口民衆要求，故意拖延了好久，結果名義上算釋放，但輕輕加上了一個勞動改造的名義，將許押送到天津附近一個鹽場做苦力，至今尙無下文。

爲愛女不忍棄家走　得傅助遲死一年半

自從經過許惠東被捕這一幕，傅始知共黨毫無信義，不但其他部屬，自己無力掩護，即自己未來安危，亦毫無把握。因此，分別祕密告知若干最親信而有被共黨淸算可能者，從速逃避。趙亦爲被傅密囑逃避者之一，但趙總不忍捨傅他去，又趙全家眷屬，均在北平，一女在北大地質系讀書，趙最爲鍾愛，深恐本人一去，兒女均將失學。趙私意傅在北方，尙有相當力量，共黨總多少要給傅一點面子。不料共黨竟毫不客氣，在趙返平後約半年，于三十八年七月六日，將趙逮捕，自被捕以迄槍決，共拖延了一年半以上。傅用盡了所有力量，僅延長了他一年半生命，結果，還被處死。事先共黨揚言他不但過去爲「國特」，罪在不赦，且于圍城期間，冒險返平，實負有將之使命，對傅抱有陰謀，準備一遇機會，即勸傅反靠攏云云。傅聞言大駭，自此即不敢再爲趙之生命，作任何關說。眼看趙之生命，即送在傅諄諄勸歸中。傅若稍有天良，當必萬分愧痛！

鎗斃後愛女竟被迫　發宣言連說殺得好

共黨於將趙槍斃後，尙不罷手，竟勒迫在北大讀書，趙生前最所鍾愛之一女，名趙綴中，發表宣言，贊美共黨槍斃乃父，實完全正確，對於乃父之死，認爲罪有應得絲毫不覺得一點悲痛。共黨傷天害理，其殘酷獄騙，一至於此，眞人類有史以來之創舉。茲照錄趙綴中在北平共黨各報，所刊宣言如下：

「過去我一直在學校唸書，對他（指趙匯）種種罪行不大了解，而他也一直避免和我談論政治問題，只是要我埋頭唸書本。那時我總覺得他的生活作風比國民黨反動派中別的官僚還算淸廉，所以對他的感情還不錯。一九四九年七月六日他被捕後，我聽取了多方的意見後，才開始對他的罪行，有一些認識，同時也才開始把過去對他的態度有了初步的批判。但當三月二十五日，在報上看到關於他種種罪行的紀錄後，我更又發現過去對他的認識與批判是太不夠了。過去，我雖然也知道他所作所爲是完全違背人民利益的；但還缺乏更深刻的認識。當他乘最後一架飛機由綏返平的時候，我以爲他將會向人民低頭了。誰知道，他一直還暗地裏在搞鬼、毫無悔改之意，堅決與人民爲敵。就由於對他認識不淸楚，所以當他被捕時，我也曾經鬧過情緒，抱怨政府爲什麼對他不「寬大」。及到我學習了「人民民主專政」等重要文件，後來又加入了青年團，領受了組織的教育和認淸了革命形勢的發展，才使我認識到對於像他這樣的反革命首惡分子，實在是應當專政和鎭壓的。過去我曾經幻想過他會在人民政府的教育下悔過自新，向人民政府低頭的，到今天才認識，對他這種反革命到底的首惡分子是不可能有任何幻想的。後來再經過抗美援朝和參加軍幹校等具體工作的鍛鍊，聽了政府首長有關鎭壓反革命的報告以後，我就更了解到鎭壓反革命分子工作意義的重大和必要了。所以當三月二十五日那天看見報紙登載他被槍決消息後，我不但沒有覺得悲痛，而且覺得政府這樣做是完全正確的，因爲對於這樣的反動分子，就絕對應該依據懲治反革命條例與廣大人民的要求把他殺掉。」（北客）

不願餓死者鎗斃

饒平飢餓請願團全部殺光

饒平縣爲一個臨海靠山的地方。係粵東沿海產魚之區，糧食多靠外來。自從淪入鐵幕，年來遭受中共的搜括擄取，強征與掠奪，民間存糧，十室九空。故糧荒比粵東其他各縣尤甚，不但食盡草根樹皮，且易子而食之慘劇亦時有所聞。

饒平農會，不但未能及時搶救，反而混水摸魚，發了不少「橫財」。表面上說是深入民間調查存糧，以便統計救災，每日由農會共幹帶同民兵，挨戶嚴密搜查，如有發現存糧五升以上者，即藉故沒收，悉數搬走，掠奪所得，均爲各共幹飽入私囊。在搜查期間內，並斷絕交通，不准進出，以便掩飾其殘酷無恥之行爲。

去月二十九日，有飢民陳龍，張澤民等，因不堪長期飢餓，集合了飢民百餘人，組織了飢餓請願團，向饒平縣中共當局，請求設法救濟，不料共黨殘暴成性，惱羞成怒。竟誣指該等飢民百餘人爲「特務份子」，謂彼等破壞「革命秩序」「擾亂治安」，全部加以扣留拘禁，至本月四日，宣佈爲首者陳龍，張澤民等五名槍斃，至其餘百餘人，則沒有下文，聞已被中共祕密處決，因人數太多，恐影響人心，但飢火如焚的民衆加上中共無理鎭壓，已紛紛加入游擊隊伍。（靈芝）

四十年前九響鎗

八十老翁無法繳出竟被屠殺

自從中共當局，喊出了要各省淸算特工作「向吉林省看齊」的口號以來，桂省的張雲逸也展開了對廣西民衆的屠殺，淫威所至，即八十老翁亦無法倖免。張廷輔是桂省有名的古文學家，今年八十一歲了。在黎元洪任第一屆大總統時，他任國會議員，後爲總統府的顧問，字畫亦甚著名，尤以書隸爲專長，息影以來三十二年，居八步龍井村，從事教育工作，絕不與問政治，在龍井村創立國學專修館，以培植後學爲已任，其人樸實忠厚，和愛勤儉。近年，他在橋頭村另築一座「步影山莊」爲終老之所。賀縣解放以後。去年中共佈告，凡未經准許之學社，不能擅自設立，如是，他不能在龍井村繼續設帳，往八步埠做商人的家庭教師，因他平日愛講四大自由主義，致遭中共當局之忌，認爲有宣傳反動嫌疑，發動土改時被押至第八區人民政府審訊，當堂燃燒他的鬍鬚，用吃熟了的煙桿頭燙烙肉體，受盡種種侮辱，並要他繳出民國元年時陸榮廷送他的那三十枝九響槍。其實，這批槍早就在那時捐給地方，當時他游宦異鄉，從未過問，到現在該批槍，壞的壞，賣的賣，實與他毫無關係，結果老年人受刑不過，被槍斃了。

萬國明。

自由人「稿約」

本報各版，均歡迎投稿，敬訂稿約如左：

【一】除事先特約外，每稿最長請勿過一千五百字，以限於篇幅。

【二】評論，要切合時局，報導，請勿登過時消息，新聞，要註明時間、地點。

【三】來稿一經刊登，除有特約外，概不另致稿費。

【四】稿末請附註眞實姓名，地址，以便通知。

【五】稿酬每千字六元至十五元，即於五日內寄奉通知單，憑單向本報經理部領取。

【六】稿件請逕寄本報編輯部收，封面書明，以免延誤。

麥帥免職消息到港後的反應

張大王在電話中表示懷疑　老外交家堅信美政策不變

麥克阿瑟元帥爲杜魯門總統下令免職後，香港各方引起許多不平常的反應。這消息傳抵本港，是在十一日下午二時二十分，合衆社一位收電員羅君首先收到，他表示不相信，同時其他各通訊社也相繼收到這份電訊，十分鐘後，就遍傳整個香港。

×　×　×

當時便有人打電話給張「大王」發奎，說「麥帥給杜魯門免職了！」「大王」在電話中表示不信，並且很驚奇底問道！「啊！你說什麼？再說一遍，眞的嗎……」。聽筒慢慢的低下去了。接着便是一陣靜寂！

×　×　×

有許多人看到號外，情不自禁的流下淚來。一位操北方口音，似乎受過相當教育的街頭報販，他一面叫賣，一面自言自語的說：「麥帥啊！我眞不知道什麼時候始回大陸，只有你才眞是『世界的光』，永恒的太陽，不朽的鋼！」

×　×　×

晚間渡海輪中，旁座有一精神矍鑠咖啡色西裝之健康老人，與一中年士紳，操英語談論麥帥免職問題。老人很強調：「政策不變：麥帥雖被免職，但美國對遠東政策決無轉變。」中年士紳問：這件事對台灣影響如何，老人說：除最短期的精神打擊外，不更好也不更壞。第七艦隊保護台灣是杜魯門政策，並不是麥克阿瑟政策。下船後，一位朋友告訴我，這位老人，就是鼎鼎大名老外交家王正廷博士。

×　×　×

旅港美商在十一日十二日相繼討論這件事，他們最大多數表示，這是民主國家的大不幸。他們慚愧美國歷代出了許多英明強幹的總統如華盛頓、林肯、傑佛遜、羅斯福。他們眞正代表了「揚基兄弟」寶貴的血和傳統的獨立不屈的精神，但傳到杜魯門這一代，就大大減色了。

×　×　×

有一位菲籍輪機長和他的太太說：「麥帥的免職，使我們心中眞難過，他的下場，使我們想起了第二次世界大戰時羅斯福總統的去世，和甘地的被刺殞命，給予世人一樣的痛苦。」

×　×　×

杜魯門時別提出免去麥帥，是因爲他一定要動用台灣軍隊之故。有人追溯杜麥之間的不和，還是種因於大選時，麥帥支持杜威而未支持杜魯門。這使杜魯門永遠懷恨在心頭，今天撤換麥帥，便是洩恨的開始。一個以米蘇里州中出來的鄉下老，能有多大氣量呢？（惠會）

下流的自大狂

香港有一張報紙，三天五天登一段「中國第一」，包羅萬象，連梳頭的篦子，也列爲「第一」。看起來，凡是中國的物產，都有資格榮登「第一」寶座，他大可以學外國人從前侮辱我們的辮子，連烟館，小脚也包括在內。

心理上的狂妄，有時候會變成一種下流的自大，例如膊子上圈得緊緊的猴哥，要把戲的敲鑼梁衆，猴哥跳跳蹦蹦，狀至自得，總覺得猴哥是動物中最具「小」智慧的，高人一籌。其實，猴哥忘了伸爪摸摸膊子，和那一股勒得發亮的鐵鏈。

狂妄不可自抑的人，斯拉夫式的是一種，那不在話下；另一種是新起的東方狂妄，狂妄與自傲是截然兩件事，想借自尊掩飾狂妄，那更是卑鄙下流。

五千年泱泱大國的文化，我們不能妄自菲薄，甘落人後；這是人人同意的；「中國第一」的東西確不少，但古往今來沒有一個國家（除了熊之邦），處處號稱「第一」，以此炫耀，還是愚蠢，抑是狂妄？

其實，「第一」的太多了，例如蔣攤就該列爲「中國第一」，不久以前還是大罵共黨寫「可恥的長春之戰」，接受國民黨的美金外滙。隔不多久，就另換一套極盡吹拍之能事，而說「我丟了包袱」，痛罵「國民黨匪幫」了。其實這一類現象不希奇，希奇的是「迎頭趕上」速度的驚人，還不該列爲「第一」嗎？

再舉個例：有一班人，情願把自己的眼睛人爲的搞瞎，無視眞理，凡出於秧歌王朝的一舉一動，都當以阿諛歌頌，殺人也是天公地道，饑餓也是「馬列精神」。這一類阿諛人材，又怎不列爲「中國第一」？陶樂居。

前進與反動的辨正

·信愈·

史太林與帝俄沙皇有一點不同，便是後者發覺天眞，而前者會運用較爲高明的徹底術。雖說運用的「術」只是馬克斯與列寧的作品，但手法還是相當巧妙的。毛澤東對這手法也學得很像。中共所用的障眼法便是最收欺騙之效的一種。

他們的障眼法是名詞的歪曲，與形容詞的故意篡佔。最惡毒的一計，便是把「前進」這兩個字，用成了中共的專用字眼。手段固然兇險，但是無意而中計的，實在也太愚昧了。

「前進人士」，「前進報紙」，以及「某某前進團體」，「某人前進」，「某人並不前進」等等，成了時下的通用語法，所謂「前進」竟指着「中共」而言！

前進與反動，民主與獨裁，自由與專制，對立分明，豈容混淆？無意中的一「將錯就錯」，實在是不容忽視的麻木，甚至于危險。毋需說明，不必解釋，人民若有雪亮的眼睛，也該有雪亮的嘴吧。

反動，獨裁，專制，剝奪人權，殺戮人性的暴力統治，如果稱之爲「前進」，那末古羅馬興亡史將重寫，俄國沙皇重作評價，希特勒墨索里尼也不必打倒了。革命，戰爭，血不是白流的，正因爲人類進步過程中，民主自由不是一蹴而就，而是不斷鬥爭得來的。反動勢力在進化史上有過週期性的發作，有潛伏性的存在，到了國際共產黨手中，更成了一個大集合，企圖把進化的人類拉回奴隸社會，把文明世界來一個大反動。這是違背人性的逆流，是反羣衆的暴力壓迫，儘管做得橫逆，但不敢承認自己是反民主反進步。所以必須把一切抵抗這個勢力的，稱爲「反動」，而把「前進」遮蓋在身上，以模糊人民羣衆的視聽，進行他們的暴行，維持他們的統治。（實際上是維持不住的！）

竊賊偷了東西，在街上奔逃，嚷着大呼「捉賊」，使路人與警察受了矇蔽，得以從容逸去。這原是一個老法子。中共利用「前進」這兩個字，也正如此！

如果「將錯就錯」，不能無意中遂其奸計，並且無意中幫助了暴力統治。看來雖屬咬文嚼字，但實不容忽視。

我們不要嫌惡被中共用久了的字眼，（更不要畏懼）。相反的，我們要主動地把這些形容詞用到正確意義的這一方面來！

蘇聯要求法外交部准葛羅米柯開快車

蘇聯外次葛羅米柯，現代表蘇聯外長，在巴黎出席四強外長代表會議。最近，他坐的一輛林肯牌漂亮大汽車，由巴黎赴郊外遊玩。車還沒有開出鬧市，於街頭轉彎時，撞倒一個步行者，司機趕快煞車，不料一剎那間，又與後面一車相撞。倏然一聲，葛氏大吃一驚，以爲發生暗殺，趕快以手掩面，蟠伏一團。一種尷尬形狀，路旁見者，均傳爲笑談。事後，由蘇聯駐法大使包洛夫Alexei Pavlov向法國外交部要求，特准葛氏汽車，以後照莫斯科共黨高級人員例，車路經過，預爲清道，俾在市區得按每小時七十五英哩速率行駛。交通警察，勿加阻攔，並設法使行人注意避讓。外部當以事關公衆安全，且如此創例，在執行上困難太多，婉詞拒絕。蘇大使及葛羅米柯，得此答覆，深感不滿，均大罵法國政府，不夠蘇友誼。（一丁）

新的感覺

據說，現在的海珠橋裝了不少炭精燈晚上「橋面照耀如同白日」。

尾巴報紙歌頌入民政府的艱巨任務；「無論是誰，當他踏上了現在的海珠橋時，他定會有一種新的感覺。」

這是「皇帝的新衣」的童話。

廣州的老百姓走在海珠橋上的「新的感覺」是：白天如同黑夜。

此仆彼繼

經過人民公審，廣州槍決了長壽區一名土痞「唱牙仔」。

他的罪惡被清算了，過去敢怒而不敢言的人民挺身迸而指證，「親眼見到他們倒在人民脚下」。

我們的「人民」隨即發現可怒可言的地方這樣少，因爲有更多的「唱牙仔」跨在他們的頭上了。

學習觀點

紅色報紙勸人學習俄文，列出「正確的學習觀點」：

「今天學俄文當然不同反動統治時某些人學英文，法文等想做「高等華人」。今天我們學了俄文是要爲勞動人民服務……」

最正確的學習觀點似乎是：學了俄文可當低等俄羅斯奴隸。

感忘篇　·梅桑·

從「孔老二」談學習
——大陸學習以後——

·越卿·

早就在二十年以前，有人喊過「打倒孔家店」的口號，那末在今日而說「清算孔老二」思想，決不會是件太過份的事。茲就我參加大陸學習運動「搞通思想」的結果，來說明「孔老二」思想的不合時代與錯誤：

什麼封建落素等等，姑且不談，單說學習一事，他老先生實在害人不淺，孔門的聖經——論語——開宗明義學而第一章：「學而時習之，不亦樂乎？」就屬大謬不然，我從大陸的學習運動中，體驗的結果，事實是完全相反的。

還有他指示出學習的五個過程，——博學之，審問之，愼思之，明辨之，篤行之，也一樣是錯誤的，博學的結果，只能造成知識份子複雜與錯誤的思想，「新時代」的學習運動告訴你要「一面倒」，必須死鑽在馬克斯，列寧，史太林的思想內，什麼「數典不忘祖」，是用不到的，老祖宗的典謨訓誥，不但學不得，還應該燒絕禁絕，至於「資本主義的美帝思想」，更認爲是叛逆，假如你聽了「孔老二」的話，去博而學之，非遭受批評不可。

至於審問之，更是危險的事，因爲審問的原因，是由於你不懂或懷疑，新的學習方法，是懂也要懂，不懂也要懂，接受塡鴨式的教條，標語，口號，懷疑是不准許的，可能會受到比「懷疑上帝」更重大的罪名，「打破砂鍋問到底」，不給你帶上頂封建，反動的帽子才怪啦！

根據機械唯物哲學，你最好是一部機器，或者是個螺釘，站在勞動觀點，思想是不必要的，同時在思想方面早就劃定了許多界限，替你去思想選擇的標準，由是被思想，假如胡思亂想，他們會說你是「懷念過去」，「舊生活」與「設法的做反人民的勾當」，所以與其愼思，不如不思，一切最好是盲目的接受。

明辨的眞理愈辯愈明，大陸的學習運動裏都沒有懷疑的自由，公開辯論的，是替自己性命開玩笑，是賭……

他們說黑的是黑的，若說白的，你也應該承認，唯唯諾諾，聽了的也是唯唯諾諾的教訓，去明辯「孔老二」的「學習」中，才是傻子。他們告訴你，走曲線，要講技巧，只講手段，有革命的欺騙，才講篤行。

好許，才算本領，總而言之，新時代之學習運動的內容方法與「學習」不容，再加「孔老二」不能繼續中「談博學，審問，愼思，明辨，篤行」了！懷思，使我深深受到教訓，批評，檢討，一點還送掉了性命。

同時學而一章，也應改爲：「學而時習之，不亦苦乎？」才對。

從此，我對「孔老二」學習思想的「不合「時代」」，並且對「不亦苦乎」的「學習」，亦只能割愛放棄了。

旅美雜紀　陳香梅
美影劇傾向諷刺實現

假日球賽是美國最時髦的玩意，也是一般民衆的最大娛樂，有時一場球賽，觀衆常達六七萬人。最受歡迎的是壘球和足球，大人，小孩男女老幼都趨之若鶩。球員的收入每年都在幾萬元之間，壘球比賽在夏末秋初，繼此之後就是足球。入選的球隊，每年旅行全國，在各大城市表演，每年都要選出冠軍，在冠軍隊裏工作過的球員，都是身價百倍，每到一處就像電影明星一樣受人包圍，這也可見美國人之崇尚體育精神之一般。

紐約的歌劇是最有名的，去年度賣座最盛的幾齣戲，都曾接連演了好幾十場，場場客滿。我們去看「吻我吧，凱娣」一劇時，是在兩星期前訂的票，所以座位很不錯。許多坐次等或是三等座位的觀衆，多半帶了望遠鏡。戲劇多在八九點之間開幕，演到十二時才劇終。美國的歌劇其佈景之富麗堂皇，以及演員們服飾道具之精美，自非中國可比，舞台效果也與劇情密切配合，其場面之偉大，色彩之奪目，使人不能不對百老滙有所神往。此外我們還看了一齣喜劇「BUFFULLO BILL」，這劇對於二十世紀的種種文明頗多諷刺，對白非常滑稽，使人捧腹。

美國觀衆大多喜歡鬧劇和諷刺劇，悲劇與文藝性的表演，除非是特別上乘的，很難受到歡迎，這原因很明顯，因爲自從第二次世界大戰以來，謀生不易，生活的担子已使人非常煩惱，因此需要輕鬆的娛樂，需要一種可以解悶的消遣。劇作家們爲了迎合觀衆心理，於是拚命向這方面的志趣發展，影響所及，不但美國的戲劇如此，電影如此，甚至風行市面上的短長篇小說也是充滿了這種氣息。

美國許多風行一時的影片，包括一九四八年的金像獎片，「失去的週末」和去年的「生於昨日」（BORN YESTERDAY），都是笑中帶淚，長歌當哭，對於人間非常不滿，而又無法解脫，於是借題發揮，痛罵那可憎可惡的現實。〔十〕

輕便軍用通話機

美國軍隊在第二次大戰中所用的手提式無綫電收發兩用機，現在已有新的改進。它經過重新設計，以致能與其他美軍通訊員所用的相配合。

它是一個長形的圓筒，受話器和發話器都裝在一起，上面有一根短短的像汽車上所用的天綫，通話有效的距離是一哩。另外還有一種背負式的無綫電話，它經過改良之後，重量和體積都減少到祇有原來的一半，至於通話的有效距離則可達五哩。這種新的裝備可以在步兵，裝甲兵，和砲兵等部隊中應用，使他們隨時取得密切的聯絡。

（圖：美陸軍正實驗手提式收發兩用機的性能）。

冷戰的新穎利器

投散傳單的火箭是一種最新發明的冷戰武器。這是一個像大型砲竹般的管狀物體。使用這種火箭，一個德國人可以在柏林西區的邊境，燃放而射入蘇區的上空。這裏面有兩重爆炸的裝置，第一步是把它射到幾百呎高度的空中，然後再把它炸開而使大批反共的傳單飄落於共黨的區域中。在一個直徑六吋長度兩吋的管子裏，可以裝入一千張傳單。

（史璜譯自「通俗機械」）

時代科學

竹影心聲
·上海來鴻·

·離草·

窗外的月亮，一點沒有走動的意思，我在寫信之前，熄了燈，默默看了它一回。

月亮彷彿說：我看到你眼睛沒有光彩，我知道你有千種愁緒，爲什麼老獃在窗前呢？

媽已經幾次警告我可以睡了，她像變成了一頭野獸，我說她遺失了人的本性，原因是共產黨來了以後，天殺的大房東推舉她做里衖管理會的負責人，她懂得什麼？可是又不能裝得不懂，於是第一個就管束我，我已經幾個月被她「教育」得沒有出里衖一步，你說我的媽眞是「前進」了嗎？在月底對付我們三房客就看得出了，她還是顯露了原來面目，她聲勢洶洶地催討房租。

她已經睡了，我偷偷地在給你寫信，但求這信能夠漏過檢查者的眼睛，到達你面前，我不希望你有一個字的回覆，這會影響整個里衖的不安，因爲我媽是管這條里衖的，她有一點委曲，左右鄰居是她洩憤的對象了。

我有這個勇氣給你寫信，你需要有一個耐性等着朋友的報導，我會告訴你這裏的牛鬼蛇神所演的把戲，不計較有什麼危險，我有一個代我抄寫的人，我把信的原稿留下，那抄寫的人你別去胡思亂想是誰，她的遭遇只要告訴你兩句就可以信任她了，她是一個新寡而才死了爸爸的人，殺了這翁婿的不必提，你也清楚是誰欠下了她的血債。

家裏定了份每個「醉心於共產黨萬能」的幹部所必讀的報紙，報費是媽媽與那位房客共同負担，從前媽是不看報的，現在特地配了副眼鏡，眞是說不出的不順眼，幾次我問：「這眼鏡有色彩嗎」？她不懂，搖搖鬢邊仍是髮夾很多的腦袋說：

「你以爲你媽老了嗎？」

只有我這個家，我這個媽「管」，是眞的變了，如果她不是「前進」，這條里衖的，我相信她還是很隨便地打發日子，她以爲「翻身」的解說，就是可以管得着別人。

春，攜走了多大，落脚在黃浦江邊，往年我們不是又抖擻起精神準備去龍華嗎？現在那個地方鬼冷冰清，再也沒有人爲了春天而有一個春天的笑了，你記得若霞這個名字嗎？她三天前來看我，滴了眼淚說：「近龍華的一所小洋房，被徵用給俄國人了。」

你說，這是個什麼世界？爲什麼我們只會流淚？現在我是咽了淚水，祝福你在自由的天堂裏有一個還鄉的夢！」

紅色的曲線
美兵爲財色落入俄人手中

最近有二名駐在林茨的美軍士兵，週末請准出遊，但須在傍晚回營。他們找到二個奧國女郎，幾杯酒下肚，就把他們引入一家旅館，她們用盡方法讓他們痛飲，直到泥醉。這時已入深夜，他們才想回營，但又怕受必得的處分，女郎乘機勸他們還是匿入蘇管區的好，並表示願極力助他們越過邊界。

士兵之一，卻並沒有當場接受這個勸告，而偷偷溜出，打電話通知美方反間諜機構。後者要他假裝同意逃入蘇區，這天午夜，那二個女郎領着他們繞入多瑙河畔一處森林。二個受雇於俄人的無國籍人，隨即划着一條小船向他們駛來。但美國反間諜人員則早已在旁等着他們了。

蘇聯千方百計誘使美軍爲他們幹最卑鄙的工作。另外二個美軍士兵參與一宗擄人案件，可以明顯表示俄人是如何利用黑市，使美方的人落入他們掌握之中的。

劉若，聰明的上等兵亞培爾原是個有爲的青年，嚳軍的智力測驗已核定他有進軍官訓練班的資格，但他卻好酒，貪財，並喜歡和一個奧國妓女柯斯芭爾在一起。柯斯芭爾的親生女兒在街頭爲她拉客而入獄。

亞培爾有母親和一個女兒，爲了供養她們和滿足自己的酒癖，他經常假手柯斯芭爾在黑市出售他的軍方供應品。但這樣仍不足應付他的化費，最後終於債台高築，只得偷出一具坦克車上價值一千七百美元的無綫電。柯斯芭爾對無綫電望了一眼，把他介紹給一個黑市商人。（十一）

秦辛辛譯自「鑛夫」雜誌

自由人
THE FREEMAN
（半週刊每星期三六出版）
每份零售港幣壹毫半
（第十三期）
督印人：梁大成
社址　香港德輔道中一四九號四樓
電話：三二八二〇
149, 3rd FLOOR, DES VOEUX RD. C. HONGKONG
TEL: 32820
承印者：東南印務出版社
地址：高士打道六四號
台灣總經銷處中國書報發行所
地址：台北館前路八十五號
電話：三〇三三

從韓戰看美蘇飛機

假如蘇聯空軍大量參加，美國即不惜使用原子彈、並大炸東北

陶百川

朝鮮戰場的空戰逐漸緊張起來了，說不定會從朝鮮上空發展到我國東北的上空。美國有些什麼飛機作戰？中共（蘇聯）飛機的性能如何？何以美機最初打得不大好；美國空軍的實力怎樣？……對於這些問題，一般讀者自很關切。筆者對此原無研究，適巧最近看到美國空軍部長芬立德和陸軍參謀長科林斯等對『美國新聞和世界報導』記者的三篇說話，因而得到若干資料，現在綜合起來，寫成——應該說是『譯成』——本文，以供讀者參考。

在韓空軍三項任務

問：美國空軍在朝鮮的任務如何？戰略的還是戰術的？

答：主要的任務是戰術的。這包括下列三種任務：（一）保持空中優勢，使敵機不敢侵入，即使侵入也不能造成大損害。在第二次世界大戰時，最初是德機佔優勢，後來盟機取得優勢：在諾曼第登陸之前，現代戰局因而改觀。而現在美機在朝鮮必須保持這種優勢。（二）截斷對方的交通，所以必須轟炸火車頭、橋樑和各種軍需品，這樣可以阻止軍需品的運輸。戰略空軍和戰術空軍的分別：前者是轟炸軍需品的來源，例如工廠；後者是阻止軍需品的集中和運輸。（三）掩護地面部隊，替它開路。它對敵方的堡壘、砲兵陣地和一切危害地面部隊的對象，必須轟炸。

戰略轟炸留待大戰

問：美機何以不作戰略轟炸呢？

答：因為（一）美機不准越過鴨綠江；（二）美軍不准用原子武器；（三）這不是全面戰爭。但是美機也不是絕對不出動戰略空軍。美國是用中型轟炸機作戰略空軍，而把主要的戰略空軍留在美國以待第三次大戰的發生。

韓戰空軍業已增強

問：據說美國戰術空軍不大好？是何原故？

答：這是韓戰初期的現象，現在已經進步了。在那時，從日本基地調去的美機的任務，是阻止敵機的進攻，所以那些飛機多是戰鬥機，多是F八十型乃F五一型，那些飛機是第二次大戰時代的舊式機。幸而那時對方沒有強大的空軍，所以美機還能佔優勢。現在中韓已有MIG十五型了，美國這些飛機顯然不能制勝了。但是那時美國幸虧那些飛機勉盡戰術任務，否則美軍早被逐下海去了。

問：據說美機與陸軍配合得不大好，是麼？

答：在戰爭初期曾有這種現象。因為駐日陸軍的任務是佔領日本，以防他人進攻，新兵佔多數，而且在太平時期，作戰訓練不免疏忽，所以一旦臨戰就笑話百出。過去陸空配合作戰的訓練成績更差。海軍陸戰隊與它自己的飛機配合得就好，因為陸戰隊的登陸，原是要靠海軍飛機掩護的。

美蘇飛機互有短長

問：據英國評論家說，美國的噴射機不及蘇聯噴射機優良，確實麼？

答：你是指F八十型嗎？那是不及MIG十五型。F八六型確好，但不及蘇機。美國的F八六至於八四型，不應與MIG十五型相比，因為前者是戰鬥轟炸機，而後者是戰鬥機。美國空軍部長說：『我不內諱，傳蘇機優於我機而焦慮。但MIG十五型確是極好的飛機。我想我們應該從此得一教訓，不要再說祇有我們能造好的飛機了』。

美國噴射機最高權威羅大利愛達博士最近說：『蘇聯的MIG十五型噴射機可能裝有燃燒火箭補助機或液體注射器，來增加它的衝力：……有些消息表示MIG十五型機可有超音速的速度。但美國F八六型『軍刀式』噴射機，除卻增速之外，素質更優。……』後燃機係裝在主要噴射機器後面的尾管，[illegible]……但是美國無法獲得一架蘇機，發現它的秘密。

俄飛行員也很優秀

問：它是什麼模型？英國曾有好多飛機賣給蘇聯。

答：不是的。

問：MIG十五型的飛行員優秀麼？

答：『我問過好些人，大體都說那些飛行員很優秀。據說他們起飛得好，升得好，飛得也好。我們的飛行員很重視他們的造成』。（美國空軍部長）

問：那些飛行員都是中國人麼？

答：『我們不知道。』（同上）

三十六型美國王牌

問：美國有那幾種新式飛機？有那幾種在朝鮮作戰？

答：以戰鬥機而論，美國有F八十型、F八六型、F八九型和F九四型。F八十型不能算是新式。那是上次世界大戰遺物，航程很短，不久即將淘汰。F八六型是最新的戰鬥機，但它僅能在白晝出動，而且祇有一個座位。F八九型也是新式機，有雷達，升空很高很快，能在夜間作戰。F九四型裝有雷達。美國現在正使所有飛機都有雷達設備。

以轟炸機而論，美國有B二九型，B五十型，B三六型，B四七型和B五二型。B二九型和B五十型是中型飛機，雖是上次大戰時代的產物，但已有若干改良。蘇聯也有這類飛機，是模仿美機的。B三六型是美國的王牌轟炸機，現在正加裝了四個噴射發動機，更是天下無敵。B四七型是中型噴射轟炸機，裝有六個噴射發動機，時速六百餘英里，航程三千英里，單價三百萬美元，是全世界最快的轟炸機。B五十型是中型轟炸機，較好於B二九型，但因沒有噴射機，所以航程較慢。最近這次B二九型空中堡壘被蘇聯連續擊落，足見轟炸機不獨需要戰鬥機保護，而它本身也應有噴射發動機的設備。（這次作戰的情形是美國的B二九型卅架和F八十六型戰鬥機八十架，與蘇製MIG戰鬥機約百架空戰，B二九型被擊落二架，MIG十五型被擊落或擊傷約三十架）。所以美國將使所有轟炸機都加裝噴射發動機。最新式的B五二型裝有八個J五七型噴射發動機，較B三六型更新更好，但還不能大量出產。另有一種F八四型乃是戰鬥轟炸機。

問：在朝鮮使用何種噴射式戰鬥機，能有足夠的續航力可以保護轟炸機呢？

答：F八四型能夠勝任。因為加油設備和節省燃料設備的改進，噴射機已有較大的續航力了。但這問題還不能說已經解決。

問：以F八四型護航，不嫌它飛得太快麼？

答：不。噴射機的速度，是可以改變的。

美蘇空軍實力比較

問：美國整個空軍的實力如何？

答：去年空軍預算是四十億，目的是在增為一百四十八隊。現在到明年底可增到九十五隊。（每隊約有主要飛機共二百架（？））

問：美國在上次大戰時，有飛機若干隊？

答：二百四十隊。但它的實力與現在的大不相同，所以不能單以數量來衡量實力。

問：美國年產飛機若干？

答：本年度的目標，是五萬架。上次大戰末期，是年產十萬架。

問：蘇聯現有飛機若干？年產若干？

答：現有第一綫飛機二萬六千架，超過西方集團的總和。年產約六萬架。但還不能製造像B三六型或B四七型的重轟炸機。

問：蘇聯在遠東的空軍實力如何？假如投入朝鮮戰場，美國所受的壓力如何？

答：蘇聯在遠東約有飛機四千架。假如投入戰場，轟炸美軍的前後方，則美軍所受損失必大。因為以防空的紀錄而論，上次大戰時德機空襲英國，祇有百分之八的德機被擊落，足見防空很難有效。但到那時，美國戰略空軍也必出動，東北當然不再是禁地，原子彈也會使用出來。請想一想：十架美機帶着原子彈去炸對方，即使十架之九被擊落，但是十分之一的原子彈爆炸在對方的目標上，其殺傷力也就夠受了！

人頭滾滾的中國大陸

英國輿論已開始轉變了

持平譯自倫敦經濟學人週報

一年以前，許多居留中國大陸的愚蠢中外人民，惑於中共標榜的寬大，曾對中共加以盛讚，但在一羣細心的人們中間，當時流行着幾句民諺：『起初是點頭，繼之以搖頭，最後是斬頭。』現在時間已把這個預言證實了。這一個預言，在熟悉共產黨政治技術的人，可用各種其他說法來表明那種過程。恐怖是共產黨政治上主要的技術，但這種技術，並不在共產黨初得政權時引用，尤其他們採取所謂『人民陣綫』謀得政權之時。把中國的情形來說，中共當時所組織的『陣綫』，比任何共產國家為廣大。在他們初建政權時，除去『四大家族』之外，幾乎任何人能享受他們的寬大。這種政治上的蜜月，時間太短了。圍繞毛澤東左右的幹部，本來並不希望那種蜜月時期的延長。當中共政權革命高潮已經降落，他們已組織了全國的特務，預備舉行大規模清算。

本年二月廿一日北京所頒布的『懲治反革命條例』，對於罪名的籠闊那樣廣大空泛，而處刑的嚴酷，幾乎無罪不處死刑。從那時候起，北京政府及其宣傳機關對於各地瘋狂的殺戮，已毫不再守祕密。北京最高法院院長沈女士（譯者按此係為司法行政部部長史良之誤）曾公開申斥許多地方法院當局對反革命案件之過份寬大姑息。有許多案件，仍然命令再審，這一種雷厲風行的舉措，在各地正當嚴格而迅速地進行，在昆明，如三十個人被稱為『土霸，匪特，』分作兩批處決。在泰州，有八名『農民自衛軍』因『陰謀叛亂，散佈謠言，及破壞抗美援朝運動』而被槍斃，在鐵嶺及敍中，有十二名『反動宗教頭目』因『地下活動』而被殺。

上述幾種事件，僅舉千百中的一例，中共為什麼採用那樣殘虐的手段，對本國人民進行屠戮？有人辯論這是因為朝鮮的戰爭，中共怕外國援助大陸游擊隊。但照我們所見，眼前的事實，可以特別指出：現在朝鮮的戰爭，戰爭完全在中國大陸國境以外進行着，中國大陸的領土，並沒有任何地方遭受外國的軍事攻擊。所謂『美帝』對台灣的『侵略』，其效果反阻止了國民政府空軍對大陸沿海的轟炸。至於講到國內，在中國大陸國境以內，并沒有大規模的軍事叛亂，去對抗北京政府。所以今天中共統治下的中國大陸，無論從對外或對內看，並未面臨重大的威脅，更使人不能了解為什麼已經要用那樣殘酷的手段，去進行全國的大清算。

照歷史的前例說，法國大革命時代，唐頓及盧伯斯比在巴黎製造了恐怖政策，俄國的布爾什維克黨人，在一九一八年及一九二〇年間進行全國清算的大恐怖。由今觀之，他們當時至少可以藉口大部份國境，陷於反革命手中，而外軍深入，革命政權，朝不保夕，全國處於內外交逼之中。今天中共所遭遇，並無上述任何情勢與之類似。他們進行的殺戮，更在理論上毫無半點可以自圓其說。假使中國大陸現在流行的那種殘酷暴辣，是中共統治者本身驚惶恐慌的一種不自覺之影響，那末，中國大陸上對於中共統治者之不滿及憤恨，其滋長蔓延的嚴重情況，當遠在一般想像之上了。

譯者按，本文刊載在四月七日倫敦經濟學人週報一週評論中。『人頭滾滾的中國大陸』，是該報題目原文 Heads Rolling in China 加以直譯。在倫敦論壇中，經濟學人週報操着極大的權威，它的持論，頗能做到公正與客觀。今年數月中，該週報對中共的議論，已開始其嚴正的抨擊。自由中國人士近年對英國，正在不斷的婉歎與責備中，但我們始終認為英國人不會永遠拋棄其正義的傳統。英國的輿論現在開始改變了。英國需要自由中國的合作，大概為期不遠了。

時局漫談

民主與極權兩壁壘勢力在亞洲的消長，其關鍵在日本而不在韓國。可是誰欲控制日本，必以能否確保韓國為前提。去年六月蘇聯發動侵略南韓，其眞正的目標，原不在韓而在日，爭韓國不過是爭日本的一種手段而已。

麥克阿瑟對日本，有過長期作戰的經驗；最近五年八個月以來，他對日本更有了極親切的認識；惟其如此，所以他對扶助日本的工作，乃一步不肯放鬆，除掉極少數別有心肝的日本共產黨人外，大多數的日本人民，其所以直接對麥克阿瑟個人表示敬仰，間接對美國也充分信賴，其原因則在於此。

斷不能令日本落到共產集團手裏，這一點美國政府中人也大體知道，因此在韓戰爆發以後，美國於對日和約的工作也就積極的展開；[illegible]

麥克阿瑟主張的再檢討

左舜生

[illegible]

該反對，而且是應該力促其成的。

有人說，如此則大戰便非起來不可；老實說，只有不怕大戰，大戰還容或有避免的可能；越怕大戰，大戰卻是更逃不了的。

中共又一套愚民魔術

—公債中籤追改「愛國儲蓄」人民始終拿不回一文錢—

張丕介

中共以玩弄策略起家，凡百措施，均莫不爲其策略的僞裝形態。其運用策略的主要技巧之一，就是所謂「走羣衆路線」。在財經措施中，舉凡「挑戰」，「競賽」，「評議」，乃至「清算」「鬥爭」，均爲「羣衆路線」下的一種方式。這些手段的實際內容，不外「製造矛盾」，「培養對立」，「借刀殺人」，「欲擒故縱」等手法的綜合運用，而皆導源於其殘民自肥的基本觀念。

受益的永遠是中共　吃虧的永遠是人民

在施展其策略的過程中，中共最注重宣傳和組織。在宣傳方面，儘量利用一切適合習用的名詞，以適其本身的目的，以做到「好話說盡，壞事做盡」的地步。在組織方面，主要的在發揮「幹部帶頭」的作用，透過「農會」，「工會」，「英模」「勞模」，及「街坊小組」，「工商聯合會」等組織，來脅制各階層的人民。再加以附庸黨派的搖旗吶喊，民主人士的鞠躬盡瘁，凡中共所企圖獲得者，莫不可假借人民的要求以達成其目的。因此受益的永遠是中共，而吃虧的永遠是人民。在這種策略所造成的形勢下，種種中共的種種險謀，居然無往不利。而人民則含冤莫伸，欲哭無淚，敢怒而不敢言。最近在共區所導演的「公債抽籤還本」活劇，便是其中最顯著的一例。

去年中共爲消滅人民購買力，以支持其擴軍備戰，乃於膨脹通貨之外，發行二億分的「勝利折實公債」。企圖透過公債和徵借的雙管齊下，作爲通貨回籠的吸管。其第一期的一億分於去年三月初發行，當時正係中共大力進行「支前借糧」與「補稅」「征稅」之後，這一將近八千萬元的公債，對於頽敗疲敝的工商業，無異一千鈞重負。中共爲「完成任務」，不惜運用一切最毒辣的手段來迫債，舉凡封鎖拉人，沒收，迫害，莫不一一實施。各地廠商爲了應付迫債，莫不側價售貨，形成了大陸空前燎原的倒風，寫下了近百年來，中國商業史上，最悲慘的一頁。

公債不許抵押流通　購債等於資金凍結

中共的所謂「折實公債」，與通常的公債不同。在通常情形下，公債乃政府向人民的一種借款，除非國家遭遇了空前的危機，大多出於自由認購，極少強迫攤派，故就人民方面言，購債乃投資的一種方式。但中共的「折實公債」，實際上乃一種變相的征稅。根據其「折實公債條例」，不但不能用充抵押，更禁止自由流通，根本上已喪失有償證券的條件。人民購債，非至期滿無從收回本息，其等於凍結資金。故廠商認債以後，莫不大爲減縮營運，多因此走了關門之路。現一年時間已過，根據其「第一期人民勝利折實公債還本付息辦法」，從本年至一九五五年止，每年抽籤還本付息一次。目前正是中共備戰加劇，搜括瘋狂之際，對於這一次到期的本息，自不願依期償還。但又恐因此破壞其債信，影響其未來的搜括。乃於二月初在各地「提前」召開所謂「還本付息抽籤大會」，以示「政府」並無吞沒之意，作爲推卸責任之張本。

太陽不會從西邊出　中共永遠欺騙到底

抽籤過後，中共即嗾使其尾巴黨派，及御用「工商業家」，召開「人民座談會」，建議將這筆還本公債，「投資於生產」，同時「出動」「幹部帶頭」，「慣技」，脅迫各中籤個人，將債款轉爲「愛國儲蓄」。據武漢方面的統計，「愛國儲蓄」的追轉，佔百分之七十八點一九，能獲得付現的僅佔百分之廿一點八一（見四月五日大公報）。廣州即在付息的前二天，用「工商聯合會」名義召集「全市工商界」，舉行晚會，以「認清當前國家情勢」爲題，即席要求將中籤款項，存放「愛國儲蓄」及投入投資公司。（見四月二日星島日報）。穗市「人民銀行」於還本之日，及所屬辦事處，並派員代填領取公債本息申請書及代辦「愛國儲蓄」手續，凡市民領取本息者，大都被「勸」轉爲「愛國儲蓄」。在中共統治之下，「勸告」就是變相的命令，不受勸告的將被目爲「反動」和「不愛國」。在生命與金錢的選擇下，一般無告的平民，怎能不翕然服從？

假如中共聚斂的所得，果眞的會拿來從事「建設」，則「楚弓楚得」，我們亦無間言。但實際上，人民血汗的結晶，正是中共製造戰爭的資本，這將是一無底深淵，勢將吸盡了大陸人民的脂膏。公債的本息，不過其小焉者。當中共強迫人民購債的時候，說得天花亂墜，尤其對於債信，且信誓旦旦，對於任何輕微的懷疑，都必大聲斥責，彷彿說：「我若失信男盜女娼；你若疑心死有餘辜。」現在呢？中共居然要還本還息了，使當日受害的人民受寵若驚，以爲太陽果然從西方出來。然而，魔術家的遊戲多高明啊！用你們的本息給他買回了信用，而用他這樣的信用造成了新的「愛國儲蓄」。

胡適患血壓高　對大局抱樂觀

據甫由美國過港赴台之某教授談：在美僑胞之「自由中國運動」，現極活躍。美人反共心理，已普遍增強，尤其有子弟在韓戰場傷亡的人們，對中共特別仇恨。過去，珍珠港事變後，因膚色關係，華人往往被誤作日人，遭受毆辱。此次韓戰，中共與反共華人，在外表上更無法分辨，致擁護自由中國反共人士，也有時玉石不分，爲美人民所嫉惡。某次在紐約，中共份子於一百貨商場外，幾被美人痛毆，近來中共份子多已消聲匿跡，在美中共份子，估計絕大多數已復本人，已見解堅反。在美僑胞組織之自由中國聯合會，在紐約州正式註冊，凡參加該會者，會員已擁護自由中國，並擬特製一種徽章，以資識別，佩戴之，在美僑胞身多數會員多加入。

紐約，胡適在普仁西頓大學任圖書館東方部研究員，月薪三百元，不足之數，尚須賣文及其他方法以貼補。胡適近以血壓高，須休養。時局惡化，以前胡適曾在紐約最感苦悶，東手無策。最近談話間，胡以笑臉自嘲，謂：我們都是好朋友，並不是山窮水盡，柳暗花明又一村。對大局仍抱樂觀。

親共反共分不清　董先生幾乎挨打

紐約僑胞之反共刊物，本有多種。最近又將有一華美日報出版，係承原有之「光華日報」而改組。社長已推選前上海申報社長潘公展擔任。（大宸）

承認中共的另一惡果
伊朗看輕了英國
——恢復國際信義爲今天英國所必需

鏡微

爲了石油收歸國有，久已處在緊張狀態之中的伊朗，日前竟然發生英國人兩名被殺，八名受傷的嚴重事件了！而在同日之內，美國又公開宣佈英國主張把台灣讓與中共，希圖再製造一個遠東慕尼黑的建議，已遭美國當局所拒絕。想不到這個曾爲中國戰時盟邦的英國，它今天雖然對自由中國落井下石，還未引起自由中國人民的反感，但在伊朗則祇是爲了石油事件，就已經觸怒於波斯人民了。

據初步的報告是：在伊朗阿巴丹的油田工區，有四千以上的工人宣佈罷工，在伊共的陰謀策動之下，此十個英僑死傷在暴徒之手，英國外相摩理遜當即在下院宣稱：還將毫不猶豫的派遣軍艦赴伊以保障當地英僑的生命。有人問外相此舉是否足以引起蘇俄的干涉？摩氏表示：「若在此區內發生危險，避免衝突，英人宜有所行動，英國並無好處。」看摩氏的談話，英國今天在中東的權威，大概祇能靠軍艦去維持，此外就沒有甚麼更好的辦法了！

不錯，英國在過去一百年來它的「砲艦政策」，曾經在外交上發生過很大的作用，許多弱小民族和國家，一見到英國軍艦出現，就會畏懼三分，大大的外交問題，在軍艦之前，弱小國家總是要對英國讓步的。軍艦眞是英國之寶，它代表着英國權威無遠弗屆，英國人對於其「優良海軍傳統」，是常常引爲驕傲的。

不過，今天時代似乎有點不同了，由陸權、海權而進入空權，軍艦的作用，跟不上航空時代的躍進，不免要大爲減色了。以此次伊朗石油收歸國營一事爲例，伊朗政府是否不知道英國還有許多軍艦呢？不是的，伊朗政府不會不知道英國還有相當強大的海軍，但是，如果英國祇有強大海軍，而沒有強大道義的威望，伊朗政府就不會十分畏懼了。

這個道理從何說起呢？我們的觀察是：英國和伊朗，在其油田問題尚未發生之前，伊朗人民的排英情緒，並不十分激烈，暗中的不滿可能是有的。但是在此一年來，英國從承認中共，背棄戰時盟邦的中華民國之日起，英國的外交政策，就夠使人不恥而懍，因爲這等於作了一個表示：英國重視的是本身利益，國際道義是無所謂的。試以「中」英邦交爲例，在過去一年來，中共曾經把英國兩個領事先後驅逐出境，最近又把英國商行的大律師，加以「間諜」逮捕，但是英國政府對此時默不作聲。英國如果在往時，是能忍受的嗎？但是今天卻也忍受了。英國爲了維持在華權益，不惜向中共屈膝；但是英國在華權益，已爲中共接管，把其生命財產，作爲投資，僅僅有在華的生命財產，實在中共之下，英國的威權，不是已經超過了嗎？

伊朗人民認識了這一點，英國在華權益既已爲中共侵佔，英國爲了「投資」，甚至不惜向中共出賣友邦，自貶威權，中國何以得罪英國？伊朗何不可以效法中共，把英國驅逐呢？英國不可能做到的，伊朗也可以做到。英國的石油公司，每年收益約在五千萬鎊以上，而付給伊朗政府的不過一千萬鎊，伊朗人民自然不滿。

功，英國不是一樣嗎？它因此而喪失了國際合作的精神，伊朗即使沒有伊共的煽動，也會要求獨立自主的。他們不能不把英國視爲對象了，他們要實行武力，英國僑民，玉碎了！今天，英國的砲艦政策在伊朗已不能產生甚麼效果，他們要排斥英國。英國不幸的是，伊朗民的討論，是排英運動，但是英國的功利主義，使今天英國得到了教訓，國家還有今天不明了嗎？伊朗該反省麼？

盤馬彎弓雙方愈逼愈緊
看韓戰如何不擴大！
—到四月十五日止大勢無法樂觀—

黃震遐

半週軍事

麥帥去職，遠東局勢非但不曾緩和，而且近兩天更有山雨欲來風滿樓的神態。莫斯科及北平的反應已極明顯，祇認爲此是美國更換一個統帥與大局並無影響。杜魯門的申明，亦不過重申美國對韓的立場，政治上的基礎既未改變，軍事上的佈局自然不能鬆懈。由於這兩天雙方空中活動的加緊，海上機動的擴大，陸軍後續部隊之源源不斷開進，整個東起夏威夷阿拉斯加，北自赤塔濱海州，西至外蒙古北平，南至閩浙海岸台灣海峽的廣大天地中，韓戰的「地方事件性」已在急激地擴大，廣泛地活動。單純從軍事看，我們的結論是：不管共方如何幹而不說，麥帥如何說而未幹，雙方實際上，皆已逐漸加緊戰略部備，處心積慮以求下一場的勝算。這一場決鬥將如何出現，如何演進，空談無益，必須求諸情況，綜括大勢：

光靠警察難防盜　必須團結亞洲人

（一）在地略學的形勢上，俄將馬林諾夫斯基遣東北集中精銳二百萬，先鋒越鴨綠江作據點防禦。左伸長臂威脅日本，右延一臂監視台灣。後方賴西伯利亞鐵道溝通歐亞腹地之資源。全部佈局，仍有以逸待勞之勢。與韓戰初期情況無別。聯軍則以日本爲策源地，賴海空輸送，與遼遠的美國西岸遙通。第一線軍隊空城（日本）出戰，背水仰攻。手中僅有的空中優勢，又不能飛越鴨綠江以北，從根破壞敵軍的集中。右翼阿拉斯加空虛，左翼台灣孤險的劣勢，香港越南，到處分心。處此勞師遠征的劣勢，五角大廈在戰略上已早敗與阿爾巴特大廈，實際內幕則是馬林諾夫斯基的俄軍主力一天不出戰，美軍在遠東便始終感受威脅，進退兩難。祇有被莫斯科戲弄下去。把這一點看穿，我們可以想像美國軍人今天在內心裏有多少說不出口的憤慨。戰爭打了一年，傷亡六萬人，全國精銳被蘇俄吸進朝鮮陰溝洞裏，打得死去活來，對手始終是些嘍囉小鬼，眞正的敵人馬林諾夫斯基則擁兵百萬，飛機四千，潛艇百艘，在圖們江上作壁上觀。美國式的矜誇與仗義，美國式的機械觀與自虐狂，使美國軍人在地略學上所遭遇的失敗，和美國外交家在政治學上所能受的失敗，先後如出一轍。此種頭痛醫頭，脚痛醫脚，戰略一天不改變，麥克阿瑟也好，李治威也好，佛列德也好，除掉多殺幾萬嘍囉外，皆無法嚇倒馬林諾夫斯基，更談不上制勝克里姆林宮。到底怎樣纔能挽回地略上的優勢？以麥帥爲代表的美國軍人的憤慨，怎樣纔能使韓戰提高其環球冷戰上的偉大價值和號召？這問題，最扼要的答覆，是美國人要在亞洲負責任，即必須加倍重視亞洲人。否則，即使美國派足一百萬大軍到亞洲來，決心再死十萬人，也決打不過馬林諾夫斯基手下的亞洲人，解決不了遠東的地略問題。這時代已非吉訶德的時代。李治威能否比較麥帥少吉訶德些，是大疑問。防盜必須團結民衆，光靠警察是不行的。

山雨欲來風滿樓　雙方正積極佈置

（二）在戰略形勢上，麥克阿瑟的恫嚇不是沒有根據的。林彪的入韓部隊和北韓新軍大吃啞虧後，蘇俄發覺今後再不供給現代裝備，共軍必將長受殺戮，切肉太多，終會送命，因此要牽制美軍到底，即必須加強共軍的技術裝備。同時又因麥帥打的是聯合國旗，手下有十三國聯軍，至少在象徵上有「自由國際軍」的意義。故在政略上甚至在戰略上，亦必須對美國擺一反映國際性的陣容，一以虛張聲勢，二以鍛鍊各衛星國的「反帝」敵愾。這「共產國際軍」，似在二月裏成立了。先以東北爲集中地，然後向鴨綠江開進，陣容裏可能包括一切黃皮膚的中韓蒙古中央亞細亞東南亞人，也可能包括白皮膚的保匈羅波德捷及俄國自己人，人數不致超過二十萬，裝備則有五百飛機，四百戰車，七百大砲，百艘潛艇，這支軍隊的作戰目的，不在一舉驅逐聯軍入海（力量還不夠），而在和李治威在陸地互相殺戮，空中彼此消耗，造成一個眞正的「西班牙」局面。此外，中共和北韓的參戰兵力部隊，則仍維持原狀，沿中國海岸的蘇俄主力，則對台灣香港威脅，日本海的陣容造成外線（遠東）夾擊，內線（朝鮮）突破的態勢，全線動員兵力達三百萬，拿日本作目標爲球心的作戰，這是截至四月十日的共方調動。在聯軍方面，即除以主力八個師分越卅八線向共軍中線主力合擊外，一方在卅八線上控制一部戰略預備軍，以便應付共軍的反攻。一方自美國急調第四十，四十五兩師，從加拿大調來第廿五旅，從香港調來第廿八旅，至少增調生力軍五萬人，以便迎擊「共產國際軍」，兼顧日本本土的防衛。同時第五航空隊的超級堡壘，則天天出動轟炸新義州安東的鐵橋，全力阻止共軍生力軍渡江。並打擊共軍通過平壤向南增援的部隊。對俄軍主力，則以日本「警察軍」警戒北海道沿岸，對中共「三野」則派第七艦隊南下，遊弋台灣海峽，增強南路的力量。這一切，都在指出戰爭規模正在擴大，一種山雨欲來風滿樓的神態，已在急劇演變中。

國際共產軍組成　可能已初試身手

（三）在實際情況上，四月十一至十三日，美國轟炸新義州鐵橋的超空堡壘羣，忽受俄式噴射機大隊的攔擊，美軍超空堡壘數架被擊落，人員損失頗重，雙方噴射機皆有損失，俄方的犧牲比較慘重，這是共軍在空中展開決戰防禦的開始，也可能是「共產國際軍」的初試。十一日美第七艦隊的飛機由兩條航空母艦起飛，迫近閩海。此兩役，共方皆擴大宣傳美軍侵入領空，轟炸安東，示威福州。但實際情形如何，尚不能證實。共方已準備出動空軍大舉「報復」宣傳，並且有一機動航空兵團，美軍必已戒備，但實際情形如何，止四月十五日的可能發生一切的大變化。這是不準樂觀的大勢。

「水火刀兵遍地起，朱毛林劉一掃光」
二百萬遊擊隊在華北
神道設教的秘密組織已佈滿共區
暴動時起中共手忙腳亂無法應付

北客。

華北民風强悍，自古多慷慨悲歌之士。而勸善懲惡，扶弱助强，神道設教之民間組織，向即遍佈於農工社會。中共僭據大陸後，雖用盡方法，欺騙農工，但此種有組織之民間團體，則信心堅强，反抗到底。抗美援朝以來，尤爲活躍，總計人數，已逾二百萬。中共至此，亦認爲形勢嚴重，彼等過去雖儘量歌頌白蓮教，紅槍會，然爲保持本身政權計，最近遂不得不大力鎮壓，儘量屠殺。此種組織中最有力者，略述如次：

「一貫道」：此爲一種半宗教，半幫會組織。創始於九一八事變以後。教主張天然，原爲白雲觀道士。以「儒釋道三教合一」爲號召，故名一貫道。提倡對父母盡孝，對朋友盡義。共黨破壞家庭，慫恿子女清算父母，此爲一貫道所深惡痛恨。故抗戰期間，在中共區域內，即與中共勢不兩立。抗戰結束，中共勢力，固一日千里，而一貫道之發展，也異常迅速，黃河以北各省，幾乎都有，窮鄉僻壤，也有一貫道的支派。華北淪入共黨以後，一貫道也就正式與共黨對敵。前年由張成武，路考斌領導，分別在哈爾濱，長春主持暴動，傷斃共幹甚多。平津方面，總領導人名王義，重要份子有鮑鴻楨，徐劉熾賢，邵百祿，大子義，李棟臣，軍權等數十人，集中平津道衆，不下五十餘萬，與東北，上海均有密切聯繫。西北共黨一再明令取締，除捕獲少數首要，立予槍決外，並勸令一般道衆登記自首，但結果爲數不多。共黨實行土改，千年倫常觀念最爲深厚之農村組織，盡被破壞，反共入一貫道者愈多。一貫道創九九八十一劫之說，謂今明年最嚴重者爲「飢饉封」，嚴戒農民，務將糧食秘密儲藏，勿任共黨搜括，共黨括糧政策，因此在華北大受影響。

大家當心飢饉封　秘藏糧食不繳出

只等天令一陣閃　自有天兵下西山

彼等又以神道設教辦法，僞託呂祖降壇，指示世人，謂三次大戰，即將爆發，共黨在韓，將片甲不還，美軍和國民黨軍，一年內必重返大陸，凡參加共黨者，將誅殺無遺。勸華北人民，勿與共黨合作，尤其不能參加農會工會，投考革命大學，赴韓參軍。道衆每人必須熟讀下列聖訓，據云，亦係呂祖所示、（一）良賢修道要提防，方向認準莫游茫，水火刀兵遍地起，朱毛林（彪）劉（伯誠）一掃光。長江兩岸動了手，天日再見保家鄉。」（二）牢守己志放大胆，時刻一到就開關，只等天令一陣閃，自有大兵下西山。（三）桃花紅來杏花鮮，鐵鳥蹤臨又一天，一班封來一班難，街市萬民怒際運，那時再將袖兒挽，好在封中拉佛男。

八卦軍萬教歸一　崔司令建軍興佛

「世界新佛教會」：首領王紫泉，倡導萬教歸一，認中共與蘇俄聯結，破壞宗教，違反人性，組織「八卦軍」，在華北各地，時有暴動。

「佛學研究社」：首領崔仲明。說奉我佛之命，拯救衆生，建軍興佛，自任反共軍北平支隊司令。

以上三項，爲規模最大之反共組織，此外如九宮道，復聖會等，則聲勢較小。

共黨雖用盡方法，屠殺鎮壓，無如此種組織，在中國，尤其華北，自有其千百年來之歷史背景，加以共黨倒行逆施，廣大農工羣衆，不甘再受欺騙，只要有人反共，遂紛紛加入。神道觀念，在華北一般民衆，印象極深，以此號召，吸引最易。據共黨估計，參加此種組織者，已在二百萬人以上。目前此種組織，雖尚未正式擁有强大武裝，然性質上如再發展，即可成爲華北有力之遊擊隊。自四月五日起，北平市長彭眞，天津市長黃敬，分在平津，召開所謂「各界協商大會」，專研究如何瓦解此種秘密組織辦法。截至筆者離津，似尚未有何具體結果也。

由港到津的鄱陽輪
卅三人被拖下槍斃
中共公佈是游擊隊

本月五日，共黨在天津，一口氣槍決了三十三個從英國鄱陽輪上拖下了的難民。這羣難民，是去年十二月二十日，鄱陽輪由香港抵達天津時，在輪上被捕的，船主報告和難民供辭，均稱：他們一行三十三人，多數是福建籍，有的因生活困難要回家，有的是往返閩台間做走私生意。他們於十二月十三日夜半，從淡水搭乘小輪順泰號動身，目的地是福鼎馬祖島。不料途中遭過大風，將船頭打穿，船上升起救命旗，十四日下午二時，於距基隆九十海里，距馬祖島二十八海里處，恰遇到鄱陽輪經過，將他們全部救起。因鄱陽輪出港直航大津，既不能將他們送回基隆，所以也不能中途停靠，只得帶他們一直帶來天津。約定在津不登岸，再原船帶回香港。但中共對這批難民，認爲嫌疑重大，一定要將他們帶上岸，去時船主當然無法反對。時間經過了幾個月，渺無消息，直到本月五日，突然將他們由監獄提出，全數屠殺。據中共宣佈：「他們這些難民，並不是眞正商人，或平民，他們都是台灣指揮下的中華人民反共救國軍第二十九縱隊的官長士兵。」首領是少將參謀長朱銳。他們目的地是馬祖島，及在途中遇風被救，都是事實。但他們到馬祖島，任務是要從馬祖島起，以迄浙江的玉環，建立海上基地，隨時以突擊方式，向大陸各港口發動猛襲。在分區負責的大陸反攻中，他們負責的地區，爲閩北的福鼎，霞浦，柘榮，福安，羅源，連江，寧德七縣。此七縣，鄰近浙江邊界，[illegible]

中共下級幹部
正準備隨時轉變
除毛澤東及少數高級人員　願爲史太林殉葬外共黨內部
正醞釀乘機起義。衛聚賢。

毛澤東不能做狄托，這道理似乎已盡人皆知了。除蘇聯不容許他有這一反叛企圖外，中共高級幹部，多數已在史太林掌握之下，毛有異志，就馬上會被解決。

不過，共產黨下級幹部，則絕大多數已在乘機待變。其原因是：

倒行逆施引起反感　待遇不平到處磨擦

（一）青年人多不滿現狀，過去反對國民黨，歡迎共產黨，以至加入共產黨的，總想共產黨的一切，至少總要比國民黨好，但是適得其反，[illegible]……照，起了激烈反感，所謂「心灰意懶」，其進退者，就乘機而來一句老話。

（二）待遇太壞，共產黨的吃，是大灶（即特殊）分爲四種，即大灶，中灶，小灶，特灶。特灶是隨便吃，想吃甚麼是甚麼，沒有限制。小灶，是兩菜一湯，一葷一素，菜的碗或盤子不限大小，肉不限種類，豬肉、牛肉、鷄肉、魚肉、隨便指定。中灶，是四個人一桌，三菜一湯，有一個菜是有肉。大灶的菜是最便宜的菜，用開水煮了，加入一把鹽，米湯一灌，連油都沒有。湯就是煮菜的湯。米爲粗米，稗子甚多。如果因公外出，是可領一千元飯費，但一千元在重慶只能買五個小燒餅，量小的人勉强够吃，不但沒有菜，而且沒有水飲。因爲一碗茶是六百元，飲了茶所餘的錢買兩個燒餅就不够吃了。另外每月有一萬五千元零用錢。而這一萬五千元，在重慶，不够買兩包香烟。

（三）工作太苦。早上七時起床，八時至十時學習，十至十二時辦公，下午二時至五時辦公，晚間開會，至十一時休息。每天要工作十六小時。機構除例行工作外，全體職工，都得大家去挑抬米煤。（當然高級人員可以例外）

農民子弟無力讀書　家庭觀念不易絕滅

（四）家庭觀念，仍未能完全打破。共產黨的下級幹部，大多數是小資產階級家庭出身。共黨要吸收大學及中學的學生，大學或中學生，其家庭能供得起讀書，自然比農及工人優裕，但是他們認爲小資產階級及富農階級都是[illegible]

……（五）新覺悟……共產黨內部，尤其下級……

比猜燈謎還困難
三封從鐵幕寄出的信
挖空心思的寫，絞盡腦汁的猜
延年。

滿紙荒唐言，一把辛酸淚！

鐵幕裏頭由吃飯拉矢到說話思想都被恐怖氣氛所籠罩，控制得密不透風，因此和「幕」外的家人通信，成爲一件大傷腦筋的事。「重重抽剝」作「樂於捐輸」，「征服勞役」作「只可說效力」，於是「幕」外的家人，就只好挖空心思來猜，但仍有許多必要說而不敢直寫的，只好不說。昨天一個朋友收到家裏寄來的三封信，許久許久，才豁然貫通，透了一口氣。他把信指點給我聽，眞是「滿紙荒唐言，一把辛酸淚」。三封信摘錄如下：

第一封

「……母親的牙痛又發作了。亞公和二伯常常到來探望，問你爲什麼還不回來，母親說你因店務離不開。……開銷大，你寄回的錢又不多，有時連郵票都買不起，我也忙，沒工夫回你的信……」

我當然看不出其中的奧妙，朋友笑道：「如果你看得懂，家裏人就沒命了」，他解釋：「我母親向來牙齒很好，怎麼會「又發作」？顯然是另有所指。廣州俗語，「牙痛」是指「咬牙切齒」，「又發作」是說「憂愁」，「亞公」是指公安局，「二伯」是指警察。（廣州人嘲警察爲阿伯）言其常到來，因爲我根本沒有店，「因店務離不開」，是叫我不要回去。「不回信」，是叫我不要寫信。「買不起郵票」，免遭受麻煩。」

第二封

「……阿和的姐夫近來屁股生一毒瘡，流膿出血，昨已入了方便醫院，我們爲他用了五十萬元，總算盡了人情……」我問朋友，這又是什麼意思？他說：「這裏包藏着一件悲慘的事，那位親戚因做過幾個月的警員，去年被「國特」罪名拉去，所以不敢提他的姓名。「屁股生瘡流血」是「被槍斃了」，因爲廣州俗語的「槍斃」的代名詞就是「背脊穿窿」，「入方便醫院」，是「不敢正面說」的解放代名詞，「屁股」的「屁」，出膿血，是「無人認領」的屍首，由方便醫院掩埋，「用五十萬元盡了人情」，無疑是幫忙他的家辦理善後。」

第三封

「……三表兄不肯聽他父親的話，把管業分給各弟妹，反而向他父親發火，不承認他做兒子。他叔叔祖（?）投他兩個月不許見，激起他父親了……我們的米也不够吃，幸得文叔還送番薯來，其他的朋友都沒有說：……」

「信裏的三表哥，是一位姓張的親戚，在中共機關當職員，因爲是「民主人士」，以爲有這特大的土改，是他的田產自然不能例外，但他對政府「結果（父親）」被關了，無恐，希望保留一些，而且撤了職，處分！告到上級機關還未釋放（叔），起來，兩個月還得保留一點糧，也得分年除了租，幸還保送一些，照例田產也掉了，只有文叔還老照舊，我家耕稱的朋友說完」。

由此，我深深地嘆了一口氣。這類比燈謎還深奧的家書，我相信香港的流亡朋友，一定也讀得不少，由此反映出鐵幕的裏的人民是如何的痛苦與憤懣，縱使是怎樣的顛連困頓，總算還勝一籌哩！

說逃亡者在國外反動
家屬捕送集中營

上海自二月二十一日公佈「懲治反革命條例」後，所謂「反動份子」，大肆捕殺，逃亡港澳的前國民政府官員，資本家，工商界，地主與其家屬，亦不放過，留居上海者，最初要他們限期召回已經逃亡的人，說他們在國外有反動的行爲，過期不回的，便由公安局將全家男女老幼抓送入集中營。據某君說：他是三月二十日被捕的，當晚用卡車運到一個沒有門牌的地方，那裏是在西郊大廈裏，「勞動改造營」的第一營，已經關了三個月，才知道裏面有二百多人，都是逃亡在國外的家屬，從六十幾歲的老太婆，直到十幾歲的小孩，都一齊做着奴隸式的苦力工作，只有在院子裏能享受一點陽光外，其餘的時間，都被關閉在室內，緊密的室內一堆一堆的稻草，每一家都睡在一堆稻草上，男女大小，一個房子一方的一個大房子，站崗的，便有「解放軍」監視，得不到一點自由……

……每一家人每天只有一頓飯，早上是稀粥，晚上是飯，菜是鹹菜之類……

（前進）的入團，入黨……

（寄萍）

祭「灰華」

·杜老誌·

此時此地，有一種人正在得意忘形，駭天把盡心思，絞透腦汁，製造赤朝主人愛聽的謊話和愛讀的『傳奇』，從赤朝主人口袋裏接來拿鴉片換來的港幣，狂飲豪餐，夜晚爲隣無聲的時候，關起門：自言自語：「共產黨的錢我騙到了，誰比誰傻？」

這班新騙子最得意的拿手戲，是套用俄國共黨侮蔑流亡海外俄國人的稱呼，把不願做奴隸的炎黃子孫稱之爲「白華」，於是凡是他們看不順眼的人，都用「白華」兩字，非如此，好像不能表現他們的「忠貞」。

有白必有赤，這班新騙子心目中的「赤華」，理該是秧歌王朝的新貴了。他們雖沒有如此稱呼，並不是不想如此稱呼，原因是港幣還要騙下去，到了不能再騙的時候，他們也就要稱呼「赤華」的。

我們不怕一套以顏色爲區別的怪稱呼，相反的如果我們把這班新騙子也以同樣方式戲謔一番，想來想去，只好稱之爲「灰華」。

我們不怕被加上任何名銜，倒是光明磊落，忠實自己的靈魂與思想，——反共產主義，與共黨勢不兩立，爲官的厚祿，不能動搖或改變我們的信仰。共產黨人就算是「赤華」罷，他們背背腹臟也確實「死過」不少人，吃過不少苦頭。惟有你們這一班「灰華」，今天風望那廂吹，你們趕緊望那廂倒，不倫不類，無依無據，騙幾文血錢，發天狂，吠不休，你們替別人担憂，怎不屏息自思：騙人完了，又怎樣打算？衙饕！「灰華」！

談復仇意識

·劍史·

在各種集會的場合，我常常會聽到一些人作「憤語」，表示將來打回大陸以後，總有怨報怨，有仇報仇；許多人身受了中共的迫害，亡命天涯，滿肚子怨憤，自會產生這種復仇的意識。

中共現在正進行集體屠殺，直接間接遇難者，有數百萬人，我們一旦回去，是否也以其人之道，還治其人之身，來一下報復呢？在直覺上說，這是復仇，應不受指責，但這復仇的行爲祇是逞快一時，絕非正道，以暴易暴，更是歷代禍亂的根苗。打回大陸，要剷除的應是中共的若干暴政，重新建立一種制度，不應是復仇逞快。

我們古代法律的精神是報復，是「刑人於市，與衆棄之」。現代法律的理想是感化罪人，使爲惡者能復歸于善。對於仇敵，固然是不能講恕道的，但仇敵之所以存在，是由於它還有損害你的力量，如果那損害你的力量已無，它對你已無可損，仇敵便是俘虜了！仇敵的名稱便不能再成立。在沒有打倒中共以前，中共是我們的仇敵，如果打倒了中共，中共就失去了仇敵的身份，報復應該在它未倒之前，而不應該在它既倒之後。中共在大陸虐殺舊日的政府人員與國民黨員，受到全世界輿論的指責，就是因爲這些人已失去了抵抗力，仇敵的身份不再存在，假使殺戮在戰場上，這便不成爲罪狀了！

復仇的行動最要緊爲循理而行，是要眞正嚴懲首惡，脅從罔治。莊子曾說：「復仇者不折干鏌」，郭象註曰：「干將莫邪雖與仇者之用，然報仇者不事折之，以其無心。」這段話很明白，我們要對付的是有心者（首惡），而不是無心者（被有心者所利用的工具），我們固是折毀仇人的寶劍，是愚事，和「折干鏌」相同，而且是無目的的報仇，而且會造成不良後果。而且打回大陸，是爲着自己和人們自由自在的生活，是爲人類後世的幸福。

暴君吟

·畢知命·

咸陽宮作禮賢堂，博士爭開萬壽觴，不道君恩多反覆，阬儒頃刻到冠裳。（註）

金人十二鑄雒陽，斬木揭竿有匹夫，爲問遺民心未死，盡銷兵器得安無？

註：始皇置酒咸陽宮，儒家份子博士七十人皆奉觴爲壽，然任爾百般獻媚，終難免暴君之一「阬」。

冷靜些罷．奴才們！

·桑梅·

據說，對麥克阿瑟將軍被解職的消息，「全蘇聯報紙均刊登由紐約發來的三十字短訊」。

爲甚麼蘇聯只發三十字的短訊呢？此間的紅色報紙事後解釋說：因爲「和平民主陣營是堅定地冷靜地來觀察世界問題的」。

但是翻看十二日的報紙，便知那些自命代表「和平民主陣營」的，當時對這新聞的處理是如何的「冷靜」！

其中二家，除一條越南戰事的消息之外，以第一版整版的地位（包括頭條，社評和插圖），來刊載這一條新聞。另外還在第三版另闢專欄，刊登麥帥的小傳。

另外一家，四欄題文，外加插圖，還有編者的話，再來一個副張全頁。

再看他們的大題目：「中朝人民強大打擊下，侵略集團空前混亂，杜魯門昨撤換麥克阿瑟。」

再看他們的社評題目：「中朝人民打垮了麥克阿瑟！」

這算得「冷靜」嗎？

這種熱鬧與高興，除了他們的爸爸史太林生日之外，簡直就不會有過。

直到他們發現蘇聯報紙只登三十字的短訊之後，他們才第一次了解「強大打擊」的意義。

「冷靜」些吧，愚蠢的奴才們！

雜感二則

·酉人·

自從在韓聯軍一月下旬發動「殺戮攻勢」以來，中共與其尾巴的報紙上久已絕跡了韓戰消息，偶爾也在無可奈何之中，硬着頭皮發一兩條自誇勝利的新聞，但不是四五個月前的舊事重提，便是隱沒了時間地點，沒頭沒腦的亂吹一通，深深暴露了赤色宣傳家們的窘相。

然而最近，此一窘相卻從杜魯門先生的一紙命令獲得了拯救。麥克阿瑟竟遭去職，這自然是中共韓共打敗了他，於是新華社的通訊，北平電台的廣播，和尾巴報紙主持筆政的人，便大做其慶祝勝利的文章。好在竹幕裏的老百姓們，耳目都早被蒙蔽住，當然不會知道「援韓志願軍」傷亡到慘不忍睹，更無從曉得那「英勇」的共軍，這八十天來，只有潰退，連還手之力都沒有。憑着直覺的判斷：連最高統帥都被罷免，那自然是打了敗仗無疑。

然而，只靠着幸災樂禍來取快一時，卻正是說明了他們沒有本領靠着眞刀眞槍來取勝。就此看來，麥帥之去，即使是民主世界的重大損失，克里姆林宮的嘍囉與奴才們卻未必就能有所收穫。

×××

由麥帥的遭受罷免，使我聯想起已往蘇俄幾位軍事天才的慘痛遭遇。

熟悉俄國革命初期歷史的人，總該還能記起當時從軍事方面拯救了那[illegible]的蘇維埃聯邦的，當首推托洛斯基和杜加切夫斯基，然而結果則前者於遭受放逐之後繼以暗殺，後者則直接了當的被送上了斷頭台。儘管一般人都不直史太林所爲，更不會相信他所宣佈的那一套虛僞罪狀，其間眞正的是非曲直，恐怕只有靠[illegible]的史學家的鈎玄索隱，纔能得到一個判定。

今日的杜麥之爭，幸而是發生在民主國家，既不會有擅權抗命的行爲，也更不致於演成攀短長，構成冤獄。不日在美國會調查研訊之下，也許倒能把幾年爭持不休的遠東政策問題，得到一個具體的結論。就這兩件事情來比較，那一個代表文明和進步，那一個更合乎天理人情，也就無待費詞了。民主制度的可貴，於此也就益發證明。

同時我又聯想到：在今日的中共風雲人物中，候補的托洛斯基與杜加切夫斯基也正大有人在。希望中共產生狄托者，大概結果必然失望，且若就東歐各衛星國的經驗看來，到決不會少了羅斯托夫與拉傑克也。

旅美雜紀

小偷和我握手

陳香梅

有一個晚上我和外子兩人從戲院出來，那時已過了午夜，我忽然感到肚子非常餓，於是外子提議我們到小咖啡店吃點心，那時市聲靜寂，我們沿着燈光閃耀的街道而行，有時偶而佇足在大百貨店的陳列窗前看看東西，兩人手牽着手，那種悠閒的心情，人生誠不易多得。直至走到咖啡店前，入了座，才發現我們兩人都是穿着晚禮服，不覺相視大笑。

在紐約看晚場的歌劇，很多人都是穿晚禮服的，即使不穿晚禮服也必盛裝而往，我們那天一時高興也穿上了晚裝，還不知不覺地在馬路上走了好一段路！

萬人嚮往的不夜城市我對她卻沒有特別好感，當然，我們不能否認紐約代表着都市的文明，但同時也代表着都市的罪惡。那兒充滿了酒徒，神女，騙子，惡棍，和許多希奇古怪的人物。有一天，我在一家百貨商店買東西，突然一個衣裝不整的男子走過來，對我一鞠躬，然後說「陳納德夫人，你還記得我嗎？我曾在上海參加你和陳納德將軍的盛大婚禮呢。」我一時莫明其妙，因爲外子和我結婚時來賓連我雙親在內，一共只有十四人，並沒有舉行什麼盛大婚禮，這人用意何在使我困惑不解，可是我不想在衆目昭彰之下使他丟醜，只好勉強和他握手，這人才歡天喜地而去。我後來和朋友談及這事，他們說，那個人一定是到百貨店裏偷東西的，一時感到被人注意，爲免被暗探捕捉起見，情急智生，見到我時走過來握手，以圖脫身，公司人員聽他說曾在上海參加過陳納德將軍的婚禮，自有來頭，也就輕輕把他放過了。這種騙術，我不禁嘆爲觀止！

離開紐約前幾個鐘頭，在報紙上看到一家小電影院在上演托爾斯泰的名劇「春殘夢斷」，這是一張舊片子，由蕙雲李主演。外子對於電影從來不感興趣，可是對於這張片，他卻說即使退了回華盛頓的飛機票也要看，於是我們在忽忙中去看了那張片子，全片非常沈悶，看後非常不舒服。這類型的片子在美國已不多見，因爲並不受大多數觀衆的歡迎，在美國能夠叫座的明星多是演歌舞片和笑片的，如冰哥羅士比和卜合等，女明星比提葛蘭費也很叫座，她是以表演大腿名噪一時的。

美國的電影院是隨時可以買票入場不受限制的，而且買了票後即從在那兒坐個整天也無人干涉。并不像中國的電影院分演四場或五場。美國的電影院多半在早上十一時開始放映，自此一直演到晚上十一時或十二時爲止，你隨時可以買票進去，座位也不分等次，隨便你愛坐那兒是那兒，有些閒人沒有去處，常在電影院裏一坐就是五六個鐘頭。（十一）

巨型水上轟炸機

最近在美國加里福尼亞州聖蒂亞哥海灣，世界第一架汽渦輪螺旋槳式水上飛機完成了它的首次實驗性飛行。這種重六十噸的飛機，能以時速三百五十哩，在海面搜索敵人潛艇；其巡洋艦樣的底部，可降落於高八呎的海濤上。起飛時間，祇需要二十秒鐘，較美空軍F八十型噴射戰鬥機之起飛僅差二秒鐘。這種海軍轟炸機的搜索工具，包括雷達器械和抵禦雷達電波的設備。其特點是在於四具引擎，每具引擎分兩層，每層有四翼螺旋槳，作相反的旋轉，馬力達二萬二千匹。尾部有一串排氣管，能增強飛機昇空的速度，它係伏爾萊飛機廠所造，已定爲XP5Y-1型。

高速電力機車

法國已以一種新式電力火車頭行駛於巴黎吐爾斯鐵道。其最高速度是每小時一百哩，但平均爲時速七一、三哩，現已創立兩城間火車速率最高記錄。外形十分漂亮，全部流線型，頭部有一巨大玻璃窗，外面裝着二個括水器，視線範圍甚廣。司機以與汽車中同樣的駕駛盤操縱火車的方向。據說它已是歐洲最迅速的電力機車。

極區耐寒新屋

美空軍物資局與美國橡膠公司已合作發明一種北極用的新式現成房屋。其外貌作半圓形，與普通活動房屋相似，祇是輕矮，高僅四呎，闊七呎，長九呎，專供飛行人員在北極區被迫降落時禦寒之用。它能容納四人，且在三分鐘內即可鋪置於地面。此屋的質料厚一吋，分二層，內層是棉紗，外罩人造橡皮，能耐嚴寒，兩層之間空氣成爲一種良好的溫度隔離體。門窗週圍都銜接緊密，使巨風不致吹入。

時代科學

·周明·

竹影心聲

·上海來鴻·

·離草·

二

我有一千個夢，夢見了我飛出這個人世間最大的囚籠，然而也有一千次醒了轉來。我學會了掙扎的笑，那是我自己當醒着的時候，居然逐漸能敷衍媽的「管束」了。

彷彿聽到你在冰冷的笑，使我的筆打着寒噤，你怎麼聰明，也揣摩不出困鎖在鐵幕裏的人，心情是怎樣矛盾與不安。我第一次呼籲一個人對我原諒，我第一次在紙上寫出我心理的變態，我眞是度日如年。那三房客每天工作回來時的埋頭讀死書，爲了要「學習」，爲了想保持那隻飯碗，他祇是賸下一個軀殼了。另一個H常接觸到的，「奇怪的女人」——我的媽，她自私，她又有了「新的英雄觀念」，請你處我立場想一下，這日子不是在染得你頭髮從枯黃到灰色嗎？

若霞來了一次後，她答允我經常作不速之客的訪問，媽沒有知道她心事，對她還有一點好感，那好感是若霞用幾罐沙利文餅乾買來的，前天她拉着我出門，替我在媽那裏說了好話，坐上三輪車她才說：「跟你去參觀一個不是人所主演的戲。」

原來靜安寺路的大華戲院，今天被改名，舍一個儀式，我與若霞站在對面綠楊邨的窗前，聽到疏疏落落的掌聲。

她請我吃鱔魚麵，我眞有點饞嘴，她看看周圍說：「有一家類如這樣的店舖，每天生意比這裏好上十倍，原因是地方好，那是新貴住宅區。」

我眞像一個孩子似的跟着她走，她知道的太多了，以她的個性說，那天她告訴我她家的一幢房子被徵用給俄國人時，是不應該流淚的，我提起這件事，她立刻解釋，她說：「在暗無天日的環境裏做人，都學會了戴一個假面具，假如不掉這幾滴眼淚，我恐怕你會疑心我是來偵察你的。」

這是多可怕的「經驗」，我接受了若霞的警告，我開始對媽第一個作試驗，她從此提不到我的心，我把它收藏在眞理的保管箱裏。

夢又快來纏繞我了，疲倦使我腦力遲鈍，我懶得再寫上一句祝福，我需要睡了。

紅色的維也納

俄方以黑市使人入殼

「這不過是件小東西，」那商人對他說：「你爲什麼不想法發一票大財。」

商人手裏的大把鈔票馬上使亞倍爾向他屈服了，數天後，那商人帶着二個穿便衣的俄人到他家來造訪，俄人中之一被介紹爲「約翰」，能講流利英語，另一個則以監視的姿態站在一邊。

「約翰」先開口：「我有幾個朋友正急於找回幾個棄職潛逃而躲在美管區的俄兵。」雖然露出友好的微笑，接着道：「只要這些俄兵能被送回蘇區，他的朋友對於所需費用是毫不在乎的。」後來的調查證明此二個俄人早已對亞倍爾的習慣，他常到的夜總會和他的債務，全知道得清清楚楚，他在黑市售出的東西全是他們所收買的。

在柯斯芭爾的安排下，亞倍爾和俄人在一家地窖咖啡店會晤了數次。亞倍爾的第一項任務是需要捕捉二個人。於是他先在他自己所屬的憲兵第七十六營內找尋一個願與他同去幹這事的人，但沒有一個人肯答應，而竟沒有一個人會向他的上司暗示俄人已在美憲兵間雇到了一個間諜。

不過到後來，終於有一個高大而漂亮的下級軍官答應了亞培爾的請求，這人二十九歲，名法蘭克萊，他認爲應該賺這末一筆得來全不費功夫的錢。第二天，亞培爾和法蘭克萊收到一部份預付的代價二千奧幣，其餘的錢，則等事情弄妥以後再拿。他們的綁票對象是叫埃特爾的奧國人，他和維也納城中幾千奧國人一般，在替幾個情報機構担任着某種任務。

這兩個商人究竟是初出茅廬，在第一次籌畫中，亞培爾就飲得沉醉不堪，而法蘭克萊則嚇得變了強迫性的抖索，不過金錢已成了他們的內在因素，一週後，他們借到一輛軍吉普，駛至埃特爾的住所，對着他說，有個美國軍官要找他。

他們將這奧人帶到離城一哩的一所空無一人的工廠。「約翰」和還有四個俄人已在等着。他們把埃特爾抓住，打了一頓，隨即拖進了工廠，並回過身來，給了亞培爾三百二十奧幣。埃特爾的命運如何，從此音訊渺然。

法蘭克萊將他所得的酬金半數暗地慢慢的化了，但亞培爾卻狂嫖爛賭，一星期內又變成窮光蛋。於是他再與「約翰」接觸，預收了八十美元，準備再爲俄人幹一次同樣勾當。拿着這筆錢，他到義大利大玩了幾天，等到回來，約翰將「下一次任務」的消息通知了他。這次是去擄一個美人——一個在林茨工作的美反間諜機構人員。代價是八百元。但亞培爾對此表示抗議，他說，擄抓一個美國人沒有那末容易。（十二）

秦辛寧譯自「鑛夫」雜誌

自由人

THE FREEMAN

（半週刊每星期三六出版）

每份零售港幣壹毫半

（第四十期）

督印人：梁大成

社址：香港德輔道中一四九號四樓

電話：三二八二〇

149, 3rd FLOOR, DES VOEUX RD. C. HONGKONG TEL: 32820

承印者：東南印務出版社

廠址：高士打道六四號

台灣經銷處中國書報發行所

地址：台北館前路八十五號

電話：三三〇三

美國的如意算盤

但艾契遜馬歇爾等種種想法　結果將只利蘇聯而不利美國

・左舜生・

最近由北韓放出的和平空氣，即期待和平甚殷的美國國務院，也知道只是一種宣傳作用，沒有加以怎樣的重視。反之，在麥克阿瑟去職以後，美國對於遠東的布置，卻絕對的沒有放鬆，下面幾件具體的事實，便完全代表這樣一個趨勢：

（一）對日和約的訂立，已在加速的進行，這件事美蘇間可能還有一個時期的糾纏，但終於不能妥協，結果則除掉蘇聯以外，大致可以絡續參加。中共政權必被排斥。台灣的意見被重視的可能性很小，爲台灣計，即令和約內容不盡如理想，但隱忍持重，是台灣目前一個比較安全的自由之道，能夠做到參加便算是成功。以時間論，假定和約在本年內能夠完成一切手續正式成立，便算是很好，但仍須附上一個蘇聯與中共不採用非常手段加以破壞或延宕的條件。（二）一個以美澳紐三國爲倡首的太平洋安全協定可能先日約而成立，日約訂立以後，則中日非韓可能被邀參加，將來因局勢的推移，參加的方面且可能更加廣泛。這個協定有兩個主要的意義，其一在加強太平洋的防共陣容，又其一則在減輕若干國家對日復興以後的威脅感，則美國亦未嘗沒有藉此以約束日本之意。這件事美國所採的步驟相當謹嚴，英法均將迎以好意。（三）關於日本的安全問題，在日本的武裝還沒有完全恢復到足以自衛的程度以前，美國是不會放棄責任的，但在和約成立，過去以盟軍管制日本的形式結束以後，美國在日本本土的駐軍，將緊縮到一個必要的程度，而把防守日本及維持日本國內秩序的責任加之於日本自身，美國所特別注重者，將只限於日本的附近，例如琉球羣島，尤其是冲繩島；其兵種可能以海空爲主；陸軍僅屬次要。（四）一個包括三百個左右人員的美國軍事代表團，有被派遣前往台灣的可能，若干補充台灣軍隊實力的軍用物資，也可能由美國運往應用，但如何具體化，則似乎還有所待。這件事截至目前爲止，我們還只能意識到這是美國要加強台灣的防禦，以實力遏阻中共任何奪取台灣的企圖，不能便看作美國積極協助國軍準備作反攻大陸的一種措施，大概除等到美國被蘇聯逼迫得非應付大戰不可的時候，協助台灣去反攻大陸的可能性極小，也許幾乎是不可能。

凡以上的種種部署，在美國以艾契遜馬歇爾爲首的若干政府當局，以爲只要假以相當時日，等到各方的實力充沛，配合安貼，便可以把蘇聯在亞洲發動第三次大戰的災害消弭於無形，而目前在韓國還繼續進行的戰爭也就沒有一定要擴大到韓國以外的必要了。這雖然是美國若干政府當局主觀上的如意算盤，可是這次杜魯門總統其所以不顧一切毅然決然把麥帥撤換，實在便是從這種如意算盤出發，這幾天來杜魯門布萊德雷艾契遜等所發表的種種言論，也就不外在說明這樣一種旨趣。制止麥帥那種比較近於急進和主動的主張，改爲一種比較緩進和被動的主張。是否就可以變更蘇聯的基本態度呢？在我們看這種可能性是絕對沒有的，但把蘇聯發動的時間表稍稍移動卻有相當的希望。可是即令能把大戰延緩到半年或一年以後再行爆發，其對於美蘇和歐亞的利害得失，究竟很難計算：例如日本和西德武裝的重建，蘇聯將不惜採取種種的方法，以從事阻撓與破壞；中共政權的穩定，與蘇聯對中共的控制，均可能加強；韓戰無法中止，且可能加劇，其對於美國人力與物資的消耗，必大於蘇聯的本身；時間對蘇聯在消極防禦上的加強，與積極作戰上力量的充實，均極爲有益；民主方面若干本來畏戰而不大緊張的國家，可能因這種一時的苟安，更趨鬆懈，而美國在體制與態度上，又無法如蘇聯之可以放手干涉其衛星國家；蘇聯利用這一空隙的時間，更可展開和平的宣傳攻勢，以瓦解民主國家的戰志；除韓國外，原已在動亂不寧的區域，如越南，馬來亞，伊朗，阿爾巴尼亞等等，蘇聯可促使其亂象擴大。即在若干其他的區域，也可能發動新的事件，以便民主國家窮於應付；台灣如目前的現狀，不獨老師靡餉甚可憂慮，且可能令中國大陸上大多數宛轉於刀俎呻吟與牢獄的人民，感到非常的失望。總而言之，只要民主國家一方面的和平幻想，一天不消滅，蘇聯便有層出不窮的方法以便利共產集團的發展；美國的立場，在提挈多數的民主國家以圖自衛，其勢宜就基本問題求得合併的解決，合併則需要的時間短而團結力可以加強；蘇聯的立場，在分別發動其衛星國家以造亂，亂象愈複雜愈普遍，則所歷的時間愈久，愈可能把民主國家拖得精疲力盡而陷於離心離德，而蘇聯乃可坐收最後一擊之效！

戰爭的原則在以『多算勝少算，』我們總覺目前美國政府當局的決策，是確有重加考慮的必要的。

侵略者且慢高興

胡秋原

當麥克阿瑟將軍被解除一切職務之消息傳到台灣時，我們自深感惋惜。第一，因爲麥帥爲共產黨徒所痛恨，就民主世界而論，無論這事件之內容與後果如何，總有點長他人志氣，減自己威風。就個人而言，無論麥帥之缺點如何，他是一以自己整個生命與共產主義鬥爭的人。一個人以其整個生命寫歷史。其莊嚴有如一個藝術家自己心血寫畢生的大作。他不能親自完成其抱負，正如一個大藝術家留下未完成的傑作而撒手。這總是令人感嘆的。然而，除此以外，我看不出美國有改變政策之可能。侵略者及其鷹犬似乎甚爲高興。姑息主義者似乎也很滿意。但我想他們的表情未免太快。事勢之發展不僅不會如他們所希望，反之，反共戰爭且將因麥帥之去職而更緊張。姑息主義將因麥帥去職而引起的憤慨，遭遇最後的打擊。在歷史上，一個偉大人物的主張，因其離去反而促其實現的先例，是不少的。這兩天來的發展，無論杜魯門之聰明，或美國民意之反應，更使我們加強這一信念。

關於杜魯門總統所以作此斷然決定，不外三個理由：一、據說麥帥的言論行動，屢次超過一個軍人的範圍。但這一點，已由麥帥的祕書否認。二、由於麥帥力主轟炸東北反攻大陸，而這在美國政府看來，足以擴大戰爭；而美國政府，如杜魯門所表示的，是不願擴大戰爭的。三、由於英國極力希望停兵三八綫與中共言和，故不惜以一切方法排擠麥帥，故麥帥之去，由於英國之壓力爲最多；這是英美輿論公開承認，亦盟總官吏所公開憤慨的。

第一點也許牽涉到個人之感情，但究竟不是重大問題，可以不說。關於第二點，性質當然重大。如果美國沒有準備好，我們並不贊成擴大韓戰。但我們須知，麥帥並不是主張孟浪擴大韓戰的人。韓戰是否擴大，繫乎史太林是否參戰。麥帥認爲，縱使轟炸東北，反攻大陸，蘇俄亦不敢參戰。我們同意這個看法。而麥帥之所以有此看法，自基於更實際的情報。大家一定記得，前幾天美衆院雷朋院長說到大戰危機之迫切。但他的根據，如東北有三萬日軍，蘇俄訓練中共海員，蘇俄在岡保羅動員四萬軍隊，在外蒙擴充空軍基地等等，都不是新的消息。這決不足成爲蘇俄即將參戰之根據。我們由多年的經驗，認爲史太林是如此一個賊人，他要打，你下跪，也不能使其動心；他不能打，即令打到他頭上，他也能「忍耐」。他不會因轟炸東北而參戰。麥帥看穿此點，才堅持其主張。不幸，也許因爲史太林恐嚇英國，而英國又轉恐嚇美國，於是美國政府覺得只好將麥帥免職了。

假使如此，這是史太林神經戰之一成功。但這成功並不甚大。因爲杜魯門廣播，實際上依然是一種招降。不論暫時是否會發生某種斡旋運動，史太林是不會下令中共退兵的。杜魯門的三條件也是不能得到結果的。中共不退，聯軍還是只有繼續殺傷攻勢。這足以使聯軍更吃力，付更大的代價。但是，侵略者及其鷹犬是沒有什麼可以高興的。因爲美國政策不過是「和平未至絕望關頭，決不放棄和平；犧牲未至最後關頭，決不輕言犧牲」而已。

但第三個原因，也許是最大的原因。英國因爲恐共，唯恐戰爭擴大，因此早想麥帥去職。美國當局，爲了保持英美之一致，爲了鞏固聯合國之陣容，大西洋公約國之協調，只好犧牲麥帥。此在美國人民，是一種忍痛；就杜魯門政府而言，或亦有其不得已之苦衷。然就英國而言，實在不智之甚。我一向欣賞英國人之「老成練達」，[illegible]

中共判張大千三罪

種花，養猴子，好吃。

在蓉私宅售米三石　宋元字畫一體劫收

張大千氏爲當代書畫大家，去年以印度政府之邀，赴印研究燉煌佛畫，[illegible]

[illegible]

中共運米到印，請張用口宣揚

張說我是小人，只會用手作畫

革職的統帥，偉大的歡迎

剛被革職的麥克阿瑟，在革職後不過一星期，就回到久役在外，一別已十四年的祖國。他前天出席國會，發演說完畢時，許多議員，爲之潸然流涕，他在舊金山，華盛頓，都受到民眾極熱烈歡迎。尤其舊金山，據合眾社電訊，這是舊金山有史以來最盛大的一次。在各種新聞報道中，下列這幾段描寫，最值得人們感動：

「到機場歡迎的人，足在十萬以上。由機場通往市中心區長達十六英里的整個大路，麥帥接受此十萬羣眾最熱烈的歡呼。[illegible]

另一世界的「歡呼」場面

[illegible]

美國人民究竟支持誰？

關于麥帥在舊金山這一幕，還有兩段電訊，也值得我們重視：[illegible]

美軍火漲價真相

美金購買力比十二年前只跌去一半，為什麼武器比上次大戰結束時卻漲了兩倍至五倍。

陶百川

現在，我列出一個美國武器軍裝新舊價格比較表。看了這個表，我們立刻可以發覺：差不多所有的武器現在都較上次大戰結束時，漲了二倍到五倍。有的還超過這個數目。然而美金的平均購實力，現在比較韓戰發生時祇跌了六分，比較前十二年（一九三九年）祇跌了五角，而較前十一年（一九四〇年，那是美國很愉快的一年）也祇跌了六角六分。為什麼武器的價格，就漲得這樣大而快呢？這裏指出三個理由：

（一）因為原料漲價了。例如錫價一年中漲了百分之一百五十，橡膠漲了百分之三百。

（二）武器的模型改良了。例如中型坦克，大戰結束時的價格是四萬七千元，略經改良改造，現價是二十萬元。驅逐艦所以從七百萬元漲到四千萬元，也是模型改造的結果。

（三）但是上述兩個理由，還不夠說明漲價的真相。另一個理由是官商勾結，從中漁利。這就是所謂以公濟私，是貪污的結果。以上述中型坦克而論，本來的價格是四萬七千元，漲為二十萬元，並不是因為模型的改良。又如軍用布襯衫為什麼從二元一角七分漲到四元一角半？布褲為什麼從二元二角五分漲到四元八角三分？飛行員的背心為什麼從十六元五角漲到廿五元？原料和人工沒有漲得那麼快，理由祇是官員們貪污。最近杜魯門總統官邸中的一個女速記員，不是因為穿了九千五百四十元的一件貂皮大衣而給參議院揭發了嗎？她的錢就是貪污得來的。這種事件在美國本很普遍，現在審問的結果，因為政府撥有四百十億的軍事經費，定貨單從政府官員手中交與廠商，所以一個區區的女速記員也可以因此發財。於是武器的價格怎麼能不大漲而特漲呢！美國國會，最近掀起了一陣清查貪污的熱潮，對這個最嚴重的問題，大約總不會輕易放過吧！

美國武器軍裝新舊價格比較表

（美金）

項目	大戰結束時價格	最近價格
飛機		
戰鬥機	五三,〇〇〇	二一八,〇〇〇
中型轟炸機	一八五,〇〇〇	二,五〇〇,〇〇〇
大型轟炸機	六二九,〇〇〇	三,五〇〇,〇〇〇
運輸機	八五,〇〇〇	五一四,〇〇〇
軍運輸機	二六〇,〇〇〇	一,八〇〇,〇〇〇
坦克車		
小型坦克車	三九,六五二	一二六,〇二九
中型坦克車	四七,三三九	二〇〇,〇〇〇
槍炮		
大砲（九〇耗）	三六,八七五	七〇,〇〇〇
自動推進砲（一〇五耗）	四〇,〇二二	一四五,四四三
榴彈砲（一五五耗）	一三,六六二	二八,五〇〇
臼砲（八一耗）	五九〇	一,七〇八
卡平槍（口徑三〇）	三五	六四
來福槍	四一	六四
自動來福槍	一三四	三五八
機關槍（口徑五〇）	二四九	七二〇
車輛		
吉普車	一,〇五一	二,二〇五
卡車（二噸半）	二,五二一	五,五三七
卡車（六噸）	九,六一〇	一〇,九四四
兵艦		
航空母艦	六〇,〇〇〇,〇〇〇	一二〇,〇〇〇,〇〇〇
驅逐艦	七,〇〇〇,〇〇〇	四〇,〇〇〇,〇〇〇
原子彈		
小型原子彈		一,〇〇〇,〇〇〇
大型原子彈		三,〇〇〇,〇〇〇
軍服		
布襯衫	二元一角七	四元一角半
布褲	二元二角五	四元八角三

史太林是否敢下決心 在韓國發動空軍攻勢

雖然聯軍在過去已失掉提早打擊敵人，結束戰爭的機會，但在今天只要中共獲得補充，能在地面取勝，史太林可能仍只給與戰術空軍，而不敢發動空中全面攻勢。

・張六師。

韓戰是否可能擴大為遠東的大戰，乃至擴大成為三次大戰，一般人以為看蘇俄空軍是否大規模向聯軍進攻，即可斷定。根據最近中共天天已在叫囂說「美機越境轟炸安東」，又說：大批超過二百架的美機，越過鴨綠江上空，並且「掃射福州」「殺害和平居民」。同時俄製飛機在北韓向美機進攻的數目也一天比一天多起來，B二九超空堡壘被擊落的架數，也突然增加。由這些迹象看起來，至少我們可以判斷：東北地區的俄機已有大量的集中。同時在中國東南沿海一帶，俄機亦在陸續增多，地面機場是大量的晝夜趕工建築，地下機庫的規模，也是意外的龐大。俄國空軍在將來必然以英美空軍為對象而作戰，是可斷言的。但史太林今天，就是在韓國上空，也只偷偷摸摸，在鴨綠江上空作戰，受傷或被擊毀也受着嚴格的命令，不得在聯軍區內下落，這不是他在遠東的空軍實力不夠，而是他還不敢正式對聯軍飛機拋頭露面的交鋒，惹起大戰。因為他的戰略和政略是統一而配合的，在現階段的情況下，他可能先出動戰術空軍以掩護地面部隊的集中和開進。但全面性的出動攻擊準備，則根本還未完成。

戰術空軍可能擴大 戰略空軍暫不發動

僅就空軍的戰略來探討，如果美機對俄機的報復，僅只限於轟炸東北的基地和倉庫，而不延伸到俄國境內，而俄機只轟炸南韓地面的部隊和基地，而不延伸到日本本土和琉球基地，也不炸第五航空聯隊的航空母艦，就是說，雙方僅只擴大戰術性的空軍活動，而不發動戰略性的空軍進攻，則戰爭的範圍，不過增加程度上的激烈化，而不至於擴大成為遠東區的全面空戰，更不至成為三次大戰。因為今天在遠東的戰略主動和政略主動，完全操在史太林手中，決非天真的布萊德雷所幻想「只要聯軍不擴大，韓戰就可防止」三次大戰。但是如果史太林在地上在空中的準備都已完成，政治陰謀不能獲得所想的利益，則他要發動進攻，也非聯軍想不擴大就會不擴大的。

不炸東北錯誤重大 最後趨勢仍難避免

根據杜魯門，柯林斯，和美空軍部長芬立德諸人的談話，美國空軍對於俄機擴大的進攻是必然要越境報復的，接任麥克阿瑟的李治威也答復美議員亞姆斯特朗說：「不打擊東北，韓戰難以擺脫」。在答復世界報告記者詢問，柯林斯和芬立德並有「假如蘇俄飛機轟炸美軍前後方，美軍損失必大，美戰略空軍必出動，東北當然不是禁地，原子彈也會使用出來。這已證明美國，決心保持空中優勢，以保護前後方地面的安全，而決不願在戰爭中失去制空權，以增加地面的傷亡和一切損失。因此我們想到，假使聯軍在當中共開始全面動員，「反美援朝」，替蘇大軍越過國界，就是聯俄略之初！，韓國已面臨另一新戰爭」之時，對東北即實行轟炸，使中共的機場，機庫和一切空軍準備，均無從建立起來，則俄機今日出擊韓國，打擊美空軍，非由西北利亞或外蒙基地起飛不可，但史太林是否敢這樣做，恐怕大成問題。

中共受蘇俄之命，到韓國去送死，表面上至今還是偷偷摸摸的用「志願軍」名義，當然，他發動攻勢的基地和空軍，也就包括在「志願」之內，這比俄機由俄境來攻的形勢和意義，其程度是相去很遠。聯軍失去從前對中共越國界進攻的報復機會，以致自己綑住自己不能早日結束戰爭，這已埋下今天面對俄國空軍和共黨國際武力全面衝突的危機，將來大勢所趨，還是不免要走麥克阿瑟的路線，那麼，就值得總該悔不當初了！（當時對中共後方基地的打擊，並不含有國際性的嚴重意義。）

史太林血本最寶貴 決不敢一下就賭光

在俄國環球性的戰略計劃中，因歐亞的戰略交通系統還未完成，所以不能兩面作戰，設以遠東區一切建設，都是含有獨立支持性的。史太林的遠東空軍，是配合七十萬陸軍，担負任務的，估計第一線空軍實力為四千到四千五百架，這並不包含新控制的中國大陸區域的參加。對於蘇俄空軍的參加韓戰，假如俄國陸軍並不出面的話，當然他不致大量削弱必須和陸軍配合作戰的空軍實力，因此，他可能只是分撥一部份至多一千到一千五百架，而且可能由東歐附屬後再補充相當數目，以後的增加，是看機的性能和數量為標準，必須由國內新出品的上等貨色中挑選，因為不如此，等於自送次等貨，於戰事無補，無寧不派飛機，可免去損失。我們斷定俄機的戰術目標，在爭取韓國上空的制空權，目的在配合地面部隊反攻，以爭取陸地上的勝利，對打擊聯軍後方基地的行動，在現階段下，還在徘徊審慎中，因為他會預計到只要聯軍在韓國的地面部隊也和中共一樣遭受空中的打擊，則聯軍飛機必然出動轟炸東北，那時史太林是否敢向日本或琉球向聯軍航艦攻擊，這是他今天最頭痛的事。因此我的看法，假如中共和其他國際共軍，只要在地面上的攻擊，能打敗聯軍，他可能不出動比聯軍相當或更優勢的戰略空軍，因為史太林今天還不敢不肯拿自己基本實力和聯軍挑戰，他的成功是利用亞洲別人的力量以增加自己的利益。而聯軍的失敗，也就是不能團結和利用亞洲的反共力量以打擊史太林的侵略。

裴立德向林彪防線進攻

韓戰下一幕演變正急激醞釀中

・黃震遐。

半週軍事

近一週來，林彪在北韓江源道中部邊境的丘陵地帶，佈置了一條馬奇諾式的核心陣地，吸引聯軍主力對它進攻。韓戰的下一幕演變，即須視裴立德和林彪的變方主力，將在此鐵原金化平康三角堡壘間的會戰，是造成一個「一色當」正面的閃擊突破，還是相反地變成一個史太林格拉式的決戰防禦。

當去歲金日成發動戰爭時，甚至遠在一九四九年前，蘇俄的工程技術部隊，即構築了鐵原金化間廣州山，及其南方樺川水壩間的強固工事，作為進攻南韓及預防美軍北侵的戰略據點。韓戰爆發後，金日成的突擊兵團主力，即經此沿元山鐵道，及金川樺川公路兩路南下，自正面及側面擊破南韓軍，威脅美國增援部隊向釜山急退。去年九十月間北韓主力化整為零，其自洛東江退出的三個師得滲入金剛山及廣州山地區，利用戰前囤積的軍需打游擊，造成華格，阿爾蒙兩將軍後方的嚴重威脅。從今年一月起，這部游擊軍和林彪會師，改編為北韓第五兵團南攻橫城，迂迴齊越，游擊區改由中共「四野」接防，通過李治威兩次攻勢的威脅，終發展成馬奇諾式的中共核心陣地。

林彪防綫大軍集中

林彪防綫以右翼依托臨津江，左翼依托春川江，前方（南方）在漣川樺川之綫伸出一個警戒陣地，後方利用平康金城一帶的複雜地形（廣州山，掀哥嶺），預先佈下一個化整為零的退路，以鐵原金化間的廣德山為鎖鑰，掩護中共軍兵集中，待機決戰。在主陣地（「托奇卡」據點工事）內部，更利用金剛山鐵道和東海岸（長箭高城）呼應，對南韓第一兵團的迂迴威脅警戒，同時在臨津江上游，則通過伊川和來自平壤的共方生力軍保持聯繫。

除開在警戒陣地帶前方施行人工氾濫（打開樺川洛水池，用氾濫阻止聯軍），並指定中共三個軍（中共第廿六，五十，六六，北韓第一、二）担任延阻作戰外，據綜合判斷，林彪一共向此史達林格拉陣綫投進了「三野」的第廿、廿四、廿七、卅、卅六、卅七等六個軍；「四野」的第卅八、卅九、四十、四二四個軍；「五野」的第六七一個軍；「一野」的一個師（第十一師？）；及獨立第七、八、十等三個兵師，總數在四十萬人以上。

這是林彪的決戰部署，這部署目前正吸引聯軍的主力向它採取分進合擊的廣泛運動。此外，在西綫漢城平壤鐵道正面，尚有正在退卻中的番號不明共軍担任後衛作戰。至東綫元山以南海岸正面，盛傳已久的「共產國際兵團」，則可能早已渡江南下。在平壤附近，編為第二綫兵團，待機參戰。

林彪防綫能否阻止裴立德的進攻，蘇俄的高級指揮部在計劃上有否以林彪防綫為「砧」，誘陷兵團僅「錘」的企圖，此須視裴立德上場第一砲的作風而定，目前無法預見。

聯軍方面謹慎前進

截至四月十九日為止，裴立德的聯軍戰略部備，大致如下：

（一）在臨津江春川江間約七十公里正面（林彪防綫）前面，一共推進五大堆人馬，廿六萬兵力。逐漸收向鐵原金化間的目標。在每一堆前面，各自派出一隊有力的威力搜索隊，與共軍後衛保持接觸。

（二）左翼兵團：美第十一空軍部傘兵團，土耳其兵旅，美第廿五師，美第三師，沿臨津江左岸及鐵原漣川道路，正向攻鐵原通過漣川以南地區，進攻。這一路聯軍部隊有五萬人。

（三）中央兵團分兩路向廣德山一線（鐵原金化間）進攻，聯軍第一兵團（美第一騎兵師，美第廿四師，英廿七旅，英廿九旅，南韓第一師）居左，第九兵團（美第二師，美第七師，南韓第二，三兩個師，法，荷，菲，希，加各一營）隨之跟進。這是聯軍的主力，總兵力十二萬人。

（四）右翼兵團：美第十軍（美第七師，南韓第三，五兩個師）沿洪川春川公路向樺川水壩進攻。總兵力七萬人。

（五）東綫兵團：南韓第一兵團（首都師，第三師）在強大海軍掩護下，沿東海岸向高城，長箭進攻，迂迴金剛山林彪左翼。兵力約二萬人。

以上兵力合計為廿六七萬，加上當在卅萬以上，李治威命令史特拉特梅耶的一千五百架陸機，海愛的五百架海機，掩護部隊的總攻擊。裴立德向林彪主力和鴨綠江北岸的聯絡，並發揮空中全力，斷林彪防線推進。韓戰下一幕的劇情，正在急激醞釀中。

毛澤東走史太林走

・女米販口號喊半・

・李四嫂因此下獄・

在桂林的時候，因買米我認識隔壁米販李四嫂，她受過小學教育，她的丈夫李賜×，以前任溜江縣司法員，溜江「解放」後不知下落，李四嫂帶着兩個小孩，住在桂林，靠販米渡日。那裏知道在遊行中因喊口號不清楚，竟被送到法院去坐牢。

那天遊行，帶頭喊口號的，大半是年輕的女軍幹，大約每四十人就有一軍幹跟在旁邊，手拿着一張寫滿口號的紙，她（軍幹）喊什麼，行列裏的人就跟着喊，四十多人的行列，雖不很長，但人聲嘈雜，不容易聽清楚，當軍幹們喊：「我們永遠跟史太林走」，「我們永遠跟毛澤東走」時，李四嫂對前面的字句聽不清，所以祇喊「毛澤東走」！「史太林走」！遊行快完的時候，李四嫂的旁邊，半途添了一個胸襟掛着軍幹徽章的軍幹，在注意她。回家後當天深夜十二點多鐘，正陽路公安分局第一派出所所長和一位戶籍警士，到來盤查，翻箱倒篋，詳細搜檢，找到一張「全家福」的照片，竟成為嫌疑的證件，因為照片上她的丈夫，是穿着中山服。

派出所所長拿着相片立功去了，事情過了三天，正陽分局派兩個武裝警士帶她到局去查問，說她思想有問題，翌日覓保釋放。據她對筆者說：「到局裏去住了一夜，盤問了幾個鐘頭，現在我才知道闖禍是由於那天遊行喊口號，「毛澤東走！」「史太林走」我聽不清，所以祇喊下半句，天曉得，這樣就犯了法！他們反覆追問我喊那句口號的意思，和問我丈夫到那裏去做匪特，……」鋪保保出後，李四嫂依然做她的米販，可是過了一月，我為着要交房租，想叫她送五十斤白米來，走過隔壁去一問，才知道她已到人民法院的囚牢去受改造快半個月了！她的兩個小孩，據說，無人照顧，恐怕要活不下去！（豐澤）

代郵

金文質游子衣先生請示近址，以便寄上稿費。

編者白

從參加韓戰的中途逃出
一個空軍人員的自白
原是國民政府空軍轟炸員，因奔喪淪陷共區，經長期訓練改造後派赴東北，千辛萬苦逃出魔窟。

我是國民黨空軍轟炸員，曾派到美國實習，因我係胖胖高個子，能唱能蹦，時以滑稽姿態出席晚會，昔日同學同事，大約都能追憶起這們一個樂觀的人吧！共軍渡江前，我因母親病故，請假回家奔喪，不料京滬淪陷，從此就陷入魔掌了，共黨強迫國民黨流散空軍技術人員登記，先撰寫一篇詳細自傳，旋押送江北，華東航空處所謂「舊址」，一進門，就有驚心動魄的標語：「拋棄家庭包袱」，「全心全意爲人民服務」，看了好似冷水澆背，那裏有「人民」，就是叫人民大家流最後一滴血而已。學習大隊的組織，爲一大隊，下轄四中隊，分各分隊，共分二十個分隊八十個班。學員名義上學員互選，實則共黨指派，班長由共黨提名，互相監視。大隊部直屬華東航空處，處長蔣天然，副處長林征，原來的名字，傳爲老共黨，潛伏政府空軍中，延安時代，駕機叛變。大隊長林征是叛變後改的名字，妻子蘇聯人，做隨身翻譯。中隊長以下都是清一色共黨陸軍士兵出身，目不識丁，更不知航空爲何物。

處長訓話滿口胡說　下流姿態從未前見

關於學習訓練的程序：分爲勞動、思想二項：（一）勞動：每日五小時，打掃房屋庭院，拔草、挖土、清理、運汽油、挑糞、種菜、搬炸彈、填彈坑，修跑道，所做無美其名，也無所生產，曰勞動改造。（二）思想改造：已滿口吸香烟，刮口訓話，腳踏在講台上，說見香烟，從軍中，流下的姿態，未看見過，他們的共產黨小節，所謂解放軍的作風，你不要見毛澤東，紀扣。

向來不扣帽子，除開始寫一次履歷，再寫一次自我介紹外，自己再由小組甚至朋友作詳細介紹，在小組上系統，親友在報告都要親自批評，我明白，自內造成批評之互相鬥爭矛盾，手及電台，是件件都被逼以備全學，同此一件，另各人自交出來，很好的遺漏，互相攻擊，此項好手法，從此變成朋友一向爲共黨拿手的戲寶。

蘇聯顧問打人刼物　戲院小便層層監視

如此兩月軍訓練，其間，經過了三個月，電學員表。被打顧問大人，發生拆機場員件殿，蘇聯學員移底，偷取被學員不全在西部集中路底，批等不幸事件，南京最古寺。林航空處集中，舊址改爲政訓大隊，稱東寺。

勵。對外疑嚴格，思想於我們不正加管，嚴密的監視，一切來往信件，都先經南京審查，寫信不許寫地名，絕對不能說出所在部隊番號，有關軍事、學習的內容，都被認爲有妨礙，輕則沒收，重則追查。

星期日，每班祇准四人輪流外出，每班每人以四小時爲限，外出的，要保有時限回來。看蘇聯宣傳的命令，列隊去看蘇聯電影（均由大華電影院包辦放映）。入座

以後，在吃盡一切苦頭，好容易盼到宣布，一部份人已被認訓練期滿，分發工作，我的名字居然在內，但在分發的前幾天，要每人各自寫出最近做過什麼夢，他不信你沒有做夢，總是告誡你。

夜晚露宿枕腿而睡　一人轉動全體驚醒

在這種監牢式訓練下，想逃，我又確無機會。繼受訓練，放步哨、加緊步哨，夜晚以班爲單位露宿，每一個人枕另一個人的腿上睡，如果半夜一個人轉動，全體都被驚醒，就所謂軍事化之嚴，真非人所夢想所及。

以後，若要大小便，必向班長報告，由鄰……

照實說，這是一種思想測驗，大家都有人已不敢說夢話，每夜怕說夢話，也被告發，是非不說，因爲大家都怕犯規，心裏有所不敢講，一吃飯，大家就被迫吃大餅，是共黨施捨我們，酒醉以後，看每一個人的真心話，說出什麼來。

日緊，我憂慮萬分，急求脫逃。旋奉派前往東北轉赴北韓，由南京到達北平，總部一路招待，以爲我們一定會甘心替共黨，抗美援朝，時局

坐者同去，藉防逃脫。看罷回隊，就展開小組討論，發表觀影感想。換一句話說，就是要通過赤色電影的毒素，使學員們都能不顧一切，爲『毛賊公』……『死脫靈』……（譯音）學員們流盡最後一滴血，的代言人

投共空軍多已鎗斃　痛哭流涕後悔已遲

最後，我要告語在台的忠貞空軍們，去年此時，你們曾一面滬寧上空，下白日旗，在淪陷區的人民是多麼歡迎你們，天天在盼望你們，可愛的青天白日旗……樂，穿了眼睛望你們，你們現在的空軍，外一些，我還要告訴你們，過去他們中少數消極者，幻想被共黨，若干人在清算中，在北韓對敵作戰，投共的空軍，現在已經有十分之九，下落不明，被殺或殘廢了，駕機投共的，很多悲慘，及年紀最大的長官，劉善本、朱輝、飛行員，其餘或死或槍決，或仍在勞改場，韓國戰場的石橋，家莊、上海楓林橋等地，勞動改造，他們所有過的積蓄，去年美國援朝剝削，的生命，金錢，過去抗美援朝，側生，到此，已全部被強迫以「交還人民」了。

他們已不再懷疑我們，這時我暗中購好便服一套，土產一包，在到東北去的前一天，偷偷溜出宿舍，化裝單幫客，經過九死一生危險，風餐露宿，兩個月時間，好容易逃出魔窟，來到香港。

後非共黨青年團員，不准上機，任各項飛行職務。極少數被共

以上所述，均是親身經歷，千眞萬確，決不虛構。國民黨及美國人，絕沒有半文津貼給我，我現在住的是木屋，吃的是一天幾個燒餅，我所以撰寫此文，就是要向從未體驗過中共毒辣滋味的人們，報告眞相而已。

中共對李濟琛等示威
捕殺民革要員多人
北平破獲反共機關，領袖楊守德爲民革活躍份子，此外「國特」「惡霸」各地被清算的，也有不少民革人物。

中共大開殺戒，靈襲分子，膽戰心驚。兩年以來，他們在北平，雖蟄伏於所謂「一統戰」指導下，苟全性命，勉強討一口飯，但他們逐漸知道，共產黨對同路人，則已，有了問題，其殘酷當自倍於共黨的敵。最近在各處被中共提走了不少黨員，果然，以李濟琛爲領惟恐奇禍將臨。其中有十人已被中共正式通知處死或判刑。此名班出

大家競競業業，最近在各處被的已在白人以上，其中共突然失蹤毫無下落外，爲數更多。湖北、河南、南京、上海，情形也都有同樣，形勢還是比較嚴重。北平，不過

黨認爲思想搞通的份子，雖然勉強得到了一份工作，但待遇很低，若仍要照顧家庭……包袱……念念不忘「飛行美金津貼」的話，那末就馬上會被送回集中營。我親自遇到幾個「起義」的朋友，暗地談起來，就痛哭流涕，連說悔不當初。

李濟琛接受厚禮　楊守德鑽進民革

爲什麼北平民革一巨棒，原因是北平破獲了半一月以前，北平中共首先遭遇到

個反共秘密機關，主持人楊守德，參加工作的民革重要份子。百分之九十，都是民革。據中共方面傳稱：楊在國民黨時代，就是一個二級「特務頭子」，「解放」以後，仍在華北負有重要任務。爲了要有一個「進步」黨派做掩護，就多方設法鑽進民革。起初

民革對他很懷疑，不敢接納，後來，他送了一筆很重禮物給李濟琛，又送了兩千萬人民幣給民革中央常務委員會召集人譚平山，部委員會北平市分部，一千萬請他的舊時武老師也是民革要員李錫介紹，這才通過，他做了這塊招牌，就更爲大膽，秘密活動一天比一天積極。

劉少奇有口大罵　李濟琛無臉再幹

中共爲這件事，有人主張要嚴懲，斬草除根，見，但多數仍以民革爲目前階段，尾巴黨，必須分開幾次會，停止民革活動，但是仍有利用中共政權，計，惟爲鞏固中共長此寬容民革，結果亦萬難，決定將李濟琛告，叫劉少奇家中，臭罵一頓，叫李自知罪，並只得認錯，痛切檢討。召集大會，聲明民革中央委員會北平市分部，召開了一個「擁護鎮壓反革命運動大會」，加強黨內思想教育，李濟琛親臨主持。他在報告中痛哭流涕，義明以後，就這次楊守德事件，民革組織不健全，紀律不嚴。

被捕後要求營救　王崑崙認爲放屁

秘書長王崑崙報告：他說民革犯了大錯誤，就是本黨黨員總以爲本黨是承繼舊國民黨的，對舊國民黨份子，不妨大量容納，這是最要不得的一種想法。因此，許多從前國民黨反動渣滓，都紛紛設法混加入。有的將這類渣滓介紹入

分部負責人接着中委兼北平台灣省有關人士，說楊守德混入本黨的，已用了一種欺騙手段，經過本黨不少方法，符合了獲得份子，還有不被捕的，繼續本人性質考核，被政府不時嚴格處分。本黨，及時向政府認錯，並請求處分。

密事件，以致發生楊守德事件，以致有許多地主，在河南的王友槐，及湖北的民主人士，上海的楊某，恰恰被處決，負責人又是過去的，這也接二連三的事件，像海務我們不能不叫我們力不從心，出豐，如果中共即使我們也時時關，沒有表情，我們的幹部，痛去，李說時聲淚俱下。

黨，組織不予通過，介紹人還大發牢騷，說同志不給面子。自從楊守德事件發生，許多特務，惡霸，地主，現在民革黨員，都被政府截至上月底止，已經政府開除黨籍的，依照政府判刑名單，北平十人，第一批，其他各地共四十五人，計湖北二十六人，南京九人，上海十人，江西二人，河南，福建三人，浙江，寧夏各一人，其中北平的楊守德、河南的王友槐、已由政府槍決。

王崑崙提高嗓子特別指出，有些同志，竟不明事理，對於北平和各地被捕黨員，要求黨出面營救，這眞是荒謬絕倫。他們甚至有的在被捕以後，在外抱怨黨拒絕保障，對同志太沒有部，這更是等於放屁。

介紹人自罵胡塗　鄧麻子提出結論

介紹楊守德入黨的李鈞，痛切的懇自己胡塗，犯了溫情主義，瞎了眼睛，願受黨紀最嚴重處罰。另一和楊同時被捕的雎魯，他的老婆，在大會表示，夫妻立場不同，要求政府早將雎魯槍斃，如雎不死，她就和雎離婚。又一被捕的王某的女人也說，她們與民革故意脫離，出來講演，看着中共，不非民革黨員私情，完全是大義，只講不明。

他提出了一個鎭壓反革命一公約，宣誓遵守，同志，這公約共有六條：（一）堅決擁護並積極執行政府鎭壓反革命政策；（二）嚴防反革命份子混入本黨；（三）堅決反對仁慈觀念，太平觀念，和溫情主義，肅清寬大無邊，敵我不分的模糊思想。（四）管制被捕和被一切人民利的份子；有清除；（五）堅決不介紹任何歷史不清的份子入黨，擁護政府開除黨員（六）堅決擁護大家一切決議。

論陷高等法院院長，最後由勝利到河北的大麻子鄧哲熙，一直做了結論說：「一個人太自私，就是犯了錯誤，大自私的人，念念不忘「自己」，仁慈，也會慈念，等觀過重，錯誤，介紹人，份子，紹完全悔悟了黨，他現在反份子，全悟了，，

地後人有一個頭，心，從此一錯，因爲這塊基，否使中共還任何人追究，是不能把握的！（誅赤）

這樣慘烈的演說，李濟琛聽了之後，一番散會，但軍事已重，仍似是演出，再無

流緬難胞的泣訴
盼政府以關懷調景嶺難胞心情
拯救這苦難的一羣
其中有十三人爲共軍逃出官兵　原擬投奔李彌因迷途誤入緬境
·楚心寄自緬甸密鐵拉難民營·

自西南經略——盧漢、劉文輝、鄧錫侯等相繼叛變，中共軍進佔川黔滇後，赤禍橫流大陸，一般不願做蘇俄奴隸的炎黃子孫，爲了追求生活自由，不顧一切，獨立在不避黃孫羊鐵……辛苦跋涉山水，翻越封鎖的崎嶇，小的鐵幕，逃出了鐵蹄，並不是輕易的事啊！

內中並有翻然自悟，不願再當俄奴（據他們說：自陳賡部共軍逃出的官兵計十三人）所以李彌將軍所部已在滇緬邊區作英勇游擊，他們才投奔李將軍，誠以部隊地址故，料到緬境的來，是被緬方誤以爲是匪……「一位，」就在這裡，被緬方繳械拉到密鐵拉營中，並被收容於南所作八十四「八一」家營，與人民爲伍，我們這一羣流亡異邦，在緬甸的郊外「一家」，佛國了哩，「不」的草屋裡。

難胞共三六五人　每日有代金三錢

我們難胞人數一總計這一羣由臘戍轉到緬甸密鐵拉的難民營，共計有三六五人。內分男女老幼，緬方管理所收容民「難民」，計二一四人與「軍人」，官兵一五一人。難民中大都是商人，及農人，工人，學生，以華北、東南各地區均已包羅在內。其中以雲南爲多，約佔半數。難民中屬於軍人的，官兵參半。

政府在少數的一月，一年多至四月，生活費金三錢，每人每日一錢，一日兩餐的伙食，代金三錢是不一定夠的。這些錢用於「難民」米魚之類，已經不夠了，多數難胞，衣衫破爛，均不盡，但也使我們感激不盡了！

抗戰時流華緬人　我國會儘量優待

緬甸是一個自認「中立」却又「反共」的國家，緬政府承認中共，又在國際上對英美的友誼，故對中共的宣傳，……

證明的（即由辦理入境手續）的難民，站人員得人，又得花錢請人保木（所謂之「保人」）……入境費數十元，外人站在緬境所需之資，持有難民證（「入境證」）的，……南、在中外三的十所……

下級緬官太貪汚　勒索不遂打難胞

我們深切感到，緬甸政府有關係的一般官員，下級官吏，有的均能和我們和睦，態度也很好，……我們深切感到，由緬甸移送到密鐵拉，一切費用是官方一一負擔，有所不利。

（四月十日）

蘇聯原子間諜活動

美國原子間諜羅森堡夫婦被判死刑，和從犯格林格拉斯被判徒刑十五年後，美國會兩院原子能委員會本月初發表一篇長文報告，題爲「蘇聯原子間諜活動」。其內容是檢討蘇聯用來探索美國最大祕密的許多人員和方法，驚人的故事，應從一九四五年開始。某夜，加拿大渥太華蘇聯大使館一名俄籍職員突然叛變，攜帶機密文件要求避難，投報加拿大警局。這些文件證明英籍科學家亞倫·梅博士曾將鈾二三五和鈾二三三的樣品，在蒙特利爾交給一個俄人。後來梅亦承認，他曾盡他所知爲俄人寫了一份關於原子能的報告。他曾出入於芝加哥大學的祕密實驗所，爲蒙特利爾麥克基爾大學英美加聯合研究團高級團員，對原子能鍊狀反應研究進展知之甚詳。結果被判十年徒刑。

在加拿大間諜的文件中，有一本小記事簿，其中提起「福克斯」之名。但好久都無人知道，這名字與原籍德國的英國科學家克勞斯、福克斯有何關係。福克斯是個反希特勒的難民，在英美原子研究委員會擁有極高地位。四年之後，他始在英倫被捕，而被判了十四年徒刑。他的供詞使美國在費城捕獲了情報轉遞者戈爾特，再而促成羅森堡夫婦與格林格拉斯的被捕。同時也暴露前蘇聯駐紐約副領事雅柯夫萊夫的真正身份。他原來是蘇聯原子間諜網的主腦。

福克斯是這批間諜中損害性最大的，據該委員會說：「他一人對人類安全的影響，和所造成的損害，實遠甚於美國歷史或各國歷史上的任何其他間諜」。他曾率領英國原子能代表團訪問美國，因此能得悉洛斯亞拉摩斯武器研究所的一切秘密，他幷曾在哥倫比亞大學研究用氣體擴散法提錬鈾二三五的程序。他知道種種關於改造炸彈的理論和關於製造氫彈的思想。他以資料供給戈爾特，後者再轉交與雅柯夫萊夫，他們的會晤地點，或在飯店和酒吧，或在高架電車的末端和兒童餐室。

格林格拉斯是這些重要間諜中唯一的美國人，他對於俄人，遠不如其他間諜那末重要。他供給俄人的是關於原子彈技術上的細節，其中最重要的是投於長崎的原子彈的藍圖，和炸彈中爆炸力強大的玻璃體。他沒有像福克斯那樣對科學原則和理論具有豐富的智識。

在這時期，俄人仍然對於原子彈的製造，缺乏一個重要的關鍵：他們不知道製造鏌——原子彈主要原料。不過這個關鍵，大致已從原籍義大利的英國科學家邦德谷福身上得到。他於去秋全家悄然往芬蘭旅行，從此消失於鐵幕之後。他是研究核子反應機的專家，而製造鏌是必須有這反應機的。

在加拿大時，邦氏曾協助設計卻克河原子實驗所的重水堆，這種重水堆至今仍爲設計上和效能上最進步的反應機。他知道漢福特製造鏌的原子堆的祕密。戰後，他曾任職於英國哈惠爾原子能研究所，地位甚高，他的兄姊終身爲共黨黨員。美原子能委員會認爲他可能自一九四三年起即已洩漏關於核子反應機的祕密。有些同僚更相信他的能力猶勝於福克斯。除福克斯之外，他可能被認作第二個損害性最大的叛徒。因此，蘇聯今日無疑已擁有核子反應機。

上述諸人都是蘇聯原子情報的主要來源。此外尚有次要的間諜和附屬性的間諜網。在美國太平洋海岸區，共產黨徒尼爾遜曾在加里福尼亞大學輻射能實驗所內組織了一個細胞。芝加哥地區也有一個間諜組織，以科學家希斯蓋爲主要接觸者。俄人雅柯夫萊夫則在紐約指揮戈爾特的活動，而從史勒克（已因間諜罪被判刑十五年）得到一種叫R.D.X的新炸藥的樣品。羅森堡夫婦顯然將自雷達和電子學研究專家蘇目爾處得到的情報，轉手交與雅柯夫萊夫。羅森堡本人因在埃墨遜無綫電公司工作，則曾利用職務上的便利而將彈藥自動引發器偷出，送交俄人。

據該委員會說，根據聯邦調查局報告，自一九四六年以來，俄人已未再獲得原子間諜活動上的成功。鑒於俄人間諜所已造成的損害，我們惟有希望這個報告是正確的了。（路繆譯述自時代週刊）

時代科學

談「死砂」

・秋生・

美國田納西州衆議員阿爾伯特・戈爾，在一寫給杜魯門總統的信中，主張在韓境利用放射能戰術（RW），在三八綫附近，用「死砂」造成「地變」，從西岸直達東岸。事先把那地帶居民完全撤出。由於有毒的放射能經常由「死砂」放出，敵人也就根本無法通過那一地帶。

所謂放射能戰術並不是個新的東西。一九四五年發布的史密斯軍事原子能報告書，以至去夏美國防部長詹遜提出的報告書，都曾提到此種戰術。雖然和原子彈同樣是利用原子核蘊藏的潛能來作戰，此種戰術卻只供消極防禦之需，而且也只有自動走入那有毒的「地變」區者纔會致命，至於成本，比原子彈不知要低廉到多少倍，因爲所用的物料，只是原子堆的副產品。

所謂「死砂」者，或爲金屬的粉末，或爲一種鹽類，都是由上述那種副產品所構成。我們知道：鏌的製造，是用鈾——二三五所發出的中子去爆擊鈾——二三八，使後者逐步轉化爲鏌，而前者在反應完成後，仍帶有毒性強烈的輻射性，即以副產物形態大量產生出來。用這種原料製成的「死砂」，如果散布在一個地區中，那地區便全部染有毒性，任何生物通過都可能致命。而且對於此種放射物的清除也極困難。

戈爾的建議，雖然新奇可喜，卻未必有補實際。如果實行無[illegible]另一問題，即使有效[illegible]也就永遠分割爲二，再無統一之望。其次，「死砂」產量究竟有一定限度，要把幾百方哩的廣濶地帶，完全佈滿，還是少有可能的事。

庸材萬歲

・杜老誌・

房龍在「世界解放史話」一書中，分析人類歷史思想的發展，一再指出「寬容」是任何一個時期的特徵。能容得下，纔是大丈夫的真功夫。俗話說得好：「用人即是容人」，不能容他只能容己，那種人絕不會被歷史所容。

我們回想在大陸的時候，一提起「容人」來，眞是啼笑皆非，結果是萬事行不通，遭遇到空前的大挫折。中國人有權一朝在握，向來就愛武斷擅長，歷史記載每一章回，復述它徒添沉思無已的感觸。

不能容人，其實並不是我們中國統治者的特長，泰西國家裏，也是如出一轍，民主國家如此，極權國家更有「過」而無「不」及。

我想以兩件相映成趣的故事，佐證不能容人的統治者的心理是毫無二致——所不同的，極權國家，任何偉大人材，一爲獨裁者所嫉恨，不但馬上革職，還有殺身之禍，民主國家雖然最高當局，有權革你的職，但你如果眞爲民衆所擁護，你不但可以申辯，幷且還有機會，讓民衆治革人職者以應有的懲罰。

杜哈契夫斯基是一個聯共自詡的最了不起軍人，這位將軍確實天賦將帥卓性，在聯共紅軍中連老帶少算在內，杜將軍確是鶴立雞羣。他那套戰爭知識，到今天蘇聯名將如瓦西萊夫斯基之流，仍是望塵莫及；但是怎麼樣？史太林忌材，不能見容，杜將軍以不到四十之年，竟罹「托派匪徒」的罪，遭了殺身大禍。

麥克阿瑟以四十一年戎馬生涯，百戰殊榮，今天卻想不到被白宮主人解職，把這位功名彪炳的老將軍，一變而成爲有罪無功，如果沒有存心正直的美國民衆，爲這位老將軍鳴不平，豈不是一生汗馬，只緣人不能容都落空？

拿杜哈契夫斯基與麥帥相提並論很不得體；但是愛庸材恨人材的心理，大同小異。庸人聽我驅使，人材不易駕御，我如果是當朝天子，如不獎庸貶材，步古往今來統治者的後塵，豈非大傻瓜一個？

庸材萬歲！

李治威將軍速寫

・雷門・

繼麥帥而出任遠東區美軍總司令、在韓聯合國軍總司令兼遠東區美陸軍總司令的李治威將軍，並不是一個喜歡安坐在圈手椅內的司令官，而主張長官應和部下打成一片，秉性頑固、正直，認眞而特別拘泥小節，對部下的恪守紀律要求極苛。本身的生活過得非常儉約。在他美國梅耶樂的家庭裏，就能感到一種軍事性嚴肅的氛，其起居室表現由一個男人所佈置的，書桌上的木格內，沒有一張紙片或一封信，裝飾品甚少，惟一可見的鏡框，嵌着一幀他本人和他年方二十一個月的公子馬特同攝的照片，二人併立於房子的台階，正「立正」向着國旗敬禮。他在赴韓以前任職於軍部時，公餘常在家中休憩，偶而舉行小規模宴會，招待賓客，在朋友間，他向以健談著稱，且善於調配飲料。初到韓國指揮第八軍，他發覺有些士兵們鬍子都長得太長，於是即下令一律剃光，以致曾一度引起部下的抱怨。但沒有多久，他調整司令部組織，提高士氣，而使戰局爲之改觀。同時他對部下的態度，雖然十分嚴格，但也十分親切。某次在前綫視察，他看到一個砲隊無綫電通訊員的鞋帶鬆了，然而他身負沉重的器械，無法俯身緊結，於是這位三星中將拍拍這士兵的肩膊而問道：「你要人代你結緊鞋帶麼？」「不，長官。」士兵回答。但李治威還是低下身去替他把鞋帶結好，事後還問：「是不是太緊？」那士兵却反而滿臉通紅，回答說：「不，長官。」某士兵抱怨他們寫家書的信封膠水太多，都黏了起來，不易拆開，他也加以調查，而由空運另了二十七噸新的信封信紙給韓境聯合國軍。他又下令伙食組對其部屬每十天供應鮮肉七天。當一個伙食官提到缺乏冰箱時，他反駁說：「這樣長的多天，還不夠你想出解決冰箱問題的辦法嗎？」

在前綫時，他經常大清早就起身，巡視所屬部隊的陣地，以休息的時間和傷兵閒談，加以慰問。對於較遠的路程，他大都是乘高速的小型飛機或直昇機。

他身高六呎，體重一百八十磅，容貌粗獷，看上去不像已有五十六歲。他現在的太太原是軍部一委員會的秘書，眼珠黝黑而美麗，婚前數年業已寡居。他倆相遇於一九四六年李將軍任華盛頓泛美防禦局主席兼出席聯合國軍事參謀委員會美國代表時，經過一年的追求，他們結婚了。這是李將軍的第三次結婚。

去年十二月二十二日他接到調任第八軍軍長的命令，時已午夜，他猶在鄰居家裏參加一個晚宴。他接到陸軍參謀長柯林斯的電話後，還重新回到席上，次晨才在二樓的咖啡桌上對他太太溫柔地說：「潘妮，我有點事要告訴你。我要去韓國接替方逝世的華格將軍了。」匆促的遠行對於他不成問題，他向來保留着一張表格，詳列他二十個箱籠中的每一物件，和另一張他所有的一切衣物和傢俱項目的總單。於是他照單挑出幾件隨身應用物件，很快飛到了韓國。（圖：李將軍夫人和其公子）

旅美雜紀

勸陳納德將軍演電影

・陳香梅・

紐約倦遊歸來，我們乘坐火車返華盛頓，外子本來想乘飛機，還是我堅持的，票也買好了，還是我臨時要他退票的。紐約和華盛頓之間的空中旅程只需一小時，而火車却要四小時，可是我想看看火車外的風景，同時也想享受一點不太倉促的時間，於是我們就坐火車回華盛頓。

在火車上我們玩紙牌消遣，我屢屢敗北，一時生氣把全副紙牌都拋到地上；外子說這種牌氣實在少見，很像小說裏的女主角，於是我告訴他，在中國的傳記中有一個人，那是沈三白的妻子芸娘。

沈三白與妻作棋戲，芸屢敗，又不肯認輸，於是縱貓亂棋，成個和局。沈三白在閨房紀樂中曾提及此事。

我愛讀沈三白的浮生六記，沈氏半世消沉，妻又患肺病，然而夫婦二人相愛逾恆，生活充滿了詩情畫意。雖然貧賤夫妻百事哀，然而他們兩人那一段生死纏綿的往事。使天下有情人都願同聲一哭。

八年前我曾在桂林看話劇「浮生六記」，那時易感多愁，看劇後曾回家哭個整夜。

好萊塢是美國金粉之區，在洛杉磯的影人住宅區貝華莉山區，住着陳將軍的一位好友，一個是大製片家谷巴COOPER，他以出版西方武俠及彩色片名噪於時，以前的名片「金剛」以及最近出品的「非洲歷險記」，和「騎兵血戰史」等等，都是他出品。他曾於第二次大戰中從軍，時被派來華任陳納德將軍的參謀人員，護上校銜，他在中國的時日雖然不太長久，然而他常以到過中國爲榮。他戰後回到原來的發展電影事業，很有所獲，如今住着漂亮的洋房，有看護帶小孩，有廚子燒飯，在貝華莉山區過着最奢侈最舒適的生活，他常說笑要陳將軍放棄航空事業，和他合作。（十二）

竹影心聲

・上海來鴻・

・離草・

三

有了一點小病，躺在床上，忽然替自己着急起來，我怎麼也不能想得太多，我怕病會加重，我在床上，想盡方法，不能叫自己不去想那些瑣瑣屑屑的事。

病總算很快「隨風而去」，如果「思想檢討」這四個字可以用在我身上，我以爲這場小病給我的收穫是：「我懂得了騙人，我要掛出搞通了思想的招牌，不然會失去若干個人陪在我一起。」

也許你會很久很久收不到我的信，我的打算很野，我想在騙過了媽以後，和若霞作一次不遠的旅行，你看旅行是「一個思想的散步」的話，那末，在這個「散步」中，我還光着腳背沒有穿上鞋呢！

我有個不幸的消息告訴你，我喜歡你有個苦笑，保留你的批評，原因是你們體會不到關在鐵幕裏的人喊着「毛澤東萬歲」時的木然心境。

這個消息是：我們的三房客失業了。

你沒有見過這個人，他是去年冬天搬來的，本來在稅局裏做事，共產黨把他留用下來，他「前進」得天真，他怕失業，於是檢討會上說話最多，他怕被指爲落伍份子，於是在大游行時，他的口號叫得最響；可是他逃不出這假必然的結果，單是被停職，已經是他終身最好的一次幸運了，如果不在有關「國際觀瞻」的上海，多少被留用下來的「舊人」，在同一罪名下喪命。

這個事，不想寫下去，告訴你，我在他失業的第一天晚上，就是給了他一個頗有含蓄的苦笑，作爲慰問和鼓勵的。

每次看到我的信，不知你是怎樣一種感情？嫌我寫得囉嗦？說得太少？還是根本你就沒有見到過一個字？這遙遙郵檢官的眼睛，就如不會泅水，必然經過一座橋一樣，這位仁兄高高坐在橋的頂上，我希望他常有一個人性發現時候的疏忽，而正當這個疏忽使他的眼睛失了可怕的光時，我的信從容在橋上經過。

又是想得太多太支了，他們不會重視這些「待宰的羔羊」的，挺多的人還在走政治單幫，爲什麼單獨留難我的信？因此我知道這封信你是準收到的？

紅色的維也納

美反間諜工作的弱點

爲危險性太大。這天晚上，法蘭克萊獨自走進酒吧，一面飲酒，一面苦思究應如何對付。恰巧碰到了一個向來認識的美方反間諜人員。

法蘭克萊突然悔悟起來，對那人說：「俄人要我幹一樁綁票工作，已和我接觸了幾次，且讓我們出去詳細談談。」

結果他和亞培爾都被逮捕，經過沙爾茨堡美軍總部軍事法庭的審訊，法蘭克萊被判刑十五年，亞培爾二十年。他們是第七九六憲兵隊中唯一被捕被判刑的二人，但目前還有許多人受嫌而未被捕的。這部隊有甚多腐化的官兵，這事已成爲通常閒談的題材。其營房周圍的小酒吧和低級旅館，已成蘇聯間諜和俄方黑市商人的活動巢穴。滾滾金錢，不斷在引誘這些士兵。他們之間，許多人方從美國調到這裏不久，有些還只有二十歲左右。

這種情形在另一方面亦可指出，美國 [illegible] 這批青年的對手，則多爲共黨的間諜老手，在歐洲的赤色地下活動上積有多年經驗。這種勾心鬥角的抗爭對於美國人方面有着高度危險性，而且當一個反間諜人員經過數年的工作而對如何打擊俄人具有豐富的實際訓練之後，他每會被調而另一新來者接替了他的職務。（十三）

「約翰」同意他的意見，不過接着說：「你可以先把他擊暈過去。」

亞培爾口出怨言：「這太危險。」

「以前也有人這樣做過的」，「約翰」冷冷地回答。

亞培爾落入陷阱已經太深，再也無以自拔。他再和法蘭克萊商量，後者也認

秦辛墀譯自「鑛夫」雜誌

自由人

THE FREEMAN

（半週刊每星期三六出版）
每份零售港幣壹毫半
（第十五期）
督印人：梁大成
社址
香港德輔道中一四九號四樓
電話：三二八二〇
149, 3rd FLOOR, DES VOEUX RD. C. HONGKONG
TEL: 32820
承印者：東南印務出版社
地址：高士打道六四號
台灣經銷處中國書報發行所
地址：台北館前路八十五號
電話：三〇三三

「東戰西和」的蘇聯策略

在亞洲，蘇聯不死一個人，而有迫使美國退到夏威夷的可能，除非用原子彈轟炸，史太林是不會出頭的。

許孝炎

從本年開始起，蘇聯對外的策動，顯出一個新趨勢，它對西歐高談和平，而在遠東則積極從事戰爭。蘇聯這一和戰雙管齊下的策略，是針對着韓戰發生後一個世界新局勢而定的。韓戰堅定了美國的決心，它不但本身積極動員，充實國力，而且還要武裝德日，從東西兩面來包圍蘇聯，使它感受兩面作戰的威脅。不過，因韓戰的演變，使民主集團本身的種種弱點，如意志不一，決心不堅，缺乏全球性的戰略，及自私心理等等，完全曝露出來。蘇聯爲要衝破民主陣營東西包圍的不利形勢，於是便針對着民主集團的弱點，而定下一個「東戰」「西和」的策略。

先談「西和」。由於民主集團缺乏全球性的戰略，少數國家，尤其英法，仍堅執着重歐輕亞的觀念而牢不可破，這自然使蘇聯在侵略全世界進程中所遭遇的最大阻力在西方。先有馬歇爾計劃，次有北大西洋公約，再向前更進一步。假定時間許可，把蘇聯侵略計劃延長下去，讓民主國家再有所施展，將地中海聯盟組織起來，將西德武裝起來，把第二舒曼計劃實現了，同時再製造幾個狄托，多鼓動幾個「自由俄國運動」，那時，民主集團的力量增強，攻守易勢，對蘇聯的威脅實在太大了。

蘇聯在歐顧慮甚多　如竟作戰太無把握

那末，蘇聯爲甚麼不先下手爲強，乘西方陣營佈署尚未就緒，即向西歐進攻呢？這在蘇聯亦不能不有所顧慮。第一是軍事上並無確切可靠的把握；誠然就目前雙方實力比較，蘇聯集中在東歐的地面部隊，遠較西方各國雄厚，在戰爭開始後一兩個月之內，可能打到英倫海峽，甚至打到地中海，打到紅海，但戰爭並不能就此結束，反而要招來美國原子彈的轟炸。原子武器的優勢始終保持在美國人手裏，無論在科學理論，技術及生產方法上，蘇聯均落後甚遠，這是蘇聯所深切了解的。就美國目前在歐亞非三洲戰略佈置而論，蘇聯的巴庫油田，頓尼次河流域工業區，烏拉爾工業區，列寧格勒工業區，以及莫斯科行政中心，俱在美國轟炸機的航程以內。一旦這些地方被炸毀，則蘇聯散處各地的遠征軍，勢將變成釜底游魚，未有不遭殲滅的。拿破崙在莫斯科的潰敗，俄人常引以自豪，以史太林之老謀深算，難道不預料及此，而顧蹈拿氏的覆轍嗎？第二、在蘇聯一擊而不中之後，戰爭自然要延長下去。那時鐵幕內的人心向背，在克里姆林宮的計算中，倒是一個未知數。一九四一年烏克蘭人之背蘇降德，是史太林最痛心疾首的一件事，至今烏克蘭的分離運動，並未完全消滅。一旦戰爭延長，國內經濟解體，人民生活感感困難，則共產黨的控制力能否如目前的強固，實爲一大疑問。此就蘇聯國內情形而言。至於各附庸國家，如謂它們對蘇聯的統治，心悅誠服，對史太林的效忠，至死不渝，即蘇共本身，恐亦無此自信。大戰爆發，盟軍方面的政治宣傳攻勢加強，難保無狄托第二，狄托第三相繼產生；如再加以海上攻擊及空中轟炸等威脅，則巴爾幹以至於中歐各附庸國家，恐將望風披靡，向盟軍屈服。那時蘇聯在東歐的帝國，將土崩瓦解，不可收拾。這也是史太林計算中的事。

抛開工業潛能，物資供應，科學技術及武器精良等等其他制勝條件不論，僅就上述兩點而言，克里姆林宮已覺發動大戰漫無把握。依據馬列主義的教條，共產黨把戰爭當作弓上的最後一根絃，非至萬不得已，而且確有把握，絕不肯輕易使用，這就是中共時常說的不打無把握的仗。以史太林的陰險沉着，豈肯吃這樣一個眼前虧。於是他審己度人，掉轉頭來，反而在歐洲發動一個和平攻勢。

看準民主國家弱點　對歐發動和平攻勢

這一個和平攻勢是針對着民主集團的幾個顯著的弱點而發出的。他揣摩透了，英法的重整軍備，一面固由於蘇聯的威脅，同時也是受美國的催迫，故在動員努力上始終不十分熱心，只要蘇聯的態度略爲轉變，歐洲和平有一線希望，英法兩國在備戰的努力上即時就會鬆懈，一定引起美國的反感，民主國家的團結，縱不致即時發生裂痕，至少亦不會日趨堅強，此其一。史太林看清楚了美國國內會引起派兵赴歐的大辯論，尤以胡佛一派孤立主義者反對最烈，假定蘇聯裝出一個和平姿態，讓歐洲的局面暫時鬆弛，則美國派兵赴歐，將爲無的放矢，愈使孤立派振振有辭，使國務院及國防部的援歐政策遭意外打擊，此其二。史太林更了解西德人的心理，知道他們對於重整軍備，始終猶豫不決，一方面同時對蘇聯報復，一方面固爲盟國方面的限制過嚴，尤具反感，所以只要莫斯科與華盛頓之間有一線希望妥協，西德是寧願廢除武裝的，此其三。假使美英法的整軍中止，停頓，那末西歐不重新武裝，西德不在軍事上仍然是一個真空，北大西洋公約等於一張廢紙，雖有十個艾森豪威爾將軍，亦莫能爲力。莫斯科針對着歐洲這一個態勢，就決定派葛羅米柯到巴黎去，裝出一付嬉皮笑臉，在四外長代表會中成天鬼混，今天堅持這一點，明天讓步那一點，讓歐洲人存一線希望，自然，絕不使和議破裂。和議會議是無成功之望的，但很難說它與蘇聯的和平攻勢不生效，因爲它已在着着妨礙着歐洲的防務和西德的整軍。不是還在紙上談兵嗎？

蘇聯在亞洲流血不流　如此作戰有勝無敗

在東方，換言之，在亞洲，蘇聯完全是另一個方式，它要將它在作戰爭一直擴大下來，除非原子彈掉下來，任你所謂聯合國斡旋委員會提出怎樣建議，阿剌伯及亞洲集團怎樣奔走呼號，英法怎樣委屈遷就，它一概置之不理，堅持北韓打下去了，「國際」打下去了，中共因切肉攻勢洩氣，便策動組織國際志願軍來撐腰，所無論如何，要把這一個戰爭支持下去，並且擴大起來。蘇聯堅持韓戰的理由很簡單，就是不讓聯軍接近鴨綠江和圖們江，使東方的包圍圈緊縮一步，致它在西伯利亞及東北的工業及軍事基地，感受重大威脅。

不但如此，我們還要進一步認識，在韓戰的本身，蘇聯的軍事要求，而不在韓戰，要在韓戰結束後的次一步行動。蘇聯發動韓戰很顯然的，主要的目的在日本的工業潛能及其人力，蘇聯念念不忘的是日本這一塊肥肉，南韓不過是攻日的一個橋樑。由日本，到琉球，到台灣，到菲律賓，再到印尼，及南洋其他各地，這一連串富有戰略價值和軍事資源的島嶼，都是蘇聯所欲得而甘心的。假定這一連串島嶼都落入蘇聯的掌握，再配合胡志明與中共在越南的成功，則亞洲半島與印度半島，不但整個東南亞洲囊括無餘，即西太平洋區域恐亦無立足餘地。那時民主集團美國的國防線，恐怕要縮短到威克島，關島，及加羅林群島，說不定還要退到夏威夷。這樣，蘇聯還有東顧之憂嗎？

上述這一個局勢，在克里姆林的世界侵略計劃中一定包括在內。聯共不是在北平成立一個遠東情報局，而由中共負責指導嗎？這個使命就是執行這一個任務。假定英美民主集團，尤其是英美兩國，不認清共產黨的意志堅定，這一個陰謀，根據全球戰略的原則，除去一切畸輕畸重的成見，從軍事理念出發，積極的和平政略，主動的戰略，和亞洲民族主義的極積發動，則亞洲的門爭起來採取，順利的，主力人的抗結，個因爲越南由亞洲民族的命運與亞洲人的命運，恐怕終久是極劣勢的。就亞洲的目前局勢觀察，指使着蘇聯所操縱的共黨，及抵抗着侵略，爭取民族解放的民主集團，時機已經過去，優勢絕非目前所有；蘇聯所採的「援助」或「四點計劃」等經濟「援助」，「個別」或「切肉」，所能抵禦。無論在這個地位戰爭中，蘇聯立於不敗之地。無論勝敗，它安全的亞洲的第一，默默無告的亞洲人，衰，把英法的農民加大等窮苦，陷在十三大軍二十萬泥......

蘇聯是不是還在原來的打算之下，蘇聯道的意旨？蘇聯不是亞洲人所願意見的亞洲人的命運，亞洲原子彈把它炸出來的：拿果讓它嘗嘗侵略的苦頭......

時局漫談

左舜生

（一）重歐輕亞，重亞輕歐？

在上次大戰中，也曾發生過這樣類似的問題，然當時日德雖同屬軸心，究非一體；彼此分別作戰，亦了不相涉；且日本首先在亞洲發動，遠東的大部已爲所席捲，不把歐洲的戰火撲滅，即不能以全力闢亞洲的恢復；這與今天的情形並不相同，當時提前把較大的力量使用於歐洲，爲完全無疑。

今天的公敵是俄帝，她不只是一個地跨歐亞的龐大國家，其在東歐的衛星與亞洲的中國大陸，實無異俄帝的領土，同時擴展，因爲無論單從歐洲或亞洲去打她，即令能把她擊敗，也不能使她屈服，因爲她在另一面的本錢還是很大，仍可以捲土重來，其結果惟有使戰爭無限延長。俄帝在歐亞雖各有其辟敵，也可能各有其衛星，但俄帝於拼命時，在歐洲可能失彼。在亞洲，最大的敵人不只是中共，大西洋公約國家已有相當的實力，如今天即在歐洲發動，亦各具有相當力量，希、土、南這些國家，亦各具有相當的實力；則東南亞若干地帶，包括馬來亞與香港，幾無一不相當脆弱，不動則已，一動則必有所獲。且歐洲一般的文化與經濟水準較高，攻固甚難，即攻取以後，守亦不易；亞洲不僅文化與經濟的水準較低，且夾有相當複雜的民族問題，法國對越盟之所以不容易得手，其原因即在民族。美國想把軍振亞洲的希望寄托於日本，還在大體上說是不錯的，因此我們主張大約也是：甚至我們還希望美國對日本不要求賠償，可是到日本有了相當的力量，運用的等，却不能不有相當的警惕，嚴格的約束，如像傅作義，......以李濟深、蔡廷楷若干人之流，毛澤東抗日，用了莫斯科的抗日的中共，以對日本不能以自由中國的人民強烈的抵抗，以前利用似過的情形總之，......不顧亞洲人民的救亡......

（二）先歐後亞，先亞後歐？

假定承認歐亞不宜有所輕重，但大戰爆發於歐亞的先後究以何者爲宜，也頗值得研究。從一般的形勢看來，無論在民主國或極權國之立場，歐洲實比較宜攻而不宜守，亞洲則比較宜守而不宜攻。俄帝攻歐，可以陸空配合而較易展其所長，海軍雖處劣勢而不足爲病；反之，俄帝攻亞，而美國於太平洋上的一串島嶼設防，配以優勢的海空，可能令俄帝望洋興歎。換一方面看，民主國家由歐攻俄，只要能衝破東歐，或憑藉希、土，即不難直搗俄帝的腹心；反之，民主國家由亞攻俄，則俄帝東方的幅員遼闊，地廣人稀，交通有時而窮，原子武器的威力也可能削弱，而有中國大陸以爲之屏障，「人海」茫茫，究竟也難於飛渡。俄帝攻歐得手，不難憑藉歐洲的工業設備與豐富資源，以作持久的鏖戰，即令英倫尚存，北非無恙，不獨恢復談何容易，竊恐民主陣容，終必趨於瓦解。反之，如民主國家攻取歐俄得手，尤其極可粉碎莫斯科，然烏拉山以東的天地尚寬，大部的工業猶在，且有中國大陸的人力與物力可資運用，俄帝即決無屈服的可能。目前如美國在亞洲採取較大的攻勢，即把戰爭擴展到韓國以外，雖不必如麥克阿瑟所假定的歐戰即可免除，但俄帝暫時得對歐洲不採取行動，却有可能，何以故？以史太林最怕遭受東西的夾擊；反之，如歐戰驟然爆發，民主國家却不能不從亞洲對俄帝及其黨羽加速進攻，何以故？以歷史之所昭示，目前俄帝所憑藉天然形勢，僅從一面進擊，決不能使俄帝屈服。

凡此，均可說明歐亞戰事爆發的先後雖無關宏旨，但歐亞必須切實配合，才能有決定性的戰果可收。

半週展望

誰使史太林最高興？

傳說已久的中共反攻，雖已於廿二日夜間開始，然共軍遭受了嚴重損失，突破中線一點，就付出代價，但在向來不珍惜人命的共軍，這是不足以阻止其戰鬥員生命的。

從今年一月底聯軍進攻以來，共軍一直在節節敗退，本來共軍越接近其東北根據地，就越接近供應線，越短後退，反之，聯軍越前進，越遠離其供應線，已攻過漢城而受挫，中共攻勢以前，所以不乘勝一急追，而也是顧慮三八線，聯軍之所以不得到漢城而深切證明。這一道理，就是聯軍之所以增加的各種戰略上的危險，也是中國參戰之所謂威脅之即，聯軍撤回仁川以南，一受中共如果還想再檢討，現在，在聯軍——穩紮穩打——以前，恐怕似是太不宜，至今還是處於數量上無法比擬的劣勢兵力，下則和一次，原不堪設想。

不過，這樣一進一退的拉鋸戰，對聯軍是太不合算，而在史太林的征服整個世界的戰略上，無寧是十分成功。因爲即使以一百條中國人生命，換一個美國人，由中共屬上的比例，用一個美國被俘虜，他仍將認爲無上勝利。他的欣喜場看來，至今中韓傷亡，雖將百萬，而蘇聯人民，從未流過一滴血，敵人方面——美國——最可珍貴的戰鬥力，却業已減去六萬了。

麥克阿瑟在美國國會演說：「如果不允許破壞鴨綠江北敵軍所建基地，如果不允許使用台灣友好的六十萬左右中國軍隊，如果不允許封鎖中國海岸以阻止中共自國外獲致援助，如果不允許以大量增援來看，則對韓戰有可能的勝利指揮，就是杜魯門若再認為只好用這幾句話，杜魯門唯一的途徑，我們除此以外，再沒有更使史太林高興的事情了。」

澄清了反共陣營

英國搖搖欲墜的工黨，由於貝萬的辭職，恐怕他的生命，已無法長此維持，商業部長威爾遜已跟着貝萬辭職，供應部長史特勞斯，據說也有辭職的可能，有三十名左右的同志，也在下院中多數，工黨本來少得可憐（五票），如果貝萬一派在投票時再有搖動，則工黨前途將恰如一個血壓太高的病人，隨時隨地都可倒斃。

貝萬是一個工黨中野心很大的左翼領袖，他這次藉着反對軍事預算，尤其預算的削減好多健康保險費用，提出辭職，但幾年來工黨支出已爲英國人民所不滿，實際效率很低，在此大戰威脅迫切之時，多數英國人民的利益，將只是給邱吉爾打開一條登台的途徑，至於他自己所抱的野心，至少在眼前說，大概只是一種夢想而已。

此外，我們覺得，英國因爲貝萬之流的工黨左翼，天天在那裏想拉攏蘇聯，緩和中共，現在讓他們走出政府，正如中國抗戰時汪精衛走出重慶一樣，至少可以澄清反共抗俄的陣營，就民主集團說，這是樂觀而不必悲觀的！（一丁）

何苦自己打嘴吧！

充滿矛盾的中共宣傳

·張丕介·

中共的尾巴報紙，對於大陸上的饑荒，不但抵死不認，而且，爲了配合其一面製造饑荒一面大量輸出的政策，最近更大做其「糧食過剩」的宣傳，企圖藉此來否定饑荒的事實。共產黨雖然以宣傳起家，在空泛的理論上，盡可以搬弄名詞，混淆視聽，但面對這一千眞萬確的事實，却不能不矛盾百出，欲蓋彌彰。

這樣的矛盾統一　眞虧他們說得出

四月八日本港大公報的「縱橫談」中，曾經有如下的宣傳：「自去年年中起，中國產糧不但已够全國需用，而且有了剩餘」。「在前年年底，『中央人民政府』財經當局還在攷慮缺糧問題，而到了去年夏收以後，却一變而爲攷慮如何組織糧食出口問題」。

四月十日，該報同欄中文有同樣的詭辯：「全國解放以後，各種交通迅速恢復發展，『中央人民政府』已能根據各地所需要，充份利用交通工具，做到了人人有飯吃的境界，以前一地糧食霉爛，一地路有餓殍的情形，已經一掃而光，天災即使沒有完全克服，但已保證了災區沒有人餓死」。

四月廿日該報同欄中文大放厥詞：「在今天的本報上，我們看到兩條消息一條是『中央人民政府』同意以糧食二百萬噸供應印度，另一條是廣東春荒情形相當嚴重。這兩條消息表面上看來似乎是矛盾的，但其實却並不矛盾。」「一部份地區雖有荒災，但由於其它地區的豐收，計算全國的糧產總和，中國還有剩餘糧食的，換句話說，中國已有足够的糧食，在救濟了國內災區之後，還可以有餘力幫忙印度解決糧食問題。」

從這前後三段的詭辯中，「人民」的宣傳家們，最先是强調大陸糧食的過剩；繼而說明天災即使還有，但不會發生飢荒，更不會餓死人；再而强調廣東飢荒乃「地區性」的，與「全國性」的糧食過剩無關。這種「矛盾」的「統一」，虧得中共的尾巴們說得出口！

香港說無人餓死　廣州說餓死不少

但可哀的是事實的發展，并非一手所能遮蓋。去九日廣州的「南方日報」，就曾對「沒有餓死一人」的宣傳提出反駁：「目前春荒較嚴重的地區是高雷區的[illegible]名，廉江，[illegible]，化縣，據調查因爲營養不良，餓病而死的有二十一人，粵中，東江，興梅，西江部份地區，也已陸續發生因春荒斷炊的現象」。如果「南方日報」的編者不是如大公報編者所說的「無知」的話，這些「大公報」的編者實在是作「縱橫談」的清談家，將不知作何解釋？

尤可哀的是，大公報的滑稽家記性太差。據他們自己的宣傳，去年大陸糧食一共出產二千四百五十億斤。但大陸一年的消費量，究竟需要多少呢？據該報本年三月廿五日所載：戰前的生產量是二千八百億斤，但每年平均進口洋米仍達四十四億斤。如照這一比率推算目前缺糧仍達四百億斤，折合二百萬噸。這一事實和中共尾巴們所宣傳的糧食過剩，恰成一個明顯的對照。

確實是糧食不夠　還硬說足可輸出

他們認爲情形特殊的廣東，可不是糧產過剩的。但奇怪的，廣東糧食輸出並不在其他省份之下。在三月廿二日的大公報中，我們已知道「廣東是全國缺糧最嚴重的省份，戰前輸入洋米達一千萬擔，還年在『反動政府』統治下，糧食產量根據最近調查資料估計，均降低了百分之廿以上」。但是「人民政府」既未見「根據各地的需要，充分利用交通工具」，由其他過剩地區撥糧濟急，反而大力征收十四億斤的農業稅於先，不斷地集中輸出於後。直至飢荒延蔓，「北江區專署」還率令於四月十五日前搶運存糧五萬五千擔至澳口，恩平等縣的糧倉，存穀均發霉腐爛，而四月十三日「省府」的緊急指示中，仍堅持「生產自救」，要飢民「靠山吃山，靠水吃水」。這些事實，只有用你們的「唯物論」才能解釋，任何眞正的人民，恐怕都不會搞通的。

我們所替尾巴們引以爲憾的是，他們的鐵幕，究仍無法禁絕大陸上一切的消息，使他們捏造的事實，永遠能够和宣傳一致，人民的眼睛永遠是雪亮的，詭辯無法掩蓋事實。你們殘民自肥的行徑，人民是始終不會放過的。還是默默地幹好了，何苦自己摑自己的嘴吧！

杜魯門總統洩氣了！

他自己似也已深感不安

爲能免麥帥引起各方責難

黎晉偉

自麥克阿瑟將軍被黜歸國以後，自舊金山，華盛頓以至紐約，美國人民無不予以史無前例的狂熱歡迎，麥氏十九日在國會的一席演說，竟然使到不少議員，聽衆，爲之歡呼（三十次），流淚，現麥氏又定於日間訪問芝加哥，該市百萬人民亦正準備予以熱烈歡迎，今天麥氏在其個人功業上，似乎受到一種意外挫折，但其因此而放射出來的生命光輝，却震古鑠今，無可匹敵。反看那個根據憲法權力而罷免麥帥的杜魯門總統，連日以來，由於舉世同情麥氏，已呼聲之震動山岳，已情不自禁的大感洩氣了。

杜魯門先生徼天之幸，因羅斯福總統之逝世，以副座一躍而居於正位，此事不僅爲美國人始料所不及，即杜魯門本人當亦大感意外，蓋以羅斯福總統的聲光績業，在美國歷史上，唯華盛頓、林肯、威爾遜等堪與比擬，如杜魯門總統有自知之明，當必深悉政治上原有所謂「盛極難繼」的道理，杜魯門不幸而當故羅斯福總統政治鼎盛「盛極」之餘，其自感難以爲繼，是一定不成問題的。但就過去七年來，杜魯門總統在其政治措施上，因外交政策有羅斯福的餘緒可乘，尚不致十分走樣外，在內政方面，由於他對用人行政，不能圓滿處理，就逐漸失去人民的支持，此事從去年國會改選而共和黨得勢一事已可看出，非言語所能爭辯。但此尚不能解釋爲杜魯門總統個人最大的失敗，因國會選舉係兩黨政策的角逐，杜魯門儘有其可以替個人解嘲的餘地；祗有此次因能免麥帥而引起全國人民的憤怒，才眞足以說明杜魯門總統實已跌落政治失敗的深淵。美國總統明年就要舉行大選，我看杜魯門先生除非眞不願再作「白宮的主人」則已，否則他的希望，便愈來愈少了。

杜魯門總統此次以「壯士斷腕」的非常氣魄，竟一舉而解除了麥克阿瑟將軍四項統帥職務，而且謀定後動，頗足以顯示其手腕的「不凡」，所以當時杜魯門在其免麥命令中，祗是對此美國的「偉大將領」，表示禮貌上的「遺憾」，其初心固未能料及此舉之可能反響爲何如也。不料一令既出，舉世驚愕，「擁麥反杜」之聲浪，遍於國內，如果祗是出自共和黨人，杜魯門總統大可目爲「黨爭」，一笑置之，惟是今天最能同情麥帥而對杜魯門表示不滿者，實爲遠東人民及美國的納稅人，共和黨實其小焉者耳。

以遠東而論，反應强烈者，首推日本和菲律賓，其次則爲台灣和泰國。（香港的反應我們是可以看到的）因爲這些國家都是站在反共鬥爭的最前綫，它們了解麥帥的鼓勵，對於共黨士氣的打擊是很大的，麥氏離日歸國之時，日本二百餘萬人民的以一種狂熱的行爲表現，以歡送此失職的統帥，此種歷史上的空前創舉，杜魯門總統人非木石？因此，豈能無動於中？當麥氏爲應國會邀請而申訴其對遠東軍事主張的前後數日間，白宮主人便以一種懺悔心情，以表示其對於麥氏「寬容」的態度，不論其「圓滑」外表，要做作如何掩飾其良知的內疚，無法所以杜魯門總統已經由說換言之，杜魯門總統已經洩氣了！雖然美國憲法賦予杜魯門的權力，但因此免麥帥而激起了國內外同情麥氏的浩大聲勢，杜魯門總統也感到有點吃不消。

我說杜魯門總統洩氣係有好幾點事實可以看出：第一、當國會通過邀請麥氏出席報告時，杜魯門曾稱此舉至爲「適當」，第二，當麥氏歸國途中，杜魯門忽然論知其所屬人員不可再對麥氏提出指摘；第三，杜魯門曾扭白宮稱，渠撤換麥帥之後不擬考慮其今後個人的進退；第四，當麥氏出席國會作報告時，杜魯門竟然不顧開啟電視機，以觀看麥氏演說之丰采。凡此四點，均可反映這位白宮主人，顯然已因撤換麥氏而引起的各方反感，深感不安，雖然他也曾經在其辦公室中，一度對往訪者指着華盛頓的遺像說：「他也要撤換一些將領」，以爲自己解嘲，不過這個比擬實在是勉强的，也是多餘的，我相信連杜魯門總統本人，他都會知道華盛頓總統在美國歷史上，是佔着甚麼地位的呢。杜魯門總統因爲撤換麥帥而使其本人的精神沮喪是可想而知的，而更難堪的是，這個白宮主人在二十日赴支里費茲運動場爲棒球比賽行開球禮時，竟然受到在場觀衆大喝倒采，這種噓聲，是前任胡佛總統一九二九年在公共場所被喝倒采以來的第一次，我們能够說這是偶然的現象嗎？此外，尚有洛杉磯某一婦人，爲了與杜魯門總統同日生辰，竟然要更改日期，而表示「願與麥克阿瑟一同淹沒」。如果這些都是民意表現，我們能够想像杜魯門總統會泰然處之嗎？

杜魯門先生洩氣了，這個曾經要拳擊某廣播評論家鼻子的美國總統，他的「氣度」是有限的，他今天所受各方的責難，也該要多謝艾奇遜給他的助力，因爲據傳此次麥帥被黜，實際是由這個國務卿要他執行的。

錳砂萬噸運蘇

中共在桂儘量搜括

桂省平南木圭鄉，以產錳著名，蘊藏數量在抗戰前經德國工程師李克諾氏估計，約二千五百萬噸，勝利後，實業界人士，紛紛設立公司積極從事開採。中共「解放」廣西後，錳砂被中共禁止出口，各公司資本無法週轉，堆積錳砂逾萬噸任其棄置地面，在中共的搜括政策下，各鑛公司因欠款日久，均無力繳納稅款，各廠遂被中共當局接管，並派員監理；同時招集失業鄉人，以工代賑，從事開採，原有採鑛公司，興源、四合、寶源、和隆、寶隆、利源等廠，均被接收。各鑛公司股東代表交涉補繳稅款，重新復業，均被拒絕，並指爲有匪特嫌疑，並有少數人失蹤，因此各股東祗能隱忍，不敢再事請求，含怒而不敢言。

最近中共桂省企業公司，已專責辦理該地區錳礦運銷事業，每日均有大批駁艇由汽船拖赴木圭鄉附近，平南縣屬近大河邊，再由拖輪拖赴貴縣轉輪柳州北上，每日約四百餘噸。悉此項有色金屬係指定運往蘇俄以掉換軍火。（文華）

英國駐華領事館

下月份再撤銷六處

倫敦經濟學人週報痛論英外交政策失敗

·寧人·

英國自去年一月六日承認北京僞政權，到現在已一年又四個月，英國駐中共區原有領事館十六處，去年年底撤銷了七處，到現在剩下了九處（上海、廣州、天津、南京、重慶、昆明、漢口、青島、廈門。）根據本月十四日倫敦經濟學人週報的消息，在下月份（五月）倫敦外交部準備再撤銷下列各地六個領事館，即重慶、昆明、漢口、南京、青島、廈門六處。如果這一個命令在下月實施，英國駐在中共區的領事館，將剩了上海、廣州、天津三處地方。這是英國一年來對華外交的成就，這是英國工黨政府幻想外交再清楚沒有的事實報告，我們對這一個問題，不願多參加自己的意見，還是引證英國輿論權威的看法最爲適當。

倫敦經濟學人週報本月十四日一週述評，論到英國駐華的領事館人員，現在我們把它的原文直譯在左面：

中國大陸的英僑　現總計僅二千人

「大家不要忘記，除了我們駐在北京的大使館以外，我們在共產主義的中國各地，還有許多領事官員從國民黨政權退出大陸後這一個領事網的剩餘機構在中國各地在極端困難中執行它們的任務它們所遇到阻礙太大了，它們的業務範圍天天在縮小，所以現在倫敦政府決計再撤銷六處駐華領事館，時間大概在五月份。在下月份，重慶、昆明、漢口、南京、青島及廈門六處地方的領事館都要關門了。此後我們在華的領事館，只剩上海廣州天津三處，去應付大量縮減的業務、及不滿二千人的英僑。（在二千人中，七百人居留在上海），在英國本國，至今並沒有中共中國的代表。

英代表飽受虐待　比體刑還更苦痛

「在過去兩年中，那許多代表我們國家，派駐在寂寞空冷中國各地的領事人員及其家屬，過着什麼一種生活，那種生活在精神上在物質上像些什麼？在英國國內的人們，很少有人提出這個問題。假如今天有人提出了這一個問題，那末，以前對中國許多過於樂觀的看法，以前許多人隨着時風的鼓噪，都將有一番更大的瞭解。我們派駐在中共政權下許多領事人員及其家屬，他們執行職務，和每天過的生活，與一般國際間所尊重的外交人員待遇，幾乎毫無關係。雖然英國承認了中共政權已經一年多，雖然英國一年來用盡各種方法想和北京建立正常的人事關係，但是英國駐在中國大陸各地的代表，受盡中共各種的不禮貌及失望，那種不禮貌及留難，只缺少身體上的暴行罷了。然而倫敦政府對此種種，並未提出半個字的抗議。在共產黨中，慣用疲勞的精神苦刑，這種苦刑比較體刑有時還更易生效，所以中共對英國駐華各地代表的未曾施用體刑，並不是他們的寬大而是故意採擇他的有效的另一工具——精神苦刑。

只知仇恨與輕蔑　友好將從何談起

「至今還有人說，可以把中共從蘇聯懷抱中拉出來。我們想這種工作至少要十年功夫或能期其生效，照現在看，這個時間恐還不易。中共今天在其國內，正用力製造各種仇視一切與西方有關的人與事。不管將來能否把中共與蘇聯拉開，但眼前這種纖一般的事實；我們不能熟視無覩。一個友好對外政策的價值，必須根據現實，中共目前對外關係的現實，是憾恨與輕蔑。如果對他們談友好，至少要留他們把這個態度根本改變了才行。」

不錯的，英國駐華領人員一年來在中國大陸所受的非人待遇——至少是精神上的，若以駐滬化英總領事所遭遇，那已不止是精神上的。實在値得我們的同情，每一個自由中國的人士，對着這種現象，實在是痛心而慚疚。中國自從對外通商由滿清經北洋政府到國民政府，中國從來是親仁善鄰，講信修睦，中國與英國，關係深，歷史久，英國是以商業立國，英國在中國投資數量，比任何外國爲浩大，英國在中國想用各種方法保全其利益，這是無可非議，這種動機也是極可原諒的，但是現實與幻想的分界在此：照共產黨的基本理論，他們不能爲了你承認他，便可和平信義地安然相處。便可獲得平等互惠的關係，除了現實，否則一切都是幻想，這一點ABC，纔是認識了現實。英國的文物制度，英國人的現實觀念，我們向來敬仰，英國這次對中共，也把幻想誤會了現實，所以弄得現在進退失據，英國的輿論現在開始覺醒了，中共昭示倫敦的現實也太明顯了。一年又四個月中撤銷了十三個領事館，外交成績，只有讓前任邱吉爾先生在巴力門提出了辯論，自由中國人士，惟有對英國駐華各地的代表，表示深摯的同情，而對英國政府，再度抒我們的惋惜。

三個兒子　兩樣心肝

在漢口和大連的拒不見面　在台灣的趕快寄來入台證

曾任江西某縣參議會副議長的龔某，在該縣淪陷前夕，一度組織鄉自救會，及至該縣淪陷，他雖然是一個「十足地主」成分，但以「自救」有功，仍能隱居鄉村。去秋江西開始土改，農會民兵對地主亂打，亂捕，亂殺，龔看情勢不佳，挈眷避居長沙。

後來農會民兵，跟蹤越省緝拿，龔乃狼狽逃港。龔有三子，一在台灣爲祖國盡力，一在漢口爲「人民」服務，一在大連蘇俄機關內做事。龔妻於夫去後，深怕農會民兵緝拿，到漢口向兒子乞援。誰知竟遭拒絕，不肯收留。並囑其迅速還鄉，接受農民清算鬥爭，以免影響他做人民功臣的前程。龔妻又北走大連，找在蘇俄機關服務的兒子要求侍養，竟不與萬里來依之慈母見面。龔妻遭打擊，可是這個兒子，祇得輾轉逃港，與夫相處。

台灣之子聞訊，不一月，已爲二老請到入台證寄港。二老行前語人，祗有台灣的兒子要父母，嘆息不置。（胡齊）

反共氣氛瀰漫京滬各校
大批師生慘遭屠殺
知識青年掉轉槍口，中共騙術對學生已失去作用

中共在各地瘋狂屠殺，一方面表現中共內心恐怖，一方面也確切證明，大陸上反共運動，已正如一股洪流，向每一角落狂奔怒馳。現在最使中共驚心動魄的，就是他們過去所認爲最有把握的教員學生，也燃起了反共怒火。從前，中共對教員學生，的確不輕易屠殺，由於近來，大，中，小學，各地都發現了不少的反共狂潮，於是，青年學生們的熱血，也就沾滿了這些每一殺人魔王的兩手。最近，上海，南京，都槍斃了不少青年學生。

三名教員兩學生被指爲反共領袖

十幾天以前，南京槍斃大批中學教員和中學學生，據中共宣佈，其中最重要的，爲南大附中教員潘正鐸，市立師範教員楊澤田，市立一中教員劉學霖，市立五中學生陳必呐，市立四中學生張鐵。其餘三十多人，都是潘等的黨徒，但因爲罪行重大，所以也一律處死，不能寬減。

這些被屠殺的教員，學生，究竟是眞有祕密的反共組織？抑僅對中共不滿，平時言語間偶一流露，遂爲中共特務所檢舉？在我們不深知內幕的人，是很難輕易斷定。但筆者從南京各方面探索，似乎還以後者成分，較估多數。中共雖然指控他們是多年特務，是接受台灣命令，是有計劃的反共組織，但命令何在？組織內容如何？中共並無一字提及。好在中共殺人，根本不需要什麼眞正罪證，就在睡眠中，說一句反共的夢話，也未嘗不可成爲判處槍斃的理由。如果言語間眞流露不滿，那當然更惡貫滿盈，死有餘辜了。

解放軍腳畫大了 被疑諷刺站不穩

筆者曾分別訪問過這幾間學校，在南大附中，一位學生告訴我，潘正鐸教書很認眞，人很正派，被捕後，共產黨說他是青年黨員，國民政府時代，是否做過行政院祕書。如此，他的學生們不知道。他的被殺，僅因爲有一次和人談及，美軍在仁川登陸，中國志願軍被消滅了不少。這句話是從美國之音聽來，他的確也太興奮了，就不謹愼的講出來。至市立師範被殺的教員楊澤田，則據中共宣布，他曾勸阻女學生參軍，說參軍是要送去東北，慰勞蘇聯老大哥的。第一中學的劉澤霖，因他担任的課程是美術；有一天，在黑板上畫一個解放軍兵士，特別將腳畫得大，學生問他爲什麼腳比人還大，他說，腳大才可以站穩。於是學生中的中共特務，馬上向組織報告，說他有意宣傳中共要站不穩，快倒台了。其實這個人平時充滿藝術家作風，富於幽默感，他不知道時代變了，在中共的殘酷統治下，說笑話是要送命的。

十五歲中學生被指爲特務頭子

至于中共所指的兩個特務學生頭子，則顯然只是中共的過份殘酷。五中學生陳必呐，僅因有一天和一個同學打架，陳必呐年紀才十五歲，他被那年紀大的同學打了，因爲對方是一個橫行霸道的中共青年團員，他一時怒氣上衝，出口不愼，一面跑，一面回頭指着那同學說，你不要太欺負人，你的利害日子也不會太久了。於是這同學就報告，說他那句話的意思，是暗指蔣介石就要回到南京。他又提出一個罪證，說當抗美援朝運動進行熱烈時，陳必呐有兩次在下午二至四時舉行大會的時間內，買當天第二場電影票送給同學，以便無形中減少大會的出席人數。請同學看電影，是的確有過。中共更進一步，認爲一定是借着電影搞小組織，因此，連被請看電影的同學，也都無一漏網。市立四中學生張鐵，中共特別強調，一口咬定他是國民黨三青團員，與台灣有聯絡，並祕密組織了什麼甦生社，其實這個人年齡，也才只十七歲。

學校出入要盤查 文大一幕神經戰

大批教員學生，就是這樣的倒在中共劊子手的血泊中。這些人不一定有什麼反共組織，但反共意識，無疑的，確很強烈。這已是京滬間青年和知識階級，掉轉槍口，由過去反國民黨變到反共產黨的一個普遍現象。現在中共對各學校的監視，特別加嚴，教員學生們出入，要經過種種盤查。據說，這種情形，上海比南京更利害，校門等於牢門。本月九日，上海交通大學慶祝校慶，並舉辦了一個科學普及展覽會，有一個復旦大學學生前往參觀，他不知道展覽會是要入門劵的，而且入門劵的發送，是曾經過中共組織上逐一審查過的。他一直向會場走，被守衛攔住，向他要入門劵，他說沒有，守衛的不讓他進去，他也就走了。不料這一件事，居然也有人報告了組織，中共於是雷厲風行的要懲辦那個守衛，說這個沒有門劵硬要闖入的所謂復旦大學學生，一定是冒充的，一定是特務，一定是企圖進來以後，即施展破壞工作的。守衛不當時將他扣留，如果不是有勾結，就也太缺乏了鎮壓反革命的警惕。可憐這位衛士，至今尚在拘押檢討中。由此也可看出，中共對各校正如何疑神疑鬼，大鬧神經戰，眞所謂風聲鶴唳，草木皆兵了！（太玄寄自南京，四月十五日）

低價強購民屋不成
所謂廣大民衆要求原是老婆枕前告狀
北平「市府」嚴懲房縴
數百年傳統的北平房縴竟被指與國民黨官僚特務有關，以後房屋租賃買賣，一律收由中共包辦。

國民政府時代，人民最痛恨的事件之一，是政府與民爭利。現在的「人民政府」，則不僅與民爭利，簡直是一切由政府專利了。農工商礦，事實上都已全爲「政府」專利，（打倒地主以後，農民繳給「政府」租稅，超過了以前繳給地主的好多倍，「政府」成了地主，農民成了政府的佃農了）這些大事，都不去說他。現在，由於中共無孔不鑽的結果，連北平幾百年來替人介紹房屋租賃買賣，從中說合爲業的縴手，也被中共指爲非法行爲，並異想天開，說這些人都是國民黨反動政權中的官僚、特務，和當地流氓，地痞，要嚴禁嚴辦。而將這種北平所謂「拉縴」的行業，一律收歸中共「北京市政府」所辦的「房地產交易所」專業主管。如果還有人祕密從事於這種行業，一經捕獲，即與「反動份子」同等治罪。

特設房地產交易所 不許別人私自介紹

中共「北京市政府」本月十三日佈告是這樣說的：「查本市有過去國民黨反動官僚，特務，保甲長，及當地地痞，流氓，逃亡地主，藉拉房縴爲掩護，爲種種不法行爲。並用欺騙威嚇等手段，對房東，房客或房屋的買主賣主實行敲詐，索取高額縴費，鬨抬房價，破壞人民政府房屋政策。茲應廣大的人民要求，特自佈告之日起，取締縴手，今後，不論所謂『廣告社』，『服務社』或其他店舖，個人，均不得藉說合房屋爲名，索取縴費，或其他任何費用，違者定予嚴懲。市民買賣或租賃房屋，應到本府『房地產交易所』及其分所登記，由其代爲介紹。倘有不法之徒從中威嚇破壞，決視爲反動份子，從嚴治罪。」

這是一個多麼嚴厲的佈告！拉房縴而扯到國民黨官僚，特務，已經是擬於不倫，如果你還想和中共專利的「房地產交易所」爭利，就更索性將反動份子頭銜，給你套上。當然，從此以後，不特「高額縴費」，只中共有資格向當事人索取，而且房屋價格，也將完全聽中共決定。如果中共或中共要人們要買某人某所房屋，他愛給你多少，由「房地產交易所」通知房主，做房主的，還敢再說半個不字嗎？（編者按：上期本刊載張大千在成都一所花園洋房，中共收購，給米二十七石，扣稅二十四石，房主實收三石成交，中共之所謂公平交易，諸多類此。）

官太太們搶購房屋 北平房價因此高漲

據記者所知，中共在這抗美援朝大時代，朝鮮戰場上，每天被李治國的切肉攻勢，切死幾千幾萬人，對中共當局，是一個何等重大而緊迫的問題，而秧歌王朝，居然還有這悠閑心情，來和介紹房屋的縴手搶生意，其中原因，據盛傳牽涉了好多中共新貴的官太太關係。事緣官太太們，無論怎樣飽受共黨洗禮，但「人」究竟是「人」，尤其是「女人」，（跟伍修權到美國去的那位中共女新貴龔女士，不是在美國花了幾千美金購美帝的貂皮大衣，和上等香水屛膏麼）眼看北平城中，有那麼多花木蔽天，雕樑畫棟的巨廈，爲什麼不利用機會，買他幾所，作爲私有。雖然自已住的房子，已由中共分配好，不成問題，心中仍不滿足。好在北平人民，最大多數在中共統治下，早已無法生存，有房屋的，只好將房屋出售，本來房價很低，無如這些官太太們彼此搶購，而她們自己又不好意思出面，假手房縴，由於需求過多，房價就自然上漲。官太太們，不恨自家人搶購，只恨房縴從中作梟，其中北平「市長」彭眞的新夫人，就是最恨房縴的一個，於是枕前告狀，再配合了中共本來準備整個控制北平房屋租賃買賣的政策，北平靠拉縴吃飯的幾千人，就從此飯碗碰破。爲着腦袋安全，自然也就只好俯首聽命，洗手不幹了。

中共機關低價強購 痛恨房縴從中作梗

當北平「市府」佈告取締房縴以後，中共一貫的宣傳作風，接二連三還宣佈了一些房縴敲詐欺騙的罪狀。據中共發表：北河沿二十四號錢鈕夢秋一所洋房，本來已經「房地產交易所」介紹，以五百疋布的價值賣給北京房產公司，縴手李金斌却從中阻撓，另加八十疋，售於他處，結果，李取去八十疋縴費，房主仍祗得五百疋。又石油公司買到一所房屋，本來說要一千五百布疋，由於縴手鬨抬，加到三千疋方才成交。中共列舉這些例，原意只在證明縴手可恨，但另一方面，却顯然露出馬脚，因爲購買民屋的都是中共機關，因有縴手另拉主顧，使官方低價迫購，不能生效，所以痛恨縴手，尤其錢鈕夢秋的屋，縴手竟敢與房地產交易所爭生意，尤爲太歲頭上動土。這兩例，受害者都是中共「政府」下的機關，並沒有提到有人民購屋受縴手敲詐，然而佈告上却明明寫着，取締縴手是應廣大人民的要求。

是的，官太太們，難道算不得「人民」？官太太枕邊告狀，當然也就等於廣大人民的要求了。

宋福金傅月亭被捕 拉縴被指作反革命

最後，記者再報告兩件消息：第一；中共爲向縴手示威起見，在十三日佈告取締以後，十四日就由公安局捕了兩個縴手，宋福金、傅月亭，並指明，說他們是以拉房縴爲掩護，進行反革命活動。第二，就是爲接受這一龐大而普遍的業務起見，北平房地產交易所，在東，西，南，北四城和中區，各設了一個交易分所。

（鑒光，四月十六日寄自北平）

長沙私營報紙一掃光
民盟機關也不免
蕭大頌辦民主報，爲抄用香港兩家尾巴報紙的國際新聞，被指爲助敵張目解往北平嚴辦

阿根廷封閉了一家新聞報，美國報界，大動公憤，全美國報紙，對阿根廷的獨裁者貝隆，大肆攻擊。並選定本月六日，舉行哀悼儀式，將美阿兩國國旗，同時放下，以表示兩國人民的悲痛。這個是自由民族的正義呼聲。但反觀我們中國大陸，則秧歌王朝，已早將千百家民營報紙，掃數封閉。固然到了現在，美國絕大多數新聞界，也都對另一方式變本加厲的東方貝隆，燃起怒火，然在秧歌王朝進入大陸的初期却很少提過抗議，因爲那時大家極期望毛澤東終會有轉向民主陣營的一天。

我是一個新聞記者，一向在長沙工作，現在將我所目睹長沙各報慘被清算的經過，報告如下：

入城前不許停版 入城後勒令關門

長沙教育發達，文化水準相當高，日報和期刊的數量，雖然遠不及上海，平津，武漢，南京等，但較之其他省市，還算首屈一指。在未「解放」前，經常出版的日報，對開的有大公，湖南，力報，長沙，國民，中興，中央等七家，四開的有小春秋，湘江，觀察，晚晚等十餘家，通訊社有中央，試試，大道等二三十家，從業的職工不下千人。除國民，中央，中興三報及中央通訊社與國民政府確有關係外，其餘都是私人資本，他們不是國民黨的機關，有些報，甚至爲表示公正敢言起見，在國民黨統治下，還曾拚命攻擊過國民黨。

自從程潛、陳明仁宣布投降，長沙被中共和平接收後，長沙報紙，最初奉命一律照常出版，不准停刊。一直等到中共軍隊進城了半個月，中共的軍管會成立，「文教部」帶着「南下工作團」到了，才首先接收中央日報，國民日報，中興日報，中央通訊社。這三報一社，都與國民政府有關係，接收自不成問題。至於私人報社，則中共表示決不干涉。但一方面暗地勾引這些報社的內外勤人員，鼓勵他們向老板鬥爭，一方面正式派政工人員，訪問這些報社老板，要他放棄一切自由主義的包袱，今後祗許一邊倒。如此過了幾個月。又放出空氣，說某報從前是國民黨某軍閥做後台，某報與青年團有關，某報主人思想反動，等等，如果不趕快關門，却將從嚴究辦。這些私人報社，在經濟上早已枯竭，言論自由更談不到，現在，聽到大禍來臨，趕快不顧一切自動停刊。但停刊以後，報社資產，共黨不許移動，像湖南日報經理湯鑄成，原是排字工人出身，一度也很左傾，他不能變賣報社資產，遣散職工，只好將另外一份資產，他辦的嶽南印刷局拍賣了事。這時共黨在名義上，報社資產，還屬各報私有，最後，則異想天開，另借一個題目，除資產一律劫收以外，還逼使每一報社老板，當盡賣絕，一掃精光。

因領過美國麵粉 被罰令加息清還

事緣長沙勝利復員後，市區已變成一片焦土，各界幾乎均無法復業，當時善後救濟總署湖南分署，調查實況，分別救濟，新聞界也不例外。這種救濟，分署發給每家四開報一百噸，對開報二百噸美國麵粉，指定爲修建戰前館屋之用。不料事隔多年，竟成爲中共劫收資產，勒索老板的這個好藉口。美國救濟物品雖然是美國人民的血汗，但中共於查悉了這一事件，就馬上公開宣布，說救濟物資，是中國人民的財產，於是限令各報集團向「文教部」坦白，所有報社房屋以外，俱一律呈繳，作爲這幾年利用救濟物資，修建館屋的息金，沒有自備印刷的，就指定款額，勒令限期清繳，於是這些私人報社老板們，就弄到羅掘一空，掃地出門。在筆者離開長沙時，這些人已有淪爲乞丐的。至於因報社關門而失業的，起初多投考革命大學，[illegible]「革大」畢業以後，[illegible]

就可「重新做人」，不料中共並不是那樣寬大，除極少數准予畢業外，[illegible]少。

民主報競爭銷路 蕭大頌罪名嚴重

長沙「解放」前的私人報社全部關閉沒收，已如上述。「解放」後有民盟之蕭大頌，用民主同盟招牌，出了一份民主報。所用的編採人員，多半是民盟盟員，雖然聲嘶力竭，向中共報齊，但中共總嫌他奴化不深，所撰社評不是被指爲帶有自由思想色彩，就說他在替中共作反宣傳。中共宣傳部長周小由，有一次公開抨擊，罵他破壞統一戰綫。蕭大頌嚇得屁滾尿流，到了韓戰爆發，該報爲維持營業起見，有時把香港的兩家尾巴報中國際消息，抄登一些，因爲大陸上根本看不到有關北韓的消息，那時中共還不料到這兩家尾巴報[illegible]，果然該報銷路大增，[illegible]於是中共向民盟北平總部告狀，結果是民盟總部電令該報停刊，並指爲助敵張目，蕭大頌從此被押解北平，以正視聽。所以至今筆者已無從知道下文如何。（小記者寄自長沙）

談賣乖與賣弄

·杜老誌·

做人如做文章，有一類人視爲畏途，一字一句，推敲斟酌，有骨有肉，字字珠璣，言之有物，不顯膚俗；另外也有一類人，視做人與做文章是天下最容易的事，大題小題，有題無題，信筆寫來，滿篇皆「字」，讀其文如見其人，其貌可憎，其聲可嘔。

比如說：有些做文章的人爲了搜羅材料，整天二如狩獵者，逢書必翻，逢聽必記，集腋成裘，東併西湊，舖在紙上，七巧板一般，讀者如果不察，必定上了大當：以爲這位「做」家必定是博學之士，無「竅」不通；殊不知，這位「做」家也是「強記」之士，憑記憶力翻版與轉播。這是文章賣乖。

還有一些人，做人的態度似是似非，反映到文章上，也是是非非，人云亦云，不求根源，不加沖滌。如果你說狄托刺死了托洛斯基，他必默信無疑，一遇機會，算成七巧板的一塊，信筆「開河」一番。報上居然有人說卡倫斯基隱居歐洲，高爾基當過輕工業部長，或是把美國人當做英國人，美死活人，這些都是此一類型的標準「做家」，不忠實於讀者，不忠實於文章。（爲了錢？）

我在讀中學時，曾愛讀一個頗負盛名作家的文章，他每隔三句兩句必插入一段英文，法文，德文……當時我自已稚氣未去，心中總覺得這位作家一定是學冠中西，華洋變通，佩服得五體投地，後來年歲稍長，混進社會，碰到了這位作家，攀談之下，原來他半個洋文都不識，我當時想問他你既不識洋文，怎又篇篇文章都有「洋」字呢？後來想通了：人家的由衷之苦，你又何必說穿呢？這是文章的賣弄。

靠賣乖與賣弄來做人與做文章，兩者都非善策。老老實實，知爲知，不知爲不知，不必半分牽強。做人如此，做文章也如此。

美國民衆防原子彈準備的狂熱

防空小冊書籍暢銷一時；建築商宣傳下，數千人在庭園築起地下室，而民防局本身對防空壕的建築尚未研究出一個究竟；「發明家」閉門造車，製成鉛質睡衣，保護脾臟和「胸部曲綫」的鉛片吊褲帶和奶罩；更有人以原價一角的官方防原子空襲手冊收購轉售，贏利十倍……

向有一窩風作派的美國羣衆，過去曾一再集中其熱誠於發展無窮動學，精神療病法，猿猴內分泌腺，美容泥漿或電力延壽等物，如今則又對任何可能防範原子彈的東西發生了狂熱興趣。最近民防局從小冊子——作者和閉門造車的「發明家」方面得來的麻煩，已與對如何解除原子空襲問題所感到的困擾同樣嚴重。

數千人已在自以爲是的建築商宣傳下，於庭園中築起防空壕，據說這些防空壕能抵耐任何炸彈，但其效果究竟如何，則恐非到遭受空襲時，不能分曉。民防局到目前爲止，雖正以七萬五千元從事防空壕的研究工作，但還是不能確定什麼才是實在需要的東西。不過他們對於這一點是已有相當把握的：許多自建的防空壕，無疑將使其中的避難者被烘烤得像一塊脆餅或被擠壓得像一團潰爛的葡萄。

許多出版原子空防書籍和小冊子的人，亦正在鼓勵這一種盲目的潮流。某一本書指導人家把貓狗毛完全剃光，以防毛髮沾染到放射能，另一本書更要民衆把珠寶和金錢全部拋棄，以免在爲放射綫所觸及時增種種傷害。然而最危險的建議，却是在受原子爆炸燒灼的傷處，塗上凡士林或某種抗原子油膏，而當局所建議的適當辦法，是僅用消毒繃帶紮住傷處，以待醫生的到達。

使這種一窩風增添眞正色彩的人，是那班在地窖裏閉門造車的「發明家」。某人發明了一種鬆緊袋，一旦遇到空襲時，套在頭上，把它圍圍罩住頭部，四面抽緊，某廠商製成一種藥水，自稱能「治療鍶二三六原子彈的震擊」，但經過衛生局的分析，它祗含食鹽蘇打粉和水而已，於是上市不久即被查禁。

同時還有許多異想天開的人製成了形形色色的「救命的東西」，其中包括一種鉛質睡衣，一種保護「乳房曲綫」的鉛片奶罩，和一種「保護脾臟」的鉛質吊襪帶，但除非這吊襪帶厚及六吋，否則是沒有一點效用的。這批滑頭商人都漸漸因不爲人所信任而沒有發財，反感沮喪。但另外一個以出售十分有效的防原子彈指導書爲業的人，也爲當局所禁止，他是以一角購民防局所出版的原子轟炸防禦法小冊（僅四頁），而再以一元售出的人。（羅密摘譯時代週刊）

時代科學

無綫電操縱救生艇

·周明·

當一架飛機迫降於海面時，拯救其飛行員的方法之一是向他們投下一隻救生艇。不過此法的主要困難，是這些飛行員不論是已在小救生筏上或仍在水中掙扎着，都難於接近和爬上投下的救生艇，尤其是在海上發生大風浪的時候。最近美空軍部宣佈一個對此問題的解決辦法：用一種由無綫電管制的救生艇像水面的出差汽車一樣直駛到遇難者的身邊。

當拯救飛機（一種改裝的B廿九型轟炸機）發現遇難者的位置時，它即投下一隻救生艇，艇上附有一把直徑一百呎的大降落傘，徐徐降至海面。這時飛機上的無綫電員即以遙遠控制無綫電機發動艇上的引擎，並操縱船舵，使救生艇直向小救生筏或水上的遇難飛行人員處駛去。一經爬上救生艇，遇難者便能用一種收發兩用無綫電機與飛機上的人通話。飛機的無綫電員，指導救生艇的航綫，使它駛往最近的陸地。這種救生艇裝有可航行八百哩的燃料，在必要時，可用空投方法加添救生艇，所需的燃料和供應艇上的人以糧食和水。據空軍部說，到一九五二年初，其全部A三型救生艇可改裝完成，而成爲類似海上「出差汽車」的無綫電控制小艇。

旅美雜紀

好萊塢選出「好女人」

陳香梅

另外一位密友是陳將軍在航空軍校的同事慕思利，二十年前他們同在軍校任教官，後來陳將軍來華，慕思利則創辦飛機製造廠和航空學校，成績斐然，第二次大戰爆發，飛機供不應求，大有所獲。他所辦的航空學校也門徒衆多，遠近知名。慕思利在飛機製造業上經營有素，如今已是團團富家翁。他知道我們返美，一再邀請我們去作客他家，盛情難却，我們在洛杉磯借他人之福也大大地玩了幾天。

製片家谷巴以地主之誼，躬親領帶我們去參觀好萊塢，好萊塢影城，恍如另一小天地，美高梅，廿世紀福士，雷電華，華納等大片廠都蓋有無數的房子在那兒，別成村落，在那兒的街上你隨時可以看見一些粉墨登場的人物到處走動，有些穿了古裝，有些穿着時裝，有些穿了舞衣，有些穿了游泳衣，五光十色，目不暇視，身在其中，就如走入了一個與現實距離非常遠的世界，大家都是遊戲人間。

好萊塢的人物，在大家的印象中多半是玩世不恭，風流成性，其實在好萊塢許多電影從業員們的生活態度和方式也是非常正規的。我們在報紙上所讀到多半是那些風流明星的豔事，例如封面女郎烈打希和美與印度王子結婚又離婚，又如關玉女伊利莎白泰萊和富翁之子結婚又賦仳離，又如瓊路扶連幾次被女人控告等等，這些明星們的舉動並不能代表全個好萊塢，因爲影片商爲了生意經不得不推波助瀾，把許多有關明星們的小事大事宣染，以收宣傳之効，其實在好萊塢影城中確有不少正常份子，不過就是因爲他們生活得比較正常，其名字反而不常見於報章了。比方說，以前主演人猿泰山的女伴瑪利奧勃朗，她是大製片家約翰福的太太，已生有子女五人，被舉爲好萊塢的模範母親，此外愛蓮鄧也被選爲好女人，這些事情不大見諸報端，因爲刺激性太少，反而不受讀者和觀衆的注意了。

我們以一日的時光遊完了影城，和許多大明星見了面，女明星化了裝，在水銀燈下，在優良的攝影術下，雖是平平之貌，也可變爲天人，到了台下，看她們也沒有幾個是特別漂亮的，男明星則更不足道了。（十三）

尾巴報自寫供狀

抗美援朝居然承認有「十大毛病」

·董狐筆·

某準共報紙有「學習」一欄，經常發表獲得「人民」寵定之八股文章，能有資格名登榜上的「大著」，例必熟習「腳布主義」，以夠臭夠長爲第一。但在本月十八日該刊所發表「搞好抗美援朝工作，必須深入檢查思想」一文，則似乎有點例外，蓋因該文雖自謂係檢查羣衆思想，使「抗美援朝」更加普遍深入，惟實際則適爲對秧歌王朝弱點一大暴露，如有人將此文與新華社歷次發佈有關於人民「熱烈擁護」「反美運動」的報道，作一對照，即無異說明了中共的官方宣傳，無不虛構，究竟該文作者有何背景，敢向中共的官式讚言公開挑戰，殊堪玩味。茲本「奇文共賞」之義，特將該文列舉之「十大毛病」，照錄於後，如讀者無興趣讀全文，則只需看得其招供亦足思過半矣。（以下即原文之分段標題）：（一）抗美援朝又來了；（二）反正是那麼一回事；（三）我早就抗美援朝；（四）躭誤生產妨礙學習；（五）時冷時熱；（六）只要有形式；（七）你敢不抗美援朝？（八）與我無關，（九）我一個人有啥用？（十）「五一」過了就好了。

據原作者分析此「十大毛病」是：有些人把「抗美援朝」看成一種「有趣」東西，所以說「又來了」；有些人不關心這種運動，所以說「反正是那麼一回事」；有些人企圖躲避，所以說「我早就抗美援朝」；有些人根本討厭，因爲它「躭誤生產妨礙學習」；有些人莫明其妙，所以「時冷時熱」；有些人勉強敷衍，所以「只要有形式」；有些人擺起官架子（當然是指着高級共幹），指着下級說：「你敢不抗美援朝？」有些人乘性不理，所以說「與我無關」；有些人藉口推辭，所以說「我一個人有啥用」？有些人渴望這種運動快快「收檔」，所以說「五一過了就好了」。

只就該文作者所列的「十大毛病」，差不多就寫盡了中共「抗美援朝」笑話的大觀，而以中共今天文網的嚴密，恐怕除了笑話之外，尚有不知多少悲劇略而不提。嗚呼噫嘻，幾個月來中共所大力宣傳的反美運動，其成就不過如此，亦可悲矣！

長夜漫漫

·莫知·

巴黎四強外長代表會議開了七個星期，一位與會的美國外交官所得到的印象是：「我所得到關於蘇聯意向的跡象，到現在爲止，還沒有比我第一天坐入緋石宮時多一點。葛羅米柯本人似乎也並不明確了解克里姆林宮對這個會議究竟有什麼目的。所獲成就如此之少，每次開會，我已沒有前去工作的感覺，而像是走進一家以「緋石宮」爲招牌的夜總會」。

紅色的維也納

俄司令官司機跳樓自殺

美方在與情報機構的主管也同樣面臨其他種種問題。他們說，第一個問題是美國人對安全的眞正意義毫無直覺，「我們的士兵以爲祗要他們自己不知道關於氫彈的祕密，自然沒有什麼情報是俄人所需要的了。這眞是最要不得的思想。俄人對我們方面的各種事情都有興趣，他們簡直不費心機而得到較次要的美方情報。我們自已的人都口沒遮攔，隨便亂說」。

此外，美方還須在反間諜活動上獨當前鋒，因爲英法兩國的反間諜機構經費都很有限。美國現已處於主要地位，面對面與日益狡點猖獗的蘇聯間諜相對抗，俄人正耐心而仔細地研究美方人員的習慣。閃避美方優勝之處，而想法攻擊其弱點。他們已有逗留於維也納的長期計劃。這一點必須先予清晰地認識。維也納這個東西方交叉路口的情報站，對於他們和西方是同樣重要的。

在離維也納之前，我們去向塔斯社駐維也納記者作了一次社交式訪問。他是個可愛的年輕人，但實際上還在替蘇聯特務機構幹工作。不過當他在四國鐵板的辦事室裏對你遞上一支長長的俄國香煙時，他的眞面目是你決不會知道的。

「啊，這兩天維也納沈悶得很，」他嘆一口氣，噴出幾口烟：「一切都這樣沈寂，不易找到可寫的新聞。」

我們問及關於前一夜被擊斃的綁票頭子勃羅姆的事。我們這位主人不耐地舞動着手說：「我們與這勃羅姆毫不相干，沒有任何一點關係。外面的傳說是美國人造的謠。」

到這裏，似已再也沒有什麼可說的事，我們吸盡我們的香烟，和他約定一個日期，同進午餐，但亦明知他是不會赴約的，於是匆匆走出蘇聯佔領軍司令部大廈。在希特勒時代，這所房子是格殺打撲的總部。

一個紅星的霓虹燈高懸於屋頂，夜間亮光四射。這一條街的兩端攔着紅色的木柵，禁止行人經過屋前的人行道。但奧人並不需要木柵來使他們遠離這所房子。他們記得很清楚，俄軍司令官的司機波埃姆自此屋四樓加倫竭夫上校的辦公室躍下自殺，除於人行道，還祇是去年夏天的事。波埃姆於受嫌協助一名蘇聯中尉潛逃時被他的俄人雇主所逮捕。奧籍路人曾目睹他被拖進這所房子，數分鐘後，又有人親見他跳下，他們還聽到他在神智尚清的時候高叫自己的姓名，後來他的屍首曾被拖入這所大廈的高大木門。

我們通過這一道深黃色的門，裏面一個衛兵握着上刺刀的槍擋住我們的去路，一個蘇聯軍官以俄語對我們問話。我們以德語回答，說明我們是美國人，想見加倫竭夫上校。他向我們報以一個冷酷的凝視，一面按一下桌邊的電鈴。一會兒一個衣飾入時而露突容的漂亮金髮女郎走了進來。她能講流利英語，問我們有什麼事。我們復述我們的請求，她即向那位軍官加以翻譯。經過了一陣冗長的思索，他迅速地說出一段話，但我們祇能辨出其中一個「不」字。

女郎掉首對我們說：「這裏加倫竭夫上校其人，誰告訴你們他在這裏的？我們從沒有聽到這樣一個人。」

軍官對大門用手一指，我們快步走了出來。在外面的陽光中，我停留了一下，回頭仰望四樓的一個窗子，那是加倫竭夫上校辦公室的窗子，也是俄人所謂從沒有聽見過的人的窗子。

是的，今日在富於古老色彩的維也納，每樣東西似都可愛而平靜，正像一撮烈性炸藥未炸前的那末平靜。（全文完）

泰辛寧譯自「鑛夫」雜誌

竹影心聲

·上海來鴻·

·離草·

四

我時常想，我是一個大傻瓜，把感情這樣東西裝在不透水的牛皮紙袋裏，扔向海底，不是嗎？我的信證明是一個浪費，那一天它會在我心田裏起一點反應？

可是我高興做一個傻瓜，又把筆尖上的那把鎖打開。

告訴你些什麼呢？許多人在忙着「五一」大遊行時扮像一個什麼角色？媽是必須參加的，若霞的許多朋友，天天咒罵這個盛大「猴子表演會」是一種精神上的虐殺，然而若霞說：「他們不能不參加，那是取得身心安全的唯一辦法。」

離開這日子還遠，人已經在「瘋狂」了，我希望人類的日子在四月裏全部結束，我怕看到許多眞眞假假的瘋子被牽着鼻子演戲，上帝救救衆生，今天我才相信「死是一種超脫」，我自已就是最迫切需要死的人。

本來決定四月底和若霞去杭州，現在又改變日期，且待過了雨季再說，你不知江南的雨天多膩人，彷彿我的胸口被人們的泥腳踏得連呼吸也困難了。

近來媽對我的「禁足」放寬了許多，一是她忙着里弄「福利」和籌備「五一」節目，來不及顧到我，二是自從三房客失業後他亦變爲足不出戶了，媽是有這點小心眼兒的，再加若霞那張嘴，落得做一個順水人情。

出了籠子的鳥，有時飛得很遠，我與若霞互約越看電影（那種俄國片的放映是最笨拙的說謊，中國片又太肉麻），然而回家時，每次順便在戲院門口帶回一張說明書，那是對付媽的，她以爲我在銀幕底下可以「改造了思想」的。

香港有沒有一個雨季？你內心是否也被踐踏得泥濘不堪？我不希望你寫一個字寄到上海；可是你已經好久不在我夢境裏出現了，你是否有了病？

祝福你有個幸福的健忘！

自由人

THE FREEMAN

（半週刊每星期三六出版）

每份零售港幣壹毫半

（第十六期）

督印人：梁大成

社址：香港德輔道中一四九號四樓

電話：三二八二〇

149, 3rd FLOOR, DES VOEUX RD. C. HONGKONG TEL: 32820

承印者：東南印務出版社　地址：高士打道六四號

台灣總經銷處中國書報發行所　地址：台北館前路八十五號　電話：三〇三三

從貝萬辭職談到整個英國前途

我們切望英美合作，領導自由世界，英國戰後的黑暗時期早告結束。

·滄波·

英國工黨政府勞工大臣貝萬，因反對新預算案而辭職。按照倫敦公布的消息，貝萬辭職的理由，在他致首相艾德禮函中，已公開說明：『我認為預算的根本錯誤，在社會各階層，對經濟的負担太不公平。第一，它錯在根據來年度的軍事支出，那種開支，使用時浪費太大，事實上也不易辦得。第二，它錯在預估高漲之物價，作為減低人民消費的手段。第三，它錯在開始摧毀社會福利事業，而此種社會服務為工黨案所自負。且英國引為領導世界者』。

預算案的七大要點　赤字七億二千萬鎊

貝萬辭職的原因既在新預算案，我們要論它的辭職問題，應略談預算案本身。因為篇幅的限制，我們無法詳談英國本年度的新預算案但是下列幾點事實必須明瞭；第一，財相蓋斯開爾三星期前在下院所提出的預算案，其收支總額為四十一億九千七百萬鎊。（合一百拾億八千萬美元），這是英國在平時歷史上最大的預算數字。第二，蓋斯開爾在下院中二小時半的報告，首先說明訂立預算的國際與政治的環境，是在世界兩大勢力衝突已隨尖銳化的階段。這兩大勢力之一面是蘇聯帝國主義集團，而另一面則為自由民主國家。他認為要重整軍備必須減低人民的生活水準。所以在原則上，他主張[illegible]維持節約，及實[illegible]收重稅。第三，在本年度預算總支出中，關於軍備的支出約合四十億二千萬美元。社會福利服務的支出，約合四十億五千萬美元，在大西洋公約國家中，英國國防及軍備支出，僅次於美國。（本年美國的軍事支出，初步預算為四十八億美元。）第四、蓋斯開爾自己認為新預算案關於國家之開支已盡量使其負担平均，故在所得稅方面，除非依法減輕者外，本年每人將多負担百分之二、五。營業稅及娛樂稅亦將增加。商業紅利稅，由百分之三十加徵到百分之五十。第五、關於社會福利服務及食糧津貼方面，本年預算數字為十六億一千五百萬鎊。上年度則為十五億八千九百萬鎊兩方相較本年度只增加了二千六百萬鎊。在這十六億一千五百萬鎊的支配如下：（A）國家保險及戰爭軍人撫卹金四億鎊；（B）糧食津貼，四億鎊；（C）衛生醫療經費四億鎊；（D）教育經費二億五千萬鎊；（E）房屋建造，地方協助及勞工部一億五千萬鎊。第六、衛生經費方面，今年主管部門原提出的約算，為四億九千五百萬鎊，經核算後其淨數為四億二千五百萬鎊。但僅此核實之淨數，已超過上年度三千萬鎊。蓋斯開爾決定再減削二千五百萬鎊，他提出的辦法：凡是成年人（產婦除外）需要裝置假牙或配用眼鏡，必須付出各該物價之半數。以前人民配用眼鏡，但付鏡框的代價，至每付鏡片之費，約合三鎊一則全由國庫負担。經過此次修改，政府可在本財政年度（指明十月份開始）收入一千三百萬鎊，而在全年則可收入二千五百萬鎊以資彌補。人民醫療想改變部份收費的辦法，照財相的計劃，如果不為政治的原因，還須再加推進運用。第七、本年度開支超過上年總數共計九億七千三百萬鎊，除去上年度的贏餘，本年度的赤字為七億二千萬鎊。

編製預算兩大困難

蓋斯開爾三星期前提出的預算案，在國會中的反應怎樣？在英國輿論方面的反應又怎樣？我們可綜合各方面的報導，可以說各方面都是相當好。經濟學人週報稱這一個預算的編製者勇敢而忠實。保守黨方面私自間的評論，也說就是他們當政也不能超過這個輪廓。蓋斯開爾本人，無論在政治上或社會上，都是新進，在工黨中也是後起的。他今天面臨着雙重的難關，第一個難關是重整軍備，第二個難關是工黨立場所寄的社會福利制度。這雙重難關，就是英國今天的『國是』。英國要生存，英國要保持政治文化及經濟的傳統，不能不重整軍備。也是重整軍備是要大量的金錢。英國的工黨政府顧着自己的政治立場，不能不盡量維持及繼續社會福利服務的制度。但這也需要大量的金錢。從本年度預算的百分比看，這兩項已佔總預算百分之八十以上。財政大臣在預算數字上，左右斟酌，還剩七億二千萬鎊的赤字，在他籌款方法中，雖然增高許多稅率，但他沒有開徵什麼特別的資產稅，也沒有特別在比較富裕的人身上打主意。因在英國一般輿論上，認為這種懲罰性質的稅法，雖害了有錢的人，但並不能對增軍的資源多所補助。從這幾天的透露，這個預算案提出以前在工黨內部，在內閣中，已經過劇烈的鬥爭，鬥爭結果，仍大致照着財相的意見而提出，人家都說蓋斯開爾在戰鬥的第一回合中已勝利，但在預算僅僅經過二讀尚未開始辯論時，工黨要員貝萬即提出辭職。蓋斯開爾與貝萬的勝負雖未得最後之結論，但是工黨政府的失敗，是注定的了。

貝萬前途仍屬有限

工黨內部今天這一場鬥爭，蓋斯開爾與貝萬兩個人，正是一個對照。蓋斯開爾目前着眼之點為英國之全局貝萬所注意者為工黨的立場與其個人本身之立場，貝萬為了政策而辭職，無論他辭職的理由如何，也無論其看法如何，但他的進退是為了政策與政見，還在政黨政治下面是一個標準的政治鬥士。一年以來，我們對工黨的不滿，主要在於它表現的政治風格，換句話說，工黨上台後的戀棧於政權，實在是工黨之玷，去年二月大選後，工黨在國會維持那樣微薄的多數，到現在只剩七席的多數，然而艾德禮與莫里遜還是不想走。過去我們為了這一點，曾對前外相貝文深致責難。

（下轉第二版）

翁文灝在北平

受史太林特達之知　為中共探測鈾礦

頃有人從北平來，據稱：本月十八日下午一時左右，在西單牌樓附近，見一華貴汽車，向北疾馳。恰巧對面駛來一連串大軍車，因該處路面太窄，此華貴汽車，只好臨時減低速度，剛剛他站的地方，汽車擦身而過。他清楚認出，車中坐三人，一為俄國人，一為孫越崎，另一則為臉有大疤，瘦而且黑之前行政院長翁文灝。前兩人無足為奇，惟翁之在北平，則向無所聞。此君曾在二十年前，翁任北平地質調查所所長時，担任過低級職務，當時若干同事，後來都成了翁的親信，其中有還和他保持親切友誼的，乃設法向彼等探詢，結果，完全證實，翁的確已回到北平。

翁到平期間，約為本月五日左右。據其親信向某君透露，翁在前年由港赴法時，即由孫越崎等從中奔走，與中共方面取得聯繫，但翁深感變節太快，面子上似說不過去，乃先將其八十餘歲老父，由香港送回北平，以示其[illegible]誠意。其時中共對翁，亦只以國民黨普通投降人物觀之，未加重視。不料最近史太林密電毛澤東，謂中國資源，在未來大戰期間，關係最大，此種資源調查，翁文灝最為諳悉，可能西北方面，彼已知有大量鈾礦存在，應不惜任何優待，使其參加共黨陣營。毛接到此電，自然如奉聖旨，當即通電中共駐巴黎祕密代表，與翁一再商洽，幣重言甘，自不待說。翁欣然承諾。其路綫仍係先到香港，轉乘火車經穗赴平。前此香港盛傳翁由法返國，經港赴台云云，實翁之故意散佈烟幕，俾免過港期間，發生其他不愉快事故也。（大哀）

這一次的中共攻勢

·黃震遐·

聯軍將退出漢城恢復李治威發動殺傷攻勢時的戰線佈置。共軍以三萬多生命換取再越三八線的虛榮是得不償失。光靠人海是無法取得勝利，只看史太林有沒有新花樣出現！

半週軍事

四月二十三日，共軍發動春季攻勢，到廿六日晚（本文截稿時）[illegible]之樺川戰線。[illegible]聯軍由西方至東楊口的第一線部隊為南韓第二師，美第三師，美廿四師，美廿五師，美騎一師，英第廿七，廿九旅，南韓第六師，美第一陸戰師，南韓第三師，美第二師，美第七師，南韓首都師，二十萬人，共方的番號兵力不明（截至二十六晚上）。相信至少已投入十個軍（三十萬人），後方當然還有大量兵力沒有展開。從四日夜的作戰經過看，已注定漢城必失，戰綫可能回到李治威初次發動「殺傷攻勢」時的漢江南岸貫楊平砥平到橫城山區一線。雙方即將在此決戰。

一週前，斐列德指揮四個縱隊向平康鐵原金化間的三角地區進攻。共軍拚命隱匿主力，為避交鋒。同時在三角地區厚集兵力，一方在西線開城加強右翼。在東線楊口麟蹄的北方山地，亦注入一部兵力。截至廿二日，戰略展開完成，廿三日起即沿九十公里正面，同時出擊。第一步即向漣川包圍攻擊，同時在樺川汜區以西，突破一個缺口。廿四日，西綫兵團從長湍強渡臨津江，在汶山附近建一橋頭堡，同時攻佔漣川的兵力則沿漢城鐵道南下，逼近議政府，威脅漢城。廿五日，中共主力從三角地區大舉南湧，繞過樺川指向加平，力圖切斷春川漢城間的鐵路，腰斬聯軍第八軍和第十兵團的聯絡，這是會戰的第一高潮。廿六日，共軍使盡氣力無法突破加平接合部，反替自己造成一個口袋，漸受困守春川及汜區以南的阿爾蒙兵團側擊（附帶有力裝甲兵），中線危機渡過。但西線共軍則擴大汶山橋頭堡，沿平行鐵道南攻漢城，聯軍背漢江苦撐，情況危急，不得不作再度放棄漢城的打算，一部後衛亦被共軍包圍切斷，可能被俘，左翼作戰不利（陷於背水戰），大大影響了中央的堅持。漢城失後，恰好以永登浦為旋迴軸，將突出的中線南拉回李治威的出發點。

在戰術上，共軍碰到可怕的火網，中線密集南湧的主力（在五十公里的正面注入二十萬人）被聯軍空軍炸得血肉橫飛，夜間探照燈一照，百砲齊發，人馬騰空，傷亡的慘重，要超過以往任何一役。西綫沿海岸鐵道南下之一部，則受海軍重砲側射，後方則被飛機狂炸。進攻四日夜，傷亡即達三萬五千人（聯軍估計），這是極大的代價。共方指揮官不惜以三萬多頭顱，換取卅八度界線的虛榮，是得不償失的。

綜括四日戰況，決勝的一戰雖尚在後頭。但開場炮的影響，畢竟重要：

（一）第一步，共軍想包圍聯軍於樺川漣川間的突出部，這努力失敗。聯軍作了有計劃的退卻。

（二）第二步，共軍用最大兵力，想一舉突破加平接合部，腰斬第八軍第十兵團的聯絡，然後從漢江上游，右旋遮斷漢城的退路，這努力也失敗。

（三）共軍在議政府以北切斷漣川聯軍的退路，結果亦未成功。

（四）聯軍第十兵團能在樺川春川間穩住，毫不受共軍主力瘋狂突破的威脅，這證明第十兵團的戰鬥力，畢竟經過長津湖一拚的苦煉，比第八軍堅強。

（五）東綫楊口麟蹄一綫的兵力，可能轉向洪川集中，然後與第十兵團主力展開機動作戰，下一幕大戰將在洪川砥平橫城之間演出，這裏可能是聯軍的三角地區。

（六）共軍後續兵團的增援，必受聯軍空軍大炸，這是連共方自己也清楚知道的悲慘命運。

綜上，林彪此戰並無把握，真要擊破斐列德，光靠人力，必無勝算，史太林是不是會有新花樣呢？

人頭與炸彈比賽

漢城政將第五次易手，中共的宣傳機關，又不免要大吹一陣。只是這個飽經砲火的空城，中共用四萬顆以上老百姓頭顱來換取（截至二十七日計算），是否合算，大成問題，——固然中共一向認為最便宜而不足珍惜的，只是中國人民的腦袋。

將近一年的韓國戰爭，因為雙方都各有打算，不想在此時此地，爆發世界大戰，所以打來打去，總得不到決定性勝負。三八綫的退回與越過，到現在已第五次，如再加上第五次漢城易手，則歷史上之所謂拉鋸戰，在韓國幾不算打破紀錄，也將蔚為奇觀。這種拉鋸戰，無疑的，也就是一種互有損失的消耗戰，所不同者，中共消耗最大的是人的腦袋，而聯軍方面消耗最大的則是炸彈與大砲。炸彈與大砲的生產量，無論如何，總要比人的生產量，迅速幾百千倍。單以投擲炸彈的飛機來說，上次大戰，一九三九年，美國尚不過年產飛機二千架，由一九四一到四四，此三年中，竟突飛猛進一共造了二十三萬二千四百零三架，戰爭末期，英美合計，每小時可生產飛機十四架。物質的生產，是這樣快速與龐大，除非中共能有「撒豆成兵」的辦法，否則一個二十歲戰鬥兵的長成，其數量如何可以和炸彈大砲競賽？史太林的計算，縱然以十條中國人生命，換一個美國人，在他也認為無上勝利。只是中國人呢，為什麼就要這樣「該死」？難道眞是命運前定，大劫難逃？

李承晚少跑一次

據報載：當聯軍自前綫退却，一位久經戰場的老兵說：「吾人將於六月間再行打回，然後再於九月間重新撤退」。這話雖近於開玩笑，但却充分表現了聯軍在韓國戰場上的心情。換一句話說，就是大家皆認定，韓戰只是一種雙方無窮無盡的消耗戰。

半週展望

中共向認一城一地的得失，無關宏旨，此次反攻，如果不能把聯合國軍，徹底趕下海去，則僅僅拿回漢城，似乎還值不得興高采烈，大吹大擂。當兩月前，聯軍收回漢城時，李治威曾勸阻李承晚，不必就將南韓首都遷回，所以南韓即至今天，臨時首都還始終留在大邱。這就是聯軍從上次聖誕節回家攻勢失敗以後，改採穩紮穩打戰略，儘量避免與中共打硬仗的一個明證。聯軍本來沒有堅守漢城的意思，否則自不至阻止李承晚還都。南韓政府，免從漢城再狼狽出走一次，這自然要深切地感謝李治威新戰略的賜與。

不可寬恕的愚妄

史太林因為有大量廉價的中國血肉，供他犧牲，所以韓戰的此來彼去，他認為無關大體。杜魯門呢？雖然美國有更廉價的炸彈大砲，可以與中國血肉，比賽消耗，但使用炸彈大砲的美國人，究不能毫無損失。現在美國青年在韓國戰場上傷亡失蹤，也已超過五萬，這數字不算太小，也就正是史太林不惜多方鼓勵中共，繼續作戰的最大因素。韓國戰局，史太林不出頭，單靠中共無法趕聯軍下海，反之，聯軍不大炸東北，不協助國民政府反攻大陸，也就決不能將中共驅出韓國，這一趨勢，任何稍有常識的人，都能看出。史太林叫中國人送死，韓戰早了晚了，在他可不必焦急，杜魯門則不然，即使以一比十的比例，中國人若死了幾百萬，美國青年，也就要拿出幾十萬陪葬。死幾十萬美國青年，這在美國，是一件何等驚心動魄的事件。杜魯門如果還是高唱明知無益徒沮士氣韓戰不擴大的陳腔濫調，和史太林一樣，讓韓戰長期拉鋸下去，這就美國人民的利益說，眞是一個不可寬恕的愚妄與錯誤。（一丁）

反攻又越三八綫 中共的政治意義

在史太林指揮下可能有三種目的

張六師

自四月二十三日晚間十時起，中共在韓國發動空前的大反攻，在三十六小時內，向前推進了十二哩到二十哩。這是共產黨侵略武力第五次越過三八綫。直到今天，負有維護世界和平，執行世界憲章以制裁侵略的聯合國，對此尙未作任何表示，再由印度等國，向中共呼籲和平呢？抑竟照美國主張，直截痛快，實行經濟制裁？這一動向，現在還無從判斷。

李治威在二十四日親自巡視前綫時說：「目前之戰，已成為一決定性的戰役」。又說：「這是空前未有的大攻勢」。不錯，在軍事上言，此一戰役的結果，假如聯軍失敗，則可能產生兩個形勢：

（一）是退到釜山橋頭堡——大邱前面的麥克阿瑟防綫，非經大量補充，不能再事恢復攻勢。

（二）是如果史太林眞以國際共軍的裝甲部隊加入，再以戰術空軍大量支持人海的推進，同時更以傘兵在大邱與忠州間的山嶽地區降落，截斷聯軍主力的後方，完成一個包圍形勢，則戰局必然嚴重。屆時可能逼美國以最新武器投向韓國，世界戰局重心，雖然英美不願移到亞洲，但只怪當初不早打擊中共，結束了韓戰，今後也不得不隨着形勢走了。

可是假如聯軍能在這一戰，就將中共的大反攻頂住站穩，而不斷反攻，使形勢不至惡化，雙方可能在三八綫附近縱深五十哩地區，往返拉鋸，則可能使戰局拉長，增多中共的死傷，再繼續恢復有限攻勢，則中共即不再也等於澈底失敗了。但是直到目前為止，中共除以大量人海戰術的老方法外，還未衝出現新的奇蹟，他所準備四五個月，要把聯軍「澈底打下海去」的王牌，還未使出，當然現在就作戰局的肯定判斷似乎還早。不過無論如何，聯軍僅以現有韓國戰場上的力量，不用麥帥辦法——大量增援，和打擊敵人後方（並非戰爭指使者蘇俄的後方），則聯軍能修辦到站穩陣腳，不受敵人反攻的失敗，已是難能可貴，要想「勝利結束」，或「光榮結束」韓戰，乃不可能之事，這是政治失敗，牽累了軍事的失敗，和拖長了戰爭，前綫指揮官，無法負責的。

史太林曾經說得明白：「如果不接受中共的條件，聯軍必在韓國消滅」；在北韓所發出以華沙會議宣言為根據的和平攻勢，更苛刻，下流，極盡侮辱譏諷的能事，還加上懲罰美國侵略者等不堪的言詞，這就是投降主義者和失敗主義者也受不了的。

然則這次中共在史太林指揮下的大反攻，他的目的，究竟何在呢？我們的看法，是：

第一，乘聯合國——尤其是英美內部紛擾，政策舉棋不定之時，私鬥重於正義之時，個人意氣爭執正烈之際，以軍事進攻，加深民主國家內部的矛盾，好在世界任何地區，尋找進攻的縫隙。

第二，乘英國無力量，美國建軍未完成以前，使聯軍在韓國拖長消耗流血，造成前途茫茫，勝利既無希望，撤退又不可能，於是聯軍只好接受三八綫停戰建議，承認北韓傀儡政權，讓史太林仍雄踞在北韓，而聯軍和中共則同時退出韓國。

第三，繼續拖長韓國戰事，儘量用附屬國力量以消耗英美，使不能在中國大陸，開闢打擊共產暴力的戰場，使毛澤東能撐頭準備擴大亞洲全面戰爭的實力，另在別處發動同樣的韓戰，使英美疲於奔命，永遠在政略上只能防守和被動，無法反攻和採取主動，直到史太林自由選擇有利時間，主動發動全面戰爭為止。

從貝萬辭職談到整個英國前途（上接第一版）

當然工黨內部許多牽制，使貝文當時不好輕易言去，但是貝文終究走了，走了以後不及兩月，終因積勞而死。現在，貝萬因為政見，政策，也毅然提出辭呈，商務大臣威爾遜，也之去位，我想對工黨這一點上，對工黨整個英國的政治作風，都有今天及時的貢獻。至於貝萬的前途，與蓋斯開爾的比較，我們可以說蓋斯開爾將來可望造就一個英國的政治家，二十世紀下半期的格蘭斯頓，焉於蓋斯開爾有厚望。至於貝萬的將來，他恐始終不能超越工黨一個人的，他也可能做工黨未來人的，他可能另外組織一枝派系，但是他整個政治前途是有限的，他可能得着一部份的擁護，但不能得着多數人擁護。英國全國人民對於這兩位先生的抉擇，無疑地多數人是為擁護蓋斯開爾，因為蓋斯開爾着眼於整個國家的利益，而不是一黨一派的利益，而是顧着全民的利益。假使我們是英國人，我們在公的方面擁護蓋斯開爾，私的方面對貝萬予以相當的讚賞。

反對整軍何其愚妄

我們對貝萬的稱許，除了上述以外，則是他的政治風度，言論實在可以稱許，第一是他方面，對於工不以其所許的地方，則少讚許。

工黨，在此時有此舉動，算是幫助黨呢，還是對黨拆台？尤其是他辭職後在下院中的演說：「工黨政府拖入了整軍計劃中，使英國陷入經濟混亂，破壞人民生活計劃，讓英國減低其維持社會福利和貝萬準備的標準」。但他顯然表示他的幼稚，並且愚妄。英國不怪今天蘇聯要重整軍備，而怪美國今天英國還要整軍備，為英國自身的生活準備，其英國人民的福利，服務於此，知道有他的自由，在於社會福利，不可得，這是得有必得有的民主主義的，共產黨人從未談過國家的福利，何以談美國使英國讓步，而位置於一國，笑了一聲。假使美國與英國，好得英國的國際地位，到了牙也要與英國統治，一個「鐵幕」，就是中國成一句問題，所謂「皮之不存，毛將安附」，以萬不可在今天的英國，工黨的地位。

承認中共一錯再錯

局勢中還會說出這種混話，英國今天的思想是自由世界貝而最大的股變，如此以國家的政治聯，英國中的變質，而已最領導以英國的政治，太平洋危險了。英國也歐洲危險了。

二次大戰結束之後，工黨政府崛起於機會，正可以上當政論，五年半以來，其所持理想，工黨對其自有許多的實踐，但是我們對工黨的政府，對外國際地位的貢獻，在英國二次大戰以後，實際上英國在國際地位上已相當低落了，英國國際地位大不如前，但英國固然工黨的政府有其權，果在後界上，並沒有什麼標榜，英國的對外政策所以標榜太平洋，英國的外交的文化政策所以追求，英國的對外交是極消極，只和太英國了追求，英國自在歐洲所合作的只是被美國的地位，英國在外交上做了其他一個「中立」的地方，而其一在歐洲的英國也只好了。

在遠東，但是進退失據。無一是處。亞洲愛好自由民主的人民，對英國失望與惋惜，亞洲崇奉共產主義的人，對英國厭惡與排斥。艾德禮的英國，在外交上走路，管盡英國自己什麼不肯走的路，但是我們不稱它，承認是一條中立路綫。東心裏抱着一個「中立主義」。英國在第二次大戰後在外交上完全失掉，而在亞洲及自動了，東更是西倒政策，不知所採的什麼，中東不遠。去年一月工黨政府的民意，反了去年中國的偽政權，了一年四個月的經過，承認了中共的偽政權，英國駐華十七個領事館，到下月只剩餘三個。其他更不必談了。去年六月末，北韓發動了對南韓的侵略，從十月開始，英國在聯合國所表現的政策，既不是綏靖，又不是投降。既想綏靖，又想投降，惟恐閒罪了共產黨。顧伊佛跟尼赫魯，艾德禮，遂乃亦步亦趨。最近麥克阿瑟的去職，英國的勞迫之變，敲阿瑟側擊，去職。

工黨內部缺乏重心

雷若起普曼，狄思雷利，蘇頓肯寧，提到英國的外交，必有一番胸於地下的號泣。如果到了工黨缺乏政治的人才，最有長才的外交家貝文也已去世了。貝文的位置，由摩里遜繼承，但繼此以後，工黨的政策，兩個部門沒有一個定外交，今天尤其在外交部，為工黨難以解決的問題。

雷於地下，必有一番號泣。外交之領導者，世界必有之悲慟。現在英國的主義者，是今天世界上最優的和平，現在英國的精神，也正把握這一點，其主義，總是失在東方，所以英國的外交，今天能力已不能量。英國所領導的英國精神的力量，都是在消失，這一點太不能使主義的信仰者不悲痛了嗎？

工黨到了今天，貝萬的辭職，以後工黨政府已有兩個人去了，工黨政府以五年的歷史，上支持政府，工黨已不可當了，工黨久執政，以後工黨政府在外交上為人的擔心，並且尤其是工黨在外交上的財政方面，為它担心，因為...

英國的外交，在歐洲，也有今天。這一點英國必須檢討與覺悟。英國能否自己檢討與領導英國的輿論，及英國在世界的地位呢？全看英國的領袖。

年來英國對共產黨的外交，東方的外交，今天半年來英國的外交，沒有特殊的表現，英國在今天對英國的外交，英國雖然在此對英國的外交，若干國對英國的態度，英國在外交上已成了大國，英國的外交，共產黨太可以說：「我們大帝國的不是英國」，機會是在英國的手中，當然英國的外交不能不受到影響。英國的外交，英國自己的失敗，英國保守黨上台，英國的外交將在工黨下的英國，英國要想在世界的外交方面，恢復了自信。

明，英國是英國，英國共產黨，英國人是想要外交，英國的光明，不能不說是黑暗，英國的前途，領導的國家，不要因為英國的衰落而變為時鮮期，英國也是英國的前途了。英國的衰落，英國的外交...

（四・廿五・）

共軍紀律是如此「嚴明」的！

寫出我親身目覩的三件事實

陸聲

共軍在「哄死人不償命」的原則下，確有相當的紀律，在他們部隊裏是甚麼樣子呢？現在，讓我介紹親身目覩的三件很小的事實，來反映他們的軍紀成分，作為研究鐵幕日子的參考。

指導員指導作賊 裝電燈偷剪電線

三野九兵團教導團，是華東軍區訓練下級幹部的重要教育機關，在民國三十八年的下半年，住在上海虹橋路附近。營房多半是利用逃亡資本家的私人住宅或外籍人的房子，當然都是闊綽的洋房。可是，也有一個中隊住在鄰區的鄉村，房子又小又沒有電燈，這隊學員皆是部隊裏調訓的排連長，自命是身經百戰的人民功臣，沒有洋房電燈的享受，實在心中忿忿不平。因此，天天向團部要求裝電燈，但團部苦於沒有這筆經費開支，祇有指示學員們研究克服的辦法。因此，指導員便召集黨的小組長開會，研究不費一文而能得到享受電燈的辦法。結果，研究決定做賊而不負嫌疑的三個步驟；在指導員的運用下，第一個步驟：就是散佈謠言，詭稱住地附近有國民黨的特務，潛伏，企圖搗亂治安。第二個步驟：就是乘着黑夜，私人分組去偷剪電線，永安公司老闆居然被偷。第三個步驟：就是上海至青浦長途電話因此被破壞，並斷言國民黨特務所為，向上級報功，甚至會同民衆宣傳。此變戲法，黨多數民衆都相信以為真了。電線主人也三天，疑信參半。大隊長說：「為何不事先報告？」指導員說：「……」該隊裝電燈的首長難是值得表揚的，但是，這是要受嚴重批評的。這是教導團第二中隊偷剪電線的故事。

白吃了老闆酒菜 反誣老闆為國特

松江西門外有一家鴻運酒菜館，店主人是松江人，國軍轉業軍官李某，一個學員名叫耿士英，他是第七中隊有一某，十三軍連長被調訓的，嗜好吃酒，時常到鴻運樓小飲，每次去酒館，他所點的菜，都要賒欠，店主人向他索取，他總是以衣物抵押。耿士英常向店主賒欠，一次用了衣物，他就拒絕付賬。有一天，他又來吃酒，也不願付賬，店主人同他爭吵，耿士英帶了一個人來，押了店主李某，不敢拒絕他，並說他藏有軍衣，是特務，到了公安局，結果，李某還是被押了。耿士英第二天再來，大搖大擺，吃酒不付錢，並且搜出軍用衣物。加上罪名，李某關在監獄，沒有國特任務的機會。李某以前雖已有共產黨人證明，但破壞了他的酒館，無法辯解，李唯有自認倒霉。

強姦了人家女兒 還要查封他財產

這件事情是發生在松江東門外中山路的一個姓徐的家裏。徐家有一個女兒，十三歲，是中學的學生，她的父親是一個教員。某日，徐本仁的女兒在學校被一個名叫王某的團員強姦了，她的父親去理論，反被說成是反動分子，並且查封他的財產。……（以下文字不清）

可憐的母親，得到女兒被姦的消息，終於挣扎逃回家中，料不到這個同學的惡意，中共的指導員，竟然陪同徐本仁去看電影，乘機強姦了她。徐本仁的女兒，身受蹂躪，還要向自己的母親，為幹部姓王的辯護。……以致共產黨的幹部，報紙上也不敢刊登，王姓的多，封了全家人民政府法令，連鄰居都不知道。

潭韶公路一度停頓 毛澤東變相發脾氣

毛澤東在他的湘潭故鄉，大修祖墳，建毛澤東紀念堂，修建自湘潭到韶山村的公路，本刊第十期，已詳細報告。最近由湘來港者，知修墳和紀念堂兩事，湘省府早已完成。惟公路工程，因為沿途要剷平不少私家祖墳，鄉下人究竟封建意識，還在作祟，他們在槍刺之下，總不忍心將自己祖墳剷平，所以一直在半停頓中。據月以前，不知何故，毛澤東突然打了一個電報給程潛，大意說，潭韶公路直到現在，不為工毛意在國家重要建設事業極多，此不急之務，可以停止。從此以後，程潛接到電報後，還是毛澤東的真心呢？你如果竟弄假成真，那不知將來會鬧出什麼亂子。程潛這老賊，到此才如大夢初醒，嚇得一身冷汗。於是雷厲風行，將公路局長叫來痛罵一頓，限他在今年五月底一定要修通通車。好在這是奉承毛澤東的事，中共幹部的公路局長，也就甘心挨罵，否則，程潛也沒有罵幹部的胆子。

畢竟共產黨的花樣多。他們一方面仍然宣佈了毛澤東以國家建設為重，潭韶路應即停修的來電，以表示「主席」胸懷，何等偉大。一方面却用了湘潭農民感謝翻身的名義，說要感謝毛主席，大家願意不耗費一文公款，修建這條紀念「毛主席」的公路。換一句話說，就是願意餓肚皮來孝敬毛主席。這樣一宣傳，當然冠冕堂皇，毛「主席」也不堅持停止，且來電嘉慰一番。

毛澤東給湘潭帶來的災難 活人死人同遭殃

程潛思想搞通 嚇出一身冷汗

三月十五日，工程再開始。一大早就有無數共幹，從沿公路的所有村莊裏像趕猪似的，將所有農人，都趕出了他們的住屋。連七十多歲的老人，十一二歲的小孩，也都不免。足足每天有兩萬多名在做着無報酬的奴隸勞工。中午不准回家吃飯，一定要到天黑，才許收工回家。這樣一步一步的，沿着公路線開鑿下去，果然比過去雇工修建的進度，迅速得多。祠墳問題當然更不致有人提出，大家只好一面挖先人屍骨，一面擦自己眼淚，一面修公路。這條從湘潭縣城到韶山村，沿途並沒有什麼出產，居民也不多，絕對夠不上要修公路。不過為了毛澤東，就不能不犧牲這許多活人和死人。最後，根據湖南省公路局的測勘報告，我告訴大家，這條路，共長二十三公里又二百九十六公尺。沿途要剷平的墳墓約為五百所左右。（伐毛）

做了廣東機工會三十五年主席　李德軒因靠攏送命

——「七十老翁」，如此被騙，未回「主席寶座」，先解屠場槍斃。——

延平。

廣州中共，於二十五日舉行所謂「控訴大會」，照例對所謂「反動份子」，宣佈死刑，其中年紀最大，甘心靠攏，由港回穗七十高齡的李德軒，他的名字，是廣東同胞最熟習的。現在讓我來原原本本，對他一生，作一個簡明的介紹。

十六年廣州暴動　曾協助政府清共

李德軒是廣東機器總工會主席，廣東機器總工會（原名廣東全體機器工人維持會）是一個會員衆多，勢力雄厚的工人組織，從民國三年起，一直到前年廣東「解放」，三十五年悠久時間，他始終是這個會的唯一領袖。在國共鬥爭最激烈時，他曾對反共工作，出過不少力。尤其民國十六年廣州共黨暴動那一幕，他領導機工總會，協助軍警給共黨以重大打擊。他在國民黨下，當選兩次國大代表。這幾年來因他已是七十高齡的老人，大權旁落，會中有王某錢某，與國民黨密切聯絡，他本人反被冷淡。因此他心中對國民黨也滿腹牢騷。向共黨靠攏的念頭，也就由此而起。

當民國卅八年廣州各界高呼保衛大廣州之際，廣州各民衆團體，不是有人領銜經費「進行」武裝反共，就是挖出老本，找尋投靠路徑。還具有悠久歷史，擁有多量會員，而且又保有舉足輕重的龐大潛力的機工總會，當然任何一方，均易拉攏。但李德軒身居主席地位，卻反而處於非常因爲兩條路都已給人捷足先登？前面一條，王某錢某已是實至名歸，在好幾次的「保衛」大會中出露頭角。後面一條，老早便有被他「排」了出來的老搭擋朱某在四十四人大送秋波裏倒向一邊，名登赤榜。可憐這位老頭何去何從？一無是處。據和他最接近的親信事後透露，李德軒那時確曾經彷徨沉思冥索了好幾天，并曾就商於他平素最信服所師事的某君，由某君獻以三策。第一策是：立時引退，避地香港，坐觀變化，徐圖進止。第二策是：號召全國機工，宣言反共，背城借一，拚卻頭臚。第三策是：即派能員，飛搭天綫，緊守崗位，效命自新。某君並加說明，第一策最切當時情勢，且亦輕而易舉；第二策雖甚困難，但成敗均有價值。第三策無疑最下，亦屬保全首領之一法。不過「搭」的必須天綫，才能發生作用，否則「盡心力」而爲之，必有後災。李德軒怎樣決定呢？他不假思索地回答：第一策決不願行，李德軒三字與廣東機工總會相終始，臨危放手，如何對得住卅年來休戚與共的同人，且爲天下後世所竊笑。某君聽了，甚壯其言。那麼，第二策呢？李德軒說：形勢已成，無能爲力，而且國民黨既不要我，我何必自送老命。某君說，也近人情，那就實行第三策了，李德軒躊躇了一會才道：天綫雖好，恐怕不容易搭，而且遠水難救近火，讓我考慮考慮。某君於是明然而退。對人說：當斷不斷，必召其亂，德公（機工總會同人對李德軒之通稱）其不得善終乎？

一面隻身走香港　一面向中共搭線

追廣州易手前幾天，李德軒隻身走香港，寄寓客旅中，某君以爲他已改變初衷，甚喜，急往見他，不料他卻表示仍準備行第三策，某君很替他着急說：如果這樣，才不應離開廣州，便該表現自己的工作能力，李德軒卻很像有把握的樣子，說各部門已有人替他做工夫，如不離開廣州，怕易手時，混亂之中，發生危險，問他搭綫沒有，他卻笑而不言。原來李德軒早已成竹在胸，由黃某替他奔走，可惜搭的只是中共南方局方方主持的那條脆弱無力，一觸即斷的地綫。黃某這人，在國民黨裏雖然官不曾當過簡任，但卻是攬社團的好手，練就一副投機善變的本領，勝利復員之初，和那時中共東江縱隊的方方打過一些交道，由此建立了一條靠攏路綫，但他本人聲望未孚，資格亦淺，憑什麼來取得中共的見重？於是乎想到了李德軒這隻肥的羔羊，拿他來獻禮，自是最巧不過。李德軒卅年前攬社團，由維持會進爲工會時，黃某又曾奔走其間，民卅五競選國大代表，黃某以主辦機關的幕僚身份，亦曾給予李德軒以若干方便，有此前因，逢茲際會，自然一說即合。黃某拿了整個廣東機工總會和它的第一號領袖這份禮物，向方方一呈，連方方本人也喜出望外，對於黃某的一片忠誠，還有不連聲嘉贊，滿口接納之理。後果的美滿，自在意中，更無怪乎李德軒舍二策而弗行，唯此綫之是賴了。

間道欣然回廣州　請帖不來來傳票

廣州易手後不久，李德軒果然間道而回，（那時大沙頭至深圳的火車還未恢復）滿擬必將受到盛大歡迎，重登機工主席寶座，夢想不到霹靂一聲，軍管會來的不是請帖，而是傳票，未返河南主席室，先要他把小北冷鐵留，三十多年經手的舊賬，從頭到尾算個清楚。錢債易理，血債難填，十六年七十多條共產同志的命，試問這把老骨頭如何担負得起，將功抵罪麼？李德軒[illegible]只有他自己一個「主席」銜頭，所謂機工總會各部門各小組都各有其搭通的電綫，有「功」的話，也輪不到他這老頭，而爲搶先一步「前進」的朱某叨光去了。

據說：黃某這一套買空賣空的把戲，不但害了李德軒而且還害了他自己。兩個月前即已傳來黃某被扣的消息，至今仍無下文，而朱某也和其他四十四名「前進人士」之一的譚某同於日前被捕，亦見報章發表。靠攏份子的悲哀，正方興未艾，和李德軒這樣自毀歷史而又「[illegible]」[illegible]的，仍大有人在，不過未到公布的時辰罷了。或說：向中共南方政治局搭綫的這批靠攏人物，當時確已獲得中共承認，後來該局主持人由方方換了葉劍英，由於他們的內部傾軋，這批不幸的投靠者遂成了犧牲品。黃某在李德軒被囚後即拿此來解嘲卸責，其實，都同樣是上了共產黨的鈎，經過三十年艱苦鬥爭，二萬五千里險阻跋涉用無數頭顱鮮血換來今日地位的中國共產黨，就肯這般容易給你們這羣連國民黨也不要的渣滓輕輕一搭便享其成？奉豚蹄而祝滿車，簡直是夢想，看吧，「鎮壓反動」的刀已開到「民革」頭上了，可憐的大小尾巴，都難逃一例悲慘的收場，是必將到來的事。李德軒祇千萬中之一而已！

中共如此宣傳

「炸日本兩顆原子彈」是美國向蘇聯借的

現在蘇聯不肯再借，大家也不必再怕美國原子彈了。

衛聚賢

共產黨宣傳方法，他們自己所認爲十分巧妙的，其實西洋景拆穿，人人都會笑他們笨拙。民國三十五年當政治協商會議在重慶開會時，我將各黨各派的現狀，作過一本書，書名叫「黨派評」。我在序文中對共產黨的批評是：「共產黨善於宣傳」。宣傳本不是壞事，但若一切宣傳不兌現，或所作所爲與宣傳恰恰相反，那就貌似巧妙，內實笨拙，因爲這種宣傳是不會有人相信的。

三次大戰是否爆發　指導員前後若兩人

共產黨在去年六月韓戰未爆發以前，誰都不許提「第三次大戰」五個字，提了這五個字，就是反動，就要被捕。記得有一次，重慶印刷業公會開會，凡是開會，照例要請共產黨派員指導的。這一次，指導員說，現在大家應當對時事多加檢討，共產黨約法八章中，有言論自由。共同綱領也訂明了言論自由。我們不像國民黨不准反對者講話，大家應隨便講，尤其希望多提相反意見來供大家研究。這時就有一位某印刷廠經理站起來講：「第三次大戰究竟是不是可能爆發？」話未講完，這位指導員就馬上站起來說「第三次大戰爆發，你從何處知道的，這是國特造謡，你竟然聽他的謡言，到這裏來宣傳，馬上就要將這個人抓起來，幸經大家替他轉圜，指導員怒氣才稍平息。但沒有多久，韓戰爆發了，這同一的指導員，在同一的印刷業公會上，他竟自己向大家提出，第三次大戰能否爆發，要大家討論。他並且指示大家，「第三次大戰可能爆發，但美國必敗。」

要使人不怕原子彈　便說原子彈不足怕

共產黨爲要減低人民對原子彈的恐懼，因此極力宣傳原子彈不可怕。他們自以爲非常巧妙，對不同的階層在不同的地域，他們解釋原子彈威力其說法是不同的。

去年年底，我在重慶、漢口，和各色各樣的人接觸，他們從共黨得來有關原子彈威力的解釋是如此的：

在漢口，共黨說：「原子彈只能炸島國，不能炸大陸」，因爲漢口不是一個島，所以叫大家不要怕。在重慶，他們對公務員說：「原子彈威力，只有兩華里大」。對工人說：「美國只有兩顆原子彈，已放完了，再造不出來了。」對農人說：「美國炸日本的兩顆原子彈，是向蘇聯借的，現在蘇聯不再借給美國了。」

鄉下的農人知識最淺，他們也就用極幼稚的話作宣傳。工人知識較高，所以不說借自蘇聯而只說業已放完。公務員當然知道原子彈威力大，因此只將牠威力範圍說小些。但農人，工人，公務員，果真就相信這些宣傳麼？

造謡言忘記是謡言　竟根據了謡言殺人

有一位名叫賈克烈的，陝西人，住重慶十多年，係黃埔一期生，他善訓養警犬。因爲他是陝西人，我是山西人，他就和我拉大同鄉，并且中國人通病，在有了錢有了地位之後，歡喜附庸風雅，因此，他也就變好玩古董，在重慶校場口鼎新街，舊貨和古董的集中地，一家茶館裏，我常和他相見。去年年底，重慶新華日報宣布他的罪狀，以惡霸名義被槍斃了。在罪狀中還有一條說，賈在國民政府時期，主辦海棠溪警犬訓練所，以小孩餵犬。這件事，我記得，重慶報紙曾登載過，不過，立即證明，這消息全是假的。賈克烈，雖會訓養警犬，但他并沒有主持過訓練所。至於這謡言由來，原是當時共黨想製造暴動，和政府搗亂，不過這個暴動，在警犬訓練所揭破以後，就立被制止，未再擴大。不料共黨在幾年以後，竟拿自己造的謡言當事實，同時把這謡言，加到一個實際毫無關係的人的身上。

又一個重慶狗故事　中共既騙人又騙狗

我再聯帶說一個狗的故事。去年冬，重慶舉行打狗運動。先佈告人民，所畜之狗，限期登記，未登記的狗，要立即殺死，並且處罰主人。於是有狗的，都遵照辦理。不料登記以後，共黨並不打不登記的狗，而恰巧相反，挨門挨戶，凡是登記有狗的，一律將狗打死，爲甚麼要這樣行騙，並這樣和狗爲仇呢？原來他們認爲「國特」，在家中工作，中共來捕，狗先狂咬。「國特們」聽狗咬，知有人來，馬上逃走或把一切證據毀了。因爲他們不知誰家有狗，所以來一套騙局。雖然養狗的未必都是「國特」，「國特」更未必個個養狗，然而這個便於追捕「國特」的辦法，施展一點小小騙術，是他們所認爲無傷大雅的。（共區觀感之七）

模範幹部的諷刺

白天穿列寧裝辦公　晚上包舞女陪宿

中共老幹部貪污逃港未成

悠然

軍隊，警察，路警都充滿貪污風氣

秧歌王朝的貪污，刻正瀰漫於各級幹部，從前國民政府，貪污多在上級，秧歌王朝，上級貪污固不待說，但風氣的普遍，和貪污數目之小大並包，則中級多於上級，下級多於中級。除本刊第十一期報告上海法院集體貪污外，現在再報告中共所謂「廉潔政府」下的幾件小貪污案。

中共老幹部劉紛光，是山東礦務局會計，奉派駐滬辦事。他將公款人民幣二億元，以私人名義存入人民銀行合作儲蓄部，套取利息，全入私囊。他白天穿粗布列寧裝，到辦事處工作，和向各方接洽。晚上，則西裝畢挺，出入於舞場酒樓，揮霍無度，他住在百樂門飯店，經常包有舞女伴宿。同旅館下面百樂門舞廳的稽查梁某，新開汽車行職員李夢龍，結成異姓兄弟。上月，礦務局調他回山東，他就下決心，挾款潛逃。將人民銀行存款二億元提出，交兩位結義兄弟匯往廣州，設法轉匯香港，不致由人民銀行經過，而係由上海銀行匯出。匯出以後，他和梁、李兩人，先後從上海逃往廣州，事爲山東礦務局發覺，將他和李夢龍捕獲，但梁則已逃抵香港。因此兩億公款中，因廣州轉匯香港，不能一次辦妥，所以還追回了七千多萬。以山東礦務局實際損失一億二千九百七十九萬八千三百〇八元。這也就是一向標榜「廉潔」的中共模範幹部的精彩演出。

兩億元的數目，合港幣不過五萬元，這比起中共上級幹部的貪污數字，當然已渺小到不堪一顧。但下級幹部，尤其渺小得可憐，下級幹部貪污破銅爛鐵，同時正反映中共下級幹部的生活在最低限度以下，無法支持。實有三件事，都發生

下級窮困可憐　貪到破銅爛鐵

在華北，而且都與破銅爛鐵有關：

第一件；上月中旬，北平西直門公安分所發現由宛平縣台村拉來一車廢鐵，分所班長王子東把車扣留，趕車的拿出證明書，上面寫着：「茲證明宛平縣一區太子墓村彭福潤把自己早存廢鐵一千一百斤，售給北京建國鐵工廠」下面寫着：「證明人宛平縣武裝部長彭」。王子東認爲鐵軌若不是從鐵路上拆下來，就是從路局倉庫所存儲的？私人如何能夠保存這許多？打電話向分局請示，分局馬上向武裝部長請示，我們惹不起，既然有證明，公事公辦，可以交代，就放他走罷，不必找麻煩」。其實這些鐵就是中共路局下級幹部偷出來的，所謂宛平縣武裝部長，就是中共派駐各縣的軍官。從這一點看，中共的軍紀已墮壞了。

第二件；是上月下旬，北平西直門又發現一輛大車，上面蓋着稻草，下邊藏有鋼軌。經查出一運鋼軌的證明書，又是「茲證明」：商民崔化慈，購得碎小鐵軌，長短鐵軌二十六根，鐵板兩塊四百斤，准予運往北京出售」。這次的證明人，卻就是公安局派駐宛平縣的第九公安派出所長呂光榮。當派出所之間，大家都有照顧的，崔化慈的一車鐵，自然就無問題揚長進城了。

第三件，是同蒲鐵路工程大隊，隊長李治國，將廢釘軌私售給商人李闊齊四百公斤，還被截獲了，但中共因李治國是老幹部，事件很小，僅警戒了事。

省營事業，軍隊，警察，路警，都有了這普遍現象，比貪污僅上級的現象也嚴重，因爲太多，也就太不容易肅清的原故，最近的將來，秧歌王朝大概就要變成貪污王朝了吧！

又一新刑「掛狗頭」

凡不熱烈清算地主的　將狗頭掛在農民頸上

廣東的鶴山縣，是中共在廣東施行「土改」第一期十個縣中的一個。不但地主慘遭清算，一般農民亦痛苦不堪，茲述其情形如下：由於田地面積少，農民人數多，把田地依照農民人數分配的，一個農民只分得六分田。而且所分得的田地，都是一些貧瘠不堪的，原來那些肥沃的田地，都把它劃作所謂「公田」。據該縣的「土改委員會」稱，它是預備拿來分配給那些出征軍人和中共黨員眷屬的。同時，由地主富農那裡所搶刧下來的耕牛、農具、種子、肥料、以及房屋等等，也是預備拿來分配給出征軍人和中共黨員眷屬的，結果農民一無所得。」

對於同情地主的農民，除了批評處分以外，據最近該縣逃難出來的婦女們說，現在更有一種叫「掛狗頭」的新花樣，中共把那些同情地主的人，將一隻狗的頭，割下來，用繩子將狗頭的兩隻耳朵穿綁起來，掛在這種人的頸項上，不許取下，直到那狗頭腐爛到只剩下一把骨頭爲止。凡是在「公審」地主富農時，被迫參加「公審」的人們，不願意把地主富農控訴，侮辱，鞭打，而當決議時又不舉手的人們，都要確定他們是地主富農們的走狗，而受這種刑罰的懲戒。（丁鄰）

鉄幕叢談

寂寞的東方

·西人·

近來的杜魯門先生好像正走着下坡運，包庇黑社會和復興銀公司兩案弄得他焦頭爛額（而且揭發這兩案的主持人又都是民主黨議員），不得已做出了他平生最大的賭注，免去麥帥的一切軍職，滿以為可以博得內外一致稱揚他的勇敢，獲致唐寧街的同情，說不定還可能造成結束韓戰的機會。不想一切適得其反，英方既不以麥帥之去為絕對滿足，反攻的共軍更乘機傾山倒海而來，致三八線又被渡過。而美國輿論沸騰，正由雪片般的抗議函電與舉國若狂的歡迎麥帥返國表現出來，看來這一賭注大有滿盤皆輸的形勢。

麥帥事業的開始在東方，最大的成就也在東方，他畢生事業的結束或者也在東方——假使他不再東山又起東的話。唯其如此，所以他最能認識東方，瞭解東方。他自已知道他的主張不容於華府當局，他早已想到可能對日和約不在他手內完成（他對美國女記者赫金斯談話中曾有此表示），但他絕不因此而把自己的眞知灼見隱諱不言，以奉行形式上的紀律，這是他獲得欲尤的主因，另一方面也正是他的偉大之處。前面所述日來種種發展，也許有一部分是巧合，但在他，却決非全出意外。然而儘管他是一個想以一手在東方阻遏共產侵略的人，至今為止，對他熱烈擁護的呼聲，却主要只見之於美國人民，在東方本身，竟顯得異樣的寂寞。只有菲律賓會表示出相當的熱情，而東京二百萬市民的排隊相送，也算盡到一個戰敗國家的最高表示，此外則好像一般都是漠然無動於中。其中自然也有的是內心熱情激盪，表面上有許多顧慮不好宣洩於外，但却也有人夢想「中立」與視麥帥如眼中之釘，必欲去之而後快。過去為他在巴丹半島戰敗，還有澳洲獻給他總司令一職，請他藉保衛澳紐而打回菲島，今天他在聯合國軍總司令部戰敗，東方的人只是坐視他搭上巴丹號，溜返故土。

「落後」的東方人民：直到今天，難道你們自身的未來命運，還要一切都等待遠隔重洋的人士替你們安排嗎？

領導英工黨左翼的貝萬

風雲人物

最近因反對擴大軍費及人民對裝配眼鏡和假牙須納半價而辭去勞工部長職的貝萬，向被公認為工黨中野心勃勃的叛徒。在美國人目光中，他與陸軍大臣史特拉契和也已辭職的貿易局主席威爾遜都是粉紅色而不可靠的人物。他的辯才使保守黨對他心存恐懼，不同時亦懷三分尊敬。他常被喻作一個蓋子尚未打開的水壺，有人以為他將來當有一日能成為今日的勞•合喬治。前此不久，一位保守黨貴族會說過：「因為我相信在這時代祇要一個人甘願付出必要的代價，他必能得到他所要求的任何東西，所以我以為貝萬終有一日會出任首相。」

他出生於礦工之家，滋一個善辯之舌，對消除社會不良現象的熱誠信念，及能以符咒似的言論令人折服的天才，逐漸自一所破舊的小屋爬到距首相一職僅一箭之遙的地位。

貝萬幼年隨他父親工作於威爾斯的特利德加煤礦，當時他在地下所看到的不合人道的情況，已形成了他終身的政治觀念。他不久就離開礦場而成為煤礦職工會代表，深信應獻身於協助礦工。他進入一所勞工大學。隨後當選職工會領袖而使本身的辯才更趨於精鍊。在後來的政治生涯中，他的銳利的辭句，曾一再令政敵和許多友人都為之震驚。

一九二九年三十二歲時，他當選下院議員，常因激辯而與友敵均發生衝突。他曾一度將一位財政大臣稱為「殺害兒童的兇手」。一九三七年曾因與前財相克里浦斯倡導組織英國「人民陣綫」而被逐出工黨。但九個月後蘇德協定訂立，他失去了社會黨與共產黨合作的希望，遂被恢復黨籍。戰時他曾猛烈抨擊聯合政府，以致被首相邱吉爾稱作「粗暴之販賣者」。一九四五年工黨在大選中獲勝而執政，他被任命為衛生部長，今日所實施之國民保健計劃，就是他一手所擬訂。今年一月間被調任勞工部長，補伊薩克斯的遺缺。

他在工黨中頗孚衆望，幾年來都以最多數票當選工黨執行委員，但在下院中只有少數人支持他，近年來在下院公開的「左傾」集團亦很少與他發生關係。

他愛好桌球和網球，生性好動，所以他今次辭職後，是否能以僅充任國會議員為滿足，頗為人所懷疑。據英國一般人士的忖測，他或可能在工黨內組織一有力的反對派，對抗艾德禮和其他領袖，或被迫組織一新的社會主義政黨，以實現他的巨大野心。

·雷門·

投靠的悲喜劇

·照妖·

這該是奴才最得意的時候了，跟新主人搭上了綫，名登奴籍沒有問題，滬濟他一份末日週報，以及吹拍捧的本領，還怕不能正式攀龍附鳳，撈摸頂紅紗帽嗎？何況今天又是他結婚的大喜，當滿臉春風的來往應酬賓客之間時，「人逢喜事精神爽」，他顯得更年輕更靈活了。

劉××是過去堂堂的封疆大吏，因爲合作向新主人投靠，現在也和他稱兄道弟起來了，這次請他來證婚，他一口就答允，以一個不入流的新聞騙子，居然能夠跟這批達官貴人訂交，這還不夠抬高自己的身份嗎？識時務者爲俊傑，無怪他自己要得意忘形了。

禮堂裏充滿了賓客，新娘也收拾停當了，可是證婚人還沒有到，時間快到七點，他等得有點心焦，突然電話來了，是劉××的，「糟糕！你不能來嗎？那怎麼辦呢？」他急起來了。「對不起！我因爲有要緊事，抽不出時間，我已替你代請何×老來替你證婚。」這是對方的回答。這一下可把奴才樂了，何×老，他是過去的主席，湖南的老前輩，不更好嗎？他在電話裏連聲回答：「好，好」。

婚禮在喧鬧中結束了，奴才舒了口氣，得意的對新娘說：「何×老！年紀老一點，比劉××來證婚更顯得莊重些，請他眞不容易啊！」

可是命運像在跟奴才開玩笑，歡樂未終，悲哀隨之而來，正在末日週報上，見神見鬼，表示大力「前進」，替主人「立功」的時候，上面的批評來了，最糟的是連他賣身投靠的一份愚忠也受到懷疑了。毛病就出在那次結婚上。

何×老是頑固份子，而且挖過新主人的祖墳，在湖南殺過不少主人忠心的舊僕，是新主人的對頭怨家，請主人的仇人來證婚，這眞是自己的罪該萬死，於是主人的津貼取消了，主人恩賜紗帽的希望也成了泡影，在小組的檢討中，儘管他大駡自己混蛋，該死，解釋錯誤的經過，立了血淋淋的誓言，表示爲新主人盡忠的決心後，總算沒有開除奴籍，但是一切還得看他以後的表現，要他加倍立功贖罪。

他感到新主人的威嚴，不容易侍候，但他賣身是賣定了，只有自恨眼睛不亮，恨劉××給當他上，更恨何老頭的糊塗，差一點斷送了他的前途。

在加倍立功贖罪的指示下，他的末日週報不得不更積極的亂吠亂咬，瞎吹瞎捧，不要說「噴嚏是對主義的貢獻」，就是主人的屁，也加以恭維，盡肉麻無聊之能事，來迎合主人的歡心，不過主人現在對他還是愛理不理的樣子，也許是立功不夠的緣故吧，還要他繼續賣命，這是奴才認爲最苦惱的事情。

當然有很多人對他的狐假虎威，卑鄙無恥，感到十分厭惡，但是奴才也有奴才的苦處，不但俯仰由人，並且動輒得咎，也夠可憐的。

當然我們並不是同情奴才，而是希望迷路的人不要做奴才啦！

眼鏡與假牙：貝萬不愧是「叛徒」

·杜老誌·

英工黨左翼領袖貝萬，因反對擴軍的龐大預算案，為了英倫三島人民的眼鏡與假牙的福利，不惜怒摔烏紗帽，辭去勞工部長。此事在東方人眼光之下，也許覺得無比詫異，偽君子之流必云：小題大做，意氣用事，犯不着；有官癮而不能過的人，必大爲貝萬惋惜，爲了人民的眼鏡與假牙衛生福利，把一個部長差使丟棄，未免不識時務，更不懂宦海要訣。

在我倒覺得不管他主張對不對，但究竟是個硬漢，不盲從，有主張，如果他爲了一已祿位，爲了大過官癮，儘可不顧一切，隨聲附和，既得首相垂愛，又可擁官自豪，豈不快哉！

拿貝萬的作風再來回溯我們大陸時代的宦海浮沉，適成一個相反對照：君不聞，多少人爲了一官半職，甘心白臉塗黑，出賣政治靈魂，竪讓大妻小妾，這班人有的也自詡是「蘇格拉底的皈依者」，只要有官到手，鞠躬盡瘁，根本沒有什麼政治主張，一朝在台，只能看到台上，台下的人民呢，死活由之。這類人如果與貝萬相對，更顯得貝萬的價值了。

貝萬的典型，是今後自由中國的政治風氣所值得模做的。

雷達防空網的漏洞

目前在美國的防空機構中，雖然已經有了雷達，但是仍然需要一般人民的協助，而像第二次大戰中那樣在屋頂或是孤立的山頭担任志願防空監視員。據美國空軍部的估計，倘如發生全面的戰爭，將需五十萬人來從事防空監視工作，以補雷達網機構中不可避免的漏洞。

雷達現有的缺點是它具有若干不能偵察到的盲點。它所發出的電波和電視一樣都祇走的直綫，這種電波不能越過房屋，山峯，或其他的障礙物，並且不能隨着地球表面的弧度而彎曲。因此雷達偵察站對於在高空飛行的飛機最爲有效。它的有效偵察高度可達一百五十哩，但是如果來襲的轟炸機飛得很低的話，它們就可因着地面的凸出曲度而直到距離相當近的時候才被察覺。由於山峯和其他障礙物的隱蔽，甚至可能使雷達在能够及時發出有效的警告之前，無法偵察到敵機的蹤跡。

要補救這種缺陷，自然可以在各地遍設雷達站而使所有的盲點都被消除。但是設立雷達站並不是一件簡單的事，它需要複雜的設備和極高的費用，並且每個站所需用的人員就達一百名之多。如果要形成一個完美無漏洞的全國雷達網，則它所耗的金錢，電氣儀器，和人力的價值將超過所能保護的事物。

在地面的監視哨不能看見或聽到在極高高空飛行的轟炸機，那是雷達站所管的事。監視哨工作將專門從事偵察那些飛得極低（差不多像樹頂那樣的高度）而企圖偸過雷達網漏洞的敵人飛機。據美國防空司令部說，像這樣的襲擊實在是一種眞正的危險。敵人的轟炸機羣一旦偸過了美國海岸和北部邊境的雷達監視，就可以在內地肆意横衝直撞了。除非它們闖入一個雷達站的偵察範圍之內，否則担任防禦的噴射戰鬥機就無法知道它們的所在地點而前往截擊。

志願的防空監視員可以對偵察這種襲擊的工作有極大的幫助。偵察站得到他們的電波報告而在地面上標出之後，就可以馬上確知敵機的位置和進攻方向。　（朱央譯）

時代科學

名正言順

穩洗動廣播合下鄉播送「匪特罪行」……

不必大費手脚，派洗動廣播合下鄉播送，是冠冕堂皇的匪特的「合法」罪行。

「捐獻競賽會」的指導員，「踴躍參軍大會」的「工作隊」，早已是鄉民的鄉民的鄰居。

別有用心

四強外長代表開會三十七次，葛羅米柯對西方抨擊復抨擊，然後畢竟讓西方代表聽到了一句眞心話——「蘇聯不受條約的約束」，他們的東西都胡說八道，其他的具有目的。

感言篇

·桑梅·

小啟

陳香梅女士所著旅美雜記續稿未到，本期暫停。

不想回家的俄國兵

不願進天堂·要在德國

在深藏於德國蘇管區內一個駐有紅軍的小城中，我又聽到了這個故事——這次是我的朋友講給我聽的。一個蘇聯士兵被汽車撞傷，送入德國醫院。醫生告訴他傷勢嚴重，當生命已開始絕望了時，他哭了起來。

「不要哭，」醫生說：「你就會昇入天堂了。」士兵反哭得更加厲害。「我不要進天堂，」他說：「我要留在德國。」

在沒有進入東德以前，我已聽過這故事，不知多少遍，但總是不能相信，雖然梅頓斯發誓說確有其事。不過現在我已知道它的意義是眞實的。紅軍士兵為德國的蘇管區所吸引，對每一樣東西都感到新奇，這裏到處有衛生設備，乾淨的毛巾，光亮的電燈泡，有排列於古董店陰暗櫥窗裏的精緻古玩，有遊藝場裏的輪轉木馬和五色繽紛的飲料。

「沒有到過蘇聯的人，決不會了解這裏俄國兵的心情。」梅頓斯說。他曾以德國士兵的身份到過蘇聯，後來成為戰俘。「東德的幾……比起多數蘇聯士兵所生長的貧窮環境來，仍然是一個天堂。在他們的家鄉，不知有許多人沒有皮鞋，沒有浴室，除了麵包和菜湯之外，再也吃不到別的東西。現在，他們在這裏穿得舒服，每週有三四頓肉吃，每月還可配給到二公升伏特加酒。他們嚮往於我們的湯匙的，桌布和有白襯單的床，茶杯。這裏很少人睡擱板或地板。星期天我們的小女孩子都穿起潔白的衣裳。我們有一間小小的浴室，裝着一個浴缸，還有一盞懸着五個燈泡的吊燈。蘇聯士兵覺得這些都使他們驚異。他們不會注意到我們人民沉鬱的臉色，恐懼和疑惑的氣氛。對於這些，他們都是已習慣了。」

西德和西柏林的人現在仍能到蘇管區去，很多人今夏乘着蘇聯有利於西德馬克的時候（一個西德馬克可換六個東德馬克，約合美金二角三分），往波羅的海邊的避暑勝地渡假，連食住在內，每天祇需要化八個東德馬克。有些美國遊人說那裏恬靜，而幽雅，難得有俄兵出現，而祇見少數共產黨的「人民警察」。美國人進入蘇管區和去蘇聯同樣的困難，除非碰到特別的機會，如某處舉行展覽大會或某一個法院舉行盛大的「公審」。（一）

泰辛寫譯自星期六晚郵報

竹影心聲

·上海來鴻·

·離草·

五

偸偸地我在學詩，寫得不像。抒情的，已是此路不通，暴風雨式的，我不會，歌頌的，那只有共產黨的嘍囉們才老着臉皮寫出來，我的不速而至的學詩興趣，原因也是對「小妖們」抗議，不過我承認「形式」上失敗，你知道，我的詩是寫在叩之不應的心扉上，寫在回憶中的佈景裏，寫上我的筆尖，而不讓它順流滑到白紙上。

想把已寫好的詩告訴你；可是我又以爲詩只能默默的唸，一首眞的詩，決不是第二個人所可讀到，也就僅有這個理由，我發現了只有自己才是懂得詩的人了。

「前進」了的詩人不多，報上也好久不見這些投機「詩人」在絞腦汁了，共產黨不講靈感，不談文章情操，他們把這些「腐爛東西」，另外關在一個「象牙的塔裏」，由它自生自滅，你說要寫歌頌文章嗎？這一手，不是一個共產黨員，而入黨資格在三年以下的，他不會信任你。

今天不像在跟你寫信，我整理不出急於要和你談的是什麼？你能給我半個小時的假嗎？我想找三房客談天去，也許他能告訴我一點，這個人的名字叫沈思，當你發現這兩個字時，請你也作半小時的休息可好？

……………………………

你數過上面空白地方的小黑點嗎？像一行待檢閱的螞蟻的儀仗隊，也像一隻受傷的白熊在雪地裏留下的血印，整整三十點，代表了我的字離開你的眼睛三十分鐘，我是看準了時間去找沈思的，說明打擾他半個鐘點，然而能談些什麼呢？應該我替你介紹一下，關於沈思的：

他是性格多方面的人；

他有一點婦人之仁；

他的正確年齡：處世經驗廿五歲，學問十四歲，體格廿九歲，談吐三十歲，風趣六歲，誠懇十二歲。

就是這樣一個人，才能在稅局裏混了兩個朝代，過去我與他保持「生疏的感情」，現在則是有一點「憐憫的友誼」在內了。

先給你留下一個印象，現在是我們又到了信上一個小小別離的時候了。（你聽到媽上樓的脚聲嗎？）

自由人
THE FREEMAN
（半週刊每星期三六出版）
每份零售港幣壹毫半
（第十七期）
督印人：梁大成
社址
香港德輔道中一四九號四樓
電話：三二八二〇
149, 3rd FLOOR,
DES VOEUX RD. C.
HONGKONG
TEL: 32820
承印者：東南印務出版社
地址：高士打道六四號
台灣總經銷處中國書報發行所
地址：台北館前路八十五號
電話：三〇三三

反共形勢在延宕中

這比較的將於俄帝及中共有益

左舜生

看一般的國際情勢，看大陸，看台灣，看散居在中國大陸和台灣以外一般人的動向和心理，反共抗俄大概是一個長期的工作了。

韓戰暫時不致擴大
民主國家步調參差

一個局部的韓戰，已經迴黃轉綠的快要拖上一年，目前民主國家的一面，固然還沒有把戰爭擴大到韓戰以外的決心，即俄帝的如意算盤，也最好是把聯軍吸住在這一點上來長期消耗。民主國家方面之不願擴大，情形相當複雜：力量不等，利害不一，緩急有差，認識有別，歸納而形成一個心理上與態度上的極不一致，這是於聯軍最爲不利的。俄帝也暫時不願擴大的理由，一方面固由於攻日與攻歐，尚有待於充分的準備，另一方面，也就是最主要的一方面則由於韓戰不必多耗費俄帝自己的實力，而有中共和北韓代他去做替死鬼。以中共和北韓的人力，去換得拖住和消耗美國及其聯軍的戰果，無論中共與北韓的傷亡是如何慘重。只須史太林對毛澤東金日成傳令嘉獎，溫諭有加，便可以使得他們歡欣鼓舞，效死不變，這在俄帝自然是非常上算的。

韓戰一經發動，繼以中共參加，由共對俄帝的依存關係，使已大大的增加。再由史太林嚴令中共在大陸上大事屠殺，以引起中國大多數老百姓對中共的仇視，更使得中共除「一面倒」以外，已別無其他的途徑可以自存了。照目前的形勢看，只要俄帝不遭遇致命的慘敗，中共政權便可繼續維持；只要中國大陸在中共的控制下不發生根本的動搖，俄帝在遠東的優勢，即可保持不變。這樣一個有利於俄帝與中共的態勢，是英美一部分的政治和軍事人物努力造成的，只有麥克阿瑟的一派，對這件事可以不負責任。

簽訂日約不無問題
太平洋團結尚有待

對日和約的簽定，以英美尚持有不同的意見；菲律賓也未能忘情於賠償；日本自身對於武裝的重建不無多少顧慮，實際亦不願轉移發展經濟的資金用以彌補大宗軍事的消耗；因此種種，和約與武裝均非短期內所能成功。只要遠東的日本不會立刻起來，俄帝對遠東即無採取緊急步驟的必要，這也是使得整個局勢延緩爆發的一因。

太平洋公約暫時
中立台灣政策不變
反攻大陸尚未成熟

只以美澳紐三方爲限，其性質顯爲保守而非進取，只在消極的和緩澳紐對日本再起的疑懼，決非立刻團結太平洋所有力量積極的表示一種戰鬥的姿態。這樣一種溫和步驟，所給予俄帝與中共的刺激，顯然也是不會太大的。

美國對台灣軍事代表團的派遣，着重在麥帥去職以後表示美國對遠東的政策不變，華盛頓爲了和緩國內的政爭也覺得有採此一着的必要。同時一個規定代表團職權及軍援物資在運用上有所限制的中美換文，原也沒有在此時立予發表的必要，其所以要立即予以公布者，亦在使世人週知美國的旨趣僅在確保台灣，並非就要幫助國民政府去反攻大陸。這與杜魯門總統和艾契遜國務卿一再宣稱，不願擴大韓戰的宗旨是合的。以再就不符合身加以檢討是沒有什麼不可意志，似乎除掉異反攻的本爆發，與一個常堅強的夠得上反攻大戰以來，也別無其他的美援到法，換言之，必須美國的贊成才能動，只好不動不贊成勵也不便大範，甚至在不大動的準備以內儘有若干，也關步驟可以採取，似乎表現得不太積極。我們知道台灣決不是以僅僅保持這樣一個島就可以滿足的，

第三勢力尚無組織
反共力量應該團結

他們也知道曠日持久

散居在中國大陸和台灣以外的中國人以數日多在一千萬以上，其大多數都是反共的。這股力量沒有方法加強，也沒有方法把這股力量加以發揮，台灣以身陣容也無法更大的作用。結自的許多人所相爲的。國以有的所謂「第三勢力」，僅只有這個傾向，設有一個人物以提攜這股力量，而可加以像樣的組織，截至現在爲止，這種理想個或若干人物，確實還沒有爲世人所發見。把這種零星的力量分別附益於台灣，對台灣未必有益；把這種零星力量組織起來以與台灣相呼應，也許反而可以相得益彰。可是留在台灣的人們具有這種認識的人也不太多，或許這也就是這種力量難於形成的原因之一。

總而言之，全世界反共抗俄的力量，確實已經進入了一個「拖」的形態，有的是格於形勢，有的是原於心理，俄帝正準備着這種心理而加強其矛盾，利用其牽掣，這種形勢，值得世界反共的人們加以深切的反省。

只有對未來的反攻愈加不利，可是全世界的空氣都側重在「拖」，台灣雖欲不「拖」又如何可得？截至現在爲止，美國對台灣所採取的政策，仍然沒有超出一個「拖」的原則，這實在是中國的老百姓所受不了的。

寫在兩場會戰之間

—共軍後方七十餘機場，及交通中心，被聯軍飛機穿梭破壞，後援部隊無法前進。—

·黃震遐·

半週軍事

共軍攻勢的發展，截止四月廿九日晚，未出前論所料，聯軍[illegible]退到永登浦漢江南岸以至洪川之線，[illegible]十、合兵團（當中夾雜英軍兩旅，土軍一旅，其他十國軍隊一萬，南韓兩兵團），由汶山南方議政府加平春川楊口麟蹄之線，向南撤退到金浦永登浦漢江南岸到洪川之線。除在漢城控制一個橋頭堡外，主力安全脫離了共軍的追擊。但廿七八兩日，由於前線大雨，聯軍空中偵察失效。斐列德亦不明共軍下一戰的箭頭，將摸向新防線何處？

聯軍安全撤退
完成決戰防禦

共軍這次進攻的兵力，似乎還不甚清楚。大致上第一線有三十個師，第二線至少還有二十個師。在第一線兵團的三十師中，用在西線的有七個到九個師，用在中線有十五到十八個師，用在東線有三到五個師。此外中共還投進了三四個砲兵師兩個騎兵師。這兵力（中共三十萬及北韓六萬人）由於聯軍避戰迅速，並不會充分展開。傷亡重大的祇有第一線的攻擊部隊（十師人？）但廿八日後，亦與聯軍脫離接觸。在大雨中調整部署，補充傷亡，並將第二線兵團調上戰場，可能接替幾個傷亡特慘的單位。

在聯軍方面，這次美軍主力的撤退很有條理，左翼在英軍廿九旅的掩護下，安全撤過漢江，到南岸金浦永登浦京安里一線扼守，漢城留下一部兵力準備固守卜時。中線在英廿七旅和澳紐加部隊的警戒掩護下，撤過北漢江整理。最後始將麟蹄春川間的第十兵團和南韓第三兵團，分兩路撤向洪川集中。完成一百哩的曲線部署。

聯軍殺戮攻勢
共方傷亡四萬

實際的戰鬥僅發生在廿三至廿七的五日間，這五天，戰鬥主動操在共軍手中，完成了三個局部性的突破，逼使斐列德提前實施退卻：第一個小突破，在高浪里漣川之間，共軍至少有兩師人強渡臨津江，突破比軍和英廿九旅的正面，直撲議政府。第二個小突破在金化南方地區，共軍主力出擊，突破南韓第六師（？）的正面，以中央突破的凶鋒，衝向春川加平。第三個小突破在麟蹄附近，突破了南韓第五師，威脅聯軍右翼放棄楊口春川。共軍在突破戰中至少使用了兩個砲兵師（包含大量的俄式十五榴重砲），一個騎兵師和步兵七十餘萬人，但聯軍的砲兵空軍則發揮更大的殲滅威力，在每一突破缺口，皆射彈數萬發，投彈數千枚，並對共軍後方的七十個機場及交通線中心穿梭地打擊破壞，使共軍後續部隊開不上來。共軍飛機除非遠自東北起飛，無法直接參戰，在戰術上，聯軍的手法是殺傷攻勢的擴大。

五天內，聯軍的傷亡總數不致超過一萬五千人，南韓軍兩部份（第五六兩師？）受共軍正面打擊，犧牲最重，英軍廿九旅在臨津江南岸遭突破包圍，廿七旅和澳紐部隊在加平堵擊共軍主力的中央突破，兩旅傷亡合計，可能超過英軍參戰八個月來的犧牲總數（三千弱），其次比非土各軍皆有傷亡，美軍的傷亡和各軍比較，還是比率最輕的一部。反之，則共軍的第一線部隊的密集攻擊隊形，及預備隊，在空軍打擊之下的強迫增援，是它至少傷亡到四萬的原因。綜括觀察，這祇是一個「殺傷的有限攻勢」。

第二回合開始
美軍待機反擊

第一個回合的會戰已經告一段落，從廿八日起即是第二回合的準備期，第二個會戰中，雙方可能怎樣打法？

（一）在第二個會戰中，戰略主動還是在共方手中，這是目前雙方兵力所決定的現勢。

（二）「漢城橋頭堡」的戰鬥，如果變成政治性的象徵，可能有懸門一場的戰鬥，則可在漢城週邊地帶，漢江入口處，永登浦河曲部（漢城永登浦金浦一線）間用砲火網，橫川仁川同時從空軍海軍的交叉火網，將可從海面加入支援，則共軍上空機場起飛不上，陣地火網下撤發數萬、共軍不準，備從正面攻入市區。休

（三）共軍可能從漢江中央突破未來會戰選點（從京安里直衝水原，附漢城之背）一，但這是常識性的軍事，聯軍當然不會沒有對策。

（四）從漢江入口處經過金浦一右翼迂迴，缺點是聯軍海軍砲火必將迎頭痛擊，站不穩腳。

（五）對東線共軍會不會用主力轉向麟川洪川橫城間的公路。通過小白山區進行大迂迴（過去北韓第五軍曾試過一次失敗）要看這兩天的戰略機動和美國第十兵團的第二個會戰的怒濤大致將湧向在兩個地區：一以漢城爲中心，一以洪川橫城爲中心。三角地區的共軍將分進合擊，在平線外的聯軍則以犄角之內陣，積桿之勢，對共軍來一次殲防禦性的反攻。

劉多荃哭北平

·兒子槍斃中共也不算立功·

[illegible]

恐不易自由離去也。

（大哀）

不必再吞吞吐吐了

杜魯門又向國會提出六百零六億七千九百萬元軍事撥款[illegible]

中共的絕好供辭

[illegible]

有感於顧問團到台

[illegible]

半週展望

[illegible]

加速生產中 蘇俄空軍全貌

張六師

空軍是史太林應付三次大戰的王牌。油的問題是一個重要的謎，還裏特把蘇俄空軍的實力，生產力，技術水準，以及今天史太林的「戈林將軍」，一一介紹給你。

在蘇戰正日趨緊張之今日，各方對於史太林是否敢把大量空軍，在韓國向聯軍發動攻勢，因此挑起全面性戰爭，極爲注意。筆者在本刊十四期曾提出此問題，而斷言目前史太林還在科學實驗中。如果能以中共「人海」，完成對聯軍決定性的勝利打擊，他還不至就出動優勢的空軍以爭取勝利。但是萬一竭盡「人海」之力，還不免敗北，則圖窮七見，可能發動戰術空軍，以配合地面部隊的行動，予聯軍在戰場上以嚴重打擊，爭取局部戰的勝利，至遲炸日本和琉球第五航空隊基地的戰略行動，史太林目前恐無此膽量。不過形勢比人強，如聯軍地面部隊也遭受共黨空軍的傷害，則杜魯門將不得不走麥克阿瑟路綫，對共黨後方施行轟炸，這樣，史太林除了「忍受」或「報復」外，別無他路可循。

空軍是俄帝的最弱一環

本來蘇俄在未來三次大戰中最優勢的是陸軍，而最弱的就是空軍。在橫跨歐亞兩洲的領土上，俄國在戰略上的優勢，就是面積廣大，可以減輕敵方空軍的損害，而其弱點也就是國土太大，空防絕難周密，調動艱難，補給也不易靈活。於是空軍担負的任務，就特別繁重。爲了配合陸軍的行動，不能不增強戰術空軍。爲了保衛廣大國土，減少敵機的損害，更不能不增強戰鬥空軍。同時爲了報復轟炸，和阻擊敵人工業生產，輔助政略戰略行動，更不能不增強戰略空軍。因爲在這原子時代，如果不具備這三種空軍的優勢，不特陸軍的決戰，雖個個國家，必先已被敵人空軍癱瘓了。

老奸巨滑的史太林，何嘗不明白這個道理，所以他在戰後的新五年計劃中，對於空軍的建設，不特動員了整個俄國的工業和附屬國的全部技術人材，而且爲了培養空軍人員，曾整個的動員了全俄羅斯的青年男女。爲了減少全國工業的毀滅，消極方面是不惜重大代價，把各種重要基本軍需工業，移到山區，遷入地下，和分區疏散。積極方面增強國境四周的雷達網，和戰鬥空軍的基地與機場。並指定在一九五二年內，完成這項準備（不過單在黑海，波羅底海和北極沿岸，就須超過戰時英國雷達網的十倍，尤以雷達人員訓練爲甚）。所以空軍在今天是史太林保命的王牌，如果聯合國在今天就開始消耗蘇俄的空軍，逼他在三次大戰前不得不忍痛先拿出最後的法寶，即等於今天英美還未到三次大戰前就把蘇軍的生命，拿在非決戰區來犧牲，是一樣的難以忍受。這對於延緩三次大戰，尤是有絕大的意義的；尤其是蘇俄的飛機工業生產上趕不上美國，（更趕不上各民主國的聯合力量），這就是他致命的弱點。

史太林的戈林這樣說了

然則蘇俄的飛機生產怎樣呢？根據史太林的兒子，現任莫斯科空軍中將司令，瓦西里史太林宣稱：「世界上現在沒有一個國家的飛機生產能趕得上蘇聯。以一九三〇和一九三九比較，[illegible]」

[illegible]

全國飛機數的生產實況

根據美國官方去年（一九四九）發表的文件，（韓戰前）蘇俄空軍的飛機生產量超過美國，爲十二與一之比，但未說明實數，自前年（一九四九）起，蘇俄第一綫空軍，就有一萬四千多架，（—70長程轟炸機（仿效美國B29式），和噴射式轟炸機戰鬥機都在大量生產。蘇俄全國每年度的財政預算，有百分之三十七用於生產飛機，[illegible]一九四四年和一九四五年已達到年產四萬架的標準。這和小史太林的話是相符的。他們爲了達到和避免敵人的空襲，把大量的飛機工廠遷到烏拉山以東。一九四五年以後，在西伯利亞也有三十五個工廠，效能甚好的飛機工作不斷的生產飛機；直接工作人員達七十五萬名以上，其中百分之五十的機械用具，都是美國租借法案中運去的。雖然俄國飛機生產在前年就已超過年[illegible]

[illegible]

原料技術困難怎樣解決

飛機生產的主要問題，在於原料的來源和技術。原料的適當來源，主要的是鋁，電力，和纖維物質，從俄國的[illegible]人造橡膠，大多是木製的。從這一點看來，足見原料[illegible]

[illegible]

近年來蘇俄轟炸戰鬥兩種飛機的實際在增加，一架空中堡壘的鋁，幾乎有五萬磅，如果單製造五千架空中堡壘，就把全俄國的鋁出產用完。（在一九四四年美國曾依租借法案中，給了俄國三[illegible]

[illegible]以增加生產。蘇俄在新五年計劃中，希望於一九五〇年內完成年產一七五〇萬噸的[illegible]

蘇聯空中實力究有多大

至於民航機，蘇俄也在儘量的擴展，戰時美國曾供給七百多架運輸機，幫助她發展空運，增強經濟。蘇俄的航路，已達到十三萬三千七百空哩（中國大陸未計入），而美國只有九萬五千多空哩，估計俄國的空中運輸，可達二十四萬噸，佔鐵路運輸的百分之五十八的噸位。

技術和編配正在改進中

在飛機的改良和製造技術方面，俄國人除了儘量培養自己的人材外，更把德國和其他資本主義國家的技術，努力的利用和竊取。估領東德之後，將兩個亨高爾廠的搬到波蘭。蘇聯區的航空工業，都完全[illegible]

總結到今天爲止，蘇俄的飛機生產量，包括被控制的附庸國在內，[illegible]

[illegible]已完全俄化。去年在韓國戰場的LA9型，和MIG 15型都是模仿外國飛機製造而獲得成功的實例。最近迫於事實的需要，已開始增加重轟炸機的大量製造。在俄國全境的陸軍，分爲六個總部，[illegible]今年已有增加的趨勢。遠東的赤塔區，估計配有三大隊。對於新控制區的中國大陸和沿海，目前雖未超過六百架，（包括西北，但不包括東北）。但由地面的準備情形判斷，一年半以內，如戰爭發生，可能會出現俄機二千到四千架的數量，必然以戰鬥機爲主，轟炸機次之。

油源的問題也是一個謎

油的問題，是一個重要的謎，許多人以爲俄國油源不能應付一個較長期的戰爭。不過以德日兩國二次大戰中爲例，蘇俄決不會沒有特別的打算的。所以他在中東與近東的行動，對新疆，甘肅的加强控制，和油井的開發，在烏拉山以東亞洲地區新油井的探鑽和增加，國內地下倉庫的增加存貯，民間用油的極度限制，這象徵着俄國發動世界大戰的陰謀，已在日益加緊，不過等待時機的成熟而已。

談自由人羅素（上）

安娜露絲著 伍健勳譯

去年十一月十日，羅素被宣佈爲一九五〇年諾貝爾文學獎金的得獎人。這是對他一生各種重要著作的一個總估價。同時也因此使他獲得人道與自由思想的保護人的美譽。

這位英國巨人，是二十世紀最偉大的思想家之一，他的主要供獻是數理哲學與符號邏輯。他研究的興趣頗爲廣泛，由歷史，政治學，經濟學，教育，道德，以及其他社會問題。他所著四十種不同的鉅著，使他成爲當代著作家中出版最廣的，泛地爲人們所討論的人物之一。以哲學家而獲諾貝爾文學獎金的，他算是第三個人。一爲一九〇八年的倭鏗（RUDOLF EUKEN），一爲一九二七年的亨利柏格森（HENRI BERGSON）。

羅素於一八七二年五月十八日，出生於英國蒙茅斯郡的拉文斯克洛，其地距離勒克不遠，他是三兄弟中最幼的一個。羅素的這一家從十六世紀以來，一向是英國的望族。他的祖父是一八三二年改革方案的提案人，兩度作自由黨內閣總理，一八六一年被維多利亞女皇賜名爲羅素伯爵。[illegible]態度。羅素當他在兩歲的時候，母親和姊姊相繼去世，二年後，父親也去世。[illegible]

[illegible]

一九〇〇年是他生命中最重要的一年，那年他與懷德海出席在巴黎舉行的國際哲學會議，他對皮亞諾的著作有一個特殊的印象，皮亞諾是符號邏輯發明人之一。羅素將皮亞諾[illegible]

[illegible]

勿再「輸送死亡」

有感於最近科克的談話

救救英國的孩子！

黎晋偉

最近訪問遠東回國不久的美國退伍軍人會會長科克，頃在喬治亞州達爾頓城發表談話稱。英國現正以「死亡」輸送與在韓作戰的聯合國軍，其中包括英國參戰的軍隊。據科克指稱：目前平均每週有輪船十一艘，由香港運載物資前赴共黨中國之口岸，其中有六艘係屬英輪，英國如此作戰，實史無前例。一方面吾人傻覩精銳英軍與美軍比肩作戰，但另一方面吾人又發覺英輪以戰略物資供給吾人敵人之中共，以協助渠等擊敗聯軍及英軍。

科克此項談話，雖然在其措詞譬喻上，不脫美國人的幽默色彩，惟歸言思之，亦不能謂無至理。尤其日來報載在韓英軍，正遭遇中共「人海」進攻，以致死傷慘重之時，科克指摘英國「輸送死亡」之說，轉見其言中有物，大足發人深省。除非英國乾脆退出韓戰，或對中共政策作根本改變則已，否則這種「輸送死亡」的戰爭，不啻爲現代歷史一幕滑稽劇，且亦未始非英國本身一幕悲劇！

韓戰發生迄今已將十閱月，實際上出兵出力最多的是美國，故聯軍傷亡的比例，亦以美國爲獨多，英國雖亦爲一參戰國家，但英國出兵祇有兩個旅，在行動表現上似乎離不了「象徵」的意味。也許爲了這一點原因，所以英國一方面雖然與中共作戰，但一方面卻仍然捨不了對中國大陸的貿易，因爲這種貿易，原來就是英國的權益，非到萬不得已時，英國是實在不願放棄它的權益的。

不過凡事有利必有害，英國的聰明，未必就是中共的愚蠢，英國能夠懂得在生意經上打算盤，中共也何嘗不懂得在吸收物資中打主意？戰爭本來就是一種消耗的東西，戰爭的時間愈久，則物資的消耗亦愈大，今天中共儘管把它「抗美援朝」的戰爭，儘量使之成爲「神話化」，如甚麼「三顆子彈擊落一架美機」的故事，雖然可以在宣傳上自慰於一時，惟實際上「神話」之不能持久，「神話」之不堪考驗，想中共亦當有其自知之明。因此，當中共一方面不斷賣駡英國如何對秩序王朝懷有敵意，但另一方面中共卻又非常有興趣與英國做買賣，中共所需要的，當然不會是香水，絲襪，和口紅，而是它們本來缺乏的戰略物資。鑒於過去中國的抗戰經驗，當滇緬路對閉之後，當時抗戰中國也曾提出過「自力更生」的動人口號，實際上那時的抗戰工作最爲艱苦，所謂「自力更生」云云，實別有一番滋味在心頭也。中共本來沒有參加過大規模的國際戰爭，此次硬以「人海戰術」對抗聯軍的「切肉攻勢」，無形中已使它接受了現代戰爭的教訓，所以中共無論對於韓戰宣傳如何誇稱「必勝」，但實際上它們所受作戰物資日益缺乏的威脅，是無時不提心吊膽的。不過「上帝」似乎硬要把戰爭拖成一幕滑稽悲劇，偏偏在一簇敵對國家中，有大不列顛者，願意供給它們以戰爭的需要，雖然這種供應對聯軍是大不利的，但對中共則利大無窮，因爲它可以從這種供應中去換取聯軍無數死傷的代價。

由於英國一方面對中共作戰，而一方面對中共通商的矛盾現象，無法消除（至少目前如此），英國取得於中共的經濟利益，究竟有限，但英國所失於美國的民意支援，則無可估計。最近由於麥帥事件不幸發生，美國人民的反英情緒，已到了不可忽視的程度，日前邱吉爾在倫敦發表演說，也特別以此爲抨擊工黨「錯誤無能」的根據，故科克所云，我們實不能把他作爲個人反英的論點，蓋其背後實包含有無數美國人民的心聲於其中也。

英國是否有勇氣改變其「輸送死亡」的政策，我們無由懸揣，但聯合國既已宣佈中共爲「侵略者」，而美國對於遠東戰略物資的禁運，又正加緊執行，日本已成功湖上，十四國「集體措施委員會」，由美國出面力圖說服英國參加對中共的經濟制裁，而韓國戰場的共軍春季大攻勢，也似乎特別着眼於英軍的攻擊，即使撇開任何理由不談，祇是爲了「救救英國的孩子」，工黨內閣也應迅速放棄這種「輸送死亡」的「對華貿易」的，不知艾德禮先生以爲如何？

願和中共做生意者注意

吐回所賺中共的錢再賠添以前財產

鐵算盤如此殘酷！

李翰臣喬銘勛替中共努力生產，或搶購軍用物資，結果或殺或捕都弄到人財兩空。

在中共統治下，工商界，雖遭受一種壓迫剝削，但比起地主，總還能苟延性命，差勝一籌。尤其有一些進出口商人，中共要利用他們生產或搶購軍用物資，給他們戴上「民族資本家」的頭銜，若干頭腦簡單的人們，居然被騙得神魂顛倒，以爲在中共王朝，還有他們發財的機會。殊不知狠辣無比的中共，在目前固然還需要這批胡塗蟲，不至將他們整個清除，然而發財云云，則萬萬談不到。除開中共苛捐雜稅，獻金獻產而外，凡在這些捐獻方法下，還不能被中共搜刮精光的人們，中共就另有妙計，準叫你人爲財死，涓滴歸公。總之，中共的鐵算盤其殘酷是任何人意想不到的。

三十年織布工廠 因賺錢竟被沒收

據我報告最近平津間一位工廠老板，一位進出口商人所遭遇的意外橫禍，以證明上述中共作法，已進入實施階段。眞憑實據，如假包換。

先報告一位工廠老板的遭遇。前門外打磨廠，裕華興染織工廠，是北平私營布廠中，成績最好的一家。布，是中共最缺乏也最需要的東西，尤其將近一千萬中共軍，軍服的供應，數字異常龐大，因之，對這類規模較大的染織廠，中共總另眼相看。歷年以來，裕華興給中共盡過不少力，雖在「中共萬稅」之下，居然年有盈餘。中共參加韓戰後，情形尤好，但禍根也就種在這裏。裕華興工廠經理，是由老板李翰臣自兼。從創辦到現在，一手經營了三十多年，刻苦耐勞，是他成功唯一祕訣。中共既要收回這兩年多給他賺去的「人民幣」，更看中了他這份產業，於是經有關幹部一再研討之下，決定了一個辦法。

誣稱反對喊萬歲 李翰臣被判國特

幾天以前北平總工會及公安局，忽然接到控訴，說李翰臣虐待工人，在過去卅年中，壓榨了不少工人血汗。並且任意解雇工人，只要稍不如意，就立時勒令滾蛋，前後被其非法解雇，以致失業餓死的，不下三千六。工會和公安局，認為李翰臣不止虐待工人，而且還有國特嫌疑，謂李對中共當局一向陰謀，聽到呼「毛主席萬歲」時，李翰臣表示厭惡。工人石有球出頭作證說，有一次，李很憤怒的罵石有球，「你整天喊萬歲，喊得飽麼？喊餓了，還不是要靠我給你飯吃」。石又指證李反對工人參加工會，說李罵工人：「你們一天到晚，到什麼工會開會，你們吃了張三的飯，去給李四作工，我還能再給你們飯吃？」工人臧賈三也出頭作證，說李曾對他說過：「大工廠公私合營，小工廠聯營，這是政府吞沒人民血汗的手腕。將來我們的廠，萬一被政府收沒，你們工人就都要受苦。並且朝鮮的戰事再打下去，你們的工作，都會由女人幼童來接替，你們都要抓去當兵」。由於這兩個工人作證，於是最初僅僅控告李剝削工人的罪名，當然都變成次要而又次要了。工會和公安局，都認定李翰臣有國特嫌疑，除將李繼續拘訊外，工廠已由中共先行代管。當本文刊出時，大約李翰臣已早到了鬼門關，裕華興工廠，也就早已換成由中共幹部，來代做主人了。

中共在這一回合中，不僅向裕華興收回了從前被賺去的「人民幣」，而且替「人民」源源得到這一批橫財——裕華興工廠全部資產。

製雨衣高估成本 被控爲詐騙政府

再報告一位進出口商人的遭遇。喬銘勛是一位氣派很大的進出口商人，兼任天津還中橡膠廠副經理，而且做了中共指導下天津市橡膠同業公會主任委員。他在國外，替中共搶購了不少橡膠，五金和其他軍用物資，這對於中共，當然功勞很大。另一方面，從事這種工作，無疑是油水很多。他雖然盡量從優，報效若干有關的中共幹部，但畢竟樹大招風。本月十四日，天津市人民檢察署，控喬承製中共軍用雨衣，欺詐壟斷，抬高成本，騙取國家大量財產，向天津市人民法院提起公訴。十六日，喬已被法院拘捕。據檢察署的起訴書說：喬與中共簽訂合同，承製軍用雨衣五十萬件，合同規定每件定價十四萬一千元，但現經調查，實際每衣一件，只需成本十萬元，即每一雨衣，喬詐取暴利達四萬一千元之多，五十萬件，合計喬詐取國家財產達二十餘億元。又合同載明，每布一疋，可裁雨衣九件半，但喬將布染色以後，每疋約可伸長一碼五，到二碼，即每疋，可裁雨衣十件，顯見喬有意欺騙政府，圖取暴利云云。起訴書中，並涉及合同締結人之「中央輕工業部」，認爲合同簽訂前，未協助軍方，細加審核，有無情弊，應一併澈查。「輕工業部部長」爲黃炎培，據傳與喬私人關係甚深，是否能不因此案，而涉嫌貪污，在黃深感頭痛。惟自此案發生後，一般慣與中共做生意的商人，都大起恐慌。因由商人立場說，做生意不能不賺錢，一件雨衣，合同訂明價錢十四萬一千元，決無成本亦爲十四萬一千元之理。只須製成雨衣，與合同規定標準符合，則每件獲利若干，自屬理所必然。今中共以成本十萬元，（姑無論是否十萬元夠做一件雨衣）定價超過成本，即指爲商人詐取國家財產，是欲凡接受中共定單之商人，均自貼人工開銷，而不許在成本以外，獲取利潤，如此辦法，又有何生意可做？進一步，安得不人人自危？一般預料，喬縱能不處死刑，但最低限度，除退還照中共計算所詐取國家財產數十億外，尚必再罰款若干，結果，仍是符合了中共原則，以前所有賺自中共的錢，全部退還中共，其在中共進入平津以前之私人財產，則作爲利息，一併充公。不過喬若果能保全首領，僅處徒刑，較之李翰臣，尚猶不幸中之大幸也。（隆光，四月二十日寄自北平）

從投考「幹部學校」的十個問題中

中共所製造的思想標準

——「九一八是美國唆使日本發動的」—— 捏造事實要將整個歷史根本翻轉

中共顛倒是非，混淆黑白，早爲舉世皆知的事實，從下面這十個問題與答案，更可看出，中共已在整個的要將歷史眞相，和人類道德標準，根本推翻。

下面是投考中共幹部學校十個普通口試測驗題，和中共認爲最合格的答案。如果讀者要測驗一下自己和中共思想距離的程度，那麼你就不妨在未看答案之前，先自己想一想你願意提出的答案：

中共提出的十個問題

（一）誰在二次世界大戰中擊潰了德國，打垮了日本？（二）誰發動中國的抗日戰爭？誰領導中國人民抗戰八年打敗日本？（三）飛機是那一國家的人所發明的？（四）無綫電是那一國家的人所發明的？（五）是那一國家領導八國聯軍攻打中國的？（六）是那一國家指使日本發動「九一八」事變，佔領中國東三省的？（七）這次朝鮮戰爭是那一個先發動的，北韓或南韓？（八）那一個國家是中國人民最大的敵人？（九）蘇聯現在是不是實行了共產主義的社會制度？（十）公務人員某甲，在國民黨統治時代，歷任各地縣長，專員，廉潔可風，政聲卓著，爲人民愛戴，解放後，親辦移交，退守家園，賣藥爲生，此人是否官僚？是否有罪？

中共認爲最標準的答案

中共認爲最合標準，拔列第一名的上述十題的答案：

（一）是蘇聯人民在史太林大元帥「英明的」領導之下，「擊潰」了德國；也只有在蘇聯大軍和日本宣戰後，才「打垮」了日本。（二）是中國共產黨「領導」「中國人民」，發動抗日戰爭；在汪精衛投降日本人，國民黨「勾結日本人」的情形下，中國共產黨「孤軍抗戰」八年「打敗」了日本。（三）俄國早在十八世紀沙皇時代就「發明」了飛機，發明人是羅莫諾索夫與舍里那楊夫斯基，蘇聯的歷史有很多的「記載」和「證據」，足以證明俄國人要比美國賴特兄弟早幾十年就造成世界第一架飛機。（四）無綫電的首先「發明」者，是俄國一位自學成功的科學家波波夫，因爲那時在沙皇統治時代，無人資助提倡，後來波波夫的發明就被意大利人馬可尼偷竊了，資本主義的國家遂說無綫電是馬可尼發明的，這對於俄國人是種「侮辱」。（五）美國帝國主義者「領導」着八國聯軍攻打中國，佔領了當時清帝的都城北京。（六）日本受了美帝唆使，發動「九一八」事件，佔領中國東三省，作美帝反蘇大陰謀的前哨獵犬。（七）南韓「傀儡總理」李承晚，在美帝戰販杜勒斯的陰謀指使下，首先以軍隊「進攻」北韓，北韓才「痛迎驅逐」這批賊寇。（八）從歷史上中美兩國有交涉時起，直到如今以迄將來，美國帝國主義者都永遠是中國人民最大的敵人。（九）蘇聯現在是實行「各盡所能，各取所值」的社會主義社會制度，還沒有進一步到「各盡所能，各取所需」的共產主義社會制度。（十）凡過去曾在國民黨政府任職的大小官吏，沒有一個不是「貪污」的，更沒有一個不是「騎在人民頭上」作倒千手的寶兒的。某甲雖然自命廉潔，也必是貪污的官僚之一，否則他可能歷任各地縣長，專員，而不被其他貪污份子所排斥？顯然他是寶兒人員的一份子，解放後，既不自求「改造」，反潛匿鄉間，企圖朦騙取巧，乘機危害人民利益，當然應列爲官僚，並在「人民」的檢舉下，獲取他應得的罪刑。

讀者們，在你細看了這些答案之下，請靜靜地理智地細想一下：如果你假擬的答案與這標準答案不符，那麼不是你的錯誤，而只是充分證明中共的荒謬無恥。（樊英夫）

四川姐妹花的悲劇

兩個前進女青年此香消玉殞

重慶陷敵時，有兩個就讀於市立中學高中三年級的女學生，長的叫張蓉，次的叫張渝，是四川涪陵縣地主張崇勛的女兒，自幼愛若掌上明珠，予取予求，眞是無微不至！

那時，蓉渝姊妹竟着了共產黨宣傳的迷，加入秧歌舞隊，手持花枝，扭着屁股去歡迎共軍入城，自後，「進步」很快，姊妹整天鬼混在「新民主主義青年團」，一切表現特別起勁。

脫離家庭清算父親

共黨發動「勝利公債」時，張氏姐妹都在校中一個小組討論會上，誇下大口，自告奮勇，要親自回家，叫父親大量購買！她倆終以抱着「爲人民服務」的熱忱，回到家裏，一入門便迎頭遇見年逾五十的老父，手裏托着水烟袋，這女兒倆，對他再沒有「封建」的省問和笑容，張崇勛瞪着兩眼，心中惴測，女兒大概在外面受了委屈？所以回來還在生氣。

張崇勛正待轉身問個明白，冷不防他的女兒却先發問：「你買了公債沒有？」又說：「這次的公債，不比從前，這次完全是爲了建設新中國，完全是爲了解除痛苦的」，「我們家裏，過去剝削農民的血汗，現在要罄其所有去買公債，向人民贖罪」！

張老頭不聽猶可，一聽連珠砲似的新名詞，却惹動了肝火，便罵女兒「沒良心」，「解放後三次征糧，弄得我死去活來，家裏飯都吃不起，只用麥皮充飢，難道妳不知道嗎？」但是姊妹倆不爲所動，繼續發揮三個鐘頭以上的「新言論」，教訓他父親：「認清敵我」，「認清時代」，「要慚愧」，「要悔過」！

委實張崇勛家裏用盡榨機也榨不出錢來了，結果，兩頭僅存的耕牛，被女兒牽出賣了，得款回校購買公債，姊妹還聯名寫了一封長信，口口聲聲說「脫離封建舊家庭」，「頑固罪惡的人，不配做新青年底父親」從此，父女情感決裂。姊妹倆被共幹捧爲前進的新青年。

被迫參軍 投江自盡

中共捲入韓戰，男女學生去踴躍「參軍」上前綫，自然團員應該起帶頭作用，張蓉姊妹倆也只好簽名參加。解放一年多，她們深深知道受騙了。出發之日，兩千多個男女學生，編隊集中在重慶朝天門碼頭，登輪東下，船行第一天，夜宿張蓉姊妹的家鄉——涪陵。她倆曾請假登岸，不敢回到家裏，訪問了幾個親友，直至深宵始返！

一幕悲劇，就在次日的晨光熹微中演出了。張蓉姊妹，忽然在這晚上，從甲板躍向長江滾滾的波濤，等待守船共兵發覺時，已打救不及。從此張蓉姊妹，便成了「出師未捷身先死」的「無名英雄」！張蓉張渝，爲什麼要投江自殺？成爲「參軍」青年討論的中心，有的說：「她們是吃不了苦，害怕北韓的冰天雪地」，有的說：「恐怕爲了愛情」，議論紛紛，莫衷一是！

遺書懺悔 眞相大白

事情到底明白了，在張蓉張渝船上的床位席子底下，檢獲了遺書，但給押隊的共幹祕密收起，內容無法知悉，可是，她倆曾宣佈斷絕父女關係的張崇勛却接到郵局寄來女兒親筆的遺書。拆讀之餘，使乃父老淚縱橫，痛哭失聲！

張崇勛接到女兒蓉渝的來信很簡單：歷訴這一年多來的行爲言語，沒有那樣對得起父母，有負二十年撫育的劬勞，現在想起來悔恨莫及，現在又被迫參軍，明知此去必死，與其死而做異域之鬼，不如還屍鄉土，並說，她倆都受了一切無面目見人的侮辱，她們都被強姦過。又說：我們要名譽，我們愛父母，可是，處在這惡劣的環境，使我們無法回到慈和溫暖的家庭來，左思右想，祇有跳江自殺，以謝父母。遺書淒惻，讀之令人酸鼻。

張蓉姊妹的屍首，於第三天在一個距離涪陵約六十里的河邊，浮了起來，張崇勛含淚收葬了，她們就此結束了生命的過程。（越仁）

游子衣先生：請示尊址，以便寄上稿費單。

地主太太強配佃戶

幸農民天性忠厚 梁夫人破鏡重圓

以前曾謠傳中共要把逃亡戶的妻子配給別人，一般人都以爲妄談，不敢置信。不料中共果然有將逃亡戶的產業沒收，以及將逃亡者的妻室配給別人的事情，以下一段事實，是身受者親口所述，斷非向壁虛構，茲特據實報導如次：

梁君（梁君現尚避難本港，因與記者稔熟，不便布露其名）廣東茂名縣第三區人，曾受高等教育，以前也做過國民政府屬下的公教人員，但已閒居多年，不問政治。梁君家僅小康，即中共所謂小資產階級。粵南淪入鐵幕，梁君深知共產黨的政策和作風決不容許知識分子生存，乃於前年十月逃來香港，賣文爲活，至去年十一月，茂名共幹，忽指梁君爲逃亡戶，將其房屋田產沒收，交鄉公所代管（房屋已改作糧倉）並責令梁君太太李氏，寫信給與梁君，限其三個月內回家，逾期即將眷屬配給別人。梁君接到他太太的信，當時雖然關心其夫人的處境，但對自己生命也不容忽置，且以爲中共將眷屬配給別人的話，不過存心恐嚇，威脅其返鄉清算而已！卒不肯回家。

本年二月中旬，中共所限三個月之期已滿，共黨竟派民兵拘解梁君太太，強制配給鄰鄉佃農黃福生。梁君太太到黃福生家內，大哭大鬧，尋死覓活，不肯就範。幸黃福生世代都係梁君佃戶，一向受梁君恩惠，感念不已，今見中共將梁君的太太配與他，極爲不安，遂對梁太太說：「現在中共將逃亡者的眷屬，配給別人，已勢在必行，所有以前富貴人家的太太，都是配給牧羊屠狗之輩，共黨以爲你們以前做富貴人家的主婦太享福了，一定要你們做牛叢子賤的婦人，假使我說不願要你，結果也必把你配給一個比我還要窮苦的人，那時白白受人蹧蹋，未免不值，不如我表面上接受配給，你亦假作順從，我受你梁家厚恩，豈敢下石落井，大膽妄爲？我們日則同處共食，佯爲夫婦，夜則異室別榻，結爲兄妹，俟有機會，我再送你逃往香港，不猶勝目下拚命與共黨作對？」梁君太太勉從其言，與黃作假鳳虛凰者將近一月，直至本年三月十二日，黃福生乘該鄉民兵調往茂名石骨與游擊隊作戰之際，乃將梁太太扮成丐婦，黃自己亦扮作乞丐模樣，親自護送梁君太太到電白縣水東圩海邊，附搭一走私小帆船來港。在海上漂流了十餘日，歷盡風濤驚險，始於四月一日抵達香港。與梁君見面，恍如隔世云。（更生）

尾巴的殊哀

·杜老誌·

市間盛傳：「太平山下兩家尾巴報，最近奉主子之命，不得入銷竹幕圈內，祇許在港九逃難要飯過活」。又說：「一家尾巴報的尾巴，三入羊城，叩頭請赦，未邀赤廷開恩；此根小尾巴懸念之餘，調下眼鏡，想『鬼還人』一番，連日正在籌計議，準備把『報風』一改，以迷湯方式，催眠小曲，取悅港九讀者，使得這根尾巴，還能搖而不墜」。又說：「另一根小尾巴更慘，向來依着尾巴養尾巴的，如今深圳「公安部隊」如臨大敵，不許入境賣報，與上海圓明園路那根尾巴早已分家，形單影隻，如今又丁此「大事」，一如「喪家」，眼看就要壽終正寢，不待人封卻自封之」！

雖是傳說，卻似真事；說這話的不祇是圈中人，而且也有與這些尾巴們，沒有交往的「第三種半人」。

杜老誌乍聞此訊，確是感觸萬端，想當年：這些尾巴（大小由之），有的來自「米蘇里」，有的來自「未名湖」；有的曾大唱「一邊倒」，有的來自「劍橋」，右一聯「達公」，有的曾左一聯「政老」，「像羅斯福新政路線」，「我們走中間偏左路線」，「反飢餓反迫害，不能被共黨利用」……。等到共黨入關渡江，這一班尾巴居然也想過過「騎在人民背上」的洋癮，新西裝故意挖一個洞，打臘地板故意塗上一層黑漆，表示「向農工學習」。用心良苦。

如今呢，兩年來尾巴搖得價個夠勁，主子叫咬，惟恐咬得不痛；主子要吠，惟恐吠得不響，論功行賞，尾巴應有獎，想不到竹幕深處，還拒絕尾巴進入，茫茫維多利亞海峽，進退兩難，大小尾巴！

杜老誌顯獻良策：跳入馬桶，一抽拉鍊，以冲代斃，乾脆，合乎本港 *Keep your city clear* 之原則！

「不中流易馬」

·酉八·

韓國戰場上醞釀已久的共軍大舉反攻，已突於上月二十二日，沿着將達百哩的前線發動。儘管聯軍砲火兇猛，「人海」損失綦重，一週間敗退已達三十哩以上。就算空間的進退在聯軍並不十分重視，這也是去歲十一月下旬以來，聯合國軍所遭遇的最大挫折。

這次反攻的發動，只距麥帥解職不足兩週。當麥帥尚未去職時，他已一再警告共軍有發動新攻勢的可能，如果說共軍此一反攻與麥帥去職之間有何關聯，有些人一定表示不服，他們可以提出許多論據，證明即或麥帥不去，共軍也要反攻，聯軍敗退亦所難免。但在大戰前夜而更動統帥，在最善伺隙蹈瑕的共方，難道會輕輕放過這良好時機嗎？李治威將軍在韓督戰，三月有餘，業績昭著，現在硬把他調出韓境，要他負責他所一[illegible]茫然的管制日本任務，而另由一個只有在希臘作戰經驗的弗烈特中將前來指揮，這對於前線戰事能說絲毫沒有影響嗎？

在巳往美國憲法上，並無總統聯任不得超過二屆以上的明文規定，但自華盛頓以來無形中已成慣例，無人敢冒大不韙來打破成規。然而當羅斯福總統二屆任滿之時，正是世界風雲緊張，美國已臨戰爭的邊緣，當時民主黨的競選口號就是「不中流易馬」。這口號居然打動美人心理，不只選他三屆聯任，甚至更延長到四屆。這正是一般美國選民具有判斷力的地方。倘若當時竟擁戴了威爾基或杜威登台，即使他們執政可以和羅斯福有同樣的良好成就，而在執政者全盤更迭這一期間，就難免蒙受重大影響。和共黨同樣信奉麥契維利政術的納粹，必不肯放過那一可乘的機會。

美國名政論家台維德·勞倫斯撰文批評杜魯門對麥帥的罷免，認為杜氏頗有點鹵莽滅裂。他主張杜氏應該召回麥帥，給他一個表示意見的機會，然後再問他究願接受政府政策還是去職，那纔是做為一個美國總統應有的政治家風度。

然而杜氏卻以十二金牌的方式，先在記者招待會公開宣佈，繼則要麥帥立即交卸，不得停留，這直是對於一個擁有豐功偉業的偉大軍人的侮辱。即單就其不惜甘冒「中流易馬」一點而言，可說竟不如美國一般選民聰明。

美第八軍新軍長　弗烈特

風雲人物　·雷門·

弗烈特中將繼李治威將軍而任韓境美陸軍第八軍軍長〕

時，他曾說：「這和當時希臘的情勢相似，祇是規模大得多。」弗將軍是希臘人所熟悉和充份信任的，他們聽到他調任這新職，曾風趣地說：「這正是韓國所需要的，用弗烈特來對付臭蟲」。（有一種殺蟲藥的牌子與弗烈特同音，而在希臘語中，韓國與臭蟲的發音相同）。

當一九四八年弗將軍奉命率領美軍事顧問團到希臘，指導希軍如何清剿以蘇聯附庸國為基地的共黨游擊隊，他曾與希臘士兵同食同住，和他們一起作戰，他使他們完全剷除了失敗主義的思想，和等待共產黨下一次打擊的防守心理，提高士氣，誘導他們採用進攻的戰術，肅清共產黨徒。到一九五〇年七月他回國時，希臘已贏得了她的戰爭。

弗烈特將軍是個不善詞令，不搞政治的步兵戰士，對於與盟國折衝，卻富於技巧而意志堅定。秉性沉靜，不喜交遊，祇偶而參加最寧靜的社交應酬，不吸烟，不飲酒，有時寫一點詩，愛好釣魚和用他的軍用手槍獵鹿。

他於一九一五年畢業於西點軍校，和現任大西洋公約聯軍歐洲統帥艾森豪威爾將軍，美聯合參謀部主席勃雷德萊將軍同班。他雖然曾參加第一次大戰而在休戰前七天受傷，但在第二次大戰聯軍登陸法國以前，一直是個無名的軍人，他的同班同學很多都昇到將官階級，他卻還是一個上校團長。他的上司四次薦昇他為准將，但四次都被駁回。對於弗烈特，職事才是他能力的真實考驗，一九四四年他率領第四師第八步兵團登陸於諾曼第的厄泰海灘，七個月後，立即就擢昇為少將，統率第九十師。一九四五年三月，他調任第三軍團司令，率部為第一軍的前鋒，馳入德國，包圍魯爾。他的戰績曾被艾森豪威爾將軍譽為「所屬部隊的任何團長、師長或軍團司令中最優越的」。

他和李治威將軍一樣，是個能深受部下愛戴的「前線」將領。在諾曼第登陸受傷後，他曾不願在醫院安心休養而趕到前線，領導他的部隊，以致勃魯德萊將軍沒有來得及對他授以「卓越領導和個人英勇模範」的勳章。他的典型戰術，是以挑戰和突擊並用，即使遭受密集砲火，亦命令部隊繼續前進，而不稍止。

他現年五十九歲，身體魁梧粗獷，高六呎一吋，重一百九十磅，藍眼睛，頭髮剪得很高，已漸花白。三十五年前和海倫摩爾女士結婚，有兒女三人，全已長大。二個女兒都嫁與陸軍中校階級的軍人，兒子畢業於西點，現在空軍服役，階級是中尉。

蘇聯的秘密巨艦

蘇聯已有了既能發射管導發射器又能射出砲彈的戰艦嗎？一位英國海軍人員根據傳入西方的謠言，畫成一幀關於蘇聯秘密軍艦的圖。這些謠言使他得到如下的結論：

蘇聯新的戰艦，第一級共三艘，服役於波羅的海和黑海。其中之一艘「蘇聯」號，一九三九年在列寧格勒起建，但製造期間受德國炸毀，可能到現在還沒有完成。另二艘在埃爾甘傑爾斯建造，一名「蘇聯海岸」號，一名「蘇維埃白俄羅斯」號，都可能業已建成。

這些新艦均屬四萬五千噸，馬力超過二十萬匹，最高速度為每小時三十三至三十五海里。其武器包括若干口徑十五或十六吋的主要巨砲，其次有二十門五吋口徑的大砲，用來對付海面的船隻，此外還裝有對付飛機的高射砲。迄今為止，關於這種新艦的描述，約和美國最大戰艦「依奧華」號相彷彿，美艦排水量為四萬五千噸，亦裝有十六吋口徑巨砲。不過據說蘇聯的戰艦比較短，祇有八百六十呎，又比較闊，有一百三十呎，吃水亦較深，有二十九呎。

蘇聯的新艦傳具有特殊的地方，就是一對圓穹形的高塔，供發射管導發射器。如此則戰艦的砲火射程將能擴大，而這種管導發射器且可能裝有原子彈頭。到目前為止，世界各國的戰艦還沒有與它相似的。（美國戰艦「甘達基州」號和「夏威夷」號的建造工作業已暫停，準備裝以管導發射器的發射台，來代替大砲。不過在目前美國的計劃中，一種重級巡洋艦將被改裝而加上管導發射器的設備，惟這種武器主要的是用來對付飛機的。）·周明·

旅美雜紀　經濟餐又便宜又好吃

陳香梅

我現在要談到關於在美國的經濟餐室和那隨處可見的藥房和汽油站，這是美國的一個特色，或許還可以說是都市文明的某種象徵呢。

在美國的經濟餐室，也可以說是大眾食堂，在中午是一切薪水階級的聚集地，在晚間則男學生和女友們談心的地方，此外，各階層的人可說沒有一個不曾光顧過經濟食堂的，一來取其經濟，二來取其便利而節省時間。美國經濟食堂之多，就如我們中國大街小巷上的小吃店和攤子，或許還有過之而無不及。這些食堂多半設於五分一角的百貨商店裏（五分一角的百貨商店，美國稱之為 *Dime Store*，意即只賣五分一角價值的貨物，其實走到裏面，五分的貨物固少見，一角的也不多，不過東西總是比其他裝璜富麗的百貨商店便宜些罷了）。食堂設於公司的最下層，出來買東西的主婦們，肚子餓了就可以下去吃東西，一碟三文治取價一角五分至二角五分，一杯咖啡取價一角，冰淇淋一角五分，其他各種食物，都不超過五角之數，吃完也不用給小費。每到中午，各色工作人員下班吃小飯的時候，這些地方就擠的水洩不通。在那兒做招待的多半是女人，她們都手腳靈活，但由早工作至夜，所得工資也只足餬口。

美國人一般都生活勤儉，這種餐室價是最合理想。學生們每月得零用少許，除了看看電影之外就到這種地方來喝咖啡和冷飲，招待女朋友也在那兒，所以在晚間這些餐堂的位置，幾乎全被一些青年男女所佔據了。

有一次我和一位女朋友在華盛頓買東西，走了一個大清早，午間就到一家經濟餐室吃中飯，不知道是因為當時肚子餓的原故，還是因為感到新奇，那頓午餐竟吃得非常痛快，兩人飽餐一頓，所費不足一元之數。（十四）

好一個燈謎

·延年·

某報謎壇日前以「馬列主義勞動者」射古人名一，「共工」，謎底之切，不但天衣無縫，且饒有深意。據古史載，「共工」為堯時四兇之一，亦即以頭觸不周山，弄到天崩西北，地陷東南，損人而不利於己的莽漢。用他來代表「馬列主義勞動者」，真是再妙也沒有了。記得抗戰勝利之初，蘇北共區某報出一謎，以「日本投降」射「蘇武」，以為可藉此大拍馬屁，不料讀者猜結果，百分之一百為「屈原」，蓋日本之降，確確鑿鑿為「原子彈」所屈，而非「蘇武」之功也。此事後為中共中央所悉，大為震怒，該報主持人受免職處分，猜屈原者又多為該區政校學生，遂被整肅，至今猶為「中共一大憾事」。今以「馬列主義勞動者」射「共工」，如在中共統治地方，其後果，一定是在慘遭「清算」，幸而是在香港，原謎的猜謎者，自由港還儘可放心於你的也。

竹影心聲

·上海來鴻·　·離草·

六

三叔從香港帶回你的口訊，知道你一點沒有變，我寬了一顆心。

他[illegible]了一點，是真的嗎？沒有一個女人希望她的朋友瘦了起來，我豈可例外？不過我有點「小心眼兒」，你不論是為了一天之中有一次記不起了我而胖的吧。

謝謝你托三叔帶來的禮物，你記得這樣清楚，真的快要到我的誕辰了，那一天不必打賀電來，我知道你這一天會為我在這裏的生活而掛念的。

也是三叔說的，你已收到了我的第一封信，那至少是一個多星期不使你[illegible]生活上「口渴」了，但願所發的信，你都按時見到，一封增加你一磅體重。再說一遍，屬於你的朋友，決不會嫌你胖得行動受了阻礙的。

若霞住到我家裏來了，她寧可放棄自己的家，她討厭再有那種享受。好在我的媽打得一手好算盤，她住在我家裏，媽什麼也沒有損失，說明每月給她五十個單位，伙食另外貼錢，情理上講，都不應該收若霞的，可是媽現在變了，她們畢竟做了手續，若霞也以三房客自居了。

媽替她報了戶口，我是只有一點稍感不便，那是給你寫信的時間更少了。

沈思昨天一本正經問我：「新搬來的那位小姐是做什麼的？」

我也是一本正經回答說：「她是只會做小姐的」。

談下去，才知道沈思想通過若霞的關係，認識一些她的朋友，再托他們介紹一個事做。

這一點，媽也是有苦說不出，若霞的朋友挺多，而且大半是穿解放裝的，我冷眼看着，進進出出的人，若霞似乎都可控制了他們似的，莫怪那雙失業了的眼睛，對若霞也是另眼看待了。

我有這樣一位好朋友天天聚在一起，你也有我媽那份的小小忌嫉嗎？上帝知道你的心，我在祝禱你永遠相信着我！

不想回家的俄國兵

史太林二大弱點

[illegible]

在蘇管區，不屬共產黨的德國人和蘇聯士兵有來往的，為數不多，梅頓斯是其中之一。原因是他能講俄語，這是他做戰俘時在蘇聯學到的。他估領軍的士兵，喜歡和會到過蘇聯而學說俄語的德人交談。不過他們這樣做是冒着相當危險的。從前——約在三年以前——你能隨意在啤酒店和咖啡館，柏林和東德的音樂廳與足球場隨便和俄兵談話。俄人也甚友善，常以伏特加酒和香烟送給德國男子，以糖菓和鹹肉饋贈婦女。但這溫暖與光明的時期，不久就為搶劫，綁票，兇毆，偷竊，強姦等事件所破壞，反叛脫逃者的數字，日見增加。俄方說，他的士兵已被德國女郎和西方風氣所誘惑而士氣低落。每個人都在竊竊私語，談到邱吉爾所說關於史太林二大弱點的警語：「他把歐洲給紅軍看，而又讓歐洲看了紅軍。」

俄方高級當局馬上採取行動，以對付日益增漲的「低語宣傳」。一九四七年七月，禁止俄兵與德人親善的命令宣佈了。柏林報紙不斷刊出紅軍士兵因為「違令與德人來往」而被遣往西伯利亞，以及軍官因違令而被剃光頭髮等消息。

這個禁令，執行得非常嚴格，同時蘇聯軍官亦逐漸被調出施惠林，萊普錫和勃蘭登堡等大都市。地方性的司令部也開始撤銷，巨大部隊他調，集中於從前德軍的駐在地。於是羅根華特和波茨坦等地，成了俄軍的屯兵處。所以德國渡假的旅客，也自然不常在名勝區見到俄兵的影蹤了。

蘇聯士兵除有正式任務外，已不准離其營房一步。東柏林街頭所見的蘇聯官兵，都是受特殊待遇的總部特務部隊。在較小的城市中，他們不能搭乘公共車輛，必須步行。多數在伍長階級以下的士兵，必須留在他們的防區內，甚至週末和假日亦是如此。一切公共場所已禁止進入，因為蘇聯士兵可能中西方思想之「毒」——也就是怕被西方的舒適所吸引而腐敗。

但是德國人反抗蘇聯的事件，還是層出不窮，有時在東德總統貝克的照片下，會出現一排「俄人奴僕」的字樣，有時德人會公開讀到關於「鞭策奴隸的人」的笑話。

因此，蘇聯憲兵和祕密警察在東德共產黨「人民警察」的協助下，更嚴厲地執行禁止俄駐德官兵與德人來往的命令，一個蘇聯士兵被查出犯規時，他每會先被再被拖走。在紅軍中，毆打是當局所認可的一種體罰方式。俄兵常有被打得遍身鱗傷的，但從沒有聽到過一個憲兵，會因而受到軍事法庭懲處的事。（二）

秦辛寧譯自星期六晚郵報

自由人

THE FREEMAN

（半週刊每星期三六出版）

每份零售港幣壹毫半

（第十八期）

督印人：梁大成

社址

香港德輔道中一四九號四樓

電話：三二八二〇

149, 3rd FLOOR, DES VOEUX RD. C. HONGKONG

TEL: 32820

承印者：東南印務出版社

地址：高士打道六四號

台灣經銷處中國書報發行所

地址：台北館前路八十五號

電話：二〇三三

民主社會主義及其危機
——英國工黨政府六年來政績檢討

陶百川

因爲資本主義產生了許多流弊，人類不禁對社會主義心嚮往之，希望通過社會主義在地球上造成一個天國。

自從歐文創制『社會主義』這個輝煌的名詞以來，多少志士仁人著書立說，爲社會主義建立理論，摩頂放踵，爲社會主義艱苦奮鬥。西洋有句常諺，說道：『社會主義有五十七種』，極言社會主義內容的豐富，但這話並不誇張。百餘年來，歸納復歸納，試驗復試驗，現在已有兩個類型的社會主義，卓然自立，轟動全球：一是共產主義，一是民主社會主義。但因共產主義主張階級鬥爭和無產階級專政，不獨違反和平互助的人性，而且剝奪自由民主的人權，許多信仰社會主義的人，乃不得不反對共產主義，而選擇了民主社會主義。民主社會主義已成爲時代思潮的主流了。

以英國爲例，民主社會主義確有許多優點。它的主要的理論和方法，有如左列數項：

民社主義的理論和方法

（一）信賴議會制度，信賴人民的選擇能力，信賴正義和公道必能獲得勝利。因而反對暴動和內戰。上次大戰結束後一九四五年七月的大選中，英國工黨以三九三席得到下議院的絕大多數（保守黨二一二席，自由黨十二席，其他十一席），出而組閣，實行民主社會主義。這證明了，以和平方法轉移政權，並以和平手段改革經濟的可能。

（二）『英國勞工運動的一個目標，是奠定新社會制度的基礎。舊制度是以私人企業和私人利潤爲主的資本主義經濟。新制度是管制和支配國家財富和資源，謀求全體人民的利益。』（艾德禮）

（三）基本工業收歸國營。在英國工黨執政的五年內，暫限於煤、鋼、電、中央銀行、鐵路、化學工業、糧食工業、工業保險、糖、水泥等。工黨計劃在五年中要把至少百分之二十的工業收歸國營。但是上述最後五種工業，迄今尚未收歸國營。收歸國營的方法，不是蘇聯式的刼收，而是國家以公債收購。這種公債，不獨要還本，而且要付息。國家有時也支付現金去收購私人的上述企業。

（四）以徵稅方法實行國民收入的公正的重新分配。以公司的利得稅而論，假如公司賺一百萬元，公司須付三十六萬九千元，而照最近的稅率聽說已增爲五十萬元。（美國也已增爲百分之四十四又五）。以個人的所得稅而論，它是採用累進制，稅率可以累進而高至百分之九十六。聽說工黨的理想是要在十年之內以徵稅方法使個人之全年所得不超過美金一萬元。以奢侈品稅而論，汽油稅是每加侖一角七分半，香烟稅是每包四角五分，汽車稅是百分之三十三。總之美國政府徵去國民收入的百分之二十六又六，而英國則徵去百分之四十三又五。這樣發展下去，英國的百萬富翁是愈來愈少，而新富翁是無產生的可能，於是貧富的距離因而接近，社會的不平因而削平，這豈不是國家的幸事！

（五）大規模推行社會福利計劃，如保健，教育，失業保險等，使社會全體同受其益。英國工黨政府在一九四八年七月五日公佈實施三個有關社會安全的重要法案，就是（一）國民保險法案，（二）工業傷害法案，和（三）國民健康法案。於是英國工人可以得到左列利益：

英工人可能得到的利益

（甲）失業津貼：假使他失業了，每星期可得失業津貼二十六先令，如有妻兒，最多可得四十九先令六便士。失業津貼可領用一百八十日到一年。

（乙）疾病津貼：除了免費享受醫藥治療外，他本人每星期可得二十六先令，妻子可得十六先令，第一個孩子可得七先令六便士。最多可領用六個月。六個月後，他可根據疾病的情況，要求殘廢津貼或養老金。

（丙）傷亡津貼：他假如因工作受傷致死，他的家屬可得一筆喪葬費，他的寡婦可得一筆養老金。

（丁）死亡津貼：他假如不是因工作而死亡，政府也供給喪葬費，他的寡婦也可得三個月的津貼。如有兒女，她可以續領津貼。寡母津貼，每星期二十六先令。直到兒女離開學校爲止。（公立學校當然是免費的）。如父母雙亡，那麼負責養育孩子的人可得保護人津貼，每星期十二先令，直到孩子離校爲止。

（戊）生產津貼：他的妻子如生孩子，可以免費享受醫藥和看護，並可得四鎊（八十先令）的生產津貼，和一鎊的服侍津貼。女工因生產而放棄工作的，可得產婦津貼，每星期三十六先令，共領十三星期。她所生的孩子，每星期可得五先令的家庭津貼，直到孩子離校爲止。

（己）養老金：男子的退休年齡是六十五歲，（現擬改爲六十七歲），女子是六十歲（現擬改爲六十五歲）。他退休時可得養老金，他和妻子的養老金總數是四十二先令，（現擬增加百分之十七）。如不願退休，仍可工作，退休時可得較多的養老金。

（庚）公醫制度和免費醫藥：自一九四八年起，英國一千所私人醫院和一千五百所公立醫院，都收歸國有。醫生也由政府分派工作，不得自由開業。任何病人住醫院，手術，不獨診金免費，而且藥品也由國家供給。甚至眼鏡片，助聽器，人造四肢，假牙等也免費供應（這次勞工部長貝凡，就是因爲反對政府要對眼鏡和假牙向病人取費半數而辭職）。

我國禮運大同篇有幾句令人最嚮往的話，就是：『老有所終，壯有所用，幼有所長，鰥寡孤獨廢疾者皆有所養』。我國儒家提倡了二千多年的政治理想，現在英國開始實現了。這樣的民主社會主義黨不値得擁護麼？

民社主義所遭遇的暗礁

但照最近的形勢來看，民主社會主義可惜已觸到了暗礁，遭遇着危機。紐西蘭和澳大利亞二國的工黨政府，早在去年二月英國大選前已經垮台。英國大選的結果，工黨在下議院的勢力，較前削弱，許多民主社會主義的政策因而不易通過議會而獲得實施。最近因爲貝文的去世，貝凡的辭職，工黨的陣容發生分裂，聲威更不如前，假如最近舉行大選，工黨未必有勝利的可能。這是爲了什麼原因呢？是否民主社會主義已經失敗呢？請讓我試作解答。

第一，經過將近六年的實驗，工黨政府的成績雖很輝煌，然有若干地方仍難令人滿意，例如：

（甲）最使人民和工黨頭痛的是肉食的缺乏。政府每年要賠累四億八千五百萬磅到國外去購肉食，以壓低肉價，以供應市場的需要。然而牛肉的配給量，僅是每人每星期四兩。於是主婦們大起反感。上次大選時，主婦多投保守黨的票。

（乙）煤是最先收歸國營的，然而成績並不好。一九三七年私營時代的產量是二億四千萬噸，然去年僅二億零四萬噸。以致本來有煤出口的，去年竟須向美國購入。原因之一是礦工離職。在私營時代，曠工的很少，但現在經常是百分之十二。國營四年中，政府賠累了一千萬鎊。

（丙）鐵路也賠錢，去年度是四千二百萬磅，以致最近不能不加價。

（丁）電的國營成績也不好。產量少，不能供應工業的需要，以致民間用電須受限制。

（戊）政府在菲洲計劃種植三百二十一萬畝的花生，以補充國內肉荒。但因經營不好，種植的範圍已縮小到六分之一，而政府的錢却賠累了一億元。

（己）國營的成績雖使人沮喪，然政府的勇氣却仍旺盛。政府多年來不敢着手的鋼，最近也改爲國營了。

（下接第二版）

戰線一百二十哩
——展望韓戰下一幕——

黃震遐

半週軍事

四月卅日晚間，聯軍四百門大炮的閃光照亮了西線天空，次晨停泊在仁川外航艦上的飛機，穿梭飛臨議政府共軍後方，縱橫掃射共軍陣地，海軍艦炮延伸射程，截斷汶山漢城間的平行交通綫。「五一」勞動節過去了。一週前從臨津江長驅南下的共軍矛頭不僅沒有對「漢城橋頭堡」進攻，而且再度化整爲零，迴避和聯軍接觸。在聯軍左翼後衛猛烈砲火下，共軍的指揮員（林彪？）不是自動放棄「五一入城式」的國際光榮，而在戰略上不冒險打這一場沒有勝算的仗，即在戰術上反映他的三個軍（似爲廿六，卅八，五〇），已被打得七零八落，根本無力組織進攻。

斐列特的背水陣

「漢城橋頭堡」背水一戰的意外成功，在政治上的影響更還要大些，還是斐列特用事實來答覆疑問的大胆戰略，目前姑不論共軍右翼是否眞已被他攔住，還是僅不過爭取了一段時間，至少他實踐了他決心要在北岸一拚的諾言，實踐了聯軍誘敵自己投進沿海的三棱火網以後始與決戰的計劃，也實踐了在戰史上繼登步島，金門島，釜山週邊，興南灘頭以來之第五次海岸決戰勝利——使共軍指揮部深感沿海進軍之無望。

共軍在右翼頓挫後，在中綫及東綫上亦與聯軍脫離接觸。五月二三兩日，聯軍在漢城以東北漢江洪川以北麟蹄以南到襄陽的一二〇哩戰綫上，又恢復一旬前的態勢，各兵團各自担任的正面派出威力搜索部隊，向前偵察敵蹤。截止本文截稿時（五月三日晚），說共軍的下一動作，要改向中綫或東綫進攻，尚覺言之略早。要不迷糊，就好先就戰場全貌，作一鳥瞰。

西綫戰事沈寂

截止五月三日的戰場態勢是：

（一）在西綫上，斐列特以美廿五師，第三師，土耳其旅（加菲遜部隊）担任漢江南北區的作戰，另調損失重大的英廿九旅到漢江南岸集結整理。漢城周邊的橋頭堡由美軍有力部隊扼守。以上統歸美第九兵團長指揮的，兵力有四五萬人，炮兵七八團至少四百門，另在仁川灘上有強大的聯軍海軍掩護側翼，其中至少包括美國航艦三艘（第七艦隊又從台灣調回此處），英國航艦兩艘，海軍飛機三百架以上。在對方，共軍大約停止在高陽議政府富坪里一綫，第一綫兵力有三至四個軍（可能爲「四野」的卅八，五〇兩軍，「三野」廿六軍，北韓第一軍），對漢城外圍三十哩的半圓形橋頭陣地取監視姿態。這枝共軍除非得大量炮兵及戰車部隊的增援，目前已不可能奪取漢城，或向漢城兩翼側擊。這是平靜的方面。

共軍暫難大舉出擊

（二）中綫爲雙方主力所在，聯軍沿北漢江南岸到洪川一綫，集中重兵美軍四師（廿四，騎一，陸一，第二），英軍兩旅（廿七，廿五），南韓四個師（一，六，七，八），總數約廿二三萬人，這一綫（大約六十哩）的東端，是地形複雜的山地，從洪川以南到橫城小白山區的方向，則有多數隘路，大軍輜重通過困難，共方可用游擊隊擾亂聯軍補給，另在漢江和北漢江的匯流處，也有一個弱點，在水淺時可被選作敵方中央突破的徒涉場，但聯軍空軍威力強大，共軍大部隊露頭必被發覺，夜間戰鬥亦經「照明作業」的進步而有質的改變，不再成爲奇襲條件，因此共軍要在中綫山區大舉進攻，非有大量空軍，（在西綫的平坦地區則爲大量戰車）必不爲功。但目前集結在富坪里加平春川一綫後方的共軍最大限兵力，則似僅有七八個軍（可能爲中央「四野」的卅七，卅九，四十，四二等四個軍，「五野」的六六，六七兩個軍，北韓第二三兩軍），除傷亡外，最多不會超過廿萬人，這力量顯然不能大舉。

當心中共偸雞

在東綫，聯軍海軍掩護着南韓第一兵團側翼（首都師，第三師）的態勢，與西綫是相同的，共軍決不敢沿海岸襲攻，在南韓第一兵團西方有南韓第三兵團的三個師（五，七，九）堵住在麟蹄南方活動的共軍，這方面曾吃過一場敗仗，但已由美國第七師增援加強。東綫總兵力亦不下五六萬人，對方是北韓軍一個兵團加中共軍一部，兵力番號不詳。從理論說，共方可能在此偸雞，從麟蹄再來一個大迂迴，側擊聯軍中綫。但目前也看不到有此動向。

藏在「戰爭的霧裏」

在全綫上，目前是聯軍廿二三萬人，佔領一二〇哩橫斷半島的固定戰綫，面對着共軍三十五六萬人的流動戰綫，在此流動的幕後，共方顯然正在調動其後援突擊部隊，企圖再拚一次。用過風頭的斐列特有沒有控制的預備隊，關係自然重大。大戰還在後頭。目前是拿破崙所謂藏在「戰爭的霧裏」的階段。

追懷『五四』

昨天是『五四運動』的紀念日。從民國八年算起，『五四』到現在，已經是三十二年。當日參加或目擊這一運動的二十三十的青年，今天都是五十六十的半老人了。『烈士暮年，壯心未已』，我們在今天回想當日的種種景象，眞不勝今昔之感。

當日的青年，因爲受了第一次世界大戰的刺激，也受了國內外一種新思潮的影響，他們大抵富有生氣勃勃的熱情，也具有勇往直前的氣概，眼看着國家在巴黎和會中遭受了難堪的屈辱，便奮起來與賣國賊拚命，則打得賣國賊不敢抬頭；軍閥官僚合組的政府，只好對人民屈服。而山東問題也畢竟在華盛頓會議中得到了多少的補救。這個運動直接間接的意義，是在中國造成了一個『文藝復興』，在這三十二年中所表現於國內與國際的一幕一幕的行動：爭自由，爭人權，爭學術思想的解放，爭不平等條約的廢除，進一步則爲堅持八年的抗日，乃至於今日的反共抗俄。

共產黨今日在大陸的一切行爲，是五四精神的一大反動。他們排斥民主，根絕自由，除了馬恩列斯之外，不承認有所謂學術思想；他們訂了若干不平等的條約，驅使人民做俄帝的奴隸。凡是受過『五四』精神感召的人們，對當前的這種情況是斷然不能忍受的。

因此，今年的紀念『五四』，應該有一個特殊的認識：即『五四』精神，已遭遇中共空前的威脅，要使『五四精神』復活，便必得加強反共抗俄，否則中國人想回到五四前後那樣的自由天地，眼看是沒有希望了。

時局漫談

艾遜契可以休矣

左舜生

把整個世界的局面，尤其遠東，弄成如今天的這種景象、艾契遜所代表的美國國務院，不是沒有責任的。

我們決不反對艾契遜可以有他自己的主張，可是他那一套縮小韓戰，妥協中共，綏靖蘇聯，防止大戰的政策，不但在目前國內外的形勢已絕對的辦不通，而且在執行起來，自己也遭遇到紛紛的矛盾而陷於無以自解。

一個政治家爲維護自己的主張而努力，這是應該的，可是等到費盡了最大的氣力，而僵局依然無法打開，便應該毅然引退，以減輕自己的責任，這不是一種羞恥，只是一個政治家必有的風度。

現在在美國，不贊成艾契遜政策的議員，已不限於共和黨，即民主黨也大有人在，據昨天美聯社的報導，共和與南部民主黨，已形成了一個反艾的聯合陣容，甚至他們已討論到，在艾契遜辭職或更調以前，將停止撥付艾契遜的薪金，乃至扣押一九五二年度國務院全部的預算。假定艾契遜依舊堅持不肯讓步，則未來的演變如何將不可知，艾契遜即不願對他的政敵有所屈服，但選擇於自己的榮辱與國家的利害之間，他還不應該下一個最後的決心嗎？

威克島會談紀錄公佈

當麥克阿瑟出席美國參議院調查委員會申述他以海空軍向中國大陸作戰的主張的時候，去年十月十五日杜魯門總統與麥帥在威克島的會談紀錄，也適於此時公布。這個公布的用意，似乎在證明麥帥所料中共或蘇聯，大舉干涉韓戰『殊少可能』一點，不能說沒有多少錯誤。其實這樣一種做法是多餘的：麥帥之所以有這樣一種料定，實在是因爲他手裏有「以海軍封鎖中國大陸」，「實行轟炸東北基地」，以及「變更台灣中立政策」的這張王牌，麥帥料定這張王牌隨時可使用，因而他估計中共或蘇聯的大舉干涉必有所不敢；可是蘇聯却看準了美國雖有這張王牌，必將有人以全力阻止不許使用，所以她才毅然嗾使中共干涉韓戰而不顧。然則韓戰之所以演成如目前這種景象，其根本錯誤是在決定國策者的一方，而並不在前敵指揮作戰的一方。

五四紀念敬謁蔡元培先生之墓

國葬徒有其令而未見實行

毛以亨

香港仔有華人永遠公墓，自半山腰直至山巔，毋慮數千穴。佳城鬱鬱，離街市才半哩，在統一碼頭乘汽車不及一小時可達，至其地有馬路通大門，進門拾石級蜿蜒而上。緣石級行，順山坡至半山，則此一代大師之蔡先生墓在焉。墓爲一平原，計僅及畝，而墓穴有四排，先生之墓爲前二排自右至左之第二穴，旁一商人之如夫人，前爲一少女之穴。以視其他富貴之穴，獨踞平原一處，石柱牌坊巍然者，大爲遜色，然即此平常墓穴，斥資已二千金，且經多方情商始得。當時神洲板蕩，日人方張其勢以南進，故暫卜葬於港，預料果有一旦山河重光者，定可遷回大陸，以與湖山爭妍也。

勝利不久，果有張自忠與蔡元培國葬之同日頒府命令，然終未撥的款實行。張自忠有西北軍同人爲之開追悼會，并改舊法租界山東會館所在地之路爲自忠路，而國葬之舉屢催當時之行政院長宋子文迄不爲履行。蔡先生之國葬未聞有人爲之催詢，而此一紙國葬命令，却反與其家族以不能自行遷葬的困難。其長子無忌曾告我曰，「我父親的尸骨，是屬於國家了，我即欲將其歸葬山陰祖塋亦不可得了」。蔡先生之墓，以此始終在香港仔，供香港人之憑弔。

少數留港北大同學，常於五四紀念，前往掃墓，我曾去過二次。某次有一商人問一同學曰，「蔡元培是何許人？」則答以「北大校長也」。曰：「然則亦一北方大官，何墓之陋也，山頂有梁士詒之墓，梁顯然不知究竟誰的官大，然其墓則好的多」。此一同學即答之曰，「不是比官大，蔡先生道德文章，蓋世罕與比倫，所以掃墓者都爲其學生，梁等恐祗有家人常來掃墓耳」。余戲爲諸同學們曰：諸表與西洋人接觸較早，不免有功利觀念，然以吾所知，嶺南文化，一枝獨秀，如陳蘭甫朱九江之流，亦看不出其功利意識之潛伏。惟恕我下次不再來掃墓，深恐遇到此類人，蔡先生之墓而在香港，眞可使憑弔者亦爲之掃興而却步。諸位尙能從容開導，若我一人來此，將目瞪口呆茫然不知所答了。

北大同學，素以蔡先生之教，力求自我發展，不喜集會，更不喜就同學中結爲團體，以互相捧揚。蔡先生之精神，已散之彌六合，即有英靈，亦不至於祠棺三尺之中，故掃墓本是無意義之舉，而尤其掃蔡先生之墓爲更無意義。且先生生前，有凡需者輒丐其所需以去，先生亦不吝而悉與之，一般人在其生前已覺躊躇滿志，早已無需于先生。然則遷葬大陸與否，墓之體面與否，均爲無關宏旨之事，即將來荊棘銅駝，爲漁樵唱和之麗，尋不出碑誌之所在，亦無愧於先生之寄其千古而不朽；更抹不去吾人腦際深印着先生之教訓，反而應拂拭而愈光明，若待掃其墓而始記起其生平之如此，如彼，得觸其景物而始生情，到了關岳之廟而始肅然起敬，讀了滿江紅而油然生悲，不特誤爲我們與蔡先生過於生疏，抑亦小之乎視蔡先生了。

反之，如政府待蔡先生，以素王之禮，封以崇陵，春秋亦如文廟武廟之往昔與祀不輟，亦未見其可。南京中山陵對社會之影響如何，甚至對國民黨員之影響如何，大家心中除視爲嚴肅的風景區外，恐不能收烘托中山先生革命人格之效。且北大同人均認英雄偶像主義爲過去，而現在是民主自由的世紀了，則預期展謁陵墓者，多不爲北大同人而爲與先生較不親切的外人了。況亦與先生主張不合；先生雖本程朱而道中庸，然認爲朱熹以前學者不過尊孔子之學說，駁來駁去總不駁孔子，關後始設孔廟將孔子宗教化起來，又用經義八股取士，使思想不得自由，先生之對朱熹起反感，不在其學說之本身，而在其對後世發生之影響，乃一變而爲康德式之自由主義，再變而爲克魯泡特金之無政府主義，三變而有以美術代宗教之主張，冀欲除定命論者的根源。彼自己根本反對宗教化者，我們若尸而祝之，社而稷之，將其宗教化起來，豈非欺其泉下無知，利用死人，或與之開玩笑。

美報銷數居第七位

今年普遍上漲獨共黨報紙下跌

一丁

報紙銷數的多少，通常是用來估計每一個國家的文化水準，而銷行數量之爲多爲少，通常又是將人口數字與報紙銷數作比較，但這實際則是否百分之百的正確，就最近聯合國統計年鑑所載的一些數字看來，似乎還值得研討。

照聯合國統計年鑑所載：美國的報紙銷數，不特低於英國，就是瑞典也超過美國。以每千人中每日購報一份爲標準統計，美國列第七位，分列如左：英國（六〇〇）盧森堡（四四五）澳洲（四三二）挪威（四二〇）瑞典（四一六）瑞士（三五五）美國（三五四）。

我們固然不能說，盧森堡和澳洲的文化水準，一定比美國高，但我們也決不能因此，就認定他們的文化水準，低於美國。所以用報紙銷數作文化水準的衡量，無論如何，是難作百分之百正確的。

根據去年（一九五〇）五月八日的全國人口普查，美國人口總數爲一億四千八百零三萬七千人。聯合國統計年鑑所載美國日報銷行總數，在去年爲五千二百二十七萬七千份，大約就是根據這些數字所編製。今年美國日報銷數比去年增加了二百六十萬份，晚報比早報加得多，早報只加了六十萬份。在今年，日報五千四百八十七萬七千份中，晚報佔着三千三百萬份。

今年銷路上漲，韓戰當然是最主要的原因，但共黨機關報紐約工人日報，則相反的向下慘跌，韓戰以前，牠平均日銷二萬三千三百三十六份，現在却已跌破一萬四千份，星期版，最多原有三萬六千八百份，現在已不到五萬七千份，長期定戶，多滿期不再續訂。這些定戶，約零星銷數，也都跌落，美國正可反映出共黨之不得人心。同情共黨者，大都以南韓戰事爲侵略，即紐約工人日報，所以銷路不見好轉。

五月一日，紐約派報公會，議決，在今年一月以後，不再代售工人日報，議員在議院提出控訴，以爲工人日報是共黨機關報，屬於非法組織，將派報公會一致同意停售，由是不會再有人替工人日報推銷了。

如何消弭中東危機

一在各國經濟權益的互讓　一在回教民族力量的尊重

馮眞

根據納粹德國地緣政治學家的論斷，認爲空權時代，已經代替了過去的海權時代，海洋已失去它以往的重要性，現在如要爭取世界的霸權，必須控制世界陸地的戰略中心。那末彼邇三個大陸的中東地區，自然是野心家們所必須爭取的地方了，過去希特拉曾如此想，現在的史太林又何嘗不這樣想呢？何況這裏還有名聞世界豐富的石油，有年產二千三百萬噸的記錄，所以除戰略價值以外，還有經濟價值，以現代戰爭必須依賴石油爲燃料，如此，又安得不使虎視在旁的蘇聯爲之食指大動呢？

自伊朗內閣總理拉茲馬拉被刺，以及親西方國家的胡辛阿拉，無法打開僵局被迫辭職，至最近由民族主義派首領，石油國有案提議人莫薩德，在下議院的擁戴之下，伊朗國王鑒於大勢，不能不任命他爲內閣總理。並且石油國有案在參院以四十四對零票的一致，順利予以通過，十一人的清算委員會，已在計劃如何接收，五一的勞動大會中，伊朗人民熱烈歡呼，重視石油權益的收歸國有。還有一向被視爲非法組織的親共土德黨，公開在國會廣場示威，顯已承認其合法的地位，同日蘇聯駐德黑蘭的大使，拜訪莫薩德，傾談數小時之久，雖然伊朗問題發展以來，除前幾天，蘇聯聲明，如將援引蘇伊條約，如外國軍隊開入伊朗，蘇聯亦將派兵至伊朗外，始終不見出面，但在暗中積極予以鼓動操縱，未曾放鬆一步，在這短短的二個月中，它已輕巧地贏得了中東冷戰的第一回合，至於英美，尤其在英國，儘管曲突徙薪，用盡了或軟或硬的手段，到了現在證明一切都失敗了，雖然英國提出向海牙國際法庭控訴，但這亦只限於控訴而已，發生不了實際的作用，當然英國對這經營數十年，投資數十萬億磅的英伊公司，決不能輕易放棄，何況減少了自己的力量，無異增加蘇聯的力量，這一地區，無論從戰略與經濟的立場而言，是無論如何不能落入蘇聯魔掌的。所以在條件方面可能對伊朗政府進一步妥協，此外，必須更加強事實上有效的行動，以阻止這種有利蘇聯的發展，但這得詳細攷慮，因此是不是可能直接引起全面性的戰事？

「福無雙至禍不單行。」除伊朗問題外，更引起了許多的危機，伊拉克的石油問題，也要步伊朗的後塵，與英國開談判，開羅方面，埃及的議院毀動了激烈的反英運動，甚至議員們把一九三六年所訂的英埃條約副本當場撕成碎片，要求英軍退出蘇彝士運河。還有敍利亞與以色列的糾紛，雖然聯合國當局派員設法調解，但雙方繼續交惡，而中東國家對於英美的協助以色列，已激起了普遍的不滿意，總之，中東問題已日見擴大與嚴重，間隙已見，應該是快到爆發的時候了。

如何緩和這種嚴重的局勢呢？

第一：權益的問題；伊朗爭取石油國有，從其民族的立場與利益而言，原無可非議，何況過去殖民時期，對英國的欺詐政策，始終舊恨難忘，刺傷了民族的自尊心，只要一有新刺激，即可釀成新的行動，從歷次伊朗會議與民衆的表現，英伊石油公司的現狀實應有改善的必要，英國最好退居技術上的地位，維持相互間的利益，伊朗政府不能沒有技術人員，而英國過去在開採設備方面，不能認爲毫無貢獻，雙方只要以誠懇的態度，兼顧相互間的利益，那末雙方成立協議，未嘗沒有這個可能。同樣西方國家尊重中東各國的權益，一變過去的剝削爲合作，來逐漸改善中東國家反感。

第二：民族問題：中東這些小國，以前原屬土耳其的統治之下，大多是信奉回教的民族，在這數十年來，回教民族都認爲在壓迫之下，因此有回教大同盟的提議，而埃及亦以回教領袖國家自居，對於這一有信仰有潛力的民族，一定要有一個新的合理的措置，否則民族間的糾紛，此起彼伏，隨時可以發生，不但力量互相抵消，而且給史大林以可利用的機會。英美應該站在先進國家的立場，成立與歐洲聯邦計劃相彷彿的中東聯邦，這一股巨大民族的力量，使能健全的組織發展，成爲世界和平的一個支柱，回教人民的力量，不能忽視，這是反共陣營値得注意的問題。

當前中東的問題，演變至今日的局面，並非一朝一夕所致，要一下改變過來，當然不是件容易的事，但不能說因爲有困難，而放棄改進的機會，只要耐性與善意，那末爭取同情與諒解，建立新的中東關係，始不是沒有希望的一件事情。

談自由人羅素（下）

安娜露絲著　伍健勤譯

大戰後，羅素認爲回復到純學術生活，是一件不可能的事，一九二〇年赴俄遊歷五個星期，訪問過列寧，托洛斯基及高爾基。他雖然同情社會主義的總目標，但對蘇維埃政體表示厭惡。這在一九二〇年出版的『布爾塞維克之理論與實際』一書裏，講得很明白。後來他訪問遠東，一九二〇到一九二一年間，執教北京大學，在一九二二年出版的『中國問題』一書裏，對中國文化大表讚揚。在他留華期間，與他的第一位夫人離婚。回英後旋與布勒克小姐結婚。此後幾年寓居澤爾西及關滋安，以新聞寫作謀生，寫過原子ABC，相對論ABC，并會數度赴美講學。自從他的兩孩子出世後，他逐漸對教育問題發生極大興趣。一九二七年他和夫人特地在彼得費爾德開辦一所兒童實驗學校。他的教育理論，在一九二六年出版的『教育問題』及一九三一年出版的『教育與社會秩序』兩書裏，講得很透澈。

他的大哥於一九三一年逝世後，他便成爲埃爾羅素伯爵的第三代繼承人，但是他仍舊習慣人們呼他爲倍特朗羅素先生。在此期內，他的注意力集中在世界問題，關於這方面的著作，計有『自由與組織』，『到和平之路』，『新社會分析』，在這些著作裏，他對任何可能，導向戰爭的措施，槪予反對。不過後來希特勒侵略波蘭時，他便公開聲明支持民主保衛戰爭。一九三八年遊美，任芝加哥大學哲學教授，第二年轉到加里佛尼亞大學任教。

一九四〇年二月，紐約大學發表羅素爲哲學教授，若干牧師，宗教團體，報紙，及市政委員會，發起抗議，指責他是宗教與道德的敵人。布洛克萊一婦人並向法庭控告，三月卅日庭判解聘，上訴被駁回，聘書宣告無效。一九四〇年秋，應聘赴哈佛担任威廉詹姆士獎金講座，留美執教期間，發生同樣風潮，但未成功，他在這一段留美執教期間，寫了一本『含義與眞理之檢討』，佐德認爲這是一本深奧難讀的書。

一九四〇年十月，羅素與片省之巴尼斯基金會訂五年授課合同，一九四二年底，即告解聘，他乃控該基金管理當局違反合同，法庭判決賠償損失美金二萬元。他後來將已發表和未發表的講稿，編成一本『西方哲學史』。

一九四四年，崔里迪學院贈以獎學金，此使他重返英倫。一九四八——四九，他在英國廣播公司，作聯續性的哲學廣播，這些廣播稿，後來成爲他一九四九年出版的『權威與個人』的骨幹。去年十一月，羅素在美國作一月旅行演說，在十日那天獲悉他已獲得一九五〇年諾貝爾文學獎金。一個月以後，他在史德哥爾姆，獲得獎金三萬美元。瑞典學院常任祕書長將獎金交給羅素時，盛讚他是『我們這一個時代裏的理則與人道最燦爛的發言人，並且是西方言論與思想自由的無畏鬥士』。

關於羅素的寫作體材及文字修養，一般均有好評。麥克費孫在加拿大論壇報評論：『就他的文字本身而論，可謂清楚，流暢，達意及合乎邏輯，英國散文大師的頭銜，他絕當受之而無愧色』。

愛德曼在星期文藝週報上這樣寫着：『羅素的著作，沒有一本書不是帶有嚴格的文學意味的。但是他的全部著作則爲思維與幻想的融合，這種融合在哲學史及文學史上是很少見到的』。

勒格特在替羅素寫傳記時這樣寫道：『哲學家羅素所著各書的特點，是他將有系統的懷疑態度，用之於哲學考驗的每一階段，及哲學本身的眞實諾言。他用數理邏輯作爲追求知識的技巧。他曾經表示，以往研究哲學的大部分時間，完全花費在文法與語言的誤解』。他認羅素是一個批判的經驗主義者，羅素常認爲人類的知識只有兩種：一是經驗所知，另一是邏輯的知識。

除掉諾貝爾獎金外，他曾受過英國皇家學社的希維斯特勳章，倫敦數理學社的莫爾根勳章，哥倫比亞大學的尼可拉斯勳章。

他在一九三六年一月十八日舉行第三次婚禮，新夫人是他從前的女祕書史班塞小姐。婚後生有一子，取名悉巴軒。羅素被人譽爲聰明與新穎的健談家。他的嗜好，一是下棋，一是讀偵探小說。他雖然壽近八十歲高齡，他的寫作與思致力，正同二十年以前一樣健旺。

民主社會主義及其危機

（上接第一版）

但是以彼例此，前途也很悲觀。原因之一，是政府找不到充分的有經驗的人才，他們反對國營，不願與政府合作。他們樂得坐觀其敗，好讓保守黨來推翻政府，從而恢復私營。鋼的產品出口很多，英國靠它賺回外滙，鋼工業假如失敗，那影響就非同小可了。

國營的理想原是極好的，何以實行起來常使人失望？這是社會主義一個大問題。我們現在談到國營，就會聯想到國營招商局和國營中紡公司那一大篇混賬——職員官僚化，工人貴族化，工作牛步化，沒有效率，沒有紀律，浪費，賠累……。以致許多人不敢再主張國營，爲了增加生產，甚至擁護資本主義。不道工業先進的英國，而也在國營方面發生了種種缺陷。是國營制度根本不好麼？是管理不得其道麼？是人性不適宜於國營？是自由不能與國營並行麼？現在連國營者本人也有一點懷疑起來了！這是民主社會主義一個嚴重的考驗！

第二，世界局勢的緊張，以致英國不能不重整軍備，這也是民主社會主義危機的一個因素。讀者有注意到最近貝凡辭職的事麼？它反映了那封辭職信麼？緊張時局，已給社會主義帶來了危機。貝凡說：『我認爲預算的根本錯誤是在社會各階層對經費的負担，太不公平。第一，它錯在增加今後軍事支出，而這種支出，未免過於誇大，事實上是用不着那麼多的。第二，它錯在預估物價高漲，因而作爲減低人民消費的手段，其結果祇有使工業混亂。第三，它錯在破壞了社會服務。而工黨特別値得驕傲，而使英國在道德方面領導世界的，就是這個社會服務！而現在却在開始破壞了社會服務』。貝凡這裏所指出的三點錯誤，都是緊張的國際局勢所造成的。試看：（一）要保障英國家的安全和生存，英國能不增加軍費麼？（二）要大砲就不能同時要牛油，物價怎能不漲？（三）怎樣可不減低消費呢？對社會服務項目中的眼鏡片和假牙收取半數的費用，也不致重到破壞了社會服務，何況這是爲適應緊急局勢的不得已的措施。因此，艾德禮毅然決然接受了貝凡的辭呈。

英國現正面臨重整軍備和物價高漲的難關。貝凡以爲工黨不如就此下台，退爲反對黨，讓保守黨去跳火坑，到局面好轉，到對社會主義有利的時候，再圖捲土重來。社會主義與戰爭，原不相容，貝凡的所見，實在未可厚非。所以時局假如更緊張下去，貝凡便會進一步拆工黨政府的台。那時（說不定就在今年秋天）大選結果，保守黨或可勝利，於是民主社會主義祇得退處於在野了。但是這樣的前途，對民主社會主義未始不利。它是終要回來的！

江西一驚人奇事

永新縣參議員賀紹武

血戰刑場槍殺共幹

十三人同被公審均一律臨刑脫走　現已逃入大山中參加反共游擊隊

中共在大陸的大屠殺，無辜慘死的，已不知若干千萬，惟最近有一臨刑反抗，槍殺共幹之驚人奇聞，發生於江西永新。緣該縣上月舉行公審大會，被公審者共十三人（內有卸任縣長，縣黨部工作幹部，縣參議員及地主富農等），當第一至第七名均公審完畢，並一例慷慨的承認了自已罪名，立待行刑後，（因為他們深知早晚必死，與其多受慘刑，不如迅速承認，在淪陷區不少人是自動選擇了早「死」這條最幸福的路）。到第八名，被公審的是參議員賀紹武。兩個背着步槍的士兵，正押解他上公審台，不料賀突然一鼓氣力，掙斷繩索，猛飛右腿，將左邊的槍兵踢下台去，回身一拳又將另一槍兵打倒地上，奪過槍來，對着公審人員放了幾響，即有數人應聲倒地，台下的人狼奔豕突，在極度紛亂中，這位賀參議員竟負槍揚長而去。因事出突兀，主持公審的共幹，和一些負責彈壓的民兵，一時目瞪口呆，不知所措。待驚魂甫定，想起應當從速追捕，但賀及其他等死的人，均早已全部逃得無影無縱。據說這位賀參議員自小便喜弄刀舞棍，並從師習武多年，膂力過人，後來又一直過着行伍生活，抗戰後才解甲歸田。因一向急公好義，故被選為縣參議員。這一次驚人的演出，不但救了自已和同時被難者，還槍殺了農會主席及共黨東北籍幹部兩人，全縣人民無不稱快。聞彼等已逃入附近大山中，參加游擊隊，中共現正在竭力追捕中。（涉非）

為子女不控訴父母者戒

徐棟救父有罪

華大組織處長保釋老父被懲

共黨在各地倡導兒女清算父母，若干所謂鎮壓反革命大會，或清算鬥爭大會上，均設法唆使被鬥爭者之子女出而控訴。甚且於宣布死刑後，即迫其子女為行刑人。此種泯絕人性的行為，共黨反視為最革命的前進之表現。父或某「國特」，或某「惡霸」處死，共黨必多方迫死者子女，發表宣言或談話，表其父母罪惡，而「感謝人民政府殺得好」。如死者子女不遵照共黨命令，則子女立被視為「國特」，準「惡霸」，受父母罪已深，重則同樣處死，輕亦送集中營勞動改造。

無錫著紳徐菊初，承襲祖宗遺產，及本身數十年積累所得，擁有良田數百畝，為地主之一。當地共黨，更指為惡霸地主，拘押和拷打。徐長子徐棟，為中共老幹部，在新四軍工作多年，共黨渡江後，即被任華東人民革命大學組織處長。以幼受父親鍾愛，天性未泯。聞父被捕，即星夜趕往無錫營救。中共無錫縣委會，以徐棟為上級幹部，優禮有加，當接受徐棟要求，將其父先行保釋。不料徐棟有一遠房族弟，曾因私怨與徐菊初不睦，渠亦加入共黨甚久，徐菊初被捕，本即出頭鼓動農會出面。今見徐棟將其父輕輕保釋，渠大憤，親往北平上海，控告徐棟，謂徐棟父為惡霸，不參加控訴，扭於父子私情，已屬不明大義。乃更憑藉地位，輕為保釋，尤為違反黨紀，經中共中央，及華東當局派員調查，結果，認為無論徐菊初是否惡霸，但既經當地黨部拘捕，徐棟除參加控訴外，不應另採任何其他行動，一面令中共無錫縣委會將徐菊初迅予槍決，一面將徐棟撤職，開除黨籍，并判處徒刑三年。中共之如此雷厲風行，處徐棟以重刑，即不啻昭示全黨，為子女不控訴父母者戒。

由此一事實，我們不難了解，中共報紙，所有一切子女控訴父母之各項宣傳，（如本刊第十二期載前國民黨青年部副部長趙仲容在北平被殺後，其女發表談話，感謝中共，即其一例）其後面實有何種強力逼迫，殆已昭然若揭。而人世間最悲痛殘酷之罪行，恐亦無有更逾於此者矣。（春雷）

陳錫明如此下場

「前進」也救不了父親的命

瘋了，但臨死卻明白一項真理，他說：「毛主席說，『不許有一個人餓死』，這一個人就是毛主席」

廣西大學教育系學生陳錫明發瘋了！死了！那實在給自命「前進」的青年學生一個透澈的教訓。

他是同正縣人，與我是很好的朋友，原先在南寧師範學院肄業，後來轉入廣西大學。他中了共黨宣傳的毒，在南寧「解放」前兩天，學校沒有上課，白天大家出去聽風聲，黃昏後一羣羣男女同學，在課室裏學習扭秧歌，他更顯得起勁，一面舞蹈，一面狂喊「天快亮了」！當時有不少人懷疑他是中共的職業學生，同時，他還用南寧地下工作隊第一組的名義，油印五星旗的式樣，祕密散發，叫他們在「解放」那天懸掛，雖然南寧「解放」後三天，市面上還見不到一面五星旗的影子，但他總算已經下了一番苦工夫。

共軍進南寧時，他用學生會的名義，寫好一份肉麻的傳單，到處張貼，裏面有這樣幾句：『……我們每天都非常興奮的拿着報紙，對着地圖，一分一寸的測量，看你們離我們還有好遠，像孩子盼望久別的母親，今天，可憐的孩子們盼到他慈母的懷抱來了………』。

不久，他的父親和叔父，在所謂『土改』聲中，進了牢獄。在青年團小組討論會中，他忍無可忍的鼓着勇氣，為父親和叔父流辯護：『我不是溫情主義，更不是不願丟包袱。不過革命要實事求是，我在同正，三代以來都是農民階級，而那幾畝田，兩四牛，幾把農具，都是在長期的千辛萬苦中積累下來的，並不是惡霸得來，更不是剝削得來，可是而今我父親及叔父竟被目為地主惡霸遭拘捕了！我懷疑基層的工作同志執行偏差，這裏我希望指導員及同志同學們，作個正確的批評，並向上級反映』。他說完後，用懇求的眼光望着那位東北籍的指導員，以及幾個取得了『新民主主義青年團登記證』的同學同志。

但是指導員冷冷的回答，『革命祇講目的，不講手段，但我們的目的是正確的，也許有偏差，但我們不能否認目的是正確的，關於陳同志所提的事，我們無從批評，也無須向上級反映』。

陳錫明聽了臉色變為慘白，但他依然有勇氣站起來說：『指導員的指示我都了解，不過我父親他願意坦白的將所有的財產都交給農會處置，他樂意得到農所應得的土地，他樂意推翻和毀滅自己的階級，……』他話還沒有說完，指導員就揚着手阻止他，不耐煩的說：『好，我就把你的意思向上級反映好了』。

過了一個禮拜，上面的指示來了，裏面分為三項：㊀收回陳錫明的團證。㊁說他思想未搞通，須加緊學習。㊂對他的思想行動，由某小組詳細調查，澈底改造。接着他的父親叔父，在同正鄉間被槍斃了！連續的打擊，使他像洩了氣的皮球一樣，從此舉止失常，語無倫次，神經錯亂。有一天早晨，我獨自在操場上讀俄文，突然間他像幽靈似的出現了，問我：『毛主席說：不准有一個人餓死！你想那個人是誰？』當時我並沒有想到他的問題，但感到一個很活躍的青年，落得如此地步，心裏很難受，他見我不出聲，便狂笑着說：『你怎麼不知道，不准有一個人餓死，那一個人就是毛主席呀！』

校醫證明了他患神經病，就把他送到陸軍野戰醫院去，送他走那天，在途中大哭大鬧，到醫院還不到十天，我們就得到他的死訊了。（瞿澤）

三十年前死去的祖母　從棺材中拖出「退押」

殉葬金飾一律抵充押金、數目不夠子孫仍須坐牢

·衛聚賢·

「退押」二字，在共區內，是地主們的催命符。四川人有了錢購田，自已不耕種，租給人種，怕佃戶中途交不上租，故在租田時，收入佃戶「押金」若干。在佃戶退田給地主時，地主要將押金退還佃戶，這就叫「退押」。不過，在共產黨統治了西南，規定大西南區（四川，西康，貴州，雲南）要在一九五一年（今年）秋後繼實行土改。在未到土改以前，先作減租退押工作。換一句話說，是只要地主「退押」而佃戶並不「退田」。「退田」，在地主看來，早晚要土改，此時退田，徒添麻煩，所以佃戶不退田，地主並不怨恨。只是共產黨在「退押」上出了許多花樣，使地主們疲於奔命。尤其退押的幣值，完全要照最初交款時的金銀價格，再加利息計算，其龐大多半無法負担。就我所知，在重慶附近的退押故事如左：

重慶鴉公巖李某，要退押折合人民幣一千萬元，他盡其所有，（現款，衣服等）只湊足五百萬元，尚欠五百萬元交不出，押在農會內。他想他祖母在民國十年埋葬時，耳上有金耳環一對，臂上有金鐲一對，口內有金牙齒數枚。他問共產黨，可不可把祖母的墓發掘開，取出這些金飾，當作他退押之款。在他料想共產黨是不會答應的，他所以纔如此說，以表示他確已羅掘俱窮。共產黨下級幹部說：『事非常例，我們不敢主張，反映（報告）上去再看』。隔了兩天，共幹告訴他：『奉到上級指示，可以發掘』。就着其家屬動工，共產黨派人監視，金飾是掘出來了，共只三兩九錢幾分，只折合三百七十餘萬元，下欠一百二十萬元，仍然在押。

自從李某請准掘墓以後，由非常而變成了常例，於是四川各處，凡是新墓——八十年以內的墓，因共產黨以八十年以外的東西為古物——一律發掘。就有人向我開玩笑：『你這個考古家沒用了。共產黨把你的工作都搶去了』我笑着說：『這是把我的徒子徒孫工作打斷了，我考的是古物，發掘的是古墓，新墓是留待我的徒子徒孫發掘的，今天共產黨把新墓發掘完了，對我的工作無妨，對我徒子徒孫的工作有害』。大家都不禁苦笑一番。

清算吃荔枝的舊恨

七旬老婦公審

華僑家屬慘遭虐待

石碼為閩南一鉅鎮，隸漳州龍溪縣，抗戰時為特別區，其地距廈門僅一衣帶水，同有小安南之稱。因漳屬五縣產穀量全省冠，皆由石碼輾成白米，轉運出口，其地有大小輾米廠近百間，同時，漳屬西北兩溪年產什粮，鮮果亦甚豐富，也以石碼為集散地。中共在石碼實施大屠殺政策，係開始于去年農曆冬節前二日。據一位最近抵港之僑眷稱：中共實施屠殺共三次。一為農曆冬至後，搶殺一批，這一批包括有未成年的童子軍，而所加之罪名為「反革命」，「游擊隊」，共十餘人。第二批為農曆今年正月初四日。第三批在正月十四日，此兩批被殺者，包括已蘇雅之石碼商會長林碧石，龍溪縣立第二中學教員楊省三，退伍青年軍熊文華，工會代表蘇達淵，前石碼警察所長陳鐵夫，鄉長鄭長珍，鄭善培，前龍溪縣參議會祕書及縣民政科科長林開方，地主林天助，閩南水上縱隊游擊司令黃水沂，前龍溪縣參議員陳培元等，尚有很多鄉長。地主。因不識其人，故姓名不能盡記。前後三批共殺數十人，其祕密處決者，則無從知悉。此外，華僑富商林某（即某航業公司主人）之庶母某氏，及其子亦被捕公審。先是，氏有養婢於若干年前曾摘食園中荔枝，氏責以要吃多少摘多少可也，何為多摘而食之不盡，暴殄天物；婢懷恨不甘，而此次出面向氏鬥爭者即此婢，蓋有帶頭作用，誘之而出也。這公審日（時在農曆冬節後數日），此婢登台戟指大罵，並以竹片抹糞糊滿某氏之嘴，共幹又故意綑碎蟶碎蠣於地，令某氏裸膝跪地受審，歷二、三小時不止，足膝肉盡脫，見者酸鼻，不忍逼視，而共幹及此婢則叱咤自若，可謂全無心肝。氏年已七十許，不堪酷刑及侮辱，歸則懸樑自盡而死。林某之子仍禁獄中，中共命繳四林百担，無則槍斃，最後家乞援于其叔。林某由共叔某從港匯港幣一萬二千元返里，始獲釋出。這是中共爭取華僑的一幕現實鏡頭。豈可謂它沒而不彰也。（紫薇）

母親死了同家奔喪　妻弟破家姐夫關門

重慶張某，在他父親及祖父時購進一些田，年以現在算起來，要退押六千餘萬元。他在少年時，家已衰敗，這次他確實沒了產還退不出押，在農會內很多天。共產黨查問他所有親戚，都是窮人，只有他姊丈在重慶開了一家照像館，比較有錢。共產黨就在這家親戚上着手，問他，你與你姊丈有往來嗎？他說：『沒有，』因為與他姊丈意見不合。又問：『過年過節不來嗎』？『不來。』只有前年母親死了，他來弔過孝。又問：『來了講些甚麼』？說：『來了燒紙就走了。姊姊則是下午事畢纔走的。』就問過：『你姊姊這一天在作甚麼』？總說：『我們當孝子，他代我們照顧客人』。共產黨說：『好了』，就把他姊姊捕來，罪名是「國民黨時代法律，出嫁女兒，一樣分父母遺產，你母親死了，你還回家料理喪事，退押，你也就不得不管」結果照像館拍賣，姊丈代妻弟退押。

會館定為人民財產　退押責由職員負担

法團退押，法團的產業不准賣，把法團的理監事關起來，拍賣理監事的房產。

重慶江南會館，是雲南，貴州，廣州，廣西，浙江，福建，江西，湖南八省的會館，在四十五年前，會館購田出租時，收有押租，這押租，早在四十五年，由會館開支使用了。今天要退押，只好將會館拍賣，但共產黨的重慶市民政局批：不准，他說，這是人民的財產，不能隨意處分。那麼，退押從那裏籌款呢？共黨說，這是你們現任理監事的事。結果，農會派許多腳穿草鞋，頭纏白巾，臂佩紅布，肩負長槍的農人，湧進城，把江南會館現任（民國三十八年秋天改選的，三十九年尚未能改選）的理監事，一律抓到鄉下，押在農會內。這批理監事自行承認，將在城內所有房產拍賣，作為江南會館退押之用。

有錢地主最為倒楣　一身退押前後三次

拿了佃戶的押金，照理要退。不過，只應退你自已收到的押金，但在共黨，卻有一人退三次的辦法。不但要退你自己收到的押，還要退你前任地主的押，又要退你把地出賣以後的押。共產黨的理由是，你是從張家買來的田，張家當日押押沒有退清，今天應由現在的地主退。現在的地主說，這是前任地主的事，他說，你當日未登報辯明、佃戶不知道田地已轉移。如果地主要申，說押金只能收一次，如果前期地主沒退，他不會再給我交押金；既交了我的押金，前期地主的押金，當然收回了，何以還要我退。且在我祖父會祖時代收，根本還沒有報紙，如何去登報辯明？你這樣說，當然很有理，但你馬上就要變成了「惡霸」「國特」。最好還是不說，任他宰劃。至於田早售出，要你退押，這理由、共產黨說，因為現在的地主退不退押，因原來是你的，你應替他退押。不過這種三次退押，並不是家家如此，就看你是不是有錢，如果你有錢，出的數目又比較多，那就要你三次退押了，他不管你應不應該，而祗看你拿得出拿不出。

押金雖向地主索回　農民却一文拿不到

地主當日拿了佃戶一宗押金，今天地主拿出來退回佃戶，這是應當的。佃戶當日拿出了一宗現款，今天從地主手裏拿回來，這也是應當的。不過，地主是把款退了，佃戶卻分文拿不到，款在共產黨手裏，他說，是替農人保存着。

鄉下農人來了，我笑着問，進城來買些甚麼？他說，這年頭吃都吃不飽，那裏還有錢買東西！我說，你們不是得到一大批退押的款子嗎？鄉下人苦笑着說：「押確實是退了，款子我們也看見了，不過，不在我們手裏，他們替我們保存着，要有了正當用途，纔能用。甚麼是正當用途呢？還沒有規定，恐怕永遠不會規定，即永遠不會拿出來。」我就問：「押金本是你們的，退押以你們為號召，難道能一點也不給你們嗎？」他說：「他們說過，凡是極貧而馬上沒飯吃的，可在退的數目內先就十萬元以下酌就支付。」我問：「有拿到的沒有？」他說：「沒有。先我要調查：識大家忙了一陣，明赤貧等手續，這一鄉就有幾家老的少的，窮實餓飯，但手續辦完以後仍不見下文。前天開會，有人提出來說，既然調查清楚了，這些看看就快餓死的人，為什麼不發一點給他們？」幹部說：「如徒窯攻府蠶功，就不努力生產。」把發言人大罵一頓，說他立場不穩。會沒，幹部對其他在場的農人們說，今天發言的那位，他是本鄉四十八位國特之一，你們今後少與他往來。自然以後開會，就沒人再敢發言了。

（共區通訊之八）

自由人稿約

本報各版，均歡迎投稿，敬訂稿約如左：

（一）除事先特約外，每稿最長請勿過一千五百字，以限於篇幅，無法刊登。

（二）評論要切合時局，新聞要記述事實（大陸消息，應有人名，地點，時間，不便刊登者，可於稿內註明）。

（三）雜文，來稿除附有足夠郵費外，概不退還。

（四）稿末請附註真實姓名，地址，但發表時須用筆名者聽便。

（五）稿酬每千字六元至十五元，一經刊登，即於五日內寄奉通知單，憑單向本報領取。

（六）稿件請逕寄本報，封面書編輯部收，萬勿書私人姓名，以免延誤。

日本加緊訓練後備警

日本國家後備警察正接受美國式的訓練，這種訓練也可能使他們日後，負起步兵的任務。

·羅繆　譯·
原載基督箴言報

「我的同志和我，都願在必要時爲天皇而死。」這是日本新的國家警察後備隊的軍曹新渡說的，他正和其他二千五百名強健和堅決的日本青年，在日本的宇都宮營地受訓。

新渡軍曹現在二十三歲，在思想和背景上，是他的同志的典型。

他生於山形縣，西伯利亞對面的日本海海邊。第二次大戰中，他曾進過東京北方土浦的日本海軍航空訓練學校。戰爭末期，他曾乘着雙引擎飛機任投彈手，出動作戰，飛行於青島等中國基地上空，後來又曾轟炸過上海。

日本投降後的半年中，他在佔領當局所設的軍用佔領基地當裝貨工人。直到一九五〇年九月，他才放棄了這個工作，參加國家警察後備隊。

像許多受過戰鬥訓練的日本青年一樣，國家警察後備隊最能適合他的材能。新渡軍曹很快的從原來的二等巡邏警階級昇到現在的地位，這也許是因爲他英語講得流利，對於訓練營內的美國顧問十分有用，但也許是由於他熟悉美國陸軍的規律，這種規律現在已形成訓練這班新的後備警員的模型了。此外亦因爲他具有超等的愛國思想，高度的自制能力，和能保持警官應有的尊嚴。

在宇都宮營作爲一個學員，新渡軍曹日常的例行訓練是嚴峻而苛刻的。他每晨六時一刻起身，夜十一時熄燈號一吹，他須立刻上床睡覺。在這些時刻之間，他要受使他成爲警員的訓練，而這種訓練亦可能使他負起步兵的任務。

經過十七個星期的訓練後，他就與他的隊伍一起出外作五哩長的跑步，據美國顧問說，這種實習是美國新兵在受過初期訓練之後，所不能担任的。當他回來之後，他還有剩餘的氣力，和他的同志在操場上做友誼性的柔術遊戲。有些日子，新渡的隊伍學習關於站崗，守衛和衛生工作的詳細課目，但在多數時日中，他們的正規課程，是負着背包掛着步槍而操練，越過障礙物而奔跑，和在露天根據警察規則學習術科。

新渡軍曹和他的隊伍在道路受行軍的實地操練時，常高唱「後備隊青年」的隊歌來提高精神。有時他們的步伐整齊，有時各隊分別唱起歌曲的某節，有時匯合爲大合唱，歌聲雄壯，往使旁觀者爲之動容。

在宇都宮營當顧問的美陸軍軍官也都很熱誠，他們說，後備警察隊，現在已達優良的狀態，隊員的體力強於美國兵，士氣也極高。

據新渡軍曹對人表示，後備隊的紀律，目前甚至已比他以前海軍航空學校受訓時還佳。他們的長官對他們的待遇也比從前和善，海軍受訓期間所有的毆打和苛待，現已完全消除。新渡軍曹能在訓練營中表現他的特長，也能受人賞識，因此他也喜歡這個地方，這和一個日本平民初入訓練營的感覺完全不同。

他每月能得七百日元，超過其他任何同等階級的公務人員。他所得到的配給米數量，亦倍於日本平民。而且他自己的衣着不用化錢去買，吃飯也不用操心，他能獲得二套勤務裝，二套羊毛的草綠色制服，一件毛質大衣，二雙軍靴，一雙皮鞋，一個行軍背包，一個戰地演習的小帳幕（約比普通帳幕小一半）和整套飯具。

當一天的課程終了，他尋求日本人最喜歡的享受——泡在特別熱的木製浴桶裏。

這裏營房共有一千六百人，但祗有二個公共浴桶，所以隊員爭相沐浴，不免過於擁擠，不過在日本這種情形已習見不鮮。其後他即爬上美國的軍用彈簧床，不再是從前海軍訓練學校的木板床了。床上且有整潔的褥單和毛毯。

新渡軍曹對於這種生活非常滿足。但是他相信美蘇之戰是不可避免的，他所最關切的，祇是要做一個飛機投彈手，而不願當一名步兵。

「五一」傷心話

·舒潦濤·

五一節大雨傾盆，臨此節日，翹首北望祖國，山烟騰昇，胡騎遍地，儘管尾巴報敲鑼打鼓，「爲五一而歡呼」，大登牛頭馬面的照片，孤芳自賞，眞不知道大陸竹幕深處，幾家歡樂幾家愁！

共產黨說「五一」是工人的大節，年逢此日，莫斯科紅場照例是一番熱鬧，借此揚威耀武。中共在去年「五一」，也曾在天安門前，腰鼓秧歌，今年也是例行公事，新貴們笑逐顏開，鵠立檢閱台上，八面威風，大享「革命果實」。

台下的行列的歡呼眞是發自心坎嗎？恐怕是强做歡容，內心裏的苦楚，在刀光劍影下，只好笑而淚盈眶。在過去，工人們曾不惜熱血頭顱，爭取八小時工作制，如今呢？即連十小時，新主人還嫌太少，當年的勇氣已化爲烏有！在過去，工人們要爭取合理的勞力酬報，如今呢？一切都他媽的「抗美援朝」，薪水減了又減，再減下去，連養活自己都不夠，妻孥又該怎樣？

此情此景，工人們從什麼地方能「歡呼」「狂熱」？憑得這些尾巴報喪盡天良，爲了討好主子，竟毫無慚愧的出特刊，兜攬廣告，想利用「五一」，敲敲竹槓，苟延它們垂死的生命。

今年「五一」是過去了，明年「五一」恐怕又要回到延安草坪上去舉行了，要不然，怕只好在戰場上就地「歡呼」一番，點綴點綴了吧。

電視機將供軍用

——指揮官可在室內目擊戰況——

·周明·

據最近美國科學雜誌「通俗科學」載，軍用的電視機已在實驗，不過軍方通訊部還不肯披露它的詳細情形。照一般人揣測，它的開始運用，將不再是十分遙遠的事，不過戰場中士兵各有一具，則因技術上的困難，一時恐不易辦到。

它將讓士兵們帶着（初時的體積大致比較大，待改進後始能逐漸縮小），在戰場上攝入戰鬥的實情實況，由區指揮部或總部收到其電波，然後放映出來，使指揮官如親臨戰場，再進一步考慮對付敵人的戰術。五彩的電視機，在民用方面，已出現於美國市場，所以軍用的五彩電視，將來終有一日將亦由軍隊採用，祗是五彩與黑白對於軍事學是沒有多大不同的，而且五彩電視攝影機和接收機，在製造費用上要比黑白的貴得多。

經過改進的手提無綫電收發兩用機，和電傳打字機，現已分發與美國各個部隊使用，面積都已大大的縮減，以便攜帶。不過這個也對當局引起了一個新難問題，目前每一個裝甲師中，已擁有收發兩用機二千七百四十八具，約八倍於他們所有的坦克。製造這許多機器，加以修理，補充訓練能適當地運用它們的人士。都是異常複雜的重任，不過比起從前來已好得多了，現在的一架輕便的無綫電機已能抵得上以前數架。

到目前爲止，軍用通訊工具在整軍隊中還是供不應求，因爲通訊代表管制，管制就是指揮，要有敏捷的指揮，才能贏得戰爭。所以現代的通訊工具正在實驗室科學的研究下盡量改善，以求增加軍力，和戰術的效率。

時代科學

旅美雜紀

·陳香梅·

一條街上一所藥房　一個轉角一間餐室　十里八里一個油站

再說美國的藥房也是一種非常特別的商店，在藥房裏，不只賣藥而已，還賣玩具、家常用品、糖果、甚至還有賣酒的，千奇百怪，不一而足。此外還附設咖啡座，兼營小吃，所以到了美國，若有人請你到藥房去吃點心，可不要以爲人家是和你開玩笑。

美國醫學昌明，藥價低廉，優待平民的，有州立和市立醫院，窮人病了，也可以進醫院，而且還有很好的醫生診療，這可以說是美國市民之福。

汽油站林立，這是美國的特色，也可表明美國汽車之多。據統計，大城市如紐約舊金山等地，平均每兩人有一部汽車，美國年年拚命趕築停車場，然而仍是供不應求，許多街道又不許停放車輛，問題相當嚴重，市政專家們年年都在爲此大傷腦筋。

大城市汽車既是如此之多，除了在市區中心外，很少看見步行的人。有一次我到舊金山機場接一位中國太太，回到住區，經過舊金山的金門橋，共費時四十五分鐘，沿途除了大街上看見幾個走路的人之外，簡直看不見行人，那位太太非常驚訝地說道：「哎呀，人都到那兒去了！」我指着那川流不息的汽車說：「你看啊，人都在汽車裏呢。」

從這一州到別一州，坐汽車是最舒服的事，因爲既可飽覽一州的風景，又可以自由支配時間，且不受他人的騷擾，沿公路上的汽油站很多很多，你又不用愁汽油用盡，無處加油。比起在中國公路上旅行，眞有天壤之別。

有人說：「一條街一所藥房，一個轉角一餐室，十里八里一個汽油站，這就是美國的文明。」雖然言過其實，可是也不無根據。

× × × ×

美國的兒童教育，在我看來是功罪參半，這可以今日美國兒童之思想與行爲證之。我有一位朋友，她有二女一子，大女已嫁，兒子也在大學攻讀，只有最小的那個女孩子，則還在小學唸書，今年才十一歲，異樣的頑皮，也特別聰明，只是不大肯用功唸書。有一天放學回家，父親對她說：『孩子，你每天放學回來，先把園子里落下來的胡桃檢拾起來，再去讀書好不好？』那孩子說：「爸爸，我很想服從你的命令，不過現在政府頒佈命令，不准兒童工作過度，否則孩子的父母要受處罰，親愛的爸爸，我可不想你坐牢。」這父親聽到孩子的話，眞是啼笑皆非。十一歲的兒童而能以法律說服父母，這豈非美國現代教育的大諷刺。（十五）

感應篇

·桑梅·

熱烈情緒

廣州市民熱烈迎接「勞動人民的節日」，從某報的一個專電報道中找出兩種屬於「熱烈情緒」者。

（一）到處可以聽到腰鼓聲和獄聲。

（二）到晚上全市的餅店都賣完了麵包。

老百姓以買麵包吃而作爲「熱烈情緒」者，亦腰鼓聲充斥的秧歌王朝的特色乎。

洪水猛獸

粵省三水順德中山三縣，堤圍十處崩決，田地被淹，損失無法統計。

另一方面，各地的「集體殺人大會」，正層出不窮。

狂瀾可挽，不黑不白的殺害待誰「搶救」。

竹影心聲

·離草·

·上海來鴻·

七

情形有了突變，我不知怎樣告訴你才好。而且不幸的事，接連着來，我眞以爲天地間是個大舞台，除了我以外的人都在演戲，現在我這個觀衆的情緒太激昂，我不懂上帝爲什麼特別喜歡我這一個人？而把所有的人支配他演戲給我看？

第一件不幸是沈恩突然失蹤，他是付清兩個月房錢才走的，屋子裏留着破破爛爛的東西，誰知道值幾個錢？他去那裏，誰也不知道，說是爲了失業生活不下去，那又何必付清兩個月租金才走？這點錢儘可維持他一些時候，雖說是「催租」能手，也會狠不起心腸趕他動身。終究這個人去那裏呢？已經三天沒有消息，我以爲他是有計劃出走的，媽膽量比耗子還小，要緊替他報銷戶口了。

第二個不幸消息，你看了信上是我親筆的字，就知道代我抄寫的人也走了。那個死了丈夫與她爸爸的可憐虫，是給她祖居地方的共產黨傳了去的，天知道，她的命運怎樣，我先是有點耽心，後來也就坦然了，我相信她的個性，怎麼壓力加在她身上，她不會吐半個字出來，何況我給你寫信是她鼓勵了以後，又是自告奮勇願意代抄的。至於她爲什麼在死了丈夫與爸爸以後還是個有罪之身，那只有問共產黨了，他們殺一個人還自己高興，人命比狗還賤，有嘴巴不容你說理。我的憤怒是替這不幸的人抱不平，也是代表鐵幕裏所有良知尚喪失的人一種抗議，今天我有勇氣直接寄出這信，你會說我冒險嗎？

你說我怎樣打發那種把破絮說成白雲的日子？今天我連若薇也避着不和她見面，我在弄口那家靜安咖啡館裏寫這封信，我有這個膽，也是邀這點魄力，我會戰勝我的敵人——包括我的媽在內。

歌劇的錯誤

·無知·

蘇聯作曲家即使盡力設法遵循其主子的指示，却還是難以得到克里姆林宮的歡心。名作曲家簫斯泰柯維契被痛斥之後，朱柯夫斯基一度似有繼登其以前地位之望。他根據作家馬爾特賽夫的關於烏克蘭集體農場的小說改編的歌劇，會受多數莫斯科評論家的讚賞，且上演之夕，史太林且會親臨捧場，但這是他惡運的預兆，却不久便由眞理報就間接說出了史太林的評論：「這歌劇充滿一切嚴重的錯誤」，有關的人必須自我檢討，來校正這些「錯誤」。

「錯誤」在那裏呢？最壞的是：它未能表現「集體農場村莊內一般「生活」的偉大情調」，未能頌揚「集體勞工」和一種新的人類的成長」，而過份偏重於「假日」場面的歌唱與舞蹈，而且佈景裏有一個「可悲的纏色」。總之，它是未能合蘇維埃式的現實主義。

不想回家的俄國兵

俄兵偷訪德籍友人

「殘酷的待遇」。梅頓斯說：「不過今日關於強姦和搶劫的事，已不常聽見了。二年前不敢在夜間出街的人，現在已說俄兵的行爲好得多。人們對於往事是健忘的。」

二年前在梅頓斯所住的這小城裏，每到星期六和星期日，總是會不斷聽到湯姆槍的互擊聲。現在每值假期，小隊的俄兵已由低級軍官帶領，行到這小城遊覽五小時，他們在街頭，猶如一隊天主教學校的學生。和從前比較起來，眞是一個大大的轉變。有些人到遊藝場尋樂；其餘的人，像茨赫柯伍長等，則可以溜開一小時，去訪他們的德國友人。

「如果他今天會來，」梅頓斯對我說：「你最好先不要說話，等他飲過幾杯伏特加酒，看情形而定。有時甚至他在酒後，亦會一言不發。我化了好幾個月，才消除了他的懷疑。」

我問梅頓斯他在什麼地方會見茨赫柯伍長的。

「一九四九年七月。他走過我們的麥田，忽然止步向我招呼，我們說這地方使他想起他的幼年的故里。他看來像一個善良的農民。後來我們即繼續交談。他對我有自己的田地和機械而大感詫異。」（茨赫柯生於一九二六年，這時蘇聯的革命早已消滅了土地私有制。他自然不能明瞭財產，私有企業或積蓄個人的錢的意義了。）

「我請他進我家裏來坐」，梅頓斯說：「不要怪我，當時有一個蘇聯朋友做你的保護者是十分有用的。後來他幾乎每週末都來我這裏，到天黑才偷偷歸去。我太太說，他很寂寞，我個人感到他時常有些害怕的，怕會被遣返蘇聯，也怕這裏的德國人，他或以爲德人在每方面都超過他們。幾星期前，他曾對我說：『要是戰爭爆發，你得記住，我是一直待你很好的。』」梅頓斯說到這裏笑了起來：「我對他說：『或者你應記得我對你亦是這樣。』」

梅頓斯戰前居留在柏林當簿記員，她的太太做女縫。他們有兩個女兒，一個八歲，一個三歲。戰時梅頓斯被徵入伍，隨軍攻入蘇聯，一九四四年在羅斯都夫附近被俘，一九四六年末被開釋返國。他在柏林找不到職業，他們遂決定遷到東德的農場，他們認爲有了田地，孩子們不致再會挨餓了。而且像許多住在都市裏的人一樣，梅頓斯一直渴望着能得一塊農田，過恬靜舒服的鄉村生活。但等到梅頓斯發覺在蘇管區種田的收入，還不如在西柏林當簿記員時，時間已經晚了。他們必須繳納大量捐稅；向與引機管理所借用耕種機器，必須付出頗高的租金。他取用的種子和肥料，必須全向國營店舖購買。蘇管區的糧食，今年雖比去年多了，但是豬油、肉類、牛油和乾酪等還是稀少，有時梅頓斯的太太必須遠程到西柏林……。頓斯的收入少，才能以昂貴的食物；爲急需的修改衣服而購到一點棉織物，收入極少，市場出現較佳質地的物品，即會被市民搶購一空。（三）

·泰辛譯·

自由人

THE FREEMAN
（半週刊每星期三六出版）
每份零售港幣壹毫半
（第十九期）
督印人：梁大成
社址
香港德輔道中一四九號四樓
電話：三二八二〇
149, 3rd FLOOR,
DES VOEUX RD. C.
HONGKONG
TEL: 32820
承印者：東南印務出版社
地址：高士打道六四號
台灣經銷處中國書報發行所
地址：台北館前路八十五號
電話：三〇三三

應否擴大韓戰的大論爭

假定大戰終於無可避免　我們贊成歐亞同時作戰

·左舜生·

自上星期三至星期六（即五月三日至五日），麥克阿瑟元帥以聯續的三天，出席美國參議院的軍事外交聯合委員會，陳述他個人關於韓戰以及從整個太平洋乃至整個世界如何去防止共黨侵略的意見，並答復出席該聯委會各參議員的詢問，每天所耗費的時間平均爲七小時，且係每天自紐約飛往華盛頓出席。這位年逾七十的「老兵」，而有這識過人的精力，可見他以往造成彪炳的功績，與這次對杜魯門總統之不肯服輸，決非偶然。

從他所陳述的意見中，可歸納爲下列主要的數點：

麥克阿瑟的主要論點

第一，他認爲美國縱容共黨力量在中國大陸的增長，實爲把海約翰、塔虎脫、伍德、威爾遜、史汀生及其他諸人百年以來所苦心經營的太平洋政策一舉推翻，而造成一根本的錯誤，美國在這一世紀以內，即將自食其果。

第二，他充分了解共黨對世界的侵略是全面性的，即說明他自己並無重亞輕歐的觀念，但他承認美國確有力量可以雙方兼顧，決不應該以重歐之故，而削弱亞洲。

第三，他強調韓戰必須提早結束，以目前這種「有限度的」作戰，而使時間「無期限的」延長，這不是避免第三次大戰，而是促成第三次大戰！他認爲，假定韓戰再延長一年，美國可能造成一百萬士兵的重大損失。如果在韓國根本失敗，自由世界即將滅亡。

第四，他了解在韓作戰，本來是以美國爲主體，其他各國所出少數的軍隊，不過是一種聯合行動的象徵，而所受的牽制乃爲無限，他覺得假定其他聯合國會員國不願對中共直接攻擊，最好是由美國來單獨負責。（我們充分了解這是麥帥在職期間一種不便說出的隱痛。）

第五，他坦率說出不應該以放棄台灣及容許中共出席聯合國去換取韓戰停火，他警告台灣一旦有失，日本與菲律賓將立即遭受共黨的襲擊而陷於崩潰。他說明他過去的一度訪台，確曾得過政府的同意。

第六，他證明侵韓是蘇俄中共北韓的合謀，但在韓戰中轟炸東北，封鎖中國大陸的沿海，並以海空軍協助台灣反攻，却有勝利結束韓戰的可能，且不一定就會激怒蘇俄，發動大戰。

第七，他在這次陳述的第一天，即抨擊杜魯門在毫不通知的情形下，突然將他的一切職務解除，其爲危害美國利益的安全，實屬毫無疑義。

假定華盛頓的少數當局不是預先抱有一種成見，或國務院眞有若干別有懷抱的人物，則麥帥所說的種種，便成了一種極尋常而又尋常的常識，假定美國在韓作戰將以求勝而非求敗，原沒有什麼值得大驚小怪的。

對美國援華的新希望

在過去一百年所謂美國的太平洋政策，其十之七八的成分，也就是美國的對華政策，尤其以最近半世紀以來的情形，更是如此。自清末以迄中國對日抗戰的終了，美國在大體上是沒有違反她對華的傳統政策的。自然，所謂「門戶開放」，「領土保全」，「工商業機會均等，」我們在一個獨立國的立場，決不能承認這就是一種光榮，可是，在清民之交的這五六十年間，中國經過了若干次險惡的風浪，而卒得免於亡國的慘痛者，要不能不說是受着美國這種較爲溫和的政策之賜。美國爲中國教育了若干的留學生，也在中國辦了不少的教育和社會事業，這在一個具有中國固有文化和現代知識素養的人看來，雖也只能承認是利害參半，然以中國的貧弱與現代知識的落後，對於美國在中國的這類成就，究竟也未可厚非。現在中國大陸上那種「反美援朝」的宣傳，這自然只是一種「奉命行事者」的故意歪曲，在中國一般人民的心理上，是決不會把過去美國對中國的若干好處一筆抹煞的。

在麥帥去職以後，美國援台的工作已逐漸展開，尤其以軍事代表團的派遣最爲顯著。但我們仍有一點不完全明白：即這次美國的對台援助，還是只以軍事爲限的局部援助？或者是包括政治，經濟等的全面援助呢？換言之，還是有一整套的計劃預備逐步實施？或僅爲一種臨時的應付，準備做到某一程度使適可而止呢？我們在這裏願意坦率的提出我們的意見：即美國援華必須是全面而且有計劃的，假定只以軍事爲限，甚至並軍事的援助也不能充分，則即或台灣因這一部分的助力可能發動對大陸的反攻，以協助美國勝利的結束韓戰，但要給予中共一種根本的打擊以做到整個中華民國的恢復，則依然希望甚微！自然，我們知道這種責任必須大部分由中國人自己負擔：絕不應該完全倚賴美國，可是美國必須有進一步的認識：假定中國不能逐漸實現名實相符的眞正民主，而經濟援助又永遠掌握在若干舊式的人物手裏，而不能有實惠普遍及於中國大多數的人民，則即令國民政府可以重返大陸，而中共的政權可以歸於消滅，但中國的亂源並不一定就可以完全遏止，而美國的再度援助，也依然可以落空！

從另一觀點同情麥帥

美國政府與麥帥在意見上的眞正差別，僅在韓戰應否擴大一點：美政府方面認爲，韓戰一經擴大，大戰即有爆發的可能；麥帥則認定即令轟炸東北，封鎖中國沿海，乃至協助台灣反攻，蘇俄也未必干預，至多可能予日本以威脅，然亦不能佔領日本。可是中共必然崩潰，韓戰可以結束，間接予蘇俄以嚴重打擊，大戰或反而可以不致爆發。麥帥這個看法，儘有若干危險，可是假定大戰終於無法避免，則與其讓蘇俄集中歐全力量以對歐，毋寧讓其分散力量以對亞；假定史太林不顧陷於兩面作戰，則蘇俄將時不牽入亞洲作戰，亦未必絕無可能；假定美國能乘時安定亞洲，則對未來的整個戰局，亦斷然有益。美國政府的另一看法，則認定萬一實行麥帥計劃而即刻引起大戰，可能妨礙美國與西歐的整軍，可是整軍可行之於大戰發動以前，也可行之於大戰發動以後，如果說整軍好了大戰即可不致爆發，或大戰一經發動，即將無法整軍，這實在是馬歇爾否定了過去的一切經驗，我們無法完全同意。

我們的基本看法是大戰終於無法避免，最要緊的應付方法，一面固在爭取準備，一面亦在爭取人力，如果使韓戰繼續拖延，對於可以從容準備的一點好處，最高限度也不過美蘇共之，而使蘇俄在人力的組織上更加團結，實予自由世界以莫大威脅。我們在日前的立場還是同情麥帥，但我們也樂於繼續聽取代表美國政府方面的主要觀點。

五·七、午夜。

韓戰的戰畧指導問題

·黃震遐·

半週軍事

陷入戰爭的霧囊

韓戰鬆懈一週後，聯軍復以龜步爬向卅八度，前綫搜索部隊找不到敵蹤，後方司令部亦不明敵軍主力何去？此種情況不明的迷離狀態，拿破崙稱爲陷入「戰爭的霧」，但拿破崙作戰半生，自己很少墮入五里霧中。此即拿破崙之所以爲名將之故。麥克阿瑟返美後大聲疾呼，痛責白宮對於韓戰，缺乏一個明確的戰爭指導。在政治上，這是對的。同時麥氏再三強調共三點意見：（一）轟炸敵後東北策源地。（二）封鎖中共海岸。（三）支持台灣反攻。在戰爭指導上，這也是對的。但這不是戰爭本身的問題。我以爲聯軍一向所忽略的，是戰略指導問題；戰略指導雖較戰爭指導的範圍爲小，但戰略指導好，戰爭指導差些，還可以打勝仗，佔上風。反之，則即使戰爭指導能夠合理化（麥帥所要求的似即是「合理化」），而如果戰略指導不高明，粗心大意，沒有膽識，也會照樣失敗，照樣達不到政治目的（克勞塞維茨）。聯軍在韓國打上一年，經常不明敵情，如墮五里霧中，目前兵力不算太懸殊，而仍被動挨打。主動權始終操在敵人手中，這證明在嚴格的軍事範圍裏，英美的統帥學不僅趕不上過去德國的水準，亦不能和蘇俄的相比。事實證明凡涉及戰略範圍的作戰指揮，如華格，李治威，斐列特等，並沒有拿破崙式的將才，他們缺乏「慧眼」，企圖心，也根本缺乏政治認識和主動的攻擊精神。他們看不穿共軍的戰略霧幕，即說明了他們確有毛病——犯了英美海洋派軍人的通病。

聯軍戰略指導的缺點

（一）他們有一個戰史上的錯誤，認爲韓戰是「小戰」，（甚至於是殖民地式的「小戰」），不是大戰，其實韓戰不但是不折不扣的大陸性會戰，而且是第三次大戰的未來雛形，這是戰爭指導出了毛病。

（二）他們全皆違反了大陸派（克勞塞維茨）「殲敵主力」的原則，除仁川一役外，從不要求認眞爭取主動，即在韓國境內殲滅敵人（此與外交無關）。這是戰略指導出了毛病。

（三）在軍事地理上，朝鮮半島三面臨水，深入雞偷的共軍始終被聯軍海軍三面包圍，情況奇危，聯軍又握有垂直包圍的壓倒優勢，可能大規模空降鴨綠江以南地區，配合海軍到處奇襲登陸的側擊，在敵後闢一戰場，然後强迫敵軍決戰，在南北夾擊的大戰中壓倒敵人。且他們無此企圖心及攻擊精神，結果陸軍動，海空軍不動，海空軍動，陸軍不動，步調不一致，三棲威力從不作通盤戰略上的配合，湊成總體的威力，這是作戰指導上犯了半身不遂的毛病。

（四）他們不懂政治工作的戰略效果，不能從政治工作上去搜集情報，從心理戰術上去策反敵人，至少做得遠不符理想，他們忘了這是發生在亞洲的戰爭，亞洲人的地位必須提高到指揮上層，必須充分發揮中韓兩國的經驗，來展開進步的心理及政治鬥爭。他們忘了在韓戰的政治基礎，爲蘇俄所策動的「人民戰爭」，社會內素要佔極大的戰略比重，而戰爭的迷霧亦即在此。但他們無此慮心與慧眼，結果祗好任敵來去自如，零整互變，在戰術機動上始終保持主動，這毛病當然更大，亦寓有更多的啓示。

聯軍指揮部若不把這幾點根本毛病治好，不自軍事上去根本改正與充實，擴大其戰略基礎，則即令美國重定一個聰明合理的戰爭指導，到下面也是行不通的。

以殲滅戰對付消耗戰

在對方，一切都比較清楚。

（一）克里姆林宮有一個堅決明確的戰爭指導，利用外交上的保障，支持中共的消耗戰略，將美國武力在韓戰中拖倒，企圖逐步瓦解全世界的團結。

（二）中共的消耗戰略，是純大陸性的，（克勞塞維茨，加列寧），社會性的（民族主義爲外衣，共產主義爲內容），總體性和極權性的、他們要用韓戰來打擊美國和聯合國的威信，用消耗戰的作戰指導來削弱美國的武力，替蘇俄奠定其他方面的武力優勢。

（三）在作戰指導上，他們所採的是毛澤東「論持久戰」理論的擴大，戰術取攻，戰略取守。軍民不分，零整互作，儘量討便宜。他們不會攻堅，不會窮追，不會冒險，一切皆本劣勢對優勢軍隊作戰的基本原理來組織會戰，策動攻勢，並且很科學地計劃宣傳鼓動，來掀起戰術性的敵愾高潮，在局部達到「非勝不戰」的目的。

（四）在克里姆林宮的戰爭指導路綫未變更前，韓戰的共軍不會抗命轉變其戰略指導，不會將消耗戰改爲殲滅戰，不會和聯軍作孤注一擲的決戰。即使「共產國際軍」投入戰場，戰略指導也不會大變的。國際軍參戰的目的，也不過加強消耗戰的效果，他們不會願意聯軍主動撤離。

問題在五角大廈的決策

由此，共方目前最怕的，即不是「殺傷攻勢」（這是相對的），而是怕他的入韓主力，一下子被人殲滅，下不了台；反之，聯軍目前所怕的，並不是共軍大舉進攻，被迫下海（下海還可以上岸），而是陷入五里霧中，找不到敵人，不明對方的企圖。從兩種戰略情況的希望及弱點看，問題之核心實仍在軍事，不在政治，也不在轟炸東北，唯一現實問題，應請問五角大廈有無在鴨綠江南殲滅共軍主力的決心？

半週展望

趕快補救尚不太晚

英國政府，已訓令其出席聯合國代表，對經濟制裁中共案，應持如何態度。雖訓令內容，官方尚未發表，但一般推測，是英國已決定在投票表決通過經濟制裁時，與美國行動一致。據說，英國之所以毅然作此重大的轉變，一方面因麥克阿瑟在美國國會，暴露英國物資大量輸入共區，另一方面因保守黨對物資輸入共區，也一再抨擊政府。邱吉爾昨天且公開表示，對政府解釋此事，認爲不夠充分，要求最近期間，在國會舉行辯論。

「血濃於水」這句話，是一向確認英美不許破裂的最大原因。邱吉爾在美國發表著名的富爾敦演說以後，會反復指出：「大家千萬不要誤會英美間有任何眞正分裂，只有英美永遠合作，才可以保障世界和平」。邱吉爾是首先使用「鐵幕」這一名詞的，也是莫斯科所痛恨的第一號戰爭販子。他的話，誠然不一定句句正確，然而像「英美必須永遠合作」這一原則，就英美兩國利益說，無疑是天經地義，不可非難。

幾年來英國在世界上所遭遇的苦難，尤其在中國大陸備受凌辱，唯一原因，是工黨政府沒有積極實踐英美合作這一原則，現在轉變雖嫌稍遲，然而急起直追仍不失爲挽救英國厄運，挽回世界危機一項重大的賢明措置！（一丁）

是民主國家好現象

這一次麥克阿瑟和馬歇爾先後出席參院軍事外交聯合委員會作證，雖然特別妨害國家安全的極少部份，事未予發表，然即就已發表的麥馬證供看來，若干愛護民主國家的人們，也定會搖頭歎息，以爲民主國家兩大弱點，業已充分暴露：第一是意見太紛歧，第二是保密不嚴謹。而連日共黨報紙，更興高采烈，指麥馬辯爭，是美國內鬨的尖銳化。所謂親者痛而仇者快，民主國家未來的勝利，似已因此蒙上了一層陰影。

我們認爲這種悲觀的看法，不特我們未能同意，而且麥馬的辯爭，無寧更說明了民主國家的偉大，保證了下次戰爭的勝利。如果麥克阿瑟不是生在民主國家，或民主基礎不穩固的國家，其必然結果只有兩個：不是被免職者抗命獨立，擁兵作亂，就是無論免職理由是否正當，也只好忍氣吞聲，逆來順受，獨裁者的錯誤，永遠不會被糾正的。前者如一九三六年西班牙共和政府罷免佛郎哥，而引致佛郎哥的叛變。後者如希特勒在二次大戰期間先後罷免或甚至處決高級將領海爾特，克勒奇，隆美爾等，雖海爾特等不敢有一言自白，希特勒慘敗命運，也就從此注定。現在，我們看麥克阿瑟這一德高望重，坐鎮遠東，歷史上有着崇高地位的將領，在前方軍事正緊急時，奉到命令，一聲不響，三天之內，交代清楚，立即返國。這表示民主國家總統根據憲法所行使的職權，是如何強大。任何軍人在此總統職權下，是如何服從，如何藐小！然而麥克阿瑟一經解除了現任軍職，回到本國，[illegible]熱烈歡呼，[illegible]他是站在愛護國家的立場，[illegible]國家的意見，總統只好安然忍受，毫無辦法。[illegible]得到國會和全國民意的支持，[illegible]張，向他屈伏。美國的民主基礎，穩若金湯，因此，她不會有佛朗哥式的叛變，也不會有如海爾特，古勒奇，隆美爾等的眞相遭戮，沉冤莫白[illegible]曲直的判斷，她不需要以虛僞宣傳，欺騙人民，事實上，也無法欺騙。所以美國人民不發生對外戰爭則已，一旦發生，就眞是全民戰爭，那時舉國一致，奮勇爭先的精神，是任何獨裁國家或假民主國家所萬萬不能比擬的。

由於麥馬的辯爭，美國蓋洛普的民意測驗，主張加強韓戰，制裁中共，援助台灣的人數，已大大的比從前增多了。這就證明。民主國家確是如何偉大；同時也就保證了，下次大戰，民主國家將如何獲得最後的勝利！

土改造成嚴重災害

中共謊報農村增產

農民的憤怒與死亡粉碎了共黨的魔術

張丕介

中共的「土改」，據劉少奇的說明：「老區」已有一億四千萬人口完成，「新區」亦有一億四千萬人接近完成。合共將有農業人口二億八千萬完成「土改」。據中共的宣傳：「土改」後的農村，「不僅面貌為之一新，連城鄉關係也將隨之改觀」。據千家駒的報告：「一九五〇年東北有剩餘糧食五百萬噸，約合一百億斤，每斤一千元計，約合美金五億元」。他根據這一比率推算，「今年「新區」土改後的農民，每人可增產一百斤，連同農業副產以每人增加五十斤計算，共須增加二百億斤，約合美金十億元」。又根據這一算法，確定「農民購買力將大大提高，財經形勢將逐漸好轉」（見三月十五日北平光明日報）。

這一增產十億美元的宣傳，與去年毛澤東在「六六報告」中，以「土改」為財經好轉的中心環節的說法正如出一轍。實際上中共的「土改」完全以政治鬥爭為中心，以控制兵源，組織基層，榨取民財為目的。所謂發展生產力不過為上述種種目標的掩飾。根據最近中共關於「土改」的實際報導，我們可以確定「土改」的效果，不但不會有大量增產的可能，且將會發生相反的作用。

如所週知，農業的生產，乃受天時地力的限制。其增產的條件，決定於農民情緒的高低，農具及耕種技術的改進，耕地面積的擴展，農業資金的週轉等等問題。中共實行「土改」以來，農地的所有權在表面上雖已發生變更，但對這些實質的條件，是否亦有所改進呢？

實施土改偏差太大　生產情緒無法提高

就農民的生產情緒而論：按照中共「土改」的中心理論，這一點應該是肯定的，但「由於土改期間的偏差」，「一般農民的生產情緒」，不僅未見提高，反有下降趨勢。據中共「中南軍政會農林部副部長」彭笑千的自我檢討：「土改以後，不少地區的農民「怕二次土地改革」，多抱「夠吃就算」，不敢僱工，不敢放賬，有的還存着「以窮為榮」與專「吃鬥爭飯」，不事生產的思想。甚或怕地主復辟的變天思想。」「至於尚未實行土改地區中，怕被評為富農，不願增加生產，貧僱農等待分配土地」。同時，「不論在已土改或未土改地區，貧僱農在生產上都有相當的困難，如缺乏牲口缺乏農具，及個別缺乏勞動力等，上述各種錯誤的思想，與實際困難，嚴重的障礙着生產運動的開展」（四月十四日廣州南方日報）。從這一報導中，不難窺見「土改」後，農民生產情緒的一斑。

地少人多不夠分配　每丁畝許無法糊口

其次，就農地分配而言：除東北及西北若干地區，地廣人稀，每人可分得足耕土地外，中南，華東各地，均普遍發生「地少人多」現象。如以廣州郊區為例，據廣州中共市委副書記葉桂昌的報告：廣州郊區「土改」共六十八鄉，「其中據東教，南教，東頭，山村，瀝滘等十五個鄉的統計，共有人口三萬五百五十二人，」但土地「僅有四萬三千三百零五畝。」如照此平均分配，每口僅得一畝三分左右。如再就其「沒收了地主耕牛二百三十七頭，農具七萬二千二百二十二件」觀之，則每二百八十一人中始有一條牛，而每人平均還分不到一件農具。又據四月二日大公報「長沙通訊」中所載：「湖南全省六百二十個鄉已完成土改，二百二十萬農民得三百七十萬畝地」。每人亦僅分得一畝半光景，再據四月十九日新華社上海電：「據松江專區九縣統計，「土改」中沒收及征收土地二百二十六萬畝，每一農民分得兩畝左右，無錫揚中、每人僅得一畝餘。」「廣東潮汕一帶，每人所得僅六七分。在這一畝幾分的土地上，農民不但要獲得一年的衣食，還要供應中共繁苛的公糧和捐獻，如果說農村的購買力能夠因此而提高，農民情緒會由是而增進，那真是緣木以求魚。

資金枯竭告貸無門　農貸款只夠買黃烟

復次，就資金週轉情形而言：過去頗有地富的揭借，雖不免有濃厚的剝削成份，但目前靠中共的農貸，更可能全部落空。據四月廿九日南方日報內報導：「有不少地區雖舉辦農貸，但有的落在富農手上，有的平均分配，每人領到三幾千元買黃烟，結果政府糧款撥了，而農民卻得不到利益。」以每人三幾千元的農貸，折合港幣不及一元，如何能解決農民自下種到收穫期間的週轉問題？

除了上述基本條件的無法改進外，六七百萬大軍的維持與補充，更令農村勞動力日趨枯竭，在這種種情勢之下，除了用重稅方式迫使農民不能不為維持最低生活，增加勞動的強度外，所謂增產十億美元的說法，只不過是自欺欺人的宣傳而已。毛澤東於去年「六六報告」中，曾大吹土改為中共「三關」之一，而土改則為「關」中最緊要之一關。他現在正拚命的「闖」這一關。從控制，分田，屠殺，搜括，組織，宣傳等方面看，他也許可以自誇有了大大的成就；然從經濟方面看，土改後的增產這一重要目標，卻已是百分之百的幻滅了。中國的大地，不用農民的汗去灌溉，而用農民的血去沖洗，當鮮血與憤怒，死亡與哀愁，普照全國的今日，毛澤東憑任何魔術，能「闖」得過這一關？

杜麥之爭

原則上並無差異

政治軍事觀點雖有出入　許多部份未免言過其實

鮑爾文作　許孝炎譯

「大辯論」的狂潮今天雖然仍像雷鳴一般的響徹華府，但一般民衆的情緒，比較上週已漸形低落。國會就在這一個時候，開始對事實的經過及問題的眞相作比較詳盡的調查，不過其動機仍未能完全擺脫黨派政治的作用。

麥克阿瑟將軍在對國會演說的傑作中，所敍述之事實並不很多，內容也很普通。可能他打算留待以後演說，或在國會各委員會作證時，再加以補充。此次因麥帥去職所涉及之問題，範圍相當廣泛，意義也很深長，其中以有關哲學的，政治的及經濟的各問題為尤甚，但就最近幾件事情來看，麥帥與行政部門之間的意見分歧，其距離似較為接近，並不如麥帥上週演說中所表示者之遼遠。

事實上，麥帥所極力主張的幾個步驟，國務院俱已加以採納，在對某幾件事情上，雙方意見之分歧，實質上只是程度之不同，並無原則上之差異。即以軍事安全的需要而論——其中有一部份是眞實的，但多數未免言過其實——，大體上均已商有結果，不過並未對外公佈而已。

派軍事代表團去台　麥帥解職前已決定

當麥帥上週在國會演說後。美國派遣軍事顧問團赴台灣的消息公佈時，一般的揣測，以為杜魯門總統之採取這一個步驟，實係受麥帥壓迫，因麥帥要求撤銷對台灣中國國軍的限制，給予援助，使能有效的反攻中國大陸，杜魯門總統為緩和輿情，不得不採納這一個步驟。

但是這一個軍事顧問團之組織——正如麥帥所稱，為履行援助台灣計劃的步驟之一——實於若干星期以前已在原則上決定。顧問團團長及許多團員，在麥帥未解職前，即由杜魯門總統選定，團員中且有一部份人，業已早到台灣。

此外，雙方意見只有程度上的差異，並無原則上之不同者，尚有數事：對台灣之援助：自去年十二月中共大規模參加韓戰之後，美國即重新恢復對台灣之援助，供應品源源運台，數量雖尚不足以完全裝備國軍，但亦相當可觀。

在韓戰爆發前數月，聯合參謀部亦如麥帥所為者一樣，業經一再督促，派遣一事實調查團赴台灣，查明台灣防務情形，並估計訓練及裝備中國國軍所需之費用。

在韓戰發生以後，國務院即撤消對派遣此項調查團所持之反對態度。調查團於去年派出；調查結果，發現中國國軍之訓練與裝備，並不如麥帥所讚揚者之毫無缺陷。在調查團提出報告，及中共開始干涉韓戰之後，聯合參謀部即提出建議，主張派一常駐之軍事顧問團赴台灣。此事目前業已實現。

轟炸基地雖認必要　但恐削弱美國空防

空中偵察：麥帥雖沒有特別指出，但明顯的主張，美國偵察機有在東北及中國東部任何地方作空中偵察之自由，此一點，目前尚未實現。

但是，在韓戰爆發後不久，美國的偵察機——最初是FR—80洛克漢型的噴射機，稍後是由B—45中型轟炸機改裝而成的照相偵察機——即不斷在東北邊境飛行偵察，在高空上將東北邊境內若干英里以內的一切地面設備，攝成照片。

由冲繩島基地及其他地方起飛的海軍巡邏機，幾乎每日沿中國大陸海岸作飛行偵察，向南直到香港，而以日本基地起飛之巡邏機，負責偵察黃海。不過，這些偵察機始終都在海面上飛行，主要任務大概在偵察往來船舶及海港。

轟炸基地：麥帥主張摧毀「敵人在鴨綠江北岸所建立之基地」。相當時期以前，各方俱已同意，倘敵人派遣空軍，大規模干涉韓國地面戰爭，則美國即有轟炸鴨綠江以北各敵軍空軍基地之必要。麥帥在未解職前有此權，目前李治威中將亦有此權。

不過，華府大多數軍事領袖都不願被迫而採取此項決定，因韓國空中活動範圍擴大，美國即須在遠東方面集中較大的空軍力量，如此，自將削弱美國本國之空防，及美國對歐洲所負之義務。

封鎖政策尚有顧慮　財政困難亦應注意

對中共經濟封鎖：華府多數將領，對於麥帥主張加緊對中共作經濟封鎖一點，俱表示贊成。就軍人們的意見而言，他們認為打倒我們自己的，是我們的同盟者，特別是英國，和我們那些懸掛外國旗的船公司。每一星期，幾乎有十艘到二十艘裝滿了戰略物資的船，開進中共的港口。這些船隻之中，一部份是屬於英國的，還有一部份雖掛巴拿馬旗，但其資本大部份是美國人的。

對中共海軍封鎖；各方面意見，一致認為可行之步驟，惟究應由何人來執行此一計劃，則意見頗不一致。許多人主張，在去年六月以前，中國國民政府的海軍對中國大陸本已加以封鎖，現在應將對中國海軍的束縛予以撤除，使其能自由執行此項任務。各方頗對於由美國海軍負責執行此項任務一點，則一致表示反對。

麥帥對於他所主張的各項計劃的經濟負担，並未予以注意。不過要想美國在各地都表現強大，對於我們目前的財政困難，一定要大大增加，結果可能使我們到處都感虛弱，甚至於克里姆林宮「由破產而致勝」的陰謀得以實現。

此外，還有許多人對於麥帥的聲明，「戰爭之目的在求勝利」，亦表示反對。他們認為，根據第二次世界大戰「無條件投降」的痛苦經驗，以及歷史上無限制戰爭很少能達成政治和經濟的目的，二個例證，麥帥的聲明，實難在歷史上獲得佐證。

在研究任何戰略的時候，吾人對於終極之政治目的，實應多予以注意，而不應斤斤計較如何獲得勝利，因為戰爭的目的，不應單純是為勝利，而應以獲致比較永久之和平，為其基本目的。

（譯自四月廿五日紐約時報）

哈薩克的英雄

烏斯滿壯烈死節

新疆人民的自由要同來的

黎晉偉

據日前迪化電台廣播，新疆省反共游擊隊領袖烏斯滿與二十五名反共志士，已於去月二十九日被中共殺害了！

英雄的崛起

提起烏斯滿，不能不想起北塔山事件，提起北塔山事件，不能不想起俄帝對於新疆的侵略已非一日，北塔山事件發生於三十六年六月五日，當時外蒙軍藉着俄帝飛機掩護，大舉越境進攻我北塔山，時烏斯滿方任阿（爾泰）山區專員，以守土有責，奮起抗戰，使這位哈薩克的民族英雄，不崇朝而名震海內。

烏斯滿以六支老式鎗抬出家，從二十八年開始，則在阿山聯絡一部份哈薩克族同胞，與盛世才的俄式統治相對抗。當時，盛世才標榜「六大政策」，公開聯俄容共，新疆同胞之有國家觀念者，無不受其誅鋤迫害，不問漢回，鮮有倖免。哈薩克同胞自俄國十月革命以後，被迫流亡到中國，他們清楚認識共產暴力統治的痛苦，故對於俄帝政權深表痛恨。因盛世才當時「以俄為師」，新疆差不多已淪於赤化，以烏斯滿為首的哈族有志之士，為了反抗盛世才的俄式統治，遂以阿山為根據地，與盛氏作過八十多次的艱苦游擊戰。以當時盛世才聲勢之盛，雖中央不能使他就範，但他卻也無法把烏斯滿的力量消滅，烏斯滿就由此而成為哈薩克的民族英雄，其名字也與阿爾泰山連在一起。

北塔山事變

由於烏斯滿有此英雄事跡及民族主義觀念，他一方面受到新疆同胞的崇拜，而另一方面卻又遭遇到親俄份子的嫉視，如卅三年有名的伊寧事變，其始阿哈買提江等也以所謂反抗專制暴政作號召，所以很得到烏斯滿的聲援，但後來阿等受了俄人的指使，這次事變便成了俄帝侵我新疆的軍事陰謀活動，烏斯滿洞悉其奸，因此與阿等意見不合，變且成為伊寧集團的敵人。原來在盛世才還政中央之初，由於政府處置新疆內部糾紛的寬大，烏斯滿已完表示站在國家立場，以促進新疆的和平建設，故對於當時由張治中提出的和平條款，首先自動單獨擁護，但阿哈買提江等別有會心，始終陰謀伊犂獨立，對於和平條款的誠意，絲毫沒有遵守。直至北塔山事件發生，烏斯滿已舉起反抗外侮的大纛，為保衛家國領土而奮鬥，但阿哈買提江等，則仍然醉心於「東土耳其斯坦共和國」，致力於其分離祖國的運動。

英靈不泯浩氣長存

隨着大陸抗共軍事的崩潰，新疆在陶峙岳、鮑爾漢等無恥的「起義」之下，一個國防上重要的後門，就此輕輕送與俄帝及其奴才之手，俄帝覬覦新疆土地資源已百年如一日，過去之力圖兼併吞而不可得者，今則有如囊中取物，毫不費力，其視新疆如禁臠也可知。新疆人民因為眼見過去的俄式統治，早已對共產主義深惡痛絕，尤其是烏斯滿、艾沙等眞正的新疆民族主義領導者，為了不甘把新疆同胞原已享受的自治生活，一朝而轉變為俄帝奴役的生活，於是便高舉反抗俄帝的義旗，率領新疆各族有志之士，與俄帝及其奴才份子展開游擊戰，因為堯樂博士等都是新疆土著，而烏斯滿則更是哈族英雄，所以在新疆淪陷以來，中共祇是為了應付這些游擊戰爭，雖以驃悍聞名如王震，也大感疲於奔命。其間中共曾有過五次相當規模的「清剿」，付出了很大代價，而中共都得不到若何收穫，直至本年春間，中共乃聯合俄帝駐新武力，向阿爾泰山游擊區以陸空夾擊的姿態，發動總攻，烏斯滿遂以彈盡援絕，死傷甚重，而烏氏本人遂不幸被俘，押解到迪化游街示衆，備極凌辱。聽說有堯樂博士等所率領的另一部游擊勢力，因活動地區，似靠近西藏一邊，所以還能保持相當實力，而仍為新疆同胞的光明希望所寄，以外，以烏斯滿為首的阿爾泰山游擊隊，便因為傷亡重大，領導之人的挫折，而受到極大的[illegible]，而烏斯滿本人之不能免於「公審」「處死」，正為任何反共救國者的壯烈下場，求仁得仁，然而新疆有此民族英雄，雖百世之後，永遠光輝，絕無遺憾，而當史乘，使人聞其風興起，[illegible]，可歌可泣，不僅以其人其事之可驚可愕，為無可磨滅而已也。

一次靠攏未成

趙君邁再度投靠

在平家眷中共不發正式戶籍

[illegible]又有人云：趙此去，係因家小在平，中共對趙家屬不發給正式戶籍，以致至今仍不[illegible]戶，寄居戚友家，隨時受到麻煩，最近據說又有新聞[illegible]發生，家小更受迫害，趙遂不得不去北平，可見賣身投靠其家小亦無法保全，其遭遇亦云慘矣。（小敏）

中學生都變成了反共份子

滬各中學大捕「國特」

麥倫中學據稱有反共份子百餘人
育才學校有十四歲「國特」頭子

上海雖然殺人如麻，但眞正人民的反共運動，並不因殺人之多，而就被「鎮壓」下去。近一月來，在四郊，各處軍火倉庫時遭爆炸，在市內，則各種工廠屢被破壞。共黨風聲鶴唳，手忙脚忙，除亂抓亂殺而外，毫無辦法。尤其各級學校，因一般青年，對共黨態度，轉趨惡劣，學校內充滿反共空氣，麥倫中學，最近逮捕了學生王家齊，潘行哉，秦滙宗等十餘人。據共黨指控，謂該校潛伏「反動份子」，不下百餘人，王家齊爲重要首領。潘等均在王指導下，進行各種「反革命」活動，如毆打校中共黨或親共同學，遍寫反共標語，散佈國民黨即將重回上海等謠言。王等正由公安局嚴訊中，一俟所謂百餘「反動份子」名單訊得，即必將悉數處決。但所謂「反動份子」，王家齊等均爲高中一，二年級學生，年齡不過十六，七歲，倘眞如共黨所云，確爲反共首要，則共黨向來最能行騙之對象—中學生—至此亦已西洋鏡被拆穿，狐尾畢露，騙術告窮了。

又大場區育才學校，學生都是高小程度，這幾天居然也大鬧「國特」問題。據中共說，學生中的國特頭子，今年才十四歲，在十一歲時，就受過特務訓練。原在甘肅蘭州，做大特務的幫兇，用尖刀殺過人，向水井下過毒。潛入育才以後又曾做過種種活動。指使他的人姓王，業經槍斃，大約早晚也不免一死。不過中共口中的小特務，已近於神話化，實在叫人不大相信。

在上海各學校中，現在最普遍的現象，就是打腰鼓，扭秧歌，雖在共幹多方逼脅之下，參加的人，仍是寥寥無幾。學校張貼各色各樣的共黨標語，牠們的生命，很少能維持到二十小時，不被人整個撕去，就必標語旁邊，另加了一行意義相反的新標語。這種撕毀標語的情形，不僅學校如此，大街小巷，莫不皆然。共黨報紙曾刊出署名向登为一封信，說他在泰安里弄堂口，看見牆上貼出不久的「愛國公約」，已被人另用紅紙，寫上許多反動詞句，蓋住了公約。此外公約旁邊，還畫了一些人頭。共黨報紙刊登此信的用意，是要喚起警察和各里衖「人民服務隊」注意。然而從這一點，也可以看出反共洪流，即在殺人如麻的中國最大城市，共黨亦無法作有效的鎮壓了。（悠然，二日寄自上海）

王佐父子相繼成仁

餘部縱橫湘桂路

王經業解東安公審，乃唐生智挾恨報復的結果

王佐將軍，原是湘鄂贛邊區反共救國軍總司令霍揆彰所屬的第三軍軍長，程潛陳明仁相繼叛變後，他只好親率一個獨立旅和一部份地方武力到了湘南，選擇了他和部屬軍長謝某在抗戰時打游擊的老巢—四望山和陽明山做根據地，佈署一切。同時下令散駐各地的部屬，選定地區，從事整訓，等候機會到來，再行相機集中。在這個時候，他這一軍便有六個縱隊和一個警衛營，聲勢是相當的浩大！

這一支游擊武力，曾和中共正規軍打過七十幾次；前後打死敵軍三千多人，活捉三十餘人，得到步槍二百餘枝，機槍十一挺，子彈三萬餘發，其他軍用品七十二箱，三十五袋，擊燬卡車三輛，擊沉木船五十餘艘，炸燬鐵橋一座，破壞路軌一百八十餘丈，摧毀中共區鄉政權二十餘所，生俘政工人員十九人，燒燬公糧一千餘石，運走公糧三百餘石；在這些輝煌的戰果下，人民歌頌不已，「解放」人物，則恨之刺骨！

不幸在四望山中共的大攻勢下，因彈盡絕被擒，由於他的部屬，在各處還有五萬人，中共多方引誘他號召部屬「投降」。他始終不爲所動。結果遂被中共槍決。當臨刑的時候，他還挺起了胸膛，提高了嗓子高喊「中國國民黨萬歲」「中華民國萬歲」，然後從容就義，凜然之氣，充滿三湘！長沙老百姓們至今還懷念着這位忠貞不二的反共英雄。

王將軍死後，這支武力在副軍長謝某某和十二縱隊司令余某繼續領導下，意志格外堅定，全軍上下，一致願爲王軍長報仇，最近湘桂路上，所以不靖，班車所以誤點，便是全軍鬥士們報仇雪恥的具體表現。

當王軍長死後第四天，他的公子王經業也在長沙被捕了！王經業原來在二十七師當參謀長，「解放」後，攜帶「解放證」，步行回湘。到了長沙，便爲公安人員所監視；他因此只好留住長沙，始終沒有出過市區一步。可是王經業在抗戰期中，跟着他的父親，在東安原籍打過幾年游擊。他也是個秉有剛強之氣的軍人，在那時候，曾把唐生智老家所藏的一百多條步槍，起了出來。唐彼時雖未提出反對，但心裏總是懷恨。現在他已經做了湖南「人民」政府副主席；於是他正好乘機報復，主張把王經業解回原籍東安公審。王經業在東安公審了兩次。最近，據說也槍決了！聞者無不悲憤！

按王將軍湖南東安人，陸軍大學畢業，現年六十三歲，與現任國防部長郭寄嶠爲同期同學，做過多年的軍師長。顧祝同任第三戰區司令長官及陸軍總司令的時候，他都在顧手下當高級幕僚。爲人和平中帶有剛強，官至陸軍中將，著作甚多：抗戰末期，在東安打游擊時，有「王老虎」之稱；此次反共戰役，不幸以身殉職，但他一手培養成功的第三軍，還是踏着他的血跡，日夕打擊敵人，以期將軍九泉有知，或可稍慰。（曼可）

未遭毒手先殺共幹

反共英雄在零陵

在上一期自由人第三版，刊登了江西一位縣參議員賀紹武臨刑反抗，搶殺共幹，逃入山區的驚人事件，現在，我也來向讀者報告零陵縣第八區一位反共英雄與賀參議員類似的舉動。

零陵縣第八區荷塘的「鄉人民政府」，上月三十一日，在附近捕獲了一位放火燒燬糧倉的「反動份子」。鄉政府共幹高成，因爲想究問出他的同黨，所以故意對他表示寬大，除審問出他叫吳永忠，是從桂林來到零陵這兩點以外，其餘都沒有結果。於是將他鬆了綁，給他飯吃，另派一名共幹叫宋凱然的陪他同睡一屋，想用軟的方法，獲得重要口供。不料到了夜深二時許，吳永忠趁着宋凱然睡熟了，輕輕走到廚房，摸了一把菜刀，將宋一刀砍死。爲了手法敏捷，居然毫無聲響。他再將宋身旁的手鎗取下，設法逃出了「鄉人民政府」，但終於驚醒了哨兵，哨兵一面向他打鎗，一面上報，他將哨兵一連打死兩個，共幹們不知道出了什麼大事，一時手忙腳亂，慌做一團。結果，吳永忠安然到達了安全地帶。這次除燒了糧倉而外，還打死了一名共幹，兩名哨兵。零陵老百姓，都認爲奇事，大家都嘖嘖地欽佩這位反共英雄的膽大。這眞可以和上一期所報告的賀參議員，同爲反共鬥爭中無獨有偶的驚人之作。

強迫女青年慰勞「老大哥」

梁婉貞陳麗華如此慘死

上海空軍文工團女團員的悲劇

中共慣用一套虛僞的宣傳方法，煽惑青年，欺騙青年，使人共轂中無法自拔。對於面貌生得好的女青年，其文工團更不惜設法爭取，有時，利以滿足共幹們的私慾。有時，利用她們的美色，作爲貢獻對於大鼻子的工具。下面就是中共華東區空軍司令部文工團的醜相，以及最近所發生的慘劇。

上海西摩路靜安寺路口的滄州飯店，已被中共接收，改爲空軍招待所，及上海空軍聯絡處。空軍各部門對外招考人員，也以那裏做辦事處。

招考文工團女團員　唯一資格面孔漂亮

今年一月初，空軍文藝處，在該處招考女職員及文工團女團員各五十名，投考資格祇要履歷史清白，思想純潔，對文藝舞蹈有興趣者皆可應考。當時報名者甚爲踴躍，蜂擁而來。三日後考試揭曉，榜上有名者莫不喜氣洋洋，落選者沮喪不置。其實共黨錄取的標準很簡單，那只有四個字，「生得漂亮」。其餘一切，都是陪襯，只要漂亮，即一字不識，也無關係。

在訓練期中，一般小姐們最初尚忸忸怩怩的有點怕羞，後來思想漸漸搞通，也就逐漸「解放」。二月十八日文藝處命令，派面貌漂亮的團員廿五名，參加週末的國際晚會。地點在百老滙大厦交際處。招待的客人皆爲蘇聯顧問及飛機師，去時團員小姐仍穿了臃腫的棉軍服，老毛子一見，不感興趣。當時空軍司令蔣天然的蘇聯太太，知道「老大哥」不樂意，急忙暗示文藝處負責人，着令小姐們趕快返隊改穿時裝赴會。當時一部份女團員提出反對，經文工團的李主任嚕皮笑臉解釋一番：什麼國際親善，慰勞蘇聯技術人員就是爲中國共產黨効勞……等，天花亂墜，巧言如簧。

夜深舞罷二女失蹤　強姦以後痛不欲生

各團員經此啟發，李主任得到勝利，在兩點鐘後，幾輛新式汽車，載了這批花枝招展的女團員，穿着「美帝」玻璃絲襪，抹着「蔻司佛陀」的唇膏脂粉，被帶進了百老滙大厦。四週，密佈軍警，嚴禁閒雜人等進出。陳毅及空軍正副司令蔣天然林征皆親臨招待。宴後，舞會開始，漂亮的女團員陪着大鼻子狂舞。這些色中餓鬼，瘋瘋顛顛，動手動腳，大唱蘇聯下流小調，其中少數女團員，就感覺不愉快。不料「老毛子」色胆包天，夜深舞罷，有二位女團員竟告失蹤。一個是梁婉貞，另一個是陳麗華，均被蘇聯顧問誘入隔壁小室，在威迫利誘下受了強姦。次晨汽車送陳麗華一個人回來，哭紅了兩眼，癡癡的不發一言，神經已失常態，梁婉貞則始終未見影縱。後來透露出來，梁婉貞因不甘受辱，破口大駡，從七層樓跳窗自殺。可憐她的母親至今還不知道女兒已死，幾次來探問，但共幹騙她們說：梁婉貞已光榮赴韓國參軍去了。

女兒慘死老母自殺　老父被捕一家結束

至於被老毛子姦汚的陳麗華，一度「春風」，生理上起了變化，再不能繼續慰勞，被送到三野華東醫院，挖子宮墮胎，因她身體太弱，加上軍醫技術不高明，以致流血過多死於非命。她的家屬知悉後悲憤異常。她的父親陳俊，原是國民黨時代某部參議，平時就恨共產黨，認爲女兒不聽他話，自尋死路，置之不理，但老母祇犢情深，含淚往南京收屍，共幹除勸慰外幷警告其不得在外宣揚。待老母返回上海北河南路保安坊某號，陳俊又告失蹤。因共黨爲滅口計，將陳扣押，罪名是拒不登記，暗中活動，有國特嫌疑，押送漕河涇集中營，生死未卜。陳妻既痛愛女慘死，又悲老夫失蹤，神智頓失常態，結果仰毒自殺。（自強）

害死祖父清算父親

女共幹滅絕人性

‧幸父親機警脫逃來港‧

黃俊思，廣東茂名縣人，爲邑中鉅紳，子某某，曾任瓊州地方法院院長，有孫女，年僅及笄，一九中共幹部。粵南淪陷，入鐵幕，參加共黨，俊思以伊孫女關係，於是以開明紳士姿態，去年五月間，出現人前。女忽謂茂名附城鄉長李某請俊思赴鄉，俊思依時到鄉政府，竟被李某扣留，俊思使人走報伊孫女，並囑其營救，伊孫女不獨不爲俊思設法營救，反大罵俊思爲國民黨殘餘，（俊思曾加入國民黨）頭腦陳腐，思想落後，平日騎在人民頭上，有土豪惡霸嫌疑，應接受人民清算。旋由附城鄉政府將俊思解回石骨鄉（俊思原係石骨鄉人）用酷刑拷問，逼其自認爲「惡霸」「匪特」，俊思被刑至右拇指折斷，右足踝受傷，俊思不肯誣服，卒被害，完全出自伊孫女之謀（因伊孫女欲表示革命徹底，藉向共幹要功，大義滅親，故舉報俊思爲土豪惡霸）俊思憤恨塡膺，在獄中絕食自殺，而其孫女，猶以俊思自殺太早，不待政府明正典刑爲憾。

俊思死後，伊子黃某某回鄉，「解放」後他在親友處躲避。茂名縣僞人民政府公安局告發，一面向某某之女，一面清算，與伊父當面講，指伊父曾做法官，貪汚反動，伊父：「我雖曾做法官，並未貪汚，我何以此無反動意圖，何得以此誣蔑。」伊女則質問伊父：「在「解放」前，你每月薪一百元，該款由何而來？你以前寄回給我使用的洋紙，該紙從何而得？豈非剝削人民侵占公物？何得謂爲未會貪汚？你是反動政府屬下的地方法院院長，並未辦理自新手續，獲得人民饒恕，當然有反動資格。」伊父辯稱：「每月薪給你作學費，及由學費之一部份，實屬我所得之薪俸，並非貪贓枉法所得來的錢，前給你回國內使用，是當時幣値洋紙，因紙幣貶値，故係實以保全幣値，落得購以保存，何得謂爲侵占公物，我雖曾在國民政府服務過，但法院供職，並無罪過，何用自新？請求人民饒恕？」伊女則謂：「即使是人民得來的錢，亦是人民的財物，購買洋紙，也是人民的財物，外溢，任僞政府公務員，偏差，即是反動政府的人民，反革命，不知悔過自新，就是怙惡不悛，應受人民的裁制。」並強迫伊父於翌日到茂名僞公安局自首。伊父明知一到僞公安局必被羈押，結果難倖免，乃僞諾，是夜十二時，見伊女已經熟睡，即乘夜逃出，間關走來香港。昨與人談及其父子被伊女清算經過，不知中共施用何種魔術，竟能令入其彀中的青年男女，喪心病狂，滅絕倫常，行同梟獍，一至於此。（更生）

東北人民

向史太林獻血

是諷刺也是事實

今年一月間，中共在東北各大城市中，大力推行了一次「獻血」運動。強迫着戶居民，除掉十六歲以下及五十歲以上的老幼人口外，均須持居住證至指定的驗血站先辦理血液登記手續；凡辦理完畢這項登記手續的男女人等，分別負着兩種義務：一爲隨時聽取中共公安機關的召喚至各軍醫院內爲在韓境作戰負傷的官兵輸血。另一爲按時至各該城市內中共所設的「血庫」裏聽取抽血，所抽出的血爲供中共各血清製造廠作製造血漿的原料。中共在推行這次運動時，它的口號爲：「前方流血，後方獻血」「人民的義務」。中共在這次運動裏所負的責任，並不包括各級軍政幹部在內，中共東北人民政府的現職工人，凡各部門的工人，他們皆以「獻血」貢獻了力量與義務，所以在此時「獻血」的義務落在一般市民身上，強迫的只在直接貢獻。在這次運動推演達最高潮時，瀋陽市曾因此而發生一件事故，結果有若干「人民」被迫「獻血」而死。瀋陽市郊了四個區公所的門首，一天晚上不知何人用粉筆寫上了這樣的標語：「我們爲誰獻血？第二個史太林！」第二天清晨，該派出所裏的中共幹部發現到這些標語後，立刻就報告到公安局；瀋陽市公安局認爲此係「美特」有計劃的行動，當時出動了全市大小公安部隊，下令戒嚴；瀋陽市的駐軍所有的蘇聯兵力，也奉令全部出動協助；這樣鬧了一天，亦未查獲「美特」的一個，這件案子僅是逮捕了五百多名市民，上晚，聽說這些被捕人而有半數以上，就給他們槍決了！

此外，瀋陽市各監獄裏的犯人，常被中共所指定爲「獻血」物，至少每月獻血一次，身體被認爲是強健者，（政治嫌疑犯）則每月可能要獻血兩次。但他們的營養並不因「獻血」而增加，因此很多犯人，因禁不住「獻血」而死在獄中。（一然）

剪髮示威大遊行

‧在廣東新興發動‧

廣東西江各屬，共黨幹部，強迫青年婦女，一律將頭髮剪短，並在通衢大街，向衆狂扭秧歌。如不服從，即予拘罰，或多方侮辱。此種暴虐情形，以新興，封川等處，最爲流行。新興共幹，日前號召全縣婦女，舉行「剪髮示威大遊行」，參加婦女，除將頭髮剪成男式外，均着短衫，作女運動員裝束。遊行隊伍前面，有兩大旗，一畫女子脫去上衣，作秧歌舞，上書「打倒男女束縛」六字，另一：畫大剪一把，上書「剪去封建尾巴」六字。每到觀衆聚集最多之處，即結隊扭秧歌，扭畢，再向觀衆及附近舖戶居民，強募捐款，謂爲反美援朝勞軍之用。

封川方面，共幹公開佈告，凡五十歲以下婦女不剪髮的，不許分田，更不許加入農會，還要每月罰谷一石。遵令剪髮的，限令左右鄰居，燃放爆竹，以表慶賀。若干共幹，則更強入鄉民住宅，名爲檢查，實則乘機調戲，甚至挾勢強姦。西江一帶婦女遭共幹蹂躪者，日有所聞。然共幹因此，被鄉民憤恨誅殺的，爲數也不少。（西風）

追婦女大扭秧歌　共幹更乘機強姦

賣不出去的膏藥

杜老誌

有人背地咒詛四脫舞，說那是傷風敗俗的玩藝兒，年老的看了「死」心復燃；中年的看了「情」不自禁；年少的看了想入非非。

其實：四脫舞的害人處，祇是一種屬於「色」的；比起那種替殺人犯，鴉片販播散毒藥，販賣膏藥的尾巴報，還遜一籌。這班尾巴文丐和文盜，就他們本身來說，真的馬列主義一竅不懂，從中共口號標語傳單中，檢出一些語彙，裝得像煞精通「毛澤東思想」的樣子，白紙印黑字，整天在哄人哄己。

他們以爲天下人人都愚，可以憑他們那一套賣膏藥的江湖本事，空手起家，拿馬，恩，列，斯做幌子，一如賣卜者照例以死了的聖人題名介紹那一套法寶，引誘良知純潔的人，進入陷阱。想不到的是這個年頭人民的眼睛是雪亮的，賣膏藥騙人，只能一時，怎能久長？

顯明的例子太多了，拿太平山下一家尾巴報說吧，最近破除該報未有先例，在首頁大登啓事，說爲「迎合海外讀者，調整版面，充實內容……」。其實，何必還來這一套江湖腔調，乾脆說：賣膏藥賣了快兩年，連本帶貨都賠光，再賣下去，恐怕要打烊大吉。更何必錦上添花，說什麼「充實內容」，充實內容，只不過把「華盛頓消息」還原爲路透社，合衆社，美聯社……罷而已，如果這算充實內容，無異說「美英帝」的新聞比起「塔斯社」「新華社」精采，更無異否定了那一套「人民新聞」的鬼話，承認過去兩年新聞偷天換日本事的自食其果。

賣膏藥的作風，任憑你怎樣「充實」，遲早是「一掃光」的。

從一個市場看漢城慘況

空洞的大廈，失去屋頂的斷垣，大片荒涼的地方，柔弱的風吹起哀悼的悲歌！

漢城的南山在這城市的東區投下一個陰影，陣風吹過，塵埃瀰漫於舖街的上空，在這條街與名爲「清溪」而實際上是條污穢小河之間，是著名的東門市場。在韓戰以前的日子，這裏是漢城最熱鬧和最喧擾的店舖集中地。男子可在此處購買到菜肉帶回家去，主婦可在這裏選一件綢衫。

戰爭爆發，店舖隨之倒塌或焚毀。店主將貨物埋入地下，或隨人帶着逃移。東門市場遂成爲空曠的廢墟，到處是斷垣殘壁，燒毀了的廢鐵和一片沉寂。漢城陷大共產黨之手，又幾次被克復，再陷落，又克復。

當東門市場再恢復它生命時，多數店主已失去他們的舖子，祇能以木匣和鐵箱或陳舊的軍用吊床來陳列他們的貨品。有些人掃去飛揚於鐵街的灰沙，擺起地攤。

他們並沒有多少可以出售的東西，祇是一些琥珀的念珠，幾個水晶，和一個色彩鮮艷的高而瘦長的石膏佛像。有幾個人在賣米、麵粉、玉蜀黍和布衣服。他們都經過種種艱難的方法才能得到糧食。一個說，他的米是從司法部的職員得來的，另一個說，他們的米是南韓軍一個士兵給他的。

攤販們都曲踞在地下，對於他們的貨物似頗願與顧客斷斷論價，然而顯然並不怎樣注意來往的行人。人們祇閒懶地踱過他們的面前，有時止步和他們談話或偶爾問一問價錢。他們的錢大都是付與蹲在高大的糧食桶後面的攤販的，事前且是經過慎重考慮的。祇有那些有錢的人才能獲得糧食，攤販們在碰到手拿美軍配給物空罐頭的盲童和孤女前來乞討一點米糧時，無不報以冷眼。

一度曾爲大都市的漢城，現在已只剩下一個殘殼：空洞的大廈，失去屋頂的破牆，大片荒涼的地方，柔弱的風吹起哀悼的悲歌。

許多人踏過瓦礫碑石到東門市場，想決售出他們的所有物以換取糧食，於是在某一天早晨，有一個穿着襤褸的灰色長袍戴着舊草帽的老人，目露愁戀，走入這個市場。他臂間挾着一本沉厚的紙面韓文聖經，而欲以三千韓幣（照官價合美金五角）將它售出。「我已保留着這本聖經十年了，」他說：「一直不願意賣去，但現在卻不得不賣掉，我肚子餓得慌」。（譯自時代週刊）

旅美雜紀

陳香梅

九歲孩子槍殺肉商

美國教育的長處在於普遍教育和強迫教育，凡是適齡的兒童都須入學，公立學校不但不收學費，而且還有書本免費供用，小學如此，中學如此，大學也如此，不過這只是對美國公民而言，外籍學生在公立大學唸書是要付一點學費的。至於私立學校則收費甚高，只供富有人家的子弟求學，美國最大的學府當推哥倫比亞大學和加利福尼亞大學，學生都在兩三萬人以上。

我有兩個妹妹在美國念大學，一個在加利福尼亞大學唸四年級，攻統計，一個在加州的天主教大學，唸二年級，攻教育。前者是公立學府，後者是私立學校，她們兩人雖生於同一家庭，中學都是在中國讀的。可是就因爲進了兩所不同的學府，二人在生活上，言行上，思想上都有了莫大的差別，而且常常因爲小問題爭辯到面紅耳赤。

大妹因爲在公立學校唸書，學生人數太多，大家見面有很多不知是同學，所以對人有點無情，但對事非常實際。小妹因在天主教唸書，受宗教的薰陶，一片赤子之心，可是失諸過於天真。美國人對於性教育無大成就，青年男女的行爲大都太浪漫，太不檢點，對於社會風氣影響很深，據美國去年統計，三個美國人中就有一個離過婚，或結婚兩次的，而十個嬰兒之中就有一個是私生子，這是一種多麼可怕的現象啊。我在美國時看見十四五歲的女孩子，就學會抽香烟，覺得非常不順眼；再看那些男孩子以開快車爲樂事，有時在公路上每點鐘開個八九十咪路，以致車毀人亡，或是連累他人受重傷，眞是荒唐之極。如何教育這般青年男女，使他們在生活上，靈性上，有個警惕確是一個大問題。我的妹妹們因爲都曾在中國受過中等教育，對於中國舊道德與禮教都知道一點，因此還不會受到美國風氣之害。

一般說來，美國青年及兒童都受電影及有害的讀物所影響，他們時常想像自己是電影中人，做出許多傷風敗俗的荒唐事，小孩子們最愛讀武俠讀物，又愛看武俠影片，有了一種神話般的英雄主義感，由玩假手鎗，到玩眞手鎗，因此出人命的事情也隨之發生了。一個只不過九歲的男孩子，偷了父親抽屜裏的手鎗，走到一間肉店裏把店裏的伙計打死了，回家後還若無其事，彷彿警察來捕他，他說：『我是和他弄着玩的，因爲他不先招呼我。』孩子殺父母的事情也偶爾發生，這種現象不知道應當由誰來負責。

孩子們玩耍，有時也發生駭人聽聞的事，有一個孩子和鄰居的兩個孩子一同玩耍，竟把兩個小朋友關在空的電冰箱裏，三四小時後被人發現，可憐兩個小東西已魂歸天國了。（十六）

新型靈活輕坦克

·周明·

美國戰後所造的坦克中，T四一型才眞正是第一種內外完全是新穎的，和其他較舊式的截然不同，它屬坦克中新的一級，這一級將包括輕型的，中型的和重型的。爲了追念韓戰中因撞車身亡的前美陸軍第八軍軍長華格中將，T四一型已定名爲「華格猛犬」，因爲華格將軍曾有過「猛犬」的別號，以表示他的勇猛。

T四一型是屬於輕型的，全重祇二十五噸。由於美國陸軍當局相信優良而用於一切目標的坦克，是不可能造成的，這型坦克取其行動靈活，它的主要任務將是作迅速而敏捷的活動，從事保衛部隊的側翼，以及斥候和偵察，讓更重大和激烈的戰鬥行動由中型和重型坦克車擔任。

因此，製造T四一型這種坦克的目的，並不是特別要它和敵軍的坦克交戰，雖然陸軍方面認爲它與蘇聯較重的三十八噸T三十四型對抗起來，將有過之無不及。它的砲塔上按裝着一門七十六耗口徑的巨砲，火力強大，這樣大的砲，在美國以前同級的坦克上，還沒看到過。因爲它的重量較輕，它的速度也就增高了，軍方宣佈，它在公路上行駛，最高速率能達時速三十五哩。它的新式空氣降冷式引擎具有馬力五百四，操縱機件都採用坦克中之最新穎者，他射擊的操縱器加强了砲火的準確度，使它第一回合的射中率大大的提高。

台北的婚姻介紹所

·凱薩琳·

願天下有情人都成眷屬，這是三百六十行之外台北的新行業之一，爲了解決曠男怨女的歸宿，使得他們與她們有機會去找尋對象選擇人生伴侶，婚姻介紹所出現了，雖然招牌是「台北社會服務社」，業務範圍包括介紹男女傭工，店員，服務生，家庭教師，房屋買賣等，實際上主要的還是男女營業對象，伴侶和婚姻的介紹。

婚姻介紹所報名手續簡便，只要繳納卅元保證金，和最近二寸半身照片兩張，另外填一份委托書與自我介紹書，除了年齡籍貫，學歷，經歷等要寫得清清楚楚外，並且還要詳述所希望於對方的條件，例如年齡的大小，教育程度的高低，性情，籍貫（本省或外省籍）等。由於收費低廉，服務方便，登記的人極爲踴躍，截至現在爲止，前往報名徵求伴侶之男女已將近五百人，男子佔十分之八，女子佔十分之二，這些人當中以年齡來分，男的最大年紀四十五歲，最小年紀不超過廿歲，以籍貫來分，外省籍佔大多數，本省人較少。以職業來分，男的有商人，有大學教授，軍官，公務員。文官最高爲薦任，武官最大爲少將階級。女的當中，有職業女郎，女學生，交際花等，三教九流，無所不有。女的年紀差不多在十八歲至卅二歲之間。教育程度不等，有大學生，也有中學生，但多半是初中畢業。每個人的遭遇各有不同，有守寡數年之孀婦，有喪妻多年之鰥夫，有待字閨中的小姐，有從未交過女友的男光棍，有被丈夫遺棄的少婦，有老處女，有過去曾抱獨身主義的老處男，還有便是情場上的失意者。

婚姻介紹所聘有兩位男女職員，他們對男女之間的心理學有相當研究，且有豐富的人生經驗。此外，聘有「紅娘」數位，專門負責婚姻介紹業務，他們根據男女雙方所提的條件，和心理上的研究結果，然後選擇二個適應徵對象，並用書面通知，若雙方對方之相片，條件符合滿意時後，則先行通信，經過一個短時期的精神上的交往，再行晤面，便開始這時期的途徑。上變方再繳納新台幣七元，作爲介紹所的任務報酬，介紹所的任務便完成了。不過，在戀愛期間，「紅娘」隨時指導，解除變方的困難，加速愛情的發展，直到成功爲止。擔任紅娘的人，條件很簡單，年齡需在卅歲以上，會說國語和台語。沒有固定待遇，僅由每方各給新台幣五元作報酬。

現在，經婚姻介紹所介紹，雙方通信者已有五對，進入初戀階段的有五對，下文如何，尙難逆料，但願這五對婚姻介紹所的胎兒，能順利獲得美滿的結果，才不辜負介紹所和「紅娘」的一番苦心。

竹影心聲

·上海來鴻·

·離草·

八

明天這時候，我與若霞在西子湖邊。

在離開上海之前，雖是短短時間，仍會回來，彷彿覺得一針一綫，也有惜別之情，因此，我在房裏踱着小步，仔細在一桌一椅上投落眷戀的眼光，一種說不出的情緒虐待我，偏在這種情形下我又提筆和你寫信。

（淡淡若霞對一個不喜歡的家有妥協的感情，今晚上她去看她的媽，不住在這裏了。）

我們預定在杭州住一個星期，可能的話，那個可怕的日子，那個可詛咒的日子，那個利用羣衆盲從叫囂的日子，所謂「五一示威遊行」，安排在歸程的火車上。這是若霞想的主意，她是我最得力的顧問，什麼事她都替我算得很好，我現在還對她有點抱歉，那就是沒有把和你寫信的事告訴她。

大前天，媽在飯後和我們擦天（這是難得有的事，共產黨認爲清談大足以誤黨，可以奪去學習的興趣），她說：「下午走過蘭心戲院門前，正巧第一場電影散場，三三兩兩，數得出不滿四十個人。」

我當時裝着驚異的神色問：「怎麼變成這樣慘？」

媽感觸很深地：「看電影的人換了一批，現在也是青黃不接的時代。」

「換了一批人？」我想，也對，不然你怎麼會走？媽怎麼會變得像被魔鬼纏着的失去了人性？騎在人民頭上的口口聲聲說爲人民，這是受「換了一批人」的所賜。

沈思沒有消息，若霞就心會在另一個不是稱爲「人」的世界裏碰到他，我以爲他不會有什麼意外，自殺他沒有決心，（記得我永遠不變的看法嗎？我說過一個人能用自己的力量結束自己的生命，也需要超人的勇氣），被殺縱有可能，他畢竟還是政治舞台上最末等的人物，尤其在上海，那些獵犬還注意不到他，何況他也不夠條件說是政治犯，我是有把握說的。（但願下[illegible]）[illegible]今晚上[illegible]你能給我一個小小的夢箱子，還是我在自己夢境裏笑着你的笑聲掉落在香港，帶到西子湖邊。

不想回家的俄國兵

皮鞋按批價徵稅五倍

梅頓斯，像好多退伍軍人一樣，已厭倦於政治；他拒絕參加東德社會主義統一黨（東德的共產黨）。「去年他們會答應給我們全家新鞋，祇要我肯入黨。」他說：「皮鞋是我們最[illegible]的問題，除了社會統一黨幹部和黑市商人以外，沒有人付得起一百三十個東德馬克去買一雙鞋子，這個價錢已超過我們做三星期勞工的收入。鞋子工廠的批價祇二十個馬克，政府要加稅百分之五百。我對他們說，我不願領受他們的『好意』，情願過我的自由生活，直到他們迫得我非加入不可。政府處罰我，把我送到薩克遜省的鈾礦去做苦工。」

「你告訴過茨赫柯伍長，你拒絕參加社會統一黨嗎？」我問。

「當然，」他對此毫不在乎，我參加過希特勒的軍隊，攻入蘇聯的往事他也並不記恨。有一次我對他說，我曾跟着隊伍攻到距莫斯科祇廿一公里的地方。他笑着說：『我還沒有這樣接近莫斯科呢』！茨赫柯有時會說出令你驚異不置的話，這些俄人的一舉一動是你所無從推測的。」

根據最近的估計，東德境內蘇聯的佔領軍，約有三十至三十五萬人。分成五個軍，分駐於東德五個省，裏面有步兵，坦克部隊，砲隊，空軍和海軍。部隊常常調防，以掩飾其眞正的實力，並且可以藉此造成一種印象，使人以爲它的軍力比實在還大。最近就有一個步兵團從蘇聯調到梅頓斯的城市，[illegible]「從蘇聯到」了。

[illegible]

（四）

泰辛甯譯自星期六郵報

自由人

THE FREEMAN

（半週刊每星期三六出版）

每份零售港幣壹毫半

（第二十期）

督印人：梁大成

社址：香港德輔道中一四九號四樓

電話：三二八二〇

149, 3rd FLOOR, DES VOEUX RD. C. HONGKONG TEL: 32820

承印者：東南印務出版社　地址：高士打道六四號

台灣經銷處中國書報發行所　地址：台北館前路八十五號　電話：三〇三三

蔡斯代表團到台以後

美國政策與台灣自處

台灣當局應放大眼光，展開局度，小心思考，大胆行動，以應付當前的環境

左舜生

麥克阿瑟主張用台灣的國軍去反攻大陸。美國政府方面則一再重申對台灣的政策不變，換言之，即由美國海空軍予台灣以協助，使她得到中國大陸上去與中共作戰，也是美國政府認為可以引起大戰的一端。這幾天馬歇爾出席美國參議院軍事外交委員會聯席會議，對麥帥的主張逐有所答辯，其一種戒慎恐懼的心情，躍然紙上。看來這位號稱了解中國情形的美國國防部部長，從他的調停國共，到對國民政府的「一筆勾銷，」到整個中國大陸的淪陷，進一步更演成中國的善良老百姓死於戰爭，死於饑餓，死於鬥爭清算，死於轉徙流離，以至最近死於大批的，普遍的被屠殺，至少已經超過了一千萬，似乎由他所堅持乃至由他所主持的這一對華政策，依然還是不肯改變。

美國政策的現狀

以蔡斯少將為首的美軍事援華顧問團，到台已有多日，其工作似頗積極，由他們調查所得的第一批資料，日內即可向華府提出報告，將藉此確定軍事援華的範圍。美國這一舉措從樂觀的方面看，可以說是美國對華政策開始改變的轉機；但就中美兩方關於這件事的換文以及美國政府關於台灣的各種聲明加以檢討，則目前所謂軍事援華者，僅以防守台灣為限，換言之，其主要目的，乃在鞏固美國太平洋上防線的一環，與解救整個水深火熱的中國大陸，尚無何種關係。

美人眼中的台灣軍事

四月二十二日的紐約時報，美國軍事評論家鮑爾溫有一篇分析台灣軍事情況的論文，關於台灣軍隊的陸海空的各方面，均有所論列，對於士氣，訓練，裝備，指揮權限等等，各有所批評，乃至由蔣緯國少將所指揮的裝甲部隊也特別提及。據作者的估計，台灣三軍的總人數不會超過五十萬人，其強弱亦不完全一致，可是他的結論依然承認：一旦台灣能在中共統治還未鞏固的華南大舉登陸，還是可以獲得極有利的戰果。假定美國政府能根據軍事顧問團的報告，迅速加以補充，針對若干弱點切實加以補救，則這枝軍隊對於未來反攻大陸必能發生更大的作用，應該是毫無疑義。可是究竟要等到什麼時候才是動用這枝軍隊的適當時機，其最後抉擇權依然不存於台灣而存於美國。一自杜魯門總統不必徵求台灣同意即嚴格指定其只許中立不許動作，這一個尚為世界多數國家所承認，且為聯合國會員國之一員的政府，其在獨立自主之權的一點上，已經受了一個無可補償的損失。而實際上台灣自身所得的好處，乃遠不如中共所得之多，也為一不可掩飾的事實。

台灣自處之道如何

截至現在為止，美國的對台的政策僅如上述，在這樣一個不一定變而又可變的情況之下，台灣的自處之道，究竟是怎樣呢？

就我們大致所了解的：在過去的兩年時間，台灣所最着重的，似乎僅在軍隊的整理，與內部的安定，成效是有相當的，但精神上好像是過度拘謹，而缺乏進取。

兩年來的中國大陸，已惡化到不成樣子，假定再拖上一年兩年，其惡化的程度只有加深，自屬毫無疑義。我們不知道針對大陸的現實，以準備如何收拾這一點，是否已經下了多少切實工夫？其所得資料或情報，是否十分可靠？

兩年來從大陸逃出上百萬普通的政治的難民，其反共態度的堅定，似乎比較留在台灣的人們並無何等差別，我們不知道台灣的一切措施，除以直屬的七八百人民為對象以外，是否對台灣以外超過一千萬的人民，也曾略加考慮，或一聽其自生自滅乃至自求出路？

大陸上的游擊隊，雖仍在此起彼伏的繼續向中共鬥爭，可是所遭受的打擊，也已經不小，台灣對於維護游擊隊的工作究竟做得如何？是否相當切實？我們所知道的情況實在太少。

道路傳聞，友邦對台灣的政治情況依然不能十分滿足，因而對於將來軍回大陸的中國政治建設，也不無相當懷惑，甚至想別求所以補救之道，也決非毫無事實可指，這一點影響於未來者可能甚大，我們更不知道台灣對這一趨勢的感想如何？

上面所提不過就感想所及為人所共見的略舉數端，其餘不願形諸文字或內容過於複雜的問題，還不知有多少。總之，放大眼光，展開局度，小心思考，大胆行動，台灣處在當前的環境，這樣一個態度，似乎是不可少的。

聯軍戰略重新檢討

韓戰必須爭取戰場勝利

——斐列特將配合陸空新攻勢——

· 黃震遐 ·

半週軍事

五月八日新義州的大轟炸，斐列特致力於摧毀共軍後方補給的作戰，達到韓戰以來戰略轟炸的高峯，前此華格中將對北韓洛東江主力後方組織的空中打擊，曾在去年八九兩月達到頂點（對平壤元山漢城三點同時實施大規模的破壞）。其中九月一日對大邱正面倭館（北韓攻擊主力的集中地區）的飽和轟炸，一次使用超空堡壘九十架，投彈四百噸，使北韓軍主力不能有效地組織釜山攻勢，由此奠定了仁川奇襲登陸的勝利，故聯軍第一回合（擊破北韓主力）的勝利結束，不得不歸功於斯特雷特邁耶將軍「杜黑主義」的膽略，在地面上，聯軍打得小心謹慎，不求奇功，缺乏一舉殲敵的雄心，但在空中則美國第五航空隊及七十七混合艦隊的攻擊精神，則充份表現出美國另一新興傳統！——范登堡當年毀滅「歐洲堡壘」與日本本土的少壯魄力，這是一種矛盾。

殲滅戰變為消耗戰

韓戰一年，聯軍陸軍的作戰指導（逐島作戰的艱苦傳統），顯然跟不上空軍飛速的作戰節拍，或許此即是美國政治特性的某種反映，在主觀上，他們不願冒險速戰速決，在客觀上，自去年九月後，他們即充份具有在鴨綠江南岸進行一場殲滅戰的技術條件，但由於中共軍隊的突然參戰（目前證明當時林彪率領入韓的第一個人海攻勢，祇不過三十萬人），即被東北共軍的集中威勢所嚇倒，以致在戰略上完全陷於被動，則至空軍的作戰，亦不得不服從這半年來的陸軍謹慎原則。從仁川登陸時的殲滅戰略指導，變成五角大廈（李治威）的消耗戰。

因此，聯軍將士們即被迫而放棄其獲得「戰場勝利」的機會，半年來的戰略錯覺，幾全集中於空軍應否轟炸東北問題的爭議，及陸軍能否改用消耗戰來拖倒共軍消極的一試驗。這期間，李治威的謹慎作風在局部戰術上有若干收穫（重新發現聯軍的技術優勢）在整個戰略上，則由於美國政治及民族性的反映，跌進自欺性的詭辯，表現在外表上為民主共和兩黨之國會論戰，表現在內容裏的則為柯林斯陸軍跟不上范登堡空軍的節拍，為五角大廈根本放棄爭取「戰場勝利」的一個退兵煙幕，這是矛盾的變相。

勝利並非不能而是不為

為什麼聯軍不能爭取韓戰的「戰場勝利」呢？轟炸東北純粹是一空軍戰略問題，與聯合國的陸軍任務無關。空軍轟炸東北能否提早韓國陸戰勝利的機會，陸軍方面必尚有疑問，聯合國所賦與聯軍總部的任務，是要它在韓國領土以內打擊侵略的敵人，從敵人手中奪回主動，消滅敵人的侵略兵力，而不是要給聯軍空軍以單獨冒險的方便，同時陸軍（主力）則可「不求有功，但求無過」地敷衍下去，並有任意延長其失敗被動時間的自由。在麥克阿瑟和馬歇爾的興奮辯論中，好像都不約而同地忘記引證一個最重要的榜樣，則蘇俄集團儘管不出動空軍，它的遠征陸軍亦照樣能在所特定的戰場內，將聯軍一再擊敗，並使聯軍總部發生心理失敗的影響。

在裝備，機動力，火力上，聯軍均處優勢，兵力上的懸殊，亦非絕對可慮，聯軍方面唯一不能爭取戰場勝利的原因，是犯了失敗主義，是非不能而是不為。不曉得怎樣做。祇有這點，纔是問題的鎖鑰。其他多不是遠略，即是空談。而克里姆林宮則祇在一個時間和空間的交點上，做一件事。

聯軍可能發動漸攻勢

因此，聯軍必須先行恢復自信，要自我檢討，找出它在實戰中遭受挫折的真實原因來，尤其要，勇敢地清除其一切政治上的詭辯，面子上的遁詞，以及其他暫不能行的空談（如轟炸東北與否？），來重新負起聯合國所賦與的使命，在戰場上克服敵人，解決矛盾。

這個矛盾怎樣解決？在實際決策上，美國的政治特性又會不會發生牽制影響？美國陸海空聯合參謀部的最後決策，又能否放棄片面的「杜黑主義」，中共下一幕攻勢展開後又將如何演出？這一切，或可自最近幾天來美國空軍的戰略行動中看出端倪來，從平壤，沙里院，新義州各點連續不斷的戰場作戰看，斐列特的訓令似乎正在轉變，韓戰也許要回到仁川登陸以前的高峯？

中共高壓政策驅迫下

湖南濱湖發生暴動

·一度威脅長沙南岸·

自中共參加韓戰以後，一方面加緊搜括，另一方面宣佈「反革命懲治條例」，大事捕殺異已，鎮壓反動。民衆在此種高壓政策之下，已忍無可忍，大陸各地已普遍發生暴動。湘省民性強悍，受共黨荼毒，較各省為尤烈，因此揭竿而起者更多。

前幾個月，湘省各縣平均每縣被捕殺的在數十人以上，同時搜括民糧，追令捐獻，使老百姓無法活下去了，因此在南縣桃源，沅江一帶激起了普遍的暴動，已形成一股相當強大的反共力量，他們現在濱湖附近出沒游擊，使中共當局大傷腦筋。據前日湘省來人云，長沙南岸岳麓山亦一度告警。駐湘共軍因韓戰後，紛紛北調，以致力量薄弱，各縣大多以民兵接防。因此數度圍攻，共軍均鍛羽而返。

這一反共力量，現由前曾任寧鄉縣警察局長之姜某，負責率領。姜某在「解放」後，即蟄居長沙，當伊離職時，曾埋有步槍數十枝，當暴動發生前，其部屬至長勸其領導反抗，挖出所藏槍枝，以增加實力。姜深恐事機不密，被共黨所害，不肯答應，當時其部屬憤激萬分，即說如果不參加反抗，就要向中共當局舉報其暗藏武器，姜無法推托，乃在前月突然至南縣暴動，包圍鄉公所，殺死共幹，搶劫糧倉。數日之內，響應者即有千人以上，以後加入的人數更多，目前已有五千以上，盤踞濱湖一帶，成為華中共軍心腹之大患。（湘民）

中共在湘兵力單薄　數度圍攻均被擊退

半週展望

最怕大戰今夏爆發

馬歇爾和麥克阿瑟在國會的證供，他們最大分歧點，則馬歇爾認為擴大韓戰，蘇聯一定會參加韓戰，麥克阿瑟，則認為不特蘇聯不參加，而且可能趕快結束韓戰。

[illegible]

東北，自難避免。大家所深切注意的，將只是轟炸東北以[illegible]

[illegible]也絕不會發生拖延作用的。

再罵幾次美國戰敗

蘇聯又向四強外長代表會議，提出兩項要求，第一，同意完全解除德國武裝，第二，檢討北大西洋公約及美國海外基地問題。葛羅米柯表示，如果西方國家，不拒絕這兩項要求，則蘇聯即可贊同西方國家所提議時間。[illegible]

[illegible]上唯一熱心爭取和平的國家！

艾契遜說：蘇聯總想以停止民主國家的自衛計劃，作為召開四強外長會議的代價，但這代價太高了，民主國家無法支付。由於這兩項要求的提出，更證明了蘇聯停止民主國家[illegible]仍只是利用機會，擴大宣傳而已！

為什麼不如法泡製

印度出席聯合國大會代表勞爵士，最近在加拿大告訴新聞記者說：新中國的政府[illegible]最大目的是要把中國弄好，現在中國的政府，則是幾世紀來最好的政府。

我們想不到一個反抗暴力，高唱人道的聖雄甘地所創建的國家，[illegible]竟會作這種滅絕天良的說話。

[illegible]勞爵士為什麼不請求尼赫魯在印度如法泡製一下？（一丁）

經濟封鎖應澈底實施

在共產國家的刺刀尖端上舐血，這是一個愚蠢而冒險的行為

藉寇兵而齎盜糧無異自殺

馮　真

現代戰爭是全面性的，除了軍事範圍以外，其他如經濟文化各部門，也同時加入作戰，而且為戰爭中重要的決勝因素。這是人人所共知的事實。其中尤以經濟資源的部門，尤為重要。如石油，鋼鐵，橡膠等，都是在現代戰爭中不可或缺的戰略物資。假如缺乏了這些東西，戰爭即無法繼續。

目前世界在美蘇兩大集團對峙下，第三次大戰的爆發，只是時間問題而已。其實在韓國的戰爭即是大戰的序幕。「戰略物資禁運」與「經濟封鎖」，已成為論爭最激烈的一個問題。這裏我們願重翻一下過去的記錄，來說明這件事的是非究竟。

當七七事變發生以後，日本軍隊攻入了中國大陸，太平洋上危機四伏，日美戰爭隨時有爆發的可能。可是美國大批的戰略物資，鋼鐵汽油，還是不斷的運到日本——美國未來的敵人手中。太平洋戰爭發生，日本就用了美國鋼鐵所製造的大炮炸彈，殺傷美國的軍隊。這是一個何等慘痛的教訓！殷鑒非遙，但人們總是健忘的，從過去幾年，甚至現在，英美國家，對世界民主國家的公敵——蘇聯及其附庸國家，依然在執行着這種可怕而愚蠢的政策。

蘇聯的強大，造成今日威脅世界安全的力量，並不是她本身國力的發展，大部份得歸功於美國的金元，機械，技術的幫助。有人以為這句話未免誇張，可是事實的情形，確是如此的。

美金一百六十億是蘇聯建軍資本

自一九四一年至一九四六年中，蘇聯從租借法案得到了價值美金一百十億的戰略物資。在一九四五年至一九四七年，又從美國的善後救濟法案，得到了美金二十億的援助。至一九四八年，實行馬歇爾計劃，雖然蘇聯並沒有列入這一百五十億援助計劃中，但她從十六個受援國家中，以貿易方式，間接取得了很大的利益。這一情形直到韓戰爆發後，美國才加以注意，總計過去這一段時期中，蘇聯已自美國得到了價值美金一百六十億的物資。

同時由於美國外交政策的錯誤，同意蘇聯搬走德國價值數十億的軍要工業，全部拆卸運到蘇聯本土，作為賠償。再加上她在中國東北所劫走大批的工業設備，這樣便使蘇聯成為歐亞兩洲最大的工業力量。

商業代表是間諜收集美工業情報

在租借法案中，差不多都是整套的工廠，送給蘇聯，其中有鍊鋼廠，有煉油廠，有橡膠廠，有電力廠等：當時蘇聯還派了一個包括一千五百人的商業代表團到美國，他們主要的目的，是以間諜的方式，搜集美國工業情報的秘密。差不多任何一種工業，都在他們的注意與偵察之下。據說，連原子彈的原料，也曾運到蘇聯去，其中一批運走氧化鈾二百磅。另一批運走氧化鈾四百六十八磅，氮化鈾一千磅，重水二磅，提煉過的鈾金屬廿五磅。並還偷去了許多美國重要工業設備的藍圖。蘇聯商業代表團團員伐色藍柯回去的時候，帶走了六大袋美國鋼鐵工業的藍圖與軍事製造情報，現在他已成為蘇聯製造鋼鐵部門的重要負責人。

整個租借法案的物資，蘇聯差不多佔據了百分之卅，其中細目甚多，主要的有汽車三七六，〇〇〇輛；坦克七，〇五六輛，吉普車五一，五〇三輛，炸藥三四五，〇〇〇噸，軍用皮靴一五，四一七，〇〇〇雙，以及其他軍用物資。

蘇聯工業所受到的損害極大，但是由於德國侵入蘇聯時幾年來意外的收穫，她的復原工作很迅速，其重要工業的生產量，已超戰前（一九四〇年以前）百分之十四，但其消費物資的生產量，則仍低於一九四〇年百分之四十三，由此可見在美國協助與其自身劫掠政策之下，已有了極大的發展，所以一般人認為蘇聯的工業力量不夠，不敢貿然發動第三次世界大戰，這一估計，可說完全是錯誤的。

馬援成為輸血管大批物資運蘇聯

馬歇爾計劃更成了對蘇聯的輸血管，許多受援國家常常把得自美國的物資，及其自己的製成品，轉送到蘇聯，交換糧食。在一九五〇年，西歐各國與蘇聯所訂立的商業協定，就有九十六件之多。以英國的馬達製造廠為例，自一九四六—五〇年，即有價值三千四百萬美金以上的電馬達，以及整套的電力設備，運到蘇聯。同樣的，她在一九五〇年韓戰發生後一月，還運了汽油六十五萬加侖，橡膠九千噸進入共產黨所控制的中國大陸。

某一時期短短三個月中，總計英國運了價值四千餘萬美金的機器與戰略物資至鐵幕內的國家，另外意大利有二千六百餘萬，法國有一千八百萬，比利時有一千九百餘萬。總計有價值一億美金的物資運入鐵幕國家，可見其數量之驚人了。同時蘇聯在德國及維也納所設立的貿易機構，其搜購的數量，亦甚可觀。

一九五〇年春季，馬歇爾計劃的總數共為七億七千萬美金，而同一時期，西歐運至蘇聯的物資，即有一億七千六百萬美金，這說明蘇聯無異得了百分之廿二的馬歇爾援助，以從事其整軍的工作，這實在是件太滑稽的事情。

儘管有這些嚴重的情形，但美國與鐵幕國家的貿易，依然保持繼續，以一九四七為例，美國與蘇聯及其衛星國之間的貿易額，尚超過美金四億以上，其中有機器，以及各種工業的設備。

貪小利應防後患輸送死亡應停止

韓戰發生，中共參戰以後，據美國參院國外貿易委員會的調查報告：由美國太平洋與大西洋兩岸裝運至中國大陸的戰略物資，即有石油產品一千五百萬加侖，鋼板一萬噸，銅錠四百五十萬噸，錫片五百萬磅。所以去年十二月美國即宣布禁運令，雖然情形大為改善，但是懸掛外國旗，而實在後台是美國人的私人公司，據專欄作家鮑爾溫宣稱，並沒有完全消滅。

至於英國與大陸的貿易，現已成為英國內外公開抨擊的對象，據最近回國不久的退伍軍人會長柯克指稱：目前平均每週有輪船十一艘由香港裝運戰略物資到中國大陸。稱之為「輸送死亡」的政策。雖然馬歇爾在參院作證時，提及英國「已同意加強，對中共禁運」。可是從這幾天的情形看，英國一般人尚有顧慮，認為禁運可以影響香港的地位與繁榮，究竟決定如何，目前尚無法推斷。

但是共產國家是自由世界的大敵，這是誰都無法否認的事實，何況在韓國戰爭上，成千成萬的英美子弟，在中共軍隊及蘇聯坦克飛機之下，喪失了性命，現在還拿武器供應敵人，這根本是自殺的政策。做生意賺錢，是英美資本主義根深蒂固的商業傳統，不能說錯。但做生意也要看是否合算，見利忘義即不說，為小失大，貪小利而得大害，這也是任何明智的生意人所不願做的。在共產國家的刺刀尖端上舐血，這未免是一個太愚蠢的冒險！

事實勝於雄辯

美帝？俄帝？

究竟誰是帝國主義者？

越　卿

「儘管共產國家的宣傳技巧如何高明，謊語說得如何圓滑，但事實勝於雄辯，到底「美帝」「俄帝」，誰是帝國主義者？克里姆宮主人血跡斑斑的雙手，掩蓋不了天下人的耳目，下面二文為菲外長羅慕洛與蔣廷黻博士所作，把美蘇外交記錄，作一個事實的對照，茲節譯片段，以餉讀者，讀此文後，誰是帝國主義者，可不言而喻了。譯者附誌。」

（一）美國在菲律濱

原作人　羅慕洛

譴責美國是帝國主義者，這是蘇聯宣傳機關，慣用的欺騙手法，其目的在掩飾蘇俄帝國主義者，史無前例的征服世界的野心。

雖然無人敢說，美國從來沒有犯過帝國主義的錯誤，但美國人民，隨時可以證明，他們並沒有帝國主義侵略的傳統特性，上世紀末，美國在菲律濱，曾有過這樣的行動，但是美國在菲律濱，并沒有壓迫當地的人民，加以強力的統治，以及進行一個，反之，他們在教訓菲人如何懂得自由，民治政府的技巧，更沒有實施愚民政策，反完成了學校圖書館設備，還有一間大學，使菲人得到各種教訓，對於民族意識，更談不上加以摧毀，相反的在要菲人能夠尊重自己的歷史與傳統。

一九一六年美國國會通過一項諾言，只要菲律濱人民能夠成立一個穩健的政府，即承認她的獨立，這是殖民國家空前所未有的事實，在太平洋戰爭的危急時間，這是美菲關係最好的試驗了。菲律賓在亞洲各殖民地區中，是最能忠實於當地行政當局的，這證明了美國政策的遠見與智慧。

一九四六年是美國國力最強盛最光榮的時候，她實現了既往的諾言，承認菲律濱的獨立地位，而蘇俄在這時期正犧牲了中國人的利益，在東北劫走了大量的工業設備。

除此以外，美國對於殖民地解放運動，如印度、巴基斯坦、緬甸、錫蘭、印尼、無不寄予同情與協助，而同時期蘇俄則吞併波羅的海沿岸的拉脫維亞，立陶宛，愛沙尼亞三個國家。同時加強大的壓力於其國境東西的鄰國，使她們屈服在其淫威之下。可是美國與南美北美的鄰邦，不像遠東，南亞，以及歐洲的國家，對蘇俄的懷疑與害怕，而維持着極友誼的關係。而對着這些鐵一般的事實，美國如何？蘇聯如何？亞洲人民是不會永遠被欺騙下去的。

（二）蘇俄在遠東

原作人　蔣廷黻

美國的遠東政策，一向即以健全的聯合國原則為基礎，在五十年以後，這些原則，才歸納而成今日的聯合國憲章，從過去的歷史，中國人民對美國的無侵略野心的友誼政策的性質，有極深刻的瞭解。至於帝國主義過去在遠東的一切，嚴格說起來，美國應該是一個例外。

最近一次大戰中間，美國並沒有對中國提出港口，鐵路，礦產或其他的要求，美國軍隊僅僅說了再會，就返回自己的祖國，假如這些是帝國主義者的行動，那末我很希望蘇俄能夠學學美國的榜樣。

帝俄時代，俄國在遠東曾有一段很長的帝國主義的時期，一八六〇年，是中國歷史上的一個危險時期，那時帝俄假裝中國親善，爭取了差不多像德法兩國領土大小的土地，十九世紀末，她更利用了中國仇恨日本的機會，取得了旅順大連兩個港口，以及中東鐵路。

在今天只有一個國家——唯一的國家蘇俄，在亞洲繼續維持其帝國主義的政策，最近幾年來，蘇俄帝國主義在亞洲的成就，即在十九世紀帝國主義高潮的時候，亦無法與之比擬。

目前亞洲已走到了歷史的十字路口，一條是走上聯合國的道路，逐漸在外國帝國主義的勢力下，獲得解放，這一條路能使亞洲自由的選擇精神，科學，技術上的成就，幫助亞洲人民解決其歷大陸傳統的貧困，建立一個嶄新與完善的社會，同時更可以發展亞洲人民所特有的天才，貢獻世界。另一條路是屈服於蘇俄帝國主義之下，使生活更適於繁榮的境界。要知道蘇俄與衛星國家的生活型式，誰都不會願意要亞洲人民接受這種生活，更要知道目前東歐人民精神與物質的痛苦，在現在要對蘇俄妥協或投降，對於亞洲人民，可說是不人道與沒有遠見的行動。

對日和約是最大的攷驗

日本人眼中的李治威

總覺他的威望不如麥克阿瑟

（本報東京航訊）麥克阿瑟去職後，盟國管制日本的任務，交給前第八軍軍長李治威。日本人對李治威的看法如何？這是一個相當有趣的問題。

李治威在接任以後，他沒有搬進比拉德保險公司大廈的盟軍總部，而把他的總部設在美使館大樓，等到麥帥的傢俱搬出後，他才在新址，開始接見總部高級的人員。

李治威當前一個最重要的工作，是如何使日本朝野相信，麥帥去職不致影響美國對日基本決策，及不致對遠東共產主義妥協。到現在止，日本人民在口頭上所表現的看法，認為李治威比他對朝鮮戰爭的關懷要多些。同時他們把麥克阿瑟當作一個「可愛的征服者」，把他當作美國，盟軍寬大政策，及自由和平條約的象徵。李治威到底能否如他們的理想，他們是無法有把握的。

麥帥去職，最使日本人引為焦慮的，莫過於英國人的態度。英國反對麥帥擴大韓戰的主張，她怕把戰爭擴大到中國領土後，英國的遠東利益勢將全部斷送。最近一個日本金融鉅子在日本金融雜誌上發表一篇評論，指出「[illegible]」[illegible]天，有一大羣日本人民，在美使館大樓附近，企圖瞻仰一下新任佔領軍司令官的丰采。他自到任後，忙得沒有時間和日本領袖晤談，到現在止，他僅和日本首相吉田茂談過一次，更沒有時間去了解日本的文化和民間生活。同時李治威在心理上，[illegible]第一：麥克阿瑟將軍是老牌的五星上將，而李治威在官階上，還是一個三星中將（最近才升上將），因此在公共場合，李治威的演詞，不如麥克阿瑟吃香。

第二：李治威雖然身經百戰，但[illegible]打垮日本的[illegible]，因此麥克阿瑟，成為他們崇拜的對象。

今後日本人民對李治威的看法，將緊隨着裕仁天皇的態度，裕仁雖然在日本政治上沒有甚麼作用，但他究竟是日本的表徵。[illegible]

·美國禁運令生效·

大陸桐油換不到外匯

中共搜購政策大受影響

桐油是中國主要的出口貨，與鎢，豬鬃，茶葉等，同樣替政府換來了不少外匯。解放後，中共也從這上面賺了不少外匯。自美國宣佈禁止中國貨入口後，對中共桐油銷路，着實不少影響。為了實施對中共經濟制裁，最近香港的桐油代理商接到美國電報：表示桐油雖然需要，但絕對拒絕中共的輸出品，美國這一措施，對中共套取外匯的政策，發生了嚴重的打擊。

普通桐油出口商，都先在中國銀行做百分之八十押匯，自己墊出百分之二十的本錢，貨到以後，不能私自出售，一定要交給中共駐港的商業機構某公司負責統銷，因某公司的負責人員，都是外行，無法找到直接受主，必須間接委託×××、×××、×××等三家桐油經售商代為拋出。但這三家洋行，遇有買主，必儘先將自己的存貨推出，然後才輪到中共出貨，因此無法暢銷。其次出口商的桐油，在大陸啟運前，領出口證後，[illegible]

剝削重重無利可圖　桐油商人裹足不前

[illegible]

陳毅等怕做「曹陸章」的下一代
五四前在滬狂捕青年
總數已達二千人一部已秘密處死
‧少數將提交各校公審鎗決。

在集體屠殺的大恐怖下，上海青年，是不肯退縮的。以前青年受共黨麻醉最深刻，成爲共黨政權的支柱。共黨也就完全把青年當牛馬般驅使，鷹犬般利用。現在，則最大多數青年，均已覺醒，他們知道過去受騙，不但不再俯首帖耳做工具，且已匯成了反共洪流，在各處威脅了共黨的生存。

學聯主席如此報告 反共份子愈鬧愈兇

我在上次通訊中，（編者按：已載九日本報），已報告上海各中學大捕「國特」，麥倫中學捕去學生王家齊等十餘人，育才學校，並據中共宣稱，有十四歲「國特」頭子被捕。這幾天，配合上海的大捕殺，幾乎每一個學校，都有若干學生與教員被捕的，每校多者數百人，少亦六，七人，除極少數外，名單全未透漏。據說：中共接有密報，上海各校，將於五四紀念，發起大規模暴動，陳毅潘漢年之流，怕自己做了曹陸章第二代，當然不致意懷，乃決心撕下以前變譯青年的假面具，將明晃晃屠刀向各校青年砍去。事先，並指使幹部，於上月二十九日在南市敬業中學大禮堂，召開全市學校學生會代表會議，宣布共黨鎭壓各校「反動份子」的堅定政策，好在所謂各學校代表，向來非共幹不能充當，在這樣清一色幹部會議上，自然不會不一致擁護共黨的大屠殺。學聯「主席」陳國彬曾拉開嗓子，宣布反共份子罪狀，有一段話，他說：「一反革命份子，[illegible]兇，在各級學校中大肆活動。如敬業中學，南洋中學，曾發生失踪事件。財經學院，在三八婦女節前夜，全校壁報標語，全被撕光。至散佈謠言，張貼反動標語，恐嚇學生會幹部，則更每一學校，均有發現。這是蟄伏各校潛伏的匪特太多，我們不能不擁護政府嚴予鎭壓！……」

從這一段話中，反共青年，正怎樣如火如荼，在進行他們的工作，也就不難想見了。

吃花生米也算犯罪

各校被捕的青年總數已達二千人，現尚在繼續搜捕中，除大部份已秘密處決，或送往韓國參軍外，少數則亦擬採用公審辦法，在各校個別舉行，公審後再鎗決。這日復旦大學，民國中學，敬業中學已着手籌備。復旦準備提交公審的，其中有林邦雄，孫靈國人，共幹控訴林邦雄，說他從前到過印度，和美國有勾結，他能讀四國文字，能說中國十三種方言，在各校中，一面偽裝進步，一面拉攏落後份子，陰謀反動。共幹控訴林邦雄，說他混進復旦，是奉有國特使命，前復旦教務長孫瀾，是他叔父，就是一個特務頭子。平時專喜和落後份子在一起，預謀學校搗亂。民國[illegible]準備提交公審的，[illegible]三學生陳志林，共幹控訴他，說他從前歡喜看美國電影，現在常說沒有美國電影看太不舒服。他常向同學宣傳，美國每一個工人，都有一輛汽車，黑人和白人都同樣有民主。在每次抗美援朝大會時，他總買許多花生米，送給到會同學，藉大家減少對大會的注意。尤其他說過，蔣介石今年一定會回到上海，勸同學不要跟共黨走得太近。其實這個學生今年才十五歲，前兩個月，曾被捕一次，那時因爲他年紀太小，關了幾天就放了，這次，則共幹似乎對他已下了非殺不可的決心。敬業中學準備提交公審的，則有教員許蕊，張誠，學生萬祖基，姜源泉，方函豫等。

數學教快了 就算是國特

此外糖業中學，有一位初三級任教員，叢快雲，也即將提交公審，但共幹控訴他的罪名很有趣。說他所擔任的功課是數學，最近他教的數學，快而且多，故意讓許多同學趕不上功課，沒有功夫去參加抗美援朝運動，認爲這是國特麻痺同學最巧妙的手段。如果[illegible]的罪名，僅僅在這點上，那麼，在共區做教員的人，最安全辦法是不要上課了。

遊行不歡呼 處徒刑六年

最後，讓我再報告一下，在中共區域，遇到大遊行隊伍經過時，你如果不鼓掌歡呼，甚或你因爲有急事，不等隊伍走完，就想穿過馬路時，其所受懲罰是何等嚴重。下面就是市公安局呈請軍事管制委員會以上列罪行判處徒刑的幾個人：鄭順利，臨判徒刑六年，姜樹良五年，丁士機四年，劉嘉啓三年，許榮、呂吳成龍各二年。（悠然，五月六日寄自上海）

中共地方幹部 都成了小「史太林」
驕縱貪污橫行無忌 生殺予奪爲所欲爲

一向自誇紀律嚴密，品行純潔的中共黨員，這兩年來在大陸上所表演的，只是驕縱、貪污，和種種無法無天的行爲。一個低級共幹，派到一縣一鄉，就成了該縣該鄉的顯赫暴君，生殺予奪，爲所欲爲。換言之，就是一個小史太林。下面最近這兩件貪污案，就是最好的鐵證：

李宦在新會 吞沒鬥爭果實 搜括老婦白銀

第一件，發生在廣東。被告發的共幹叫李宦，是廣東新會縣人，共產黨員，他在粵中幹部學校受訓完畢，回到新會第七區羅坑村做農會主席。在農曆正月初一日，召集該村農民三十餘人，在山頭開秘密會議，以利誘威迫方法欺騙農民，自稱是火車頭，指其他三十餘人爲車卡，要跟他一齊走，服從他的領導。他督促該村農民鬥爭地主惡霸，但鬥爭所得的二千餘萬元及穀七千餘斤，李宦都一手抓住，用來收買爪牙。他又擅自動用農民鬥爭得來的五百萬元開合作社，自任社長，合作社每次往江門買貨，必須他自己去，不准別人去。他發動組織八十名助耕隊，強迫村中有耕牛的農民，都要將牛獻給助耕隊使用，另在助耕隊內物色二十餘人組織小組，經常開秘密會議，威迫利誘該二十餘人爲其爪牙；在各小組中都訂有這樣的條規：「誰不接受領導，要嚴厲處分，誰就是反動派」。同時他又威迫利誘農民組織了所謂「十人治安隊」，並經常派人監視個別中農及助耕隊內農民，不准替擁農與中農接近，如和中農談話，則作反動派論。李宦又指使治安隊把守村口，凡攜物出村的，不論男女老幼都要受檢查，婦女出村，則叫女隊員帶往廁所，除下衣褲，檢查全身；並不准本村人往六區「趁墟」，只准往變水、上淩墟，「趁墟」時不准一人去，起碼要七人以上同行。農民往田裏耕種也要向他報告，否則，就是不服從領導，作反動派論。二月廿七日，李宦召開羣衆大會，講自己在粵中幹校學習到五樣「法寶」，要將全村的神主牌拆毀。會後即佈置其忠實爪牙李亭等，強迫羣衆動手拆神主牌，聲稱誰不拆誰就是封建，反動。在他的威嚇下，全村神主牌已被一掃無存，並將一部份神像也拆毀，農民敢怒而不敢言。

此外，李宦還吞沒該村老婦譚標母的一部份款項。譚標母儲蓄有白銀七十餘元，有一次李宦在羣衆大會上宣佈：誰有金銀存在家中的都要獻出，否則當反動派、特務論。譚標母害怕起來，當夜將白銀交給李宦，李宦交其妻往江門變買得人民幣四十九萬七千元，但只給回譚標母二十五萬五千元，餘款吞沒，並將羣擁燒燬。新會縣「人民政府」接到村民李洪英、李世華等一再控訴，及經李等將上述情形向廣州上級機關控告後，派員調查，全係事實，只得將李宦撤職，是否還有進一步的懲處，現在還沒宣佈。

呂繼良在泰興 只須有錢有色 反動也可開釋

第二件發生在江蘇，被告發的共幹叫呂繼良。呂是江蘇泰興黃橋人，一九四二年入伍，一九四三年參加共產黨。黃橋「解放」後，曾任辦事員、會計、財糧分局副主任、公安股長、公安分局長等職。去年八月間，調任泰興縣公安局祕書。此次在「鎭壓反革命」工作中，有兩大貪污及徇私行爲被人檢舉：（一）呂繼良在任祕書職務時，利用工作上便利，受賄縱放了被判「反革命份子」殺人犯僞保長「華玉濤」，華係該縣太平鄉人，據共黨指控，罪大惡極，但被捕後，呂竟趁工作上便利，私自將華犯放出，並派華在呂所主持之治安人員訓練班充當伙事員，訓練班廿天結束後，呂再利用工作上之職權，私用局長印章，將華釋放回家。該區治安股長顧金波函公安局：「公安局對該犯又無故放回，不知爲什麼原因，前次也曾送縣局過，已判徒刑三年，也被放回，我對這種原因弄不清楚」。這樣，公安局才查出是呂得賄私縱。（二）呂繼良在黃橋鎭該地「鎭壓反革命工作」，又企圖包庇已遭逮捕的僞國民黨縣黨部祕書丁啓文。緣丁有一姪女丁文英，與呂原是相識，在鎭壓反革命運動初期，丁曾從中協助呂相識另一女教員王多云，發生了戀愛關係。此次丁啓文被捕，丁文英委託王多云去信給呂繼良，設法挽救其叔出獄，前後計通信數次，請呂向「政府」說情，能從寬處理。呂爲了換取愛人的「歡心」，竟去信說：「關於丁文英叔的問題，我已側面諮過」幾次，但要隨時求得解決，是不可能的，因其他同志是有意見的，特別是羣衆要有反映的，及地方所以還是採取側面的談，較爲妥當，你同意吧，請告訴丁文英先生，叫他放心，叫他對此事不要談。深恐你叔對我談的嚴格情形，也是這樣情形，請告知他放心……。」這信不料落入了丁的一個仇家之手，就向共黨上級告發了。

一個縣公安局祕書，竟能這樣上下其手，現經各方告發，以後中共泰州地委紀律檢查委員會，如何處理，還在考慮中。

這就是「特權階級」
貪污‧殺人一律無罪
鬧到天翻地覆「認錯」「道歉」了事
河北香河縣共幹盧玉成的「偏差」史

一般對中共幹部的看法，認爲「上級好，中級少，下級糟。」其實中共上級除了慣於虛偽做作，欺騙說謊以外，骨子裏還是一副吃人的猙獰面貌，根本談不上好。至於下級幹部，多數是流氓，老粗，惡棍，橫蠻無理，殘酷無情，較諸任何歷史上的暴君，尤有過之，可是今天大陸的基層政治，就操縱在這批「糟兒」手裏，可說是糟到極點，老百姓都受苦不堪。而中共當局對此，一概諉之爲「偏差」，任何天大錯誤，一概坦白了事，於是幹部的兇燄益發高漲，而老百姓則含冤莫辯。下面是一件千眞萬確，中共幹部貪污殺人，中共當局予以袒護的故事：

砍樹拆房 糧救荒 百姓挨餓村長發財

盧玉成是中共的長征老幹部，充任河北香河縣一區王店子村村長。到任以後，作威作福，前年潮白河泛濫時，以救災爲名義，強迫老百姓伐樹，拆房屋，成立了木業合作社，運到北平換回糧食救荒。當時搜羅的木柴約有千餘石玉米，[illegible]百斤[illegible]，一千斤鉄子，三十斤煤油。結果每個老百姓所得極微，依然挨餓，而盧與農會主任，則到北平大吃大喝，穿着闊氣，貪污了不少錢。賬目不公開，誰都不敢要他算賬。

此外，他更用綁票的手法，找縫覓隙，只要有點過錯，就把人抓進村公所押起來。用刑拷打，除非拿錢來贖，否則指爲國特，便有殺身之禍，因拷打致死者，更在數十人以上。此類贖款，先後合玉米數千石，完全飽入私囊。後來中共當局命令修堤，盧更借此機會，大事敲榨，強迫老百姓分攤工作及一切費用，逼死了不少人。最可憐的是李地，他是個苦老頭子，兒子是中共幹部，早參了軍，因爲做不動工，又繳不起錢，於是被抓去吊打，以致奄奄一息。老百姓迫到忍無可忍，去年二月幾次到區政府告發，區政府不理，再到香河法院起訴，從七月到八月底，投狀四次，也如石沉大海。最後一次，法院裏的人拿着狀紙，不耐煩的說：「你們願意放就放在這裏，不願意放就拿回去。」結果還是不管。

官官相護控訴無門 夏民被誣共幹無恙

在這樣告訴無門的情形下，老百姓只好告「御狀」，告到中共的內務部。這事情越鬧越大，區政府在內務部的催詢下，不能不假意做作一番。於是區長錢成貴，帶同區委書記到王店子村調查。當天就在村公所受盧玉成的招待，根本調而不查。當時就說老百姓故意搗亂，受了「國特」的煽惑。當時就把紳士趙祥，王德才，溫福保，李樹宜等四個比較有名望的紳士抓了起來，說他們誣蠛幹部，有「國特」嫌疑，送到香河法院拘押。同時開村民大會宣佈說：「你們沒有資格告發幹部」。在這種情形下，老百姓那裏還敢再說！趙祥等「關門家中坐，禍從天上來」，平白的被指爲「國特」，在香河法院的牢獄裏，受盡了種種酷刑，因爲中共幹部，早已串通一起，要將他們活活與死獄中，關進去了三個月，始終不審不問，由此亦可想見中共司法的黑暗了。

幸虧苦老頭子李地，他那位榮任中共幹部的兒子回來了，看到老父奄奄一息，悲憤之下，傷心萬分，認爲幹部家屬被人欺負至此，就把這件事反映到上級去。於是事情再不能拖下去了，在李某拚命催迫之下，幾度認眞調查，盧玉成各種不法情形，完全暴露。最後，經中共通縣地委紀律委員會決定處置辦法：（一）犯了偏差錯誤的村幹部盧玉成，應在羣衆大會認錯道歉。（二）趙祥等「國特」罪名證實不確。（三）縣區政府未經調查研究即扣押趙祥等四人，是錯誤的，應作深刻檢討。同時香河法院也公開自認扣押三月，不進行調查審訊，自認「官僚主義的作風」。

這樣一樁嚴重的貪污不法，互相勾結，魚肉人民的案子，鬧得天翻地覆，最後結果，以爲可以大快人心了，不料仍竟輕巧的只以「道歉」「檢討」了事，連最低限度的撤職處分也沒有。這就是特權階級，免於犯罪的特權，也就是共黨口中的「人民世紀」，「廉潔政治」的紀實。反正騙死人不償命，中共也就毫不羞恥的敢於如此這般的永遠騙下去。

（臨光，五月二日寄自北平）

葉芳展家破人亡
被捕前槍殺共幹

離開同安城三十華里一座高大壯麗的蓮花山庄，是族長葉鎭國的舊居，閩南人大概都知道，他本人早在民國廿四年去世。

葉芳展，是他的第五個兒子，四十歲左右，人很消瘦，體格不怎麼健康，除了在蓮花山庄料理田產，有時到城裏做生意外，向來不參加政治活動。共匪黨來了以後，他的田地房屋財產都被鬥爭完了，妻子在縣裏的勞教所受訓，大哥金沙三哥金泰公審鎗斃了，三個弟弟被迫參了軍，始終沒有音訊。他只能逃入長泰高山的石洞裏，躲過中共的拘捕。家裏不到三歲的孩子，失去了父母，又沒有人敢接來飼養，活活的哭餓死了。家破人亡，聞者無不嘆息，但中共對逃出的葉芳展，仍不放手，必欲誅滅而後甘心。二月下旬，葉芳展循例由長泰高山到蓮花山的按坪鄉摯友葉承德家，討大米和鹹菜回山過活，不幸被中共區公所打聽清楚，就派兵包圍葉承德的家，這時芳展與承德適在房中談話，聽見響聲，知道不妙，剛欲躲避，區長何建智和指導員石大賢已持鎗而入，在這生死關頭，一個儒弱消瘦的葉芳展並沒有俯首就縛，反而拔出防身的小左輪鎗連發二鎗，區長和指導員應聲倒地，情急中，芳展衝出大門，向門口的蔗園飛跑，假如跑進這茫茫的蔗園，共軍即無法搜捉，可是他給蔗園外邊的刺鐵絲絆倒了，隨着一陣機鎗，他倒地上死了。葉承德和弟弟承榮，也在解往縣城的途中被共軍結果了性命。可見中共手段的殘酷。

但是在中共高壓政策之下，其他像葉芳展這樣懦弱的人，也都被迫站起來反抗了。

（虞卿）

鐵幕叢談

烟花女兒「翻身」記

·王韜·

北平的「妓女解放」，是[illegible]

王朝統治大陸後所出現的「偉績」，「中共文教部電影局」所攝的「烟花女兒翻身記」，特地製了俄文拷貝，進貢到莫斯科給「老大哥」欣賞，事實上，一年來這些可憐身世的烟花女兒，是不是眞的翻了身呢？

古城「解放」的第一年，「人民政府」對妓女問題，仍像今日上海、南京、漢口、廣州等地一樣，任其自生自滅，不加管制的。當時中共的財政支絀，「全面解放戰爭」還未結束，爲了「緊急支前」，有個時期且曾抽取「花捐」，榨取烟花女兒的血汗，來支援「解放大西南」。

三十九年元月，「北平市第二次人民代表會議」，通過了「北京市民主婦聯」提議封閉全市二百七十三家妓院的議案，經呈請「中共中央局」批准，北京一市的一千五百三十七個「正式註冊」的妓女就「翻身」了，但「翻身」的妓女只毛天子城腳邊一小塊地方，全國各地的妓女並沒有「普沾鴻恩」。

王府大街的西端，一棟巍峨的「封建遺產」，門前經常停滿一兩部吉普車，兩個穿制服的警察很威風的站在那裏，懸衛一字的招牌寫的是「北京市婦女生產教養院」，這便是「翻身妓女」集中的地方。

經過三月「教育」以後，他們被分派到紡織，線織，製軍鞋，搓麻綫等四個部門裏「生產」。韓戰爆發以後，因爲「生產教養院」的業務，是軍需工業的一部份，爲了「生產支前」，她們每天的工作增加到十小時，有時還要開夜車，連夜趕製軍衣、軍鞋，休息的時間又要爲「抗美援朝時事學習」所支配，「愛國主義的生產競賽」迫使她們忙得喘不過氣來。

她們的薪給是八十分到一百二十分折實單位，吃了伙食，剩下寥寥無幾，她們很少添製衣服，臉上的紅潤褪去了，更加貧血，更加疲勞，過度的疲勞，思想的束縛，營養的缺乏，她們默默的飲泣，這一回才眞的「翻身」了。

比較幸運的，是「清吟小班」的妓女，因爲這些「北地胭脂」或「南朝金粉」，過去是給「資本階級」享受的，姐兒們都綽約多姿，儀態萬方，被「組織上」無條件的分配給許多參加過「長征」的「英雄」。

蘇聯老大哥的顧問團源源來到「人民的首都」，衣、食、住、行之外，「性的問題」也是「中蘇友好協會」承辦業務之一，「翻身」妓女，又多了一條出路。「北京市中蘇友協」爲了伺候主子，特地從翻身妓女中，挑選了很多年輕體健，姿色可人的姐兒們，到東交民巷顧問團招待所，長期爲「老大哥」「服務」，因之身體較弱經不起過度摧殘，以致臥病床第，宛轉呻吟者大有人在，所幸來源充盈，中蘇友協對於老大哥的「洩慾器」，是不虞其匱乏的。

「人民首都」現在就沒有「烟花女兒」嗎？答案是否定的，過去她們是操公開的職業，現在則是進入了地下組織；每當華燈初上的時分，在東安市場附近的胡同里，在天橋附近的黑暗角落里，她們三五成羣，濃妝艷服的在向過往行人投下默默的情懷，在旅店中，只要你不是穿列寧裝或軍服，馬上會有人向你打招呼，問你一個人是不是感到寂寞？要不要找個姐兒陪一陪？諸如此類的事，實在多得不勝枚舉。

擔任「人民首都」治安責任的公安機關是不是也過問這些事呢？老北平人會告訴你，剛開始的時候也是管的，有很多姐兒被抓進公安局去了，經過「坦白」「悔過」之後又放出來，但是她們爲了要活，又不得已重新從事這項職業，雖然有些中共幹部準備將她們收容，再來一次「翻身」，但是第一次的翻身妓女，弄得「北京市政府」手忙腳亂煞費苦心，那裏還有能力再來一次呢？於是「公安」的幹部，只好睜眼閉眼，聽之任之了。

旅美雜紀

陳香梅

美國議員多半家道富裕

美國是以民主立國，但總統的權力很高，參衆兩院的決議案總統有否決權。此外總統又是海陸空的三軍元帥，因此有升調、撤換各統帥之權，麥克阿瑟將軍之被撤職，就是一個非常悲劇性的例證。

參衆兩院的會議室和會客室我都去過，參衆兩院每年開會二次，會期長短以當時提案多少而定。去年美國多事，兩次會期之間只有一個很短暫的休息。各州的議員們爲了經常要來華盛頓開會，所以大都在華盛頓有房子，不然就在大旅店裏租有長期房間，一方面可以居住，一方面可以應酬。美國的參議員每六年選舉一次，衆議員每兩年選舉一次。有些議員已連任四五次之多。

美國總統的薪俸是每年十萬元，交際費及其他除外，並有房子可住，又有警衛及服侍之人，所以生活非常優裕。議員們的薪俸約兩萬元一年，但他們有交際費等等的津貼。有許多議員們是有背景的，也有很多家道富裕，在故鄉不是油田的主人，就是報館的董事，或是某種營業的投資者，有些擁有廣大的農田或畜牧場，有許多人爲他們撐腰。

美國議員我見到很多，他們多半是法律家出身，說起話來口若懸河，說而不做的很多，但其中也有不少敢作敢爲的。政治舞台本來就有種種黑幕，在美國當然也不能過於例外。（十七）

從年齡說起

·素心·

人們常常在戲謔女人，說她們從來沒有可靠的年齡，隨時隨地，可伸可減；唯一可以判斷的，只好憑她們的芳齡。其實，除了女人外，有些男人也是如此，特別是鼓如簧之舌，學鸚鵡之音的過去那些政治掮客，有時候把自己裝得像「老」奸巨滑的容貌，顯得飽經世故，事理通達；有時候卻學三尺稚童，天眞浪漫，顯得自己心中無邪，博取豪門巨賈的垂愛。

這是男人年齡的第一類型

第二類型是老的裝得道貌岸然，自己對自己非常滿足，覺得從飛禽走獸到人世間的一切，他都精通無遺，對於年青的一代，流露內心的藐視，輕視，甚至鄙視，俗語所云：「嘴上無毛，說話不牢」，那就是老的一羣，因爲不信服，不依靠年青的人，挖了心機想出這樣的兩句話，恭維自己，菲薄年青的。

年齡的距離其實只是生不逢辰的時間因素，拿它做了衡量他人，欣賞自己的尺寸，實在是最幼稚愚蠢的一件事。一切靠本事，年齡只是每個人糟蹋白米麵包的紀錄。

建造原子堆的新金屬

·周明·

時代科學

關於製造原子堆的研究，現已發出一種異彩，獲得這個成果的人，就是美國原子能委員會的哈夫斯泰博士。

最近他說：「過去在製造原子堆的工作方面的一個最大困難，就是如何製造一種純粹並且可以大量生產的原素，然而這個困難現在已經被克服了。」

據原子能委員會透露說，用以製造原子堆的新物質，是一種銀色閃光叫做鋯的原素。

純粹的鋯適於製造原子堆，因爲它吸收中子的力量特別低，所以它能夠深入一個原子堆的中心，而不致像銅或者其他的普通原素那樣妨礙原子的反應。

鋯的金屬粉在過去已有製造，但是因爲非常罕少，所以售價高至五百美元一磅。今日由於美國礦冶局專家的研究發展，這種原素已可成噸地製造了。最近他們的工廠已經擴大，每週的生產量增至二千五百磅。

這種銀色的鋯比鋼約輕六分之一，熔解點特別高，可達華氏三千度。截至目前爲止，它的主要用途是用來發生特別明亮的閃光，像做攝影燈泡的燈絲，探照燈的發光體，其他的較小用途，包括用作打火機的火石，它的優點是在潮濕的時候也可以發出光熱。此外它還可以製造多種有用的合金。它和黃金混合之後，硬度特別高，可防腐蝕。現在空軍方面已在製造一種鋯與鎂的合金飛機零件。

圖：方鑄成的鋯片，工人正在剝開它外面保護的鐵片。

魏德邁將軍一印象

·海天·

民國三十六年夏，最近請求退役的魏德邁將軍奉命來華，作特別調查，抵南京後數日，南來廣州。筆者那時在廣州某報服務，早一天在行轅新聞處獲到這個消息，弄到一張特別證，次天午前趕到天河機場，側身于軍政要人之林，作爲數百歡迎羣中的一個。

一架巨型軍用機抵達機場上空環繞一週後着陸，機門開處，一個高個子、身穿條紋西服，黑皮鞋，灰呢帽，臉上佈滿沉默氣氛的魏將軍首先出現在我眼前，那時，爲了對貴賓表示敬意，來歡迎的軍政要人們都列成隊伍，候他前來介紹握手，儀仗隊正高奏着歡迎的歌曲。

筆者不受行列的限制，首先和幾位同業跑到機旁包圍着他，要求發表談話。

「對不起，我來的任務是調查，這任務還未開始，沒有意見發表。」他這樣的答覆我們，當時我很不滿意他這樣沉默。

他留穗的幾天時間當中，筆者幾回設法從他口中獵取有價值的新聞，可是，每一次企圖都趨于失敗，他的沉默，一直維持到離穗前一分鐘。

他返國向政府報告是祕密的，並沒有公開發表。這更使我不斷的猜測，這一位沉默的將軍，到底向政府報告了什麼？（前年美國務院發表的白皮書中，所列舉的當然不是我們尋求的對象。）

直到目前，參議院軍事委員會將他的祕密報告一部份發表，才悉他當時向美政府建議應予國民政府之一切可能的精神和物質上支持和援助。

因此，他的沉默印象在我的腦海中表現是友好的。

雖然美對華政策兩年來在一部份親共人士把持下走了若干彎曲路，但當年魏氏的援助支持我們的建議，在反共立場共同要求下，開始按步實行了。所以，在自由中國前途愈見光明轉換的今天，特別浮起他當年留給我腦海中一個印象。

慨捐與警告

·小王·

一向被尾巴報笑駡的某報老板，最近被敲了一筆不大不小的竹槓，也受了不大不小的一陣譏嘲性的捧場。原來中共最近發揮義和團紅燈教的「鬥爭」手段，大事渲染其「洋尼姑挖嬰孩眼睛鼻子，合製原子火藥」的共產神話。不知怎的，又扯上了這位老板，說他曾經在過去十幾年來捐過很多錢給廣州聖嬰院，而結果成了加拿大女傳教士「屠殺嬰兒的屠場，使他認爲非常不幸」云云。鬼差神使，這位老板便又「慨捐」了五千萬「人民」幣，照牌價約合一萬二千餘港紙。這筆慨捐，對於這位老板的財產來說，是一筆很小的數目，但就一般富翁愛錢如命的心來看，卻是一筆很大的數目了。

因此，某新尾巴晚報便在短評欄裏「大題小做」了他一下：「對於這筆捐款，可能在香港引起很多議論的，會有人抨擊×先生而甚至認爲是另有一種目的行爲。但我卻認爲這是一種光明的用法。」

結論是：×先生「值得從各方面都調整一下。」這裏有點像是勸告，也有點像是警告了。

竹影心聲

·上海來鴻·　·離草·

九

今夜我特別胆小，我怕在離開上海之前失蹤，這個「預感」，每個在鐵幕中生活的人都有。我就心以後沒有自己的自由，所以又偸偸地下床，戰戰兢兢地舖着白紙，屑屑瑣瑣地又和你寫信了。

這是破例的事，從不在一天內和一個人寫兩次信，睡前完成了的，打算去車站時付郵，現在寫的尚未決定什麼時候寄給你？存上海發出？還是到了杭州再寄？

我只是覺得四週一片黑暗，築起了一堵牆似的，人與人的感情，在這年頭都變成了一種買賣，一種欺騙。到處是瘋子，而瘋子的最高理想是活下去，那活下去的條件，乃在陷害別人，檢舉別人，越是沒有人性的舉動，「思想」越是前進。

聽到和報上看到關於共產黨的把戲太多了，兒子槍斃老子，女兒不認母親，都可稱爲英雄，唯獨我這個家，背道而馳，不知媽會不會有一天也檢舉到我？親自送我到集中營？

上海的集中營在那裏，你知道嗎？告訴你，每個人沉重的心就等於加了一把「思想」的鎖，有這把鎖的地方就是集中營。

若爾訂了一份香港出版的作爲共產黨應聲虫的報紙，她說在這種報上，可以從夾縫中得到一點我們所希望知道的消息，更可知道一些香港情形，許多人喜歡這份來自遠地的報紙，原因是它有一點鐵幕以外的記載，也有「美帝」的電影廣告，和五一型派克的廣告上說的這支筆的好處在那裏。這些「有毒」的招徠主顧方式，上海人見了眞是如同隔世。

請你仔細想想，我們還有自由嗎？看一張與魔鬼一鼻孔出氣的報紙，不過格式上稍爲「放鬆」一步，已經忘了「仇恨」而有「親切之感」，所以你怎麼也不能說我有杞人之憂，隨時隨地在變，也就變了自己，已失了。信寫得火氣太重嗎？我覺得也變了，從前是不這樣的；可是千萬請你原諒，我的溫柔僅僅在信箋上凍結了起來。現在眞的想睡了，決定了兩封信同時發出，祝你在收信時候有兩重喜悅。

不想回家的俄國兵

德境俄軍隨時可發動戰爭

[illegible]情形不好的時候，從不會談到軍隊方面的事[illegible]伏特加酒[illegible]

每晨須在五時起床，到五時半，全部官兵必須盥洗完畢，將床舖和房間整理乾淨，鞋子刷亮。在二年以前，蘇聯軍人[illegible]的制服，曾在德國人間引起許多特別的話[illegible]每個士兵每月[illegible]一小塊肥皂，且必須每星期到澡堂去洗澡一次[illegible]熱水[illegible]早餐是在五時半，其後即分配這一天的配給品，每個人可得到六百至八百格蘭姆的麵包，五十格蘭姆的糖或果醬，三十格蘭姆的猪油，半公升的茶或德國咖啡。軍營中的學課在六時開始，歷時三小時，在這時期，他們學習閱地[illegible]、偽裝、交通和排置軍械[illegible]上午九時至下午一時間[illegible]分別到戶外操練，練習，行軍，運動，野[illegible]刺[illegible]或打靶，有時外出舉行實地作戰演習。

「在四星期前，杜班柯來找我，樣子異常頽喪」，梅頓斯說：「三杯酒下肚，他告訴說，他的一連裏，有三個人在實彈演習中受了傷。傷當時會運用手榴彈和實彈，他的長官都會在上次大戰中參加這保衞蘇聯之戰。他們對部下的訓練，要使他們成爲有經驗的游擊戰鬥員。杜班柯對於透過戰術和近距離戰鬥的戰術懂得很多，他的部隊祇要一接到命令，即隨時可發動戰爭」。

在下午一點鐘左右，市民們可聽到紅軍結隊走回他們的營房，一路高昂地唱着紅軍的歌。現在德境的美國人，很多已搜集了這些歌曲唱片。回至軍營後，他們就進午餐，午餐通常是一公升捲心菜、大麥、洋薯和蘿蔔煮成的濃湯，有時可得到一點肉吃。照例紅軍士兵每天可能配給到肉類一百格蘭，但每週必有二三天被[illegible]菜來代替。[illegible]蘇軍的糧食全是在東德就地取得，[illegible]的長官[illegible]士兵們的[illegible]時常偷[illegible]，但是軍營裏偷竊的事件卻已屢見不鮮，士兵時時偷走其同志的麵包、豬油和烟草。對於偷竊行爲的懲罰是相當輕的，於這種小罪的人，約受禁閉一週，禁閉期間的伙食祇有水和麵包。但是這一類罪狀不列入他的考績紀錄內。

下午的一部份時間內，士兵們須受政治訓練，政治指導員和他們的助手這時講述蘇聯歷史，共黨歷史、史太林和其他蘇聯領袖的事蹟。他們且指摘西方[illegible]的腐敗和指出[illegible]戰爭[illegible]士兵和平不想[illegible]說其他任何國家的士兵都[illegible]他們也一直聽到二次大戰中紅軍的偉大勝利，使他們藉此提高對自己的信心。

（五）

秦辛菁譯自星期六郵報

自由人

THE FREEMAN

（半週刊每星期三六出版）

每份零售港幣壹毫半

（第二十一期）

督印人：梁大成

社址：香港德輔道中一四九號四樓

電話：三二八二〇

149, 3rd FLOOR, DES VOEUX RD. C. HONGKONG TEL: 32820

承印者：東南印務出版社

地址：高士打道六四號

台灣總經銷處中國書報發行所

地址：台北館前路八十五號

電話：三〇三三

義民由港入台 應速定特殊變通辦法

他們省籍包括全國三十五省，這是整個中國縮影，如果對這二萬餘人入台無辦法，又如何能使人相信政府能有辦法解救大陸四億幾千萬苦難同胞。

劉百閔

義民入台問題，在反共抗俄的政府看起來，應該是一個最緊迫的最重要的問題。就這問題來說，政府應該早有辦法。現在的辦法，是軍公人員入境的辦法，是普通旅客的入境辦法，對於這些義民，均無法辦理，他們既不是軍公人員的直系親屬，自然亦很難找到有確實負責的兩家舖保，或兩人以上的保證人。這在政府，就應該有特殊的變通辦法。

這問題，喧嚷已久。立法院陳委員逸雲一直從去年喊起，胡委員鈍俞亦提案討論。這其間，政府並派遣雷儆寰洪蘭友兩氏來港招徠各方人士及義民入台，備見關切。但就一部份人士及義民來說，他們申請入台，時日長久，迄未照准，甚至傳說已全部批駁，這未免使這些人士及義民太焦急了，太失望了！台灣猶且不能入境，尚有何處可入境呢？不准他們入台，難道就任他們回大陸餵老虎嗎？老實說，入台是他們逃出鐵幕的唯一的目的，亦是他們的基本民權之一。

如果說，沒有批駁，不過倘在慎重處理中，亦不能過于慎重。如果過于慎重，不顧到這些義民逃亡在港的種種困難問題，他們自然誓死不回大陸餵老虎，但等入境証到時，恐亦將索他們于「枯魚之肆」，這將何以慰義民喁喁之望！

如果說，這不是單純的入境問題，尚包括數萬義民的整個生活問題。這是事實。老安少懷，從來就是政府應辦的事。何況義民問題，不是社會問題，而是政治問題。不是政治問題，而是整個人類的生存問題。而且現代的政治問題，時常是國際性的，尤其是救濟工作，不是絕對沒有辦法的，政府應該早已籌之熟矣。反共到了第四個年頭，而這個問題，還說尚在周詳考慮之中，將使人難以置信！反攻，這是大陸四億幾千萬人心底的迫切期望。在目前環境之下，政府不能指日誓師，策動反攻，這是政府的謀定後動，人民自可曲予鑒諒，但這畢竟是政府難言之痛！在沒有反攻以前，等不到政府伸出手來，他們自己顛沛流離，九死一生逃出鐵幕。據前時報的報道，單就調景嶺義民來說，據一位以前在上海市政府辦戶籍室事的義民談，營中約有二萬一千七百六十八人，其籍包括全國三十五省，這明明是整個中國的縮影。如果政府對這二萬餘人入台沒有辦法，又如何能使人相信政府對大陸四億幾千萬難胞的解救，是有辦法的呢？這關係于整個中國人心太大了，政府如何可以忽視！

我們迫切期望政府對於義民入台，速定特殊變通辦法，考慮不妨周詳，但決定應該迅速；處理不妨慎重，但手續應該簡易。以不足十方公里的調景嶺，尚容留了二萬一千七百六十八名的義民，採用了十八個分區自治的方法，建立起他們自治的家，可見他們在政府的政治之外，還有他們所能保衛的力量，這就是我們中華民族傳統的特有的精神，值得重視的。政府對於這些義民入台問題，可以不必過于慎重，過于周詳了。

上海大公報「發生反革命分子」 王芸生幾被抓走

中共大量屠殺人民，名之曰「鎮壓反革命」，手無寸鐵的人民，雖無從公開反抗，實無時不在謀反抗。四月二十九日上海大公報，在第一版「大張旗鼓，鎮壓反革命」的頭條新聞中，第二十四行中的「鎮壓反革命」，多印了一個「反」字，變成「鎮壓反反革命」。增加一字，意義完全顛倒。一時轟動全市，人民紛紛持一份「大公報」互相私議。弄得軍管會大發雷霆，立刻拘捕當晚全體排工，校對，追究國特。王芸生急得滿頭大汗，險些亦給抓來拷問。後經再三「坦白」，並于三十日第一版刊出「鄭重更正啓事」，承認「排工錯誤，校對疏忽，看大樣亦未看出，以致形成這嚴重的政治性錯誤」，並要求軍管會到館追究整肅，

報章一字之差，原爲小事，但差在重要關頭，顯非錯誤，亦非疏忽了。排字者多工人，可見工人中共之暴行，亦在力謀反抗，校對爲知識份子，由此亦可知知識份子對中共的不滿，看大樣者爲重要負責人，必爲中共黨幹部，可見共黨內部對太規模殺人的罪行，亦有所抵拒。雖然王芸生有心丟包袱，一面倒，但大勢如此，恐怕這類的玩笑，將來還會層出不窮的！（幸）

半週軍事

南中國海聯防
——香港絕對安全可能成另一釜山

黃震遐

本週遠東大事，已非韓戰，而爲南中國海的佈防。在新加坡會議中，英美法三國首次對於南中國海的聯防問題，將作認真的研究。會議的具體目的，當然是對可能來自中共大陸的侵略威脅，預作必要的處置，研究的內容，則依常識推斷，可能不出下列幾項：

關於聯合作戰的問題

從參加會議的人員看來，將來聯合作戰的陣容，必以大英聯邦的武力爲主，美法是必要的配合，這是因爲（一）香港和新加坡的戰略位置，以及澳洲印度之間，在廣大複雜的南洋中，織成了一個蛛網，蛛網的戰略中心，是新加坡，亦爲經濟上錫與橡皮兩項重要戰略物資的牽地，故馬來亞的命脈，關係南中國海聯防問題最大，除大英聯邦的兵力外，美法兩國，皆必須站在環球利益立場，分任新加坡外圍的保衛。這樣就促成美國必須以呂宋島之蘇碧灣爲中心，同時支持香港及紅河三角洲的形勢，同時澳紐以其站在遠東陣綫南端一翼的安全地位，亦有通過印尼海面北援星島的義務，在平時，白澳政策有其缺點，今後則澳洲千餘萬的白色人口，必將成爲大英聯邦最可靠的東方兵源基地，過去兩次大戰，澳紐出兵皆在五十萬左右，今天大英聯邦的遠東安全，最後亦必須依賴「澳撤克兵團」的勇敢。這是南中國海聯防的粗枝大葉的圖案。

關於政治工作的問題

美國已故地緣政治學者史派克曼曾稱南中國海爲「中國地中海」，意思是指環繞南中國海四週的居民，如越南，馬來亞，蘇門答臘，印尼，菲島等地的社會活動份子，多數皆爲華僑，華僑資本及華僑的民族意識，實包圍支配着南中國海，在政治上殊無異是一個「中國的地中海」。故在政治問題上，必然要估英美聯防計劃中最重要的部門，英美法怎樣來解決這問題呢？這裏面顯然有矛盾，更有困難，因爲中共同時也在東南亞號召「統一戰線」，利用民族主義和愛國主義來動員華僑，促成蘇俄勢力的南下，中共可用「解放戰爭」，「人民戰爭」的方式來加強它在四週邊的活動，而西方國家則至目前爲止，仍祗有警察行爲的舊式政治來應付新的侵略。這自然不易討好，也不易成功。但從英國東南亞專員麥唐納的一貫精神看來，新加坡會議後的全般政治工作，當跟着國際環境的變化而有新的決策，至少在消極防禦方面，可能鞏固此一「中國地中海」不使它變成紅海。

關於香港前哨問題

有人說，在目前蘇俄整個鐵幕中，祇開兩個窗戶，在西方的窗戶是維也納，在東方的窗戶即是香港，維也納和香港分別替蘇俄吸收戰略物資，以備大戰應用，維也納吸收機器成品，香港則吸收錫及橡皮，一旦錫及橡皮的供應中斷，香港即歸無用，即可能捲進鐵幕。這話有幾分道理，卻不充分，在軍事上，香港彼此都難守，比較起來，還是海權佔優勢，故問題不在香港陸軍能否自衛，而在英美的聯合海權能否迅速加強香港，使成海權的灘頭。反之，如果中共攻下香港，則英美的聯合海空勢力，亦可將香港奪回，並置整個粵省於飽和轟炸之下，使粵共沿海受敵，處處挨炸，得不償失。因此香港前哨的安全問題，首先決定於海權兵力的程度。如果美國第一艦隊能夠負責支援香港，保證在香港受攻廿四小時之內開到，則中共必不敢輕舉妄動，平時不敢動，大戰發生時則同樣不敢動，這樣香港即成爲另一釜山，具有極大政治及軍事價值。從全局看，相信英美法三國在新加坡的會議，必有一個積極的決策。遠東下半年的歷史，也許更富於彈性，韓戰畢竟提供過教訓。也許中共不會多作得不償失的冒險。香港是絕對安全的。

中共雖敗退 會戰尚未結束（上）
——傷亡比率至少是十對一，聯軍大佔便宜——

鮑爾文作　許孝炎譯

上週，因敵人之重新集結兵力，準備恢復攻勢，或發動第二次攻擊，使共軍的春季攻勢暫入於「喘息」狀態。

就這一次會戰的第一回合作一個結算，截至目前止，佔便宜的還是我們。不過，敵人在這一次會戰中，也並非毫無所得。這一次攻勢的兩個星期中，敵人之成就如左：

（一）在突破最深的地點，敵人前進約三十至三十五英里。我軍的後撤，一部份顯由敵軍之突破或緊迫，但有一部份則由於我軍有計劃之「閃避」。

（二）除東海岸一小段之外，北韓境內已完全無聯合國軍之蹤跡。聯軍之向三十八度以南撤退，在事實上雖不重要，但如敵人願以去年六月以前之韓國現狀爲基礎而謀結束戰事——看情形，敵人不會如此——則聯軍之撤退在三十八度以南，在政治上實含有極大的意義。

（三）漢城通春川公路[illegible]

（四）[illegible]

（五）[illegible]

（六）[illegible]漢城仍然在我們手裏。

漢城在軍事上雖不重要，但倘敵人願意考慮停火，則漢城之得失，在政治上及心理上實具有相當重要性的。

（二）比較更重要的一點，即我軍仍完整如初。聯軍此次所作之退卻戰非常巧妙，敵人不但未能將其包圍，且未能殲滅其中任何一部份。

（三）敵人的攻勢，距其最後目的——驅聯軍出韓境——仍相逐甚遠；事實上——就這個週末的情形來看，他們還沒有看見這一點影子。

（四）爲換取有限而且尚不穩固的土地，敵人所付的代價確實很重——從開始前兩週攻勢起，可估計敵方傷亡的總數，在四萬至七萬之間，雖然南韓軍及少數美軍單位傷亡甚重，但就聯合國軍傷亡總數而言，則爲數實甚輕微；因此，雙方比率至少是十對一，聯軍佔大便宜。（按：本文載五月六日紐約時報）

時局漫談

台灣可能成一個戰場？

左舜生

前天（十四日）午後三時，美國軍事援華顧問團團長蔡斯少將，在台北『中國之友社』舉行了一個中外記者的招待會，從他所發表的談話中，可看出有下面幾個主要之點：

（一）美顧問團駐台，但台灣中立政策不變。

（二）一九五一年度（按即本年六月底以前）美國對台的軍援，數字共爲五千五百七十萬美元，即用於陸軍者爲五千萬元，用於海軍者爲五百七十萬元。一九五二年度（即自本年七月起，至明年六月底止），更有撥付台灣軍援二億五千萬元的希望。

（三）顧問團工作範圍，以台灣，澎湖及其他台灣週圍的小島，以第七艦隊的巡邏區域爲限，即包括台灣，但金門並不在內，不過蔡斯本人及其他團員，可能前往金門訪問。

（四）蔡斯更強調的警告說：『台灣可能將成爲一極活躍之地點及感受威脅的區域。』換言之，即台灣有成爲第二戰場之可能也。

中共在華南沿海一帶，增闢空軍基地多至七八十處，吾人早有所聞；中共人員及蘇聯技術顧問前往海南有所佈置，爲時已在半年以上；最近陳毅更將其三野兵力加速擴充，人數已由五十萬增加到七十萬，其主要任務即在加強閩浙沿海一帶的警戒，據最近吾人所得消息，僅在汕頭至廈門一綫，已不少於二十萬人。中共這樣一種做法，究竟是志在防禦，還是志在攻台，吾人不能輕下判斷，但中共未能一日忘情於台灣，要爲無可否認的事實。

美國一方面不願動用台灣的國軍去反攻大陸，爲的是怕引起第三次世界大戰；一方面又準備在今後一年內運用二億左右的軍援去加強台灣，爲的是決定不願意以台灣委諸中共。這樣一種做法，自然似乎很巧妙而且相當穩健，然而不能說沒有包含一個絕大可能的危險！

假定在韓國戰場，美國因爲不願轟炸東北，無法予中共以決定性的打擊，則中共依然保有龐大的力量，可能用以攻台；在今後的一年間，假定中共在華南沿海的佈置確實鞏固；而兩棲與傘兵的部隊，又已達到相當的數量；一切交通運輸的技術問題，更能得到適當的解決；然後配合蘇聯強大的空軍與潛艇，甚至採用爲美國所不敢用的一種非常手段，擇定適當時機，居然對台灣來一個空前的猛襲，我們不知道在中美合力的情況之下，是不是絕對有把握可以確保台灣？或使台灣遭受一點無可補救的損害？

『先發制人，後發即爲人所制，』最近馬歇爾元帥關於不願於韓國以外另開第二戰場以觸怒蘇聯一點，已經在美國的參議院襄，公開的說得明明白白，萬一史太林針對美國這種『恐蘇心理』，公然不惜冒大不韙以突襲台灣，其後果可能使美國在太平洋的防綫粉碎，而日本與非律賓將即刻陷於動搖，其危險性實在珍珠港一幕以上！自然，我祇是一個書生，根本不懂得軍事，馬歇爾元帥，我會在重慶和他長談過一度，很佩服他的想法，而我相信他也有一番道理，可是，假定我是史太林，我又知道大戰終不能免，爲了在遠東打一次『有把握』的大戰，老實不客氣，我一定助中共『突襲台灣！』

軍援與經援

在蔡斯少將招待記者的這一天，美國經合總署台灣分署署長麥葉博士，也曾隨同出席，他曾表示經援與軍援可能保持一相當配合，這個意思是很好的。我們知道，麥葉博士是美國一個有地位的農業專家，其人公正和平，對中國異常友好，他過去對農復會的貢獻，是我們所不應該忘記的。一九五一年度美國對台灣的經援數字，爲五千六百萬美元，據說最近由霍寶樹帶往華盛頓向美國經合總署所請求明年的經援數字，乃爲七千五百萬。假定這一着能得圓滿的成功，則我個人願意提出如下的意見：

（一）用於農業與工業的數字，宜作適當的分配。

（二）行政費宜儘可能的減少，事業費儘可能的加多。

（三）目光當着重在培植台灣實力以反攻大陸，不宜以保住台灣即認爲滿足。

史太林願否做「死鴨」

雷德福對參院軍事外交聯合委員會說，美國對大戰準備不足，所以此時無論如何，不敢冒觸發大戰的危險。據傳：美國國防部，很怕蘇聯在今夏發動大戰，他們正儘一切力量，設法限制，想拖延六個月。美國究竟到什麼時候，才算準備充足？美國動員局局長威爾遜曾經說過：「到了一九五三年一月一日以後，無論什麼時候，史太林如果進攻美國，那麼，他就要變成一隻無用的死鴨」。這句話表示，一九五二年底，美國作戰準備，可告完成。但是，史太林為什麼就那樣，不在一九五二年以前打，一定要等人家萬事齊備，却睜眼睛睡去做死鴨呢？

許多美國人，對於杜魯門政府悠閒自在坐等一九五三年到來的辦法，很為焦急。他們感到政府太懶散了，以為還有將近兩年時間，蘇聯可從容佈置。西雅圖一木材商人，最近曾大聲疾呼，提出驚告。他說：「因為杜魯門一切舉動，現在還同平時一樣，一般人也就跟着他過一樣的生活。杜魯門總統安慰大家，眼前沒有大戰，那麼，誰又會特別緊張，肯自動砍下一株樹，去供獻政府，做實際的警覺呢？」從各方傳出消息，美國軍事準備，還不好，犧牲，馬歐俄不敢在這時觸怒蘇聯，自有他的苦衷。但你越害怕，也許蘇聯就越敢冒險一試。不觸怒蘇聯，是否就能夠避免大戰，那是誰也不敢保證的！

「我是一個美國人」

麥克阿瑟回國後，在公眾集會上發表的演說，都很生動有力。特別對芝加哥歡迎的一段話，最為精彩，他說：我的公共生活，已告結束，作為一個公民的責任，却並不稍有減免。只要上帝允許我存在一天，我一定繼續和人類最大的禍害——共產主義——作戰到底。雖然我已失去名位與權威，但我仍很驕傲的，擁有世界最大的榮譽，——我是一個美國人。

漏網的世界珍聞

一丁。

很多國際新聞，在中國報紙上沒被刊登，他們雖不一定太重要，但有些側面意義可供玩索，或統計數字足資參考，或奇聞趣話，有裨談助。因此，我們自本期起，打算從國外各種報刊中，選譯這類性質的新聞若干行，並給他一個名字，叫「漏網的世界珍聞」。

把麥帥看作「扒手」

前幾天，杜魯門在記者招待會，為了麥克阿瑟免職事，他要記者們回去，多讀歷史，過去許多美國總統，都曾不得已而罷免若干勛高望重的著名將領。他又說：南北之戰，為了米德將軍事件（MEADE, GEORGE GORDON），參院委員會也曾躊躇一時，不知為什麼緣故，他接着說了一句「那時參院把握米德將軍，竟和抓住了一個扒手似的，不肯放鬆」。這時記者馬上追問，是否總統的意思，麥克阿瑟將軍已被人當扒手一樣的在利用？杜魯門自己也知道太鹵莽了，趕快聲明，我沒有這個意思，我說這話，不過表示歷史上總統罷免著名將領，極為平常事件而已。

女王不許活過六十歲

南非部邦德蘭士瓦的羅夫都LOVEDU土人，由一女王統治。女王任期，通常到六十歲左右，即須自動退隱，並須痛飲一種由鱷魚肝臟配製的毒藥以死。但現在女王穆查紀三世 MUJAJI 却不肯遵守此種傳統大法。南非總理斯末資將軍在世時，常稱譽她漂亮聰明。她今年已過八十歲，仍照常掌握政權。最近羅夫都大旱，赤地千里，土人認為這是她違反傳統上干天怒所致，左右大臣，暗示她應即刻退位自殺，她明白表示拒絕，她說：飲毒藥一事，必須從此廢棄。土人大怒，德蘭士瓦政府聞訊，特派土著生活委員會主席湯林遜前往，以便為一致生事變，對女王設法保護，不意湯氏到達羅夫都縣境時，突傾盆大雨，一連數日，無法前進，乃暫返原地。土人初聞湯氏將來，頗感憤懣，及大雨迫湯不能入境，乃欣謂天助女王，降大雨以阻此白人來臨。且旱象亦已因大雨而告消滅。於是原來醞釀暴動的人，至此都轉而對女王更表敬畏。由於她堅決苦撐，退位自殺的慘劇，大約總可望不再實現了。

從國會調查證供

說到美國外交政策（上）

美國在國際間威望，今雖已陷於最低潮，但最大多數美國人民的理智和判斷，必能無負於美國的歷史傳統。

李秋生

由麥帥去職引起的遠東政策之爭，現在美國國會的調查還在中途，美國民眾據說已開始發生了厭倦之感。的確，如果美政府當局與參眾兩院議員們都不能拋開黨派的成見，平心而客觀的從世界人類前途休戚，政策施行的是非得失來作根本考慮，則預料此等調查將不會在多數黨壓服少數黨的必然結果之外，有何具體收穫，而至多只是把雙方意見和有關事實都擺在選民面前，等將來在票櫃前再作抉擇。

然而這並不是說這種辯論爭辯就了無意義，例如最近美政府之於遠東，已較前表現得堅定而積極。即在那些還不能擺脫黨派路線拘囿的兩院議員們，對於一般選民所表現的公意也不能視若無睹，否則就會因選民失望而在下屆改選時失掉議席。此外一件值得注意的事，就是這爭吵已從華府的國會山，波及倫敦的巴力門，當美國會正吵着盟邦對美政府的影響時，英下院中也有邱吉爾在指摘工黨中有人對中共比對美國更加同情，他認為「反共力量中任何形式的示弱，猶豫不決或意見分歧，都足延長（韓國）戰爭並擴大其規模」（見倫敦路透社電）」。即使邱翁不是替麥克阿瑟元帥辯護，至少他總不是不滿麥帥而贊成繼續的暗示美政府應加以罷免的那種人。

說美政府的罷黜麥帥，是受了某一國家壓力而出此，顯然不合事實，但却無疑是為了顧全美國與其盟邦的關係。馬歇爾元帥十日出席參院作證時，就曾明白表示：「美國與聯合國及其他會員國的關係的重要性，是罷免麥帥的直接原因」。（見華盛頓十日美聯社電）果然如此，則為了維持與國關係，結果本國內部反引起分裂，其為得為失，正復難言。但問題的重要性還不只此。

美國原是青年國家　重視理想不惜犧牲

追溯美國的立國根本，從發布獨立宣言那一天就是個理想主義國家，對於是非善惡看得往往比現實利害更重，為了解放黑奴，不惜戰爭之禍，兩次參加世界大戰，所要求者都不過十四條宣言，四大自由和大西洋憲章之類。這正是一個年青有為的國家的特點，絕不可能強求之於古老的霸邦，正是有為青年比老人更富於理想與正義一樣。因而美國的外交，儘管容易贏得世人同情，在現實場合中却每遭失敗。威爾遜在凡爾賽會議是一次最大的失敗，九一八事變後史汀生的孤掌難鳴，是一次為許多人所不注意的失敗。衹有在世界第二次大戰中間，以羅斯福的雄才大略，配合美國豐厚的人力物資，纔得有效的領導世界走向一致的理想的前途。然而在珍珠港事變前，他對遠東的積極抱負，始終[illegible]而不能運用自如，[illegible]會議[illegible]後的雅爾達[illegible]於無意中違反所揭櫫的原則[illegible]代，理想主義的貫徹不是一件容易事。羅氏崩殂之後，美國當權的政治家中竟沒有一個人能得到他的衣鉢嗣傳，繼續發揮從哲斐遜林肯威爾遜以來一脈相傳的政治理想，而世亂日亟，世局愈危，執政者便只能從現實的應付謀出路。嚴格說來，自從羅斯福死後，美國便只能從聯合國，從援軍計劃大西洋公約等維繫一些與國，而精神的感召與理想的領導却都失掉了力量。甚至有時擁護現實的利害關係還不夠，更要低徊遷就，惟恐自身陷於不幸的孤立。到現在，美國在國際間的威望是二次世界大戰以來的最低潮。而遠東方面情形尤為可悲。

就美國傳統講來，一向對於遠東比對於歐洲更感關切，雖然其參加第一次大戰是為了歐洲，第二次大戰却以東方為導火綫。戰後這幾年間，對歐洲政策初期雖嫌支絀，到杜魯門主義與馬歇爾計劃相繼提出，柏林空運打破俄國的封鎖，更促成大西洋公約的聯防，已顯明是道，漸次步入坦途，今後問題只是如何繼續加強實力，促進團結。而在遠東却迄今未脫出失敗的窠臼。

記曾慕韓（一八九二——一九五一）（上）

舜生

慕韓到美國去養病，已近三年，我們平日所得的消息，知道他總是時好時壞，他的身體自來不行，我和他做了三十幾年的朋友，很少看見他能有半年以上不生病的時候。這次出國，我以為環境變換，醫藥的條件也比較良好，應該於他有益。而且他最近還遊了一次歐洲，假定他的健康沒有好轉，似乎他決不會冒險去跑這一趟。可是去年冬天，他從巴黎寄了我兩首詩，都是充滿悲觀，已無復當年豪氣，我實有點替他担心。他由歐洲回美國以後，有一封較長的信給我，表示他願意離開美國，問我究竟以到那裏去為比較相宜。我因為不明瞭他經濟和健康實況，不敢為他決定，只好指出三條路綫，請他自己選擇：一、健康情況不佳，經濟勉可支持，便留美不動；二、身體尚待修養，經濟又無法維持，便去台灣休息；三、身體已好，興會又佳，經濟還勉強可以自了，便到東京或香港，來和我繼續奮鬥。我這封信寄去已一月有餘，還不曾得着他的回信，不料他於本月七日，以割盲腸不治，竟在華盛頓大學的醫院死了。他的死訊發表以後，我已經在香港的報紙上看見三篇關於他的紀載，執筆的人，大概對於慕韓生平不甚了了，因此在高下抑揚之際，不免失實。我想，捧場決不是一個已死去的慕韓所需要，厚誣却是大大的不應該，無已，似乎還是不如讓我這個比較知道他的老友，來為他描繪一個輪廓，好在他的朋友很多，明白他的家世，保存他的詩文的人還不少，因此，我把這些都劃出我的記載之外，讓知道得更詳細的人去補充，我在這裏只想談談他的為人，和他對政治的一些看法和做法，而且只以我確實知道的為限，凡我所不知道或知道一點而不能詳其始末的，也姑從闕如。

×　×　×　×　×

慕韓名琦，別署愚公，他有一本詩鈔題作「藏靈室」，四川隆昌人，生前清光緒十八年壬辰（一八九二），得年五十有九，僅僅大我一歲。他的家世和他童年時期的生活，我完全不清楚，僅僅知道他的母教甚嚴，好像他的中學時期的一位校長是講理學的，他和他的同學都很崇拜，也許他從這兩方面受的影響不少。

我和他認識是在上海的震旦學院，我雖不和他同班，但我們有過接觸，當時我所留下的印象，只知道他是一個土氣很重的四川人，他常常有幾個朋友在一塊，從他那一副蠟燭不盡的神氣看來，他好像已經是那個小團體裏邊的領袖，可是我并不在他們的圈子裏面。其時是民國三四年之交，他不過二十五六的光景。

後來他到日本去留學，到上海和王宏實張尚齡等辦「救國日報」，我都沒有和他通過信，僅在上海見過一兩面。到民國七年，他和王光祈，陳淯（愚生），周無（太玄），雷寶菁（眉生），張尚齡（夢九），李大釗（守常）等在北京發起「少年中國學會」，經過王光祈的一度介紹，把我介紹入「少中」，做了一個會員，並且正式的要我在南京負起了發展會務的責任。究竟慕韓是從那一點上賞識了我，我自己至今還[illegible]，因為我從來就沒有賞識過我自己，并且對那些裝模作樣自命不凡的人物，就根本[illegible]

×　×　×　×　×

慕韓在法國留學的期間，一面讀書，一面以愚公的筆名為上海的「新聞報」寫通訊，[illegible]三千字不等，報館酬以十元，後來改[illegible]角，大概每月通信七八次，約可得稿費[illegible]，即靠此維持生活，當然是很苦的。[illegible]年之交，中國共產黨已經發起，其時[illegible]儉學生很多，中共就從這一羣[illegible]活動，慕韓的反共工作，也就從這個時候開[illegible]當時在法國領導中共的便是周恩來，[illegible]維漢這班人；領導反共的，便是慕韓，[illegible]李不韙等等。聽說他們當時對壘的情[illegible]一會兒打打架，一會兒又開談判，[illegible]打打」「打打談談」，他們大概在三[illegible]開始了。

慕韓所發起的「中國青年黨」係[illegible]年十二月二日在巴黎正式成立，他所[illegible]口號：「內除國賊」，「外抗強權」[illegible]權」，在當時自然所包者廣；所謂「[illegible]便以共產黨為主體。其所以要提倡「[illegible]，他們自然早知道「中共」要求發展[illegible]「一面倒」以外，是斷然沒有第二條路[illegible]

讀者投書

敬告搶購船隻的「反共人士」

此時賺中共的錢將來仍要被中共清算

香港禁運問題，自麥克阿瑟將軍在美國國會提出後，引起了美國國會和政府的注意。英國政府表示支持禁運政策，並商洽本港政府，進一步加強管制運往共區的物資，加強禁運，這對於本港的工商繁榮，當然有不少影響，但港政府對整個國際安全和國際道義，自不惜犧牲小我，澈底執行。我們站在自由國際的反共立場上，唯有表示無限敬意，擁護本港政府英明的領導。

但有一部分本港人士，仍在搜購船隻，或竟駛向共區，或欲拆下廢鐵，售與共區，據說每一船隻，即賣廢鐵，亦有一倍的利潤。

這種事如果係中共派來的人搶購，他有他的使命，我們無話可說，如果係大陸來的貿易私商，為圖利潤，亦尚情有可原。最奇怪者，這一班走購船的，却多半自承為「反共人士」，他們向來居住香港，極少嫌疑，其本身資產，相當殷實，其生活上亦並無非賺這種「血腥錢」不可的必要。然而竟要這樣做，真不知是何居心？

我們根據與人為善的出發點特誠懇地向搶購船隻的居港人士，進以下的忠告：

（一）無論購到船隻，或向大陸以廢鐵出售，都是助諸君所自承反對的「中共」，從事戰爭的「一塊廢鐵，一堆血」，增加中共一分力量，即減除一分反共力量，[illegible]

（二）[illegible]

（三）[illegible]

（[illegible]）

傳王曉籟一被捕

『大張旗鼓鎮壓反革命份子』的風暴，業已席捲整個上海市。從四月末到五月中旬，據中共官方發表的數字，是逮捕了二萬餘人，[illegible]但在事實上，恐[illegible]據消息稱：[illegible]晚間十二時以後，動員了大批[illegible]，工人、學生等十萬餘人，凡一切稍具嫌疑並於過去[illegible]車搶，綁架而去。當時全上[illegible]天搶地之號哭聲，直衝霄漢[illegible]拘留場所因無法容納，臨時[illegible]馬場各處，無設置了大批拘[illegible]捕的人數是如何之大。又[illegible]份子」計，除新設「上海[illegible]查」，檢舉及逮捕審訊各[illegible]大檢，檢舉工廠，學校，社團[illegible]「積極份子」領導，分別[illegible]定所有居民均須負有檢舉[illegible]有被檢舉之危險，陷入了[illegible]被捕者名單，中共至今[illegible]在內，惟尚未能證實。

豐沛故鄉喪鐘初奏

湖南人要打垮毛澤東

反共怒火正燒遍整個湖南

儘管中共狂吹，大屠殺政策，已收到重大效果。說各地潛伏「反革命」份子，已多被拘捕，其僥倖漏網的，也嚇得走投無路。中共內報紙，曾鼓稱，「開封有一個『國特』在鎮壓『反革命』的嚴重空氣下，萬分惶恐，他從城裏跑到鄉下，從鄉下跑到城裏。叫家裏人給他買火車票，想向外逃，問他購到什麼地方的票，他一會說東，一會說往西，最後擺了一擺手說隨便買罷。票買好了，當他走到車站的時候，公安局人員早已在那裏等，當場將他逮捕。」無論這故事，是眞是假，中共作此宣傳，其意義無非表示，順我者生，逆我者死，天羅地網，早已佈好，任你想盡方法，也無法逃出我的手掌。

不過，另一方面，反共怒火正從大陸上每一角落，向中共迅速燃燒。下面這一些報道，都足以充分證明，中共的大屠殺，決無法消滅中華民族爭取自由獨立的決心。因此，中共也就無法用恐怖政策，來挽回牠垂死的運命。

目前反共武裝鬧得最利害的，還是毛澤東的豐沛故鄉——湖南。湘湖暴動的消息，我們上一期「自由人」業經報告。這種形式的暴動，在湖南各縣，都已遍地蜂起。

，並俘走僞農會主席——旋再襲擊附近之西港，公安員等十餘人。一派出所，殺斃共軍排長谷漢成，副排長何長襲及士兵等，繳獲全部武器，開放監獄，釋放百餘名被捕待殺之反共人士安全出險。中共派大隊由沅江，常德，益陽三路圍攻，竟被反共軍殺得落花流水，大敗而逃。現反共軍已在常德某地建立基地，附近人民多紛紛歸附，實力正逐日增強中。

。武岡。

組反共救國軍

另一反共大暴動，發生在邵陽以西，城步以東的武岡，該地民風，素極強悍，對共黨種種侮辱淩虐，早經切齒，上月廿四日，由前武漢綏靖公署參謀長蕭煥南，湘西行署秘書左鎮環，士紳謝海林等領導，集合鄉民數千人，以「反共救國軍」名義，號召湘西各縣，先後焚燬僞鄉政府數十處，殺死共幹數百人。聲勢極爲壯大。以上是湖南一省。

最近的幾件人民反共暴動、據昨天從長沙逃到香港的難民談，這種暴動，在湖南已成爲家常便飯，遍地皆是。中共業已手忙腳亂，有無法應付之勢，這其間有不少地方紳耆，及青年智識份子，從中主持，也許歷史重演，和洪楊被曾左打垮一樣，毛澤東的江山，竟又被湖南人打垮了。

。各地。

反共遍及全國

此外，據北平「人民日報」載稱：全國各地，正爆發反共武裝暴動的；東北齊齊哈爾市，一個重要軍需工廠，被縱火燒光。雲南省某地一軍火庫被燒，損失重大。陝西變城縣城內，燒燬房屋二百餘所。四川各地，最近有暴動事件二十餘起。嚮夏新組大刀會，異常活躍。青海的貴德，化隆，現均發現有鎗械齊全之地下軍組織。詐稱鎮壓成功的共黨報紙，對這些人民反共組織，現已無法完全掩飾，實際上共黨報紙所未載的，其規模和力量，當然要更超過許多倍。總之，大陸上四億多苦難人民，總不會個個束手引頸，任憑屠殺的！

（大光）

。祁陽。

放火大燒倉庫

湘桂綫上的祁陽，「中華反共游擊自衛軍」，異常活躍，據說：自衛軍特組有放火隊，專燒共方的軍火庫，糧食，及一切僞政府所屬機關，先後被燒損失的數字，估計值僞幣五十億以上。中共雖多方偵捕，結果，仍是愈燒愈兇。祁陽與零陵相隔很近，中共時時向他的部下提出警告，不要讓零陵前此的大縱火案，再在祁陽出現。

。漢壽。

共軍大敗而逃

漢壽，靠近常德，在洞庭湖西岸，全縣人民，因不堪共黨暴政，於上月十三日，公推士紳周克全彭子晨等集衆二千餘人，於當日夜深，突向漢壽僞區西鄉政府進攻，當時死共軍數十人

一片漆黑在共區

屠殺、威嚇、貪污、腐敗、中共面目畢露

一線光明在反共怒潮日見高漲

現在讓我來向海外讀者，報告一些大陸上鐵幕內的眞實消息。

杭州青年，也激起了反共怒潮。據杭州中共宣布，浙江工業幹校政治教員，（即中共派往領校訓練之青年幹部）張瑞文臥室床頭電燈開關，被人將外面膠木剝去，銅絲外露，張於開燈時，幾被電死。省立杭州師範附屬小學一個十二歲學生，因受年長同學鼓動，縱火焚燒校舍。嵩陽中學，每晨講壇，均滿寫「反動」標語。此外浙大，杭高，市中等校，均發現有陰謀破壞行爲。中共已大批捕殺各校教職員及學生，崇文中學教員吳勝渭，樹範中學教員丁天缺，杭高學生高德生，中共指爲首要份子，不日將公審處決。又蕙蘭中學學生李中字因父兄被中共以地主罪名拘捕，在校中向同學泣訴經過，中共當認爲立場不穩，威逼認錯。一連三天，不許睡眠，不許飲食，最後，迫令向全體同學，痛罵其父兄罪大惡極，並高呼「人民政府鏟除反革命是替人民除害」，始准其恢復飲食。

挖瞎了毛澤東眼睛

上海中國墾業銀行原有主持人，中共認爲係孔祥熙走狗，雖一度親身北上，獻金贖罪，中共仍將其職務革除；全部改組。最近，該行會客室所掛全世界共黨領袖放大照片，如史太林，毛澤東，金日成，胡志明等，其雙眼均被人挖去，又行內各部門，均發現反共標語。中共認該行職工，必仍與舊日「反動份子」，暗有勾結，尤共黨

穿列甯裝當街賭博

中共在上海，雖以嚴肅生活爲號召，但金迷紙醉之場，狂嫖濫賭，幾成爲中共全體一致之標準生活。尤其下級幹部，如警察及里衛辦事人員，一方面執行中共命令，不許人民打麻雀，一方面本身竟明目張膽，當街賭博。日前解放日報，載有讀者李寶貴投函，謂「四月十七日下午四時，經過西海路人民冬防辦事處。（按冬防辦事處，係中共自衛武力，名爲冬防，實則時時均在以冬防鎮壓人民「反動」也）該處門臨馬路，行人來往極多，我路過時，忽聞麻雀聲拍不斷，原來是處內人員在賭博。我走進門前一望，不覺一中掛着兩面五星國旗，及毛主席像，右邊放着一張方棹，四個穿解放裝青年男子，正坐着打牌。我想，這麼樣子是冬防辦事處，是為群衆工作的所在，這樣會使群衆對冬防服務隊印象不好，而且會失去工作威信，希望上級同志加以注意。」解放日報對於暴露中共弱點的投函，向來是先送上級機關，由上級調查處理以後，再酌量是否發表，大多數總是不發表的。這封信的進行發表，大約是這種當街賭博的情形太普遍了，上級無法制止，所以只好讓報紙刊登，應否糾正，等當事者自已考慮。這正是中共黨紀已臨末路的證明。

建築工程儘量貪污

中共的貪污，現已無孔不入。太原鐵路局，建築新車站，以四百七十多萬斤白米價格，（約合人民幣四十億左右）將工程包給永茂建築公司，據說，從局長起，高級職員，都分了大批回扣。該公司對路局職員，請客送禮，極盡應酬招待之能事。上月中旬公司在太原市最漂亮的正太飯店，宴請路局與工程有關的處長科長監工等七十餘人，一席費用，就化了二百多萬人民幣。荀慧生劇團來太原上演，甲等票每張二萬元，該公司一次就買了一百張，送給各有關工程人員，這樣揮金如土，則此項工程利益之巨，不難想見，合同規定，全部工程，限今年一月底完成，現已逾期三月，尙未完工。其已經完成的工程，很多偷工減料，與合同不符。新蓋好的屋頂，一部倒塌，洋灰地多已裂陷。路局局長及有關工程人員，因早有勾結，未便深究。但其中有分贓不勻的，已暗向北平告發，將來如何處置，尙無所聞。

統制鷄蛋虐待農民

中共對農村產品，統制極嚴，雞蛋一項，特設一中國蛋品公司，在各地專家收購。但派赴各地收購的人員，拚命嫖賭，對收購工作，每多遲誤。最近安徽阜陽，即發生農民憤怒毆打收購員事件。據稱，收購員往往整天不來，而除收購員外，不許農民將蛋售給任何人，以致挑賣雞蛋的農民每天將大街小巷，都擠滿了。日晒雨淋，擠等收購員大駕光降。上月二十日，擺在街上的鷄蛋挑，已達一千付。農民有從二百里以外地方趕來的許多人，等到半個多月，帶來的乾糧吃完了，夜間住不起旅店，睡在露天，因此受病的也不少。鷄蛋價格原定三千七百元一打，這一天，中共收購員來了，硬將收購價格，減爲二千元，農民忍無可忍，於是大罵賊打。收購員見勢不佳，抱頭鼠竄而去，當報告中共軍警機關，指爲國特搗亂。結果大隊人馬，將農民亂打一陣，鷄蛋挑全部踢翻，農民被捕數十人，正以國特罪名，嚴厲審訊中。

（悠然十日寄自上海）

光澤中學學生文工隊隊員

陳天柱血淚控訴

一妹被姦自殺　一妹被迫參軍

父兄調查死因　被誣惡霸送命

我是江西光澤縣立中學三年上級的學生，叫陳天柱。父親以前在縣城做過不小的生意，可是早在民國卅二年關門了。從那時起我們就搬回鄉下。爲了來往不便，所以我和天賀天晴二個妹妹在學校裏寄宿。

我們都是校裏文工隊隊員，用不着上課考試，學校叫我們不必担心留級和升班，只要我們把秧歌扭好，担保畢業。每天上午。上二堂比較主要的科目，往下就在禮堂學唱歌，一直到打午膳鐘爲止。下午不必和其他同學一樣上課，只在操場上或禮堂內排好隊，扭秧歌。晚上再排戲。起初不但我們自己認爲這是一種光榮，就連那些不是文工隊的同學看了，也羨慕我們，但是誰知道我們是深深的受騙了。

抗美援朝大遊行

扭秧歌女生送命

今年二月某日，學校接到通知，叫全校參加「抗美援朝」和勸納公糧的擴大遊行，這天我們拚命準備。第二天，八點鐘光景，我們這八十三人組成的文工隊，穿上了紅紅綠綠的制服，（我們的文工隊分爲腰鼓，街頭表演，街頭圖解演說，壁報漫畫，劇社，歌詠等等單位），在公共體育場上分頭出發工作，雖然還是春天，但太陽也很利害，看熱鬧的人多，又悶又熱，不過大家當時還覺得十分興奮。

中共幹部指導員黃建×說：鼓要打的重，手要舉的高，腳要踏的像騰雲架霧一般，腰要扭的彎，屁股要高高的舉起。下午一點鐘左右我們實在太累了，從早上的八點，我們未曾吃過一口飯，飲過一口水，滿頭大汗，肚子餓，口又渴，但無力再扭了，但我們還勉強支持着，但鼓聲已不如早上的響亮了。當我們扭到中山路的盡頭，後面啊呀的一叫，跟二妹同班的梁婉貞[illegible]顧不得再打腰鼓，[illegible]閉着眼的[illegible]是老百姓，有幾人去叫醫生，可是醫生沒有來，等來的時候，她已經死了，她什麼病死呢？起初我們不知道，只看見她暈倒後，她穿的短褲制服，溺滿了鮮紅的血水，臉很蒼白，雙手緊握在肚子上，後來聽醫生說：她肚子裏有了孕，震動太利害而小產死的。

遺書揭破了秘密

指導員人面獸心

梁婉貞不過十七歲女孩子，沒有丈夫，又沒有訂婚，肚子裏那兒來的嬰孩？我們都很猜疑。可是這事發生後的第一天晚上，大妹天韻服毒自殺了，我簡直呆了，同學拿了一封遺書給我，裏面一段這樣寫着「——你們也許不會相信這一件事是眞的，三個月前，那天的深夜，我們排演好了『劉胡蘭』一劇在回宿舍的走廊中，指導員黃建×請我到他房間吃奶粉，他跟我說了許多愛我的話，後來他板起兇狠猙獰的面孔，強姦了我！那時我失去了主宰，好像神經沒有了主意，我不敢喊怕給人家知道不名譽如此就在他武力懸迫的下面，被污辱了，從此我已經不是人了。我已經失去了靈魂，梁婉貞也跟我同一遭遇，她卻在廣大人民眼中不明不白的死去，她不但生前含怨而且死後含冤，我的死，爲了沒有臉見人，爲了要暴露誰是殺梁婉貞和我的兇手——指導員黃建×。

後來學校說這封遺書是特務造謠，大妹的死是病死的。

從此以後父親不許我和二妹再讀下去，可是學校不肯給我們退學，父親才想出一個主意，叫二妹轉讀護士學校，但是那家護士學校不久被政府接收了，二妹在他們脅迫之下簽名參軍了。父親同大哥爲了查詢大妹的死因和阻擋二妹的參軍，一同被捉。後來帶上「惡霸」「地主」的帽子被公審處死。我被監視，神經失常。

爲了要活，要反抗，要報仇雪恥，我拋棄了慈愛的慈母，從那萬惡，無恥，欺騙，壓迫，兇狠，遍地哀號的慘叫的鐵幕逃命出來。我用血淚公開報導我悲慘的事實，希望還沒懺悔，還不覺悟的人趕緊回頭！

（陳天柱）

報人喬裝女性

終遭中共捕殺

廈門大批報人被鎗決

廈門大屠殺中，新聞界受禍極慘。老報人被殺者有陳醒民，孫鐵魂，陳山明，鄭碧川，吳雅純等。陳爲廈門時報社社長，惠安人，逃返惠安，喬裝女性，四處閃避，中共捕之急，知不能免乃自首，終被殺。陳山明，同安人，廈門市商會祕書，兼同安日報負責人，解返同安公審後被殺。鄭碧川乃廈門宇宙報經理，最近始被捕槍決。吳雅純，廈門青年報總編輯，已卸職，被選爲廈市參議員，曾一度任市府社會科科長，餘不盡錄。四月廿八日有由同安經廈來港者，據說同安，海澄最近槍殺不少舊公務員，地方士紳，其中包括曾任明溪縣長之丘思帶，石美警所長之潘裕孚，抗戰時之漢口機場防衛隊長李特欽，灌口商會理事長陳植卿，（在廈被捕，解同安槍決）及富農洪作林，陳厝，曾三省，洪援千，丘思志等。其中丘思志，洪援千是華僑，另一被殺的功狗名陳侯錫，乃導中共入同安者，被擢升爲僞民兵隊長後，即兎盡狗烹。當四月中旬該功狗被提出槍決時，大駡中共背信無義，共幹乃痛擊至於垂斃而後槍決之。

（紫薇）

殺人競賽在廣東

德慶共幹自詡成績最優

廣東信宜縣老紳高建侯，年已八十餘，被中共指爲惡霸，今春一月被捕，先被納諸豬籠中，凌辱數月，始扛往北門外槍斃。德慶縣老紳朱禮堂，年七十餘，去年十二月底殺公審時，共幹命台下民衆依次上台，將朱之長鬚各拔十根，鬚未拔完，朱已暈死，共幹以冷水噴醒，再拔再暈，如是者七八次，鬚終拔完，始加槍斃。同月，德慶商人曾顯廷被殺後，其子錦芳復被捕，先罰遊街，高帽數尺，銅鑼一面，一步一敲，一敲一喊，自喊是「奸商，該死」。三次遊街之後，還押候決，因其家貲尙未抄查盡淨也。尙有溫植楷、梁秉剛、馮毅、馮星文、盧汝芳等百三十餘人，皆于今年一月初被捕，受各種刑訊之後，均仍還押，聽候處決。

又德慶人劉翽時，前原爲蔡廷楷屬下旅長，廣州淪陷前，曾多次發表談話，勸縣人歡迎共黨，希冀「競擁」自保，不料肇慶住屋被封後，雖曾親往北京求得蔡廷楷一封八行書，爲之求情寬恕，但葉劍英猶不賣帳，且更將劉在德慶捕殺。共幹在各地，互以殺人爲快，日前德慶副縣長黃炎，因公往肇慶，一登碼頭，與高要縣府人員會晤，第一句即自言德慶本月內已殺反動派若干人，問高要殺了多少，及聞高要數字不如德慶，還即面有得色，其意似認爲此一殺人競賽中，德慶成績最優也。

（榮春）

鉄幕叢談

美國最近一次原子爆炸

·周明·

時代科學

美國在太平洋恩尼威托克島完成了一次實驗性的原子爆炸，這是第二次大戰結束以來在該島舉行的第三次。前此數月，美國當局即已披露，一項稱爲「綠屋行動」的原子實驗將在該島舉行，據當時的揣測，舉行時期大致在於五月的上旬。最近這次實驗，當是屬於「綠屋行動」的一連串實驗之一。

這次實驗的舉行，首由美國會兩院原子能委員會委員民主黨衆議員傑克遜於先一日加以披露，復獲原子能委員會證實。傑氏在檀香山和華盛頓二地發表的聲明，對於這次實驗的情形，簡直未予說明，他既拒絕披露所實驗的武器的性質，甚至連舉行的日期也不願宣佈，而僅說；「他曾目擊在恩尼威托克島舉行的實驗，對其結果深感欣慰，美國原子武器的性能已遠勝以前，其爆烈力比投於廣島和長崎的原子彈猛烈數倍。」至於這次實驗收獲，他說；它已證明原子彈能在地面作戰術性的使用，原子彈的放射性曾被過份強調，我們現在已知道，軍隊能從任何遭受原子彈爆炸的地區通過，任何民防人員可立即進入原子彈爆炸過的地區；此次原子試驗也顯示：某種建築物能抵禦原子彈爆炸的力量。這對於準備應付全球性原子戰爭的將來建築物，具有重大的效用。

據我們所知，在過去十八個月中，美國洛杉磯的荷爾姆斯和諾弗爾建築公司在該島雇用工作人員數百名，一直在準備這個實驗，並建築一個「目標都市」，證之傑氏的聲明，我們可以知道，這一次實驗的主要目的之一，當是研究如何防禦原子彈的爆炸。而且，美原子能委員會也曾宣佈，這次實驗的情形，將充份報告美國建築師協會和民防局。

關於此次實驗中所試驗的原子武器，根據各方的報道，比較可靠的揣測是，其中當包括小型的原子彈，所謂「圓積」式原子彈，和原子彈藥。小型原子彈將可由高速的驅擊轟炸機載運；「圓積」式原子彈，大致是指美國已加圓積的新穎強烈原子彈，也或許即是傑氏聲明中所說威力遠勝於在長崎廣島投擲的原子彈的那種，至於原子彈藥，據此前科學家推測美國已近乎製成的，約分三種，一種是原子火箭，另一種是由滑艇發射的原子魚雷，再有一種是可由地面部隊的大砲或臼砲發射的原子砲彈。（傑氏聲明中所稱可供地面部隊在戰術上運用原子武器，即指這一種）。

在這次實驗舉行以來，原已有人猜測氫彈也將加以試驗，民主黨參議員麥紐遜且曾在西雅圖發表談話，說據他自「不能宣佈的消息來源」得悉「氫彈或原子彈」的實驗，不久將在阿留申羣島舉行，他甚至還說，實驗時，炸彈將埋於地下三百呎的深處，以試驗若有一個美國大都市地下隊道被破壞份子暗置補炸彈而爆炸時，將造成怎樣的破壞程度。」不過華盛頓的科學家認爲這次恩尼威托克島的實驗中，當不致會作氫彈之爆炸，同時他們也表示美國雖在氫彈研究方面已獲良好進展，美國原子能委員會以鉅大經費用於生產氫彈所需的重氫和氚，[illegible]但是氫彈的正式實驗，還須經過相當時日，最早也不可能在今夏以前舉行。

（[illegible]一九四五年[illegible]第一枚原子彈[illegible]時空中所昇起的蕈狀雲層，此彈的爆炸力等於TNT炸藥二萬噸。）

預言送了性命

·王汝國·

歷史鏡頭要回到中共渡江以後（一九四九年夏）共軍剛到浙江蘭谿縣，便捉了一位鄉村小學教員，罪名是「散佈謠言」，說什麼三次大戰就要爆發，美國人發明「原子炮」，一炮可以轟掉「四十里地」，雞犬不留，盡成焦土云云。共黨地方幹部所宣佈的罪狀，簡直認爲他是「妖言惑衆」之類。那時，中共因爲新得政權，正在大力宣傳「三次大戰打不起來」的。「原子炮」自然更不准談，土包子新貴們的科學知識有限，他們夢想不到半年後（一九五〇年初）美陸軍參謀長柯林斯便公開宣佈原子炮彈等等新式武器試驗告成，而不到一年後的今天——也許就在這個春天吧，「原子炮」便可能當眞會落到不幸的中共和韓軍頭上了。

「四十（方）里地」正合四方哩的面積，那正可能是減量的原子炮彈的毀滅的地面。至於「原子炮」的幻想，倒不能不讚佩那位鄉村教師的科學想象力。歷史上記載着大科學家牛頓，曾經特別寫信給研究科學的朋友，再三叮囑他由歐洲大陸往東方去的沿途，細心調查羅盤針，銅礮和火藥怎樣爆炸等等問題。其他有許多問題，在今日看來是異常幼稚可笑的，有些簡直還是荒唐不經的在科學理論上言，簡直是壓根兒不可能的胡猜。但就當時文化水準說，我們不能不佩服牛頓的科學想象力與追求眞理的研究精神。牛頓猶然如此，那位小學教師未嘗不也可成爲中國農村的未來牛頓。可惜中共幹部們比中世紀的僧侶們還要冥頑不靈，頭腦守舊。認科學的預言爲異端邪說，而竟將那位小學教師加上「散佈謠言」的罪名殺害了。

這不過是一個小故事，但是值了一條人命。

旅美雜紀

南部人請客午餐特別豐富

陳香梅

美國也有勞工問題，有時情形很嚴重，佐•路易斯是工人的偶像，他命令工人罷工，工人就非罷工不可；非經他的許可，工人也不敢復工，美國政府三番四次想置之於法，不過路易斯爲人狡黠，還有智囊團和大律師替他服務，所以美國政府對他竟是無可如何。

美國工人受政府的優待，而且工作時間也不長，可是還不斷地要求罷工，這或許是民主政治下的一種憾事。罷工最多的當推鐵路工人和礦工，每年總要表演一兩次，給當顏色你們看，政府方面總是設法調停，到後來也總是政府讓步。

在美國吃飯是一個大問題，西方的食譜到底不如中國的考究，他們除了煎炒烤炸和煮之外別無他法，普通飯菜一年三百六十五日換不出什麼花樣。最使人難於下咽的是他們所吃的甜飯，白飯用糖和奶油拌和，眞是有點莫明其妙。我們中國所吃的八寶飯雖是甜的，可是與美國那種奶油拌飯就眞有天淵之別。

美國南北方人的食法與口味也各有不同，南方人常自詡他們的烹調法比北方人高明，對於這一點我不願置評，不過，據我看來，南方人的菜肴確是比北方人的可口。在美國時，一位陳將軍的同鄉請我們吃飯，陳將軍是美國南方的路易斯安娜州人，這位朋友是美國衆議院民主黨議員，請帖上寫着的是下午一時。於是我們依時而往，在他們家里談話，喝酒玩了個半天，直到三點鐘方正式用膳，那時我餓極了，反而吃不下，其他客人則個個狼吞虎嚥，好不快意。這頓午餐，一吃就是兩個鐘頭，吃完飯後，大家玩各種遊戲，又唱歌，又跳舞，一直到晚上十點多才散，我那時肚子又餓了，以爲他們會招待晚餐，可是並不如此，我們是空着肚子走的。回家時我飽吃了一頓，才去睡覺。陳將軍卻毫無餓色，他說中餐吃飽了，晚上一點不餓，而且還說我受南方習俗之騙。後來我才知道南方人請客吃午飯，總是非常豐富的一頓，讓你吃個飽，晚上那一頓就可以免了。省時省事，本來是值得推行的，可惜我第一次深入美國南部，入鄉未曾問俗，竟爾受騙了！

美國的名勝地方我也去過好幾處，然而都無甚特色，一方面是因爲美國到底是新興的國家，無長久歷史性的名蹟。而且美人又崇尚新建設，築路修堤，樣樣隨着文明邁進，日新月異，因此在美國你可以看到的是統一的建築，寬大的馬路，明亮的電燈，數不盡的菜房和經濟店舖。一個髮式流行了，所有的女人就做那樣的髮式，一種服裝翻新了，大家也就穿那種服裝。最近美國女人流行一種低到胸口的晚禮服，兩肩也不用帶子，看起來就像快要從身上掉下來的衣服，一點不順眼。美國人，尤其是女人，對於服裝的審美只求其新，美與不美還在其次，有些希奇古怪的服裝看來毫不漂亮，可是就因爲它是新出品，於是很高價錢也有人爭着採買。（十八）

蘇聯的幽默

·楊一帆譯·

蘇聯政府正盡量發展其宣傳和挑撥行動的每一個部門，其間，它把幽默也包括在內。眞理報每週出一本名爲「鱷魚」的幽默刊物，若干蘇聯附屬國也各有附屬性的幽默雜誌，凡是受過共產黨適當訓練的人，似都能感到其中的笑話十分有興趣，而在我本人看來，實在難得有幾個能引起我一笑的。少數的幾個最好的，其作者覺大胆地在嘲笑他的主子。

例如鱷魚雜誌曾經有這樣的一幅漫畫，一對男女在聆聽夜鶯的高鳴，她對他說：「你喜歡這夜鶯之歌嗎？」他答道：「在我未知道這歌是什麼人寫的以前，我不能表示一點意見。」我不知道創造這個笑話的人是否現在還在人世，但謠言卻不少時有得傳來，說不少人已因作「不安」或「錯誤」的笑話而被監禁。

蘇聯政府認爲幽默要遵從其路綫才能算得幽默，我以爲在我笑的時候，我應該不覺得這個笑有用，而能以每一笑達到我所需要的那種輕鬆情緒。我知道，這是一種「不負責任」的看法，任何道貌岸然的道學家都會加以指摘的。但我相信我們都時時需要一種輕鬆的感覺，否則我們會成爲一種極度拘謹的人物，說一句話似乎都像在[illegible]。世界上沒有的事物是完整的，每一種事物都有它的缺憾，猶如一個袋子，太滿之後，其中有東西會從小洞裏滲出一般。所以我以爲應該能[illegible]良的笑話，我們能握住這種滲出的碎片，而把避開嚴密的制度的高牆，使我們在笑的時候不必保留顧慮。

蘇聯的幽默卻不是這樣的。馬克斯主義的袋子實在太小，不容納整個宇宙，因此蘇聯的笑話作者正不斷在搜尋他們忘記放在這個袋子裏的宇宙中的東西，對於他們，笑話的目的，是在於搜尋這種缺憾，而不管其作品蒙受到這樣的損害。他們假裝他們能享受這種步驟，結果他們對於無一件不能放入他們那個袋子的東西都發出極大的憎恨和憤怒。

在這種情形之下，美國遂成爲他們嘲笑和憎恨的最大對象，華爾街的巨頭被畫成一個口啣雪茄的大腹賈，一再出現於他們的作品中，美國政治家也受到他們同樣的待遇。在他們的心目中，美國的政客都接納賄賂和暴他人，警察都殘暴如野獸，專迫害失業的人，調查人員惡狠地檢查危險性的思想。

我以爲從沒有離開過蘇聯一步的人大致都能被誘導而相信，美國這個地方正如蘇聯漫畫中所看到的那種情形。一位心理分析學家，當能提供一件解釋：蘇聯政府已患着一種犯罪感，於是它的反應，就是把這個犯罪感推到其敵人身上，而設法去揭發自以爲是對方的罪惡，其實它本身也祕密地知道，這些都是它自己的罪惡。關於這一點，我們可拿蘇聯的另一幅漫畫爲證。一個人被帶到一位法官面前，捕他的那名警察正向法官敬禮。警察下的對白是：「這傢伙有危險思想。」「他說了些什麼？」「我在他沒有說出什麼以前就把他抓到了。」

軍國主義，鎮壓自由思想，迫害，對大規模的飢餓產生憤怒之感，原是蘇聯政府顯著的本色，而這些行爲卻被蘇聯的幽默家毫不幽默地用來指摘美國了。

蘇聯或其他任何地方的共產黨徒所以不能享受眞正優良的幽默，是因爲凡是承認生活並不完全是政治和政治並不完全是憎恨二項理論之一的人，決不能成爲一個良好的共產黨徒。共產黨的宣傳是要使妒忌與憎恨充滿整個世界，使妒忌與憎恨的巨大雲霧掩沒任何共產黨所吐出的任何一個字。同時，他們也被填以一種歪曲的思想，以爲其他任何人也都是這樣在被強迫接受妒忌與憎恨的。他們深信不疑，憎恨是宇宙之鑰，一切改變的動力。然而憎恨卻使他們不自覺地在內心長起一種恐懼，於是他們要求報復，爲自己的罪惡去向某一個對象報復。其實，憎恨像癌症一樣，會逐漸蔓延，而直到蝕盡其整個身體爲止。（原載紐約時報週刊）

中共的「秘密武器」

·小王·

上次大戰產生過一個笑話：「甚麼是意大利的「秘密武器」？」答案是：「德國軍隊」。

在三次大戰前夕，已經開始流傳着這樣的一個笑話：「「解放區」內中共的「秘密武器」是什麼？」答：「蘇聯老大哥！」

不想回家的俄國兵

士兵都已厭倦共產宣傳

梅斯頓說：「這班人待再要保衛他們的蘇聯土地時，無疑又會像獅子般去戰鬥的。當初我們在德國軍隊裏，一直震驚於他們的完全沒有恐懼感。那是令人不可思議的。」他停頓了一下，接着說：「但我相信艾赫柯憎恨參戰。他也不信任那些已使他厭倦了的一切宣傳。有一次他帶笑告訴我，一個軍官曾說服他們，要他們相信紅軍已解放東德——一個「斯拉夫」國家，和「向來是一個斯拉夫城」的柏林，艾赫柯未曾接受這種可笑的宣傳。

東德城市每有紅軍遊行和檢閱，常常每週到曠野去露營二次。吃過僅有麵包、茶和菜湯的晚餐之後，士兵們有時可看到訓練性或宣傳性的電影，影片都是「保衛史太林格勒之戰」或「會師於易北河」之類的，表現「英勇的蘇聯士兵」與「殘暴的法西斯匪」和「美國少爺兵」間的「生動對照」。電影之後是政治晚會，會中各小組的政治指導員考核每一個士兵政治上的可靠程度。其後如果士兵們熬過了這一天十四小時的工作還不致疲憊，那末他可以走進一個名爲俱樂部的大房間，裏面有桌球檯，祇放送莫斯科節目的無線電收音機和棋盤。棋總一直是有人爭奪的，一個士兵輸了二盤，必須讓位與他人。

每一連有一個讀書室，較大的部隊可有一個大圖書館。書籍三分之二是政治和軍事性，馬克斯，恩格爾斯，列寧，史太林的經典式著作，紅軍戰役的歷史，蘇聯勳章，蘇聯共產黨歷史之類。其餘的三分之一包括技術性的書籍——多數是無線電和電氣方面的——傳記和小說，特別是戰爭小說。法國小說，偵探故事，和最近代的美國小說被稱爲「廢物」，決不會在紅軍圖書館裏，見到一本。（六）

辛泰審譯自星期六郵報

竹影心聲

·上海來鴻·　·離草·

十

杭州變得很樸素，山水也似乎搞通了思想。人的臉上有點笑容，那是在一個土產展覽會上看到的，也許這裏是他們今年可得最好收入的地方。

遊湖的艇子，桌上也還有潔白的檯布，漿聲是沉重的，看不出他們的心事，不過他們喜歡「懷舊」是眞的，還在念着「雷峯夕照」。

已經住下三天，玉皇山上很多燒香問卜的人，我們懶得去找「月下老人祠」，若需說過笑話，這時候去拜訪他，他也知道這是對他老境的憐憫，不會說他的眞心話的。

早點每天是軟麵，加上魚蝦，人都喜歡新鮮，比牛奶麵包可口得多，上海有杭州館子，總是不够味，我的同路人說：「何不搬了來住？」我並不以她的話全無根據而笑她胡扯，因爲我對她說過待每個人都沒有一樁心事時，我決心把家「劃」在西子湖邊。

旅行原是一個「美麗的謊話的繼續」，現在我們才深深感到天下之大，已經沒有一個去所是適合我們的了。兩個人都打算「不如歸去」，可是誰也不提，原因是怕被「五一」這假日子譏笑說：「你們又看到我了。」

看到信上的郵戳是杭州，你會躭心我在鋒尖上滑出從前那些話嗎？這點我考慮，落筆因此也拘[illegible]意了。

沈思有了下文，是他的舊同事在上海車站上碰到我時談的，現在在一個訓練班學習，一週有四小時假期，可以支到極少的另用費，兩個月後分發工作，最可能是派到東北轉入「志願軍」服役，這樣了，而他也了了一心「爲人民服務」的志願了。

還個同事在說話時的表情太喜劇性了，據我推測，他是有點挖苦沈思的，沈思所以對我們不別而行，我以爲他有不得已的苦衷，兩個月後我想另有下文。

杭州的報紙，比論文性期刊還深，拿到報，份量覺得很重。今天本埠版有殺人的消息，那是司空見慣的新聞，懶得看清楚犯人的罪名了。

還有兩天，決定五月一日的中午一班車回上海。我們是在瘋狂的一天結束旅程。那天深夜，馬路上也許還有叫乾了[illegible]在若醬然睡以後替你寫信的。

等待有時殺死一個友誼，你切莫有[illegible]，我是等待不到什麼的；可是一直在祝福你南國有一個江南霧雨的天。

自由人

THE FREEMAN

（半週刊每星期三六出版）

每份零售港幣壹毫半

（第二十二期）

督印人：梁大成

社址：香港德輔道中一四九號四樓　電話：三二八二〇

149, 3rd FLOOR, DES VOEUX RD. C. HONGKONG TEL: 32820

承印者：東南印務出版社　地址：高士打道六四號

台灣經銷處中國書報發行所　地址：台北館前路八十五號　電話：三〇三三

杜魯門一老友過港

說：中國獨力反攻大陸 最快約在半年以後

又說：假如大戰發生 香港不會淪陷

本報記者

記者認識一位美國朋友A君，（姑隱其名），他現在供職於美國民主黨全國委員會，是杜魯門和馬歇爾的老朋友。他最近因事來遠東，三日前離港返國，行前，記者曾提出若干問題和他討論，承他很率直的一一作答。不過他聲明：他所說的，不全是官方的情報，有些祇是他個人的觀感，所以不可被認作是他老友們的官方意見。

只要政策確定 錢是不成問題

記者問：美國軍事顧問團已經正式派到台灣去了。這事自可說明美國對華政策確已轉變。但美國軍事顧問團不是第一次派到中國來，前在大陸時代美國也派有顧問團，然而美國最後還是拋棄了國民政府。以美國外交政策的富有流動性，我們不能不懷疑美國這次的轉變是否堅定可靠。你以為這個懷疑是一種過慮麼？

A君答：現在的情勢比較二三年前的大不相同，所以兩事不能相提並論。美國對台灣的關係，本已不絕如縷，這次派來的顧問團，在去年今日誰能料到有此奇蹟。現在出現這個奇蹟，絕對不是偶然的，也不是突然的，它是因經事實的需要，而且是經過美國官方和民間的長時期的研究和辯論，方才決定下來的，我離開華盛頓時，這個政策尚未大定。我那時詢問某軍事當局，他說：『現在尚未大定，但定下之後，一定要以大力來執行。錢是不成其為問題的』。

記者問：報載法新社華盛頓十日電說：美國國防部長馬歇爾十日在參議院聯席委員會第四日供詞中，說明下述各點：……（三）一九四七年馬歇爾任國務卿時，相信如果欲使中國國民黨軍有效能，美國實在要控制中國才行。「但鑒於世界一般局勢，我們自己軍事上軟弱，世界對此舉的反應，和我本人與中國短期接觸所得的智識，我們不能使我們採這途徑」。現在美國又派顧問團來了，是否美國認為中國政府已較前進步，無待美國控制中國而已能使中國軍隊有效能呢？抑或已經決定控制中國以求效能而免重蹈覆轍呢？

A君答：二者都有可能。中國政府確已較前進步，美援可能發生預期的效果。但是鑒於大陸時代的失敗，美國也有可能要嚴格監督美援的運用。但這是SUPERVISE（監督），不是CONTROL（控制）。美國不獨不想控制中國，也不想控制任何他國。馬歇爾在上引證言中已經說得很明白了。

中共揭下面具 反共才轉堅決

記者問：美國[illegible]問題的目標何在？美援的目的何在？

A君答：第一步使中國軍隊能以自力守住台灣金門。第二步能反攻大陸。

記者問：然則飛機和軍武器都會供給中國的了，因為要守住台灣，新式飛機已屬必需，反攻大陸，更不可少。你以為對麼？

A君答：是的。

記者問：台灣兵力現被美國凍結，不准反攻大陸。將來遠東戰事擴大時，台灣自可自由行動。但在僵持階段中，你以為美國會讓台灣反攻大陸麼？

A君答：我以為不大可能。因為美國現在尚不準備對中共擴大戰爭，從而引起蘇聯的參戰。而且台灣的實力還不夠反攻大陸而獲得勝利。

記者問：美國何時可在遠東準備安當，給予打擊者以打擊呢？

A君答：大約最快尚需半年。

記者問：美國的準備實在太遲了。對台灣的援助也太遲了。假如一年前就開始，現在台灣已有反攻的力量了。

A君答：還不太遲。一年以前中共的和平民主的假面具尚未揭去，大陸上的中國人，國際間的觀察，對中共都還有若干期望，沒有完全失望。那時談反攻，實是事倍功半，現在則是事半功倍了。

記者問：你以為台灣什麼時候能夠獨立反攻呢？

A君答：大約半年以後。

贊成聯合反共 不搞第二勢力

記者問：美國兵會參加反攻麼？

A君答：我不以為有此可能。美國不希望介入中國內戰。但遠東戰事擴大時，自當別論。

記者問：香港有危險麼？

A君答：將來大戰發生，香港自然受大威脅，但香港決不至淪陷。因為英國有強大的海空軍守禦香港，而中共沒有當年日本那樣的強大。

記者問：香港正醞釀著中國第三勢力運動，外傳有美國人在策動。美國政府的態度如何？

A君答：美國政府既已決定援助國民政府，自不至再搞第三勢力。

記者問：但據說確有美國人很感興趣。

A君答：大約只是私人行動，決不能代表美國政府，而其目的也或在調查內容，不是要去策動。

記者問：你以為中國目前最要做的是一件什麼事？

A君答：大團結，成立聯合陣線，共同反抗侵略。

（待續，十六日）

中共雖敗退

會戰尚未結束（下）

如果這次戰事無限期延長，美國整個戰略可能重作考慮

鮑爾文作　許孝炎譯

就截至目前為止的敵軍春季攻勢的總結算而言，我們可以得到幾個結論。第一而且是最重要的一個結論，即目前正在韓國作戰的美國軍隊，去年夏季，本來都是剛剛奉召入伍的新兵，沒有經驗，沒有訓練，第一次就派到韓國來作戰。現在這一支在韓國的軍隊，是值得我們美國人驕傲的一支部隊。這一種情況，自從李治威中將本年一月就任在韓聯軍總司令之後，愈加顯著，值得我們再縷述一次。

我們的部隊同敵軍比較有兩個最優越因素，——火力較強和機動性較大——自然在這兩個因素之內，還有一個比較更基本的原因，那就是一個比較龐大的補給系統。有這幾個優越的因素存在，才能使我們對抗並擊敗敵人所佔二比一．五比一人數上的優勢。[illegible]

不過最大的弱點，仍然是南韓軍，這一支軍隊現在有十個師（其中有六個師在前線上或接近前線）。倘若我們要橫斷朝鮮半島，佈置一條防線，明知這幾師軍隊很脆弱，但也不能不用它。

另一個潛在的弱點，是美國軍隊的士氣，而且這一個弱點可能因曠日持久而日形擴大。美軍士氣在去年十二月及今年一月一度低落之後，現在可算是高昂達於極點，但是倘若戰事無限期的拖延下去，倘若國內的紛爭影響到前線——最後一定難免——倘若現已開始的瓜代制度不能迅速執行，則這樣士氣的標準只怕不能夠永久維持下去。要維持士氣，瓜代制度是重要的；但是美軍的瓜代計劃目前[illegible]，倘若照目前計劃執行——每日由美國派新兵——五百名赴韓替代老兵——則第八軍的戰鬥力可能要降低——至少臨時是如此。

從截至目前止的敵人春季攻勢中，我們可以得到另一個結論：即敵人縱經過長時期的準備，在我們優越的火力及機動性之前，亦不能發動而且支持一個大規模攻勢。[illegible]共軍對聯軍最沉重的攻擊，也是去年十一月末十二月初共軍向我們一次全面進攻後最大的一次。去年秋季敵人之所以獲得勝利，不僅因為他們在人數上佔優勢，而且是因為我們在軍事佈署不當，和其他種種錯誤；同時我軍沿西海岸的退卻，未免過於倉惶，退卻的範圍也似乎太大了一點，事實總到不了那樣的程度。

（下接第二版）

漏網的世界珍聞

一丁。

很多國際新聞，在中國報紙上沒有被刊登，牠們雖不一定太重要，但有些側面意義可供玩索，或統計數字足資參考，或奇聞祕語，有裨談助。因此，我們自第廿一期起，打算從國外各種報刊中，選譯這種新聞若干條，並給牠一個名字，叫「漏網的世界珍聞」。

好一幕「舌戰羣儒」

麥克阿瑟在國會作證，委員會中的民主黨議員，幾於一致圍攻，麥帥逐一答辯，頗似中國小說諸葛亮舌戰羣儒。其中以和麥克馬洪MCMAHON幾次論爭，最為精彩：

麥克馬洪：「我們的動員局長說過：『只要一九五三年以前，我們還未受到另一個國家大力侵略，一九五三年起，我們就有力量抵抗任何方式的進攻』。那麼，我們為什麼現在不儘量忍耐一下？」

麥克阿瑟：「請你想想，照現在傷亡比率，再拖兩年，我們美國青年，在韓國戰場上，將要犧牲多少？」

麥克馬洪：「將軍！我請問你，如果對方投下一顆原子彈，我們華盛頓京城的傷亡數字，又將如何？」

麥克阿瑟：「讓我再重複說一下，現在所有的一切危險，都是跟着美國參加韓戰的決策而來。」

於是麥克馬洪遂不能不改變論點，另從其他方面進攻，因為麥克阿瑟最後這幾句話，顯然表示，既然準備不夠，既然這樣怕蘇聯，為什麼杜魯門卻要在去年六月，就決定在韓國抵抗共產黨侵略呢？那麼，一切責任，當然只有讓杜魯門去獨力担負了。

「麥帥被杜魯門鎗決了」

最近，日本外務省傳出一個這樣笑話。麥克阿瑟免職消息，首先到達外務省為四月十一日下午三時十分，其時外務省高級負責人，都正在參加吉田首相一處大宴會。留在部內的職員，對美國文字的習慣用法，不大精通。當時一位官員接到這電文時，看見第一句"Truman Fires MacArthur"，他立即拋置一邊說：「美國什麼地方發生了大火，這消息值不得急電報告。」另一官員接過來，馬上大喊說，「糟糕，你看錯了，這是杜魯門槍斃麥克阿瑟啊！」於是許多人都圍攏來，一行一行的往下看去。結果才明白，既不是美國什麼地方起了火，更不是麥克阿瑟被杜魯門槍斃，只怪他們不了解美國FIRE一字習慣用法，是表示斥退，和開除的意思。

貝萬值一千五百萬鎊

英國衛生部大臣貝萬Bevan[illegible]

時局漫談

左舜生

韓戰再起

常識，在韓國境內不能結束韓戰，這已經成了舉世所知的一個常識；馬歇爾與布萊德雷也斷然沒有不了解的道理，但他們依然要制止戰爭不許超出韓國的範圍以外，其最主要的理由不外兩個：（一）他們不惜付出鉅大的代價，以爭取更可寶貴的時間；（二）以這種拉鋸式的激烈戰鬥，一步一步使中共造成內部問題，或進而使中共對蘇聯的大量[illegible]

[illegible]靠緊蘇俄的程度便愈增加，那裏還會有什麼變化？中共最近在大陸上所實行大屠殺的鎮壓政策，便正是它一種安定內部的工作。現在中共內部的健全分子，所謂民主人士，以及一般內心反共的人民，已經在這種屠殺政策之下，震駭得發抖，無以自保，假定不有一枝反共的兵力殺上大陸，還有什麼人敢自動造起反來呢？

我們很可惜：以杜魯門先生的衝動，加上馬歇爾布萊德雷艾契遜的成見，可能使美國的力量趨於削弱，也可能使美國的準備工作延緩完成，這豈只是自由中國的不幸，也是整個民主陣線的不幸啊！

對日和約可能延緩

自麥克阿瑟去職以後，美國政府為表示對日的政策不變，乃汲汲再遣杜爾斯赴日，其目的在給予日本以一種安慰。可是麥去畢竟引起日本內的不安。[illegible]

[illegible]的恐蘇心理，已由馬歇爾說得明明白白，今天美國既不願採用麥帥的戰略一迅速結束韓戰以開罪蘇俄，明天又誰敢保證美國為保護日本一定就會以全力與蘇俄拚命？截至現在為止，美國的政策，顯然還是『歐洲第一』，『歐洲第二』的政策，假令一旦蘇聯發動侵日，美國又會不會立即放棄『歐洲第一』的政策，以大力來與蘇俄在亞洲相拚呢？蘇俄對於日約的意見，已正式公布，她既主張以包括中共的所謂『五強』共同商討，更主張琉球及小笠原羣島應該還日本，其目的即在見好中共，見好日本，加強英國對美的歧見。她雖明知道美國會斷然拒絕，但她藉日約以加重美國專斷的罪狀，同時加強她自己一個侵日的口實，其目的可以說已經完全達到。凡此，固然均足以加重日本的不安，即美國又何嘗毫無顧慮，然則日約在本年內難於成立，恐怕是一個無可避免的趨勢了。

巴拿馬政變

個人獨裁連最親信的警察首長也堅決反抗

黎晉偉

本月九日，美洲中部小國之一的巴拿馬，突然發生流血政變，巴拿馬京城經過兩天暴動的混亂之後，有百人以上受槍傷，六人宣告死亡，許多汽車被搗毀，許多商店櫥窗被打破，而出一萬五千個包括工人，學生，知識份子及商人的大罷工，已使整個巴京陷於停頓。至領導此次大罷工的，則是巴拿馬的醫生，據說，由醫生領導罷工，在巴拿馬歷史上還屬首次。

巴拿馬此次發生流血政變的原因，根據一般報道，均說是巴國總統阿里亞斯藉口為了應付共黨對巴拿馬及巴拿馬運河的威脅，因而廢止一九四六年憲法，恢復一九四一年憲法，但是巴拿馬人民，認為總統此項廢憲行動，祗係企求取得獨裁權力的口實，故一致予以反對。自暴動發生之後，阿里亞斯鑒於民意沸騰，衆怒難犯，已自願表示儘速舉行公民投票，讓由國人對於新舊憲法，自由抉擇。但是在反總統陣綫方面，不但沒有接納阿里亞斯的意見，而且國民大會以三十六票對六票的絕大比數，通過將阿里亞斯總統罷免，並且通知警察總署予以拘捕，同時則選出原任副總統阿羅斯曼繼任為正總統。

在此次事變中，唯一值得注意的，是巴拿馬國家警察的態度，巴拿馬因為國土不大，人口不多（祗有五十萬），平時向不設立陸軍，故國家警察實際上即為政府所能指揮的唯一武力。巴京在一九四九年時一度發生政變，阿里亞斯以獲得國家警察的擁護，而出任總統，但在此次事變中，警察總監公開表示支持國會立場，並不給阿里亞斯以任何援助，而且在國會通過逮捕總統的緊急法案之後，國家警察便實行進攻總統府，終於把阿里亞斯提上囚車，送入監獄。於是一幕近於戲劇性的巴拿馬「革命」運動，至此暫告一段落。

就常識上的判斷，此項阿里亞斯解散國會，廢除現行憲法，停止最高法院職權，在民主國家來講，這真是一件不平凡的驚人大事，雖然阿里亞斯宣稱其所以採取此種行動的理由，為了提高總統職權，俾能充分應付共黨對於巴拿馬運河的威脅，不過這種理由實際上是片面而非具體的，在今天西方國家之中，真正受着共黨威脅並不少，但未聞有那些國家領袖因此而要廢除憲法，以求增強其個人權力者，這一點，便是阿里亞斯無法取得巴拿馬人民的信任並且招致相反結果的緣故。

不過阿里亞斯這種行動，卻又多少足以反映，許多非共國家領袖的心理狀態，因為民主政治之為物，在其種表面性的道理上，有所謂混亂，散慢，意見分歧等若干毛病，比之極權國家之專斷，迅速，令出必行，似乎是相形見絀。所以有些受過共黨禍害的國家，為了吸收「敵人之長」，或者說是「以毒攻毒」，多有主張領袖獨裁，以利於反共鬥爭之易於迅赴事機者，此種實例，在二次大戰之前，有德義法西斯的反共運動，其政治形態，便是「以獨裁抗獨裁」，自二次大戰之後，法西斯主義雖已為無情歷史所否定，但在歐美之間，仍有西班牙及阿根廷兩個國家，它們的獨裁統治，仍然保持常態，它們的反共意識，表現也很明顯，尤其是西班牙，由於它所保有的相當軍力，特別引起西方集團的重視，以致居於領導地位的美英等民主國家，也不能不折節相交，待以殊禮。除此之外，尚有對蘇俄表示叛離的南斯拉夫，狄托所擁有的獨裁權力，原本是不合西方國家胃口的，但因狄托有鮮明的反蘇（雖然不是反共）決心之故，故亦甚得美英集團的好感。這些現象，對於一般有心反共而又傾心獨裁的政治領袖，無疑是一種極大的誘惑，他們總會如此想：祇要反共有辦法，獨裁是不會有甚麼害處的。也許阿里亞斯便是具有如此思想的一個。

但是民主政治與極權政治是不相容的，尤其一個已經奉行民主政治的國家，如果其政治領袖一旦想取得個人獨裁的權力，無論其出發點是「為國」抑或「自私」，均難免於引起大亂，因為民主政治有民主政治的環境，這種環境大多數人習慣的，當然不會容易為一領袖所推翻。以此次巴拿馬政變為例，曾經擁護阿里亞斯成為總統的國家警察，不肯為他繼續效忠，具有全國性的大罷工運動，係由醫生出而領導，這種事實，足以說明此巴拿馬人民的「戲劇性革命」，是超黨派的，阿里亞斯沒有認識時代的潮流，沒有瞭解人民的意願，所以就落得一個如此可憐的下場。這對一般非共國家的政治領袖來講！實在具有一種非常深刻的意義。

從國會調查證供

說到美國外交政策（下）

假如亞洲大陸還有中國的合法政府存在則全世界民主國家今天又何至為了共黨威脅而一夕數驚

李秋生

在大戰期間，中國得以儕於四強之列，固然是八載抗戰功在世界，另一方面則得力於羅斯福總統的推揚與提攜。羅氏看到了戰後的遠東需要一個安定的力量，只有中國有此可能，而且要阻遏俄國在遠東的野心，也只有中國具此力量。（見威爾斯所著造成歷史的七項決定，本文引自外交季刊一月號威氏的羅斯福兩項決定一文。）這政策在戰後美國當局，是無人能夠理解的。在一九四五年，杜魯門和艾德禮在相距不過三個月中相繼上台，英政府的外交政策始終仍是一脈相承，美國則顯得稚嫩而動搖。就戰後對華政策而論，他們只看到中國的陰暗面，他們只想求中國表面上的息爭，儘管歐洲各附庸國的聯合政權證明是達到共黨專政的階梯，卻硬要中國也步其後塵，聽到了中共宣傳的一片[illegible]花言，竟[illegible]以反克里姆林宮[illegible]而行。這種[illegible]鑄成大錯，卻至今尚未從根本幡然改圖，對東方主要的侵略力量——中共，仍舊缺乏堅決而斷然的政策，以消除東方的侵略禍根，英國承認中共一舉，是今日美英間遠東政策無數麻煩的根源。當時英政府對於一個藉武力和極權統治而取得的政權，不問其基礎是否鞏固，人心是否歸附，投資有無保障，[illegible]即加以承認，[illegible]操切，[illegible]進退維谷。而當時[illegible]的[illegible]觀態度，[illegible]對美英當局[illegible]此舉似不無[illegible]以鼓勵之嫌。儘管在當時白宮宣布無意步英後塵，亦只是表示「為時尚早」而已。而恰在英國承認中共的同時（去年一月五日）杜魯門總統發布了對台灣的不管政策，這是否推波助瀾雖未使臆斷，抑也不解何以偏要在那時作此表示。至於南韓美軍的撤退，對共黨侵略，只以東南亞為限，而把韓國台灣劃到西太平洋防圍之外，無疑都是造成韓戰的原因，倘若一年以前，美國對遠東能有深刻認識與賢明的決策，態度能像韓戰爆發以後那樣堅定，早可收曲突徙薪之效。更不要說如果亞洲大陸上還有中國的合法政府存在，全世界也不致像這樣為了共黨威脅而一夕數驚。其間差強人意的只有日本在麥帥有效的管制下，漸次恢復，形成太平洋一堅強堡壘，卻又在和約功成之際，把盟軍統帥易人。

在種種條件影響之下，美國政府的遠東政策已漸漸在變，現在和一年以前比較，所差已經不是很小的角度，這是一個可喜的事實，也是一個遠東前途一綫生機所繫。然而卻還嫌不夠，現在仍舊是歐洲第一論估計最大比重，但我們可以武斷一句話，照目前形勢，俄國決不會在歐陸來攤牌，而[illegible]等對遠東政策的轉變，出於自動者少，主要是共黨一意孤行所促成。倘若韓境共軍昔日欣然言和，則遠東情勢定非如此。假如不久將來，潘尼迦會傳出一個中共願意停戰談判的消息，相信其依然具有催眠作用，使起了已死的幻想。

我們覺到，在歐洲，美國政策可以遷就他國意見，因為美國本身到底不是歐洲國家，至於在東方，則美國必須要建立堅決的領導力量，決不應俯仰由人，因為美國對遠東的關係和歷史傳統，都沒有他國可以比擬。美國不是殖民帝國，也不是可以為商業利益而不顧一切，美國之於遠東，本沒有掛慮遷就的必要。我們一向只看見美國怕陷於孤立而進退維谷，卻迄未以一己的信念來領導說服他人，是自信力不足呢？還是不願「為天下先」呢？

要求一個積極堅決而完整的遠東政策，在美國現已經逐漸成為最大多數人的願望，這政策的形成，要有大智大勇的抱負，和高瞻遠矚的理想。即使這次美國會的調查未必就能發生速效，我們卻深深相信最大多數美國人民的理智和判斷，必能無負於美國的歷史傳統。

啓　黃靈遐先生病，本週軍事，本期暫停。

記曾慕韓（一八九二——一九五一）（中）

舜生

十三年的冬天，慕韓由法國回到了上海，不久，他的夫人宋靜宜女士，也從四川出來了，他們兩夫婦便搬到靜安寺路民厚北里一七八九號的樓上，和我同居。到十四年的春天，一個與青年黨的歷史不可分的『醒獅』週刊，便在這個時候出版。該刊每週出版四開一小張，用道林紙精印，『醒獅』兩個字是章太炎寫的，在報名下面，還印着一隻獅子，是慕韓由法國帶回的一張照片翻印的，慕韓顧而樂之，覺得很神氣。這個週刊的經費，係由二十幾個朋友（有的是青年黨員，有的是同情者）每人每月担任五元，絕對沒有向外面去找過一文錢的捐款。寫稿子的完全是義務性質，無所謂稿費。慕韓任總編輯，幾乎每期都有他的文字，凡發行校對一切瑣務，便由我包辦，有時候也還要幫他看看稿子。發行半年，銷數已達八九千份，再版三版的紀錄也有過，等到第二年五月，我因為要籌備出國，便交給一位黃鐘醫同志接辦，其時的銷數，已超過一萬，不僅最初每人每月拿出五元的辦法早已取銷，而且在交代的時候，還賸餘了七百餘元的現款，二三百元的郵票，我生平辦過的日報期刊，不下十餘種，但在營業上成功的，卻只有這一次。其時國民黨正在聯俄容共，我們在言論上不只反對共產黨，同時也反對容共的國民黨，要在中國談『第三勢力』，我們也真可以算得是『第三勢力』的老祖宗。

在國民黨清共絕俄以後，我們本應該以一個普通政黨出現，似乎沒有與國民黨完全立於一個對立地位的必要了；可是共雖清了，俄雖絕了，但國民黨從蘇俄學來的一套，依然未能放棄，還是要一黨專政，還是要高呼『黨外無黨，黨內無派』，我們還得無路可走，不得已依然與國民黨對立了七八年。在這一期間，黨的領導權，大體是握在慕韓的手裏，我們可以想像他的處境是很苦的，有人責備慕韓，說他不應該和若干的軍閥有所接近，甚至連黨內的同志，在這一點上也有對他不諒解的。現在慕韓死了，我們試平心靜氣的想想：他所領導的一個黨，一個愛國而反共的黨，簡直弄得無法可以生存，剩下可以接近的，就只有寥寥的幾個軍閥，他不去和他們接近，還和誰去接近？由今觀之，軍閥在中國近年的歷史上，誠然也造了不少的罪惡，但比之於今天大陸上的共產黨又如何呢？

青年黨與國民黨關係改善，是二十三年以後的事，可是慕韓與國民黨蔣先生第一次見面，卻在二十六年的春天。接着八年的抗日，兩黨的合作總算大致不錯。汪精衛離開國民黨的一幕，不幸也帶走了幾個青年黨員，但百分之九十以上，卻依然是異常堅定，可是這件事在抗日史上是國青兩黨的白璧微瑕，要為無可否認的事實。再拿現在的情形比較，汪精衛賣國的程度，並沒有超過共產黨；當時在偽組織下面生活的人民，比之於今天大陸上的老百姓，也真不知道要好到多少倍啊！

自從有了「國民參政會」，慕韓便想邀攏這個組織，逐漸把國家引上民主憲政的常軌，有兩個關於提前成立地方民意機構的案子，也就是慕韓所提出，而得到大多數的通過的。

慕韓所讀的中國書，比較有心得的，便是中國歷史上那些政治人物的言論和行事；他留學日本，留學法國，他所注意的，也就還是日本和西洋那些政治家的政績和風度。『當代吾所師，新會與餘杭，』這是慕韓的兩句小詩，我覺得他之崇拜梁任公和章太炎，也僅僅是在梁章談政治或革命的方面，並不在他們的學術方面，我敢說太炎講學的精微處，慕韓是並不太能理會的。

慕韓的政治技術或政治運用，我不怎樣恭維，可是在最近的三十年，在我的朋友圈子裏面，真正能談大政治的，我卻只承認慕韓一個。我對於政治是玩票的性質，最多也不過是興趣之一，慕韓卻把政治看成身心性命，無論造次顛沛，他臟腑裏都是沒有把政治拋開的。要談文學的欣賞或藝術的賞鑒，我絕對不去找慕韓，可是一涉及政治，慕韓便立刻成了我一個不可少的朋友，慕韓死了，我對於政治的興趣，也許更會要趨於低落。

慕韓不僅歡喜談政治，而且長於組織，試想，以他這樣一個永遠窮得不名一錢的書生，居然致於組起一個黨，經過無窮的困難，受過無數的壓迫，已經有了近三十年的歷史，不靠他的組織能力還靠甚麼？我想有幾句話，凡屬認識我們的朋友，一定都可以承認：只要是一個經過慕韓直接訓練或組織的青年黨員，說他還有向共產黨去投降的可能，那才真正是奇怪！

中共雖敗退

會戰尚未結束【下】

（上接第一版）

這種情形現在看來已經很明顯，敵人春季攻勢的第二個回合隨時可以發動，不過就上一週內，採取守勢及其謹慎的態度來觀察，可能他已暫時感覺到黔驢技窮。在作這一個結論的時候，有一點聯帶要提到，敵人今天之不願戰擴大，其心理與我們的國務院相同。截至現在，中共還不將其所擁有之八百多架飛機拿出來，無限制的支持其地面攻勢，這就表示：（一）他認清楚這一個空軍力量仍就不夠強大，還不打算拿來支持（在無蘇聯直接援助時）共產黨地面部隊。（二）他了解空軍全面出擊，攻擊我們的地面部隊或基地，即將消滅「特權避難所」，這一個避難所，因為雙方都限制使用空軍，均獲雙方所享有；（三）他顧慮空軍全面出擊，將引起限制較小之戰爭，其後果難以預料；（四）他可能已決定要糾纏着我們在韓戰無盡期的作戰，但並不打算即時把我們驅逐出去。

不過，最後這幾個結論純粹是假定的，自然要隨將來的局勢而變遷。

很久以前，各面即一致同意，倘若共黨採取消耗戰術，則其對我們所予之損害，實較其本身所計損失為輕，企圖一舉將我們逐出韓國為尤甚。不過，敵人有鑒於麥帥對國務院之大施攻擊，或者已看清楚，他這一次的春季攻勢，倘若不能得到一個比較有決定性的結果，倘若戰爭延長下去變成無盡止的消耗，則我們對於在韓國所用之整個戰略，以及如何能使戰爭得到結果的手段，勢將再加考慮。

讀者投書

在第二十一期「自由人」第三版上海通訊中，曾載稱：上海糖業中學初三級任教員翟映雲，因為教算學教得太快，中共認為他是故意讓學生趕功課，不能再有時間，去參加反美援朝運動，是頑[illegible]麻痺同學最巧妙手段，因此將他拘捕。現在，我接到一個在上海遠房姪兒寄來的一封信，信內附有學校中數學教員配合政治宣傳的[illegible]題目。[illegible]運用到算學上去，中共麻醉青年，真可說無孔不入了。[illegible]熱心替中共宣傳的算學教員，[illegible]希望大家了解中共對我們的下一代，是如何施展其惡毒的「精神屠殺」！（以下是姪兒來信）

中共利用加減乘除

算學也滲入政治宣傳

下一代青年正如何被精神屠殺

「我們學校，任何功課，都要與政治配合，首先各級任的算術教師必須每天看報，把報紙上重要的新聞摘記下來，作為上算術課時的例題和習題。現在我把小學算術加、減、乘、除和百分法舉幾個實際的例子如下：

加法——（一）四月十一日，美機兩百架侵入我福建領空，四月十二日又有美機七十架，炸安東市，問兩次來犯敵機共多少架？（二）人民政府在滬西工人住宅區及工廠區修馬路十六條，在滬東區修路二十條，在閘北區修路四十條，問三區共修幾條？

減法——（一）中國共產黨是一九二一年在上海成立的，今年是一九五一年，問中國共產黨成立已經幾年了？（二）恒通紗廠職工在沒有訂立愛國公約前，每月產布七千三百二十五疋，自從訂立愛國公約後，每月產量增加到一萬二千零五十疋，問訂立愛國公約後比沒有訂立愛國公約前增產量多幾疋？

乘除法——（一）在抗美援朝捐獻子彈運動中，[illegible]廠工友李阿毛每月認捐子彈代金二萬元，問李阿毛一年共捐子彈代金多少人民幣？（二）本市各界人民在最近十天內，共有一百九十七萬五千六百四十人簽名擁護締結和平公約，平均每天有多少人簽名？

百分法——（一）[illegible]志願軍擊落敵[illegible]架，其中[illegible]野馬式戰鬥機[illegible]，P[illegible]型轟炸機[illegible]，問[illegible]百分之幾？（二）[illegible]綢廠每月平均[illegible]一千六百四十[illegible]，問反革命分子破壞[illegible]百分之幾？」

（不毛寄自青山道木屋）

「美人計」探出「眞心話」

朱輝想架機返台被殺

靠攏空軍爲女特務所騙，經過情形儼如一幕電影

國民政府空軍自劉善本大隊長以下駕機叛變「起義」的前後共計三十餘人。但除極少數關係特殊，向爲潛伏之中共幹部外，其餘均在中共各種陰險毒辣手段下，逐一被殺。下面是一個靠攏空軍悲慘的下場。

雖然賭咒宣誓　中共仍不放心

朱輝是前年由某地駕蚊式機「起義」投共的。

最初中共因缺少空軍人才，對靠攏的飛行員朱輝，確也另眼相看，待遇甚優。不久送入牡丹江中共空軍基地，受思想及技術訓練，在赤朝成立週年紀念日，他在北平上空駕機臨空表演。並宣過誓，立過保證書，自願擔任攻台灣的空戰第一綫敢死員。但共黨高級特務人員，總認爲朱輝的思想，尚須經過嚴厲考驗，始能予以重任。

今年三月，中共華東空軍司令部要訓練四十五名噴氣式機師，除儘量挑選東北籍，及佳木斯學校的正統派學員，優先訓練，另外遴選「起義」靠攏的優秀分子，給予深造機會。但華東空軍司令部忽接中共中央保衛部華東分局祕密指示，如朱輝這樣的靠攏分子，須再經過一次嚴格的審查。同時華東分局特派幹練女特務高麗情擔任這一特殊的偵察任務。

忽來漂亮女郎　荒郊威脅返台

三月中旬華東空軍文工團新來了一個面貌娟秀通曉四國文字，能說國語粵語的妙齡女郎——高麗情。非但華籍飛行員羨慕不止，即「蘇聯老大哥」也垂涎欲滴。晚會派對時她成爲被包圍的對象。但她與年青的朱輝更顯得接近，沒有幾天，就進至熟戀階段。某次，這對情侶駕車出遊，相依相偎，漫步幽林叢影之間，該女郎忽由內出三號左輪手槍，向朱輝威嚇，令高擧雙手。朱輝以爲愛人開玩笑，對她說：「親愛的，甚要你答應我，死在你手裏我也願意的」但她扳下了臉孔，說：「朱輝：你好大膽駕機叛變投共，老實告訴你，我是台方地下工作人員，奉祖國之命，今天要將你處死」。朱輝驚惶之下，對女怨露眞情說：「親愛！我懊悔了，不應背叛祖國，中共最初很優待，現在步步嚴厲，實在受不了，當初我投共，實在因爲與分隊長不睦，一時意氣，憤而出此。」他說完，極力懇求原諒，眼眶已顯出紅潤。高麗情說：「爲公，我應該立刻殺你，爲私，我愛你已深：實有不忍。現在你既有懊悔之意，我們一同脫離虎口好嗎？」在朱輝沉吟未表示意見時，她又說：「我可向台方替你說情，不究既往，祇要你願作再一起義的壯擧，同時我一定擔保給你」。朱輝初尚猶豫，疑信參半，但在她甜言蜜語誘惑之下，最後覺終於答應了。

決定架機同逃　情場變爲刑場

女郎獲得朱輝表示決心返台以後，遂收好手槍倒在朱輝懷裏，更讓朱輝享受了一個五分鐘長吻。朱輝的心，愈爲堅定。他對懷中的情人說：「事不宜遲，我們可以在明晨練習試飛時，就加够足量汽油起飛脫逃。」女的也說：「我可假借遊覽市空爲名與你搭機同逃。」兩人密議以後，欣然同返。次晨朱輝已將汽油加足，檢查飛機各部完整，準備出發，女亦嫣然而至，看過汽油記錄表確已加足，相互示意一切妥當。但她說，臨時有要緊事，走開一下。不過幾分鐘功夫，飛行室來找朱輝說話，誰知一到裏面就被扣了起來。以後朱輝被押解到華東保衛分局，經過審訊對質，「反革命」證據確實，被判槍決，朱輝投靠的結果，足够悲慘。但從這裏也可見到中共對靠攏份子手段之如何毒辣了。

高麗情呢？獲得了紅星勳章，並受到保衛部資處長的嘉獎，呈報組織，獲准爲正式青年共黨黨員。現在她已成爲著名的第六號女特工。（自強）

成都賈瞎子自殺

反對強迫「改造」

「人民代表」頭銜，也騙不走他的自由精神

中共佔據大陸，除了用瘋狂的屠殺，維持其極權統治外；另一方面，對奴化宣傳的控制，絲毫不肯放鬆。許多唱戲說書的藝人，在訓練與改造下，稍有違抗，即被處死。上月十九日，成都竹琴藝人賈瞎子服毒自殺，便是不願人改造，用死來表示抗議的一例。據最近到港的一川籍商人說：

在未死之前，對中共奴化政策深感厭惡，最後，係不願遵照「御領」劇本，在五一勞動節演唱，使只好用自殺來逃避，落得個清白歌喉以死。

賈在成都的藝術界，已有三十幾年歷史，他擅長竹琴，與洋琴泰斗李德才，以及川劇名伶[illegible]，並稱爲川中地方戲的三傑。賈氏不僅具有一付圓潤歌喉，而且還能自己編劇，他一向以倡導歷史劇爲主，「煤山恨」「介子推」，「伯牙碎琴」最爲膾炙人口。成都易手時，藝術家也隨喝過一陣擁護，這個從中國舊文化中生長的六十七歲的老頭兒，那裏會看得順眼。但中共要演「階級大翻身」的丑劇，不斷在各地出現，成都當然不會例外。於是，一個「成都人民代表大會」的代表頭銜也加到賈瞎子的頭上。成都一共開過四次「代表大會」，有兩次，他稱病未去；另兩次在共幹脅迫之下出席了，但他始終沒有說過一句話，因此，種下了中共對他的猜忌。因此，成都文運會的負責人洪鐘曾經警告過他兩次。

然賈瞎子在成都藝術界，有他幾十年歷史，擁有很多聽衆，中共對他一直不肯放鬆。去年十月間，「文運會」還向他提出下列條件：（一）繼續演唱，不能以任何藉口停業。（二）修改唱辭內容。頭一條，賈瞎子照辦了，而且他在春熙茶樓和芙蓉亭兩處的茶價由一千元人民幣減至六百元，以示「爲人民服務」——並不停業。但是後一條件他總拖延着不肯實行。最近，中共爲慶祝「五一」，要他改編「勞動人民的兒子」一戲。賈瞎子知道這是他最後的考驗了，便已有了準備。「文運會」派人來索劇本，他總答道：「在演唱的前一天來取吧」。到了四月十九日夜裏，他叫他的徒弟自森到四五鼓樓街黃好堂買[illegible]二錢，一鍋小煮好，就狂飲下了肚，幾小時內，就結束了老命。（完）

割「尾巴」忍心殺父

父子終同歸於盡

四川重慶市，市郊有農民劉喜時，僅有田八畝，自耕三畝，將其餘五畝租與別人，喜時年已五十餘歲，一生胼手胝足，已差堪溫飽。中年喪偶，獨生一子名學鏡，喜時節衣縮食，供給學鏡上學讀書，現在初級中學三年級肄業。（今年十八歲）學鏡已加入共黨青年團，並入重慶治安隊工作。本年二月中共在重慶以實行「土改」爲號召，喊出「鎮壓地主」，「發動農民」，「防特」，「反霸」等口號，凡家有數畝田地者，均指爲地主，瘋狂屠殺，免不了提出嚴重批評。隊內工作同志，認爲應該接受人民清算之對象，其清算方法：大都由民兵將地主拘到農會，任由所謂農民（即共黨幹部及其爪牙，暨市井無賴）毆打凌辱，再逼其叩頭向人民認罪，然後沒收其房屋田園牲畜財物，驅逐出外行乞。喜時因平日忠厚和平，本無人發起向其清算。詎伊子學鏡，欲表示前進，欲大義滅親，竟向共黨獻媚，竟向農會舉報伊父喜時爲地主，指其將田五畝，出租與人，剝削農民利益。於是由本地農會傳喜時到會清算，於毆打灌矢後仍勒令喜時將收過之田租三十年計稻穀一百五十石，交還與農民。喜時平時並無蓄積，當然無法繳交，乃由農會將其房屋田園，傢具衣物沒收充公。喜時只得流爲乞丐。不料學鏡所屬之政治工作隊長，以學鏡出身地主，思想難……，又對學鏡冷嘲熱諷，斥其尚未「割去尾巴」。學鏡羞憤交集，忽萌弒父逆謀，以洗刷其地主兒子徽號，並表明已割去尾巴，遂帶手槍一桿，鐵鋤一柄，在街上尋得其父，引至山中僻靜處所，授以鐵鋤，以手槍脅逼伊父喜時自掘墳墓，實行自殺，意欲喜時掘成深坑，即推喜時落坑生葬。喜時悲憤填膺，一面掘土，一面號泣，迨土坑掘至二尺餘深，喜時回想平生疼愛學鏡，有逾生命，費盡心血撫養成人，不但無反哺希望，反萌弒逆之想，與梟獍何異？現在自己命已在俄頃，追悔已經無及，與其留此禽獸在世上害人，不如同歸於盡，想至此突將鐵鋤反轉用力猛擊學鏡頭顱，學鏡不虞有此一着，措手不及，腦漿迸裂，旋即斃命。喜時仰天大笑，復拾伊子遺在地上之手槍，對準自己胸部，扳機自殺。附近民兵聞得槍聲，趕到山上，當時喜時尚未氣絕，猶對民兵歷數伊子學鏡罪惡，及逼其自殺經過，然後宛轉地上而死。（更生）

性德被中共鎗決

普陀山和尚也反共

說他勾通國軍陰謀反動

各大廟方丈則早已多半捕殺

定海自國軍撤退後，所謂普陀聖地，情形如何？特別是天氣漸入炎夏，許多人總不免憧憬着過去的遊客如織那樣太平時期的盛況。

最近有朋友從普陀來，（他是和一位中共幹部合夥做生意，由他出面去普陀的）他告訴我一些那邊的情形，除了防禦工作，共軍已特別加強，及當地人民，盛傳今年國軍將再來定海，作爲反攻江浙橋頭堡外，普陀山各大廟宇中一羣飢餓疲勞的和尚，最是不堪回首。

大殿支起爐灶　庭院遍佈屎尿

普陀山腳「南海聖境」的牌坊，已搖搖欲墜，最大的普濟寺琉璃瓦和堂皇壯麗的建築，都日趨殘敗。好的房子都住了「解放軍」，大殿上支起爐灶，四壁都薰成漆黑，小便桶擺滿一院子，屎尿遍地皆是。

在幾間最破舊的小屋裏，睡着稻草，橫七豎八，躺着許多和尚，個個都瘦得筋骨畢露，不成人形。比較身體壯健一點的則在廟外附近，鋤地種田。據一個種田的和尚告訴這朋友，共軍進入普陀後各廟所有田地產業一律充公，方丈均按惡霸處治，多數鎗斃，和尚勒令生產勞動，勞動收穫，四分之三，獻於「人民」，自己胼手胝足的結果，不够一飽。中共根本不許普通人來此遊覽，香客自然談不到。大家除在等着饑死以外，別無辦法。

別的都無批評　只知批評肚餓

在每一廟裏，門首都貼有「本寺革新大綱」之類，據說，都是共軍初到時，由政工人員擬好張貼的。不但和尚本身莫名其妙，實際上，方丈鎗斃，和尚勞動改造，廟產充公，等於廟都沒有了，還有什麼革新可言。在這一革新大綱中，也可以充分看出共黨的黨八股，如第四條說：「和尚要採取自我批評方式，檢討每日得失，予以發言機會，解答疑問。」朋友問那位種田的和尚，他們怎樣自我批評；他說我們除知道批評自已肚餓以外，別的都不知道。

街上的香煙店，已全部關門，有些變成了小雜貨攤，有的則已失業遠走，不知所往。朋友下山時，正見一大羣人，圍着一張佈告，地上一灘血，躺着一條死屍，他擠進去看，原來是一個和尚叫「性德」，也以「被中共拘捕，鎮壓反革命」罪名，予以槍決。如果這和尚眞是勾通國軍，陰謀反動的話，這也就證明，在大陸上，任何人除反共外，已沒有別路可走！（悠然，十二日寄自上海）

上海一片恐怖

東吳法學院院長

盛振爲也遭逮捕

傳說將提公審大概凶多吉少

自中共當局展開所謂「鎮壓反革命運動」以後，目前上海已陷入恐怖狀態。凡學生，教員，公務員，工人，在中共認爲不穩的份子，都在捕殺之列，截至現在，上海已有二萬餘人被拘禁，其中一部份人已被祕密處決，另一些人，中共在各區舉行公審，公開加以槍決，爲數亦在數百人以上。

最近東吳法學院院長盛振爲，也被中共當局拘捕，像他這樣一位老教育家，也受到如此殘酷的遭遇，可以見今日大陸眞一片漆黑，已全無天理人性之可言了。

抗戰時學校內遷　一度曾兼任立委

盛氏是國內外知名的法律學家，他在東吳教法律，差不多已有了二十年的歷史，造就國內法律人材甚多，尤其抗戰期間，日寇進入租界，他帶領了大批教職員學生，播遷到內地，在重慶復校，皆爲盛氏一手苦撐，雖然曾一度任選制立法委員，但他的興趣，並不在實際政治，始終沒有脫離過教育崗位。

中共渡江時，他因爲不願離開其數十年相依之東吳法學院，仍逗留在上海，當時中共對他亦曾詞卑言甘，數次要他[illegible]「爲人民服務」，但盛氏始終以對實際政治，不發生興趣來推托，因此受到中共的歧視。以後他雖被迫解除院長任務，但中共仍萬分銜恨，不肯放鬆。

罪名說是孫科系　在滬有反動言論

此次「鎮壓反革命運動」，四月廿七日深夜，公安人員，闖到他寓所，把他拘捕。據說罪名是這樣的，內爲他「曾任立法委員，所以是孫科系統裏的人，」「主持東吳法學院時，曾做過國民黨反動派的爪兒，阻撓迫害學生愛國行動。」「解放」後繼續阻撓學生進步活動與時事學習。」同時更說他「散播反動言論，說北大西洋公約能保衛和平，爲帝國主義侵略者搖旗吶喊。」盛被拘捕以後，至今已將旬日，音信杳然，據說將舉行公審，大概是凶多吉少。

盛在滬與老妻二女同住，長女盛茵，次女盛芸，二人都在中西女中讀書，她們兩人平日受中共宣傳誘惑，在學校裏是積極份子，加入青年團做團員，盛茵還是高三班的主席。盛被捕時，她們在家眼看父親被捕，到底骨肉情深，就情不自禁，哭了起來。公安局的人冷冷地對她們說：「不要哭！人民政府不會瞎捉人的。」

被捕時兩女大哭　捕走後被迫罵父

第二天，姊妹倆趕到學校裏，找團裏的人討論這件事，雖然有一部份同學暗地對她們表示同情，但誰都不敢說出來，可是中共的指導員，就尖刻的對她們諷刺，說她們「不站穩立場」，「不分清敵我」。更說：「人民都在歡聲如雷，你們爲什麼哭呢？」在這種種情形之下，她們只有遵從指導員命令。

可是指導員還有新花樣說：「你們現在是青年團員又兼反革命份子家屬的雙重身份，應該要向人民表示自己態度和立場，否則會被人民恥笑的。」在這樣一種軟硬兼施的威脅下，兩個十五六歲的女孩子失掉了主張，可是她們太小了也太不懂事了，只好聽指導員的話，在二十九日中西女中收聽公審反革命分子的廣播大會中，被迫公開報告；「我瞭解父親的罪行……只有把自己的感情和受反革命分子迫害的人的感情結合成一片，才能堅定自己，站穩立場。」盛茵照着指導員的話報告完畢，呆瞪着兩眼，淚水只好往肚裏吞。

什麼兒女控訴父親等。大多都是中共脅迫下作僞的事實，誰眞能把天性完全泯滅呢？（詠赤五月七日寄自上海）

風流夢

·天地人·

短篇小說

皎潔的月光，照亮了鐵幕裏每一黑暗的角落，更深夜闌，處在秋歇王朝鐵蹄下，一切都缺乏生氣，尤其是夜，更顯得淒涼！矇矓間忽然兩個古裝打扮的人，走進了毛澤東的寢室，不由分說便把他拖到馬車上，帶到一座荒涼的院落裏，把他推倒在木櫈上，他混身不舒適，心裏又有點恐懼，再看看周圍的牆垣，破磚爛瓦，一股黨人的臭味，使他又非常懷疑，想着自己貴爲赤色天子，爲什麼會弄到這裏來，於是忍不住問那人道：

「這裏是什麼所在？」

「是你的老家！」

那人答：

「胡說，我的祖國是蘇聯，老家在湖南湘潭呀！」

「這你不要問我，你問你的祖宗好了！」那人很粗魯的答覆。

毛澤東這時有點生氣，想發他土皇帝的威風，可是自己力量有限，又沒有侍衛隨侍在側，便忍耐了下來，好在他是個老油條騙子，遂一聲奸笑，站了起來，眼睛看着牆上的古畫，腳下走着四方步兒，嘴裏把他得意的「沁園春」一遍又一遍哼着「……秦皇漢武，略輸文采；唐宗宋祖，稍遜風騷；一代天驕，成吉思汗，只解彎弓射大鵰，俱往矣，數風流人物，還看今朝！」

「誰在這裏講話？」聲音從屏風後面傳來。

「是潤之！」他搶着答。

「噢，你來了嗎？很好」！

「是的！」

在說話聲中，從屏風後面轉出了兩個人，前面的人很是面熟，半會才想起他是汪精衛，於是毛澤東高傲的問汪道：

「你不是給日本人殺害了嗎？」

汪蒼白着臉答道：「嗯，別的不談，我要請問你現在組織的是什麼政府？」

「是人民政府！」毛澤東理直氣壯。

「你既然口口聲聲是人民長，人民短，難道鏖犬殺人放火，也是人民的主意？」

「這是人民政府的事，你管不着！」

後面的人，便向前走了一步，於是道：都是自已人，爲什麼一見面就吵了起來，這像什麼話！

毛澤東憤怒起來：「這個漢奸不配和我講話！」

汪精衛毫不示弱，冷笑道：你瞧不起我這個漢奸，我更瞧不起你這個賣國賊！

後面的人哈哈大笑：「你認得咱老爺嗎？告訴你，我就是你的始祖爺延壽是也，你們都是我一脈相傳的正統嫡系，人民早已是我們的仇敵，所以我便首先叛漢；兆銘呢，因爲他作事激烈，人們罵他是人面禽獸，他一氣之下，便割去了尾巴，又投向東洋，這就是「汪」字的來源。至於你呢？當然比我們強，你剛才說得什麼秦皇漢武，成吉思汗呀……他們有什麼了不起，的確他們都應當向你學習，可以說我們毛門有種了！不過你太過份了一點，你清算，鬥爭……怎麼搞到我的頭上來了？你看這破磚爛瓦，都是你的成績啊！」

毛澤東此時羞愧難當，可是他早學會了厚黑學的那一套，便嬉皮笑臉，嘴裏連說冒昧冒昧，對不起，對不起。熱烈的向他們握手，接着便是一陣狂笑。

他們坐在一張大方桌的周圍，毛延壽一面訴說其他後人的不長進，一方面給毛澤東加油加醋的嘉獎；同時說他不要弄的太過火了，甚至六親不認；而汪精衛也在歌功頌德，自己承認不是潤之的對手，這時毛澤東高興的樂不可支，手舞足蹈的說道：這世界將是我的，我將是世界的主宰，萬物的司命使者，因爲我有生殺予奪之權，有幸災樂禍的自由！

就在這高興的當兒，忽然一陣噪雜的人聲，接着從外面進來了幾十個武士，不問青紅皂白，都一一加以逮捕，綁了起來，腿上加了脅當的鐵鐐，頸項上帶着鍊索，大家都驚惶失措，惟毛澤東尚比較鎮靜一點，向武士們問道：「你們是幹什麼，造反嗎？」一個武士高聲道：「你這一羣漢奸，賣國賊，千餘年來破壞倫理，摧毀人權，妨害和平，毀滅民主自由，罪大惡極，我們奉命夷誅九族，盡殺敗類，以謝天下。」

毛澤東聽了，知道已經完蛋，鐵青着臉，向武士哀聲請求饒恕：「同志，讓我見一見我的家屬，好嗎？」

武士狠狠的道：「你這六親不認的狗東西，不要囉嗦！」

毛澤東，汪精衛，毛延壽，一連串的都牽了出去，毛澤東一眼看見他的祖父母，父親，母親，妻子，兒女……都已一齊綁在一邊，一片悽慘的哭聲，這時他再也忍不住了，便不顧一切的撲往前去，跪在他母親的面上，哭着說道：

「媽媽，我實在對不起你，我，我害了你了！」

猛的雙手一抱，把他太太驚醒了，聽着毛澤東把她叫媽，還說對不起，我害了你了……猛然一驚跳起來說：「我不是你的母親，我是你的太太，你怎麼啦？你怎麼啦？」毛澤東說不出一句話來，趕緊把她一把摟在懷裏。

小心流年不利

紅色文化人[illegible]所著「科學的新聞學概論」寫道：『如果一個國家的報紙「完全雜誌化」了，新聞版中要聞第一條常常是當局者的演說；社會新聞第一條常常是市長的報告。此外除了一些不重要的新聞外，一概是非政治經濟性的其他學術論文，那我們斷定這個國家的人民，在這時期已失卻了言論自由，決非武斷』。拿赤色鏡子去照大陸的一切報紙，可以得出一個簡單的結論：「新民主主義國家」那裏還有什麼言論自由。

即從香港幾家尾巴報版面分配的統計看，要聞版中，中共當局殺人演說，文告，以及殺人「紀盛」等文字，僅平、津、京、滬、漢、粵所發出的「屠殺記實」，平均佔用版面一半以上；國內新聞版，祗是廣東一省殺人演說、文告、「紀盛」，用去版面超過百分之六十，由這個統計，我們更可看出「人民政府」的言論是什麼，拿手好戲是什麼了！

大概尾巴報「虛心檢討」之下，自已亦覺得「羞煞人也」，五月份開始，破天荒的，公開用起「帝國主義」通訊社稿。雖然他們絕口不提韓戰，專選有利主子的稿，還施出「偷天換日」的本領，但是我相信，不久它又會「自嘆自怨」了。解放後，成都的「新新新聞」，「新民報」，僅僅用過一次法新社讚揚共軍戰勝的廣播，就被成都「軍管會」封閉了，理由是：「不管消息好壞，用「帝國主義」通訊社稿，基本上犯了不可原諒的錯誤」。現在廣州「南方日報」，長沙「新湖南日報」，漢口「長江日報」，都對香港尾巴報進口爭奪市場，禁止入口。尾巴報記者編輯，乃至作家，當因那些「官報」轉來信函，被逼自打嘴巴，痛哭「我政治覺悟不高，獲知識份子落後性作祟」。尾巴報！教訓猶新，小心流年不利，主子把你打入「反動報」行列！

·余華·

時裝設計生意好

美國的時裝設計，是一門最好的生意，他們只求其變，花樣變得愈快愈多，他們的收入也就愈好，美國的時裝雜誌，銷路也很不錯，反正在美國不少富有的太太，他們對於服裝的考究，只求其美好新式，對於價錢是毫不在乎的。

爲了評論服裝，於是還有服裝評論專家，他們每年要選出十個服式最得體的女人。去年正在鬧婚變的電影明星，印度王子的太太烈和英國公主依利莎白都被選爲服裝最壞的女人，前者是裝飾得過份，後者是衣服的式樣，使這位年青的公主顯得年紀太老。

旅美雜紀

陳香梅

蔣夫人於年前也被美國審美專家列爲世界十大美人之一，並說蔣夫人的鼻子生得特別漂亮。英遜王愛德華八世的太太辛柏森夫人也被列爲世界十大美人之一，她而且是一位非常考究服式的人。

中國女人穿西服，就如外國女人之穿中裝一樣的不適合，無論到那兒都總不大舒服，我在外國多年，看起來總覺得穿着自已本來的服裝，因爲中國女人的身材不如外國女人之高大，穿上裙子就有點四不像了。

在美國外子和我常愛在星期日帶着小孩子去逛公園或動物園，美國的公園整潔修齊，動物園內的奇禽異獸更是美不勝收，孩子在那兒東張西望，跑來跑去，高興極了，公園裏的遊人很多，尤其是在星期和假日；可是在平時則以老太婆和老頭子居多，尤以前者爲然。

美國實行小家庭制，而且講究個人的經濟獨立，這對於老年人的影響實在太大了。美國男女結了婚，生兒育女，把他們教養成人之後，兒女即各論婚嫁，離開父母，自謀生活。對於父母的生活不負任何責任，父母年紀不太老，還可自食其力，若是素有積蓄，或家境富裕的，自不受影響，可是那些既貧且老的父母，就祇好到老人院去，或是靠政府的賑恤過活，晚境是相當淒慘的。（十九）

眞理之聲

十個月來，自由歐洲電台設於西德法蘭克福的第一座廣播台在以播送眞理震撼着鐵幕之後的聽衆。自由歐洲電台是美國一個私人組織「全國自由歐洲委員會」所主辦，外交上的微妙關係，有時雖妨礙美國務院的美國之音，但這個電台的播音卻沒有受阻。不過；自由歐洲電台播音天只有七小時半的節目，電力也相當低弱，只七千五百瓦特。

五月初，自由歐洲電台又在慕尼黑附近設立了一所新的播音台，電力超過美國任何中波電台二倍，有十三萬五千瓦特，費用是美國一千六百萬人捐助的，每天專向捷克播音十一小時半。它將由流亡在德國的前捷克國會議員作家貝羅特加主持，在它的第一次廣播中，貝氏對他的國人說：「我們知道共產黨在用怎樣大的努力來改造你們的靈魂……但我們也知道你們每天晚上經過一天的苦工而回到家裏的時候……當四面的牆壁圍着你，你會對自已說：『他們是在說謊』」（揚一帆譯自五月十四日時代週刊）

從匈牙利監獄釋出

在自匈牙利邊境到奧國邊境尼克爾斯杜夫城的路上，一個人在慢慢的走着，拿着一個小箱子，一個手提包，他的面色蒼白，眼下現着一層黑影，每隔幾分鐘，他停頓下來，鬆一口氣。一輛美國官方汽車駛來，跳出了一個美國外交官。「你還好嗎，鮑勃，」美國駐奧高級專員公署的職員埃克倫說：「我們走吧，讓我們快離開這裏。」

這個提手提箱的人就說：「那班卑劣的禽獸……」於是踏進車子，直向維也納駛去。就是這樣，羅勃·伏奇勒被共產黨徒當作囚犯關了十七個月之後得到了他的自由。

在車子裏，伏奇勒聽說他的太太在維也納等着他，不禁哭了起來，因爲監卒曾告訴他，他的太太也已被捕。自一九四九年十二月起，他就對外面世界的事沒有知道一點。當他聽到韓戰時，他問道：「你是說眞的有了戰爭嗎？」他駛到維也納美管區內的寓所，伏奇勒跳出車子，抱住他美麗的金髮太太和十一歲及九歲的二個兒子。一個孩子叫道：「喲，終於回家了。」伏奇勒又哭了。

經過一年多的談判，美國和匈牙利達成了一個協議：在伏奇勒獲釋後，美國封閉的匈牙利駐紐約和克利夫蘭兩地的領事館可以重開，美國應按照匈牙利和約，將第二次大戰期間被納粹據去而現在西德的匈牙利財產歸還布達佩斯政府。

在維也納接見記者的時候，伏奇勒說：「我不能相信我已到了這裏，我眞怕醒來。」隨後他躊躇地談到似乎深藏於他腦中的事——在匈牙利法庭自認從事間諜活動的供詞。他說：「我覺得非常難過，我沒有能在壓力之下格守美國人的傳統……」

伏奇勒告訴記者們關於他所受到的那種壓力：「使一個人準備出庭受審，有二種方法，一種是肉體上的，一種是精神上的，在匈牙利，這二種方法他們都用。」在受審之前，伏奇勒在布達佩斯祕密總部的牢房裏被關了三個月，地上有一吋深的水，他的木板床剛超出水面。一盞明亮的燈，日夜照着他的牢房，他如想睡着，就有人來猛敲牆壁。他沒有襪子、內衣，也沒有襯衫。有一次政治警察首長加波爾曾對他說：「如果你肯合作，我們將把你的襪子還給你。」

伏奇勒又說：「食物常常是不夠的，要到我被傳去見一個高級官員之前，我才會被供給較多的食物，可使我肥一點。」

你曾被共產黨徒灌以某種藥物嗎？記者問他。伏奇勒說「這是難以斷定的事！當你被人攪得很久不能睡覺，你就不會再知道是服過了藥物呢，還是你的腦子已不能正常地工作。他們曾給我興奮劑，咖啡和香烟是強迫我飲的。使我不能入睡。」不過他並沒有受到任何注射。

伏奇勒是否準備否認他的供詞？他慢慢地用烟灰缸彈去烟灰，說道：「這供詞一部份眞是我說的，因爲認罪不過是時間問題而已，有些人或許比別人能忍得久一點，但沒有人能無限期耐住那種待遇。」

伏奇勒太太道：「他們該是怎樣虐待他的啊！他原是一個強健的人，但現在弱得像個嬰兒，而且如此神經衰弱。」美國有人請他在未飛回美國去以前發表一篇聲明，由電視機攝錄。他的神經崩潰下來，放聲大哭，但他還是勉力發表了他的『致美國人民聲明』。

他說：「上帝給了我們去摧毀自由之敵人共產黨徒的使命：每個美國人都該認淸，我所遭遇的事，任何人都可以同樣遭到。」（路總譯自五月七日時代週刊）

不想回家的俄國兵

俄國兵怕美國人

每個士兵每月必須讀幾本政治書籍，還要將書名向政治指導員報告。茨赫柯伍長個人則歡喜普式金，戈哥里，高爾基，和托爾斯泰的作品，由於他能講德語和閱讀德文，他亦看些蘇俄，狄更斯等著作的德譯本。

俄軍的生活

十分艱苦，世界上多數軍人對於這種生活都會不滿，和埋怨，但在茨赫柯的部隊中，卻很少有人敢約略露出怨意，被認作一種「政治上犯罪」，所受的懲罰比偷竊更爲嚴厲。兵士傳染到性病也會受到同樣的懲處。但這類病症卻還時時發生。城市裏陸軍醫院有適當的醫生和看護，不過醫尼西林等新藥卻總是很少，患性病的兵仍用舊式的藥物來療治。診療期約需時六月，但不一定就此可以斷根，以後，這士兵被送入一個懲治營。如果他在開釋後再染上性病，他就被遣送回國。

梅斯頓說起美國人嗎？據茨赫柯談，茨赫柯是怕美國人的，不過這不是因爲美國的技術水準優秀，或原子彈佔優勢，而是因爲他不斷聽說：「美國人一直要發動戰爭」，他怕美國人不久就會發動另一次世界大戰。茨赫柯和他部隊裏的士兵，從沒有到過柏林，也沒有親眼看過一個美國兵。他們對於美國兵的印象，全是從「柏林之戰」等電影中得來，在這類電影片裏的美國兵由俄國明星扮演，一舉一動，極像是殘暴下流和懦怯的殺人者。

「這是非常奇怪的事，茨赫柯並不確信他在這些電影中所看到的，」梅頓斯說：「他自覺地感到，事實並不與所見的相同。而且，他們部隊裏有一個隊長曾在戰時見過美國的第三軍，他對美國飛機持着極大敬意，而且對美國的軍需人員也表尊重，有時他會對部下講起當時他與他們接觸的情形。結果，茨赫柯對於美國人的感覺，是混亂和恐懼的。」說到這裏，梅頓斯站了起來：「啊！埃卡烈和女孩子們回來了。」埃卡烈是梅頓斯的太太，面貌樸素，兩人帶着愉快的神色，但帶着倦容，她會令我想起戰時，沒有足夠的食物，沒有足夠的睡眠。女孩子們穿着假日的白衣衫，這是專在假日穿的；腳上一雙挺括的白鞋。梅太太從白紙包中取出一個小白蛋糕，上面塗着粉紅色的糖，把它放在桌上。她說柯伍長專喜歡有顏色的糖果、橡皮糖和檸檬汁。梅頓斯說：「埃烈卡總是爲茨赫柯準備一個蛋糕的。有時她會爲他難過，女人對於往事總是不容易遺忘的。」（七）

秦辛審譯自星期六郵報

竹影心聲

·上海來鴻·

·離草·

十一

後天回上海，這封信在杭州寫了寄出，你會不會嫌是「多餘」？

我最想告訴你一件大事，也許你會在報上看到，前天晚上，上海大舉捕人，數字不可統計，當然有誇大的，也有保守的，更有「科學化」的。（後一說法是有人根據車輛徵用的數字，加上使用次數。譬如傳說那天晚上徵用公共汽車一百五十輛，每輛容納二十五人，使用三次，這就算出被捕人數，單是坐公共汽車的就有一萬一千二百五十人。）

實際多少人失蹤，恐連捉人的最高機關也無法清查，那是根據新舊戶口册與黨團登記和失業申請的「表格」而拘捕的。

這行動使上海「風雲變色」，許多可怕的謠言，很快流傳到杭州，甚至連我與若霞都聽到，最初是心頭襲來一陣恐怖，後來也就坦然了，除了上海，不是各地早有這一套戲法嗎？

媽昨天有信來，那是在這陣暴風雨後寄的，她說我們住的一條里衖裏，一晚抓去了五個。她要我「五一」之前趕回去，她沒有忘記我的生日，她說：「我怎麼忙，也不致於疏漏了你的生辰蛋糕。」

若霞很細心，她以爲媽的信裏有破綻，第一，媽是信奉「共產教」的人，致送生辰蛋糕應在取消之例，第二，我們動身時她爲什麼不說最好回家過生日？第三，這次恐怖事件，是否媽想出賣女兒立功？

我一時拿不定主意，最後又決定過了明天生日，後天「五一」回去，與我們安排的日子不變更。我是媽「情感上的包袱」，我知道她還不能整個拋棄，何況我不是「恐怖份子」，她爲什麼犧牲了我立功？

你說，我寫了這許多信，對共產黨是「大逆不道」嗎？怎麼我會在這次「大掃除」中漏網了？我想這是歸功於你的，你如果有一個字寄回來，那不是就有了麻煩？（上次信上說，我在巷口靜安咖啡館中小坐，那不是很好的烟幕？檢查到這封信的人。該以爲我是住在高士滿舞廳隔壁的巷子裏的人了。）

你放心，我會自己處理的。明天若霞請我過一個最愉快的生日，可惜的，是你不在，我從那裏去找尋眞的快樂？

自由人
THE FREEMAN
（半週刊每星期三六出版）
每份零售港幣壹毫半
（第二十三期）
督印人：梁大成
社址
香港德輔道中一四九號四樓
電話：三二八二〇
149, 3rd FLOOR,
DES VOEUX RD. C.
HONGKONG
TEL: 32820
承印者：東南印務出版社
地址：高士打道六四號
台灣經銷處中國書報發行所
地址：台北館前路八十五號
電話：三〇三三

軍火和金錢靠外援　團結反共只應專靠自己

如果今天反共陣營，尚有各立門戶、疑忌，分裂等情事，則中國前途，安堪設想！

劉百閔

最近美副國務卿兼任國務院遠東司司長魯斯克在中國學會發表演說，表示美國將支持中國國民政府，美國將繼續予國民政府以軍事援助，一般人因說這表示是美國務院從一九四九年發表白皮書抨擊蔣介石以來，美政府給予蔣的最有力的支持。但他提出警告，「在現有情形下，這種援助本身不能爲中國前途的決定性力量。」「單靠美國協助，不能決定中國之前途，中國前途，要靠中國人民自己的努力。」

魯斯克前面這一些話，是够使我們興奮的；後面那一些話，又很够使我們警惕的。中國的前途，要靠中國人民的自己努力。這話又怎講呢？換句話說，中國人民究竟自己如何努力呢？保台，反共，抗俄，這是何等艱巨的工作！這些艱巨的工作，那一樣工作，可以不需要錢，不需要軍火，不需要人，（所謂三M），照今天台灣的情形，又怎能專靠中國人民自己努力所能成功，這是一句老實話。

面臨空前危機　不易單獨應戰

邱吉爾是英國戰時首相，他是何等自負何等不肯認輸的一個巨人：他對于美國自任一位上將爲大西洋淞軍最高統帥，他是很不服氣的，他認爲這是美國的愚笨的錯誤。但是他很天眞的很坦白的說出他的老實話：「我們安全和倖存的鎖鑰，自然是在和美國聯盟，和美國友好。」「沒有美國的幫助，要阻止龐大的蘇聯共軍對歐洲自由人民的征服和奴役，是無希望的。」他更樂觀的說：「單是美國所擁有的原子彈這一項武器，就可以使我們歐洲組成一個陣綫，足以阻止克姆林宮獨裁者作進一步的侵略：」他又說，「艾森豪威爾將軍以自由人民軍隊的首腦資格出現歐洲，這是美國肯使用它的無窮的資源和迅速增加的海陸空力量，而決心保衛文明的明證和象徵。」以邱吉爾這些話，他亦自己承認沒有美國的幫助，沒有美國所擁有的原子彈這一項武器，沒有它的無窮的資源和迅速增加的海陸空力量，是沒有法子阻止龐大的蘇聯共軍，沒有力量阻止克姆林宮獨裁者的進一步侵略，他們簡直自己沒有把握能獲得安全和倖存。歐洲的前途，英國的前途，歐洲人和英國人似乎是無法自己努力的。

歐洲人英國人猶且如此，我們中國人在目前面對歷史上從未遭過的嚴重危機，偏處在三萬六千方公里海島上面，人口總共七百多萬，而要內除國賊，外抗強敵，談何容易！何況這個敵人，是世界人類的公敵，什麼時候動手，要大家共同決定，自己如何努力，也不能獨行其是，這是無可諱言的。最近蔣總統對美聯社記者金氏的談話：台灣獲得其必需的充份的裝備和供應後，有六個月的時間，即可開始大規模的反攻：「必需的裝備，充份的供應，」今天中國人必得要擠在其他國家一塊，來仰給于美國人，這是沒有其他的路子可走的。所以儘管國民政府有從速反攻的決心，而時間表還要靠美國人來確定。

錢和軍火求人　政治問題求己

話雖如此說，且是中國人畢竟要盡我們自己的最大的努力。天助自助者，中國人有中國人自己的上帝。錢和軍火，是要靠美國人的經援，和軍援；至於「人」，却不能再靠美國人，而要靠中國人自己了。經濟和軍事，是要靠美國人援手，至於政治，當然不能再靠美國人越俎代庖，要靠中國自己盡其在我了。解決問題，要刪繁就簡，三個基本問題，錢和軍火，是有待于他人，我們姑且擱在一邊，「人」是自己的事。經濟和軍事，是有賴于朋友的援手，我們姑且擱在一邊，政治是完全要靠自己動手幹的，不能一再靠朋友了；我們且專對人和政治這些問題來說吧。

其實人這問題，就是政治問題，是二而一，一而二的問題。政治是管理衆人之事，管理衆人之事就是政治。要衆人爲國家民族努力，這是管理衆人，這是政治。必須把衆人之事管理得好好的，使衆人願意遵從政府的命令爲國家民族盡其最大的努力，這是管理衆人之事，這是政治。政治是兩方面的，人民是一方面，政府是一方面，必須把兩方調處得好好的，融洽無間，才算是好政治，平時是如此，戰時尤是如此。這樣的政治，才能一心一德，上下貫通；這樣的政治，才能意志集中，力量集中，然後獲得反共必勝抗俄必成之效。

人民原諒政府　不必過事苛責

在這裏，我站在人民自己這一方面，來說人民自己應說的話。中國人民，必須團結一致，以應付目前國家民族從未遭過的嚴重危機。我們中國人民，應該常常想到，在目前的危機中，我們政府的責任，是何等的艱鉅，我們必須誠懇地團結一致，支持政府，圓滿解決政府的凡百措施，是不會沒有錯誤的。在目前的危機中，我們實在不忍苛責政府，追根到底，要向政府問個明白，不但沒有時間，而且沒有這心情。我們祇是希望政府有過必改，有誤必正。我們眼睜睜看着一千一百六十萬方公里的大陸國土，四億幾千萬的同胞，任憑一羣狼虎蹂躪，橫衝直撞，在那裏囂嘶，父母兄弟妻子朋友，暴骨原野，而我們在流血郊野，天涯海角，望空灑淚，回顧自己這一羣人，又由于誤解，疑忌，愛憎，過錯而鬧到不和，鬧到分裂，各方面堅執自己的意見爲最合理，而不肯相讓，這樣，想像中國的前途，尚能經得起麼？非希德曾經對德意志人民呼籲：「不要由于內部不和，而分散了力量，這力量即使能聯合起來亦已不足以與惡魔抗衡了。」這呼籲是何等的凄切！今天中國人民應該團結一致，支持政府，和政府站在一起，共同努力，共同奮鬥，這才是今天中國人民的正確的態度。

政府團結人民　首須虛心認錯

至于政府這一方面呢，政府應該自己想到，政府是領導人民的，一切要由政府先讓步，其實人也輕，責也重，這才是政府的正確態度。非希德又有一個呼籲：「他要求所有的志士和他同心協力，服從他的指揮，以完成他個人的目的；若有人反對，即被目爲仇寇。同時，別人對他也作同樣的要求，同樣地，以他之不肯合作視爲與善爲仇；從而人間的一切善惡，都消耗在空虛的努力中：」這樣的呼籲，好像是對政府和人民雙方呼籲的。其實，政府應該先讓步，政府應該來主動，政府要求人民團結一致，共同努力，共同奮鬥，政府必先自己承認錯…… [illegible]

（下接第二版）

香港真正不能堅守嗎？

如果民主集團密切合作、香港還可進一步發揮控制中共的力量。

黎普偉

英國陸軍大臣史特拉基，在最近一次工黨集會中，發表政治演說，強烈抨擊對中共全面禁運，及轟炸東北基地，其中並涉及香港局勢，認爲如果一旦擴大韓戰，則香港勢難堅守。史氏爲工黨中的左翼份子，向爲保守黨人反對的目標，自勞工大臣貝萬辭職以後，左翼份子在工黨內閣中力量已大見削弱，照今天英國所採的遠東政策，無疑已與美國日漸接近，史氏欲以個人之力而反抗大勢之所趨，當然不會適得多大效果。不過史氏是現任閣員，尤其主管陸軍，故其所謂香港難於堅守之說，不論其見解是否正確，均足引起各方的重視。我們是香港報人，香港的未來安危，當然較之史氏尤爲關切，因此，我們也竊願把香港「能否堅守」這個問題，提出討論，因爲我們的見解與史氏觀點是有相當差別的。

第一、如果把香港的個體力量，來比較大陸的整體力量，香港之難於堅守，是不必諱言的，特別是在軍事數字方面，中共宣稱有五百萬人（包括韓戰消耗之兵員在內），而香港駐軍估計最多不會超過三萬人，這種絕對懸殊的比例，當然很容易使人認爲香港無法對抗中共。不過這種比較是片面的，並且不合軍事規律的，因爲中共如幾百萬兵員，是來防守大陸所有地區之用的，如果韓戰一天不能結束，中共祇是爲了應付聯軍「切肉攻勢」的傷亡補充，根本即無餘力開闢第二戰場，香港安全當然不成問題。假定韓戰眞的可以「和平」解決（那是很難想像的），香港所受的壓力，也許會大見增加，但是中共是否即敢於悍然進犯香港，問題仍然並不簡單的，因爲鑒於韓戰所得的教訓，中共如果要奪取香港，起碼也要有三種假定：（一）必須準備與英、美、法及太平洋有關國家全面作戰；（二）必須自信可以在數十小時之內擊破了香港的防禦，而外圍援軍無法到達；（三）必須認定佔領香港爲軍事所必需，而且確信能夠始終予以固守。這三種假定，根據今天遠東形勢及中共力量，均無法獲得答案，換言之，中共奪取香港的可能，並不很高，而其需要之準備，因此而付出的任何代價，却無從估計。

第二，依照香港目前所處的地位，對中共來講，仍然是利多害少，因爲這是中共吸收僑滙，奪取物資的重要橋樑，中共實在並無太多理由要培養這個僑滙與物資的來源，而自陷於窘境。其次是香港本身的形勢，它是英美法監視中國大陸的前方觀測哨，即使香港的防禦力量不過是「象徵」的力量，但在香港背後，它有星加坡、菲律賓、台灣、沖繩島等強大的海陸空軍的支持，如果香港一旦有事，數小時之內，菲律賓的美國空軍可以增援香港，二十四小時之內，馬尼拉的美國艦隊可以開到香港，四十八小時之內，星洲的空運部隊及台灣的陸軍均可以參加香港防衛戰，這些都是屬於香港外圍的力量，如果中共要進攻香港，對於這些力量，它是不能不一併估計在內的。

第三、根據當年日本進攻香港的經驗，那時日本的軍事南進，係以海陸空總動員的姿態，同時攻擊香港、星洲、菲島的，由於日本佔有台灣的強大海空基地，所以在攻勢發動之初，西南太平洋完全爲日本的優勢海空軍所控制，香港地位孤立無援，但是香港的抵抗力，却持續到十八天之久，當威爾斯王子號（英國無畏艦）被擊沉在星洲海峽的時候，香港的數千守軍仍然在堅苦奮戰中。但是今天太平洋的形勢與日本當年南進大不相同，而香港年來所作的防衛措施，也遠較當年爲嚴密，故即使香港不幸被侵，然而外圍援軍，朝發夕至，假定以韓國戰爭爲實例，我們相信香港是有可能堅守的。

爲了澄清外界對香港不斷誇張的危機，我們認爲香港不僅不容易爲中共所佔領，如果以英美法爲首的西方民主集團有更密切的合作，香港還可進一步發揮控制中共的力量。我們相信在剛告結束的星洲三國軍事會議中，香港的防衛問題，一定已經有了詳細計劃。故史特拉基謂香港不能堅守之說，實際上並不充分，它的言論，祇能給中共以一種宣傳資料，任其藉此對香港局勢諸多恫嚇而已。

半週展望

「六二一八九二」比「零」

[illegible]

（一丁）

爲英國陸相進一解

[illegible]

引伊入蘇假如弄假成真 伊朗當局即將自召毀滅

一旦伊朗淪為戰場伊朗人民死亡財產損失其慘烈即必更千百倍於今天的朝鮮

丁一

由石油國有化而引起的伊朗問題，這幾天形勢演變，愈趨閃險。伊朗一向被視為最可能爆發世界大戰的導火線，因此，目前情形，也就最為關心世界大局的人們所深切注視。

伊朗既拒絕了英國提付仲裁的要求；對美國希望英伊和平解決的友好勸告，又覺視為支持英國，向伊朗進攻。石油國有局局長馬基，本月二十日在國會發表反英的激烈聲明，議員中公然有人主張，「若美國干涉吾人內政，吾人即將自行投向蘇聯懷抱。」法新社倫敦二十日電，並稱：「伊朗政府已接受克姆林宮建議，在英軍進入阿巴丹時，蘇聯即派兵入伊，蘇聯軍隊已於伊朗邊境準備完妥。」「投入蘇聯懷抱」誰是伊朗對英美一種有力的恫嚇，伊朗看準了英國最怕引起大戰，最怕激怒蘇聯，所以就特別利用這一弱點，來企圖毫不費力達到沒收英伊石油公司全部產業的目的。但英伊石油公司，對英國權益，關係太大，實際上，若伊朗油產被蘇聯攫取，整個民主集團在中東戰略，都將慘遭挫折，英美固然最怕引起大戰，最怕激怒蘇聯，但逼到無路可走，也就只好不顧一切了。伊朗引蘇聯入境，此時雖或許僅是一種恫嚇，然伊朗當局，如果手腕太笨，弄假成眞的可能，最後也不是絕對沒有。到那時，伊朗為蘇聯與民主國家的第一戰場，受禍之慘，比現在僅僅等於前哨戰的朝鮮，恐怕還要超過千百倍。這是伊朗當局所應小心警惕的！

民主國家的忍耐並不是沒有止境

民主國家的忍耐，並不是毫無止境的。蘇聯嗾使金日成進攻南韓，原以為必和毛澤東佔有中國一樣不會受到美國的武裝阻止。今日蘇聯在韓戰中雖仍袖手，毫無損失，而朝鮮無論誰勝誰敗，幾百萬人民的死亡，無數財產的損失，卻將萬劫不復，就伊朗的戰略地位，更比朝鮮重要，說，如果伊朗一定要將英美在中東生命線的石油，予以掘殺，甚至不惜勾引蘇軍入駐伊朗，民主國家是絕對不能忍耐的。因為蘇軍入伊的結果，土耳其，印度都將不保，還比南韓淪陷，影響日本，加倍嚴重。今日伊朗當局之橫衝直撞，實等於玩火，不知道淪在火海，整個毀滅的可怕。

伊朗原是英俄兩國角逐之地，一九零七年英俄會議，劃定勢力範圍，南英北俄，才使劇烈鬥爭，稍趨寧息。但一九二一年蘇伊互助條約，規定第三國軍隊入伊，蘇軍也可以開入進，就所謂第三國，當然就指英國。這說明了英蘇鬥爭又轉激烈。一九四六年蘇軍于獲得北伊石油讓與權後，自伊撤退，伊朗政府，利用國際形勢，於一九四七年又經國會將此項讓與權取消。蘇聯雖一再要脅作勢：始終仍有顧忌，不敢與伊朗正式破裂。於是他另用奇計，在這幾年中，加緊鼓勵伊人的反英運動，一方面擴大共黨勢力，一方面對極右派反英份子，也多方暗中支持。本來，像英人獨佔伊朗最廣大油田，所給予伊人利益，如此微薄，其延長油田契約至本世紀末，（一九九三年），尤不脫帝國主義面目，從民族主義立場說，自然會引起伊人重大反感。當油田國有問題未惡化時，去年九月，美助理國務卿麥琪曾勸英國早日設法消弭無形，英國表示他們對付伊朗已積有長期經驗，無勞過慮。即在一月以前，英國還自信很有把握。（五月十四日新聞週刊載，英國內閣曾決定三項辦法，其中一項為撥付二，三百萬英磅，賄送伊朗議員及反英激烈份子，使對英態度轉趨緩和。又英國認為伊朗缺乏技術人才，過份缺之，油田生產，仍非靠英人不可）不料伊人在蘇聯挑撥策動之下，打死了賴斯馬拉以後，國內造成了全國恐怖，國有化在國會，幾於無人敢一言反對，愈逼愈緊，到今天已拒絕英美一切和解建議，而限期要英伊石油公司正式移交全部資產了。

主持國有化最力的民族陣線，其領袖穆塞德，因政策勝利，現已榮任總理。他為了不肯立即釋放刺殺賴斯馬拉的兇手，被恐怖份子恫嚇，竟搬住議會，不敢回家。他最近告訴國會，說：夢見上帝，囑使他完成了石油國有化這一偉大勛業，他不怕暗殺，但他剛說完，就暈倒在議會室內。（見本月二十一日時代週刊）伊朗今日，事實上已成一恐怖世界，幾陷於無政府狀態。五一勞工節，共黨在法律上已被禁止的，卻公然大張旗鼓，號召群眾，即在國會廣場，舉行其示威大會，高喊打倒英美，聯合中韓，擁護蘇聯的口號。另一方面，所謂極右的恐怖份子領袖藍法密接見合眾社記者，謂有五千青年，正願犧牲生命，將若干叛國者送入地獄。以那樣昏庸老朽的人物，主持國政，又如此內訌失序，外面有虎視耽耽的蘇聯再加以形勢嚴重，一觸即發的石油問題，伊朗前途之可怖，那還不十分顯著嗎？

記曾慕韓

（一八九二——一九五一）（下）

舜生

慕韓在我的朋友中，自成一格，我舉不出另一個朋友在某些點上像他；甚至我不能舉出慕韓的某一點與某某人完全一樣。

毫無疑問，慕韓的性格是保守的，當白話詩文盛行的時候，慕韓所作詩文，依然保持老調。他不是一個很聰明的人，但他的記憶力頗強，前人的作品，他能成誦的頗不少，可是鑑別力未必太高。他有一篇「巴黎寄妹書」，似乎是摹仿王湘綺，太炎說像曾滌生，他很高興。慕韓的詩是志士之詩，而非詩人之詩；他的文是策士之文，而非文人之文；這是我對慕韓的詩文一個總評，儘管他自己未必同意，但我依然相信很公道。

×　×　×　×

慕韓於男女之際，在我的朋儕中算是一個極端規矩的人，假定他的夫人宋女士，不是在四川中了炸彈的破片死去，他倒可以做到古人的所謂「不二色」。說到他在巴黎的時候，有一個有名的故事：一天，慕韓忽然收到某君一張約他在午後喝茶的請帖，地點是巴黎某街某號的三樓，他如約而往，則戲曲博士手拿「斯蒂克」，找到了門牌，便漫步登樓，用手杖在門上敲了幾下，門一開，乃是一間很大的『沙龍』，在紅絨的地毯上，一排站着十幾個一絲不掛的妙齡女郎，這一下，直把慕韓嚇得手足無措，回頭便跑，跌跌撞撞的幾乎滾下樓來，一直回到宿舍，還連呼「惡作劇」不止。可是雖然如此，慕韓的這種態度，僅僅用以自律，決不以之律人，青年黨內的同志們，因言論和行為的不檢，受過慕韓責難的頗不乏人，但我從來沒有看見任何人因男女關係受過他的責備，這種地方，也可看出慕韓並不是不近人情。

慕韓只有惟一的一個兒子，——曾憲斌，能讀書，很誠篤，現在美國的某大學，係宋夫人所生。現在還留在美國的沈位夫人——周若南女士，能書畫，籍浙江諸暨，與慕韓結婚已近十年，無出。慕韓於伉儷之間甚篤，我從來沒有聽說他鬧過家庭問題。慕韓以政治為事業，他對後兩位夫人也從來不管。

看慕韓的樣子是很嚴正的，有時且近於迂闊，其實慕韓也並不是完全不懂得幽默；我們有一位老友，在他中年以前，嘗抱有物色得一個「奇女子」的宏願，偶然發見一個似乎頗有奇氣的女子，他便不惜用盡方法去和她接近，但結果終無所得。慕韓交遊遍全國，頗能安獎人才，『愛才如性命，宗法在湘鄉』，便是他的自白；然而也常感失望，他作了一首打油詩，用以自嘲，且調侃這位老友『君求奇女我求才，世事茫茫大可哀，安得黃金三百萬，美人名士一齊來。』可見慕韓眼中之名士美人，也不過如此如此。

×　×　×　×

慕韓的生活，清苦如老僧，除談天，出遊，或偶然做做舊詩以外，殆一無嗜好。近三十年來所流行的新文字，非慕韓所能欣賞；即電影和京戲，他也並無興趣。非極高興的時候，我從不見他喝酒，抽煙打牌更無論矣。朋輩中覺得他的生活過於單調，有勸他出去散散步或在草地上曬曬太陽的，他也頗難採納，他把身體弄得太壞，大概精神上缺少經衛，也是最主要的原因之一。

慕韓晚年也寫日記，有自編年譜，平日所作詩文，均能編次保存；朋友們的來信，必批明收到日期，很少不寫回信；朋友們的住址和電話號碼，他都有小本子紀錄；凡此種種，可證明慕韓決不是一個散漫而沒有條理的人。

慕韓在開會討論一個問題的時候，總希望讓每一個人都有發言的機會，他所要求於大家的，便是要說得出理由，把握得着關鍵，立得起方案，提得出進行的步驟。慕韓自己對於一個重大問題，往往能就利害得失先作多方面的考慮，有時且一條一條的寫出，可是一旦覺得別人的理由比他長，指出的關鍵比他明白，方案能更周到，步驟能更謹嚴，他卻可以從善如流，不惜把自己的意見拋棄；單就這一點而論，慕韓已經是很够一個領袖的資格的。

慕韓自己長於文字，但關於青年黨對內對外的文告，他卻常常指定常燕生和我執筆，要長，要暢達便找燕生；要短，要有力便找我，現在燕生死了，慕韓也死了，我大概關於這類的東西也從此擱筆了。

團結反共只應專靠自己

（上接第一版）

要率先讓步，這態度是已認錯，這態度是政府的基本態度，是正確的，是不會有錯的：這基本態度是中國幾千年來賢明的政府的傳統精神，有了這傳統精神，天下事是沒有問題的。今天美總統杜魯門呼籲美國人要停止政治爭執，團結一致，但他卻不懂得政府認錯的基本態度基本精神，話越說越多，話越多越錯，這是很可惋惜的！

曾國藩的辦法值得我們觀摩

政府如果有了這基本態度還傳統精神，政治上的其他纖結，應該是迎刃而解，不成問題的。但是作為一個反共抗俄的政府，前臨高岸，下臨深淵，一失足便百年身，祇許做對，不許做錯，人民可以原諒政府，支持政府，但政府自己不能大意，不能疏忽。好的例子太多，我們就拿近代曾國藩開始對洪楊的一套辦法來說，亦就够我們觀摩了，他面對這稱亂五十年的洪楊，荼毒生靈數百萬，蹂躪十五省，號召天下，是有他的一套辦法的。首先，他對血性男子，號召義旅，助他征剿的，他都引為心腹，酌給口糧；他對抱道君子，痛天主教橫行中原，赫然奮怒的，他禮之幕府，待以賓師；他對仗義仁人，捐銀助餉的，給以優敘；他對久陷賊中，自拔來降的，收之帳下，奏授官爵；他對被脅經年，髮長數寸，臨陣棄械，徒手歸誠的，一概免死，資遣回籍。這一套一套的辦法，後來是自然獲得成效的。今天共黨在大陸，是下了絕大的決心，要把幾千年來建立的道德基礎[illegible]……好再使他們受傷了，政府對付這些政治問題，應該是小心謹慎，不可大意，不可疏忽，祇許做對，不許做錯；這都是政府應該自己努力的。[illegible]

人民自己的努力：中國人民和中國政府，在目前的危機中，應有了這基本態度，正確的基本精神，政治問題，是可以迎刃而解的，但是先決條件，仍必須人民和政府忠誠合作，各盡其最大的努力。

漏網的世界珍聞

丁一

到底邱吉爾偉大

一般人總以為在兩黨政治之下，大家是「政權第一」，或爭奪政權的幌子。所謂國家，人民的福利云云，不過作為把持政權的幌子。尤其像英國保守黨，在現國會內，因比工黨票數，差得太少，只要工黨有幾個人生病不能出席，或有幾個人對黨的某一決議不滿意，就可將工黨政府打倒，所以邱吉爾總想利用機會，要求對工黨政府，舉行信任表決。許多討厭保守黨的人，甚至說，邱吉爾年將八旬，總想在未死以前，再作一次首相，因此，許多場合，也就不擇手段了。

最近，由於貝萬之退出工黨政府，這正是保守黨制勝工黨一最好機會。在國會討論預算案時，貝萬太太和擁護貝萬的人，都竭力反對假牙眼鏡改收半費。但保守黨方面，則不特贊同改收半費，且進而攻擊工黨政府在國民衛生服務下一切龐大的浪費，特別關於外國僑民，亦得享受醫藥費一事，最為濫耗國庫。貝萬憤起大罵保守黨說十四世紀的基督教徒，被野蠻的阿拉伯匪俘擄，送往異教的阿拉伯去，這些俘虜病了，阿拉伯人還將他們送入醫院，診治了六個月。現在保守黨的人道精神，竟想不到會墮落到比反基督的阿拉伯還低。

結論總結，貝萬和將近三十名工黨議員，對改收半費案都放棄投票，如果邱吉爾真是不擇手段，只要在此時改變一向反對工黨國民衛生服務大浪費的立場，投票反對改收半費，那麼，工黨在這一預算案上，就無疑的要以少數失敗。但急於登台的邱吉爾，并沒有這樣做，保守黨一致投政府贊成票，於是工黨不特未倒台，反而在這一屆國會中得到幾乎前所未有的多數。

民主國家的政黨，究竟與一般國家的飯碗黨不同。而邱吉爾之偉大，認國家利益高於一切，也由此更可證實。

馬歇爾居然如此胡塗！

新從紐約調赴朝鮮，接任李治威第八軍軍長職務的萬福利將軍 Van Fleet，在五十二歲時，還是一個校官。一九四四年，二次大戰期間，他作戰勇敢，立功不少，但保他升任將官的公文，竟被那時陸軍參謀長馬歇爾，擲入字紙簍中。因為馬歇爾記錯了另一位嗜酒鬧事的校官也叫萬福利給他印象太壞，所以張冠李戴，就誤了這一位並不酗酒闖事之萬福利的前程。幸而不久得到第七軍軍長柯林斯意外知遇，（即現任陸軍參謀長）這才一帆風順，達到今日顯赫的地位。

七旬高齡與共幹拚命

居正老友程潤芳

死前擊傷兩個共幹

比居正小兩歲 反共最早最力

自去冬大陸進行瘋狂的屠殺政策以還，年逾古稀老人亦慘遭毒手者，就最近報載統計，已不可勝數，實非束手待斃，即係瘐斃獄中，以其年高氣血衰替，實不足以言抗拒之力，而為當然的後果。近湖北廣濟逃人來言，縣參議員兼救濟院長程潤芳老先生，亦即前司法院居院長覺生老友，竟以七三高年與共幹對拚，慘遭亂棒毒擊而死，義行勇烈，可感千古，其事不可不紀。

程老先生僅小居院長二歲，小時同窗，壯年亦曾隨同奔走革命，與居院長二兄為朝夕不離老伴，反共最力最早。民國十五，六年共黨邪說初起，老先生在縣獨痛斥狂妄，十八，九年間丁綱擁設鄂中剿匪指揮部於武穴時（屬廣濟一鎮），濱臨江邊，老先生首以地方紳耆力主不能寬縱之議，十餘年來均在故鄉辦理慈善事業。勝利後獲選為縣參議員，並被推為縣救濟院委員會委員，襄助濟剿工作，最能反映地方正氣。卅八年縣綏靖區被迫南渡，程老一度逃至江西，旋轉化名，遁跡至鄂南陽新縣永新鄉一舊友處，苦度晚年，將及一年。不料今春竟為廣濟共幹偵知，由縣委會為派支書兼大隊長干款（原籍干均本縣士共領袖，銜恨程老尤最）祕赴陽新迎提，時程老固猶在夢中，當區「人民政府」傳請程老談話，老毅然隨去無懼色。至「區政府」後，共幹區長親出接待，談話間隱示將有人促其回鄉，程老唯唯而可否之間，忽隔室傳來廣濟故鄉土語口音，心知有變，隨即繞廊突向共幹區長背曰：「寧死不屈」！即以熱水茶杯擲中區長前額，皮破血流。員兵方持救護間，程老又一躍上前，緊抓其胸，用頭向共幹身亂撞，意欲與其同歸於盡。蓋程老於談話中臉無異色，已料知為故鄉共幹來此迎提公審，即抱定拚此老命，不圖縣府受侮辱。時共幹區長已自腰間掏出手槍，左右亦皆一擁而上，當時本擬一槍先將程老擊斃，為另一共幹指導員所阻，大聲說道：「如此太便宜了這個老東西，要到那上給他來個『現身說話』之！」隨即牽程老至「區政府」附近河堤之上，召開此大會，由共幹指導員舉行近身，正欲設法扳醒程老，程老本已躍倒地下，猝不及防之下，程老突向上猛衝，竟將此指導員門牙撞掉兩個，鼻血亦濺流而出。程老欲再掙扎時，已為隨來共幹一頓亂棒擊倒。求仁得仁，在此處「拚命」正是程老「找死」之意。既已斃於亂棒之下，共幹區長猶恐屍復活，復用木棒擊碎其頭顱，且喝數程老之而曰：「給你來個眼前報吧」！遂棄屍於河堤蘆葦間。鄉民不忍其事者，夜間為之抔土掩蓋。逾月程老第三子聞訊趕來，竟得鄉民之助，密將得父屍歸鄉葬于祖塋，程老雖暴死於外縣，而忠魂仍得安眠故里，並未獲老年受辱，老而活罪，且復於死前拚傷兩共幹，一股浩然正氣，誠可以動天地而泣鬼神，故程老先生軀雖死，其精神正復長存於天地間！（梅克）

雖被亂棍打死 共幹也會流血

上海已不是「避難所」
新華銀行抓走地主
中共鼓勵各地多組認鄉隊，紛來上海緝捕逃亡「地主」「惡霸」

在共區各大城市中，上海一向被認爲中共統治比較鬆懈的地方，因此，所謂逃亡地主，不能遠走香港的，就都以上海爲避難所。但最近，中共厲行屠殺，上海也一律看待了，不特避難所的特惠消除了，中共還鼓勵各地，多多組織認鄉隊，來滬分別緝捕其本地逃出的「地主惡霸」，一經捕獲解回，即必殺無赦。一月以來，在上海解走之此種「罪犯」，已不下數千人。以前，搜捕地點，尙僅以旅館，或私人寓所爲限，現則遍及於各機關，銀行，公司。甚且並非他處逃來，只須本身在原籍，有田地產業，即向在上海工作的，也均不能倖免。昨日（十五日）上海新華銀行高級行員崇明人郁象超，即在此種情形下被捕。郁遠於民國三十五年，即入新華銀行爲辦事員，因小心勤愼，旋升充副股長。中共進入上海，該行被中共接管後，郁一方面努力工作，一方面也拚命「前進」，今年三月，更被中共提升爲股長。郁以行內中共首長，如此器重，喜出望外，深信主要原因，乃「拚命前進」所賜，於是「新民主主義」，「實踐論」之類，更是日夜誦習，寢食不忘。郁在崇明，有祖遺田產若干畝，向由原籍親屬經管，從不過問。不料昨日下午三時，郁正在行內辦公，突由公安局偕同崇明派來認鄉隊，將郁綑綁，指郁爲地主惡霸，抗不返鄉，聽候清算。捕得離行，立即押解赴崇，此事對郁，不啻一晴天霹靂。據該行職員傳出消息，郁以熱心「前進」，在行深得首長嘉許，前數日，原有調任昆明分行副理之擬議。不料好事多磨，大禍臨頭。解崇以後，一般均料其不能倖免一死。

反共的前警察局長　竟成中共政治教員

中共以各校「反動份子」日見增多，認爲教員方面，必有大批「國特」僞裝潛入。因此，對教員一言一動，均多方監視，稍有嫌疑，立即捕殺。但各校之政治課教員，向只有中共幹部，方許担任，故政治課教員從不在監視之列。不料最近匯暨中學，及濱海中學政治課教員張亦德，突亦被公安局捕走。據中共宣布，張原名昌驥，「亦德」係「解放」後化名，「解放」前，曾任上海警察總局督察長，邑廟分局局長，北四川路分局局長。中共工運首領王孝和，即係在其北四川路分局局長任內所捕殺。中共一入上海，張即以特殊手段，改名化裝，混進中共陣營，受中共某領袖信任，得被派充兩校政治教員，以掩護潛伏，終致落網云云。雖中共宣布任何人罪狀，其是否可靠，均向成問題，但如上所云，假定全係事實，然以一國民政府下現任警察局長，轉瞬之間，即能取得共產黨籍，充任政治教員，則中共一向狂吹之鐵的紀律，顯然大有破綻，而中共內部動搖叛變之可能性，也就不難由此想見。

控訴強姦令出捏造　新聞日報鄭重道歉

在上海連日舉行之「控訴大會」，所謂被害者控訴，十之八九，均爲中共僞裝，最少也係中共設法搜得此類控訴人，由中共指令表演。因此，有些上台控訴的人，所述對方罪狀，等於學生背書，被控訴者明知死在眼前，不容分辯，只有閉目不理。其實在所謂大會控訴進行中，人聲嘈雜，控訴人說的什麼，根本大家也聽不清。第二天中共報紙登出的控訴內容，多半是中共記者一手編製，信口胡綢，與大會上所背誦的，往往大有出入。前天（十四日）新聞日報鬧出這樣一個笑話，即是日該報大字標題「各界憤訴黃匪瑞大」，內容係記述是日提籃橋區各界控訴大會，新光內衣廠女工曹彩英控訴工頭黃瑞大，如何將其強姦，並將強姦經過，說得有聲有色。不料曹彩英的丈夫看了大不滿意，當邀同工人多名，向新聞日報交涉，謂曹彩英並未被黃強姦過，控訴大會上，曹係報告黃曾強姦過廠內女工，該報任意張冠李戴，殊屬侮辱工人，尤其侮辱女工云云。主持控訴之「上海市各界人民代表會議協商委員會」，也正式去函新聞日報抗議。該報無法漠視，只得於十五日鄭重更正。並不惜自打嘴吧，在更正文內說：「本報錯誤報導曹彩英被黃匪污辱，這說明我們在報導新聞中，還嚴重地存在着粗枝大葉的作風，應進行深刻檢討，並向曹彩英同志道歉」。一場風波，始告了結。而所謂控訴者的「罪名」，其眞實性程度如何，從這裏也就得到一個證明了。

繳子彈費才能收屍　禁賣棺材拒做壽衣

中共大屠殺，死者屍體，家屬領葬，中共往往要收回一筆子彈費，說，他浪費了人民的子彈，所以必須由他家屬賠回，至於須收費多少，那就看領葬者景況如何，臨時決定。最多有收到幾百萬僞幣的，如果領葬的人，的確太窮，那就幾萬元也可了事。惟中共仍嫌此種方法，不夠殘酷。最近又新出花樣，命令共幹發動，凡鎗斃的「國特」，「惡霸」，不許棺材店賣給棺材，壽衣店代製壽衣，更不許殯儀館代辦殯殮，其意，似認爲此等屍體，應任其風吹日曬，野狗吃光。發動方法，由棺材店，壽衣店，殯儀館各店彩中之中共黨團員出面，勸令老板照辦。十六日，上海各報，已首先刊出正泰祥壽衣店店員魏文元一封公開信。內容略說：「我是正泰祥壽衣店一個工人，在五一遊行回來後，發現老板接了一筆生意，替當天鎗斃的一門三口特務陳小毛做壽衣（編者按：陳妻及子均同日槍斃）。我向老板抗議，特務死有餘辜，爲什麼還讓他們死後，浪費人民的物資做壽衣？我本身是個青年團員，更不願給罪大惡極的特務做壽衣，這眞太不應該了。我堅決聲明，我不替特務做，希望各壽衣店同志，都能一致響應。同樣的，還希望各棺材店同志，拒賣棺材給死國特，各殯儀館同志，拒給死國特殯殮，這才算眞是人民大精神的表現」（慈然，十七日寄自上海）。

以祁陽掛牌山作基地
木匠唐庚楚打游擊
常獨來獨往手刃共幹多人

祁陽易手後，由於地形及共黨的軍事政治的雙重壓迫之下，大規模的游擊隊，自然無法活動。但是唐庚楚，却匹馬單槍發揮了一以當十，在祁陽形成一股相當有力量的游擊隊。唐是本縣文明鄉人，現年三十歲，讀過六年私塾，粗通文字，是做木匠的，技術頗佳，父母於民國三十四年死於饑餓，唐至今尙未結婚，全靠出賣勞力維持生活，論「階級成份」他應是共黨爭取的對象，但唐目睹共黨的暴力「土改」，旨在造成農民與地主的仇恨，然後在其操縱指使之下，進行各樣各式的淸算鬥爭，以遂其參軍搶財之目的。同時又目擊一般「土改」共幹，在各鄉殺人的慘酷，使整個農村陷於騷動恐怖飢餓情狀之下，以致山面臨，無工做無飯吃的絕境，於是對於朱毛王朝，深惡痛絕。在敵僞時期，他曾在蔣伏生所領導的游擊隊打過一年多游擊，一次手刃日軍軍曹兩名，提升至小隊長。他憑着這點經驗和勇氣，雖無家室之累，於是在去年九月之十二日一個月黑風高的晚上，拿着一柄斧頭，悄然走入鄰近僞鄉政府主席桂祥雲家，將桂砍死，並奪取左輪手槍一支，子彈二十五發，事後便立刻逃赴掛牌山（即抗日時期蔣伏生之游擊根據地）招引青年志士二十餘人，經常隱伏在深山之中，因爲路徑熟習和避免目標的擴大，他總是個人藏着一支槍一把短刀，獨來獨往，晝伏夜行，去年十月十七日，在歸陽鄉殺死僞第三區區長高發一名，同月二十四日在牌頭鎭迴龍寺內，殺死土改共幹王則安伍修明二名，十二月四日在雲峯鄉老虎岩，殺死僞鄉民兵大隊區中隊長楊雄一名，他每次劫獲的槍支，即拿來擴充力量，金銀則絲毫都交由負責經理的弟兄保管，作購買或換取糧食衣服之用。他這次出擊，均告順利得手，更增加了他的勇氣，當今年元月十二日，僞縣政府召開第三次全縣人民代表大會，渠竟冒險，偕同志士潛入縣城，謀刺僞縣長，祇以客觀條件限制，未能如願，仍安返駐地。以此僞縣府視唐爲心腹大患，在城鄉遍懸重賞通緝，幸他博得一般民衆深厚的敬愛，所以尙能掩藏閃避，使共匪無法偵得他的行蹤。寫到這裏，我祇有祈禱上帝眷顧他平安，爲斬殺魔鬼而努力。（弓王）

急難相投反被告發
女共幹逼叔跳樓
。蛇蝎心腸枉費十餘年撫養。

一般中共黨員在共機械唯物哲學的訓練之下，自稱搞通思想，割掉尾巴，其冷酷殘暴，言之令人髮指，最近上海發生一件姪女檢舉叔父，以致迫得叔父跳樓自殺的慘劇，實足以說明中共黨員滅絕人性之一斑。

桂東生，是浙江南潯的一個小地主，不過十多畝田，收成不足糊口，同時他的哥哥早死，留下幾個兒女，靠他撫養。因此他常至上海販貨物到鄉下出售。他的姪女桂龍明從小有點鬼聰明，桂對她特別疼愛，籌錢給她讀書，一直到出嫁爲止，全是他一手招扶，可說等於她親生的父親。

上海「解放」以後，桂龍明同她的丈夫徐某加入了共黨，住家在上海北四川路永樂坊，桂龍明任北四川路家庭婦聯的會員，她的丈夫在僞上海市政府做事。夫唱婦隨，儼然「前進份子」。去年年底，南潯土改了，她的叔父也被誣爲地主，清算以後，掃地出門，桂老頭在鄉下無法生活，就跑到上海來，想找點生意做。到北四川路找姪女兒，雖然桂龍明住着三層樓大洋房，對此窮困遠來投奔的叔父竟不允收容，桂老頭一怒而走，住在海防路一個朋友家裏，立誓再不同他姪女見面。

自從上海發動「鎭壓反革命運動」以後，他的朋友也被捕了，桂老頭無處投奔，沒有辦法之下，再到姪女那裏，哀求她念十餘年撫養之功，救救他的老命，誰知桂龍明蛇蝎心腸，假意允諾，並爲桂陽路公安派出所報告，說他是逃亡地主，要派出所來拘捕他回籍，當時派出所叫她先將桂穩住，第二天即來拘捕。當天晚上，桂龍明夫婦徹夜不睡，監視着她的叔父，第二天早晨，派出所的人來了，桂老頭見勢不對，當桂龍明還訓斥他，要他向「人民」低頭，發表其「前進」理論時，桂老頭傷心極了，想不到十餘年來自己撫育長大的姪女，居然如此陷害自己，憤恨不置，大駡桂畜生！拿起茶杯向桂龍明擲過去，擲中了她的頭部，當時，派出所的人趕忙制止，老頭站立出鐵欄洋台，但桂老頭已趁機，他們還沒有把他抓住，他就縱身跳下三層樓自殺，以致腦漿迸裂，第二天上海的共黨報紙大登，讚揚「桂龍明大義滅親」的「站穩革命立場」，「讀」之更使人有說不出的「人間何世」之感。（漢魂，十八日寄自上海）

在中共統治下做「囚犯」
人間地獄如此殘酷！
。有許多意想不到的虐待

任何文明國家，對待罪犯，都逐漸揚棄了舊時代報復式的罪罰主義，盡力爲罪犯的精神，生活，和福利上打算，使罪犯能重新做個好人，但這一原則，不適用於中共，中共自詡其「人」的政策，但它的監獄，簡直不把「犯人」當「人」看待，甚至連畜牲都不如。下面就是一個曾被中共囚禁的罪犯，親自經歷的報導：

搔癢伸腰疑暴動　閉目假寐有鬼胎

中共攫取了衡陽以後，在粵漢鐵路彬縣當警務段段長的熊君，有一次被捕，轉送衡陽某監獄，雖然這是關輕犯的地方，待遇比較好，但是熊君所受精神與肉體的虐待，已經痛苦不堪。先談監獄，不到一方丈的囚房，一共關了二十四個人，牢門經常關着，鎖上僅開有一個碗口大的窗子，窗外衛兵可隨意開關。在冬天，因關的人太多，空氣十分稀薄，由犯人的呼吸，凝結成的水點，不斷的從上面滴下。犯人在室內，一律規定一行行的背靠背坐在地上，不准談話，不准動彈，也不准睡眠，如果彼此低聲談了幾句，門外的衛兵便要大駡：「你們還在開小組會議嗎？」如果搔一搔癢，伸一伸腰，則同樣要被呵斥道：「你們要暴動嗎？想造反嗎？」倘若誰在閉眼假寐，衛兵就從窗外用石頭猛擲過來，或長棍伸入亂打，然後駡道：「你從前犯過多少罪，現在還不反省嗎？」「假裝睡覺，肚裏又懷着什麼鬼胎，你能瞞得過「人民」嗎？」至於吐痰，扣衣扣，大小便，事先都得喊「報告」，等到門外衛兵允許以後始能轉動，否則給衛兵看見了，必遭毒打。天晴時，每天准出外大便一次，但到了廁所後，[illegible]持槍衛兵立刻就要[illegible]拉起褲子，[illegible]只好拉在褲中，[illegible]更是臭[illegible]，欲嘔。

小便禁止多飲水　吃菜從來不放鹽

談起犯人的飲食，名義上雖然還有這麼一回事，實際上比沒有僅好一點，營養根本不必談，連維持生命都不夠。高興給你喝一點水就算萬幸，否則乾死了也是活該，因爲他們怕犯人多喝了水，就要常常小便多麻煩，伙食每天規定兩餐囚飯，每餐每人僅發一小碗粗飯和三兩根青菜葉，飯吃不飽不用說，石子，老鼠糞，滿碗都是，更難下嚥，如果萬一不小心，檢石子，老鼠糞時，連帶也撒下了幾粒飯在地上，則必被怒駡：「吃人民的飯，還要糟塌人民的糧食」。青菜葉最多用水燙一下，沒有油，更無鹽，如果你說菜很淡，下次請求加一點鹽的話，當場除了被訓斥一頓外，下餐菜來時，一定盡是鹽水，讓你吃下以後，口裏鹹得發苦，活活的和你開玩笑，使你有苦說不出，下次再也不敢多嚕囌了。

一天到晚枯坐在裏面，不知道白天黑夜，精神極端疲勞，但仍然拚命死睜着眼睛，不能稍閉，除非到了規定時候，門外衛兵喝令睡覺時才能合眼，但衛兵在門外還是不停的要用電筒向裏面照射。如果誰翻了身，一被發覺，沒有不被打上兩棍，突被驚醒的。而最討厭與可怖的，則是每到半夜十二點鐘以後，衛兵就來呼名提人，有的當時就上了手拷腳鐐。押解出去，有的五花大綁，則大概押解去刑場的。

不坦白監禁到死　問口供隨時開鎗

普通問案時都在囚室隔壁，由一兩個「上級」的共幹輪流詢問着，滿口嚷着不歇。如果被認爲不夠坦白時，則故意地轉變一下腔調：「哼！坐國民黨的監牢有一定的時間，咱們共產黨不是這樣，一天不坦白，一天就不放你出去，這裏不坦白，送你到東北去，看你坦白不坦白？到東北還不坦白，再送你到西伯利亞去，咱們有的是辦法」，加上酷刑拷打的慘叫，使人聞之膽戰心驚。有的被帶往山岡野外，林裏，狐洞中，墳墓旁迫着亂跑，先讓你精神上感受隨時就有死的恐怖，然後坐下來像閻王審問小鬼一樣地，要你一一招供，不然，張開扳機的手槍，馬上就會向你發射，倔強的犯人，常常就在這種情況下喪生，僥倖還被帶回的，次夜依舊如此，但終久不免成爲野外的冤魂。即使能多活幾天，但每夜的疲勞轟炸，沒有一個能夠支持的，最後只好聽其擺佈，說一通。甚至有些犯人，長期受着這種殘酷的精神虐待，而瘋狂了的人，比比皆是。最慘的則是有些犯人，遇到這種場合，常常請求賜予速死，可是反而受到加倍的精神虐待，陷於求生不能，求死不得的慘境，痛苦不堪。總之，在中共的眼光中，不立刻就把犯人槍殺，已是萬分的寬容了。（陳岫芳）

自由人稿約

本報各版，均歡迎投稿，敬訂稿約如左：

（一）除事先特約外，每稿最長請勿超過一千五百字。長篇鉅製，以限於篇幅，無法刊登，請勿惠寄。

（二）惠稿內容：評論要切合時局，新聞要記述事實（大陸消息，應有人名，地點，時間，人名不便刊登者，可於稿內註明），雜文要生動活潑。

（三）來稿除附有足夠郵費外，概不退還。

（四）稿末請附註眞實姓名，地址，但發表時須用筆名者聽便。

（五）稿酬每千字六元至十五元，一經刊登，即於五日內寄奉通知單，憑單向本報領取。

（六）稿件請逕寄本報，封面書編輯部收，萬勿書私人姓名，以免延誤。

舞女麗莎

·羊辛·

在大陸某一個大都市。

「解放」了，舞場生意清淡，舞女麗莎和她的同伴改了業，組織一個歌劇團在戲院裏上演。

共產黨要她們「學習」，派了一個「指導員」來。

竹幕小事

指導員的特點是：兩隻大而突的眼睛，像大頭金魚，屁股後掛着一根手槍，時常拿出來玩弄着，像很威武很英雄似的。

經過了「指導」和「學習」，於是在大腿舞表演之餘，就有「扭秧歌」、「腰鼓舞」，歌曲則多了「東方紅」、「你是燈塔」、「解放區的天」之類，服裝也愈搞得糟愈好，並在開演之先，得大唱其「人民共和國國歌」，觀衆皆得肅立恭聆，以一些舞女身份的人物唱這些不三不四的歌兒，實在有點滑稽。沒有幾日，觀衆腦下小貓三隻四隻了。

但指導員的「指導」工作卻十分努力，在不斷的開會學習之餘，還不時到宿舍裏去「訪問」。

麗莎是這窠舞女中比較「跑紅」的一個，她自己住在一個小房間。指導員時常來找她，拿了一大堆「新民主主義」「論聯合政府」要她看，很熱心的樣子，一天必來數次，問長問短，纏個不休。

這一日，麗莎的「大令」小林剛來看她，（他已經好久不敢公開的來看她了，）忽然指導員闖進來，（指導員之駕臨，照例是不必通知，不必敲門的，）一見之下，兩隻金魚眼瞪得幾乎快要爆出來，隨即像負有任務似的，盤詰了一會，問明小林的姓名住址，瞧着他那套筆挺的西裝冷笑了一聲，走了。

三日以後，小林被捕了，麗莎為他奔走，想去看他，但毫無門路。再過一天，指導員來到麗莎那裏，冷笑道：「麗莎小姐，想不到你倒跟國特來往哩！」

麗莎失口分辯，說小林只是比較熟稔的一個舞客，知道他是一個商人，決非國特，自己也從未和所謂「國特」來往過。然而指導員幽幽地冷笑着，金魚眼帶着血絲，忽然向麗莎撲去，把她按倒了。

麗莎拚命掙扎，想喊，可是喊不出聲，她使勁槌打指導員，可是沒有用。她再而想用口去咬，可是已給一團棉花塞住了……

當她像一株帶雨梨花似的坐起來的時候，她遏止不住她的憤恨，順手拿起桌上的鬧鐘向指導員擲去，拍喇一聲，正擲中指導員的面，血流下來了。她連忙披上外衣，直奔下樓，跳上三輪車，後面還聽見指導員暴怒的聲音：「臭貨，不識抬舉的臭貨！我槍斃你！」

她逃到一個同伴的家裏，匆匆地料理了一下，次日清晨就從陸路逃到香港。

不久，消息傳來，小林被槍斃了。

麗莎現在還在本港某大舞廳做舞女，恕我不能宣佈她的眞姓名，時常在舞廳走動的朋友，不少人都知道這件事的。

大家嘗嘗

浙省杭縣因春荒難渡，縣府派幹部入農村宣傳，一日至某鄉，當即召開農民代表大會，幹部登台講演謂「春荒嚴重，人民可改食觀音土，……」，台下忽有一代表舉手曰：「請同志規定幾許觀音土折合大米一斗，以便繳交農業稅」，幹部大窘，但礙於羣衆之前，不敢發作，祇得宣佈散會！

我亦有份

青年李君，解放後即失業遊蕩，忽忽二年，精神備感刺激，以致神經失常，一日因冒充人民銀行股東而被拘公安局，共幹問之曰：「何以冒充人民銀行股東？」李君則反問曰：「我算什麼」？「人民銀行是誰的」？「就是我是人民，我當然也有一份」共幹為之語塞！

少了二句

石揮主演的「我這一輩子」電影在北京公映時，生意甚盛！當石揮在劇中唸着「盼中央盼中央，中央來了更遭殃」的時候，台下觀衆不約而同的跟着唸了起來，可是台上唸完了，台下還有人唸着「寧願八路軍叫大娘，不願中央來遭殃」。因為這是由東北而流入華北的一個民謠，可惜最後兩句石揮在台上不敢唸。

一敏。

強笑集

晚爺

·負責·

女人死了丈夫再嫁，同時帶去前夫所生的子女，所帶去的子女，俗名「拖油瓶」。「拖油瓶」對母親再嫁了的丈夫，稱做「晚爺」的，因為他或她的「先」父已死，這是「後」父。

晚爺對於「拖油瓶」，因為不是自己所出，當然不會像親生般的愛護，內心或認「拖油瓶」為累贅。甚而是恥辱——是再嫁的活證據。但是為了事實或是條件的關係，又不得不隱忍着。

在這樣尷尬的情景下，晚爺對「拖油瓶」，當然在言行上，是不自然的。同樣在「拖油瓶」本身，也會覺到自己身份的尷尬，實在也有說不出的「那個」，由此可知「晚爺面孔」的尷尬難受了。

最近接到家裏來信，要我不要寫信回去，隱語中說：「你一來信，晚爺即查三問四，使我非常難受，眞是一言難盡」。大陸鐵幕內的人民，通信自由也被剝奪了，中共認賊作父，而對數億人民則擺起一付「晚爺」面孔，人民所過的「拖油瓶」式痛苦生涯。已可從這封信裏短短的一句話中一目瞭然了。

媽媽又生了個孩子

——蘇俄生活紀事——

文特佛蘭作　望年譯述

媽媽又生了一個孩子，她的第五個孩子。當然，她並未施用無痛生產術，很少俄國媽媽有這樣的奢望。爸爸工廠裏的小組組長跑來道賀，因為媽媽得了一個「母親勛章」。得了一個有了五個孩子的俄國女人，便得一個勛章。他又說，這個新生孩子政府會給四十二鎊，當他活到五歲以前，每月再有三鎊，因此，他又說，媽媽爸爸應該為了是「蘇聯公民」，而不是「資本家的奴隸」感到欣幸。

另外有些人對爸爸說：「開始計劃生第六號與第七號孩子吧！」因為生到第七號孩子！」可以拿更多的錢。最好生到第十個，媽媽就可以得到「母親英雄」的頭銜了。

小組組長又告訴爸爸說「蘇俄有二百二十五萬個母親得到勛章，因為俄國的生育率是世界上第二高的——非洲還超過我們，不過我們很快可以追上去。」

媽媽在醫院裏，兩床是一個未結婚的女人，她也得到政府的生育補助金。媽媽回到工廠之後問組長，未婚者怎末也同樣待遇，他說，政府鼓勵女人結婚，未結婚而生孩子也一樣好。《眞理報》上說：「只有蘇俄的婚姻才具有婚姻的眞精神，這種精神上的美，是資本主義社會所沒有的。」

媽媽很快就出了醫院，她唱着「蘇俄催眠曲」，歌辭是這樣的：「當我孩子長大了，他好進工廠，啊，啊，一進了工廠，生活就能像樣。生活就能貼近克里姆林宮的高牆，死後便能葬在墳地裏，死了國家便可富強。」

爸爸把媽媽接回家，新孩子和我們六個人還有祖母同住一間小房間，媽媽照顧嬰兒當然很辛苦，可是她還得到「母親與嬰兒保護所」去聽訓話，題目是「如何養成蘇俄孩子良好習慣」。有一次訓話的人說：「我們的孩子對于母親這個稱呼是尊敬的。因為只有蘇俄是惟一有母親英雄的國家。而父親這個稱呼，那是稱呼偉大史太林用的。」

媽媽和爸爸訂閱了一本「家庭與學校」月刊，有一期中有一篇「如何發展兒童能力」，也有一篇「小戰士」（關于兒童作戰的）。文章中說：「兒童應有對于戰爭與趣，故兒童的遊戲應注重于培養勇氣。」

新生的孩子叫鮑力斯，二十八天大的時候，就和他哥哥伊凡一起到托兒所去。伊凡已經三歲，會走路了。媽媽用一隻籃子把他裝了去。托兒所的名字叫「克魯潑死家呀」，這是列寧的「愛人」（用中共的名詞譯「夫人」）的名字。托兒所牆上漆了大字：「托兒所為共產黨細胞養成所！——列寧」。醫生檢查了鮑力斯的眼睛，喉嚨與牙肉，檢查皮膚，室裏掛了列寧遺像和一句標語：「十月革命的火焰解放了我們。」

伊凡和鮑力斯都已經有了綽號，他們和與他同等年紀的人一律稱作「十月革命的孩子」。鮑力斯得到了一個玩具，但是這些玩具並不屬于他的，而是「社會主義的財產」，當他領回家去的時候是不准帶了走的。

托兒所的教養計劃是：一歲半的孩子會自己洗手洗臉，兩歲半便須自己穿着衣服。關于這一點，眞理報曾經提出討論過，結論是：「我們必須要使孩子在能走路之前，就有社會上的功能。」

所以，鮑力斯媽媽的第五個孩子，也已漸漸開始發揮他的「功能」了！（原文載倫敦圖畫週刊，五月號「英國文摘」摘刊）

美國人不輕易留客吃飯

旅美雜紀　陳香梅

在那些公共遊憩之地，你時常可以看見許多孤獨的老頭子在看報紙。無聊的老太婆以花生米喂鴿子。有時他們在公園一坐就是個大半天，無依無件，頗使人有「採得百花成蜜後，為誰辛苦為誰忙」之感。這種趨勢造成了老年人結合為夫婦的現象，許多八十多歲的老頭子和老太婆還論婚嫁，在中國要算奇聞，可是在美國算不了什麼一回事。

我有一位朋友，她底母親於六十八歲那年再婚，她居寡已二十多年，最後終於有點守不下去，於是和一個年紀比她少十多歲的男人結婚，婚後不及一載她即撒手西歸，這位老婦人家本富有，死後新婚的丈夫與她和前夫所生的幾個兒女為了爭產問題，大興訟訴，據說直到而今還未圓滿解決。

不過話得說回來，美國的小家庭制度是一種進化的表現，也是一個進步社會必經的過程，可以造成個人的獨立精神，不像中國那種大家庭制度，造成許多懶惰成性的子子孫孫，專靠祖產度日，一旦樹倒猢猻散，造成社會上數不盡的寄生虫，這是中國大家庭的遺害。

由美國的小家庭制度我們可以再看看美國的人情，也可以說是西方的人情，我以中國人的眼光來看西方人的人情，總覺得它不如東方的溫暖。美國人難得請你吃一頓飯，請吃飯多半要發帖子，算是一件大事，不像中國人隨便到朋友家聊聊天，坐個半日，晚飯開了，朋友總也請你用一餐便飯，這是非常普通之事；可是在外國就不如此，除非是你最要好的朋友，不然你就要知趣而早退，免致人家不好意思開飯。

我在美國斷斷續續地住了好幾年，仍然不能承受西方習俗，我仍然酷愛着我們古國的溫情與友愛，這種山川靈秀的陶冶，或許就是中國能有五千多年歷史的原因。連年戰亂，中國人似乎也比以前冷酷多了，『衣食足，而後知榮辱』。孔老夫子在二千年前就已看到這一點了。（共產黨統治下的中國，鼓勵兒女淸算父母當然更是要破壞這個東方最好的家庭制度）。

歡迎「我是毛澤東女秘書」

美國華僑最多的地方當推舊金山，其次在紐約的也數不在少，此外就是一些華盛頓的華僑則以外交官員及其眷屬居多，此外就是一些開餐室和雜貨店的。華僑對於祖國的實況似乎非常隔膜，他們有些還受了左傾報導的欺騙，最近的情形似乎比較好一點，這是主理華僑事務當局所應密切注意的事。去年曾有一個時期，許多不明實況的美國人民以為中國人即是共產黨，尤以紐約和舊金山兩地為然，凡是中國人都無辜受辱，如今美國報紙對於中國的消息已多加刊載，一般實況已漸為人民所明瞭，這種情緒也就沒有了。不過我覺得我們在外國的宣傳工作實在做得不夠，而且太不進步，因此過去一個時期竟然讓共產黨徒大賣膏藥，共產黨在美所辦報紙就比我們的多。

我在舊金山時看到「國民日報」中所連載謝英所著的「我是毛澤東的女秘書」一書，很有價值，據說該書已有英譯本，在美國銷路很好，我前些時和朋友談及，說原書作者現在澳門，為什麼我們不請她再多寫點有價值的文章呢？（十二）

竹影心聲

·上海來鴻·　·離草·

十二

原是打算在杭州再寫一封信給你的，告訴你關於我生日的情形，因為這一天太興奮，若霞把我灌醉了，第二天早晨又忙着整理情緒，中午上車站，所以失了最後機會給你寫信。我在火車裏，有點懊悔，為什麼一醉如泥？每年沒有醉過，也許今年是少了你的緣故。

我們到城站時，路上已塞滿了人，瘋瘋狂狂的，今天是他們「示威」的日子，在車站餐室裏坐了兩個鐘點，一隊隊鑼鼓聲，單調和刺耳，打開今天的報紙，粗黑的字，彷彿一根鞭子，它抽擊着那些「讀者」，大力地為共產黨流血流汗。

四點鐘到了北站，紅旗招展，眞是一片「大海」，電車停駛，公共汽車沒有，若霞是哭喪着臉，還是我提醒她，翻一下通訊錄，有沒有「汽車階級」朋友，打個電話去，請他來接我們。

她是有這樣朋友的，好容易又是在餐室裏等候了一個半鐘點，她的朋友開了車子來接，他說：「路上擁擠不堪，車子不知繞了多少路，才趕到北站」。

我是住到若霞老家裏去了，原因在媽今天「繳出了所有力量」參加遊行去了，她不會留下鎖匙，而車子繞個大圈到若霞那裏反而便捷，她家裏佈置得太有藝術頭腦了，我不懂若霞為什麼喜歡我，與我同住，她是遭得最厲害的一個。

昨天，上海槍斃了三百左右的人，那數字是當權的自己所公佈，實際上多少，一折八扣，足足放三，實一送一，商業上習用的名詞很多，誰知道是三千，三十個？還是二十九個？

開埠以來，一天內在上海處決了三百左右的人，已經是新紀錄了，回到上海，眞如入阿鼻地獄，這個都市，本來還有人不相信處於恐怖之中，現在不必問，就夠你心寒。我是回到上海了，明天早晨回不回自己家呢？我又動搖了，我怕自己失蹤，我怕被加上一個莫須有罪名就此離開了你。

…………

我擱筆想過一陣，（若霞在浴間裏）想得很透澈，證明我仍是有勇氣，不然為什麼我在前面說了許多話？如果是怕「殺頭示衆」，乾脆[illegible]

收音機裏一直開着今天的遊行報告[illegible]聲音，若霞的家裏人正如聽故事一樣，[illegible]喜歡接近我的理由。

天也是被「學習」得可以扮笑臉迎人了，不然今天怎麼不來一場習慣性的大雨？

我的天呀！

不想回家的俄國兵

用報紙捲香烟

「我並沒有忘記，」[illegible]

[illegible]他把照片贈給那幾個女孩子，對我們以懷疑的目光看着。他比一般俄國兵高着一點，金黃色的頭髮，閃着眼睛，有一個標準粗糙的斯拉夫民族的臉，顴骨高聳。他將伏特加酒和烟放到抬子上，取了一支卷烟，隨即走進臥室，關上了門。梅斯頓低聲對我說，克赫柯在他的床下藏着一個小箱子，裏面有香烟，一點錢，幾片肥皂和一套便衣褲。「很多俄兵都在他們的友人家裏藏着衣箱，」他說：「這比放在兵營裏安全得多。」

「那些便衣褲是做什麼用的？」

「他雖然自己不承認，我自信一定是懷着將來必要時逃到西方去的念頭，正如八萬到十萬俄國兵的潛逃一樣。」

[illegible]

[illegible]不過軍官的薪俸要高得多。克赫柯算了好一會，然後對我們說，一位少校，每月有三千馬克和二千盧布。（八）

秦辛審譯自星期六郵報

自由人
THE FREEMAN
（半週刊每星期三六出版）
每份零售港幣壹毫半
（第二十四期）
督印人：梁大成
社址
香港德輔道中一四九號四樓
電話：三二八二〇
149, 3rd FLOOR,
DES VOEUX RD. C.
HONGKONG
TEL: 32820
承印者：東南印務出版社
地址：高士打道六四號
台灣經銷處中國書報發行所
地址：台北館前路八十五號
電話：三三〇三

遠東現狀與美國決策

——援助南韓而不從根本上打倒蘇聯在中國大陸建立的傀儡政權這不僅使美國在韓犧牲全歸無效而且將為六年來辛苦扶助的日本種下無窮禍根——

・左舜生・

遠東今天的種種糾紛，中國現在所受的種種苦難，追本溯源，實自一九三一年日本以武力侵略我東北始。由「九一八」到現在，已經是整整二十年，這二十年間遠東形勢的演變，誠令人不堪回首：蘇俄勢力的逐漸滲透於遠東；中共在敗殘之餘的再起；中國領土的大部分為日本所蹂躪；國民黨政權的為中共所顛覆；英國在遠東地位的削弱；越南與韓國的戰火之無法停止；日本之由失敗而復興，雖復興而依然遭受莫大的威脅；甚至整個東南亞與太平洋之島島不安；以及美國傳統的遠東政策之發生動搖，致引起國內空前的政爭而至今莫衷一是；……那一件事不是由日本侵略中國開始？

許多複雜情勢　造成今天不安

其所以釀成如此的情形，原因自然非常複雜，但舉其大者，也不出下面幾端：

一、由於過去日本軍人太無遠識，根本不懂得日本無征服中國的必要，也無征服中國的可能，更不懂得必須有一強大的中國與日本切實攜手，即永無構成一個足以安定遠東力量的可能。以致鬧到錯誤重重，誤人誤己。

二、在過去二十年間由蔣介石先生所領導的中國政權，日處於一種必須安內攘外的惡劣環境，其規模之宏大與風浪之壯闊，而人才與制度又都不足以稱之，其興起也，固非倖致；其失敗也，亦非偶然。

三、滿末民初，在遠東本為一英俄爭霸之局，日本則依違於二者之間。自俄國革命，中共興起，以國民黨之容共聯俄，英國在遠東的地位為之一變；日本發動侵華，又受史太林之鼓勵而侵及東南亞，英國的地位再變；自二次大戰後工黨秉政，側重於國內實驗該黨的主張，未遑遠略，世界霸權，已由美國起而代之，竟為英國在遠東弄得如今天這樣捉襟見肘的近因。英國在遠東地位的這種變化，其所給予未來人類歷史的影響如何，這是後話，但變得太快，使遠東局勢，驟然失去均衡，就中國的情況看來，要爲利害參半。

四、美國在遠東，除經濟利益以外，其態度本來比較的超然，政策也比較的開明而穩健。自上次大戰結束的前後，既曾以大力調停國共而遭遇失敗；又誤信非借重蘇俄即無以擊敗日本；更把管制日本與保護南韓的責任一肩承擔；於是更得美國對亞洲至少也負起了並不下於對歐洲的責任。美國近四五年以來的對華政策，一誤於少數並無真知灼見或別有懷抱的所謂遠東問題專家；再誤於一二當局的感情用事；因此才把整個遠東陷到如今天這樣的不可終日。

英美過去錯誤　均應及早糾正

美國近六年來以大力重建日本，完全是對的；麥克阿瑟以謹慎的態度執行此一政策使得日本對美國發生了一種化敵為友的信心，其功尤不可沒。杜魯門總統毅然制止蘇俄所發動對大韓民國的侵略，這也完全是對的；及至中共介入韓戰，美國不惜領導聯軍與之週旋，不戰敗中共不止，更顯正義懍然。可是假定只限於在韓國境內擊敗中共，而不能進一步顛覆蘇俄在中國大陸所建立的傀儡政權，這不僅是養虎貽患，而且使得中國的人民遭受無窮的損害，可能陷入萬劫不復。援助南韓，而不能以同等力量援助自由中國，這不僅使得援韓的犧牲歸於無效，而且將使得這六年來扶助日本的苦心不僅不足以為日本之福，或反足以為日本之禍。不能重建中日而促其切實提攜，即有太平洋公約，其力量也甚為微薄，可能使美國對亞洲的責任，永遠無法解除，這是今天美國確定遠東政策最應該注意的。假定美國願於台灣以外，促成中國其他民主人士的團結，一面以加強反共的陣容，一面以促進民主政治在中國的發展，這也完全是對的。可是這假定運用不善，使此分散受到援助的力量相互抵消，則可能使得美國的對華政策又變成大錯，這也是今天美國考慮遠東決策的時候最宜用心的一端。

我們決不希望英國恢復以往在遠東的黃金時代，這是不必，而且也是不可能的。可是假定英國衷然願意保持遠東這個幾破的舊蠱，以成為世界民主聯合陣線有力的一環，這我們不僅不欲加以反對，而且樂於贊成。可是英國眞要達到這個目的，則對遠東問題的應付，卻不能不一改近年錯誤的作風。英國以為一旦歸罪了中共，即將使西方國家無法在亞洲立足，這完全是一種錯覺；事實剛剛與這個假定相反：換言之，姑息態度，使中共政權一天天趨於穩固，則西方國家遲早總有一天不能不退出亞洲，而且在這個時候，中共敷衍選就的與永遠不會給你一個痛快。英國當前所應採的態度，與其由[illegible]復友好的關係；二、對日和約，須從大處着眼，不必在若干小利小害上斤斤計較；三、英國最好能加入太平洋公約之一員。過去英美對遠東的態度，是超然的，因此美國卻是進取的；英國卻是保守的；今天英美對遠東政策，不妨就英國的介入，美國卻是遠東的保守的，因此英國以切實與美國配合為合理。

最近美國因麥帥去職一事，引起一種空前的政爭，我們就美國若干負責當局的言論加以分析，當在實際上感到美國對遠東政策不依然有許多矛盾，頗多棋不定，而且互相抵觸，為一勞永逸，建立世界的和平秩序，我們覺得已經是美國對遠東採取決定政策的時候了。

從英國陸相警告「中國泥足」　談到阿特麗女士新預言

如果美國不從速改正過去錯誤　可能另一錯誤就要跟着發生。

一丁

英國陸軍大臣史特拉基，在一工黨集會上演說，他反對擴大韓戰，在申述許多理由之下，最主要的一項，錯於上次日本侵略中國的失敗，他警告英美，不要再蹈日本覆轍」，將泥足陷在中國。

在上一期「半週展望」「為英國陸相進一解」短評中，我們指出，現在侵略中國的是蘇聯，不是英美。我們的意思，如果說泥足陷在中國，那是泥足，迴不是英美的而是蘇聯，今天大陸上毛澤東傀儡政權，也就正等於日本侵華軍閥一手製造的汪偽政權，牠一定要遭到全中國人民的唾棄毀滅。

在最近二十年來，中國遭到兇狠殘酷日蘇兩大帝國主義的侵略，中國人民所受的苦痛和生命財產的損失，是無法估計。尤其這一次中共在蘇聯卵翼下，其給予中國人民的災害，更打破歷史紀錄。日本侵略中國，是英美姑息政策的結果，而這次中共偽政權的成功，則美國若干決策人物的錯覺與幻想，關係最大。這些人不僅害了中國老百姓，今天美國而對蘇聯空前未有的威脅，與這幾十萬青年，被拖在韓國戰場，流血苦鬥，也，是這些人錯誤所揚」。麥克阿瑟在國會作證時曾說，「百餘年來，我們太平洋政策所犯的最大錯誤，就是讓共產黨滋育成長，估有中國，相信這一錯誤，我們整個世紀，將要付出最大的代價。」這是大錯誤政策的形成，究應由那些人負責？杜魯門，艾奧遜，馬歇爾以外是不是還有其他人物？以及政策形成，其間是不是還有外面不大了解的內幕消息？這些問題，都是大家所深切關注，而希望能得到一些有系統解答的。在美國出版界中，固然有不少與此有關的書籍，但大多數都挾有偏見，不足饜滿人們的要求。

前面提到英國陸相怕英美陷入中國變成「日本泥足」「日本泥足」這一句名言，最初出自作家阿特麗女士Freda Utley她所著「日本在中國泥足」一書，最為世人所稱許。在上星期，她又出版了一本新書——中國故事China Story——據一般批評，這本書，分析共產黨估有中國的經過，很精密，也很公平。她本是英國人，歸化美國，一度進過共產黨。她的蘇聯籍丈夫，在二十年前大清黨的時候被消滅了。[illegible]

[illegible]

中共會秘密決議　認李濟深等思想動搖

[illegible]

時局漫談

一百閱

兩件重大的措施

對於這幾天，美國有兩件重大的措施，打擊了赤色帝國主義者及其幫兇者與以無情的打擊：第一件是美國所提建議對中共政權和北韓共黨政權實施戰略禁運的提案，這提案在……[illegible]

史特拉基和艾契遜

[illegible]

漏網的世界珍聞

·丁一·

蘇聯助納粹在西德復活

英外相摩里遜，最近訪問西德，與西德首相阿德諾洽談甚歡。這是二次大戰後，英國向西德表示親切友好最誠意之一次，對歐洲未來局勢，當然會有重大的意義。

在摩里遜訪德期間，五月二十一日他出席記者招待會，除強調英政府當前政策，首在排除英國與西德重建友好關係中的最後障礙外，並談到德國納粹主義的復活問題。他說：德國的民主政治，爲保衛自己，必須與共產主義及新納粹主義同時搏鬥，因爲這兩種主義，目的都在摧毀民主德國。[illegible]這兩年牠的猛速發展，說起來[illegible]牠以社會德國黨 Socialist Reich Party 名義公開活動。在各地方選舉中，已嶄露頭角。重要份子，有不少舊日納粹黨人。一切組織和宣傳方式，都採自納粹。牠的最高發言人雷默 Remer，原爲納粹軍官，一九四四年一部份納粹軍官謀殺希特勒失敗，即是他事先告密的結果。現雷默每次出席群衆大會演說，一般人多認他聲調姿態，簡直是戈培爾再世。

社會德國黨，牠的黨綱，是反蘇，也反英美，但在宣傳方面，總特別強調蘇聯的強大，英美的脆弱；使西德人民深深得一英美將被蘇聯打倒的印象。有許多情報，[illegible]黨的經濟[illegible]，大部份即來自蘇聯，如果這情報確實，則社會德國黨[illegible]發展，即等於蘇聯第五縱隊在西德的強大。英美對此，自然極感頭痛。摩里遜說[illegible]，是一個不幸的兆頭，[illegible]西德政府，已禁止[illegible]納粹餘孽之類的組織，但對於牠的青年團，婦女同盟，則並未準備干涉。最近因爲牠在地方選舉中一再獲勝，西德當局，鑑於二十年前，希特勒獲得政權的逐步經過，爲防微杜漸起見，已準備將牠否根本禁止該黨的問題，提請憲法解決。內政部長李耳 Lehr 上星期說：「我們決定要撲滅這一個火花」，可見西德政府對取締新納粹主義，大約最近期間，即將採取斷然的措施。

杜魯門贊美貪污「鬥士」

杜魯門對於部屬，凡不能趨附恭順，承奉意旨的，[illegible]克阿瑟那樣的勳高望重，也一腳踢開。[illegible]貪污罪行大調查，主持此事的參院委員會 Kefauver Committee 正向該院提出報告。[illegible]紐約市長 O'Dwyer 犯嫌最大[illegible] Costello [illegible]出席作供[illegible]

阿閣議在蘇聯使館舉行

前幾天，國外電訊，又盛傳阿爾巴尼亞將爆發內戰。[illegible]

中共貿易「出超」眞象如此！

只是一套自欺欺人的鬼話和無法自圓其說的謊語

·張丕介·

近數月來，由於各國對中共禁運的相繼實施，連過去極力捧場的英聯邦，亦敵不過正義的威力而轉向。中共在國際上已逐漸陷入四面楚歌的情勢中。爲了掩飾其內心的苦悶與徬徨，於是一再誇揚其對外貿易的成就，藉以表示禁運的無關宏旨。

據中共「海關總署」所發表數字，一九五〇年進口佔貿易總值百分之四十七點七七，出口佔貿易總值百分之五十二點二三，出超達百分之九點三四。此爲一八七七年以來七十三年中對外貿易的空前現象。尤其過去年年不足的糧食，去年竟開始大量外運。假如這些報導，果與事實完全切合，我們站在中國人的立場，能不額手稱慶？但實際上呢？

入口貨物大量走私　數字龐大不列官報

首先值得探討的，是中共所誇言百分之九點三四的出超，是否可靠？據中共對外貿易條例，其輸出入貿易中，百分之八十以上皆已劃入國營範疇，按照去年七月十三日到七月廿五日在北平召開的「全國進出口貿易會議」中對公私關係調整的決定，私營之進出口業，在輸出方面僅限於刺繡、花邊等手工藝品，輸入方面限於販賣，商所需的貨物，不僅受國內外行市的限制，而且亦受結匯及易貨等嚴苛的條例所束縛，故眞正的商人不敢輕易進出口。但實際上大陸所仰給國外的物資極多，來源既缺，公開的結匯，又不能滿足需求，於是大規模走私透過走私途徑而輸入，這些走私入口的數目，未計入中共官方的出入口統計，故其所表現的情形，自然只有出超而無入超。

但根據中共官方發表的統計，走私的情形，據中共大陸各海關「海關總署」去年報告：全年的走私案達三萬七千〇九十一宗。其中華南海關所查獲的私貨總值，即合大米一億斤以上。而去年一至九月各關查獲私貨總值佔同期稅收百分之四點五（五月十九日大公報）。另據去年十月二日廣州「南方日報」的報導：「從廣深線進出的單幫水客平均每日在七千人以上。去年一至七月九龍關查獲私貨達一百八十七億餘元，較一九四九年同期約多一倍。」但估計尚不及全部私貨十分之一。如按這一比率推算，僅由華南走私入口的數額，最少應達共幣三千五百億以上。

除一般水客及私商的走私外，中共幹部及官僚所組織或包庇的走私，其規模更大。據孔原的報告：「某些機關團體企業的個別工作人員，由於受舊社會的自私自利影響，常常假藉「人民」，「公家」的招牌，進行非法走私」。去年葉劍英介弟主持南方公司，以煤車大運私貨一案，已成盡人皆知的事實。此外，據本港各報的報導，在深圳、三埠、澳門、及中山等地，均有穗共官僚集團的走私組織，其經營項目，除包運私貨出入口外，並兼販鴉片（十月廿四日工商日報），數額動輒以數十億計。從去年十月十九日上海大公報「尼龍絲襪走私來滬，嚴重影響國產絲襪推銷」的報導中，不難窺見其一斑。綜合這幾方面情形觀察後，中共所隱瞞的走私數字，絕不能表現的「出超」，作爲貿易發展的表徵。

戰略物資拼命搶購　民間糧食儘量輸出

其次，就貿易的內容而論：過去的進出口貿易，由於自由貿易成份較高，雖有浪費外匯的事，但由於主要的業務操於進出口商之手，一般仍能適合工商業的需求。自中共獨佔大陸對外貿易後，其對外貿易已成爲其備戰的主要環節。據去年十月三十日本港「大公報」的統計：由港輸入大陸物資，百分之八十以上均係戰略物資。其中橡膠、鋼鐵，均較前年增加四倍，西藥、原棉均較前年增加三倍，而洋紙較前年減降百分之十一。中共介入韓戰後，其對外搶購，更全部集中於戰略物資，而這些物資的輸入，既無益於民生之改善，更無補於國富的增長。而中共輸出物資中，除豬鬃、羊毛、桐油、礦砂等原料外，主要的全爲糧食。據孔原的報告：「去年的米谷出口爲八十二萬公担，較一九四九年出口的二千八百公担增加二百九十一倍。」大陸的糧食，根本上仍屬不足，而中共爲進行戰爭，不惜製造人爲糧荒，大量搜括民糧出口。在這種情形之下，中共搶購的戰略物資愈多，大陸糧食外流愈甚，其所給予中國人民的災害，亦將愈爲深[illegible]。

大陸市場蘇聯獨佔　賤價輸出高價購入

第三，從貿易路線而言：據中共的宣傳：蘇聯去年在出口方面已由一九三六年的第廿五位及一九四九年的第三位，列居首位。而美英等資本主義國家已由過去的首位，降爲第二三位。據二月十三日「新華社」的報導：在進口貨物方面，蘇聯平均較英美便宜百分之三十，而輸往蘇聯的土產價格，較一九四八年平均提高百分之二十八點五。這些說法，更令人難以置信。資本主義國家的對外貿易，雖以追求利潤爲中心，但終難擺脫世界市場的價格水準，而蘇聯的對外貿易，則完全以掠奪爲目的，透過貿易協定以獲取片面利益。根據東歐各國的經驗，蘇聯對附庸國的對外貿易，幾全係掠取性的行爲。據南斯拉夫部長波普維克宣稱：南國向蘇聯購買發電機，每具結價二百萬美元，而西德市場僅售四十五萬美元，吸引筒每具結價四萬一千八百五十美元，而西方各國僅售一萬三千元。又據匈牙利官方的統計：一九四七年匈牙利輸蘇的價格指數，較輸往各國低百分之四十七。凡此種種，均證明蘇聯對附庸國的貿易，決無捨己利人之理。因此，所謂蘇聯較資本主義國家有利的說法，更完全是自欺欺人的鬼話。

在中共的備戰措施下，大陸的對外貿易，已脫離了經濟範疇，成爲共黨對內對蘇搜括民糧對外輸出的手段。就中國人民的立場而言，少輸入一卡車軍火，可多留一點國家元氣，少輸出一斤糧食，可多救活一個中國人。至於出超與否，根本上與中國人民無關，何況中共的「出超」云云，根本上只是一套無法自圓其說的謊言？

從南京到香港（一）

沿途數千里，笑臉少，哭聲多

·王一中·

本人向服務于首都，當前年赤禍洶湧，風聲緊急時，以公私特殊關係，未能及早隨政府疏散。南京淪陷後，共黨監視綦嚴，不便請證遠行；屏息吞聲，隱居白下者幾二載。邪魔暴行，罄竹難書；萬苦千辛，忍無可忍。爰于今春乘間走上海，轉杭州，經過浙贛，粵漢，廣九等路而入港。途中因事稽延，歷時約及二月。南北數千里，民窮財盡，耳目所接，極少笑聲；哭聲載道，慘不忍聞。嗚呼！時日曷喪，及汝偕亡；吾人應如何團結奮鬥，以救大陸同胞於水火！聊憑記憶所及，略述途中見聞，冀供讀者之參攷。

肚餓不許號哭

余於去年農曆臘月廿四日（即民國四十年一月三十日）下午啓程赴滬，事先無人知曉，遂行者僅余妻與十五歲之幼子。三人同由太平路建康里寓所步行赴鼓樓搭小火車往下關換車，途經中山東路財政部左側巷口，見一人力車夫伏地號哭，余以爲患何急症，趨而問之。車夫曰：「非患何病。整天沒吃飯，肚餓走不動，今天只拉到一千五百元，夫妻兒子三口之家，無錢何以得過？想着傷心，故痛哭耳」。時衆人漸集圍觀；共警亦來，斥其非病不應伏地號哭。余擲以五百元共幣一張而去；但于人聲嘈雜中，聞有人高呼曰：「這個年頭，誰顧得誰，倒是翻身！哭啥？該殺！」

（絃外有音）。及到下關，候車甚久，余妻恐余飢餓，囑兒出站購買熱饅頭來，不意途中遇一身着解放裝之行人，向其手中搶吃兩個。以上兩事，雖極細微；然京中市民一般景況與情緒，可以想見。下關車站大門之擴大部分，已封閉劃爲駐兵之用，旅客均由與小火車接近之旁門出入。車中旅客不多，三等座位，時有空席，蓋一來人民經濟困難，非萬不得已不旅行，二來人口管制嚴密，通行證領取不易也。車中聞人云：昨日燕子磯有跳江自殺者，因無錢過年，妻兒啼哭，以致憤而出此。

陪老友聽「子訓」

余到上海，初寓霞飛路某醫師家。某爲余老友，年逾耳順，在滬行醫數十年，頗積資財，家裝短波收音機，夜間閉門，可以竊聽美國之音及台灣廣播。某晚，余請其開機，某君不允，固請之，則曰：「小兒在樓上。」余以爲須其子下樓執其事，便欲上樓邀請。某亟止余，並細聲曰：「我子我女，均係共產黨員，早年加入，余並不知。及上海「解放」，女已參軍西南去，子年少，仍讀書中學，若彼在家而吾收音，難免不受干涉；反映上去，吾與汝且得罪。」余遂不便再言。某本置有小汽車爲應出診之用，自「解放」後，亦不敢乘坐，據云：「一來主顧大都景況不佳，診金減少，汽車開支大，無法負担；二來共黨徵稅派捐，層出不窮，若見汽車，數額更高，故此封存不用；其最大原因，則在兒子之非難，謂應保護人民財產，不可浪費汽油云云。」翌日，某得鄉中函，云其祖墳被農會挖取碑石鋪路，心頗痛恨，淚下如珠；其子在側，謂拆墓修路，是廢物利用，中國爲人民，應如此做；指其父爲思想落後，封建餘毒甚深。傳其故鄉有派員來滬逮捕回鄉清算消息，某甚恐，寢饋不安；其子則曰：「清算是國家法律，年紀這麼大，還怕向人民低頭嗎？」一套一套「前進」言語，中人欲嘔，以老父而受制于十餘齡少子，不圖共產中人，竟至于此！余恐久住不利，乘其子外出遷寓他處，亦不敢再往探視矣。

（本文自下期起移登第四版）

王子文等七人遵令開除會籍

中共的尾巴小黨，如革命委員會，民主同盟之類，在此次「鎮壓反革命」號召下，其黨員被中共捕殺者，爲數極多，因之，中共對李濟深沈鈞儒等「反動派」深感不滿，認爲彼等吸收太濫，將危害甚大。最近，中共又在上海發現，黃炎培等之民主建國會，頗多不穩份子參入。已由陳毅開單令知該會上海臨時工作委員會，將業已捕獲，即將處決之王子文等七人，迅予開除。該會當即遵辦。開除之決議案如下：

「查王子文，陸叔達，鄔石生，熊守愚，朱見知，徐益卿，蔡溪等七人，在上海解放後混入本會。本會曾一再號召會員速向組織坦白但王等仍掩飾不報。嗣經查明；王子文過去在河南原籍犯有血債，及販毒貪污等不法罪行；陸叔達係川沙惡霸，參加匪幫殘害人民；徐益卿係反動一貫道點傳師，解放前貪污勒索，解放後繼續進行反革命活動；蔡溪爲徐益卿黨羽；鄔石生、熊守愚、朱見知等均係日僞及國民黨反動統治期間之區長或鄉鎮長，有反革命罪行。本會爲新民主主義革命的政黨，決不允許革命份子混入，並堅決要嚴厲鎮壓，爲整肅紀律，肅清人民的敵人，業由常務委員會決議，將王子文等七人開除會籍。」

建國會雖遵照陳毅命令，將此七人開除，但問題並不能就此了結。根據上項決議，陳毅追詢該會，何以此等反動派，罪犯，惡霸，僞師等特務之人，於入會時竟毫不考查，即係過份胡鬧，必須徹底根查云云。現上海該會負責人常委徐永祚胡厥文等，已被陳下令限期陳復，徐等業急電黃炎培等乞援，黃正設法斡旋中。

陳毅斥徐永祚等　建國會窩藏「匪特」　徐等正急電黃炎培乞援

新貴委員九人　竟與毒犯爲伍

按建國會因黃炎培關係，在上海拚命吸收會員，工商界，加入者極多，如最近中共任命之上海市財政經濟委員會委員，在全體二十九名委員中，籍隸該會者即有九人之多，計新華銀行總經理王志莘，中國國貨公司副總經理王性堯，工商業聯合會籌備委員吳振翔，蔡康年，上海市各界人民代表會議協商委員會副主席胡厥文，常務委員經叔平，國際貿易同業公會副主席文光，會計師徐永祚，華東聯合購棉處總務處處長嚴鄂聲。該會正以爲中共如此逾格提拔，深感榮幸。不料此事發生，大家因遵照中共命令，不得不在決議案內，將毒犯惡霸均爲會員之字樣寫出，此對於九位新貴，而予太覺不堪，而中共統治下各尾巴小黨之品類混雜，以及一副可憐相，卻由此可以概見。（一冠）×

中共幾百萬黨員和軍人 短期內無法盡變梟獍

由禽獸進化爲人，固然費了幾十萬年，中共要將「人」還元爲禽獸當然也不容易

最近一戰士一共幹被整肅罪名爲不肯清算父親

中共鼓勵兒女清算父母，或父母被中共捕殺，馬上即迫其兒女發表談話，感謝中共，說自己父母罪惡滔天，中共予以捕殺，實爲人民除害。近來上海，北平各共區報紙，幾全部充滿此類資料。不過由禽獸進化爲人，曾經過幾十萬年演變，現在中共想在短短數年之間，即將人類還元爲禽獸，使人人在中共統治下，都變成殘殺父母的梟獍，這當然不是一件容易的事。幾百萬「解放軍人」，和中共黨員，爲了故鄉父母慘受酷刑處殺，大部份都極感悲痛。尤其是中共士兵，以爲本身出生入死，爲中共打天下，天下到手，乃只有毛澤東少數領袖，可以培修祖墳，加惠親屬，真正在戰場拚命的人，反而連自己父母的命，都無法保證，發現了中共領袖的兇狠殘忍，更發現了所謂「優待軍屬」云云，只是一種無邊無底的欺騙。由於這種事實的顯示，中共士兵和黨員，大半已從悲痛而變爲憤怒，一般怨氣，已在廣大的中共陣營，逐漸發展，下面這兩件事，充分說明了中共當局，正如何不惜以辣手鎮壓，大力鎮壓。

戰士父親被捕 兒子去函抗辯

第一件事，是瓊東海南軍區某部戰士彭偉芬，他的父親彭雨人，三伯彭鑑釉，被中共在化縣原籍，被中共指爲惡霸地主和押清算。彭偉芬在海南防地，接到化縣家信，萬分驚痛，即寫信給化縣三區區長，爲父親和伯父鑑辯。信內略謂：「我身隸國防軍，是一個人民戰士，當年國員，我要向國，向人民，向廣大雄偉的國防軍宣誓，我絕不留戀私情，偏袒社會辯護，但爲闡明事實，申張公道，我不能不替我此番忠厚毫無罪行的父親伯父作一證人，化縣幹部將他們拘捕清算，實未免挾有私仇。我是軍人，我的父親伯父，是軍人家屬，縱然不能優待，也不能被人挾仇污辱」。這樣措詞，當然很不客氣。而該軍區某部之政治處組員唐南，竟也同情這種措辭，寫信給化縣三區區長，證明彭偉芬確是一個優秀的人民戰士，父親伯父，確是善良人民。他並且指稱這樣作法，會抑制軍人統屬的作法，很可以影響軍人在軍隊中的工作情緒。」

（小丹這兩封信，）不特沒有挽回彭雨人和彭鑑釉的命運，反而成爲催命符，因爲海南和廣東大陸的共黨面目，無論爲黨爲軍，均派系不同，向成水火。化縣共幹於接到這兩封信以後，馬上就變爲共黨內部鬥爭的資料。他們得着本系上級的同意，一面立將這兩個「惡霸地主」明正典刑，一方面申報中共中央，和最高軍部，認爲

政治員說公話 也被連帶重懲

「唐南同志身爲政治幹部，失却政治覺悟，階級立場，袒護地主惡霸，去函化縣三區區長，這是非常嚴重的錯誤。彭偉芬因其父親彭雨人，伯父彭鑑釉被人民政府扣押，不能站在人民大衆立場，表示大義滅親，竟敢對政府懷抱不滿，寫信袒護惡霸父親，掩飾罪過，認爲政府進行反霸鬥爭，乃是報復私仇，企圖借參加解放軍和革命組織的力量，作爲自己的靠山，家屬就可免受人民的清算，這種堅持反革命的立場，企圖披上革命軍衣，掩飾反動面目，是絕不能容許的行爲。唐南干涉反惡霸鬥爭，應即停職，進行自我檢討，寫出反省書，發表報端，並依其錯誤性質及覺悟程度，給以嚴格處分。至於彭偉芬已沒有絲毫人民解放軍的品質，故除給以檢討教育後，開除清洗出隊，另行嚴懲。」

彭偉芬和唐南，思想錯誤，包庇地主，不站穩階級立場，結果「中共」嚴申黨紀」予彭偉芬以清洗出隊另行嚴懲的處分。（按即可能就是槍斃）唐南則停職反省，應反省後覺悟程度另再嚴格處分（按即可能送西北共和市勞動改造）的處分經過點如下

女共幹被整肅 罪在袒護家庭

第二件事，是上海國立高級機械學校校務委員會委員，生活輔導委員會主任委員及人事室主任共黨女幹部丁壽，因其父丁午中，在宜興原籍，稍有田產，被中共指爲地主階級。丁父由宜興逃滬，丁壽將父介紹在上海市供銷合作總社工作。去年十二月，宜興農會派人來滬通知法院拘捕丁父，拘禁實「地主」丁壽父親，不是「地主」，丁午中逃匿上海，丁壽且非有意逃匿，特親至法院，爲父申辯。法院令丁父三日內自行回鄉，丁壽怕父吃苦，乃與其丈夫史延璋（亦係共幹）陪伴照料。夫婦並先後訪問縣長，區長，鄉長爲父親解釋。又出席鄉衆大會，力爭父親不應在清算之列。但宜興共幹領袖，與丁父素有深仇，決不放鬆。丁壽夫婦，回滬，共幹即進一步，將丁父住屋沒收，將丁父母及丁壽留在家中三個小孩，均驅逐出屋。丁壽致函縣長抗議，與丁父有仇之共幹，即向上級控訴，指丁違反階級立場，袒護地主父親。丁壽現年三十五歲，民國二十五年，丁二十歲時，即加入共黨，先後在四川，上海担任祕密工作，迭冒危險，爲共黨立功不少。但中共上級認丁不能貫徹完成政策清算父親，反而對父親破壞黨的政策，實爲重大錯誤。本月十六日，由中共上海市委紀律檢查委員會予以「留黨察看二年」之處分。處分書中略謂：「丁壽同志曾受黨的教育十餘年，竟產生如此嚴重的原則性的錯誤，喪失立場，包庇地主，破壞土改，爲家庭感情所迷，不能劃清階級界限，當革命利益與其家庭利益發生矛盾時竟破壞革命，袒護家庭，還是嚴重的無組織無紀律的表現。爲了嚴肅黨紀，應予以留黨察看二年的處分，自我檢討，糾正錯誤。」（大宴）

擁有值美金二百萬資產的主人

陳偉達在滬被捕

偉達飯店及五百所房屋全數沒收

「商人和地主不同，共產黨只搞土改，不搞城市中一切商人，尤其像上海這樣一個大都會，有大規模工商業，那麼多有錢的民族資本家，都是，共產黨不但不殺害他們，反而要盡力保護」。這一顆定心丸，使許多有錢的上海工商界巨頭，幾年以來，繼住上海，反笑那些走台灣，跳香港的，是庸人自擾，是自尋苦吃。

現在，厄運當頭，中共面目一變，這批資本家已被中共自本月一日起，殺鷄儆猴，一個一個提走幾十個。他們不再被中共甜言蜜語，盡力保護了。而擁有三條飯店和七層高樓偉達飯店，五百所房屋的主人陳偉達，則是開路先鋒，首先被提付控訴大會的一個。

陳是上海有名的資產階級之一，擁有大批地產，若干大商號，大工廠，都有他的投資，共黨對他，一向很敷衍，他也採用過去應付地方當局的辦法，周旋，交識請客，去年會因偉達飯店發生工潮，一度被人民法院拘押三個月，就出來後，仍能照常營業，中共還派人安慰他，說這是勞資糾紛，當局不便干涉，迫工人，工潮解決了以後，還可安心居住，因此，他也就深信不疑，沒有即作逃亡他處的打算。

本月十一日，他忽被公安局拘捕，所有產業立被查封，據中共宣佈，說他「過去和毛蔣宣鐵吾關係很深，現在還餘情未斷。在家常收聽「美國之音」，並時常對人預言，「今年八月半，國民黨要回上海吃月餅」。這是一個情惡不饶的匪特，必須嚴予鎮壓」。

控父強姦案主角 敗訴後又來控訴

陳偉達被捕後第三天，中共就在嵩本女中召開控訴大會，到場控訴的，首先是一個老太太，說是民國二十三年，陳偉達因爲一間住宅隔壁，她開了一間豆腐店，陳不擬了，使佔了她的地皮，太大，將她趕走。第二個是曾經替他包建偉達飯店工程的陳東記營造廠，說他的祖父包了這個工程，因爲延期完工，被他扣下工款三萬多元，不肯清付，致祖父被逼上吊而死。第三批則是靈平坊，慶安坊，新華坊三處房屋的住客代表，說他當以停電停水，爲加租迫遷的手段，最後則是多年以前的一幕，曾經轟動上海的女兒控父強姦案主角陳邦倩，她說陳偉達是她的生父親，以十五歲就強姦，解放前以後就不認她，她在上海法院控告他，反被陳偉達賄賂法官，說她是無理女濫訴，敲詐，使她一再敗訴。控訴完畢，主持控訴的中共代表，當衆宣稱，決即呈報上級，迅速處決。

從被捕到控訴，僅僅三天工夫，就有遠到二十年前的冤家出面報仇，如果說不是共黨早有佈置，怎能這樣神速。陳偉達的產業據說，可值美金二百萬，他的命運是十定了，大約最後一分支出，繳付中共的是家屬代收屍費。據說已被和平解放，已補未上海。與陳偉達同一命運的，還爲數很多，現正在中共佈置中，我們且靜待一幕幕演出吧！（悠然，五月二十日寄自上海）

生產機關大家亂搶

公安局主辦開封烟廠

局長派親戚做廠長集體貪污檢討了事

中共各級幹部的貪污腐化，這一年來早成爲人盡皆知的事實。雖然各地貪污案間或有被檢舉告發的，但是等到發覺後，還是官官相護，包庇犯錯誤的幹部，撤多也不過令其坦白悔過了事，因此貪污的風氣，益形猖獗，而中共所自翻的「廉潔政府」，也就不攻自破了。

下面讀者報導一段最近發生在開封的集體貪污案，因分贓不勻，狗咬骨頭，以致鬧得滿城風雨，結果被報告到中共上級，也僅檢討悔過了事的經過情形。

大小烟廠數十家 被中共巧取豪奪

河南許昌一帶抗戰勝利以後，曾試種美產烟葉，成績良好，經當局獎勵培植以來，歷年產量極爲可觀，銷售長江流域一帶，名爲「許昌葉」，色香味均佳，可與美國烟葉匹敵。因此在開封設立工廠，加工製造者甚多，以開封一地而論，即有機製烟廠大小數十家，生產五十支平裝香烟，如菊花牌等，物美價廉，銷行極暢。但解放以後，這一頗有希望的民間工業，備受中共當局之摧殘。中共進入開封，先接收各大烟廠，合併爲開封烟廠，壟斷了香烟市場，各小工廠在此種壓力下乃無法存在，結果只有關門，接着就被中共當局以巧取豪奪的方式完全歸併入開封烟廠。據共廠長侯振之的公開檢討說：「自我接辦工廠以後，工廠由賠到賺，由小到大。」這就是他如何壟斷市場，以及強力歸併各小工廠，沒收資本家的工廠，將這歸入公營的自供。照理，歸併的工廠應都交給中共工業部門來負責辦理，可是天下烏鴉一般黑，現成的烟業，大利所在，誰都不肯輕易放過，所得利益，據說凡是開封各負責當局，因此就由開封公安局來負責。

侯廠長狂嫖爛賭 共幹們坐地分贓

公安局接辦以後就派侯振之做廠長，侯是公安局長的私人，據說還有一點親戚關係，否則這樣一條肥羊，決不會落到他口裏的。他雖跟中共鬼混多年，根本不懂辦實業，但是他的鬼計多端，想出了很多搞錢的辦法。他靠公安局的槍桿做後台，名義上是公平交易做生意，其實無異强盜。第一：他派槍兵到各產烟區以賤價收買烟葉，價錢任憑他給，公安局要，老百姓那裏敢說話，有的乾脆就予以無價沒收。第二：開封烟廠，規模宏大，其他民營小廠實力有限，地主要清算，於是他就利用工人搗蛋，說要加薪啦，福利學習啦，因此生產受到阻礙，出品粗劣的成品，同時所出產的低價出品相競爭。同時他還勾結稅局，險謀與開封烟廠的稅局人員到各小廠查稅，吹毛求疵不勝其擾，因此小廠只好關門，他就用賤價收買併入開封烟廠。第三：剝削工人，據他自己公開檢討：「爲了多賺錢，就忽視了工人福利，烟廠工人經常工作十二小時，男工每天還要加兩小時」。並且隨時解雇工人，減低工資使工人痛苦不堪，但他卻達到了剝削賤價勞動的利益。第四：因爲稅局是串通的，所以紮性逃稅款也隱匿不報，在這種情形之下，他以槍桿爲後盾，可以得到低價的原料，賤價的勞動，並且逃避稅款，統制整個市場。一年以來，確實賺了不少錢，無怪他要丑表功的說：「自我接辦工廠，由賠到賺，由小到大」。開封各高級共幹，都從這裏分到了不少錢，侯振之也因此在開封大吃大喝，狂嫖爛賭，也不在乎的對開人說：「多化幾個錢沒啥了不起」。儼然成爲開封的新貴門。

狗咬骨頭鬧笑話 稅局工會都吃癟

但是狗咬骨頭，終於分贓不勻，發生爭執，（像香烟的稅款是稅局的，因爲稅局幫忙隱瞞了不少稅款，稅總在百分之一百以上），而稅局方面認爲是侯振之沒有公平分配，論功行賞，以致稅局應該多分一點，爲他太不夠交情，不報的證據都抓出來了。因此就發動嚴查稅款，其次是工會的不滿意，工會的做法儘管如何假仁假義，欺騙工人，但以農工專政的赤潮，總要能夠敷衍過去，侯振之對烟廠工人的虐待，簡直比資本家還要兇惡數百倍，有的工人表示反抗激烈一點，就被誣爲嫌疑份子，送進了公安局拷問，一等到工會證明其保，已經吃了眼前虧，因此工人受苦不堪，就告到工會，工會沒有辦法解決，這件事以致開封的工會受到工人普遍的攻擊。其次，還在工會不放在眼裏，是侯振之的借公安局做後台，這樣一來，使工會的面子太下不去了。工會乃向中共上級報告。同時侯振之因爲錢的撥付，跟他中共在開封的幹部，也不管不顧。據說：「跟烟廠是公安局辦的，部門不洽，不調節」。所以結了許多仇人。大家集中目標對侯振之一個人攻擊，攻擊公安局，於是在上級的嚴查之下，侯振之受了處分，檢討公安局也沒有負責的後台，不小有高幾級特務頭子，替他做後台，公安局在稅局工會攻擊之下，不特公安局的地位，並不動搖。開封烟廠，還繼續由公安局經營，何況現在「鎮壓反革命運動」時，公安局生殺大權在握，稅局工會鬥不了公安局，也就不敢再作正面攻擊了。（觀峯，五月十八日寄自開封）

身兼十三要職

請上級酌予減少 反遭受上級指摘

二十歲的中共鄉村幹部

共黨的鄉村幹部，兼職之多，幾使人無法想像。以前共黨攻擊國民黨，要人一身兼許多要職，現在，則不僅上級要人，就是鄉村的小幹部，也多過以前國民黨，而且這種風氣，已遍及於整個共黨。下面是大陸人民日報，刊出一封年僅二十歲，身兼十三職的鄉村幹部致報的信，大家看了，總可知道，中共的官僚作風，正如何在盛行。（以下爲原信）

「編輯同志：

我是山東省惠民縣五區金家鄉王家店村人，今年二十歲，我是中國共產黨員，也是青年團員。我知道一個共產黨員應該全心全意爲人民服務。但因爲我兼職太多，雖然終日忙碌，仍不能把工作作好。我現任的職務有：惠民縣各界人民代表會議常務委員，中國新民主主義青年團區委委員，鄉總支部書記，村支部書記，小組長，鄉公安員，民兵指導員，本村中共黨支部代理書記（候補黨員不能任支部書記），擁軍優屬委員會主任，文教委員會主任，冬學委員會主任，冬學教師，午學教師。因爲我兼職太多，所以每天開會佔去大部時間。夏季農忙時，一個月中我參加了二十八次會議，冬季時，一個月就參加了四十多次會議。這樣，我累得頭昏眼花，並且得了腦病。

去年整風運動開始時，我正在縣裏學習。我提出意見，請領導同志設法解決我兼職太多的問題。結果同志們只讓我檢討自己在工作中的錯誤和缺點，不讓我提困難問題；所以沒有得到解決。

我曾經把這一情況寫信告知山東農村大衆報。農村大衆報第九十四期第四版農村園地上發表了我的信。可是中共第五區區委會領導同志不但不幫助解決我兼職太多的問題，反而抓住我的信中的個別辭句與我爭執。我認爲我的工作是做不好的，希望你們幫助我解決這一問題。王克華」

（臨光，五月十日寄自北平）

是非窩

——香港走筆之一——

長足賢內

最近碰到不少從內地逃亡出來的朋友，說長道短，談到香港山水人物，大家都好像人同此心，覺得太平山下，確是一座無底的是非深淵，人言可畏，似是又非，弄得彼此非心照知交，個也不敢促膝談心。

多事的朋友常說：香港是「是非窩」，與其開門揖客，不如拒之千里，敬而遠之。說這話的朋友，也許深受流言之害，吃過莫大之斷，弄得過事嚇若寒蟬，遇物視若無觀。還味道，眞够人熬煎。

我卻不怕是非，天下如果無是與非，文明早已湮沒，曲直怎有軒輕？我們過去在大陸「優越」過日子的時候，若干做官的自視爲萬民統治者之一，一呼百應，從被統治者嘴裏發出的聲，雙手幹出來的事，「非」也是「是」，「是」也是「非」，誰反對他們，誰就是「非」。搞來搞去，證明萬「是」皆「非」，結果是匆匆登機上船，爭先逃離，留下大陸的是無窮盡的非，無窮盡的苦。

有是有非，纔是進步社會的風格，國家的正氣；一手掩不盡天下耳目，用暴力改變是與非，究竟不是長久之計，怕是怕非，更不是泱泱大國的民風，眞金不怕火燒，是的一一皆是；做賊心虛，非的一一無是處，兩者分得淸淸楚楚，人工的改變顚倒，絕不會減損屬於眞理的是與虛妄的非。

香港多是非，論情理是應該如此，試問有多少人面獸心之徒，換昔年威風，仍躑躅太平山下；又有多少自命不凡的豪門走卒，偷偷維多利亞江干，這些代表「非」的搗亂魔王，如果不辦是非而再加以優容，縱使有回大陸一日，怕也就是再度落荒而逃的重演。我們切望自由中國，永遠丟棄了這批包袱！

單身漢付稅特多

英美的稅率，據說是可列爲世界上最高的，英國我未到過，如今光說美國。

美國稅收的項目中將以所得稅及利得稅兩種徵收得最重，普通一般言之，每人每月薪水所得最少要付百分之十給政府，收入愈多，比例愈大。若是單身漢沒有家庭顧慮的，或是夫婦兩人都有收入的，那麼他們所要付的所得稅則更多。許多未結婚的職業男女都叫苦連天，不過結了婚生了孩子雖不需要付很多的稅，可是生活的担子又加重了，因此不知如何是好。

我們在美國的那些有錢朋友，他們都時常旅行，因爲在旅行時若是因公出差的，他那一個時期的費用不需要付所得稅，因爲反正錢不化掉也是要給政府的。不如玩個痛快，這眞是兩敗俱傷。美國的有錢人有一句流行語，每次當他們付出一筆稅時總說：『我們又送錢給英國了！』這話雖不免言之過甚，不過如看每年美國政府所給英國的借款與救濟，就知道美國每年稅收的錢大半都到那里去了。

英國人總愛在別人面前裝窮，又說英國人吃不飽，見到美國人更要大嘆苦經。其實英國人雖然戰後元氣大傷，不過如今和平已五六年，英國人靠美國的扶持也已漸漸康復，比起別的國家來，她還是最幸運的呢。不過英國人惟恐美國救濟不足，因此總是嘆窮，而美國對英國總有點兄弟國的情感，似乎是別的國家生死可以不管，對英國卻一定要幫忙。尤其是如今艾奇遜任國務卿，他底父親原是英國人，英國是他底原籍，他不幫忙英國，你說可能嗎？

旅美雜紀　陳香梅

爲了英國得到美國不少救濟，據說英國的工人每天工作只四五小時，並不要怎樣勞苦，而大家常常聽見說英國無肉食也非事實。不過英國人當然也有一種圖謀復興的精神，如今她在海外的殖民地都將一一失去，她不能不另謀打算，這也是英國人的苦衷。

寧失業不願做工

美國工人也很舒服，若說美國有失業工人那只可以說他們不想做事，而想靠政府救濟度日而已。因爲美國政府有救濟失業工人的條例，凡是沒有工作的人都可以按月領到一點救濟金。我曾和一個做女工的工人談起，她說，她若工作的話，每月可得一百二十元；若不工作，政府每月給她八十元，因此她有時寧願靠較少的救濟金度日。這種現象在美國已漸漸發生，這是一個危機，美國政府已注意及此，救濟一個人時，要確查他是否眞的沒有能力工作或找不到工作。

再說美國的利得稅，亦可說是盈餘稅，要抽百分之二十五。這就是說，比方你以一千元買了一幢房子，再以二千元賣了出去，那麼轉手之間，你賺了一千元，在這一千元之內你就得把四分之一，即二百五十元給政府，其他股票及他種買賣也如此。奢侈品的稅收也很重，要百分之二十到三十，因此你若到美國去買皮大衣，首飾等等，要比中國貴許多。

美國並不是一個宗教性濃厚的國家，可是似乎每個人都信仰一種教，其中當然以基督教居多，天主教次之。基督教中所分的安息日會，浸信會，星期六會，循道會等等分門別類，各有各人的教堂，不能雜亂。在大城市里看不到濃厚的宗教氣氛，在小城市中每到星期日的早晨，教堂鐘聲，此起彼伏，處處人家都盛裝去做禮拜，一種悠和的神聖的宗教氣息，使人不自覺地會走入教堂，跪下來懺悔！

（二十一）

保障女權

方人

竹幕小事

鄉政府的房舍，是很寬大的，這是沒收「惡霸」李鴻基的住宅。

廳房的橫樑上，吊着劉五，手背剪着，用一根麻繩扯上去再拉下來，一端結在柱子上，是可以隨時收放自如的。

人已變成了一件東西，頭低垂着，緊閉着雙眼，在空中不斷地打着旋轉。

罵指導員半欹着身子，高坐在一張方桌上，手中玩弄着手槍，搖的腿拖在桌子下面，搖呀搖的，身旁擠滿了人，治安股長，鄉長，指導員他們，還有幾個民兵。

「說啊！劉五，你願意參軍，還是願意送去法院究辦」？

默然。

「新婚姻法令公佈後，女權是應該受到保障的，并且打的是我們女幹部，你竟敢打老婆，你眞大膽」。

又歎然。

「破壞參軍，毀損鬥爭果實，勾結落後羣衆，反抗人民政府，解到公安局去是要槍斃的，你知道罷」？

仍然是默然。

「把他的頭扶起來」。

一個民兵走上前去，抓住了劉五的頭髮，用力提起。

臉像蠟一般的黃，緊咬着嘴唇，額角上，汗出如漿。

指導員驀然從方桌上跳下來，甩手一個耳光：「媽的，你裝死嗎」？但仍毫無反應。

「把他放下來」，繩子一抽，劉五跌下來，軟攤得像一堆衣服似的，靠牆坐着，身軀左右亂晃，像是宿醒未醒。

「暈過去了，還又是他媽的老一套，倒冷水來」。

一瓢冷水潑在前門上，劉五漸漸甦醒了，嘴里有了哼聲，頹然地歎出一口悶氣，倒在地上，失却了臂膊的支持，跌了一個狗吃屎。

「劉五，你說啊，你爲什麼要打老婆」？

「爲爲着她……她……偷人……」無力地。

「媽的，你還敢頑強，再吊起來」！

繩子用力一扯，劉五又懸在空中了。

「媽呀！我再不敢打她了！」像殺豬似的。

「你願意參軍，還是到法院去」？

「我願意參軍哪！你……你放了我」。

「你承認了，好，放下來」。

解了綁，劉五站到方桌前面去，腿哆嗦着。

一個小夥子跑進來，臉紅紅的，嘴里正在吃着什麼，身上斜背着一支卡賓槍，解下了腰間的皮包。

教導員從一叠白紙中抽出了一張，攤在桌上說：「你就在這里簽個手印吧」。

劉五用力舉了半天，也沒有舉起受傷的胳膊，在衣袖里翹着一個食指。

「大姆指」！聲是惡狠狠的。

鄉長站起身來，捉住劉五的左手，將大姆指强按到印盒里去，飽沃了印油，在紙的左下角，打了一個箕斗，通紅的。

劉五退下來，將手向褲子上亂擦，歎出一口冷氣，表示釋然了。全座的人，也都呼出一口冷氣，大家表示釋然了。

「劉五，你到縣里怎樣說」？教導員嘻皮笑臉地，好像開玩笑。

「我說是自動參軍的」，劉五忸怩着回答。

「呵！哈哈哈……」全屋轟笑。

「劉五，你早這樣乖乖的，不是省吃苦頭了麼」？

在鄉政府後進一個房間里，教導員領導着鄉幹部，在探視着劉五嫂。

劉五嫂躺在床上，頭上纏滿了紗布，眼睛仍是亮晶晶的，中隊長在床下服侍着茶水。

「五嫂同志，劉五同志表示自願參軍了，你有什麼意見」？教導員好像很愉快也很輕鬆。

「不要問我，我不管，我一輩子不要見他」，小婦人咬牙切齒的。

「送到縣里後，還要我說情把他要回來麼」？

「不要啦，叫他去參軍」！斬釘截鐵的。

「我們的女同志，思想終於是搞通了」，教導員微笑着，眼睛放出勝利的光。

英國的木材荒

英國的木材奇缺，於是工黨政府設立了一個特別委員會，調查公共建築方面是不是可以用鋼鐵來代替木材。據公用事業部長勃朗最近在下院宣佈，這個委員會的調查，已獲得了一個結果，但這也是它的最後一個調查結果：即另一個委員會已經在調查公共建築上，是不是可用木材來應付英國的鋼鐵荒。（無知譯自新聞週刊）

蘇聯最新噴射戰鬥機

周明

美國「航空時代」雜誌從鐵幕後私人間諜人員之手，得到了一些關於蘇聯最新式噴射戰鬥機的詳細情報，而繪成了一幅剖視圖，於五月初刊出。據該雜誌的消息來源說，這種LA十七型機除少數駐在德國東北郊外，難得在蘇聯境內見到。它比在韓國戰場用的俄製飛機更大、更快、火力也更强。蘇聯將它作爲一種遠程邊疆戰鬥機，以保衞本土的西部疆區。它的翼部闊三十六呎；全長三十六呎；重一萬六千磅；水平速度每小時六百五十哩；昇高速度每分鐘六千六百呎；最高能昇至四萬另五百呎。它的武器有二門或四門口徑三〇三十二或三十七耗的砲。機上其他的特點是能射出的機師座位。這種設備在美國新式噴射戰鬥機中雖已普遍，但在蘇聯飛機中還是很少。它的作用是在一旦飛機失事時帶着機師自機身射出，降落傘自動張開而降落。

LA十七型的設計完成於一九四七年，但生產率甚慢，據該雜誌估計，現在這型飛機每月約能生產一百六七十架。

從飛機的尾部高聳，有加强速度的火箭裝在機內，在這幾點上，可看出德國飛機設計的輪廓。不過這事並不足令人驚訝，外界的人都知道，這飛機設計者是西揚。洛伏契金（蘇聯飛機型式的記號，都是採用設計者姓名的前面幾個字的）曾與蘇境的納粹航空學技師一起密切地工作。洛氏早年曾在德國研究飛機設計和構造。三十年代的大規模淸黨，排除了他的競爭者，於是他成爲蘇聯地位最高的飛機設計者之一。所謂「蘇聯噴火式」的飛機，就是他設計的。（節譯新聞週刊）

時代科學

竹影心聲

上海來鴻

離草

十四

安安份份躲在家裏，已經有十天了。

這一段時間，不給你寫信，是我最大的錯誤，你一定以爲有變故了？可有惡夢纏繞，使你半夜裏哭泣？

告訴你一個「喜訊」：我依然是我，若霞仍舊是若霞，媽還是媽，三個人一點沒有變。由你「大張旗鼓」也好，「鎮壓反革命」也好，就是全上海的人都抓了進去，我還是把自己看作魔術師台下的觀衆之一。

人心浮動，熟悉的人彼此在路上碰到，匆匆點點頭又急急離開了，在這十天內，一個也沒有上門找若霞的，她以爲這次大風雨當中，至少有她十分之二三的朋友失蹤。

我們閒得慌的時候，只有翻翻馬列主義的書，（我相信這將是媽一生中最後的收入也將是唯一討厭的遺產）若霞還看得下幾頁，我是對了那些鉛字發楞，催眠是起了一些作用的，它總鎮壓在我枕頭底下。

就是前天，媽替我換枕套時，臉上有一個笑容。她那種滿意，正如共產黨對她的里弄工作做得好給予的鼓勵一樣。即是說，明知你是「盲從」，也不能放鬆一步，能够「從」到底，不也是異途同歸？

大好天氣，你會問：「爲什麼不到外邊跑跑看看？」我也這樣想過，我也在這樣想過之後到外邊看看跑跑，剛才不是提起過一句？在路上碰到了熟人，心裏祇有淒涼，友間的距離更遠，每個人背後都像跟着一個魔鬼，一不小心，災難就來了。

惡運的日子還僅開始，天天有公審，天天在殺人，也天天有不合情理而又可喜的謠言，說國軍已在什麼地方登陸。這個都市，就在這一連串的恐怖叫囂浮動中逐漸暗澹下去，有一天，我相信它會歸沉了的。

市上已看不到香港來的報紙，若霞定的一份香港報，五月份已不送了，問不出原因，這樣，我們連夾縫中透出的香港消息，也一點無法揣摩，更休想看香港戲院的廣告過癮了。大概這又是什麼計劃，鐵幕的簾子垂下一層又一層，這是說明自己有了太多的弱點，遮遮醜而已。

信是早晨寫的，你看得到一股晨霧的迷濛嗎？

不想回家的俄國兵

戀棧德人之家

我這道伏特加酒很好——這酒的確不錯。茨赫柯回答：「俄國的伏特加酒一直是好的。蘇聯的軍人在戰爭中得勝後，我們每天可得一瓶酒，香烟要多少有多少」他似乎非常驕傲：「不過我們現在沒有打仗，自然沒有得勝，所以每二星期才能得到一瓶酒，八十支香烟和三包烟草。」他撕下報紙的一角，放上一些烟草，捲成了一支烟。

「你今天用來捲烟的是什麼報紙——眞理報嗎？」梅頓斯問，露着笑容。

茨赫柯也報以一個笑顏，說他喜歡用紅軍在波茨坦出版的機關報。我相信這是他們二人之間的一個標準的笑話。梅太太拿來幾杯咖啡和紅色的軟性飲料，又把蛋糕切開。

門口突然起了一陣扣門聲，茨赫柯伍長馬上放下他的那片蛋糕，奔進臥室，隨即把門關上。

梅太太去應門，很快就回來：「不過是一個鄰居，」說：「她要借一點白糖。」

茨赫柯再出來時，滿臉驚恐，一口連飲二杯伏特加酒，藉以壓驚。那八歲的女兒愛爾弗烈特背誦了她在學校裏讀的公民課的一段：「請進來，威爾亨•貝克（按係東德總統），做我們的賓客，把你答應我們的東西給我們。」大家不禁，都笑了起來，茨赫柯笑得最響，還把手摸摸這女孩子頭髮。

話題轉到政治方面，梅頓斯說，他在城裏聽到俄人已將弗蘭克福和福斯特的橋樑改建，橋面比從前的高了一公尺。這事有何意義，是不是蘇聯在準備戰爭？

茨赫柯伍長歉然表示，他對於這些橋樑毫無所知，不過他確信蘇聯不要戰爭。他的上司昨天才對他說過，蘇聯的政策是確保世界和平。當他說出這幾個字時，他的聲音已成了機械化的。

梅頓斯搖搖頭：「那末紅軍爲什麼最近在柏林周圍建立了十六個管制站？海爾和加林寧格拉兩處的巨大補充兵營，又爲什麼已經住滿了新部隊？」

我感覺梅頓斯已講得太多，但茨赫柯似並不介意。他再飲了一杯伏特加，「這裏眞好，」說着，他的目光掃過這個房間，落到沉重的典型德國式橡樹傢俱，玻璃櫃裏的整套瓷器，桌面綉花的蔭布，和美麗的吊燈。天色漸暗，梅太太要她的女兒去開燈，茨赫柯却自己站了起來，把孩子推在一邊，扭開了電燈。他好奇地凝視着燈泡，一再開亮滅熄了好幾次，然後才再坐下來。

「是的，這裏眞好，」他說：「我願留在這裏。我的上司——他是個少校——甚至還有一架鋼琴。」

泰辛譯自星期六郵報

遠東大戰是否爆發？

關鍵在日本不在韓戰

如果日本真恢復了全面武裝和工業潛力、則蘇聯對此必不肯再行忍耐

左舜生

自去年韓戰爆發，美國即開始進行對日和約的種種步驟。美國對於和約的具體意見，我們已完全明白，而且願意予以支持。日本對於和約的態度，雖國內仍不免有若干不同的意見和疑慮，但根據杜爾斯和吉田首相的報告或談話，我們已知道大體可以接受。至於菲律賓之不願放棄賠償，英國對日本的造船業和紡織業想加以相當限制，我們也總以爲不難說服。加以美國更願提挈紐澳，成立一個太平洋公約，則對日本復興以後可能加於太平洋和遠東若干國家的威脅，也找出了一個解除的途徑，我們以爲和約的成立，總沒有多大問題了。

當蘇聯對美國所提和約草案發表了種種不同意見的時候，我在本刊的第二十二期，便已說明蘇聯的這一手法，即在見好日本，見好中共，加強英國對美的歧見，並爲她自己將來侵略日本預先留下一個口實。就目前情勢而論，無論韓戰演變到何等激烈的程度，甚至就實行麥克阿瑟的主張，轟炸東北，以海軍封鎖中國沿海，乃至協助台灣的國軍在華南登陸，蘇聯也不會在遠東發動大戰；惟有美國置蘇聯對日約的意見於不顧，而毅然決然與日本談和約的簽訂，乃至進一步恢復日本的全部武裝，並以大力協助發展日本工業的潛力，則到底不是史太林所能忍耐。

史太林發動韓戰目的在控制日本

遠東大戰的爆發或不爆發，其關鍵不在韓國而在日本，史太林之所以發動北韓去侵略南韓，又發動中共去參加韓戰，其目的並不止於控制韓國，實在想藉控制整個的韓國進一步去控制日本。杜魯門總統假定早看出了這一着，而又想在遠東避免大戰，則大可不必干涉韓戰，儘可聽讓北韓去統一南韓；既已接受了蘇聯的挑釁，決然以聯合國的名義去制止蘇聯對韓的侵略，其勢便不能不速訂對日的和約，並恢復日本的武裝，而且很顯然的要以日本爲主力，去制止蘇聯在亞洲作無限制的發展，這斷然不是蘇聯所能忍受的。

現在美國既不顧戰爭延展到韓國以外，而想以戰勝者的姿態去結束韓戰，這根本是不可能的，惟有接受蘇聯的意見：一、由美國承認中共；二、把中共的代表歡迎進聯合國；三、把台灣雙手直接獻與中共，間接獻予蘇聯；四、邀請蘇聯與中共參加對日約的討論，毅然停止武裝日本的企圖，將美國的軍隊全部撤出日本，並放棄在日本的一切軍事基地；然後蘇聯才可欣然同意，遠東的大戰才眞可不致爆發。假定美國不願這樣做，甚至認這樣做便是對蘇聯屈辱投降，則剩下惟一可採的途徑，只有不辭在遠東與蘇聯一戰！

英國是最怕美國捲入遠東大戰而忽視了歐洲的，因此她對美國在遠東採取任何較強硬的步驟，一定要想盡方法加以制止；或者原則贊成而大打一個折扣；或者根本反對而多方阻撓；或者傍敲側擊時硬時軟，以求不致過分的觸怒蘇聯；一言以蔽之，她總不願美國過度的重視了亞洲，而使她在歐洲陷於極度的危險。站在英國人的立場爲英國的利害打算，這種態度是不難了解，而且是無可非難的。

不顧蘇聯與中共的反對，毅然簽訂對日和約，恢復日本的武裝，加強日本的工業。在日本力能自衛以前，由美國保留若干在日本的基地，並在日本境內及日本附近，留駐美國強大的陸海空軍，這是美國在遠東一個最強硬最具體的政策，而且不如此則日約無法成立，即成立亦毫無意義。可是對這樣一着，蘇聯既絕對不能容忍，確實有逼得蘇聯不得不戰的可能，因此英國乃不能不異常的驚急。

英阻國府簽日約可能有兩種解決

英國最初對於日約的態度，原只提出一二比較還可商量的不同意見，現在看見杜爾斯已快要前往倫敦，乃突然提出一個不能同意國民政府代表中國在和約簽字的主張，這確實是對日和約前途一個不大不小的困難。假定美國對英國所提的任何意見都不能不加以重視，即下月二日杜爾斯到倫敦以後可能採取的步驟，將不出以下的兩途：

（一）接受英國的主張，即把中國國民政府在日約簽字的手續作爲懸案，但亦絕對不許中共代表中國在日約簽字。

（二）接受英國的某種交換條件，即由美國允許加強歐洲的防禦；或由美國普遍擴大對大西洋公約國的軍援，當然尤其以英國爲首；甚至英國在亞洲在中東若干地點的權益與防禦，亦一致由美國予以助力；以求取得英國對美國所擬對日和約的完全同意。

我們知道英國的心理：她決不是特別厭惡台灣，更不是特別歡喜中共，她惟一眞正的希望，乃是求得自身的安全。假定杜爾斯以這兩案同時提出而任英國選擇其一，則英國可能選擇後者而放棄前者。可是無論國民政府此時簽字於對日和約與否，美國依然要促成和約的簽訂，要屬毫無疑義。只要美英兩國一致簽字於對日和約，蘇聯便絕對不能放鬆，遠東大戰還是難免因日本問題而爆發，同時蘇聯與中共對英國的反對，也決不會比較反對美國而更趨和緩。可見最後的結果，還是要逼得美國兼顧歐亞，同時蘇聯也無法避免在歐亞兩方作戰之一途。

至於台灣在當前所處的地位，只要美國能加強對台的軍援與經援，等待實力已充，時機已到，美國即能助其反攻大陸。在今天台灣能簽字於對日和約，固然在面子上能增加多少光彩，萬一時要等到回大陸再行補簽，也不見得在實益上有多少損害。換言之，假令國民政府永遠只能保住一個台灣，即簽字於對日和約，又有多大用處？如果能回大陸，則什麼希望也能圓滿達成，又何止簽訂一份日約？

我們惟一的希望：便是美國必須嚴拒中共參加對日約的討論，也絕對不必因日約而與蘇聯作過度的敷衍；日本則只能以美國的態度爲態度，對台灣則無和約關係，亦必應依現狀而保持進一步的友好；除此以外，任何幻想都是於日本只有害而絕對無利的。

公路上的殲滅戰

——兩週韓戰勝負總結——

黃震遐

共軍第二回春季攻勢在五月十六到廿二日間，在中東綫上造成了一個縱深廿五哩的口袋，這口袋以麟蹄楊口（西經樺川直通「鐵原金化平康間三角堡壘」）爲出發點，西路打向洪川（被阻於城山里，東草里），中路打向橫城（被阻於豐岩里），東路打下江陵漢城公路，在五月十八九日，中共有九個師，北韓有四個師皆在膨脹這個口袋，企圖通過洪川橫城原州完成一個大迂迴，在漢江南岸截斷第八軍主力的退路。這一攻勢在慘重損失之下，被阻於城山里豐岩里蒼村里三點。廿一日晚，中共開在上列地點集結兵力，進行最後的突擊，結果被美軍超空堡壘一千餘噸炸彈的打擊炸散，因此發生在廿二日的最後攻擊變得脆弱無力，三個缺口卒被聯軍有力地堵住：這一週，共方在口袋內外傷亡七八萬人，是韓戰發生來最慘烈的一仗。

這期間，聯軍第十兵團的三個師和南韓軍第三兵團的三個師，幾全部用在支援苦戰卻敵的美軍第二師，在空前強大的陸空火網掩護下，使中共三個軍的九萬突擊部隊無法滲透再瀕於危的洪川橫城正面，同時第八軍主力則自漢城濟平里兩路出擊，在議政府加平之綫，集中美軍第一九兩兵團，英軍主力，土耳其和南韓軍一、六兩師向樺川漣川之線邁進，對金化鐵原平康三角間的共軍第二綫兵團挑戰，並孤立中東綫上的共軍。

在廿三四日間，擺在斐立特面前的狀況，是共軍在中西綫上均相繼北退，但在中東綫上的共軍精銳十萬，則仍盤踞麟蹄以南的突出部內，威脅洪川橫城，並得利用鐵原金化樺川麟蹄間的聯絡綫，和後方保持聯絡，隨時可能發動第二度的進攻，因此全盤棋譜有走馬盤之勢。一方共軍是碰了壁，另一方則聯軍也擺了姿。在一百哩犬牙交錯的正面上，戰鬥大體中止，北平新華社開始發出聯軍損失的詳細宣傳數字，暗示攻勢告一段落，他們打夠了。

這時聯軍指揮部的決心，顯然大有生氣，一洗過去消極遲疑的態度，新的決策似早在共軍開始造成口袋之時即經決定。從廿二日第二師大規模向東機動起，聯軍的作戰指導即轉入爭取主動的自然努力。廿三四兩日的共軍休息時間，正是聯軍機械化部隊向突出部兩側拚命運動的緊張時機。到廿五日，聯軍便開始攤牌，大規模發動收縮共軍突出部的作戰。

從廿五日到廿八日（本文截稿時），聯軍的反攻皆以旺盛的攻擊精神推行。從縣里春川兩點（中隔共軍突擊部）向楊口樺川的方向，進行封閉突出部的作戰，聯軍的幾百輛戰車，在兩條主要公路上分進合擊。到廿八日，完成任務，遮斷了突出部六萬共軍（十三個師的幾部）的退路。同時在東起襄陽西至高浪舖的一百哩正面上，則拉成一條越過卅八度的直綫，而對共軍鐵原金化三角地區，除背後尚留一突出部外，大體恢復四月廿一日共軍發動第一次春季攻勢前的態勢。

在機械化部隊的掃蕩前進中，共軍的突圍部隊（從突出部北退）及後衛部隊（中西綫的犧牲部隊）被聯軍陸空突擊，秩序紊亂，截至廿八日止，各綫除死傷外，有三千人被俘，美軍巴登式的挺進，已經恢復去年九月仁川登陸後的威風，這是一枝現代化軍隊的作戰高潮。

然而，聯軍的基本決策是要捕捉突出部的共軍，並不是擺擺樣子。這步做不到，即不成其爲一個成功的殲滅戰，聯軍能否眞正把突出部內的共軍一舉解決呢？

截至廿八日爲止，大體的情況是：

（一）斐立特自己也說過，共軍好像海綿，你將它抓緊，水便流走，故聯軍是火性的軍隊，共軍則是水性的軍隊，去年仁川登陸後，北韓軍主力即作「戰略解散」，滑伏游擊，今天被圍的共軍迫不得已，也有化整爲零，竄散小白山去的可能。

（二）聯軍是道路上的軍隊，共軍則是道路外的軍隊，機械化部隊祇能在公路上活動，共軍則可爬山越嶺落荒亂竄，故聯軍一天不能脫離公路，斐立特的殲滅戰即不能收獲全功，過去日軍對華作戰，亦始終不會做到完全圍殲華軍，這是現代化軍隊的痛苦。

（三）但雖然如此，我們仍敢判斷，在聯軍緊密追擊之下，斐立特的「巴登式的公路上的殲滅戰」，仍有意外打擊人地生疏的被圍中共軍的可能，至少當可俘虜盈萬人，初次嚐到輝煌勝利的滋味。

自由人
THE FREEMAN
（半週刊每星期三六出版）
每份零售港幣壹毫半
（第二十五期）
督印人：梁大成
社址
香港德輔道中一四九號四樓
電話：三二八二〇
149, 3rd FLOOR,
DES VOEUX RD. C.
HONGKONG
TEL: [illegible]820
承印者：東南印務出版社
地址：高士打道六四號
台灣總經銷處中國書報發行所
地址：台北館前路八十五號
電話：三〇三三

自由人

敬告讀者

自由人出版了兩個多月，茲爲遵從讀者要求，從二十六期起（六月二日星期六），一方面我們由道林紙改用普通白報紙，以降低本身成本，一方面也就同時將**每份售價由港幣一角五分改爲一角**，以減輕讀者負担。至於一切內容，當根據我們原有作風，更求精進。增多執筆的專家學者，加強時局分析以及鐵幕和自由世界的新聞報導，藉仰答出版以來，愛好民主自由的廣大讀衆對於本刊的期望！

半週展望

舍我

杜魯門希望奇蹟重演

[illegible]

共軍投降增多聯軍信心加強

[illegible]

「否認」未必就真是沒有

[illegible]

「和諧」究竟有沒有根據

[illegible]

美國陸軍有四個派別

麥馬兩派力量都在逐漸消滅

鮑爾文著　李秋生譯

美國政治勢力的深刻分裂，在軍事方面也有相同的情形，特別是在陸軍方面；前者由於國會的調查辯論而更爲擴大，後者也自馬歇爾元帥，出席國會作證而益形顯明。

馬歇爾之完全支持對麥克阿瑟元帥的黜免，並針對麥帥證辭予以明晰的反駁，使這兩位五星上將之間的紛歧更增加了新的一頁，這種紛歧實可溯源到第二次世界大戰期間。

遠在二次大戰　馬麥就有衝突

麥帥在彼時也正和現在一樣，主張把美國實力，集中到太平洋地區；而在馬氏，也是今昔一致的採取全球的觀點，但却主張給予歐洲以戰略上的優先權。而在應付麥帥之不斷重複強調說問題的焦點由於美人正在韓境流血，馬氏則責備麥帥損傷了韓境部隊的士氣，至少也是在言外含有這種指責。

馬帥之出席作證，恰在官方公佈着魏德邁中將要求退休的同時，魏氏是關於中韓的著名魏德邁報告書的作者，一度曾爲馬歇爾元帥所喜愛的部屬。

魏德邁克拉克都已請求退休

現在在舊金山統率着美國第六軍的魏德邁將軍，當馬氏任國務卿時，因反對其政策的意見不合而與後者分離。魏氏自從出任現職，自己總覺得多少是遭受了「流放」，遠離開了厘訂軍事政策的職位。

他一向堅決反對美政府若干遠東政策。但他並不同麥帥一樣，他雖不掩飾他的見地，却也沒有公開的揭露他自己的反對見解。

還有陸軍總司令瑪克·魏因·克拉克上將，是另一位高級而富有經驗的將領，也希望在今年夏天退休，雖然他的理由并不與魏德邁中將相同。克氏總司令部在維吉尼亞州的孟羅要塞，克拉克將軍對於軍事行政，訓練和政策，有他自己的定見；他常坦白表示自己的意見，這些意見往往與五角大廈（按即國防部所在地）的政策不合。

事實上，今日的美國陸軍，特別是在其最高階層中，有四個不同的主要派別，或者集團；所謂派別這名稱，也許有些過分，因爲容易使人想到其間的衝突。

布萊德雷一派目前勢力最大

一個是麥克阿瑟派，其重要性現下正在低減——至少就現役軍而言；這一集團中積極與麥帥站在一起的人們，不是已告退休，就已經請退休。

另一集團是馬歇爾派；這派勢力也確在低減，但仍擁有相當重要性，馬帥担任膺國防部長一天，這派力量就會繼續存在一天。

第三派可稱爲艾森豪威爾——史密斯集團（艾森豪威爾元帥現任西歐聯軍最高統帥，史密斯中將現任中央情報局局長）。這集團擁有強大的影響，但是現下並未掌握着陸軍。

陸軍方面現正掌權的集團可稱之爲布萊德雷——柯林斯集團——以聯合參謀首長會議主席布萊德雷元帥，與陸軍參謀總長柯林斯上將爲其首領。

在此等集團中，魏德邁中將無疑與麥克阿瑟元帥一派的思想相結合，克拉克上將或者對於艾森豪威爾元帥一派比對於其他各派更爲接近。

麥帥突被免職　陸軍深表不滿

就陸軍整體而言，除了若干顯著的例外，確是堅決的對麥克阿瑟處境表示同情，特別是由於麥帥的罷免竟是那樣突然而來，其方式也引人不滿。這種同情有一部份是軍人對於麥帥希望能從事全面作戰主張的自然反應；這種同情，大部份是出於對麥帥的讚揚，和情緒方面，而很少是邏輯性的。

可是儘管對於麥帥有這種情緒上的嚮同，陸軍中許多人對於麥帥的卓越心性及其領導才能，也深加讚美。但即在許多攻擊馬歇爾派的人們，也多覺得馬氏關於罷免麥帥原因所做證辭，都能洞中肯綮。

事實上，麥馬二氏所作證辭已把參院委員會所要調查的六個基本問題之一予以澄清，這就是有關麥帥解職的情勢，其原因，其形式，與其時機。

麥帥在作證中充分說明了他對白宮和五角大廈的政策，有許多不能同意之處，馬歇爾元帥出席指麥帥之所以遭受罷免，是因爲「麥帥以一個戰區司令長官，而公開表示其對於美國外交政策與軍事政策的不滿，這是史無前例的事」，這話也確與事實相符合。

聽到廣播消息　才知已被免職

但是即使此次調查已能充分顯示決定罷免麥帥一舉爲正當，在作證中也明顯表示出；罷免的方式與時機都可資慨歎。麥克阿瑟元帥和前海軍作戰部鄧菲爾上將情形相同（註）都是先在無綫電中，聽到罷免的消息，如此迅速的把這消息播之於外，簡直是毫不理解人類關係的心理作用。（譯者按，鄧氏因反對爲三軍統一而削減海軍經費停造六萬五千噸航空母艦美利堅號，於一九四九年秋間免職。但據譯者記憶所及，鄧氏在柯里爾雜誌所寫回憶錄中，自稱係海軍部長馬休士當面告以免職消息，不知是否）。

即使罷免是應該的，也儘有另外其他較好方式可循。除非白宮對於高級軍人，能像對於其政治上的低級僚員同樣表示着信任和顧到人情，是無法避免發生劇烈衝突的。由於國會的調查而使陸軍領導方面的分裂公開暴露於外，是麥帥被黜事件的惡果之一；還有其他不幸後果還會繼續發生。（本文原載紐約時報）

伊朗危機日益嚴重中　英美步調漸趨一致

美國不贊成空運部隊威脅伊朗

上星期伊朗仍在冷戰之中，從任何方面看伊朗石油國有化所造成之危機，對於西方國家，以及英美兩國的團結，其影響較諸朝鮮戰爭遠爲深重。英美歧見雖未完全消弭，但經倫敦與華盛頓的互相取得諒解，已漸趨一致。下面是紐約新聞週刊駐倫敦及華盛頓二地的通訊報導，說明英美協議經過，以及伊朗日益嚴重的情勢，不因英美一致而稍減的概略：

英國對美一度懷疑

整整一星期的時間，英國在焦躁懷疑憤慨的情緒中，甚至想採用以前維多利亞時代的炮艦政策，可是現在感覺到美國對伊朗政策與英國並不相反，也就願意會同美國，來應付當前的危機。

因爲在伊朗的美國油商，可能以技術協助伊朗人，及許多美國人如負責中東事務的助理國務卿麥基，對英伊石油公司所作嚴正的批評，惹起英國人的懷疑。而美國勸英國採謹慎的態度，這更激起英國人的憤慨。據一般評論家的說法，認爲美國是採取韓戰中印度的態度，也許更要消極點。

在國會休會時，決定了砲艦政策，莫里遜認爲這是心理上，英國單獨應付艱鉅的一個考驗。

但據伊朗消息：伊總理莫沙德之避居國會內，並非如其傳奇性的聲明，爲了恐怕被人暗殺。而是因爲共產土德黨，提出了一連串的要求，這些要求，不但將使英國陷入對伊作戰，即與美國也將脫離關係。（而莫沙德仍在希望美國供應石油技術的援助。）

莫里遜的原定計劃，調用第六獨立空運旅。五月十四日報紙上透露，外部將更草擬一強硬的建議與伊朗，要求談判，在建議中包括着空運部隊保護英人生命財產的威脅。

當報紙刊登這消息時，華盛頓事先並不曉得使用空運部隊一節，大爲焦慮。即作有力的聲明，指出這是替蘇聯造機會，武力威脅的結果，可能使整個中東燃起戰火，使伊朗成爲朝鮮第二，而英國亦將被指爲侵略者。

莫里遜同意緩和建議的語氣，空運部隊計劃亦暫時延擱，因爲外部得到美國的保證；如一旦英伊油公司被撤消，美國油公司，不致進入伊朗；還有，美私人油商，也不可能找到一千五百個技術人員，以管理英伊公司複雜的機構。

因此，英國的建議內容，堅定而較爲緩和，準備派遣一代表團去伊朗進行談判。但這已爲伊朗斷然的態度所拒絕。在德黑蘭的英大使錫浦爵士，去國會大廈致遞英國的建議給伊總理時，他甚至連人都懶得接見。至於英伊油公司所提的仲裁辦法，也爲伊朗人坦率的予以拒絕。

這一星期中，英內閣開會討論伊朗問題，可能決定之步驟，爲經濟方面之讓步，並準備封閉全部英伊油公司的煉油廠與運輸工具幾個月，使伊朗人能夠明瞭這對她並不有利。

美國願做忠實調人

在伊朗危機中，美國採用了英國人傳統的「忠實的調停人」的地位，可是在第一個階段中，並不太理想。

美國駐德黑蘭大使葛雷德，請伊總理莫沙德注意石油管理的複雜性（在伊總理的自信中，認爲他盡力驅逐出英國人，使以前流往倫敦的財富，能轉而流入伊朗的國庫），解釋技術人員的訓練，須有料當長的時間，勸他切不可採取斷然的措施，以致危及國家與經濟的命脈。假如伊朗政府需要錢（據葛氏的觀察）美國準備予以援助，二千五百[illegible]美元的進出口銀行借款準備借給伊朗。

對這一問題，使莫沙德猶豫不決，他認爲任何外國借款，必附有政治性的束縛。當時葛雷德則鄭重保證，美國決不附以條件。最後莫沙德允予攷慮。其實葛氏勸聽的建議，對伊總理已發生了影響，他的拒絕，是要看英國人次一步的行動。

美國的調停較英國爲有效。另一方面，在美國的壓力下，英國同意給伊朗以石油公司百分之五十的利益，並承認伊朗處於石油公司監督人的地位。國務院並勸告英國對於國有化，予以原則上的同意，因爲這是英國國內目前普遍實施的政策。

但英國的方面，急於想知道，如以武裝力量保障英人的生命財產，美國的反應如何？在國務院的心目中認爲保護僑民也是自然的結果。不過當英國發言人聲明英國在伊朗的行動，已得美國全部的同意時，國務院則認爲不妥，以爲美國必須以超然中立的姿態出現，調停才能有效力。

但蘇聯始終顯示一種頗堪殷憂的態度，其駐德黑蘭的大使塞德切哥夫，並不談石油的問題，他提出了派駐一隊除蝗飛機，幫助伊朗驅除蝗虫災的計劃。當一個美國官員聽到這個消息時，就問，「有多人少？」「一個師嗎？」（馮異簡譯二十八日新聞週刊）

漏網的世界珍聞

丁一

揭開馬歇爾瘡疤

馬歇爾和麥克阿瑟，同是美國五星上將，在美國人心目中，也有相等的重望。不過馬的資歷，遠較麥氏爲淺。這一次馬氏出席國會作證，共和黨參議員惠利Wiley曾很不客氣的問；像麥克阿瑟這樣一位勳高望重的人，當他担任參謀總長時，你還是一員上校，現在是否你就覺得，他簡直沒有資格，向華盛頓當局，討論或供獻意見？馬歇爾聽着惠利這話，很覺不安，只得搭訕着說：麥帥當然有資格討論或供獻任何意見的，並可以不受限制，但重要關鍵，他不應隨便將這些意見，公開發表。

的確，馬歇爾做上校時，麥氏已高踞參謀總長要職。但今天麥氏受到馬歇爾一派排斥，遠因却就種在這一高一低，階級懸殊的期間。一九三三年，麥氏以參謀總長地位，指派上校馬歇爾去芝加哥，担任伊里諾斯州國民軍高級教官，馬對此項任命，不願前往，並向麥提出抗議。這是馬歇爾畢生經歷中，第一次違抗上級的命令。據馬歇爾夫人說，馬歇爾當時氣得臉色鐵青，這情形是她從來沒有見過的。盛傳，賞識馬歇爾最力之潘興將軍，曾爲此事向羅斯福說，希望能改變此一命令，但爲羅斯福所拒。馬氏對麥嫌隙，則因此而起。其後，馬青雲直上，僅僅六年，一九三九年，就做到麥氏參謀總長的地位。在二次大戰中，爲了歐洲戰場輕重緩急之爭，馬麥間歧見甚深。此次麥氏被杜魯門黜免，馬在國會作證，力爲杜魯門辯護。實際上，麥的免職，大部份出自馬的計劃。惠利指出他們許多年前那一筆舊賬，對馬歇爾，多少總有點故意要揭開他的瘡疤，讓大家看個清楚！

沒有力量不說話

當民國三十七年東北會戰失利，瀋陽錦縣相繼不守時，許多人總以爲美國對這個赤禍即將吞滅整個東亞的局勢，決不能袖手不理。事實上一天天否認了這一推測，美國竟藉口不干涉中國內戰，一步步退出中國。直到青島美海軍各項設備，也一律撤退，這才使大家相信，美國已決心將整個東亞，拱手奉讓，送給俄帝。

三十八年春間，某夕，有人在滬，爲美國某高級軍官設宴餞別。時李宗仁發動和平談判，正在進行，但共軍大舉渡江之說，仍甚囂塵上。席間，某君詢此高級軍官，美國是否認遠東淪入蘇聯魔掌，對美國利益，並無重大危害？不然，美國何竟坐視赤氛高張，不發一言？某軍官沉思有頃，始鄭重答稱：你以爲美國發言，即能阻止毛澤東進攻嗎？如其不能，美國何必自損威信。一個國家的對外發言，是要有力量作後盾。美國在二次大戰結束時，總相信最低限度，有二三十年全面和平，軍隊復員，軍火工廠仍恢復爲平時工廠。從沒夢想，馬上又要打仗。現在蘇聯竟不顧一切，囊括中國，威脅東亞。美國在此時說話，徒然自討沒趣。等到將來有力量說話時，自然會說話的。在我們沒有力量說話的期間，中國人的事，只能希望中國人自己努力。這位軍官的話，雖然態度很誠懇，同座諸客却以爲多少總有點外交詞令，因爲沒有人相信，美國在那時，力量實孱弱到連話也不敢說。

最近。馬歇爾在國會證供，其中有一段，使我想到和兩年前那位軍官的話，若合符節。馬歇爾說，「我從中國回來，並就任國務卿以後，我曾儘量努力，看有什麼方法，可給蔣介石將軍以有效援助。我認爲只有美國軍官實際參加中國軍隊工作，才可以挽回危急的局勢。但那時我們自己軍事地位特別脆弱，全美國只有一師又三分之一的正規部隊。據魏德邁將軍估計，需要一萬名軍官，親至中國各戰場，指導作戰。我想整整這一個龐大數字再看看自己國內軍事實況，實無法進行這個計劃。」全美國只有一師又三分之一正規部隊，也就無怪那位離華的高級軍官表示，美國對毛澤東席捲中國，感到連說一句話的資格也沒有了。

總統第四次下獄

巴拿馬總統歐利亞士Arn. Jfo Arias 因爲擅自宣布廢止一九四六年憲法，而恢復他十年前任總統時之一九四一年憲法，爲反對派所攻擊，發生政變，國會通過彈劾案，將他送入巴拿馬模範監獄，聽候審判。一九四一年憲法，總統職權比一九四六年憲法龐大，總統任期，原定六年，在一九四六年憲法中，才改爲四年。反對派認他想變巴拿馬爲獨裁國家，因此，就以叛國罪提出控訴。

前幾天，記者們到獄中去訪問他，他對於叛國罪控訴云云，簡直視爲一種玩笑，他依然悠閒自在，絲毫沒有着急的樣子。他表示不但最近則可出獄，還仍有機會，再被選爲總統。在巴拿馬，他做過好幾次總統，也好幾次被放逐，目前是他第四次下獄。反對他的人說，歐利亞士，和蝗虫一樣，每隔幾年，總就要再來一次的。

盧漢兩次自殺

被陳賡大罵一頓

頃有人自昆明來，談盧漢兩次自殺過救經過，爲記如左：

盧漢自共軍入滇未久，不特事權剝光，且一言一動，均遭共方嚴密監視。最近更以鎮壓反革命，眼看許多親友部屬均遭清算，自身毫無援助餘地，而事實愈演愈凶，甚或殺戮之禍，行將及己。於是決意自殺，第一次被副官所阻，第二次爲老妻奪下手槍，帷於爭奪手槍時走火，[illegible]

替共軍製長筒皮靴

北平商人破產坐牢

吐還賺自中共的錢　再添上原有的家當

和中共做生意，賺中共的錢，結果，終有一天，被中共倒咬一口，賺去的錢全部吐出以後，反要賠貼老本。上月二十日，我曾報告天津橡膠廠副經理喬銘勛，替中共承製軍用雨衣，被中共指為賺錢太多扣捕清算（編者按：已載五月二日本報）現在，這類事情，因為韓戰關係，中共一面要商家承製軍用品，一面卻又怕這些商人為戰爭而發財，所以像喬銘勛那樣的商人，被清算的越來越多了。

三個工廠負責人各判處徒刑三年

首都皮件廠，天原皮件工廠，廣一被服皮件軍裝工廠等，於去年十一月十七日，與中共軍方簽訂承製軍用長筒毡皮靴的合同。全部貨品，已於今年一月底依約完全交清。每家據說，都賺了幾億人民幣，但上月底，三家工廠內經理，都被逮捕，昨天「人民法院」宣布，三廠負責人劉健，陳浩連，韓曉濤，張紹光各處徒刑三年，並拍賣所有財產，賠償軍部損失。

當然，判決的理由，仍和上次判決喬銘勛的差不多，照例是偷工減料訂合同時棗價太高。據判決書說，所製軍靴，發給戰士後，有百分之十，靴底與毡腰脫節，百分之四十毡筒已爛開口子，因此凍壞腳的戰士有十三人，顯然是偷工減料所致。且據專家鑑定承製價格，比市價高出五分之一，這種奸商，除責令破產賠償外，所以還有判處徒刑必要。（隆光，五月廿五日寄自北平）

死刑判決書忽說漏了一行

貪污犯回生有術

上海中紡公司　陳賢凡改緩刑二年

上海中紡公司高級職員陳賢凡，因貪污巨款，達偽幣五十億之多，本月十八日，被法院判處死刑。許多報紙都[illegible]判決書全文刊登，有的報紙，還大作評論，說「人民政府」嚴懲貪污，執法如山，不像過去國民黨時代那樣任意寬縱，以致貪污橫行，上下成風。不料隔了兩天，突由法院通函各報說：陳賢凡的判決書，在「處死刑」三字下，漏了一行，「暫緩執行二年，在此期間以視其能否在勞動中改造。」這把那些讚美貪污死的共黨報紙，弄得真有點啼笑皆非。

判決書是何等莊嚴而重要的公文書，由起稿，繕寫，校對，發出，都有過許多手續。根本一個字也很少錯過，現在竟整個漏了一行，而且漏了最緊要的一行，假使照中共最近宣布鎮壓反革命份子辦法，判決死刑的立即處決，以免拖延，那麼，陳賢凡早就等不到法院通函各報更正，而已先上鬼門關報到了。

由「死」而變到「不死」，在這世界中，除了中共，實在不容易有這起死回生的妙策。據此間「耳語」消息，這一個還魂丹，由一位最漂亮女人，和二百根金條，鍊製而成，中共某高級要人，得到這個方妙藥，馬上說命令法院，如此這般，將陳賢凡從鬼門關押還「人民法院」。（悠然，二十五日寄自上海）

鄉下無法過戲癮　村幹作威作福

要老百姓出錢辦劇團

中共的老幹部水準極低，這是中共當局也公開承認的事實，因為最初跟共黨走的，都是些市井無賴與亡命之徒，是十足的土匪。中共既得政權，除了安插他們在各省級機構任職以外，尚有一批目不識丁，實在太不成話的，派充為地方鄉村幹部，可是這批傢伙自以為「天下是老子們打出來的」，因此在地方大作威福，什麼荒唐不合情理的事情，都可以做出來。最近河北正定縣北賈村所發生的一件事，可以說明中共地方幹部，如何在暴君式的統治着善良的老百姓。

北賈村的村幹毛常明，是中共的老幹部，擔任了村幹以後，逢去年河北水災，徵發民伕修堤，他除了強迫老百姓挖掘河道以外，並勒令每戶分攤經費，把幾個比較富裕的老百姓抓押到村公所，要他們捐獻出地下的金銀，解放以後，大家窮得飯都沒得吃，那裏還有金銀，這一來不知逼死了多少人，但他卻藉此敲得不少錢。在老百姓挨飢受餓的時候，他卻每天魚肉酒飯，拚命的享受。

有一次他從附近的永安村看戲回來，勾起了他的戲癮，他認為鄉裏什麼都不差，就是缺少戲院子，不然的話，每天逛逛戲院，過過戲癮，多麼好呢？可是鄉裏沒有戲院，他想由村公所來組織一班劇團，把這意見告訴區長，區長認為雖然好，可惜化錢太多。表示並不贊同。可是回來以後，他想：「教老百姓拿錢出來不好嗎？」於是他就在村中按戶勒索捐款，以致鬧得民怨沸騰，當時區長知道了，認為搞得太不成話，就派人制止，但是毛常明卻陽奉陰違，偷偷在夜間分組到各戶去催逼，一共收到了九百六十六萬〇四百元。一個不到二百戶的小村，在這窮困飢餓的時候，這一筆錢數目不算少。

於是他就到北平，石家莊，買戲裝，正式成立了戲班，招戲子，請教師，在本村演唱了幾次，名為「北賈村劇團」，其實是供奉村幹老爺們享樂的戲班，一共有三十八人，開辦費快用完了，要繼續維持，還得要錢，就括到老百姓頭上，但這時候老百姓都被榨乾了，榨機也榨不出油水了，拷打，拘押，管押都是空的，老百姓就在這種壓迫下，越級告狀，中共上級看見他實在太荒唐，無法漠視。為了自己的享樂，敲榨老百姓出錢，已不應該，錢迫不出，則捕則打，更不成話。因此就命令解散劇團，並把他撤消職務，下面是中共正定縣政府的判決書：「村幹部毛常明設立劇團，擅自向群眾派款，是破壞國家財政制度的行為；不關心群眾生活，強派硬

瞎吹了一陣「模範婦女」

宋阿巧『大義』不肯『滅親』

請看上海解放日報打嘴吧

在中共區域內，自從發生了什麼鎮壓反革命運動，我們每天從中共報紙上看到的，連篇累牘，都是兒子舉發反動父親，老婆捉住國特丈夫，至於兄弟親戚之互相控訴，更是家常便飯，不成問題。中共除儘量擴大宣傳這一類事件外，且都給這些人送上一頂帽子，「大義滅親」。

幫警察捉丈夫　這是何等前進

前幾天，解放日報，大字刊登了一篇「宋阿巧協助政府逮捕了惡霸丈夫」一文，說宋阿巧是恒豐紗廠工人，青年團團員，他受了中共長期教育，養成一種愛護國家，痛恨反動派的深刻信念。因為他的丈夫是反動份子，就親向公安局報告，領着警察將丈夫逮捕了。這眞是一個何等前進的新婦女，值得做婦女模範云云。文中，并儘量描寫宋阿巧在愛丈夫與愛國家的兩大矛盾心情下，如何自相搏鬥，結果又如何將愛丈夫的心情，被「愛國家」打倒。淋漓盡致，有聲有色。當時在我們老百姓看來，這種千篇一律的中共八股本值不得重視，不過無論如何，我們總以為所謂婦女模範宋阿巧捉丈夫，多少總有這們一回事。萬想不到事實上完全相反，宋阿巧不但沒有向公安局報告，領着警察，將丈夫逮捕，她反而是當公安局逮捕丈夫時，她曾經多方反抗。並且也就因為她袒護丈夫，被青年團將她開除了。中共最重要的機關報，其胡說八道，憑空造謠，本是遵照他們黨的決案，但這樣將一個青年團開除的團員，高捧為婦女模範，則實在有點無法交代。下面這一封解放日報的更正信，拚命的自打嘴吧，也許就是中共給他的懲罰。

事實完全相反　她是助夫拒捕

解放日報所刊通訊員何傑來函，及編者按語如下：

「編者同志：

我寫的『宋阿巧協助政府逮捕了惡霸丈夫』一文，基本精神與事實不符。宋阿巧領着公安同志逮捕其丈夫，是出於被動，她事前不僅沒有向派出所報告情況，而且還企圖反抗。青年團恒豐紗廠支部鑒於宋阿巧失掉立場，已予以開除處分。我這篇報導，對事實沒有深入了解，掌握全面情況，以致造成錯誤。我這種粗枝大葉，對黨報缺乏高度負責的態度，是不應該的。除作檢討外，今後當引為警惕。

通信員何傑

編者按：通訊員何傑同志所寫「宋阿巧協助政府逮捕了惡霸丈夫」一文發表後，確有錯誤。我們同意何傑同志的檢討，但我們處理這篇稿件時未進一步調查事實，也應作檢討，今後當嚴訂工作制度改進工作。」

解放日報這嘴吧，打得當然很重，但由此，我們陷在共區內的老百姓，最低限度，又得到一個很寶貴的啟示，即那些聯篇累牘的「大義滅親記」，縱然不是全部偽造，百分之九十九，總也是出自強迫，真正忍心將自己父親，丈夫送上刑場槍斃的，究竟不會很多。

不特並不前進　且被開除團籍

至於宋阿巧這一件事，何以逼到解放日報不能不自打嘴吧，即因宋阿巧不但當公安局逮捕他丈夫時，她多方設法隱瞞，并且於丈夫捕走時，夫婦的天性，逼使她與警察扭打起來，她也被帶到警局。她是青年團員，這樣大義不肯滅親的團員，當然立被開除。這件事，在公安局，和青年團都成了一件不平常案件，如果照解放日報所載，則公安局逮捕她，青年團開除她，當然就都做錯了。公安局和青年團，不能担負這個責任，所以一定要逼着解放日報打嘴吧！（悠然，二十三日寄自上海）

全家「前進」難救老廳長一命

程時煌被殺經過

同時在贛被公審處決的約百餘人，老教育家江西工專校長李右襄亦在其內

在江西做過多年教育廳長的程時煌，前幾天已在南昌公審後槍決。（編者按：程被殺消息已略誌前日本港各報）程為江西新建縣人，國民政府成立以前，即主持江西教育行政，其後除教育廳長外，還兼任省黨部委員。勦共時期，任贛鄂豫皖閩五省特種教育處長。他是程天放的堂兄，因此，大陸淪陷時，一般人都以為他一定會跟着政府走。但事實上，他並沒有走，而且當中共進入上海以後，大家突發現他已是「前進人物」，早向中共靠攏。

在上海各大學教書　兩月前才突被逮捕

他和靠攏的幼稚師範校長陳鶴琴，在一起，除幼稚師範外，還兼在好幾個大學教書，他的兒女，都早是中共黨員，在上海做地下工作。中共得勢，這「一門前進」的程府，當然是毫無問題。有多年歷史，以日本留學生為主幹，建有洋房會址的「學藝社」，曾由他出面接收，自任主席，如此情形，任何人也絕想不到轉眼之間，也竟會被中共捉去鎗斃。

他是兩個月前，在上海被捕的。旋即解回南昌，經將他多年積存的一點黃金美鈔，逼索精光後，（田產被土改沒收當然更不待說）即提付公審鎗決。據中共在公審大會宣佈：說他是C．C派首要，一向在江西主持「反革命」的文化宣傳工作。他曾組織青年勵志團，滲入江西各校，成立特務機構，殘酷迫害進步青年。最後，更加上一個「罪狀」，說他在解放以後，利用政府寬大，還竟敢潛伏上海，造謠破壞。這無疑的，是中共要表示，並非中共要殺靠攏份子，而是靠攏份子太不安份，自尋死路，否則造的什麼謠，做了些什麼破壞工作，中共何以竟一字不提。

李右襄被捕已兩年　係中委李中襄胞弟

與程時煌同時遭鎗[illegible]，還有江西工業專門學校校長李右襄。李是國民黨中委李中襄之弟。他辦工專多年，成績很好，江西許多技術人才，大半出他門下。他為人忠厚，學生對他，非常敬愛。他有子女十人，共黨進入南昌，他未及逃避，不久被捕。中共將他關在勞動營，做了兩年苦工。這一次，才趁着鎮壓「反革命」的機會，提出處決。中共宣布的「罪狀」，是說他曾參加反共組織A．B團，並做過什麼「隊[illegible]」隊員，可憐這樣一個老教育家，竟也戴上一頂國特帽子而被處死。

在處決程時煌，李右襄的公審大會，還殺了許多國民政府時代的軍官及公務員，如賀健，陳展炎，吳子敬，王李恆康，熊本琦等約百餘人。（悠然廿三日寄自上海）

宿縣十九歲青年學生

手刃中共執法隊長

被捕後共幹以煤油澆身活焚

安徽宿縣臨渙集附近劉洪莊，地主周治齋之子周維國，（現僅十九歲）曾受初中教育，中共進入該縣後，家庭無力負担學費，一直輟學至今，他目擊全縣，稍有聲望的人士都被迫害，他父親亦將以惡霸的罪名，舉行公審。乃懷報復之念，他家前院的房屋，為夾河鄉政府佔用，後院為執法隊臨時駐地，砲樓為執法隊長黃英佔為臥室，他平日與鄉長葉元清相處，頗洽，他於二月廿二日乘葉不在隊室，乃將其放置桌上的盒子槍取出，至砲樓上將執法隊長黃英打死後，即逃至臨渙集東南韓村集隱藏，事發後，葉鄉長因防範疏忽，當時即被執法隊管押，周維國也不幸竟被共幹搜捕解回原地。將他的手足指蓋用鉗齒行鉗去，周維國幾次暈倒。三月二日，臨渙集適逢古城大會之日，一面公審周維國，一面追悼黃英，宿縣專區專員及各縣（夏邑、永城、蒙城、五河、靈璧、渦陽）縣長均親臨參加，一萬多農民都被迫參加公審會，當時周維國態度激昂，不知底細的農民，報以熱烈的掌聲，共幹莫明其妙，一時無法制止，只好帶頭喊：「周維國該殺啊！」「把他活祭黃英同志！」主審的共幹，即命將周維國拉出會場土堆上，先用刺刀把他刺得不死不活，後用煤油灑遍全身，點燃以後，只見亂蹦亂跳，不一會便燒成焦屍！那時，周維國全家老小均被繩索綑縛參加公審，目不敢正視，不禁淚流滿面，而目不忍睹之慘狀，只有歎息，共幹滅絕人性，若狂，鼓掌稱快！周維國手刃執法隊長黃英一事，在皖北各地，現已當做神奇故事，被人民興奮地傳播着！（彬彬）

公安局長圖姦未遂

未婚夫婦被誣慘死

梧州最近的一幕冤獄

廖揚富和林月美都是梧州人，他們是未婚夫婦，「解放」前三個月，廖揚富參加土共，在梧州六堡，山心一帶，打家劫舍，所以能在後來任梧州公安局公安員。蒼梧縣公安局長韓某，是五年多黨齡的老共幹，有一天在街上發現林月美的姿首可人，林以洗衣為生，於是他就成了林月美的經常主顧。旋韓令街民小組長通知林進夜學識字班，林不去，韓親自來作說服工作。林說：「白天工作太忙，晚上沒有精神上學。」韓責她「享樂主義，太不前進」。林在他的威脅下，只得照辦。三八婦女節前夜，因為練習扭秧歌，她深夜十一點鐘才回家，夜深人靜，她一個人走到半路，遇韓衙街，拿着手槍，命令她「站着不動」，韓上前輕薄摸索一翻以後，要把她帶到附近的樹叢底下去，林不肯，韓見附近都有部隊站崗，自知不能發幹，祇好放她回家。

三八節過後，有一天晚上，韓拿着戶口册，到林月美家裏去，恰巧他屬下的公安員廖揚富也在那裏，與林併肩而坐，竊竊細語，韓見了妒火上熾，問廖：你到這裏來幹嗎？廖恐懼過甚，不能答話，後來廖說，林月美是他的未婚妻，韓逼着問：「你什麼時候訂婚？有沒有訂婚證書？」廖說是兩年前訂的婚，沒有訂婚書。韓於是冷笑着說：這顯然是國民黨時期所有任何契約，都是無效，何況你連偽婚約都沒有。說這是你利用公安局地位，想霸佔良家婦女，當時就把廖揚富扣押起來。林月美知道後，哭着要到法院去控告，韓某於是一不做，二不休，先發制人，拘捕林月美，說她是女特務，和廖揚富都被誣為陰謀反動，處死了。那個有了五年黨齡的蒼梧分局長，依然在作威作福，得意的獰笑。（林華）

老生唱黑頭

—香港走筆之二—

●長足賢內。

唱老生的突貼海報，要演黑頭戲，於是有人爲文非議，認爲那是不可思議的大玩笑。

其實，這只是太平山下嬲嬲而動衆生相的一面而已，有多少唱黑頭的，今天在這邊廂小島兩岸，反串白面書生；又有多少以淨角見稱的戲中人，今天却一本正經，飾演有「漢奸」之嫌的楊四郎。

一向唱老生的，台下觀衆最深印象總是看起來老氣橫秋，引經據典，一言一語，都是世態炎涼的經驗之談，忠直奸猾，判然可分；唱慣了老生又反串花臉，最大遺憾是調門不高，氣力不足，身材不夠，勉強露演，喝倒采的一定多。這是聽衆的見解，飾演的人心裏是否如此，却不一定；有的可能覺得自己演來頭頭是道，喝倒采的也許當做是捧場，越唱越起勁，搖首擺尾，自得之至。

觀衆花錢看戲的，雖然不少是消遣取樂，不會太認眞唱工做工；但這不能一概而論，有的觀衆却半分也不放鬆，邊聽邊評，總覺得做工雖然像，唱工却惡劣無比，演演「捉放帶宿店」中受宰的豬差強人意，演正角却不倫不類了。

唱戲的如此，三百六十行行行也都如此。拿寫文章來說，好比一個自稱熟通子史的人，突然又貼出海報，要搬出一大套二十世紀流綫型的學問，扯扯台灣這位「老友」，又扯扯共區那位「仁兄」，莫名其妙，自己好似天津「三不管」的花姑娘，傾也不知他是演的那一齣，像這類人，其與反串黑頭何殊？

話說：過去有幾個票友，想演打漁殺家，剛好缺教師爺一角，於是硬拉一個不懂戲的人上台，叫他學扁担茶壺狀，脫光衣服，賣弄力氣，等他表演完了下台，後台有人與他開玩笑，叫他「上，上，上」他以爲又要上台，急忙撿起布樓，趕上台去，弄得蕭恩又窘又氣，於是開口問教師爺「你來做甚？」教師爺無言以對，只好答道：「我來打你！」蕭恩見機行事，便揮拳而打，把教師爺打下台去。

有一天，觀衆也許要把這些不倫不類的黑頭打下台去。

從南京到上海（二）

●王一中。

如此民族工業

至友陳君，在上海兆豐花園附近某紗廠任總工程師有年，余多時未見，此次到滬，特往訪之，至則門禁森嚴，不可逕入。幾經懇求，始由一身穿藍布列寧裝之青年准予通報接見。由傳達引入客廳，陳君一見即曰：我兄今天來得眞巧！若昨天來此則不能迎見了。蓋該廠數日來，內部發生風潮，今日始復工也。余寒暄後，詢問廠中情形。據云：「本廠紡織兩部，共有職工三千人；數年來，經營尚稱順利；「解放」後，因捐稅公債，派額大；薪工又復提高；而紗布價格日落，推銷又復不易；以致缺原料，欠薪工，而激成停工罷風潮。請求停業，「政府」又不允許。不得已，但重行復工，由工人分組輪流作工半日，但工資却不許減少；看此情形，只好坐待吃光；職員欠薪，不能補發，辭職又不允許，只好在此坐以待斃。」言下似不勝悲哀者。余曰：工資提高，工時減少，工人情緒，當很興奮吧？陳君低聲謂；「資本吃光了，工廠要關門，瞻望前途，工人一樣悲觀；且不但本廠如此，上海各私營工廠，莫不皆然。公營工廠，雖尚無停工顧慮；但藉口爲人民服務，而延長工作時間，做工作比賽；把人作牛馬看待，弄得終日暈頭暈腦，身心兩受損傷；且勸買公債，發動獻金，花樣眞多，以前年底必有的雙薪獎金，在共黨號召下，又已用捐獻名義，一筆勾消。故一般工人生活，莫不感覺困難，這種局面，不知還有幾久？」談至此，因門外有人走過，遂亂以他語，余亦興辭而退。

亂捉人大恐怖

余在上海，某日，因事赴靜安寺路，途中遇見昔日曾充鐵路運輸司令之祝某，因邀至其寓所坐談。祝曰：「你何以還在此？上海日日殺人，昨晚左鄰曾捉去二人，一人，聞係青年黨黨員，今晨北火車站捉去三人，聞一爲國民黨外縣書記長，其他二人，則爲外地逃來地主，火燃崑崙，玉石俱焚，寧不可怕？你何以還在此？且聞華東各地逃避上海之「惡霸」「地主」，爲數在十五萬以上，當局正加緊淸查，准許各地認鄉隊來此捉回原籍淸算鬥爭，所以市上風聲鶴唳，雞犬爲之不寧，你久留此，恐將不利。」余感其勸告好意，告以由從南京來，並無久留打算。隨詢問彼何以不走？祝曰：「小兒在校求學時，會祕密加入共黨，去歲從軍西征，在廣西陣亡，因獲烈屬名義，暫得安居；但共幹時來訪問，查根究蒂，應付麻煩，而公債獻金，烈屬有提倡之責；實在床頭金盡，難堪煎迫，長此下去，恐將餓死，談到走呢？我已暴露身分，參加登記，勢難請領通行證；家人衆多，遠行談何容易？君單人獨馬，行走方便，速去爲佳；若國軍能早日反攻，還都大陸，餘事見面再談。」言罷不勝感慨。余因有至戚在杭州，値茲遠行，須往作別且借旅費，原定該晚搭車赴杭，辭出後，逕奔北站，打聽火車鐘點。當晚八點三十分到站補票之際，見共軍二人將站立余前排之大胖子一人捕去，該大胖子究爲何人？犯何種罪？在站之人，莫敢詢問。

美國的女兵

美國洋琴尼亞州李堡的一個訓練站，是瑪麗·海拉倫上校統率下婦女兵團一萬一千人的基地。應徵參加婦女兵團的新兵，在這裏受八個星期嚴格的基本訓練。五月中正當婦女兵團慶祝它成立五週年紀念的時候，這個訓練班正準備在明年內擴充學員人數三倍。

這個訓練站的使命雖然是將婦女們鍛鍊成「軍人」，但婦女兵團內部的人却稱它做「海拉倫氏青年婦女學校」，以紀念這學校從前的校長。教官提到學員時，必須稱呼爲「女士們」或「婦女們」，雖然有時也會不愼脫口而出稱她們爲「咪咪」。當新兵初來的時候，有一位軍曹到車站去「歡迎」她們，代她們負着包裹，彬彬有禮地招呼她們踏上一輛大汽車。

一到營地，等五百位穿制服的女軍官將一千五百名「青年女士」介紹入陸軍後，情形就不同了。教官中有半數是戰時婦女兵團內的軍官，退役後重新動員的，多數是四十歲左右；其餘的則是最近方擢昇爲軍官的，或許經過了特別訓練的。階級最高的數個軍官，包括司令官羅佩·赫爾曼中校，多數是教員出身。

一般學員大約是二十歲，（軍官的平均年齡是三十六歲），體重一百二十七磅，身高五呎四吋，曾讀完中學。新兵入伍的最低智力標準是八十分（陸軍是七十分），但她們平均有一百分，超過了男兵的智力水準。

眞正的家

她們很多來自中西部，有百分之十是黑人。有些人來自破落的家庭，在她們的家鄉沒有多大的發展機會。她們參加軍隊的理由常是出於求取教育或發展的機會。有一位軍官說：「對於許多人，這裏才是她們眞正的家，有人眞心照料她們，使她們第一次得到生活安定的感覺」。由於她們本身對於這種生活的愛好，這支「軍隊」從第一天入伍起，到嚴格訓練結束，很少有士兵們傳統性的怨尤。在訓練站成立二年半以來，九千名畢業生內，祇有一百二十五名重新回到平民生活。

她們住在規則化的二層樓營房，十六個至二十個人住一個房間。她們學習抹地板，擦水盆龍頭，或把她們的皮鞋擦得像鏡子一樣亮。她們得做種種勤務工作，除移不動的東西和不能油漆的東西以外，樣樣都要幹。

社交課程

她們的裝備必須保持絕對整齊，有一樣東西的位置放得不對，便要「記過」，犯過太多，將被禁止外出或受訓斥。她們學習操練，起先或帶着一點婦女的柔弱姿態，但到訓練期的最後階段，步伐便完全軍隊化了。她們的學課有陸軍組織，軍事司法，軍事習慣和軍事禮節等等，還有一種是「社交觀念」課，上課時討論個人行爲和性問題等。她們還上一種「熟悉武器」的課，研究自動手槍，步槍和卡賓槍。如果她們願意，則可以試用卡賓槍打靶，除少數外，她們都自願開槍。射擊的成績驚人的卓越。

分派工作

到她們訓練期間的末段，她們出外露營演習，穿着軍便服，頭戴鋼盔。她們在鋼盔裏洗臉，紮營，行軍，研究軍製地圖，和伏地爬行——不過沒有機槍彈在頭上颼颼掠過。經過了這種演習之後，她們準備畢業而派入陸軍中服務了。她們工作是根據個性測驗而定。婦女兵團的任務包括陸軍各種工作的三分之一以上，從辦公室工作以至統計圖表繪製，電訊，情報，軍隊憲兵任務，齒科和醫學技術性工作汽車修理等工作（李堡訓練站即有一個完整的汽車修理廠）。婦女兵團有超過半數的人員在訓練期滿後担任人事和行政部門的任務，百分之十五以上參加醫務組，五分之一赴海外服務。不過在担任這些任務以前，她們通常還須進陸軍正規技術學校受訓一個時期，她們的成績總是列入全班甲等。現在海拉倫上校正難於應付各部隊司令官需要她的部下的請求。這一點可說是婦女兵團之成功的最大證明。

（揚帆節譯自新聞週刊）

杜魯門太太願做鄉下婆　杜魯門自己仍雄心未已

旅美雜紀　陳香梅

華盛頓的白宮，是總統的官邸，建築華麗，其中一部在每天固定的時間內開放，給各地遊人參觀，白宮只有兩層樓，全部白色。一八一二年英美紛爭，英軍曾火焚白宮，後來才重建起來。白宮的外圍建築是富有歷史性的，高大的圓柱，寬長的走廊，藝術化的牆壁，這一切都是保有美人開國時的風尚。這座樓宇雖然在百餘年之間，不知幾易主人，然而白宮的外觀一直未被改變。前年杜魯門總統曾有意思，把這座白宮改造一下，遭受不少議員和民主人士的反對，因此沒有實行，最近聽說已裏外油漆一新，並加建了一些房間。

環境着白宮的四週是那翠綠的草地，和那高大的樹木，此外就是鐵欄干，全部佔地總有十八九畝，環境相當清幽。杜魯門夫婦只有一獨女，愛若掌珠，而馬格烈杜魯門因忙於演唱和習曲，大半時間都在紐約，因此白宮裏通常只住着杜魯門和他底太太，當然除此之外，還有三十多個服務於白宮裏的副官和傭僕。蔣夫人於戰時訪問美國，曾受羅斯福總統夫婦招待，住在白宮。許多其他國家的總統，首相等也曾在白宮作客，不過亞洲的知名人士之住白宮者，大概蔣夫人還是第一人呢。

杜魯門夫人是一個非常沉靜的人，很少在交際場中露面，據說她對於丈夫的政治生涯表示厭倦，希望杜魯門不再競選，下野後陪她返回米蘇里州靜度鄉居生活。不過杜魯門雖年已望七，仍是雄心勃勃，他曾表示，下屆競選即使不成功，他也想仍做一名代表米蘇里州的參議員，對於政治舞台尚沒有及時引退的意思。

白宮下屆主人是誰呢？這眞是大家都想知道的問題，美國大選將在一九五二年十一月舉行，新任總統及副總統都於同時選出，新總統將於一九五三年正月就任，今離開選期還有一年多，可是那些想做白宮主人的政客們，已各自分頭活動，準備應付這大場面，鹿死誰手，眞是難說。不過，我們可把那些準備競選和可能被民衆推舉出來競選的人物，逐一分析一下。在這名單上有：杜魯門，塔虎脫、杜威、艾森豪威爾、麥克阿瑟。照現在的情勢來看，就只有這幾個人够資格，不過若是半路出了一個程咬金，那就難說了。

杜魯門於羅斯福逝世後繼任總統，至今不覺已有七個年頭，在這段過程中，杜魯門的表現將由未來史家評定，不過如今美國人民，甚至許多擁護民主黨的人民都對政府失了信心，杜魯門若再能獲選，那才眞是奇蹟呢。而且此公佔據白宮有年，也該讓賢了。（二十二）

竹影心聲

●上海來鴻●　●離草●

（十五）

上海總會有一天沒有了呼吸—我這樣默禱着。

黑的仍舊是黑，白的依然是白，不必再勞劊子手來屠殺善良的人，一起完了，不是挺好？

今夜，月亮是新生的，細細一彎眉毛，你也有太多的怨恚？

朋友，（恕我與你第一次在稱呼上有了距離）多看看站在你那邊的這個不吃人的月亮，你知道，它在我的感應上，猶如刀頭淋着血一樣，太有寒意了。我準備放下筆，閉上這窗，吩咐它去別的地方。

申明一次，這也是一封信，發育不全的月亮，是第一個鼓勵我這樣做。

（十六）

沒有什麼可以奉告，人的解脫就是死，這個字，在鐵幕裏，已經不能嚇唬一個活着的東西。舉例說：當我鋪着信紙時，死了一批「特務」，寫完這封信時，又死了一些「反動份子」，信在路上走了幾天，不知又有多少人死於「不名譽」的罪名，當你看到這信時，可能我也在別一個世界裏歡呼着「鬼的自由」了。

你勸過我不能想得太遠，現在我是想得太眞切了，不是我一個人這樣想，住在上海的，那一個不摸摸自己腦袋，問一下我能再活幾天？

若體有點小病，我贊成她住到醫院裏去，這是小題大做的養心法，我和她串通了演一個戲，每天捧了一束鮮花探病，挺有趣味。這個都市也得了瘋症，難道就沒有醫生下藥？

下次試試借用看護小姐的筆，替你寫一封白色安慰的信。

不想回家的俄國兵

鋼琴不能搬回蘇聯

茨赫柯搖了一下頭：「不，每個人所得到的東西，應該是他有資格得到的。我并沒有得到一架鋼琴的資格。」

「要是戰爭發生，」梅頓斯說：「你的那位上司不會能把鋼琴搬回蘇聯的。他們——」

「法蘭茨！」梅太太尖聲打斷了他的話。

但梅頓斯正說得起勁，不顧他太太的警告，繼續說：「他們將到鐵道上去做工了。五年前，他們掘去了第二組鐵軌，現在又把它們重新鋪置。他們下一件工作，當是鋪一條較闊的鐵道，像蘇聯那樣的。」他轉過臉去，朝着茨赫柯：「你可知道我們這條路末端的那家建築公司，已和紅軍簽約，在石礦後面建築新兵營？薩克遜尼省的各處橋樑已一律改建，公路全部要放寬。而你們還在口口聲聲說要和平呢。」

梅太太以堅定的口氣提醒茨赫柯，還是他該回營的時候了。他服從地站起，和進來時候一樣，和每個人一一握手，但有一點戀戀不捨似的。

我問他：「如果你們的憲兵在這裏發現你，他們會對你怎麼樣？」

茨赫柯正立在門口。他站在那裏，回顧室內，似乎要盡情欣賞它的美麗。「他們將打我，」他說：「他們會把我送到羅根華特的懲戒營。」梅頓斯加以解釋說：「每天工作十八小時，配給品祇可得半數。」

「是的，」茨赫柯點點頭，「以後，我會再被送入弗蘭克福更大的營房，從那裏再送到——」他又在玩弄電燈開關了。

「西伯利亞嗎？」梅頓斯問。

「對了，」茨赫柯說：「五年，也許十年。」他聳聳肩。「他們所要做的，全是對的，」這時他似已十分傷感。他摸摸那三歲女孩子的頭，打開門，消失在黑暗裏。

我對梅頓斯說：「你說得不錯，他們都是令人難以猜測的人。」

他含怒地聳了一下肩，「他們都是瘋狂似的，」他恨恨地說：「你沒有聽見他說嗎？『他們所要做的，全是對的』，茨赫柯懷着一種信念，以爲據於高位的人，或許是克里姆林宮裏的人吧，正好好地照料着他。他感到他已得到恰是他有資格得到的東西。少校應得到一架鋼琴，犯過失的士兵應該被放逐到西伯利亞。不工作的人不該有東西吃。在梅克倫堡和普梅恩，我們的農民已不知喪失了多少匹良馬，因爲俄國兵不准他們在馬匹不拖車或不拖犂的日子飼養它們。他們說不做工的馬不該得到飼料。」

（全文完）

泰辛寄譯自星期六郵報

自由人
THE FREEMAN
（半週刊每星期三六出版）
（第二十六期）
每份港幣壹毫
（台灣售價台幣五角）
督印人：梁大成
社址：香港德輔道中一四九號四樓
電話：三二八二〇
149, 3rd FLOOR, DES VOEUX RD. C. HONGKONG
TEL: 32820
承印者：東南印務出版社
地址：高士打道六四號
台灣經銷處
台北重慶南路一段七十四號二樓張執中及館前街八十五號中國書報發行所徐進之

批評一個國家的前途 切不可自存偏見

假如鄧寇克撤退時就斷定英國完了，巴黎陷落時就斷定法國完了，這種目光短淺的批評家，豈不要貽笑天下？因此，我們就不能不盼望一切國際友人，對中國前途的看法要沉思默想，考慮周詳。艾登所說：「不要由於一個國家的無知破壞了另一國家的努力」，這眞是至理名言，值得大家一致信守。

·劉百閔·

我對于邱吉爾在一九四四到一九四五年希臘事件，對共黨游擊羅衆，發揮了他的鐵腕，命令英國軍隊予共黨進攻部隊以無情的打擊，因此，雅典解圍，希臘亦就得救，沒有變成共黨極權的國家，——這一件世界大事，我認爲這是邱吉爾的卓越的政治才能的表現，雖羅斯福在當時，猶不免較遜一籌。

邱吉爾發揮鐵腕 挽回了希臘厄運

當他接獲報告，[illegible]的共黨游擊羣衆，[illegible]然從山中下來，自稱是希臘的救星，要以全力奪取政權，在一個深夜裏，他親了一個電報給斯考比將軍，命令他不要再保持中立，相反地，在希臘各黨派之間，要支持巴班德里奧首相，不要猶豫地襲擊共黨進攻的部隊。」就在這緊急的關頭，共黨已經攻入離政府只有半哩或更少的距離，立刻被迫退了，留出了時間，讓殘餘的希臘政府的人員和軍隊從事整頓。于是，雅典解圍，希臘得救，[illegible]敏捷的手法，除了邱吉爾，還有誰第二人能夠幹得出這樣眼明手快的一種緊急處置。

但是，邱吉爾當時很被一班所謂左派進步份子所責難，國內起了政治的騷動，倫敦泰晤士報，曼徹斯特導報，都指責說，這是英國在希臘的帝國主義的侵略。最奇怪的，他在美國得到不少的惡意的報紙批評，把一個邱吉爾硬派成一個令人驚愕的主戰派，死硬派，帝國主義反動者，努力打擊希臘人民自由民主推進者；此外，美國國務院抱着批評的態度，甚至於對希政策邱氏始終和他保持聯絡的羅斯福總統，也一直保持着緘默。

指責有時太荒謬 兩年後是非大明

兩年以後，杜魯門總統在他致國會咨文裏面，說明在金融上有協助希土的必要的時候，講到一切關于英國在希臘的侵略的言論和指責，完全是荒謬的；于是邱吉爾笑了，「這對我是極深刻的滿足！當時我很像錯了腳步，但今日又好像我當年是在追隨兩年後美國所採取的這深信不疑的決策似的。」這話是很幽默的。但是，兩年以前的當時，邱吉爾亦是煩悶不堪的，他對那些批評的人說，「你們太健忘了，你們總是喜歡諠嘩，每天總要說些令人驚愕費解的話。」「這是不可缺少的，一種國會，總有一個背景。」有些自由民主國家裏，都受內部黨派的操縱，這些黨派根本沒有國家觀念，祇是盲目地服從克里姆林宮的命令。」最後，邱吉爾又說，「我們要沉思默想，我們要捉摸在當前的一幅包羅萬象的景色，這一幅包羅萬象的景色，是包括人類所有的一切情緒和各勝利強國所有一切的政策和苦心焦思。人類的和平前途，都有賴于這幅景色的正確的鑒評。」

這一個歷史大事的經過，對于當時的批評和指責，邱吉爾自己，以後杜魯門亦包括在內，認爲是荒謬的，是一種喧囂，歡喜說些令人驚愕費解的話，是有背景的，邱吉爾要求，要沉思默想，要有正確的鑒評。從此我們可以知道，一個人物的行動，一件事情的發生，無論本國人的[illegible]，無論外國人的指責，和批評，有時是對的，有時不一定是對的，這因爲一般人，有些是健忘的，有些是喧囂的，有背景的，要有正確的鑒評，是不易獲得的。

羅素艾登的遠見 英美決不可分裂

最近羅素論英美報紙的歧見，他對美國報紙的態度，亦是很煩惱的，他說：「在美國有一種信念，認爲社會主義的政府必然是無能的。」美國報紙對于英國所遭遇的困難，大事渲染；對于英國人之處境的艱苦，過份描寫；事實上，我們在增加輸出貿易，我們不再依賴美元，是有我們的卓越的成就的。」他又說：「美國報紙，自現在工黨政府執政以來，對于英國事情之有意的錯誤報導，其爲害之深，很少的美國人能夠知道」「我遇過一些美國人，他們對于英國情形，有極其奇怪的想像。」羅素是處在一個英國人的立場，對于美國報紙之有意的錯誤報導，美國人之極其奇怪的想像，是深致其無限的遺憾的，英國人，邱吉爾和美國人所最歡喜說的「我們英語民族」，誼同手足，將來兩國的公民，是可以共通的，而彼此的報導和想像，尚這樣的錯誤和奇怪，那對非英語民族之錯誤報導和奇怪想像，更是當然的了。

艾登對于所謂左派進步分子的分析。他是這樣說的「我相信極易響應共產主義破壞性信念的人，可以分爲四種：一種是理想主義者，一種是思想未成熟的人，一種是不滿現狀和易于變亂的人，最後一種是渴求權力的人。這些人是很容易拋棄了眞理而變成了「盲人」」。這些人極易響應共產主義破壞性信念的人，就是歡喜或相信報導和奇怪想像的人，有時並且是有意的。他希望美國人應該對于英國人予以深切的了解，應該想到英國人正在艱苦的任務上盡着他們的最大努力。在同樣情形之下，英國人也應該這樣：我們必須保持團結，在這樣艱苦的任務上，決沒有推卸，也不容誤解，更不能由于一個國家的無知而破壞了另一國家的努力」。艾登這話是很懇切的，他希望美國人應該替英國人想到他們正在艱苦的任務上，盡着他們的努力，同時亦是堅決的，提出要求，不容誤解，不能由于一個國家的無知，而破壞了另一國家的努力。這話又是何等辛辣啊！

（下接第二版）

斐立特的無花之果

——中東線上「包而不圍」的作戰——

·黃震遐·

截至五月卅一日的中東綫決戰，在大雨中被泥濘淹沒。斐立特的反攻已達到攻勢極限。在一片澤國中，美第二師裝甲部隊矛頭之迂迴麟蹄——杆城高城公路交叉點（包圍右鉗的最後努力），與其東外翼南韓首都師在「紐澤西」主力艦」巨彈掩護下之挺進到東海岸杆城，發揮了斐立特的餘力。

頭三天用兩棲機械化部隊猛衝，在共軍「麟蹄——洪川突出部」的外翼，伸出「巴登式」的兩鉗：右鉗從縣里衝過麟蹄，西撲楊口，來封閉突出部共軍左翼的兩條退路；左鉗從春川向北直衝樺川，把樺川打下，東旋楊口，來封鎖突出部共軍的兩條退路，到第四天（廿八日），兩鉗向楊口靠攏，算是拉緊袋口，在「形式上」裝滿一口袋的共軍，被包圍在麟蹄洪川口袋裏的中共軍九個師人，因之匆忙向北搶退，奪路奔逃，其中有四個師和聯軍左鉗平行北竄，在春川樺川間碰上左鉗，一陣亂打，在大混亂中被俘一團人，這是斐立特包圍戰唯一顯赫的戰術勝利，其他大個師沿兩條公路奔路北逃，則在聯軍右鉗衝過縣里麟蹄之後，未達楊口之前，或已利用縣里麟蹄楊口三點間的空隙滲過包圍圈，等到美第二師的挺進先鋒碧見楊口，（被包圍的共軍恐已自後過去了）這是五天來的大勢。[illegible]

在目前，局外人自不能證明[illegible]

內，祇要拼命跑（和兩鉗平行地跑），一天功夫即可鑽隙逃掉，機械化部隊是路上的軍隊，人不離車，車不離路，在「綫」上威力強大，却顧不到「面」，機械化部隊一跑快，步兵即跟不上，少數摩托化的步兵當然無濟於事，因此空隙到處難免。楊口一點，聯軍沒有打下，兩鉗原擬會師於此。臨時却被南下增援的北韓生力軍擋開，廿八九兩日，楊口即成包圍圈上的最大裂縫，聯軍步兵趕不上，在情況混沌中，可能漏走大部共軍，卅日大雨下降，連坦克車也陷入泥淖，「面」的任務更難達到，如果當時聯軍能有先見，大膽從西線調來幾師步兵，把此袋口密縫緊，至少必能多[illegible]

台北短簡

游擊領袖 請訓反攻

反攻大陸，在國際形勢未明朗前，雖然受着許多牽掣，但當局暗中，已作各種積極準備。目前兩大政策，正分別進行。第一，加強海上巡邏，凡以戰略物資開往共區的輪船，在經過台灣海峽時，一定嚴予檢扣。第二，是開闢了幾條從海上通過大陸的秘密路線，讓大陸游擊隊能和台灣取得各種聯絡。目前各地游擊隊領袖本身或派代表來台灣接洽請訓的，爲數不下百餘單位，當局除分別指示外，並已予以名義或接濟，令迅速返回原地。據聞接洽情形極爲圓滿。

回教同胞 準備聖戰

自堯樂博士抵台後，關於共黨在西北殘害回教情形，使各地尚未淪入鐵幕的回教徒異常憤慨。聞各地回教徒，已在集中所有力量，支持西北回胞之反共聖戰。現馬家各巨頭，已陸續來台，除馬鴻逵外，馬步芳之子馬繼援，已奉父命自開羅歸國，據聞兩日前業已到港，一二日內來台。馬繼援爲西北未淪陷前，曾予彭德懷共軍以重大打擊之名將，在回教將領中，爲唯一青年後起人物，對未來西北反共之戰，當能有不少供獻。

軍援湧到 經援增多

軍援已大批到台，惟各碼頭幾應接不暇，因軍援增多，使台灣經濟，另添一重大負担，即台省所有碼頭，倉庫，道路，橋樑，機場，營舍，均須大量擴建，所費極巨，故軍援之外，必須經援比例增加，否則將影響台灣經濟之安定，此點已由美方代表轉請華府核示中。

因俞大維返台引起之台省府改組說，現因種種關係業已擱置。（成功，六月一日寄自台北）

時局漫談

·左舜生·

中共會屈服嗎？

只是希望在韓戰場對共軍多所殺傷，就能使中共屈服，這[illegible]

請杜魯門艾契遜去韓國打仗

[illegible]

巴黎會談的尾聲

[illegible]

我從印度回來

這樣貧富懸殊文化經濟一切落後的國家 我真替要做亞洲領袖的尼赫魯捏一把汗

·王體泉·

印度今天，尼赫魯口口聲聲，儼然以亞洲的領袖自居，聲稱蘇士運河以東的一切國家，印度都不看在眼裏，印度人自認爲亞洲的巨擘，在國際上要做亞洲集團的領袖，不僅聯合國印度代表這樣做法，西方民主集團也未嘗沒有人這樣準備。只英國人知道印度內情，最爲清楚，印度人在英國，依舊小心恭順，和以前殖民地時代，不相伯仲。印度人僑居美國者，欺美國人天眞，有些竟高視闊步，盛氣凌人，他們在美國公然鼓吹亞洲的領袖，非印度莫屬，民主集團與共產集團之間，當以印度爲橋樑，又說他們有世界最古老的文化，印度哲學爲亞洲各民族所宗仰。

語言無法統一 階級依然存在

印度的確有值得尊敬的地方，尤其過去像甘地泰戈爾這種偉大人物，眞是舉世敬仰。但尼赫魯要做亞洲領袖，就應先務力於自己國家弄好，領袖不是憑投機取巧，所可成功的。

目前，這亞洲的領袖，你如果到他國內去觀光一番，就眞使你奇怪尼赫魯爲什麼敢這樣妄自誇大。印度分爲二百多種語言、印度人與印度人之間，不要說言語不通，連文字也不能互相傳達。中國國內，雖然有不少方言，近年來國語通行，說起普通話來，從內蒙古到雲貴高原，稍爲受過教育的人，都可以懂得，文字統一，尤其是中國四萬萬人五千年來唯一的特徵，世界任何地方，任何國家，沒有這許多人認識同一的文字。

印度分成二百多種語言文字，印度官方，一切文告，祇得借重英文，可惜懂英文的，祇有少數，大多數人，英文不懂，固然不必說，受過當地語文教育的人，也如鳳毛麟角。他們貧病交迫，一身以外無長物，不穿鞋襪，不穿褲子，祇有白布一條，圍住下體，饑荒災饉，年年都有，受教育與不受教育，在他們還算是次要呢！

印度社會，分爲許多階級，這一階級，和另一階級，大有老死不相往來的氣度。各階級外表有特殊的標識，一望而知。

乞丐遍地皆是 衣物處處當心

我們在馬路上行走，立刻就有一大羣乞丐，追蹤而來。他們是乞丐而兼小偷，那一面討，一面偷。小小叫化子，尤其要小心，你看他小小年紀，他有父母跟在後面，遠遠的照料他如何偷竊荷包。許多旅客，把貴重的東西，放在褲袋裏，這是最爲危險。

印度乞丐之多，世界第一，他們很多，是「職業的乞丐」，他們有意把自己的手足弄壞，皮膚弄爛，五官弄得不完全，那麼他們，就一生一世，像在地上爬來爬去，像動物一般，終身以乞丐爲業。

住在旅館的人，晚上必須把房門窗戶緊閉，千萬不可怕天熱不關。睡覺的時候，須將重要物件，放在枕頭下面，賊骨頭半夜偷進來，那是很可怕的。白天進出，千萬隨時上鎖，萬萬不可大意。

上街買東西，講價錢是最苦的事情，買一件東西，要講大半天的價錢，結果還是上當。

世界最富的人 原來出在印度

貧富不均，世界上恐怕沒有一個國家比得上印度。世界上最富的人，出在印度，其富庶豪華，竟爲美國汽車大王煤油大王所不可及。有錢的人，住在那樣富麗堂皇的建築，圓圓的屋頂，宛如宮殿。附近，就有大多數貧窮的人，沒有飯吃，餓得祇剩一根骨頭，窮得連褲子都沒有穿。印度城市，滿街是乞丐，印度的鄉村，尤其窮得利害，不要說房子，不成其爲房子，那滿天的臭氣，滿地的牛糞，怪不得印度人平均的壽命，不到三十歲。

最妙的，是在這窮的地方，卻偏有闊人住的宮殿式房子，高聳雲霄。這些宮殿式的房子，如果搬到美國去，連美國最闊氣的人，都不敢照樣建造，令人注目！印度多世界最窮的人，也多世界最富的人，那一班富人，那樣毫無畏懼的，煊耀其財富，大多數貧苦人家，視爲事理之當然。尼赫魯如果不趕快從消弭貧富懸殊的現象着手，我眞不敢說這樣的社會，能維持多久！

到印搶購物資 多數吃苦上當

中國和印度，近在咫尺，印度人跟蹤英國人，來上海香港，做巡捕，做保鑣，和經營商業的人，倒很不少；可是中國人對於印度，隔膜得很，遠涉重洋者，多向歐美走，很少人到印度去經商旅行的。求學的人，尤其是鳳毛麟角，我在印度碰見一個中國學生，在印度中部一個大學讀書，他說是浙江人，據他說程度很低，設備很差，比不上中國的普通大學，他因爲是個華僑子弟，會便利，就只好勉強讀下去。

最近因爲韓戰發生，各國實行禁運，印度想趁這個機會，撈中國人一筆錢，許多戰略物資，在印度可以搜購，香港就有很多進出口商，到印度去。他們到了加爾各答，飛機下來，氣候一百度，濕氣九十幾度，人在鍋爐裏面燒，開頭一個星期，不必想睡覺，他們都寫信到香港總公司，鬧着要回來。他們運了若干戰略物資到香港，打開一看，有時竟上了印度商人的當，有的貨色不合標準，有的以舊貨充數。有的居然零件不全。這些東西，是用搜購的手續，購買下來的，自然無法退回。他們受了印度中間商人的剝削，價格比歐美廠家高昂，自不待言。所以在香港買貨的人，聽說這貨色從印度運來，非看見現貨，不敢購買，現貨到了香港，他們要找專家，逐一檢驗，方敢成交。

時疫不斷流行 飲食必須謹慎

印度加爾各答的旅館房間，價格之貴，爲世界第一，每天十元美金，房間勉強可以居住，價格便宜一點的房間，設備十分簡陋，夜裏還有臭蟲，咬人，早晨起來洗臉，水龍頭沒有水來，洗浴盆的水，是一點一滴的漏下來，至少要等候半個鐘頭，才有半桶水。

旅館房間很缺，去印度的人，最好在香港先請航空公司預定，否則臨時找不到房間，再加上人地生疏，會吃虧。吃東西，尤其要小心。我在加爾各答的時候，報紙登載，死於天花，和虎列拉兩種時疫者，僅加爾各答一處，一天五百多人。照加爾各答慣例，必須一天死七百五十人以上，市政府方可宣佈爲時疫都市。如果在香港，祇要發現一二人，死於時疫，港政府就要強迫大家打針種痘。加爾各答一天死五百多人，政府熟視無睹，眞是天下奇聞！疫病這樣流行，旅行的人，千萬特別小心！

說起吃飯，印度人頓頓吃加厘，無論什麼菜，都有加厘，吃一次二次，還可以勉強對付，天天都吃加厘，眞有不堪下嚥之苦。

批評一個國家的前途 切不可自存偏見

——上接第一版——

對另一國家命運 勿輕易喪失信心

我在上面歷述了邱吉爾、羅素、艾登的一大堆的話，站在一個外國人的立場，並不是說我對於英國人和英國事情，有了什麼深切的了解，因而發生共鳴，實在是由于一個中國人的地位，對于邱吉爾、羅素、艾登的每一句話每一個字，好像都是替我們中國人對美國人和英國人說的，好像都說盡了。再沒有什麼可補充了。我們說：我們希望你們美國人和英國人，對於中國人應該予以深切的了解，應該想到中國人正在艱苦的任務上盡着他們最大的努力，雙方不容誤解，不能由于一個國家的無知而破壞了另一國家的努力，你們對于中國的事情，有意的錯誤報導，其爲害之深，你們很少能夠知道，你們太健忘了；你們歡喜喧嚷，喜歡說些令人驚愕費解的話，有時是有背謬的；你們要沉思默想，當前的中國情形，是包括着中國人所有的一切情緒和中國政府所有的一切政策和苦心焦思，中國的前途，是有賴于你們的正確的聽評。我們說這些話，你們能說完全不對嗎？

誰能預料，鄧寇克時期的英國以後再有攻登歐陸時期的英國呢？被希特拉趕出國外的希臘王和他的兄弟，後來又率領一支小小的部隊回到他們自己的國土呢？後來又因共黨游擊部隊的襲擊，攻到了距離政府只有半哩之遙，又把他們打回去呢？當蘇聯有意侵入伊朗，已經做成伊朗西北一省亞塞爾拜然主人的時候，美國來宣告它是一個關係國，英蘇兩國軍隊從德黑蘭撤退，而伊朗自己也能夠克服那一省的共黨機構，而且又很成功地把那一省劃入伊朗版圖之內。這些演變，當時何嘗是置身局外的外國人所能預料呢。法國如果不成爲一個強國，歐洲的局勢是不能想像的。所以邱吉爾說，他自從事政治以來，一向是努力求得強盛法國的實現，即在它最危急的時期，我對它的命運，也未嘗喪失信心，目下。我也決不放棄我對它的信心」，許多事情，是不能預料的；亦有許多事情，是不必去預料的，即在它最危急的時期，你對它的命運，也不能喪失信心。這是說處在外國人的立場，對于別一個國家的地位，是要有深切的了解的道理。

美國要中國容共 政策上鑄成大錯

在羅斯福總統時代，威爾斯，曾任副國務卿的，證明美國和蘇聯的外交折衝以及對華的外交政策，有多少的錯誤。這些錯誤，有些是失于自己的疏忽，有些是失于對人的誤信；有時對問題的基本重點，缺之理解；有時對事情的綜合判斷，沒有正確。他對于華盛頓的高級官員，以及他們的遠東政策負責人員，簡直不能信賴。他說：在一九三九年以前，有很多人讀過希特拉的「我的奮鬥」的；自從一九四五年以來，又有多少人熟悉列寧和史太林著作對遠東政策的主要理論，而了解的呢？他正告美國人民，今天美國而臨一個可能爲南北戰爭以來最大的危機，這正是需要運用冷靜和審慎的判斷時期。

我們在今天祇要回憶史迪威和艾奇遜代辦（軍閥美大使館）之在中國，他們當時對華盛頓國務院的報告，主張要與各對日作戰勢力合作，把共黨積極裝備起來，並且要採直接的步驟。這些主張，在今天看起來，豈祇是錯誤，簡直是荒謬，這話在今天說，亦沒有人說這是過火的。雖然華盛頓當時沒有採取，但已經種下很大的禍根，以後美國的使節，接踵而來，都是爲的國共調解和妥協，在今天想起來對共黨在世界上亦有眞正的調解和妥協的嗎？這又不是很大的錯誤嗎？我們又回憶邱吉爾對于希臘事件的應付，命令斯考比將軍，不要在希臘各黨派之間，保持中立，支持巴班德里奧首相，擊破共黨的進攻部隊。拿美國政府的對華處置和邱吉爾的對希臘處置相比，其正確和錯誤，尚可以道里計嗎？而這錯誤，尚在繼續演出，今天美國關于對華政策，艾奇遜、吉賽普、合維斯、范宣德等站在決策的地位，而一班教授，作家和演講者，如拉鐵摩爾，懷脫、傑可比、劉德白、范朋克、史諾、安娜史屈朗、史都華和貝松等。喧嚷不休，他們都把中共看作是土地改革者，民主進步份子。麥克阿瑟在嘆息，「美國容許共產黨的勢力在中國成長，這是美國太平洋一百年來所造成的最大的政治錯誤。而這最大的政治錯誤，今後一百年，美國人要付出代價。」

洪楊的恐怖統治 黑暗太多光明少

回過頭來，我又要說，一個人物的行動，一件事情的發生，無論本國人，無論外國人——尤其是外國人，所有的指責和批評，有時對的，有時不一定是對的。今天而臨歷史上所未遭遇過的最大危機，這正是需要運用冷靜和審慎的判斷時期，這就是由于中國人的立場，所希望于我們友邦的外國人的；同時，由于本國人自己的立場，亦應該發覺雖然是我們友邦的外國人，他們的指責和批評，有時對的，有時不一定是對的。我們應該知道自己所以自處之道。洪楊時代，英國香港總督文翰對英外務大臣克林敦報告在南京的考察，還不是說，這些叛黨有一種活動力，有進步改革的傾向，這種傾向，清帝國政府，從不會表現過，且不能有表現的希望？後來英人必捷對英駐華特使布魯士的報告，開始發現這些叛黨，沒有良好的希望，國內一切人們，都厭惡他們，他們的工作，就是燒殺破壞，他們絕不採用何種安慰人民的政策。後來洪秀全從受教義的教師，一個名叫羅伯遜的美國宣教師，被洪秀全邀去，在南京住了十五個月，發現他們雖有光明的一面，卻都是消極的，例如：不許有偶像的崇拜，不許有娼妓，也不許有其他的不道德的事情：但是，黑暗的一方面，他們一切的要務，完全在于軍法鎮壓，由最上級到最下級的當權者，都是在殺人這條路上走，他不相信在這樣一個惡魔專制的統治下面，能發生什麼好處。這些敘述，都是那時代的外國人，對于洪楊的考察，有些是不對的，有些是錯誤的，有的是正確的。

真的和假的鬥爭 假的最後必失敗

我們來看，當時的曾國藩所以自處之道。他拿名教綱常，來打擊洪楊的天父教義。洪楊對于天父教義的號召，是假託的，而曾的名教綱常，是出于眞誠擁護的，不論號召怎麼樣，不論主義怎麼樣，祇看一個是假的，一個是眞的，眞的和假的鬥爭，自然是假的失敗了。所以這就是曾國藩的自處之道。當時，羅素說得好，美蘇戰爭，美國是資本主義國家，蘇聯是共產主義國家，但我寧願美國勝利，不願史太林勝利，因爲美國的人民民主是眞的，蘇聯史太林的人民民主是假的。今天我們自處之道，要有堅定的意志，要有正確的目的，要以極簡單的決斷作我們行動的指導和法則。我們自己努力，對這重大的任務，應該表示自己一定能勝任。中國人自己知道，它沒有力量能夠單獨地阻止蘇聯極力的擴張和共黨逆流的潰決，它希望所有友邦以充分的諒解和純篤的友誼，給予支持，一同前進。

漏網世界的珍聞

居然高呼「三次大戰」

·一丁·

伊朗油田問題，穆薩德看定了英國不敢使用武力，所以進一步逼一步，昨天已正式宣佈，派定三人代表團，赴庫齊斯坦，接管英伊石油公司，執行石油國有化。他拒絕國際仲裁，並爲表示態度強硬起見，還驅逐了被認爲報導不正確的兩名英國記者出境。穆塞德對英國駐伊大使說，石油國有化，這是已經結束的問題，以後只能就技術問題方面討論，那就等於告訴，問題本身，是不必再供討論了。穆塞德的機關報Shahr早就有過比穆塞德更坦白明快的說話。在這張報紙社論上，曾大字刊登：「我們警告英國和世界任何強國的政治家，如果你們不敢發動第三次世界大戰，那麼，就請不必再想伊朗會取銷石油國有化的辦法。」這不比穆塞德更直截痛快嗎？然而帶點「外交詞令」的，這樣歡迎第三次世界大戰？據說，穆塞德的民族陣線，儘管是極端反共，實際都受着共黨的操縱，蘇聯爲了挑動伊朗反英美，曾在蘇伊邊界專辦了一個學校，訓練伊朗人，當他們畢業回到伊朗時，並指定要他們設法鑽入一切反蘇的集團去工作，因爲以民族陣線之類的名義反英美，這比彩色鮮明的土德黨一定有效得多。如果上述穆塞德機關報的社論，是列在土德黨的機關報上，那麼，史太林的戲法，就等於馬上戳穿了。

「當場暈倒」的政治戰術

在一番激烈演說之後，再緊接着來一個當場暈倒，這種表演，在政治上是相當精彩的。如果暈倒眞由於血管爆裂，那麼，後果當然很嚴重，不但政治目的還不到，而且也許就從此被上帝召回天國，永遠與塵世政治絕緣。惟其不是，所以暈倒了，仍可以立刻活轉來，只要人家爲了這暈倒而受到感動，某一特殊的政治企圖成功了，拍拍灰；似乎還可以張牙舞爪，叱吒風雲，這種情形伊朗總理穆塞德，就因爲無數次的善於暈倒，在國內獲得崇高的地位，石油國有化的議案，獲得議員和全民的擁護，就在他暈倒在激動「演場」的時候，可以算是他「暈倒」史中最成功的一頁。有幸有不幸，以色列的駐聯合國代表伊本，Abba S. Eban，依樣畫葫蘆，照着穆塞德的政治戰術，最近在聯合國安理會激烈演說後，表演一次，卻絲毫沒發生任何影響。伊本今年三十六歲，比年已七十的穆塞德當然強壯得多，所以暈倒以後，幾分鐘工夫，就爬起來走了。沒有像穆塞德在國會中，請醫生，噴冷水，大忙一陣。他出席安理會，是爲了以敍利亞糾紛，要阻止安理會通過一個議案，內容，譴責以色列，不應該因七個士兵被殺，就使用飛機去炸敍利亞，作爲報復。這議案建議了兩項辦法，責令敍利亞以色列雙方遵守。局外人看來，也就非常公正，但伊本卻認爲這對以色列太不利，等於污辱了以色列。所以他聲淚俱下，在安理會講台上激辯，至當他走下講台時，大家發現他已經醉似的，東倒西歪。但他酒醒轉來，退出會場，安理會就以十對零的票數，以閃電式的速度，將前項議案通過，（蘇聯幾乎像沒有投票的樣子）。伊本剛才的演說，比起穆塞德在伊朗議會的收穫，眞是相差太遠。據昨天報載，以色列在敍利亞上空，擊落一架敍利亞的戰鬥機，五月三十一日在紐約，以色列總理彭居安，以色列徵募一時還不易解決的以五千萬元，在美國猶太人，踴躍應募，他說：「阿拉伯集團，仍要將我們趕走，我們的苦難現在還並未渡過。」

小啓

張珂，萬國明，游子衣，諸先生：稿費已結出，請示最近通訊處，以便寄上稿費單。

北平人眞大胆

居然敢在殺漢奸的佈告上寫標語 大書「以漢奸殺漢奸」

最近二百二十一人大屠殺，中有八十五歲的張海鵬，中共認定媚日的漢奸可恕，反共的漢奸難饒

如果這句標語的批評不錯 也可算赤白兩奸同類相殘

北平自三月二十五日，一次公開處決了前僞作義駐南京代表趙仲容，前國民黨北平市黨部副主任委員張民治等一百九十九名所謂「反動」份子後，還兩個月，雖然祕密處決的數目，幾於無法估計，但第二次公開的集體屠殺，還要算五月廿二日鎗斃二百二十一人這一天。二十三日，此間人民日報，並破天荒正式公布了被殺者的名單。是以「中國人民解放軍北京市軍事管制委員會軍法處」名義公布。每人各註明年齡籍貫，加上了一些中共所指的罪名。在二百二十一人中，據該軍法處自行分析，計爲五類。第一類：爲所謂「特務首惡」，共李鯤生，郭爾堂，張敍曾等九十四人。第二類：漢奸，共張海鵬，池宗墨等十一人。第三類：爲所謂「惡霸」，共關華亭，傅秀山等七十二人。第四類爲所謂「慣匪」，共常德等三十六人，第五類：爲反動會道門頭子，共李秦成等八人。人民日報，這天特加刊一大張，全[illegible]，一行一行，都是被處死刑者的名字，洋洋大觀，開古今中外殺人佈告之創例。看到這報紙的人，幾乎都[illegible]了，有的掉下眼淚，但中共宣傳，却說，每一個讀報的人，都歡欣鼓舞，對「政府」[illegible]鎗斃反動份子，深切表示感謝。

反共的漢奸鎗斃 投共的漢奸升官

二百二十一人中，年紀最大的，爲八十五歲之張海鵬，張爲遼東海城縣人，僞滿時做過熱河省長，因他曾打過中共遊擊隊，所以雖然早病得不省人事，中共也仍要還他一鎗，作爲報復。此外以漢奸名義被殺的，在中共宣布的罪狀中，幾乎都特別指出，他們在做漢奸時，對反共會加緊努力。如池宗墨，說他主持冀東僞府，捕殺共黨。如管翼賢，說他編印過許多反共，防共刊物書籍。如富雙英，說他曾指揮兩個集團軍向新四軍進攻。至「北平市警察局長」遊伯麓，「華北政委會財務廳長」張仲直，「漢口市長」張仁蠡，都有比媚日更大的罪惡，反共。換一句話說，即這些人如果不反共，中共決不會將他們鎗斃。因不僅監獄中還有許多和那些人地位同等重要的漢奸，安然無事，而且今日北平當道的袞袞諸公，其中儘有不少漢奸，是於日本投降後，逃到共區，變成最前進的中共要人的。

據說，北平人民雖在這樣「死」的威脅恐怖下，北京大學附近的一個貼報牌，居然有人在軍法處公布的那些漢奸名字上，寫了一行大字：「以漢奸殺漢奸」。（按即指中共爲效忠蘇聯的漢奸）這把北大當局，及附近警察嚇得魂不附體，幸而發現得早，看見的人還不太多，中共沒有向他們嚴密追究，否則附近的學生和老百姓，不知又要多少人遭殃。

鼓勵人民鞭屍 阻難家屬收屍

這一批「罪犯」，是分好幾個刑場鎗斃的。據共黨報載，「政府」爲使人民報仇雪恨起見，特許人民到刑場，將仇人屍首，用棍打或腳踢。又「罪犯」家屬，如要收屍，須繳付在獄期間伙食費，及行刑所用之子彈費，數目由當局依照罪犯家屬經濟情形酌量規定。須由家屬以自力搬運，惟不准雇人扛抬。因此，多數屍首，均無人敢來認領，一任烈日蒸晒，野犬拖食，其慘況誠非人類所能想像。（隆光，五月廿五日寄自北平）

上海聚興誠銀行一職員 私藏三支手鎗被捕

有十年歷史 是陳毅同鄉

銀行界職員，在共黨看來，是不「前進」但也不敢「反動」的。因此，共黨在佔據上海以來，很久期間被殺的很少。自從中國實業銀行發現[illegible]

（編者按：比訊載第二十三期本報）共黨態度突變，認爲「反動」份子利用共黨對銀行界寬大政策，遂將各銀行當做防空洞，[illegible]對銀行職員搜捕特別嚴厲，這次「頑固反革命運動」，幾於每一銀行，均有職員若干人被捕。

聚興誠銀行，一向被認爲最保守也最安分的，但最近大檢查，竟在一個印刷品儲藏室中，被共黨搜出九顆鎗彈，接着就有好幾個職員被捕。據傳其中一個，在行工作，已有十年以上的歷史，地位很高，四川人，和陳毅同鄉，平時表現前進，和陳毅左右一般四川同鄉，他搞得很好。不料這九顆鎗彈發現之後，他竟一個人半夜蹓到蘇州河旁邊，將所藏手鎗三支，投入河內，爲附近警察看見，當即拘捕，並將手鎗起出。

在共黨恐怖統治的上海，老百姓而竟敢藏有手鎗，且有三隻之多，這當然是一個極不平凡的事件。因此，有人推測，這個人和陳毅關係很深，並且尚在利用職務[illegible]的守衛，乘機刺殺陳毅。公安局當然也不肯透露[illegible]，像現在上海銀行界職員，己人人提心弔膽，比過去那種吃喝玩樂，逍遙自在的情況，眞已有恍如隔世之感。（悠然，五月二十九日寄自上海）

傳說藏鎗目的 陰謀刺殺陳毅

一家獨佔不許別人吃飯 榨油坊全部被封

汨羅稅局長藉口控制稅源 全縣油榨百餘家禁止營業

中共自詡爲「廉潔政府」，但這一年來共黨幹部的貪污案，層出不窮，已成爲人盡皆知的事實。目前共幹已由暗地貪污中飽，演進而爲公開劫掠的情形，其手法之荒唐狠毒，更非一般人所能想像。下面是湖南汨羅稅局最近發生的貪污不法案，因事情鬧得太不成話，五月廿四日的中共長江日報，也就不得不約略的公開報導，惟內容已經事先刪改，筆者居湘，知之較詳，故爲報導如下：

濱湖一帶，除糧食以外，出產以油類爲大宗，大小榨油坊極多，[illegible]百餘家，以榨油業爲生活者不下數千人。因此中共在該地設立稅局，稅款收入數量極大。稅局就是汨羅稅局，局長劉仲春，過去沒有搞過稅收，是中共長征老幹部，本是個目不識丁的老粗。他所知道的，就是怎樣想辦法搜括，一年以來，百姓已經讓他搜括得腸肥腦滿。但是他並不滿足，還想多搞一點。他看到許多油坊的生意很好，於是他就自己辦了一個大規模的油坊，但是老百姓并不願意到他的油坊裏去榨，還是去找他們熟識的老主顧，因此生意並不太好，使他對其他油坊深爲銜恨。

上月十日，劉仲春派人到第七區茶白鄉，將該鄉二十四家油榨，全部封閉。理由是爲了要確保稅源，避免逃稅。五月十六日，不僅封了茶白鄉的，連第三區的太安，雙江。第四區的清水，石梅，夾城，金粘，金義，新書，新力，萬樂，泉源，水口，窰廠，西坪等鄉。第五區的新市，石鵬等，共二十四鄉七十一家油榨封閉。同時他即在各鄉設立油坊，凡農人榨油必須到他的油坊去，簡直把整個區域內的榨油業，完全壟斷了。他說：這樣一來，稅收就不怕走漏了。「稅吏如虎」，這不過是指稅吏的催索兇狠而已，像他這樣爲了收稅，劫持數千人衣食所依的油榨業。而且每一家油坊，未必一定是漏稅的，爲什麼要封閉呢？像這種荒唐不合情理的事情，簡直前所未聞，像這種強盜式的稅吏，只有無法無天的共幹才做得出來。據長江日報所載：「僅就茶白鄉羅羊村的情況說，因該村十九家油榨被封，就影響了三十戶，近三百人的生活。」

五月中旬，該地油榨工人們請求縣府設法，但稅局不歸縣政府管轄，對他毫無辦法。工人們看縣府不理會，就鬧了起來，圍在稅局門口請願，同時告狀到中南稅務管理局，當時羣情激昂，隨時可以擴大爲暴動。中南稅務管理局，見情勢嚴重，無法左袒，只能取銷封閉令，說「劉仲春單純任務觀點，嚴重違反政策，影響羣衆生活，應予以檢討。」至於劉的貪污行爲，則根本不聞不問。（光宇，五月廿六日寄自長沙）

校花如此結束

「解放區都是欺騙」

以前我出賣了人家的血 現在我的血被人出賣了

上海東南醫學院前二年的校花彭某，在二年前結識了另一個大學裏的學生。這人叫陳志剛，年三十餘，以前在中學時，當過她的教師。他大學已畢業過一次，這次再進學校，是奉共產黨之命，做共產黨的職業學生。

上海淪陷後，他們的感情更親熱，她也格外進步，積極，幾乎把每天整個時間，都放在學習檢討和扭秧歌上，因此她不但是校裏學生會主席，而且是上海學聯委員之一。

她曾經「帶頭」，還把一個從鄉下逃來上海避難的地主叔叔檢舉出來，交給農會鄉隊帶回，清算公審運動，檢舉了許多思想頑固有「匪特」嫌疑的同學，不但如此[illegible]鎗斃。從此她的名聲大震，各學校鬧着向彭某看齊運動。同時她也就得到兩張畫着鐮刀和斧頭的獎狀。

不久，她和陳結婚了，報上吹說他們是「人民模範鴛鴦」，說他們的結婚費只用十二萬，然而：他們收人家賀喜的現金和東西，就有二百萬以上。

時間經過沒有二個月，陳某又和別個女同志發生了關係，有一次在野外幽會給她碰到了，不但如此，外間還傳說他和某女同志，某女同學和——很多很多。於是「模範鴛鴦」在一杯水的情形下鬧翻了，後來終於離婚。從此彭的主席和委員都不做了，落伍了，也不穿以前所心愛的解放軍裝和八角帽子，那兩張以出賣人家的血換來畫着鐮刀和斧頭的獎狀再也不能給她興趣。同學們很久沒有看見她。

有一天，突然在報紙上發現一條用特號字標題的新聞：「彭××女英雄回醒了，參加第二批志願援朝的輸血隊。」過了幾天，在歡送遊行大會行伍裏，許多同學見到她，很憔悴的樣子，隊伍到北站，當一個同學拿着花插在她的胸口時，她閉着眼，淚珠滾滾的滴了下來。

時候過了很久，她以前一個舊戀人收到她從鴨綠江邊寄來的信說：「我的時候快到了，所以我可以無顧忌的寫這封信，過江就是我的墳場，但我並不悲哀和害怕，因爲我贖罪的日子到了，現在我要告訴你解放區裏到處都是欺騙，以前我欺騙人，現在我受人欺騙，以前我出賣過人家的血換來了畫着鐮刀和斧頭的獎狀，現在我的血被人家出賣了。我對你最後的希望，是你趁早離開魔窟，去繼續你所需要的學業，不然有一天你的血終會被人賣掉，去換那畫着鐮刀和斧頭的獎狀。」（虞南）

「美國之聲」到處殺人

中共有令收聽者死 人不畏死仍然收聽

泉州東門名醫徐某，家有收音機，每天夜晚在被窩裏收聽「自由中國」和「美國之音」的廣播，給區公所知道了，指導員命令他每晚把收聽的結果，必須每件告訴他。假如所報告的與他所聽的有遺漏，就是不坦白，必要句句一樣字字無差，不然到中午，下午指導員不肯讓他回去。有時候指導員會叫徐醫生發表對於收聽的感想或批評，因此他每天不能開診，後來把那架收音機送給區公所，並認罰巨款，才算擺脫了這件麻煩事。但最近仍被捕去鎗斃。

××

晉江安海公安局對民間的收音機，搜查很嚴，五里街米商老闆王某家裏有收音機一架，常在半夜收聽，給公安局知道了，共幹叫他借給公安局，他說：「壞了」，於是就把收音機裏的電綫剪斷，把一個眞空管弄壞，然後交給共幹，過後公安局發現電綫是新剪斷的，就叫王某去說：你把我們要聽的收音機故意弄壞，我就把你的耳朵剪掉，因此王老闆的耳朵就被公安局割下來了。

××

漳州東埔頭布商周坤泰家道富裕，有二個兒子都是前進份子，大的在稅務局，小的在支前司令部，留有RCA七燈收音機一架時常收聽，有一天營業稅通知單發來，周某認爲稅額過重負担不起，叫大兒子去想辦法講理由，並且還說：解放後稅款比以前更重，稅條比以前更多，雖然是說天亮了，不過照廣播收音機上得來的消息看，還是天黑的台灣好。可是兒子聽了父親的話不但沒有去講理由，反而與弟弟檢舉父親是匪特，奸商，造謠，過幾天周某被捕，不久就鎗斃了。

××

厦門解放後全市的收音機都要登記，并且每架要放在門口，由政府指定時間和波長給老百姓收聽中共電台廣播，假如偸聽「自由電台」或「美國之音」那就認爲大逆不道。有一次，三輪車夫李某和王某在停車處閒談，說台灣發表「告大陸同胞書」，說了許多安慰話。恰巧給勞工會[illegible]另一個車夫聽見了，報告了公安局[illegible]，當時王某[illegible]追問是從何處聽來的消息，[illegible]是從那一條街上聽來的流言，[illegible]「匪特」宣傳，指導員要他們指出人來，但他們指不出，因此[illegible]到現在他們還沒有釋放。（虎西）

比私人資本家兇狠萬倍 中共如此毒打職工

上海市零售公司店員張福林向工會提出控訴

共黨藉口保護工人，凡廠主店東對所屬工人店員，不特不准打罵，即態度稍欠禮貌，亦必大受懲處。在各地「鎭壓反革命」的大屠殺中，許多廠主店東，偶因舊日職工，控訴曾被打罵，即被處死刑。這眞表示共黨保護工人，到了極點。但共黨直接管制的工商業，牠對於所屬職工，是不是也同樣保護？下面的這些事實就是一個最正確的回答。

無憑無據誣衊好人 毒打以外還被開除

共黨主管的上海市零售公司第二零售商店職員張福林，前幾天向工會寫了一封請求伸寃的信，原文如下：

「我是上海市零售公司第二零售商店加工棧務工作人員，本店主任張剛，第九營業處主任陳善政，副主任黃炳俊，認爲我有偷盜貪污的嫌疑，跟我幾次談話，各方面了解情況。在五月八日上午八時，陳善政來第二店，對我說：明天下午七時開檢討會，我就說：好的。到九日下午七時開會了，主任王炳俊報告，說我犯了十七條錯誤，向我「鬥爭」。無憑無據的問我貪污多少？我說：「實在沒有」。後來，他們就將我身上衣服剝光，僅存單褲一條，鞋子脫去，叫我跪在一條長凳上，跪了約一小時，我還是說：「沒有」。他們便將門市上用的斛擋二根，放在凳子上，又跪了約一刻鐘，他們接着竟又硬說我是土匪，要吊起來。我當時要求他們，如果確有嫌疑，可以送公安局。好容易，他們才答應將我送到公安局。他們將我開除。並將我的日記由本店警衛同志送去。因爲材料不具體，公安局不收，又回到第二店，到天亮了。張剛仍不讓我恢復自由。在十一時，我要求再送公安局，直到下午一時張剛才叫警衛送我到公安局長寧區分局第二股，他們提出我的錯誤十二條，但沒有一條是具體事實，當時便由第二股股長說明後，交保將我釋放。我特此提出申訴，請秉公調查他們這樣做對不對？梵皇渡路北嚴薛宅一〇〇八號張福林」

私人廠店如有此事 中共定將老闆槍斃

一個共黨直接管理的業務機關，對於所屬職工，竟這樣毫無證據，誣人偷盜，誣人貪污，並在店內，私刑拷打。如果同樣情形，在一個平常私營的工廠商店發生，他的老板，是否可以仍安然無事，不受清算，不被槍斃？然而這兩位私刑拷打，誣害店員的張剛和陳善政，却絲毫不成問題。那就是一個鐵證，如果私營的工廠和商店都被共黨接關了，如果全大陸的工廠商店都變成了所謂「國營」，則每一工人店員的遭遇，都會變成張福林一樣。

據說：張福林受誣，挨打，而且失了業，他現在還在一間不蔽風雨的草屋中躺着養傷，至於寫給工會的信，照樣是石沉大海，絲毫不會發生影響。（悠然，五月二十九日寄自上海）

父與女

·羊辛·

林老師中年喪偶後，就結束了教書生涯，回到鄉下老家，和他的獨生女兒玲玲過着寂寞的生活，一直繼續了二十餘年不再續娶。

他在鄉下開了一間小小的磨坊，把磨成的麵粉，逐日送到城裏去賣，生意漸漸有了發展，置下了十餘畝田地，讓鄰居戚屬去耕種。玲玲漸漸長大了，他送她進學校，由小學而中學，完成了高中學業。

玲玲聰明活潑，讀書用功，成績很好。但那所學校的教師十之七八是共產黨員，年輕的學生經過了一番「教育」，幾乎全變成共黨信徒了。玲玲自然也成爲爭取的對象，高中畢業那年，她已經是學校中頗活躍的一名共產黨員了。

這些林老師當然不知道，即使知道，也許他根本就搞不清共產黨究竟是怎麼一回事，他已經變成了一個十足的鄉下老，他只知道在磨坊內辛勤地工作，希服能夠使玲玲進大學，光耀門楣，終身有靠。

直至「解放」以後，玲玲才以「解放裝」的姿態出現在林老師的面前，老父親愣住了，他戴着老花眼鏡把女兒打量了一回，問道：「聽說共產黨的什麼清算鬥爭，可是眞的？」

玲玲告訴他：不必害怕清算鬥爭，那是對付一些惡霸地主的，像他這樣的一個人，躬親操作，勤苦成家，沒有非法行爲，可放心。她又告訴他，她和她的同志，也就是來家裏住過頗久的那幾個同學，都已對他詳細調查過了，認爲他敦厚善良，並無剝削壓榨行爲，確是一個值得崇敬的老者，共產黨對於這種人只有保護，那有鬥爭清算的道理？

林老師默然了，照樣經營他的磨坊，而玲玲也被派到鄰縣工作去了。

然而不久，林老師被捕了。沒有宣佈罪狀，也沒有審訊，只說：他有幾個舊日的學生，是國民黨的幹部。

玲玲趕回家來，和當地的幹部交涉，她的那些同學也同情玲玲，帶同她奔走，然而沒有用，林老師被槍決了。

接着玲玲接到上級的訓示，說她不能大義滅親，反爲父親辯護，沒有站穩革命立場，着予看管，重新學習。

當玲玲被關進「學習所」時，她還給上級一封信，寫道：

「假如我父親有罪的話，我爲他辯護，是錯誤的；然而假如我父親並沒有罪惡，硬要我大義滅親，以倡導此種風氣，卻是殘忍的偏差。不分是非，不分黑白，這只是階級報復，不能說是革命。」她又寫道：「事實說明我父親是一個好人，沒有人控告他，甚至許多同志願意爲他做担保，全縣的人都因他的死而抱不平，這那裏是人民的公意」？

這封信到達上級的手裏時，儘管接信者咆哮如雷，然而玲玲已經不懂得理會這些了，她忽而痛哭，忽而獰笑，口中念念有詞，披髮狂奔，把一個學習所鬧得不成樣子了。

但寧靜馬上就恢復了過來；玲玲不見了，誰也不知道她到那裏去。學習所裏幾個老幹部擱起腳來討論這件事，說是「智識份子容易搖動」……

烏龜翻身

·一丁·

在鄉村鬥爭大會上，中共叫一個翻身農民，登台講演。農民覺得沒有講演的經驗，不敢答應。正爭持間，被共幹一拳推上去，說；講演不是講價，不許推三阻四。你不會講演，難道「翻身」這兩個字也不懂麼？

農民於是遵照命令，專從翻身兩字做文章。靈機一動，他就指着會場附近一個墳墓前駝着大碑的石龜，說：「我們翻身了，從前受地主壓迫，和這個石龜一樣，永遠透不過氣，現在這沉重的碑，已被打倒，我們都翻了身。」於是台下共幹，大拍其掌，高呼「翻身以後怎樣呢？」這農民想了半天，才哭喪着臉說，「身是翻了，只是四腳朝天，一時還沒有法子扒起來！」

——錢能通神——

——香港走筆之三——

·長足賢內·

中國有句俗語：錢能通神。這句話，直是說透了人情世故，恃錢可以妄做非爲，條條路都行得通；無錢縱有理也歪，是正也邪，錢與人的關係，分得清清楚楚，百分之百的現實。

錢是商品，代表商品的交換價值，這是經濟學上的界說；但這只是一種學院派的說法，不足反映錢的全般作用，因爲除了商品的交換外，錢還可以充做罪惡與良善的交換媒介，它可以把最醜惡的，最殘暴的變爲最僞善和僞仁慈的行爲或者外型。

反映在我們眼前的社會現象，在人與人，人與物的接觸的過程中，錢一向是佔有中心地位，沒有錢，人與人，物與人之間，都相互隔離孤立。有人說：情感的源泉是錢，法律的天平是錢，看起來，多少是有點眞理存在。

錢是貨幣通稱，人世間有數不盡的貨幣種類，也有專門爲鬼神發行的冥幣，所有這些貨幣，不管是虛本位的或者是實本位的，最靠得住的準備基金，還是人性，人性變幻，錢與人之間的關係時時都在波動。

治外法權還沒有廢除的時代，上海流行一個與錢有關的笑話：不擇地而「便」的出門人，被警伯瞥見，警伯機靈，一手拉住出門人的褲子，不叫他「束腰還原」，僵尬非常，這位「急不擇地」的出門人，盡錢中所有輸將，化險爲夷。這是笑話，但也是戲謔，足足道破錢在危急一刻，經常可以「寵得人心」。

錢能通神，冤枉的只是那虛無的神，爲人担承罪惡！

閒話「孔」「宋」

孔在紐約哭窮　宋爲護照勞神

·大哀·

被稱「豪門」的「孔」「宋」這兩大巨頭，現都住在紐約。他們雖然是至親，也都是共產黨列名通緝的「戰犯」，但兩人情感，仍和從前一樣，勢同冰炭，彼此往來很少。

孔態度比較謙和，見了人總是笑容滿面，他每星期有三天，規定在中國銀行紐約分行內延晤賓客，不過願意去看他的人不多。這一點，使他不免有點傷感，因爲過去，只有人家找他，他不見人，現在則他要找人，人家之是否肯見，卻反而大有問題了。凡從台灣、香港到美國的自由中國人士，只要肯去中國銀行留一張卡片，他沒有不設宴歡迎，招待如儀的。他見人還歡喜哭窮，幾乎再住下去，就要伙食房租也無法支付的樣子。他這樣做，第一，是想洗刷豪門的稱號，第二，也免得人家向他募捐，借錢。據說，前幾個月，他還打了一個電報，向台灣「老人」，大訴其苦，海外之苦，頗有懇求接濟的意思，老人當然是付之一笑。只說，如果眞住不下去，爲什麼不回來和老百姓一同吃苦呢？

宋的氣魄，與孔不同，他仍是大刀闊斧，十分豪奢。他從不向人哭窮，不過，他也不肯多見人。最使他傷腦筋的一件事，就是他居留美國，到現在還只是一張遊歷護照，每隔幾個月就要向移民局交涉一次，請求延長。許多人起初不相信，以爲這樣一個人物，爲什麼台灣還不能給他一張外交護照，讓他舒舒服服住下去，後來證明了，的確沒有。這當然是宋最難過的一件事，另一方面，也未嘗不是台灣比大陸時期的確進步了的一個最好證明。

旅美雜紀

陳香梅

塔虎脫紅得發紫　太是婦女領袖

參議員塔虎脫 Taft，他是共和黨領袖，也是攻擊現政府最力的一人，近年來，他在美國紅得發紫，而且他還有一位賢內助，這位塔虎脫太太是婦女領袖之一，常常在大庭廣衆之中，發表言論，語驚四座，她於今年被選爲華盛頓十大權威婦女之一。前年秋天，魏德邁將軍請客，我和陳將軍及塔虎脫夫婦都是客人。席間我就坐在塔虎脫之側，這個頭髮已禿，帶着眼鏡的政治家，說話時聲響洪亮，一邊吃，一邊駡杜魯門及其幕僚的糊塗，他底太太對於政府也諸多批評，不過，他們實在說出了許多人所想說的話。塔虎脫是主張制裁工人權力最激烈的人，可是許多工人領袖卻擁護他，這眞是一件非常奇怪的事。有一個工人領袖說：『我們知道塔虎脫主張限制工人的權限，可是，這也不是一個壞主意，假如工人整天鬧罷工，我們豈不是沒有飯吃嗎？因此我們寧願他當選。』這種見解已在工人羣中滋長，因爲他們對於路易士那種不時主張罷工的論調已感到厭倦，而且覺得於他們毫無益處，他們似乎是受利用和受騙了。塔虎脫如今是在美國總統競選聲中，共和黨方面呼聲最高的人，許多人都希望他當選。

上次美總統競選　杜威遭共黨暗算

再說杜威，他三次競選，三次失敗，據說都是吃了共產黨的虧。上次競選時，大家都以爲非他莫屬，怎知到後來竟是愚人得福。據說當時美國共黨的票數也不少，本來想用這些票來選華萊士的，後來狡黠的共黨領袖一想，若用這些票子來選華萊士，那就等於白費，不如把這些票子來選杜魯門，因爲杜魯門對共黨的態度比杜威的親善多了，若杜威當選，美國共產黨將死路一條，不如選個對共黨較爲柔和的人吧，於是共黨的票數都投到杜魯門那兒去了，這是杜威做夢也想不到的！當時杜威連閣員名單都排定了，準備隨時踏進白宮，不料飛來橫禍，使杜魯門意外得福。如今杜威雖未表明心跡，可是據我看來，他大概會東山再起，再幹一次的。

其次是艾森豪威爾和麥克阿瑟，他們兩人都一再發表聲明，說是無心宦途，更不願競選總統，不過若被人們硬推出來也是無可奈何之事。因爲他們兩人都是美國人心目中的英雄，尤其是這次麥克阿瑟被撤，益加增人民對他的擁護，他們會不會由軍人而轉做政治家，這是大家都想得到解答的。

總而言之，世界大局日趨危殆，我們須要一個精明能幹的舵手，使那象徵民主之光的燈能衝破狂風惡浪。

我的旅美雜記，寫到這兒也暫告結束，我正從事寫作『採訪五年』，那是我五年報人生涯的追記，希望不久就可以在自由人報與讀者們見面。

（全文完）

從南京到上海（三）

·王二中·

杭州百業蕭條　學生無人管理

余于二月廿日凌晨由滬抵杭，因大風雨，未帶雨具，恐濕衣物，乃就近在城站旅館開一房間。詢問老闆：生意可好？彼對余上下端詳一番，見余穿着便服，信爲商界中人，乃開言曰：「你我自家人，還說什麼？自解放以來，因客人稀少，捐稅又重，每日開支，無法維持，只得改爲勞資合作，所有司事工友，都做老闆，苟且餘生，那里談得上生意？」言下似不勝今昔之感者。余復詢以杭州一般物價，據云：「除五金因貨少堅挺外，其餘一切日常用品，倒還不貴，這不是說一切貨物多，乃因市民購買力太弱所致，銷路不好，商人也只得折價求售；其中尤以竹木材料，賤得比柴火還不如，其故因地主所關山林，共黨當局，或沒收充公，或縱農民砍伐，致令一時湧到。你說這個年頭，肚子還難得飽，人民那有力量去興土木，起房屋呢？但是局面一旦轉過來，本省竹木，卻要缺貨；因此時山上砍得精光，豈能即刻長起？」時風勢稍殺，天有晴意，余乃走訪服務板兒巷電燈公司之親戚羅君，至則公司前院空地上正搭台開會，宣傳反美援朝，在傳達室等候多時，羅君始至，握手寒暄後，謂：「年來職工們因開大會，扭秧歌等外務太多，曠廢正當工作，損失甚大。員工薪酬，又復增加，致令無法支持，電廠原爲商辦，現議參加官股，恐怕將來要被公家沒收呢！」言罷，堅請同赴旅館，搬取行李，移寓其家。翌日天晴，羅妻大曬皮貨——狐皮，羊皮，灰鼠——余疑其廉價新購者，因笑曰：「你們眞有錢，買這許多寶貝！」其妻答曰：「那裏話？這是我公公（夫之父）的衣服，因在江山縣，凡穿好衣，吃好飯的人，派得公債特別多，故七十老人，嚴冬亦不敢衣皮貨；且恐共幹親見，引起他[illegible]煩，特運送來杭州，昨稍落潮濕，故而曝曬。」於此可見鄉村人民衣食且不自由之窮狀。羅婦係大學畢業，現任市中教員，余因詢以杭市教育近況。據云：「自解放以來，每日學習時事，致令上課時間減少，讀書氣氛消沉；且教師薪金，係由學生民主評定，教師多不肯開罪于學生，于是學生之言行，極端自由，浪漫，無復負責管理者矣。」

竹影心聲

·上海來鴻·

·離草·

十七

今天跟你談一個「老東西」的故事。這時，腳下正走過那頭懷過幾胎的狸貓，行路蹣跚地，那眞是在賣弄老風情了。

這個「老東西」，我死去的爸爸對之自稱爲「受業門人」，爸爸的一生事業，「老東西」幫助他不少，媽沒有佩服過一個人，唯獨對「老東西」一直感激涕零，情理上說，應該恩怨分明，「思想」上講，媽又是犯了共產黨的丟不了感情負担的包袱。不過我卻認爲，爲什麼對這樣一個黑社會作惡多端的人要有一分憐憫？

共產黨是實實在在把這個「老東西」挖苦了一下的，要他寫自白書，要他繳出超過萬數的徒子徒孫的名單，要他在大世界門前把自己看作垃圾一樣，拿起掃帚作清除運動，有一百個死的罪名，然而例外地「寬恕」了他，使他自疚於生比死更痛苦。黑社會的統治者，第一需要「義氣」，其次是「不能受辱」，這「老東西」出賣了徒子徒孫，又苟延老命，連自殺的勇氣也沒有，別人對他看作垃圾更不如，共產黨不當衆把他公審，實在是最狠毒的詭計。

媽去過這「老太爺」的家幾次，當然還是代表我爸爸執弟子之禮的。她回來說，上了年紀的人個可憐，過去有錯誤也該原諒他三分。（這可見媽的思想是怎樣一型了。）

故事也許儘開頭：可能也就這樣沒有下文，你熟悉這樣一個「老東西」嗎？或則你在兩年以前，也以爲認識「老太爺」爲「榮」吧？可是他的「黃金」時代，早已與租界同逝了。

本報第二十期本版所刊「烟花女兒翻身記」一文，原作者爲高明先生，刊出時誤植爲王縉，特此更正。並向高先生致深意。

秘密警察來了

·張天寶譯·

·原載星期六郵報·

捷共大員也怕安全警

巴尼克·哈拉——在這裏我們必須這樣叫他——是個瘦弱，沉鬱的青年，二十七歲，長着黑髮。如果你在人堆裏看到他，你不會記得他那並不令人注目的臉。但是沒有哈拉這一種人，共產獨裁將不會控制世界的三分之一。

在他數星期逃到西方之前，他是捷克SNB的國家安全系的祕密警察警官。SNB是保安隊的簡寫，它控制和束縛私人生活，職業活動，娛樂，事實上，除了思想以外，它對每一個人一切都要管。

馬克思、恩格斯、列寧和史太林寫下了理論；史太林和他莫斯科十三人政治局設計全面的戰略；附庸國的獨裁者發出命令，但執行命令的人卻是「安全警」。

保安隊最初是戰後勃納斯的聯合政府所成立。它的首腦內政部長諾賽克是個共產黨徒，共產黨徒的身據高位，並沒有什麼不合法，在一九四六年的大選中，共產黨已成了勢力最大的政黨。他們可以選擇官職，而且堅持要內政部長一職，因爲它重要，它控制着警察。

戰前的警察隊受到排斥，它原是一個右翼份子地主階級的亞格里亞人所管。於是共產黨堅持要徹底整肅。新的保安隊成立了，約有二十萬人，六倍於戰前的警察，其中四分之一是「國家安全警」的便衣人員。

「國家安全警」中穿制服的警員，現在執行市區警察，郊區憲兵，邊境衛民，和海關官員的一切任務。在市區，從交通管制到查緝罪犯的工作，已全由他們負責。

便衣警官的目的，是偵察全國每一居民，包括外僑，外交人員，兒童，黨員，政府大員，以至捷克總統。每個人都可能是嫌疑犯，經常受到嚴密的偵查。任何因爲破壞國家安全的次要罪名，而被國家安全警逮捕的人，都被送到最近的「國家委員會」，全國這種委員會共有一萬五千個之多，委員超過二十五萬人，他們有權不經審詢，或經問而把涉嫌的人送入十八個「榮譽勞工營」之一，囚禁一年。

「要是被捕者說的話和安全警的報告適相反，國家安全會委員就會祇相信安全警的，」哈拉對我說：「當然他們害怕安全警，即使黨內階級最高的官員，也是怕安全警的。」

我在奧國一個小城裏遇到哈拉，他匿在那裏，他對於安全警的事情談得很多，情緒總是十分緊張，像是他還在爲他們工作着，或者他還沒有完全覺悟過來，他現在已不再是一個偵緝人家的人，而是被人家所搜捕的人了。

自由人

THE FREEMAN

（半週刊每星期三六出版）

（第二十七期）

每份港幣壹毫

（台灣售價合幣五角）

督印人：梁大成

社址：香港德輔道中一四九號四樓

電話：三二八二〇

149, 3rd FLOOR, DES VOEUX RD. C. HONGKONG TEL: 32820

承印者：東南印務出版社

地址：高士打道六四號

台灣經銷處

台北重慶南路一段七十四號二樓張執中及館前街十八五號中國書報發行所徐進之

共軍絕不會一愚至此 對香港採取行動

如果共軍開闢華南戰場，不但香港搶不去，而且兩週之內，兩廣必被炸為平地，這是共軍不肯如此冒險的。

……黃震遐。

艾契遜在被美國參議院質詢的過程中，會提到香港，謂香港如落在中共手中，對聯合國在遠東的利益有很不利的影響，艾契遜並明白指出，香港是一個重要觀察站，從香港這地點可以向中國大陸進行許多重要的工作，因此「失掉它，對於我們是很嚴重的。」

事變發生後兩小時 空軍增援即可到達

月前英美法三國軍事人員在新加坡召開戰略會議，協商有關南中國海的聯防問題，所得結論並不發表，僅供政治當局的參考。但我們很可以意味出他們協商的要點，必不離英法如何和美國海空軍配合作戰問題。香港和海防是兩個前哨，中間被中共（蘇俄）佔領的海南島切斷，，陷於各自為守的孤立態勢，海南島長長的伸入南中國海，榆林港的蘇俄潛艇可以同時擾亂東京灣與菲律賓和馬來亞的海上交通線，並使香港完全孤立起來。因此三國聯防，首須爭取南中國海的制海權，從新加坡馬尼拉兩點來加強香港和海防，打破海南島的進攻形勢，使它不能發展成為嚴重的威脅。

根據此一前提，香港在南中國海戰略上即能擺脫孤立的形勢，變成三國聯防中的一個重要環節，香港和馬尼拉的距離是六四〇浬，到新加坡則有一四四五浬，在三國聯防協議建立以前，香港可依靠的，從馬尼拉到香港，新加坡空軍的加航以程支援，祇需二小時，以前則需二十小時（以每小時三〇〇浬的航程計），亦僅需二小時。大英聯邦如防守香港，它必須堅持兩日夜之後，並在海軍航空母艦能來自新加坡以前（假定母艦飛機的半徑為六百海浬），不能得到空中的掩護，但聯軍空軍如以呂宋為基地，則在香港發生問題二小時後，即可同時獲得海陸兩方空軍的不斷支援，廿四小時後更可將空中的戰略攻勢推進到汕頭曲江梧州北海的週邊。

得到美國海空支援 必可擊退共軍進攻

香港得到美國海空軍的支援，即可對付來自大陸的地面進攻。在理論上，來自大陸的進攻可能發揮點倒內兵力優勢，在火力上亦可調動一兩個砲兵師來壓倒深圳河粉嶺間的正面防禦，一方在伶仃洋後方，共方可用裝備落後的但以數量取勝的大量船隻封鎖維多利亞市的背點登陸，在赤柱淺水灣一綫登陸，攻擊應新界的正面，另一方進行包圍香港，共方在新界後方兩側山區，亦可預伏第五縱隊，乘機起而援亂，但這些估計祗是假定共方冒然不顧一切後果而來進攻的，空泛判斷。在事實上，共方決不能不考慮對香港進攻的戰略代價，他們不會拿整個華南的安全來和這孤點對拚。

一般人對於香港的顧慮，往往拿一九四一年日將酒井隆的一舉佔領香港來比較，這是不切實際的錯誤。因為當時日軍進攻香港時，英美的全部海空勢力已多半被擊毀，酒井隆不能的援軍無從，所以香港是死老虎。香港即為發生，英軍以為難以避免犧牲，悄悄撤走，不成問題，是看法的態度了，防軍被閉不已管，香港早已決定香港態勢的，外交的變化如何，守軍準備不得香港，從考慮防守，維多利亞斯拉吞的防守，到華格山線……

香港不特不會放棄 且為遠東重要基地

由於政治，經濟，軍事上的需要，香港到今後將以南中國海聯防的海權力量為基礎，來重新決定戰略，在絕對優勢海權的支持下，香港不但不孤立，而且對於從汕頭，曲江，梧州北海的威脅，香港非但不可能撤退，……軍事是一方的步驟，共軍即要進攻，不登陸下在香港，中國大陸的……

香港，再被炸放棄。同時還必須以整個華南的經濟精華及國防安全做交換品，來換一支付十倍的代價，守萬的孤島。中共勸手雖必在兩週之內，南軍從兩廣開闢華南戰，炸平，聯軍自前看數百架，已在聯軍的保護下，海陸，飛機的保護下二小時內即可來援。這千百……

預備飛機的對像是蘇俄基地，在華南城市，共方面都很明白，缺乏空軍及海南島之佈撤……自由，攻擊他們的也就是自己這些……

董時進評中共的「土改」政策

舜生。

這裏介紹了董先生的三本新著

董時進先生是一位留美研究農業經濟的專家，他回國以後，辦過一時期的農業行政，還在他自己的家鄉四川經營了一個農場，成績良好。民國二十一年，他創辦了一份刊物叫「現代農民」，從這個刊物的內容也可以看出他的主張。抗戰期間，他組織了一個中國農民協會，後來又成立了一個「中國農業協會」，這便是董先生所領導的農民黨。

「猫拉的狗屎」

虎，只是一羣獅子，只要玩馬戲的人把鞭子高高舉起，牠們就跳火圈，前進，後退；牠們自己已經走進了這個「狹窄的籠子」，你還怕牠們幹嗎？」我這番話引起了他一陣會心的微笑。

他到香港來已快到一年，陸續出版了三本書：一、「共產黨統治下的土地改革」，二、「論共產黨」，三、「我所認識的中共」。第一本書描寫他在大陸初期所見到的中共土地改革的實際情形，第二本是他對中共的一般的看法，第三本寫他所知道的中共新政權的一些人物和事，用一種輕鬆的、幽默的文字，描寫這個新政權的面貌……的確是很有趣味的。

民主是民主，獨裁是獨裁，民主不是獨裁，獨裁也不是民主；說民主人民民主，就「說狗屎是猫拉的黑色的狗屎」，人民民主專政，是「人民民主獨裁」或「人民民主專政」，無異乎說「狗拉的白狗屎」。

根本無所謂封建

中共開口閉口總說中國的土地制度，是封建性或半封建性的，董先生在這書裏卻說明中國的土地只是一種私有而可以自由買賣，自由租佃的東西，根本無所謂封建。

中共說：「土改」的目的是要消滅地主階級……百分之七十至八十的土地……據他估計，鄉村人口中約百分之十至三十的土地，其他的人，他們也可以說是貧農，而實際上他們終年勞動……中國農村的人民卻只有很少的土地……

地主不算剝削

中共認為地主都是大惡極，非殺不可。董先生卻說地主存在，人們購買土地是一種合法的行為，完全是正當的積蓄，是公認的財產……

中共認為「土改」實行以後，可以增加生產。董先生卻認為不但不能解放農村生產力，反而要減少農業生產……間接還要妨礙中國的工商業化。

中共認「土改」的一大解放是對貧農……希望子孫都……永無翻身的日子。

董先生在這本小冊子裏，詳論……讀者自己去看吧！

買牛却遇到老虎

在抗戰前後，他也曾以代表農民黨的身分有所活動，但當時似乎沒有引起國民黨的注意。他對共產黨的看法，原是帶有幾分疑懼，也抱有幾分希望的。因此，當共產黨佔據了整個中國大陸以後，他還在內地停留了一年多，未曾不想把他的疑懼排除，而使他的希望能夠多少實現、可是，經過他一年多在全國考察的結果，幷充分明白了中共那種徹底狹隘絕對排他的態度，才決定向中共去爭取民主，乃絕無可能，然後他才毅然離開大陸，跑到香港來。他說：「我本是要去買牛，却遇到了老虎！」

上海短簡

四百多人即將槍決

五月三十日公審大會，中共提付公審的人，只宣佈了八個名字，這八個名字……

民盟被斥窩藏反動

民盟上海市支部又被斥……

江浙久旱荒象嚴重

江浙各地今年因「土改」……

半週展望

舍我。

不投降不能退出韓戰

葛羅米柯可以歸矣

煎人心下酒 切人肉出售

七百七十個史太林

自中共佔據大陸以來，一切文告，演說，如果目的是爲了號召羣衆，那麼，任何人決不會忘記，要插上幾句「我偉大的人民領袖史太林」。儘管文不對題，也不得不奉行故事，三呼如儀。這和基督教徒之開口不離「上帝」，儼若異曲同工，而共產黨之所以如此不嫌肉麻，也或許正就爲了要仰承史太林意旨，擬他和上帝比賽，看誰究竟能得到最多的信徒和最多的歡呼。

今年一月十五日，紐約新聞週刊，曾宣佈一個極饒風趣的統計，即在某日眞理報第一版上，總共提到史太林……

寫「自由」一字處徒刑五年

鐵幕國家，人民沒有自由，本是「如所週知」、無足驚奇。……

漏網珍聞

·丁·

比京假法庭與大陸公審

中共幹部貪污成風

這一現象擴大將加速中共崩潰

張丕介

各地區基層組織貪污案最為普遍

刼奪老百姓財富供高級共幹享受

財經幹部貪污多佔總數三分之二

「民主」試驗在台灣

雖籌備時間過短表現不太圓滿　但人民踴躍投票前途仍極光明

·羅鴻詔·

支票如期兌現稍嫌欲速不達

民選縣長到任撤換科長被控

到任甫僅二日被判當選無效

團結變成分裂宣傳只是對罵

只因性情驕傲不才不如無才

各地共黨報紙不許自由入穗

對自己也不信任

共軍士兵懍然告人

怕國軍到滬吃月餅

南滙一帶正修建防禦工事公路鐵路　兩旁由兒童隊女民兵嚴厲盤查行人

反攻大陸，這在淪陷區老百姓看來，雖然如大旱之望雲霓，但老百姓也知道，由於國際關係還沒有十分明朗化，時間上需要再熬上若干月日。大家總是這樣互相安慰着：天總是要亮的，我們摸黑，也不會摸一輩子！

共產黨對於「反攻大陸」的警戒，在時間上，似乎比老百姓所能想像的還更提早了很多。他們認爲，台灣配合民主國家的援助，任何時候，都有向江浙共軍發動進擊的可能。這幾月來，共黨一方面拚命動員民工，建築沿海工事，一方面用大屠殺，作爲對反革命份子的鎮壓，實際上，就都是針對着「反攻大陸」而採的兩大決策。

內地寸步難行　隨時被人盤查

據這位親到海邊慰問民工的朋友說，共軍在上海附近沿海各地，工事都積極進行。共軍兵士，常偷偷地和老百姓談天，他們說，看樣子，八月節總不能安穩過去。上海近來有一種極普遍的預言說國軍將回到上海吃月餅，共軍或許受了這一預言的影響，也未可知。總之，共軍看國軍反攻，比老百姓所想像更快更容易。如果有所謂「先聲奪人」的話，就心理作戰這一點說，共軍是顯已走了下風了。

這位朋友又說，共黨不特加強沿海的防禦工事。就是內地各鐵路公路，也用盡方法，防止破壞。他最近因事到杭州，在杭州附近沿公路幾個地方旅行，一再碰到了盤查，這些負責擔任盤查的，大抵正式的共軍較少，尤其是民兵和兒童隊最多。某次，從公路旁一個戽水的水車走過，有一不到十歲的小孩，正在幫一老人戽水，看見他，馬上跳下水車，從地面檢起一根長矛，迫着要檢閱證件。又有一次，因爲天快黑了，他要趕路，跑了幾步，忽然一座橋的下面，鑽出一個女人，提着棍子，問他爲什麼要跑，經檢閱了他的證件之後，才放他過去。

我聽了這朋友許多親身經歷的事實，我們的結論是一樣，就是共軍這樣千方百計防備國軍，就越可以證明，共軍此時，對未來局勢，正如何感到恐怖和沒有把握。（悠然，六月一日寄自上海）

共黨迫推代表　慰問海塘民工

昨天，有一位朋友，從南滙來上海。據他告訴我，共黨因南滙是長江南口，接近嵊泗列島，防務非常重要，最近徵集了二萬民工，搶修南滙海塘，及沿海有關工事。並迫令南滙各鄉鄉村推派代表，會同南滙縣立簡易師範職工學校等於前幾天，親往各工程地點舉行慰問。每一處工程，民工多者千餘人，少亦二三百人，工程所四面均圍有鐵絲網，由共軍持槍監守，藉防逃逸，民工概無工資，僅有極粗劣之少量膳食，工作極苦，每日必有許多人暈倒，慰問團到達後，監工人員，雖然儘量解說，這些工人，是如何不顧任何辛苦，爲保衛祖國努力，但當慰問團要對每一個工人說話時，總是默然不作聲，彷彿有萬千心事，無法投訴似的。而每一工人因營養不良和工作過勞所表現飢餓疲困的形象，更是不忍卒覩。有些工程，共黨認爲有祕密性的，慰問團被拒前往。據說，修建這些有關軍事祕密的工人，於工程完畢後，不被鎗斃滅口，就將永遠歸在勞動營中，以免在外洩露。

南滙鄉接上海　台灣有人滲入

據招待慰勞團的共方一政工人員，告訴我，這位躬親慰問的朋友，說南滙這地方，軍事上意義太重要了，現嵊泗列島雖已淪後，有台灣的正式軍隊，但因附近小島太多，肅清二字，恐一時還有問題。該政工人員又說：「現在修建的一座海塘，又高又大又牢固，一方面海水衝不過來，一方面台灣登陸部隊，如果想從這裏下手，也一定會全「殲滅」」云云。目前共軍不僅發動民工修建工事，而且也徵集了很多民兵，三步一崗，佈滿在沿海岸，擔任着所謂國防工作。民兵，是由南滙所屬的十五個鄉，挑選出來的。據云，「守衛海防的成績很好。不久以前就有一個五橋鄉民兵，一次捉到了九個從台灣派來，準備潛入大陸的匪特。」又興隆二鄉民兵，由公安部隊協助，捉到反共軍大隊長甘長榮，及所屬士兵四十餘人。此外走私鹽販，和逃亡地主，在南滙海邊被捉到的也不少。

鐵幕叢談

廣州房產無人敢買　五月僅兩筆成交

便宜收購者均爲共黨機關

廣州居民在多方面壓迫之下，被迫走到生活盡頭，有產可變的都求把房產出賣，以期苟延殘喘。惟一般市民懾於「懷璧其罪」，縱有購買力量亦不敢冒險承受，免致招來橫禍。而急求脫手的便只可大貶其價售與中共的軍政機關。故週來廣州市房地交易所的「生意」異常清淡，據公告，五月全月，只有兩個「買主」，一是「西北軍區後勤部廣州辦事處」，一是「廣東省政府行政處」。都是用極低廉的價錢買受龐大的房產，一般房屋經紀的黑市交易早已被剷除殆盡了。（延年）

爲了侵奪九源寺寺產　主持僧戒冰被殺

行刑時見者無不太息流涕

新會縣九源寺，爲縣中有名古剎，現主持高僧戒冰（鄉呼和尚成）台山第一區玉懷村人，湛深佛理，每朝五時則起誦經，數十年如一日，並得師傳醫術，擅長外科、按摩工夫，亦登峯造極。他曾在台山原籍台西路，開設戒冰藥局，以濟世爲志，極獲邑人敬仰。文化界人士與之交遊者甚廣，台山師範學校校長余友變，對他尤爲欽佩，每請其到校宣講佛學，闡明佛理，備極精微。至民十二、三年間，被推任九源寺主持，常往來新會台山之間，發揚佛教不遺餘力。近以年逾古稀，在寺中靜修。九源寺，古木參天，風景清幽，爲避暑佳地，歷年善男信女，捐助油燈者頗衆，寺產豐裕，遂招共黨覬覦。上月中旬，被中共加以剝削農民罪名，將其拘捕，最近在新會舉行公審，但縣民以其道行高深，無劣跡，無從控訴，而共黨志在寺產，乃不顧一切，竟將其宣告死刑，行刑時，見者莫不太息流涕云。（黃魂）

「好橫蠻的牛魔王」

打醫院捉醫生

武漢一公安局分局長　硬說兒子被醫生毒害

在中共暴戾政權統治之下，公安局長的威權是至高無上的，尤其在這所謂「鎮壓反革命運動」的時候，每個人的生死禍福，都操在他們手裏。老百姓見了他們固然不寒而慄，即同等機關的中共黨員，對他們也得退讓三分，因此這批特務出身的殺人魔王，益發氣燄萬丈了。

武漢市公安局三分局局長劉某，是個十多年黨齡的老幹部，因爲他是一個只會殺人，什麼都不懂的粗漢，中共當局也只得委屈他充當一個小小的公安分局局長。雖然他的官並不大，可是權威確實不小，因爲他的資格老，說起話來，「媽的！媽的！」武漢公安局長對他也莫可奈何。

在局裏設着老虎櫈，夾扛等慘酷的刑具，吆喝升堂，非拷即打，只要押進他的分局，差不多就等於進了鬼門關，即倖而不死，在酷刑之下，也成了半殘。因此老百姓畏之如虎，替他起了一個「牛魔王」的綽號。

其他機關更不在他的眼裏。

前年，他到漢口時，討了一個妓女做老婆，去年就生了一個兒子，得官得子，雙喜臨門，他高興萬分，同時把那位妓女太太也寵上了天。大概是中共黨員「性」的解放太過份了，以致生下的孽種，遺傳了先天性梅毒，皮膚紅腫潰爛。加上劉某沒有醫學常識，不肯相信西醫的診療，用些土方草藥來敷治，使病勢日益嚴重，小孩也奄奄一息，沒有辦法，只好聽人家的話，送到武漢市第一醫院去診治。醫生當時因病勢太猛，恐怕小孩受不住反應，不敢打針，只給他搽了一些外敷的藥，但妓女太太盛氣凌人，架子十足，使醫生頗不高興，當面就搶白了幾句。

她回去以後，小孩子的體溫昇高，並且發了藥物反應，是什麼了不起的事，女太太就大鬧起來，認爲醫生用錯了藥。劉局長一聽，咆哮如雷，親自帶着醫院裏去，把醫生全都拘捕，又帶了六七個衛士，醫生打了一頓，又抓破了醫院的窗口，把桌椅打得稀爛，當時拘押醫生七八個，帶回分局嚴刑拷打，說他們謀害他的兒子，加以「害死人命」的罪名，並要醫生一律「容許」他們去拷打，「假如我的兒子死了，你們就要償命！」他說：「就是我的狗，以後也將你們全部關進！」

幸而小孩子的病勢也漸漸退了，醫院的負責人也請了公安局長來，由局長出面講情，但他還是不肯把醫生放，說非要小孩子病好了才放人。又說他們都是國特，總算來做好做歹，但他們已經把醫生放了，受了一頓侮辱。

三分局劉局長有侵犯人權之處，亦請迅速處理。」其實在中共統治之下那裏有人權？有法律？有法律批評那裏也未免太天眞了。結果像這樣一件案件，無所謂「獨差」，中共當局還是警告了事，別無其他處分，「牛魔王」仍依然做他的分局長。

據說他對第一醫院公開揭發他的罪狀，已恨切齒，上級準備報復，街道恐怕不久又會有幾個「醫院第一醫務人員」被捕的。（懷民、五月廿八日寄自漢口）

上海將又添一批新鬼

人數約自一百名至二百名

這幾天，上海又將有大批「人犯」被處決，數目約在一百名以上，二百名以下。其中多數即爲四月底捕獲之一部份，名單還沒有公布，據傳，前滬江大學校長凌憲揚，前上海市第十八區區長吳英，可能均在此批新鬼之內。

江庸嚴諤聲等甘爲幫兇　做陪審委員贊成大屠殺

中共定明天（三十日）下午一時半，對上項「人犯」，舉行公審。最奇妙的，即中共擴大宣傳，要受害人民控訴這批公審「人犯」，但誰被公審，並無名單發表，那麼，受害者從何知道，明天公審的人，有無他所要控訴的對象在內。這正說明了中共所謂公審，所謂人民「控訴」，都是一篇鬼話，反正要殺要剮，他們早決定了，與人民絲毫無關，人民本就是他們的幌子。

最無恥的，是「反革命案件審查委員會」中共所御派的六名陪審委員，即江庸、胡子嬰、榮毅仁、陳仁炳、盧于道、嚴諤聲等，這幾天他們居然裝模作樣，爲表示他們不受請託，什麼客也不見，什麼電話也不接。並準備了許多報告，作爲他們對於這些人犯應該判處死刑的意見。他們一再在報紙發表談話，認爲「反革命份子」眞是死有餘辜。中共命令他們這樣說，其意若曰：中共「嚴厲鎮壓反革命」，原是採取這班走狗的主張。

滬大校長凌憲揚將處死　十八區區長吳英亦不免

行將處決的凌憲揚，據中共提交「人民公審」的資料，大約有下列數點：（一）他是孔祥熙的[illegible]子，主持中央印製廠，濫印紙幣，爲害人民。（二）他受美國人命令，主持滬江大學，拚命想奴化學生，曾請司徒雷登等人到校演講，以麻痺學生思想。（三）模做美國式民意測驗，謂中國人歡迎美國。（四）當上海學潮勃發時，他曾武力鎮壓，拘捕許多學生，他甚至恐嚇學生：「你們有二百人曠課，我就叫四百名軍警來，你們不好好上課，只要我一個電話，就要多少軍警有多少。」最後也最嚴重的，是他曾公開請美國在滬設置軍艦保護滬大，中共進入上海，他抗拒登記，繼續爲反革命活動。中共的結論是「這樣美帝國主義的忠實走狗，人民政府一定要嚴予懲辦。」

至於另一命在旦夕的上海市第十八區區長吳英，中共認爲在區長任內，他曾多方壓迫共黨，許多交國民黨特務機關的共黨黑名單，都是由他開送。上海易手後，他曾被「人民法院」判處徒刑六年，中共認爲這是不可思議的寬大，決定另行審判，所謂另行審判的結果，那是毫無疑問，鎗斃。

人民直接行動殺人報仇　陳毅手諭謂將造成混亂

此外，有值得附帶報告的一件事。即中共一方面借「人民」二字，大事屠殺，「公審」「控訴」，天花亂墜，但另一方面，近來上海各區，貨眞價實的人民，以爲中共眞是替「人民」報仇，於是大家爲省事起見，就各自直接行動，自己覺得會被誰壓迫，和誰有仇，就直接找誰清算，在他們看來，這是合於中共替人民報仇的原則，而且直接行動，比間接由中共代爲逮捕，控訴審判省了不少事。不料直接行動的結果，竟有好些和人民有仇和中共無仇的人，甚至和中共有關係的人，也糊里糊塗被殺死了。中共大爲着急，於是前天由陳毅發表一手諭，嚴厲禁止「人民」此種直接行動。手諭略云：「最近發現各界人民份子及個別單位，並沒有先向政府提出處理反革命份子的參考意見，而是直接處理了這些反革命份子，此種情況，應即停止。對於反革命份子，不論以任何處分，均必須由政府決定，不由人民擅自直接決定，以免造成混亂。」在大屠殺中，現在爲了怕造成混亂，中共的口號，也就是不許「反動份子」亂動了。「掛羊頭賣狗肉」，中共鼓動人民報仇，等到人民眞要報仇時，中共又嚴厲禁止，說這會造成混亂。因此，所謂人民報仇，實即中共報仇而已，如果某人和中共無仇，那麼，即使這人眞和人民結了天大冤仇，那也是毫無關係的！（悠然，五月廿九日寄自上海）

茂名法院院長

梁治元吃糞溺

爭房子種下私仇　因土改慘遭清算

梁治元，又名鑑可，茂名縣東門街人，參加共黨多年。「解放」前，曾在茂名縣立師範學校任教，替共黨祕密活動，是以該師範學校學生最多參加共黨青年團的。政府第七區行政督察專員公署，恐將梁扣留，無事。校長南路淪入匪手，始得以勝利者的姿態出現，偽茂名縣人民法院院長，偽奉命接受廣東高等法院第七分院及茂名地方法院，院長楊飛名義奈何梁不可一世，原日高七分院已被偽茂名公安局長楊梁估住，偽茂名地院院址暫作只得覓一不肯遷出，茂名人民法院與公安局處所，因此與公安局有隙。

不料本年三月，中共在茂名大力煽動地方無賴棍徒，清算地主，茂名東門街農會公安局指梁治元爲大地主，並令其到會接受人民清算。梁自命爲地方法院首長，何物農會，敢捋虎鬚？乃將傳票撕毀，拍案大罵，竟誣東門街農會幹部爲「反動」，由公安局派人（全副武裝）手持繩索，闖入該院將梁綁入農會清算，農會當時抓梁主任振倫爲軍官會人走，殊不知振倫是共黨幹員，要求「做人民」的清算，主席即認該立場是敵人，農民人委係該農會之共幹，逐救接受抓農會清算，以後將由其歷年所收租谷以限期十日內將過去共一萬二千石計算，交還農民，否則以極刑處。梁不能依期交付，當然農會已將梁房屋產業完全查封沒收，所有眷屬都被驅逐出外，梁本人以乞丐度日，至今日夕受該會共幹押在會中吊打，預料結果必難倖免。（更生）

萬竹樓隨筆（一）

•舜生•

韓國的悲劇

韓戰已快到一年，中韓共軍的死傷，超過百萬，聯軍包括南韓軍在內，至少也近五十萬，然而最慘的還是韓國人民，其物質的破壞與生命的喪失，殆已無法估計。

韓國以地理關係，久為強鄰角逐之場，遠在七十年前，中日兩國即已在韓鬥爭，[illegible]

一本「東方雜誌」，上面有韓國人在亡國後所做的兩首詩，現在看起來，詩自然不算太好，但當時讀了卻非常感動，因此到今天也還能成誦。其一：「欲哭不堪哭，欲吞不忍吞，乾坤變淚眼，何處是家鄉？」其二：「歐美棲遲十六年，[illegible]國仇未報生何益，一劍橫腔亦快然。」第一首已忘作者姓名，第二首則當時的韓國駐俄公使[illegible]絕筆也。[illegible]此東方之巴爾幹[illegible]（四〇•六）

十二畝田

•羊辛•

趙老伯克勤克儉，積聚了幾個錢，他把它小心的藏在床底下，捨不得花一個。冬天來了，他還拖着木屐，穿着祖傳三代的老棉襖，到城裏去問問棉布的價錢，[illegible]嚇了一大跳，抹抹鬍鬚道：「還是拖木屐吧，反正我又不大出門。」

儘管他這樣省吃省穿，半個錢都捨不得花，然而老天好像有意捉弄他似的，拖泥帶水的為他出了一大堆好吃懶做的親戚朋友。他們總是向趙老伯的床底下動腦筋，不時借幾個錢去花，三元五元也好，哭窮喊窮，纔個不了。這簡直是要趙老伯的命，眼看白晃晃的大銀元一雙雙的告別了，他心疼極了。尤其叫他憤恨的，乃是這些伸手將軍，有的還是精壯漢子，[illegible]

[illegible]「你們這樣[illegible]我借給你們[illegible]幾畝田地，你們向我租種吧！[illegible]」

[illegible]話，雖然不大歡迎，然而也只有唯唯諾諾。於是趙老伯便買了十二畝田，分給他們，去實行「自食其力」。

趙老伯滿以為這可以高枕無憂了，不想美夢並沒有做了多久，堂侄阿狗又來要錢了。「你還有臉再來問我要錢？」趙老伯咆哮着：「你本性不改，[illegible]我聽說[illegible]你這[illegible]！」那阿狗方想編一套話去搪塞，不想趙老伯早已[illegible]下來了，誰也想不到趙老伯今天生了這麼大的氣，他揮動着煙桿，顫抖抖地向阿狗沒命打去，直打得阿狗哀哀叫饒，抱頭鼠竄而逃。

趙老伯決心收回阿狗的田地，讓給大頭阿任去耕種，他[illegible]給阿狗氣壞了，不再理會他了。

兩年後，共產黨來了，趙老伯被捕了，說他是「地主」，因為他有十二畝田」。

告發他的人是阿狗。

趙老伯被反綁着在廣場上「公審」，他老淚縱橫，兩眼發花。只聽得阿狗大聲地罵着：「你這老不死的，無惡不作，還打過我，哼，你也有今天嘛！」

主持「公審」的共幹道：「他打過你麼？好，現在你也打他，打死這惡霸！」

阿狗的腳踢過來了，接着拳頭也落下來，趙老伯被打倒在地上，只有哼，他哼道：「你這逆畜！」

共幹跑過來，向趙老伯面上就是一巴掌，罵道：「該死的惡霸，你還敢罵人逆畜？好！給我看看什麼叫做逆畜！」

阿狗說：「叫他做狗爬！」另一個女共幹說：「叫他學豬叫！」於是乎，在你推我扭之下，趙老伯做狗爬了，一面還學着豬叫，直爬到河邊的沙灘上，手和腳全破了，[illegible]奄奄一息，才由那個[illegible]「解放軍」開槍打死。

趙老伯死後，那十二畝田和家私雜物分給了「阿狗」，房子則做了「村政府辦事處」。

從南京到香港（四）

•王一中•

西湖無人遊覽　記者大發牢騷

余到杭之第三日，曾往西湖公園一遊。至則遍地都是泥人攤，以五百元一次購擲圓圈作賭博性之遊戲者，多屬身穿藍布列寧裝之共幹。老百姓見彼等走來，即趕快讓路，一似昔日鄉巴老見洋鬼子然。湖上小艇，雖招攬遊人，然除共幹外，普通遊客，未見有乘坐者。循湖步至武林門近處，遇見「解放」前在南京任新聞記者之李君，渠言：「日來參加自衛守哨，通夜未能睡眠，致令我生目疾，其實人民都窮，有何盜賊？至于游擊隊，徒手何能抵禦？輪班站崗只是要折磨人民耳！」余詢近日亦嘗寫稿否？彼謂在京時，總以為政府不好，政治腐敗，而寄望于共黨；孰知共黨一來，厲行統制，不但不准自由行動，且不准自由思想，自由呼吸空氣。短波收音機，不准民間使用，御用報紙，滿幅均為法令宣傳，在此種情況下，那有餘地？又那有寫稿心情？」且談且走，已抵其家門，遂入室啜茗，李復言曰：「現在不但我們窮文化人活不了，即杭市一般商人，生活也成問題，你看杭州名勝如靈隱，虎跑，西泠等處，均駐共軍，禁人遊覽，而自「解放」以後，除共黨新貴及大鼻子貴賓外，亦無人有此閒情逸致，因此向以「吃遊客」稱之杭州商業，乃一落千丈，各家店門，均可羅雀，而稅捐公債，又復勒派限徵，不稍寬假，商人誰不叫苦連天？」坐談之頃，推門乞食者接踵而至，李妻婉而卻之，頗費唇舌。據云：「近以鄉村土改清算，不少地主，逃避來杭，告地狀，以討零錢者，充塞道路。公安局加以收容，送返原籍，則號哭抗拒，慘不忍聞。近來舉行「反動」黨團及特務份子登記，凡曾在國民黨時期做過事者，不拘大小工作，均須參加，已登記者將來如何處理，尚不可知，但未登記者則隨時可以逮捕，任人可以舉發，以是市民非常恐慌，不知大難何時臨頭。你住在什麼人家？登記過沒有？」余對以因事來杭，越宿即行。因交情不太深，不敢明言將遠走也。余起身告辭，李且送且言曰：「前傳國軍[illegible]杭州人民，異常興奮，祕密[illegible]青天白日旗，準備歡迎，但今已杳無消息；你在上海聽過沒有？國軍究竟何時可以打開[illegible]？」余未置答，然心中固深為此君心直口快憂也。

羅隆基可能中頭彩（上）

[illegible]

如果中共對「民主人士」開刀，有人猜測，中共要的名字，第一名可能是民盟要角羅隆基。

羅在政治上，跳來跳去，不知變過多少次。抗戰時期，他曾是民社黨要人物，[illegible]

抗戰時在漢口一度想做漢奸

（大哀）

[illegible]當外，也最感憤慨的一件事。

二十七年春，華北王克敏偽府成立，某天，[illegible]他由天津南走漢口，[illegible]飯店，很興奮[illegible]晚聽見日本廣播的[illegible]成立，他們還用五色國旗。我們主[illegible]華民國，現在[illegible]題，而且象徵五[illegible]的國旗也恢復[illegible]？我們不需要為[illegible]他似乎在勸這位朋[illegible]也在座，對他說，[illegible]的變人，不然，[illegible]要發神經病似的，[illegible]將他話鋒打[illegible]期間，每當我聽[illegible]王克敏偽府成立[illegible]憤慨的演說時，[illegible]而要嗤之以鼻[illegible]

說話多，出錢少

聯合國常受到批評，說開會時說的話太多，而做的事卻極少。最近聯合國一個統計機構，似為了要答辯這種批評，把上屆大會中各代表說的話統計了一下，結果發現蘇聯的話，多過其他任何國家。

這統計機構根據各國代表的發言記錄，從他們在五十次會議中的言詞，得到了下面一個結論：

向來喜歡用尖銳冗長的詞句抨擊民主國家的蘇外長維辛斯基，曾發表過一篇最長的演說，達一萬四千字以上。其次最長的三篇演說，也全是維辛斯基發表的。第五篇最長的演說，是另一個蘇聯代表柴羅平所發表。

五十次會議中，全部發言數字，蘇聯代表佔去百分之十七。

二，蘇聯和其附庸國代表團共超過百分之四十。

在另一方面，美國代表的發言數字，卻減及百分之五——而聯合國大會的費用，美國負擔百分之四十；蘇聯和其附庸國呢，一起祇負擔約百分之十。

（一知譯自「美國觀察者」）

新「野百合花」事件

•程介•

武訓這個故事，大家都已熟能詳，我所知道的，遠在抗戰初期，軍委會的中國電影製片廠，廠長鄭用之，曾經計劃將其攝製成片，是時孫瑜、蘇怡、史東山，俱中電導演，孫瑜奉命搜集材料，編寫劇本，[illegible]主角[illegible]，因吳茵與鄭用之鬧翻，導演孫瑜去職，「武訓傳」遂因此而擱淺。

製片「武訓傳」，劇本經過中共當局審查，往山東考察過武訓的，孫瑜等一行，並且所謂「文藝局」的「電影局」，加以支持，並且認為這部是「中大」的第一部影片，[illegible]上海的公營影院，都一致上映，一般評論家的批評，也算是好的。

但片子送到北平，中共的「人民日報」，除了發表文章之外，刊載了一篇社論，認為「武訓」是「阿Q型」的封建奴才，擁護心性忠於統治者，為甚麼人民大眾也跟着勞動？」以「無情」的抨擊由各報各人，上海而南而北，一直展開到廣州，這件「事」，就是明白的打擊了「野百合花」，很明顯的片就是公營影片公司「崑崙」打擊，而據我們看到的，一說「武訓傳」的[illegible]是公營公司的製片，「中共」當局[illegible]把電影收歸「國有」，「武訓傳」的[illegible]大中共當局的手段，像是把「合法」的，或是習慣的[illegible]有很多私營公司[illegible]這種[illegible]不能翻身。

「武訓傳」劇本，事前經過「合法」審查，[illegible]如果說「思想」中共立場[illegible]「火鳳凰」[illegible]自是兩種不同的錯誤，[illegible]司，待遇如何，做「武訓傳」的是私營的公司，[illegible]只有接受打擊了。

（十八）

竹影心聲

•離草•

•上海來鴻•

里弄口裝了一架擴大機，每天沙沙的聲音，報告那千篇一律的「勝利戰績」，「支援前線」，「鎮壓反動」，那架擴大機正巧對準我的樓窗，因此我也看到包圍在擴大機下的聽衆，若當還特地拭乾淨了眼鏡，她以為在這些人的臉上，可以看細看出真正的「民意」。

你想，這裏還有什麼自由可言，里弄裏有了這東西後，媽就得每天按時一家家去通知，正如「踏車輪轉」一樣，每家總得派出一個人來充當「聽衆」，這把戲給報紙上誇大形容過，說一次公審會上，全市有一百萬在收音機裏聽消息。

另一個自打嘴巴的「新聞」是上上下下在檢討孫瑜編導的「武訓傳」，先是一窩風的說這部戲可以列入一九五一年的優秀作品中，紅色人物比較叫得響名字的，也「捧場如儀」，劇評人紛紛給以好評後，這片子的思想問題了，一個不堪下台的諷刺，那知蘇聯在檢討「武訓傳」又在出他們的醜，是有了幾多高興？你說我寫到這事，那知在北方上演時，是武訓的故事，可以有兩個私人，可是在紅色與粉紅色陣容裏展開「殺戮攻勢」，就如在照妖鏡下看妖精打架，一個個被檢討思想不純正，事理不明，連戲白韜也差些栽跟斗了。

你記得上海才變色時，我與你在大光明看過的一張蘇聯五彩片，「列車東去」嗎？你說：「良心話，這是一張驅毀而有成就的片子，不像出於蘇聯的導演之手」。給你說對了，上海的紅色[illegible]

沒有思想的機器人

[illegible]

秘密警察來了

•原載星期六郵報•張天寶譯•

在他具有共產黨主義警察國所要求的一切條件，正適合他當初的職位。他出生在捷京布拉格郊外一個勤苦的勞工階級家庭，[illegible]沒有受過多少教育，想所沾染。他進過小學，但讀了二年中學就因功課不及格而退學，後來在他父親做工的鋼鐵廠裏做學徒。他的母親篤信宗教，星期日一早就到教堂做禮拜。[illegible]

[illegible]

自由人

THE FREEMAN

（半週刊每星期三六出版）

（第二十八期）

每份港幣壹毫

督印人：梁大成

社址　香港德輔道中一四九號四樓

電話：三二八二〇

149, 3rd FLOOR,
DES VOEUX RD. C.
HONGKONG
TEL: 32820

承印者：東南印務出版社

地址：高士打道六四號

台灣經銷處

台北重慶南路一段七十四號

立國基本條件的建立 總要靠我們自己

美援不能解決一切問題 民主國家更應善於自處

·左舜生·

整個人類命運已陷於一非常狀態。由世界固有的，新興的一切民主國家，起而為一神聖的團結，以與一落後的，反動的，陰狠的，殘暴的侵略集團相抗爭，以求得人類自由的確保，世界秩序的重建，能不必訴諸戰爭，自以不戰為是；萬不得已非戰不可，即亦不惜賭乾坤之一擲；這個使命實是異常偉大而莊嚴的。

可是，世界二次大戰的結束，還不到六年，戰敗國家，尚有待於重建；即戰勝者，亦復元氣大傷。惟有蘇聯的情況比較特殊：一部分在歐洲的領土，雖然也遭受重大的損害；但在亞洲，則僅參戰六天，而所獲甚豐。加以戰後不獨并未復員，且更加速備戰；又抓住中國的弱點，運用其爪牙，一舉而囊括整個中國的大陸；於是越南的紛亂因以造成，韓戰因以爆發，其餘世界一切已發或將發的動亂，也莫不直接或間接與蘇聯有關。

蘇聯是惟一強大的敵人，也就是惟一威脅人類自由的罪魁禍首，其餘均不足道；只要蘇聯對付得下去，世界的一切糾紛，均可迎刃而解，蘇聯對付不下去，世界即將永無寧日。我在這裏所指的蘇聯，僅指被制蘇聯的一個黨，尤其是刧持這個黨的少數罪魁，與其餘蘇聯近兩億的人民並不相干，毋寧說蘇聯這近兩億的人民，也應隨民主集團的勝利，而得到他們應得的解放。這個目標是最宜確定，而且是最該分別得清楚的。

美國是民主集團中一個得天獨厚的國家，所負的責任最大，所受共產集團的攻擊也最烈。今天世界上除美國外的一切民主國家自英法以次，幾無一不有賴於美國的援助，即不需要美國的軍援經援，至少也需要美國予以精神上的支援與確實可靠的保證。這是一個重要的事實：予者與受者之間，受者與受者之間，均應該有以善於自處。民主國家力量的加強，系於援助者甚大；但團結能否加強，則系於援助者甚微。如不幸非進入一種戰爭狀態不可，或明白認識已接近戰爭的前夕，各民主國家即有分別派遣代表構成一代表團集中於華盛頓的必要。其個別的責任在增進美國對各該國各方面的了解，及促使美國認識在援助上的切實需要；其集體的責任，則以增進民主國家間相互的了解為主。其性質是互信，坦率，諒解式的協商，而不必斤斤於開會的形式，非在特別情況之下，幾無開會的必要。其人選須以明瞭各該國自身的實況，而又能博得對手方的信賴者始為合格，決非目前各民主國派遣出席聯合國的代表所能勝任。這是將來民主集團團結無間，及一切成敗利鈍之所關，在擊敗敵方一切挑撥離間伎倆的一點上，其關係尤為重要。

其次，我必須談到自由中國對美援一些應有的看法：有不少的人把問題看得太簡單，以為沒有美援則萬事皆休，有了則萬事皆足，實際的情況卻不一定是這樣。今天中國大陸的情形，確實是非常嚴重，他們的『一面倒』，比起蘇聯其他任何一個衛星國似乎都來得更為徹底，好像為了所謂共產或所謂世界革命，一個中國歷史上空前所未有的悲劇，已在大陸加速的展開，不僅多數善良的人民正在成批的被屠殺，而且歷史已在被摧毀，文化已在被改造，倫理已將被滅絕，一切高級或低級的宗教，也將掃蕩無餘，更加上中共所謂土改問題的胡鬧，一個普遍的騷動與空前的饑饉，也勢將無法遏止而必然到來。一個單靠軍事可以解決的問題，我們可以仰賴美援；一個超越軍事的問題，我們即有大宗的美援，又將從何致力？像上面所舉的那些情形，如果給予中共以機會，讓它再有兩三年去繼續其屠殺，毀滅的工作，則中國社會所賴以結構，國脈所賴以綿延的主要條件，均將被他們破壞一空，而這個東方的文明古國，勢將非返於生番野蠻的原始狀態不止，即令我們在軍事上以美援而僥倖可以逐漸成功，但回返在那樣一個伏莽遍地荊棘滿途的大陸上，我們將何以立國？在對大陸的軍事行動開始或中止以後，美國可能繼續予我們一時期救濟性的援助，但立國基本條件的建立，這總是必得靠我們自己的。

我很憂慮，也許是過慮，好像在台灣和在台灣以外的多數自由民主人士，他們在今天所目營心注的一個問題，只是在美援的如何取得，而對於如何重建與創造立國條件的基本工作，似乎還沒有切實加以思考。這是一個繁重而艱鉅的課題，決不是等到回返大陸以後臨時可以急就，更決不是虛應故事找若干人來設計設計，就可以得出結果的。時乎時乎，我們對反共，抗俄，建國作進一步的深刻考慮，實在已經是時候了。

雨季到來的韓戰

——美國胆小，蘇俄更胆小——

黃震遐

韓戰已入雨季，聯軍的飛機，坦克及機械化補給皆受自然限制，自斐立特獲得他的勝利後，共軍主力便縮回「三角地區」，祕密整理，六月七八兩日，聯軍在中線六十哩正面上（從漣川到楊口），平頭逼近三角地區，左翼及中央的第八軍（有六師兵力）担任正面攻擊，向鐵原金化推進，右翼集中四個師（美第十兵團第一陸戰師，步三師，步七師，第九兵團第二師）和最右翼的，南韓軍兩兵團（第一，三）緊密呼應，從樺川蓄水池到杆城一線（以楊口為旋迴軸），開始向西北變換方向，逐漸以向左旋迴的運動壓向平康金化的關閉地區，以拊「三角地區」之背。

聯軍此一態勢，是透過逐漸嚴密化的新聞檢查所見的初步暴露，自斐立特宣佈攻勢結束後，阿爾蒙兵團即在新聞封鎖下開始進行延翼作戰。經過五天（六月四日至八日），美國第二師的外翼當可繞過楊口，切斷從楊口分向杆城高城的兩條交通線。與攻佔杆城的南韓第一兵團聯成一氣，逐步席捲楊口地區的北韓軍，這一路的北韓軍日前曾死反撲楊口，來接應被圍於洪川口袋中的中共軍，楊口一戰，曾使聯軍受到意外的損害，目看來是好部隊。但由斐立特延翼包圍的影響，範可能已被繞過，變成孤點。

在第八軍正面，聯軍一，九兩兵團（加南韓第一兵團）的平頭北進，兵力集中，火力強大，作風是陣地戰打法。但共軍的主要陣地皆設山上，以山上的據點式防禦及山下的小部隊逆襲來延阻聯軍進度，聯軍兵力雖強，在道路上展不開，單靠前衛作戰，遇到障礙，後續部隊即被堵塞不動。空軍俯衛山頭，戰車則在山下徘徊，呆候步兵爬上山去收拾敵巢，因此進度緩慢，到六月八日為止，還在鐵原金化南方平均高度在二千尺以上的山地線上拉鋸。

基上，聯軍對此被新聞記者多方渲染成為共軍「馬奇諾」或「齊格飛」防線的又一次進攻，在左翼中央的正面攻擊上，是緩徐謹慎的，在右翼的迂迴機動中，則是半藏半露的。從全般看，我們不知道斐立特是準備逐次攻略三角堡壘，和共軍後衛對消，還是決心一舉擊破共軍主力，展開第二度的殲滅戰？

顯然，在政治大環境下，斐立特不便意氣用事，孤注一擲，上月「賭博」成功，亦顯然不由他主動，訓令是來自五角大廈的馬歇爾的最高戰略，是但願斐立特做到某種限度，不讓他闖禍，斐立特是被羈縻控制住的戰馬，他時刻想衝向前去，但他背後的主人顯然有力能夠抑制着他的熱情，使他祗能爭取華盛頓大方針所要求的有限度目的。

共軍對付斐立特的辦法，即利用聯軍指揮部遲疑不決的心理，故意裝出要在三角地區決一死戰的模樣，來掩護他們自身的弱點，中共軍在右，北韓軍在左，後面控制了一枝預備軍。總兵力也許比聯軍要少，也不敢集中在一點上挨炸，政治紀律掌握住小部隊孤立死拼，在縱深交織的高地線工事裏佈下十字火網，同時用幾個砲兵團在正面流動作戰，找到機會即對聯軍前衛猛射數百發，立即變換陣地，不給聯軍還手的機會，這種打法，意味着日軍在琉璜島的經驗，也表現蘇俄砲兵戰史的精神，在莫斯科和北平，政治作用也和華盛頓一樣有力，而且更具體化。

在莫斯科和北平的密室裏，是否正準備另一攻勢呢？共軍目前顯然已有足供戰術使用的飛機戰車，足供其前綫指揮官來一場規模較大的反攻，但這在本質上不是軍事而是政治問題，在作戰上，共軍前線指揮部之受制於後方政治，顯然要比聯軍更無自由，但他們不宜佈內幕，不公開叫喚，外人無法看穿一枝極權紀律操縱下的黨軍的眞相，也不知道他們指揮員畢竟是有情的人類，還是無情的工具。也許遇必要時（政治的），他們還再會來一次人海決戰的冒險，並忍受這種痛苦。

十二兵團主力（卅九，四十，四二，三個軍）於四月南調，最初渡江的林彪精銳正在漢口廣州休息補充中。自己打垮了五月攻勢的部隊似聶榮臻十八，十九兵團所部，戰鬥力要比林彪差些，二野劉伯承的部隊當已參戰，北韓忽然打得不錯，兵源成份有些可疑，砲兵陣容中出現了美式和俄式十五糎，但數量不多，還不敢作砲兵對戰，戰車出沒幾次，近又不見，在大後方，則正瘋狂展開預定半年完成的「獻機獻砲運動」，是要造成一種空氣，前綫忽然擺出飛機大砲來，都是人民捐款買進的吧。

總結一週戰況，我們發現一個胆小的美國，卻發現一個更胆小的蘇俄。韓戰恐怕還要痛苦地磨下去。

上海短簡

鎗斃二百零五名 幾全為工人領袖

[illegible]

殯儀館大貼標語 槍斃後不許收屍

[illegible]

殺人組織報喜隊 三十萬工人失業

[illegible]

口，都貼了一些標語[illegible]

半週展望

。舍我。

誰迫使我們骨肉離散

「佳節思親」，乃人類天性的表現。今天是中國夏曆所謂端節，正「思親」節日之一，共產黨在整個大陸，要拚命叫人們廢棄「親」的觀念，父子，兄弟，夫婦，親戚，要他們互相監視，互相檢舉，尤其為共黨不斷宣傳自詡為傑作的，莫如兒子能大義滅親，去親手槍斃自己的父母。但我們相信，鐵幕內四億左右的善良人民，決不會就這樣泯滅了天倫之愛。[illegible]是不成問題了！

世間最非暴力所可有效鎮壓的，莫如人心，及天倫之愛，今天共黨以為幾十萬幾百萬人大屠殺，已將人心和天倫之愛，鎮壓到如同一潭死水，永無波瀾[illegible]遠如秦始皇，近如希特勒，他們不也曾殺過幾十萬幾百萬人？而他們的王朝，究竟有過多久運命呢？[illegible]希特勒放火自焚，墨索里尼懸屍示衆，我們更相信，在不久的將來，中國大陸，總會要同樣再表演一番的！

是擴大不是結束

高唱入雲的韓戰和談，我們早就認為，如果任何一方，沒有忍痛向對方投降的決心，則成功的可能性，即將等於沒有。現在，馬歇爾已正式表示，只說「韓戰停止之說」，僅是一種「謠言」[illegible]

同馬歇爾一樣，國務院發言人麥德謨，[illegible]對於和談，也曾作過關於謠言的表示。據我們看法，和談并非毫無蹤影的謠言，不過民主國家幻想中的和談，只是平等的和平，而不是片面的屈辱，換一句話說，即是光榮的和平，而非戰敗的乞降，事實上，今天聯合國仍一直佔着軍事的優勢，自然，也就沒有乞降的必要。

蘇聯是要無限期拖長韓戰的。因此，他也就不惜全力，堅迫中共，令他們堅持等於要民主國家投降的條件：即中共參加聯合國，奪取台灣，聯合國軍退出朝鮮。民主國家既決定不投降，這些條件自難接受，那麼，「和談」就只是「和謠」，而「謠言也就到底是謠言」了。

主張和談最力的英國，其國防部長辛威爾，昨在國會答議員質問，他說：「如果獲得中共同意，我們當然願通過聯合國談判，以結束韓戰，但如中共不同意，則我們即必須增加兵力，擊敗侵略者」。可能最近聯合國會有一關於解決韓戰的正式聲明發表，但在這個聲明發表以後，我們預料，其結果將不是韓戰的終止，而只是韓戰的擴大。

不至逼美國人丟包袱

美國的包袱，的確背得太重了。全世界幾乎都在靠美援，而這些得到美援的國家，卻又不一定和美國眞誠合作，抵抗侵略。這在美國納稅人看來，確要大發牢騷，美國人竟成了天字第一號的傻瓜。[illegible]

[illegible]我們切望大家精誠合作，尤其不要逼到美國人丟包袱！

看原子彈自飛機投落

華盛頓明星報 記者柏立曼著　林詩譯

美國華盛頓明星報記者柏立曼（Jim Berryman）最近應邀參觀原子彈投擲演習。他坐在裝載原子彈的B—50型飛機上，關於原子彈的形狀，效能等等，看得清清楚楚，事後寫了一篇文章，詳細報導經過，登在五月八日的展望（Look）雜誌。這篇文章很長，還有許多圖畫照片，我們沒有方法全部刊出，祇好節譯其中要點，以餉讀者。

（一）原子彈像什麼？

我們曾經聽說原子彈體積很小，像一隻茶杯，甚至有人猜想像一枚高爾夫球，實際上，一九五一年的標準原子彈像一顆普通的巨大炸彈：身長約二十英尺，直徑九或十英尺，重達五噸。當然也有稍爲小的原子彈，但最大的是最好的。

它絕對不能握在手裏，放在口袋裏，它要用一部大卡車運到一架B—50型飛機前面，飛機的頭部提高起來，類似企鵝站立的姿勢，然後把原子彈掛在飛機的腹部，兩旁夾緊，七平八穩，飛機的頭部才再放下。一切手續都用機器，人在原子彈下面，像一條小蟲。

美國現有這樣的原子彈數以百計。

（二）裝載原子彈的飛機

B—50型飛機是專門裝載原子彈的。它身長九十九英尺，兩翼展開計一百四十一英尺。它比「舊式」的B—29型超空堡壘要大些，好些，但是它不及「新式」的B—36型。在最近的將來，另外一種十足噴射B—47型將用以代替B—29及B—50而B—52將用以代替B—36。

B—50型飛機續航力約六千英里，加油不必落地，空中加油數千加侖費時不過數分鐘。在任何惡劣氣候之下，每小時可以航行三百五十英里。

B—50型飛機出擊時不需戰鬥機保護，多半亦不致兩機並行。敵人中途截擊的可能性不大，以第二次大戰時對德空襲之經驗爲例，轟炸機之不能抵達目的地者，僅及十分之一而已。

B—50型飛機是可從三萬英尺高空投彈，準確萬分，甚至可以指定彈落前門或屋後花園，任意操縱。

美國現有B—50型飛機數以百計。

B—50型飛機上的航空人員都是經過嚴格挑選的專家，年齡自廿五歲至卅五歲，經驗豐富而銳氣尤盛。機長的階級普通是少校。他們的總人數以千計。在航空的時候，戴着特別的紅帽子，以示優異。

（三）原子彈的威力

原子彈離開飛機約四十秒鐘後開始爆炸，屆時飛機已在四或五英里外。地面毀滅範圍約直徑一英里，殺死人數估計在二萬至三萬之間，傷者當亦在二萬至三萬之間，或多於此數。

美國戰略空軍基地遍佈世界各處，蘇俄城市差不多都在B—50型飛機有效出擊圈內。投擲原子彈是用電子儀器操縱的，選擇目標用雷達，所以百發百中，萬無一失。一旦美蘇大戰爆發，蘇俄的政治中心，經濟命脈，工業設備，勢將轉眼皆成灰燼。蘇俄野心勃勃，四出搗亂，而絲毫不敢過份激怒美國者，理由當可自此求之。

美國戰略空軍司令李梅（LE MAY）中將說得好：「自由世界軍事力量的主要任務乃在維持和平，而美國戰略空軍力量雄偉，實爲防止侵略的至佳保證」。

從倫敦大學在港招考結果談起

我大學應准自修生投考

為什麽不多替清寒子弟設想　·王雲五·

約莫一個月以前，香港各報刊載本年倫敦大學在香港區舉行入學試之結果，計合格之人數，各中等學校畢業生占百分之七十弱，自修生占百分之三十強，這一事實很值得我國教育界的注意。

中華民國憲法第一五九條規定國民受教育之機會一律平等，這裏所謂平等，不限於基本教育；眞正的平等，尤其是在高等教育，假使我們認爲高等教育確能發生養成人才的效用，同時國家社會的用人標準也一本於人才，那就受高等教育的機會平等，才眞是社會平等的現象。

我國現有大學之門究開放給那一種人

試就我國現在的教育制度檢討一下，國民受高等教育的機會是否平等呢？我們首須注意高等教育和基本教育的差別。後者在不分智愚一律使其具有做一個健全國民的最低條件；前者則以選擇最適於研究學術之人，使從事於高深學術之研究，因此，受高等教育者應爲具有研究高深學術之學力與其眞志之人；不合此條件者，無論如何富於資財，不當容許其濫入大學之門，而合此條件者，無論如何貧苦，當予以入學進修的機會。但是我國現在大學之門是開放給那一種人呢？現在非經小學畢業不能入初中，非經初中畢業不能入高中，非經高中畢業不能考升大學，表面上縱然有所謂同等學力可以投考大學，但實際上所謂投考大學的同等學力係指曾經修畢高中二年，並經證明在修畢高中二年後確曾自修或補習滿一年者，是則所謂同等學力僅就小學六年及中學六年，合共十二年中減少一年的學校修業，而對於時間上仍沒有絲毫減少。試問要履行這樣十一年的入校修業，與十二年的準備時間，是不是人人都辦得到，或者是人人都有此必要。天才兒童原可縮短此十二年中之二三年而強令空耗其二三年時間者，爲害尚輕，姑置勿論。貧家子女聰穎勤學而有志深造者，由於缺乏經濟能力，以完成其十二年，或至少十一年之學校教育者，祇好眼巴巴望着大學之門，而讓那些經濟力充裕，而不問其是否凡庸之輩昂頭邁步進去。這究竟是否機會平等呢？

中國舊日在君主專制的時代，國家用人全憑考試，而考試的準備初無限制，所謂「朝爲田舍郎，暮登天子堂」，固然渲染有些過分，然而「白屋出公卿」，則爲一般的事實。現在到了民主共和的時代，而進達社會上層的門徑卻爲貧窮階級至少是小康之家所壟斷，這究竟是怎樣解說呢？

收復大陸貧者益多 教育制度應該注意

爲現制度辯護者往往說，國家立法應爲大多數人着想，少數特出之人，縱因現有的限制不能入大學，亦不患無出路。此說似是而實非。無論國民受教育之機會一律平等，不當因經濟力之缺乏，而使有學力與眞志之人被剝奪其受高等教育之機會；至於優秀而有志之人不入大學，固不患無出路，但如能入大學，豈不是成爲對國家社會更有用之人。國家對於其他不健全之兒童尚須爲之特別設施教育；而對於優秀有志之國民，豈可因其爲少數而漠然置之？何況貧苦之家，實較富有資財者爲多，特別是經過長期戰爭，與多年匪亂之後，今後光復大陸，則大陸上國民保存其財富者已極少數，一般人將是貧者益貧，故眞正爲多數人着想，亦當另行考慮。

或者謂今後如在初中高中設立獎學金，則貧家子女而聰穎好學者，亦不患不能按步就班，修畢中學，然後考升大學。然無論初高中學的獎學金普遍設置，殊非易事，即使能之，然貧家子女所短缺者，往往不僅爲學校用費，其在十三四至十七八歲的中學時期，往往還須工作以贍家，中學校的獎學金斷不能代替全日工作，而於晚間補習與自修的便利，自不待言。

准自修生投考大學 四種顧慮均可打破

或者對於自修生投考大學又提出若干種困難，歸納起來，約爲（一）各大學招收學生或致過濫，使程度不足者可以僥倖；（二）學校教育不限於書本的智識，如准許自修生考入大學，縱然學科的智識相當，其他的訓練不免短缺；（三）自修僅限於書本，對於自然科學的實驗將無法自修；（四）目前尚有學校畢業的界限若准許自修生考入大學，轉使有權勢者僥倖進之門。我認爲這些困難誠然不免，但絕非不能制裁者，姑就我的意見分別提供應付辦法如左：

預備試驗 防止濫收

對於第一項，則今後大學校的設立定然要嚴加限制，祗要大學校的本身健全，濫收學生之弊自可免，否則縱無自修生可考升大學的規定，每年粗製濫造之中學畢業生亦僅足供大學校濫收而有餘。此一問題姑置勿論，且爲特別慎重起見，對於自修生之投考大學以前，可舉行一種預備試驗，此種試驗可由各省或院轄市教育行政機關主持，每年在各大學招考新生以前若干月舉行一次，凡未經中學畢業而自認爲同等學力可以投考大學者，得報名應考，其所考科目不妨較廣，包括中學校各種主要科目，評定及格後，由各該教育行政機關給予准考大學證書，憑此證書，始得向大學校報名，與高中畢業生同應入學試。如此則大學校濫收之弊可免，而眞正優秀的自修生亦不致見阻於大學之門。

中學課程 均可自修

對於第二項，則國民的基本訓練已括入於基本教育之六年期內，此時期的教育依法人人都有接受之義務。小學校未修畢者不許考入初中，我無間言。至於中學校實以升學爲其主要目標，除有名無實之體育與訓育外，事實上其設教之要素皆集中於智識。我在前一段所提議的預備試驗可包括智識的全部或大部分，甚至體育亦可從體格的檢查而有相當的反映，其惟一無法試驗者僅關於道德的與公民的訓練，然就事實而論，各中等學校對於道德的與公民的訓練亦徒有其名，畢業的成績也都不以爲依據。那又怎能苛求於自修生呢？

自然科學 應許選修

關於第三項，理由較爲充分，然亦非無可救濟。我認爲可有兩種辦法以彌補此缺憾。一是各地方高級中學對於需要實驗的科目得收選修生，經試驗認爲程度堪以選修此一二科目者，准其隨同正式生從事實驗，實驗完畢由該校給予證明。一是大學校對於所收自修生，經入學試及格者，如將來所修課程需要某些前期的實驗，可指定助教指導此項新生補作實驗。至於擬入文法商教育等科系者，此項補作之實驗自無必要。

情面關說 不難防止

對於第四項，在今日的中國似亦未嘗不可成爲問題，其實自修生須多經一次預備試，多了一道對抗情面的防衛線，在有權勢者其實力本不難使子女按步就班修畢中學課程，不見得會聽其以自修生資格增加預備試的一層困難。故此一顧慮未必存在。至於情面關說，對於中學畢業而考升大學者，亦何嘗能免，祇要主持大學校者能認眞嚴格，自不成問題。

略談各國教育制度 大學入學應仿英國

末了，請略述英國等之學校制度，以供我國人的參考。英國不僅無需畢業中學校，便可應大學校的入學試，甚至大學的科系也有些人可以自修而考取學位。歐洲大陸的德法兩國大學校，入學試在德國必需有中學畢業證書，在法國則有中學畢業證書者，其在大學畢業時所得學位與無證書者有別，然而德法兩國的中學校卻沒有像我國現在中學校之嚴行『畢年』制度，致令天才者不能縮短修業年限，中途插班也無不以過去學歷爲據。況且德法兩國的大學生入學後，多賴自己研究，聽講儘可隨便、故考升大學以後不妨採取研究的自由。我國由於中等學校的程度不高，大學校外的圖書館也不多，故目前大學教育仍應以課堂及校內圖書及實驗室爲主，還不當模仿德法的自由研究，也不宜採取英國之大學學位可以自修考得，但是對於大學之入學，實應效法英國，中學畢業生與自修生可以同等應試，並且參酌我國情形，對於自修生不妨增加一種預備試，以杜冒濫。

眞是奇怪得很，我國向爲考試制度嚴格而著效的國家，考試權復爲孫中山先生所積極提倡，而政府迄今對於大學校的入學考試還不敢放心，卻令英國專美。又英美等國一般人民的富力遠勝我國，他們對於窮家子女不能按步就班入校肄業者，都給予種種通融與便利，我國至今對於貧家子女的進修便利，還是不肯放鬆。這個眞使我，百思而不得其解。

（民國四十年五月廿九日作於台北）

漏網珍聞

印度新「甘地」出現

·一丁·

哈德拉巴的土地問題，就靠他精神感召，開闢了解決途徑。尼赫魯四年圍剿不了的共產黨游擊隊，也因此開始崩潰。

土地問題最嚴重的國家，全世界當首推印度，因爲在那裏，貧富距離太遠，大地主阡陌連雲，佃戶則貧無立錐。這幾年，共產黨已看準了這塊肥肉，正加緊煽惑貧農，刼殺地主，毛澤東佔領中國大陸以後，此種工作，在莫斯科策動之下，進行更見積極。

特別在中印度的哈德拉巴（Hyderabad），有一種殘酷剝削佃農的制度，最激起農民憤恨。這制度名叫「壓帝」（Yette），即地主與警察，稅吏結合，強迫佃農，替他們工作，並不給任何工資。在一九四五年以前，佃農們承襲多年傳統習慣，也只好逆來順受，未發生嚴重反抗，其後共產黨乘機潛入，組織游擊隊，鼓勵農民暴動，暗殺了一些大地主，並將這些地主的土地重新分配給當地貧農。

共黨領導農民暴動

一九四八年，尼赫魯派遣武裝軍隊，及一萬名警察進駐德陵格拉省 Telingana，該地區哈德拉巴，爲共黨叛亂的重心所在，尼赫魯想藉軍警力量，從事鎮壓。但四年以來，并沒有收到良好結果。共黨游擊隊，在這四年中，一共殺害了三千名大地主和親政府份子，燒燬了幾百所房屋，和幾千噸米糧。尼赫魯又曾下令廢除強迫作工的「壓帝」制度，以爲釜底抽薪之計，但警察們却陽奉陰違，不願犧牲權利，甚至還另採一種代替「壓帝」的辦法，他們隨便奪取農民的雞鴨，牽走山羊，徵用牛車，因此，許多業已轉變的農民，又重新走向共黨懷抱。

畢哈夫是甘地信徒

不久以前，忽有一人，身體瘦削，貌似苦修，帶鋼邊眼鏡，一路灰色山羊鬚，攜着幾個同伴，走進德陵格拉，他名字叫畢哈夫 Vinoba Bhave，是已故聖雄甘地的信徒。他向農民宣佈，凡共產黨所曾許諾替農民爭取的東西，他將能同樣給農民爭取，換一句話說，就是他能爭到土地給沒有土地的農民。

畢哈夫和他同伴，每晨三時半起床，禱告與靜默九十分鐘以後，就迅速步入一當地村莊，稍事休息，即在村內舉行他的個人法庭，他讓農民儘量傾訴一切身受的痛苦，替農民仲裁一切爭執。他依循甘地路綫。他還樣告訴農民：「如果警察仍強迫你們無代價工作，就立刻拒絕並告訴他們，是我渾樣教你們做的。」他又常常這樣說：「土地是人的母親，任何人都有權去和她親近，因此，公平的土地分配，實有必要，如果地主們願意捐獻他們的土地，他們就將能改變整個印度人民的生活」。

分配土地的上帝來了

在他步行七百英哩以後，他說服了許多地主，捐出土地。已有五千英畝，經由他重行分給沒有土地的農民。印度國會中一些領袖，都贊成他這辦法，願予各種幫助。哈德拉巴政府，新頒佈一項法規，凡地主土地超過七百五十英畝的，其超過部份，必須依照政府定價，售予佃農。

現在凡畢哈夫走到任何地方，公路兩旁，和老百姓住所，都有人結綵懸燈。每當破曉經過路邊各村莊時，就有成羣結隊，衣衫襤褸，形容憔悴的窮苦農民，高聲大呼，「分配土地的上帝來了！」有的人，則喊他做「甘地的兒子」。他們跪下來摩他的脚，向他獻花，打鼓，吹喇叭，表示對他親熱的歡迎。

共黨暴力政策失敗

上一個月，哈德拉巴，祇有三個人被共黨殺害，過去，則每月總至少有二十人，警察捉到了兩個游擊隊領袖，共黨領導的叛亂已告崩潰，有些共黨，據說多已轉變，而參加畢哈夫的祈禱大會。

畢哈夫說：共黨採用暴力，這條路是不適合印度的文化。而共黨所宣傳替窮人服務的方法，也根本錯誤。

畢哈夫短短一時期，他的成就，竟超過了尼赫魯幾萬軍警的四年圍勦，雖然他和甘地一樣，都是印度文化的特殊產物，但這件事實，確是十分值得反共人士和注意土地問題者的研討。

平滬大屠殺的插曲

中共迫令老百姓鞭屍

用石頭木板亂打或腳踢、並高呼感謝毛主席替我們報仇

伍子胥鞭楚平王之屍不過歷史上一種傳說，但從文明，進步的尺度看來，這實在是最野蠻，殘酷而無意識的行爲。現在大陸上中共，卻正千方百計，強迫人民，向野蠻，殘酷而無意識的道路上走。一批一批大屠殺，將死者屍體，暴露在刑場上，叫和死者有仇的人，去在屍體上，再打上幾棍，踢上幾腳。中共的報紙，一定還這樣記載着：「人民政府替我們伸了寃，我們感謝毛主席，我們要以增加生產，抗美援朝，報答毛主席。」

中共報紙如此刊載

上海解放日報載：「這一次鎗斃二百零五名惡霸，各界人民在刑場上親眼看見自己的仇人正法，個個揚眉吐氣，排着隊去看反革命惡霸的汚穢屍體，許多苦主還去尋找自己的仇人。有些人尋到了新成區女惡霸雌老虎（按即高王阿寶，五十三歲）屍體，拍手大笑，高喊：『人民政府做了好事，這隻雌老虎變成死老虎啦！』於是大家就很很的向屍體上亂踢一陣……」

北平人民日報載：「五月二十二日北平處決二百二十一名反革命份子，其中有三十二名，係解往南苑鎗斃。南苑附近老百姓擁在刑場裏看死屍。王文秀從地上拾起許多磚石向惡霸楊金芳屍體打去，說：今天總算報仇了。右安門農民李永祥很狠的踢了地主田德玉的死屍一腳。西紅門農民李永祥用木板在地主趙運昌的屍體上亂打一陣。」

所謂仇人從不相識

以上都是在中共機關報上白紙黑字很顯明地登載着，絕不是別人可以憑空揑造。不過我們很奇怪，在中共控訴所謂「惡霸」「國特」的罪狀中，有許多是說某「惡霸」殺了人，不許收屍，或說某「國特」，捉到共黨，鎗斃了還在屍體上捌上幾刀。不管某「惡霸」某「國特」有沒有這種情形，但共黨既認暴屍戮屍，是一種不可寬恕的罪行，爲什麼中共一面以這種罪行殺人，一面又自己將這罪行，做得更變本加厲呢？這實在叫人無法了解。

其實，中共機關報所說老百姓戮屍報仇的話，都百分之九十九，出自中共精工製造。據在大陸逃出的難民說：每次大屠殺前後，中共總限令每里街坊派多少人參加控訴、公審、及親到刑場觀刑。所謂報仇，根本就有許多人連仇人也從不相識，但中共編排一些詞句，指定某人登台控訴，你就不能不去。至於到刑場的人，大都當齊一堆一堆屍體倒下去時，嚇得連眼睛也不敢睜開，回到家，有的更多吃不下飯。但中共隨便在旁邊抓到一個人，尤其是曾經叫你控訴過某惡霸或國特的，叫你去踢某個屍首一腳，你也就只有踢，結果，你就成了感謝毛主席替你報仇的人了。如此這般，就是中共的把戲，不過在大陸上這種把戲眼看就要全部戳穿了。（不毛）

共黨運送公糧中途盜損過半

因係共幹所爲　僞府責令賠償了事

中共管理下的公營事業，同樣是舞弊營私一揚胡益，湖北省帆船運輸公司在本年三月間，承運中南區糧食公司由樊城運漢口小麥一百三十萬斤，不料全隊船隻到漢口卸貨時，竟損失了十七萬多斤；另有六十餘萬斤被摻沙發水。這件事被揭發以後，經切實調查，始知該批小麥在樊城未開船前即被船上職員徐正中盜竊五千餘斤，吳漢鈞盜賣三千餘斤。到達京鐵時，又由職員張廣川等用沙和泥砂成塊，摻在小麥裏。船行至天門多祥河，徐正中，陳登財等，揑造名義提去五十包。因此，到漢卸貨，全隊裝運的公糧一百三十萬餘斤的糧中，摻沙發水的就有六十餘萬斤之多，全部斷欠的十七萬餘斤中，僅吳鴻鈞、徐正楚、善久、陳登財、徐正中、林國關等十人就盜走了十二萬九千五百餘斤。中共以等均爲共黨下級幹部，未予重懲，僅令分期賠償了事。（懷民，六月一日寄自漢口）

「人民代表」兼蘇州評彈協會理事長

錢景章被捕後即將槍決

甘松筠陳不窮確於上月十九日在京處死

中共屠殺的對象，是遍及於各行業，各階層，只要誰不順眼，誰有反動嫌疑，就誰該死。正如中國小說所述強盜們替天行道時兩句最通行口號：「順我者生，逆我者亡」。中共唯一教條，即在中共統治下，決不許逆我者有絲毫偸隙苟活的餘地。

京滬綫評彈界多人被捕

等軍管會宣布甘等罪狀

京滬一帶，以說書，彈唱爲業的所謂評彈界，最近已遭到空前厄運，上海、蘇州、無錫、南京、都有多人被捕。南京最受聽衆歡迎之評詞大家甘松筠，和他徒弟陳不窮，確已於上月十九日在京鎗決。軍管會佈告，說他們一向以評詞爲掩護，進行反革命活動，公開製造與散佈謠言，解放初期，對中共即信口毀謗。其後更破壞中蘇友好同盟互助條約，汚蠛蘇聯。抗美援朝事起，又爲美帝辯護，並揑稱台灣即將反攻，種種罪惡，雖經一再施以教育，仍不悛改，因此，只有嚴厲鎭壓，以維護人民利益云云。甘松筠說書，已有二十年歷史。他一向最歡喜科彈時局。在敵僞時期，罵日本，罵汪精衛，雖在日軍強暴威嚇之下，仍是堅持不屈，後來日軍也就把他當瘋子看待，除有時禁止其公開登台外，並未加以殺害，勝利以後，對國府當局和一切施政，則更是嬉笑怒罵，無所不至。國府在施行憲政言論自由的大帽子下，當然無法嚴加制裁。他以爲這兩關都經過，中共一向是高談言論自由的，開開玩笑，決無問題。不料他和他的徒弟，竟就這樣無問題而丟了性命。這當然也出於他們意想之外。

上海共舞台開控訴大會

老婆要求即鎗斃錢景章

接着甘松筠陳不窮鎗斃以後，蘇州評彈協會理事長錢景章在蘇州被捕，這兩天，上海文藝界，忽展開了控訴錢「匪」景章的熱烈運動。上月卅一日，共舞台舉行大會，據中共宣布，到會參加控訴的，有兩千人以上。于伶，周信芳等被推爲主席團。控訴的罪名，無非是（一）錢係「國特」，做「中統」情報員，（二）曾和國軍蘇州城防司令李某結拜弟兄，獄壓同業，（三）強姦過幾十名女人，尤其大多數爲他所收的女徒弟，（四）直到現在，他還逢人便勸「聰明些，時局還不知道怎樣呢？」他並阻止兒子捐子彈費。當控訴進行時，主席介紹一個女人叫劉美仙的說她是錢的老婆。她登台說，「萬惡的錢匪，他是中統特務，他不准我進步學習，阻止我和進步同業接近，他永遠想麻痺我，不讓我暴露他的反動活動，我要分清敵我，否認他是我的丈夫，我要求政府將他鎗斃。」當然，這又是一幕「大義滅親」的演出，在「鎗斃」兩字之後，響起了全場如雷的掌聲。但今天有人告訴我，劉美仙是錢的一個下堂妾，因拚了一個中共幹部，被錢趕走。錢自被捕到被控訴，這一桃色事件，也是其中主要原因之一。大會在所謂全場一致之下，通過了一封致蘇州公安局的信，要求依照人民意旨，立將錢景章鎗斃。

人民代表突然改稱國特

最大原因不與共幹合作

錢景章之死，當然是不成問題了。他是一個彈唱爲生的藝人，不但談不上什麼「國特」，根本就與政治無關。不過他在評彈界資格很老，中共起初，因他是蘇州評彈協會理事長，會極力表示好意，多方拉攏，並指派他爲蘇州人民會議代表，恭維他是民主前進人士。至於由前進而變爲階下囚，其中原因，除了上述桃色事件外，最大的一項，還爲他不肯遵照中共要員蘇州文聯指導員錢江意旨，進行中共的戲改運動，錢江認爲不殺了錢景章，不僅蘇州評彈界，無法改造，連上海也要大受影響，至於「國特」云云，當然是中共們信手拈來的一頂高帽子。（悠然，六月二日寄自上海）

所謂「勞動模範」

都變成「模而不勞」

開會訪問消耗了所有精力

中共統治下的東西，一方面是光怪陸離，另一方面則是幼稚拙劣，就拿「勞模」一事來說，已是怪象畢呈笑話百出，連他們自己也覺得難以收科了。

所謂「勞模」，就是「農業勞動模範」和「工業勞動模範」的簡稱。是中共最拿手的愚騙農工的法寶，據中共對「勞模」的解釋，是由於他們「生產積極，富有主動的創造力，能在生產中起帶頭推動作用。」把這樣的腳色大批製造出來，不消說是頂合理想的「大力生產建設」工具。可惜這一項「光榮」的大帽子戴久了，「勞模」們都大大感到吃弗消，疲乏之地倒下來，同時再也找不到後繼者。下面的一堆的眞材實料，證明了「標術雖能投機取巧於一時，但得到的卻是完全相反的果實——「勞而不模」。

勞模並非萬能　村幹不肯幫助

華東農林部計劃室主任林□，綜合各地實際情況，他說：大家對於「勞模」，會後，就讓他們單槍匹馬去攪，毫無幫助。山東省樓東縣勞模江元起說：「政府對勞模雖很重視，但具體的幫助很差」，山東勞模張富貴（他是全國勞模之一）也說「勞模」不是萬能，光靠表揚不是辦法。」去年秋天在登縣高材區舉行勞模和生產積極份子座談會時，發現有些村幹部認爲「幹部的功勞都是勞模的，想辦法還得村幹部」，認爲村幹部出力無功，對勞模就不肯具體幫助。

身兼二十要職　開會召九十天

許多地區都把勞模看成是一切的能手，任何工作都找他幹，變成一樣樣通，樣樣都不精，一般勞模最少身兼四五職，普通也十個八個。山東文登縣的全國勞模張富貴，上自省，下至村，足足兼了二十個，又從今年一月到現在止，在外邊開會共用去八十二天的時間。爲了參加華東區的「五一」廣播大會，前後費去十五天。吉林省全國勞模韓恩象的職務也有十五個，去年出席各種會議所用去的時間共一百九十九天，超過了一年的時間的二分之一以上。這個數字還沒有把他參加村屯黨的小組會和生產小組會等會議的時間算進去。此外，山東縣勞模江元起，也是一開會就十來天，組員因此都對他不滿，說：「這樣開法，不愁荒不了地」，浙江省有的勞模提出來說：「領導上經常調我們出

外鄉工作，……是模而不勞了」。但勞模們自己覺得負担太重，他們的家屬也因爲他們常常就誤生產，流行着一句話：「勞模勞模，怪光榮，可是吃不消。」便是他在出外開會時，要他的老婆和孩子代替他生產，或者僱工頂補。

常年應接訪問　平均每日一人

很多勞模由於生產成績比較優越，去年訪問的人很多。去年各機關到張富貴家裏訪問的就竟達一百次以上，由於來客問長問短，就誤半天工夫，尤其是常有的事，在農忙季節，白天訪問，晚上又要參加互助組會，村幹會，等，勞模都感到筋疲力盡。一九五〇年平均最少有一人來訪，住留時間短的一天，長的竟達六七天。這些訪問者的目的，自然都說搜集材料，調查研究，以資效法，可是訪問者的生產並不見得增加，被訪問者的生產卻竟被大大的耽誤了。

察哈爾省勞模王文和兼職太多，一年內開會誤工五個月，一年參加各種會議誤工一百三十七天，山西勞模李順達，經常駐有七八個單位的幹部調查訪問。因此勞模們早有了「模範不起」「開會厭煩」的呼聲。

猴子戴上金箍　一直勞模到死

他們也清楚一些領導幹部祇是把培養和組織「勞模」的工作局限於少數人的身上，停留在一兩次的運動上面，因而一經選拔了若干勞模後，就把一大堆不應由勞模負担的工作，也堅持他們參加，不去繼續幫助他們提高，並培養更多的勞模，甚至對勞模發生嫉妒與破壞，然而怎樣才能糾正這種錯誤呢？沒有。因爲這些所謂「勞模」根本是被製造出來，他們的本身上前去，祇是一副活動的機械，並不是自主自發，甚至有些地方爲了也要推出一些勞模，以免相形見絀，於是一批老實頭子，在莫名其妙的場合下，被捧出來，硬把勞模大帽子給戴上了，這一來，可就苦了，正像孫猴子戴上金箍一樣，欲罷不能，非一直「勞」「模」到最後一天的「死」——不可。上面提出的不過是正面一些公開許可的材料，不能公開的「勞模」……出來，那才使人哭笑不得。有四句暗地裏流行着的話爲證：「嗚呼勞模，不「勞」而「模」，開會訪問，一場糊塗！」（臨光，六月二日寄自北平）

鐵幕叢談

音樂教員一句話　弄到家破人亡

本身鎗斃中共還未洩忿

鄉友何某前天由「血區」（按廈門方言「血區」與「匪區」同音，故民間常稱鐵幕爲血區）逃離抵港，言及下列一事，聽之令人悲憤。

五月某日廈門又十八人被押往廈門港的海灘射殺，張某是十八名中的一個，生前在一所小學當音樂教員，死後中共寫他的罪狀是：「廈礁游擊第三縱隊司令」，但，是否事實沒有人知道。知道的卻是爲了一句話：有一天張從教室下課回辦公廳，對同事說：共幹叫我們把「解放區的天，是明朗的天」，「東方紅」，「你是燈塔」等歌教給學生，這種太淺陋的歌曲，教起來實在太沒意味。這句話似乎談笑又似乎正經的話，大家都認爲是他後來致死的原因。

本來「血區」如是這般的死法實在太多了在血區的人也司空見慣不足爲奇。但更使人悲憤的是中共既經把所厭忌痛恨的人處死，而對活在世上的家屬還不肯干休。張某死後家中尚留五十多歲的老母，妻子和兩個孩子，中共把他們所住的房子佔據了，命張母住在夫子廟裏，張妻派在「民主婦聯」慰問組，兩個不到十歲的孩子跟着婆婆在夫子廟，並限張母在廟鄰十家行乞度活。這十家被指定任張母行乞的居民，因爲怕共幹說他們富裕，所以大家雖然同情她也不敢過度表示，冷飯粗粥僅足糊口而已。有一天星期日的下午，張妻偷偷帶了一小手帕的飯乾往夫子廟探望婆婆和孩子，不幸給街公所的共幹看見，張妻回婦聯後，被女幹大罵一頓，從此張母行乞的範圍由十家縮小爲七家，張妻也不得再往夫子廟，這老太婆終於不堪慘苦一病而死，兩個孤雛，初時流浪街頭，後來不知那裏去了，聽說也已死去。張妻知道婆婆和孩子的消息，痛不欲生，幾次自殺未成，過了兩天，卒在第五碼頭發現她的浮屍。（閩南）

湘鄂「土改」成績如此

農村一片紊亂

麥田被人偷割　生產普遍低落

從湖北湖南各地傳來的消息，「土改」以後，已發生許多不良現象。如共幹們所分之田，成熟時被人偸割，堤壩被破壞，及生產低落，災荒嚴重等。茲誌如左：

湖北宜都一縣因凡農會幹部自己或其親屬耕種的田地，最近麥子成熟，多夜出被人偸割。偸割麥子的人，有已被清算的地主，也有無法生活的貧農，這類事件，枝江、興山、秭縣、鄂城、宜昌、南漳等縣也同樣發生。

宜昌地主劉云成王金華被押往農會時暗藏尖刀三把，押解的民兵，幾乎被他們殺掉。

湖南湘陰十三區同東垸，在四月二十七日，被人將堤掘開淹壞稻田二百多畝。同縣三區一個可灌溉五百畝田的水壩，也給人由山上推下來一塊幾十噸重的大石頭打壞了。

醴陵今年旱災嚴重，加之「土改」工作，增加農村的紊亂，（一）原據共方檢討，一般農民對生產發生顧慮，在尚未實行土改的地區，都怕快要把種出的青苗分掉，因此不敢下種。（二）肥料普遍缺乏，有些分得田沒有足夠的肥料。肥料由政府統制，肥料局定價太高，農民不來買，禁止農民自由採購。又弄到生產效率極差。（三）災荒影響，醴陵九區去年遭受嚴重水旱虫災，今年夏荒更加嚴重，農民天天哭着要求借款救濟，都沒有結果，甚至有些因爲沒飯吃而服毒自殺。（懷民，六月一日寄自漢口）

寡婦再醮

·羊辛·

共產黨鼓勵寡婦再醮，區政府祕書張得勝執行最力。

他親自到丁老頭家裏去進行「說服」工作，因爲丁老頭有一個寡居的媳婦阿玉。

說起這丁老頭，也着實可憐，辛辛苦苦操勞了半生，巴望他唯一的兒子根發能夠承繼香烟，顯祖榮宗，爲他娶了媳婦阿玉，還生下一個小女孩，不料一命嗚呼。那丁老頭眞是哭得死去活來，阿玉也悽悽慘慘，帶着小女孩渡起寡居生活，匆匆已有四個年頭了，却也相安無事。

區政府祕書張得勝，腰間掛着一支木殼槍，紅布纓着槍柄，他拍拍丁老頭的肩膀，裂開嘴，露出兩片又大又黃的門牙，道：

「丁老伯，現在是革命的時代了，你要搞通搞通思想呀！該讓你的那個媳婦，再去找個丈夫！」丁老頭駭了一跳，眨眨兩隻松鼠似的眼睛。望着張得勝。「現在寡婦要再醮，纔算前進，——你的那個媳婦呢？」「她她她她……」

丁老頭半日說不出話來，手指一回指到門外，一回指到廳上，結結巴巴的不知所云。眞的，這些年來，丁老頭也磨折夠了，兒子之死是個大打擊，而自「解放」以來，天天所見所聞，盡是捕人殺人，遍地血腥，嚇得他縮做一團，戰戰兢兢，每次見到這些威風凜凜的「同志」，就心慌起來，不知所措。

那「張同志」冷笑一聲，就走到阿玉的房門口去了，他請阿玉出來談話，告訴她須去參加婦女會，且發揮了一大套「前進」的道理，說是寡婦之不肯再醮，乃是最不前進，最落伍；最跟不上時代之事，應該反對那些七阻八礙的老封建，言下，大有向丁老頭示威之意。

第二日，婦女會的人來了，把阿玉拉拉扯扯的拉了去，那小女孩忽然離開了媽，號啕大哭了老半日，怎也哄不住，氣得丁老頭兩眼發昏，捶胸跺足，抹抹兩行老淚道：「反正我也活不久了，不如早些死去的好！」

阿玉自從參加了婦女會以後，頭髮剪短了，穿起解放裝來，也懂得跳腰鼓舞，唱着扭秧歌了。她很活躍，時常當女主角，又漂亮，又會演戲，儼然做造得十分前進。然而這可苦了那小女孩和丁老頭，沒有人看顧，家裏弄得七零八落，阿玉晚上又時常不回來，說是「工作很忙」，撫養小女孩的責任全落在丁老頭的身上，他得煮飯洗衣，晚上又得起來給小女孩撒尿，萬一被忙得頭昏眼轉，萬一這小把戲號啕大哭起來，又得費盡九牛二虎之力去哄她，簡直把他累壞了，他不住喃喃自語：「反正我也活不久了，不如早些死去的好！」

沒有多久，阿玉果然「畢業」了，實行「寡婦再醮」，宣佈結婚。

新郎不是別人，正是那個區政府祕書張得勝張同志。許多「同志」皆來道賀，譽之爲「革命鴛鴦」，尤其阿玉，更被譽爲「革命模範」，廣爲流傳，要大家向她「看齊」。

只有丁老頭倒了霉，整日還在管着那個小女孩的起居飲食瑣事，嘴裏照樣喃喃自語着：「反正我也活不久了，不如早些死去的好！……」

萬竹樓隨筆（二）

·斧生·

曾慕韓的遺囑與絕筆

我已在本刊的二十一二三各期，略述慕韓的生平，頃讀其去年十二月六日與台灣某同志書，其中有重要的一段，不啻是他的一紙遺囑，特再補記於此：

「弟爲貧病所苦久矣，處茲亂世，奄奄殘生，所以尚不願遽與世長辭者，亦以生平抱負，百未一展，以國家主義倡於天下，而親見國家亡於斯拉夫蠻族之手，若不及身而親恢復，則雖死亦不能瞑目。加以自傳尚未寫成，詩文集尚待編定，政見亦未完全寫出，是以尚冀壽命之稍延，非有戀於塵世也。」又云：「弟已吩咐家人，如竟死於海外，必須舉行火葬，以便他日灰骨容易運歸，屆時由兄等分配，除以一部份葬於故鄉先父母墳旁外，餘則分別撒於黃河長江珠江遼河各大流域，以示弟之忠魂隨流水以縈繞故國，此非故作悲觀之論，事實上亦饒有可能，兄姑誌之可也。」

這封信寫在他去世的前五個月，其時正入華盛頓大學醫院治療貧血症，尚非最後一次割盲腸也。

我前記提到去年他從巴黎寄給我的兩首詩，我所看見他的詩，此爲最後，大概要算是他的絕筆了，也補錄在這裏：

其一：玫瑰花開百鳥鳴，當年曾此結鷗盟，故人多少先朝露，淒絕孤鴻斷雁聲。（重遊巴黎）

其二：鳳泊鸞飄不計年，海枯石爛欲迴天，餘生無復重來望，鐵塔低徊亦惘然。（臨去巴黎）

玫瑰村在巴黎近郊，電車三十分鐘可達，中國留學生居此者頗多，中國靑年黨即發起於此。我二十七年八月離開巴黎，臨走前一天，還去聽了一次「阿拍拉」，在火車上爲送我的纔石君唸了東坡的一首絕句：「淒音怨亂不成歌，縱使重來奈老何，淚眼無窮似梅雨，一番勻了一番多。」我這種浪子的性格，與慕韓固自不同也。（四〇。六。六。）

孤芳自賞

·黃錫包·

孤芳自賞並不只是人的下意識泛濫，草木蟲魚，飛禽走獸，也是如此。醜得怕人的狗熊，常會邁開四方步，瞻前顧後，下意識的自我欣賞一番；滿嘴屎臭的狗，飽餐之餘，大有人世間豪門之狀，昂首寬步，恍似從高士打大廳出來。

人的孤芳自賞，表現於心理的，多半是下意識的狂熱輕妄，屬於這一類的人，或者是從娘胎裏帶來一副醜而又醜的尊容，五官缺一，凡是鏡子都是他的大敵，顧形映照，怒火升天，自卑自賤的熾烈交織與衝擊，在最高的極限情緒下，它會從這一極蛻變成爲那一極——不可告人的憎恨轉孤芳自賞來排洩。這類人，遇見勝過於他的人，事，物，都激盪起無比的仇恨，嫉忌，最後以自己直覺的不凡，掩蓋他的終生最大缺陷：醜與惡。

在羣居生活的社會中，「孤芳自賞的人，往往表現出強烈的排他慾，一方面他對人世間的理智良知深惡痛絕，對新的，晶明的，素質提高的，使用種種卑鄙伎倆，壓制，誹謗；另一方面則利用唯一完整的舌頭，翻雲覆雨，張揚他的不凡與超絕，藉此在羣居社會中，擺出一套強詞奪理的詭辯本能。

對付這一類人，最好的辦法是無情的打擊，無情的進攻，與無情的暴露。

從南京到香港（五）

·王一中·

各地區盤查兒童 比成年尤爲嚴厲

依共黨政府規定，戚友臨時留住，至多不得過五日，余來杭時，本擬借宿即行，以翟君之堅留，至今已到限期，且昨日聞其同事留客逾期，已傳至公安局，至今未返，賓主同受罪嫌，余更不敢再事淹留。爰于二十四日正午在杭州城站，登車西行入贛，車開後約二小時，押車共兵對旅客施行突擊檢查。有來自鄉間之兒童一人，年約十一二歲，見兵查人，奔告其父。共兵見之，疑爲有何祕密，聲勢洶洶，喝令止步舉手，解衣搜索，除衣袋內藏華齊數個外並無他物，而該童父子即飽受虛驚。又有一童，年與前者相若，甫自便所出來，經過檢查地位，稍有驚惶之意，突被共兵攔阻檢查，益覺惶悴無措，共兵見狀，檢查益嚴，衣縫鞋底，耳穴，肛門，無不細看，嗣經訊問，並無異情，乃免于禍。

其後車過萍鄉，衡陽等地，上車兒童，亦有曾被檢查者。在廣州車站下車時，且見有一兒童，因不懂粵語誤答哨兵盤問而被捕去者，未知如何處理。于此曾憶及居南京時，嘗見各城門口之共軍，對于兒童之檢查，較成年人尤爲注意；當中華門外火藥廠在去年多爆炸時，附近各校之兒童，均被注意監視行動。以是爲父母者，非有要事，多不准其任意出門。

按未成年之兒童，在法律上可以減免罪刑，行動較爲自由，何以共黨獨對兒童盤詰特嚴，注意更甚？蓋共黨在未渡江前，曾利用兒童放火，剪電線，及妨礙火車軌道等工作，以擾亂社會秩序，今恐國軍游擊隊等亦要用其故技，故檢查行人特別注意兒童耳。

『肥』『瘦』對照

·越人·

「無產階級的領袖們肥了」！這是一位美國記者在比較一九四三以及今年「五一」蘇聯領袖們在列寧廣場閱兵台上所攝照片的結果。他說：以前他們都穿着灰布軍裝，戴着鴨舌帽子，瘦削，精幹，而冷酷。現在他們考究的服裝上鑲着金色的寬邊與鈕扣。每一個腦滿腸肥，紅光滿面，十足是布爾喬亞式的大班，這批人是無產階級的領導者，恐怕馬克斯恩格斯在地下也想不到的吧！

同樣在共產中國，患着長期肺結核的「毛主席」，今年「五一」在天安門廣場的閱兵照相，雖然暴發戶得天下，還不到二年，但是滿面橫肉，變比較蘇聯更爲顯著，除了照片的末端，李濟深，黃炎培穿了不合身的解放裝，又瘦又老，露出一副哭笑不得的樣子以外。「毛主席」以及其他高級共幹，都又肥又胖，比起幾年前在延安邊區的照片，簡直是換了一副樣子，一樣是腦滿腸肥，紅光滿面，十足布爾喬亞式的大班像「保健飯」「小灶」這是高級共幹的特派[illegible]西山成爲赤朝新貴們的特區，現在更準備化上一百卅萬美金來造官邸。女人更不成問題，藍蘋不過是陝北邊荒區域的鶴立雞羣而已，現在挑選的機會更多，因此風流韻事，也就層出不窮，聲色犬馬，子女玉帛，應有盡有。共產黨一向標榜的吃苦，節儉，他們自己是完全例外的。可是老百姓呢？天災還在其次，人爲的禍害已到了飢無以爲食，寒無以爲衣的程度，草根樹皮，觀音土，是唯一食糧，那一個人不叫苦連天，那一個人不面有饑色。因此「人民翻身」了，老百姓是例外，眞正翻身的是共產黨的高級幹部，他們每一個人胖得像「屠夫」，磨刀霍霍，擇肥而噬。如此老百姓安得不瘦？安得不死？這一點已夠說明「無產階級領袖」所領導的革命究竟是怎麼一回事了？

羅隆基可能中頭彩（下）

毛澤東曾說過這人最靠不住

羅隆基的桃色糾紛故事，那更是聯篇累牘，說不勝記。而他爲了桃色關係被打嘴吧的穢聞，也就至少有幾十次。最著名而被宣傳一時的，莫如在昆明一水菓攤上，爲調戲某教授夫人，被教授當場飽揍一陣，及在南京寓所，與女記者浦熙修幽會，被其夫袁子英尋到痛打，但羅對此種情事，絕不以爲羞恥，且不惜詳述經過，藉爲誇耀。羅於女友，無妍媸，無長少，均所歡迎。赤朝中之史良，劉王立明，均與羅交稱莫逆，羅年已五十許，然甚講修飾喜跳舞，望之仍僅若四十左右。

羅在赤朝初建時，滿望有一部長見界。毛澤東到平，羅往謁談數小時，深夜始出，羅欣然告人，蔣毛鬥爭，無怪毛勝蔣敗，我從前見蔣，總是寥寥數語，非常生疏，但這次我見毛，一談就大半夜，並且和我們喝酒抽烟，絲毫不感到在我面前的是一個叱咤風雲的領袖。我想他一定要重用我的。赤朝成立，羅竟名落孫山，使羅滿腔希望，盡付東流，羅的失意，也就比重慶南京時代更加利害。

其實，毛澤東及中共要人對所謂民主人士，最不信任的，是第一爲羅隆基。聞毛會暗中告其親信，對羅要加倍警戒，因爲這個人慾望太大，沒有官做，就要另尋出路。又說，羅是美國留學生，和司徒雷登很有交情，這個人早晚要出問題的。所以，赤朝許多人，都認羅是一個危險份子，因之大家推測，如中共向「民主人士」開刀，羅就很有中頭彩的可能。（大哀）

「自由人」稿約

本報各版，均歡迎投稿，敬訂稿約如左：

「一」除事先特約外，[illegible]

「二」[illegible]

「三」來稿除附有足夠郵費外，概不退還。

「四」發表時[illegible]

「五」但[illegible]

「六」來稿請寄本報編輯部收，勿寄私人姓名，以免延誤。

竹影心聲

·上海來鴻·

·離草·

十九

生了懶病，下一級樓梯，也覺得費力太甚。索性裝着病，我有三天不下床了。白天，在變得高高的枕頭上，容易胡思亂想，我把若霞支開了，一個人靜得有點可怕，我想飛出這個大籠子，我想纏住了你，和你生活在一起，我想學時髦「前進」一番，參加什麼機構受訓，據說這是最好改造懶病的辦法。

因爲想得太多，永遠就沒有結論。

若霞自從與我住在一起後，她給我很多鼓勵，唯一不便是限制了我的寫信時間，每次提筆在手，你猜猜在什麼時候？什麼地方？這樣。我會更養成警覺性的，媽是千萬不能給她知道，若霞的朋友太雜，雖說與我什麼都談，什麼都是意見相同；可是我一直胆小地不敢把這件事告訴她。

也因爲這樣，在不「病」的時候，我有時總得一個人上街，她們以爲我有習慣性的孤獨行動，若霞有時看到我匆匆帶了手提包下樓先避開我了。媽有時還問一句，我的答覆很使她傷心，我說：「你就給我半小時的舒服吧！」

剛才翻了好多時候香港來的舊報（現在連看這份報的自由也沒有），我正是有太多的「翻舊報」心理，如果沒有這「嗜好」，我相信這樣的信也寫不下去的，誰在鼓勵我這樣做？媽？若霞？還是你？

秘密警察來了

·原載星期六郵報·

·張天寶譯·

在列勃萊克地方的安全警訓練學校，經過短期訓練後，哈拉成了國家保安除便衣警部門的一個官員，在保安隊裏，能進入便衣警部門，是一種至高的榮耀。於是他感到高興，他所得到的食糧和薪俸，都超過一般人民，而且他還有權力。不過他的母親哭了，他不要她的兒子去當警察的間諜，而哈拉却嚴肅地警告她，一個人要爲他的國家和黨犧牲。他的母親聽了因而更加哭得厲害，他坦直的對她說，如果她想保留她的農場，就趕快不要再這樣「頑固」。她的母親終於揩揩眼淚而不再啜泣。

歷史的改寫

已故的英國作家奧惠爾曾寫過一本名爲「一九八四年」的小說，描述未來警察國的情形，說歷史不斷因黨的路線之改變而由「眞理部」改寫；人和事物會變得并不存在，而祗是「泯滅」了。捷克在一九五〇年竟已到達了一九八四年的階段，這一點令我不勝驚愕。連哈拉在內，鐵幕後的人現在都已到了這種地步。他從沒有聽見捷克過去著名政治家如史佛拉、霍辛、蘇羅普等人的名字，也沒有聽過美國總統威爾遜對建立自由獨立的捷克之貢獻。他曾一再聽到捷克共和國的奠基者馬薩里克「背叛了勞工階級」，二十年代的民主政權「未能從蘇聯十月革命得到教訓」。由於這一類話的再三複述，他逐漸相信了它們。

他不知道捷克共和國是一九一八年十月二十八日成立的，他似乎也不欲知道，所以也就不會進入他的記憶了。根據重新編纂的新的歷史書籍，捷克得到獨立，是全靠蘇聯。一九一八年十月十四日「哈普斯堡王國的顛覆是得力於捷克的勞工階段，他們在蘇聯革命的影響之下站了起來，發動罷工，全國就此崩潰。」

哈拉堅決否認一般人所承認的共產黨在一九四八年二月二十五日奪取了政權。他對我說：「當時非共政黨想摧毀這個國家，共產黨爲着人民的利益，消滅了這些黨派的政變。」哈拉已經忘記從前的國家紀念日，祗知道共產黨日曆上的節日。他成爲一種機器人和機會主義者危險性的混合物。他的智識和智能已被共產黨書籍所限制。在祕密警察的國度裏，這叫做「智能的組織」。奧惠爾在他的小說裏有一句關於哈拉這一種人的口號，即「無知便是力量」。

我問哈拉是不是曾猜測過西方國家究竟是怎樣的。他搖搖頭，表示從未有過這種念頭。是的，他確也會對西方感到好奇，但這種好奇並沒有成爲具體的行動，因爲探問關於西方的情形便是一種罪惡，是官方所嚴禁的，而且會「使他遭到麻煩」。他從沒有收聽過英國廣播公司的播音或「美國之聲」。也從沒有看到過外國報紙。（三）

自由人
THE FREEMAN
（半週刊每星期三六出版）
（第二十九期）
每份港幣壹毫
督印人：梁大成
社址　香港德輔道中一四九號四樓
電話：三二八二〇
149, 3rd FLOOR, DES VOEUX RD. C. HONGKONG
TEL: 32820
承印者：東南印務出版社
地址：高士打道六四號
台灣經銷處
台北重慶南路一段七十四號

中共財政即將爲韓戰拖垮　再大舉惡毒搜括

「現金管理」和「獻機獻砲」，正像二把利刃，將扼殺了大陸工商業微弱的生機，搾乾了大陸人民最後的一滴血。

張丕介

韓戰快將一年。一年來戰局的變化，不但使毛澤東預期的財經好轉全部落空，而且由於戰費的過度負担，更令大陸的國計民生瀕於山窮水盡的絕境。據權威方面的估計，目前中共爲支持韓戰的消耗，每日由大陸運出關外物資達五千餘噸。爲了塡塞這一無底的漏洞，除了不斷增重稅收與擴大「土改」以強化城鄉財力的搜括外，最近更變本加厲，提出所謂「獻機獻砲運動」及「加強財經管制」，進一步向奄奄一息的工商業開刀。

如果蘇聯不敢多給　有錢也難買到飛機

所謂「獻機獻砲」運動，表面上雖與過去的「勞軍捐獻」，「寒衣捐獻」，「擁軍優屬捐獻」，同爲中共利用「愛國主義」的美名，向大陸人民強迫勸索的手法。但與過去的歷次捐獻相較，却有兩點不同之處：第一，過去的捐獻，多少有特定的用途，但這次的「獻機獻砲」，則係大規模徵稅的變相手法。因爲中共的飛機，自有蘇俄供給，無須自購，亦無從自購，且亦更無從自行生產。目前國際共產空軍的蟄伏，並非由於沒有飛機，而係深恐大舉出動後，將引致美機轟炸老窠。因此所謂「獻機獻砲」，實際上乃榨取民財，勸索戰費的藉詞。其次，過去的歷次捐獻，其規模均無這次的龐大。如「勞軍捐獻」及「寒衣捐獻」，全部數額不過共幣二三千億。但這次的捐獻，據中共「抗美援朝總會」所規定的辦法：戰鬥機一架，折合共幣二十五億元（約合港幣六十萬元），轟炸機一架，折合共幣五十億元，坦克一輛折合二十五億元，大砲一門折合九億元。據近數日來中共報紙的宣傳：各地「獻機數額，動輒以十架廿架計。如天津至七日已捐獻二十二架，（折合共幣一千一百億元）廣州至九日止已捐獻十架。北平至六日已捐獻一隊。湖南更發起「一縣一機」運動。如以過去各地「勞軍捐獻」的比率推算，這一次的搜括目標，最少在共幣二萬億以上，折合港幣達五億元。其對大陸人民的負担，將較去年三四月間一億分的折實公債尤爲繁重。

對工商業拚命敲詐　結果只有全部破產

這一筆巨款的搜括，其對象雖遍及各階層。據中共「抗美援朝會」的號召：「不分男女老少，都開展愛國的增加生產，增加收入運動，用新增加的收入的一部或全部，購買飛機大砲等武器」。但最主要的負担，絕無疑義的乃落於工商業者的頭上。如天津的廿二架獻機中，據中共報紙揭露的名單，其中仁立實業公司等六大企業即捐獻五架，進出口業初步決定捐獻三架，金融業初步決定捐兩架，花紗布業亦初步決定各獻一架，恒源紡織廠，華新紡織公司決定各捐一架，北洋達生兩紗廠決定共獻一架，全市攤販亦準備捐獻一架（六月八九日南方日報）。從這一捐獻的名單觀之，負担最重者乃被中共認爲「有足夠資力」的「民族資本家」。在這一項大力的捐獻下，勢將大部破產。至於其它大小商號，在同業公會的強迫攤派下，亦將榨乾了僅有的一點資金，一齊掉入破產的深淵裏。

中共對這一次的捐獻，雖仍強調乃完全基於「自願」，絕不採取強迫，但凡在共區居留過的人，都知「自願」與強迫之間實際上毫無分野。去年中共發行所謂「折實公債」時，何嘗不標榜防止攤派，但結果爲了完成「任務」，舉凡封鎖拉人，莫不一一登場，何況在這次大規模勒索以前，中共已事先佈下了天羅地網，從六月一日起，在各地普遍實施的所謂「現金管理」。

不許私人存錢過夜　使你無法逃避捐獻

根據粵共六月一日轉報「中南財經會」「關於加強財經管制」的規定：今後凡持有超過共幣二百萬元（合港幣五百元）以上的現金，一律均須存儲於國家銀行，不得存儲於店內或家中；商人每日營業收入，除即日零碎支出外，其餘款即須交銀行入戶口，不能留在店內，商店購貨時一律須以支票支付，不得應用現金，售貨時於收到支票後，應連同發貨單立即送交銀行轉入戶口，不能以該支票向另一商店購貨；商人所發支票不能超過存儲銀行款額，存儲銀行總額，更不能超過申報營業資金總額。在這層層的限制下，所有工商業及個人的固定資本，流動資金，均已爲中共所掌握，不僅資金無法外逃及隱蔽，對於中共所規定的稅額與攤派，更無還延及逃避的可能，除了聽候宰割和剝削外，任何人均無法逃出中共的魔掌。

無力供應龐大戰費　中共被迫飲酖止渴

在中共的統治下，私營工商業原已註定了毀滅的命運，只因爲其國營的商業網，目前仍未能全部取代，還有賴於大部的城市的稅收，因此，在過去一年中，還抬出了「調整工商業」的幌子，使私營工商業苟延殘喘，爲他們產生更大的賸餘價值。目前由於韓戰的無底深潭，其財政已接近崩潰的邊緣，到了狗急跳牆的時候，非大量羅掘無以撐持韓境百萬大軍的耗竭。在飲酖止渴的心情下，遂不能不露出其原有的面目，使出全部竭澤而漁的看家本領。先以「現金管制」控制了人民手內的一分一文，再發動「捐獻」來囊括淨盡。天津各企業公司所以一獻數十億，與其謂出於各人的愛國熱誠，無寧謂由於客觀形勢的逼迫。橫豎財已露眼，被沒收只是遲早的問題，何不乾脆捐獻以博取「愛國」的美名。在「現金管理」與「獻機獻砲」二把利刃的扼殺下，不但將斷送了私營工商業微弱的生機，而且將搾乾了大陸人民最後的一滴血！

美國對台政策之史的檢討

從前年九月起到今年現在止，一連串歷史紀錄，美政策究竟有無變化，不難從此中尋得答案

伍健勛

據美國國務卿艾契遜，在參院作證，美國自一九四八年十月至一九五〇年六月廿五日韓戰爆發爲止，曾對台確定『一項政策，那就是唯一的政策』。該政策內容如下：

（一）就美國而論，一段均了解及同意台灣有其戰略上的重要性。

（二）因其具有戰略上的重要性，不願使台灣陷於一敵對性國家之手，此與美國佔領或使用台灣無關。

（三）就美國目前軍備情形及實力言，美國無派遣任何軍隊保衛台灣可能。

（四）國務院願盡其最大努力，運用外交及經濟方法，設法不使台灣陷於對吾人含有敵意者之手。

自去年六月廿五日韓戰發生以迄現在，和去年六月二十五日以前，其間美國政策，雖然艾契遜說，始終都根據前項原則，並無更改。但在全世界看來，這是有着重大轉變的。六月十一日美國時代雜誌，曾將自一九四九年九月廿三日起，至今年五月十一日止，將所有美國對台政策所採重大措置，列有一表，茲譯誌如左，究竟這兩年中是不是有變化，讀者當不難從這一連串史實，自得答案。

拒絕聯合參謀長建議　不派軍事代表團赴台

一九四九年九月廿三日。　聯合參謀首長考慮派遣赴台軍事代表團。決議：不派軍事代表團。

一九四九年十二月九日　聯合參謀首長反對設法從中共手裏拯救台灣。理由：就戰略上言，美國沒有台灣，可能達成任務。聯合參謀首長，對此點意見一致。

一九四九年十二月十日　蔣介石退出大陸，抵達台灣，設立國民政府。聯合參謀首長開始對政策作再檢討。

一九四九年十二月二十二日　聯合參謀首長，改變立場，此時建議採取行動，使台灣不陷共手。主張派遣一小規模的軍事代表團，由軍官廿人組成之。麥克阿瑟將軍及當時由東京考察歸來之陸軍部副部長佛里斯，贊助聯合參謀首長之決定，認台灣必須加以援救。

一九四九年十二月廿三日　國務院對駐外使團，發出四百五十六份祕密指示。內容包括：（一）盡量減少台灣陷於中共的可能性。（二）強調台灣無特殊軍事重要性。

一九四九年十二月廿九日　杜魯門總統主持全國安全委員會會議。布萊德雷將軍代表聯合參謀首長的新立場，要求派遣台灣軍事代表團。艾契遜國務卿加以反對，提案卒被推翻。杜魯門總統贊成艾契遜的主張。

杜魯門發表重要聲明　對台灣不作軍事援助

一九五〇年一月五日　杜魯門在記者招待會上談稱：「美國無運用軍力干涉現在台灣局勢的意向，凡足以捲入中國內戰漩渦之途徑，美國不擬遵循，亦不擬對台灣中國軍隊作軍事援助或指導。就美國政府觀點言，台灣資源足夠彼等獲得保衛該島所必需之種種物品」，惟經合總署的援助，仍將繼續進行。

一九五〇年一月五日　國務卿艾契遜在記者招待會稱：「台灣問題涉及若干專門軍事策略，吾人不擬在軍事方面，對台灣作任何染指，就余所知，政府負責人員及軍事人員，無一認爲吾人須對台灣作武力措施，吾人給予國民政府以大量軍事裝備，彼等並非缺乏來福槍或軍火，亦非彼等不能購買所需要之物品。癥結點則在其他方面，問題不在美國，蓋美國不會且亦不能供給一種抵抗意志，抵抗之目標，須由彼等自己求之」。

一九五〇年一月十二日　艾契遜向全國新聞俱樂部發表演說，述及美國的防禦綫，「沿阿留申至日本，再由日本經琉球至菲律賓羣島」。其中未包括台灣在內。

一九五〇年一月廿六日　國防部長約翰遜及聯合參謀主席布萊德雷告上院外交委員會稱，台灣陷於敵手，將對美國在西太平洋防綫一種危害，但彼等不認該島在戰略上，其重要性竟值得美國派兵佔領。

顧問團助臺訓練國軍　軍火同西歐優先供應

一九五〇年六月廿七日　朝鮮戰事爆發後兩日，杜魯門總統宣稱：『余已下令第七艦隊，防止加諸台灣的任何攻勢。茲爲配合此項行動，余特要求台灣國民政府，停止對中國大陸實施海空襲擊。第七艦隊將奉命執行此項任務』。

一九五一年四月廿四日　國防部宣佈，美國將派遣軍事顧問五百至六百人，協助台灣訓練國軍。國防部次長羅維特談稱，台灣現與西歐同等待遇，將優先供應美國武器。

一九五一年五月十一日　國防部長馬歇爾談稱：『我人立場甚爲明確，決不使台灣受中共政府、或受蘇聯操縱之政府所控制』。

時局漫談

舜生

史太林如何突破難關？

到今天還來在和戰上推敲，這已經是多餘的；反之，我們來比較雙方的強弱，預測大戰爆發的時間，這却可以練習我們的頭腦。

就大體說，史太林作戰的計劃是早定了的；準備的積極與步驟的嚴密，也幷沒有犯甚麼了不得的過失。可看民主集團方面的舉措，却引起了他無數的顧慮：一、美國始終抱着一個聯合國來做，決不自己單獨幹；二、自韓戰開始到今天，雖然遭遇不少麻煩，但已着着有效；三、在民主國家間，原有不少的矛盾存在，但美國依據既定方針，處處委曲求全，且富有自我犧牲的決心與勇氣，以爭取團結爲第一義；[illegible]

[illegible]這極合於史太林的計劃：首先蠶食弱小，其次搶[illegible]殖民地與準殖民地，再給歐洲以重擊，使英法陷於[illegible]以全力來包圍美國。看現在的樣子，他這個計劃似乎已逐漸無效的，而蘇聯已落於不能不多方作戰之苦，同時以「如東歐」的方法劫持她的衛星國，似乎也感到了相當的失望。[illegible]反來坐以待斃嗎？[illegible]便是否以外交方式再數衍一個時期？或抓着一個有利的口實，毅然發動大戰？

假定美國決心要在本年的七八月之交把對日和約正式簽定，這便是蘇聯運用外交或戰爭一個最好的題目。看樣子美國在這一問題上再作外交上的讓步是不會的，如果史太林就選擇了這一口實在本年的秋冬之交來發動大戰，這却於蘇聯比較有利：一、氣候較宜於蘇聯；二、美國及其與國的準備，還未完全成熟；三、中共雖敗，也還有餘勇可賈；……假定再放棄這一機會，這便必須等到明年，到那個時候，美國自身的準備，必更強於今天；西歐和日本的裝備，也必已邁進一大步，中共在這一期間，更可能遭遇致命的打擊，如此，則蘇聯的勝算更少了。

英兩外交人員的出走

英國外交部美國司司長麥克里昂和英駐美使館的二等祕書伯爾格斯突告失蹤，因爲前者係一研究蘇聯問題的專家，後者係一遠東問題的權威，乃引起了世人非常的注意。甚至有人揣測這就是大戰爆發的先聲也不一定。其實這是一種過度的張皇：一、這類事件很普通，遠在我們的戰國，近在第一二次大戰，便已司空見慣，不能說一定沒有影響，但說却一定就會[illegible]。二、民主集團是否已有一套完整的作戰計劃已經是問題，即有，也不一定會落在此類次要的外交人員的手裏；至於外交方面的一些打算，這也許是有的，但外交上的打算，其可變的部分，原來就是要相機應付，你就知道了也不一定有用；其不可變的部分，這是屬於原則，原也早與世人以共見，並不會有甚麼了不起的祕密。三、蘇聯滲透在民主國家方面的職業間諜或義務間諜，已不在少數，甚至就在高坐堂皇著作等身的大學教授中也有其人，以往原子彈祕密的洩露，便是顯例，偶然跑掉兩個外交人員，又值得甚麼大驚小怪？恐怕以後要跑的還多着哩！四、美國這次爲了麥克阿瑟免職的問題，在參院舉行公開的辯論，[illegible]公開的程度也很可以了，其實，美國除此外還有甚麼了不起的祕密，看來也就不見得。[illegible]蘇聯的長處在祕密，其短處也未嘗不在祕密；用『間諜』可能得着相當的好處，過度的重視『情報』，也往往誤了小國家的前途，我們對這兩個外交人員的出走，只看成一個小小的波瀾，決不願因此而牽動我們基本的看法。

在美對華政策變和不變聲中

我基本國策屹立不動

我們不能因為不知革命可不可以成功，便不奮鬥；我們抱定宗旨，向前去做。萬能的主宰，是有它本身的目標的。

·劉百閔·

中美友誼，已有百年之久。自第二次世界大戰以來，羅斯福總統，其後，杜魯門總統，一貫在關切中國前途，擔心共黨搗亂，從防遏通貨膨脹，繁榮經濟，多方挹注，竭力支持，這是事實。不幸，共黨作亂，雖然不出所料，而局勢之急劇的轉變，不到兩年之中，政府和殘餘的軍隊，被迫播遷到了台灣，就以環繞的小島，作為反共抗俄的根據地，這實在是出于意料之所不及的。

他變是意中的　不變是意外的

中國的淪陷，實在變得太快了，我們朋友的態度，也隨而變，更是意中的，不變是意外的。無論如何，自從白皮書發表以後，美國對中華民國政府，已經拉開很遠了。在「中共佔領台灣已不能避免之事」這一個觀察之下，于是說「台灣在政治上地理上和軍略上為中國之一部分，並無特別殊異和重要之處」，不管國務院對台灣件的一個指示，理由是否充分，但在第三者看起來，美國的對華政策，是變了。可是在一個時期中，中共沒有佔領台灣；在又一個時期，爆發了韓戰，美國又派第七艦隊保護台灣，要是要中立化台灣，現在艾契遜在國會聽證時，「遇必要時，美國將使用武力使台灣不落入中共之手」，美國顯然是國防部的意見。于是第三者看起來，美國的對華政策，又變了。但是，艾契遜又對美國保證，美國對華政策沒有變，簡直使人惝恍迷離，陷入五里霧中。其實，這話是說「干涉韓戰」；「這是自國太平洋一百年來所造成的最大的政治錯誤，而這最大的政治錯誤，今後一百年美國人要付出代價。」我們深深覺得，這並不是麥克阿瑟過甚之詞。

美國的對華政策，是變，是不變，等于一個謎，是否定的，否定的等于肯定的。所以說艾契遜的話，就是不變，美國對華政策沒有錯，是艾契遜在玩弄辭藻，「共黨守其對美國所能由于其對策」，所以對於遠東，總是象棋的角，是在不許俄國在遠東擴張其勢力，但是，他既以為所指的東西有一個不變的，對於中國的政策，有一個不變的東西，這就是「錯誤，就是大錯」，那就不變，如果美國對華政策不變，如果不變，中國和世界的大局，就會有一個不會中共援華和交錯的總錯。

共產事實上不能實行於中國

反共抗俄，是今天中國政府及其人民所確認的基本國策：遠在民國十二年一月廿六日，手造中華民國的國父孫先生，和越飛發表聯合宣言，即聲明：共產組織，甚至蘇維埃制度，事實上均不能實行於中國。中國最急的問題，在于統一的成功，國家獨立的獲得。

是一事：民國二十六年二月十日，中共要求和平統一，曾經發佈。中國國民黨舉行三中全會，通過根絕赤禍案，提出四項要求：（一）徹底取消紅軍，（二）徹底取消蘇維埃政府，（三）根本停止赤化宣傳，（四）根本停止階級鬥爭。以後，中共提出四項諾言，表示願為孫中山先生的三民主義之徹底實現而奮鬥，且取消一切推翻國民黨政府的暴動政策，及赤化運動。這又是一事。認了這個件事，于是有十三年的容共，于是有廿六年的接受中共的輸誠。但是「共」終于不能存，而至于潛滋，「共」終于毫無誠意，而至于討伐。一回頭便已三十年，而近的亦十五年，而中國國民黨和中華民國政府，仍一貫堅守「共產組織甚至蘇維埃制度，事實上均不能實行於中國」，及「根絕赤禍」的基本國策，屹然不動，始終沒有變的。

推倒中共所賴以生存的俄帝

民國十三年九月十八日北伐宣言：「不僅在推倒軍閥，尤在推倒軍閥所賴以生存之帝國主義」。今天反共，不僅在推倒中共，尤在推倒中共所賴以生存之帝國主義。從前軍閥所賴以生存的帝國主義，是日本帝國主義，今天中共所賴以生存的帝國主義，是蘇俄帝國主義。總之，是民族的復興，由于傳士又打敗了俄，來決心先打敗了日本，今天中國如要復興，必然要推倒日本帝國所賴以生存的日本帝國主義，必然要推倒中共所賴以生存的俄帝國主義，然後中國才能獲得獨立：這是國父孫先生最適當的指示，亦是中國最適當的路。如果蘇俄能以平等待我，如果蘇俄不在中國搗亂，如果蘇俄外交政策的若準，中國誰以平等待我，就是友。誰不以平等待我，就是敵。在中國無猶亂，就是人民為敵，中國政府和蘇俄及其人民，認定史太林承認的一個存在政策，無法與之共存，必然要推倒史太林，中國才能獲得獨立。這是中國目前對俄的基本國策，始然不動，始終不會有變的。

中國一向是多難的國家，中國國民黨領導中國革命，亦已歷盡艱難困苦，顛沛流離。法國革命成功，八十年之久。中國革命，由于先烈們及其志士們所創造的時日來說，亦已近七十年。反共抗俄的大業，是同時的艱鉅，在替我們友邦人士，我們亦在急：我們自已，亦心如焚：中國人自知不能擺獨努力，必須以整個國際社會分子的地位而從事行動，第二次大戰，歐洲大陸，法國及他國的國家再，而均不能單獨努力，然而有賴於美國。不僅是台灣不許落入中共之手，中國人還要再建他們的國家：這不能說是中國人的奢望。

這應該是自由世界的人士所共同支持。中國這一個國家，是從混亂和黑暗中，在掙扎，在奮鬥，它必然要經過無窮的困難，挫折，因而其感受的痛苦，亦特別深刻，必須給它時間，讓它用自己的態度來解決自己內部的問題。「任何國家民族的特質，決非外人所能徹底了解的」，這是美國務院顧問亦是蘇俄問題權威的季南（Geo. F. Kennan）最近說美國和蘇聯前途，發出了他的獨到的卓見。我深深覺得，亦一樣可適用於美國和中國前途諸問題上面，並無二致。

命運使他成為世界上的豪傑

至於中國人自己內部的問題，當前反共抗俄的重大責任，中國國民黨及其友黨，必須挺身而出，從事，不能後退，不能規避，這是已經沒有問題的。單就反共抗俄這一點，能夠屹然不動，泰山崩於前而色不變，挫折不撓，命運已使它成為世界上的豪傑。國家猶如世界上的一切社會，一切組成份子，一定有許多不同的意見，和利害關係，因此，意見常常不能完全一致。有些人是審慎的，有些人是急迫的，因此，相互之間，必須容忍，不能常在醞釀，就算是意氣，亦必須疏通，不能一意孤行，當局勢十分困難時，有些人是轉變了方向，有些人是喪失了勇氣，這是美國人所謂夏天的士兵 The summer Soldiers 和日光底下的愛國者 Sunshine patrio。應該堅定自己的方向，恢復自己的勇氣，在這樣的情形之下，對着奮鬥，合作團結，反共抗俄的基本國策，是應該可以達成的。

中山先生指示：「革命一經發動，沒有中途停止的，我們在三十年前，使提倡革命，當中失敗，但失敗不下二十次，十十次，努力便加大一次。諸君如果問我的一敗一次，可不可以成功，但是我當復是不知，不知，但是我不以不知，便不奮鬥，我總是抱定我宗旨，向前去做」，我們當前面這機續的工作，在這幾年當中，自然是很艱苦的，我們雖不能一定知道何時可以成功，但我們有充分的理由，希望可以成功。我們不能因為不知道，便不奮鬥。我們抱定宗旨，向前去做：萬能的主宰，是有他的本身的目標，我們有我們的目標，只要中國人民一致，認着這目標前進，成功是一定的了。

滿網珍聞

法國一羣新狄托

·一丁·

法國大選，將於本月十七日舉行，共產黨在選舉中勢力的消長，不僅關係法國國運，整個民主陣營，也將受到重大影響。

左右兩派的鬥爭，在法國異常普遍，不過最近一年情形看來，共黨已走向下坡的道路。一月以前，法國北部許多煤礦工人，由共黨陣營脫出，宣言反對史太林控制下的法國共黨，他們要步伍狄托，在法國組織反蘇的「共產法國運動」。這次大選，他們會在三十個區域內，提出候選人。

上星期「共產法國運動」在巴黎召開競選大會，蘇聯爪牙的法國共黨，但這些蘇聯走狗，闖進會場，投擲催淚彈，使到會的許多人受傷，會議一度停頓。

但這個組織，絕不因此退縮，他們的發展就快，復會場秩序，繼續努力進行競選。目前參加組織的人數雖然不太多，但情報局控制下的法國共黨，卻十分驚慌。他們從許多垃圾桶中檢出來的一張罪狀：「這是一堆垃圾！」人道報罵得越兇，也就更可說明，他們內心中越對這班「垃圾」着急。

尼赫魯在國會挨罵

尼赫魯向國會提出授權政府限制新聞自由的法案，已以二百二十八票對二十票通過。將來政府將根據法案，以誹謗，及煽惑等罪名，處罰報館。

當國會討論此案時，反對最力的前任工商部長莫根吉博士SYAMA PRASAD MOOKERJEE曾手指尼赫魯，大聲叱責：「你在國會內，雖有二百四十個議員擁護你，但在國會以外，幾千百萬人民，正在一致憤恨地反對你」。尼赫魯馬上搖着拳頭說：「你這話完全可恥」。莫氏說：「你這樣度量偏狹，才真正可恥哩！」尼赫魯於是高聲大喊，「任何人指這個法案是誹言論，這人就是說謊」。彼此面紅耳赤，各不相下，但因為擁護尼赫魯的議員，究竟佔居多數，投票結果，莫根吉博士慘敗。

全印度編輯人大會，對尼赫魯提出這個法案，深表不滿，大會特別指出這法案通過以後，政府無論何時，祇要他高興，就誰也無法阻止，政府利用新的權力，來壓迫合法的報紙。

蘇聯洋囡囡也標準化

自中共僭據大陸，制度文物，澈底變革，連向來規定的四月一日的中國兒童節，也追隨蘇聯，改為六月一日。今年中共第二屆兒童節，許多中共當局，都極力宣傳，蘇聯兒童如何自由，如何幸福，美國及其他資本主義國家兒童，則正如何遭遇到史無前例的壓迫，剝削。這種口吻，和同日蘇聯當局在莫斯科的演說，及真理報評論，如出一轍。

現在讓我們看看蘇聯兒童是怎樣自由和幸福！第一，據文學雜誌 Literary Gazette 說：現在蘇聯的洋囡囡，都標準化，最感覺不愉快的，就是蘇聯的小女孩們，她們一個玩膩了，再換一個，顏色，髮樣式，和衣服顏色，完全一律，毫無差別。因此，做父母的要想用洋囡囡使這些小女孩們快樂而不哭鬧，已成為不可能。第二，共產黨許命鼓勵非共產國家的兒童，要反抗家庭管制，和發揮自由個性，但在蘇聯，卻發佈了一連串限制兒童自由的命令。如：（一）十五歲以下女孩，多天夜間十時以前，夏天十一時以前，必須回家，不許在外逗溜。違者處父母以二百盧布的罰金。（二）禁止店舖將煙酒售給十五歲以下男女。（三）不許兒童在馬路旁遊嬉作滑冰遊戲。（四）不許兒童看政府指定以外的電影片。

蘇聯管制兒童的幾項命令，當然其中有些是很合理而也很有必要。不過這些禁令，如果由所謂資本主義國家發出，那就無疑的，將正如共黨在六月一日所說，被認為何等史無前例的壓迫和剝削。但只因出自蘇聯，所以壓迫，剝削，就都一變而為自由與幸福了！

美國對華政策的新頁

惟惜艾契遜思想似尚未完全搞通

·季秋生·

當艾契遜受質詢之初，許多人曾就心美國當局會走上綏撫中共的下策，事實上這種猜測和懷疑，不能說全無根據，如單就對華政策而言，則白宮和國務院這兩月來所表現的，確遠較從前堅決而明朗。不管這是否有如一些人所形容的，是總統大選前當局之所為，美國對於遠東的政策，採用其主張的確是在變。

這一政策的改變，見之於美國當局不能使台灣落到中共手中，和不惜用否決權阻止中共參加聯合國的聲明，見之於蔡斯代表團的來華，對華軍援撥款的提出，和中國下年度在遠東援外撥款中將佔一個不小的比例。而其間最具體也最露骨的表示，則無過於遠東事務的助理國務卿魯斯克在五月十八日的一篇演說。

魯斯克的演說使人耳目一新

那演說是在中國學會廿五週年紀念會中對着八百來賓發表的。儘管有人說：魯斯克不是作這一宣佈的最適當人選，中國學會不是個適當的場合，而且也並未選取一個最恰當的時機，但魯氏那堅強而肯定的語調，確使美人耳目一新。如果說美，當局前此的徘徊觀望，是等待局勢的澄清了，現在雖然時間過了不滿兩年，且也付出了不小的代價。

美當局對中共的斥責並不自今日始。但卻從未像魯氏這樣說得淋漓盡致。他還稱中共為俄國的殖民政府，他以毛澤東政權和日偽的溥儀政權相比擬。他說中共不能代表中國，他特別提到台灣的中華民國政府，相信其更能代表中國大多數人民的意見。當日發表演說者有杜勒斯和陶格拉斯，見解都可與魯氏互相發明。陶氏更會提到在必要時，聯元許國還突擊大陸。杜勒斯是在民主黨政府服務的共和黨政治家，陶氏卻是民主黨的少壯派領袖之一，且有一九五二年候選總統的呼聲。

但這一切的呼聲，卻引起了美國若干友邦的驚怖，他們懷疑美政府是不是採取了麥帥擴大戰爭的路線，中共主張，而放棄了和談判和解的路線，於是麥克遜發言說明於接見的表示，美國對華政策不變，艾契遜氏說，只是中共已經是不變，艾氏還表示一種新的改變的事實，並非表示已經有了。這種說法，卻沒有值得稱贊的比較，只是在實際上更容易引人注意的多化而已。

戰勝國要求和戰敗國不同意

現在艾契遜在參議院作證已告結束，他的證辭雖最多，也包含不少自相矛盾之處。他縱然承認台灣對於中國政府確有不可估的地位，但仍認中共上不退步，他還認為白皮書中的見解，沒有錯誤，姑息之說，卻仍是那些想法，這是完全在遠東的政策，至今已是錯誤的了，但美國政府在遠東方面的措施，只是為了自身立場上，無法究竟的，只是為了實際上，美國政府的措施，同樣包含不少矛盾，也因而…

美國政府態度需要積極堅決

美當局曾一再表示，其所以能在遠東作一步，是由於至少北大西洋公約友邦的反對，故以戰爭是為韓戰辯護，仍不能確定。對華援助的會議，他們心裡是否確保不介入，而在美國政府的立場上，第二次世界大戰後，美國過分的相信，邱吉爾所說的話，他們都邀請美國從事反攻，那一「柔軟的下腹部」計…

大西洋公約國家的態度，中東新近阿拉伯聯盟諸國的要求，又何嘗不是如此？為什麼「三國」又未必出兵？「二野」「四野」又何如？「三野」大軍果如何？在這樣的情形下，中共已經是一個難以應付的局面，而美國政府應該以正確態度，積極地予以支持。

指出：日前如史中共在韓國發生大陸，只有美國的決心正確，正本清源，一多方面的政策，才是美國對外政策的根本之道。以「兩個中國」的說法，固然可以解決一時的問題，可是這樣的政策，不肯付出，卻仍在…

領導地位，不能容許有任何的猶豫，而斷然採取決定，把握時機，堅定立場，不要錯誤的政策，使世界各國都能站在美國的一邊，同時對中共政權採取更堅決的態度，不施一點平等，而應該表明美國的立場，是為了正義而戰，反共抗俄的民主國家一齊努力，以團結在全世界的反共陣營。

有效的利用有利的機會，付出最大的代價，只是一切的結果，「回復原狀」，年復一年，又是局面的「原狀」。

是呢？這不是政治上的問題，甚至是政變，也不能不承認政治上的錯誤的態度，是在中國本身的問題嗎？

「香港人」有家歸不得

回籍奔喪險些送掉性命

「父親半夜叫我趕快冒險逃生」

自本年二月十五日，中共實行進出口管制辦法以後，對內地去，必須由原籍申請通行證，申請的辦法是否如中共宣傳的簡易？持着通行證進了大陸，中共對於香港歸客的看待是怎樣的？這些想都是海外人士所樂聞。三月前，我的母親病逝原籍漢口，不得不照着中共所頒辦法申請一番，回家奔喪。此次流連大陸的二十七天中，除了我的兩隻眼睛證實今天中共在大陸所作所爲，直闖鬼門關之外，我的性命還幾乎險些犧牲在我具有「香港人」的身份上。

筆者在三年前，原是國府文官處的一小小僱員，南京易手時被遣，旋回漢口經營小生意，其後，國府南遷入粵，我隻身走廣州，希望能找到舊上司覓一枝棲，不幸廣州旋又告警，一方面爲了生活，一方面懼怕共禍，乃隨一鄉親於卅八年五月流亡到香港。兩年來，我在九龍塘一家外省小食店裏，打雜做跑堂，嘗夠了流亡顛沛之苦，今年三月二日，收到內子寄來一信，謂家慈棄養，臨終時，囑我哭乾了眼淚。內子并說，手中有無銀錢都不計較，不過雖逢亂世，也宜將親骨埋葬。於是我的心軟了，乃硬着頭皮，寄回照片兩張，囑內子在原籍申請通行證。

約莫四週時間，內子邀我家籍有戶籍，向武漢市公安局辦到了一張通行證，四月十一寄到，這時我歸心更急，隔了兩天便束裝動身。十四日午後一時，我從羅湖進入深圳。

以後不來才准進去　剛入家門就到警局

這天，進去的旅客約百餘人，因爲我排隊在最後，前面的人在一個一個被詢問，海關人員便先上來檢查。輪到詢問我的是一個會講普通話的共幹，他劈頭一句是問我在香港做甚麼的？我說替小食店當伙計。他立即追問：小食店是誰開的？你和他有甚麼關係？我答：他是同鄉。他又問：你回家做甚麼？還來不來？我答：以後不來了。他說：好。隨即便將我在九龍的住址錄下，於是我便遞那張通行證進了鬼門關。

在廣州沒有停留，我買了當天的粵漢車，到了十七日的夜晚，父親一見到我，便說了一句：「光前，你回來了」，我爲了你的妻正在有些發燒，却從靈堂裏接着我，指揮我：「要先到派出所去銷通行證，他們已經來過十幾次了。」我默默地，便跟着父親到派出所去。恰巧裏面在開會，教我們在門外等着，這時父親輕聲告我：「那沒領到通行證有多麼麻煩，三代祖宗都給他們挖掘夠了，我是沒有心要你回來的，你過去也不過做過那麼小的事，既回來了，就只有聽天由命吧。」

五天之內問十一次　會見親友要先報告

派出所也先是一個戶籍幹事問我，我拿出申請書的原紙，問了一遍我的經歷出身等等。接着，又問我和地方上有些什麼關係？最後要我把在香港的生活狀況，寫給他，並叮嚀我：要會什麼親友，最好先到派出所去一下，那裏面的陰森恐怖的氣氛，那威脅，共幹談話時所持的神情，使我從派出所出來，幾乎冲淡了思親的情緒。以後的五天內，那位戶籍幹事來問過我十一次，每次他都辭親地記了下來。他對我們何時集體參加的國民黨和這次回原籍奔喪的動機，幾乎從正面反面，旁敲側擊的不知問了多少次。精神的威脅，使我不敢出門一步，每天對着父親，妻子和雜兒們的苦臉。

由香港來格外注意　塡失業表參加學習

一天，我正和父親在商量埋葬母親的事，派出所的戶籍幹事又來了，拿了紙張，要我塡了，除了……，要我到公安分局去一趟，這次分局的共幹詢問的時間更長，內容總離不了「香港人」的身份。他並給了一張表格，要我塡寫，上面印着「武漢市人民政府公安局失業調查表」，他給我時還用鉛筆在表上「失業」二字旁邊加了「香港人口」四字。塡了表後，他吩咐我每天晚上要到沿江路的「失業人員登記處」去「參加學習」。

登記處裏共有「學員」百餘人，百分之八十是從上海各地回籍的，我第一次去時，那個指導員手裏已持有一本厚厚的關於我的「資料」了。一連十五天的「學習」中，指導員每次都是教我背誦自八歲以來的經歷，和來去香港的動機及經過。

全家大小愁做一團　逃出鐵幕再回香港

彼時，我深深感到我已被視爲待屠的羔羊，因和那指導員一次一次的談話中，我的「香港人」身份已永難得到諒解，被等安安靜靜的生活下去的。父親隨時見我形容憔悴，日日憔悴，我妻隨天東西探聽，街坊對我向派出所的「反映」，每次都默默然無語，使全家大小愁做一團。五月十日夜，少了二十幾名「學員」，從通訊那些「特嫌」都被押，有人知道，「死」了。這種恐怖，使我不能安枕，半夜裏，父親開了後門不住催促我，「去逃生吧」。於是我又再度冒險逃出了鐵幕。（莊光前）

中共對人民加緊迫害

棺材地窖也難存身

不幸一經搜獲即被中共屠殺

下面三件故事，可充分證明以外，藏身在大陸以內，那些被共黨迫害的老百姓，會如何想盡方法，受盡苦痛，結果有許多人仍不易逃出共黨的毒手。

吳文億從棺材中拖出

第一件，江西上饒四區大石門村居民吳文億，在國民政府時期，曾做過國防部第二廳無線電台電務員，他自己覺得一個技術工作者，雖然改朝換帝，中共來了，也不會有什麼問題，因此，他在南京陷落以後，就回到家鄉，靠着一點小積蓄，維持生活。中共厲行「反動分子登記」，他沒有去。此次中共大屠殺開始，認他抗拒登記，因他做過無線電員，就說他一定暗藏有無線電台和台灣通報。當由上饒縣公安局將他拘捕，幸公安局股員何聲柱，是他妹夫，多方設法，將他私行釋放。不料中共竟認何一定受吳勾結，有重大陰謀，除將何立即槍決外，對吳則大派軍警四出搜捕。吳一時無處匿藏，於黑夜中爬上一間農家堆放稻草的牛欄樓上，適樓上有一空棺，爲農家儲備逝父殮殮之用，吳即鑽入棺內，準備消息稍懈，再行他逃，但中共將附近村莊，大搜包圍，逐戶搜索，當搜至牛欄時，因發現棺蓋未蓋緊，且棺上有手指痕跡，立將棺蓋揭開，吳果蜷伏在內。中共一再拷問，逼吳供出電台所在地，吳以確無電台地點可供，結果不及數日，即被拷打斃命。

凌明道住了三月地窖

第二件，安徽無爲縣龍橋區觀正鄉居民凌明道，曾做過國民政府時代的鄉長，及無爲縣政府第二股主任。龍橋區政府共幹，將他家產沒收，他因聞風較早，逃到縣城五華鎮余家巷一個寡居的胞姊沙凌氏家，沙家有一地洞，原爲儲藏柴薪之用，他就要求沙凌氏，讓他住在洞裏，這樣躲了三個月，直至最近，中共通令各處，大舉鎮壓反革命，無爲當然不在例外，奉令以後，即嚴飭各區政府，凡過去拘捕未獲的「人犯」，一律加緊緝拿。某天清早，共幹王德友上廁所，看見一條人影進入隔壁沙凌氏的地洞。王知道沙凌氏有一個「反動」弟弟，正是龍橋區政府所要追捕的，於是就通知公安局，藉查戶口爲名，進入沙家，並在地洞搜出一個人，果然即是凌明道。當然，凌明道的餘黨，不成問題，而六十多歲寡居的沙凌氏，也就以窩藏反動份子的罪名，同樣陪着她弟弟，做了共黨屠刀下的冤鬼。

徐香林刻單字被破案

第三件，湖南湘潭縣株州鎮。一個寄居已久的江西人徐春林，有一天，他向鎮上青年刻字社定刻「農、鄉、七、會」四個字，老板而兼工人之王鵬翥，是一個共產黨青年團員，因爲公安局曾有通令，刻字店不許刻單個字，怕被人將所刻單字，連結起來，作私造印章，或反動宣傳之用。而徐春林定刻的單字，意義又很可疑，他當時並未拒絕，約好隔日取件，但當徐走出店門之後，他暗地跟隨，見徐又走入另一刻字店，等徐離開精華，他故意去看看精華刻字社，他發現徐在精華也是定刻幾個單字，計爲：「第、豐、文、昌、城、區、縣」七字。他就偷偷報告團部。第二天，徐照約定時刻取字，青年團和公安局的人，等徐將兩家單字取齊之後，立予拘捕。經嚴刑拷打後，徐始供出自己原係江西豐城縣第七區（昌鄉人），曾做過文昌鄉長，因鄉間不能安身，所以逃來湘潭規避，現因想另赴他處，擬將所刻各字，拼成一「豐城縣第七區文昌鄉農會」公章，以便做一張偽證明書以免沿途檢查云云。經共黨訊據城，徐係重要「反動份子」，要求解原籍公審，解到數日，即在豐城館鎗斃。至向青年團靈發之刻字工人王鵬翥，中共認其捕「反動份子」有功，大事獎勉，而違反命令私刻單字之精華刻字社，則予以查封處分。從此株州鎮兩家競爭最烈之刻字社，遂由青年刻字社一家專利。（懷民，六月七日寄自漢口。）

大力建設成績如此

新修堤閘一律漏水

不管給視察堤工的邵力子當頭一棒

中共宣傳，大陸上建設工作，成績如何良好，規模如何浩大，尤其水利部份，曾一再誇稱，凡過去幾十年沒有做好的工程，在共黨大力建設之下，都一樣一樣完成了。邵力子最近奉毛澤東命令，到江淮各地，視察並慰勞各地工程人員，實際上，就是要向人表示，共產黨正如何熱愛人民，注意與人民生死攸關的水利事項。不料正在邵力子視察期間，凡共黨督修的各處堤壩，都紛紛報險，本來今年的天氣太奇怪，長江以南，各地大旱，長江以北，就是長期霪雨。長江沿江新修幾處堤壩，漏水出險的情形。

長江下游水利局，在江浦縣沿江，有中型涵閘六個，其中以「公子體孔涵閘」費用最大，約合大米六十七萬斤，從去年十月到今年三月，才工程完畢，當時水利局還召集人民大會，舉行慶祝。不料最近幾場大雨，所有新修涵閘，幾乎全部漏水，特別是工程最大而用費最多的「公子體孔涵閘」，情形最爲嚴重，這個閘身，全部斷裂。另一「民主閘」，也裂口有七處之多，致沿江大堤堤身，發生重大危險。最近，特由當地「人民政府」邀請上海專家研究結果，實因長江下游水利局，於上項工程進行時，主管工程的設計人員，並未親到建閘地點勘測，對該處土質如何，究竟需要多深根基，才能負載多重涵身，全未注意，而僅高高在上，根據一些不正確資料，在遠距施工地點很遠的機關內，任意決定。以致根基不固，閘身下沉，因而斷裂。江浦縣「人民政府」主席蘇權，根據上項情形，向北平「水利部」控訴該水利局，謂其官僚作風，損失公款，危害人民，要求予以檢討。這在邵力子正捧着毛澤東招牌，到各處大吹大擂，誇稱中共如何大力興修水利時，發生此事，真不啻對準中共虛偽宣傳，來了當頭一棒。（臨光，六月八日寄自北平）

「鎮壓反革命」結果

「反共活動」更見活躍

充分證明「壓力越大反抗越强」

·上海解放日報的一篇證供·

「壓力愈大，反抗力亦愈强」，這句話完全適用於今日的中共統治區，打開每天的中共報紙，一方面雖然滿紙血腥，一方面却又幾乎都有一大篇關於「反革命分子」的報復破壞活動的報道。何來這許多「反革命份子」？何來那許多「破壞活動」？還不是中共的「大力鎮壓」政策所造成。「民不畏死，奈何以死懼之」，我們今天又多一個鐵證，相信反攻大陸一旦實現，大陸人民揭竿響應，中共政權，就會同摧枯拉朽一樣，立告崩潰。茲將六月三日上海解放日報不打自招的一篇「鎮壓反革命」的收穫，（原題爲「反革命份子進行垂死掙扎」）摘錄數節如下：

破壞機器

「最近上海，南通某些工廠曾連續發生機器破壞事件，南京電工廠在上月廿五日晚曾發現用汽油放火燒機器，山東淄博某工廠的壓力機被滲進煤塊，結果造成機器受損，許多產品報廢」

縱火事件

「縱火事件，各地相繼發生。南京檢查段在上月底發現倉庫內棉絮着火，經工人及時發覺撲滅；浙江省立紹興中學曾先後發生四次縱火事件，福州市洪山區西園鄉的霸地主張財註家於王鑑春，程依照等（已逮捕），在五月十日放火燒了很多房子，五月一日，在蕪湖市盆湯沿特務放火燒毀居民劉啓仁家。」

誅鋤共幹

「反革命分子進行暗害的，如浙江省立金華中學學生王鑿運，是關谿人，在一九四九年關谿反革命暴動時，她積極協助政府鎮壓，首先控訴特務大會上，考入金中後，工作一貫積極，春假返家時，在關谿去壽昌途中，被特務殺害，屍體於五月十三日被發現，遍體鱗傷。蘇北泰興縣黃橋區反革命分子在五月十二日上午九時，竟用一本「八八」式炸彈一枚，丟入黃橋東街小學教室，當場有十一個學生被炸傷。上海鐵路局鎮江工務段鐵道功臣張玉和，在四月二十六日夜間在道時，被挑特用斷子勒死，屍首沉在塘內。」

雖然這幾個月來，中共厲行「殺」的政策，但大陸的人心，不但沒有被「殺」掉，反而愈加堅強勇敢起來。這是值得向爲爭取人類自由而奮鬥的逃亡朋友告慰的。（悠然，六月五日寄自上海）

好一個鐵的紀律

到滬購藥貪污三億

共幹張子剛浮報貨價

以紀律嚴密自誇的中共，年來已貪污腐化，醜態百出，其中以各地派來上海採購物料的人員，舞弊營私，最爲普遍。東北鐵路局中長鐵路衞生處，去年九月，派該處藥材科科長張子剛來滬，採購西洋藥品，及醫藥器材，并指定天津德康藥房駐哈爾濱辦事人張鑣，及哈爾濱製藥廠首事呂庚陪同到滬，協助一切。不料張子剛一經到滬，即由張呂兩人，介紹上海藥商多人，與共吃酒跳舞，不及半月，即包有舞女兩人，闢室同居，此外並狂嫖大賭，揮金如土，因帶來公款，所費太多，張呂即向其獻計，將所購藥品器材，一律照市價提高數倍報銷，并由張呂負責商請各藥商，按照高價格，開具發票，及一切證件。惟須張提出浮開款項中三分之一，給予張呂及各藥商作爲報酬，張以有如此妙法可以彌補，且數字龐大，深爲欣喜。一切照張呂計劃進行。當時所購DDT粉四萬四千磅，原價每磅五萬二千元，虛報爲六萬九千元，消炎片三百包，每包原價一百萬元，虛報爲一百零七萬元，美國外科用刀兩把，每把原價一百卌萬元，虛報爲四百八十萬元，永字注射器四百支，原價七百八十萬元，虛報爲一千五百二十萬元，及其他等項，總計共浮報三億元左右（約合港幣十萬元）。張子剛本人約分得二億元，除填還虧空外，尚餘一億餘元，另購私貨，連同公物，報准免稅，運回東北。不料張回到東北以後，因在滬數月，生活豪奢，言語舉止，有同事向其借貸被拒，乃挺身檢舉，由局另派人於上月調查當時藥價，貪污敗露，遂告洩漏，現張子剛已被扣押，但因爲共黨幹部，大約除判處徒刑外，不至有生命危險。（悠然六月五日寄自上海）

「自由人」稿約

本報各版，均歡迎投稿，敬訂稿約如左：「一」除事先特約外，稿件請勿過一千五百字，以最多不超過二千字爲限。「二」請勿一稿兩投，譯稿請註明原作者姓名，篇幅限制，恕不退稿。「三」來稿除附有足夠郵資外，概不退還。「四」發表時稿酬須用真實姓名，地址。「五」刊登後稿酬於五日內致送，每千字十五元至二十元。「六」本報對來稿有刪改權，不願者請先聲明，並勿寄私人姓名，以免延誤。

萬竹樓隨筆（三）

·舜生·

從梁漱溟談到他的父親——巨川【上】

我知道有梁漱溟其人是很早的事了，但引起我的特別注意，却從讀了他的「東西文化及其哲學」開始。後來又看過他一本談印度哲學的書，（書名好像是「印度哲學概論」吧？）和不少關於鄉村運動的文字和書籍，我對他乃有了一較深的印象。一直到抗戰開始，我才和他正式見面。他對繼續八年的「國民參政會」是始終其事的一人，我也始終和他同事。到民國三十年，我更和他以及張君勱章伯鈞等幾位，發起了「民主政團同盟」，等到親共分子混入「民盟」搗亂，我決定把「民盟」的祕書長辭去，並同時和一部分青年黨的同志宣告與「民盟」脫離，漱溟還拉了我在鮮特生的花園內作過一度長談，苦苦勸我不可輕於退出，但我知道「民盟」的命運已定，沒有接受他的意見。三十五年十月，第三方面人士對國共作最後一次的調停，我又和漱溟在一道，關於這一幕，我在「近三十年見聞雜記」裏面已有較詳的紀載，在這裏恕不多贅了。（該項雜記，曾繼續發表於本年一月十三至四月二十一日的「新聞天地」週刊）從這次分手以後，至中共進佔四川以前，聽說他是住在重慶北碚勉仁中學的。我前年來到香港，由友人張君從重慶帶來了他的兩本近著：其一、「梁漱溟先生近年言論集」，（成都龍山書局出版）其一、「中國文化要義」，（十二章的油印本）知道他還是那樣認眞，那樣努力，因此依然沒有動搖我對他的信任。去年聽說他到了北平，還聽說他曾到河南去觀察過「土改」，有文字發表，這些經過我便完全不知道，他的文字我也不曾看見。我想：以漱溟的個性，和他過去的所學，所主張，他究竟如何可以和中共靠得攏？翁文灝不足道，假定像漱溟這樣一個人，也被迫上了梁山，在我便覺得是很可惜的。

〔刊誤〕上期所錄曾慕韓詩「鐵塔低徊亦惘然」的「亦」字，係「一」字之誤。

失去了一隻左手

·漁人·

傍晚在體育路散步，碰到一位同鄉同學晚王君，他是一個廿四歲體格很健康思想很前進的青年，家鄉「解放」之初，他加入了文工團，「學習」甚爲賣力，中共發動「抗美援朝」的時候，他又參加了志願軍。現在突然在這裏出現，使我感到奇怪和猜疑。他發見了我，興奮地跑近來和我握手，我發覺他的左手沒有了，便立即追問他別後的情形。他的眼淚奪眶而出，噓着氣說：

『自從你南來以後，中共發動「抗美援朝」號召人民參加志願軍，我們宣傳得很賣力，指導員告訴我們：「咱們要以身作則，大家簽名去！」「好！大家簽名去」我們很興奮地參加了志願軍。雖然家庭極力反對，但阻不了我感情的衝動。

我走了，兩星期的行軍，我們渡過鴨綠江大橋進入韓境，天氣異常寒冷，好幾個身體比較孱弱的因受不了寒冷而病了。

我們的配備很劣；每人步槍一支，子彈一百發，手榴彈兩枚，（這是比較好的，有的沒有手榴彈甚至子彈也只有數十發）三十人共一挺機關槍。指導員對我們說：「我們的配備雖然差一點，但是我們爲正義而戰，精神和信心可以勝過一切。」

一天的清晨，衝鋒號摧迫我們上刺刀挺身向前，參加衝鋒的人約有好幾千，偌大的一座「血肉的長城」。我們只能前進、衝了好久土地雖佔了不少，可是却見不到一個美國兵，只有稀零零的迫擊砲在向我們還擊而已。這時候，我們以爲是勝利了。

數十分鐘後，天空傳來飛機的隆隆聲，由遠而近。機羣竟達數百架之多，我們立即散開，各尋掩護物，準備與飛機戰鬥。但事實出人意料，飛機飛得很高，一到上空，即開始大量的投彈，一連串的爆炸聲，我們的陣地化成一片火海。機羣隨即低飛掃射，這種地毯式的炸法，使我們的神經都被震得麻木了，不曉得該怎樣逃避。其實也已無處可逃，那裏還談得上打飛機呢！

飛機去了，我俯伏了好久，又因寒冷，每一根骨節都像是緊鎖起來，稍一轉動，劇痛徹骨，好容易慢慢掙扎起來，呀！戰場上一片血肉模糊，到處是呻吟的聲音，有的是炸斷或炸傷的，有的是受凍而暈去，或殭斃的，能像我站起來的，只有十分之一而已。

我們正開始檢點武器和受傷者時，美式的坦克車已突然出現於我們眼前，一陣機槍和瓦斯火又掃過整個炸後的廢墟。等到坦克車走後，能逃過炸彈的人只剩下十分之二三了，這些該算是幸運兒。沒有和美國兵打過仗，甚至連一個美國步兵也沒見到，就這樣的慘敗，沒有身歷其境的人當然不會相信。

這樣的場面過了好多次，我還算幸而不死但終於在一次戰鬥中我的左手被彈片擊中，一陣劇痛，我暈了過去，幸而旁邊有一個曾和我一起作戰的同志沒受傷，才把我背回後方醫院。不然，就是沒被炸死，躺在戰場，也被凍死餓死了。

在醫院裏，我的左手被鋸去，一月後痊癒了，回憶戰場生活，那個直是以卵擊石，無謂的犧牲，愚笨極了。所謂「精神能戰勝一切」，原來就是這樣，中共的把戲，至此我方才恍然大悟。

終於在一個靜靜的夜裏，我在幾個朋友的協助下，逃出了出來，以後我是在香港「討飯」也不願回去了。』

經一事，長一智，我這個朋友就是青年人感情衝動的教訓，我當時祇好對他略加勸慰，就此告別，行時甚至不敢和他握手。我怕看到他那沒有手掌的左臂。

啃回頭草的一羣

哲人

上海易手前的最後一任市警察局長是毛森，毛爲完成「某種任務」，在三十八年五月廿七日以後，曾派出幹部多人，巧妙地打入了中共核心。

「抗美援朝」後，整個大陸緊張起來，鎭「反」肅「特」，高唱入雲，殺人如麻，羣情惶惑，過去興高采烈，背叛祖國，靠攏「人民」的一班警官佐，多先後被開了刀，但其中也不乏漏網之魚，如張某，孫某，姚某等，均先後逃港，準備了一套忠貞不屈的詞令，請求進入台灣。

天下事，若要人不知，除非己莫爲，這一班人，千算萬算，却不抵毛森一算，原來當撤退之日，毛就料定他們或會有啃回頭草的一天，以是，由他埋伏在中共圈內的幹部，早將「上海市人民政府公安局」最機密的「日日命令」，全部弄來歸檔存查。今日在港假作「忠貞」的搖擺份子，一經按圖索驥，隨即顯出原形。

一個多月前，有一位在毛任內任滬警局行動股股長的某某，雖以人事關係矇入台灣，但不半月，即被查出，就地正法。以此關係，現留港澳一般想啃回頭草的警官佐，以前車可鑒，尾巴難掩，對去台灣已打斷妄想，不敢嘗試了。

父女結婚「法律」許可

·林青·

中共爲要表示它的「前進」，除否定了舊社會的秩序外，對中國數千年傳統的倫常禮教，也予以無情的打擊。鐵幕裏弟殺兄，子弒父的倫常慘劇，已屢見不鮮，至父女亂倫，也居然獲得了「政府」「法律」的保護，那才是古今中外的怪聞！我們眞要問：這是人間何世？

最近在興寧城東的羅某家裏，就發生一樁「新奇」桃色案子。這位羅某薄有資產，他伯道無兒，只有一掌珠，已經出閣了。他妻子患了相當沉重的病，纏綿床蓐，羅某照顧得累了，便通知他掌珠歸寧，侍奉湯藥。一個家庭裏，除了躺在床上懨懨一息的病人外，只有他父女倆，一個是精力充沛，四十開外的中年漢子，一個是花信年華，春情正盛的少婦，夜闌人靜，好夢初迴，偶聞病者苦痛呻吟，不期然相與披衣起視。肉的誘惑，撩動了春心，便衝破了倫常禮教的藩籬，父女間幹出了不可告人的勾當。諺云：妻不如妾，妾不如偷。也許偷的滋味來得神祕，來得新鮮，所以他父女倆，竟覺得如糖如蜜，難解難分。不久那病人一命歸天了，他和她就實行同居，夫方要迎接她回家，他把「解放區內」，「婚姻絕對自由」的法寶來做護符，拒絕夫方的要求，吵鬧一番，「鄉政府」不能解決，纔訟到「人民法庭」。羅某原沒有向傳統禮教挑戰的胆量，但他有個共幹親戚在慫恿撐腰，加以色慾蒙蔽了理性，於是他便成了「新民主主義」的鬥士」。在開庭審問時，他那位掌珠兼愛人，不知從那裏學習一套「革命戀愛」的理論，侃侃直陳她愛上了她的父親，說陳腐的舊禮教，不能束縛她的眞愛，應該讓她自由，戀愛無階級，也應該無親疏的界限。同時攻擊她丈夫粗野，不懂夫妻間的愛，她要安慰她的父親，要維持父女間的幸福，誓死不肯再返夫家，說也奇怪，觀審的羣衆中，竟有人爲她的「妙論」而鼓掌。結果「法官」承認她父女倆的「眞愛」，判決她倆的結合爲「合法」。丈夫敗訴了，賠了夫人又折兵。這一對禽獸，得了「革命」的勝利，便大擺其宴席，舉行一幕隆重的婚禮。這幕「新奇」的桃色新聞，哄動了全縣，好事者爲之吟出一首歌謠：「八月通榮開白花，親生乖女嫁爸爸，等到明年生貴子，一句外公一句爸。」相與傳誦，成了「新社會」裏茶餘酒後的談柄。

窮人翻身變死馬　議員吃草當老牛

從南京到香港（六）

·王一中·

當余由杭州赴粵，係乘滬粵通車之三等臥車（共黨稱爲硬席，頭二等則概稱爲軟席，票價則軟席爲硬席之二倍）。同箱兩行合共六舖位，余佔一中舖，其餘五位：一鄂籍王君；一贛籍熊君；鄧君；一湘籍楊君；另一位則爲寧波籍之童姓海員，抗日戰爭中服務於英國海輪者；初上車時，除互道姓名外，莫敢語及他事，但隣坐相對，經過一晝夜，情感漸洽；且均爲不滿於大陸現狀者，便打開話匣，低聲細談，尤其關於共黨之殘忍事實，各地莫不皆然。（按當時大屠殺尚未開始，故車中尚敢彼此傾訴）

熊君云：「共軍入南昌後，在『救濟』名義下，大收街頭乞丐，以極慈祥態度，用大卡車運送指定收容地點，給以膳食，一般老弱殘廢，且喜得所依賴。不意在中秋節前一日，距城十五華里之青雲譜（南昌名勝，相傳明代某皇子修鍊之所，今遺佛寺一棟，以通理桂花著名）附近，忽然一塚隆起，頂插一旗，上書「死馬」二字。鄉人不講衞生，思欲盜馬取肉，夜發塚，則盡爲人屍，衣服襤褸，縱橫枕藉，蓋即共黨所收容之乞丐也，今南昌市民以「死馬」二字爲窮人翻身之口號，其典故淵源於此。」

鄧君云：「高安縣前商會會長朱某，年八十餘，當縣城陷共時，以年老且非現職人員，未他往，被共黨捕捉，索金不獲，剝去上衣，塗糖身上，縛置深坑中，任蟲蟻集吮以苦之，時或牽引於曠場若牛馬然，七日乃死。又豐城縣議員涂某，被共黨捉獲，索谷五百石，以逾期未繳，縛置烈日中曝晒三日而死，當其未死之前，給以青草以當飯食，並時加鞭策，令其作牛叫。以人作牛馬，乃中共新發明之刑罰。」

王君云：「共黨殺人，有何奇怪？但是人死了，錢財還是要繳納的。武昌藥商張某之父，年八旬，因共黨向之索穀千石，限日交納，老人憐其子籌措困難，於晚間懸樑自盡，冀以老命博得共黨同情，減免其子之負担。不意共幹聞悉之後，謂老父已死，家庭負担減輕，提起筆來將張原定額數增加一倍，改爲二千石，張某逼得無法，只好將店中存貨全部變賣，並向戚友借貸湊足清繳，乃得脫身云。」

楊君云：「在我鄉之共幹，則做法與此不同。我有族兄，係清朝秀才，年逾古稀，以其舌耕所積，購置薄田五十餘畝，共幹認爲地主，向之借糧三百石，以無力籌措，逼而自縊，共幹見人已迫死，特准其家屬照其屍體重量，抵減其借穀若干。如此算法，似較王君所述人死增額者爲心善；但以人身與物體比重，共產黨之唯物主義，果如是嗎？」

至於童姓海員，則曾在鄉被押，納糧五十石，乃克出獄外逃。

談「前進」之士

·羊辛·

現在頗有一些「前進」之士，談起共產黨來，眉飛色舞，滔滔不絕，歌功頌德，讚揚備至。

這些人，腸肥腦滿，西裝革履，養尊處優；套一句共產仁兄的術語，是屬於「騎在人民的頭上」的人物。然而他們何以如此歌功頌德之不暇呢？說穿了，不過是表示自己的思想「前進」，儼然以「民主人士」自居，或是想藉此送送秋波，保存自己的身家財產，夢想可以照樣養尊處優，繼續「騎在人民的頭上」。

問他們身歷「解放區」沒有？他們沒有。再問他們看過報上的記載或聽過難民的申訴沒有？他們說那是「造謠」。口口聲聲，心心念念，把共產黨看成了人間活佛！共產仁兄宣傳之到家，未曾身受者之冥頑不靈，觀乎此，可以概嘆矣。

對於這種人，不必置辯，置辯也沒有用。最有效的辦法，是把他們一一趕進「解放區」去，好吧，讓他們去瞻仰人間活佛吧，那些愛做「民主人士」的，讓他們去做吧，那些夢想保存身家財產的，讓他們去夢想吧。不如是，實在快爲他們的宏論吵昏了。

國際間又何嘗不如是？那些妥協主義者整日妙論如珠，刺刺不絕，一而再，再而三，比攪臭屎補還要臭；惟一的辦法，也正是把他們送進「解放區」領教領教，天下才有清靜的日子！

竹影心聲

·上海來鴻·

·離草·

二十

我在杭州時，拍了一點風景片，這次交給一家照相店沖洗，那知麻煩就來了，前天去的時候，那類似老板身份的人說：「公安局要你去登記一下，問你的照相機什麼時候買的？什麼牌子。」

原來公安局與什麼有關的商店都取得聯絡，現在連藏有一隻照相機，也得「坦白」，這事報上還未公開說過，可能是新玩意兒，有什麼辦法抗拒，好在媽是共產信徒，這點手續就托她去照辦了。

到香港去的，自從實行領證以來，被阻難的不知多少，聽說只要有錢可化，還是有辦法，偷天換日的本領，共黨幹部也是「要得」，祗要到得廣州，問題就解決了。是不是廣州的「前進」份子最腐化？太近了香港的關係？我又就心你在這個小島上也「變」得面目猙獰。告訴我，你能始終守着一種生活，信任一個主義，愛着一個人？

收音機裏最多的是評彈節目，過去我一點印象也沒有，現在懂一點了，樂器是沒有變化的，聽衆是有閒人物與一些舊社會的渣滓和小商人，說唱的也多是不學無術的江湖賣藝之流，共產黨却重視這門「宣傳」，鼓勵說新書，減少黃色賣弄，我已是接受「新評彈」陶醉的新聽衆之一，上海除了這低級的娛樂外，還有什麼可供長期的消遣？

可是不幸，有一個評彈會的老傢伙，也被冠上國特罪名，受過公審，也許此信到香港時，他已不在這個世界上了。

秘密警察來了

原載星期六郵報，張天實譯

徵集情報人員

在一九四八年二月份，也就是捷克發生共產黨政變前的幾星期，哈拉成爲街頭的演講者，盡量運用他所能記憶的馬克思主義教條和黨的理論，發揮他的宣傳技能。後來，他就担任徵集國家安全警祕密人員的工作，要他們供給情報，從事間諜活動。偵察鄰人的行動，和暗中進行共產宣傳。我問起他關於這種工作的情形。

「我不過聽從總統葛德華特的命令罷了。」他說：「葛德華特說過：『我們必須迫使人民加入我們的集團，我們必須說服他們。』譬如說，從前農民憎恨農場的集體化計劃，但現在他們已被說服了。一百萬畝的田地已集體組織起來，六千個集體農場已經成立。」哈拉講到這些話時，語調完全是單調而刻板的，像是一個機器人在背書。他說話不時停止，似乎已成了一種規例，他必須注意，不要有一個數字弄錯，或用了一個不妥的字眼，當他講到馬克思主義和共產黨的事情時，他的語調是一直綫的，沒有抑揚，頗像一個技巧拙劣的演員，背誦着他的劇本，而絕不懂得語句的眞意。

「在我們開始懷着一個新希望而努力工作時，我把它當作我的終生事業，竭力設法去了解對方的性格，習慣和環境。懂得這些之後，我接近他，用愛國心理去誘導他。我曾對他說：『看吧，西德在美國人手中所處的境況，他們正協助西德人重新建立軍事工業，赦免戰犯，開釋納粹主義集中營的巨頭，支持德國的腐化份子。你希望當你活着或孩子長大的時候德國再把捷克佔領嗎？我們的面前沒有第二條路可走，你必須趕緊打定主意，要不是你站到我們一邊來，和我們一起反抗西德，反抗華爾街，反抗西方帝國主義，否則你就只能反對我們，反對你的祖國，和反對你自己的良心。』」

這種理論的影響和力量，我們必須記得德國佔領捷克六年的情形，仍是捷克人所不能忘却的。德國軍國主義的復活，每個捷克人都會不寒而慄。捷克政府現在正深謀遠慮地歪曲宣傳着德國重建的威脅，藉此煽動捷克人民對於新的強大的德國之恐怖。（四）

自由人

THE FREEMAN

（半週刊每星期三六出版）

（第三十期）

每份港幣壹毫

督印人：梁大成

社址：香港德輔道中一四九號四樓

電話：三二八二〇

149, 3rd FLOOR, DES VOEUX RD. C. HONGKONG TEL: 32820

承印者：東南印務出版社

地址：高士打道六四號

台灣經銷處

台北重慶南路一段七十四號

日本崛起的最好時機

蘇聯將不惜以爆發大戰爭日約　史太林毛澤東最怕是日本復興

·舜生·

我們在本刊匯文提到遠東眞正的危機不在韓國而在日本，而蘇聯之所以發動侵略，其目的也不僅限於佔領韓國，實在搶得先着，威脅美國使其不敢不理會蘇聯與中共而與日本簽訂和約。這個理由看來複雜，實際也很簡單：

蘇聯必要爭日約的七大理由

（一）只有對日問題，蘇聯與中共的利害才完全一致，一且日本站起來了，不僅蘇聯的遠東區感受直接的威脅，中國大陸的沿海一帶，也幾乎沒有一點不可隨時被日本攻入。蘇聯命令中共加入韓戰，中共並不是不知道這是其一件最吃虧的事，其所以依然不敢不服從者，也還是因爲蘇聯把預防日本作爲一個有力的理由。

（二）蘇聯不怕台灣，中共也不太怕台灣，但他們所最怕的却是台灣這個力量與日本聯合，如此，則中共至少第一步非退往西北不可。

（三）蘇聯和中共都知道：美國並無決心參加中國大陸的戰爭，但日本與台灣一旦聯合，則美國非以海空全力支持不可，最後或仍須牽入，如此，則遠東大戰的形勢以成。

（四）人總是要受歷史[illegible]的，俄國人在遠東是與日本正式打過仗的，而且打的是大敗仗，他們深知道日本確是一個能戰的民族。加以二次大戰結束的時候，蘇聯因人成事，投機取巧，乘人於危，僅僅只打六天的仗，而所得的却比任何戰勝國都多：一，整個東北包括旅大，二，南庫頁島，三，千島羣島。這些都是日本的生命綫。蘇聯充分知道。日本對美英不能報復，對中華民國也必須言歸於好，惟有對於蘇聯，一旦有機會，日本却非報復不可，何況蘇聯是人類的公敵，日本打蘇聯更可博得舉世的同情呢？

（五）日本有的是人力，而工業製造能力，在遠東也是首屈一指，即令目前還不正式裝備好的部隊，但經過訓練且富有在東北和整個中國大陸作戰經驗的士兵和將領却非常之多，而且早已摩拳擦掌等了多少年。以日本三百萬至五百萬的地面部隊，配合美國最優秀的海空軍，再加美國用最新武器予日本部隊以充分裝備，這實在是史太林毛澤東一個不能不頭痛的事實。

（六）蘇聯今天要以她少量和劣質的原子彈去破壞美國，並無何等把握；反之，美國以沖繩島，日本，台灣等處作基地，運用她三分之一或五分之一的原子武器，即能予蘇聯和中共以致命的打擊，即不能予整個蘇聯以毀滅，但至少蘇聯必須退出遠東，中共政權必然歸於消滅，史太林和毛澤東絕對沒有辦法可以逃出這個惡運，已經是顯然的事實，除非他們在事前俯首屈服。

（七）蘇聯在未來二次大戰的命運，大抵決於三種方式：（一）最理想的是歐亞同時發動，而同時勝利；（二）首先擊敗歐洲，而亞洲完全屈服，或以歐洲戰勝之師及歐洲的物力以對付亞洲；（三）首先在亞洲失敗，迫不得已，乃在歐洲以求一逞，即能支撐若干時期，亦已得不償失，不敗何待？如果等待日約成立，日本武裝已到百萬以上，則蘇聯在亞洲失敗的命運已定，她如何可以不爭？

日本決不能卸責的四大要點

說到這裏，我更有一番理由，必須向日本人提出：（一）日本過去一部分軍閥所發動對中國的侵略，完全是錯誤的，不僅無此可能，而且無此必要；因爲日本有了這樣一個錯誤的行動，乃種下了今天遠東的禍根，日本人是必得負相當責任的。參與民主陣綫，並與台灣密切合作，以恢復十九年前「九一八」以前的原狀，這是日本復興唯一的途徑，也是日本補過唯一的機會。

（二）日本今後仍須參與世界大國之林，必須過問世界大事，義務當前而想逃避，即無異自毀其前途。一種眞正的災害，是無法可以完全逃避的，越想逃避所受的害可能越大，因此今天日本除挺身以當大難之衝，已別無其他的第二條路可走。

（三）日本過去確實是戰敗了，但是敗於科學不如人，並不是敗於勇氣不如人，這一點我們完全承認。過去戰勝的國家，中國因爲自身多故，在日本這六年的復興過程中，確實沒有給予日本多少有形的幫助，可是却給了日本不少寶貴的鼓勵，而且不會向日本施行過半點的報復。這次美國所提對日和約草案，中華民國實首先贊成，而且幾乎沒有附任何條件，這種精神便是中國之所以爲中國，日本也最能了解。至於美國，這六年以來，對日本之愛護提攜，眞可謂無微不至，我們只一看日本人民對麥克阿瑟元帥離去東京那樣一種黯然消魂的樣子，我們便可想像當年「江戶兒」的那種襟懷與氣概。今天在亞洲受赤禍最深的是中國，對防赤負責任最大的是美國，別人有好處對我，而忘之，這是不祥的，這種東方精神，我也承認只有日本人最能理解。當年東鄉元帥在對馬海峽一戰發出最後的命令，說：皇國興廢，在此一舉，現在日本又面臨到這樣一個時機了，還更有什麼徘徊猶豫的餘地呢？

（四）蘇聯是虎狼之國，你去惹牠，自然是要冒幾分的危險，可是這隻老虎却終於是要咬人，你去打牠，牠要咬你，你對牠以笑臉相迎，牠也還是要咬你，到頭來不免一咬，又爲什麼不三拳兩脚，把這隻吃人的東西給牠收拾得一個痛快，爲人類除害呢？我相信日本武士道的精神，就在今天也還是有多少留在一般日本人的血液裏邊的。

中日提攜才是東亞安定力量

最近蘇聯對和約已發出聲明，說簽定日約如果沒有蘇聯和中共參加，他們便準備採取行動；一部分日本的俘虜，確已被蘇聯編入所謂國際志願軍；駐美的蘇大使潘友新，和駐東京七個蘇聯的軍事代表，已同時歸國；蘇聯在北海道以北若干地帶，已有大量軍隊的布置，也是事實；雖然依然帶得不少恫嚇的成分，但蘇聯對日約不能不爭，却是很顯然的。

最後，我還得再說幾句：只有中日兩國同時復興，而又切實攜手，才是安定東亞的一個眞正力量；也只有中日兩國與美英合作對蘇作戰，才有根絕亞洲赤禍的可能。

兩年來美國的國防論戰

現實的要求在產生一個反抗蘇聯的總體戰略

·黃震遐·

美國最近的國防論戰，綜括起來，僅反映一個事實——證明一個積重難返的自由國家的政治機構及其觀念皆不適宜於抵抗有史以來的最大極權國家的總體性擴張。兩年來枝枝節節的國防論戰，僅反映美國的準備不夠充份。

美國朝野恐慌，深恐在最後攤牌的時候打不過蘇俄，同時也找不出一條迅速制勝的道路來。美國當局（不論何黨何派）知道他們本身在經濟上的雄厚潛力，是未來必能戰勝蘇俄的可靠基礎。但在政治和軍事上要和蘇俄的極權勢力競爭，則暴露出美國的作戰能力，要遠遜蘇俄的作戰能力。國防論戰得不到結論，即反映美國在政治及軍事上的不科學組織，始終不能產生一個能與克里姆林宮互相抗衡的總體觀念。

美國的最大矛盾，爲本身不願走上極權主義的道路，但現實則在要求產生一種有力能抵抗極權的侵略的總體戰略。今天美國有知之士，皆知蘇俄的實際力量，並不在它的思想和經濟，而爲其政工組織和陸軍力量，換言之，即不在蘇俄有持久鬥爭的野心，而在其擁有先鋒進攻的力量，但美國要拿目前的基礎，來打破蘇俄比較科學化的政治及軍事發展力量，則無充份把握。兩年來國防論戰的中心，即始終不離此點。

檢討兩年來的美國國防論戰，有兩個演變：

（一）爲前國防部長詹森的「空軍至上主義」和前海軍參謀長鄧飛爾的「海軍至上主義」的衝突，結果鄧飛爾被免職，停造空母巨艦。「空軍至上主義」被採爲美國國防的最高方針。「空軍至上主義」的內容，爲高度發展航空工業，製造原子彈，及在戰略上從事杜黑主義的想象（包括預防戰爭），這一想象，是以大型超空堡壘B—36（非噴氣式）轟擲原子彈一舉摧毀蘇俄的工業基礎（分散於八十一個點）爲基礎的。這基礎有其經濟及科學進步中的現實性，亦能給與美國人民以安全的錯覺。（先發制人，一棒打倒，免除美國本身遭受蹂躪），同時保證美國在政治領導上的優越性，使全球的反共勢力樂於依靠美國（因此亦產生依賴性及寄生性）。但此最高方針並非沒有缺點，第一，它產生等待主義，大戰不發生，便不能動手，因此，小處處處退讓，結果熱戰未發生，冷戰則大敗，這是政治影響。第二，它忘掉海軍除運輸及封鎖等任務（即詹遜交給海軍的任務），來支持陸軍派歐作戰外，還有失去一個偌大的太平洋用武之地，故海軍少壯派始終不服，卒與麥克阿瑟接近，形成東方反對派，這是軍事的影響。第三，它不會考慮到B—36超空堡壘的非噴氣式速率，被蘇俄的噴氣式戰機趕上，因此大部失去效用，根本動搖了基礎，這最後一點，不久亦經韓戰中證實，以艾森豪威爾爲中心的陸軍形成了西方反對派，在東西反對派（艾森豪威爾西方陸軍，及麥克阿瑟的東方海陸軍）夾攻之下，詹遜不得不去職，「空軍至上主義」不得不加修正。但這調整尚未完成，新的重心尚待建立。馬歇爾的痛苦是不願放棄空軍至上主義，同時又不能不滿足陸海兩方的要求。他無法建立另一重點。

（二）是「西進」和「東進」的衝突，像日本過去有「南進」「北進」一樣，美國目前亦有「西進」「東進」的矛盾。馬歇爾主張「西進」，艾森豪威爾布萊德雷諸人隨之，麥克阿瑟則主「東進」，魏德邁及一部分海軍少壯派（海軍祗有太平洋可以用武）隨之，其內容，「西進」爲緩進的費邊主義，主張固守西歐等待變，着眼在經濟，「東進」則爲冒險的英雄主義，主張在亞洲進行攻勢防禦，着眼在政治。這兩派競爭，由於韓戰失利，麥氏免職，（對敵採攻勢防禦不如理想容易），目前變成「西進第二」，馬歇爾獨裁。但東進反對派（麥魏及海軍少壯派）則謂馬歇爾偏重「西進」，失掉中國，使蘇俄免去「兩面作戰」的顧慮，最爲不智，實爲美國戰略的大失敗，最近論調，可能迫使馬歇爾不得不採東西並重的計劃，這樣也使美國非走上總體準備的道路不可。

基此，美國必將重新建立其三棲性（陸海空）的統一戰略，更必須統一「西進」及「東進」的矛盾。在政工組織上，美國不是極權國家，不能建立黨化的鬥爭組織，但它可將「心理作戰」及情報工作這兩個部門統一起來，以補政治力量之不足。蘇俄在歐大陸上，有極大的政工及陸軍勢力，並有一枝強大的短程空軍加以支持。對付蘇俄（包括東歐中共）這個進攻先鋒（五百師陸軍，三萬架飛機，五萬輛戰車，數百萬政工人員），美國恐慌而緊張，過去偏重空軍及「西進」的結果，喪失了中國，被捲入韓戰消耗，同時「西進」亦並未加強，目前要做到，有力能够同時打倒蘇俄的工業基礎，並制止蘇俄打到歐亞邊緣，只好重頭建立東西兩綫防禦，同時重新估定海[illegible]「攻勢防禦」的效果，使大西洋太平洋兩岸灘頭的掩護，從全般發展，美國的國防論戰是在循歸納法演進，分開來看，祇覺其支離矛盾，合攏來看，則兩年來的演進，怕是一個積重難返的自由國家傳統所不可避免的過程吧。因此所謂原子彈，B—36，海空之爭，東西之爭，馬歇爾麥克阿瑟之爭，魏德邁艾契遜之爭，韓戰攻守之爭，台灣問題之爭，亦皆成歸納過程中不可免的問題。

美國愛國之士正謀建立一個足以抵抗蘇俄進攻的總體，這是整個自由世界繞之而轉的軸心。

蘇俄的「恐嚇外交」大觀

麥克阿瑟在德斯州對民衆演說，指出蘇俄在世界各方面擴張的成就，乃得力於「恐嚇外交」。這話很有根據。已往的不必談，就看目前好了。他看透了以英法爲主腦的[illegible]

魏德邁的證詞

讀罷魏德邁將軍在國會所述的全部證詞，有幾點事實値得注意：美國自羅斯福總統下世後的二次大戰末期起，一直到去年六月韓戰發生時止，關於對華政策，完全是操之於國務院一羣親共份子手中，而以艾契遜爲主持首腦，騎在艾卿頭上耳提面命者是馬歇爾。他們始終對中共表示好感，而對併肩作戰的盟邦——自由中國抱着不信任的成見。最顯著的事證就是屈從中共意旨，把魏將軍使華任命半途推翻，馬帥且讚爲「明智之舉」，此其一。他基於反共的根本理念，主張凡願世界上任何決心反共的國家，美國都應一律視爲盟友，予以援助，[illegible]

半週展望

·老雷·

中國大陸上的機砲捐

中共最近在大陸上的緊急運動，無過於勸逼人民捐獻飛機大砲了。由勸捐而進入勒捐，由各界認捐而進入按縣份派捐，一言以蔽之曰：「悉索敝賦！」

[illegible]

英皇胞妹售產完稅

英國工黨政府，執政五年，貴族階級，雖已在不流血革命的口號下，被剝削到全被打垮的地步，今日在英國極富的人數目，僅寥寥無幾了。

一九四九年，美國作家傅雷 John J. Flynn，在所著銷達兩百萬冊「前進之路」一書中，曾說到他著書時止，英國資產階級，被工黨剝削的結果，全英國只有一個人，[illegible]收入付稅以後，[illegible]五千[illegible]，[illegible]一萬六千元之間的，也共只三萬五千人。目前距傅雷執筆時，又已兩年，上述數目，無疑又減少了。

英國許多伯爵貴族，[illegible]繳納不起遺產稅，被迫將私產出售。英皇胞妹[illegible]將[illegible]田產七千五百英畝[illegible]出售，[illegible]九萬二千[illegible]十八萬元[illegible]，除去遺產稅[illegible]，所餘[illegible]八千[illegible]。

[illegible]經[illegible]使她每年全部收入[illegible]，也不過[illegible]一萬四千元。[illegible]在美國人看來，實在不算[illegible]幸運[illegible]？[illegible]一流血革命[illegible]，這比起毛澤東大屠殺，[illegible]。

漏網珍聞　　·一丁·

法共產市長罵「屍」

駐越法軍總司令塔西尼，其子於最近戰死，塔西尼護送屍骨返法，且前已回國，抵任所。塔氏父子，最以勇敢著稱，越局能支持至今日，塔西尼剛毅鎮靜，實為最大因素之一。

在越南戰死的法軍，例多將遺體運返本國，惟其所受國人哀敬之程度，則多因原籍地方官黨派關係，往往有甚大差別。下述一事，即為最顯著的例證。

孟大達市 Montataire，在巴黎北三十三英哩，[illegible]鋼區城之一，市長柯恩 Marcel Coene 為共產黨員，上月該市青年達培德 Gaston Depestel（年二十五歲）在越戰死。達培德於二次大戰結束後，曾一度參加共黨，旋即退出，被徵赴越，作戰極為英勇。當遺體運抵原籍時，市長僅派清道夫四名擡抬，狀極冷漠。舉行葬儀時，市長演說，略謂：我今為達培德遺體可憐。他反抗越盟，參加不義之戰，也可說是為一些軍火商人及殖民地老板而死。不料演詞至此，[illegible]一越戰退伍軍人，[illegible]以手掩市長[illegible]，市長恐吃眼前虧，只得草草結束，狼狽而退。於是許多退伍軍人，另組織一追悼會，而共黨方面也準備號召，從事破壞。三百人擁抵孟大達市，幸法國政府得訊，立派正規軍，開抵[illegible]，[illegible]禁止共黨干涉追悼會，此誠大戰後之追悼會，乃[illegible]。

數日以後，法政府將此共籍市長柯恩免職，一場風波，告結束。由此可見法國共黨對政府在越作戰，其如何[illegible]，[illegible]其[illegible]，也未可知。

新「元首」初嘗鐵窗風味

自由人第二十四期，我曾報告過蘇聯在西德援助納粹一復活的消息。據西德最近電訊，西德內政部長李耳表示，他們決定要撲滅新納粹的「火花」。西德政府，果然說了就做，「社會帝國黨」領袖雷曼 Otto Ernst Romer，業被法院以誹謗西德總理阿登諾的罪名，判處徒刑四月。這當然對新納粹一大打擊，不過，以往希特勒的成功，就是入獄以後的反響。因此西德政府的斷然處置，誠可欽佩，至於是不是「火花」就此撲滅了，卻似乎還需要若干時間，才可斷定。

法庭判處雷曼誹謗罪，係因去年選舉，雷曼辱罵阿登諾政府是西方國家奴隸，除接受命令外，別無所事。

從共產集團的情勢看　韓戰不致全面擴大

打草驚蛇，使西方國家反共力量積極增強，在沒有絕對的把握前，蘇聯是不會動手的

·孫頻伽·

在共產黨的經典上，一再指陳共產主義被資本主義世界所包圍，所以，共產戰略家的目標在如何加速資本主義的崩潰。他們認為對西方國家的作戰是無可避免的，只要時機成熟，蘇聯即將毫不猶豫地，以各種行動來「保衛祖國」。雖然維辛斯基之流，在國際外交壇坫上，尚有許多掩飾，但在鐵幕之後，這種教義被瘋狂地宣傳着。

朝鮮戰爭的發生，許多人以為就是三次大戰的序幕，我們從共黨所付的代價來分析，即可證明這是否正確。

韓戰對蘇聯不利

（一）由于鐵幕的封鎖，我們不知道蘇聯確實的情形，但維持目前的和平狀態，對它是有利的，絕對佔不到手上的牌，足以獲取全了優勢時，蘇聯對西方國家戰爭，不顯過份刺激，但目前西方國家已經感覺到必需努力加強防務，以求扭轉逆勢了。

（二）自然，非共國家不見得都在增強防務，但是，以前在東西思想鬥爭中保持中立的國家，在朝鮮事件發生後，都轉而非共。

（三）北韓的突擊進攻，使西方國家對另一突襲有所提防，韓戰固然吸住了西方的軍力，但蘇聯未來的發動突擊機會也減少了，目前西方的防蘇準備，其努力程度是前所未見的。

（四）蘇聯久欲使中共插入聯合國，差不多快成功了，前年春天，當時中共政權幾已完全控制中國大陸，且曾表示對各國進行正常外交，於是獲得了英國和印度的承認，而當時國民黨政府又失去美國的支持，美國甚至表示對于中共出席聯合國的問題，不運用否決權，那時中共的席位，不過是時間問題而已。

然而韓戰改變了這些情勢。所以蘇聯在實力不足以獲取全面戰爭的勝利時，他是不該自己破壞前年春季的有利局面的，可是韓戰表示了甚麼呢？

蘇聯還沒有這樣的實力，因為迄今還未引起大戰。在去年六月的情勢下，西方一無準備的，是最易進行的。若說蘇聯以韓戰為打草驚蛇，東擊西之計，則打草驚蛇的結果，他還有甚麼地方可以進行突擊呢？

蘇聯的目標何在？

蘇聯真正目標何在呢？蘇聯既志不在立即陷入第三次大戰，而另有比較現實的打算，觀察家關於這一點，有種種不同的測付，有些人認為在試探南韓的實力和決心，有些人認為她在吞併南韓，另有些人認為，這是伴攻，在進行重大的局部戰爭，她以有限的消耗，則認為消耗西方國家的經濟軍事潛力。

這些推論的錯誤，就在沒有顧到蘇聯以上西歐損失，若說以韓戰為試探，所付的代價是太大了；若說以吞併南韓為目的，比較有意義，因為蘇聯若掌握了南韓和北方的庫頁島，就可以完全支配日本，不過日本是海島，這不是一時可以收效的。同樣，若說韓戰是蘇聯聲東擊西的伴攻，也沒有事實根據，韓戰發生後，共黨只有一項新行動：進軍西藏，但是，西方軍隊就算沒有韓戰，也不會調到西藏的。更有一說，認為韓戰不過是在偷襲台灣，阻止美國艦隊封鎖台灣，但後來美國的海峽防禦計劃，就值得付出這代價嗎？上述四方面，中共的進軍西藏和陳兵越南邊境，也證明中共尚未有以攻台為主的準備，因此，攻台為主，韓戰為伴攻，這說亦不能成立。

金日成的魯莽

所以，前述種種相付測，都不是蘇聯的目標所在。我們根據各種資料，可以獲得一個推論，即北韓的行動，是蘇聯也未預知的，人們通常以為史太林對附庸國的事情都能直接控制，莫斯科對於世界共黨活動也都能操縱自如，但狄托事件就使這種觀念有檢討的必要。北韓去年六月廿五日的行動，不是出於莫斯科的命令，並不說由蘇聯裝備訓練的北韓軍沒有「解放」南韓的計劃，但蘇聯預謀的日期，可能稍後一些，或者還與其他方面配合發動，因此可以這樣臆說，北韓總理金日成對於蘇聯的支配已感困惱，更不耐等候進攻的指示了。據美國所得情報，去年六月，北韓剛獲得大批蘇聯供給的裝備，而雨季又正開始，採取主動，以南韓部至為有利。以南韓部隊裝備及人數之劣勢，至多數週即能攻陷全境，而且當時南韓總統李承晚在選舉上正遭受挫折，於是金日成不待史太林之命，自動開火。當時蘇聯在聯合國的代表不知所措，就是這個原故。假如是莫斯科的直接指揮，一定不會如此，後來中共軍的活動就較為良好，正足證明這一點。

現在有七師美軍正在朝鮮苦戰，但美國在第二次大戰，曾動員到八十九個師，這七師不致影響到美國的實力，反而因韓戰挫折，美國及其盟邦警惕到國際政治局勢，工業轉向軍事生產，動員及訓練兵員，計劃市民防衛和完成聯防部署。

大戰可能明年爆發

我們這一結論，說明了為甚麼馬立克沒有把握住安理會的主席職權，也說明了為甚麼金日成在戰爭發生後經常保持沈默，他本人的行動至今還是個謎。

韓戰並不是蘇聯目前戰略的一部份，照我們估計，蘇聯到一九五二年才有全面戰爭的準備，韓戰并不能改變這一估計。

自然，蘇聯也會配合情勢，調整戰略，不過自韓戰發生後，她是處於劣勢了。我們不必過份忖恻她的第二步行動，我們對國際情勢更不必過份憂慮，但我們應該更有決心的進行防衛。（本文取材於當代歷史月刊，原文作者 Wilbur W. Hitchcock，他是以往美國在韓軍政府人員）

讀者投書

我為民主集團着急

如不趕快覺悟必不將戰而垮　走向失敗途徑的十大例證

·旁觀者·

民主集團國家的紛亂，不切實際，意見紛歧，游移畏懼，實在很容易就要自己搞垮自己！現在讓我舉十件明顯而易見的例子，比較一下，便很瞭然的了。

（一）各顧各的利益，利益有衝突就互相爭執，不能一致行動，甚而各走極端，黨與黨，國與國之間也如是，[illegible]之內。

（二）一味畏怯，恐怕引起第三次世界大戰，而不知如果蘇聯老是[illegible]偏偏發動大戰，你怕有何用？[illegible]

（三）只知要延長時間，自己得以準備，而不知時間延長一些，對方也是相對的長了一年，你延長一年之準備，它也延長了一年，始終是不能均衡的。

（四）麥帥說得好，既參加戰爭，就是求勝利的，何以[illegible]不作用力量想擊敗敵人而和平，那能得到光榮的下場呢？

（五）自己對敵[illegible]之秘密，[illegible]（麥帥撤職後），[illegible]而敵方[illegible]，毫不知情，[illegible]至於此！

（六）共黨在各[illegible]工作企圖，[illegible]

（七）共黨集團國家，都有組織，而且[illegible]合法，人民[illegible]活動，[illegible]民主集團國家卻不[illegible]

[illegible]標，一個主義，各國共黨，同一目的，集團一致，共黨分派努力，對付共黨利害，又聯合各國[illegible]。何嘗共產國家作戰合作，而與民主國家，內部又爭紛黨派。[illegible]民主集團，[illegible]論執行，都付諸做，[illegible]

（八）所謂快打慢馬，歐[illegible]

[illegible]民治，民政府而不知[illegible]人民，[illegible]

（九）[illegible]日本[illegible]，作戰[illegible]如此，[illegible]

（十）史大林指使中韓共扯住美軍（不止美軍），又叫胡志明在越南[illegible]

雜談印度外交與印度牛

都有意想不到的趣聞

·王醴泉·

醴泉先生，曾寫過「我從印度回來」，在本報第二十六期發表，茲又承續寄此文，亟為刊佈如左：

梅農操縱了一切

印度外交部部長由尼赫魯自兼，尼赫魯的外交政策，實際行政，操縱在外交部祕書長梅農之手，讀者大概還記得在南京國民政府時代，印度大使，有個梅農嗎？梅農現在是非常重要的人，他的勢力，散佈於全世界的印度外交機構。甚至印度駐各國大使，都得向梅農低頭，很多大使，還是他提拔起來的。至於地位次一點的，非得奔走於梅農門下不可。他自己出身於南印度，現在外交界人物，很多由梅農在南印度調來，其中有一位，就是現任北平印度大使潘尼迦。這位潘尼迦大使，表面上掛上學者的招牌，實際上是投機的能手。美國國務院說他是共產黨，實際上印度人對他的估價，是「此人根本就不相信任何主義，祇知道投機取巧，今天袒護共產，也許明天印度局面變化，就一變而為反共產，美國人說他是共產黨，未免把潘尼迦估計過高了」。

其實梅農自己，也是一位拍馬的能手，很得尼赫魯的信任。對人相當客氣，肚裏的主意很多，是一位險險虛偽的腳色。這一種典型人物，目前在印度官場，最能適應環境。現在印度外交界，祇有駐美大使潘迪夫人，不必拍梅農馬屁，別的人都得在梅農門下奔走。

五十歲的印度美人

說起駐美大使潘迪夫人，她是尼赫魯的胞妹，以前做過衛生部長，她英文說得好，改業外交，做過聯合國大會印度首席代表，那時梅農還不過是代表團代表之一呢！她做過駐蘇大使，改任駐美大使，還一度兼任駐墨西哥大使，是印度駐外使節中飛黃騰達的人物。她在國內做衛生部長時，尼赫魯內閣中，討厭她的人倒很多，尼赫魯為和緩衝突起見，纔把她調任駐蘇大使，人不在印度，免得國內政客，多說閒話。

潘迪夫人丈夫，叫做潘迪，是印度人。潘迪夫人原來的愛人，卻是回教徒。她要下嫁回教徒，可是尼赫魯全家，一致反對，她祇好改嫁印度人。

她有一個女兒，現充母親隨從祕書。潘迪夫人，在印度有美人之譽，現在年已半百，亦垂垂老矣。她喜歡用年輕漂亮的小夥子。她居然和梅農直說，以後不許派難看的人到美國充外交官，梅農當然遵命維謹。現在那一位印度人，想到美國使領館去吃飯，第一個條件，是面孔漂亮。

她在美國最惹人注目的一件事情，是在今年年初，公開發表談話，說中國人民政府，進兵朝鮮，目的在自衛，美國出兵朝鮮，倒是侵略。美國人對這兩句話，真有刻骨難忘之感，兩百萬噸小麥濟印，在國會拖到現在才通過。她的偉論，當然是起了重大作用。

牛在印度最自由

在印度做人很苦，可是做牛，卻有意想不到的舒服。

牛之在印度，是特殊階級。通衢大道，牛可以大搖大擺，隨意行走，有時長嘯作怒吼，表示一點威風，沒有人敢惹他一惹。它們在馬路當中慢慢的走，汽車遇見，必須讓路，人尤其要敬之如天神。印度坐汽車的人，車子開得很快，驟死的人是活該，可是碰見了牛，就得讓路。

牛不必遵照行路規則，在路上亂走。而且隨時隨地，可以大便小使。所以印度馬路上，牛糞遍地，再加上天氣炎熱，蒸發起來，那一股沖天的臭氣，無不掩鼻而過。

牛而且到處有人供奉食物，決不像印度人一般，許多餓得一根骨頭。印度那裏來這一大批自由之身的牛？原來印度有錢的人，常常買許多牛來放生，以修佛經上的「來生之福」。印度的人餓死病死，不妨熟視無睹，他們雖無「人道」，而有「牛道」，其實他們並非愛牛，是愛自己的「來生之福」。同時印度就有許多無賴之徒，認為「今生之福」，到夜晚捉幾條牛來，第三天又賣給有錢的人去放生。這樣循環往復，牛照舊在通衢大道上，隨意拉糞。牛不祇在馬路上有地位，在政治上也有地位。印度人以牛為神聖，住在一起的回教民族，卻專食牛肉。這樣兩個民族的長期仇恨，而不可收拾，以致經過數千百年，印度巴基斯坦（回教民族）分治。現在回教民族都給印度人趕往巴基斯坦，牛更可以在馬路上大搖大擺了。嗚乎？可以人而不如牛乎？

上海中共如此傳播
胡宗南已奉命主浙
并兼任江浙游擊總指揮
中共準備先發制人襲攻大陳島

【上海通訊】此間盛傳台灣反攻大陸，已在積極佈置中。一俟聯合國態度明朗化，即可配合美援，向江浙閩粵，大舉猛襲。並傳胡宗南已被任為江浙游擊總指揮兼浙江省政府主席，省政府即設大陳島。此間共軍，並有乘胡氏佈置未定，即先行進擾大陳島之說。上海人民，雖在共軍恐怖鎮壓之下，但各種不利共方之消息，仍廣泛流傳，一般社會，多信國軍中秋到滬吃月餅的預言，為確鑿可靠，若干人且引此以為慰藉，並認該預言，乃上海鐵幕下的一綫光明。

王八妹部到滬 縱火焚燒倉庫

繼二百零五名大學被殺之後，據說，不久又將有一批「反動份子」送上屠場。昨中共緝獲一人，名毛世友，據中共宣稱，係王八妹部下，為「蘇浙人民反共自衛縱隊」中隊長，最近奉派來滬，策動反共，並於某夜在北四川路橫浜橋民濟路四弄內縱火，焚燬附近某某重要倉庫，事機不密，致被捕獲，中共立將其判處死刑，於昨日押往北四川路槍決。

聖約翰大學生 反共最為活躍

此間聖約翰大學，最近有大批學生被捕，中共宣稱，在化學系捕走之兩人，確係重要「反動份子」，正嚴訊中。化學系全體學生為表明態度計，奉命編演一話劇，暴露該兩人罪行。惟該校反共活動，仍日趨堅強，許多共幹近均紛紛收到恐嚇信，其中以英文系學生楊雯文，新聞系李珠，譚竹君所收信件，恐嚇詞句，最為嚴重。以致該三生請求中共，派武裝衛士出入保護。預料該校不日將實行大清算。

紗廠實行停工 工人拒赴東北

上海各棉紡廠，因原料用光，無法繼續，已於本月六日起，無論公私大小，一律停工。（按該訊已誌第二十八期本報）共方擬將工人送往東北，但為工人堅決拒絕。現共方允自停工日起，先按四月份工資標準，打七五折核發。善後問題，容再研討，共方經營之工廠，停工折扣發薪，但私家工廠，則收入斷絕，過去老板私財，及廠內公積，早已括光，如再關門坐吃，實無辦法。現私營各廠，擬將全部廠產，獻呈中共，工人生活，由中共設法解決，惟中共能否接納，尚無表示云。

上海鐵路工人 大批在韓炸死

中共抗美援朝，驅往前綫送死之人，尚不僅幾十萬軍隊及無數青年學生，即各地技術工人，亦幾被搜羅一空。其中尤以從各路局徵調之鐵路員工，為數最多。此輩員工，在韓担任運輸工作，為美機轟炸目標，死亡率甚大。最近又有上海鐵路局閘口機務段工人祝錦榮，周耀林，徐永根，林鐵能等五人，在韓被美機炸死。路局員工，中共繼續徵調補充，多終日惶恐，坐立不安。

到鎮南關鐵路 下月一日通車
中共為援助越南

胡志明，曾一再下令，趕修南寧至鎮南關鐵路，以便軍火物資，及作戰兵員，得不時大量自中共區運往接濟。前次屢傳，該段鐵路，早已通車。記者昨晤新由南寧來滬之葉君，據云，前次通車者，係來賓至南寧一段，至南寧鎮南關間，則迄因材料困難，無法趕工。最近中共已買到一批路軌，運抵工地。中共奉莫斯科命令，必須於七月一日通車，因此，中共嚴令主管人員照辦，否則將依誤軍機論處。據傳，在該路由各地解來之奴隸勞工，因過度勞動，及食物配給太少，前後死斃，已不下一萬餘人。（悠然，六月十一日寄）

由調查「工作志願」
到勒令「服從分配」
畢業生多願留上海服務 中共却逼他們到朝鮮去
一幕假民主幾乎無法下台

【上海通信】大陸上各大學本年暑假畢業生，不久以前，正焦慮一個與自己有切身利害的重大問題，無法解決，那就是對中共偽教育部飭填的「本屆大學畢業生工作志願調查表」，應該怎樣填寫。這個表，是六月一日，發到了各學校，限令六月十五日以前，要交回學校，齊轉偽教部。前幾天，絕大多數大學青年，看了表，眉飛色舞，以為中共究竟是人民的政府，「毛主席」照顧青年，不讓畢業變成失業，於是提筆一揮，就不折不扣，照着自己志願，在「服務地點」一欄內，填「上海」，百分之九十九，都在「工作種類」一欄內，都填「願依照所學部門，在有關機關服務」，不待限期屆滿，就先將這些填好的表，交給學校。大家高高興興，靜等工作確定，希望如願以償。

不料各大學當局，接到這些表，大吃一驚，因為在表上，印有兩項，第一欄總目，第一項是「服從政府分配」，第二項是「本人志願選擇」，如果填了第一項，則以下地點等等，都不必再寫甚麼，因為都在「政府分配」之下，沒有再有自由選擇餘地。中共曾吩咐各大學當局，學生最好均填第一項，各當局覺得這樣向學生宣布，恐要引起反感或不安，打算等表收齊，再找出那些未填「服從政府分配」的人，分別勸導。萬想不到，收回的表，竟絕大多數，都填了自己志願，這便使那些詐騙青年的教育販子，一時手足失措。

同濟大學首被訓斥

這一情形，在同濟大學，最為嚴重，於是偽華東教育部派了一個高級職員凌達，親到該校，向畢業生大事訓斥。他說，「目前全國正燃起了反美援朝的怒火，如此熱烈，國家好容易培養你們，你們畢了業，此時，只有不顧一切，為國家犧牲，聽國家分配。不料你們小資產意識，竟還那樣濃厚，大家要自由行動，工作還要自己高興，地點多填寫上海，你們以為上海紙醉金迷，太舒服了，不想想，但你們想想，你們這樣做，能夠對得起那在前綫血肉苦拚的百萬戰士麼？能夠對得起偉大人民領袖毛主席麼？現在朝鮮戰場，各種人才都需要，你們應該一律填寫『服從政府分配』，不得胡思亂想。」這一場足足三小時的怒吼，驚得那些即將畢業的大學生，通頭也不敢抬，生恐中共不但不給工作，反而要將這些填過自由志願的人，都一律當反動份子，或思想沒有搞通看待，送進集中營去。

於是這班畢業生，由校中共幹出面領導，讓大家來一番坦白檢討。結果，被系填了自由志願的四十九名學生，馬上宣布，取回上次的表，另行改填，並願先在「毛主席」像下宣誓，保證「無條件服從政府分配」。有一個學生，還故意當大家面前，打了自己一個嘴吧，說：「我眞胡塗，我填了志願在上海服務，我眞太自私了，忘記了祖國對我的培養。」

官樣文章如命照抄

各大學當局，為免再鬧煩惱起見，索性做好了兩段文字，油印分發，要大家照樣抄填在調查表上，文字如下：

第一段，寫在「服從政府分配」那一總目下原文說：「祖國的建設任務，都是偉大的，那裏需要我，我就到那裏去，決不計較工作地點，性質和待遇。」

第二段，寫在「薪水制或供給制」那一項下：原文說「目前祖國各種建設正在開始，我們還未完全擺脫經濟困難，我們正需要大力地抗美援朝，支援志願軍，因此，只要能夠為祖國節省開支，我們個人生活吃一點苦，是沒有什麼關係的。因此，我們不需要薪水，我們願採取供給制，只要政府能供給我們最低限度生活，我們就十分滿足了。」

這兩段印版文章，已在各大學普遍抄寫。大約原來已填「上海」或其他項目的畢業生，都要遵命改填，而百分之百的調查表，也就百分之百的統一為「服從政府分配」了。中共的威權與魄力，的確要令人驚佩的！

不願送死 盼望反攻

不過本來興高采烈，「感謝毛主席照顧青年」，「畢業不會失業」的那些人，現在每人心頭，都好像壓着千斤重的石塊。他們想着，眼看朝鮮送死的日期，越來越近了，有什麼法子今年可以不畢業，也就可以不送命。於是大家一致的結論，是盼望大戰早日爆發，或台灣早日反攻；這些被壓迫的善良青年，值如何悲傷可憐啊！（悠然，六月十一日寄）

將一部舊印刷機灰塵擦光
竟也算「抗美援朝大力建設」
廣州南方日報說這是勝利完成光榮任務
可見中共一切宣傳都是信口胡吹

延年。

中共報紙的每一個字，不是誇霸，就是欺騙。大如「抗美援朝」「鎮壓反亂」一類的宣傳，人所週知，且不必說，現在只把一件為讀者所熟知，而使人容易受騙的小事談談：

廣州南方日報，在前年十月二十三日創刊時，社址是佔用光復中路原日的廣州中央日報，印刷是借用越華報的捲筒機——也就是當時在廣州唯一繼續開動的捲筒機。最近，由於把香港兩家尾巴報屏諸深圳虎門之外，獨佔珠江市場，據牠自己說，銷行數量增加了百分之七十，（可惜總數若干，却不敢提出，據查不及易手前廣州市報紙總和的十分之一），一架印刷機不足應付「出早紙」的需要，由五月八日起，發動全部印刷打版工人，把掠自前鋒日報的那架捲筒機修復，在六月一日開始使用。

「紀念紅五月的獻禮」

本來，把一架小型捲筒機裝用，眞是比牛毛大不了許多的事，但一到中共的報紙裏，看法就完全不同，六月五日的南方日報竟花上整千字，來誇張這件「豐功偉績」，幾乎比建築巴黎鐵塔的工程還要偉大。牠怎樣說呢？看了不臉紅才是怪事；節茲錄如下：

「南方日報社展開普遍抗美援朝教育的工作，從四月開始到五月十三日，全社職工已自上而下地簽訂了全社愛國公約，並展開了大力建設，勞動競賽，在職工們愛國熱情普遍提高的基礎上，工廠的印刷打版兩股工人，在紅五月裏提前完成修復一部破舊捲筒印刷機的光榮任務。」

「這部印刷機是從偽前鋒報接管來的破舊機器，已廢擱了兩年多。（筆者按：廣州易手到今天也不過二十個月）修機工程從五月八日開始，照通常工程計算，至少要一個月時間才能修好，工人們每天早上印完當天的報紙後，不顧疲勞，利用平常休息的時間，趕到放該舊機的工場去進行修機工作，在修機過程中，本報負責同志經常到工場慰問工人，關心工人生活及健康，並訂出具體計劃，提出保證，使各方面緊密配合工作需要，工人們當即一定要把這部死機復活，作為紀念紅五月的獻禮……他們用忘我的日以繼夜的工作精神，不辭勞苦，克服一切困難，終於在五月廿九日勝利完成，六月一日開始正式印報……」

可惜在「勝利」「完成」之後，露出一條大尾巴，最後一段說：「印刷機修好後，在五月三十日正式試印時，因發動太大的緣故，有些螺絲會鬆脫，跌落齒牙處，把齒輪打壞，復活過來的機器又幾乎要變成死機……」在不明白這部機器來龍去脈的人看來，雖也覺得肉麻，却瞧不出破綻，關起門來，丑表功一番，是不會有問題的，不幸得很，這篇「紀功」的洋洋大文，偏落在筆者眼裏，因此不能不把牠戳破。

中共刼收了兩部輪轉機

查廣州報社在淪陷以前，用捲筒機的只有三家，越華之外，國華報和前鋒日報各擁有一架。當廣州未易手前的幾個月，中共的地下份子，便放出烟幕，一方面恫嚇，所有報社的機器鉛字都不許搬走，另方面則騙說凡屬商辦報紙都可繼續出版。同時指示工友們拒絕搬還器材。因此越華前鋒兩報都多少受到這些鬼話的影響，越華報始終沒有停印過，前鋒雖然在最後一個月改用平版機，但捲筒機還是原封不動的安放着。祗有國華報社長劉劫餘，看清楚中共決不會容許純粹商辦報紙的存在，獨排衆議，而且付出相當的運費，把捲筒機運赴香港，兩年來承印了不少反共書刊，那時幾乎編輯部全體職員都不贊成此舉，現被拘押傳已被殺的總編輯馮典承反對尤力。中共因此對劉劫餘特別憤恨，曾幾次派人赴港威迫利誘，企圖把該機運返，完成中共圓滿無缺的心願，可是劉始終不肯受騙，寧願把價值五十萬港元座落光復路的國華報社址和他本人的房屋全部犧牲，這架價值不會超過六萬港元的印刷機，却直到今天還能保持牠的清潔，而且造出光榮的生命紀錄。

「死機復活」原來如此

前鋒報這一部機器，雖然在易手後不到一個月便被中共掠奪了去，編入什麼印刷第幾廠，但在中共的獨佔「文化」下，印刷品少得可憐，根本用不着捲筒機，因此一直塵封不動地保留在原址，只消拭拂一下，便可使用，就是還要移安裝，也費不了多大功夫，但中共報紙為要誇張牠的功績，可憐這部不會說話的機器，便只好變為「廢置了兩年多破舊不堪的」傢伙了。如果南方日報吹擂下的印刷工人，但個個有使「死機復活」的技能，那末，廣州中央日報留給牠的一架更巨型的廢機，何以不見起用？

寄語中共的喇叭們，瞎吹也得有個限度的啊！

廣州雜記

筆者頃由香港回到廣州，久別歸來，偶有觀感，雜記如左：

『三件頭』與共幹

廣州易手後，許多人都看不慣所謂共幹者，竟是那般土頭土腦，把咖啡當藥吃的傻瓜。但曾幾何時，也就由「土」而「洋」，由土而精，由精而怪了。目前每一個共幹，差不多都配有三件頭——手表，戒指，鋼筆。至於中上級，其腐化程度，更是突飛猛進。祗就五月份一月，在報上發現的貪污案件已有十四五宗，其他不敢公布的自然更不少。

總括一句：共幹已變質。

半夜幾聲冷槍

中共當局自從上月頒發命令，停止各地出版雜誌刊物自由交流之後，滿以為藉此可盡將人民眼睛掩住，誰知近來市面反因此謠言四起，而傳國軍即將反攻大陸之說尤盛，原因是大家都知道中共在韓戰潰敗。且過去從兩家香港尾巴報上，獲知一些國際上的消息，明白時局的發展，已逐漸於包括台灣在內的民主集團有利，故中共進一步對各地報刊施行統制之後，市民莫不紛紛推測，以致弄到有時深夜偶而聽着一兩聲冷槍，也會意識到可能是游擊隊在「暴動」了。

中共對此自然又要誣指一番，說是又有「國特」在活動，着由街公所逐家挨戶通知人民注意協助查究，庸人自擾，可見一斑。

大廈變成雞籠

廣州長堤的愛羣大酒店，在易手初期，所謂民主人士和那些黨擁將領，都受「招待」於此，但自去夏韓戰爆發後，這些「寵兒」已日見減少，除一部份被祕密槍決外（據說李潔之便是被迫參加赴韓慰勞團，於途次漢口時，祕密處決），大多都如劉紹武一樣的被迫參軍去了，最近且傳吳奇偉也早就不在愛羣，究竟去那兒？可沒人曉得。一般猜測，此公前途總是兇多吉少，因蔣光鼐也早被監禁了。目前，愛羣大廈已成為一個可怕的籠子，那些被「招待」的黨擁人士，都像雞關在雞籠里一般，隨時可以被殺！和第一監獄的「囚犯」僅五十步與百步之分別而已。大家都知道，中共今日已無須乎再利用這批「廢物」了！（鄺艾。六月十三日寄自廣州）

萬竹樓隨筆（四）

。舜生。

梁漱溟談到他的父親梁巨川【中】

梁漱溟原名煥鼎，字壽銘，一字漱溟，後以字行。以與張鎔西（耀曾）有戚誼，故民五張任司法總長時漱溟一度任司法部祕書，其任北京大學講師，則民國六年冬間事，時漱溟年僅二十五也。

漱溟之父名濟，字巨川，光緒乙酉舉人，原籍廣西桂林，然自巨川之父寶書（道光庚子進士）迄漱溟，居北京已三世矣。

巨川歷官內閣中書，晉侍讀，改官制後，調民政部供職，迄清之亡，名不甚顯。至民國七年十月七日，乃投身北京之積水潭，以自殺殉清聞，其臨死前所遺「告世人書」有曰：

「吾因身值清朝之末，故云殉清，其實非以清朝爲本位，而以初年所學爲本位。」

又言：「或云既言殉清，何又言非本位？曰，義者，天地間不可歇絕之物，所以保全自身之人格，培補社會之元氣，當引爲自身當行之事，非因外勢之牽迫而爲也。殉清者，一時之事耳；殉清者，個人之事耳；就事論事，則清朝爲主名；就義論義，則良心爲通理。設使我身在漢，則漢亡之日必盡忠；我身在唐，則唐亡之日必盡忠；在宋在明，亦皆如此。故我身爲清朝之臣，在清亡之日，則必當忠於清，是以義爲本位，非以清爲本位也。」

「且諸君亦知鄙人何爲硜硜拘執以行此義乎？諸君試思：今日世局因何故而敗壞至於此極？正由朝三暮四，反覆無常，既賣君，復賣良友，又賣主帥，背棄平時之要約，假託愛國之美名，受金錢收買，受私人驅使，買刺客以壞長城，因個人而破大局，轉移無定，而日靦然，由此推行，勢將全國人不知信義爲何物，無一毫擁護公理之心，則人既不成爲人，國焉能成爲國？欲使國成爲穩固之國，必先使人成爲良好之人，此鄙人所以自不量力，明知大勢難救，而捐此區區，以聊爲國性一綫之存也。」

其言可謂深切著明，雖今日讀之，猶凜凜有生氣。邵力子，張治中，翁文灝之流，於國民黨則爲要人，於中華民國則居顯位，在一旦共黨毀國，乃復從風而靡，竟以『轉移無定，反覆無常』，而目靦然，不知信義爲何物，』尚復何說？則在漱溟，假令偶一憶及乃父臨死之遺言，亦正不知其作何感想也。

新官僚資本在湖南

嚴望楚

長沙最繁盛的黃興北路，有家「天平行」的商店，它是「解放」之後百業俱廢的情況下，大吹大擂地開業的，冬天經營毛綫，夏天改營冷飲，裝璜的華麗，是長沙數一數二，在「解放區」所難享受到的外國飲品，應有盡有。這家商店每天正午十二時才開門，晚上很早便收歇了。門口雖然沒有荷槍實彈的「解放軍」，但是那兩個雄糾糾氣昂昂的北方老鄉就够威風，因之，許多人不敢前去問津，說它長顧客稀少吧：但出出進進的人實在也不少！

「解放」後的長沙，「有車階級」少得可憐，但是天平行門首經常有一兩部新的轎車停在那兒，「軍管會主任」蕭勁光，便是經常到天平行去的，一大羣掛兩枝槍的「警衛員」，神氣十足的在馬路旁警戒着，膽小的行人都繞道而過，天平行鄰近的商店倒霉了，他們不該有這樣的鄰店，有時大半天沒有一個顧客上門！

蕭勁光調任「海軍司令員」，繼之出入天平行的，是中共湖南省委會書記黃克誠，和省主席王首道，他們和天平行主人談話有時長到二三小時，談話的內容當然是個祕密。

天平行的內幕是怎樣的呢？它的主人又是誰？

原來天平冷飲店，是湖南中共高級幹部的俱樂部，主人張振漢，是所謂「國民黨革命委員會湖南分會」的常務委員。

張振漢是個老共產黨員，曾經在紅都延安執教于「抗大」發藝，在延安最艱苦的時候，張振漢動搖了，他帶了發藝一個湖南籍的女學生跑出了赤區，憑了他的手腕靈活，搖身一變，又插進了國民黨的陣營，等到長沙「解放」，他又以民革常委，和過去老共產黨員的資格，周旋于湖南的黨政軍首長之間，成了「新長沙」的紅人。許多想和共產黨拉關係的人，都趨之若鶩，于是天平行便門庭若市了。

儘管共產黨區旅行困難，但是張振漢經常來往于港粵平滬綫上，僕僕風塵。經正式領牌的長沙二十家錢莊，以及私營銀行的經理，和一些做進出口生意的人，川流不息的在天平行出進，天平行於是又成了新長沙的金融氣象所。

有些人懷疑張振漢怎麼有這麼多頭寸，好像永無匱乏之，原來張振漢的錢，都是他過去門生故舊的私蓄，這些「人民功臣」，從西北的土洞裏爬出來，像平劇中的「化子拾金」一樣，走入花花綠綠的都市，接管那麼多的物資與黃金美鈔，便在魔術師的導演下，滑溜歸私了，他們有了這麼多的錢，但還要想利上加利的滾起來，遺憾的是紅朝新貴的本身，就是一竅不通的土包子，當然不能智珠在握，遊刃商場，同時還得一本正經，掩人耳目，張振漢之類，便成了新官僚資本的實際操縱人了。

張振漢的手法是够高明的，他沒有成立什麼「公司」之類來招惹物議，僅有個「振記莊」的名義，不要渺視了這個並不響亮的招牌，還它的一紙支票，在湖南人民銀行，隨時可以支取到十億八億的鉅款啦！

去年四月，天平行運來香港的一千五百担五棓子，因爲滯銷虧了本，五月間又運了二千簍雞蛋，因爲天氣熱，這些蛋在沿途中了暑氣，竟成了三分之一的壞蛋，九月份又在做桐油豬鬃出口生意，據說並沒有賺什麼錢，今年他又在做「黑貨」生意，吉凶正未可卜。他所遭受的運場晦氣，有些人說是經營的人員行情不熟悉，但「人民功臣」對這並不在乎，反正他們有的是無限金銀和無限人民幣，可以收買大陸任何土產，像賭錢一樣，總有一天可以撈獲一票的。

除了最熟悉內幕的人士，否則對天平行的勾當是無法清楚的，一紙倉單，就掌握了全部資財，進貨出貨，全由倉庫和運輸[illegible]手，天平行[illegible]任務，僅是簽發支票和收集倉單而已，因之，天平行在湖南人民的眼光中，永遠是一個高級共幹的俱樂部，他吸了三千萬湖南人的膏血，後者卻還懸在鼓里！不過，人民的血是有價的，這些新興的官僚資本家，有一天，將會爆發暴變的！

兄弟

。羊辛。

這是某城剛陷入共手時一件故事。

陳聖陳賢，並非名符其實的「聖賢」，乃是一對難兄難弟。父親開了一爿米舖，小戶人家，巴望兩個兒子能够飛黃騰達，光耀門楣。因此克勤克儉，把這對兄弟送到學校去唸書。

這所學校，老板現在已經做了「人民中委」。那時這老板一面把學校做了共產黨的大本營，一面痛罵國民黨，三山五嶽的人馬，擠擠一堂。陳聖陳賢雖然老是做着「留學生」，沒有一科唸得及格，然而不妨，只要你也跟着搖旗吶喊，加入小組，開會學習，忙個不了，也儘可以通融升級的。兩兄弟就靠着這步步高陞，那老父親還以爲果然「有種」，十分快活。

「解放軍」打進城來，槍聲剛剛停歇，老父親還藏在櫃檯下發抖，忽然兩兄弟手臂上掛着一圈紅布，還帶來好幾個同樣裝束和穿軍服的「解放軍」。「爺！現在我們人民勝利了，我們已經翻身了，出來！出來！別怕，這些都是我們的同志；」兩兄弟七嘴八舌的嚷着，把那個滿頭蜘蛛網而面如土色的老父親從櫃檯下拉出來，「我給你介紹，這位是張區長，那位是劉隊長，許指導員，周主任……」

做父親的定了定神，這回知道兒子已經成了新貴，他有點不相信的再看了看，一點不錯，站在他跟前的正是這兩個「有種」的兒子，他喜歡得頭危危起來了，趕忙從後房拖出藏在床底下的老妻來，招呼那些貴賓坐下，牽烟敬茶，忙得團團轉。

第二日，當所有的店舖還餘悸未盡，緊閉着門的時候，這家米店是搶先開張的，並由兩兄弟貼出了一張大字條，寫道：「本店拒收銀元，概以人民幣交易。」又附帶發表了一通議論，說銀元乃是「匪幣」，騙人民的東西，「人民幣」才是人民自己的貨幣，有什麼糧呀布呀之類做準備，絕對不會貶值云云。

兩兄弟並向父親進言道：「爺！人民幣不但不會貶值，而且還會漲價，我們該用箱子把它儲存。」父親唯命是從，兒子已經成爲新貴了，那有不是的道理，當下父子三人合力動手，錢箱很快地釘好了，狀如撲滿，只能進，不能出，準備到了一元錢可以當五元錢或者十元錢使用的時候才把它劈開。

生意於是乎順利地做下去了，「人民幣」源源而來，一叠一叠地錢箱裏塞進去，比「解放」前還要旺市。

可是，打聽一下，糟啦！這「糧呀布呀做準備」的「人民自己的貨幣」竟貶值了，[illegible]六千元[illegible]，很快的又跌到八千九千一萬元，跟着看了十大關，老父親繳着眉頭，肉疼，又不敢發作，兩個兒子還強作鎮定，說是「國特」造謠，一時波動而已，馬上就會抑平的。可是想不到這「國特」竟如此厲害，「一時」不但無法抑平，反而脫穎而出，衝破一萬大關，如脫韁野馬，一萬二，一萬四，一萬八，三級跳遠，直追上兩萬大關。街上鈔票亂飛，持有人民幣的人好像提鳥蛋誤提到蛇似的，慌得手腳失措，寒之不違。老父親這也忍受不住了，他氣得幾乎發昏，指着兩個兒子拍案大駡：「畜生！畜生！你們是不是要我的命？你們[illegible]到那裏去了？……啊！我完蛋了！」一時性起，取了柴刀，朝那錢箱劈去，滿滿的一箱「人民幣」，已讓下不及三分之一的價值了，看它們紅紅綠綠的散滿了一地，那老父親不禁伏在箱子上哭了起來。

兩兄弟呆若木鷄。當天，那張「概以人民幣交易」的字條，被悄悄地撕了下來。

次日，街上的商家，都得到這對兄弟的悄悄的通知，說他們的米店已開始使用銀元，請大家多多交易。

然而沒有幾日，這對兄弟可就不見了。

據說他倆已被當局送到北方去「學習」；真相如何，沒有人知道。只有看見那個老父親，每日兀自坐在冷落的櫃檯旁邊發愕。

美滿的結尾

亦閒譯

一張場面偉大情況熱烈的「五一」紅場檢閱紀錄影片，在布拉格放映，免費招待捷克民衆參觀。

儘管銀幕上如何緊張熱烈，但觀衆卻是靜靜地，突然，一陣呼聲，原來電影機走火，把正在接受捷克「人民代表」致敬的史太林燒掉了，而且引起了火災。

在尚未來得及打電話通知消防隊之前，全部觀衆已經從太平門奚疏散出場了。

事後，據某捷克大影評家私下表示意見，認爲這次電影有一個最美滿最緊張而最受人歡迎的高潮作結尾，是以前任何蘇聯影片所趕不上的。

從南京到上海（七）

．王一中．

南昌城是地獄　游擊區有天堂

當余所乘浙贛路火車抵達向塘站時，同車之熊鄧二君，另換他車赴南昌，填補其隊師之缺者，一姓劉，一姓黃，二君均贛人，自南昌來，雖稱商人，但俱同往廣州逃難者。劉爲余故人，意外相逢，喜不自勝，寒暄後，爲余述共黨在贛暴行，及贛人反共情緒，節敘如左：

共軍佔領南昌後，一面接收各機關倉庫，一面搜集私人財物；各機關和疏散人員，除參加其學習會外，并須負責辦理移交；稍有手續不清，即非斷送性命不可，如高等法院之科長朱存仁，南昌監獄典獄長鈕傳鑄，電報局科長鄧某，均是當時犧牲者。至于私人方面，第一批爲傘花街一帶之金號老板，全部捕入獄中，施以各種非刑如：灌椒湯（由鼻孔入），懸足吊，刺指尖，鉗腿指，香燒背，熱水雞（置熱水上蒸蒸）等，令人不堪忍受，因而盡其所有以獻，乃得釋放。余（劉自稱）爲其中之一人，受盡苦楚，至今猶有傷痕（伸示其手指）。胞弟仲明，前年自省回鄉，被共黨區政府捕去，索金未得，將其腿上皮膚割開，用燈芯嵌入肌肉中燃燒，雖以挖獻池財而得不死，但皮焦肉潰，至今猶未全癒。其他如朱某之立土坑，涂某之曝烈日，以及借糧追死者，指不勝屈。其毒辣手段，有非語言所可形容者，以故人民恨之入骨，咸思乘機報復。

前年冬，新建縣屬松湖區，（距南昌市六十華里），發生村民團殺區長，區員及縣府委員事，雖經共黨專員公署派兵勦滅全村，得稍鎮壓，但由劉定邦率領之鄉民實屬不少，至今共幹單騎不敢下鄉工作。永修人民反共團與修（水），武（寧），銅（鼓）三縣之游擊隊，時常下山刼取經過公路之共黨汽車，共幹之旅途被殺者亦不乏人，雖其首領吳廷桂已被共黨虜獲于去歲鎗斃，但其勢力仍未少殺。贛南之盧新民部，數達萬人，均係各地反共人士所結合，聲勢尤爲浩大。此外贛西山中，昔日蕭家璧之殘部，仍有活動。至於無跡可尋，藏在人民心中之反共思想，可謂遍地皆是，只要一遇機會，即可起而殺賊，游擊區尺土寸地，雖然苦難萬分，但比起共區非人生活，仍都視若天堂云。

竹影心聲

．上海來鴻．　．離草．

二十一

下午，若雷一個人到虹口去看朋友，我正在窗口楞着眼發獃，媽在樓下高聲叫喚，我以爲她給那假老貓咬了那雙「解放脚」，忽忙下樓，原來是一次戶口突擊檢查，這一回遇我媽的身份也不中用，她自己介紹說是「里弄會的總負責」，可是「一文四武的傢伙，全不理會，[illegible]問如儀。

先是，我有點慌，就心會有什麼岔子，後來那個手持「生死簿」的傢伙有了一點笑容，忽然奇峯突出找住我問：「怎麼你年紀輕輕喜歡閒在家裏，共產黨是希望一個閒人也沒有的。」

當時我激動地，不加思索拒絕他的「游詞」，我說我快要結婚了，做了別人的主婦，怎麼還算是閒人？

他像相信我這句話，關心的樣子，要我說未來的丈夫是誰，認識了多少時候，他能負担新家庭？結婚以後打算怎樣？

「這都是你調查範圍？」這傢伙臉又沉了下去，回頭告訴我媽：「你是知道的，我們的工作成功，就在不馬虎上。」

我媽不能應付這個局，看着我，我急智的說：「我嫁的是自己表兄，叫孫昌明。他在市立醫院做事。」

他一一記載下來，又問起若雷，我說不知道你們今天有突擊檢查，出門看朋友了。

朋友，我這時候心亂已極，待我有了新決定，再告訴你。

〔秘〕〔密〕〔警〕〔察〕〔來〕〔了〕

、原載星期六郵報、

．張天寶譯．

迫簽入黨申請書

「要是我的前途還是由共產黨控制着沒有了解，再那樣在捷克過下去，不會有一點希望，那末我一定會告訴和我接近的美國人已定下計劃，把德國軍隊從新建立起來」[illegible]哈拉說：[illegible]

[illegible]被納粹。[illegible]

機械地[illegible]說：「蘇聯是我們的朋友？」[illegible]

[illegible]他們是階級的敵人，當他隨意在國外到處遊蕩而成爲人民民主國家有用的一個人[illegible]

[illegible]員。[illegible]瞭解黨的[illegible]

[illegible]說：「他對於我們的朋友，我還是不繼續問道：「要是你所說的人們也不會拒絕簽[illegible]

[illegible]稍落在我們手裏，[illegible]有關於每個人的資格。[illegible]我們將[illegible]十五年。」[illegible]（五）

自由人
THE FREEMAN
（半週刊每星期三六出版）
（第三十一期）
每份港幣壹毫
督印人：梁大成
社址：香港德輔道中一四九號四樓
電話：三二八二〇
149, 3rd FLOOR, DES VOEUX RD. C. HONGKONG
TEL: 32820
承印者：東南印務出版社
地址：高士打道六四號
台灣經銷處
台北重慶南路一段七十四號

促進中日合作途徑

雷嘯岑

眞正的國民外交，是要注意於廣泛的民衆方面，依文化思想溝通的了解，進而彼此慣悟於相互依存的眞理與實際利害，形成普遍民意，發爲堅強一致的輿論，卽足以鞭策政府，共赴一的。

二次大戰末期，美國政府曾以駐在日本十年以上的外交大使格魯爲助理國務卿，當時稍爲留心世界未來發展形勢的人，即知美國關於戰後的對日政策，必有一套新計劃。麥克阿瑟五年來在日本所推行的美國新政策，不管其所謂改造日本成爲民主國家的實際效用如何，但美國化敵爲友，爭取日本爲與國的目的，確已達成了。日本在美國的環球戰略中，已成了一張具有決定性的王牌！

世界外交史上的創聞

中國在日軍投降時所宣佈的「不報復主義」，對於中日兩大民族的生存前途，其所滯存的精神力量，並不亞於美國的親善政策，且在戰後日本人民的心理上，更有良好作用。可惜我們除却發出這項聲明外，對於中日兩大民族，究應如何建立共存共榮的基礎，如何協力以構成未來亞洲的安定力，若干年間，始終沒有對策，發爲實際行動。現在，由於中國大局之逆轉，當年日本人民對我們感念不忘的觀念，據何敬之先生的實地考察，「在戰後的日本人中，也正漸漸的稀薄下去了」。

再看美英兩國最近所積極策畫的對日和約，因他們彼此對遠東政策的矛盾紙齬克服之故，竟主張不邀中國參加，而聽候日本將來自行選擇決定。戰敗無條件投降的國家，由於西方國家之自私自利，縱橫捭闔，似乎要騎在戰勝國的頭上來講話了！這是世界外交史上的創聞；也是我們自己這些叛國分子自戕的結果，於人何尤？假使對日和約在最近實現了，世界局勢又是一種新面目，說不定因此而引起世界大難之來臨。日本的武士道必然又以新姿態臨於中國大陸之上，屆時我們若不能光復河山，其將何以自處？即使世界仍在冷戰中，而日本已解脫佔領生活之枷，脫韁而出，成爲獨立自主的民主陣營之一員了，我們相形見絀，究有甚麼把握致日本同共患難？

東方文化的傳統精神

凡有眞知灼見的日本人，都瞭解他們如不能和中國誠懇相處，合作共榮，終非日本之福。同時，由於日本人的民族性與文化精神，先天的與共產國家格格不入，再加以國際關係的支配力，大多數自然的對自由中國具有好的觀感，這是我們今日[illegible]與日本人攜手[illegible]的重大因素。但如不知因勢及時，注意爭取，也是枉然。日本民族性不像西方某些狐狸性的民族，專講眼前現實利害的，他們具有東方文化的傳統精神，能夠跟別人結爲患難之交。我們從民主世界的前途看，或從亞洲人的未來幸福設想，中日兩國之必須親睦合作，實爲常識所能理解的問題。此時此事，再不高瞻遠矚，主動的積極進行，將有稍縱即逝，噬臍莫及之憂！

戰後迄今，日本是在盟軍佔領生活之中，要增進中日兩大民族的相互了解與合作精神，只有從國民外交入手，纔有實效。然我們多年來却忽略了這一着，龐大的駐日代表團從人選到工作，只求怎樣博取盟軍總部的歡心，獲致美國人的好感，而漠視了爭取日本人民好感的重要性，因而讓「不報復主義」的一點善意，也在日本人的內心中逐漸稀薄下去，哀莫大於無知，可慨孰甚！戰後的日本政治人物，除已故首相幣原喜重郎而外，對中國似少深刻的體驗與認識，如吉田茂一流人，且懷有蔑視的潛在意念。過去我們偶有一二大員，以旅行遣悶的心情，走到東京，一謁麥克阿瑟，再晤吉田茂，發出一篇冠冕堂皇的外交詞令，以爲即已盡其中日親善之能事，那是可笑的玩藝。

對日外交應有新作風

眞正的國民外交，是要注意於廣泛的民衆方面，依文化思想的溝通瞭解，進而彼此慣悟於相互依存的眞理與實際利害，形成普遍民意，發爲堅強一致的輿論，即足以鞭策政府，共赴一的。

無論日本今後的政治形式怎樣，但無疑的是要朝着民主大道前進，談民主就得尊重民意了。在目前這種混沌尷尬的國際形勢下，日本人一面盼望和約及早實現，一面結束佔領生活，又因美英教他們自擇其與中國媾和的對手，而大感困惑，已激起各界的熱烈辯論，我們更有急起展開國民外交的迫切需要。日本人對中日和約之簽訂問題感到困惑，然我們並不困惑，怎樣能將此不困不惑的道理和事實，使他們眞正明瞭，豈非當前一大要務麼？這任務也祇有運用國民外交的作法，較易完成。所以，政府應該策動民間各階層人士，從事這項工作，而予以一切便利，即或酬付若干公帑，其效用亦決不在任何反共抗俄事業之下。參加這項工作的人，必須網羅各界智能之士，使不流於官樣文章。今後的日本人，從思想到生活行爲，無論如何，比戰前將有不同了，我們的對日外交，也得有新的作風，以期適應，國民外交之說，不過其中最重要的一環而已。

英美對日和約的癥結

伍健勛

國務部特別顧問杜爾斯在急切情勢中，是一個有耐性的人。去年六月，杜爾斯於接到商訂對日和約的使命後，即行飛赴東京，開始工作。過去一年，他已在意見紛歧狀態下，開闢途徑，使其努力，未曾白費。

杜爾斯碰到了絆脚石

前星期，大路的終點，似已在望。杜爾斯飛往倫敦，謀與英國作最後與有效的洽商。不過在六月七日，雙方意見發生紛歧。旋於週末赴法磋商，擬於本星期返英倫，再度與英國談判。惟現時最低限度，杜爾斯與和約的完成，其間已碰到了一塊絆脚石。

杜爾斯，在倫敦折衝上，運用他那國際法學家的技巧，配合上他那一種眼能說話和胸有誠實的偉大的天才者的說服力，自然是有他的成就的。他是基於互信及集體安全這兩個目標，企圖達成一個和平條約，進而使從前的敵國變爲未來的同盟國。亦就是說此項條約，要使日本恢復主權，不受任何限制，而且包括重整軍備的權利。杜爾斯的觀點，已經獲得大部份英人的支持。不過英人和杜爾斯之間，尙有一個巨大的紛歧，始終未獲解決——即代表中國簽訂對日和約者，究應爲中共？抑應爲國民政府？杜爾斯在基本政策方面，本來可以彌補此種缺陷，而且瀕于完成，但又陷入另一僵局。杜氏抵達倫敦以後，仍然堅持國民政府必須爲對日和約的原始簽字國之一。英外相莫理遜加以反駁，認爲如此項意見代表美國最後立場，則該約須由美國單獨簽字，惟可能有菲律賓參加。於是杜爾斯進而提出一妥協方案。該妥協案要點如下：

「和約實施後三年之內，日本得同意與前此對日作戰或參加一九四二年一月一日聯合國宣言任何一國，根據它的要求，在相同或實質上相等之條件下，締訂雙方條約」。根據此點，國民政府將不成爲和約原始簽字國之一。但就字義上解釋，國民政府等待在大多數各國簽字之和約實施以後，即可要求日本訂立雙方條約。在另一方面，中共仍受聯合國譴責，因其侵略朝鮮，係違反了聯合國宣言之原則。

日本必須與國府締約

如果中共與國府同樣要求日本訂立條約，按照杜爾斯方案，日本無他途可循，惟有接納國府要求。上星期國民政府外交部長通知國務部，表示國府願意於簽訂共同對日和約時，同時與日簽訂一雙方條約。

英外相莫理遜接納了此項妥協方案，并於星期四提出閣議，不料事有使美國代表們引爲憾者，英內閣對杜爾斯方案，竟予拒絕。新聞週報倫敦辦事處主任范德希米報稱，當英閣集會之際，杜爾斯及其代表團其他團員，曾表示充分理由，希望英人接納彼之方案。杜爾斯與莫理遜在談判第一小時，即答應現時簽訂對日和約不邀請中華民國政府參加。惟杜氏曾委婉地並堅定地明白表示，美國此項讓步，須由英國尊重美國對中共之觀點，有所配合。英美代表在談話中所涉及之方案，計達八項之多，惟談話終結時，美人所接納者，儘有一項。作最大的容忍性之廣泛觀念及簽約方案，須對英人示，彼將在閣議時解釋，莫理遜最後對杜爾斯表在勞工黨所具之實力，予以支持。基於外相莫理遜採納。莫理遜與杜爾斯美人深信該方案將被內閣他本人對此項方案將作談判時及其參加閣議時，再度考慮，自有可能。

和約未重申開羅宣言

其他方面，英美雙方意見十分接近。關於美國拒絕重申開羅宣言，將台灣歸還中國一節，莫理遜於接納此項意見時，態度頗爲勉強。惟雙方對財政與經濟均紛歧意見，不難作滿意的調整。英美對日和約之商談，尚涉及兩國關係的基本問題。華府高級官員正以懇談的態度予以正視，認爲如對日和約不能同意，其他方面亦將無獲得同意的可能。倫敦談判之僵局，不僅反映兩國政策之鴻溝，而且是英美兩國輿論之分裂，其結果足以減少決策者之活動範圍。莫理遜深恐值左翼勞工份子當選，容易引致內閣拒絕接納杜爾斯方案。同樣杜爾斯亦不能進一步進行妥協，亦恐失去麥克阿瑟將軍及共和黨人之支持。因欲使和約獲得上議院通過，這種支持是必需的。美國輿論的趨向，仍反對對英作再進一步的妥協。華府官員對英國拒絕接納雙方外交之談判[illegible]要方案，表示憤慨。彼等認杜爾斯業已盡量滿足英人要求。彼等並對英方煽動報紙刊登「協定已有端倪，將於下週達成」之宣傳技巧，表示側目。彼等認爲此默契在置杜爾斯於困難之地位，及將僵持之責任，加諸杜爾斯。

杜爾斯不擬再度讓步

杜爾斯曾通知國務部，表示彼不擬對中國參加對日和約問題作再度讓步。彼前此明白表示，如果英國仍舊固執成見，他們贊成美國單獨進行和約，無需英人參加。在那種情形下，華府將迫使加拿大、澳洲及紐錫蘭接納杜爾斯方案。最後在不得已情形下，華府打算單獨簽約，期和約抵於完成。

美國決心完成對日和約主要理由之一，意在使日本在經濟上能夠自立，停止以美國經費支持該國。另外一個更具壓力性的理由即遲延對日和約的簽訂，可能引致日本政治騷動。據新聞週報東京訪員報導：「一般認英美協定，爲和約之要着，日本人民對杜爾斯之決心，及達成此項協定之能力，表示最大信念。」並稱：「條約的延遲，將引致此間強烈的震撼。吉田茂內閣會以提早簽訂和約爲孤注，延遲結果，勢將迫其辭職。」若干工商企業家，等待和約簽訂，作爲他們恢復貿易的手段，延遲結果，將迫使彼等向左翼份子投靠，此等左翼份子，反對沒有蘇聯及中共參加的任何和約，就一般人此論，彼等將認延擬和約簽訂，係爲延長盟軍佔領的陰謀，轉而傾向共產黨，作爲彼等達成日本獨立自由之唯一途徑。（譯自新聞周刊）

黃季寬和邵力子

閉門研究製醬油

二人相對而唏噓

[illegible]

時局漫談

日約的難題

舜生

對日和約的進行，本來是很順利的。但英國忽然提出一不許台灣代表中華民國簽字的難題，對和約前途，乃又投下了一層陰影。

英國不許台灣簽字的理由，是因爲她已經承認了中共，因此無法又承認台灣，對，英國這個理由是很正當的。可是美國却不會承認中共，也永遠不會承認中共；她不但依然繼續承認台灣，而且和台灣的關係一天天趨於密切；然則美國可以承認台灣代表中華民國在和約簽字，應該是沒有什麼問題的了。

但是，英美間儘可有多少歧見，英美却無法可以分開，美國固然不願離開英國，英國似乎更不願離開美國。經過杜爾斯在倫敦洽商的結果，於是英美兩國對這件事，乃有了一個折衷辦法：即日約的簽訂，仍按照英美既定的程序加速進行，但要誰來代表中華民國簽字，留待日本去自行選擇。

我們從來爲了解決一個複雜的國際問題，大致不外依據三個標準：第一是合於道義，第二是明辨是非，第三是衡利害，像這樣一種辦法——即讓日本自行選擇誰代表中華民國簽字於和約的辦法——說它是合於道義嗎？老實說，這是絕對不道義的；說它是明辨是非嗎？老實說，這是絕對淆亂是非的；說它是考慮了利害嗎？老實說，這是絕對只有害而不見得有利的。

現在距離對日戰爭的結束，還只有六年，大家似乎不應該忘記對日戰爭是如何起來，如何支持，如何勝利的。明明白白這次戰爭是出於日本對中華民國的侵略；明明白白是中華民國苦苦支持了八年；更明明白白是中華民國與英美這些國家共同作戰，然後才得了最後的勝利；這是鐵一樣的事實。當時並沒有所謂「中華人民共和國」，而只有一個中華民國，首先抵抗日本的是中華民國，與友邦比肩作戰的也是中華民國，最後接受日本投降的還是中華民國，今天要和日本訂立和約了，乃忽然說中華民國可以要，也可以不要，一切聽憑日本去選擇！假定世界上還要保留道義這兩個字，或在人類心目中還要保存道義這樣一[illegible]

招待、貸款、凍結、投資
中共對華僑的欺搾

華僑對中共已喪失信心，現在宅想用借屍還魂的辦法，要國民黨革命委員會出馬，再來一次欺騙和搾取。

·張丕介·

中共的「獻機獻砲」運動，其搜括對象，除了其掌握內的大陸人民外，其主要目標，便是與大陸有關的海外華僑。據本月五日北平中共電台的廣播：中共為配合這一運動的發展，已指定「國民黨革命委員會」負責向海外僑胞展開募捐，據傳預定進行募捐的地區，將包括菲律賓，馬來西，緬甸，印尼，泰國及港澳。中共所以不親自出馬，而必須利用「民革」的原因，乃由於目前海外華僑對中共已不感興趣，非抬出「國民黨」的招牌無以號召僑胞。從這一措施中，我們不難瞭解中共對華僑欺騙和搾取的手法，同時，更不難瞭解華僑對中共的觀感和信心。

其基本的目標不是為僑胞謀福利

中國的華僑，在世界各地均具有極大的潛力，不僅每年的匯款，成為中國歷年外匯收入的主源，而還佈全球的人口，更是國力伸張的工具。由於長期寄人籬下，受盡僑居地政府及人民的歧視和壓迫，因而對祖國向來均有強烈的向心力。大陸易手後鄉，部分曾對中共寄予幻想，中共為利用華僑的人力財力，對爭取華僑亦確下了一番工夫。惟其基本的目標，不在乎為僑胞謀福利，而在於透過欺騙的手段來搾取華僑。

去年一月，中共為了吸收僑匯，曾於廣東僑鄉的三埠及汕頭等地舉行所謂「歸國華僑招待會」，特別指定當地最大的酒店，作為歸國華僑招待所。不但食宿免費，而且禮遇有加，把歸僑捧上了三十三天。事後即組織「僑務會」，發動歸國華僑寫信給國外親友，極力稱揚中共的「政績」，希望華僑匯款投資，並訂立一個通訊方法，如果華僑有款匯給僑眷，可直接用掛號信寄至「指定銀行」，轉寄大陸，全部免收匯費。如僑眷須寫信向國外華僑索款，可代轉「指定銀行」寄航空信至國外，郵資亦無須負担。不識字的僑屬，更可由共幹代為執筆。同時，更實施「欲取故予」的策略，對有特別急需的僑屬，開辦小額貸款，貸額以美金五十元或港幣三百元為限，按當時僑匯牌價折付共幣，期限二月，月息二厘。用這些方法來拋磚引玉，吸收僑匯，確也會使少數華僑上過當。

改低牌價局部凍結正式洗劫僑胞

在這一圈套之下，去年四五月間，僑匯確有顯著增加。中共的目的已遂，乃逐漸露出本來面目。自去年四月後，一面撲滅各地僑匯的地下錢莊，以切斷華僑直接匯款的途徑；一面發佈「華南區僑匯業管理暫行辦法」，迫使所有僑匯集中「指定銀行」。當這二項措施佈置停妥後，乃開始改低僑匯牌價，并局部凍結僑匯款，正式洗劫僑胞血汗的結晶。

自去年四月以後，儘管大陸物價繼漲增高，共幣實值江河日下，但外匯牌價則一再反常降低。自四月三日至本年一月廿日，先後改低達十餘次，如美匯由四萬二千元改為二萬二千八百元，港匯自六千四百元改為三千八百八十元，平均掛低達百分之四十五。款項自匯出到收到，往往已跌去了一半。而僑匯抵達各地後，又全部為「人民銀行」所掌握。按當日牌價交付一部，其他「超出僑眷需要部份」均由「人民銀行」加以凍結。一部份轉為公債，一部份移作捐獻及「救濟費」（見六月十四日星島日報）。如廣東潮汕僑「中國銀行」，即於本年五月間，奉令通知各僑批局，對南洋（包括港澳）寄往潮汕批款，每宗數目達一百港元以上者，應依僑匯牌價結算，每宗祇准發還港幣廿元。在這一情形之下，僑胞在外終年胼手胝足，節衣縮食的贍家費，均成為中共擴軍備戰的財源。因此，自去冬以還，僑匯數目銳縮，以致一般內地僑眷，莫不陷於絕境中。

利用投資建設美名變相騙取僑資

一連串的搾取，雖掠奪了部份的僑財，但却閉塞了僑匯。中共於是別開生面，在各大城市組織所謂「投資公司」、「企業」，利用「投資」「建設」的美名，來變相吸引僑資。如廣州的華南企業公司，天津的投資興業公司，所招募股款，均以數百萬計。對於如何「優待」華僑，莫不「好話說盡」，以便引一般頭腦簡單或熱中名利者進入圈套，藉以搾取他們在海外的資財。

對於鄉間可以勒索的僑屬，中共更不惜露出猙獰面目，實行公開敲搾。如廣東普寧縣第五區鳳美鄉華僑陳丁鴻，經商檳城，薄有田業，中共為謀取其財產計，除沒收其鄉間家產外，並扣押其弟，責令罰款六千八百萬元，限即致電檳城乃兄，匯款清繳。陳在檳城聞訊後，果然次匯款前來，但已為農會所沒收，而其弟迄今仍無釋放希望。（五、十五、華僑日報）。這一行動，簡直是公開的綁票。又如潮州市郊西塘村一老歸僑，自民國廿六年由暹羅我埠返國，出其一生在外血汗所得，置購田四十餘畝，擬靠收租以養餘年，亦為中共全部沒收，迫得無計自縊。（五、廿九、工商日報）。其他類似的勒索及迫害，更比比皆然，其目的皆在搾乾所有僑眷的一分一文，迫使其海外親屬不能不繼續匯款接濟。

在這些明撥暗搶的手段下，大部的華僑均對中共的面目已認識清楚，因此，目前在南洋一帶，中共的活動，已無法獲得僑胞的支持。這不能不藉「民革」及「民盟」等尾巴黨派。從這次的「獻機獻砲」運動中，不但證明中共對自己欺騙的手法，已失去信心，更證明海外華僑已有普遍的醒覺。我們希望海外僑胞，瞭解「民革」與「民盟」都是和中共一鼻孔出氣的東西，莫因其借屍還魂而再上他們的圈套。

留美學生的生活問題

這是許多人最關心的一個問題，這篇報導，告給你關於留美學生當前處境的窮困，美政府如何救濟，如何遣送返國，如何准許暫時工作。

·王醴泉·

我國海外留學生，以在美國者為最多，根據華美協進社最近的調查，現在總共三千六百人，華僑土生的子弟不算，這三千六百人都是從中國大陸前往美國求學，大部份肄業研究院，也有少數人讀大學本科。今年六月底（即本月月底），有五百多人，學業結束。

一九四八年我國政局激變，許多人回不得家鄉，見不得爹娘，這三千六百位海外飄泊者，經濟的來源，逐漸枯竭。像龍雲的公子，在紐約追求前海外部長陳慶雲的女公子，能够拿出銀行存款給陳小姐看，簿上載明存款美金數十萬，這一種人，到底是非常少數。大多數留美學生，都出身於中等人家，家庭一發生問題，匯款斷絕，生活立刻發生恐慌。大部份人，都很用功讀書，事實上美國學制，常常有問答與考試，留學生英語，語言不及美國學生，非比美國學生加倍用功不可。

三年以來經濟困窘大多靠救濟金度日

他們最近三年來經濟狀況很不寬裕。美國國務院文化司，最初在對華救濟金預算項下，撥出一部份救濟他們。這筆救濟金，大陸政局變化，沒有用完，留出一筆餘款，救濟留美學生。到第二年，國務院又有四百萬美金預算，專供救濟中國留美學生之用。到第三年，增加到美金六百萬元，到今年七月，還六百萬元，用完以後，下半年度如何辦法，此刻尚未之知。

國務院的辦法如下：凡因經濟困難的中國留美學生，要請求救濟，向本校訓育處（或外國學生訓育處），索取表格，填明請求救濟的理由，請三人證明。表格先經訓育處查明，由訓育處對於此項請求，除非該生思想親共，一律通過，將表格轉送國務院文化司。國務院文化司，祇要預算沒有用完，一律照准。以後按月由美國政府寄財政部的支票，給受款人。

學費由國務院代繳另有生活費一百元

現在留學生中，大概有百分之八十至九十，都領到國務院的獎學金，每學期的學費，由學校註冊處，直接向國務院領取，無論讀多少學分，一律由國務院支付。像哈佛大學，哥倫比亞大學，芝加哥大學，麻省理工大學，都是學費很貴的地方，每學期要付美金三百元至五百元（芝加哥大學，為學季制，非學期制），現在學費一律由國務院負担，所以領獎學金的中國學生，趁此機會，多讀學分。

此外每人每月可以領到美金百元，作為生活費用。在生活高的地方，有特殊情形，可以稍為增加一點，在生活便宜的地方，酌量減少。

以前，在朝鮮戰事爆發前，國務院獎勵中國學生返國，要返國的人，由國務院奉送回國川資，後來因為怕留學生領到川資，不肯走路，改由國務院奉送火車票和船票，必須返國。

今年畢業生五百人在美工作限制放寬

美國移民法規定，中國留美學生，在美國須以全部時間求學，不許兼做工作（在校內洗碗，做茶房，在圖書館幫忙，不在此例），如有違反，一經查出，就要驅逐出境。讀完書，必須立即返國，如不返國，也要驅逐出境。今年暑假，結束學業的五百多人，他們無家可歸，美國政府，沒有方法驅逐他們出境。最近美國司法部新頒命令，他們暫時可以向移民局個別請求，許其尋覓工作。事實上美國現在從事國防生產，又加以徵調兵役，人手不足，也需要暫時工作的中國留學生。移民局對於留學生請求允許工作者，採取逐一審查的制度，不是人人有權工作。辦法非常嚴厲，先要學校訓導處證明，思想純正，行為端方，身體健全。再由移民局交聯邦偵探局（FBI）暗地調查，第三步再由移民局審問四個鐘頭。審問時要問：「對共產主義信仰不信仰？」，「對共產黨抱何態度？」「對於美國遠東政策，有何意見？」，「擁護台灣國民政府，抑擁護大陸人民政府？」，「是否贊成美國政府？」，「家庭在大陸何處？」「尚有何人？」，這一大串的問話，答覆時有錄音機在旁邊，紀錄問話及答案。

美國政府又新定一個辦法，比較簡單。美國以前救濟猶太人的無國籍（Displaced Person）辦法，現在也適用於留美的中國人。留美中國人可以宣佈放棄中國國籍，向移民局請求，成為無國籍人民，經過移民局一經核准，就可以尋覓工作，可以請求歸化為美國國籍。這辦法將近實行，據聞中國人請求者不多，可見中國人雖困處逆境，願意放棄中國國籍的人，還是很少！

麥克阿瑟會競選總統嗎？

美國總統的職位，對於一個責任心極重的門士如麥克阿瑟者，確有不少誘惑的力量

·林詩·

麥克阿瑟將軍最近迭次發表演說，猛烈抨擊美國政府，一般人於是懷疑他也許決心競選總統，證以麥氏賦性之倔強，主張之堅定，這種懷疑似乎不是毫無根據的。

反對政府的將軍可能獲選總統嗎？

美國總統職位，年俸雖祇七萬五千元，但權勢極大，對於一位責任心重的門士如麥氏者，確實具有不易抵抗的誘惑力。況且，一百五十年來，和當權政府作對的將軍，在麥氏之前，曾有六人，其中四人，賈克遜（Andrew Jackson），泰洛（Zachary Taylor），斯柯特（Winfield Scott），麥克勒倫（George B. McClellan），都在退役之後競選總統，兩人（賈克遜，泰洛）且獲當選。麥氏熟讀歷史，壯志凌雲，未必不想一試。

杜魯門是美國第三十二任總統，明年麥氏如果當選，便是第三十三任。以前的三十二人，籍英國者為數最多，有十九人，蘇格蘭者次之，有八人，祖籍荷蘭者：三人，祖籍威爾士者：一人，祖籍瑞士者：一人。麥氏祖籍蘇格蘭，在血源上雖不處於比杜魯門優越的地位，但在種族偏見甚深的美國，一位祖籍蘇格蘭的總統固與祖籍英國者同受歡迎。

麥帥競選的兩項障礙

不過，麥氏競選總統，有兩項嚴重的障礙：一是他的婚姻，二是他的年齡。美國歷任三十二位總統沒有一位離婚的，續弦的亦僅五人。麥氏初於一九二二年與一位離婚的布魯克斯夫人（Mrs. Louise Cromwell Brooks）結婚，一九二九年離婚；一九三七年復與今夫人菲柯樂女士（Miss Jean Marie Faircloth）結婚。布魯克斯夫人至今健在。婚姻原是私事，美國人民且不重視傳統習慣，但當他們選舉總統的時候，往往吹毛求疵，尤其是美國婦女，因為麥氏擁有兩位健在的太太，恐不願意投他一票。

麥氏競選的另一最大障礙，還是他的年齡。美國歷任三十二總統就職時，最年輕的是老羅斯福（Theodore Roosevelt），四十二歲，最年長的是威廉·亨利·哈里遜（William Henry Harrison），也不過六十八歲。三十二位總統就職時的平均年齡是五十四歲強，麥氏如果明年當選，後年一月就職，將是七十三歲。不論麥氏精力如何充沛，或仍不足以當總統職務之繁劇。事實上，歷任三十二位總統，除胡佛（Herbert Hoover）及杜魯門至今健在外，其餘三十位中得享七十三歲高壽者不過八人而已。

「無意參加政治」的聲明

麥氏計劃究竟如何？我們尚不得知，截至目下為止，他有兩點至為明顯：

（一）美國兩大黨，民主黨不必說，共和黨已公開表示沒有推戴麥氏競選的意思，沒有兩大黨之一的提名，在今日的美國，單憑個人的聲望，是不會有當選總統的奇蹟出現的。

（二）美國人民對麥氏的熱情，日漸低落，即以最近幾次演說為例，聽講者殊不及預期之踴躍。

我們敬佩麥氏，切望其出而領導自由世界與國際共產帝國主義殊死戰。然而歲月無情，麥氏經過詳細考慮之後，恐已感覺疲於從事政治活動。據美聯社十七日電：麥克阿瑟將軍之發言人惠特奈少將稱：麥氏對其前此聲明無意政治之立場，時至今日迄未變更。日前之擁戴麥氏競選總統運動，正使麥氏大感煩惱云云。麥氏態度既明，我們不必妄加猜測了。

托洛斯基夫人論韓戰

·指斥史太林發縱·

一位久為世人遺忘的風雲人物，最近又在報上出現了，她是托洛斯基的未亡人：娜達利亞·西多華。托洛斯基臨終時曾經囑咐他的友人說：「好好照料娜達利亞！她是我長期的夥伴。」娜達利亞從托洛斯基三十八年，從一九〇二年，他們在巴黎結婚時起，三十八年之間，各地奔波，法國、俄國、西班牙、瑞士、芬蘭、美國、挪威、德國、土耳其、天涯海角，處處都有他們兩人的足跡，艱苦與共，歷盡滄桑。

一九四〇年，托洛斯基在墨西哥，被史太林派遣的兇手一把斧頭砍死後，娜達利亞毅然負起完成其夫未竟之志的責任，繼續倡導眞正的馬克斯主義，與史太林搏鬥。世界各國信仰托洛斯基的人，大家也都尊她為領導者，接受她的指示。這群人自稱「第四國際」，史太林却罵他們是「托匪」。

美國社會工人黨，是世界各國托派分子中的一個組織。韓戰發生後，該黨機關報「戰鬥」，迭次發表言論，指責「美國帝國主義」在韓進行現代破壞最烈的殖民地戰爭」。娜達利亞忍耐不住了，上週，她在「戰鬥報」上說：如果她的丈夫仍在人間，絕不贊成史太林在韓從事戰爭，美國社會工人黨指責美國，實存心顛倒是非，違背了托洛斯基的意志」。

她的話使世人頓又憶起托洛斯基來了。她現寓墨西哥京城郊外一所高築圍牆的房子。（金文）

「自由人」稿約

本報各版，均歡迎投稿，敬訂稿約如左：

「一」除事先約稿外，投稿以千五百字為限，[illegible]

「二」新聞，要點記述，時地，[illegible]

「三」來稿除附有足够郵資外，概不退還。

「四」[illegible]發表時，[illegible]

「五」[illegible]刊登，[illegible]

「六」[illegible]本報編輯部，[illegible]以免延誤。

漢口重劃區一把火

「歡迎大會」狼狽收場

中共頭子焦頭爛額

全省公安首腦急謀亡羊補牢

連開了十三天的秘密會議

（漢口通訊）自中共「大張旗鼓鎮壓反動」以來，一般無辜慘死者的家屬，和被清算鬥爭所迫害的一羣，雖然敢怒不敢言，但一息尚存，無不力圖報復，因而反迫害，反鬥爭的轟轟烈烈的事蹟，接連不斷地，普遍產生，使中共當局疲於應付。五月廿六日，漢口重劃區那場大火，更說明了人民對中共怨恨之深，同時反映出反迫害，反鬥爭已在廣大羣衆中形成一項強有力的運動。

中共當局受了這次教訓後，除準備再來一次大逮捕，大屠殺外，復歸咎於市民「防特」工作的不夠，致被反革命份子乘機伺隙，又來一套「加強基層訓練」的把戲，大喊「克服麻痺思想」，「高度警惕起來」，「防範反革命份子破壞陰謀」等等口號，同時祕密舉行一個「全省公安局長聯席會議」，由五月廿七日起（即大火事件後一天）至本月八日止，整整開了十三天，出席者有各區，市，縣，公安處長，局長，科長等一百五十八人。

四個主要工作　歸結一個殺字

這批眞正的特務頭子，殺人魔王，討論些什麼？外間一時無從曉得。據會後公佈「確定了當前主要工作」，則有如下四點：

一、清理在押案犯——這很顯明的，嫌疑分子寧枉無縱，稍爲嚴重的改處死刑，換一句話：「速殺速決」！

二、加強調查研究工作與對「反革命分子」的管制工作——這不消說，武漢三鎮又將有不知多少無辜人民成爲罪犯與新鬼。

三、加強鎮壓反革命的宣傳工作——自然過去的大張旗鼓還嫌不夠。

四、加強機關內部及工礦企業的保衛工作——恐怕此後非共幹團員不易找機關飯吃，不是共幹團員則非敲破飯碗不可。

大火來得突兀　中共手忙腳亂

漢口重劃區那場大火，究竟燒得怎樣，爲甚麼中共當局看得這樣嚴重？經過情形很有點戲劇化，茲追述如下：

五月二十六日下午三時二十分，武漢三鎮的中共頭子正興高采烈舉行所謂「歡迎中國人民志願軍歸國代表大會」，強迫漢市所有店舖住戶均須派出一人以上參加，聆聽該「代表」報告在韓戰中如何獲得「光榮勝利」，如何「決心打垮美國鬼子」之際，突然，一陣騷動，「中南軍政委員會」和「漢口市人民政府」的首要們驚惶失措地隨即在播音筒上宣佈全場戒嚴，防止「反革命份子」參入，任何人都不許「走動」，跟着便是數百「武裝同志」開到大會外圍，然後播音筒再發出報告，說重劃區（江岸管區）現被「反革命殘餘分子」縱火，已發現火頭四個，如屬該區住戶可以離場返家協助搶救，其餘的待大會完畢才准離開。但事實上，誰也希望早點散場，紛紛退出，大會也因於騷動中草草了結。但因爲有數百武裝了的人們團團圍住會場，退出時必須經過搜檢，怕惹嫌疑，總算不敢爭先，維持了秩序。可是火場已越燒越廣，這場大火已無法救，燒了二小時，直至五時五十分才全熄滅。

防特重於救災　不許搬運衣物

據事後調查，起火的地點是漢倉街十八號，人民銀行辦事處附近的忠記理髮店，漢南菜市場，四官殿十一號等四處，因爲當時風勢很大，延燒非常迅速，而公安局及消防隊人員，又缺乏搶救經驗，甚至「防特」重於救災，又不許居民自由搬運衣物，結果大興街，漢倉街，黃陂街，四官殿，正街等廿三條街巷，盡成灰燼，計焚燬房屋二千九百棟，燒斃十七人，被災者三千三百戶一萬零三百餘人。損失數字尚無確實統計。

你以爲中共頭子們痛心於這兩千多棟房屋和十七條人命麼？當然不是的，這些損失對他們有什麼關係？最難堪的却是不先不後不遲不早正當「中國人民志願軍歸國代表」進行着「光榮勝利」的報告時，給這把飛來的火燒光了，這不但刺傷了中共頭子們的心，還戳破了他們的臉，這如何不使他們怒火中燒，再來個殺！殺！殺！

漢陽一六兩區　連續大索三日

（又訊）武漢三鎮中，漢陽的政治性較少，一般被中共視爲「頑固反動份子」，多散居其間，從事各種方式的職業，藉以掩蔽身份，等待時機，漢口重劃區大火後，漢陽第一第六兩區，給中共突施嚴密檢搜，連續三日，凡在該府時代當過微末公職的人都被捕去，總數達千人之多，並被搜出機槍三挺，步槍八十支，手榴彈二千〇三十九枚，子彈一萬多發。但據中共公開表示，還有許多僞裝潛伏進行報復破壞的，就是政府機關人民團體以及部隊裏面，都仍有不少這一類份子存在着。沙宜一帶就發現在陸上不能活動的「匪特」，轉移到水上去。宜昌專署和遠安縣府都同時破獲「中國興華會」這類「反動組織」，發現主要份子之一的黃連芳，以行醫爲名，企圖暗中多方聯絡，舉事。

全省普遍展開　反迫害反鬥爭

此外，以「暴動」「縱火」「放毒」「暗殺」等手段來進行報復的，也接連發現多起：（一）湘沂打涸橋劃地界時，羣衆打傷湘沂縣委書記奪去士兵槍械，（二）監利縣在一個月內發生縱火案五起，燒房屋（包括機關衙署）七十餘間，（三）安陸辛家橋兩人被捉，房屋一〇八間，物資損失一億七千萬元。（四）趙李橋一「匪特」將自己房子炸毀，連帶燒掉隔壁公營米廠。（五）恩施縣公安局共幹傅德明被受迫害者李文章家屬毆死。（六）宜都安福寺共幹部一名被高龍鄉用硫磺燒斃。後在枝江仙女區又把藏有毒藥的肉飽子賣給「解放軍」和共幹們吃，因而被捕。

上列的事實，據中共當局宣告：不消說都是反革命分子受「美帝」「蔣某」直接指揮的「陰謀」，希望各地「人民政府」「廣大羣衆」密切注意提高警惕，然而相反的人民的暴露了大陸裏死亡與迫害，絕不甘心於死後，正前仆後繼地從事於反清算反鬥爭！（懷民，六月九日寄自漢口）

「勞模」夢醒逃亡香港

追述受愚弄經過

對不住同事更對不住良心

但願此後爲自由中國服務

週前，第二十六期的自由人，刊載了一篇暴露中共玩弄「勞模」把戲的文章，讀罷之餘，令我痛徹心骨，幾日來，我這甫經見愈的靈魂創傷，端地被它牽觸起一縷縷傷心往事。此刻，我願以過來人的身份，一述如何扮演「勞模」傀儡劇主角的經過，以見今日大陸上搬演不完的丑戲的一斑。

我自國內著名大學冶金工程系卒業後，一向服務於長江流域各大公私工廠。三十八年十一月，重慶易幟時，我正任職國防部聯總第四兵工廠技正，共軍入市接收工廠，我因全家大小六口均寓居廠區，使我不能脫身他走，同年十二月該廠復工時，我在中共「照顧技術人員」的宣傳口號下，被任原來職位。

起始兩個月過程中，我只抱着默默地用汗珠換取六十單位薪水的代價來養活六旬慈母及妻兒的生計。不意，由於我近乎柔馴的秉賦和一向對事情認眞的態度，一次，很迅速地修好母機上一點的毛病，竟乃招到中共接管人員「軍事副代表」「鄒某」的「青睞」，幾至因此和我結爲莫逆之交，每值空閑，他便來找我談話，開始，從今天天氣哈哈哈，到XYZ以及剩餘價值，革命，犧牲等等信口漫談。十次總有九次，他都是對我的技術水準，青年有爲等等佩有嘉，表示希望如何如何的。

在中共習慣「開會生活」中，每次，事前那鄒「代表」都必給我一片紙條，讓我據而發表。頭幾次，我還以爲這只不過出於我們私交的往來，那曉得，我却早經成爲準「勞模」，開始被人在要猴子呢？我照着那共幹的葫蘆依樣畫去，當衆發言的次數愈多，不知不覺，在同事間，到變成了「思想搞通」及「前進」等最像樣的偶像了。勞人自然難知其中的玄妙的。

給人當猴子耍了

命運被人家決定

去年四月，「中央人民政府重工業部」的生產計劃發下來了，我們那個廠的生產量規定了須從每日十噸增至四十噸。在所謂「愛國生產競賽」舉行前夕，「鄒代表」和我有一度極親密的談話，他說：「組織」上已經「決定」你是個「勞動模範」了，立刻，我對這「決定」感到吃驚不止，當以才能不逮見辭。他說：「這推不掉的，「組織」上既指示了你，便遵照「組織」的指示來做吧。我便是支持你到底的」。困惑中，我接過兩本小册子：「馬恆昌小組經驗」「史達漢諾夫運動介紹」。自此，我便逐漸失去自己理智的控制力了。

接着，全廠一千四百餘員工攪開「生產競賽浪潮」，工化、冶鍊、運輸大小十七個作房的八十幾件機器日夜昏天黑地的轉動着。當工人們的勞動中，我淸楚看到所有員工在精力過度支耗後，眼球下凹，廊容枯黃，隨處都可發現混雜血絲的痰沫。而我這「勞模」却是在賽中的我，以技術人員不是用雙手在工作，每天在共幹們的直觀下，口「說服教育」，「怎樣忍耐」，去同事們，來完成這一「競賽」的，被勞牛馬餓殺，

只好昧着了良心

怕共幹們把我「過時」了，爲了那六十單位待遇，又不測之禍，我一時高跌得重的即以「進步」姿態在人前昧着良心現身說法：「……」我這個學科學的人，發現超過背科學的理論隨時都有爆炸的危險，鍋爐不能……但我成了中共向色誇張的「工具」……

我是「我們提出了話的消極的，什麼作好宣傳的」……工作十噸，當我們的生產量由每日十噸……於五十噸，我被捧爲「勞模」光榮的……上開的會議，「逢……的意見，去如法泡製一番。

連妻兒也出賣了

在第一綫去吶喊鑼頭。我對於這個稱號的靈魂和全部自由，換來同事間以怎樣眼光看我的，我可不知道。

因而，我也就開始接待「觀察團」新聞記者之流人物日不斷的訪問，（自然，是有共幹在我背後應付他們的）我的妻，爲了「配合」這一光榮頭銜「參軍援朝」去了，我十三四歲的小兒女，也進入「文工團」「學習革命」去了。

失去的良知，我們心自思，沒有完全年來所幹的勾當，戲重地譴責我這半刀之下，不做傀儡，但在皮鞭下好還沒有，上什麼「團員」？幸刺勞模」的，再高升爲「全國勞模」「向前出邊，在四億五千萬的同胞面北考的途中，我在被派往東以我的技能，於是溜了出來，希望正有益的事。（翁致昌）替自由中國做點

沅陵中學生一語破的

槍桿子領導「革命」

「在老解放區以合作社爲領導　新解放區以國營階級爲領導」

金日成是朝鮮傀儡政府的反動頭子

中共統治後的教育，無所謂大，中，小學，也不管你消化不消化，接受不接受，一例的生吞活剝，「無產階級專政」，「新民主主義」，「馬列史毛……強輸硬灌，因此經常大鬧笑話，茲舉一事爲證：湘西合作幹部學校五月八日在沅陵招考學員，報名參加應考的一百二十八人中，過半數是初中三年級以上的學生，當舉行政治常識考試時，答題中百分之九十二都牛頭不對馬嘴，可是異常巧妙，茲據長江日報湖南通訊摘錄如次：

試題（一）我們新民主主義革命是以那個階級爲領導？以甚麼爲基礎？聯合那幾個階級對那些敵人專政？答案（一）「以解放軍爲領導，加強生產，發展金錢，搞好學習爲基礎」。（二）「以實際行動爲領導，以克服困難做工，生產，勞動，營業爲基礎，聯合全世界的工農小資產階級」。（三）「在老解放區以合作社爲領導，新解放區以國營階級爲領導，以經濟爲基礎，聯合國營合作社，私人，個人手工業」。（四）「以小資產階級爲領導，聯合資產階級」。

試題（二）「朝鮮傀儡政府的反動頭子是誰？」答不出的佔百分之六十，答「金日成」的佔百分之十五，答「李承晚」的，佔百分之八。

其實，錯的倒不全是學生，而是中共自己，誰說不是「解放軍」拿槍桿來領導「無產階級革命？難道金日成不是朝鮮傀儡政府的反動頭子？這眞是中共自稱「人民民主專政」，和侈言「抗美援朝」的絕大諷刺！（正誼）

如要「捐獻」　乃可「學習」

秋歐王朝接韓的兩次攻勢垮了之後，中共頭子們似乎也曉得「人海戰術」到底還是靠不住，史太林爸爸那裏又是口惠而實不至，陷進了的泥足，如何拔得起來？在無計可施之中，總算想出了一條下下之策：「向人民頭上榨取」，明知血肉無多，總還剩一些皮骨。於是一聲號令：「捐獻飛機大砲」！可憐吃不飽衣不全的老百姓，又不能把已餓癟了的肚子再抽緊一些，不然，「反革命」的大帽子可受不了。果然高壓之下何求不得，不到幾天，「響應捐獻」的宣傳，連篇累牘的登出來，最熱烈的，當然是「千元捐獻運動」，一千元合港幣不過兩角五分，少吃一頓飯就行。此外最「出色」的，要算廣州市公安局第一分局工作同志的那一項「增加生產和節約」的大計劃，其計劃如下：

一、多寶派出所，利用天台養白鴿，大井養豬，認捐人民幣八十萬元。

二、叢桂派出所，養豬兩頭，認捐一百〇二萬元。

三、如意坊派出所，養豬兩隻，雞六十隻，鴨十二隻，兔一隻，認捐一百九十萬元。

生產計劃是擬好了，並已用四格長的大標題發表在六月十四日南方日報第一版，節約計劃呢，還未見報。大約誰也不會想到吧，白鴿，豬子鴨兔以至雞鴨都要變做飛機和大砲的了。（爲公）

雞鴨豬鴿　飛機大砲

楊樹新慘死非刑

五條牛・一條命

不忍看・肝腸裂

從前暴君專政，視人民如草芥，每濫用非刑，以爲鎮懾之計，其最慘酷者，爲車裂，然從未聞有五牛分屍者，有之，自中共始：

湖南湘潭縣大樹坪鄉人楊樹新，除親率一妻二子耕種外，並僱有農民三人幫助，畜養牯牛五頭。民國三十八年，京滬失守，共軍渡江南下，直指湘鄂。旋陳明仁叛變，湖南全省相繼淪入鐵幕。湘潭共幹，以征借軍糧，支援前綫，勸銷公債等等名目，迭向農村抽剝，楊樹新財產所餘糧食無存，僅餘耕牛五頭，尚未賣去，樹新夫婦與兩子，已不能耕四十畝田，業已力衰，不得不繼續僱用，乃將田二十畝出租，但本年三月，湘潭實行「土改」，將地主之房屋農具牲畜財物，完全沒收，並指爲地主，嚴厲鬥爭。樹新亦被本鄉農會，改業小販，收之後，進行清算，向地主以一家數口，一旦房屋具被沒收，惟有勢將流爲餓莩。輒欲將耕牛賣出，一面略指微值錢之物，無人買受，不能變賣，之後，儀賸房屋耕牛亦經中共禁止出售。只得暗用毒藥，將耕牛毒死，而拆賣房屋木料，中無賴楊某，爲本鄉農會共幹，偵悉（農會共幹，破壞「土改」，將其房屋查封。並定期於本年四月十日，一面將樹新妻子逐出，謂：樹新破壞「土改」，爲反動地主，拘捕，舉行清算反動地主大會。是日由農會共幹集數十名匪幫一班地痞惡棍到場，將樹新提出，羅以莫須有的「惡霸」罪名，宣布：樹新爲本鄉萬惡地主，向來輪流毆打，然後由農會共幹宣布：樹新堅決與人民爲敵。最近壓迫農民，企圖破壞土改，存心反動，實屬罪大惡極，一死不足蔽辜，具文爲請各位發表意見。」

只一聲「另一個」……

（以下數行難以辨讀）

背而走避，莫敢卒覩。共匪之殘忍，直非生番野蠻人所能忍。（更生）

紅色市長的煩惱

·望楚·

號稱「[illegible]糧倉」的洞庭湖西，有個繁盛的市鎮——津市，它位置在澧水下游，長江入湖的支流，也經此匯合，水路四通八達，交通極爲便利，濱湖區的豆、麥、大米、湖西沖積平原的棉花，以及澧水流域的桐油和豬鬃，都經它轉口外銷。豬鬃是這鎮上主要的出口物資，最高輸出數字會達年銷三十萬箱的紀錄，四十多家規模較大的油商，在漢，滬都設有分莊，直接與外商進行交易。豬鬃的外銷量也很大，平均每年約有五萬七千箱的輸出，因之，津市商業繁榮，擁湖西對外貿易牛耳。

但它本身僅是個三萬五千人口的市鎮，隸屬於湖南省澧縣政府管轄，鎮上最高的行政機關是鎮公所，另有一警察所和稅捐處，大大小小的公務員不超過一百人。拜領共產黨的「解放」之賜，這個三萬五千人口的市鎮，經過十四個月的「試驗」，榮經「中共中南局」批准，升格爲湖南省轄的三等市，單就市府組織而論，就有四室六局，工作幹部八百餘人，但他們好比一個踢皮球的孩子，忽然充任甲組足球員一樣，處處顯出基礎脆弱和幼稚。這是共產黨自詡的「突破歷史和現實的條件光榮完成的政治上的創舉」。

榮任津市首屆市長的，是中共四野三十九軍第一副政委劉紅暉，這劉紅暉原來是國軍十八師張輝瓚部下通訊連的勤務兵，那時他年僅十五歲，江西第一次圍剿，張輝瓚全師覆沒，這個小鬼勤務兵也成了「紅軍」的俘虜，經過「思想改造」，居然「思想搞通」，在賀龍部隊西竄的時候，劉紅暉已經是營教導員了，隨着共產黨政權的擴大，他也就水漲船高，擠到了今天的地位。

這個經過中共嚴格的黨務訓練出來的劉紅暉，在「維護人民政權」方面，是做得非常認眞的，而且也有着一般共產黨員好大喜功的毛病。

中共的第一期勝利公債，分配給津市的是七萬三千二百五十分，但是，劉紅暉以霹靂手段，強迫派銷，結果竟「超額完成」了百分之三十，創中南區各單位成績的最高紀錄。因此，劉紅暉大受「中南局」的嘉獎。

津市經這次大放血之後，元氣大傷，十多家油行因拿不出現款，而被迫出賣全部生財，付清債款。反之，「中南局」經這次「購債考驗」，認爲津市是出黃金的地方，春夏秋各季工商稅，寒衣救濟各種捐款，紛至沓來，人民懾於中共逾期即罰的嚴峻手段，不得不含淚繳清，但再也不會「超額完成」了。

緊接着「抗美援朝」的事實答覆，美商務部宣布不買大陸的桐油，豬鬃及其他土產，國際貿易上一最大的主顧喪失了，若干土產的出口業，形成癱瘓，津市便是首先遭受這一片狂風暴雨衝擊的所在，桐油行貨積滯銷，付不出定期的欠款，一口氣倒閉了較大的三十七家，這是津市厄運的開始。

雖然津市的主要出口商業已奄奄一息，但統治者決不會停止對人民的搜括的，他們需要從人民身上榨取「抗美援朝」的本錢；從去年到今年，津市的監獄始終是滿滿的，它所扣押的不單是「國特」或「地主」，且有老老實實的生意人，他們的罪名是繳不出捐稅款。

「保護工商業」的諾言，記憶猶新，然而許多商店都被迫拍賣底貨，掃地出門了，面對這一片經濟颶風，「中南局」幻想津市爲黃金窩的美夢破滅了，劉紅暉的煩惱也一天天加深。

竭澤而漁，殺雞取卵的辦法，是不能解決財政上的困難的，不但使民無以爲生，反之，執行吸血工作的幹部們，怎樣「勝利完成任務」過？劉紅暉的煩惱是千千萬萬的中共幹部的煩惱之一而已，飲鴆止渴的財政，終有一天，他們會自食其果的。

萬竹樓隨筆（五）

·齊生·

從梁漱溟談到他的父親梁巨川【下】

巨川成仁後七年，即民國十四年，漱溟始與其兄煥鼐（字凱銘）編印乃父之遺著問世，題曰「桂林梁先生遺書」，內容凡六種：一、遺筆彙存一卷，二、感劬山房日記節鈔一卷，三、侍疾日記一卷，四、辛壬類稿上下卷，五、伏卵錄一卷，六、別竹辭花記一卷。予所見者爲十六年商務印行之初版，分訂四冊，第一冊卷首有漱溟兄弟纂譜巨川先生所編之年譜，及影印梁任公覆漱溟書一通，均極重要。從巨川日記，辛壬類稿，伏卵錄中，可看出清末民初北京社會各方實況，及當時政治方面各種醜惡情形，予治現代史者之參考不少。巨川爲殉清之人，而對當時遺老與張勳復辟一幕的若干人物，乃批評甚爲嚴格，且其自身更根本反對復辟，此不失爲一種獨立正確之見解也。

巨川於辛亥以後，即蓄志殉清。然對民國仍存有若干希望，甚至對袁世凱趙秉鈞之流，也希望他們振作有爲。後來看見情形愈來愈糟，他始感到生命已無久延之必要。民國七年十月十日是他六十歲的誕辰，他決心不過六十的生日，即於七日這一天的清晨，投水自殺了。巨川幼承母教，持身謹嚴，處事處人，各有一定分際，純粹爲一種中國固有之優良作風，從他的遺著中，更可看出他無日無時不以救世救人爲念，其人爲一卓然有道之君子，無可疑也。

巨川傾慕梁任公數十年，任公歸國後，即踵門往謁，並請書聯，歷五次未得一見，扁聯亦迄未寫。後見任公題譚鑫培（即小叫天）刺繡漁翁圖，有「四海一人譚鑫培」之句，以爲「任公有暇爲叫天題詩，無暇爲我寫字」，乃大失望，於「伏卵錄」中記其事甚詳。遺著印行，漱溟即以一部贈任公，並爲請題詞，任公讀之大慟，即覆書漱溟，自承「無狀」，謂巨川死後，於報中讀其遺書，「感涕至不可仰，深自懊恨，並世有此人，而我乃不獲一見！」並請漱溟「於春秋絜祀時，得間爲我昭告，爲言啓超沒齒不敢忘先生之教，力求以先生之精神，拯天下溺。」任公服善之勇，與漱溟之以直道待任公，兩俱足稱也。

四〇·六·一八。

曾慕韓師事章太炎

·鄭壽麟·

本刊二三期載舜生之「記曾慕韓」，其中小詩所云：「當代吾所師，新會與餘杭」，又曾氏所辦「醒獅」，其題字係出諸章公之手，這些事不僅表示曾慕韓對章之景仰而已，據我所知，慕韓確曾執過弟子禮。原來民國八年，五四新潮正澎湃全國的時候，青年們熱烈達於極點；一面要參加救國運動，曾慕韓和張夢九等新從日本回國，便在上海創辦「救國日報」；[illegible]求知若渴的公[illegible]，主編「學燈」，成爲青年時普遍的讀物，[illegible]

[illegible]國[illegible]後德[illegible]之哲學啓發，我們想章先生是一位博學之士，要求他爲我們作普通學識的導師，幸好他欣然接納，我們便於每星期日下午實行我們的訪道，記得當時章宅是在上海的一條普通里衖裏面，房子只是所謂二樓二底的舊式住宅，客廳設在樓下一間長廂房，陳設非常簡單，一只長几堆着一叠叠的古書，對面窗欄之上，掛着一塊大匾，上面有「東南樸學」四個大字，是黎大總統題贈的，我們每次拜訪的時候，由人通報，即直趨客室，各人擇椅就坐，屏息以待，有頃，章先生自內間出，坐上藤躺椅，徐徐吸紙烟，六個門生一一輪番提出質疑，先生一一答覆，範圍非常廣泛，我們的談話，可謂上自天文，下至地理，中至時事，無所不談，先生抽掉了多少支香烟，我們把時間消遣過去，[illegible]下午道別，和魏嗣鑾大家都要搭火車回到吳淞的校舍，[illegible]不以爲苦，總這樣維持了一個時候，直到我於七月底離開上海，退出這個小團體，他們繼續下去，想來不會很久，大家都因爲八年至九年中間，陸續往德法等國留學去了。

水銀黃

羊辛

黃隨雲在縣立初級中學當教員。你別瞧他下巴突出，馬頭馬面，一副不稱的容貌，他可是音樂戲劇，無一不精，尤其有兩隻閃閃有光眈眈虎視的巨眼，和一張纏綿綿糖也似的甜蜜的嘴，女人一遇到他，就全部軟化了，加以時常攪戲劇的便利，因此他的艷遇儘多的是，人們於是把他的名字黃隨雲改成了「黃水銀」，說是「無孔不入」，爲了要歐化些，就叫他「水銀黃」。

水銀黃是外縣人，來到這縣立初中教書，還沒滿一學期，就開了兩次音樂會，演了四次話劇。他說這個小縣文化水準太低，必須提倡劇運，普及音樂，纔能把水準提高，於是整日忙着演戲，回到自己的房裏，還在大踏其台步，且大展歌喉顫顫抖抖的直唱，深夜人家都睡了，他還不肯休歇。

在這四次話劇公演中，學校裏的女職員劉淑芬做了三次女主角。頭一次她不肯，水銀黃哈哈的陪着笑：「劉小姐，這是一個提高本縣的劇運，也即是提高大衆的文化水準，劉小姐應該義不容辭……」水銀黃施展出「無孔不入」的渾身解數，使着那張纏綿綿糖也似的嘴，把「劉小姐」大大的捧場了一番，對方似乎心領了，第二次果然答應做了主角，而且接連地做了三次，這其間，接觸的機會[illegible]，劉淑芬是拿劇本回家去研究，但是從「互相研究」借了水銀黃的[illegible]「研究」，漸漸發展到房裏去了，時常關在房間裏「研究」了好半天，那些刁皮的學生們，大大地提起了勁，捕風捉影的，似是而非的，假的，宣揚了出去，加油添醋，談得津津有味。

那劉淑芬，原是當地吳家村的一個紳士的媳婦，丈夫在外縣做事，時常不在家，這些風聲傳到她公公的耳中，也曾向她查問過，並勸她細心小心，最好不要做戲出風頭，但劉淑芬矢口否認，公公也就罷了。有一天，當劉淑芬正和水銀黃在房裏「互相研究」的時候，她丈夫驟然地破門而入，後面跟着四五個粗壯大漢，他請水銀黃出去談話，把劉淑芬也拉走了。

那丈夫對水銀黃說：「黃先生，你可知道你犯了什麼罪？」水銀黃強辯的否認，他定有[illegible]，丈夫從袋子裏拿出了一張字條和一封信，[illegible]劉淑芬有丈夫之婦，你還敢抵賴，那字跡你看，是[illegible]罪？你上午七時在新旅社「[illegible]」！劉淑芬提醒她私奔的話，準備帶一些金飾衣物，須還和水銀黃[illegible]知道，劉淑芬的丈夫把這些證據，粗心的水銀黃竟然落在丈夫手裏了，那張紙條發白，水銀黃看着，吳家村的人[illegible]了料，發着[illegible]，閙擁着。

雖而粗暴的喊了起來「打死他！打死他！打死水銀黃！」像捉賊似的，他被打得哀在人叢中，在吳家村的人看來，他是犯了死罪，乃是有人取了鋤頭來，準備把他研做兩段，給劉淑芬的丈夫制止了，結果是被打得遍體鱗傷，呻吟在地，衆人方纔散去。

劉淑芬是被丈夫休了，回到娘家吃老米去矣。可是誰知道水銀黃竟是一個老共產黨，縣城淪陷了，水銀黃忽被派來做起「縣委」。

全縣最先被屠殺的，是劉淑芬的丈夫和他的父親。吳家村先先後後繼續被捕去了三百餘人，無一生還。在屠殺之先，備受拷打刑罰，主持捕殺的劉，就是水銀黃。他坐在縣委室裏，威武地冷笑着：「哼！老子這纔是有冤報冤，有仇報仇！」

從南京到上海（八）

·王一中·

女幹私奔不堪工作

在向塘站上車與余隣坐之黃君，係南昌東大街某旅社之老板，據談：「當共軍入南昌時，指定渠店爲女幹部工作地點之一，駐在該店工作之女幹僅二人，而每晚來店之男共幹，則五六人或七八人不等。二女幹雖謹守紀律，堅苦應付，但形容憔悴，常帶不豫之色。忽一日晨起，男幹部出去後，二女幹呼喚茶房，囑代買女便服二套來（該女幹常著軍服），茶房遵照辦理，二女幹更換畢，問茶房：有人想娶妻否？茶房答以「不知道」。女幹說：那末，我二人以你爲丈夫可如何？速偕我行。茶房驚絕，不解其故。女幹等復說：你若不允所請，予等將誣你爲國特。茶房怕得罪，只好領之下鄉去。共軍後雖發覺，亦不加追究也。聞該女幹等均係東北良家子，被騙參軍，不堪晚間繁劇工作之苦，故寧願與共嫁一茶役云。」

「不特此也」，黃君又云：「駐在余（黃）同行中山路花園飯店工作之女共幹某，一日，手提小包，出門叫一黃包車，向「老[illegible]」車場方向馳去，及到郊外無人處，詢問車夫居住何地，有家室否。答以「單身，居芧棚中，家有老母」，女幹曰：肯納我爲妻否？[illegible]力娶妻也」，不敢。女幹曰：如不允，帶你當兵去。車夫[illegible]不敢不敢在堂，僞於女幹「當兵」話，不敢作聲，惟[illegible]屋，不便居住。女幹促其引至其家，便衣更換，翌日囑車夫喚工匠來，中所藏黃金約十兩，改造房屋。[illegible]生活。共黨事後，亦未加追究，得無以爲家醜不可外揚，故遂默爾而息乎？」

[illegible]

竹影心聲

·上海來鴻·

·雌草·

二十二

收到這封信的時候，你不必掉眼淚，是我錯誤，守着這個「家」，擺在我名義上是孫昌明的太太了，共產黨似乎存心開我玩笑，那天戶口檢查後，立刻通知我表兄，要他從速「娶了她來」。昌明本來追過我一陣，現在「思想」搞通，死心塌地爲「人民」服務，聽到這消息，以錯就錯來看我的媽，他說這個「僵局」只有與表妹結婚可以平安無事，否則「嫌疑」太大。媽沒有了主張，我哭得「死去活來」，若蒙鼓勵我「逆來順受」，因此我決心名義上要做表兄的太太了，締結上一輩子不會忘了你，我對你太內疚，然而千言萬語，我知道說也無益，你能夠相信我，你有一天回來，我會哭出血來詳細地受你審判，現在一切完了，你知道這是共產黨一種毒辣手段，他們是知道我在經常給你寫信的，不直接置我於「法」，還我嫁一個不歡喜的人，而且是共黨一個低級技術人員，全是有計劃的，你也許收不到這封信，也許看到信的時候，我已不在人間，總之，這是悲劇，現在輪到我主演。

我寫這兩張信箋，自已看看太傷你的心，所以又改寫了，雖是像講別人一個故事，實際我的心已經碎了。不必看第二遍，把我當作十年前就死去的朋友，你會自已找尋快樂的。

（完）

秘密警察來了

·張天寶譯·

·原載星期一日郵報·

哈拉說，除了申請書，另外還有一種契約必須填寫。

三杯咖啡的笑話

這契約的全文是：「我（姓名）自願允諾在任何與警察機構必要關係的事情上與國家安全警察局合作。將我從工作上得到的任何情報洩露與國家安全警察機構之外的任何人，乃是一種罪惡，須受嚴懲。我不得將有關我替國家安全警察局做的工作情形告知我的妻子，父母，子女，親友或其他任何人。爲了我工作上的便利，我選擇定（姓名）爲我的假名。」

這種新的[illegible]參加安全警察組織的低級情報員，祇有負責的[illegible]部門的首長，[illegible]他們國家的安全，[illegible]要求和他談話而請[illegible]電話一〇九六號——來會面。[illegible]

位次長假姓名，他可以[illegible]他到一[illegible]

[illegible]

「現在的生活是好得多了，可怕的是一個人不一定說：「我現在幾次要一個多人說起疑。」[illegible]

他們三個人喝着咖啡，[illegible]三杯咖啡是「三杯咖啡」可能是一種密[illegible]（六）

自由人
THE FREEMAN
（半週刊每星期三六出版）
（第三十二期）
每份港幣壹毫
督印人：梁大成
社址：香港德輔道中一四九號四樓
電話：三二八二〇
149, 3rd FLOOR, DES VOEUX RD. C. HONGKONG
TEL: 32820
承印者：東南印務出版社
地址：高士打道六四號
台灣經銷處
台北重慶南路一段七十四號

民主國家必須注意的幾個反共基本要點

左舜生

反共是確定的，理論上不能不反，事實上更不能不反，這已經無須乎多說。

反共是站在世界人的立場去反，決不單是站在中國人的立場去反；但中國共產黨是世界共產集團的一員，以打倒世界的共產集團爲目標，中國共產黨自然包括在內。說中國人對於打倒中國共產黨，日本人對於打倒日本共產黨，或法國人對於打倒法國共產黨，其所負的責任要比中，日，法以外的人來得更大，更直接，這是講得通的，然而世界性總是世界性的。因此，不論在任何一個國家以內，發生了對共產黨的爭執或戰爭，我們決不能說這是一個「內爭」，或者說這是「內戰」。

反共是世界本位 絕不是國家本位

世界的一切共產國家是一夥，世界的一切民主國家是另一夥；任何一個共產國家有權向世界共產集團要求通力合作，也猶之乎任何一個民主國家有權向世界民主集團要求通力合作是一樣。以己之長，補人之短；以己之有餘，補人之不足；必須做得十分澈底，甚至有時連傳統的國家觀念，王權觀念，也不能不有所修正。任何一個國家，無論是站在民主集團的一方，或共產集團的一方，假定忘了團體的利益，而處處只想逃避責任，或爲自己爭取較多的好處，這不僅對團體是一種損害，也可能斷送自己國家的前途。就目前的情況說，共產集團的一面，失之束縛得太緊；民主的一面，又失之於拘束力太鬆；這是由於兩方面的基本理論與出發點不同的當然結果。可是太緊與太鬆，都是一種很大的毛病，也可能成爲將來任何一方失敗的基本原因。我們站在民主的一方，就在今天，也已經感到這種太鬆，太隨便，太遷就的事實，有加以矯正的必要了。

美國援助不是取之不盡用之不竭

今天蘇聯對於其衛星國家的援助是相當審慎的，甚至有所予的時候，也必有所取，總想把她自身的力量，經常保持在一種有餘不盡的狀態中，以留作將來最後的使用。美國不然，她一向總是很大方的，在第二次大戰中的租借法案不必說，就是近年的馬歇爾計劃，以至今天不斷的向各方的援助，好像還是保持過去一貫的作風，中國有兩句話說得很好：「財聚則民散，財散則民聚，」美國人對於財的觀念，不單是勇於散，也勇於聚，這確實同時是一種泱泱大國之風，也就正是美國今天所以造成民主集團領袖地位的最基本原因之一，這在美國自身的立場說來是很對的。可是在接受援助的一方面卻不然：我們千萬不可以爲美國的金錢與物資，可以取之不盡，用之不竭的。誠然，美國今天確實是自有人類歷史以來一個最富有的國家，可是，我們不要忘記，今天這個時代，也確實是自有人類歷史以來，一個消耗力最大的時代！蘇聯政治局的一班巨頭們，天天正在那裏勞心焦思，想盡種種的方法，其最主要的課題之一，便是如何消耗美國，他們以爲：只要把美國的經濟拖垮，或引起美國經濟上一度空前的紛擾，便算是對世界革命的過程，邁進了一大步，甚至有使得民主集團不戰而屈的可能。因此，站在我們的立場，不單只應該愛惜自己的力量，同時更應該愛惜美國的力量，假定美國要求接受援助的國家，對於金錢與物資必須有明確正當的用途，試進一步要求，由她負起一部分稽考和支配的責任，這也并不算是過分。

反共的方法不出武備與文事兩端

我們在上面的一番話，我的意思在說明兩個基本概念：其一，反共的出發點是世界本位而非國家本位；其二，民主集團的內部，須相互尊重，相互諒解，對物力尤須特別撙節。以下我想略談反共的方法。

反共的方法好像是千頭萬緒，可是大別言之，不外武備與文事兩端。

今天共產集團擁有強大的武力，想在避免戰爭的方式下以求得侵略的制止，儘管不失爲是仁者的用心，可是事實上卻絕對的辦不到。他們天天在那裏製造戰爭，發動戰爭，卻依然要藉高唱和平以資掩護，可見至少在今天以武力對付共黨還是有效的。民主國家的團結無間，只能求之於大戰已起，和平幻想已經消滅以後，在今天這個大戰將起未起，而和平希望依然不絕如縷的時候，便可能弄得民主國家在步驟上夜長夢多，不只是示人以弱，而且可能在未來的戰爭中爲自己留下許多漏洞，給予敵人以蹈瑕抵隙的機會。今天就大勢看起來，民主國家一面是利在速戰，而共產一面卻是利於久拖，但是要打卻不能如今天韓戰這樣的打法。我在本刊出版不久的第五期上已經說過：與其攻瑕而待堅者瑕，不如攻堅而使瑕者堅。」這個意思是說明要「擒賊擒王」，決不能讓蘇聯永遠逃避戰爭的責任。後來我又說過（第十九期）：「假定大戰終於無可避免，我便不贊成從亞洲或歐洲分先後來打，而贊成在歐亞同時打，」這是要給予蘇聯一個在她的歷史上不曾遭遇過的難題，同時也就是要證明蘇聯是世界人類的公敵、可惜我這個意思還只能從美國方面發現麥克阿瑟和魏德邁等極少數人的共鳴，其餘的卻還是徘徊觀望，舉棋不定。截至今天爲止，我依然承認民主一面的武力大於共產，可是共產一面是有計劃的拖，民主一面卻是無計劃的拖，甚至依然抱着一個和平幻想在拖，這卻是非常危險的。

說到文事方面的反共，這應該涉及教育，文化，宣傳，組織，情報的各種方面，而且不只設於戰時，必須着手於戰前，繼續於戰後，然後才能收反共實效。這個話說來太長，我想另用一個題目，留在將來再說。

韓戰第一年檢討

黃震遐

韓戰已經延長到一年（至六月廿五日），還沒有結束徵象，在過去一年中，韓戰之特點，爲蘇俄指使韓共及中共向聯合國軍隊進攻。企圖驅逐聯軍下海。今後的特性則將變成「西班牙內戰」的東方版，一方展開聯合國軍隊的陣容，一方則展開蘇俄衛星國軍隊的陣容，同時在雙方軍備競爭方面，亦將以韓國爲大規模的實驗場，來準備第三次大戰。

三個作戰階段

西班牙內戰（一九卅六——卅九）自進入兵器競賽的實地演習階段以後，即變成第二次大戰的前奏，西班牙內戰結束於一九卅九年正月，是年八月，第二次大戰即行爆發。這是一個歷史教訓。

韓戰現階段，已經進入兵器競賽的序幕（自噴射機大戰後），韓戰第一年和第二年的特性，是不同的。在第一年，有三個作戰階段：（一）爲韓共之攻勢及其失敗。（二）爲中共的攻勢及其頓挫。（三）爲聯軍之有限目標反攻。其目的是爲局部戰爭的解決。在第二年，則將見蘇俄集團的技術總力，與英美技術總力的鬥法，其目的是爲第三次大戰奠基礎，至於局部戰爭能否解決，則反成次要問題。

韓戰在一九五〇年六月廿五日發生，當時北韓有俄式訓練的廿二個師，其中八個師是第一線突擊部隊擁有俄式T—34戰車三百輛，南韓總兵力，只有九個師，完全缺乏重兵器配備，此外在北韓後方，有馬林諾夫斯基統轄的俄軍七十五萬人（內含兵十萬），飛機四千五百架，戰車五千輛。林彪指揮的中共軍四野精銳五十萬人，五百架飛機，分別在濱海州及東北加以聲援。在南韓軍後方，（日本本土），祇有美軍四個師（十二萬人——戰車二百輛），散駐在日本，同時分散在日本琉球的英美飛機亦不滿一千架，和蘇俄比較，顯居一對五的劣勢。

因此，由北韓金日成發動的緒戰，事實上爲馬林諾夫斯基指揮下的蘇俄遠東常備武力一百五十萬人，五千架飛機，五千輛戰車，對麥克阿瑟指揮下的美國（聯合國）遠東武力二十二萬人，飛機一千架，戰車二百輛的挑戰。

金日成以T—34俄式戰車打先鋒的攻勢在第一週攻勢中，即將南韓軍主力擊破，深陷聯軍左翼，但南韓軍右翼沉着地守住中綫山地不退，此對於倉卒投入左翼參戰的美軍，第廿四師，是一項具有決定性的幫助。在七月一個月中，北韓用盡其全部六個突擊師和兩個裝甲師，來包抄退卻中的美第廿四師，最後僅在大田一役，將廿四師擊破，仍未做到殲滅美軍的目的。七月底，美軍第一騎兵師和廿五師從日本趕到大邱正面，和右翼南韓軍拉成環繞大邱的弧形防綫，來拒止突破秋風嶺，向大邱正面，及自南韓西南部，向聯軍左翼進行大迂迴的金日成外綫攻勢，大邱會戰的高潮，卒由美軍大型火箭戰防砲的普遍使用，使俄式T——34戰車的衝力鑿縮回去。聯軍即趁北韓軍右翼大旋迴合擴以前，整師退到釜山週邊，以洛東江及日本海形成一個專守防禦的盒子。

仁川登陸以後

金日成的主力十五萬人和華格第八軍（包括南韓軍，陸戰旅，英廿七旅）十二——十五萬人，在釜山週邊對陣一個月，英美海軍飛機及陸軍飛機的威力大爲增強，開始炸毀北韓後方工業及交通綫，汽油彈的應用，使俄式戰車逐漸絕跡，美式巴登式戰車參戰後，更使聯軍獲得甲兵的絕對優勢，超空堡壘，對北韓主力的集中區域（倭館）開始實施飽和轟炸，同時由於陸戰隊獨立空軍的參戰，彌補了許多陸空協同上的缺點，使北韓軍對釜山的包圍攻擊，一再頓挫。

九月十五日，麥帥指揮仁川登陸，阿爾蒙兵團以八萬人及強大的裝甲兵及傘兵，楔入北韓主力的後方，同時華格主力，亦自釜山外圍出擊，到九月底，北韓主力，在聯軍大量飛機及戰車兜剿之下，分別竄進幾個山區裏去，化整爲零，實行遊戰，十月初，華格的第八軍的追擊大前衛——第一兵團，和南韓軍三個師，一直衝到鴨綠江邊。

中共軍四野的第三十八，三十九，四十，四十二，五十，五野的六十六，六十七等七個軍，展開在華格前衛的正面，「三野」的二〇，廿六，卅〇各軍，展開在阿爾蒙兵團的側面，分別投入戰鬥，聯軍主力，在十二月初旬，先被共軍的主力擊破，急行機械化退卻，中共繼而集中兵力攻擊美軍第十兵團，逼迫麥帥，動員全部海軍力量，趕到咸興灘頭搶救，用汽油彈及海軍巨砲的威力，打破中共殲滅戰的企圖，搶救出第十兵團。

卅八度的消耗戰

一九五一年正月，聯軍除人數大量補充外，在火力裝備上，亦不斷增強，李治威從一月廿五日開始，實行局部反攻，到四月廿一日止，在卅八度南北獲得決定性的戰術勝利，中共担任防禦作戰的卅八，五〇，六十六各軍，及北韓新整編的三個軍，傷亡異常慘重，但主力結集三角地區，仍有餘方從事反攻，從四月廿二到六月一日，中共所發動的兩次春季反攻，使卅八度南北之戰，表現爲極其慘烈的消耗戰，與第二次大戰時的硫磺島，大沖繩島諸役相彷彿。

這次大會戰的雙方實際損失數字，可能爲在二十萬美軍中，傷亡了五萬（二萬爲凍傷）十萬南韓軍中，損失五萬（包括凍傷）。其他軍隊損失數千人。中共軍在參戰的十二個軍，兩砲兵師四十萬人中至少損失十五萬人（包括大量凍傷）

美要求打破主動操于蘇聯之僵局

聯軍在一年作戰，動員陸軍一百萬兵力，傷亡四十餘萬之後（南韓二十五萬，美軍十五萬），在六月廿日，攻佔了北韓及中共的中綫基地「鐵三角」，先後加與對方的一百五十萬人以一百萬人的損害，大致造成一對二五的傷亡率，此外南北韓民衆（總人口約二千三百萬）的傷亡，在三百萬以上，受戰爭影響流離失所的在一千萬人以上，一年韓戰，損失的比例：已超過任何一次大戰。

到六月廿一日爲止，韓戰的遠東大勢爲：

（一）馬林諾夫斯基的紅軍七十五萬，五千飛機，五千戰車，和美軍第四十，四十五兩師及日本警察軍共二十萬人，隔日本海沉默對峙，兵力爲一對三之比。

（二）中共及北韓在韓國戰場，以五十萬人對麥立特的南韓軍十五萬，美軍廿五萬，其他聯軍四萬，形成相峙之局，繼續消耗。

（三）在東北至少有中共及國際軍三十萬準備參戰，聯軍已無第二綫兵團。

（四）雙方空軍兵力的對比，爲蘇俄中共飛機六千架，聯軍飛機一千五百架，海軍的對比，爲蘇俄潛艇一百艘對聯軍海軍艦艇五百艘。

韓戰一年的結果整個遠東除傷亡軍民四五百萬外，全般局勢，並無重大的改變，還是一種相持之局、馬林諾夫斯基仍是按兵不動，坐看聯軍的苦況，因此引起美國內部的國防論戰，要求打破此主動操諸蘇俄的僵局。

半週展望

雷嘯岑

英伊石油談判破裂了！

英伊石油談判，由於伊朗堅持要英方自三月二十日起，將產油價值百分之七十五先付還伊方而宣告破裂。英方認爲伊朗這種不二價的態度，不是講理談判，乃是乘機要挾；伊方認爲非如此，即不能貫澈國營的精神，現在伊方通日依照其既定計劃，接收英伊石油公司一切財產，阿巴丹的世界最大規模煉油廠也接收了，只是尚未封閉其輸油管而已。英方一面召回談判代表，一面投訴於海牙國際法庭，同時則作各種保護僑民的措置，聲明如非英僑受到生命危害，決不採取軍事行動。有人問伊朗總理摩沙德：英伊石油協定是雙方自由締結的，怎能片面廢棄？他說：那是過去當政者受英國操縱威脅而然的！

英國投訴於國際法庭的用意，是在表示不放棄其具有國際法所認許的權利，徐圖應付，此外不會有甚麼結果。伊朗一齊一股民族主義的狂潮，加上久爲貧窮所苦的生活情操，一不做，二不休，利用國際間矛盾對立的形勢，斷然行動，固不免有「乘人之危」的心計，若能始終保持「不亂來」的和平姿態，問題即不致再惡化。

從伊朗石油事件可以得到一項論斷：即世界落後民族的獨立自主要求是深切而不可忽視的必然發展。先進國家只有因勢利導，使其達於「平」，然後才談得到「和」！

法國的普選完成

法國國民會議議員六百二十五名的普選已經完成。據一般所謂國際政治觀察家的批判，認爲選舉結果是右傾勢力抬頭，如右翼的戴高樂派所得議席，爲各黨之首位（共有一百一十八席）至於未來的內閣人選，大家又認爲是由中間路綫各黨聯合組織爲最可能，因爲戴高樂必不願參加，而他根本不贊成現行憲法，要主張修改的。

參加這次選舉活動的政黨，有一百多個！法國的面積和人口，尚不及我國的四川省遠甚，而政黨乃有百餘個，可謂極盡「民主」之能事了。多黨制的國家，政局總是不安定的。在法國，以內閣總理做三兩天即下台的情形并不稀奇；而多黨政治每以黨派利益妨害國家利益的事，也很平常。我們試看二次大戰法國崩潰後，莫洛亞所寫的「法國悲劇」，德軍已快要兵臨城下了，然後達賴第（外長）和雷諾（內閣總理）二人尚在大嚷意見的情況，即可證明。

這次選舉雖然說是右傾勢力抬頭，但法國政局依然不會穩定的，因爲所謂多數黨也祇佔有六分之一的席位，至少非有三黨以上的聯合陣綫不可，而兩個多數黨（人民黨與共產黨）又很不容易與人合作哩！在這世界形勢危急之秋，民主陣綫只能希望法國精神合作，少所挂礙，則爲萬幸了！

美國國會的調查作證案

美國國會兩院爲麥克阿瑟事件的調查作證，已經進行了一月有餘，最近議員們多主張提早結束，這是上策。調查作證的本質，首在撤去麥帥職務之是非，次爲此而涉及美國戰後對遠東——尤其對中國——政策之利害得失。但關於撤職問題，業已得到結論，即杜魯門總統有此權能，方法錯誤，問題殊失體統。

談到對華政策，由於赫爾利將軍的作證，又把雅爾達協定問題鬧得很難堪。其實，這件事是羅斯福親自幹的，雅爾達協定是國務院的共黨份子希斯和羅斯福總統所策劃決定的，軍事負責人馬歇爾也應該負責，今他已去世，是非死無對證，再爭論也無濟於事了。大家估計錯誤的結果，搞這一套白皮書的前因後果，亦人人都在朝，一律斑斑可考。果如艾奇遜所說，那些反對他們政策的人，也應負責，而執行這項政策者，都已出席作證，玩弄這項政策的艾奇遜且在國會辯說了幾十萬言，真是費盡多少唇舌了。糾正政府的錯誤政策，罷黜應該負責的文武官員，這就是兩院代議士的應有職權。

對日和約問題

我國應取之步驟

對日和約，未明白規定台灣歸還中華民國，則我國應拒絕參加。這是我國「不可退讓的條件」。其應取之步驟，則首應宣布終止對敵戰爭狀態，然後另行直接談判和約。

·凌乃銳·

美國主持對日和約談判特使杜勒斯氏最近訪歐，與英法政府當局磋商十天之後，業已返抵華府，晉謁杜魯門總統報告經過。杜勒斯氏此行，傳聞結果非常圓滿，美國與英、法之間，關於締結對日和約各項原則，獲致了完全的協議，大約兩個月內，對日和約即可成立云云。究竟所謂「各項原則」之內容如何？「完全協議」之程度如何？我們尙不得知。惟從新聞報道中，略悉美，英，法三國所已協議的原則之中，包括下列二點：

（一）台灣之地位，和約上僅簡單規定日本放棄一切要求，至其今後主權之誰屬，將不涉及。

（二）中華民國政府暫不參加簽訂對日和約，將來聽任日本自由選擇，或請中華民國政府，或由北平共黨傀儡政權簽訂。

此項消息，確否無從探悉。姑假定其爲實，則我國誠不宜緘默，任其演變，務須積極採取適當的步驟，以爲應付。

臺灣是歸還不是獲得

首先，關於台灣之地位，一九四三年十一月開羅宣言既已明白規定「應予歸還中華民國」。而在日本據以投降的一九四五年七月波茨坦宣言中，復有第八條確切規定「開羅宣言各項條款應予實施」，所以，台灣主權之誰屬，根本不成問題。對日和約上必須說明歸還中華民國，不能僅稱日本放棄一切要求，甚至還另外提出辦法，如由中、美、英、蘇商決，或聯合國討論等等。

如所周知，台灣是一八九五年甲午戰爭，中國失敗以後割讓給日本的。一八七一年普法戰爭，法國失敗以後，也割讓了亞爾薩斯·羅蘭二州給德國。第一次世界大戰末期，一九一八年一月，美國威爾遜總統，發表「十四條款」宣言，內中規定德國應將其得自法國之亞爾薩斯·羅蘭二州歸還法國，措詞簡直和開羅宣言規定台灣歸還中國一樣。一九一八年十一月，德國接受威爾遜總統的「十四條款」宣告停戰，又正同一九四五年九月，日本服從波茨坦宣言而投降一樣。對德凡爾賽和約是一九一九年六月二十八日簽訂的，德國接受停戰是一九一八年十一月十一日。在一九一八年十一月十一日至一九一九年六月二十八日之間，法國已經完全控制了亞爾薩斯·羅蘭二州，一若我國自一九四五年九月三日日本投降以後，即已完全控制了台灣一樣。凡爾賽和約上規定亞爾薩斯·羅蘭二州歸還法國，不過是追認既成事實，了清手續而已。亞爾薩斯·羅蘭二州的主權，早在一九一八年十一月十一日即已歸屬法國，因爲此項領土是「歸還」法國，不是法國强取自德國的。所以嚴格說來，凡爾賽和約上的規定，是合理的，但是不能認爲法國對於亞爾薩斯·羅蘭二州的主權，係根據凡爾賽和約而裁定。台灣的情形，亦完全一樣。一九一九年，沒有一個人說凡爾賽和約可以不涉及亞爾薩斯·羅蘭二州之主權歸還法國一節，更沒有一個人說亞爾薩斯·羅蘭二州的主權之誰屬，要由法、美、英、義四强商決，或由國際聯盟討論的話。一樣的情形，何以玩弄兩樣的手法？

我應採取斷然的步驟

而且，威爾遜總統的「十四條款」，是他在致國會演詞中列舉的，而波茨坦宣言，却是用「美國總統，中華民國國民政府主席，英國首相」三人名義，堂堂正正對日本發出的。後者的約束力，顯然是遠比前者爲大。何況，德國在一九一八年是「接受停戰」，而日本在一九四五年是「無條件投降」。凡爾賽和約或可不規定亞爾薩斯·羅蘭二州主權之誰屬，對日和約則絕對應該規定台灣歸還中華民國，因爲日本服從波茨坦宣言而「無條件投降」，波茨坦宣言上的條款，就必須一字一句載在和約，不容絲毫疏漏，變更，或增添。否則，無論是對日本，對盟國，乃至對世界歷史，都是背信而且是不義的行爲。

所以，我們認爲現在正由美國主動談判的對日和約，如果不能明白規定臺灣歸還中華民國，則我國應該絕對拒絕參加。我們要求政府：即刻鄭重聲明，表示嚴正的態度，這是我國「不可退讓的條件」（Sine qua non），免致發生其他的誤會。一九一九年，我國爲了山東問題，曾經拒絕簽訂結束第一次世界大戰的凡爾賽和約，今日我國的處境，固極艱難，一若一九一九年支離破裂的局面，而其複雜錯綜，內外險惡之情勢，且遠過之。但國際局勢，自由民主與獨裁傀儡對立，陣綫分明，一判若鴻溝，[illegible]一九一九年，我國政府[illegible]理直氣壯，決然的採取[illegible]步驟。

外交史上先例可參考

我國政府如果因和約對於台灣主權未能明確規定歸還中華民國之故，不惜拒絕參加對日和約，則所謂將來由日本選擇簽約政府一節，遂成空言，自無爭論之必要、惟我們所應策劃者，則爲今後我國與日本之關係究將如何展開？按照國際公法，結束戰爭的程序，普通是先停戰，次議和，最後乃告終止戰爭狀態，兩國關係於是重復進入正常和平之階段。我們認爲：如果我國不參加現在正由美國主動談判的對日和約，則政府似應另行宣佈終止對日戰爭狀態，單獨直接與日本談判和約。這是事勢使然，必不得已而採取的步驟。本來，在第二次世界大戰期間，聯合國曾經互約不與敵人單獨媾和，不過，目下美國及其他國家既已單獨與日本單獨進行談判和約，我國的行動，自可不受拘束。

關於單獨宣佈終止對敵戰爭狀態，另行直接談判和約之說，並非創擧。其最著名的先例，即爲：一九一九年，威爾遜總統親蒞巴黎，主持和會，親簽訂了對德凡爾賽和約。不料後來送到美國參議院，因爲和約第一章是國際聯盟盟約，參議院表示反對，整個和約終以四十九票對五十五票被否決。延到一九二一年七月二日，始由哈定總統宣佈美國終止對德戰爭狀態，同年八月二十五日，美國單獨與德國簽訂柏林和約。這一件外交史上舊案，大可以供我們的參考。

中日和約必然要締結

我國對於日本，曾經一再聲明，不採報復主義，除了台灣必須歸還外，別無其他苛索。亦不如菲律賓之堅持，日本必須自承其戰罪，我政府關於對日和約草案的意見，並未提及，一本我國固有的仁恕精神。關於賠償問題，日本安全問題，都願以同情的態度，求得合理的解決。另一方面，就日本之立場而論，日本是天先的反共國家，中國大陸現爲共黨傀儡政權所蹂躪，事事仰俄帝之鼻息，所謂匪俄「友好同盟條約」即以日本爲公開的敵人，嚴重威脅日本之安全。所以無論爲日本自身利益計，或爲東亞繁榮與安全計，皆有賴於與中華民國之密切合作，共同努力，在此情形之下，我們相信，單獨的中日和約，是很容易而且是必然要締結成立的。

美蘇對立中的原子彈

·李秋生·

要了解美蘇原子能發展與原子武器製造的比差，用兩國工業發展程度來衡量，大致不會有錯的。

如果說在戰後這幾年間，使克里姆林宮當局心懷戒懼，不敢悍然發動侵略大戰的原因，是由於美國始終擁有原子武器優勢的緣故。則相信在五月間，史太林最關懷的事，不是三八綫附近的戰線進退，也不是美參議院對於麥帥事件所進行的調查，而是美國在太平洋恩尼威吐克珊瑚島所進行的原子彈爆炸試驗。

尼華達恩尼威吐克的試驗

自從美當局發現了蘇聯在竭力利用國際間諜刺探西方原子祕密以來，使一切都嚴加關防，絕對不肯公開透露，試驗都在祕密中擧行；但從關係人的談話看來，和新聞中偶然透露的一鱗半爪，仍不難窺知美國原子武器製造的突飛猛進，較之以僅有的兩顆原子彈威迫日本屈膝的時期，直不可以道里計。最近這半年中所擧行的兩組爆炸試驗，就是個明顯的例證。

較早的一組是在一月底到二月初在尼華達州的拉斯費伽斯試驗場擧行的，共計五次，每次爆炸的情態和威力都各不相同，最後一次是威力最猛的一次（二月六日），在相距三百哩外的洛杉磯都感到震動，五百哩外的愛達荷州能看到閃光。但若比起恩尼威吐克的試驗，又算是小規模的了。

此次在中太平洋礁湖擧行的爆炸試驗，從四月底到五月下旬，歷時將及一月，究竟擧行過幾次爆炸，至今仍諱莫如深——可能是十次到二十次之間。至於其設計之廣泛，威力之强大，動員人力物力之衆多，與所獲資料之豐富，在在都屬空前。試驗完成後直遲至本月十三日始由主管人員召集記者招待會從事報告，但在那冗長的新聞報道中，只是籠統稱道爆炸演習的成功，並無任何稍涉技術性質的敍述。所可推斷得知者，此次試驗性質不外：一、測知最新式原子彈的威力；二、試驗氫彈的雛型——也許只是用原子彈作爲「扳機」，以引發氚氣（即原子量爲三的氫）的原子核熱力反應；三、試驗戰術性原子武器對於部隊坦克和飛機的效果；四、考驗原子爆炸對於各種建築物的影響與防空壕的抵抗力。總而言之，在積極方面，試驗各式原子彈的威力和效能，在消極方面，是搜集有關防禦原子彈爆發與事後從事救護的資料。

數量直八倍至十倍之差

在技術方面的收獲而外，最值得注意的是，此種試驗對於當前國際局勢的影響。無可諱言，近年蘇聯也在拚命發展原子能和原子武器，一般科學家對於蘇聯在此方面的成就都不肯輕加低估，但若和美國相較，雙方顯尙有遙遠的距離。第一，蘇聯的原子彈產量，一般估計是每月四顆，至今其所囤積的數目僅以十計——至多不能超過一百。美國則早已數以百計，現在大概在八百顆以上，約比蘇聯多到八倍至十倍，其生產數量品質且均在不斷進步中。第二，美國在此次恩尼威吐克試驗之前，已有過十三次的原子爆炸，蘇聯還僅有一九四九年九月初間那一次，經過此次爆炸試驗之後，雙方更加不成比例。如果蘇聯有過更多的原子彈爆炸，那必然逃不過民主國家科學儀器與情報人員的耳目。因爲前年九月那一次，美當局就是由三種不同的科學方法測知，在事後又由情報人員加以證實的。那科學的探測，已經精密到獲知爆炸發生的地點，且能斷定那確是一只原子彈爆炸，而絕非一座原子堆失事爆發。假如蘇聯也有過較大模規的原子彈爆炸，西方國家必不至茫無所知。第三、直到現在，蘇聯仍在竭力從西方國家誘引原子科學家並利用間諜盜取技術情報。過去一般科學家都斷定蘇聯非到一九五二年不能製成第一顆原子彈，事實上却早了三年，這並非科學家的判斷不準，而是西方國家製造原子彈的祕密以至藍圖，遠自原彈在長崎爆發後不久就經過間諜入了俄帝之手。羅克斯的情報與彭蒂柯夫的出亡，無疑都給予俄國製造原子彈以重大幫助。這一事實說明了俄國科學與人材的落後，因而不能不假手於攫竊。但這究竟不是長久可持的辦法。間諜案暴露的越多，西方國家戒備就越加嚴密，往者已矣，來者可追，新的技術和祕密，可斷言俄國絕難像過去那樣易於獲致。第四、原子彈的製造牽涉到工業科學中最繁難的部分，并需要高級的人材和精確技術，這正是俄國所最感缺乏的。

閃電戰不能得到決定勝利

在軍事上所謂先發制人，在原子武器戰中較之從前更具有特殊意義。因爲原子彈有毁滅性質，首先遭到此種武器攻擊者可能連還手之力都要失掉。俄國既已擁有幾十個原子彈，是否也可能突然對民主國家發動一次閃電襲擊呢？也許有一天他們會冒險一試，但却不可能一擧得到決定性的勝利。[illegible]

對日和約問題

對日和約如被無理排斥 我政府將如何處置

（一）我政府應向國際法庭控告簽字國
（二）我政府應宣布該約簽字的一天爲「國際正義式微節」
（三）我政府應與日本政府締結中日友好條約結束戰爭

·陳石孚·

關於對日和約，年來幾經磋商，現時已屆成熟階段，今後數月如無意外發展，大約本年內即可簽字。和約內容本係規定基本問題，但在基本問題之外，現竟發生「我國應否參加簽字」的荒謬疑問。這個疑問的提出，顯然是表示民主陣營裏還有不少懷有姑息自私的因素的存在着。這姑息自私因素之存在及其糾正，不在本文討論範圍以內，姑置不論。但是對於那些姑息自私者所給予對日和約的障礙，及其排斥中華民國政府參加簽字的無理主張，我們却不能不加以檢討，並提出對策。

對日抗戰，就時間而言，中華民國是最早而且最久；就犧牲而言，中華民國國民在物質上和精神上所受的損失最大而且最慘。抗戰時期，全國國民在國民政府領導之下，共同抵抗侵略。日本投降時，由國民政府受降。佔領日本的工作，由國民政府所派的代表團參加執行。東京國際軍事法庭的組織和審判戰犯，由國民政府的官員會同担任。（雖然梅汝璈後來投奔秧歌王朝，那是法庭任務全部結束以後，他以私人資格所作的投機行爲，與他過去的「法官」身份，毫不相干）。華盛頓的遠東委員會負責擬訂佔領日本的重大決策，也是由國民政府的代表參加。這一連串的事實，足以說明除掉國民政府而外，沒有任何賣國殃民的傀儡政權可以代表中華民國。傀儡政權不僅不能代表中華民國，它自己也否認了中華民國，而自命爲鐵幕式的「人民共和國」。中華民國自從辛亥革命以來，中經無數變亂，但皆屹然獨立，未嘗中斷。所以今後對日和約以及其他有關於國際間問題，都應由中華民國政府代表中華國民參加，那是不容絲毫懷疑的。

不過國際間的祕密勾當太多，我們爲着預防姑息自私者可能給予我們的損害，必須早日提出對策。倘若英美簽訂對日和約時，居然不顧國際信義，無理排斥中華民國的代表參加，我主張政府應立刻採取下列三種措施：

（一）我政府應向海牙國際法庭提出訴訟，根據法理和事實，控告全體簽字國。因爲它們不惟抹殺歷史，背棄盟約，而且損害中華民國及其全體國民的正當權利，請求法庭公平判決。這個主張最初在香港英文虎報社論中提出，但在華文刊物裏似尙未有人提及。這是一個很有見解的辦法，我們應該響應，并且應當在必要時，促其實現。因此在本文裏，放在第一點，以示本人對於虎報的共鳴和欽佩。

（二）我政府應明令公布，未經我國參加而簽訂對日和約的一天，爲「國際正義式微節」，並由全體自由中國國民自由集會，號召國際正義人士，共申國際正義，起義救亡，興滅繼絕。如果世界不會毁滅，我們相信國際正義決不會淪亡。人類總是要生存的，吃人的老虎，我們總得要共同起來，給它打倒的。有人相信老虎及虎子，可以姑息的壞念頭，總有一天要對上帝懺悔的。至遲，等到他們自己被威脅的時候，總得要向正義這邊來靠攏的。這個例子太多了，我們且拭目以俟。

（三）同時，我政府應本抗戰勝利時所發表的寬大政策，與日本政府締結中日友好條約，以結束兩國間戰時狀態，並樹立兩國國民的永久和平。倘日本政府懾於他國的淫威，以致無法締結此種條約時，我政府即可片面聲明我國立場，並對日政府的顧慮表示同情和遺憾。

以上三種措施，都帶着一點非常的意味，恐怕政府還有所顧忌，不敢毅然採行。關於這一點，我必須向當局諸公略說幾句痛心話。過去十幾年來，我們處處怕得罪別的國家，所以處處給別人看不起。一九四五年的中蘇協定，這協定明明是中華民國第二期對外締結不平等條約的開宗明義第一章，當時並不是沒有有識之士，義憤塡膺，如鯁在喉，不得不吐。但是政府要朝野上下，意見一致，不許異議。於是協定締結了，中華民國百年的遺恨[illegible]。現在我們已經到了正義和强暴的分水嶺，假若我們再不站穩腳步，而仍舊把辦理外交當作外交來處理，那就是委曲求全，那就是低首下心，還不是唯一的正當的辦法。甚麼叫「集體行動」？甚麼叫「集體安全」？[illegible]

在中共的誘騙和恐嚇下 我參加了「青年訓練班」

可憐許多同學，都變化異地遊魂 僥倖逃出樊籠，且來個現身說法

我在家中閒居半年，天天在共黨威脅下過着苦悶的日子，因為我年輕力壯，既未讀書，又不做事，當然是他們注意的對象。那些女工妖精，時常以言語打動我，要求和他們做朋友，我就無意聽他們那套鬼話，但是情況越來越緊，並且造出種種恐怖的謠言：「無職業的青年，不參加共黨徵求出路，就有國特嫌疑」，這些精神上的威脅，餓有點吃不消，想逃走吧！一無錢，二無路，終於自投羅網，參加青年訓練班。

強迫與誘惑兼施 湊足了招考數額

青訓班預定招收一千五百名男女學生，設了四五個招生處，結果合計纔有千名投考。除了有肺病和大肚子外，全部錄取，還是不夠。負責招生人員受到上級指責，批評他們宣傳工作沒有做好，又和地方政府失去連繫。因此就唱出強迫與自願結合的論調，一方面利用地方政府權威，強迫青年入伍；同時，由行政區文教部，訓令各學校，按分配的數字選送，這樣一千五百數字，才勉強湊合起來。

加鹽加醋會報 追到學生自殺

入伍的第一天，就開始編隊，排長以上都是老幹部，有一定的職制；排以下就是小隊組織。小隊中設小隊長和學習組長各一人，小隊長負行政管理責任；學習組長兼副小隊長，掌握全組學習，主持座談會和討論會，小隊長大概都是挑選工農出身的人擔任，在共產黨眼光裏，認為出身貧賤，立場比較穩固，同時也容易掌握，學習組長的挑選，要文化水準較高者擔任，因為要負責小組會的記錄和結論，有時還要對文化低的同學，作文字上的互助。

低級領導人員，隨時要將下面情況會報上級，使上級領導者，可以切實掌握下一級的思想行動。有一次，討論「中蘇友好條約」問題，第十六中隊有一個學生，名叫蘇欣，他對於新疆礦權問題，略表不滿。他說：「不是互惠的利益，中國吃虧很大。……」事後學習組長，加油加醋會報指導員，說他是反蘇思想，除遭到嚴厲的批評外，竟成爲青年訓練班的新聞人物，幹部講話的材料，同時保衛股（該股任務是調查反動情況，和鎮壓反動分子）三天兩天召集他談話一次，弄得他啼笑皆非，不堪精神的刺激，終於觸電自殺了。

蘇欣死後，同學們議表同情，一致說學習組長會報偏頗，因而以致造成悲劇。因而在生活檢討會上，有人提出意見，要求改善偏向，以利今後學習。當局不但不採納，反誣爲與領導上對抗，並且正式宣佈蘇欣的罪狀，強調他是國特，因工作不能讓開而自殺。然而死的已經死了，誰敢替他辯白一句！

恐怖心理日增 掀起潛逃風氣

學生的怨恨情緒，既不斷暴露，同時又有所謂「積極分子」在告密邀功，負責直接掌握學生思想的指導員們，與學生漸漸隔閡，形成敵對立場。因此，乘承黨委意旨，不惜採取[illegible]手段，將平時好說話，並能起領導作用，而又出身資產階級成份者，加以「反革命」的頭銜，送交「人民法院」治罪，藉以鎮壓。如此措施，造成多數人恐怖心理，因此掀起潛逃風氣，在半個月內，就逃跑六七十個。雖然有被抓回辦罪的，結果反而增加恐怖，與迫使自殺。據操縱政委的報告：前後共有七人自殺，但原因：不是失戀，就是國特。誰都明白這些話的靠想，誰都不敢說出罷了。

受訓學生被選的消息傳出後，誰有兒子在受訓，誰都不放心。因此，懷念兒子的母親們！都從很遠的地方，趕來與兒子見面。當她看到枯瘦萎黃的愛子，無不傷心流淚，受盡委曲的孩子，見到慈母，天賦流露，每每哭做一團。有些若癡若愚的母親，哭求竟向幹部磕頭，求放她兒子回來。這個共黨所謂不識相了，共黨費盡心血，騙進來的學生，怎肯輕易放手？

強迫寫安慰信 拒絕家人探問

因爲學生家長，紛紛來看他們的子弟，見面就是一場大哭，對共黨的誘騙策略，打擊甚大。因此，命各自學生開會檢討，提出安慰家人的保證，轉輾拒絕家人探問。結果決定每人寫家信一封，規定要講幹部對學生如子弟，生活優越，精神愉快，這一類的話。信寫好後，又要在小隊裏宣讀，徵求大家通過。再經幹部統一審，合乎規定，才得付郵。否則批評還要另寫。

由於共幹們的欺騙設施，學生們也漸漸學乖了，對於一切問題，雖有懷疑，都裝成懂得和信賴，表面上完全跟着他們一面倒，等候那最後一天！——脫出樊籠。現在我是僥倖逃了出來，得免做替死鬼。只可憐那些已被誘騙的同學，不少成了異地的遊魂！

只要逃出鐵幕 甘冒萬死不辭

各地鄉民陸續偷渡來港

廣東各縣進行土改聲中，凡對流氓地痞稍有嫌疑之地主富農，無不懍懍危懼，紛紛設法逃赴港澳，以免清算時受公審虐待。前日有粵北清遠花縣佛岡等處已被指爲地主階級者九人，改裝逃至深圳，僱「資牛」三名帶路偷渡來港，詎於文錦渡中英交界處，爲中共守兵發覺，開機槍掃射。其中三名冒死換水泅過對岸，然後從鐵絲網底挖開地洞逃抵英界，其餘六人及「資牛」三名則生死未卜，可能已被共軍捕去。此死裏逃生之三人，昨向記者縷述經過，猶有餘悸。由此益見人民寧冒萬死亦不願忍受中共暴政之一斑。（漢明）

越不近情理越是真實

只有住在共區受過共黨統治，吃過共黨苦頭的人，才知到共黨的厲害

一封致自由中國台灣讀者的信

編者先生大鑒：我接好多台灣朋友的信，都是詢問大陸情形究竟如何？對此漫漫的長夜，似乎不甚好熬，探其內心，對共匪方面，多少存有一點幻想，對報刊所登載的鐵幕消息，多少存一點疑慮，因此本人有致台灣自由人讀者的信，希予刊登。

讀者俞平上

編者按：俞平先生這封致自由中國台灣讀者的公開信，正說明了中共自己承認：「人民底眼睛是雪亮的」這句話。掛羊頭，賣狗肉的勾當，究竟瞞不了幾時。茲將原文發表。

經驗之談

自由中國台灣讀者諸君：黨時進先生，在他的共區回憶錄裏，曾經這樣說：「中國人倒似麻木的太多，不打到自己頭上不覺悟」，只有住在共區，受過共黨的統治，吃過共黨的苦頭的人，才知道共黨的厲害。不身臨其境，總是不肯相信的。當共黨進佔據東北和西北時，鄂北人不知道，不相信；未到長江時，南方人不知道，不用信；完全佔領大陸後，台灣人不知道，不相信……共黨就在這樣的一般麻木情況下，得到現在的成功。這實在是千真萬確的經驗之談。

我也曾麻木了一個時期，也就是對共黨的認識不夠的緣故，曾經有位身歷共區的朋友，告訴我共黨過去在江西留下的慘痛陳跡，而我也不是沒有身歷目擊，但總以爲我如果「安分守己，顧惜財產，自力求生，沒有過不去的」這個幻想，始終在憧憬着。

完全看錯

我所持的理由：第一、過去當小公務員，根本說不上有甚麼政治關係，（殊不知當過保甲長的都要殺）。第二、沒收財產後仍分給土地，自耕自吃，我可以辦到，同時還符合了我那勞動不勞（指勞心勞力）而食的心理。第三、共黨在江西時代，究竟是流匪性的，以後共黨也曾自承江西時代的錯誤，今日一回天下，要樹德立信，不會舊病復發，同時我還讀了很多共黨的書刊和文件，除了清算鬥爭缺少事實證驗留待查考外，並沒有發現甚麼其他足以破滅我那幻想的疑點。（殊不知道共黨說的和做的、絕對是兩樣，共黨騙人的鍊就在這裏）。並且共黨還揭示了不亂打不亂殺的諾言，說明「殺人解決不了問題」的理由，堂堂人民政府，誰能懷疑他負責？第四：報刊雖然登導了一些鐵幕內的慘事，但我以爲國共之間，總免不了有意氣，多少有點渲染。因此[illegible]的，因此我怎知道到一月，所有共區的幻想徹底破滅，才明白原來不是「不准生存」的問題，而是「如何生活」的問題。

六月下雪

至於報刊所報導的鐵幕消息，多屬不近情理，怎知愈不近情理，其真實性愈大。去年六月，我遇到一位上海朋友來港，請他告訴我一些上海鐵幕的消息，他回答說：「上海這幾天正下大雪，積雪約七寸！」我說：「你不要開玩笑！」……[illegible]……這位朋友的比喻，才實在貼切。

何患無辭

舉例說明：自由人所登載，賢先生身歷共幹清算死人……[illegible]……又十七期與廿五期北平名醫梁某……[illegible]……所以千萬不要以爲不近情理，而忽略了他的真實性。

又如自由陣線所載的湖北鄉村末日記一件公審案件，大意說：一次公審地主，共幹事先未作準備，公審時要大家指控罪惡，竟無一人發言，……[illegible]……

自由中國台灣讀者諸君：你們對共黨的認識，……[illegible]……「不准生存」，「如何生活」……[illegible]……健康！

六月十六日

中共大力徵機砲捐 沒收兩廣鹽田土地

二十多萬鹽工鹽民 肚子更要癟下去了

爲了要大量購買飛機大炮，凡是可以弄錢的地方，中共都絕不會放過。在「上天下地無不歸『國』」的原則下，兩廣鹽田土地收歸「國」有，於五月廿五日，兩廣鹽務局召集廣東各有關財稅機構代表，和指定的兩廣沿海一帶鹽工，合共三百多人，舉行所謂第一屆兩廣鹽工代表和第三屆鹽務擴大聯合會議，一切就在這會議中決定了。決議案是：「鹽田土地收歸「國」有後，原租約一律作廢，出租人及承租人不得再接受鹽田土地租金」。這樣一來，所有場主們的利益固然一筆勾銷，而廿多萬鹽工鹽民此後也只能向中共直接討生活，非更束緊褲帶不可了。

跟着來的，自然還有一套，那就是代表着廿多萬鹽工的幾個「特定人物」，展開控訴惡霸場主們的罪行，臨時舉行了一個「控訴大會」，材料是老早就準備好的，不幸的場主們自亦無從置辯。從此，中共的飛機大砲又增闢一個來源了。

逃者生留者死

武漢參議員生死恨 三十餘人全部被殺

頃有友人周君由武漢逃出，途中經多少險阻，用去港幣五六百元相等之數，始行到此自由世界。據云：兩月來，中共在武漢擴大逮捕與屠殺。本年三月至四月，兩個月中被逮捕者逾萬人，公開示衆，宣佈罪狀被殺者亦千餘人。其他祕密處死者尚夥，又各處失蹤之人日有所聞，指不勝數。漢口市參議員總數約五十人，除早日逃出鐵幕十餘人外尚存三十餘人，三月間被中共陸續逮捕全體槍決。周君舉其被殺之認識者爲梁海樓，成丙門，尹紹良，鄭其平，羅夢石，林大文，陳遠初，黃亞東，曹仙舟，張德院等十人，餘不認識故不知其姓名。又云三十餘人半數係純粹商人，並未任過其他公職，成丙門已七十餘歲，乃漢市布業會主席，任事多年，平日名譽頗佳，從未插足公門，此次亦被屠殺，商人多抱不平。又據該友人云，民國十七八年時代，鄂省胡宗鐸主政時代，曾任十八九兩軍師長之程汝懷，李石樵，長石幼階諸人，亦於本年三四月間，被中共陸續逮捕公開處決。（光華）

上海一斷一簡

又屠殺二八四人

本月十五日，上海龍華，江灣，軍工路三個屠場又屠殺了二百八十四人。據中共軍管會和「人民法院」公告，另有十七名判處死刑緩期二年執行，又判無期徒刑的廿三名，有期徒刑的九十二名，交保釋放的兩名。（軍管會和法院各一名）這兩名死裏逃生的「人犯」，真是釋放得巧極，如果不是爲了表示「人民政府」也會「釋放無辜」的話，這兩人決沒有如此僥倖吧！

宋慶齡作點綴品

「人民政府副主席」宋慶齡，「委員」陳嘉庚，既逃不出鐵幕，又不願到北平做傀儡，做傳聲筒喇叭手，在上海百無聊賴，但有時也被捧出來做做幌子，此次開的什麼土產展覽會就坐在冷板凳上，一同點綴場面。

筱丹桂舊案翻新

滬共僞鼓勵市民報復，每一倚落都在獄起控訴，曾轟動一時的越劇坤伶筱丹桂案主角張春帆，又再成爲衆矢之的，和筱丹桂逃過公開的金兆元被指定爲主控人。這筆陳年舊賬已連續在鉅鹿路的「文聯禮堂」大翻起來。看情形，張春帆的死是逃不掉了。

再清算兩個校長

智識份子在中共眼中總是不輕容易放過的，復旦校長王仁生，徐匯校長張伯達，雖然兩年來的戰戰兢兢，結果還是不能自保，已同時在共幹嚇使下給「師生員工」向市教局控訴，罪名當然一定成立，只看僅是撤職，還是處刑！（悠然・六月十六日寄自上海）

共區何以無自殺新聞？

廣州惠愛路某[illegible]經理朱某，因生意不好，積欠稅款多月，無法繳納，……[illegible]……緘口不敢談朱某自殺事。（艾）

識人太多了　亦可送命！

[illegible]

血仇

·羊辛·

我仔細數着，在我的家鄉，我所熟悉的人，賸下的已經沒有幾個。

在那座公巖的山脚，在那條平日擠滿浣衣婦的小溪上，仇恨的血滿滿地染濕了。那個山脚，是女共幹練習屠殺以博取男同志喝采的屠場，而那條溪上，則是被綑成一串用機槍掃射的集體蒙難處，受刑者要跪在溪中，好讓溪水把他們的鮮血冲去。

我眼前閃現着這些熟悉的臉，……我担保他們大多數是善良的人民，包括了勤奮成家的小商人，急公好義的地方人士，堅貞不屈的文化工作者。

我小學時代的老師，一個七十餘歲的老人家，辦教育出身，善良敦厚，與世無爭，也被慘殺了。共產黨找不出殺他的藉口，不但人人說他是好人，而且連所謂「人民代表」也願意爲他做担保。然而共產黨人要除去這樣一個受人崇敬的眼中釘，（也即是所謂「善霸」），把他殺了，說是：「他的學生，盡是國民黨的人物，所以他有罪」。七十餘齡的老先生，臨刑面不改色，堅強不屈。是的，他的學生盡是國民黨的人物，他們會爲他復仇的。

我的老朋友，一個退伍軍人，被捕了，共幹打他，處以酷刑，他冷笑：「你們別太威武了，我是被捕了，沒有反抗的力量，隨你們怎樣辦吧！」臨死時，他高呼：「打倒共產黨」！共幹把他的嘴巴塞上糞污，然後槍斃。

一個商人，因爲舊日和一個本地的共幹過不去，被加上地主罪名，判處死刑，一面令他家中的人穿麻帶孝，陪着他遊街，名曰「送活葬」，一面令他爬地而行，頭上貼一紙條，上書「我是惡霸」，由那個和他過不去的共幹，親自執行槍殺。

一個青年某君，一文化工作者，由於共幹的胡作胡爲，義憤塡胸，將共幹們痛斥了一場，被捕了，說是「國特」，隨即處死。

有人早已被祕密處死了，然而家屬仍蒙在鼓裏，照樣向監獄裏送東西，如是繼續經年，還是不知道他送東西的對象，早已屍骨腐爛。

被慘殺的人，家屬要爲他付「子彈費」，「收屍費」，說是「浪費了人民的子彈」，不准悲傷哭泣，還要「大義滅親」，說是「死有餘辜」，若是他的子弟參加了什麼工作的話，最好更要自己執行，手刃父兄，否則，至少也得大寫其痛駡父兄文字，登諸報端，表示擁護「人民政府」的「賢明措施」。

殺了，斬了，還要侮辱，野蠻民族，尚不至此！沒有法律，沒有準繩，不必審訊，不用法庭，每一個共幹都是法官，他們的話，就是活的法律，隨時隨地有捕人殺人之權。

大屠殺的目的，是爲了要鞏固政權，祇殺得賸下了一些愚夫愚婦，統治起來，也就隨心所欲。但是死難同胞的血，並沒有白流，他們的血在活着的人的心中，織成了仇恨，這仇恨將化爲力量，消滅了那班狂妄野蠻殘酷奸詐的賣國賊。

黃遠生論袁世凱

·舜生·

萬竹樓隨筆（六）

黃遠生（遠庸），清末少年進士，亦民初有名之記者，其爲上海申報所作之北京通信，及在其他刊物所發表之論文，均搜集於林宰平（志鈞）所輯「遠生遺著」一書。書凡四冊，近五十萬言。吾人欲考見袁世凱秉政時期之北京政象，以及張振武宋教仁諸鉅案之原委，以乃至袁氏稱帝以前一切玩弄議員欺騙人民之鬼蜮技倆，遠生之書，實爲絕好之參考資料。

遠生於民國元二年間所爲各文，見於當時北京出版之「少年中國週刊」者，於袁氏實抨擊不遺餘力，茲節錄其一段如下：

「……大抵袁總統之爲人，並非不可與爲善之人，然自其受政以來，則善日少而惡日多者，此由其本身之原因者半，由於其左右及政黨政客者亦半。今試爲更詳言之：袁總統之爲人，意志鎮靜，能御變故，其長一也；經驗豐富，周悉情僞，其長二也；見識閎遠，有容納之量，其長三也；張弛奮發，勤於治事，其長四也；拔擢材能，常有破格之舉，能盡其死力，其長五也。有此五長，而爲善日少而惡日多者，一由智識之不能與新社會相接，一由於公心太少，而自扶植勢力之意太多，綜言之，則新智識與道德之不備而已。故不能利用其長於極善之域，而反以濟惡。既自顧手執政權者十餘年，天下之大，變故之繁，無不爲其牢籠而宰御，則益驕視一切，以爲天下事不過如此；於是其手段日以老練，其執行日以勇往，乃至舉國之人物爲供其奔走，盡中國國家所有，供其政治演劇之材料。某今敢斷言於此，此不變以終古，袁總統者，在世界歷史上雖永不失爲中國怪傑之資格，而在吾民國歷史上終將爲亡國之罪魁。天以其明達宏遠舉世難得之資，若令其左右能守法以忠規，議院能盡職以監督，言論界能秉公勸告，則利用潮流以立功名，不顧逆潮流以取斧戾之袁總統，未必不能進化。……」

此其批評袁氏，可謂恰如分際，無溢美，亦未雜以個人意氣，必具此知人論世之識，更以敢言之勇，始足以進退一世之人才。洪憲議與，袁頗欲羅致遠生以爲已用，遠生心不謂然，然亦未敢峻拒，乃走上海，且遠適美洲，卒於舊金山爲人所暗殺。或曰，遠生終不爲袁所用，或曰刺遠生者即爲袁所嗾使；或曰，遠生有祖袁嫌，刺之者實爲反袁派；其眞相至今不明也。

四〇·六·二〇·

欲言又止

·白波·

把自己關在屋子裏，一點也聽不到外邊的聲音，我在筆尖上加一把小心的鎖，然後舖了些色的信箋，想了許多謹慎而不致被誤解的詞句。

我在給我上海的女兒寫信，自從知道在上海收到港澳寄去的信，是被認爲「有問題」的以後，我曾擱筆賭咒不再寫信，我想在我心底深處，不再記住上面的，爲腐爛與死亡的代名詞；是我總不能忘記僅有的一點骨肉，她的來信寫得多慘！她說：你走了後，誰再來給我買一雙鞋，一本書？

於是，我終於又掙扎起來，趕走懶病，忘了賭咒的話，我不得不再提起筆，我要告訴我的女兒，爸爸並沒有糊塗，還未清醒的是那些跟着別人做尾巴的搖旗吶喊者。

信寫到一半，筆尖上彷彿冒着火，把那把鎖也解去了，我撕去了信箋，希望今晚上有一個夢，我在夢裏看到了已經獲得自由的女兒，她說：你現在可不必再寫信了。

女兒控父逼婚

·廣南·

菲律賓華僑朱壽，原籍福建晉江石獅鎮右旁一小鄉村，被菲政府驅逐出境，解回大陸，到廣州的時候，共產黨說他受的人民歡迎與看見祖國的新生，因此感動到流淚了。後來回到家鄉，在泉州新橋頭開設一家金舖，沒有四個月，因爲共黨對金飾業苛稅特重，朱壽不能支持就倒閉了，他收拾了殘餘，回到鄉下和弟弟一齊耕種爲活。

朱壽有一個女兒叫秀鳳，年二十一歲，二年前已配給鄉鄰王明義，明義也是華僑，因那時時局緊張，沒有回家迎娶，淪陷後，明義還時常寄信給秀鳳，並且再爲秀鳳設法南渡的手續。

共產黨建立鄉政權後，在朱壽的村中開設一個婦女識字夜校，每一個鄉的女子都要上夜校上課，秀鳳當然也不能例外，起初幾個星期，秀鳳有點害怕和害羞，後來也漸漸慣了，指導員王登山每日白天要到朱家一二次，探望秀鳳，看着她的功課，名義上是教她生字，要秀鳳虛心「學習」，朱壽有時候看不過眼，當指導員在的時候說幾句俏皮話，但指導員就拍拍朱壽的肩膀說：「朱大伯，時代不同了，你也該多多學習」。不久，朱壽也被列入學習班，與那群「地主」一齊學習起來。

秀鳳在指導員王登山的領導下，不到二個月，就做了該鄉「婦女會」的代表，每一個公審會都有她，上台，她穿着解放裝，發表控訴，演說，有時候她也會抽抽煙斗，朱壽簡直不敢承認她是自己生的女兒。秀鳳當了代表，事情很忙，一星期沒有二次回家，朱家爲了她已許配王家，所以當她回家的時候，總是勸她在外面要自己謹慎，說王指導員看樣子不存好意，要當心，不提防。但沒有朱壽這些話，反而碰了一個大釘子，給秀鳳申斥了一頓，她還搬出大篇理論：「你根本還學習不夠，毛主席說：學習，學習，再學習」，這句話學習，緊緊記住。秀鳳說此話，一怒而去，約有一個多月沒有回家。

不久，朱家祠堂開了一座控訴台，「鄉控訴大會」，頭一個節目是：「朱秀鳳控訴父親朱壽強迫配婚案」，控訴會開始時，朱壽跪在台下，雙手捧着一個面盆，盆裏裝滿着尿，頂在頭上，尿水淋淋的落在朱壽的頭面。秀鳳上台說了一大套控訴的道理。朱壽遂被解往縣內的監牢拘禁，等候人民政府的判決。

朱壽的家從此變成了「人民」官的公館，秀鳳就是公館的主人，也是公館的招待員。

恬·不·知·恥

·朱義·

在這個光怪陸離的時代裏，最使我驚異嘆服的，莫過於一般賣國賊了。

當年汪精衛之流，雖然粉墨登場，却還知扭扭捏捏，唱口低頭，知恥的漢奸，尚有幾分局促不安；可是今日的賣國賊，非但恬不知恥，而且昂首挺胸，自以爲這樣才是「前進」，這樣才是「革命」，顧盼自得，顯預徘徊，好像很值得令人仰慕似的，其恬不知恥的程度，實是令人嘆爲觀止！

這些賣國賊所掛的幌子是：革命！多麼漂亮的一個名詞！的確，凡是有血氣的，有志向的，有智識的先知先覺之輩，那個不嚮往於「革命」呵？只有那些冥頑不靈的時代渣滓，才「反革命」！於是乎，有了這個幌子，怎不值得挺胸昂首，顧盼自得呢？懂得「革命」的人不是很得榮耀的麼？它將爲萬千思想前進的人們所膜拜，因此大可以公然唱做，聲嘶力竭，恨不得天下的人都知道，才够叫人佩服！

英國近日撤職了一位都市發展局局長費爾教夫人，這位夫人，去北韓走了一次，回來就演說廣播，忙個不了，說打共產黨的聯軍，是「野蠻行爲」，大罵美國人在屠殺「文明的人羣」，她慷慨激昂，幾乎要喊破了喉嚨，表示得再前進再革命也不過了，幾乎恨不得把所有的聯軍全部打死，謝那些「文明的人羣」

從南京到上海（九）

·王一中·

毀滅人性

二十五日晚，車抵衡陽時，一少年登車脫帽爲禮，歸視之，爲友人李氏子，余詢以自何處來？往何處去？做何事？據云：「南昌解放後，曾被迫入「八一革命大學」受訓，對共產黨深爲痛恨，此次乘間由南昌上車，欲往香港轉台灣工作。」並爲余述「革大」「學習經過，玆略述三則如左：

（一）同學中有王氏堂兄弟二人，弟年十六歲，兄長弟四五歲。其祖父爲讀書人，以年老在家休養，日常無事則以打牌爲樂，間或爲人排難解紛，頗得鄉人信仰，當學習期限屆滿，共幹令學員，各自尋找材料，總結思想報告，以定學習成績。

王兄對於家庭內容，未曾徹底坦白；其弟因年齡幼稚，竟在其總結上寫：「我祖父每日在家賭博，不事生產，收取租穀，剝削農民；是道地的惡霸地主。」共幹閱後，大爲讚賞，許爲思想前進，一面將其兄緊閉處罰，認爲不够坦白，思想尙未搞通，一面通知當地公安局，拘捕其祖父戲予訊辦云。

（二）有楊姓同學者，十年前曾見其父有手槍一枝，當學習期中，共幹號召人民，獻納武器時，彼首先報告，謂其父藏有手槍。豈知該槍於解放前，已由其父讓售於省保衛團，無法取回，致令其父身繫囹圄，至今尙未獲釋。

（三）「革大」女同學，另有宿舍，但分組列隊，則採取混合制度，因共黨提倡打破男女界限。某日，女同學以男生之沐浴地點在女宿舍門口，頗爲不便，向共幹請求糾正，詎知該共幹大發雷霆，聲稱：思想如此落後，何能談「革命」？莫說沐浴更衣，就是睡眠同在一塊，又什麼要緊？將來分派出去工作，還拘執得這麼多嗎；我們共黨講馬列主義，是要打破男女界限的云云。這番說話，弄得女生們哭了一陣，不知如何是好！及結束時，多數逃避不接受工作分派。

以上三事，說明共黨之根本教育政策，使青年們，攻訐父兄，毀滅人性，此尙得謂我人之世界乎！

賣命的價錢

·眞言·

在「抗美援朝」「保家衛國」漂亮的口號下，枉死鬼愈來愈多，不有補充，後援難繼，中共爲確保以人爲海的陣地，又發起了「十萬軍幹運動」，凡身強力壯的大學生智識青年，都必須「自動」參幹，「爲國爭光」。

據一個由南京「軍大」逃出來的學生李君講：「賣命的價錢」現在確實是提高了，空軍人員考取後，每天除米外，發薪金人民幣八千九千元，海軍與技術通訊人員則發八千五百元，砲兵及機械化兵種人員發八千元，後勤與其他人員則爲七千五百元。我問他：陸軍（包括步兵）怎麼不列入？他笑着說：步兵是人海戰中的「主流」，在廣大的農村中，可以取之不盡，用之不竭，何必列入？他又說：空軍的訓練期間爲九個月，海軍爲一年半，砲兵與機械化兵種則爲六個月，這班新考取的年青人，每當看見擺滿桌上的雞鴨魚肉時，就感觸萬千相互慨嘆着說：「吃一天算一天了」。

人有異曲同工之妙的確是可以贏得了不少的采聲的。然而可惜的是這個「前進」「革命」的幌子的下面是甚麼呢？是和汪精衛的傀儡班弁無二致，甚或超過百倍，是把自己的整個國家民族拱手奉送給別人，是認賊作父，屠殺和掠取自己的同胞，去博取主子的歡心，是爲了主子的利益，驅自己的同胞爲主子送死的賣國賊！不折不扣的一羣出賣國家民族的賣國賊！

也有一個甚麼學院，美國狂者的熱烈掌聲。不久以前，「去佔領全世界」，以博取台下那些革命崇拜出現了幾個教授之流的宣言，破口大罵美軍的「野蠻殘酷」，儼然一副「前進」面孔，與這位費爾敦夫

秘密警察來了

特務頭子相互監視

·張天寶譯·

·原載星期日郵報·

捷共國家安全警察，通常都粗魯而不重警潔，對於纖間工作，亦能力薄弱。他們的摘記，筆跡幼稚，常有拚字錯誤。比起從前的捷克祕密警察來，一個是一個可憐的對照。以前那一班人，都狡猾而機警，對間諜工作具有長時期經驗。我曾認識一個在第一次大戰中深諳這一門祕密工作訣竅的人。在這階段，他的工作奧國皇軍情報機構的任務是偵查活動情形。奧方幾次會把他抓到，但終於給他逃到蘇聯。他在那裏參加了捷克縱隊，而熟悉蘇聯間諜的那一套本領。二十年代中，他曾和法國的情報機構合作。第二次大戰期間，他曾和英國情報組織M16和美國情報機構保持接觸。一九四五年初，他又去到蘇聯。他是個第一流特務人員，卓越的密碼和隱形墨水專家。他對各強國祕密警察和間諜網的智識，原可以使他成爲捷克國家安全警不可或缺的重要人物，但這種智識反而成了他被捷共當局整肅的主因。捷克最高特務機關，顯然喜歡那些智識水準不高的狂熱份子，而不要那些知道得太多的專家。

國家安全警原屬內政部管轄，直到一九五〇年五月二十三日，捷總統下令另設一特別部門，稱爲國家安全部。任何普通平民，均不容在安全部和裏面的八百個官員談話。有事到安全部去探問，必須提出書面說明。過了相當時候，保安隊當會予以答覆，但非常簡祕，祗有是否之別。安全部長是柯普里伕，四十五歲，頭髮金黃，聲音尖銳，行動粗野。

柯普里伕手下有五個副部長，他們除別的事情之外，必須在暗中互相監視。甚至柯普里伕也在彼此監視之列。在國家裏，沒有一個人是不受監視的，他也根本不能有此想法。據哈拉說，他在安全部裏沒有看到過俄人，不過時時聽到謠傳，說裏面有幾個莫斯科派來的「顧問」。我問他捷共安全警是不是也偵查俄人。（俄人的偵查捷克要員的行動已是無人不知的事）。哈拉對我望了一眼，顯然十分驚詫。他祗說：「這怎麼可以。我情願監視上帝，而不願監視俄人。」

當大舉捕人的行動，已準備實行時，國家安全警將必須靠到穿制服的正式保安警員了。他們受巴弗爾將軍指揮，穿着綠色的軍裝式制服，通常上差時總是帶槍，即使担任交通指揮任務時也是如此。警棍在捷克已早被廢棄。在可能發生動亂的日子，機動警察都佩帶手槍機槍自動步槍，頭戴鋼盔，駕警車巡迴於市內各處街道，或在城內外架起障礙物。直到情況恢復平常爲止。

（七）

自由人

THE FREEMAN

（半刊每星期三六出版）

（第三十三期）

每份港幣壹毫

督印人：梁大成

社址：香港德輔道中一四九號四樓　電話：三二八二〇

149, 3rd FLOOR, DES VOEUX RD. C. HONGKONG TEL: 32820

承印者：東南印務出版社　地址：高士打道六四號

臺灣總銷處：台北重慶南路一段七十號

論美國政策不可厚非

韓戰以後的美國政策，大體上是正確而英明的，這是自由世界勝敗之最後關鍵，這對于今後五十年遠東歷史，必有決定意義。

胡秋原

這幾年來，史太林東奔西併，幾乎無往不利，而民主國家言論多而行動少；此自足使人憂慮。直到最近美國國防大辯論中，仍然表現指導圈意見之不一致，而軍事當局，甚至公開的說美國準備不足。另一方面，則韓戰之中，中共一而再，再而三的人海攻勢，儘管次次失敗，還有再接再厲之勢；而韓國戰火結束無期，伊朗乃至越南局勢，又日趨緊張，使民主國家幾有應付不暇之勢。於是大家不免抱着這個憂慮，即如果美國還不及早大刀闊斧，給蘇俄以決定性打擊，則拖延下去，會不會上史太林的當呢？最後勝利有無把握呢？這不僅是全世界愛好自由民主人士心中關切的問題，而也是最近麥帥在其旅行演說中所痛切陳詞的。

魏德邁是一位了不得的人才

在我看來，在韓戰以前，尤其是一九四八年以前，美國政策確有錯誤，史太林也確有成功；自由世界也的確危險。但自韓戰以後，美國的政策，可說大體正確，斯達林則步步失敗。時至今日，無論冷戰，溫戰，熱戰，美國必勝，斷無疑義。戒懼是必要的，批評美國促其注意，也是必要的；但絕對不必懷疑俄帝之必敗，絕對不必長俄帝之志氣，滅自己的威風。

美國過去之錯誤，主要是由羅斯福總統的路綫而來的。羅斯福自是蓋世之才。但任何偉大人物不能不錯。他過於自信，以爲他可以「馴服」斯達林。不過，假如他遲死一二年，也一定能以絕大決心制服斯達林。不幸忽然死去，盛極難繼，他的後繼者一時只能蕭規曹隨，沒有以絕大英斷，來改弦易轍，與其說國務院有親共份子作祟，不如說這是錯誤之由來。這錯誤便表現於對蘇俄的估計之錯誤。由這錯誤，又發生對中共估計之錯誤。

在這一次大辯論中，我發現魏德邁將軍的眼光，甚至在馬麥二帥之上。他在二次戰後早建議美軍駐在東北，研究近百年世界史的人，應該知道亞洲關鍵在東北。使蘇俄不能控制東北，他在亞洲任何活動，皆屬徒勞。美國沒有採取這一上策，則麥帥之駐節日本，馬帥之出使中國，皆中下之策矣。所以，我覺得魏德邁是一個了不得的人才。

文明防線在鴨綠江

韓戰以後美國的政策，大體上是正確而英明的。這也可說是自由世界勝敗之最後關鍵。向使美國沒有韓戰後一聯的措施，南韓將在兩週之內消滅，今天日本已經動搖。到了這個地步，蘇俄即無東顧之憂，則以全力問鼎西歐，擾亂中東，民主國家眞正不堪設想。麥帥所謂「文明防綫在鴨綠江」，其意義即在於此。魏德邁將軍所謂不以全力在韓作戰，即不如退出韓國云者，乃是激將之詞，不能單由字面去理解的。

反之，由於韓戰以後，美國一連串的行動，至少抵償了過去損失的一半。我說「一半」，是指美國已以六七萬的傷亡，解決了中共韓共主力之一半而言。至於在政治上促進了聯合國的團結，在戰略上保全了東南亞，在全面的戰略中爭取了動員的時間，強化了西歐的防禦，並根據韓戰經驗，在戰略戰術和武器上作了重大改進，意義尤其重大。除此以外，還獲得一大戰略優勢，即目前美國海空基地移到朝鮮海日本海以後，事實上已在海上封鎖了海參崴和旅大，在空中，控制了蘇俄遠東區域，使蘇俄「不敢亂說亂動」。美國在遠東實力，從來沒有像今天這樣強大的。這對於今後五十年遠東歷史，必有決定意義。

在這一個「有限度」戰鬥中，麥帥與統帥部的歧見，僅僅只是細節和實施程序上的技術問題。無論如何，史達林業已進退維谷。而且他決不敢進攻日本和台灣。可是，他也不能和，不能退。如果停戰或退却，不論聯軍是否推進，一旦幾十萬的「志願軍」回去宣傳火海之可怕，則整個斯達林魔術便要破產。所以，他只有命令中共繼續送死的一條路。這對美國固然是一麻煩，但蘇俄培植了三十年的工具，逐漸切掉，能夠不要一點代價嗎？

美要以聯合國名義作戰

麥帥認爲轟炸鴨綠江北，蘇俄亦不敢參戰，在邏輯上是不錯的。但美國政府至今爲止，還不擴大戰爭，[illegible]國之名義作戰。[illegible]

民主政治的優美作風

[illegible]表演。在伊朗，如對總裁和南斯拉夫一樣，蘇俄只能作神經戰，決不敢眞正動手。環顧世界各地，蘇俄可以試試的不至立刻受到毀滅性打擊。但[illegible]

馬立克另一新的陰謀

韓戰和議可能由秘密外交，場外交易，蘇俄中共想在取得詭詐的利益下，獲得喘息的機會，而重新主動選擇有利的戰場。

張六師

在一個月以前，無論在西方和東方，都盛傳所謂韓國戰場的議和運動。在美參院聯席會中，參議員諾蘭曾出示一項備忘錄，關於若干解決韓戰的條件，其中包括「聯合國安理會若以多數票通過中共參加聯合國，則聯合國將不懷任何偏見而予以接納。」參議員史密斯向馬歇爾將軍詢問：「台灣由國民政府移交與共產黨手中之問題，是否應被摒諸與中共對韓戰任何停火談判之外？」馬帥答稱：「誠然，但美國在任何和平談判中，實不可能避免討論「中共加入聯合國問題」。」接着在英國倫敦和聯合國方面，對於韓戰議和的問題，盛傳不絕，都是表示願在三八綫停火的意見，並且表示如停戰可以在三八綫附近獲得協議，聯合國目標，亦即大部完成。美國國會支持聯合國前發中共拒絕之條件，此種條件之要點爲三八綫上設立二十哩之非武裝區，在聯合國監督下商議先撤退在韓國的軍隊。英國政府亦有意加緊推動速度，與美國討論韓國和平事宜。這些求和的醞釀，在馬歇爾飛東京的前後，一直不停地被各方面盛傳着？但始終沒有得着蘇俄和中共的反響。

付出之代價無所謂過巨

一直到今天，馬立克突然代表蘇俄和中共提出「雙方在三八綫停火及互相撤兵」；並說：余[illegible]此一步驟能實行乎？如果有誠意結束流血的韓戰，即可實行。余意如有誠意於韓戰之和平者，則付出之代價，無所謂過巨也」。

在這個廣播提議之下，各方空氣突然一變，馬歇爾匆匆離部，部內人員拒答其究係何往。助理國務卿羅克斯一直工作到晚，在國務院和僚屬會議，倫敦方面外相莫禮遜首相艾德禮已在會議討論。華盛頓方面國務院在正式會議數小時後發表聲明，認爲「如非宣傳，即可打開談和途徑。」兩個月來，呼之欲出的韓戰在三八綫停戰議和，應該這次不會落空了。照馬立克的話，是付出之「代價」，無所謂「過巨」！馬立克爲什麼到今天如此「主動」地提出願意在三八線停戰呢？蘇俄的詭計多端，自然，任何人都在注視這事態的發展。根據英美外交國防當局和馬立克的話，我們應該明白指出；這個和議，如果成爲事實，以後的結果，是民主國家可能陷入蘇俄另一個的陰謀圈套，是一種緩兵之計，離間聯合國和拖延增派援兵赴韓的一種手法。

再犧牲下去必至無結果

第一，在蘇俄命令和強迫之下，中共在韓國犧牲已超過百萬，今後長期拖下去，必然白白再犧牲下去而無結果。

第二，韓國半島地形是史達林所未預想到的戰場，而是最不利於極權主義下驅使人命去打人海戰術的場所。在狹長的半島上，只有火海，[illegible]配合陸海空軍的立體攻擊，中共是永遠沒法一打勝仗的。

第三，爲了保證韓國的獨立與統一，爲了反抗侵略而出兵的，是聯合國。蘇俄的本意，是在消耗美國的人力和資源，不料今天還面對聯合國在作戰。結果在政治，軍事上逼出禁運，封鎖，乃至擴大轟炸。中共只有愈趨不利而走向不可收拾的地步，結果必至毫無所得。

華沙宣言結果又落了空

第四，蘇俄令中共出兵韓國，是以韓戰作換取進入聯合國和取得台灣爲誘餌。如今因麥帥返國，美國政策愈趨明朗化，美國雖有人想犧牲台灣，但迫於輿論，已難公開達到目的。所以才有華沙宣言以召開遠東有關國家會議，打算用秘密外交達到目的，不意結果又落了空。

第五，韓戰繼續下去，軍事既不能取得勝利，史達林必須逼得使用看家本錢的海空軍，才能維持下去，但眼看聯合國就要增兵了，不特原來攻取南韓，進入日本的目的，無所成就，而且可能還把北韓也要丟掉。

第六，英美既已明白提出三八綫停戰，不但北韓仍可保住，而且又脫卸了侵略的罪名。還有最重要的一件事，是尚可商量進入聯合國，俄英兩國既無問題，美國亦已表明權在安理會。

不同聯合國要同美國打

第七，中共只要進入聯合國，則進攻台灣，自是名正言順的「內戰問題」，單同國民政府打——甚至同美國一國打，總比同聯合國打省力多了。

第八，即令馬立克此次停戰的呼籲，不是要另選台灣或其他更有利的地區，來打擊英美；但至低的效果，他已達到沮喪聯軍士氣，渙亂聯合國陣營的團結。同時還減低了聯合國在世界各弱小國家中的威信，並使前綫各國將士和韓國軍民，不免發生有白白在韓國流血犧牲的一種感覺。

對於這次蘇俄「和平」攻勢的陰謀，我們暫作如上的看法。目前好像雙方都是情投意合地在作着一宗買賣，我們仍然姑作有保留的結論，希望民主國家不致陷入蘇俄所製造的另外一種陰謀圈套，雖然美國在提出要求對韓國的保證，但對世界的保證，又怎樣提出呢？

杜魯門韓戰週年演辭

杜魯門總統在韓戰一週年的紀念日——六月二十五——特別飛往田納西州的杜拉荷馬，在該地安諾德空軍工程研究所[illegible]發表演說[illegible]

[illegible]他說：

「[illegible]我們能夠告訴他們（指蘇聯及其所統治的集團）：你們如果攻擊，則自由國家將以聯合國的資源對付你們，你們將遭遇你們無法獲勝的一次戰爭」。

杜魯門也十分相信美國在最近幾年間，關於在世界各地維護和平防止侵略的佈置已充分有效，因此他說：「侵略者過去從未遭遇過這一連串保持和平的力量」。[illegible]

杜魯門[illegible]提出和平建議，並沒有[illegible]關於韓戰可能依和平方式解決的意見，他[illegible]則如上的這樣有力辭句：

「我們現在準備參加韓戰的和平解決，如同我們一向準備全予該地區及其人民的完全終止侵略，並恢復和平與安全。但這必須是眞正的解決。」

杜魯門總統所說的「眞正解決」究竟是怎樣一種程度的含義，我們現在還不得而知，但我們在這裏卻不能不很誠懇的告[illegible]杜魯門[illegible]克里姆林宮和中華民國[illegible]勾銷，而代以所謂「中共人民共和國」，這便是中共這班暴君們準備永遠威脅，擾亂亞洲的一個堅實基礎，假定我們以姑息態度承認這樣一個既成事實，則不只大韓民國的人民永遠不會有「和平」和「安全」的保障可言，而整個亞洲的熊熊戰火，也遲早要燃燒起來的！

時局漫談

馬力克何來和平建議？

左舜生

這個問題看來很複雜，實際很簡單：

（一）拿「和平」作爲玩弄民主國家的一種工具，這樣一種把戲，蘇聯自來要得甚爲熟練，這次也不過是再來表演一番，根本不足重視。

（二）和平的誠意蘇聯自然沒有，可是以談判方式求得韓戰的短期停火，卻並不是於蘇聯無益：（一）中共早已吃得「不消」，讓她休息休息，從事整理，總也是好的。（二）所謂「國際志願軍」的內容，並不怎樣堅實，倉卒使用，難免不鬧笑話，其結果對若干蘇聯衛星國的向背問題，關係甚大，不如抽出時間，徐圖充實與擴大。（三）蘇聯自身也還需要時間，大戰的爆發，總以愈遲愈好。（四）和平畢竟是美名，[illegible]決不能讓人白白的搶去；「侵略者」將來是要受到世界法庭的公審的，這頂帽子總以不戴上爲好；何況韓戰原是蘇聯發動的，這次乃以第三者的姿態出來提倡和平，至少可以保持一種阿Q精神，爲自己洗刷洗刷。

（三）美國已有決心簽定對日和約，[illegible]

（四）至於乘英國爲伊朗石油問題所苦，更不敢多插足於遠東，於此時提出韓戰和平問題，可能造成英美間更多的歧見，這尤其是餘事。

中共「經建」幻夢的破滅

高崗哀鳴：如果離開國際需要，而從事于埋頭建設的那種願望，事實上證明是一種不合實際的空想。

·張丕介·

韓戰給予中共的苦果，除了目前爲維持龐大戰費，迫使其陷入經濟惧窮的境地外，最根本的影響，乃在於整個經建計劃的破滅，使毛澤東過去所描繪的遠景，全部成爲泡影。不僅令一般前進份子有茫無歸止之感，即中共的決策人物，亦無法掩蓋其內心的徬徨與悲哀。

今年三月九日，中共「人民日報」載有「東北人民政府主席」高崗關於東北經建的檢討與前瞻一文。這一篇報告，雖以「鞏固國防，發展經濟」爲題，但因爲「目前的東北已處於國防最前綫地位」，「沒有强大的國防，就沒有一切」，因此，所有的力量，均必須「結集於加强國防的目標」。高崗强調：「當帝國主義還在威脅着我們的時候，那種離開國防需要，埋頭建設的願望，事實上證明乃一種完全不合實際的空想」。

主要的題目在結集全力擴軍會戰

爲了掩飾這一種「空想」，高崗指出今年東北的建設，應循下列途徑進行：「首先，必須而且最重要的，是根據中央人民政府人民革命軍事委員會的計劃，更加壯大我們的國防軍，加强訓練新的技術兵種，加强我們的空防與海防，有計劃地訓練公安武裝及民兵，改進我們的兵工建設，動員工作，以適合於現代化國防軍隊的需要，做好優待軍屬的工作，以鞏固部隊」。其次，是今年工業投資，國防工業將佔百分之八十五點一。第三是「根據國防與經濟的需要，有計劃的修建公路，提高電訊工作」。從這一串的步驟中，所謂「發展經濟」，已成一種陪襯，主要的題目，乃在結集全力，從事擴軍備戰。

在中共發展政權的總方針中，顯然係以東北爲工業的總基地。依照毛澤東「六六報告」所透露的基本計劃，乃先在關內實施「土改」與「調整工商業」，藉此以維持農村與城市的財源，支持其龐大的軍政開支，而集中全力以建設東北。因此，東北不僅保有獨立的幣制，而且保有獨立的收支體系。依照毛澤東的估計，這一建設計劃的初步完成，約需三年時間。等到東北建設成功，然後再以東北財力，支持關內土地國有化，與消滅私營工商業的計劃，開始步入所謂「社會主義」時期。

在這一基本目標之下，自中共渡江以後，即以遷還原料爲名，將沿海及江南內陸重要工廠，移植東北，去年投資東北資金，其達糧食六百六十五萬噸，佔東北全部歲出百分之五十四。據蘇聯國外貿易部所披露：去年中共全部鋼鐵產量中，東北鋼鐵約四十五萬噸，生鐵七十二萬噸，佔全部產量百分之八十五。去年中共全部煤產三千六百萬噸中，東北佔一千七百萬噸，約達總產量百分之五十。而糧食一億二千萬噸中，東北佔一千八百萬噸，約合總產量百分之十五。根據日本亞洲經濟研究所主任井明的估計：東北之工業生產約佔中共全部工業生產百分之七十八。從這些數字的舉述，不難想見東北與中共命運關係之密切。

中共放棄東北第一退處西北老巢

中共銳意經略東北的原因，除了其富饒的資源及現代化的工業基礎外，原企圖與蘇俄的遠東軍略相結合，使東北成爲亞洲革命動力的總泉源。但自中共介入韓戰以後，東北隨即成爲中共的前綫，只要韓局稍有變化，東北的工業建設，在聯合國空軍地毯式的轟炸下，隨時有化爲灰燼的可能。因此，自去年十月以後，中共已不能不放棄「東北第一」的政策，開始退營西北的老巢。

自韓戰以後，中共的報導：據權威方面的報導，一部份兵工廠已陸續北移，撫順煤礦，鞍山鐵路及鋼廠大修理計劃，而西北亦已宣告停頓。目前在全力推進中的，則是甘肅及新疆鐵路系統的建築。中共正徵召七十萬民工，加緊建築銜接西北與蘇俄西伯利亞的鐵路，準備在一九五二年春全部完成。此一鐵路完成後，隴海綫之西端終點，將延長至新疆邊境。據「美聯社」消息：蘇軍五萬人正在新疆塔里木盆地建築原子彈工廠，據說此項工作，已於二月前由蘇聯技工五千餘人監督興建中。除新疆外，西北的蘭州與西南的重慶，均爲中共放棄東北後經略的中心。目前中共已將沿海各省軍工業拆遷西北。據上海來客報導謂：市軍工業已限年底以前全部內遷。華南廣東廣西福建三省內工廠之機器，亦已紛紛拆卸，沿湘桂，粵漢兩路源源西運，其中有一部已運抵西北。由於西北技工的缺乏，大部無法開工。中共正計劃徵集各地失業工人前往工作，預定第一期徵集一萬五千人。目前已有三千人應徵，正在漢口候車赴西北。東北方面工業設備，已有部份移植張家口和石家莊。又據五月八日「新華社」電：中共正傾全力趕修成渝鐵路，五縣已有十五萬人參加修路工程，另有數十萬人運輸各種枕木。從這種種的積極部署中，可見中共已擇定西北內陸，作爲未來退守的巢穴。

基本形勢轉變象徵中共前途黯淡

這一基本形勢的轉變，不僅使三年來中共在東北的建設全部歸於烏有。而且根本上搖撼着中共政權的命根，象徵着中共前途的黯淡。一旦大戰爆發，東北及沿海富饒之地，必將全部撤離，如果中共有力退守的話，亦只能據守荒僻的西北，再度過土坊蠻窖洞。如果天怒人怨，萬民繼起，則與民爲敵的中共黨徒，除了退入西伯利亞和其老祖宗同歸於盡外，中國的大陸將沒有他們的死所。

話說『冰島』

·史問·

冰島是第二次大戰聯軍必須掌握的據點。在未來第三次大戰，仍是自由世界海軍封鎖蘇俄，空軍轟炸蘇俄的一個最主要的基地，甚至陸軍進攻蘇俄也要利用它爲歐脚點和轉運站。

第二次世界大戰使許多素爲我們忽略的地方，突然變成大家日常談話的主題，像幾內亞，所羅門羣島，雷伊泰這些地名，從來沒有人提起，等到美軍在這些地方與日軍死鬥的時候，大家才打開地圖查一查它們究在何處。孤處北大西洋的冰島也是這樣一個地方：當一九四〇年五月十日英軍突在冰島登陸的時候，不要說我們中國人，就是其近鄰的英、法人，也從沒想到它有什麽戰略上的價值。其實冰島這個地方非常重要，不特在與德國作戰的時候，它是聯軍必須掌握的一個據點，就是在未來的第三次大戰中，冰島仍是自由世界海軍封鎖蘇俄，空軍轟炸蘇俄的一個最主要的基地，甚至陸軍進攻蘇俄也要利用它爲歐脚點和轉運站。因爲這個原故，冰島現在是北大西洋公約的一分子，在西歐防衛體系中佔着特殊的地位，最近美軍且已在冰島登陸了。

形勢天成

冰島的全部面積約十萬零三千公里，在北極圈之南。這是一個火山形成的島嶼，全境約五分之四爲峻峭的山地，僅島的四週係平原，而以南部及西部區域較闊。內地的山嶺有些頂上覆以冰塊，最著名的一個叫華特娜冰山（Vatna Tokull），面積廣達八千平方公里。冰島的南部海岸平直，不適宜於居住，惟西北，東三部港灣衆多，形勢天成。

現在冰島仍是一個活躍的火山，常有大爆裂之災，尤其是當那些冰山瓦解之際，滾滾冰塊，傾瀉而下，有如天崩地陷，景象雄壯，但給冰島人民帶來的災害，就不堪設想了。因爲火山的緣故，隨處都是溫泉，熱度極高。

鐵路沒有一寸

冰島的氣候並不如一般人想像之寒冷，在西南部則下雪也很微薄。首都里克耶斐（Reykjavik），即在最寒冷的一月，也不過冷到零下十度爲限。冬季雨水頗多，且常雜以强風。北部氣候較乾燥，但亦較寒冷。

冰島全境簡直沒有一枝樹，僅在伏格拉斯哥基（Vogelskogi）及哈臘斯塔達哥基（Hallomsta skogi）可以看見少數的樺樹，但是它們既沒有普通樺樹的高度，也沒有普通樺樹的枝葉。冰島沒有一寸鐵路，公路約有五千公里，電燈，電話普及全境。溫泉用水管導至各個家庭，成爲天然的暖氣設備，經濟，淸潔，舒適。洗衣，沐浴都用不着燒水。

預算從無赤字

冰島沒有陸軍，海軍，沒有一處建有防禦工事。全國沒有一個失業者，也沒有一個失學的兒童，政府預算從無赤字，沒有借過外債。

冰島全部人口不過十三萬五千人，從事農牧的估計佔百分之三十六；漁業次之，約百分之二十二；手工業約百分之十五，商業約百分之十六。

一個獨立的民國

冰島立國於公元九五三年，至一二六三年與挪威合併，一三八〇年冰島與挪威又同受制於丹麥。一八一四年挪威脫離丹麥獨立，冰島則仍隸屬於丹麥。第二次世界大戰期間，丹麥爲德國佔領，一九四四年五月二十日冰島居民遂投票表決與丹麥脫離關係，現在是一個獨立的民國。

法。國。大。選。縮。寫

·伍健勳·

羅馬天主教領袖聲明：凡是不參加選舉的人，所犯的罪過，較不參加星期禱告，還要嚴重。

舉世矚目的法國普選，上週已將結果正式公佈，對法國政治前途，雖然沒有重大的決定作用，但它產生一種使法國內部益趨團結的實際希望。這次選舉結果，說明三件事：（一）第三勢力的中間路綫，或將繼續執政，但它需要獨立份子的支持。（二）共產黨席位減少。（三）戴高樂雖未大勝，不過他有其重大的收穫。

戴高樂派最大的政黨

戴高樂派在新國會內，成了最大的政黨。他們在新國會的聲浪，將比以往高漲，可能脅迫第三勢力採納他們的政策之一部。戴高樂或將從第三勢力中間路綫，拉攏一部份人士，組織聯合政府，仍有其可能性。如果此點成爲事實，那麼共產黨徒必將出而搗亂。這次共產黨所獲國會議席及票額，比一九四六年降低，但是它仍然是法國最大的單一黨。

現在法國新國會六二七議席的分佈，情形如下：

（一）戴高樂派——一一二席
（二）共產黨——一〇三席
（三）第三勢力——二八〇席
（四）右翼獨立黨——九七席

選舉票分配情形如下（概數）：

（一）第三勢力——六，四〇〇，〇〇〇
（二）共產黨——四，五〇〇，〇〇〇
（三）戴高樂派——三，六〇〇，〇〇〇
（四）獨立份子——二，一〇〇，〇〇〇
（五）其他——四〇〇，〇〇〇

這次選舉情形，比所預期者爲踴躍。全體候選人均曾呼籲法國選民，負起選舉的責任。羅馬天主教領袖曾經聲明，凡是不參加選舉的人，所犯的罪過，較不參加星期禱告，還要嚴重。因此在選舉那天，投票人數頗爲擁擠。法總統奧里渥偕其夫人，在新聞記者的鏡頭下，參加巴黎市中心區投票。投票以後，即赴渥度參觀賽馬。戴高樂將軍在他的家鄉一所英文學校投票。總理蓋雅里是第三勢力的象徵，在法國中部一選舉事務所及無綫電傳眞機與新聞攝影機前投票。旋即飛返巴黎，注視選舉結果。

蓋雅里總理沒有發愁

此次選舉情形，尙稱平靜，僅有幾處地方發生騷擾。尼悉方面，共產黨徒與戴高樂份子發生槍戰，共產黨徒三人受傷。巴黎方面，左翼份子及戴高樂黨徒，破壞前貝當元帥的支持者的羣衆大會，這批羣衆要求釋放貝當。

投票終止後，首次選舉結果，迅即在銀幕上放映，巴黎市民坐於街頭咖啡館，注意選舉數字。蓋雅里總理直至深夜以後，方行就寢。臨睡前還說：「就我而論，我是不發愁的」。這次他在他的選舉區內，獲選連任。法國政要中當選者，計有外交部長舒曼，前總理比道，國防部長莫克，另外有兩名法國黑暗時期要員，也在此次當選，一位是激進派份子達拉第，另一位是法國淪陷時期的內閣總理雷諾，他是獨立派。

貝當贏得了一種勝利

這次落選的法國政要，計有法蘭西第四共和國首任總理拉馬迪，前法軍駐德司令官民族英雄柯尼將軍。（柯尼是戴高樂將軍的首席候選人，戴氏本人未參加競選）。另外一位是法國新成立的狄托派領袖達律亞科里。

投票終止後不久，總統奧里渥宣佈將貝當的無期徒刑，改爲送醫院作「永久監視」。此項消息公佈後，貝當的支持者認爲他們最低限度已贏得一種勝利。近幾星期來，外間一再報導這位九十五歲的囚徒，病在垂危。奧里渥的新命發表後，當局俟貝當能夠移動時，立即將他從布里丹尼附近的幼島，遷往法國大陸。這是法國普選中的一個插曲。（取材自六月廿五時代雜誌）

在人家的電話上搭線
還有比這最無恥的嗎

尼赫魯的難關

印度總理尼赫魯領導下的國會黨，上星期發生騷動性的分裂。尼赫魯賴着國會黨起家，現在面臨了分裂的危機。

平庸的政客

國會黨集印度黨派之大成，在甘地領導下，以印度獨立爲它的偉大目的。一旦這個目標達到後，該黨發覺該黨的本身沒有一個統一的目標。國會黨已經變得臃腫而渙散，今天它所培育的是若干投機取巧的官吏，而不是革命份子。尼赫魯僅是一位平庸的政客，沒有才具將一盤散沙的黨的機構團結起來。他對於黨的機構，極少關心，連各省省黨部領袖的名字，也很生疏。

國會黨的分裂

國會黨的分裂，肇始於去年，那時該黨領袖坦登（Tandon）企圖使他本人當選爲黨的主席。坦登是一個右翼份子，他對國會黨的政治機構，具有決定性的控制作用。尼赫魯對坦登不懷好感。在坦登獲選後不久，尼赫魯即支持一位左翼份子甘地信徒克里巴蘭尼（Kripalani）發動反坦登運動，後來愈鬧愈兇，這個運動較當時尼赫魯的原意更爲擴大。尼赫魯處理這個問題的態度，正同他處理國際問題一樣，他以騎牆態度，對坦登或克里巴蘭尼，一概不支持。

人民黨出現

這件事使克里巴蘭尼有點難堪，他便轉而向尼赫魯發作，克氏與國會黨斷絕關係後，上星期來自全印各地代表一千人，集會於拜哈省省會巴特納的恆河河岸，自組政黨，定名爲人民黨。

克里巴蘭尼譴責國會黨腐敗，譴責尼赫魯運用警察國家的統治方法。他指出：「還有甚比在我的電話上搭綫，更爲無恥的嗎」？他承認他個人對尼赫魯的忠實，他說：「我沒有比尼赫魯更偉大的朋友。今天的國際會議除尼赫魯一個人的名字外，還有什麼東西？他的名字已被玷污，他的部長們，正在將他出賣」。

尼赫魯傷腦筋

下月，尼赫魯及國會黨領袖，將在班格洛集會，討論應付克里巴蘭尼的空前挑戰的對策、如何克服這一個難關，成爲尼赫魯當前最傷腦筋的問題。（冰峯譯六月廿五日時代雜誌）。

中共魔掌下的新地圖

—吳起舞—

中共的軍事政策，替中國製造一幅新地圖，茲將時代雜誌廿六期所採訪得來的中共新地圖資料，譯供讀者參考：

最近北京所公佈的中國新地圖，反映出若干重大的變動，這些變動，是中國的新貴們一手製成的。其中最顯著的地方，包括：（一）中共經將中國舊的省份合併爲六個新的統治區——即華北，西北，東北，華東，中南，西南等六區，由中共將領，分別加以統治。（二）他們業將內蒙古，由地圖的舊位置，向東北移動，其中一部原屬東北領土，現在却成了內蒙自治區。（三）共軍佔領下的西藏，劃爲中國另一個「自治」省。（四）蘇聯一九二四年所侵佔的外蒙古，現在標明爲一個獨立國。（五）中國邊界綫，深入緬甸二萬三千方哩，這是中共所要求的領土。（六）新地圖註明，台灣爲中共的領土。

美國駐香港觀察家，曾就中共地圖探得其他有關事項：（一）發見中共在東南沿海一帶山區，力量最爲微弱，中共自已承認，在該區內，曾擊斃國民黨游擊隊一百萬人，其間最低限度，另有一百萬游擊隊在潛伏中。（二）中共業已擬定計劃，打算在台灣反攻時，自東南沿海區域作可能性撤退。他們現正建設西北的蘭州，作爲一個可能的工業及交通中心。中共已經在蘭州周圍，建築幾條新鐵路，並將一部份工業，移往該處。（三）中國主要工業區域，仍爲東北諸省，即現在的東北控制區。瀋陽兵工廠，僅有一部份設備，於內戰時破壞，仍能出產小額武器及彈藥。中共雖然企圖使中國工業化，但若干年內，無法建設大規模的重工業，而須依賴蘇聯供應重工業機械及武裝。（四）新地圖上有引人注意的最新的標記，凡有新標記的城市，如瀋陽，天津，北京，上海，南京，漢口，重慶，成都，廣州等，中共對「反革命份子」，實行他們最大的集體屠殺。

巴蜀血雨腥風記

・王四維・

前進人士主持公審殺人・以毒攻毒
王纘緒窖藏金銀珠寶・要費兩日才挑盡
盧作孚在渝・何北衡在滬・分被幽禁
朱叔癡凍死江北城。余安民血灑成都市
范紹增被清算紅湖血債・暗示其妾逃港

近半年來，大陸共黨瘋狂屠殺異己的事實，喧騰世界，腥風血雨，充滿民間，世人已由悲憤緊張情緒，漸感麻痺了！惟各地屠殺情狀，五花八門，不勝紀述，而僻遠省區消息，尤不易傳出真象。我是本年五月初，從川北潛繞陝豫，輾轉逃出大陸的，就我在川時所目擊耳聞的殘殺事狀，且限於「知名之士」的，縷述若干，以告讀者。至於一般人民之被殺者，如簡陽縣境之兩棄鎮被屠，成都樂山公路上之黑石關全鎮洗殺，則人數名姓，更無從稽考了。

自去年十二月到今年四月間，四川境內一切屠殺異己的行動，大半都是祕密執行的。只有對少數所謂知名之士，為藉發生「鎮壓反革命」作用起見，纔用公審形式，分別處死的。公審地點總在成渝兩市上，惟有行年七十餘之同盟會老黨人朱叔癡，却是於去臘十二月由重慶郊區寓所押赴對岸江北縣城，經農民清算鬥爭後，用冷水灌頂澆身，昏倒地下半日，全身變成冰衣，經家人哀求准其抬回家中，並限期清繳退租退押，然後甦醒過來，多活了一天，哀號慘死的。

唐棣之在渝槍決　席新齋回籍公審

在成渝兩市逞半年來每次舉行公審時，共幹均迫脅所謂「民主前進人士」登台主席，每次由台下共幹大呼「此人該殺不該殺？」時，主席必首先走向前台，高舉右手，大號「該殺！」動作不許遲緩，聲音不得低弱，而被審該殺者又皆係舊友。共幹此舉，實為對「前進份子」之精神懲罰也。在渝主席者常為胡子昂，余蘊南，夏仲實等，黨兇捕人舉證者，為潘純嘏（已死石孝先之姐夫，亦袍哥也，曾幹銀錢業）溫少鶴等。重慶被公審槍決的人士，最近計有前劉湘軍部財務處長唐棣之，商會常委周懋植，紳耆王關楫等。已押解回原籍公審者，有水泥廠總經理席新齋（瀘縣人），前劉湘幹部郎丙一（仁壽大地主），前國民參政員謝明齋（原籍梓潼，居家成都），前川省民廳長甘績庸及其弟績丕；拘押清算者，有美豐銀行總經理康心如，其銀行已改作共黨之「統戰部」。

黃應乾淒厲喊殺　向育仁慘死仁壽

在成都常被派任公審主席者，首為「川西政務委員」黃應乾。此人本為川省財閥潘某之幹部，現任國府立法委員，去春在香港與立委彭勛武北上「前進」，受訓三月後，檢查身體，共幹謂其血液有梅毒，不及格。嗣經潘某北上，以美金二十萬元之折實公債代價買得「民族資本家」頭銜。潘為黃氏說項，乞共黨派其回川工作，用意在使黃回渝作一「解放官」（黃原任渝市自來水廠經理，亦潘之企業也），以便暗中為潘保持若干財產，但共黨惡作劇，將黃派往川西，潘之廿萬元美金等於虛擲了。黃應乾本身滿存「反革命」案，胆子又極小，每次在公審台上大喊「該殺」之聲，凄厲含有哀音，蓋其內心存有「行自念也」的恐懼啊！最近被公開槍決於成都者，有余中英，劉元瑭，劉元琮（二劉皆文輝之侄），韓任民，余安民。其中死出意外者為韓任民，他的大兒早以共黨份子被政府擒處極刑，二兒又是現任共幹，故任民自「解放軍」來後，常以「烈士家屬」自居，洋洋得意，不料竟以公審處死！死狀最慘者為余安民，他曾任劉湘時代之師長和行政專員等職。公審判刑後，赤身細綁游街，余沿途痛罵共匪，押解共軍以刺刀亂戳其身首，余越罵，刀刺亦益烈，渾身小洞，血灑長街，一直流到新南門外，兩槍畢命。另有前省參議長向育仁，解回仁壽公審槍決，成都警備司令嚴嘯虎，解至華陽境鄉鎮老家，由農民鬥爭，捆石交加之後，飲彈死去。

王公館掘地三尺　范嬪太奔港求援

王纘緒於巴蜀國軍撤守前，與劉文輝等熱心投靠，事危時，且迫成都警察局長兼城防副司令將其所部軍警移交給他，表示說要打游擊，實際就預作投靠資本。賀龍初到成都時，也虛予委蛇，派他作人民代表，他在會議席上很表演一番「前進」姿態，大罵國民黨及其領導人。繼而若干破濫隊伍被編遣，閉門學佛，以期苟全。共黨說他是反動軍閥，過去危害「人民」的罪行甚多，又說是陳誠的「狗腿子」，於今年三月末，將他監視，隨即請他到司令部談話，不見再回來，並且派人在他那文廟後街的公館內，掘地三尺，大索藏鏹，結果在他和寵妾金蝴蝶的臥房地下，發現地窖，內藏現洋金條，共幹僱力伕挖挑，兩天才挑完，數目沒人知道。王氏推說這是姨太太做的「苕事」（此係川諺，即儍事之意），本人不知道。現在王氏是否尚在人間，不可知了。

范紹增以「前進」姿態隨軍到武漢後，即由共黨「招待」在漢口一所洋房二樓上，閉門學習，軍隊早已不知去向。最近賀龍電告「中南政委會」，說范於廿一年在鄂西率領所部圍攻紅湖時（賀龍的巢穴），士兵奸淫擄掠，無所不為，殘害人民最烈，應解赴當地交人民公審。范之一位如夫人聞訊赴漢口見范，范只說：「你快走，不必再來看我！」妾問：「我到那兒去？」范謂「可到上海去」。妾會意，循粵漢走來香港，想來致於范之老友杜某，然杜又有何術呢？大概范的死期不遠了！

民生公司總經理盧作孚，公司監察人何北衡，早已來港作寓公，二人亦已寓有，但為其幹部何乃仁來港遊說，何先赴北平，施其故有的政學系作官技術，與聶榮臻劉伯承等百般周旋，悔過前進，認為成功了，乃促盧回滬，再轉渝。何乃仁早歲留法，曾參預共黨，歸國後始為劉湘効力，抗戰時，因盧何之勢，迭任成都民食供應處長及陪都糧政局長。卅四年在糧局任內與該局女職員通江人黃某苟合同居，黃亦一女共幹也。故何氏竭力為「人民」立功，將盧何勸歸。現盧何分別被監視於渝滬兩地，靜候清算。此二人亦滿身「反動」歷史，何尤以措大靠「反動」的重慶公安局長四川建設廳長起家，初憑劉湘，繼憑政學系奧援，升官發財，共黨肯放過？祗候財產清算完畢，民生公司產業全部「自動」交還「人民」後，這兩人也就快完了！

神主牌充柴避稅　佛菩薩刮金抵捐

最後，我要報告一點四川民間的意外事：即所有民間的家神木主和私宅公祠的匾額，現在都被消滅了。一因共黨對敬祖宗神祇者，都指為迷信，重課迷信捐，人民為避免這項苛捐，只好將一切神主木牌作柴燒，以免禍事；二因神主牌上的金字和菩薩身上的泥金，刮下來可以論斤兩折價，抵納捐款。因此民間所有神主牌一掃而光，大小菩薩盡成泥像，這也可見共黨搜剖民財之澈底乾淨了。（六月廿一日寄於澳門）

上海零售公司掀開黑幕
毒打職工營私舞弊
發生內鬨・雙方暴露醜態
官官相護・市民眼睛雪亮

（上海通訊）記者在五月廿九日的通訊裏，曾報導上海市零售公司第九營業處第二零售商店店員張福林控訴該處主持人誣揑他偷盜貪污，並擅用私刑拷打，向工會請求伸寃（編者按：該通訊已載六月二日本版）。其後，上海市零售公司也在報上提出答辯，一方面雖亦承認第九營業處濫用私刑傷害人身自由的不當，另一方面則強調張福林確有貪污行為，及反抗檢討批評，有失「同志」立場。其罪狀是：

（一）串同老戶頭，由去年十月起，即把皮重二斤半的糖袋作三斤計算，把皮重二斤四兩的麻（碎米）袋作二斤半計算，使公家損失達五百多萬元。

（二）把好米作次米賣出，從中漁利。

（三）把不准門售的特價米，廉價售與相識者，使公司損失三百四十四萬餘元。

（四）故意使用粗篩大量增加碎米，使公司無形中受重大損失。

（五）不服從上級指導及「同志」勸告，拒絕檢討，藐視公審。

張福林的態度怎樣呢？他特有工會做後台。否認公司加於他的各種罪狀，他提出最大的反訴是：

「開會時，負責調查的王炳俊報告我犯了十七條錯誤，何以現在公開的只有四項，而且也提不出充分的證據」？

因為上海市零售公司是中共市府轄下規模甚大的公營機構，分支營業處和零售商店散佈全市，而且又直接與市民日常生活相關，所以這貪污舞弊和私刑拷打事件，連續在報紙上公開發表和互相攻擊後，馬上引起全體市民的不良觀感，認為該公司所有的零售商店，都有此種弊陋，祗是未經揭發，也無人敢於過問罷了。

中共有關當局如何處置？自然是數百萬市民所迫切注意。可是直到今日，還是沒有下文，報紙上也不再提一字，原因是本案雙方當事人都和中共有關，一是中共的公營機構，一是中共的下級幹部，和一般人民固有不同，與所謂「反革命份子」更大有分別，因此，據說已經祕密調處了結，並嚴令此後如有類此事件，絕對禁止公開發表。但市民方面，眼睛是雪亮的！（悠然六月十九日）

「解放」後工人重重枷鎖
萍鄉礦工死亡踵接
「人」都要變成「機器」拚命掘煤
挑煤用的棕繩也要壟斷專賣

江西萍鄉以產煤著名國內，萍鄉的最大煤礦安源高坑，是當前出煤最多的一個，正在被中共大力進行開掘着的煤礦。中共「中央人民政府」的勞動部長兼全國總工會第一副主席李立三，就是當年在此搞共產黨工運的主持人。那個時候的安源工人俱樂部，就是共產黨的祕密地下活動機構。二十年後的今日，共產黨徒重來，掌握了這個煤礦又在大玩其魔術，逼害工人，掀起了擴大增產的「斯泰漢諾夫運動」。「解放」前的工人，過着自由的掘礦工作，「解放」後的工人，共產黨宣傳它們「當」了「家」，說它們是產業工人，應該增加生產，發揮高度效能；「人」不能再當「人」了，都要變成「機器」，儘力去掘煤，增產復增產，然而，當了家的結果，是怎樣呢？

中共在煤礦裏設有工會，由工會發動生產競賽，喊着「衛國保家，要以保山變礦作起」的口號，逼使工人厲行斯泰漢諾夫運動。在掘礦山中，設有「懶漢班」，「斯泰漢諾夫班」互相挑戰。參加「斯泰漢諾夫班」的工人，多因體力不支，病倒死亡；據中共四月廿八日在該礦山中辦的「工人報」上公佈，自解放以來死亡的工人，計有曹芝凡，樊開汝，鄒應生，曹丞基等百數十人。病因何故，並未敘明，僅說是衛生設備欠週，負行政責任上的共幹，應受批評和檢討。懶漢班的工人，則因不能滿足共幹預示的工作出煤量，在小組會上受批評，檢討；同時，還要減低他們的工資。有些工人，不堪逼迫，情願尋死，再也不幹，紛紛逃出。如老工人尹開士，李松生等，它們在安源高坑，掘煤有十餘年久的歷史，終于不願受其奴役在五月一日勞動節前夕，逃了出來，另謀生計。

另外，在安源高坑煤礦上，過去經常有很多手工業的工人，編織棕繩出賣給工人作挑煤之用；自共產黨來後，設有「合作社」，統籌由「合作社」經營，作為中間剝削的經紀人，與民爭利，禁止手工業工人自己挑去直接售賣，須送交合作社收購，共幹中飽獲利。

「解放」後的工人，何嘗「當」了「家」？「扭」上了「枷」，倒是千眞萬確的事實。萍鄉煤礦如此，各地各業也是如此，那一天才能把這「枷」脫下？已成為此地工人們的熱切期望！

・一客・

震中校長已被撤查　復大學生不服分配

本刊上期報導被「師生員工」控訴的震旦附中校長王仁生，已於本月十九日被撤職查辦，遺缺由震大校長胡文耀兼，派給王的「罪狀」是他說過一句「國際主義就是變相的帝國主義」的話，另一個被撤職的是磐石小學校長張維屏，罪名是「傳播崇美親美思想」。

× × × ×

各大學本屆畢業生的「服務地區」和「待遇」問題，（參閱十六日本版）雖經中共文教部大力鎮壓，並由山東農學院發出「服從統一分配」的「挑戰」，但反對情緒仍未見低落，尤其復旦大學，他們都表示「我父母都已風燭殘年，假使派到天南地北，將來何人送終」？「我家庭經濟困難，如果是供給制，怎樣能夠應付」等種種顧慮。中共亦知「統一分配」難洽輿情，不敢過於「硬幹」，嗾使該校農藝歷史國貿三系少數「積極分子」向山東農院「應戰」，表示「服從當局分配」，其餘百分之九九雖然滿肚子委屈，有苦說不出，這是中共的「嚇」「拆」「騙」手法，學生們都心裏有數了。

上・海・斷・簡

× × × ×

中共鼓勵市民報復的結果，據公布在五月份一個月內，就有一萬一千四百多人被檢舉為「反革命份子」，除於本月十五日處決的四百餘名外，其餘一萬一千名已在加緊[illegible]查中，第二第三……批的集體屠殺，將繼續演出。

集體屠殺繼續演出　迫害藥商借題發揮

[illegible]

（悠然二十日寄自上海）

女共幹徹底「前進」
清算生父・迫嫁後母
自任主婚・綑綁手腳・舁入新房

[illegible]

切齒痛恨生此逆女

譚某得訊，雖切齒痛恨，[illegible]

純樸鄉民髮指眦裂

台山民風純樸，最重[illegible]

落水報人的幽怨

羊叔子

反共戰爭是個大熔爐，一切不純潔的渣滓，在這個大熔爐內，都將經過嚴格的鍛鍊而清洗出來，過去存在於政府新聞機構的「渣滓」，他們高高在上，大權獨攬，等到時局日非，便又搖身一變，靦顏從賊，這其中，公開投共而出任偽職的人，要以中央日報湖南版發行人段夢暉爲首。重慶中央日報社長劉覺民，不過是第二個露而不擴的份子而已。

段夢暉是黃埔軍校六期學生，北伐時當過連指導員，寧漢分裂，他捲入了赤色漩渦，參加了共產黨的活動，曾兩度爲政府所通緝。抗戰爆發，政府全力對外，開放政權，段夢暉經過一番自新手續，又回到政府陣營中來了，中宣部當時準備在湖南辦張報紙，他以人地相宜的條件，受命出任中央日報湖南版的發行人，從二十八年創刊到長沙易手，爲時整整十年。

他是個機會主義者，一生就是憑左右的手腕，而造成他事業的發皇，勝利後國軍在東北的敗績，和政治上，經濟上不景氣的現象增加，他對中國前途的迷惑，失敗主義的陰影，在他思想中抬頭；於是他又向左轉了；歷年來他所任用的編輯，記者，如蔣收良，韓李幻如，孟樹德，胡蕭南，柳宗澤等，都是國內頗知名的赤色文人，當時政府區人才濟濟，而他卻專和赤色文人打交道，這種投機取巧的手法，正是吳日遨寵赤潮的張本！

共軍渡江前夕，程潛，唐生智等發起「自救運動」，段夢暉手下的中央日報，成了主便要的傳聲筒，以政府機關報的地位，以爲共產主義張目，其給予江南人心的影響，和瓦解士氣的作用，不言可喻。等到中宣部發覺到段夢暉的變態，毅然將他撤職，由主筆石沖白代理社務時，段夢暉導演的赤色宣傳，所給予民心士氣的損害已經很深了，何況十年來他一手造成的系統，根深蒂固，名義上雖然撤職，實際上他還不依然控制着湖南中央日報！

湖南「起義」的過程中，段夢暉雖然不是數一數二的罪魁，但在程潛的智囊團中，可算得一個重要角兒，他不僅在宣傳上促成叛亂的發展，爲主子盡到了鼓吹的能事，同時那篇洋洋灑灑數千餘言，公開叛黨的「起義宣言」，還是他和劉嶽厚的手筆！

共軍四野蕭勁光部進入長沙的第三天，中共「湖南委會」便以中央日報的原班人馬器材，出了一張對開的「新湖南報」，利用中央日報建立了十年的讀者網，作爲「新解放區」的宣傳對象，這全是段夢暉獻媚中共，將中央日報全盤奉送的結果，當時的存紙就夠「新湖南報」五個月的發行，拿國民黨的錢，做共產黨的事，段夢暉於是得到了赤潮的新命，竟沐猴而冠，做起「湖南軍政委員會」的第二祕書長（實際即副祕書長）和「湖南各界人民代表會議」的社會賢達代表來。

陳明仁代理「湖南臨時主席」時期，段夢暉表現得非常「積極」，穿起列寧裝，和年輕小夥子一同扭秧歌，並且認真地「學習」，公開場合中，每會必到，每到必振臂高呼：「感謝毛主席偉大英明的領導！」從這些角度來看，好像段夢暉真正炙手可熱了，「爲人民服務」了，其實，還不是迴光返照的悲喜劇！

段夢暉的身世，照中共的評定：不但是「大地主階級」，而且還是「漢奸」「滿清封建餘孽」，他的祖父曾經打過太平天國，以積功升至總兵，「手上曾染過無數人民的鮮血」，在武岡城步兩縣，他家共有一千三百多畝田地，一向由他弟弟段夢熊負責料理，在「鎮壓反革命」的高潮中，他弟弟被當地「群衆」加上「惡霸地主」的罪名逮捕了。段夢暉聞訊四出營救，得到的是「共產黨員是不能感情用事」的答覆，他只好眼巴巴望着他弟弟在故鄉「公審槍決」，也只有徒呼負負，愛莫能助！

湖南某次「擴大統一戰線會報」，中共省委書記黃克誠即席訓話：「最近有些高級幹部親屬，被人民群衆告發了，請求人民政府懲辦他們，但是這些姑息主義感情主義的同志，竟異想天開的給他們組讓，甚至想開脫他們，這是不合理的，是犯了嚴重的錯誤的：……」第二天，新湖南報便打落水狗，標題爲「徹底清除姑息主義感情主義」的社論，批評「姑息主義感情主義是破壞我們革命果實的毒瘤，我們應毫不猶豫的割掉它！」詞嚴義正，氣勢洶洶，這可把段夢暉急壞了，連忙作了一篇「我對懲治反革命的認識」的文章，發表在「三月十七日」的新湖南報上，其中最精采的一段是：「我沒有主動的控告我弟弟段夢華在故鄉殘酷地剝削人民，迫害人民的罪行，是一種不可寬恕的錯誤，除了向人民加緊悔過，爲人民服務之外，我還有什麼話說！」寥寥數語，段夢暉的惶惑、恐怖、淒惋的心情，不難從字裏行間看出來。從此，段夢暉沉默了，外表上他更加蒼老，抑鬱，今後只有在愁城苦海中打發日子了，一失足成千古恨，又何必怨艾於今日的遭遇？歷史是殘酷的！他只有像待罪的羔羊一樣，等待着不可知的命運「隨時」的安排了。

記宋教仁（1882—1913）

萬竹樓隨筆（七）・舜生・

宋教仁以民國二年三月二十日之夜，被刺於上海滬寧車站，以傷重不治，於廿二日四時八分，死於滬寧鐵路醫院。兇手武士英，合謀唆使者應夔丞，洪述祖，渠魁，袁世凱也。時余讀書長沙定王台，見上海民立民權兩日報所登先生遺像，傷在腹部，而目如生，實爲余青年時期所留一最深刻之印象，而四十年來之中華民國史，亦首先留下此最卑劣之一頁。

先生字遯初，湖南桃源人，因別署桃源漁父。光緒二十九年，年二十二，讀書武昌文普通學校，即矢志革命，與胡經武（瑛）在湖北設機關，曰科學補習所。次年回湘，即與黃克強劉揆一諸人創華興會。是年九月，在湖南實行革命失敗，乃走日本，初入東京弘文學校，繼入早稻田大學，治政法之學甚勤。

翌年乙巳（光三一），創刊「二十世紀之支那」雜誌，文辭犀利，鼓吹種族革命甚力。是年夏，孫中山自歐抵日，與黃克強等組中國革命同盟會」，先生與焉。同盟會者，實合孫中山代表之興中會，黃克強與先生所代表之華興會，及章太炎蔡元培等所代表之光復會一爐而治，爲革命勢力一大團結也。先生擬以「二十世紀之支那」作爲同盟會之機關雜誌，適以該雜誌爲日政府所禁不果，因另以「民報」之名發行，而先生仍任經理。

自乙巳迄辛亥凡六年，同盟會所策動之革命行動，屢經挫失，尤以辛亥三月廣州一役爲最慘。於是先生建議革命三策：一、聯絡北方軍隊，以東三省爲後援，一舉佔領北京，然後號令全國，如襲土往事，是爲上策。二、在長江發動，以次向南北各省推進，設立政府，然後北伐，是爲中策。三、以邊區爲根據，徐圖進取，乃爲最下。迄八月武昌倡義，全國風從，不四月而滿清以倒，蓋實行先生之中策也。其時先生實居上海，躬與策劃焉。

自武昌首義迄南北和議告成，先生於各方奔走疏導甚力，卒成統一之局，北京臨時政府成立，先生乃任唐紹儀內閣之農林總長。時蔡元培長教育，王寵惠長司法，陳其美長工商，以同盟會會員資格出任唐內閣閣員，合先生蓋四人焉。（一）

共黨禍桂春秋

今蕾・

我是一個從廣西逃出來的虎口餘生，我目擊了無數共黨殘殺的事實，我要寫一篇共禍桂史，又苦於沒有司馬遷施耐庵的筆墨！我這一些零零碎碎的報導，與其說是歷史，無如說是這一篇慘史的原因。慘史正在一天天加多加慘，現在是清算不了的。故此，我希望讀者只可從此中尋求共禍的原因，切不可便作爲共禍的結果！

盤珠祁之死

盤珠祁是廣西一位老教育家，在廣西留美學生中，他是僅次於馬君武，李德香，鄧家彥三人的老前輩。他從舊桂系陸榮廷時代，便從事廣西的教育事業。舊桂系陸譚等崩潰，李（宗仁），黃（紹竑），白（崇禧）統一了廣西，他又轉任廣西的建設廳長，後來又任教育廳長。他也是廣西大學籌備委員之一，西大開學，他便充任西大的副校長（正馬君武）。後來與白崇禧意見不合，與馬君武同時去職。到廣西將易手前，再出任廣西大學的校長。他的爲人，一向是剛直耿介，可能說他並非行政長才，但他卻是謙沖穩厚；又可能說他的學術（他是美國威斯康新大學農科碩士），沒有隨時代而進步，但他的氣節，卻值得一般人的欽佩，這一次他出任西大的校長，已經是整備大局崩潰的前夕，一般但看風勢的人，是斷斷不會再爲馮婦的，而且他一向又與當權的白崇禧不洽，只憑黃旭初私人的交情，實難特爲緩急，也應該是稍有常識的人所早已看到的。所以，他這一次重長西大，顯然足證，他是一片愛惜西大的苦心，寧可犧牲自我，聽說當時他的親友多不主張他再長西大，他說了一句：「我不入地獄誰入地獄」的話，去了西大而殉道了！

拯救一省最高的學府，但卻是他不料，他老先生竟在廣西易手的時候，李白部下數十萬大軍，一潮土崩瓦解，大官級的大官，失聯的失聯，都已卸職。校長和一向不甚融洽的白崇禧，又與李白自然更沒有人理會，而且盤又是拘謹不過的人，斷不肯「不交代」而私自逃走，他固然料不到共黨竟是如此殘酷，但實在也想清清白白而來，清清白白而去，是他爲人的本色。後來共黨果然任命楊東蓴做西大的校長。楊東蓴是老共幹，也是白崇禧幕後最重要人物之一，當日白崇禧排斥馬（君武）盤（珠祁），完全是楊東蓴演的把戲。祇是西大是一個國立大學，楊東蓴無法通過教育部一關。所以後來李白便另辦了一所師專，特派楊東蓴爲校長。由師專演變而成的南寧師範學院，及兩江師範，便是共黨所稱的西南民主堡壘，腐蝕廣西青年的功勞亦最大！盤珠祁遇到這一位冤家，交代是交代了，然再想走也走不動了！在這個時候，廣西從前的教育廳長，有兩位向共黨靠攏的，便是李任仁，雷沛鴻。但盤之平日，是最鄙視李任仁雷沛鴻二人的，他固然是沒有靠攏，也絕不肯學李雷的靠攏。據說他後來是在共黨迫脅監視之下，當所謂「民主人士」，每月須由他的家鄉「石朗」，親來梧州一次，名義是開會，實際是監視其行動。我們這時也料定這一位老先生是早晚要遭共黨的毒害了！果然到了上月，便傳來了在其原籍容縣被「清算」「公審」「處決」的凶耗。罪名是「在西大任內會污一輛吉普車」的事情，他是怎樣的死法，沒有更詳細的報導。但他的哥哥經過的慘死，是經過「公審」的「吊臘」「吊打」，再遊行容縣城市街，強迫市民「點臘」「吊打」「燒灼」一半死而後槍斃，盤珠祁是斷斷不會比他的哥哥更便宜的！

盤珠祁先生是死了！但不是死於「西大任內的一輛吉普車」，他是死於：（一）他原是一位最講道德的人物，素負有社會的重望；（二）他是一位留美學生的先進，當然可算是「美帝」的典型人物；（三）他是廣西教育界的老前輩，對青年發生領導的作用，（四）他是民國十六年廣西的清黨委員，共黨的血債是必須清償的。有了這四個必死的原因，便是沒有再長西大，也沒有吉普車事情，也必須清算公審，以至於吊打死，是必然的。什麼一回事？可以作爲盤珠祁的死因！

歡迎馬克斯

・亦聞・

一個蘇聯教師告訴他的孩子們說：「所有世界上最偉大的發明都是俄國人『第一個』發明的。」

突然一個孩子發問：「共產主義是馬克斯發明的嗎？」

「對的，孩子。」

「那末馬克斯不是俄國人呀！列寧的「論馬克斯主義」書上說他是德國人。」

教師愕然了，過了一會他才恢復了鎮靜，他很有把握地告訴大家：「史太林同志已經批准馬克斯成爲蘇聯公民了。」

於是小約瑟夫（這班上的少共先鋒隊長）從座位上跳了起來，他嚷着：「親愛的同志們，讓我們一致擁護史太林同志的決定，明天我們來開一個歡迎馬克斯同志的大會。」

家庭教師

・杜茵・

從戳縱、教師爬到「縣長」、「專員」；在中共組織中不能算是奇聞。現任中共「江蘇一區專員」施光前，他就是在過去十年中這樣爬起來的。

最近鎮江一帶連續發生人頭、手臂、被支解的男女屍體慘案，照理，新聞紙上應該是本埠版的頭條新聞，可是，翻遍了京滬各報紙，卻看不見，原來其中有着一段曲折的故事，這慘劇，是坐鎮鎮江的「專員」施光前一手導演的。

去年六月間，施光前忽然興緻勃發，穿了一套白色新西服，獨自一人跑進仙鶴巷小學，他通知傳達「同志」要看他的兒子施亮；校長和教師們聽到「專員」光降，少不得要小心接待一番。然後，又陪同視察全校設施，「專員」頻頻稱讚。隨即召集全體教職員個別談話，一個個加以安慰，一個個的生活、家庭、都問得清清楚楚。他愉快地向校長告別。

過了三天，一位教員楊光烈，被施召到「專署」去談話，「專員」對着這位教員非常親熱，並且說他「大才不能小用」，不能埋沒在粉筆灰裏，當時下了「手諭」：「派楊光烈同志爲本署祕書」了；在楊這是做夢也想不到的，楊光烈帶着興奮的心情回到學校，校長和教員們全體向他道賀；獨有他自己的妻子史德楣懷着鬼胎，非常掃興。史德楣在校中，和丈夫一樣擔任課程教員，她倆和丈夫同時進退，感情也很融洽，這一次史聽了丈夫離開學校去作「官」，一般的說，總該「興奮」的，但在她的心靈上好像打了一個鬱結。丈夫問她爲何這樣不高興，她也回答不出來，只是說：「我覺得不妥當」。這樣，她倆依舊早晨同出晚上同歸，過了一星期，也就習慣了。然而，不幸的事情終於來了，在她的丈夫擔任「祕書」的第十天下午，「專署」派人來召史德楣去「談話」了！

「專員」的臉上堆着笑容，要求「史先生擔任施公館的家庭教師」；在強奸式的「民主」制度下，人民是沒有自由的，更何況是在極權統治下的小學教師呢？史德楣終被捨去了學校，去「施公館」作「家教」，行動也失卻了自由。夫婦倆失掉了早出晚歸的溫暖，充滿了空虛。

楊光烈幾次要求和自己妻子見面都沒有如願，但是她在囚牢式的「施公館」，也一再向施要求與丈夫見一次面，最後，答應了她，「每星期和丈夫見一次面」，但不准回家住宿。第一次見面的時候，因爲有人在旁監視，史德楣隔窗見了丈夫，哭得非常傷心，同時用手示意，「清白的身體已沾了污點」。第二次見面，也是相對默然，這樣的日子，過了近半年，史老師也被人改口稱爲「三太太」了，對她管束也漸漸鬆弛，有時候，也可以自由活動了。

今年初，史、施之間，在一次酒後發生口角，兩人就打了起來，史一時膽壯，對施提出分離要求，並說，「不達目的，決定向上級控告」。這樣，施對她有了戒懼，鎖閉房裏，不准她外出。至二月八日，每天送飯的僕婦，發覺史已失踪。楊光烈的鄰居，也發覺「楊祕書失踪」了，直到十五日那天，屍體和人頭送到鎮江，有人才認得是楊氏夫婦，怎樣被殺，累得京滬線的「警務人員」足足花了半個月時間，把兇手捉到；兇手一共八名，都是「專署」的「警衛」人員，「人民公安局」打算處理和公布這件凶殺案，想不到「施專員」抓去「局長」，要把一干人犯解到「專署」去辦，晚上，「人民警察」把兇犯和案卷解交「專署」中途，被「專署」的「警衛」包圍劫去，這件事情，就此不了而了。

秘密警察來了

・張天寶譯・原載星期日郵報・

安全警捕人，通常是在拂曉，這時候，涉嫌者一定在家。在布拉格，被捕的人，被帶到市中心的警察總局，這裏現在已成了安全警察的總審詢處。安全警察負責質詢的人，經常穿着便衣，進行方式是根據那古老的理論：對任何人祇要不斷毆打，他最後必要招供無疑。在這個地方，不知有多少人已因無以耐受酷刑而死去。比較普通的酷刑是將鉛筆夾在嫌疑犯的手指間，然後猛擊手指，或是先用毛毯把他裹住，用木棍和皮鞭毆打，直到半死狀態，犯人的身上，表面不會現出傷痕。

「階級敵人」

安全警察的最可怕的機構之一是羅辛監獄，在布拉格郊外。犯人被囚入陰濕牢房的最初三天，得不到任何食物，到第四天，才能獲得一盆熱的白菜。這種白菜能使他們的大小腸張大而造成不堪忍受的苦痛。這樣的待遇，每隔幾天便重來一遍，所以犯人面前的抉擇，祇有挨餓或甘受痛苦。

對於最大罪名——破壞國家安全——的審訊，是由國家法庭舉行的。較次的罪行則交人民法庭辦理。這兩個法院都有所謂「民間法官」，也就是經過短期法律訓練的工人，他們的任期是二年。法官，檢察官和律師都奉有命令，必須「保障勞工階級的利益」。被告律師已歸由國家指定，費用出自國庫，他們不能代被告保留「違反國家利益」的祕密。在這種情形之下，被告律師的辯護可能趨向公訴方面，而限於幾個毫無意義的短句，例如：「被告是初犯……」或「他將設法改造」等了。

被告常常不知道自己究竟犯了什麼罪，是從事破壞活動或間諜活動呢，還是只不過因爲「違反國家安全」而成了「階級敵人」。「階級敵人」包括範圍甚廣，任何反對集體農場或擁有二十畝以上的田地的人，任何未能達成工作限額的工人，任何未曾按時參加過三次「政治教育」的平民，任何人知道「階級敵人」而不向當局報告的人，一律都是「階級敵人」。最近有幾個國家冰球隊隊員因不滿於未能准參加倫敦的世界錦標賽，就被列入爲「階級敵人」而判刑十年至十五年。（八）

自由人

THE FREEMAN
（半週刊每星期三六出版）
（第三十四期）
每份港幣壹毫
督印人：梁大成
社址　香港高士打道六六號
電話：二〇八四八
CLOUCESTER RD.
HONGKONG
TEL: 20848
承印者：東南印務出版社
地址：高士打道六四號
台灣經銷處
台北重慶南路一段七十四號

史太林和平攻勢下 局部解決韓戰

這是一個最大的危機 一定落入蘇聯的圈套

左舜生

韓戰一週年，蘇聯忽然提出了停火建議。蘇聯建國三十三年，從來沒有對任何人任何國家懷過一次好意，這次當然也不會是例外。

發動韓戰的是蘇聯，今天要結束韓戰的也還是蘇聯，高下在心，喜怒爲用，視破壞一個國家，死傷幾百萬的善良人類，値不得史太林的掀髯一笑！世界上有這樣一個國家，大家還樂於與她週旋進退，虛與委蛇，這實在是人類的墮落，正誼的死亡，即令能勉強取得一時的和平，終必爲世界製造未來的浩刼。

然而蘇聯之所以斷然採取此一步驟，以時機考之，她決不是沒有經過周密的打算的：

蘇聯於此時提出韓戰停火的動機

第一，中韓共軍慘敗的程度，必已超過普通報紙所公布的以上，如再命令他們繼續幹下去，蘇聯勢不能不在物力上予以大量支持。而所謂「國際志願軍」也者，其勢也不能不正式出面，如此，則可由美國片面的消耗，變成美蘇對等的消耗，這在蘇聯是極不上算的事。

第二，如再繼續打下去，不但轟炸東北，加緊封鎖中國沿海一帶勢將不免，即由美國協助台灣反攻大陸，也極有可能，只要國軍有二十萬人在華南登陸，中共在長江以南，即勢將陷於崩潰；爲爭朝鮮而使中國大陸動搖，等於因小失大，這在蘇聯立場上，也是不許可的。

第三，北韓雖然慘敗，但殘兵敗將也還保存了若干，假定能在三八線以北建立一緩衝地帶，便從此休戰幾時，則北韓的殘餘力量，依然可保；加以整編休養，在中共及國際志願軍支持之下，隨時可以捲土重來。如果依照蘇聯的建議，撤開中共，即由北韓出面，與十六國聯軍對等議和，則所給予金日成的面子實在是不小，同時又可把中共這頂「侵略者」的帽子輕輕摘下，實惠的給予聯合國一記耳光，更何樂而不爲呢？

第四，伊朗的石油問題，表面爲英伊之爭，實際仍爲英美與蘇聯之爭，雖然不一定就爆發戰爭，但蘇聯卻不能不保持一可戰的姿態；爲加強中東，其勢不能不使遠東的緊張狀態暫趨和緩，這是史太林一貫的穩健作風，其目的即在不予人以可乘之隙，而使大戰輕於爆破。

史太林以退爲進目的在破壞日約

第五，目前在整個遠東的局勢中，爲史太林所密切注意，同時爲蘇聯政治局一羣暴徒們所最傷腦筋的，莫如美國對日簽訂日本和約在步驟上的步步逼緊。我自來一貫的觀察，使認定蘇聯決不肯東身於這一重大事件的關係以外。現在她對韓戰表示可以停火，其目的不在韓國問題而仍在日本問題。現在蘇聯對這件事可能預定的步驟，大抵不出兩途：一、蘇聯，最好更能拉上中共，依然想對日約草案保留最有力的發言權，將不惜採用種種手段，將草約內容徹底加以破壞；三、藉韓戰停火問題，提高一般美國人民的和平幻想，如美國縱然不顧，竟撤開蘇聯與日本簽訂片面和約，她將不惜以武力對日本實施恫嚇。在史太林的特種邏輯上，美國既對打了一年的韓戰，尚不惜委曲言和，斷無又因日本問題而與蘇聯決心作戰之理。因此，她的恫嚇手段可能有效。如美國因日約問題竟不辭與蘇聯一戰，則蘇聯實美國背信棄義，可以振振有辭，可能以陸海空全面的力量，一舉而佔領北海道，以日共停在該處樹立一邊區政府。假定到了這樣一種景象，則美國以全力援救日本且來不及，那裏還能夠顧及韓國？於是蘇聯可以再度發動北韓中共，以及國際志願軍的手段，以迅雷不及掩耳的一舉而席捲全韓，爲時可能不出兩個星期，果然有此一日，則以今日對韓戰而輕於接受和談，豈不又是攢進了一個蘇聯所預設的圈套！

目前的一切問題最有效解決途徑

總而言之，就今天整個世界的形勢觀察，歐洲亞洲分孰輕孰重，已無強爲分別之理；就遠東一局部的形勢觀察，韓國問題，中國問題，日本問題，也決無分別解決的可能；不透徹明瞭這些問題的聯繫性，而想以頭痛醫頭，腳痛醫腳的方法，求得一數術目前的個別解決，其結果是一定要上蘇聯的當的！我要在這裏正式警告一切民主國家：蘇聯還要繼續不斷造出無數的局部的問題，而所最歡迎的解決辦法，便是就每一問題，求得一了而不了的個別解決；她所最懼怕，也最怕的，便是認定她爲擾亂世界和平的罪魁禍首，而以最大決心，就世界問題的全面，和她來一次總清算，作一次四面八方的殊死鬥爭。

般咸教授論第三勢力

・黃固吾・

第三勢力這一名詞，近兩年來，甚囂塵上。在中國這一特殊環境下，對於第三勢力的解釋是特別困難的。拿第三勢力在歐洲發生的實際情形來對照一下，我們便會感覺得這一名詞的使用，尤其在中國現在的情形，是値得考慮的。我對於這一問題，不願在此發表個人的意見。以下我把我最近翻譯美國名教授兼社會運動者詹姆士般咸先生所著「共產主義必敗論」一書，中間的一段，述及戰後西歐各國的第三勢力的勃興與幻滅的情形。由這一段敍述，我們可以增加了解西歐各國的所謂「第三勢力」。

第三勢力的眞正意義

第三勢力的名詞，最初被採用的是一九四七年阿根廷的莊，皮倫發表的一篇演講。他說，第三勢力的觀念是表示阿根廷的自決，不是表示站在美蘇的任何一方面。這個基本意義在歐洲仍然是繼續存在的，不管地方性的變化如何，也不管一般有名的知識份子如何替它作理論的裝飾。

在法國，兩個有嚴密組織的政治勢力，一個是共產主義者，一個是戴高樂主義者，每一個都有它的民衆基礎。兩個都領導着法國大多數的附和者。自然，沒有一個是代表一九四九年的政府的——這就是一個很明顯的暗示，爲什麼這個政府不是一個眞正的政府，爲什麼這個政府一切都不能決定。法國政府自一九四七年以來，在國內的政治關係上，祇能在這兩個相反的平衡力量當中，謀取生存；並且這是可能的，因爲這兩大勢力的中間，存在許多無法解決的歧見。這種國內勢力的中間，卻是一般國際行爲之地方性的表現。第三勢力，在政治基礎上是一種企圖，這種企圖是想在「蘇聯的極權主義」和美國的「帝國主義」兩者之間，取得國際勢力的平衡；想避免參加美蘇之間的任何一方面，想在世界大戰中採取中立的政策。

這就是第三勢力的眞正意義，這就是歐洲兩種政治領袖及其政論家對第三勢力最坦率說明（不管傾左傾右，避免獨裁，這一點在英國的政論上卻是很受歡迎的）。捷克的邊尼斯是現在西歐第三勢力領袖的個人朋友和政治朋友，也就是現代第三勢力的政治家。今天，在法國，意大利和西德第三勢力的代言人似乎對於華盛頓的傾向比較多於克姆林宮。這是因爲他們目前受到的壓力，來自華盛頓的多於來自莫斯科的，並且第三勢力的性質是寧願向更大的壓力屈服的。但布拉格的壓力是來自東方，而不是來自西方的。也許這種現象明天要在柏林，佛蘭克林，和巴黎出現。

兩方無東西不能平衡

第三勢力對於國內的共產主義運動是不能夠壓制的，甚至削弱也不可能；因爲第三勢力的生存，共產主義是不能缺少的——平衡必須要兩方有東西，否則是不能平衡。如果把共產黨的力量消滅了，而第三勢力在政治上的傾向也同時自然的消失了。第三勢力不能在對外攻策上採取一種不屈不撓的立場去反抗蘇維埃共產主義，因爲世界意味着第三勢力的企圖，就是要避免蘇聯與美國在世界鬥爭中的不幸結果。

美國猶豫中的幾滴香精

我曾經說過，這是一個多餘的奇遇，歐洲的第三勢力居然得到許多美國人士的同情，並且更能得到美國政府中許多人士的同情。這眞是奇遇，因爲第三勢力在實際上是適宜的美國政策發展之一種有力的障礙，同時也是美國正確政策的控訴者。但是，這種同情的態度也是出於自然的。美國還未有完全自己決定，所以對第三勢力發生同情之感。也是爲了這個理由，第三勢力遂成美國政治猶豫中的幾滴香精。」

胡適與羅素

振奮我們的勇氣

從黑暗轉到光明

適之先生應該是自由中國的唯一的學人了。他在最後離開北平到了南京的時候，他說：今天我才知道這不是做學問的時候，以後不但沒有說話的自由，我還注什麼水經注？恐怕連「不說話的自由」，也沒有了。這句話，算是適之先生的發明，眞的，多少的朋友，都在寫「自白」，寫「學習總結」，寫「鎭壓反革命」，寫「抗美援朝」，連他自己的兒子胡思杜，也在譏責他的父親，是原諒他的，因爲「不說話的自由」早沒有了。

就在祖國快要陸沉的時候，他遠適了異國。最近有位朋友，從紐約來，談到適之先生留美近況：他現任普林西頓大學圖書館中文部主任，年薪僅僅美金三千餘元，他還要每星期一從紐約趕到普林西頓，要整整四天事。雖然一個有個助理員，他還是自己動手，爲這大學圖書館最近一個美國人所捐一批中文書，忙着編目。每星期五回到紐約西邊一所公寓裏，他自己的住宅，這住宅是多年了，自從他卸任駐美大使後，即租在這裏，後來回國，亦沒有退租，現在也住在這裏。他的太太以後亦到了美國，這位太太還是一位中國風的典型的太太江冬秀女士，中饋當然是她管的事。洗手作湯羹，她從來沒有倦勤過，適之先生亦就歡喜了。舉案齊眉之樂，這對老夫婦深深了解的。適之先生是一個嶄新的人，但有些地方，還是保守的。

孟眞之死，他是很感傷的，最近談到羅素論黑暗時代一文，他更感傷了。黑暗時代已經臨即，我們如何可以同新柏拉圖主義柏羅丁紐斯那樣，退隱山林，放棄了實際的事務呢？我們至少亦得同波休亞士一樣的想，振奮我們的勇氣，以對抗威脅與災難。適之先生是這樣的，斯賓諾莎是一個智慧逾常的哲人，他總不肯獨樂，所以他最感痛苦，亦是必然的。因此，適之先生亦更感傷了。有些朋友，邀他回到自由中國，希望他的著作，最近台灣，亦同波休亞士一樣，普遍地開散去，一直從黑暗轉到了光明。（狄青）

半週展望

雷嘯岑

史太林的冷戰傑作

韓戰停火問題，由於蘇俄的「從旁」提議，已逐漸進入實踐階段了。蘇俄外次葛羅米柯對美國大使寇克說：祇由聯軍統帥與北韓共軍指揮官在陣前談判，中共「志願軍」不必參加；繼又說中共軍可派代表參加會談，但聲明中共當局對此問題的意見如何，蘇俄並不知道！

艾契遜又聲明，不一定要在三八線上停火，便是聯軍的勝利了，遜聯合國並不一定要統一南北韓！英國集團對此更早已暗中活動，渴望及早實現，只要能停火，任何條件都好商量。

史太林一面知道杜魯門心中急於要達成其「有限度」的韓戰政策之成功，以便制勝國內政敵，和緩民心，藉作下次競選的政治資本；一面早已熟解英國急於放棄東方，而以全力應付西方，且盼蘇俄對伊朗石油問題能夠善意中立的各種心事；同時又深悉中共「志願軍」的大規模攻勢準備尚未完成，必須爭取喘息機會，以好另籌新的時機與美國實力攻打美軍，使英美集團到時候便於作梗扯腿，而永陷於孤立應付的苦境。

這停火建議如果照蘇俄的方法實現了，共產集團必然是名正言順的獲得各種勝利果實；不能不說這是史太林在多年冷戰中最大成功的一項分化民主陣營的得意傑作！

伊朗的石油危機

英伊石油糾紛近日已陷於危機爆發的最後關頭，因爲伊國總理莫沙狄克函請美國總統出面調解，形勢大有轉機了。祗要英美兩國眞正取得對這一問題的彼此諒解與合作，即有化險爲夷的可能。自石油糾紛發生以來，美國一變是採取旁觀姿態，內心上比較是同情於伊朗的，試看赫爾利將軍在國會作證時，對英伊石油糾紛所發出的言論，即可理解了。英國如對其既得利益作相當的讓步，美國即不使介入這是非場合，以免弄得兩面不討好。英國目前所採對策，斷然是以不合作的手段，讓伊朗石油的生產與分配都陷於停頓窒息，因而釀成經濟上的大混亂，使伊朗深感困苦，自動恢復理智，願跟英國再作合理的談判。伊總理函請美國出面調解，如果英國也能犧牲其若干既得的過份權益，可說是英國這項不合作主義的初步見效，和解的可能性就很大。

史達林的暗箭又乘機放出了！他不早不遲，正在這時候，對伊朗聲明願意歸還十二噸黃金，並將戰時所扣留的伊朗軍民一律放還。這用意是：以十二噸黃金來濟伊朗因石油糾紛所感受的財政困難，以放還的軍民來增加伊朗民族主義者的活動力量。鷸蚌拚命相持吧，漁翁正在一旁瞧着微笑哩！

亞洲的自由人民應該警覺

韓戰如果眞能停火，美國目前所亟亟策劃進行的對日和約，馬上就得停頓下來。不是嗎？韓戰既告和解了，中共又不是交戰國，史達林所倡議今年八月召集全面對日和會的問題，當然沒有理由反對了。至於全面和約是否爲美國所倡導的另一問題，史達林並不希望。單獨和約也告難產就得了。日本人民所渴望的自主生活，乃成了可望而不可即的遠景！

南韓軍民抵抗極權侵略而慘遭百萬以上生命財產損失更無法估計。但是，所謂韓戰和談云云，從來就不會徵求過南韓人民的意見，一切聽命他人，如今且有人說出聯合國並無統一南北韓之必要的話來了。一年以來，南韓人民的鮮血等於白流，依然回復三八線原狀，聽候強權者隨意擺佈。

這世界是沒有正義與公道存在的，只有現實利害，只有強權思想，廣漠的亞洲自由人民，應該憬然自覺自立自強。自由中國，日本，南韓，菲律賓，泰國的政府和人民，看清楚了沒有？再不起而結合奮鬥，永遠是被人玩弄的商品呵！

韓戰持續擴大下去

中共財政面臨新考驗

戰費浩繁，財源枯竭，天災處處，夏收無望，中共財政已危機畢露，將隨戰爭的擴大而崩潰。

·張丕介·

由於韓戰的持續與擴大，中共本年度的軍費支出，將達何一數字，迄今仍諱莫如深。據去年年底麥帥在東京所宣佈數字，可能達銀元八十億，折合戰前幣值美金四十億元。這一數字較其去年的二十三億六千七百萬美元約增百分之七十。但據六月十五日日本亞洲經濟研究所主任井明的估計：中共本年度對韓戰及國內的軍費，將達八十億美元，較收入高出三倍半。井明認爲中共公債，發行停滯，已不能再發行公債。由於韓戰所引起之龐大支出，中共已面臨通貨膨脹之危機（泛亞社東京十五日電）。如果根據一年來美國戰費增加的比率推算，井氏這一觀察自不無相當理由。但如根據目前大陸經濟負荷力估計，則中共本年度的搜括所得，決無法超過五十億美元。

在貧困的基礎上籌措龐大的戰費

據巫寶三氏在戰前的估計，大陸的現代化工業總產值總共不過二十億七千六百萬銀元，以目前幣值計算，不會超過十八億美元。戰後雖收復了東北，但經過了八年抗戰，五年內亂，再加蘇俄的無情搶劫，一般生產已普遍下降。如以中共工業示範區的東北而論，一九五〇年的工業生產，仍只能恢復一九三四年百分之五十七，今年中共雖提出增產百分之十三點八，亦僅及戰前水準百分之六十。如以東北的增加，補償大陸的損失，全部新工業的產值，亦不會超過十五億美元。至於農產情況，以去年中共所宣佈的二千四百億斤糧食及一千四百二十萬担皮棉計算，亦均未及戰前水準。據去年二月廿七日中共農業部「關於一九五〇年農業生產方針及糧棉增產計劃」中所述：「大陸農業生產水平，一般較戰前約降低四分之一，某些新解放區甚至下降三分之一」。依照毛澤東自己的說法，大陸現代化工業生產總值，僅合工農業生產總值十分之一。如以此一比率折算，則目前大陸的生產總量，每年不會超過一百五十億美元。

過去偽年國家歲出，不過十億美元，僅合生產總值十五分之一。而目前中共的戰費，已合生產總值二分之一。如果依照井明氏的估計，則已達生產總值二分之一。在這一貧困的基礎上籌措如此龐大的戰費，其負荷的艱鉅，已不難概見。

全民捐獻的完成 彌補五十分之二

去年中共戰費的籌措，絕大部份，乃取自大陸民間的多年儲積。如夏征秋征所搜括的公糧，以及「土改」中鬥爭所得的「果實」，莫不爲地富階級過去積聚的所得。而公債與工商稅，更大部係工商業者原有的資本。經過了這一年的大力搜括，舊時儲積業已蕩然無存。今後的搜括，只能就現有資財入手，因此，其搜括已趨困難。如以最近中共的強迫獻機獻砲而論，據近半月來中共發表的初步統計，到六月十五日止，全部獻機總數共三百六十五架，折合共幣約達五千四百七十億，但折合美金僅二千五百萬元。現湖南山東各地，均發動「一縣一機」運動，廣東更發起「一縣二機」運動，如平均每縣以架半計算，全部約三千架，每架以共幣十五億計算，全部約達美金二億元。中共對這二億美元的搜括，其範圍之廣泛，與手段的酷烈，均遠超過去的任何擁取。如曲江全縣，每人至少須捐獻一萬元以上，由共幹挨戶攤派，雖升斗小民，亦無法避免。潮汕一帶，更強迫僑屬，向海外華僑催款，每戶指定共幣五千萬元左右（約合港幣一萬元），並限港澳地區於接信後十天內答覆，南洋地區於接信後二十天答覆（見六月十二廿二工商日報）。至於勸捐對象，由收入微薄或毫無收入的店員學生兒童婦女到中共認爲有特別貢力的工商業者則無一漏網。但這一「全民捐獻」運動，即使能全部依期完成，最多亦只能彌補其戰爭總額五十分之二。

至於中共主要財源的租稅及公糧，由於民力疲乏已達頂點，再度增重已無可能。因此，只能在繳納的期限上下工夫。最近廣州等地，均發動「預繳稅款運動」。據六月十五日（大公報）的報導，廣州新藥業已預繳稅款六十億，其它米糧稅批發業、膠業亦集體預繳本年稅款。這是「寅吃卯糧」的辦法，正如「殺雞取卵」一樣，只顧眼前，不計後果了。粵共稅務局，並派出大批幹部赴各縣市勸催。在中共厲行「現金管理」之下，稅款的預繳，除了外，已無特別意義之可言。關係中共財政最重大的，倒是今年的夏征問題。

中共嚴重考驗 不在戰場決定

首先，由於各地「土改」次第完成，地富相繼倒垮，今年的公糧將由接田「翻身」後的中貧農担負。過去予取予求的情形將發生若干轉變。如不藉力追征，必難完成任務。如果依然亂打亂殺，勢必擴大民變，形成大規模抗征運動。

其次，根據中共自己的報導，自今年五月以還，華北西北等省，有七十八縣發生蝗災。其情況之嚴重，不下於一九四四年蝗災最重的年份。其中尤以山東，河北，河南，蘇北，平原，山西，新疆等省區最重。如皖北泗洪蝗區面積達四十五萬畝，河北黃驛縣境受災者達十五萬畝（新華社六月廿日）。廣東全省，自四月以來，更遭水成災，幾佔各縣受患面積，稻田半數。浙江全省自五月以後，普遍發生旱災，其中如台州，溫州等區旱稻無法結實（六·十三·上海大公報）今年夏收將一落千丈，對於夏徵更可能發生命定的影響。

在戰費浩繁，天災處處，財源枯竭，夏收無望的情勢下，中共的財政已面臨嚴重的考驗。而局勢的發展，正逐漸推向大戰的邊緣。中共以筋疲力竭之軀，將何以支持大戰！其敗亡之機，已無待戰場上來決定，而將自其財經開始！

俄國人德國人在上海

俄國人在中國的數量，一天天的增加起來，他們的總部，設在上海郊區的虹橋。他們把以前那些有錢的歐洲人所有的房屋及別墅佔領下來，現在的虹橋，是不受中國人管轄的區域。

蘇聯的高級官員，每星期有兩次攜帶着他們的太太，駕着美國的轎式汽車，前赴上海的商業區。這羣太太們穿着得很爲時髦，每個人都着了尼龍絲襪。這些上流的俄國男女們，把時間消耗在酒排間裏豪飲。

每星期有兩天，有巨型卡車在上海出現，卸下好幾百名十八歲至廿五歲的俄國青年，他們着的是平民服裝。

沒有人監視他們，看起來好像受過良好的訓練。相信這些青年來自上海西南五十哩的嘉興，據說那裏是蘇聯特種武器訓練的中心區。

每星期有兩天，運來了一批中年的德國人，他們的年齡，是從三十五歲到五十歲，由穿着平民服裝的俄國人在旁監視，每一個德國人挂了一個戰俘的徽章，手上刺着一個號碼。這些德國人，不能和其他人接觸。他們雖然想盡方法，和同伴們談話，都是不行的。據說這羣人是從蘇聯管轄下的德國戰俘營裏選出來的技術人員。他們駐華的基地在何處，是沒有人知道的。

·吳超譯·

韓戰得失的總檢討

·伍健勛·

韓戰已經打了一周年，日來各界對於韓戰的得失，極表關切。茲將美國著名專欄評論家林鑑利在六月廿三日新聞週刊發表的「韓戰一週年」，以饗讀者：

朝鮮共和國的被侵，開始於一年前的六月廿五日。雖然這是共產黨一連串侵略行爲之最近的一次，但是，它是第二次世界大戰後及聯合國組成以來，共產黨赤裸裸的軍事侵略的第一次。

侵略的後果及我們回答這個侵略的總結，無法預爲報導。但是有幾點得失，現在可以看出。我方最重大的損失，是美國及聯合國戰鬥人員在戰場的被殺戮，失蹤，或重傷。除掉上項損失及韓國人民的死傷外，其餘損失，均可用金錢來表示。

韓戰的主要收穫

在收穫方面：第一，我們必須考慮，假如我們未曾援助朝鮮共和國，則所遭遇的將是什麼？假如這次共產黨侵略成功，無疑的，其他侵略勢將接踵而來。根據若干例證，上述的威脅，有其充分的可能性。相信有若干國家，勢須屈伏於共產黨的操縱之下。聯合國勢須走上國際聯盟的舊道路。自由世界及我們自身的安全，將更趨孱弱，乃至無法補救。這些便是援助朝鮮共和國的主要理由。有些胆怯的人士，當時認爲北朝鮮的侵略攻勢，是共產黨準備在他處發難的一種聲東擊西，或轉移侵略目標的方法，或者這是他們的一種圈套。這種看法，業已證明不確。雖然它仍舊可能變成一種圈套，但是它已經不是最初的一種，倘使果眞是的話，它已經沒有發生作用了。

蘇聯和中共的罷手

援韓有利的部份，值得把它列舉出來：

（一）蘇聯未曾發動新的侵略行動。

（二）蘇聯的歐洲附屬國未曾作侵略行動，大家所預測的對南斯拉夫的攻勢，並沒有成爲事實。

（三）除掉對朝鮮及西藏外，中共未發動新的侵略行爲。他們已經失掉用武力或滲透作用，奪取台灣的最後機會。越南局勢已經改善，此外，並減除共產黨對泰國，馬來，及東印度羣島的威脅。

（四）中共軍隊是看不見的，這種觀念，已經烟消雲散。

（五）美國軍事實力擴大，今天美國在朝鮮境外的武裝力量，較援韓以前的總軍備實力遠爲強大。

全盤計劃有了開端

（六）美國駐韓部隊，現時飽經作戰及艱苦訓練，美國現正訓練軍校學生，以便供應新編師團及其他陸海空軍各單位的需要。同時朝鮮戰場，成了美軍戰略及武器改進的試驗場。

（七）美國已經進入一個完整的國防計劃。當一九四九年夏，蘇俄第一枚原子彈爆炸時，美國就應該開始她的新國防計劃，如果沒有韓戰的影響，這個國防計劃，可能還沒有開始。

（八）建立自由歐洲的有效防衛工作，已經有一個良好的開端，雖然全盤計劃，未臻理想境地。如果沒有韓戰的刺激，根本就不會有什麼動作。

（九）集體安全制度，已經提出了一個有效的方案，雖然有若干自由國家在態度上表示失望，但是聯合國得因此沒有拼合。以上各點，是我方的重大收穫。當你一年前想到，假如共產黨侵略成功，局勢將陷於不可收拾時，那麼上面這些收獲，能夠給你更深刻的印像。

大戰明天開始亦有利

無疑的，蘇聯業已好好地運用這一年，來擴充牠的軍事力量。這種擴充，在任何情形下，是勢所必然的。但是自由世界的軍備充實，大部分由於韓戰的刺激。

時間不完全在我們一方，我們不能說美國或自由世界大多數國家，在過去一年已經盡了最大的努力。但是，假如大戰在明天開始，我們在戰門中，將處於一種有利的形勢，一如朝鮮戰事及我們答覆挑戰所獲得的結果。

歐洲防共重鎮的法國

戴高樂作爲一個巨頭

非常之事，要求我負起責任，領導全國走向安全的路上；任務是艱難的，法國男女同胞們，我需要你們幫助。

從法國人民首度熟悉戴高樂將軍的大名那天起，到現在已經十一年。他們第一次知道他的大名，得自倫敦的廣播電台，因爲戴高樂在那裏一再作抵抗的呼籲。他喊着：「法國輸了一次戰爭，但她沒有輸掉整個戰爭」。聯軍在諾曼第登陸以後，他的廣播的呼聲，促成爲事實。他長了一副六呎四吋的魁梧而莊嚴的身材，一副高傲的眼光，演說時具有一套權威的風格。

他是一個謎

戴高樂充任政府領袖時，他的唯一發見，是法國人民固執如昔。一九四六年一月廿五日，他退隱於法國東部的一所小別墅，法國人民開始將他忘懷。因此戴高樂在一九四七年的四月十四日，組織一個新政黨，取名法蘭西人民同盟。從那時起，他在演說及宣傳中，堅決主張拯救法國的唯一方法，是建立新政體，由他來充任政府最高首領。

上星期，注意這位活躍的政治競選者的大部份法國人民，都說他們了解戴高樂將軍的地方，和十一年前，沒有甚麼區別。他現在依舊和從前一樣，是一個大謎。他以一個政客的姿態，明白表示，假如他能夠控制政府，他將粉碎現行憲法，代之以包括他個人意見的新憲法。意思就是說，政府的執行機構（指行政首長）的權力，須予擴大。多事的國會的權力，須作大大的裁減。

[illegible]

共產主義總攻勢

[illegible]

他沒有作候選人

[illegible]

英國兩逃官之謎

我不願前赴蘇聯

這種脾胃不大合

英國外交官員麥克里安與佩格斯的失踪案，到今天仍然是一個未獲解決的謎。

一位消息靈通的人士說，兩個人於上星期越過西班牙的比利牛斯山，化名逃入法境。另外一些旅客說，他們看見兩人經過辛浦隆關口，由瑞士匆匆忙忙逃往意大利。有幾位職業偵探家人相信兩人業已遄返英國，潛伏不出。當麥克利安夫人上星期誕生一女時，警察未發見麥克利安任何形跡，他們完全放棄對麥氏及佩格斯仍在西歐的希望。他們猜想兩人，或已死亡，或已陷入鐵幕。

麥克利安和佩格斯，於五月廿五日離開倫敦，兩人最後一次報告發自法國倫尼，述及程乘火車前赴巴黎。兩人均曾服務英國駐美大使館，麥克利安且係英國外交部美國科科長。兩人擁有大批秘密文獻，這些東西正是蘇聯所需要的資料。上星期，英政府將傳英方反間諜機關對全部外交人員，發動新的與嚴密的安全調查，以期發見共產黨同情份子及同性戀愛人員的綫索。

英國報界對這件案子的追查，也很熱烈。爲了調查佩格斯的私人生活，倫敦每日快報的特電駐好萊塢訪員，向佩格斯的友人小說家 [illegible] 答詢：「他是一個共產黨員嗎？」他 [illegible]：「他像我們一樣，很贊成統一陣綫，我們一色西班牙等等。意思是說，我們很贊成蘇聯。但是，據我所知，他不是一個共黨黨員。我個人有最強烈的理由，不願前赴蘇聯，我認爲佩格斯也確實有和我相同的理由。我們兩人剛好有着相同的脾胃，這種脾胃，不大合乎蘇聯的要求。」

·李曼飛·

中共怎樣製造工具？

一套魔術：利用青年好奇好動心理
兩件法寶：「勞動模範」「人民功臣」

陸聲

自共產黨席捲中國大陸後，所有青年，都遭到空前的浩劫。甚麼訓練班，幹部學校，軍政大學，無一不是潛蝕青年靈魂的機關，目的祇在替赤俄製造炮灰和工具。他們的教育方法，都是從老毛子那裏學來，當然有其特點和它收效的因素。因此千千萬萬的青年，都莫名其妙地跟着跑了，其實共產黨徒的所謂「高明」手法，無非製造「新鮮」「刺激」，力求滿足青年人的「好奇」和「好動」心理，有些簡直近於胡鬧。現把親歷的事象，介紹幾點出來，說明黔驢之技不過如是。

學生開荒百姓遭殃

中共改造青年頭腦的劈山斧，是「社會發展史」，入伍後一個月的預備教育期滿即須學習。開頭第一章就是由猿到人——勞動創造人類。爲使學習理論與實際結合，特選定荒地備好工作器具令學生開荒，在強迫和鼓勵之下，每個人都要出力出汗，以勞動情緒評定成績優劣，課本上理論搞得爛熟，勞動不積極，被評爲理論與實際脫節；理論搞不通勞動肯出力，這叫偏重實際；理論明確工作賣力，才是最合標準的成績，也就是「勞動模範」的被選人。開荒用的工具是借自老百姓的，這些出身城市的少爺小姐們不懂工具性能。亂鋤亂掘，在堅硬的荒地上必然容易損壞，雖然上級准許報銷賠償費，可是有限的很，同時領導上規定那一個小隊毀壞工具就證明他們成績不好，因此工具損壞了，不敢報告，私人又沒有錢賠償，結果祇有老百姓吃虧。還有將老百姓的菜地强佔，作爲本小隊成績，幹部也閉着眼睛不問，恨得老百姓暗地裏咬牙切齒。

表現進步死人遭殃

各小隊在互相競爭下，爲表現工作效率，爭取「勞模」資格，連人家墳山都挖了，還說響應「毛主席」的號召，增加生產，就要這樣做。有些老太婆，苦苦跪求，請保留祖坟一點小土堆，卻給「要表現進步」的「積極分子」破口大駡「封建意識」，把一套「革命理論」壓下來，因此，只好昧着良心，管牠死人遭殃。

多數人勞力，換來的豆類蔬菜，足夠吃了，節餘下來的菜金，有的存銀行生息，也有利用老百姓做生意，還有放月利的，這都是幹部意外收穫。表面說是留作下期開辦費用，實際做了老幹部們的保健餐，而他們却還自詡廉潔呢。

此外，有些癡心的同學，要爭取「勞動模範」，表現進步，不顧自己的體力能否支持，常有弄到殘廢死亡的事。女生是常因超過本能的勞動，生理上突起變化，崩血而死。雖說出於自願，還不是中了共產黨的毒害！

訂定計劃出賣親友

共產黨每玩弄一種戲法，事先必有一次動員。就如醫生替患者開刀首先要經過消毒和麻醉手術一樣。動員報告說得好聽，也就可以收穫較多的效果。記得作立功動員報告的，是兵團政治部主任。他先來一頂高帽子，打動了青年的心，然後一步緊一步的要求學生們不折不扣的聽從共產黨領導。用實際行動來答覆。能夠做到密報「匪情」，檢舉不法分子，那是最大的功。能夠把父母和親友的罪惡檢舉出來，那更是光榮的模範。他還說：「共產黨的政策，是要救那些反動分子，而不是想殺那些反動分子。」這一番鬼話：倒確實麻醉了不少純潔的青年。動員之後，便是規定每人訂出立功計劃，要每人檢舉兩個以上「反革命」分子，各小隊製就一本簿子，分功過兩欄，每天有一次生活檢討會，把功過人員記錄起來，當然以記功爲主。過失犯多了，也要對銷功績。如某人集合遲到，或說一句無立場的話，記過欄便記上他的名字。又如某人自動勞動一次，或幫助同學解決一個問題，就算他的功勞，名字便記在立功欄。一星期作一次檢查，公佈在壁報上，到了相當時間，各小隊就提一次總結，出立功名單，交軍人大會（中隊爲單位）討論，議決功臣名單，呈報支委會審核，最後經黨委會覆核功臣等第頒發功臣榜。

做了功臣害死叔父

功臣榜頒發後，班本部便組織一個隆重的慶功大會，好像辦喜喪大事似的。立功者在鞭炮，軍樂和鼓掌聲中登上主席台，由女文工隊員分別予以戴花，頓時成爲全體瞻仰的英雄人物。在一片「光榮」氣氛中，僞使青年騰雲駕霧，忘其所以，這一套戲劇式的表演，的確是最有效的麻醉劑。

女生大隊有一個學生，名叫楊逸雲，她是未成年的女孩子，聽到政治部主任的立功動員報告，她「斷章取義」的牢記一句話：「檢舉反動分子，就是搭救反動分子」。因此，想起她的叔父楊非，是教養她的恩人，做過國軍的軍官，並且由台灣潛回上海不久，的確負有任務來的，她存着救她叔父的癡心，將她叔父一切祕密，詳細的報告組織上。不久，她的叔父被逮捕了，並連其他十幾個人，電台文件都被共黨搜獲，人證物證俱全，因此被處決。唉！她眞搭救她叔父升天了。

當楊逸雲聽到叔父被槍決的消息，哭得死去活來，該隊幹部和大隊教導員都去安慰，誇獎她是「人民功臣」，毛主席的好學生。但是，她傷心過度，這些話，那裏能夠聽得入耳，隨時準備結束她的生命，雖在幹部和同學的監視下，結果還是以頭觸牆慘死了。

衡陽市民水深火熱

一面是蕭條慘淡　一面是興奮緊張

沉寂多時之銀元黑市復活

【衡陽通訊】自中共韓戰失利，國軍反攻消息輾轉傳播，遼東局勢日趨緊張之際，衡陽市民，極爲興奮。他們雖明知在戰爭中勢必遭受犧牲與破壞，但爲促使俄帝和中共早日屈服，使自己回復自由的生活，故均以大旱望雲霓之心情，期待此次大戰迅速爆發，而各「機關」「公司」大小共幹，均惶惶不安，積極籌謀應付之策，因此一般投機份子，亦乘時活躍。曾沉寂多時之銀元炒賣，刻已恢復，黑市每元可兌共幣一萬六千五百元，與共方銀行一萬一千五百元之牌價，相差達五千元之巨；黃金黑市亦比牌價爲高，只糧食及各項土產市情，與牌價相差不遠。

金銀北運工廠全遷

又共方年來以重徵土改所搜括城鄉之黃金白銀而貯藏於東岸「人民銀行」倉庫者，日前已陸續裝箱循粵漢鐵路北運，湘西南各縣「人民銀行」支行所存之金銀，亦由「總行」命令從速集中衡陽待運。據本市銀行共幹透露，湘省全境之金銀，必須於七月底以前全部北運完竣。關於市內郊外各項建築及正在作大規模擴充之東陽渡軍械廠，亦已奉命停工或拆遷。但「防特」「防空」「防火」之工作，則較前更爲加緊，故全市氣氛，異常緊張。衡陽市民對中共此等舉動，皆以敏感之看法，認爲極權政治崩潰在即，內心充滿無限愉快。

滯納欠稅破壞財經

目前最感痛苦者，爲「市稅局」大舉迫稅，首於五月六日，將第一批滯納戶八十七家貼上欠稅警告，其中三才西藥行大綸綢莊等十一家，已依限繳清全部欠稅，鴻大百貨公司明華烟廠等十八家則繳了一部份，其餘九龍皮鞋公司明星電池廠等二十四家，則已具結願在六月底繳清，只有榮華織造廠華安百貨店新遠東酒家等三十四家，仍然無法繳交。除榮華織造廠一家，因規模頗大，由「稅局」將房屋貨財全部接收外，華安百貨店店主彭克華，新遠東酒家經理丁子欽等三十三家滯納戶的負責人，則由「公安局」「扣留」，解送「市人民法院」囚禁懲辦，將繼於五月二十日，以「係惡霸地主及反動份子，勾結國特，故意抗稅，企圖破壞財經政策」之罪，提出公審予以槍決。

重負高壓危在旦夕

最近「市府」又以變相徵稅的手法，提出所謂「獻機獻砲」「援朝支前」「慰勞軍屬」運動，命令各行業共幹，以核心領導作用，發動各商店大力捐輸，作變本加緊之榨取。衡市商人在此重負高壓恐怖之下，皆苟延殘喘，慄慄危懼，以致百業蕭條，市況冷落。而「衡陽新聞」「嶽南人民」兩家中共報紙，卻每日記載幣值穩定，工商繁榮，稅收超額完成等消息，並列舉統計數字，目睹事實，眞令人有啼笑皆非之感。（健行）

靠攏者的悲哀

前河南省主席兼綏區司令張軫武漢會見記

張鑑古跳樓自殺・屠建堂公審槍決　張玉龍撤職查辦・三姨太大駡軍閥

・葉平・

數月前我從監牢裏出來，並且領了「人民政府」還鄉生產的一紙文書，由重慶搭船直下武漢，在行程中已經計劃妥當，先去看老長官張軫，（編者按：月前傳張已乘囚車解北平看管學習），可以問清楚家鄉的情況，回家也保險些；走至江漢路口，就碰到老友張了且，仍然是當年氣派，後面還跟着一個帶槍的衛士；他是省黨部委員，大公報記者，也是牽引張軫投敵的主角；友情在匪區早已被洪水冲淡了，況且我們還有點芥蒂，自然不像以前的熱誠，他說：「老總不喜歡見人……不過也許見你」，因爲他曉得我是張軫的老人員，在以前也參與過機要的。

江山依舊人面全非

洞庭街六十二號，還和從前一樣，不過冷落些，好在我還認得一個舊有的衛士，馬上傳達，馬上接見。我是滿身油垢，髮蓬長，自己覺着有點寒酸，也有點不恭敬，反而不自然起來，張軫在門口散步，停步便說：「××你來了」，仍然是慢吞吞的，相視之下，我看他比從前瘦了大半，他看我如同囚犯，兩個人都幾乎流下淚來，隨即走到裏邊坐下，他又問：「你從那裏來的？想不到還有你，怎麼樣」？

由重慶回來，剛下船，住了一年多監獄」；「你打算到那裏去」？「回家」；「回家！家可回不得，建堂，鑑古，玉翔都死了，你怎麼敢回去呢」？建堂是師長，鑑古是他的侄孫，玉翔是他的外甥。「那怎麼辦呢」？我有點發愁，不知道有這麼大變化。「還是往南去吧！不要猶豫。在武漢都靠不住的，近來抓回去了好多人，誰敢過問；況且按天理來論，它不會成功的」，說時伸出拇指與食指。「沒有路費，又沒有證件」。

「我給你五十萬共幣。可以找鼎九辦一個『行商證』，到香港不要來信。」鼎九是副官處長，在漢口做生意。

程潛有命能活下去

『司令官近來怎樣』？「開會，學習，過一天少一天，……頌公（程潛）有命，我們也能活下去，唉！沒有意思」。「太太們都好」？「已經不是家庭了，二太太在羅山，淑聽革命去了，……聽說你母親還有飯吃，你不必掛念她，有妥當人回家，偷偷的送一個訊好了，你還是早一點離開武漢好，千萬不要回家，往老虎嘴裏送死」。聽他的話似乎和政府有點暗中牽連，我大胆問道：「對那一方面有沒有連繫」？「甚麼連繫！你還在做夢吧，我們正是前狼後虎，走頭無路，只希望時局拖下去，拖死了算完，可是能不能善終？……也只有聽命了」。

假借虎威的意念頓消，反而覺着懷酸，兩年牢獄，如同隔世，天地雖大，竟無容身之所，拿着五十萬元人民劵在十字街頭走去回來，終於遵從老長官的話，毅然南來。

「起義」以後孤家寡人

張軫字翼三，河南羅山人，卅六年任第五綏區司令官，同劉伯承在大別山麓作過多次激戰，亦是華中戰區的名將；卅七年繼劉茂恩任河南主席，仍兼司令官，後方兵團撤江南，他帶領三四萬地方團隊駐防武漢以南，他是程潛老部下，一切以程潛爲轉移的。卅八年五月白長官聽到他同共匪有點往來，當面警告，並有行將撤換的口吻，他經過瘋魔似的考慮，終於要爭取現實，並遵從程潛的暗示，在賀勝橋「起義」了。匪西改編其部隊爲五十一軍，任匪軍長，當時副司令官趙子力分裂西去，帶去大半士兵，五十一軍卻不到一萬人，實權在政委與共產黨所派的第一副軍長手內，人數漸漸減少，又另行改編，張乃調現任之武漢防空副司令。

跳樓自殺瓦解冰消

兩年來，軍需主任張鑑古在坦白會上跳樓自殺，師長屠建堂解回確山公審槍決，師長張玉龍撤職查辦，原有人員瓦解冰消；三太太本來是一個青年學生，先走進「革大」，後「參軍」南下，臨走時偕女生四五人劈面大駡他軍閥，侮辱女性，並責他賠償損失費一千萬元人民劵；家產充公了，二太太在故鄉病倒，他自己一天到晚閉坐室內，唉聲嘆氣，抓耳搖頭；我聽到了這些事，無限今昔之感。由此可以看到靠攏者的命運與悲哀了！

・上海中糧公司・存糧大部霉爛

解糧人員揭發出來

取之盡顆粒　棄之如糞土

【上海通訊】控制糧食市場，爲中共最得意之傑作，惟求達到控制目的，必須大量集中起來，操在手上，故整個大陸糧產，由農村流到縣城，復由縣城流到都市，設置所謂糧食公司，全盤統制分配。可是取之盡顆粒，棄之卻如糞土，本月廿二日，有青浦縣金澤糧庫職員沈藕林任吳昌等，押運華東糧到滬東的上海市中糧公司第四倉庫，乘暇參觀各廠情形，竟發現每一倉廒都充滿氣味，一堆堆霉爛的大米和長遍白毛的米袋，散置滿地，他們大感驚訝，覺得千辛萬苦把米解來，竟被如此糟蹋，乃向守倉的衛兵詢問，關於「查倉制度」的執行情形。不料衛兵的回答卻是：「有空即查，無空不查」。「這倉許久不見有人到來了」。沈林等於是把這事報告上去，中糧公司也大吃一驚，趕忙派員到各倉查驗，發覺每一廒的米都有了霉爛情形。至於負責主管人員的如何處分，則未見發表。月前本滬各報載廣東恩平陽江兩縣，糧倉存米數萬担，全部被鼠蟲蛀食，今讀此訊，益證中共的官僚作風，腐化程度之越來越甚。口口聲聲「爲人民」，卻把人民血汗搾來之食糧如此糟蹋，任何無能的政府，也要望塵弗及。

房屋地產經紀　可憐一網打盡

滬共厲行消滅所謂「中間剝削階級」，以便完全由牠壟斷操縱；但一向經紀房屋地產頂讓買賣之組合或個人，以衣食攸關，生存第一，仍有不少暗中操業，以謀餬家活口者。不料最近爲中共查悉，大發雷霆，嚴令市「人民法院」拘究，可憐這批苟延殘喘的「地產公司」，「經租處」，「地產事務所」……等組合主持人沈紹成陳寶義等百餘名，都被一網打盡，除按照情節輕重處罰外，一律勒令寫悔過啓事，聯合登報七天，承認過去「危害人民大衆利益，保證此後決不再做頂屋業務，否則願受法律的嚴厲制裁。」

藉口開荒生產　動手掘發古墳

中共藉口開荒生產，獎勵各機關社團學校大舉開闢山地，因而南京郊區頓呈百孔千瘡，屍骨狼藉，蓋在中共指導下之發掘者覬覦古墓寶藏，見墳即掘也。本月二十日市文物保委會及博物院又在南郊鄧府山一墓中，掘出東漢末六朝初的瓷碗，瓷罐，銅洗，銅爐，銅鏡等古物一大批。其他私人或小組織祕密發掘未經宣佈者尚多。

眞張春帆入獄　假張春帆登台

筱丹桂舊案翻新主角張春帆，在中共鼓勵的「報復運動」下，已被冠以「戲曲界反革命份子」頭銜，捕禁獄中。同時由四十餘人集體編寫「戲曲界大惡霸張匪春帆罪行史」，用越劇形式演出，並已完成上集之「筱丹桂自殺」；惟因此案牽涉人事甚多，中共又指令要男女合演，渺小的張春帆，打破越劇傳統，尚未覓得主演人選。但這麼一來，張春帆不但海內知名，且已聲譽遠播，百十年後，更不難駭倒梅程，與當今新朝主席同爲「人民」所樂道呢！（悠然六月廿三日寄）

美國電影內幕

誰是美國電影的主人？

·王醴泉·

本文作者，是個電影迷，我看了幾十年的電影，逐步逐步，看見美國電影事業，從童年到長成，從有默片到聲片，從無色到彩色。有空的時候，談起電影明星，就眉飛色舞，最近還買了幾本電影年鑑，詳載男女明星的傳記，和其他電影工作人員的生平事蹟。

美國電影，是個壟斷事業，其權力集中，資本集中，又爲經濟學者所詬病。他們專利壟斷的範圍，深入電影事業的全體部門。從製片到發行，從發行到演映，多半在五大公司的掌握之中：

羅氏（Loew's）（米高梅爲其製片公司）

百樂門（Paramount）

華納兄弟（Warner Brothers）

二十世紀福克斯（20th Century—Fox）

雷電華（RKO）

上述五大公司，有如中國所謂「大同行」，還有三個小公司，「小同行」勢亦不弱：

環球（Universal）

哥倫比亞（Columbia）

聯藝（United Artists）

上述八個公司，總稱爲八大公司。此外尚有三個更小的公司，專製場面較小的片子，多屬所謂「西部故事」（Western stories），即牛仔片，三小公司名稱如下：

共和（Republic）

鷹獅（Eagle—Lion）

摩諾（Monogram）

本文作者，數年前漫遊好萊塢，參觀過幾個製片廠，他們的規模，果然宏大絕倫。製片公司都特設交際科（Public Relations），對於稍爲有點地位的客人，招待尤其客氣，他們招呼我和女明星照相，還要請我吃飯，我回到紐約以後，他們寄來很客氣的信，並附寄我和女明星的照相，可惜我數年來行踪靡定，這些照相，早就遺失，否則大可留個紀念呢。

我們看電影，祇留心男女主角的音容笑貌，從來不注意是那個公司做的。以後讀者稍爲留意一下，看來看去，都不過是上述十一個公司的片子，而五大公司的片子尤多。在第二次世界大戰以前（一九三○年至一九三九年），每年平均製五○四部片子，其中三二九部片子，爲八大公司所製。一九四九年共製片四○四部，其中三三二片爲八大公司所製。

在一九四八年，租金收入達一百五十萬美金的片子，共九十三部，其中八十九部，爲八大公司所製。可見場面宏大的所謂鉅片，需費較多，祇有八大公司，有此魄力。

世人都說好萊塢爲電影事業中心，其實電影事業的神經中樞，却在紐約。紐約靠電影公司吃飯的人，比好萊塢多。電影的製造，不過是第一步，而電影公司謀利之道，却全恃發行與演映，他們製片的投資，譬如一九四八年，共美金一萬萬三千萬元（$134,75?,030），而在影戲院方面的投資，竟遠過此數，約二十五萬萬元（$2,174,973,106）。一九四六年，美國靠電影事業生活的人，共二十三萬人（23?,000），其中祇有十分之一在好萊塢工作。電影公司總辦事處，大多設在紐約，好萊塢不過奉紐約之命，拍攝影片，電影公司的主要人物，經常在紐約辦公，只有那製片廠主任，經常住在這日光照人的好萊塢。攝製一部影片以前，劇本須經紐約方面審查，預算由紐約規定，好萊塢製片廠照訓令行事。

各電影公司，都和紐約金融界，發生密切連繫。譬如羅氏公司，和通用汽車公司（General Motors），及自由銀行（Liberty National Bank），發生連繫，而通用汽車公司的後台，是美國化學與軍需工業大王的杜邦。百樂門，與華爾街顧羅卜投資公司（Kuhn Loeb & Co.）發生連繫。二十世紀福克斯的大股東，是大通銀行。摩根所操縱的美國電話公司（A.T.& T.），洛基菲勒所能操縱的通用電氣公司（General Electric）及美國無綫電公司（R.C.A.）在電影工業裏，都佔有非常重要的地位。

他們自己製片，而且自己發行，自己演映。據美國「萬有」（Variety）雜誌一九四九年一月的報告，電影公司的贏利，百分之八十，從演映得來。

他們在美國各地方，紛紛設立電影院，他們操製片和發行的全權，私人設立的電影院，很難競爭。譬如百樂門的影院，達一千四百家（1395），其中一半設在美國南部各州；南部各州，成了百樂門演映的勢力範圍，其他公司的片子，靠百樂門代爲演映。華納的五百家影院，大部份設在大西洋沿岸中部各州。在紐約市，到處看見羅氏與雷電華兩公司的電影院。在太平洋沿岸，則福克斯的影院到處都是。美國的五大電影公司，勢力如此伸張，不要說別人的影院，不易立足，隱隱然他們握有偉大的政治勢力。以一九四八年爲例，全美每一個星期，要賣去七千萬張的電影票子，每年要賣四百萬萬（4 billion）張票子。美國人在一九四八年，用去十四萬萬美元，購買電影票子。所以電影事業的宣傳功能，大莫與京。美國政府的司法部，數年來向法院控告各大電影公司，把製片和演映，專利壟斷，要各家公司分爲兩個公司，以減少其壟斷勢力。現在各公司，如百樂門，雷電華，都已紛紛實行這種辦法，對於他人設立的電影院，營業上稍有幫忙。實際上，電影事業的資本集中，權力集中，依然如故。

記宋教仁

萬竹樓隨筆（八）　·舜生·

唐紹儀與袁世凱私人關係甚深，然其人究爲一留學生，對現代政治非完全不懂；又以先當辛亥和談代表之故，與民黨多所接觸，因亦參加同盟會爲會員；目覩袁氏予智自雄，已覬覦臨時約法如無物，卒以王芝祥督直問題使袁唐間無法妥協，唐乃憤而掛冠，同盟會四閣員亦聯帶辭職，此民國元年六月間事也。中間經過陸徵祥組閣之一幕，至是年九月，趙秉鈞內閣因以出現。宋可承認袁爲總統，但對政治則主力爭，鑑於「同盟會」爲一革命組織，於政黨形態頗有不合，因聯合統一共和黨，國民共進會，國民公黨、共和實進會各政團，改組爲一國民黨。及民國二年春國會選舉揭曉，國民黨於參衆兩院均佔絕對多數，宋更以組織政黨內閣的總理候補者自居，由湘而鄂而皖而滬，到處演說，於時政得失，批評不遺餘力，固儼然一現代立憲國家政黨領袖之姿態也。此不獨非袁世凱所能忍受，即趙秉鈞亦痛感威脅，乃以洪述祖應夔丞一般奸人，奔走其間，宋於是乎死矣。宋案而有二次革命，結果袁勝而國民黨失敗，因促成袁氏帝制自爲之野心；中間經過洪憲復辟兩幕，北洋軍閥割據之勢因以形成；迄十六年北伐成功，軍閥已告結束，而共匪之潛滋暗長，乃即肇端於北伐前後；故追溯中華民國之亂源，不能不自宋案始也。

章太炎於民元遊南京，曾以江左夷吾許宋；及宋被狙擊，梁任公於「大中華」爲文悼之，亦謂宋有政治家風度，蓋梁與宋固有相互維繫之要約也。太炎有輓宋一聯云：「何人竟賊來君叔，舉世誰爲魯仲連，」最能道出宋在當時所處地位，以宋固主張以總統予袁，調停南北，以求得和平統一者也。

革命前，宋著有「間島問題」一小冊，清廷與日本交涉此案，賴以不敗。又有日記六冊，記其留學日本時生活及同盟會在東京成立之情形甚詳。宋不以詩名，余曾讀其五律一首，蓋癸丑元旦偕友自漢陽赴廣州舟中作也，詩曰：

曉色侵江白，輕舟發漢陽，潮聲隨岸遠，山勢逐人忙；大地風雲鬱，長途霜雪降，悠悠此行役，何處是瀟湘？」

時去宋之被刺，已不及百日矣。

余數近世吾湘人才，必以譚復生宋遯初蔡松坡並舉；復生殉國之年三十三，遯初三十二，松坡亦不過三十五，皆英年早逝，且無一不爲袁世凱直接間接所戕，甚矣奸人禍國之可悲也。（完）四○·六·二八·

人民之聲

·愚公·

鐵幕裏的人民，祇有無聲之泣，沒有有聲之詩，如果有的，就是「假傳聖旨」。假傳聖旨，就要反轉來讀。它假如說是白的，就是黑的；它說是好的，就是壞的；它說善的，就是惡的。這就是史太林的顛倒哲學。我們聽聽哈爾濱西花兒園子村的農民的歌唱，不是在暗說麼：

「把天下的樹變成筆，

天下的水變成墨，

即使天下的人都會寫，

毛朱賊，共產黨和人民政府的罪惡也寫不完」。

從南京到香港（十）

·王一中·

槳「蔣」錨「毛」弓蛇杯影

二十六日傍晚，車抵廣州。以同伴多江西，湖南人，下車後，相與投入靠近沙面某湘人經營之旅社。余住樓上，與劉君同房。鄰室有萬某者，南昌人，聞劉君口音，即叩門來認同鄉。因與對坐品茗，談論時事。劉君認爲共黨猜疑心重，常恐人之謀己，故暴戾恣睢，任意殺人，以鞏固自己之利益。茲摘錄二則于左：

（一）某日，余（萬）由樟樹乘帆船晉省，有共幹由生米街（距南昌三十里）搭船，彼等坐在中艙。同船之人，均三緘其口，莫敢與之扳談。及船近煤炭坡（碼頭地名自贛江上游來船多泊此）時，掌舵之船主，吩咐正在船頭盪槳之夥計，「把槳抑起來，把錨拋下去。」此乃尋常艤舟之動作，初無特殊意義也。不料舟中人登岸未久，忽有共兵數人，荷槍登船，捕捉船主及夥計以去，認爲有奸細嫌疑，并將船貨兩予扣留。時余（劉）已離舟回店，得免受驚。事後探知，蓋「錨」與「毛」，「槳」與「蔣」音相近，共幹誤聽曲解，疑爲隱語信號。船上貨物，雖訊明發還，而船夫則非刑鞠訊，不幸冤抑以死。

（二）當共軍初進南昌時，有共幹某，駐紮于中正路交通銀行（？）辦公室內。時天氣炎暑，行中工役，爲討好共幹，欲將裝在天花板之電扇打開取涼，但未事先告明。不意機關一開，頭上空際有物呼呼轉動，共幹倉皇奔出門外，喚荷槍兵數名，不由分說，將該行役捆綁毆打，幾喪性命。並將電扇擊落，然後入室。蓋該共幹，未嘗用過此種電扇，驟覩怪物室中旋轉，疑爲設穽危害自己者。

以上二事，由共幹知識太低而起之誤會；但以馬列主義，主張階級鬥爭，認爲人類歷史，都是鬥爭所演成，于是共產黨徒，遂養成損人利己之想念，對于他人之一舉一動，均疑其將不利于己，捕風作影，都可殺人，殘酷習性，由來久矣。

解放夫婦

·孟超然·

今年四月十六日，中共在山西太原又製造出一件駭人聽聞的「模範」事件，主演這個事件的主角是中共一位新幹部銀國英，事件的性質當然仍屬於「反封建」和「鋤特」之類。

銀某是山西崞縣人，原爲敵僞時代山西僞公路局一名小職員，少時在家中不務正業，終日和一般狐朋狗友廝混在一起，當他在僞公路局供職時，無意中經其狗友們介紹得識一名郭某，（即現中共山西省太原市公安局特工科長郭波。）郭某是中共派來在太原作地下工作的，但銀某並不知道他的身份兩人每日忱幹在四道巷裏的妓館中，彼此廝混日久，郭某使漸向銀某透露了他的工作，並付託銀某一些任務，當時銀某爲貪圖金錢，遂爲他一一完成了，經過這麼一段關係後，銀某亦即間接與中共結下了一段姻緣，迨抗戰勝利，銀某因獲得人事上的庇護，不但沒有被列爲漢奸之流，反而潛入到聯總山西善後救濟分署當上一名科長，並與其主官閻某狼狽爲奸，大撈了一些「救濟財」。這時他與郭某的關係並沒有斷，仍爲郭某在善救分署內完成了不少的工作，且獲得中共晉冀魯豫邊區「鐵工部」的嘉獎，特准其爲中共的後補黨員。民國卅七年冬，晉綏察善救分署奉命移北平結束，他亦以辦理結束要員的資格到了北平，又在北平爲中共作了一些工作。善救分署結束，他再循人事關係潛入華北剿總兵站上當了一名中級官。北平被「和平解放」後，他返回石家莊尋得郭某的介紹，入華北大學「受訓」。畢業後即被派在中共的山西省政府工業廳裏當秘書。

他的故鄉崞縣淪入中共的魔掌比較早，他在華北剿總工作時，他的父兄即已被中共「鬥爭」過三次，把他父兄勤勞辛苦了一輩子所掙得的財產，清算得乾乾淨淨，迫得他的父兄流落在本縣裏充搬運苦力。他母親得悉他在太原成了「新貴」，曾一度遠道來投奔他，那知他對她泛着白眼說：「你來找我做什麼？現在的新社會是不允許有吃閒飯的人，你還是趕快回家自己生產去。」他母親氣得直嚷：「好，好，我算白養下你這麼個兒子，你自己想想你是從那裏出來的」。他把他母親推出大門，一面還罵着：「去，去，封建的餘孽」。

從今年三月初起，中共在山西亦展開了全面「鎮特」運動，鼓勵幹部和民衆告密，銀某爲迎合中共，竟自動向中共檢舉他的父兄和兩位伯叔及一位姊丈爲「閻特」（閻錫山的特務）列舉出一長串「殺人放火」的事實，中共山西省當局即命他回崞縣參加公審他的父兄，伯叔，姊丈等，並表揚他這種「大義滅親」的精神。他回到崞縣，在公審大會上滔滔不絕的搜造出一大堆事實（其實乃中共山西省委會事前爲他編好的。）證實其父兄等的「反人民」行爲，最後並舉起手嚷道：「我爲了人民，要求大會槍斃他們」。他的父兄，伯叔，姊丈等人，就在他這種「大義滅親」的精神下，被中共當場「滅」掉了。

他這次「滅親」的主要原因，其實完全是爲了他想佔據他的堂姊。他的這位姊姊爲他叔的獨生女兒，生得頗有幾分姿色，行爲甚爲浪漫，過去與他即暗相姘合，早已成了鄉里中一種半公開的笑談，他哥哥目睹這種情形，實在有點忍耐不住，便召集族中一些長者，想給他一些懲處，那知事機不密，竟給他事先得悉，隻身逃到太原。這次，他重返太原後，聽悉他的姊姊已嫁人，心中懷恨萬分，誓意謀害全家，而再度取這位姊姊，因此發生了這麼一幕滅絕倫常的慘劇。

中共對他這次行爲，隨實讚揚了一番，並在「山西日報」上特爲他撰了一篇專論，列出他的照片，把他當作「英雄」大捧特捧。現在他即偕着他的姊姊滿面春風的在太原度着同居生活。最近他們已在「山西日報」上刊出了一則結婚啓事：「我倆相愛已久，過去因受舊社會中不合理的封建制度所迫害，使得我倆不能結合……現在我倆很欣幸的能生活在這個新社會中，在中國共產黨偉大的解放下，我倆終於能勝利的獲得到我們的理想……」。

秘密警察來了

·原載星期日郵報·　·張天實譯·

捷克境內現在並無集中營，而祇有「光榮勞工營」，使犯錯誤的人能在這裏「藉艱苦工作改造自己」。克拉特諾和奧斯特拉伐二地的煤礦附近，斯加羅石礦附近，巴杜畢斯炸藥工廠內，莫夫鮑礦和幾個國營集體農場中，都沒有這種「勞工營」。營內的囚犯祇能獲得極低的工資，且須扣除膳宿費用。如在營內品行良好，他們的「重新訓練」期滿後，可以獲釋。但是釋放後他們還是受着安全警的嚴密監視。

哈拉的工作雖然有十分惡劣的影響，但這種工作通常是沒有甚麼變化而枯燥的。他處於絕不重要的地位，從沒有被付託以在政府和黨派機構內建立間諜網，管制諜報人員或查核情報等重要任務，也沒有被派到外國去過。他的職務，不過是警察圈中日常工作，諸如監視人民，徵集下級特務和搜集或可能有用的片斷情報而已。他每天工作八小時，每週工作六天，每年有一個假期，和這一般勞工相同，薪俸照給。起先他有一個徽章，縫在衣服裏面，但在幾星期中，很多人的徽章都被竊去，因此帶徽章的規定也廢止了。現在安全警察之官每人有一個黃色的身份證，隨身帶着，在奉命出發捕人時，必須先出示這種身份證。哈拉可得到小額的出差費，有公家的汽車可在出差時運用，還享受咖啡和茶等的特別配給。他的月薪是六千捷幣，照公價折合美金一百二十元。熟練工人每月約可得四千至七千捷幣。

結婚的限制

哈拉如要結婚，則將有許多麻煩。他首先得請求許可，並將他未婚妻的家世和身份報告上司，他們二人的家庭都將受到詳細調查。這一點他並不躭心，他的未婚妻從一九四六年便已正式參加了共產黨，並曾協助在她家鄉的小村附近組織了一所集體農場。但在三月間的一天，哈拉被召到他的所屬部門首長的辦公室。哈拉還記得，當時他的上司對他說：「這個女郎是我們所不能贊成的，她的父親似曾經有過四十畝地，你最好另外找一個女人，要更能適合黨的規定的。」

「後來你怎麼辦呢？」我問。

他驚詫地對我凝視着說：「我有什麼辦法，一個人對黨和國家的責任，勝於其他一切。我只好放棄了那個女郎，另外找了一個老婆。她是個教員，還是捷克婦女聯盟的會員。去年夏天，她首率領了一羣兒童，到保加利亞去渡假二個月。」

這事使我想起了二年前我在布拉格和一個高級共產黨徒的談話。我們自小即已相識。在十八歲那一年，他曾因他的愛人跟一個年齡較大的人跑了而企圖自殺。後來我知道這個女郎在澳洲，我問他近來有沒有得到她的信息。

他空洞地看了我一眼說：「我不知道你在說些什麼」，便轉了話題。（九）

自由人

THE FREEMAN

（半週刊每星期三六出版）

（第三十五期）

每份港幣壹毫

督印人：梁大成

社址：香港高士打道六六號

電話：二〇八四八

GLOUCESTER RD. HONGKONG TEL: 20848

承印者：東南印務出版社

地址：高士打道六四號

台灣總經銷處：台北重慶南路一段七十四號

韓戰和談的前途

和談是史太林機會主義之辯證發展，是他所佈置的迷魂陣，無論英美是否陷入這迷魂陣中；但他已贏得了間接的利益。

雷嘯岑

奉唯物辯證法則的共產黨人，原是把和平與戰爭看作一物之兩面的。戰爭是和平的緊張場合，和平是戰爭的間歇階段，情況時冷時熱，本質總是一種戰鬥體系。憑這種尺度來衡量目前的韓戰和談前途，再配合民主陣營的內在因素，和談的可能性自然很大。

無法挽救韓戰的失敗 史太林只好乘風轉舵

史太林素來運用「爲目的不擇手段」的辯證邏輯，一切決求爭取主動立場，不放過機會。前年他在聯合國想乘機排斥自由中國於國際政治之外，藉中國控訴蘇聯侵略案而實行退出，蘇俄代表馬立克如[illegible]驅出國民政府代表即不再參預任何大會會議了。當時大家並未表示挽留，以後也沒人邀請。但到去夏韓戰發生之後，他驚覺這項「杯葛」行動是害多利少，如是乎，又教維辛斯基馬立克一聲不響，悄悄的自動走回成功湖上來，無所謂面子，更不覺得難爲情，他認爲回到聯合國的利益比面子問題要大過若干倍哩！他去年發動韓戰，固未料到美國艾奧一流人所迭次聲明的南韓不在遠東防綫以內的話是靠不住的；戰爭一整年，把東方所有唯一的力量投入戰場了，結果除中韓蘇聯共軍死傷一百幾十萬人以外，亞洲無所獲，而且迫使亞洲反共力量日見團結滋長，更逼出一種以美國爲主謀的對日單獨[illegible]話，所謂在朝鮮的「侵略軍」必將潰敗而去的恐嚇技倆亦已告窮，長此迫着中韓蒙共作絕望的犧牲，自己既沒有掀起世界大戰的[illegible]和勇氣，即[illegible]轉舵，沿[illegible]走回聯合[illegible]自動主[illegible]言和了。[illegible]林這次倡[illegible]情，實是[illegible]大大失敗[illegible]，乃大改[illegible]補救的辯[illegible]使聯合國[illegible]國家不是[illegible]巴兒」，以[illegible]下，以適[illegible]待勢，示以前提，把主動立場換回若干，史太林即不免要窘態畢露的！

英美只願有限度作戰 構成韓戰間歇性機會

然而，美國已不惜以陣前換將的決心來爭持「有限度」的韓戰戰略，不願耗實力於跟中共濫戰之中，就美國國策的主觀利益着，韓戰如能做到像過去的希臘游擊戰，以及柏林的封鎖戰那種結果，當然是「固所願也」。何況國內政潮未息，來年大選要緊，「有限度」戰爭之「光榮的和平」如能實現，即不啻[illegible]政敵反攻力量的原子武器，時哉，時哉，稍縱即逝。英國呢，比美國的求和心理更切。羅素早已公開說過：爲着要確保多佛海峽的安全，在亞洲即將願採取妥協政策，即是張伯倫當年在慕尼黑的心理！而且，伊朗正鬧着糾紛，其利害得失，超過韓戰若干倍，在東方言和，是求之不得的。

史太林因失敗心理而希望和談，英美因「有限度」政策而樂於和談，彼此同病，各具心機，韓戰即構成間歇性的機會了。

停火後的談判談不了 冷戰局面將更趨緊張

葛羅米柯代表中韓共——[illegible]國說：韓戰在卅八線停火談判，只限於軍事問題，不談政治和領土。這與過去史太林本人[illegible]佈的解決[illegible]

前商談就地停火，當然只能談軍事技術，至於政治與領土問題，那是冷戰範圍，是政治家外交家的事，而且可以用「黑市交易」來完成的。儘管艾契遜聲明美國依然反對中共加入聯合國，依然反對以台灣問題爲談判條件，但韓戰停火之後，中共就不是侵略朝鮮了！聯合國的禁運政策，固然將要立刻弛緩，讓西方商人大做生意，[illegible]侵略利潤，[illegible]

幾百萬軍隊，在韓戰中吃了大虧，對內對外都感覺黯然無光，史太林尤其覺得難過，教他們從此安份守己，可能嗎？如果它以滲透戰術，向東南亞發展，先從越南下手，連「志願軍」的假面具也可以不用，英美又將如何？史太林早已提出建議，訂於今年八月召開全面對日和會，這種名正言順的主張，怎樣應付？[illegible]

美著名專欄評論家林德利氏——蘇聯和平攻勢的透視

伍健勛

我們對於馬立克的和平建議，唯一的一點把握，是他的建議，曾經經過克姆林宮的深思熟慮，他的葫蘆裏究竟賣的是什麼藥，可能在遙遠的將來，我們還是蒙在鼓裏。

由談判方式來解決朝鮮問題，可能照預期的計劃，達到分化的目的。有幾個同盟國的意向，擬對這個問題的解決，付出一個高大的代價。誠然，要是沒有充足的安全保障，不易達成雙方停火。而這個停火令的商談，將削弱美國及聯合國的力量。到最後關頭，中共將堅持美國撤退駐台灣的保證，否則不願締結和平。而台灣與國民政府的問題，仍有使自由世界陷於分裂的可能。

中共陷於嚴重的危機

莫斯科與北京方面最低限度，希望現時停火，雙方的理由雖不一樣，但是這種假定，並不是沒有理由。中共在韓戰業已處於一種劣勢，無疑的，戰事使得她的政權，陷於一種嚴重的危機。很顯明的，如果沒有蘇聯的幫助，他們沒有法子將聯合國軍趕出朝鮮。[illegible]還有若干理由使我們想到，蘇聯有些最傷腦筋的事情，如美國的建軍計劃，北大西洋盟約國的武裝，及西德與日本的小規模的建軍準備等。[illegible]

莫斯科經常性的目的

莫斯科的經常性目的之一，是分化同盟國。

即行停火與愚而無謀

一種單純的停火，照現在戰線的部署情形，對共產黨有其重要的軍事利益。他們可以獲得供應品，包括軍火武器設備，而不致遭受空襲的騷擾。他們可能將東北的空軍力量向前移動，因此他們可以予我軍以嚴重的襲擊，或者竟對若干重要據點如釜山，實施空中轟炸。如果對這些可能性沒有確定的安全保障，或者最低限度對幾個重要據點，在未獲得最後解決的協議時，即行同意停火，那是愚而無謀的事。

蘇參加韓戰的前奏

馬立克葫蘆裏賣的什麼藥，在對莫斯科及北京方面作縝慎與深刻的檢討以前，無法遽下斷語。蘇聯和中共對朝鮮各懷鬼胎的可能性的一些問題，不能避而不談。我們也不能忽視蘇聯此舉，具有一種直接參加韓戰的前奏的可能性。假如北京或莫斯科所提的條件被聯合國拒絕接納的話，蘇聯便可將發動第三次世界大戰的責任，諉諸自由世界。

麻醉劑猝然打擊

然而這裏有兩個更顯明的危機。第一是由於美國或聯合國對蘇聯和平攻勢的過份關切，將使我們由軍事行動所爭取得來的東西，在外交場合上失去。第二個危機，是朝鮮問題的解決，或者造成朝鮮前線停火，將使自由世界趨於鬆懈。朝鮮問題的解決，縱使條件十分滿意，不能視爲這是到一般和平與延長不安情勢下的和平共存的首要措施。蘇聯的行動，僅能值得重視的，是他們想爭取備戰的時間。它可能是一種麻醉劑，將自由世界置於睡眠狀態中，而蘇聯則趁此時機增加原子彈產量，及建設完整的空防，以便在開戰時，予我們一個猝然的猛擊。（譯自七月二日新聞周刊）

三十年毒瘤

—王寶華—

到今年今日，中共組黨已卅年了，這個由蘇俄移殖在中國的毒瘤，經過這樣長的歲月，時斷時續，明長暗滋，終於在近數年中通體潰發，糜爛全國，蔓延得不可收拾。

第一是中國社會本身的衰老，本元不固，卅年來內亂不已，加之十年抗戰，人窮財盡，前門拒狼，後門入虎，而毒瘤之潰發，遂如江河決堤，無法收拾。

其次是中共這個毒瘤，不僅爲一寄生之病，尚有一輸毒之管，直接與毒素製造總樞的蘇俄相通。從一九二一年第三國際派員馬林到中國，指導中共第一次代表大會以來，一九三一年，蘭州牛蘭案破獲，蘇俄之陰謀罪證完全暴露，一直任蘇俄的特務假外交使節名義，遍佈全國，與第五縱隊息息相通。毒管不斷，毒瘤日長。

第三是中國封建社會之病根，正需此毒瘤之發展，始能收以毒攻毒之效。因而主張此毒瘤應有其地盤，有其使命，不必根絕。

第四是此毒瘤雖終爲禍及於世界，而世界仍爲私利所蒙，不願及時相救，其原因由於此毒瘤乃在歐羅巴蹶躅百年之久的魔鬼，變化多端，令人莫測。直到現在，今日今時，正爲中共三十週年，所作所爲，已經是原形畢露，特爲約略勾劃如下：

中共原先宣傳，與蘇俄祇是信仰上的共同，實際上，[illegible]蘇俄的指導與幫助，「沒有蘇聯的[illegible]，即不會有中共的勝利。」於是「一面倒」乃成章成理。

中共原先宣傳民主政治，但今日宣佈，它所要爭取的是獨裁專政，以前高喊保障人權，組織人權保障同盟，現在則宣佈，它的國度裏，祇有軍隊、警察、牢獄、鐵鍊。對人民的迫害，做到了「大張旗鼓，嚴厲鎮壓」。

中共原先宣傳，它是爲了人民的利益，特別是爲無產階級的利益而鬥爭，但是，今天它的重稅重征重捐，所爲的祇是統治者少數人的利益。工人變了工奴，農人變了農奴。

中共原先宣傳，它是爲了和平而鬥爭，但今天卻要「抗美援朝」，驅策百萬青年，爲蘇聯的擴張而效死。

三十年，這對於我們實在是一種幸運，[illegible]使中國人民[illegible]了幻想，[illegible]所謂國際運[illegible]姑息，恐懼等待，[illegible]暴露上，更提供了世界民主陣營以教訓。另一方面是由於其不得不顯現原形的內在原因，而這原因，正是它最大的致命傷所在。我們祇要瞭解它，必可撲滅它。

由輿方法，主動的向英美展開一項鬥爭。誠如美國一些國際政治觀察者所說，韓戰停火後的談判，可能談上幾年！也就是紐約州長杜威的看法，冷戰將更緊張，終吾人之身而不已。

韓戰和談之議，無疑是史太林的機會主義之辯證發展，是他所佈置的一種迷魂陣，無論美英當局人物是否陷入這迷陣中，但他已贏得了間接利益：[illegible]民主陣營的戰意，並增加其裂痕，妨礙對日和約，使日本如西德一樣，設法[illegible]正式建軍，以期達成[illegible]資本主義國家的願望。（七月三日）

韓戰停火的前前後後

去年六月二十五，蘇聯唆使北韓侵略南韓，全世界人對這一不義之舉的反應，大概以杜魯門總統爲最快，大有「滅此朝食」，義無反顧的一種神情，我很感到這是一種「美國精神」的正常表現。無論如何打了[illegible]，總以爲必須於維護人類的自由有益。

蘇聯在聯合國的代表馬力克，奉命提出一個毫無內容的停火建議，美國似乎又沒有多假思索，即行表示可以接受。大致去年杜魯門那樣一種英斷，頗出於史太林的意料之外；今年這個停火建議可以很容易被美國同意，卻在史太林的意料之中；把民主國家方面的弱點看得很明白，史太林對他們的心理也摸得很透闢，操縱自如，指揮若定，史太林的老練和克里姆林宮內一羣巨頭們中之確實有人，這一點是最值得民主國家特別留意的。

我們沒有理由堅持韓戰一定要如現狀的這樣打下去，我們相當同情於[illegible]的看法，早知道韓戰如過去那樣拉鋸式的相持下去，聯軍是很難有得到決定勝利的可能，那即令[illegible]的勝利而得到合理的解決，同時像這樣長期的無謂消耗，也確實是很可怕的。

假令停火談判僅由北韓和中共立於一面，而另一面則實際由美國代表聯軍，甚至連犧牲最大的南韓也不能有代表出席，但蘇聯卻始終站在中韓共軍的後面從事操縱，果然出於這樣一種形式，這必於聯軍大大的不利。更假定停火談判的時間不加限制，代表談判者的職權不明白規定，而一聽其拖延不決，或把談判的問題超越於停火的範圍以外，這也於聯軍非常不好。

[illegible]照目前的形勢，[illegible]韓國的基本問題，[illegible]恐怕只能在四外長會議中求得澈底的解決，[illegible]四外長會議的召集時間，必須與停火談判相銜接。

在四外長會議召集以前，美國似宜有對韓國問題，日本問題和中華民國的問題，（這是單就遠東的一局部說）來一個堅決聲明其立場的必要，如果不爲蘇聯所同意，則所謂四外長會議，便不召集也罷，免得徒然拖延時日，一聽蘇聯來宣傳玩弄。就大體說來，中日韓這三個問題是有聯帶關係而不宜分別解決的。再分析來說，則韓國問題的解決，必須大致不違反聯合國的主張。換言之，即須建立一獨立，統一，民主的大韓民國，而絕對不容許分裂；如在步驟上尚須分爲兩段，則介於南北韓間的所謂緩衝地帶，其機構，其力量，必須足以防止侵略的再度爆發，而中共軍隊的撤出韓境，必須在聯合國的嚴格監視下執行之。對日和約的簽定，美國必須貫澈初衷。一切如已與各方接洽的草案辦理，絕對不能容許蘇聯加以阻撓或破壞；關於代表中華民國的簽字，更須斷然以之屬於國民政府，而斷不能容許中共置喙。台灣的現狀，是在韓戰爆發以後造成的，韓戰一旦停火，或韓國問題已得到一確定的解決，則美國以第七艦隊維護台灣「中立化」的這一辦法，便勢在必須取銷。可是假定美國在援助台灣這一點上，如果沒有一種緊急的措施，則台灣的處境，即將陷於相當的危險，假定台灣自身所具備的力量既不能反攻大陸，甚至並自保也尚嫌不足，即可能激起蘇聯和中共攫奪台灣的野心，與其讓台灣已經遭遇危險，而由美國或聯合國正式出面以武力相助，似不如直截了當由美國從今天起即予台灣以武力援助，而聽其以自力發揮最高度作用爲比較相宜。萬一不幸，並台灣而不能確保，則不僅韓國問題之解決必將歸於無效，即日本問題亦必被牽動而陷於無從措手。

痛快言之，即今日台灣之存亡，實關係美國及聯合國的威信與勢力在遠東之消長。因此，美國在四外長會議召集以前，必須重申台灣的主權，必須確定即屬於中華民國，不問誰以武力與直接或間接的方式侵略台灣，美國即將[illegible]而必以武力與之週旋到底。（四十。七。三。）

舜生

中國人心中所流行的 近五十年歷史哲學

我們存心破壞它，侮蔑它，已有五十年的經過了，我們該如何補救，這該是關心中國前途者，一值得注意的問題。

錢穆

黑格爾的歷史哲學，並不是根據人類客觀真實的歷史而形成其哲學，乃是根據其主觀玄想的哲學來歪曲歷史，強求證成。他所想像的人類歷史發展的最高頂點及其最後階段，便是日耳曼民族與日耳曼精神。而且在他想像中，這一階段早已來臨。他這一套理想，奮發了德意志，引生了希脫勒，招致了近代日耳曼民族之厄運。

黑格爾馬克思列寧

馬克斯深受黑格爾思想之影響，但馬克斯是一位無祖國的猶太人。他對日耳曼民族和日耳曼精神并不感興趣，因此他的一套歷史哲學即唯物史觀與階級鬥爭的歷史哲學中所欲證成的人類歷史發展的最高頂點及其最後階段，卻為世界性的無產階級專政，而在他想像中，也認為這一階段早已來臨。

全世界無產階級聯合起來奪得政權這一番玄想，不如黑格爾的日耳曼民族與日耳曼精神之易於獲得確定之支持與表現，直要到列寧史太林蘇俄革命完成，纔又把馬克思那套哲學加以一番修改，那無產階級與極權之領導權，都落到了大斯拉夫民族的肩上。這是黑格爾馬克斯兩人歷史哲學之合法[illegible]

打倒中國以前的歷史

最近五十年來之中國，雖沒有出過像黑格爾馬克斯般的歷史哲學家，但在一般知識分子的腦際，卻浮現出一套共同的歷史哲學，好像在說：必須打倒中國以前的歷史，纔能謀中國當前之出路。至於未來的理想呢？還在近五十年來在中國所流行的那一套歷史哲學裏，是和已往歷史同樣沒有地位的。中國知識份子，似乎只想接受別人領導，他們的理想也便即是我們的理想。我們要接受他們理想，服從他們指導，總該先推翻自已已往的歷史。這一套哲學，並不由三十年來的中共所提出，三十年來之中共，只是在此一套哲學中擷實長大。

大家知道，中共今天是在毀滅中國史，改造中國史，但已往的歷史是否真能毀滅，真能改造呢？毀滅一民族的已往歷史等於毀滅一個人之已往記憶。若使此人對其自身已往記憶，真能毀滅，那非死亡，即是狂易，狂易不治，仍然是死亡。沒有歷史，便將沒有民族。這只能合於馬克斯，不能合於列寧史太林。馬克斯承用了黑格爾的那套歷史哲學而丟掉了他的日耳曼精神，列寧史太林承用了馬克斯的那套歷史哲學而又添進了他們的斯拉夫精神。今天的中共，正好承用了列寧史太林的那套歷史哲學而承認了斯拉夫，取消了中國民族。這是不待雙方變質的自然合流。

沒有第三條路

取消中國歷史，取消中國文化實是五十年來中國知識界本有的一種模糊想像，若要真做來便該取消中國民族。今天中共才始正式嚴刻執行，卻因此又激動了中國人之惶惑與反抗。但我們目前並沒有第三條路，若要反對中國已往歷史已往文化便不該不反對中國民族精神之存在，若要愛護中國民族精神，歷史文化即是民族精神之最真實最具體的表現。我們愛護歷史並不牽涉到歷史之價值問題，只指歷史之客觀存在而言。我變真我，我之所以為我以其有對我已往之記憶。記憶便是一種存在，若說存在決定意識則正因我有已往記憶存在才始能有我之意識。我之已往記憶不存在，即無從再有我之意識存在。若我有術能把自己已往記憶任意歪曲塗改，來一新我，則其術必是一種魔術，其人亦必是走上了魔道。

中國此五十年來之知識分子所以極端鄙視中國歷史，因為先鄙視了中國文化，若把歷史比擬記憶則文化正猶其人之品格，就目前世界人類學文化學者之通常意見則民族與文化間，很難說誰優誰劣，誰得誰失。所以文化學者之研究中心，依然著重其客觀真相，而求比較異同，並非在估定價值，與批判是非，若必估定價值與批判是非，則各民族自己的本位文化，應為對此民族最相宜最有價值之文化。正猶如個人間之天賦與個性，實在就其本人論則為最有價值者。決不能專憑某一人之天賦與個性而抹煞其他一切人之存在。如此則必將追隨黑格爾，惟有亞里安血統與日耳曼精神，才始為天之驕子，應該征服一切而獨享其存在之尊嚴。再不然，則必如馬克斯不認有個性，不認有人格，而一切由經濟階級來決定。再不然，則如列寧史太林，只有大斯拉夫，始為人類此後新歷史之唯一領導者，其他民族只有向其學習與一面倒。

百年以前史黃巢李闖

此五十年來之中國知識分子，何以對自己文化如此鄙薄，其最後根據，則為中國近百年來之在世界地位上比較的窮與弱，已是一種變相的唯物論。務求抹殺自己來模倣他人，則此刻對證下藥，列寧史太林的一套哲學，無怪要鬨騙一時。最近五十年來中國人對自己歷史之不瞭解，對自己文化之不信任，竟為一無可否認之事實。又經此幾年來中共之徹底掃蕩徹底侮蔑，我們對此憤慨的也該有一反省。對將來之前途，也該有一警惕。中國人究竟該不該知道一些中國史，若該知道，則該使我們知道些什麼？現在的中共，只要人知道中國近百年史，不要人知道百年以前史。百年以前史，依他們目前意見，只要你知道黃巢李闖。我想大陸人民對此那一不憤慨！然而我們該回頭想一想，中國史上除卻黃巢李闖，究竟有那些人物該先叫中國人人知道的呢？我想提出這一問題，恐怕急切是得不到結論的。目前的中共，只認中國史上兩千年來的一切文化是封建社會的文化，所以該推翻，該破壞。但我試問，若此兩千年來的中國文化，並非祇是所謂封建文化，又是什麼一種的文化呢？我們也該有此答案。若我們說，兩千年來的文化，祇是一種愚弱貧病的文化，只是一種太監，姨太太，雅片烟，麻雀牌，纏小脚，扶乩，及其相類似的種種之文化，只是相當於西洋中古文藝復興以前所稱黑暗時期的文化，則中共今天的措施，似乎也未可厚非。我們不該憤慨，該反省，該警惕。

空話無濟於事

若認為中國歷史還該瞭解，還該知道，中國文化，何空話所能濟事。我們存心破壞它，侮蔑它，已有五十年的經過了，我們該如何補救，這該是關心中國前途者一值得注意的問題。

血淚斑斑・是泣是訴 『蘇聯囚營十一年記』

・林詩・

愛麗諾・黎白（Elinor Lipper）是一個德國女孩子。父母是猶太人。一九一二年生於荷蘭。後來在德國，瑞士，義大利受教育。一九三一年，當她在柏林學醫的時候，納粹主義正如一匹脫韁的野馬，橫衝直撞，她眼看着那班狂徒胡作妄為，既憤慨，又悲痛，不知道這個世界究竟會變成怎樣的局面。她的許多朋友，乘此機會，向她宣傳蘇聯共黨的成就。她終被「說服」了：她覺得消極的悲痛不是辦法，她應該「識時務」，採取一個堅決的立場。於是，她加入了「赤色學生團」。

滿腔熱情前赴蘇聯

一九三七年，她更進一步，懷着滿腔的熱誠，前赴蘇聯，為「無產階級的祖國」直接貢獻其身心。不料她在莫斯科只工作了兩個月，就突然被捕了。十四個月後，才宣佈她的罪名：「反革命」。但是，沒有經過任何審訊，沒有絲毫證據，僅有一個不知姓名的人，自稱曾經和她商量過反革命活動。這個人她卻不認識，據說在承諾曾經和她「商量過反革命活動」之前，面對着牆，罰立了十八晝夜，最後，精神頹廢達於極點，所以問什麼，答什麼，根本不曉得問的什麼，答的什麼。

冰天雪地零下九十度

黎白女士被判徒刑五年，在「改造勞動營」服役。她被拖到西伯利亞東北方北冰洋邊的柯里瑪（Kolyma）。那裏冰天雪地，冷至零下九十度。她在窮兇極惡的鞭策下，每日做苦工十五小時，一年三百六十五日，沒有一日休息。她被判徒刑五年，實際上在柯里瑪囚禁了差不多十年，直到一九四八年始獲釋。現在瑞士。最近她寫了一本書：「蘇聯囚營十一年記」（Eleven years in Soviet (Prison Camp)）。

報道蘇聯實況的書籍，總是暢銷的，因為鐵幕重重，愈祕密愈引起我們的好奇心；「蘇聯囚營十一年記」敘述作者自身不幸的遭遇，不誇張，不隱諱，尤其受到自由世界普遍的歡迎。

無原無故的被捕

這是一篇充滿血淚的故事，從被捕，判刑，苦役，至獲釋，歷盡艱辛，我們讀之感觸萬端，不忍終卷。黎白女士的文筆，明快生動，像她描繪被捕的情形，使我們直如目擊。她說：「我坐在囚車上，經過莫斯科的市街，迅速的奔向渺茫的前途。這是我最後的汽車旅行。我衷心惶懼，額上冷汗涔涔。他們是不是送我去刑場？我既可以無原無故的被捕，豈不也可以無原無故的被殺？」詞句哀怨悽切，動人肺腑。

黎白女士究竟為什麼被捕？她自己始終不知道，蘇聯政府也沒有提出具體的指控。是不是因為她的父母是猶太人？蘇聯的排猶運動與德國納粹黨的興起差不多同時展開，黎白女士於一九三七年抵莫斯科是不是恰當其衝？我們記得：托洛茨基的被放逐，布哈林，齊諾維夫的被槍決，李維諾夫的被黜職，都是一九三二年至一九三七年間的事情。

「我沒有做什麼，說什麼，或想什麼，足以構成我被捕的理由。我的唯一的錯誤僅是我的無限天真，竟以為蘇聯是我的理想的實現。」這是黎白女士的自白。如果她真以崇拜蘇聯，效忠蘇聯致被蘇聯政府拘捕，判刑，則我們尚有何說？

莫斯科囚犯十五萬人

黎白女士在莫斯科待罪時所居的布狄爾卡（Butyrka）監獄共有囚犯三萬人。布狄爾卡不過是莫斯科五大監獄之一，以五倍之，莫斯科一地當有囚犯十五萬人。蘇聯革命成功已久，『反革命』尚如此眾多，中共初掇政權，難怪『大力鎮壓反革命份子』，殺人如麻！黎白女士原是『一面倒』向蘇聯的，乃亦難逃魔掌。她的故事是一面鏡子，顯現共黨殘暴的真相，值得我們一讀；北上靠攏的『前進人士』尤其應該一讀！

人海・傷寒・饑餓

・本報記者思舜漢城通訊・

（漢城通訊）韓戰已經整整的經過了一年，這個戰爭的進行是相當慘烈，尤其是在那幾次拉鋸戰當中，共軍以人海對聯軍的火海，戰場上真可說是「屍山血河」。我們不知道毛澤東那些傢伙是否還有絲毫人心，為著服從其主子——史達林——的命令，竟不惜將成千累萬的同胞送到韓戰場上來當砲火，結果，仍不能挽救他們那慘敗的命運。共軍一直在不斷的企圖準備反攻，但他們那種「強弩之末」的力量，對付聯軍那種穩紮穩打的戰略，似已有無所施其技之感。近幾個月來幾次反攻的失利，便是事實的證明。今後還想將聯軍打到釜山去，那已經是不可能的了。我們在韓國的僑民，看到聯軍陣線日趨穩定的情形，同時又聽到台灣防衛力量增強和政治進步的消息，感到無限欣慰。

中共傷亡在百萬以上

關於軍事進退的情形，我不想提及，因為在戰地記者的報導中和聯軍總部所發表的公報中，都隨時在報紙上登載出來。而聯軍總部的公報，依據美國人的坦白作風，他們對於勝敗都不會有誇張與文飾，所以一般的說來，都是忠實的。即以傷亡的人數來說，聯軍總部對聯軍本身的傷亡，有專門負責的機關講在登記，應該是真確的。反對方敵人的死傷，他們絕無以多報少之可能，倒是作了最低的估計。聯總方面直到現在，在公報上還只估計中共軍的死傷在五十萬以上，這一個數字是僅從戰場上直接死傷數字計算的，並不包括在後方被炸彈炸死的，病死的，去年冬季凍死，因傷不治而死的人數。共軍的醫藥設備極不健全，加以聯軍的不斷轟炸，他似連糧食彈藥的補給都成問題，你想一個傷兵要由前綫送到後方去醫治，那是如何困難的事。今年春季共軍部隊中，曾流行嚴重的斑疹傷寒病，據俘虜們說，死亡的人數是相當可觀，雖然共軍當局儘量掩飾，但是沒有辦法瞞得住那些同一部隊的士兵們。如果加上這些數字，則中共軍之傷亡，很可能是要比較聯總方面所估計的加上一倍。

一萬多人變成了俘虜

聯軍近幾個月來，特別注意心理作戰，而且很顯然的收了相當的效果，俘虜人數的激增，到三萬多。不久以前，有一次在美軍第二軍的當面，有共軍第三個軍進攻，當其被美軍猛烈的砲火擊潰敗退的時候，第二軍前綫指揮官即電告空軍，一面向共軍退路施行轟炸，一面施行空中喊話，叫共軍回頭向美軍陣前走，結果有一萬多人變成了俘虜。這是心理作戰一次最大的成功。他們以心理作戰使用的方法，包括空軍喊話，圖片，和投降證，據管理俘虜人員調查的結果，力量最大的還是圖片，而圖片中以俘虜吃飯和受醫療的照片，最容易使共軍的士兵感動，因為他們在前綫上，常常幾天不得一飽，原因是後方補給困難，加以聯軍晝夜不斷的轟炸，使他連生火煮飯都不容易選擇一個適當的時間。至於醫療方面更是貧乏得可憐，病者傷者差不多都是在那裏等死。共軍原來最擅長的夜間活動，由於聯軍照明彈的進步也受了最大限制，過去一個照明彈延長的時間不過十餘分鐘，現在已經可以超過一小時，在幾百個照明彈同時放下的時候，地面幾同白晝。又據聞聯軍在韓戰場最近曾使用最新發明的一種自動描準的武器，是類似第二次大戰時德國所發明的「V2」那種東西改良而成，無論是在空戰中，地面對高空，高空對地面均可使用，這一個武器的廣泛運用，則不僅在夜間可用，即在任何惡劣的氣候之下，也可以不受影響了。不過究竟詳情如何，尚未經官方證實。

在政治方面，南韓地區，除了南韓政府之外，聯軍也有一個屬於民政工作的組織，名為民政輔導處，簡稱CAC，原文是Civil Asistant Command 其下設有省縣的組織，類似所謂工作隊，其名為Provincial Team 和City Team。這是協助當地政府辦理一切有關軍民合作和救濟事宜的。至於在北韓的佔領區中，則有類似軍政府（Military Government）的組織。在去年打到鴨綠江邊的時候，南韓政府原要求接收北韓的行政權，並派遣「道知事」，美方在原則上表示同意，但因聯合國復興統一委員會的反對而作罷。

無辦法中的辦法

關於收復區的善後工作，確是一件相當困難的工作。第一，工作人員的問題，就不容易解決，南韓政府撤退的時候，許多幹部匆促撤退，有的卻來不及撤退，共軍走時，帶走了一切技術人員，原有的行政幹部，不附逆的即被迫屠殺，尤其在北韓的佔領區中，此一情形更為嚴重。差不多十八歲至四十五歲的人，都被共軍拉走。聯軍總部只好找那些過去並無行政經驗的人來一面學習，一面工作。據說他們所找的對象以基督教徒為多，因為基督教徒大半能懂得一些英語，彼此間比較容易瞭解，這也是無辦法中的辦法，但結果聽說還不太壞。其次，是收復區的仇怨與報復，這實在是難免的了。因為共軍在南韓的地區，其清算鬥爭的工作，如在中國大陸，時間縮短，比較是採用和緩的政策，第一個月便懷柔，第二個月便開始鬥爭，第三個月便開始普遍屠殺，所以在極短期間內，已經造成各階層之間的深刻仇恨，收復之後，更難免不有些報復。此種心理，政府方面雖有種種措施，過度的報復總算已經避免了，聯軍總部和政府方面，正在逐漸改善。再其次是救濟問題。佔領區的饑餓，是共軍以糧食政策作為控制人民的手段，撤退時又將糧食全部運走，或予以焚燬，所以在聯軍收復之後，想就地找到救濟人民的糧食，那已經是不可能的事。當地的救濟糧食都必須由後方輸送。聯軍對於這個工作，做得還算不壞，尤其是關於分配和監察方面的工作。對於韓國的救濟，我們政府曾經捐助過一千噸糧食。另外關於收復區的公用事業，聯軍方面的C.A.C中有一個專司公用事業的單位，在曾受極度破壞的漢城，他們以兩天的努力，便恢復了全城的水電，效率是非常可驚的工作。

聯總的土地處理問題

最後，我還要告訴你一件事，就是聯總對北韓的土地處理問題，這是值得我們今後作為參考的，想必誰也很願意知道他們的辦法。聯總方面，對此一問題決定的原則是：一、不恢復地主的所有權，二、不承認共黨所分配的農民對土地的所有權，但承認其耕種權，並在最後希望，農民都能成為自耕農，即我們所說的「耕者有其田」之目的。基於上述原則，規定農民對所耕種之土地，凡係由清算鬥爭從地主手中得來者，必須每年以百分之八或百分之十，賠價地主作為地價之償付。而此種地價，地主不能坐享其成，另由政府規定，限制其將此項利得投入正當企業中，而農民繳納此項地價之時間為三十年。這樣的辦法，雖然也許還不夠理想，但也不失為一個辦法。

韓共中共所造成的三大禍害

周路石表現不正確 「人民日報」各方指摘 「解放」「蘇南」尷尬顢頇

北平「人民日報」是「中央人民政府機關報」，在紅色的新聞圈內，坐第一把交椅，對外對內，無形中代表中共發言，算是中共的權威報，它代表了「真理」，這「真理報」最近登了「一幅不好的漫畫」，給蘇南日報以譴責。傳播了這「一幅不好的漫畫」，好久以後，又給上海解放日報讀者發見了，批評指責。「蘇南」懂得做官的道理，一推二推，它向「人民」一推。「人民」亦懂得做官的道理，它登了「一幅不好的漫畫」的短評，又向讀人周路石「同志」和編輯一推，表示錯在周路石和編輯；「人民」沒有錯，於是「真理」還是「真理」。

「一幅不好的漫畫」

這件不大不小的錯誤，是這樣演出來的，四月七日北平「人民日報」一版刊了周路石「同志」所作「對於反革命分子的仁慈，就是對於人民的殘忍」漫畫，這張刊在「人民日報」一版的漫畫，我們照樣複製如左：

在青天白日之下革命英雄鋤奸除惡

男女共幹畏縮驚慌恐懼喪失了鬥志

「人民」有什麼理由望「人民」一推。這篇短評是這樣的。

「第二幅畫中出現了一個女幹部的形象，她對於行兇的特務分子，表現畏縮，驚慌，恐懼和喪失鬥志……：第一幅畫中，但有缺點，表現手法不夠明確，對於罪大惡極的反革命分子究竟是政策錯誤呢？還是執行政策中的偏向？沒有可以形象的說明。編輯在處理這幅畫稿時未能發現這個錯誤並加改正，不假思索和不仔細考慮一幅漫畫對讀者應起的教育作用和政治的效果，是一種不應該原諒和不嚴肅的工作作風。」

「蘇南」這麼一來，「解放」又碰了一個釘子，只得把漫畫，短評，蘇南的復信，都一齊刊了出來，說是供大家參考，但自己的編輯人員，何以選「人民」真理的評論，都沒有瞧見過，這樣的疏忽，鬆懈，又是罪無可逭了。

「解放日報沾沾自喜 蘇南日報一推二拖」

很快的，蘇南日報在四月十日就翻版了，這張蘇南日報是江蘇全省的黨機關報，「人民」的「真理」，它有傳佈的義務和責任。這張漫畫所表現的問題，它照樣的翻版，傳佈給江蘇人民看看，是它的固有的工作，應該沒有問題。

但兩個月以後，這問題來了，上海解放日報一位讀者署名江蘇其人，在讀者來信上，批評了這張漫畫，表現得不真實，不正確，失掉立場，並且批評蘇南日報對於他的批評，不應該置諸不理。

這麼一來，「蘇南」有點吃不消了，它一面承認翻版的錯誤，它一面又拿出殺手鐧來，認「人民」一送一推。意思是這一次實在「人民」錯了，「真理」錯了，它沒有錯。

「人民」真理不會有錯 「解放」疏忽罪無可逭

「蘇南」文件「人民」是談到的，「人民」沉痛而孔，它把四月廿七日所發表的一篇「一幅不好的漫畫」短評，送給「蘇南」，沒有別的答覆。意思是說，「人民」自己老早發見了「真理」，我不是老早把周路石同志和編輯申斥一次麼？「真理」那會有錯？你們自己沒有瞧見，你們

「新聞總署開始檢討 工作精神異常散漫」

這件事還沒有了，據悉「新聞總署」和各有關機構的主管人，於是大加檢討起來，認爲紅色報之間，不但欠缺聯繫，各懷鬼胎，即工作精神，亦異常散漫，今後如何能夠做其他「友報」的表率！大概又要來一番大大的申斥。

這批胡鬧鬼混的東西，真正的人民是沒法子管他們的，看他們胡鬧鬼混到幾時！不過，「周路石同志」這張漫畫，和編輯人員是沒有錯的。

「反動匪首許冠英槍決」
一頂紙帽放在籠擺將軍許冠英頭上 這是諷刺亦是懲罰

曾任第六十四軍副軍長許冠英，廣東吳川縣人。去年春，海南淪陷，因撤退不及，避匿海口市商民店內。及海南秩序稍爲回復，許以眷屬少妾幼子，不往台灣歸隊，竟滯返廣州。（許之少妾幼子均在廣州居住。）蓋許當時亦以爲中共於掠取海南之後，勢必進攻台灣，眷屬留穗，無人照料，終非了局，乃回廣州寄撫。經過登記自新，寫悔過書，一再坦白補捐，並仍由僞公安廳派便衣跟監視，不准自由行動。經隔兩日，中共必派政治工作人員，到許寓所訪問，要許設法立功贖罪，又以勞動競賽方法，追許將原日同僚部屬年籍，住址，身份，及最近行蹤，詳細列舉，許不勝其煩，且存有貪生畏死之一念，不惜以昔日袍澤爲犧牲，以是在海南潛伏之××軍將士，因許舉報，而被中共破獲慘殺者頗多。惟許所知之僚屬有限，中共之根究無窮，最後許祇得捕風捉影，虛構事實，以圖塞責。證諸中共按圖索驥，發覺許最後所指出者，均信口開河，並非實實，知彼無可利用，於是指許陰謀反動，雖經教育，至死不變，遂加逮捕，由僞公安廳訊辦。該共幹還許供出以前殺害「共黨革命同志」若干？茶毒「人民」若干？以爲向來反動之罪證。許略予抗辯，共幹即施灌水酷刑，許身體肥胖，共匪灌水後，大腹膨脹，瞪目張口，不能出氣，共匪復以足踏其腹部，水再由七竅射出，痛苦不可言狀，再許氣喘如牛，求死不得，共匪再踏，直至許腸頭由肛門突出，舌吐身外，奄奄垂斃，然後停止。本年四月底，僞公安廳遂判許死刑，沒收全部財產。當行刑之先，將許綑縛，戴以紙製高帽，上大書：「槍決反動匪首許冠英」字樣，再以吉甫車押載遊行廣州長堤，漢民路，惠愛路一周，始解赴北郊槍決。當許被中共逮捕之時，由政工人員到其寓所，以足恭態度，傳僞公安廳長之命，請其赴僞公安廳後，即被扣留。並杜絕其家屬探問，故許慘受酷刑，以至於行槍決，其家人均茫然不知，及許被殺後數日，其少妾聞人傳述，乃赴北郊認領，惟刑場屍體堆如丘，斷頭折足，血肉模糊，業已無法辨認，只得痛哭而返。（更生）

吃活人飯難 賺死人錢易
殯館公墓大張旗鼓

（上海通訊）上海「解放」後，雖然百業蕭條，工商交困，但却繁榮了一種事業，那就是「殯儀館」和「公墓」，這些專替死人服務，也可以說專向死人身上賺錢的「組合」，自從「大張旗鼓鎮壓反動」，集體屠殺以來，生意更是滔滔日日，雖然他們也有些標榜，不替「反革命分子」殯殮，那不過企圖遮蓋，於表面還是實際上爭着殯殮的。由於死人的增加，天一天地增加，不單純被殺的，自殺和病死的數目也比解放前多了好幾倍。這類「死人的組合」，也如雨後春筍，大家都大張旗鼓爭生意，或以「薄利」爲號召，或以「五花八門」作宣傳，代替了昔日跳舞廳飲食店的地位，比較：名殯儀館，計有世界，萬國，大衆，中國，國泰，萬國，斜橋七家，公墓有仙樂，普濟，保安，大同，萬安，吉安，安樂，龍宮，萬金，同安，四明，南海，永樂，滄隆山，家園，福壽，鳳凰山等十七家，遠郊，椒所亦有寧波，紹及寧波同鄉會代辦等三家。

說到廣告內容，更會使你有目迷五色之感，有些是十八萬元人民幣，包辦穴地石碑運柩請工；有些是免費寄柩，分期付款；有些是山地高燥，汽車直達，風景美麗；有些是謝絕小販；有些還贈骨灰箱，免費供「歡迎比較，給汽車參觀」。

總而言之，上海今天，向生人找飯吃的機會日少，打死人算盤的路道，比較來得多些，看這一大批的殯館公墓，便可知道上海的繁榮，在那一條路上！

安全設備簡陋 經理廠長坐牢

天章造紙廠是上海規模最大歷史最久的一家造紙廠，中共謁已久，三天五日，就來找一次麻煩，抽稅，攤捐物，都不在話下，最難應付的，却是「工會」無聊苛求，像「揀布間沒有完善的除塵設備，致使工人染患氣管炎，肺結炎，眼結合膜炎，[illegible]稱太少」，「女工沒有哺乳室」等等罪狀，[illegible]

「展開武訓批判運動」。流生。

求乞興學

沿用舊的商標 藥商人亡家破

[illegible]

民族資產階級的一面鏡子
興寧「三寶」三抽四剝
時・中

韓江流域最大企業

興寧是粵省韓江上游的一個富庶縣份，織布業相當發達，抗戰期間銷流到西南各省，盛極一時。興寧有殷商寶昌，寶嘉，寶隆，素有「三寶」之稱，「三寶」在「解放」前，富甲三縣，爲全縣工商業之冠，財之厚，執全縣工商業之牛耳，且操縱寧全縣金融之命脈，不惜與興寧有「中國」「交通」「農民」和廣東省銀行等的分支行，可是「三寶」對市場的借放一天抽[illegible]

天民等兄弟數人，在興寧北門背的洋貨舖，一門都是正牌商人。當然，中共所謂「反動」黨團，官僚，軍人，文特等一類紅帽子，他們無福消受。依毛記「店的經濟」，分爲國家經濟，私人經濟，合作經濟，三，國家資本主義經濟；「三寶」大概是私人資本主義經濟，又依中共說，該是民族資產階級的道理。

商人，由於「三寶」一門，信守「三寶」是正牌興寧的原則，不交官們，多少人也不作，向他們一個地方紳士，對外交際只有府，甲天民，是一個手與他人包攬，緊扣張天民，三抽大烟的手，到二溢三溢，乃是不爲了節約。好「三寶」資財值得若干，外人無法估計，運張天民兄弟也從不作統計，貨如輪轉，本利相生，除了商業及放資金外，有時喜歡在外埠定鑄金型的金牛，金磚之類，裝成貨件運回，祕密埋藏在他們洋鐵蝦屋裏的地窖。「三寶」的輪廓大概如此。

金磚金牛 當貨運回
「三寶」的老板是張

緊，興寧市場立刻就感覺銀根短絀，週轉不靈。「三寶」是經營洋紗，洋雜，卡車，油豆爲大宗。經常備有（一）由興寧入江西瑞金；（二）由興寧至上饒，接駁浙贛，鐵路而至上饒，運湯坑而二至揭陽，由興寧經水口貨運，在港汕海運輪船均設有辦事處。「三寶」在港汕滬穗這樣大規模的私人商業組織在韓江各縣是獨一無二的。

奮鬥團結 全是騙局

毛澤東論「人民民主專政」裏所說「民族資產階級在現階段上，有其很大的重要性，爲了對付帝國主義的壓迫，爲了使落後的經濟地位提高一步，中國必須利用一切於國計民生有利，而不是有害的城鄉資本主義，因素，團結民族資產階級，共同奮鬥」，這樣「三寶」共同團結的中共所保護所團結的了，誰知這完全是騙局。

興寧易手於興梅區專員李潔之叛變投共，李爲興寧人，當然對「三寶」很熟悉。易手初，李潔之兩次勒派，洋紗一百五十條及二百條，（每條計四十小包）「三寶」竟佔全額的四分之三。自後籌借軍糧，軍費，公債，臨時公債，「勝利」公債，紛至沓來。「三寶」始終，招揣應付，從不轉移資金，也不作逃跑打算。其後中共發行「折實」公債，興寧派額爲八十五萬分（每分等於美金一元），「三寶」又被勒派全額之半數。

「思想渡荒」 谷二千石

這個非同小可，確無能力如數繳交，於是張天民兄弟便向共幹組織的清算委員會店出求，由共幹組織清算委員會把「三寶」的動產和不動產，推出二一一估價，結果也僅「三寶」經此三十餘萬分。「三抽四剝」，實則連根拔起，無法站住，表面上又倒不下去，良由中共不准倒閉，留着繼續門面。後來還有把戲呢！

重重的災禍不斷的降到「三寶」頭上，「土改」期間又列爲「商業資本家兼地主」，土地，房屋，糧食，耕具一概沒收，清淨。現值青黃不接，中共策動「思想渡荒」，洋鐵蝦的貧僱農又在醞釀向張天民兄弟們出稻谷二千石，藉以渡過糧荒。

「救荒英雄」押解到省

張天民知難倖免，特親向興寧共黨政府投案，自動申報其窖室尚埋藏金牛兩頭，重約三斤。共黨政府據報後，特即電其事，率隊至張宅挖掘，事後并將金牛在壩尾民衆講台大大伙大擺開會展覽。於是「開明地主」，「救荒英雄」一類的高帽子，賞戴到張天民的頭上。張天民要求免除民民監視，准予前往廣州謀生活，中共政府一口氣應允如所請。上月底興寧共黨政府特派武裝「同志」二名，隨同張天民赴穗，沿途「保護」張天民，張天民自己變成一條光棍，毋庸以保護。但中共所謂「保護」，實係押解，乃不由分說提解張氏至省，因張氏夠得上「省級」的商業資本家兼地主，遞解由省「政府」落，傳將轉解西北作礦工，終身勞役，以六十多歲的張天民作西北游魂，清無疑義。「毛記」政權怎樣處置民族資產階級，於此可見一斑。

葉琪竟被鞭屍

·董今·

共黨禍桂春秋（二）

葉琪被共黨鞭屍的新聞，早經香港各報發載，但爲甚麼葉琪會被鞭屍的罪刑，竟無人作一字的報導。這話說來很長。

葉琪原是容縣人，他在軍界出身，本來不是桂系，而是湘系。他原是唐孟瀟一系，與劉興李品仙等同一路行。在李黃白初平定廣西及克服廣東南路的時候，李黃白要擴充地盤，第一個箭頭自然離不了廣東及湖南兩處。當時的廣東，是革命的策源地，李黃白由於李濟深的關係，早已有了默契，而且已決定做革命的一員；剩下的自然只有湖南一帶了。但唐孟瀟也是保定的同學，不好意思不先禮而後兵，於是由黃紹竑私人去電唐孟瀟說以革命大義，要他們來合夥。不意唐孟瀟的回電，反勸黃等休養生息，不可妄動。黃等無奈，只好再去一電，隱示革命北伐，在所必行，無分毫妥協餘地，唐孟瀟於是慌了！因爲葉琪是容縣人，與黃紹竑等同鄉同里，可以說話，遂派葉琪回粵。

後來葉琪到了廣州，在招待會席上，竟大唱其聯省自治的論調，與當時國民黨的主張正相刺謬。會中即被申斥，結果不歡而散。然而葉琪因此得以窺見革命軍新生的力量，回去報告唐孟瀟，於是乃有譚（延闓）汪（精衛）在梧州會議之事。自是革命軍北伐，唐孟瀟附義反正。葉琪也由此成爲湘桂兩系的連繫人物。

後來桂系反蔣，武漢廣西先後敗北，桂系人物中，如李（宗仁）白（崇禧）黃（紹竑）胡（宗鐸）陶（鈞）等，皆逃來香港，葉琪也在其列。後來經過俞作柏呂煥炎的先後作亂，李黃白幸之又打回廣西，成爲後來桂系的中興。葉琪便是在這個時期加入桂系，成爲桂系的重要人物。葉有猛仔之稱，但以足智多謀爲白崇禧所倚重。白崇禧自命小諸葛，在桂系中最忌黃紹竑，此時白之用葉；也可說是他排斥黃紹竑的一種手法。自黃紹竑投向中樞，葉遂成爲白之靈魂；凡白之一謀一策，都脫不了葉琪的關係。知道了葉白的關係，便可以推知葉琪被共黨鞭屍的理由了。

大家都不會十分健忘！中華民國二十三年的夏秋之交，革命軍圍剿江西瑞金四縣的共匪，則已將包圍圈縮到至小，朱毛當時如不突圍而出，必然是「一網成擒」，那便無「二萬五千里長征」的故事，也可能沒有今日的「赤禍」！但朱毛自然不會坐以待斃，當然要拚命分路突圍，沿桂黔邊經川入陝，爲後來延安坐大的張本。而當時最難過的一關，便是廣西。因爲廣西（實在是黃紹竑）似乎是先天反共的。清黨時代，是廣西最澈底；共黨的前驅賀龍葉挺，是被桂軍擊敗的，後來張發奎黃琪翔在廣東，也是被桂軍擊敗的，俞作柏李明瑞，更是被桂軍擊敗的。在朱毛突圍時的廣西，正是廣西軍囊精銳南而稱王的時候，只換了一個黃紹竑，而是白崇禧一手握着黨政軍三位一體的大權。不知道朱毛從何知道這個弱點，在經過廣西之前，便先和白崇禧得到了一種諒解：「中共的大軍經過桂邊，箭頭不指向廣西；廣西軍只是束兵邊境，掩人耳目，絕不追擊。」後來中共果由蕭克率領大軍萬餘人，由灌陽，經義寧龍勝，過湘西，而入黔邊。

當經過桂境的時候，白崇禧派了某團長，駐某地截擊。某團長到地，偵悉中共原是由某處竄越，遂不俟白之命令另自步署，移地截擊，果然正截中了蕭克的總部，俘擄了蕭克總部的軍官二百餘人，另槍砲等若干。這位團長，自以爲勞苦功高，該得到不次之擢，但結果是一個撤職！此中玄虛，當時人即已大有疑議。後來白又大演其「七千俘擄」的電影，其實廣西人全知道，那裏有七千俘擄的一回事，只有後方病兵七八百人，由藤縣太平藻江，運下廣東！太平藻江的商人，多有習知其事；且曾和所謂共軍俘擄談話，知其實際。

這可能便是兩方諒解條件之一。然中共的大軍，便在這樣的氣氛中渡過最難過的廣西，成功其二萬五千里長征的大業！（這種決策，自然是由白崇禧決定）但葉琪是當時的參謀長，不能諉爲「了不知情」。因爲當時有這七千俘擄的宣傳，共黨今日便要爲這「七千同志」的血債而清算。雖然葉琪因爲墜馬已死了多年，但他的墳墓，尙巍然在梧州南蛇頭的勝地，共黨眼中如何看得過去？所以葉琪之被鞭屍清算，勢在必然！毫不足怪，我們所怪者，當時實在並沒有俘擄七千共軍之事，而且據內幕中人說，白老總還送了白銀三百萬，給朱毛共軍作贐儀呢！

中西醫之爭

·舜生·

不久以前，台灣曾一度發生中西醫之爭，祖中醫者似氣燄頗盛，曾於報紙廣告地位羅列種種問題，要求祖西醫者解答，最後結果不詳，大致仍以不了了之。

中國五六十年來，表現於政治者，爲守舊與維新之爭；表現於文學者，爲白話與古文之爭；表現於思想者，爲玄學與科學之爭；其實此類問題，大率與中西醫之爭一脈相生，幾無一不原於中西文化在根柢上之差異，中西文化之地位與價值不確定，此類論爭，至多能表現一種趨勢，欲急切得出一藍然有當於人心之結論，事實上仍不易易也。

抗戰中之國民參政會，原爲一檢討軍事與政治之輿論機構，但中西醫之爭，亦往往於會中引起軒然大波，祖中醫者，以孔庚爲渠魁，祖西醫者，以傅斯年爲鉅子；其實亦爭所不必爭，不如由時間主宰，聽其自然歸宿爲有效也。

六十年前，中國古文家吳摯甫先生（汝綸），以舊人而與嚴又陵（復）之流接近，亦頗厭薄中醫而提倡西醫，曾於與吳季白一書中，具體表示其意見，其言曰：

「令姪還京後，想益調攝強固，是否仍服西藥？每恨執事文學精邃，而醫學近陋，但守越人安越之見。不知近日五洲醫學之盛，視吾國含混謬誤之舊說，早已一錢不值。近今西醫書之譯刻者不少，執事曾不一過目，顧惟素問靈樞傷寒金匱千金外臺等編，横亙於胸而不能去，何不求精進若是？平心察之，凡所謂陰陽五行之說，果有把握乎？用寸口脈候視五臟，果明確乎？本草藥性，果考驗不安乎？五行分配五臟，果不錯謬乎？人死生亦大矣，果可以游移不自信之術嘗試否乎？以上所言，吾將斫樹以收窮寇，未可以客氣遊詞爭勝，顧聞所以應敵之說。」

吳先生此書，寫於光緒十九年癸巳，去今已五十八年矣，其所提問題，頗涉及中國醫學之根本，以余寡陋，似至今仍未見有人起而作正面之回答者，所謂中醫者，果將抱殘守缺以長此終古乎？

四〇·七·一·

萬竹樓隨筆（九）

洋式公文旅行

·一帆譯·

一切關於韓戰的主要政策決定，大致要經過這樣的程序：

一、當韓國戰場上一個指揮官遭遇到一種軍事情況需要一個主要政策決議時，他以無綫電話向東京的李治威將軍報告，請求指示。

二、李治威將這問題和他自己的建議向華盛頓的陸軍參謀長柯林斯提出。

三、柯林斯與聯合參謀部其餘諸首長討論後。他們的建議就提交國防部長馬歇爾將軍。

四、馬歇爾再和國家安全委員會磋商這事，委員會考慮它的政治影響和政治關係，然後作一個政策決議。

五、杜魯門總統是國家安全委員會委員之一，他代表美國對這問題作一最後決定，再由國務院探詢聯合國盟國的意見。

六、國務院遠東事務助理國務卿魯斯克和參加韓戰的各國駐美使節會商。這種會商大約每半週（星期二和星期五）在華盛頓召開的一次會議中提出。

七、各國使節再向他們的政府——加拿大、英國、法國、比利時、荷蘭、土耳其、希臘、南非、泰國、菲律賓、澳洲、阿比西尼亞、紐西蘭、哥倫比亞——請示。

八、每一個國家自己表決這個問題。他們可能否決美國對於這問題的立場，經過這一過程之後，杜魯門便以參加韓戰聯合國軍「執行代理人」的身份下一最後決定。

九、命令再經過同樣的途徑——經國防部長馬歇爾傳知聯合參謀部再通過李治威將軍——而發給韓境戰地指揮官。

（原載五月二十五日「美國新聞世界報告」）

應聲虫

某甲年已六旬，解放後被指爲農民代表赴滬開會，開會前夕，某甲既不知所會何議，又不識選何人，共幹慰之曰：「無妨！可隨前座穿制服者之一切而一切，他舉手你亦舉手，他鼓掌你亦鼓掌」。

點鈔主任

杭州拱墅區人民銀行之分行主任係一老粗，年已五十有餘，目不識丁，自上任後對於帳册核算等都交一女性之點鈔員，自己則反任點鈔之職，開會時則大談其長征傳奇式英勇故事，同仁雖不耐，但亦無可奈何。·殿峻·

從南京到香港【十一】

王一中

林文忠地下有知！

余留廣州一週，除訪友及找尋出境綫索外，多在街上遊觀，以多年未到此地，極欲一察市面情景也。信步行入沙面，見街舶集泊海面，蔚爲大觀，竚視不忍舍去，而駐防共軍，則注目監視，蓋恐余僱舟出境也。橋頭壁上，滿貼「反動」登記之規條；及法院宣判沒收財產之佈告；執行槍決之罪狀，觸目皆是：「匪特」滋事之消息，隨處可見。珠江橋頭，大懸蘇俄生產照片，足證中共對於「祖國」之欽馳，而中山路側，頻聞乞丐哀號，又是一個大諷刺。

旅社門首粉牆上，貼有廣州市登記烟民布告，文詞甚長，大意爲：「總市烟民充斥，若不舉行登記，行將無法照顧管理。」因思國民政府對毒品嚴厲查禁，在抗日戰爭以前，全國幾乎絕跡。抗戰期中，日寇陷區，烟禁大弛，迨日寇一退，即頒申禁令。不意自共黨得勢後，吸毒幾乎公開，價格既廉，推銷自易；北方諸省，姑置勿論，即江南之大都市如上海，南京，杭州，南昌等地，無處不可買到。曾因禁烟而引起中外戰爭，鑄成絕大國恥之廣州市，更復烟民充斥。中共主張一邊倒，學蘇俄，今俄人余聞有准許吸毒之政，何以中共獨以之毒害國胞，戕殺吾民族，誠令人百思而不解！爰以質諸友人。友人謂：子誠迂夫子！鄉巴佬！共黨之改鏡，本性狼毒；加以在俄共指導之下，它何愛于我民族？進一步言，伊等弱我以自強，故號中共；奪取政權，何事不擇手段。暴斂橫征，何事不敢爲？烟禁云乎哉？方其未渡江時，以烟價充其軍費之一部，及其竊據大陸，到處准許種罌粟，即以烟稅彌補財政之缺陷。若不開運鴉片以助北韓乎？又不開運十萬噸至香港出售以套外滙乎？中共只顧鞏固政權，圖其私利，何有于民族？何畏乎譏評？余聞之惘然。

默禱（木刻）

·喬木·

一隻雞蛋的價錢

共幣一億二千九百六十萬元

·敏·

察省懷萊縣，爲出京至張家口之中點，縣城傍山而築，地勢險要，城中有一名梅少翁者，爲懷城一士紳，「解放」後，梅某亦爲「鬥爭」目標之一，有一人訴說五年前梅某曾食其一蛋，現追還此蛋，主席當判定曰：一蛋可生一雞，一雞第二年可生蛋三百六十枚，第三年可生雞三百六十隻，第四年可生蛋一十二萬九千陸百隻，第五年即變成一十二萬九千六百隻雞，以「人民幣」每隻一千元計算，梅某應賠償他一億二千九百六十萬元。

「志願軍」的控訴

在「火海」下充當砲灰的中共志願軍，有江海清其人，他有幾句詩，不是歌頌，而是控訴。

「眼淚汪
汪往下淌。
我的苦楚
說不盡。
這個社會
我像畜性啊！
什麼社會我才變
成人……」

秘密警察來了

·原載星期日郵報·

·張天寶譯·

警官的逃脫經過

我問哈拉是怎樣逃脫的。

「我化了極大心思，潛逃出國，現在已是不可能了，除非你認識一位安全警的邊境警衛。」他說。

在邊境六十公里內下火車的任何旅客都須受安全警嚴密盤問和搜查。他們必須出示身份證或提供確當的旅行理由。捷克平民現在已不常外出旅行了，除非遭遇緊急事故。旅行推銷貨品這一行業，因被捷共認爲不從事生產的剝削行爲，推銷員奉命到礦場或工廠裏去工作。據捷克官方說：「國營工業生產的貨品都品質優越，已不用再僱人推銷了。」

一個人如要進入邊境以內二十公里的地區，必須預先向最近的國家機構領取一張許可證。

在邊境上，每隔半哩設有一個瞭望台和機槍堡壘，裝着探照燈。安全警戍兵帶着警犬，不斷巡邏於邊境地區，每隔八星期，戍兵便調換駐守崗位，使他們不可能熟識當地的居民。

戍兵出巡，必須遵照一定的規例和程序。在往日，戍兵見到一個生人走近時，必須先行喝令「止步」三次，然後才能開槍；但現在他們已得到命令，只要看見一個可疑的人物，便可開槍，即使把他擊斃也不會有罪。不照規定時間漫步於邊境的戍兵，幾次意外地被其他安全警戍兵以爲可疑人物而槍殺。

除安全警以外，「最可能發生敵人活動的地區」，更加派正規軍部隊駐屯。步哨工作特別注重，稍有疏忽即受嚴懲，一個士兵站崗十二小時後，可以得到四十八小時的休息。

雖然邊境的戒備這樣周密，但哈拉還是藉他和安全警邊境戍兵的關係而逃出了捷克。

「我預先探聽到巡邏的時間表，」他說：「而且我對那個區域非常熟悉。去年我曾派到那裏去抓過幾個人。」他說這些話時完全沒有什麼情感上的激動。迫使人家逃避以求保全性命和出發捕人，對於他似乎已成爲一種習慣性的事。

「你爲甚麼要逃呢？」我問。

「幾個月前，我犯了一個錯誤，我奉命去捕一個人，我且知道他有幾個同謀的人。我要把他們一網打盡，但我等待得太久，結果他們全逃逸無蹤。最壞的是我太太的一個親戚被捕了，他和反抗主義份子頗有來往。這事我該早就得知的。他既然被捕，我自然難辭其咎，不過我以爲我祗要再努力苦幹，忠於工作，安全警當局對這件事當不會再責我了。三星期前，我的上司把我召去，要我偵查安全部另一個官員的行動。我對於這件工作，拚命幹着。我整夜和他在一起，和他玩牌，同他一起喝酒，一直監視着他。我相信這樣下去，我遲早必會乘他一時不備而洞悉他的祕密。」（十）

自由人
THE FREEMAN
（半週刊星期三六出版）
（第三十六期）
每份港幣壹毫
督印人：梁大成
社址：香港高士打道六六號
電話：二〇八四八
GLOUCESTER RD. HONGKONG
TEL: 20848
承印者：東南印務出版社
地址：高士打道六六號四樓
台灣總經銷處：台北重慶南路一段七十四號

遠東現階段 美國應有的決心

談判期間蘇聯在遠東至少要把日約問題與台灣問題排列在她搗亂的程序上面

·舜生·

大家似乎可以放心：韓戰停火大致是可以停下來的，而且停火的期間，不會太短，可能有六個月以上，甚至以後就不在韓國大打也不一定。但停火以後，究竟能不能談得好，就談好了又有不有用，這都是另外的問題。

在停火以後，韓國善後問題正在談判的期間，蘇聯在遠東，至少要把其他兩個問題，繼續排列在她搗亂的程序上面：其一是日約問題，其一是台灣問題。爭日約將由蘇聯正式出面，中共從傍吶喊；爭台灣則由中共出面，蘇聯在後面撐腰。這兩個問題孰輕孰重，其決定權仍然操在蘇聯之手。

台灣是中共心腹大患

是否需要中共進一步攻佔台灣，這在史太林只是一個懸而未決的問題。換言之，假定中共去了台灣這個心腹之患，而在名義上眞正做到了中國的統一，使聯合國也再無法拒絕中共成為聯合國的會員，甚至還要把中共提高到「四強」「五強」之一，與蘇聯比肩的地位。這在史太林看來究竟對蘇聯是害是利，確實是一個問題。因此我們判斷：為了台灣問題，蘇聯還是不願自己出面，頂多只站在中共後面幫忙；她也明知道美國，其勢不能不幫台灣，中共攻台斷然不能得手；中共過去「援朝」，已經送了幾十萬人葬身火海；今天再去攻台，也不過再送幾十百把萬人葬身台灣海峽。可是蘇聯却絕對不會反對中共攻台，因為中共去打台灣，至少於蘇聯有三種好處：（一）可以繼續消耗美國，仍不至爆發大戰；（二）可以加強中共對蘇的倚賴；（三）等到中共繼續遭受打擊，中共在北方的力量，一定調遣一空，然後西起伊犂，東至鴨綠江以北，無論名實，都將置於蘇聯武力控制之下，這對於蘇聯貫徹亞洲政策，實有莫大的益處。

蘇聯必爭對日和約

至於對日問題這却不然：日本的工業復興與武裝重建，這是阻止蘇聯在亞洲擴張的一個絕大障礙，斷斷乎為史太林所不能容忍。他明知道美國對於簽訂日約已抱有莫大的決心，英國即令在小節上還有些爭持，但終必與美國歸於一致，這是史太林所最懼怕的一件大事。我相信克里姆林宮的政治局已經有了一個最高決策。為了澈底破壞日約，阻止日本的武裝，即令由蘇聯親自出面來爆發世界第三次大戰，亦在所不惜！

為了要實行這樣一個決策，由馬力克在聯合國提出停火的建議，同時命令中共與北韓表示服從，便是第一個步驟。中共為了韓戰，已打得疲勞不堪，可以讓她去休息休息，然後發動攻台，給予美國一種牽制。韓國這個戰場，不大適於展開大規模的陣地戰，而北韓也實在需要得到一時的喘息；因此藉韓國問題的談判作為掩護，至少可以延長半年的時間，然後蘇聯對遠東可以從速加強布置，以便自己親自出馬。因此據我判斷：世界的第三次大戰，可能於明年春二三月爆發於遠東，其主要的口實為對日和約。

最近幾天美國的輿論，似乎對這樣一個趨勢也有了相當的警覺；昨天我和美國一家大報的記者談到這個問題，他也頗同意我的看法；究竟美國的政府對這樣一種情況如何決策，我卻不無顧慮。

美國下決心的時候了

照我個人的想法，今天已經是美國應該下決心的時候了！

一，美國對日和約的內容，必須堅持到底，在韓國問題談判未結束以前，便須舉行對日約的簽字。

二，加速日本的武裝重建。

三，加速裝備台灣，並以海空軍掩護台灣陸軍，使之在中國東南沿海登岸，不必希望一舉而把中共完全摧毀，但至少須使國民政府能在華南恢復兩省至三五省的地方，使他在地位上，人力上，資源上，能構成一個獨立作戰的體系，足以完全牽制中共，使她動彈不得。

四，斟酌中的太平洋公約，宜促其提早實現，不能以澳紐為限，必須加入日本，中華民國，大韓民國，英國如願參加，應表歡迎。

五，在中國大陸第一步作戰的形勢，東北及華北的一部，可能由美日聯軍驅逐中共而完成軍事佔領；長江以南，可能由國民政府在美國海空軍掩護與物力支持之下，迅予光復，中共的殘餘力量，在蘇聯的協助下，仍可能立足於西北一隅，以徐待肅清。但在這樣一種形勢下，可能發生種種的矛盾，日本於此，尤須提高警覺，善為補過。

六、韓國問題的根本解決，即完成一獨立，統一，民主的大韓民國，必須待中共潰敗，蘇聯退出遠東，並得太平洋公約國的絕對保證，始能實現，所謂韓戰停火以後的談判，也必須等到這個時候，才能得到自然的結論，否則只是廢話！

如果說和平代價無所謂過鉅 民主國家將如何付出

韓戰如果停止，民主國家將要付出的代價，必是整個亞洲的赤化。莫斯科已經認出英美的輕亞政策是不會變的。

·陳石孚·

蘇聯共黨宣傳家馬立克六月廿三日在那次所謂「和平的代價」廣播演說中，表示韓戰可能停火。於是一般夢想和平的軍政要人，就如奉聖旨的樣子，向共黨老巢莫斯科去請示。結果蘇聯共黨另一宣傳家葛羅米科表示韓戰可由雙方「交戰國」戰場司令直接洽商，於是那些和平幻想家又如奉聖旨的樣子，遵命辦理。這就是聯軍總司令李奇威向敵方接洽商議停火的由來。

一齣和平幻想曲

這一齣和平幻想曲現時方才開始，將來如何演變，局外人無法預測。但是它的一般趨勢却不難從過去，現狀，和共黨的一貫作風加以推斷。

共產黨的縱策略，以及這次的韓戰，是由蘇聯在幕後操縱，可從目前兩星期以來的滑稽表演，重新證明。馬立克和葛羅米科，在蘇聯國內，至多居於二三等的地位。但是現在他們所說的一字一句，居然被金日成和毛澤東所服從，可見馬葛兩人所說的話，必然代表上級的指示。否則不僅他們不敢如此講，而且講了也不會被金毛兩人所尊重。他們的話，受着韓共和中共的敬重，這便一方面可以證明共產黨的策略，是整個性的，全球性的，而且是克里姆宮所欽定的。他方面更可以證實韓戰是由蘇聯發縱指使。請看只須蘇聯兩位二三等人物公開表示韓戰可以商議停火，金毛兩人便奉命唯謹，那不是最強有力的證據嗎？倘若韓共中共果眞是獨立自主，而中共正在做着熱烈的獻炮獻機運動，他們決不會乖乖的答應商議停火，他們起碼還要忸怩作態，他們必然還要提出一些附帶條件。

老祖宗的指示

現在這一切都沒有，可見這是老祖宗的指示，不能違抗的。中國有句名言，「解鈴還須繫鈴人」。我們如果用這句話來觀察韓戰的起源，以及中共中途的參加，就可確切地了解，現在的解鈴人即是去年的繫鈴人。明白地講，蘇聯有資格有權力，有把握去命令金日成毛澤東停止韓戰，它當然有同樣的資格，同樣的權力，同樣的把握，去命令金日成毛澤東發動韓戰。再進一步講，金日成小傀儡假使沒有蘇聯老祖宗的命令和支持，決沒有膽量自己發動韓戰。同樣地，毛澤東羽毛未豐，假使沒有蘇聯老祖宗的命令和支持，也決不敢參加韓戰。然而他們竟敢發動和參加，那豈非充分證明蘇聯是韓戰的指使者嗎？

韓戰發生以後，民主國家各為自己的利害打算，不肯從純粹軍事觀點，求得勝利。甚至有主張從純粹軍事觀點謀致勝利的聯軍統帥，也必撤去其職位而後甘心。更加以顯伊尼赫魯一般搖尾乞憐的蠢才，使得蘇聯陣營看穿了民主國家的急於求和的心情，並且更澈頭澈尾明瞭英美「重歐輕亞」的既定政策。

不如暫時放手

有了這些重要的參考資料，蘇聯乃重新檢討韓戰，認為韓戰的對手是聯合國，其實力雄厚，聲勢浩大，終難把它驅逐下海，不如暫時放手，另在亞洲其他各處發動攻勢。假使韓戰果眞停止，共黨必定在今年以內，向越南、緬甸、印度、台灣發動軍事行動。

尼赫魯沒有幫腔

中共向這些地點採取攻勢，不會受到聯合國的集體干涉，因為聯合國對於這些地方或國家，並未承担防衛義務。七月四日香港報紙報導，印度現已開始採取防禦措施，深恐中共向尼赫魯王國進攻，那不是一種預兆嗎！連尼赫魯這種媚共人物，已經有所警覺了，所以在這次韓戰停火喧囂聲中，竟沒有尼赫魯幫腔，這是值得注意的。

輕亞政策不會變

總之：韓戰如果停止，民主國家將要付出的代價，必是整個亞洲的赤化。莫斯科已經認出英美的輕亞政策是不會改變的。所以它要結束韓戰（倘若可能的話，如不可能，當然還是要打下去的）另闢阻力較少的戰場，以圖各個擊破，併吞整個亞洲，然後最後解決歐洲，這是克里姆宮的新策略，也是民主國家的當前危機。假使民主國家願意付出這個代價，那就與共黨立刻講和好了。

中共三十年祭壇上 老舍馮友蘭作為供品

中共在這一次大慶大典的三十年祭壇上，老舍和馮友蘭作了供品，[illegible]張獻忠李自成前面，情形是[illegible]

首先，老舍上去，他說：「三十年來，中國共產黨的好處是說不盡的。」接着，他又說：他一個職業的文藝工作者以前，他沒法寫出心腹話來，因為國民黨的官僚和特務，不許他寫。這樣，寫作就由愉快變成痛苦。寫眞話吧，便有下獄殺身的危險；寫官兒與特務愛聽的話吧，就又失了氣節與人格。乾脆不寫一字也不行，先不提生活如何維持，特務就會去報告：「他已停筆，想是要武裝暴動。」一個作家不是應當得到些尊嚴麼？我却變成個小偷兒似的，隨時隨地要留神，好不教特務抓了去。現在，他高興了，高興的「趕任務」。他不再作無聊的自傲，自卑，與徘徊不定。他得到了一個文藝工作者應得的尊敬與重視，也恢復了作家的尊嚴。

最後，他說：他不能不拿出心腹話來向黨和偉大的領袖毛澤東同志致敬，[illegible]不大合式。這一來，老舍就變成個小偷兒似的。

馮友蘭站在一旁，看得情形不對，他說話了：「我覺得，在以前的思想上，看是彆扭的事，現在都覺得必要而且應該的了。

「在愛國公約上，我們寫「擁護毛主席，擁護中國共產黨，擁護共同綱領，擁護人民政府，擁護人民解放軍」。這都完全是必要而且應該的。」

馮友蘭以為自己表示以後，不會再有錯「彆扭」，但是，最後還是一定和老舍一同作為供品，獻給他們的老祖宗，黃巢張獻忠李自成前面。（狹青節自六月廿六日進步日報，老舍：感謝共產黨和毛主席，馮友蘭：對于共產黨的認識底轉變）

變成個小偷兒似的
必要而且應該的了

半週展望

雷嘯岑

英美同意就延對日和約？

中央社倫敦五日電訊：「聞英國已與美國獲致協議，韓[illegible]

[illegible]的哲學家羅素亦已公開說明英國在亞洲不能不採取協調政策的理由。目前不提中共加入聯合國與台灣問題，以免觸怒美國人民，而僅僅要求美[illegible]「太多的姑息」，就[illegible]當然的作法，[illegible]來爭取領導地位。近[illegible]發展，要以二十億金[illegible]不啻是英式的「四點[illegible]的一切政治問題等[illegible]正逢成以前，誰也不[illegible]如果「聯允」延緩，[illegible]談，所謂中共加入聯合[illegible]注視它的發展！不祥之[illegible]

石油糾紛的趨勢

英伊石油糾紛，[illegible]覺好轉了。目前第一[illegible]繼續輸出。成為油源[illegible]題，現在英方已表示[illegible]但須註明「不妨礙英[illegible]再能讓一步，運輸困[illegible]已，仍屬末務，祗是暫[illegible]上一根本問題，依然[illegible]從中調解石油糾紛。[illegible]有信給他的大使居間[illegible]國駐伊大使正居間建[illegible]大規模之油船公司[illegible]的。綜合各項情況，[illegible]看法還未一致。[illegible]時更希望英美政治家[illegible]的政治環境，民主世[illegible]題，棄小利，顧大[illegible]的美蕭的大陰謀[illegible]旁一個天哩！

替南韓不平

韓戰就地商談停[illegible]的聯軍，最多是美國[illegible]出和談代表三人，為[illegible]韓是直接受侵略禍害[illegible]則南韓更應一馬當先[illegible]聯軍也就以「上駟」當之[illegible]國也就以「工具」視之[illegible]拉上國際政治舞台來[illegible]一身當天下之大任[illegible]崇奉唯物主義的[illegible]多講唯物（重視現實[illegible]

為土地改革協會二屆年會作 幾句痛心話和老實話

·張丕介·

社會改革運動的眞正力量，發自實際行動，新的秩序重建之前是如何確定地權分配一件事。父權政治時代早已過去了，要奠定一切眞正民主政治民主社會的穩固基礎。

本月八九兩日中國土地改革協會將在台北舉行第二屆會員大會，以「大陸收復後的土地政策」與「台灣土地改革方案」兩點爲討論中心。

中國土地改革協會創立於勝利復員後的首都，是政府撤離大陸前我國唯一的全國性的土地改革運動社團，精神上完全站在採中山先生所主張平均地權與耕者有其田兩原則上面，而在土地問題具體對策上卻曾提出一套相當完整的土地改革方案（該會所擬「土地改革法草案」曾提出當時的立法院，引起一場相當劇烈的爭辯，但終未通過），並曾發行一種期刊（土地改革半月刊）宣傳土地改革的理論和主張。

我是中國土地改革協會發起人之一，而且多年以來便參加土地問題討論，土地改革運動，也像許多熱心土地改革的人們一樣，爲自己的理想和主張，盡了一份口頭和文字宣傳之力。然而撫今追昔，面對祖國大陸所演出的悲劇，卻不勝其痛心與悲憤！我這次未能出席年會，但我不願緘默不言，我願意簡單的陳說一下自己幾年以來的反省，說幾句痛心話和老實話，一面作爲該會出席者諸先生的參考，一面就教於社會一般關心中國前途的人士。

多少罪惡假土改之名

我國近代土地改革運動始於採中山先生所倡的平均地權。經半個多世紀的長久時間，有一個最大的政黨，和一個自號繼承孫先生遺志的國民政府，論發像平均地權那樣和平漸進而切合實際需要的主張，早應十足兌現了。然而事實卻殘酷的證明其完全不然。中國土地問題不但沒有解決，反而成爲近代我國社會政治經濟三方面一切巨大災難的禍根之一。三十年來，土地改革這句口號一直爲包藏禍心的共黨所假借，終至在土改名義之下，欺騙了全國善良的同胞，蒙蔽了整個世界的輿論。在土改名義之下，共黨竊取了政權，實行了三十多年的叛變，其自欺欺人的民主專政，而最後則在土改名義之下，實行殘酷的恐怖政治，全面性的恐怖政治。土改，土改，今天已成了共黨殺戮無辜，禍國殃民的別名！大陸上每一地方，每一個善良的同胞，都時時刻刻在這一變成魔鬼的土改恐怖威脅之下，任何人一提土改莫不談虎色變。孫先生地下有知，也應追悔：如果他料到他的「信徒們」竟是這樣荒唐，這樣不肖，他那時便不該提出他的理想和主張，以免多少國民死於土改名義之下！多少罪惡假土改之名以行！

土改是共黨今天控制中國大陸鞏固極權統治的最大利器，也是每一中國人所最怕聽到的最可怕的魔鬼。地主們掃地出門，固然罪有應得，但其田地政策亦不與眞正農民利益相干，醉翁之意不在酒。分配的結果，坑陷了整個農村社會，鬥爭，清算，退押，一陣陣的狂風暴雨掃蕩了中國社會的根基，摧毀了每一個獨立自由的人格，最後則由共黨控制了每一顆糧食和每一人的命運。

當我一聽到有人談到土改的時候，便覺得悔恨交集，有不知人間何世之感。回溯許多年的宣傳，不但無益，反而不曾替共黨做了開路的工夫，不禁汗流夾背。我們沒有對土地問題作出任何有效的工作，僅僅便利了禍國殃民的盜匪而已！

奪取政權的廉價資本

我像許多熱心土地改革的人士一樣，曾坐在研究室裏，站在講壇上，對着少數個人，作過學術性的書生式的討論和宣傳，自以爲便算盡了自己的責任。然而你的聲音太小了，不會驚動出一些波浪。執掌政權的人根本聽不到！羣衆聽不懂，少數熱心青年聽到聽懂的，但他們和你走一樣的路子。結果，既對土地問題無毫髮影響，自然等於完全的浪費。問題還是問題，而且愈顯得難以解決。共黨來了，看準這一基本事實，它不談共產主義，甚至不談新民主主義一類名字，而乾脆從政府和國民黨手上拿過去這件武器。它以土改代替革命的內容，用土地問題作爲奪取政權的廉價資本。而它的野心，居然實現了。我們想到那些歲月中，政府對土地政策的顢頇，漠視，地主們對農民生活改善的頑固仇視，連同自號熱心土地改革者的不切實際，又怎怪今天亡國危險的降臨？

土改，土改，如果我們不能痛心反省過去的錯誤，不能拿出切實有效的主張，不能改變過去那套作風，我們便永遠不能從共黨手上奪回失去的武器，永遠不能拯救水深火熱的祖國和四億五千萬的同胞。那麼我們也最好不要再提這句被惡魔利用過的口號。

不敢談自由爭取自由

痛定思痛，如果我們不甘讓共黨永久猖獗下去，則我們便應自上至下，痛切反省，下大決心，作最有效的奮鬥。你想，今天自由中國的基地台灣，如果不是認眞實行三七五減租（「土地改革」內容的一部分），今天當是如何不堪設想的形勢？如果對收復後的大陸能有一套切實有效的政策和實行決心，豈非對赤色傀儡盜匪們最基本最有力的打擊？拔本塞源，永絕共禍，大革命全在於此。自由二字爲野心暴徒所濫用，使人人有不敢再談自由之感。然而法蘭西終成最光輝的自由之國，亦無非爭自由者再仆再起，摒棄一切自私空談，而從事於有效的奮鬥而已。

那位分配土地的上帝

我以爲要談中國土地改革問題，我們應認識幾點最根本的事實：

首先，學術性的書生式的宣傳研究代替不了眞正改革運動。「坐而論道」的人應該有澈底的覺悟。社會改革運動的眞正力量發自實際行動。最近的例子，如印度海德拉巴邦出現的那位「分配土地的上帝」畢哈夫 Vinoba Bhave，一個區區無名的人，竟能做到驚天動地的事業，阻止了共黨的滋擾，安定了一邦的社會秩序，也打開了土地改革的大門（詳見本報第二十八期，六月九日出版）。我以爲一個認識中國土地問題，信仰平均地權，而立志反共抗俄的人，至少應有畢哈夫的精神，而以解決中國土地問題自命的中國土地改革協會更應具備畢哈夫的精神。否則，這一社團的價值也就很有限了。

其次，中國土地問題經過共黨這次天翻地覆的大破壞，已經起了質的變化，我們要解決的問題是全新的問題。過去那一套主張，已完全失敗。在新的秩序重建之前，我們不是如何平均地權，而只是如何確定地權分配一件事。這是以後土地政策第一要義。過去的大小地主們已失去任何發言權力，被迫分得若干土地的可憐農民，正做着最可怕的犧牲。我們不能驟入共黨的詭計，不顧出輕微的向分地農民報復。承認他們的估有，給他們一切物質與精神的報酬，還是釜底抽薪最有效的政策，否則，將與全國農民爲敵，收復大陸不但沒有意義，而且根本做不到！法國大革命後，元氣損毀殆盡，而一聞英普奧俄諸國爲協助其貴族即起聯合出兵，全國分得土地的農民立即奮起，不怕犧牲，保衛其土地，這一點很不容忽視。

土地政策有本身目的

又次，土地改革在共黨手上是工具，而目的在政權，所以土改成爲殺人利器，土改之名成了魔鬼，恐怖。反共抗俄的人，必須認識這一點，將來的土地政策必須有本身的目的，是爲農民自己的利益，即爲他們的土地問題作再改革的措施。我們決不能讓任何一個善良的農民再作土地改革的犧牲品！也不能把這件關係數億人民的事業，作爲達到其他目的之手段。我還要說一句最後最痛心的話，即過去的土地改革運動，所以失敗的根本原因，無論政府，國民黨，或自負代表土民的社團，都是一樣犯了錯誤：他們不了解農民對這一運動的眞正地位，不讓農民大衆起來參加，而只由政府立法或用文字宣傳（還是以政府爲對象的宣傳），那種辦法使全國農民處於被動地位。無論主張如何合理，做起來總是困難的。把全體農民發動起來，讓他們表現力量，解決自己的切身問題吧！父權政治時代早已過去了，政府，政黨，社團，都沒有資格代替全體農民的力量，如果農民們老是被擱置在被動的地位。——而且爲了奠定一個眞正民主政治民主社會的穩固基礎，在我國這樣作法，也正是最恰當有效的道路。

從解釋三個名詞意義 推想到開城會商結果

停火·休戰·無條件投降

·林詩·

『停火』（Cease fire）與『休戰』（Armistice）是國際法上古舊的名詞。『無條件投降』（Unconditional surrender）則是第二次大戰期間羅斯福總統所創始的。

什麼是休戰協議

無條件投降是軍事的，政治的，經濟的全部屈服。韓戰進行迄今，雙方都沒有取得決定性的勝利，開城會商當然不是無條件投降。休戰雖以軍事爲主，但亦含有深刻的政治意義，並且多半牽涉若干重要的經濟問題。一九一八年十一月十一日德國與協約國簽訂的休戰協議便是一個顯著的例證。開城會商不可能達成這樣一個正式的廣泛的休戰協議，因爲里吉威將軍沒有論及政治經濟的權力。開城會商只是單純的談判停火。據合衆社華盛頓三日電，美聯合參謀長會議主席布萊雷將軍本日在衆議院外交委員會秘密會議中說：韓戰停火談判嚴格的限於軍事範圍，不觸外交或政治性質。

三類停火

停火並不一定要經過談判才能實現。譬如兩軍戰鬥沒有日以繼夜延續不斷的，在槍聲靜止時候，便是『停火』，這是第一類自然的停火。第二類停火是默許的，也不必經過任何談判。譬如聖誕停火，中古時代，西歐諸侯信守不渝，法文稱之爲 Trevede Noel。即在二十世紀，第一次，第二次大戰期間，西歐戰場，也差不多普遍的遵從，甚至有雙方兵士躍出戰壕，互致祝賀，交換禮物的情事。回教人在齋戒期（Ramadan）中，每日自日出至日落，不進絲毫飲食，若有爭端，除非與異教徒進行「聖戰」，必待黑夜動手，每日自日出至日落亦是默許的停火階段。第三類停火才是雙方約定的。譬如爲清掃戰場，交換俘虜等等，都可以經過談判，實現停火。開城會商屬於這一類。

這一類的停火，具有兩個特點：一是有一定的期限；二是絕對限於軍事範圍，由前線司令官決定，不是雙方政府的接觸，因而不屬外交性質。

不會達成確實和平

以此推想：開城會商僅能約定一項臨時的措施（Modus Vivendi），不會達成類似半島確實的和平。雙方既已允諾談判，成功是必然的；不過，約定的條款，其內容不可能超出下列範圍：

（一）停火以待根本解決；

（二）交換俘虜；

（三）爲保證停火的實現起見，雙方軍隊各自原陣地後退五英里或十英里，無人地帶由南北韓警察分別維持秩序；

（四）設立一個國際監察機構，防止雙方利用停火機會作再戰的準備。

一九四八年，阿拉伯國家與以色列便是在類似的情形下停火的。

只有聯合國可以決定

至於聯合國軍之退出朝鮮，那是一個政治問題，不會在開城解決。因爲聯合國軍之進入朝鮮是根據聯合國憲章第四十二條以阻止侵略爲目的的，祇有聯合國可以判斷目的已否達到，是否撤退。里吉威將軍不能與「侵略者」私相妥協，隨便撤退。據法新社華盛頓二日電，美國國防部長馬歇爾將軍本日對參議院外交委員會稱：此次縱令達成韓戰解決，美軍仍將留駐朝鮮。馬氏語氣如此肯定，我們儘可放心，聯合國不會輕率的。其他台灣問題，中共加入聯合國問題，更不必說，開城不是討論的地方。台灣海峽一節，美海軍參謀長薛爾曼也明白表示了與韓境停火毫無關係；美海軍繼續負阻止共軍進攻台灣的任務。薛氏尤其說得好：縱令朝鮮實施停火，美國人民並無理由爬到床上蒙頭而睡。

當前値得重視的 中國青年教育問題

我希望台灣政府加以注意和改善

國民政府教育部長杭立武，最近在巴黎聯合國文教組織第六屆大會上，報告中共在大陸上摧毀文化教育的事實時，曾列舉中國政府在大陸上受教育的學生人數與現在中共統治下的學生人數相比，證明中共對教育範圍已經縮小。杭氏稱：「一九四六年中國政府在大陸時，有大學與專科學校學生一五五、〇〇〇人，中等學生一、八七八、〇〇〇人，小學生二三、八一〇、〇〇〇人。中共統治後，一九五〇年的學生數字是：大學與專科學校學生一四〇、〇〇〇人，中等學校學生一、〇九〇、〇〇〇人，小學生一六、〇〇〇、〇〇〇人」。由這個數字，使我們想像到今日中國青年所受到的厄運，使我們想像到我們下一代的教育問題是如何嚴重，這實在是今天政府負責者所應該切實注視與考慮的問題。

說到中國青年學生所受到的厄運，追溯過去的情形，原不自今日始。自從「九一八」事變發生，東北的青年學生首先就受到強迫受敵僞教育的命運，那時有許多人幸而還能設法逃出。及至「七七」抗戰開始，平津倉促撤退，各學生都毫無準備，只好淪陷在敵區。其他如京滬及各地，雖然比較平津當時爲好，能較有計劃的遷到內地，然而因爲運輸工具有限，在戰火之中，究竟仍無法全部撤走，而且大部份是指大學專科而言，中小學則是大多數仍遺留在敵僞區。

把學生看成學生

抗戰勝利之後，政府對於教育的復興工作，確是準備好好的做一做，希望這一代的青年能於復土收京後受到正常的教育。我記得勝利後，胡適之接長北大時，新聞記者去訪問他，提出他對北大今後有何計劃的問題，他的答復是：「我希望辦學校的把學生看成學生，把學校看成學校」（大意如此，原詞一時無從查閱）。他這句話的意思，就是認爲辦學校，學生應該不要分心外騖，不要再在學校裏面是非，更明顯的說，就是希望黨派不要再在學校裏從事政治活動。但是他雖這樣打算，其實當時有若干教育的人也未嘗不是同樣的打算，而事實上都完全與他的想法相違反。就是共黨職業學生，不斷的在學校中搗亂，他們滲透到每一個地方的大學，專科，中學，教職員和學生當中，成天的在學校裏面鼓動風潮和政府及學校當局搗亂，不是教員罷教，便是學生罷課，甚麼「反飢餓」，「吃光運動」，「反迫害」一連串的製造出來，就是極想認眞讀書的學生，在那種情形之下，都無法安心求學。這樣一整整閙了三四年。

連生命也受威脅

接着便淪陷入中共統治之下。近兩年來，大陸青年學生所受到的痛苦，無論是精神與物質方面，都已超過日僞統治時代。那些淺薄無聊的思想訓練和如火如荼的參軍運動，青年學生不特被迫要放棄他們的學業進修，而且連生命也要被迫送到韓國戰場上當炮灰。總而言之，從們身經目擊的事實推算過去，這一代的青年學生，可以說整整的有十四個年頭沒有能安靜的讀過書了。這種情形，在政府未回到大陸以前還是繼續延展下去，這是這一代的青年學生的不幸，也是國家最大的損失。

學校容量的限制

關於上述問題的解決，依今天台灣教育方面的情形來看，我們認爲顯然還是不夠的。搶救大陸青年學生的工作，在技術方面當然是很不簡單的，在此，我們姑且不說，即以目前台灣各級學校的容量來看，就已經使許多青年學生對於就學問題感到十分煩惱。現在即以台北而論，台灣大學僅台大一所，專科學校如台灣學院，國防醫學院，台南工學院，師範學院，行政專科學校等等有限的幾所，中學在全台也不過十幾所，因爲學校的容量有限，學生就感到升學是一件非常不容易解決的問題。最大的建國中學開了三十多班容納二千餘人，因爲受了課堂與師資的限制，只好將學生分爲日班夜班，這是不得已的辦法，也可說是不正常的辦法。台大去年報考的學生，據說超過原額近十倍，錄取的數字當然非常的少。可觀的，這一些考不取的學生並不都是程度很壞，完全不堪受學校教育的，這是國家的重大損失，青年學生所受到的打擊可想而知。而且國家正需要大批人才，尤其是今天我們正待建設國家，正需要大批人才去負擔建國的任務，我們現在大陸的青年還在受共產黨的毒化教育，無法受到正常教育，如果在自由中國的青年學生還不能盡量受教育，那麼這一代的青年所遭受的命運就太可悲了。

爲這一代的青年着想

這一代的青年着想，爲國家前途着想，我們殷切的希望政府教育當局以最大的努力來解決這個問題，以今天人才集中的台灣來看，至於師資問題，應該不感到困難。至於經費問題，我想以政府的力量，再鼓勵社會的力量，如獎勵私立學校，或向國外募助，亦必可以得到相當的解決辦法。最後，關於留學生的問題，據知生去年一年中赴美留學生爲數頗多，其中以自費生爲大多數，但是據者的估計大多數所受的教育，並不是在國內受了完全的教育，大部份是倚靠家庭，但是學生就不是在國內所受教育的人，這樣機會是何等良好的方法，實在是應該注意的，這是很可惜的。希望教育當局注意。

——姜夏——

強盜為了自己生存自己安全 向人民開刀屍山血海

羅瑞卿供：這是毛澤東親自領導的。

謝滋羣供：這是叫做妻子的做兒子的做弟弟的做親戚的做朋友的來檢舉的殺戮的。

潘漢年供：這在歷史上，是空前的。上海處理反革命案件人員，就有二千多。

看革命英雄深入虎穴混身是膽：

門頭溝公安分局派出所縱火爆炸・王振華武裝游擊人員訓練在北京・謝經武暗殺刺探在武漢・莊村夫武裝暴動在桐柏伏牛大別武當沂蒙山區・孫祖義「空室清野」在柳州南寧・

【本報武漢記者綜合報道】六月中旬，中共中南區召開黨政機關幹部會議，關於「鎮壓反革命」學習總報告中，對共幹指示了「鎮壓反革命」的最高原則，是「要有階級立場」，這「要有階級立場」，就是說，「要有共黨立場」。凡是不屬於共黨利益的，就是「反立場」。今天，大陸同胞成千成萬人都在「反立場」，反「強盜立場」罪名之下，人頭落地上亂滾，屍山血海，罪惡滔天，難有盡時。

前月杪，迭據共匪「北京公安總局」羅瑞卿「局長」「武漢公安總局」謝滋羣「副局長」在「人民代表會議」上關於「鎮壓反革命工作」的報告，以及上海市「軍事管制委員會」主任陳毅副主任粟裕的佈告，又有成千成萬的英雄烈士，在反立場，反強盜立場罪名之下，給共匪集體屠殺，壯烈犧牲，而共匪血淋淋的手，又在人民頭上種下傾東海之水洗濯不了的罪惡。

據共匪羅瑞卿自供：這些隱藏着的「反革命份子」，愈加隱藏，並伺機報復。最近北京門頭溝第五派出所被人縱火外四分局第四派出所發生爆炸事件，必須提高警惕，加強調查研究，萬不可麻痺輕敵、他並且說，這鎮壓反革命工作，是有領導的，特別是他們的頭子毛澤東親自指導。這就是說，這些殺人勾當，是毛自己負責的，他們只是從惡，或者說，他們是脅從，希望將來研究。

又據共匪謝滋羣自供：這些反革命份子的檢舉和控訴，許多是由妻子檢舉丈夫的，兒子檢舉父親的，弟弟檢舉哥哥的，親戚檢舉親戚的，朋友檢舉朋友的。他更自鳴得意，這就是前月學習總報告當中所指示，不要有人道主義，不要有人才主義，不要有溫情主義，已經收獲很大的效驗。他在報告當中，逮捕了地下軍以及其他政治性的或搗亂金融等罪犯共計××××名，數字不敢公開，照四個×××以千計算，至少應該是以千××名，共計至少亦要以數萬計了。還單是武漢一地，其他尚不知如何計算。共魔的滔天罪惡，眞是罄竹難書。

又據共匪上海市潘漢年「副主席」自供：上海處理「反革命」案件的工作人員，就有二千多，這樣大的規模，在中國歷史上是沒有過的。可見他們亦自已知道，從有歷史以來，強盜殺人的很心和毒辣，到了他們是空前的，而且是絕後的。一不做，二不休，以後還得繼續深入展開「鎮壓反革命運動」，他們知道人民是不會饒恕的，祇有作惡到底。

潘漢年還說，「過去反動派殺人，殺的是人民，因此偷偷摸摸，不敢公諸天下。今天我們殺的是人民的敵人，因此，我們無須祕密。」這話說得不錯。不過謝滋羣在武漢殺人，他沒有公開，他僅報告××××名，一共計××××名，這是不是公開，他為甚麼不公開？這又是潘漢年說的，「他們殺的是人民，因此偷偷摸摸，不敢公諸天下。」

但是人民殺得完麼？革命英雄鎮壓得了麼？就在你們大聯兒所結集的地方，門頭溝事件，第五派出所縱火，外四分局第四派出所爆炸，羅瑞卿言之，心有餘悸。他說要提高警惕，萬不可麻痺輕敵。人民怕強盜麼？強盜總有一天要落網的！

據天津進步日報六月廿四日載：王振華，化名王介民，潛伏北京，攜帶電台，呼號密碼，架設電台，並由潛伏于軍事機關內任機務員的劉文田擔任繪圖和裝置工作，王振華並于去年十月及今年一月曾兩次將電台零件及眞空管十四支裝在菜籃內偷運至天津，以後他又與王琳〔化名王學清〕組織「共濟互助委員會」，網羅革命分子，陰謀組織「武裝游擊人員訓練班」，從事武裝暴動，並獲得情報多件。王振華劉文田王琳等革命英雄的烈績，是多麼的慘淡經營，可歌可泣，今天不幸落入了強盜之手！

又據謝滋羣的供報：謝經武在武漢佈置潛伏工作，計十一組十一部電台，進行暗殺刺探等革命活動。莊村夫先後在豫西皖北等地殺戮了共幹萬餘人，並在桐柏伏牛兩山區佈置了三萬餘人，又在豫東鄂東大別山洪河兩岸豫南豫中魯山皖北鄂北武當山山東沂蒙等山地，建立所謂大陸根據地，進行武裝暴動，要與他們強盜政權。孫祖義在廣西柳州南寧等地，執行所謂「空室清野」，並組織地方團隊，殺死共幹不少人。本年三月，且打入湖北軍區部隊，奪取匪衞兵武器，殺死共幹，不知其數，以上僅舉數人為例，具見我革命英雄，深入匪穴，滿身是膽，義驚震天地，全中國人民，望着他們拜，祗有強盜們，對着他們發抖！（太沖）

中共統治人民的「三件頭」

『殺』：死刑與死刑緩期執行

『關』：無期徒刑與有期徒刑

『管』：限制自由與剝奪權利

在「大張旗鼓鎮壓反革命」的大吹大擂之下，共區人民隨時有碰着「三件頭」的可能。這「三件頭」並不是「金戒指」，「手鐲」和「自來水筆」，而是中共新規定的「三種刑罰：「殺」，「關」，「管」。

「殺」就是處死，凡是給戴上「反革命分子」這一銜頭的，無論嫌疑的成份輕微得怎樣，都在必殺之列。以上海一地而論，六月十五日判決的四百一十八名「罪犯」中，「殺」的佔了二百八十四名，六月廿八日判決的四百七十二名中，立即槍決的也達一百五十四名之多。所以，雖然定有「關」「管」兩刑，還是以「殺」為主。

緩期死刑 慢性的死

為什麼一部份判處死刑而又緩期執行呢？據中共「上海市人民法院」院長」論述之解釋是：這「緩期執行」和普通的「緩刑」不同，比如徒刑緩刑，經過緩刑期間如不犯罪，所判刑期便等於不判。「死刑緩期執行」不過是殺遲一點，如果在兩年內改造得不合標準，還是要殺掉，即使好好的悔改了，也要改判無期徒刑。

所以，「死刑緩期執行」無非是慢性的殺，中共什麼要規出這一項目，何不乾脆殺掉呢？其中是有道理的。據它們說來好聽的宣傳是：「這一部份人犯的罪行本來應該處死的，但因為他們沒有血債，民憤不很大，或者他們對國家利益的損害尚未達到最嚴重程度，所以採取這種暫時不殺，緩期二年執行，強迫勞動改造的辦法。這是政府不放棄對反革命分子可以進行改造的任何一線希望，是貫徹鎮壓與寬大相結合的正確政策。」

刀下留人 別有用心

其實呢，有兩種用意：一是藉以表示中共不會濫殺。如這類罪惡深重的反動分子，只因為沒有血債，也就刀下留人。由此可以證明，所殺的都絲毫沒有冤枉」。其次是，這類一千幾百人的判決，形式上都經過所謂「市區協商委員」和有關方面合組的「反革命案件審委會」的審查，雖然中共意旨是殺絕最好，但「莫須有」和所謂「善霸」之類的人物，在一部良心還未喪絕的審查委員手下，還「殺」字如何寫得出手，因此，那小部份「沒有血債」，而又「民憤不深」的人，得以苟延性命了。但從這裏，我們更有理由證實中共的殘暴，把人民的生命自由財產不當一回事。像上述那些既無血債，又少民憤的人，也要償於「殺」之一列，那末，被判長短期徒刑，和限制自由剝奪權利的嗎，是些什麼樣人民？當然不會有血債和民憤了。他們還什麼要受「關」「管」的刑罰？一句話：他們過去可能開罪了阿毛阿狗，今日阿毛阿狗得勢了，給他討看顏色。除此之外，再不能找到合理的解答。

有期徒刑 二十五年

再談到「無期徒刑」，據論述之解釋是和「資本主義國家」的「終身監禁」有別。怎樣有別呢？他說：「資本主義的無期徒刑是慢性處死」，而他們的「無期徒刑」是要在「長期勞動中給以改造」。但他又說：「有期徒刑一般不超過十五年，但雖有判二十年至二十五年的亦有」。然而，資本主義國家的「無期徒刑」實際上也不過二十五年，且無須受「長期勞動」之苦，如果這也可以說是中共的「寬大」，那末「寬大」兩字在共產黨的辭典中，又非另加詮釋不可了。

管制生活 更吃不消

最後關於「管制」，據論述之說：「是中共一種最輕的刑罰，只限制其某方面的自由和權利，不拘束其身體。一般辦法是，由公安機關或交由羣衆團體監視管制，不許亂說亂動，並剝奪其政治權利，在管制期間如有違反管制情事，須受嚴厲的處分。」這麼一來，實在比正式坐牢還苦，每一個「人民」都有「管制」你的權力，要怎麼樣才不是亂說亂動呢？這一種廣泛的囚犯生活，確夠受了。

此外，還有兩種處罰：「剝奪政治權利」和「沒收財產」。這是「殺」「關」「管」的附加刑，但又可以單獨執行，例如應該拘束自由的，因有殘疾或有某種專長可供利用，那就僅剝奪政治權利和沒收財產。據說這又是「人民政府的寬大，為資本主義國家所無」的。

「莫須有」三個字，配上了「殺、關、管」三件頭，從此中國整個大陸的人民，都發「不知死所」了。（悠然寄自上海）

掛牌山綿亘險峻 游擊英雄聲勢浩大

周翔雲携械反正 唐庚楚得勝凱旋

中共「湘南軍區」，所轄衡祁零三縣邊境，民衆反共游擊隊日趨活動，尤以祁陽，掛牌山為著。因該山綿亘險峻，為游擊隊之良好基地，故原在衡陽縣屬之大雲山王某所部三百餘人，及在零陵縣屬之四明山唐某所部五百餘人，均於四月中下旬先後安全轉移掛牌山。因而該山之游擊隊伍，聲勢益為浩大。正當中共大動腦筋策劃「進剿」之際，不料距離該山二十餘里之歸陽鎮民兵中隊長周翔雲，突於五月十二日與反共游擊隊會同夾擊該鎮，率隊攜械反正。現湘共對此異常重視，特於五月十九日在長沙舉行全省人民武裝整理會議，設法防範同樣事件之再生。並對祁陽偽縣長提出嚴重之批評與檢討，（詳載五月二十一日新湖南日報）。關於周翔雲反正經過，根據調查所得，紀述如下：湘共「軍區」，對於各縣之民兵，均認為份子複雜，久存歧視，周翔雲自投靠以來，（在國府時期係打土共招牌，祁陽易手後，乃被中共收編）。既無餉，又無械，時思再變，苦無機緣，適值零陵唐某所領導之零陵青年反共救國大隊，因四明山基地被共軍封鎖，乃突圍向掛牌山轉移，該隊抵達掛牌山後，為爭取地方民兵改邪歸正，乃派幹員赴歸陽鎮與周翔雲密謀，約定俟機而發。

直至五月十日，駐守歸陽之正規共軍一營，因援跡撤離北上，接防者為公安部隊一連，此烏合之衆，自不堪一擊。周翔雲見時機已至，派員入掛牌山向唐部報告，決定於五月十二日深夜發動。部署既定，依時由唐庚楚（因其路徑熟習，關於唐庚楚打游擊情形，詳載本報二十三期），率領尖兵一班，王唐兩部，則分兩翼向歸陽鎮抄襲，而該民兵中隊則作內應。駐防之共軍，以變起倉卒，張惶應戰，甫經接觸，即無法支持向北潰退，游擊隊乃進入該鎮與民兵會合，首先將中共之電話機及綫路破壞，並將殘殺民衆惡貫滿盈之土改基點組長李斌，區委陳華，唐煥章，偽鄉主席廖子賢，農會主任周楚茂等逮捕，殺於鎮內之屠案上，然後將存於鎮內周祠待運之穀米七千餘大包以及一切公文物件等，悉數焚毀，隨在街頭遍貼標語，藉以激起民衆之反共情緒，勾留約三小時，然後偕同反正民兵凱旋基地。

事後共軍由黎家坪馳至，施行水陸戒嚴，然游擊隊已無蹤影，僅拘去商民二十餘人，聞正酷刑研訊中。（丹玉）

投共悔過啟事後 劉建緒客居巴西

前福建省主席劉建緒，自去歲農曆臘月二十八日離港，在本港各報刊登投共悔過啓事後，抵達巴西，做了前湖南省建設廳長譚常愷的上賓。劉氏抵巴西後，初寓譚宅，閉門不出，研讀中外歷史以自娛。對於來訪諸僑，均告以中共實施的「新民主主義」，完全不是它所宣傳的「新民主主義」，實係法西斯的孿生兄弟。言下似不勝滄桑之感！

譚常愷在巴西，經營陶磁磚業，生意頗佳，并非某報所傳開印刷工廠。劉氏抵達後，對于商業經營，不感興趣。譚常愷曾有意邀他共營磁磚業，也被婉辭。聞正在撰述「回憶錄」，因其過去對治軍治政，頗有獨到之感。凡此在湘時，曾親撰「治兵與治心」一書，又名「軍人武德」和「軍人精神」，在閩省永安刊行。

最近他有信給留在此間的長女，謂已遷居巴西鄉間，由其夫人張燮青女士料理家庭瑣務，並未僱請工人，小兒女均未就學，在家中嬉樂，生活尚稱愉快云。

× × ×

陳明仁俯仰依人 唐天際目空一切

四平街一戰，陳明仁成名，聞于全國。但曾幾何時，竟靦顏投共，身敗名裂。陳明仁部最初投共時，尚被編為中共四野二十一兵團，轄兩個軍，王勁修彭杰如分任軍長；兵團部政治委員係唐天際，湖南瀏陽人，老共產黨員。二十一兵團大權，完全操在唐政委一人手中，傍人不得過問，目空一切。

去歲韓戰發生，五十二軍彭杰如部，于去歲十月北上投入了韓戰，全軍中了聯軍的油類彈殲滅，祇剩二千五百人生還于瀋陽，中共并未予以補充，有任其消滅之勢。五十三軍王勁修部，則調駐廣西柳州一帶，撥歸陳屬指揮。陳明仁本人當時留在長沙，後傳被提往四平街公審，怕欲苟存性命，恐亦不易。

陳明仁兵團在投共之際，於改編時，高級將領，多被調赴湘省「軍大」受訓，年餘仍未畢業。五月時，前兵團參謀長文如一，副軍長賀光謙，訓練班主任唐伯寅，都被中共提往各人原籍公審槍決。年青的軍官，計有五百名，則被集體屠殺于湘省「軍大」南岳山中。近記者接一在「軍大」受訓軍官妻子來信，謂其夫已死，當係死于集體屠殺無疑。（一客）

陳老師從容就義

臨刑高呼打倒毛澤東

湖南省郴縣，為湖南重鎮，扼粵湘交通孔道之咽喉，游擊隊甚為活躍，中共郴州軍區，專署，極感棘手，入春以來，發動清算鬥爭，反霸鎮特運動；但其對象，側重學校方面，尤以不肯為共黨盡力的教職員，多被殺害。

在湖南省的過去師範教育設施方面，湖南師範學校，是培植郴桂宜嘉等八縣鄉村師範的大本營，歷史悠久，聲譽卓著。中共自接管該校後，初派軍事代表黃道南，王新元二人，主持校務。旋即由郴州中共專署，正式任命黃道南接長該校，仍兼軍事首席代表。

學校方面，對於原有的全體教職員，初則一律留任，繼則分批調訓，訓而不歸，鬧得師資水準日落，學生日以繼夜，開會，扭秧歌，下鄉工作，迄少正式上課。有體育教員陳士師，為郴縣陳氏望族，湖南大學畢業，年僅三十歲，在校服務，已屆五年之久，學生對之頗為敬重，因而引起校長黃道南的疑心，恐其在校具有領導作用，產生反共的行動起來。

今春郴縣地區，經中共湖南省軍區，劃為清剿區域，設有湖南清剿司令部，司令員一職，係派現任中共駐瑞典公使耿飈之弟，則在「解放」前潛伏湖南作中共地下武裝亂的「湘南支隊」參謀長耿在李，擔任，大張旗鼓，係由長沙來郴州 [illegible]

[illegible] 高呼「打倒毛澤東」，和「中華民國萬歲」三聲，從容就義。（仲，五月十五日。）

美國電影內幕

·王體泉·

美國電影的國際市場

作者於一九四五年夏間，晤見環球影片公司的總經理，他說：「我們電影企業，向來提倡國際合作與國際和平，並不拘泥於狹隘的民族思想」。現在仔細玩味起來，我當時以爲他有意作國際宣傳，他的話是誠實的。

三分之二收入的來源

原來好萊塢的影片，平均製片預算，是美金一百萬元（一九四八年每片製片費一，〇四〇，〇〇〇元），再加上發行經費，平均每片美金五十萬元。那麼製出一片，平均成本是一百五十萬美元。這還是個平均數，所謂鉅片的成本，是數百萬美元。不像義大利片子，可以因陋就簡，如義大利著名導演羅搽里尼（Roberts Rossolini他和紅女明星英格麗褒曼Ingrid Bergman的關係，是先生小孩後結婚）最有名的一個片子，利用馬路作攝影場，馬路上的行人，都算電影明星。美國電影，好以場面偉大，吸引觀衆，所以需費較多，非有大量的觀衆，非有世界的市場，不易收回成本，不易贏利。

電影公司的算盤，大概作如下的估計：在製片以前，確定預算，包括製片發行，廣告，以及經常不可少的耗費（Overhead），全部成本在內，確定一個總數。這個成本，必須在美國國內市場演映，能收支相抵，不蝕本，也不獲利。這個片子，再在國際市場演映，其收入就全是贏利。所以國際市場，是美國電影純利的來源，電影公司的主人，希望在國內市場，能收回成本。在歷史上，美國影片的毛收入，三分之一至五分之二，來自國際市場。這是一個很大的數目啊。

所以好萊塢製片，十分小心，不敢輕易得罪外國人。

各種語言的配音

他們製成一片，常常配上各種不同的語言，尤以法語，西班牙語，義大利語，德語爲最多。如果你遊歷巴黎與羅馬，上電影院看美國片子，美國明星嘴脣動作，說的話卻不是英文。所以要聽英文對話，必須查明是否「原來的版本」（Version Original簡寫爲VO）。

譬如米高梅（羅氏公司的製片廠）在一九四九年，出品推銷到世界五十六個國家，英語以外，有西班牙語，法語，義語，德語的對話。其他比較不重要的語言，仍用英文對話，另加當地文字說明書，達二十四種之多，可稱洋洋大觀矣。

國際市場收入銳減

這國際市場，今不如昔。大概有下列幾種原因：

第一個原因：蘇聯及其衛星國家，美國影片，大體上沒有銷路。在東歐：有東德，波蘭，波羅的海三小國（愛沙尼亞，立陶宛，拉脫維亞），捷克，奧大利部份，匈牙利，羅馬尼亞，保加利亞，阿爾巴尼亞。在亞洲：有中國那麼大一塊版圖，算起來不能說小了。

第二個原因：戰後民族主義高唱入雲，各國都想發展本國的電影工業，一則可以利用電影作宣傳工具，二則可以減少漏卮。

第三個原因：戰後各國，均感美元缺少。各國戰後需要糧食，原料，與機器等必需品，須儘先購買，看電影不妨從緩，於是相率限制美國影片進口。一九四八年的報告，只有加拿大，比利時，瑞士三個國家，美國電影可以無限制進口，別的國家，都有或多或少的限制。

譬如英國政府，規定英國演映的影片，至少百分之四十，須爲英國自製者，外國片不得超過百分之六十。美國影片的進口，英國所能支付的美元，每年不得超過一千七百萬元，此外，英國的影片在美國演映，所得的美元，也可以全部作支付美國片進口之用。所以美國片要到英國去推銷，必須美國各電影院，多多演映英國片。

對於英國政府的限制，是美國電影公司一個極大的打擊。美國影片，在英國演映，每年可獲取的收入，達六千八百萬元，英國片在美國，受英國觀衆歡迎，英國的限制實行，美國影片商，銷路甚淡，損失總收入百分之六十。爲了這一件事，美國電影同業公會的會長約翰生（Eric Johnston）前任美國全國總商會會長，現任美國戰時生產局副局長，負責穩定工資與物價，地位十分重要，是商人政客中的傑出人材，常常到倫敦去，和英國政府交涉。

法文對話的美國影片，只有每年一百廿一部，法國政府許其進口。法國影院規定十三個星期中，至少須有五個星期，須演法國自製的影片。

所以，戰後各電影公司，收入大減，普遍的減低成本運動。他們竭力縮減製片成本，裁汰太高的薪給的職員，世界時局動盪，美國影片公司，不能再恃國際銷路，只好從撙節成本著手了。

蒲留仙概乎言之

蒲留仙的「聊齋誌異」裏載有某顯宦於寺觀中遇一乞丐。問他讀過書沒有，丐答道：「不讀書，不至爲丐也」！

今天由大陸逃來港九的難民——乞丐，不但是讀過書的，而且都是爲社會爲國家的中堅分子。（若鈞）

甲午之役與李鴻章

·舜生·

萬竹樓隨筆（十）

甲午中日一役，李鴻章初實主和，以格於廷議，乃不得已起而倉卒應戰。及海陸兩俱潰敗，津沽門戶，岌岌可危，乃又不得已割地賠款，以成馬關之辱，於是此七十老翁，遂爲世所詬病矣。時陳右銘（寶箴）任直隸藩司，吳摯甫（汝綸）任保定蓮池書院山長，陳責李甚嚴，吳則袒李甚力，然此二人者，固同爲當時之賢者也。乙未閏四月十一日，陳訪吳縱談，以吳仍爲李多方辯護，陳乃責吳「以濁流自處，甘爲權門之孝子慈孫，」拂衣逕去；吳亦負氣，即於同日飛函請辭書院職，語頗決絕。翌日陳復函。更列舉種種事實，以證李之失職，吳復函有云：

「……至蒙示李相各節，多爲某所未及知，豈敢妄辯？獨謂淮軍之敗，並無戚容，似非事實。某聞平壤之敗，李相痛哭流涕，徹夜不寐，此肯堂（范當世）所親見，某親聞之者。及旅順失守，憤不欲生，未聞其無戚容也。倭事初起，廷議決欲一戰，李相一意主和，中外判若水火之不相入，當時倭索六百萬，李相允二百萬，後增爲三百萬，內意不許。及平壤敗後，英俄兩使居間，則勸出二千萬。其時清議，皆謂李相通倭，業已積毀銷骨，李相聞告二使，謂大皇帝決計開戰，某係領兵大臣，和議非所與聞，請入都與恭邸議之，其後議卒不合。及十月初，不俟再蒞津，其時旅順岌岌，詢知各國皆守局外，不復排解，有言和者，則倭人已要五萬萬矣。……今春乃減至二萬萬，此非李相口舌之功，乃入境被刺，倭恐見議歐洲，得割地之益，乃減此數。至此大和議之不容於清議，則西人已先事知之，不謂吾國士大夫，竟不出外人所料也。……中國不變法，士大夫自守其虛憍之論以爲清議，雖才力十倍李相，未必能轉弱爲強，忠於謀國者，將何以自處？李相之欲變法自強，持之數十年，大聲疾呼，無人應和，歷年奏牘，可覆按也。今斷國者持書生之見，呆小生妄議，必欲與之爲難，使國事敗壞至此，反委過於外，不聞有一人議其非者，乃欲集矢於李相，而隱託正論以自附於政府，其意殆別有所爲，豈大賢而亦爲此？必不然矣。……」

吳所言均當時事實，最足以說明甲午一役之真相，而各時士大夫之關心國事，固自有其眞知灼見，決不隨俗論俯仰，以爲譁衆取寵之資也。

我是白俄

·何所之·

去年秋天，我在北平中共集中營裏，因了四個多月，在那裏曾看見白俄所遭遇到的情形。

那是一個雨後的傍晚，我們廿多個囚徒，擠在一間陰濕黝黯的屋子裏，無聊的作着「漫談」，空氣十分沉寂。忽然，一個鄰近獄窗的囚徒，從窗隙上看到中共警察送來一名外國犯人，他情不自禁的喊了起來：「外國人！」引得大家都擁集在窗口向外看。

這是值得驚異的，在這個集中營裏，每天人犯雖然是川流不息的收容着，但卻都是黃帝子孫，從來沒有發現過異邦人士。所以當這個外國人被解送到獄中來的時候，大家都認爲是個例外；各籠子裏的囚徒，不約而同的擠在窗子口向外張望，一時熱鬧起來。

我也從窗隙望去，外國人的在院中佇立，等待共幹的發落。他很年輕，看去也不過廿歲，黃髮碧眼，面孔俊俏，白皙的皮膚，身材不很高，上身僅穿了一件白襯衣，因爲很久沒洗，已經變成灰色，下身穿的是件古銅色的西裝褲，赤腳，踏着一雙泥濘的布鞋，景況頗爲狼狽，他似乎知道這是一個什麼所在，神氣很是沮喪。

外國青年究竟是那國人，是我們當時談論的焦點，有的說他是美國人，有的說他是俄國人；前者認爲中共一天到晚大罵美帝，美國人是它的死對頭，美國人祇有被送到集中營裏來；後者則看出這外國青年的驚腳樣子，美國人絕不會這麼狼狽，而且他的體格瘦小，形容呆笨，沒有美國人那種活潑，有的更斷定他是白俄，俄國人不是白俄，也絕不會送到這裏來。

過了一會，共幹恰巧把這外國青年帶到我們這組來，囑咐我們要好好的監視着他，要他用心跟着學習一切規矩，我們自然只好唯唯稱是。

當時大家便圍起來聽他報告自己的歷史。——這是集中營的規定：一個新入營的囚犯，一定要向全組囚徒作個詳細的自我介紹。——他說得很好的一口中國話，所以聽起來毫無困難，他說他中文譯名是斐廉托夫，十九歲，是俄國高加索人，隨他父母來中國已經十多年了，父親早故，母親在天津一家俄國洋行裏做女傭，他自己又是在上海一家電影院機器房工作，這次是由上海到天津來看他母親，在火車上被竊，母親又沒有找到，徒步由天津到了北平，因爲流浪街頭，被公安局送到這裏。他說的情節很含混，一定有許多隱諱的地方，我們也不去管他，不過，可以證明他是個白俄，一點也不錯，但他卻堅決否認，一定要說是蘇聯人，又說曾經在幾年前回國過一次，並且加入過聯共青年團。這理由很明顯：第一，如果他是赤俄，青年人不會有機會在中國居住這麼久，第二，北平有國語說得這麼好的一口中國話。蘇聯大使館，對於他本國的僑民，任你犯了甚麼重大事故，也不會置之不管，聽從中共把他送到集中營裏來。更可以說：中共如果沒有向蘇聯大使館請示的結果，它也沒有那個膽量敢在太歲爺頭上動土呵！

集中營的伙食太粗劣。（經常是帶沙的小米飯和涼拌野菜）這個外國囚徒怎麼嚥得下？最初的兩天，他還把身邊僅有的人民幣二千元，託人買了些饅頭吃，此後就不得不咬着牙去吃囚糧了。

這小孩子很聰明，善體人意，同獄的難友們都還不討厭他，有的人還跟他學習俄文，交換的條件是要拿一兩支香煙給他吸。

在任何討論會上，他也參加發言，雖然內容比較簡單，但總還不背認原題的宗旨。對於蘇聯和史太林，他還是極端的崇拜，好在這往和，當討論到這些囚犯們，蘇聯和史太林時，有些都異口同聲無條件歌頌，這好像於他也很光榮，我見他常常以蘇聯今日的光榮（？）引爲自己的光榮，我暗暗的替這青年可憐。

其實也難怪，一個不滿廿歲的青年，他懂得什麼，他能負起什麼責任？可是人們並不原諒他，使他生活在四圍充滿敵意的氣氛裏。甚至蘇聯和中共當局，對這樣一個無辜的青年，還加以無理的迫害，由此我們也可以看出：蘇聯和中共的政治殘酷，沒有別的理由，只要他是白俄，便是該死。

他會唱中共的國歌：「我們祖國多麼遼闊廣大，他有無數田野和森林，打從莫斯科走到貝加爾湖：……我們沒有見過別的國家，可以這樣自由呼吸。」在遊戲的場合裏，我們常常叫他唱一段給大家聽。

他在北平沒有親友，有一次他向我借錢寫封信寄給他天津的母親，但是很久也沒有回信來。在勞動工作的場合，挑土挖泥，他也肯努力，所以大家都很稱讚他，時常的加以「表揚」，有時我們買一得食物或香煙，便分一點給他。不過他的年紀小，飢餓又使他的健康逐漸衰退，因此在工作上支持不了長久的時間。

他究竟犯了什麼罪惡，被送到集中營裏來，刑期多長，幾時纔可以獲得釋放？他自己也莫名其妙！

當我病得半死而被釋出的時候，他仍然在集中營裏度那無窮的苦難歲月，如果沒有奇蹟出現，他被釋的希望很微。這次的「抗美援朝」，很有可能的被送上韓國戰場去當苦工，也許早已成了炸彈灰。我很懷念他，我懷念他的是一個不滿廿歲的青年，他本身究竟有甚麼重大罪惡？而被殺人不眨眼的魔鬼，竟做了犧牲品，而他自己又渾渾噩噩的不了解自己悲慘的命運！

這不是一個典型的俄國阿Q麼？

●夷齊不食●

尾巴報紙說：大陸運港鷄蛋，價至每元十二隻，夷齊不食周粟，香港的忠貞之士也應該不食大陸鷄蛋。

請問這家尾巴報紙：你們的報紙、油墨、機器、以至一切用品，有沒有「美帝」或「資本主義國家」的出產品？倘有，也應該不出版。（柳村）

秘密警察來了

·張天賚譯·原載星期日郵報·

未終的悲劇

哈拉頓了一頓，繼續說下去：「上月一個晚上，正下着大雨，我們多喝了幾杯酒，大家都已有些微醉，我駕着我的公家汽車送他回家。但我前面看到一片模糊，駕駛盤一時把握不穩，我們汽車的輪子陷入電車軌道，車頭直撞向路邊一顆大樹，撞得稀爛。他坐在我身旁，經我掉頭去看他有沒有受傷時，他已神智昏迷。

「我早先知道他身邊常帶着一本小冊，這時真是絕好的機會，可以偷偷的查看一下。我從他身上把那冊子搜出。」

他聳一聳肩，又說：「於是我發現了一個意料之外的秘密。我是奉命去偵查他的，而他所負的任務，卻是來監視我的行動。我知道了這事的究竟之後，過了六小時，我便越過了捷克邊境。」

「那末你現在還有點害怕或擔心嗎？」我問。

哈拉走到他小窗的窗前，仰首直望着灰暗的天空。

「在這個城市裏，誰又沒有他自己的憂慮呢？」他說。

是的，誰不是呢？這個奧國的小城中，不知躲藏着多少從前納粹時代的秘密警察和特務，他們逃到這裏怕會被捕而以戰犯罪受懲，紅軍的逃兵，不斷受蘇聯的間諜跟蹤和搜尋，已經背叛他們自己的國家，被其他間諜監視着，流亡人士，無從查核是否確實；講述荒謬的故事，多重身份的特務，有着幾個國家的護照；還有無國籍者，任何身份證都沒有。

「你準備什麼？」我再問他。

他靜寂了好一會，才答道：「我不知道，我也再顧不到這些人了。我知道這個城裏的有捷克安全警察派出的秘密人員在尋找我，說不定我出去時他們就在我身後。我該算是我爲捷克國家人民工作了這樣多年所得到的報酬吧。」

他祇是聳肩，我已經看出他內心的衝突和深切的痛苦，那是一個失去了希望，丟失了生機，放棄了前途，對任何事物和任何人完全沒有了信任的人的表情。

「呵，我們遲早總會遭到戰爭的，到那時候，他們該沒有閒功夫來注意和尋找像我這樣的人吧。我們期望戰爭快點發生。」

（全文完）

從北京到香港（十二）

·王一中·

漏網之魚

余在惠州，既無出路，復不便回京，進退維谷，乃就街頭卜者拆字以決疑。余隨手招得一個「出」字。卜者釋云：兩重山，遠行殊不易，但又不可停留，因「出」字延長下去，便是「祟」字，恐有二小人作祟。故以行不過遠爲宜。余曰：香港如何？卜者曰：得之矣！香港在本省範圍內，不遠不近，正得其宜。於是，余乃以破釜沉舟之決心，次晨，即往深圳。後經人介紹，抵深圳後，寓新市場一小旅館。同寓有劉君者，河南人，自鄭州逃來候機出境者。兩人同病，一見相憐。

在深圳數日，路悉邊境，某晚與劉君隨一「黃牛」在老市場附近偷渡，不意爲邊境共軍發覺，劉君捷足先走，余則被獲，捕解公安局，拘押二晝夜，更番審訊，以余爲回教徒，且年老，只爲出外尋子，並無政治關係。幸得釋放。後數日，再度偷越國境，乃抵港。

當余拘押深圳共黨邊防公安局時，共幹對所捕捉之「犯人」，多方虐待，終日不給飲食，夜眠不給臥具。彼等自己則日食四餐，繼以喝酒。而且食餘之物，寧棄諸溝中，不以惠給乞兒，其存心不仁如此。對於「撈獲之私貨」，盡行沒收，以中飽，腐敗跡象，因觀其所食物品，多係沒收之鮑魚干貝及糖果之類也。

當時因越境先後被捕而押在該局者，共三十五人，其中操粵語者居多數，湖南人次之，來自遠方者，似僅余一人。聞前批被捕解往廣州訊辦者，或在穗槍決，或解回原籍處理，所以獄中難友，類皆滿面戚容，坐以待斃。時潮州人某注目視余曰：你氣色甚佳，旦夕且獲釋。後下午四時共幹果釋余出，可謂不幸中之大幸矣（完）

自由人

THE FREEMAN

（半週刊每星期三六出版）

（第三十七期）

每份港幣壹毫

督印人：梁大成

社址　香港高士打道六六號

電話：二〇八四八

GLOUCESTER RD.
HONGKONG
TEL: 20848.

承印者：東南印務出版社

地址：高士打道六四號

台灣經銷處　台北重慶南路一段七十四號

民主與獨裁鬥智

和談是最大考驗

民主國家切不過多存幻想，俄帝求和是準備藉對日和約大事敲詐，敲詐不成就會再向遠東中東發動攻勢

胡秋原

一九二〇年，共產教主列寧曾爲其門徒寫了一本厚黑學大綱，稱爲「共產運動幼稚病」，副題「馬克斯主義戰略策略論初稿」。他在其中說：「不從事機動，狡猾，妥協，以避免分明不利於自己的戰鬥，……這種共產黨，是一點用處也沒有的」。史太林在「列寧主義問題」中，對這一遺教，曾反復引述，足見他讀得很熟。他大概到現在才明白韓戰是一分明不利於自己的戰鬥」，爲表示他「有用」起見，便命令馬立克提議停戰。杜魯門早有此意，所以一拍即合。李奇威發出停戰廣播後，中韓共黨雖然還在討價還價，談談總是不成問題的。

這不一定是列寧的策略。自大彼得以來，沙皇侵略不利之時，他便求和，以免國內發生問題。而這有幾個公式：

一、失利之後，換一侵略方向（這多半在慘敗之後；如尼布楚條約以後，如克里米及對馬之戰以後）；

二、失利之後，談判和平，儘可能指點小油擺手（如一七三七年安娜時代對土戰爭，佔領亞速夫，土移戰爭不利，承認佔領後並不設防。一九四〇年史太林侵芬不甚得手停戰談判撈了一塊地方算了）。

三、失利之後，稍事休息，捲土重來（如四百年間俄土作戰大者十三次，失敗了一定重來）；

四、失利之後，反過來醞釀勾結對方，進行其他瓜分陰謀（如一八八五年侵阿富汗，因英干涉而止，但不久與英成立密約，瓜分中亞勢力範圍；一九〇五年對日戰敗後，與日本進行瓜分中國陰謀）。

侵略不利立即求和　既過寶山決不空回

總而言之，俄帝是決不肯「過寶山而空回」的。

此次求和希望何在　可能動向揣測甚多

然則俄帝這一次希望甚麼呢？會不會將兇鋒轉向伊朗呢？蘇俄要佔伊朗，本不困難，但這要引起大戰，而這是他必須避免的。是否可以揩一點油，如奴兵領袖所吶喊的進攻台灣呢？但這在現在，業已太遲了。是否休息一下，捲土重來呢？十分可能，但這與繼續打下去沒有甚麼不同。是否想同美國進行一[illegible]甚麼大買賣呢？這[illegible]，因爲美國不是那種[illegible]家。多年以來，蘇俄就想和美國「瓜分世界」，美國人充耳不聞。[illegible]之間，究不能說是十分一致的；對日和約正在將成未成之際，這時間是稍縱即逝的。史太林當然覺得他有讓步的必要，而也不無敲詐之可能。他大約希望藉[illegible]中共「志願軍」，導誘一個國際和局，對遠東問題，尤其是日本和約問題，利用英國地位之窘迫，和美國獲得某種暫時諒解，如若敲詐不遂，也很可能在今年八月底九月初，在日本和約喧嚷訂立之際，再發動遠東的或中東的攻勢。「盡可能利用帝國主義的矛盾，那怕是最不重要的」——這原是列寧策略之心傳。

民主國家應採對策　自己地位首須加強

然則民主國家究應該採取甚麼政策呢？民主國家首先不能對俄帝中共抱任何幻想，其次，不妨將計就計談談，但必須利用停戰與和談，增強自己的地位，而不削弱自己的地位。

首先必須注意，中共正在宣傳聯合國「求和」，他們打了「勝仗」，聯軍應利用談判將雙方勝敗事實，給中共奴兵知道，給中國人民知道。其次，一切提議與主張都用迅雷不及掩耳的方法，暴露中共向莫斯科請示的窘態，暴露俄帝有時不惜犧牲其奴才之毒辣。第三，停戰應以中共停止反美援朝運動，以「志願軍」爲先決條件，以「開回鴨綠江北」爲基本條件。第四，最重要的，停止，動員，增援和準備不要鬆懈，對日和約要照原定計劃進行，西歐和中東的防禦步驟，必須乘時增強，一點不能削弱。有巴黎談判經驗的民主國家，是應該懂得這一切的。最要緊的，聯軍不能在談判中示弱，不能給韓國人民以不良印象，並有損聯合國的原則和威信。

史太林之求和，表示他過去的陰謀業已失敗。我們不能期待他的悔悟，只能利用他的失敗，以擴大他的失敗。利用這一次失敗，擴大俄帝與奴兵隊長之間，即令是很小的不和，使俄國人民及中國人民都知道史太林的殘忍與可笑，與中國奴才們的可恥；[illegible]這是民主與獨裁鬥智之一大考驗。

民主集團的政治家萬不可再做「精神俘虜」

以幻想應付現實太可惜也太危險

雷嘯岑

西方民主國家的政治家在世界兩極化的鬥爭中，隨時表現着以幻想應付現實的自卑感，有形無形的成了極權主義者的精神俘虜，這太可惜，也太危險了！

一種恐俄病的卑怯心理

史太林素來視聯合國一類的國際機構爲講演台，爲「教育所」，除利用其作宣傳工具外，決無眞誠合作，以期尋致世界和平的意念。他過去不參加「國際聯盟」，指爲是帝國主義者分贓的機構，但到二次大戰前夕，爲要宣傳「人民陣綫」運動，又派李維諾夫代表出席了。前年宣稱不出席聯合國各種會議，到去夏爲要暗中主持韓戰，又教馬立克一聲不響悄然回至成功湖上了。往事歷歷，如見肺腑，然而西方民主大國的政治家卻很天眞的幻想史太林會有誠意跟資本主義國家共存共榮！蘇俄代表的一顰一笑，都成了民主國家揣測世界政治氣溫的寒暑表。馬立克今日在某種交際場合對民主國家的代表多談了幾句外交詞令，馬上揣測紛紜，認爲這是有助於「和平」的象徵；明天他稱病謝客，便又表示悲觀了。甚至去年某國一個外交人員因偶然的湊巧，與中共代表伍修權同購一架飛機座位，也能發出一大堆的政治幻想來！這一切，都是由於不理解共產主義政權的本質與作風，因而形成一種恐俄病的卑怯心理。最近從韓戰和談聲中，西方民主陣營之間，又發現了兩種政治幻想：

談和與史太林健康何關

一是認定克里姆林宮之發動停火主張，乃由於史太林的健康日趨不良，內部已發生繼承人問題的嚴重爭執所致。我不知倡導此說的人，是根據甚麼「可靠情報」或「權威觀察家」的實證而來？但即令史太林的健康果然已告惡化，或者他竟撒手人間，也與蘇俄現政權的存亡無關，更與共產主義無涉。共產主義政權存在的中心支柱，首是那套世界革命理念，次爲極權機構的秘密警察。以思想爲基礎的政治集團，決不像揭竿而起，替天行道的那類草澤英雄之所爲，一個頭目喪失了，整個集團便有崩潰之虞。即在近代具有組織性能的其他國家，亦不會有這種現象。羅斯福總統突然去世，邱吉爾首相選擧失敗下台，而美英兩國照樣的領導「爲自由而戰」的二次世界戰爭，獲得最後勝利；一九二五年廣州革命政府的領導人孫中山先生逝世後，國民軍且更踔厲奮發，進而完成北伐大業。在目前這緊張局勢之下，若說史太林的健康一有問題，俄共即將發生內鬨，因而不能不急求結束韓戰，未免過於自我陶醉的阿Q精神了。史太林忽然倡言和談，其中自有原因，但不管眞因何在，而決不是由於他自身的「健康不良」，乃可斷言。民主國家對韓戰和談前途如不從「好的希望，壞的準備」設想，而誤以一些害左傾幼稚病者，捕風捉影，擾亂視聽之談，作爲戰略的根據，增加民主世界的幻想，必致釀成大悲劇啊！

萬勿以誤中國者誤韓國

一是近日聯合國內有些人士，研討韓境休戰後，如何統一全韓之策，竟主張組織「聯合政府」，以示和平統一。「聯合政府」這一名詞，在共產主義者的字典中，是一種革命手段，也可謂之技術，與民主世界人士所想像的聯合政權，如英美各國之所謂混合內閣聯立內閣等，迥然不同。世人對於俄國十月革命以前克倫斯基的聯合政府之結局如何，類能言之矣。三四年前，馬歇爾在中國所導演的聯合政府那幕[illegible]過事實，不是記憶猶新嗎？中共現時在大陸所謂高唱「四階級聯合政權」之說，事實上，除共產黨以外，代表四階級的政治集團或其個人，除隨着共產黨的喜怒哀樂外，誰能過問政事？誰能有獨立人格之存在？跟共產黨講聯合，眞像麥克阿瑟所說，是想使水與油相混合的幻想！一般並未參預韓戰的國家，不負責任的慷他人之慨，站在岸上看翻船；有些參加了韓戰而又怕負責任的國家，不惜以鄰爲壑，犧牲別人以求自己的苟安；這也無怪其然。美國的責任卻很重大，萬不可忘卻歷史教訓，人云亦云，竟以當年貽誤中國者，又來誤韓國！統一南北韓的原則，聯合國早有決議了，如何實現一個民主，統一，獨立的韓國，只有在聯合國切實監督指導之下，韓國人民自由表現其意志，而所謂「聯合政府」之說[illegible]。歷史不是重演的戲劇，現實政治更不是實驗品，在韓戰戰場上，可以試驗各色各樣的新武器，有改進比較的機會，至於奠定韓國的政治建設，即不能撇開韓人的自由意志，任意嘗試，貽下無可補救的後患。而韓戰縱使罷休，而冷戰更告劇化，來日大難，未可忽視。西方民主國家應該堅定信念，認清共產主義本質，先澄清由恐俄病的卑怯心理而滋長的幻想，纔足以跟史太林較一日之短長。

既減篇幅又增報價　工人日報等於自殺

銷數慘跌反映了美國真正民意

共黨在美國的主要宣傳機構，紐約工人日報，自韓戰發生以來，此一年中，遭到美國人民種種鄙棄與厭惡。除紐約一五百家大報攤，曾決議拒絕販售外，牠的銷路，早已跌到一萬四千份以下。這比其他反共報紙，因韓戰而總共增高了二百六十萬份的發行數，（美國報紙，現每日銷行總數平均爲五千四百八十七萬七千份）眞是美國民意一個最好的反映。

現在，工人日報，仍得天天走向下坡路，發行既逐日低減，廣告更無人問津，而且新聞紙價格，普遍高漲，成本增加，牠本來可靠莫斯科津貼，及美共捐款，以爲挹注，但因政府監視共黨，愈趨嚴密，此種非營業的經濟來源，也就不能不大受影響。在無法支持之下，該報遂不得不採行兩種自殺性的決定：（一）自七月一日起，將原來日出三小張（每張爲四開小型），減爲兩小張，（二）同時將報價，由原價五分，加爲一角。當其他報紙還是維持原狀時，工人日報，既單獨縮減篇幅，又單獨提高售價，雙管齊下，這無疑的，使讀者更要減少。說不定，最近期間，銷路就會跌破一萬份。

據說：共黨作此決定，明知等於自殺，但他們不願關門，照他們打算，今後只要每三個共黨員有一個購讀工人日報，則一萬份銷數，仍可維持。美國本有五萬名左右共產黨員，但工人日報，過去從沒有銷到五萬。可見連共黨黨員，對本黨嘶啞的「喇叭」，也多半不感興趣啊！（舍我）

時局漫談

舜生

停火應無問題

照理講，停火應該沒有問題：一，世間最容易實現的事，莫如兩相情願，這次停火顯然是雙方所希望，當然一拍即合。二，提議停火的是蘇聯，北韓中共自無反對餘地；聯軍中除美國外，更無其他的國家願意繼續再打，美國既不願單獨作戰，自亦未便堅持：美國罷手，南韓當然也只好默爾而息。三，兩方在韓國作戰，已有了一年以上的經驗，彼此都了解再繼續打下去，都不容易獲得決定的勝利；如把戰爭擴大到韓國以外，便必須冒大戰的危險，目前大家都[illegible]爆發大戰還不是時候，自然不如把韓戰停下來的好。四，在蘇聯眼中，遠東問題有比韓國更爲重要的，便是對日和約的簽定與日本武裝的重建。蘇聯得韓國，不一定就能得日本；日本卻同時就能[illegible]韓國。對韓放鬆，對日加緊，在蘇聯眼中，外交步驟上是很對的。五，還在中共眼中，與其竭全力在韓國去犧牲，不如以全力爭取台灣；即退一步，亦不如以全力來防止台灣的反攻大陸；過去因爲礙於蘇聯的命令，不得已只好忍痛到韓國去送死，現在蘇聯既願意修正自己的錯誤，居然出面來提議停火，中共自亦樂於順水推舟。

現在我們應該特別注意的，便是韓戰停火以後，蘇聯如何來排列這張鬥爭的日程表。

眞不許中國參加簽訂日約？

美國已擬定於九月四日在舊金山召集簽署對日和約的會議。會議地點便是一九四五年簽署聯合國憲章的歌劇院。美英兩國發出請柬，對蘇聯仍將加以邀請，將來與不來，聽其自便。對中國將不加以邀請，將來究竟由國民政府或中共代表補簽，可能聽憑日本政府選擇。

我們記得，當一九四五年聯合國第一次大會召集的時候，第二次大戰還沒有結束，可是勝利已經確定。其時的中國，已與美英法蘇同列爲五強之一。不僅大會的請柬係由五強發出，即大會的主席，亦由五強的首席代表，輪流擔任。

現在隔那次大會召集的時間還不到六年半，但中國的國際地位，已由九天之上，落到九淵之下，甚至以一個對日作戰最久，犧牲最大的國家，連一個簽署對日和約的會議也不能參與，中共的搗亂，國家與政府在勝利後的措置錯誤，自然都不能無責，但國際竟是這樣的不講公道，不講信義，乃至對任何歷史事實都可一筆抹煞，還居然口口聲聲要爭取世界的和平，謀求人類的福祉，這豈不等於南轅北轍？

日本截至現在爲止，還是立在一個戰敗者無條件投降的地位，關於條約簽署的手續如何，當然只好一切聽憑戰勝者的安排，自己并無說話的餘地。可是一旦和約簽定以後，我們便希望日本必須加以審慎周詳的考慮，再不能爲一時的小利小害，而爲自己的國家，爲整個東亞的大局，召致無可補救的大患。第一，別人可以忽視中國，日本決不能忽視中國的力量，只有中日兩國的切實提攜，才能構成一個東亞的安定力量。一旦離開中國，無論平時與戰時，均於日本有百害而無一利。第二，中國人民百分之九十以上反對共產黨，中共政權只是蘇聯的一個附庸，爲中國人民所深惡痛絕。別人爲了[illegible]仍然不能不顧及美國的意旨，這是事實上的無可如何，這一點我想日本的明眼人一定比我們更加明白。第四，美國在表面上依然對蘇聯虛與委蛇，對中共也相當敷衍，其內心究竟如何，卻是另一問題。[illegible]這是不容易知道的；關於這一點，我尤其希望日本朝野加考慮啊！

「湖北省人民政府委員」「人民功臣」陳時將處死

數十年主辦武昌中華大學，並身兼土改委員人民代表等榮銜，結果兔死狗烹，即被解原籍公審。

【本報漢口特約通訊】武昌中華大學，在湖北具有悠久顯著的歷史。二十多年來，向由陳時主持。有若干時期，經費很困難，陳曾將自己田產，全部捐出，因之，陳在湖北，有毀家興學之稱。抗戰時期，陳曾任國民參政會參政員。勝利以後，又當選國大代表。但因陳和李先念私交很深，又有許多湖北籍共幹出身中華大學，陳當不起這些人誘惑，就在東北淪陷，國民黨局勢逆轉起，拚命和共黨勾結，於是中華大學，竟成了共黨活動的大本營。共黨佔據武漢，陳也就以「人民功臣」的資格，榮任了「湖北省人民政府委員」。湖北省「人民代表」，共黨實行土改，更以陳爲湖北著名教育家，將他列爲重要的「土地改革委員會委員」之一。

此外，陳時又用所謂『新飯谷』（未交租前每斗田先送兩升谷給地主嘗新）等方式來剝削。

陳時一方面殘酷剝削農民，一方面卻打着『教育家』的招牌，自稱『毀家興學』，來欺世盜名。解放後他作了湖北省人民政府委員、土地改革委員會委員、各界人民代表會代表，不但不誠意爲人民服務，反又施其故技，欲借此來欺騙農民，抵抗土地改革。今年二月底，黃陂縣土地改革時，農民來找陳時清償解放後代繳公糧（以地租作抵後不足之數由農民代繳），堤工工資及補退押尾巴田押金，陳時就以中華大學做擋箭牌，逃避應負責任。他一方面恐嚇農民說：『我是中華大學董事長，李主席和我要好』，一切聽憑政府處理』。一想仍然騎在農民頭上；一方面對政府說：『田早已捐給中華大學了，與我無干』。及至中華大學師生清算了校產，劃清了陳時和學校的經濟關係，中華大學只負五石田的清算責任之後，陳時見抵不過去，就死拖硬賴，找民主人士說情，並以『甘願坐牢』來抵賴」。

勸農民鬥爭地主　自己卻也被鬥爭

陳受共黨這樣優厚待遇，當然感激涕零，爲新朝特別賣力，土改開始，他曾和北平那班大學教授馮友蘭之類一樣，親自下鄉，到處演說，鼓勵農民和地主鬥爭，興高采烈，自以爲這個功勞，決不在國民黨時代，爲共黨掩護地下工作之下。不料共黨以本身政權，日見穩固，此種統戰份子，已無再行利用必要，暗中佈置，對陳開刀。第一步，將陳原任中華大學董事長一職，改爲副董事長，另派共幹，接任董事長，於是陳數十年辛苦經營的中華大學，就這樣一聲不響，爲共黨全部接收。但陳的厄運並不即此停止，共黨第二步，在清算陳的地主資格。在陳的說法，他已將全部田產，捐給中大，則如果要清算地主，地主應是中大，而不是他個人，但共黨方面，則一口咬定，陳名義上雖曾將田產捐出，實際在過去數十年中，陳總視學校爲私產，他就會在學校提用現洋兩萬多元，作運動費。所以現在地主的責任，仍應由陳負担，共黨並且宣布了陳家從明朝以來，都是剝削農民十多代，下面就是共黨所列發陳時罪狀的一部份：

從明朝時候算起　一向是剝削階級

「武昌中華大學」副董事長陳時，假借學校名義違抗土地改革。中華大學校務委員會、教育工會支會、學生會、青年團總支，自六月二十六日起，連日邀請了武漢各校學生代表、教師代表和中華大學校友會代表，揭露陳時假借學校欺世盜名的假象。種種事實，都說明陳時是一個戴着『教育家』假面具的殘酷的封建地主和教育騙子。

陳時家裏從明朝以來就是湖北黃陂的大地主。一直統治剝削着農民。他家最多時有五百多石田，到現在他在黃陂還擁有兩百多石田，分佈在黃陂高廟、橫山兩區十二個鄉間，直接受他剝削的農民有四百九十六戶，共達兩千多人。陳時的田一般都是肇尾巴田（黑莊田），即陳時家裏只以田價的一半買得田地，每年照全額收租，農民困難的時候，農民借取得永佃權，這樣，陳時家裏經年，就多收農民一半的租谷。陳時又以高租地租出租，種陳時的田，普通種斗田要交七斗、八斗的租谷，有時租額竟高至一石以上。陳時更利用他和反動政府的關係，通過偽政府，保甲長去收租。每到秋收的時候，農民的災難就來了。陳時的狗腿同偽縣丁、鄉丁下鄉看稞、收租，不但要農民烟酒肉招待，收租時他家的斗又比人家要大兩升，風車也比人家多兩個葉子，谷用風車車了還不夠，有時還要把谷粒放在水裏看沉不沉，如果不沉就說不是飽粒，不肯收下。不管天災水旱，陳時租谷顆粒不少，交不出租就牽豬牽牛，實在沒有的，連農民家的紅苕也被攫，稍有拖延，即[illegible]捆送偽縣府[illegible]。黃安鄉農民張[illegible]就因爲交不出租谷，逼得出外討飯。

限繳十一億餘元　只湊了三千多萬

照上述罪狀看來，這在共黨殘酷統治之下，其對陳目的，顯然不僅是要錢，而且一定要命。陳見勢不佳，只得向共黨求情，表示願意担負地主責任，退押。於是共黨提出了一限七日內先行繳納十一億三千六百萬元的條件（約港幣三十萬元），可憐陳時，當盡賣絕，還只在限期內湊了三千二百萬元，共黨認爲相差太遠，而且一口咬定，這是陳故意搪塞，要破壞「政府」土改。他們已決議，呈請北平，開除陳的省委、土委及一切職務，並準備將他解回原籍，交付農民公審。

截至此稿寄發時止，陳時雖然還掛着「湖北省人民政府委員」，「土地改革委員會委員」，「湖北省人民代表」，「中華大學副董事長」等顯貴榮銜，實際他行動已被監視，據一般判斷，他的生命至多不能度過本月，因爲一經回籍公審，百分之百是不會有生還希望

兒子也出頭控訴　罵他嫖賭抽大烟

此外，陳時兒子陳慶中，現在武昌文華圖書專科學校當教員，他遵奉共黨命令，發布了一篇對父親的控訴書。這當然更可證明，陳時這條老命，決不會被共黨饒恕。控訴書原文如下：

「陳時是我的父親，但也是我的階級敵人，我站在人民的立場，向他提出正義的控訴。

他無論在學校和家庭內，都是以反動統治階級的姿態出現，過事唯我獨尊，其他的人對他都必須唯命是從。他二十歲就討了一個小老婆，是和家中一個婢女姘上的。他生平嗜好嫖賭，每天除賭博外，就和小老婆躲在房裏抽大煙，任何人來都不見。他很少到學校裏去，除了把學校的錢拿來供自己的揮霍外，無論學校搞得怎樣糟，他都不管。因此中華大學過去在社會上被人瞧不起，他應當負完全責任。

他不僅是教育界的敗類，而且是家庭的罪人。我們母子的生活，無論過得怎樣苦，他個人在外面總是花天酒地，和舊社會中的官僚、政客、奸商們鬼混，但是他的行爲，是不准家中任何人過問的。

他滿腦筋所裝的盡是升官發財的卑鄙思想，他常說一個人不必要學問，只要會交際就行了。他不但自己不學無術，而且叫我們讀書不要太認眞，應當以混資格拿文憑爲目的。他認人生不過是那麼一回事，因此他不但阻礙了中華大學的進步，而且阻礙了我的進步，這是我今天最感到憤恨的。

他對子女很冷酷，我小時很怕他，不敢和他接近，長大了以後，因爲看到他的生活太腐化，學校也開得太不像樣，有時實在看不過眼，向他提出善意的建議，但他從不虛心接受別人的意見，任何人對他談學校的事，總是碰他的釘子，他輕則用「不要你管」一句話來答覆，重則破口大罵。幾十年來，中華大學在他手中，不知誤了多少人的子弟！

他是一個十足的小人，幾十年來，他拿着「大學校長」的金字招牌，在社會上招搖撞騙，那一個軍閥、官僚得勢，就接近那一個，因此中華大學在他手裏控制着，替反動統治階級造就了大批的幹部，這實在對人民是一種莫大的罪行。在舊社會中，他始終是一個卑鄙無恥的「不倒翁」，今天在中國共產黨的領導下，經過羣衆的揭露，才現出了他的狐狸尾巴。他是一個大騙子，專喜歡要鬼花樣，連我母親都說他生平從來不和任何人說一句眞話。在這次土地改革當中，我們曾勸過他，要他向農民低頭，但他卻始終扯謊，說他的田產都捐入了學校，企圖逃避負担，欺騙政府，欺騙農民。無論他怎樣狡猾，終於逃不脫人民的巨掌中，在中華大學的清算中，舉出的具體事實證明了他「捐田」的事完全是假的，使社會人士認清了「陳時」這個教育痞子的眞面目。這實在是一件大快人心的事！

以上是我對陳時所提出的控訴，我是人民的兒子，陳時是我的敵人，我應當站在人民的立場，和他作堅決的鬥爭，我堅決擁護農民的主張與中華大學的要求，我請求政府立即將陳時送交人民法庭，從重治罪，爲人民除害，爲教育界伸張正義。」（懷民，七月六日寄自漢口）

因被迫捐獻機砲　武大學生打赤腳上課

吉宗元等十餘人買鞋子的錢也迫令捐出

許多小學生，在共幹煽動下，連媽媽的鐵熨斗，也被偷出，作爲廢鐵變價捐獻

【本報北平特約通訊】朝鮮的和平談判，雖已因馬立克一場演說，雙方得到轉圜接洽機會，但此間當局，仍極力鼓勵人民，不要爲和談而鬆懈了對帝國主義的警戒；有兩件原爲抗美援朝的中心工作，仍要加緊進行。第一，是號召全國青年學生，轉入各種軍事幹部學校；第二，則是向全國廣大發動，捐機獻砲。

關於捐機獻砲部份，在開始時，當局曾一再宣佈，這種捐獻，一定要出於每個人民的自發自動，不許攤派，更不許強迫，但事實上，從發起到現在，每縣每市，每一行業，甚至每一個人，所有捐來的機砲款項，都無一不由攤派強迫得來。而且，由於共幹的拚命壓搾，有些地方，特別在學校方面，其苛細殘酷，簡直出人意料。下面這許多件事，就是記者向偽「教育部」得到的一些眞實例證。

教員借錢捐薪　工友一家挨餓

廣州私立華南聯合大學，勒令全校教員，各獻一月薪金，但該校經費困難，六月份薪金，尚未發出，教員們被迫，只有借款繳納。

湖南省立第十三中學，在共幹督導之下，爲捐獻機砲，一連三天，進行醞釀，討論，和挑戰。並且編了歌曲，「看誰最愛國，比比看比比看……」結果，不但每一學生，都被迫向其家長，擠出不少血汗，就連校內貧苦不堪的工友，也被迫獻出其每月薪金的全部或一部。工友吳坤美，有五個小孩，月入工資祇二十萬元，經共幹指定捐獻全月薪金，害得這五個小孩，每天吃不到一碗稀粥，幾乎活活餓死。

學生按月捐獻　有錢不許存留

武漢市短期職業學校第六學習小組，決定全校同學，每月每人要捐獻一萬元，限每月二十五日繳納，學生有太貧苦繳不出的，只得設法向親友家中，偷盜摸竊，並已有數人因此破案。

武漢大學農學院，要每一學生，有錢就捐，於是學生黃世振將積蓄了大半年準備配近視眼鏡的五萬元，被迫全都捐出。吉宗元等十餘人，甚至被迫將買鞋子的錢也捐出，弄到天天打赤腳上課。

學校無形停課　捐獻忙死學生

河南禹縣青年團，勒令全縣學生，生產捐獻。因該縣有煤礦，於是學生們組織了推煤運動，又因爲有造紙廠收購廢紙，於是組織了拾字紙運動。全縣中小學等於停課，學生們整天在忙着生產捐獻。

武漢市立第二高中，學生整天不上課，分兩組，一組賣冰棒，一組賣油條，所得之款，捐獻機砲。但他們不是普通的販賣辦法，而是若干人成羣結隊，向居戶強迫購買，并且提高售價，一根油條，甚至要賣二萬元，如果被拒絕，就大駡這住戶不愛國，是國特。

尤其可笑的，就是在武漢，共幹發動了搜集廢鐵運動，將廢鐵售出之款，捐獻機砲。這些小學生就不顧一切的找鐵，廚房的菜刀，鐵秤錘，和媽媽的熨斗，都被拿去，送到指定搜集的地點，作爲每人成績。最近，市政府發現，馬路上窨溝的鐵板，多已不翼而飛，多方偵查，原來也是被小學生偷去，作爲廢鐵捐獻了。

上述各項，在中共區所有各級學校，其捐獻情形，都大抵如此。「教育部」得到這些報告，正考慮對此情形，應獎勵抑應該糾正，馬敘倫現正等待中共當局的訓示。（臨光，七月七日寄自北平）

上海三大屠場　又添百餘新鬼

尚有萬人在「淸理」中

【本報上海特約通訊】（遲到）六月十五日集體屠殺後，同月廿八日龍華軍工路江灣三大屠場，又添了一百五十四名新鬼。據滬共軍管會公布，這批「罪犯」都是在四月廿七日這一天所逮捕的，全數是四百七十二名，除一五四名處死外，其餘分別判處無期徒刑有期徒刑及「強迫勞動改造」「管制勞動」。

此外，根據各方檢舉控訴而逮捕的「反革命分子」，除上述處決的兩批，尚有一萬零五百多名，將繼續「淸理」。

這批被殺者中，計有林立夫、陶純安、顧杜林、秦晉卿、張文田、陸文彬、奚鏞川、周文卿、劉永安、朱航、朱亨元、許其淸等，地方頗爲知名之士，平時不免結了些怨恨，於是在中共「鼓勵報復」中被檢舉，被逮捕，再加上審訊時的指控，性命也就保不來了。

雙槍皇后也被捕去

又其中陳劍飛（陳勇）、王宏發兩人，則被指爲十二年前僞組織李士羣主持下的一滬西七十六號的行動員，曾擊斃當年「上海職業婦女俱樂部」總幹事」中共女黨員茅麗英。由於陳王的口供，指揮他們的陸秀英也被捉了。

據說：陸是七十六號偵察組組長，有「雙槍皇后」之稱。那是民國廿八年十二月十二日，由陸率領陳勇、魏寶寶、王宏發三人，埋伏在「上海職業婦女俱樂部」附近的南京路四川路西面一個弄堂門口，下午六時，茅麗英等會畢出來，因頭戴白花，易做記認，給王宏發和陳勇一槍擊中。抗戰勝利，秀英改名黃鵬，與其夫陳鵬飛經營小商業。後來陳鵬飛醉極思動，一度參加「中和黨」。因此又惹人注目。這次給中共捉到，名列「殺榜」第一名。至於陸秀英，聽說還要慢慢審訊，準備從她的身上，抓到更多的「罪犯」！（悠然、六月二十九日寄）

華北工人燃起反共怒火

工人反共是中共最大創傷

【本報天津特約通訊】中共雖口口聲聲，以代表工人階級的政權爲號召，實際上，整個中國大陸，現在最咬牙切齒，痛恨中共的，就是廣大的工人。天津是華北最重要的工業區，生產工人，爲數不下百萬。在這些工人中，由於中共的殘酷壓搾，已暗中建立起不少反共秘密組織，像最近在棉紡三廠，捕去的工人王雨富、薛其梅、戚大秋、許福林，天津染料廠捕去的工人姜俊卿、周全章、王玉林、溫兆璧、李克富、鄭元貴、王文遠，中華火柴廠被捕去的工人吳金銘，被服二廠捕去的工人吳金生、吳玉珍（女），及修理皮鞋小販趙守義，就都是反共秘密組織中的一些工人領袖。

據中共宣布，上述這十七名被捕工人，是屬於兩個秘密組織。一個是青年聯合救國團，一個是治安二十四軍偵察組，都是準備結合全市工人暴動，並已和台灣取得聯繫。在未成功以前，則儘量在各工廠破壞機器，減少生產，妨害抗美援朝的進行。

李克富於民國三十九年九月十四日夜間，親自在棉紡三廠，割斷天軸皮帶，王雨富在最近五個月內，破壞噴霧嘴子八十七個，緯紗一千多個，織布梭七十五把，割斷保全部機器輪帶一百四十五根，本年五月五日，並在廠內三號牆上大寫反共標語，號召工人暴動。戚大秋將石頭三塊投入機器內，[illegible]吳金銘、吳金生等則[illegible]經常在市郊六里台，[illegible]中華火柴廠，暗取槍枝，[illegible]並未成功，[illegible]

[illegible]和無限的危機！（雲工，七月六日寄自天津）

記住「和平」的歷史教訓

共黨對民主國家「和平攻勢」其毒辣實過於「人海戰術」

・黃雪村・

自從馬立克再度祭起他那「和平」法寶之後，全世界那一些幻想和平的[illegible]談和平的先生們又在手忙腳亂，騷動一番。倒好像只要對方一喊和平，和平便八成可以實現，公然會有些人笑逐顏開的跟着克姆林宮的傳聲筒在高唱和平之調。美國爲着避免被人指爲「戰爭販子」，又一次被動的接受了這一和平攻勢。其實民主國家，無論應戰或談和，無一次不是被動的。人家是有一定的節目表似的，甚麼時候該來一套甚麼把戲，只要瀏覽一下，便能如時演出，而我們只跟着後面來轉動，儘管也能臨機應變的對付，事實上已經遲了人家一步。這一次韓戰停戰和談，繼馬立克之後，韓國聯軍統帥李奇威即正式向共方提出。中韓共除了對談判時間，認爲要拖延到七月十日至十五日的「最適當的日期」，和談判地點要由李奇威所決定的元山港那所丹麥醫船改爲三十八度以南二里的開城之外，其他均表示贊同。前一點的意義，無非是要借這幾天時間來完成他們新的戰略部署，準備「談」後之「打」・後一點的意義是在掩飾其失敗的事實，因爲他們對人民的宣傳還是「美帝」打敗仗來「求和」的。至於他們將來提出來停戰的條件如何，在這一把戲之後，另一套把戲如何，雖從朱德、劉少奇等言論中，與香港那些所謂「前進」報紙上已有些跡象可尋；明知是毫無誠意，但我們也用不着加以揣測，且聽下回分解：好在正式會談，十日業已開始，一切一切，自有事實爲證。又適日中外的政治家評論家都有各種不同的看法，我們也不想在此多所論列。但是我們以爲在這個時候，當局的先生們所宜特別注意的，便是自一九四六年到今日，蘇聯所製造的那些「和平」的歷史教訓。前事不忘，後事之師，也許這些歷史，在你們翻閱之後，會多有一點警覺。

蘇聯在二次大戰後四度發動和平攻勢

據我們的記憶所及，在第二次大戰以後，直到韓戰爆發之前，蘇聯至少發動過四次和平攻勢。第一次是一九四六年佔領伊朗所屬的亞塞爾拜然，這件事曾經鬧到聯合國安全理事會去，結果是不了了之。同年五月勞動節，莫斯科便開始和平攻勢，九月間史太林表示「沒有戰爭危險之存在。」一九四七年五月四國外長會議後，接着匈牙利以政變方式墜入蘇聯鐵幕，據說那是匈牙利人民自由選擇的結果，與蘇聯無關，可是蘇聯的和平攻勢卻如時告一段落，這也是第一次的收穫。第二次，一九四八年二月，共黨奪取捷克政權，捷克繼匈牙利又墜入鐵幕。五月，莫斯科發出反戰口號，又宣傳史太林投函華萊士要同美國談判和平，後來馬歇爾列舉蘇聯破壞國際協定三十七點，雖然算是給予史太林的和平攻勢一次逆襲，然而蘇聯的實惠卻已得到手中了。第三次是蘇聯借口統一幣制封鎖柏林，美國跟蹤建立「空中走廊」，情勢頗形緊迫，結果到一九四八年終，共黨取得柏林市政廳，使又和緩下來。一九四九年初，莫斯科報紙又高唱和平論調，一月三十日史太林對美報記者表示，願和杜魯門晤談和平，到四月間便有中共渡江之一幕，原來他那時的目標是已轉向遠東了，聯合國方面許多人也許還記以西歐情勢頗爲緊張爲慮，維辛斯基也於此時向聯合國提出所謂「五強和平公約」。第四次是一九五〇年三月，蘇聯舉行大選，一方面不斷放出和平空氣，一說要擴大反戰運動，一方面卻又盛傳東德青年團要於五一勞動節衝入柏林，柏林情勢又大爲緊張，接着又有所謂世界擁護和平大會常設委員會斯德哥爾摩的會議，號召世界人民在要求無條件禁用原子武器的「和平宣言」上簽名之運動，可是北韓對南韓的侵略戰爭也正是在此「偉大的」和平運動下開始。這一大串的和平把戲，蘇聯眞是玩得有聲有色，大有「名利雙收」之效。按理說，這一些歷史的教訓，應該會使那些幻想與蘇聯談和平的人們有所覺悟，但是在韓戰中，卻仍有[illegible]尼赫魯之流曾爲和平而奔走呼號了一陣，我想史太林一定對他們那種[illegible]會躲在克姆林宮內暗暗發笑。

中共從無誠意和談　過去教訓歷歷可數

關於和共產黨談和平，在我們的中國更有親受目擊的教訓。第一次是抗戰初期的所謂「國共合作」，中共曾經公開宣言，放棄共產主義，顯爲三民主義之實現而努力，接受國民政府的命令，共同抗日。事實上不僅是陽奉陰違，而且隨時乘機偷襲國軍，奪取地方部隊的槍械，暗中策動反政府的運動。第二次是抗戰以後的政治協商和停戰調處，調處執行部用飛機散發命令叫雙方就地停止軍事行動，國軍是服從了命令，共軍則繼續在江蘇、山東、山西、河北，以及東北，各地步步進攻，使調處工作無法進行，終於毫無結果而止。馬歇爾將軍當時也許對政府方面之不甘不滿表示若干不滿，今天看來，也許他也會有進一步的瞭解了罷。第三次是一九四九年，政府與中共的和談。那時全國的人民對共產黨的作法認識不淸，同時受了他們的蠱惑與宣傳，加以頻年不斷的對內對外的戰爭所造成普遍的厭戰情緒，大家都以爲只要和平，可是一切都無問題，政府方面「卑躬屈節」的談和，所得的是中共要全面渡江，控制全中國的所謂「和平協定」。今天大陸上人民所受的比歷史上任何黑暗時代更深重的痛苦，就是「和平」的代價。

經過了一年的戰，聯合國死傷了近十萬的人，美國花費了無數的金元，現在又開始跟着馬立克的建議而發出了「和平談判」的信號，在韓國的戰爭是否眞的能夠停頓下來，姑且不論，我們只希望主持其事的先生們，千萬要記住上述那些血淋淋的歷史教訓，今天談和的對象，儘管蘇聯還躲在後頭沒有出面，可是共產國家那一套相傳之祕是毫無二致的，而且毛澤東金日成也必須服從克姆林宮的指示，依據共產主義對全世界戰略與「解放」全世界的藍圖而定。要知道蘇聯及其嘍囉們這一套和平叫囂的喇叭筒，是一面要轉移民主國家的注意，分散和削弱民主國家的力量；同時也用此先發制人的辦法，使民主國家居於要戰爭不要和平的嫌疑地位，我們覺得這個毒辣的和平攻勢比「人海戰術」也許還利害得多！

牛馬勞工非死即病

身體被「生產競賽」拖垮

所謂「勞工專政」的中共，對勞工竟如此殘酷剝削

・張丕介・

共產黨以鼓勵工農革命起家，在其發展政權的過程中，勞工階級正是他們的鬥爭工具。他們處處以「工人階級先鋒隊」自居，在表面上掛着「勞工專政」的招牌，極力強調謀取勞工大衆的利益，但實際上則視勞工爲牛馬，不斷地擠取他們的血汗來鞏固其政權。

中共師承蘇俄　厲行勞奴制度

作爲「世界工人祖國」的蘇俄，在發動世界革命的程序中，第一步便是建立一個現代化的勞奴制度。一方面設計生產競賽的方式，用特務控制與精神獎勵來鞭策工人，迫使勞工從事超度的操作；一方面創設種種剝削性的工資制度與物價政策，以擠取他們的生產成果，使套上了桎梏的工人，永遠無法翻身。蘇俄歷次的五年計劃，便是在這種擠取性的勞奴制度下完成起來。

中共師承蘇俄的革命路綫，其作風與行徑，莫不以蘇俄爲藍本。自奪取政權以後，即首先詔示「面向生產」的總方針，發動所謂「生產競賽」運動。去年二月和五月間，中共「全國總工會」先後召開「生產會議」，確定「生產競賽」爲工人階級當了國家主人後，經常勞動方式和生活方式」，並以「組織生產競賽」作爲工會的中心任務。「生產競賽」的把戲，便開始在大陸各城市登場。

所謂生產競賽　造成不少慘劇

所謂「生產競賽」，實際上乃擠取工人勞力的圈套。中共發動「生產競賽」的步驟，與蘇俄所謂「斯坦哈諾夫運動」如出一轍。首先是製造一中心目標，以爲促使競賽的動力；其次是培養一些典型人物，作爲競賽的「帶頭」基幹與榜樣」；第三是訂製小組計劃，發動羣衆互相挑戰；第四，是透過競賽，訂立集體合同，進一步將其變爲固定性的制度；第五是不斷提高生產水準，迫使勞工捐獻其最高限度的勞動力。如此往復推演，必令每一勞工力竭血枯而後已。

爲了推動「生產競賽」，在去年四月間即提出競選「勞模」，用獎章紅旗來愚弄工人，繼而發動「抗美援朝運動」，用「愛國主義」作爲號召。後來又改爲「反對美國武裝日本」，利用對日仇恨來煽動工人。今年三月以後更結合「鎮壓反革命鬥爭」，用恐怖政策來威脅羣衆。目前又運用「捐獻飛機大砲」運動使工人爲支付捐獻數額，不能不努力增產。在這些題目之下，中共不斷地迫使大陸勞工從事加班加點，其各級工會與黨團組織，爲了爭取錦標，更不顧工人死活，盲目發動「突擊」，使「生產競賽」成爲純體力消耗的競爭，在各地先後形成「種種的慘劇」。

人民日報供認　工人傷亡慘重

根據中共自己的報導，去年天津生產競賽開展後，各廠工人每天早晨早到二小時，晚上遲走三小時，由於天氣燠熱，設備簡陋，工作過度延長，病者突然增加。據「新華社」發表的統計：電車和汽車公司，七月份病號均佔總人數百分之七十。上海工人參加生產競賽的結果，十個月中死亡達六百六十九人。鐵路工人的傷亡率亦極高。東北鐵路局發動員工加班加點競賽後，一般工人身體都被搞垮，六月份東北十三萬鐵路員工，請傷病假達八萬工人。衡陽四千鐵路工人，經常有四分之一請病假。太原鋼鐵工廠提倡「狂風暴雨式」的突擊工作後，員工過度疲勞，病倒三分之一（見一九五〇・九・七「人民日報」）。礦山的傷亡情形更爲嚴重，山東賈汪煤礦，爲突擊運煤，將工作時間增加至十四小時，原有二百斤不到的煤筐運煤；共幹爲爭取超額完成任務，竟下令改用三百斤大筐運煤，致使五人吐血，六十餘人病倒（一九五一・四・十四・人民日報）。據「新華社」的報導：去年一至　月，東北每萬噸煤死傷一四〇六人，華北去年下半年，每萬噸煤死傷七九〇四人」，中共幹部認爲「生產就是戰鬥，戰鬥必有傷亡」。對於工人死傷，大多置若罔聞。因此「中南軍政會主席」鄧子恢，在事後檢討時嘆息地說：「大冶源華煤礦工人，把主任撤職的消息，當做比打下台灣的消息還要好」，不難想見工人受「生產競賽」磨折的一斑。

在上述的盲目競賽下，一般勞工無法長期忍受過度的消耗，因此，「生產競賽」逐漸變成「冷熱病」。爲了貫澈長期剝削的目的，中共乃進一步採用蘇俄的工資制度，來強化對勞工的剝削。

新頒工資制度　強迫工人拼命

根據本年六月十九日中共所公布公營企業工資改革辦法，其主要的原則有二：第一係依照技術標準，實行所謂「八級工資制」，以改變過去的「平均主義」；第二係根據技術定額制定法，改訂工作定額提高生產水準。這一制度的中心目標，乃在減少工資等級，加大各級差距，使工人爲晉升一級，必須拚命增加其勞動強度，否則即無法獲得最低生活。其另一目標，在逐漸推行「計件工資制」。表面上雖標榜着「按勞取酬」，骨子裏則在加強工人的勞作，實行超利潤的剝削，其對勞工的控制和擠取，可謂無所不用其極。

除了逐步建立長期性的剝削制度外，其層出不窮的捐獻運動，更令工人永遠無法獲得溫飽。如最近的「獻機獻砲運動」中，即特別指出「農民及家庭手工業者，應以半年增產的一部，捐獻出來，對於工人店員，應每月多做一天，以所得工資支援前綫」。上海的「獻機運動」中，工人認捐數目達三十餘架。廣州的捐獻運動中，貧苦工人最低限度亦須捐獻工資兩日。在這些無窮盡的剝削下，工人胼手胝足之所得，永遠無法逃過中共的掠奪。

目前，爲配合其狂熱的備戰措施，中共正準備進一步，把大陸勞工，推上了蘇俄勞奴制度的陷阱，使他們永遠成爲中共統治階級的牛馬。除非靠着自由民主集團的力量，眞正的來一次大翻身，這些被損害和被壓迫的勞苦大衆，將在如水益深如火益熱的情勢下，遭受更慘酷的磨折！

從一些統計數字看出　韓國損失如此慘重

共產黨給韓國人民的災害

・伍健勛・

朝鮮戰事雖可能暫告停火，但是他未來的基本和平，目前仍籠罩着灰色暗影。過去一年來，朝鮮人民所遭遇的是甚麼，七月九日新聞週刊，曾刊佈了下面一個具體性的統計：

韓國平民死三百萬

南韓方面，犧牲的平民人數，總額達一百萬。再將北韓方面在聯合國空軍及因時疫犧牲的平民人數加起來，總額達三百萬，佔朝鮮總人口的十分之一。

戰鬥員的死傷，計南韓軍隊被擊斃者二一，六二五人，受傷者七二，八六五人，失蹤者七一，九一五人，非戰鬥原因死傷者四六，一四九人，總數爲二一二，五五四人。

北韓方面，犧牲人數，遠較南韓爲鉅，計戰場犧牲人數三六九，九八一人，非戰鬥原因犧牲人數八七，九五四人，被俘人數一四六，〇九一人。總數爲六〇四，〇二六人。

南韓毀屋六十萬棟

無家可歸的朝鮮難民，確實數字無從統計。最低限度有三百萬人。他們所住的地方，不外是用木板釘成的臨時住所，和經砲火洗禮過的碎瓦頹垣。因爲朝鮮人民，很重視家族關係，很多難民，都寄寓在他們的親戚家裏。

由三十八度南下一帶戰區，幾乎每一個村莊經過砲火洗禮。整個南韓，被摧毀的房屋，數達六十萬棟。據聯合國朝鮮復興機構負責人金士利 Donald Kingsley 宣稱：「自從加泰基 Carthage 浩刼以來，我不相信世界史上有一次能像朝鮮一樣，慘受全部摧毀」。

損失達八十億美元

根據聯合國朝鮮復興機構的估計，朝鮮在物質上所受到的損害，計值八十億美元。該機構所定的第一年復興預算，是二億五千萬美元。這個數字包括四十二個國家的捐獻在內，而是各國政府以往自動援助計劃的總紀錄。雖然釜山一帶的消費工業，未遭摧毀，但南韓百分之七十的工業生產力，業被破壞。

所幸的是朝鮮第一號經濟資源——土地——仍然存在。如果施以化學肥料，周期在一年以內，能夠恢復原狀。朝鮮大部份耕牛被徵發參軍，大部份能幹的朝鮮男子，也喪失得無影無蹤，但是常常的老弱婦孺們，四個人一起，在及膝的泥濘深處，拖着犂耙，從事耕耘，可能使今年的穀麥收成，達到正常狀態的百分之七十。

×　×　×　×

韓戰最殘酷的悲劇，莫過於正當戰爭打到三八線時，傳來了停火的希望，這條三八線就是他們捲入戰爭的起點。朝鮮共和國總統李承晚發表嚴正聲明：「任何沿人爲的邊境綫，將朝鮮劃分爲兩個國家，這種和平計劃，是南北韓人民所完全不能接受的」。爲了這個聲明，李奇威將軍特地飛往釜山，往見李承晚說：「總統先生，我已經奉令通知閣下……」

美阻希王訂購遊艇

希臘經濟仍靠美援

・說納稅人將不願負擔此類支出・

希王保羅，是一位最活潑漂亮人物，常歡喜偕同王后在希臘海上無數的島嶼中巡遊。最近，他向美國定購一隻遊艇，總價爲二十二萬美元，美商已準備交貨，不料美國政府竟出面阻止。理由是美駐希大使白利奉命通知希臘，希臘國庫大部份現在還靠美國援助，如果美國納稅人知道，希王遊艇的經費，也要由他們負担，那麼，一定會影響到希臘未來的經濟美援。當時希政府向白氏解釋，訂購遊艇，目的並非供希王私人遊樂，因希臘擁有大量小島，例須時往巡視，目前每次出巡，均乘坐海軍驅逐艦，耗費甚巨，如改遊艇，支出必反減省。但白氏終以不宜引起美國納稅人不滿爲言，結果，祗好由希王宣佈，取消定購遊艇的合同。

美援是今日任何經濟困難的國家所渴望的，如上所述，但希王保羅碰着這樣一個釘子，多少總要感到經濟不獨立的苦痛罷！（一丁）

不忍視其觳觫

·丁一·

專制時期，遇到改朝換代，新得天下的皇帝，爲要實踐那兩句古話：「普天之下，莫非王土，率土之濱，莫非王臣」，於是不管三七二十一，把一些所謂士大夫也者，威脅利誘，硬從天涯海角，像趕豬似的，趕到自己新置的豬欄來。眼看他們黑族族的伏在地，三呼萬歲萬萬歲，歡躍震動，如撼山岳，這時候龍顏大悅，縱不說一「天下英雄，盡入彀中」，最少也會像劉邦一樣，「今而後吾始知皇帝之貴也」！歷史上搜集隱逸，促迫上道，和什麼博學鴻詞，大開特科，就都是這一類玩藝。

「毛賊公」是自詡熟讀資治通鑑的，沁園春一詞，把秦皇漢武，都沒放在眼下。這位十足道地滿腦筋皇帝思想的山大王，一旦僭據了歷代帝都的北京以後，當然情不自禁，要玩弄一下前代皇帝應有的把戲。好在鐵幕以內的人們，終日被統治於「格殺打撲」之下，戶口一切，早調查得淸淸楚楚，無法「隱逸」，只要天心眷注，自然會乖乖地走入圈牢，聽憑擺佈。而且知識階級，吃飯困難，毛朝有的是現成大學，一名教授，就能使受者感激涕零，貼貼伏伏，歌頌聖德，更用不着另來一套，開什麼博學鴻詞的特科，因此，「毛賊公」要過一下「帝王之癮」，證明「率土之濱，莫非王臣」，還是再容易不過了！

「我永遠跟着毛澤東走」，「共產黨的恩情說不完」，這一類善頌善禱的肉麻語句，乃自「毛賊公」僭據北京以來，日夜不絕，普遍泛濫於毛朝的一切報紙。試看最近幾天，什麼李四光，許德珩，錢三強，華羅庚，馮友蘭，湯用彤之類，爲着紀念共產黨三十週年，不都在那裏，像留聲機一樣，複呼喊上述的頌禱了？不但語句相同，而且每個歌頌者文字的長短也都一樣。有人罵那班傢伙太下流無恥，其實錯了。因爲這些內容雷同，長短一律的頌禱，正就是新朝的應制文字，試帖詩。歷史上有幾個安車蒲輪徵召不到的學人？更有幾個餓死事小失節事大的伯夷叔齊？何況今日的毛朝，其誅鋤已盡，遠踰於專制時代的任何帝王，毛賊公有令，誰敢不應詔承制，奉命惟謹。明乎此，則對李四光一類的俯伏在地，三呼萬歲，我們只有以「不忍視其觳觫」的心情，去可憐他們，下流無恥，這在他們的字典上，早已一筆勾銷，永遠絕迹了！

伸向韶山村的公路

「毛澤東路」所經之處，青苗被拔，田地沒收；新官僚資本匯集「合作社」；赤朝皇親國戚俱成新貴；「新中國招待所」窗明几淨，等待大鼻子顧問觀光；「主席故居」；毛澤東祖坟，設專處大事修葺；當人民的鮮血滋補了韶山村的一羣共產黨徒，嚴重的夏荒正泛濫於湘中各縣……

·羊叔子·

從湘潭縣城向西南，經過連綿不斷的山嶺，而到達毛澤東的故居韶山村，這條全長四十五公哩的「毛澤東路」，已完成了初步的土方工程，現在正進行鋪砂和建築橋樑涵洞，這是「湘潭縣人民政府」一九五一年施政的重點工作之一。

四十五公哩沿途的土地和田畝，在土地屬於國家的赤色政權下，是無需給予業主以補償的，許多貧僱農新插的青苗，在工程進行中，也全都拔光，他們對這種災難，名爲「毛澤東給予的災難」。

沿「毛澤東公路」兩旁，新建立起許多鄉村商店。客棧，飯舖，雨後春筍般絡繹地出現在這路上，花紗布，百貨，油脂，鹽業，糧食等「國營公司」，都設有支店，在這一帶，說是「爲了給予『主席』故居的人民，以更多的便利」。

規模最大的「韶山村合作總社」，是新官僚資本的總滙，是跟隨過毛澤東的十多個「警衛員」，現在都是「中央人民政府」的局長，處長，成了炙手可熱的赤朝新貴，「解放」不久，凡與毛澤東攀得上關係的皇親國戚，都丟下鋤頭當「人民官」去了，他們的家屬也成了闊氣的消費者，有用不完的錢來裝飾韶山村的繁榮，忠實的農民都搖頭嘆息，世道眞變了，這是「人民功臣」的天下。

韶山村最好的建築，是「新中國招待所」兩層的石屎樓房，修飾得窗明几淨，負責人是毛澤東的本家毛輝樑，他滿面春風的等待着，只要「毛澤東路」通車，大鼻子顧問和東歐各國的使節，都將到「主席故居」來觀光，一帶的商業，只有他獨家經營，毫無疑問會生意興隆的。

毛皇帝雖然竊了神器兩年多，却還沒有唱過大風，還過故鄉，這是韶山村人們經常談論的課題。據接近北平「近衛幹部」的透露，毛澤東在侵韓戰爭未結束前，是無暇回故鄉一轉，看一看別了二十多年的祖宗坟墓。

毛澤東的祖坟在韶山村東的銅鼓山上，據熟悉靑鳥術的堪輿家說：毛的祖父卜葬在「仙人吹簫」的吉地，才出生了毛澤東這樣的「風流人物」，五星旗的飄搖，完全是扭秧歌的姿態，與仙人吹簫的節拍相應和的」。毛澤東的親信都是一些迷信風水的土包子，這傳說使他們非常相信，爲了使「王氣更盛」，藉此來延續秧歌王朝，行將崩潰的失敗命運，特奏准毛皇帝，欽派一個「韶山村工程處」，專門督修毛澤東的祖坟和故居，這種腐敗的封建意識，這種荒唐的迷信行爲，與共產「唯物辯證法」的理論，是背道而馳的，但是，誰又敢表示反對的意見？

「湘潭縣第二次人民代表會議」，全體通過了一宗提案，呈請「政務院」將湘潭縣改爲「澤東縣」，藉以「彰主席千秋不朽之偉業，樹後人萬世仰止之楷模」。嚇！他們如此其搖頭擺尾的向主子獻媚，湘潭縣是否改成「澤東縣」，還待毛澤東自己的裁定。

當人民的鮮血滋補得韶山村皇親國戚的臉龐更加紅潤時，嚴重的夏荒正泛濫在湘中各縣的農村，離韶山村不遠的農民，在吃南瓜，地菜，樹皮充飢，韶山村糧食公司的支店，却從很遠的地方運來極好的糧食，無限制的供應新興的貴族家庭，[illegible]

毛「藍」賦語

·半解·

一位北平來的朋友，告訴毛澤東和藍蘋最近一段對話。毛澤東近兩年，一天比一天胖。這當然不是大灶飯的結果，而是集中外名廚，居移氣，養移體所賜。據傳不久以前，某天，幾位高級共幹，在毛邸便餐。藍蘋指着毛澤東說：你們看潤之是不是又胖了？於是更做出一種嬌媚的神情，拍着毛的肩膀：「我不願意你再胖，再胖，變成一隻豬，太難看了」。

幾位共幹，很替藍蘋捏一把汗，因爲當着部下罵毛是豬，這對「主席」的自尊心，未免傷損太大！但毛一點沒生氣，反而嬉皮笑臉，對藍蘋說：「你放心，我胖，不會變豬，只會變牛，牛越胖，越有力氣，越會耕田，不像豬越胖越懶，你不信，試試看，我這股牛勁，國民黨都被我打倒，恐怕你消受不了呵」！於是大家笑了。藍蘋只好用力的捏了一下牛腿，罵一聲，「你這個……」。

關於「義和團」的史料

·舜生·

最近在中共控制下的北京，有不少從事史學研究的人，組織了一個「新史學研究會」。在這個組織中，包括了一個「中國近代史資料叢刊編輯委員會」，委員中有范文瀾，翦伯贊，陳垣，向達各位參加。他們最近的計劃，是把中國近代史分成了十二個題目，就每一個題目，刊行一種一百萬至一百二十萬字的資料。他們所擬定的十二個題目如下：（一）鴉片戰爭，（二）太平天國，（三）東捻西捻，（四）回變，（五）洋務運動，（六）中法戰爭，（七）中日戰爭，（八）戊戌變法，（九）義和團，（十）辛亥革命，（十一）北洋軍閥，（十二）五四運動。

因爲今年是辛丑條約的五十週年紀念，所以他們把第九種「義和團」，提前在今年的三月出版了。全書分訂四厚册，大致不少於一百萬字，售港幣五十元，由上海神州國光社發行。

這部書的內容，是從二百七十八種有關義和團書籍中的四十八種選錄出來的。關於這些材料的選擇和先後次序的排列，似乎都用過一番工夫，除翦伯贊的一篇序說了幾句不相干的話，和把列寧的一篇「中國的戰爭」錄在所有資料的前面，一定要把反對「美帝」擁護「俄帝」的假面目擺出來有點近於[illegible]外，其餘的五十幾篇，都是研究這一幕很難得也很有趣味的材料。

據他們自己在「例言」裏面[illegible]部書的資料，十之六七都是借自[illegible]學，我們知道燕京大學便是「美[illegible]辦的，「美帝」在中國辦的一個[illegible]居然能夠把類似這樣的重要史料[illegible]存，爲中國自辦的各大學所不及[illegible]「美帝」對中國學術的研究並不[illegible]相當的貢獻，你們站在史學者的[illegible]應該對「美帝」感謝還來不及，[illegible]一定要昧着良心，對「美帝」去[illegible]罵呢？

全書的最後，有翦伯贊一篇[illegible]團書目解題」，就他們所看見有[illegible]方面的二百七十八種書籍，逐一[illegible]句說明，這也可以說是一篇[illegible]有用。我們站在一個自由主義者[illegible]，決不反對任何人研究學問，也[illegible]任何人站在他自己的一種觀點去[illegible]問，我們只希望大家多保持一點[illegible]度，不要顛倒事實去過分的滑[illegible]完了。（四〇、七、九、）

萬竹樓隨筆（十一）

共黨禍桂春秋（三）

淸黨前共禍一瞥

·董今·

論廣西共禍不能不推論至民國十六年之前。廣西雖僻在一隅，文化經濟均視他省爲落後，惟其落後，正爲共黨所覬覦。特幸十六年淸黨之役，相當徹底，故倖免於瑞金四縣之禍，李白亦得藉以與中央爭雄長者幾二十年。共黨何時滲入廣西，莫可考見。表面化則自十三年容共之後，至十五年冬天達於最高潮。總樞紐爲國民黨名義下之省黨部；梧州市黨部爲前衛；南寧市黨部爲後衛；東蘭爲紅軍基地；其餘各學校各縣區，無不滲入，其勢力擴展有非今日所能想像者。省黨部委員十三人，分七部。俞作柏兼組織部，實由梁六度主持；黃家植兼工人部；陳勉恕兼青年部；陳立亞兼商人部；陳協五兼農民部；黃紹竑兼宣傳部；婦女部長則由祕書謝雪琴兼。七部除黃紹竑外，均直接間接受共黨操縱及指揮。還有第七軍政治部主任黃日葵，是當日廣西最有名的共幹。紅軍主腦，則是韋拔羣，佔據東蘭鳳山一帶，組織農民軍，公開作[illegible]

[illegible]

黃金的改造

·漁人·

「解放」了，指導員開始辦理接收工作，他所接收的是國民黨的剩餘物資——一部份的槍械和黃金，這種沒有憑據的接收，給指導員大動其腦筋，第一步他每日好像上辦公似地到市面上各金飾店去「訪問」。

橫街的興記金飾店也是他「訪問」的對象之一。老板張茂樹在三年前去世，業務由他的獨生兒子少卿承繼，店中只僱用一位堂兄厚生幫忙，他和他的母親妻子克勤克儉的靠着這小小店的收入度日，倒也其樂融融。

一天，指導員又光臨「訪問」，從懷中掏出一條印着中央造幣廠的金條，他要少卿把它熔化了，並且製成手鐲和戒子，還像恐嚇似地說：「這事情要絕對保守秘密，不可給人家知道，否則，對你是很不利的」。少卿唯唯，把幾條交給厚生改造，幾天後，改造好了，指導員悄悄地將它拿去，工資是一個錢也不給的。

一而再，再而三，興記改造金條業務的數目逐漸多了，小店裏顯得忙碌起來。市面上各行業都在多疑狀態中，各人都投以懷疑和羨慕的目光，同業都走來探詢怎樣做生意，厚生氣憤憤地說：「有什麼生意好做呀，這些工作都是[illegible]

[illegible]

記者在韓戰中的傷亡

韓戰一年，全世界的報紙和通訊社，派了不少記者，到戰地採訪消息。據最近統計，前後共達四百五十人。由此可以看出，韓戰在全世界人們心目中的重視。

因爲記者們受到人們的重視，所以一年以來，已有二十七位記者傷亡或失蹤，計死八人，傷九人，失蹤十人。記者們不顧生死，忠於職守，值得人們敬佩。英國每日電訊報記者小邱吉爾即是。而紐約先鋒論壇報女記者希金斯，其冒險採訪的精神，更爲全世界新聞業所稱許。

[illegible]

兩個小故事

「廣西人眞夠野蠻」「歡迎貴軍來送死」

·陳望廬·

今年春我由桂林赴衡陽，在湘桂路的火車座間，聽到了兩件新聞性的故事。茲錄於后：

[illegible]

自由人
THE FREEMAN
（半週刊每星期三六出版）
（第三十八期）
每份港幣壹毫
督印人：梁大成
社址
香港高士打道六六號
電話：二〇八四八
GLOUCESTER RD.
HONGKONG
TEL: 20848
承印者：東南印務出版社
地址：高士打道六四號
台灣總經銷處
台北重慶南路一段七十四號

要國家納入正軌

應確立輿論權威

反共抗俄，需要有力的輿論，比過去任何時期尤為迫切

・左舜生・

有一天，本刊的編輯部裏，有幾個朋友坐在一塊兒談天，忽然有一位朋友，很熱心，也很鄭重的提議：我們近來所發表的文字，偏重談國際的似乎太多，著重在自我檢討的似乎太少，我們為什麼不把這個作風改一改，一面固然還是應該注意國際，而與自身利害國家前途最有密切關係的政治問題，不也可以談一談呢？

我很同意這個提議，我不但覺得我們這個小小的刊物應該這樣做，乃至連我們平日接觸得到的如港九如台灣一切大大小小定期或不定期的刊物，似乎也應該這樣做。可是話，雖即如此，我並不是不知道這個問題的困難：中國輿論之沒有權威，即不能形成一種有力的輿論去左右政治，這已經不是一朝一夕的事了，其所以造成這樣一種景象的原因很複雜，我現在還不願在這裏加以分析，但我知道：等到國家不能產生有力的輿論，或壓根兒就不許真正的輿論存在，這個國家是斷然要倒楣的。

三個時期的輿論最能使大家滿意

就我個人親身所經歷的來說，我覺得在過去四十多年以來，只有三個時期的輿論，最使大家滿意：一個時期是清朝的末年，其次是討袁一役，最後一次則在「五四」前後。清末有兩派立場完全不同的輿論，一派主張立憲，一派主張革命，在當時像我這樣一個十五六歲的青年眼中，我覺得他們都有誠意；那是從一個公的觀點出發，而不是從一個私的觀點出發；而且在他們中間主持言論的人，對學問都有相當的根柢，絕不像時下這樣胡說亂道，說來總是娓娓動人；再加上他們又不祇只有言論而已，同時還能以行動去與他們的言論相配合，因此格外的顯得有力。

袁世凱本來是清末一個抱有絕大野心而又較有能力的官僚，因緣時會，在立憲派擁護與革命派容忍的情形之下，居然做了中華民國第一任的正式總統。假定他能夠乃心民國，憑著他那點政治經驗，好好為人民服務，以和平的方式把國家統一起來，使之逐漸的進於建設，我想當時並沒有人一定非把他打倒不可；甚至就是手造民國的孫中山，也很有意思領導他的同志，去做一個純粹的在野黨，他自己也只想為國家建造二十萬里的鐵道，去完成國家真正的統一，並不一定要直接參與國家的政治。沒有想到袁世凱利令智昏，做了總統還嫌不夠，一定非做皇帝不可；自己安富尊榮還不夠，還想要把他的寶座傳給他的子孫，因此一面收買流氓，暗殺元勛；一面還藉外力，消滅異己；於是乎才弄得全國人對他離心離德。說也奇怪，袁世凱雖然是一個少讀詩書而頭腦很舊的官僚，可是他並不是不懂得輿論的重要，當他在正式準備做皇帝以前，他居然懂得要成立一個甚麼『籌安會』，他不僅要收買楊度嚴復劉師培這班很能做文章的人為他製造對內的輿論，同時他還要收買古德諾有賀長雄這班人去為他製造對外的輿論。但不幸因為他的基本立場錯了，所以他製造的輿論畢竟生不起根來，儘管『籌安會』這班人把全國都弄得來頌功德，勸進，可是等到梁啟超一篇「異哉所謂國體問題者」的文字發表出來，全國有志氣有知識的人，便無一人能直袁世凱之所為；再加上蔡鍔，唐繼堯、陸榮廷、劉顯世，任可澄等的幾次通電一經發出，全國討袁的輿論乃更趨於一致。甚至連國民和進步兩個在歷史上很難合作的黨派，在這一幕中，也居然做到攜手同行了。

嚴格的講來，袁世凱之死，並不是死於他的武力不如人，他實在是死在這種有力輿論的高壓之下。

受五四輿論感召 為民主九死不悔

所謂「五四運動」，本來是起源於一個大學，最初的出發點也還是政治的。可是後來因為時代的要求，他們言論的範圍愈推愈廣，所涉及的問題也愈來愈多，其影響所及，乃至支配了全國人的思想和行動，領導了全國的知識分子和青年，不僅革命的再起，軍閥的垮台是受了這一股輿論的感召，就是到今天許多人為了要爭取民主自由而百折不回，九死不悔，也還是由於這一股輿論的力量在那裏繼續發生作用啊！

中國目前的景象，比之四十年以前，自然更是糟到不堪了：大陸上有一個莫明其妙的中共政權，口口聲聲說要為人民服務，而實際卻沒有一件事能表現他們是把人民當人；不僅專制獨裁為空前所未有；乃至生死予奪，也可惟所欲為；假定他們一切舉動都是由自己出發，猶可說也，不幸乃是以一個兒皇帝的身分，一切惟異族之命是聽。同時海外還有一個保存着中華民國正朔的國民政府，自然這在今天還是全國人心之所屬望。可是，時隔兩年，我們並沒有看見，提出一個顯然有當於人心的較大辦法而見諸實行；甚至連一件恰心當意的個別事實，我們也很難舉例；要多費力量去爭取外援，這是很對的，我們充分知道沒有外援，可能使反共抗俄的大業成為空談；可是除掉爭取外援一點，難道沒有千千萬萬能做應做的事，應該從今天開始着手？可見今天需要有力的輿論加以批評督促，比較過去的任何一個時期都來得格外的迫切了。

主持輿論者本身幾點意見供參考

要如何才會有眞正有力的輿論出現呢？這有屬於政府一面應該注意的，有屬於主持輿論者的自身一面應該注意的。關於政府一面的，我想讓給政府去思考，屬於主持輿論者自身一面的，我不妨很僭越的提出幾點供大家參考，大抵都是卑之無甚高論，實際並沒有什麼非常可喜之論，足以令人害怕。

第一，我們應該確定宗旨，消極的反共抗俄，積極的爭取自由民主，應該雙管齊下，不折不扣，說在反共抗俄的期間，便不能實現自由民主，這只是一種不正確的說法。

第二，我們應該超越個人與黨派的利害去考慮問題，千萬不可眼光如豆的，顧着個人和黨派的小利小害，而忽視了國家民族的大利大害，現在眼看國家都不存在了，還談得上甚麼黨派？更談得上甚麼個人？

第三，我們自然應該着重在對事，但到必不得已的時候，我們也不應該諱言對人，假定有一個人確實對不起國家，對不起人民，難道我們還應對這種人加以姑息嗎？假定一個人，處在一個應該負責任的地位，一年兩年做不出成績，三年五年也還是做不出成績，難道我們還該聽任這種人去鬼混到底嗎？不過一談到對人，便應該格外留意：我們是不是由於一種偏見？是不是合於公道？是否對其人其事確乎了解得很清楚？我們所提出一種對人的非難，是不是人心之所同然？

第四，我們應該提倡反共抗俄力量的團結，不應該提倡分裂，所謂「分道揚鑣」，所謂「殊途同歸」，這種說法祇是一種別有懷抱者的遁辭，其實，中國所剩餘的人才，只有此數，再也經不起分裂了啊！

第五、主持輿論者，應多留意自身的修養，不以學與識為基礎，眞正有力的輿論是不會產生的。在中國的現狀下，一個有志主持輿論的人，最好謝絕實際的政治。

改造後的中國國民黨

新方案引起各方重視

改造委員曾虛白已將內容在台北提前報告

・李公望・

中國國民黨中央改造委員曾虛白氏報告，他們黨的中央，決定了兩個方案，激動了黨內外人士的興奮。這篇報道，是綜合了黨內外人士的意見，對于這決定的反應。這裏面有老一輩人，有新一輩人，亦有黨的老幹部，還有黨外的有黨有派無黨無派人士等意見，都是值得十分重視的。

自由中國在台灣，各階層各團體乃至于一羣一羣的人們，空氣是緊張的，是興奮的。好像一池水，有時是靜止的；有時一陣風從池面上掠過去的時候，這一池碧水，時時蕩漾為漣漪，時時亦激揚為波瀾。

・在廣播中號召・ 大家快活躍起來吧

去年這個時候，中國國民黨中央改造委員會成立，這在中國國民黨是一件大事，這在自由中國亦是一件大事。這樣的一陣風，從池面上掠過去，這一池水，自然蕩漾為漣漪，自然亦激揚為波瀾。時間和飛矢一樣的快，已經過了一年了，風是一陣一陣的來，不過那一陣風，是老早過去了，人們幾乎完全忘掉了。最近中國國民黨中央改造委員曾虛白氏，在本月十一日中央日報「談天下事」發表了一篇「國民黨的同志們，大家活躍起來吧！」這好像是季候風，一年一度，在台北氣團裏，立刻發生動盪，大家活躍起來了：

曾氏說：「我們的黨，現在已經完成了組織的改造，打定了基層的基礎。在台灣八百萬人口中間，我們已經成立了將近兩萬個小組，每一個同志，都已經納入了組織。大家在活躍地開着會，學習，研究討論着怎樣可以充實黨的活力，使它生氣蓬勃起來。

「這一架改造的機器，現在已經裝置完成了……究竟應該放些甚麼原料進去，這是最近大家集中研究的主題。熱心的同志們，等待得有些煩躁了，甚至有些人，感到改造的空虛，開始困惑起來了：

「這一切問題，同志們大家焦躁，黨的中央更覺得責任重大，在總裁嚴明的督責之下，大家連日不斷的開會檢討，直到昨天，我們愉快的完成這個任務」。

「這是我們國民黨自從改造以來，最有意義的一個議案。因此，我願意提前報告給我全黨的同志，望大家像我一樣的興奮，激勵，從此活躍起來。」

曾氏自已說，這是他的提前報告，對全黨的同志，自然亦對全國的人民，他來了一個預先通風報信。大家應該興奮，激勵，從此活躍起來！他接着說：

・方案內容如此・ 為民除害為民服務

「本黨中央給同志們規定了兩個方案。簡單說來，一個方案是『為民除害』，一個方案是『為民服務』。

我們把應除的害，列了十項：第一項是通敵叛國危害政府的匪諜；第二項是假借職權欺壓人民的豪紳惡吏；第三項是違法瀆職貪贓舞弊的貪污吏；第四項是武斷鄉曲魚肉民眾的土豪劣紳；第五項是走私逃稅囤積居奇的奸商市儈；第六項是壟斷行業剝削勞力的市場惡霸工廠惡棍；第七項是施用欺詐斂人錢財的地痞流氓；第八項是販賣人口虐待婦女的人販鴇婦；第九項是吸毒販毒危害社會的毒品奸販；第十項是其他危害社會及人民權益的人。

我們來介紹為民眾服務的第二案……我們所定的項目，一共有五種：第一種是協助行政改進服務事項；第二種是文化教育服務事項；第三種是社會福利服務事項；第四種是經濟生產服務事項；第五種是人事服務事項。」

上面五種，前四種是容易想像，筆者在這裏不想徵引原文。第五種人事服務事項，例如：「解答民眾對於法律、政令、稅則、行政規章等疑難的諮詢；替民眾代讀，代寫書信契約及其他文件；協助民眾申報戶口及請領各種執照；調解民間糾紛事件；舉辦投考及就業指導。」這些事項，不容易記得清楚，所以筆者特地摘抄如上，這是原文。

（下接第二版）

半週展望

雷嘯岑

對日和約快實現了

對日和約草案已公佈了，並定於本年九月初在美國三藩市舉行關係國家正式和會，一體簽約。這是戰後亞洲的一件大事，不特遠東形勢將因此約之實現而丕變，世界亦將發生很大的影響。史太林先生脅迫中共一面倒，纔又串演一套以日本為假想敵的「中俄友好同盟條約」的把戲，然後發動韓戰，結果乃逼出民主世界加速簽訂對日和約的工作，以資答復，實為冷戰中最熱烈緊張的一幕精彩表演。另輔以對德戰爭狀態之宣告終止，東西輝映，洋洋大觀。首先感到狼狽周章的，當然是史太林！

站在世界兩極化鬥爭的立場來看對日和約，不管其中利害得失孰為輕重，乃是實逼處此的應有結果。不這樣，民主世界就祇有坐視極權侵略者橫衝直闖，為所欲為，大家準備過鐵幕生活而已。我曾經躭心因韓戰和談而延緩這項工作之進行，現在證明談言不中，可為慶幸！與日約相繼而出現的，還有美澳紐國的安全協約，美日軍事安全互助協定等措施。民主世界在亞洲的防禦步驟，大致已告完成，以逸待勞，看史太林今後又玩出甚麼花樣來？也可以襲用馬立克過去在聯合國議席上揮拳擊桌的說詞：你們要和，抑要戰？

中國竟未能參預多邊和約簽訂之役，這是主持這項和約的美國一件頗不榮譽的憾事。中國政府外交當局已有嚴正聲明。可是，中日兩國之必須善鄰相處，是事勢所必需，是兩國人民的自由意志所同感，非任何國家所能阻擋的。這次美國被迫不邀約自由中國參加和會，原非本意，中國人早已家喻戶曉，知恥近乎勇，只要自己有辦法，有力量，終有雪恥之日。除卻外交當局的聲明而外，也就無須再說甚麼，最要緊還是自強不息，毋忘在莒！

歡迎杜威先生

紐約州長杜威今日蒞臨台北訪問，他是繼麥克阿瑟將軍訪台以後，第二個關懷自由中國的美國政治人物，當然值得歡迎。

二次大戰後，美國的外交政策並無一定方針，尤其是對華政策，舉棋不定，幸而在國會裏有位共和黨的政治家范登堡先生，強調兩黨外交政策之必要，纔使美國在對外政策上減少一些錯誤。范氏去世以後，兩黨外交協議已無形消失了，所以，塔虎脫一般人常常發出感慨。杜威與范氏的主張相同，而在美國政治上的影響潛力，卻較范氏尤強。這次遍訪遠東各國，耳濡目染，對於東方的實際情況，當更清楚，將來在美國的亞洲政策上，必有相當裨益，決無疑問。我們希望杜氏在台灣能多留兩天，把自由中國的事情，不論好的壞的，都能澈底觀察，不惜指教。杜氏的政治理念與觀點，素來朗爽磊落，中國人大家瞭解，認為是志同道合的一位可敬信的國際友人。因此，自由中國有好的地方，只望杜氏心裏明白，如有不夠的地方，或者有錯誤的地方，即能坦白指導，發為諍言，這就是我們歡迎杜氏的主要意旨。

開城談判頓挫

韓戰和談進程，由於共方拒絕新聞記者進入開城而突告停頓了。這是會談開始時的小小插曲，不足視為和談破裂之徵，好戲尚未上演，精彩的還在後頭呢！

跟俄式共產主義者開談判，如不抱定「成功是意外，失敗是意中」的觀念，結果必落得焦頭爛額，一身晦氣！巴黎的四外長代表會談，談了四個月，連一個正式會議的議程也沒法得到協議，誰敢相信還有關和戰的實際重大利害問題的和談，竟會有順利完成的希望？要推測共產黨的眞正心事，唯一要訣即從他們言論的反面去設想，大致不差。譬如周恩來昨天發表言論，說「中朝人民自始即是希望韓戰及早結束」，那就是決不要結束的宣傳號令。聯軍總部正可以應付和談，一定錯不了，否則恐怕吃大虧啊！

哈里曼雖已受莫薩德歡迎

伊朗危局仍恐不易挽回

檢討一百五十年來伊朗歷史，此次民主國家因循顢頇實為一慘痛失敗

·李秋生·

在幾年來的東西冷熱戰爭中，只有希臘柏林兩役，算是民主國家大獲全勝；在韓國，聯軍雖獲得軍事勝利，卻很可能因談和心切而墮入共方的陷阱；而在中國和伊朗，則無疑是民主國家的全盤失敗。

就今日伊朗情勢而論，到國際法庭的裁決并未生效，伊方且以退出國際法庭相威脅；已經發展到惡化的最高峯，但繼而突又接納杜魯門的建議，由哈里曼前來斡旋，好像又有路轉峯迴的可能。不管其前途如何演變，即使危機幸獲挽回，已成定案的伊朗油業國營則決難變更，大英帝國五十年來的慘淡經營與十餘億美元的投資，殆將全付東流。而更重要的，西歐各國整軍所恃的最豐裕油源將有切斷之虞，英伊關係的惡化更等於替克里姆林宮開闢一條進出中東和印度洋的途徑。

伊朗的反英宣傳像翻版巴庫廣播

伊朗以一個貧弱小國，位於國際十字路口的戰略要衝，而又擁有極豐富的油源，這已在先天注定了可悲的國運。一般政客者流，不肯從事艱苦的改良進步工夫，只是一味叫囂排外，感情用事，甚至以不惜使油田全歸毀滅相威脅，[illegible]世界第三次大戰來賭國運於孤注一擲，殊令人啼笑皆非。英伊間的新糾紛，也許確使伊人有激而出此，然而瀕臨危幕，黃袍化後，此種全然不察，卻偏要憑空放起一把野火。如就英伊石油公司而論，其掠取無厭，固屬事實，至於說到對於伊朗主權獨立的危害，則還是吐德黨與阿塞爾自然的陰謀與分離運動更嚴重些，何竟明察秋毫而不見輿薪，甚至把伊朗的貧窮和一切罪惡都推卸到石油公司身上，難道把油田油礦接收之後，伊朗就會立躋於富強之境嗎？[illegible]今日[illegible]必將[illegible]不能滿足人民的[illegible]，那是必然無疑[illegible]而引起更大的[illegible]事實與災難，更何況今日伊政府當局所玩弄的一套手法，幾乎全由共黨宣傳，而[illegible]之流的叫囂，許多都像是巴庫電台廣播宣傳的翻版。分析伊朗當局之於石油之爭，大部分出於感情的衝動，而絕少冷靜的理性考慮，鹵莽滅裂，不擇手段，外招民主國家的反感，內啟社會的不安，別具用心者躊躇滿志，老成謀國者噤若寒蟬，英國固然被拖得狼狽不堪，而這一三千年的波斯古國，其未來的悲運也算是注定了。伊朗[illegible]檢討道，我們不[illegible]

[illegible]本局勢的背景。一百五十年來，波斯一直是英俄兩國的角逐場所，過去縱有李查汗的中興，也未能完全擺脫這歷史遺留下來的枷鎖。俄國革命後，對於東方落後民族自有其口蜜腹劍的一套，東方民族絕少有不墮其術中者，伊朗自非例外。而在西方國家，則往往未能認清東方民族主義的力量，從新檢討其傳統的帝國主義政策。尤其是近年來，俄國表面從伊朗撤退，像阿塞爾自然傀儡政權的取消和北部石油讓與權的廢止，都易使愚昧的伊人發生俄國不復可慮的錯覺。於是帝俄縱告沒落而政策則依然故我的英國，便首當伊人反抗之衝。

英國未事先妥籌致問題愈鬧愈僵

石油公司之在伊朗南部，儼具敵國之勢，自然難怪伊方不[illegible]此容忍，而在經濟上也確有失公平之道。一九四八—一九四九年公司淨利共達一億三千五百萬鎊，其中繳納伊方的油稅卻只有二千三百萬鎊，還不到五分之一。英人在本國實行社會政策，在國外卻毫不放棄帝國主義式的掠取，[illegible]納稅的故態理直氣壯，去年十一月曾提出一項修正案，英方當時無意接受。一[illegible]言人曾經一度表示：如果公司能在兩個月之前提出對[illegible]分潤的辦法，國有化的議案還可能被打銷。但油公司當局執著於舊日觀念，認為這些可觀的油稅壓力足可使伊人屈服，必要時甯出之於賄買，而不願提高正當的支付。及至終於不得不作最後讓步，則時機已嫌太遲，賴茲瑪拉一死，再沒有人有那樣氣魄和膽識去遏阻極端分子國有化主張了。到現在英方仍十分着重財政的壓力，但若不講求公平進步的政策，即使此次還有妥協可能，也遲早難免要被迫完全退出伊朗以至整個中東。

僅口惠而實不至伊人對美國失望

在美國雖不曾攫取伊朗，但也使伊人大感失望。大戰初停之際，中東各國對美期望極殷，希望能以實力助其改革和進步，但美當局的眼光只着重西歐，至多只到希臘土耳其為止；對於伊朗，表面似很注意，曾於數年之間，五易使節，最後且以援希奏效的格拉第大使調任。格氏也曾把他在希臘的班底全部調伊，但他在希臘，有幾十億鉅款供他運用，在伊朗卻幾乎一文不名。美政府的理由是伊朗政界貪污腐化，不能對美援作有效的運用，正與美國過去的對中國南韓，且也幾乎放棄了一樣。殊不知兩害相權取其輕，無論如何不應吝惜一點援款而放棄一個重要與國的。更何況像希臘的政界情形也未必就完全可以滿意。一九四九年底伊王訪美，是兩國關係的樞紐，帕力維王不過希望五億貸款，助其建設和改革，結果所得又是口惠而實不至。

去年韓戰發生的第三天，帕力維王起用鐵腕有效的參謀總長賴茲瑪拉組閣，據說當時美大使葛利與有力焉，美英輿論都曾一致寄以期許。那是伊朗得未曾有的強力而廉潔的內閣。賴氏具有雄心和決心，要對伊朗的貧窮落後，陰謀腐化從事奮鬥，然而他也並未獲得美國的支持。美政府遲至十月底纔決定予以二千五百萬元的經援，既遲又少，大傷伊朗進步人士的自尊心。賴氏乃憤而揭櫫中間路線，轉而接近蘇聯。然而他始終是傾向於民主國家的人，終於為此而付出了生命的代價。

還有伊王，他雖缺少他父親的雄才偉略，卻有清醒的頭腦與高級的教養。他有改革的決心，只是處處遇到國會那班大地主和若干高級官員的阻撓，在內在外都得不到鼓勵。他聘請了美國一個民間團體，海外諮詢團，來推行七年建設計劃。美政府對之毫不理會，他自己又籌不出足夠的經費，到今年春天，該團只好撤退返美。他有意解散國會，拘捕那些極端份子，阻礙改革的份子，但他又怕西方國家[illegible]其獨裁。他的父親以一個出身寒微的軍人，竟能推翻波王，懾倒貴族和宗教師而完成波斯的統一與中興，到他自己，卻徒有壯志而一事無成。當前局勢如再惡化，恐怕他只有逃亡國外一途。

由此看來，伊朗本可以不陷入目前這樣的危困境地，但卻被西方國家當局的短見與偏見所貽誤。最近伊朗當局莫薩德色厲內荏，所以終於接納杜魯門的最後建議，也許是想找一個下台的地步，但是局勢惡化至此，挽救已嫌太遲。這是民主世界在中國失敗後的另一慘痛教訓，且看今後是否能夠對此有充分的覺悟！

制止共軍侵略自稱「警察行動」

聯合國不要忘記自己身份

警察何以忽然放棄職責竟與強盜講和

·陳石孚·

聯合國軍隊總司令的代表們，在開城地方舉行停火談判，與韓共中共的代表，剛剛兩天，就發生了波折，其前途如何，將來可見分曉，姑不具論。現在本文所要提出的，是幾個根本問題，而這些問題都是根據聯合國的行動，所產生出來的。

第一，當去年六月廿五日金日成發動韓戰的時候，聯合國立刻召集安全理事會，通過以聯合國名義，派遣軍隊協同南韓政府採取「警察行動」，以擊退韓共，統一南北韓為目標。曾幾何時，所謂「警察行動」早已被成功湖上的紳士們所遺忘，所謂擊退韓共，統一南北韓的目標，早已置諸腦後。今天那些紳士們所要求的，是趕快結束韓戰，恢復和平。對於恢復和平，人人都絕對贊同，但是卻不能無條件地向敵人低頭，去祈求和平，尤其是以「警察」自命的聯合國，萬萬不能向強盜（與「警察」為敵，並手執武器對「警察」實行射擊者，當然是「強盜」）去作討價還價式的停火談判。此例一開，「警察」還有威嚴嗎？以後還有採取「警察行動」的餘地嗎？成功湖上紳士們甘心被別人指為「妥協派」，「綏靖派」，但是以「警察」的身份去和強盜講和，如果不是妥協，不是綏靖，請問那是什麼？

獎勵「侵略者」後果嚴重

第二、聯合國軍隊採取「警察行動」，在去年秋天將近完成任務的時候，中共忽然假借「志願軍」的名義，參加韓戰。韓共對抗聯合國的「警察行動」，既可認定為強盜，那麼中共參戰，也是強盜的幫凶。因此經過幾個月的醞釀，到了今年二月初，最後由聯合國大會通過譴責中共為「侵略者」，後來並且更進一步，對「侵略者」施行戰略物資的禁運。這一連串的行動，都是幾經辯論的結果，慎重萬分的。不料那些成功湖上的紳士們，竟如此健忘，他們一旦聽見馬立克放出的停火宣傳，便喜出望外，立刻講和。馬立克本人尚且說停火談判不談政治問題，聯合國秘書長賴伊竟向中共暗送秋波，趕快宣稱政治問題將來在聯合國機構內求得解決。根據過去的言論，以及成功湖上綏靖派所謂在聯合國機構內去解決政治問題，我們不難推斷，即不啻暗示：只要中共肯答應停火，那麼中共可以參加聯合國，代替國民政府出席安全理事會，而且台灣的未來地位也可由中共出席安全理事會或大會，共同解決。這些都是綏靖派的紳士們所願付的「和平代價」，也是他們所不惜犧牲的，因為這些對於他們自已皆無直接利害關係。不過他們如果清夜捫心自問，恐怕不免也得承認，這是對於「侵略者」的公開獎勵。公開獎勵「侵略者」的結果，聯合國和綏靖派的紳士們，將來必然要受到無可補償的間接傷害以及追悔莫及的直接威脅，這是我們現在可以斷定的。

既非戰爭那有「交戰國」

第三，馬立克在他的停火宣傳攻勢中，稱韓戰雙方為「交戰國」，而聯合國因講和心切，對於「交戰國」這個名詞竟無暇加以考慮。「交戰國」是國際法裏的專門術語，必須先有正式的「戰爭」，然後才有「交戰國」。韓戰在聯合國眼裏，早已確定為一個「警察行動」，中共出兵助韓，也曾經被譴責為「侵略者」，而且中共本來做賊心虛，不敢明目張膽打出政府的招牌，只敢假借「志願軍」名義去參加戰鬥。現在馬立克說出「交戰國」三字，聯合國未經提出異議，並且根據他的說法，開始韓共與中共的代表談判，這無異承認北韓和中共「志願軍」業已取得「交戰國」資格。北韓和中共「志願軍」既已取得「交戰國」資格，那麼聯合國幾十個國家也不過是另一方的「交戰國」，那裏還有什麼「警察行動」？那裏還有什麼對於「侵略者」的制裁呢？聯合國這次出席開城談判，不啻自已降低身份——降從「警察」的身份和制裁「侵略者」的身份，降到與強盜交戰的身份和與強盜講和的身份。聯合國不顧一切後果，不惜付出一切代價，一心只想求得和平。殊不知和平尚未求得，而聯合國已經喪失了自己的立場。成功湖上的紳士們將何以自解呢？

改造後的中國國民黨

新方案引起各方重視

——上接第一版——

曾氏這篇文章，他以中央改造委員及中央通訊社社長的身份，多少是代表中央改造委員會對黨內對黨外發表「黨的中央的決定」。曾氏文中提起的「我們」，當然是指的中央改造委員全體，或且有評議員，或且有設計委員的意見在裏面，亦說不定。不過，從曾氏發表此文以後，在台北這個圈子裏，有參加同盟會的元老們，有自十三年改組以後的老幹部們，亦有抗戰以來的後起之秀們，都在鄭重其事地討論這「黨的中央的決定」，反應出來的意見，亦是多方面的。國民黨是有了六十年歷史的黨，是一個很老成的黨，他們黨人都不肯輕易說話，筆者想在這裏把它簡括地報導一下。因為這件事是太重要了，筆者亦很興奮的，很激動的，在此地作一個簡括的報導，好像是必要的而且是應該的。

·老一輩人意見· 好的方法仍待努力

老一輩人的意見，他們說：我們革命黨人，只問良心，不問成敗，[illegible]所做，以當時是勇氣有餘，而辦法不夠，因而招致後來的失敗。總理時常訓誡我們，革命黨人要計劃健全，氣魄雄大，把國家大事算到一百年，甚麼方法都計劃到了，快成功。是經驗多而成功，無論做甚麼事都有好方法，[illegible]法都是自在學問智識而得，先有了學問，便有智識；有了智識，便有方法；有了好方法來革命，一經鼓勵，就易得到成功。我們從前受良心上的命令去革命，而沒有好方法，因而招致了失敗；雖然失敗，但亦得到了好的經驗。但我們要有好方法，現在黨的中央的決定，[illegible]然亦是方法之一，這些都是良心上的命令，和總理所謂計劃健全，氣魄雄大的那種好的方法，[illegible]相去尚遠，仍待大家努力。革命是百年大事，要慎重考慮，要經過研究，現在黨的決定，是一個急就章，將來大家應該[illegible]更好的方法，大家共同努力。

·老幹部們感覺· 似嫌簡單而不相干

還有老幹部們，他們都是親炙過總理的耳提面命，或者是私淑總理的遺教，如數家珍。他們說：今天黨的改造，和十三年的改組，是一樣的有時代的重大使命。十三年本黨的第一次全國代表大會，決定了兩件事：第一件是改組國民黨，要把國民黨[illegible]組織成有[illegible]力量的黨；第二件就是要把改造過的黨，[illegible]去改造國家[illegible]

[illegible]

·新一輩人看法· 需要集中全國力量

新一輩人的意見，[illegible]

[illegible]

·友黨人士批評· 應該納入政黨常軌

[illegible]威爾遜（Woodrow Wilson）說：「我們的[illegible]」[illegible]

·無黨派人士說· 國民黨要盡大責任

[illegible]

（七月十二日寄自台北）

中共對停火談判一絕好諷刺

大規模強迫青年「參幹」

以十七歲初中及高小學生爲砲灰，人之無良一何至此！

「本報上海特約通訊」去年十二月，中共當局曾經發動了一次大規模「參幹運動」，大批青年被騙進中共所設的各種軍事學校，經過了極短期的訓練，大半便被驅迫參加朝鮮戰場，在「火海」之下，成了「砲灰」。可憐他們的熱血未乾，而中共爲了補充在韓戰中的大量傷亡，更不惜悉索敝賦，今年上月底在大陸各地又發動了比前一次規模更大的「參幹運動」，以初中高小學生，年滿十七歲（其實不一定滿十七歲），最多不超過二十歲的青年爲對象，準備誘騙更多的中國青年，爲了實現俄帝世界革命的侵略野心，去充當「砲灰」。

軟哄硬逼無所不至　青年無法逃脫魔掌

從這一件事，我們可以看出三點：第一：這次「參幹」距離上一次不過六個月時期，可見中共在韓戰中損失慘重，迫切需要徵補。第二：青年是國家的繼起生命，中共不惜大量摧殘國家幼苗，以國家命脈作孤注一擲，爲俄帝作鷹犬，益見其居心之狠毒。第三：儘管開城會商停火，僞裝和平，單就這一件事，就可以十足說明共黨所謂的「和平」，究竟是怎麼樣一會事了。

這次「參幹」以中等學校的學生爲對象。對於社會一般青年，中共深恐份子複雜，不敢大量招收，名額方面加以限制，（社會青年投考須由「民主黨派」，「區政府」及「人民團體」區級以上組織負責保送，由市，區負責招考共幹審查批准。）因此，中共教育部在六月廿五日發佈了「關於勝利完成各種軍事幹部學校招生計劃的指示」，「新民主主義青年團」及「全國學聯」，也發出了號召全國青年和團員的「參幹書」。每一組織事先均配合行動，嚴密佈置，以軟哄硬，逼，旁敲側擊的手段，利用青年的弱點，製造種種圈套，使青年無法逃出它們的魔掌。旬日以來，各學校正在大事展開這一運動，茲就記者見聞所及，報導如后：

自願參幹內幕如此　限令各校超額完成

根據中共當局的說法，「參幹」完全須出於個人的自願自動，其實這只是一句謊話，各學校均受命完成一定的配額，指定必須有若許多人「參幹」，否則學校負責人就會倒楣。同時在僞教育部的指示中，也公開承認這一事實，在其指示的第二點中，就有「依據條件完成規定的名額」字樣，因此學校負責人，團部，學聯，一方面怕受處分，另一方面想向上級邀功，只好「超額完成」，以青年爲犧牲了。

本來，各學校在這期間，均已開始學期考試，準備放暑假了。爲了完成「參幹」，僞教育局命令延遲學期結束。有的班次已經完畢學期考試的，恐怕學生放假回家以後，受到家庭的影響，不易控制，命令全體學生留校溫習功課。同時再用免試畢業免考升級的辦法，引誘學生上當。這樣一來，學生像關在鷄籠裏的鷄，隔絕了外面的關係，可以由它們任意予以操縱指使。至於那班有子弟在學校裏讀書的家長們，眞急得如熱鍋上的螞蟻一樣。有的母親在學校門口啼啼哭哭，有的急得生病。一個正風中學初中二年級的學生，他的母親聽到了「參幹」運動消息就得了病，當她聽到兒子眞的「參幹」就急得發瘋了。可是共產黨還相反地宣傳，她聽得了兒子「參幹」的消息，十分興奮，說：「我用什麼報答共產黨，毛主席？」眞是她媽的鬼話。類似這樣的事情眞是指不勝屈，以上不過是略舉一例而已。

同時中共更發動各方面的宣傳運動。各區招生委員會派出已「參幹」的學生，到各學校去報告過去「參幹」的經過，竭力誇張待遇如何良好，訓練如何合理，說什麼「愉快地生活在革命的大家庭裏」，「首長愛護我們，比媽媽更親，老同志就像哥哥姐姐，一樣地幫助我們。」使一般青年迷惑於「參幹」後的生活。其次，他們利用過去「參幹」的家長們，說他（她）們是光榮家長，光榮母親。吳蘊初的女兒，是在去年「參幹」的，現在共產黨就要他出來廣播，說什麼「我眞不知道該怎樣來感激人民政府和中國共產黨，把我的女兒培養得這樣好」，諸如此類的話，在共產黨預先佈置好的情形下，千篇一律，大事鼓吹，目的也許在減少家庭對青年「參幹」的阻攔。其實在廣播中，吳老頭子的聲音，像在背書，也有些像在替他的孩子讀祭文。同時各區家庭婦聯也出動了，組織「光榮媽媽訪問隊」，向家長們進行說服工作，大多數家庭，都是一把眼淚一把鼻涕，但是誰都怕被共產黨加上一個「頑固」「反動」的帽子，誰都不敢反抗。

光榮門好像鬼門關　集體參加出於無奈

至於各學校裏還幾天正是最起勁的時候，鑼鼓喧天，紅旗飄揚，那些十六七歲的孩子在人前表現得高高興興，可是背了人，沒有一個不哭喪着臉，他們像一羣被玩弄的猴子，將送上死路。報名處豎起了彩色的牌樓，題額是「光榮門」（乾脆不如說鬼門關）。大多數學生是青年團團員，在組織決定之下，團員有帶頭作用，於是他們不得不硬着頭皮去報名。有的更乾脆，簡直全體報名參加，在開大會的時候，共產黨的職業學生大喊大嚷，說「不參加報名就是不愛國，就是落伍……」在這一種空氣下，結果通過了全體參加報名，使學生們誰都不敢說不願意，更怕被人取笑批評，這種操縱群衆的辦法，本來就是共產黨的慣技，更何況十六七歲的孩子，更容易受他們操縱呢！據這幾天各校發動的結果，育材中學已有一百名學生參加，虹口中學有二百三十餘人，上海中學有四百二十人，陸行中學有一百餘人，其他各學校尚在統計中。「解放區」的學生，本來較以前已大爲減少，在中共竭澤而漁的政策下，恐怕下半年，各學校的學生更將大爲減少，有許多學校，可能因爲沒有學生，被迫停辦。

又據傳，此次「參幹」係因蘇聯協助中共建軍，需要大批幹部送往蘇聯受訓，蘇聯指定參加青年須在年齡二十歲以下，曾受初中教育者爲合格。也許年齡小的容易接受蘇聯的訓練，使他們訓練以後，完全爲莫斯科的利益而工作，這當然是蘇聯進一步控制中國的陰謀。「讓青春過得更美麗更結實！」這是此次「參幹」運動中主要的標語，不過我們眞爲這些青春的幼苗橫受摧殘而深深焦急呢！（悠然，九日寄自上海）

清算二十八年前「京漢路血案」

趙繼賢要替吳佩孚抵命

因血案發生時趙任京漢路局局長，現已在蘇州捕獲移解漢口公審

「本報漢口特約通訊」距今二十八年前，一位曾在北京政府下做過京漢鐵路局局長的趙繼賢，現被中共清算，說他在局長任內，民國十二年二月七日京漢路發生罷工風潮，吳佩孚駐長辛店的軍隊，開槍殺死在中共領導下四名工人，（按共黨一向稱此爲吳佩孚殘殺工人血案）他是負責的兇手。今年五月十日，將他在蘇州捕獲，旋解往鄭州，昨（八日）已由鄭解來漢口。預定明天（十日）在此間江岸舉行「各界人民代表公審大會」，公審結果，自然毫無問題，會當場執行槍決。

李濟深等將作何感想

二十八年前，平漢路的一個車站，車站駐軍，因鎭壓罷工，殺死工人，直接殺人的吳佩孚和有關軍人，現在無法找到，做局長的，却要在二十八年後，來代還這筆血債。這就是共產黨的法律。因此，我們想到現在北平的靠攏新貴，其中有許多，都是過去淸黨反共的巨頭，單就李濟深，黃紹雄之類來說，如果照趙繼賢的例，每人砍上一萬刀，恐怕也無法將他們在粵桂兩省的血債還清。鬱鬱不得志迄今仍然困居北平的楊虎之類（清黨時期殺共黨首領最多的上海警備總司令），自然更不待說。然而他們目前似乎還沒有這樣警覺，大約時機未到，他們還相信共黨可以特別寬大吧！

變成了大地主大商人

據共黨聲稱，趙繼賢是直系軍閥曹錕吳佩孚的重要親信，曹吳倒台以後，他就利用局長時期所搜括的巨款，搖身一變，成了大地主，大商人。在蘇州，有肥田五百多畝，洋房八九幢。在天津，開了東昌帽廠，太平貿易公司，築豐織布廠。他自己也忘記了曾欠過這樣一筆血債，所以當共軍佔據了整個中國大陸以後，他還是用了趙伯宣，趙博學等名義，往返於上海蘇州之間。在上海住康定路一〇一弄二號，在蘇州住閶門西街三十四號。五月十日的被捕，他就正住在蘇州閶門這所屋子裏。

公佈的血案是這樣的

今日共黨發出佈告，號召人民，明日要多多參加公審大會，佈告上指出趙二十八年前所犯的罪行如下：

「京漢路工人在中國共產黨領導下，一九二三年（按即民國十二年）二月四日中午，在『爲爭取自由而戰，爲爭人權而戰，決無後退』的口號下，爆發了京漢全路工人的大罷工，這時趙匪則親手指揮對英勇的工人施以血腥鎭壓。一九二三年二月五日，趙匪發出威脅佈告，限京漢路工人於十二小時內復工，遭到工人嚴正拒絕，趙匪立即告曹錕派匪兵來長辛店，宣佈戒嚴，武裝強迫工人上工，但又遭工人堅決反對。趙匪乃於二月六日正午，從塘沽調運新工人一百二十名來長辛店，並挑選五百名匪兵『學習』開車。電稱：如不復工即一律解散，押解出境。趙匪又開出當時積極參加罷工工人名單（五十餘人）按名單親自下令逮捕了史文彬、陳勵茂、洪尹福等十一名工人。七日晨解送保定『軍法處』，長辛店全體鐵路工人爲了反抗趙匪此一暴行，乃集隊前向趙匪要求釋放被捕工人。趙匪竟指揮匪兵向手無寸鐵之工人開槍射擊，當場四名工人犧牲，重傷三十餘人，另又捕去三十餘人。但趙匪幷不以此爲滿足，一面誣陷說什麼工人以手槍與兵士衝突，致遭傷亡。一面要保定『軍法處』槍決十一名被捕工人，並繼續強迫工人上工，『否則就地正法』。竟至連受傷工人也不准出境就醫，並規定工人入廠不准兩人一起談話，任何理由不准請假、曠工，否則亦處重刑。同時又將長辛店公除列名進行工會工作之工人全部開除，且向開除之工人家屬追退薪資。二十八年前趙匪與軍閥勾結鎭壓工人革命運動就是如此地堅決兇殘。但是，他沒有想到還有二十八年後的今天。」

謀財害命是雙管齊下

這樣描寫得有聲有色的罪狀，自然要被認爲死有餘辜。趙既身擁巨產，據共方估計，約值「人民幣」一百億，（約合港幣三百萬）自趙被捕，已分別被共黨接管。有人說，如果趙沒有這許多財產，也許可以不死，因爲謀財害命，在共黨總是雙管齊下的。（懷民，九日寄自漢口）

爲什麼再活兩個多月

李德軒兩次鎗斃索隱

中共發表兒子「控訴書」原來出自識字不多的小學生

「本報廣州特約通訊」殺了父親，還要兒女來一個聲罪致討，說是「該殺」，「死有餘辜」。這是中共「大張旗鼓鎮壓反革命分子」以來司空見慣的把戲。無論那做兒女的是吃飯還在飲奶，識幾個字還是不會唸過書。別的記者不大清楚，本月八日公審殺掉的李德軒三個兒女那封「控訴我們的工賊父親李德軒」書，就來得突兀離奇，令人驚疑。

子女八人　三個在穗

李德軒雖然當了三十年廣東機工總會主席，錢却沒有掙得幾個，所以兩頭家室八個子女的負担，經常把他壓得透不過氣，大二兩兒子吃的也是澳門「機工飯」，「解放」後在廣州被排擠了出來，現在香港，大的改行做石印工人，小的還沒有事做，三個女兒兩個嫁得也並不富裕，一個失了學後沒有辦法繼續讀書。此外，留在廣州，也就是寫那封「控訴書」的李國杜，李世欽和李潔玲，他們最大的還是初中一年級生，小的在唸小學，他們能夠寫得出控訴書「我們的父親工賊李德軒，二十多年來，他勾結蔣匪官僚特務，在僞廣東機器總工會所作所爲已不知屠殺過多少革命志士和人民羣衆。他是罪惡滔天的工賊罪魁，今天實在百死不足蔽其辜。該殺！該殺有餘。」嗎？

他們這樣小年紀，又怎懂得像控訴書中那段歷史性敍述：「大革命時代，他勾結李福林、錢大鈞、朱暉日等匪首，率領流氓地痞數百，及李福林第五軍匪部，在河南、河北四處屠殺革命工人和無辜羣衆，在黃沙慘殺以後，又把革命工人隊伍圍困在白雲山搜狗嶺，全部殺害淨盡，遭難的有男女工人一千五百多人。」尤其，天眞的孩子，如果不被強迫，怎能這樣仇恨父親？控訴書說：「我們還要求人民政府在公審他的時候，允許我們也去控訴，爲千百個被他殺害的父親復仇！我們重複一句：要求政府槍斃他」這眞是他們由衷之言嗎？

李德軒之死，不是死於什麼「工賊」「匪首」「特務」而是死於自己向中共靠攏，死得毫無代價，也毫不足惜。四月廿八日第十六期本版已經詳細報導過了。中共要殺一個送上虎口的人，還不需要容易，何必一定要把毫無抵抗力意識也不健全的孩子拉同站在一起？這只有說明中共殘酷，無聊，硬要破壞人類父子間的情愛，和中國五千年來培育的天倫至性？

刀下留人　誤報有錢

中共早經宣布四月廿五日李德軒和姚寶猷周東等同時公審槍決。香港報紙，也都已登過，曾和姚周，同時被送上鬼門關，爲什麼却又弄此玄虛，李的生命，延長了兩個月另十三天？據可靠消息，因上次臨刑前中共忽接密告，工會還有一筆巨額祕密存款，由李保管，此外「人民政府副主席」李濟深，也暗中力爲緩頰，不料一再棉逼，確實一文不名，至於李副主席的情面，中共向不賣賬，結果，徒使李德軒多吃幾十天苦，還是不能不再殺一次，做了中共的刀下之鬼（素人十一日寄自廣州）

對國民黨的冷嘲熱諷

在新朝爲厲懸禁

—漫畫作者又幾乎慘被清算•

北平人民日報曾爲了「一幅不好的漫畫」和解放日報，蘇南日報大鬧彆扭，備受指摘，（編者按：詳請已載七月四日本版），最近上海解放日報又爲了一幅「漫畫」，引起一場「風波」。

六月廿日上海解放日報刊載「米谷」寫的漫畫，題爲「新社會中的老現象之一」。畫的是會議桌上放着一塊牌子，寫着「鐘定時間九時開會」，而掛鐘的時間已經是九時四十分，只有一個[illegible]但解放日報仗着陳毅是後台老板，[illegible]（悠然，九日寄自上海）

殺人之夫霸佔爲妻

張太太活燒共幹

比費宮娥刺虎尤爲壯烈

「本報漢口特約通訊」本省鄖縣積匪王依青，自共黨勝利後，經共黨收編爲民兵隊長，於是假借共黨威勢，欺壓人民，無惡不作。該縣白竹村農民張老八，薄有資財，其妻張李氏，在村中尤有美人之稱，不料竟爲王依青看中，先將張老八逮捕，指爲惡霸地主，立予槍殺。再將張妻擄走，綑綁強姦。張妻無力抵抗，自念夫死身辱，不共戴天，遂將計就計，對王佯示愛好。王現年二十八歲，尚未正式娶妻，因張妻如此美麗，爲博取張妻歡心計，乃張燈結綵，公開舉行結婚典禮。有些共幹，以張妻與王，既有殺夫之仇，暗中勸王，應加警戒，但王爲美色所迷，毫不爲意。張妻多方設法，日前乘王與軍共幹在家深夜熟睡之際，偷偷起床，將積存煤油，縱火焚屋，準備同歸於盡，不意是夜風勢不大，僅焚去房屋一部，即爲王所部民兵趕到救熄，王雖身受重傷，並未斃命。但張妻則於火起後，以爲大仇已報，投火自殺。鄉人以張妻如此義烈，雖未達到殺王目的，然大家相顧感歎，均莫不認爲足與費宮娥刺虎，同爲千古奇女子云。（懷民，九日寄自漢口）

「不得做夢發囈」

·尚方·

粵共最近爲澈底施行「人民民主政治」起見，頒佈了「人民限制公約」十三條，第一條就是「不得亂說亂動，規規矩矩的遵守農協會一切命令」。怎樣就算是亂說亂動呢？其他的十二個「不得」即是註釋，如「不得造謠惑衆」，「不得分散財物」等等。但最有意思的制約，無過於「不得裝窮叫苦」那一項！

在舊社會中，最喜歡裝窮叫苦的人，不是普通民衆，而是一些鐘鳴鼎食，腦滿腸肥的富豪之輩，眞正窮苦的人們，卻不願意以寒傖自居，偏要裝出「有子兒」的模樣，這是變態的社會心理現象。至於現時大陸上的所謂「新社會」中，在共產鬥爭之下，人民都一律變成了赤貧，無論如何也現不出家給人足的氣派來。他們的窮，不是僞裝，其苦，絕非騙叫，乃是「人窮則呼天，疾痛則呼父母」的人性眞情流露。然而，這與騎在人民頭上大吃大喝的「主民」先生們的信譽有關。「新中國」已是天堂，住在天堂的人而有窮苦之象，豈非「距教堂越近的，離天堂越遠」？自然非嚴禁不可了。這就是「人民民主專政」的眞諦！

光是「不得亂說亂動」的制約，似乎還不夠「專政」到家，因爲人民有時候還會有夢想囈語的。而且十三的數字也覺得有些欠妥，我以爲可以再加上一項，湊成十四條，以示美滿，其文曰：不得做夢說囈，擾亂神經！不知「民主專政」的「人民」，以爲何如？

自由談

美國電影內幕（三）

二十年來興衰記

王醴泉

三個困難問題

目前美國電影事業，所遭遇的困難問題有三：第一是國際市場的收入銳減，這一層作者已在本刊七月七日詳細說明。第二，減低工資，事實上十分困難，工會的抵抗力量，相當堅強。數年前好萊塢電影從業員，長期罷工，資方應付，十分棘手。在一九四八年增加工資，平均比一九四〇年提高到百分之二百三十，兩倍還有餘。第三個困難，是新興的「電視」，如雨後春筍，幾乎家家戶戶，都想購買一部電視機，坐在家裏聽音樂，看電影，有時事演出，又有足球比賽。有的人說電視也放映影片，或許可以增加製片與發行的收入，有益於電影工業。但是無論如何，電影院的賣票收入，會隨之減少。這種趨勢目前還不十分顯著，將來電視的廣播，逐漸推行全國，一定會像無綫電收音機同樣普遍。本來，科學進步，歷史上是從來沒有人可予以阻止的。

經濟衰落時期

美國話劇本的戲院，和音樂院，票子賣得很貴，而且要早幾個星期定購座位。這種劇院和音樂院，遂成有閒階級消遣的地方。至於大多數在工廠和寫字間做事的工人，則有空的時候，多往電影院一鑽，他們通常在午間十二時以後開幕，演到半夜，星期六星期日還要延長到夜間兩三點鐘，無論什麼時候都可以進去，時間沒有限制，而且票價便宜，普通是幾角，二元三元要算貴極了，這和一般工人的荷包，很相配合。

所以美國影片，是大衆的娛樂，製片公司，很研究羣衆心理，和一般的經濟狀況。對於羣衆心理，問題過於專門，這裏想不論列。美國一般的經濟狀況，隨着商業循環而變化，譬如說，一九三〇年到一九三五年，經濟不景氣，商業走下坡，全國人民的購買力長期低落，大家手上沒有錢，就得量入爲出，樽節開支，吃飯穿衣，都不可少，首先只好減少娛樂。那幾年中間，影院售票收入，大爲降低。當時有聲電影，初露頭角，電影界拼命鼓吹，許多人爲好奇心驅使，上電影院去看看。這對於經濟衰落時代的電影界，實有相當裨益。

在那個時期，掙錢不易，失業的人，躑躅於街頭，物價低廉，而購者寥寥。看電影的，選擇片子，相當苛刻，粗製濫造的片子，那幾年都要蝕本；優良的片子，卻還可以叫座。但票價高低，也關係很大。商業區的影院，票價昂貴，問津者寥寥，住宅區的影院，票價便宜，收入尚稱不惡。在這經濟衰落的幾年，有一個奇特現象，一方面售票收入減少，另一方面，卻又要多多選片，因爲影院必須勤於換片，以吸引顧客。

目前生意興隆

到了經濟繁榮的時候，物價逐漸高昇，通貨膨脹，一般人民購買力提高，售票收入增加，但同時製片成本（如工資，設備，消耗物品）也隨同增加。譬如百樂門公司，在一九三七年攝製五十五部片子，共計成本三千萬美元。到一九四七年，僅攝製廿五部片子，成本達四千萬美元，不過收支相抵，經濟繁榮時期，影片公司，紛紛獲利。從一九三九年到一九四六年，戰時經濟景氣，電影院生意興隆，各公司無不獲利。

從去年七月起，美國經濟更見好轉，物價上昇，人人有工做，全國失業人數，從四百五十萬人，減至一百萬餘，影院的售票收入，也隨而更見增加了。（完）

「我是人民的兒子」

一丁

中共常自詡有超級魔術，「能將舊社會的鬼，變成新社會的人」。但我們還欽佩牠更有一套辦法，能將以前認爲最下流最惡毒的罵人詞句，突然變成了今天最普遍最漂亮的贊頌。

在中國一般社會，通常有一句最下流罵人的話：「你是衆人養的」……這句話的意義，正等於罵人「雜種」，如果被罵的人聽到了，一定要認爲奇恥大辱，向對方拚命。但現今時代變了。自毛澤東起，任何共幹，都口口聲聲，大喊「我是人民的兒子」。尤其在許多兒女要求鎗斃父母的控訴會中，總照例像做八股文似的，「他（她）雖然是我的父（母）親，但我是人民的兒子，我不能不要求鎗斃這人民的敵人」。「我是人民的兒子」，還不就等於自己承認自己「我是衆人養的」，我是「雜種」麼？

從前認爲最惡毒的辱罵，現在卻一變而爲最高貴的頌讚，這不是中共手段超越，安能至此！

不過，假使有人當叩謁赤朝毛帝的，他不稱，「我皇陛下」，而卻將這時髦語句普羅化，俯伏三呼，「你這衆人養的雜種毛澤東」，不知毛帝聽了，是「龍顏大悅」，抑「勃然震怒」？

抽血比較

·羊叔子·

中共繼「勝利公債」之後向人民大抽血的「獻機獻砲」運動，從六月一日開始到六月二十六日，新華社初步總結報導：「大陸各地人民，響應『中國人民抗美援朝總會』『獻機獻砲』的號召，飛機一項，現在已捐獻了一千零一十架以上，有些地區的詳細捐獻數字，還沒有揭曉。」證之上海「解放日報」七月二日透露：上海認獻戰鬥機三中除二百七十架，現正以極大的努力來超額完成，快接近到三百二十架的數字了。

根據「抗總」規定，戰鬥機每架五十億人民幣，一千餘架超過了五萬萬零五百億的總額，仲合大陸黑市銀元，約四億五千萬元。

當聯合國軍正在循韓國戰地停火談判的途徑，來謀致遠東局部和平的時候，七月三日北平「人民日報」透露出「抗美援朝總會」的談話，「即使韓國戰場已經停火，獻機獻砲運動，還得繼續進行」，一方面表明了中共對停火並無眞正的誠意，同時，也暴露出他們這種狂徵暴斂的「捐獻」，在人民的脊血未乾枯時，還得繼續獻棉。

五十年前的「庚子和約」，除了給予中國以軍事，政治的束縛，使中國的國防，外交，讓人家牽着鼻子，最重要的要算賠軍費四億五千萬兩，這龐大的償款，每個中國人攤到一兩，在歷史上被稱爲空前的國債，從此以後，中國農村破產，國勢日蹙。

然而，庚子賠款是以關稅，鹽稅抵押，分三十九年償付的，在「抽血」的手段上，還眞是「溫和的」「人道主義」，較之中共導演下的「獻機獻砲運動」，在一個月內榨足的「大抽血」，（庚款是四億五千萬兩，現在是四億五千萬銀元），其殘民以逞的手段，是比愛新覺羅皇朝那拉氏的不恤民命，實尤有過之。

有常識的人都知道，以中國現有的工業水準，是無法製造飛機大砲的，過去若干兵工廠中，最多只能製造八一、八二米哩的迫擊砲，韓國戰場中，中共所使用的飛機全是俄式，許多大砲也是由駐海參威的蘇聯第五軍團供給，從民間搜刮來的「獻機獻砲的捐獻」，無疑的是進入了大鼻子的荷包，兒皇帝爲遂成主子征服世界的計劃，出力出命之不足，還得出錢出血，假若兒皇帝還有人性，不知將作何感觸？生而不幸爲「毛澤東時代」的中國人，眞是莫大的悲哀。在黃金白銀滾滾北流中，它是帶着中國人民無窮的血淚的。

記陳布雷（1890—1948）【上】

·舜生·

萬竹樓隨筆（十二）

余識陳布雷在民國十三四年之間，其時渠任上海「商報」總主筆，余則任職中華書局編輯所，且正與曾慕韓創辦「醒獅周報」也。布雷對「醒獅」言論頗同情，且隨時有意見提出，供吾人參考。「醒獅」每期出版，必於「商報」登廣告，以布雷故，亦純屬義務性質，從未收費一文也。

渠自十六年加入國民黨後，即以全力爲黨服務，余與之見面之機會不多。二十三年七月，余始於牯嶺見蔣先生，翌年即入中央政治學校任課。此後自西安事變以迄抗戰終了，無論在京，在滬，在漢，在渝，幾每月必與布雷有三兩度之接觸，所談多以交換時局意見爲限，或偶及國青兩黨關係，彼此從未以個人私事，作爲話題。前年旅居台灣，得讀其遺著五十歲以前之「回憶錄」，始略悉其思想之淵源，與身世之梗概，乃深慨余前此對此死去之友人，所知者固不多也。

布雷爲一極端謹愼之人，不矜夸，不浮躁，雖內心有不可踰越之尺度，其人格亦有不可或犯之處，然待人接物，則一以書生之本色出之，既無所謂『冷冰冰』，亦無所謂『熱烘烘』，歷二十餘年，余實未見其一改常態也。

二十五年十二月十二日西安事變爆發，布雷於國民黨臨時中常會及中央政治委員會開會後，過余京寓青雲里長談，對事變前途，表示充分憂慮，認討伐與轟炸爲操之過急；對馮玉祥態度更不放心；並告余曾力阻蔣夫人前往西安，已爲所拒。余乃根據種種事實與理由，告以決無危險：蓋張性衝動而顧慮甚多；張楊臨時偶合，尤難同惡相濟到底；中共在藉抗日以求生存，實無加害於蔣先生之必要；蔣夫人去能使緊張狀態趨於緩和，有利無害；宋子文與張私人關係不惡，能毅然一行，必可迎刃而解。布雷於余說雖亦首肯，但余觀其出門時之面色，似仍疑信參半也。次日余至政校上課，學生亦紛紛以此事爲問，余即以告布雷者告之，其後解決途徑，果一切不出余所預料，蓋事有似危險而實平易，似艱難而實簡單者，此類是也。

回家

·羊辛·

大學畢業那年，正是剛剛「解放」的時候，許仲實來到香港，準備去菲律賓。足足地等了將近一年，花了不少金錢，腦筋，入境手續居然辦好了，許仲實興致勃勃地踏上飛機，做着淘金的好夢。

到了馬尼剌，不想竟出了岔子，調查員問他讀甚麼學校？答是××大學，問他甚麼時候畢業的？答是「解放」以後。調查員皺了皺眉，把頭搖搖。隨即許仲實接到了通知：當局不許他居留。

他被遣回到香港，破口大罵，憤憤不平，竟怪起所有的民主國家來了，又聽了一些紅色朋友的宣傳，決心回大陸去參加「革命工作」，打倒資本主義，殺洩這口鳥氣。

果然他回家鄉來了，行裝甫卸，就有共幹走來找他。

他十分親熱的招呼他們，心想「新中國」果然不錯，你看我許仲實剛剛回來，他們就馬上來拜候我，重視這麼的一個大學畢業生，寒暄既畢，爲首的一個共幹就道：

「許先生是剛打從香港回來的？」

「是的是的，諸位有何見教？」

「豈敢，豈敢！我們的公局局長想請許先生到局裏談談！」

於是許仲實來不及休息，就跟着這幾位共幹走了。

到了公安局，局長面孔有些冷板，不似那些共幹那麼客氣了。深深地朝許仲實上下打量了一回，問道：

「許先生是甚麼時候去香港的？」

「解放以後」。

許仲實如實回答。

「到香港有甚麼事？」

「想到菲律賓去謀生。」

「然而爲甚麼又回來呢？」

許仲實，把經過的情形詳述了一遍，並把民主國家痛罵了一頓。

那局長取了筆很快地在紙上寫了一些甚麼，然後用筆尖指指許仲實：

「許先生，這回要打擾你了，請你先在此地住一住，我們另日再談吧！」

許仲實只好在公安局裏「住」下去了，局長並沒有再來與他「談」，卻由一些時常更換的共幹來查問他，問題之多，簡直令人難以招架，而這些時常更換的共幹又往往提出那些已經詢問過了的問題來叫他做第二次第三次第四次……的答覆。

如是一星期，許仲實好容易被釋放回家。

他氣咻咻的躺在家裏爬不起來，心灰意懶，無所適從。但共幹並沒有令他太寂寞，頭幾天就到家裏來訪問他，川流不息，又提出無數次問題，還命他寫自傳，要坦白。

他再也忍受不住了，寫了一封信給香港的那些紅色友人，大駡一頓，說他們騙了他，害了他。

當天晚上，他又被傳到公安局去了，局長扳着面孔，指着他說：

「許仲實！你也用不着寫信駡人啦！你的一舉一動，我們都馬上就會知道的！告訴你，你的供詞處處矛盾，前後不符，我們是隨時都有紀錄的，你澈頭澈尾是一個反動派！國特！反革命份子！現在你可逃不掉啦！」

從此，就再也看不見許仲實了。

德國的暴發戶

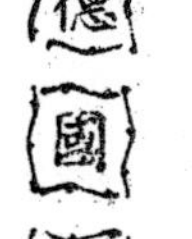

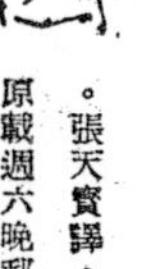

·張天寶譯·

原載週六晚郵

漢堡一家時髦夜總會

漢堡的一家最時髦的夜總會裏擠滿了各色各樣的人，差不多到了要爆炸的程度。這裏有留着鬍子的英國軍官和穿得極少的巴黎時裝模特兒，幾個興高彩烈的美國人，和喜歡饕美食物的斯坎的那維亞人。

但是這地方的氣氛卻是另外一些人所造成的。他們粗糙的面孔和廉價的女人與他們所表現的財富的象徵成爲一個奇怪的對比。女人們的手上戴着巨大的鑽石戒指。男人們的身上則飾滿珍珠。那個侍者頭目說：「歐美兩洲最好的地方我都幹過，可是我從來沒有見過這個樣子的。就拿那邊的一些肥胖的奧國人來說吧。他們已經叫了十五瓶一九四七年的斯巴特里斯酒——四十五塊錢一瓶——可是現在還沒有喝夠。」說着他就走過去招待一羣豪闊的波蘭人，他們結帳時所付的錢，足夠一個普通人的家庭吃好幾個月的。

你可以從漢堡到柏林，威斯巴登，慕尼黑，或是巴登巴登去，每一處都有同樣的景象繼續的表演着。尤其是在德國人注視着它與歐洲的邊境的那種灰色的恐懼背景襯托之下，這種現象更外顯得荒謬可憎。

這些有大批金錢可以任意揮霍的是些什麼人呢？走私者和黑市商人，他們現在正經營着世界獲利最豐的數達千萬美元以上的買賣。他們是歐洲的違法冒險家，各個國籍的人都有，而其中一部分是共產黨。然而這些擁有華貴的美國汽車和遊艇的人所從事的目標，都正和那般在韓國戰場充作砲灰的中共士兵相同。他們也是克里姆林宮的台下配角。

莫斯科對抗西方國家的方法很多，而這就是其中最奇特的一種。當美國人正艱苦地籌錢搞損的德國的時候，蘇聯的特務和受它利用的人卻在暗中進行破壞。他們日夜不斷地偷運不法貨品出入西德。他們從事香烟和球承，美軍剩餘物資與瓷器、茶葉、巧克力糖、和精細儀器的交易。他們偷運尼龍製品和麻醉劑，偷入僞鈔，轉售各種戰略原料，並且買賣機器工具。但是他們這種不法的買賣中的最大宗貨品則是咖啡。

目前蘇聯正以偷運違法物品輸入德國而在黑市中出售的方法，達到一石三鳥的效果。他們一方面破壞了美國扶植下的德意志聯邦共和國經濟，而同時又獲得了英美兩國禁止輸往蘇聯而爲他們所急需的主要戰略物品，西德的共產黨現在正慷慨地供給大量的西德馬克。（一）

自由人

THE FREEMAN
（半週刊星期三六出版）
（第三十九期）
每份港幣壹毫
督印人：李光華
社址：香港高士打道六十六號
電話：二〇八四八
GLOUCESTER RD, HONGKONG
TEL: 20848
承印者：東南印務出版社
地址：高士打道六十四號
台灣總經銷處
台北市重慶南路一段七十四號

你們（中共）將白忙一陣　俄帝亡不了中國

中共雖決心賣國，但最後階段的中俄合併將永遠不會實現

·胡秋原·

今年七月，中共立黨三十週年紀念，他們寫了很多表功文字。自吹自唱罷，莫斯科不會不褒獎的。天之降大任於中共，「似乎」是要假手於他們，完成俄帝的遠東政策，將整個中國大力奉送蘇俄。這是他們眞正「使命」之所在。但他們自己許多紀念文中，沒有說到。所以不能不爲其作一「補充」。

俄帝侵華百年紀念　其間可分三個階段

一八五一年俄帝侵佔我國廟街，改爲尼可拉耶夫斯克。所以今年也是俄帝侵華百年紀念。自此以後，到十月政變以前，俄帝侵華，可以分爲三個時期：

自一八五一－一八九〇年，是掠奪東北西北領土時期。最重要的，是搶奪黑龍江以北烏蘇里江以東廣大領土（等於德法兩國之和），出兵伊黎，掠奪霍爾果斯以西領土。

第二自一八九一－一九〇五年，是俄帝企圖佔領華北時期。一八九一年西北利亞鐵路成功，促成中日之戰，隨即挾「干涉還遼」之功，誘中國訂立中俄友好互助條約，佔領旅大，屠殺江東六十四屯，鼓勵八國聯軍佔領東北；終於發生日俄之戰。

第三自一九〇五－一九一七年：是勾結日本瓜分中國時期。俄國戰敗以後，立刻與日本成立四項密約，與日本瓜分南北滿，東西蒙。俄國對日本向我提出二十一條，支持最力。俄國在第一次大戰中，可笑而可恥的慘敗，發生革命。列寧發動政變，成立蘇俄。但俄國傳統政策不僅未變，而且因爲有了第三國際，及其中國支部這一得心應手價廉物美之工具，他的陰謀，他的野心，更毒辣而遠大了。

但不要以爲俄帝一切都利用中共。關於外蒙，一九二一年即出兵佔領，造成既成事實。關於新疆，他不斷利用楊增新、盛世才訂立各種特殊化條約。關於東北，他早與張作霖成立奉俄協定。與北京政府成立中俄協定（同時並派鮑羅廷至粵）。一九二九年還親自出兵進攻東北。他要共產黨担當的任務，只是有關中國本部之事。他知道中共的招牌拿不出來。於是便欺騙孫中山先生，以國共合作爲名，掩護哺育中共，這陰謀到一九二七年拆穿。於是圖窮匕現，從事「蘇維埃」運動和軍事陰謀。還來三十年突。

忠實遵行俄帝政策　中共賣國百分之百

要知道中共如何賣國，先要知道俄帝對華政策之目標方略何在。中共只是忠實的，百分之百的實行俄帝政策的。一般說來，俄帝政策有三：一、以華制夷。利用中國與列強衝突，既可反對他的政敵，又可孤立中國。二、以華制華，破壞中國民族之自然發展，造成中國混亂，使中共能夠發展。三、以華歸俄。以上兩者邏輯的結論，即是使中國本部成爲蘇俄的一部分。於是蒙藏新疆更無論矣。

爲了實行第一政策（以華制夷），先有一九二五－二七之反英運動。五卅事件本起於日本人打死顧正紅。但當時俄帝是聯日反英的，由於中共煽動「天才」，居然變爲一個反英運動。自列寧教以至九一八事變後，俄帝還是繼續日俄密約精神的，勾結日本支持日本的。但看到日本發展於他不利了，便命令中共大喊抗日。而事實上，他又用中國抗日和日本講買賣。大家不會忘記，他在抗戰中不僅出賣中東路，而且和日本訂立中立條約。到了現在，他要反美了。凡是俄帝需要中國人爲他火中取栗之時，中共便口口聲聲「黃帝子孫」，活像了不得的「超等愛國者」。（實際上是要中國人替俄帝打仗）他們涕淚流涕，慷慨激昂的做工具，是我們都看見過的。

爲了實行第二政策（以華制華）俄帝先命令中共加入國民黨，「一面鬥爭，一面團結」。失敗之後，提出「蘇維埃」口號。第三國際六次大會對中共指示說，必須反對國民黨以及其他任何「改良運動」，必須如此，才能在革命高潮再來之時，保持領導權。這便是中共不斷反對民主運動的理由。在蘇維埃運動的時期，中國生命財產遭遇莫大破壞。但蘇俄形勢不利了，還得以華制夷了，於是中共又要求和國民黨成立「統一戰線」共同抗日。實行在抗日戰中，又來「一面鬥爭，一面團結」。不僅如此，在任何地方，他是避免與日軍作戰，專與國軍作戰的。這理由便是唯恐中國不亂。中國愈亂俄帝主人的機會就愈多。造成中國之破壞混亂，對俄帝而言，利益有三：（一）中國不能安定；（二）他可利用這不安定要求干涉，或成立「聯合政府」；（三）中國愈亂，國力消耗，他便可隨時內應外合，控制中國。在這政策之下，中共便以「農民革命」「最前進」「工農先鋒」的姿態出現，不做「愛國者」了。

俄帝最後最大目的　是要中國合併於俄

在第一第二政策實行時期，中共另一主要任務，便是宣傳蘇俄恩惠浩蕩，以爲第三時期（以華歸俄）的心理準備。中國孤立，混亂以後，俄國在適當機會，會給中共以獨特援助，而對日宣戰又給蘇俄以最理想的機會。在東北先不如約撤兵，中共到了即退；並將日本武器交與中共，日本戰俘用以幫助中共担任砲兵和其他技術。中共勝利了。他便承認他，並訂軍事同盟。這是要各國不干涉的意思。但這是第三部曲之開始，而不是終局。

這是過渡階段，即是「新民主主義」階段。在這一階段，中共是「獨立」的，因爲是「獨立」的，所以可以組織「志願軍」反美援朝，而中共主人可以不負責任。中共對「民主人士」說，新民主主義大概還有二三十年。其實，新民主主義時期豈是奴才們所能自定？什麼時候是「社會主義時期」呢？就是蘇俄認爲可以合併的時候。那時候，只要俄帝示意，奴才們即會倣效「進步的」唐努烏梁海和波羅的海的人民，舉行「公民投票」，行「一致決定」合併於「偉大的蘇維埃祖國」的。我可以向中共及「民主人士」斷言，一天不「合併」，你們的任務，便一天沒有完成。

俄帝的百年大計，今天實現百分之九十了。不過古人說，「行百里者半九十」，以今日大勢而論，我敢告訴俄帝：你將功虧一簣，這最後十里你走不過去；而且你會回到你最初的地方。我可以告訴共產黨：你們三十年賣國，奮鬥誠然辛苦，但我保證你們最後目標——社會主義階段——永遠不會實現。你們會白忙一場以至全功盡棄。縱使你們賣國有志，這件事一定做不到。我可以和你們立此存照，由「自由人」的讀者作證：「中國不會亡！」「俄帝亡不了中國！」

「好政治」與「真性情」

這就是民主政治的基本原則

·雷嘯岑·

二十年前，胡適之等曾倡導「好人政府」之說，成爲當時輿論界的一大課題，許多人皆表示共鳴之感。其實，「好人」未必就是一個好的政治人才；消極的不爲惡，並不能把政治弄好，而積極的如不興利除弊，遠佞親賢，其結果將見更壞！

「有效率」與「有活力」

怎樣才算是好政治呢？我以爲至少應該具備「有效率」和「有活力」兩種性能。所謂奉公守法的行政紀律，原是產生行政效率之道。但，光是紀律作用，很容易流於因循敷衍，官樣文章的官僚政治現象，因爲這是被動性，不是能動性。一九三六年蘇俄的中央政府曾發出一項通令，謂它國各級行政機關所送到中央的政治報告和行政計劃等文書，已堆積如山，厚層成尺，沒法檢閱，認爲這些都是「無聊的官僚文獻」，爾後不許再有這類虛應故事的行爲。此乃極權政治下的必然結果，也是吾國傳統所謂「徒法不足以自行」的道理。眞正有效率的政治，除奉公守法的紀律而外，還須要一切文武百官，都能自動的發出服務的活力來。這活力的來源，不是森嚴的命令紀律和上官的訓話所能鼓動的。它是一種自發的責任感，是人類所同具的眞性情！

要堂堂正正做個人

甚麼是眞性情？要言之，即孟子所謂「是非之心，羞惡之心，惻隱之心」三句話可以概括。從事政治生活的人，能夠隨時隨事發抒這三句話的良知作用，那就是活力，即爲眞性情，即是「要堂堂正正的做個人」的優良人才，政治那有不好之理！不過，政治上要造成奉公守法的習慣比較容易，如牧羊人一樣，拿着一根鞭子（紀律）驅羊群或東或西，不成問題，假使一時沒有這根鞭子，羊群就會亂跑的。所以凡屬國家亂象已成，或大亂發生的時代，政治上一定只有奉公守法的表面氣氛，骨子裏決無絲毫眞性情存在，天下滔滔，盡是些如曾國藩所說的人物，「欲求一赴義恐後，傑然不顧利害者，渺不可得」；而眞正才智之士，亦不易有所作爲，「或僅得之，而又屈在卑下，往往抑鬱不伸，以挫，以去，以死；而貪婪退縮者，則昂首而上騰，而富貴，而名譽，而老健不死！」這樣，政治上自然要弄成「[illegible]」的景況，形成一池死水，[illegible]生趣，毫無用處。反之，凡是郅治之世，或中興之朝，政治上一定朝氣勃發，波瀾壯闊，大家活力充沛，希望無窮，人人知恥尚賢，有所不爲，以期有爲。心目中並不感受紀律之約束，而深以不能做好自己職分內的事務爲可羞愧。這就是能動性，即是眞性情之流露。

什麼是「貞觀之治」

是非，羞惡，惻隱之心，本係人類與生俱來的本能，然在政治上頗不容易發揮出來，何以故呢？政治原是權力的集結體，具有濃厚的佔有性和排他性。掌握權力之源的在上者如有所私，運用這權力的在下者即有所忌。私則不能開誠心，佈公道，正是非，彰善惡；忌則惟有抹煞良知，罔顧廉恥，不說實話，不作實事。如是乎，政治向上發展的機能乃告窒息，引不起衆人的希望，提不起信心。如是乎，凡有良心血性者，皆視政治生活爲畏途，已來的，惴惴然去，未來的，踟躕不前，而無所不爲的，佞倖之徒，乃得乘機竊取，相慶彈冠了！中國歷史上盛稱唐代貞觀之治，貞觀之治之所由來，祇是唐太宗能讓魏徵一般人在政治上發抒其眞性情而已。舊史上亦常有「正色立朝，公忠體國」，「千人之諾諾，不如一士之諤諤」等類絕贊之詞，即是公務人員能夠表現眞性情的象徵，否則「正色」即要背時，「諤諤」更是犯罪。政治隆替的關鍵，就在這兒哩！我對近代中國政治現象，常發生兩點疑惑：一是無所不爲。現代政治無論哪一部門都是有專門性的，但一般搞政治的人物卻個個自命爲萬能博士，無不通曉，從來未聞有自覺才不勝任而辭讓某項職位者。搞商業的，辦教育也是內行；學工鑛的，司民政尤覺拿手。至於拿槍桿的，更是萬能中之萬能，視政治爲業餘的玩藝，門門精通。一是無所不爭，中山先生教大家「以服務爲目的」，不尚攘奪之風，然信奉「總理遺教」者，多見其攫利恐後；共產黨人以鬥爭爲政治發展的法則，然矢志反共者，亦以鬥爭爲政治發展的法則，人與人爭，團體與團體爭，爭風遍於朝野，讓德不存人間。所有是非，羞惡，惻隱之心，一概汨沒無餘，政治上的活力從何產生，效率從何而得呢？

示人以「天下爲公」

要想構成有效率有活力的政治社會，必須啓發從政人士的眞性情。啓發之道，實至淺近，即大家先以「察納雅言」的氣度，對外尊重輿論，聞過則喜，對內鼓勵檢討批評，推心任事；然後以「綜核名實，虛僞不齒」的精神，懲那些鑽營弄巧，患得患失的人物，無所施其技，而對於不善資緣，有爲有守之士，不惜禮遇徵辟，示人以天下爲公。這樣就是好政治，也就是開明的民主政治，所謂革新政治之功用，盡於此矣。

對日約被拒簽字的感慨

世界明明有兩大無可妥協的壁壘，但現在對日和約簽訂在即，對於打仗六天的蘇聯，則惟恐召之不來；對於血戰八年的中華民國，則惟恐拒之不遠；從這件事看來，我們不但不應該相信世界眞有所謂「公道」和「信義」，我們更應該意識到「人種的歧視」也以今天爲登峯造極。假定你沒有足夠的武力，假定你沒有打仗的決心，千萬不可輕言「和平」，「和平」只是世間一切強者用以欺騙，玩弄弱者的工具。

記得在抗戰期間，我曾向有關當局提議組織一個像樣子的「戰史編纂委員會」，後來參政員張仲仁先生更在參政會有個這樣的提案正式提出，其目的在搜集抗戰以來的一切資料，例如戰地的圖片，軍士與人民的死亡，公私的損失，以及當時中國人民爲抗戰而表現一切可歌可泣事實的紀錄，以便著成專書，用以警告世人。我們在當時有這樣一種提議的動機，其目的並不在修怨於日本，我在根本上便是不贊成亞洲兩個黃色人種的同文國家，自己起來互相屠殺，而爲白人製造渲染黃禍主義的機會的；我們只想把這樣一幕慘痛的事實，詳細的，正確的，用圖片來表現好好紀錄下來，使得世人不好一筆抹煞，使得中日兩國下一代兩代的子子孫孫，永遠不要遺忘，以爲兩國異日革面洗心，加強合作的張本。可惜人微言輕，這樣一種有價值的提議，並沒有被採納。試想，假定我們今天有一部數百萬字洋洋大觀的有關抗日戰爭的專著在世間流行，我們在參加對日和約簽字的今天，我們要對世界人類提出一篇堂堂正正不得不被世人一筆勾銷的抗議，說話不是要響亮得多嗎？就對共產黨那一套淆亂是非的捏造事實而要加以否定，不也有力得多嗎？

日本在戰敗以後，他們曾動員第一流的科學家，花了好幾年的工夫，就長崎廣島兩顆原子彈所造成的災害，從事科學的研究，而加以詳細的紀錄，自從這一種報告提出以後，一方面固然引起世人極端的重視，同時對於日本國民一種

時局漫談

·舜生·

精神上的影響，又是何等的偉大呢？

國民黨自來有一個龐大的宣傳機構，二十幾年以來，他們也不知道耗費了國家多少的金錢，可是我們從來沒有看見他們向國內國際發揮過多少偉大的宣傳功用，乃至截至現在爲止，並一個堅實的宣傳基礎也沒有。

何謂「宣傳基礎」？我想拿蘇聯來做個例子具體的說明：世人都震驚於蘇聯宣傳技術的巧妙，其實他們的宣傳絕不是偶然的，他們宣傳的重點，並不限於那幾種世界知名的造謠報紙，由莫斯科所發出的廣播，也不限於他們爲宣傳所花費的人力物力，乃至他們在蘇聯以內對世界各國的宣傳，他們最主要的乃在他們有極堅實的宣傳基礎。這一基礎可以說得是非常堅實，他們不惜工本，用各民族的文字，自一九一七年革命以來，對每一件事實，每一個人物，均有專書，乃至對一個戰爭，一個英雄，他們也不惜作出種種的放大宣傳。爲了勞動而成功的人，他們的傳記也作得非常完備，乃至對一個英雄的傳記，也不惜多少篇幅。我記得我讀過的列寧傳記，至少有三種不同文字的本子，翻譯得是那樣正確，那樣精細，那樣有系統。我們中國的青年，對於孫中山先生，對蔣介石先生有中英法三種文字的本子嗎？……又看什麼你要列寧傳，史太林傳，一般革命史，……

現在中共已勵史學者從事中國現代史的改造，他們已經依照他們的看法，把中國現代史看成一部一手所造的，……國民黨依然把宣傳部長看成一個可以沽名釣譽的官職，民國的大官們，一點也不想到國民黨的歷史！

史太林大力支持杜魯門

——這是我對克里姆林宮最近策略的一種看法

·黎晉偉·

論今日東西兩大集團的鬥爭，史太林和杜魯門都是站在同等領導的地位。杜魯門所代表的是民主勢力，史太林所代表的是極權勢力，民主與極權，本來是水火不相容的；論理應該杜，史也是一對政治的冤家，中間沒有諒解，調和的餘地。然而事有出乎常人意料之外者，杜，史的政治鬥爭，儘管表現得十分激烈，但對以沉鷙陰險著稱於世的史太林，却是最能支持杜魯門的朋友。此話從表面看來，自然有點近於「海外奇談」，不易使人相信，惟是實際情形確屬如此，却又不容你不信。

不使反蘇者得勢　只有支持杜魯門

杜魯門在政治思想和行動上，都是反蘇反共的，如果說史太林要支持他，似乎太不成話。不過史太林支持杜魯門，是有理由的，而且形勢使然，不得不爾，那才是近代世界歷史上的奇蹟。原來，當史太林發動韓戰，滿想利用了金日成的猝然一擊，以求征服全韓，進而奪化日本的時候，他眞是做夢也想不到杜魯門總統竟會當機立斷，出兵援韓。這一着，本來是史太林犯了判斷錯誤的最大失敗，無可救藥。不過史太林是聰明的，他瞭解杜魯門的勇氣，畢竟有限，祇要有時間，他是不愁沒有機會去挽救其失敗的。終於，史太林挽救其失敗的機會來了，那就是麥帥被黜以後，杜魯門與麥帥的大暴露。隨着各高級軍政首長在參院調查委員會的作供，史太林更加清楚，他爲了挽救蘇俄本身的失敗，自不能不把握時機，予杜魯門總統以一次有力的支持，給美國反蘇勢力以一個重大的打擊了。

麥帥主張如實現　對蘇聯威脅太大

原來，自麥帥被黜事件發生之後，杜魯門總統所給予世人的印象，是「不能容物」的，但是儘管杜魯門總統不能容物，惟因美國是民主的國家，參院對於這一敵前換帥的重大事件，還是要加以廣泛的調查。在這一次廣泛調查之中，除了少數現在職軍政首長，基於若干原因，不能不支持杜魯門之外，許多退休官吏，都在正面或側面，皆抨擊美國過去及現行的遠東政策。由於這一次聽證調查的結果，杜魯門總統的聲譽，一落千丈，杜氏作爲一黨心腹的國務卿艾契遜，更成爲衆矢之的。國會存不少議員，爲了要求罷免艾契遜不遂，還故意的擱置國務院的預算，欲以此而迫成艾氏的辭職。同時一般民間輿情，對於麥帥被黜所引起的憤激與同情，更爲美國史上所未有。這種形勢，對杜魯門本人固然不利，而對史太林尤其不利，萬一杜魯門總統「被迫」着完全採取麥帥的意見，或杜魯門因爲不肯改變其遠東政策，而在明年大選爲共和黨所擊敗，這些都是史太林所最感耽心的問題，亦爲史太林所最不願見的事實。因此，史太林爲了打擊麥帥的力量，瓦解美國主張高張的民氣，他不能不設法支持杜魯門，鞏固杜魯門的地位。那就是，目前韓戰停火運動的眞正來由了。

停火運動如成功　反蘇熱潮將銳退

杜魯門因爲堅持「有限度戰爭」，使美國青年在韓國戰場死傷了七八萬人，他的遠東政策，在美國人民心目中確是一種難於理解的下策，但是一經蘇俄代表馬里克自動要求停火以後，杜魯門的主張，很容易又被人認爲「上策」了；而杜魯門本人，也確實因此而沾沾自喜。他曾經非常得意的對記者表示，認爲「由此可以證明他免除麥帥職務的正確。」是的，麥帥擴大韓戰的主張，利害尚難逆料，但杜魯門的「有限度戰爭」，現在至少已獲得理論上的勝利了。人類本來就有一種苟安的惰性，美國人民當然不會例外，如果史太林的停火運動一旦成功，美國人民的反蘇熱潮，可能就會迅速冰冷，而美國政府的姑息主義，却又難免相對抬頭。這是史太林攻心戰術的最大運用，非西方的短見政治家所能看破，杜魯門本人目前正充滿着阿Q勝利的信心，自然更沒有這種認識力了。

杜艾繼續執政下　世界革命才有望

據最近路透社華盛頓電訊所報道，美國的政治專家估計，自停火運動開始以後，杜魯門總統的政治「股票」，已大見上升，如果朝鮮和平能夠成功，美國明年的大選，杜魯門還會有再度當選總統的希望。至於艾契遜呢？據說國會議員對他的觀感也開始改變了，共和黨過去一年來在外交政策上所予民主黨的壓力，至此幾乎瓦解冰消，這在史太林本人看來，眞是快活極了。我們由此也更有理由可以相信，杜魯門和艾契遜這幾個人，史太林是一定要給他支持的（特別是他們快要被政敵擊敗的時候），惟有美國在杜、艾執政之下，史太林的許多「世界革命」計劃，才會紆迴曲折的不斷進行。因此，史太林所以必須支持杜魯門的理由，應顯得十分充足，而沒有甚麼神祕了。

由於史太林有必須支持杜魯門的理由，我們所得的印象，是東西兩方冷戰的政治鬥爭，必然繼續延長，但西方集團所處的仍然是被動地位，而不會是主動地位。這是史太林的高明，抑或杜魯門的謙懦呢？祇好留待歷史去判斷了。

×　×　×

美國專欄作家的看法

和平有無數陷穽存在

·一丁·

即使韓戰眞能停止，美國擴軍計劃也不能因此減少一文錢一個人，只有加緊擴軍才能避免大戰

韓戰和平談判，雖已在開城開始，但未來結果如何，許多人都不敢過分樂觀。中共方面，最近且大量向韓增兵，大肆各地，正加緊進行其捐獻飛機大砲，青年參幹運動。中共並驅使各地大學教授，如北大樊弘，賀麟，胡世華等發表宣言，謂「美帝爲中國人民死敵，中國人民不能因韓戰進行和平談判，即鬆懈其抗美援朝的各種愛國工作」。美國方面，杜魯門艾契遜之流，固然求和如渴，然而在無數基本問題上，也決難輕易犧牲，一般輿論，尤不斷提出警告。前日（十六日）出版的美國新聞週刊載有專欄作家林德賽（ERNEST K.LINDLEY）一文，題爲和平的陷穽（THE PITFALLS OF PEACE），指出和平前途，困難重重。林氏更特別強調，即使韓戰眞能告一段落，這對於美國擴軍計劃，決不能有絲毫改變，經費數字，也不能有一文減少。這實可以反映最大部份美國人民的意見。中共和美國，都對和平存有如此深切的疑慮，則目前雙方在開城談判有何收獲，殊不難約略想見。茲將林氏原文，摘譯如下：

美國不能無保障休戰

韓國和平，正爲無數陷穽所圍繞。第一串的陷穽，就是武裝休戰。我們最高軍事和外交當局，以十分謹愼的心情，面臨這些陷穽。他們拒絕在沒有保障以前，昧然停火。他們已經計劃了一些有關保障的詳細辦法，以便談判延長或談判破裂時，知所應付。其實，只要美國和民主集團國家，態度一致，我們就絕少可能，有墮入無保障休戰的陷穽的危險。比較危險的陷穽，還在韓戰以外的另一方面。

遠東問題不易協調

韓國問題作永久性的政治解決，最近任何時間，皆好像很難達到。因此，在未來若干月，甚至更久，我們就無法不保持大量軍隊留駐韓國。此外，遠東政治問題的總解決，也同樣不易實現。其中包括有，台灣問題，國民政府，和北平政權的地位問題，這些問題，一旦重行提出，自由世界甚至在大西洋公約的國家以內，就會再發生分裂。那時我們可能遭遇外交上的嚴重困難。因爲自由世界繼續對遠東問題難於調協，這無疑就將使聯合陣線在歐洲及其他地區，受到挫折，不易維持。

因分裂可能裁減外援

尤其，民主集團分裂的危機，還會因我們減縮對外援助，特別關於軍援，而立行擴大。這種減縮援助的可能，早於韓戰停火談判以前，即已存在。如果我們盟邦，在遠東方面，和我們總是背道而馳，或是他們自己，削弱其國防計劃，則主張減縮對外援助的人，自將更見加多，增強。

重整軍備，一經延擱，在整個自由世界，將是一嚴重危險。如果我們整軍計劃，有所裁減，其他盟邦，也自會跟着裁減。如果他們眞裁減了，則我們國會內孤立集團，就立將作爲口實，對外援款，大抵勾銷。像這樣互相影響，其結果定會很快引致大西洋公約的崩潰，使歐洲軍備虛弱，隨時爲蘇聯魔掌所攫取。

整軍越遲大戰越快

只有堅強領導與公衆壓力，才能阻止國會裁減軍備的企圖。現行國防程序，本與韓戰無關，也不是爲了韓戰而計劃的。韓戰縱然結束，也不能有任何理由，裁減這計劃中一文錢或一個人。由於通貨膨脹，爲達成原定計劃，只有增加撥款。計劃很遲開始，甚至是太遲了。至於我們盟邦的整軍工作，如果再不加緊努力，那麼，在一九五二，或一九五三，定將使敵人敢於冒險，招致大戰的爆發。

一九四九，蘇聯讓步，解除柏林封鎖，這會使我們整軍計劃，爲之延擱。實則自二次大戰結束以來，每一次危機的稍獲和解，就每一次延擱了我們的整軍計劃。這教訓歷歷可數，我們現在，總再也不應該上當了。所幸這一次韓戰和談，當局所表示的，至少和過去有一重大差別。那就是政府絕不像一九四九，有絲毫鬆懈整軍的跡象。相反的，政府正在用盡方法，使大家不要誤會危機已過，故態復萌。不過這對於國會的影響，似乎仍不太大。國會總是有機會就削減[illegible]，無論如何，目前國會固然不會[illegible]，但如因韓戰停止，而即使美國的軍備水準，竟有極小的裁減，那麼，我們試問，假如蘇聯更大力進行其一連串的和平攻勢，將緊張局面予以和緩，增強和平共存的虛僞宣傳，我們又將如何？假如我們有一天，與蘇聯舉行全面談判，但在談判以前，我們就自己減弱了我們討價還價的力量，我們是不是要失敗？因此，我們當前唯一應採的途徑，就是要維持甚至加速我們已定的整軍計劃，並促使一切盟國，向同一的途徑前進。

讀者投書

我介紹新亞書院

——「堅定了對民族文化的信心」——

他的教育旨趣是要溝通世界東西文化爲人類和平社會謀幸福

·李敏·

一九四九年中國大陸變色，文化教育界在極權威脅與死亡恐怖之下，失去了一向的寧靜環境。誨人不倦而崇尙眞理與自由的學人，因爲不甘受新奴隸主義的蹂躪，亦不忍見學術命脈的中絕，他們既不願寡廉鮮恥的去靠攏，於是只有設法走出鐵幕的樊籠，自那時起，台港兩地便平添了一批有成就有素望的學人。就整個國家說，當然這是很不幸的現象；但台港兩地却因這批學人的匯集，大大促進了本地文化的繁榮和進步。這情形好像希特勒故意把大批猶太學者送給美國一樣，德國的損失正做成了美國的巨大收穫。新亞書院在香港的創辦情形，正如那批德國學者在紐約創立那所有名的「NEW SCHOOL」一樣，他們象徵着學術自由，也象徵着學人們對於專制獨裁者們不屈不撓的反抗。他們的存在，象徵着文化的尊嚴，也代表了人類向往思想自由的心聲。

新亞書院創立於一九四九年秋，最初只是專科性質的夜校，在九龍一家私立中學租用三間教室，每晚只上課三小時。但賴各教授的熱誠與熱心，招來幾十個青年。僅半年的光陰，社會上已公認這一小小夜校確有特別價值。經各方熱心幫忙，遂於一九五〇年春天改爲日校，而且有了一所自己的校舍（九龍深水埗桂林街六十一至六十五號）。自此儼然是一小規模的大學了（依香港法令，不許稱大學，故稱書院）。

新亞書院創辦人錢穆（賓四）先生是我國近代極有名的史學家，五十六七歲，說一口帶有無錫和蘇州方言的普通話，在北大燕京清華西南聯大等校教過近三十年的史學，著作風行全國，桃李遍天下。他有一套教育理想，大致可以新亞「旨趣」來說明：「上溯宋明書院講學精神，旁采西歐大學導師制度，以人文主義之教育宗旨，溝通世界東西文化，爲人類和平社會謀幸福。」「本此宗旨，務使學者切實瞭知，爲學做人同屬一事，在私的方面應知一切學問知識，全以如何對於國家社會人類前途有切實之貢獻爲目標。」

新亞的旨趣可以代表錢氏的教育理想，也正是新亞全體師生的抱負。由於這一理想，新亞團聚了十幾位名教授如任東伯（文學）、唐君毅（哲學）、吳俊升（教育）、張丕介（經濟）、衛挺生（財政）、楊汝梅（會計）、程兆熊（農學）等。他們把這所小規模的大學做成了教育理想的試驗園地，兩年來在一切艱苦條件之下，不斷的改進，現已大有可觀了。當一個青年剛從地獄般的大陸逃到香港後，忽然發現這樣一所理想的學術自由精神園地時，眞有說不出的快慰。她給予我對前途的光明希望，也堅定了我對民族文化的信心。

新亞本科六系（文史、哲教、經濟、商學、農學、社會），專修部三科（國文、英文、會計），每週上課大約十八至念四小時，師生團聚，講解與辯難並重，使人煦煦然如坐春風之中。各系級同學間的自由活動，尤能表現這一新亞精神。每當星期四晚上，舉行「文化講座」的學術講演時，在校師生與校外熱心文化學術人士共坐一堂，那種求眞理的人文精神，總使人永久難以忘懷。

和松岡洋右是好友　溫世珍被槍斃

但史太林却和松岡抱過腰

中共最近槍斃了日僞時期任天津僞市長的溫世珍，[illegible]

溫最大罪狀，[illegible]抗議。

因爲和松岡洋右做朋友，就中共一方面說，是最光榮也最寶貴的。一九四〇年前後，松岡和史太林，互相呼喊過最好的友誼，有過彼此國家的萬歲。當松岡離開莫斯科時，史太林和松岡抱腰爲別。試想，這是共黨世界中的領袖，是松岡個人何等卓異的光榮。那麼，中共如何能當處日本踐踏中國的時候，反而大聲疾呼，史太林是中國的救星呢？

史太林是中共的爸爸，松岡是史太林的好朋友，又是松岡好朋友，如果照這樣推算，溫世珍應是中共的阿叔。然而中共却槍斃了這位阿叔，大概中共正推行着算父母的同一原則，大義滅親，阿叔也就成了犧牲品啊！

·一丁·

日本反自殺運動

等着，回頭想一想

東京的十字街頭及鐵路交叉口，[illegible]到處[illegible]「意圖自殺[illegible]服務處[illegible]動反自殺運動的一個辦法。

在東京附近的火山口，瀑布，及海口所在地，[illegible]回頭想一想，[illegible]所想像的[illegible]

日本人民有於過去一種傳統的[illegible]解決辦法。[illegible]

[illegible]東京方面一九五〇年[illegible]布下的深淵[illegible]有增加[illegible]〇五人，去年增加[illegible]的方法，包括[illegible]厭世，疾病，及失戀。

東京市政府當局，刻正積極推行反自殺運動，反自殺的標語，將遍於東京的繁華及郊區。（伍健雄）

前山東主席北平市長 何思源「坦白」索隱

為武訓問題怕牽涉血債

何長期纍而未擱，最近日夜憂惶，已彎腰駝背，幾如七十老翁

【本報北平特約通訊】此間人民日報，昨天刊登了何思源一篇「坦白悔過的長文」，（編者按：各地共報，也多已轉載）內容是說明自己任山東教育廳長時，何以拚命大捧武訓，并曾捏造謊言，說自己是武訓轉胎，何以做過北平市長，纍而未擱，這篇血肉淋漓的坦白長文，惹起北大家注意，記者特設法探得何寫此文內幕，並摘錄幾段原文如下：

前北平市長，在山東做過兩年省政府主席，十七年教育廳長的何思源。在民國三十八年一月，正值共軍圍攻北平時，衛護李宗仁[illegible]，經回北平，與許[illegible]等，包圍傅作義，進行「和平運動」。[illegible]當時熱心反共的愛國志士，投擲手榴彈，將一個心愛女兒，無辜炸死。傅作義投降後，何許均自恃為共黨立功不小，功名富貴，不成問題。不料許惠被共黨指使東北籍學生，控告其在前北平市參議會議長任內，[illegible]拘捕，被判死刑，經何拚命營救，始改為無期徒刑，至今尚在東北某地奴工營中，勞動改造。何見勢不佳，文將一切升官發財之妄想，盡行拋棄，乃向共黨，第一、坦白悔過，自請入革大學習，第二、捐獻全部財產，大量購買公債，第三、在舉行反動黨團員登記時，以第一名首先前往登記。此外，[illegible]以營救許惠東的精神，為何親情，乃得保全性命，以至今日，惟何仍終日提心吊膽，焦饋不安，尤其害怕的，是他在山東主席任內，曾以勇敢冒險，嚴厲剿共，為國民政府所稱許。現在各地共黨，正紛紛清算舊日血債，萬一山東共黨，也要求將彼提回公審，則彼之生命，即決絕希望。由於年來疑懼恐怖，及私人資產已被括光，生活困苦的關係，致形容憔悴，衣履襤褸，已遠非四年前任北平市長時活潑豪爽可比。半月前，記者一度在東安市場，見其與一法國太太，各持一煮熟之老玉米，邊走邊啃，垂首駝背，幾若七十老翁，殊令記者不勝王孫今昔之感。然據何之戚友告人，何深幸自己活到今天已出意外，因為像何這一類[illegible]，被認為包袱很重的投降份子，的確任何人都不自知命在何時。只要中共心頭一動，就立時可以變成魔鬼祭品的。

……念會上，何大聲疾呼，全國教育界，均應以武訓為楷模，於是通過了決議，盛大募款，擴充武訓各校，建武訓祠，修武訓墓，還請國府頒褒揚令。這一連串的事實，都說明了廿年來，武訓之所以能為一般社會人士崇拜的「偶像」，禍魁罪首，還得何來負責。會後，檢討會決定，要何向人民坦白，他為什麼如此賣力，替武訓鼓吹，做武訓的幫兇。

罪孽深重不敢怠慢 坦白悔過自認幫兇

何思源接到通知，嚇得屁滾尿流。他自知罪孽深重，不敢怠慢，馬上著照檢討會的決議寫了一篇「批判我利用武訓為反動統治階級服務的反動行為」，洋洋數千言，罵自己為反動份子，是想利用武訓的屈膝磕頭來麻醉人民、讓人民擁護統治階級，為反動統治階級服務，他承認自己這種行為，是反動行為。檢討會所揭發他過去大捧武訓的各種經過，他都完完全全，毫不否認。并且他還加料坦白，提出了檢討會未經提出的一點。那是他曾異想天開，在教育廳長任內偽造謠言，說他是武訓轉胎。因為武訓死於清光緒二十二年（即一八九六），他卻正是光緒二十二年降生。這類謠言，不特無數落後的山東人民信以為真，對他萬分崇拜，就連自己上司，如韓復榘之流，也另眼相看。他在山東之得以長期做官，與這個謠言，很有關係。他至於頌揚武訓的各種工作，也由於這個謠言，更得到種種推進的便利。他不僅承認自己是武訓的幫兇，並且說：「如果武訓在山東是反動勢力的第一個幫兇，我就應該是反動勢力幫兇的第二名」。

利用武訓磕頭精神 軟化人民從統治

在他這一長篇坦白中，他解釋武訓為什麼是反動勢力的幫兇。這本是共黨清算武訓的唯一要點。他針對共黨的需要，博取共黨的歡心，下面這兩段，正是他坦白書中的原文：

他說：「我對蔣介石及其反動政府的報告比較簡單。但是對韓復榘（當時的山東省偽主席！土皇帝），卻說得很詳細。我說：『武訓之為人，謙恭有禮，武訓辦學是三綱五常的教育，是孔孟之道的教育，是天地君親師的教育。』『武訓精神』對於我們是有幫助的。」韓復榘比我更聰明，懂得多。他說：「魯西一帶，民性強悍，土匪如毛，歷代都沒有肅清。若是窮人個個都像武訓，治魯西就不難了。」當時韓復榘正在專心「剿匪」，對於魯西土匪頗感棘手，於是決意用奴顏婢膝的投降主義的武訓來轉移魯西風俗，以「知禮、不犯上、不作亂」的「武訓精神」來改正地方人民的「慓悍之氣」，使其「納於正軌」。他的用意是利用「武訓精神」來減少「土匪」來源。在韓復榘的思想中，以為「窮人」若都能像武訓似的，見了封建統治階級就屈膝磕頭，不反抗，不「爭」，遵照武訓所走的道路，以讀書上進為目的，則山東的天下穩如泰山矣」。韓復榘這種思想是確切地代表了反動統治階級的思想的，無怪武訓學校的捐款冊中，幾乎全是官僚、地主、士紳、名流的名字啊！韓復榘同我的發揚「武訓精神」運動是有深遠的陰險的用心的。」

他又說：「武訓生於魯西北之堂邑縣，是古趙國之地。自魯西以至河北省的河間，大名，是歷史產生英雄豪傑的地方，自黃巢、宋江、武松、王倫，以至近代說部中的竇爾墩，及「綠林」中人物等，皆出此地。那裏「人人打拳，個個習武」，「路見不平，拔刀相助」的反抗鬥爭精神很盛；當地豪傑爭以能『劫皇杠』（即搶皇帝的銀子）為榮耀。在武訓所經歷的時代，魯西北人民就發動『暴動』好幾次，反抗『政府』的活動，就沒有停止過，因此歷代統治者都說『強悍難治』，歷代統治者都束手無策，雖殺了不少人民，但殺不勝殺。這裏窮人中忽然出來一個例外的投降主義的武訓，封建統治階級以為奇貨可居，故特別利用一番，想借此『移風易俗』，軟化人民的鬥爭精神，才把武訓作個樣子，慫恿宣揚起來。如無統治階級利用的宣揚，武訓的名字是不會為這麼多人所知的。今天反動統治階級已被推翻，那些利用武訓為反動統治階級服務的人也多已老死，惟有我的年齡較輕，尚留人間，所以我坦白出來，把當年蒙蔽人民、愚弄教育界及知識分子的內幕揭開，讓大家明瞭真相。」

這樣涕淚俱下，痛罵自己的坦白，是否共黨能就此寬大處理，及是否會更進一步，清算過去剿共的血債，當然除共黨外，別人無法預測。反正何思源是中共籠中的鷄鴨，何時開刀，大約總只是時間問題而已。（臨光，十二日寄自北平）

任山東教育廳長時 曾以全力頌揚武訓

前幾天，何所日夕恐懼的厄運，已開始降臨，不過還不是為了嚴重的血債，而是為了清算武訓的關係，當時郯城的清算他，指他曾是武訓幫兇。在某一檢討會上，有人提出，在國民政府時期，是頌揚武訓最力的教育廳長，說過十七年的主席的，何思源。據說何曾於任內，主持一專縣中武訓小學，等縣的學校，專門祭武訓，民拜掃武訓墓，並要各地報告復興武訓的學校，由省府撥公款，大批中學、小學，改為武訓中學，以省府指導。民國二十三年，何大量印刷武訓紀念日紀念武訓。分發全省學校，以武訓生平事蹟，編入小學課本。武訓故事中，及畫像，通令全省，訓生平事績，列入教材，又令全省各民眾教育機關，加緊宣傳武訓精神的宣傳。又在河北房山縣，以重金購到一大塊漢白玉，為武訓造像一面，親自主持揭幕，全國人像，請知名人士並題詞，表揚頌讚物品。西北二千多縣的學校，教育機關、主管及地方士紳、名流，在武訓紀念日，齊集謁墓、紀念，行一擴大紀念會。

利用宣傳名義浪費人民膏血 上海舉行「街道展覽會」

馬路兩旁電桿和樹都用紅白新布纏裹 一位朝鮮回來的「砲灰」看了大感不滿

【本報上海特約通訊】中共報紙吹擂得「震天價響」，渲染成「如火如荼」的所謂「抗美援朝」運動，宣傳目的，究竟是怎樣一回事？誰都知道第一是向人民要錢，第二也是向人民要錢，第三第四還是要錢。不過，到了今天，我們卻發現多了一件，那就是一般共幹，於強迫人民獻機捐砲以外，還借擴大宣傳名義，向人民勒索宣傳費，「取之盡錙銖，用之如泥沙」，天一半地一半胡花亂用，其中自然還可大措油水。下面列舉的雖是上海一隅的景象，卻可代表整個大陸。而且又是「中共幹部」自己發掘出來的，因此記者更樂為向鐵幕以外的僑胞人士，據實報告：

宣傳經費變相剝削

所謂擴大宣傳，原是中共最近為要加緊完成獻機捐獻運動，配合發動的戰果，展開宣傳工作，務期各大都市奉令普遍舉辦「抗美援朝街道展覽會」，是其中重要項目之一。在上海幾條比較熱鬧的馬路，如「南京」「淮海」「北四川」等，首先布置起來，和從前的神賽會一般，但見燈燭輝煌，[illegible]，人頭鑽動，鑼鼓喧闐。所有佈置街道的經費，都是向人民勒派的。負責辦事的共幹們，更是名利雙收，人人眉飛色舞。如此這般連接開了十多日，真是老少咸宜，皆大歡喜，誰也不覺得有什麼不妥。不料霹靂一聲，這類胡鬧情形，落進一個韓境歸來的志願軍，後勤工作人員葛步堂眼裏，老大不以為然，寫了一封公開信，把這批借「抗美援朝」之名，行「要樂吃喝」之實的大小共幹，罵個狗血淋頭。

可以做六千件襯衫

葛步堂原函，有以下兩段：

「我們在朝鮮前綫時，總說國內的抗美援朝運動，攪得轟轟烈烈，使在冰天雪地中的我們確曾增加不少力量。但這次回到上海，走滿南京路，給那些紅紅綠綠的彩紮，把眼睛都攪花了。這樣的抗美援朝街道展覽會，能收到什麼政治效果嗎？滿街是人，店堂裏擠滿了顧客，生意興隆，飯店酒樓上我們同志，更是呼五喝六，擺[illegible]機裏放着的是十幾年前的黃色歌曲「燕雙飛」，一些商店櫥窗裏放着幾個[illegible]片，在這樣的環境裏，「是如何的不調和呀」。他又說：「另一天傍晚，走到淮海中路，忽然覺得眼前一亮，原來[illegible]的電桿和樹，都用紅色白色的布裹着，掛上紅紅綠綠的電燈泡，[illegible]，至少可替志願軍做六千件襯衫。我不懂，這樣浪費，[illegible]抗美援朝的宣傳教育有什麼幫助？[illegible]設計裝置展覽會的時候，[illegible]不吃飯，不睡覺，[illegible]的志願軍[illegible]天真覺得[illegible]祇不過是[illegible]克林姆宮[illegible]你們奉命保衛的[illegible]本是太不值得[illegible]京滬[illegible]橫[illegible]我們[illegible]向人民[illegible]敵人[illegible]才是「英雄」！（悠然十一日寄自上海）

中共想藉此鎗決胡蓼華

罪名是罵職員打裁縫

胡曾任天津社會局長兼黨部委員

【本報天津特約通訊】在共黨慣性大發，殺人如麻的威脅下，天津自然也不能例外，據可靠消息，最近又將有大批所謂「反革命份子」，被送上刑場。

中共殺人，照例還要大玩花樣，除什麼「公審大會」之外，不久以前，又添了一套什麼「反革命案件審查委員會」，命當地一些投共的劣紳奸商，充當偽委員，一切槍決，都要經委員會通過。其實，委員會不是和公審一樣，殺誰，誰敢不照中共意旨，吶喊附和？天津的反革命案件審查委員會，共有委員五十七人，像曾經[illegible]年逾七十的邊潔清，販賣地毯，[illegible]發財的朱聲聖，都是委員。本月七日，又開了一次會，據說中共交下來兩百多件，分處死刑、或徒刑的案子。委員們自然無異議通過。大約最近數日內，即將鎗決天津市一二兩次大屠殺以後，再來一批第三次屠殺。

在被屠殺的人們當中，有日偽時期天津市長溫世珍、「外交部長」徐良，和若干地主及反共游擊戰士，此外，國民政府下天津市社會局長胡蓼華，恐也難倖免一死。

胡在津除任社會局長外，還做過市黨部委員，對當時共黨之一切破壞活動，力鎮壓，深為共黨所痛恨。天津淪陷，[illegible]各局局長，胡[illegible]被俘虜。起初中共還假裝寬大，未即處死，到了最近，已遭「人民控訴」，日來天津各中共機關報，已刊滿了控訴文字。不過這類控訴的內容太空泛，除千篇一律「反人民」、「騎在人民頭上」等語句外，也有兩篇較為具體的，也太夠不上控訴資格。一篇是原任社會局職員宋衍海寫的。他說：「胡夢華是一個十足的臭官僚，對一般小職員及工友，動輒破口大罵，我過去在社會局做事時，也遭過他侮辱，像這樣臭官僚，人民政府應該判他槍斃」。另有一[illegible]西服店老板[illegible]春瑞寫的。他說：「抗戰勝利後，我和父親在一個老朋友東海，在天津哈爾濱道開了一家「阿明西服店」，有一天，偽社會局長胡夢華，[illegible]做了一套西服，[illegible]做好，[illegible]混蛋，[illegible]台上一根竹尺，照着[illegible]（新[illegible]，十二日寄自天津）

中南軍政委員會新聞發言人 季萬為離婚大砸法院

誣陷老婆通姦殺人無效

好一個典型老共幹 橫暴不法一至於此

【本報漢口特約通訊】中共老幹部，現任中南軍政委員會新聞發佈科科長（按即等於該會之發言人）季萬，江蘇武進人，現年三十六歲，從二十四歲起，就加入了共黨。最近，為了自己的婚姻糾紛，竟搗毀「最高人民法院」的「中南分院」，弄得該院好多天無法執行職務。一向誇稱素質精良，紀律嚴密的共黨，在這一次，簡直給了全武漢人民一個個憑實據完全相反的鐵證。

事情經過是這樣的：季萬未加入共黨前，即在原籍與一沈才女子結婚，生有兩男一女。中共席捲大陸，季升官而又發財，於是決心將黃臉婆拋棄，另與女同志施聰傑結婚。沈聞訊大憤，向季理論。季竟以綁腿帶纏在自己頸上，向法院誣告彼於熟睡時，幾被沈勒死，要求判沈殺人罪。又將其弟季融從家中來信中有一句「嫂嫂乾舅來了兩次，在我家住了幾天」，「住」字上面，添一「同」字，想誣諂沈與乾舅通奸，以達到離婚目的。當時季在河南工作，河南省人民法院，懾於季的威勢，只得判決離異，但殺人和通姦罪，即擱置未理。沈不服，向最高法院中南分院上訴。季也恰巧被調到中南軍政委員會任科長。中南分院詳加研訊，結果，撤消了河南法院的判決，「離婚無效」。季大怒，跑到中南分院大叫：「我是老共產黨員，有十多年光榮的革命歷史，我是現任中南軍政委員會的委員，你們這班反動法官，竟敢和我作對」，於是不由分說，逢人便打，遇物便砸。弄到好多人受傷，經法院電告警署，始派來大批警察，將季勸走。

這件事現已鬧得武漢三鎮，無人不知，大家都暗中評論，原來共黨員也就是這樣，橫行霸道，騎在人民頭上的。也在要求共黨當局，予以嚴懲。共黨當局，雖有意袒護，對季[illegible]，恐結果也不能。

此外，記者還附帶報告一下，這位中南軍政委員會新聞發佈人另一醜行，他為了自己名字，竟將別人稿件抄襲，利用軍政委員會新聞發佈科長的地位，投寄中南軍政委員會所屬各地區報館雜誌，送到中南報館，因為科長投寄，報館不便不登，也不便不照最高標準之九，送出稿費。直到最近，才發現十分之九，是出自抄襲。已由被季偷抄的作家，向報館雜誌紛紛發出抗議，以至於許多次，報館也就無法掩飾，這次大鬧法院事發生以後，報館才將舉發的信公佈了。這種橫蠻的中共黨員，正可算是中共的標準人物！（鐵民，十二日寄自漢口）

竟利用新聞官地位 抄襲文稿投寄各報

模範婦女

·方人·

在長光熹微中，雙喜嫂緊了頭巾，從鄉政府的黨支部裏返家了。經過整夜的說服鬥爭，她仍沒有放下思想上的包袱。「抗美援朝」，響應毛主席的號召，這是每個做共產黨員都應該無條件服從的。但馬上放手獻出自己的丈夫去當兵，卻有點不甚那個；兩口兒自小一塊兒長大。平常雙喜那樣的老實，聽話，卻也十分可愛。「不能，絕對不能」，自言自語地越過了一個山坡。

「你不要做不明大義的舊式女人」指導員的話，卻也有幾分道理。「讓他去罷，當兵有甚關係，毛主席也是當兵出身的」，雙喜嫂的思想上又放出另一個花朵。「做一個婦女模範罷，不要影響雙喜的參軍情緒，等到縣委的參軍工作總結後，我們保證將雙喜同志要回鄉里來工作好了。」這是夜間在支部會議里的最後決定，也便成爲現在雙喜嫂思想上的總結。

心，清靜了下來，看了一下四周的景色，山是肅穆的，深谷里仍有未散的雲海，太陽光從雲層上斜射過來，氤氳萬狀，不覺忘記了一宵未眠的疲倦，恢復了青春的活力。唱一個歌吧。「你是燈塔，照耀着黎明前的海洋……。」

山中空寂無人，迴聲四起，清脆而響亮。繞過一個山頭，便是劉家灣了，已能看到從村上飄起一縷縷做早飯的炊烟。一個問題，突擊上雙喜嫂的神經：「怎樣動員我的丈夫呢？婆婆多少也有些頑固。利用什麼方式可以將他們說服，解除了思想上的顧慮？就是做做樣子，也得做得像啊」。邊走邊盤算着。透過竹林的掩映，家門在望。奇怪，門前那里，這麼許多孩子？在檢拾什麼呢？再走近。那些紅的東西是什麼呢？還有那些白的，是散着。小鬼慌做一團，叫：「啊！她回來了」！「雙喜嫂同志回來了，跑啊」！一些孩子，紛紛丟下了手中的東西，像兎子似的四散奔逃，有些小的跌撲在地上，哭了。

雙喜嫂方看清楚白的是打碎了的白瓷碗盞，紅的便是那一個紅漆碗櫥．皆是她參加鬥爭李十罐子得來的果實，啊！誰這瘋把它打碎了。狐疑滿腹，踏過了碎碗木片的殘骸，於很傷心。「奇怪，家里人呢」？心頭在想。突然，門口的雞，驚叫了一聲，飛走了。

雙喜嫂一怔。屋內一個人急竄而出，像一頭兒猛的獅子，迎面冲大砲，雙喜嫂使四腳朝天跌在地上。她被騎在身上，揪住了頭髮。打，拳頭像雨點似的，打在面門上，打在齒口上，鼻子破了，嘴破了，血湧現着。婆婆跑出來了，坐在一邊，像家里死了人似的，放聲嚎哭：「毛澤東啊，你騙我們老百姓啊……賊貨啊，你爲啥偷漢子，當鄉會長……就出賣我的兒子去參軍啊……我要拚這條老命……啊……嘿嘿喔……」左鄰右舍，都驚動出來了。大人小孩子團攏着，七嘴八舌的。「雙喜嫂，在昨天動員大會上你不該帶頭啊」！「他媽的！妖怪，今天也吃了一個辣手」。雙喜嫂憤怒起來了。失眠的眼原是紅紅的，現在更噴出火燄。看着騎在身上兇狠的雙喜，看着袖手旁觀冷嘲熱諷的鄉舍，一切計劃，解懸，圈套，都打消了，心橫了起來。「劉雙喜！你打罷，你打罷……我能讓你，我就不算幹部」。撕、咬、抓、滾，雙喜嫂開始掙扎起來。她的丈夫漸漸氣力不支。「打，用力打，打這個賤貨」。場外有人喝采。雙喜以一個蓋，跪緊了她的小肚，拳頭又像流星般的打下來，同時雙喜嫂的腿上，有人用力地踩，踢，分明打她的，不止丈夫一人。「匪特，你們這些人都是匪特！哎喲，救命啊……」，不支了。東山坡上突然響起了鑼鼓聲：

「鏘鏘尺鏘尺鏘尺鏘，鏘鏘尺鏘尺鏘尺鏘」。大家相顧失色。「哎呀！鄉政府來了」！「哎呀！民兵隊來了」！作鳥獸散。門前的場地上，餘下奄奄待斃的雙喜嫂，躺伏地上喘氣，身子旁邊，心頭呆在。婆婆跑進屋內去了，緊閉着大門，鑼鼓聲近了、近了，來了。兩班鼓樂吹奏起來，像做喜事似的：爆竹聲：「畢畢剝剝……」咚……，民兵、鄉幹部，開明士紳、小學生，皆排着隊兒，進了莊，前面高挑着一面錦旗，迎風招展，上面四個大字：「光榮之家」。呼口號的聲音：「參軍英雄」！「婦女模範光榮」！

走在前面的中隊長，首先發現了，驚叫起來：「哎呀！怎麼啦」？「雙喜嫂同志被人打死了」！「同志們，散開！到村外去警戒，不要放走一個人」。區指導員緊握着手槍，發佈着命令。民兵隊像戳破蜂窩似的，佈置開來，把劉家包圍得水洩不通，送錦旗來的鄉幹部，慢慢地集攏來的，站滿了一大場，人中隊長「誰打死的」用匪子槍指着，「我打死的」，雙喜「我跟你們去償命。」「匪特」！中隊長一腳將匪特雙喜踢倒在地上，「碎」，「碎」，中了兩槍。

尼赫魯的生意經

聽君之言大而誇
相君之面俗而陋

·尚方·

印度執政者尼赫魯這位甘地的信徒，近兩年來，在國際間常表現一些陰陽怪氣的言行：一會兒對中國的秧歌王朝決非共產主義政權，一會兒又說共軍入西藏威脅當尼泊爾和印度；既宣稱接受中共的二百萬噸糧食救濟（？）指議員們向美國呼籲救荒爲失態，又對美政府之兩億美元糧貸表示欣慰。總之，裝模作樣，惹是生非，印度究竟要往何處去，實在令人莫名其妙！

最近，尼赫魯發出了一段坦白的言論，這纔使我「茅塞頓開」，恍然大悟。原來尼先生認爲「毛主席」將來一定會基於中國人強烈的民族思想，脫離史太林的控制，成爲中國的狄托。那時候，他自己以亞洲大國的領袖資格，要與「毛主席」攜手合作，領導全亞洲，創造一種社會主義亞洲的新秩序！所以，尼先生近年來隨時在國際上爲中共幫腔助勢，乃是爲的「燒冷灶」，先結下「毛主席」的善緣，以便他日好伴駕齊驅，充當亞洲的領導人。

我以亞洲人一份子，衷心希望尼先生這套政治理想能實爲事實，也讓亞洲人對西方毛子出一口鳥氣！可是，除卻「毛主席」賭咒要一面倒向蘇俄，不會理睬尼先生這「政治商人」的生意經之外，而尼先生最近不止派兵威脅巴基斯坦，不受聯合國的調處，似乎渾身是帝國主義者的再版，不像社會主義新亞洲的領導人，而日教我不勝其惶惑之至。聽君之言，大而夸，相君之面，俗而陋，我不禁大爲亞洲人歎氣也！

「人民」商標

·胡光·

製造名詞，誠漂亮的口號，中共是拿手好戲。而尤其開口「人民」，閉口「人民」，把「人民」高抬到三十三天，像煞真正「一切爲人民」，更加肉麻。「人民世紀」，「爲人民服務」，「向人民學習」等這類噁人的濫調不談，更把「人民」兩字，到處胡用，標語化，口號化，乃至於商標化。不意鐵幕之內，說是一所「人民」大公司，一切，都屬於「人民」，祇此一家，別無分號，彷彿叫顧客必須認淸商標，以防假冒，而免上當。因此，中共極像一個苦心經營的商人，對於「人民」這塊商標，極盡愛護與宣傳之能事，時時不忘它，處處不忘它，事事不忘它。一切會議，一切人物，一切事件，一切物品，以及舉凡一切可以利用之時機與場合，都必冠以「人民」兩字，以示區別，而利推銷。甚麼「人民政治協商會議」，「人民革命軍事委員會」「人民代表會議」……等等。

商標雖可使人辨別眞僞，維持信譽，但若只有商標，而不貨眞價實，仍然不能招徠顧客。顧客最多只能上當一次，最後必人人唾棄。「人民」這塊商標，設計雖好，可惜盜用結果，盡是僞貨，「口口聲聲，將人民捧上三十三天，實際是把人民當奴隸看待，當牛馬驅使。騙術既已拆穿，則商店關門之期，亦必不遠。

記陳布雷（1890—1948）【下】

·舜生·

二十六年冬，政府西遷武漢，其時余任國防參議會參議員，亦隨政府西行，寓武昌文昌巷連寶吾家。翌年三月，國民參政會成立，國防參議會即告結束。其時雖華北淪陷，上海南京亦相繼失守，但人心異常鎭靜，國民意見亦確可藉參政會以表達於政府，頗有一種元氣淋漓景象，初不似今日之一切隔膜，一切銷沈也。是年七月某日，布雷至文昌巷訪余，適余以事赴漢口，至晚十一時後，又以車來迓，謂有要事待商，既至其胭脂坪辦公處，布雷乃出有關三靑團一切文件囑余細閱，並謂蔣先生頗有意欲余担任該團一部分工作，余以另有黨籍，恐滋誤會，婉辭謝之。其實在抗戰期間，凡所以融洽黨派以統一全國意志者，余幾無一事不與布雷岳軍協商，亦幾無一事不開誠相見而得圓滿解決，及今思之，深感布雷調護之功不可沒也。

布雷爲一正誼感極强之人，其感覺亦至爲銳敏，讀其「回憶錄」者，當能知之。「回憶錄」有一段批評四川人之文字，似於川人之性格頗能搔着癢處，其言曰：

「居重慶約一月，寓上淸寺陶園內之農村，與川中軍政界及教育界新聞界人士相接觸甚多，覺川人之穎慧活潑，實勝於他省，而沈着質樸之士殊不多觀，模仿性甚强，亦頗思向上，然多疑善變，凡事不能從根本致力，即軍人官吏，亦均文甚於質，志大而氣狹。」其批評廣西人，則謂「其特點爲儉勤勞，而規模不宏。」就余三十年接觸所及，實與布雷有多少同感也。

布雷體弱多病，有時必藉安眠藥始能入睡，終身與文字爲緣，生活尤爲淸苦。憶勝利後，某次渠由滬回京，余適與之同車，見其精神委頓，因問其近來身體如何，渠回答：「我這個身體，好比一部機器，實已用到不能再用，從前偶然修理，也還照常可以開動，現在確已到了修理也無從修理了。」言下不勝慨然。

民國二十八年十二月，布雷五十初度，蔣先生書「寧靜致遠，淡泊明志」八字贈之，論其宅心之忠厚，治事之勤勞，甚至竟以身殉職，雖謂其「鞠躬盡瘁，死而後已，」亦可爲之無愧也。

萬竹樓隨筆（十三）

復仇

·因心·

昏暗的黑夜。在大路上一個角落裏，有個倉皇的人影，像幽靈似的，很迅速地跑着，他一面跑，一面用兩隻尖溜溜的眼珠向四周巡視。他是誰？他爲什麼在黑夜裏還末鬼祟的行走？

幾年以前，×縣的鄉村裏有個僕實的農家，五十畝田給這家帶來了幸福和愉快。張老頭兒夫婦倆帶着他們的兒子媳婦和孫子，一家五口度着很滿足的生活。

但是，好景不常，如今，大地被灰紅色籠罩住了，人們的心，也變得緊張和沉重。終於，不幸的一天隨着恐怖而來到。村前的廣場上搭起了茅蓬，在這推行「土改」的時候，凡是地主都得被鬥爭；張老頭兒因爲有五十畝田，也是地主，當然不例外。鬥爭帶來死亡，張老頭兒被鬥爭丟了命，他的兒子也在其內，他死後，悲痛帶走他老妻的餘生；留下兩個年輕的兒子媳婦和一個孫兒，過着悲慘和不安的日子。

禍事接二連三的降臨到這家來，先是小張的媳婦被慰勞隊「徵用」，再是小張的兒子被迫參加了小鬼隊。最後，共幹向小張說：「張同志，你眞了不起，你是人民英雄，人民的英雄，我們是最嘉獎的，可惜你們還沒做完全，如果你能參軍的話，就十全十美了，我想你一定願意的。」半帶玩笑半威脅的情形下，小張最後也參了軍。

短短的半個月內，這個融洽的家完全瓦解了，同時還有無數融洽的家也同樣被瓦解。

一向是愉快活潑的小張，參軍以後，他變得鬱悶和沉默了，復仇的念頭，不時湧上他的腦海，但是在時機未成熟以前，他永遠不露出一絲形跡來。

次年，他們部隊被調到×地附近去「剿匪」，他馬上意識到，這是他復仇的好機會，在他渴望已久的心靈裏，現出了一絲光明，於是他時時刻刻地留意着。

這一天，他得到一個消息，說是五時許有三十幾輛卡車的軍火，要由×地運到這裏來，他知道機會來了，那種莫名的興奮和喜悅，充滿着他整個心房，使它跳得那末激烈，「復仇」兩個字在他心底突然爆發，他緊握着拳頭，向已死的父母告禱，求他們保佑他完成這個任務。[illegible]

兩千美金一趟的好差使

通常這一類行動唯有在祕密的情形下才能存在。但是在這裏，它們却成爲德國報紙和國會公開討論的題目。並府和倫敦的官方當局都積聚了大批關於這種情形的報告和文件。記者在本文中所述都是根據上述的來源和根據記者自己在德國調查所得而撰寫的。

在一九五〇年間，輸入西德的非法物品，達到了天文數字。其中包括價值一億鎊以上的咖啡，六十億鎊的香烟，五百萬鎊的茶，另外還有大量無法估計的其他物品。

目前在德國各地所消費的咖啡和茶的總額中，有一半以上是從黑市買來的。

在有些地方如慕尼黑等，合法的咖啡商人閒得沒有事做，而同時當地百分之九十的旅館，餐室，和一般的家庭，則以非法的方式獲得咖啡。

在德國英蘇區邊境的赫爾姆斯泰德，記者發現那裏的警察局長異常高興，因爲他捉到了兩個走私的卡車司機。「我們不常捉到這種有彩頭的傢伙，」當我看着他訊問這兩個司機時，他說：「這兩個人在企圖偸運一批女人的長襪和照像機進入英區的時候被捕的。根據他們的招供，這段故事得從法國說起。」

據兩個司機中的一個說：「當我們越過西德的邊境時，我們帶着十噸咖啡。我們在柏馬森斯附近聲稱這批咖啡是轉運到蘇區去的。但是我們在快要到蘇區的時候，馬上就把貨卸下而移到幾輛德國卡車上去。[illegible]

德國的暴發戶

原載週六晚郵　張天寶譯

[illegible]

自由人

THE FREEMAN
（半週刊每星期三六出版）
（第四十期）
每份港幣壹毫
督印人：李光華
社址
香港高士打道六六號
電話：二〇八四八
GLOUCESTER RD.
HONGKONG
TEL: 20848
承印者：東南印務出版社
地址：高士打道六四號
台灣經銷處
台北重慶南路一段七十四號

歷史上最惡劣一幕
可恥的「倫敦協定」
犧牲抗日長達三十四年的中華民國，放棄正義，其黑暗尤過於慕尼黑協定

·雷震·

英美關於對日和約之倫敦協定，是歷史上又一自私自利，誤己誤人之慕尼黑，中華民國是被這個協定出賣乾淨了。

正義屈服於自私

中華民國自開國以來，即受到日本之壓迫和侵略。小者不必提了，大者如二十一條，如濟南慘案，一件又一件的不斷發生，迄無寧歲，使中華民國的建國工作遭受了重大的打擊。迨至九一八事變，日人更明目張膽，繼之以一二八，繼之以古北口，侵略是層出不窮，中華民國則忍辱負重，直至七七蘆溝橋事變發生後，以忍讓已至最後關頭，乃不惜兵連禍結，犧牲一切，而血拚八年。在這個長期奮鬥中間，中華民國如果肯遷就妥協，日人之東亞共榮圈早就大功告成了，何至於等到珍珠港事件，諸君才來動手還擊呢！中華民國犧牲奮鬥了三十四年而拖垮日本，使日本力竭聲嘶而屈膝投降，今日之對日和約，中華民國竟被排斥於簽字國之林，天下尚有絲毫的正義公理可言乎？過去是正義屈服於強權，今日則正義屈服於自私。

中華民國抗日已有三十四年之久，固不必說，即兩國正式開火，已歷八載，中華民國竟不得簽字於和約。而蘇俄對日作戰只有五日，蘇俄竟可簽字和約。此一事實，表示強權仍勝過公理，不知聯合國憲章之精神何在？如果世界上這樣不講公理，不張正義，那又何必東聯西結，以謀反共抗俄呢？我們若心平氣和的自客觀言之，英國在對日作戰一幕中，究竟使用了多大力量？傷害了日本一些甚麼？這是盡人皆知的事情。

排斥了中華民國

依照英美兩國公佈之對日和約草案，其第二十六條規定有：『日本在本約生效後三年以內，可以與對日作戰而非本約簽字國之國家，訂立一與本約相同或大致相同之雙邊條約』。根據外面傳說，關於對日和約簽字之國家，英國不願意由國民政府簽字，而美國又不欲由中共簽字，雙方協商的結果，將中華民國不列入約草第二十三條之簽字國家，而由戰敗的日本依照該約第二十六條之規定，選定簽約之對手方——國府或中共——簽訂雙邊條約。中華民國抗日有三十四年之光榮歷史，血戰且歷八年，生命和財產之犧牲，更無法以統計，今對和約的簽字，竟無權主張而須由戰敗國來選擇，眞是創造了人類歷史上未曾有的新紀錄。故我說這個協定，是歷史上最惡劣之一幕，慕尼黑，當不爲過也。這個慕尼黑誠屬空前的，但也希望其爲絕後的，不然人類歷史將要從頭造起。中華民國誠然受了莫大的侮辱，但是，在抗日作戰中，與我并肩作戰的英美，其光榮又在何處？無怪乎戰敗國的日本評論家要說：「對日本作戰時間最長，並在地理上與經濟上和日本有密切關係的中華民國，在和約草案中實際上未被提及，似乎是對日和約中的『畸形』現象」。

雙邊簽約有問題

今日之對日多邊條約，固然沒有我們的份，而他日之雙邊和約之簽訂，恐怕我們仍是沒有希望。根據杜勒斯解釋：「這個和約草案，不僅是美國所支持的，也是英國所支持的。這是一個很公當的事，因爲在十五個主要有關國家內，七個是大不列顛份子國」。所以這個約草由英美兩國同時公佈。因爲英國及其集團不願意由國民政府簽字，故中華民國未能列入約草之簽字國，惟這個原因，在和約成立之後仍然存在。這幾年對日管制工作，美國誠然花費了不少的人力和物力，但美人做了不少自大的工作，也得罪了不少日本人。可是英國在這幾年中間，展開了許多的拉攏工作，也施了不少的小惠。英國在和約簽訂後，在經濟方面拉攏日本，在想復英國集團同時參加英磅集團。英國集團既有七個子國，而日本在事實上，復不敢開罪於英國，所以中華民國要想根據約草第二十六條規定來簽訂雙邊條約，除非世界另有變化發生，在普通場合，其可能性並不大，不管我們願意不願意。中共的簽字，當然更有困難。

忽視了過去教訓

美國對於這個和約的作成和佈置，確實費了不少心血，她因爲要抓住英國集團，故不得不遷就他們的要求，在對抗共禍橫流之今日，她也許有不得已的苦衷。可是違背正義和公理而過份重視現實，後果將有不堪設想者。慕尼黑這一幕，固然導致了捷克的滅亡，但是導演者的英國又何嘗不因此而招致第二次大戰而趨於衰落。英國經過第一第二兩次大戰之後，地位是一落千丈，其變故又何嘗不是由於自私自利只顧現實的結果。德國兩次之所以抬頭而釀成滔天大禍者，是不是由於英國要想壓制法國而扶植起來的結果？日本之崛起及其爲禍東亞，是不是由於英國爲保障其遠東利益而扶植有以助成之？這些歷史家定有褒貶，用不着我來實備。今日如果再不覺悟，而只打算多做一點買賣，則將有噬臍莫及之一日。

防共協定的往事

我們今日失去大陸，退守台灣，人謀之不臧，當爲重要原因之一，而多年抗日因之八年血拚而衰落下去，亦爲不可抹殺之事實，不然，共匪是不會起來的。今日你們爲着共匪而不要我們簽字，其理由是說不過去的。

（下接第二版）

請問杜魯門總統及美國政要們
你們政策基本精神在那裡
如果眞爲世界爭取民主自由和平正義則當前一切作法卽有重新考慮必要

·黃雪村·

在馬立克痛駡美國的演詞之後，臨了提出所謂停戰的建議，打了一年多的韓戰，因此公然還會被美國欣然接受，開始了開城的和平談判。曾經爲抗日戰爭苦鬥過八年的中國，在對日和約草案的公佈當中，中國公然不會被認爲法定的簽約國之一。這是最近兩件舉世矚目的新聞，也正是我們一向爲民主自由與世界和平犧牲奮鬥的中國人所驚異的事。中美兩國具有良好的傳統友誼，同時美國也是一向被尊爲反極權，反侵略的民主國家之領導者，可是在這兩件事實上看來，我們終於難以袪除我們的疑慮，我們不知道美國當局是在作些甚麼，他們是怎麼樣在打算？

等於闊公子和乞丐打架

蘇俄的宣傳，老是以先發制人的辦法，使美國陷於要戰爭不要和平的嫌疑地位，中共也拚命指責「美帝」爲「戰爭販子」。他們可以毫無根據的撒謊，硬說韓戰之發生是李承晚要侵略北韓。這樣一來，美國爲要避免這個「戰爭販子」的嫌疑，於是不能不隨時響應克姆林宮的「和平號召」，這也許就是美國要委屈的去到中共韓共武裝保護的開城從事停戰談判的唯一理由吧。還有一點，就是所謂恐怕引起世界大戰的顧慮，這是英國政要們不斷提出的「口頭禪」。蘇俄也就針對着美國這些憂讒畏譏，疑神疑鬼的弱點來作工夫，無論是在政略上，戰略上，永遠使美國處於被動的地位。有人說，美國今天和韓共，中共，蘇俄打交道，正如一個闊公子哥兒和要飯的乞丐打架，乞丐是拚着一身爛，甚麼都不在乎，而這位闊公子哥兒，既要顧到身份，又怕弄髒衣服，又安得不礙手礙脚，折騰不開？這眞是一個確切不過的比喻。當然，我們也很同情美國當局的困難，站在他的本身立場上，也許有若干難言之苦，但是像這樣老跟着對方的意向來轉動，來應付，似乎總不是一個明智的辦法。依目前共方一面增兵一面談判停戰的情形來看，韓戰之是否停得下來，還是問題。退一步講即令眞能停戰，試問美國對今後韓國問題將如何處理？如果雙方協議撤兵，仍保持三十八度之原有界限，則黃髮碧眼的聯合國軍隊是非從韓國撤退不可，而中共部隊儘可改爲韓軍番號，隨時再來侵略南韓；如果說聯合國軍隊仍陳兵韓境，則不特美國所怕的「戰爭販子」的嫌疑不能解除，而且最低限度，這一個大量的兵力，就被凍結在南韓而無法轉動，以應付共黨在世界任何其他的地方另一行動。美共和黨議員凱因說：「任何停戰協定，若仍使一個應該統一的國家分裂爲二，則根本不值得討論。假若聯合國不能統一韓國，則將鼓勵蘇俄於任何時間，任何地區，再度發動攻擊」。民主黨議員麥克馬洪與共和黨議員勃里奇也一致表示：「任何停戰協定，最後若不能完成韓國的獨立與統一，將是共黨外交的一項大勝利」。他們並警告說，「韓國的和平協定，絕不能仍使北韓成爲共黨的巢穴，南韓的威脅和日本後背的一把刀子」。這些話都可說是一針見血之言。

美國青年的血應有代價

（一）如果韓戰眞是停了下來，甚至和平實現，恢復到戰前狀態，我們眞不知作爲民主國家領導者的美國，對今後方興未艾的共黨對全世界隨時隨地的侵害將作何打算？我們更不知杜魯門總統毅然決然從事在韓國不惜與共軍一戰，是代表一個甚麼理想？如果說只是爲着防止共軍侵入南韓這一個簡單的目的，則當麥克阿瑟打到鴨綠江邊的時候，美國當局又爲甚麼不即刻宣布願意撤退至卅八度以南，談判停戰，豈不是一個更好的爭取主動的時間嗎？反之如果美國從事韓戰的目的並不如此簡單，而杜魯門政策正是代表爲世界爭取民主自由，和平正義的一個崇高偉大的理想，那麼像今天以前的這種受制於敵人，甚至不惜委屈於敵人之前去談判停戰的作法，似乎有根本加以重新考慮的必要。一年以來，美國十萬青年的血灑遍了韓國的戰場，所取得的代價如果只是如此低賤，請問那究竟是所爲何來。而且類似韓戰這樣的事件，將可能不斷的在世界各地隨時發生。難道美國當局還願意繼續將美國青年的血，像對韓戰一樣的去「鑽鼠洞」嗎？我們並不是有甚麼好戰的心理，也決不是希望美國眞的要挑起第三次世界大戰，而是以純客觀的立場來看，總覺得美國當局只有高尚的理想，而無貫徹理想的作法以濟之，這實在是非常可憾而值得惋惜的。因爲政策的執行如果不能與其根據的理想激成一致，互爲表裏，互爲運用，則理想是不會能夠實現的。中國有句諺語：「畫虎不成反類犬」，我們也希望美國當局不要將打算的虎變成狗才好。

日約問題是對中國侮辱

同一理由，我們再說到對日和約的問題，曾經從事對日抗戰八年的中國之必須成爲簽訂對日和約之主要國家，無論從情理，法律任何方面講，本都是無可置疑的，而對日戰爭的意義與對日和約的精神，都是爲着反極權主義，反侵略主義，爭取民主自由與和平，中國本身還有一個任務是維護領土主權的完整和爭取國家的獨立。以今天國際的情形來看，蘇俄正是步武當時德意日的路線，美國當局早已公開指實蘇俄爲侵略者。中國大陸也和抗日時期同樣遭受漢奸政權的統治。因此今天民主國家的反俄反共和中國抗俄反共，其性質與當年對日戰爭是毫無二致，那麼今天對日和約，基於美國政策所代表的理想，和基本立場，都應該是毫無疑義的要支持和主張合法的自由中國的政府來簽訂，爲甚麼對此一問題還能有保留？還能說甚麼要留待日本去選擇？這眞是離奇得令人可笑，這種作法，除了美國當局還企圖以此爲餌去討好中共，幻想再去和中共打交道的卑弱心理之外，我們找不出其他任何的解釋，因爲它是顯然違反了美國維護民主自由伸張正義的基本原則，保障和平的傳統友誼，這不特有傷害於中美兩國，對中國人民說，乾脆可以說是一種侮辱，撕毀了中國抗日的光榮歷史，破壞了美國政策的完整精神，現在已由自由中國的各個民衆團體紛紛致電美國國會，我們希望美國當局再加考慮。

美西復交與締盟

西班牙在二次大戰後，久已被棄於民主世界，沒有一個「世界列強」跟她建立國交；極權世界，尤其指爲「納粹餘孽」。西班牙有如「國際棄婦」，打入了冷宮！前幾天，美國海軍上將錫爾曼突然訪問佛朗哥的西班牙，探詢西班牙所希望於美國的，表示美西兩國要在軍事上合作，是些甚麼行情？接着，杜魯門總統宣佈改變對西政策，馬上要派軍事代表團前往瑪德里；英法兩國連發抗議，期期以爲不可；法國方面更明說怕因此而減少美國對西歐的武器供應。「人不爲私，是無天理」，反對者自然有其所認定的「充足」理由！美國爲着領導反共產帝國主義的自由世界，尤其爲着「軍歐」政策，多年來所耗費的財力物力，無可計算，自身已構成一個爲極權世界「欲得而甘心」的死對頭。但，世界兩極化的國家鬥爭，已經短兵相接了，而若干專靠美國軍援經援以反共的國家，不但作的太少，說的太多，而且遇事扯腿作梗，艾森豪威爾的歐洲防衛體系，至今未能完成，連一個西德參加防衛問題，亦復異議橫生，無謂障礙，再從韓戰一年的實驗中，更證明一些好出主意的民主國家，除卻「美援」之外，對於眞正反共行動，很少興趣，美國大有被人玩弄如「老襯」之感！西班牙擁其天賦的優越地理形勢，加以純粹而強烈的反共政治本質，具有能戰之軍，[illegible]美國若不放棄其反共的領導責任，則積極對西單獨締交，乃戰略上必然的趨勢，反對的人應該反躬自省，不必「躬自薄而厚責於人」啦！美西軍事締盟，是應有文章，一定會實現，而且會以驚人的速度實現。反對嗎？廢話！

半週展望

雷嘯岑

開城談判又頓挫

上次因爲共軍拒絕新聞記者入境而使開城談判突告停頓時，我在「展望」中認爲無關宏旨，「好戲還在後頭」；現在因爲共軍提出政治性的撤退外國軍隊問題，談判又告頓挫了，我依然認爲這是開鑼戲，不會因此輟演，正本好戲還在後頭呢！

共產黨人根本沒有跟別人講妥協的政治哲理，如不能由表面妥協而獲致實際大利時，簽了押的協約也可隨時撕毀的。他們唯一的特長，就是玩名詞花樣，攪宣傳法術，以爭取有利形勢，以從事最後決鬥，這叫作「辯證的發展」，這一套手法，只有我們中國人從豐富經驗中能夠徹底了解，西方人士非其敵手也。

所謂「撤退外國軍」問題，聯軍方面自然不會無條件的接受，艾契遜已說過，可以「分段撤退」！好，共產黨根據這一點「辯證邏輯」，已大可以玩其「正反合」的花樣了。[illegible]會議紀錄上，最要緊的是在文章就做了。「因爲撤退外國軍隊」這一項，是在會議記錄上，還在後面討論，而且預備大會在談判破裂時，就可以說眞正的「休戰」（Armistice）聯合國已承認了，[illegible]只是一種商討，還在後面，而且明是共方停戰協定必須在會議上負責破壞來和談的長聲明，這就不會決裂，而且能生效。[illegible]

所以願在「所以」字句上，「聯軍如果堅持不談政治性問題通過議程後，共方就在一定的時間用花樣玩弄到名詞的咕咕，請你們可照以大張旗鼓的進軍攻打，原則撤兵，否則你就是「美帝」的「破壞和平」的陰謀！」

一片反對日約聲

從台灣，非律濱，南韓這些遠東區域中，近日發出一片反對日約之聲，如果再加上蘇俄，中共和印度，似乎整個亞洲都在怒吼喧囂。這是一大矛盾，也是一大諷刺。美國爲的遠東[illegible]就少數人，抹煞正義公道，致惹來這種煩惱，如不能[illegible]意，倒不如一律改爲雙邊和約之爲愈呢！

伊朗工人盜賣油廠零件

伊朗油田問題，哈里曼調停工作，能否成功，現在還無人可以預測。目前油田生產，因無法運輸，事實上已陷停頓。此最龐大之鍊油廠，在英伊爭持，管理紛歧之時，內部秩序，業已異常紊亂。據說，每一星期，有價值約達美金二萬八千元之機器零件，被伊朗工人偷出變賣。如紛爭延長，此數字當更逐日增加，這對於英伊雙方，均將是一個極可痛心的損失。

自英伊油公司總理狄納克離伊以後，伊朗方面，認為該公司業務，行政，已由馬基接管。馬基為穆薩的克親信，並有繼穆氏為伊朗總理的可能。不過他只是一位激烈而擅長搗亂的政客，並非企業家。如果這龐大鍊油廠，將來僞由他全權主持，一般人多認，必將紊亂不堪。

但馬基由於玩弄政治，善能煽動羣衆的關係，此次接收油公司，第一天蒞臨阿巴丹油廠，伊朗工人，排隊歡迎，並循俗例逐一俯身吻其足。馬基很親熱地將他們拉起來，不讓他們吻足，而伸出自己的手，讓他們作為吻足的替代。這在伊朗貧苦愚昧的工人羣中，幾乎認此為莫大恩榮，都感激得要流下眼淚。不過馬基雖使用了這樣聰明的政治手腕，但得遏機器零件被工人偷出變賣的不幸事件，却並未因此消滅或有任何減少。

如講交情還可供給女人

英國巡洋艦及戰鬥艦，泊在阿巴丹油田廠對面之伊拉克領海，伊朗海軍，有五艘舊式小艇，遙相對峙，伊海軍司令達德立，宣稱，英艦如敢非法行動，我們已有足夠的武力可資制止，但此五艘小艇，只有二吋半小砲，而英艦則均為六吋以上之砲，五艘小艇，渺小如豆，頗似一小孩玩具。但他們最近，確曾完成了一項任務，那就是從羅氏一百六十五度的酷暑下，英艦派一艘船載水兵想在阿巴丹登岸採購

漏網珍聞

·一丁·

冰，蔬菜，水果，為他們所拒絕。主持接收油田之馬基說，英國人如果對我們很友誼，我們不僅將准其購買，甚至就供給幾位漂亮女人，也無不可呵！

伊王開刀也有內幕消息

伊王巴勒偉，患慢性盲腸炎多年，最近開刀，業已迅速康復。開刀前，他異常恐懼，怕萬一刀下送命。他原擬到國外就醫，但伊朗民族陣綫，激烈反對，這些民族主義者，大呼：「凡是西方國家所能做的，我們一定做得更好」。巴勒偉雖不相信這句話，不過他深切了解，到國外去，對自己的宗是好，對伊朗政治前途則不好。結果，決定不出國，暗中却重金延請康奈耳大學傅克來博士 CLAUDE FORKNER 及紐約醫院外科主任格蘭 FRANK GLENN 及專家數人來伊，名義上由伊朗醫師主治，實際開刀工作，都由上述美國醫師擔任。

在手術開始前，新婚未久的漂亮王后，已整整哭了一天一夜。因為伊朗人醫學常識太缺乏，所以這一件極普通的小手術，在伊人却認為嚴重到不可思議。

伊王康復迅速，在他及王后，固然非常欣幸，此外，還使他附帶得到一個意外的收穫。即他在一九四九，被共黨陰謀行刺，右肩曾中一槍，因當時治療不良，以致肩部略成畸形，此次，并由這兩位美國醫生，奏刀矯正。還使青年的伊王夫婦，更為大喜過望。

蘇聯裁縫真算世界第一

蘇聯裁縫技術的惡劣，大約將為世界第一。據蘇聯陸軍機關紅星報上星期日載稱：在蘇聯，被服廠出的軍裝，多半必須修改。口袋總是歪斜不整。一位軍官名叫謝阿設多羅夫的，他領到一件短外套，左邊寬大，簡直像一個手風琴的風箱，但他經過了十四次，結果還沒改好。另一軍官羅森鮑，他領到一條褲子，兩腳長短不一。在沒有修好以前，他跑了二十三次，但就在第二十四次時，裁縫告訴他，因為只好使用熨斗熨平，不小心，將褲子燒燬了。羅森沒有法子，只好自認晦氣！

不許私人企業存在

中共已準備隨時開刀

中共的工商政策，目前已到圖窮匕見的階段，在重估資產，現金管理及併店聯營之下，私營工商業已快要連根被拔了。

張丕介

中共的財經政策，最終目標，乃在達成所謂「社會主義經濟」。因此，共經濟結構必以國營經濟為主體。私人商業資本，自來即被認為「國民經濟的破壞因素」，終必在剷除之列。惟因目前大陸的工業生產，僅佔國民經濟百分之十，去實現社會主義之條件尚遠，而中共財政收支中，百分之四十以上仍有賴於城市稅收，因此，中共暫時在進行剷除私營工商業的步驟，却不能不暫時承認私營工商業的存在。其「共同綱領」第二十六條中，所以特別標明「公私兼顧」的原因，即在於掩護這一矛盾的要求。

小至鹹蛋木屐也要獨佔國營

去年中共在大陸高唱「公私兼顧」的同時，正是大陸工商業開始踏入厄運的時際。為了支持其龐大的軍政開支，并配合蘇俄世界戰略，中共對下的工商業正採取殺鷄取卵政策，實行橫征暴斂。在支前大借款之後，繼以一億分的折實公債，未幾又強征第一二期工商業稅。在這幾度砍伐之下，社會購買力已瀕於絕滅。中共又利用其官僚資本，開始組織大規模的貿易機構，以獨佔的姿態來控制國內外的市場。這些機構除中央設總公司外，省區縣市均遍設分支機構，雖至鹹蛋木屐之微，亦在經營之列。在這種壟斷式的獨佔條件下，私營工商業益感無業可營，再加上苛雜的煎熬，清算鬥爭的迫害，內傷外感，交相煎迫，遂形成了去年四五月間停工歇業的狂潮。不但使中共稅源遭受了威脅，而且連帶引發了失業的狂潮，加深了中共財經的危機。因此乃有去年六月以後的所謂「調整工商業」。中共「調整工商業」的目的，雖在於緩和當時的危機，實際上乃一種「欲擒故縱」的手法。利用政府所創造的人為購買力以代替民間微弱的購買力，在加工定購等把戲下，使私營工廠成為公營機構的特約工場，逐漸喪失其經營的獨立性。骨子裏仍係實踐其逐步消滅私營工商業的企圖。但在飢不擇食的情勢下，加以第二期公債停止發行，橫征暴斂稍形放鬆，對於奄奄一息的工商業，居然浮現了一綫曙光。然未幾韓戰爆發，為了羅掘戰費，中共對工商業又變本加厲，回復其竭澤而漁的本來面目。

訂立愛國公約　實行暴力征稅

在韓戰的急需下，除開辦新稅，增徵附加外，并開始實施市場管制，凡重要物資如棉紗，樹膠等，均被列入統購統銷範圍，木炭、米糧、紗布、油豆、生豬等，均被限令入交易所集中交易，不但投資數量及價格均受限制，而且每項交易均須負擔繁重的交易稅，往往經過了幾次轉移，貨物實值已為租稅吞噬了大半。去年十一月後，中共財政支絀日深，乃利用「抗美援朝」的號召，發動工商界訂立「愛國公約」，以「不欠稅，不逃稅」為中心，在各地組織「納稅互助小組」，在各行業組織「稅收協進會」。利用「同業督促」，「幹部帶頭」等慣技，進行檢舉逃稅，並實行暴力征稅，大規模拍賣欠戶存貨，使大陸商場，再度重復四五月間之蕭條狀態。

中共認為消極的迫害，仍未能達成根本上防止商戶逃稅的目的。為根本上防止商戶逃稅，進一步實行控制計劃，乃採取「步步為營」策略，從根本上來箝制工商業。

其第一步的策略是實行統一發票及建帳，規定所有工商業的帳簿，均應由稅務協會登記蓋章。所有交易均須取得發票。所有商戶均應設立日記帳及總分類帳，並徵集各商號會計人員，施以精神訓練，說服他們協助控制各商戶的日常活動。

從新估計資產　徹底控制現金

[illegible]中共認為各地商戶去年所報財產，大多不實，[illegible]商戶無法隱蔽其資產，對所有私營企業財產，一律規定以去年十一月卅一日當地時價為標準，從新重加估計。并要求進一步調整資本。這一步驟的實施，正如農村土改前夕的「評產」和「擠黑」，乃中共向城市工商業開刀的準備工作。負責從事「評產」的機構，為各地中共「工商局」「稅務局」，及由共幹把持的所謂「工商聯」，聯合組成「重估資產委員會」，先從原始帳簿查起，雖至一碗一盤，亦必折價列表。各行業調查工作完成後，隨即召開「全業會員重估財產評審大會」，進行劇烈的「檢舉」和「鬥爭」。在這一手段之下，所有工商業的不動產，已無法逃避中共的耳目。

當這一步驟完成後，中共乃出動其殺手鐧，擴大「現金管理」範圍。自六月一日起，凡持有共幣二百萬以上的現金，須一律存入國家銀行。商戶每日營業收入，除即日零星支出者外，均須解入銀行。購貨時須以支票支付，銷貨時須以支票，同時即送銀行入戶，使全部私營廠店的動產及不動產，全部置入中共的掌握。

中共為預防去年四五月間倒風的重發，乃一面規定任何工廠商號，如不呈報工商局核准，根本不准歇業，一面迫使各工商業及機構進行合併及聯營。最近穗共「工商局」已下令指定太平區為聯營試點，逐步消滅私營廠商的數目。在可能意料的情形下，中共工商政策的次一步驟，將係由併店聯營而做到公私合營，為正式消滅私營工商業奠定基礎。所謂「公私兼顧」云云，業已不攻自破。中共宰割大陸工商業的本來面目至此已暴露無遺了。

可恥的「倫敦協定」

——歷史上最惡劣一幕——

——上接第一版——

日人當時一再威逼利誘，要求我們參加「共同防共」。這是諸君所熟知的事情。我們那時正為共禍苦惱而仍舊毅然拒絕者，我們知其假借防共之名，陰圖稱霸之私。凡是抹殺良心，違背正義的行為，我們決不做的。

民主陣營團結第一，不要各人專從自己利益打算。共禍如不消滅，人類永無寧日，蘇俄是要實行世界革命，萬變不離其宗，敷衍遷就是不會了結的。杜勒斯說：對戰敗國橫加歧視，足以釀成新的戰爭。但是對於戰勝者同盟國而橫加歧視，就不會埋伏未來的糾紛麼？

寬大精神在中國

我們對日和約的簽訂，大概是沒有甚麼希望了。儘管中華民國國民與日本國民之間，不能終止戰爭狀態，恢復正常的關係，這是非常遺憾的。不過，這也不是我們的責任。和約草案的寬大精神，杜勒斯已解釋得非常明白：

「第二點的特點是條約草案沒有把日本置於永久的束縛之下，將使日本有異於其他自由國家，制限或束縛日本於主權國家之下。較少於其他事實上的一個國家，使日本恢復為一個有平等主權的國家。和約，才是一個正和約。」

近代歷史上，從不曾有一個大戰的勝利者，會適用此一原則[illegible]

[illegible]

們用不着打算利用日本的人力物力來增加我們的力量。所以蔣主席當時的聲明，完全是出於仁者愛人以德之心，完全是基於中華民國傳統文化的王道精神。這種精神之偉大，豈和約草案的寬大所能比擬！當戰勝國於戰敗國投降之次日（中華民國八月十五日），即表示「不念舊惡」，「以德報怨」，豈止在近代歷史上，[illegible]），也未說過這樣的話。

各位紳士們不要忘記：日本做了我們三十多年的對頭，我們自開國以來，就吃盡了日本人的苦頭，八年抗戰，更是顛沛流離，家破人亡。但是，我們一旦戰勝之後，即表示不咎既往，不圖報復，所以我說對日和約簽字不簽字是沒有甚麼關係。日本人是不會健忘的，我們自有我們的立國之道；「無黨無偏，王道蕩蕩；無偏無黨，王道平平；無偏無側，王道正直」。

我們要湔雪此恥

[illegible]

（中華民國四十年七月十六日於台北）

韓戰如真能結束　日本經濟將大感恐慌

因韓戰一年來，日本已因此獲得相當繁榮

·大哀·

本月十六日新聞週刊，載有作家穆萊（RAYMOND MOLEY）所著韓戰停火後之日本一文，暢論韓戰如真結束，日本經濟，將受嚴重影響，及和約簽訂後，美國應如何在經濟方面，支援日本。摘譯如下：

對日和約，得提早締結，這於日本、美國，都是極感愉快的。尤其日本，她已受盡戰爭重創擊，正需要切實而迅速的援助。

杜勒斯在達成和約起草工作中，成績良好。他減輕了日本的憂慮，使英國和許多簽約國家所準備給予日本的嚴酷負擔，得到和解。和約簽字以後，為謀取此動盪世界的安定，日本可望與其他國家，再居建設性主角之一。

所謂麥克阿瑟的突然免職，不僅在日本造成一非常嚴重的真空，而且也震動了整個日本民族，深感不安。第二，則是假使韓戰停火談判，真告成功，則日本經濟，縱然將影響很大。過去一年中，日本藉因韓戰，而獲得相當繁榮，許多工人，因我們軍事需要，得到工作。日本正大量製造運輸汽車，鐵路和交通器材，光學用具，及其他物品。一旦戰事結束，上述各項，均將立告停頓。

經濟方面遭遇各種困難

當日本正恢復其獨立自主的國家地位時，經濟方面，必遭遇極大困難。有關工業製造的各種主要原料，國內很少，多須向遠地轉運。煤來自加拿大，美國，鐵和鐵砂，過去多來自中國，和其他地區。假使日本擁有充分船舶，此問題的嚴重性還可略減，無如日本商船，已於上次大戰，幾個毀滅。此次和約，雖准許酌量恢復造船業，然造船原料既已缺之，而大量船舶，也不是極短時間可以倉卒完成的。

日本工業設備，多半已破舊不堪再用，需要新購大批機器，新建大批廠房。

美國式的法律不合國情

在盟軍佔領下我們若干熱心公平之政（FAIR DEAL）試驗者，非常忙碌，由於美國軍部魄力，日本政府不得不頒佈各種嚴格束縛工商業的法律。他們不注意日本國情，破將杜魯門政府的一套，對日輸入，如工會法，反獨佔法，這都完全不合於日本工商業的條件和習慣的。此外，日本還必須應付兩種不易應付的官僚政治，一種是他們自己所有，一種則來自盟軍總部。

最後，因為許多精幹的企業家被整肅，使許多企業大受影響，幾陷於癱瘓狀態。

總括以上所說的這許多經濟障礙，在和約簽訂以後，有一部份是可立即清除。如果日本人願意，他就有權驅逐那些美國公平之政的試驗家，取銷那些強迫頒行的新法律。不過關於原料，船舶，工業設備等等，問題却仍然存在，還是需要外力幫助的。

以大量自由輪售予日本

我們可以准許日本，購買停泊海岸聽其生銹的自由輪，接濟他們原料，售予各種新機器。這筆經費，不必由我們國庫支出，因日本在戰前，國際間經濟信用，一向很好，沒有理由，不能從美國，獲得商業貸款。這種貸款，將是美國私人一種良好的投資。

如果亞洲局勢，稍臻安定，日本如仍不離從中國大陸，獲得各種工業原料，在未能達到此目的以前，由於向美國購入大量船艘，及其他商業上賢明措置，日本出品之成本價格，自可減低。

日本為抵抗共產主義，及自衛，當然有若干軍備必需。不過在嚴重的經濟困難未排除前，這種數量是不會很大的。

暴力驅令工作毫無安全保障
大批勞工冒險送命
中共所謂愛護工人成績原來如此

【本報北平特約通訊】中共正擴大宣傳，說在中共領導和鼓勵下，國內工人生活已如何良好，意外危險如何減少，工人安全如何為中共當局所注意。如何較國民政府時代有天淵之別。各地建設事業，突飛猛進，工廠和生產數字，都大量增高。但實際上，國內工人，受着共黨牛馬般的待遇，不特生活比從前萬倍苦痛，而且工作上的生命安全，絲毫不為共黨所重視。明明可避免的危險，共黨毫不顧惜，仍揚着粗大的鞭子，迫令送死。下面還兩件事，都是顯著的例證。

強迫屋內冒險化銅 工人六十二名中毒

第一件，發生在衡陽鐵路管理局所屬株州鐵路工廠該工場。該場每月化銅工作，共需十噸左右，但化銅時，有毒氣自爐中噴出，通常為保護工人安全起見，應建立特別工房使毒氣不致容漏。但株州工廠的共黨當局，只知撥用巨款，新建辦公室，廠長住宅，至於此種異常迫切之特別工房，却始終不肯興修。工人無法，只得在露天空地開爐鎔化。最近某日，株州大雨，露天不能工作，而共黨為勵行生產競賽，趕製八七二號機車的銅瓦和鋼襯，需要化銅，不許延擱。工人要求等待天晴，工場主任高廷寶，但總主任諸葉生，嚴詞拒絕。工人又要求工會主席共幹龍平疇代為陳情，龍以事關生產競賽，斥不理睬。工人知不可抗，遂決定將化銅爐搬入屋內，此時有工人胡仲雄、樂宗良、袁毅、梁[illegible]力言，在屋內化銅，毒氣外溢，更將發生危險，再向高廷寶等懇商，高等認胡仲雄等人有意妨害工作，誣為搗亂，迹近國特，痛毆一頓。結果，工作在屋內進行，一小時後，化銅爐中，即噴出大量毒霧，迷漫全室，幾步之外，就看不清東西，連電燈都顯得很昏暗，只見一團紅。到了下午，很多工人都說受不了，再求高廷寶等准予暫行休息，高等依然堅持不允。向工人說，上面交下的任務太緊要，你們必須堅持下去。直至全體工人六十二名，中毒昏倒以後，化銅工作始告停止。現有八七二號機車，固然沒有脫期，[illegible]時間完成，但中毒工人中，胡仲雄[illegible]王[illegible]等[illegible]生命危險，此外有十九人，也至今還未恢復常態，不能恢復工作。

搬運毒品偽裝雜貨 軍警壓迫工人拚命

第二件，是青島，張家口最近發生工人搬運毒性物品中毒，死傷多人。青島市搬運工人，因替中共所辦中國進出口公司青島分公司搬運毒品安尼林油，（該公司既包裝不嚴密又未標明小心防毒字樣）共有工人五百七十名中毒，並有孫奎端等二人當場斃命。當工人搬運時，感覺手麻面燒，因疑所搬物品，含有毒素，但該公司職員王文科，並不實告，捏稱此係普通雜貨，並召來軍警，督飭速搬。工人只好將全部貨品搬完。結果工人均中毒暈倒。公司仍辯稱此係天熱中暑所致，至死去之工人孫奎端，則堅指為心臟病，均與搬運無關，工人不服，經醫師剖驗，證明確係中毒而死，始承認給予撫卹棺埋。又張家口搬運工人，因替東北貿易部京津辦事處搬運瀝青塊，該瀝青塊僅用草袋包裝，事先貿易部也未通知工人，注意防毒，以致有三十九人中毒，其中夏玉泉，朱文華二人較重，吐血至今未愈。（鹽光，十五日寄自北平）

桂省教員千人被捕
律師誅殺尤慘

中共桂省當局，為了鎮壓「反動份子」已設立集中營於桂省邕，梧，桂，柳，四大地區。全省普遍舉行報復運動——即公審惡霸地主等殺人大會。最初捕殺對象，係國民政府時代之軍政要員，其次係科員，辦事員鄉村長，最近已「進步」至捕殺失業警察，失業軍人，失業律師，中小學教師等。對律師誅殺尤為慘酷，一經逮捕，必定期「公審」處死。所遺子女，未成年者送入中共編訓之兒童工作隊——「小鬼隊」——成年者調去邊地參軍。年輕妻妾，則迫令改嫁。因此，曾任律師者，一經被捕，必至家破人亡，對於中小學教師，待遇較律師稍好，但須集中受訓，稍有嫌疑即遭非刑，尤其曾做公民教師與訓育主任的，一經查明確，生命即告絕望。自四月中下旬以後，桂省各地教師被捕者已逾千人。（昌）

「人還不知道何時餓死」
誰有閑錢替牛保險
大陸農民痛恨中共剝削，官樣文章的防水防旱更替農民造成不少災難

【本報上海特約通訊】「農人工人當家」後，「建設如何突飛猛進」，「生產怎樣大量增加」，「勞模克服了什麼困難」，「功臣創造出那樣奇蹟」。天天見諸中共的宣傳。可是按諸實際，情形却完全相反。且舉數事，以例其餘：

第一；「耕牛保險」：「人也沒飯吃，不知什麼時候餓死，誰還有錢替牛買保險」，那條擬牛競被估價四十萬元，真倒霉，買了牛還不夠」，「什麼保險費，還不是牛頭捐，國民黨時候沒有的」——這種反響，現在都聽見了，在湖北安徽各地，普遍洋溢着。

第二；江浙各縣所謂鹽綠，例由公營收購，硬性規定之二，應以售價的十分之一作為儲蓄，致農民不數現鈔週轉，把儲蓄存單，貶價在市面行使，平白打了個大折扣，利未見而害先至，成了變相的公債。

第三；防旱防水，多是官樣文章，關於防洪，村幹們奉到命令，開個幾天會，却始終不見行動，溧縣漫營鄉，由六月廿三至廿五日一連三天大雨，所有堤壩都給山洪衝塌，淹沒了周圍八百畝的禾秧。徽州績溪，全縣禾田都給暴雨帶來災禍，但事前却曾動員整萬民工修堤築壩。浙江餘姚六月廿五日大潮泛，海水侵入二百六十畝的棉區，造成四萬斤棉花的嚴重損失。棉田在三年內不能下種。上述材料僅是摘自各該地區專署縣府的正式報告，諸如此類的事多至不勝枚舉，這說明中共朝野目前充滿「官僚」與「形式」主義，在上面的只要「文章」做得好，下面的但求數衍得過去，誰也不願去理會後果如何，還有更壞的，不是缺乏經驗就是毫無科學技術，做成的工程都不合標準，甚或存心偷工減料，假公濟私。皖南徽州區今春興修堤壩六百四十一個，塘二八一五口，渠二〇三道，花了一筆無可計數的人力財力，說是保證四萬多畝田的用水，增產糧食二百八十餘萬斤，結果呢？檢查了四百七十個工程單位，只有十八個適合標準，因此，不但增產保證全無推翻，原有產額也大大削減。中共在大陸的「農村建設」，實際情況，揭開了就是如此。（悠然，十六日寄自上海）

×××

胡政之生前助手大公報副經理
張遜之已在津被中共屠殺
共黨指張曾派人赴台與董顯光謀取反共聯繫

【本報天津特約通訊】前幾天，天津舉行第三次集體屠殺，此次屠殺的規模，比前兩次大，當場槍決的，共有二百七十五人。共黨報紙，刊了一大張半，整共六大版，才將全體名單登完。被殺者大部份為反共志士，如反共救國軍領袖閻士中，謝有廷，國大代表吳有令等約二百人，另外拉了一些所謂反動地主，及漢奸溫世堯，徐良等陪斬。

三位天主教神甫也殉難

有三位天主教神甫，也在此次大屠殺中殉難，計為劉西滿，張恩溫，何德民。據共黨宣布「罪狀」，說他們組織公教青年報國團，接受雷震遠（按即比國籍神甫雷鳴遠之弟）指導，於韓戰發生後，在河北各縣，及天津市內，大事活躍，準備暴動。另有該團的天津組長范王培也同時被殺。為愛國反共而殺身的天主教人士，在華北光榮的歷史，從此又添了一頁。

紅蓮教等有民衆十萬人

中共對所有民間各種宗教性組織，因其可以號召群衆，分割了中共[illegible]的權威，也深惡痛絕，大力鎮壓。在這一次屠殺中，名單上有不少此類人物。計一貫道首領，劉秉賢，徐子義，車大權，王毓珍（女），潘金聲，霍永平，邵百縣，王長久，張瑞，于永江等，三佛聖會會長連永來，王滿，世界新佛教會理事長李濟志，紅蓮教教長薛玉滿，[illegible]壇主袁明海等，除九天福通杆杆主馮錦修，混大門[illegible]，中共指這些人「煽惑愚民，製造散布謠言，準備武裝暴動，顛覆人民政權」，至於被誘惑加入的愚民，究有多少，如果照中共所公布的數字計算，則總數已約在十萬人左右。如車大權，薛玉滿等人，就說了他們騙了九千七百多人入會，有六千四百人聽他們一指揮，受一人號召，有力量。共產黨就說[illegible]，讚樣大的，對敵人力量，只有儘量低估，而中共是向來不會長自己志氣，滅自己威風，而低估結果[illegible]

徐盈楊剛等不夠坦白

此外還有一位大名鼎鼎，天津大公報功臣，胡政之生前助手，曾任該報副經理的張遜之，也為此次被屠殺之一。張現年五十一歲，河北省深澤縣人，原為天津商會中一名領袖，在天津各界交遊廣闊。胡政之等接辦大公報後，禮聘其參加工作，為聯絡各界，打開銷路起見，特請張為副經理，對外聯絡，時胡自任經理，張為副經理，大公報之所以在津，短期間獲得發展，張出力不少。但此次由大公報改名的進步日報，在所刊「張遜之的罪行」一文中，所述張之「罪狀」，為漢奸，特務，會頭子，及親日的偽報主持人，獨將大公報副經理原來與張一字不提。因之此間若干中共人物，頗認識張之兄弟，稱兄道弟，吃喝玩樂，友誼極篤，而現今共事，辦進步日報之徐盈楊剛等，不夠坦白，故意掩飾。主辦者指張在「解放」以後，仍安居天津，去年八月，曾派其親信光典赴港，轉赴台灣，與董顯光聯絡成功，[illegible]此人民公敵的破壞陰謀無法實現，[illegible]覺，且大書「張等伏法，為人民一大喜事」云云。（十五日寄自天津）

，也已有十萬人，受了[illegible]，可見華北人民，對共黨並不是那樣心甘情願，永遠做馴順的羔羊呵！

殺人不許叫喊「好消息」
衡陽鎗決一報販
說他如此叫喊，企圖搖動人心。但何以最近各地共黨報紙，却又把集體屠殺，大書為人民喜事？

報販曾懋文，衡縣禍政鄉人，現年十八歲，父係佃農。民國三十七年畢業該鄉國民學校後，因家境貧苦，無力升學，得該校校長曾吉陵介紹，入衡市市民日報充當傳達。至三十八年三月，因待遇低微，改業報販。當時衡市大小報紙共十餘家，曾以兩足勤快，叫賣又力，故銷數極旺。是年八月，衡陽易手，各報被迫停刊，（僅留錫館所辦之力報，因在共軍渡江前表示擁護，得以苟延一月。）曾以在城無報可販，遂回鄉協助家中農事。隔了不久，中共「衡市區管會宣傳部」出版四開大小之「衡陽新聞」一種，外埠出版之中共報紙亦相繼湧入市面。曾為了衣食，又來城重操舊業。初時每天銷數還相當可觀，不料時間久了，一般讀報的人，對中共千篇一律之歡騰宣傳，多不願出錢購閱。可是曾仍勉力掙扎度日，擇取當日報上所刊的軍事新聞大喊叫賣。四月二十一日「衡陽新聞」「嶽南人民」兩報，登載衡軍管會槍決「匪特」二十一名的新聞，他本着一貫的生意眼，大喊：「好消息，昨天又殺了二十一個人，有十九歲的小姑娘，也有七十五歲的老頭子」正在北正街一路叫得起勁時，忽被迎面而來身穿「解放」的「列寧裝」的「同志」抓住質問。他便指着報說：「這是報上明白刊出的呀！」但這位「解放同志」不由分說把他帶入附近「公安第三派出所」，戲刑拷訊，直到五月二十七日，中共「衡陽事[illegible]」，報上公佈了他如下的罪狀：

衡市報販曾懋文，流氓出身，一九四九年曾充國民黨反動派市民日報傳達，後改作報販，從事反動宣傳工作。解放後，仍入市販報，不獨不知悔改自己過去之反動行為，與感激我文化機關之優待，竟敢於四月二十一日在衡市街上藉賣報機會，公開誣蔑政府之肅特反動政策，企圖動搖人心。彼時為我政府人員發覺，仍敢託詞狡辯，似此顯係暗受特務指使，以報販作掩護，從事與人民為敵之勾當。」由衡陽市公安局解送本署，當經訊明前情屬實，本署為鞏固人民革命政權，特呈奉上級核准予以鎗決，而懲傚尤」。

中共為了鞏固政權，年來在衡陽已經殺了數以千計的「反動份子」。今日竟為一句話，殺到真正無產階級的報販頭上，真是對中共標榜的「領導革命階級」的絕大的諷刺！又最近各地中共報紙，每當一次都把集體屠殺，當作「人民喜事」，而大書特書，而曾懋文只叫一聲「好消息」，便被認作惡意諷刺，拿去槍殺。難道衡陽共幹的思想還未搞通，抑或「殺人」到底不是一件好事？這真叫人莫測高深，曾懋文地下有知，亦必大叫死得莫名其妙也。（鍵行）

太公在此百無禁忌
父子合作加緊貪污
潮汕羅範群搜括及於糞便

中共潮汕區地委會主委兼汕頭市軍管會主任羅範群，算是資歷五星紅頂的方面大員了。據中共自供「人民世紀」應該「反封建」，「反官僚」，「反貪污」。然而，這位紅色新貴羅主委，却表現具有濃厚的封建思想，和十足的官僚作風。

羅範群有父羅朗環，原係興寧訟棍，羅範群於前年十二月底走馬登台，朗環便率領大批嘍囉到汕，設公館於升平路口，由於範群的地位關係，一般紅色新貴車水馬龍，朝拜於這「太上皇宮」，朗環即以「太公」身份，大展其刮龍新術，特別是走私，包烟，庇賭，捐稅，產業糾紛，幾乎無一不由他把持。大家戲稱「太公在此百無禁忌」。汕市烟賭林立，成了公開的秘密。另有特殊組織征收保護費，這組織據黑籍中人說是「羅太公」所派。

潮汕中共當局指定汕尾，神泉，靖海，甲子等處為外來船隻停泊處，但最近海門成了亦官亦商的走私口岸。羅朗環領導下的走私組織，至為龐大，在港澳均設有機構，一切貨物自由進出，既免課稅，又免檢查，要是遇到緝問，只說明「羅太公」的關係，查緝人員會特別招呼，立予放行。

汕市如今無淨土 太公也逐夜來香

汕市糞溺一向為土豪劣紳所爭奪，一篇遂臭史，說來話長。汕市「解放」後，原由軍管會令由衛生工人，組織合作社辦理。後來被羅朗環的觸角發現了，認為有利可圖，立即以該合作社受人把持，組織未能健全為詞，由羅範群下令，交「太公」有關之集團組織公司接辦。從前清糞多在夜間，該公司接辦後，藉口夜間戒嚴，不便工作，一入黃昏，便四出清理，弄到全市臭氣不堪，但皆敢怒而不敢言，暗中編為汕市竹枝詞十首，中有句曰：「汕市如今無淨土，太公也逐夜來香」云云。但潮汕的中共當局，表現「反封建」，「反官僚」，「反貪污」，舉一反三，其他各地，也就不難想見了。（時中）

湖南糧荒
早稻登場又被「夏借」借光

今年春季至夏季，農曆這段悠長歲月裏，湖南的糧荒現象，特別嚴重，餓死的人，不知有多少。湘東一帶和湘北濱湖地區，災象慘然，昔日所稱「湖廣熟，天下足」的湘北濱湖糧倉，自中共「徵糧」二年後，已被搜刮淨盡，一般農村中的「積谷」，也被徵走無存，把農民的存谷已被搾乾！五月中，中共「湖南人民政府」分派專員往湘東，湘北考察，和湘西報告說：湘東一帶，湘北湖濱區，都是饑饉，農民求救，並說[illegible]救濟，並[illegible]。指出農村中的農民，是多以青草果腹，不少人因食後多半黃腫而死，一般農民死亡率也一時特別高。

今年春季，大部份農民，都已經過了「德政」，餓了五個月，眼巴巴的盼望早稻登場，（七月好好吃一頓飽）六月五日（湘東，湘中是一小暑節，早稻已漸次收割，而「夏借」的公文，又到了縣府；「區」鄉民們，在一片喜慶的態度下，政府一人一瀝，欲哭無淚，均敢怒而不敢言！並且，這次「夏借」的對象，較去年不同了，借「中農」和「貧農」，「富農」了，因「地主」早已家破人亡，「農民」無可借了。翻翻到「地獄」裏去！（仲）

「請舉起你的右手來」

尚方

法國人近來流行着一種觀念，說全世界十分之八以上的國家，都是別人的附庸者，不附於美，便附於俄。意思是「烏龜不笑鱉，大家泥裏歇」啦。這話有十分之一二是對的，那八成兒就大有出入。

整個世界人類都生活在民主自由與極權奴役的氣氛範疇中，各因其所好而站在一條戰綫上，隨着一個領導者奮鬥前進，壁壘分明，毫無中立可能。英國工黨人士頗有走中間路綫的理想，但脚步尚未移動，而其外交部已發現有竊取原子彈祕密情報而逃入鐵幕的共產黨人，好險也！尼赫魯更想搞第三勢力，亦因共軍入西藏而心慌意亂了。英印既不能走中庸之道，其他更不待言，所以我說法國人的話有兩成是對的。

站在民主陣綫方面——也就是受美國領導的國家，至少不必賭咒「一面倒」，不至於派美國人來作國防部長，也不必把杜魯門先生的相片隨時抬在大街上遊行，呼萬歲，掛在機關內供奉如神人，不必稱他爲「不朽的鋼，永恒的太陽」，相反的還可以批評他，指摘他，尤其是各國人民的生活，聽你自由選擇，決無抓進集中營作奴工的危險，更沒有被兒女公審擊殺的威脅。一面倒在俄帝方面的附庸者，有這些自由生活否？誰要說有，我敢借用一句從「光明處」來到「魔窟」人士的話，「請舉起你的右手來」，願聞其詳！

自由談

梁漱溟在頤和園

·羊叔子·

過去政府爲了實行民主，網羅了不少民主人士，名流學者，作爲擴大政府的基礎，有些人就藉着這超然的身份，到處拖政府的後腿，他們不但言論偏激，而且左袒中共，給人民造成不良的錯覺。整個大陸淪陷了，可恥的赤色，他們的尾巴便露出來了，一窩蜂的向毛皇帝三呼萬歲，有些竟沐猴而冠，做起「人民官」來。

在赤色中國談不到民主自由，他們要的是奴隸的屈服和盲從，當然他們也標榜「人民政權」是集各階層人士的大團結」，因之，他們需要點綴「民主」，正如動物園中缺少不了兎子，狐狸一樣，所謂「民主人士」，便作了毛皇朝的「民主裝飾品」。

北平頤和園的諧趣園，聽鸝館，是中共豢養名流學者的地方，名之曰：「文化人休養所」。在裏面的文化人都是賣身投靠了的「名流學者」，梁漱溟就是其中的一個。

「解放」後的兩年多，梁漱溟表現得非常沉默，他並不如費孝通一樣，參加了「邊疆民族訪問團」，穿起草鞋「爲人民服務」。也不如馮友蘭一樣，經常寫些「偉大的人民領袖毛澤東同志萬歲」的文章，他始終保持着毛皇帝的「清客」身份，共產黨說他在「鬧情緒」，「還沒有丟掉小資產階級思想上的包袱」，實際上正是毛皇朝的倒行逆施刺激了他的情緒，他的消極，也可說是一種沉默的抗議。

梁漱溟的消沉受到「批評」了，中共統一戰綫部長李維漢，對梁漱溟的不合作的態度，深表不滿，在毛皇朝大力屠殺的時候，好些人都替他揑一把汗，深恐梁的沉默會招致不幸，紛紛勸他快點「帶罪立功」，有事實表現出來。

經過了很久的考慮，梁漱溟決定寫一本「中國建設之路」的書，第一卷已經脫稿，其餘各卷在今年底，是可以全部完成，由新華書店出版。同時，參加了各種集會，他也表現得很積極，言論也很積極，他經常對人說：「三十年來，我對中共不太了解，但現在……」

「中國建設之路」，共分上、中、下三卷：上卷……中共的功績與貢獻，下卷……這本書預定三十萬字完卷，內容全是一套尾巴文人那一套千篇一律的頌揚與讚美，本來在毛澤東本人，已經是聽慣了的，但是，以梁漱溟這樣的「民主人士」的「超然身份」來歌頌一番，毛皇帝至少有點阿Q式的自豪的，梁漱溟假如「仰體聖心」，正合孤意，那麼是不會再投閒置散，未來的紅朝新命中梁漱溟必定將嶄露頭角。不幸的是他所寄生的政權的本身，是建築在沙漠上的，一旦狂風暴雨到來，「人民政權」崩潰了，梁漱溟也將在歷史的巨浪中，冲去他的浮屍。

峨眉紀遊【上】

·舜生·

抗戰中余居重慶七年，中間曾三度赴成都，兩度至樂山（嘉定），因得一遊青城，一遊峨眉。青城山不高，然極幽邃，雖怱怱一遊，印象頗深。遊峨眉自重慶以水道往，坐民生公司一小輪，旅客頗擁擠，未至竹根灘四十里，輪陷沙石幾覆，盡卸客貨，始得脫險。以川流甚急，而前途尚有險灘，遂決定不逕赴樂山，即在竹根灘登岸。灘對面五通橋，爲川中鹽與工業區域，中以小河隔之，環境優美。浴後，雇小舟往來於橋與灘之間，看落日，遙望附近羣山，聽船女郎吹笛，歌川劇「情探」，楚楚有情致。余有詩云：

遊蹤遙憶荔枝灣，一槳風橫人未還，四面笙歌繞流水，橫南紫急此優閒。

宿竹根灘兩夜，乃從五通橋僱人力車赴樂山，公路四十里，兩小時即達，沿途見鹽井無數，景色甚佳。

李幼椿夏濤聲約同遊，但余自重慶往，兩君則自成都往，擬會合於樂山，始一同出發。留樂山一日一夜，待兩君不至；在五通橋曾發一電，到否亦不可知。由樂山至峨眉山麓，才九十里，遙望嶺峯，心怦怦動，乃決定獨遊，仍以車往，在中途午餐，經五小時始達。沿路桑田相間，四望一碧，諸峯出沒雲霧間，若隱若見，似近仍遠，幻爲種種姿態。余在車中得小詩一首云：

半晴百里碧氄氄，秀絕峨眉畫裏看，一似美人慵睡起，曉烟鬟翠出雕欄。

入山第一夜宿招待所，第二夜宿清音閣。閣前兩石橋，分列左右，流水出其下，激石作怒吼。一巨石聳立水中，狀如牛心，曰牛心石，劉光第所謂「雙橋兩虹影，萬古一牛心」者是也。入夜蟲鳴唧唧，風搖叢竹有聲，在月色朦朧中，徘徊欄上，見岩畔雜花數點，弄影波心。余紀以兩絕，其一云：

四面山環水抱中，月明橋影鎖西東，幽花爭傍巖邊發，映入波心未肯紅。

其二云：

四面風聲雜水聲，山山樹樹有蟲鳴，夜深更轉修篁弄，到此詩清意亦平。

萬竹樓隨筆（十四）

道歉

·羊辛·

六月天，太陽曬在身上，就像無數炭火在烤灼，福州市靜悄悄的，沒有一絲風，半掩的店門也給灼了，懶得動一動。只有熱浪從地面蒸起的陣陣，在無形中到處打滾。

陳依梯把三輪車踏進騎樓下，從他的破草帽下脫下來，汗從他的頭上流下來，流下了那張尖瘦的臉，流過開了襟的胸背……他輕輕地補了一口氣，熟練地抹去了額上的汗，把三輪車停下，只招到兩個客人，車錢合共二千元，一個人民券二千元，早吃二頓「解放餐」還不夠，那麼還不知要怎樣熬過一天。

家裏的老婆和孩子早！經驗告訴他，踏盡勁兒，也許招到五個客人，也即使使到黃昏日落，這點兒錢還不夠煮粥水吃的日子，實在令人莫可奈何。

如何的日子在這裏，尤其他這一行——三輪車夫，更其無可如何了，「解放軍」一到，雞飛犬走，把一些客人都趕光了，工人是工人，領導階級，誰敢去坐「反動」階級，誰還敢去坐它？就是資產階級，也要去坐它，勞動，踏在人民的頭上，把工人看成奴役，那還了得！起先倒還有些儍頭儍腦之輩，還敢坐他的車。

繼續來乘坐，可是共幹們虎視眈眈，逢到這些坐車階級，檢查得特別嚴格，刀難你不知所措，原因不過是仇視你「奴役工人」，「愛享受」僱了。有一次在南台區一個車夫碰翻了，翻了粥小販，沒錢賠償，共幹來了，叫那坐車的：「你有法代賠吧，就代他賠償」，還仁兄身上剛巧也沒足夠的錢，結果是脫下手錶代賠了事。坐車階級被這麼狠狠地仇視着，誰還敢坐？除一些病人和老弱婦孺之外，幾乎快要沒有顧客了。類似陳依梯之流的車夫，只好每日餓着肚子碰運氣。

他又嘆了一口氣，一個同伴踏着車來了，陳依梯不禁皺起眉頭，兩人打過了招呼：「老弟，這年頭快要餓死了，我們大概快要餓死了，以前每日還有吃得飽，穿得暖，現在翻幾文錢買酒喝，工人翻身了，翻得快要餓死了！」那人唯唯諾諾，也陪他嘆了一口氣。

晚上，陳依梯帶着三千元正愁眉不展地回到家中時，倆個公安局的幹部在等着他了。

他被帶到局裏，七八個共幹把他團團圍起來，裝得很客氣，打拱作揖道：「依梯同志，我們很對不起你，自從我們來了以後，累得你吃不飽穿不暖，連酒也沒得喝，沒有以前國民黨時代的快活，現在我們向你道歉，請你喝酒請你快活吧！來！咱們乾三杯！」

左右奉上酒來，滿滿地三大杯白酒，那共幹一飲而盡，陳依梯有點着慌，然而又不能不喝，連道「不敢不敢」，硬着頭皮喝乾了，頭有點暈眩。

另一個共幹再走近來，又是三大杯，道：「依梯同志，我也來向你道歉，請乾三杯吧！」

陳依梯沒法不喝，熱辣辣的又乾了三杯，正在站立不穩之際，又一個共幹走來了，照樣滿滿地三大杯，滿口「抱歉」「對不住」，陳依梯不得不又喝了，下去兩眼金星直爆，屋子裏的東西搖幌幌的全看不準了。可是第四個共幹又走上來，又是三大杯：如是乎接連八個人前來「道歉」，廿四大杯白酒落肚，陳依梯已經只有流出來沒有喝進去的了，栽倒地上，眼睛睜不開，像頭傷的牛，只是喘氣，這時共幹對他冷笑：

「哼！你愛喝酒愛快活，現在快活了沒有？」

到他醒來的時候，老婆流着眼淚坐在他身傍，據說他已經醉了兩天。他全身無力，像患了頭病，爬也爬不起來，他不禁流淚，拉着老婆的手道：「我我：以後：：再也不敢瞎說話了！……」

「認人隊」的「功績」

·若虹·

慘靈慘霧瀰漫着的上海，本月七、八兩日，「上海人民法院」又處決了第十七批反共份子，判處死刑的有張子渠、郭石安、劉東澤、黃純等六十六人，其中的劉文齋等四人是被提解回原籍槍決的，另外判處無期徒刑，死刑緩期二年的有胡炳鴻等六人，判處無期徒刑，和管制的共一百三十八人，在本月九日的「解放日報」上，佔有二版的三分之一的地位。

這些被判處罪刑的人民，百分之八十是非上海出生的外籍人，被加上的罪名是「地主或地方上有惡霸的人士」，他們爲了逃避原籍的「清算」「鬥爭」，想到「孤島天堂」的上海暫時藏身，殊不知六月十四、十五、十六三天的戶口總清查，各地來的「認人隊」都參加了，無論你是以任何一種身份掩蔽，無論你具備了合法居民資格，或正當職業，只要「認人隊」認爲你「可疑」，「公安同志」馬上請你去「了解」「談話」，許多人就是這樣被請去「談話」而永不回來了。他們的親屬也無法打探出生死的信息，等到「罪狀」公佈，才知道他們的親人已經死異域，這才真是「大張旗鼓」的結果，比過去的「祕密處決」，又要高明一着。

因之，過去夢想着「孤島天堂」，想在共產黨的統治下苟延殘喘的人們，感到了空前無比的憂慮和恐怖，有些人因爲憂鬱過深而成了心臟衰弱症和神經病，「上海精神病院」不但是病床告滿，而且連病房附近的地板也沒有空隙了，認人隊對醫院也不會放鬆的，他們經常到醫院來認人，發覺了病人何況，都得逼有必需逮捕的人，不管他病況如何，原籍去接受「人民的公審」。

有些病人就在路上死去，幸運地逃脫了「清算」，由這裏得到了證明，要想在赤色恐佈的「解放區」，作一個安份的老百姓，不！作一個醫院的病人，其生命的安全也隨時掌握在共產黨份子，以及特務外圍的「認人隊」手裏，對於那些沒有看清楚共產黨統治人們眞相的人，這應該是最好的教訓。

英雄殲共

王禮立

罩生，楚產也，長（註）梁，而好家饒於貲，性豪放，諳水性，喜交遊，精技擊，解之爲人。慕朱家郭解之爲人。嘗獨行山中，手格兩巨狼。後以家道中落，遂操「駕長」業，交遊如故，是以得錢輒盡。又嘗趁山洪暴發時，爲人駕木筏駛於山澗中，水勢急湍，觸石碎筏，覃雖墮洶湧急流中，無傷也。

其義，以故草澤豪客，恆畏敬之。易幟後，覃痛恨共匪之虐殺，好者，聚山林豪客數十人，據山寨以恣取予，日肆劫掠共匪，散其以資給貧民。有餘，輒以散給鄉民。西山中，安然無恙。

某次，覃率伴六人，夜襲某地糧倉，縱火突，突中伏被擒，將解赴宜昌。共匪欲威逼利誘，至對之兩人，仍不能使其悉其根據地。共匪怒，斥覃等兩手被縛，夜分乘舟赴江干，一匪曰：「否！之。又一匪曰：否！」覃乃以繩索袋盛而棄之，俾無能逃，衆皆稱善。曰：否！否！盛之以袋，誠無能逃，然日久復有一匪獨排衆議曰：勢必漂浮，爲人所睹；不若以刃刺其腹，再棄諸江，則腹中灌水，將永遠沉溺，雖浮於水中，……

其屍……，亦不曾浮出，水面也。衆匪鼓掌曰：大佳！大佳！遂如法泡製，已殺三人矣。將及覃，覃目眦盡裂，亂如斗牛，狗彘！他日汝等必受極刑之報也。吾必生啖汝肉！詰之：……持刀者心悸，頓足形顫，覃見狀遂奮一躍，綁落水，斷寸寸；復掙一人，張鄰諸江中。餘衆大譁，方欲擬槍，匪已躍入水中，至江心矣，無如何也。家雖紛擊，一人遂亦遁去。覃許餘一炊，始泅至南岸，遙夜，撲奔甚速也。

註：川鄂邊區山中，多大水，木商採伐後，臨溪結筏，俟山洪暴發時，始能順流而下，直抵大江。駕其筏之人，謂之「駕長」，尚有水手數十人，供其指使，其生命與財產，有不虞，亙不負責也。又川人舟中之舵手，亦名「駕長」。

私梟組織嚴密

警察局長手指翻動他的報告書的紙頁，解釋道這些人已經來過七次了，一路順利，未曾受到阻擱。

「他們這次原來可以成功的」，他接着說：「祇怪他們運氣不好。他們的卡車被路上的檢查站扣留了。這種情形，五十次祇會發生一次。」

他轉過臉去，向司機問道：你以爲在過去幾起走私中，你的老板，一共賺進了多少？」

「呵，至少也得有八千美元一趟吧。」

「這些錢你能分到多少？」

「每來往一次我們可得二千元。」

不論怎樣嚴厲盤詢，這些人總是回答他們不知道私梟組織中老板的身份和姓名。那部被扣的卡車，原主是個法國人，他們在漢諾威附近的接觸者，是個坐着一部黑色小汽車的德國人。在蘇管區裏，他們交易的對象則各色各樣的人都有，有些是德國人，還有的是俄人，有一個是捷克人。司機們所得到的酬勞，是一個自稱「阿杜爾夫先生」的人付給他們的，他可能是法國人，比利時人或瑞士人，但他們全設他們自己也算不清楚這人的國籍。

司機們被押了出去，警察局長的面色顯得沉重。「你祇要想，這些小人物後面有着怎樣的一個嚴密組織。每一件瑣屑的小事都必須絕對準確，不能有絲毫差誤。私貨不但要祕密地分散而轉手，而且要祕密地集合在一起，你大概也知道，俄人有這樣的卡車來往，不只是少數的幾輛而會有幾百輛呢」。

當詢問還在進行着的時候，卡車連接着陸續駛過，有的後面還曳着一二個拖車，它們正以每小時四十哩的速度越過邊界。

海關的檢查員已爲這種不斷的車隊弄着疲倦不堪，對於送到他們面前的證明文件，簡直難得會謹慎地仔細查核。

有一個檢查員說：「我知道一個世界從未見過的最大走私活動正在我眼前進行着，但是我們又有什麼辦法呢？看這些卡車吧！裏面盡是大箱大匣，重量有三噸之多，它們裏面的貨色說是機器，但我相信多數藏着香烟，箱底放着一大塊三和土。要卸下這些箱匣而再把它們打開，至少需要十幾架起重機或不少工人，還需要相當時間。在我們檢查一輛卡車的時候，整個邊境的一切交通都受阻而停頓下來了。」

他聳聳肩，招手讓一輛卡車駛了過去。

西德三千五百哩長的邊界上，走私種類的繁多，已超過一般人的想像。（三）

德國的暴發戶

·張天寶譯·

原載週六晚郵

自由人

THE FREEMAN

（半週刊每星期三六出版）

（第四十一期）

每份港幣壹毫

督印人：李光華

社址：香港高士打道六六號

電話：二〇八四八

GLOUCESTER RD HONGKONG

TEL: 20848

承印者：東南印務出版社

地址：高士打道六四號

臺灣經銷處　台北重慶南路一段七十四號

衝突矛盾無一是處

斥貝凡路線

·雷嘯岑·

（他所謂的「唯一路綫」想同美國爭領導權，其實只是阿Q式的精神浮誇，是毫無理路可尋的誇大狂，而絕無社會主義思想的意味。）

英國工黨左翼份子貝凡，自因爭執國防預算問題而辭去其內閣大臣職務後，即以急進社會主義者的姿態，糾合若干同志，作改造現狀的活動。他們除發佈一個名叫「唯一路綫」的具體思想主張外，不時對國際問題有所批評指摘，綜其大要，不外幾點：最主要的，是要與美國爭世界領導權，反對英國追隨美國現行政策，認為自由世界只有由英國來領導，纔可以避免戰禍；從這種觀念出發，他們指美國支持南韓與自由中國政府，扶助日本，與西班牙訂交等措施，都是失策。所以，貝凡特別聲稱「英國人決不為台灣的國府犧牲一條生命」，又說西班牙是獨裁政治，不為人民所喜歡的政權。看他這些主張，好像是一個貨真價實的急進社會主義者，是以思想為前提的。既反對美國的自由思想，也不完全贊同蘇俄的極權主義，即是所謂「中間路綫」！

中間路綫的美麗遠景，是肯定的認與蘇俄的共產主義世界可以併存，因而可以避免世界戰爭，各個國家可以自由的建設社會主義社會。在目前，英國的工黨政府是這一類型，所以貝凡要與美國爭領導權；南斯拉夫的狄托政府更是同志，所以，貝凡並不反對援助狄托，且不以狄托為獨裁政治。這在思想上是一種噩夢，在事實上是一種空話，徒亂人意，把現時於民主陣營陷於混亂而已。關於思想方面的是非，不是短言所能盡，姑就貝凡的主張，來診斷他的可能性罷！

飢餓線上講社會主義 無異替蘇聯為淵驅魚

戰後世界各國的人民生活，不問其政治形式是那一類型，連英國在內，十分之八九都陷於貧困苦境，其中三分二以上的民族，更因長期受殖民政策壓榨剝削之故，急切的要求獨立自由。要領導這些多邊生活方式的國家民族向上發展，必須具備兩種條件：在政治上能夠充分的承認其獨立自由權，並且在心理上能教他們相信確有此事，毫無疑問的有史迹可證；在經濟上能夠援助他們改善生活，發展生產力，而不索取特殊利益，作變相的壓榨。這兩重資格，蘇俄完全沒有，她在政治上祇是鯨吞，經濟上唯有蠶食。英國呢，由於自身的瘡痍滿目，無法救助他人的貧困，心餘力絀，經濟上只能「取」，而不能「予」。因此，這項領導責任只有由美國來擔當了。美國所強調的自由生活，乃為任何一種政治形式下的人民所樂聞，而她之厭棄殖民政策，對世界沒有領土野心，亦有歷史的信譽使別人不生疑懼，經濟援助力更綽有餘裕。也因此纔使蘇俄忌嫉懷恨，形成今日世界兩極化的緊張局面。假使這自由世界由貝凡一流人來領導，那祇有教大家站在飢餓綫上講社會主義建設，有如英國社會主義老前輩邊沁之搞「潘諾梯康」（Panopticon）運動，奧文之設計「四方形屋」，滿足了心靈的幻覺，卻可以斷喪生命的機能，結果是替蘇俄「為淵驅魚」，因為貧乏之飢餓是共產主義滋生的溫床，而貝凡路綫則恰是共產主義的科學接生者！貝凡如果是完全非戰的和平主義者，是主張無條件跟蘇俄親善合作的，那也無怪其然。但他卻不反對韓戰，更不反對自己政府對其屬地的「剿匪」戰爭，尤其不反對援助越南保大政府在法國控制下而討伐胡志明。祇是反對美國不應該支持在他的心目中所不喜歡的反共國家，所認為這些國家縱使為蘇俄所吞併亦不足惜，真不懂的他是走那一條鄰邊主義的「唯一路綫」？

狄托佛朗哥同為獨裁 貝凡何以反對西班牙

貝凡反對美國與西班牙締交的理由，為着佛朗哥獨裁。不錯，佛朗哥是獨裁政權，但狄托政權是民主嗎？貝凡何以又贊成呢？老實講，任何社會主義的政治，都是獨裁中之大獨裁者！講社會主義建設，就得嚴密管制人民日常生活，就在一個主義一種思想之外，不許人民再有自由的。這只有比佛朗哥那類獨裁政治更獨裁，誰能相信南斯拉夫的人民比西班牙人民享有更多的自由人權麼？

貝凡又說自由中國政府是「為人民所不喜歡的政府」，如果貝凡所指的「人民」，其涵義乃如中國共產黨口中的「人民」一樣，「人民」即是共黨，那是對的。若是指四億以上的中國人民，則今日大陸上的中共政權並非人民所選擇的，而是共黨憑暴力奪取的。以社會主義者自命的人，而崇尚暴力奪取政權之道，真不愧為列寧史太林的高足！這樣更不應該攻訐佛朗哥就是了。因為佛朗哥的政權也是武力取得的啊！同時，對於伊朗人民激昂發動的石油國有運動，對埃及人民片面廢棄國際協約的行為，似未聞貝凡有尊重當地人民意旨的進步思想，主張英國無條件的退出中東！因此，貝凡的好惡是私人感情作用，絕無社會主義思想的意味。他之所謂「唯一路綫」，是阿Q式的精神浮夸，是毫無理路可尋的誇大狂！

有感於杜威在台臨別之言

避免大戰必須加強團結

破碎的力量絕不能擊敗整體的敵人

黃雪邨

杜威州長於完成其訪問台灣後，於七月十八日離台赴菲，臨別之際，記者問他：第三次世界大戰是否可以避免，他的答復是：「假使自由國家能加速武裝，堅強團結，我相信即可遏制侵略事件，而第三次世界大戰也就不會發生，自由力量永遠勝過奴役，只要我們提高警覺」。這幾句話，看來原極平淡無奇，但我們試一檢閱今天民主國家的陣容，便會覺得他之為此言並非一空泛而無內容之詞令，而是言之有物，在情緒上，也可說他真是概乎其言，因為杜威本人，原是一個反共的堅強鬥士。

從團結一點來看 共產國家有特長

關於自由國家之加強武裝一事，以美國高度的科學化與生產能力，自不難保持其壓倒的態勢；但是從堅強團結一點來看，則不能不使我們深感焦慮。若以此與我們的敵人相比較，真可說是不能同日而語。試看在克姆林宮的指揮之下，無論是在歐洲或亞洲，他與其附庸國簡直等於是一個整體。過去也曾有人幻想毛澤東可能變成狄托第二，而事實的證明，毛澤東政權是百分之百的忠順於史太林，那些一相情願的幻想終於破滅了。金日成打了敗仗，史太林便命令毛澤東出兵援助，毛澤東的人海戰術，無法取勝，馬立克便來一套停戰建議。任何一個動作，都是由克姆林宮御定程序表，按計而行，嘍囉們也真能做到奉命維謹，在運用上又確能收如身使臂，如臂使指之效。因此自由國家永遠不知道他們的敵人預備做些甚麼，永遠只能在事件發生後去相機應付，永遠處於被動。要不是還賴着美國的犀利武器，還可使敵人有所忌憚的話，則今天的情形，真可能令人不堪想像。

面臨狡猾的敵人 決不能一盤散沙

誠然，自由國家決不能做效極權國家那種辦法，造成那樣一種關係。誰也不應該使誰成為附庸，誰也不應該受誰的支配，因為如果我們和敵人的作法一樣，則此一反侵略，反奴役的戰爭便成為毫無意義，相反的，我們這一爭取國家自由人民自由的意志與力量也正是戰勝敵人的唯一利器。不過，在今天，面臨一個堅強狡猾的敵人與一個艱苦的鬥爭，如果我們自由國家的陣營不能齊一，還是各自為政，在一盤散沙之中還存在若干矛盾與衝突，則未來的前途是顯然伏有莫大危機。杜威州長之言，正是針對此種事實而發，因為自由國家如果不能有堅強的團結，則必授敵人以挑撥離間之機，使現存之矛盾衝突，愈益擴大，以破碎的力量希望去擊敗整體的敵人，則勝負之數，可說是不待智者而知。

自由國家為甚麼不能堅強的團結起來？以國際關係之錯綜複雜，這個原因當然也同樣不簡單，但我們如果從根本上去考慮這一問題，也可以瞭然於其癥結之所在。老實說：就是大家只知顧到各個的本身利益，而不能稍許犧牲一己之利益去支持共同的理想和行動。於是就有英國之承認中共，法國之反對美國對德國之措施；非律賓以威脅其本身安全為理由反對對日和約草案；英國之不同意美西協定，諸如此類，不一而足，比之為「同床異夢」，真可說是確切無移。從中國歷史上看，當年六國之所以不能抗秦，正坐此病，蘇子由的「六國論」最後對六國當時的作法提出一個結論是：「貪疆場尺寸之利，背盟毀約，以自相屠滅，秦兵未出，而天下諸侯已自困矣」。今天自由國家之相互間，雖尚未達到「背盟毀約，以自相屠滅」的地步，然其中的矛盾衝突，實在已足與敵人以莫大可乘之機，其不致自困者，也就相差無幾了。

（下接第二版）

杜威在香港

機場沒有華人

杜威此次到香港，到機場去接的人，全是外國人，根本沒有一個中國人，生活雜誌有一位攝影記者爬上機翼，想照個全貌，但見下面全是外國人，遂忙把盒子收下，打道回家。有人問他，你為什麼不照一張，他道：「全是外國人，根本沒有一個中國人，這有什麼意思呢？杜威此次來到香港，此地中國人是佔絕大多數，沒有中國人去歡迎，我的照片上便顯不出他重要的價值。」

小姐一場考問

廿一日美僑俱樂部為他開了一個歡迎會，藉此使他「領教領教」這民主櫥窗內人們對遠東政策的看法。有一美僑問杜威：「我們美國到底要不要台灣這據點」。杜威答道：「我們一定不能放棄台灣，今天台灣問題雖多，但也有不少進步，只是民主的努力，還嫌做得不太夠，民間這種空氣並不濃厚。」言下台灣仍是美國必守之點。又有許多美國婦女問他：「杜威先生，你下次還要競選嗎？」杜大吃一驚，一看全是太太小姐，乃道：「我還要參加競選嗎？上次全吃你們的話，你們擁護杜魯門，不擁護我啊！」說着大笑。又有一位小姐道，讓我聽聽你未來的施政大計吧！」杜道：「我們好的，對內壓低物價，解決失業，對外和平，不要戰爭，你說好嗎」，於是許多婦女們高高舉杯，齊聲道，「我們擁護杜威！」

杜威在港，所看到的中國人很少，據說杜在香港，一切行市，均向美領館及美新聞處「請教」。各大學教授給他的信，由杜威之隨行祕書樂克吾轉交杜威，杜看了以後，已收入文件檔中。有人說杜此次香港之行，對中國方面，恐怕了解不大。

海濱一言不發

廿三日上午杜威先生忽然興緻來了，驅車至淺水灣一遊。很多人以為他在那裏，約客談話，但他到海濱靜坐，聽聽海嘯，望着海天一色，然後匆匆回總督府。他在海濱散步，一語不發，有人說「杜威先生在此偷得半日閒，靜了一會兒，不久必有所作為。」

廿三日下午原定有一次記者招待會，臨時取消。據說英駐東南亞專員麥唐納與澳洲外長加錫均飛來港會晤他，有人說「談東南亞問題」，有人說「談對日和約問題」，但他的隨行祕書樂克吾說：「沒有什麼，只是大家廣泛底交換意見而已」。

據說：杜威原想到新界去看看，後來不知什麼原因，中途取消。他和麥唐納會晤以後，就馬上離開香港，繼續他的旅程。（吳玉龍）

時局漫談

·舜生·

火是會停的

開城談判雖然停頓了幾天，看樣子還是要談下去。小處彼此都可讓，大處彼此都難讓：所謂難讓不是絕對不讓，但只能作交換的讓。在南韓再度被侵沒有得到切實保證以前，要聯軍退出韓國，美國大致是不會讓的。但假定所謂中共的「志願軍」第一步能撤退往鴨綠江以北，第二步更能不在東北集中大軍，美國原亦無在韓國多留聯軍的必要；可是如果共軍還要擺出再戰的姿態，想以此逼走聯軍，這便是一種最蠢的想法，這對英國以次的國家，都不會有效，遑論美國？

設緩衝區不是原則問題而是技術問題，但必以中共有誠意撤軍為先決條件。假定雙方仍以大軍對峙，即令設一個二三十公里的緩衝地帶，再加上由中立國家出來組織一個監視機構，也沒有多大用處。必須把「陸續撤軍」與「建立緩衝區」這兩個重大問題得出一切實的協議，然後火才可以停得下來，至於戰爭的原因能否根絕，這便是以後的事了。這次停火的建議是由蘇聯發動的，蘇聯似乎覺得無論對歐對亞，都還有在此時來一度和平攻勢的必要，這一點史太林是考慮得相當的成熟了。至少總得把韓國戰場的火停下來再說。他其所以要在此時來一個普遍的和平攻勢，其作用自然是多方面的，但在遠東則以干涉對日和約為主眼。

為日本打算

自從美國把對日和約草案發表，公然把中華民國排斥於簽字國之外，這在誠心誠意擁護中華民國的中國老百姓看來，心理上簡直是一種傷天害理的行為，可能在這四萬五千萬人的中國人心理上造成空前的仇恨。平心而論，在過去近百年間，美國對中國的態度，總還算是比較不錯的；即在最近，美國少數的政治人物因為對國民政府的不滿，而給以無情的打擊，其結果雖然為中國的老百姓帶來了絕大的災害，但中國人卻沒有因為怨望美國而完全忘記了自己；因為勝利以後的中國確實沒有弄好是一件事實，即令美國多少做得過分一點，我們並沒有說美國完全沒有理由。只有這次拒絕中華民國簽字於對日和約，我們卻看不出美國有絲毫的理由：中華民國是抗日的主角之一，是事實；中華民國有誠意立在民主陣線上為反共打先鋒，也是事實；中華民國至今還是聯合國之一員，是無可否認的；美國至今還是以軍援經援加強對國民政府的援助也是很顯然的；惟獨對於簽訂日約要把中華民國排斥，怎麼講得過去呢？這些理由我們在本刊上已經說得不少，現在再換一個方面站在日本的立場為日本的利害打算又是怎樣呢？

美國汲汲要把對日和約見諸事實，還是韓戰爆發以後的事，這因為美國很了解，她對於亞洲決不能置身事外，為了防止共黨侵略，必須團結亞洲，才能有效，可是她自身的力量不夠，而且要解決亞洲問題，也必須以亞洲人為主體。她考慮亞洲的現實，並以過去的歷史，知道亞洲人不把日本扶植起來，亞洲乃決無和平之望，這一看法是很對的。可是[illegible]而且非鬧中日兩敗俱傷不可。過去日本之侵略中國[illegible]害無益。說到這裏，已可看出對日和約如無中華民國參加，即毫無意義可言，還不如暫緩簽訂為是。

阿盟集團兩派對立

外約但國王被刺案隱

阿布都拉領導親英，並與以色列和解，與埃及伊朗反英反以勢同水火，傳胡塞尼大主教為刺殺阿布都拉主謀，蛛絲馬跡實非無因。

·李秋生·

暗殺無疑是一種卑劣的罪行，然而在伊斯蘭教的某一支派（十葉派的伊斯馬拉派，也就是與阿伽汗阿里汗父子所代表的一派有關的支系），卻把暗殺看成達成教義的主要手段，因而在回教世界中政治暗殺特多——據說自從第二次世界大戰結束迄今，單大的暗殺已有過十二次——原非偶然。隨着世界局勢的演變，中東一帶，已成東西冷戰中的一個重要焦點，一個政治暗殺也不再僅是回教世界內部的問題。四個月前，伊朗總理賴茲瑪拉遭受暗殺的結果，使西方國家喪失一個重要石油來源，其所引起的英伊糾紛，至今仍在擾亂世人心曲，而外約但國王阿布都拉之於最近遭受暗殺，則除卻引起中東全部的動亂不安外，還可能威脅着西方國家在中東的軍事基地問題。

阿布都拉野心大　擁有現代化軍團

在外人看來，好像阿剌伯集團是一個能够互相團結的整體。最近伊朗為取得阿盟國家的好感，曾經撤銷對以色列國的事實承認，就是一個顯著的例。其實，各個阿剌伯國家，相互關係之錯綜複雜，衝突矛盾，在今日世界任何其他地區很難找到同樣的事例。即以對以色列關係而論，阿盟各國也並非都一致與其勢不兩立，像最近被刺的外約但和黎巴嫩的兩個重要人物，阿布都拉王和黎巴嫩前任總理艾爾索嘉，就無寧更傾向於對以妥協，這也許就是此次促成彼等不幸遭遇的原因之一。但若就阿布都拉而言，問題卻並不如此簡單。

在今日的阿剌伯世界中，外約但王是一個最富有色彩的人物。他懷有極大野心，也善於玩弄權謀。他是一九四八年發動反以色列「聖戰」的主要人物，但後來卻一變而成為對以妥協最力的人，其結果則巴勒斯坦的阿剌伯地區於去年五月被合併為外約但的領土，但雖然被放逐的耶露撒冷回教大主教胡塞尼曾經自命為該地區的當然統治者。阿布都拉的家族擁有約但和伊拉克兩個王位，伊拉克今王是他的姪兒。他所念念不忘的是建立一個大敘利亞國，包括現下外約但伊拉克敘利亞和黎巴嫩的全部領土。他參加了阿剌伯同盟，但卻與埃及爭取領導權，但互不相下，結果造成阿盟中外約但伊拉克與埃及沙地阿剌伯的對立。他絕對不受阿盟的約束，本月初間批准的阿盟集體保安公約，在七個阿盟國家中只有他一國不參加，為了他想在公約佔一個主要地位，並不肯接受禁止單獨對以色列議和的約束。他眼光四射，廣結與邦。他的王位是英人所賜予，他也始終保持親英立場。前冬他曾訪問西班牙，憑吊他的祖先（他是穆罕默德的直系後裔）所曾經征統治過的國土，最近又訪問土耳其，引起了埃及的嫉怨。他擁有阿盟國家獨一無二的現代化軍隊——在英人格魯布將軍統率下的阿剌伯軍團，過去曾經是對以色列作戰的主力。因此種種之故，他的鄰人遍布中東一帶，反猶者恨他對以色列妥協，伊拉克敘利亞與黎巴嫩人怕他吞併，埃及與阿盟討厭他「背棄」阿剌伯集團利益而又熱中於爭取這一集團的領袖，胡塞尼大主教更與他勢不兩立，他不只要並了巴勒斯坦領土，並且另外擁立了一位主教，使胡塞尼能在開羅，度其偶促的流亡生活。此次的暗殺刺客，據說是胡塞尼派黨徒，胡氏雖發布聲明鄭重否認，事實上卻極大有可能，因為暗殺地點正是耶露撒冷的奧瑪爾大教堂。

阿盟三親英國家　是攻蘇主要基地

然而儘管阿布都拉取死之道正多，若干年來，他在中東卻是一個安定的力量，並為民主世界的有力支持者，他的首都阿曼，就與伊拉克的哈巴尼亞，沙地阿剌伯的達蘭同為西方國家在中東的重要空軍基地、那一地帶距離蘇聯最重要的生命線，裏海的巴庫油區，不過一千哩到一千五百哩的航程，隨便是較陳舊的B——二九式超空堡壘，或者航程短而速度高的B——四七式噴射轟炸機，都不難完成一項戰略轟炸的任務。阿布都拉一死，首先是巴勒斯坦動亂不休，可能引起新的危機，而阿剌伯與以色列間和解的機會也較前更形微弱。在阿剌伯同盟中，也將沒有任何一國能與埃及抗衡，後者卻是傾向反英，並在東西冷熱戰爭中保持中立的。更可慮的，是外約但今後繼承的王位之爭。阿布都拉長子塔拉爾，一個身心不甚健全的人，一向以反英著稱，為阿布都拉所不喜，生前已有不擬以其承繼王位的表示。此次驟遭巨變，約但議會與內閣，即決議以其次子奈夫担任攝政，奈夫的政治立場，則比較親近英美。塔拉爾現在瑞士休養，據說對於其弟被擁攝政一舉，極表憤怒，說不定一旦會突然返國爭位，阿盟秘書長阿薩姆已有對他擁護的表示。如果今後再發生一次爭立的內爭，則中東局勢更將不堪設想，同時也替克里姆林宮製造意外的機會。

共產主義在中東　幸尚無羣衆基礎

阿布都拉之死，是繼伊朗石油國有化以後另一對英國的重大打擊。英帝國的日趨沒落，也許並不值得十分惋惜，然而今日民主國家對共產勢力的防禦卻有大部分建立在英帝國的既成權利上面，特別是在中東。那些既成權利，從前是藉帝國主義的手段取得，至今仍寄託在當地若干統治者的友好關係上面。大幸除卻伊朗和以色列而外，共產主義在中東一帶絕無任何羣衆的基礎，但若動亂不休，甚且發生爭戰，則來日之事正復難言。美當局援助落後地區的第四點計劃，對於中東是一劑對症良藥，也是保持民主世界在中東優勢的唯一途徑，但在今天，已有時機過遲之感。美國對伊朗的經援，並不能立刻幫助哈里曼打動穆沙狄克的鐵石心腸，這教訓是值得借鏡的。

外報雜譯

這是不值一文的爛貨

坎特伯理主教大捧史太林後英國人如此批評

·石浮·

英國坎特伯理主教前些日子到了莫斯科，並且接受了史太林和平獎金。他在一篇冗長的演說裏，捧史太林為全世界最偉大的人物，以及最偉大的和平鬥士。他說美國人花了那樣多的金錢去宣傳戰爭，但是英國人民決不致被那種宣傳所欺騙。他說在兩千年前，東方出現了一位主張和平與人類平等的耶穌基督，現在一個同樣的主張也在東方出現了，因此一切基督教徒應該共同擁護它的。

據本港英文南華早報說：這一大片的瘋話，普通人再也無法了解。實在說，除希特勒的貝爾森集中營外，史太林所犯的不人道的罪惡，比起其他任何人更多。他用無情的手腕粉碎了無辜的農民、一切人——甚至音樂家、藝術家、和科學家——都得放棄自己的意志，絕對服從史太林所解釋的馬克思經典，否則即將遭受殘酷的打擊。在這樣一個可怕而掌握無比大權者的心靈裏，倘若尚有絲毫和平主義的遺迹，就那只是屬於戰術性的。當一九二三年俄國共產黨決定簽訂布勒斯特里托夫斯克條約的時候，史太林便曾解說，那個條約的簽訂，是因為共產黨想要與饑餓和平的農民們保持「聯盟」，因為想要喘一口氣，因為想要訓練新的軍隊，簡而言之，因為想要獲得未來戰略上的利益。史太林使用和平為幌子，去達到奪取政治權力的手腕，搬到國際舞台上，似乎並未改變它的本質。」

該報又說：「坎特伯理主教過分看重了自己的身份，以為他回到英國以後，可能遭受革職處分，而成為一個對共產主義的『殉道者』。其實多數英國人不過把他視為一個不值一文的爛貨」。

假使麥克阿瑟還主持韓戰

紐約世界電訊報，在開城談判開始的七月十日，有一短評。他說：「開城談判是國務卿艾契遜的玩意兒，它的一切都是帶着我們所熟知的艾契遜作風——美國坐在末座敬候他人的指揮。

「聯合國代表團飛機所必須降落的飛機場，是被武裝共軍所護衛的。從飛機場到開會地點，只有共產黨的車輛可供使用。我們的代表們無論出入會場，都被共軍追隨着。假使我們果真是戰敗國，向敵人請求議和，這些辦法倒是預料中事。但是前幾天杜魯門總統還說，現正進行中的談判，是一個『勝利』呢！

「共產黨記者和攝影師所攝取的鏡頭，將來放映在全世界觀衆的面前，不會把這件錯誤百出的談判，描寫成為一個聯合國的勝利，那是我們可以深信不疑的。

「李治威將軍說：『我們必盡力爭取我們所能獲得的一切』這句話的意思，就是說自由國家的新聞記者僅能在共產黨許可下，才能獲得一切。倘使麥克阿瑟現時尚任聯軍統帥，那就不會如此可憐了。麥氏深刻了解東方人的心理，他決不會在談判開始以前，就被對方所玩弄了。麥氏遭受革職的處分，因為他阻礙着綏靖派的努力。

「現在我們處於一種綏靖式的布局之中，恐怕難免一種綏靖式的結果罷」。

還要犧牲多少生命？

美國政策如果再錯下去

韓戰一年美軍傷亡竟比美國參加第一次大戰的第一年還多，最低限度有一半人是死得太冤

·寧人·

華盛頓官方於最近宣布，美軍在韓作戰的傷亡，已達到七萬八千一百一十名。這是韓戰一年又二十天中美國人命的損失。戰費的估計，最近華盛頓報導約為二百十一億美元，一年零二十天的韓戰，美國生命財產的損失的數字如此。至於韓國本身所遭損害，據估計南韓平民死傷及一百萬人，全韓通兵災疾疫死傷共三百萬人，而物質破壞，據聯合國韓國善後機關估計，房屋毀壞達六十萬幢，全部物資損害達八十億美元。聯合國善後機關總代表金斯萊稱「自有歷史以來，除了希臘時代對加斯基的大毀滅以來，像這次韓國的破壞，恐是空前的」，那種慘重的損失有沒有代價？所得的代價是否抵得過損失，這是美國朝野及自由世界應當仔細檢討的。

太費解也太矛盾了

杜魯門總統於韓戰一週年在安諾特研究所發表的演說，對韓戰的成績十分誇張。換句話說，他一年來美國生命財產的損失，照他的意見，是有代價的。而且那種代價是可以抵過所受的損失。我們無意在此與杜魯門總統發動辯論，更不願參加共和黨與美政府間的政爭。但今天在韓戰停火聲中，我們自有其對韓戰的估量。說一年來韓戰全沒有代價，當然武斷得太無理由了。但說一年來韓戰所付代價可以抵過其損失。又似乎近於虛飾。從最近美國國會對麥帥調查委員會的證詞中，我們知道一年前美國政府對北韓的侵略，毅然出兵幫助南韓，這是杜魯門總統的英明獨斷。當時假使沒有杜魯門的堅持，美國對韓國戰事不會那麼迅速堅決地參加，杜魯門這一舉動在歷史上必是流傳下去的。但從韓戰開始，直到麥克阿瑟被免職，杜魯門對韓戰的政策，在理論上或在現實上，實在太費解了，也實在太矛盾了。

歷史上一個大笑話

北韓發動侵略，中共匪幫參加侵略，無論從雙方參加的人數，及戰鬥的方式講，都是正規的戰爭。美國出兵，聯合國十六國出兵組織聯軍，反擊侵略，雙方動員到幾百萬人，雙方死傷超過一百萬人以上，這無論從那方面講，也是正規的戰爭。正規戰爭惟一目標，是消滅敵人，擊毀敵人，——採用任何方法達成這一個目標。但從去年九月起，杜魯門，艾契遜，馬歇爾對韓戰所揭櫫的目標，如所謂「有限的戰爭」，聯合國的「警察行動」，聯合國準備隨時講和等類。這是在心理上在口號上，聯合國對韓戰，中途便違反戰爭的目標」另在行動方面，限制戰略與戰術的轟炸鴨綠江北岸，使敵人儘量在我國東北有不可侵犯的後方。前方主帥稍一建議更改戰略，斥逐隨之。我想在歷史上，韓戰必將構成軍事上一個大美談。歷史上那一次戰爭，可以預先表明並不想毀滅敵人！退百步講，聯合國此次在韓國的行動，就算照杜魯門艾契遜所說是「警察行動」。我們照常識說，警察搜捕盜匪，決不能將警察的行動，局限於盜案發生的地方。它必根據眼線，窮搜盜窟。萬一盜匪已逃竄到鄰省或鄰國，為當地警察權限所不及，警察官署還必設法引渡，或會同各該管官署加以窮追。決沒有眼見盜匪躲藏的地方，而自已劃定區域，聽任匪人逍遙其逃藪中。杜魯門今天在韓戰中所謂「有限戰爭」，明知匪人窩藏所在，為了避免匪人的負嵎頑抗，相戒不必犯其巢穴。如果警察是這樣執行其職務，決不能將盜匪掃除，治安更無從恢復。麥克阿瑟免職，杜艾馬的韓戰戰略，不啻已昭告世界。克里米宮一年來驚喜交集。當以麥帥免職一時間為最高。

政策錯誤不知自反

韓戰一年，美軍傷亡人數，達七萬八千餘人，比較第一次大戰時美國參戰第一年傷亡的，還要超過。我們研究一年來美國政府的政略與戰略，今天可以得一結論。這龐大的美軍傷亡人數，至少一半的犧牲是可以避免的。而此三萬人的犧牲，可以說完全是死於杜魯門[illegible]政策。韓戰到去年年底，中共匪幫參加後，麥帥宣告戰爭性質已變化，實是聯軍成敗利鈍一個生死關頭。然而半年來的事實，杜魯門高唱其有限性戰爭，變本加厲。韓戰一週年，美軍死傷人數將達八萬人，而杜魯門猶自誇其政策之成功。杜、艾、馬今天大概還正剛愎自用，迷途不知自反。這一年來美國八萬人的犧牲，便是他們幾年來遠東政策的結果，他們今天在韓戰中所定的政略與戰略。將來的代價，[illegible]，美國人及自由世界，都將被迫食其後果。」

妙計說穿不值一文

韓戰一年的經過，是大可檢討的，韓雖一年來幾個階段，充分證明了美國當政者的衡勵與缺乏一貫的政策。照邏輯講，聯合國既然出兵遏止侵略，聯合國既已通過指斥韓共與中共為侵略者。麥克阿瑟所主張，實為這一個政策的忠實擁護者。出兵韓國原來不是麥克阿瑟所主張，出兵韓國[illegible]

[illegible]

——上接第一版——

美國要領導反共　必不能背棄正義

[illegible]

大陸將成裸國 棉田被虫吃光

不是「天禍中共」，是中共自身官僚主義作祟

【本報北平特約通訊】聯合國決議對中共區全面禁運，中共所受到的最大打擊之一，是棉花。上海紗廠早已全部停工。中共曾以全力，鼓勵農民棉花增產，打算從事補救，不料今年各產棉地區自上月下旬起，忽發生嚴重虫害，山東全省，棉田幾乎被虫吃光。這使中共增加棉產的計劃，整個成爲幻想。

這種虫害，一般稱爲紅蜘蛛，一經孳生，棉苗即停止生長。現在德州，惠民，聊州，禹城、[illegible]安等地區，棉收已完全絕望。老百姓都說，「今年政府逼迫我們種麥，種棉，棉花不收，我們就要餓死了」。

至於這次虫害何以蔓延如此之廣，其間竟絲毫無法補救？據各方證明，並不是「天禍中共」，而實是中共自身官僚主義作祟、第一；中共今年發動幹部，在農村進行「麥種棉運動」，這運動確實收效，山東一省，棉田比去年增加了兩倍。但是下種以後，幹部就認爲大功告成。當虫害剛一發生，農民向中共請求除虫辦法，幹部說：不要急，一場雨就將虫冲走了。農民也就不敢再說，不料下雨以後，棉虫並沒冲走，反而更加繁殖。第二；中共在農村中，忙著宣傳抗美援朝，天天逼迫老百姓參加大會。如齊河縣殷巷區發生虫害，縣長要區長動員農民，大力滅治，區長說：「現在抗美援朝大會，要一連開會七天，農民不許不參加，至於我手下工作人員，他們也任務太多，開會太忙，大家都分派出去了，我一個人怎能發動得了？」第三；山東省本有大批除虫器械，一直鎖在各縣的倉庫裏，僅噴霧器就有一萬八千零五十九具，但因中共要先收錢，農民買不起，就一直沒有發出應用。現在中共已感到問題嚴重，但事實上已無補救餘地。他們於是通令所有產棉省區，不論今年收成如何，限令將老百姓所有存棉，一律徵光。河南延封縣中共幹部甚至公開決議，「有棉花的就自動獻出，不獻就搜，這需要用鬥爭的辦法，無論如何，絲毫不能放鬆」。但是，棉花既根本沒有生產，專靠搜刮存棉，這個數字，無論如何，不會太大。看來，不僅上海內棉紗廠，今年是沒希望完全復工，全國老百姓，無衣無褐，恐怕大多數很快就要回復到上古時代，裸體生活了！（隆光，十八日，寄自北平）

中共狂吹胡搞

「建設」只是「浪費」

幹部無知無能無恥造成嚴重後果

【本報上海特約通訊】建設不是一件壞事。尤其落後的中國，處處需要建設，可是今天中共在大陸上的各項建設工作，從中共的大力宣傳看來，似頗有成績，其實根本不是那末一回事。由於中共人員把建設工作看做發財的機會，不惜剋扣工款，偷工減料，以飽入私囊。其次中共人員的顢頇愚昧，對工程設計，毫無知識，即盲目興工。加以官僚主義形式主義的作風，只求邀功圖賞，對於工程實際的情形，絲毫不加注意，這樣使中共所大力宣傳的建設工作，不但不能收預期的效果反而勞民傷財，造成嚴重的災害。

下面幾件事，是過去中共建設的得意傑作，但最近大出毛病，造成極大的災害與損失，從這些情形中，我們不難看出中共的所謂建設的眞相。

勞民傷財修堤築壩 一場豪雨全付東流

中共認爲最滿意的是水利建設，但最近又有二件中共建設的水利工程發生毛病，河南省西平縣之間洪河上游的老王坡滯洪工程，是去年冬季中共開始施工的主要治淮工程之一，化了不少金錢，徵發民工達數萬人，結果今年五月十三至十四日，一場大雨，把攔水壩全部冲斷，釀成水災。據調查統計，此次洪水共淹沒麥地二萬〇八百多畝，加上被淹秋地，則在三萬畝以上，西平縣五十三個村受災，郾城縣十一個村受災。當地人民生命財產的損失，更無法統計。

其次廣西南寧市郊鳳江水利工程，去年九月時開始，今年六月工程告竣，開始放水，結果，工程崩塌數十處，主要原因是主持工程共幹施工以前，對當地土質毫無研究，所用材料係附近山背的風化石，土質很壞，水流冲刷後即崩陷，加以連日大雨，負責人員臨時又不關閉閘門，致水量陡增，這一費時一年，化費五十餘億，動用民工數千人的堤閘，遂全部付諸流水。

同省派關水壩工程，今年一月開始動工，四月完工，放水後，下了幾次大雨，河水陡漲，新的堤壩就被冲崩三分之一，目前尚在多方設法補救中。

關於這幾件工程，中共所耗費者不下二百餘億元，在工程進行時，附近居民均被徵發無酬工作，下級幹部更乘機敲詐，人民痛苦不堪，誰都希望從此工程成功，能夠風調雨順，水旱無災，因此，那裏知道反而使他們帶來嚴重水災，剛下種的秧苗，完全腐爛，又要被迫搶救堤防，老百姓種種損失和苦痛，眞是不堪設想。

盲目興工毫無計劃 預算數字再三追加

另一事件，發生在陽泉礦務局，該局自中共當局接收以後，所屬第三四煤礦及附設修理廠，從去年三月至今年五月，進行許多重大建設，修建投資總額在一千五百萬斤小米以上。由於主持工程人員根本事前沒有良好的估算，以致造成嚴重浪費，如第四礦修建八棟工人宿舍，竣工不到二月，工人佔用不滿一月，就因另一工程需要這塊地基而全部拆除，近千公尺的涵洞根基，也因工程設計改變而全部廢工。因此工人就說：「磚、瓦、木、石大遊行，小米賭拚，局長、礦長、工程師都是「懂了」」，但是負責的中共幹部，根本不懂工程管理，只知道與包商勾結，營私舞弊，一味官僚作風，敷衍塞責，計劃一變再變，預算再三追加。有一件工程變更設計，追加預算達八次之多。美其名曰建設，把括自人民的膏血，完全就這樣浪費掉了。

做了又改改了又修 新度完成創痕纍纍

還有太原鋼鐵廠工人醫院，最近也因修建工程，發生浪費情形。[illegible]……又將參觀台拆除。同時發現該室必須用消毒水洗棚頂，要改用「淋水」的做法，但現已感到無法改變。其他做了，又改，改了又修的情形，尚有很多，但是主其事的是共幹，誰也不敢加以批評。

故中共所謂建設云云，其效果大概如此，括盡民財，用盡民力，無非供共幹貪污的機會，實際根本收不到利益，反而造成嚴重的後果。建設！建設！在中共只是浪費的別名而已（悠然，廿日寄自上海）

鎗斃趙繼賢時一幕戲劇化表演

老尼姑當場脫袈裟

三天尼姑算做二十八年，公審原是演戲，劉大嫂變回了梅同志

【本報漢口特約通訊】二十八年前吳佩孚槍殺京漢路罷工工人，當時身任京漢路局局長之趙繼賢，在蘇州被中共捕獲後，以趙代吳，償還血債。趙犯轉由鄭州解來漢口，準備公審槍決。該項消息，記者在本月九日通訊中，即已儘先報告。（編者按：已載本刊第二十八期）公審大會，因中共配備角色，計劃佈景，延至本月十六日，方克舉行。所有一切公式表演，想港共方報紙，已有報告，無需記者贅述，惟參加控訴之戲劇化表演中，有最生動之一幕，值得介紹，又足夠一條內幕消息，故特爲舉出，以資談助。

青春少女感謝菩薩有靈

中共邀致之控訴角色，多爲京漢路局舊日工人，及當時被殺工人家屬。控訴席上，有一身穿袈裟，年約五十左右之尼姑，最惹人注目。當她登台控訴時，她自稱她是被殺工人梅村詠之妻，自己名叫梅淑清。二十八年前，梅村詠被吳佩孚軍隊拉去，當晚就被槍斃。梅村詠三十二歲，她二十歲，她們結婚才一年，沒有孩子，丈夫也沒有遺言，她想自殺，但丈夫之仇未報，怎能死去？她一想，把心一橫，剃下頭髮，二十歲青年少女，就從此做了尼姑。不料這樣吃齋念佛度了二十八年，果然菩薩有靈，中國出了一位偉大毛主席，今天給我報了仇。說到此，她就馬上跪下，說是替毛主席磕頭道謝。此時熱烈掌聲，直和打雷似的，從四面八方響起來。接着中共宣佈立將趙繼賢在死難先烈（指被殺工人）靈前槍斃，作爲祭品。於是此出家二十八年之尼姑，馬上站起來，把袈裟脫下，向台下一丟，大聲喊道，我大仇已報，從今天起，我請求毛主席，給我工作的機會，我要爲偉大人民服務，參加抗美援朝和保衛和平的激烈鬭爭。自然，台下這幾句話，我們更歡迎梅同志爲偉大人民服務。

丟袈裟演習了好幾百次

當子彈在趙繼賢身上射穿幾個窟窿以後，怒吼的群衆向四面八方散開，業已消失，大家都各向家裏走。記者跟在一羣京漢路工人後面，只見有幾個工人，邊走邊笑，一個胖胖的矮個子說，你看，劉大嫂今天這一番表演得怎樣，另一個瘦長而兩眼突出的中年人說，演得不錯，但指導員給她排演了三天三夜，單是丟袈裟那一下，就搞了好幾百趟，搞得熱鬧。不過劉大嫂也夠聰明，念台詞念得那麼有聲有色，雖然老了，假使演起戲來，一定還能叫座。這時候引起記者的好奇心，經過多方探詢以後，才明白了這兩個人的對話，確包含了一條內幕新聞。

頭髮換來了百多個單位

原來那位登台控訴趙繼賢的梅淑清，三十年前，是一個唱文明戲的，（按即今之話劇）的確嫁了梅村詠，僅僅一年，丈夫就被槍斃，不過她做尼姑，却是最近三天的事，過去二十八年中，並沒有做尼姑，而是另一位路局工人家中的主婦。這一次，趙案公審，中共因京漢路血案是共產黨鼓動工潮的最早第一次，爲要使得這公審特別表演得精彩，也就是對中共歷史，做一次擴大宣傳，特地看中了這位由梅大嫂變爲劉大嫂的文明戲前輩，登台演出，這是劉大嫂的光榮，當然沒有不欣然奉命的道理。唯一困難，就是裝扮尼姑，必須剃去三千煩惱絲，劉大嫂年已半百，頭髮又禿得特早，因此，毫無困難，劉大嫂同意將所餘不多之頭髮剃去，交換條件，就是讓她在江岸鐵路分區工會掛一個名，每月領百多個單位，這樣，劉大哥也減少了家庭負担。果然，練習三天以後，登台表演，在所有控訴者中，最博得觀衆的喝彩。

中共對劉大嫂的演出，甚十分滿意，當記者今天此間發出時，據說，劉大嫂已接到派令，向工會報到，不過她必須恢復二十八年前的閨名，因爲她是「烈士」家屬，大家都要異口同聲表示敬意，叫她一聲「梅同志」啊。（懷民，十八日寄自漢口）

廣東德慶土改工作隊

逼死中農吳滿

栽罪地主羅傳岩

·一件轟動西江慘絕人寰的近事·

【本報德慶特約通訊】據中共執行土改辦法的表面宣傳，是「中間不動兩頭平」，亦即抬起貧農僱農，壓抑富農地主，對中農不予理會。可是那批低能的「土改官兒」，爲求爭取成績，故意做成偏差，把富農當作地主，又把中農升爲富農，強迫獻出物資，退租退息，因此眞正的地主富農，固然個個都要家破人亡，許多中農亦迫到走頭無路。德慶中農吳滿，因爲有幾畝田和養了些鷄鴨，就死在「土改」手裏，但「土改官兒」却把謀殺罪名架在地主羅傳岩身上。這是一件西江慘絕人寰的近事。

吳滿是廣東德慶縣羅圩鄉寮車村一個中農，有十二畝田，一間屋，牛隻農具俱全，還養了一羣鷄鴨，一家三口，生活還過得去，但由於兩年前娶了地主羅傳岩的婢女李金裙爲妻，與羅常有往來，因此給土改人員注意，暗中偵查他的行動。後來風聞他替羅傳岩隱匿了三兩五錢金子，一百九十隻鷄，九百斤麥子，四百斤谷，三隻水牛，三隻猪和其他布疋物資一批。六月十日，土改人員把吳滿找來，要他把這批物資交出，吳滿當然矢口否認，但經不起一再吊拷電打，吳於神志昏迷中糊裏糊塗的招了，土改人員就把吳滿放回，限他三天內將上述物資送到，可是十三日的早上，發現他的屍首橫在離鄉背不遠的山道上，服毒自殺了。這件事登時哄動了整個羅圩鄉，並傳到縣裏：「土改工作隊迫死中農吳滿」！附近一帶農民都騷動起來，及至縣府派人調查時，該土改工作隊早已編好一大篇報告，說吳滿是畏罪自殺，但又還查不出吳滿有替地主羅傳岩隱藏物資的痕跡，因爲一百九十隻鷄，三隻牛三頭猪，和九百斤麥，四百斤谷……並不是小物件，怎樣隱藏得起來？反而在吳滿身上發現許多傷痕，這件事越傳越遠，連貧僱農都憤憤不平。土改工作隊被調離了，換來另外一批，宣布上級對此事已在澈底查究，如果確是土改工作同志的偏差，一定嚴正處理。農民們的情緒也就漸漸平復下去。

半個月過去了，吳滿的老婆李金裙突然失了踪，地主羅傳岩却被縣裏派來的人帶去。七月一日，德慶「人民法庭」在羅寮村舉行公審，說是替吳滿伸冤，觀者擠滿民衆屋往觀，萬頭攢動，開庭了，受審的不是那批「土改同志」，而是六十多歲的地主羅傳岩，兩眼下陷，疲倦若死。只見台上的執行人高聲叱喝一番，隨宣布「羅傳岩買兇串同李金裙謀死吳滿，企圖滅口，李金裙自羅被捕後畏罪潛逃，羅現已全部供認……」台下由寂靜而騷動，像要爆發什麼的樣子，忽然有人高喊狠狠的，地主羅傳岩該殺！「該殺！」「該殺」！四邊都是迴響，羅傳岩當場槍決了，觀衆的面面相覷，只好懷着一股沉重的心情散去。（天聲。十九日寄自德慶）

人民銀行在北平

竟向農民作反動宣傳

鼓吹個人享樂發財 大受中共當局訓斥

【本報北平特約通訊】中共一向強調，提高政治認識，換一句話說，就是隨時隨地，要大家奉行「主義」，并將「主義」，宣傳到每一人民，每一鄉村。可惜中共的幹部太該死，他們根本還是最大多數，對「主義」莫名其妙，他們滿腦袋還只是鼓勵人民，如何發財，如何享受。像下面這中共最高金融機關「人民銀行」，向華北農村所發的億萬宣傳品，就是一個最確切也最顯著的例證。

「人民銀行」，最近爲了專向農村大搞搜括現款，以免「人民幣」爲了抗美援朝，而通貨膨脹，一文不值，除了獻機捐砲，以及五花八門的搜括外，從本月起，加緊推行有獎儲蓄，利用中國人歡喜中頭彩心理，多剝削人民一些膏血。華北農村的每一角落，都有定額派銷。他們的宣傳品，是幾首「七絕打油詩」，如：

隔壁張三常出外，賺錢買車難跑壞，有獎儲蓄中了獎，騎着新車跑得快。

老二減家新租房，沒有傢具只有床，二嫂儲蓄得了獎，新買桌椅亮光光。

王五小禿已八歲，入學念書籌學費，儲蓄得獎十萬元，學費書費都齊備。

一天節省一包烟，十年就可蓋房院，每日儲蓄五百元，三年定够買驢錢。

這些宣傳品大批進入農村以後，一般農民，倒並沒有覺到怎樣不合口味，大部份幹部，也沒有反對的表示。不料被北平中共的國際派高級當局看到，竟大吃一驚，認爲這些語句，簡直是要鼓動農民，走向資產階級，離經叛道，罪該萬死。於是由最高機關報人民日報出面，對「人民銀行」，大加訓斥，說：「舉辦有獎儲蓄，爲的是要人民積極儲蓄，以協助國家經濟建設，人民通過這件工作，即可在政治上提高一步認識，絕不是要人民個人發財，造成新資產階級，但像人民銀行所作的這些宣傳，則完全缺之政治認識，只單純引導人民追逐個人利益，助長落後的思想，爲害之烈不可思議。該最高黨報，又指出：任何業務，脫離了政治指導，就一定要變成毫無前途，毫無希望的東西。責令人民銀行應從速切實檢討，澈底糾正這種反政治性的宣傳，並整個銀行，須從此加強政治指導云云，措詞嚴厲，這當然要使「人民銀行」自主持者以至每一小職員，都感到萬分惶恐。

另據一些人看法 是中共內部之爭

就中共黨的立場看來，「人民銀行」的宣傳，確乎離經叛道，中共高級當局罵他們政治認識不够，也確乎該罵。由此，可以看出中共幹部政治素質太差。但另據一些人看法，則認爲這仍是中共內部土八路與洋八路之爭，因人民銀行，目前掌握在毛澤東一派手中，所以國際派如劉少奇之流，也就一遇機會，就要拚命攻擊，決不放鬆的。（隆光十九日寄自北平）

幼稚得可驚！

倘方

莫斯科最近創刊一本英文雜誌，在文字上複說了一句「共產主義與資本主義兩社會可以併存」的陳腔濫調，馬上成了西方資本主義世界的國際政治要聞，社會議論紛紛，官方多所評述；而駐在莫斯科的各國外交官員，且認爲這是促成世界和平的大好機會（？）他們一致要爲「和平」而努力！此情此景，恰如坐在監獄中的待決之囚，忽聞統治主將於「萬壽」聖誕頒令減刑的流言，一個個自我陶醉，喜出望外，大有「天王聖明，皇恩浩蕩」之概！

史太林把鐵幕緊閉着，以一副陰鷙沈默的面目示人，對西方資本主義大國，利用其「既不能強，又不能弱」的恐俄心理，時冷時熱，譸張爲幻。那些口口聲聲反極權的政治家們，乃經常隨着史太林的一顰一笑而團團轉；甚至史太林的代表如維辛斯基馬立克之流，在國際場合中，偶對民主國家的政治人物稍加詞色，也就受寵若驚，指爲是「和平」象徵了。

史太林政權的本質及其世界革命之理論與方法，大家幷非不明白。民主國家的政治人物如果洞燭其奸，對他那種裝模作樣，瑕類踰噴的戲法，一切「當伊嘸介事」，付之一笑，他的無賴行爲，就會自知沒趣而要收斂的。明明是一種對外宣傳，說謊的英文雜誌，也成了研討的大問題，眞是幼稚得可驚哩！

自由談

酒後失言

竹幕故事

·秦重撐。

劉老頭兒名叫祥泰，是一個多烘先生型的擔烟攤販，一間黑暗而矮小的屋，幾十年來一直住在宜昌環城西路一個巷子口前，一家十餘口，沒有恒產。劉老頭兒一生的毛病，就是好酒，每晚必浮三大白，纔能安然就枕。一經酣醉，橫臥街頭，胡言亂語，肆無忌憚，鄰居司空見慣，不見怪他，有時還舁之回家，因其人一向耿直不苟，並樂爲鄰居左右幫忙，故大家對他頗有好感。

有一天下午，他家裏來了兩個酒友，相約外出，平常他們都是抱着「對酒當歌，人生幾何」的心理，這時逸興高采烈，閒到市內解放路湖川酒家中大喝起來。多吃幾樣菜，多喝幾杯酒，在共區是令人注目的，於是沒有多久，就有共幹把他們盯着了！

酒後的烟，馬上的聊，他們正酒酣耳熱，意興闌珊的時候，叫茶房買了一包香烟，劉老兒黃湯喝醉了，看見買來的烟是新出的腰鼓牌，悻悻地說：「前日出了秧歌牌，今日又有腰鼓牌出現了，天天像瘋子樣扭秧歌，打腰鼓，老子吃烟都要受限制，媽的！看你橫行到幾時」。話還沒說完，來了戴八角帽的兩個人，獰笑的站在面前！「好呀，說什麼？你們幹什麼的？走！」。桌上的三人嚇呆了，驚嘴不能言語，還是劉老兒有勇氣，坦白承認了「錯誤」，表示不願牽累他人，就這樣劉老兒便單獨被帶走了！

第二天早上，環城西路戒嚴，行人絕跡，事後纔知道劉老頭兒家中搜出來一張字條，上面寫着：「飯不在多，果腹則行，屋不在大，蔽雨則成，斯人陋室，惟吾得生，苔痕上灶綠，草色入廚青，談笑同妻子，往來無狗羅，幸而未拘捕，全蟻命，無教育之擾耳，無改造之勞形，巍巍毛皇帝，赫赫朱將軍，陋士云，何害之有！」肯定是劉老兒手筆，在一本日曆書裏面撕出的。他便被認定是一個「國特」，並且他家是「國特」大本營，一個共幹當衆就這樣宣佈了。一家老幼十四個連同五歲的孫子，統統被帶走。第三天，劉家門上，貼了一張「匪產」封條。劉家的人沒回來，也沒有下文，從此成了宜昌人心中一個謎，但是也沒有人敢提到劉的事。後來看見宜昌城外八里路賣塔崗山裏多了一個新黃土堆，漸漸長了青草，滅門大禍，就在這不動聲色當中進行而又消逝了。

×××

人怎樣變成牛

冀言

夾溝爲皖北宿縣災區之一，地勢西高東窪，共有十八個鄉，十萬〇五千人，三十二萬畝耕地，三年來，因水旱蝗災交侵，地廣人稀，觸目淒涼，按照中共公佈數字，「解放」前嗣有的一萬一千五百八十二頭牛，已銳減到四千一百廿頭了。全區現有二十七萬畝田在「不毛」狀態中。

中共夾溝區指導員林興恩，鄉長李硯堂，因田地荒蕪，人將逃光，遭到上級「批評」。於是派鄉自衛隊到處巡邏，要老百姓「保田保命」，「不准逃亡」，同時地委工作隊長謝中標，爲配合此「大力生產」宣傳，亦將預先扮演好的「勞模」七十餘人，分成十組，每兩人或三人合一張犁，巡迴各村，作典型的表演，要羣衆打破怕餓，拉不動，人不能變牛等思想顧慮。可憐瘦了肚子一息奄奄的老百姓在槍桿脅迫之下，一個個只好都向牛大哥「學習了」。

峨眉紀遊【下】

萬竹樓隨筆（十五）

·舜生·

入山以後，氣候漸變，在招待所着單衣，清音閣已非裘被不可，時正七月中旬也。

次日清晨，發清音閣，細雨濛濛，着夾衫仍有寒意，回望雙橋，不勝悵然，得小詩云：

「微雨穿林隙，霏霏濕我襟，
遲回別橋去，詩思記牛心。」

此余當時之心情，殆不敢作重來之想也。輿行約一小時，抵息心所，雨忽大，輿夫云：「由此去洗象池，須經攢天坡，路險苔滑」，因留所休息，雨霽，始復前進。余有阻雨滯息心所小詩云：

「一雨來從山北邊，奔泉飛瀑樹綿烟，
攢天路險蒼苔滑，我息靈心汝息肩。」

攢天坡高約五六里，入山以來，此爲最險矣。下輿徒步，殊感疲乏，是晚即宿洗象，相傳爲文殊洗象處，始服棉袍。

次日登金頂，爲峨眉最高處，非向火不暖，頭腦昏昏然，如坐海船，頗不耐。見所謂雪山雲海，亦平平無奇。一宿即行，未至洗象池，即於途次遇幼椿濤聲及濤聲之夫人藍女士，告以不願重登金頂，當於九老洞相候。

九老洞在牛山，濶頗大，在明代號慈延寺，客房尤整潔，和尚招待甚殷，入山生活，以此最爲舒適。遇武大女生數人，均湖南籍，自樂山徒步而來，以樂山有疫，同學已死數人，學校放假，乃藉遊山以避疫。要余講時事，談至十時後始就寢。

次日午，幼椿濤聲及藍女士自金頂來，因再留九老洞一夜，和尚爲余等特備一席，臨行出紙索書，幼椿即錄余再宿九老洞五律一首以應，詩云：

「寺號慈延古，仙稱九老尊，蠶叢開碧嶂，百鳥弄晴喧，覓徑探幽洞，登臺索夢痕，靈猿何處去，淸磬又黃昏。」

山多猿猴，常至洗象池九老洞覓食，余等在兩處均未得一遇，故詩及之。

歸途仍循淸音閣故道，暢遊所謂黑龍江，兩山壁立，相去不逾丈，山洪奔流至此，渟滀不進，遂爲深潭，架木橋兩山間，始得渡，境殊幽寂，作詩不成。

下山，濤聲偕其夫人赴青神，余與幼椿赴成都，歷時一週，峨眉之遊始畢。

記黔北反共硬漢葛天一（一）

·大慈。

在黔北打遊擊

共黨部隊，過江之後不久，在獨眼龍劉伯承統領之「第二野戰軍」番號下，有一支別動隊，司令員叫任魂，政委叫馬仁，官兵約有四千五百名，——那就是川黔邊區縱隊。她爲策應其江北主力攻取重慶，她沿着長江南岸，由東而西，向川黔兩省，交界地方推進。當她進入黔境時，首當其鋒的，便是湄潭縣。——貴州東北十幾縣行政中心。

那時湄潭縣長葛天一，在職已十年，反共意志堅定，頗得民衆愛戴。他常說：共匪一套理論和方法，祗能哄別人，或世界上任何人；但不能哄我，和我的部屬。他近兩年，即以佈署反共爲中心工作。——捕殺共方潛伏份子四十七名，在部隊內，加強反共教育，對民衆，擴大反共宣傳。打算有一天，與賣國殺人的共黨，決一雌雄，始能甘心。到了這個敵人壓境的時候，自然他是神氣十足的一員戰將。

葛氏因要配合國軍守城，忙得寢食俱廢。他把四鄉可以脫離生產的民衆武力，集中城內，連同原有的保安隊，編爲兩個保安團。這一支臨時湊成的隊伍，人數不足，裝備也不良，但官兵戰意，却相當的旺盛。——因他們在思想方面，早與共黨不共戴天了。

誰會想到：正當敵人距離縣城，僅有五十里之際，國軍忽然奉令撤退。這時人心慌亂，可想而知。葛氏暗將自己的部隊，與敵人的兵力，比較一下，覺然強弱不敵，雖操勝算，但他的內心裏，無論如何，找不到理由，放棄這被他統治過十年，又經他一手建設的第二故鄉——湄潭縣城更捨不得，於患難時，離開家人父子一般的數萬民衆。——全是不願嘗試新民主滋味的自由同胞。城內父老，知道葛氏打算守城的消息以後，紛紛涕泣陳詞，商請葛氏撤退，保全商民生命財產。葛氏不得已，乃揮淚率部退入一個可爲永久游擊根據地的山區——在鳳岡湄潭兩縣中間，有一夫當關，萬人莫入之形勢。

女說客被鎗斃

共軍入城後，不過一個多月，即注意到葛氏的反共根據地。司令員任魂，本想用久困的戰略，使其兵無糧草，自動潰散，後因地方上一位民主人士——叛擄者——的建議，遂改用美而有毒的勸降。那位民主人士，認爲：中共已有天下三分之二，倘若有他從中牽綫，葛氏很可能見風轉舵，變爲識世務的投降俊傑。——如長沙陳明仁，昆明盧漢一類的投降俊傑。他又在共軍入城後，讀過毛澤東專門騙人的「約法八章」。他滿打算，將葛氏勸降以後，可以受功者之獎賞。所以他的建議，與其說：想爲人民服務，毋寧說：是全爲他自己一個人打算的。而任魂呢？他認爲：勸降如能成功，可以兵不血刃，而得葛氏首級，比較硬打，實在高明，不妨試驗一下罷。

任魂既定了主意，遂選派一位口若懸河，言語可以開人茅塞的女幹部，爲正式代表；並請那位民主人士，爲「犧牲」的副代表，一同往見葛氏游說。他們臨行時，任魂除贈之以言：餉之以酒，祝其馬到成功外；又作了一封親筆信，交給他們帶去，以作代表的資格證件。副代表在餞行的席上，根據過去「二國相爭，不斬來使」的通例，也向任魂提出保證：他們此行，是百分之百的安全，絕無半點危險性的。——當今之世，誰人敢殺共黨呢？又有誰人敢與前進人士——叛擄者——爲難呢？

兩位代表出城後，經過十小時的行程，到了葛部外哨，他倆把任魂的信，交給哨兵。逐級轉報。葛氏見信，立與其得力助手賈君密議十分鐘，始令引他倆進入寨內辦公室中。女代表首向葛氏表明來意。接着用「口若懸河」的姿態說道：葛縣長！你的苦幹精神，與前進的思想，與我們共產黨員，是沒有分別的。所以任司令員想約你見面，談談革命的工作和眞理，並想和你一起走毛主席的路綫，每一個人能跟毛主席走的話，保證前途光明的。——有飯吃，有工作，永遠不會落伍的。女代表說到這裏，葛氏忽然站起，用極冷的面孔說道：我不願跟毛澤東走，只想數毛澤東的頭。就動手罷！這一聲令下，門外若干士兵，紛擁進來，將兩位代表綑起，背後插上了早已預備好的亡命旗子，拖出據點以外，遊行一週，在萬人掌聲下，明正典刑了。——她也嘗嘗人民公審的味道，才怪啦！

作戰軍人兼韜略家　故薛爾曼上將

·春草。

美國海軍作戰部長薛爾曼將軍的逝世，使美國失去了一個卓越的軍事領袖，也失去了一個主張美國和西班牙軍事合作的主要人物。他被認爲對西班牙存有好感，在那裏朋友很多，今年三月訪問歐洲時，也曾到過西班牙，他的女婿曾在美國駐馬德里公使館當過武官。他在任美國地中海區艦隊司令時，他的太太就住在馬德里。

他是個戰鬥軍人，也是個優越的韜略人員。他的仰慕者，說他繼承美國海軍名將的傳統。他對於海洋自小就懷着一個夢想，希望「有一天能成爲美國海軍的首長」，結果終於達到了他的志願。（美國海軍部長是文官，海軍軍職爲作戰部長——等於參謀長——地位最高。）他這個夢想原是他祖父——一個捕鯨者——所形成的，他告訴薛氏許多關於海洋的智識。

他畢業於美國海軍軍校，後來又入班薩柯拉地方受海軍航空訓練，成了航空母艦專家。第二次大戰中，曾任美國太平洋海軍司令尼米茲將軍的助理參謀長，一直到大戰結束。他曾參加在馬尼剌進行的關於日本投降的談判，和一九四五年在東京灣內米蘇里號戰艦舉行的正式投降儀式。

在襄助尼米茲將軍之前，他曾任航空母艦黃蜂號的艦長。當這軍艦在一九四二年的蘇羅門羣島一役中被日艦擊中的時候，他自己屹立在艦台，從容發出命令，救出了被火燒傷的官兵一百五十人，他是最後一個離艦的人。爲了這次「卓異的英勇行動」，他榮獲了海軍的最高作戰勳章，——海軍十字章。

薛氏出任作戰部長，是在不到二年以前。當時海軍內部正因三軍統一計劃發生嚴重的危機。好幾個海軍將領抗議政府的停止建造一艘六萬五千噸的巨型航空母艦計劃，且說政府的防禦計劃，最後將造成海軍的消失。當他繼任這個職位時，總有人會說，他是一個唯命是聽的人，但是這二年來，他藉着耐心和努力，使自己成了國防部大廈中最顯著的人物之一，同時也恢復美國海軍從前的聲譽和逐漸形成了他本身的觀點。據說，他所主張的政策，比聯合參謀部中他的同僚的，更爲「強硬」。去年，他就想到西班牙去會晤佛朗哥，後來因爲杜魯門和國防部長馬歇爾的反對而作罷。今年馬歇爾和國務院畢竟被他所說服，而贊成了和西班牙軍事合作。美國海軍，特別是航空母艦，在韓戰所獲得的輝煌戰績，更加強了他的意見。

他最後一次訪問遠東，是在今年六月，他逗留了一週，曾視察韓國海面的第七艦隊，前綫的海軍陸戰隊和會晤李治威將軍。

獻鷄與獻寶

·仲。

湖南的共幹發動一縣一機運動，大事宣傳，要人民努力捐獻。這種宣傳，由城市進入農村，如火如荼，攪個不息。六月十五日，毛澤東的桑梓——湘潭縣易俗河區人民政府，由區委會和區人民政府，舉行了一個全區人民獻機獻炮宣傳大會，集合了農民三千五百人之多。區長兼區委李光，東北籍，首先登台演說，講完之後，要農民自動出來獻鷄。於是有一個年約四十五歲的貧農吳闖子（綽號）首告奮勇，從人羣中，跑上了台，便說：「剛才聽到區長的演講，我們非常贊同，並要馬上實行。就是有一點，今年土改才開始，春上荒得很，家裏都未餵鷄（機），只有等新穀登場時，多餵一些，或是在收割新穀後，就去買來貢獻給人民政府。至於談到獻寶（砲），那就不知道要那一種樣子的『寶』了？聽說俄國很多，我們到俄國去買來獻罷！」

吳闖子拚命地還着一口湖南土話，斷力在叫，顯得很前進，弄得共幹啞然，全場捧腹大笑。

德國的暴發戶

形形色色的走私方法

在巴伐利亞邊境，開到了一排來自維也納的卡車，由穿英軍制服的士兵駕駛着，他們取出一份免付關稅的證明書，上面寫着：「英佔領軍人員日用品」。這些證明書和制服，後來查明的確是僞造的。但是私梟們所竊到的，所謂日用品，全是朱古力糖和香烟，司機全是奧國人。

當局經過幾個星期的調查，發現這次冒充英軍的走私事件，有幾個主持者都居住在蘇聯統治下的捷克首都布拉格。而且以前他們已做過這一類走私不少次，祗是所穿的制服常常更換而已，有時，他們穿的是美軍軍服。

在邊境的走私，咖啡常在酒桶裏，香烟用毛毯包裏着，麻醉性毒物暗藏在中心挖空的宗教書籍中。有些汽車的底板有夾層，卡車有祕密的空格，足夠容納可觀一千萬元的茶葉。

在去年九月間，一個法國籍聲名狼藉的僞造家，綽號「白蘭地查利」的人，在巴黎被警員逮捕了。在他的祕密小印刷所裏，警察搜出價值數百萬的馬克票，美鈔和法郎票，都是他所僞造的，正準備藏在一輛火車車頭的水箱裏偷運到德國去。在這時以前，這一類僞鈔已有無數被運入德國。

船隻因爲艙房和暗處太多，久已是世界各地海關檢查員聽到頭痛的東西，德國許多河道上來往頻繁的貨船和渡船，已成了私梟們理想的運輸工具。某夜，有一艘貨船已乘着夜色偷偷自蘇聯區駛進西方區域，但是船一入西區，即被查獲了一宗走私案子。在船上查獲的私貨，計有：供給西德共黨報紙的新聞紙二百二十五捲；深藍色女裝長褲一百九十條；英國貨玻璃絲襪四十雙；共黨宣傳品二百三十五箱；咖啡四萬磅；名廠出品高貴瓷器三箱；人造絲襪五千雙；光學儀器二十六具。

在德國和比利時接壤各邊境上，還有他種各色的走私活動在進行着。所謂「德國西方的漏洞」，就是這一區域。艾森城周圍是一片翁鬱的森林，在這個地方從事走私的人數達萬之多。他們「職業」分工，好多組織嚴密的團體，而且還有「貨物先頭部隊」和「後衛部隊」，時常帶着武器。走私對抗軍警的事，列爲方式作保護。（四）

·張天寶譯。

原載週六晚郵

自由人

THE FREEMAN

（半週刊每星期三六出版）

（第四十二期）

每份港幣壹毫

督印人：李光華

社址：香港高士打道六六號

電話：二〇八四八

GLOUCESTER RD.
HONGKONG
TEL: 20848

承印者：東南印務出版社

地址：高士打道六四號

台灣經銷處

台北重慶南路一段七十四號

停火以後如何？

蘇聯必更有無數陰謀出現，但最後攤牌總將在明年夏秋以後

左舜生

自馬力克在聯合國廣播提議韓戰停火以來，我便一直判斷火一定是要停的，而且我有更進一步的假定：以後如果還要打戰，也可能不在韓國打了，話雖如此，我却並不敢担保一定決無意外。

現在代表共方參加停火談判的，表面上是以北韓為主，實際是以中共為主，自然在背後指揮的還是蘇聯。

蘇聯扶持中共的三部曲

第一步要把中共捧出來與聯軍談判停火，第二步便要使中共來談判停戰構和，在這兩個階段中，蘇聯將不許中共擺出一種猙獰的面目，要使美國感到中共並不是不可接近的，把美國認中共可與接近的心理建設弄到了某種程度，蘇聯的第三步便是要召集所謂蘇、中、美、英、法的五強會議，來解決遠東的全盤問題。第一是日本問題，其次台灣問題，其次越南問題，又其次則包括東南亞以及遠東的其他一切一切。

假定美國真要在九月四日開始在舊金山召集對日和約的會議，蘇聯可能到會，中共也可能要求到會，不過在八月以內，蘇聯必將布置一個全面的和平攻勢，自己預先站穩顯意和平的地步，然後提出若干使人難於接受的苛酷條件，假定美國能接受，或部分的接受，自然是蘇聯的大功告成，即令不接受而答應可以開會商量，蘇聯也算是成功了一大半。

蘇聯心目中的如意算盤

蘇聯目前的如意算盤，至少要辦到：一、日本武裝要受嚴格的限制；二、韓國依然南北分立，而預留以北韓統一南韓的地步；三、美國的軍事力量要離開台灣，對台的軍援應立予停止；四、如法國在越南不肯讓步，蘇聯有方法可能使緬甸、泰國、巴基斯坦、印度一天天趨於緊張，說不定要在東南亞造出一較大的亂子，亦不一定。

在這種和平攻勢正式召開所謂五強會議的過程中，蘇聯將對東方加強軍事的布置；加強對日共的策動，以及對日本的種種威迫利誘；中共的軍隊如大部退出韓國，可能不多留在東北，而將儘可能的南調，擺出一個攻台，防台，援越的姿態。假定美國真的不顧一切，而準備一讓再讓的委曲求全，則蘇聯的這種布置，是可能發生不小的作用的。

很可能鬧到圖窮匕首見

反之，如果美國把蘇聯準備展開的這一大串陰謀看得很明白，確有決心對日約，對韓國，對台灣，對越南，對整個太平洋，對整個東南亞均不肯從原則上有所讓步，而美國又僅僅只能對蘇聯，對中共表面敷衍，而實際乃與美國團結甚堅，則『圖窮匕首見』，蘇聯即為了遠東這一串問題，也將無法不在亞洲爆發大戰，美國因為這許多問題，美國有能讓的，有絕對不能讓的；蘇聯有可以妥協的，有絕對不能妥協的；也有一旦爭論到了真正的焦點所在，其勢便非攤牌不止的。這些問題的內容都如此相當複雜，非真正看得出關鍵的人，頗容易為蘇聯的魔術所迷惑，即毛澤東周恩來之流，雖在地位上只能為蘇聯敲敲邊鼓，但其人也不失為小魔術家，周恩來便是催眠過馬歇爾的，如果談到某一問題，表面看來似乎是相當讓步，而在重要關鍵却絕對之不讓，以美國朋友之粗心和容易為好聽的言辭所動，是難免不墮入蘇聯的圈套裏面去的。

為了談判這一大串複雜的問題，需要相當長久的時間，即蘇聯與中共的軍事布置，也非有較長的時間不能臻於妥善，因此據我估計，在韓戰停火以後，這種繼之而起的尖銳的冷戰，至少也可能延長一年，而陰陽開闔，蘇聯配合着中共，在技術上還不知要翻出多少最新的花樣，真正要到最後的攤牌，總也是明年夏秋以後的事了。

美國有一着好棋不會走

美國本來有一着最好的棋子可走，即由美國以全力援助，促成自由中國與日本切實提攜，日本出兵五十萬，台灣出兵一百萬，加上中國大陸上的游擊隊一百萬，由美國以海空掩護，使他們能在中國大陸上立定脚跟，最低限度，也不難把中共逼往西北，而史太林先生除在克里姆林宮內繞室環走以外，恐怕也很難想出良好的對策了！可是美國今天却一位她所不能拋棄的朋友的建議，居然要把自由中國排除於對日和約簽字的會議以外，我真不知道她是一種如何的想法？我最初讀了杜爾斯先生的『戰爭或和平』，又看見他為日約東奔西走發表了幾次很有意思的談話，我總以為他不失為美國的一個人才，却沒有想到他最後乃闖出這樣大的一個錯誤！[illegible]

中共暴力洗劫農民果實

正反映韓戰困難羅掘已窮

此次夏徵竟通令幹部不顧農民死活悉數搜括「集中力量速戰速決」

張丕介

中共的財經危機，至韓戰停火談判前夕，已達於最高峯。從現金管理，獻機獻砲運動，以至預收本年度工商稅等措施觀察，可見其軍費開支，已達於無以為繼的境地，非恣索敝賦，寅吃卯糧，不足以撐持危局。因此，由共產黨所發動的停火談判，就軍事的意義上言，可能為反客為主的作法，以便結集兵力，伺機反撲。但就財經的意義上言，則在於緩和危機，爭取時間，從事更廣泛的搜括。本月十三日中共「華南局」對各級「黨委」所發出「關於今年夏季農業稅預徵工作的指示」中，正明白表示這一趨向。

全年負担後補足」。換言之，為了應付和談可能決裂後的大戰，中共已要求幹部不顧農民死活，立即進行暴力征糧。

自從中共攫取政權以來，大陸農村，在征糧名目下已先後經過了三度的洗劫。一九四九年的秋徵，據陳雲事後的檢討，有不少地區的農戶，負担超過其農業總收入百分之八十至百分之一百。當時中共所作的遁詞，認為乃由於缺乏一農業稅法，致令幹部發生嚴重的「偏差」。去年中共的夏徵，事先即公佈「農業稅法」及「夏徵條例」，強調農業稅之征收，「應以農業收入為計算基礎，按土地的常年產量以計算征額」。因此不但利用「減低稅率，平均負担」作為宣傳中心，並舉行所謂「普查」以示公允。這些玩意雖都是表面工夫，其結果仍免不了「採取自上而下的辦法，將任務逐步分配到村」。但最低限度，各級幹部為顧及「政策」，避免「偏差」，不敢過份「亂打亂殺」。今年的夏徵，根本上已拋棄這一套，只要求「集中力量，速戰速決」，「保證公糧在八月底全部入倉」，其狗急跳牆的心情，業已昭然若揭。

時間緊迫夏徵必須預繳

該「指示」中首先指出：「農業稅工作是抗美援朝，土地改革，鎮壓反革命愛國運動的實際內容」。因此，「七月下旬第一階段農民運動結束後，夏徵即為全黨的中心突擊任務，其它工作均應圍繞此一中心進行」。在這一「指示」之下，粵共「財政工作擴大會議」中乃確定「由於時間緊迫，今年夏徵一般應採預徵辦法，先確定預徵數，待秋徵時一次計算出

正進行總搜括與總屠殺

在進行暴力征糧以前，在所謂「第一階段農民運動」之下，中共已於各鄉展開第二次的鎮壓運動及清算鬥爭，以摧毀一切潛存的抵抗力量，迫使農民聽任宰割，為預征夏徵佈下基礎。許多業已初步完成「土改」地區，最近均進行「覆查」工作，來一次總搜括與總屠殺。為了造成「速戰速決」的目的，中共已下令將各地「土改隊」改為「征糧隊」，幷抽調有力幹部下鄉，同時下令各地駐軍參加征糧工作。六月十四日粵共以「加強保護夏收」為名，下令各地政府，地方武裝，農會民兵，日夜巡邏，保護夏收。實際上則在監視農民，俾明瞭早造收成實數，以便盡量抽剝。各地「縣政府」均紛紛成立護割隊」，在收割前即由共幹赴各沙，各圍，詳細調查早造收成數量，分別予以登記。粵北一帶，幷鄉均分派征收工作人員數十名，嚴密監視農民收割，實行隨割隨征（見七月廿五日工商日報）。粵省早稻尙未全部登場，但中共已在珠江各縣強征五萬石運穗。在這種情形之下，不但中共過去所宣佈的「按率計徵」成為空言，而人民辛勤之所得，可能大部為中共所洗劫。

竭澤而漁等於自掘墳墓

但根據去年夏征的經驗，及今年各地收成的情勢，中共此次的暴力征收，可能遭遇種種的阻力。

第一，今年的夏收，在華北及西北一帶，由於蝗虫肆虐，收成大減，華中江浙等地入夏亢旱，廣東一帶又水患頻仍，如粵江三角洲的米區，均在洪流氾濫下，收成已成定局。此一基本現象，非徒持暴力所能改變，故其武裝征糧，較往年為難。

第二，去年中共的夏徵，由五月初即開始佈置，迄九月底各地入倉者仍不及百分之六十。廣東夏徵據去年十一月十三日粵共「糧食局」發表統計：到十一月中止，仍僅完成任務百分之六十四點一。其中如東江及南路一帶至十月底尙未完成百分之二十左右。去年各地農村，大都未經「土改」，地富階級，仍有若干存糧，今年各地「土改」已次第完成，公糧將由中貧農直接負担，人口分散而收入微薄，搜括雖凶，豈奈糧源已近枯竭何！

因此，在可預料情勢下，中共非竭其威脅迫害之手法，必不能達成「八月底入倉」的任務。如欲暴力達成任務，勢必演成普遍的流血慘劇。一九四九年秋徵時，據中共成都報告達三千餘人，去年夏徵被殺者達二千餘人。今年目前粵北一帶，西南游擊區幹部被殺者，事後的報運動，其勢力將更加如火如荼。

但即使中共不郵流血以達成其目的，亦只有更進一步加深其財經之劣勢。去年秋徵如歸而空，構成了今年春荒的主因；今年夏徵如再全部括盡，更可能影響未來的秋收。中國農村經濟，乘循環發展，業已支離破碎，的農村經濟將由窮而變絕。中共竭澤而漁的手法，正如自掘墳墓，自食其果的日子，已經一天比一天的接近了。

國民黨將開代表大會

蔣經國一度秘密登陸

國民黨改造委員會，成立經年，見仁見智，曾引起外間許多批評，但委員會本身組長陶希聖去職，最高當局以改造委員會『也是臨時性質』，已決定從速召集全黨代表大會，今後各地游擊隊的整編，[illegible]

[illegible]此次第四組組長也將改組，[illegible]本身繼任。却同時極力做好此間宣傳。

戰爭之某將領政治部主任蔣經國，最近且一再親赴浙江沿海某地視察，秘密登陸，[illegible]

台北短簡

國的報人被介紹與杜威見面，杜問他是什麼時候在美國的：一九四六至一九四八，杜威立刻說，一段時間。這位報人抓住機會，很俏皮的說：那是你最倒霉的一段時間，很好，杜連連搖頭，謂已不再參加總統競選的問題，終於得到了正面的答案。（西門，到此為止，二十五日，寄杜威）

[illegible]

開城談判好轉

談判已由於共方對撤退外國軍隊的要求暫不堅持列入議程，開城却趨好轉。[illegible]

史太林何以一改今年二月間所說共軍必將聯軍打垮的豪語，而忽然主動的提倡和談呢？這是他已發現中共只發大貓脚爪，依然無濟於事，若再強其作絕望的人海犧牲，將會發生問題了。因此，眼明手快，運用其辯證的戰爭原則，急倡和議，先藉此給中共有喘息補充的機會，還和談來糾纏聯軍。目的何在呢？在乎既不能依破戰鬥聯軍下海，即改以軟戰來陷聯軍於『死角』。更明白的說：是要想盡方法，玩盡花樣，把美軍四十五萬人拖住在韓國，既不能進，又不能退，這樣就是史太林大大的成功！假使和談之說，弄假成真，聯軍全部退去，恢復南北韓原有態勢，或由聯合國來搞統一全韓的工作，豈是史太林的初意？戰爭整整一年，死傷百萬以上的人，所為何來呢？因此，今後雙方必在劃界——即非武裝區域——撤軍這些節目上拼命鬥智。如果聯軍同意只在卅八綫邊緣為休戰界綫，而自鐵三角撤出來，共方必欣然同意於撤軍問題之從長計議，或如艾契遜所主張的「分段撤」亦無不可。事實上，到了這步田地，聯軍又將感到不能撤的威脅了。連台正本好戲就要上場，大家留意欣賞罷！

精兵五百萬！

北平共黨電台，前天大吹大擂的廣播，自稱擁有「強大無比」的精兵五百萬！這種耀武揚威的氣概，跟二次大戰前夕之希特勒的口吻差不多。如其是虛張聲勢，像煞有介事，那倒無所謂。假使真要做到這種「強大無比」的大軍國，我却要替他們捏一把汗！

國民政府在大陸的時候，號稱擁兵四百萬，實際為三百萬左右的數字，竭全國之財力，又加上不斷的外援，其數額至少要佔全部軍費開支之半。然國家的財政經濟，即因龐大的兵力而搞到羅掘俱窮之境，民生凋敝，亂象環生，這才使中共乘機竊發，狡焉得逞。共黨今日在大陸，既須不斷的以財力物力供獻「老大哥」，並無絲毫外援，又要隨時替「老大哥」做貓脚爪。只濫打濫殺，橫征暴斂來索搾民財，以養此五百萬大軍，民窮財盡，其能久乎？[illegible]其預定額也不過三百五十萬人。[illegible]何力，竟會「勝任」五百萬大軍的負担？「上帝要使他瘋狂」，共黨不足惜，我為大陸上受苦受難的人民死亡的廣大同胞而悲痛也！

半週展望

雷嘯岑

抗議對日和約

遠東若干對日交戰國家，最近都發出關於對日和約的抗議，菲律賓且準備投訴於國際法庭，要求得到對日戰爭的損害賠償。[illegible]世界都是講究「強凌弱，衆暴寡」的現實主義者，國際法庭有甚麼用場？[illegible]

自一九〇二年英日同盟以來，五十年間，日本是利用英國的，是利用日本以制俄的，[illegible]始終是俄國。[illegible]

對日和約問題與中國

・勞佩・

和約草案第二條第二項，日本對台灣，是放棄並非歸還，像這樣的和約，即使英美邀請我們參加，我們還應鄭重考慮而或竟出於拒絕，人窮志不窮，這是我們的國格。

點點滴滴……是淚是血？

國際關係問題，自古以來就是人類在每一時期，一切問題中最複雜，最微妙的。而最近自英國承認中共政權以後，在遠東方面所造成的國際關係，同時也就是整個世界的國際關係，其複雜微妙的情形和程度，是打破空前的紀錄。這眞是「錯綜複雜，不可究詰」！不！其實任何一個人類社會問題，若能從「法」「理」，「情」各方面澈底研究，是沒有「不可究詰」的。不過！……不過在國際關係上，——唉啦！這正是二十世紀五十年代文明人類的悲哀！而與前此被我們稱爲所謂「野蠻時代」的情形並沒有多大顯著的分別！——如果我們硬要「究詰」到底，分析到底，我們就自然而然的會發現一種冷酷的現實，一座暗礁，一個在人類史上佔最重要地位的大字：「力」！國際上一切所謂「不可究詰」的問題，說穿了都只是這一個字在作祟，在操縱。而在一個或長或短的時期，——還好，無論如何，「力」是不能永久支配人類的！——「法」，「理」，「情」，這三位正人君子都往往除了向「力」低頭以外，竟別無更好的辦法。

這就是目前我們在對日和約問題中所處的地位！

這顯然是一件大事。但是我們却不能，抑且不忍「說大話」。因此，筆者對於這個問題，只想嗶嗶啦啦的做幾句「小文章」而名之曰「點點滴滴」。至於這「點點滴滴」到底是些甚麼？是淚呢？還是血？那，我想讀者都必各自「別有一番滋味在心頭」也。

謔而虐——悲憤的幽默

「我聯合國人民同茲決心，欲『使』（免）後世再遭今代人類兩度身歷慘不堪言之戰禍，……以及男女與大小各國『不』平等權利之信念……促成『大陰謀』（大自由）中之社會『退』（進）步及較『惡』（善）之民生，並爲達此目的，力行容恕，彼此以『欺』（善）鄰之道，和睦相處，……運用國際機構，以促成全球人民經濟及社會之『破壞』（進展），用是『發蹤指示』（發憤立志），『離心離德』（同心協力），以竟厥功。……」這是目前有一位朋友，於看了英美兩國所發表的Draft Japanese Peace treaty（對日和約草案）之後，滿懷悲憤，手中操着一張故意和我開玩笑的紙片。我接過一看，眞是啼笑皆非，半晌說不出話。我想了一想，然後對這位朋友說道：「老兄，你能夠用幽默的作風來發洩你悲憤的情緒，倒也不失爲我們目前關於對日和約問題所能採取的唯一態度！」

事關中華民國命運！

「老兄」我接着又說：「你氣魄不小。我佩服你。我也不能說你改的不對。但是你知道：這是聯合國憲章的開場白啊！這幾句開場白，也正是這次對日和約草案「序文」中所鄭重引稱的「聯合國憲章之原則」啊！有些人並且歡喜稱這些原則爲「世界人權宣言」咧。你這一改，雖然只是寥寥幾個字，但若果一旦「不幸而言中」，那末，人類命運的前途，豈不將是太可怖了嗎！」「可怖」？這位朋友還是那麼憤然的向我抗議說道：「我管不了那麼多，就目前情勢說，可怖的倒還不一定是人類命運的前途，而乾脆只是我們中華民國的命運！」他兩手握着拳頭，憂然的低着頭不再往下說了。我聽了他的末尾這一句話，也就眞的好像遇到晴天霹靂一般，一時說不出什麼話。「繫鈴解鈴」，還是這位朋友他自己恢復了這個好不快活的談話。

人類歷史的大污點！

「大家知道，」他繼續說：「聯合國是上次大戰中的產物。中華民國還是聯合國的創始會員國之一。爲什麼？因爲中國是上次大戰最主要的盟國之一。而上次大戰，實際上又以遠在二十年前日本在我東北實行武裝侵略爲其導源，對日宣戰的也是我；對日受降的也是我。我中華民國對日作戰最久，所受戰爭的損害與犧牲也最慘烈。……而今英美所擬訂的對日和約草案（第二十三條），竟公然不要中國參加！試問這又叫做什麼「和約」？同樣也不能稱爲什麼「和解」的條約」，像杜拉斯先生自己那樣解嘲的說法，因爲中國一日不能平等參加這個條約，則中日兩國間的「戰爭狀態」一日不能解除。英美這次的做法，簡直是要把公法，慣例，乃至天理，人情，完全一筆抹煞，「唯利是圖」，而絲毫找不出人類正義的所在！這樣的一個國際文件，我無以名之，只能稱之爲文明人類歷史上的一個大污點！同時也就是對於文明人類的一個大侮辱！中國的古話說：「種瓜得瓜，種豆得豆」。我們敢誇口預斷：英美負責當局若不幡然改圖，設法補救，則事勢推移，變生於其所忽，必將自食其不堪設想的後果！我前面所說的聯合國憲章的原則，就是我對於英美這種倒行逆施的預言。」

自由中國士氣激昂

他這預言雖然是流於偏激，過分悲觀，但他這一往無前的正氣和大無畏的精神，實在是任何人所不能不寄予深厚同情的。即在國民政府當局對於外交上這次所遭受的打擊和完全出於意外——幾乎是等於被出賣的失敗，也莫不具有無限的沉痛！蔣總統早於六月十八日就發表有一個預見的嚴正聲明，認爲英美各國如果欲摒斥我中華民國於平等參加對日和約之外，「不但在法律上及道義上喪失其力量，抑且在盟國共同作戰之歷史上，永留不可洗滌之錯誤，其責任之重，影響之大：……並將加深遠東局勢之混亂，更種下世界未來之無窮禍患」。這個有遠大先見的嚴正聲明，顯然已被全中國海內外同胞所一致擁護，並把全世界公正人士的同情。尤其自七月十二日美國發表這不公道的對日和平約稿以後，台灣方面的輿情和民意，無不十分憤激，紛紛抗議。中央黨機關的立監兩院，並都特別召開大會，一致督促政府據理力爭，堅爲後盾。

更有特堪稱道的：行政院陳誠院長這次的態度極爲謙虛而懇摯。他對於他的黨中央和立法院一開口便是引咎「請罪」，每次報告，都必把「請罪」二字重複說了若干次，並強調表示願受任何的處分。因之，這次參加臨時院會的立法委員們也都受了感動，紛紛當場表示支持，決心與一致「同舟共濟」，一致對外。

政風的優良表現

人類社會裏有一種特有的東西，視而不見，聽而不聞，渺渺茫茫，不可捉摸，這叫做「風氣」。但一旦滋長並形成以後，力量極大，可以興邦，亦可以亡國：台灣近年以來，各方面均有相當進步，已爲世所公認。惟獨政治風氣，除表面比較緊飭而嚴肅以外，實際上派系之爭與人事糾紛，尚所難免。這是有心人所引爲憂慮的。這種情形，在歷次立法院會議中，表現更爲顯著。即以此次召開臨時會而言，當決定之初，道路傳聞，聲勢洶洶，尤其是政府在外交上遭此慘敗，頗恐黨外風波，使局面不能維持照常的安定。……可是以十八日陳誠院長，葉公超部長全日上下午均出席立法院報告並答復質詢的經過情形看來，一般立委們的情緒固然都很激昂憤慨，對外交行政當局，當然也不免嘖有煩言，但大體確夠得上「良好」二字。大家都站在人民代表立場，內心裏有一種沉重的「責任感」。他們都自動的認爲當此時勢危急，國事蜩螗，對於已經盡了最大努力和能力的行政當局，空言責備，於事無補。他們並認爲要緊的是應該如何督促政府繼續努力以共謀補救。而陳院長的報告措詞表情，確均得體，使得少數最憤激的立法委員也不忍再加以苛責。立法院如何決議，以及決議如何實行，吾人姑不置論，單論該院此次臨時會緊張的鏡頭，與夫立委們對於政府自願推誠合作的態度，頗有國人一向所祈求「超黨派」的作風，和美國國會所謂「兩黨共同外交政策」的氣派。這應該是三年來立法院表演得最好的一次。我們深望自由中國從政的先生們能夠百尺竿頭，向着這條民主坦途邁進，以樹立新中國的新風氣！那末對日和約問題現雖失敗，而政治上所得的補償却已有了甚大的價值。

話說回來

因此，我設詞勸慰前面那位愛國而悲觀的朋友——預言家。我認爲，話說回來，對日和約問題固然重大，而我們團結一致，反共抗俄，更爲重大。我認爲外交固須密切注意，而內政尤應積極改善！我認爲在一向以利害爲唯一基準的，極端現實的國際關係中，自私是強國的立場，而被謂「道義」乃是弱者的呼籲。但是弱者如果能夠「忍辱」負重，「自力更生」，乃是道德上最崇高的要求，和政治上最艱苦的修鍊，精誠所至，其結果終有一天會使公理抬頭而使強國爲「力」樂爲我用。我認爲「明道正誼」是我們中國文化傳統的精神，一切暫時的得失成敗，實在不必過於重視。我認爲「和衷共濟」是我們中國政治基本的原則，一切個人的是非恩怨，務須從此予以摒絕！我認爲這次對日和約問題，雖然我們是等於被昨日的戰友盟邦所出賣，但我們相信至少在美國方面必有其深遠的獨自立場，計出權宜、「[illegible]利從軍」，而決不致貿然毀棄中美兩大民族間百年來的友誼，以造成貽患世界，不堪設想的後果。但，總之，無論如何，我認爲我們必須堅守嚴正的立場，屹立在自由神之前，準備擔負此戰的責任：姑不論這次你們英美搞出些還「異乎尋常的變化」（例如金山記者報評對日和平約稿語），不要我們中華民國共同簽字；如果約稿內容有不能滿足我們正大要求和合理主張的地方，——有的是！如同第二條第二項關於台灣及澎湖羣島，只說是日本「放棄」（Japan renounces all right, title and claim Formosa and the Pescadores）而並非「歸還」，就是一個顯例——即或你們邀請我們參加簽字，我們也將鄭重考慮而或竟出於拒絕。……這是「人窮志不窮」，這是我們的國格！

×　×　×

那位憤激的朋友，聽了我這番話以後，依然不減他的悲憤之氣，一聲不響，昂然闊步而去。我即把這一段經過的情形寫成小文，付諸自由人報與國人共同商榷。

韓戰鹵獲軍火將贈狄托

本港英文南華早報說：「韓境聯軍鹵獲俄式作戰物資，可能不久即將送交狄托元帥的軍隊。關於此事的決定雖很合乎人情，但亦不無相當的滑稽意味。這種物資可用以補充南斯拉夫前所獲得的俄式供應品，因爲自一九四八年南斯拉夫與共黨情報局破裂以後，這些供應品便被截斷了。最近南斯拉夫參謀長到華盛頓和倫敦與美英當局商談的時候，雙方曾經討論究竟聯軍在韓戰中的鹵獲物資，應歸聯合國或美國所有，同時他們也討論到對於這些物資的處理問題。這些物資大部份是美軍所鹵的，現在他們決定毫無代價地送交南斯拉夫，除運費和包紮費而外。西方國家現時不易有多餘的供運品供給南斯拉夫，因此這些鹵獲物資可以補充狄托元帥現有俄式武器的零件和彈藥」。（石浮）

從美國國務院親共份子受審談到最近美洲共黨動態

共黨美洲大本營危地馬拉日前突發生大規模民衆反共暴動

・一丁・

珍聞漏網　親共份子過去如此勾結

美國國務院高級親共官員戴維斯John P. Davies及克納伯O. Edmund Clubb停職受審，已見七月二十四日報載。戴等受審詳情，美官方尚無披露。自一九四零年以來，戴即以親共著稱，馬歇爾堅持中國組織聯合政府之主張，固大半受戴影響。戴於一九四四年曾著文詳論中國局勢，謂國民政府注定失敗，共產黨必蹶起主政，中共與蘇聯並無特別不可分離之關係，美國如願爭取，儘可投入懷抱。又謂：美國如欲國共並存，即應以壓力使蔣介石接受聯合政府之主張，蔣不接受，則美國即可逐漸斷絕國民政府關係而開始與共產黨爲若干事件之合作。戴之此種見解，一直支配着整個國務院對華政策，至白皮書發表，而登峯造極。即在現今，還有許多人幻想韓戰結束，中共仍可能變成狄托，可見戴維停職受審，而戴等在國務院多年來所投暗影並未能即此消逝。

克納伯的親共名聲，沒有戴那樣顯著，但他在國務院地位，實際比戴高。他是中國司司長，可算是中國事件最高階層的負責者。他和共黨關係由來已久。據衆院非美委員會主席伍德調查所得，一九三〇年他曾親赴紐約訪問共黨機關刊物新羣衆社New masses，并帶去了一封給共黨職員赫欽士的信。克納伯對此，表示已無法記憶，不過他承認曾由在中國親共著稱的斯沫德萊女士，給他寫過一封信，介紹赴芝加哥，訪問羅維教授Robert M. Lovett。此外，他又承認，在一九三五年，曾替拉迪摩爾證明，拉氏照在中國內蒙古的德王府中遺失。拉氏一向也被認爲美國主要親共者之一，上星期以太平洋學會受共黨操縱事，一度被參院國內安全小組委員會召往作證。雖然上述各點，對克納伯和共黨勾結眞相，還不能獲得確切解答，然至少已描劃出過去這一羣親共份子，在國務院中已有着何等親切祕密的聯繫。

美國共幹四人棄保潛逃

美國共產黨一部份主要人物，在第一次被法院以陰謀暴力顛覆政府的罪名逮捕下獄後，美共內部，立即遵照莫斯科指示，另行推人補充。不料上月，此新補未久之幹部，又有十一人爲聯邦調查局捕送法院，旋獲准保釋候審。惟至日前開審時，依限到庭的僅有七人，其餘四人，則已棄保逃匿，不知所往。美共向以法庭公審，爲宣傳最好機會，此次忽竟有人匿避，因此，引起不少推測，一般判斷，認此爲美共將轉入地下活動之初步。現法院除將保款沒收外，並已公告通緝。有人責備聯邦調查局，謂如此共黨首要，調查局何以竟不注意，竟聽其脫逃失蹤，調查局方面之辯解，則謂共黨在捕交法院以後，調查局即無權過問，故調查局對此，不能担負何項責任，惟彼等深信，如此等首要，尚在國內，則相信不久期間，仍將落網。但若干情報，稱四人中已有二三人逃往中美危地馬拉。

爭取選票不惜敷衍共黨

危地馬拉，居中美西北部，地瀕墨西哥，面積十一萬方公里，人口約二百二十五萬，爲美洲目前共黨最活躍地區。現任總統阿柏士Arbenz雖號稱親美反共，但因爲要爭取共黨選票，竟不惜多方遷容。最近六月二十一日，共黨大規模舉行其黨報「十月」週年紀念，因危地馬拉一般人民，痛恨共黨，多不肯將任何會場租供共黨使用，結果，由阿柏士命其教育部長下令，認共黨此項集會爲一種文化性質，而危地馬拉管理影院法律，例須每月每院撥供文化性質集會兩次，因此，遂指定一最大影院爲共黨擴大慶祝黨報紀念之用。阿柏士對好共黨，其措置大抵類此。

共黨在此次大會中，高懸史太林像，並大呼口號，打倒美帝國主義及杜魯門等戰爭販子，此在中南美國家，尚爲前所罕有之舉動。惟以危地馬拉多數人民，堅決反共，上項口號，並未能引起大衆響應，且相反的，在大會閉幕不久，本月十一日，危地馬拉京城，竟發生大規模反共暴動，搗毀共黨機關「十月」報，撕毀史太林像，經警察開槍，始告制止，現雖已回復平靜，但以危地馬拉爲美洲共黨大本營計劃，當然這是遇到了一個重大的打擊。

中共的殺人狂

史無前例

照毛澤東語氣即令中國人殺了一半，還不失爲泱泱大邦

自從中共撕破「寬大政策」的假面具以後，在大陸上展開了血腥屠殺。在所謂「鎮壓反革命條例」下寃死的善良人民，不計其數，即令是民革民盟一類靠攏份子，被清算屠殺的亦復不少，打開古今中外歷史來看，中共的瘋狂殺人，縱非絕後，確算空前。

據歷史上的估計：十六世紀時德鄰殺戮的新教徒，此有七萬人；十八世紀末期法國恐怖時代的犧牲者有三萬人；俄國在赤色恐怖下（一九一八——一九二一）死有五萬人；史太林執政後，烏克蘭人餓死內有五十萬人；希特勒統治德國期間，在先後十二年內，猶太人所殲滅的亦僅有六十萬人。

中共在殺人的「成績」方面，可謂不同凡響，中共「總理」周恩來在上月公開宣佈，說在二十個月中，大陸上游擊隊及一般意工份子先後被他們處決的已有一百萬人，五十萬的「反革命份子」還未計算在內，這個數字發表以後，嚇得一般歐美人驚心動魄，其實大陸上直接被槍斃活埋以及間接被送上朝鮮屠場或餓死的，總數何止千萬，毛澤東曾經說過，中國所以長期混亂，是由於人口過剩，四億七千五百萬人即令死亡一半，還不失爲泱泱大邦，從毛的語氣去看，一千萬人只是一個零數而已！（姜熔）

中共貪污專輯

無邊血肉層層括　不盡貪污滾滾來

中共在有大陸，最少有一半原因，是靠他過去在國外國內，對國民政府發動廣大的宣傳攻勢，痛罵政府如何腐敗，如何貪污。現在，中共統治大陸，已逾兩年，他們的貪污腐敗，即在中共嚴密新聞統制和人民敢怒而不敢言的情形下，也無法完全掩飾。中共幹部所貪污偷盜的糧布財物，都括自全國人民的血肉。除本報過去迭有披露外，茲將近日所接各地通訊員關於此類情事之報告，彙誌如下。

糧食公司存糧不符　竟短少三百餘萬斤

地蓆五萬張麻袋一萬五千個也均不翼而飛

【本報北平特約通訊】中國糧食公司河北省唐山分公司經理林彤，前副經理孫酒亭，（現調通縣分公司經理）副經理王維，業務科長張耀庭，秘書科長兼人事科長朱佑民，職工合作社主任裴際多，運輸驗指導員郭樹勛，儲運科長蔡季豐，股長詹歷祥，馬雲福等十八人，均屬中共多年幹部，林孫等且曾參與「二萬五千里長征」。彼等位列要津，掌握最重要的糧食機構單位。本月初，因兩年來集體貪污、受賄、偷盜、違法，使該公司業務陷於整個混亂，物資損失無可計數，被人告發，整個黑幕，遂告揭穿。

勾結商人　非法圖利

林彤、孫酒亭、朱佑民等經常接受商人邀宴，饋贈以及財物賄賂，因而向商人「補報人情」，以公司資金轉借給商人張克進，組織「復豆興商號」，拖欠公司小米數十萬斤，無法償還。假手商人祥泰隆代購枕木，給商人利潤三十萬斤小米。（本來可以自買）又交由商人裹興大代售豆油，油價上漲，不換牌價，致被非法獲利九千餘萬元，對不給賄賂的商人，則故意為難，多方挑剔。

偷盜公物　捏造假賬

去年一月至九月間，僅就購買地蓆及枕木兩項，即有五十三筆沒有原始單據，驗囤糧食不寫賬，庫存糧數與賬載糧數不符，相差達三百一十餘萬斤。勾結糧商，付上糧作次糧出賣。付商人加工糧時不過磅，致商人祥太隆交糧時硬說缺少三萬斤亦無法查考。幹部貪污，偷盜事件，不斷發生，有關囤糧所用蓆子五萬張，又裝糧用麻袋一萬五千餘個，均不翼而飛，合計損失人民幣十四億餘元。

公款投機　集體分肥

王維、林彤、孫酒亭、朱佑民五人，半年中借用公款六十次，並以公司數億元資金供職工合作社從事投機商業，四個月內，獲利兩億餘元，為社員私地分用，形成變相的集體貪污。

駐天津幹部高俊文，賭博腐化；盜用公款，回公司交賬時，孫酒亭明知問題嚴重，竟縱其棄職潛逃。前秘書科副科長陳秀田，職工合作社經理于建華，經常貪污，作風敗壞，但因與孫酒亭、林彤相熟，即擢任要職。儲運股長黑雲福及副經理王維，向上級假報食糧損耗九十七萬四千餘斤，實際損耗只有十九萬五千斤。（陸光・廿二日寄自北平）

上海江南造船所　職工盜賣器材

勾結商人虛購貨品　偽稱入庫領款朋分

【本報上海特約通訊】本市江南造船所（屬海軍管轄）規模宏大，每月物資購入，為數甚巨，中共接管後，貪污舞弊，無所不為。上月內部分贓不勻，致被發覺。直接與外界商人勾結之職員曹致和毛大坤等，遂成為共幹的貓腳爪，被送到市人民法院去，昨經判決。毛大坤無期徒刑，曹致和朱國樑徒刑二十年，湯紀發十八年。王報耕十五年。串同舞弊之五金商人方資玉，陳德章，顧自敏，梁昌、談述之，吳餘江，陳正良，吳麗興，林永信等三十三人，亦被判處徒刑十年至一年不等，至指使曹等貪污的高級共幹，則全置不問。案情經過略述如下：

曹致和、毛大坤、朱國樑、湯紀發、王報耕五人，均為江南造船所職員，兩年來受上級指使串同商人集體舞弊，盜賣公物，曹致和在其經營材料項下，利用各種方法，以劣貨換抵好貨，連續接受聯新，和祥，偉利，怡康，祥和，源祥，源森泰等五金號及中興無線電行等賄賂達四十七次，貪污總值九億餘元。毛大坤又經常與所屬職工集體盜賣機器零件及各項器材，至最近止共竊出重要零件四〇五件。又中益五金號東主方資玉恒興陳德章串同毛大坤進行賣空，在發票上浮開貨品數量，送所，由驗收人在單上虛填收到字樣，歸領貨款，朋分。毛佔百分之七十五，方等佔百分之二十五。毛等得款向自然大部份還要向上級孝獻，否則何能繼續兩年之久，始行揭發。但共黨本「同志愛」之原則，曹毛朱等瑯璫入獄，坐地分贓之主管共幹則仍照做其「好官」。（悠然，二十三日寄自上海）

牛皮土布　包庇走私

綏遠合作社與奸商合作

【本報北平特約通訊】河北省供銷合作總社綏遠工作組由主任周英領導，勾結舞弊私商，走私圖利，近因內部分贓不勻，被王振九將其黑幕向河北省供銷合作總社揭發：

（一）該組由前年十月至去年七月，長期住在私商邢宗洲的糧貨棧，把大批布疋給邢，令其選用，所有布款，一律折交糧食。但至一九五〇年五月結賬時，出邢長期欠下合作社糧食七十五萬餘斤，拖延至今尚未清償。

（二）合作社將布疋交由私商邢宗洲名義銷售，並以該社名義發票文件，瞞納稅款，前後共有一百五十萬斤糧食，有一萬七千斤之牛皮及價值兩億元之布疋完全漏稅。

（三）該組幹部在主任周英領導下，經常與私商打成一片，說是和私商搞好關係，受私商皮鞋、手錶等禮物甚多。（陸光廿二日寄自北平）

購物超過市價　科長領導貪污

濟南市工業局購物高出市價百分之一百三十七，且有多數以劣貨抵充，致全部均成廢物無法使用。

【本報濟南特約通訊】本市工業局經營科副科長陸原，樊剛（都是中共黨員）為首工作人員十一人，以正科長，互相包庇，集體貪污。僅最近一個月，所接受商人饋贈的物品，就有十七鑽游泳表十二隻，鋼筆七支，及大量衣服皮鞋收音機等。至於平時商人邀宴、看戲，更相習成風，因此，該科亦遂為市府各部門人員羨妒的對象。

該科因所營業務，常有與商人接觸機會，互相勾結起來，據統計：去年該科購買物資價格高出市價者達八十三次，甚至有高出百分之一百三十七者。總計公家損失達四億三千〇六十八萬餘元之多。此外，因受賄而買入貨物，損失尤大，去年買入的三分圓鐵十五噸，就因質壞及不合規定，棄置沒用。該科又經常走私漏稅，去年一年中偷稅事件，達一百二十多次，損失稅款三十六億九千四百八十八萬餘元。他們把炸藥原料之海掃根，當黑貨銷粉運，易燃的油紙當普通紙運，火車上因此負担的危險，他們竟全置不聞。

上述該「經營科」的貪污事跡，係由濟南市府另一部門職員楊子榮馬健平多方偵查獲得詳細數字後，向工業局行政領導幹部和中共該局黨委提出。但所謂「行政領導」和「黨委」與陸原樊剛早已利益均霑，不但置諸不理，反謂楊馬二人對該科攻擊，係一種報復行為，楊等憤無可洩，把這事全部內幕又向北平控告，將來結果如何，尚未可知。（大明、二十二日寄自濟南）

大陸上二億女同胞非人生活

各地婦女紛被共幹逼死

共方發表中南華東兩區因婚姻致死者已各有一萬多人

【本報北平特約通訊】自中共頒行「婚姻法」以來，雖表面上並不十分鼓勵男女離婚，但中共各地幹部，卻利用這個偽法律，胡作非為。自己任意姦拐良家婦女，或始亂終棄，或草草成婚，婚後又迫其離異。至一般人民的婚姻問題，更不分皂白，武斷干涉。據此間蔡暢主持之「全國民主婦女聯合會」調查，「由於共幹偏差，不能貫澈婚姻法原意，以致婦女慘遭死亡者」，自去年五月一日至今年五月一日，在中南區（即湖南湖北等省）有一萬一千三百二十五人。在華東區（即江蘇、浙江、安徽、山東等省）也有類似的數目。該區山東某某數縣，僅最近兩個月，就死了一千二百四十五人。人的死亡，就中共說，本是渺小不值一顧的問題，但蔡暢等以婦運起家，掛上一塊婦女會招牌，而子上不能不表演一下，因此她們就要求她們的政府，向各地下了一道大力宣傳婚姻法的紙上空文，並責令各地當局，制止共幹偏差。

記者透過「婦聯」，得到一些最近各地婦女被共幹偏差致死的資料，摘記數件，以見大陸上二億女同胞，正在受着共幹們何等殘暴的蹂躪！

鄉長自信殺妻不要抵命

浙江紹興縣靈芝鄉鄉長錢金水，他和錢招有結婚已有多年，不久以前，他發現同村張某的老婆阿三很漂亮，於是他強迫張某，送老婆到他[illegible]

向共黨丈夫離婚者鎗斃

湖北襄陽縣臨南鄉有一個寡婦尚維貞要自由嫁人，這本是不成問題也無人可以阻止的，不料這個寡婦的婆家，有一個人，正做着該縣民兵隊長，竟將尚維貞吊起毒打，說中共婚姻法是不許寡婦私結婚的。打後第二天，尚就因重傷斃命。又該縣劉家村婦女呂春芝，為受丈夫虐待，逃往娘家，丈夫以人民幣五十萬元，賄賂村幹部，將她細綁，解回夫家。再由幹部作主，拖至村中小學校吊打，問她為甚麼要離婚，你丈夫已經入了共產黨，和共產黨員離婚，是要槍斃的。最後，逼她在下列四個條件，蓋上手印。（一）不准離婚，三年以內不准住娘家。（二）大小便要向丈夫，婆婆請假報告。（三）不准和娘家村子裏任何人說話。（四）出村子定要向村幹部報告。並規定以上四條，如有違犯，即罰令喝大糞三碗，再犯即予活埋。呂春芝在這樣非法殘酷的威脅下，只好含淚承認。現由她娘家出面，正向縣府控訴中。

打死老婆共黨自有道理

山東蒼山縣青年婦女潘氏，七歲時，給同縣楊家莊齊玉做童養媳，十幾年來，受婆婆丈夫虐待，今年四月，潘向法院訴請離婚，法院傳詢齊玉，村支書陳永茂，村團長陳玉山，村長梁瑞誠，均與齊為至親，捏稱，齊已遠出，不能出庭。並乘某次潘在村中經過，陳等與齊合作，將她細綁，剝光衣服，吊在樑上，用皮鞭，鐵絲，刀錐等刺打斃命，鄉居聞聲營救，村團長郭玉山阻止他們，說齊玉是共產黨同志，打死老婆，他自有道理，你們不許過問。

強迫婦女嫁給共幹胞弟

福建長樂縣仙宅鄉婦女李玉金，五年前和董炎炎結婚，因董不務正業，且有偷盜行為，結婚一年，就離家他去，迄無音信。不久以前李與鄰居徐一督發生戀愛，李想與董離婚，與徐結婚。李向仙宅鄉政府申請，鄉政府幹部李明流，見李貌美，且氣力大，能勞動生產，就決心強迫她嫁給自己弟弟，她不願意，李就多方借勢壓迫，不但不許她離婚結婚，並禁止她挑柴叫賣，或上山砍柴，絕其生路。最後，一連六天，派民兵班長李顯貴，到她家中要細綁她，拖至李明流家與李弟成婚，她終於無法支持，就於夜間自縊而死。

帶離婚書和離婚妻同睡

山東泰安中心醫院醫生王某，家內原有老婆，在外又與一女子發生關係，回到山東老家，即向法院訴請離婚，法院因他是一個共黨技術幹部，未通知她老婆就判決離婚。這位醫生拿了判決書回家仍與老婆同睡了幾天，也不提起離婚的事，但回到醫院，即與另一女子結了婚，老婆趕到泰安理論，他才拿出法院判詞，告訴她已經沒有了夫妻關係，老婆大憤，就一頭撞死在醫院裏。（臨光，二十三日，寄自北平）

有錢住頭等房　誰也管不了我

局長太太大鬧滬公濟醫院

【本報上海特約通訊】共產黨員氣燄現已遠非初到上海時可比，他或她們一樣的驕，一言不合，就打三輪車夫，和在各店舖購物時，叱責店員，毫不客氣，擺出官架。前幾天，本市公濟醫院，竟有虹口分局局長常布楚的太太，自己現任公安總局交通處人事科副科長女共幹達霞，在該院為了不許她帶小孩進院，探望她另一個生病的小孩，和醫院大鬧。事情經過如下：

七月廿一日上午十一時半，達霞乘了小汽車攜帶一個六七歲的小孩，到公濟醫院要求入病房探望她的住在頭等病房另一個生病的孩子。為了避免病菌傳染給抵抗力不強的兒童、並且保護兒童的健康起見，醫院有規約貼在門口：凡十二歲以下的無病兒童一律不准進入病房。所以當達霞帶了孩子要進去時，看門工友顧鴻達就上前說明理由，勸她將兒子留在門房，或送回汽車，由她一人上去探病。不料達霞不聽工友勸告，硬要將孩子帶入，並說是要給小孩打針，顧姓工友說，如果要打針，也應由醫生先上去，然後才能進去。達霞堅決不答應，並且非常傲慢地說道：「他媽的，你們這是帝國主義作風，我有錢住頭等病房，你們管不得我。」於是她擅自帶着孩子要進去，工友即上前阻攔，遂爭持不下，她就吵着要上醫院人事科說理。

到人事科見丁宇清。達霞一到人事室聲勢更兇，破口就說：「人家住三等四等病房孩子不能帶進去，我有錢住頭等為什麼不能進去？」丁即向她說明這是院規，而且保護她的孩子，不能為她破例，達霞見目的不能達到，就在人事室大吵大鬧：「你們是帝國主義作風，把孩子給我，我有錢上別的醫院住。」當時就要帶走住院的小孩，[illegible]

這件事發生以後，[illegible]（悠然，二十三日寄自上海）

廣州近事

「有了解放沒了中華」

所謂「廣州市協商委員會」七月十八日開第三次會議時，這批御用尾巴為向主子獻媚邀功，建議將「中華路」改稱「解放路」，理由是「解放軍最先經由該路進入廣州」，並定八月一日「建軍節」舉行命名典禮，此案當然獲得全場一致無異議通過。遂請「市人民政府」辦理。這消息在報上發表後，一些敏感的廣州市民都不約而同的發生一種微妙的聯想：「有了解放」，沒有「中華」。廣州的馬路更長更好的很多，何以偏偏「改」正了它？雖是湊巧，對「中華人民共和國」是不是一個預兆呢？

羅梓材賣屋求續命

羅卓英主政時曾任廣東實業公司總經理的羅梓材，自擁以來，小心謹慎，無不先承意志，大力奉承，以示擁護，故兩年快滿，其媚污償眼，幸免清算。此次捐獻飛機，羅以掙來錢錢，早已一乾二淨，迫得將東山馬棚崗二十號之洋房大屋一座，於七月十三日賤價售與「有色金屬管理總局廣東分局」，以為捐獻續命之用。查羅之房屋，人人皆知為屬於「官僚資產」，放盤甚久，迄無買主，羅本人亦深知不能長久保有，樂得借此「捐獻」機會，向中共機關求售。

「我只收人民幣」！

·尚方·

抗戰末期，重慶大公報派到中太平洋採訪戰地消息的記者朱啓平，看他當時由琉璜島寫回來的通訊，我很贊佩其在那種單調枯寂的小島上，能寫出生動的報告文字來。據胡政之說，朱啓平乃是個初作報人的青年哩！

近日，朱氏出現在韓國開城和談場合中，偶遇一位美國的老賭友——攝影記者墻尼亞，敘談往事，瑞氏謂當年欠有朱氏賭債，即以美鈔廿五元付還。朱拒之，說：「我只收人民幣」！這一表演，若在一般國際社交中，可說是朱氏對外國朋友一種禮貌上的幽默感，也是東方人生哲學的情調。但在開城却另有其不可說的苦衷也。

共產黨人素以疑忌嫉恨爲其鬥爭原理的。朱啓平與「美帝」的記者認交情，在意識形態上已經犯了大忌諱，如果再又接受對方的美鈔賭債，那就十足表現其勾搭「美帝」，講溫情，反立場的「反動思想」了！無論朱是否加入了共產黨，都夠得上嚴重檢討批評，再教育再學習的資格，飯碗打破事小，性命交關事大。朱啓平深知此中三昧，對「美帝」朋友但說「我只收人民幣」，藉示其大力擁護共黨的「愛國」精神，也使對方不感覺好大的刺激，又合乎共黨「仇視美帝」的脾胃，這是他的聰明處。

憑這段滑稽鏡頭，即可知大陸上的知識份子，在精神上是如何的痛楚，心情上是怎樣的悲哀了！

自由談

帶頭作用

·羊辛·

劉福榮號老板劉福榮，近來只是心驚肉跳。晚上失眠，日間飯吃不下，失魂落魄似的，體重由一百五十磅減輕到一百十五磅，原是圓團團的面孔，現在只賸下一堆皺紋，睜鼓鼓的眼睛深深地陷進去了，惶恐畏縮地東張西望，像一只爬出洞口的老鼠。那張大肚皮早已和生產過了的孕婦一樣，又皺又縮，像三天沒吃過飯。

一個商人，腦筋是最複雜而同時也是最簡單的，劉福榮正是這一類的典型人物，在做生意這一面說來，千變萬化，緊張繁瑣，劉福榮是應付裕如，智巧多端，從不失利。但在另一方面，譬如說政治吧，他可就一竅不通，簡單幼稚，正像一隻待宰的羔羊；「解放」以來，生意一落千丈，門可羅雀，而苛捐雜稅，接踵而來，早把他畢生辛勤積的一份家當，蝕去了十分之六七，心裏雖苦，却也不敢哼半聲。按着大殺來了，縣裏稍有名望的人，都捉去殺了，漸漸輪到保甲長，學堂裏的先生，斜對面恒豐布號的老板張國鎮，也被捉去殺了，天愁地慘，人人見面，莫敢交談一句，整個縣裏籠罩着一片死的靜寂和恐怖。劉福榮嚇得面無人色，恒豐布號的老板張國鎮是他多年老交情，和福榮的號旗鼓相當，算是縣裏比較有名的店號，「張國鎮既被殺了，可不知道我劉福榮有沒有問題？」他想到這裏，全身直是打哆嗦，腿也軟了，只須稍有一點風吹草動，就駭得快要昏過去。特別對着妻兒淌淚，說他也許不久就要像張國鎮一樣被捉去殺了，悽慘惶恐，不可終日，怎不叫他體重由一百五十磅驟然減輕到一百十五磅呢。

這一天，正在惶恐之餘，林辦事員來了。

林辦事員，一個舊日商會裏的辦事員，吹牛拍馬手，投機取巧，最爲能幹。他馬上「跟」着共產黨走了，而且表現得「走」得十分快，總之是厚顏無恥，有奶便是娘的傢伙，共幹利用他對商家的情況熟悉，以爲刮、提、征、派之用，他拍馬屁，也很得讓他得意忘形，他於是搜集這個的資料，以傳發那個的陰私，以取主子的歡心，他就當了老共幹出門的北方翻譯，在屁股後作倀，充當跟班，正與當年日本鬼子和漢奸時情況一模一樣。

林辦事員道：「劉老板，下午李主任要來找你哩！你得準備準備！」

「李主任找我？有，有什麼事？」劉福榮牙齒在打戰，像長頸鹿似的伸長着頸子急急地問。

「大概是關於獻機獻砲的事情吧！」林辦事員慢理不理的聽了一聲，揚長而去了。

劉福榮像跌進水裏，全身發抖，摸不着頭腦。

下午，所謂李主任果然來了，後面帶着二個衛兵，一進門就指指劉福榮：「你是劉福榮麼？」

「是的是的，李主任，有什麼吩咐？」劉福榮鞠躬作揖，小腿彎得像蝦米，小腿在顫動。

「本縣抗美援朝的獻機獻砲，你得來個帶頭作用，認捐一億元，明日就要開會認捐啦！你有什麼意見嗎？」

「不敢，不敢，我就認捐一億元，我準定，準定……」

李主任面孔有點笑容了，說道：「這樣才是愛國啦！劉老板，老實說，你不捐也是不行的，那你就做個帶頭作用吧，明日在大會上，記得踴躍起來認捐，算你在本縣商界有地位，有號召力，你就幫幫政府，幫幫人民，也即等於幫你自己，你說是不是麼？」

「對，對，對，李主任說的是！」

李主任得意的笑了笑，點點頭！道聲「再見」，走了。

次日，在「抗美援朝獻機獻砲保家衛國」的大會上，劉福榮被擠在人叢中，耳邊嗡嗡的響，台上新貴們一個個涎花四濺，大吹大叫，面紅耳赤地大叫，他全沒聽進去，眼前有點點黑，正在朦朦朧朧之際，突然腰間被誰一推，他趕忙睜開眼來，一看，是個共幹，他猛地想起來了，舉起手，顫抖的沙啞着喉嚨說：「我認捐一億元，呃，請諸位商家，呃，也踴躍認捐！」還沒說完，掌聲已從四方八面的共幹的手上響起來了，劈劈拍拍，如放鞭炮，只聽得好幾個聲音在叫：「向劉福榮看齊！」「向劉福榮學習！」

劉福榮只覺得天地旋動，有點支持不住了，人聲沸騰，好像也有人在喊着認捐，他糊里糊塗的不知怎樣就被人擁擁推推的擁回家裏了。

第二天的報紙上，大書「向劉福榮看齊」，說他「踴躍自動認捐一億元」，以下還有一堆其他「自動響應捐獻」的商家的姓名店號，說是「空前踴躍」，「情緒熱烈」。

劉福榮是傾盡了所有，連老婆的金飾，兒子的揹鐲也拿出來，才湊足了一億元，交上去，他已經不名一文了。屠殺的威脅，雖然已經減輕了些，但今後如何生活下去的問題，却又像深夜的惡夢，追逐進了他的腦袋！

記辛亥長沙起義

·舜生·

辛亥武昌首義爲八月十九，長沙於九月初一日即起而響應之，湖北局勢實賴湖南響應迅速而趨穩固。時余讀書長沙城北荷花池長邑高等小學，正預備畢業考試中。余家南門外，是日午前適因事還家，見城中有臂纏白布者往來，云已起義，惟未聞槍聲，秩序良好，各商店營業如平時。次日，余擬由南門返校，則南門已閉，從城頭懸下告示一大張，標題爲『湖南大都督焦示』，內容云何，不得而知，時余亦不知焦爲何許人也。

南門既不可通，乃繞道自瀏陽門入，道經諮議局門首，則知長沙縣知縣沈士登（瀛），及充兵備處差遣之候補知縣申印堂（錫綬），已於昨夜在該局與革命黨集會時，不屈被殺。先沈申而被殺者，尚有守備王穰山（毓江），及總兵黃澤生（忠浩），而澤生尤有名，死事亦最烈。

按澤生湖南黔陽人，以優貢生改治軍旅，平日頗慕羅澤南曾滌生之爲人，甲午中日之戰，嘗隨湘軍入鄂，守田家鎮，嗣移駐武昌。光緒三十一年，以平廣西匪，簡江南狼山鎮總兵官。宣統二年入川，署四川提督。卸任還湘，即專志壹慮於鑛業，且熱心教育，曾任省教育會會長，宣統三年，北京開全國教育會，澤生即代表湖南教育界出席。湖北起義前三日，湘撫余誠格以中路巡防十營畀澤生統之，受事甫及半月，其死事時年五十三也。

焦達峯陳作新以首義功，分任正副都督，以資淺不爲軍民所服，殺黃尤爲湘人士所不滿，對自身地位殊感孤危，因出示對澤生有所表彰，有『黃君忠浩，本吾湘豪傑之士，徒以政見不合，不得已乃使之歸命遂志』等語，其實畏報復也。至是月初十日，焦陳卒爲所部五十標標統梅馨所殺，改舉譚延闓爲都督，湘局始安。

焦陳於起義後，即預備出兵援鄂，因有學生軍之召集，應者數百人，余亦與焉，麕集都督府，即數日前之巡撫衙門也。余偕同學數人，曾至余誠格之簽押房，見地上有凌亂之書籍字畫頗多，可想像其出走時之倉皇也。余等在都督府席地臥一夜，無人理會，亦無從得食，惟見有貌似副官者多人，奔走往來不絕，同人中有向其詢問者，即答以『須向大都督請示』，然遲之又久，終無辦法。余等見形勢不佳，乃自動走散，卒亦無人追出，此余所得革命印象最初之一幕也。

（四〇．七．二六．）

萬竹樓隨筆（十六）

爲女共幹舉哀

當兩位代表被殺的消息，傳到任魂耳裏以後，他大發脾氣，一捕殺葛部部屬和親友十餘人。尤其對女幹部爲葛犧牲，表示特別傷心，哀毀逾恆。據說：她是才貌兩全，文武兼資。過去，在延安曾受過高級特務訓練，隨算得上一個特務人才。在山東河南兩省，她曾憑三寸不爛之舌說降和誘擒了許多「能征慣戰」的被共將士；運用她神鬼莫測的辦法，攻破了許多「金城湯池」的反共據點。她的功勞，是爲全軍之冠。她這次中了敵人暗手，同床共枕，頗似夫妻。「三軍縞素」的大典，但爲她衝冠一怒，究竟與吳三桂沒有多大分別。有人說共產黨是沒有人性的，何來一怒呢？我答曰：這一怒，大約與他的獸慾有關罷。任魂爲她舉行追悼會時，在報告事略中說：她是軍中一張王牌，她對任何反革命者談話，常有「生殺予奪」之權，此次爲葛殺死，並與葛反共意志互相吻合，而是她沒有得到從容時間，向葛施以唯物論的解放。在台下聽衆中，有一位中學教師，在人叢中低聲說道：殺害葛天一之爲人，恐怕她將馬克斯三大互册的資本論，背誦給他聽到底，也是無益的。

至於那位男代表之死，任魂外而略寄同情，心中却認爲死得正中下懷。不然的話，以後還是要清算的。但那代表的老封翁，也那裏知道共產黨的厲害呢，他竟然根據前朝通例，及新朝約法八章，——即是誘惑他兒子立功致命的文件——上一封報告，向任魂爭請褒揚，後來奉了「無功於人民」的回批，他的頭上，澆了一盆冷水，才知道：新民主義的一套，不適合他老人家口味了。

記黔北反共硬漢葛天一（二）

·大慈·

「請看原子彈罷」

葛氏從殺了兩個共方代表那一天起，即開始佈置，枕戈待旦，料定必有一場惡戰。他的兵力，僅有六個大隊，其餘以排爲單位，留三分之二，死守據點，埋伏在相距十里的四周山中，待命行事。果然被他猜中。一日下午，任魂仍率三團精銳部隊，銜枚急走，直指葛部。大約在午夜一時許，「試探性」的攻擊開始了。守軍官兵，個個知道：這是非同小可，關係存亡。所以均抱有敵無我之決心，沉着應戰，彈不虛發。——葛氏曾下令：以一彈消滅一個敵人。

攻勢進行半小時。任魂眼見守軍強硬，普通的打法，難以取勝，遂使用一戰功成萬骨枯的「人海戰術」。督令士兵，冒死衝鋒，前仆後繼。葛氏此時，按照預定計劃，放起內外夾攻的信號，四圍伏兵，從四面夾攻上來。守軍忽然點起若干把火炬，光如白晝，並利用居高臨下的優勢，拋撒大批石灰，大呼：請看原子彈罷！四週共軍，在壕溝內，蹙眉接踵，正如螻蟻一般地攀援前進，忽聞「原子彈」，不約而同的，一齊仰面觀望，未提防石灰落入眼中，痛苦勝於中彈，頓時失去作戰能力，這一批中了石灰的共賊子，互相拉挽的牽制，無法活動。守軍又趁勢擲下雨點般的手榴彈，及石塊子，遂使波浪起伏的人海，變爲血肉模糊的屍山。其傷而未死者，呼號於血泊中，慘不忍聞。任魂本人，也幾乎做了陣前之鬼。他經再三考慮，在內外夾攻中，無法挽回敗局，他等不及別處的援軍。不得已，下令撤退，衝出四面伏兵的大網，回城。檢查是役傷亡，已越出兩營以上，才知道：葛氏是一位不折不扣的反共能手，不易攻取。

砲灰九萬人

·王汝國·

新華社廣播：「華東和中南兩區報名投考軍事幹部學校的學生，據不完全的統計，已經有九萬人。」而且據說各地學生的家長也「熱情地鼓勵子女們報名。杭州市的一位婦女李獨芳，已經有三個子女在上次參加了軍幹校，這次她又鼓勵她的第四個女兒報了名。」

完全是納粹的一套，這正是俄式的赤色法西斯政權的可憐相。強迫母親們「熱情地鼓勵」子女們去當砲灰。

怎樣的「熱情」？難道不是「熱」淚漣漣的人間，最悲慘的事？

戰前統計，全中國各省的中等學校學生總共也不過六十餘萬人；全國的大學或專科以上院校學生總數只三萬人不足，「解放」以後，無數青年失學失業，在飢餓的邊緣上，被看不見但感覺得到的思想警察壓力，驅迫着投進了「革命大學」一類變相的集中營。普通正規制的大、中學校，由於學生家庭負担不起學費，而「人民獎學金」的名額限制又極苛嚴，學生總數比之戰前祗應減少，決不會增加。現在僅以「華東」，「中南」二區就抽出了「九萬名」的青年學生，這是怎樣驚人的比例。其中最大多數無疑是未適齡的青年或少年兒女。在「軍幹」的美名之下，受了短期的強迫軍訓，一轉眼便要被趕羊似地驅上戰場，「抗美援朝到底」，千千萬萬的小性命，爲史太林主義做砲灰而後已。

怎樣慘酷的民族集團自殺劇啊！

這九萬名青年學生，據中共指出，是屬於所謂小資產階級的知識份子，在共產黨的理論上，是認爲對「革命」并不堅定，最容易動搖的，基本上是「反動」的階級屬性。集體參軍的結果，正是在戰場上借刀殺人的變相的集體屠殺。哀哉！中共佔領區內的無辜學生青年們！

你們沒資格說話 你們是俄國子孫

曾一度叱咤風雲的貝當死了。他的維希一幕，誠然是一失足成千古恨，但在法國人心目中，却還有原諒他，認爲這是他當時犧牲一身以換救無限生靈的。因此，他死前不久，得到法政府許可，移出囚牢，轉入醫院療養，如果他能再多有時日活下去，整個赦免，也未可知。

法國新國會開幕，有人就曾這樣要求過，釋放貝當及大赦與貝當合作者。共產黨堅決反對，共黨高呼打倒維希，打倒貝當。但是主張釋放貝當的人們，却這樣答覆共黨：「你們沒有資格說話，因爲你們不是法國人，你們只是俄國的子孫呵！」（一丁）

貝當再活下去　可能整個赦免

俄人鼓勵走私活動

在這不到數十哩的小小邊境地區中，海關要員去年便破獲了四萬宗走私案件，以咖啡而論，每次約搜到六磅。有一位海關警員說：「這種破案的數字，登記在簿子上，似乎已是良好的成績；但是我們每搜獲一磅咖啡，却至少有十五磅咖啡在疏忽中被偷運過去」。私梟對於走私的每一種詭計，幾已完全學到。

我們的私梟的方法，固然不同，身份不一。但是不講他們是愛獎地方的職業性走私者，無家可歸的無國籍人，佔領軍的官兵，共產黨內貧窮的狂熱份子，或走私組織的巨頭，他們造成的結果則一。原應該用在西德復興方面的大量金錢，進了私梟；大量應該供西方整軍之用的軍要物資，被運到蘇聯。有些「獨立的」私梟雖然和俄人沒有關係，但是他們的活動，却使他們間接幫助了莫斯科。

俄人並不控制德國黑市的整個歹惡世界，但他們正迅速地擴大它的範圍和加強了它的活動。據西德官方估計，它走私活動的半數以上，應該由蘇聯負責。他所用的控制方式，隨情形而異，有的是直接從事走私，還有些是遠遠的指揮，有時指揮的層次異常繁複，以致幹走私行當的人，自己也不知道是在替蘇聯政治局工作。

俄人走私組織的成長，現在已特別顯著。而在大戰結束以後不久，他們對於這種破壞德國的不法活動，却並沒有多大關係。當時的黑市，不過是一種戰爭的遺物——正像已成廢墟的城市中蔓長着的野草一樣。

這時候，德人的重要目標，是運用種種方法來保持他們的生命。佔領軍手裏充滿着物資。而德國新成立的海關檢查員，既沒有武裝，更加以腐敗和人數不足，還是他們對非德籍僑民沒有甚麼權力。

這時全國可能爲了一包香烟或一包咖啡而歡舞的時代，對於德人，金錢都沒有香烟和咖啡那末重要。凡到過法蘭克福的人，無不追述美方公開物物交換市場內的擁擠情景。德國主婦們帶着她們所珍貴的東西，到那裏換取美國香烟，咖啡，肥皂，糖菓。二包香烟便能換到一具照相機，值一百美元以上的古董器皿，只要張高價四包香烟。這個時期，任何人，能直接得到美供小物品的，都可以積聚一筆小財產。因此發財的人不知多少。

後來，德國政府管制了海關，佔領當局逐步加強了德國海關人員的檢查，僑民也必須受德國政府的自治權漸漸增加，工作了許多進步。（五）

·張天寶譯·

原載週六晚郵

德國的暴發戶

自由人
THE FREEMAN
（半週刊每星期三六出版）
（第四十三期）
每份港幣壹毫
督印人：李光華
社址：香港高士打道六六號
電話：二〇八四八
GLOUCESTER RD.,
HONGKONG
TEL: 20848
承印者：東南印務出版社
地址：高士打道六四號
台灣總經銷處
台北重慶南路一段七十四號

特務制度與民主

特務制度並無損於民主，問題在運用方式與範圍，尤其執行者要搞清觀念，防諜絕不能侵害基本人權。

·雷嘯岑·

杜威州長上月由台灣來到香港時，據說有人非公開的問他對台灣觀感如何？他說道：台灣一切都很有進步，尤其是軍事方面，更見績效。只覺得民主生活尚不夠味兒，原因是由於防諜工作之嚴密緊張，令人隨時懷着「危行言遜」之感。但，台灣若不是這樣嚴密的防諜，恐怕早已變色了。因此，他對於台灣的防諜查奸事宜，不能有所間言，而民主政治之實現，又為必然的。究應如何調節運用，使其止於至善？他本人感覺是一大堪注意的問題，然一時尚想不出妥切的方策來！杜氏這項觀察與論斷，確實相當深刻而平允，值得重視。

近兩年來，台灣最大的威脅就是共黨間諜活動，而這些間諜活動的範圍又遍及各階層，其深度與廣度，我們只就已經公佈的幾件大間諜案來觀察，也就可驚了。在這種危疑震撼於間諜擾亂恐怖的社會環境中，因防諜而使一般人的生活意識與形態，都感受若干拘束力，形成低氣壓，局外人也可想像得到，大家自能諒解的。所以，講民主自由的人並非一口否定「特務」制度之存在。英美的民主社會裏，照樣的有特務人員活動着，如美國的聯邦調查局，中央諜報局，以及各文武機關乃至議會裏的安全小組或委員會等，都是幹的特務工作，而所謂「保安人員」（SECURITY OFFICER）且遍佈於駐外使領館內。中國共產黨徒過去譏「特務」口實反對政府，拚命宣傳，而今大陸上特務之橫行作惡，是何景象呢？若照廣義解釋，凡是約束人們日常自由生活的行為，都可謂之為特務政治，普通的警察職責就是這一類，我們要求民主自由，豈能就根本廢止警察？

特務制度在歐美民主國家既很普遍，但一般人民并不感覺這制度的威脅，更不會妨礙民主政治的發展。何以在中國社會數人談虎色變，疾首蹙額，連外國朋友在台灣小住幾天，也感到這一制度頗成問題呢？我認為與制度本身無關，乃是運用的方式與範圍問題，而執行者的智慧也大有關係。防諜的用意，是要保障國家安全，祇在查緝奸宄，防制叛亂，範圍很單純，工作的人員不妨多，然同樣機構則以集中簡化為上。機構若林立，不特效率降低，且隨時不免有使社會大家感受無謂的困擾情事。抗戰時間，一輛汽車開出昆明市，得經過五六個管制機關的核許，即其例證。談到智識問題，其實就是觀念問題。防諜是應該的，工作要緊張嚴密，也是天經地義。然若因此而將人們一切生活言行都納入防諜的意識支配之下，結果即有如列子所說「亡斧」之喻，當主人未將失斧尋獲時，他看到任何人都認為是「竊斧者」，連自己的家裏人也都成了嫌疑犯！這樣，自然就會形成低氣壓的天地，大家連說話也戰戰兢兢，不是沈默，即求「標準化」，這還有甚麼民主自由的氣氛可言呢！要知道，間諜是一回事，具有不同政見，或對某一問題持相反意見的異己者又是一回事。間諜決不能容恕，而不同政見或意見的異己者應予寬容，除非他有叛逆行為，只是談談政見思想，寫寫文章，在民主國家內是不應該受干涉的。從這種觀念出發，台灣今日所施行的出入境煩瑣手續（注意：是手續，不是辦法！）即有澈底改善之必要。又如「自由中國」雜誌發表一篇「政府不能引人入罪」的文章，而幾乎入成嚴重事件的情形，亦為不可想像之事！大家不要忽視這些小事情，這一方面是關係台灣的政治信譽，換言之，即自由中國是否有基本人權的存在與保障問題；一方面這些事乃普遍的影響到每一個自由中國人民的現實生活，容易使人發生深刻的印象；同時，即因此而使外邦人士認為不夠民主氣味的例證。凡事必從大處着眼，小處着手的道理，就在這些地方啦！

杜威先生對於防諜工作不免影響民主政治發展的問題，說是尚未想出妥切的答案來。我認為這是一個觀念問題，大家如果把道理想通了，觀念澄清了，其他縱有些小毛病與障礙，自然可以隨時糾正，無傷大雅。設若觀念不弄清，各想各的，各幹各的，那不但搞不成民主政治，其他任何政治也一樣的不會成功，結果是一切都像，而一樣都不像！

輿論界若逃避現實 即將是一種最卑怯行為

共黨正竭盡全力要毀滅中國輿論

·寧人·

左舜生先生在本刊第三十八期論輿論權威一文，在他文中首段，他提出：「我們近來所發表的文字，偏重談國際的似乎太多，着重在自我檢討的似乎太少。我們為甚麼不把這個作風一改。一面固然還是應該注意國際，可是與自身利害國家前途最有密切關係的政治問題，不也可以談一談呢。」

抗戰時期的滑竿夫

讀了左先生這一篇文字，使我們發生極深的感喟，同時也增加自己的慚疚。今天國家到了這樣的地步，幾乎凡人都是逃避畏怯的行為，左先生提到現在反共論壇中，偏重談論國際問題。提起這一點，我們要追究甚麼原因，又是從甚麼時候開始。大家如果不健忘，應該立刻回想到這是抗戰中期到後期的事。抗戰中心移到了重慶，輿論界除了所謂抗戰八股以外，就是討論國際問題，從那一個時期起，幾乎人人能談幾句國際問題，當時確有這末一個事實；在重慶南岸的滑竿夫，在長程的山路上，他們會和坐滑竿的人縱談墨索里尼與希特勒。所以在那時，幾乎無人不是國際問題專家。當時若干觀察深刻的人對這種現象表示憂慮，說這是變相的漢學，率天下聰明才智，不談性命，不談時政，大家逃避到考據說經，這對時局的推進，是十分可以悲觀的。抗戰時期這一段歷史，現今是否又在重演，就是左先生和其朋友當前所憂慮的一個問題。

共與反共不共一天

在反共抗俄的旗幟下面，我們常常想到這一個戰鬥，決不僅僅是一個軍事或政治的鬥爭。所以保密機關天天破獲匪諜，治安機關天天捕獲匪的地下組織，固然十分值得嘉獎，可是這正是反共抗俄表面又表面的工作，至於政治的形式，逐漸走上民主憲政，人家有代議制，我們也有代議制，人家有憲法，我們也有憲法，人家三權分立，我們五權分立，這自然較之上述的工作是進了一步，但是這裏所謂政治的對照，若僅僅是形式的，在反共抗俄的工作，也還不過是表面的，反共抗俄必須在精神上，思想上與生活上處處造成一種環境，顯示我們這一思想與生活上的環境，確實與俄共是另外一個天地。反共抗俄的領導者，必須領導其信徒與同志，盡力創造這一種環境，使生息在這種環境的人，自己感覺所處環境的性質，與我們敵人的環境，決不是程度的差別，而是根本性質上的懸殊。在我們這一環境的人，自己覺得其環境之可貴，自己覺得這一環境對我們生存的必要與必需性，如果有人想改換它，或推翻它。我們寧可流血，寧可付出任何犧牲的代價，去爭持保存。

政黨是政治的骨髓

一個政治規模的樹立，憲法及根據憲法成立的機構，這都是政治的形式，改造政治，若專門在形式上想念頭，那末，那種政治改造，改來改去是改不出新的東西來。左先生在他論文中提到了輿論，他希望輿論要發生權威，我個人則想到在輿論以外，還有一個政黨問題，政黨是政治的骨髓，一個國家的政治精神，政黨的影響力量，絕不亞於輿論，所以考察一國的政治，必須先考察一國政黨的情形，一國政治的表現，萬萬逃不出其政黨，政黨如果是民主的，其政治決不會集權的，政黨如果絲毫沒有民主的成分。其政治，就絕難望其發揮民主，一個政黨必有其政綱，有其陣容，還有其組織，在此三者之中，組織尤為重要。今日之世界，共產主義與自由民主主義，涇渭分明，不可混淆，政治與社會，兩個世界壁壘分明，如果進一步觀察政治與社會的內層，最顯著的莫如政黨，兩個世界中的政黨組織，也是根本不相容的，所以在政治的制度上，如果外形採取自由民主的方式，為求民主自由的澈底與充分發揮，那末，政治內層的政黨組織，也自必採取自由民主的方式，俄國十月革命後列寧最自負的，為對黨的組織，從各國政黨歷史看，蘇俄布爾什維克確有其獨特的發明，但是那種發明，便是俄共所以殘害人類的根據，今天我們要反共抗俄，既要反對他的政治與文化，更不可忘記反對共產黨的組織，如果在政治制度上想步武自由民主，而在政黨組織方面，仍為不能脫離共產黨的範疇，這是民主政治的致命傷，也是反共抗俄大業中最大的暗礁。

（下接第二版）

正義的報紙不怕摧殘 阿根廷民族報

繼新聞報反抗貝隆

阿根廷獨裁者貝隆總理，於今年三月，將阿國歷史最久，聲望最隆，銷路最大的新聞報封閉後，接着就由他所指揮操縱的國會，通過決議案，由國會先行接管。（參看本報第七，第八兩期）其後雖引起全世界輿論嚴詞斥責，美國報紙，且為該報停刊，全體下半旗誌哀，但貝隆仍悍然不顧，進行其接收改組的工作。現在一切已準備完妥，上星期貝隆宣稱，決將該報交付阿國勞工階級，俾該報成為擁護勞工利益之發言人。

不過貝隆為了減低國際輿論對此事的反感起見，在改組工作完成以前，他又指使法院，將該報房屋，機器及全部資產，估定折值美金一百三十萬元。此款准由政府付交該報主人。但該報唯一主人巴士博士，早經逃往烏拉圭，他當然一時不會回到阿國領款，且據美國報界最公平估計，該報財產，最低限度，足值一千萬美元，即使巴士博士，真能領回一百卅萬元，也僅只得到他的資產總額八分之一。何況他辛苦經營了幾十年的事業，任何巨額金錢，也無法補償他精神上浩大的損失！

貝隆這種殘酷摧殘輿論的方法，是不是就已收到百分之百的實效？這個問題，從阿根廷第二大報——民族報 La Nation 的始終不屈，繼續反貝，就可以得到解答。民族報在阿，其地位僅次於新聞報，且若干年來，向為新聞報的友誼競爭者。他同新聞報，過去都一致反對貝隆獨裁，新聞報封閉，貝隆滿以為民族報可從此軟化。但他又新頒法令凡用過外國輸入紙張的報館，須補納特種關稅，這稅額可追溯到幾十年前，不過，貝隆向各報暗示，如果不反對貝隆政府，則此項稅額，即可不加追索。這個追稅的目標，實際在民族報，因民族報用紙，除新聞報外，以他為最多，如果追繳，總數將達一百五十萬美元，當然是對民族報一最大威脅。不料民族報竟毫不考慮，在最近社論中，大膽貝隆頒布這項法令，為獨裁，不公正，違反憲法，且稅額要追溯到若干年以前，尤為橫蠻無理，及最無常識。這表示了民族報態度堅強，不惜與貝隆奮鬥到底，下一幕如何演出，那就只看貝隆有無一意孤行，準備追蹤希特勒，墨索里尼的決心！（會牧）

時局漫談

從韓戰停火看遠東未來

·舜生·

開城停火會議，已開過了十四次，雖然還有許多具體問題須待繼續商討，可是並沒有那方面根本反對停火的原則。

中共在韓的軍隊，已經過繼續的整理，繼續的補充，可是目的只在爭得美國較多的讓步，並不是有決心繼續再打。看樣子，中共的這個目的可能達到，依照馬歇爾的口氣，就要美國再讓一點，顯然是可以照辦的。何況共方目前的希望並不太奢，他們不過要求恢復去年六月二十五日以前的原有態勢，依然以『三八』線作為南北韓的分界線，更於『三八』線的南北各劃出若干里作為緩衝地帶而已。

假定能做到如此，這在中共一面已經是很滿足的：一、他們原沒有料到他們的軍隊居然是可以和美國領導的聯合國軍作戰的，但居然打了這樣久，而且在形式上好像只打一個平手，並沒有真正分出勝負；至於美國不願把戰火擴大到韓國國境以外，不願去轟炸他們的後方，更不願利用台灣的國軍去動搖他們的根本，這是美國自願在戰略上為他們造機會，而且在實質上也足證明美國確實是怕了他們，更怕了他們的後台老板，這於他們的光榮何損？因此我們可以斷定：一旦把火停好了，以後，中共一定還要大放厥辭，宣傳他們的勝利。平心而論，以杜魯門繼續最初發動制止北韓侵略那樣一種氣勢：以聯合國所決定建立一統一的，獨立的，民主的韓國的那樣一種政策；再加上犧牲了聯軍無數的青年，耗費了美國的金錢，這在兩百億以上；而所得的不過是這樣一個虎頭蛇尾的結果，這不明明白白是中共的勝利還是什麼呢？二、停火談判以後，還要繼以正式的會議；由此較中下級的人員會談，還要進入到高級人員的會談？中共藉此機會與美國發生頻繁的接觸，可能有其他的後果：中共人員看樣子是相當強硬，實際也相當嫵媚，果然把韓戰的火停好了，蘇聯可能有新的建議要提出，即把韓國的善後問題，不單獨由中共與北韓和美國來商談，她將主張召集一個正式的國際會議，或即所謂五強會議來解決遠東一般的問題，而把韓國善後問題作為這一般的問題之一，如此，則北韓的代表，將無格式出席的可能，而中共雖不會被排斥，但實際將受到蘇聯嚴格的監視。中共對蘇聯，無法不切實擁護，並且要聯合起來施展種種的手法：他們必將切實見好英國，拉攏法國，孤立美國；他們必將提議平反對日和約，澈底解決台灣問題，中共加入聯合國問題，同時也可能暫時和緩越南問題，以迷惑法國；或對西歐或對中東某項問題讓步，以迷惑英國；而韓國善後問題乃以居於次要。假定美國接受這樣一種會議，她可能遭受無窮的困難，或使民主陣綫破裂，而陷於根本失敗，也不一定。因此，我覺得韓國能實現和平，於蘇聯固然有利，在中共也認為是確有好處的。

從另一方面看，美國也自有種種的想法：一、韓戰結束，杜魯門，艾奇遜，馬歇爾之流，可以大說其在冷戰的政策上 [illegible]，而對麥克阿瑟一派施以更大的打擊，於他們未來的政治地位有益；二、他們必將擴大並加強冷戰，把可能用於韓戰的巨大消耗，全部移用到冷戰一方面來；加緊拉攏日本，[illegible] 援助台灣，加速對中國大陸的種種策動，而對英法則務有 [illegible]

[illegible] 凡此種種，均以韓戰停火為其發端，所以在現階段，我們仍不能不對韓國問題的停火，切實注意其發展。

「共產黨是反動的」！

般漢教授從各方面證明了他是反進步的。

·侯惇·

以下介紹美國般漢JAMES BURNHAM教授對共產黨的幾點看法，他的結論是：共產黨是反動的。

共產黨經常以進步做號召，從喊口號，不見實際，般漢教授批評共產黨亦以進步做號

不許自由

一開下手，他說：進步的第一義是人人享受政治權和民權。蘇俄的共產主義歷史已有三十四年，目前包括共衛星國家在內，在共產政權統治下的人口幾佔全世界的三分之一，人民的政治權和民權，全部遭到剝奪。在蘇俄及其衛星國家中，人民無言論之自由；無司法保障身體和財產的權利；無文化自由；科學家、藝術家、詩人、作家、音樂家一概沒有創作的自由。共產國家中，人民更無社會活動的權利，工會的組織只是幫助增加生產，而非爲謀工人的福利。

特殊人物

其次，進步的意義是消除特殊地位與權利。蘇俄革命成功後第一年，人人均爲同志，以後，人民間的界限日漸分明，今天，黨員、軍人、外交官，都是特殊人物，軍官的勳章、綬帶和外交官的晚禮服，是何等的炫耀！

奴役人民

進步的重要部份，爲消滅奴役，蘇俄現已建立新式的奴隸制度，其內幕較已往的吾人所知道的尤其可怕。今天，在西伯里亞北部的煤礦上，約有一千五百萬的集中勞働者，他們受懸劣的待遇，無醫藥照料，死亡率高至百分之五十。

收入懸殊

收入的平等爲進步的另一含義，今天在俄國，人民在收入上的差別比較世界上任何地區爲大。頓河流域煤礦工人的最高收入與最低收入，其間相差達三至四倍之多，這種差別待遇比較美國西部浮琴尼亞州煤礦工人收入的相差更大。

降低生活

今天在蘇俄的生活水準較一九三〇年前更低，足見爲一切人民提高生活水準的進步理想，在共產主義的美名下，已被撇開不顧了。

新的教皇

進步在本質上還有精神解放和破除迷信的內容，今天在俄國，一種新的迷信在一個新的永遠無錯的教皇（史太林）領導下倡立起來了。

勾結希魔

如果以爲消滅戰爭和侵略也是人類生活上的一種進步的話，那末，蘇俄在史太林領導之下，曾與挑起第二次世界大戰的希特勒殺人魔王締訂過互不侵犯條約，一面在朋友的氣氛中與希特勒瓜分波蘭；一面暗示希特勒可無後顧地大舉侵略西歐。至於說到打倒帝國主義，那末，今天世界上眞正應該打倒的帝國主義也還是蘇俄，因爲蘇俄除與希特勒勾結，直接協助二次大戰的爆發外，在二次大戰結束以後，擴展了無數平方哩的領土，獨立了十來個衛星國家，奴役了無數的民衆，吮吸着衛星國家的物資和財富。市場上的民生日用品絕跡了。衛星國家的經濟建設計劃，配合蘇俄的要求，成爲蘇俄整個世界革命計劃中的一個環節，全世界的企業托辣斯，要以蘇俄克里姆林宮所控制的規模爲最大，手段也最爲毒辣。

兩個走卒

亞洲國家或者以爲驅逐西方殖民主義，不妨先利用一下共產主義，以後慢慢地再把共產主義拋棄，這顯然是錯誤的想法，請研究一下過去蘇俄的歷史便明白了。老實地說：史太林政權存在一天，共產主義所到的地方，玩的都是史太林主義的把戲。毛澤東和胡志明都是克里姆林宮的走卒，他們不是奉着史太林的命令，在毀滅他們自己國家的一切嗎？

般漢教授曾於本年三月底到印度出席文化自由大會，上面介紹他對共產黨的看法，係根據他在印度時的一次講演詞摘要寫成，其中有幾處，除迻譯了原文的意思外，譯者略予補充，旨在使讀者更能瞭解其內容，因爲行文的習慣和詞句造法，中外不同，往往直譯不如意譯，如根據原文加以補充說明，正足以幫助讀者瞭解，特此向讀者和般漢教授聲明。

中共一面高唱愛護古物　一面卻毀滅中國文化

這眞是數典忘祖思想絕未搞通

·蔡寬·

文化是人造的，我們說到歷史上任何一種文化，必然要聯想到創造此文化之民族，及其民族中許多傑出的人物。但有些文化早已衰歇，創造此文化之民族，也早已退出了人類歷史舞台。徒留幾許古器物，那是當時文化之殘石，來供後人作憑弔考證研究。近代英法學者在埃及巴比倫的發掘搜羅，是其最顯著之一例。這是純客觀的，對異民族已死滅的古文化之一種純器物的研究。

這一種研究，形成了近代西方帝國主義對其殖民地文化之歷史研究，如英國在印度，法國在安南，更可恨的是往昔日本在朝鮮，及我國東北，以及內外蒙，他們也如英法般，十足的自居爲一個帝國主義者對其殖民地之原先文化之探索姿態而發表了他們的意見與成績。他們對其研究對象，都帶有濃厚的鄙薄心，冷酷心，只注意到這一文化所遺留的一些古器物上，卻對創造此一文化之民族與人物則並無絲毫同情，更說不上敬意。尤其可恨的是他們對中國也如對埃及巴比倫，乃如安南朝鮮一般，鄙視了其民族與人物，淡漠了其歷史與人物，而一樣的只注意到此一文化所傳下的幾許古器物上，來妄自負爲研究中國文化之唯一途徑與主要憑藉。

這些且不說，最可詭異的是近五十年來的中國學者們，一樣學西方，甚至研究中國文化，也一樣追隨西方對其殖民地，所謂東方學之心理與態度，來自謂爲是一種最前進的最合科學精神的新史學。

中國文化，原是世界各民族文化系統中最偉大的一支。論其時期綿歷之久，講域掩被之廣，眞是舉世莫京。因此在這一文化系統裏所遺傳到今的古器物，眞可說是寶藏無窮，俯拾皆是：近一百年來的西方人，挾其富強凌跨之氣，對中國文化，因其全不虛心，遂亦全無認識。但對中國古器物，卻仍知愛好，仍知珍重。上自庚子八國聯軍之公開掠奪，下至史坦因等之私人偸竊，中國古器物，商彝周鼎，法書名畫，古籍珍玩，流傳到全世界，收藏在各公私機關，影響到中國人的心裏。這五十年來的中國人，不僅對自已文化，自已歷史，自已民族，也如西方人一般，同樣鄙視，同樣淡漠，卻對中國文化裏所傳下的一些古器物，也同樣地知道珍重，知道名貴了。那是一件可喜事，卻也是一件可悲事。

一個富家舊室留下一些園亭建築什物寶貨，子孫不肖轉移到別人手裏。別人看重這所園亭，這些寶貨，不一定就看重此不肖子孫之祖先。但此不肖子卻拾人牙慧，來輕薄自己祖先，誇耀自已遺留，那纔是無恥之尤。

據說今天的中共政府，也知道注意古器物，在其中央文化部下，特別設立一個文物局，來專拿保存發掘收集和整理的工作。周代散氏盤的捐獻，曾在報上大大地宣傳過。又曾派了一批人到敦煌去。這不錯，中共還是中國人，還知道愛惜中國歷史上所遺傳僅存的一些古器物。但我們該知道，那些周金碎器，那些敦煌石窟中之壁畫寫卷之類，究竟是周代唐代全部歷史文化中之一冊粒，沒有周代唐代之政治和社會，人物和教化，那裏會有這些東西出現？而且今天的中國，究不比埃及和巴比倫，民族血統還保持，歷史傳統還持續，一個耶教徒，可以欣賞中國寺廟建築，但不理會中國高僧們的人格精神和其信仰眞理。一個佛教徒，同樣可以欣賞西方古教堂之建築，及其壁畫雕像等，而不理會他們的神聖教理和聖徒精神。但是否全部歷史和其民族文化，是純器物的呢？

孔子和古代經籍該打倒，這些都是封建遺毒，從那些周金碎器中產生出，便該寶貴，試問孔子和古代經典，是否也只是些像近代工廠般的所謂生產工具呢？唐代的歷史文化，都該打倒了，再値得知道的只是殺人八百萬的流寇黃巢，試問，若使唐代全是黃巢之流，又何來有今天的敦煌文物呢？

然而我上面這些話，並不是在責備中共，更不是在責備中共之也知寶愛中國歷史所傳之古器物，我此文之用意，只在指出一些近五十年來中國之一般心理，中共也逃不出，仍是此五十年代中之中國人，他們硬要別人搞通思想，他們不知道，自已也只在此五十年代之中國思想裏打圈子。我要請中國人大一家有個覺悟，我們大一家是中國人，中國古物，該愛護，中國古史，古人，同樣該愛護。你家藏的器物，你愛護，那要打倒你的祖先，這是人類簡單的良心問題，不需深涉到什麼科學和歷史哲學的學問。

漏網珍聞

戰略專家史培茲將軍從西歐返美

堅稱蘇聯已決心開始止步

說美國的工業力量已使蘇聯不敢發動大戰

·丁·

一位被稱戰略專家新從西歐回到美國的史培茲CARL SPAATZ將軍，他最近於上月卅日發表一文，斷言歐洲暫時可以不致遭受侵略。據稱，他在西歐各國精心考察，他確切認定：如果馬上發生戰事，民主集團一定可獲得勝利。他並相信，克姆林宮，也有和他同樣的看法。他說：蘇聯領袖們，必已完全了解，此時發生大戰，一定要召致他們自身的毀滅。因此，他們也就很合理的，將他們統治世界的野心，自動延緩若干月甚至若干年。目前他們從各方面進行猛烈的和平攻勢，也就在此。

史培茲將軍，認爲使蘇聯暫時不敢冒險發動大戰，最大原因，還是美國工業力量的驚人優越，尤其美國在原子彈及戰略空軍的成就，蘇聯不得不鄭重考慮，趕快停步。而艾森豪威爾在西歐整軍工作之突飛猛進，也是蘇聯所最感威脅的事項之一。

「第三次大戰，與以前任何戰爭不同，決定勝負的最大因數，是技術的力量，專靠人力，是無法獲致勝利的」。這是史培茲在西歐盟軍總部和一些高級人員研討的結論。

他又說：西歐各國的民心士氣，在最近確已大大提高，不過他一再向美國人提出警告，雖然如此美國仍不能絲毫鬆懈自己的整軍工作，從西歐回到美國的觀察家，很少有強調民主力量已臻強大的，史培茲這篇文章，無論如何，總可替民主國家，增加不少「敵人並非強大不可打敗」的信心。

葡總統只有一人候選

前幾天，報載澳門葡僑，投票選舉葡萄牙總統，結果，無一例外，所有選票均爲總統候選人羅柏士將軍H.C.LOPES全部獲得。大家也因此想到，下屆葡國總統多半總會由羅氏當選，否則海外僑民，當不致如此一致擁戴。

的確，羅氏當選，毫無問題，不過澳門葡僑的一致選羅，倒不一定是於羅以外，不願另選他人，而是葡國最近修訂的選舉法，弄成總統候選人，只有羅柏士合格，換一句話說，總統候選人，根本只有一個，那麼，如果不選羅柏士，你就只有棄權，或投廢票。

前總統賈蒙萊A. Carmona因病逝世。這位老總統，自從一九二六年五月三十日領導葡國政變，被推任臨時代理總統起，中間連選連任，一直做了二十五年，活到八十一歲，這幾乎可以說是總統中任期最長的一個。他逝世後，葡萄牙國民議會，很容易地通過了一條憲法補充條款，規定此後總統候選人應先經由一最高會議審核，審核結果，如認爲某候選人，不適宜擔任總統職務，即有權取消其候選人資格。此次總統選舉，計候選總統者共三人，首爲數學教授郭慕思，因有共黨同路人嫌疑，被核取消。次爲梅汝來，政治思想，在葡國雖屬右翼，但他一向堅決反對現總理薩納賽的獨裁式統治，直至投票前三天，也被公告無效。最後賸下唯一的合法候選人，就只有羅柏士將軍。

羅將軍現年五十七歲，是一位飛行家，過去葡國綠衫黨領袖，他的候選，得到做了二十三年葡國總理薩納賽全力支持。在其他兩位候選人被消除以後，大約最近，他就會很安穩地被宣布當選葡國總統。

應根絕共產黨方法

……上接第一版……

最近國人考察日本戰後情形者日多，綜核他們對於戰後日本的報告，除去共產黨與共黨尾巴的社會黨以外，日本政黨均採英美政黨的方式，有總裁，有幹事長，有總務會，有評議會，其組織，他們盡量搜羅社會各部門的優秀份子，在地方，在國會與內閣，幾乎做到三位一體。黨員活動政黨的中心是如何爭取選民，而不是在黨內造成派系，自相傾軋。英美政黨的分別，英美政黨權力分散在組織上，而共產黨表面上雖亦由各地方，實上一切權力集中在蘇維埃中央，尤其是共產黨，一樣操在極少數的史太林及中央寡頭手中。共產黨最中心的活動，是在爭取政權，而不是在爭取選民。在蘇聯，今天還是列寧的十月革命前後的意旨。打倒法西斯的，也採用了共產黨的方法；西班牙的佛朗哥，根據是共產黨的方法反共，而反共的結果，則反共也是採取共產黨的方法，而在實際上，則與共產黨並無分別。今日之世界，「不入於楊，則入於墨」，不採自由民主，勢必走到共產黨的獨裁，政黨組織也是不能例外，我們喜談反共抗俄，這是我國政治自來的病源，今天反共抗俄，千萬不可再蹈此式主義之覆轍。

配紙腐爛了輿論界

共產黨人譏評西方民主國家的輿論，是資本主義的走狗，輿論根本上操在資本家的手中，共產黨人批評西方輿論，所謂自由，是不給人民以自由，所謂自由，完全是空洞而無實際的，是騙人的一套謊話。根據共產黨的說法，好像是在鐵幕下的人民，纔是眞有自由，所謂言論自由，我們的輿論界，人民的自由，是否値得我們自己檢討，這是一個大問題。

我們要政黨與輿論界的功能，也必須從反共抗俄上，必須反共抗俄，政治上的反共抗俄，也必須反共抗俄，一方面反共，一方面必須正式上成立，輿論界的獨立的風氣，是不趨向設想的，如果不加糾正，輿論界的前途，是堪憂的。

現在是最黑暗時期

我國的情形，輿論界的優良傳統並未建立，審觀環境的逆流，不斷向此薄弱的輿論界侵襲，這是輿論界喪失權威，不能自振的一個最大原因。近代國家的權力，隨着時勢的需要而大大擴張，政府的權力，上下縱橫，無遠弗屆，抗戰期間，抗戰勝利後，輿論界的事，造成多少糾紛，行政的影響，這個制度，使輿論界自己喪失權威，天天貽人以口實，那能有權威建立起來。

出版物如逃避現實，只是大家談談國內政治，那是輿論界最感怯懦的行爲，而不敢出現的現象，這是全國輿論界十分羞恥的。我們三四十年來中國輿論界的黑暗時期，以今天爲最，我們有這一個黑暗時期，共產黨造成的，以毀滅民主的方法，毀滅輿論界的獨立，輿論界本身的努力，另一方面，今天我們反共抗俄，如果輿論界的風氣，不加糾正，照我們現在看見的狀態，是輿論界前途的醜惡與醜陋！

（續）我要請中國人大一家有個覺悟，我們大一家是中國人，中國古物，該愛護，中國古史，古人，同樣該愛護……中國古代經典，講孔子和先秦學術，講古代文學藝術，唐代宗教……民族，有歷史，有文化……

今日中共建軍節

可憐韓戰場百萬砲灰 老母幼子正挨餓討飯

所有中共一切優待軍屬的甜言密語，拆穿了竟是百分之百的欺騙

【本報北平特約通訊】八月一日，爲中共所謂建軍節，中共正大吹大擂，在這個節日，將如何大舉宣傳優待軍屬。幾年以來，中共以優待軍人家屬，誘騙大陸飢餓線上的農民，踴躍參軍。這些農民，明知道不去參軍，不特要受中共各種慘酷的歧視虐待，而且自己和一家，都會因無法謀生，而相繼餓死。參了軍，美軍的飛機大砲固然可怕，但總不見得個個被打死，最低限度，自己和一家生活問題，總暫時得到解決。誰料這些農民，驅上屠場以後，他的父母妻子，竟多半在家中乞討度日。所有一切優待云云，都是一片謊話。下列這一些報告就都是鐵證如山的事實。

代耕只是一句話 等候代耕田已荒

按「抗美援朝總會」發於六二六號的「優待烈屬軍屬」的號召，「代耕」是最重要的一項事，凡是兒女參了軍沒人耕田的家，所在地的村區政府就得把這份「耕」的責任分配給不參軍的人民身上，他們大吹大擂，編出「一擁軍，二代耕，抗美援朝就成功」的口號，拿向街頭巷尾，當歌兒唱。但是唱儘管唱，在寵以虛榮，誘以「實惠」之下，「軍」是「擁」了，「耕」却並不會「代」得起來。

江蘇吳江縣城廂區南厙鄉西新村軍屬王開胡，有湖田十六畝，其中十二畝，經村幹配定由沒有參軍的鄰金林等十二人代耕。不料王開胡種完了自己那四畝田，再去看這代耕的十二畝時，簡直還一秧都還沒有插下去，一片荒蕪。這才知道所謂代耕，根本就沒有那回事。他向村政府要求代耕組補插，但插秧時期業已過去。據王開胡說，十二畝稻田於全部損失。代耕的有名無實，且馬虎其事，只此一例，足概其餘了。

向中共多方哀求 才准許出外乞討

蘇北邳縣唐劉鄉農民馬江，被徵赴韓參軍，遺下老母馬江氏，及幼子大寶，無法生活，向縣政府及縣公安局請求救濟，均置之不理，經附近農民，再三哀求後，才發給一張證明，叫她同孫兒往徐州一帶乞討度日。

無錫麗新紗廠女工榮儀瑤，接受「毛主席」號召，「投校從軍」，丟下老母親和八歲的妹妹。無人照顧，生活一天天困難，最近連伙食也開不起。榮母迫不得已，着小妹妹去工廠討飯。工廠原有工會組織，但這批工會委員，對那位曾「替工廠帶來了光榮」的女同志，却像解僱的工人一樣，任聽小妹妹哀呼乞討，熟視無睹，一個月前「熱烈歡送了」的假面具，完全揭穿了。有些和榮儀瑤要好的女同事看不過眼，代向工會請求救濟，得到的答復，却是「政府」不是規定有「優待辦法」麼？他們不去找政府，我們工會管得那許多。女工們又都是有心無力，只好眼巴巴看着「榮同志」的母親和小妹，有一頓沒一頓的捱着餓。

朝鮮證明寄不到 家屬吐同八斗米

一般村區政府幹部對遠離家鄉的野戰軍家屬，總是異常冷落，甚至有故意爲難的。如（一）綏遠薩拉齊縣城內南大街侯福亮的家屬，今春原已向政府領到優待糧八斗，最近區政府說他沒有「革命軍人家屬證」，限於十大內取得部隊證明，否則要把糧退回，但侯福亮還在朝鮮「抗美援朝」，十大內如何取得到證明文件，多方懇求，均置不理，結果只得把衣物變賣一光，才能抵償吃去了的八斗米。（二）松江省雙城縣第六區太平村的戰義臣，在一九四六年就做了共軍，家屬一向無人照顧，最近部隊發給證明書寄回家鄉，該村村長不但不予救濟，反說那證明書是假造的，把戴的七十歲老父拘留了一夜；弄到大病一場，後由戴義臣請得部隊正式函知縣政府，該村長方才沒有話說，但對優待的事，仍多方予以留難。

受傷以後同大陸 無法生活遭白眼

中共規定任何地區，都要對「烈屬」「軍屬」「榮軍」尊敬優待，但事實上許多企業部門招收員工時，都不願錄用殘廢軍人，認爲麻煩而效率少。如石家莊專區，最近每天平均有二十多個從韓戰退下來的榮軍，向「政府」要求工作，但配到各機關去，十九都被藉詞推諉，不是沒有空額就是說他們不合工作條件。此外學校和教育部門也都不肯收容「烈屬」「軍屬」的子弟。說他們資質太壞，程度不夠，無法施教。（隴光、七月二十五日寄自北平）

中共搜刮存棉成績異常惡劣

農民拒售寧將棉花當柴燒

好一個恐嚇農民的標語「私存一斤棉即是私藏一個美國鬼子！」

【本報北平特約通訊】中共因禁運影響，外棉完全絕跡，而國內棉產，復因中共疏於防治，致許多棉區，發生災害嚴重之紅蜘蛛，大部棉苗，完全吃光。此種棉荒情形，記者在上次通訊中（編者按：已載第四十一期本刊）已儘先報告。現中共唯一希望，當許在搜刮民間存棉。但據最近確訊，中共預估存棉最多之魯豫兩省，搜刮成績，距原估數字，相差太遠。截至本月十五日止，山東全省搜到存棉，只達原數字百分之十六點六四，河南全省，只達百分之二十四點九五，這對於六月一日「政務院」大吹大擂的「購棉儲棉政策」，簡直是一個最大諷刺。當中共宣佈上項政策時，一方面又曾宣佈自六月六日起，全國紡織廠一律停工一個半月。中共的如意算盤，是一個半月以內，無論如何，向民間搜刮的棉花，總就絕對可夠復工之用，不料結果這樣壞，眞大出中共意料之外。但全國紡織廠，近百萬的工人，永不復工，這百萬工人，勢不能個個餓斃，大量工人失業，對中共政權，無疑是一種威脅。然若全部復工，儲存搜刮的這一點存棉，只須一個月，就要用光。經一再考慮的結果，前兩天，發出通令，飭各地紡織廠在一個半月停工期滿以後，斟酌情形，部份復工，大致是機器僅開三分之一，工作時間也縮至三分之一。如此這般，將中共面子，敷衍下去，至於完全復工，當然在今年不會有希望。不過其間有一大問題，復工機器，及工作時間都只有三分之一，那麼工人工資是不是還支全薪，如果也比例減爲三分之一，則以今日工人待遇，已是不夠生活，再減三分之二，當然也就等於一種對工人的變相餓斃，這百萬工人，是萬萬無法忍受的！

限每人攤繳棉花半斤

從河南，山東來北平的人們，提起中共幹部在兩省境內，搜刮存棉所給予人民的騷擾，眞是心膽俱裂。他們名義上說是搜購，實際確完全等於搜刮。尤其老百姓受不了的，不管你家有無存棉，一律按口攤派，伊川縣每一個人攤派半斤，老百姓家中沒有，只好當盡賣絕，設法向黑市購買，因此，黑市棉價大漲。此外，更採取挨家搜查的辦法，幹部借着搜棉的機會，順手竊取老百姓家中稍爲貴重一點的東西，竊取一空。伊川縣銀鄉梁逐夫家，有人報告，說他存有棉花，但連地都掘開三尺，並沒有找到一兩存棉，於是不問有無，就硬將他全家趕出，封門而去。李家灣農民李長德存有二百斤棉花，只交出七十斤，經中共查出，將他吊起苦打，幾乎斃命。中共這樣橫暴殘忍的作法，引起河南人民一致憤怒，許多農民，寧可將棉花當柴燒，也不肯送給中共。中共搜刮成績之所以特別壞，這是一個最大的原因。

存棉售款要捐獻機砲

山東情形，較河南更壞，所以山東獲得的存棉，也比河南更少。這正因山東共幹，所作所爲，依照他們傳統方法比河南共幹還更加倍殘酷。下面的幾個標語，就可以完全看出，他們是在如何威嚇老百姓，如「售棉是抗美援朝，不售是援美抗朝」，「私存一斤棉，即是私藏一個美國鬼子」，「不售棉花就是頑固，落後，賣國賊」。此外，共幹們發起了一個挖棉運動，藉清查戶口爲名，挨家挨戶，創地挖棉。尤其可惡的，滿台縣一個棉農，將存棉交給中共，中共名義上付給棉價十六萬元，但村幹部馬上去勸他獻機砲，棉農多方哀求，才在十六萬中，准許留下六萬，其餘十萬，完全捐獻。因此，一般農民，認爲存棉被查出，固然有破產亡身之禍，即使遵令交納，也就無法確實收回棉價，等於被無條件沒收，大家一方面憤恨，一方面怕麻煩，於是多數農民，也就走了河南同樣的道路，將棉花當柴燒，省得共幹囉嗦。

以上都是中共向人民搜劫存棉的眞相，搜劫工作如此慘敗，成績既去預定標準太遠，現在今年棉產，又多半被虫吃光，如果聯合國禁運有效，那麼，不久將來，中共統治下的大陸，眞會變成一個棵國的！（隴光，七月二十五日，寄自北平）

爲了挑戰競賽 二十天工程限八天趕完

趕完後一月坍光

沅江今年因此遭受旱災 多數人民痛恨中共荒謬

【本報長沙特約通訊】中共用競賽挑戰種種花樣，想大量增加生產。幹部無知無識，專以暴力壓迫人民，欲早日達成任務，除却人民所受牛馬奴隸的工作苦痛不必說，其結果都注定是百分之百要失敗的。[illegible]

[illegible]湖南沿湖一帶，本來每年防水防旱工作，都做得相當好，今年沿湖各縣也把堤垸培修，但唯一原因，[illegible]今年千里堤垸，共幹在競賽挑戰之下，不分晝夜，搶先了事，以致災荒到來。如沅江四區今年發動修垸，原定任務爲八百零七立方公尺，石頭瀝坡七百二十八平方，全垸每天二十九個勞動力，十天任務完成。但督導工程的共幹們，爲了要表現他們的督導成績特別出色，並向別的鄉區競賽挑戰，便完全不顧事實，強迫農民，將二十天的限期，縮爲八天，日夜趕工，不許休息，如果實在疲倦到眼不能睜，手不能抬，他就拿起扁担，渾身亂砍，稍與理論，就被綁送農會，吊打。如貧農蕭明學、謝長榮，就是這樣受了重傷，到現在還不能起床。[illegible]農民在工程上有句土話「九砍十三鏟」，須習慣用「九砍十三鏟」才能如此融和合用，[illegible]爲了挑戰，乃迫令農民用腳一踩，只要「三砂」即算熟了，就將石頭砌上。照例砌好以後，還要把石縫封好壓平，但鄉幹都不許做，他只要趕着八天以內呈報完工，挑戰競勝，據究竟已否修妥，完全不管。因此，完工以後，不到一個月，石頭就整個坍倒。老百姓向沅江縣人民政府報告，縣政府也置之不理。一入炎夏，全區禾苗，即掃數枯死。老百姓們都眼淚漿說：共產黨要我們大力增產，我們有的累病了，有的打傷了，石頭白砌了，田也乾光了，我們也就眼看要餓死了！

像這樣盲目亂幹的情形，在湖南全省，到處皆是。而且不僅湖南，舉凡共黨統治下的任何地區，所謂競賽挑戰，其必然的結果，就是粗製濫造。因此，湖南人都說，今年的枯旱，只是人禍，不是天災，這眞是最確切的論斷。（獄生、七月二十五日寄自長沙）

大冶縣共幹

對婦女如此兇殘

都是利用權勢不惜任意殺人

【本報漢口特約通訊】本省共幹，爲了私人關係，利用共黨威勢，在鄉間殺害過不少婦女，其兇惡酷虐，眞是駭人聽聞。（編者按：上期本刊所載「各地婦女紛被共幹逼死」，有兩案即出自湖北）茲將大冶縣最近所發生之事，探誌如下：

不與共幹結婚 族叔藍細女被活活打死

大冶二區十六鄉藍細女有子女五人，一啞，其餘都很小，家庭貧苦，有田地共二斗多，丈夫王洪學於一九四九年死後，缺乏勞動力，十八鄉鄧某品（貧農，打魚爲生。）助她耕種，這樣雙方逐漸發生感情，於今年四月二十日（舊曆三月十五日）經區批准雙方自願結婚。結婚後，女方仍然照顧家庭生產與撫養子女。以前，十六鄉鄉長（老共幹）陳建勛曾介紹細女與其族叔結婚，被細女拒絕，這時陳建勛知道細女結婚事，就於四月二十日藉口誣說細女攜帶金耳環光洋財物改嫁，不照顧家庭子女生活，帶民兵到十八鄉先將鄧某品家的東西搞壞，後將藍細女提回，用樹條沿途抽打，押到十六鄉後，吊捆起來，陳建勛就用茶碗粗的棍子打她腰部和屁股，約兩小時之久，[illegible]說「你不承認，就打死你」，[illegible]這時在他們的淫威之下，細女無法呼救，被迫承認有光洋以求了事。但到半夜，陳建勛派民兵三人，把藍細女拖回家搜索光洋未有，這時藍細女倒地顫抖，索喝了一些冷水後，到雞啼時，因腰部等處打傷致命，氣絕身死。

共幹砍去婦女一腳 要讓百個男子輪姦

又同縣十區郭梅鄉婦女徐容子，小時給共幹黃祖興爲童養媳，一九四七年由父母包辦，強制結婚，婚後，夫妻感情一直不和，徐容子常受黃祖興的虐待，因之於去年多次提出離婚，該鄉（青年團支部書記）黃天平與黃祖興係同族兄弟，在鄉政府倡議反對，徐又到[illegible]一次，後黃還將徐與對[illegible]虐待更甚，黃又到會中請離婚，徐和黃[illegible]也因[illegible]阻止說：「你沒有離婚條件，不能離婚」。也不給她介紹信。[illegible]

[illegible]黃祖興即於本年陰曆三月初五日夜，[illegible]將徐容子右腳砍斷，[illegible]

共幹忽發奇想

放火自造「火海」

「我一根火柴，就抵一枚汽油彈，美國鬼子，有甚麼了不起？」

【本報合肥特約通訊】中共幹部，最大部份，可說是集人類幼稚，愚昧，狂妄之大成。他們在皖北一帶所幹出來許多荒謬絕倫，損害人民之事，眞是指不勝屈。[illegible]

們在此放起一把火，一定可以勢，決不會比美國鬼子的甚麼數十里內居民必都要弄走營救，這個裏象，一定也非常好玩。他這個提義，孟光極力營同，只有任志陽年紀稍大，比較老成，力加勸阻，但門孟兩人堅持不聽，恰巧[illegible]路旁蘆葦，[illegible]認爲此係絕好引火之物，於是孟光掏出香烟，將火柴兩枚燃着，一枚點煙吸，一枚投入蘆葦，登時火光冲天，附近農民，莫名其妙，四起呼喊，但這樣猛烈廣闊的火勢，無法搶救，只有聽其燃燒。孟等口含香烟，且吸且走，欣賞火海的壯觀奇景。大笑「我一根火柴，就抵上一枚汽油彈，美國鬼子，有甚麼了不起？」等到他們到了六安，這場大火已經燒掉了六平方華里的所有樹木[illegible]

兩共幹大開玩笑 人民損失一百億

[illegible]（淮人，七月六日寄自合肥）

外交家口中的道義

·尚方·

前幾天，英國下議院辯論外交問題時，外長莫理遜談到英國不贊成美國與西班牙締交的話，認爲這件事可能增加大西洋公約國家間之「政治分裂性」。隨後，有位保守黨議員對在場的外次戴維斯提出詢問：英國既同意援助南斯拉夫，何以又反對西班牙呢？戴答：因爲狄托在二次大戰時，是與英國駢肩作戰的戰友！

工黨政府能夠表現這種崇高而偉大的國際道義，眞是難能可貴之至！照這樣作風來號召世界，美國亦將望塵莫及，領導世界的資格，不須貝凡一流人豎目盯眼的爭吵，也會要落到工黨人物身上來？

不過，我以中國人一份子，也想請教戴維斯一下：

中華民國在二次大戰時，不但是英國的戰友，而且中國軍隊在印緬一帶曾經以血肉的代價，救援過被敵人長期圍困的英軍。我個人當年在成都，就親眼看見由滇緬路退下來的英國空軍地面部隊，接受中國的友好招待那些情況。若論戰友之誼，中華民國似乎並沒有甚麼對不起英國的地方啊！但工黨政府這幾年卻毫無對我們表示「以怨報德」的言行，這是所爲何來呢？爲着政治理念麼？笑話！英軍既在韓國討共，又在馬來亞勸共哩！

我看戴維斯先生倒不如乾脆的說：「英國沒有永久的敵人，也沒有永久的朋友，只有永久的利益」，反而可以使人諒解些。

自由談

一生

·羊辛·

他出生在一個貧困的家裏，爹住做轎夫，媽則爲人傭傭，窮得沒一張床，窗戶是用爛破布遮起來的。六歲那年，他就爲人放牛了，拖着鼻涕，赤着龜裂得幾乎出血的腳，在烈日和風雨中混兩頓粥吃。十二歲，爹死了，失腳跌進山坑裏死的，留下了一個滿面風霜貧弱不堪的媽，和三個嗷嗷待哺的弟妹。

做轎夫年紀太幼，於是他穿起爹遺留下來的老棉襖，到一個做泥水匠的遠親那裏當小工。

每日提泥挑水，累得滿頭大汗，只能吃一頓飽。如是乎三年，有一次在建築一個商人的屋宇時，他的勤奮，讓這個商人看中了，問他要不要到他店中當學徒。他有點躊躇，想着城市裏文質彬彬的商人，整潔的櫃檯，清脆的算盤聲，和那未來的飛黃騰達的遠景：……至少，在現在，每個月也可以多拿幾個錢交給母親。他答應了。舉過了師父，就跟着這個商人到他的店裏當起學徒來。

他更其勤奮認眞，掃地抹桌，泡茶敬煙，做得一絲不苟，商人待他甚好，教他讀書識字，他苦下工夫，一有空閒，就孜孜不倦。幾年後，他不但已能寫信記帳，而且精於算盤，由學徒升起店員來了。這期間，他懂得了經商法門，深悉其中三昧，他暗下決心，總有一日，要自己奮鬥，自開店號，生意興隆，出人頭地。每一想到家中的苦境，自己年幼時的操勞磨折，使他的決心更爲堅定。

於是他節衣儉用，一個錢都不花，漸漸累積了一筆小數目，就和幾個人合資經營一間小生意，經過他的勤苦，生意有了發展，他又獨立門戶，自己開起店鋪來，駕輕就熟，他的店鋪業務蒸蒸日上，錢賺得很不少，又開了一間五谷行，是縣裏數一數二的大商行，他被選爲五谷運輸公會主席，算是商界名流了。

幾十年來的奮鬥，並沒有落空，由牧牛童，泥水匠小工，而學徒店員，到現在，已經是個大老板了，全是由於勤儉積累，並沒有什麼意外之財，他時常告誡店伙們，後輩們，要勤奮信實，努力不懈，事無不成。他以身作則，不擺老板架子，學徒做的事情，他時常自己去做，仍然是儉吃省穿，不肯享受，他常說：「我是苦出身的」！

共產黨來了，他心想他又沒做過壞事，沒有跟着人逃。

共幹來到他店裏，指着他說：「你是五谷運輸主席麼？」他說是的。共幹狠狠地盯了他一眼，道：「哼！什麼主席！勾結官僚，剝削人民，該死的反動份子」！

他氣得發抖，想要分辯，然而向誰辯去？

「借糧」來了，「公債」來了，什麼稅，什麼捐也來了，數目之大，簡直令他難以招架，整日共幹川流不息地到來，這個催繳，那個征稅，他訴盡苦衷，得到的是一陣冷笑。他賣這賣那，拚命張羅，還是不足應付。他走頭無路，苦苦哀求，然而有誰理他呢？

傾盡所有，還是無法繳清，他被傳到「人民政府」去了，那些新貴們面大罵：「你這反動派，騎在人民的頭上，一向勾結官吏，現在竟敢再與人民爲敵，好！限你三天把所有欠額全部繳清，否則以產業作抵！」

三天！三天！三天！不用說三天，就是三個月，也沒法辦到啊！他已經羅掘殆盡了。三日之後，他的全部樓店產物，貼上了封條。一家子十餘人光零零地回到那舊日用爛破布遮住窗戶的老家。

妻餓子啼，好在一些好心的親友偷偷地送點東西來，然而他已經吃不下去了，他病得很重，昏糊中在喃喃着：

「我的奮鬥，終生不斷的奮鬥，就這樣地完了，……我沒有做壞事，沒有強搶，沒有不義之財……」。

他死了，葬在荒坵上，留下一羣無依無靠的妻兒。

像孩子悉心壘起的積木，被惡狗踢翻了，像一樹甜美的果實，被暴風雨擺毀了，像艱難培植的獨生子，在快要成年的時候夭折了。

萬竹樓隨筆（十七）

讀「庚子西狩叢談」

·舜生·

『庚子西狩叢談』四卷，吳永口述，劉治襄筆記。吳字漁川，浙江吳興人，曾紀澤之女壻。甲午中日戰後，李鴻章張蔭桓先後辦理日本換約事宜，吳以直隸試用知縣調充文案委員，事後經張密保『堪膺方面』，但仍以知縣留原省補用，丁酉補懷來縣，戊戌九月到任。庚子七月，聯軍破北京，慈禧借光緒帝出奔，吳於是月二十四日於去懷來縣城二十五里之榆林堡迎駕，一切供應，均取辦倉卒，頗稱旨，因得慈禧眷注，並命開缺以知府隨扈，督辦行在糧台。由是而太原，而西安，迄翌年八月自西安啟蹕回鑾，至十一月吳自開封途次奉命赴廣東雷瓊道新任，計歷時一年有餘，凡拳亂之始末，行在之起居，與內外大臣錯瑣貴胄之言語風概，以及小朝廷中人事上之磨擦糾扒，吳君無不一一得之耳聞目擊，誠一幕可歎可愕，可歌可泣之絕大悲喜劇也。記者劉君，浙江楊溪人，光緒壬寅進士，文筆暢達，能曲狀一切複雜事象，使之逸趣橫生。全書凡七萬餘言，第一卷，自義和拳發難，迄於兩宮出狩；第二卷，則述吳本人先在懷來禁遏拳教，與後來所受之種種險厄；第三卷，自兩宮駕抵懷來，沿途扈從，至於太原駐蹕；第四卷，則自西安起程回鑾，至黃河南岸登舟北渡爲止。首尾完備，敍次整然，實爲研究庚子拳變一役之第一等史料。

庚子一役以後，清室之亡，非亡於辛亥，而實亡於庚子，蓋自庚子以後，清廷一切腐敗愚昧之真相始暴露無遺；亦自庚子以後，革命風潮始日趨劇烈而無法遏止。當時有人以爲慈禧經此一度刺激之餘，必將一反前此所爲，但實際則制度已成定型，心理習慣尤牢不可破，除一二敷衍外人或塗飾耳目之事項不得不表示順應潮流以外，在精神上則大抵因仍舊貫；不獨親貴用事，閹宦擅權，人以倖進，政以賄成，一切無異於庚子以前，而奢侈泄沓之風，或且變本加厲；又不獨戊戌以來之新人絕對不能引用，且甚至內而朝廷，外而各省，其用人標準，求如往日，且不可得。迨光緒三十四年，慈禧與光緒帝同時殂落，政權落於一般少壯親貴之手，更假借集權之名，而有所謂『皇族內閣』之出現，地方有爲之督撫，亦必以去之而後快。因之武昌義旗一舉，而全國土崩，雖曰天命，豈非人事？讀吳永此書，回思四十年前之往事，眞使人感慨萬千也。

記黔北反共硬漢葛天一（三）

·大慈·

在一個月內，編制，由兩團增至五個團，官兵，由兩千增至八千；根據地，由一處增至五處。葛氏爲擴大號召起見，乃將原有湄潭縣保安團名義撤銷，另成立黔北民衆反共軍，自任司令。——不久即得台灣委任。部隊編成之後，正值史太林迫使毛澤東繳獻米麥兩千萬石，貴州一省，攤了五十萬石。黔北各縣軍政機關，均抽派下級幹部，配合新經訓練的軍大學生，分組下鄉，星夜征米。民衆因出米過多，反感很大。又聞所征之米，全把俄國大鼻子，

共諜打入葛部　中途遇伏被俘

葛部打了這個勝仗以後，聲威大振，附近各縣反共游擊武裝，聞風相率來歸，甘受指揮與改編。在修文縣邊界之瀰培均部三百餘人，亦與之結合。社會一般人，均稱葛氏爲鄉戰成功。——按其志氣與功勞，也當得起這個民族英雄的稱號。軍行所至，民衆簞食壺漿，以迎王師。

上述這種情形，自然使葛部發展很快，更爲憤怒。葛部利用這個機會，與民衆打成一片，共捕殺征米共幹二百名。又在鳳岡縣石頭村，捉了爲征米而宣傳的秧歌隊四十七名。又用突擊和堵截的方式，打死川黔公路上敵人行軍七百多人，鹵獲物資五十餘車，以及各種步鎗四百餘枝。

葛部反共軍，既日益壯大和活躍，黔北各縣敵人，所受的威脅和損失，也日益增加。彼時，西南各省，初經淪陷，游擊部隊，蜂起雲湧。劉伯承指派專門剿匪——游擊隊——的十六十八兩軍，疲於奔命，毫無成績。在這種局面下，共方縱視葛氏爲眼中釘，但也拿不出辦法來拔去。唯任魂，既吃過葛氏一場大虧，——即石灰殺敵的一仗——寢食未忘，乃暗以重金，在遵義縣收買一個長於叛主的孫述三，——葛之舊部——打入葛部作間諜，任反共軍司令部參謀。一日，孫諜偵悉：葛氏決定率帶衛兵一班，往綏陽第二區，召開軍事會議。隨即馳報任魂，派兵在某地堵截。及葛氏行至中途，果然中伏，衛兵以寡敵衆，抵抗半小時，全部傷亡，葛氏自殺未果，不幸被俘。黔北民衆聞訊，如喪考妣，知道他們的反共長城已壞，而禍不遠矣。

遵義慷慨就義　人民同聲痛哭

任魂得了葛氏以後，快意如復父母之仇。爲獻功計，遂將葛氏解送黔北軍分區司令部。葛氏既與共黨實殺偵研多時，自知絕難倖免，而且也不願倖免。故每次被訊時，除閉目長嘆，無多言。有一次：主訊之共幹，勸葛氏坦白認罪，重新爲人民服務。他答曰：我祇有功，何罪之有？我怎能爲蘇聯做事呢？共幹喻以「一面倒」之理由，他又答曰：明明是賣國的飾詞，還有什麼理由可說呢？

葛氏被害之日，上午，共酋李蘇波，忽喚他問其有無最後覺悟之表示，答曰：我以未得手刃毛澤東爲快，別無可言。他被共兵牽出時，身着黃軍服，挺胸健步，神氣如常。在他前後，圍有共兵百餘人，僞裝老百姓，手持紅旗，大喊：鎗決人民公敵葛天一，鞏固革命秩序，等等口號。葛氏進入刑場大門時，——遵義公共體育場——乘共兵不注意，忽然高呼：中華民國萬歲，打倒毛澤東，黔北民衆萬歲。共幹急用鎗柄，搗擊其口，鮮血橫流。他猶勉強繼呼蔣總統萬歲，唯聲音較前低弱。他當被拉上公審法台時，兩邊各有共兵三人，手持刺刀，喝令他向台下人民服罪。他張開血肉模糊之口，急呼曰：諸位同胞，我不能再保障你們了！來生再見罷。此時，台下萬餘人，大半俯首暗泣，熱淚沾襟。筆者挑着菜担子，站在最後行列內，心中時時湧起願與[illegible]同死之念頭。覺得人間如此，生又何趣呢？葛氏就義之頃，在刑場東北角山頂上，有人舉手高呼：鄭成功精神不死。呼畢，隨向山後逃去。

葛氏被害之當日，夜間，遵義新舊兩城商民，被他偉大人格的感召，或蒙頭痛哭，或繞室彷徨。住在刑場附近一位中醫生，傷痛之餘，竟用白紙，寫成葛氏牌位，焚香祭奠。第二日，並作七言絕句二章：——十年治績媲龔黃，殺戮相酬最可傷，傀儡兒孫過桀紂，人人指日願偕亡。漫從成敗論英雄，我與斯人意志同，賤賊當山殉國夜，萬家痛哭鄭成功。——聞葛氏就義之日，有葛之得力幹部六人，身懷短鎗，擬進入刑場，營救葛氏，因共方戒備太嚴，無機可乘，惜哉！（完）

中東傳奇性人物　故約但王阿勃杜拉

·一帆·

最近被刺的外約但國王阿勃杜拉在世的時候，凡看過他的人，都一致認爲他具有一種異於常人的吸引力。他雙目炯炯有光，身材矮小（五呎四吋），談起話來，充滿幽默感，而顯得異常鬆弛。他是中東的一個怪傑，花花公子，詩人、回教大主教，而兼精練的政治家。

他自稱是穆罕默德的直系後裔，弟兄四人中的第二個，幼時在土耳其長大，回到阿剌伯後，他父親胡辛把他們四兄弟分派入軍隊，在沙漠保衛麥加。後來他出任麥加的議員，到吐曼的議會和歐洲國家談判。在聯絡初期，他担任他父親的代表，當時的英國人勞倫斯對他的印象極佳，還記得他一段小故事。那時在沙漠營地裏休息的時候，他的主要遊戲，是除了着棋以外，玩弄一個宮廷弄臣，阿勃杜拉把一把咖啡壺放在這弄臣的頭頂上，要他站在遠處，自己拔出手鎗，發鎗將壺擊落在地，把那個弄臣直嚇得面無人色，事後阿勃杜拉馬上賞了他三個月的薪金，用來壓驚。

阿勃杜拉並不受到他人民的普遍愛戴，在阿剌伯這種情形已屢見不鮮，有一次出巡中，在國內被人列爲第二位大都市，國內也時時有勵亂發生，大多是流亡在大馬色的幾個約但領袖所策勵、幸好他的阿剌伯軍團，裝備精良，實力充沛，所以國內並沒有發生過什麼大規模的暴動。這支軍隊約有一萬五千人，是中東最大的精兵，由英人葛羅勃統率，每年受英國補助二百萬鎊。

阿勃杜拉本人常向外表示並不十分親英，且說外約但乃惟一不是英國傀儡的阿剌伯國。他極歡喜保留阿剌伯的舊習慣，主張婦女外出時必須仍披面巾，要是在路上看到一個婦女的面巾太薄，他會停下車來，親自走上前去把她訓斥一頓。約但全國，祇有二十四個醫生。他反對經濟改革，認爲徵收利得稅便是趨向社會主義的第一步。儲君泰勒爾（現在瑞士養病）和他的政見不合，父子間曾發生不少次摩擦，甚至曾有一次泰勒爾拔出他的佩刀。阿勃杜拉照着回教的「合法」規定，有四個妻子，其中最著名的是二個，一個叫做白后，另一個叫做黑后。黑后年輕而壯強有力，有非洲血統。英人常把她稱作黑市之后。她對於做生意特別能幹，範圍包括販運私貨，出入於巴勒斯坦，她甚至坐着宮廷私人汽車，親自偷運，海關人員不敢檢查的。阿勃杜拉是個虔誠的回教徒，乘飛機出行，也常隨身帶着一個指南針，以便祈禱時能朝着正確的方向。

德國的暴發戶

古玩爲餌引誘西德富翁

有些西德富翁，不是金錢所能引誘的人，於是俄人得另想別法，使他們參與黑市或走私組織，以古董作爲報酬，乃是這類方法之一。

在俄軍佔領東德後，蘇聯的「戰利品委員會」，曾在柏林，特萊斯頓，萊普錫等地，但澤和柯尼斯堡的博物院，將世界聞名的古堡，宮殿和私人館，住宅內的各種珍藏，搜括一空，運去蘇聯。塔斯社曾一度披露，俄人所移去的藝術名作共九十二萬件。但據我們現在所知，這個數字還不知與事實相去多遠。

[illegible]

英國駐德高級專員公署曾致函西德總理愛德諾，對於軍要製成品大量漏入「蘇管區」一事表示痛心。[illegible]

……管區的「走私防制處」之後，他們的祕密人員立即潛入西德各處，物色規模最大的黑市惡棍主持人。這些俄人對西德的私梟巨頭說：「我們可以讓你們在東柏林，給你們警察保護，技術上的協助和大批生意，我們包你能得到以前從未有過的收入。[illegible]

（六）

原載週六晚郵　張天寶譯。

自由人
THE FREEMAN
（半週刊每星期三六出版）
（第四十四期）
每份港幣壹毫
督印人：李光華
社址　香港高士打道六六號
電話：二〇八四八
GLOUCESTER RD. HONGKONG
TEL: 20848
承印者：東南印務出版社
地址：高士打道六四號
台灣經銷處
台北重慶南路一段七十四號

比日本「吞炸彈」還更危險　俄帝吞了原子彈

從各方面申論俄帝不能滅亡中國的確切理由

胡秋原

我在本刊第卅九期說過「俄帝亡不了中國」。有幾位朋友談及，說：滿清不是亡過中國嗎？以印度之地大，物博，人多而且文化悠久，不也會亡國嗎？何況俄帝又有中共這一「精明強幹」之工具！他們要我對這一結論，作一較詳細說明。

蘇俄蓄意滅我文化　不是普通改朝換帝

第一、大家知道，滿清入關，只有八旗士兵，共六萬人。後編蒙漢各八旗，總共只有三萬人。十五年而征服大陸，滅國之速之易，無過於此。而其原因，自靠流寇與漢奸爲助。當時漢奸有三種：一爲范文程之類，等於「國際派」；二爲與三桂，等於土共。而最爲得力者，則是洪承疇，猶今日之「靠攏份子」。洪降後，多爾袞唱戲五天慶祝。衆皆不服。他說：「猶之行路，皆爲瞽目，今得一引路者，吾焉得不樂？」中共實兼流寇與三種漢奸而爲一。於今俄帝四者皆備，而應可亡中國了。然而不然。須知滿人是先被中國文化征服，並用中國文化，才能征服中國的。滿人入關以前，官制學制，一做明朝，漢化已有相當程度。入關以後，雖有屠殺，下薙髮胡服之令，但其他文化與生活方式，甚少不同。（以前五胡及遼金元統治中國亦大體相同）所以一般人民感到換朝代者爲多，種族之痛者爲少。而俄羅斯立國至今不過千年，本無文化可說。有之，只是殺人主義，此與中國文化根本不相容。今日俄帝雖用中國人出面統治，然所行者乃俄羅斯特有的一殺人主義。此非一黨一派一政府之事，而是四萬萬人之公敵公仇。所以，從文化上說，俄帝不能亡我。

生活水準還不如我　經濟侵略不夠資格

第二、十九世紀英國首相巴麥斯頓說：「征服中國嗎？看看地圖」！此自不一定指中國幅員廣大而言，因爲英國也曾征服差不多同樣大小的印度。但英國征服印度，是長期經濟征服的結果。自東印度公司之成立，至一八五七年之正式合併，凡二百五十七年。巴麥斯頓之言，自是說時代不同，不能希望再用二三百年的時間，征服中國。英國能用經濟征服印度者，因其擁有高度技術與經濟力，有時能欲取先與。俄帝能用經濟方法滅亡中國呢？不能。因爲俄帝在飛機大砲的技術上固然比我優勝，但一般輕工業技術，不能超過我們，甚至還不如我們。他的國民一般生活水準，也不如我們。這是我親眼目擊，也是世界上都有統計的。所以他只能劫掠，不夠實行經濟侵略。不要忘記，他對其工具五年三億美元之借款，大部分是鴉片（由日本人接收的）。所以在經濟上俄帝不能亡我。

如不先能征服世界　俄帝絕難征服中國

第三、最要緊的，今天不是十七八世紀。今天是國際政治時代，且已到聯合國時代。由最現實的考慮，中國的存亡，與列國安全不能分離。所以全世界不會容許俄帝亡我。日本在甲午戰後佔領朝鮮，但直到日俄戰後，才正式合併。因爲他知道不打勝這一仗，佔領朝鮮算不得數。許多人奇怪，何以東條在中日之戰尚未結束之時，挑撥珍珠港事變。其實他也知道，不打勝美國，一切佔領，算不得數。幣原在九一八後說日本吞下炸彈，亦即此意。于今俄帝是吞下一個更大的炸彈——一個原子彈了。如欲征服世界，必先征服中國，這話固然有理。但這句話的逆定理——如欲征服中國，必先征服世界，也同樣有理。所以，俄帝能否滅亡中國問題，即是俄帝能否滅亡世界，即是滅亡美國的問題。我已在其他地方證明，而任何人也可以證明，這是俄帝只能在夢中做到，而不能在事實上做到的。所以，從國際現勢而論，俄帝斷乎不能亡我。

兩大前提不能做到　兩大工作也無希望

第四、有人說，現在俄帝自己並不出面，而用其代理人出面，這就厲害了。但是，不僅主奴之間，毫不掩飾，毫不客氣的「指導」和「一面倒」，而且，問題在奴才是否能夠站穩。我想奴才要想站穩，必須做到「兩大前提」，「兩大工作」。兩大前提是：一、將大陸百幾十萬人民反共武裝消滅；二，佔領台灣，將青天白日旗消滅。兩大工作是：一，由其主人借到三十億美金（不是五年三億），停止苛捐雜稅；二，停止殺人。前兩樣做不到，後兩樣也做不到，如果做到了，那還是甚麼俄帝和共產黨呢？眞的，只有太陽西邊出；俄帝才能亡我！

俄帝中共締結孽緣　不是互助只是互害

不僅此也。俄帝利用共奸，共奸勾結俄帝，反而決定主奴必亡必滅。自有「一面倒」這一貽臭萬年之三字訣，決定主奴的迅速的滅亡，聯帶的滅亡。爲甚麼呢？以中共論，二三十年的努力，已有一點本錢，無論用和平，或用武力爭政，未嘗沒有一定自存之消，不一定要「一面倒」的。既然「一面倒」，至多隨靠山之倒而倒。但主人却要任意濫用，命令當「志願軍」，不能不爲主人謀不必要之財，害不必要之命，參不必要之戰（如韓戰）。自然還會在主人之前滅亡。以俄帝論，佔領中國領土不少了。中國人只求無事，做夢也未想到去惹這一國際惡棍。可是他竟要滅亡中國，用中共在中國殺人，謀財，害命，侮辱中國人格，迫中國人民爲他做侵略砲灰，這便與中國民族結下血海深仇。全中國人民便必須反俄到底。俄帝成了四萬萬人之大敵了。這後果是俄帝自取的。俄帝對日本算一九〇五年之賬。我們即不算一八五八年前之賬，但廟街以南烏蘇里江以東黑龍江以北之廣大領土，巴爾喀什湖帕米爾以東之廣大領土，必須由俄帝剝除。即不由中國收回，也應交聯合國託管。外蒙古必須重新舉行公民投票。這是我們這一代乃至子子孫孫必須做到之事。俄帝共奸何嘗不是唱戲五天，慶祝有靠山，有引路者？但歷史一定會證明：蘇俄與中共不是「良緣」而是「孽緣」。沒有俄帝，中共不一定亡。沒有共奸，俄帝不一定亡。兩者合作，一定自速其亡，雙雙滅亡。所以史毛「互助同盟」，實際上是一「互害同盟」！

時局罪言之一

主張考慮修改憲法實現民主

·左舜生·

誰也知道今天國家的情形，比之十四年前的抗戰初期，眞不知道險惡了多少倍。可是從一般表現的事實與縕藏的心理細細加以觀察與體驗，乃覺得其氣象遠不如十四年以前。問題的嚴重有加，所恃以解決問題的力量乃甚不可靠，這一點實在是今日多數人陷於極端苦悶的主要原因。

單就人心的團結一點而論，我總覺得抗戰初期是很不錯的，後來雖陸續發見若干不愉快的事實，例如共產黨之另有企圖，汪精衛一般人之別有懷抱，但究竟不能動搖根本。因此經過八年的艱苦奮鬥，卒能勉度難關，而贏得一次空前的勝利。

今天怎樣呢？就我所知道不客氣的來說，我只看見銷沉，散漫；抓不着要領，提不出辦法；一切委心任運，俛仰隨人；既不能從根本上培養新機；復不能就治標上敏捷應付；泄泄沓沓，相習成風；唯唯諾諾，但求自保；既不看見挺身犯難的有爲之人，也不看見謇謇諤諤的敢言之士；然而我們今天的第一個大題目是『反共抗俄』，第二個大題目是「復國建國」，以如此頹廢的風氣，如此鬆懈的人心，我眞焦慮這篇文章不知如何交卷。

何以在抗戰一期，大家都還能夠團結有爲，而今天，這樣一個萬分嚴重的今天，大家却反而是銷沉散漫呢？據我看，這並不是偶然的：第一，抗日是人心之所同然，在當局則經過高度的審愼，始下最後的決心，因之能博得全國人擁護，在表面上雖共產黨也不能例外。第二，在抗戰期間，人民自然是很痛苦的，雖說所能補救的甚少甚少，然而究竟還有一個可以代表人民說話的機關，至少還可以把人民的痛苦叫了出來，平心而論，在抗戰中的初期國民參政會，雖說並不是由選舉產生，可是在成見還不存在的時候所遴選的人物，確實還能代表各地方與各方面，不過後來却變得一屆不如一屆，也是不容否認的事實。第三，在抗戰中的各黨派，自然也談不上有如何大的力量，可是究竟還像個樣子，今天却更不行，而且各黨的黨員，被共匪屠殺的已經不少，叛黨變節的也大有其人，國民黨既有待於改造，而改造的成績又還得待諸將來；至於青年民社兩個小黨，以領導失其重心，鬧得更不成話，今天還有人在說三黨合組的政府這句話，實在是太開頑笑；請問在這樣一種情形之下，希望由黨派合作而產生力量，如何可能？第四，在勝利以後實行憲政，這原是根據國民黨的既定政策一種進步的現象，我們並不是不該行憲，只是我們沒有把憲行得好，有人以爲這次大失敗的原因就在行憲，這是倒果爲因，因噎廢食。今天我們應該準備的是如何來修改這部憲法，爲了中山先生手創的中華民國免於滅亡，即中山先生所留下的遺教，我們也無必受拘束的義務。老實說：以中國實情形而論，中國還不能有一個超過五百人的大會，（今後更是如此）而且國大代表必須有資格的限制，無所謂不能限制。可是有了這樣一個小型的國民大會，便必得年年開會，無所謂三年一次，而且除開會以外，還得有常設的機關，換言之，就是要以人民來天天監督政府，鞭策政府，也隨時來研討國家的重大問題，同時進退政府人員之權；更必須完全操在人民代表的手裏，是之謂民主，否則不是民主。

老實說：今天的病，確實害得非常沉重，如果再不好好的診一診，這個病人是非死不可的。我覺得今天所吃的藥，大抵都是一些輕描淡寫的東西，既不會把人立刻弄死，也斷不會把病醫好，充其量只能不死不活的拖延時日，請問再拖一年兩年三年，這個病人還不是拖死嗎？

前天我爲「香港時報」寫過一篇文字，我曾大聲疾呼的要求「培養新生機，誕育新人才，表現新精神，」用意是與這一篇互相呼應的。我決沒有意思要來危言聳聽，我實在是內心如焚，苦悶得不堪言狀，不只我個人的情形如此，凡我在香港九龍經常[illegible]十位朋友，也莫不如此，所奇怪的[illegible]在大庭廣衆之中叫了出來，也[illegible]時局之所以弄得不痛[illegible]最主要的原因[illegible]，但我[illegible]得顧

台北兩老人

于右任怕弄濕鬍子　吳敬恆仍談笑風生

監察院長于右任，前患輕微腦充血，幸救治迅速，現已完全康復。惟左右親屬爲愼重計，每次于出，必有兩人左右扶持，藉免滑跌。不久以前，于偕監委數人，同遊海濱泳場，他人戲浮戲沉，于獨坐海灘閒眺，有人笑詢：游泳之樂，不可言喻，于先生何不一試？于欣然撚其長髯曰，予願意拚拚老命，只是怕弄濕這把鬍子呵！又國民黨第一號老人吳敬恒，前一度盛傳病重，旋即已早占勿藥，現雖不如過去健步如飛，但仍精神矍鑠，談笑風生。以前中央各重要集會，吳均親臨參加，最高當局恐其過於勞頓，囑此類開會通知，以後不必送往，因此各種集會吳遂極少出席。（丁）

半週展望

雷嘯岑

尼赫魯又有表演

尼赫魯近日又表現着幾種驚人的嘴臉：

在對日和約問題上，他反對美日軍事互助的措施，不贊成美軍再留駐日本，更不贊成美國託管沖繩小笠原這些島嶼；但却主張將現在由俄軍佔領的千島羣島和庫頁島等，交與蘇俄；他又主張台灣要歸還中共。

在印巴領土爭執上，他先以大兵向巴基斯坦壓境，而聲言決不爲戎首；巴基斯坦當局請他去面商解決糾紛之道，他拒絕不願，並表示要商議就到新德里來談，頗彰其不屑以大事小的帝國主義神氣！

這一位「政治商人」很有趣味。凡是跟他沒有利害關係的問題，拼命的說風涼話，慷他人之慨，七嘴八舌，「百事皆有說詞，而百事皆不知其作何解」！然一觸到他的生意眼，馬上又是一副面孔了。共軍一到西藏，他便要還爲喜馬拉雅山下的「姊妹國」——印度與尼泊爾——大呼感受威脅，而不斷提出警告。喀什米爾的回教民族不願意隸屬印度，他便派軍隊去攻打，侵略喀邦土地，不接受聯合國一年多以來的調處，最近還要增兵巴境示威哩！

他既反對美國在大戰中佔領的太平洋島嶼再託管，而主張交還日本，又說俄軍佔有的日本屬地歸蘇俄所有爲「合法」的。他之所謂合法，大概是「合」乎帝俄時代之「法」，是指日俄戰爭以前之「法」吧！

難得這位「政治商人」居然還好意思以民族主義的社會主義者自命，而且妄想作亞洲的領袖。幸而他的夢想永遠的只是一場夢，如果眞讓他來領導亞洲，他若不向希特勒看齊，攪出印度帝國來，那纔是怪事呢！

不相干的憂喜

開城的和談情勢時緊時弛，使世界人類的心情亦隨之忽喜忽憂，眞是寃哉枉也！假使大家都有誠意謀和的話，停火劃界還成甚麼大問題？交戰的雙方若不放心，儘可由非交戰的第三者，以集體行動來實地監察。我既無犯人之心，自不愁人之無故犯我了。

開城和談明明是一幕假把戲，是雙方要準備未來全面大打出手的「休息五分鐘」的冷場而已。試看前天的會議景象：共方代表南日於宣讀聲明文字後，「問聯軍代表有何話說」？伊答以「沒話說」，南日便道「我也無話說，立即散會」。這不是過去蘇俄代表跟西方國家代表，在巴黎開了七十幾次會議而毫無結果的再版模樣嗎？

玩和談花樣，西方國家決非共黨敵手，尤其不是經驗豐富之中共的對手。史太林如果在他的謀略上對韓戰不是以和爲有利，開城談判必不致最後破裂，吵鬧得再兇也不相干。停火談判之後，還有高級人員的休戰談判，軍事問題之外，還有政治問題。時間有的是，機會多來兮，既談既吵，亦僵亦活，大家憑藏在心裏的時間進度表作標準，看誰的花樣玩得技巧些？

因此，我們對於韓戰的一切和談情況，最好是出以看把戲的心情，不必替今人担憂，也不要自己空歡喜，比較合乎養生之道。

台灣的進一步土改

報載：台灣正準備進一步的土改工作，要把城市和鄉村的土地一律調查登記，然後重新分別規定其所有權的質與量，這工作很有意義，至少可以增益我們對解決土地問題的若干智慧。可是，調查登記是好辦的，而重新分配却不是隨便試的事。過去坐在高樓大廈抄書而來的那些土地法，便固嘗然不合實際，不徹底明瞭台灣土地與人口的分配實況和生產過程，而以大陸上的情形來作藍本，也怕搞不通的。何況光是把土地問題作了進步的處理，其他一切舊有的經濟生活與社會結構，又原封不動的話，結果亦將落得意外的失望！共黨在大陸瞎搞土改，弄得民不聊生，台灣能做成眞正福國利民的土改事業，豈不懿歟！

驅逐黑暗勢力恢復亞洲自由

美組「自由亞洲委員會」

成立宣言會鄭重指出：「台灣島上，自由中國的維護，以及中國境內共產主義的擊潰是本委員會兩大目的」。

·陳石孚·

最近美國反共人士組織了一個自由亞洲委員會，號召全美以及整個世界愛好自由民主的個人和團體，爲保障亞洲自由而奮鬥。這是一個富於積極意義的發展，因爲幾個重大理由：（一）它的成立，表示美國一般民意，對於共黨在亞洲的陰謀，不僅有了進一步的認識，而且有了廣泛的組織，這個組織的力量今後即將化爲具體的活動。（二）自由亞洲委員會的產生，說明了亞洲各國的利害關係，是整個的，全體性的，而不是個別的，至少美國反共人士現已有此認識。這種認識雖是亞洲反共事業的起碼條件，可惜有一些淺見的政客，例如尼赫魯之流，始終還不了解。但我們相信經過自由亞洲委員會的努力，這種認識必可逐漸普遍，最後甚至迫令尼赫魯之流也得承認自己的主張是何等幼稚膚淺。（三）自由亞洲委員會的成立，一方而可以喚起美國民衆對於亞洲問題的重視，他方面可以糾正美政府「重歐輕亞」政策的錯誤。委員會的憲章裏雖會明白規定，不得對於美國聯邦政府的立法或政策施以影響，但此種間接影響却是無可避免的，因爲委員會的活動可以改變民衆的觀點，而民衆的觀點最後必會反映到政府的政策上去。

亞洲難民到美　儘量予以協助

自由亞洲委員會的目的，會在它的憲章裏有着明確的規定，那就是：（一）在亞洲提倡、援助、并協助個人自由和民族自由的事業，反對共產主義和其他極權主義。（二）直接或間接地發動、協助、和進行關於此種事業的調查和研究；獲取、搜集、分析、刊印、廣播、傳佈、和分發關於此種事業的消息，其所用之媒介，爲任何及一切適當的工具。（三）在亞洲各國內協助一切「非共產」和「非極權」份子，使其實現並維持個人自由和民族自由的理想。（四）協助從亞洲各國走來的「非共產」和「非極權」的旅客，難民，和放逐者，使其能與本國同胞接觸，俾得維持生活，並促進個人自由和民族自由的理想；同時對於此種旅客、難民、和放逐者給與便利，使其在法律之下得以致力於自由之維持。（五）爲實現上述目的起見，捐募、籌用、收受、管理、和分派經費；或贈與、和撥付此種經費或其一部分，給予任何團體，使其實現此種目標。

自由亞洲委員會的這些目標，是建築在幾個基本認識之上的：第一，委員會認爲在克里姆宮妄想統治全世界的長期戰略中，亞洲人民的奴化構成了一個重要部分，第二，委員會認爲，美國並沒有擴張領土，政治，或商業的野心，但是爲着共同自衛起見，她不得不支持世界其他自由人民去反抗克里姆宮的侵略。第三，委員會認爲反抗克里姆宮的侵略，辦法雖有多數，可能的選擇，乃在把握以及這兩個道路所指示的事實和狀況，提供在亞洲人民的面前——那就是與其他自由人民協同建立自由世界，否則便是向克里姆宮投降而受其奴役。

史太林與田中　基本觀念相同

以上第一點認識說明了克里姆宮的策略是與廿幾年前日本田中奏摺的策略，換言之，他們兩人的基本觀念是相同的——如出一轍。史太林和田中都認爲如要征服世界，必先征服亞洲，要征服亞洲，必先征服中國。現在大陸已被史太林一直接控制，次一步，他便要假手傀儡，以間接控制的手段，來征服亞洲。中共驟然參加韓戰，胡志明在越南的戰爭，共黨在馬來亞的游擊活動，皆可一目了然，是克里姆宮整個計劃的一部份。這些赤化亞洲的計劃，節節實現，然而那些政策高唱一面倒歐洲的人士，竟夢想保全歐洲，那未免太天真。自由亞洲委員會認現了史太林的陰謀，這對於全世界的反共事業，必將發生良好結果。

非自由即奴役　沒有中間路線

上述第二點認識，是共黨竭力否認和反對的，正因共黨竭力否認和反對，更可證明美國出來領導全世界自由人民去反抗克里姆宮的侵略，是對史大林及其附屬的重大打擊。

至於第三點認識中所指出的兩條道路，更給國際上第三勢力以及妄冀半途撿拋的騎牆派一個當頭棒。現在擺在我們面前的選擇，不是自由便是奴役，而沒有中間路線。兒皇帝兩年前在「論人民民主專政」中早已表明同樣的立場。但是一般對共產黨沒有眞正了解的國家和個人，總還想討好共產黨，以爲現在賣弄一點秋波，將來可免清算鬥爭。自由亞洲委員會的成立，幫助我們廓清騎牆派的一點糊塗思想，已經就是對於民主和自由事業的一個重要貢獻。

自由亞洲委員會的總部設在美國，將在亞洲各國內分別設立各國委員會，負責處理各該國內有關事務。關於中國部份，委員會在它的緣起中明白地指出：「台灣島上自由中國的維護，以及中國境內共產主義的擊潰，是本委員會的兩大目標。」

全世界自由人　關切亞洲自由

自由亞洲委員會主席韋爾伯（Brayton Wilbur）說得好：「亞洲人民的自由是任何地方自由人士所嚴重關切的事情。此種關切必須化爲行動。僅靠政府的工作是不夠的；政府不能打入人們的內心深處，而唯有自由人士爲自己的自由而奔走號呼方才能夠。正因全世界的自由人士必須關切共產主義的擊潰，而且正因此種擊潰，關係着亞洲的自由，我們以個人公民身份組織了本委員會，我們的目的是把我們的關切化爲行動。本委員會的目標，乃在建立亞洲人民與他處自由世界人民之間的直接橋樑，由於此種橋樑的建立，亞洲人民可與歐美人民相互交換意見，暢述彼此內心希望，交感召，其結果即可構成一個自由人士的大聯合，把蘇維埃帝國主義驅逐回去。」韋爾伯強調說：「我會的計劃提供給……得重要萬分。」

不可思議的和平姿態

莫斯科市長到巴黎

·丁·

自動參加巴黎市二千年紀念，人道報說「蘇聯和希特勒尚能簽訂互不侵犯協定爲什麼就不能和西方集團眞正和解？」

上期本刊，我簡單介紹過戰略專家史培茲將軍從西歐回到美國所發表的一篇文章，他的結論說：蘇聯侵略世界的計劃，因鑒於美國工業力確實強大，及艾森豪威爾整軍工作所著績效，已決計暫行止步。他這種看法，是否正確，當然誰也無法作百分之百的判斷，有些觀察家，甚至認爲，蘇聯不特並不止步，由於莫洛托夫在華沙的演講，可能很短期間，就要向南斯拉夫進軍。蘇聯許多和平姿態的表演，其目的，只在散放煙幕，麻痺緩和民主國家積極擴軍的勇氣與決心。杜魯門，艾奇遜等之一再警告美國人民，不要爲蘇聯和平攻勢所迷惑，也正是看透了克姆林宮領袖們這一套慣作法。就連史培茲自已，也同樣在他那篇文章內，向美國人民，提出了上述決心止步的警告。

不過在最近一月來，蘇聯所表現的和平姿態，確已指不勝屈。除了對英美一致驚奇的莫斯科新出英文「新聞」雙週刊，大倡蘇美和解，東西合作外，最令人感覺意外之一事，即不久以前，巴黎市政府舉行巴黎建市二千週年紀念時，莫斯科市長，忽不辭長途跋涉，自蘇來法，翩然參加。並與市長皮愛（Pierre）握手細談，極盡國際友好之能事。皮愛市長，爲法國極右派戴高樂將軍之弟，反共態度，異常堅強，一般人多認他在接受莫斯科市長訪問時，無疑地，必有啼笑皆非之感！而同時法共機關刊物人道報，則突發奇論，證明蘇聯與西方集團，確無絕對不可和好之理由。奇論是這樣的：「反蘇最頑強的希特勒，尚且和蘇聯獲得諒解，在一九三九年那樣局勢緊張之下，簽訂了互不侵犯協定，那麼，今天的西方集團，又爲什麼一定要和蘇聯破裂呢？」德蘇協定原是十餘年來蘇聯感到很不光彩的一件事，共黨人，極少願意提到，現在人道報竟列爲例證，又以希特勒比民主國家的政治領袖，這和莫斯科市長之蒞臨巴黎，不要同使人們詫異，都是出人意表，不可思議嗎？

埃王夫婦一怒離開瑞士

中東情勢，最近數月來，震盪不安，已達極點。外約但王阿布都拉被刺後，埃及在阿拉伯國家中領袖地位，已去掉一極有力的競爭者。目前蘇彝士運河禁航問題，正與英國發生嚴重糾紛，埃及態度所以如此強硬，一方面固然利用國際局勢，看定英國不敢採取任何斷然處置，與埃翻臉，一方面則藉此向阿拉伯各國，表示她敢捋虎鬚，以增加自身威望。如果眞正比較國力，則無論大英帝國怎樣衰落，埃及也決無資格，去欺負英國的面子。

不過埃及雖在這樣緊張局勢之下，埃王法魯克，却仍是悠遊自在，帶着新婚未久的一代美人，在歐洲遊山玩水，大度其甜蜜生活。據說，阿布杜拉事件發生，埃及曾有許多電報催他回國，他均拖延未理。但上星期，他於遊歷瑞士羅格魯LUGANO時，意外地遇到一件觸楣頭的事，尤其發生在新婚夫人面前，更嚴重地傷了他的自尊心。事情的經過是這樣的；一位照像館的攝影員，偷攝了這位埃王一張照片，他一向不歡喜照像，發現以後，大發雷霆。警察命攝影員交出底片，作爲了事。不料另一階級較高的警察，聽見消息，立向埃王交涉，將底片仍退還攝影員。瑞士是一個自由國家，不能隨便沒收私人的東西。法魯克無法反抗，只得很氣憤地說，既然如此，那麼，我將永遠不再來瑞士了！果然，當天他就收拾行李，一行五十人，匆促離瑞，向意大利而去。

有人說：這是法魯克自取之辱，同時，自由國家的作風，對那種半專制國家國王，確也是一個極寶貴的教訓！

新第三國際與「世界和平運動」

中共的「抗美援朝總會」第三國際的一部份

·黃煥文·

不可否認，美國人現在對於「蘇聯那一套」，比三年前的了解，要清楚得多，但是尚不夠徹底。不論是蘇聯的政略和戰略，技術和宣傳，今日美國當局，絕不會像以前那樣陷於愚昧無知，因而導致不可饒恕的錯誤。因此，目前韓戰停火的談判，照最近情形看，美國態度相當堅強，可能不會上了蘇聯的大當。

對今日蘇聯，美國朝野流行着一種「研究蘇聯熱」。國務院，情報局，大學校，研究團體，以及新聞界和專家教授們，大家都想探求鐵幕內的祕密。美國人多方面研究蘇聯的成績是可驚的，使美國上下對今日蘇聯一舉一動認識相當明白。由不惜韓戰擴大到接受韓戰停火，這些政略戰略的措施，都是要搶戴這頂「和平帽子」，不妨將計就計，把那頂「戰爭帽子」戴在全身披掛，全副武裝的獨裁者史太林頭上。

美國問心無愧

美國主管遠東事務助理國務卿魯斯克在四月中曾說過這樣一段話：「萬一全面戰爭爆發，自由世界對於誰是挑動戰爭，問心無愧，極爲重要——在最大危險的時刻，力量將出自清白的良心——即知告人已盡了一切努力以阻止戰爭的爆發」。他這段話是不錯的。美國要領導全世界

……運動

……九年……局在……「和平簽名」以來，從此陸續出現了「和平大會」，「和平法律」，「和平獎金」，「和平雜誌」等等，在共產附庸鐵幕內國家，名爲「保衛和平」，在鐵幕外非共反共國家，叫做「爭取和平」「擁護和平」。去年（一九五〇）十一月在華沙舉行的「二屆世界和平大會」，和今年二月在柏林東區舉行的「首屆和平理事會」，有一百一十個理事國代表，和一百廿四個特邀代表參加，成功了一個共產國際當設領導機關。它的力量與範圍與一九四七年成立的東歐九國「共產情報局」不可同日而語。實際上，是組成了「新第三國際」，西歐各國和南、北美洲都有它的分枝機構。這個「世界和平理事會」又設有執行局，它是對抗聯合國組織最重要的機構。莫斯科政治局透過這個機構，拿（一）和平談判；（二）中立思想；（三）反戰運動這三大策略來滲透整個自由世界，離間一切民主國家，孤立美國，打擊美國。如此這般，就可以造成第三次世界大戰爆發時對於共產陣營有利的形勢。最低限度，總可以阻止美國進攻蘇聯，便利共產集團勢力之擴充。

抗美援朝總會

中共反美運動機構是新第三國際組織一部份。對內叫做「抗美援朝總分會」，正式名稱是：「中國人民保衛世界和平反對美國侵略委員會」。今年四月一日，中共下令全國各縣市一律設立分會，構成反美運動專門常設機構如下圖：

莫斯科聯共政治局
　↓
世界和平大會
　↓
世界和平理事會執行局
　↓
中國人民保衛世界和平反對美國侵略委員會
（簡稱抗美援朝總會）
　↓
全國各縣市總分會

中共反美運動總機構的主席是郭沫若，實際則操在祕書長劉寧一（曾任訪英代表團團長），副主席彭真（北平市長）和常委李立三等手裏。這些受過莫斯科嚴格訓練的人，毫無疑問地要嚴格執行蘇聯世界革命計劃，以反美運動做它的最重要的政治鬥爭任務。

從去年十一月起到今年七月止，九個月來的反美成績，確可觀。從「和平簽名」開始，以「抗美援朝，保家衛國」爲號召，於是「管制美國在華一切企業財產」，「接收美國經營的學校，醫院及救濟機關」，「強迫天主，基督教友革新自立」，「反對美國武裝日本投票」，「擁護締結和平公約簽名」，「簽訂愛國公約」，「不聽美國之音，不用美國消費品」等等，花樣百出，推陳出新，我們歸納三點如下：

（一）肅清美國在華一切勢力影響。

（二）打破「親美、崇美、恐美」觀念。

（三）建立「仇美、鄙美、蔑美」情感。

本來，中共一切都俄國化了，又有「中蘇協會」，以及「總工會」，「學聯會」等等全國性共產工具團體，何必另外又來一套反美運動專設機構，其意義和任務之重大，不問可知。五月一日，北平人民日報社論指出：「美帝不倒，運動不停」。又說：「只要齊心幹，不怕原子彈」。這已很明白的說出共黨的陰謀。可是，美國主管聯合國事務的助理國務卿希克遜（Hickerson）有一次發表對「世界和平大會」問題的講演，警告聯合國不要爲它所欺騙；但他並沒有指出那個所謂「世界和平理事會」是蘇聯對抗聯合國最重要的組織——「新第三國際」，更沒有提到中共反美運動機構和該組織的關係。

了解還嫌不夠

所以美國當局對蘇聯的了解雖較前進步，但尚不夠且不徹底，尤其對於中共的了解，十分「差」，因此還存有若干幻想。這就難免會因「認識不足而有時上當」。誠如美國名教授般威先生所說：「能夠認識克勞塞維茲的理論已經過時的只有共產黨，他們用各種方式推行永久的戰爭」。事實上，美國人對於克勞塞維茲的戰爭理論就不十分清楚。過去德國希特勒只懂得一半，所以失敗。列寧却是精深研究過克氏戰爭的理論，還做過很詳細的筆記，他建立布爾雪維克黨來實現克勞塞維茲的「絕對戰爭」思想。所以，共產主義本身即是戰爭，根本上談不到和平。

今當韓戰停火談判尚在進行之際，特作此文促請美國當局注意，對蘇聯和中共那一套，還要深入了解。假使談判破裂，那應該是意內，而不是意外！

粗製濫造被認有「破壞」嫌疑

我從重慶兵工廠逃出

中共鞭策工人，加緊生產，僅重慶第二十一廠，就限令每天要繳交彈藥十一噸。

·木仁·

國民政府自重慶撤退的時候，在重慶郊區所遺留下來的兵工廠有四個，一個是在重慶南面三十華里的大渡口兵工廠（原名廿二兵工廠），一個是重慶北面十五華里廖家台紅土地兵工廠（原名廿一兵工廠），其餘兩個都在磁器口（原名廿二，廿四兵工廠），這四個兵工廠，以在紅土地的一個，設備最好。他能製造各類各口徑槍彈，馬克沁重機關槍，捷克式輕機關槍，手溜彈，中正式步槍，且曾一度製造美式湯姆生式手提衝鋒槍，卡柄槍，成績優良，爲全國瀋陽兵工廠，漢陽兵工廠，太原兵工廠以外，最具規模的一個。中共軍進入重慶以後，將這個兵工廠更名爲六十一兵工廠，一如往時，製造各種槍砲，技術員工，一律留用。我就是被留用的技術員工之一，好容易最近才逃離虎口，還我自由。

西南工人充軍東北　東北工人坐鎮西南

去年三月，中共西南軍政委員會重工業部，發出了一個「號召」，要西南軍區軍工業工人，「自動參加交換工作經驗」，與其他軍區軍工業工人交互轉移「工作學習」環境，來「調劑生活，增進技術，增加生產」，這個「號召」，把一些中共所認爲技術雖好，思想可疑的員工，單是二十一廠，就送走了將近五百人。名義上是交換學習，實際是等於送往東北「充軍」。

在這大批工人被遣走東北以後，接着東北十一廠、十六廠、十七廠、十八廠（中共編號）四廠工人約一千餘名，就分兩批補進重慶四個兵工廠。補進廿一廠的約三百餘人。這批工人，年齡比較大，完全是東北籍，經過半個多月的休息，才正式上工。技術遠比原在廠內的人差，但氣燄萬丈，總認爲他們比廿一廠原有的工人階級優越。隨時隨地以「覺悟不夠」，「資本主義色彩」等共產八股爲口頭禪，來欺壓原有工人。原有工人，自然也不示弱，於是廠內形成兩派，中共駐廠代表，在各方面支持東北工人，這批人也就無形中成了中共的耳目，使中共在廿一廠內，每一角落，細如毛髮的事，都能瞭如指掌，原有工人，稍一不慎，即被認有匪特破壞嫌疑，立告失蹤。

韓戰爆發加工趕造　俄國技師親任監督

韓戰爆發，因爲供應武器的關係，我們的牛馬生活，鞭策更嚴。駐廠代表宣布這個消息以後，我們的工作時間，就由每日十小時增加到十二小時。我的工作是較正彈道的。從前最忙的時期，每天我用盡精力只能較正十二支，（捷克式輕機槍管），此時規定要較正十八支。這除了馬虎了事，不管是否能達到準確程度以外，別無辦法。即是如此，我的工作時間，實際上，還需要由十二小時拉長到十四小時或十五小時。到去年九十月，俄國顧問二十餘人到達了廿一廠，我們這一部（彈道部）就分來三個，這批大鼻子一到之後，我們的痛苦，就更加上一萬倍！

來到廿一廠的俄國人當中，有七個是德國人，一般說來，德國人確比俄國人高明得多，講理得多，他們這批人的工作，在彈道部的，都是最後較正。過去我每日較正十八支槍管，事實上只有[illegible]，但也有一部份，他們能合標準。俄國人到來以後，似乎存心和原有工人過不去，在起初一段時間，我較正用的槍管不管好壞，總全部退回，我在這一情勢之下，祗有將錯就錯，橫心不管，退回來又送出去，讓其自然，因此在我的工作房中，槍管滿地，進進出出，日夜不絕，而終於遭到中共廠代表說我有破壞的嫌疑。

加工趕造無法準確　乘機逃亡還我自由

我一直混到今年五月，廠代表對我，似乎印象一天比一天壞。我孩子因營養缺乏死了兩個，妻子骨瘦如柴，我本身也隨時發高熱，證明是患上了肺結核病，其餘工作同仁，除開中共與俄國人外，更沒一個例外，我眼見死路一條，除了逃亡，更無生路，因此，我多方設法，請了病假，將妻兒送回娘家，自已在九死一生中逃出大陸。廿一廠現在奴役的工人，還有二千一百餘名，逃亡的並不止我一個（先後有三四百人之多），這些留在廿一廠工作的同仁們，未來的命運，一定非常悽慘。因爲這樣的牛馬生活，任何人也是不能長久支持的。目前廿一廠每天限定要出產輕機槍八十挺，一百挺，重機槍五十挺，馬式彈藥十一噸（完全補充中共軍自國民政府手中所得來的美式槍械），手榴彈一千五百顆，但我相信由於粗製濫造，加班趕工的結果，中共軍自廿一廠所提走的一切槍械砲彈，在韓國戰場上，多半會是效力不準，關於這一點，全廠機械工程人員明白，俄國人也未嘗不明白，所不知道的，恐怕只是中共驅迫下的那一些志願軍——砲灰而已。

人民財富搜括已盡

中共又異想天開　厲行「挖底財」運動

·中時·

「毛記」政權爲鞏固其「兒皇帝」萬世之業，實施暴力統治，近更進行全面的徹底的一套法寶運動。對人方面有所謂「挖將根」運動，對物方面有所謂「挖底財」運動。前者見諸各地大屠殺的排演，後者現正在共區如火如荼地展開。據中共自供，顯然人民的表面財富，被剝削殆盡，現時只有加緊挖掘底財。（編者按：江南一帶，[illegible]）其目的[illegible]，乾淨，掠奪人民所有全部財產，茲就事實：江浙流域，舉出幾個血淋淋的事實：

銀元數箱　皆大歡喜

興寧張茂生父子，在縣城府館前開設張茂號，販賣土產，數十年來慘淡經營，克勤克儉，因此頗有積蓄。去冬「土改」，張茂生列爲商業富農。七月「思想渡荒」，被勒捐稻穀三十石，茂生爲避免共幹煩擾，一口氣如期交出，誰知繳交過於順利，反招後來滔天大禍。七月五日大成鄉舉行「挖底財」大會。張茂生父子被傳到會，勒令繳一千石，茂生初堅拒無此「底財」，共幹即將其父子吊起施以各種酷刑，茂生迫得應允，折價以銀元抵繳，共幹立即押送茂生回家，指點民兵挖掘，挑回鄉「政府」，計得銀元數大箱，共幹們自然皆大歡喜，但所收銀元數目，則迄今並未宣佈。

發明酷刑　慘絕人寰

又興寧新陂墟黃陂村劉興隆，家頗富有，去冬「土改」，列爲地主，土地財產早經沒收淨盡，此次「挖底財」鬥爭，將劉興隆之子振明，用鐵絲穿過鼻孔，共幹並將其縛在牛尾上，牛背上騎共幹，乃行，不數十武，振明鼻穿裂倒，流血如注，不省人事，共幹復用冷水激面，復甦後繼續追供，結果說出其家臨房牆脚尚埋藏黃金十餘條，共幹立予挖掘，大喜而去、梅縣南口墟汪伯姆，長於經營，曾在興寧老街開設民生紡織廠，「解放」後，經中共三抽四剝，負累不堪。「思想渡荒」期間，已被中共勒捐稻谷五百石。現又遭「挖底財」，共幹硬指汪氏尚埋藏鉅額金銀，迫令交出價值港幣二十萬元之金額，汪氏無以應命，共幹即命民兵灌水，火烙，毆打。汪氏即晚於獄中自縊斃命。共幹命移屍墟頭示衆三天，臭氣四溢。後經居民請求，[illegible]「政府」[illegible]，草草掩埋。

小孩何辜　遭此荼毒

五華陳猛孫，曾任第二集團軍總司令部秘書，陸豐縣縣長，官至「解放」前夕任五華縣稅捐征收處處長，五華城陷被共軍俘獲，當時因國軍胡璉兵團仍向興寧一帶追剿，共軍將陳押解入番山老巢，陳因病不能行，共軍特用豬籠把他抬去。猛孫患病之身，困以豬籠，長途中途遂告氣絕而死。陳家被列爲官僚地主，財產盡被沒收。本月初，又向陳家「挖底財」，勒派稻谷一千石。其家屬多人被捕作質，陳家糧食概被沒收，家人生活早已陷於絕境，小孩多人原寄養戚家，共幹現嚴限其戚將小孩送回，換言之，令行乞爲活，任其饑餓致死。共幹且揚言，倘有暗中接濟或收養者，即以中共「反動」嚴處，小孩何辜，遭此荼毒！

貪污與官僚作風滲透了整個中共

「茶葉公司」向茶農索賄

兄弟同售茶葉給賄款的茶價每斤提高千元

【本報漢口特約通訊】中共幹部，對人民作威作福，尤其所謂國營事業機關，在各地向農民搜括物資，不但故意壓低收購價格，其一種盛氣凌人之官僚架子，簡直比二十多年前孫傳芳，張宗昌等北洋軍閥，以征服者地位，在長江流域橫行霸道，尤有過之。茲舉最近一例，以概其餘。

本省五峰縣，與湖南接界，出產茶葉，中共「國營」之中國茶葉公司，在該縣設有收購站，派老共幹陳某爲站長，所有茶農摘下之茶葉，一律須挑送收購站，如擅自收藏，或另售他處，則茶葉沒收，並且判處徒刑。但收購價格，特別壓低，通常不及市價三分之一。又表面上，收購價按來茶品質高下，區分若干等，實際則最上等茶亦一律照最低等價格支付。如茶農私予賄賂，或與陳某私人有特殊關係，即可按最高等付價。故站長一職，爲中共各機關中之優等肥缺，大抵一季茶葉收完，即可腰纏纍纍。最近該站職工，以陳某所得利益，一人獨佔，絲毫不分潤，憤恨之極，乃密向中共舉發。並覓得茶農多人作證。如茶農王佐賓，王佐亮兄弟二人，所有茶葉，均係同時摘製，毫無區別。二人同時將茶送至收購站，因哥哥王佐賓與陳某相識，暗地送陳賄款十萬元，陳遂將他的價格，比王佐亮每斤提高一千元。又茶農吳業坤，到該站賣茶，經評定每斤給價二千三百元，吳未賣，將茶挑走。另由他的父親，找到門路，先送陳賄款十五萬元，他父親再將原茶挑去，立即將價提高爲四千五百元。又茶農鄧寶志，因嫌每斤最低價二千三百元，太不合理，要求陳說明定價如何降低的理由，陳大怒，用手槍指着鄧的胸口說，「老子沒有理由，你不賣，馬上就槍斃你。」

這三件事，人證確鑿，中共接到告發以後，如何處理，尚無所聞。一般都說，這種情形，不特在茶葉公司，早已司空見慣，任何中共「國營」事業，其派出職員，對人民剝削侮辱，比上述陳某，都只有增無減。中共一面總說要「向人民學習」，「向人民低頭」，恐怕眞只有「天曉得」了。（懷炎，七月二十九日寄自漢口）

收棉到處留難　棉花原担挑回

【本報北平特約通訊】中共搜劫農民存棉，已成爲慣例，記者已迭函報告。（編者按：已載本報第四十一、二兩期）其失敗最大原因，第一，農民看透了中共騙局，是搜刮不是搜購。第二，幹部習慣了騎在人民頭上，一切都是官僚作風，絲毫不替人民打算。記者今天遇見一位從邯鄲來的親戚，他告訴我一件親眼目睹的事實。他住在邯鄲鄉下，隔壁一家農戶，存有八十多斤棉花，怕幹部下鄉來搜，弄出危險，這家有一個兒子，叫韓春雨，在邯鄲碼頭酒廠作工，於是叫兒子向酒廠請一天假，回家將棉花挑往城裏，交給收棉機關。由城到鄉，約五十華里，來回一百華里，韓春雨趕了一天路，進城時已是下午四點。先挑到花紗布公司倉庫，倉庫說，這裏不直接收花，你到第二收棉處先辦手續，到了第二收棉處，第二收棉處說，你那一區的棉花，不由本處收，你挑到信託公司去。到了信託公司，信託公司說，天晚了，明天來吧！韓春雨急得眼淚直流說，我們鄉下人，弄不明白這棉花應該挑到那裏，我們並不是急於出賣，而是怕不賣，算犯罪，照匪特處辦，可憐我今天趕了一百里路，飯還沒有吃。我在酒廠裏請了一天假，我明天如果再請假，也就要扣去一天工錢，現在棉花沒人收，那就眞會餓死。於是跪在地上，向信託公司人員磕頭，求他收下，信託公司人員，一聲不響，將大門關上，置之不理。韓春雨氣憤萬分，於是連夜又挑回鄉，全家一商量，就拿這八十多斤棉花做柴燒了。這是一個千眞萬確的事實，照中共這樣官僚十足的腐敗作法，他們豈僅收棉工作完全慘敗，整個中共政權，也就會不久崩潰的！（隆光，七月二十八日寄自北平）

貧苦船夫運人運糧

中共不給一文

船夫反抗反被軍警拘捕

【本報桂林特約通訊】本省來賓縣的紅河渡口，爲交通要道，兩岸有六十九名船夫，都是貧苦工人，他們靠擺渡爲生。自從共僞佔領以來，所有過河的人，百分之七十，是中共工作人員，軍隊，民兵，他們從來不給一文船錢，反而隨到隨渡，不許等候其他搭客。至其餘百分之三十，有一半以上，是中共親戚或朋友，祇要他們說一聲，我是某人的什麼，船夫也就不敢再開口了，所以眞正肯給渡錢的老百姓，實際只有百分之十。因此，這些船夫，都無法生活。此外，來賓縣糧食局，所有糧食，都交由這些船夫轉運至各處，每次都是幾十萬斤，原來規定每月給每一船夫三百斤大米，作爲運費，但今年過了大半年，一斤大米還沒發過。船夫無法，只得懇求工會向縣府和糧局呼籲救濟，工會將請求照轉，縣府等均置不理。最近糧食局又有一大批軍米待運，這批軍米，據說是運到某處轉口，接濟越盟的，運費由越盟担任，隨運隨付，船戶們以爲這次肥差，總可不致白忙，不料糧食局偏偏另僱了幾隻船，不交給他們運。其中自有貪污不可告人的原因。船夫們聞訊大憤，幾乎發生暴動，經糧食局召來大批軍警，捕走數人，始行了事。（獨秀，七月廿七日寄自桂林）

全月收入　捐獻一半

·素人·

廣州龍津中路的加拿大烟廠，前年出品以善於投機，香煙有「工友牌」一種，銷行頗暢。今年六月廿一日起，因不勝捐稅重負，爲求減輕成本，取消包內錫紙，代以從前存下印有中英蘇國旗之「列強牌」包紙，不料竟被市公安局發現，認爲故意散發「反動標誌」（青天白日滿地紅旗），把該廠經理拘去，嚴訊數日，結果除飭悔過認罪，及將該項包紙全部燒燬外，並迫令捐獻六月份全部售烟收入之半數。又本市文山製水廠出品所用「民主」「民工」兩商標之圖形字體，類似英文，近亦被市工商局取締，謂有「傾向美帝」嫌疑，飭令另定圖形，現有的不許售賣。

婦女勞動者得到如此照顧

兩孕婦幾乎送命

一個被迫大遊行　一個星期不休息

【本報上海特約通訊】中共號稱工人政權，尊重工人，至於女工，在中共的號召下，當然更要加倍重視。但事實上卻大謬不然。各機關女職工，不特和男子一樣，當做牛馬驅使，就連生產前後，也絲毫不加體恤。如不久以前，一位國際電台營業處女職員，懷孕已將半年，中共舉行鎮壓反革命大遊行，不管她懷孕與否，也逼她照常參加，任何哀求也置不理。馬路上天氣酷熱，高到一百度以上，她踏遍大上海，遊行，扭秧歌，喊口號，從上午九時起，足足搞了十個鐘頭，才得散隊回家，結果，腹痛如絞，當夜流產，幾乎送了性命，到現在還不能起床。又大世界「人民銀行」一分辦事處女練習生徐秀瓊，在該處一個人主管保本保值儲蓄，她要坐在櫃台，應付儲戶，營業時間過了，還要做儲蓄日報表，報單，因爲上級職員，都是共產黨員，且來頭很大，他們且領薪水，工作卻推給她做。他們坐在處內，有時看小說，抽烟，喝汽水，談天，徐秀瓊懷孕，將近生產，請假不准，主任蔣正元說她有意偷懶，她恐怕得罪了主任，會將她練習生飯碗打破，只好忍痛接受。不料上星期日，她一人在處工作，第二天星期一又特別忙，做到下午四時，突然腹內絞痛，此時營業時間已過，本可下班，但蔣正元還不許她走，要她把各種表報弄好，到了五時，突然下體血流如注，當場暈倒。比及召來救護車，業已不省人事，接着在醫院用手術將死嬰取出，現已三天，據說，尚未脫危險時期。（悠然，七月二十八日寄自上海）

毒舌之音

·尚方·

莫斯科最近發行的英文雙週刊，總第一期創刊社論，大談其「兩種世界，可以共存」的陳腔濫調之後，第二期又主張要與「狄格爵・撒克遜民族」合作，先來一個「經濟會議」，致英美的經濟專家和工商鉅子們都到莫斯科開會，並且再三的聲明，決不談政治問題！

俄共的世界革命辯證法則，近年來，專在英國人身上用工夫，希望英美實行門爭反目。今年二月間，史太林藉著韓戰而大罵英國一頓，是威脅；現在眼看工黨內部已有貝凡一流人主張跟美國分道揚鑣了，如是，改變腔調，說要「和平」的合作，是利誘。其目的依然還是一個；誘起英國工黨人士的幻想，增加貝凡之徒的勇氣，在民主陣營中，實行矛盾對立，自毀步驟。

艾契遜對於這個「雙週刊」的認識倒不錯，他說：「俄國是檢查出版物很嚴密的國家，這雙週刊又是專門給外國人看的英文雜誌。這就是說：它的一切言論都是史太林御製的宣傳廢話」

記得前年聯合國大會時，英國代表厭惡蘇俄代表那種嘮嘮叨叨的「和平」台詞，會經說過這樣一段話：山中雷蛇爲要吞噬飛禽，常常發出一種美麗的歌聲，引誘飛禽來聽，藉便吞吃。我們在議席上也飽聽了「和平」的美麗歌聲。可是，那歌唱的舌頭是毒舌，要唱，請走遠些唱！

我不知英國人士現在聽着莫斯科發出來的英文歌聲，是否也認爲是毒舌之音？

自由談

進步青年之死

·羊辛·

羅茜十八歲就給桂林的雜誌寫稿，那時他還只是高中一年級的學生，雜誌的編者誤以爲他是學校裏的教員。

我後來到了永安省會。羅茜也因爲學校內遷，在永安和我見了面。我有點吃驚，出現在我面前的，竟是一個俊俏的未滿廿歲的年青的小伙子，穿着一身黑校服，眉目清秀，這就是那個寫着清麗可喜的文章的人！

以後我們時常見面，他爲我的副刊寫文章，也向改進出版社的「現代文藝」投稿，「現代文藝」的編者，章靳以，這尾巴文人，現在正在秧歌王朝搖旗吶喊，遂了他的心願了。靳以在南平師專教書，脾氣執而暴燥，時常跟他的太太吵架，羅茜沒有和他見過面，卻彼此鬧翻了，被靳以駡了一頓，據羅茜說：他也不明白爲了什麼，大概是平時太粗心太直率，給誤會態度傲慢，對「大作家」不恭敬吧。他似乎有點灰心，對於這位「大作家」他一向是頗崇拜的，並沒有不敬之意，可是誰知道竟被無情地罵了一頓呢？我只好安慰他，告訴他別太認眞算了吧。

一個愛好文藝的年輕人，大抵都有一點進步思想的，有這樣的思想並不壞，有這樣的思想並不即是表示和今日中國大陸那赤色帝國相同，現在的秧歌王朝乃是竊據了「進步」和「革命」的幌子，用以欺騙一切具有進步思想的智識青年，而事實上他們不過只是一羣野蠻專制殘暴和不講民主自由的法西斯份子！我們須要判明了這一點，才不致把一些具有值得鼓勵的進步思想份子也看成了洪水猛獸。

羅茜當然也不例外，他的文字異常激烈，抗戰勝利後他更爲「左傾」了，他也寫紅色論文，那時他在大學裏讀書，我在當地的一家報館裏工作，有時也見面，我知道那所大學幾乎已經成了赤色世界，曾勸告他：「有進步思想是好的，但可別落了人家的圈套」，此後我離開了那個地方，彼此消息就隔膜了。

直至最近，我才從一個朋友那裏得知他的消息：他已經死了。

情形是這樣的：共黨還沒有到來的時候，他已經很熱心了，參加了共黨組織，及至「解放」以後，派在「軍管會」做事。他很活躍、很認眞，並在共黨機關報兼任職務。可是漸漸他發覺了「同志」之間有着不少的「偏差」，尤其各地的「借糧」及清算拘捕等，做得漫無標準，隨心所欲，他寫了一些糾正的文字，卻給報館當局壓住了，被檢討不但未被接納，反被領導會上提出檢討，他被工「農」出身的階級，說他是「小資產階級」，是「智識份子」，容易動搖。韓戰發生以後，一面是搜刮民財抽丁，拉夫，一面則「抗美援朝」，「大張旗鼓鎮壓反革命」，到處濫捕濫殺。羅茜的父親是「地主」，有幾畝田，被提將官裏去了，據說他父親的被捕其實並非「地主」關係，而是所謂「善霸」，平日爲人甚好，深得民衆信任，這樣的人若「造反」起來，那還了得，於是被捉了進去。羅茜爲這事終日奔走，當地的「人民政府」不理不睬，軍管會的主管反而罵他「沒有站穩革命立場」，他弄得走頭無路，寫了一封信給在北平官居要職的老師（也即是介紹他參加共黨的人），大意說：他會仔細地自我檢討，覺得他父親並沒有什麼不好，若說他是「地主」，可以把土地均分，讓他參加勞動，並可任由人民檢舉他的過去行爲，倘有罪狀，自當懲辦，但他相信他父親決無如何「反動」之處，他是他的兒子，懂得他的，確乎是一個敦厚善良，勤儉樸實的老人家。他希望人民政府會秉公處理。

可是這封信被交到下級，羅茜就成了衆矢之的，小組發起檢討，把他「清算」得體無完膚，他的父親，也就在今年二月間被槍決了。

以後的羅茜是默默無言，神經有點失常，也沒有人去安慰他。五月十三日，一顆子彈穿過了他的腦袋，他死了，據說是用手槍自殺的。

這樣的一個青年，死了，知道了錯，而勇於承担，用手槍來洗刷自己的罪，是値得無數罪惡貫滿而又靦顏苟且偸生的人照照鏡子的：被紅色魅語所迷惑而又翻然懊悔的青年，羅茜不過只是千萬個中首先表現的一個例子。

萬竹樓隨筆（十八）

讀驢背集

·舜生·

驢背集四卷，胡思敬撰。作者自云：『庚子之變，予隨扈不及，絜室避居昌平，嘗孤身跨一蹇驢，微服入都，探問兵間消息，返則筆而記之。既又繫以小詩，皆實錄也。』詩凡一百三十餘首，均詠有關拳亂一役之人與事，而每首之後，均附有注釋甚詳，其體裁與王壬秋詠太平天國一役之『獨行謠』相類似，爲研究庚子一幕甚可珍貴之資料也。

茲錄詠賽金花一首及其注於後，與曾孟樸『孽海花』張某『續孽海花』及樊樊山『後彩雲曲』所述固相胎合也。詩云：

月照秋梧葉葉霜，禁庭雙宿野鴛鴦，韋娘半老風情在，十斛明珠負石郎。

（註）蘇妓曹夢蘭，以色藝冠絕一時，兵部侍郎洪鈞奉命使俄奧，道出上海，以七千金購爲侍姬，挾以西行，寵之如嫡室，西人亦以夫人禮待之。嘗與柏林公議，與威廉第二后攝一小像，見者皆爲之傾倒。侍郎使還，不一年遽卒，夢蘭盡竊其資，隨一僕逃歸上海，僕旋以瘵死。再入樂籍，更姓名爲賽金花，久之復還京師，諸貴人綠集其門。有藉之以通聲氣者。各使館隨員多與之交好，春初，拳匪未亂時，公使循例入覲，擬假金花西服，偽爲公使夫人，內廷微有所聞，遺許景澄峻拒之，乃止。瓦德西佩八國兵符，僭居儀鸞殿，召金花入宮，與同臥起，如夫婦。金花居柏林久，通曉德意志語言文字，是時年已三十，顏色嬌豔如初遊泰西時。此裝束雜采中西服飾，以新法改之，容態出人意表。瓦德西返國，亦遂疾憊死。

在胡氏筆底，頗視賽金花如禍水，其實曾本妓女，洪死而重操舊業，無所謂負不負；瓦德西來中國時，年已六十八，所謂『遽疾憊死』，亦無足異也。樊山『後彩雲曲』及張君『續孽海花』，則稱賽金花於當時北京人民頗多保全，樊山『後彩雲曲』自序云：『因思庚子之亂，彩雲侍德帥瓦爾德西，居儀鸞殿，爾時聯軍駐京，惟德軍最殘酷，留守王大臣，皆箝口結舌，賴彩雲言於所歡，稍止淫掠，此一事足述也。』蓋賽金花原名傅彩雲，曹夢蘭亦其初作妓女時之別稱也。

原子飛機

·一帆·

以原子爲動力的飛機，可能在短期內證明是可以造成的。據美空軍部和原子能委員會宣佈，原子飛機引擎的生產計劃，其第一階段已告完成，這個工作，顯示原子引擎在理論上是可能的，下一個步驟，將是把這理論化爲一個實驗性模型的實際藍圖。原子飛機如能製造成功，它的速度將和噴射式戰鬥機相同，而能無限期的停留於空中。根據理論上的估計，一磅原子燃料，將能使這種飛機環繞地球八十圈。原子飛機引擎的研究工作，現在正與製造潛艇原子引擎的計劃共同進行。原子能委員會最近曾披露，潛艇原子引擎已部份造成。

採訪五年（一）

·陳香梅·

陳香梅女士，前爲本報寫旅美雜記，旅美雜記於第二十六期刊完時會聲明將爲本報續寫採訪五年一文。茲承寄到，亟爲分期刊佈如次「編者附註」

我於民國三十二年加入中央社到民國三十七年離開，前後算是五個年頭，在這五年當中，我跑了許多地方，認識了許多人，見過許多大場面，同時也增加了不少經驗，不少知識。

我初入中央社時任內勤，底薪只有一百八十元，合當時多少米如今記不清楚了，總之拿着那點薪水，是無法過活的。還有一點，就是當時昆明的中央社沒有女職員，我是首創，因此社內有男宿舍而沒有女宿舍，爲了解決住宿問題，使我無法不兼差，當年苦況可想而知。當時任編輯組長的是邵翼之先生，邵先生爲人風雅，愛好詩文，因此我和他很談得來，作詩塡詞常請他指正。我任內勤不到一月，就調任外勤，其時採訪部有康繼宏和張力生兩人，加上我恰好鼎足而三。

昆明的女記者在我未加入採訪組以前，只有一人，那就是雲南日報的方丹，她後來也曾在上海的申報工作。她是道地的雲南人，實屬復旦大學新聞系出身，和我感情很好，可惜她底境遇相當坎坷，使人有斯人獨憔悴之感。

抗戰時代的昆明，有如還都以後的上海，冠蓋雲集，其熱鬧情景，幾乎難以形容，尤其是在民國卅四年正月史迪威路通車以後，大批洋貨從這條路走私而來，美國大兵也不斷向昆明開進。湘桂告急，大批豪富又從衡陽，桂林，柳州，甚至貴陽等地泉湧而至，昆明就像沒有見過世面的鄉姑，突然中了彩票，面目一新；可惜好景不長，民國卅四年八月抗戰結束，外鄉人紛紛復員，政府機關也紛紛離去，美國山姆叔叔也一批一批地返國，一切又回復平靜，甚至冷落得可怕。——昆明的黃金時代也隨着抗戰的結束而結束，無比的繁榮只如曇花一現！

我在昆明最繁榮的時代加入中央社，也是中央社最需要人的時候，所以我是不愁沒有事做的，至於如何去做，怎樣支配時間那又是另一個問題。邵先生當時派我跑外事和軍事方面的消息，而那時，我對跑新聞，可說完全是門外漢，有時在幾百個男子的場合而發現自己是惟一的女性時，還不免會臉紅，不過這是頭一二週的事，不到幾天，經歷慣了也就處之泰然，所謂臉皮厚了。雲南在抗戰當中還是一個不大開通的省份，封建思想仍極濃厚，對於職業婦女也存了一種不正當的觀點，因此在那兒做一個女採訪員，實在不是一件容易的事。在我剛剛參加採訪工作不久，適值市參議會開會之期，我參加採訪，坐在記者席上，因爲初出茅廬，很少人認識我，竟被招待員誤認爲來賓，請我坐到來賓席上，後來經過一番解釋，他才很不好意思地道歉走開了。這雖是一件小事，但也可見當時在昆明做女記者之不容易了。

我在昆明工作的期間，昆明確曾發生過好幾件大事，也被列爲頭題新聞，據記憶所及有：史迪威去職，史迪威路通車，華萊士抵滇，陳納德將軍返美，祝捷大會，以及勝利後不久的昆明事變等等，此外陸總，聯勤司令部，十四航空隊，中美參謀學校，空軍司令部和一些地方團體的大小新聞也很多，所以昆明的新聞界也相當熱鬧，相當活躍。銷路較大的報紙，有中央日報，雲南日報，中正日報，正義報，朝報等等，雲南日報和正義報是本地人報紙，所用人員也差不多是清一色雲南人。報人的待遇算起來，當以中央社爲最差，社內自主任，編輯以至工友，大半是單身漢，住在宿舍內，包伙食，領了薪水後，最大的娛樂也不過是看一場電影，而且是坐前廂，更談不到約女朋友，若要組織家庭最好是另謀差事。

「屬於人民」

·王告·

一位中間份子旅行到美國，參觀一家最大的汽車製造廠，他向引導參觀的人問道：

「這些宏偉的建築是屬於誰的呢」？

「老板的」。

「那些新式的機器呢」？

「也是老板的」。

「鋼板，鐵條等等製造的材料呢」？

「統統屬於老板的」。

走到門口，他看見一列列的，製好的新汽車，又問：

「這是給誰坐的」？

引導者興奮的，直覺的回答：

「人民坐的呵！人民坐的呵」！

不久，這位中間分子旅行到蘇聯，又去參觀該地的最大汽車製造廠，同樣向引導者問道：

「這些宏偉的建築是屬於誰的呢」？

「人民的」。

「那些新式的機器呢」？

「也是人民的」。

「鋼板，鐵條等等製造的材料呢」？

「統統屬於人民的」。

走到門口，他看見也排有一列列的，製好的新汽車，於是也問道：

「這是給誰坐的」？

引導者沮喪的，低聲的回答說：

「這是老板坐的」！

德國的暴發戶

俄人的「官營」黑市

職業私梟發現他們和西德的交易日見繁榮，不禁大爲高興，而他們也同時發現，在蘇管區內，有着從事黑市買賣的大好機會，於是沒有多久，蘇聯保護下的走私商人便在蘇管區幹起他們利己的生意。他們所得到的利潤特別高，因爲俄人既不知道這種情況，利益便可以全由他們獨吞而不必與俄人分拆了。

不可避免地，俄人終於發現了他們的騙局，一九五〇年七月三日，「人民警察」大舉出動搜捕這班黑市商，查封了幾個黑市總部，並沒收而運走了大批私貨。

這事的影響遍及整個西歐。黑市物價突然大漲。原因是，過去因爲有俄人的競爭，許多走私商人只得將貨物貶價出售，有些人還因此傾家蕩產，現在俄人官辦的黑市既告消滅，私人性的私梟也有了重新抬頭的機會。他們的生意蒸蒸日上，不久就較以前更爲興旺。

蘇聯對於西德私貨的需求，似乎十分迫切，因爲「人民警察」對被捕私梟的懲處，竟出乎意外的寬大。這些人被關了幾個星期，即被釋出，而又在俄人的掩護下，在柏林設起一個新的總部，規模比從前還大。不過黑市商並不滿意俄人所給他們的利潤，沒有多久，他們背着俄人幹起自己的買賣來了。於是到了去年十一月十九日，戈梅茨將軍不得不再大捕他的夥伴。這是拆夥乃是最後的。幾個從事「獨立性」黑市買賣最活躍的人，不是被逐出蘇管區，便是被送進蘇聯的集中營。

有了這種經驗，莫斯科不再信託他人，東德貿易部內另立了一個新的部門，專管走私，而且管理異常的緊密。

德國的黑市，要是沒有德國人民的自願合作，要是他們並不急切購買咖啡、香煙和絲襪等等，當然決不會如此猖獗。一樁生意的成功，自然需要既有賣主而又有買客的。德國黑市的發展，其理由十分簡單，且是被迫使的，因爲私貨要比合法輸入的同樣貨物便宜得多。

試舉咖啡爲例，在世界市場上，約合二・三西德馬克一磅（美金五角五分）。西德政府對這基本價格所課的關稅和其他稅款，要等於原價的百分之三百七十。再加上批發商和零售商的利潤，一磅在荷蘭安姆斯德班只値二・三馬克的咖啡，到德國主婦的手裏的時候，她卻要付出十四馬克了。

（七）

張天寶譯。

原載週六晚郵

代郵

游子衣，毛未豐，萬國明，榮春，黃魂五君，前承賜稿，早具薄酬，惟以通訊地址不明，無法寄發通知書，迭經登報催詢，亦未接覆，茲再請於八月六日至十三日內函知本社，逾期卽作却酬論，恕不補發。王禮立，若虹，昌三君，請示通訊地址。

自由人
THE FREEMAN
（半週刊每星期三六出版）
（第四十五期）
每份港幣壹毫
督印人：李光華
社址
香港高士打道六六號
電話：二〇八四八
GLOUCESTER RD.
HONGKONG
TEL: 20848
承印者：東南印務出版社
地址：高士打道六四號
台灣經銷處
台北重慶南路一段七十四號

韓戰如何變化
九月是一大關鍵
從開城和談到舊金山會議，看出美蘇雙方勾心鬥角，美國態度堅決，已不像過去那樣輕率慌張了。

·胡秋原·

七月八日開城停戰會談開始，到今天，恰巧一月了。對於這一門智比賽，我原有幾分躭心，恐怕聯軍不免上點小當。現在我們已可大體作一結論了：除了開城作為談判地點給中共一宣傳機會以外，俄帝共黨之狡計是失敗的。聯軍態度堅決，尤其開城中立化，一經發現被共軍破壞，立即通知共軍，停止會議。這可證明聯軍對共黨了解，大有進步，絕不像過去那樣輕率慌張。很可以使我們安心。

帝中共的虛實和心理。但中共宣傳「勝利」，已使美國具有戒心。而以新聞記者問題試探出中共求和比他還要迫切之後，更胸有成竹了。到現在止，美國方針是很堅定的，這便是：決不讓停戰造成俄帝及中共敵詐和新進攻的機會。因此：一，不談政治問題。二，停戰協定簽字以前不停止轟炸，三，要停戰必沿現在戰場兵營緩衝區。四，撤兵只能分期，且須「監督」。俄帝為了使其工具得一喘息，（一）（二）（三）都可以勉強接受。他最不能接受的，便是監督撤兵。因為鐵幕是看不得的。他原是不打算真正撤退的。這才是談判最大的難關。

如是「中國志願軍司令員」彭德懷（他不是第一野戰軍司令員嗎？）便發表強硬的談話。這一方面固然表示其惱羞成怒，一方面也是看出目前民主國家間關於對日和約意見紛歧，利用機會來威脅美國。不過主人並未開腔，算不得數的。

談判不會立即破裂

美國的態度十分嚴厲。馬歇爾和佩斯先後表示大戰危機日趨嚴重，就是對史太林說，我準備好了。這對於俄帝也是反威脅。史太林不會在和平攻勢剛剛開始之後，毫無結果之時，讓韓戰重新發作。因此，他一定還要忍耐。只要聯軍稍為給他一點「體面」——那怕由現在戰線退一尺一寸，他還是要談的。而這在聯軍方面，似乎無可無不可，只要不是三十八度。彭德懷一面嘴裏很硬，俄帝則不妨一面暗中運動若干人勸美國給中共一點面子的。所以，談判不會就此破裂。

我相信停戰談判一定要將八月拖過去，拖到九月對日和約之時。美國自不打算在對日和約簽字前，即將韓戰擴大。這一月間俄帝一定四面八方在對日和約國家之間擴大矛盾，製造矛盾，務期對日和約不歡而散。然後，再決定中共在韓的動作。所以九月間很可能是韓戰再起乃至擴大的時候。

大勢而論，俄帝的策略是會失敗的。他這套把戲太遲了。對日和約木將成舟，我相信馬立克的停戰建議，並非在六月底突然提出的。不過美國一直裝聾，直到對日和約草案有相當頭緒之後，才開始理會而已。談判開始以後，利用俄帝求和之心切，亦不完全打斷俄帝之期望，使談判拖延。在談判中，中共的人海停止動作，而聯軍空中轟炸並不停止。中共軍隊的集結，自感困難。此對聯軍，實有極大利益。如果這一推測不錯，則這一次鬥智，聯軍頗有成功。

問題在舊金山會議

值得憂慮的，還是舊金山會議的陣容。對中國之不公平，已使這一會議在道義上立於不健全的地位。菲律賓的賠償要求，也是一個問題。而印度對和約的荒唐建議，無疑含有俄帝的挑撥在內。為世界大勢着想，我們希望舊金山會議能夠順利成功。必須舊金山會議順利成功，才可使開城鬥智，得到充分的成功。

老實說，這關鍵在於英國，現在俄帝正對英國力送秋波。「真理報」刊載莫理函件，即是公開秋波之一。我希望英國人冷靜一點。同時，希望英印二國對於中共控制西藏以後之印度洋形勢，能作更長遠的考慮。而對於中國參加和約一事，放棄短視的政策。對共黨不是討好政策所能了事的。民主國家的團結和堅決能使韓境共軍進退兩難，而逐漸趨於瓦解也未可知。

總之：開城談判使中共得一喘息，但其他任何陰謀，都不能達到目的。聯軍方面，得一暑期休息，但還要舊金山會議圓滿成功，這一鬥智才算真正勝利。如果舊金山會議圓滿成功，無論韓國停戰也好，戰事再起和擴大也好，俄帝中共的形勢將比過去更壞。

胡先生此文，認美國對共黨了解已大有進步，不致上當，可使我們安心。而同版舜生先生時局漫談，則認美國可能再上一次大當。這兩篇文章，代表兩種不同看法，兩先生的觀察都各有其精闢獨到之處，特一併刊出，以供參驗，讀者幸勿誤為自相衝突也。「編者附註」

俄帝妙計不過如此

這一次停戰談判是由俄帝提出的。他的動機是：驅逐聯軍下海既絕對無望，而中共犧牲則十分慘重，已臨崩潰邊緣，所以渴望結束韓戰。他的目標至少有三：（一）由軍事停戰進一步牽涉到政治問題，首先是對日和約問題，也許還想談談台灣問題，這是俄帝主要目標之所在。（二）如果這一點做不到，至少希望能沿三十八度劃一中立區，還希望現在聯軍停止空中轟炸，以便集中供應；以後聯軍撤退。至於他自己，名義上撤退，而實際上隱藏下來。這對他在宣傳上，軍事上，政治上都有極大利益。（三）如果這都達到目的，便看出聯軍求和心切了，他將進而糾纏政治問題的敲詐。如果敲詐不遂，他可先在他處發動有限度的侵略，吸引美國的注意力。然後，再以更充分的準備，重新進攻南韓。那時美國再號召各國出兵援韓，將是不可想像之事了。史太林的妙計，不過如此如此。

美國方針十分堅定

美國當然願意停戰，因為在「有限戰爭」戰略下，韓戰無法打出一個結果。他在遠東的王牌是武裝日本。他希望對日和約順利成功以後，再來解決韓國問題。所以，當然願意先行休息休息。但是，與其讓史太林的妙計出售，他即不如繼續打下去。美國答應談判，無非試試看，看看俄

廣開言路　集中力量
把握民主自由的思想武器　完成革命事業最艱苦階段

·雷嘯岑·

孔子與其門弟子談國家盛衰治亂之理，有兩句話至今不能否認其妥當性。他說：「邦有道，危言危行，邦無道，危行言遜」。所謂「有道」，就是政治上有作為，有辦法，能夠適應時代要求，代表着大衆的利益。因此，大家精神煥發，活力充沛，遇事皆樂於預聞，隨便高談闊論，行其心之所安，共信互信，匯成一種能動的政治力。否則相率失望沉默，明哲保身，只抱着「莫談國事」的消極態度，以免惹出是非，致招不測之禍。就現代的政治術語來解釋，前者是創進機能，後者是分解作用；前者是民主的象徵，後者乃極權的結果。

民主自由生活是現階段中國人民的迫切要求，也是全民族反共抗俄的共同信念。自辛亥革命以來，中華民族經過了兩個大變革時代：一是一九二七年反帝反軍閥的北伐運動，一是反抗日本侵略的八年對外戰爭。這兩大戰役，都是以國民黨為領導中心，而且取得了最後勝利。當北伐軍尚未出發以前，國民黨踞促廣州一隅，形勢孤危，粵省內大半地區，仍為反動勢力所盤據，比較現在的台灣，實不可同日而語。但中山先生從改造他所領導的黨作起，使全國進步人士都嚮往他的革命號召，擁護他那召開國民會議以解決國事的政治主張，形成一種「有道」之邦的新氣象，不論那一黨派，那一階級的人士，都樂於預聞革命事業，而以能到廣州參加革命行列為莫大的榮譽，連北洋軍閥也有來輸誠悔禍的。對日抗戰前夕，國民黨領導人接受了全民要求，又徵詢了各界知識份子的意見，纔下決心作戰。戰事初期即創立國民參政會，使全國各界人民與黨派代表，都有預聞國事的機會，讓大家「危言危行」，藉成政治活力，表示波瀾壯闊的新局面。這兩大戰役的成功，可說是得力於民主政治的效能，也就是社會大衆「危言危行」的結果。

現在的反共抗俄，是中華民族第三個大變革時代了。國民黨依然居領導地位，同時又照樣的如北伐以前，正從事黨的改造，而反共抗俄的政治號召，亦如過去反帝反軍閥反侵略的信念一樣，是代表全民利益的。現時所具有的軍事政治經濟各種力量，以及國際環境，並不比對日抗戰時代為劣勢，較北伐時期更優越。無論從那一種角度來看，前途是光明的。然若干崇尚民主自由的反共非共人士，似乎缺乏預聞國事的「危言危行」，不是意志消沈，即是偏頗激越，或者就是別謀生存之道，置身事外。這其間的原因固然很複雜，但決非共黨在大陸上所作所為使大家隱消了反共理念，相反的，大家反共非共的心情比過去更見堅強。最大的癥結，恐怕是在沒有引起大家樂於預聞國事的興趣。所謂「預聞國事」云云，並不一定是要參預實際政治業務，祇要使大家有提供意見，在共同理念之下，能自由發抒其「危言危行」的機會就得了。用一句老話來說明，即是「廣開言路」！假使大家連表達意志的說話機會都沒有，又怎能構成多難興邦的政治活力呢？

這廣開言路之責，應由實際領導反共戰役的政府來倡導獎進，不能期望於社會大衆，居於社會大衆之表率地位的知識界人士，祇要他具有反共非共的理念，至少是樂於盡其言責的。言而當，採擇施行，言而不當，但供參考，他們也沒有甚麼。若說話的自由都不存在，那他們如非「危行言遜」，理亂不聞，即是偏頗激越，挺而走險，這都是減少了政治活力，對國家發生不利的分解作用。

廣開言路並不難，其道亦多端，任何一個當政人物，都沒有不許人說話的成見。難在能有察納雅言，聽受盡言的習慣，尤其難在養成「言者無罪，聞者足戒」的恢宏氣度，民主政治之美德，就在這些地方。有兩個當政人物的史事，很可以說明「危言危行」的效用，如能體會實行，則波瀾壯闊的政治活力，瞬息可致。一是晉朝的司馬炎（武帝）對謇謇諤諤，直言極諫之士劉毅的態度：劉氏當面批評他賣官鬻爵的秕政，指為與漢末桓靈之世一樣，而其結果比桓靈之世更壞。因桓靈兩帝雖然政以賄成，但其所得，都是歸入公帑的，而武帝時的賣官所得，乃盡入了貪官汚吏的私[illegible]答道，桓靈二帝怎能比我呢，他[illegible]沒有像你這樣的大臣啊！一是孫中山先生對革命術士的態度：當年有些人[illegible]向他騙取名義與金錢[illegible]有人報告他這類事實[illegible]他說：我們講革命是不怕[illegible]他騙我一次，再不好騙[illegible]的人都沒有了，那革命[illegible]？以這種氣度來察言觀[illegible]力之士，誰不心悅誠服[illegible]你要他們去搞「第三勢力」[illegible]謂不敏，決不離開你這[illegible]人了！

[illegible]我希望自由中國政府能借鑒「危言危行」的風氣，[illegible]時對反共非共的力量集結[illegible]自由，以事有發表主張的[illegible]民主政治的啟發其拯救國家[illegible]，要能聽取不同的意見，就[illegible]。他既有自由說話的權利[illegible]主張的義務，自由與組織[illegible]相成的。國民黨在近代中[illegible]已完成兩大變革時代的領[illegible]大變革是更艱鉅更偉大的[illegible]利鈍，就看能否把握着民[illegible]器，在政治上充分的發揮[illegible]

停火問題的一波三折

你硬，我就軟；你軟，我就硬，你軟硬兼施，我便對硬的讓，對軟的攻；共產黨對和平與戰爭，和我們並不是同樣的看法：我們是為和平而和平，共產黨是為戰爭而和平，換言之，在共產黨看來，平時的和[illegible]變小戰為大戰的一種手段。他[illegible]，也可以和你簽一個「條約」，但所謂「協議」和「條約」，只有在於他們有利的時候才是有用的東西，否則不過是一張廢紙。假定共產黨也講信用，也受「協議」或「條約」的拘束，那他們便不是共產黨。

韓戰停火，是於中韓共產黨和蘇[illegible]心和你談，你就再硬一點，他們也還[illegible]停火談判值正破裂。這個道理很簡單[illegible]的取暫時的和平，這並不是他們的目[illegible]，他們的目的乃另有所在：他們要[illegible]美國拖得值正發脾氣，因為艾奇遜的嘴裏硬，心裏軟，馬歇爾的忍耐十分到家，他們是完全明白的。

凡此種種，當停火談判一開始，我便是如此的看法，火是終於會停的，但美國是可能再上一次大當！

時局漫談

·舜生·

李彌入滇意義重大

李彌部入滇的消息，仍在由世界的各通訊社繼續傳播，且已反映到了美國的國會，但究竟實象如何，我們也並不明白。

這件事的現狀與未來的演變，我們姑置不談，但其意義非常偉大，卻是無可疑的：

第一，從這件事可以看出自由世界對自由中國向中國大陸進行反攻，是何等熱烈的表示歡迎。

第二，從這件事可以看出日處水深火熱的中國大陸人民，其期待解救是何等的殷切。

第三，從這件事也可看出中共到處都是弱點，只怕不着火，一經著火，便到處都可燃燒起來。

第四，從這件事更可證明反攻大陸的時期，已經完全成熟，現在的力量足以[illegible]只有美國[illegible]也就是她對自由世界的功罪所關，[illegible]

我們不可以輕視雲南，雲南便是三十五年前打倒一個專制魔王袁世凱，恢復中華民國的策源地！

我們不要忽視這些游擊隊，[illegible]只要有外面的力量一經[illegible]

[illegible]作用呢？

寫在我離台赴美的前夕
台灣確充滿新生氣象

‧張子良‧

（一）海外僑胞均盼台灣強大

不看見自由中國的台灣，已經有一年多了。一年來國際的演變，真是驚風險浪，尤其是遠東韓戰的烽火，所影響的世界形勢，都與我們自由中國息息相關。當每一個風浪起伏的時候，我們寄身日本的僑民，正是怵目心驚，懷念着自由中國的前途！

因為大陸淪陷，祇剩下台灣這自由中國的最後堡壘。這寶島的領土雖小，但牠是寄託未來中國的前途，也維繫沉淪匪區同胞的信心。每個海外僑胞都仰望着台灣的力量進步，強健，早日能重返大陸。這期望是普遍的，真切的，也是很熱烈的。就在這樣的心情鼓勵下，我又重來台灣，正當我將赴美國的前夕，願意看一看祖國的新生氣象。

我記得我去年到台灣的時候，正是風雨飄搖，人心不定，外有匪共渡海攻勢的宣傳威脅，內有匪諜造謠惑亂，憂慮思亂的陰謀隱憂。國際的友情冷酷的旁觀，海南舟山撤守，依然是軍事的逆流。這些影響到每個人的心情，總有點黯然，而懷疑到希望在那裏。這內在的飢弱，確實是十分嚴重，縱然有堅定的領導，也很不容易鼓起每個人有把握的信心。

今年的形勢，卻不同了，當我再到台北的時候，從所接觸的朋友來看民間心理的表現，是一致的堅決的反共意志。不管是從政的經商的年老的年青的，每一個人都能道出共匪的殘暴事蹟，認清當前唯一的出路就是「反共」。假使我們用時間的因素來考慮，何以一年相隔，反共的意志，會這樣迅速一致地堅決起來？如果從主觀來講，可說是覺悟，但從客觀來講，應當是共匪的殘暴政策，使大家認清牠欺騙的真面目，逼着每個人走上堅決反共的道路。昔人有言：「動人以言，其感不深，動人以行，其應必速。」這充分道出中國人對於當政者的體察，現實的衡量，竟會勝過[illegible]的理想。「登高自卑，行遠自邇。」從過去看未來，儘管共匪怎樣歪曲欺騙，總不容易抹去每個人民親身受的苦痛，深遠的情緒的激越，就形成了今天普遍反共的決心。

（二）現行金融政策需要迅速改進

到台灣來的第二個印象是經濟。今天台灣經濟是無可諱言的在困難中艱苦奮鬥的。為了平衡國際貿易，儘量緊縮輸入，原則上當然很對，但是外匯管制太過嚴格，卻也影響民間貿易之無法發展。進出口貿易趨向停滯，國內商業必然會顯得蕭條。雖然目前六七八三個月是每年商業的蕭條季節，如果能將外滙政策加以適當的調整，對於經濟的繁榮，當有不少的幫助。

最近各公營生產事業的資金困難，大多陷入苦境，這主因就在現行二重外匯率的差額太大。各種重要產品如食糖，鹽，紙漿，鉛錠，燒鹼，水泥，鐵板等出口結滙，都依照官定滙率十元二角五分計算，較結滙證價格相差百分之五十左右。其他食米價格，煤炭收購價格，都覺太低而不適合實際情形，因之農村發生困難，煤礦也發生倒閉現象。這是使生產萎縮的嚴重問題。目前雖然有出口補貼的擬議，究竟能不能把整個經濟萎縮的趨勢挽回過來，仍是一個問題。所以最合理的想法，應該儘量擴大輸出入範圍並提高出口物資的結滙率，使能維持生產成本，刺激生產，鼓勵出口貿易活躍繁榮起來，不過這問題並不簡單，首先就得台灣銀行把現行的金融政策改變，放寬管制的範圍，讓民間貿易商人有較大的活動自由。萬不能以一時財政目的的小算，貽誤培厚國民經濟基礎的大計。

（三）少數官僚習氣尚須澈底剷除

這一次，我因為日本華僑聯合總會的會務委洽，來台後，拜會了不少的省級到中央機構的首長負責人，一種實事求是的精神，使我十分欽佩。行政效率，確實比過去增加，不過首長蓋章對外的制度，使分層負責幷沒有澈底，對於公文處理的時間，不無延誤。而少數機關也仍表示官僚習氣，彼此傾軋磨擦，使對外的力量，抵消在內部人事的安排上，這是非常可惜的。我們看美國的兩黨紛爭，平時爭論得面紅耳赤，但如一旦遇到發生危害國家安全的時候，莫不一致對外，合作無間，我國目前正處於這種狀態之下，所以也不應該再有內部的摩擦，抵消自己的力量。有人也曾經指責政府若干地方的作風問題，確實也有值得改正的地方。但是與極權統治的匪區相比較，我們今天自由中國的台灣，正是洋溢着自由民主的風度，這是值得稱頌的一件事。我以為若干戰時法令的特別限制，是針對戰爭狀態下的必要措置，我們在身臨赤禍的一時，正應該忍耐一時，等到赤氛掃除河山再造的時候，自然可以沒有絲毫拘束地建設更民主自由的新中國了（四〇，七，卅，台灣）

按：本文作者，現任僑日中華商會副會長，在日擁護祖國，倡導僑胞，反共抗俄，極為熱烈，最近回國到台轉日，承以本文見示，對於台灣現狀，觀察批評，頗有獨到之處，特刊布如上，以見旅外僑胞期待祖國，何誠摯殷切也！（編者）

你們要清算武訓
結果毛澤東也將無法存在

因為毛澤東到底不是斯拉夫人，從清算武訓，說到中共思想的悲哀

‧蔡寬‧

中共今天，正在使用大力清算武訓。老實說：就中共思想立場，武訓也實在該清算。問題是在：第一，中共為何事先糊塗，要提倡武訓，到後纔始驚覺，又來清算武訓的呢？第二，中共除卻武訓以外，又曾在中國歷史上，提倡過甚麼人物呢？就今為止，似乎除卻黃巢張獻忠李自成等之外，中共在中國歷史上，更沒有提倡崇揚過甚麼人。至於如潘金蓮之類，並非真屬歷史人物，這自不在話下。我曾為此事代替中共仔細想過，依照中共的思想立場，中國史上，也實在沒有甚麼人可提倡，可崇揚。若使中共再睜眼睛，又在中國史上，如武訓般，隨便來提倡崇揚另一個人，其勢仍必要歸到清算，多一事不如少一事。清算武訓，實是中共一大教訓，無異是在教訓中共，勢必清算了中國史上的任何一人物。

如何轉變「無人的歷史觀」

試問沒有一個值得提倡崇揚的人物，卻如何又會創成了歷史的呢？此之謂無人的歷史觀，這才真正是馬克思之唯物史觀。馬克思是猶太人，世界史上，實在也沒有猶太人的地位，只有一耶穌是例外。但耶穌只在世界史上有地位，在猶太人歷史上仍無地位。因此猶太籍的歷史家，必然會發明一無人的歷史觀。這個必然的辯證，在馬克思身上應現了。

列寧史太林便不然，他們此刻，正要把無人的歷史觀，轉變成唯斯拉夫人的歷史觀。因此近代一切科學的新發明，都要改寫在斯拉夫人的歷史上了。無條件的接受斯拉夫領導，纔是真正的國際主義與世界主義。將來的世界新歷史，決不仍是無人史觀，即決不仍是馬克思的唯物史觀，而是列寧史太林的唯斯拉夫人看，這亦是一矛盾中之更高統一。

但在中共的立場便不同了。中共若接受馬克思的唯物史觀，歷史是唯物的，沒有人的地位和分量。全世界各民族，全變成猶太人般，在歷史進展中無地位，無分量，只是些被歷史所決定的，而非能決定歷史的。只有馬克思，那是新耶穌，還亦可以自圓其說。但又參加列寧史太林的新歷史觀，來修正馬克思，受了他們的唯斯拉夫的唯物史觀，而主張一面倒，這亦未嘗不可。最苦惱的，是毛澤東還是中國人，幹部也都是中國人，他們所要領導的，還是中國的無產階級。如是則引生出另一矛盾，即是中國人或中共在將來的世界新歷史之必然的進展過程中，究竟是被決定的呢？還是仍有他一份決定歷史的地位和分量的呢？

是中共和毛澤東的悲哀

若使毛澤東和中共和今天其他的中國人，在將來世界新歷史中，是被決定的，沒有絲毫決定歷史的地位和力量，那中共今天一面倒的政策和主張，是無可非議的。但可痛的是，他們並非一面倒於唯物史觀，而是一面倒於唯斯拉夫觀，則究竟是一悲哀。是中國人的悲哀，是中共的悲哀，亦是毛澤東的悲哀。

可憐你無法不是中國人

若使毛澤東和中共和今天其他的中國人，在將來世界新歷史的進展中，也有其一分決定的地位和力量，這即不是唯物史觀，更非唯斯拉夫觀，便不該一面倒，便不該無條件接受斯拉夫指導。毛澤東和中共之地位和力量是站在中國人的地位和力量上而始有其地位和力量的，則在已往世界歷史上，早已有了中國人，並非到毛澤東和中共起來，纔始有中國人的。那如何能把歷史上已往的中國人，全都清算了呢？

我敢竭誠的，站在一個中國人的立場來正告今天的中共。你們單提倡崇揚黃巢張獻忠李自成是不夠的，你們單提倡崇揚馬克思列寧史太林，依然是不夠的。你們在此之外再加上一個毛澤東，仍然還是不夠的。你們到底是中國人，你們的中國人資格，是由歷史上的中國人而獲得的。你們若提倡馬克思的唯物史觀，至少你們不能取消列寧史太林和大斯拉夫在此唯物史觀之實質進展中的地位和力量，那便無異取消了唯物史觀。你們若提倡列寧史太林的唯斯拉夫觀，至少你們不能取消中國史。你們若要徹底清算中國歷史裏的一切人物，徹底清算中國史，你們至少不能清算到毛澤東和你們的自己。那便無異取消了唯斯拉夫觀。

但你們今天高倡馬列主義，高倡一面倒，從頭清算中國史，和中國史上的一切人物：單單一百年前山東一個老乞丐像武訓其人者，你們還在使用大力清算他。我恐怕到頭來，決然會清算到全部中國人，那你們和你們的毛主席是無逃於外的。因為你們和你們的毛主席，究也還是中國人呀！

你們若要堅確認識你們在決定將來世界新歷史之發展上，有你們一分的地位和力量，請你們對我上述的一番話，冷靜的清算一番你們的自己，先搞通了你們自己的思想，再來清算像武訓之流的久已死去的陳人罷！

印巴竟會要不惜一戰

何以為了喀什米爾

因為印度若佔有喀什米爾，就可以包圍巴基斯坦，尼赫魯是始終不忘情印巴合治的。

‧王醴泉‧

最近國際上湧現一個新的危機，印度與巴基斯坦雙方不斷的增兵邊境，戰機一觸可發。印度總理尼赫魯，向巴基斯坦總理阿里汗宣言，這喀什米爾（Kashmir）問題，如和平談判失敗，將不惜訴諸武力；並口口聲聲，說印度調動重兵，是為提防萬一。尼赫魯的外交，一面結好蘇聯與中共，一面以重兵威脅巴基斯坦，大有戰國時代張儀「遠交近攻」的氣勢。現在印度正鬧荒年，饑殍遍野，國會黨黨人，反對尼赫魯者，紛紛脫黨，內閣閣員數人，亦辭職加入新黨（名為人民黨Praja Party）與內反對派聲勢，日益膨大，今年下半年印度將舉行總選舉，尼赫魯是否希望在國際上耀武揚威，以掩飾其內政上的失敗呢？

印度威脅巴基斯坦

喀什米爾，土地面積八萬四千英方里，人口四百萬，位於印度與巴基斯坦的北角，與我國西藏新疆及阿富汗接壤。印度現有土地面積，一百廿三萬方英里，人口三萬萬五千萬。巴基斯坦，土地卅六萬方英里，人口七千四百萬。印度依恃其人口與面積的絕對優勢，壓迫巴基斯坦就範；可是巴基斯坦與喀什米爾的回教民族，向來強項善戰，印度人卻是多數出名的食吃懦做，恐怕巴基斯坦是，不是「亞洲領袖」的尼赫魯，隨便可以嚇倒的呢！

這喀什米爾的問題，倒底是怎麼一回事？

喀什米爾四百萬的人口，百分之七十七是回教民族，照理應該歸屬於巴基斯坦，可是統治這地方的土皇帝，卻是印度人。這土皇帝於一九四七年十月，宣佈將喀什米爾歸屬於印度，於是內部百分之七十七的回民，羣起反對，發生械鬥與暴動。印巴兩國，都出兵佔領一部份土地，至一九四九年一月一日，方由聯合國調停，雙方停火。

人民投票巴必勝利

聯合國解決的辦法，是由聯合國監督，舉行總投票，結果而定。這個辦法，印度絕對拒絕，因為當地居民，四人中有三人是回教民族，那印度的土皇帝在聯合國公平監視之下，將無法強奸民意。聯合國派了許多人去調停，巴基斯坦認為辦法公允，印度卻誓死反對，鬧了幾年，沒有結果。現在的調停人，是美國人葛雷姆（Frank Graham），前任美國北加羅那州立大學校長，後來因為北加羅那州一個參議員逝世，該州州長派他做參議員，他在美國社會上很有聲望，國會裏很受人重視。他是個短個子，辯才無礙，態度誠摯，應該是調停糾紛的理想人才，可是印度始終反對聯合國的決議案，他現在幾乎要調停出一個戰爭來了。

經濟關係喀巴密切

這喀什米爾，不但在血統上和巴基斯坦相同，在經濟上也和巴基斯坦結在一起。巴國西部的農業區域，全恃四條河流灌溉，這四條河流，都發源於喀什米爾，河源兩旁，居民多為回教民族。而且巴喀交通，相當便利，喀什米爾出產的物品，都向巴國輸送。至於從印度到喀，僅有一條路可通，那一條路，是[illegible]口（Banihal Pass），兩面都是崇山峻嶺，高過海面一萬一千英尺。這一條路必須要天氣好的時候，方可通，非終年可用。

印度要爭取喀什米爾，據紐約時報駐印記者說，祇有一個理由：「印度如能取得喀什米爾，可以在戰略上包圍巴基斯坦。印度思想極端的人，始終沒有忘記印巴合併，使印度江山，重歸完整。巴基斯坦有剩餘的食糧，足以[illegible]國際的市場，年年還運往美國，換取美金外滙，這一塊肥肉，印度的土地擴張主義者，不免要時時食指大動呢！」

‧這句話是否可靠‧
美國空軍是最弱的一環

國防部因此正計劃擴充到一百六十一隊

世界緊張局勢，並未因克林宮偽裝的和平姿態，即告弛緩。過去傾向「綏靖」的杜魯門艾契遜之流，也似乎特別覺醒，一方面對美國擴軍工作，絲毫仍不放鬆，一方面則正盡力設法，想運用西德，日本，在東西兩端，做抵禦赤潮的前哨。

關於美國軍備，除原子彈是眾所公認的，質和量都必然超過蘇聯外，其餘海陸空三部份，據許多軍事專家最近切實檢討的結果，認為最弱的一環，仍在空軍。他們指出，海軍在全世界最強最好，那是毫無疑義，陸軍裝備完整的只二十七師，正在裝備的三師，但潛力強大，且有大西洋公約國家合作，任何局勢足資應付。（據戰略專家史培茲在八月六日新聞週刊所作未來的空軍防禦一文中說：假使蘇聯向西歐進攻，有四十至六十師陸軍，足可阻止其前進）惟空軍則目前只有八十九隊，擴充目標為湊足九十五隊，其中有半數飛機，業已陳舊，比蘇聯空軍，遠為落後。（又據史培茲估計，僅為保衛西歐，美國民主國家即需要空軍一百隊）因此國防部正計劃要將空軍量擴大到一百六十一隊。所有飛機一律換成最新式的。此一百六十一隊空軍，預計有一百三十八隊為戰鬥及轟炸機，二十三隊為運輸機[illegible]

[illegible]

一個半月發現一百四十三件
再誌中共「建設」大失敗
用款一億，中飽六千萬，打破貪污紀錄。工程無計劃，一塲大雨，冲坍了堤閘，淹沒了礦井。

這樣糟踏人民的血汗

【本報北平特約通訊】中共的「建設」，就是「浪費」，記者日前，雖曾報導過一些。（編者按：已刊載七月廿五日四十一期本版）實錄上還是百不逮一，據熟悉中共所謂「建設」內幕的人士透露，六月十六日起至七月底，這一個半月內，單是因貪污或設計錯誤而失敗的所謂「建設」事業，已經發現的就有一百四十三件。茲分為兩類，共摘列二十件如左。則中共誇稱之大力建設，真相如何，亦可以數例止矣。

貪污舞弊　偷工減料

（一）「東北人民政府財政部」的倉庫工程，未經「經濟財務處審核」，即簽訂包工合同，所定工數多出實際工錢百分之五十八以上。其中附屬設備又估工程費總概算百分之四十二以上。估計貪污中飽之數竟超過實用數百分之六十。（即平均每億元中飽六千萬元，打破任何貪污案件的紀錄）

（二）上海鐵路管理局及南昌分局在建築向塘車站和機務段工程中，由於承辦人貪污中飽偷工減料，建築費由百分之一百增加至百分之四百二十九。（按即決算多出預算之三倍強）

（三）北平「中國青年藝術劇院」建築青年宮電影院，接受包商禮物，施工時不派監工亦不驗收材料，聽由包商偷工減料，損失二千八百萬元。

（四）山東醫學院學生宿舍包給山東建築工程公司承建，串同作弊，總包價八億餘元（折合小米一百餘萬斤）未開工即將經費百分之八十支付，但由於挪用虧空及偷工減料，先後返工（即不合標準或毀塌而重新再建）四次，停工六次，結果還是無法完成。

（五）陽泉礦務局大部工程包給私商承建後，既不監督又不檢查，任由私商偷工減料，主持人則從中分潤。

（六）淮北鹽場所屬新灘、灌港、洪港三處水閘，及西數抽水機工程，主管機關既不招標亦不調查行情比價，工價高訂至二百八十八萬斤小麥，中飽七十五萬斤，（合人民幣六千餘萬元）

計劃錯誤　盲目胡搞

（一）全長一百八十里的冀中運河建築工程，由於勘察設計的馬虎草率，造成嚴重錯誤，全部工程照原定八百萬斤米，後又追加二百六十萬斤米，所有堤閘，給一場洪水冲毀了。

（二）萍鄉煤礦新大井建築工程，隨便按照舊有工程設計，並不精密研究，施工後一部份即遭水淹，死工人十九名，停工兩個半月，機器設備全被淹壞，損失人民幣十四億元之巨。

（三）湖南中湘永邵，湖湘各煤礦，未經設計即行開工，不是遇到災變就是儲量不足，被迫相繼停辦，三億餘元的投資化為烏有。

（四）湘江煤礦謝家塘新井工程，事前對地質情況絕不清楚，盲目施工後，被迫中途停止損失五億餘元。

（五）江西大吉山礦場新建工房，因缺乏檢查，不合標準，蓋好後一場大風，完全吹塌，損失兩億餘元。

（六）中南有色金屬管理局江西分局，購石灰一萬石，既無地方存放，又未有工程目的，借民房存儲，結果房屋摧壞了要賠償，石灰因潮濕完全沒用。

（七）東北第三造紙廠安裝木釜，沒有進行地層研究，在三公尺以下即為沙石層的地區下脚，因而被迫另換廠址。有的工程還就地勢，所以建築物的基礎有深有淺，房子蓋成後，牆上即有裂縫。

（八）東北安東冶煉廠水源工程，沒有了解土質情況和歷史、貿然施工。土質虛鬆，緊靠江邊，致被江水大量湧入。

（九）中國糧食公司天津市公司沒有調查地層和地形就做防水牆，挖地二、三尺就見水。又該公司向上海購置烤乾機，原要烤玉米麥和小米的，却運來一個烤大米的，不合用，賠了錢還白費工夫。

（十）康定鴛鴦壩施工無設計圖表，施工時，發現全是粗砂卵石，無法修壩，只得呈請停辦。

（十一）「北京造紙廠新建下水道」工程，未經精細設計，即行施工，致使用十四萬斤米修建成的工程不符實用，並使污水塔害農田。

（十二）北票礦務局為恢復冠（山）三（寶）兩礦場的鐵路線，搶修三保橋，用去十三億元巨款，因工程設計馬虎，由原日之十三孔減為四孔，完成後不久，就在今年的夏天被水冲毀。

（十三）晉南麵粉廠的五層製粉大廈，設計圖表過於簡單，施工時又沒照着做，造了第一層時，才發現不合規格，拆了重做。

（十四）錦州合成廠爲了趕快造成，把廠存偽滿時代德國設計公司的資料，臨時拚湊，結果完全不能合標準，只好中途停工。

「共產黨的貪污數不盡」
陳居洪貪污七十九億
長官完全放任聽其大胆胡搞

【本報北平特約通訊】中共命令人民，歌頌共產黨，最普遍的一句口號，就是共產黨的「好處數不盡」，現在，每個老百姓，都在暗地將這句口號改了兩個字，那就是「共產黨的貪污數不盡」。尤其記者，數月來所報道共產黨的貪污案，眞是指不勝屈。共產黨過去將國民黨的貪污腐化，向國內外擴大宣傳，認爲這是國民政府應該打倒的最大理由。現在，輪到自已頭上，共產黨的貪污腐化，却只有青出於藍，變本加厲。下面是「西南軍政委員會工業部經理處」祕書，中共十年老幹部陳居洪一段貪污史實，北京市人民法院檢察署，經人告發，無可奈何，只得提起公訴，這是公訴書原文，因爲牠是中共的官文書，記者一字不敢改變，恭錄如下：

北平人民法院檢察署公訴書
巨額公款憑一手揮霍

被告陳居洪是西南軍政委員會工業部經理處祕書科祕書，一九三九年夏參加革命工作。該處處長左子祥去年十一月奉派赴天津爲該部採購軍工物資，被告陳居洪隨行。左子祥于去年十一月底到天津後即擅離職守，返回原籍河北省任邱縣，將採購工作全部交與陳居洪一手辦理，並將該處駐天津代表公章，本人私章及軍工專款七十九億三千餘萬元也交與陳居洪掌管。陳居洪因受舊社會習染很深，自左子祥離天津後，陳即擅離該處駐天津代表辦公及住宿處所，遷住國大飯店，任意揮霍，更趁機利用職權與奸商勾結，貪污舞弊，並挪用軍工專款偷營投機生意。去年十二月，陳居洪向天津市尚未正式開業的「源生五金行」負責人被告王梅生購買鋼料一批，同謀以期貨充作現貨。王梅生因此獲得非法利潤四千四百萬元，而陳居洪便接受其變相賄賂共達一千二百餘萬元。

私購汽車往來吃喝跳舞

同時，陳居洪又經人介紹與天津「美國」汽車行副經理被告張元吉認識，以後，二人經常一道跳舞吃喝，陳居洪並以兵工專款一千五百萬元存放張元吉處任意花用。通過張元吉的牽引，陳居洪挪用兵工專款九千三百萬元，私買汽車一部自用，僱用司機一人，隨時開車往來遊樂場所；並將汽車行商稅款四百六十萬元留自用。爲了獲取暴利，陳居洪與張元吉訂立了汽車買賣合作契約，偷營投機生意。陳居洪一面向人宣稱有八成新吉普車三十五輛，急欲由重慶運天津銷售；一面又挪用兵工專款一千萬元給張元吉作旅費，張元吉即乘飛機到重慶辦理購買吉普車手續。後來，張元吉在重慶又冒充西南工業部駐天津購料代表名義，請購飛機票，準備返回天津。

左子祥在原籍逗留半個月後，於十二月中旬回到天津，因患病住在親戚家，並未回到駐天津代表辦公及住宿處。對於陳居洪進行採購工作的情況，亦未加檢查和考核。在養病期中，左子祥曾接受陳居洪以辦公費爲名送去的二百五十萬元花用，此數超過左子祥應受供給的法定標準。

攜帶舞女到平遊逛被捕

今年五月十五日，陳居洪更擅離職守，攜帶舞女由天津到北京遊逛，化名陳虹，偽報上海五金商人身份，住在北京東安旅社。公安機關查出陳居洪本來身份後，並經人告發，即將其拘捕送交本署偵查處理。陳居洪所有違法亂紀行爲全部暴露。根據陳犯所供，全案案犯亦經本署詳細偵查確實，依法分請有關機關拘捕並押送來北京。茲偵查完畢提起公訴。

瞻大妄爲且看如何處辦

以上是檢察署的公訴書原文，聽說陳居洪所以敢如此胡搞，是因和其高級當局，有親戚關係。不過現在事情鬧大了，北平百餘萬市民，幾於無人不知。中共痛罵貪污腐敗的國民政府，過去尚不知殺過多少貪污犯，現在您不好意思，將這樣一個大胆妄爲的陳居洪因私人裙帶關係，輕輕放過，據記者的推測，大約在成千累萬的中共貪污罪犯中，陳居洪將不免要做一個殉道者。（隆光，三日寄自北平）

衡陽學生首先覺悟
組織學生反暴聯合會
藉反對武裝日本遊行機會，夾帶散發反共傳單，現師生被中共拘捕者已達一百七十餘人

衡陽的中學之多，僅次於長沙。雖因中共一再壓迫，使私立的廣湘合章等七校相繼自動停辦。但學生數字，仍是不少。最近中共「衡陽市委會」，提出「反對武裝日本」，命令全市學生大舉遊行示威，不料在遊行隊伍散出的傳單中，竟雜有「反動」宣傳品在內。此項宣傳品，署名「衡陽各中等學校學生反暴聯合會」，原文節錄如下：

不願再做幇兇者　歡迎蔣總統反攻

「親愛的愛國同胞們：以朱毛爲首而替俄帝充當狗腿子的中國共產黨匪徒，自用暴力奪取政權以來，在大陸各地，尤其是我們湖南，經過一次又一次的搜刮，一次又一次的屠殺，使它過去所偽裝的面貌，已完全爲我們揭穿了。近年來，國內部份青年學生，由於一時的錯覺和衝動，在有形無形中做了它的幫凶者，造成我國今日空前的禍亂，招致自身慘重的打擊，讓一痛苦教訓，我們實在是感到非常的愧悔。現在我們爲要爭取真民主，真自由，以及國家領土主權之完整獨立，我們願與全國各界愛國同胞，緊密的團結起來，堅强的行動起來，展開壯大的反暴運動。……總要全國同胞一致覺悟起來，組織起來，摒除媚共恐共的心理，用前仆後繼的精神，以百折不撓的勇氣，從事各種實際的反暴工作，策應台灣國軍反攻，則賣國殃民的暴力政權，一定能夠摧毀。蔣總統所領導的國民政府，一定能夠立刻回來，使全國同胞重復自由與光明。最後讓我們高呼：以行動爲已死的同胞復仇。以行動爲未死的同胞，再謀解放」

學校內搜出傳單　校長三人均被捕

這傳單發現後，偽「市長」毛遠耀，偽「軍管司令」兼偽「警備司令」李中權，偽「專員」谷子實等高級共幹，都瞪目結舌，相顧錯愕。當由李中權以「司令員」身份，調派大批武裝及便衣幹探兩百餘人，荷槍實彈，分馳赴東西兩岸學校，並實施武裝包圍，闖入校內，翻箱倒篋，嚴密檢查。結果在縣師等校搜獲用絮被或廢報包紮之該項傳單不少，於是捕去校長尹士傳、吳志道，（擁護人士）蔣俊。學生，羅四維、萬孝先、李翼茂等三十七名。市中教員何貽焜，（曾著曾國藩評傳正中出版）周鐵剛，學生王詠寬，（女）李志成等八名，南强中學校長曾于介，教員蔣培根，（立委梁棟之侄）學生魏書琴等五名。成章中學教員龔匡平、羅漸湘（異黨份子）學生陳新、周治平等十二名。湘南中學教員曾吉陵、毛遠勳學生易晴初、常運鈞等六名，建鐵中學校長楊錦雲，教員鄧雲，學生王秀嘉等五名，均認爲有直接主持，或間接策動此事之嫌，（據聞以上被捕者均係根據各校之職業學生臨時所呈之黑名單）。現分押于市「公安局」，及「警備部政治部」，經已作數度殘酷之審訊。因被捕之縣師學生萬孝先，與集中印刷局經理王雁齡有親戚關係，乃「辯證」該傳單可能因萬之關係由該局承印，故該印局亦遭嚴密搜查，經理王雁齡排字工友曾湘濤等同被株連。現聞涉及此案被捕者，已達一百七十餘人，惟尚無公開處決者，蓋中共特務機關認爲這是有計劃的，行動和有背景的組織的，現正對做隨者威脅利誘，自動坦白，並誘合各方具體情況。（即被捕入社會關係，階級成份及平時言行）獲取錄案以期一網打盡。

上月底上海兩次大屠殺後
本月仍將有數百人送命

幫丈夫逃往台灣　老婆竟被處鎗決

【本報上海特約通訊】七月二十八日，中共屠殺的一百四十四人中，除宣傳已久之張春帆，陳偉達外，太湖反共游擊隊隊長包榮華，青年反共救國軍軍要領導人蔣孝誠（奉化人），亦同時遇害。還有兩位女性，一位是反共游擊份子陸高壽之妻，名周振弟，罪名是因她幫助丈夫逃往自由中國，也被槍斃，中共還替她上一個綽號，說她是有名的「掃帚星」。另一位是上海鄉間女地主，名張錢小毛，因爲土改時曾和中共幹部爭吵，也就不免一死。

在八月一日，中共建軍節以前，上月底，中共一連屠殺了兩批「反動份子」。第一批爲七月二十六日，計判處死刑立即執行者盧英，潘達等二十八名，緩刑二年，強迫勞動以觀後效者有市參議員費樹聲等六名，判處無期徒刑者，有前新聞報總經理詹文滸等六名。第二批爲七月二十八日，計判處死刑立即執行的一百四十四名，緩刑二年的二十二名，無期徒刑五十五名。

在七月二十八日這一批被屠殺的名單上，第一名，即爲陳毅情婦袁雪芬出名控訴之張春帆。「軍管會」公布罪狀，是：「張春帆，男，四十五歲，浙江嵊縣人，惡霸，曾逼姦名伶筱丹桂，懷孕後不便登台又逼令墮胎，因而折磨致死，解放後，放佈謠言，并窩藏惡霸地主」。其次，爲偉達飯店老板陳偉達，罪狀也是「惡霸，解放後繼續造謠，進行反革命活動」。（編者按：陳毅捕，改控訴情形，已誌五月二十六日本刊第二十四期）許多人說，這兩個人的死，最大原因，第一是產業不少，鎗斃了即全部爲中共所有，第二，他們對中共不肯死心塌地的服從，平時言語不謹慎，以致被認爲造謠反動。否則單憑「惡霸」兩個字，在上海還不知有好多萬，中共要殺，也不一定就殺他們兩人。更沒資格張做冠軍，陳做亞軍！

筱丹桂導演「冷山」忽出面　大呼「毛主席」替他報了仇

張春帆死後，越劇界當然不免又由袁雪芬領銜，發表了感謝共產黨替我們除害的照例文章。最饒趣味的，還是筱丹桂死時，被張指爲筱丹桂情郎之導演冷山，在改名換姓爲「金兆元」已將三年的昨天，居然又恢復了「冷山」二字，向中共報紙投函，說「我爲了躲避張春帆對我的仇恨，不得已把原來名字改爲金兆元，這個屈辱，在我一生中是莫此爲甚的。今天，毛主席，共產黨爲我報了仇，爲一切遭受張匪迫害的人民報了仇，我衷心的感謝共產黨，毛主席，我冤已雪，仇已報，胸中的一股怨氣已洩出，我要高呼毛主席萬歲，中國共產黨萬歲。」上海一向歡迎和女人胡調的朋友們，看了冷山這篇大文，都眉飛色舞地說：我們眞值得替毛主席供一「萬歲牌位」，因爲我們有了保障，以後如果和別人的太太們戀愛，她們的丈夫或準丈夫出頭干涉，毛主席就會替我們報仇，並會將這些落後的丈夫或準丈夫拖出槍斃的！

兩批中共屠刀下的人物，就是如此結束了他或她們的一生。據說，八月份內，還將有數百人被殺，豐歟盛哉，黃巢殺人八百萬，中共成績，一定要超過黃巢的。中共殺人萬歲萬萬歲。（悠然，八月一日寄自上海）

「眞自由」當場出醜！

·尚方·

最近有四名波蘭人駕駛飛機，三名立陶宛人駕駛漁船，先後從鐵幕中逃到瑞典，請求作政治難民，允許他們在瑞典避難。正當蘇俄眞理報跟英國外相莫理遜辯稱俄共世界人民如何享有「眞自由」之時，乃出現這類事件，好像是「前面還生蠻，後面喊不辣」，未免大煞風景了！

當今之世，所有大大小小的俄式共產黨徒，常唸着一段刻板式的廣播台詞：說俄共世界中，人民個個享有舉世無匹的自由幸福；但一切反動剝削階級份子是沒有這種自由權利的。因此，凡是指鐵幕內無自由的人，即是反動剝削階級的自由主義者！這台詞，還躲在香港天天享用「美帝」生活品而大呼反美，不知「自由」二字作何解釋的俄共之奴隸的奴隸，也居然向着人們聘唸不歇，好不笑煞人也麼哥！

駕着飛機漁船而逃出鐵幕的四個波蘭人和三個立陶宛人，過去當然都是俄式共產政權下的「戰士」，從今以後，不用說，一律都變成「反動剝削」「匪徒」「間諜」，都是「反動剝削」份子了！所以，俄國駐瑞典的大使要求引渡這般逃亡者。波蘭的「人民共和政府」「不能說話」，說話就是要由俄共大使來「干預」，這就是俄共世界的自由吧！

莫理遜先生假使有興趣的話，不妨問問莫斯科的自由王國：你敢不敢像我們這些「反動」政府一樣，讓人民有行路之自由？

自由談

「老婆跟了中隊長」

·方人·

晚飯後的山村茅屋里，空氣是恬靜的，灶台上燈光熒然。青年農民劉雙喜坐在靠門的矮凳上，嘴里銜着旱烟管，手里在搓着捆稻藥用的草繩。門外的風聲，較白天略小些，可以清晰的聽到豬圈里的鼾聲，逐漸地大起來。

母親把最後的一碗粥吃下去，便傴着身軀在燈影里清洗碗盞，脫掉了牙齒的嘴邊，懸掛着一絲微笑。當她把一疊五彩精繪的瓷器，送進紅漆閃耀的碗櫥時候，方發覺這幾樣什物，在茅屋里的笨重農具中，有些很不調和的氣味，向四週看了一眼，終於把碗櫥的玻璃門，小心地關上了，自言自語地：

「李十罐子家里的東西眞攷究」。

兒子好像沒有聽到一樣，依舊低着頭在搓繩子，旱烟斗的火一閃一閃地。

母親這時清閑了，坐到竹床上去，隨便拿起一塊舊布樣的東西，拂拂身上灰塵。

「毛主席，眞是好人，他領導我們湖南人翻身，不然李十罐子家里的東西，我們窮人怎麼能用得到啊」。

「哼！李十罐子，不也是個湖南人嗎」？兒子銜着烟管，冷笑着說了這一句，口水順着流下來，趕緊又吸上去，在鼻孔里呼出一陣烟霧。

「是啊！我說雙喜，你的腦子就是這樣不活動，要不是巧姐（雙喜嫂的名字）能够隨機應變地跟幹部一起混混，我們家里那來這麼許多東西呢？秋天鬥爭李十罐子的時候，門還不是眼看着人家發財麼」？

「發財，要靠出力氣，出汗水，才能够長久，平白瓜分人家的東西，像強盜一樣，我不希罕」。

「雙喜，你跟你那死鬼老子一樣啊，一根硬骨頭，苦了一輩子，誰曾說過他一聲好呢？俗語說：「人無外財不富，馬無野草不肥」，這氣力吃苦是沒用的，這個年頭，眞正做好人是不會出頭的」——媽媽加重了語氣。

「是啊！這個年頭，好人太少了」，兒子好像有些憤慨。

「像泥灣的趙得彩，他媽媽是跟我一起長大出嫁的，在娘家時我們也就很要好。人家現在有福氣囉！兒子做了民兵中隊長，前天同指導員一起來我家找巧姐時，看得彩多麼神氣」。

提起趙得彩，雙喜馬上不適意起來，手中停止了搓繩。眼前幻出了一個場面。

一個秋天的黃昏，雙喜從市上歸來，過一條山溝，幾個小孩子，騎在牛背上唱：

「大月亮，小月亮，男人，起來學解放，女人，起來學浪蕩，劉雙喜，好肚羅，老婆，跟了中隊長，嬉嬉　哈哈　不像樣，他還閉着眼睛說解放」。

唱過了歌，許多孩子附和着一陣鬨笑，像是湊趣，又像是譏諷。

這像一支冷箭，刺在一個月前，便一直痛了他的心。

「媽媽！不要提趙得彩，外邊有人罵我呵」！

「罵你」！媽媽也驚愕了起來，「怎樣罵法」？

「媽媽，你想吧」？

「我想什麼」？

「他爲什麼常到我們家里來」？

「搞工作吧」。

「他爲什麼不常到別人家搞工作」？

老太婆瞪着眼沉吟。

一會：

「有人說中隊長......巧姐......是不是......」？

「嗯」。

半天的沉默。

「雙喜，這是不會的，得彩他媽媽跟我處得很好。像鬥爭李十罐子的時候，要不是人家提醒我們一句，藉口說巧姐小時候，會跟她的媽媽在李家幫工時，被李十罐子踢過一脚，那我們既不是他家佃戶，又不是他家鄰居，河水不犯井水，井水不犯河水，我們又怎麼分得一些『鬥爭果實』？孩子，你不要相信外面那些鬼話」。媽媽在安慰着兒子，但顯然也有些言不由衷。

一陣狗的驚叫，門前場地上，步履雜沓，好像有很多人經過，由東向西，遠處有彭彭的打門叫戶聲音。

開會的人回來了，母子兩個意識上都有這樣感覺。

「巧姐也該回來了，她到區里開會已經四天，也許昨天便回到鄉里開會，雙喜，不要儘獃着，出去看看哪」。

雙喜從矮凳上立起身來，已經搓好了一准草繩，挺胸露懷的去拔門閂，一陣寒風，迎面衝進來，毛骨悚然，趕快又重新掩上，解開了腰帶，整整上衣，束得緊些，媽媽也起身披上一件舊襖。

門外傳來斷續的喧笑聲。

「他媽的，劉雙喜偏討到一個好老婆。」

「不要臉！跳秧歌，那個怪樣子，虧她能做得出」，女人聲音。

「進步，進步連男人都不要了」。

「小聲些，她的家就住在這附近」。

「我看她跟中隊長......哈哈哈......」。

遠了，喧笑聲模糊不清。

屋內，母子兩人，相對無言。

經過好長一個時間，靜寂如死。

「啄啄」，敲門聲。

雙喜方才回復了知覺，憤怒地用力拔開門閂，兩扇門豁然大開，闖進來的風，把燈火吹滅了，同時閃進一個女人的身影，輕飄飄的。

雙喜娘在黑暗中，尚能分辨出不是她的媳婦。

「誰呀」？

「是我，大嬸娘，不要高聲」，來人的說話，低得幾乎聽不清楚，「雙喜叔叔在家嗎」？

雙喜也分辨出是他的堂房嫂嫂了，火氣消了一半。

「慶生娘，你這半夜三更來有甚麼事」？老太婆也不覺低嗓子問，預感將有甚麼禍事了。

「大嬸娘，你還不知道嗎？該死的巧姑娘，新升了本鄉婦女會的新會長，在鄉政府的動員大會上，自動將雙喜叔叔獻出去參軍了」。

「誰說的」？

「慶生爸爸在那里開會嚦，他剛到家，是親眼看見親耳聽見的，我相信不會錯，就趕快跑過來」。

稍停了一會。

「這幾天監視很嚴，他爸爸說，山頭要道皆有步哨，一方面是怕參軍的人逃跑，一方面要偵查每一個人，有反動嫌疑。說話要留心，不……我走了」，像幽靈似的人，竄出門去。

在竹床上及門邊，可以聽到抽搐，嗚咽而兩個人先後暈倒了的聲音。

揚遊回憶

·舜生·

余居上海二十年，以京滬杭交通便利，平日遊蹤所及，亦以江浙兩省爲多。論山水之美，浙或較勝於蘇；論人民生活情調之悠閒，嘗感，蘇乃更勝於浙。自有一度於濛濛細雨中作富春江上之舟行，余始略能賞鑑中國之山水靈；自遍遊崑山，蘇州，太倉，無錫，常州，南通，揚州等處，余始漸能理解中國歷史上若干人物之風格，甚矣讀書與出遊之不宜偏廢也。

回憶民國二十四年暮春，余與幼椿由滬赴甯，歸途滯鎮江，暢遊金焦二山，江山之勝，風物之美，至今猶存夢寐。興未盡，復渡江遊揚州，泛舟瘦西湖，品茗於平山堂，讀石刻歐陽公遺著，時則春風融融，士女歡笑，日光透翠竹映几席間，恍如身在六朝也。日將夕，乃呼船孃擊舟，訪所謂二十四橋者，則惟土橋一座，在平山堂另一端，雖陋不損其美，信乎詩人足爲山川生色也。

翌日，漫遊全市，至一繁盛之通衢，見手工藝品無算，售化妝品商店尤多，時時有脂粉氣觸人鼻官甚濃，令人想像太平天國以前之盛況，南明四鎮高傑之必爭揚州，有以也。進午膳於某餐室，室中陳杜鵑數盆，堂倌燃紙枚以水烟進，酒不必甚醇，菜不必甚可口，其風味固自不同也。

午後，驅車至梅花嶺，謁史公祠，低徊於所謂衣冠塚者之側，讀壁間史公臨死前致其夫人之遺書，並瞻仰其遺像，令人感憤興起，未嘗不太息痛恨於馬士英阮大鋮一輩權奸閹黨之誤國也。

此行幼椿無詩，余得兩絕句，作絕句在余猶爲第一遭，淺陋不足道，錄之以誌一時鴻爪。詩曰：

夾岸垂楊拂水低，蕪城四月草萋萋，輕橈一舸從君去，波影花光夢欲迷。

漫言春去太匆匆，獻酒酬春興未窮，春盡江南又江北，我來猶及杜鵑紅。

十六七年來，世變波詭雲譎，不可究詰，浸淫而有三年前之巨變，挈眷避處海隅，日惟衣食工作不暇給，求如往日之清遊雅興，亦不可得矣。

萬竹樓隨筆（十九）

採訪五年（二）

·陳香梅·

總社時有指責

中央社的總社在重慶，昆明是分社，因此人員的福利遠不及重慶的好，有時還免不了吃總社的排頭，漏了新聞總不免挨罵，因此昆明同人多以庶子自比，常常大嘆苦經。記得有一次美國記者十數人來昆訪問，美國新聞處特設鷄尾酒會歡迎，我參加酒會返社寫稿爲時已晚，爲了趕着發電，邵先生囑我寫得簡潔一點算了，因此對於那批訪員們沒有詳盡的描寫，電發出後第二天早上，就接到總社的來電，說是新聞報導不够詳盡云云，類乎此樣的責備，只要領教過一兩次就够你受的了。

爲了跑新聞認識了杜聿明將軍（杜將軍被俘後，其夫人及子女輾轉來台，一家數口，生活非常清苦）。繆華盛將軍，何應欽將軍，周至柔將軍，孫立人將軍，鄭洞國將軍，蕭毅肅將軍，趙家驤將軍，衛立煌將軍，鮑靜安處長等，此外雲南的要人也很認得了幾個，在採訪工作上，他們常給我以很多的方便，還是值得感謝的。

當時在雲南紅得發紫的人物有繆雲台先生，外國人稱他爲繆博士，他在當時的昆明眞是一位炙手可熱的風雲人物，我曾訪問過他好幾次，人倒是很和氣而健談的，他底太太是一位舊式婦女，公衆場台很少露面，是一個賢妻良母型的女子，如今他們都到美國去了。雲南陷敵瞬已兩年，想起當時在滇西那些叱吒風雲的人物眞是不勝感慨系之啊！

上海久別歸來

民國卅四年九月，我懷着莫可名狀的心情，離別住了三年的昆明，奉調上海分社工作，飛機黃昏時分在江灣機場降落，當乘着汽車向市區奔馳的時候，初秋的晚風輕拂着那遊子歸來的心。——啊，那平滑的柏油路啊，我們竟一別八年！

到滬的第二天，馮主任有貞即囑到社辦公，馮氏於兩年前上海淪陷匪手之先乘機飛港，準備中央日報在台出版事，飛機在港遇險殉難，死時只不過四十四歲，誠屬可惜。

那時我跑新聞的範圍以外交及政治方面居多，上海正是新舊交替的時候，我可算是上海的唯一女記者，其後後方人士紛至沓來，女記者也增加了好幾位，但我可以說是一個非常有辦法的訪員，即上海人之所謂「吃得開」。

讀報紙的人，無論如何不能想像到記者先生們採訪一條新聞時所費的心力，現在讓我在這兒舉一個例來說。南京還都之後，蔣總統有時也來滬視察，記者們一探聽到蔣總統要來上海的消息後，即馬上分頭活動，照例這種巨人行蹤多半是守祕密的，你要打聽，有關方面總是給你一個「不知道」和「不清楚」。到了這種階段，你就得運用手法，也就要看你本領高低了。你可以從側面去打聽，你知道某些人一定會到機場去迎接總統的，於是你和他們打交道，準不會有差錯；另一方面你又可以打電話到機場，或到官邸去問消息，說中國話無結果時，你再用英語打電話，十成有八成給你探到消息，上海人就有一個壞脾氣，在上海，你說起英語來，在電話里人家也會要對你客氣一些，這眞是豈有此理。

莫斯科宣傳死狗

·一帆譯·

吐貝是條法國種的白毛小哈叭狗，在它安逸的一生中，確曾一度相當著名。它是貴婦凡合爾女士所畜養的幾代哈叭狗中的最後一隻。它睡在她紐約第五街寓所的臥室，在一個小籃子裏吃着肝片煮成精美食物。當凡合爾女士到了七十八歲在一九三一年逝世時，吐貝有二個傭僕照管。新聞記者曾說它是「世界最富有的狗」，但是凡台爾雖遺下了四千萬美元的遺產，她的遺囑裏却並未提到吐貝。二年後，遺產執行人認爲吐貝已經到了九年的高齡，應該由獸醫用不痛苦的方法把它的生命結束。

今年七月中這條久被遺忘的早已死了的小狗，竟然得到了新的聲名。莫斯科電台的評論家勃爾柯對他的聽衆說：「小狗吐貝正住在美國最佳建築師所造的屋子裏，室內佈置得富麗堂皇……他的女主人是個瘋狂的美國女人，留給了它七千五百萬美元……他睡的是金的床，待候的人有四十個僕役和六個律師……這身價數千萬的狗是住在一座美麗的房子裏，而勞工的子女却衣衫襤褸流浪街頭，在乞討一片麵包。他們像野狗一樣睡在露天，而從垃圾中去尋找食物。」

（摘譯自時代週刊）

德國的暴發戶（八）

走私活躍的另一原因

等到韓戰發生，西方國家既然認清了這些私梟對於蘇聯的重大價值，於是在一九五〇年七月成立了一個三國海關及邊境檢查機構。德國邊境戍兵增加到三萬人。八月，西柏林市當局下令一切柏林和蘇管區間的來往車輛必須檢查，西德政府又採取行動對付一批向蘇管區非法出口的西德巨商。這種行動，在另一方面更暴露蘇聯對他們的引誘手法。

德國是個消耗咖啡特多的國家，它是每個人的日常必需飲料，官價如此之高，乃是一般德人所無法負擔的。德國工人的月薪，平均都在三百馬克以下。私梟們不必付出任何捐稅，所以他們能以每磅十一到十二馬克的價格出售，還是可獲巨利。茶葉和香烟的情形，完全與咖啡相同。

有一位大學教授的太太對我說：「按照合法價格，我的丈夫和我每天所飲的咖啡，決不能超過二杯。但是到黑市去買，我們在星期日下午將能多飲幾杯，如果我先生要在深夜工作，他也不必顧慮沒有咖啡飲了。我相信我們這樣做，當不能算是犯罪。」

其他促使走私活躍的因素，是兩種馬克（西德所發行的和共產區所發行的）兌換率上的巨大裂縫。兌換率雖然波動不定，有時各地不同，但大概是七個東德馬克折合一個西德馬克。兌換率對於走私的影響，我們可以從私運女人絲襪的活動中看出。當一九四五年德國被劃分成四個佔領區時，德國百分之八十三的襪子工業落入蘇聯的管制下。結果，女人絲襪在西德極爲缺乏而昂貴，在蘇管區這種「奢侈品」，共產黨徒卻發生了過剩現象。

[illegible]

當然，走私的活動必定有一個限度，[illegible]

[illegible]

·張天寶譯·

原載週六晚郵

自由人
THE FREEMAN
（半週刊每星期三六出版）
（第四十六期）
每份港幣壹毫
督印人：李光華
社址　香港高士打道六十六號
電話：二〇八四八
GLOUCESTER RD. HONGKONG
TEL: 20848
承印者：東南印務出版社
地址：高士打道六十四號
台灣總經銷處
台北重慶南路一段七十四號

紫色英國的悲哀

徘徊岐路一無是處

從第二次大戰結束到現在，英國在國際上究竟走的什麼路綫？對於冷戰表現了甚麼態度？真所謂不白不黑不黃不紅

滄波

論語末篇載孔子有一段話：「惡紫之奪朱也。惡鄭聲之亂雅樂也。惡利口之覆邦家者。」近來留心研究國際大勢，共產主義國家與西方民主國之冷戰方酣，在西方陣營中，尤其在大西洋兩岸的英美，意見紛歧，議論龐雜，冷戰今日最危險的一環，莫如歐洲，而歐洲在反共鬥爭的危險地帶。莫如英國，一年多來，英國的言論思想，實在太可怕了。我們常常想到，二十世紀五十年代這一場有關人類文明的大戰爭，人類文明的隱憂，不在莫斯科，而在倫敦。今天的英國在思想與言論上，乃至她的行動上，正合孔子所說，是「紫之奪朱」，第二次大戰後的英國，我們無以名之，名之曰紫色的英國。

紫色的可怕，為了它能「奪朱」，正如鄭聲之可惡，為它能「亂雅樂」，利口之可惡，為它能「覆邦家」。從第二次大戰結束到現在，英國在國際上走的甚麼路綫？英國對於冷戰表現的甚麼態度，眞所謂不白不黑，不紅不黃。她所顯露的完全是一個紫色。我們姑舉最近的幾件事實，略加研究，第一，土耳其與希臘加入大西洋公約問題，土耳其與希臘，在歐洲反共最力，反共也最具成績，尤其土耳其共和國，從第二次大戰中直到韓戰，她一直在近東拖住蘇聯的後腿。守住了歐洲的後門。而在韓戰中，出兵最多，戰功最著。至於希臘，五年來在地

土希參加大西公約　任何理由不能拒絕

中海巴爾幹的穩定力量，其功不可沒，克里米宮滲透侵略的詭計，第一次失敗在希臘，照常理講，這兩個國家要加入大西洋公約共同反共，那還有甚麼不加歡迎的理由，但是紫色的英國，一面利用法國，一面發動挪威瑞典，多方加以反對，好容易經美國軟的硬的一再折衝，現在終算同意土希兩國加入大西洋公約了。英國所以反對土希兩國加入的動機，一種是怕粥少僧多，大西洋公約國家多加兩個參加國，原來分攤的美援要減少了。另一種是英國想另組一中東聯盟，企圖以此挾持美國實際去保護英國在中東的利益。

對日和約違反正義　不知又種多少禍根

第二，是對日和約問題。對日和約美國是有她積極的主張，這個主張，便是協調的和平而不是報復的和平，這個主張是否絕對的好，或不好，那是另一問題，但是美國有她的立場，有她的具體主張，這一點是充分構成她領袖國家的地位。我們要問英國是甚麼積極與具體主張呢？只聽到她要限制日本的造船，又要限制日本的紡織工業出品。此外就是想邀請中共偽政權參加。英國在遠東，幾百年來沒有做過幾件好事，幾百年來只是替亞洲種了許多禍因，而這一次對日和約，她偏要違反正義，抹煞是非，排除自由中國參加對日和約，英國這一種禍動，為世界為東亞，又不知種了多大的禍根！

對美國拉攏佛朗哥　英竟提出道義問題

第三，是美國與西班牙的軍事基地交涉問題。西班牙在全球反共的軍略地位，是自由國家一致承認的。美國國內經多年的醞釀，最近方決定在西班牙設立海空軍基地，薛爾曼海軍上將的訪問馬德里，是美國決定施行這一政策的具體步驟。佛朗哥過去的歷史關係，他在國內的政治作風，站在民主自由的立場，沒有人會贊許他的。可是經國濟世的大計，事有輕重緩急，今天國際上的大事，第一在反對克里米宮的侵略，是消滅共產帝國主義之征服世界；所以凡是反共的人，甚至反克里米宮的人，自由民主陣營中，為了集中力量，為了增加反共力量，減少了敵人起見，自應一致集中與團結，為拯救文明，拯救人類，為利害，為道義都是說得過去的。但是，當上月中旬，薛爾曼上將一啓程，英國外務部發言人便表示反對，英國外務部且有書面的抗議，提交美國國務院，英國所持的理由：便說佛朗哥是一個法西斯主義者，美國決定一個政策，不能只講現實的便利，而擺顧道義的影響，巴黎政府跟在後面，也重申道義對國際政治的重要。英國政府居然也知道道義了！我們實在不圖多所辭費，借用倫敦經濟學人報，許述此事的一段話，「如果英國政府認為美國與西班牙接近是不道義的，那末，英國與狄托及毛澤東接近，狄托與毛澤東的道義程度，至少不會高於佛朗哥。」第二次大戰結束以來，英國那一件事在國際上注意道義後果的？英國在遠東人民心目中，尤其在自由中國人民心目中，是最不講道義的，是只知現實的便利。現在英國政府為了綏靖工黨內部意見的關係，再為了怕美國將來退守西班牙半島，而把歐洲大陸放棄了，懷了還一肚子的猜疑，突然提出了久已廢置的道義問題來脅持美國。美國這一棋子，為了反共的大業，為了整個歐洲的戰略。

（下轉第二版）

何謂「思想改造」？

胡秋原

現代心理學和醫學只能將神經病和白痴改造成正常的人，但共產黨則是要將正常的人改造成神經病和白癡。

共黨最大的罪惡，第一是出賣國家，第二是弄死窮人，第三是折磨讀書人，不惜毀其生命，還要辱其精神。這是中國知識份子與中共勢不兩立的最大理由。

一切罪惡都有特殊術語

共黨一切罪惡，都有他們的術語。例如賣國稱為「一面倒」和「中蘇友好」；殺人名曰「鎮壓」，「大力支前」，「清算」，「翻身」。至於摧殘知識份子，名曰「改造思想」，所謂「坦白」，就是其中的一個重要節目和演出。

照馬克斯學說，是無所謂思想改造的。他說「存在決定意識」。因此，生產力變了，「意識形態」自隨之而變。但列寧說，社會基礎變了，「暴力也是生產力」。因此他「改造」馬克斯主義，發揮人造革命之說。革命既可以暴力製造，當然思想也可用暴力改造了。

思想改造的工程，沙皇早已進行得有聲有色。第一，造成鐵幕，使人耳聾目盲。第二殺頭充軍，使人不敢亂說亂動。第三，給你幾張盧布，一個小官，獎勵你對沙皇的忠孝。這不一定是俄國的發明，不過俄國實行得最為徹底。但這只能說是防止危險思想，還不算積極思想改造。思想改造者，要自動自發，自然而然改造得沙皇十分滿意之謂也。

不如改造房屋皮鞋容易

這斷不能像改造房屋，改造皮鞋那麼容易。好在沙皇時代，已有一個法寶，此即東方正教。東方正教有兩大理論，有助於思想改造。第一是原罪論，懺悔論。你生來就有罪，但上帝及其代表——教會，十分仁愛，只要懺悔，便能得救。這原是基督教的基本理論。不過東正教特別提倡懺悔的功能。他們說，不怕犯罪，只要懺悔即行，並且，人人有罪，且如不懺悔便不能得救。俄國小說中，少不了懺悔，等於少不了女主角一樣。第二，東方正教最大的貢獻，是說明俄國是「特別國家」，所以特別，便是沙皇與人民完全是一體，完全是父子關係。一方面人民對於沙皇，等於兒子對於父親一樣。

所謂實踐乃是一種巫術

[illegible]

但列寧之流生在科學時代，他們的思想改造，不能不有科學根據，科學方法。如是便有勞動改造論，條件反射論，以及米丘林李森科路線，恩格斯寫過一篇「從猿到人」的短文，說勞動將猿改造為人。這只是進化論初期達爾文說之言。但列寧史太林就誇張為一大「發明」。如是俄國就有二千萬人在集中營中接受改造。今日大陸之上，也有無數智識份子在「勞動改造」中。他們是否眞正相信勞動可以改造思想，不得而知。但他們確有勞動可以改造猴子的理論，而也有勞動集中營的實行。

登台坦白等於猴子演戲

巴夫洛夫，是帝俄時代生理學家，他的學說，可簡述如下。你將牛肉飼狗之時，狗口流涎，此名曰無條件反射。如飼肉之時，同時搖鈴，使狗對牛肉與鈴聲發生聯繫，於是以後不給牛肉，只按鈴聲，狗兒一樣流涎，此曰「條件反射」。這未嘗沒有一點意思，但巴氏說一切教育，革命都可以此解釋，俄國沒有更好科學家，大肆宣傳，便不免可笑。其實，任何一個馬戲班主人訓練猴子，狗，馬，都懂得這一套的。你如訓練猴子跳，不外二法。跳，給以番薹。不跳，抽以皮鞭。這是無條件反射。但如帶番薹皮鞭上台表演，即不成馬戲了。你必須在訓練時有另外暗示。例如，給番薹時鳴鑼三下。抽皮鞭時，鳴鑼兩下。登場以後，鳴鑼三下，由於條件反射，猴子當然可跳。如若不跳，鳴鑼兩下，表示要抽鞭子了。猴子還敢不跳嗎？史太林在「公審」時。等於演戲。現在大陸上思想總結時之坦白，也是演戲。如他猴子何以

[illegible]

開城談判恢復以後

僵持了若干日的開城和談，昨天已恢復了。這的確是共黨忍讓再三的「和平誠意」表現，值得讚美！

聯軍方面對和談的態度是「前恭後倨」，共方則是「前倨後恭」。凡是留心馬立克倡議停火以來的一切經過情節者，即可以理解雙方對和談態度之由「量」變到「質」變，乃至於「突變」的過程，有其脈絡可尋，決非偶然的。

聯軍方面的最高決策者，已經看準了史太林謀和的苦衷，也知道他在和談成功後可以玩弄的法術。……此即可以逗起中共對蘇俄的怨望而產生離心力；再因看大陸上日益加深的經濟危機，前綫不斷消滅的軍事力量……

[illegible]

羅素之言

英國哲學家羅素前天發表言論，認為白種人在亞洲今後能取得統治地位的了。因為蘇俄帝國主義的滋味，亞洲人尚未嘗到，而西方資本帝國主義的苦水，亞洲人已經嘗夠了，大家都懷有強烈的憎恨心情。

半週展望

雷嘯岑

這位七十九歲的老學者的話，有一半是對的，另一半尚有研究。西方列強在亞洲長期的幹出帝國主義行為，致遭亞洲人的痛恨，乃為千眞萬確的事實。但其中也有分別，美國人在亞洲人的心目中，即不見得完全無好感，因為他們在東方以沒有「滅人之國」，「奴人之民」，「攘人之財」的史實，又正以其資財來援助淪落後的亞洲人民。儘管中共大喊上的共產黨人天天喊反對「美帝」，然他們珍視「美帝」的生活資源，並不比別人落伍。亞洲人所迫切要求者，是政治上的平等自由，經濟問題尚在其次呢！俄國人以在西方的「叫化子」身份，到亞洲提出「西洋人」的氣派來（多斯妥也夫的話）利用列寧所喊「援助被壓迫民族」的口號，投合亞洲人要求平等自由的民族思想，故其俄式共產帝國主義，得在亞洲到處滲透，猖獗一時，使羅素先生也很擔憂它會統制亞洲。可是，經過中國共黨一面倒的事證，中國四億以上的人民都親身體驗到這些歐洲的「叫化子」之可惡可恨，比資本帝國主義者還要厲害；蘇俄決不能統治亞洲，它的野蠻文化，根本就不配作亞洲人的領導者。這道理，老哲學家羅素先生一定承認吧！

美國人看「五強和平公約」

艾奇遜解答蘇俄最近所提議的「五強和平公約」，很有見地。他認為：關於促進世界和平的計劃，聯合國早有一套很完善的方案，要和平，大家可到聯合國去談。和平是全世界人類的願望，何以只限於「五強」呢？這一解答，將使史太林啞口無言，再也說不出話來！

克里姆林宮的一切「和平攻勢」，都是從「利用帝國主義者內在的矛盾」這一觀念出發的。旨在擴大對方自私自利的心理，乘隙抵罅，以期得到分化離間的結果。艾奇遜之言，不啻揭破了史魔的瘡疤，數他出處露痛。

民主陣營只要團結一致，遇事從大處落墨，史太林的一切魔術便玩不成，除自動「收檔」以外，毫無辦法可想。

揭開中共「旅客強制保險」之幕

刮錢與「管制人民移動」

中共殺人惟嫌其少，何以忽獨對旅客表示如此慈愛？

·張丕介·

據共方報紙的報導，中共粵漢鐵路局，自七月份起，繼長江各埠「輪船旅客強制保險」之後，開始實行「火車旅客強制保險」。根據其「旅客強制保險條例」：凡持票搭乘火車輪船或飛機之旅客，均須保險。保險期限，乃自旅客持票乘各項交通工具時開始，至到達旅程終點時止，保險金額一律規定共幣一千五百萬元，按火車輪船飛機之基價，分別以百分之二，百分之三，千分之三收費。澳門航行內河輪渡，目前亦接獲共方通令，強制執行按票價加百分之三征收保險費。據中共宣傳：此一制度之實施，乃在「使人民旅行的安全，獲得確切的保障」。在共產黨以殘殺治天下的今天，忽然如此週全的顧慮「人民生命的安全」，遍內陸旅運亦實施「強制保險」，寧非咄咄怪事。

注意旅客安全 原是一片鬼話

如所週知，中共統治大陸的基本計劃，為有名的康生計劃，其目的在消滅二萬萬中國人，因此不但建立鐵幕，限制人民移動，在各地展開史無前例的屠殺運動，訓令共幹必須要「穩」，要「狠」，同時並以激發人民的仇恨心理作為鬥爭路綫的基本環節。自本年二月廿一日公佈所謂「懲治反革命條例」以後，近半年來，揭開中共的報紙，一股濃烈的血腥氣冲而而出，令人為之心悸髮指。據國府官方的報導，在本年一月以前，大陸被屠殺人民竟二百二十六萬人，加上此半年的屠殺，做死於中共屠刀下的無辜人，最少即在五百萬以上。如再加上韓戰死傷的百萬士兵，及為飢荒下所餓斃的數十萬飢民，顯示中共的治術，無一不循「康生路綫」邁進。因此，凡對中共稍有認識的人，都知道所謂「旅客強制保險」，決不會相信中共宣傳的什麼「注意旅客生命的安全」一片鬼話。

利用保險名義 想做無本生意

現代的保險制度，原為資本主義的產物，其起源與發展，純基於個人對生命財產安全之需求。故危險成份愈高者，請求投保者亦愈衆。保險公司集多數人之保險費，以應付其偶然之意外，往往可從中攫取厚利。在資本主義國家中，由於保險業乃企業之一種，其業務之經營，一無法脫離市場內法則，投保與否，為公司與投保人之交易，不但出於人之自由意志，而且基於客觀之時間與環境。但共產黨却認為保險業乃無本生意，遂以強制保險作為「積累資本，以鞏固與擴大社會主義再生產之重要手段。」一九二一至一九二五年間，蘇俄經濟瀕於破產，乃征用私人資金計，由列寧簽署「國家保險法令」實行強制保險。至第二次大戰以前，除企業機關以外，所有農場及農民財物，均在強迫保險之列，其保險費之收入，每年達四十億盧布。此項收入，即由其「國家保險局」以購買政府公債方式，轉移為政府收入，因此其強制保險乃係假借保險之名目，作為攫取民財，積累國富的手段。

照抄蘇俄前例 等於勒追附加

附：現中共旅客強制保險條例，顯係抄襲蘇俄的前一階段[illegible]

加，但是一九二一年蘇俄實行[illegible]資金之作用亦無具備，故其基本目的完全為擴軍備戰加強搜括。按照一般通例，必須有「險」而後才須「保」，否則保險即失却其原來之意義。通常交通工具中，為空運風險較大，海運者一為[illegible]，至於內陸交通設備，如非管理腐化，設備陳陋，原無風險之可言。目前中共交通體系中，海運空運既有名無實，交通保險亦形同虛設，故其強制保險之內容，險之實施，無非表示其財經危機日深，必須從角度言，廣開財源，以填塞軍費漏洞，故須向人民征收一筆交通稅。

限制人民旅行 加強鐵幕管制

但從政治的角度觀察，中共之所以要強制旅客實行保險，另有其刻毒的陰謀。目前中共在大陸的統治，已由「竹幕」而正式進入「鐵幕」，為了使全國居民均固定於一地方，以便利其清算與管制，中共正建立種種束縛性的制度，從城市戶口管制條例之公佈，以至最近羅僑出入口管制辦法之實施，其中心目標，皆在於澈底管制人民的移動，一方面可由此限制國軍之活動，一方面又得在清算及搜括上暢所欲為。旅客保險實施後，人民在購票時必要加辦保險手續，如此其姓名籍貫，往來歷程，在中共之交通機構中已留下記錄，就積極的意義上言，乃使其城市管理，擴充為點的控制。就消極的意義上言，則在增加人民旅行的費用與麻煩，使人民自動減少移動的次數，為其控制人口撒下一無形的天羅地網。

今天鐵幕後的人民，求生尚屬奢望，何安全之可言？偶語棄市，整個的大陸，條條大路通死亡，多少人不惜冒九死一生之危險，設法離開這一火坑。中共竟在此時此際，大彈旅客安全保險的高調，這不僅是對現實的強烈諷刺，而且近乎滑稽。好話說盡，壞事做盡，原是共產黨的特性，自無足怪，可憐的只是大陸無辜的人民，在這一層深刻而週到的「保險」之後，不管被共匪全面的監禁起來。「劃地為牢」原是中國傳說中的「仁政」，却不料今天竟成了事實。自是「鐵幕」前後，原是不幸的人民陷入鐵幕之後，便成了「有路無人走」的局面，那已成了不可想像的今天赤色天堂的唯一寫實了。

·上接第一版·

如果英國肯稍稍顧全大體，就使歐洲有那一個國家提出異議，英國也當本其領導地位，暗中運用消弭，計不出此，而首先倡導反對，將來結果，是否如土希加入大西洋公約問題一樣，經過一番交道，然後我們節節而息，反正英國人是最長於此道，不必替她担心。

近東中東糾紛迭起 給英國人不少苦惱

第四是近東與中東問題，最近一連串的事實，一是伊朗的油田問題，二是埃及對蘇彝士運河的封鎖問題，埃及喧騰經年的英國軍隊撤退問題，三是阿拉伯國家的問題，[illegible]局勢緊張的時候，莫里遜在下院中高聲答覆議員說：「現在不是十九世紀的時代了。」這一句話，充分表露英國人內心的困惱，我們仔細研究這句話的，[illegible]我們想問問莫里遜外相！現在既不是十九世紀時代了，現在是二十世紀的五十年代了，英國的立國方針究竟是什麼？[illegible]

腦，實在對付不了今天的問題，尤其英國本身的問題。舉伊朗問題來說，最近紐約時報德黑蘭特派員的報導，說伊朗問題的解決，萬不能着眼在經濟的觀點，伊朗主持油田國有計劃的一位負責人說：「我們寧願任令全部汽油流到波斯灣中去，而不願再受英國人管理。」英國政府與社會[illegible]

[illegible]

瓦全觀念遺害無窮 生死關頭必須認清

[illegible]

艾森豪威爾據傳已確切表示 將為共和黨總統候選人

華盛頓已非正式設立競選總部，杜威，史太生一致擁護，麥克阿瑟則全力支持塔虎脫。

·丁·

美國總統選舉，雖距今還有一年，但民主，共和兩黨，已開始作種種準備，共和黨方面之準備工作，尤為積極。不過照最近情勢看來，共和黨內部，對總統候選人之提名問題，恐在共和黨全國代表大會以前就將有一場熱烈猛惡的爭鬥。截至現在為止，共和黨擁戴最可能獲得絕大多數擁戴之候選人，而且為艾森豪威爾將軍。不過艾氏尚非共和黨員，民主黨方面，也可能拉他做民主黨總統候選人。以前，不特艾氏於民主，共和兩黨之間，何去何從，迄無表示，即是否參加競選，態度也十分曖昧。他曾一度經由其左右向記者們間接透露，艾氏深感大西洋公約國軍事統帥的工作，對世界人類貢獻，比美國總統還大。這使許多人揣測是他不願離開現有工作崗位的暗示。但據最近消息，艾氏態度已急遽變化，他似乎業已決定競選，並將決定接受共和黨的邀請，做共和黨總統候選人。

杜威州長的如意算盤

目前擁護艾氏競選的，在共和黨共有三派，第一派是紐約州長杜威，他本來被一般人認為要再接再厲，參加下次競選的，但由於他一再聲明，決不參加，並堅決表示，以全力擁護艾氏，這對艾氏，當然是一個極大的鼓勵。據說，杜威自己打算，大部份也得到艾氏同意，計有下列各點：（一）在艾氏當選以後，他將出任國務卿，預料這一時期，世界局勢將極端嚴重。他正可藉此機會，向美國公民，甚至全世界表現他的才能。杜威年紀不大，如果艾氏任滿，甚或聯任一次，兩期合計不過八年，屆時他還只五十八歲，他有了艾氏任內國務卿成績做資本，說不定，還可以最後嘗一下總統滋味。（二）因為艾氏聲望，在西歐誠極崇高，在亞洲則相當生疏，所以這一次二萬九千英哩，四十五天的遠東漫遊，一方面增加自己對亞洲的了解，一方面也等於替艾氏無形鼓吹。（三）紐約州出席共和黨全國代表大會的名額，有九十七名，以他在紐約州的關係，幾乎可以百分之百，使這九十七名代表在大會提名時，擁護艾氏。再過幾天，杜威就要回到美國了，對於有關艾氏競選的各種工作，他自會更作積極的推動。

史太生也已放棄競選

第二派擁護艾氏的，是史太生（Stassen）。史本來也是共和黨下屆總統競選人之一，因為塔虎脫聲勢比他大，他自己最不易獲勝，他一向在黨內和塔虎脫勢成水火，他認為塔如當選，共和黨就要整個被操縱在走向孤立主義的「新俄亥俄派」之手。他和杜威獲得協議，他們兩派，一致擁護艾氏，反對塔虎脫。於是史太生日前在他好友皮斯萊律師私宅中，邀集擁護自己的二十個有力份子，告訴他們自己放棄競選，反塔擁艾的意旨。他承認自己並沒有完全犧牲進入白宮的夢想，不過他有自知之明，明年這一屆競選，他成功希望太少。他要求大家贊同他的新決定，以擁他的力量，改擁艾氏，並給予塔虎脫以致命打擊。研討結果，這二十名有力份子，同意了他的見解。

第三派擁護艾氏的，也就是共和黨中艾氏的主力，即艾氏堪薩斯州同鄉上屆參議員達汝璧（Harry Darby）。達氏家頗富有，對艾氏極崇敬。艾氏最近的決心競選，據傳，最大原因，還是由於他的一再勸請。不久以前，他曾派親信到巴黎訪艾密商，結果，艾接受達的意見。艾並表示，今年年底或明年初，他準備回國一行。或許就設法擺脫統帥名義。回國以後，他將明白和共和黨發生關係，其方式或先發表聲明，或即正式入黨。達汝璧得到艾氏如此堅切的決定，非常興奮。

現役軍職是艾氏障礙

至於打擊艾氏競選的一個有力的宣傳，即艾為現役軍人，而且大西洋統帥職務，目前這份軍要，如艾辭職，不易另得人選，辭統帥以競選總統，也就不當；表示艾氏仍然熱中於個人名位，這對於一般人印象，也會很壞！

打擊塔虎脫 孤立主義

上月中旬，就在堪薩斯州，選出之參議員嘉森的華盛頓事務所中，成立了一個非正式競選總部，現正與各方積極接洽中。

與艾森豪威爾競選對抗最有力的，是塔虎脫。塔虎脫名認，雖然比艾氏似乎相差很遠，但因他堅決反共，富於熱情，得到國內不少人擁護。現在對他最強烈的打擊，是指他為新孤立派，如果他當選下屆總統，美國要走回孤立主義的途徑。杜威就這樣地在朝鮮美軍歡迎他的集會中明白宣示過：他反對共和黨內孤立主義的再起，他是國際主義的絕對擁護者，所以他也就絕對擁護艾氏競選下屆總統。目前支持塔虎脫最力的，是麥克阿瑟，麥本身已表示決不競選，但他的一切主張，却幾乎和塔虎脫完全一致。最大原因，還是他同艾森豪威爾這兩個軍事巨頭，政策根本相反。如艾氏相信蘇聯早晚要發動大戰，麥則認為蘇聯只是虛聲恫嚇，不敢正式出面。艾氏要重建西歐，作為抗蘇堡壘，麥則認為這是沒有必要，而據麥的看法，亞洲還比西歐重要。塔虎脫意見，與麥如出一轍，所以擁護塔虎脫的人，都認為麥氏愈能宣傳其主張，就愈能增加塔氏的力量。

為了反共救亡 需要一次大革命

共黨除運用軍事力量以外，同時應在政治、經濟、教育、文化各方面，來一次全面消毒澈底革新的工作。

·黎晉偉·

中國革命到今天，已經整整四十年了。那還是從辛亥第一次革命成功的開始計算；如果照孫中山先生最初奔走革命的時間計起，就有五十多年的紀錄。在這半個世紀的歷程，說它長嗎？不算長，說它短嗎？不算短，然而，非常使人傷慟的，是我們把這半個世紀的時間，完全虛擲了！

中華民國誠然是一個古老的大國，古老大國照例有許多累人渣滓不易澄清，也許中國革命到了今天而仍然無法成功，甚至可以說得上已經遭遇到最大的失敗，曾經扛過革命大旗的人，一定有許多理由替他們的失敗責任作解釋，把這種責任都推到「歷史老人」的身上。證諸許多自認對革命有功的人之不肯知難而退，說他對革命有堅定信心，固無不可，但說他忽視了革命嚴肅的任務，把革命看成一種兒戲，又何嘗不可呢？

中國第一次革命成功，是實現於辛亥之役，這一次成功，是把中國幾千年的君主政體推翻了，至少在理論上，中國再沒有皇帝這個名堂，人民可以公開問政了。第二次革命成功是完成於北伐之役，這一次成功，又似乎把那些屬於帝制餘孽的軍閥勢力予以推倒，民權的伸張，也很像再進了一步。但是兩次革命的成功，就不外如此而已；如果要說他有更大的成就，必須附帶說到他失敗的另一面，失敗與成功，是可以抵消的，所以我想暫不討論。

中國兩次革命所得到的成功，從實際的嚴格的說來，那不過是軍事上的勝利，而於政治、經濟不與焉。但是問題却因此而來了；是中國的革命，究竟是為了一些歷史進程的打倒了，完成了任務呢？就算完成了任務，抑或必須待到建立之後，理想目標全部達到，才算達到革命的終點呢？假定答案是後者而非前者，則我們今天所應該得到的結論，毫無疑問是繼一、二兩次革命之後，還須要來一次更偉大的，更驚天動地的，更澈底的第三次的革命。

原來，由於我們過去兩次革命之祗能打倒舊的，不能創造新的，革命的成果也就成為革命的負債。因為我們祗知道把一切革命事業都建築在軍事的基礎之上，以為革命事業也者，軍事而已，祗要把自己的軍事力量建立起來，把敵人的軍事力量壓斷下去，便大事已定，其他甚麼政治、經濟、文化、教育，都可以不管的。這就是為甚麼過去三十年以來，我們在政治始終受軍事的支配，政治附庸於軍事，就是為甚麼在抗戰勝利以後，一般軍人都把自己看得「太上」了；「軍人功高一切」，是當時突出的現象，軍人前等國家法律如廢紙，許多軍人都養成了一種驕矜自大的習性，也不但無視了敵人，同時無視了人民的，是一個假「革命」的暴亂集團共產黨崛起了，而我們的軍人，也就「前仆後繼」的倒下去，終於造成今天神州陸沉的可悲局面。（上）

農民已開始普遍覺悟
認清敵人向共幹拚命

中共已成了大陸上唯一大地主，暴虐殘酷扼殺了全部農民生命，寡婦孤兒都以手刃共幹為快！

【本報北平特約通訊】中共在各地的土改運動，其結果雖然消滅千千萬萬各種大小不同的地主，而事實上，却造成了一個新興的暴虐殘酷，無法無天的大地主。過去的大小地主，姑無論絕大多數，和佃戶都是和平友愛，極少剝削壓迫的情形，即使有之，也還有地方公論，可以出而裁制，更進一步還可訴請法律解決，究竟地主本身，沒有捕人殺人的特權。現在則不然，全國土地，已屬於中共所有，中共是任何農民的共同地主，以前假定每一畝田，農民收獲兩石谷，東佃各半，農民可自得一石，一切租稅，且例由地主負担。土改以後，中共所徵的租稅，再加上五顏六色，花樣百出的各種捐獻，幾乎將農民所有終年血汗辛勞的果實，整個搜括以去。私人地主之下，水旱天災，照例減租，中共則一切不管，只要你收了多少，就刮走多少。諸如此類的情形，不特農民忍氣吞聲不敢反抗，且鄉村幹部兇惡逾於虎狼，稍有忤犯，輕則拘押鞭打，重即非刑處死。農民到此地步，才覺悟中共發動農民向地主鬥爭的所謂土改，不是為農民謀利益，而只是為農民帶來無邊無底的災害。因此許多以前受了中共煽惑向地主鬥爭的農民，目前都紛紛暗中和地主表示妥協，大家認識了只有中共才是農民真正的敵人。全中國已不再有甚麼地主，富農，中農，貧農的區別，大家只有一個階級，這就是中共的農奴。大家只有一個鬥爭的標的，這就是暴虐殘酷全國唯一的獨佔地主，中國共產黨。

在這樣農民普遍覺悟之下，於是各地農民，都人同此心，心同此理，大家結成了一條共同戰線，向中共散佈鄉間的幹部發動鬥爭。目前各地已爆發了許多農民殺害幹部，及小規模暴動可歌可泣的事實。農民的怒火，只要國際形勢，稍有變更，台灣國軍向大陸反攻，就馬上會化為巨燄，燒遍大陸上整個共區。以下是這些事實的報道：

湖南在半個月內 共幹二百餘被殺

目前農民反共最激烈也最普遍的省區，正是毛澤東的故鄉——湖南。據中共當局最近在某一項重要會議中報告，僅七月份半個月期間，湖南就有二十多縣，發生了農民反共事件，總計有一百五十三案，幹部被農民殺害的，有二百多人。湘潭縣大白鄉一次暴動，即有幹部十五人，同時斃命。此外，邵陽，安化，衡陽，湘鄉，寧鄉，茶陵，江華，形勢也非常嚴重。

零陵縣農民不僅成年人仇恨中共，即十餘歲男女幼童，因目睹家中糧食，被中共刮光，全家陷於飢餓，也極端痛憤。這些兒童，自動組織了一個剷共少年先鋒隊，有四十人參加，大家，都很機智的備好毒藥，乘機放入共幹們的住宅水缸內，好些共幹，全家都因此喪命，不幸最近有一個家住花橋鄉，今年才十三歲的男童吳九香獲，經共幹嚴刑苦打，逼他供出是受那個地主指使，但吳九香一直到斷氣前，都咬定只是大家為了沒飯吃，所以痛恨中共，找中共報仇，如果說他們有主使，那主使的，就是每一兒童自己的肚皮。中共將這三幼童的屍體，暴露三日，也沒有人敢去認領，結果，被野狗拖食一光。

廣東新會第三區圍瀾鄉，及樓山鄉，最近一連串發生農民殺害共幹事件。據共幹透露，農民在共幹所住的附近井泉中，普遍投放毒藥，並準備大規模進行暗殺及放火焚燬中共倉庫。農婦朱妹仔日前被捕，共幹指朱為鬥爭於放毒時被共幹捕

武進寡婦燒共幹 宿松農民殺鄉長

衡陽縣油溪鄉寡婦陳新佑，因為她丈夫劉益恒，被共幹劉洪春殺害，所有田地產業全部鬥光。於是她聯合原有佃戶，計劃將劉全家十三口一次殺死，不幸沒有成功，只殺死一個，即被捕獲，被劉槍斃。

寡居十餘年，一子已十六歲。家中僅有田十餘畝。共幹周兆生，曾向其調戲，被謝拒絕，周遂將謝列入地主階級，並指稱：謝有夫弟王子文，在台灣某機關工作，有國特嫌疑，將其拘捕拷打。釋出後，所有房屋田產，已全部被周佔有，僅讓出一猪母欄，給謝居住，謝於日前憤恨，放火將房屋燒光，周全家燒得焦頭爛額，但並沒有燒死。

江蘇武進縣鳴鳳區淹城鄉離上村農婦謝文華，夫早去世，被劃為地主婆，因產業鬥光，仇恨共幹，當共幹來她家時，她偽裝殷勤，獻茶接待，當旋發現茶中有毒，當在其枕頭下發現砒霜一包，朱旋被共幹槍殺。

浙江溫嶺黃岩，玉環三縣，因臨近海岸，游擊隊異常活躍，農民與游擊隊結合，許多共幹，都被殺害。最近共幹披露，有大批農村婦女幼童，偽裝乞丐，在各地中共機關或軍隊屯駐地區附近井泉放毒，一種急性，三天即死，一種慢性，三個月後，始能發覺。

安徽宿松縣南鄉鄉長汪正全，為老共產黨員，因在鄉間壓迫農民，徵糧拉丁，殘酷萬分，為農民痛恨，某晚有農民數十人，手執斧子，菜刀，乘汪熟睡，闖入臥室，將汪砍斃。事後，被中共捕獲朱楚良等五人，於上月八日在偽鄉政府門前全數處死。（陸光，六日寄自北平）

「工人政權」的諷刺
河南工人被迫帶高帽遊街

帽上寫着「教育懶漢」等字樣，工會主席持手槍在後監視，「工人翻身」，原來如此！

【本報開封特約通訊】儘管中共政權高聲大喊「工人是領導階級」，「解放」後的純樸工人，一樣被踹在腳底下，騎在他們頭上的可能是掛了「共幹」證章而又同時掛名工會的「工人」，但絕對不會是「勞苦大衆」的真正工人。如果不信，請看下文：

誣陷工人偷去六斤釘子

今年六月河南省公立醫院在汝南城修建房舍，因城市工人少，向鄉間找到大批木，泥工人，木工喬萬春，張道理，魏廷林三人，因家裏有人得了重病，向該醫院負責監工的張科長數次請假，都沒有請准，他們迫得自行回家。這是六月十八日的事。喬，張，魏三人回家後，張科長即到總工會交涉，咆哮地說：「這三個工人回去，影響我們的任務不能完成，你們工會須負完全責任；你們應當迅速把這三個工人叫回來，否則我們即派人去抓」。並且誣陷工人，說喬等偷去六斤釘子。縣總工會因公立醫院來頭大，張科長又是一名「共幹」，就絕不調查事實原委，無保留地寫信命令喬等回城，既老實，又怕事，接到工會命令，二十三日就回到施工地點復工。不料公立醫院得寸進尺，執縣總工會把喬等三人嚴重處罰，縣總工會為了討好「共幹」，不惜出賣會員，什麼「工人階級立場」，完全掉在腦後，惟命惟謹地派木泥業聯合工會主席共幹李維良到工地召開全體工人會議，討論處理辦法。

遊街大喊我是逃跑工人

開會時因為大多數工人都是來自鄉間，雖然不懂「階級立場」，却有同業情誼，一致反對把喬等處罰。可是李維良是奉了上級工會的命令行事，而上級工會又是奉了更有權力的共幹命令行事，硬以主席身份，強制執行，罰令喬等三人戴綠紙高帽遊街，帽子上寫着「請看逃跑工人」，「警戒逃跑工人」，「教育懶漢」等字樣。李維良還要在喬等臉上畫成五顏六色，幸經一些同情喬等的工人囂起鼓噪，說「你檢舉我們也不許畫」，這才沒有畫成。遊街時，三位木工戴着高帽子走在前面，木泥業聯合工會主席李維良惡狠狠提着手槍跟在後面，還有人敲着鑼。李維良又強迫三工人邊行邊喊：「我是逃跑工人，大家不要向我學……」就這樣遊了四條大街。

羣衆不平引起無限憤慨

事後，有些工人因為給瞧熱鬧的羣衆三言兩語的批評，羣衆們或說「就是犯了大罪，也不應如此污辱，何況又是翻了身的工人，民主專政的領導階級」。或說：「身為工會主席，不維護工人反而幫助僱主欺壓會員，真是聞所未聞，豈有此理。」有的還說：「從前資本帝國主義統治時代，不會見過工人遊街示衆戴高帽子，自己騎自己，今天無產階級專政了，工人反而這樣活顯世」。當然還有些拍掌稱快或冷嘲熱諷的。工人對此雖然不甚了了，但誰也懂得，這是一種重大的污辱，於是紛紛談論起來，由談論而集會，認定這樣的工會主席，不但不能代表工人說話，替工人謀福利，反而騎在工人脖子上耀武揚威，肆行壓迫污辱，一致要求上級工會和「政府」嚴格處理此事，最少也要把李維良的工會主席撤掉。然而上級工會就是為要奉承「共幹」，命令李維良這樣做的縣總工會，那會站在工人這方面。所謂「政府」呢，和公立醫院又是一鼻孔出氣。這件事自然毫無結果，拖延了一個短時期，這批鄉下工人，索性被中共一筆勾消，都被解僱回鄉去了。巍峨的公立醫院正另由一批木泥工人繼續完成着。今天，這件事仍是全河南工人最感困惑的一個問題，因為中共儘管那樣糟蹋工人，一方面却還在大聲疾呼，「現在的政權，是你們工人的政權呵。」（龍亭。八月五日寄自開封）

滬報第一次破例刊登
上海也有了強盜殺人案
其實這類案件無日不有

最可注意的這強盜 竟是中共青年團員

【本報上海特約通訊】中共是一向誇張「解放」以來，上海秩序，比以前如何良好，以前報紙上滿登着殺人搶劫的消息，都已不再發現，這是中共大力維持治安的鐵證。的確，殺人，搶劫的消息，已不再發現了，不過這並不是中共治安強化的結果，而是報紙清一色被統制的結果。所有報紙，不許登載殺人，搶劫等所謂社會新聞，所以我們也就無從獲得這類消息，其實，殺人搶劫的案件，在上海還是無日不有。大家沒有飯吃，中共又有什麼法子，叫人們不殺不搶？

不料紙包不住火，前幾天，忽然從中共的報紙上，出現了一條兩年多以來從未出現過的殺人搶劫的新聞，內容是這樣的：

七月廿一日上午六時卅分九江路一〇六號華海打字機行發現學徒蔡文謙被殺身死，仰臥血泊中，店內被劫去打字機二架、電風扇、號碼機等物，即報告公安局黃浦分局，至九時卅分即在鉅鹿路廬山旅社拘獲兇手楊德明，並吊回全部贓物，發還原主。兇手楊德明曾在寶信會計用品總社當學徒，當至分社，因而得識分社右鄰華海打字機行學徒蔡文謙。一星期前楊德明曾路經該行門口，適值天雨，被蔡相邀入內避雨，見該行寫字檯玻璃板下有一千萬元支票一張，櫥內陳列打字機等物，遂起歹念，[illegible]

[illegible]

一面優撫軍屬 一面迫捐機砲

中共幹部更大量吞沒軍屬各種撫慰品和救濟糧

【本報北平特約通訊】中共大吹大擂，[illegible]

[illegible]

銀行內的「人民」特別闊綽
工會成立消耗港幣十萬
僅爆竹一項即用去人民幣四百萬元

【本報上海特約通訊】[illegible]

[illegible]

國際的大天二

·尙方·

嶺南人所謂「大天二」，即京滬各地的流氓或白相人之類也。日常生活專靠懸案搶詐來維持，招搖市井，欺壓善良，隨時耍出天不怕地不怕的形氣，「丟那媽，唔吹脹我就好啦，」吹脹啦我，老虎都咁假嘅！」一副兇惡嘴臉，不可嚮邇。社會上一般怕事的人，越對他講理性，論人情，他越是不可理喻。遇着有些不信邪的好漢，要拿拳頭來揍他的時候，他馬上陪着笑臉，「大佬，我地係文明人，唔好打交嘛」！

去前年，蘇俄出席聯合國代表如馬立克之流，常常在會議席上握拳擊桌其勢洶洶的問道：「你們要戰爭，還是要和平？」到今年二月，史太林更對國際上大放厥詞，痛斥英美「侵略」北韓，說共軍非把「侵略者」趕下海去不可！一個國際的大天二氣派，不可一世。誰知美國好漢竟不信邪，以牙還牙，積極備戰，表示要飽以老拳的決心。如是，國際大天二喊「大佬」，陪笑臉了！甚麼聯合國停火啦，戰爭非不可避免啦，願意制度可以併存啦，召開五強會議實行裁軍啦，一切愛和平，講理性的言行，都低聲下氣的表演出來，酣暢淋漓，煞是好看，眞所謂「何前倨而後恭也」？

自由談

對付大天二的唯一辦法，祗有拳頭，其餘都是廢話。民主國家只要始終以「不相信羊上樹」的氣魄來迎接史太林的敲詐行爲，包管天下太平，百無禁忌！

月黑風高夜

·羊辛·

「解放軍」開到我們的村莊。老百姓的屋子就是營房，還要揀乾淨的，堅固的，破破爛爛的矮屋子可不要。據說他們是要上山去「剿匪」。

滿村子亂七八糟地擠着人，蒸發着汗臭；還有馬，各式各樣高大的馬。馬的腥味，稻草的酸味，混和着汗臭。

飼馬的是一個細眼睛，尖瘦着下巴，滿臉露着諷刺和不屑的神氣的人，狠狠地朝那馬屁股一拍，罵道：

「你這好吃懶做的，反革命的傢伙！」

我有點好奇，問：

「馬也會反革命的麼？」

他盯了我一眼，懶懶地答：

「豈止馬反革命，連石頭木塊也會反革命哩！」

他笑了，顯得很得意。把一束稻草塞進了馬的嘴巴，忽然又說：

「我也是反革命的，飼他媽的，他們說要做掉我！」

「你不是共產黨員？」我問。

「共產黨員？嘿嘿！我是反動黨員！這裏的共產黨員不出十個，其餘都是反動派！」

我也笑了。他眨眨着眼，變得正經起來：

「我是給他們參軍參來的，老子給打死了，家裏淸算光了，他們要我給他餵馬，好，就當俘虜給他們做奴才吧！」他掉過頭去，向着不遠蹲在樹底下的漢子道：

「這個才是眞的俘虜啦！他是我的堂侄，受了傷，被捉過來的！」

蹲在樹下的漢子朝他望了望，沒說話；濃眉闊額，體格健壯，他一向是沉默的，我還沒聽過他說一句話。

戴着八一帽的排長來了，談話中止，他走開去，吆喝着那些馬羣。

幾日後，我忽然沒有看到他了，我找了好久，才找到那個沉默的堂侄。

「你們叔叔呢？」我急急地問。

「做掉了！」他說。

「做掉？是怎麼一回事？」

「愛聽說話，給排長聽到了，送去檢討，就不見啦！」

我的心一沉，不再問下去了。

…………

月黑風高，夜有如披髮的魔鬼在號叫着。

荒漠的村莊，狗在吠着，狂風掃蕩着猙獰的黑夜。

突然，一聲槍劃過了寂寞的夜空，接着，槍聲此起彼伏，人全從夢中驚醒，嘈雜的馬的奔騰聲，嘶鳴聲，混合着槍聲，搖撼着整個村子。

「解放軍」忙亂了一夜，次日，才知道那個沉默的漢子帶着馬羣，還有十來個弟兄，投奔游擊隊去了。那個排長被打了三槍，不見了頭顱。

我默默地望着那座雄偉的大山。

曹亞伯與「武昌革命眞史」

·舜生·

曹亞伯，湖北陽新縣人。早歲曾參加湖北革命團體「科學補習所」及「日知會」。光緒三十一年，「同盟會」成立於日本東京，亞伯與焉。旋由日赴英留學，仍於革命工作多所盡力。民元歸國，曾一度入黎元洪幕。民二討袁失敗，孫中山在東京有「中華革命黨」之組織，亞伯亦東渡參加。後以所受刺激過多，厭聞時政，乃售去其所自辦之亞林臭藥水廠，於崑山購地數十畝，經營農業以自給。

民十七，亞伯出其多年所珍藏之「日知會」文書筆記，及辛亥武昌起義時之一切有關文獻，輯爲一書，題曰「武昌革命眞史」，凡數十萬言，交由中華書局出版，時余任中華編輯所新書部主任，總經理陸費伯鴻，以稿屬余審查，問是否可以出版，余大體翻閱一過，即告伯鴻，謂以史料觀此書，則價值頗高；以著作體裁論，則大可商榷。蓋此書所蒐集之資料，無一而非眞實，然偏側重兩湖，於其他方面，則不免掛一漏萬，如題曰「辛亥革命史料」，則毛病尙小，斷不能名之曰史，更不必曰「眞史」。伯鴻早歲曾參加「日知會」，與曹君有舊，諳熟利卸，卒爲印行。但出版不久，即爲政府所禁，且令將所賸餘之數百册，每本切去一角，絕對不許流行，其實書名可以變更，史料乃斷不容湮滅，顧政府必以毀滅之姿態出之，亦適見其輕率而已。假令今有人焉，欲就辛亥一役，成一完整之著作，如不得曹書參考，余眞不知其從何着筆也。余當時以職務上之方便，仍得保留未切角者一册，且曾攜以入川，惜居渝鄉間，一夜被竊去書籍千餘册，此書以精裝之故，亦同被竊去，（偷書者係一窮賊，專偷洋裝書，綫裝書一本未動）余實不勝快快。勝利後回滬，一日，偶至愛文義路某舊書店，則見此書赫然在焉，余乃以法幣三萬元得之，且喜出望外。可見中華民國不可亡，革命史蹟終不容毀。有不解事之政府胡亂禁止，即有好事者之多方搜求，天下事往往如此也。

聞亞伯晚年學佛，頗有所得，在民國二十六年十月，日軍未進佔崑山以前，病歿於其所自營之農舍。

萬竹樓隨筆（二十）

奔走英伊間的美國特使 哈里曼曾駐蘇四年 史太林送過他一匹白馬

現在伊朗調解英伊石油爭執的美國總統特使哈里曼，生於富家，他的父親是美國鐵道業巨頭，控制着全國鐵道六萬哩，包括太平洋聯合鐵道公司。他一九一三年在雅魯大學畢業，和國務卿艾其遜是同班的同學。他在大學就讀的時期，每逢暑假，便到他家所有的太平洋公司做事，當一名小職員，但在畢業後二年，即擢昇爲公司的副總裁，到一九三二年再昇任董事長。一九三一年，他參加了華爾街的一家巨大金融公司，成爲它的大股東。他曾將流線式的廉價餐車介紹到美國鐵道使用。和把四千二百英畝閒蕪的鐵道地區變爲賺錢的太陽谷。他曾從事造航業，但因爲面臨激烈競爭而放棄。在政治上，他於一九二八年和共和黨鬧翻，是故羅斯福總統的忠誠朋友和追隨者，馴服地擁護「新政」，在羅斯福實行改革的初期，他担任過幾個官職，主要任務是設法安撫對新政表示不滿的商界巨子。一九四一年他出使倫敦，負責使美國按照租借法案供給英國和蘇聯的物資加速進行。一九四三年，他出任駐蘇聯大使，到一九四六年卸職。此時期，他每月和史太林會見一次，可以說比美國其他任何人對史太林知道得更多。史太林曾贈給他一匹白馬，一九四五年，他預料到美國和蘇聯戰時的聯盟終將破裂，因此要求對蘇聯採強硬態度，致使國務院大爲震驚。次年調任駐英大使，當年又調回美國，繼華萊士而出任商務部長。一九四八年到五〇年，担任馬歇爾計劃無任所大使。去年成爲杜魯門總統的外交政策特別顧問，杜魯門的重要外交政策演詞，多由他協助起草，麥克阿瑟將軍的被黜，是他所竭力贊同的。他的外貌，略如賀浦金斯，但較爲壯健，他身體高大瘦長（六呎一吋）肩部肌肉豐滿，面上時有抑鬱的神色。他今年五十九歲，一九二九年和他的第一個太太離婚，他有二個女兒，一九三〇年再度結婚，他的公餘消遣是玩橋牌和打槌球，還有收藏名畫家梵谷，戈根和邱吉爾等人的油畫，他做事大部份是憑藉自己的直覺，每有先見之明，但是他人對於他的行動却難以揣測。他有銳利的頭腦，雖然在正式論壇不很出色，而在非正式會議中則常常獲得重大成就。他自己曾說他是「用一種不規則的方法來管理一個有秩序的店舖」。（一帆）

採訪五年（三）

·陳香梅·

吃苦也有代價

上海的機場共有大場、虹橋、江灣、和龍華四處，你雖然打聽到總統什麼時候來，可是他的專機將在那一個機場降落呢？對於這一點，你又要大傷腦筋，有時大家明明白白地說專機將在江灣降落，可是到後來却又臨時改在龍華了，龍華與江灣天南地北，你若在江灣落了空，再趕到龍華去時，人已渺如黃鶴了。爲了防範落一着，你就得和另一個同業約好，一守江灣，一守龍華，大場是空軍機場，虹橋面積較小，所以這方面還不須要多顧慮。飛機未到前的一個鐘頭，你就先要到機場，因爲飛機有時會早到，雖然遲到的時候居多，你也不得不小心打算。到了機場，先同那些來接的人，和他們談談，探聽探聽各種消息。有些人故意避開，不和你談正事而向你胡扯，你就得要小心，或許他比你知道的少，或許他比你知道的多，而你則是多多益善的。

總統來了，除了一些攝影記者們獲有特許證可以拍照外，新聞記者是不能隨便採訪的，於是你就要等總統和他底隨從人員們坐上汽車後跟踪在他們的後面，一直到官邸。當時總統官邸是在法界的東平路九號，那個地方我不知道在那兒站立過多少次，數也數不淸了。官邸當然是禁止記者們入去的，於是你只好等在門口，讓副官們出來見你，合作的副官會對你的問題作一個完滿答覆，不合作的就對你說：不淸楚，或不便發表，使你好不生氣。

你在官邸門前還得注意各方人物的進出，記下來，你就可以知道什麼時候過訪，再加上採訪所得，到晚上總結下來，你對於總統的一日活動就有了一個輪廓。稿子寫就，你也就如釋重負，第二天，看見自己手寫的新聞刊登在第一版，同時又知道許多人在讀那條新聞，那你雖然受了不少苦楚，但心中也有莫名的快慰，假如你沒有這種感覺，那你還是趁早改行，不要白費心機。

新聞不怕否認

勝利初期，魏德邁將軍駐滬，美軍在滬也有一萬多人，那時美軍協助國軍接收東北，登陸葫蘆島，工作龐大，而曾幾何時東北又告變色，可憐那些受盡日人壓折的東北同胞，痛定思痛之餘，又受共匪和北極熊的殘殺，如今鐵幕深垂，更不知道他們所過的是何種地獄生活了。我當時寫了許多關於美軍活動的新聞和通訊，有些通訊還由美新聞處譯爲英文，頗有關美軍傳觀。採訪美軍新聞也出了一次毛病。那時美軍事顧問團成立伊始，團長吉倫將軍，他多半在上海，有一天，到辦公室看他，向他提出了時適值有美軍二名在北平被而去，我問吉倫：「美政府抗議？」他答說：「有的，我出抗議。」我回報社即就此要新聞，第二天各中英文報紙，因爲這是當時美軍被俘以來最，可是當時美國國務院的政策一直向共匪妥協，見到這後，乃責備吉倫不應亂對新吉倫無奈只得在報上發表更向我歉及這問題云云。我因美軍部採訪消息，當然不能明的讀者都明白其中的奧妙，愈存其事，我也只好不了許多小報紙都爲我打抱不平叫屈，我因爲他們這種宣傳在上海的新聞界就成爲一個字了。

時代科學

·周明譯·

電筆

一種新式的電力刻刀，樣子和用法與普通的鋼筆相同，重僅七兩，可在多種材料上刻成複雜細緻的圖案。它用一百〇五至一百二十伏脫的交流電，不會變得過熱，發出噪音或干擾無綫電機的收音。它可以用來鐫刻皮革，金屬，玻璃，塑膠和瓷器。它最大的用處，是將電影片子或愛克司光底片置於一塊印刷用的膠版下，而用這種筆在膠版上描刻下面的圖像，這比製電版要便利得多。

最大鐳錠

重五十格蘭姆的鐳錠，醫學上世界最大的鐳錠單位，已裝入一具最新設計的鐳錠綫療治器，供診治癌症。這器械呈桶狀，內層由鉛和水銀製成，外面另有一個鋼鐵的厚殼。這治療機已開始在美國的羅斯福醫院使用。

「自由人」稿約

本報各版，均歡迎投稿，敬訂稿約如左：

「一」[illegible]

「二」[illegible]

「三」來稿除附有足夠郵費外，概不退還。

「四」[illegible]

「五」[illegible]

「六」[illegible]來稿請寄本報編輯部收，萬勿書寫私人姓名，以免延誤。

代郵

[illegible]

德國的暴發戶

俄人打了一次敗仗

在盟軍方面，緝捕私梟的措施，也正以鋼的決心在進行着。你或許從沒有聽說過巴伐利亞省的福爾斯城，第七七五一憲兵海關檢查隊，或皮爾李伍長，但它們對於西德東部邊境所發生的事情，却有着極大的影響。[illegible]

在不到一年以前，巴伐利亞省一望無際的森林，向來極爲安靜，火車的往來不會驚動到它，偶而或者有幾個旅行者會靜坐在樹蔭下，看着這些火車靜靜地開着白烟在他們眼前駛過，一個個的車廂內像是載有鐵甲樣的東西。但它們並不十分引人注意。

這種情形一直延續到去年九月，這時，突然有了一個名皮爾李的伍長，率領了第七七一五檢查隊調到這個小斯車站，他自己已移入一個室，車站開始辦公。從這天起，福爾斯就失了它的平靜，這並不是因爲李伍長是一個好吵鬧或脾氣不好的人。相[illegible]

[illegible]

（全文完）

張天寶譯

原載週六晚郵

自由人
（半週刊逢星期三六出版）
（第四十七期）
每份港幣壹毫
督印人：李光華
社址：香港高士打道六六號
電話：二〇八四八
GLOUCESTER RD.
HONGKONG
TEL: 20848
承印者：東南印務出版社
地址：高士打道六四號
台灣經銷處
台北重慶南路一段七十四號

從康納利受批評談代議制與輿論

我們應盡量學習民主憲政的優良傳統

·寧人·

美國參議院外委會上月三十一日開會聽取對援助自由世界方案作證時，外委會主席康納利猛烈抨擊經濟與軍事援助東南亞的共同方案全案，他說：「一俟歐洲復興方案完成後，經合總署即應結束，而毋須去設法支持亞洲方面的「幾乎站不起」的國家。」

輿論是議員的監督

康納利在參院外委會發表這種言論以後，紐約時報及先鋒論壇報於翌日即加以猛烈的批評，八月二日杜魯門總統在記者招待會席上，對康納利所說，表示遺憾。康納利此次在參院外委會一陣心血來潮，弄得輿論及其本黨，雙方夾擊，康納利這番言論，當然是難望通過的，除自討沒趣外，在參院外交委員會中，由此一段插曲，我們可以知道代議制度中的代議士，既然做了民意的代表，其言論稍稍越出範圍，還是有人約束他，這就是民主憲政國家輿論的力量，與輿論與代議機關，是相互監督，也相互讚譽的。代議士要顧忌他的選舉區，同時更要顧忌輿論。因爲輿論是選民的耳目。康納利在民主黨有相當的地位，在參院外委會中任主席，當然更享有崇高的聲望，然其出言稍一不慎，言行稍一失態，輿論便不能放過他，就是他的本黨，也不能庇護他。在民主憲政國家的言論自由，是這樣受着正義及眞理的約束，這是民主國家當特別學習取法的。

民意機關萬目睽睽

我們既已宣佈反共抗俄。當然還走上民主憲政的道路。抗戰末期和勝利以後我們所努力的，幾全爲此一大目標。民國已經到了四十年，四十年來，法典憲法，也頒布了好多次。但是到了今天，我們的民主憲政，還是勉強到了「學步」的階段。民主憲政是外來的文明，要實行民主憲政，首先須虛心承認這一個前提。民主憲政是效法歐美的，既然效法，便須學得到家。如果一方面學民主憲政，一方面又故步自封，以爲何必事事做效人家，這種國粹論的偏見，眞是民主政治的致命傷。民國四十年中，實行民主憲政的時期，固然甚短，但就那短促的試驗時期，行政方面的人固然不懂，如何着意憲政軌道，而議會及輿論本身，也同樣自己放棄了責任。這種錯誤，有的是明知故犯，有的是實在不知而并不求知。民國初年的國會，會場的叫罵，與議員爭論議費多少，深爲當時及後世所詬病。然在議員本身，後來自己也表示慚疚。本來天下事地位愈隆，負責時望愈厚，人家對他們的督責亦必愈深。憲政時期的民意代表，一舉一動，眞是萬目睽睽，億兆注視。議會本身的組織與實行，都要隨時檢點，否則自己便成了時代的罪人，憲政史上的污點。今天自由中國退却到最後一個據地，國家財政支絀到了極點，而每年要支出極大數量的民意機關經費。人民對於民意機關的表現，國際對於自由中國民意代表的行動，都是嚴密注視着的。

議會是監督行政的。憲政國家講求政治責任。政治責任就是：行政人員與行政機關對立法機關負責。國家大部分的庶政，都在行政機關。但是，立法機關自身也同樣有行政，也同樣講行政的紀律與效能。如果一個立法機關，天天以監督行政自任，而其自身的行政散漫，廢弛無能，這樣的立法機關，就必須輿論來加以監督。立法機關最重要的職業是管理政府的荷包，也就是監督政府的財政。但是，立法機關自身亦有財政，行政機關不許有貪污，立法機關自然更不容許有貪污。普通議會中都有稽核委員會一類的組織，但是輿論對立法機關這種行政的處理，還須嚴密地監督與揭發，這幾點，看來似乎微末節，不足重視。因爲在多數憲政國家，這類的事也確實不發生問題。可是在憲政試驗時期，輿論不能忘記這個職責。

議會本身不需宣傳

在歐美的議會，對議會本身的宣傳問題，極少議談。會通常有大問題，同樣不發生議會對各該問題意見的宣傳問題。因爲議會的會場中最重要的事是辯論。議會的開會，當然是公開的，所以議會開會本身便是大新聞，而議會開會時的辯論，尤是大新聞的發言中的精要，英國巴力門發行的會議紀錄名：爲Hansard，巴力門每次開會的翌日，前一天會場中各議員的發言，均詳細紀載，不許有一字遺漏，亦不許有一字錯誤。至於各國的報紙，闢有專頁，完全登載國會中開會的消息，議員的問答。如英國國會中的Full—dress debate，美國國會中的Great Debate都是各議員的發言，或政府負責人與議員的問答。研究一國重大政情與政策，看了那許多論戰便一目了然。議會對重大問題有時自有決議，但許多重大問題或重大政策，並不一定須決議。因爲大辯論的紀錄，便是最詳盡的政策宣示。民意機關很少發表聲明或宣言之類。我們既然學習民主憲政，議會與輿論界，大家應當學習的。

不要和自己開玩笑

議會是合議制度，所以議會的主體是議員，而不是議長或什麼委員會的主席或召集人。雖然如此，議會裏面的各種領導人，自亦稍應注意一點客觀的條件——積極或消極的條件：否則在議會內部既不能發生領導作用，對外觀瞻也對整個國家體面有所損害。譬如一個研究教育的人，選他做軍事小組的主席，或者一位江湖術士，叫他做外交組的主席，這不僅是和自己開玩笑，那簡直對國家的名器，國家的制度去諷刺，國家的最高立法機關，如果有這種現象，輿論就絕對不能放鬆其對代議士的責任。

院內發言仍當警惕

議員在議會中的言論，各國憲法規定的對外不負責任。但議員不合議員在議會所，可以隨便離責，所謂不負責任，其性質是法律的，一位議員在議會所發的言論，對道義要負責任，對議會的尊嚴，也要負責任。如果一位議員在議會中所說的話，既無常識，又失民意代表的尊嚴，與輿論對那種言論，與該言論的人，應該毫不客氣的加以批評。惟有輿論界隨時監督着每一位議員的言行，然後可望各位議員的言論行動，時時有所警惕。國家行憲已經四年，雖然政府人民，轉徙流離，不遑寧處，但要想走上民主憲政，必須人民對議會發生興趣，又必使輿論反映眞正民意。現今自由中國的情形，輿論與議會，似乎不相關涉，人民對議會中的一舉一動，既不贊同，也不反對，全處於一種冷淡的狀態，再說得深刻一點，在議會中還有一部分議員，對議會本身的舉動，他是同樣的冷淡，如果今天不諱疾忌醫，這種現狀，大家不能裝聾作啞，不聞不知，天下最嚴重的情形，莫如沉默的冷淡。今天我們的議會，自己應當省察議會內部，一般社會對議會本身的冷淡。這是議會本身的內容，必有使人極端冷淡的地方，此於民主憲政的前途，關係絕非淺鮮。

批評多才是好現象

看了康納利在美國參議院外交委員會的言論，頓時引起美國輿論的指責。這充分證明美國輿論對其議會之親切關注。我們覺得一個政治機關，政治上的人，有人反對有人批評，正證明人家對它是熱心，若至機關與人物，無人批評，這是那個機關與人物的沉滯，人們的關心，這是可傷心的境遇。希望在不久的將來，自由中國，對其最高立法機關，對其最高立法機關中的人物，給以熱烈的鼓勵，同時，施以嚴厲的批評。

爲了反共救亡　需要一次大革命

問題在我們有無勇氣對腐化思想與惡化勢力宣戰

·黎晉偉·

現在，我們爲了反共救亡，一個空前絕後的第三次大革命的運動，目前，就在積極醞釀和鼓勵之中，要使這個運動能夠成功，軍事力量在這方面所負的任務，當然是不小的，但是，我們不可忘記，軍事的力量，不一定就是決定的力量，眞正決定的力量，應該是政治的、經濟的、文化的、思想的。爲要使我們的反共運動成爲最後一次的革命運動，我們不僅要運用軍事力量去擊敗共產黨，同時，更主要的便是如何使到我們在思想上的智慧，可以對政治、經濟、教育、文化，來一次全面性的消毒工作，徹底根絕我們今後的亂源。

革命的解釋並不等於破壞，革命的對象也不限於敵人，只要我們不迷戀歷史的殘骸，不夾帶着古老的渣滓，則我們在政治上一切有關去腐生新工作，都是屬於革命的範疇。在此原則之下，我們對於那些紳權政治，官僚作風，宗閥思想，是沒有理由需要保留的；特別是在文化思想方面，我們一定要培養每一個忠貞份子的獨立人格，方能夠使這一次革命運動，激起大壯闊的波瀾。我們目前最感恐懼的，是大家那種安於現狀，習於故常的保守主義，是無法調和的，如果我們願意承認過去的兩次革命，已經遭遇不幸的失敗，而第三次革命却又有非絕對成功不可之勢，那麼，保守主義在每一個革命者的面前，都是過時的廢物，一點也沒有值得我們留戀的必要。

不過，革命畢竟是一宗痛苦的事情，它不僅使敵人仇視，也會令某些人失意，沒有大智大勇的行動與決心，正確的革命方針，就不容易貫徹。孫中山先生本來就留給我們許多內容充實的革命課程，因爲我們奉行的決心不夠，優柔的[illegible]，革命走了歧途，最後並且走[illegible]才給共產黨以一個可乘[illegible]果的「定律」，[illegible]迴。幸而今天，由於共產黨[illegible]殺人作風，已激起了每一個愛國人民的憤怒，這方使我們的第三次革命運動，有所憑藉，有所作爲，而無需懼怕共黨勢力的一時膨脹。但這并不是說共黨將會不打而自倒，而是說因爲共黨本身已有了如此嚴重的錯誤，祇要我們從頭做起，不再走那回頭舊路，我們是有充分信心可以擊敗共黨的，問題祇在我們本身的自我創造的精神，是否能夠與這一救國的革命運動相配台。

一個偉大的革命運動之創造或者再造，都必定在文化思想上有足以鼓舞全民的號召，在政治經濟上有不惜打破現象的主張，然後這種運動才能夠山鳴谷應，風起雲湧，形成爲一種沛然莫之能禦的力量。所以負責領導革命運動的人，固然需要開拓胸襟，包羅萬象，而負責推動革命運動的人，尤其需要大公無私，捨己爲羣。因爲這種工作是繁重艱難並且容易遭受挫折的，故又非有一批具有極大勇氣的青年幹部，不易構成革命力量的重心。過去曾經在一二兩次革命有過光輝勞績的人，祇要他的精力不至「油盡燈枯」，我們仍然歡迎他們出來，領導革命，否則，我們是寧願他們及早退讓賢路，好讓這一時代的有志之士，脫穎而出。

我們能否完成這第三次革命運動的任務？答案就在我們有無勇氣對腐化思想與惡化勢力宣戰。（下）

時局漫談

·舜生·

美蘇鬥智！

普通一個人，假定他平日言論反覆無常，行爲荒謬無恥，已爲大家所洞悉無遺，而且屢試不爽；更加上他又不去閉門思過，稍改前非，還想繼續在社會上立足，那是[illegible]

自從馬力克提出韓戰停火的建議以後，世人便有如下面一個相當一致的看法：一、蘇聯所說的和平，在根本上是毫無誠意的，可是她還沒有發動大戰的決心和把握。二、蘇聯對於美國的決心，加強民主國家的武力，尤其是對於西德和日本的裝備，到底已不能坐視，正在苦心焦思的力謀對策。三、[illegible]

[illegible]主要的因素上，蘇聯均沒有充分的把握，甚至可以說是還不如她的對手。

[illegible]

艾登之言

[illegible]

對日和約時機迫切

我們應該怎樣做？

勞佩

假定多邊雙邊均無可能，我們唯一的出路，即是毅然決然選擇適當時機宣告對日戰爭狀態的終止，並直接與日本單獨媾和。

不是嗎？自上月十二日美國公布對日和約草案後，因爲第二十三條不曾把我們中華民國列入爲簽約國，已經引起海內外自由中國人士一致的激烈反對，紛紛抗爭。差不多快一個月了，私人談話，談的是對日和約問題，開會座談，討論的是對日和約問題，怪美國是爲的這個問題，罵英國更是爲的這個問題。甚至對於自由中國和自由世界前途大發其悲觀論調的，無非都爲的是這個問題。……

當然，這是現世紀國際關係上一個很大的問題！可能比前次巴黎和會中的山東問題更大！其影響世界和平及人類福祉，也可能更深更鉅！別的不說，單說英美竟致如此公然蔑辱四萬萬五千萬善良人民，毀滅正義，背信賣友，便足使現代人類文明失去其存在的價值！此所以我們要爭。此所以無論結果如何，我們都非爭不可。此所以我們對於此次對日和約問題的反對和抗爭，固然包含有本身利害關係在內，但是我們之所以必須據「理」力爭，其意義是遠超於本身利害關係之上的。

這，在中國有句古話，叫做「以天下爲己任」。我們爭的是絕對有理由的。

但是筆者在本報第四十二期「對日和約問題與中國」一文裏就曾經說過，在一個或長或短的時期之內，「理」在國際關係上，往往是不能不向「力」低頭的！

空言反對，於事何補？

要緊的是我們應該研究怎麼做而立即主動的採取行動。這就是本文所想和大家討論討論的課題。

多邊和約仍當力爭　過分重視也無必要

第一，我們當然還要繼續力爭，根據堅強理由，主張非由美國給我們一份「正式的請柬」，讓我們出席參加本年九月四日在舊金山召開的會議，與其他五十個國家共同締結對日和約不可。這就是一般所稱的「多邊和約」。這也就是蔣總統六月十八日聲明裏所指明「中華民國僅能以平等地位參加對日和約」的唯一正當合理的辦法。換句話說，其他「任何含有歧視性」的簽約辦法，我們即被邀請，亦不參加。那末，參加簽訂多邊和約的可能性如何呢？「知己知彼」，不但在軍事上需要，在外交上也同樣需要。據消息靈通方面的觀察，這參加簽訂多邊和約的可能性是至多至多不會超過百分之五十的！此中道理，說來話長，擬留待下次討論。我們姑且「從壞」着想，當作這已是一件幾乎業經確定的事實。這，讀者不必難過！不必失望！同樣據消息靈通方面的觀察，其他被邀請的五十餘國家中，截至目前形勢停止，有幾個大大小小的國家恐怕也不準定參加的。即或一律參加，屆時也是沒有人能夠擔保絕對不會發生問題的。這決不是我們「自己沒分，盼人不成」，如同諺語所說「打個兎兒餵老鷹」的白勞一場，而是依此分析，我們之被邀請與不被邀請，一部份亦祗是「面子問題」，不必過分重視，過分受刺激。

雙邊條約此路難通　經濟關係異常微妙

第二，那末「雙邊和約」怎樣？所謂「雙邊和約」是由我們自己單獨與日本締和的條約，這當然是可以的。我們前此之所以不曾採取這個辦法，爲的就是要信守已故羅斯福總統「不單獨對日言和」的諾言。

現在美國既已背信，我們當然不必再受這個諾言的約束而可以自由行動。而美國所主持的對日和約草案中，也分明有着前面這樣一條（第二十六條）的規定：

「日本準備與一九四二年一月一日聯合國宣言且對日作戰而非本約（即九月四日將在舊金山締結的和約）簽字國之國家，訂立一與本約（同上）相同或大致相同之雙邊和約；但日方此項義務（OBLIGATION）將於本約（同上）生效後屆滿三年時終止。……」

因此，我們如果要與日本單獨媾和，日本訂立雙邊和約，似乎是應該隨時「準備」而負有不能不「簽」的義務的。因爲中華民國是「簽署」聯合國宣言且對日作戰」的主要國家，完全合於上述條文所定的兩個條件。因此之故，台灣方面人士頗多主張依據第二十六條，與日本簽訂雙邊和約，只須雙邊和約與多邊和約內容「相同，或大致相同」，便可與多邊條約具有同樣的效力。

這主張驟然聽來，也言之成理。不過，且慢！條約終究是要雙方同意方能成立的，於是間接發生下面這個問題：日本到底是否百分之百的願意「準備」與我們訂立與多邊和約名異而實同的「雙邊和約」呢？這，只有日本人自己曉得！

我們相信，從政治的觀點來說，現在日本當局應該并願意和我們簽訂和約的；但如果從經濟的觀點來說，那麼，問題[illegible]而且變化了！日本經濟，對於我國大陸的依存性是一向甚大的，除非我國大陸，[illegible]能夠替他解決經濟上的困難，日本由於立國的基本利害，是一定會很[illegible]。由於杜勒斯在倫敦所協議成立的所謂「英美協議」給了他以「[illegible]」，訂約選擇權[illegible]，[illegible]。

（雙邊）和約[illegible]範圍（適用區域）問題，可說已是一部份的表面化了！中華民國對日簽訂雙邊和約，本也是言之成理，持之有故的主張，無論與多邊和約同時簽訂，或比多邊和約遲日簽訂，但仍須同時生效也好，都在這無情問題的面前碰了壁！「雙邊和約」？依目前情形看來，此路又已難通！[illegible]

是日本不準備和我們簽訂，而是我們自己萬萬不能簽訂的！英美[illegible]可以出賣我們，但是英美[illegible]出賣四億五千萬同胞！我們不能參加英美簽訂的多邊和約，是「面子問題」，還不是[illegible]；若我們簽訂[illegible]雙邊條約，那就是自殺！……

巴黎和會美未簽約　我國今日正可做行

那末，我們究竟應該怎麼做呢？[illegible]

同時，[illegible]

我國與日本長處於戰爭狀態，更無[illegible]之理。我擁有四億五千萬人口之中華民族，向爲遠東安定之力，自戰敗以來，日本自應悔悟，與我國同心一致，共同擔負保護東方文化之神聖任務。

中日兩國同文同種，隔海相望，其相與之關係，實有與其他國家不同之處，盡可修好和好，不與西方國家同一步調，原可單獨宣告終止戰爭狀態，直接締結和約，本是順理成章之事。

況凡事在國際上，[illegible]。三十年前，[illegible]巴黎和會，[illegible]美國[illegible]單獨媾和，[illegible]此次不參加[illegible]對日多邊[illegible]。

和約[illegible]

要[illegible]我們[illegible]中華民國[illegible]

因此，我們惟有自動的宣告對日戰爭狀態的終止，與日本單獨媾和，直接與日本接觸，[illegible]。

第一，我國駐日代表團，在法理上，是構成東京盟總的一部份；在事實上，更是不可缺之代表國民政府與日本朝野達成溝通意志，媾和修好的功能，我國政府對於此點，應立即從新鄭重考慮，預加抉擇，并與日方進行某種方式的接洽，以赴事機。

第二，中美間悠久深厚的友誼，仍應維持並加強。美國此次摒棄我國的決策，我們本就了解到他是具有不得已的苦衷的。我們堅決抗爭；無不盡，正是中國古人所謂「逆耳忠言」，對於好朋友應有的態度。我們仍須繼續爭取美國精神上及物質上的援助，以共同防禦赤色帝國主義殘暴而狡猾的侵略。

第三，英國雖已承認匪共政權，但在他國內仍不乏老成練達之士，例如保守黨的文西泰勛爵（Lord Vensittart），沙里勃茲侯爵（Thema rquess of Salisbury）等，最近都曾在上議院東方政策辯論會中，對工黨政府有所抨擊，[illegible]。我們[illegible]英國[illegible]，無論從任何方面說，都仍應深切注意，不可再有疏忽。對於其他國家，也同樣應該在外交上加強努力，爭取多多援助！

杜魯門表示不褊狹

他說：「大西洋公約統帥不妨礙艾森豪威爾競選」

民主及共和兩黨反對艾氏競選的，正大力宣傳艾不應放棄大西洋統帥這一極端重要的工作

○……漏網珍聞……○

．一丁．

艾森豪威爾已大致決定參加明年總統競選，並接受共和黨提名，這在上期自由人本欄業已詳細揭布。當時指出，最爲艾氏競選障礙的，是他現任歐洲大西洋公約軍統帥，不辭職則現役軍人競選，有背美國傳統，辭職也會要給人以不好印象，說他爲了個人地位，就放棄這個不特拯救美國而且拯救世界免於奴役的重大工作。有人說：杜魯門邀選艾氏担任歐洲統帥，最初就爲了不讓他競選，好去掉自已一個最強有力的對手。這點除他自己以外，任何人無法解答。

不過在艾帥決定競選消息傳出後，上星期，杜魯門忽然有一出人意外的表示，即：當他在白宮舉行記者招待會時，記者們問：「艾帥現有的歐洲工作，是否要妨礙他明年競選」，杜氏在稍經考慮後，立即答稱：「如果艾帥自己決定了，則大西洋公約國最高統帥的地位，對他是沒有妨礙的。」他又說：「艾帥一生行事，最富於責任感，他在歐洲，正作一項偉大的貢獻，希望並相信艾帥會繼續這樣做下去。」

杜魯門這話的後半段，含有高度政治作用，絕不是幫助艾氏競選，不過因爲前半段確切指明：大西洋統帥，不妨礙競選，於是擁護艾氏的人們，就感覺杜魯門胸襟，究竟不如外間所傳那樣褊狹。因爲拿大西洋統帥這塊牌子打擊艾氏，在杜魯門上項談話發表前，業已風起雲湧，如擁護杜魯門再競選的民主黨參議員穆萊 James E. Murray，就曾說過，大西洋公約，除艾氏外再沒有第二個適當的人，可以勝任。而艾氏在這世界上，除大西洋統帥外，任何名位，包括美國大總統，也再沒有另一工作，對他更有價值，更重要。同時擁護塔虎脫競選的共和黨參議員布魯斯脫 Owen Brewster 也有這同樣的表示。杜魯門談話發表，多少要冲淡一點這類的看法。

杜魯門在記者會後，曾親筆寫了一封信，交國防部鄉行帶往歐洲交給艾氏，信用火漆鈐封，並鈐總統小印，異常機密，內容是否與他的談話有關，當然無人知道！

法共因吃醋打死老同志

極平常的事變成不平常

姦佔有夫之婦，在共產黨看來，便是家常便飯，毫不爲奇。中共雖一方面大罵過去「國特造謠」，說他們共產「共妻」，同時「共妻」是絕無其事；但一方面看大陸上共黨「一杯水主義」的表現，一個女幹部，可以和成打男幹部發生最深切關係，這與「共妻」意義有何分別？從大陸鐵幕逃出的人們說，共黨幹部中，老婆偷人，已不是一件可恥的事情，以前如果某甲戴綠帽，當烏龜，對方一定要把他拚命，現在，則這種落伍的思想，業早被「毛澤東時代」，沖洗一光了。

但在另一個共產天國中，法國共產黨黨員，最近却有一個黨員，爲了老婆被另一個黨員姦佔，交涉無效，憤而將此高級黨員，擊斃殞命。這位行兇的黨員，思想太沒搞通，值得由史太林老爸，將他調來遠東，向毛澤東學習一番。

事情經過是這樣的：法國共產黨員三人，一爲地下鐵道售票員顯華格Laffargue，四十一歲，一爲其妻伊娜Yvonne，三十七歲，另一地位較高，名戴未來Rene Desvilettes，四十七歲，任巴黎近郊共黨勢力最盛之某市市長，以其勇敢堅強，人戲呼爲小拿破崙。三人均爲最忠誠勤奮的共黨同志，私人友誼也很濃厚。不料一年以前，伊娜因在黨內工作成績，異常優良被推升爲戴未來的副手，從此，兩人發生閃電式戀愛。當伊娜將情形告知丈夫顯華格，顯轉將此事商諸黨內高級人員指示方針以後，顯決定與伊娜離婚，不過他提出兩項條件：（一）由戴未來負責替他弄一張簽准赴波蘭的護照，讓他轉移地區，在波蘭繼續爲崇高理想而奮鬥，（二）在他離開法國以前，這一對戀人的行爲，應自知檢點，不要使他太受刺激。

以後，戴未來，伊娜都接受了上項條件，但幾天以後，這一對戀人，却爲了參加他們自己市府組織的夏令營，出外旅行。當他們遊罷歸來，顯華格非常憤怒，找同戴未來理論，戴很輕鬆地說：「這值得什麼大驚小怪，像我和伊娜的情形在黨內真太平常了。」於是顯華格一氣之下，拿出手槍，對準戴未來一槍打去，這位紅色小拿破崙就只有一命嗚呼，走向地下，殉他的領袖老拿破崙了！

前星期，巴黎法院審理此案，顯華格供稱：當他發現老婆跟戴未來參加夏令營出外旅遊時，他簡直要變成了瘋子，也不能睡覺，在地下車工作時，終天昏昏像一夢遊者。這時他老婆穿着喪服，在法院指控顯爲殺人犯。但法院考慮結果，判處顯華格五年徒刑，但宣佈緩刑，并立時恢復了他的自由。

狄托之夢陰魂不散

又盛傳毛澤東將與史太林離婚

在未來蘇聯與西方的鬥爭中，怎樣贏取勝利，軍事首領都希望敵方陣營，會自已發生分化，美國的艾契遜等，一心盼望繼南斯拉夫後，再出來第二第三個狄托。這是個很老的夢了，一直陰魂不散，最近又流行了起來，說毛澤東要和史太林離婚。

首先是東京麥治威總部發表了一個消息，指出北平與莫斯科之間有了矛盾。這一個短消息，並無充份資料。但是，在白日夢遊者的心上，又起了一陣變化，八月十三日美國時代週刊的看法認爲這只是：「心理作戰戰略」之運用。

其次便是紐約先鋒論壇報專欄作家亞沙伯的報導。他說：中共的文告中，引述史太林的話比毛澤東的話少得多。毛澤東最近說過：「中國的革命是馬列主義新的發展，在資本主義國家中的革命典型是俄國十月革命，在殖民地與半殖民地的典型便是中國的革命。」于是亞沙伯認爲毛澤東頗以作爲一顆「衛星」而苦惱，他對于史太林的想法是：「歐洲是你的，亞洲是我的，請勿侵入」。

事實上，史太林給予毛澤東較多的表面上的「自主」，也許是有的，因爲毛澤東的「農民組織」，在理論上也曾得到了史太林的滿意。史太林也許可以讓毛澤東做「亞洲部份的副主席」，但是眞正的「主席」却還是他自已。

對于「狄托之夢」，只是一部份美國人的幻想，由於朝鮮和談的僵持，這種幻想，應該又被粉碎了。（思岱）

勞動模範猴子戲

中共怎樣把一個善良工人捧成英雄？又怎樣充份利用徹底壓榨吮吸盡他的血汗？最後卻給他無情的打擊！

從上海鋼鐵廠一個領班的故事看中共的奴役政策

【本報上海特約通訊】在「工人翻了身」的「紅旗歌」歌聲中，中共治下工人惟一的「光榮」是幾個被封為「勞動模範」的人演出了一齣又一齣的猴子戲。但是，當戲演夠了的時候，要錢的人也要收攤。與其說是讓猴子休息一下，不如說是過河拆橋，愚昧可憐被捧到「人民代表」位置上去的那幾個老實人，終于也受了早經安排好的打擊。

七月中，報紙上突然提出了一個口號，叫做「愛護勞動模範」。上海鋼鐵廠第二廠的一個工場領班叫阮開利的，首先被拿來作為題目。上海解放日報用新聞的形式發表了一篇「短論」，題目便是：「勞模阮開利開會太多，嚴重影響生產和健康」，並且指責他「不能很好發揮帶頭，骨幹和橋樑作用」。當然，誰都知道他為甚麼會成為「勞模」，又為甚麼「開會太多」。當初的「政策」，如今成了「偏差」。一般人以為還是「自我批評」，其實，還原是一貫手法，捧一下，打一下，最徹底的壓榨。

勞力血汗換取榮譽

生產效率打破紀錄

就看阮開利這個工人。他原是一個安份守己勤奮工作的人。去年中共發動「迎接紅五月生產」，加緊剝削工人的勞力，他表現了很好的技術上的成績。他曾提出「省去開爐手續」，使鋼材日產量增加了近一倍；又會建議把頭道軋車的末二道軋子移到二道車上，使馬達開關不再有跳脫現象，日產量又創了新紀錄。他的勞力與血汗換得了中共的歡心，給了他一個「上海勞動模範」的「榮譽」。

得到了這「榮譽」的阮開利，便是一步登上了傀儡戲台的猴子。

第一齣是在北平舉行的「全國工農兵勞動模範會議」，他被送去參加，跟幾百個和他同樣命運的工人一起被牽了鼻子走來走去，表演了一番「工農兵政權」的表面文章。

牽來牽去開會

空銜頭一大堆

利用一個人的「個人英雄主義」心理，一個從來沒有見過官老爺的人居然也「晉京」登上寶殿，特時的興奮是難免的。

從北平回到上海，他在工廠裏格外賣力，用血汗來報答「毛主席恩情」，他的生產提高了三倍。

于是第二幕猴子戲繼續開鑼。每幕戲都需要他來點綴場面。「造就」了這些「勞模」，是必須最充份地利用的。他除了在上鋼二廠擔任領班之外，在廠內還擔任工會執委兼生產委員，工管會委員，黨的宣傳員，肅清反革命委員會副主任；在廠外，他是全市各界人民代表會議的工人代表，新市區人民代表兼該區協商會議第二副主席，（因為他的工廠在新市區）；一度還同時做過楊樹浦區人民代表，（因為他家住在楊樹浦區）。

他每星期參加的會議有：行政碰頭會，上鋼公司業務會，工會執委會，宣傳員會議，工管會會議，以及新市區協商會議。諸如此類會一開就是兩三小時，最長的有十三小時，休息，他要被邀

活生生小影子

磨折成了病鬼

他的生活是怎樣一種生活呢？他時常做完了十二小時夜班工作，沒有合一下眼，就參加宣傳會議，協商會議，工會執委會，車間小組會等等，開了一整天會，直到晚上他再接班。他自己說：「從去年十二月到今年五月，平均每天只能睡三小時……有時根本就不能睡，只能伏在桌上打個盹，今年春季，他每個月必須打五次以上補針，才能支持疲勞的精神。」在工作時，他說：「我的頭昏沉沉，心裏想的都是開會講話的資料。」

一個年輕力壯活生生的勞動者，就這樣演猴子戲演成了一個衰弱的病鬼！

悲慘命運開始

中共發動批判

於是，他的「任務」也就差不多「完成」了，可以「完」了，被榨完血汗，接下去便是悲慘的命運的開始。

中共官方對他們（不僅對一個阮開利），便開始「批判」了：

「阮開利成了個開會勞模了！」「他根本無法集中力量來生產，以致與廠取得出用，校正不正常了！」

去年年底評獎時，他列入了丙等，今年依然是丙等。但勉強給了他乙等。是，他的血汗燃乾了，以他為首的工人小組，七月間出鋼的產量比其他班子少了三噸。解放日報首先指斥了這一揮紅了的工人：「不能很好發揮骨幹和橋樑作用」了。同時又發表短論，要他們「有節」

從一個工人的遭遇看中共政策的本質

件務力生產」。接着，便假造了許多「勞模」，對于「勞模」的批判大致是：「勞模」是不對的，能應該發揮勞模工作效率，「不應」背「求勞模事帶頭」，「如果說難生產」，就很難發揮勞模作用」一類的話。

看「工農兵政權」下運工人，「勞動模範」中共是在利用的，了即是它的迷眼本質—（有計劃）的性殺戮，有計劃的力掠取。阮開利是「人民代表」，他利用「代表」「勞動模範」的榮譽，是捧他一下，犧牲了無數個勞動模範；治下是勞動的犧牲品，數個模範被玩的大陸上的工人，階級，遭遇到中共統治下至少已步入阮開利的後塵。（本報十日寄自上海）

廣州中共又一生財之道

沒收西堤災區籌建大廈

目的在打港澳商界荷包

廣州西堤災區，即新亞酒店對面廣場，係在日敵佔領時被「轟炸」「焚燒」「拆毀」種種原因所造成，由最繁榮的商業地區，變成一片瓦礫，而變相當廣闊。勝利復員後，因土權的爭執，（原有地主，租用戶，與佃僱勝者）政府的重建計劃，再三延擱，官司由市政府地政局打到行政院，由「民事」糾紛纏到「人事糾紛」。因問題過於複雜，直至易手前夕，還未解決。可是「爛地」，一到中共手裏，馬上變成發財的工具，所有地主，租戶，與承領者的權益，固然一筆勾銷收歸「共」有，還籌建甚麼「交易大廈」，美其名曰：「照顧各公私貿易機構單位」，撥出寫字間三百間，任由備價領用，每間大約需五千萬或六千萬，平均計算，三百間便是一百六十五億元，這麼一來，不化一個錢便把整座「貿易大廈」拿到手裏，而在建築中又可大揩油水。還有，為着三百間寫字間能夠迅速成交，特別規定歡迎海外尤其是港澳的工商界價領。海外和港澳的工商界能在鐵幕內做些什麼生意呢？在除「美帝」「英帝」甚至「日帝」的貨品（最少也是原料）外，祇俄老大哥的東西是用不着假手他們的。那末，為了六千萬元的建築費，不惜大開方便之門嗎？還是「請君入甕」，到時另有打算？中共的生財手腕是夠高明了，不知海外和港澳的工商界上當不？（延年）

狂吹導淮成功口沫未乾

新修涵閘突告失敗

山東大汶河最近決口，魯南數百里將成澤國。

【本報北平特約通訊】中共自日狂吹的大力建設，因為知識水準太差，設計錯誤，及幹部貪污腐化，以致所有建設，幾無不毛病百出，失敗消息，接踵而來。尤其水利部份，目前毛澤東方誇稱多年無辦法之淮河，已在中共統治下，第一步疏導工作，業告完成。偽水利部長傅作義，及毛澤東特派視察工程專員邵力子，且於施工時期即到北平後，均有長篇報告，極盡誇耀之能事。不料毛、傅、邵等之口沫未乾，淮河潤河大洞閘中甫經完工之尹家蔴閘工，就發生閘基不穩，大量漏水，全部工程，等於白費。傅作義接到報告，急得搥胸跳腳，邵力子也很覺一番胡吹，太難下台。當由傅立派專人，前往調查，嗔接電告，謂確查閘基漏水，情形嚴重，非拆毀重建，不足以保安全。至漏水原因，一方面是偷工減料，聯接處所用的洋松，都很腐爛，原好。又所購大批洋松，大半早已腐爛，是該項木料每立方大批洋松，購入十三萬二千板尺，竟全是蟲蛀爛，普通建築等洋松，尚且不能使用，而經手人均照上等價格購入，用於水閘，當然不夠堅固。此外偽水利部特派員，在這一部份淮工程，更有許多腐敗浪費的情形：（一）以高價向商人租用兩架八十三基羅瓦特發電機，準備在施工地點裝用電燈，不料開架均有毛病，第一天試驗，就將幾百枚燈泡完全炸毀，以後永沒再試，徒然糟蹋了一億多元的租金。（二）試棒架跌斷兩個，打棒架跌斷四個，工程師指導無方，工人也毫不愛惜。（三）燒壞八匹半馬力抽水機三架，十五匹半馬力抽水機三架，原因是該機日夜開動，無人注意，連工人回去吃飯，也從不關閉一下，損失甚巨。（四）蓋工棚毫無計劃，蓋了又拆，拆了又蓋，浪費公款，漠不關心。傅據報後，如何處理，尚無所聞。然共黨導淮奇蹟，也由此原形畢露了。

「醜」無幾至，鬧「不單行」，導淮工程既然出了這樣一個天大的笑話，同時，黃河方面，也發生了大問題。山東汶上縣境內靠近黃河之大汶河支流王家河，突於上月二十七日決口，有二十七個村莊，三萬畝麥田，完全淹沒。該河堤工，中共在今年四五月間，曾動員了民工萬餘人，大張旗鼓，大力增修，不料一轉眼間，竟行決口。這當然又是技術太差，和幹部貪污之故。現決口處正在繼續擴大，可能殃及南數百里，均將成為澤國。（隆光，十日寄自北平）

杭州老紳士家破人亡

痛遭迫害呂公望自殺

長子槍斃，次子參軍，媳婦改嫁，孫兒被綁，產業沒收，險遭公審，年逾古稀的老翰林終於一死了殘生。

一年逾七旬的老紳士呂公望，於今年四月廿三日，在杭州寓所（中正東路）服安眠藥自殺於中正東路寓所。此事「解放」後，發生於杭州，數月後才傳出。呂氏一生，逃來此地，致死的原因，及所受迫害，詳述如下：

呂氏為浙江老翰林，民國時曾任浙江（江蘇浙江）總督，有功革命事業，民國後卻任總統府大總統府顧問，後又返回故里，旋即以在野的身份從事實業。

退歸林泉，不問政治，致力實業。先後在杭創辦大新、裕成、新綸絲綢工廠三所，與盛時期有工人六百餘人。且熱心公益，杭市貧民救濟院及育嬰堂設立，均由呂氏倡導。卅八年共黨南竄，呂氏曾率長子守成，隨政府撤退上海，與次子守業會合準備撤退台山。因購船票不易，未能成行。留滬半年，又遭爵故里。躬耕田園，以為可以相安無事。

列入了黑名單

三座工廠沒收

可是，「清算」開始，偽浙江政府即將呂氏列入「官僚資本」黑名單上。一二三所工廠，共黨於卅九年五月間專人請呂氏來城移交，並宣佈接收該三廠之理由，其中有一段是：「大新，裕成，裕豐工廠業主呂公望，為官數十年，搜括民脂民膏，該廠是人民脂膏所構成，一又查呂公望利用過去地位，與「反動政府官僚」勾結。該廠名為民族資產，實為「官僚資本」。根據偽產管理辦法，應予沒收……」呂氏祇有遵命照辦。三所工廠財產，一冊呈交。駐廠軍事代表用草紙書一張收條，交呂氏「留此存照」。

實業家成惡霸

關進監倉病倒

工廠既被接收，呂氏「無產一身輕」，不再過問世事，與兒孫團聚，以娛晚年。不料「惡霸」及「反動份子」黑名冊上，又被列了名。公安局把他請去，關進了杭市第五號臨時「監倉」，並且醞釀進行「公審」。呂氏由一個辦實業的人，一變而為「惡霸」，再變而為「反動份子」，刺激殊深，憂憤成疾，今年三月間，家人奔走力保出獄就醫。但是不幸的事件又在他家接二連三的發生。

家庭發生變故

長子遭妻毒害　次子下落不明

呂氏長媳孫俊，為共黨地下工作人員，其長子守成在杭市政府任機要祕書時結婚，杭市「解放」，一變而為共赤色要員，「榮膺」軍管會委員。自此即與呂家脫離關係。並向其夫守成及呂氏實施「鬥爭」。捏造事實，控其夫過去如何殘殺「革命志士」，呂氏又如何暗中從事「反革命」活動。守成經妻告發後，被捕槍決。孫俊在守成被槍斃後一星期，便與共幹曾書成正式結婚，所生之子呂明英也帶到了曾家。呂氏派人商量接回撫育，希望此一獨苗成林。孫俊竟向呂家勒索贍養費一億元。呂家經濟大權取財帛罄盡，無此巨款，因之亦無結果。

自戕以了殘生

呂氏次子守業在浙大讀書，在卅九年八月參加「志願軍」，開赴四月，杳無消息。傳說，業已陣亡。呂家在此一年中接連遭受慘劇。七十多歲的人，自然經不起狂風暴雨的摧殘，除自殺之外，他還有什麼路可走呢？

看裸體電影

誘共幹貪污

【本報上海特約通訊】正如一般人將「共產黨的好處說不完」的口號，改作「共產黨的貪污數不盡」，現在讓我再將此間「人民法院」公布的一個貪污案起訴書，摘錄如下。

「季喜林係東北航務總局電訊科長，去年五月間奉派來滬定購發射機與無線電器材。有該局試用的報務員伍貽書（現逃）為季介紹本市理沈品昌相識，沈廠經理沈品昌立刻大請其客，是第一批訂貨合同，即在這種充滿酒肉的場合下訂立。此後沈品昌不時請季飲酒吃飯，又不時宿妓上舞場，遊勸，林行賄，為季及季送錢給喜林，並化用，買皮鞋，寄給南京西裝，租金在本市以高價領租得哈斯德公路「麥特赫斯脫」房間，供季寓居，與季喜林居住，沈品昌與共犯張元鑑，又異想天開，和沈品昌共營又異想天開，和沈品昌共張元鑑裸體猥褻電影給季喜林看，投其所好。總計季喜林在滬九十二天中，沈品昌共耗費各種饋送達四千六百餘萬元。在沈品昌的計劃下，有第二批，及第三批合同，又因此而訂立。利的三批訂貨，但其機件質料低劣，減租不到，東北根本不能使用，遭受損失，達人民幣十億元之巨，季喜林除已在一億元以上，沈品昌請管制本市已將季扣押，徽辦。」（十日）

上海又大叫防空

【本報上海特約通訊】中共鑒於韓戰和談，美國態度趨強硬，及美國對自由中國，準備撥款大量軍援，感到世局動勢，確已嚴重。於是過去大誇上海空防嚴固，台機不敢再來的胡吹狂喊，又自行取消。連日向市民提出警告，當心空襲，並成立所謂「上海市人民防空指揮部」，推偽副市長潘漢年為總指揮。下分七處，第一處專組訓救濟，處長屠基蘊，擔任搶修，偽裝，處長趙祖康，第二處警宣傳，處長王隼先，第三處份，第四處專燈火管制，通訊聯絡，水電供應，處長葉進明，第五處專消防，處長李新，第六處專防毒救護，處長楊光池，第七處專材料，處長葉進明，並將於最近期間，演習燈火管制，勸導市民疏散。這對於上海市民，一方面雖增加了緊張恐怖，一方面卻又不啻帶來了一個喜訊，暗示反攻大陸為期業已不遠。（悠然，十日寄自上海）

自由談

混不成的悲哀

·尚方·

正在開城談判若斷若續之際，中國共產黨的僞台和「人民日報」，不斷的發出很多「偉大」聲明，一則曰：我們有強大的空軍和大砲坦克尚未用過；再則曰：我們決不怕再戰。這是夜行吹口哨，大呼不怕鬼的「壯烈」精神！

共軍的強大空軍和大砲等，究竟「偉大」到了甚麼程度？我當然不敢斷定，但中共擁有兩千六百架飛機卻是像煞有介事，證據安在呢？就在人民奉旨欽定的機砲捐，捐獻上，那兒寫得清清楚楚，明明白白的，這不是「強大」的空軍嗎？既有強大的近代化軍備，又有「決不怕再戰」的勇氣與信心，又何必向聯軍低頭忍氣，而不實行「打下海去」呢？以崇信唯物鬥爭法則的共產仁兄，竟有此「百鍊鋼化爲繞指柔」的表情，倒是難得之至！

聯軍因共方帶着軍用武器的「警衛」部隊走入開城和談會址旁，指爲破壞中立的拒絕談判，這算是「誤會」！我敢替中共當大闡發，他們決無破壞中立的心理，祇是藉此偷拍幾張電影片，以便拿到大陸去放演，你們看：「美帝」被強大的志願軍打垮了，派代表到我軍陣地乞和啦，這就是我志願軍天下無敵，獲得「世界性的偉大勝利」的鐵證實據啊！共黨的用意，如是而已。

天下一般共產仁兄都是講究阿Q式的自我宣傳的，而以中共尤其出色當行。聯軍硬要做強到底，揭破他們的瘡疤，那就使他們痛感「混不成」的悲哀了！

記桂將李本一

正氣浩然不惜一死

·黃華·

這一次中共軍由湖南侵入廣西，號稱善戰的廣西軍數十萬人，未經血戰，便一朝土崩瓦解，不獨是軍事上一件怪事，實是廣西軍的奇恥大辱！後來統兵大員紛撤，被俘的被俘，個任級以上的縣長專員，被殺的被殺，不計其數，更是廣西人一宗忘不了洗不淨的恥辱！中間差強人意的，只有一個李本一。他雖是力盡被俘，而他在被俘後所表示的一種「威武不能屈」的氣概，使全省廣西人聞之，都爲讚歎！衆口同聲的稱他，眞是一個「強項將軍」！不愧是一個廣西人！有了一位「強項」的李本一，反映着那一些向毛澤東磕頭，向毛澤東吮癰舐痔的投撤大官，更顯得他們背叛國家民族的可誅，更顯得他們人格沒落的可憐！我怕還有爲李本一所不及料的，激勵了無數的下級軍官，民衆義士，丟了家，逃入深山，參加了「反共」的游擊，使中共不敢正眼覷廣西無人！李本一當時的氣概，激勵了反共的人心太大了。許多人都要追問，到底李本一是一個什麼人？我試爲短短的加述，便是報道他的爲人及其歷史的大概。

李本一是廣西容縣的楊村人。楊村離黃紹竑家鄉珊萃村不很遠，是萬山中一個小村落。李本一生在一個極貧苦的人家。八九歲時，和鄰近雲封村一家地主叫蕭和堂看牛。主人看他生得還聰明伶俐，便升他做捧茶，伺候客人。何家設有蒙館，何家的主人又使他陪同自己的子弟讀書，李本一本來很聰明，又來自貧家，自然更加用功，所以讀書也能得很好，當他十七八歲時，正是李宗仁黃紹竑白崇禧統一廣西[illegible]的時代，他便投到黃紹竑指揮的伍[illegible]部下當兵。桂軍北伐，選升充連排營長。民國十九年，以營長資格，入南寧軍校高級班深造。畢業後，曾一度投入張發奎的第四軍。一二八事變，桂軍奉令增援上海，李本一隸廖磊周祖晃部下，在上海大場羅溪浜一帶作戰。因當時的桂軍，不諳敵軍的戰略，同敵軍的密集砲火血鋒，損失至大。李本一在劉河掩護撤退有功，升任第一百七十一師副師長。調充皖東專員，旋升第一百三十八師師長，總調第一百七十六師師長，隸四十八軍蘇祖馨指揮。在安徽作戰有功，升第七軍副軍長，（軍長鍾紀）駐蚌埠。後調山東作戰，有功，升第七軍軍長。旋升第三兵團副司令官，（司令官張淦）仍兼第七軍軍長。三十八年，中共軍入湖南，桂軍退返廣西。第三兵團本部駐博白，李本一所部第七軍駐廣東高州信宜。中共軍追擊，四野共軍數十萬包圍第三兵團，司令官張淦在博白被俘。李本一率數百人至容縣之六陳，被共軍數師圍困，李本一知不能敵，欲化裝潛逃，以北伐時右手兩指炸燬，被共軍便衣隊，認識屬山面面，遂被俘獲。當他被俘獲時，共軍要將他的兩手反縛，李本一便厲聲地對那些共軍軍官說：「我是兵團司令官，我是軍長，我雖是被俘，應受高級軍官的待遇」，拒絕受縛，共軍卒不敢綁他。六陳至武林，有一段陸路，共軍要他步行。他又說，「我是高級軍官」，拒絕步行。共軍軍官不得已讓他騎馬，由武林至梧州，由梧州至貴縣是水路，李本一又非船不走，共軍又屈從他乘船，被俘後一切起居飲食，他都要以高級軍官待遇，共軍也不得不依他。共幹要他自白悔過，他說：「我是國民黨的軍官，奉行國民黨的主義，執行國民政府的命令，始終沒有錯誤，何有於悔過？」一共幹對他說：「你要給共匪俘虜？」他說：「還是你們兵多，絕不是我的本領不如你，也不是不善戰之過！」他又說：「如果不信，你們此時放了我，三個月後同你們再打一仗，看誰勝誰敗」，共幹卒沒法說服他。他經過武林梧州桂平貴縣，絕對不受共軍的侮辱；共黨會他，他說：「我是國民黨的高級軍官，應受高級軍官的待遇，要殺就殺，不能隨便侮辱！」共軍因爲總想在他身上，獲得一些桂軍祕密或由他出面，招降一部份遊擊隊；所以總是加意優容，而他正氣浩然，不惜一死的聲名，也就傳遍廣西。這時廣西的人民，受共黨的暴力威脅，到了不能喘息，見李本一這一種氣概，萬分激勵，一傳十，十傳百，傳遍了整個廣西，從前是「恐共」的，居然都變成「反共」了！以後猺山，六萬大山，十萬大山，和桂西一帶的武裝民衆，紛紛起義，都可說大半是李本一這一種「強項」「不怕死」的氣概所激勵的結果！

李本一，爲人慷慨豪爽，勇敢善戰，是外間人所知道的。但他卻不是一味蠻豪，他能寫字吟詩，能看英文報，音樂，能唱很好的平劇，也可算是一位翩翩的風流儒將。李本一初名李廣，白崇禧因他和漢朝的李廣同名，恐他的數奇，會同李廣一樣，故要他另外換一個名字。問他：「你有多少本領？」他說：「只有本人一個」。白因改名他做「本一」。李本一自被解至漢口之後，或說倘存，或說已被處決。一般說來，李本一是絕對不會向共產黨屈服的，遲早都必然要被共產黨處決！

萬竹樓隨筆（二十）

紀魏時珍

·舜生·

時珍名嗣鑾，四川遂安人，我認識他是民國九年我到上海以後的事。其時他在同濟好像是剛剛畢業，他和王光祈曾慕韓等是中學時候的同學，因此他比我更早一點，已經做了少年中國學會的會員。他天性近於治學，不僅對於他的本行數理造詣甚深，即對於一部分的中國書也比別人讀得有心得。他所發表的文字，無論是談數理，或其他普通問題，都能深入淺出，從條理上可看出一種樸素的美。我見過他幾首五言古詩，也如他所寫論文那樣的精粹，但不常作。

時珍對於實際政治，並沒有怎樣濃厚的興趣，但他歡喜談，尤其歡喜聽別人談，因爲他有高深的科學素養，因此他的了解和判斷，都比普通人強得多，深刻得多。

民國十二年，曾慕韓等發起『中國青年黨』，時珍也加入做了一個黨員，其時他正在德國哥庭根大學讀書，回國以後，他先後在同濟，川大任教職，創辦川康農工學院，（後改國立理學院）自任院長，並兼任敬業中學校長，但他對于一個普通黨員應盡的責任他都盡了，爲一個普通黨員所不能做到的事，他也做了。

時珍的家，住在成都魁星樓街的一所平房，房子是很普通的，但客廳的前面有一塊草地，疏疏落落種了幾顆樹，看來使人很舒服；凡門窗地板，無不打掃得異常清潔，眞可以說得上纖塵不染；書籍和其他一切用具，也擺得整整齊齊，絲毫不見淩亂；有許多頹散的人，連自己的一個家庭也弄得一塌糊塗，反說時珍是如何如何『洋化』，眞是豈有此理。就我所知道，時珍的生活很節約的，除平日和朋友在一塊談得高興偶然喝一點酒，和每天喝一杯咖啡以外，也並無其他的嗜好。他的家庭很簡單，一個太太，一個女兒，僱用了一個女工，一個車夫，經常就只有這五個人在一塊生活。我到成都常到他家裏去坐，我總覺得這是一個很標準的學者之家。

共匪進佔成都以前，時珍爲什麼沒有走，其原因我不知道，據我想來，他大概還把共匪看成是人，他是一個青年黨黨員，讀過二十年的書，當過一度參政員，一度省參議員，也並不是怎樣了不起的罪過，所以他並不覺得有一定要走開的必要，可是不幸他竟因這種種的事實而被共匪所殺了。據共匪的報紙所載，他是本年的四月一日被殺了的。

就我這三十年來所接觸的朋友，對科學能深造自得，對歐洲文化的某些方面有認識，而又力能讀書，要推時珍爲第一，現在也居然被共匪以焚琴煮鶴的方式把他屠殺了，『傷心剛性無頭顱，眞無能與禰正平』，我每一想時珍那一種『勁氣內斂』的神態，那一副精悍之氣，見於眉宇的神情，那談得高興的時候向人肩上一拍，或緊緊握着別人的手搖上幾搖的一股孩子氣，心裏非常難過。可是半年以來，我所認識的朋友和同志，被共匪殺了的何止兩千人，我實在也不暇爲時珍個人哀，我這裏不過以他作個例子來記下這一筆，我相信清算的日子總不會太遠的。

採訪五年（四）

·陳香梅·

中共醜態

國共第一次和談期間也是上海新聞記者最忙的時候，當時各黨各派以及民主人士都雲集在申江之濱。今天開會，明天討論，後天又是某某代表招待新聞界發表公開談話……使我們這些跑新聞的人整天忙得焦頭大汗。那時中共代表周恩來，民盟代表羅隆基，張瀾，民社黨代表張君勱，青年黨代表曾琦，以及許多無黨派人士們都爭相招待記者，公說公有理，婆說婆有理，有時終日相爭不已，而說話最多的當推周恩來和羅隆基。周是最會扮演各項角色的人物，有時演說，說到國民黨如何不好，如何殘害人民，說得聲淚俱下，就像煞有介事似的，不知底細的人，還有許多人受他蠱惑。周太太鄧穎超也是一個愛出風頭人物，常招待女記者們談話，還指桑罵槐，我們凡是擁護政府的，他就說我們的報紙不忠實，我們不參加這種招待會又恐怕漏掉了新聞，參加呢，少不免惹點閒氣，眞是進退維谷。羅隆基這個人物在我看來眞是十足的尾巴典型，這種掛羊頭賣狗肉的政治販子，眞是最無恥的。當時他和一位有夫之婦的女記者鬧三角戀愛，京滬之間攪到滿城風雨。我看見他發表談話時扳着面孔，那種做作就覺得討厭。

爲了我們沒參加他們的招待會後都回社寫報告，把他們所說的話都紀錄下來，雖然未必發表，但這是他們所不願意的。因此，他們對我恨透了，在他們的報紙上稱我爲國民黨特務，以後，他們招待記者時索性不通知我，有時還邀我參加，但我知道了去參加時他們也無法拒絕，如今回想起來，當時我方政府對於這批賣國的叛徒們是多麼的寬大啊！——試想，他們能夠隨便在京滬一帶發表反動性談話，而我們想入延安看看都不可能。

記得那個時候，正值黃泛災期，我們很想組織一個災區訪問團，北上採訪，由我們出面與行總當事人交涉，可是災區的一部是在中共的控制下，他們不歡迎我們去，說是對於我們的安全不負任何責任，這是逐客令，我們當然無法實現這行程了。其後我們又想乘坐行總的飛機到烟台中共地區探視救濟工作的展開，也被中共駐滬代表拒絕了，如此說來，還乖，是早在當時開始了，還有什麼價值呢？

在滬上採訪外事的新聞記者們，組織了一個聯誼會，每月聚餐一次，節目，大家痛快地玩一次，還會員什多人，每月的聚會，或研究一個題，或聯合參觀某某機構，獲益良多。如今故交飄零，眞有『明日隔山嶽，世事兩茫茫。』之感。

何日重來

幾年中，採訪生活使我增加許多人生經驗，這是在學校裏書本上永遠學不到的東西。我如今雖然暫時放棄了記者生涯，可是我對於新聞工作仍然懷着熱烈的興趣，希望不久的將來，生活較安定了，兒女長成時，再向新聞事業謀發展吧。（完）

自殺在美國

·一丁·

每年死一萬七千人

打開香港各種報紙，自殺消息，幾乎無日不有。據說，從中共佔有大陸以後，許多人逃來香港，妻離子散，悲憤厭世，因之，自殺數字，較前增多。這些人，雖然不是直接爲中共所屠殺，但還批血債，如將來結算總賬，無疑是應該和在大陸被屠殺者一樣，向中共索取抵償。

除此以外，一般的自殺原因，總不外失戀，失業等等，在走到絕望的途徑時，就毅然決然，一死了事。英美自殺的數字，近五年來，每年各無大增減，幾乎有了一定水準。英國一九四五年，自殺和他殺總計爲一萬四千九百五十二人，一九四八年，爲一萬四千六百十人。美國則五年來的平均數，自殺計一萬七千人，約爲他殺數之一倍。（一九四七年，自殺爲一六五三八人，他殺爲八五五五人）看起來，美國自殺的人比英國多，但以美國人口多於英國三倍這一點計算，上項看法是錯誤的。

實際說，有許多自殺的人，都臨時遇救，照美國的統計，每年着手自殺的，總有十萬，成功的僅五分之一弱。這種不成功的自殺，女多於男，大概爲三比一。至於自殺方法，女人採取服毒最易，幾乎超過四分之三，男人則僅爲三分之一。此外尚有四種，即投水，跳樓，懸樑，吞槍，男人用此四種方法的極多，女人則不過十分之一。

每年三月，四月，五月，六月，自殺的人數最多，尤其五月，幾乎成爲自殺月。十一月，十二月，一月，自殺的事件，極少發現。

美國年老自殺的人，比過去逐漸增多，據威士康辛大學教授克勒第 Erwin Ackernecht 研究結果，是因爲美國對老年人，缺乏同情及敬心，兒女肯孝愛父母的很少，所以人們到了晚年，多悲觀厭世。這確是美國社會中一個極可注意的問題。

波蘭婦女的生活

女人過剩

在一個女人遠多於男人的國家裏，生活是怎麼個樣子？我們會這樣問過許多波蘭女人。

由於戰爭，波蘭全部人口已剩下不足二千五百萬，女人約超過男人二百萬左右。所以這個問題的答覆雖多，但都是悲慘的。全部可用「困難」二個字來概括。

我們又會提出另一個問題：「在共產主義政權下的生活如何？」這問題有許多答復，但並不是可以用少數幾個字來綜述的。它們隨我們所探詢的婦女的政治意識，社會觀念和宗教信仰而異。

嚴重問題

在迅速淪入共黨掌握的波蘭，婦女問題是嚴重而複雜的，它的背景有封建制度，和納粹的佔領，同時還有戰爭的悲劇。全國幾乎沒有一個家庭未曾喪失一個人，也幾乎沒有一個人未曾參加過游擊隊，或森林中的自由波蘭正規軍，或未曾被囚入集中營或奴工營。許多我們所遇見的婦女，都是一個大家庭的惟一的劫後餘生者。

一鋼琴家

波女士，年輕而相當漂亮，原是波蘭著名的鋼琴家，卡後她的丈夫在波蘭駐倫敦大使館當一名小職員，有一個二歲的女兒。戰時她曾被囚入著名的奧斯維辛集中營，健康衰頹不堪，手指因爲在集中營裏的紡織工廠中管理沉重的紡織機過久而傾。她的左臂至今還留着一個A27407號的烙印，時時使她想起那個六百萬人曾在煤氣室內被窒息致死或被槍決的地獄。

波蘭解放，卡爾波被釋出，經過六個月的休息，才能開始彈一點琴，後來曾參加華沙交響樂隊，演奏過二次。

死裏逃生

許多女人的遭遇可以說明波蘭婦女在大戰發生後的情形。她在企圖越過邊境時被德軍抓住了，不久就被送入一集中營，判了死刑。後來，集中營裏的主管知道她是個造詣甚高的鋼琴家，便叫她彈鋼琴娛客，她才被赦免了死刑。她的家屬多死在集中營裏。最後她被送入恐怖的奧斯維辛，在那裏做苦工，直到波蘭被俄軍解放。

家庭爭端

波蘭過去是歐洲最虔信天主教的國家，現在雖然宗教信仰受共產黨的嚴厲壓制，但天主教徒還是普遍存在。這裏的女人，和其他地方一樣，比男人更爲保守和信仰宗教。在一個以唯物的馬克斯主義爲正式教條的國家裏，當丈夫的思想轉變而與宗教不能並立的時候，家庭就勢必發生爭端。許多家庭的破裂，都是因爲這個緣故。而且家庭的爭端還不僅在於夫妻之間，另一爭端的來源……（一）

泰寧譯自「婦女文摘」

自由人
THE FREEMAN
（[illegible]）
（第四十八期）
每份港幣壹毫
發印人：李光華
社址：香港高士打道六六號
電話：二〇八四八
GLOUCESTER RD. HONGKONG
TEL: 20848
承印者：東南印務出版社
地址：高士打道六四號
台灣總經銷處
台北重慶南路一段七十四號

對日和約問題

美蘇將展開決鬥

美國如何應付我們很替她擔心

·舜生·

「大戰假若在遠東爆發，其關鍵不在韓國而在日本。」

「史太林其所以嗾使北韓發動侵略南韓，更嗾使中共參加韓戰，其目標也無非要爲解決日本問題造成一個於蘇聯有利的地位。」

「馬力克奉命提出韓戰停火的建議，也正是因爲日約的簽定，美國已具有決心，不得不藉此稍資轉圜，以求進一步達到變更草約的目的。」

「爲了在遠東避免大戰，史太林凡事都可忍耐，惟獨對於武裝日本，並由美國在日本佔領若干軍事基地則絕對不能忍耐。」

我們過去的一些看法

凡此種種的看法，我們在本刊上早已反覆說明。當美國把對日和約草案公布，並由美英兩國把召集對日作戰有關各國於本年九月四日在舊金山舉行簽訂此項和約會議的請帖發出以後，世人大抵揣測蘇聯將置之不理，我們的判斷，則認爲蘇聯決不放棄此一機會，斷然可以參加。這一點也算不幸言中。

假定美國眞有爲日本問題不惜與蘇聯一戰的決心，則對於對日和約問題美國願意如何做便如何好，我們不願多所評論。如果並沒有這種決心，則這一次美國包辦草擬日約的這一舉動，實在在理論上留下了許多漏洞。我們反對蘇聯，我們更反對中國共產黨，但我們決不能因反蘇反共之故，即對美國任何不合理的舉動，便有一一加以承認的義務，惟有俯首聽命的義務。

無論如何，中國四萬萬五千萬人民，確確實實同日本打過八年的仗，確確實實犧牲了無數的生命財產，美國對任何事都可「一筆勾銷」，惟獨對於這一件血淋淋的事實，却絕對不容許「一筆勾銷」！

中國受了極壞的影響

美國因反共之故而不承認中共政權，因不承認中共政權而不許中共參加簽定對日和約的會議，這是對的。但爲美國所不承認的是一個「中華人民共和國」，而爲美國所承認的，却明明有一個「中華民國」，因爲排斥前者之故，乃並後者而亦排斥之，這實在是過度的損害了四萬萬五千萬人的自尊心，美國應該充分明白，而且永遠不應該忘記，爲一件事而損害了四萬萬五千萬人的自尊心，這並不是永遠不會發生後果的！

今天中國大陸上的人民，本來百分之九十以上是反共的，可是因爲美國不贊成「中華民國」參加簽訂對日和約的會議，乃給予中共一個最好的宣傳機會。過去中共所高呼的「反美援朝」，中國大陸上的人民，本來都是「面從心違」的，而且覺得中共接受了蘇聯的命令，叫中國的人民到韓國去送死，實在是傷天害理。可是現在中共有話可說了，他們對中國大陸上的老百姓說：「美國把中國人過去八年抗日的血史，已經『一筆勾銷』，只容許中國人與各國對日比肩作戰，乃絕不容許中國人與各國在對日和約上同時簽字！美國之所以要急於簽訂一個對日和約，原說是要使日本成爲一個獨立的國家，可是美國却要在這個獨立國家以內長期駐軍，享有若干的軍事基地，這不是對中國大陸的威脅還是什麼？你們現在還覺得『反美』是不應該，『援朝』是多餘的嗎」？假定這些話能多少激起中國人民對美的敵意，這豈不是美國一個大大的失敗？

本來中國大陸上的人民對台灣是抱着甚深的期待的，同時他們也迫切的希望美國眞能援助台灣的國民政府遲早總有反攻大陸的一天，使得他們能早早脫離中共的魔掌，現在看見一個承認國民政府的美國，也和那些不承認國民政府的國家一樣，甚至連中華民國絕對有權簽訂對日和約的這件重大事實也毫不考慮的便輕輕的一筆抹煞，這豈不是使得中國老百姓一種合理的希望歸於幻滅，而使得他們除掉死心塌地聽憑中共擺布而沒有第二條路可走嗎？以上是說明美國對於簽訂日約的辦法所加於中華民國的絕大打擊，和對美國自身絕大的不利。

看蘇聯進一步的做法

蘇聯除應邀參加舊金山的和約會議以外，她在會前還會採取什麼重要的步驟呢？我們也不妨在這裏再提出我們的假定：

（一）蘇聯在會前可能有一篇長而有力的文件發表，假定她已有決心與美國決裂，她將不留餘地的把美國攻擊得體無完膚；如果她暫時仍不願跳出冷戰的範圍，她便將根據過去簽訂的種種諾言，就美國所擬的草案，認爲不能接受的逐一加以反駁，一定以美國自己所說的話去打擊美國，而歸結到召集一個所謂五強會議，或讓步到一個四外長會議。

（二）她也可能針對美國所擬的草案，提出一個對案，把她所認爲不能接受的條文予以刪除或加以修改，凡她認爲可以勉強接受的，仍儘量保存，以訴諸世界的公論。

（三）無論是一篇文字，也能是一個對案，她一定包括如下的內容：（A）她一定要使日本的人民感覺得相當合理，相當輕鬆，至少決不失掉多數日本人民的同情；（B）要有挑起日本政潮打擊吉田政府的作用；（C）要能鼓勵日本的共產黨及其同情者；（D）要能激起若干對美國不滿的國家更多的反感；（E）甚至她可能提出只要美國肯放棄其所要佔領的土地或若干軍事基地，她也不惜放棄千島羣島和南庫頁島。在這類文件的裏面，她一定要說上一百個「和平」！

（四）她在面子上還是要爲中共爭取參加和約的簽字，但這不是她的要點所在，史太林始終看不起中共，也並不怎樣愛惜中共，她僅僅只把中國大部分的土地看成她自己的東西就是了。

杜爾斯說：各國的代表團只能對和約簽字，不容討論，也不容許修改。假定眞是這樣，便是美國已有決心打仗，截至現在爲止，我們還是懷疑美國已經有了這樣一種決心！

史太林年青了十歲

他最近告訴一羣醫生說兩年來遵守蘇聯醫生及科學家替他規定的每日食譜對於他的健康已發生無上功效

全世界人類，被史太林直接間接屠殺的，時間從十月革命到現在，區域從蘇聯，波羅的海沿岸各國，以至毛澤東的中國大陸，總計當不下幾千百萬。但史太林自己，却十分怕死，不特意外之變，克姆林宮，無時無刻不作嚴密的戒備，即正常的壽終正寢，他也是誠惶誠恐，惟恐閻王請帖，隨時到來。所以如何獲致長生不死之法，在他是費盡心機，多方搜尋。如果這個世界，眞有所謂仙島神藥的話，說不定他也會犧牲三千童男女，去爲他訪求的。

不幸過去十年間，報紙上總不時刊載史太林健康惡化的消息，而克姆林宮也就不時要發表聲明，加以否認，就在半年以前，還一度傳過他病危，後來因在某一節日，他出面接受羣衆歡呼，這謠言才成爲過去。最近，愛沙尼亞的眞理報，忽然爲共產黨刊出一驚人喜訊，說史太林自己，突感精神體力，已年青了十歲。他在上月接見波羅的海沿岸各邦的一羣醫生時，他告訴這些人，近兩年來，他的健康，比從前特別進步，這是因爲蘇聯醫生及科學家，替他訂定了一個每日食譜，他嚴格遵守這個食譜，到現在已大著功效。他又說，這個食譜，並沒有禁止他抽煙，他還是抽得很多，不過在他所抽的雪茄中，那是不會含有尼古丁這一類毒質的。因此，他對蘇聯的醫生及科學家，表示衷誠感謝及無上敬意，當然，被接見的這一羣醫生，也就大有受寵若驚之感！

史太林如果眞年青了十歲，對共產黨是一個喜訊，那就相反的對全世界人類將是一個絕大的噩耗。因爲這在已死的幾千百萬人之外，不知又將加上多少萬，供他直接間接來屠殺。

不過從另一角度說，史太林過去會一再向杜魯門表示，他因爲健康關係，不能出國遠行，否則他很願意訪問杜魯門，而談美蘇合作安定世界的各種辦法。現在既年青了十歲，而又正值世界局勢空前緊張之時，是否這次眞理報的記載，正是史太林準備移樽就教的先聲呢！那麼，這個消息，就很有供人玩味的價值了！（一丁）

杜月笙逝世別紀

·南雷·

易簀之前立下了三種遺囑
臨危聞台灣來客即張目談話
對自由中國頗惦念連說有希望

上海聞人杜月笙氏，已於前天下午四時五十分在港寓病死了。這一位自稱「出身寒微」，「俠質無文」的時代人物，在其六十四歲生日（中元節）的前一天，溘然長逝不起，頗引起社會人士的悼嘆，因爲他在中國工商界有很多的創造和貢獻，對中國過去的革命和抗戰諸役，也有其不可泯滅的勞績，而平生尚道義，交遊遍天下，雖不是政治舞台上的名公鉅卿，却爲現代不可多得的人物呵！

杜氏患氣喘病已久，自卅八年春由滬攜家來港僑居後，兩年之間，時好時否，變成痼疾。近數月來，兩腿忽麻痺失知覺，醫藥罔效，他心裏大感煩悶，常向友好說：「我已經是張靜江第二了，還有甚麼意思呢！」言外表示沒生趣之意，從此病象乃日趨沉重。到七月尾，他自信生機將盡，但有許多未了事宜，急須安排，遂發三個急電，催促在台灣的親信幹部陸京士來港，八月二日陸到來，一見大喜道：「你來了，我就不會死了！」兩人接連談了三四天，對他身後的一切公私事宜，都已談到，但猶有樂生之念。到八月七日忽昏厥一小時多，醒後即囑陸氏代書遺言，由他口述，計共三通，除已經在報上刊載的一通外，另有訓勉兒女和區處家事者各一通，代書之後，唸給他聽，稍有不清晰的字句，再又斟酌，然後由他從枕頭下取出私章蓋上，另由在榻前的故交錢新之吳開先顧嘉棠陸京士等簽名見證，又教兒女們在旁聆聽內容，一切都做得很周到。

自七日以後，病象日劇，說話也已較少。偶於更深人靜，神志清醒之際，惟慨言道：「國家到了這步田地，我已走頭無路，無從効力了」！只囑他的太太們，在他死後要唸三天經。他對家事只是惦念兩個出閣的女兒，自稱「我對不起她們，未能及身爲她們盡到做父親的義務」。到十三日，已完全陷於昏迷狀態，輸血打針的結果，熱度上昇到一〇九度，親友們日夜看守，知道這只是拖時間的問題了。但十四日下午二時，他的故交洪蘭友自台北來視疾，經家人報告，他忽然清醒片刻，洪告以蔣總統囑代慰問之意，並說台灣情形很好，他答道：「好，大家都好，有希望」！即閉目昏睡，直至前天下午斷氣時，未曾再睜過一次眼。他有八個兒子，除老二在美國，老四在上海未趕到外，其餘都在港親視含殮。

他在上海的一些企業與資財，中共除重課捐稅外，尚未有其他動靜，然他很警覺，病危時，曾對親友和兒女們說：「這些身外之物，你們不必看得太重。」他所睡的一口楠木棺材，是本港萬國殯儀館所出售，定價一萬五千元，但只付了半價，因爲殯儀館的經理聽說是杜氏用的，自願減收一半，說杜氏在生時曾經相識，而且常幫過他的忙。這亦可見杜氏在社會上潛存着廣泛的人緣呵！

這一代聞人，以六四之年，臥病海外，悠然而逝，就其個人來說，可謂無復遺恨。至於他一生的功過是非，和其事業的成敗得失，那只有留待史家來作公平的定論了。

半週展望

雷嘯岑

史太林的太極拳

史太林最近對國際政治的鬥爭方法，用的是柔道式的太極拳。他派遣葛羅米柯一行到三藩市參加對日和會，不管世人如何估量其用心，揣測其目的，但他一定還是玩弄太極拳的姿勢。美政府已防制他要搗亂和會的秩序，已定下了會議規則，又給他一道照會，表示參加和會的國家必須簽字和約。其實這些都是防禦攻勢，最緊要的還在美國自身和其他的民主國家，取得共同堅定的態度，以不變應萬變。史太林十分理解對日和約之勢在必成，決不會因他的關係而有所變更，[illegible]「剩餘價值」[illegible]。開城談判的大結子尚待解開，英國正表示不願停止對鐵幕國家的貿易，而唯華盛頓之命是聽。莫斯科的英文雙週刊新時代第三期又大力提倡東西兩國必須在貿易上協議發展，最近可說是已發揮了渾身解數，看看莫斯科的老太極拳術，是否爲着商業利潤而有動於中？他既然懸着「和平」「貿易」兩大鈎餌，祇要美國有意吞吃，英國必欣然同意，一致爭取。若能贏得這些場外黑市的「剩餘價值」，那末，對日和約之簽署與否，史太林都無所謂，來日方長，他自有道理的！

因此之故，葛羅米柯這般人，將來在和會中，一定玩的是太極拳，除譴責蘇俄的「和平」誠意與「寬大」政策而外，即爲場外交易活動，乘機先把韓戰的大結子解開再說。

鐵幕內的逃亡客

最近從波蘭，立陶宛以及蘇俄本土，不斷的有逃亡客逃入瑞典境，請求作政治難民。其中有空軍人員，有海員，有政治人員，也有陸軍校官。他們以出生入死的勇氣，來表演這幕「望門投止」的驚險鏡頭，其意義十分重大。

自由意志是人類天賦的本能，非任何暴力所能摧毀的。人類在某種環境下，可以忍受一時的政治約束和物質貧困的生活形式，但不能永久的作精神奴隸。這種自由精神，好像沸水裏的蒸氣，聽你怎樣的用重鐵蓋去壓蓋着，而那股沸騰的蒸氣總是要噴射出來的。鐵幕國家以屠殺和奴役勞動來控制人類，沒有半點自由精神，如果人性不滅，當然要出亂子。目前逃到瑞典的鐵幕中人，雖然祇有三十餘名，然其影響極大，這證明共產集團間的人心浮動不安，日益激化，假使戰爭發生，[illegible]。前幾天，克倫斯基已到了西德的慕尼黑，這位七十老翁在號召鐵幕內人民爭取自由的作用上，尚有神益，此行正所以配合東歐人民不斷的逃亡事件，爲「自由歐洲同盟」發抒力量。我希望民主國家同樣的有「自由亞洲同盟」或「委員會」之組織，使中國大陸和北韓的自由人民，也有「望門投止」的保障。亞洲沒有像北歐那些敢於保護政治難民的國家，這類組織尤其必要。

悼杜月笙先生

近代中國的非常人物杜月笙氏，已於前天病逝香港了！他不是名公鉅卿，也非「太平紳士」，但其死訊傳到社會，很引起一般人的惋悼。

他一生不曾參預實際的政治生活，然一生對國家民族具有至誠不移的熱愛，臨死猶「深以未能目覩中華民國之復興爲憾」！他一生不好標榜招搖，寡言詞，重道義，然於卅年來對內革命，對外抗戰諸役，皆能行其心之所安，盡其力之所至，不矜不伐，多所籌備。他自認「出身寒微」，因而畢生致力於生產事業之發展；又說「俠質無文」，因而對教育文化事業多所贊襄創進。基此「補拙」的心情，爲國家，爲社會人羣，增益了不少潛能與福利。他憑「道義」觀念來行己接物，交遊滿天下，其所獲致的信譽，比較一般讀破萬卷書，滿口道德仁義之流，高出若干倍。

他之死，就其個人說，沒有甚麼，就社會國家言，是莫大的損失，所以值得悼念！

論「談國內問題」

胡秋原

現在最重要也最急迫的國內問題，就是近卅年來，我們中了蘇聯之毒太深，無形之中接受許多蘇聯標準，這些標準與中國傳統不合，也與世界公認的標準不合，如革命是否神聖？專家權力有無限制？都應該徹底檢討，從新估價。

[illegible]

不談內政是結果非原因

[illegible]

> 諸葛亮在南陽假定有報館，他絕不會投稿論政治

[illegible]

國際問題通於國內問題

> 別國談內政可不談國際，中國却萬萬不能不談國際

[illegible]

抗戰時期何以不談內政

[illegible]

> 受了共黨的影響，容忍異己不投機，即群起而攻

[illegible]

現在大家不談內政之故

> 少談內政並非由於消極，而是集中力量加強反共

[illegible]

內政問題當由何處談起

> 說人不革命，對方要大怒，大家中了毒，還是不知道

[illegible]

應有道義的團結與互助

> 陳獨秀在渝時各報恐共黨兇燄，協於陳文不敢登載

[illegible]

再檢討史太林路線

王厚生

[illegible]

責身契束縛不了・幹部各奔前程

機關待遇不一技術人員你爭我奪　中共不許請假辭職大家只好紛紛棄職出走

中共紀律崩潰　逃員紛被押回

【本報北平特約通訊】在中共統治下，一切工作人員，無論是勞力勞動，或知識勞動，實際上，都只是中共的奴隸。他們沒有像英美國家，任何人有選擇工作的自由。他們在中共任何機關或工廠服務，就等於寫了賣身文契，不得到中共批准，是永遠不許你自動請假辭職，或調換工作的。但由於中共幹部人才缺乏，各機關待遇仍和過去國民政府時代一樣，高低相差太遠，人總是希望能過比較舒服優裕的生活，儘管中共以鐵的紀律相號召，大家仍是不顧一切，各奔前程，最近，各機關人員，祕密出走，由此機關轉至彼機關的，異常普遍。

・這些人員出走的機關，乃紛紛寫信到北平上級主管機關申訴，茲擇述五事如下，可以看出中共奴役人類的做法，不特對普通老百姓，早已遭到反抗，就連中共本身，也已紀律崩潰，自己無法約束自己的黨員。

鞍山製鐵人員抗命轉業被捕

第一件是東北鞍山製鐵公司技術人員王河一峯，閻克志，王發等三人，因待遇低而工作時間太長，兩月前，該公司遵照蘇聯命令，加緊生產，他們三人，相繼咯血，實在無法支持，遂於所謂「突擊競賽」極緊張時期，棄職出走。僞鞍山製鐵公司呈報重工業部後，最近發現何等在天津民營臨順工廠工作。於是天津公安局將何等三人及臨順廠負責人一並逮捕，除將何等解回鞍山外，並勒令臨順廠賠償鞍山製鐵公司因何等出走生產降低所受之損失。又以何等在臨順，並未依照手續，向公安局申報戶籍，因從嚴罰臨順廠捐獻機砲十億元。該廠從此即等於破產。

第二件是江西省政府水利局工程師王世紀，棄職出走，經該局多方偵查，發現王已改入北平重工業部基本建設局第一工程事務所工作。並查出該項工作，係由南昌大學工學院院長蔡方蔭介紹。因此，水利局向僞政務院要求：（一）重工業部開除王世紀；（二）將王世紀解回江西水利局強迫勞動；（三）懲辦蔡方蔭。僞政務院如何處理尚無表示。

女教員不回校　鬧出三角戀愛

第三件是中共青年團鐵道部新河材料廠支部書記馬育向中央團部控告該廠工會主席佟湘紋，說：「工會職員王淑英，原是饒陽縣青年團員，原係饒陽縣小學教員，饒陽縣長查明她改入工會工作，曾透函工會，要王回校，饒陽團部也一再來函催促，但佟看上王年青貌美，和她大談戀愛，竟包庇王淑英，斥饒陽縣長及青年團，說不能干涉王淑英工作自由，並對王淑英說，你就辦着讓他們開除你的團籍好了，反正工會這份工作，我是可以百分之百的給你保障。」青年團新河材料廠支部，認爲佟湘紋，王淑英瀆職行爲，都是脫離組織，自無紀律，自私自利，要求僞中央團部嚴予懲處。但另據內幕消息，謂支部書記馬育與佟競，其間是有曖昧三角戀愛關係。

第四件是廣州私立光華醫學院畢業生許諾生，黃鴻鈞，因在廣州應東北僞人民政府招聘技術人員，遠赴東北，經分配在撫順礦務局醫院工作，許等以待遇差，工作苦，與招聘時所允條件相差太遠，要求辭職。醫院嚴辭拒絕，並警告許等，非經組織批准，不能離開撫順一步。適許等母校光華醫學院有函召許等回穗，許等即藉此結伴棄職出走。撫順礦務局醫院院長王詰，遂要求東北僞府電請葉劍英勒令許等回院，並處辦光華醫學院以煽誘許等出逃的罪名。

西北藝術學院拉人　博物館長呈請嚴懲

第五件是東北博物館館長水良鐵呈報僞教育部，據稱：該館幹部閻萬章，接西北藝術學院來函，拉其赴西北該院工作，經多方「說服教育」，閻始留職未走，但最近閻於暑假期內，又陸續一再接到來信，並許以種種優厚條件，致閻終日神魂顛倒，不安心做事。水良鐵認爲西北藝術學院這種不通過組織關拉幹部的做法，如不嚴加糾正，將會破壞各機關工作的紀律，及影響國家一切建設，要求僞教育部對西北藝術學院採取嚴厲措置。（臨光，十三日寄自北平）

誰叫你不肯再挖腰包　農民送糧遭虐待

熬兩夜曬一天主管人因未收到賄賂還迫你原糧運回

【本報北平特約通訊】中共動輒以「貪污」，「腐化」，「官僚主義」等惡劣名辭加諸從前國民政府的官員，可是秩歇王朝統治大陸以來的「貪污、腐化、官僚主義」，在短短兩年間，不但後來居上，有些地方，簡直匪夷所思，遠非國民政府官員所能望其項背。茲將北平市最近農民送糧慘遭虐待的實況略舉一二，以見中共的腐化惡化，已達到何等驚人地步！

收糧共幹乘機敲詐

據「北京市人民政府」所指定，今年夏季借徵所屬第十，十一第十三各區小麥，都由「北京市國營新建麵粉第二廠」負責驗收。第十二，第十三區各村，因距離該廠遠，往返百餘里，送糧的人必須在頭一天深夜把糧食上驚車出發，晚上通宵趕到該廠等待第二天，才能過秤，宿在廠中的，都得露天熬夜兩夜，回到本村，人和牲口都被曬一天。新建麵粉廠中共幹部，乘機敲詐，手持驗收大權，如果送糧的人事前沒有打通關節，像「加一」驗收之類，名目繁雜，百般作弊，使你受盡折磨及損失，非乖乖的情甘報效不可。

由上月九日起至十五日止，是該廠規定驗收第十三區小麥之期，逾期不繳，須受罰。該廠從遲早期間的某天，開秤只收了十二萬五千斤，廠外還有大多的糧食，都受熱氣，非常焦急，全體要求加快收驗，該廠只把糧食拉到倉口下，當時天氣又非常熱，人民不能久等，要求加快收驗，該廠人員「驗收」糧食，不能將「糧局」北京節約倉庫的口號說「我們」還有「保險」呢？「糧局」支援抗美援朝，但如果不及時驗收，結果又如何？農民只好把糧運回，等到下午二時，全部五十多輛大車，都當然的被小麥「糧」了。（原文難辨處從略）

開槍鎮壓　幾釀血案

七月十三日，該區彭化村村民，借由了大車押送糧食到新建麵粉廠，因限期迫促，大自右抵達，時已夜深，該廠方面卻要第二天才開秤，卸下糧食又不許進廠，該廠工人就說，人民「代表」要求開車進廠，但該廠工人以「不准人民隨意出入」爲由，不准進廠，農民用拳頭交涉，結果不歡而散。據說區幹部和該廠方面，打電話給警察局，派來警察，鳴槍彈壓，幾乎釀成流血慘劇。後經小組出面解決，人民代表才了事。

該區公費，一致要求政府，請撿討結果，政府只提出「改善驗收辦法」的空話，人民自由是非，無人負責。由小組上報的材料，都是「官僚主義作風」，任何時代都沒有的事。人民當然也是民，人民「當家做主」，這就是嗚呼哀哉！與本報第十三期所載中共「一條龍」的報導，可謂自吹自擂的「工作」，最終中共的真面目暴露出來了。（臨光，十二日寄自北平）

巴蜀共禍續記

王纘緒當街罰跪任人唾罵

妻妾在渝市者，迫令每天從珊瑚壩機場，挑碎石子，由河邊扒七百多級的高坡走上馬路。

・王四維・

今春以來，共黨在巴蜀清算一般當權投降的文武份子各情，已於六月二十七日本刊第三十三期略述梗概。最近陸續得川中逃出來的人士所述情形，有如左列：

前川省主席王纘緒在成都市內文廟街建有華麗私邸，擁愛妾金蝴蝶居之，另有妻妾二人，分住寬巷之張家花園與金湯街各私宅內。共軍入渝後，首將王氏妻妾集中於金湯街私宅中之一間小屋內，聽其自生自滅，因王氏此時尚以「前進」資格出席成都市「人民代表大會」也。今年五月，王氏被監禁，並自其成都寓所挖出大量「地財」後，除將房產查封外，街月出文廟後街的「街政府」派人帶王氏到其主席公館門前罰跪數小時，教當街人民隨意唾罵侮辱，資爲笑樂。王氏於第二次被迫罰跪時，要求共幹予以槍斃，共幹奚謂：「我們人民政府，是不隨便槍斃人的！」大概非置之於「凌遲處死」的慘狀不可。

王氏之妻妾在渝市者，亦由金湯街私宅被逐出來，不許在市內乞討，迫令到珊瑚壩飛機場每天挑碎石子，由河邊挑上馬路，要扒七百多梯的陡峻路徑，一天只能挑兩次，換得兩餐飯活命，其情狀之悲慘，難以言喩。

王氏有子女各一人，其子澤濬，已於卅七年多在徐淮會戰中被共軍俘去，至今生死不明。女澤渝，初借其夫來香港作寓公，今春聞王氏爲共方拘禁後，夫婦二人潛往巴西去了。

鮮英傾家蕩產仍須改造

鮮英（特生）原爲劉湘幹部，家資頗富有，與民盟之張瀾同縣，因此而參加民盟，耗資甚鉅，抗戰末期，張瀾沈鈞儒郭沫若等，皆住重慶曾家岩鮮氏私宅「特園」內，所有「民主人士」及共黨份子之集會座談，皆以特園爲集合地，黃炎培曾書「民主之家」四字贈鮮氏。自共軍入渝市，鮮自命係民主人士，且有張瀾沈鈞儒黃炎培等作後台，氣燄非凡。共黨表面對鮮客氣，但指派各種捐款公債甚鉅，鮮惟有忍痛照繳。今夏共黨策動反美援朝之獻機運動時，又攤派他獨獻戰鬥機或中型坦克一架。他感到羅掘俱窮，無力担負了，曾函請張瀾沈鈞儒等緩頰乞減，再加派捐款一倍。當時鮮氏見勢不佳，自願將「特園」連同在渝市其他房產兩處，一併捐獻，希圖免禍。共幹認爲他的思想有問題，必須改造，已請他入「社會教育處」——即變相牢獄——勞動改造，鮮氏本善長獵，共幹勸令消去，表示醒悟自新，他只有唯命是聽。現在他究竟在何處改造，連他的家裏人亦不知道！

王國源涂仲光前進之災

王國源是往日的國民參政員，抗戰末期，他與同鄉周君時等組織中國農民黨，他是王纘緒的部舊小同鄉。共軍入川時，他和周君時在重慶搞「民主」運動甚力，曾被拘禁。共黨到渝後，他以民主人士身份，大事活動，詐王纘緒向共方搭綫。今春王氏在成都被捕後，共幹指王國源爲軍閥走狗，思想有問題，又將其約赴磁器口集中營，覊地帶游，努力改造了。

徐仲光是川鹽銀行秘書，僞劉航琛之幹部，曾任重慶糧政局長，民食供應處長，抗戰不少，但素持反對國府態度，遂人公開發表反動論調，隨時替共黨張目，共黨控制重慶後，初則利用他作引綫，接收川鹽銀行及劉航琛的工商企業，最近乃指徐過去造任「反動政府」重要職位，會污劊節一樣，除勒派鉅額捐款外，亦與鮮英王國源一樣，請到「社會教育處」去勞動改造了。共黨且揚言將來還要交由人民清算，意在逼迫他將所有殘餘資產，一律獻出而已。

自首起義結果難逃一死

賀明軒（康澤之別動總隊附）柏良（顧祝同嫡部，曾任師長）史伯英（曾任行政專員）皆係黃埔生，過去在四川軍政界紅極一時，氣燄萬丈。共軍佔領巴蜀後，他們都「依法」自首，經過了「反動黨團自動登記」手續的。到今年春夏之交，共幹大張旗鼓，鎮壓「反革命」時，分別在成渝兩地搶決。還有以黃埔起家之曾晴初者，當共軍入川時，曾經「起義」響應，自命對「人民」有功，共幹指他過去是軍統特務，僞裝進步，依然與反動份子勾結，暗通游擊隊（賀柏史三人也是這些罪名）亦在重慶驗明正身處死了。

上海短簡

・悠然・

耐心總有限度的！

中共受蘇聯合國禁運影響，全國大部份機器零件，紛紛關閉，雖然廠，因缺乏主要及機器零件，停工沒有棉花，原料無法上海，各大紗廠，一個星期就停工，但沒有說，機器壞了，沒有零件，事實上是不可能的永久停工，近一個月中，總共有三天復工，在號召復工的單純好，今年棉花收成，又特別壞，五天機器，是百分之九十收棉花九沒有成績的希望了。

抗美在多得美鈔

中共爲安定人心起見，新民主主義各報紙，已決定昨天大字刊出設備蘇聯及新中國，擴大生產之用，並說，主持此事的，是「國營運來中國，供中共主義國家，大量工業原料」一項新器材，公司，一方面在國內調查，需要化工器材，向國外接洽供應工業，又說其中如石炭酸，鋼鐵，製具，化工器材，染料，輪胎等，日內即有消息份由東北轉運到滬，一般本市工商界人士，都說「我們等候快三年了，耐心等候，只看見商界，這一批三十年或三十年吧！耐心總是有限度的呀！」運回來，大約總不會再等一批又一批的！

「新民主主義」，中共對所屬幹部，雖然像填鴨似的，用訓練，學習等方式，將什麼硬塞進去。「馬列主義」但一方面由於幹部基本知識太差，許多萬里長征的特殊階級，通字都認識不了，「主義」如何了解？又見的確，聽了「主義」，在訓練，或另一方面則大家有許多人，最近中共舉行幹部政治測驗，在受試的二十八位縣長，十五名市長，三十四個糧食局長，農稅科長，十三個農稅幹部的考試，坐着打對所有一七位，共產中，一個正副縣長都沒有，一個都不能答對，所謂題目是：「因爲美國經濟援助，我們要抗美援朝？」我們中國，爲什麼要抗美援朝，我們缺少美鈔，答案是：「供我們建設，」至於援朝呢，抗美就可以將美國本來是我們的美鈔，最妙的一題，下面還只有八個字，完全答對。

老婆永遠不哭了

上海汽車司機顧錫傑，在今年一月，一個個中共趕往朝鮮援朝工作，所以現在上海最倒楣的，就是這兩種人，一經發現，馬上捕走。司機顧錫傑，被徵赴朝，他的老婆吳美君，因爲怕顧到朝鮮被飛機炸死，大哭大鬧，要和主管徵集司機的中共幹部拚命，顧也多方運動，才得到許可，緩徵六個月。但從許可緩徵那天起，中共就勸令吳美君要搞通思想，參加文工團上，於是天天打腰鼓，扭秧歌，不特不到兩三個月，就和一位男團員變愛，等到緩徵期滿，吳不再阻止顧去朝鮮了，且由新聞日報代她大寫文章，歡送顧同志赴朝鮮，顧錫傑就在這樣情形下，昨日離開了上海，也或許就是永遠離開了上海。

逃稅的越來越多

中共一向是狂吹上海商人如何擁護中共，從不肯逃漏稅款的，但最近也就不能不說老實話了，因爲逃稅的太多，不能不嚴厲徵收，以資徵戒。車站路大榮煤號店主穆大榮，政人，最近北大事宣傳，上海商人這幾年來生意蕭條，稅局於日前召開聚眾大會，公開審訊，無法生存，中共在出逃，很巨，反將，稅捐奇重，不料穆覺這不是懶，很巨反將商人，稅局見實情不佳，只得停止大會審訊，移送法院究辦了。

袁雪芬咯血遊山

越劇名伶袁雪芬，原定八日主演杏花村，時突然缺席，據說寫了一封信，說午間飯後，忽然咯血，不料她才稍停止，現需要入院休養云云。但據知道底細的人說，原來她是跟張春帆之後又一戲劇界聞人，到莫干山避暑去了。

本月八日在蘇州破中共飭決，罪名是特務惡霸及奸淫女徒等，在蘇州被捕及即將處決消息，已詳誌六月九日本報第二十八期）（八月十五日寄）

共黨口中的國際協定

·尚方·

繼蘇俄宣佈參加三藩市對日和會之後，中共秧歌王朝的「外交部長」馬上發表聲明，指摘和會之「非法」，說是願意根據「國際協定」與英美各國商討對日和約。共黨之爲俄國作應聲蟲，不足爲奇，奇怪的是共黨也居然談「國際協定」可作「根據」！

世界上所有的共黨黨人，都具有一種爲別人所不及的絕大本領，即國際間任何共同契約或集體生活，只要不是由共黨作主的，他們都反對，而又都要利用，總以於自己有利爲原則。當年俄共大罵「國際聯盟」爲帝國主義者分贓的機構，拒不參加，過了些時，又要求加入，派李維諾夫出席，稱讚國聯爲和平工具了。前年俄共正式退出聯合國各種會議，不久，並無人恭請光臨，又悄然出席了。中國的共黨近年來更否定國際條約或協定，無法無天，以暴力保障胡說，自命「強大」。如今眼見對日和約就要實現了，心慌意亂，又說「願意根據國際協定」來商討和約了。國際協定這一名詞的涵義，在共黨人士心目中，只是獲取權利的工具，絕無義務觀念的。牠不過是一雙草鞋，用得着，就穿上，用不着，委棄道旁！

共產黨人若要跟民主國家談國際協定，那末，聯合國所通過的保障人權協定，新聞自由協定等等，是否應該適用於鐵幕內的人民？如果其他的一切國際協定，都不算數，而只揀於我有利的片面之詞來吃喝，那就是：「放屁放屁，真正豈有此理」！

自由談

兩年的地獄生活

中共所虛構描寫的「上饒集中營」，其酷虐情形，尚不及中共自己佈置的一人間地獄千萬分之一

·陳鵬民·

三十八年四月二十五日，共匪渡江，我以公務員隨軍撤退，不幸中途被俘，於七月中旬，遞至合肥軍區。初到合肥時，偵訊科仲科長對我頗爲客氣，希望我能「坦白自諫，立功贖罪」，我淡然對之，表示無事可坦白，無功可立，無罪可贖。晚間與一劉專員同室，劉在半月前，由某處解來，劉說，既已到此，尚復何言，人生早晚總有一死，最大問題，不過[illegible]了事。我的心情受他感召，安定起來，過了兩天，仲科長又來問話，我視若無睹，聽若罔聞，仲謂我冥頑不靈，謂將送我受訓去。

坐以待旦

翌日仲科長派人檢閱名，把我帶至公安總局，進門後向西一轉，見四圍高牆，門上大書「覺岸」二字，所謂受訓，實即長期監禁。看守所長檢查登記後，將我送入獄中，獄中共有監房十餘，我分在第九號內，每號能容約二十人，現時竟已有二十多人，立足無地，睡覺更談不到，疲極時，只有肩靠肩，背倚背，坐以待旦。獄中人犯多係過去的政府人員及反共的新五軍九路軍，雖不能識，但亦有少數可以彼出過去的關係；晚間一難友偷偷的告訴我說：在此要提高警覺性，每一號內，均有共探混入，冒充犯人，偵察消息，稍一不慎，殺身之禍隨時可至。看守監獄者，上自所長，下至士兵，多係蘇北人，野蠻成性，對於犯人苛虐異常，稍不如意，怒罵隨之。每日三餐，早晚稀飯，中午乾飯，稀飯內有野菜一半，食米多是倉底霉爛之物，煮出粥來，有如漿汁，不計好歹，勉強下咽，但若有一點掉在地上，不到立正，即罰絕食一餐，因此一到飯時，大家無不提心吊胆。共黨規定，政治犯伙食由公家供給，其他案犯均自備伙食，故往往判罪期滿之人，因繳不起伙食費，仍不能出獄。

如此殘酷

每日上午七時，下午六時，放風一次，每次三分鐘，因犯人缺乏水份，十有八九大便不通，但時間一到，便不論事畢與否，必須立時出廁，稍一遲延，罰站三小時。最苦惱的，大便不准用紙擦臀，每人褲襠內無不屎跡斑斑，觸目欲嘔。室內放一桶，以備夜間大小便之用，人多桶小，屎尿外溢，每晨由囚犯中輪值日者，用手插入桶之內，扛往廁所，糞溺滿手，臭不可耐。每人每日僅有沸水一小杯，但獄中人多患疥瘡及[illegible]，癢不可止，分得一杯水，多不忍喝，留以燙癢，治疥瘡人，祇有一碗，別無辦法，只好以飯碗洗滌或燙癢。所謂清潔衛生根本上說不到。當我初入時，一位難友用飯碗洗屁股，吃飯時又用飯碗盛飯，我特別提示他：「你弄錯了」，他嘆了一口氣說：「我們那會弄錯呵！再過一個時間，你也會感受到的。」獄中說話要大聲，不准細語，白天不准睡覺，坐在床上，兩足不准落地，面要向前看，不准上望，不准下視，如上望說你想逃跑，下視說你想心思。虱子臭虫在人身上蠕動，不准捕捉，白天在室內小便要報告，夜間睡覺翻身要報告，咳嗽鼻嚏要報告。最難的是噴嚏，想報告也來不及，因此而被處罰的日必有數起。其所用刑罰，除吊綁打罵足鐐手拷外，尚有所謂紙拷，即以紙條將兩個大拇指粘在一起，不能動彈，如紙拷弄破，即被打至死去活來。一般犯人之禍福，多半繫於看守兵之善惡。難友李君以近視眼，戴眼鏡，一個看守兵看不順眼，說是官僚作風，一日夜不准他大小便，李君無法，只有解在褲子裏，以一條，一條不夠，兩條用完了，無法忍受，難友們一致爲他哀求，始告赦免。

每夜刑訊

一位難友由靈泉解來，據他說：共產黨的牢獄以靈泉新蔡兩縣爲最厲害，一日兩稀飯，夜間不給大小便，即在那裏臥，在那裏死。去年夏天因疾病而死的，不下數十人，慘絕情形。獄中有浴室二間，係國府時期建築，「解放」後，共黨却利用已廢置浴室，改作刑訊室。每日晚間慘叫聲，鞭撻聲，拍案怒罵聲，遠達戶外，每人都在憂懼，不幸事件，隨時都可臨到自己身上。獄中有晚報一份，及共黨書籍十餘本，供囚犯閱讀學習。內有一本「上饒集中營」，係描寫國民黨虐待囚犯情形，但即使並非共黨捏造，但與此兩縣對照，其虐待實甚于國民黨千萬倍。

逃出魔窟

在暗無天日漫長歲月中，將近兩年，無時無刻不想逃出此人間地獄，但四圍高牆矗立，鐵鎖重重，要想逃走，豈非癡人說夢，幸上帝見宥，機會來臨，今年一月十三日，獄中派出三十餘人，搬運城磚，余亦在內，並有衛兵二十人亦參與工作，來往如梭，監視鬆懈，余心中默計，此時不走，更待何時，搬至第十一次時，經過鬧市，遂乘機混入人叢中，溜出郊外，漫山遍野，落荒而走，經過閱日一夜二百四十里之急行軍，於更闌人靜時，抵達家門，家人驚喜交集。吾兄爲吾述及鄉間某人被捕，某人被殺，家中不能停留，余略事休息，飲食後，見吾三歲兒，六歲山兒，九歲全兒尚在熟睡未醒。余離家已久之故鄉，僅僅逗留五小時，又即告別。吾家距蚌埠六十里，循偏僻小道，於當日傍晚，進入蚌埠，立乘十一點半快車赴京，找到同病相憐之王君，遂同道由京赴滬轉道來台。多方設法，得入調景嶺，現正等候入台證，覓取機會，反攻大陸，爲人民復仇，爲自己雪恨！

萬竹樓隨筆（二一）

憶濟南

·舜生·

二十年前，閱劉鐵雲（鶚）「老殘遊記」，其描寫濟南風物之美，頗令人欣羨不置。民十八至二十五年之間，余曾三度到濟南，每度均請友人領導，暢遊各名勝，覺北方大城市之富有江南意味者，殆莫濟南若。「四面荷花三面柳，一城山色半城湖」，雖不免渲染太過，但大致足以說明濟南可愛之一斑。

歷下亭有吾湘何子貞（紹基）集杜一聯：「歷下此亭古，濟南名士多。」余第一次到濟南，遊畢千佛山大明湖，即偕友數人飲於某餐室，酒後縱談，由北方菜談到何自老之聯語，「山東菜倒不錯，實在多，歷下亭也似乎很古，午前在千佛山所見的神像也不錯，但今天濟南的名士究竟有多少，各位能略舉一二嗎？」此余醉後之狂言，不意爲傍桌一羣山東客人所竊聽，莫不怒形於色，幾欲飽余以老拳，幸同席友人劉君，亦北方之強，且富有江湖豪俠之氣概，以目怒止者再，羣客知非易與者，余乃得倖免於難，使在今日，余決不復敢作此妄言矣。

余眼中之大明湖，似不如「老殘遊記」所寫者之美，但湖中蘆葦，正值開花季節，白茫茫一片，隨風飛舞，猶能髣髴當時所記者之一二。湖岸有圖書館，藏書頗富，管理亦佳，余參觀時，見在館內閱書者，殆不下二百人，此上海香港所無，足見濟南教育之發達也。

劉鐵雲所描寫白妞王小玉之梨花大鼓，爲「老殘遊記」中最得意之筆，余曾數度往聽，則求如秦淮河岸賣通枝其人者亦不可得，甚矣人才之可遇而不可求也。

千佛寺之神像，有釋迦牟尼，有文殊，有藥師，普賢，有財神，有濟顛僧，亦有關羽，而爲他處寺廟所絕無者，則有舜及其二妃，殆以爲本地風光，藉資點綴者也。某君笑問余曰：「何以爲多數廟宇，往往必設關公與觀音之神座？」余曰：「此無他，關公與觀音有小說爲之宣傳，最能吸收羣衆，和尚道士爲吃飯計，即與其教義毫不相干，羣衆要爲不可忽視，即今之藉宣傳以欺騙羣衆者，亦何嘗與吃飯問題無關乎？」某君無言，報余以會心之一笑。

古怪歌

正明

這首歌是二十六年陝北民間最流行小調，它象徵着中國的前途，共產主義的遠景，距今雖有十四年還有摘錄的必要。

昔日的古怪少，而今古怪多，板凳爬上了牆呵！走狗做了主人，古怪多，古怪多！

田裏種石頭呵！鍋裏長青草呵！人向老鼠討米吃，執政做了強盜，古怪多，古怪多！

半夜三更裏呵！老虎闖進了門，人間他來做什麼，他說一切爲人民，古怪多，古怪多！

餓死鬼來到了，他教窮人翻身，一翻翻到土中去，泥土翻上了身，古怪多，古怪多！

太陽在東邊落，只剩了幾顆星，城隍廟裏的毛鬼呵！白天裏唱起了古怪歌，古怪歌！

這歌對中國的命運有先見之明，末段似乎是政府要退到台灣，然後反攻大陸的預言。

時代科學

蛆蟲代替肉類

·一帆·

如果肉類缺乏，據說可以考慮用蠕虫來代替。蚯蚓，蝸牛和蛞蝓都對人體有益，因爲它們含有豐富的蛋白質。這是美國食物研究院科學家勞倫斯上校根據他的親身經驗和實驗工作所得到的結論。他雖然並不預料以虫爲食物將來能爲一般家庭所接納，但認爲在緊急情況之下，虫類可以暫時代替肉類，作應急之用。大戰發生時，他是巴丹島的軍需，後被日軍俘虜，關在菲律賓，台灣，日本和東北等地，在這三年半內，他就靠虫類維持了他的體力。當時日人所供給的俘虜糧食，每餐祇有一盆菜湯和一碗飯，他的開始用虫類當食物，是在台灣的時候，他和他的難友們每次被日軍押到稻田裏工作後回營，常帶回幾千條蚯蚓之類的虫或蝸牛，回營將它們洗淨，待日軍警衛轉過身去，便趕快生吞下腹。那時的飯裏面，也常夾雜着蛆虫，有些俘虜因不慣於吃虫，每把飯內的蛆虫揀出拋棄，但他們的健康，却日見衰弱。他現在的工作，是研究食物，美軍上下都愛好的C型乾糧，就是他協助研究的成品。

赫斯特垂死尚爭取「特訊」

·一丁·

與煤油，汽車業巨頭，同被人們稱爲「大王」之美國報業大王赫斯特William Randolph Hearst，已於本月十四日在加利佛尼亞州的貝維黎山Beverly Hills逝世。他生於一八六三年，今年八十八歲。從最初創辦舊金山「考驗者」Examiner報起家，[illegible]

北巖同志

[illegible]

今年二月

除一九〇三至一九〇七，他曾被選爲議員而外，畢生精力，幾全部供獻於新聞事業。[illegible]

同居女星

貝維黎山華貴住宅，原屬於老電影明星戴維斯小姐所有，戴小姐現年五十一歲，與赫斯特同居多年，[illegible]

波蘭婦女的生活

家庭摩擦

孩子們在學校俱樂部，童子軍，青年團和夏令營等地方，學到共黨的一套理論，等他們長大，參加了軍隊，更使家長煩惱。[illegible]這種父母和兒女間的摩擦，在農村裏特別嚴重，在工業區裏，這種情形則比較少，因爲共產黨的力量就寄托在工人身上，特別是在軍工業和礦工。

婦女勞動

波蘭婦女，祇要身體健康，很多人都必須做工，[illegible]因爲共產政府的工資預算極低，大部份必須用於復興工作和保持一支龐大的軍隊。

搬運鐵苗

我們曾訪問過一個鋼鐵廠，她們搬運鐵苗，放入鎔爐，[illegible]

勞動英雌

她是個勞動英雌，她告訴我們：[illegible]

（二）

「婦女文摘」　泰辛寧譯自

自由人
THE FREEMAN
（半週刊每星期三六出版）
（第四十九期）
每份港幣壹毫
督印人：李光藻
社址：香港高士打道六六號
電話：二〇八四八
GLOUGESTER RD. HONGKONG
TEL: 20848
承印者：東南印務出版社
地址：高士打道六四號
台灣總經銷處
台北重慶南路一段七十四號

中共的命運如何？

史毛之間有磨擦，但中國永遠不會產生狄托。中共犧牲百萬生命，祇是替史太林作墊脚石。

·雷嘯岑·

近來英美的新聞界遍傳毛澤東政權與蘇俄發生磨擦的消息，言之娓娓，若有其事然。英美之嚮慕中國大陸產生狄托，久矣！見駱駝以為馬腫背，殊不足怪。我認為：毛澤東滿腦子充滿着英雄主義和帝王思想，却是實情。祇看他當年情不自禁的寫出那首劍拔弩張的沁園春詞句，即已流露無餘了。可惜他永遠受着客觀環境和主觀條件的限制，心餘力絀，不但無法作狄托，而且將在史大林的「對立統一法則的辯證發展」之下，永遠的一面倒，終歸於幻滅。在此過程中，史毛之間必然有利害衝突，有意見磨擦，是意料中事，就韓戰的一切情形來仔細觀察，即可理解的。

參加韓戰受了騙

中共之參預韓戰，顯然是出於史大林的慫恿誘惑。不用說毛澤東■而不會不考慮參戰的物力需要及其後果等問題，尤其對於現代化戰爭的裝備補充問題，必有詳細計劃獻給史大林查核，並得史大林的慷慨答應的。同時則基於其固有的英雄主義，以為過去在中國大陸作戰的國軍，也多是美式裝備，而共軍用「破爛槍」（毛澤東自稱的）就能制勝，還■蘇俄的現代化裝備來對美軍作戰，勝算更有把握了。假使這一冒險的結果，眞把「美帝」打垮了，那還了得起！毛澤東原負有赤化東亞的指導責任的，若在朝鮮戰勝了「美帝」，東南亞即可傳檄而定，毛澤東就成了亞洲的「赤帝」，君不亦快哉！

誰知中共軍在韓戰場大敗特敗，死傷慘重，史大林始終不實踐諾言，予以大量援助，直到去冬麥克阿瑟揮戈插入鴨綠江邊，蘇俄還是口惠而實不至，而坐鎭瀋陽的俄將馬林諾夫斯基，且指林彪指揮失當，教毛澤東陣前換將，這當然引起中共方面莫大的失望，漸起反感，試細看北平「人民日報」自去年十二月以來對韓戰所發表的言論，骨子裏已顯然和蘇俄的論調並不一致了。今年春季攻勢大敗後，中共對蘇俄袖手旁觀的態度，更加不滿，史太林知之甚詳。但他既不敢掀起大戰，又不能讓中共對他的離心力暗長潛滋，構成大患，心[illegible]，籌計產生，悄悄的教馬立克在成功湖上突然發表停火建議，事前並未徵取毛澤東的同意，何以見得呢？請檢閱中共對於這停火建議所發表的反應文字，不特時間遲緩，而且寥寥無幾，毫不熱烈。毛澤東啞子吃黃蓮，跳不出這種苦境，祇好在馬林諾夫斯基和羅中所解說的「辯證的革命戰略」理論之下，忍辱圖存，贊成和談。中共內部非國際派，對於此蘇俄的怨[illegible]情緒，所以，塔斯社駐中國的記者，密報史大林，說中共對韓戰「是[illegible]蘇聯利益」，是一事實，也是假共的一種威脅反噬，教毛澤東知趣點！

和平攻勢的墊脚石

極權主義者一切都是以本身的現實利害為其行動原則，所謂國際道義，協定諾言，都值不得一顧的。希特勒當年限史大林簽訂德俄友好協定時，反共軸心國之一的日本大為驚慌，派外相松岡洋右到柏林請示，希特勒只說：「我不反對你們也與蘇俄友好」！中共在延安天天大力的痛罵法西斯德帝國主義，也因史太林聲言「德國是和平的民族」而狼狽周章，[illegible]了許久，[illegible]醒過來。神志[illegible]大林所發展的和平攻勢，依然是抄的當年對德意和好的老文章，但其攻勢之廣泛積極，却非當年可比。他不但守勢[illegible]倡韓戰和談，更教莫斯科的英文週刊建議美俄積極發展貿易，又對美國表示願繼續談判那久已束之高閣的戰債問題，同時又向英國拋送秋波。他從四方八面來玩弄和平手法，讓一般附庸國莫測高深，祇有遵着「領袖決無錯誤」的教條思想，乖乖的一面倒。

史太林之參加「對日和約」[illegible]，一般人認為是去搗亂的，但他亦可能，如果英美和約能在場外給以黑市交易的利益的話。因為他不顯放棄對日本問題的權利，與其站在局外吆喝無益，即不如擠到局中比較有利。史太林既抱「必和」的心計，即對開城和談必不惜任何代價來促成，這唯一的代價，只有出在中共身上。為着世界革命的整個利益，中共這塊較大的墊脚石，當然應該拿來作「和平」的工具啊！

毛澤東能作狄托嗎？

儘管毛澤東有英雄思想，儘管有[illegible]蘇俄互相猜忌，恐怕中共也無法作狄托。[illegible]

[illegible]

莫斯科看貝凡

·滄波·

英國工黨左翼「叛徒」貝凡，自從辭去內閣職務發表了「唯一的道路」小册子。他的政見要點，是要英國與蘇聯設法和協，使英蘇兩國能和平相處。同時，他反對英國積極整軍，他認為整軍的結果，把工黨政府標榜的人民福利經費，完全移用了。因為反對整軍，而牽連到反美，他幾乎認為英國的整軍完全受了美國的引誘，世界的緊張局勢是由美國的野心而加重。根據這個觀點，他的大政方針是親蘇反美。

貝凡這個政見發表以後，英美各國輿論的反響已多，在英國，連工黨的機關報也加以駁斥。本刊前數月也有專文指斥貝凡路綫。但是我們所見到的，只是西方國家的輿論反響，莫斯科方面對貝凡這一個運動究竟怎樣的看法，這是相當耐人尋味的，我們從[illegible]所看到的[illegible]，莫斯科對貝凡這一個運動，除了使中[illegible]提到，除了[illegible]攻擊西方宣傳時做做陪襯，似乎並未十分重視。莫洛托夫最近在波蘭演講，說他「[illegible]西方國家的統治階級，正在崩潰，蘇聯集團[illegible]的勝利，便可兵不血刃，達成擊潰[illegible]。」其意自包括貝凡運動在內，可是他併貝凡的名字也未提到。這是貝凡一夥人應當提醒自己，世界一切社會黨，也應同樣提醒自己。

英國一家週刊評論貝凡有幾句妙喻：「克里米宮欣賞貝凡的程度，大概和美國參議員麥克塞 Macarthy 欣賞狄托差不多。」莫斯科看貝凡，相當於西方國家看狄托，西方國家近年對狄托，眞是另眼看待了。尤其美國的國務院，認為狄托運動和狄托的產生，是反共陣營中的至寶。美國國務院以為反共的大業，只要每一個衛星國家產生一個狄托，那眞是不流血而制蘇俄的死命。艾契遜之流，至今盼望捷克、波蘭、保加利亞、匈牙利等國家，都產生狄托，尤其希望中國大陸能產生一個狄托。一年來美國對狄托，既借錢又給軍火，其意在使鐵幕衛星國家，望風而起，多產幾個狄托，同時也想使狄托本身發生反史太林及克里米宮的積極作用。可是在另一個世界，史太林對貝凡，到現在為止，并沒有那樣借重的意思，從貝凡在工黨中「起義」到現今。蘇聯的宣傳并沒有正面而抬舉過貝凡一次，他們對貝凡的利用，僅僅在宣傳上做陪襯，說這是英美帝國主義內部的分裂。這是西方聯盟整個瓦解的預兆。克里米宮對貝凡運動不感太多的興趣，比較西方國家之對狄托，眞如霄壤之別。這是貝凡一夥人最掃興的事。

蘇聯對於貝凡運動的不重視，而且加以提防，蘇聯看貝凡，所以大不同於西方看狄托。我們應當明白馬克斯——列寧——史太林主義的基本原則，尤其列寧所定下的策略。馬、列、史主義告訴其信徒：布爾什維克革命最大的危險，來自民主社會主義的社會主義黨。任何工人運動的領導權，決不容許從共產黨人手中移滑到共產黨的勁敵社會主義黨手中。布爾什維克根據馬列的理論，視天下無可畏者，資本主義，帝國主義，法西斯主義，無政府主義，在共產黨的唯物辯證世界中，都是不值一擊的，而且他們認為這許多制度及政黨，即使共產黨不加以打擊，也會自己死亡。他們認為足以較量長短的，唯有社會主義黨。在他們心目中，好像社會主義黨，共產黨，也是「[illegible]之爭」。過去列寧之對待考茨基，其深惡痛絕的程度，似較對資本主義尚有增加。而在目前，蘇聯對於西德，其攻擊社會黨領袖許瑪契博士 Dr Schumacher 以視對付總理阿突那 Dr Adenauer，還要不留餘地。許瑪契博士所領導的西德社會黨，至今還是反對德國重整軍備，但是蘇聯的宣傳，始終說許瑪契與阿特禮是暗中通氣的，他們兩個人對外表示，不過唱着雙簧。克里米宮對西德的社會黨，與對西德[illegible]天主教民主黨同樣認為「匪我族類」。[illegible]

[illegible]

杜魯門下屆競選不願艾帥做對手

關於艾森豪威爾競選下屆總統[illegible]，杜魯門最近一次[illegible]白宮記者會議[illegible]

[illegible]

蘇聯可能在對日和約上簽字

蘇聯已經接受了美英兩國的邀請，代表團的人選亦已確定，當然會如期到金山去開會。有人問我：蘇聯對於現在對日和約的草案，有許多地方是不贊成的，但她究竟還是鬧一陣，弄得不歡而散，還是老老實實的就在和約上簽字？據我看，很老實的簽字是不會的，但大鬧一陣能得一點小結果，甚至只要多少給她一點面子，她便公然簽字，却不是沒有可能

蘇聯並不是一個太要面子而不重實際的國家，假定就把面子犧牲一點，而實際上却有不少的好處，她還是要幹的。

蘇聯懂得：除了打仗，要把美國擬定的這一份和約草案根本推翻，是沒有可能的。可是如果她在會前大肆宣傳，說她並不反對日本恢復武裝，但主張日本的武裝不能超過足以自衛的限度；日本也不要求美國留日的駐軍立即退出，但她主張要明白規定退出的日期；同時她也不說美國絕對不能在日本保留若干軍事基地，但她要求這種軍事基地的設備與運用必須受聯合國的監督；此外她可能再提出：中國對日本打了八年的仗，必須由中共代表在和約上簽字；日本要加入聯合國也可以，但須以中共同時加入為條件；假定美國能接受這些意見，她還可以表示願意出面調解，把韓戰正式停下來，否則她即永遠束身事外，絕對不管，美國把這個戰爭繼續打下去。我想，蘇聯如果是這樣說，她未必不能博得國際上若干和平幻想病患者的同情，也未必不能引起美國的考慮。

杜爾斯在[illegible]宣稱，各國代表只能在和約上簽字，不能加以討論，更不能加以修改，[illegible]只要美蘇國能就其所提出要約者略些有所讓步，蘇聯也還會在和約上簽字！

時局漫談

·舜生·

[illegible]蘇聯在和約上簽了字，究竟有什麼好處呢？（一）她可向世人證明蘇聯確實是擁護和平，只有美國才眞是一個好戰國家；（二）她可與日本恢復正常的外交關係，[illegible]

[illegible]……等等的作用，以施展她從事冷戰的最高技術，而使你防不勝防……。假定我們如果不知道政府對於這些可能的變化，作何準備，如何應付？是否業已有所看法，公然如何應付？這對於台灣是極端不利的，我們不知道政府如何應付？

從克倫斯基突然露面看鐵幕內的反抗運動

共產國際曾經兵不血刃而征服了歐亞兩洲許多地區；這策略正由反共國家計劃採行以瓦解共產國際。

·李秋生·

最近國際間有關蘇聯的兩件大事，一件是蘇聯突然宣佈要參加舊金山對日和會，使民主世界感到震驚，另一件是二月革命後俄國臨時政府首領克倫斯基由美飛赴西德，進行組織反史太林共黨統治運動。就前者而論，俄國之派遣代表出席對日和會，自然不是能去簽訂日約而是想根本破壞日約，但是蘇聯既不能阻止美國對日議和的策動，又無力領導鐵幕集團另開和會與民主國家對抗，而只能藉美英邀請的機會到和會中從事破壞，這正和蘇聯最近之不斷展開和平攻勢同樣說明了其在今日整個國際形勢中，是處在異常不利的地位，而克倫斯基等人的反共策動，則無疑是克里姆林宮的重大損耗。

最近十二年間蘇俄版圖與勢力的膨脹是可驚的。在歐洲把波羅的海變成了內海，西向伸張到易北河，南面囊括了整個多瑙河流域，幾乎要衝出愛琴海和亞德利亞海；在遠東，控制了整個中國大陸，樹紅旗於喜瑪拉雅山巔，威脅着東南亞洲和印度，另一方面，在北太平洋上不只獲得了暖水出海口，其由雅爾達協定攫得的南庫頁島和千島群島更有如壓發的機鉗，直逼向日本的本土。這情形在歷史上很難找到先例。成吉思汗畢生戎馬，東征西討，數十年間，他所手建的帝國還抵不過今日鐵幕帝國的三分之一。天真的共產主義信徒們也許會看到史太林的盛大成就而沾沾自喜，覺得進而征服世界也並不困難。殊不知在這一膨脹過程中已醞孕育着新的矛盾因素，歷史上成吉斯汗帝國以至亞歷山大，神聖羅馬帝國，鄂吐曼所遭遇的命運，正在逐漸向着克里姆林宮襲來。所不同者，只是今日蘇俄帝國所遭遇的困難，範圍更廣大，性質也更複雜。

如果以柏林封鎖和中共征服中國大陸為史太林勢力發展的最高峯，則「日中必昃」，顛覆蘇俄帝國的因素也就正在潛伏滋長，到今天已有細流滙為巨川之勢。美國外交政策設計人肯南今春在外交季刊撰文論美蘇關係，認為要推翻蘇俄的極權統治，不能只期望於第三次世界大戰，此言實有至理。希特勒的進攻俄國，本想一舉而裏應外合，推翻史太林，結果適得其反，倒鞏固了史太林的統治。今日國際情勢自與十年前的德蘇形勢大相懸殊，但是民主國家既絕對不肯無端向俄挑戰，俄國又非到確有把握不會發動大戰，假使今日民主國家對蘇俄全部實力對比的形勢繼續不變，則這種冷戰形勢未嘗不可以再拖延若干年。俟河之清，人壽幾何，因而大家就不能不轉而對於蘇俄內部的反側醞釀，寄以重大期望。

事實上，這種反對力量，已經沿着下列三個方向在發展。第一，是鐵幕附庸的分崩離析，狄托的叛離是克里姆林宮的致命創傷，史太林曾藉愛國主義的口號獲得對德作戰的成功，同時他也就很難根除所有附庸國家內部的愛國主義「偏差」，使他們甘心只做俄羅斯帝國的工具。從一九三八年共產情報局與狄托公開決裂之後，史太林就用盡一切策略和方法剷除各附庸國家中狄托主義的萌芽，從前年秋季匈保的羅斯托夫拉傑克遭受整肅，兩年以來，在波捷羅匈保各國中，酷酷逮捕屠殺之聲不絕，血腥氣從波羅的海沿岸一直瀰漫到多瑙河和黑海。然而此仆彼起，有如波蘭，派去一個羅柯索夫斯基還不夠，最近莫洛托夫竟不惜親身前往鎮壓。在目前，自然還不可能期望有第二個南斯拉夫的產生，但這種不滿和反抗，卻只會隨着紙情的整肅而更趨延深入。

第二，蘇俄是個多民族多宗教的國家，克里姆林宮當局曾經自詡其少數民族政策的成功，其實，二十五年來，連烏克蘭和白俄羅斯人民，始終還念念不忘其民族的光榮傳統，在內心蘊藏着反抗獨立的火燄。在十月革命和蘇德戰爭初期，烏克蘭人都有過曇花一現的獨立運動，至今，一支良好的地下軍，仍不斷出沒於喀爾巴阡山脈森林之間。至於阿美尼亞，立陶宛，拉脫維亞，愛沙尼亞以至猶太人，各自有其一段血淚織成的民族痛史，他們有的伺機逃亡，有的隱忍待時，儘管受盡迫害，他們絕對不是大俄羅斯帝國的順民。另外在南俄和中亞方面，有兩千五百萬的伊斯蘭教徒，他們憧憬於一個統一團結的伊斯蘭世界，但即使僅是一種理想，也絕對不是克里姆林宮所能容許的。久已不聞的反宗教運動，近年又復熾盛，但卻專以回教為目標，在烏茲貝克，塔吉克，吐克曼，吉爾吉和哈薩克各邦，都展開了對伊斯蘭教的鬥爭整肅，這樣又掀起了生息於草原地帶遊牧人民的反抗怒火。

第三，在共黨內部，從二十年代初期的托洛茨基問題起，若干年來從未間斷過派系的整肅鬥爭，已有幾百萬善良的共產黨員，只因為不附和史太林的「正統」路綫而被送上斷頭台或奴工營。現在的一般聯共黨員都是照克里姆林宮的模型加以鐵格雕塑；他們受蘇維埃的教育和訓練，服從蘇維埃的權力，除卻史太林共產主義和蘇聯，更不知有外界的天地。但是儘管如此，人類天性卻未必由此而全然泯滅。在精神的奴役，官僚的高壓和極權的統治之下，他們常會感到失望和怨抑，他們可能由過度緊張疲勞和惡劣的生活而陷於消極。如果偶然聽到一段自由俄國的廣播，或者因出席柏林青年大會而接觸了外間世界，便會觸發了被壓抑了的天性，發生根本懷疑和動搖。以鐵幕關防之森嚴，每天平均總有不少的人向着外間逃亡，其中正有許多是聯共的「典型」同志。這一事實，說明了克里姆林所恃以鞏固其統治的最有力工具——共產黨，本身也有了動搖。更不要說起一般工農，為了強迫勞動，和集體農場而引起的普遍不滿。

上述種種都是欺騙高壓陰謀奴役和愚民政策統治下的必然結果，即使在現在還不足以威脅史太林的政權，但一旦有突發事變發生，例如史太林逝世或爆發了大戰，必然會從星星之火發展到燎原之勢，從鐵幕內部促成這極權統治的崩潰。

克倫斯基已經是風燭殘年，在過去曾因為動搖與缺少果斷而失掉在掌握中的政權，到今天也許還不夠作對克里姆林宮鬥爭的理想領導人物。然而他在西方遁跡息影二十五年之後，還念念不忘解放俄羅斯民族的任務，從美國飛到西德的鬥爭前綫，從事組織反抗運動，至少象徵着這一反抗運動，現在正發展到一個新的階段，這就是，已往那些零星的，分立的，各種反抗史太林共產統治的團體，例如他自己所領導的反共戰鬥同盟與羅曼諾夫所領導的民族勞工聯合，以及逃出鐵幕的千萬俄羅斯愛好自由的人們，現正需要有一個集中而統一的領導。美國以天文數字的鉅款從事建軍和援外，自有其必要，但卻不應只注意到B—三六，基地和原子彈，而忽視培植足以促成史太林共產統治從內部崩潰的力量。共產國際曾經兵不血刃而征服了歐亞兩洲許多地區，這策略是值得以其人之道，還治其人之身的。

記紐約「流亡大學」

由希特勒壓迫出走的名教授組織夜晚上課現在已有學生萬人

·王醴泉·

一切社會科學，英國式，美國式，和歐洲大陸，都各有不同的觀點，我們不能拘泥於一格。如果拿美國式的實用主義哲學來說，「凡是好的，都是有用的；凡是有用的，都是好的」。我們必須對於同一社會問題，從各種研究方法來看，那一種方法研究的結果，最為有用。

近半世紀來，美國社會科學界，拘泥於英美學派，各大學因師資缺之，對於歐洲大陸的觀點，似乎有些忽略。

我們記得希特勒得勢以後，有很多德國各大學的學者，被迫離開德國。他們中間，大部份有猶太血統，但不都是猶太人。他們很多遷徙到美國，他們就在一九三三年和紐約原有的新社會科學院（New School For Social Research）合作，在該學院內，設科授教，號稱「流亡大學」（University in Exile）其中不乏世界知名的學者，他們初來美國的時候，有的英文都說不清楚，不過現在將及二十年，他們英文都說得很好，有的人簡直說得太好，反使我們覺得他們失去歐洲學者的氣味。

大學教授來做學生

這「流亡大學」在美國社會科學的教育上，獨樹一幟，他們把歐洲大陸的觀點，有系統的介紹到美國去。過去許多年來，很受美國學術界的歡迎。學生異常發達，幾乎到了一萬人，有很多學生，還是美國其他大學的教授，請假到紐約來研究歐洲社會科學。

他們最近幾年，又實行新的教育計劃。美國各大學，教授到了相當年齡，大約是六十五歲，（各大學規定不同），必須退休，坐在家裏領退職金。美國現在醫學衛生昌明，許多人到了六十五歲，正是精力充沛的時候，那也正是他一生學問登峯造極的時候，強迫退休，對於社會，對於個人，都是損失。新社會科學院，遂延這一類老教授，到紐約來教幾年書，這計劃現在逐漸付諸實行。

這流亡大學，分為下列三個學院，（一）政治學院，（二）文哲學院，（三）政治與社會科學研究院。

林語堂等參加講學

他們各學系，都以大陸來美的教授做中心，另外再在美國聘請教授。譬如經濟學方面的台柱子，如羅怡 Adolph Lowe 原是德國基爾大學，敬德大學的教授，担任過英國孟卻斯德大學的教授，在倫敦經濟學院做過講師。勒塞爾 Hans Neisser 原係德國基爾大學教授，在美國担任過本薛文尼亞大學教授。赫曼 Eduard Heimann 原係德國漢堡大學哥丁根大學教授。勒納 Aba Lerner 現已改任司丹佛大學教授，不在新社會科學院。這些人都是世界頗為聞名的學者。其他學系，如政治系歷史系，國際政治學系，社會學系，經濟地理學系，哲學系，算學系，心理與教育學系，語言學系，美術學系，[illegible]洲大陸的教授為中心。[illegible]以成宗鹼。中國學者，[illegible]文學方面有林語堂，經[illegible]社會學方面有黃文山（[illegible]和也在該校客串過。

該校原來世界聞名[illegible]十幾年來，有的給華盛[illegible]有的受聘於美國其他大[illegible]，頗有損失。這樣的學[illegible]學界，有相當的需要，[illegible]學，所教的社會科學，[illegible]都是一樣的東西，不過[illegible]新社會科學院，着重介[illegible]科學，與美國各大學觀[illegible]晚五時以後上課，這對[illegible]的人，十分方便。

該校出版一本雜誌（Social Research），[illegible]篇都有相當價值，在美[illegible]。他們還辦了一個學會（Institute of World Affairs）會[illegible]大多是紐約學術界，與[illegible]物。

剝削農民無微不至

今年夏徵中共搜括愈兇

捏報豐收，武裝助割，強制收購，構成中共夏徵的三部曲

·張丕介·

中共在大陸的「夏徵」，在「抗美援朝，需用孔急」的號召下，目前已進入狂烈的階段，據共方報紙的報導，廣東南海一縣出動的夏徵幹部，即達一千八百餘人，東江區已動員「土改隊」六千餘人下鄉，各地「大軍」與「民兵」更紛紛出動「護割」，共情勢之緊張，已不難概見。這一大規模的搜括過程，正反映出中共竭澤而漁的典型手法。

本來遍地災荒　偏說物阜年豐

目前中共在各地的「夏徵」，係屬「預徵」性質，即不問各戶實收情形如何，先確定預徵數額，徵了再說。但在分配總任務時，仍不能不有所根據。依照中共政務院「一九五一年夏季徵收公糧的指示」中所規定：「如某些地方夏收較多，可以多徵」。於是為了提高配額，迫使農民多納公糧計，乃先從捏報豐收入手，為全面洗劫製造「理論根據」。看中共國內外報紙的宣傳！「今年的早稻不僅普遍豐收，而且在許多地區，增產數量之大，特別令人驚異。」「湖南福建兩省早稻產量，比去年增產一成到兩成。廣州市郊芳村區的早稻產量，為近二十餘年來所未曾有。去年夏收每畝收成平均只有一百斤，今年平均有三百五十斤。福建晉江一般田畝比去年多收百分之二十，龍溪區中的最高產量是每畝六百一十斤，為近二十年來少見的好年景」。（見八、八、大公報）。好，既然有這樣豐收，自然應該多徵了。

關於大陸個別地區的收成情形，由於鐵幕低垂，自無法完全知道。但在七月以前，我們還不斷看到大陸各地蟲害肆虐，水旱交侵的報導：如六月廿八日北平「新華社」的電訊中，即有如下的消息：「六月初，各地虫害普遍發展，尤以蝗蝻蝦虫和螟虫最為嚴重。已發現蝗蝻的地區，有皖北、河北、山東、河南、蘇北等省區，長江以南各省的稻田，普遍發生螟虫。北方各省和長江流域，又發生棉蚜、紅蜘蛛、搽葉虫等害虫，華東浙江福建兩區動員三百餘萬人共進行捕虫。蝗災嚴重的皖北泗洪、盱眙五縣，動員八十萬人捕打」。七月底中共「中南區農業部」報告中，亦指明「湖北漢川天門等縣於六月廿五日發現大批蝗蝻，福瑞、雙豐、五坑、坂受害面積達三萬三千七百畝，湖南方面亦極嚴重，單以益陽第十一區而言，今年三月至五月間，即掘得蝗卵五千多斤，更為嚴重。據河南全省統計，發生蝗蝻的地區，計三十一縣，」而「中南區財經委員會」最近的報導，湖北、湖南、皖北、河南等省，發生蝗蝻者八十餘縣，面積達三百萬畝之多。」各地洪水大汎，中共「防汛」工作進行不力，竟因此而未獲乾救災，「明證」，猶在耳邊，而掩蓋災荒之事實，完全一

變而為豐收的宣傳，憑自己捏造的收成數字，以為洗劫農民果實之藉口。仿佛天災愈凶，收穫愈好，真是妙不可言！據潮汕方面來人的報導，今年由於潦水成災，一般收成平均約為三成左右，但潮汕共幹竟向上級捏報增產二成，致全部預徵數額達收穫量百分之六十五至七十，其手段之刻毒與卑劣，誠令人嘆為觀止。

不許農民藏糧　護割原是監視

繁重的任務分配各縣後，中共明知農民不勝負担，必無法依限完成，乃採取「一不做二不休」辦法，下令各地陸軍「協助收割」，並動員各地村幹部、民兵，組織「護割隊」，監視農民收割，防止逃匿及藏糧，以造成武裝征糧之局勢，迫使農民忍就範。據共方報紙的報導：日來駐防東江的四野，均奉令全部出動，在未「土改」地區，將地富應收租谷「全部轉為公糧」，在已「土改」區，一般實行「按畝攤派」，農民莫不敢有一則淚下，雖在暴政的淫威之下，為生存計，不能不聽任宰割。

統一糧食收購　存糧也要刮光

除規定任務的征糧以外，更實行「強制農村餘糧收購」，粒粒歸倉，「統購統銷」所謂。據八月四日「廣東省糧食統一收購辦法」：共有公糧均由「國營貿易公司」統一收購，凡私商收購糧食，均須經過登記，凡私人存谷一千斤以上者，一律非經過區批准，不得自由出賣，否則以「囤積居奇」論，處以罰款及沒收之處分，以一律由鄉村幹部監視公糧，低價收購，予以收繳。已實行「強制收購」的地區，部份面額徵購之糧，並以低價與糧食公司交換。至一步進利用各地糧投機，地購

獨佔市場，民間存糧得而光，將上述三項步驟所得的產品，剝削之下，再加生產之勞動不但一切糧食之根據，乃至農民的蘇俄工具制度的最食糧控制，以政權的力量不能為農民。全部糧食作外，徵糧即後，勞動從事死以不能維生，當全人民，例如先制之根，共黨農村的種之需要，推動生產。此即中共之所藉以一面加強其徵大，一面又以調公糧全部在於增力。其意義亦全在此。

農民憤無可遏　共幹紛被誅殺

但壓力愈大，反抗力愈強，在中共已逼迫之下，各地已普遍發生抗征的運動。廣東西江及東江各地，均有武裝民兵出動，如新興遭遇伏擊，鄉別遇伏擊，中山縣征糧隊三十餘人被俘，曲江夏征隊遭伏擊，十餘人被殺。

被炸斃，其它大規模的抗征活動，正配合國軍與日俱漲的敵後游擊活動中，農民雖純良，但是也只有走頭無路，到了時候，他們也只有走上深山的路，上「虎政猛於老百姓」的中共苛政，巳逼了普遍的起來做武松了。

李彌入滇迄無激戰

中共正準備藉口攻緬

李部不特毫無損失，且因各地軍民望風歸附，實力已較前急速增強

【本報仰光特約通訊】李彌部隊從滇緬邊境向滇西南進軍，一時引起了世人很大的注意，和過份的期望。其實李彌將軍雖下令有從正規軍改編爲游擊隊的精銳一萬五千人，但當向滇境滲透的時候，卻僅挑選祇有千餘人。其行動期間，在七月初即已開始，不過在七月底始因外電的宣傳而轟動一時。

李部大舉反攻　尚在等候時機

李彌將軍受任爲雲南省政府主席，將部隊移入滇境，爲其份內應爲之事。以非大舉反攻性質，據說，事先也沒有向台灣國防部請示過。李將軍所部移動的目的，本爲滲入內陸，從事結集力量，組訓邊區民衆，以爲將來配合反攻的準備。而並不計劃以萬餘兵力，在目前即與共軍正面作戰，所以外傳雙方傷亡均重之說，實在也太欠根據。據可靠消息，李彌方面，此次不特沒有傷亡，且因大量民衆，及各地散兵，聞風歸附，勢力比前更大見增強。

中共雲南省「主席」陳賡，初時對李部之進展，頗抱惶懼與不安，所以急將原駐滇南之十三軍及十四軍，分批調往滇西，還怕兵力不夠使用，又向貴州省共酋楊勇借調了第十六軍，開到昆明，作爲繼續預備隊。後見李部僅在山區掩蔽，鄉村潛伏，才稍稍放下了心。之後又接北平上級指示，令勿對李彌所部急攻，因之陳便僅把三個師的兵力，分佈在順寧、保山、騰衝一綫，企圖迫李部退回緬邊。十六軍因貴州境內游擊隊乘機活躍，又調回黔盤，担任「鎮壓」任務去了。

中共兩項陰謀　引起緬甸警覺

陳賡所接到的上級指示，是以共產國際遠東情報局的指示爲根據的。中共圖把李彌部隊迫向緬邊，吸引緬甸政府軍北調阻擋，如是則緬腹地兵力空虛，可予緬共武裝部隊以大好發展機會。如緬甸許李部退入緬境，中共當然也會對緬政府加緊壓力。所以中共陰謀之一，是藉李彌進軍事件來助成緬共的發展。

另一陰謀，即中共本早有「解放」東南亞的「據點」，不過因陷入韓戰泥淖，故預定方案無法實施。共產國際遠東情報局最近認爲：保留李彌一部份勢力，可以隨時作爲大舉進軍東南亞的藉口，因爲西方國家在越南留有相當兵力，而在緬甸及泰國，則還沒有實力的部署。假藉緬甸出擊，實爲一理想之路綫。西方國家，對中共此項陰謀，已有相當警覺，特別緬甸政府，日來一方面加緊圍攻緬共，一方面釜力充實邊防，中共上述陰謀，緬政府是時刻準備着的。（一鳴八月十五日，寄自仰光）

吳化文部在浙倒戈反共

吳本人已被監視

【本報杭州特約通訊】中共第三野戰軍第三十五軍，素由反共叛徒吳化文統率。在舟山國軍未撤退前，吳部駐於浙東一帶，中共預定將其作爲第一綫犧牲品。

自去年六月底韓戰爆發，吳部亦一度被調回山東，至今年三月，又再度調至杭州一帶駐防。四五月間，中共政務院，忽發表吳爲浙江省政府委員兼縣長，有些不明眞相的人，還以爲共方對吳化文甚爲信任。其實在吳接任爲縣長之後，他在三十五軍的兵權，便被剝奪了。

中共三野司令員粟裕，爲了不使吳化文過於難堪，特在三十五軍內指撥四個裝備不好的團，作爲浙江公路的護路部隊，仍受吳化文指揮。其餘三個師，全部於本年六月間調往北韓參戰。同時出關的，還有三野第三十三軍，張克俠部，三十四軍，郝奇峯部。

吳部留浙江的四個團，在五、六、七三個月中間，已有五個連分別在餘姚、嵊縣、諸暨、龍游等地，攜械反正，投入當地反共游擊隊陣營，因之浙省共酋譚震林，目下對吳化文個人行動，亦已於暗中加以監視。（何滿八月十二日寄自杭州）

漢口大剛報厄運當頭

標題不妥迭被斥責

共幹竟認爲用心何在十分可疑

·素心·

辦衡陽大剛報起家的毛健吾，老早便向中共大送秋波，勝利復員後，在南京出版的大剛報，又拿國民黨的錢，說共產黨的話，同時大量培植中共地下份子，漢口的大剛報也是一樣。然而共黨來了，並不會對他崇德報功，反而要他北上軍政學習，進所謂「革命大學」當旁聽生，只漢口「大剛報」三個字還得僥倖保存，表面看來，比之天津「大公報」要改名「進步」，確是「榮耀」多了。

中共統治下的各種報紙，無論你怎樣拚命吹捧，大賣氣力，結果總還是啼笑皆非，動輒得咎，最近就這樣接二連三的遭受批評。本報的部份如下：

模稜而有毒性

六月廿六日該報社論標題「中國人民的死亡是帝國主義分子的愉快」，原是「學習」中共名句「對敵人的仁慈就是對人民的殘忍」。如此苦心孤詣，理應獎勉有加，不料畫虎不成弄巧反拙，給中共「文工」們挑着了眼。在八月七日的北平人民日報上，批判「報告牠缺乏政治性和思想性」。「理」是：據提出「今天是人民大勝利，帝國主義走向死亡的時代，只有帝國主義死亡；絕沒有人民的死亡；只有人民勝利的愉快，沒有也絕不允許帝國主義分子愉快，該報既不能站在人民立場領導和鼓勵人民起來向帝國主義份子鬥爭，反而長他人志氣，減自己威風，來個這樣模稜而帶有毒性的題目：……當然，這一狀告得很兇，尤其正當毛健吾在北平受訓的時候，當然大爲惶恐。

可憐這一斧頭還來不及招架，第二道斧又當頭劈下。起因仍是一個標題、

不許稱大多數

同在八月五日出版的漢口「長江日報」，在第四版登出一條新華社發的電訊，標題是「美國人民要求在朝鮮立即停火」，大剛報的編輯先生，不知是有意還是無意的忽略了「過失」，竟把這條「中共第一宣傳機構嘔心瀝血製造出來的重要新聞」漏掉，這怎麼得了！第二天（八月六日）馬上在第一版用初號字五格長題補登出來，內容固然一字不差，標題也幾乎完全一樣，只是「人民」的上面添了「大多數」三字，朝鮮上面減了一個「在」字，成爲「美國大多數人民要求朝鮮立即停火」，於是中共文工，馬上又大張撻伐，由湖北省政府財政廳工作人員張勃而指大剛報如此增減標題是十分可疑。他說：「長江日報的標題清晰明顯，使讀者看到馬上能領會到這是美國人民要求美國反動派杜魯門、馬歇爾等戰爭販子立即在朝鮮停火，立即停止對朝鮮人民的侵略行爲。大剛報的標題，則可能引起讀者誤會，以爲美國人民要求朝鮮人民立即停火。而且「大多數」三字，不但畫蛇添足，且含重大語病。用心何在，殊難索解」。

大剛報怎樣應付呢？除在自己報上誠惶誠恐「承認錯誤，承認學習得不夠，還要加強向人民學習」之外，便是戰戰兢兢的等待隨時接受命令，「辦理後事」。

越華報之先例

記得「解放」不久後的廣州報紙，也發生過類似的情形。越華報因爲一個「國民黨匪機濫炸民居」的「濫」字，弄到編輯先生大受中共三番五次的訊問。中共「文工」們的「高明之見」是：炸民居是「濫」，炸行政機構和軍事機關便不是「濫」麼？顯然是包含惡意了。在刀俎下的編輯先生，那還有甚麼餘地，必然的結果，就是：「該報「暫設」不使，宣令封閉」。

今天大剛報的標題，還不是「濫」字之類？「履霜堅冰至」，「大剛報」三個字的命運，恐怕很爲有限了吧！

悍然不顧要喝工人的血

「革命幹部」原形畢露

在共區，什麼機構都一樣，存在着嚴重的新官僚主義作風，以功臣自居的享樂主義，以及賤視工人和平民的惡劣工作態度。這些人正在一致行動，爲毛氏秧歌王朝挖掘墳墓！

【本報漢口特約通訊】中共各級幹部的作風，愈來愈顯劣，即素受欺騙的工人階級，也已激起了強烈的反感。中共「中國花紗布公司中南區第三倉庫」的工作人員，論其地位與職務，本來也沒有什麼特殊的重要性。然而他們對於附屬的打包廠工人，因爲他們自己是共黨幹部，卻擺出無上權威，好像工人吃的飯便要靠他的賞賜似的。

打包廠的主要業務是爲棉花打包，打包所需用的棉花，全部由花紗布公司供給，也就由於這一種關係，倉庫工作員就儼然以「太上皇」的資格陵駕該廠。倉庫的辦事處便設在打包廠內，他們的家屬，都佔用廠房作宿舍，而工人要求闢一間工會辦公室，廠方卻說無屋可撥。工人向廠方質問，廠方總說：「我們營業的好壞全靠他們，他們是我們的衣食父母呀」！工人雖然不滿，卻也無法可想。

勒索範圍極廣泛　宵夜要酒肉供應

倉庫工作人員的文娛活動用具，全部由廠方購置，除乒乓球、克郎球、象棋、軍棋外，還指定要買來路貨的撲克牌。收音機買了一架嫌不好，結果又買了一架好的；學習用的雞皮紅布，用過之後，隨便一丟，到要用的時候，又再叫廠方買。至於私人用品，如牙刷、牙膏、肥皂、毛巾之類，也都將人開條子到廠方買，廠方辦事人員，也的確感到頭痛！

那班工作人員又故意支配廠方「打夜包」，因爲在打夜包的時候，他們可以硬叫廠方供應宵夜。而他們的宵夜，又不是普通一碗麵，便可完事，他們要廠方到館子裏抄三四個雞呀肉呀的熱菜，打一斤上好高粱，備兩大盆炒麵，送到辦公室裏來吃；吃了還嫌不夠，再叫送幾十個大包子來。無論在意識上形態上，都是一個特殊階級，而絕對不是什麼「革命幹部」！

夏天要吃大西瓜　喝了汽水不還瓶

天熱了，他們便硬要廠方買西瓜，有一次買了五十四斤，還嫌太少，接着又叫買冰凍汽水一打。汽水喝完了，工人去拿空瓶子，卻只拿到九個，有一個還是破的。另外三個，不見影蹤，工人問問他們，他們卻大聲說：「不見了，你叫廠方賠吧」！

工人們看到這種情形，很是痛心；他們明白，現在依然有人騎在他們頭上。因爲工人雖說「翻了身」，但做的還是牛馬般的苦工，在棉花堆裏工作，短褲濕透了，也無法洗，無法換；汗水模糊了眼睛，連冷水都喝不到一口，而那些倉庫幹部，他們根本與打夜包沒有什麼關係，但卻坐在辦公室內電風扇下，大吃酒席，大吃西瓜，大吃冰凍汽水。工人們私下地說：「這都是吃我們的血汗哪」！

大叫我是花紗布　男男女女逞威風

最有趣的是工人們在工會強迫之下，組織糾察隊，以担負「防盜」「防火」等任務，然而倉庫的工作人員，包括家屬在內，就故意不佩帶證章符號，昂然進出廠門。糾察員上前盤查，就凶狠地大聲叫喊「我是花紗布」！即揚長而去。如再追問，馬上便引起爭吵。幹部常常對工人大喝：「我們不來，你們吃什麼東西」！或者大喝：「你們背槍嚇人……」許多爭執，要找倉庫主任談話，另一倉庫主任建宏則說：「倒茶的、掃地的，他懂得什麼？我們是帝國主義的走狗嗎？」你們吳傑還是革命幹部……你們應該重視一點，隨便給你們一些什麼，……」以上這些情形，他們向工會控訴，最近打包廠工人要求工會替他們作主，因爲他們透不過氣來。但這班青年頭子和共幹上伙，互有勾結，能否接受工人請求，都是血肉相連，尚是疑問。

在共區，不單是花紗布公司，嚴重地存在着新官僚主義作風，以功臣自居的享樂主義，以及賤視工人和平民的惡劣工作態度。這些人正在一致行動，爲毛氏秧歌王朝挖掘墳墓！（懷民八月十四日寄自漢口）

破產的湖南教育

國民政府時代全省有中學生十四萬人，現在只賸了六萬。零陵一區則由六千人減到五百人。

【本報長沙特約通訊】中共的兩大工具，第一是青年學生，第二是生產工人。因爲學生可以做砲灰，工人可以製造軍用物資，都對於蘇聯赤色帝國主義有莫大功用，所以中共對這兩種人，引誘欺騙也就無所不至。尤其青年學生，除了一再號召參軍外，中共許多艱難危險的工作，都叫學生去做，像土改，像徵糧之類，就有不少青年，爲老百姓所宰殺，做了中共替死鬼。

湖南教育，向稱發達，僅中等學校學生在國民政府時代，曾有十四萬人，現在因爲一部份被迫參軍，一部份徵調其他工作，一部份因家庭經濟被土改，清算弄垮，無法接濟，到最近暑假統計，只賸六萬二千三百六十八人，比從前減少一半以上。私立中學的數目，則國民政府時代的二百十七校，減至一百四十七校，這一鐵的事實，完全可以說明，在中共統治下，他們是如何摧殘教育，這正可和他們幾年來口口聲聲，提要培植下代青年，提高文化水準，成爲一個極饒諷刺意味的對照。

參軍土改　逼走青年

這種學生減少的情形，在零陵一縣特別顯著，零陵在國民政府時期，原有十六所中學，學生六千二百七十二名，去年下學期減到四千三百名，今年上學期再減到一千五百二十名，到暑期放假，竟只賸了九百名。據當地教育界估計，下月開學，恐怕最多不足五百人。由六千人而減至五百人，這個只有在中共大力發展教育下，才會有這驚人的奇蹟。零陵學生的特別減縮，原因仍不外上述的三大原因，各方面以零陵民風，最富強悍，爲好勇，都特別到這裏來征募，大家需要補充新兵，兵源地單是西北軍區，就從零陵徵去新兵二萬餘人，其中自然有不少學生在內。而還到韓國戰場的所謂中共志願軍，零陵人也佔了一個相當龐大的數字。

教員無薪　供粥兩餐

中共宣傳，對教員待遇特別優厚，實際上完全沒有這回事，即以湖南來說，中學教員百分之九十以上，都不能維持生活。新化復初中學，教員月薪只有六十斤米，衡陽全區十五個中學，教員月薪達到二百斤米的，只有兩校，到一百斤米的，只有五校，每天供粥兩餐，只由學校斟給，雖若干年來，情形艱苦，恐爲一向標榜重視文化工作人員的中共政府，餓死者所夢想不及的慘狀！

軍隊強橫　佔住校舍

教員待遇既如此低微，而軍隊對於校舍，又時加打擾。衡陽有一中學，因借房子給軍分區，學校大受損失。仁愛中學，一區表示要借用，學校困難，將校舍借給軍分區。校長說：「你們大學有房子，一定要我們的一部份房子給我們」，三天之後，三分之二給我們，拒抗，出限市府，交校長報告市政府，而市府去函教育局，校長被叫到市政府，完全不理，反怪校長，告訴他：「你們那些校舍，是要主席批准的」，校長回去，都不敢再住，當然從此以後，都被軍隊佔住，學生被打，而且窗門都燒成灰燼，玩具被劈，故意弄壞，開入校舍，司令部出入不是事，慣的事！

拒借校舍　衣服剝光

佔用又常雲中學的分校區舍，業已兩年，邵陽松坡中學仍不肯，邵陽縣長被迫拒借校舍，一團長大將列隊奉令，其中部份士兵穿上拉隊裝，竟同被捕出席，給縣立中學校長，楊通之說：「你是什麼共產黨東西」，將衣服剝下，禹恰恰衣服沒有穿，許多當場人替他穿衣，因都不敢熱心，禹只得裸衣，列隊奉令，從此成了一個十分男性，得了一度狼狽，自覺兒戲，殺得自己十五日（長沙）

教你如何不肉麻？

·尚方·

據北平的「腥華社」轉報「塔屎社」本月十五日的電訊：全世界四十八個國家的人民，簽名要求締結「五強和平公約」的人數已達四億三千萬人，其中中國人就佔了三億四千四百零五萬三千零五十七名！可見忝居史大林欽賜的「五強」之一的「中華人民共和國」，是何等的愛好和平？又是何等的偉大而神氣活現？

記得去前年中國大陸上搞反對使用原子武器的「和平簽名運動」，結果只造報了四千多萬花名清冊，似乎受了申斥，再來侍候了一段玩器，補報一番，纔把這樁公案應付過去的。這回却乖乖進步了，一簽就是三億四千多萬名，而且有畸零數字，做得維妙維肖，硬是「如假包換」的模樣，誠歟盛哉，應予傳令嘉獎！雖說全中國號稱四億以上的人口，除却反共非共的「反動國民」，以及「不許亂說亂動」而尚在「勞動改造」中之不知其數的「國民」外，連嬰兒在內，也不會有那麼多的簽名者，但這種「生撫對證」的把戲，誰能說是假的呢？

五大強國之中的人民，祇有中法兩「強」遵命「要求和平」，如「美帝」也者，全民都是些「戰爭販子」，當然不能教他們來參透這種偉大崇高的「和平運動」，就是英國人，也有點「准戰爭販子」的模樣兒，連那位曾經接受過史大林和平獎金的紅衣主教詹遜也不能得此「榮譽」。至於俄國人之置身事外，自然並非不要「和平」，而是指揮表演這幕戲的「老大哥」資格，用不着這套動作了！

做假事說謊話也教人肉麻，這就正是共產仁兄的漫天大本領！

自由談

九華山的血戰

父兄被殺

·羊辛·

萬國雄的游擊隊盤據在九華山，站在山上的羊腸小徑，可以望到萬家莊全景，那片美好的土地和房舍，現在全爲紅色的狗腿佔據了。

萬國雄，大學畢業生，平素嗜好兵學，孜孜不倦，他時常希望能有機會進軍校攻讀，可是這願望並沒有實現，赤色的鐵蹄就踏到他的家鄉，他的父親萬顯圖，是萬家莊一個深得人望的「家長」，已經七十二歲了，於共黨佔領萬家莊後立遭拘捕，哥哥萬國英，一向在城裏營商，也於同日被拘去，隨即以迅雷不及掩耳的手段，將父子兩人加以槍殺。萬國雄對於共黨，本來還有幾分憧憬，以爲父親及大哥被捕，當無生命關係，因爲父親爲人一向慈善，並非所謂「惡霸」，是人所共知的；大哥則純係正當商人，亦無不是之處，滿以爲就會加以釋放，不意竟迅速慘遭屠殺，還加了一大堆莫須有的罪名。他如夢初醒，發覺了猙獰的面目正向着他迫來，急不暇待，立即和他的侄兒——萬國英的獨生子，二十一歲的萬家榮，率領了萬家莊千名壯丁上九華山，和共產黨斷然幹了起來。

仗着他的軍事天才，和地理的熟悉，共黨不但無法上山「清剿」，而且屢屢遭受突襲，損失慘重。萬國雄還有一副政治頭腦，他鼓動宣傳，親自草擬傳單，痛斥共產黨的欺騙和賣國行爲，並且現身說法，說他以前也曾受過紅色的巧騙，但是現在已經摸清了共黨的猙獰面目，如此的濫捕濫殺，如此的清算鬥爭，只有造成另一批新的壓迫者與殺人者，只有引起循環的報復和流血，決不是革命的真義，決不是人民大衆的幸福。他的宣傳獲得了廣大的反響，人們紛紛來歸，聲勢日益壯大，弄得共產黨焦頭爛額，甚至有一些「解放軍」，也被他的宣傳所感動，棄邪歸正，投奔到他的游擊隊來。因此他時常說：「對付共產黨，要思想和武力並重，單靠武力是不行的；共產黨之所以坐大，乃是思想控制和思想鼓舞的收效，我們現在要打擊它，就得先啟發他們的思想錯誤，動搖了他們的意志，然後加以攻擊，便戰無不勝。」

包圍封鎖

共產黨攻打了好久，連一個九華山是怎麼個樣子也還摸不清，祇好向上頭求援，派來了萬名大軍，要把九華山「痛剿」。攪得天翻地覆，戰鬥已經進行了半月，九華山被團團圍住，糧食和食鹽被封鎖了，萬國雄決定突圍轉進。

他向衆弟兄指示了突圍的路綫，準備停當，然後喚進他的侄兒來，嚴肅地向他說：

「家榮，你記得我們的兩代仇恨麼？」

那年青的小伙子含着淚，點點頭。

「好！我們現在要爲先人報仇，這是我們的責任；廣義一點講，我們也正是在爲被壓榨被迫害的人民大衆報仇，爲國家民族爭生存，消滅紅色的魔掌，這任務是夠偉大的，若是我因此戰死，是最光榮不過的，你應繼續奮鬥，秉承我志，復仇到底！」

突圍遇害

那小伙子挺着胸，兩隻帶淚的眼發射着堅定的光芒。

夜來臨了，風打着唿哨，吹得滿山的叢林嗖嗖作響。

槍聲響起來了，劇烈的戰鬥開始，人的呼喊聲，夾雜着馬羣的奔馳，震天動地，滿天抹着槍彈的紅光。

萬國雄偕侄兒出側翼突圍，騎着馬子彈如雨下，衝過了重重包圍，萬國雄身中數槍，墮下馬來。血染了他的全身，他掙扎着，他緊緊地執住機槍，爬到一塊石頭後面，侄兒萬家榮急來搶救，萬國雄大聲喊：「快走！快走！不要管我！」

他自知道負傷過重，不能活下去了，爲了恐怕侄兒因搶救他而一同身殉，他強迫萬家榮立即離開，忍住痛苦地迸出了最後這幾句話：「記住我的囑咐！快快地走吧！」

共軍圍攏來了，萬國雄扳動機槍，猛烈的火力向前射去，在機槍的眼中，對方一個個地倒下去了。他決定吸引敵人的兵力，讓弟兄們乘隙突圍，他喊着：「我就是萬國雄，萬國雄在這裏，你們過來罷！」共軍聞聲，蜂擁而來，他強撐着支持，又射殺了十來個敵人，對方在喊：「投降！快投降！」

「決不投降！」萬國雄咬着牙，他已仆倒了幾次，仍然掙扎起來，喊着，終於一排子彈射過來，他倒下去了，壯烈地成仁了。

共軍一擁而前，看清了是萬國雄，歡喜高呼，忙個不了。

再接再厲

但在另一面，萬國雄的侄兒萬家榮，率領着突圍的弟兄，轉進了另一山區，會合了另一股游擊隊，繼承着叔叔的遺志，和共產黨展開着不共戴天的戰鬥。

萬國雄的精神是不死的，一個萬國雄死去，還有千萬個萬國雄站起來！喪心病狂的紅色狗腿們，看你們横行到幾時！

太太登台宣布 對反動丈夫專政

丈夫槍斃太太暈倒

共產黨極力鼓勵子控父，妻控夫，把人倫關係，弄到完全破產。好讓人們從此，除了依靠共產黨，就沒有別的親人可以信賴，這是中共控制人民一種最毒辣的計劃。實際上，每一個控訴父親或丈夫的，大抵都出於中共強迫。有許多被迫登台控訴的人，手捧着中共代做的控訴文，一面讀，一面哭，但最後竟至暈倒。可見人倫之愛，究竟還不是中共暴力所可立刻毀滅的。

前幾天，中共在重慶宣布一個「反動份子」死刑，而特地要這個被殺者的老婆在台上宣讀判詞，這老婆名叫劉德榮，他宣讀以後，又叫她對羣衆演說。中共替她做的演說稿極妙。原文是這樣的：「人民政府處決我的特務丈夫，還讓我參加審判，我因此更體會了反革命和人民的界綫。我是人民，他是反革命，我就應該對他專政」。但當這個演詞讀完的時候，台下她丈夫被殺的槍聲，他就接着響了。說位「專政」的太太，遠遠望見一堆鮮血，到底支持不下去而暈倒台上。於是乎共幹們宣布說：大家請看，這個反動份子是如何的兇極惡呵，到槍斃了，還讓他結婚多年的太太，氣成這個樣子，這還不該死嗎？（大哀）

記濟南慘案始末（一）

·舜生·

近代中日兩國正式建立條約關係，始自前清同治十年，即公曆一八七一年，日本明治四年，到今天已經是整整八十年了。此八十年間所經過的一切事實，幾無一使人愉快，迄最後乃以八年之血戰結束之。我以戰勝國家，對日力持寬大，滿以爲中日關係的好轉已庶幾有望；不幸本年九月在舊金山所召集簽訂對日和約的會議，中國乃以被摒會議大門以外，不得參與共同簽字問；國際之無是非，無公道至於如此，而謂世界的光明可期，人類的和平有望，「吾誰欺，欺天乎？」

日本征服整個中國的陰謀大暴露，不始自「九一八」，而實始自民國十七年（一九二八，昭和三年）之濟南慘案。蓋日本軍閥有一套本信念，即利中國之分裂，不利中國之統一，民國四年二十一條之提出以此，十七年製造濟案以此，二十年發動「九一八」事變亦以此也。

先是日本軍閥巨頭田中義一於民國十六年四月組閣，於五月二十日即向山東出兵，其出兵之實際作用，見於其六月二十七日所召集東方會議的議決案，該會議由一部分軍人及對華重要外交官如駐華公使，關東廳長，滿鐵總裁及各重要領事所組成，所作議決案內容如下：

『乘中國革命戰爭，用強硬手段，將滿蒙劃出中國領土之外，令其實際隸屬於日本。爲達此目的，須出大兵於山東，阻止北伐成功，扶助張作霖擁有直魯豫各省，而迫其將滿蒙管理權讓渡於日本。』

日本第一次出兵山東，便有這樣重大的意義，所以他們的行動無一不表示十分積極，毫無顧忌。恰好當年八月，蔣介石因寧漢分裂問題暫時下野，北伐因而停頓，日本也就暫時保持觀望，乃於八月三十日正式向我國聲明撤兵。但在聲明書中，已有『將來日本爲不得已而施行權宜自衛之措置』等語，可見他們早已伏下第二度出兵的決心了。

十七年一月，蔣繼續行使總司令職權，並自兼第一集團軍總司令，而以馮玉祥，閻錫山，李宗仁分任第二，第三，第四集團軍總司令，大舉北伐。自四月七日第一集團軍從徐州開始總攻擊，至五月一日晨，其所屬第九，第二十六，第三十七各軍，即已佔領濟南，不幸濟南慘案，便於此時開幕了。

萬竹樓隨筆（二二）

騙人「參軍」無奇不有

·黎健·

中共是史無前例的大騙子，它慣用一切美麗漂亮的字眼，來掩飾自己血腥的罪惡。中共宣傳的『人民志願「參軍」』，更是一件極盡欺詐、愚弄的鬼把戲，說起來是令人啼笑皆非的。

筆者因爲在『解放區』裏羈留了一個時期，很看了幾個『參軍』的場面；覺得每一個地方，都有它一套特殊的方式，眞是因人、因時、因地各有不同，而且都各盡其妙。

區長升官逼你遠走

在河南許昌一帶，我看到它們一套詭詐的伎倆——那是經『解放』不久的時候，一個的確作惡很多的舊鄉長被鬥爭清算了，在『[illegible]』大會上，大家恨得要當場槍斃他，共幹們却向大家解釋：「各位，我們如果槍斃他，一顆子彈就送了他的老命。現在我提議用柳條來打他，個個和他有仇恨的人，都可以來打他兩下，罵他一頓，豈不是都洩了氣忿。然後交給政府，他還脫得了死刑！」人們自然是照辦了。可是沒有三天，這位被鬥爭過的鄉長居然奉委爲本區區長了，據說是要向『人民』立功。這消息傳出來，那些和他有仇恨而又曾經用柳條打過他的人，都捏着一把汗，怕他將來要報復，紛紛的質問共幹，共幹却拖下臉孔來回答：『這是上級命令，叫他帶罪立功的！』

『那我們和他結下了仇，又用柳條打過他，將來……』

『你們最好是「參軍」，祇有「參軍」才不受人欺負』！

這些人還有什麼說的，青年壯年們便鼓起了『革命的熱潮』，踴躍『參軍』了。眞不愧是畫龍點睛的妙策！

如不參軍不許小便

在東北，『參軍』的情形，尤其可笑。那裏的氣候最冷，一般人家睡的大土坑，夜間燒熱，睡起來很溫暖。每到『參軍』的時候，就由村幹們集合這些青年壯年開會，地點就在村舍人家的大土坑上，如果一個屋子容納不下，也許利用許多屋子、與會的青年一來到，便被邀請坐在土坑上，『爲了暖和些！』爐灶上大燒開水，一碗一碗的端給這些青年們喝，『擋擋寒氣罷！』然後宣佈開會，如果是自願出來『參軍』，那當然是光榮的；如果不是這樣，開水喝多了，人在坑上坐久了也燥熱；有時小解憋得特別難受，又不准隨便出去。

『誰願意「參軍」誰就站起來！』

『不站起來也可以，屁股顛一顛就表示願意罷！』

不等村幹們講完，人們站起來的也有，屁股顛一顛的更多，在村幹們領導下的掌聲中，開始登記了『參軍』者的姓名。

當然，各地的花樣還很多，我也不遑一一列舉。即此也可以看出中共是怎樣的用着愚弄手段來對付善良的同胞。

這樣的『志願「參軍」』，這樣的『革命熱潮』，滑天下之大稽，極人間欺詐之能事，中共的手法，眞可謂無奇不有！

「自由人」稿約

本報各版，均歡迎投稿，敬訂稿約如左：

【一】除事先特約外，每稿最多請勿過一千五百字。長篇鉅製，以限於篇幅，無法刊登，請勿惠寄。

【二】惠投各稿：評論要切合時局，新聞要記述事實（大陸消息，[illegible]有人名，地點，時間，人名不便刊登者，可於稿內註明），雜文要生動活潑。

【三】來稿除附有足夠郵費外，概不退還。

【四】稿末請附註眞實姓名，地址，但發表時須用筆名者聽便。

【五】稿酬每千字六元至十五元，一經刊登，即於五日內寄奉通知單，憑單向本報領取。不願受酬者請寄稿時自行註明。

【六】稿件請寄本報，封面書編輯部收，萬勿書私人姓名，以免延誤。

波蘭婦女的生活

不敢妄想

「對於奢侈，你有什麼觀念？」我們問。

「奢侈嗎？我們一家六口，一個星期以前還住在一個破敗的小房間裏，煮飯睡覺全在一個地方，房間裏混亂不堪，我簡直無法料理家事。奢侈？這裏的生活就是奢侈，除此之外，我已不敢有何妄想。」

夢想美國

我們又在克拉柯和洛茨遇見了另一些婦女，她們都是小商人的太太，有些人在店鋪裏幫助丈夫，有的在家料理孩子。這些女人一直夢想着在他們還有一點錢的時候有一天能逃出波蘭，免得等到共產政權粉碎（私有企業以後把他們弄得無路可走。她們急切地詢問關於美國的情形，那裏的生活如何，是不是有找到工作的機會。

農村婦女

波蘭的社會主義也已侵擾了鄉間的婦女，很多人已爲它所改變，但還是有一部份維持着她們原有的生活習慣。在極小的農田中，婦女們彎着腰在洋麥田裏拔草或捉除害虫，或者在麥田裏播種，像她們祖母的時代一樣。我們首見到她們穿着整齊清潔的新衣，禮拜天前去教堂，走近教堂時在胸前劃個十字和在門口跪下。一提到社會主義，她們一個個都表現出愁眉苦臉的樣子。

然而集體農場或國家農場裏的婦女，却和工廠裏的女工待遇相似。有幾人說，在共產政權下雖受到種種壓制，但她們還僥倖不致餓死。

各種職業

我們發現波蘭婦女凡信仰共產主義的，很容易獲得各級職位。她們有醫生、牙醫、律師、法官、教師、國會議員、紡織工人、政府次長、交通工具售票員和查票員。

波蘭議會裏有二十五個議員是女人，全國的教師，半數是女人，法官中有一百五十名是女人，其中包括一個最高法院法官。

波蘭在第二次大戰中死了六百萬人，其中大多數是男子，所以勞工異常缺乏。共產政權現在正通過政府所辦理的婦女協會號召有家的婦女都去找適當的工作做。因此，面上積滿黑灰的煤礦工人，築路的小工，清道夫，泥水匠，其中都包藏了不少婦女。（三）

秦辛寧譯自「婦女文摘」

自由人

THE FREEMAN

（半週刊（星期三六出版））

（第十五期）

每份港幣壹毫

督印人：李光華

社址：香港高士打道六六號

電話：二〇八四八

GLOUCESTER RD, HONGKONG

TEL: 20848

承印者：東南印務出版社

地址：高士打道六四號

台灣經銷處

台北重慶南路一段七十四號

從紀念孔子誕辰 論中國自由精神

唐君毅

中國儒家思想以及道墨各家，都是要使社會文化儘量自由發展。我們祇看中國過去無殘殺異端之宗教精神，無警察制度以統治人民，學術文化平流並進，家庭中父母及師之地位與君相等，即可見此種自由思想。已如何高度實現。

西方人及現代的中國人，恒以爲中國過去的政治是專制政治，學術定於一尊，社會之禮教森嚴，思想家亦不如西方人之審討論自由與必然，自由與組織，自由與文化機械等問題；所以以爲中國過去社會文化是最不自由的。如西方大哲黑格耳亦說「中國只有一人自由，那人即是皇帝」並有人歸此罪于孔子思想，其實這些話全部錯誤，今距孔子誕辰，只有兩天（八月廿七日）特就此點提出一說，以當紀念。

西方是消極的自由　中國是積極的自由

中國從前思想家，表面少用自由二字。中國從前思想家只言「自得」「自求」「自成」「自慊」「自明」「自誠」「自樂」「自在」。實際上西方所謂自由二字，偏重在莫有束縛阻礙限制，其意義實偏於消極的。而中國思想家所謂自得、自求、自成、自樂、自在，到是積極的，實現人生想實現當實現的一切要求，而獲得真正的自由之滿足之謂。

中國思想家所謂自得自成自樂……等，表面看似乎是偏重個人之道德的藝術的等等精神修養之主觀的完成方面。然而我們須知此種「精神修養之主觀的完成」之客觀表現，或此「精神修養之主觀的完成」之客觀條件，正都在客觀的社會政治文化生活中，自由之實現。

平流並進　和而不同

辜鴻銘先生謂來到了歐洲即看出中西社會生活之最大差別在：整個中國社會之莫有警察，莫有許多法院與監獄，而人民能平安的過活；莫有教堂以天國引誘人爲善，以死後之懲罰，使人恐怖，而人并不喜犯罪。西方的宗教作了許多好事；但亦曾燒死了無數的異端，引起了多次的宗教戰爭。西方近代人，好容易才爭得了宗教的自由。然而過去的中國，卻從未有一次宗教的戰爭，任何宗教未嘗有任何異端裁判所的組織。一切宗教常可平流並進。一切學術思想亦平流並進。今人只責難董仲舒請漢武帝罷黜百家，獨尊孔子，孟荀與韓愈都曾闢異端，宋明理學家曾大排佛老。但是人們忘了孔子「君子和而不同」的精神，是孔子正要人「毋意，毋必，毋固，毋我」。[illegible]

禮教乃不成文憲法

[illegible]

蘇聯陰謀明朗化

美國必採有效對策否則遠東糾紛未已

左舜生

蘇聯的代表團，已經準備首途到舊金山去赴會；依照我們的看法，蘇聯不僅到會而已，而且公然會在對日和約上簽字。我在上期本刊的「時局漫談」，舉了蘇聯可能簽字的七點理由，據今（二十三）天香港各報所載美聯社的東京電，我們知道日本方面也有同樣的看法，不過他們只知道蘇聯願意在東京建立大使館，以便向日本人民繼續宣傳共產，這不過我所舉七點理由的一點而已。

現在我們深深的感到，美國對這件事實在沒有處理得好，假定不能在這十天以內，力圖補救，則美國對遠東乃至對整個亞洲的種種計劃，都將很難如理想的實現，而且將發生無數的困難，將來一定有窮於應付的一天。

當馬力克一經提出韓戰停火的建議，美國即欣然表示可以商談，這在美國不願擴大韓戰爲世界大戰的一貫立場上，原沒有甚麼不對；所可惜的是美國沒有把蘇聯的用意看得清楚，以致弄得如今天這樣十分的被動。

蘇聯反對日約事屬顯然

本來在去年十一月美國向蘇聯提出對日約的七點意見，蘇聯即曾以半質問半駁斥的意味，正式向美國提出了六點答覆，而且曾強調的說：『中國在對日和約中，有特別利害關係，因中國受日本軍國主義侵略多年，情況特殊，因此蘇聯政府願意知道如何保證「中華人民共和國政府」對此問題之意見獲重視』？根據這個答覆的內容，美蘇兩國對於日約的意見絕對無法歸於一致，這一點美國應該是早已充分明白的。進一步看美國其所以汲汲要與日本簽訂和約，要恢復日本武裝，要在日本繼續駐軍，要利用日本若干的軍事基地，這明明白白是對付蘇聯，說蘇聯不必警戒，不該反對，這也並不是持平之論，老實說，今天美蘇兩國的關係，實際上是早已破裂，所差的只是直接開火，假定任何一方確實不願打仗，則即令不完全屈服，至少便得大大的讓步。自去年六月蘇聯鼓動韓戰以來，她已經把美國拖入戰爭一年以上，人數的傷亡已近十萬，耗費的金錢已超過五十億，而蘇聯却是不死一人，不花一文，反而可以養精蓄銳，待時而動。我們今天說北韓和中共已經戰勝了美國，還自然是不合事實；但我們如果說這一年多的韓戰，事實上是大有利於蘇聯，大不利於美國，總不算是過分吧。

韓戰是蘇聯爭日約本錢

美國爲韓戰所苦已感到十分的厭倦，這一點蘇聯已看得很明白，因此她一經看見利用韓戰作本錢的時機已經成熟，便眼明手快的提出停火建議。其實韓戰是否值得能停得下來，其權不在北韓與中共而在蘇聯；美國對韓戰自然不便認蘇聯爲對手，但對日約則非認蘇聯爲對手不可；美國把韓戰與日約看成兩件事，而蘇聯卻把它看成一件事；美國很想把韓戰停下來嗎？你去和北韓與中共的代表談一輩子也不會成功，要成功即非問我蘇聯不可！美國今天表示對日約讓步，我明天即可命令中韓共軍停火，否則便聽你們去拖！而我卻從容派遣代表到舊金山去開會，就日約論日約，美國能讓步我固然簽字，即絲毫不讓我也還是簽字，簽字的用意，不只在消極的沖淡美日未來的圓滿關係，而在積極的爭取日本；不只在利用外交機構向日本人民去宣傳共產，而在培育日共在日本去搗亂，同時嚴格監視美國未來在日本的一切行爲。蘇聯狡詐百出的手段已運用到了這樣的尖銳化，美國究竟準備採用何種步驟以粉碎蘇聯這種陰謀呢？

美國還有三個可採步驟

據我看：美國目前反擊蘇聯的策略還有三步可採：

一、將會期延緩一週到十天，與若干主要國家及日本就未來利害詳加考慮，毅然決然補請中華民國參加簽字；即辦不到，至少亦應向日本提出負責保證，說服吉田政府，於開會前有一正式聲明，表示舊金山會議一經閉幕，立即由日本請中華民國補行簽字。

二、蘇聯既已命令中韓共黨，製造層出不窮的事件，使停火談判陷於僵化，美國即不必再事敷衍，迅速變更作戰方式，適用最新武器，予韓境共軍以有效打擊，即越境轟炸亦所不惜。

三、運用台灣現有實力，由美國海空軍予以掩護，在南華另闢第二戰場。在日約一經成立，日本即須派遣一部分軍隊參加韓戰，或協助台灣。

總而言之，美國必須具備不怕大戰的決心，針對蘇聯的陰謀，採取積極行動，大戰始有暫時避免的可能，否則一誤再誤，一直錯誤到底，而不幸的世界大戰，亦必終於爆發！

半週展望

雷嘯岑

開城談判停頓了

開城和談會議曾由聯軍代表自動宣告停止過一次，這回輪到共方代表照樣表演了，理由都是「破壞開城中立」！是誰破壞中立？怎樣破壞的？這類廢話，是不值得我們枉費心機去推敲。尤其跟共產黨人談判，這類話是特別多的，他們素來就是拿開會當作玩把戲的，沒有講道理的習慣，只是玩魔術而已。問題是：它玩魔術的用意何在？

首先可以肯定的說一句：韓戰必不會從此大見惡化！或許兩軍在堅持幾天之後，或者和會重開，但依然開不出結果來；[illegible]

[illegible]

英伊談判也告停頓

英伊石油談判宣告停頓的癥結，只是關於油礦的管理分配問題而已，英國人在過去若干年間，對伊朗石油的銷路，在世界各地已構成了一套銷售網，伊朗想一手拿過來坐享其成，談何容易！所以，英方代表終於提出警告，如果伊朗頑固要一意孤行，結果將自趨毀滅財富之路。這也是實情，不完全是出於恫嚇的政治手腕。可是，話說回來，假使伊朗的石油真的陷於毀滅了，英國又有甚麼好處呢？[illegible]

由毛邦初想到某局長

毛邦初以堂堂在職的空軍副總司令地位，挾持國家公帑兩千萬美元，駐在外國抗命瀆職，還要供給一些偽造的報告於外國新聞記者，讓別人來攻訐自己的政府，辱國昧良，駭人聽聞的！政府明令撤職查辦，是整飭紀綱的賢明措施。

前年交通部某局長徐某，捲逃一鉅額公款，在國外過着紙醉金迷的生活。東窗事發之後，自命爲「反政府」份子，竟說是拿著公款搞政治活動，搖身一變而爲「政治犯」，而他又早已逃避了國家的制裁。毛邦初所刼持的公款，比徐某更多，他又早已派遣了先遣隊十餘名前往中國大陸，他是否將變成徐某第二？很值得注意。

緬甸決定不參加對日和會

緬甸政府決定不出席對日和會，印度亦尚無表示，對日作戰八年的中國更被摒於會外，美國乃極亟於邀保大、老撾和柬埔寨三個不倫不類的亞洲「國家」去點綴。這樣的一種自由中國的朝野上下，以至於海外僑胞，對此當然憤慨不已。然而憤慨有甚麼用？力量才是大功用。知恥近乎勇，只要自己能自覺自強，站得起來，終有雪恥之日的。化憤慨爲勉勵，已經是好漢，悻悻然小丈夫，胡爲者？

中共何以瘋狂殺人

·鄭學稼·

史太林爲統治中國需要殺盡反俄的中國人，毛澤東爲執行命令，更要殺盡反對他出賣民族的中國人

最近，我寫完一本小册子——「毛聖朝仁政正解」後，想起一個問題：爲什麼「馬克斯主義」和「殺人」不能分開？或換句話說：爲什麼馬克思主義者的革命，是那樣的殘暴？經過細細思索後，我發現自己對於那問題的解法錯了。實實在在地說來，「馬克思主義」與「列寧主義」，不是同一物；「列寧主義」與「史太林主義」也不是同一物；倒是「史太林主義」與「毛澤東思想」，可算同一東西之高級與低級的異名。（大家閱讀抗戰結束前後，延安的口號，是「毛澤東主義」。所謂「毛澤東主義」，依中共祭司的解釋，是「馬、列主義中國化」。在一個代表大會中，中共要人全部高呼過「毛澤東主義萬歲」，後來是否由於史大父的異論，改爲「毛澤東思想」？「思想」是一個概念、「主義」是有體系的「思想」。猶之，史天父與毛聖王的關係，在政治上表現爲父與兒皇帝，在思想上表現爲高級之與低級。）依我看來，「馬克思主義」，「列寧主義」，「史太林主義」雖有思想上的血統，卻包含各自不同的內容。因此，我們不能說：馬克斯的社會革命，就是列寧的無產階級專政，和列寧之無產階級專政之目的，就是各盡所能不取所需之史太林的天國。如肯承認上面的話，那麼成爲問題的，就是：布爾塞維克黨人的革命，何以會有那樣的殘暴？

胡秋原先生在「香港時報」上的論文「論俄羅斯殺人主義」，曾引俄羅斯思想家的思想文獻，證明列寧的「革命」就是「殺人」。當我看完那文章後，想起一個被人們遺忘的故事：列寧初至德國，經盧森堡介紹會見「革命爸爸」考茨基。她用手按列寧的頭，面對考茨基說：「我介紹這位半亞細亞人！」這故事，似乎平淡無奇，其實有極大的意義。由盧森堡在十月革命後發表反「無產階級專政」的論文看來，她似乎早就知道俄羅斯內革命家的性格，因爲，受成吉思汗後代統治的俄人，雖有大彼得爲他們向西方開了窗子，還帶着亞細亞人的個性。還要所謂亞細亞人，是指西征時屠殺各城市人民的蒙古人。也許，她的認識列寧，乃根據他指揮同志刼奪銀行幷殺人的事實吧！

史太林爲了殺人　兩隻手從不顫抖

列寧的「殺人」，也許爲是爲目的不擇手段。儘管有理由相信列寧是爲那目的（即建立人間天國）而要殺人，但他的「紅色恐怖」，卻不始於取得政權之日，而在訂立布列斯特和約之後。由於德大使米爾巴赫的被刺，他就大洗左派社會革命黨人的血，和完成一黨專政。他那時似瘋狂的瞬兒，曾通知他的得意徒弟史太林：「必須到處無情鎮壓這些已成爲反革命派工具的可憐瘋狂冒險份子。」得到的回答是：「說到瘋狂份子，那就請你放心。我的手不會顫抖的。對於敵人，我們是會用對付仇敵的手段去對付的。」的確，自號爲「鋼」的史太林，是不會顫抖過他殺人的手。

「解放了的唐·吉訶德」要爲被殺者復仇

從一個共黨劇本看解釋列寧殺人

我有理由說列寧的殺人，也許是爲着內心所藏的崇高目的。它的根據，是革命後流行之布爾塞維克著名文學家盧那察爾斯基的「解放了的唐·吉訶德」。盧氏用西萬提斯所創造的人物，說明革命的必需和革命家的抱負。他的劇本，從唐·吉訶德的放被囚的革命家唐·巴勒塔薩與德里戈·帕支開始；接着暗寫宮庭的腐敗，到帕支的革命的必然成功後，唐·吉訶德爲着仁慈，救活反動的首領觀爾卻的同時又不滿革命黨人的殺人。他以「眞理的公使」自命，面告「像上帝的雷電一樣」的帕支：

「我預先要申明，我想了好久好久，現在又想不起來了。你們並不是殺人的兇犯，並不是天生的惡人。我想，你們的罪惡，是因爲自己有一種特別的慈善。這是可以使人敬重的。而且，對於這種慈善一層錯誤信仰的心——口邊的宣傳反而難於透進去得。……呢？你這種破壞的秩序，你們得讓我們一下，們我們這樣的地球，也的確要推翻一下，因此要推翻這種秩序，那麼，我自然只會高興；可是，有一個條件，就是這種秩序不要推翻到了地獄裏去，而要把它的地位讓給天堂。我和你們講話，我是要很清醒的，很理智的。我們大家是什麼？在我們面前不斷出現的只是些窮困，兇惡、昏亂的景象。難道我說這是你們不好嗎？你們要怎麼幹，就怎麼幹好了。可是，爲什麼你們豪奮不中用的材料就勸手工作呢？現在這樣的人，還不能夠造成餘貴的人類。」

而得到的回答，是：

「平民的忍耐已經到了極度，他們暴動了起來。我們盡自己的力量，用自己的武器，替平民服務。難道還讓貴族騎來，讓他們的馬蹄來踐踏，讓平民在這種無政府狀態之下滅亡；難道這樣讓平民滅亡！就更好些嗎？」

唐·吉訶德却以莊嚴的辭句答覆道：

「不是，可是，事情既然開始了，就要把它好好的辦。你們應當用新世界的慈愛，去對抗舊世界的強暴。現在你們的監獄可裝滿了爲舊政見而被監禁的人。你們的那些人，自在流着自己和別人的血。你們有的是死刑和王法。所以，我這個老武士不能夠不出來反對你們，因爲現在你們、你們，你們是強暴的人，而他們是被壓迫者了。」

帕支跳起來大喊道：

「我沒有功夫聽這些廢話。爲着偉大的幸福的戰爭正在進行着。要勝利，要鎮壓敵人，不然，敵人就要打倒我們和我們的希望。一切都爲着勝利；意志薄弱的人，請他們去見鬼好了……政者……去見上帝好了。貴族和平民不能夠互相饒恕的。不是水就是火。不是我們就是他們……夠了。」

唐·吉訶德也站起來說：

「我請求你們想一想。就算你們的目的是高尚的，可是你們的一定達不到這個目的。你們要想領導平民過黑海，你們一定要沉在黑海裏面。」

他又說：「我預先告訴你們：我只要看見有被壓迫的，就算是被你們所壓迫的，算就是用一種新的正義的名目來壓迫的——其實這種新的正義也不過是舊的正義的同胞姊妹——那我就一定要幫助他們，像以前幫助你們一樣。」

因爲這一抗議，不是「專政」所容忍的，到底帕支以革命的名義，驅逐唐·吉訶德離開他的天堂。於是我們的老武士，仍然提長槍披甲冑騎瘦馬，進行不公道的世界，他的背後還跟着自稱不要帕支的山嘉！

爲目的不擇手段　手段必毀滅目的

如所衆知的，這一劇本的作者盧那察爾斯基，是十月革命後布爾塞維克中知識界的明星之一，並主持蘇俄政府的教育。可是，他的政治傾向，和越飛，加拉罕們一樣，係屬於「各區聯合派」——托洛茨基即該派之一領袖。幸好他早死，不然，他不似越飛被迫自殺，必似加拉罕被史太林作爲「反革命」而殺戮。他的「解放了的唐·吉訶德」，可說是完全反映出十月革命的情況。帕支之驅逐唐·吉訶德，恰似當時列寧們之不殺反對黨，尤其是批判他最厲害的無政府黨人。可是，他們的「主觀」，總以爲自己的「手段」是達到「目的」的必需。唯有許多的辯護辭——爲帕支就等於爲布黨，但他的筆下的唐·吉訶德所說的話，卻成爲後日全世界反史太林的人們所要說的話。那些話，不僅批判了列寧主義，而且成爲現今自由中國人士的莊嚴宣言。

史太林及其門徒毛澤東，也許，和巴勒塔薩一樣，認爲「現在或者經過一個時期，我們一定達到我們人能夠支配命運的權力，我們達到這個目的，只有我們能夠達到這個目的。不管是勝利還是失敗，最後的勝利者總是我們。」但卻不能找出一個眞正理由爲史太林辯護殺人的必要，同樣，自稱要改造「封建殘餘」，「不消滅他們肉體」的毛聖朝，也沒有一個眞正理由爲自己暴政作辯護。因爲席捲大陸後，毛澤東的政權，未曾受何等威脅，而且艾契遜們還不斷地暗示他：「祇要你站起來，我們一定援助你。」更無需出兵境外。他所以瘋狂地把殺人（「抗美援朝」亦殺人也！）視爲鞏固政權的手段，因爲他的王朝，不是他自己的而是史天父的。史天父爲統治中國，需要殺人——殺盡反俄的中國人。毛澤東爲執行殺人，也要殺人——殺盡反對他出賣民族的中國人。於是殺人變爲一種必有的手段。

史太林不是超人

我不相信，馬克思主義是主張必需殺人，因爲它還有民主主義的成份。我相信，列寧之殺人，是抱有崇高的目的。但我却不能相信，史太林主義中有民主主義的成份，和他的殺人有何等崇高的目的。至於毛澤東，既按照史天父的形象改造自己，那更不必多說了。毛澤東正以帕支的口腔，答覆斥責他殺人的反對者。但他的聲音愈大，反對他的人們便愈像「眞理的公使」。爲什麼呢？「十月革命」的歷史，已經證明：爲目的不擇手段的結果，那手段必毀滅目的、「手段」變爲魔鬼的利劍、「目的」變爲魔鬼殺人的口實。祇有「顛倒是非」大哲學家——史太林的門徒，才把魔鬼的地獄叫做天堂。

如果中國歷史的最後目的，是把自己變爲史天父的天國的一部份；又如果每個中國人必以「地獄」爲天堂，否則誰也無話可說。那，每個自由的中國人，民族必然和唐·吉訶德一樣，以「眞理的公使」的身份斥責史、毛，並爲「眞理」而鬥爭。

從東德青年羨慕西方生活　看蘇聯毒化青年的成敗

但蘇聯統治時間越久，青年被毒化的程度就越將澈底，艾契遜過分樂觀的談話，是應該相當保留的。

·丁·

美國國務卿艾契遜，前天在華盛頓記者招待會，發表他對最近在柏林閉幕的「共產世界青年聯歡節」的一些觀感。他說：「蘇聯苦心孤詣驅使幾十萬青年參加聯歡節，但這些青年反不顧一切危險，盡量淡往西柏林，要在自由世界呼吸一些自由空氣，他們必能將看到的自由人民所享受的各種生活，與鐵幕內『警管國家』生活作一比較，他們必能將這種深刻印象帶回自己的家庭。這個值得我們欣慰的！」中國人有句俗話，「不怕不識貨，只怕貨比貨」，艾氏上述談話，很像這次青年節，蘇聯在替西方國家製造了一個貨比貨的最好機會。

女孩盼有男人吹口哨

參加青年節的許多青年，他們在進入西柏林後，對商店櫥窗貨物之鮮豔動人，冰淇淋沙打之香可口，一般生活之自由舒適，不勝驚羨。尤其有一位東德女生：她對西柏林人說：我們被遊行弄苦了。我願意有些男人對我吹口哨，西方男人常對女孩子吹口哨，這是眞有其事嗎？從這幾句話，也可以特別看出，鐵幕青年是如何天眞苦悶！

這次青年節，名義上雖有幾十個國家參加，實際百分之八十以上，都是東德青年。蘇聯在東德霸化青年，自二次大戰結束至今，異常積極。他們組織自由德國青年團 Freie Deutsche Jugend 從六歲至二十五歲，分期訓練，據說，到最近已有團員三百萬人。每一學校，都有分支部，學生在這種氣氛中，尤其當校中領袖於公開集會，詢問某一人是否願意參加時，幾乎無人敢表示拒絕。大學入學試驗，如果不是團員，很少有錄取希望。他們又利用運動會，文藝會，及各種遊藝節目，作爲拉攏團員的工具。這種運動會文藝會大半均由青年團操縱統制。共產黨利用納粹崩潰以後，德國青年在知識上政治上陷於眞空的苦悶，將許多不免現的幻想，儘量向德國青年灌輸。在這許多因素下，德國青年，自然都一批一批投入了蘇聯魔掌。

學生要負責監視教員

不僅學校如此，每一工廠，每一里衖，也都有青年團分支部的細胞存在。新團員三人至六人，就總有一位老團員負責領導訓練。在學校中，團員對教師監察甚嚴，即使教師是團員，也難豁免。一些思想尙未改造成功的教師，總嚴將共黨及非共黨觀點，互作比較，雖然他們表面上仍不能不於比較以後，斥駡非共黨觀點的謬誤，但共產黨卻認爲這已經無形中向學生傳播了反共思想。現在共產黨對這種所謂「客觀派」的做法，嚴加抨擊，假使教師中還敢大胆違犯，則青年團員的學生，就有立即檢舉的責任。共產黨這幾年改造東德青年，可算已盡了最大力量，據說，史太林認爲下次大戰，最前綫的砲灰，要靠東德青年，所以這一工作，實在是萬分急迫。東德共產黨首要，自然要奉命唯謹。不過參加青年團的雖號稱三百萬人，實際眞正信仰共產主義，澈底崇拜蘇聯的究有多少，估計很不一致。最高的估計，也不過百分之三十，其餘百分之七十，多屬虛與委蛇，遊移心懷反側。此外較低的估計，約自百分二十至百分之八或十，在去年且有人估計爲百分之五。

越是幼童越容易中毒

從這一次東德青年羨慕西德生活看來，誠如艾契遜所說，蘇聯霸化東德青年的努力是失敗了。不過有一特點不容民主國家過分樂觀的，即蘇聯訓練青年，是從六歲開始，現今不全受蘇聯撫育的青年，大抵是在幼年時期，反共的若干印象，還未泯滅。如果蘇聯統治一東德時間越延長，則離搖籃即被蘇聯霸化的幼童一天比一天增多，則從這種幼童成長的青年，就很難說，他們將來還有辨別蘇聯霸化宣傳的通常能力了！（如現在的情形，就是年紀越小越熱心擁護史太林）不知艾契遜先生，也曾考慮到這一點沒有？

○……○
新刊評介
○……○

史太林不是超人　從無遠見只圖近利

英國對俄專家克蘭克蕭新著「克里姆林宮的牆垣破裂」一書中有此看法。

·王醴泉·

最近幾年、英美兩國出版許多關於俄羅斯的書籍，美國各大學，紛紛設立研究蘇聯的講座，其中最完備的，是康奈爾大學、哈佛大學和哥倫比亞大學三處俄國研究所。美國人對於蘇聯內情，和所謂共產主義學說，近年來了解逐漸深刻。他們有系統的把蘇聯的政治和經濟，與西方各國比較，明瞭蘇聯[illegible]落後；[illegible]共產主義[illegible]是反動的[illegible]所謂[illegible]馬克斯主義[illegible]列寧主義[illegible]。[illegible]

美國韋鑑 Ukin's 書局，最近出版一本書，於前幾天，八月中旬開始發行，名爲「克里姆林的宮牆裂痕」（Cracks in the Kremlin Wall），全書二百七十九頁，作者爲克蘭克蕭（Edward Crankshaw）。克氏是一位英國歷史學家，精通俄文，在第二次大戰期間，駐在莫斯科（一九四一——一九四三年），爲英國軍事代表團團員，他担任俄國專家。[illegible]

全書約三百頁　本月中旬出版

蘇聯經濟不敢大戰

書，取材卻很廣博。全書研究三個問題：第一，研究俄國人的民族特性；第二，研究蘇維埃的獨裁政治；第三，研究蘇聯與西方的冷戰。克氏的結論，一句是：蘇聯表面的可怕，而實情虛空；史太林而知己知彼，色厲而內荏。[illegible]

克氏分析俄國內情的結論，可以說是：列寧的革命，是完全的失敗，全部的革命目的，一個也沒有達到。[illegible]

中共以青年為芻狗
大陸學生全成「雜差」
各機關隨時調用，各學校無法上課，甚至佈置會場抄寫表報，大量學生，也都被中共徵調

【本報北平特約通訊】中共統治下的青年學生，無論大，中，小學，都毫不例外的，一律變成隨意調派的雜差。因為土改，徵糧，修堤，開河，開會遊行，宣傳示威，以及各色各樣的工作，凡是有被老百姓打死，或十分辛苦，或需要人數多的，都隨時由中共指派各校學生担任。担任這種工作的學生，不但毫無報酬，而且原有的學雜費，還要照樣清繳。

偽教育部最近調查　許多學校徵調一空

據此間偽教育部最近派員從各地視察歸來的報告，說今年上半年，全國各校，三分之二的授課時間，都因學生被政府調用，而完全犧牲。以安徽六安一區而論，被調用的學生就達六千餘人，教師也多至一千零六八人，其他概可想見。各地中共當局，每藉「突擊工作」，或中心工作，特別重要「壓倒一切」的說法，把各校教師學生，調用一空。甚至佈置會場，歡迎歡送，也隨時命令各校派學生組織隊，大隊伍，前往打腰鼓，[illegible]熱鬧。又各機關抽調學生，使用也極不合理，如大學理工科學生，叫他們搞文工團，做宣傳工作，或當臨時收發及抄寫，用非所學，異常浪費，且有權徵調學生的機關，並無任何限制，不論文武，黨政，只要一紙通知，各校都必須照辦理，否則校長之頭，就立時要備受斥責。各校校長也樂得無形停課，省去不少麻煩，學生也樂得不上課，可以隨便玩耍，大家各得其所，就這樣，將中國大陸的教育整個搞成戲了！

大學學生　填抄表報

山東大學，總算是所謂國立大學之一，今年上半年，偽政治系一系，就有四十餘人，被廣播電台、公安局、臨時調用，所担任的工作，是收發文件，抄寫報表之類，都與政治系所學功課無關，任何一個初中畢業生，就能勝任愉快，但由於有權調用的機關主管人員，要這樣浪費大學生的光陰，也就使得這四十幾位大學生，整整半年無法上課；

化裝聽講　打鼓出門

尤其可笑的，如安徽南陵縣，最近為了慶祝中共的「八一建軍節」，中共幹部命令各校舉行挑戰競賽，各街每村，看誰的花樣多，就算誰優勝。並在「八一」前一個月，就命令各校停課，所有學生，一律集中於所屬的街、村，排戲，練腰鼓，一切經費，責令各村人民分攤。臨近「八一」時，學生們有未能背熟戲詞，練好腰鼓的，中共幹部就將他們關在[illegible]，不准回家，否則所有用費，都由你們學生家長負擔，[illegible]的死背死練，至登台出場為止。

宣城縣每屆徵糧，各鄉鎮總命令學生，以秧歌腰鼓，迎送集體交糧的農民，學生化了裝，拿着鑼鼓坐在講堂聽課，只要担任瞭望的同學一門外報告，農民來了，全體學生就馬上跑出大門，打起鑼鼓，扭起秧歌，渾像將天一批又一批，總要跑出好幾十次，教員無法講課，學生更無心聽課，有些小學生，更因為太辛苦支持不了，病倒不少。

偽教部根據這些觀察報告，雖然不免要一紙令文，分令各地設法改進，但因中共基本政策，是以學生為芻狗，用學生做他們奪取政權，維持政權的工具，他們並不需要學生讀書，更不需要他們深造，那麼，偽教部的命令，又有什麼效用呢！（陸光、二十日寄自北平）（編者按：此篇通訊，可與本報上期「湖南教育破產」一稿互相印證）

·不生不死　自怨自艾·
陳明仁悔不當初

在三四個月以前，一度曾有陳明仁已被中共處決的傳說；現在證明陳還沒有死，不過也不見得有什麼生存的樂趣了。

楚雄

謠傳陳的被殺，也不是沒有根據的。在今年三月間，陳率領部下彭杰如的一軍，開東北轉赴北韓參戰。中共東北局事前接黨內指示，有意打擊陳的聲望，因之當陳留駐瀋陽期間，便有四平街人民代表，提出要求，要將陳押至四平街舉行公審。陳當時極為驚慌，後由彭德懷總部人員做好做歹，把所謂人民代表打發走了，彭杰如的五十二軍，立即開往北韓，陳則被遣回長沙，担任掛名的兵團司令員。陳被處決的消息，便是由四平街人民代表要求將陳公審而引起的。

自打耳光　由來已久

陳明仁自在長沙投共後，即深受刺激，常常自打耳光，以發洩悔恨與矛盾的感情。現在有時也仍有自打耳光的舉動，惟如被政治委員唐天際撞見，則必被嚴詞斥責，指其不能「全心全意為人民服務」。陳最初之偽職為湖南省臨時人民政府主席，後即改任第十一兵團司令員軍職。按陳原來所率第一兵團三個軍，早在陳叛變時由軍長成剛等率領歸附黃杰指揮，後來陳所帶的萬餘人，還是程潛叫李覺等人將湖南省的保安團隊撥給他才有的。這萬餘人略加補充，便是現在彭杰如所率參加韓戰的五十二軍。林彪四野的基本部隊，本為第四十軍起迄四十九軍為止的十個軍。其三十八、三十九兩軍，還是到了武漢地區之後才增編的。四十軍以上五十軍為曾澤生叛部所改編，五十一軍為張軫叛部所改編，五十二軍，即為陳明仁叛部所改編。五十四軍以上，本為韓共部隊的番號，自韓共回返北韓改編，公開與聯軍作戰後，五十四軍至五十八軍這幾個番號，已然是名存實亡了。

輾轉廣西　有類囚徒

自彭杰如部調赴北韓後，中共中南軍區參謀長趙爾陸，又抽調鄂北豫南的兩萬名壯丁，接着便編成了一個五十三軍。名義上雖仍由陳明仁之二十一兵團指揮，實際上所有幹部，均為中共所派，指揮者為毛澤東正的以前任一方面軍的幹部唐天際，唐任二十一兵團政委，其權力本在司令員之上。此本年五月，陳奉命率新編成之部隊，担任「清剿廣西游擊隊」的工作，超過廣西游擊隊兵力五倍以上（即陳部[illegible]），[illegible]陳明仁便自五月迄八月中旬為止，這三個月中，陳在被唐天際押解下，流轉於桂林、柳州、南寧各地，表面上是指揮部隊「搜[illegible]

借酒澆愁　悔不當初

[illegible]

旁邊有人經常監視，陳明仁縱也想不下決心，也是辦不到的事。

[illegible]

「廣東省政府」新址落成
驗收未竣突然起火
「國營建築公司」串同包工舞弊　偽市公用局及電管處聯合指控

·延年·

「國營建築，聯昌包工，打成一片，大刮粗龍」，這幾句話的含義和出處，凡是廣州機關的員工，幾於無人不曉，只差不曾當作口號高呼。關於它的來龍去脈，昨由「我的朋友」帶來了香港，不敢自秘，特向「自由人」公開。

話得從頭說起：「秧歌王朝」為了標榜向「鐮刀帝國」學步，一切「名義」歸諸「人民」，而與「人民生活」直接有關的企業，則在「國營」的大題目下全由「共幹」，食的米麥，衣的棉花，行的船車不用說，住的屋子也老早成立了規模宏大由磚瓦沙石以至電氣設備無所不「包」的「國營建築公司」居奇壟斷起來。「政府機關」「公共場所」的建築修繕，固然指定由牠包辦，就是私人建築物，工程稍大的，也非向「牠」大打交道不行，否則，麻煩就多得無從應付了。

這「國營建築公司」，在各省和「京」滬都設有分公司：「建築工程」和「建築材料」，又各立門戶，前者名「建築企業公司」，後者名「中國建築器材公司」，兩者之間，一個「偷工」一個「減料」，時常引起利害衝突，互揚醜事，這都按下不談，且說「廣東省國營建築公司」和其外圍「聯昌行」如何打成一片大刮粗龍的事。

新仇舊恨一時併發

「廣東省人民政府」新址的建築工程，係交由「廣東省國營建築公司承辦」，月前經已竣工，關於土木方面工程，因為期間短，驗收時不會發現什麼破綻，明知偷工減料也犯不着招惹是非。可是到了各種電氣設備工程完成啟用時，所有風扇光管燈泡和電線竟全部燒燬，並燬去一部份房屋，連葉劍英的「主席室」也險遭波及，新居被火，大屬不祥，「葉主席」氣惱之餘，親自追查責任。「國營建築公司」雖然後台有力，也抵擋不住這方面大員，嚇得屁滾尿流，不敢自承過失，把責任向「廣州市府電業管理處」一推，諉為「電壓過高」所致。葉劍英根本不懂電力原理，也就信以為真，一紙公文，責成市府，市府也一紙公文承上轉下發到公用局和電業管理處，於是問題來了。

原來廣東省國營建築公司所有承辦建築的電氣工程，都包給海珠中路一百號的聯昌行電氣店裝置，聯昌行和國營建築公司的關係，外人初無從知。不過這聯昌行從前承裝也是國營建築公司給它的一項龐大用電設備時，因裝電不合規格，燒斷火箱保險絲以致全部停電，曾由市府公用局處以「停止承裝權」，一年內不得承裝任何用電設備。但聯昌行恃有國營建築公司支撐，根本沒有把市公用局瞧在眼裏，凡是國營建築公司承辦的用電設備，仍然由聯昌行一手獎攬，市公用局也無奈他何，這一次，正如廣東俗語「硬把死貓給公用局吃」，真是新仇舊恨一時併發。於是聯合電業管理處來個總反攻。

偷工減料貪污舞弊

一面在行政手續上，聯呈市府轉報省府；一面用「電業管理處一羣驗電技職工」名義公開揭發「國營建築公司」串同「聯昌行」偷工減料的貪污舞弊。指斥「國營建築公司」一再委託聯昌行之不當，和聯昌行之一貫不負責任草率從事的行為，據提出的事證如下：

在事故未發生前，即已發覺其所裝置的「導綫」多數是「絕緣不良」，設置不合規格，兩度去函省府行政處轉知依章辦理各項手續，均置諸不理。事故發生後，又曾派員會同「國營建築公司」工程師及聯昌行負責人謝世雄共同測量得電壓實為二二五V，僅高過標準電壓百分之二，證明燒燬用電設備的並非由於「電壓過高」，（如超過百分之五，即二三〇V才算過高）而是用電設備本身的品質不良，不能應用於足二二〇V電壓的電源，這都是國營建築公司和聯昌行不重視人民財產，對人民不負責任的表現！」

春雲乍展的龍虎門

這件「官司」目前雖是春雲初展，但由於「國營建築公司」的目中無人，居奇壟斷，把廣東全省公共建築物的權利壟斷攫去，打破無數與建築業有關者的飯碗。平時敢怒而不敢言的，現在無不拍掌稱快，希望風潮擴大。而開頭那幾句話，也就洋溢於酒館茶樓，點綴了茶餘飯後，且看這一幕「龍虎門」——外來勢力與地方勢力的消長如何吧！

上海短簡

工廠鍋爐爆炸

上海公私工廠，因為安全設備，過於忽略，而工人技術水準，又日見低降，以致發生意外事故，時有所聞。最近私立裕元染整廠，又以鍋爐爆炸，死一人，重傷六人，中共除將廠長視為肆大黑一類外，並沒有澈底阻止此類意外事件的辦法。據不完全的統計，今年上半年各工廠平均每天要發生五件意外事件，二十個工人傷亡。

數百小孩該死

秋天已到，因偽市府衛生保健工作做得太壞，以致傷寒、痢疾等傳染病到處流行，尤其白喉症最普遍，已有幾百小孩，為此殞命，醫藥則以禁運關係極感缺乏，許多奸商，多製造假藥應市，死亡增高，這也是原因之一。偽市府除在各報大登其宣傳防疫消息外，實際毫無辦法。只有聽其蔓延。

上海銀行改組

上海各商業銀行，已先後被中共正式或非正式接收，碩果僅存的，僅一上海銀行，但最近也無法逃免。自本月起，由偽人民銀行加入公股，全部組織完全改變，惟董事長名義仍由陳光甫担任。實際大權，均由副董事長偽人民銀行代表[illegible]主持一切。總經理一職，亦由中共派資耀華充任。

捐稅逼倒攤販

中共苛捐雜稅，使各種商業，均因此不能維持，倒閉之風，異常普遍。[illegible]如不逃稅即將倒閉。日前靜安寺百樂商場一女顧客，因無錢手持雨鞋被警察解回，當迫令該顧客隨同警察至售鞋之攤販楊治中處，證明所指為逃稅，楊係一小攤販，中共將他定為上次營業稅額三千萬，他大哭大鬧，說六月份最多沒有做到五百萬生意，如叫他按三千萬納稅，則他祇有上吊。後來他私地送了百樂商場稅務員胡利文一百萬元，才准他按五百萬繳稅，然因胡未將此款分送警察，對楊特別注意，遂發生上項事件，現楊治中已被拘捕，將被處巨額罰款。（悠然，二十一日）

漢壽農民抗暴真象
洞庭湖畔燃起憤怒之火
梭標犁鋤也能殺死共黨

·知非·

中共靠農民運動起家，但當全國絕大多數農民已識破中共祇是利用農民而並不代表農民利益的奸計以後，農民對中共政權，已不再表示擁護。這情勢逼得毛澤東曾在去年六一文告中宣佈不再吸收農民為黨員，農民在遭受歧視之餘，便在很多地區以行動來反抗中共的暴政，所謂漢壽「暴亂案」，不過是被公開宣佈的一個例子吧了。

筆者亦為湘人，深知湖南老百姓的性格，是非常沉毅勇敢的。而中共對付他們，仍是要着一套「糖果」和「屠刀」的老把戲，首先共幹拿減租退押做餌，誘向地主擠錢，[illegible]的階級仇恨，又藉口要「[illegible]搞生產」，由農會保管。結果貧雇農完全受人利用：「錢歸他人，冤歸自己」。而主持農會的地痞流氓，卻大吃大喝，享受「鬥爭的果實」，所謂「在鬥爭中試驗」，在這種情形之下，試問農民那有不懷恨，不反共的道理？去年秋收之後，共幹為征糧方便起見，迫令農民將規定的公糧，一律送到指定的[illegible]倉裏，[illegible]全部農民的糧食都沒收了。[illegible]一擔，至少要走五十里以上的路，甚至百里，試問其內心感慨又何如？有些農民生產特別努力，收穫較別人為多，則又按等級加重徵額，美其名曰：「最高征收額」。最高有至百分之七十者，地主之外，富農中農亦遭受禍，這種種因素，便促使漢壽農民發出抗暴的有力背景。

據中共湖南報載稱：[illegible]西鄉和附近的太白區[illegible]洞庭湖的大圍湖南鄉，是第一批土改重點鄉[illegible]海匪首周克傳和洪泯等[illegible]五區王伯錦[illegible]的親友[illegible]組織[illegible]六日，周匪召集大會[illegible]民兵分隊長[illegible]村主任[illegible]周將民兵[illegible]擴大，十三日晚，即率[illegible]西鄉政府[illegible]三百餘人[illegible]到達鄉派出所時，又[illegible]死我崗哨，戰士和公安員班排[illegible]幹部戰士十七人，沿途全部被強迫匪徒[illegible]十五日漢壽縣第二[illegible]周克傳及匪首四百[illegible]餘人，全部漢壽縣政[illegible]槍決周克傳、馬[illegible]等五十人。」

所以會被共軍「全部活捉」，[illegible]漢壽縣[illegible]農民[illegible]游擊，[illegible]假如是事前有了準備，四十餘人[illegible]在山區，[illegible]五日被一次[illegible]全部活捉[illegible]。據說，[illegible]農民自發性的行動，越是[illegible]對中共不利，而[illegible]暴動[illegible]共[illegible]不妨[illegible]天下之不均，又乎可為？

筆者又從漢壽農民親友處聽說：起義農民所用的武器，僅是梭標三十把，其餘均為鋤頭犁耙等，而且參加之民兵，亦無長短槍，共具，狂怒時共幹當十七名，被「赤手」殺死，亦能[illegible]三戶，「楚雖三戶，亡秦必楚！」我們等着瞧吧！

談查辦毛邦初

·尚方·

國府下令，查辦其派駐美國經辦空軍事務的空軍副總司令毛邦初。這是一件振奮人心，整飭紀綱的大事，也是一種中興的好現象，值得擁護。

毛邦初眞可謂「身受國恩，淪肌浹髓」的一位幸運者。從來未見其參加實戰過，以國家培養的空軍人才，坐擁高位，安居紙醉金迷的美國十餘年，養尊處優，逍遙快活，世界上那有這種沒有戰功而坐享高祿的軍官呢？據官方公開宣佈他的罪行，除卻把持兩千萬美元，抗不報銷，經過國防部二十次以上的電令，也置之不理外，有兩項尤其該死：一是縱容包庇部屬，投匪大陸，一是公然不斷的，向代國府籌辦軍用物資的美國商人索詐賄賂。前者是存心叛國，丟醜友邦；後者是把友邦素所指摘我國官吏「貪污低能」的事狀，供給了確憑實據！

外國電訊，說毛不會遵令回國。聽候查辦，而有逃往南美的可能，我盼望國府先行依法通知友邦，毛邦初是在職的犯官，其行爲絲毫不涉及政治犯的範圍，請禁止他離境他往，一面電令駐美大使，就近交涉引渡，以免乘機逃逸，讓其漏網。

毛案是政府能否決心整飭紀綱，與民更始的試金石，如果又是虎頭蛇尾，不了了之，那就一切都完了！

自由談

工作總結

·方人·

老虎嶺前，全體鄉幹部，跟坐在深山無人的石頭上，靜聽教導員對此次「抗美援朝」工作的總結。

一陣朔風過處，滿山敗葉紛飛，四圍的樹林間，發出一陣陣蕭殺的幽咽。

教導員在報告一些運動過程發展以後，發覺聽的人有些疲倦，咳嗽了一聲，加重了語氣：

「這一次參軍運動，能夠勝利地完成任務，大部份是鄉村級黨的同志，以及積極同志努力的結果。這一點，是夠表揚的。」

「那里。教導員的領導有方……」。尚未入黨的鄉長，不由的客氣了一下，望了望鄉支書的臉色，咽住了，很怕恭維得不對。

「在領導上，也不是沒有錯誤的」。

大家互相看了一下。

「譬如變喜娘同志，是一個好的品質，我們將她用來做典型示範，這是對的。但起先沒有搞通她的思想，家庭觀念沒有完全就服，幾乎出了岔子。我一看情形不對，所以馬上就利用她們婆媳夫婦間接受黨的影響深淺不同的程度，藉着既成事實，加強掌握，使用個別不同的手法：總之一一地就範了。這便叫做發現矛盾，掌握矛盾，利用矛盾，最後統一矛盾的領導方法，這是經過千百次的科學實驗的」。得意非常。

一陣七零八落的掌聲。

鄉支書在日記簿上默記着要點，「但這對羣衆的影響尚是有問題的，我希望在參軍工作總結以後，迎接着土改的任務，在秋征的進行中，多多結合實際，加強教育」。

稍停，若有所思「在這次參軍過程中，你們平時的基層工作，我發覺了一點偏向。譬如像劉家嶼這個自然村，二十幾戶人家，僅止建立起變喜嫂這一個孤立的點。這是不夠的，其餘的羣衆，情緒都非常落後，以致工作展開以後，增加許多意外的麻煩，像動員大會上的決定，就沒有人很快的廣播」。

「因爲那一個村，只有一家富農，三家貧農，其餘盡是中農，所以不容易發動羣衆。過去上級派來的幹部同志，做了幾個月的工作，後來皆失敗了」。鄉支書作着解釋。

「後來還是中隊長……將變喜嫂同志動員出來的。嘻嘻……變喜家裏，也還是中農哩」。農會長結結巴巴的，兩眼望着教導員，又移向中隊長。

趙得彩手中玩弄着一片石頭，臉紅了一下，丟開了。

「是啊！這就是你們工作仍沒有深入動員的關係。這個村子，雖然在階級關係上，沒有什麼懸殊，但是，人與人之間、絕對不能避免矛盾的，我們今後就可以做擴變喜嫂這一個典型，好好地培養，影響一般。能叫這一個村子羣衆在情感上對立起來，也不是完全沒有辦法的。結合着土改，仍舊是要動員出大批的人力，參加部隊。我們在大的形勢上，非常需要」。

研究到變喜嫂，鄉支書馬上想起一件事：「現在的婦女會長太老了，提不起勁，是不是馬上就換幹……」？

「不要，再考驗考驗。叫變喜嫂同志，從本村上多表現工作，發一個治安組員。最好動員她脫離生產，全力對付工作。」

「變喜娘的問題」？

「不管她了，還是影響很小，你們太溫情主義了」。

「領導呢」？

「仍叫趙得彩同志領導好了」。

「老趙！眞有你的一手……」農會長向趙得彩伸一下舌頭。「不要放鬆了，深入喫……」。

趙得彩做着手勢。「去你的」，趙得彩又生氣，又發喜，教導員笑了一下，「不要鬧話，聽我的指示」。說下去：「支書同志，農會長，跟我到區裏工作，將這一次參軍經驗，推廣到全區去。由中隊長暫時代理鄉支書，批准鄉長同志入黨，後補期長一些，鄉長同志，好好地多表現工作」。

「謝謝教導員」！鄉長仍是那樣斯文子曰的，脫離不了塾師的典型。

「好，昨天羣衆的勞軍禮物呢？」鄉長在衣袋內掏出一個紙本子，展開在唸：「三個歡送站共計收到人民幣二百九十七萬五千二百五十元，光洋六十三元，新毛巾兩條，布鞋十雙」。

「那里來二百五十元的尾數呢？」教導員哼着鼻子，似笑不笑的。

「有五十幾萬元皆是五十到一百圓的碎票子哩，皆是市面上不通用的」。

「他媽，這些羣衆，對人民政府還沒有認識，仍須要好好地教育一番……鄉長，這幾天開支多少」？

「大約一百四五萬元就夠了」。

「鄉長，我想就這樣處理，餘下來的一百萬元左右，撥一些給鄉幹部每人添做一套棉布衣，不夠的，再向秋征中設法彌補，好不好」？

大家明瞭了教導員的意旨。

交換了一下眼色，「那三十六塊光洋，教導員帶着化消」。

「我不要，我不要！」教導員臉上有些忸怩，紅紅的。

「這算是我們的慰勞嘛」，大家齊聲的。

「好了，我們散會了」。

大家翻身，舒了一下懶腰，拍拍身上的泥土。

「堅持進步，反對倒退；只許成功，不准失敗」。

教導員留給大家總結的贈言。

他們的工作，是完成了一個階段。

記濟南慘案始末（二）

·舜生·

先是當我北伐軍攻克泰安，日本即藉口保僑，第二度用兵山東，分駐青島，膠濟路沿線，及濟南商埠。北伐軍佔領濟南後，於五月三日上午十時許，因有一中國士兵由日軍自行劃定的防區附近經過，日軍即開槍將其擊斃。既又派大隊到交涉公署，將我戰地政務委員會交涉員蔡公時，用繩綑綁，劓去其眼鼻，并其他十餘人，悉予槍殺。（按蔡字灤公，江西人，能詩茲錄其七律一首於下：『黃沙白浪永連天，一別滄江十五年，濁霧深籠蛙岸柳，歸鴉寒帶六朝煙。久嗟桑梓翻爲客，老傍風塵始問田，磊落匡君應笑我，飄零未買買山錢。』可見其人風格之一斑也。）事後更轉向我外交部長黃郛的辦公處所行兇，黃聞耗避去，彼等尋搜不獲，遂縱火將外長辦公處燒去！日軍在此種暴行之下，一面以有組織的槍砲向我軍掃射，我軍民死者不計其數；一面又派大部軍隊，至我軍駐紮地點，勒令繳械。這些都是五月三日上午的事。

當晚，我高級軍官與日本高級軍事長官會商救濟辦法。正磋商間，日軍又向我用大砲轟擊，並將我無線電台炸毀。一面並調駐青島的日軍第六師團部隊兩車，由師團長福田彥助率領，增防濟南，以補足屠殺我軍民的實力。我第四十軍陶師的第七團全部被繳械，傷亡甚多，並俘虜我徒手軍民一千餘名，拘禁於正金銀行樓上，不准坐臥，並絕其飲食。又佔據電報局郵政局以斷我交通，更利用直魯軍的便衣隊。擾亂我北伐軍的後方。其手段之多方，可謂極凶狠的能事。

四日，濟南普利門外的商店，多被日軍搶掠。七日，福田向我提出無理條件之哀的美敦書，限十二小時答復，否則即行宣戰攻城，其條件如下：「一，國民革命軍，須離開濟南及膠濟路沿線兩側二十華里以外。二，中國軍隊治下，嚴禁一切反日宣傳，及其他之排日行動。三，騷擾及與暴虐行爲有關係之高級軍官，加以嚴刑。四，在日本軍面前，與日本軍抗爭之軍隊，解除其武裝。五，爲監視實行上列各條起見，將辛莊張莊兩兵營開放。」

萬竹樓隨筆（一三）

焚書記

商務印書館被中共竊佔之後，即清理舊存書刊，實行「焚書」，以配合大陸上普遍展開的「坑儒」工作。

截至七月底止，已銷燬的書刊計有七十六種，每種少則數百冊多則數千。有一本爲了奉承主子而編行的「蘇維埃的教育」，竟也有人公開在報上表示應予「銷燬」。至於予以「檢查」的書刊，至少在萬冊以上。（瀛君）

曾伯伯的光榮

·健談·

曾伯伯是增城縣人，四十多歲才娶了個再醮婦，十餘年來，養了兩男兩女，近幾年間，長兒大珠已在大豐酒廠做工，次兒小珠在家幫助耕種，三女大妹人生得活潑。又會做活計，大豐酒廠老板李某想要她對親，四女小妹年紀還小。像這樣的一個家庭，雖不充裕，總算有點溫暖。豈知「解放」以後，一切都變了。

日日都有什麼青婦隊，什麼工作隊到他家訪問，或藉調查村裏地主姓名，或假意協助些家庭工作，反宣傳什麼「窮人翻身」，「當家作主」，的一套鬼話；慫恿大妹參加工作，曾伯伯和小珠聞讚之下，暗地裏很是懷疑；但曾媽媽極爲動心，便使大妹參加工作。曾伯伯是個忠厚人，亦不敢拒抗。於是大妹參加工作了，剪了辮子，穿起制服，東鑽西鑽，到處向婦女們宣揚一些：「新婚姻制度，解放男女界限……」的德政，還這樣一來，深得她們的青婦隊長宋某垂青，稱讚在人前誇耀她爲「前進」分子，後來給他先當村婦女會會長了。第一期公債發行，大豐酒廠派過額，極力變賣存貨還債，繳納後，便結束停業。這時大珠歸鄉，賦閑居鄉，由大妹向鄉長介紹給他當了村民兵隊長，做了解放官兒後，他也變爲階級鬥爭的積極分子了，對于「減租」「減息」，「退租」，「退息」，「清算地主」都積極；不遺餘力。曾伯伯看不慣這樣，暗地裏勸他幾句，但身爲前進分子的大珠，那裏肯聽，反指曾伯伯犯了走地主路線的偏向，曾伯伯祇好暗裏呻氣。

曾伯伯耕了七畝五分租田，早熟快要登場了。鄉政府開始評糧，過了幾日，給曾伯伯一條通知單，核定要繳公糧全年計二千司斤，早熟須繳半數。曾伯伯立即跑到鄉政府向鄧鄉長問道：「我耕了七畝五分租田，全年出息祇有二千司斤左右，除了交租一千司斤外，又要人工肥料，怎麼許我這麼多的糧額呢？請鄉長詳細調查，再評！」鄧鄉長說：「伯伯！你的兒女都是公務員，且當起帶頭作用，評公糧的任務，是農會主理，相信不大會錯的，好吧，我可爲你調查一下」。曾伯伯只好忍了一肚氣回家去了，

隔了幾天，公開門口的牆壁上，貼了一張長二十尺的名單，開列繳糧額的，曾伯伯抱了很緊張的心情，穿插人叢中看個究竟，開繳糧額，比前日的通知單是一樣，絲毫沒有減少。而曾伯伯趕忙回家着大妹去鄉政府講情，去了半天回來說：「鄧鄉長着我家盡量繳納，不足之處，然後酌減。」結果早熟所繳的稻谷一千二百司觔，由鄉政府工作隊監督下挑去一千司斤。

十月間，「人民政府」，普遍號召人民「反美援朝，保家衛國」，組織志願軍，參加赴韓對美作戰，大珠被誘惑簽了名，往韓戰場去了，不久小珠因被工作隊懷疑，將他遞解區政府訊辦。大妹因哥哥無辜被押，四出說項，也被工作同志嚴格批評，那時，上級下令撤職，曾伯伯夫婦念子情切，十分悲痛，過了個把月，大妹時見身體不適，曾媽媽陪她去看醫生，醫生說：「已有三個多月的胎息了」。曾伯「不聽猶可，大驚道：「不用說了，先前你們說共產好，好到這樣地步，害了一個兒子參了軍，一個坐牢，又害了女兒丟人，」這時大妹也死去活來，幾次要自殺，隔壁鄰居跑來，勸了一番，才告平靜下去。

十二月初七日早上，據得鄉政府通知，說大珠在韓前線殺敵，政府人員到來慶功，請爲預備。下午又得村人來報，今天中午縣城處決七名人犯，小珠在內，請快些派人前往收屍，話未說完，曾伯伯向後便倒，死了好一回，由兩人救醒，放聲大哭。曾媽媽在臥病中聽悉此事，大喊一聲，吐了兩口鮮血便死了，舉家痛哭。

明天政府人員擁着鼓樂，扛了「百戰英雄」扁額，到門慶功，還沒有進門，看見曾媽媽死在床上，曾伯伯和大妹二人抱屍大哭，這班人員不免上前以什麼「光榮」的話安慰一番，而曾伯伯嗚咽着不成聲的說道：「我……我不要接受這樣的光榮，更不願接受這樣的光榮了……嗚……嗚……」

再過一月，大珠已在韓「光榮戰死」，大妹也投河自殺了。而曾伯伯呢？只賸下這個雛女小妹，故伊伴在乞丐叢中，閃爍着這一老一幼相依爲命的影子！

「自由人」稿約

本報各版，均歡迎投稿，敬訂稿約如左：

【一】除事先特約外，每稿最多請勿過一千五百字。長篇鉅製，以限於篇幅，無法刊登，請勿惠寄。

【二】懇投各稿：評論要切合時局，新聞要記述事實（大陸消息，應有人名，地點，時間，人名不便刊登者，可於稿內註明），雜文要生動活潑。

【三】來稿除附有足夠郵費外，概不退還。

【四】稿末請附註眞實姓名，地址，但發表時須用筆名者聽便。

【五】稿酬每千字六元至十五元，一經刊登，即於五日內寄奉通知單，憑單向本報領取。不願受酬者請寄稿時自行註明。

【六】稿件請寄本報，封面書編輯部收，萬勿書私人姓名，以免延誤。

波蘭婦女的生活

住房缺乏

戰爭的嚴重破壞使波蘭城市今日的生活情形還是非常困難。人口衆多的家庭擠在一個房間裏，炸燬或焚燬的房屋的地窖和底層，都住滿了人。這些「家庭」，大多數沒有水電供應。就是其他的房屋，也還有許多水電。

我們曾遇到一對夫婦，丈夫是作家，太太是音樂家，他們起先祗有一個房間，據這位太太對我們說，在她練習的時候，她的先生就不能寫作，而在他寫作時，她又無法練習。這樣過了二年，他們才找到另一個房間，全家雖有了二個房間，但廚房和盥洗室還得和人家公用，不過這樣他們已十分滿足了，因爲不如他們的人，在波蘭不知還有多少。

鞋業繁榮

在這個艱苦的國家裏，皮鞋匠可說是最好的職業，皮鞋生意繁榮，鞋匠祇要能得到原料，幾沒有一個不整天忙個不休。大量生產的劣製現成皮鞋已普遍見於市面，以補救供不應求的現象，但是因爲質料和做工都不好，所以祇有收入最低的婦女才去買它。然而就是這些人，在她們內衣櫥裏，也至少保藏着一雙人工造的皮鞋，這種皮鞋樣子較好，而且耐破，比現成的耐穿，不過價格却昂貴得很，普通的每雙要合美元五十元左右。

沒有鮮菜

波蘭已取消了配給制，糧食相當充足。肉類每週有三天能在肉鋪裏買到。蔬菜是按季節而出售的，因爲全國到處缺乏冷藏設備。罐頭工業在波蘭還在初創階段。波蘭人民必須以洋薯爲主要食物，不但每餐必有，而且每一個菜碟裏都有一點。波蘭市面上很難看到鮮菜或菜汁。唯一能獲得的水菓是李子，而且要到夏天才能買到。這些李子，多半是野生的。

波蘭的婦女會見一個美國人時，她們談得最多的是什麼呢？

和平。

祈禱和平

「看呵，」說着，她們指給我們看窗外的軍事廢墟，然後又取出一本照片簿，裏面有着她們全家的相片，但照片裏的人，多數不是在戰時死傷或失蹤，就是在戰後被共產黨召去參軍或整肅掉了，家裏所剩下的祗是滿口共產黨口號的男女小孩們。

「這樣的情形還不夠使我們悲慟嗎？」這句話可代表每一個波蘭婦女的心情，在波蘭，我們到處體會到家裏的母親，在爲和平祈禱。但是在共產政權下，她們的祈禱能產生和平的奇蹟而使她們的子女長久留在她們身邊嗎？（完）

自由人
THE FREEMAN
（半週刊每星期三六出版）
（第五十一期）
每份港幣壹毫
督印人：李光澤
社址：香港高士打道六六號
電話：二〇八四八
GLOUCESTER RD. HONGKONG
TEL: 20848
承印者：東南印務出版社
地址：高士打道六四號
台灣經銷處
台北重慶南路一段七十四號

美國應速下決心 以威脅對抗威脅

如俄帝有意搗亂和會，美即宜鼓勵日本，一面因俄帝拒絕遣俘關係不與俄帝進行談判，一面為粉碎中共煽動中日舊恨，速與中華民國簽訂和約。

胡秋原

許多人總以爲俄帝及其工具滿肚皮的刁鑽古怪，詭計陰謀。但拆穿來講，他的全部陰謀不外「無恥無賴爲體，挑撥恫嚇爲用」。這一套誠然可以乘弱攻昧，欺騙天性善良的人於一時。然只要不弱不昧，且能提防，則他的陰謀，便將如妖道邪術，一錢不值。

俄帝詭計誘脅交施

他這一次破壞對日和約的陰謀，便是一個例子。俄帝兩月來的和平攻勢，提議開城談判，其基本目的是破壞對日和約。他先盡量表示和平空氣，以渙散和平幻想，鬆懈分化盟國團結，同時瓦解聯軍戒備。同時他祕密集中「中國志願軍」，準備再來一次人海攻勢。於是他準備聲東擊西嚷嚷，出席舊金山會議，提出他的「建議」。如果他的建議不能通過，他準備將桌子一拍：「是和平還是戰爭？」「如是，將一腳的呼嘯一下，而這一嚇比過去一次的表演，總要精采。要點是，俄帝也一將兵在世界各地發動，是恐嚇民主國家的妙計。這無疑是史太林的妙計，有成功的希望。

在會議中不理他的一建議」，乃提前威脅。不過，今天空口說白話，決沒有用的。問題在於兩點：「志願軍」能否將聯軍驅逐下海；二、俄帝是否準備大戰。無此準備，無此力量，任何作態，只是自我欣賞而已。

不和他訂約，無異向史毛宣戰。而南日業已藉口聯軍轟炸開城，宣布「停止談判」了。這是嚇於美將……

美國似亦胸有成竹

其實，儘管史太林擺尾作態，並準備在牌桌上吹噓，但他的底牌早已攤開。大家知道他的作風，早有所警誡，如是，一面……日本締約的事前，繼續……商好了，到了舊金山，只是簽字，並不讓由你更動主要原則，不斷……為不會更動這些鐵的腹案。如是俄帝不外三條出路：一、鬼吵鬼鬧，使和約不能順利簽訂，但這不足以阻止和約之簽訂。二、……但這無條件的……在無條件之下，他的特務人員使不能住在日本；……南千島與南庫頁，也使不能歸於俄國。三、……成為一個問題。如現在中共大作威脅，宣布，如日本……

俄帝無威可以脅人

這兩套，原不在民主國家意料之外。關於「志願軍」方面，現在自有相當補充，再度出馬之時，可能多幾架飛機助戰。但聯軍方面，又何嘗沒有增援？而……

中共搗亂能力有限

如果俄帝不能破壞對日和約，而又無什麼可以脅人，他還有什麼辦法呢？以我看來，如果出席的國家能夠堅強團結，不爲俄帝無恥無賴之挑撥恫嚇所動，俄帝之出席所簽字的，也很可能成為不過是一個山會議，不因俄帝之法律化。事實上見無法變更一事實，他不如簽字，以後在內面搗……

且業已告訴奴兵們，如果他主人的飛機助戰，聯軍便要越界攻擊。聯軍似乎早已準備「志願軍」之再度撲來，嚴陣以待。至於俄帝乘此發動大戰，那是一百個不問題。俄帝什麼時候發動大戰，就什麼時候滅亡。一旦大戰發生，俄帝內部矛盾必然暴發。俄帝的原子武器縱不等於零，也是絕對劣勢。他雖有優勢地上部隊，一旦出擊，其力量不一定比中共「志願軍」強得多少。而今天歐洲的防禦力量，比半年前也大不相同了。我不相信史太林如此痛快，願意孤注一擲的自殺！

鬼，搗亂，而中共在外面還要更好。日雖然宣佈停止談判，南非不可能。但談判的恢復只是一個時間問題。俄帝在大準備的同時，命令……開城談判，在舊金山會議前發言，在……中共一再作……一切的姿態。使舊金山會議一切……緊一鬆，將弓拉得緊。他裝扮紅花臉，使中共裝扮黑花臉，最……

日應迫俄速還日俘

我以爲民主國家不但要堅定立場，並且如俄帝搗亂和會程序，不要爲俄帝破壞和會所懾，即俄帝乘機不對日作戰，不但不要他簽字。便要割去千島，南庫頁太不公平，……與俄帝……以外……價值二十億美元物資的利益……如無下落，十幾萬……日俘下落，有權享受和約……中國被擯於和會，以外是一事。但中國人民顯示成功，且不許俄帝破壞……

爲日本人主持正義，應不交還俘虜，又不讓俄帝簽約，即是一事。

現在俄帝看見美國威脅不了，乃用中共向日本威脅，說什麼中共向日本不參加，中共宣戰，等於向中國如不參加……我們希望日本即於中共宣戰嗎？是否應該拿出主張，保留完全遣還對俄國簽約之權。

何不讓史太林出醜

在舊金山會議之時，我們希望美國人再看一次史毛的醜態。日本人簽了這條約，但有兩個要點：一是俄帝中共以反對日本復興爲目的結成軍事同盟，二是俄帝向中共保證……

偏偏金山會議的人，都安多少接受俄帝的恫嚇。但只是不能怪他們，怪民主國家最後的敵人的政治不能團結，以主見不一致，準備作戰做工，以策萬全的準備，便會失敗的。然則俄帝如不干休，能夠怎樣？請俄帝便休，如在西歐和中東搗亂，便是大戰，還是他不敢的。對日本進攻，也是大戰。這也是他不敢的。他唯一可能作的，是命令中共向越南滲透，向緬甸增兵，對印度表示「援助」，在西藏……中共除了……方面……還有其他辦法，……也有限度的。

「共同爭取對日和約」，對日本締約之撤退以後……的「自由」……

麥克阿瑟沒有消逝

·滄波·

「老兵不死，他只會無形地消逝。」這是麥帥今年四月在國會演辭中一段警句。「老兵不死」在美國已編成許多歌曲，製成唱片，麥帥所到地方，總有人高唱「老兵不死」歌。這兩句名言，這一躺歌曲，幾乎成了麥帥的上將旗幟。回國已五個月的麥帥，今天還借住在紐約最華貴的華都酒店。本月初他曾一度應邀到麻省議會演講，其餘報紙上沒有看見他的行動。最近兩次公開演說，一次在芝加哥，一次在波士頓，演說內容漸漸多關涉美國內政，有人替他擔心，「話多必失」。

舊金山會議開會在即，日本代表團已決定於本月底出發。日本代表團首相吉田以首席代表出發前，……李奇威將軍，向美國政府表示「深深的感激麥克阿瑟」。……杜勒斯是這次和約成功的大功臣。在這……

一個消息發表的同時，麥帥在紐約表示對和會（不僅僅是美國）的問題「除非他出席演說」，邀請他出席，他將拒在會中發表演說。」艾契遜國務卿在八月二十二日的記者招待會答覆記者，和會邀請麥帥去演說，在和會沒有舉行前，手續上是難於措手的。

美國洛杉磯工資階級研究委員會最近舉行民意測驗，測驗美國人民擁護誰做明年總統候選人。據該會發表全國投票的初步結果，擁護麥帥者計一萬六千一百四十二票。擁護艾帥者計二千九百四十二票。該委員會稱，艾帥祇有在康涅狄格州最佔優勢，該處所獲票數較麥帥多百分之六十八。在其他各州中，均由麥帥領先。

邱吉爾在紐約時報倫敦特派員本月十五日專電演說，盛讚麥克阿瑟處理戰後日本之成功，「我們雖然有許多地方和他意見並不一致，但是這位特殊的美國人對日本的處理……

實在太具遠見，並且是功勳燦然。在他管制下面六年的日本，他始終不理當時喧嚷的「審判天皇」呼聲。惟有麥克阿瑟將軍能深深體會一個戰敗國家人民的心理。他看西方民主國家是真正的朋友，使日本偶像，他對日本的一切處置，尤其需要一個……次大戰後的日本，猶如第一次大戰後的德國，當時我在英內閣擔任海相，我就最反對「絞死德皇」的口號，可惜當時首相勞合喬治先生沒有十分注意我的警告。」邱吉爾在這段演說中，向來的主張……對待戰敗的敵人，必須寬大，然後可以化敵爲友，以備對付新的敵人……

今天雖然從上面幾段消息研究，麥克阿瑟將軍除了居華都酒店高樓，做什麼職務名義都沒有，已經是一位巨人好像已經過去了。但從世俗的眼光以外，他在上面看，他也沒有形中消逝了。他已從客觀環境上去看，老兵也已經在人們的心中，他在日本，他在美國，他的名字將永遠留在人們的心中。他的影響也將流傳到幾個時代。照目前看，參眾兩院所組織的調查麥帥免職委員會雖……

無具體的結果。但是美國目前及未來的外交政策，直接間接受著麥帥事件的支配。麥帥免職以後，將來歷史上不同的，可以看出，麥帥的外交趨勢，是絕然不同於民主共和兩黨的報告問題之點。現在還看此次，調查委員會爭執的焦點，我們看，……得多，……個……

……〔下接第二版〕

財政自力更生 政院陣容加強

〔本報台北航訊〕……

時局漫談

舜生

韓戰結束在即

開城停火談判，已經鬧了好幾次的波折，最近因爲舊金山對日和約會議開幕在即，蘇聯想拿韓戰作本錢，向美國多討一點便宜，因此更造出種種事件，使談判第三次陷於停頓。其實蘇聯不想打，中共不能打，金日成是小丑一個，更不足道。假定美國採取下列步驟，則不但韓戰可停，蘇聯更只好乖乖的簽字。

一、限定一個時期，無條件停火，否則即越境轟炸，並將在韓共軍，徹底殲滅。

二、日本與中華民國在舊金山會議閉幕前，將和約正式簽字，或由吉田政府聲明，於舊金山會議一經閉幕，日本即與中華民國補行簽字。

三、加速台灣反攻大陸的準備，限於本年內實現。

大家不必因爲蘇聯種種的手法而陷於迷惘，韓戰一定是要停下來的。

蘇聯在中國投下的原子彈

最近中共又發出種種廣播，說美機在中國沿海出現，甚至於說飛到了杭州，飛到了上海的龍華，不論這些話是真的或假的，但這個事實不久一定是要來的。自從中共佔了中國的大陸，世界第三次大戰在亞洲必以中國爲戰場，這個命運早已注定。中共是從史大林手中所投到中國的原子彈，這三年來，中國人死在蘇聯這種原子彈下面的，已經有幾千萬，再死幾千萬在美國的原子彈下面，也值不得大驚小怪。北京是中國萬惡的淵藪，封建思想的結晶，如果這個城不爲原子彈所毀滅，一個新中國是不會出現的！

盼台灣政局眞有改進

香港盛傳台灣的政局將有變動，我們想，有轉變總是好的。

截至今天爲止，中華民國只剩下一個台灣，中華民國是中央政府，台灣也就是中華民國。現在在台灣既有一個全國性的中央政府，又有一個台灣的地方政府，地方小，人才多，事即難免麻煩；既帶全國性，又帶地方性，事務即難於處理；要加以調整，大概是勢所必然的。

但我們有三點希望：一、變一定要向好的方面變，即向更民主的方面變；二、要自動的變，不必等待別人說話才變；三、用人惟才，尤其台灣的人才，一定要使他們能得其所，盡其用。

杜月笙死後

杜月笙死了，香港各方面的報紙都有很詳細的紀載，表示追悼他的一些感想，或紀載他生平的故事，大率是譽之者多。

一個人最怕的是不能自成一格，一經成格，便自足稱。司馬遷傳遊俠，稱其人『言必信，行必果，已諾必誠，不愛其軀，赴士之阨困，既已存亡死生矣，而不矜其能，羞伐其德。……』杜月笙當抗日一役，他能不爲敵僞所用；共匪佔領上海以前，他能遠避香港；這當然不是張嘯林黃金榮之流所能及，且賢於張元濟黃炎培輩萬萬矣。

杜月笙所處的時代，比較朱家郭解們所處的要複雜得多，假定知道他的人，能把他生平的經歷很忠實的，詳盡的紀載下來，交給能寫歷史的人，爲他寫一篇詳傳，這不僅杜月笙這個人可藉之以傳，即中國這個四十年來的社會實況，也可以使我們得着多方面的了解。

抗戰後，我和杜月笙也有過幾度的見面，我眞沒有想到他居然已『爐火純青』，到了那樣的程度。他既無『鴆毒之侮』，也無『朱闕之危』，而幸能『免於今之世』，我尤分了解，……決不是偶然的。

中共國營貿易的破產

低價收購高價出售壟斷市場操縱物價但因冗員太多開支太大加之不善經營致多數中共國營貿易仍相繼宣告失敗

張丕介

中共對大陸人民的搜括，除透過漫無底止的租稅公債及捐獻外，最重要的手段，乃透過其無孔不入的國營貿易，以乘人之危的手法，實行低價收購，高價出售，藉其龐大的官僚資本及特殊權利，以壟斷市場，操縱物價。這一串的戲法，不但成爲中共搾取物資，推出鈔票的工具，同時更係消滅私營工商業的殺手鐧。在其擴軍備戰與鞏固政權的發展過程中，顯然被認爲一着重要的棋子。

獨佔條件愈鞏固 國營事業愈腐化

爲達成搜括的目的，中共對於國營貿易網的建立，殊爲不遺餘力。自去年三月十一月通過所謂「關於統一全國國營貿易實施辦法」以後，至去年九月止，半年之間，共國營事業單位已達四千二百餘處，全部工作人員，達十二萬人。近一年來，在「擴大城鄉交流」，「壯大國營經濟力量」的要求下，其公營貿易機構，更遍佈大小城市。根據新華社去年一至十一月份不完全統計，全國各地（不包括東北區），國營貿易公司，向農民賒購的農產品，計糧食二十億斤，棉花五百萬担，豬鬃九萬斤，鷄蛋九億個，各種皮子二百二十萬張，各種絨毛四千五百萬斤，植物油一千三百萬担，油料二百萬担。根據這些龐大數字，中共貿易網對民間物資的搜括，不可謂無相當的「成功」，自亦無怪中共對這一吸血政策的重視和它炫耀誇張的了。但如撇開對物資的掠取外，從其一般經營的情形予以觀察，這些國營貿易機構，正隨其獨佔條件的鞏固，而日趨於腐化與破產。

合法的中間剝削 兇狠爲史無前例

首先，這些機構的本質，並非爲其共同綱領第三十七條所標榜的「調劑供求，穩定物價，和扶助人民合作事業」的機關，而係藉其獨佔特權，單純追逐暴利。最近粵共「自我批評」中透露的事實：爲「梅興區貿易公司一九五一年上半年，投放在土產經營上的資金，只佔上級調撥總數百分之一。惠五八，東江區只佔百分之三七點五，其餘大部資金均被使用於其他方面。潮汕區貿易公司將資金投放於利潤優厚的土產上，對區大量農產品以維持生活而出賣的土產，則絕少經營，或根本不予經營，忽視貧苦農民的利益」。若干貿易公司，爲了追求更多利潤，在土產收購價格上，均有壓低價格之弊：「如梅縣貿易公司賣給中南茶葉公司茶葉，每斤計價一〇、五〇〇元，但向農民購入訂價僅八、二〇〇元，差不多要佔百分之二十的利潤。潮頭一担市價可值五萬五千元至六萬元，但五華縣貿易公司只掛牌三萬五千元予以收購；今年六月間，興梅地區曾一度發生糧荒，但該區公司顧慮成本重，糧不派汽車至江西運糧濟，使糧荒愈趨嚴重」（見八月五日南方日報），從這一串的事實中，顯示其所謂國營貿易機構，一般經營之方針，較私營資本主義性的私營商業，還要「脫離羣衆」。而且我們知道，中共的「自我批評」所透出的消息，係經他選擇了又選擇，只肯把幾件實在「衆所週知」無法掩飾的事例，用來輕描淡寫的搪塞「人民」的。實際上，這類暴利營謀的黑暗程度比公開的嚴重得多，而且遍及全國一切地方！

其次，這些機構成立以後，不但沒有「擴大城鄉交流」，「避免中間剝削」的作用，相反的，都成爲壟斷市場，增加中間剝削的因素。如東潮安成立柴炭交易市場以後，即強迫農民所有柴炭，均須從中入手續；市場買賣，徵收百分之二；潮安所有鷄鴨，均須入聯營處買賣，徵收佣金百分之二；向外地購入時，如本地缺貨，還須多納百分之四之佣金。青菜實行聯營後，農民賣給聯營社時抽佣金百分之八，向聯營社購買時付佣百分之十，山地農民出賣茶葉時，每斤只值八千元，卻被聯營社抽去二千五百元（八，七星島日報），除了坐排分肥，勒收行水外，據中共自己的報導：「一般聯營社均發生壟斷行爲，如東江東海鎮，在未成立烟絲聯營前，上烟葉每百斤收購價爲一百五十萬元，製成烟絲後，每司斤售價一萬八千元，實行聯營後，上烟葉收購價，跌爲一百三十萬元，製成烟絲後每斤售價竟提高至二萬二千元」，中共所謂「調劑物資供求，保護農村和城市消費者及生產者利益」，其眞相原來如此！原來非法的中間剝削現在合法化了，而且這一來所剝削得更凶更多，簡直弄到，凡有交易，無不剝削，凡是剝削無不凶狠透頂。

雖然是無本生意 結果仍多數虧本

在這些單純追逐利潤，壟斷居奇的情形下，照理大小公營機構均應興盛，但實際情形並不如此。據中共報紙之報導：「貿易部門許多方面的經營上仍有斷本，如東江區十一縣中，即有七縣是斷本的，與梅區七個縣，本縣有三縣是斷本的，即該區全季純損達三億五千五百三十萬四千六十六元」。原是無本生意，竟然而做下來竟不免斷本？其所以斷本的原因：一係冗員繁多，開支浩大，如汕頭市的鮮魚營業處，人員達三百六十八人，每月開支一億三千六百萬元，因此入不敷出，每月負累。二係幹部貪污中飽，營私舞弊，利潤，多歸私囊。如「潮汕貿易公司」於本年七月中旬至八月上旬，不及一月中，該「公司」高級職員及派赴各地收購土產人員中，即有三十餘人因貪污被扣，廣東商業廳華南運輸公司，大小職員均被扣佣金，包辦走私，每人貪污數額，多者數百萬，少者數十萬，如此費用歸公，盈利歸私，安能不斷本？三係幹部缺乏經驗，業務水平極低，在經營方法上毛病百出。據粵共百貨公司今年春間檢查全省分支機構的結果，一般均發現下列現象：一，價訂定不宜；過高時無人問津；過低時被搶購一空；二，官僚主義流行，坐待顧客上門，或關上門做生意；三，開錯發票，短收貨款，錯付貨物；四，收款及交貨手續煩瑣，五，幹部敷衍塞責，進貨不合市場，因此一般公司貨物均堆積倉內，由熱貨變冷貨，由冷貨變殘貨，只有餵了蛀蟲老鼠。這些「理由」都是中共自承的，我們用不着替它索解了。但是這樣子的「國營」，在中共大力的推行之下，除去大大損害了眞正人民工商業之外，它能有什麼「成功」可吹呢？無本生意做到頭，還得「斷本」，看它還能挨好多日子？

中共國營商業網的建立，迄今還未滿二年，但其官僚主義與本位主義所發生的貪污腐化，則已超越前時。獨佔經濟與極權統治的結合，貪污腐化正是其必然的結晶。在這一大規模的吸血下，國民經濟安能不日趨困竭，這樣長期腐蝕下去，中共政權能有不崩潰之理麼？

記陳果老

荻青。

一位眞正的鬥士

陳果老在今天的中國國民黨裏邊，已經是一位退院的老僧了；但是，他的聲耗，不但震動了黨內外，就是他的敵黨的舊相識們，亦會立刻在心頭上浮現出一種意念，這是一位眞正的鬥士啊！雖然彼此處在一個對壘的陣頭上，但平心而論，亦不能不佩服他的眞正的苦鬥的一段歷史。

在廣州的中央黨部，他擔任了組織部的祕書。他時常回憶起來，當時組織部裏邊的工作者，眞正的國民黨黨員，恐怕還只有他自己，祇有兩個半，一個是幹事，還有半個好像是一位助理幹事：他是在這樣的情形之下，走進中央組織部。

以後他當了組織部副部長，部長就是當時的蔣總司令。清黨工作，就在這副部長手裏一手完成，他和他的老弟立夫前前後後單就組織部來說，要佔了十多年之久，他們兄弟完成了兩大工作：老兄完成清黨工作，老弟達成了從蔣汪胡三鼎足而定于一尊的工作。就黨來說，他們兄弟二人，眞是難兄難弟。

胡展堂如此批評

胡展堂先生住在香港妙高台期間，和南京是相當隔閡的，對他們兄弟二人，是不能有親切之感的。但是談到黨，總是說，他們兄弟二人到是眞正幹黨的，沒有政客習氣，亦沒有官僚作風。

老弟比老兄是較爲後起，年紀亦要差七八歲，老弟敬老兄，亦是老兄。老弟比老兄要洒脫一點，有時亦難免越出範圍，老兄就嚴詞正色說，這是我們家裏所不許的。老弟亦帖然不敢違背；所以，兄友弟恭，他們兄弟二人，在友愛以外，老兄還帶幾分嚴肅氣象。

父在，仍稱「大少爺」

報載封翁勤士先生，住在台中，今年已經是八十多歲了。在中國的舊習慣，父在不能稱老，所以，他當了副院長，部長主席，他家裏的人，總稱他爲大少爺；這位大少爺，老太爺對他，亦要帶三分客氣。

果老這個人，謹愼而又細心，同志有什麼事託他，他要答應了，他總是有回話的；那怕過了一年半載，那怕是一件彌小的事，他總是有交代的；所以，同志對他是十分相信的。

他自奉甚儉，生活亦殊簡樸，可以說數十年如一日。國府奠都南京，他往來京滬，坐的還是三等車。有些同志，歡喜舒服一點，坐二等車；碰到他，不免有點侷促不安。以後多少有點不同了，但仍舊走普通人的生活。還都以後，有些同志，派頭越來越大了，我們時常想，果老看見，將作何感想！

一度誤認爲「小手」

有一段小故事值得一說：大約是國民革命軍到了南京以後的時候，有一天，他到了先施公司，買了一頂呢帽，當時就戴上去了，出來時候，碰到公司的巡查，請他到經理室一坐，他亦跟他（巡查）到了經理室，經理原來是熟人，巡查跟蹤而去，原來錯看了人，他是體面的人，他不是「小手」。他出來，一路思量，爲什麼惹人這樣的瞧不起，抬頭一面大鏡子一照，帽子是嶄新的，這件大褂子太破了，無怪惹人猜疑。他一面想着，一面自己發笑。

一天不肯虛度

他沒有兒子，太太是朱明女士，他娶朱女士，猶如諸葛亮娶妻一樣，重德不重貌。他就靠了這位太太，帶着孱弱的身軀，一路掙扎，一路工作，一直到了今天。他不能算爲短命，他還不失爲一位國手。許多朋友都勸他，不要太辛苦了，要節勞一點。他總說，生命太短促了，多做一天工作，就少一天虛度，這個日子，就算是我的了。

先烈英士先生是他的叔叔，因爲這個關係，他老早參加了革命工作。因爲英士先生和今總統蔣公是生死之交，所以他亦成了通家之子。我們看蔣公家書，「字付經兒，你要用錢，可向果夫哥拿」，就可見他們的關係之深了。但這個關係，便宜也是吃虧，親而不親，尊而不親，兩者向難兼有。因此，在蔣公左右，他的關係，無寧是前者的成分多，而後者的成分少。

果老還有一個特殊的氣質，他賦性是很篤實的。尤其對于蔣公，雖然年齡相差不多，他一面視爲父執，一面亦尊若神明。他展讀蔣公手諭時，總是肅然起立。他對他的朋友們說，總裁是有辦法的，我們只要相信總裁，只要跟着總裁走，一切是不會有錯的，這個態度對不對，是另一問題。一個領袖，這樣的人，總感覺是十分需要的。

做到了一個「忠」字

人死了以後，一切恩怨，都會放下去的。我想，大家一定一致公認；他個人生活的嚴肅，是不苟的。對黨是有勞績的，對蔣公是盡了忠心的。單就這一「忠」字來說，他的人格，還是有他的成就的。瑜不能掩瑕，但瑕亦不能掩瑜。這一「忠」字，陳果老是當之無愧的。

麥克阿瑟沒有消逝

—接排第一版—

民主時代的民意，與君主專制時代的天意，同樣是一個不可知之數。民意與天意，在歷史上均是若可知，若不可知。若可恃，若不可恃。西諺有云：「公衆是最不知感激的。」中國古語常說「天之所忌」。把近代歷史上幾件不可解的事例來說。第一、第一次大戰結束，法國老虎宰相對法國第三共和眞有「再造之功」。但是一九二〇年競選總統，他竟失敗而且慘敗了。第二、二次大戰將結束時，英國舉行大選，當時執政黨保守黨黨魁邱吉爾，對英國正今所謂旋乾轉坤，功勛蓋世，但在那次競選中他竟失敗了，波茨坦會議未終，邱吉爾狼狽歸國。第三件便是今年四月十一日麥克阿瑟的突然免去本兼各職。這種挫折，只有英國人經得起煎熬。然而邱吉爾這樣的人，在盎格魯撒克遜民族中，也是特殊的少數。用中國做文章的語調來形容邱翁，天之所忌邱翁至矣盡矣。滿腹經綸如邱吉爾，爲什麼卻非到英國最危急的關頭，不會起用他。克勒孟梭臨死時遺囑，歸葬其「故地」故鄉，要把他的靈柩豎直了葬。雖然表面的意義說是生死不忘東方的敵人，然其失意憤懣之狀，也由此可見一斑了。一個人物，在功名之際的自處，也眞是太不容易了。

麥帥歸國以後、僅將半年。使我們難於了解的，有幾件事，第一，他爲甚麼始終住在紐約最華貴的華都酒店？據許多雜誌登載，他住的一層是華都飯店最講究的一套房間。他不僅身居「五都之市」，還有他的發言人，及其他隨從。從他的居處行動，對照他在國會所講「我的事業，現在已經結束了」，不禁使我們感到他言行的不符，天下豈有行將消逝的人，而身居五都之市，一住半年不去的！第二，他爲甚麼要接二連三到各地去演講？演講的內容，由外交到內政，而且近來漸多涉及內政的。像他這樣演講下去，對他只有損失，而沒有好處。美國在朝的人，從總統國務卿和各部部長，都與他斷絕來往。這當然與麥帥無損，我們決不希望他去奔走權貴之門，但是華府的權貴，何以一愚至此，竟不設法和他見面談談？前兩月美國新聞一段誠這記談戲，一向高唱激進國務院的參議員麥喀錫，在參議院電梯中，遇見了艾契遜（艾是到參院出席作證）。彼此感覺狼狽，結果麥氏首先自我介紹，艾亦自己報名，新聞記者照作劇，竟把兩人在電梯中的情狀攝了照相登出來，所謂兩人的神情，正所謂尷尬畢露。難道美國人的世故，幼稚天眞到如此地步。將來杜魯門與麥克阿瑟，是否必在電梯中狹路相逢，否則竟是「不入貴泉」。麥帥事件表現兩面的奇跡。其一是容許政敵享受人民廣大的歡迎聽發表，任政敵到處演講的言論，攻擊政府當局；其二是政府當局，不肯用舉手投足之勞之解怨釋嫌與此下台的政敵，握手言歡。盎格魯薩克遜民族自謂其民族之美德，爲不使已經戰敗之敵人，再受難堪，美國今天[illegible]性格者，這是一個[illegible]題。

麥克阿瑟今天住在紐約華都酒店最高樓中，夜深人靜，他會自把他四個月來的演辭，仔細地自己[illegible]，莫如今天自處消逝之道，無形地不再住華都酒店，不要再談內政，不要出席爲共和黨總統候選人。更要不明年今天不受國會批評，他的[illegible]歸田里自處。這是我們東方自命功成身退的人生哲學，我們願意把這點東方的人生哲學，貢獻於麥帥。（八，廿二）

「我殺了史太林」

這是一本新出版的理想小說

書中預言大戰要七年後才爆發 美國國防部一次訂購了八百部

美國人雖然已感到火藥氣味，愈趨濃厚，三次大戰，最近不易避免，但他們總還不肯相信，大戰爆發的時期，即將到來，甚至他們認爲一般人認料最危險的一九五三年，也不會有危險。甫經出版的「我殺了史太林」J'Killed Stalin 一部理想小說，就充分表現了這種看法。

「我殺了史太林」，是紐約美國人報 The New york Journal American 星期版編輯羅爾 Sterling Noel所著，全書二百八十一頁。書中的「我」，假託爲一被清除的共產黨員的兒子，原名鮑廷。化名梅汝。其間穿插了許多離奇變幻的故事，且雜有驚心動魄的男女羅曼思。鮑廷殺死史太林，在一九五九年五月，即美蘇戰後第九個月，史太林被刺殞命的那天，正即蘇俄將原子彈轟炸了美國八個大城市。

照上述時間推算，史太林被刺，在美蘇開戰後第九個月的一九五九年五月，那麼，正式破裂，應該是一九五八年九月，這距現今風聲鶴唳，朝不保夕的一九五一，還整整隔了七年多。假使三次大戰眞能拖到七年以後才爆發，則儘管這本理想小說，是對赤色暴君眞大不敬，但我們仍相信史太林將很會悠然欣賞的！

這本小說出版前，美國國防部會預訂了八百部，消息被蘇聯於上月探悉，使史太林一度極感驚奇。因爲他疑心這書出自美國國防部授意，可以反映美國政府的見解，實際上國防部定購新刊讀物，每種千部左右是一種極平常事件，他們於書刊出版後，就立即分給所屬各單位。以美國國防部機構之特別龐大，像「我殺了史太林」這類富於刺激性的理想小說，八百部怎能算多？史太林大驚小怪，亦徒表現其所見不廣而已！（一丁）

農民多年培養的樹木 中共砍伐出售不給分文

即幸而酌予補償也低到不可思議

「本報長沙特約通訊」中共口口聲聲宣稱本身爲農工政權，實際上無時無刻不在農工身上，想盡了剝削壓搾的方法。這種情形，大陸上農人工人也無不清楚明白，許多事實，都證明中共的惡行。中共在各種徵獻運動搜盡了農民正產品的糧食以外，又以湖南廣西兩省爲盛產林木，這是一般農民的副產品，中共用盡心機，在兩省成立了林業局，實行林木「國營」，一切樹木，不許農民私自售賣，都要先將砍下的木料售給林業局，然後再由林業局售給木商。前者林業局給予農民的價格低到可笑，後者則取自木商的價格，又高得可驚。換言之，即中共本身成了最殘酷的中間剝削階級。

會同縣軍隊伐木 還迫令木主代運

先就產木最盛的湖南來說。湘西會同縣中共「人民政府」，前兩月不得農民同意，選派軍隊開往第一、四、五、六等區，將所有園木，不論大小一律砍光，農民稍與理論，即被打傷，甚至威脅，農民如再糾纏阻攔，即將照剿殺游擊隊辦法，開槍射擊，農民在這種形勢下，當然只有含着眼淚，看自己多年培植的林木，毫無補償，被中共砍運而去。不料中共更變本加厲，因爲砍下的木材，爲數太多，如單靠軍隊搬運費時太久，費力太大，於是一不做二不休，索性強迫這些木村的原有主人代爲搬到江邊，並紮好木牌，流放到洪江。以前林業局還多少給農民一點價錢，此次則連工帶料，農民全部奉送。據說，所有砍下林木，軍隊私售了三分之二，賸下三分之一計爲杉木八萬根則交給了林業局。

機關與機關交易 林業局也要揩油

林業局不儘售給木商，獲致大利，即與僞政府本身交易，林業局也要從中大量揩油。如湖南林業局今年三月，與「中央燃料工業部中南區木材供應總站」訂立合同，供應木材（係供燃料用之下等木材）規定每立方公尺四十二萬元，林業局實際上所出給農民價格，連同水陸運費，每立方公尺只需十四萬五千元，每一立方公尺林業局淨賺了百分之二的好處，如果是普通商人和僞政府訂的合同，像這樣獲取暴利，就當然會被檢舉，不但賺的錢全要吐出，還要加許多倍處罰及坐牢。但因爲賺錢的就是中共本身，所以無所顧慮而可以繼續不斷的大賺特賺。

不過農民也不是這樣可以永遠被剝削的，他們因爲自己辛苦培植的林木，得不到相當代價，甚至一文不名，同縣一樣，還要代中共搬運，這太不成話了。他們就發誓永遠不再補種，造林，而且儘量砍下來做燃料，有些偏遠地方，農民氣憤無已，就自行放起一把野火，將山燒光。如果中共再這樣剝削下去，眼看一兩年後，就將沒有可以供其大量剝削的對象──樹木──了！

邵陽禁農民藏木 新貴生財有大道

今年六月，邵陽專署與林業局協議，由專署搜購上等陳木三萬兩，（按湖南木材，以兩爲計算單位，每兩合一立方四公尺）以每兩七十萬元價格售與林業局。協議成立以後，邵陽專署馬上佈告全區農民不許私存木材，凡已砍下之木材存留未售的，一律限期售予專署，專署收購價格爲每兩二十萬元，一兩木材專署淨賺五十萬元。並且搜購總數，專署定爲四萬兩，比售給林業局的多加了一萬兩。專署之所以這樣做，名義上說是所得利潤，補助地方建設，實則此一萬兩的加額，每兩五十萬元的折扣，都是一些中共新貴生財之道，不用說，掃數飽入私囊了。

湖南林業局，一面用低價分令各縣向農民搜購，（各縣再將此價壓低）一面卻用高價售予木商，像上述邵陽專署搜購之上等陳木，依現今木價，林業局最低要定爲每兩一百五十萬元（北平木價，照此比例，約爲二百八十萬元）在農民是犧牲了自己的血汗，在木器商人等則增高了成本，換句話說，也就是增加那需要者的負擔。中共本身則設了剝削生財。

廣西售木有大利 專署與專署開火

以上是湖南省林業局剝削農民的情形，現在，讓記者再附帶略述廣西方面類似的現象。廣西柳州專署，藉口替林業局收購木材，組織採木辦事處，在融江長安鎮向農民強迫徵購，出價高五英尺、直徑七寸之木材，每根四萬元，但柳州市價每根爲十八萬元，許多農民不願意照此低價出售，他們即索性將農民木料宣佈沒收，農民對此非常憤恨。因爲強迫購木，利息太大，於是各區之間，中共自相爭奪，不久以前，宜山專署有一批售出的木料運經融縣，被柳州專署扣留，隔了幾天，柳州專署一批木料運經宜山專署轄境時，也同樣被扣，像這樣情形，繼續發生，最近，兩專署調派軍隊，開槍互擊，死傷多人，將來如何解決，還不可知。（獄生，二十四日寄自長沙）

中共敲骨錐髓拼命搜括 老百姓出賣女兒獻機砲

人民一片哭聲籠罩了整個大陸

「本報北平特約通訊」中共捐獻機砲的收穫，據最近報告，各地成績，均甚優良好，實則所謂捐獻，都是強搶硬抵，沒有一文錢實出自老百姓心願。記者在上月七日，曾寫過一封捐獻機砲在各地實際情形的通訊，該通訊中提及武漢大學學生被共幹迫將每人原來準備購鞋子的錢都獻出來，弄得許多學生赤脚上課（編者按：該通訊已載七月十一日第三十七期本報）。由此一點，也就可完全看出，中共對任何階層，其搜括是如何殘酷了！

最近，我更從此間各省區來人，聽到一些他們對本地強迫捐獻情形，足見這一次捐獻機砲運動，實已敲骨錐髓，無孔不入。整個大陸正籠罩一片哭聲。茲分述如下：

湖北 一家被迫應戰 財物全部刮光

湖北全省，盛行以挑戰方式，強迫捐獻。如武昌縣七區春和、花田、聯合等鄉，鄉幹部異想天開，發動一種「階級挑戰」，即青年與青年，老年與老年，婦女與婦女，中農與中農，富農與富農，甚至貧農與貧農均各有其挑戰運動。花山鄉一位老教員，自己在老年挑戰中捐了六十萬元，其子在青年挑戰中捐了十萬，其妻在婦女挑戰中，把僅有的幾件衣服也捐了出來，一家都挑戰，超過了負擔能力。又大冶縣城關區，激起挑戰熱潮，共幹勒令商人鳴鑼擊鼓，互送挑戰，應戰書，更督令青年學生打腰鼓助戰。第七街在捐獻中，先是口頭挑戰，後來拿一個册子將所有商店開列名單，以捐獻多少，判斷每一商店的愛國程度，凡捐獻較少的，一定勒令再加，否則由學生辭他不愛國，要搗毀他的商店。

湖南 人頭不論貧富 每個勒捐四千

湖南各縣，一律按每區人口多少攤派捐額。如零陵四區有一個村，在鄉抗美援朝捐獻機砲大會上，被攤派了五十萬元，村代表回到本村，村民大驚，現在正天旱不雨，大家餓肚皮，就把全村老少殺光，也捐不出五十萬來，村代表無法應付，只好將自己一個女孩子帶到縣城賣了，才將捐款湊足了事。益陽縣沙溜鄉不分貧富老少，每一顆人頭，勒捐四千元。益陽縣公安局派出婦女幹部向家庭婦女捐募，並指定捐額，不捐不走，如詞色稍欠和順，就帶往公安局，說有反動嫌疑，加以扣押。湘鄉縣石江鄉規定富農每戶二萬元，中農一萬五千元，貧農八千元，如數繳納，不許分文減少。

河南 捐額勒令自報 中共還要追加

河南省採取自報公議算翻身賬的辦法，進行捐獻。新安縣馬頭鄉中共幹部在群衆大會上號召自報，中農張長生自報捐獻三十斤小麥，幹部不答應，改爲一百斤。又雷同熙自報三十斤，改爲八十斤，雷大哭，說今年天旱，所有的麥已被公糧收光了。三十斤還要向別處買，八十斤我如何買得起。但大家受了中共幹部的監視，沒有人敢替他說一句話。

廣西省強迫勒捐。梧州志成碾米廠一個職員，除現金全部獻光外，還勒捐大米一百斤。北海港務辦事處職工，各捐全部薪俸三個月至五個月，致大家無法生活，北海人民銀行職員六十六人共捐工資一萬六千三百四十分，除飯費外，到今年底，每人還沒有一個零用錢。其他機關，類此情形者不少。（隆光，二十四日寄自北平）

廣州共幹餓死工人 藉救濟失業自肥

「本報廣州特約通訊」在中共殺雞取卵政策之下，農村凋弊，都市蕭條，被捧爲「革命領導階級」的工人，確實起了「帶頭作用」，首遭失業之痛。性命雖未被革，生活岌岌可危，最近這幾個月由於「抗美援朝」的竭澤而漁，「鎮反」「土改」的撤底鬥爭，弄得商店閉戶，工廠關門，單是廣州市被認可登記的失業工人，已由二萬八千躍進至四萬三千，（其餘因條件不夠未能入選的估計三倍比數）對這龐大數目「延頸待斃」的「主人」，總共當局雖硬性規定徵收「失業工人救濟基金」，並據廣州市失業工人救濟處宣佈由今年一月至最近已收得五十八億二千八百餘萬元，但這個數目即使全部分配到四萬多失業工人身上，也還不足一家四口十日之需，而事實上中共拿到這筆款子卻是「另有用途」，只辦了「食品」「文教」「郵電」「保育」「工賑」五個訓練班，一共招了四百四十七人，說是協助他們轉業，將來能否得到轉業，固是未知之數，而最大多數的四萬多名失業「主人」如何安插，卻到現今還是「延頸待斃」，絲毫未沾到「救濟金」的氣息。

各業附徵 總數可觀

根據中共當局規定，所有公私營工廠，作坊，商店，報社，行號，電影院，戲院，及其他企業，均須按月繳納所付實際工資百分之一，作爲失業救濟基金。可是由於各工商業的不景氣，[illegible]，尤其是「救濟基金」的有名無實，各「繳納單位」普遍採取拖延態度，雖經多次催收，效果卻低微得很。

內幕拆穿 一致拒繳

甚至有這許多行業，竟敢抗不繳納？據說有人曾這樣批評：「救濟基金」的繳納，等於筵席中的「壓席菜」，他的意思是說「壓席菜」完全是浪費，因爲這盤菜雖然一樣付錢，主人卻多半不會落到客人的肚裏，只便宜了「救濟基金」的人。這比喻的貼切，許多行業都以此[illegible]，因此互相批評起來，一齊拖欠起來。[illegible]（王平，廿六日寄自廣州）

鐵幕叢談

吊打七十老婦 死了再踢幾脚

「本報漢口特約通訊」共幹的殘民以逞，實在是罄竹難書，湖北漢川縣十一區共幹吳緒炎，將一地主逃亡，寃枉民兵黨年秀得賄放行，除將黨年秀打得死去活來外，更將黨年秀的七十多歲老母吊打出氣，[illegible]

售棉要扭秧歌、存棉一律搶走

鄂北棗陽縣的中共購棉幹部，[illegible]（[illegible]二十六日寄自漢口）

上海短簡

·悠然·

人心浮動移恨港澳

上海近來各式各樣的謠言很多，而人們最注意的，則是在開城談判惡化之後，世界大戰將會爆發。[illegible]

如何管制議論紛歧

[illegible]

行賄之外頌揚德政

上海市民所用的木炭，大部由浙江地區供應。最近在炭行業，上海偉大柴炭行女老板張秀君，即派夥計攜款至浙江衢州採辦，不料以事前未向僞衢縣人民政府工商科登記，且收購價格，每擔較當地高出僞幣二千元，遂被指爲「擾亂市場」，將夥友拘押，半月後始獲釋放，惟仍須在上海各報遍登「啓事」，行賄並頌揚「德政」。此事發生後，上海各炭行均視浙江爲畏途，而當地炭農，則極爲失望。蓋在外來客商裹足之後，彼等只能賤價賣與當地土產公司，有時連成本亦撈不到手。

如此優撫若遭奇禍

最近中共發動所謂優撫工作，上海一市便組織了數十個訪問隊，照規定，每個訪問隊的人數，不得超過五十人，但北站區的第九訪問隊竟多至三百二十人。他們拿着紅旗；前有樂隊，人數領導，後有腰鼓隊，一路上大吹大擂，到了軍屬家中，拿出印就的慰問信，神氣的交給軍屬，便算了事。遇到貧困的軍屬，也會送個十斤糙米，兩塊肥皂。但是三百二十人擁到一處，有的要喝水，有的要汽水，弄到軍屬家中，好像大禍臨頭，打碎茶杯，擠壞櫈椅，成爲常事，許多軍屬的心異常怨恨，因爲他們的子弟，十九都是被強迫參軍的呵！

藥房老闆走向自由

上海某藥房，以出品「肺喉露」最爲有名。該藥房有一店員，在今年五月，自動辭職他往，不料到七月初，店員忽又向該店復職，老板某君，以其出爾反爾，不予同意。店員乃向該店工會控訴，工會幹部出面調解，老板以理由充分，不服工會的評判，又向勞動局控訴，勞動局的幹部，亦以理由不欠缺，店員我們說不過你，但不過老板。當時評斷道：「這一次算你到東北去走一趟」，說，「一老板回來後，自念年已五十餘，現在既得罪了共幹，「強迫勞動」又怎樣吃得消呢？於是他竟不顧一切，離開上海，逃到了另一自由天地。（八月廿五日寄）

五斗谷換來的恐怖

·歸人·

七月的天氣，涼風吹在身上，頗有秋意了，金明走在路上，滿腹的高興；他想到明天的參軍大會，已有了近八成的把握，不禁露出一臉奸險的笑容。但一陣陰影又掠過他的腦海；他想：張貴明天在大會上，果能依着我的指示，咬出許多年青人去參軍嗎？如果不能達成任務，指導員豈不……，然而這黑暗的陰影，立刻便又被自己控制張貴的信心消失了。

還是去年的暮春三月，「解放軍」佔了金家朴，當時，所有的居民，大半都預先便逃走了，但金明不會走，而且首先去歡迎了「解放軍」，從此便成了金家村的村長；為了這個，金明的女人還和他吵了好幾次，但金明卻說：「婦道人家，你知道什麼？」。

一年過去，在這次參軍大會上，秋天的太陽，無力的照着這北國的村莊，廣場上慢慢的塡滿了恐懼的居民，每個人都在等着可怕的命運的來臨。

指導員來了，場上的空氣益趨死寂了，金明連忙跳過去和指導員搭訕着說話。

指導員走上了土台，便宣佈了開會：「……「解放軍」到來以後，把「反動派」趕走了，國民黨的特務份子，也給我們剷除了；現在沒有了剝削階級，沒有了貪官汚吏，你們說「解放軍」好不好？』指導員十分激昂的說到這裏，希望得到台下人民的回答。

一羣羔羊

但台下沒有一點回聲，仍然是死寂寂的，宛如一羣恐怖的羔羊。

「你們說解放軍好不好？」指導員怒吼了起來，又向廣場的大家投出可怕的眼光。金明趕緊喊了一聲「好」，以為倡導，於是羣衆像夢醒似的嚷了一陣。指導員於是又開口了：「自然「解放軍」好，我們便應該為解放而努力，現在，美國鬼子侵略我們的兄弟國家——朝鮮，還想侵略我們東北。我們要把美國鬼子打垮，因此，我特別召集大家來，希望大家自動的參軍，抗美援朝，實現我們毛主席的解放事業，你們願意嗎？」

台下沒有回聲，又是死一般的寂靜。

……金明向指導員耳語了一會，便問站在附近的張貴：「張貴，你不願自動參軍嗎？」

「不願。」張貴說着把他的狡猾而凶險的目光掃射着恐懼中的羣衆。「西頭張家的大寶，郭家的金柱；他們比我富，也比我年青，怎麼不先參軍呢？」張貴將昨天金明和他計劃的話如同背書似的回答着，他頗為自己沒有漏下一個字的聰明而感覺十二分的驕傲。

不能倖免

「啊！郭金柱，張大寶，你們聽到了嗎？——真的，你們兩個年青力壯，家境又好，確實應該獻身解放事業，你們以為怎樣？」經過一年多的努力學習，金明很知道了幾個名詞的運用。

「我不能……」金柱像哭了似的說：「我還有老娘和幾個小兄弟，怎麼能去：……但大寶連忙拉了他一把：「金柱，難過有什麼用？——村長要我們去，我們還能倖免嗎？」

……在金明的嚴密計劃下，金家村的年青人，一一由張貴繼續提名，都變成了解放軍的「戰士」。他的臉上充滿勝利的歡笑，望着這無數被恐怖所懾服的羣衆，沒有同情的憐憫，卻是「英雄」的微笑。

但突然人叢中的張大寶向指導員提出意見：

「為了實現解放事業，我們希望金同志（金明）與我們一同前去參軍，打倒反動派！」

像炸雷似的，金明的臉色蒼白起來，他畏怯的望着指導員，乞憐而分辯的說：「我怎麼能去，我還要在後方做「支前」工作……為人民服務……」

全村模範

「支前工作也沒有參軍來得積極啊！你不願實現毛主席的解放事業嗎？」大寶堅定的說：把臉正向指導員：「李同志（指導員）你說是不是？金同志是我們全村的村長，不能做我們的模範嗎？」

還堂皇正大的要求，指導員只得採納了。

散會了，金明拖着沉重的腳步走回去。但張貴追上了他，向他要五斗穀的代價。因為金明昨天許下，倘能在大會中咬出二十個以上的人出來參軍，他願以五斗秋穀作為酬勞。

「我現在也參軍了，怎麼能再給你穀子呢？」

金明哭喪了臉。

「你參軍不參軍，與我有什麼關係呢？」張貴毫無情感的追索。

夜幕籠罩了大地，秋天的月亮，照着躺在床上的金明，苦痛和悲涼交織在他的心中，他驀然感到一陣淒楚，這是他從來沒有過的感覺。他的希望幻滅了。換來的只是想像中朝鮮戰場上汽油彈的恐怖，和漆黑一片的前途。

自殺與他殺

·尚方·

近日香港各報刊載「防止自殺」的徵文文選，有人以冷嘲熱諷的說教口吻，解釋曰：「這種自殺之風，主要是社會制度的問題。在解放後的國內，我們就很少聽到有自殺的事」！

自殺的主要原因，由於社會制度，「在解放後」的中國大陸上，一切社會制度都大翻覆了，所以「很少聽到有自殺的事」。而人們常常所聽到見到的，只是「他殺」之事，因為人民都翻了身了！

在「大張旗鼓，鎮壓反革命」的號召下，一切「反動的黨團份子」和「偽裝進步，投機滲入的「國特」「匪諜」，以及「反動政府的文武將吏，一律殺無赦；在剷除封建惡勢力的名義下，一切惡霸、地主、官僚，幫會道門份子，一律處死；在「肅清反革命殘餘勢力」的「反共份子登記條例」下的所有「破壞人民民主事業」的人民，都得格殺或嚴厲管制；而在「人民公審」台前，一切為兒女所不諒的伯叔兄弟父母，一切為妻室所控訴的丈夫，更是罪該萬死，格死打扑，不在話下。

大陸的社會制度翻了身，翻成了殺人制度！人人有「他殺」之虞，個個無偷生之望，[illegible]流血成渠，隨時請上斷頭台；死不必多，殺人必有所「事」，想生的人，隨時可以「跳樓」，生教你勞動改造到死，像這樣的殺人社會制度，「自殺」之風，豈但「很少」，所謂「自殺」根本就沒有那回事啦！

自由談

記濟南慘案始末（三）

·舜生·

時蔣已離濟南赴黨家莊，濟南對外交通斷絕，傳達困難，我方收到上項哀的美敦書後，曾由戰委會蔣作賓派員要求日方延長答復時期，無效。嗣又由蔣介石派熊式輝羅家倫往日司令部談判，抵目的地已在次日上午八時，福田竟不待答復，於八日清晨下令，轟擊濟南；並破壞我黃河鐵橋，新城兵工廠，炸毀火藥庫，強佔辛莊兵房，掠奪我軍糧食輜重。即於是日佔領白馬山，向黨家莊前進，日軍騎兵襲擊我第三軍，該軍奉令不准迎擊，損失甚大。日軍又襲擊濼口，齊河，長清一帶，妨礙我軍渡河，並截毀電桿若干。

時我留守濟南兵力僅一團，日軍日夜用砲轟擊且投擲炸彈，城內房屋燒燬，死傷枕藉。日軍節節進逼，並派隊佔據馬鞍山，其一部進佔東西十六里河，向我第一軍留守部隊射擊，濟南至黨家莊之鐵橋亦被破壞。留守濟南城我軍之一團，奉命於十日衝出，日軍遂入城，大加屠殺，我後方醫院有傷病兵七百餘人，全被殺死，此外居民與軍士合計，其總數為一萬一千零六十二名，金錢與物質的損失，尚不能統計，而慘案的活劇，即在此嚴重形勢之下，粗告閉幕。

繼此，日本仍在各處增兵不已，不僅於山東，河北，遼寧，吉林等處增加多數陸軍，且向長江及華南一帶，派出若干兵艦，其橫暴無禮的態度，可謂發揮盡致。及北伐告成，全國將次統一，日人已失去久據山東的理由；且我國以慘案情形，迭次向世界各國公告，各國輿論，亦多不直日本所為；加以日本民政黨始終認田中出兵山東為一種失敗，攻擊不已；田中處此內外夾擊的形勢之下，始於是年七月，十月，及次年二月，先後經派上海總領事矢田七太郎及公使芳澤謙吉向我外交部長王正廷交涉撤兵，延至十八年三月二十八日，乃以一種不痛不癢的方法將濟案解決。其方式係由日本照會我國政府於兩個月內撤兵；關於中日兩國之損失問題，由雙方各任同數委員，設中日共同調查委員會，實地調查決定；此外並聲明：『兩國政府與國民，現頗切望增進睦誼，故視此不快之感情，已成過去』云云。（完）

萬竹樓隨筆（二一四）

駐美蘇聯外交官開汽車
考執照多失敗

美國對蘇聯的又一報復

·一丁·

兩個對等國家，如果甲國對乙國在任何方面有猜不友誼態，乙國自然也可立即採取同等的報復，這在國際法上，本是一個公認原則。年來，蘇聯及其附庸國家，對英美民主集團的使館人員和僑民，都先後頒佈過許多苛待的辦法，民主集團總是極力容忍，但因世界形勢之日趨惡化，也就不得不有種種限制。時而窮，如捷克等國限制英美外交官員不得出至首都郊區若干里，美國也如法泡製，施行類似的措置。此外，如波蘭停閉美國新聞處，美國也就禁止波蘭在美國的宣傳活動。凡此一切，皆是國際法上許可的報復，也就合了中國的一句古話「來而不往非禮也」。不久以前，為了汽車駕駛執照問題，美國又來了一套報復辦法。根據蘇聯規定，駐蘇英美集團的外交官員，如要駕駛自己汽車，必須考取駕駛執照，而考試執照在技術方面最主要的一項，是必須由應考者將汽車機件拆開重裝。[illegible]英美外交官員大多數是不會了解這種技術的，考試及格的人自然極少，因此，就不能不雇用蘇籍司機，當然受英美外交官雇用的，不能不是蘇聯特務，而關於外交官員每日的言動，也就都記入了特務機關的紀錄，美外交官大家都明白，在受着司機監視，但大家都如「啞子吃黃連，有苦說不出」。

從本月十六日起，美國也就首先想出一個辦法，通知蘇聯大使館及有關方面，如蘇聯大使館人員要駕駛汽車，必須照美國現行的考驗駕駛規則，正式考試，由蘇聯大使館拒絕，在第一天考試中錯誤不得超過二十五項的最大標準下，應試的蘇聯外交官，竟有錯誤達到一百二十三項的。雖然他們也帶同隨員從旁協助，他們的失敗，還是無法挽回。不過將來蘇聯外交官要雇用美籍司機，是否美國聯邦調查局也將設法從中發生關係，那就還不知道。

記廣西殉難縣長梁桐

·黃華·

卅八年桂花盛開的時候，廣西全省十三個行政區，九十九縣一市的首長，一個一個的「移交」，「自新」，「悔過」。這個時，反共，抗共的行動，不但被視為「螳臂當車」，甚者以為愚不可及。有桂平縣長梁桐，他雖不是軍人，但卻堅決抗共，實行秀才造反而不顧一切成敗利鈍。

游擊戰經驗豐富

梁桐字奕生，廣西平南縣寺面鄉人，北平朝陽大學畢業，卅三年日敵陷廣西的時候，他做遷江縣長，曾率領自衛隊和日本鬼子打了一年的游擊戰，成績甚好，賓陽上林遷江一帶民衆，至今猶津津樂道。和中共周旋到底，他有決心，在匪軍未到縣境之前，他便積極組織地方武力，可惜時間短促，僅組成四百人，共匪大軍即如潮水般壓境，當時他還鎮定得很，[illegible]率領僚屬和部隊離開縣城，[illegible]做游擊基地。[illegible]激戰，[illegible]死傷的死傷，散的散，梁氏知事不可為，[illegible]突圍而出，退回他的家鄉寺面鄉。寺面位於武博公路（平南由武林通容縣之路）的中部，是平南、桂平、容縣之交界地，與容縣之石頭鄉，桂平之羅秀鄉毗連。石頭羅秀是有名的山地，他既到山區，樂得休息休息，看局勢的演變如何，再作計議。這時候，廣西各地的首長，紛紛出而移交，甘心做共黨的順官，以保存他們的身家性命。梧州專員馮璜，親出移交，並力勸梁氏移交，結果梁氏拒絕，梁氏對於來人說：「馮璜過去雖然是我的上司，但他現在自首了，他是中共的順官了，我是絕不能聽命於中共的順官的，請他好自為之罷！」

梁桐雖知大勢已去，但眼見社會騷然，人心思漢，於是再鼓起勇氣，聯絡各方志士，揭起反共旗幟，重新組織武力，一個月內，聞風來歸的已有三千多人，正在這個時候，黃品琮起難於思旺，張國材起義於鵰化，（均平南縣與藤縣毗連）江漢才揭竿於大黎，（藤縣屬），梁氏一方面派他的副司令梁炳光與黃張江等[illegible]聯絡，一方面派遣便衣隊二百餘人潛入桂平城，相機襲擊，自己則親率所部約一千八百人，向縣城反攻，其餘則留守老巢，一夜激戰，克復縣城，擊斃共軍卅餘名，共幹七名，桂平，平南兩縣為之震動，中共星夜由梧州貴縣調兵增援，梁氏以衆寡懸殊，退回羅秀山區，這是民國卅九年二月間的事。

[illegible]

在桂平挨擊共軍

梁氏經過這一次作戰，知道敵衆我寡，不能打硬仗，[illegible]和中共周旋，以保存實力。[illegible]平南方面，而沿武博公路北攻大坡，南佔六陳。中共極感頭痛，常時派有武裝部隊七千餘人駐在距六陳不遠的「墟地」，中共最少有千餘人，但不敢正眼看他。安大中，武林的糧倉，常常受梁氏的游擊，威脅，藤江水運中斷，武博公路不通。中共當局認為心腹大患，亟思撲滅。梁氏也[illegible]

寧死也不肯投降

[illegible]

一羣流亡的孩子

·張天寶譯· 原載「哥倫比亞」雜誌

在那裏，他們將得到永久的家。

難民救濟營

特比茨營在德國北部毀於戰爭的布里曼城不遠的地方，這是幾排簡便的平房，收容流亡的難民，和設法把他們送到別的國家。在一間空洞的大房間裏，一羣孩子正分行靜坐着，在諦聽一個女人的演說。這些孩子一起有一百四十九名，男女都大，最大的十六歲，最小的才十歲，這女人已和他們相處八年，這時在向他們說着送別的祝頌。他們都來自共產黨政權下的波蘭，明天將登船去加拿大了，

被棄的孤兒

我看着這羣孩子嚴肅的面容，每人都複雜而不可撫飾的留戀神色。他們之中有一部份特別矮小和瘦弱，顯然是由於發育的不幸，但大多數都健康而結實。他們的父母已在史太林和希特勒締約瓜分波蘭時，被放逐到西伯利亞，其中一百四十四個孩子的父母都已在西伯利亞磨折致死，在波蘭也沒有親屬收留他們。

說話的葛羅西卡夫人在一九四一年到了蘇聯亞洲部份，把這些孩子聚集在一起，替他們辦妥了入境的手續。她全力扶救他們，照管他們，直到現在。她已忘記了自己，她曾領着他們經過伊朗，轉到東非的難民營，再到義大利，最後到了特比茨救濟營。如今，她已為他們安排好了去加拿大的護照，同時，她自己也將去英國。她對他們解釋，她的兒子也是共產國家的流亡者，現在英國患病，她必須去看他一下。

自由人

THE FREEMAN

（半週刊每星期三六出版）

（第五十二期）

每份港幣壹毫

督印人：李光華

社址：香港高士打道六六號

電話：二〇八四八

GLOUCESTER RD.
HONG KONG
TEL: 20848

承印者：東南印務出版社

地址：高士打道六四號

台灣經銷處

台北重慶南路一段七十四號

送日本代表團

舜生。

我們希望日本能在這次會議中得到圓滿成功。並希望中日兩國能在這暴風雨隨時可能降臨的悲慘世界，相互合作，以盡到人類應盡的責任。

日本簽訂和約的代表團吉田一行，已於昨日（八．卅一）首途前往舊金山，預計九月二日可以到達。

以一個戰敗的國家，在戰爭行爲中止了六年後的今天，居然能在這樣一個從表面上看十分寬大的和約之下，把這件事予以正式結束，而使日本得重返於國際之林，這似乎是一件值得喜悅的事。

日本在過去的六年中，以一種戒慎恐懼的心情，依於美國的助力，居然能使社會趨於安定，而國力也逐漸恢復，這一點也值得世人的佩服。可是，當我們一想到日本今後在國際所處的地位，和她所必須擔負的責任，我們也覺得日本一部分的深識之士，依然會要感到彷徨。

以今天亞洲的形勢，與六年前相較，已經有了顯著的不同：她不只添了若干新興的獨立國家，整個的中國大陸已爲共黨所竊據，而最值得吾人所注目的，則爲美蘇兩方均已向亞洲積極深入，且以此爲一個廣大的角力之場。

日本有其立國的一貫精神，且至今猶爲團結於全國大多數人民的心理，牢不可破；最近六年以來，不斷接受美國善意的援助，即在今後的十年以內，似亦尚無從在經濟上脫離對美依存的可能；儘管從這個主要的困難觀察，日本自無折而與蘇聯接近之理。可是，我們必得承認：蘇聯對於爭取日本所下的工夫，並不是全無基礎；這次蘇聯對於和約的態度，簽字乃較不簽字尤爲可慮；這個由蘇聯與過去日本軍閥所合造成的中共，蘇聯更得繼之以增加日本應付上的困惑。凡此均值得日本的有識者作深長的考慮，有對任何見諸行動的每一步驟，似乎均有出以十分謹慎的必要。

日本當前的心理，僅在有力量足以自衛，雅不願介入一切複雜的紛爭，這樣從自重觀點出發的一種心情，自是無可非議。然而這究竟只是相對的，而不是絕對的；只是主觀的，而不一定與客觀的形勢相脗合；求我不犯人易，求人不我犯難，未來的世變，究將以何種姿態演出，這實在是不可知而不可知之數。

我們承認：日本人對於中國的理解與注意，遠在並世其他的國家之上，中國受過八年戰爭的創痛，何以從來沒有一種必須報復日本的心情？這次的舊金山會議，中華民國遭受歷史上空前的侮辱，中國何以依然咬緊牙關隱忍待時？這種心理狀態，也許只有日本人還能夠多少體會吧！

我們對於那些附於一時現實的淺薄者流，不願多所責望，然而對於中日兩國對世運前途抱有深憂的遠識之士，則不能不寄以熱誠的期待。

日蘇的關係不能水乳，日美的依存也只是一時，爲了亞洲甚至爲了世界，正應該尋求了解，增加睦誼，以解除相互間的困難，共同應付未來的世變，則中日兩國如何做到攜手聯肩以增進力量，以求得卓然有以自立，確實是當前中日兩國有識者的主要課題之一。

我們在過去六年間，對於中國方面的若干負責任者，其處理中日關係的僅僅只有一個空空洞洞的原則，而無任何較有深刻意義的實際措施，早已深表遺憾；可是假定能改弦易轍，及今圖之，似乎也還不算太晚，然而這究竟是中日兩國的事，中國的一面儘管伸出其友誼之手，萬一日本依然以一種漠不關心的姿態出之，則時機稍縱即逝，前途便很難說了。

我們今天儘管以一參與戰爭的主要國家，公然被摒於和約會議的大門之外，甚至求爲老撾柬埔寨而不可得，但我們依然相信人類長存，公道不死；我們不願於人有所恐，尤惟有困心衡慮，求所以爲人類爲公道的前途努力。

小托狄已出現

桂共黨與游擊隊合流
中有「二萬五千里長征英雄」二人被捕

桂民。

據最近由桂林來港者談：八月十日上午，桂林環湖路某旅店，破獲一宗游擊機關案，當十日上午二時，環湖路突集有共軍百餘人，向某旅館包圍，嚴密搜查，拘去旅客二十二人，內有共幹陸榮軒、李桐、陽宗勝、莫麗駒（女），搜出護法聯軍第三路第五軍區特務組文件一批，總司令兼湘黔桂閩粵總指揮龍某命令等。當晚星夜解赴南寧。此案發生後，共軍諱莫如深，市民雖相戒不敢談及，然此消息不數日即傳遍桂市，共軍當局對護法聯軍早感頭痛，各地不斷越獄，或公審時搶走案犯等，皆爲該軍游擊隊所爲。閱案中之陸榮軒、陽宗勝均爲二萬五千里「長征英雄」，已當共匪未渡江前，深入湘瀏各省及粵桂邊區一帶活動，土共多受其聯絡，嗣以共匪侵佔大陸，倒行逆施，舊時土共，多被歧視，其幹部思想，漸感不滿，逐漸暗通游擊，思想動搖等現象發生。現共軍當局，認此次事件，爲小狄托出現先聲。對於湘籍桂閩粵幹部，大起疑慮，不敢過於信任，日前共軍某部，即因此案發生，調桂增防鎮壓。

我們希望日本能在這次的會議中能得着圓滿的成功，不折不扣的成爲亞洲的一個獨立國；並希望其能以獨立的思考，周密的判斷，以周密的方法，使中日兩國能在這個鐵幕破碎支離而暴風雨隨時可能降臨的悲慘世界，能相互合作，以盡其爲人類應盡的一分責任。

如果今天削減一元經援　美國即將多付三元軍援

美政府認國會削減歐洲經援反增加了美國納稅人負担

一丁。

美國龐大的整軍預算，對於每一個美國男女，實在是感到負担太重，但美國人民爲着保障自己的政治制度，生活方式，他們仍咬緊牙關，隨時接受政府加稅的命令，毫無怨懟。

據最近美國商務部統計，上年度每一個美國人收入，平均爲一千四百三十六元，比前一年度增加了一百十六元，即是增加了百分之九。而生活費用，比前一年度僅增加百分之六點五，這可見美國經濟基礎仍極穩定，收入大增，支出所增甚微，物價上漲和通貨膨脹，都已達到有效的控制。不過另一方面，人民負担的捐稅卻比前一年度增加甚巨，平均每人三百六十元，這是所有增加的收入，全數抵償還嫌不足。由於蘇聯威脅之繼長增高，此後預算也自然有加無減，這實是美國人一個最苦痛的課題，然而美國人是不能向蘇聯屈膝的！

國會要替納稅人省錢

正待國會審核通過之援外法案，參衆兩院，都主張削減，除了復興朝鮮的經援費用，已削減九千萬元外，衆院削減最多的還在歐洲方面，計經援減去六億九千萬元，軍援減去二億一千五百萬元。衆院削減的理由，認爲歐洲復興經費，美國納稅人，幾年來所付業已不少，任何國家的復興，由另一友邦來幫助，總不應該是永遠的無限度的。軍援爲共同反共抗俄，美國只好忍痛負担。經援則必須大事緊縮，所以一減就減了將近七億元。聽說，參院方面上述主張，比衆院還更激烈，可能再減去十億元。兩院如此力爭，一方面固然是他們不願成爲一世界「施主」，去替若干不求上進，甚至還時時準備和共黨勾結的國家塡補鼠穴，一方面則每一議員，他們的確感到美國人民爲自己國防業已負担太重，實不能不打打算盤，有所節省，否則亦會影響到他們下屆的選舉。每一選區的選舉人，決不容許自己選出的代表，慷他人之慨，任意浪費人民的血汗。

政府認爲應維持原案

不過，在政府方面，則認爲這些削減，並不符合美國的國策，即爲經濟打算，也是有損無益。政府在所提外援計劃中，經援部份，歐洲配額最多，最大用途，係因英，法，比等國，工業基礎，都相當雄厚，她們能自造飛機，坦克，及一切軍火，惟擴建這些工廠，使合於現代水準，以及購備原料，均需要一大筆款項，這筆款她們目前本身是無法籌集，美國的經援，即目的在供給她們此一項費用。如果照衆院核減的數字，即無由達成。將來歐洲軍火，仍須專靠美國供給。政府的計劃，是此次對歐，多給經援，等她們自造軍火以後，軍援即可減省。此計劃不能實現，則軍援只有隨着歐洲擴軍的進度而繼續增加，且萬一大戰發生，美國以一國力量來供應全世界軍火，無論在生產能力，和運輸工具上，將都是十分危險的！

據政府估計，軍火在歐洲由各國自行製造，其費用比由美國運往，可減省三分之二。換一句話說，即現在國會減削一塊美金的經援，等於另一方面，美國將負担三塊美金的軍援。國會議員，要替美國納稅人減輕負担，爭取本身選票，但結果無異適得其反，更使每一納稅人要多負担三分之二的費用。

杜魯門，艾契遜等想即以此種理由，說服兩院議員，維持政府原案，將來結果如何，此時自然還無法判斷。

偽裝親共榮任美國代表

對世界共黨青年節開玩笑
在親嘗鐵幕滋味後走回了西柏林

第五十期本刊，我們曾因最近「世界共產青年節」的閉幕，談到蘇聯正如何毒化鐵幕下的東德青年。從二次大戰結束到現在，東德青年，不加入青年團，就要遭到積極的非法迫害，雖然這些青年多數內心對蘇聯仍多反感，但青年團員已三百萬，如果東德長期在蘇聯統治下去，從搖籃中就接受蘇聯的教育，會要以迷惑成理智，青年精神上將永遠成了蘇聯的俘虜。

關於這次在東柏林舉行的世界共產青年節，出席的代表，除東德青年外，參加的有六十五國，據說美國也曾有一位代表出席，他是一位編過刊物的二十一歲名叫郭德孟 Geo Goodman 的青年，爲好奇心所驅使，他曾設法由西柏林進入東柏林要求准他出席，並願意接受連續三天的「忠誠」考驗，他答覆那位東德青年領袖席維爾女士詢問，「雖然我不是共黨員，我十分擁護和平」。席女士又問他會否參加過任何進步團體，及會否爲和平做過任何工作，他都據實告以沒有，並說：「我現在仍很年青，將來供獻力量的機會一定很多」，就這樣，他居然被通過了，從此，他也就戴上了美國青年代表的頭銜。

他認識了六十五位代表，其中有學生也有工人，但每人都被嚴密監護，住在郊外一所孤懸的學校校舍裏，至少佈置了三道哨兵綫。大家都必須集體行動，每到一個地方，總是同坐巴士，吃飯也永遠必在一起。大家沒有個人的自由。

五天以後，郭德孟漸漸感到不能忍耐，他的偽裝也就引起懷疑。當他對每天伙食表示不滿時，代表團中的主持人告訴他，我們不應該有任何怨言。他偷偷一個人脫離同伴的監視在東柏林巡遊一週，回來時，假說是找牙醫。又爲了他給許多代表照像，而不將底片交檢查，在八月十四日上午一點鐘，他被叫醒，將他驅逐離開美國代表團。他就拿起所有衣物，及始終未被檢查的底片，走出這名爲代表團實乃集中營的房舍，並設法跳上一輛高架火車，回到了西柏林。（一丁）

一丁小啟

我因事，本刊編輯工作，自九月一日起，暫請朋友担任，一切事務，請勿寫我個人名字，以免轉寄延誤。

半週展望

雷嘯岑

劍拔弩張而已！

杜魯門總統向記者表示：「朝鮮戰事如再爆發，聯軍之地位將較停戰談判未開始以前更強」，意味着戰事不惜擴大的趨勢。布萊德雷向國會聲明：「準備應付任何事件」，他認爲史太林居心叵測，「吾人不能估計彼等將何爲，但估計亦係危險之事」。同時，另一種消息報導：蘇俄與中共訂有祕密協定，「倘聯合國空軍轟炸中國東北地區，俄機則以中共軍名義突襲日本本部」，並指出俄機二千架集中華北及東北，準備必要時出動。看雙方這樣的劍拔弩張，好像隨時有大打出手的場面要出現的樣兒。

戰爭是要雙方都有非拼不可的形勢與決心纔能實現的。祇是一方叫打，一方不來氣，如何打得起來？何況現時的美國亦有色厲內荏的心情呢！邱吉爾一語破的：「他們究有多少原子彈？」邱翁指問的是蘇俄。發動世界大戰的人一定是史太林，美國始終是採取的應戰策略，史太林還不想打，也不能打，所以他近日又提倡甚麼「和平簽名運動」，重彈「五強會議」的老調了。

目前彼此張牙舞爪的姿態，爲的都是冷戰利益——韓戰和談與對日和約——舊金山和會中，蘇俄毫無所獲，韓戰前途，不致惡化到甚麼田地，蘇俄也不會放棄進行和談判的機會哩！英國政府人物正說：韓戰再惡化，也不過方在遠東半島上拉鋸幾個回合，再又談判。整個的世界局勢，依然是劍拔弩張而已！

美菲安全公約簽字

美菲安全公約已於前天在華盛頓正式簽定了。這是菲律賓強烈反對對日和約的代價，所以要在對日和會開幕之前簽定，以減少和會中的是非。同時，這公約又希望其他東南亞國家隨時參加，作爲未來的太平洋公約的準備，也是美國爲安定人心的苦心孤詣，至少使參加和會的印尼等國足以自慰。

有了這一種畸形的太平洋公約，將來隨着世界形勢的演變，要形成一種真正的太平洋公約，即有事半功倍的效用。太平洋沿岸各國之間，利害大致相同，只在避免侵略或威脅，不像大西洋公約國之間，有那麼多的矛盾對立，糾纏不清的。因此，美菲安全公約之實現，對太平洋的反侵略前途，是一種好消息。

印度發表白皮書

尼赫魯於拒絕參加對日和會之後，連忙發表談話，說印度並非反對美蘇任何一方，也不投靠那一方。前天又公佈白皮書，申述理由，並且保證將來跟日本簽訂雙邊和約時，決不違反美國的意見。艾契遜前天聲色俱厲的說給尼赫魯聽：任何對日雙邊和約，不許與英美所同意的對日和約規定相違背，這一紙之音，使尼赫魯不免打一寒噤，馬上以正式外交文書表明態度了。

由於尼氏近年來的做作，令人想起「國際聯盟」時代的波蘭，對那「九一八」日本侵略中國問題，捷克派遣「上校」了。波蘭與美國代表西門爵士互相呼應的九國公約會議，也是給日本軍閥打擊中國的正當行動，最後跟美國在不爲所動的侵略者，首先藉口不休，弄得結果而散，他常常對人類的悲慘遭遇，自私之徒。後來二次大戰發生，波蘭首當其衝，在扮演柏克上校那一角色，洋洋自得，我們盡有時間和機會拭目以觀其後果吧！

日本決定與自由中國締約

東京消息：日本政府原則上已決定與中國國民政府簽訂雙邊和約，這是日本的決策。日本既不能與大陸上的共黨政權交，若又不跟自由中國媾和，縱然獲得其他國家的和約，也陷入了「遠交近攻」的困境，後患焉測？這決策，聽說日本有意於舊金山和約簽字後實行。

美國對日和約總檢討（上）

美國在對日和約問題上所決定的策略，所造成的形勢，以及所能衍演而成的後果，尤其是對於中華民國的關係，這裏都提供了一些資料和看法。

·勞佩·

「凡論一國之事，當各就其利害之端之不可移易者，以爲基礎，而各爲之想像其所取之策，孰爲最宜，因之可以決定已國之趨避，決不能訴諸感情。」我反覆誦讀孫中山先生在「中國存亡問題」裏所說的這一段話，我就越發覺得辦理外交確是一件需要高度理性和專門技術的事情。細繹中山先生的意思，一國外交的決策，既必須了解他國的「不可移易」的「利害之端」，並更須「設身處地」，代他國「想像」最適宜的政策，然後方能「反求諸己」，決定已國趨利避害的途徑。大概必須是這樣所認定的已國的利害，方能合於客觀的現實，即中山先生所說他國的「不可移易」的「利害之端」，而不致爲主觀的一時的「感情」所誤。這不但不容易，實在是很難的！筆者在「對日和約問題與中國」和「我們應該怎樣做」？（本報第四十二、七期）兩文裏，一則曰「我們相信至少在美國方面必有其深遠的獨自立場，計出權宜」，再則曰「『兩利從違』；『知己知彼』，不但在軍事上需要，在外交上也同樣需要」，都是基於這種觀點而言。前兩文是重在「己國」的立場，認這次舊金山的對日和約會議，「我們之被邀請與不被邀請，一部份亦只是『面子問題』，不必過分重視，過分受刺激」，老實說！我們唯一所應「趨避」的「不可移易」的「利害之端」，當然是反共抗俄，要收復大陸，重整河山，與民主國家共同鞏立世界永久和平的基礎。

不但目前在外交上我們應該儘可能的避異趨同，本自主精神，與他國加強團結，爭取多助，而且即在內政上，我們更應該從同捨異，本自我警覺，一反俄共的作風，奮鬥到底，切實有效的負起反共前哨的艱鉅任務。……

話說遠了，現在姑先回到本題來，檢討檢討數月以來民主集團的領導國家——美國在對日和約問題上所決定的策略，所造成的形勢，以及所可能衍演而成的後果。

對日寬大政策 我國倡導最早

自日本投降，我蔣總統即於民國三十五年八一四對日廣播，宣布我國對日態度「以德報怨」，決不採取報復政策。美國這次所擬對日和約的草案。完全合於蔣總統所最先倡導的「寬大」精神。如果我們不說美國在走蔣總統的「寬大路綫」，至少，我們可以說，而且應該說，蔣總統對於日本戰敗後的遠東局勢，確確實實是具有獨到的遠見。進一步，我們並且深信蔣總統這種遠大的看法，在若干年代以內，都是不致需要有任何修正的。

我國早就希望對日締結和約，以期從速安定遠東局勢，保障世界和平。不料，因台決權問題的關係，一再遷延，拖至六年之久，而最不幸的！在這六年的前半期，美國偏又壓根兒認錯了中國共產黨的本質——其實「天下烏鴉一般黑」，全世界共產黨，本質上都是絕對一樣的！——戰後羅斯福總統「雅爾達錯誤」之後，杜魯門總統又派馬歇爾特使來華硬要國民政府拉攏共產黨，造成更大的錯誤，致使偏促西北高原一隅的赤禍，很快的就汎濫於全中國大陸，使入南韓，並駸駸乎有進而淹沒日本三島之勢……美國於受到韓戰血的教訓之後，於是改變決策，堅決的認爲無論如何，並不顧一切，（包括不顧蘇聯的反對及因果種關係，遂不顧國民政府的法律地位和道義地位在內，）必須儘速儘早完成對日和約，藉以扭轉遠東危機，補救過去的錯誤。

這顯然遲了！中國四萬萬五千萬人民已被關入鐵幕去了！這是一宗無可補救的損失！

但「遲做好於不做」。美國自本年一月以來關於對日締結和約的加緊努力和計劃成功（美國原希望能夠於七月間發訂）的重大決心，我們在基本上當然是完全一致的。

可是……可是除了蘇聯集團不計外，對日問題具有重大關係和野心的還有英國及其從屬的集團。由於「關係」和「野心」的性質不同，就產生出英美間在遠東政策上不少的歧見。

中華民國就在這歧見中遭受到意外的打擊，被他們活活的犧牲，以作爲他們之間彌縫裂痕並加強團結的祭品！

這，事情可就特別復雜了！

只有中山先生最能了解英國

既然提到英國——而且國際上的事情是很少可能不提到英國的！我們就不能不把英國外交的基本政策，以及他所運用的「老練」手段——「老練」可說是「凶辣」的同義詞！——略加講述。而自十九世紀後半期以來，依筆者個人所見，認識最澈底，了解英國外交理由的，在我國，除孫中山先生外，還不曾有第二個人！因此，請讀者恕我在此多引幾句中山先生有關英國外交的「名言」，因爲這些「名言」直至於今，都還依然代表了百分之百的「眞理」，希望我朝野人士多多加以省察！

「英國自數百年以前，迄於今茲，有一不變之政策焉，……求可以爲犧牲者，以爲友邦」。因「英國自戰勝西班牙之無敵艦隊以來，其對外有一定之國是：即聯合較弱之國，以推抑當時最強之國是也」。這在英國，蓋亦有他的客觀環境足以使然。「英之殖民地，遍於五洲，南占有非洲之大部份，而握通之樞紐，埃及以及直布羅佗，摩爾泰，亞丁以聯之，而以好望角之。出紅海而東，於印度，推展而及來半島，則星加坡爲之樞，錫蘭，香港以翻之。越海而東南則有澳洲，蓋爲領地統治之法，隨地而殊」。是以舉凡歷來國際上所遇到的波譎雲詭局勢，英國「惟其謀之於未事，制之於未形」，「始終居於使歐之地位」。英國之外交微妙而敏迅，吾人不憚稱爲世界之最，且尤不能不佩服其主持者有遠識而不搖」。試觀百餘年間，英與法再爲敵，三爲友；與俄再爲敵，再爲友；與德日各一爲友，一爲敵：「此英國外交之用心，固遠非凡人以測也」。這「狐埋狐搰，翻雲覆雨，曾不知愧也」的英國，中山先生曾慨然套用老子的話說道：「夫英國不仁，以美國爲芻狗」！但中山先生又立即撤開感情，用理智加以分析，認爲「自道德上言之，必爲罪惡。己以害人，而信[illegible]論，爲英國謀者又何以加茲」？並進一步了解「歐美之人，其所言公道，言正誼者，以白種爲範圍，未嘗及我黃人也」。

莫禮遜的說法 替中山作註解

這話粗看似毫無道理。然而爲中山先生這說法加上註解並充分證明的人，恰巧就是英國現任外相莫禮遜！莫禮遜於七月十二日在下院宣稱：「對日和約主要困難，乃是那一個中國政府（國民政府或中共政府）代表中國人簽署對日和約，[illegible]……」吾人經此已做得相當妥當」。試想：[illegible]舊金山對日和約會議大門之外，不但全自由中國人，即各國公正人士，亦多認爲太不合理，道義蕩然！例如舊金山紀事報早在七月十七日的社論中，就說對日和會沒有中國國民政府席位，「這是日本和約的異乎尋常的「變則」」，而身爲英國外相的莫禮遜竟厚顏自鳴得意，認爲是「做得相當妥當」！再證以最近八月十八日）倫敦太晤士報的透露，指明此次對日和約的目的，旨在「造成一西方防禦協定」，其餘所有亞洲國家的意見，都是不曾受重視的。

這還不就是說英人對於我們東方人所重視的「公道」與「正誼」這一套，是根本不在考慮之列的嗎？

那末，難道眞的黃種人有黃種人的「公道」與「正誼」，白種人又有白種人的「公道」與「正誼」嗎？或者說「公道」與「正誼」是我們黃種人的專利品而爲英美人所根本沒有的呢？

我想我們還是不必涉及抽象的哲學文化的範圍而仍舊引用中山先生的說法以結束這一段冗長的插曲吧：「國際上之合，必在其共通之利害，」「其感情隨之而逝，亦隨事而生。一國當時之外交，必決諸恒久之利害，決不能以暫時之感情判斷之」。當賴我政府當局及社會賢達之士，隨時隨事，以國家「恆久之利害」爲重，三復斯言！

現在言歸正傳，我們再來看看這次美國決策的大概情形。

以全球爲舞台 以蘇聯爲對手

杜魯門總統代表杜勒斯於本年春間在日本初步完成和約底稿以後，即於六月三日由美飛英，九日由英飛法，十三返英，十五由倫敦返美。這中間，一方面，杜氏助手艾立遜（John Allison）由英赴日本；他方，當杜氏旅法期間，蘇聯於六月十日提出照會，重申其五月七日致美照會的立場，堅持對日和約，必須爲全面的，根據開羅與波茨坦宣言及雅爾達協定予以簽定，並重彈以所謂「四強會議」（指蘇，美，英，中共，）作爲準備和約草案的老調。美國國務院當即由發言人麥克謨發表聲明，拒絕此項程序，接着艾奇遜並於六月十一日在記者招待會中予以指斥，認蘇聯照會除想排擠法國外，絕無新的意見。這一幕短短十二天的折衝，對日和約的壁壘，是以全球爲舞台，而十分顯明的以蘇聯共帝爲唯一的對手。這是一個很重要的大前提！

再看在這一幕默劇的對白，戲中各方要角的說白，都在足以充分表明排演這一幕大戲的動機和用意：如果吾人能獲致協議，即可從而進行保證對日和約之及早締訂，同時對全世界情勢，亦有良好之後果。」（六月三日杜勒斯飛英時在機場講話）——這應該是所謂「英美公正完全之協議」的開場白。

不因恐懼受賄 失去自己團結

「英美雙方均認爲簽定和約，能愈早愈好！」（六月四日下午英外部發言人談話）——配角接白。「……日本應容許其加入太平洋安全制度中，……各國代表均認爲日本應爲防衛共產主義貢獻力量」（六月五日杜勒斯英談話）。「對日和約爲戰後之重要問題。德國與日本乃蘇聯共產主義者所欲攫取之兩大目標！」（六月七日杜勒斯在英演說）。——這是全劇的主眼。接着杜氏又說：「只要我們能表現出團結的力量來，第三次世界大戰是不會發生的，我們是不會因恐懼或受賄賂而失去團結的！」杜氏這話是暗示美不「受賄」，「恐懼」」，英方已有道義上的約束，我們不得而知，但在局外人靜心聽來，卻頗有「深心三疊」之妙，「餘音繞樑」之美。「法方立場與美完全一致，並準備早日簽約。」這是法外部祕書長布羅第（Parodi）於六月十一日在會議中而告杜勒斯的話，我們相信法國無論如何，是不會不參加的。如證以同日法國官員對蘇聯照會所提的看法，說這「是一個分裂西方盟國的企圖。……法國將不參加任何有中共代表參加的談判，……」，足見關於此點，美國已爭取了法國，而英官方亦同時揭穿蘇聯照會的陰謀，認爲「其用意在恫嚇法國……以期阻滯英美對於解決日本和約之努力」。——這可說是英國的收板。

蘇聯用盡種種方法，原想利用對日和約問題，拆散英美，向英「賄賂」，對法「恫嚇」，又從英美身邊拉開法國，雖日宣傳，卻想不到逼出六月十四日英國外交部所宣佈的一個英美「完全的協議」來！而「兩國發表聯合聲明（英美）兩國目標在實質上之一致性」。目標？——蘇聯！實質？——反共！

這「一致性」的話，既由英外部公開在官文書上道出，則蘇聯想勾引英國的工黨左翼份子像貝萬之流，攻入英政府肚子裏翻筋斗的鬼計，似乎在可預見的未來時期內，也不容易得逞。難怪杜魯門總統對於杜勒斯的工作，認爲「令人非常滿意」，並不吝說明「談判開始時，（英美）雙方對若干重要問題，意見相左」，這一「基於互諒與共同認識之自由協定」，是值得珍視的。

蘇聯不甘失敗 想作最後努力

在這協定之下，蘇聯旁息了很久，忽然決定派一個龐大的代表團往舊金山參加會議，這除了表示他內心不甘失敗，極方式意圖破壞和約外，無非想在舊金山作最後努力，開闢另一個場外黑市，亦即是以兜售克里姆林宮和平戰場中最新的出品——陰謀。

這種深入虎穴以求虎子的作風，原是蘇聯共產帝國主義外交慣用的手法，我們用不着驚異，而問題仍在英美間在短促時期內所辛苦獲致的所謂「基於互諒與共同認識之自由協定」，到底能不能貫澈初衷，堅持到底？這是我們目前所最關切的問題！

最近兩個和字 困擾自由中國

自由中國近兩月來所最感困惑的，當然莫過於這兩個相因而生的「和」字：韓戰和談與對日和約！我說「相因而生」，是的！這兩件事實際上確有息息相關的形勢。尤其韓戰和談，顯然是由於英國在幕後拉綫而來，那末對日和會，我們對英國在會內會外可能發生的變化和影響，自然更無法完全放心。

今天，就全世界講，最強的國家當然是非美莫屬；但若就舊世界講，則最強的國家是蘇聯。近些年來，英國——尤其是英工黨左翼派媚共的份子，在他們所標榜「唯一的路」那本小册子裏，公然主張要明分美國的財富，要美國節省整軍經費，救濟落後的國家，要停止英國自己的整軍，甚至還要禁止美軍在英境借用基地——英國對於美國的富強，隱隱乎以世界盟主自居，總不免有說不出的嫉忌。尤其關於遠東方面的問題，英國一向是老大哥，他決不甘願眼睜睜的跟在美國小老弟後面跑。自上次大戰結束後，英國不惜血本，派在美國各地外交，商務，情報及文化，攷察，等各種人員若干千人，其中一部份工作，就是與蘇聯及美共取得地下的聯繫，並以互通聲氣，詆毀國民政府爲主要目的。即如這次韓國的停戰談判，據台灣新生報駐美記者潘安黨若紐約通訊所說，在馬立克提出停戰建議以前，英國早與蘇聯有某種祕密的諒解，蘇聯只答應須先做到停戰，則其他（政治）問題，都可從長討論。證明共黨談判代表態度的頑強和執拗，以及中共八月二十一日北平廣播的對日恫嚇，說是如果日本簽字於美國所定的和約，將造成向共黨宣戰，……「和平」而「作戰」（？）似的極端不利的形勢，似乎在暗中都像有英國的影子「憧憧往來」……

關於英國，於是我們又得請出孫中山先生來給我們以一種指點之智慧：「吾人以最誠懇之忠告，英國維持帝國之保全者，其必有其不變者，以最強者之國爲敵，以較弱之國爲友邦供其犧牲，此必不變者也」。爲什麼？因爲「既不能違逆最強國之日的，排抑最強國保其存在，不得不與其所欲得之利益，以保其所欲已得之利益」。舊世界的「最強國」是誰？蘇聯。英國今天在遠東「所已得」的利益，自印度經星加坡以至香港，還是很可觀，而其「所欲得」的利益，則不外是中國大陸的原有貿易。

這一筆在政治意義上雖然十分複雜，但在經濟意義上却是十分簡明的帳目，唐寧街十號裏的紳士們，一定早已算得一清二楚，毫無問題。問題只怕他們撥動算盤珠兒的聲音，又纏擾到九月四日舊金山對日和約的會場裏去！

美國及今不圖 後悔必將無及

關鍵當然還是在美國。

那末，美國到底會不會受這種可能繼續的影響而再向英國讓步，走回姑息政策的老路呢？換句話說，美國爲要實現韓國的停戰，會不會在舊金山對日和會裏，於接受蘇聯某些政治上的敵詐呢？

不會！決不會！

「俄國自十八世紀之初，彼得大帝改革以來，無時不有併吞世界之計劃，所謂『彼得遺訓』者，久已爲世人所公認，而俄國之地勢，又足以成之」。當時中山先生所謂「地勢」者，不過以「俄爲負嵎之國」，而「久立國」，可是，今天又不同了！共產帝國主義的蘇聯自六年以來，無論在領土，人口，科學，工業各方面，其擴展的程度與速度，眞如杜威氏於本年二月在美國柯里爾（Collier's）雜誌所說，「一個殘暴的赤色沙皇，爬上了然乎可一步登天的『世界王位』！」自中國大陸淪入鐵幕以後，他那「世界計劃」中的「東進政策」，又已很快的完全實現，而且確定。這已爲世人所公認」，難道美國眞的還會懵然不知？試翻一翻現在俄共帝國的領土，在歐洲的只有四分之一，在亞洲的有四分之三；自上次大戰後，他全部的重工業，差不多又有三分之二都已移設在亞洲的地面之上。如果美國及今不圖，後悔必將無及。

中國大陸還只是蘇聯共帝東進侵略的踏脚石，而其眞正初步目標，厥在日本。美國自佔領日本，五年以來，苦心孤詣，一意扶植，單就在日本經濟方面所花的金元，約計已達二十三億五千多萬，豈能聽任罄於一旦？日本對於美國，在戰略意義上，實已成爲不可分割的整[illegible]，看和約草案中美國決未遺忘駐軍及基地的規定，便可充分證明。依我們看，在一個相當長的未來時期內，即或美國捨得日本（？），但日本亦決捨不得讓美國。日本人是很有考慮的：在他本身羽毛未豐，未能眞正自立的時候，他又何樂要急於撤退了這恩情深重的可靠的保證？在美國佔領日本期間，日本人一味溫馴；日本簽約獨立自主以後，我相信他們還是一樣的實際。……

水旱蝗風雹橫掃整個大陸
中共硬把凶年變豐收

老百姓反正對豐年凶年，已感到無大差別，因爲凶年固然餓死豐年也不一定能活下去，無論收成怎樣好，糧食總是屬於中共的。

【本報北平特約通訊】中共報紙，天天宣傳今年各地豐收。兩月前，派遣兩架飛機到皖北滅蝗，大吹大擂，說這是共產黨如何愛護人民，大力救災的表現。但記者從許多方面得來報告，則今年整個大陸，可算水旱蝗雹，無災不有。老實說，今年乃是近二十年來向所未有的荒年，中共強調豐收，目的本在藉此向農民加倍刮糧，然到了農民根本顆粒不收時，中共雖工于搜刮，也就難免不黔驢技窮了。

廣大地區赤地千里 一億農民無法生活

先說旱災，這大約包括了大陸百分之六十地區以上。華北如察哈爾，綏遠，山西，河北，內蒙古，寧夏，甘肅，陝西，華南如安徽，江西，湖南，湖北，雲南，貴州，四川等都是赤地千里。察哈爾耕地本就不多，但全省五百萬畝禾苗，早已全數枯死。河北有一千多萬畝田地龜裂，此外寧夏的鹽池，同心，陶樂三縣，貴州的桐梓，都勻，安徽的南陵，廣德，宣城，當塗，績溪，江西的寧都，吉安，湖南的衡陽，沅陵都是旱災最嚴重的地方。總計全大陸因旱災而無法生活的農民，當在一億左右。

山洪爆發一片汪洋 最慘地區水旱兼至

次談水災；河南，江蘇，浙江全部，及安徽，四川，雲南等一部份，今年均發生水災，蘇南有一百二十萬畝田的禾苗，完全淹死。最慘的是安徽南陵當塗等縣，因爲這幾縣在七月間山洪爆發，平地一片汪洋，老百姓日夜輪班排水，最多時有過水車一萬七千七百輛，參加車水的農民有七萬多人，等到七月下旬積水排光，幾十萬畝稻田，好容易補種完畢，不料一到八月，又整月赤日高張，滴雨不落，從八月半起，這些辛苦排水的農民，又再來動員戽水，結果，人力終無法抗拒天災，且時間太遲，所有禾苗，無法成長。又蘇北，皖北，浙江，河南水災災情都十分嚴重。

飛蝗蔽天禾苗吃光 任何鐵幕無法阻止

蝗虫災害的普遍，今年幾乎更是民國四十年來所未有。共黨在前兩月，曾大事宣傳，謂因中共大力滅蝗結果，已將虫害撲滅廓清。不料口沫未乾，安徽，山東，河南一帶飛蝗蔽天的警報，又已如雪片飛來。中共雖頒布了許多剿蝗口號，如「打早，打小，打了」，「不讓吃苗，不讓漏網，不讓起飛」和「分別地段，劃清責任」等，但由於各地共幹的麻痺腐敗，及一貫官僚作風，這些口號，始終沒有一條做到。蝗虫似乎也在和中共開玩笑，牠們不怕中共的屠殺，更不怕任何的口號，你越說不讓吃苗，偏是所過之處，禾苗全部吃光，你越說不讓漏網，牠偏是大量滲透，任何鐵幕都無法予以阻隔。大家說笑話，中共治國之道，只是一個「殺」字，對反共份子的屠殺，已不見得有什麼大效，殺得越多，反共的氣勢越高漲，對蝗虫是更不易有效，那已是事實俱在，無可諱飾了。

而且今年的虫害種類特別多，蝗虫以外，東北各地，及山東省德州一帶，大量發生了行軍虫，夜盜虫，德州的行軍虫，夜盜虫特別厲害，凡是水旱兩災僥倖出險的小麥雜糧，經過這種虫害，就無不一掃精光。至於棉田區的蚜蟲，使華北三分之二的棉田全部毀滅，損失之大也是不可數計。

冰雹颶風損害巨大 廣大地區全部掃平

最後，風災，雹災，也是異常嚴重。綏遠、河北、山東在今年七月間被冰雹打傷許多麥田，單只河北的邯鄲，邢台，就有五十多萬畝全部打平。東北的吉林、遼西、遼東、黑龍江，也遭過與炸彈相似的雹災，有幾千萬畝豆田，完全毀滅。最近颶風由上海沿着山東海岸向北吹，除上海市有不少損失外，江浙魯沿海地區，昨天據報也災害很大。

在水旱蝗災區中，有一種現象值得注意的，即廣大農民，雖然明知道這是自己生死關頭，必須以全力搶救，但大多數都十分鬆懈，因爲經過這兩年中共的搜刮以後，他們現在已發現了一個眞理，即荒年要餓死，豐年也不會活下去，因爲即使年成十分好，糧食也不會屬於農民的！（隆光，八月廿六日寄自北平）

中共黨報羣起而攻
痛罵大公報犯了政治錯誤

誰叫你靠攏以後，不知自慚形穢，反要大出鋒頭？「中國的世界第一」，拍馬屁却錯拍了馬腿，被踢一脚，這是靠攏報應有的悲哀！

·延年·

上海大公報，前特闢「中國的世界第一」一欄，來歌頌中國共產黨的「奄有中國」，最初幾天的資料，照例說了一些「萬里長城，指南針，印刷術」之類，這本是世界定論，無容該報大力鼓吹。可是到了後來，瞎扯胡拉，不成樣子，連「白菜、柑橘」也算做「世界第一」，不特在報上刊登，還另印單行本，第一集在三月初出版，第二集在五月初出版（自然還打算出第三集），企圖名利雙收。這可把被捧的共產黨，也弄得不好意思。八月三日的北平人民日報，首先發表了署名「居康」的批評，上海解放日報馬上在八月六日轉載了去，跟着許多報紙刊物，都紛紛大事檢討。因爲大公報究竟不是中共親生的兒子，馬屁拍到馬腿上，當然就免不了要領賞被踢一脚的。同時，中共嫡系的黨報，討厭靠攏報不知自慚形穢，反而大出鋒頭，黯昧益然，也是一個主要原因。中共各報批評要點如下：

（一）指大公報取材既濫，毫無意義。如「圍棋」，「熊貓」，「拔醬」，「白蠟」，「珙桐」，「白菜」，「柑橘」等，只能列入「中國的土特產」，不應標爲「世界第一」，因爲這些東西「在世界歷史進步中毫無意義」。如果凡是「獨有」之物皆稱「第一」，則任何一國都可舉很多出來。而且[illegible]的東西也不少是「獨有」的。也可以稱爲「世界第一」了。所以必須是「偉大」的事物，才可列入，但大公報所選的許多「世界第一」，反而把眞正的「世界第一」沖淡，變的平庸了。

（二）選集的初意。紙非在把中國最先發明或獨有獨多的好事物標舉出來，但最先發明或獨有獨多的事物，因未必盡爲「第一」（頂好之意）而「第一」（頂好）的事物又很難與世界比較得出高下。像歷史人物如「岳飛」，歷史事件如「抗日」，都不能在「中國的世界第一」的主題下標列。因此，「中國的世界第一」都給那些無關輕重的「獨有」或「較多」的事物佔去了。「第一」又怎麼樣？「吸鴉片」「纏小足」，不更是「世界第一」麼？

（三）考證繁瑣，錯誤百出：例如「灤州影」的考據說：「漢武帝用燈在帳上照出他愛人的影子」，這不但勉强，也太無聊。「嘉量」一條，引證很多的古書，讀者却很難知道甚麼是「嘉量」。「漆器」通篇是考證，却沒有說明它在中國歷史上有什麼意義。「刺繡」也全是考證，沒有說明它有什麼價值。「圍棋」還居然表揚在抗戰時歸入日本籍的吳淸源，簡直是政治上不應有的重大錯誤。「錫」又表揚它的「外銷量」和「產量」一樣多，更自承「國家的落後」，連「使用」也不懂，只能賣給外國。把「青銅器」誇爲中國用得最早更是不確，古希臘和印度都比中國更早進入青銅器時代。「麥」也是埃及出現最早。其他錯誤，不能盡述。

（四）過份誇張，違反科學：如把某華僑使用「算盤」壓倒使用計算機的美國人一事舉出，就暗示「算盤」比「計算機」還好。這種意識，就要不得。又「陶瓷器」的說明中寫：「歐洲人對陶土可以說是無知的幼稚」，更是一種不正確的自大。歐洲應用陶瓷雖比較後些，但不應形容爲「無知的幼稚」。

中共黨報對靠攏的大公報是這樣毫不客氣的把牠罵到體無完膚，尤其吳淸源一點，簡直說大公報犯了政治上重大錯誤，這是多利害的罪名呵！王芸生之流，免不得誠惶誠恐，要當心「腦袋搬家」了！

北平已成「首惡之區」

法官貪汚·時疫流行

下水道會一度想兼作防空壕

【本報北平特約通訊】中共自在北平建立僞朝之後，瞬將三年。一般說起來，各國的建設工作，都從首都開始，所以首都例稱爲首善之區。中共雖也十分注重北平的建設，然以計劃不够周密，施工尤多鬆懈，綜其三年來所作所爲，可謂毫無成績。最爲可笑的，是中共乘修整下水道之際，竟企圖將地下水溝，築成戰時的防空壕；結果防空壕沒有搞像，下水道倒比不修還壞。糟塌了許多人力和財力，落得一個「畫虎不成反類狗」，至今有識之士，還都當作「大力建設」的話柄！

法院愈增 積案愈多

這是難於使人相信的，「解放」以後，北平的市民居然非常好訟，事無巨細，一動不動就要到「人民法院」告狀，明明這是不良風氣，但中共司法幹部，却對之非常歡迎，因爲訟案多，公的方面，訟費罰款，可以大增收入，私的方面，則行賄徇情無所不至。「人民法院」的法官，問案不講究人證物證，隨意發落，表示簡單迅速，然而在法院中還經常積壓着五千件以上的案子。於是北平市人民法院，爲「大大地便利人民」起見，特向僞最高法院及司法部請准，在北平市內，添設三個區級人民法院，在郊區也建立了一個區人民法院，區人民法院並得在所轄行政區內遍設審判組，換句話說，在北平市內市外，到處都是打官司的地方了。

誰知法院多了，案件竟也比例增加，法院由於案件多，幹部少，作風非常惡劣。審判員動不動就講「先押起來再說」！押了以後，如果不送油水，就會石沉大海，永無下文。有人催詢，答覆是橫蠻的聲音：「我又不是侍候某某一個人的！」因之許多人都在背地裏罵：「開口閉口都爲人民，其實比過去的法官更官僚，更貪汚！」北平市民爲了不願受共幹的侮辱，勒索，可能好訟之風，不久會有所轉變。

藥品奇缺 病人等死

北平的公共衞生，雖然中共宣傳，較前已如何改進，實際上傳染病症，一經發生，仍時時就蔓延很快。現値夏末秋初，正是時疫最易流行的時期。目前北平最嚴重的時疫腦炎，據公共衞生局報告，自八月十日迄二十日這十天中間，發見疑似病例共一百二十六人，經專門委員會鑑定，認爲臨床診斷確實的，爲六十三人。其中治愈者僅四人，在治療中者尚有三十六人，已死亡者爲二十三人。除北平之外，天津市，也已隨着發見。

自從共幹強迫醫院藥房將醫藥用品捐獻「抗美援朝」之後，平市醫藥用品，即極度缺乏，要向外採購，尤非易易。中共本身雖從港澳、印度、及東歐國家，可以購到一部份藥品，然彼等絕對不願意拿出來供給民間使用。藥物之外，北平的醫師護士也相當缺乏，（他們多數被徵調到北韓去工作）所以平市人民，如果時疫到了自己一身上，便只有等死之一途。中共除了大呼「滅蚊」之外，拿不出有效的辦法來阻止這傳染病的蔓延。（隆光，八月廿六日）

「投入祖國懷抱」
工人變成犯人

記一位工人出入鐵幕的親身經歷

·中時·

八月十五日於油麻地渡海輪船上，會見了小同鄉張君。張君係香港紡織工人，他在港從事紡織工作，已有六年歷史，小時候也在鄉間紡織爲活，眞是如假包換的正牌「工人階級」。他因數月前爲了母病返回共區，「投入祖國懷抱」最近幾天始逃出鐵幕，仍然跑到天堂的香港。下面是他口述在共區備受迫害的經過：

踏入鐵幕備遭辱罵

張君說：中共既已承認中共政權爲『工人階級領導』，則工人階級理應有所優待，誰知這完全是騙局，不但毫無優待，反而監視特嚴。當我踏入鐵幕第一關——深圳時，那些荷槍實彈猙獰而兇狠的共軍便向我盤查，我一時疏忽，未先將許可入境的『路條』奉上，竟自拿出香港身份證明自己是『工人階級』，也就是他們的『領導者』，誰知竟惹怒了一位工作『同志』，頭一句被辱罵『丟那媽』，他一氣呵下去，『帝國主義的走狗』，『奴才』。我一時[illegible]理，他竟把我的身份證明撕毀，[illegible]拿出『路條』，爲什麼不早拿出來？你以爲香港的身份，帝國主義就可以嚇倒我們嗎？」他嘴裏一面胡亂罵，一面傾倒我的行李，還算僥倖，總渡過了第一重難關。

半張舊報 幾乎送命

到了惠州，投宿水東街旅店，共軍於深夜十二時以後查房，旅客皆從好夢中驚醒過來。共軍知道我是從香港來的，檢查員露出兇神惡煞的樣子向我注視一番，然後命令我打開箱籠，以便檢查，開首幾套小孩絨衣，他指是『美帝』出品，應予沒收。手錶，自來水筆，亦被指未經打稅，姑念初犯，沒收了事。甚至半樽鉛貓丸，頭顱都被拿去。我問：既然我在入境時，海關都通過了，爲什麼還有問題？他毫不理睬，又再搜查我身上有無港幣，在褲角袖邊，都被剖開，最後在我行李中搜出半張包鞋的香港舊報紙，這可不得了，馬上被指有特務嫌疑，當被帶到公安局拘留，一直提訊，第二天下午始被放出。幸而那半張舊報，並沒有反共的文字，只是一些香港消息，而我尚保存了香港工會的證明書，證明我是一個工人，結果被警戒一番，否則，即大有送命可能。

隨時傳訊 形同犯人

到了家鄉，應該是『歡欣雀躍』了。可是，村中放哨的民兵，看見香港客回來了，立即如犬吠生客一般，向我死纏，馬上被帶到農會問話，凡屬我縣留港人士的住址，動態，都有問及。我一口氣答不知道。幸虧我是貧農出身，檢查行李後，得免捐獻，釋放回家。到家之後，本家親戚也不敢多和我接近，因爲我從香港來，這是共產黨一向宣傳的魔窟，他們爲着避嫌，免生意外。住了不久，鄉『政府』，區『政府』，隨時傳訊，每次都問我是否回來做『特務』。對共區的『德政』觀感如何。但是我只能說明我是工人身份，但他們並沒有因爲我是工人，而改變對我的冷酷待遇，在家小住五個月，十足等於做了五個月犯人。

不要假「民主」

眞一「人民」

華北人民多不願出席所謂「人民代表大會」

【本報北平特約通訊】中共在所謂「老解放區」，也挂羊頭賣狗肉，大標榜其「人民民主」。他們在各縣，都選舉了什麼「人民代表」，並强調：「人民代表的權力是非常大的，幹部不過遵照他們的意思來執行」。而實際上，則各級政權，都掌握在幹部手中，人民代表僅是一些點綴品，揮之即去，招之即來。在河北省各界人民代表會議，兩年來共開過五次，到會的代表，因之一次比一次少，列席的幹部人數，反超過出席代表兩倍以上，如最近一次大會，代表二〇一人，而列席的幹部五百餘人。

幹部，則有八一四人，因爲這些被派爲代表的老百姓，最大多數，都覺得沒有意思，反正一切事情，是由幹部決定，出席只是搖旗吶喊，損失自己的時間，甚至幹部們種種橫行不法，更是代表們心中所痛恨的。此外在河北省交河縣，察哈爾省懷來縣等地，軍屬代表，多有藉口生產，逃避開會的，幹部追迫，因此代表多不出席。本來奴僕，出席也不管用，抗議不得，只好換人出席。一個老百姓說：「一天不勞動，一天就不得活。拆穿了，中共實在是欺騙人民的主人。」（隆光，八月二十六日寄自北平）

女兒前進·老父送命

·辛羊·

張老頭生性固執，年紀大了，愛管東管西，絲毫不肯放鬆。

他的大女兒，養了兩個外孫女，高中快要畢業了，聰明漂亮，有「姊妹花」之稱。女婿早死了，女兒帶着這對姊妹花，度着寡居的生活。

那些男同學之類，在鬧學潮，罷課，打教員之餘，蒼蠅附羶似的，直向這對姊妹花的家裏湧，帶着口琴，拿着手[illegible]機，整日纏着不去，唱歌的，吹琴的，哼哼啦啦，攪得天翻地覆，用最幼稚的吊膀子方法，希望過一下[illegible]思癮，把一個張老頭的女兒的家，吵得每天好像在「做功德」似的。

張老頭早聽到他女兒的訴說，十分光火，這一天特地發個空，執着旱烟管，到他女兒家裏瞧個究竟，一瞧，果然大廳上橫七豎八地一大堆小伙子，還在唱唱哼哼，提高嗓子的，拍着大腿的，鬧個不已。不看猶可，一看之下，簡直把張老頭氣個一佛出世，二佛升天，用那旱烟管朝桌上大力拍去，喝道：

「你們成何體統！在這裏幹什麼？」

那些興高采烈的小伙子戛然而止，面面相覷，張老頭是不好惹的，誰都知道。

「你自己撒泡尿照照看，這個樣子成甚麼體統！你們是中學生，也該知道自重纔是！我的女兒是寡婦，孫女還未成年，你們來此地吵吵鬧鬧，究竟是何用意？哼！豈有此理！」

七八個「中學生」靜悄悄地夾着尾巴走了。張老頭還在憤憤不平，不住地嘀着：

「嘘！嘘！這樣的中學生！這樣的中學生！」

可是別小覷「這樣的中學生」，事隔一年，共產黨打來了，這些「這樣的中學生」個個都成了紅朝新貴。

有的在「公安局」當課長，有的在「縣政府」當秘書，有的搞「土改」大[illegible]，有的則做起稅局主任，個個威風凜凜，[illegible]

孫女，張老頭雖然沒有參加，但那些「少年得志」的新貴，却天天來找她們，說道：

「叔[illegible]同志，革大在招生啦，趕快去投考吧！」

「叔[illegible]同志，軍幹學校招進，你為什麼不去報名？」

兩個外孫女被說得天花亂墜，有點心動起來，跑去向張老頭商量。那張老頭自共產黨來後，所見所聞，早已氣得直吹鬍子，聽了這話，劈面就[illegible]花四濺地大罵起來：

「你們也要去學那批屁股搖肥乳的妖精樣麼？好不羞恥的！你瞧！就說住在咱村子那些什麼文工團吧，男男女女嘻嘻哈哈，睡在一起，比畜獸都不如！現在雖然是新潮流，也得講個體統！前日阿生在河邊發現了一個私生嬰，大前日水根嫂也在蘆葦裏發現一個，你瞧瞧吧，這還算是人？哼！讀什麼軍幹學校，就是這個樣子罷了，他們叫你們去讀軍校，就是要辦這回事的，他們也要跟着你們去的，我全都知道！」

兩個姊妹花給說得面紅耳赤，趕忙跑了回去。

那些少年新貴又來了，問她們究竟去不去？多方慫恿，百般煽動。兩個姊妹回答說：

「我們外祖父不讓我們去，……」

七八個新貴，大大地冒火起來了，舊恨新仇，一齊迸上心來，當下立即回去召開會議，一致檢舉「惡霸地主」張老頭，說是阻礙前進青年進「軍幹學校」，「反革命」，「國特」，立即加以槍決。

張老頭於次日被提了進去，還算他「運氣」，沒有在牢中受盡太長久的苦，只有一個月，就被拉出去槍斃了。

從語言上看國格

·尚方·

外電消息：舊金山對日和會中，規定用英、法、西班牙、蘇俄四國語言，並未包括日本語。但日本代表團決定只用本國話，再由和會執事者翻譯英語。

依國際外交慣例，一個國家的代表對外發言，專由首席代表負責。吉田茂是日本著名的歐美派，曾留學歐洲，久任駐歐使節，英語說得頂括括的。但他在和會中還是只用本國話。日本是戰敗國，走到戰勝國去議和，尚能保持這點國格，殊堪嘉許！

任何一個國家的外交史迹，從來沒有因為不說外國話而失敗了的事實。只有外交代表無知無識，受人愚弄，纔會招致失敗。平時跟外國人作商業交易，或私人應酬交際，為着融洽情感，避免隔閡，說幾句外國話是可以的。談到國家大事，在國際場合中，如果不是一個殖民地的臣民，就應該使用本國語言纔是道理。外交代表固然該懂得對方的語言文字，却不可舍己從人，說話也要跟對方一鼻孔出氣！世界上最艱澀難通而又最不普遍的語言，莫過於俄語了，但俄人在外交場中從來就不肯說外國話，那些英語法語民族的大國也要怕它三分呢！

中國人不但對外國朋友要說洋話，連對自己本國人也以說洋話、放洋屁為榮，自得，驕其妻妾僕役，神氣活現。幾時能够消除這種殖民地臣民化的醜形惡習，中國便有救了！

自由談

萬竹樓隨筆（二五）

嚴復與袁世凱（上）

·舜生·

光緒辛丑以後，袁世凱在清末政治上之地位，名與實均取李鴻章而代之，其任北洋總督一時期，聲勢尤為煊赫，世凱雅慕嚴復名，欲以禮羅致其幕下，顧聘之再四，嚴終不肯就。於是袁於失望之餘，對嚴乃殊致不滿，嘗向人云：『嚴復縱是聖人復生，我也不敢再用他了。』及光緒帝與慈禧先後殂落，載灃當國，未及一月，即命袁世凱開缺回籍養痾，（其時袁任軍機大臣兼外務部尚書）而嚴乃為袁大抱不平，謂：『世凱的才幹，一時殆有第二個人能够及得到。』以是袁又引嚴為知己。

民國告成，袁任總統，首聘嚴任京師大學堂監督，去職，又改聘其任總統府外交法律顧問，並先後聘其參加約法會議，政治會議。嚴受英國教育文化薰陶甚深，原主保守，其心目中之理想政治，殆為一種類似英國之虛君共和，革命非所習成者也。

迨民四八月帝制議起，袁以嚴老成碩望，學貫中西，非網羅不可，於是楊度乃一再奔走於西城嚴刑部街嚴氏之門，略嘗百端，必欲得嚴參加『籌安會』之發起，嚴婉辭拒絕，僅允作一會員，並保留在會中可提出不同之意見。是月某日，嚴忽得一晚餐請帖，署名者除楊外，尚有孫毓筠，劉師培，李燮和，胡瑛諸人，嚴知與籌安有關，託病不去；楊往面約，亦謝不接見。迨夜半，楊着人送一信來，信云：

「籌安會事，實告公，蓋承極峯旨與公商權，極峯諭：『非得公為發起人不可！』問辭恐不便，事機稍縱即逝，發起啓事明日必見報。公達人，何可深拒。已代公署名，不及待覆矣。」

嚴閱後不知所措，但卒以年老力衰，哮喘時作，既不能當夜出亡，又不能登報否認，惟有隱忍聽其擺布。明日籌安會啓事登出，嚴名列第三，其住宅門首，且有荷鎗實彈之兵士兩名站崗，以資保護，即欲出亡，亦無可能矣。

啓事登出後六日，梁啓超反對帝制『異哉所謂國體問題』者一文即已發表，全國震動。袁認非由嚴作文反駁，不足以壓倒梁文之聲勢，因命內史夏壽田往見嚴，請即提駁議，並出一紙四萬元之支票為酬，但卒為嚴所拒，故當時駁梁文者非嚴而孫毓筠也。

共產黨徒的坦白

這個事情完全是英國風格的。揭發的麥克葛萊斯原是英國民防組織中可靠的一份子，第二次大戰中，在海軍部的兵工廠當過副主任，從此逐漸擢升到貝斯地方海軍主要基地的高級軍械官。他的家就在貝斯郊外的一所活動房屋裏，平時他穿着整齊的便服，思想上忽有了「變化」，是從社會主義到共產主義，常在家裏用唱片學習俄語。不久他就對自己的軍生活感到苦惱了，自問道：「我感覺我的地位是錯誤的，我所供應的軍火，在用於打擊中共。而且，我極可能會協助德國和日本重整武裝。這是我絕對反對的。」

一天，他按照英國君子的方式——不是共產方式——跑去見他的上司，安詳地報告他已在幾月前加入了共產黨。他從來對人說：「我這樣做是正當的，免得人家以為國防職位上的共產黨徒隱瞞着他們的意見。」這事頓使民防組織當局為之大驚，馬上進行調查，一面把他撤職。

八月中這個消息洩露出來時，英內閣和海軍部都拒絕表示任何意見。政府似乎已知道該說些什麼的共黨怎樣辯飾。街頭的小民對於這個直爽的共黨徒倒起了仰慕的心情。有個人說：「麥克葛萊斯可說是英國唯一能得人心的共產黨徒了。」（伯英譯自時代週刊）

對日和約建築師　美特使杜爾斯

·史剛·

共和黨人杜爾斯的和日本發生關係，不始自主持起草對日和約始。他的祖父華生·杜爾斯即熱烈親日，一八九五年中日戰爭的結束，日方的談判有他協助。承認朝鮮獨立，割讓台灣，澎湖縣及遼東半島，和賠償鉅額賠款。馬關條約簽訂時，華生是親身在場，當時一個日本人還[illegible]一幅停戰會議談判情形的畫送給他。杜爾斯在一八八八年生在他祖父華盛頓的家裏。祖父是個職業外交家，曾參加美國南北戰爭，後來先後任美國出使墨西哥和俄國全權公使。杜爾斯一生受他祖國的影響極大。他父親是個牧師，希望他也成為傳佈福音的教士，但祖父激烈反對，在杜爾斯從高等學校畢業後，便把他送到瑞士，研究法文，但他在瑞士祗六個月。一九〇四年他進美國普仁斯頓大學，讀到三年級，他又跟祖父出國，參加了第二屆海牙會議，這可說是他外交生活的開始。祖父喜歡中國人，同意担任中國的全權代表，（年輕的杜爾斯十九歲）便當了中國代表團的秘書，穿着外交禮服，出入於交際應酬場合，就在這時期，他在巴黎遇到一位髮上還結着緞帶的樸實的女孩子，後來就成了他的太太，一直到現在。

大學畢業後，憑他祖父的一封介紹信，他進了紐約的著名沙利文康惠爾聯合法律事務所，從月薪五十美元的小事務員逐漸昇到收入最多的大律師。第一次大戰發生時，他[illegible]，不能入伍的資格，他被任[illegible]情報機構，担任陸軍部和戰時貿易局間的連絡工作，負責處理拘押中立國船隻等事項的法律步驟。一九一九年，他被任命為臨時賠償委員會委員，參加了凡爾賽會議。

這個會議深切影響了他後來的思想，他雖然身為共和黨員，並懷着宗教的寬恕信仰，對於法國克雷孟梭和英國洛埃喬治要求報復和賠償，他認為已種下了另一次大戰的禍根。

歸國以後，他回他的法律事務所，處理關於戰後美國海外投資的法律事務。這時期，他協助杜威（杜威當選紐約州長）當選了紐約區政府方面辯護律師。

第二次大戰將爆發時，他已成為美國全國收入最多的律師之一，沙利文康惠爾法律事務所也已成為世界最大的國際法律事務所之一，他是它的主持人，也是它二十一個股東中的大股東。並兼任十五家公司的董事。他有着一個人所可見的最高享受：[illegible]的住宅，夏季別墅，精緻的辦事處，私人電梯，[illegible]的美國汽車，和私人[illegible]。

他總向開明的共和黨政治理論，主張放棄孤立，他的事業成就是得力於他的祖父的幫助，而他的思想却是他篤信基督教的父母所形成。一九四六年寫了一本[illegible]蘇聯的名著，詳細分析蘇聯的共產主義，因此成為[illegible]的主要目標，[illegible]一再抨擊。

他戰爭頭上了律師業務，他以[illegible]政府時間，工作於民主黨政府的顧問，參加了[illegible]的[illegible]和出席大會。

一九五〇年在故參議員范登堡的堅持下，他入國務院主持籌劃對日和約，僕僕風塵於東京和華盛頓間，為說服英法和[illegible]國家，又親在巴黎和倫敦[illegible]，他立克在紐約[illegible]，過了多少[illegible]，代表美國取得了[illegible]。

今日，對日和約已將簽署，反對之聲

還覆過於世界許多地方，堅定的，杜爾斯說過：「根據基督教精神，沒有任何事情是不可寬恕的。……有時我想，一九一九年的和約，還是生活於同一恐怖的籠罩下，……大戰不能說是不能避免的，和平我們必須知道怎樣遭遇其失敗。方式是成功的，但如果你有百分之五十的可能失敗，百分之五十的成功採取的希望是聰明的」。

慷他人之慨

周明

最近在一日內瓦聯合國經社理事會的會議席上，一個俄人發動了一個令人生厭的濫調：西方的經濟耗去了應該用在救助世界遭難的人們身上的錢。說到這裏，有一學者風度的美國代表羅平靜地讀了一張表格。這個簡短的聲明可以勝過不知多少憤慨的答辯。他說：「我們且看蘇聯是怎樣關懷着這些人的命運，這裏是他們對國際福利機構的捐獻紀錄：

聯合國國際兒童緊急基金——分文未付。

巴勒斯坦難民救濟——沒有出錢。

國際難民組織——蘇聯沒有捐款。

技術援助落後地區——一個赤色盧布也沒有。

世界衞生組織——蘇聯沒有付應出的錢。

國際復興發展銀行——沒有一分錢。

不用說，蘇聯自然認為對於韓國的重建是不宜提出任何貢獻的。」

二羣流亡的孩子

·張天寶譯。原載「哥倫比亞」雜誌

泣不成聲

說到這裏，她已泣不成聲，淚珠直落到衣襟，兒童們年輕的面容突然全[illegible]大變，十年前一切與親長分離，目擊父母慘死的痛苦，這時已重上心頭，室內到處是暗泣的聲音，而況在房間裏的婦女們更是經歷過苦難，她們都是身經人生最惡劣的恐怖，其中有一個是加拿大移民援助會的莎嫘文小姐，兒童們的護照是她直接負責向加拿大移民局辦理的，這些兒童們在義大利的時候，她已和他們生活在一起。幾位婦人以外，室中還有二位男子，一個是這救濟營的青年天主教神甫克羅里高斯基，他將跟着孩子們前去加拿大，在旅途中幫助他們，正像他自從本身流亡國外以來一直招呼這羣孩子們一樣，另一個是流亡到羅馬的波蘭主教梅斯托維茨，他是代表戰爭救濟機構在這裏出力協助的。

孩子們有着雙重的悲傷，這是和其羅西卡夫人的別離，及二十六位兒童的移民簽證還沒有辦妥。陸軍運輸艦赫茨爾曼將軍號將於明天啓碇了，但這二十六個兒童却不能乘着它前去海外。

兄妹言別

十七個人因為護照問題還有些技術上的手續沒有弄清楚，至少要一個月以後才能起行。另外九個人更加困難，他們全生着肺病，要證明已經治愈以後才可獲准他遷。很多患肺病的孩子有着弟兄或姊妹却將乘這班船出發了。

病性嚴重的是九歲的勃朗尼斯拉華，她和她十七歲的哥哥是被放逐到西伯利亞去的一家人僅剩的遺孤。哥哥已是聰明好學的青年，身體結實，原已準備好了一切，想帶着妹妹去加拿大找新生活了。後來，關於妹妹病性的報告來了，莎嫘文小姐要兄妹兩人仔細商量，是不是兩人都暫時留在德國，等妹妹的病好了再同走。

「我們已談妥了」，妹妹說：「哥哥應該先走，我且等着病治好了再去」。

「等我到了加拿大，找到了職業」，哥哥帶着成人的口氣：「我將回來親自領我妹妹去加拿大同住。加拿大是個自由國家，我要離開暫時可離開的」。

但是這流亡的最後一晚是難渡的。妹妹的面色已凝集了一切流亡者和離別時的苦痛。男孩子們多數面無笑容，比較年輕的都哭了起來。為結束這個悽切的場面，梅斯托維茨主教叫大家唱一首聖詩。歌聲漸散的時候，飲泣聲也隨着隱沒，似乎上帝又賜予了平靜（二）

「自由人」稿約

本報各版，均歡迎投稿，敬訂稿約如下：

「一」除事先特約外，稿最多以[illegible]千五百字為限，[illegible]

「二」[illegible]有關新聞之稿，請述明時間、地點、人名，[illegible]可於稿內註明，雜文要生動活潑。

「三」來稿除附有足够郵費外，概不退還。

「四」稿末請附註真實姓名，地址，但發表時得用筆名，聽便。

「五」稿酬每千字六元至十五元，[illegible]自行向本報領取，[illegible]請註明。

自由人
THE FREEMAN
（半週刊每星期三六出版）
（第五十三期）
每份港幣壹毫
督印人：李光華
社址
香港高士打道六六號
電話：二〇八四八
GLOUCESTER RD.
HONGKONG
TEL: 20848
承印者：東南印務出版社
地址：高士打道六四號
合灣經銷處
台北重慶南路一段七十四號

中國需要那一種政黨政治？

現代政黨的類型，大別爲兩種。在中國，兩種都經過了長期的實驗，究竟需要那一類型的政黨，如何運用，纔可適應實際要求，這是值得注意的問題。

・雷嘯岑・

政黨政治是實行民主憲政的唯一軌範，沒有政黨組織的國家，即永遠不會有民主生活之可能。只有一個政黨的國家，自然亦永遠不會產生憲政。

政黨之組織，固不能否認它多少帶有階級性，但不是絕對的因素，文化傳統，國民教育，產業發展情況等條件，關係最大。強調絕對的階級性，號稱以工人爲領導中心的共產黨，它那些組織黨領導黨的人物，有幾個是勞工階級出身的？法國的政黨多至五六十個，何來那麼多的階級歸它代表呢？政黨之取得政權，普通是決成敗於人民選舉，例外則訴之於革命行動。所以，政黨之存在，平時是以人民的選票爲基礎，只要在議會裏佔得一席之位，那政黨便有過問國事的權利。不像公司行號之成立，必須事前經過政府核準備案，纔能開業的。至於以革命行動而奪取政權，那是變態，不是常軌。以革命手段取得政權的政黨，如不恢復政黨政治的常軌，即無憲政可言，自然要產生法西斯獨裁政治，希特勒德國、史大林俄國，都是好例證。

現代政黨的類型，可大別爲兩種：即英美式的，蘇俄式的。英美式政黨之性能，與其說是由於生產力發展的經濟關係所使然，毋寧說是文化傳統和其民族性的原因更佔重要成份。自由與組織，本有相反而成，交互作用，英美民族崇尚自由精神，但隨其生產發展，民智日裕之故，社會關係日益複雜，集體生活的功用，乃爲大衆所需要了。政黨組織是集體生活的最高型態，大家體此以保障個人的基本人權，表達自己的政治意識，掌握應有的政治權益。他們的立國精神是民主憲政，在這全民共同的利益之下，依政黨組織之力，交換行使政權。所以，他們的政黨多不標榜主義，而注重在政綱政策。英國工黨雖以社會主義相號召，但其所表現的政治設施，祗是一種改良的社會政策。工黨的階級性并不濃厚。現任保守黨副領袖艾登，就做過工黨的幹部。工黨內部亦常有分解現象，第一次大戰後，麥唐納內閣時代，即已分解一次，最近貝凡一流人說出內閣，形成反對派，是第二次的分解作用了，階級性濃厚的政黨，當不至此。美國民族比英國人更重視個人自由，而其生產力之發展，遠較英國爲高，然國內兩大黨不特沒有個別的主義，通政綱政策亦幾乎沒有多大區別。華萊士的進步黨，好像是比較具有階級意識的組織，但始終得不到廣大羣衆的支持，即欲求如英國的工黨，亦很困難。即此可以反證馬克斯一般人所謂資本主義越發達的國家，人民的階級意識越深刻之說，是不成立的。英美式政黨的主義，就是民主憲政，是利用自由精神與組織能力，[illegible]民投票來爭取政權，既無階級性，也不重視紀律，脫黨入黨，極其隨便，即總統選擧的候選人，亦不一定推[illegible]自己的黨員。這類的政黨，在德國却不能[illegible]

[illegible]他們的民族性是適宜於納粹主義一類的政黨生活，一脈相承的布爾希維克式政黨，也可以接受。至於法國的多黨政治，更是法蘭西的傳統文化與其民族性[illegible]，移植於英美德各國，固不待言。

蘇俄式的共產黨，[illegible]

[illegible]因此，感到生命威脅，布爾希維克的政黨爲生存之道，永遠要以革命爲統治之方，以暴力奪取政權，[illegible]

[illegible]中國在過去四十年來，上述兩類型的政黨都已實驗過，[illegible]我們究竟需要那一類型的政黨，如何運用，纔可適合實際要求，是值得注意的一大問題。孫中山先生早說過：中國人太多自由了。這是中國人的民族性，崇尚自由是傳統的文化[illegible]

[illegible]中國國民黨本是代表全民利益的革命黨，所以倡導國民革命，過去在革命階段中，曾經取法了俄式的組織，布爾希維克黨的一時便博得了莫大的損失。因爲俄式布爾希維克黨的生存條件，是階級專政，暴力與獨裁，[illegible]

[illegible]美式的政黨組織，似屬合理。[illegible]即比較的傾向於歐美式的政黨組織，[illegible]

我們今後的建國方略，如果是以民主憲政爲準，那末，任何政黨組織，都不能襲取俄式政黨的類型。中國雖然需要革命，但其革命目的是爲全民謀幸福，不是要階級專政，革命的方法與手段，即無須[illegible]「黨紀」的唯一方法。國民黨只是採取了它的組織形式，而揚棄其暴力殺人與嚴格控制黨員生活那套殘酷手段，這樣，所謂黨紀就嚴格了。紀律也就是自然的，我所謂「暗受了莫大的損失」，即是國民黨內採取布爾希維克黨的形式，而間接受了實禍！也就是中國文化傳統和民族性不能適用俄式政黨政治的歷史教訓。

[illegible]效法布爾希維克，今後的中國政黨政治，自宜取法英美式的政黨組織，憑選民的意志爲進退，以期民主憲政之發揚。布爾希維克那套理論，那種氣質，那類詞用，跟中國人的文化傳統與民族性格格不相入，不能再[illegible]了。

雙方的戰略準備怎樣？

舊金山對日和會聲中，不僅開城談判停頓，前綫砲火加緊，各方消息且謂蘇俄集中國際共軍，準備進攻，此次進攻萬一爆發，雙方作戰的規模，必較往日爲大，共方的海空軍一經大規模出動，聯軍空軍必然轟炸東北，共方空軍亦可能空襲日本，空戰的範圍首先擴大，跟着來的將是海戰所發生。一方面有噴射戰鬥機的鬥法，一方面還有蘇俄「希諾克」式潛艇與聯軍反潛艇戰的鬥法，同時在卅八綫南北，蘇俄必以大量的戰術空軍掩護共軍進攻，彭德懷林彪和南日的攻[illegible]

韓戰不一定重新爆發，可是萬一爆發，戰況必空前慘烈。在共方，將不再依靠單純的步兵衝力（人海）以求僥倖突破，蘇俄必然會給與相當實力的援助，在聯軍，亦將根本放棄穩打穩紮的消極戰略，準備和蘇俄的局部作戰計劃一決雌雄。舊金山會議的軍事背景，顯然即是蘇俄和美國整個遠東戰略的鬥法，不是裴力特和彭德懷的卅八綫僵持，而是赤塔的馬林諾夫斯基第六方面軍總部（西伯利亞軍總部），和東京的李治威聯軍總部在亞洲東北角的決勝。

當然，戰爭不會超過局部事件的限度，李治威不會直接轟炸蘇俄本土，破壞海參威基地，伯力，馬林諾夫斯基也不會出動俄國陸海空軍作戰。但日本海兩岸的俄軍及美軍必然嚴陣以待，日本海上空及水底的搜索工作，必將嚴密執行，不容蘇俄利用海空偷渡。在戰事緊張中，從海參威到新潟（四八〇浬）及敦賀（四九〇浬）這兩條主要航綫，虛驚將不可免；而從海參威到釜山（六五〇浬）的航綫，則聯軍海軍主力碰到蘇俄太平洋艦隊的戰略可能性，是極其危迫的，一種「珍珠港突襲」的客觀環境，早已存在。馬林諾夫斯基如想掀起大戰，他有力在此綫上，集中他的強大空軍及潛水艦隊，一舉破壞聯軍的海軍力量及海運系統，使麥力特的陸軍陷於背水之戰。但這是假定蘇俄用全力從海參威出擊而論，如果蘇俄只用少數的化裝海空軍來從事擾亂，戰略上便沒有決定性。聯軍過去不斷破壞北韓的元山羅津二港，其目的之一，即在防止蘇俄化裝潛艇的埋伏。當去年八月「鑑心作戰」時（即運輸騎一師，廿五師渡日本海增援韓戰的作戰），美國海軍的掩航工作，特別週到緊張，亦可反映聯軍總部對其後方的顧慮。海參威一天存在，聯軍後方即難高枕無憂的。

越過半島，蘇俄還可利用旅順港從黃海秘密出擊，打擊集中在仁川灘的聯軍艦隊，在戰略上，這是來自背面的襲擊，（只有三〇〇浬）聯軍不易防範。同時蘇俄海軍可以借用中共旗幟，將襲擊的責任推給中共，讓聯軍飛機去炸青島，使中共單獨出面接受大戰，貫徹蘇俄的政策，這是另一「珍珠港」的形勢。聯軍之所以遲遲不敢大舉，主要原因是蘇俄以海參威和旅順爲犄角，張開海空陣勢，將聯軍的海軍兵力夾在當中，情況非常不利。

日約簽定中看韓戰

——鳥瞰遠東雙方陣容——

・黃震遐・

共軍不敢大戰的根本原因

在韓國半島上，彭德懷南[illegible]的次一進攻，如無強大空軍支援，不會有什麼收獲，聯軍準備放原子砲，共軍縱有百萬貔貅，亦不能得志釜山。聯軍不放原子砲，而美軍的陸空火網亦不可侮，共軍的最終希望，仍不能超過殘酷攻略的限度。這種打法是慘烈而浪費的，政治效果也不會怎樣。中共爲自己設想，總不致笨到這步，但史達林想借此「練兵」，並要中共起帶頭作用，訓練東歐共軍怎樣打「美帝」，政治情況便不同，「國際共軍」也祗好拚命犧牲，以免落伍失寵。

大規模的空襲，中共（包括「國際共軍」）可能做到什麼程度？[illegible]共軍目前有的轟炸機不多，重轟炸機（模仿B—29）在韓戰中尚未出現過，共軍飛機的王牌是M—15噴射戰鬥機，航程僅八百哩，從東北安東等前進基地出發，中途不加油，勉強可到日本，打來回。用噴射戰鬥機來空襲日本，破壞力不大，用來偷襲聯軍艦隊，除非採用日式的神風特攻法，連人帶機同歸於盡，命中率不會高，不用M—15噴射機而改用舊式轟炸機，則中途[illegible]

[illegible]除非史[illegible]林先放原子彈，聯軍飛機將以東北的三十個點作爲在日本板付，出水，伊丹，名古屋，四日市，立川諸基地的交換代價，中共飛機不容易侵進日本上空，聯軍則有兩個B—29大隊，一個B—26大隊可以縱橫鴨綠江到遼河松花江間的廣大上空，使彭德懷成爲背水（鴨綠江）之戰，東歐奴軍回不了家。這後果，蘇俄必須考慮，他不出頭，他的衛星會被打出軌道。

聯軍的形勢是孤危的，但蘇俄一天不敢露面，李治威仍有粉碎敵人陸海空進攻的戰術把握。舊金山對日和會的軍事背景，即基此，我不相信共軍會真幹，除非史達林有提前共產中共的打算，先叫馬林諾夫斯基從軍事上表明態度。

時局漫談

舜生

舊金山會議的預測

舊金山會議已於昨日揭幕，蘇聯代表[illegible]準備在會場表演一套怎樣新鮮的魔術？據一般的推測，他們可能採取的作戰方略，將不出以下的三種方式：

一、在會場發表一篇強硬演說，把他們對和約中所不能同意的各點逐一說明，要求予以澈底修正，否則拒絕簽字，並聲明與日本的關係，仍滯留在一種戰爭狀態。

二、針對美國的和約草案，具體的提出一個對案，其內容的寬大，乃超出一般人的想像，甚至她可能表示退還所佔領日本北海道以北的一切島嶼，遣還俘虜，並開放大連予日本以貿易上的便利；但以美國撤退駐軍，放棄基地，琉球與小笠原羣島歸還日本，並限制日本建軍不超過自衞程度爲條件。他們一定還要暢發他們的一套和平理論，以爲必定要依照他們的這個草約才能預防遠東的大戰，依照美國的草約，則不是防止大戰，而是促成大戰，不僅是對世界和平一個絕大的威脅，即於日本的本身亦絕對不利。

三、她也可能表示一種出人意表的姿態，僅僅對美國這一草案予以若干冷靜而客觀的批評，說明她對這一草案雖有若干的不能苟同之點，但爲了世界的和平，人類的福祉，並提早使日本恢復正常狀態，最後則仍簽字如儀。爲了和約的得以順利批准，並爲了商討遠東乃至世界一切其他的緊張問題，她將主張緊接着舊金山會議之後，召集一個美蘇英法的四強會議；自然也可能包括中共成爲五強，但她知道這一點是爲了敷衍中共順便的提一提，並不會怎樣堅持，因爲實際在她的內心，也並不希望其如此。此外她並將以一種場外交易的方式，特別拉攏英法，而以制止韓戰和緩越南去誘惑她們，以促四強會議的提早實現。等到這一切工作完畢，她這個代表團便將迅速歸國，而對和約的批准手續，也許以蘇聯來得最爲敏捷。一旦日蘇的邦交正式恢復，一個堅強而複雜的蘇聯使領館陣容，便將迅速的在日本建立起來，用以掩護日共，拉攏日本的左傾分子，誘惑日本的財閥，同時監視美國在日的一切行爲，並嚴密注視日本建軍的實際行動，如此，則美蘇在日本境內的直接冷戰，也可能把和約的作用予以沖淡。

照我看，用第一方式，即拒絕簽字，這決不是蘇聯這次毅然到會的本意，尤其是不過使美蘇正式攤牌，而促大戰的提早爆發，這樣的拙子蘇聯似乎還不願出此，而蘇聯的外交技術，也從來不像這樣的拙劣。

用第二方式，即以另一草約去打擊美國的草約，這可以博得若干不滿意美製草約國家的同情，增加日本代表團的困難，間接更可鼓勵日本的左傾分子，予吉田政府以嚴重打擊；同時在她這個草約完全被拒絕以後，她拒絕簽字於美製草約也才能振振有辭；而聯合若干這次被請而不到會，及其他蘇聯的衞星國家，如中共，北韓，印度，緬甸，及根本未被邀請的國家，依據她所擬定草案，再召集一個對日和會，也足以大掃美國的面子，加強兩陣營的分裂；可是這個手續異常麻煩，日本決不敢再派代表去簽字，其陣容也斷不如美國的強，既找不着簽約的對手，又示人以弱，看來蘇聯還是不會採用的。

無已，蘇聯大概是不會幹的，便只有第三方式了。第三方式看樣子也很無聊，實際上則異常凶狠，她可能把簽字後的和約從實質上破壞無餘，更可能增加美國和日本無窮的困難：將來蘇聯大批的人員在日本的活動，[illegible]蘇聯更可[illegible]主國家間的惡感，而促成其分化；何況她還可以因此召集一個四強會議，再來大顯其身手呢？

蘇聯瘋狂備戰

不管史太林的談話怎樣娓娓動聽，事實上今日蘇聯是一座大兵營，一切為戰爭，一切為侵略！

許孝炎

本年二月中，史太林向眞理報記者發表談話，說蘇聯紅軍在二次大戰結束時即開始復員，於一九四八年復員完成。本年六月底，馬力克在聯合國倡議「調停」韓戰。這種種姿態，無非欲使全世界人相信，蘇聯是誠心誠意的要想謀致世界和平。

但事實勝於雄辯，不管史太林對眞理報記者的談話怎樣的歪曲事實，娓娓動聽，不管馬力克的建議怎樣能迎合聯合國中少數份子的畏戰的心理，蘇聯帝國主義者窮兵黷武，好戰成性的猙獰面目，已由它近四年來軍事預算數字繼長增高的情形，完全暴露了出來。

史太林說，一九四八年是紅軍復員完成的一年，但這一年蘇聯預算上國防費的支出爲一百二十億美元，較之戰前一九四〇年蘇聯爲提防希特拉突擊，養兵三百萬時的國防預算還多了十億美元。這證明一九四八年蘇聯的兵力至少還有三百萬人。在戰爭結束已三年，英美及其他同盟國家均已完成復員工作，蘇聯的四鄰，內震於它戰勝的餘威，對它俯首貼耳不敢仰視的時候，蘇聯無論在任何地方都找不出一個實際或潛在的敵人，而史太林還要養這樣龐大的兵力，其用心安在？

照史達林的說法，一九四八年復員既已完成，則一九四九年以後蘇聯的軍費支出，理應逐漸減低，始足以證明蘇聯國內情形逐步由戰時狀態走入平時狀態。而事實恰與此相反：一九四九年蘇聯國家預算上的軍費支出爲一百五十億美元，較一九四八年增加三十億美元；一九五〇年原定預算爲二百億美元，後因韓戰爆發，軍事支出增加，又追加了十億美元，共爲二百十億美元，較一九四八年增加了六十億美元。本年度軍事預算支出爲二百四十億美元，較之一九四八年增加一倍，比一九四二年及一九四三年歐戰最激烈時的預算還要龐大。

蘇聯軍費預算的數字已經大得可怕了，但此項數字並不包括蘇聯全部的國防支出。以一九五一年的預算而論，除軍費二百四十億之外，還有戰爭工業——鋼鐵，煤，石油，電力，化學及機械工具——的建設費一百九十億美元，警察，特務，及其他秘密活動費的支出一百億美元。把三個數字加起來，一九五一年蘇聯國防支出的總預算，實際上是五百三十億美元。

以一九四八年爲標準，蘇聯的軍事預算在短短的四年之內，幾乎增加四倍半，這是復員還是動員？這是需要和平還是需要戰爭？

預算上的數字，自然是探討一個國家政策的索隱，但是僅借幾項數字還不足以充份反映這一國家的實際情形；因爲我們還要拿各種客觀事實，來證明這一個國家是否在切實的執行它的政策。

下面各種事實對於我們了解目前蘇聯的情形，是很有幫助的：

一，戰爭結束已有六年，但蘇聯共產黨的政治局還不願把那些凍結工人工作的法令予以廢止。根據蘇聯目前的法律，倘若一個工人在工作時間隨意離開了他的崗位，即將受半年監獄勞動的處罰。假定他無故不到工一天，或到工遲了二十分鐘，都要受同樣的嚴重處罰。假定一個男工或女工由一個兵工廠棄工潛逃，他所受的處罰要嚴酷十倍——在奴隸勞動營苦役五年。假定他是一個鐵路工人，商船上的海員，或一個航空公司的雇員，則所受的處分還要慘酷。目前蘇聯的男女工人還是生活在軍法控制之下，只要有一步走錯了，即刻就同一般士兵一樣要受軍法審判。

二，戰後蘇聯的整個經濟生活，已完全爲不斷擴張的軍事工業所支配。在各先進的資本主義國家中，工業生產力的一半是用在重工業方面，其他一半則用在爲大衆生產消費物品。但在蘇聯，一九五〇年的生產計劃，全部生產力的三分之二，是用於擴張軍事工業。其實就目前情形而論，蘇聯工業生產力用於軍需品生產方面的何只三分之二，簡直達到了四分之三。在全世界的國家中，把這樣多的工業生產力用於準備戰爭的，除了蘇聯之外，還有那一個？

三，根據最近蘇聯的各種統計，一九五一年蘇聯軍火的生產，較戰前一九四〇年增加了一倍，較一九五〇年的生產計劃，超出了百分之五十，就是同二次大戰最高潮的一九四四年比較，差不多也達到了那一年的五分之四。蘇聯報紙大吹大擂的在鼓吹，說蘇聯硝酸——除原子能外一切爆炸物的主要因素——的生產，較戰時的一九四三年增加了百分之五十強。就一九五一年的統計分析，蘇聯國內每六個工廠中，就有一個在出產坦克車，大砲，飛機和各種各樣的軍火。

故就上述事實來觀察，今日的蘇聯，簡直是一座大兵營，國家的支出幾乎整個花在軍隊身上，全國人民都受着軍法的部勒，全國的工廠都在忙着生產軍火。一個國家，在不受實際的或潛在的敵人攻擊威脅之下，而無論在政策上或實際行動上，都在瘋狂的備戰，這一個國家不是爲侵略是爲甚麼？但這一個國家的執政者還厚顏無恥的責備他人是戰爭販子，是帝國主義者，這眞是世界末人類道德墮落的現像。

朝鮮海上行

洪烏魚

這是一艘驅逐艦上的工作人員的記實文字，作者是這艘艦上惟一的中國人，因職務關係，隨艦開赴韓國海面，雖未直接參加作戰，但耳聞目睹及所經歷的瑣事中，也可以從側面看到韓戰情形。（編者附誌）

根據一張介紹卡片，我在一艘外國戰艦上取得了工作，若干和我頗爲相熟的鄰居，都說我此行非計。第一、我並非內行廚工，其次，不應負起別人不願繼續的危險工作。我則認爲共產集團海軍力量，未必有够量威脅實力，比不過從日意海軍當年，朝鮮局面更可以有這樣自信，我信任此行安全而且力量優越，爲了可以親歷韓戰，我爭取了這一次旅行的機會。

破曉啟椗北航　開抵韓國海岸

今年二月七日，通過一次頗爲嚴格體格檢查，四天之後，便出一艘海軍小艇，運登另一大艇去。我們有十五位員工，全部外籍，領工是詹姆·羅斯福，胖和幽默，加成他的風度，他指派我担任洗碟工作。我對他表示謝意的，除此之外，沒有其他更爲適合的工作了。

我的工作，緊湊時間是飯前後各一小時，其中包括三次正餐和二次茶點。入夜之後，有足够休息時間，這個時間內，充份的得到表示意見和結交朋友的自由。在本港口一起有十天逗留，抑滿破曉，便啟椗開赴韓國。這條軍艦緩緩離開港口，在每小時四十咪海里的速度上前進。雙烟筒，配備着大砲、排砲、高射槍砲的驅逐艦，艦身像最熟練裁縫師的剪刀，他在碧藍色大鵝絨上，沙沙而過，我們朝着燦爛南海之晨，一直駛向韓國。

抵達韓國海岸時，經過好幾個南韓港口，當時無法登陸，因爲隨時待命備戰，海上星羅棋佈着好多盟國艦艇，以及大大小小運輸船，彼此間分用旗號，無綫電，訊號燈，小艇，保持聯絡，起先本艦執行任務是三十八度北，東海岸八十里內海上巡迴，但未碰過共方艦隊或商船，某次，只看到一艘南韓戰艦，艦頓位極低的旗，南韓海軍對我們揮手，他的軍官們還撥號啦。

海軍普通戰鬥小隊，由一艘巡洋艦和四艘驅逐艦組成，有規模戰鬥體系，包括航空母艦、主力艦、戰鬥艦、魚雷艇等參加，演習期間，廣大海洋上，會構成很美麗的圖案，在戰時，戰艦很少和空軍脫節，空軍經常保持優先出動，一隊隊從艦上掠過，戰艦根據他的訊號，射出砲擊敵人的砲，一次爲着阻擊南下軍援，每隔一二里有一艘戰艦向敵陣發射，橫列三四十里之遙。

聯軍火力充足　物資配給豐富

軍援何在，那是根據艦上看不到南下的，飛機指示方向和距離，假使這個指示是正確的話，那麼這幾十里長援綫，可能化爲烏有，盟國間對於砲火和物質配給，不但不感缺乏，而且非常豐富，經常的保有充足火力以打擊敵人。有時爲着發現一個砲位，發射砲彈達幾噸之多。

到二箱香烟來慰勞，一位輪機下士，他將所得香烟，轉慰家人，他說這是南韓慰勞品，也是他的榮譽收獲。

海上黑夜砲戰　敵機受傷逸去

依照海軍眼光，這種海岸大砲和水雷，是窺伺戰艦生命的電蛇，非消滅不可，東海岸部份共方保有好幾個佈置大砲的海岸，有時他們火力超出艦上所裝配之大砲口徑，這點要謹慎提防陷入對方火網，空軍發動轟炸時，戰艦纔施之突擊，並快速撤退，黑夜也有同樣襲擊。

我們曲綫航行，效果較白天爲好，大家相信，對方傷亡慘重，因爲他們砲火從暴燥而微弱，幾乎每次如此。海上黑夜砲戰，那是最美麗的一幕，假使不是在進行可以引致傷害和死亡戰爭，儘可欣賞他那場面的烟火比賽。震耳欲聾的砲聲，東西交織着疏密火網，有時穿插各種顏色訊號彈，接連不斷機槍砲火花，串成數里大紅艷串圓圈，大砲及排砲閃光從其間穿過，火箭尾巴曳着有色氣體，經照明彈強光反映之後，呈現絳紅，淺紅，玫瑰紫，淡紫，橙黃，嫩黃，鵝黃，等綺麗色彩，然而這在當時交戰雙方都不是欣賞烟火比賽。作戰時非常緊張，砲塔經常駐有砲手，發動機時刻嗚動，雷達無綫電不停運用，一有感覺立即產生快速反應，這個反應並立即牽動全艦每一細胞。有一次大家還在午餐，廣播器上喊着「召集所有一一砲手們，各崗位待命，三架敵機，西北角飛來，而向本艦有進襲模樣」。不久，一顆五百磅炸彈，爆發距艦尾不遠水內，左艦旁水面又命中等重一顆，巨大震盪使艦身失去平衡，餐桌上大小杯盤瓶碟，傾向室角一邊又倒向另一邊，當時風雪很大，海面氣溫經常在零度以下，我在艦內攜取一雙手套，送給在甲板上作戰的同舟，他的手已凍得發紫了。敵機並向艦面掃射，本艦還擊，其中一架中彩，傷中左翼，拖着白烟，向西北飛去，當時本艦方位，東經一二八度四點四，北緯三九度六點，位置在元山港以北了。

共產集團力量薄弱

共產集團不但缺乏海軍力量，同時缺乏空軍力量，只有經過這半體驗的一次，以等量空軍，海空，他們以解除海岸，封鎖，切斷盟軍補給，進而追擊敵人，方面，尤其有一時期將盟軍迫至將近落海，緊縮至很小包圍圈，而將釜山外圍切斷，是時非常重要，盟軍共黨集團，並未通過中韓名義動用附近地區的潛艇，以參加韓戰，所以基地，以個人對他潛艇宣傳一樣，是否如此，深感懷疑，力，

士兵信心強・高歌「外邊冷」

艦上的士兵們，多數是有豐富的海上鬥士，他曾參加過第二次世界大戰，其中有百份之十是已畢業或未畢業大學生。他們過去以退伍軍人資格，取得教育補助，而今係再次徵召入伍。他們對自由中國極具同情，認爲終有一天會攻回大陸，且爲期不遠。他們不滿意盟機不得越過鴨綠江，以追擊敵人，正如不滿意阻止台灣反攻大陸，同樣愚蠢。他們很達觀的過其兵役生活，無疑的他把一個國民所應享之權利和義務，了解得很清楚。他們歡喜歌唱，有時諸歌一曲，「貝外而很冷」，誰看不出這是方經懸戰歸來的實情。此外，還嗜好中國菜，我時常以中式炒麵，招待三三同舟，他說比「Chow Mien」爲美，唐人街的炒麵，也許起先是唐人戲弄「番鬼」的怪菜。全艦上只有我一個是中國人，他們都熱心而好奇的要我講述關於中國的故事。我們一直經過釜山，回到香港，日本佐世保、長崎、廣島，我還沒有講完故事。

美國對日和約總檢討（下）

勞佩

這正是使蘇聯放心不下，寤寐不忘的焦點所在。自此以後，這焦點只會格外尖銳，格外醱熱，而終不免引爆成一次戰爭。

美國兩黨共同外交

再說美國這次對日的做法，顯然是兩黨共同的外交。據聞美當局早在考慮，擬邀兩黨重要議員十八人參加代表團赴會簽約。無論如何，若說美當局因爲蘇聯突然參加，這即一喜用「外」的樂於接受蘇俄而改變其基本立場，那是不可想像的事——雖然國際關係，變化無窮，但究竟各有「不可移易」的「利害之端」，而這一點「堅」，在民主如美國的國度裏，決不是少數三五人所能「朝三暮四」，隨便改變的。一個多月前，艾奇遜不是向記者說過這樣的話嗎？「韓戰意義並不是最後的十字軍戰爭。……我們必須慎重地處理我們的困難，使我們具有實力，並操有主動之權。……」這次對日和約的外交戰，大體上，可說百分之百是美國的主動。我們不可小覷這「不是最後聖戰」的韓戰。我們應該知道這韓戰流血之多與戰費之大，在美國對外戰爭史上已是高踞第四位：超過一八一二年革命戰爭及美墨、美西戰爭的總和！這所爲何事？爲的就是要有效的保全日本。

吵吵鬧鬧新的毒菌

正唯爲此，當七月初美英及美法之間，外交共業，尚覺混淆的時候，據倫敦合衆社傳述消息靈通界的觀察。杜魯門總統關於對日和約，對德終止戰爭狀態，土耳其入盟（北大西洋聯防），西班牙基地及英伊煤油爭端等問題，對英法準備作外交上的攤牌，並說西方國家今日的外交，應以「外交的機動戰」，替代過去「壕溝式的外交戰」。這足以證明美當局在外交政策上心情的緊張而必有其獨自的深遠計劃，非他國所能左右。因此，筆者認爲單就對日和約問題來說，英國所能加於美國的影響和壓力，是有一定限度的。在舊金山市場上，英蘇怕也沒有甚麼大交易可做。葛羅米柯一行三十餘人的出場，勢必是照例吵吵鬧鬧，希望在民主集團裏散播若干不同性質，不同類型的新的毒菌而已。

軍事同盟保障英國

不是嗎？在太平洋方面，關於未來日本與澳、菲、紐三國之間，美國既能做到滿足他們的期望，分別簽訂三個軍事同盟，保障英國在這一區域間廣泛的利益，與大西洋公約相輝映，則土、希對於大西洋公約的加盟和美國以經濟援助選取西班牙的海空基地，英法兩國恐勢非對美讓步，予以支持不可。何況伊朗煤油問題，變化難逆料，英國亦非有賴於美國的斡旋，不足以操勝算。

和平建議世界計劃

凡此種種，均可於杜魯門總統八月二十一日對蘇聯「和平建議」咨文中求出綜合的結論。杜魯門總統於揭穿蘇聯最近種種和平攻勢之計，要求蘇聯「不僅以文字」，且須以行動」表示其對和平的願望以後，並要求證明：「除非吾人獲得實際證實蘇聯在事實上已改變其政策，余不能請求國會改變美國之政策。余信任吾人目前所從事之竭力支持聯合國在朝鮮或其他地方爲和平所作之建設性行動，建立吾人之國防與參加建立自由世界之防衛，以吾人能做之一切方法，貢獻於全球各地自由制度之增長與加強」。建設和平行動，防衛自由世界並增強自由制度，這是目前美國的世界計劃。

老千代表無計可施

我們只須把目前美蘇兩個世界計劃稍加對照，即可瞭然於舊金山和約會議之必不致於被蘇聯由於「老千」葛羅米柯所率領的「偽裝和平軍」所掃蕩，所包圍，或僅僅爲所變質，殆可斷言。

基此，韓戰談判，無論開而又停，停而又開，雙方都只是在爭取時間而決不能踏上眞正的「和平之路」。

基此，韓戰談判的前途，一部份必將直接以舊金山會議的局勢爲轉移：沒有蘇聯及其嘍囉們簽字的對日和約成立之日，即爲韓戰談判壽終「歪」寢之時。

和談破裂時局更緊

基此，韓戰和談正式宣告破裂之後，蘇聯及其傀儡中韓共，即不立以飛機大炮向南韓聯軍或他處進攻，擴大戰局，（却不一定即爲全面大戰）但整個時局必更逼緊一步，毫無所疑。

基此，秋間韓戰擴大的危機，即或由於雙方縣馬彎弓，作勢待發的姿態再延長一個時期，（實因雙方都還沒有完全準備定當，）明年春夏之交，勢必有一個更驚險的危機。

基此，我們認爲對日和約有沒有我們參加，在整個局勢來說，實在沒有多大相干，重要又重要的還是要問我們自己：當這暴風雨的前夕，我們應該如何多方面加緊努力以互相配合？

危急關頭困心衡慮

於此，筆者仍想引中山先生的話以掃除我國人向所持有「弱國無外交」的錯覺：「弱國無使皆可亡，則二十世紀當無弱國。弱國既有自存於今世之理，而獨我中國有亡國之憂，則可知亡國之責任，不能一以積弱卸之」。竊願我當局於此危急關頭，聚精會神，困心衡慮，以善盡最大的努力和救亡復興的責任！（八月廿四日脫稿）

俄國人討厭中國簡筆字
中共聽命消滅「怪字」
一向提倡甚力，忽然喊出「祖國文字不容歪曲」的口號發動清算。

【本報上海特約通訊】中共提倡最力的「簡筆字」，最近忽然遭到厄運了。當年以「簡化筆劃」求取「大衆化」，現在卻認爲是「怪字」，「大衆化」也不要了。這裏的文教界人士都已意識到，這又將是文化政策上的一次……

如果提倡簡筆字也是中共「文化運動」之一種，那末，今天的「反簡筆」也可以說是「文化運動」。中共之「文化」與「運動」，究竟是怎樣一件事，從這裏可以看得清清楚楚。

在上海「新聞日報」上，二星期前，以一篇「讀者意見」開頭，宣佈了「反簡筆字運動」——中共一切「運動」，都用這一個形式。「讀者投書」往往是前哨。「武訓傳」軒然大波，也是這樣開始的。

這一篇「讀者投書」向簡筆字提出了清算，並且透露了這一運動的原因——連中國文字也受着蘇聯「老大哥」的指使！原文如下：

「解放後，有許多字被人們寫成了莫明其妙的怪字。我們不但在黑板報，牆報上可以見到，有時在標語上也可以見到，甚至有很多人在給國際友人通信時也應用了怪字，這是非常不好的。日前，在一個中蘇友協的集會中，聽到蔣燕同志的傳達報告，其中有一段關于怪字的：『……我在蘇聯，有蘇聯對外文化協會的同志向我們中國代表團提了一個非常寶貴的意見，就是他們希望中國人民以後寫信給蘇聯友人時，不要寫那種字典上找不到的怪字。因爲這樣，他們對於中國人民的來信便無法翻譯，不能發表出來給蘇聯全國的人民看到』。我們應當少用怪字，並且下決心來消滅怪字。」

對于這一封讀者投書，「新聞日報」也表示了積極重視的態度，標題是：「祖國文字不容歪曲，堅決消滅簡筆怪字。」

青年學生在中共發動之下，習用了這種「怪字」，中共又喊了起來「蘇聯人在字典上找不到」，「祖國文字不容歪曲」來了。中共的文化政策，真面目，由此可見。（悠然，八月廿七日自滬寄）

·中共陰謀消滅異己·
察綏部隊開東北
新近開到東北的部隊，有察綏口音
有湖南口音，口中時常提到蔣總統

【本報瀋陽特約通訊】八月中旬，瀋陽街頭出現許多特殊的部隊，一批一批從關內乘北寧路火車來瀋，又一批一批分佈到瀋陽以南本溪、遼陽、海城、鳳城等地區去。所謂特殊，是指他們「既非國軍，也非共軍，既是國軍，也是共軍」的畸形現象而言。當然，他們現在分明是共軍的隊伍，但卻沒有共軍口頭的一套八股，在談話中間，相反還時常提到蔣總統。經筆者調查，才知道他們都是從察綏開來的，他們是所謂「起義將領」董其武孫蘭峯的部隊。除此之外，還有許多湖南口音的部隊，也不斷從關內來瀋，轉道赴中韓邊境，這一批部隊，又分明是屬於陳明仁部二十一兵團的。

消滅非共部隊 原爲預定計劃

中共利用韓國戰場消滅非共部隊，本是預定計劃。已被消滅得差不多的，有曾澤生部第五十軍；張軫部第五十一軍；正在消耗中的，有陶峙岳所部第二十二兵團，吳化文部第三十五軍。現在繼續開上前綫的，有察綏傅作義舊部，及陳明仁分駐在湖南、廣西兩省的部隊。據云林彪的嫡系部隊，在最初曾遭受重創，現在整補完畢之後，倒又捨不得調上前綫去作犧牲品了。

當一批批非共部隊經過瀋陽時，在瀋陽以北，正洪水爲災。部隊行程爲暴雨所阻，有在瀋市區留至一星期之久者。彼等與老百姓相處，情形尚好，惟對中共，則絕無半句捧場語。他們暗示：蔣總統一定會重返大陸的，老百姓只要能忍耐下去，便不怕沒有重見天日的一天。

公安師駐城市 老幹部享清福

瀋陽目前駐有公安師一個師，東北共有三個公安師，還有兩師分駐在長春，哈爾濱等地。除了沒有重武器之外，公安師的裝備，可說是十分精良的。由於公安師以城市爲防區，所以許多老幹部，都希望調在公安師任職。好在城市享清福。實際上，毛澤東也的確以公安師作爲「御林軍」的，不是老幹部，便根本不會安插在公安師。蓋中共高級方面，對新進幹部總覺得有點不放心也。

自開城談判陷於停頓後，瀋陽的空氣當然日趨緊張，防空工事到處在構築，不過連朝暴雨，也損毀了不少。察中共之意，如韓戰擴大，東北被襲，則關外的軍政重心，屆時將移往北滿。因北滿多山，且毗連俄境，在失敗的時候，是不愁沒有退路的。（八月二十五日陳浩寄）

殺人政策洩氣
廣州血賬又添一筆

九月一日，原本是代表四大自由之一——「新聞自由」的「記者節」，廣州共匪卻在這天舉行所謂「宣判反革命罪犯大會」，七百多名市民，會在「逆我者死」和「殺即決律」之下，殺的殺，關的關，管的管，人民的「生命」與「自由」，看得簡直比豁腳的沙泥還賤！

查穗共於去年十一月卅日「如趙非、葉政策」，平孝平、陳處平、騎樓羅金泉雲、筆記者的集體被藩等六記者，跟着本年三月九日又一新聞記者「江南萍」和其他「人犯」們四十四名死在牠們的血手裏。此後兩次的「控訴大會」中，每次被殺的都在百人以上（一次在四月廿五日處決一九二人，另一次日期及人數忘記）祕密處死和零碎執行的更無可計數。

不過，穗共判決「反革命罪犯」雖以這次爲最多，也以這次爲最「洩氣」，過去兩次「集體公審」，兩次「個別公審」，事前都「大張旗鼓」，屆時又「廣播」，強迫市民「收聽」，「參加」，連住在香港澳門的「帝國主義份子」也被間接邀請。這一次不但無綫電寂寂無聲，即被判死刑的四十一人，也只敢提出十個具有「漢奸惡霸罪名」，而又「佈置苦主控訴」的向台下觀衆「照照寶」，事後連在報紙全盤發表的勇氣也沒有，中共所「大張」的「旗鼓」，顯然已在眼睛雪亮的人民面前垮台，同時也在「新聞自由」的眞理之下戰慄！這一筆血賬，我們暫且再記下吧！（穗士）

高等醫院招待俄人
貧病人民流離道旁

【本報上海特約通訊】上海西區，以前美國教會創辦的幾家醫院，像「宏恩醫院」等，招牌早已改了「第幾醫院」，門口，站着幾個「解放軍」，門禁森嚴，威風凜凜。裏面，一百多間病房，只有一兩間住着病人——他們患的大多是傷風，砂眼之類小病。但是，上海最高明的醫生都忙碌地小題大做。原因是：這幾家高等醫院完全招待蘇聯人。而一般公開的醫院呢，卻正鬧着一個嚴重的問題，便是病人擁擠，住院病人無從容納。記者在八月下半月之中，便有三個親友病重而無法住院就醫。有一個目疾轉劇，需要施行手術，其二是精神病突發，（中共統治下，上海精神病患者比以前驟增三倍），其三是肺病已入嚴重階段，需要得到適宜的療養，但是入院無門，這三個還都是經濟情形過得去的，其他赤貧病人，流離道旁，縱是刻不容緩的急症，也被擋駕。

這情形引起市民極度的反感，在敢怒不敢言的委屈下，也偶爾有人在報紙上作側面含蓄的暴露，中共有關當局的解釋是：「全上海人口五百餘萬，各醫院病床卻祗有一萬餘，也就是說，病床與人口的比例是一與五百，當然供不應求。」當然沒有人敢對這樣的「官話」提出質問，但是這裏的人都知道：高等醫院中，病床與病人的比例往往是一百比五！但這些高等醫院，高明醫師，都專供蘇聯人所用，中國人民是沒有份的。

更使上海一般市民不解的是：中共當局不僅不會爲這個問題想出辦法，甚至于還計劃着把幾家國立醫院遷往內地。譬如以前的「中美醫院」，現在改名「同濟大學醫院」，（抗戰前的「寶隆醫院」），已經決定明年年初全部遷移武漢了。（悠然八月廿六日寄自上海）

特務吃香
人民遭殃

汪僞時期附逆份子，近被中共處決不少，惟與特務工作有關者，則仍受重用。如李士羣副手胡均鶴，現在上海主持華東區特務工作，（受僞華東軍政委員會公安部部長李士英領導）即爲一例。一度在上海「搞興亞建國運動」旋又與李士羣合流的袁殊，（本名袁學易，湖北人，爲最初上海黨最帝陳總徵派遣之留日學生）勝利時即潛赴蘇北地區，僞陳毅辦幹部訓練班，後又納入特工系統，現在北平中共中央公安部部長羅瑞卿手下當處長。滬人之北上謀職者，與袁亦常有接觸。惟袁除說說笑笑之外，對正經事概不發表意見。（冷眼）

「國營建築」舞弊案
穗共分贓不勻大鬥爭
電管處職工們血氣方剛，搜集「中國建築企業公司」的「烏龍」材料，在壁報上輪日發表，一幕幕醜劇，正在不斷上演……

【本報廣州特約通訊】僞廣東省政府新址，前由承建之「廣東省國營建築公司」串同其外圍「聯昌行」偷工減料，全部用電設備焚燬，并波及一部房屋，事後又圖卸責任，諉爲「電壓過高」所造成，激起「廣州市公用局」及「電業管理處」員工的公憤，公開駁斥及向僞省府提出控訴，詳情已誌八月廿五日本報，惟「廣東省國營建築公司」的最大後台爲中共政務院，輕重工業部及其他有關部會，直隸「中國建築企業公司」，撐腰者大有人在，主持的又屬「二萬五千里長征人物」，所以雖然「公用局」和「電管處」的技術員工在「人民政府民主專政」下如何具有地位，以言「對手」還是相去十萬八千里。而且「國營建築」方面所持的「電壓過高」理由，公用局電管處亦承認確係「超過標準電壓百分之二」。因此，公用局和電管處不能不多方爭取與援及準備應戰材料，最近電管處工友已獲得機工會全力支持，又搜集到「中國建築企業公司」（廣東省國營建築公司之直屬機構）大批弊端與過失，初時打算在南方日報發表，但該報自於去月登載電管處職工來信後，曾遭受「組織上」的檢討，認爲處理失當，應將該信先送對方答辯，同時刊登，或「莫屎密出」。今只刊出一方面的話，而又弄到港澳皆知，實屬「黨」的損失，決定此後不再發表關於本案文字。但電管處的職工們，血氣方剛，又恃理由充足，不甘積遭抑，竟揚言除非「國營建築公司」公開撤銷「電壓過高」的說法，並正式道歉，決與周旋到底，同時把搜集到「中國建築企業公司」的「烏龍」材料，在壁報上輪日發表。探錄數則如下：

一、「中央人民政府外交部，出版總署，青年團中央委員會，婦女幹部學校」等機構都係由「中國建築企業公司」設計圖樣，及測驗土壤，可是開工之後，卻發現土壤不良而須變更基地，或測量不確，圖樣比地形大兩三公尺，致全部返工。

二、「北京市第三醫院」，「交通部」，「交通銀行」，「中國科學院」等建築物的附帶設備如衛生、水道、暖氣、電燈等設計圖樣，都沒有配合施工及時製出，以致把修好的牆壁鑿穿洞，損壞工程，浪費物力。

三、「中央電影局」地下室工程，原定圖出兩層鋼筋的，但未看清圖樣即行動工，只紮了一層，即打混凝土，後來發現錯誤，洋灰已凝固無法返工，只好再加一層混凝土及鋼筋。

四、「衛生部醫助學校」及「重工業部」禮堂兩處工程，爲了趕工，在今年春的冰凍期間強做抹灰工作，天暖後，灰頂整塊整塊跌下來，造成嚴重損失及打傷數人。

「廣東省國營建築公司」被「公用局」，「電管處」這樣接二連三的打擊，自然懊恨萬分，可是對方都是一些無權勢的職工，主管方面，也管他們不了，一時卻無還手處。據推測，主持人可能一換了事。「廣東省國營建築公司」這塊招牌，除非吸盡廣東建築業的脂血，是不肯卸下的。（九月一日，延年寄）

土包子學時髦
濫發統計表格
川西「土改」一片慌亂

【本報重慶特約通訊】四川屬於中共西南軍政委員會管轄範圍，可是川西行署主任，又是由西北軍區司令賀龍兼的。在軍事系統上，賀龍是一直隸屬於彭德懷的第一野戰軍作戰的，兩年前率部入川，與劉伯承部「會師」，於是在割據已成爲習慣的形勢下，賀龍便兼了川西行署的主任。劉伯承離川日久，鄧小平張際春資望不夠，於是四川的軍政情況，便陷入了無政府狀態。

其中以川西已實行「土改」地區的情形最糟。許多土包子幹部，其實什麼也不懂，但卻硬要學時髦，濫發統計表格，使區鄉「政府」，形成了一片忙亂現象。如大邑縣唐鎮鄉在五月七日接到該縣中共二區區委會及區「人政府」的聯合通知，限五月十二日填寫二十五種統計表格送區。其中有一種是統計沒收地主田畝、產量、傢具、農具、房屋（須分街房、草房、瓦房、公館）糧食、建築材料、水碾、耕牛、豬、果園、森木、樹木、竹園等二十六項的數字，每一項又要分那些歸公，歸公的放在什麼地方；不歸公的又如何分配。據幹部李鑲城說：「所有鬥爭果實，老早分配完畢，事隔半年，還到那裏去找呀！」但是鄉村幹部對上面濫發表格的官僚主義作風，卻也無法反抗，只好熬夜趕通宵，把零碎材料，拼湊了事，其正確性當然是談不到的。（蜀漢八月廿八日寄）

上海房屋
頂費上漲

上海人都相信，美國飛機不會把這個南大都市大肆破壞，因之房屋的頂費，近來直綫上漲，幾乎趕上原來的標準。但中共是禁止頂屋的，對黑市交易的進行，它也毫無辦法。有市民投函「人民法院」請求解答兩點：（一）知有頂屋情事，應否檢舉？（二）檢舉有無獎金？能否保守祕密？答覆是可以檢舉，惟尚無獎金規定，沒有獎金，自然人們也就懶得去檢舉，房屋頂讓因之「看好了」。（田）

上海女人時裝
人民裝作爲短外套
歪帽子也算新風氣

上海是「奇裝異服」的出產地。以前，一部美國電影和幾本歐美時裝雜誌，便可以使上海婦女的服裝翻新的天翻地覆。現在，這種風氣在中共自我陶醉的宣傳上，認爲已經大改變。上海報紙上時常歌頌「儉樸和老實的新風氣」。

事實上，「風氣」這東西，倒是「形勢比人強」，縱出「人民裝」流行一時，老幼男女人各一身，但是「奇」與「變」依然如故。上海來信，描寫街頭景物說：

「今年春天開始，女人有了新的打扮。往往都把人民裝的褲管燙得筆挺，捲起，捲到小腿上面，衣袖也同樣高高捲起，露出一半臂膊。也有人民裝穿在花旗袍外面，作短外套用。也有將人民裝帽子歪戴在燙着的頭髮中間，一邊前面突出用髮蠟的一撮，後面也露出一撮……言灩珠在資助老區人義演時，登台報告時，也穿着人民裝，便這樣戴着一頂帽子……」

把所謂「人民裝」者，作奇形怪狀的變化，便是今天上海女人的「時裝」。這「風氣」是不是改變了呢？想想是頗爲有趣的。（禾之）

自由談

說智仁勇

・尙方・

我們的孔老夫子提出智仁勇三字訣，作爲人類立身處世的精神教育。他不說「仁智勇」，也不講「勇仁智」，而把「智」字放在第一，不是隨便的。

智識是人之所以成爲萬物之靈的要素，人類一切生活設段，利害禍福，都以智識高下爲前提，所謂「禍福無常，唯人自召」，就是這道理。古往今來，許多英雄豪傑，帝王將相，其成王敗寇之所以然，都是由於智識問題。你縱然具有痌瘝在抱之仁，心雄萬夫之勇，如無智將，則變成婦人之仁，匹夫之勇了。鑑帝有德色，勞來食壯士，談不上仁；拔劍擊柱，睚眦必報，不配稱勇。

近日中國共匪仁兄因爲不能參加舊金山對日和會，通電各方，除切齒痛恨「美帝」外，更教人民「挑起遭受日本侵略時期的舊恨」，要大家「提高對日仇恨」，可謂勇矣！但是，無故掀起民族仇恨心情，教兩大民族寃仇永結，世世相報，還不是「民族自殺」行爲嗎？美國政府爲着表示提攜弱小民族，邀約保大，老撾，東埔寨三個殖民地政府派代表出席和會，可謂仁矣！然而，眞正對日作戰的國家，又屏之會外，這不是煦煦爲仁，子子爲義，徒然招致有正義感的國家莫大反感嗎？

天下大家的大事，固然需要智慧來應付，個人日常的小事，照樣要乞援於智慧。哀莫大於無知，天下許多是非罪惡，都是一些無知識之徒所造成的！智慧的來源是書本，搞政治的人若不讀書，尤其糟糕。「宰相須用讀書人」，這句話有至理存焉。

七月的鄉村

・蘇夢・

七月的鄉村，夜幕從山邊拉起，虫在牆脚哀唱。

月色明朗，銀光瀉在房舍和叢林上，像隔着一層霧，迷迷糊糊地，像夢境，微風從搖曳着的枝葉縫中漏下來，帶一點泥土的熱氣，茉莉花悄悄地吐着芬香，飄忽地隨風而來又隨風而逝。

往年這時候，正是卸下了一天辛勞，舒舒身心聊聊天的時候，庭院上橫七豎八地坐着人，根旺的娘執着大蒲扇，說「英台山伯」和「乾隆君遊江南」的故事，根旺半倚在牆邊，抽着旱烟，那一閃一閃的紅色的火光，映出了他一張尖下巴的面。根旺的妻阿花，剛從灶間裏收拾好碗筷出來，坐在石凳上，解開胸給小根喂乳。那邊野孩子在捉迷藏，唱：「月兒光光，樂屋建倉，風調雨順，五穀豐登。……」

可是現在，這些情景全斂跡了。根旺的娘大前年死去，隔壁的水土給清算得自縊而死，鄰爺也給捉了進去，不知下落，其他的人也都七零八散了。野孩子們不知去向，老婆阿花則去婦女會開會，一連開了兩天，還不回來。月光一片死寂。月光胆怯地吻着破落的鄉村，沒有人在門外乘涼，夜有如幽靈似的。遼遠處狗在吠着了。

小根哭了起來：「別哭！別哭！操你娘的，哭什麼！」根旺一肚子火氣，阿花去了兩天還不回來，究竟在搞什麼鬼？孩子也不管，任他哭哭啼啼，家裏的事情都得他一手料理。在田裏忙了一整天，累得快要死了，「這臭婊子還不回來，開會，開會，開他媽的屁會，哼！」他狠狠地從小窗裏去瞄，狗吠聲停止了，一切又歸於沉寂，沒見個阿花的影子。

夜深了，孩子又哭起來，怎也哄不住。根旺打着床板，粗暴地叫：「你再哭，我扔你出去！」

忽然門被推開，阿花回來了，浮腫着兩隻眼睛，睡眠不足似的。根旺抑住了火氣，久久，冷冷地：「開會開到現在嘛？」

「嗯。」

「家裏也不用管了嘛，孩子任他哭死嘛？」

「這是公事呀！」女人豎大着兩隻三角眼。

「公事？」根旺跳了起來；「扭屁股，搖大乳，跟男人動手動脚的，晚上不回來，叫公事？呸！不要臉！」

「誰不要臉？你說得好聽些！」

「你不要臉！」根旺毫不示弱。

女人把一堆什麼「白毛女」之類的連環圖畫摔在桌上，拍着桌子大聲叫：

「我和你離婚！」

「離婚就離婚！你也懂得這套書本啦，臭婊子！」

「你罵誰？」

「罵你，罵你這臭婊子！」

惡鬥爆發起來了，那女人朝根旺的下邪抓去，給閃開了，扯住女人的頭髮，打了兩巴掌，女人則張牙舞爪，死命的朝對方亂咬。一面大嚷大叫，「救命呀！」「殺人呀！」亂糟糟地一團，孩子則號啕大哭，從床上直跌到地上來。

惡鬥完畢。女人的臉上掛着血跡，根旺的手臂也全是血，臉上被抓了幾個洞。「臭婊子！別[illegible]勢，現在算是你們的天下，仗着婦女會，氣燄沖天，連人也要吞下去啦！好吧，總有一天，國民黨打回來，看你逃到那裏去！」

「這句話是你講的！」女人掉轉身，從大門竄出去了。

根旺正憤憤地想上床就寢，民兵隊來了。……

他被提到「區政府」，「婦女會」也派了人到來，「觀禮」——看根旺被吊在半空中挨棍子。

阿花怒氣未消，親自走上去給他兩巴掌。指導員輕輕拍着她的肩膀道：

「阿花同志，你想要怎樣處理呢？送他參軍好不好？」

「你們打算怎樣就怎樣吧，反正我和他恩盡緣絕了。」

「好吧，把他解下來，明天就送去！」指導員命令着。

七月的鄉村，仍然回復到死一般的沉寂，但漩渦並沒有就此平靜下去。

嚴復與袁世凱（下）

・舜生・

萬竹樓隨筆（二六）

吾人進一步觀察，袁於嚴雖屢欲藉其位望以資號召，而嚴於袁之能力與行爲則深表不滿，當民四日本向中國提出二十一條要求時，嚴對袁曾有批評云：

『大總統（指袁世凱）固爲一時之傑，然極其能事，不過舊日帝制時一方督撫耳，欲與列強君相抗衡，則太乏科哲學識，太無世界眼光，又過欲以人從己，不欲以己從人。其用人行政，使人不滿意處甚多，望其轉移風俗，奠固邦基，嗚呼！非其選耳。顧居今之日，平情而論，於新舊兩派之中，求當元首之任而勝項城者誰乎？此國事之所以重可歎也。』（見學術雜誌第七期與熊純如書札節抄十二）

又袁生平喜以暗殺手段誅鋤異己，此亦嚴對袁極端不滿之一端，與熊純如書札中有云：

『生性暱用詭謀以鋤異己，往者勿論，乃革命與再行出山至今，若吳祿貞，若宋教仁，若趙秉鈞，若應桂馨，最後若鄭汝成，若張思仁，若黃遠庸，海宇譁然，皆以爲洹上之主使。夫殺吳宋雖公孫子陽而外之所不爲，然猶可爲說。至於趙秉鈞鄭汝成，皆平日所謂心腹股肱，徒以洩祕滅口之故，忍於出此，則凝下幾何其不解體乎！』（見同上第十期第二十）

嚴熟治西史，平日主張君憲而不能衷心贊成袁氏稱帝，雖深有感於舊君統既毀，新君統建立甚難，蓋亦深知袁之爲人，早已斷其決不能有成也。及梁蔡起而討袁，各省紛起響應，乃至如陳宧湯薌銘爲袁宿所培植者，亦起而反戈相向，袁雖欲不死，不可得矣。嚴於袁死以後，曾以三詩輓之，於公於私，亦可窺見嚴對袁持論之平允也。詩云：

『近代論才傑，如公亦大難，六州悲鑄錯，末路困籌安。四海猶爭盜，彌天戢一棺，人間存信史，好爲辨賢奸。』

『霸氣中原歇，吾生百六丁，黨人爭約法，輿論惜精靈。雨霰蛟龍匣，風微燕雀廷，蒼蒼鬱室暮，極眼望雲軿。』

『夙承推獎分，及我未衰時，積毀能銷骨，遺榮屢拂衣。持顛終有負，垂老欲疇依？化鶴歸來日，人民認是非。』

嚴以民國十年九月二十七日，病歿於福州，年六十九，其去袁氏之死，蓋已逾五年矣。

時事俳吟

戲代越南柬印度

蘇枝客

美國正式邀請越南，老撾，柬埔寨三個法聯邦國家，參加對日和會，印度表示反對，謂「這三國家依然還未脫離法國，獲得完全獨立，二次大戰告終之前，它們還是殖民地」。聞越南人士對此頗憤激。戲代越人柬印度阿三。

漫將往事話當年，和會欣逢一惘然，

憶否吳淞江上路，懷其遙對大街邊，（按上海在租界時代，英界有印捕，法界有越捕）

婆娑春夢人情薄，昂首看君氣概雄，

故事猶新勞記取，殖民地位一般同。

亡國何須問後先，念家山破逐年年，

越南恨不生甘地，搜損腰肢冀主憐，（印度有甘地挨餓謀獨立，越南無其人也）

忝承約會舊金山，反對無端笑阿三，

竊漢居然擬乞丐，翻家得毋內心慚？

註：上海呼印度人爲紅頭阿三。

反佛朗哥最烈的女人

・周明・

西班牙境內反對佛朗哥最烈的第五代伐倫比亞公爵夫人馬麗亞現在暫居於她安都的宮殿式住邸，暫時放棄了搞政治活動，這是她被佛朗哥逮捕入獄三次的結果。但她的生活並不單調平靜，整日在忙着寫她的回憶錄，騎馬郊遊，駕着汽車四出遊覽，還是在宮殿的一排房子裏設有一個施食所。她一生的經歷是傳奇性的，十歲的時候，一時脾氣發作，把墨水瓶向教師擲去，被尼庵逐出。後來又入一家陶瓷廠做工，憑她的身份和財產，自然不需要去做這樣的工作，但她有自己的解釋，說這個工作可以使她得到更廣的生活經驗，對人更懂得一點。西班牙內戰期間，她被幽禁在一艘土耳其船上，但卻被她用計脫逃。她反抗佛朗哥政權的鬥爭，有五年歷史。這些戲劇性的事實，將都是她回憶錄上的好材料。

最近她曾對人說：「我是西班牙的大公，」她用纖指撥弄着染成金黃色的秀髮：「不論佛朗哥或他的那一夥人給我什麼稱呼，絕對沒有關係。」她今年三十五歲，還沒有放棄希望，相信她所想望的西班牙唐璜君（故國王阿爾方索十三世之子）終有一天將復登王位。她說，祇要現流亡於葡萄牙的唐璜身邊的人都是勇士，而不是怯弱而過份謹慎的政客，」他還有希望。而且，祇要她能和他們團聚，她一定能向他提供許多有用的計劃。「佛朗哥要是我不能把他扳倒，我將會到美國去活動。我需要更大的地區，下的西班牙。」

一年前，她曾寫過一封信給唐璜，要求他將來在西班牙西北部登陸，直衝馬德里：「我主！你的長驅直入西班牙，將兵不血刃，而使[illegible]倫的復攻巴黎爲之失色，沒有一人會阻擋你。我主！你的時機已經來臨，西班牙在急切等着。」這信甚至使西班牙堅定的男性保皇黨份子都大驚失色，有一個人說：「幸而這祇是一封信，不是她親自送去的呼籲。這個女人眞是一撮炸藥。」這個危險性的女人，連獨裁者佛朗哥的警察也怕她三分。

現在她表面上已不再做這些事了，卻感到不滿意自己的服飾。她向佛朗哥當局請求護照，說要到巴黎去「買幾套時裝」。爲了得到便利，她曾伴隨佛朗哥肥胖的弟弟尼古拉斯出入於交際場合，跳舞遊樂，但是就在她提出護照申請書後的幾天，唐璜給了佛朗哥一封信，要他「爲我們共同的國家」利益計，自行引退。警察得到這個消息，立刻扣發她的護照。她請求尼古拉斯幫助，一點沒有反應。於是她祇得把旅行計劃取消，發表含有哲學意味的談話道：「沒有關係，不會經過多少時候，我將得到國王一位大臣簽發的旅行護照。我所感到可惜的，祇是和那個胖猪樣的討厭傢伙白費了許多跳舞的時間。」

圖：公爵夫人馬麗亞

「腥聞」漏洞

・駒・

「八月十四日東北遭受到數十年來未有的大水災」，「新華社」在二十九日才在瀋陽發電報，消息迅速？

損失多少？祇是鐵路給衝毀五十餘處，其中部份路基「蕩然無存」，於一廿七日下午六時完成搶修工程」。死了多少人？祇是「反動」的美聯社收聽瀋陽的廣播才提到：「死一千八百人，失踪三千多人」。「新華社」的電訊卻沒有報道。農田損失嗎？沒有報道，誰知道現在推行徵糧，這影響人民情緒的消息，怎能發佈？但農家的損失大了，中長路瀋陽分局「局長」杜拉索夫親眼見到：「……遼河的水勢上漲非常猛烈，遼河的水面距離鐵橋底祇差一公尺多，遼河兩岸的村莊，盡都變成了澤國，杜拉索夫正在注視着遼河的急流，忽然發現河中有一草屋的房蓋，上有婦女緊抱着孩子，牛有的被洪水沖下來，……賊着救命：……於是杜拉索夫「以他布爾什維克的崇高精神」，「英雄」地「偉大」地，在他「偉大的國際主義感召」下，也一番不顧身地跳下水去救人。」……「命令司機，用他自己的輕油車」[illegible]

一羣流亡的孩子

・張天寶譯・原載「哥倫比亞」雜誌

父親被殺

在這條船啟行之前，一個十六歲的男孩史坦尼斯勞告訴了我關於他一家的故事。他的父親原是個工程師，一九三九年俄軍取得波蘭東部，把他殺了，沒有說明任何理論。史坦尼斯勞弟兄四人，他是第二個。他記得在一天晚上，他和母親和弟兄們，還有六十名波蘭人被押入一輛牛車，顛簸而行，二星期後，在西伯利亞被趕下來，送進了奴工營，每一家在一間大房中得到一塊小小的地方，成爲他們居住的所在，這並非一個房間，而是大室的一角，鋪闊狹小，僅能放幾張雙層[illegible]，此外就沒有活動的餘地，所有的人全住在一起，祇是單身男子或女人才另外集居於一室。凡康健的男子和男孩，都必須外出在警衛嚴密監視下伐林，或在農田中做工。那裏的天氣嚴寒，有些人凍得手足僵硬，但偶而停下來休息一下，警衛便立即無禮的聲吒喝了。

母弟病死

好容易等到蘇聯把波蘭人釋放，他們又坐着牛車，經過了一段長途跋涉，這悲慘的一家到了土爾克斯坦的波克哈拉。最小的弟弟死在牛車上，他因爲營養不足，而不住車上缺乏食物的困苦。另一個弟弟也因同樣的情形到波克哈拉車站[illegible]生診治而夭折。母家遂祇剩三人了。他自己即被送入一家醫院，[illegible]

在醫院裏死的，他們還不知她的死亡，在等待母親來接他出院。[illegible]見暴君的殘酷，大批無辜平民的流放，但對他打擊最大的，卻是弟弟的慘死，精神[illegible]刺激。後來，他被當局送到德黑蘭[illegible]非的孤兒救濟院[illegible]（三）

大鍋飯好吃

美國務卿艾契遜一時心血來潮，在午餐時間親自走進國務院的食堂，混在普通職員羣中，拿着一個盤子排隊而擇定了他的餐菜，坐在一邊，在許多詫異的目光注視下，吃了一頓難得的午餐。事後他對人說，這裏的菜雖然未必比他在私人辦公室吃的更好，但至少一樣的好，而且還熱一點。」

陰鬱的世界

英首相艾德禮最近在[illegible]時候，許多英僑曾擠入他所居[illegible]大廳，歡欣地同聲高呼他的名叫：「他是個愉快的好[illegible]」來，他外出爬山，堅決拒絕[illegible]鏡，對他太太說：「我感到透過有色眼鏡看世界，實在過於陰鬱。」

小名人小事

自由人
(每星期三六出版)
(第五十四期)
每份港幣壹毫
督印人：李光華
社址：香港告士打道六六號
電話：二〇八四八
GLOUCESTER RD HONGKONG
TEL: 20848
承印者：東南印務出版社
地址：告士打道六四號
台灣總經銷處：台北重慶南路一段七十四號

國家隆替與用人標準

這裏只是簡單舉出幾個例子，在國家前途已陷入逆境的今天，多多少少說幾句話，希望國家名器不再受到糟塌！

·左舜生·

這個題目是很大的，單就中國講，從前的人，眞不知道就這個如何用人問題用過多少心思，發過多少議論。我現在在這裏，却只想大題小做，就個人暫時所想到的，發表我一點淺見，可是我必得首先聲明：我的話是針對現實講的，也許只是一偏之見，但却不一定是言之無物。

要鑒別一個人的智，愚，賢，不肖，說到精微奧妙的地方，就是聖哲也不一定做得很圓滿；假定放低一點來講，一個人既不能離羣索居，也至少不能不做一點事，那就是說，你必得去結識你的朋友或同志，去物色你的夥件或助手，這樣一來，這個鑒別人才的問題，便必得請你動一動腦筋。就古今中外一切一切的例子來說，大凡一個人的榮辱及其事業的成敗，和這個問題的關係實在太大，換言之，你能夠找得到於你有益的朋友，你就榮，否則就辱；你能夠抓得住於你有作用的夥件，你便成功，否則你便得失敗；我們試就一切相識的人或自己的經驗來想一想，大致的情形不就是這樣嗎？

五十年來國家用人失當

個人如此，國家又何獨不然？我現在要首先在這裏說一句：中國在最近這五十年來，其所以一天一天的敗壞，以至於陷到如目前的這樣一種慘境，有一個最基本的原因，便是由於在有權用人者一方面，在這一點上，太違反了中外若干聖哲千錘百鍊苦思深索所發明的一些基本原則。我想，假如一個人能夠相當的反省，而對國家又確實抱得有一種誠意，換言之，就是說他還有糾正已往一切錯誤的勇氣，同時他還想把這個殘破的國家弄得一天一天的好起來，也許他不會覺得我上面說的這一句話是過於武斷，或者是太不合事實。

有人說：一個人處在一種重要或次要而掌握得有用人權的地位，在實際上講，無論為國家為地方，乃至為他個人，是決沒有不想把事情弄好的，所可惜的，是上面所講最近五十年的這個時代，却是一個非常的時代；中國在最近這個五十年所遭遇的一切一切，確實是史無前例，在中國的歷史上講，往往一時代都有一時代的人才，惟獨這時代對於人才的消耗量特別來得大，因而也感到人才的特別缺乏，你單單從用人當不當的一方面着想，而不從不免有無人才可用的一方面去着想，這仍不免失之於不公平。我姑讓步承認這個話也有多少道理，但仍有一點我必須提出：那一個時代是否能夠人才輩出，與政府用人的適當與否，確有密切的關係，換言之，假如政府用人確實能夠翕然有當於人心，即大體上不違反賢者在位能者在職的原則，則雖駑鈍者亦將知所奮勉，而一時之人才出焉；否則謹厚者將意冷心灰而自毀於冥冥，狡黠者乃不免投袂而起，不惜倒行逆施以求一逞，大家試平心靜氣思之，天下事之可痛哭流涕者，孰有甚於此！

今後的用人標準

下面姑就我所謂的「標準」很簡單的舉出幾條，完全是一種舉例的性質，我沒有能力說得很完備，在這樣一個有限度的篇幅上，也決不容許我說得太多。

一、古人所說『進思盡忠，退思補過。』這裏所謂「盡忠」，就是遇着國家的緊要關頭，自己覺得有話要說，同時又覺得自己的話多少有些關係，即令在搆思上還不完全成熟，但至少有提醒的作用，便應該不顧一切的說了出來。用意是誠摯的，態度是朗爽的，至於能否為對方所接受，這却可以不管。假令不問在怎樣一種場合，永遠總是緘口不言，這種人看樣子好像是十分深沉，非常謹慎，但實際上全不是[illegible]

二、在今天而講[illegible]

[illegible]

俄國眞有原子彈嗎？

一九四九年九月俄國的原子爆炸，充其量是實驗室的爆炸。於今兩年了，以俄國工業水準之低，現在還沒有造出原子彈的可能。

·胡秋原·

在今天國大集團賭博中，原子武器是王牌。大約十多天前，美國有人說得到可靠消息，蘇俄有原子彈已有百枚之多！對於蘇俄有無原子武器，我是抱存疑主義之一人。說明白點，我不相信俄帝現在已有原子彈。

或許有人懷疑我既不是情報專家，又非原子專家，難道比他們的話還要可靠？不錯，情報重於判斷。但一種情報如無兩種以上的可靠來源者，是應取保留態度的。否則聽到風，就是雨，你將為敵人所騙。蘇俄已有原子彈百枚之說，也可能只是俄帝特務機關故意在開城談判中舊金山會議前放出的。不錯，我不懂原子工程，但一個對俄帝工業水準以及一般工業發展歷史有常識的人，也可以依據一定事實，作一定判斷。這種判斷，與精確情報合觀，作最後的判斷，才是合理的。

原子彈是美國文化產物

我首先要說，原子科學是自由文化之產物，和教條主義以及特務政治有先天的不調和性。大家知道，美國製造原子彈，是集合全世界第一流的科學家，全世界最優秀的工程師，在普遍高度的工業水準之上，經過七年實驗和製造，才造出最初三枚的。這一套東西是「資產階級科學」理論之產物，自由思想民主政治和國際合作的產物，是高度工業水準，龐大綜合技術工程之產物。俄國沒有這些條件。他沒有這一套空氣，傳統和人才。俄式「天才」，別有所在。他的天才，在殘忍陰謀方面發揮去了。

實驗室的原子彈不是戰場原子彈

自然，原子彈的理論，不是祕密，且幾乎已成常識。一九四五年的新聞報告，說得清清楚楚。今年的一本報告，說得更清楚。俄人縱來，難道不能照本宣科？何況，他還有「小手」本領，標上君子的絕技，而且還能俘虜德國科學家，拐騙各國科學家？

[illegible]

(轉第二版)

「遺憾」與「遺臭」

任何一種國際會議，都是表面開合議庭，內容行獨裁制的。問題只看獨裁者所玩弄的手法高下如何，即可預卜那一個會議的結果[illegible]。歷史上有名的幾個國際會議，作頤指氣使的言行，而注重於幕後協商；柏林會議時，俾斯麥祇是替大家做「和事佬」，實際他是幕後的獨裁者；第一次大戰後的巴黎和會時，法國「老虎總理」克萊孟梭，指着和約對德國代表說道：你們只能說「是」或「否」一個字！這三種國際會議的後果怎樣？有歷史事實可以比較的。

但在表面的合議庭上，却表演得太欠高明了。即如美國代表杜爾斯對和會沒有中國參加的那套「表示遺憾」的演說詞，就表現着欲蓋彌彰的窘態，說甚麼「中國有內戰」啦，「不知認定誰為合法政府」啦[illegible]

葛羅米柯的重頭戲

蘇俄代表葛羅米柯在和會上演出打泡戲之後，世人便認為他此行任務已告失敗了！五十一二個國家的代表，有四十七個以上是反對葛氏建議的，他還有甚麼方法搗亂呢！

假使葛羅米柯此行目的，只是為在和會宣傳一番，搗亂一陣而已，那末，史太林何必多此一舉？和會的形勢與結局，史太林早已洞若觀火了，敎葛氏帶上兩個嘍囉——波捷代表——就能搗亂會場，破壞和約麼？史太林所演的重頭戲，是要在後台演出的，即是幕後策動的強權政治！莫理遜先生早已貼出「海報」，他要到舊金山劇院去「調和美俄衝突」。現在他已飛到美國，第一齣戲就是要求美國若韓戰惡化，也不要轟炸東北，先留下讓他表演拿手好戲的餘地，然後再到劇院與葛羅米柯串演一場。如果串演成功的話，縱然和會會期不延長，和約如限簽署，蘇俄并不馬上在和約上簽字，也無妨的。因為蘇俄既然參加了和會，必要時，即有補簽的權利。史太林當年既可以跟希特勒簽約「友好」，今日何嘗不可以跟「美帝」「英帝」和好呢！

除非葛羅米柯即日一怒而拂袖離席而去，不再逗遛「美帝」的國土。否則，他和會席上搞出甚麼鏡頭來，都是插曲，不足重視的。可注意的乃是他跟楊格這般人在後台串演的重頭戲，這纔是強權政治的高度發展，也是他此行的唯一目的哩！

韓戰易地談判之說

開城和談中斷至今，尚未復會，如是，易地談判之說，乃甚囂塵上了。其實，這是廢話！

雙方都是要拖到舊金山和會以後，再作道理，易地與否，有何關係？美國要以強硬態度和手腕，想逼着中共知難而退，以達成那位大法官陶格拉斯所謂「離間中俄」的神機妙算！因為他們看穿了史太林不敢為韓戰挺身而出，中共騎虎難下，樂得強硬對付，以造成有利的談判態勢。

遠東一切的問題，都看本月下半月以後的國際形勢如何，纔可知道其大致的趨向。換言之，即要看英國的姑息政策是否成功？目前總是混沌的。

一週展望　雷嘯岑

中共的所謂「基本建設」

張丕介

中共的所謂「基本建設」，只是勒搾民財的幌子，由於幹部的幼稚無知，「本位主義」及「官僚主義」風行，造成空前嚴重的浪費。

中共對其財經成就的宣傳，除所謂「物價穩定」和「貿易出超」外，最令人熟知的是其所謂「基本建設」。根據中共的說法，其一切的財經措施，從「土地改革」到「調整工商業」，都是爲「中國的工業化創設條件」。彷彿其一切的搜括，都是爲了「基本建設」。據高崗的報告：去年東北投入「基本建設」的資金，達糧食六百六十五萬噸，約佔其全部歲出百分之五十四。其一九五〇年的財政概算中，列入「經建」項目的支出亦達歲出百分之二十三點九。從表面上觀之，很容易令人發生一種錯覺，彷彿他們對大陸瘋狂搜括，並非毫無交代。

但事實上其所謂「基本建設」，除了爲準備大戰而進行的若干戰略工程，如搶修鐵路，擴建公路，有明顯的表現外，其一般國營企業所從事的建設，不但成績毫無，且成爲糜費民財，虛耗國力的一大缺口。其糟蹋物資，浪費財力的程度，誠如中共自己所說：較其大小幹部所貪污者，在數量上將不知超過多少倍！

王鶴壽「部長」口中的浪費

去年八月二日，東北「工業部長」王鶴壽，在中共東北局工業會議上，對中北工業示範區的基本建設，曾有一個概括的評價：「一九五〇年基本建設最大的毛病是沒有通盤計劃，沒有顧慮到主觀設計的能力，有些工程不經設計就開工。在制定基本建設計劃時，沒有縝密地考慮技術條件。只從主觀願望出發，盲目地要求迅速，嚴重影響了工程質量，因此而產生的損失即達八千二百億元（約美金二千六百萬元），等於今年建築工程管理局的全年投資」（八月二十三日東北日報）。

王鶴壽所說的情形，並非東北所獨有，整個大陸的所謂「基本建設」，莫不一團糟。去年「東北日報」的社論中，曾將其浪費情形，分門別類，第一種是原料材料的浪費：所有修建生產，都沒有原料材料使用的標準，隨便領用，「把成材當廢材用」，「把大材當小材用」，「顧只眼前，不顧將來，今天抓到手就用了它，明天沒有了伸手問國家領去」。「甚至有些部門故意把過去所有器材隱藏起來，另作出幾百億元的大預算，要國家支付」。第二種是資金的浪費：錢拿到手就花，不分緩急輕重，「比如領到工廠修建費，首先不修廠房，而去修辦公室，俱樂部」。「進行工程的修復建築工，不規定標準，不監工，不檢查，今天建築起來，明天就要修理」。第三種是生產成品的浪費：只求數量多，不求品質合標準。「一看生產統計計劃超過計劃百分之幾十或幾百，似乎成績驚人，而認眞檢查一下，則可發現產品中有所謂「遺拜鞋」，至少有百分五十是廢品」。第四種是勞動力的浪費：不少工廠不是企業化，而是機關化。雖在交通便利的城市中，還保存農林時期的龐大事務機關，「勤雜人員可以編排編連」。第五種是意外損失所造成的浪費：「如內蒙古狼林務局依爾施林區，燒燬森林長寬台二百餘里，南岔林務分局，兩次失火，燒燬森林五十六里，原木五萬立米，鶴西廊山煤礦電氣股燒燬全部電氣材料等等，都令人觸目驚心」。

這些空前的大浪費，如果出於外人之口，可能被目爲每一個字都是謊言的反宣傳，但在中共機關報上出現，其眞實性已無可否認了。當時中共的唯一藉口是：接收未久，人手生疏；如今事隔年餘，中共自認有了經驗，而且經「老大哥」事事「顧問」，大大長進以後，上述這些浪費現象有沒有減低呢？中共自己的答案是否定的。

崔中「主任」自供檢查實況

上月二十六日，中共「重工業部」辦公廳主任崔中，對目前的「基本建設」，又發表一「檢討」。據他說：「目前基本建設的偏差與錯誤，最重要的表現在計劃、設計、及施工三個方面。在計劃方面，普遍忽視資源、財力、人力的基本條件，隨便決定進行，結果施工以後，又決定停工。設計方面的一般毛病是粗率盲目，造成返工與浪費。施工方面的草率與不負責任，更不容否認，許多公家機關或私人，把建築公司視爲有利可圖的事，於是紛紛成立，在施工中產生偷工減料的傾向」（八月二十六日南方日報）。「人民日報」在檢討東北松江省一九五一年「基本建設」工作時，更透露了不少的實例：最嚴重的是計劃粗糙與胡亂設計。如建築松江森林工業局工程已進行百分之七十，但計劃仍在變更。東北農學院大禮堂工程在去年九月已動工，但施工圖作出的還不夠五分之一，因此按原計劃運來建築材料。但設計變更後材料不合規格，造成嚴重浪費。松江機械工廠把鍋爐砌起後，才發現沒有樓梯，不得不折掉再修。電工四廠建廠時場內材料配置圖變了三次，材料搬運了三次。橡膠廠不按設計施工，將廠房窗戶馬頭插入烟囱內。一百二十七棟宿舍已完成百分之二十二檢查時發現了，普遍可能折下，否則將形成火災。此外原料材料調撥不靈，佳木斯的木材運往吉林，吉林的木材又運回佳木斯，莫明其妙的兜圈子」（八月廿日人民日報）。

腐敗的兩大因素

造成上述種種浪費的原因，一半由於中共的幹部政策，一半由於中共政權的本質必然的象徵。在幹部政策方面：中共排斥原有企業人材，根本不敢重用，領導「基本建設」的人物，都是一些「土包子」的老幹部。誠如中共報紙所說，這些人「連蓋個鷄窩的經驗亦沒有」，如何能進行現代化的建設？他們以農村作風來管理城市工業，「跟睛看到現代的機器，思想還停頓在農民的棒枝上」。甚於一般下級幹部，只有任務觀點而無企業觀點，凡事輕率執行，好大喜功，因此表面上鬧烘烘，實際上則一團糟。

但最基本的原因還是中共的極權統治及獨佔經濟，根本上扼殺了民主政治下監督制度與自由經濟下的企業精神。試看進行工業化運動垂二十年的蘇俄，還不是一團糟麼！「大樑不正，二樑歪」，「老大哥」的樣子學到家，也不過成爲一個「小毛弟」，何況「樹欲靜而風不息」，今天的中共，連蘇俄當年比較從容的客觀條件都沒有呢！

俄國眞有原子彈嗎？

胡秋原

（接自第一版）

俄帝別有天才拙於原子學

各國科學，都有其特長，這特長是傳統和必要二者而來的。美國人造不出齊泊林飛船，德國人硬造不出一艘航空母艦。紡織英國第一，光學化學德國第一，飛機汽車美國第一。這和外國人炒肉絲死也炒不過中國人是一個道理。而且，一國聰明才智一定自然集中於生死必要的問題。英國人怕大陸轟炸。因此，英國的噴式機至今超過美國人。美國人相信只有保持戰略轟炸優勢才能生存，所以有原子彈和B三六，B五二之類。而俄國人是在政治上取攻勢，在戰略上取守勢的。所以大砲坦克噴式機有一定成功。而驅使第五縱隊，尤冠絕古今。原子學以電子學爲基礎。還有重水一類的化學工程，迴旋加速器一類高度儀器。蘇俄特長是在大炮坦克一類粗東西方面，電子學異常落後。人類與動物一樣，斷無全才。老虎不能飛天，哲學家不能作詩。一國人力資源，也不是無限制的。斯達林不能荒唐到這步田地，放棄自己第五縱隊，人海戰術，大砲坦克之長，用其所短，去學「美帝」之長。萬一學不好，豈非兩頭落空嗎？

辯証特務搞不通原子

我相信自命長於「搞通思想」的俄國人，不容易「搞通」原子學。因爲原子學是相對論和量子論的發展，而還是與「唯物辯證法」之機械玄學相衝突的。當然，斯達林以及俄國科學家的腦袋，不會像一般蠢才，迷信唯物辯證法的俄式八股。但要使一般僵化的腦袋活潑起來，不是容易的事。人各有所長，也各有所蔽。一般美國人永遠不會懂「人海」和「坦白」的奧妙，正如俄國人難懂美式技術一樣。這不是一下搞得通的。

還有一點，也甚重要。美國負戰時原子工程之責的，是科學家奧本海麥博士。而俄國呢？說起此人來頭大——特務頭子貝里亞。他雖然也戴眼鏡，像一個博士，但是，他是一身血腥的呀。假如科學之事也需要一點「靈感」的話，任何科學家的靈感在儈子手之前是要結冰的。這是要命的事。中國歷史上曾多方士替皇帝煉「不死之藥」。其後被殺者不少。斯達林幾次「限期」完成原子彈。爲斯達林造原子彈的人，必須「不怕死！」我很難相信第一流科學家如此大膽。自然，他可以「綁票」，那就是奴隸科學家。我們可以用鞭子趕馬，鞭子可以使哥德吟詩，貝多芬作曲，或愛因斯坦有所發明。

一九五〇年杜魯門宣佈俄國有原子爆炸。自是預防俄帝之吹牛。蘇俄的確從此藉以嚇人。不過，口氣並不很硬。維辛斯基對外大吹俄國的原子能開山塡海之時，而在國內登出的，內容又是一樣。這表示斯達林只能欺人，不能自欺。迄今爲止，沒有第二次的爆炸。去年七月間，芬蘭人送出消息，認爲俄國並無原子彈，甚至對公式也不清楚，並非不值得注意的。直到今年春天，俄帝還在綁票。不久以前失蹤的兩個英國外交官，亦與原子情報有關。這可見他的進行，並不順利。美國固然有公開報告，但誰能保證，其中沒有故意使人誤入歧途之處呢？總而言之，不是用自己頭腦血汗製造出的東西是危險的。斯達林的「小手」方法，等於考試時偷看他人卷子和「打派斯」。但這種卷子，是一望而知的。假如偷竊綁票可以代替文化和財富，則世界上用不着苦學深思，勤儉經營，只要抄好了，偷好了，搶好了！特務不能代替思致。所以，俄國的原子研究，不會有很大進步。

原子武器如太落後，有等於無

另一方面，至今爲止，美國已作了十三次試驗。效能進步，花樣繁多。目前數字，大小將近千枚。而且據說每月可產二百五十枚，同時，原子飛機、潛艇，和原子砲彈也開始製造了。這一趨勢，是俄帝望塵莫及的。加之美國下手得早，全世界鈾礦原料，百分之八九十在美國手中。而鐵幕世界，偏少此物。一國有了知識，沒有工程，有了工程，沒有原料，大量製造即不可能。加之製造出來之後，還有遠程運載工具問題。今日俄帝遠程轟炸機是做效B二九型的，這不足以對美國作重大損害。一種東西，不成局面，等於沒有。一種東西，費了極大氣力，不能發生有效結果，不如沒有。今日如送中共一艘航空母艦，他亦不覺得有何用處，倒不如給他幾百個破鑼，幾萬支機槍，還能表演人海傑作。

俄帝有原子彈當在此時表演

最後須知以俄國人之淺薄誇大，如有原子彈，一定吹得震天價響。但他卻說「衛衛是暴的」。而且，他正在玩弄和平攻勢。或者，有人可說，安知他不是實者虛之呢？但這與俄帝的基本政策不符。蘇俄的原子爆炸，雖然不能作戰，已經大可嚇人。俄帝慣用也長於嚇詐術。俄帝有新式噴「機」，和直昇機，即由小斯達林炫耀嚇人。最近在柏林居然用七十幾架飛機低空示威。這二消息，更使我深信蘇俄原子彈中聽不中用。現在舊金山要開會了。如果俄帝眞有原子彈，他應該在九月間在西伯利亞宣布原子彈試驗，請美日各國參觀。他一定能敲極大的竹槓，而遠比馬立克的演說，中共的人命，値錢得多。斯達林不這樣做，則全世界的人，即不必相信其玄虛，而應該逼他攤牌。

應利用原子優勢迫俄帝就範

所以，我的判斷，一九四九年九月的俄國原子爆炸，充其量是實驗室的爆炸。於今兩年了，以俄國的工業水準之低，現在還沒有造出原子彈之可能。如果他有，無有不賣弄之理。所以，百枚之說，斷不足信。這多半是俄特故意說出來嚇人的。

然則俄帝什麼時候會有呢？也許幾年後。但是，如無運載工具，還是徒然。因此，民主國家應該以目前的原子優勢，在對日和約會議中，對俄帝任何搗亂——用一句日本名詞——予以「一蹴」。同時，美國不妨在阿留申羣島再試驗一次原子武器。這一定可以大有助於和約之成功。儘管斯達林說「我不怕」，「我也有」，但他是有點「恐原子病」的。美國應利用這一毛病，迫其就範。而鑒於了斯達林的氣餒，也才可使厄蘇魯之類，不致以奇貨自居。

捷克流亡編輯

捷克流亡編輯左斯頓，現在倫敦所出的油印的每週通訊——「鐵幕內的新聞和特稿」——已經使得共黨很是憤怒了。三年以來，他所出的「自由捷克新聞」，已經獲得了廣泛的注意。

當杜魯門總統在一九四九年九月二十三日宣佈，蘇聯已有原子彈時，「自由捷克新聞」早就已經刊載了。這個小型的通訊，在反共抗俄的目標下，已經獲得了倫敦的注意，有名的曼徹斯特衛報，泰晤士報，每日電訊報等，爭相和左斯頓取得聯絡，轉載他的稿子。

中共地面部隊概況

余耕

野戰軍二百萬

五百萬民兵的數字意義

砲兵、坦克、陸戰隊

軍區部隊七十五萬

韓戰的損失

新軍的訓練

連環圖終失寵於歌頌功德也遭開刀

私營出版事業無路可走 「井岡的健兒」首被清算

【本報上海特約通訊】中共大力運用作為文化宣傳工具的連環圖畫，在「解放」後的出版市場上是一個寵兒，中共當局鼓勵不遺餘力，投機作者畫家藉此撈錢，一枝獨秀，新出的連環圖畫成了最走紅的出版物。可是，由于出版商賺的錢多了，中共當局已經開始一個「連環圖畫整肅運動」。對於那一羣獻媚唯恐不周，宣揚中共「德政」唯恐不力的連環圖畫作者及出版商，不啻當頭一棒。

地方性的「整肅」，開始於南京。八月二十五日開始，展開了一場「新書換取舊書運動」，把「民營」出版機構的連環圖畫一律加以「含有毒素」的罪名，加以清算。即以南京一地計，全市所有連環圖畫十三萬八千餘冊，「有毒」的竟佔八萬二千冊。

一星期後，上海文化當局更從理論上來打擊非完全官營的出版物。第一砲是轟向一本叫做「井岡的健兒」的連環圖畫。由一位名不見經傳的「書評家」（丁景唐），寫了一篇「反對歪曲黨的鬥爭歷史」的批評文字，向這本謝祺敍述，吳彭年繪，一九五一年七月義華書店出版的「井岡的健兒」發動了嚴重的批判。

這本「井岡的健兒」是怎樣一本書呢？據說是由和井岡山「參加人民革命最早的幾位奮鬥同志們在一起工作」的謝祺敍述，「供讀者作歷史的回憶」。在「意義」上，是用「連環圖畫的形式，對中共的鬥爭歷史和革命烈士作通俗的宣傳和介紹。」

這本連環圖畫的作者用心良苦，他刻意反映了「老百姓常常敬仰紅軍的精神」，「紅軍顧慮到老百姓的饑荒」，井且歌頌了「參加人民革命最早」的「紅軍同志陳贊賢，顧紅光，鄧紹昌在江西幹着的可歌可泣負有歷史性的偉大革命工作」的事蹟。

可是，這本書的寫作者編繪者和出版者遭殃了。欲加之罪，何患無辭？在丁景唐的一篇「檄文」中給這本書加了許多罪名。

第一，他說這本書的作者把紅軍畫成了「愁眉苦臉，穿着破爛軍服的人們。」

第二，他說編繪者把井岡山寫成了「形勢險要」，而「不理解革命家遠大的目標。」

第三，他說編繪者把「英勇不屈的陳贊賢烈士畫成愁眉哭臉，血淚交橫的樣子。」

第四，他提出作者「以自己低劣的意識歪曲了烈士們高度革命英雄主義和樂觀的鬥爭精神，醜化了烈士們英勇崇高的形容。」

結論，這本「井岡的健兒」被批判成一本「嚴重地歪曲黨的鬥爭歷史，污衊革命烈士，有原則性錯誤的壞書。」

當然，這幾點並不完全是故意加上的罪名。大陸上的人民明白，有極深自卑心理的中共，今天對於當年的「艱難」，「愁苦」，「破軍服」，「血淚交織」等等是引以為羞辱的。暴發戶回家，最恨人家提到他幼時的窮樣，於是這家義華書店，這位謝祺與這位吳彭年的「歌功頌德，歷史性的回憶」，便惹了大禍。

這一批判將引致怎樣的後果呢？現在已經有了預兆——「任選這類有嚴重原則性錯誤的書刊出版和流行，而沒有及時受到嚴正的批評和有關部門的處理，正也反映出我們思想領導的薄弱和批評工作的鬆弛」。

這裏出版界的人都知道：通過對「井崗山健兒」這本連環圖畫的批評，將進一步加強書報的批評與清算，「廓清」上海（以及全國）出版界的「不良現象」了。換一句話，便是從根剷除非官方的一切出版事業。「井崗山健兒」事件，不過是一個開端。（悠然，九月一日寄自上海。）

中共幹部意志消沉 燒掉學習課本

黨史不能解決問題 藉口工作規避學習

【本報漢口特約通訊】中共各級幹部的消沉墮落，一切均如反共人士所預期，中共高級方面雖用盡方法加以糾正，然以相沿成風，已漸至不可救藥地步，所以怎麼也糾正不過來。中共的局面是靠幹部支撐的，幹部如此，其前途也就很有限了。

照道理說，一個黨員，對於黨史的學習是應該十分重視的。然而河南澠池縣委會，以及其他各地區各機構，對學習黨史大都顯得「鬆懈無力」。如澠池縣參加黨史學習的應為一一九人，但其中半數以上沒有到，有一個科長級的幹部，在一個月學習期間，僅僅參加過三次。縣府另有兩個幹部，學習委員會委員幾次找他學習，他不參加，學習委員會批評他，他大發牌氣說：「不行，找縣委解決，再不行，找地委解決。」有的說：「我從來就沒有參加過學習，這次學習我也乾脆不參加！」有些幹部更出奇，他們故意把「學習本」燒掉，然後藉口不參加。較為圓滑的幹部，則以工作忙作擋箭牌，來對抗學習。如果領導上號召把工作擠一擠，他偏擺工作堆在一起，以「工作要緊，誤了工作誰負責」為理由，公開聲明不參加學習。有些人自己不參加，還拉攏別人也不參加。有的強調業務重要，不願學習黨史，他們的理由是：「光學習黨史不學習業務，一輩子也不能解決問題。」後來檢查學習筆記，只有十四個人是記的，情緒的低落，簡直乎意外！

不願學習黨史的人，當不能算是一個好黨員，中共素以黨員優秀自詡，目下看來，也不過吹牛車大砲而已。由於幹部的消沉離心，我認為中共在大陸的控制是脆弱的。

此外在武漢三鎮的外圍地區，還發生過一些怪事。即下鄉工作的幹部，在工作完成時，都公開叫農民給他們送旗子。有一個農村工作隊，在退租退押運動中，竟接受了農民一百八十二面旗子。由於農村沒有綢緞舖，為了給幹部送旗子，便不得不跑到城市去做，農民費了錢，又誤了工，對此均十分怨恨！

中共的黨報雖然發出了如下的指責：「……決不能因此居功自傲，向革命組織要這一套，向上級要地位，要待遇，要享受；也決不能因此向羣衆要報酬，要名譽，硬要羣衆恭維奉承，硬要羣衆捧場。」可是幹部們就認這一套，縱使被斥為庸俗，惡劣，他也不管。說來說去，苦的祗是些無告的老百姓吧了！（八月二十七日黨民寄自漢口）

西子湖的哀怨

芬頤

民窮財盡 生死兩難之際，中共竟撥鉅款大興土木美化西湖。

提起西湖，便不由人想到它山水之勝環境之美，它是全國婦孺皆知的「天堂」，「解放」以後這兩年，絕大多數人奔走衣食昕夕不遑，已無遊山玩水的情致，有之，亦唯有騎在人民頭上的「上級」同志而已！「天下是老子打的，老子當然要享受」。陳毅饒漱石譚震林誰都坦白地這樣講過，中共「中央」對這塊陸地的「美化」已特予注意了，北平「人民日報」上海「解放日報」，杭州「新浙江報」近曾先後發出必須「美化」西湖的理由，在財政萬分困難中，「中央人民政府」特一次發付專款二百四十億元，（約合港幣六百萬元），大興土木，全力進行，在「美化」西湖的五年計劃中，最重要的是疏濬湖床，將原來六十多公分的湖床加深到兩公尺，一以改進農田水利，一以調節杭州氣溫，現正由卅萬民工分組從事，另外已開工的有佔地六百餘畝的體育公園，有能容納一千多人的大游泳池，（本月中旬可完成）有佔地三千餘畝的西山公園、吳山公園、柳浪公園，同郊外梅東公園和「未來」工業區拱宸橋畔的勞動公園，為保存古物和名勝古跡，三潭印月平湖秋月斷橋殘雪等十五處風景區亦全盤開始修理，環湖井將繁殖花卉樹苗二十二萬七千五百六十五株，要將濯濯童山化為青翠，規模之大，嘆為觀止！杭州市「人民政府」在對外發表「新西湖建設計劃」中說得好：「我們決定要把過去為少數人所享受的西湖變成廣大勞動人民的休養所，讓勞動人民在無憂無慮的優美環境中，迎接偉大的工業建設的到來。」不錯，「解放」後的西湖已看不見過去那些「少數」游樂的人的蹤跡了。西子姑娘已揭去面紗走向「人民」了，不信，請看六橋三竺當年的亭院也好，私人的莊墅也好，那一塊地方沒有「解放軍療養院」「勞模休養所」「烈屬休息所」之設？當最驕初上或夕陽將下時，那裏碰不到槁木死灰的「人民」面孔，那裏聽不到病的乾咳不斷的痨病鬼壓音，多愁多病的西子已經無條件地同「功在國家」的新人民統治者結了不解之緣，杭州「新浙江報」在大罵×匪贊反動之餘，又自拉自唱的這樣說：「三百多年來人民的西湖一向在自生自滅的狀態中，因為久不疏濬，以致淤泥滿積，湖水日淺，四週的名勝古跡因缺乏修葺大半圮廢，擁大花草非但不事保養，且縱加摧殘，今後建設好的新西湖，必須面對「人民」成為「人民」的休養所，在作用上，在印象上，在本質上，都必須徹底轉變，懷念過去是新社會要的落伍份子，將必為時代所揚棄。」

這一篇話說得真乾脆，真明白，可惜[illegible]尾巴也就拖在這裏[illegible]

……成為各式各樣的「療養院」，誰反對，誰就得當心自己的腦袋。

工廠中階級懸殊

共幹歡樂終宵．工人欲眠不得

【本報特約上海通訊】由於「扭秧歌」「腰鼓舞」是「赤色王朝」的特徵，所以中共對於「跳舞」還不曾作一項「娛樂」，不但不加取締，反而大事提倡，所謂共幹們也樂得借此來加強男女雙方的「解放」，幾乎每一單位——比較大的機關、社團、工廠——都有「舞會」的組織，每週起碼三次四次，以至「單升」一次，表面上是「機會均等」，凡是該單位的「成員」，都有資格享受，實際上都由有錢、有面、有閒的大小共幹獨佔。尤其是工廠裏的，說來好聽，「勞苦大衆也可享受」從前資產階級的娛樂，其實每天工作十小時以上還要競賽生產爭取勞模的體力勞動者，連睡眠也不夠，那還有多餘的「時」「力」去拖拖擦擦，還不是「特種階級」的專利品。下面就是一個平凡而又普遍的例子：

「棉紡一廠」是上海市擁有工人逾萬規模最大的紡織廠，主持這一廠的人物，當然都是些重要幹部。他們去年秋天在「提高工人娛樂」的口號下，成立了[illegible]舞會[illegible]

[illegible]要求改在「獨身工人宿舍」的飯廳舉行，每週又由兩次增至三次。因為「獨身宿舍」的飯廳比大禮堂幽僻，可以更大膽地作「解放」表演，雖然小了四分之三，「同志」卻多了不只一倍。在大熱天裏，肌膚汗膩，更覺其樂，每晚由六點鐘開始到午夜十二點多鐘才興盡而回，讀每天工作十小時苦死了的千餘男女工人，除受到精神上的威脅外更受了睡眠的威脅。

該廠原組有工會，會內設有文教委員會，文教委員會又辦有「紡織工人報」一五期，曾對該舞會影響工人健康一事提出批評，希望減少次數，縮短時間，改變地址。然而呼聲太微弱了，共幹們的耳朵已[illegible]，反而在「工人報」批評後的一週，除原有星期二、四、六的三次外，更增加星期日一次，而星期六這次更通宵至霄，這無異對工人們的請求下總反攻，顯示「騎在他們頭上」的顏色。

當然不會是純粹的工人，「紡織工人報」此後亦不開腔，直到記者寫這篇通信稿時為止，「上海棉紡一廠」[illegible]唱和！（九一日寄自[illegible]）

廣州近事

穗士

曲尺左輪亂放一通

今日的廣州市，據說凡是「惡霸」都被肅清了，但「腰部隆然」的「有尾階級」却換了另一種人，他們比從前的「惡霸」還兇上幾倍，名字叫做「公安部門人員」和「廣州碼頭工作隊」。你如果不幸犯着了他，性命是十拿九穩。他們的槍可以隨便亂放一通。白鶴洞培英中學一個學生就在該校游泳池旁給他們一輪「曲尺」「左輪」的「競賽」而幾乎斷了氣。

另一件是「廣東省糖業公司」的「人事組長」和「保衛組長」在石門附近「練眼界」，把射向水鴨的彈子打壞一條正在跑路的腳踭。但誰也不敢哼他們一聲。

合作招牌滿街滿巷

藉口打倒「中間剝削」，廣州市的「合作社」招牌掛滿了機關社團長街小巷，上面一個發展合作社的命令昨天才到，今天可能所有單位的組成者都是合作社員。至於合作什麼？什麼是合作？誰都不清楚。

目前廣州的合作社真是滿坑滿谷，各區轄下每一街坊都有了組織。每一戶口就是社員，因為多一社員，最少也多一份股本，攬合作社的小幹們於是財源廣進了。何況這又是上頭命令下來的事，誰不入股誰不當社員「就是違反政府政策」，「違反政府政策」也就是「反對共產黨」，「反對共產黨」的簡稱就是「反共」，「反共」！誰担得起這一罪名。

入了社又有什麼好處？據寫在馬路上的宣傳標語是：「加入合作社買到平東西」！「買平嘢要加入合作社」！「到合作社買平嘢」！入了「社」的「員」們買到「平嘢」了嗎？答案是「單是糧食供應也時斷時續」，價格比商店確是「平」了一些，但品質却「蹺板」了好幾倍。

愛羣大廈掠奪不成

中共覬覦甚久的愛羣大廈，「解放」的第一天便一直佔住下來，只差不曾在市地政局轉移戶口。和廣州市有[illegible]鄉土關係的「共幹」，三番五次借「題」發揮把當時管理人陳卓平大兜圈子兜到「漢奸陣營」去，說他如何「逢迎日敵」，如何會作日敵軍要機關，他們沒有想到他們自己也還槍桿做了這間大廈的「主人」。

事實是不能憑空抹掉的。由八月一日起，這件旅美華僑的產業，讀旅美華僑陳錫明、黃燕坤、陳擎楫、陳皆仁、陳皆同、陳秀英等以愛羣大廈業主福利堂股東名義，派陳逸民為全權代理人，把「愛羣」由「終止租約」的陳卓平手上拿回來了，不過，醞釀兩年的「業權確認」，不知經過了多少波折，多少不可告人的黑幕，那是絕無可疑的事。

學生遇到兵．有課上不成

參軍，遊行，招考，外勤，雞犬不寧

【本報特約漢口通訊】八月間武漢教育界[illegible]

（一）校舍中不斷駐軍；並且經常有「公安部隊」駐屯不去。[illegible]「臨時任務」與會議幾乎無日無[illegible]

[illegible]

自由談

日本謠和代表的戒律

·尚方·

日本出席舊金山和會的代表團一行人員，訂有十二條戒律，如：不要見人鞠躬，不要打噎，不要濫用牙籤之類，都在「須知」之列，可謂小心翼翼，無微不至，以免引起那些戰勝國家代表們的不良印象。

日本民族性是世界上最具有「能屈能伸」的毅力者。就拿「鞠躬如也」這項禮貌來說，在他們國內，是極普遍而平常的禮節，越是對着長上或位尊望重的人，其鞠躬的角度必在九十度以上，幾乎要叩頭觸地。這種心理的擴張發展，即變成崇拜權威。所以，當年「皇軍」侵陷中國大陸時，他們即強迫中國人見着「皇軍」即須脫帽鞠躬。這次赴外國議和的代表們，要禁止鞠躬，依然是「崇拜權威」的自卑感作用。

在甲午戰役之前，中國的外交官員到日本去，照樣的儘量發揚一項「國粹」——隨地吐痰。那時的日本，祇有經常派一名女傭，手持抹布，跟在「天朝」官員之後，等官員發揚「國粹」時，馬上揩抹乾淨。從過去在國內的「唾地自乾」，到今日在國外的「禁止鞠躬」，即充分表現着這一民族之能屈能伸性，這與我們中國歷史上所謂臥薪嘗膽，含垢忍辱的精神一樣。祇要有知恥自愛的意志，即不足爲病的。

日本代表在舊金山的言行，連打噎都要注意，但在和會中却不肯說外國話，表示大事不糊塗，有所不爲。因此，我對於他們那十二戒律，並不認爲是日本民族的墮落表現！

妥協者

·羊辛·

「游擊隊長趙大全下山了！」這是縣裏最近的新聞。

「下山」，就是洗手不幹的意思。不幹的只有趙大全自家一個，弟兄們可沒有跟着「下山」。

人們早就料到這一着；趙大全不是個硬勁兒，瞧他當年當鄉隊附的時候，一會兒在張三的麾下搖旗吶喊，一會兒又投奔到李四那邊去了，新術語叫做「騎牆派」，土話叫他是「兩頭蛇」。

趙大全怕共產黨抓到他頭上來，弟兄們又催他快跑，於是摸着黑漏夜上了山。共產黨攻打了好幾次，打不下；當地共幹綽號「智多星」的，想了一個法子，把趙大全的岳父抓來，把槍口按住腦袋，叫趙大全快投降，若不投降，就要把他岳父殺了。趙大全雖然有點着慌，却給弟兄們阻擋住了，於是他的岳父就死在共黨的槍下。

這一回，捉來的人質不是別人，却是他的妻子金花。

金花是他費了大把銀紙，蝕了無數腦筋去娶來的。簡直是他的生命，沒有了金花，等於沒有了他的命，他把持不住了，不顧弟兄們勸告就和共黨談判了起來：釋放金花，他下山自新，做個良民。

談判很順利，共方派「智多星」做代表，拍着胸膛保證：「人民政府」一定不追究，對於悔過自新的人，絕對保護。於是趙大全下了山，他的弟兄們可跟他翻了臉，不跟他走。

趙大全領回了金花，回到老家，他想這回可以安安穩穩地做個良民了。共產黨雖也不來「追究」，不過「公安局」却派來了兩個幹部，向他要起槍械來。

「大全同志，」兩個共幹倒很客氣：「我們不是對你有甚麼特別，而是凡屬民間的槍械，都得繳給政府，你的六枝駁壳，還有三枝卡賓，兩枝左輪，請你交出來，對不起得很！」

一面說，一面翻開册子，在趙大全的名下，赫然列着這麼一大堆槍械數目。

「還些槍麼？」趙大全有點意外，額角出着汗：「全在山上啦！沒帶下來！」

「爲甚麼沒帶下來呢？」

「他們不讓我帶走呀！」

兩個共幹不得要領，露着不大愜意的神情，走了。次日早上，來了四個「公安局」便衣，要趙大全親到「公安局」去跟局長談話。

局長冷冰着面孔，道：「趙大全，你那十幾枝槍得設法繳出來，我們推行政令，是不能含含糊糊的！」

「全在山上啦，拿不出來了！」

「誰知道你！」局長斬釘截鐵地哼了一聲。過一回，又帶譏嘲地補上一句：「就是在山上，也得設法拿下來呀，他們不是你的得意幹部麼？」

趙大全無計可施，末了，只好設法送訊上山去，希望弟兄們帶念舊情，把那些槍械交給他，救他一命。可是回信是一場臭罵，罵他背信棄義！還有面孔繳槍？沒法交卷。局長把他留下來了，說：「那麼，你就帶路上山剿掉他們吧！」不分由說，他被推上陣去，「解放軍」跟在他背後，機關槍口朝向着他。

「上前去！趙大全，快些！」

趙大全面如白紙，艱難地走上去，戰戰兢兢抖。

「趙大全，喊他們投降，大聲！」「解放軍」遠遠地催促着。

趙大全眼前一片昏眩，要喊，可喊不出來，他知道：這個難不能活了，前前後後的槍口都朝向着他，縱有三頭六臂，也無法逃遁。他是被騙了。騙他的人已經露出了猙獰的面目，把刀架在他的頭上，悔恨也已經太遲了。

他睜大着血紅的眼，突然，一股由怨憤激起的冤氣湧上了他的全身，不顧一切地拔步狂奔起來：「我被騙了！你們這班不講信義的強盜！弟兄們！快起來……把他們……殺光……！」

他發狂地喊着，奔向山上去，可是沒有跑上幾步，一排槍從後面射過來，他慘叫一聲，倒下去了，像一塊墜下的石頭，緩緩地滾向山腳。

戰鬥隨即發生了，滿山或疏或密的響着槍聲，但相持到黃昏，仍然無結果而散，只死了一個趙大全和傷了幾個「解放軍」。送了命的趙大全，房屋田產一一沒收充公，妻子金花則被送去「改造」，也不知落到誰人的手裏去了。

笑話二則

·沙·

理所必然

「讓我靜悄悄的告訴你們，這問題是大家最關心的。老大哥們來到中國，怎算侵略呢？用不着猜疑！同志們！共產黨實行的是國際主義！現在以中蘇兩國爲最強！萬一史大林死了，世界革命導師的繼任者，當然是毛主席！那時蘇聯的地方不都是毛主席管了嗎？耐心點，將來的中國要比現在大幾倍！」

「政委」在回答一個黨員的詢問。

「那麼，毛主席萬一不幸又怎樣？」

「胡說！先問你，你幾歲？」

「二十一歲。」

「很好，你才二十一歲！你可知道？毛主席依據老大哥發明的長壽術，天天用蘇打洗澡，可活二百多歲！就算到那時他崩了，你的希望也很大呀！」

實際用途

一個共產黨員在逗着一個小學生：

「你最崇拜的英雄是誰？」

「當然是史大林元帥！」

「爲什麼？」

「除了我所知道的外，我最喜歡他的鬍子！」

「他的鬍子叫人肅然起敬是嗎？」

「是的！假使我能揪下幾根來鬥蟀，先生，那好過用老鼠鬚子呢！」

「唔！」

萬竹樓隨筆（二七）

嚴復與康梁

·舜生·

「譯才並世數嚴林」，我僅僅從康有爲一首送林琴南的詩裏讀過這樣的句子，知道康對嚴復是相當稱許。至於梁啓超，他却自來對嚴就非常佩服：梁少年時候有一首仿杜的「八賢歌」，列舉當時他所欽佩的八個人加以一番讚歎，好像這首歌的第一句，便是「哲學初祖天演嚴」；我知道梁在日本辦報的時候，嚴曾和梁通過信；民國二年，正是嚴的六十歲，我記得在某雜誌上，還讀過任公一首「壽幾道先生六十」的詩，對嚴也恭維備至；凡此均足證梁嚴間的交情不壞。

可是，到了嚴復的晚年，他却對康梁師徒抨擊不遺餘力，均見與熊純如書札中，惜其文太長，茲僅節錄一二於此，以見其槪：

「……政治變革之事，蕃變至多，往往見其是矣，而其效或非；常謂善矣，而收果轉惡。是故深覽之士，愀然恒以爲難，不敢輕以掉之，而無予智之習。而彼康梁則何如？於道徒見其一偏，而出言甚易。南海高年，已成固性，至於任公妙才，下筆不能自休。……其筆端又有魔力，足以動人，主暗殺，則人因之而僴然暗殺；主破壞，則人又羣然爭爲破壞矣。敢爲非常可喜之論，而不知其種禍無窮。……」

以上是他批評康梁早年言論的話，至於任公參加實際政治，他也認爲毫無成績，他說：

「（任公）好爲可喜新說，嘗自詭可爲內閣總理，然在前淸時不論，其入民國，一長司法，再任幣制，皆不能本坐言以爲起行。至爲鳳凰（指熊希齡）草大政方針，種種皆成紙上談兵，於時事毫無補救，傀儡去位。此雖恒上在位，志不得行，然使出身謀國，上不知元首之非其人，下不知國民程度之不及，則其人非實行家，而畢生學問皆爲紙的，不灼灼彰明較著也哉？」

他在另一封信裏，更責康有爲對戊戌一幕爲「魯莽滅裂，輕易猖狂，馴至幽其君而殺其友，己則逍遙海外，立名目以斂人財，恬然不以爲恥！」對於任公，他也認爲『淸議』『新民』『國風』各報的言論，對當時的政府太不肯留餘地，以致君主立憲也不能有成，此則嚴氏之立場使然，然以之責任公則未嘗無理也。

一個黑人的驚險故事

菲律賓剿共插曲

·周明·

台維斯·環斯看起來不像一個可做間諜的人。他從沒有受過這一門工作的艱苦訓練。他所以願意去幹，不過是出於一時的興趣。他是個疲弱的黑人，三十六年前出生於美國米蘇里，在堪薩斯城讀完高等學校後，就學習無線電。在美國担任無線電技術工作，收入還不差。幾個月以前，因爲厭倦了美國的刻板生活，想在美國軍隊裏找個差使，但沒有得到任何機會，於是他去到馬尼剌，而居住了下來。這地方，他對於菲律賓國防部長馬格賽賽的印象特別深刻，努力，不過對於非軍的匪情報工作却並無興趣。一天在馬尼剌的一個年會裏小飲，他和一位朋友以一百元打賭，說他能比馬格賽賽的G2情報機構的人員幹得更好。於是他跑去見馬格賽賽，表示願意試一下情報工作。馬氏接受了，說：「你祇有二種結果可獲，完成你的工作，或愚弄了自己。」

環斯遊蕩於呂宋省中部安傑勒斯城的小店舖和酒吧裏，對所有遇到的人表示，他被軍方通緝。「起先，事情並不是那末簡單，」環斯後來說：「那班民抗軍的密探人員決不隨便相信任何人。但是我的計劃畢竟得售了。我和馬格賽賽安排好，由他派人突然搜查我的旅館房間，而恰在這時候，我正和一個民抗軍人員在對街人行道上談話。」

以後，民抗軍准許環斯通過了祕密組織，[illegible]

武裝的人們面對着工作。在那裏，我二個黑人，一個是美國人，一個是離家一萬里之外的浪人，都是種白人。[illegible]時間好奇，另一個是爲了一時的思想錯誤。」

民抗軍在杜爾芙山中的基地有五百英畝，拔海四千呎，距離美軍空軍基地克拉克機場祇十五哩。[illegible]

[illegible]

國務院冗員多

美國國務院的職員已比一九四二年多了二倍半，以致參議員陶格拉斯大爲不滿，要求大量淘汰冗員。他說：「在他們遇到一個問題難以解決的時候，惟一的應付辦法似乎就是多雇用幾個職員。一個本來祇需三個人做的工作，他們用了十二到十五個人來幹。他們多說話而少做事，大部份的辦公時間都用到互相商量和交談上去了，結果，國務院的主要工作，乃是職員間的相互談話。」

陶格拉斯摔交

最近發表二次謬論，要求美國承認中共，和聲言中共不與蘇聯分裂，則東南亞將落入蘇聯勢力範圍的美國法官陶格拉斯，在二十年前從馬上墮下，斷了二十五根肋骨，去年又給他的愛馬踢了一腳，不久以前，到印度去爬喜馬拉雅山時，又被一頭牛踢了一下，和從一頭牛背上跌下一次，幸而還不算大的損傷，祇是折了手骨和背脊發痛。（帆譯）

名人小事

[illegible]

一羣流亡的孩子

原載「哥倫比亞」雜誌·張天寶譯

同樣的慘遇

這種慘況，並不祇是他一人的經過。另一個十六歲的孩子，也曾對我講了一個同樣的故事，他叫查菲耶。一家原有四個姊妹和二個兄弟，他是幼子。一九四〇年二月間一天清晨三時，俄警突然敲門而入，命令全家八口立即離家，並對他們說，不過是把他們遷到另一個城市而已，但不能帶笨重行李，更談不到傢俱和器皿了，祇准隨帶輕便的包裹。一羣人載到巴埃里斯托克和另一些人一齊轉乘火車，車上擁擠不堪，沒有飲水和食物供給，要到每所經過的車站，才能獲得小塊麵包和淡得像清水的菜湯。火車日夜行駛，大概過了二三星期——查菲耶已記不清究竟多少時候了——一家被逐到納伐。西比爾斯克，在那裏住的一年半中，他父親被軍隊看管着挑泥挖土等苦工，母親爲着兒女餓得哭喊，到郊外挖掘可食的鮮菇和草根回來燒煮，勉強維持着一家的生存。

父親沒有回來

一天，父親沒有回來。全家出去到他工作的地方周圍搜尋，結果發現了他的屍首，在西伯利亞監實的地方凍得僵硬。當希特勒進攻蘇聯的時候，全家——除了他們的父親——好容易才被開釋，加入了其他不幸的一羣，坐着牛車，緩緩南行。最大的哥哥希望參加正在俄境組織的波蘭軍，和盟軍並肩作戰。但是在赴募兵站的時候，還沒有到土爾克斯坦就倒斃於中途。母親和五個剩下的孩子被安置入一所設備簡陋的蘇聯醫院。就在這醫院裏，家人一個個死去，祇剩下柴菲亞一人。他流落在波哈拉街頭。

這個八歲的金髮孩子，後來被一個波蘭籍的流亡者所收留，輾轉送到莫羅西卡夫人的衛護下，加入了一羣無家可歸的孤兒，來到北德的收容所。

不知自己身世

這裏許多的孩子，已經不知道他們自己的身世，上述的幾個算是記得比較多的。

瘦小的安得烈已經十歲，但是他所記得的，祇是他曾到過一個異常寒冷的地方，然而不知道那是何處。他尚能憶及曾在那裏被他的母親用一條紅色的毛毯裹着，防他嬌嫩的小身體凍壞。他已不記得他的父親是什麼樣子，自己有沒有兄弟姊妹。他的母親就在那寒冷的地方死的，他被另一家人帶走，最後也送來這裏。（四）

自由人
THE FREEMAN
（半週刊每星期三六出版）
（第五十五期）
每份港幣壹毫
督印人：李光華
社址：香港高士打道六十六號
電話：二〇八四八
GLOUCESTER RD.
HONGKONG
TEL: 20848
承印者：東南印務出版社
地址：高士打道六十四號
臺灣經銷處
臺北重慶南路一段七十四號

中國現階段反共的兩大條件

共產主義像人身上的高熱度一樣，要從根本上求醫治。反共的有效武器，是最高的政治思想與道德。

雷嘯岑

共產主義之存在發展，是一種思想問題。這種思想，有如英國哲學家羅素所說，好像人們身上發高燒的體溫一樣。要驅退這種高熱度，求神問卜，召巫驅符，固然無濟於事，硬以退熱的藥，如尼西林一類藥物來壓幹注射，充其量也只是使熱度下降片刻，那病根始終是潛在的。美國倡導一個理運動」和「四點計劃」，就是想從根本上醫治這種病源。

全世界的國家，從事反共最早最久者，莫如中國，而今日受共產黨之禍最甚者，亦莫如中國。這其間，果何原因，大家都有所見，有所蔽，然言人人殊，有的不免倒果為因，有的不免舍本逐末。其實，要抗拒一種思想的疾疫，祇有以思想作抗疫劑纔可奏效，此外都屬徒勞。崇尚自由的中國人，若要反共成功，必須在思想上具有最高的水準，纔算播擯穢，沒有最高的政治思想和道德，以見之於實踐，就不配言反共，也無法打倒共產主義！

卻不能不歸咎於我們缺乏了反共的最高政治思想：有時則不免有所蔽，有時即不能明，言行矛盾，觀念不擇善固執，鍥而不舍。本着春秋責賢之義，希望今日領導反共的智識份子們，站在最高的思想水準上，徹底的除舊布新，掃盪一切布爾希維克式的氣氛，堅定民主憲政的信念，以期有成。這種思想上的缺陷毛病，比我們犯了更大，美國祇知道實行四點計劃，建立反共的軍事防禦體系，卻不實現自己所倡導的「

最高政治道德的涵義

道德觀念是有時代性的。從中國現階段的歷史運動一，抹煞世界——尤其亞洲，民族的獨立自由與民主的潮流，為反共前途的一大敗筆。反共經濟與軍事固然是微。但反共不可少的力量，是思想的力量更為重要，史大林只是拚命的反對史大林政權上搗毀，而不能從思想上搗毀，史大林是本着生存因素，史大林政權或許可以打倒，共產主義未必能夠連根拔起！

最高的政治思想是那種？

大家都能認識到：反共的政治思想是自由思想，是爲國家民族的自由生存，是要使人民享有生存基本人權的生活方式。對本這種思想的人，是反共的，我們把握的武器。可是政治生活上是否堅強，把握了這種思想是否堅強，普通一般思想觀念，定了了？大家似有反省之必要。自蘇俄十月革命成功後，即乘機布爾希維克思想的中國智識份子，透過了一般中國革命心理的機會，以子由革命時期的聯俄容共政策，使布爾希維克主義的幽靈，穿着中國的「禮服」，蠕入物質的迷惑；一般智識份子，爲這種迷幽靈的障礙了，去了追求，急功近利，恐不惜以性命和財產，眼見蘇俄的樓臺……

尼，希特勒之流，大家反共，有聲有色，那有宏效，又把他們武，而反共方法，不知他們雞蛋方法，跟布爾希維克主義是根相生的反共。中國廿餘年來的樣中，工作，就是在這種思想中兜圈子，所以錯了，今日之敗。心洗，故今後應該「洗心革面」，先把過去思想上的，所謂中共之流，認識到徹底肅清，才能夠與新思想，反共勝利，來表現新認識了，「共」必須是原則的話，予以實行「新」工作，現在已理解原子時代，功用勞勝利，將來必向人類發展，生產勞動結果和平世界成功，義其學思想，非常新的物的發展，因此落伍的哲學思想，宇宙變革，了唯一的基本不可改變，因為至於「階級鬥爭」，「唯

物史觀」減類馬列思想，更等於小學生課本上的狗貓對話那種寓言故事。居今日而嚮往於斤斤於唯物唯心之辯說，豈不是小道，其思想領域，還在「幼學瓊林」階段，不足以言反共。

由思想民主憲政既是人類理性發展的表現生活方式，我們即以此為反共的武器，須一言一行，堅定不移，不懈怠，齊打折扣，不好玩弄，不可疑，非不習慣，之人不能接受，不在若干人之生活，非不得不為，主張新的生活，傳布病因而尚未拔除思想，也有病因而未能克服，乾淨的認識，觀念尚模糊，以致學生由自由的反共人士，至今尚未能把意志所謂「第三」，一超來說，即是基於「第三勢力」之說，非一勢力，是另一力之間，此失，第三勢力所以產生之由，然得其所以

馬來亞的今後動向

英倫人民很少瞭解馬來亞

祝修衡

略形勢，並不次於其他任何地區，但在英國大多數人民心目中，卻漠然無知，不懂得什麼叫作「馬來亞」，這是奇蹟。因此，雖怪星洲署理輔政司李紹茂認為是一件最大的憾事。李氏於上月七日在馬來亞廣播電台發表「旅英觀感」中特別指出，他說：英國報章不負責任，對有關馬來亞的報道實在太少；連牛津大學一位學生也向李氏詢問，「新加坡、那位學生會有沒有留聲機和收音機一類東西？」李氏質問：「是馬來亞的恥辱，而且認為這是馬來亞的恥大辱」。

三年零三個月來，馬來亞一直在緊張狀態下，人民生命財產不容否定的遭受共黨侵害破壞，聯邦政府稅收的打擊，企圖使星馬當局行政交通陷於癱瘓狀態中。然而，還去年零三個月中，由於馬來亞內部採取緊急措施，動員全力戡亂的結果，馬共的陰謀不僅未能發展，且遭到致命打擊，主要原因，係從戡亂經驗中，使馬來亞的英國當局與各國家民族，主義是對付共產主義最有效的武器，所以一方面由聯邦政府勸

馬共在宣傳戰中獲勝

匪部長勃勃中將、副部長夏里少將、助理部長貝特及夏玲治爾准將負責策劃和督率軍警民團的密切配合，另一方面，英駐東南亞高級專員麥唐納，努力彌縫馬來亞各族間的裂痕，使馬共的滲透陰謀無法施展。

馬共歷史並不太長，一九四八年六月二十日，正式開始活動，它的組織，和一般的共產黨機構，無「州」，握有最高權力是中央書記。下設政治局委員、中央委員、轄中、南、北三個分局，直轄州市、地委會書記，委員，指導員、逐漸鐵血武裝工作隊員、戰門員、特務隊長等；它懸掛向「保衛團長帝國主義殖民地的榨取者」發動「馬來亞革命」這一句口號，針對當時在各民族間尖銳對立狀態中的英人統治下的人民，進行煽動，挑撥，並以估全人口百分之三十九約一百九十萬華僑為唯一的爭取對象，其次為五十三萬五千印人。因為華、印僑民，雖為在人口數字比例上較巫（馬來人）族為出五千名，一直

戰，因而獲得了成功。不僅華、印僑民，即巫人亦迷惑於「支持解放戰爭，獲得真正獨立」之宣傳，頗宣傳馬來亞爲「虎」，使馬共於六個月中，「在各作倀，使馬共於六個月中，「在各地農民中組織游擊隊伍，從事破壞及暴亂工作」。馬來亞九州及新加坡、檳榔嶼、馬六甲三個海峽殖民地的恐怖案件，逐日增加，（一九五〇年）每月平均數達五百件以上。分析起來，不外：一、民族間的仇隙，形成了馬共的掩蔽物；二、中共在中國大陸上建立了一支向東南亞擴張的軍力，使人民感到彷徨；三、英廷的外交政策中間偏左，搶先承認中共政權；四、聯邦政府尚無充分的防衛力量。馬共倚特這四股潛力，繼續進行其建立「解放區」，擴大活動範圍。但沒有獲得預期的結果。

逐漸轉變的殖民政策

遠在一九四九年，英駐東南亞高級專員麥唐納、駐聯邦欽差大臣葛尼爵士，目擊局勢嚴重，感覺到非從集合各民族的力量入手，不足以支持未來的危機。在新山麥氏官

族貶為「二等公民」，同時，馬來亞人民對英人統治的不滿，似已成為一種傳統的觀念。馬共的初步宣傳

邸召集各民族聯絡委員開會，麥氏就當前的形勢和主張，申論放民地政策的決心，並以解決各民族本身困難為出發點。討論結果，對公民權問題，亦獲得了妥協性的成議，對巫人恐懼為華僑勢力所淹沒的心理，及華、印爭取平等地位的主張，予以調和。會後，馬來亞人民對政府的觀念，確實有了轉變，支持馬共行動，逐漸減退了。另一原因為近五十年來，許多馬來人離開印尼回到本土，英廷殖民政策從一九四六年的馬來亞聯合（Malayan Union）取消領長制度，組成一個政治單元，轉變到一九四七年的馬來亞聯邦（Federation of Malaya）恢復了酋長的地位，允許全部居民歸化聯邦及府治下的公民，一九四八年頒布憲法，實行選舉。因而同年七月馬共乘機叛亂，藉口這種措施依然不能使人民滿意，也因此加速促成了英廷澈底改變殖民政策的決心。加以：一、聯邦政府申明保障人民權益，逐出不臨分子；二、中共在大陸實施恐怖政策；三、馬共屠殺無辜人民，摧毀樹膠、橡園，殺害管理人民；四、迫使農民參軍，激起民間反共情緒。這種民族的自覺，無形中就建立了強固的反共基礎。聯邦政府把握了這一機會，正式宣布馬來亞緊急狀態」，頒布勸令、修訂移民法，完成了戰時的管制。（待續）

反共教育

多，時時認定反共的工作是對人民大衆的一種負債，這樣，纔會心境自然平和，氣度也就恢宏，隨遇而安，不然，民主政治之所謂「容忍」（Toleration）與「理性」（Reason）精神，不期然而自然了。讀書人實在很容易，不容易，祇看大家的國家悲劇，人人得意若不是共產黨的話，可謂今日的「我無疚歉」，視為「我無疚歉」嗎？所謂人人自然是從事反共工作的人，任何人作成「從」之舉，一般說：「前的反共工作要變成了「從」，「教人，並無功過了。然而，有功合理的看法，大衆的可以得到全國各階層的諒解同情嗎？二是要生存餘生，生活在全中反共事業之一項艱鉅，世界亦是中國古的大事。時間上，

反共政治觀點看，所謂最高的政治道德，根本是文化精神說來，這些話，並非短少所能奏效，隨時隨地，但今日從事反共的政治中人物，至少應該有下列幾項道德上的修養纔行。

一是確認反共的「功」，心理，中國今日的悲劇之所由來，雖說原因複雜，由伊朝夕，但我們過去政治上不無失策，卻不必諱言的事實。目前領導人物，老民反共以及號召反共的一部份智識份子——直接間接都對共產黨的失敗，只是在內對共產黨的壓迫者下不能不負責任的了，所以，今天應有的大多數的全國人民，多大正是帶罪圖功的心理，纔可以博得大衆的諒解同情，處處感到自己在政治上負疚良

外，它不一定比八年對抗戰為短，空間上，經濟上，也更艱難，尤不能與抗戰時期等量齊觀，因此，所有崇尚自由的反共人士，都應該把自己的生活方式，新鑄定，養成憂患餘生的刻苦耐勞精神，住在海外的人，固然要保持苦撐的生活，在自由中國從事反共工作的人，更要使「克難」生活尤其實踐化，假使號召大衆克難，而自己的一陣卻鬆，一條三角褲，也要到外國去購買，那就太笑話了！

三是自動的負責任感。共產政權不是輕口號宣言所能打倒，推翻了對反共政權之後，還需要做一番艱苦的工作，各人都能自動的負擔一個責任感。「行其心之所安」的良知，站在各自的崗位上，毋

我毋必，不矜不伐的埋頭苦幹，不作僞說謊，尤非其不要「躬自厚而薄責於人」，認爲別人總不對，都不行，而自己卻是了不得的救國聖手。過去在大陸上那套做表面說假話的官僚作風，也不從心理上去掉，那就很危險。一句話：千萬莫忘革命的人，總認自己隨時有變成革命對象的可能！沒有責任感，那還談什麼革命呢？

以上所述，可說都是老生常談。但人類文明的發展都是由理性的常道而來的，越是常道，越容易忽略，也越是變道，越是持久，共產主義之能抗拒，只有用常道纔能抗拒它，猶之乎退高燒要用清導的藥石一樣，所以值得研討。

蘇聯最拙劣的一幕

這一次蘇聯代表團出席舊金山會議，在蘇聯的國際活動上，大概是表演得最拙劣的一幕。

這是很顯明的，美國絕對不會讓步，蘇聯在會場的勢子很孤，能提出一個與美國和約完全不同的對案，以爲蘇聯可以的同情，並爭取日本及其他不滿意美國態度的國家，在會內會外大鬧一陣，以爲進入日本去直接鬥爭的一種準備。沒有想到蘇聯計不出此，以後，依然出人意外的簽字，甚至還可以說不得要領，而卻依然不肯簽，一無結果，便悄然歸國，我們不知道她們何所爲而來，又何所爲而去？

其實講起來，我最怕的便是蘇聯簽字，同時提議以四外長會議來結束韓戰，如此，則蘇聯緋護和平的姿態可以做得更得像樣，而中共也大可鬆一口氣，以後我們的處境，便將更爲艱難，但沒有料到她的「黔驢之技」竟這樣平凡而又愚笨。

可是，世人假定根據蘇聯這次的不簽字，便以爲她已有決心與美國攤牌，這卻依然是一個太早的判斷。但我們可以是這樣說：這次蘇聯放棄了一樣機會，放任美國在遠東爲所欲爲，同時也提高了日本對俄的敵愾，這卻可能是未來蘇聯在遠東遭遇慘敗的一個重要因子。

注視日本今後的動向

吉田所領導的日本代表團，以一個戰敗者的身分，去出席那樣一個場面的會議，居然能夠不亢不卑，做得恰如分際，確實是難得的。他們當着蘇聯的代表團，進一步的能夠提出南庫頁與千島歸還日本的問題，並正式要求蘇聯遣還他們三十四萬的俘虜，同時又把琉球和小笠原已得美英保證可以歸還一層，在大會正式公告，也更可證明他們的有膽有識。

可是，話雖如此，日本在和約簽訂以後的動向將如何展開呢？據我看，他們在最近期內可能採取的步驟，除等待和約批准迅速恢復原在各簽約國的外交機構以外，他們自然還是要十分謹慎的。

日本擁有人口八千三百萬，根據這次的和約，也們喪失了日本人民可以自由活動的土地，在百分之四十以上，計包括朝鮮、台灣、南庫頁島、千島羣島、琉球、小笠原、太平洋其他各島嶼，以及旅大與南滿鐵道附屬地等等，所剩的不過四個大島而已，生存的空間縮小到這樣的程度，這是日本決不甘心的。

不單是土地縮小而已，而在她所剩餘的領土以內，原料與食糧，更是先天的貧乏，舉例言之：棉花與橡膠等於零，羊毛不足百分之九十八，原油不足百分之八十八，鐵砂不足百分之八十，焦煤不足百分之七十四，鹽不足百分之七十二，大豆不足百分之七十，小麥不足百分之五十四，食米不足百分之九，……情況是如此惡劣，你能相信日本人可以忍此終古嗎？

照一般的情形看，日本人民對於武裝重建，也許較美國爲低，可是日本軍人不僅熱心，而設法放逐排除赫爾賽（?）的分子，也多至二十萬人以上，這些人久確實沒有那樣靜極思動，加以整個中國大陸，已爲蘇聯所控制；而已經打了一年以上而迄未解決；韓國除一般和約以外，更與日本簽了一個安全條約，這與蘇聯和中共所簽訂的攻守同盟條約，是針鋒相對的。內外的形勢既如此，就日本人不想力求恢復她戰前一個強國和大國的地位，這是難於想像的；何況八十年來的歷史，日本人民已養了一種向外發展的習慣，而在今天又有美國人切實以鼓勵呢！

依據日本的民族感情，日本人民對蘇聯的敵意以及她今後還要維持依存美國的一種關係，我想她因爲一種貿易關係便會和中共去勾搭，是絕少可能，中華民國雖然還沒有和日本簽訂和約，但爭取日本合作的機會還是很多，而是必須要有中日雙方互利的切實辦法，單靠睦鄰友好，經濟提攜，共同防共幾個空洞的原則是不夠的。

極權統治和思想自由

上帝把思想自由送給毛澤東，毛澤東硬不要，硬要靠向史太林。結局呢？毛澤東如何對付中國人民，史太林也這樣對付他。

·蔡寬·

（一）

只要有思想，決然是自由的。世界上沒有完全相同的兩個人，即不會有完全相同的兩種思想。不僅如此，我十年前的思想，決然會和十年後的思想不同。而且我今天的思想，決然會和明天的思想不同。何以故？以今天之我，非明天之我，十年前之我，非十年後之我。我不同了，思想也就不同了。思想隨我而變，此即思想屬我之自由，此即思想在其本質上之自由。

（二）

七十子同受學於孔子，但七十子的思想，也相互各不同。顏淵不同於子路，子夏不同於子游，孔子也無奈何，顏淵子路子游子夏一樣無奈何，此即思想在我腦裏想，便和在你腦裏想的不同，此即思想之自由。」

列寧信仰馬克思，但列寧的思想，便決然和馬克思的不同。只要思想是由腦子而出，便決然不會全同。同樣理由，史太林的思想，決然不會全同於列寧，毛澤東的思想，也決然不會全同於史太林。周恩來的思想，也決然不會全同於毛澤東。此是最淺顯的道理，最公開的秘密，說穿了，人人皆知，好像一文不值，卻是最高眞理。

（三）

若明白得這一層，清算是白清算，永遠清算不出同一的思想來。無論如何坦白，坦白是假白，坦白仍還是不坦白。擁護是枉擁護，永遠擁護不上。擁護是名義上的擁護，一面擁護，一面倒，倒來倒去，仍倒在你自己的身邊，倒不到他身邊。

（四）

共產主義者不許人有思想自由，那絕對不可能。只要有思想，便絕對有自由。你在思想，不是由你在思想嗎？所以共產主義者清算你，必然會不斷地向你清算，要你坦白。而你若在共產主義者的統治下，便不斷要向他擁護，向他一面倒。而結果雙方都是枉然的。眞要不許人思想有自由，除非把他殺了。他死了，不思想了，纔眞無自由了。只要許他思想，他總是自由的。

（五）

共產主義者能強你思想不自由嗎？不能的，絕對不能的。它，只能使你知識不自由，見聞不自由。要使你知識見聞不自由，所以要有鐵幕。鐵幕，閉關，隔絕你外面的知識，隔絕你其他的見聞。

子路只聽孔子話，所以如此想。若使子路再聽到墨子的話，子路的思想，決然會變的。並不是說子路從此不信孔子了，縱使子路依然信孔子，但子路的思想變了，不像專聽孔子話時那般想了。若使顏淵再聽到莊子的話，顏淵的思想也變了。並不一定說他信莊子不信孔子了，但那時的顏淵想決然和此刻的顏淵想法不同了。同樣道理，若毛澤東只聽了馬克思，不再聽史太林，他的思想，一定不同於現在的毛澤東。

（六）

我們要爭取的，是爭取知識見聞的自由，至於思想，是本來自由的，而且永遠自由的。共產黨的口號，是要你搞通思想，其實他們能做的，只在你思想外面裝上一鐵幕。

知識見聞是思想的材料，你的知識見聞，逃不出他的範圍，你的思想使永遠在他的圈子裏。

鐵幕應緊縮，思想應該接近，然而思想還是自由的，到那時，實逼處此，思想應接近，便衝突爆發，沒有躲閃的餘地。所以思想裝進了鐵幕，再要統一便只有殺。

（七）

不怕不識貨，只怕貨比貨。你看了兩種貨，你能比一比，你自能挑選，比出自由。現在是只許你只看一種貨，你沒有挑選，便是沒有自由。有多種貨色由你挑，在自由世界裏，在極權統治下，只有一種貨，只問你要不要。只有一種喫，你不喫，你該餓死。只有一種穿，你不穿，你該凍死。只有一個理論限你想，你不贊成，便把你殺死。若你說：我寧願死，那他除掉殺死你以外，更有甚麼辦法呢？沒有的。所以極權統治之下，還有一種自由由你挑，那便是死的自由呀！

（八）

說到這裏，極權主義者要你思想不自由是不能的，不得已而思其次，是關閉你的知識，隔絕你的見聞。最後是把你殺了。試問極權統治者能否再有別的更好辦法呢？沒有了。

不幸的是上帝硬要把思想自由送給毛澤東，毛澤東硬不要，硬要靠向史太林，史太林那能信得呢？不是史太林不信毛澤東，是毛澤東推不開上帝給他的那一份禮物呀！

那如何結局呢？即以其人之道，還治其人之身，毛澤東如何對付中國人民，史太林也只有這樣對付毛澤東。這是一種必然的辯證法，連馬克思也無可否認的。

歐洲鐵幕小景

黨證保藏法

東德共產黨員們對於黨證的隨意亂放——有些放在手提包裏，或是皮夾子裏——常常因此遭到了麻煩，引起了黨裏的領袖們的憤怒。

德國的共產黨領袖們，最近想出了一個妙法：他們吩咐黨員們說，將來的黨證要放在特製的透明塑膠袋內，用根銀鍊掛在頸上。一個女黨員據稱曾爲此提出抗議，說這新方法只應用於男黨員身上。而女共產黨員卻不願把這個塑膠袋放在她們的胸前。

柏林的共產黨總部說：「我們所有的最高貴的文件，應該把它掛在最靠近我們的心的地方。」

女工所受的「保護」

波蘭共產黨員們都說，史太林「保護女工」。上星期，一個漂亮的廿一歲的女工，卻從波蘭坐着一架破飛機逃到了瑞典。她講述着史太林「保護女工」的故事。

克里司汀是在一家國營的獨佔食品工廠裏做工的。她說：「假如一個月內遲到三次，就要扣掉半個月的工錢。一個女工的平均工資是每月三百五十元捷幣（合美金九十元），然而一件衣服的代價就需六百個捷幣，因此，工資的減低是減得驚人。……假如你拒絕超額的工作，他們就說你是怠工者，是政治的敵人。有時他們就因此開除你。如果你沒有受到開除，你就被送上勞動營去，這是波蘭女性所最懼怕的。

「勞動營的內幕是個嚴密的祕密，然而送進去的女性們，總設法把信件從裏面走私出來。這些女性在工作時，總有俄國警察在警衛着的——在礦山或是開石的石場，或是在修路。然而就我所知，沒有任何女性給釋出過。」（賽克譯）

杜魯門教訓了捷克駐美大使

普洛察茨卡白宮受窘記

自美聯社記者奧蒂斯給共產捷克的統治者誣控作間諜後，美國在這二十週內僅僅經過外交途徑作了一些低調的抗議，已就感到滿足了。上禮拜時，杜魯門會見了捷克的大員——駐美大使普洛察茨卡，他到白宮去遞呈國書的。

白宮外面下着雨，一連串反對共產捷克的人們在遊行——當捷克大使到達白宮的時候（八月二十日）——旗幟上的標語如：「你竟敢帶了血腥的手跑到自由國家來？」在雨中揮舞着。普洛察茨卡是個受着共產主義麻醉的一個不好對付的傢伙，面色溫和，眼睛練機一樣。他覲見杜魯門不過五分鐘，據白宮新聞秘書瀟特所說的，他們的談話是很尖銳的。（瀟特這番話是從杜魯門處聽到的）。

捷克大使照例喃喃的誦讀着外交上的傳統的話，諸如增進兩國間的關係願望等等。總統很尖刻的答道，最好的辦法不如釋放奧蒂斯。瀟特講道：「總統說：自從馬沙立克（前捷克外長）被刺以後，兩國間的關係就給赤得糟透了（對於共黨所傳馬沙立克自殺一說，迄今尚無任何政府作過官方的證實，瀟特說話時，特別強調被刺一字）。總統接着說，除非捷克改變他的政策，美捷間的關係就沒法和從前一樣了。」大使對於這些話，沒有任何反應。」

以後，記者們在休息室裏包圍了捷克大使。總統和他討論過奧蒂斯案嗎？普洛察茨卡說：「我不想講什麼。」「你們握過手嗎？」「是的，當然。」捷克大使說。「你們倒底指什麼談呢？」

「指什麼談呢？」一個記者問道。「這是一個簡單的問題。」

在記者和攝影記者的轟炸式詢問下，普洛察茨卡爬進他的汽車跑了。

第二天，他應艾契遜的召見，到了國務院。他也祇談了二十九分鐘。據稱這次談話，祇是杜魯門所提的意見的再版。捷克國務卿和大使又談奧蒂斯案，艾契遜並且着重的說，他不明白捷克政府的態度。

在國務院的外面，普洛察茨卡又遭到了記者們的包圍。他的一個助手叫道：「你們想用武力來威逼大使麼？」關於記者們的一連串的問題，捷克大使怒聲道：「從法律觀點來看，這件案子已經判定了。任何種類的壓力——經濟的，政治的——宣傳的——都不能影響我們。」

在這一個週末，行政當局終於決定採取一些實際的壓力。從白宮傳來的話說，總統決定採取一些必要措施，「使得奧蒂斯能釋放出來。」如果杜魯門總統的強硬的話眞有所指，那麼下列兩個步驟是要實施的。

第一是封閉捷克的飛越西德上空的航綫，這將使捷克這一規模小而卻很賺錢的航空業受到打擊。第二是終止捷間的貿易，在這一交易中，捷克原是享受了出超利益的。——這步驟是兩週前國會內所提議過的。（左頓譯）

談美國明年的大選（上）

·王厚生·

民主黨候選人物

許多人均認爲：明年民主黨召開全國大會時，將提出艾森豪威爾做他們的總統候選人。所根據的理由大致有以下各點：

（一）目前艾森豪威爾的心意與一九四八年時不同，他本人似乎亦願意出來一試。

（二）杜魯門明年將屆六十八的高齡，如再連任，恐精力不及。況且他已在職幾達八年之久，一九四八年復獲一次歷史性的「不敗的戰士」的勝利，民主黨內部希望他以光榮引退。民主黨人士主張杜魯門退任的只有百分之十八，擁護艾森豪威爾的倒有百分之四十三。

（三）據接近杜魯門的人談，杜氏將不再競選，且已選定艾森豪威爾做他的繼任人。

（四）本年六月間，有個政治人物愛倫（George E. Allen）特從華盛頓啓程訪問巴黎，且與艾森豪威爾暢談。愛倫與杜魯門、艾森豪威爾都是極親密的朋友，因此引起外界猜測，以爲愛倫訪問巴黎係由杜魯門授意，徵詢艾氏出任民主黨總統候選人的意見。

（五）艾森豪威爾和馬歇爾一樣，在美國被稱爲「軍人政治家」，美國人民對艾氏在二次大戰中的勞績印象深刻，故他如參加競選，一定受選民的熱烈歡迎。

除了艾森豪威爾可能接受民主黨全國大會的提名外，尚有其他的猜測：

（一）共和黨也頗想爭取艾氏做他們的總統候選人，杜威對此事很熱心；又聽說在共和黨和民主黨爭奪之間，艾氏寧挑選前者。

（二）杜魯門至今尚未表示不再競選，記者問他是否推荐艾森豪威爾任民主黨總統競選人，他亦拒絕發表意見，姑假定杜魯門有意連任，共和黨也不推舉艾氏，則擁護艾氏競選總統的人士已有擁艾爲第三黨總統候選人的計劃。

但也有人主張提出麥克阿瑟的，最近，首國的民意測驗且顯示擁麥的較多於擁艾。以上是一般人對美國明年選舉的預測，以下是我自己的看法：

先看民主黨裏面有幾個人可以出來競選總統的？除開杜魯門、巴克萊以外，參議員康納利和麥馬洪算是民主黨的嶄露頭角者，可是他們兩人都不夠競選總統的資格，因爲康納利年事太高，麥馬洪聲望不遠，而一般人民對巴克萊的興趣亦不大，照此情勢，杜魯門被推爲候選人的機會還是很多的。倘杜魯門決心不再連任，他只有推荐艾森豪威爾了。所以，我們可以預言：明年民主黨全國大會召開時，將就杜魯門與艾森豪威爾兩者之間選擇其一。

共和黨候選人物

共和黨可以出來競選的人較多，如杜威、塔虎脫、史塔生、華倫等，都曾在一九四八年的全國大會上顯過身手。不過，我們應該記住：廿餘年來，共和黨內部一直是在分裂狀態中，尤其在對外政策上，共和黨領袖的意見互相分歧，有的主張世界主義，有的仍抱孤立思想，美國人民和西方國家人民對共和黨不感興趣，不抱希望，與他們的外交政策不無關係。共和黨在國內提倡兩黨外交最力，然他們內部對外交政策卻是分裂的。杜威先後失敗過兩次，根據傳統，再競選希望便比較小了。一九四八年敗於杜魯門後，曾表示不再競選，但我們不能根據他那次的表示，即遽下斷言，認爲杜威明年一定不參加競選。因爲我們曾經聽過杜威不再連任紐約州州長的話，然而他終於自食諾言而連選連任了。塔虎脫附和胡佛的論調：要求美國從歐洲撤退，以海空軍的力量防禦大西洋；他的勞工法案深爲美國勞工界所詬病，如果塔虎脫當選總統時爆發世界三次大戰，那末，他若引起美國勞工界的反感，失去西方盟國的合作，美國便不堪設想。史塔生是賓夕法尼亞大學校長，曾訪莫斯科晤史太林，發表過有名的談話錄。華倫是加里福尼亞州州長，一九四八年共和黨副總統競選人，和杜威同遭失敗。共和黨的內政政策也是不吃香的，他們反對開明的新政，還是違逆時代趨勢的做法。

介紹

「我爲什麼反對共產黨」

·一丁·

「我爲甚麼反對共產黨」一書，係考古家衛聚賢先生所著，他於本年初由重慶逃到香港，在本報上首先將他的經過作爲「共區報導」發表了共計八篇。他以爲共產黨的罪惡是「罄竹難書」，而共黨卻將許多罪惡推說是「下級」「偏差」，他於是從理上把共產黨的理論推翻。

此書係「論勞動」，「論剩餘價值」，「論鬥爭」，「論辯證法」，「論共產社會」，「共區報導」，共計六篇。「共區報導」一篇，即係在本報所發表的五篇。這書共採用了七十餘種書籍，歷三閱月而寫成的。其所引用的材料如左：

考古書籍——殷墟書契後編，鐵雲藏龜，中國史前之研究，楚民族及其藝術。並對於銅器的父甲鹵，散氏盤，井人鐘。猿人，始石器，舊石器，新石器均有敘述。

中國古書——孟子，論語，春秋，左傳，公羊傳，列子，莊子，老子，墨子，周易，尹子，尚書，國語，禮記，荀子，史記，管子，白虎通義，呂氏春秋，韓非子，古文考，越絕書。

共產黨書籍——人類起源和發展，勞動人民創造歷史，自然發展史，從猿到人，猿怎樣變成人的，社會發展史，人的社會，民底轉變，歷史唯物論社會發展史，中國革命讀本，時事手冊，中國人民政治協商會議組織法，中國人民政治協商會議共同綱領，中央人民組織法，毛澤東同志青少年時代，生產小組好樣子，怎樣搞好企業宣傳鼓動工作，宣傳手冊，工廠中的宣傳鼓動工作，紅旗讀叢，人物雜誌，我的思想是怎樣轉變過來的，資本論，資本與剩餘價值，論批評與自我批評，黨在企業中的監督工作，歷史唯物論社會發展史講義，鋼鐵反革命講話，學習，新華日報，辯證法唯物論辭典，論共產主義道德，辯證唯物主義與歷史唯物主義，社會發展簡史，斯達林全集。

雜誌報章——星島日報，星島晚報，大公報，文滙報，華僑日報，自由人，自由陣綫，獨立論壇。

其他——兒童生理的研究，生產與生育，動物園。動物大辭典，飛禽天地，在和昆蟲共同生活中，中國古代神話，長阿含經，初級成本會計，羅素集，辯證法新發展等。

此書即以共產黨自己出版的材料爲材料，所謂「以子之矛，攻子之盾」，他的證據是完全以歷史學家的眼光作客觀的分析，是一種研究共產黨本質的良好讀物。由本港「自由出版社」刊行。

× ×

雪峯山上的游擊隊

野馬

提起雪峯山的游擊隊，就會使人聯想到「西南聯軍」——遠在三年以前他們就樹起了「倒程剿共」的旗幟，那時他們看出了程潛叛國的陰謀，因號召將領一八三人在長沙組織西南聯軍，西南聯軍下面有三個師，四個獨立旅，一個掃蕩總隊和一個警衛團，它是後來國軍改編的新八軍，也是雪峯游擊隊的前身。而現在，他們在艱苦搏鬥之中茁壯了起來，發揮了作用。

傳奇性的故事

西南聯軍的發展是一幕富有戲劇性的傳奇故事，原來他們在長沙宣誓後，就分頭進雪峯山招兵買馬，西南聯軍第三師師長柳×、第七團團長柳×潛赴武崗一鄧家舖，祕密組織武裝，武崗是雪峯山區的一個縣，雪峯山區有十八個縣，東起邵陽，西迄會同；南至城步，北達溆浦。橫跨湘西與黔州交界，綿亙數百里，山外有山，山上有田，地廣人稀，野產豐富，由於地勢險要，地形複雜，山高林密，峯迴路轉，進可以攻，退可以守，軍事價值實居華中各省心臟地區。

來去無蹤

柳×離開長沙只攜帶手槍數支，隨員十餘人，鄧家舖到武崗九十華里，鄉長劉鎮　過去做過團長，是柳×的朋友，事前曾有密約，柳×到達目的地，就由劉鎮國推護，武崗縣政府聽到消息，非常驚慌！深夜派保警隊前往圍剿，這時柳×已經成立了三個營，把部隊佈置在隘路口，保警隊到達團部附近，正想散開隊伍，採取包圍態勢，柳×站在營門前態度從容，揮手對他們說：「我們都是友軍，不要散開，有事請進來談吧」！保警隊長不知他們虛實，被請到了團部，剛進院門柳×佈置好了的人就用槍對着他，要他放下武器，並要他寫條子集合隊伍架槍休息，就這樣不費一彈獲得了保警隊的投降，柳×因實力不大，恐被圍剿，同時需要時間部署，於是一面寫信覆問縣政府爲什麼圍剿友軍，一面虛張聲勢恐嚇附近居民每家做一張二丈五尺高的長梯，準備攻城，縣政府聞訊十分恐懼，調集軍隊準備守城，並派高級幕僚向柳×求和，柳×一面招待，否認有攻城打算，一面把隊伍調來調去，帶他們參觀，弄得他們不知虛實，以爲有一萬多人，實際上不過一二千人，此外柳×還要老百姓，在山上造了許多空棚，並派人站崗放哨，弄得和走及往來經過的人都嚇得膽戰心驚！武崗城裏這時流傳着一個神話，說柳×來無影去無蹤，一次關起城門捉他沒有捉到。

三步策略

「西南聯軍」就是這樣發展起來的，後來由於時勢的需要，西南聯軍奉令改編新八軍，並由西南聯軍總司令尹××担任軍長，移駐邵陽整訓，後來共匪進迫衡邵，華中剿總撤到桂粵佈防，他們担任掩護退却，在邵陽和共匪打了一仗，擊斃共軍三千多人，三十八年十月湖南大部淪陷，新八軍五萬餘人奉令進入雪峯山，他們的區域分佈是：第一師在黔陽，溆浦，芷江，安江，洪江等縣；第二師在安化，新化，邵陽，湘鄉等縣；第三師在武崗，新寧，城步，通道，綏寧，會同等縣。他們的策略是：第一步破壞交通，第二步擾亂秩序，第三步造成恐怖。

戰績舉例

在這一策略之下，他們常常弄得共匪手忙腳亂，不知所措；湘黔公路上的車子，經常遭到伏擊，橋樑修好又被破壞，匪幹常被殺戮，糧倉常被燒燬，只要舉幾個例子就可證明他們活動力量的強大，棘馬槽擊燬共匪軍用卡車六十多輛，奪獲裝備子彈很多，并斃匪數十人。夜襲武崗花園市，斃匪區長一名，匪幹數十人，焚燬糧倉兩座。攻佔城步西安市，擊斃匪幹三十五人，燒燬糧倉八座，與匪遭遇溆浦龍潭，繳獲輕機槍五挺，步槍八十支，手槍四支，斃匪官兵七十餘人，匪高沙區召開農民代表會議，柳×帶了三人化裝農民混入會場，投擲手榴彈，死傷無算……

地下搏鬥

由於地理形勢和軍事價值的重要，共匪爲了「抗美援朝」解除後方「心腹之患」，於去年十二月對雪峯山實行全面大舉圍攻，動員十八個師和地方團隊共二十三萬餘人，游擊隊分區防禦，打了十天十晚，結果因軍火缺乏，犧牲慘重，不得已化整爲零，轉入地下與共匪進行搏鬥！我們相信只要他們能夠得到軍火的源源接濟，雪峯山上的十幾萬游擊健兒和太行山，大別山，以及全中國的游擊隊，都將滙成一股洪流，沖毀鐵幕，淹滅秧歌王朝！

粵共發出「特密」指示　暗中進行「應變」措施

據增城方面來信透露：國際時局日緊，大陸人心思變，華南中共當局，現已暗中進行「應變」措施。增城縣中共黨部，於七月廿五日接奉粵共「特密」指示一件，對「黨委」、「新形勢應有的新行動」密作詳細之「指示」，縣黨委奉命後，經以「特密」字樣，轉飭所屬鄉村等級共幹，遵照實施。查該項「密件」原文頗長，內容計分五項，茲特摘要探誌如次：一、「繼續肅清反動，徹底挖斷×根」。二、「鬥爭工作，必須運用羣衆力量，各級幹部，應避免事事出頭，儘量減少及轉移羣衆仇恨情緒」。三、吸取「積極份子，壯大羣衆隊伍，準備形勢萬一惡化時，繼續革命深入的力量」。四、鄉村級的工作人員」（按：此係指非匪黨之鄉村農會及「政府」負責人）立場不穩，工作不積極，或偽裝積極，並爲羣衆仇視者，「上級指導機構，必須針對事實，把握時機，大力整肅，以爭取和恢復羣衆三統的意念」。五、緊急形勢迫近時，「各級幹部，應團結武裝同志及一切戰鬥人員，以緊急行動實行徹底的政策，可資×用的東西，一草一木都要破壞，於我有利的物資，一針一綫都要拿走」。因此項「密件」，係適應於全省者。上月一日全縣舉行「八一紀念」時，中心縣委「黨委」王達宏，也曾召集各鄉「黨委」「地工」研究過一番。（麥向慈）

「文化惡霸」獻書消災

【本報特約上海通訊】古物收藏家及藏書家廬江劉晦之，在淪共後之上海不聞世事，閉門隱居已久。可是，中共發現了他之後，就開始不斷地威脅他，用「文化惡霸」這個帽子戴到了他頭上。最近，在無可奈何之下，他把他的「小校經閣」所藏四百箱線裝書，共計六萬七千餘册，悉數「捐獻」了給「上海文物管理委員會」。

劉晦之送書之後，黯然語記者：「這些書是我四十年不斷收集起來的，其中不少是精抄本和稀見刻本。捐獻給公家我是無所謂的，但是我躭心其中有大部份將遭到燬毀的命運」。目前，這批書正由「文物管理委員會」加以「整理」，一小部份可能送到上海圖書館，一大部份却厄運難逃。（悠然九月五日自滬寄）

中共愚騙青年的假面目也戳破了　廣州嶺大學生來港渡假集体不返

不管香港對入境限制怎樣嚴密，也不管中共把鐵幕遮斷得如何水洩不通，每天千方百計冒死犯難由大陸逃出的仍是不在少數。這批新近陸續「鑽隙」而來的人物，大都不是什麼「地主」「富豪」「官僚」「惡霸」，而是一些優秀的中華兒女，和一般曾經同情向嚮於中共統治的「前進份子」，這說明了時間是最忠實的證人，兩年來的考驗，中共的猙獰面目，險霸壯腸，陰狠手段再不能愚騙一個稍爲有些頭腦的人了。一個肄業廣州嶺南大學的學生，對我說，他和十多個同學的家都在香港，此次係由學校當局負責保證來港渡假，已決定集體行動不再返校。中共對「人民」、對工農、甚至青年學生，無不是欺騙，這次帶頭報名參軍的「學生」也就是上次帶頭報名參加的「學生」，他們[illegible]作假，把一批批同學送到[illegible]什麼地方去，他們則依舊回到原來的學校，裝出萬分慚愧和抱憾的樣子，說他們因體格不合或其他借口失却這「光榮的機會」。可是把戲玩多了，明眼人都心裏有數；雖然很多天真的同學給「愛國主義」這美麗的糖衣迷惑住了，始終蒙在鼓裏。他又告訴我，有一位姓岑的同學，在大力鼓勵，多方勸誘下仍不肯參加，給所謂「政治指導員」召開小組檢討會一連八天，每天七八小時的批判，當場暈倒，不省人事，但「政治指導員」却說這是他「覺悟的高潮」，不必施救。結果怎樣，也沒有人敢過問。他又說這一學期招生，許多由香港到廣州應試的雖然考取，也多方設法回來，寧願失學。有些是受了廣州親友的勸告，有些則是受不慣恐怖的威脅，都以能夠離開爲幸。

中共對香港去的學生表面是歡迎，骨子裏他們做得異常疑忌，有一位回去考農科的學生，因爲決心就學，領的是單程通行證，後來看見情形不對，再向「區政府」領出境證，等候了六次，一個多月，再問他爲什麼要回去，最後一次，他說家人在香港，並且斷了接濟，而且錄取與否也未知，留下來就要餓飯，現在衣物都當光，再提出證據，才獲得許可。最後，這位嶺大學生堅決地說：「中共政權在智識青年的腦子裏已有了很大的轉變，狂熱擁戴的時代早過去了，雖然「反對」還不會表面化，那只是「思想統制」的猶子所生的作用。但統制得越厲害，反對的陰影也越擴大，這是我們從實際生活上體驗得來的」。中共所認爲最可靠的青年學生，可能就是牠最強有力的敵人。（木子）

參軍學生家書　流露内心怨恨　身在曹營心存漢室

一般說來，在中共幹部中，講得一口流利英語的人是不多的。但是爲了要「敎育」和管理聯軍俘虜，不得不將久受「美帝」教育的各教會大學畢業生（在北平爲輔仁、燕京、在上海爲滬江、聖約翰）三百餘人，調往北韓工作。這班青年，本來是不願意去的，然在中共[illegible]之下，由後來有辦法可以逃抗。他們到了北韓，對美軍俘虜非常友善，聯軍當局還以爲中共究竟比北韓「文明」「識大體」，其實全不是那麼一回事。祇是因爲中共所派的管理員不是受共產主義教育的共幹，而是受美國式教育的非共青年，所以對聯軍俘虜才會如此優待。倘使換了道地的共幹，那會變成面目全非了！

這批被迫參幹的大學生，時常有家信寄到上海，從前綫寄到上海的信，雖然[illegible]的口氣，都流露着對中共的不滿；雖然不會有激烈的詞句，但已足夠予人以「身在曹營，心存漢室」的印象，假如聯軍能加強心理戰，則爭取他們的集體反正，是並不困難的。

捐献也不放過僧尼

寧波僧尼兩千五百七十三人，本月起，全部不受酬進「佛教工廠」做工，開幕遊行那天，「前進」份子連自己的鞋襪帳被都拍賣了捐獻政府。

【本報特約杭州通訊】寧波的天童寺，爲我國四大叢林之一，建築巍峨，殿宇寬廣，三面圍山，一面臨湖，風景非常壯麗，寺外松柏參天，山水傾瀉而下，飛沫四濺，蔚爲壯觀。在「解放」前，此地香火鼎盛，冠於東南，每當春秋佳日或佛誕節，信女善男，絡繹於途，平均起來每年均不下卅萬人，大殿內金壁輝煌，就中尤以十八尊羅漢與三大佛像，塑得莊嚴雄偉，嘆爲觀止，而大殿後禪房櫛比，不下三百餘間，向爲專供做佛事者留宿之用，佈置簡潔，較之滬杭各大都市之第一流旅館公寓亦無多讓，且週圍修竹稠密，葱翠整齊，中間夾有花草，綠影扶疏，空氣清新，而氣氛岑寂，勞人到此，塵慮皆消，確是個避暑的佳境。

自「捐獻機砲」「抗美援朝」運動進入高潮後，浙江省「人民政府」主席譚震林恣意搜刮，有孔必鑽，對所謂四大皆空的方外人如和尚尼姑等，亦念念在懷，絕不放過，除下令省縣市各級「人民政府」負責人對境內和尚尼姑「提高政治教育」、「增加勞動生產」以「供獻」國家外，並鼓勵各地共幹，別出心裁，搾取此種人之物力造力。以寧波爲例，天童寺一處，已有和尚八百人，寧波縣「人民政府」自九月一日起，特成立一「佛教工場」，集全縣僧尼兩千五百七十三人，不受報酬，參加「生產」，在開幕那天，和尚尼姑列成縱隊，遊行全市，並特將工場中之織襪機，手搖織布機，織被機，捲煙機，印刷機，手搖機等，扛扛抬抬，招搖過市，據說，由於政府的感化教育，僧尼的政治認識已「普遍提高」，在遊行行列中，先是尼姑組成的腰鼓隊扭唱前導，接着是和尚組成之活報隊演講隊魚貫隨行，當時，並有預先泡製之所謂「前進」份子，向街上看熱鬧羣衆兜售自己的鞋子，襪子，帳子，棉被等自用必需物品，捐獻政府，抗美援朝，一般看熱鬧人在衆目睽睽下不料有此一手，不得已，祇好掏出腰包，被迫購買，背後均大呼倒霉不置，一般人都似捧似諷的在說：「這樣新鮮的事情，只有在新社會才會看到，只有在共產黨領導下才能發生這種事情」。言爲心聲，發人深省。（惕秀。九月二日自杭州寄）

工廠不開工　賠本有好處

廣州有機肥料廠　白白坐吃了一年

【本報特約廣州通訊】此間「廣州有機肥料廠」創立一年毫無動靜的內幕，最近被人揭露了一角。在「工人階級」領導之下，這家號稱「現代化」的新工廠，成立於去年八月，至今恰滿週歲，但是始終沒有開工！[illegible]……當然有從「上級」到「下級」，不就是「好處」嗎？（亦健。九月八日自廣州寄）

結婚啟事混淆觀點　家長姓名搬到下面

【本報特約上海通訊】在所謂「解放」區中，男女結婚，刊登廣告也得不到「自由」了。最近有兩位朋友送了一張結婚啟事到「新聞日報」去刊登，該報廣告科的職員說：「這張稿子希望你們改一改，因爲文中是雙方家長出面爲兒女結婚，我們奉命要勸告改正。」

這是一件有趣的事。那朋友的原稿是「某某及某某爲二男某某長女某某結婚啟事」，在「奉命勸告改正」之後，也只不過要成了「二男某某與長女某某結婚啟事」，把雙方家長姓名改到了文末——只是形式上的一種顛倒，咬文嚼字的把戲而已。

這件事，「新聞日報」的職員洩露了內幕。原因是：中共當局時常爲了他們的「婚姻法」過度自卑，爲了其中第一條規定「廢除包辦婚姻……的封建主義婚姻制度」，第三條規定「結婚須男女雙方本人完全自願，不許任何一方以強迫或任何第三者加以干涉」，但是覺得小資產階級的婚姻早就「廢除包辦婚姻」，早已「完全自願」，這個新婚姻法並無多大作用，於是要進一步來咬文嚼字了。這結果，便是「小處着手」，給這種習見的家長出面的結婚廣告來開刀。他們定下的罪狀是：

「在貫徹婚姻法的今天，由家長出面的兒女結婚啟事，客觀上混淆了婚姻自主的觀點，支持了包辦代替婚姻制度的垂死的掙扎……」

一般人對這樣的繁文縟節的可笑事，心裏明白：這又是中共自卑心理的一種表現。（悠然九月三日自滬寄）

無聊的宣傳

·尚方·

眞是無聊之至！每隔些時，在國際間，必有人說史大林如何不健康，怎樣不見其出席那些重大的會議；在國內，必有人說毛澤東如何病勢沉重，怎樣進了醫院。說得史毛二人大有命在旦夕之象，好不可哂也！

人終歸是要死的。現代的政治組織，不像李闖王那種烏合之衆，只要闖王在九宮山一命嗚呼，嘍囉就馬上解體，降的降，散的散，讓敵人報捷撰功，坐得天下。列寧死了，有史大林，史魔死了，難道就沒有甚麼「諾夫」「斯基」之流來繼承麼？托洛斯基與史大林的鬥爭衝突，比任何國家的政爭還要厲害，何以俄共並未因此而宣告潰散呢！等由准此，即令史大林健康惡化，以至於「瓜直」了，未必俄共就可以不打而自倒？

至於毛澤東的生死，更不値得重視。中共根本就是俄共掃帚中之蟲，一切由俄共擺佈的，毛澤東個人並無自主能力，他之生，等於死；他死了，也與在生時沒有異樣。縱說中共內部或許有些具有民族思想的人，但如沒有外患緊迫，毛氏雖然一命嗚呼，這些人也很難有所作爲哩！

共產政治的本質，是思想與暴力的化合物。不從文化思想上來摧毀它的精神，再以力量來打擊它的壁壘，而只望其自己死亡，實在是要沒有出息的自我陶醉，是要不得的惰性表現！

自由談

義共戰時陰謀圖奪政權
盟軍特務敵後犧牲

一帆

神秘的失蹤

在戰時一九四四年十二月，義大利前線美國戰略情報機構設立西那的總部得到消息，說一個美國敵後特務，團體的主持人荷洛漢少校已告失蹤，於是美軍當局將他列爲另一個爲國犧牲的勇士。在這事發生後的六年半，到今年八月中，國防部解釋荷洛漢的失蹤經過，他是被他四個下屬殘酷地謀害的。國防部有着確實的證據，一面是三個被告的供詞，另一面的荷洛漢的屍首，屍體佈滿彈痕，還有中毒的現象。第四被指爲這個殺害陰謀的主腦，但是他堅決否認有罪，說荷洛漢是死在德軍之手的。名被告伊卡地中尉，

這案子的重要，是因爲它牽涉北義共產黨得到許多武器，後來使他們在戰後能在政治上控制那個地區。這批武器最近還在義大利警察搜查義共地下軍的軍火庫時纔被發現。

驚人的轉變，這案子也引起了驚人的轉變，起先是美國政府指控二個美國兵謀殺上司，但經過幾個月的沉寂後，最近又宣佈，政府不能根據法律對他們起訴。

降到敵後

在一九四四年九月，當盟軍慢慢：義大利反北反攻時，美國戰略情報機構的三個特務，被飛機送到敵人後方一百哩處，用降落傘落入北義的莫泰隆山。武器和一架強有力的電台隨即用降落傘降下。他們的任務，是和義大利游擊隊（共產黨徒，天主教徒，社會黨人，和無黨派人士）商討，武器供應的辦法。美國重視敵後和德國作戰的游擊隊的價値，但也有些美國官員知道一部份游擊隊（特別是共產黨）偏重於在戰後取得政治控制權的努力，荷洛漢的任務，是使軍火確能進入眞正與敵軍作戰者之手。

他們三個人落到山面上，便得到游擊隊熱誠的歡迎。經過幾手三個人比較冷淡的客套後，他們跟隨着翻過，走進了黑暗的森林。

驚險的經歷

二個多月中，他們分別訪問米蘭西北四十五哩附近的山間，視察各游擊部隊，用無線電密碼自西那總部提出報告，和機警地閃避敵人的襲擊。他們的生活艱苦而危險，一天晚上，他們伏在泥濘的麥田中，躲避一隊納粹車輛在一百碼外隆隆駛過；他們又曾躲在花教堂裏幾天，等待在外而紮營的德軍外調。

他們終於找到了一個良好的隱蔽地點，四週有林木遮蔽，在一所居大的別墅裏設立了總部。從這裏，他們自西那要求空投第一批供應。

共軍奪軍火

二架美軍運輸機飛到，投下了臼砲，自動步槍，步槍和彈藥，荷洛漢事先已排好，這批軍火是給予非共游擊隊的，但等運到，已先給共黨搶了過去。荷洛漢大爲震怒，但同意和共產黨游擊隊的領袖再會晤商討。他所遇見的，是摩斯卡蒂利，現在任義大利的參議員。

二人的會談歡而散，隨後荷洛漢即向總部提出報告，不再空投軍火，直到他能確定那批軍火應該歸於那一個游擊部隊止。

密謀暗刺

伊卡地不同意這個謹慎的辦法，和荷洛漢的關係日益惡化。伊卡地喜歡遊蕩於村莊裏的酒吧和舞會，但荷洛漢命令他必須隨時穿着美國軍裝，以便被俘時不致以間諜罪被[illegible]處決。

後來，伊卡地對這集團中的另一個意國人勒杜斯說，共產黨方面多已對荷洛漢感到不耐，要不是因爲他一人，他們可以向總部供給許多有價値的情報和得到許多武器，而拯救無數盟軍的性命。伊卡地議到把荷洛漢「脫下鞋子送去瑞士」——游擊隊中暗殺的術語。

下毒又槍殺

於是在十二月六日夜裏，伊卡地和勒杜斯及二個游擊隊員在荷洛漢吃的麵湯裏下了毒。但荷洛漢祇吃了二口，便放了匙羹，說覺得不舒服，想上樓休息了。

伊卡地和勒杜斯不願就此放棄了他們的計劃，勒杜斯取了一支手槍，幾個人跟在後面，一起上了樓，對準荷洛漢的腦袋開了二槍。

伊卡地迅速採取行動，指揮衆人把荷洛漢的屍首由大石把[illegible]入附近的冰湖湖心，並向總部報告他們的領袖荷洛漢已失蹤，並要求繼續供給武器，在戰爭結束前，那一區的游擊隊共得了五十批空投，勒杜斯被秘密送到了瑞士。

戰後，戰略情報機構和美軍當局進行了一次例行的調查，正式將荷洛漢列爲陣亡。

進一步調查

不同意這故事的，祗有一人，那是荷洛漢的哥哥，華爾街的一個股票經紀。他不信戰略情報機構、美陸軍、義大利游擊隊員和義大利警察局，從事進一步調查。最後，他詳細查詢，先得到一個戰時游擊隊員的供證，招認了當時暗殺的情形。

在今年六月，荷洛漢的屍首被找到，並由於湖水的嚴冷，屍首未腐爛，顯明表示朵朵的彈痕，驗屍官並查明有中毒徵象。

兇手被捕

美陸軍刑事調查局逮捕了勒杜斯，加以審詢。他卻否認一切。

到這階段，美方的調查卻突然中止了，伊卡地和勒杜斯已退役，不能在軍事法庭受審；而且因爲罪是在外國犯的，美國國內的法庭也不能審判他們二人。而在義大利，二個同謀的游擊隊員被控謀害荷洛漢，已被捕，義大利政府在等待開審，並考慮把伊卡地和勒杜斯引渡到義大利，和他們同審。

八月中旬，荷洛漢的屍體運回了美國，使一個英勇犧牲的戰士得到了安息，而暫時結束了一個奇異的戰時特務故事告一段落。

嚴復與白話文

舜生

三十年前，胡適陳獨秀諸人提倡語體文，白話詩。語體文儘中國所固有，提倡者不過以標點符號及西文句法稍稍改易其形貌，今尙風行；白話詩亦曾流行一時，但以卒少佳作，已不復爲人所齒及，殆已「此路不通」矣。當時反對此一運動最力者，莫如林琴南，余別有記；茲再錄嚴又陵反對意見如次，亦治中國現代文學史者所不可不知也。

『北京大學陳胡諸教授主張文言合一，在京久已聞之。彼之爲此，意謂西國然也。不知西國爲此，乃以語言合之文字；而彼則反是，以文字合之語言。今夫文字語言之所以爲優美者，以其名辭富有，著之手口，有以導達奧妙精深之理想，狀寫奇異美麗之物態耳。如劉勰云：「情在詞外曰隱，狀溢目前曰秀；」梅聖俞云：「含不盡之意見於言外，狀難寫之景如在目前；」又沈隱侯云：「相如工爲形似之言，二班長於情理之說；」今試問欲爲此者，將於文言求之乎？抑於白話求之乎？詩之善述情者，無若杜子美之「北征」；能狀物者，無若韓吏部之「南山」；設用白話，則高者不過水滸紅樓，下者將同戲曲中皮簧之脚本，就令以此敎育，易於普及，而遺棄周鼎，寶此康匏，正無如退化何耳。須知此事全屬天演，革命時代學說萬千，然而施之人間，優者自存，劣者自敗，雖千陳獨秀萬胡適錢玄同，豈能刦持其柄？則亦如春鳥秋蟲，聽其自鳴自止可耳，林琴南輩與之較論，亦可笑也。』（見學衡二十期與熊純如書札節抄第六十四）

又嚴序『涵芬樓古今文鈔』有云：『物之存亡，係其精氣，……方其亡也，雖務存而猶亡；及其存也，若幾亡而仍存；非人之能爲存也，乃人之不能爲不存也。……夫帖括講章，向之家弦而戶誦者，其亡古文辭乃尤亟耳，然而自宋歷明以至於今，彼古文辭未嘗亡也。以向之未嘗亡，則後之必有存，固可決也。』嚴氏乃以八股未足以亡古文之存在，其言甚辯。以事實言之，當日語體文提倡者，亦未嘗敎人盡廢古書不讀；即在今日共產區，孳孳於綫裝書之蒐集與保存者，固亦尙有其人；然此究屬少數人之事，必強多數青年學子，浪耗精力於摘鈔與古文之鑽研，則固大可不必，且亦爲事實所不許也。

萬竹樓隨筆（一二八）

我參加了中共文工團（二）

·羊辛·

這是一個青年學生的自述，由作者加以筆記。這位青年瞞着家庭參加了中共的「文工團」，前後計半年，終於逃脫了出來，沒有被「變相蘇聯」地送上朝鮮戰場當砲灰。從中共的所謂「文工團」的內幕，這裏可以看出一個剪影。

一群貴賓

我們學校的近傍，隨着一隊隊行色匆忙的解放軍之後，來了一群貴賓：×野第×師×的部文工團。

男男女女，將近百名，分駐在各處的民房裏。他（她）們一樣穿着軍裝，戴着八一帽，若不是女人在帽子下露出一撮長髮，或者兩隻小辮子，就很不清楚是男是女。他們據說大多是學生，有的本來是渡江前的老團員，有的則是南下沿途各地新加入的，看他們旅途困頓，不少人腳上起着泡，就知道多是生手。

地理教員

我們的地理教員吳先生，揮着手臂，濺着涎沫地向我們說：

「同學們！現在是我們的時代了！我們要爲人民服務，打倒反動派，纔夠得上是新時代青年，你看他們文工團同志們，不辭勞苦，勇敢地加入人民的行列，難道我們比不上他們麼？」

「對！我們要跟他們看齊！」一些同學嚷了起來。

於是吳先生宣佈：

「各位同學既然這樣踴躍，那麼，我們就該來個實際表現，我提議我們全體參加文工團，誰不參加的誰舉手！」

鴉雀無聲，好些人在面面相覷。

「好！既然沒有人反對，我們就簽名吧！」

吳先生從袋子裏摸出一大白紙來，一一遞到我們的面前，五六個人簽好名，輪到小林了，他結結巴巴地，老久纔說：

「我，我，我得回去問問媽媽，……」

那邊，一些女同學也在應和着，低聲地：

「對啦！我們得先問明家裏！……」

「啊！現在這時代，還得靠那些老封建來做主麼？簡直是沒有扔掉包袱、簡直是時代渣滓！」

吳先生擺擺手，說：「靜一點，靜一點，……」隨即咳嗽了一聲，繼續道：「這是一種神聖的任務，各位同學最好繼續參加，如果有什麼問題，一切由我負責，你們儘放心簽名吧！」

大家在此情形之下，結果是一一簽了名。

他們並沒有馬上就走，而且留下來，展開了訓練。

一連幾日，是：唱秧歌，跳腰鼓舞。早上天還未亮，鼓聲就響起來了，唱着跳着，一直到十一時左右，纔收檔吃飯，飯後是檢討會，檢討什麼，不知道，旁人是禁止去聽的。五時晚飯後，又集合到草坪上來，繼續排着唱着，手裏拿着圈子，互相摟住腰部，一會兒翹翹屁股，一會兒擺擺腦袋，樂器是鑼鼓之類，攪得熱鬧喧騰，直至晚上十時方散。

阿總統夫人放棄競選副總統內幕

·周明譯·

當阿根廷的總統夫人埃維泰「接納了人民的意志」，而同意被提名爲副總統候選人，不久外間就引起揣測，認爲她不會參加競選。

貝隆夫婦原希望能在大選籌備委員會中得到二百萬票，但結果，他們所得到的却祗有二十五萬票。很多支持貝隆夫婦競選的份子，都不滿於太多阿根廷的傳統被破壞，以爲埃維泰還得暫時收斂她的野心爲宜。而且，阿根廷的軍人，也認爲要是貝隆死了，一個女人做阿根廷的總司令，使他們受她「指揮」，未免令他們難堪。還有一點是，許多政治家都相信，埃維泰也許是她自己的虛榮心的犧牲者，根本沒有當副總統的資格。再者，她雖然說已經三十二歲，但其實祗二十九歲，這是根據她自己編纂的阿根廷「名人小傳」所記載的。二十九歲，還不足副總統候選人的合法年齡。

於是，就在這種情況之下，最近一天晚上，伊突然穿着華貴的黑絨禮服，出現於政府電台，以顫顫的聲音對麥克風宣佈道：「我願向我們人民表示我的確切決定，我已放棄了參加副總統競選。但我的工作，並不就此擱置，我將繼續襄助貝隆總統，隨時隨地給他報告人民的希望和需求。」

一羣流亡的孩子

原載「哥倫比亞」雜誌。張天寶譯。

靈魂受創

有些人懷疑這類故事是不是確實，這孩子是不是曾親眼目睹那些慘況。但他們小小的身體，便有得放逐殘暴的證據，他們的靈魂受到放逐所致的損害。他們自己由一家的流放，有些是在蘇聯共軍的脅迫之下，有些是在捷克赤色政權，或戰時納粹的興策下。被放逐到蘇聯那部份的波蘭人，約有一百五十萬到二百萬人，其他一切幼稚的目擊者現在已不知在什麼地方，他們大都餓斃或凍死在西伯利亞，還有少數則已在到達伊朗後因疲乏過度而夭折。伊朗是回教國家，差不多沒有人相信基督教，但是在今日，我們還能在它的邊境，看到許多樹着十字架的荒冢，長長漫漫的野草，這就是這一羣孩子的埋葬地。在巴勒維城郊外，有着一個公墓，十字架的行列，約有幾百個。在它們的下面，是逃出了蘇聯的魔掌，而最後還是死在救助他們的友人手中的波蘭兒童們的屍體。

僥倖的兒童

美國的宗教集團，在一九四三年，曾派出專人，到伊朗去，在戰時救濟服務機構內工作，努力拯救那些僥倖被蘇聯遣送出聯境內的外籍被流亡兒童，大致還有一百五十萬人，據外界所知道的，其中約有百分之二十五已經死亡。

進入新天地

我曾奉命去協助來自亞們利亞的波蘭籍被放逐的人，他們被帶領着，長途跋涉，經過了半個世界，最後在墨西哥得到了臨時的天堂，一九四三年一年中，墨西哥迎入了波蘭籍的孤兒三百名，他們全都在十二歲以下，每個人都提着或攜着一個小小的包裹，裏面已包括了一切他們物質上的東西。他們看到一個新的美麗的環境，溫暖、明亮，一個個都在險難和疲憊中變得慘白的臉上現出我從沒看見過的微笑，[illegible]好，[illegible]的人，無不深深感動，當時，我已不自禁地淌[illegible]淚來了。（五）

名人小事

邱吉爾贏錢

邱吉爾最近在威尼斯渡假，對攝影記者似特別討厭。一個義大利記者趁前偷攝了幾個鏡頭，卻給他的保鏢搶走了膠片。當他去游泳的時候，二個記者已乘着小艇划到他身邊，但給他潑水弄得全身濕透。後來，他終於安靜了下來，在一家夜總會小玩輪盤賭，直到夜半二時，贏了一百五十英鎊。

英遜王回國

溫莎公爵最近已同意回到倫敦，在他遜位將近十五年以來首次在英參加公衆宴會，這次是以貴賓身份出席一位出版商的盛大讌席，慶祝他的回憶錄英國版的出版。·光·

自由人
THE FREEMAN
（半週刊每星期三六出版）
（第五十六期）
每份港幣壹毫
督印人：李光華
社址：香港高士打道六六號
電話：二〇八四八
GLOUCESTER RD.
HONGKONG
TEL: 20848
承印者：東南印務出版社
地址：高士打道六四號
台灣總經銷處
台北市重慶南路一段七十四號

俄帝鬥智之慘敗

獨裁者都是蠢才，俄帝鬥力鬥智均已失敗，目前已臨兩難之局，不是孤注一擲，即是坐視奴兵滅亡。但美國應採用麥帥戰略，中國政府宜速與日本締結雙邊協定，並成立互不侵犯條約。

·胡秋原·

舊金山會議雖然中國沒有參加，但對日和約如期完成，尤其是俄帝終未簽字，就世界大局而言，是值得我們欣慰的。如果史毛條約是俄帝外交成功的最高峯，則對日和約及其附屬物美日安全協定的訂立，便是俄帝在雅爾達以後最大的決定性的失敗。我曾經說開城談判和對日和會是鬥智競賽。並說：「俄帝陰謀詭計只能乘弱攻昧，欺善良的人於一時，只要不弱不昧，加以提防，俄帝陰謀便將一錢不值」。於今競賽揭曉了。最足使我們高興的，不僅俄帝陰謀完全失敗，且其陰謀日見墮落：無論鬥力鬥智，他都是一天不如一天了。老實說，俄帝以為出席可以破壞和約，是愚蠢。出席而不簽字，更是愚蠢。這值得高興。而造成了一種形勢，使他不能不蠢，更值得高興。

必須知道一切獨裁者都是蠢才。蠢就蠢在行險僥倖，蠢就蠢在自作聰明。

俄帝的藍圖

要了解俄帝慘敗的程度，我們還須回顧一下。

當史毛訂約之時，俄帝自己決定次一步驟是日本，而台灣在他看來，只是一個附帶的小問題。俄帝的策略是：孤立美國，佔領全韓，控制日本。中共在大陸勝利以後，南韓已是一孤立據點。俄帝以為小施壓力，即可使美國撤出南韓。於是美國將只好退到日本；俄帝即將要求締結對日和約，迫美軍必須撤退日本。如果南韓失陷，美國四師在日本的軍隊，不僅將在海陸空威脅之下，而且，日本人民亦必要求美軍撤退，這情形將異常狼狽。如果美軍撤退日本，日共即可與左派成立「統一戰線」，要求與中共訂立和約。日本地位一旦動搖，對台灣即可隨時威脅了。將美軍逐出日本之後，則俄帝實可隨時佔領亞洲任何一塊地方。這一定是喬治亞皮匠之子的「妙計」。

俄帝鬥力失敗

俄帝去年六月發動侵韓之戰，一定以為美軍或許不戰而退。美國決心抵抗，已出其意外。仁川登陸，更出其意外。此時他已決定使用中共了。去年底今年初，他在北韓小得勝利之後，本來未嘗不可用外交手段取得一定勝利的。為什麼伍修權之流在聯合國大肆狂妄呢？只有一個解釋，即他以為今年的春攻勢一定可以生效（史太林談話即是此表示）。不料五次攻勢徒使中共死傷百萬。但他為什麼還要出動空軍呢？俄帝恐怕美國參戰。但他挑戰而又不願參戰。美國頒意打一個有限戰爭。俄帝以為美國海空火海，恰入俄帝圈套。由於這一失敗，俄帝不僅要修改作戰時間表，而且，他什麼手段都忙亂了。他最怕的是什麼呢？美國不敢動手，還不算奇；打怕了而不能打，使他不敢不算數！一揚武威，「打即不打」，「敗外」。真是未有一句名言：「上比殺敗」、「世界上沒有比殺敗的棋」，是敗史太林活的矢棋，值得高興的。

俄帝鬥智又失敗

另一方面，不願打仗的美國，卻因韓戰打出決心，打出信心。且因韓戰，也提高了西歐的決心與信心。於是美國決定更進一步，結束對日戰爭狀態，使日本能對民主陣營，提供人力。

鬥力不勝，史太林乃開始轉向外交陰謀。馬立克提議韓國休戰談判，於是開始一個鬥智階段。俄帝想用停戰一段分化民主國家，進一步破壞對日和約，美國則將計就計，利用談判，使日約順利成功。

美國立即答應開城談判，並無怯弱之意。可是，似有前恭後倨之態。談判開始以後，俄帝存心一事無步，而頗表示一個大慾。此一倨一恭之間，使李奇威更明白俄帝的虛實了。當然，俄帝的陰謀是兩套。第一，利用談判，在戰場上集中軍隊，集中所謂國際軍隊，準備必要時在戰場上發生威嚇作用。第二，在外交上，聯絡印度，對於日本和約，提出異議，希望影響亞洲國家，同時，中共還率直恐嚇日本。如若和約沒有中共參加，等於對俄毛宣戰云。於是葛羅米柯便自作聰明，率領代表團時，準備了大批奴兵，是準備造一「舊金山」的「板門店事件」。所謂「板門店事件」，便是藉口一「錯誤」，後面是一口咬定。無疑是預備一炸，然後一口咬定，舊金山的人們必為之大驚。如果舊金山一定使一爆仗，如果舊金山大為驚訝，那麼，放下的人害怕，那麼，一定可以捷克之驚「活動」一番，否則，俄帝何必安排一個服飾豪華能講英語的女秘書呢？

為何爆仗不響？

然則，為什麼爆仗沒有響呢？為什麼打雷沒有打響呢？在羅津活

讀者應注意中共八月廿二日宣佈開城遭受轟炸之說。[illegible]

預料，這是新攻勢的信號。但直到和約簽字之日，新攻勢才出現。這便是二十五日卅架超級堡壘大炸羅津的結果。已經證明這一轟炸，無疑是事後才宣佈的。「志願軍」乃至「中共志願軍」有大批軍隊與人員集中此一靠近俄境的港口城市中，準備十七日以前進攻。八月底葛羅米柯的演說，是一個預備。這一陣炸彈下來，俄帝的爆仗，也可能不在舊金山去響了。[illegible]表示國際志願軍之出[illegible]。

現在便是[illegible]麥帥戰略，即將使美國採用。亦延期，使史太林的攻勢冒險，有所躊躇。和這一轟炸配合的，是杜魯門強硬演說，以及兩種超原子武器之宣布，「奇特可怕」，而在外交方面，尼赫魯的談話，因各國之一致，發生預期以上的反應。印度出席和會，尤其足以抵消蘇俄的影響，英美決定的戰略，使葛羅米柯完全失效。葛羅米柯在七日下午由舊金山以後又復出席，午後退出。我們可以推測，不在莫斯科預計之列，當時情勢無所遵循，才如此狼狽不堪的。

俄帝還有什麼辦法？

站在世界和平的立場上，我本來很怕對日和約簽字後，俄帝最後會有什麼了。但這究竟是莫斯科預定的計劃，還是臨時決策呢？雖則很難說，但俄帝命令中共在韓國戰場狼奔豕突一次，是很大的。但這冒險性也是失敗以後，對俄帝及奴兵，都有意想不到的惡果。如是莫斯科臨時決定的，那是俄帝預定的計劃也失敗了，在「一爆」之下，和約建議全被否決，「不願參加」之恥辱，在村勸席「出席」，如若簽字，則無以下政策之硬，加不僅使奴兵灰心（因為主人會保障奴

所以，韓戰使俄帝及其僕兵在軍事上進退兩難，對日和約上又使他們在外交上進退兩難。（這是否扭轉了的結果？）

美國應該更了解俄帝的弱點了。我以前不智，作對日和約以前，現在美國實行麥帥戰略，可以大轟炸，事實，我認為美國已戰略了。大有乘此決心，猛炸，諸東韓戰之北，可以麻痺韓境，江「中國志願軍」乃至

料哩！

美國中國應有決策

他才能「共同爭取對日和約之締結」，只好暫時不「簽」。世界上只此，他可能設法，使日本締結和約，俄帝不簽，而且假使如此，所以今後俄帝最後，一定是不能簽約，日本與他簽的國際協定就只有法外和會了。俄帝似乎無可能召集「亞洲」之說一個，會議，印度，尼赫魯徒然憂心，正如何仍是三十年前俄國的貽笑世界。俄帝現在是一隻紙老虎，美國在舊金山看來，並非。

會議之時，俄帝已準備如何協助他既有大規模的作戰，作美國，必迫一好志願「軍力」，量的難牌：他必須選擇和決戰二者之間作一選擇，所以李奇威的談判，也示奴兵如果接受停戰，日本將聯軍會員「佔領」條件，是增「軍」，「周恩來當年」之「軍談判，受」與如不接，之談「海」再「火海」火燒，北韓此馬江，俄能出綠江，但不到一次。「海」延能會主人不斷「帝一」，呢？不敢，我才！鋼鐵牌，言「，他？則奴才本完輪光有賭將軍事。只有

「高麗」「志願軍」，百萬多了「，你們」是值得希望的狄托嗎？你們不是希望你們自己成為共產黨的狄托都是可原諒的！

對於日本政府，是中國最大利益，俄帝現在未簽字，在中國與日本進行談判，做的立即和約，可以簽訂中日和約，一個和約，日中五十年來的東亞和平建設性…中國和日本都有好處，定有未來建設性的效果。這一對…

巴沙羅繆在台灣

平芳

合衆社副社長巴沙羅繆，由東京抵台北，勾留二日，與朝野人士不斷接觸，他看到許多東西。但最珍貴，一直到現在尚未發表的乃是九月十日下午他與蔣總統一段談話的內容，他在台北與香港，大家都追問他這一段經過，他說未獲得蔣總統允許前，不願發表。

根據確悉，九月十日下午三時二十分，他和他太太一同往草山官邸先會見蔣夫人，她和巴沙羅繆夫人談了許多有關中國繪畫的歷史，並且拿出許多她多年收藏的中國古畫給巴夫人看。此後他們又談到中國的刺繡。約一小時後，蔣總統入，沈昌煥乃隨同蔣總統步入。巴氏與蔣總統於卅八年上海撤退前夕在復興島曾會見過一面。雙方略事寒暄後，首先，蔣總統對其所謂中國未會參加對日和約一事的感想，表示不願批評。巴氏說：「這個時候，我看他臉色非常嚴肅，態度非常深沉。內心一定很憤慨。所以我沒有再追問下去。」事後，外長葉公超曾告訴巴氏說：「蔣總統對中國未能參加對日和約確是非常憤慨」。

其次，巴氏詢問派軍赴韓一事，蔣總統答復：「已遭一度拒絕。這個三萬五千人中國隨時可以拿出來。但現在似已無此必要」，蔣承認中國可以台灣為基地，供韓國訓練軍隊，談吐之間，對英美及聯合國不講道義，表示十分遺憾。

關於反攻大陸一點，巴氏說蔣總統很有信心，意志非常堅決。他明白告訴巴氏，中國現在已努力準備，但尚非成熟時期。故目前談反攻，并不着實際。至於在何地反攻，他說將沒有具體答復這個問題。但他告訴巴氏，中國訓練兩棲部隊，已有相當成績，這一點蔡斯團長亦向巴氏表示過的。據蔡斯團長說：「中國現在的兩棲部隊，其作戰精神，已不下於二次大戰時美軍在西西里島登陸的勇壯」。他說：蔡斯對中國的士氣滿意極了。

關於今後中國與日本並肩作戰一事，蔣總統並不否認有此可能。但他鄭重指出，目前還談不到這問題，因為中日之間的和約尚未簽訂。他表示中日如果簽約，其內容一定和舊金山那套和約相同。然次日本並應保證不得與中共簽訂任何條約。因為中日之間的和約，是代表整個中國，台灣乃中國行省之一。

巴氏和蔣總統談了四十分鐘話，他認為有一點值得一提者：即蔣氏處境如此困難，而年事已六十開外，但他依然無衰餒之象，這是非常寶貴的。他說這種情形，在世界任何偉人中找不出。巴氏認為史太林還不及蔣氏。因為史太林已經在走下坡路了。據他的看法，史太林色厲內荏，缺乏勇氣與信心了。

關於巴沙羅繆，有一段有趣的故事，一九四九年，上海快失守之時，他把合衆社上海分社人員一律撤出，大家以為合衆社要停止發稿了。但在五月十八日他隻身自港飛滬。一下飛機，便到新聞報看該報總編輯趙敏恒，他向趙說：「你太冷落了，這時還不走，我來陪你」，此後他幾乎每天晚上去看趙一次。到五月廿三日龍華機場最後一架泛美機，把他和數位大主教女修士載出，這時龍華機場已在砲火射程以內了。

半週展望

雷嘯岑

馬歇爾辭職

美國國防部長馬歇爾以「個人的理由」，宣告辭職了。據官方聲明，現行軍事政策決不因馬帥去職而有所變更。這話可以說是真的，也可能是假的！

馬帥是美國軍界的元老重鎮，是杜魯門所崇奉的「軍師」。他之破例（未經退役五年以上）出任國防部長，以繼詹森之後，本是國內的關係居多。因為美國三軍之間，自二次大戰之後，即發生國防觀點的歧見，到詹森被迫去位時，已達高潮。他以德高望重，調和三軍歧見，在麥帥事件發生時，杜魯門所說：「總統為何試圖避免興論攻擊」，即想見出馬帥張羅之功。

王牌，來緩和「百無禁忌」之效用。所以當時馬帥只答應幹半年，把若干爭執未決的國防大計弄妥，即便告退。不料中間發生了韓戰，又因韓戰而加速了對日和約的進行，使他欲罷不能，以至於今。現在美國國內的動員計劃，作戰準備大致已經完成，對外的防禦體系，也已規模粗具，有備無患了。正好以實踐他前言，方能說明美政策之不變的話，可說是值的。執行既定政策。所以，官方聲明「蕭規曹隨」，可說是值的。

在另一方面，自舊金山和會閉幕，三外長在華盛頓協商全球大計。史大林的次一行動如何，尚不可知，而韓戰之和大計又很可能，如果全球局勢緊張，吉少的話，萬一馬帥更須負有指導最高責任，自不覺應此多事，七十高齡的「兵馬大元帥」再去勞心焦思於日常的國防事務，這些職責，當然是由羅維特須設人來承擔，才合理。所以官方聲明之詞，可能是假的，「不變」之中：可有「大變」的情勢出現！

不管怎樣，馬帥之辭職，決非個人健康問題，乃可斷言。像他這樣的人，在目前是享不到悠游林泉之福的！

史大林恫嚇法國

正值三外長會議於華府之際，史大林明知道是要促成對德問題的協議，像對日和約一樣的順利完成，使西德建軍一事加速實現。突然致送外交文書於法國，指其贊助西德建軍為違反法俄友好協定。這於史大林無可如何的無賴行為，當然不會有甚麼影響。世人如果回想二次大戰初期，史大林不願法俄軍事同盟的約束，與希特勒訂立友好協定那一幕，那麼在兩場上還有俄人投石子的那種慘狀，即對史大林今日恫嚇法國的謬文，不但覺得可笑，而且太可恥了！

史大林目前實在狼狽不堪，苦悶已極，他祇有恫嚇挑撥一類的無聊外交行動，盟國之擬已窮，民主國家只有「當作噱頭」，執行既定方針，看他再能玩出甚麼花樣來？

日本人的建軍觀念

日本參議院議長佐藤尚武發表談話，認為對日和約簽訂後，聯合國已承認日本有自衛權利。因此，日本如為自衛而重整武裝，亦與憲法上「不保持陸海空軍，或其他以戰爭為目的之作戰潛力」之規定不相違背，即無修改憲法的必要。他指出今後日本對聯合國的貢獻：一為平時的警察任務，參加執行聯合國的警察任務；二為遭受侵略戰爭時的志願，但聯合國還有一個前提，即共同防衛，日本目前必須加入聯合國，無疑的必須蘇俄集團所反對的事，參加聯合國，台灣有的一常備軍，以迫使日本如正式申請加入聯合國，它一定利用否決權，因為蘇俄在聯大擁有否決權，而日本又受舊金山和約的精神約束，不能自由與別國簽訂一種超越多邊和約規定的新約。所以參加聯合國，如果沒法解開，日本之進入聯合國就不容易。不過，聯合國軍問題就只好採取「太島政策」，還一年來一兩個月的韓戰發展情況，對世界的影響甚大，而對日本復興關係更大。在這種形勢下，日本除與民主陣營相依為命外，絕無他途可尋。

美國應進一步瞭解中國

讀胡適之論中美關係文書後

黃雪邨

在最近出版的一期「自由中國」半月刊上，（五卷五期）發表了一篇胡適之先生應邀出席美國哲學會年會的講演稿，題爲「十年來中美關係急遽惡化的原委」。胡氏在這篇文章裏對這一問題的結論是：「中國的從朋友升爲盟友，是中美關係惡化的眞正原因。」因爲在美國人心目中，這一個盟友必須被改造和改革以使他更適合於在美國戰略中盡他的職務，凡屬他認爲不對的都要照他所想像的改正過來；而中國却不能完全做到，同時中國人並不能因爲需要朋友的幫助而放棄其自尊心，亦即胡氏所謂「傲然之氣」，決不肯無保留的接受外來的意見；更不願意在某種壓力下來屈己從人。這樣一來，於是「結果便是不可避免的厭惱，互相責難和激烈的禍難。」

胡氏以其歷史家的眼光觀察中美關係，對於此一問題的認識，實在是非常透闢，尤其是他是一個在美國久居過的中國人，他做過駐美大使，與美國朝野人士多所接觸，他對美國今天當局者的心理當然非常瞭解。這一篇文章不僅我讀了深具同感，我相信美國的政界們也必定能承認胡氏這個看法是絕對客觀的。筆者去年在美國，正是我們國軍由大陸撤退，據守海南台灣兩島的時候，曾經不斷的聽到美國當局對我們政府的譏評，不僅是不肯在那搖搖患難當中加以援助，甚至認爲是毫無一顧的價值。雖然共和黨人如胡佛、塔虎脫諸氏對此問題有激烈的爭辯，但並不足以移易當局對中國的成見。當時我唯一的感想，便是美國當局完全是在意氣用事，而並不曾考慮到這個事態的後果與他本身對今後世界所負的責任。在今天看來，美國當局如果平心靜氣的反省一下，也許不會不承認以前對中國政府的作法是有若干錯誤罷。誠然，自韓戰發生後，美國對中國政府的作法已有若干改變。不僅第七艦隊負起了保衛台灣的任務，而且增加了軍事援經援的數字，又派了軍事顧問團到了台灣，不過爲着消除過去那些不愉快的感情，繼續增進中美間的團結與共同反共的力量，我以爲美國朋友對中美關係和對我們中國人也還有加以再認識的必要。

我常常感覺到有許多外國人對中國的想法和舉措，每每誤於他們自以爲是的所謂「中國通」之類，這些人他們以爲非常瞭解中國，其實他所有的資料，不過偶爾撫拾，最多只是限於某一方面，某一角落的所謂一鱗半爪的而已。這種只見樹不見林的觀察，與眞的事實是謬以千里的。世界上最瞭解中國的莫如日本人，不僅國壤鄰接，而且有歷史上同文同種的關係，可是日本人並不眞的瞭解中國，如果他們眞的瞭解中國的話，便不會有蘆溝橋的事件發生。他們總以爲在日本侵略的大軍入境以後，中國的力量必定會瓦解，可是結果相反的促成了中國人團結一致抵抗外侮的精神，這又豈是自以爲最瞭解中國的日本人始料所及？依此例證，我們如果說美國人根本不瞭解中國人，似乎並不是過苛之論。因此，以往美國許多對中國的舉措上犯了若干錯誤。即以在中國僑居最久，與中國社會人士接觸最多的美前任駐華大使司徒雷登來說，不僅由於他那些不甚正確的報告使美國政府援助中國反共的政策受了不良的影響，而且他本人也親受了中共所給予他的難堪與侮辱。因爲他只看到當時的中國人有若干不滿意政府的言論和情緒，而他却不明瞭愛好和平自由的中國人的民族性是不能接受共產黨那套專橫、殘暴、以及違反中國傳統的倫理觀念的統治。他忽略了這個大前提，而只看到某一時期社會表面的現象，因此便在結論上犯了重大的錯誤。正如日本人過去不懂得中國人所謂「兄弟鬩於牆，外禦其侮」的精神和中國人民族意識的濃厚與強韌，遂輕於發動對華侵略一樣。結果，中國固然遭了災害，而對方也就受了後悔莫及的損失。今天我們試一回想，如果美國當時在大陸上能堅決的支持國民政府反共，則今天在韓戰中的犧牲與損失不是都可避免嗎？我總覺得美國今後必須要根據以往的事實認淸中國，要知道任何一個時期中國人對現狀的不滿和對政府措施的批評，並不就等於企圖推翻政府與同情共產黨，對時政的改革和反共的決心，在中國人民的心目中是自有其輕重緩急之分的。美國必須把握這一點，才能對中國人民的意向有明確的基本認識。如果說一九四九年美國對華問題所發表的白皮書是美國當局解釋其過去對華政策是竭智盡慮的正確無誤的話，我以爲那正是錯誤的根因，因爲那些不完全的資料所造成的成見，就是以往及以後意氣用事和彼此間不愉快的起點。

其次，我以爲美國必須認定今天對中國的援助是屬於道義的，是基於共同反共的立場所應負的責任，而不能視爲一種施惠，或者是一種有條件的給予，甚至於認爲中國在接受援助以後，必須要照美國的希望和理想去做到一切，而不能顧慮到中國本身的困難。須知那些想法和作法都是以損害對方的自尊心。正如胡適之先生所說，中國這個「窮親戚」，恰是特別有他的「傲然之氣」，美國朋友必須顧慮到對方在困難中接受友誼援助時的這種情緒。中國人的道理是「朋友有通財之義」，這一個授受之間，是不應該存在任何一點恩惠的意味。即令是一種慷慨的施予，也還講究「施人不念，受施不忘」的道理，何況是國與國間共同作戰的盟友。我以爲美國今後能從這些地方去瞭解中國，認識中國，便可消除過去的一切不愉快的因素，建立對中國的正確觀念和政策。當然，中國今天確實還有許多許多需要改革的地方，我們也竭誠的希望美國朋友給予我們善意的建議和不斷的鼓勵。

當代法國最能幹的政治家

介紹兩次組閣均告失敗的畢資

·伍健雄·

法國近來遭遇了一九四八年以來的最大政治危機。一兩個月前，法國陷入了無政府狀態，財政部長畢資，兩度拜命組閣，結果均告不成。畢資一向被人目爲當代法國政壇中最能幹的政治家，雖然他兩次組閣均告失敗，但是這個人，値得介紹。

畢資很有點權威的風格，面孔有點兒像已故英國前外相貝文，不過他沒有帶貝文式的寬邊眼鏡。他的面部輪廓，特別顯得鮮明，眉毛濃而長，像一柄粗製的掃帚。兩眼灼灼有光，看起人來，好像描準似的。鼻子大得足以遮沒面部的三分之一，寬大的嘴巴永遠露出說服性的笑容。他是一位粗線條的政治家，喜歡大聲笑，大聲談話，但是他也粗中有細，他長了一雙細緻的手。

他和邱吉爾一樣，雖然氣魄豪人，但是處事却很保守。他喜歡穿顏色的西服，他在財政部長任內，所推行的是一套保守的財政政策。他是自由企業的倡導人，統制經濟的反對者。在待人接物上，他具有濃厚的幽默感，他懂得做官的技巧，從一九四八年到現在，在多變的政潮中，他始終保持財政部長的地位。

他一生的成功，得力於他的賢內助。畢夫人西門娜查是法國有名的娜查佛勒國際金融公司大老闆的女兒。畢資在有錢和能幹的太太幫助下，使他在人生的鬥爭的紀錄上，有一個光榮和順利的開頭，廿九歲當選國會議員，卅三歲榮膺國防部次長。這點和英國戰時外交部長艾登有相似之處。不過艾登在婚姻上是失敗的，去年艾登和他有錢的夫人，經法庭判決離婚了。

畢資今年五十二歲，一八九五年十二月一日，在巴黎出世，父親是一位成功的電機工程師，童年時代的畢資，沒有嘗過經濟生活的苦頭，他的教育生活，相當圓滿，廿五歲以前，獲得巴黎政治大學博士學位。本來他的爸爸，只希望畢資承繼他的衣缽，作一位賺錢的工程師，可是野心勃勃的畢資，却對政治經濟及社會學科，感到濃厚的興趣。

第一次世界大戰期內，他沒有上過戰場，而是躲在象牙之塔裏，度着輕鬆的歲月。大戰告終，那時年廿五歲，剛好得到博士學位，他便以法國代表的顧問資格，參加一連串的國際會議，結識國際間不少名流學者，使他的眼界胸襟，爲之大大改觀。四年後當選國會議員，他的聲望與地位，也就隨着時間的累積、顯得一天比一天重要起來。在第二次世界大戰以前，作過國防及財政等部次長。

第二次世界大戰期間，他以游擊隊員的姿態出現，和奧里歐及皮杜爾等，幹起反納粹和反維琪的地下鬥爭。本來游擊戰爭，非其所長，因此在這方面沒有什麼轟轟烈烈的紀錄，法國人民幾乎將他忘記了。大戰結束後，他的影子，立即出現在法國人民的眼前。一九四六年他以自由份子的身份，獲選爲國會議員了。紐約基督教箴言報訪員迪里埃這樣寫着：『畢資獲選，因爲他能把握選民的需要，適應選民的要求，他的成功，完全是他個人奮鬥的勝利』。他雖然一度加入農民黨，但不到幾個月，即行脫黨，依舊保持他那自由獨立的身份。

一九四八年七月，充任馬里內閣的經濟部長，不久馬里內閣坍台，改任顧伊內閣的財政部長，直到現在。在這三年期內，他對法國經濟財政方面的貢獻，正同克里浦斯在英國的成就一樣，挽救了戰後經濟財政的崩潰。他在財政上有三大功勞：第一、平衡國家預算，他在接任財政部長一年內，使國家收支達到暫時平衡。他的方法，是用借款來代替增稅，使法國的企業，獲得暫時喘息。第二提高產品輸出。他會和英國財政部部長克里浦斯訂立貿易協定，擴大法國產品向英國市場推銷。第三是解決美元危機。他曾要求美國財政部長史耐德，提高黃金價格，減低美國進口稅率，調整法郎與美元匯率。黃金價格後未提高，但兩項都獲得了圓滿解決。嚴重的美元危機，卒告解除。事後史耐德語人，在調整國際匯率的談判中，他對畢資的風格，有一個良好的印象。但他對英國財政部長克里浦斯，却表示一肚皮的晦氣！

這次顧伊內閣的坍台，起因於物價與工資政策無法解決，勞工部長皮杜爾主張增加工資，畢資却認爲提高工資，足以影響物價。雙方各不相讓，迫得內閣總辭職。現在法國政爭，很顯明地只有兩條路，第一是畢資領導下的穩定工資物價路線，另一派便是皮杜爾領導下的提高工資物價路綫。

法國總統奧里歐也看淸楚這一點，所以在顧伊內閣坍台後，即刻任命畢資組閣。畢資經過一星期的奔走，企圖集合社會黨，大衆共和黨，激急黨及獨立份子，組織一個中間內閣，結果也是因各黨對工資物價及政府津貼天主教學校問題，未獲協議，只好告退。而出他的反對派皮杜爾組閣。皮杜爾也遭遇到一個相同的難關，奧里歐只得再度請畢資出馬。然而多事的國會，却給畢資一瓢冷水，當他的內閣名單提到國會時，沒有順利地通過，他的內閣，宣告流產。

對畢資及法國經濟財政路綫，是一個重大的試驗，他的成敗，將是法國未來經濟財政動向的關鍵。

刊誤

第五十五期本刊所載介紹衛聚賢先生新著我爲什麼反對共產黨一文係「一丁」作，誤刊「一知」，特此刊正。

談美國明年的大選

（中）

·王厚生·

美國要來領導西方世界，她自己必須走在時代的面前，尤其在這個對抗共產主義侵略集團的危急之秋，美國若要號召自由世界人民，也應該以身作則，先有開明的政治，不能處處替資產階級打算，能夠領導國家的資格，然後才能吸引東方和西歐人民的同情與支持。共和黨人士不察，一味執行保守政策，打不破舊傳統（傳統也有好的）的樊籠。所以，在一九四八年的選舉中，杜威便在杜魯門「新政旗幟下」慘敗了！我以爲：無論就內政與外交來講，共和黨均是處在下風。就是說，共和黨領袖的言論和行爲來說，都不合做領導國家元首的理想。共和黨在明年的大選中，除了依賴美國人民「換換口味」的心理狀態，或有僥倖獲勝的機會外，別無必操勝券的本錢了。

有人問麥克阿瑟的希望怎樣？我直截了當地說：沒有可能。儘管共和黨有人爲麥克阿瑟活動，但可以斷定不會有結果，充其量不過是一陣風，瞬息便吹散了。我們不能學共產黨的口吻，否定美國民主的價值，美國人民對於這樣一個勇敢善戰的軍人只欣賞他在戰場上的功蹟，却不會容許他進入白宮，麥克阿瑟的本性富於感情，易於衝動，失去心理狀態的平衡性，便不適宜做需要理智、冷靜、忍耐、鎮定的政務工作。下屆的美國總統可能是戰時總統，沒有做上述政務工作[illegible]具的特性，是無法打贏大戰的。還有，麥克阿瑟是歐亞併重主義者，與西方列強的歐洲第一主張不相容，這也是他競選的一種暗礁。

艾森豪威爾的可能性

現在，回頭談艾森豪威爾的希望如何。大家當能記憶一九四八年艾氏拒絕競選總統的信件，他的意思是不願打破美國軍人不干預政治的優良傳統。所以，他寧願做哥倫比亞大學的校長，而不願做白宮的主人。如果以艾氏在一九四八年說過軍人不干預政治的話而斷定他明年必然依然拒絕競選，也是錯誤的。因爲民主制度是因着時勢的需要而變通的，當傳統不能適應時代需要時，人們便視傳統是一種進步的束縛，而不再是社會穩定生活的良好規律，打破傳統未必是不道德的行爲。只要美國人民擁護艾森豪威爾，他自然可以競選，甚至當選。美國歷史上的總統，有不少是本人不願意而硬被人民請出來的，如林肯、威爾遜就是。林肯、威爾遜是美國偉大的總統，證明美國人民確有智慧來鑑別人物。

上面說過，杜魯門倘自己不再競選，將要推荐艾森豪威爾任民主黨候選人，會不會與他自己解除麥克阿瑟職務的行爲自相矛盾呢？在杜魯門解除麥帥職務的理由中，主要的一項是「軍人受文官節制」，那末，他怎能叫艾森豪威爾來担任文官之職呢？又怎能叫所有美國的文官將來受一個軍人指揮呢？我們在尋找這兩個問題的答案的同時，不要忘了馬歇爾以軍人身份出長國防部的事實。據接近杜魯門的人談稱：在他的歷史中，向來對「軍人受文官節制」不感興趣，只有一次，他覺得「軍人有受文官節制」的必要，那就是免去麥帥職務！

馬來亞的今後動向

·祝修衡·

（續完）

拿督翁十年獨立計劃

巫人領袖拿督翁，具有極大的號召力，所以聯邦政府拉，在內閣中。今年六月，他貫徹馬來人民獨立主張，向當局建議組織各民族成立一個名爲獨立黨，使各民族間大團結，以解決各族間的糾紛，此一建議，一時不能作滿意的答覆。聯邦政府需要各民族間首先作意見的擁護。決定表示擁護的民族，已有馬來亞華人公會會長陳禎祿、新加坡華人公會主席陳才、吉隆坡青年、馬華總會主席沙夏等，多數馬華人民亦不表贊同。拿督翁計劃預定十年（一九六一年）完成，若干中立人士表示：拿氏外籍人士顯然有兩種意圖：一、欲在未來聯邦政府中出現任閣員取得總理的地位；二、乾脆把聯邦政府推翻，成立馬來亞獨立黨的政府。這兩點，都有可能性，尤其是前者較大。就目前形勢看：拿氏計劃，並非絕無可能，不過，第一要馬共肅清；二、要獨立黨本身力量擴大；三、要取得現政府的支持。而第一點如不能實現，即是一個大障礙。所以過去三年中馬華人民傾向現政府，拿氏的潛在力量很有關係。如果英國漠視拿氏的主張，乃是一個絕頂的錯誤。目前麥唐納與葛尼所抱的態度，只是如何設法保持英國在東南亞的一個立足點，在殖民地與民族獨立間覓取一個折衷的辦法。這辦法如獲解決，則英國擁有新加坡、檳榔嶼、馬六甲三個海峽殖民地；把半島上的統治權以名義上的統治交給蘇丹，取消英國的保護權，使九州完成統一獨立，比較無甚困難。

馬共已注定失敗命運

馬共在過去兩年中，由內部的分裂與人民的怨懟，殆已注定失敗，再加上政府與人民合力進剿，現已日陷困境。據瑞、謝義、陳月清三個脫離共黨的幹部說：「全馬人民，企圖過着民主、和平生活，人民不需要戰爭，馬共如何能戰爭呢？」並指出「馬共只是一塊招牌，向民間擄奪的財實，被握在少數人手裏。」現在馬共尚有未會估計確數的馬共遊擊森林頑抗，但它的滲透力已經完全喪失了。大部份的共黨份子正紛紛向當地政府自首，這些自首案代替了昔日的暴亂事件，使馬共中央發生恐慌。今年六月便實行丙部整肅，八月二十五日吉隆坡傳出消息，謂馬六甲匪徒領袖彭毅夫及其妻與另一黨徒被馬共中央以叛黨分子予以槍決了，客觀環境和內部的危機，馬共顯然難以持久支持得下的。

中共羣狗爭骨愈演愈烈

華南海員與共運輸行算賬　工業廳洋灰廠貪污有術

藉「國營」「公營」名目斬絕人民生計

【本報廣州特約通訊】關於中共「國營」「公營」企業的黑幕，早已書不勝書，毋待再爲辭費，可是演至現在，還向人民頭上直接榨取剝削的一套，因爲大利所在，更引起其他有關機構的垂涎與妒嫉。月前「廣州市公用局」與「華東國營建築公司」的權益爭奪還未收場，新近「華南海員工會」與「廣州南方運輸行」的利害衝突又熱烈表演。這一幕的醜劇是如此：

「一人得道，鷄犬升仙」，這兩年來每一個中共老幹部都把持得一渡要津自不在話下。但形式上共幹們的待遇採的都是「供給制」，雖然吃的是小灶，住的是洋房，行的具汽車，而聲色犬馬與及新型五一筆，勞力士手錶，却不會包括在內，何況「充當共幹者」的物質慾望又是加人一等，白天不能取得，只有求之黑夜苞苴，於是乎每一個機關，都有牠的「孽生．庶出」，而「廣州南方運輸行」便是「廣東省人民政府工業廳」的私生子，和「廣東省內河航運管理局」「西村士敏土廠」都有了「血緣」的關係，連成一氣吸取權力所及者的脂膏。凡是「工業廳」與「航運局」有關的運輸業務都由「南方行」統制包辦。

然而，「工人階級」只是五顆星中的「第一小星」，統率着這顆小星的是一顆更大的星——中國共產黨。「海員工會」雖然聲勢不錯，可不會放在共幹們的眼內，何況還不但要分取杯羹，簡直是向虎口「取肉」。「南方運輸行」既是「廣東工業廳」的私生子，也就是「廣東航運局」的表兄弟。「華南海員工會」這一紙「白皮書」，得到的結果還不是「斷然拒絕」。

「水上人」居然告官　「工業廳」一個不理

等待復忍耐，機會終於到來。「南方運輸行」的痛脚這回給抓着了。花縣赤泥飛鼠岩一羣「水上人民」，在「華南海員工會民船運輸服務社」「大力支持之下，直接把「南方運輸行」告了一狀，間接則向「工業廳」「航運局」「和「西村士敏土廠」打一記悶棍，他們提出的證據是：

一、南方運輸行向西村士敏土廠承辦運石，僱他們（飛鼠岩船工）把石頭由山上抬到船上，運到西村抬進工廠，每公噸只給九斤零數兩的米工資，還是九六折發給，而南方運輸行則不勞而獲的向工業廳貸款數千萬元，租拖渡一隻從中剝削，獲利不可勝計。

二、五日一水的運石工資，原定十日發放一次，但南方運輸行却逾期半月才發，每次又留出尾數積聚不發，把來放債生息或做別的生意。

三、今年五月廣東內河航運局丈量登記船隻時，南方運輸行又混水摸魚，居間圖利，由航運局出的收據（交南方運輸行轉發），却寫明登記費五元，檢查費一萬七千七百六十八元，丈量費二萬六千六百五十二元，合共應交四萬四千四百二十五元，但該行要收七萬五千元。

四、船出入口航行簽證簿，本來是賣四千元的，南方行却要賣八千元。

五、在丈量船隻期間，南方運輸行把他們全體工友的私章扣留了一個月，不知作何用途。

六、南方運輸行的經理簡文，知道他們心裏不滿，屢加恫嚇侮辱，大駡：「你們識得什麼人，若果膽敢搗亂，老子要罰你就罰你，開除就開除你，扣留就扣留你，哼！公安局，市政府，士敏土廠的同志誰個不是我的朋友：……」

同時，提出下列請求：

一、清算南方運輸行的賬。

二、請「廣東工業廳」或「西村士敏土廠」貸款給他們租拖渡自己運石，以免受中間剝削」，並且可爭取兩三日一水，增加生產改善生活。

三、請西村士敏土廠公布每噸石的運費多少。

這六項證據三項請求振振有辭的「報告書」，在七月上旬即送到「西村士敏土廠」和「廣東工業廳」去。但兩個月了，有如石沉大海。船工們得來的結果，却是「南方運輸行」不斷的恐嚇和利誘。

看「小星」有何本領　向「共幹」發動鬥爭

撑在後台的華南區海員工會眼見時機已到，事不宜遲，馬上把飛鼠岩船工這份報告書公開發表，並聲言「在目前全國各地積極進行民主改革運動中，對於西村士敏土廠運石民船存在着的如此嚴重的問題，我們決定代表民船工人依法起訴。」「南方運輸行這種非法的剝削，決不容許繼續下去」。

表面的文章，確是堂皇極了，骨子裏所爭的，還不是「船工們血汗」那塊骨頭。而且，你這「第一小星」又能夠向「騎在頭上」的共幹「鬥爭」得出什麼結果來！

不過，我們對這類事件倒有一點感想：從前官僚的多少縱容「豪門資本」與民爭利，已獲得如此教訓；今日當權的更藉「國營」「公營」的題目來「斬絕人民生計」，欲不覆亡，又焉可得！（王）

「航運局」斷然拒絕　「海員會」染指不成

珠江河流交錯，航業發達，歷爲航政當局視作財源利藪，而各有關方面又必都要插足其間；在「利益分沾機會均等」的形勢下，雖可相安於一時，稍有利害衝突即掀起滔天大浪，年前處某朱某那一場「打到上京」鬨動全國的牢獄官司，其起因也無非如此。中共當權，形勢獨佔，對於人民脂血，最好是由牠一口吸盡，餘瀝所及也決不會輪到「非我同志」的外人，因此，「內河航運局」和「南方運輸行」「不許他人鼾睡」的作風，使到「臥榻之側」的「華南海員工會」不能不怒目睜眉，擦拳透爪了！

爲要爭取這一杯羹，華南海員工會首先成立一個「民船運輸服務社」，雖然不直接「運輸」，但借着「服務」之名，便可伸手其間，干預一切，由「服務」的關係，進行聯絡「民船運輸」，自是「順理成章」，毫無牽強。把握到一部份「民船工人」之後，即向「內河航運局」展開討價還價工夫，強調該社是「組織民船運輸」的機構，要把「過去民船工人在投機商人的把持下，備受殘酷剝削掠奪，過着貧困的生活，減弱運輸力的不合理現象」推翻；完成「廣州區民船運輸的統一調配工作」。因此，所有有關「民船運輸」的業務，都得由牠來「統一調配」；而「廣州南方運輸行」這類「投機商人」的組合，便應該「退出把持」，「無權經理」，都「盡在不言中」了。

「翻身」後的上海工人

工作重，收入少，「捐獻」多，個個過着吃不飽穿不暖的「聽天由命」生活，晚上回家，像牢裏放出來的囚犯一樣，疲乏得連脚步都提不起。

（本報上海特約通訊）工人是「新社會裏的領導階級」，不用說，生活是應該過得舒舒服服無憂無慮的，儘管中共的嘴吧說得天花亂墜是如何在「照顧工人弟兄」，「一切毫無困難」，但鐵打的事實「却瞞不過人民雪亮的眼睛」，不信請以上海「碼頭工人」爲代表，舉一反三，就讓你可以知道「翻身」後的上海卅多萬工人究竟是過的一種什麼樣子的「人的生活」了！

據中共的宣傳說，碼頭工人是工人弟兄中一個慘苦無告的孤兒，過去受反動派地頭蛇的剝削把持，大家都過着吃早少晚的生活，共產黨來了，決不讓這種不合理的現狀繼續存在，一定要使翻身後的上海工人在生活上得到顯著的提高和改善，可是上海已經「解放」兩年多了，被捧爲「領導階級」的工人弟兄過的是一種什麼生活呢？那最好讓最苦的碼頭工人來現身說法，自己解答。

蘇州河西區一帶，一向是扛煤扛麵扛板木等搬運工人與拉塌車工人的集散場所，過去是一班所謂「舊社會」裏的搬運伕，每人每月至少可掙到三至五石米，三天兩天有肉吃，大人小孩一年四季有新衣服換，目前呢？每人每月收入頂多不足四十萬人民幣，普通一點的米祇夠買兩石，且十天有三天還愁着無工可做，以五口之家說，這一點錢已經是不能過像樣的生活與打牙祭買新衣了，至若塌車工人更苦不堪言，雖然經過「反封建剝削運動」後，三七拆賬制已全部廢除，可是由於「美帝」經濟封鎖，市場普遍不景氣，倉庫裏的貨已太少進出，每天能做到一萬人民幣生意的已經算是「拿摩溫」了，等而下之還有掙三兩千以至整天不開市的，讓他們怎樣生活呢？是以他們都唉聲嘆氣的說：「說過去拆賬不好，我們贊成，但我們總還能吃飽穿暖啊！現在收入是這樣少，十有九人連稀飯都不夠喝，爲什麼不「照顧」我們呢？」

月暉港板木搬運工人李秋本月初寫信給他八十多歲留在鄉還搞「生產」的祖母說：「今年中秋節是沒有辦法滙點錢給你老人家買月餅了，而且弟兄們個個都窮，一文也借不到，祇好到明年再說吧」。一字一淚，不堪卒讀。

再看，麵粉搬運工人張福來，去年夏天，找到一個「愛人」，到今年五月間，發現她有了身孕，想結婚，連最簡單的床帳被褥都買不起，結果，他的「愛人」因僱傭於人操勞過度而流產，小孩子不用說是死了，差一點連大人的命也送掉，苦命鴛鴦，良堪哀憫。又魚行碼頭工人拆賬制度還存在，過去每月每人最少有二至五六石米收入，現在夜工根本已沒有了，日工也極爲稀少，能混到二十萬一月已都是佼佼的了，以此收入養活一個人已是淒慘得很，有老婆小孩的除了「丟包袱」外，是沒有別的辦法了。

至言外灘，白西碼頭，以及蘇州河東區通商倉庫一帶工人，更束縛重重，有苦難說，在這一地區的碼頭工人，自十月份起已都奉命實行「統一調配」，換句話說，也就是不准「自由行動」了，第十四組工人翟運友說得好：『在表面上，我們是「公家人」了，可是每天每人分一兩千元（拆賬）連買大餅都吃不飽，還用着講別的麼？過去不要談正工同拆賬，就是「打野雞」，（臨時工）每天也要分個一兩斗米錢，現在事做不了，錢拿不到，而且由於所謂「前進」份子的監視督促，飯吃不飽沒關係，但你却不能不「自動」參加公家規定的「有獎儲蓄」，公家指定的「勞動服務」，一息下來，要開會，要「檢討」，要「帶頭」，築路、挖溝、挑泥、扫墳，樣樣都得「歡天喜地」去做，過去每天工作五六小時就覺得累了，而今經常每天工作十小時，（每天上午六時至十二時下午一時至六時）不准你離開小組一步，指導員還打氣似的向大家講話：「現在弟兄們多兩小時工作，是完全出於每一個政治覺悟的提高，這是對抗美援朝的一種「體力捐獻」，值得鼓勵，值得表揚」。然而人不是機器，就是機器，也得加足了油才能開動，不是說兩句好話就行的現在不但我們碼頭工人是如此，就是一切技術工人也都是工作重，收入少，捐獻多，個個過着吃不飽穿不暖的「聽天由命」的生活，晚上回家，像牢裏放出來的囚犯一樣，疲乏得連脚步都提不起，天哪！直到今天，我才體味到「翻身」的滋味，照這樣下去，這條小命是沒定的了！』（九月七日．劍飛自滬寄．）

潮汕共幹現形記

潮汕易手後，中共各派系在潮汕的幹部，自始即互相攻訐，排擠，鬥爭，各不相容。最近共幹火併益烈，大批行政工作人員先後撤換，說來話長，最近內部人員脫逃來港，談及汕共內部傾軋情形，不甯一部驚心動魄的「官場現形記」。時中。

爭奪潮汕「王位」

初是，國軍奉命撤退，土共劉永生即跟蹤進佔潮汕各縣市。劉永生二十年來活躍於潮屬八香山，照理潮汕「王位」該給劉永生才是。誰知劉永生被擠排，被鬥爭了，只在汕頭揚威幾天，住過華貴的永平酒店，稍拂廿載洞灰塵，所部便遭改編，換來禿頭的『福建省府委員』。劉永生原與古大存在八香山鬼混多年，同是閩粵贛邊區打家劫舍的老夥伴，古大存原擬支持劉永生爲潮汕『王』，可是通不過中共粵省黨政方面，結果由方方，朱光領導的中共粵省政治系推薦林美南任汕市第一任『軍管會主任』。曾廣任潮汕區『專員』。後來中共黨務系方面又起而爭奪，由羅範羣接替汕頭『軍管會主任』。謝育才出任汕頭『市長』。

五花八門的派系

在潮汕，中共的組織系統約可分爲：黨務系計有僞汕頭市長謝育才，潮汕『地委』吳南生，汕頭軍管會『主任』羅範羣。軍人系計潮汕軍分區『司令』鐵堅，（葉劍英系）政治系僞潮汕區專員曾廣（方方，朱光系）。統一作戰系計僞汕市副市長黃聲，僞市府祕書長謝維漢，僞市府祕書處長王琨，僞市府財務局長王貫一，僞汕市文教局副局長吳龍光。公安部系爲僞汕市公安局長鄭瑜（潮汕中共特務最高負責人）。財經系計僞汕市稅務局長兼公安局副局長鄭蘇民，僞汕市人民銀行主任吳慕奇。文聯系計中共潮汕地委會祕書長杜柏深，僞市府文教局長王亞夫（中共市委）僞軍分區政治部主任林山。派系複雜，可見一班。

形形色色的鬥爭

中共不同派系的幹部互相擠排，鬥爭，前面已述及劉永生，林美南翻事件。最近僞汕市稅務局長王貫一，包庇職員李件服舞弊出國證，僞張汕收港幣六百元。又僞汕市文教局副局長吳龍光包庇僞汕市立五小校長吳白石濫收雜費，先後致遭撤職，又何嘗不是派系傾軋所致呢？

就同一派系中，互相爭權奪利的事實也指不勝屈。揭陽「土改」期間，在喬林鄉大力搞出玉水牛等「八寶」，尙有多組宮廷的珍品和金銀。當時「土改」團長林美南，和潮汕區「專員」曾廣（同屬政治系）因爲分贓不勻，爭持不決，後由汕市軍管會『主任』羅範羣，『副市長』黃聲調解，『玉』獻『北京』，其餘分潤了事，這是說明了共幹個人，唯利至上，利之所在，在所必爭。同一派系不過是掠奪人民的一種界說而已。

潮汕共幹派系分立，錯綜複雜，充份表現其矛盾『對立』，但建築在矛盾『統一』上面的，也有其『統一』之處。例如集體貪污『羅太公』（羅範羣之父）所領導的龐大走私組織及包烟庇賭（曾經揭誌本刊）等刮龍法術，倘非各派系利益均沾，雖曰『太公』在此，恐難『百無禁忌』。共官素以實施配給制見稱，據傳潮汕紅色新貴坐的一九五一年的新型汽車，穿的西裝革履，甚至太太小姐用的脂粉口紅，都屬『羅太公』系統的額外供應，其餘黃金，鈔票的鉅額配給，更不用說。

近月來盛傳僞潮汕區『專員』曾廣，僞汕頭市長謝育才，同時被其上級撤職，幾次開大會都不見曾謝兩人的踪影，儘管共方斥爲謠言。當林美南，卸汕市軍管會主任時，亦沈潛甚久，謠言四起，共方迭次指斥，結果謠言帶來了羅範羣走馬上任。曾，謝同屬中共黨務系統人馬，黨務系也給別派系擠垮了嗎？或許另有高就呢？

還有，潮汕各縣現撤換大批行政工作人員，雜牌份子幾一掃而光，而以『南大』及潮汕『幹校』畢業學生分別補充，可是『南大』派和『幹校』派，也形成兩個對立的系統。前者由省分發任用，自視不凡，不願屈就末職缺，後者係潮汕易手前後，由中共潮汕首要曾廣，鄭瑜，吳南生，林美南，羅範羣，王亞夫，徐揚，鐵堅等主持訓練，先後計辦五期，受訓青年五千餘人。與地方首長有師生關係，又自認係地方『前進』份子，因此自待不薄，力爭高官肥缺。有此利害衝突，兩派遂火拼日烈，中共不是天天唱『整風』嗎？怎麼容許這些派系鬥爭的存在呢？也許派系鬥爭是共幹作爲階級鬥爭的『學習』吧！

上海物價波動　投機商人活躍

（本報特約上海通訊）九月初，此間又捲起了投機浪潮。具有經濟常識的人知道，經濟現象不是政治力量所能強力壓制的，加之中共幹部串同商人牟利，「擾亂市場」的事件就不斷發生了。今年夏收以後，市場較爲活躍，加上中共暴斂之下，「人民幣」日見貶值，物價上漲是必然現象。於是，投機商人勾結着中共幹部，圖取暴利。有的從生產資料與生活資料的行動上打算盤，有的存儲大量商品，拒絕變售，以少量圖市，踢來踢去；有的由中共內幕透露情報，操掌握不豐的物資，囤積居奇。本月五日公布的幾件案子，如永一染織公司徐迪甫囤布二千五百餘疋，振德等廠擅自抬價等等，只是表面文章，被中共犧牲，作爲「開刀的樣品」。此間商界一般的觀察：物價浪潮將沖散中共的金融管制，投機商人已滲入中共機關，市場危機即將來到。（悠然九月六日自滬寄）

莫明其妙的官樣文章

・尚方・

自由談

台北十二日中央社電訊：對卅八年春間，上海疏散敵產珠寶案，報導詳細。這批珠寶之奉令運出，有憑台兩地中信局的人證物證可憑，還有當時在上海負警備責任的大員指證，說這些珠寶是由登陸艇運出的。關於這一案的所有當事人與證明人，一律都健在，而且都在台灣。究竟這「計重半噸」的寶物，是否確已運出？何以失蹤了的？大家根據時間，人證，物證等，質詢考究，真象即可大白。

不料監察院關了一年多，儼然有介事的要「嚴懲糾謬」，整飭紀綱，結果是官樣官腔，虎頭蛇尾，來一個「書面申誡」了事！

如果這批國家財富，由於戰爭的不可抗因素，而根本未運出，那末，這「書面申誡」就是多餘的廢話。如其確已運出而中途喪失了，即非「書面申誡」或「移送國防部核辦」所能完案的，至少應對負責人提出彈劾案，假使法紀從嚴的話，除辦罪之外，更應籍沒負責人的財產來抵償啦！

照監院所採取的處置辦法，大概已經是確查有據，認定這批珠寶是「淪於敵手」，並未運出來的。果如此，就應該把「確查」所得，昭告國人，纔是正道。玩弄一套官樣文章，潦草塞責，這成甚麼話？倒是中央社的電訊還對此案內容述了一個大概，教社會人士略有所知。像監院那種官話，不說也罷，越說越使人糊裏糊塗，莫名其妙！

美建造原子潛艇的實際進展

・周明・

便衣軍官

最近有一天早晨五時二十分，一個穿便服的美國海軍軍官走下一輛開到新英格蘭港的火車，踏進了一部早已在等着的敞頂汽車。車子疾馳而去，駛過幽靜的街道而進入長綠籬的郊區。沒有好久，這人已在「一所警備森嚴的大房子裏，」與一羣科學家和造船商圍坐在一張會議桌邊，以緊急的語調在討論一樁似乎十分重要的事情。

這位軍官是烈柯佛上尉，他的任務是監督建造美國陸軍的第一艘原子潛艇。

烈柯佛上尉的工作，已近乎完成了，比海軍當局和緘口的原子能委員會所公開承認的要進步得多。

國防部公報

最近國防部曾發表過一個聲明，說已和「電力造船廠訂立合同，製造一艘原子潛艇。」這個短短的公報另外祇有一句話，就是：「以後的進展情形，本部將繼續提出報告。」

其實，原子潛艇的建造工作早已在進行中，且十分順利。過去五年來，五十一歲的烈柯佛上尉日夜在苦幹着，集中精力於原子潛艇一門工作。他在一九二二年畢業於阿那普立斯學院，隨即參加陸軍担任技師。

艱苦鬥爭

他的鬥爭是艱苦的，有時會遭遇許多障礙。起先，海軍當局的態度是冷淡的，經過一次大戰之後，對於另一次大戰的準備，願意以較輕鬆的態度來從事。烈柯佛向他的上司勸說，後者終於加以傾聽了，逐步通過國防部的層次而進行初步工作。到了一九四七年，他才把尼米茲將軍說服，於是海軍當局宣佈說，原子潛艇在「軍事上的適宜的」。

訓練助手

烈柯佛下一步工作，是把他的計劃送到原子能委員會。從一九四五年的史密斯報告發表後，世界便知道在一個原子堆中控制分裂反應是可能的，僅熱力經過一段頗長時期慢慢散發。如果有一種安全而經濟的方法，將這種熱力用於一部蒸汽透平機內，那末將是潛艇的理想的推進機件。烈柯佛促請原子能委員會先製造一個模型。他聘請了幾位有數學頭腦的科學家，到原子能委員會的枝岩實驗所從事研究工作。他們從圖表和教科書中努力尋求製造一具原子引擎的方法。華盛頓方面，造船局則開始設計一個厚實的船殼，備安放這具引擎。

關於烈柯佛的工作的消息，不斷透露。海軍人員間，經過嚴格審查的潛艇官員常從各處調來，和烈柯佛會談。有一批選出的人材則被送入麻省理工學院研究所，以三年研究有關原子引擎的課目。畢業以後再到烈柯佛的原子能委員會的實驗站研究那具新穎的引擎。

正式建造

就在去年韓戰爆發前的幾天，烈柯佛從海軍作戰部長薛爾曼和聯合參謀部得到了最後的許可，從事製造原子潛艇的工作。

「電力造船公司」把他的船塢特別劃出一部份，命名為「西伯利亞」，內這區域受到嚴密保護，海軍造船人員和科學家開始築起一個木質的原子潛艇模型。

本年八月中，陳舊的潛艇「厄勒尼」號首被拖到新英格蘭港，在水下爆炸實驗中運用。這潛艇是烈柯佛氏計劃中的重要的一部份，它裝備了一具假的原子引擎，艇內沒有人員而降入水下，加以爆炸，以試驗一具原子引擎能耐受多少震動力量。它的結果和資料，將用來修整和校正「電力公司」所訂製造的正式原子潛艇。

無限的航程

從外表看來，海軍的第一艘「核子號」潛艇和通常的沒有什麼不同，但是在內部，它卻向海軍人員開闢了一個新世界。它有氧氣供應和化氣的特別室，以讓潛航員所呼吸的空氣。它有巨大的地位，安置複雜的儀器表和電子機件，還有廣大的魚雷室。水兵所熟悉的推進引擎將消失，因代之以一具原子推動的蒸汽引擎，使潛艇能在深水中，迅速而安靜地前進。

原子潛艇在水面下的速度，將與驅逐艦相同，即持續前進時是時速二十五海里，緊急時提高至三十或三十五海里。

航長操縱潛艇的升降和方向也將便利得多，將和飛行員的操縱飛機一樣。由於原子潛艇不需要昇出水面的呼吸管，所以它能無止地在深水中遊弋，它的航程的唯一限制，是水兵們對於長時間水下的單調生活厭倦。

攻防效率

一位高級海軍官曾說：「原子潛艇將使一切水面船隻成爲廢物。」在戰時，一隊原子潛艇能掃蕩海面的敵人海運，和駛近敵海岸線向敵人發射導彈原子投射器，摧毀他的工業中心。它也能作重要的防禦任務，它能以高速和悠長的續航力，打擊敵人來侵的潛艇，其效率將超過任何其他海軍艦隻。

可及早完成

今夏薛爾曼曾在東京宣佈，美國的原子潛艇將在二三年內造成，可供作戰。但經過五年埋頭苦幹，烈柯佛氏八月底表示，它的完成可能遠比薛氏所說的爲早。

吳瞿安與盧冀野

・舜生・

余早歲即識盧冀野（前）於南京，蓋其時君猶是中學生也。後知其畢業東南大學，爲吳瞿安（梅）高弟弟子，與其同學友江都任君（訥），均爲能傳瞿安之學者。抗戰軍興，余與冀野得一度共事於國民參政會，時冀野年甫四十，體肥碩，留有小鬍，喜着長袍馬掛，於會中發言，每詼諧迸出，然富正誼感，不失書生本色也。共匪渡江，冀野以家累重，無力出走，去歲閱滬報，知其已病歿於南京，蓋傷慘無聊，欲不死不可得也。

瞿安所爲詩，曲，均經冀野手錄出版，計得「霜厓詩錄」四卷，「霜厓曲錄」二卷。余讀瞿安詩，不甚好之，其散曲則精采百出，蓋術業有專攻，未可強也。瞿安自序其「曲錄」有云：「余少嗜聲歌，雜劇傳奇，間嘗命筆，小令套曲，實不多作。辛壬以後，稍稍爲之，大氐應友人之請，題贈酬圖，殊無足論。」又云：「其中集曲，雅善自運，家庭鳴子，粗有成譜，緊於印石，遂至飲如。」蓋瞿安於曲，不惟能作，且能自譜自歌也。

冀野云：「散曲者，體與詩詞相類，可以實抒胸臆，追溯風騷，有別於傳奇雜劇者。」「曲錄」凡得小令四十九首，套數十六篇八十五首，茲錄其小令一首，可窺見瞿安才氣之一斑也。

壬戌南歸至海上龍華觀桃

【北仙呂青哥兒】（增字格）看塔影凌霄直上，更車如流水流水成行，戲閙是士女傾城舉國狂。你看十里春陽，一片韶光，花色瀰揚，花氣芬芳，花態端莊，花意微茫，花夢翱翔，花史安詳，儘許端相，不禁評量。有多少田響繁籍，花伴王謝傳觴，夢得詩章，崔護茶漿，新識劉郎，舊伴多娘。人影衣香，淺抹濃妝，玉珥珠璫，霞佩霓裳，看核龑函，鼓板絲簧，濟濟蹌蹌，多少排場！暢道是紫陌紅塵看花忙，描不盡繁華狀。

此二十九年前詞人筆底之上海龍華也。三十六年春余猶得一度往遊，雖經亂離，盛況仍可彷彿一二，今則解放之幡，列寧之燕，腰鼓鑿鑿，秧歌鳥鳥，爐人世之鄙俚，絕世界之荒唐，余誠不識此高歌文化之古國，何爲而竟有此野蠻也。

萬竹樓隨筆（二九）

憑君傳語報平安

・天涯・

昨天，一個從已關入鐵幕的故鄉的兄弟來，看我，他對我說：「很多你的朋友和親戚，都很懷念你，但是，很矛盾的，當我首途來港的時候，他們都再三托我向你說，別要寫信返鄉給他們。因為一般來說，即使是一封很平常的問候信，也會惹出許多麻煩，[illegible]

[illegible]同時，我想起了一首唐詩來，于是細細向鄉人說道：「故園東望路漫漫，雙袖龍鍾淚不乾。馬上相逢無紙筆，憑君傳語報平安。」

估不到千年前岑參「逢入京使」的一首詩，此刻可備來應用，其實非無紙筆，就因爲上述的原因，使我對許多懷念我的鄉中朋友親戚，只能傳語報平安，自由的可貴，從這小事看去，已有深刻的體味了。

我參加了中共文工團（二）

・羊辛・

三，別矣老家

簽了名的第二天，吳先生召集我們談話說：「同志們，我們下午就要隨着文工團出發了。大家既然已經簽了名，就是表示我們已經向人民提出了保證，必須履行我們的諾言，我們若不履行諾言，就是違背了人民，違背人民就是反革命，反革命是人民政府所不容許的，所以各位同志回去整理行裝的時候，最好不必向家裏說明，就說要去蹓躂，以免遇到阻撓。此刻就請各自回去整理行裝，帶的東西務求簡便，下午二時在這裏集合！」

吳先生把「同學」改成了「同志」，顯然地我們已經成了他的隸屬，是很聽從命令的了，他又說起不履行諾言的就是「反革命」，「反革命」是人民政府所不能容許的」，那還了得！下午二點鐘，人全到齊了，幾位女同學眼眶有點紅潤。黃水生最高興，舉起手來喊口號，什麼「毛主席萬歲」！「中國共產黨萬歲！」喊得面紅耳赤，青筋直暴。

他的那一夥子，劉必達、李心濤、宋雲和、張阿四……也跟着吶喊了一陣。

我們開到草坪上，全體的文工團已經在那裏等了，於是乎，這羣不辭而行的「新時代青年」，背着或大或小的行囊，水杯碰撞着洋鐵碗，叮噹嘟地，以零亂的步伐，追隨着大隊的文工團，就這樣離開了家鄉。

再會！我的老家！

四，接受訓練

我們開始過起軍中的生活，吃的還不壞，兩餐大飯，還有牛肉青菜等，睡也沒問題，每到一個地方，就隨心所欲地揀民房住，特別是那些大樓大屋，都成了我們的現成的營房，因爲那些房子都是「地主」或者「反動派官僚」們的，我們住它是「理所當然」，一點兒用不着客氣。我們算是「新下山」的，還沒有「扔掉包袱」，男女不敢同住，不像他們那些舊團員，男男女女混在一起睡覺，打打鬧鬧，吵個不休。這樣子分開來倒也落得很清靜，每晚都睡得很好。不過最傷腦筋的，就是每日的走路了，有時要走上一百里，雙腳起泡，兩腿發麻，又怕台灣的飛機來，時常都是夜行軍，路看不清楚，掉到泥溝裏去是常事。那些女同志還好，有幾匹馬在給她們輪流騎，不過騎的是舊團員，我們那些倒霉的女同學可輪不着。

老實說，越過了省份，滿耳全是聽不懂的方言，我們卸下來，開始受訓。每人發了一套軍服，一頂「八一帽」，穿戴起來，儼然威風凜凜，那些老百姓（現在也跟我們這樣稱呼他們吧）一見到我們，莫不逃迴閃避，他以爲我們是專門「鎮壓反革命」握有生殺大權的解放軍哩，殊不知，我們卻是一羣唱唱哼哼的無聊的賞閒者！

所謂訓練，就是先前所看到的那些舊團員那樣的訓練：扭秧歌與腰鼓舞，只此兩套，別無分出。担任「教練」的那些舊團員，他們扭一下，我們也扭一下，他們哼一句，我們也就趕忙跟着哼一句，還有幾位老資格的同志，在我們前排後排地來往巡視，指點這個，糾正那個。老實說，這些歌這些舞，當他們在我們學校附近演唱的時候我們就學會了，用不着他們那麼操心的。據說這幾位負責指導的老資格同志，個個都是如假包換的工農階級，斗大的字都看不來，因此他們幹得這麼認真——事實上是囉嗦，繁瑣，遲慢。以防受人欺騙。

一羣流亡的孩子

原載「哥倫比亞」雜誌・張天寶譯・

支援之手

他們在這裏得到一個新的大地，能過着一個自由的人所應該有的生活，在漫漫藉着救濟的衣食，在甜蜜的空氣中長大起來，讀書和遊戲，然後照着個別的希望和才能，找尋適當的職業，謀求個人的發展，進而促進其他人的幸福。他們現在才知道世界上並不是個個人都像俄共那樣冷酷的，究竟還有人願伸支援的手。他們幼小的心靈就此穫得了紙上的快慰。

不過，遭受同樣酷待的孩子，却有幸與不幸的。有些人，還在度着非人生活。一九四三年，當我在戰爭救濟服務機構做事，根據一種特別救濟計劃而奉命派出工作時，我會希望把一種叫做快樂的東西，再帶給被剝奪了童年歡欣的孩子們，人家對我們懷着極大的希望，以爲民主國家的大規模的勝利當能制止大規模放逐行動了。然而到現在，許多目擊身經驚酷放逐的人，包括孩子，還是顛沛流離，沒有地方可以供他們居宿。他們在東波蘭的家，已完全被一個極權擾亂，分際給他們自己的爪牙，他們再也不會顧慮和想到這一個人的命運了。戰時，千千萬萬顆炸彈落到無辜以及犯罪的人，學校的兒童以及和醫院的病人，同被殺害，當時人們以爲這種偉大的犧牲，最後必能得到慘痛的教訓和悠久的效果，那便是大家獲得自由而擺脫暴君的統治。

鮮血白流

但是從今日的情形看來，到處的火藥氣味似乎使那末多的鮮血已告白費了，賭徒永遠是賭徒，他們不會懂得以歷史當作他們的教訓。而且，共產國家的大規模放逐還在進行着，在有些地方，甚至較納粹時代更爲殘忍和悲慘，自由世界各地，尤其是西歐，現在卻已充滿了自動或被迫脫離共產政權的人，男女老少都有，他們之中，大多數是從來沒有犯過任何罪的。

我送着這批天眞的孩子，他們將往加拿大尋覓發展的機會和新的居所。

莫大的疑問

我站在碼頭，向着他們招手辭別。我看見他們似乎一個個都在揮手對我應答。我的心不禁猛烈跳動起來，呼吸感到窒息，我想大號，我也想大哭。這種情感決不是未曾身歷其境的人所能想像的。他們的離逝，不是因爲捨不得和他們在一起，如是因此之久，曾和他們親自陳述他們的故事，沒有一個不是悽慘得令人不堪卒聞的。我想到一些世人的沒有心肝，我想到，說不定在數年之後，又將有一批同樣的孩子到我手裏，由我同樣加以照拂。我又想起他們的父親兄弟多少的慘死，現在不知道有多少孩子的父母兄弟在受着相同的待遇，他們的受了洗禮，共產黨徒冰冷的背後是長長的面孔。我也想起，也許在一二年內，再有一批人要如此受難了。

我從褲袋裏取出手帕，揩揩眼睛，退了一步，在碼頭一角，坐着，回憶和思索。但我腦中旋轉着的太多疑問能得到一個答案嗎？我茫然了。（完）

自由人

THE FREEMAN
（中港週刊聯期三六出版）
（第五十七期）
每份港幣壹毫
督印人：李光華
社址：香港高士打道六六號
電話：二〇八四八
GLOUCESTER RD. HONGKONG
TEL: 20848
承印者：東南印務出版社
地址：高士打道六四號
台灣總經銷處
台北重慶南路一段七十四號

我對「自由中國」雜誌事件之觀感

· 雷嘯岑 ·

「自由中國」雜誌事件，是任何一個國家所常見的偶然現象，不足驚詫。自由的人權，固非漫無界說，政府的權力，亦不宜任意濫用。要避免這類不愉快事件之再發，大家惟有弄清觀念，尊重理性與法治，自然就無事了。

最近台灣發行的「自由中國」雜誌，由於發行人胡適之先生對過去當地軍事機關干涉過該雜誌一篇叫作「政府不應陷人民入罪」的文字，認[為]箝制言論自由，提出抗議，並請辭去發行人的名義。因而引起外國通訊記者注意，發佈電訊於海外，輸入[illegible]輿論界的一種軒然大波。有些海外同業，即指稱「自由中國不自由」，大抱不平。現在該雜誌[照]常發行，行政院院長陳辭修先生曾以懇切詳明的函件，向胡先生解釋一切，這個問題已告段落了。我[們]認為這個事件之發生，是任何一個國家所常見的偶然現象，無論誰是誰非，都不足驚詫。自由的人權，固非漫無界說，政府的權力，亦不宜任意濫用。為避免這類不愉快事件之再發，大家惟有弄清觀念，尊重理性與法治，自然就無事了。因此，我對這[事]還[有]少事，覺得有作一兩[點]權[衡]的必要。

任何法令都有發生副作用的可能

「自由中國」雜誌所[刊]那篇引起是非的文字，作者當[時]不是無病呻吟，意在誹謗，或者有意破壞國家經濟管[制]政策的，原文俱在，尚可覆按。我們[應]理解一個前提：即任何一種法令，如果執行者技術上稍欠練[達]，皆有發生副作用的可能，所謂「徒法不足以自行」的道理，就在這些地方。政府立法的始意，絕[對]是如陳院長所說：「至設[illegible]民之舉，亦為情理之所不許，」更[非]政府之所忍聞，但執行者如不慎重將事，就容易發生副作用，予人民以不良印象。譬如：民間打麻將一事，論者[illegible]，不能說它沒有賭博性，但過去內政部曾經呈請司法院解釋，認[為]非[illegible]集合，公然以聚賭[為]目[的]而打麻將者，不[算]犯罪。（這是我當年在內政部經辦過的一件公案）然若警察[機]關要按照刑律上的賭博罪，入人民家拘[捕]打麻將的人，又誰能說他不對呢？抗戰時期我們湖南的郴縣縣政府，[曾]檢過幾名在家中打麻將的紳商哩！又如跳舞一事，過去時而禁止，時而開放；甲地[禁]了，乙地又公開。這些事，如果執行的技術不加研究，慎防流弊，即難免沒有枉縱之情，而所謂「陷人民入罪」的副作用就不知不覺的發生了。法令的利弊，都不是絕對的，只看執行者的智慧如何，以彰法令之功用。「自由中國」那篇文字的本意是善良的，最多只[能]說它那[個]標題[過]於激性而已。政府若認「言過其實」，儘可予以聲明，詳加解釋，用不着特別重視，形成嚴重問題。如果以實行民主憲政的政府，而不能容忍言論界稍為過份的評論，那末，像美國輿論界和其文武官吏對總統與其議員們，常常發出過份的指摘，甚至諷罵等情形，豈非應予「格殺勿論」？「自由中國」雜誌事後寫一段表明心迹的文字，鄭重表示主管經濟檢查當局並非不信任的話，也不是「威迫招供」，乃[illegible]而發行人胡先生比然抗議，指為箝制言論自由，這就為胡先生遠居異域，內[illegible]誤見彼邦言論自由的尺度那麼寬放，覺得[illegible]有感而發的。其實，我們今天[illegible]學習民主憲政[的]時期中，自然趕不上[illegible]上積有百多年經驗的美國那種程度。[illegible]這次小糾紛，使大家對民主憲政有進一步的認識，實為無傷大雅的有益之事。

外國傳教士口中的南京近況

本報專訪

「京、滬、杭三角地區的天主教徒一天天的增多，南京天主教堂星期日做彌撒，滿堂內擠得水洩不通，這足證赤色大陸上的人民，在通過宗教的過程，去尋求世界上不可解決的[問]題，」這是一位方從大陸來港的神父說的。他說：今天的南京和一年以前的南京，完全不同。一年以前，南京街上，滿坑滿谷盡是解放軍，現在街上很少看見有士兵的蹤跡。早晨買菜偶然看見三四個士兵，也是匆匆買了便走，據說這種現象，不僅限於南京一地，整個華東區都是如此。

南京原有八十萬人口，現在統計只剩了十八萬人口。城內街上冷清清的，即在午間，也不易看見人影。一條長長的中山路，在六月炎日下，死沉沉的，像一條[illegible]後的飛機場跑道。偶而可以看見三五成[群]，手拿着槍的[illegible]巡邏，揚威耀武，路人莫不[illegible]而過。今天南京的人民，大半已退到豆餅階段，在水西門附近，有一家「政府」所辦的「南京市[糧]食公司」，每天[illegible]見一批批的人挑出，但那兒徘徊在饑餓線上的人民，成千成萬的在那兒檢拾落在地下的米粒，雖然有時是[有]兵在場，但也不[便]干涉，有時是說：「你們今天的罪，完全是國民黨賜給你們的，內[illegible]國民黨官吏把你們搞窮了的」，這種[illegible]在南京檢拾米粒的風氣，甚為普遍。在和平門，也是同樣的情形。

從前南京最熱鬧的新街口和太平路，商店林立，現在全是小攤，連木器都擺上了。可[是]光顧的人寥寥無幾。新街口轉角有一家著名的老牛肉湯「獨味」，已經關門大吉，因為今天南京每天殺不到一條牛，（中共禁止殺牛）。夫子廟從前賣餃子和油條的茶館，早已每況愈下，改賣大餅豆漿了。現在吃早茶的風氣，已完全消滅，早上但見少數工人匆匆吃了便走。南門外一家明朝開設的回教館「馬常興」，以專製「美人肝」著名，雖然沒有關門，現在已由職工管理，中午賣份兒飯，勉強可以敷衍。下關火車站附近的[illegible]樓也關門了。油雞板鴨的生意，不及以前十分之一。

南京市的交通，本來就一向有辦法，以前公共汽車由下關至新街口，根本就擠不上，可是自去年早就改了木炭車，空空如也。下關火車到了，只有八九個人上車，生意慘淡，下行，在今年三月，終於停辦。現在南京市內，已沒有公共汽車可言，唯一之交通工具只是三輪車和馬車。由下關至夫子廟，如搭馬車，每人只花人民券二百元，馬兒骨瘦如材，「行行復行行」，由下關到夫子廟，至少要走上一個多鐘頭。乘客在車中，大可打盹。此外小火車每天上下行只開兩次，每人票價人民券二百元。

今天南京最不成問題的是房子，成問題的也是房子。因為房子太不值錢，不花幾文，便可租得，所以便不成問題。同時租金太賤，業主每月捐[illegible]每季的房捐，便大成問題。普通一所一樓一底的洋樓，一個小花園，只須米每月三斗左右，帶家具在內。上海路、陝西路一帶，以前達官貴人住宅區，現在大半為「蘇聯老大哥」佔住，北高幹居住。星期假日，中山陵和陵園可以看見他們的蹤跡。玄武湖、燕子磯、湯山，已成為禁區，遊人不能前往。以前殺人的雨花台，現在豎立了一塊「烈士紀念碑」，成了星期日遊人憑弔之所。中山陵，守陵衛士雖[illegible]得那麼乾淨，[illegible]國民政府留下來的，但從前修[illegible]也無能為力。據說，去年春天宋慶齡曾去陵園一次，守陵衛士向「國母」[illegible]陵園之荒蕪，但「國母」亦無可奈何。今年夏天的陵園西瓜，普通人已吃不到了。

昔日之行政院現已改為「華東軍政委員會」，交通部為前美軍顧問團辦公處，[現]為蘇聯技術顧問團，該處有簇新的汽車，門禁森嚴。如使其幹，亦非持有特別通行證不准入內。以前的內政部現在改為「南京市人民政府」，[illegible]外交部以前的府外事處，[illegible]擴大多了。飛機場擴大，雖大有噴射機比以前[illegible]，一架飛機[illegible]，其聲震耳欲聾！勵志社一部份[illegible]，現在[illegible]為「反動」政府的博物館，還沒有[illegible]為民政府招待所，[illegible]時開放，據說將總統府改為[illegible]公室，[illegible]「解放」之一日，上面是現在南京「[illegible]」。

今年正月的一個晚上，南京老百姓的心情，非常低沉。[illegible]國軍游擊隊由湯山打入城來，忽然風傳老百姓紛紛出門去看，仍是許多放「軍」，並非國軍，使人大失所望，[illegible]。現在的一般的民心，盼中央！[illegible]死了。

[illegible]只剩了四百多人，因為私立，已非一校。金女大、金陵大學合併，改名為南京大學。[illegible]每學期要交四五石米，[illegible]。金陵女大校長吳貽芳女士，頭髮已完全白了。她已不曾[過問]校政，[illegible]人財力所及。金大校長陳裕光，[illegible]有時[illegible]禮拜堂內[illegible]。校務由文農兩學院院長代理。

此外，南京還有一樁新興事業，那是測字和算命。光顧的大半是「解放軍」，每字二百元，算命一千元。一般部隊在開拔之前，生意尤為「興隆」，據說「當局」已無法禁止了。（戰南陀）

民主憲政的觀念該弄清楚

政治上的一切糾紛，根本多由於觀念混淆所致。觀念既不一致，觀點即難相同，所謂「彼亦一是非，此亦一是非」，是非之言，[illegible]天下，公說公有理，婆說婆有理，天下便有大亂之虞！民主憲政的基本觀念是甚麼？理性與法治是也。重理性，就不會意氣用事，而寬容之心情常在；尊法治，就不會[illegible]，有公共的標準可[資]依[據]。我們不談憲政便罷，否則，這兩點最基本的觀念，大家就必須有明確的理解與普遍實踐才行。弄清楚觀念之後，還須有「勉強而行」之的決心，因為民主政治之形成，其始也，是[由]大家[勉]強[illegible]，不樂[illegible]；其繼也，[illegible]自然，構成政治習慣，[illegible]生活的平常化。我們現在正需要「勉強而行」之的精神。譬如：[illegible]觀念與習慣[illegible]官吏若與人民對簿公庭，乃是一件極不榮譽的事，但在民主政治社會中，[illegible]「不榮譽」之言，法律之前，人人平等，官吏豈能法外生事？但目前我們如[illegible]不合理，就得出以最大的[努]力，勉強[illegible]習慣[illegible]。[illegible]

台灣是否有言論自由？

[illegible]胡適之先生抗議「自由中國」雜誌[illegible]，外國新聞[illegible]，[illegible]台灣[illegible]「自由中國」[illegible]言論自由[illegible]

時局漫談　舜生

一點小小的感觸

舊金山的對日和約會議，算是時局中的一幕重頭戲，自籌備以至開幕，自開幕以至閉場，經過的時間差不多一年。自從這一幕結束以後，時局又趨於混沌，下一幕是什麼？「南北韓」？「水簾洞」？大家都在胡猜，我們姑且不去管它。現在談談，只是看了過去若干幕的一些感想。

本來今天所演的，只是一大本民主與極權的鬥爭，過去已經演出的，僅僅是這一大本戲中的一場，一幕，大家看過的感想如何，我不知道，單以我的感想來說，卻並不覺怎樣的精采。

蘇聯是素極權行乎極權，她對她的那些衛星國之頤指氣使，一切獨斷，這是無怪其然；可是領導對手方面的美國，卻是以民主大義召於天下，但我們綜合這年餘以來美國所表現的若干行動，我們總隨時感到她不夠民主！對內不夠民主，以麥克阿瑟去職一幕表現最清楚，儘管事後美國的議會為這件事辯論了一兩個月，但我們總越聽越胡塗，[illegible]去掉不可？對外不夠民主，以簽定日約一幕表現[illegible]，到現在為止，我依然不懂得為什麼非把[illegible]。[illegible]先生[illegible]這件事訴了種種苦衷，但其理由大抵不能成立。[illegible]中華民國參加[illegible]

關於胡適的一封信

因為胡適之[先生]封[illegible]抗議干涉言論自由的公開信，似乎引起了一個不大不小的波浪，[illegible]「自由中國」[illegible]我們[illegible]這封信的內容，[illegible]「有則改之，無則加勉」[illegible]

[illegible]

大鈔出籠·民變蠭起·幹部逃亡
中共政權面臨新考驗

張丕介

兩年以前，毛澤東的「六六報告」曾明白宣布，要爲「爭取財經好轉而奮鬥」。現在距那個報告的日期已經兩年又三個多月了，到底他所預期的「好轉」怎樣了呢？中共曾誇下海口，絕對能控制貨價，控制幣值，到底控制到怎樣程度呢？

兩年多的事實證明中共的僞本領只在能殺人不眨眼罷了，對於「財經好轉」一面卻是低能之至。看罷，連中國三尺童子都明白的惡性通貨膨脹的把戲又在北堂而皇哉的上演了！

威迫下的機砲捐數字

六月初發動的捐獻飛機大砲運動，顯示中共財政已經到了無以爲繼的地步，非單憑租稅公糧所克濟急。這二個月中，中共的大小幹部，在全國各地區，各階層，出動其全部搜括的手段，務期達成「任務」。據漢口「長江日報」的報導：「各地都單純以追尋數字爲目標，用威嚇、諷刺的方式，發生強迫命令的現象。」「如河南舞陽等地，在勸捐獻時，幹部對羣衆宣佈：『你們不捐飛機，就是不愛國，就是反革命』。其中有不少鄉村幹部『甚至帶兵下鄉，實行迫捐』。」（八月二十七日）在這種暴力威迫之下，據中共的報導：全部捐獻額已達飛機二千三百餘架，折合共幣在六萬億左右。但這一全面性的搜括，仍無法支應其浩繁的軍費，於是在羅掘俱窮之餘，中共遂不能不走上增發通貨的舊路。自本月初以後，五萬元及十萬元面額的大鈔，已開始大量推出，其「狗急跳牆」之勢，業已圖窮無遺。

通貨膨脹的惡果

隨着大鈔出籠，黑市金融再度全面復活。廣州港幣黑市漲率，至本月九日曾暴跌至一比七千，與其牌價之三千八百八十元，相差幾達一倍。美鈔黑市亦暴跌至一比三萬七千，較牌價之二萬零四十元相差百分之七十。中共雖出動大批警察，特務嚴行制止，終無法挽救共幣貶值之頹勢。黑市金融爲大陸財政經濟惡化的表徵，在黑市金融的領導下，大陸物價莫不普遍上升。據本港金融界人士稱：廣東、北江、英德、曲江、樂昌、連縣，以及湖南衡陽、長沙等地，商人買賣又暗中以銀元爲本位。日來由粵北及湖南運港貨物，漲價達十分之四（見九·八·工商日報）。這一情況的發展，不但使中共所謂「物價穩定」全部破產。在通貨膨脹，物價上漲與預算失衡惡性循環的形成，更令共幣重蹈法幣的覆轍，使中共政權的潰亡，又迫近了一步。

官逼民反的夏徵苛政

與大鈔出籠同時，是無限制的強迫徵糧入倉。廣東[illegible]均出動大量計軍，下鄉勸迫。結果「任務」雖大致完成，但農村已普是騷動。據最近粵共「東江區專員」叢錄的報告：各級幹部對夏徵辦法「認爲預徵就是不講求徵。由於單純的提快和追求數字，大多採取了按人口攤派，按田畝攤派，或是不研究新舊材料，而作『民主攤派』等辦法，形成新的時輕時重現象」（九·九日南方日報）。另據粵共「財經」最近檢指稱：「在徵收時，只顧發動農民自報負担，發動積極份子帶頭挑戰，以致在局部地區，出現了農民積極份子，提出『早造收入全部交公糧』，或『全年負担一次出』的口號，使個別貧農今年預徵夏徵額，超過去年三四倍」（八·廿六·南方日報）。除此以外，各地幹部及農會，莫不乘機勒索。據報錄的報告：「今年夏徵中，竟然有鄉政府加派負担，區政府不知道，區政府加派負担，縣政府不知道的情形」。據中山、順德等縣地委的反映：「地方征收之苛什，比公糧還多，其中巧立名目，實行還征的有稈頭穀、實際穀、戶口穀、證明穀、書穀等三十餘種」。有不少縣份索性將民糧全部入倉，每人僅發給少許「糧食」。在這種暴力征收與各階層附加情形下，各地人心浮動：農民紛紛加入反共組織。如雲浮、高要、英德、仁化、樂昌、及博羅等縣農民，均不斷投入游擊隊。中共一度東南區亦認爲「事態嚴重」，除命令各區「專署」，派兵「掃蕩」及「鎮壓」外，爲緩和危機計，乃於本月八日，由粵共省府發布「關於繼續貫徹農業稅合理負擔政策」。除將業已超額完成「任務」的共幹，「嚴厲」指實其「偏差」外，並聲明「貧農與僱農，在夏征中過份多交公糧而影響生產和生活，或本鄉本村可以在本區之超額部份中抽出一部退回農民」。並對「積極交糧的農民」，予以「表揚」與「宣傳」。企圖以「騙」與「欺」來軟化農民。但這些「哄小孩」式的策略，能否抑制浮動的人心，仍有待現實的考驗。

共幹喪失信心 大量逃亡

在財經困難，民怨沸騰的激盪下，中共幹部正掀起一股「逃亡潮」。據中共華南情報部，負責人內部「風化」幹部的「反映」：自中共發動鎮壓以後，此種情形正與日俱增，最近因夏征強制執行，並到處抽壯丁，下鄉共幹隨時有遭受襲擊的危險，「因此失敗主義、英雄主義、小資產階級之報復性、動搖性和妥協性，全部抬頭，不滿現實，不滿意的情緒，日漸形成，結果[illegible]大量的逃亡」。[illegible]月份南[illegible]以共幹的地方計，六月份因貪污瀆職，或受遊擊隊襲擊而挾款私逃者，有六十八宗。七月份[illegible]被通緝者[illegible]，迭被檢舉，一走了之。至於民兵及軍隊中逃亡者九十餘宗，反正事件，更難以統計。駐防東江沿海及珠江三角洲一帶三四野部隊，藉地理環境特殊，偷渡逃亡港澳的，日益增多。其中尤以第中文工隊及政工幹部爲多。近一月來，廣州共幹棄職潛逃或服毒自殺者，時有所聞。這些人因深悉內情，深覺危機，故決定去日無多，「三十六計走爲上策」。這是中共政權動搖的徵象，亦是中共幹部「黨」性的總破產。

韓戰正如一顆腎瘤，它已令中共內部進入惡化的階段。通貨的急劇膨脹，農民普遍騷動，幹部的大量逃亡，乃構成了中共政權崩潰的前奏曲。

論美俄原子武器競賽

兼質胡秋原先生

李秋生

編者按：本報第五十四期刊載胡秋原先生所寫「俄國眞有原子彈嗎？」一文，認爲蘇俄非到一九五二年，造不出能在戰場使用的原子彈來。茲承李秋生先生寫文。論美俄原子武器競賽，斷定蘇俄已有原子彈，說胡先生未免過份輕估了敵人。這是一項很有意義的研究性論文，正反兩方都能給讀者以智慧上的幫助，我們樂於刊佈，以供讀者們的參攷。（上）

本月初間，美國原子能委員會透露：在不久的將來，有一連串新的原子彈試驗，將在尼華達州試彈場舉行。今春一月二十四日到二月六日，曾有過五次原子爆炸試驗，當時就有人揣測那處試驗可能是新型的戰術性原子武器，是用之於戰地以對付敵軍的，與投在廣島長崎以及異次在太平洋礁湖中試驗過的戰略性原子彈之用以轟炸敵人後方軍事目標者，有着本質上的不同。在最近將來的這次試驗，又是捨恩尼威吐克島的原子彈永久性試驗場而改取尼華達州拉斯維加斯附近的法蘭西人試驗場，已經暗示着可能又是屬於戰術性原子武器性質。果然，十六日的合衆社電訊傳來，此次不僅是原子爆炸試驗，同時還有第六軍的一萬二千名部隊參加，去領受原子戰術的訓練。可見戰術性原子武器，現在不僅業已製造完成，其實際使用於戰場也只是指顧間事了。

戰術武器已告成功

原子武器之從戰略性發展到戰術性，是武器製造的一大進步，也是由於原子武器的一種心理上的轉變。大家都曉得：原子彈是很標緻的東西，其中可分裂的爆炸原料雖不過只有十公斤左右，但卻要有非常複雜龐大的零件附屬物來配合。像投到廣島長崎的那種，重量竟達五噸左右；在當時，只有B－29式超空堡壘是唯一可資以運載的飛機。如果要用於戰術方面，無論原子彈或火箭砲，則戰場上都必須運用輕便。[illegible]此靈活，當其發明之初，在戰場上困難運用[illegible]，原子彈而已。[illegible]則無論是火箭砲或汽油彈，都較原子彈有效。[illegible]

[illegible]只於局部，是對付人海戰術的最有用武器。[illegible]以原子武器之一，其他用於戰術性的，[illegible]事大是，下述：

[illegible]

赤色和平迷魂曲

共黨侵略世界的法寶

月初在舊金山的最最顯著的現象，卻是肉眼所看不到的。共產黨的「和平鴿」，祗得鎩羽而歸、不過，這套和平論調不久就要重現的。

共產黨的和平論調，已是唱了不少年了。在一九一七年俄國革命時，大半得歸功於和平口號。然後，布爾塞維克繼續着一個血的內戰。從此以後，和平論調作爲共黨的迷人咒語，就顯得重要起來了。要明白舊金山會議的「和平鴿」的去向，非得研究一下共產黨這頭奇怪的「和平鴿」是怎樣在最近重新出現的。

鴿的畫像

三年以前，共黨[illegible]畢加索[illegible]鴿子，[illegible]在遍佈歐[illegible]。這個鴿子的畫像[illegible]克里姆林宮的計劃中，[illegible]一九四七年和平攻勢[illegible]。希羅斯福時代的偉大計劃中取出有利於[illegible]集團的東西。西方國家的堅定性和耐性，[illegible]開始了和平攻勢。[illegible]

宣傳草案

這個和平運動，看來像是完全無害的宣傳方式，實在這卻是冷靜的打算過的推翻西方世界重建自由經濟和防衛自己一九四七年十月，柴達諾夫首次在共黨情報局的會議上提出這個草案。[illegible]他說了一個「美國已經開展了一個侵略性的[illegible]公開的備戰動員，[illegible]一次新的政策，帝國主義戰爭。然而帝國主義者們在[illegible]

計劃詳情

不久以後，巴黎官方的「共產黨公報」中，道出了這計劃的詳情。公報說：「這個計劃的領袖們業已佈置了一個範圍廣大的計劃──世界和平的進攻。計劃中間主要努力方向，是孤立美帝國主義者，使其從屬的[illegible]危機是經濟危機，[illegible]本主義[illegible]和平的意圖；[illegible]切變[illegible]」

[illegible]這個戰爭和發動戰爭中間，尚有着極大的距離。」

挑撥叫囂

於是，「爲和平而戰鬥」的攻勢就開始了。共黨情勢局稱之爲「一切共黨活動的轉捩點」。內容爲和平的呼聲可以反對美軍在歐洲的留駐；[illegible]歐洲工人對軍費的負擔；計劃所發生的低工資和高物價可以加以抱怨；它可以使得士兵以及份子們提[illegible]戰爭，反戰[illegible]對政府無所謂[illegible]，服服貼貼[illegible]他們自己而作出了[illegible]

譴責美國

一九四八年在[illegible]

[illegible]關的洛克勞（Woerlaw），以前叫作布勒斯勞的「學者」，「一羣法國、波蘭的學者」，開了一次「世界知識份子大會」。約多參加該會的善良的人們，聽着蘇聯作家協會主席法捷耶夫演詞。耶夫並且選出了一個「知識份子保衛和平的永久委員會」，在各國設立分會，以主持各國的和平會議。接着，就在一九四九年三月裏，一九個左翼的作家們在紐約的[illegible]爾道夫飯店內舉行了一個「文化和科學作者們的和平大會」，擁護蘇聯。在巴黎，[illegible]

象徵符號

共黨詩人阿里昂拜訪畢加索時說，和平大會需要一個象徵符號。他指着畢加索的鴿子說：「這個就是。」對和平大會的「一個鴿子，是的，是巴黎人歡唱了「美國的完了」，廣大群眾證實了[illegible]性紙」以大會通過了以[illegible]鴿像，於是，[illegible]索的鴿子就飛遍了全世界——標語上，手帕上，甚至於捷克[illegible]煙[illegible]耳環上[illegible]、保[illegible]

也同樣舉行着世界和平大會，和平鴿[illegible]形象，就開始那時具體的形成了。

簽名運動

兩年以前，在[illegible]德哥爾摩大會上，發動了和平簽名運動。這個運動談甚麼反和平，不談甚麼反侵略等等口號，看過這個簽名書的人說，主要意義在禁止原子彈，消除紅軍的對手力量而已。一九五〇年的秋天，據說有四億五千萬人簽名，內中有一百萬人十萬美國人。在簽名人中間，有政治家、奧朗多、義大利總理尼諾、美國的數名士威爾遜[illegible]等等。

波、俄諸國的鄉眾上「簽」了，也一改而爲「中國人民保衛世界和平及反抗美帝侵略大會」了。

一個試探

列寧曾在以前寫過，「在進攻敵人前，先要試探一下敵人的力量。」決定進攻，或是拖延，在韓戰之中，共黨已根據着列寧所說，試探一下力量，後來決定在這樣一門爭下去了。發現自由世界團結一致，在舊金山會議上，自由世界又碰到了他們的實力。到這樣，他們可能把這門爭拖延下去，等待一個時間再來進攻。另[illegible]

新的戰爭

上週，這個和平鴿又翻騰了。蘇俄大得了全國平大會召開，又召集五大強召開會議，時休戰談的可是在開城的休戰談判，林的是封鎖後，徵收迷，梭霍爾登在拖着「新的戰爭」了。克里姆林宮的計劃究竟如何？開始攻擊來後，才要到知道在現時，大家還看得能和平鴿一個時期，花纔唱的髮了和平的曲調，自由——出是奴役，和平是戰爭，知是力量。（左頓譯）

黯然失色

俄國的和平鴿已失光彩，在韓戰開始以後，就大爲減色了。和平會議上的宣傳，還說是以前的、北平和過半數人簽名書上，都不過和平運動幾何簽名者，了。這些「美帝」和平吹着運動「美帝」共又在仇恨，又在中共的蘇台戲，收回臺灣，要求中共爲侵略者。收了了又要[illegible]和平，共黨口調又變了「過來，民，地共黨反道路，門爭，是和保衛和平的方不開，因此，中共的「中國和平大[illegible]

談美國明年的大選（下）

·王厚生·

杜魯門是現任的總統，他的內政和外交政策，世人已很熟悉，倘艾森豪威爾明年當選，其內政和外交政策也爲世人所關心，茲略述於下：

在內政方面，艾氏祇接受「一些新政所代表的政策，但他對新政所代表的「政府父系主義」（DovPaternalism）的哲學，不甚喜愛，大體說來，他的內政政策接近共和黨。（還是他由於他的外交路線，至於他的外交，全然與杜魯門、馬歇爾、艾契遜是一條的。他是「歐洲第一」主義者，又被稱爲與英國謀取協調的專家，他這種見解，只有東海岸的共和黨表示同情，塔虎脫便加反對。艾氏又主張美國人民實行軍事普訓，對歐洲負起重大的責任。）

在他心目中，美國的歐洲派遣軍是十字軍，「歐洲十字軍」（Crusade in Europe）一書，他曾爲此著「歐洲十字軍」，以申述。

在此，我還要提醒大家注意一件事：如果艾森豪威爾明年當選了總統，對歐洲的防務將發生怎樣的影響？艾氏進了白宮，何人接任大西洋聯防，最高統帥職務？後繼者有沒有艾氏的性格，才具和聲望？西歐人民對後繼者的信心如何？我們研究美國明年的大選，不能忽略了當前世界的形勢。今後西歐和歐洲的局勢將更動盪，都需要堅強的軍人坐鎮，以防不測的事故發生。如果西方國家找不出適當人物繼任艾氏，則杜魯門和美國人民要不要他離開歐洲，艾氏本人願不願離開歐洲，歐洲人民讓不讓他走，都是問題。要是大西洋公約國提不出適當的後繼者，美國人民希望他回國，艾氏自己不願離開歐洲，歐洲人民亦不讓他走，則杜魯門明年再爲民主黨總統候選人的可能性便更大了。

杜魯門現時當然不便隨意發表意見，是否要連選，或者推薦艾森豪威爾，這些確是蘇俄正想搜羅的情報，不過本文所述，純屬預測而已，明年究竟如何，且看事實分曉。有時，美國的民意測驗也不可靠，何況明年選舉還要受時局演變劇烈影響呢！

上海「優撫運動」內幕
撇開孤寡借題自肥

滬社會局科長吳卓人，在三億多「社會獻金」中，竊取三千八百餘萬元給老婆孩子置衣飾，為舞女租房子買鑽戒，結果以「停職察看」了事！

【本報上海特約通訊】照「華東軍政委員會」規定，八月份是「優撫月」，以是在上一個月裏，上海市各區、各團體、各學校、各單位，都先後成立了優撫機構，發動各階層「人民的力量」來大力進行；同時，烈軍屬與傷病員革命殘廢軍人為了本身利益，也組織了通訊互助機構，隨時隨地同優撫會聯絡，在組織上，確已是配合緊密，無瑕可擊。

事實與宣傳迴然不同

在一班人的想像中，這一運動的結果必然會給軍烈屬和傷殘病員以「普遍受益」「週到照顧」的，而事實卻完全相反，雖然滬市「新聞處」在大吹大擂上個月參加「軍屬訪問」的人數有四萬八千三百九十人，並曾在各區召開了「慰問烈[illegible]父[illegible]」的軍民聯歡大會和烈軍屬坐談會，而實際呢，卻根本沒有這回事，據一個住在南市北石皮弄××號的烈屬××同住在吳淞路×××號的傷病員吳×講：軍民聯歡大會與坐談會的通知是一個禮拜前就收到的，但屆時跑到上面規定的時間地點去，鬼影不見，冷冷清清，問負責召集機關，說是「改期了」。「改到什麼時候」？「不知道」，白跑一趟，只好算了，至於慰勞隊伍祇在「解放日報」「新聞日報」上看見兩張男男女女「陣容浩蕩」的照片，而來訪問的人則始終未見一個，這大概是限於「重點」關係，又當別論。

拖宕敷衍

至談到報上刊載，八月份這一個月裏，在一千六百多軍烈屬和傷殘病員中，已有一千二百卅人獲得職業，這更是一片謊言，據住在中正京路×××號的烈屬陳××講：「據我所知，事情的內幕是這樣，在我認識的廿幾個烈屬當中，確是每一個人在八月初都接到談話通知，可是等到指定時間按址就詢時，勤務員不是說「主管人在開會」，就是說「出去了」，有的烈屬一心不死，到黃河路去了兩次、三次去找，結果，主管人是碰到了，抽空出來了，「×同志」就講：「×同志，優待問題，曾介紹你到我們××服務，我們非常歡迎，祇是關係職位、待遇……等問題，我們尚未接到上級指示，抱歉得很，目前我們不能決定你的工作，等我們奉到指示後，再專函通知你。」寥寥數語，就此分手，直到現在，（九月初）仍無下文，看樣子，這又是一張永不會兌現的支票。

重重黑幕

又關於市政府發放貧苦烈軍屬救濟糧六十八萬五千〇六十七斤，及社會獻金三億二千六百五十五元，米二萬五千斤，煤二千二百斤，油一百六十七斤，布料一千七百餘尺又廿一件，及食品縫衣機等等，更是黑幕重重，臭不可聞，首先是社會局科長吳卓人，以「經手三分肥」關係，撇開孤寡，先「撫」自己，第一條，先是在社會獻金中「撥出」三千八百萬元給自己的老婆小孩買首飾，置新衣，購傢具，把公館收拾得富麗堂皇，把太太打扮成新娘，同時又為其女友，在大都會伴舞的舞女張秀娟租房子，買鑽戒，花天酒地，而在吳手下一班「幹部」，亦胡作胡為，上下其手，「上下工作」，無不大撈一把，後來陳毅獲悉，以「家醜不可外揚」，將吳犯等一干有關人犯一「停職察看」了事，一邊面諭市社會局長注意管束，「不得張揚」，上海市到目前為止，迄未的貧苦烈軍屬，收到優撫會一文錢，一尺布，一斤油，一塊炭，而報上卻仍連續刊佈出發放的數字，此中祕密，祇天曉得，但誰又敢不要性命去函「更正」呢？

紙上文章

另外，關於貧苦烈軍屬傷殘病員本人同子弟免學雜費醫藥費這回事，亦都是「紙上文章」，全部騙人，儘管市府新聞處對外發表統計說，在八月份中，辦理貧苦烈軍屬減免醫藥費的已有一千二百多人，其子弟減免學雜費並解決各項困難因而升學入學的有七千八百九十餘人，顯頭是道，不像胡謅，然而，真正受益的是不是有這許多人呢？因此事不關己，誰也無法解答，文工商界發出優待券十一萬四千多張，醫藥界發出有病優待券一萬五千多張，問誰，誰也沒有收到，至郊區農村辦理「代耕」一項，裝點門面，實實在在，鄉下人都被「土改」改窮了！牛養不起，只好賣出，人變成牛，耕耘操作，十分辛苦，在這種情形下，自顧不暇，還有餘力替人「代耕」，結果，這些口頭上的「優待」而實不至的「優待券」，「看病券」，「代耕券」等，都像過期了的發財票子一樣，擲諸通衢而無人過問。（悠然九月十二日寄自上海）

窮矣上海人 無餅過中秋

【本報上海特約通訊】兩年多的「解放」生活，把上海人已解放得一乾二淨，變成窮鬼，一般人胼手胝足，尚難擭一飽，誰還有閒情去點綴年節？去年的中秋佳節已經是滿目蕭條，今非昔比了，今年的中秋節更不勝悽慘！

冠生園、馬寶山、泰康、沙利文（原是英商已被接管）等數十家月餅製造廠商，他們本來的打算是：以上海現有人口五百萬計，平均每一人購月餅兩枚，絕不算多，即此，已可售去月餅一千萬枚，然而這種如意算盤在此時此地已不允許你打了，上海有五百萬人口不錯，但應知，在這個數目裏，顯見有三分之二的人在飢餓線上掙扎着，甚至有好多人每天連稀飯都混不飽，最低限度的「人」的生活都過不下去了，還能談到月餅嗎？而且，通常一餅之值最低的要一兩千元，好一點的非八九千元不辦，上海已有新米上市了，每百市斤現祇售十三萬多，拿一千三四百元就可以買一升米混過一天，誰還願將養命之錢用作閒食？以是各大餅家同各大公司均家家過剩，[illegible]滯銷，就中尤以冠生園、泰康、馬寶山三家損失最大，據說，僅冠生園一家就虧蝕人民幣達廿幾億元，如計總數，必更驚人，目前距離中秋節祇有兩天了，各大馬路的大餅家門前，無不月餅山積，削價求脫仍無人問津，家家雖然鑼鼓喧天，樂聲震耳，企圖引人注意以廣招徠，可是，這種「奢侈品」除了「騎在人民頭上」的新特權階級有錢購買以快朵頤外百分之八十的老百姓亦祇有手撫空腹望餅興嘆耳！（劍飛九月十三日自上海寄）

大公司月餅山積
冠生園損失不貲

法令已攔不住物價了
滬商抬價搶購囤積忙
「工商局」手忙腳亂

【本報上海特約通信】三四天前記者曾寫發一篇短短的通訊，簡單述及上海金融的危機，以及市民對于物價動盪已有如何預感。三四日來，從上海市「工商局」手忙腳亂的情形來看，市場漲風已起，商人為保衛自身利益，搶購與囤積，已開始醞釀，中共當局雖然對這情形用政治力量企圖鎮壓，但是，「形勢比人強」，懂得經濟原理的人明白：後來將不堪設想了。

木材行無妄之災

從八月至九月，木材產源匱乏，運銷停滯，木材的價格自然高漲。所謂「黑市」比中共「工商局」的「議價」高了百分之四十五。一個月間，此間開林木行（負責人顧康年）繼續以黑市價售與裕信，大成等十家木行的木材共有一億五千九百餘萬元（人民幣）。但是「工商局」在最近要「殺一儆百」，就把顧康年提了去，認為這一個月內營業超過議價，予以懲辦。

其次，新華木行最近從福州運滬杉木六萬六千七百十二呎，貨到七餘，售與天津大來木行，也遭到本市工商局的查究，罪名是：「逃避上海的物價管制」。

囤積絨線賣黑市

木材以外，與人民日常生活有關的，如絨線一種，也擋不住它的價格，自然上漲了。有承豐，義裕康，同興潤等家絨線號，上月爭向福綿華行購進毛條囤貯，當時議價每磅七萬元，但他們都付了八萬元的「黑市價」。其中，承豐號更以八萬元一磅買進的毛條，以七萬元作價，再向上海毛絨廠以貨易貨購進小囡牌絨線。上海毛絨廠有被逼訂定在「廠價」（亦即所謂公價），寧可貶減毛條，換來絨線，一個月後，該號已獲暴利約一億九千萬元。這幾家商號，當然也在「不法」之列了。

進口商坐收暴利

福綿華行是進口商，去年從香港買進的四八支毛條七萬磅，成本是每磅四萬餘元，到今年七月售出時，即漲到了八萬。這筆帳也被查了出來，該行也成了物價浪潮中的犧牲者，負責人送進了「人民法院」。

高壓手段的後果

此外，接二連三發生的抬價，搶購及囤積的案件，已使法院應接不暇，如竹器商，毛絨業，紙業等等，都受了控告。從這些案件中，看到了市場可怕的遠景——用高壓手段來抑平物價，後果又將如何呢？（悠然九月十三日自滬寄）

鐵路工程敗壞 也說政治事故

【本報漢口特約通訊】衡陽鐵路管理局的工作效率一天比一天低落，並且，更嚴重的事也不斷發生，使路局損失不貲，旅客安全大成問題。

最近該路局曾舉行工程檢查，發現南衡以南各橋樑多數發生橋台基礎沉落或不穩固的現象。七月中，伶江正橋第三號橋墩腳手架全部倒塌，當場壓傷工人二十四名。還有大橋河中橋工程，設計過遲，夏季大雨來臨，即被沖斷，重加建造，浪費時間一星期。諸如此類，以前是向不公布的，只有耽誤了旅客的行程，莫明其妙的脫車。事後愈偵愈烈，中共自身也不得不發動檢討了，但是公布的文稿，卻說是「潛藏的反革命份子」的作祟，任「政治事故」一上面推諉，藉以消除局內異己，于是一無依補！（又新九月十一日自漢口寄）

嗚咽話贛鎢

·御龍·

贛鎢為我寶藏特種鑛產之一，在二次大戰期間，贛江河畔，南雄道傍，堆積待運的鎢塊，如丘如山；資源委會運鎢的車輛，飈馳贛曲道上，小梅關前，如縷如織，可謂盛極一時；不減於一次大戰期間，湘錫的十足風頭。現雖正以鈾為主要資源之超原子武器時代，可是鎢在電器工業上，仍不失其重要的價值。

克里姆林宮的指示

三十八年秋，贛南鎢的採運，以鐵路打斷，一度停頓。去年十月，中共中央奉克里姆林宮的指示，對覬覦多時，垂涎已久的鎢鑛，加緊攫取，恢復採運，乃由「中南軍政委會」，特派專員吳學周，陪同俄顧問可次羅夫，及另一冶金專家，並工程師多人，抵達贛縣，於「贛南行政專署」週密護衛下，出發大庾，龍南，雩都，寧都，泰和等縣鑛山，實地視察勘派，完成了「調查研究設計」的初步準備工作。旋並作贛縣成立「特種鑛產鎢砂管制委員會」，由「贛南行政專署」專員鍾民，兼任主任委員，另派杜俊範等為副主任委員，直轄於「中南」政委會」，同時建立了管制機構。再謀控制全部業務，另設鎢鑛總局，為便調度聯絡，局址也設在贛縣，於大庾，信豐，雩都，寧都，泰和，龍南遍設分局；各產地礦山，分設辦事處；可以說，經過此次布署，贛鎢的一切，盡低為內賊與外寇所掌握矣！昔日透過各種交通工具，輸向自由國家的路綫，以此改變，越過山海關，至直送克里姆林宮。

俄籍人員「協助」增產

本年初，中共號召改進技術，大力增產，再請主子技術協助，遣派俄籍技術人員二十七人，由北平南下，轉南昌乘車至贛縣，分赴各礦工作；同月復由南昌運來俄新式採礦機三部，鑽山機三部，分配大庾西華山、[illegible]等著名之大礦場應用，一改人工舊法，進為科學開採。

贛鎢現產量，月約九百至一千噸，其中西華山礦場，月產一五〇〇至二〇〇〇噸，泰和之龍口礦場，月產一〇〇〇噸至一五〇〇噸，其餘多少不一。據鎢鑛總局透露，本年四月起，每月從贛縣運出之鎢塊，平均為八〇〇噸，此運輸，由各縣分局及辦事處將所收購之礦砂，在贛縣集散，再沿贛江轉運。本年七月五日，鑛工代表會號召，本年底以前，一定要增產至每月一五〇〇噸，並規定各種工作競賽辦法，假使鎢非無知鑛物，必恨彼漢奸出賣，將此身為侵略者利用。

十萬六千人忍氣吞聲

現各礦工人，總計十萬六千以上，工人最多之礦場為西華山，約七千人，龍口約五千人，其餘數十以至數百不等，使用人工法開採者，仍佔百分之八十，工資是以出品計值的，由鎢鑛總局議訂收購礦砂價目，每市斤為僞幣八八〇〇元，近已跌至七五〇〇元，比之本港砂，田奈鎢砂的收購價，誠相差天壤，何止十倍？還折現實物，不能取得現款，淫威之下，祇好忍氣吞聲，以被奴役總比被屠殺強一籌！有工做，總比失業為好！

上海的新白相人

（本報上海特約通訊）中共在上海成立了幾千個里弄組織，每一里弄成立一個辦事處，要養五六個甚至七八個閒漢，這批閒漢或稱為里弄幹部，受公安局派出所或戶籍警的領導。一天到晚派派捐，攪攪秧歌鑼鼓，稱之為「新的白相人」，實在是再恰當不過的。

最早的里弄組織，名稱為冬防隊。可是這些冬防隊，卻一直延續到今年夏天，四季不分，也只有在鐵幕中才存在着那些怪現象。大概有些共幹也覺得未免近乎滑稽吧，於是下了個命令，將所有冬防隊，一律改組為「居民委員會」，當然，吃閒飯的還是那班人。（悠然九月六日自滬寄）

法院裏公證重婚 男女事奉命與訟

【本報特約上海通訊】此間「人民法院」所主持之「公證結婚」，是被認為最「合法」的婚姻，但也發現了重婚的事件。發現重婚不足奇，重婚案中的兩個男女主角，並未提出訴訟，「人民法院」却認為有傷道德，而大興問罪，逼令兩女主角追究吵鬧，藉而清算這一個叫做陳國材的男子。這是中共治下的一件「婚變糾案」。

陳國材是江南造船所造氣廠的職員，十年前與梁定蘭戀愛結婚，已生四個孩子，去年又與上海電訊局財務室女職員張惠雲戀愛，今春在上海「人民法院」公證結婚。

婚後原也相安無事，但是「組織上」（中共對于每一個人都有嚴密的「組織」）發現了陳國材已有妻室，雖然梁張兩女並無異議，但「組織上」逼令他坦白一切家庭情形，判決了六個月徒刑。案發之後，陳之髮妻梁定蘭還寫了一封信給陳，表示：「結婚十年，情感彌篤；重婚之事既由公證……」而張惠雲這一方面，由于「組織上」的慫恿，向伊所屬之「青年團」「上級」報告，予以「檢討」，「上峯」要她承認「受害」，她只好偽造了一段事實，來給「人民法院」問案，于是，陳國材便以「行為存在着蔑視及玩弄女性的本質與剝削階級的思想」而判了刑，這件婚姻訟案，說明了今天「人民」的男女間事，也當有「組織」在上面指揮指使！（悠然九月十二日自上海寄）

老大哥應向小弟學習

·侃方·

蘇俄出席舊金山和會首席代表葛羅米柯由美國乘搭輪船回國時，拒見新聞記者，說是「並無若何聲明發表」，又禁人拍他的照片，因此而招致同船人的譏笑。岸上還有備着「打倒共產帝國主義」的旗子向他示威的羣衆。實則葛羅米柯先生，不，蘇俄出現於國際壇坫上的所有代表，像這次葛先生一行之淡然無光，晦氣滿面而不神色，倒是「自生民以來，未嘗有也」！

不過，葛羅米柯究竟是少年氣盛之流，面皮太薄，尚欠老練。在外交上祇能打勝仗，一遇挫敗，便窘態畢露，撐不住氣了！假使以英美為外交官處此，他不但照樣的會跟新聞記者談天說笑，滿不在乎，而且滿臉笑容替人拍照；就是以周恩來而修養那類人身歷其境，也會閉着眼睛，大談其「精神勝利」的高論。君不見北平「人民日報」近來的社論乎？舊金山對日和會是「美帝」失敗的禍根，因為「人民」都不贊成；韓戰則是「美帝」慘敗了，也因為「人民」反對「美帝」！「人民」總是常勝將軍，「人民」又是上帝，是泰山石敢當，而「人民」之名詞的專利，別人都沒有份兒。葛一行「美帝」的原子彈只要有一名「人民」鐵幕地面未被幅射性的紛紛降死，依然是「人民」的勝利！

「蘇聯老大哥」樣樣都是中共之師，惟有咬着「人民」二字抵死不放，作精神勝利的阿Q作風，似乎青出於藍，「老大哥」之一的「葛羅米柯同志」大有到中國來一番學習之必要呵！

自由談

密告

·蘇夢·

早上九點，困倦〔illegible〕來洗[illegible]生意做，饒老板張春榮正躺在床上，忽然店伙阿福送進一張條子來，上面寫道：

「請該號負責人於今晨十時到本處問話。右通知
××號美號
××市人民政府稅捐處。」

張春榮虎地一聲跳起來，以為出了什麼亂子，屠殺的威脅太使這些蟻民害怕了，慌慌忙忙穿好衣服，來不及吃早飯，就朝「稅捐處」跑去。

也許是他神色太慌張，剛跨進「市人民政府」（「稅捐處」附設在「市政府」內）就給一聲「不動！」喝住，兩個「解放軍」從半路裏殺出來，殺勢洶洶，喝道：

「你來幹什麼？」

張春榮趕忙取出通知書來，道明來意。一個「解放軍」用槍口對着他胸膛，另一個接過通知書，左瞧右瞧的瞧了老半天，又把他上上下下的搜查了一遍，方揮手叫他進去。

他踏進了「稅捐處」辦公廳，又連忙取出通知書來，問當首的一個職員，那人瞧了一眼，朝後邊一指，鴉自俯頭辦他的事情去了。他往後再問，第二個還是照樣向後一指，又從自你面前去」。他一個一個去，問到最後一個桌子，那人正全神貫注地讀着一張報紙，老久纔移過眼來，朝旁邊的玻璃門一指，道：

「在內面！」

玻璃門上寫着：「主任」。春榮一面推門進去，一面打着躬，雙手奉上通知書，必恭必敬地靜候問話。

「你就是××號的負責人麼？」主任問。

「是的，是的，主任！」

「你這該死的反動份子！」主任竟嚷起來，有幾滴涎花濺到張春榮面上，「你還敢狡辯反動勢力，作非為麼？你可知道，現在是什麼時代？還敢與人民為敵！」

張春榮摸不着頭腦，一面問：「主任，我究竟有什麼錯處？……」

「嚇！你連自己幹的好事還不知道？」主任生氣了，「我把你禁閉起來？……」

「你究竟知道，主任，我並沒有做什麼錯……」

「還沒有做錯！」主任拍着桌子，把一隻腳踏到椅子上，「你走私漏稅，搗亂金融，還敢說沒做錯！」

「這有什麼憑據呢？」

「還要憑據？」主任狠狠盯了他一眼，又拉開抽屜，把裏面的密告抽出來：「我這裏就有七八張，都是密告你的，說你做着大批土產生意，漏稅不報，還搗亂銀元，出賣民幣，搗亂金融，你該當何罪，論理是應當槍斃的！」

「主任，」張春榮說，「這些事如果真是我做的，我甘心受槍斃，可是我從未走私漏稅，我一生未曾搗亂過。自解放以來，我更未曾做過生意，你只能當做參考，不能以一紙密告就可以構成狀的話，那天下豈不大亂？我也可以隨便寫密告你，捏造主任的不是，請主任調查好了！」

主任不理會，他點上一支香煙，說：「這些話你還是不必辯了，張春榮，你還是老老實實地把心裏想的坦白出來吧。」

說罷，張春榮一直呆呆地站着，那兩個「解放軍」走進來了，主任道：「你還是坦白吧！覺悟了沒有？」

「主任，我沒有做錯，你如果把我關十年，就是坦白也無從覺悟和坦白！」

「好傢伙！你還是這麼反動，主任按鈴叫人！」

兩個解放軍應聲進來，主任怒道：「把他押下去，看他再拉(?)不再拉！」張春榮被押進拘留所，一連三天，全身被搜得一點力氣沒有，第四日主任又提他上下地打量了一遍，道：

「張春榮，你坦白了沒有？」

「我不知道坦白什麼呀！」

春榮有氣無力地說，「請主任原諒我，放我回去吧！」

「哼！你漏稅不放，先交五千萬元出來，再寫一張悔過書，叫店保上張貼，交了五千萬元，寫了悔過書，又找了幾份保，總算恢復了自由，回家大街小巷〔illegible〕，他躺在床上，爬不起來，心想〔illegible〕理停業，盼咐伙計們去耕田，或者設法……

記辛亥武昌首義經過（上）

·舜生·

中國革命，發端於光緒十八年（1892）所成立之興中會，而革命勢力之大團結，則在光緒三十一年七月（1905）中國革命同盟會之創建，其去宣統三年辛亥（1911）革命之成功，為時凡歷二十年，在此二十年間，中國革命運動實經過無數次之挫敗，何以武漢義旗一舉，卒告成功？其事實有可得言者。

先是武昌有革命團體曰『日知會』，曾借教會掩護，運動革命甚力，並輸入陳天華所著『猛回頭』及『警世鐘』等革命書籍極多，新軍最受其影響。光緒三十二年（1906），孫中山曾遣法人歐極樂（[illegible]）及孫家彥等赴武漢與『日知會』聯絡，該會開會歡迎之，並攝影以資紀念。不幸此項照片，乃為武漢官方所得，是年十月萍瀏一帶革命爆發，官方即按圖索捕，『日知會』首領劉家運（即劉敬安）及朱子龍，胡瑛，吳之銓，殷子衡，李亞東，梁鍾漢等，均以此牽涉入獄。

日知會外又有一革命團體曰『共進會』，實為同盟會之別働隊，如居正，焦達峯，孫武等，均為『共進會』中人物。在辛亥前能吸收湖北新軍各標若干分子贊成革命，大率為『日知會』與『共進會』之力。

當辛亥三月黃花崗一役以前，黃興原謀於武漢同時發動，以為響應，曾函促居正到漢口主持，後又遣譚人鳳攜款八百元，交居正孫武，為武漢籌備響應之費。及三月一役歸於失敗，黨人乃更積極圖武漢。時孫武，張振武，蔣翊武，劉公，蔡濟民，熊秉坤等運動新軍已成熟，正值川粵兩湖以反對鐵路國有大鬧風潮，清廷命端方督湖北新軍一部分入川平亂，全國人心皇皇，黨人乃更欲乘時崛起。

時湖廣總督瑞澂，早聞革命黨有在武漢起事之風說，已加意防範，並由張彪分遣軍隊，按段梭巡。到八月初，武漢風聲更緊；初九日，瑞澂接外務部密電，謂革命黨首與[illegible]聯絡黨人，約期十五十六兩日舉事，並聯合軍隊響應云云。於是瑞澂大恐，飭軍警加緊戒嚴，並調集軍隊，保衛總督衙門；命巡警道嚴查武漢各碼頭，命黎元洪率部駐紮漢陽兵工廠；又調集長江艦隊及本省巡防艦隊多艘，停泊武漢江面。

萬竹樓隨筆（三〇）

我參加了中共文工團（三）

·羊辛·

五，檢討申議

這由可知道檢討會是怎樣的一個了！原來是不接受毛主席思想」，——罷了大堆「新民主主義論」，「論聯合政府」，「論人民民主專政」……還有「白毛女」，「小二黑結婚」之類的書。

「大家有甚麼疑問，可以提出來討論！」指導員乾着嗓子喊。

靜靜地，大家竟然像「毛主席」肚子裏的蛔蟲似的，沒有人發生「疑問」。

稍停，忽然盧根海舉起手來：

「如果有些值得糾正的問題，是不是可以提出來討論？」

指導員愣了一把，遲疑地：「——你有什麼要糾正？」

「我是說，我們的扭秧歌，腰鼓舞，最好改變一下，實在太單調，太原始，太乏味了！」

這傢伙竟如此直言無忌，好在指導員態度倒很從容，答道：

「同志，你的小資產階級意識還很濃厚，要知道，我們一切是為了人民，我們的秧歌舞是要給人民大衆看的，不是要給資產階級翹頭評腳的！」

「可是，」盧根海也不甘示弱，「據近來的反映是，人民大衆也已經看得膩了！」

……噯噯，……

「你怎麼知道他膩了？」

「個羅，最近我們練習時候，就再沒有人圍攏來看。」

「還是此地人民，覺悟程度不夠。」指導員肯定地下註腳。

原來是「人民覺悟程度不夠」，盧根海沒話兒辯下去了。

六，萬里找女

「教練員」喊一聲「休息！」我們便抹去滿頭的大汗，和秧歌舞暫道一聲拜拜，各做鳥獸散了。

回到「地主張大爹」的屋子裏，想躺它一會兒，盧根海跑來告訴我說：

「××，那個李美美的母親趕來了！」

「哪裏？」

「就在隔壁，我們瞧瞧去！」

我一骨碌爬起來，跟着盧根海溜了。李美美，她的母親，縮在角落裏，她母親大約五十餘歲了，一身污泥，滿面風霜，兩隻眼睛哭得像桃核那麼大了。

「阿美，你好狠心……也不想你媽媽會死……我好容易爬山涉水，不吃不睡，……噯噯，……到處打聽，才找到這裏來，噯噯，……你若可憐你的媽媽，就和我回去，……」

屋主張大嫂，她哭得也陪着紅了眼圈兒，拉一把椅子，扯着她坐下，一面撩起圍裙替她拭眼睛，道：

「大姆，你坐下吧，這麼大的年紀，爬山涉水，可憐……」

李美美面向牆壁，一聲不響。好一會兒，纔說：

「是不可能的，我是不能回去的，你自己一個人回去吧！」

那老母親嗒然若失，兩行老淚直滾下來，半晌說不出話。

張大嫂不敢插嘴。

盧根海暗暗地扯了我一把，道：

「別看了吧，我們回去！」

我們回到屋子裏，兩人都沒說話。「組長」——「前進劇團」黃水生走來宣佈：「明天就要開拔了，各位同志準備準備！」

多月的老家莊，踏上新的旅程，我第一件事就是要瞧瞧李美美有沒有來，結果她還是擠在我們隊伍中間，低垂着頭，慢慢地一步一步地跟着走。

七，夜半叫聲

「入境隨俗」，尤其因為夜間歇宿，匆促中難以找到太多的好房子，於是我們男女開始混在一起過夜了。

黃水生一夥人最高興，他們說這是「打倒封建意識中男女間的『假面具』」的「集中表現」。類似我這樣不中用的人，可有點扭捏，老老實實縮在角落裏，蒙頭便睡，一切都不管。夜深人靜，全身疲累之餘，有時也想家，想着李美美和她母親那一幕，我馬上記起「我是不能回去的」那一句話，儘管搬出一些「革命理論」來趕走這些思想，鼓起勇氣，自我安慰一番，非如是，只有增加無謂的痛苦而已。

朦朧中忽然給一聲尖叫驚醒了過來，一個女聲在喊：「你究竟想做什麼的？……你放尊重些！」

是白淑媛的聲音。

盧根海也跳了起來，擦的一聲亮了火柴，在閃爍的火光中，只見黃水生匆匆忙忙地縮回了他的鋪位。

「哼！」盧根海噓了一聲。

微微聽見白淑媛的低泣。……

貝萬和狄托

·光譯·

英工黨左翼份子領袖貝萬（前勞工部長），最近寫了一文，報導南斯拉夫的情況。貝萬夫婦和幾個工黨份子到南斯拉夫避暑，他們都是南斯拉夫總理狄托的貴賓。狄托曾在亞得里亞海中的勃里奧尼島招待貝萬夫婦，並沒有「節約」。他說狄托現年雖已近六十歲，但「身體結實，看起來只有五十歲」。

貝萬在文中論及世界大戰後，他曾和狄托討論過世界大戰的一些問題，他以為狄托並不是一個「獨裁」者。[illegible]

貝萬又認為許多英國人對於狄托的看法[illegible]；貝萬在報紙上替狄托和狄托的朋友辯護[illegible]。

[illegible]

美國政治上最重要的女人

——張天寶譯自「週六晚郵」——

今日在政治上最重要的女人，是印第安那州的民主黨全國委員會副主席，兼民主黨婦女部主任愛德華夫人。

她是美國婦女參加政治運動的[illegible]，因杜魯門總統的緣故，女人擔任重要職位，比以前任何一任總統任命的都多。國家的重要位置已有十九個由女人擔任，杜魯門總統已任命了八百二十位婦女出任各種職位，也派女代表出席國際性的會議。他又任命第一位駐丹麥女大使安德遜夫人，第一位女性聯邦法官[illegible]，第一位女國防部次長羅森堡夫人，第一位女性[illegible]法官。

這並不是由於情感上的偏向，因為杜魯門在廚房內有少數幾個想法，或許也可以說，杜魯門的決定，被愛德華夫人所改變了。

愛德華夫人的個性，除了強烈的政治野心之外，還含有作為一個政治家所需要的忍耐、苦幹、富於理想，以及把握機會。她的政治生活始於五歲，那時她隨着母親參加了一次婦女示威遊行，遊行於街頭。[illegible]

她在政治上，女性並沒有一個標準可以衡量，在方面與男子，[illegible]

[illegible]

今天我們[illegible]

自由人

THE FREEMAN
（中國週刊每星期三六出版）
（第五十八期）
每份港幣壹毫
督印人：李光華
社址：香港高士打道六六號
電話：二〇八四八
GLOUCESTER RD. HONGKONG TEL: 20848
承印者：東南印務出版社
地址：高士打道六四號
台灣經銷處
台北重慶南路一段七十四號

論未來的中日關係

·左舜生·

和約簽字，也許日本新生的正式起頭，也許日本一切眞正困難的開始。今後將如何應付這艱難而微妙的局面，需要更高的智慧，而値得朝野人士、共同努力。

因戰敗無條件投降，而接受盟軍管制，在盟軍管制下，日本一切謹守約束，一面埋頭苦幹以充實自身力量，一面嚴格制止日共活動，以免大多數國民誤入歧途；像這樣小心翼翼，拖過了六年的時間，雖說日本的社會結構及一般人民的生活習慣，去眞正的民主仍有相當距離，然而依據過去六十年的憲政基礎，其人民與官吏守法奉公的精神，並非無可稱道。以是種種，日本在最近二三年來，總算逐漸博得了國際的好評；而一般人過去對日本畏懼與厭惡的心理，也確實在逐漸改變；以這一因素作爲基礎，加以國際形勢又正在作一種有利日本的好轉之中，於是此一比較寬大的對日和約，乃得在最近舉行的舊金山會議中，由大多數的國家予以簽字。

和約簽字，從一方面看，也許是日本新生的正式起頭；從另一方面看，也許是日本一切眞正困難的開始。日本今後將如何應付這一艱難而微妙的局面，以繼續博得世人更多的好感，以爭取有關國家更多的協助，同時又足以發揚日本立國的固有精神，這確實是需要更高的知慧，而値得日本朝野人士共同努力！

日本不能再走錯路

以常情論，日本自明治以降數十年間的努力，以造成一個亞洲的強大國家，乃不幸而遭遇一度空前的挫敗，現在依據其自身之奮發有爲，又得依然恢復其獨立，諒至不出五年十年，日本不問在名在實，又爲得躋於世界強國之林，可是，領土縮小了，世界的形勢變了；其所恃以發展高度工業的原料來源，受有相當限制，其所迫切需要消耗其產品的市場，急待重行建立，亦復困難滋多。凡此種種，其所影響於一般日本人民心理者爲何如？誠非我們所敢預測。但假定不幸又有野心者起，依然重蹈其過去失敗之路，或若干淺薄躁急者流，忽視其自身立國的精神，惑於外來某種不健全思想的鼓煽，甚至捨去世界的一條民主坦坦大道不由，而誘致其國民入於歧路，或昧於當前情形，不能嚴格的分別友敵，一切以一種急功近利的心理出之，則日本的前途，亦誠有非吾人所忍言者。

我們深切的反躬自省，日本之成爲亞洲的一個強國，我們在過去六七十年，不僅沒有對之懷過何種的嫉視，反之我們實乃不勝其傾佩，還只要看我們在過去數十年間，對日本一切有關學術文藝的書籍之大事翻譯，對日留學生派遣的逐年增加，日本文學語言在中國的流行僅次於英語，一般經濟界人物與日本合作之相當圓活：……即足以證明中國人對於日本的強盛，便從來沒有懷過何種惡意。平心而論，我們在清代末年的興起的兩大運動──立憲運動與革命運動，日本的朝野人士，也確實曾加以相當的助力，甚至不惜生命以贊助中國革命者，亦確有其人，我們細細檢討創建中華民國的孫中山先生生平的對日言論，也覺得他處處在爲日本設想，尤其期待中日兩國的人民友好合作。凡此種種，本來是中日兩國應該依以發展其友好關係的一條大道。不幸日本一部分的軍人，狃於過去對外戰爭的無往不利，而絕對不了解中國決無由日本獨佔的可能，乃不惜不斷予中國以難堪，一步一步逼到中國忍無可忍，不得已而有『七七』之迎而抗戰。抗戰這一幕展開以後，中國人民自然是忍痛犧牲，義無反顧，可是中國一部分的有識者，却早知道這一戰的結果，一定是中日兩敗俱傷，而使得一個對亞洲對世界抱有更大野心的蘇俄，以及一個中華民國的叛徒中國共產黨，坐收漁人之利！日本必須深刻明瞭：整個中國大陸，整個遠東情勢，其所以鬧到今天的景象、除中國人應負其所應負的一部分責任以外，其大部份的責任，實應由日本的野心者負之，這是無可否認的。

今後日本的復興大道

『成事不說，遂事不諫，』『以前種種，譬如昨日死，以後種種，譬如今日生，』現在和約是簽訂了，日本的有識者，對於未來的中日關係，究竟準備作一種怎樣的打算呢？

遠在去年六月二十五日韓戰爆發以前，即去年的五月二十一，我曾在『香港時報』，以『日本往何處』爲題，寫過一篇星期評論，說明日本既不能成爲東方的瑞士，也與蘇俄和中共絕對無接近的可能，其惟一可走的道路，只是加入民主國家的陣綫，以期待於防禦共產集團對世界對人類所加的威脅，有所盡力。其時杜勒斯先生還沒有對和約提出他具體的意見，但我已提出了和約基本原則十條。到去年的六月十四，（即韓戰爆發前十天）我又把這十條原則，稍稍加以修正，以『趕快解決對日和約問題』爲題，在台灣出版的『自由中國』第三卷第一期發表，這十條基本原則的原文如下：

『（一）我們應該拋棄蘇俄，不理中共，以美國爲首的各民主國家，立即集體的，或個別的，以平等方式，與日本訂立和約，不能繼續有所等待，也不能受任何拘束。（二）對日和約中，凡足以阻礙日本恢復常態的任何條款，包括賠款，應一律予以删除。（三）應從速恢復日本的經濟情況恢復正常狀態，不應再以猜忌或阻礙，新商約亦應以平等互惠爲原則。（四）斷然接受前美國總統胡佛的建議，改組聯合國，世界兩大壁壘的分野，越劃分得清楚越好，並於此國際歡迎日本重返於國際間一重要國家的地位。（五）日本應在美國的協助之下，擁有足夠自衛並參加民主陣綫反抗侵略的全部武裝，陸海空須適當配合，不必附任何不必要的條件。（六）民主國家應通盤籌劃，使日本過剩的人口，能有和平移殖的最大可能；我們讚賞那些擁有超過其人口需要的過剩土地，而同時仍在從事向外侵略的國家，實是擾亂世界和平的罪魁禍首，我們應該把這些國家作爲世界土地分配的主要對象，以解決整個人類土地問題。（七）中國可歡迎美國的資本技術，日本的經驗與人力，英國與加拿大澳洲的參加，一致建設東北，惟中國領土行政的完整，爲（並參加建設工作的主要部分）。（八）在中國若干指定的地點，可以接受日本的移民雜居。（九）日本應打破舊的主權觀念，在日本保留若干足以防禦的軍事基地，至日本足以自衛時爲止。（十）日本應以全力制止共產主義在日本的發展，並根絕蘇俄與中共在日本的間諜活動，尤不能以討價還價的態度接近蘇俄……』

所雖然這已是一年以前的事，我相信日本的有識者，一定能了解這一精神的；到最近和約簽訂，這一精神已由日本實現了。但是於這，我去年所提出的這些原則，至今天看來，在日本的心理上，依然不惜與蘇俄勾搭，而且已首尾勾搭上了，……是民國深信之不容疑的！

冷戰乎？熱戰乎？

——一個美國作家的看法——

本報專訪

「一九五一年如果不會有世界大戰，恐怕以後的局面便是冷戰。而一九五一年中尤以九、十、十一三個月最危險，但看上去，似乎可以平穩渡過」。這是美國阿里仲娜日報專欄作家海斯由東京玩到香港的結論。他說：「從九月起，蘇聯如果在歐洲發動戰事，因爲天氣寒冷，可以處處主動；以人力而言，蘇聯要到一九五七年才算完全。但第二次大戰以來蘇聯的生產和人口生殖率，一直未能恢復到戰前的水準。所以從這一點看來，大戰又似乎不會爆發」。

他預言這一次聯軍代表和共軍代表在板門店會晤，一定可以謀求韓戰的解決。他說：韓戰一定會停戰，但一定和不了。可能會另外再找一個地區大打一陣。因爲今日的韓戰場等於在狹弄內打不出一個所以然來。這不但共軍有此感覺，即聯軍也有此同感。但是，下一個戰場，聯軍是否能像在那樣齊心一致，却是個大問題。

他繼續又說，也可能根本就沒有下一個戰場，雙方仍舊回到冷戰的階段。他指出今後的勝利不一定見諸刀兵，冷戰可能深致和平的勝利，以今日歐洲言，實行了一年多的冷戰，證明民主國家已充份獲得勝利。在今日歐洲，如柏林盟軍佔區中新辦的自由大學，慕尼黑的自由歐洲電台，都使蘇聯的力量最後退。他預料冷戰日子久了，鐵幕內一定會起變化。

在東京，他指出日本人已痛恨吉田。一般人認爲對日和約吉田太屈辱了，太丟日本人的臉、所以他認爲在不久的將來，吉田恐怕幹不下去。將另外有人出來組閣。日本人表面上對美國很恭順，實際內心非常仇恨美國，這是未來亞洲的隱憂，可能是第四次大戰的伏筆！

關於香港的地位，他認爲現在比十個月之前穩定。他說十個月之前，美國對遠東的政策，不但不堅定，且遠不如現在那樣積極。其次，中共參加韓戰以來，傷亡逾百萬之衆，不易再挑起戰火。他明白指出：自從麥帥召返後，一般美國民意已反映必保日本。而日本門外的台灣與香港，更是日本大門的守門神。這是說英美對港台有必守之決心。（按：美僑眷屬，自上年底遣送返美後，最近返港者確實不少）可以斷言。（鄒源）

國際第三勢力的幻想者

本報專訪

印度社會黨領袖陸希亞（Lohie）博士，不久以前在東京活動了一個時候，終於把日本社會黨團結起來使盟總非常「防」他。所以他在東京，邀演說都未得盟總批准。

前天他來香港，二十一日飛曼谷，再同曼谷社會黨洽商泛亞社會黨事宜。他在二十日上午，通過印度時事報記者，邀請了幾位香港通訊社記者談話，連中共的新華社也派有記者參加。

陸希亞博士首先表示：「今天台灣若能與中共混合一家，這是最理想的」。他說：「我不同意台灣的做法，我也不贊成中共的做法，我希望在中國應該有一個代表民主的國際社會主義的第三勢力，這再適當也沒有的」。

他批評尼赫魯的外交政策太緊張，以致一事無成。但他認爲尼赫魯決定承認中共這一着，並不錯誤。

他指出今天這個世界，已形成了一個分界綫。由羅馬到夏威夷，同南美，是平靜，舒適的；由東京到開羅，是混亂與痛苦的。這是兩個世界。他主張全亞洲的社會黨當起來做三件事：（一）改良亞洲人種之素質。（二）推行社會主義的經濟制度，廢除自由貿易。（三）改進工農機器，提高生產。

他對於美國的社會主義非常贊成，但可惜不能實行於亞洲，亞洲的印度和中國，應當採用較爲積極而略帶革命手段。但他反對用暗殺來求達改進社會的目的。（[illegible]）

半週展望

雷嘯岑

英國舉行大選了

英倫政府宣佈下月廿五日舉行大選，使我想起第一次世界大戰時的景況。那時候，邱吉爾以再造河山之勳勞，睥睨世界，一般人都認爲保守黨穩勝無疑，結果工黨上台了！現在艾德理也正以「英國本位」政策，縱橫捭闔於世界，是否在下次大選中可操必勝之券呢？看來頗有問題。問題首在一般選民對工黨所採行的「英國本位」政策如何衡量？換言之，英國現行的對內社會主義建設，對外中間偏左的作法，在未來風雲莫測的世界趨勢中，能否暢行無阻？次在工黨縱能獲勝，是否又像過去只在議會中佔着五六席多數的那種「慘勝」狀態？由前說推測，美國方面對英國舉行大選感到滿意的表示，可作參考，工黨的勝算似乎很渺茫；由後說設想，工黨要佔壓倒多數的可能性殊少。不能佔有壓倒多數的話，縱再執政，也只有走聯合政府之路，泰晤士報所期望的「一強有力政府」，終難實現。從英國選民過去每逢局勢險惡，安危繫於戰頃之際所表現出來的意志看，邱吉爾認爲很有勝利把握之說，決非自我陶醉哩！

韓戰僵局再見和緩

對日和約完成了，李奇威統帥對和談的強硬態度也改變了，承認聯軍飛機有誤入開城的事實，放棄易地談判的要求，雙方聯絡官又在板門店「滿臉笑容」的交換和談意見了。這證明充分的表現政略支配軍略，文官節制軍人的美國作風，也證明麥克阿瑟被黜之所以然。

和談的前途如何？本刊今日所載那位由東京來到香港的美國報紙專欄作家海斯的看法，很有道理──不會大戰，也不會眞和！依然以冷戰爲前提，大家都想要「不戰而屈人之兵」，大家都利用「小戰」來實驗新式武器的性能。你想拖，我也想拖，看誰的拖法高明，拖勁強大？

所以，今後我們對韓戰的和談情形，大可不必重視，把神經放鬆些，不必爲他們所玩弄的障眼法術而隨人憂喜！

値得注意的日本人心理

美國專欄作家海斯說：「日本人表面對美國很恭順，實際內心非常仇恨美國，這是未來亞洲的隱憂，可能是第四次大戰的伏筆！」戰後美國之對於日本，愛護扶持，可謂無微不至，對日和約之寬大，尤爲顯著事實，但日本人覺對美國猶有仇視心理！這一方面是褊狹的日本民族性所使然，一方面美國的作風也有關係。

任何一個民族都有其自尊心，亞洲民族由於久受白人統治之故，自尊心更强烈。美國既領導亞洲，爭取自由，即應特別注視這一點，除掉一般的人種優越感以外，萬不可由從前舊時殖民帝國主義者的殖民政策，仍視亞洲爲商業上的殖民地，政治上的附和者。一面教亞洲人跟民主國家走，一面又隨時意氣用事，踐踏別人的國格，毀損別人的自尊心，這是得不償失的。好好的一套杜魯門主義第四點計劃，偏要加上援助「落後地區」的字眼，使受之者隱痛在心，這就是人種優越感作祟啦！

所謂「第三次大戰」，我們決不願意想像的。萬一將來要發生的話，那原因就很簡單，只是人種戰爭而已。遠見的政治家，應該有方法消弭它！

日本將與印度印尼修好

日本爲着經濟關係，馬上要與印度等東南亞國家訂約，這是當然的歸趨。日本既不能，也不願與中共修好，她的產業出路，祇有朝東南亞方面前進。不過，這多少與英國利益有抵觸，所以，英人已發出盼望日本跟中國大陸發約的論調，外務大臣摩里遜也曾肯定的說日本與中共發約勢不可免哩！日本是否能如英國人之如意算盤，要看韓戰結果如何，英人近來又露出結束韓戰之說，用意即在此也。

誇大狂的史達林與自卑感的毛澤東

就史毛個人言，形成了永久的主從關係。就史毛的權力言，一個是父皇帝一個是兒皇帝。就史毛的民族言，一個是上帝選民一個是卑賤奴隸。因此毛澤東言必稱史達林，並且總是充當他的馬前卒。

鄭學稼

史達林和他的「學生」毛澤東的性格，恰恰相反。前者，運用所有地上的權力，把自己裝成或變為超人的「神」；後者，却運用他手中的力量，把自己變為腦中唯一活着的「神」（即史達林）的崇拜者。一個是誇大狂，另一個是自卑感。

由於史達林是全世界史達林主義者的「神」，所以，他所代表的民族——大俄羅斯，和他所代表的國家——蘇聯，也成為人類中「最優秀」的民族和「最強大」的國家。雖然，他的盟友希特勒已經死了，而希特勒之理想——表現於「第三帝國」之意志的欲，即「德意志民族超越一切」——，却變為史達林瘋狂地追求之「俄羅斯民族超越一切」（第二次世界大戰後的局勢，使史達林有那追求的條件）。依他的祭司們的宣傳，人類近五十年來最主要的發明的發明家，都是俄羅斯人。敘述那些發明的故事，要花數十厚册的篇幅。無需說，這樣的宣傳，是史達林之神化的前提。因為，只有那麼偉大的民族，才能產生超人的史達林。

自卑表現

毛澤東呢？由延安到「北京」，除了偶然表現於「沁園春」的誇大狂外，一貫的表演自卑感（就對史達林而言）。他的重要演詞，無例外地歌頌、尊崇史達林。不僅他個人，就是他的黨的宣傳機構，他的那路，也都不能離開那表修。這種自卑感的表演，不單是史、毛間主從關係的證據，而且有極大的意義：就是：史達林所代表的俄羅斯民族超越過毛澤東口頭上代表的中華民族。

老實的話

史達林的誇大狂，究有何等的根據？一些也沒有。俄羅斯民族是落後的，就她與西歐的關係而言，那落後是顯明的。儘管史達林竭全力宣傳俄羅斯民族超越一切，而他的前代，知名學者都自承落後的老實話。筆者只舉屠格涅夫為例。這位俄國的大文豪，在他的『文學回憶錄』中，曾有此說：

我於一八三[illegible]年念完聖彼得堡大學文科，第二年春天，便去柏林留學。我纔十九歲；但我早就夢想過這次旅行了。我確信在俄羅斯只能學到一些預備性的知識，而真正學問的源泉是在國外。其時聖彼得堡大學的教師之中，沒有一個能够動搖我這信念，况且他們自己也都充滿了這種信念；連那以烏瓦羅夫伯爵為首的教育部，也抱着同樣的見解，經常用公費派遣青年進德國各大學深造。……

青年人——我的同輩——的渴望出國，頗像斯拉夫人之向海外瓦朗格安人（Varangian）尋找首領。我們每個人恰好也感覺他的國土是廣大而肥沃的，但它缺少秩序。……那種生活環境，那種社會，尤其是我所隸屬的那個社會圈子——地主與農奴的圈子——全都使我無法留下來。稍反地，我在自己周圍所看見的一切，幾乎都在我心頭激起不安和憤懣的感情，最後並令我發生憎恨，我不能長此動搖下去，或者屈服，溫順地循着老路子默默地走去，這是常軌；或者立刻跑開，擺脫「所有一切」，甚至拋棄我內心覺得珍貴和親切的許多物事。我就這麼做了……我縱身一跳，躍進「德意志海」裏，讓它洗滌我，使我甦生，當我從它的浪濤之中游出的時候，我終於變成一個「西歐主義者」，並且一輩子都如此了。（文化生活出版社蔣路譯二至四頁）

打了嘴巴

筆者抄錄這兩段話，因為它的每一句都打了宣傳「蘇俄第一」的史達林的祭司們的嘴巴。屠格涅夫和他的同輩人（包括巴枯寧、黑爾岑等十九世紀中葉俄國的大思想家），但自他要「鑽進德意志海」，是在一八六八年。後兩年，列寧才離開娘胎，而神化的史達林的媽媽，在那時還未結婚哩！

愚昧的頭腦

這種顯明的事實，對史諾誇稱青年期已具有西歐重要知識的毛澤東，當然是知道的——除非他說假話。何以他把史達林撒謊的作為史實，理由有二：第一、他和「一九八四年」（這部小說是描寫獨裁制度下人民的生活）中的人物一樣，已被養成承認「戰爭就是和平、自由就是奴隸、無知就是力量」的顛倒是非的頭腦；第二、他——土包子的他，本來就缺乏西方文化的修養，對於俄羅斯的認識，是根據史達林御製及欽定的「俄國史」。

且看史實

如果這判斷是合理，還須進而說明：毛澤東和他的「同志」們，何以顯得或被蒙成顛倒是非的觀念？答覆了這一點，便可明白「毛澤東將為中國狄托」的宣傳，不僅是幻想，而且是上克里姆林宮的當，因為，那是史達林用以欺騙美國國務院的魔術。

最好的答詞，是根據史實。因此，筆者就由史、毛的出生史說起。

天父天兄

史達林生於一八七九年。那時，馬克思六十二歲（非十足年齡，下同），恩格思六十歲，列寧十歲。當他五歲時，馬克思逝世，列寧也只是十四歲的童子。一八九五年，恩格思逝世，已二十六歲的列寧，已和普列哈諾夫並肩而立，史達林、依他自己欽定的「歷史」，才與俄國馬克思主義者的地下小組發生關係。又在此時，毛澤東只是三歲的乳臭未乾的小孩。如果在馬克思教會中，馬、恩是「天爺」，列寧是「天兄」，那史達林對於毛澤東已具有「天父」的資格。（就列、史的關係而言，應稱列寧為「天父」）。

革命職業

世人知道史達林的發跡，是在十月革命之後。但正布黨黨史告訴我們：在一九一六年前，他不過是一個高加索地區的工作者，和列寧在俄國小組織之一負責人。他在該組織中的地位，從未超過斯威德洛夫和加米尼夫。也為這一原因，除最後一次充軍外，其他五次的充軍地點，都不在西伯利亞（按沙俄對於政治犯的配流，係根據罪情的大小，而定流地的遠近），使他都輕易的逃走。該補充說一句：一九一六年，他才三十九歲。雖然如此，他十八歲起，就變為職業革命家。二十七歲，他參加第一次全俄布派代表大會，初次會見列寧。以後，就逐漸抬高地位，成為布黨在首都的一個負責者。三十四歲時，儘管他的理論修養不及同時代的大人物，他能寫「馬克思主義與民族問題」（或云此書是按列寧口授要點寫成）。那些評錄，在俄羅斯社會民主工黨內指導圈中，雖不算是第一流，卻足使毛澤東折服。

深刻影響

為什麼呢？當史達林開始接近馬克思主義運動時，他所讀到的文獻，如普列哈諾夫、列寧等著作，都是馬克思主義者的頭等作品。毛澤東要遲到二十四歲，才受陳獨秀思想的影響。二十八歲，讀到考茨基的「階級鬥爭」和克卡樸的「社會主義史」的他，恐怕還是一知半解。二十九歲，也加入中國共產黨，並自供：「陳獨秀的堅決信仰，在我的生活中，當這一轉變期，有極深刻的影響。」這個都他後日臭罵為一文不值的陳獨秀，雖是一九一九至一九二六間「中國知識界的明星」（毛澤東的話），究不能與列寧、普列哈諾夫、布哈林們相比。因此，正似陳獨秀不及普列哈諾夫或列寧，毛澤東也不及史達林。豈特此也。不必說三十四歲，就到現今，毛澤東的所有著作，無一篇趕得上「馬克思主義與民族問題」。

師生關係

在馬克思教會中，最重要的，是思想的高度。每一個「馬克思主義者」，如發現自己理論的修養太低，當對站在面前的人，發生敬仰心。當毛澤東的名字，為第三國際所知時，該國際的指導者之一就是史達林。所謂指導，不儘在組織上，高居領袖的地位，而在理論上，也居於教師的地位。因此，史達林與毛澤東，從發生直接的或間接的關係起，就表現為：一個發佈命令，另一個接受及執行命令；一個是教導者，另一個是學生。知道上述兩點的人，對於自稱為「四億七千萬」首領的毛澤東向一億八千萬統治者史達林，恭敬地執弟子禮，並公開地向世人宣佈：史達林是他的革命導師；就不會驚奇了。因為，毛澤東師事史達林，非始於一九五○年赴莫斯科拜壽之時，由來久矣。（未完）

論美俄原子武器競賽（中）

李秋生

三、原子彈威力的增大。今年在尼華達州試驗尼威吐克所試爆的原子彈，威力均遠非廣島長崎那種初期製品可比。今年七月一日出版的華盛頓郵報，曾刊載二月六日在拉斯伐伽斯原子爆炸的照片（亦見於七月六日美國新聞與世界報告的封面）：如果持與廣島或比基尼的爆炸照片比較，任何人都可看出其威力不可同日語。

四、製造技術的精進與速度的加強。原子彈威力的增加，與戰術性原子武器的產生，都是由於技術上的進步。現在美國所製成的原子彈，種類繁多，性能各有不同，可用於種種用途。而製造的速度亦遠非昔比。這一方面由於技術上的熟練和進步，另一方面由於原料供應的增多。去年一年間，就曾建立兩座氣體擴散工廠以提取鈾——二三五，原有的漢福沈與奧克星治兩廠，也都以二億美元的補充經費在擴充中；以便加強分裂性鈾和鈈的供應。

美國成就非出偶然

美國之能有這樣成就並非偶然，這原因是多方面的。第一流的科學工程人材和設備，予取予求的熟練技工，高度發展的工業水準，源源供給的原料動力，和豐裕充實的國家財力，這五個條件缺一不可。英國在原子能研究方面遠較美國為先進。當羅德福爵士在加文第士試驗室中用質子使原素變質之時，美國的物理學家還只[illegible]上更不足和美國相比。

關於人材和設備，俄國除其本國所擁有的卓越原子學家如喀匹察（Petar Kapitsa）教授之流而外，並曾從德國俘虜了許多第一流人材（但首先完成鈾原子分裂的奧國漢恩博士並不在內），在研究方面，也遠自一九四○年就在列寧格勒建造了歐洲最大的原子迴旋加速器，却不像美國之網羅了幾乎全部歐陸的原子學權威，波爾和邁特納女士、柯克洛夫特爵士等雖溢返歐洲，佛爾米和貝蒂諸人還留在美國，再加上美國本國十年來培植的無數傑出人材，而原子能研究更普遍於各公私學術與生產機構。至於所需的大量工程學家，實驗室技工與熟練工人，又正是俄國所最缺乏的。

蘇聯情形樣樣落後

在工廠和設備方面，美國得力於民間工業的普遍發達，去年一年間，為了維持和擴大其原子兵工廠，曾和私人工廠訂立一萬一千件主要合約，二十八萬件輔助合約，這在蘇俄，根本是不可能的，其國有工廠，又決沒有這樣大的設備和生產能力。

美國的鈾產儲量並不比俄國豐富，但世界最大的鈾礦來源，加拿大的大熊湖與比屬剛果，對美國都能源源供應，蘇聯却只靠着東德與捷克將告耗竭的鈾礦床和一些更為貧瘠的鈾礦。而電力的消耗，無論是氣體擴散廠也好，原子反應器——原子堆——也好，想要提出可分裂性的原料，都需要驚人的巨額電力，無論烏拉山或中央亞細亞，都沒有能和T・V・A・或鮑德大水閘比擬的電力供應。

俄國一切財富由國家獨占，國庫自然不會像美國那樣窘迫，但像南加羅林那州的氫彈工廠，第一階段的建造計劃就包括有二十萬英畝的面積，和九億美元的資本，已遠超過了俄國規模最大的工廠。而美國的原子工業，當其擴展計劃全部完成後，更要比俄國建立新軍工業中心的西伯利亞全部工廠更為龐大。

在這種種因素下，蘇聯在原子工業方面比美國真是大淵懸絕，其原子武器的競賽也自然遠為落後。邱吉爾曾經說過，美國的原子武器優勢，已經延阻了蘇聯發動世界大戰的決心，這種優勢，現在却比較過去更為顯著。

美國如此致力於原子武器的製造，而在原子能的和平用途則相形見絀，殊少進展，這是不是真如蘇俄及其御用工具所指責，是「戰爭販子」的行徑，只知一味製造殺人的武器呢？

原子能的軍事用途與和平用途，在原理上本無二致。像華盛頓州韓福德的龐大原子反應器，一方把鈾——二三八變成可分裂性的鈈，同時就散放出巨量的熱能，幾乎均熱了半條哥倫比亞河河水（按該原子堆係使用該河河水作為冷卻劑）。而原子飛機或原子潛艇所用為動力來源的原子反應器，也同樣可以用做工業動力的來源。問題還是止於經濟的打算上。照成本來比較，用原子能發電，其價格要比用水力發電昂貴許多，而與使用煤炭相差不遠。[illegible]實際上開山闢河，還是用T・N・T・或黃色炸藥來得便當，低廉而且有效。原子爆炸的最大威力，並不在於土木工程，而主要是熱力和輻射，那對於土木工程可說毫無用處。

談澄清思想

給青年朋友們的一封信

司馬璐

我看今天青年朋友們的苦悶，最主要的最基本的是思想問題，其他一切的問題都是從思想問題衍生的。比如說，個人生活問題，職業問題，假使我們的思想澄清了，生命力強，並不是沒有辦法克服；比如說，戀愛問題，假使我們的思想澄清了，我們一定有一個正確的堅定的人生觀，戀愛在人生過程中不過是一個部份而已，我們何必為他整天苦惱？

思想問題與個人生活環境毫不相干，有些朋友為窮而苦惱，殊不知許多富有的朋友也一樣苦悶，因為要像一個人生活得像一個人，並不僅是物質生活所能滿足我們的，一個生命力強的朋友，即使身無分文，窮無立錐之地，他一樣可以靠賣書報、擦皮鞋、打石頭、做苦力維持生活，然而他們之所以偉大，是因為他們理想的光輝永遠不減，他們對於一切的苦都能忍受，在任何艱苦的境遇中，他們處之泰然，怡然自得。

一個人活着，我以為頂重要的，必須永遠有一個「希望」引導着他，生命中沒有了「希望」，多活一天都沒有必要。有「希望」的人，他一定能够冷靜的面對現實；有「希望」的人，他一定能够勇敢的不屈的戰鬥。

「希望」是什麼？用一個術語來說：就是「理性解放，個性發展」。

自由之可貴就在此八個字，舊社會束縛住了我們的「希望」，共產黨的暴政扼殺了我們的「希望」，中國人民過去推翻滿清，打倒軍閥，今天反抗中共，都是為了同一個理由：希望！

有些自殺的青年，不值得我們去同情他們，他們對現實不敢正視，對環境不能够戰鬥，對希望不能够堅持，他們是懦夫！而為共產黨人妖道迷惑的青年，也一樣是變相的自殺，他們滿足於幾條淺薄的教條和八股，他們完全變成工具，聽命於主子，他們又說得上什麼希望？

在自由世界中，也並非全無缺點，假使我們過去的一切都是合理的，則共產黨這個魔鬼又從那裏鑽出來？但是，朋友們，這正是我們思想上第一步應該澄清的地方，

自由思想，民主主義的制度本身，他易於在我們面前不斷暴露許多缺點，而同時他的制度本身，又給我們創造一個條件，可以不斷的改造他，這種制度本身從不是定型與一成不變的，這是促成我們這個社會進步的力量的源泉，沒有自由就沒有創造，沒有創造就沒有進步，我深深地如此相信。

誠然，在自由世界中，我們每個青年發展的機會並不是完全公平的，少數人托庇於祖宗的遺產，他們有優裕的生活，少數中的更少數，他們賦有特權，把多數人發展的道路阻擋了，這些都是事實。我們毋須為他掩飾，但是，朋友們，我們能不能憑這些就說是民主制度的本身不好呢？民主制度的本身是要求不斷發掘人才，創造不息的，他是充滿活力與生氣的，我們沒有理由說這種制度本身不好，在一個進步的制度下，一切畸形的現象，祇有從制度內部去改造他。

今天的反共，是一個大革命，我們任何僥倖觀念和投機取巧的思想，都要自己清洗得一乾二淨，當你思想澄清以後，堅定的站穩自己的腳跟，虔誠的篤信自己的理想，以大無畏的自我犧牲的精神，去獻身給這個偉大的時代，則你的生命力將是無比的堅強，無堅不摧，無敵不克，在任何困苦的環境中，都能快樂，健康地抖擻戰鬥！

從一個來自大陸的孩子口中
聽鐵幕後人民的呻吟

他說：在中共治下，眼睛與耳朵都沒有用，嘴吧只能吃東西。

·何登·

（本報特約訪問）一個十四歲的孩子，前天由廣州投奔來港他的親戚家裏，做了我的新隣。我問他爲什麼要來，廣州不更好嗎？他說在廣州沒有書讀而且常常餓飯。這答話使我驚奇，追問他的身世，他嘶啞着聲帶訴出了如下的話：

父親失蹤

『我父親是一個中級公務員，「解放」後沒有走也走不動，相信共產黨的「寬大」政策依照「反革命份子自首」辦法登記了之後，初時倒沒有什麼，只叫去問幾次話，和來家調查了幾次。直至去年三月，問了話後就一去不回，隔了幾個月，接到父親由小北監獄遞出來的信，說現在受「勞動教育」，有衣服現鈔，可多送些來。叫家裏人安心，也不必去看他。

直到現在，「勞動教育」還沒有完畢，信也越來越疎，家裏也沒有錢送去，四個弟妹全靠母親勞作換來的錢養活，公立的學校不肯取錄我們，私立的讀不起……只好跑來香港。』

人人害怕

我問他十幾人對共產黨怎樣？他大聲地說：

「害怕，人人都害怕，他們半夜三更突然到家裏搜查，問這問那，答得慢些或答錯了都會被抓去，三天兩天不定才放回，誰也不知道爲的什麼，誰都不敢說共產黨的好壞，連母親對我們也是這樣。」

公審大會

我問他看過公審沒有？他說：

「看過一次，可怕極了！我們住在西關龍津路附近，那天，接到區政府的通知，說在樂善戲院審一個惡霸，每家都要派一個人去觀審。母親要照顧弟妹，由我代表參加，審的原來就是從前在龍津西路賣魚菜的「蝦婆」。六十多歲了，肥肥的，我經常也幫襯她。聽人說，她原先是專賣「蝦」的，積了錢，開起小店，賣的東西也多了。因爲價錢公道，人緣好，生意也好，錢越積越多，附近的窮苦人家和挑山賣菜的小販都向她借錢，十元八塊的借，納回利息。日子久了，無形中她成爲這一帶地方的債主，自然本利清還的居多，拖欠的就不能再借了，因此，也得罪了一些人。共產黨數月前發動街坊「反霸鬥爭」運動，幾個借錢不還的就報了她上去，以爲關她一月半月就會釋放，怎知卻要提出公審。她反綁着兩手，跪向台前，消瘦得完全變了個人，跪下時腰也撑不起，由兩個拿槍的用槍柄支持着。她一句話也說不出，兩隻眼睛似乎都瞎了，身軀不絕地發抖，觀審的不是街坊就是曾經過她的顧客，一向承認她是好人，就是放債收息也很公道，看見這樣子大家都很難過，有些低下頭，或把臉迴過去，只是不敢出聲。有一個年紀相當老的還溜下淚來，沒審完就要退出，給「工作同志」（鐵幕內對公務人員的通稱）攔住，問他爲什麼要走，他說「不忍看下去」。「工作同志」又問他是她的什麼人，他說只是買魚菜相識。結果，「工作同志」不但不讓他走，還把他帶到區裏去，此後沒有人再見過他。公審時，出名告她的都要上台控訴，把她打踢，說她如何放債圖利，如何欺壓窮人。控訴完了，主審的便問台下的人意思怎樣，大家都拿不出一個主意。停了一會，不知那裏爆出一句：「放高利貸的都是惡霸，惡霸都該殺。」主審的也就站起來說：「就這樣辦吧，這是人民的意思」。我記得當時的心着實跳得厲害，不知怎樣糊裏糊塗的跟着大家跑出戲院，回到家裏許久才恢復過來。」

孩子的話

我又問他兩次的大公審有沒有聽人說到什麼，他搖搖頭，一會才說：「除了眼睛，耳朵是沒有用處的，嘴巴也祗能用來吃東西。」我奇怪十四歲的孩子會說這句話，問他是自己的意見還是從別人處聽來。他道：「這沒有什麼大道理，我的小弟弟也懂得。」

生活在鐵幕裏的滋味如何，這是最眞實不過的報導。

東北人揭竿反共
焚伐「國有林」反映民心

鳳城縣長王宴，爲了剿「匪」，每天只睡三四小時，他說不把剿「匪」工作做好，便將被「土匪」燒死。

（本報北平特約通訊）「我的家在東北松花江上，那裏有森林煤礦，還有那滿山遍野的大豆高粱，……從那個悲慘的時候，脫離了我的家鄉，毀棄了無盡的寶藏……那年那月纔能夠回到我那可愛的故鄉？那年那月纔能夠收回我那無盡的寶藏？……」「松花江上」一曲，在抗戰時期，是一首家喻戶曉膾炙人口的新歌，唱起了這隻歌，就不由你不悲憤填膺，敵愾同仇，不料時隔八年，當對日戰爭勝利結束之後，這過去爲異族侵凌的寶藏之地，又重新被「俄奸」「毛爪」所蹂躪，一切剝削情形，生活非人，殘酷浮於日寇，撫今思昔，能不潸然！

木材一項，本爲東北最多最好的產品之一，其價值原不下於大豆高粱，依此生活者至少有一千萬人，中共佔領東北時間較長，是以早劃東北爲「老區」，經之營之，不遺餘力，「東北人民政府農林部林政局」爲確實「掌握人民的財富」，自今年一月起，即下令將各地所有私人林木全部收歸國有，改稱「國有林」，過去林主，除一次給予不及成本十分之一的「工本費」限令卅日交出租契與所有權外，仍須繼續在原地區加緊工作「爲人民服務」。在槍尖的威脅下，「政府」的工作推進，據說「非常順利」，可是，千千萬萬老百姓，眼看着十年心血，頓歸「國有」，悲憤之情，自難遏止，以是各地焚林伐林事件此平彼起，層出不窮，據北平的「人民日報」說．遼東各縣，因不注意檢查處理焚伐國有林的嚴重事件，致人民的財富受到極大的損失，使國家寶貴的人工林得不到週到的防護，今年春天，該省[illegible]龍、鳳南、淸原等廿多縣被地痞、惡霸、國特、土匪等共燒毀了有人工林中十至十五年以上的落葉松與黑松共二百餘萬株，又鳳城、順義、柳河、泉村等三十餘縣縣民在今年三月底四月初，復大量的濫伐林木，松、柏、楊、柳等樹，十九均被砍盡，直到現在，仍未停止，各縣人民政府至今亦未加禁止，原因說是由於各地災情嚴重，人民生活困難，幹部們不積極領導群衆生產自救，卻膽敢破壞國家法令，將業已收歸國有的林木分給群衆（連地主也分得一份），砍伐度荒，這種危害國家長遠利益的行爲，必須加以制止，並徹查檢討，東北人民政府農林部，對此事件極爲重視，曾於今年六月十三日召集各省林政處處長舉行緊急會議，追究責任，嚴令查復，又於八月八日，分函各省農林廳林政處，請將各縣焚伐國有林詳情迅報省監察委員會處理，但迄今一月餘，下文毫無，幹部工作態度之鬆懈，已使各地護林工作起了極大的不良影響。從上面這段「自供」裏，不但可看出東北廣大人民反共抗暴的決心與行動，更可以讓你看出中共一班中下級幹部對執行「上級」命令保護「國家財富」已不大感興趣了，換句話說，亦明知道即令執行亦「行不通」，不如做個順水人情推搪算了。

另外，在這次「防護國有林」事件中，還有一個有趣的插曲，其經過是這樣的：依照東北人民政府本年七月廿三日頒佈的「國有林防護工作指示」中，曾明確指出：「各林區和半林區內造林工作的重要點，由縣長召集地方公安、軍事、武裝部門，及森林工業局、鐵路局、工礦等部門，組織護林防火委員會，統一領導護林防火工作。」但鳳城縣到八月廿八日還沒有着手組織「護林防火委員會」，據該縣林政科科長呂漢淸對北平「人民日報」的記者講：縣長王宴同志，認爲了剿「匪」工作亟待開展，每天只能睡三四個鐘頭，他認爲當前最大的問題是剿「匪」，「匪」剿不清，則護林工作根本即不必談起，是以他不同意在目前成立「護林防火委員會」，九月五號，王宴同志在區長聯席會議席上，對這一問題討論（防火護林）只准討論三分鐘，王且對各區長說：「燒掉點爛木頭算什麼，不把剿「匪」工作做好，將來我們自己都將被這些土匪活活燒死」。隔了兩天，王縣長這段「匪話」傳到「東北人民政府主席」高崗的耳朵裏，高對王大講其「怪話」，殊不謂然，一面手令王宴執行「上級」命令，一面要王冠日成立「護林防火委員會」，並立即在行動上迅檢查麻痺思想之所自，予以糾正，王是否「遵命辦理」，則不得而知。

照東北的季節與普通的情況，九月十五以後就屆山火警戒的時期了，現在山火之外，又加上了廣大人民的心頭怒火，護林防火工作的前途，實不易樂觀，據「東北人民政府主席」高崗說：「鳳城是全國有人工林中的主要產地之一，落葉松一項，即有廿四萬二千餘垧，（每一垧合十五市畝）如護林工作不保證做好，人民財富的損失是難以估計的」。其實，高「主席」也所見者小了，今天，廣大人民所有的怒火既可焚毀東北的林木，明天，也可焚毀新特權階級一切的一切，到那時候，眞正人民財富的損失如天文數字難以估計呢。（臨光九月十四日自北平發）

連環圖畫之獄又來一個
「長征」畫本揭了瘡疤
「糾舉」聲起將行燬版

（本報上海特約通訊）「二萬五千里長征」這本書，是中共認爲值得誇耀世界的宏偉巨著，其間，經過數度「訂正」，內容方面，據說已絕對正確盡善盡美了，可是狐狸的尾巴終久是難掩的，偶一疏忽，又不得不「現醜」一次「自責」一番。兩週前記者報導過「井岡的健兒」之獄，這一次便是一個延續了。

上海萬東書局今年印行的一本「二萬五千里長征」連環畫，（一九五一年三月第十版）雖則在封面上已印有「十版修正版」字樣，但內容上據說仍「謬誤」百出，「缺點」嚴重。

據一個以武仲芳具名的「讀者」寫信給上海「解放日報」北平「人民日報」說：這本書第四十九頁敍述紅軍進入四川西康青海邊境的大草原時，畫了幾個少數民族同胞，手裏拿着刀槍，指劃着一個山明上的紅軍，說明文爲「天又常常下雨，這樣難走的地方，還有蠻人來襲擊」。另外一頁上畫了一個少數民族，在六七個紅兵包圍中，低着頭給紅軍帶路，說明文爲「後來有一個蠻人，經政治指導員反覆說服後始給紅軍做嚮導，我們才能走出大草原」。把少數民族指爲蠻人，把少數民族的地區稱爲蠻人地方，把帶路的人用幾個槍兵押括起當囚犯看，那完全是國民黨反動派的一貫作風，也就是國民黨反動政府以大漢族主義者自居歧視和侮辱少數民族的稱呼，在紅軍所到之處，原應是簞食壺漿以迎王師，愛民民愛軍的，若照該書的畫面與說明看，紅軍同反動派軍隊已沒有什麼分別了，甚至還不如反動派，而且，在各民族已經平等、互助、團結、友愛的今天，還把這種荒謬的字彙，錯誤的稱呼印在書上，廣爲傳播，這是編者與出版者應該檢討自責的，另外，在該書五十一頁上，歪曲地描寫了紅軍在田裏拔老百姓的蘿蔔，第五十三頁上，有幾個老百姓被用繩子扣着在挑行李，第五十八頁上，一個被紅軍追擊的敵兵，帽子上也畫了一個紅星，叫人看得敵我不分，莫名其妙，總的說來，作者對於中國共產黨領導下的這支光榮偉大的軍隊，光榮的傳統，偉大的任務，是根本缺乏認識，他把革命的事跡當着豆棚瓜架下的故事在空講，這種含有太多毒素的讀物，是應該在嚴格檢討糾正後銷燬書版杜絕流傳的」。

上面引敍的「一讀者」來信，據在「解放日報」編輯部做事的人透露，根本並無武仲芳其人，這實在就是「騎在人民頭上」的新統治者，在酒醉飯飽後，躺在沙發裏，嘴啣茄立克手捧連環圖消遣之餘，不料竟又發現有人在揪自己的屁股，揭自己的瘡疤，目無「人民」，膽大包天，是而可忍，孰不可忍，但果眞大張旗鼓以「政府」的地位去予以科懲，又怕被人說「度量不夠」，以此掉個槍花以「一讀者」身份儘能盡情指責，刻意標榜，其實，新統治者的想法「又錯了」，今天，在中共暴政下輾轉呻吟的四億五千萬眞正人民，對中國共產黨所給予的各種「恩惠」，早辛辣備嘗，「肚裏有數」，任你再說得天花亂墜也「逃不過人民雪亮的眼睛」了。（悠然九月十五日自滬寄）

從香港看廣州
陰陽河生死界
手錶水筆源源運入
自由男女紛紛逃出

廣州和香港，向來簡稱「省港」，儼如一家，並不因統治國度之不同，而減低其密切的關係。火車早發午至，輪船朝發夕至，飛機即發即至，父子兄弟夫婦之間分居「省」「港」，各處一地，更是極爲普通的事。可是共產黨來了之後，鐵幕一下，咫尺天涯，往來比出國還難，通訊無眞話可說，身在香港，心馳廣州，特述兩事，以誌憤慨；

從香港通往大陸，廣州是第一個門戶，無論鐵幕封得如何緊密，凡是中國共產黨新貴們所需要的東西，仍是源源而至，有關「抗美援朝」的物資不必說，最彰明較著的，莫如名貴的手錶與墨水筆。「勞力士」「綺年華」與「五一柏架」「八一犀飛利」的香港顧客早已到了飽和，而論「打」論「羅」（十二打）的購買者，無一而非來自大陸。牠們的主人也無一不是所謂「新貴」。當每一個眞正的「中國人民」連小米飯窩窩頭也吃不起的時候，中共新貴們何來許多港鈔美金？說出來卻不由你不信，因爲他們有的是「生殺予奪」的權威，還有「殺」「關」「管」「放」的四字魔咒，「國營」「公營」的兩般法寶，握着「國示一麾，自然大批送到，再加上豪奪巧取的工夫，何況是這些小事物，更窮奢極侈的淫巧享受都無不得心應手了。我們不妨到市面上調查調查，所有「帝國資本主義」國家出產的豪華生活用品，如無這批「新貴」，那裏去找銷場？

據中共宣布：由九月十五日起，本港旅客來往廣州的通行證「劃一式樣」。說是由於過去「式樣不一」，迭被「黃牛黨機構」僞冒，包庇旅客出入邊境，我們知道：鐵幕內刻一木章、買顆鉛字也被嚴密統制，何物「黃牛黨」竟有如此神通，能夠僞冒機關文證，通過防的重重封鎖的水陸關卡？還不是「攬住丈夫喊賊」，白日見鬼。據「僞冒通行證」逃出鐵幕的來客談：「黃牛黨」是有的，不過那些「黃牛」並非躲閃在「深圳橋邊」「三門關畔」拿生命作賭本的傢伙，而是安坐在人民政府（由省市到區鄉）公安部門辦公椅上，能爲人禍福的東西。他們另有一套發財的門路，只消依計而行（恕我不願全盤披露，以保持此通往自由之路）便可能像X光一般透過鐵幕，超越礙的代價是人民幣一百萬元，看光顧者的身價而定其高下。這項各得其所的交易，在兩相情願之下，自然進行順利，不致揭穿，因此，由今年二月十五日起，至九月十四日止，這一道門兒，放生了不少「敵人」。是「仁慈」還是「殘忍」？在當日見錢眼開的「同志」們可無暇計及了。（一鳴）

中共只要有錢到手 一律不分同志敵人

藏民拒用「人民幣」

西藏的「和平解放」已是中共好幾個月前自吹自擂的事了，最近從私人通訊中述及西藏近況，據謂，各大城市雖駐有「解放軍」，可是屈服的祇是上層統治階級。廣大的人民並未低頭。中共在西藏推行「人民幣」，藏民普遍拒用，開始時中共所派的幹部還帶有少數金銀等硬幣，投機大喇嘛也有獻金銀財寶的，所以還覺得無所謂，希望逐漸「說服」。但近來幹部們把所有的金銀用完了，只有拿出「人民幣」使用，而藏民感不服，對「人民幣」毫不信任，在噶大克試行強硬手段，拒用者殺，但無論如何也不要，但是倔強的藏胞，殺也不怕，共幹沒法，還是拒用。中共在西藏政權尚未鞏固，不敢採取高壓手段，拒用之風越來越大，在首府拉薩及大商埠亞東，本來已通用的，現在也拒用了，共幹有錢買不到日用品，徒呼奈何！（康釋民）

俄共的百科全書

·尚方·

據外國報紙記載：史大林正在吩咐他的御用詞臣們，編纂所謂「蘇聯百科全書」，頭三卷已出版，約有三百萬字，祇是詮釋A字部的事物而已。若照英文字母推算，這部「全書」至少有六十卷以上。

冊數多，並不可怪，可怪而又可恥可笑的，是那書中的釋義。除卻世界上一切的科學發明，如原子（Atom）飛機（AirshiP）之類的以外，說到「逮捕」（Arrest）這個字，指爲資本主義國家的警察逮捕人民，是在打擊民主運動，僅人民於非人道境地；而蘇聯憲法則是「保證人民不受逮捕的」。說到「檔案」（Archives）一字，也解釋是「美帝」與控制歐洲資本主義國家的檔案，以便實行其獨佔掠奪政策。你看這些鬼話好笑不？

最無聊的，莫過於把美國國務卿艾奇遜(Acheson)也寫上一筆，說美國在參加二次大戰以前，艾奇遜就與法西斯德國和黷武的日本合作了！實則，艾奇遜在大戰前，只是一個默默無聞的律師。我想這「蘇聯百科全書」中，對於「空氣」（Air）一字，必是這樣解釋：空氣也有階級性的，在「美帝」的天空內，空氣常常是髒迫剝削人民的，只有「蘇聯」的空氣，才是十足的和平民主！

這樣死不要臉的造謠說謊，褻瀆人類智慧，污蔑眞理，對俄式共產政權還不應該起而攻，投畀豺虎嗎？

自由談

共產黨徒最怕的聲音　自由歐洲電台

·周明譯·

在捷克政府將美聯社記者奧蒂斯以間諜罪判刑下獄後不久，捷共就提出暗示，如果美國參院停閉自由歐洲電台，布拉格可能同意釋放奧蒂斯。共產黨徒爲什麼這樣懼怕自由歐洲電台呢？這裏是關於其理由的一篇特別報道：

阿勃素諾伐同志是個身體修長的性感女郎，秀髮金亮，忠於共黨，她在捷克勃拉蒂斯拉夫地方替祕密警察做工作，負責勾引青年，然後強迫他們當情報員。

有一天，西德法蘭克福的自由歐洲電台發出使她驚恐的聲明：「注意，自由歐洲電台在說勃拉蒂斯拉夫的人民靜聽：我們向你們提出關於阿勃素諾伐的破壞警告，她是個危險的共產黨祕密人員……」接着，這電台說明，她的活動情形，把她痛斥了一頓。她的臉紅了起來，不到幾天就不再替祕密警察工作了。

同時在維也納，一個叫山特爾的人突然，他的生意已完全崩潰，他的職業表面上是私運人口，但是匈牙利反共人士給了他錢，請他潛帶出境以後，他們不但不能達到奧國的美管區，卻多數被送集中營。他實際上受雇於匈牙利祕密警察。結果，一個反共的匈牙利邊境戍兵冒着生命危險，把他的事情轉知了自由歐洲電台。於是法蘭克福的電台又發生了吼聲：「我們在此提出警告，凡要逃出的匈牙利人請注意，山特爾是個共黨情報人員……避開他！」

自由歐洲電台從今年七月四日開始播音起，已不知把多少蘇聯附庸國中的嘍囉們驅入愴快和恐怖中。不久以前，東德共產黨電台曾宣佈，在共黨征服西德以後，他們將立刻把每一個自由歐洲電台裏工作的人以「戰犯」罪處死。同時捷共的機關報也曾對受聘於自由歐洲電台的捷克流亡人士提出恫嚇。

自由歐洲電台和「美國之音」，柏林的RIAS電台，維也納的紅白紅電台都不同，它不是一個政府機構，和美國國務院祇有非正式的聯繫。它是美國全國自由歐洲協會所辦。這委員會的主席是前美國駐日大使格魯。電台的經費，全是私人所協助。委員會所屬自由十字軍，由美國前駐德軍事總督克萊將軍主持，負責籌募款工作。

自由歐洲電台廣播分六種語言：捷克語、匈牙利語、波蘭語、保加利亞語、羅馬尼亞語、和阿爾巴尼亞語。起先它祇有一所電台，設在法蘭克福，後來又在慕尼黑加建了一座電力更強的電台，和在法蘭克福附近和在里斯本設了幾個轉播站。

自由歐洲電台的總辦事處，設於紐約的帝國大廈，這房子裏還有自由歐洲委員會的其他機構，包括新成立的自由亞洲電台的組織。替自由歐洲電台準備節目和撰廣播稿的，有一百十個美國人和八十五個從鐵幕逃出的流亡者，他們還由一百位免費的作家協助，他們都是史達林魔掌中的逃脫者。

美國人主持擬訂政策，和幫助進行技術方面的工作。但實際的廣播資料是流亡人士所準備。他們全是對抗極權主義的英勇鬥士，例如捷克的著名劇作家貝羅特卡。他曾在納粹集中營裏度過六年，現在負責自由歐洲電台的對捷廣播部門。在共產政權之下，他的劇本被禁止上演，財產被沒收，而且判定他囚入西伯利亞的奴工營。幸而受友人的協助，他逃到了德國的美管區。

自由歐洲電台羅馬尼亞系主任發爾加薩紐，以前是他祖國自由黨進步份子的領袖，擔任過自由黨機關報的編輯。共產黨來後，他曾潛入地下活動，由共黨法庭缺席判罪終身苦役。後來，他總於在一個羅馬尼亞航空人員的協助下逃到義大利。

紐約的職員將節目準備好後，便以短波播送到歐洲，或以錄音片送出。法蘭克福和慕尼黑的二座大電台也安排它們本身的節目。慕尼黑的電台每天播音十一小時半，其中祇有約二小時運用紐約來的材料。

自由歐洲電台和「美國之音」並不互相牽繼，它是做美國之音所不能做的。美國之音作爲國務院的機構，它必須以極參時間用來對反共國家播音，但自由歐洲卻不然，它可以集中力量對付蘇聯附庸國家。而且，它能聘請流亡人士，他們以他們祖國的人民的名字說話，他們的身份也是反共地下份子所熟悉的。

最重要的，是自由歐洲電台能在私人組織的範圍說它所要說的，不必顧慮引起外交上的麻煩。它的節目運用譏嘲、諷刺和暴露，在蘇聯傀儡國中造成分化、混亂和恐懼，它能直指共黨歹徒的姓名。如上面所述的一男一女。它能報道關於失蹤者的消息和代流亡者傳遞訊息，而一般地傳佈共產黨徒所不願知道的新聞。

它在鐵幕之後並不派有任何間諜，但它還是能得到消息，它派員訪問逃出鐵幕的人，而又設法徵求鐵幕後的信件，因爲共產政權的檢查制的效率不高，它所接到的來信數量是驚人的，它的信地址是：慕尼黑郵政信箱六二——二〇號。（節譯「新聞週刊」）

記辛亥武昌首義經過（中）

·舜生·

時湖北新軍，計有陸軍第八鎮，統制張彪；陸軍第二十一混成協，協統黎元洪。此外則有巡防營，水師營，各分五路，每路設一統領；各統領上設一提督，時提督由張彪兼任。新軍除由端方調一部入川以外，留駐武漢附近者，約不足一萬人。此不足一萬之新軍，與革命黨有關係者，約十之三；觀望者亦十之三；起義以後被逼附和者，則占十之四。此外如巡防，水師，及警察等，初未受何種運動；而新軍中之步兵第三十標，及憲兵第八營，又多屬旗人，可以說是革命軍之敵。故就當時革命方面可能運用之武力論，實無何等成功之把握也。

可是以當局戒備過嚴，黨人運動亦愈力，十八日午後，孫武在俄租界寶善里製炸彈，炸藥爆發，孫面部受傷，逃入同仁醫院，俄捕聞聲趕到，捕去黨人兩名，並搜獲文告，名冊，炸彈，手槍，旗幟，印信，鈔票等多件，一律解送武昌。是晚更有多數機關被破，黨人彭楚藩，劉復基，楊宏勝及其他數十名被捕。十九日天明，瑞澂命將彭劉楊三人同時斬決，又將步兵三十標排長張廷輔捕去。時新軍中黨人以名冊被搜，人人自危；對彭劉楊三烈士被殺，尤人人痛憤；在如此緊張情勢之下，工程第八營乃首先發難，於是辛亥革命一幕悲壯的史劇，因以展開。

十九日晚八九時頃，黨人熊秉坤以工程第八營首義，擊下肩章，各纏白布於臂，改稱民軍，以「同心協力」爲口號，槍斃督隊官阮榮發，當即往攻楚望台；蔡濟民，吳醒漢以二十九三十兩標一部兵士，首先響應。時守楚望台軍械局者，爲工程營哨官吳兆麟，知事起，應之，工程營大喜，遂推吳兆麟爲指揮官。於是蔡濟民等率隊往攻督署，與督署衛隊激戰數小時；時南湖礮隊已入城，佔蛇山助戰，以巨礮向督署射擊，大隊繼之，遂將督署佔領。瑞澂聞礮先逃，張彪初猶頑抗，後見礮聲愈猛，乃率馬弁乘兵艦渡漢口，糾合殘卒於大智門負嵎，以待援兵。時城內大官如藩司連甲，水師巡防營統領陳得龍，巡警道王履康，軍事參謀鐵忠等，均先後逃竄，至二十日正午，民軍遂將武昌完全光復。漢陽漢口亦先後佔領。

萬竹樓隨筆（三一）

我參加了中共文工團

八，恐怖世界（四）

·羊辛·

這一夜我沒有好好地睡着，天一亮，盧根海就跑過來對我說：

「昨夜你聽到麼？」

「聽到的！」我說。

「我們得在檢討會上提出來！」

一股傻勁的盧根海，果然把這件事在檢討會上提了出來，他漲紅着臉，憤激地敲敲桌子：

「這簡直是下流，這樣子祇有倡導了不良風氣，影響了革命的情緒，我們要求懲辦這個敗類！」

指導員瞧了黃水生一眼，然後說：

「盧同志，你的封建意識實在太濃厚啦！我們現在大力地鼓勵寡婦再醮，就是要打倒封建思想，像這樣的事情，實在小之又小，不値得檢討！」

「寡婦是寡婦，這跟寡婦再醮不同！」盧根海氣虎虎地站了起來。

「好啦！算了吧，盧同志，別太認眞啦，下次再討論好不好？」指導員把他按了下去，揮揮手，宣佈散會。

這事情自然是不了了之，然而卻促成盧根海跟黃水生結了一個不共戴天的仇恨。

原來黃水生是個共產黨員，地理教員吳先生也是共產黨員，（他在半途已經離開了文工團，說是別有任務，）他們潛伏在校中互相呼應，這次推動全班同學「參加人民行列」，可謂「一等功臣」。黃水生早就做組長來，八面威風，指導員也得另眼相看，盧根海有眼無珠，得罪了他，幾日以後，盧根海不見了。據指導員說：盧海根留在S縣人民政府工作了。是否如此，我們不得而知。不過此後再沒有接到他的來信，盧根海是[illegible]？

我們來到了南方的大埠A市，就駐紮下來，並且到處慰勞表演，忙得很，但住的好，吃的好，「鬥爭果實」「勝利果實」儘多的是，愛什麼就有什麼，生活可謂舒適，也不必再爬山越嶺，勞跋涉，算是告一段落了。此時韓戰正烈，「中國人民志願軍」忽然宣佈參戰，這好比吃了一顆原子彈，全國各地都震動了起來，空氣十分緊張，A市臨近台灣前綫，謠言滿天飛，草木皆兵，當局一面戒嚴，一面準備疏散，同時各地大張旗鼓鎭壓反革命份子」，殺人盈野，不可勝數，單是A市一地，全市十餘萬人口，被殺者以千餘名，是包括商人、智識份子、保甲長、所謂「官僚」、「地主」、「惡霸」等，人心惶惶，處處恐怖，街上除了我們的「同志」而外，幾乎看不到行人，店門若是半掩的，人們個個驚相逃避，視若虎狼。[illegible]卜亮槍來，說是「國變」。我們卻覺得很寂寞很空虛。

西班牙第一夫人　像美國家庭主婦

美國女專欄作家賴埃特最初訪西班牙歸國，記述了一篇關佛朗哥將軍夫人的印象，她說：「她缺乏吸引力，使我想起美國的杜魯門總統夫人。我和她交談，她誠懇地回答，令人有受寵若驚之感。她告訴了我一些她的家常瑣事，她說：『每天晚餐以後，如果沒有社交應酬或公務，將軍（佛朗哥）和我便在家裏靜靜地對坐着。我丈夫不吸煙，不好酒，除了偶而在晚餐時飲一小杯。我們每天晚上的事，通常是安排下一天的菜單，要是不邀請貴客來家進餐，這事十分容易，因爲我們本身的口味十分簡單，我們什麼都吃。』」賴埃特女士的結論道：「我感到，佛朗哥夫人實際上雖是西班牙的皇后，但她和美國的一般主婦沒有多大分別。」

法魯克喜食蛙腿　又收買蝴蝶標本

埃及國王法魯克未返國前，偕新夫人在歐渡假期內，似乎多了一種好癖，在法國避暑勝地坎納時，她曾化了四千五百萬元買下一批蝴蝶標本。同時，他對食物的愛好卻並未減低。他所住旅館的主人偶而知道他喜食蛙腿，特地大張筵席，加以招待，桌上的珍饈，是一千二百只蛙腿，專門派員去巴黎以火車押運來的。·光譯·

名人小事

十五萬美元的——盛大化裝舞會

秋草

義大利共產黨最近曾在議會中提出抗議，要求政府方面解釋，何以在此非常時期容許一個西班牙百萬富翁在威尼斯舉行盛大舞會，化費十五萬美元之鉅，認爲這是對義大利一般貧民的「侮辱」。這個抗議雖是共產黨所提出，卻是確當的。這次化裝舞會，實在過於豪華。有些接到請柬的名流，也因爲過於奢侈，怕受人指摘，而未曾參加，其中包括溫莎公爵夫人和邱吉爾等。赴宴的都是社交界活躍份子，電影明星，以及花花公子共有一千五百人之衆。女明星巴物拉赫頓的一襲古裝，竟化了一萬五千美元，來賓大多乘着裝飾鮮花的小舟和摩托船，門前車水馬龍，確是極一時之盛，即連受命在四週設崗衛護的警員，也都穿着騎士式的古裝。有機會參加的認爲是一種榮耀，於是在門口不知有多少沒有請柬的人奔走着以小費買通侍役，設法進去，以致許多有請柬的人，反而不參加。

得其門而入，屋內的盛況，自不待言，美酒像奔泉樣流着，龍蝦的美餐也源源供應，賓客狂飲歡舞，直到天亮始止。一部份「身價甚高」的男士們，已訂滿了旅館，在舞會前早球檯上。和美國離婚的阿里王子說：「我想說的露臺，也許再也不到了。」

美國政治上最重要的女人

——張天寶譯自「週六晚郵」——

愛德華夫人有着通常所有的率直和敏感，而且兼具女人的素質，她就是這種雙重的才幹，在男子的範圍裏從事競爭，工業上的大人物，沒有一個能像她那樣把辦事室管理得有理不紊。而同時，她又是一個能幹的廚子，她還自己縫製衣裳。她的婚姻是美滿的，而且已成了祖母，慈愛地招拂孫小輩。

愛德華夫人的外貌和她政治上的條件同樣合人驚奇，她有光亮閃爍的大眼睛，下巴特別闊大，她全身生氣勃勃，而又可愛；皮膚柔滑，體格健碩；纖手長，笑起來異常動人。她曾因爲過肥而注意節食，減輕了體重三十五磅。但她不願受到食物的拘束，於是體重又漸漸增加。她的正式演說，普通是激烈的，口若懸河，但在一般場合的談話，是柔和而簡單樸實的。有一位仰慕她的女人曾說，「她是一個鋒芒畢露的女性」。她是忠誠的民主黨員，力促美國選民中百分之五十的婦女爭取各方面的地位。具有政治家風度，而也富於想，在政治上有獨特的天才。她的主張，基礎是和平，社會福利和推廣教育。爲了促進她的主張，她本身有着一種的哲學，就是杜魯門所贊同的，她大都予以贊成。其實，這種哲學是迎合現實的一種折衷辦法，否則將會處身於空洞的位置上，一個婦女會會長之類的人，不會是杜魯門總統之下民主黨全國委員會的副主席了。因如此，她才能擁有和民主黨主席鮑埃爾一樣的勢力。

愛德華夫人的工作，主要的方面是使婦女能得到政治上的高級地位和職位。不過民主黨婦女主任的職務範圍，她的工作是徵集婦女參加民主黨，投票擁護民主黨，和政治上教育她們，支持她們地方上的活動，步使她們同支持政府。這些工作是相互緊密的，其法驗非常明顯。同愛德華夫人的政治資本一樣，就是婦女應該被選擇參加政治活動，但她們也應得到酬報，這種酬報是比較重要和較好的職位。關於求得這酬報，她必須設計說服總統，例他的抵抗。一九四八年大選期間，她的工作成績優異，因減少不少杜魯門總統的抵拒。（二）

自由人

THE FREEMAN
（每星期三六出版）
（第五十九期）
每份港幣壹毫
社址：香港高士打道六六號
電話：二〇八四八
GLOUCESTER RD. HONGKONG
TEL: 20848
台灣總經銷處：台北建國南路一段七十四號

俄帝自掘墳墓

胡秋原

一個人最大的敵人是他自己。同樣，一種文化，一個政權或帝國，如無內在弱點，是不易崩潰的。政策制度，理論與實行，決定了他的必然崩潰。而俄帝的

馬克斯的預言並未應驗

一百〇二年前，馬克斯在「共產黨宣言」中預言資本主義的內在矛盾必然崩潰……

三大矛盾正是俄帝自道

殺人造謠外俄帝無文化

聰明才智耗於暴力陰謀　為什麼俄國人不能創造呢？

俄帝武力也是紙老虎

俄帝軍隊是常敗軍隊

無論大戰與否　俄帝必潰

來去匆匆的外交使節

本報專訪

（一）英國駐日大使鄧寧

（二）菲律賓駐台公使阿德伐

時局漫談

舜生

韓戰可能的演變

東京歸客談

即令保守黨起而執政

誇大狂的史達林與自卑感的毛澤東（中）

鄭學稼

就史毛個人言，形成了永久的主從關係。就史毛的權力言，一個是父皇帝一個是兒皇帝。就史毛的民族言，一個是上帝選民一個是卑賤奴隸。因此毛澤東言必稱史達林，並且總是充當他的馬前卒。

久長艱苦的鬥爭中　對史達林引起崇拜

史達林之能由「無名人物」（十月革命成功，他是不關重要之民族人民委員會的委員）變爲唯一的獨裁者，是經過無數大的黨爭的。在每一鬥爭中，他都能勝利，而打敗聲望及學問比他高一等的人們。如果，把一九二四年列寧之死，作爲鬥爭的開始，那他在以後七年之內，殺盡敢與他鬥爭並能與他們鬥爭的老布爾希維克，使天下歸於一，高據馬克思教會的教皇地位。毛澤東呢？一九二七年，是中共黨爭開始的一年。當年五月中共第五次代表大會時，毛澤東被陳獨秀奪去發言權，他毫無力量反抗，因爲他還不配充當反陳的領袖。「八七會議」後，陳獨秀下台，對史諾，誇稱爲該會議「主動」的他，卻因「秋收暴動」失敗，留黨察看，免去中央政治局委員等職。雖然，後來他幸運地由井岡山的寨主，榮任爲蘇維埃政府的主席（一九三一），而黨的領導權，卻早於同年一月六屆四中全會時，落入王明（陳紹禹）之手。至一九三三年，中共中央由上海遷入江西，毛澤東連紅軍的領導權都被解除。如我們所已知的，失敗的毛澤東，幾乎和瞿秋白一樣被殺於「蘇區」，並遲到一九三五年一月在遵義開中共中央政治局擴大會議後，才重新取得黨的領導權。但他還要經歷內部的明爭與暗鬥，再花十年到一九四五年延安舉行中共第七次全國代表大會時，方加冕爲黨的獨裁者。從久長而艱苦的鬥爭中、他認識鬥爭的嚴重性與毅什的技術，並對史達林的戰無不勝，起了崇拜心——無需說，還有若干手段，是學自史達林的。

登基北平建立王朝　一如石敬塘的政權

一個政黨內部鬥爭的勝利，和取得全國的政權，本是兩件事。史達林之取得黨權，就等於同時取得政權，爲着有列寧已建立了政、敎（如把布黨視爲敎會）合一的蘇俄。毛澤東的命運，有些似史達林，因爲他也需另一列寧、把國際關係複雜的中國，變爲簡單，並以強大的力量扶助他，使他攫取政權。這另一個列寧，就是史達林、沒有史達林毛澤東能有今日嗎？決不能！儘管形式不同，而毛澤東之能登基北平，建立秩歐王朝，其內容，是和石敬塘借契丹兵建立政權完全一樣。正爲這一原因，我們如不把毛澤東視爲史達林所立的兒皇帝，就可把史達林視爲中共的「天父」。

史達林對毛澤東的優越感，因此，非由一朝一夕養成，其由來者漸矣。在思想上——或換句話說，在意識形態上，史達林是毛澤東的導師；在政治行動上，史達林是毛澤東的模範者；在馬克思教會的組織上，史達林是毛澤東的發號施令者；在馬克思教會與外界的戰爭，（或稱「世界革命」）中，史達林是毛澤東的統帥。史達林就以導師，模範者，發施命令者，統帥的權威，使毛澤東自然地養成自卑感。

「光榮歸於史達林」　中共已成獨裁順奴

自卑感者，對於自己所崇拜的人物，常有模做的行爲。毛澤東之模做史達林，比任何人都厲害。譬如：治理人民是不大高明的，對於俄文的造句，他不能復的什句。環境逼他並只用簡單的方式。這一作風，現在已成爲全世界史達林主義者流行的文體。整個中共黨員的作品，都有那文體的，非僅毛澤東一人。又在俄國史達林主義者的演詞和著作中，馬、恩、列、史的話，須不斷地引證；遇有自己的意見，更須引史達林的路綫已可疑之政治路綫，須引史達林的話，這不僅是適合「光榮歸於史達林」的公式，而且表示自己是獨裁制度下的順奴。這一作風，已普遍地流行於中共的宣傳品中。它與俄共不同之處在此：俄共只讚美史達林，中共於讚美毛澤東之外，還須讚美史達林和把「光榮歸於史達林」。

延安開始改寫歷史　捧毛澤東天花亂墜

史達林達到獨裁的目的是在一九三二年。爲表示他的獨勝，就於該年八月卅日發表一論布爾希維克主義歷史中的幾個問題」，這算是改變黨史的開始，因爲黨爭太複雜，史達林的敵友很難在短期中分別明白，所以，一九三二年前的黨史，不免有記載的矛盾。譬如：當他反托洛茨基時，與季諾維也夫派及布哈林派合作，連他自己也恭維季氏，並且爲反對十月暴動之季氏辯護。到托洛茨基派完全敗北，他與布哈林派聯合打倒季諾維也夫派，這就必需删除過去對季氏的恭維和辯護詞，最後他打倒布哈林派，又必需把布氏一派閻畫成黑臉。這一工作，本來有波波夫，雅魯斯拉夫斯基們負責，可是總不高明，且不够使史達林神化。一九三四年，他親自出馬，指導日丹諾夫、基洛夫撰蘇聯史及黨史教科書。這還不够，索性於一九三八年出版的御製的「聯共黨史簡明教程」。那簡直是一本新「天方夜譚」。讀了它的人，頓感覺：布黨領袖，自成立起，除了列寧就是史達林，所謂「史達林的戰友們」，如莫洛托夫等，究佔何等的地位，則由撰述者——史達林賜給他們的。至於被史達林殺戮的布黨眞正首領，那要扮演自始至終就是「反動派」、「賣國賊」的角色。全書中的事實，有眞有假，有半眞半假，有全假，只有熟悉布黨歷史文獻的人，才能辨明。又自它出版起，其他歷史一概付諸一炬，假的故事由之變爲眞的史實。只有如此，史達林方能成爲天生的領袖。史達林的「學生」毛澤東，早在延安時代，已開始改寫中共的歷史，它把中共成立，描寫爲由「各地共產主義小組」派代表組成，那些小組的首領，自然有毛澤東、周恩來和現今中共的權貴們。不得不提起陳獨秀，非爲贊他是具有「家長」權威的總書記，乃爲着他是「八·七會議」的對象，不能不給他以初期領導者的地位。無需說，在陳獨秀的名字下面，要加上第三國際已說過的斥責辭句。以後，就按照黨內已有的理論鬥爭，把毛澤東描寫成永久是對的主張者，被中共開除黨籍者，都是錯誤的及反動的人物。這還不够，又做照「聯共簡明黨史教程」的作風，把毛澤東所有的著作，都給以天花亂墜似的恭維。譬如：一九二六年三月出版的「中國社會各階級的分析」，在理論水準不高的當時，算是半生不熟之馬克思主義的作品，目前卻被捧爲「偉大的革命天才」的表現（見胡喬木著「中國共產黨的三十年」）。毛澤東的「偉大」「天才」，就眼前看去，無需說是「以武裝革命的農村包圍並且最後奪取反革命佔據的城市」（同上），這句話，熟悉中共黨史的人們，都知道那是當時中共中央和第三國際不只一次斥責過之「一省幾省首先勝利」之李立三的冒險主義。因爲，李立三、王明、博古（秦邦憲）都是反毛的人物，對於他們必然要加上各種的罪名，就目前見到的宣傳品而言，王明們已被斷定：自入「蘇區」起，就犯「左」的錯誤政策，幸有遵義會議，被「毛澤東同志」糾正過來。可是同一的王明們，在抗戰階段又站在右傾機會主義的立場上來批判和反對黨的路綫，並且違反黨的紀律，在他們所負責的工作中擅自執行了他們自己的右傾機會主義路綫。」（同上）這一錯誤，支付了一九四一年一月「皖南事變」的代價。是否要受黨的處分，誰也不知道。幸好中共的黨爭歷史較短，所以，除了陳獨秀、張國燾與王明，別的都非主要的敵人。上述的「黨史」，乃是改寫的開始。我們相信以後還要改：特別補充一點：一九四〇年前，中共黨內無名人物的劉少奇，已在改寫的黨史中，時常出現，不久之後，出現的次數要增加。因爲，他是中國的基洛夫啊！

手執理論的證明書　所謂「毛澤東主義」

史達林爲充當天生的領袖，曾被黨徒恭維：對馬列主義有「無數」之理論的與實踐的貢獻。在蘇聯的歷史中，他的貢獻比大彼得還大得多；在馬克思主義的文獻中，他已用「列寧主義，是帝國主義時代的馬克思主義」，劃明馬克思主義（在帝國主義時代之前）與列寧主義（帝國主義時代）的時期。他的門徒（事實上就是他自己）加上「史達林主義」，這主義就是列寧死後的「一國社會主義」。大家都知道，在馬克思教會中的使徒，手上必需執有理論的證明書。

論美俄原子武器競賽（下）

李秋生

至於美當局之所以竭力從事於原子武器的製造和發展，應該溯源於去年一月卅一日杜魯門總統之下令製造各式各樣的原子武器（包括有氫彈在內），而那道命令，又是受到蘇聯原子彈爆炸刺激的結果。

胡秋原先生最近在本刊撰文，指出蘇聯原子研究的落後，甚且懷疑其根本製不出原子彈，能洋洋灑灑，排弄可喜。蘇聯原子研究的落後，本爲不爭的事實，但若說蘇聯至今尚製不出原子彈，則近似武斷，嫌與事實不符。對於一個有頭腦有思想的人，誰不對蘇俄的作風與罪惡感到萬分嫌惡？一種威力兇猛的武器，如果握在那極殘暴而自是自私的統治者手裏，確是世界和人類的重大災禍，也許竟會導致整個的毀滅。克里姆林宮若眞的至今還製不出原子彈，無疑是世界之幸，美國也不致像這樣竭力去發展原子武器。無奈事實並非如此。

杜氏聲明確有證據

杜魯門總統於一九四九年九月二十三日公布說：「在最近數星期內，蘇聯境內有過原子爆炸，我們已確有證據。」同日艾契遜國務卿與聯合參謀首長會議主席布萊德雷將軍也有同樣報道，但他們都不曾透露那證據是什麼。因而有過不少人對此將信將疑，例如像美國梅恩州共和黨參議員布留斯特，就曾在去冬發表過和胡先生同樣的見解——蘇聯還沒有原子彈。其實杜魯門的聲明，並非如一般政治的信口開河，而是經過精密調查與鑒定的結果，只是其內容並未正式公布而巳。

遠自大戰結束不久，美國即已開始建立探測蘇聯原子爆炸的偵察網，由聯合研究發展局，原子能委員會與中央情報局三機構會同負責。那偵察方法包括有四個主要部分：

第一，原子彈的爆炸會在地面上造成震動，每逢發生原子爆炸，相距不十分遙遠的地震儀都會發生感應，因而就圍繞着蘇聯建立一連串的地震偵測站，以紀錄蘇境內任何地面震動。

第二，原子爆炸要放出放射性的烟霧，一直上昇到同溫層，並隨着風向而圍繞地球飄蕩。例如同溫層中有了此種成分，便可由昇到高空的蓋格儀測知。因而一連串的蓋格儀工作站也在許多地方建立起來。

第三，那含有放射能烟霧的空氣標本，可由昇到高空的飛機或汽球使用特備儀器取得。把此等氣體加以分析，就可獲知那原子爆炸的性質。

最後，所有由上述方法獲得資料，再交有修養的科學家加以研究鑒定，提出正確的說明。這一任務是由原子能委員會的科學諮詢委員會負責。其中人物有奧本海姆教授，佛爾米博士，貝爾研究室的巴克萊，哈佛校長康南特，都是美國——甚至可說是世界——原子學與物理化學界的權威。

當蘇聯第一顆原子彈在一九四九年九月初間北西伯利亞中部爆炸的時候，這幾個機構都在工作着。結果，地震指示出爆炸地點，各處的蓋格儀站在爆炸後不久測出有含放射性的烟霧存在，高空的空氣標本也取得了，交由化學分析家去鑒定。

所獲的空氣標本是最有決定性的證據。在美國國防部，最初會假定那只是一座原子堆（反應器）的偶然失事，而並非有計畫的試爆——至今還有人在那樣想。但原子堆與原子彈的成分迥然不同。原子堆要用石墨（或重水）做緩和劑，鈾實是放在鉛製管內，另外有鎘或硼製成的控制桿，用以在必要時吸取中子。而一個原子彈，特別像美國所投在長崎的鈈彈，卻含有高級的特種金屬。該次所取得的空氣標本，與原子堆的成分不同，其所含有的放射性金屬成分，恰恰顯示出至少正是長崎那一種，即使不比那更好的話。

蘇聯爆炸證明確實

最後，參謀首長聯合本部的人員，和原子能委員會諮詢委員會召開聯席會議，草擬送呈杜魯門總統的報告。其中一位人員講了一句極扼要的話：「那是一個炸彈爆發，其可能性是九百九十九對一；其假如不是的話，無論我，或我的同僚，都想不出那到底該是什麼。」

這結論是大家都同意的。繼此以往，得自祕密情報的消息也證實了那一結論。我們雖然厭惡蘇俄，痛恨蘇俄，俄國已經有了原子彈，卻是千眞萬確的事。輕估敵人，正與「恐俄病」同樣有害。

許多原子學權威前此都曾說過：蘇聯最早非到一九五二年不可能有原子彈，像尤利、朗穆亞，布許都有類似的論斷，戰時親身監製原子彈的格魯夫斯且認爲需要十五年到二十年的悠悠歲月，卻在一九四九年就提早完成了呢？

第一，這些科學家忽視了蘇聯間諜的可驚貢獻；第二，他們誤以美國戰時的經驗來推論蘇聯。秋原先生文中也曾提到間諜，而置疑於那些零星資料未必能有多大幫助。其實，蘇聯在原子研究方面本有相當基礎，所缺少的是技術與製造上的方法與經驗。這幾年來所已經破獲的原子間諜，從加拿大間諜案到福克斯博士的資敵與彭帝柯伏的出走。其所供給蘇聯的資料斷不在少。

特別是格林格拉斯夫妻一案，照今年三月間他在審訊所透露，他竟在原子彈落在長崎之後不久，把原子彈的全部監造情形 [illegible]

[illegible]

電磁分離工廠　[illegible]

熱力擴散法分離工廠　[illegible]

漢福德的原子反應器製鏷工廠　[illegible]

[illegible] 三五〇，〇〇〇，〇〇〇 [illegible]

相當重要。原子彈的製造固係繁雜，但在一個工業較有基礎的國家並非絕對不可能的。現在除了美國而外，英國和加拿大也都在從事製造，並已屆近完成。

抄襲盜竊　終不濟事

但是抄襲到底不同於發明，間諜的功效也可一而不可再。蘇聯之發明不出原子彈，正如秋原先生所說，是反對相對論與量子論的結果。原子彈的基本原理是愛恩斯坦能＝質×光平方的方式，而原子內部的種種，又全要靠量子力學纔能理解。關於原子彈的製成，蘇俄雖僅比美國遲了四年，但關於原子武器的發展，卻可能落後得遠在四年以上。 [illegible]

[illegible] 國家的助力是重大的，從尼泊爾河水閘到噴射機的奈尼式引擎，都得力於西方國家的友誼協助或供應。

「翻身翻身・越翻越深！」

徵糧土改・利箭攢胸 西南農民水深火熱

徵糧要殺人，土改也要殺人，人死了，只能「秤屍減糧」，餘仍照繳，不到家破人亡不肯罷手。

【本報重慶特約通訊】中國是一個以農立國的國家，而中共幸黨又是一個標榜「農民革命」的政黨，照理，應一如中共所說「共產黨來了之後，農民都翻身，做主人了。」而實際卻完全不是那麼回事，請聽一聽今日西南的民謠吧：「翻身翻身，越翻越深！」「分田分田，不如挑鹽」。（註：四南多產鹽區，人民以挑鹽爲業者甚夥）話不用多說，僅此兩句就可以讓你對「解放」後的西南各省的農民血淚斑斑的生活看出一個滑稽的輪廓了。

以四川爲例，賀龍部的「解放軍」是在三十九年一月一日進入成都的，緊接着是各縣市的全部「解放」，可是大膽的老百姓，原先對中共政權還寄以相當希望，經不住時間的考驗，一切美麗的謊言都戳穿了，「徵糧」、「土改」，像兩枝利箭一樣，洞穿了每一個農民的胸膛，死的是死了，活的也不會再撐多久。

飯可以不吃 糧不可不繳

先講徵糧：據「西南軍政委員會」頒佈的「暫行辦法」，地主應征百分之四十至五十，富農征百分之三十五至四十，中農征百分之廿五至三十，貧農征百分之十五至二十，赤貧免征，這裏並附帶說明，每斤公糧加馬草一斤，人民幣十元，而「幹部」對這一工作是怎樣進行的呢？凡不事耕種的收租人，不問田畝比額，不問人口多少，不問是破落戶或小康之家，一律都劃爲「地主」，而自耕農在二十畝以上的就算「富農」了，那些收了糧食全部不足供本身一年食用的都算「中農」，不足半年食用的全算「貧農」，只有上無片瓦下無立錐的乞丐才可算作「赤貧」，懇准免征。

飯可以不吃，公糧卻不能不繳，僅是附征的馬草卻算成了一個絕大的問題，四川有許多縣份是只種高粱、玉蜀黍、紅苕而不產稻草的，農民又不是魔術師，怎會將草變出來，即或有一點稻草，又因必須供給耕牛及炊爨肥料之用，公私勢難兼顧，這實際情形「反映」上去後，「西南軍政委員會」的命令下來了，不產稻地區可改收米或人民幣，每一斤米折草五斤，每五百元折米一斤，馬草雖減，米仍照收，（不產稻區亦征米）依據上項辦法百分比計算：「地主」如每年收米一千斤，除二五減租外，應繳「國糧」百分之五十，尚餘二百七十五斤，應繳「地糧」百分之廿，尚餘三百斤，折繳馬草米四十五斤，尚餘二百五十五斤，外加人民幣四五〇〇〇元，於是一千斤收入已去「光」無幾，加以「幹部」執行的努力「任務」，諸多「偏差」，結果中農以下無不「超額完成」，（自百份之八十至百分之百、百分之二百所在皆是）「爲補償損失」，挖卻心頭肉，這心頭肉的分量究竟是有限啊，以有限的生命對無限的「征借」，結果只有死而後已！

依川省舊例，秋季收大米叫「大春」，夏季收小麥、菜籽叫「小春」，佃農須依租約繳租給地主，「小春」則屬佃戶獨有，其中也有許多破落地主，利潤息內佃戶所應得租額，以超過了應得租額所收之租，有一部全部減免的，儘管正額的田賦租由地主負擔，而即使押金低微，徵收佃戶亦照例有重收，戶，沒有一切賦稅，內負擔累，以是有許多個佃農，在十年八年之後，都保有自留幾十畝田的機會。

翻身成赤貧 抗糧便坐牢

「翻身」以後的情形是怎樣呢？二五減租不了征糧數字，祇例外的，百分之百的農民不但沒有翻成「富農」或「地主」，相反，卻全部倒栽蔥式的翻爲赤貧了，在你沒有變成赤貧之前，「國糧」「地糧」還是你百身莫贖的「債」，「幹部」上門，必須答復，少則三日，多則五天，過期不繳，便屬「抗糧」，抗糧便得「關糧」，更須坐牢，入獄以後，「吾日三省吾身」的反省工作是必須做的日課，起、立、坐、臥、都有命令，欠伸、顧盼也受呵斥，即大小便亦須「請示」，身體壯的，即或放出，已「人變成鬼」，身體壞的，不多久，即一命嗚呼，人死了，「德政」也來了，「秤屍減糧」，餘的照繳，不過得你家破人亡絕不罷手。

再談土改：更是慘絕人寰，在西南，中共的「土改」不能在他法令中找到圓滿的說明，只有在「康生計劃」裏找答案，康生說得好，多殺點人（那怕就是兩萬萬）土地分配問題就解決了，這就是中共「土改」的目的，也是中共「土改」的真面目，西南如此，全國亦如此。

共產黨是精靈鬼，亦明知「土改」不能解決問題，是以一方面進行「土改」，剝奪農民的浮財，另一方面，則強調「土改」不能解決貧窮，必農民在「土改」後要加緊生產，開墾荒地，改良品種，這都是「光榮的任務」，殊不知今日一切問題均與中國能否工業化有關，不論經營方式，勞動力增加，品種改良等無一不與工業化息息相連，川、康、雲、貴、西南一帶的農民，今日以人力作畜力從事耕耘者，觸目皆是，竭盡所能，已達極點，然「土改」後的減租退押，不過是中共搜刮糧食和農村浮財的另一套戲法，也可說是財政政策另一方式的逐行。

因減租退約 川反應惡劣

四川「土改」原定今秋開始。（劉伯承今年三月在軍政委會報告）嗣因減租退押上糧三措施反應惡劣，地方治安日趨動盪，乃於四月間以「人民要求」提前實行，四川在西南進行「土改」中佔第一位，重慶則被指爲「示範區」，重慶是一個人口商業集中的城市，務農者甚少，即以原有農業人口以分配土地亦未能解決農民問題，據八月六日重慶「新華日報」所載重慶郊區「土改」成績看，經「土改」後成績最高的南坪鄉，農民每人亦祇分得土地一・二五畝，最低的龍門浩才分得〇・二七七畝，其他郊區更可想見，且此屬「官方數字」，私人所得，是否如此？又有誰敢往「訪問」。

可吃的東西 全部要征收

在西南，中共對農民的搜刮已「盡了最大的努力」，單就征實等級，竟達十二種之多，殘酷毒辣，無與倫比，最高的爲收入十分之四點五，（已超過向地主納糧數字）最低的爲收入十分之二點，上糧基數則以一百廿斤起計，（國民政府時代最高數爲收入十分之二點五基數爲三百廿斤）小麥、玉蜀黍、高粱、胡豆、小豆以七折折算稻穀，紅苕、地瓜、小菜以五斤合一斤，一併加入上糧總數字中，折成稻穀，以實上糧，「土改」以後，七糧的等級雖取銷，但上糧的總數字則依然要以一切農業生產內總數字作依據，生產即凡地上能生，農民可吃的東西，無一不在征收之列，農民的養命之源無一不被控制於中共手中，所以中共的「土改」是打倒一切小地主——換來一個大地主——毛澤東，這大地主與農民之間已沒有契約與主客的關係，而只有主子與農奴的區別，且保有隨時隨地對農民「謀財害命」的絕對權利。

在今天，中共在西南的「土改」本質上已獲得四點「成功」：（一）剝盡民財，全部我有。（二）征集一切生活資源，使農民成爲各個孤立的農奴。（三）以生活資源驅策農民爲所欲爲。（四）孤立農村，孤立城市，作第二步清算搜刮城市的張本。翻開中國史，歷朝治亂無不以農民始以農民終，這顯示了中國農民問題的嚴重性，中共今天顯然要藉口「土改」來解決這個問題，是以不論是大陸上的屠殺也好，韓戰場上的「志願」送死也好，都是爲解決這一問題而挖好的陷阱，只是「民不畏死，奈何以死懼之」。新的統治者祇迷信武力，殊不知武力亦有窮時，千萬人的怒火不久的將來必可使一個個「人民英雄」被燒成一具具焦炭，「人民的力量是不可侮的」！等到這班「騎在人民頭上」的傢伙有此感覺時，那已悔之晚矣了。（汝舟・八月廿三日自重慶寄）

學人魏時珍被殺紀

曰惠

這一位服務教育界二十年，學術上負有聲望的學者，被磨折成一付枯骨，繫獄一百八十餘日，終於遭到毒害。死後遺有藏書二千冊，悉被中共「公安局」攫走，迄無下文。

中共統治大陸以後，死於瘋狂屠殺中的知識份子，爲數是極其龐大的，一個在高等學府服務逾二十年，在學術上負有名望的成都理學院院長魏時珍先生，大陸未變色前，對中共主張既尚持遠距離態度；「解放」後陷身魔掌，復不去低首「靠攏」，這樣的人，其必遭到毒手，早爲關心魏氏的人所逆料到的。最近一位友眷自四川南來，談及魏氏殺身經過，特報道出來，以見赤朝統治者施諸知識份子的手段，是如何的卑劣，毒狠。

三十八年十二月，成都易手後兩週，在成都所有的高中級學校中，魏氏主持的理學院是第一個被「接收」的，魏氏即自此被迫結束其教書生涯；去年九月中旬，「成都市軍管會」施行其所謂「反動黨團員登記」時，魏以具有青年黨黨籍關係被捕；繫獄一百八十餘日後，迄本年四月一日遭中共殺害。其間，備受凌辱摧折。據這位來人說：當川西軍事緊急期間，魏氏因不願輕易撤離他所慘淡經營的那所理學院，故未及早即遠走。青年黨四川省黨部於川局臨危時，各負責人曾聯名致行政院一電，請求解決交通工具，協助撤離成都，此項電文曾由各報公開刊載，卻將魏亦列名在上。誰知這封求援電文，便被中共指爲魏氏「反動」的藉口及其後來作爲殺害魏氏的惟一證據。共軍進了城後，給魏氏精神上首次打擊，便是去年一月，理學院被「接收」時，「軍管會」派往「接收」的那位「軍事代表」張鋒就當着該院全體師生憤慨的說道：「魏院長雖素孚教育二十多年，但，那是替資產階級服務的；成都快解放了，魏院長還想飛往台灣繼續作惡，現在看你往那裏跑？」彼時，該院師生聽了，心中均極不平，有一楊姓女生立即加以駁斥：「國家培養一知識份子是極不容易的，學術修養有如魏先生難道政府不加尊敬？你知道不知道士可殺，不可辱？」經過這幕類似的「接收」後，魏氏已察覺萬難倖免，旋自西門石灰街理學院宿舍遷回奎星樓四十六號寓所，日唯翻閱書冊，端待擺佈。因當時蓉市郊外尚爲游擊部隊掌握，中共根基未固，故一切手段尚不致過於殘毒，對於魏氏，只由「軍管會」密令黃瓦街的公安局暗中監視魏的行動。

一面，乃由「川西文教廳」廳長溫宗祺出頭，數訪魏氏，企圖以說服方法邀往北平「學習改造」；或在就地發表一篇悔過書之類的表白，以示贖罪，但，這兩條路，都未爲魏所取，始終沒有到華西壩學習會去過一次，更沒有在「解放」後發表一個字。在中共這套軟硬並用的進攻都失卻效驗時，「高教協會」遂將魏除名，令各校不得再聘魏氏授課。

這段期間，魏氏家人生活非常困難，儲存，已在賠償理學院儀器損失一億後所耗盡，每天僅由魏太太換點衣物書籍去忠烈祠售賣換些生活資料渡日。魏在成都主辦敬業中學，中華女中時，門徒甚眾，聽到魏老師生活困苦，想以金錢物質去資助的，都爲魏所謝卻，祇以保命待變閉門讀書勉其門人來承受那火熱水深般的生活。

魏氏被禁囚於成都北門外東獄廟的集中營內，與華大校長張凌高止一牆，不分晴雨每天要去三四十里挖土運磚。魏妻在附近守候月餘只會談一次面，及至被殺，一家人沒交談一句話。

事後，在青羊宮見到魏氏屍身的人說：這位學人罹此磨折，臨死僅餘一付枯骨了。魏的妻女以「反革命遺族」罪，刻在成都受着「管制」，魏氏存書二千餘冊，已被公安局拿走，迄無下文。

上海「新事物」兩例

體育館也賣色情 乒乓球女子伴打

【本報特約上海通訊】關於這裏的各種「新事物」，筆者一向是希望多一點爲海外的朋友報導的，希望香港的讀者可以知道中共所宣傳的「新中國」與「新社會」究竟相怎樣。最近這一星期之中，物價暗暗在跳，「人民幣」搖搖欲墜，似乎新事物鬧得比較少。吸引一般小市民注意的，卻是一家「乒乓體育館」的開幕。這「體育館」是一種「新興娛樂」，也許將來會和舞場歌場鼎足而三，成爲「準妓院」的一種，固然乒乓是正當的娛樂，但是在這家乒乓體育館，卻是以「女子伴打」爲號召的。雖然中共大力宣傳「解放後逐漸肅清色情氣派」，大叫「把鬼變成人」，但事實上只是十里洋場的色情享樂者換了一批新貴而已，像這樣「女子伴打」的乒乓體育館以前是沒有的。「解放」後，連「體育館」都染上了色情了，「鬼城」還是天堂，也可想而知。這「體育館」開在南京路先施公司對面一家華新商店的樓上，今天（九月二十日）正式開幕，由上海乒乓名手作示範表演賽之後，就有穿「解放裝」的共幹多人，照顧了第一筆生意，以每小時爲單位計算的價格，召「女子伴打」了好幾場。筆者參觀後所得到的印象是：「體育館中春色無邊，乒乓檯上打情罵俏。」此中風光，也許是香港讀者們覺得有趣的「上海新事物」吧！

兒童隊管理交通 馬路上險象叢生

其次，筆者一直想寫一篇專文報導街頭的「少年兒童隊」，因爲統計資料不足，遲遲未行動筆。而昨天，對于這件「新事物」，中共當局又有了「檢討」與「批判」了。

上海自從「陸上交通管理暫行規則」公佈之後，各里弄都被迫組織「糾察隊」，負責交通管理。這辦法是很聰明的，既可用到免費警察，又可以由此使「公安機關」便于「糾察」人民。此計實行後，有許多里弄使用「少年兒童隊」來管理交通，指揮十一二歲的孩子當街而立，指揮車輛行人。結果，兒童能力有限，判斷力不強，執行任務錯誤百出，糾紛迭起。並且，兒童在馬路上東跑西走，險象叢生，車禍不斷發生。不僅不能管理交通，更打擾了交通。在嵩山區自忠路晏心寺內，本月二日起，就由兒童每天放學之後（每晚五時至九時，星期日全日），在自忠路一帶負責管理交通，成績是：「這一帶馬路交通失了常態」，而兒童家長怨聲載道。

昨天，反響來了。中共當局已發現作繭自縛，不得不爲「檢討」，來一次「朝令夕改」。搬出毛澤東所標示的「健康第一」的口號，爲兒童的福利健康借詞，來「糾正偏向」。但是，中共市政當局的幼稚胡鬧，已經引起了市民的不勝憤慨了。（悠然　九月二十日自滬寄）

「中蘇糧食公司」在湘「接收」公糧

最近湘共糧食公司，分別在衡陽，株州，岳陽三處粵漢鐵路車站，放置車皮，接受糧食。湘共當局規定，近水的地方，利用民船運送到車站；沒有水運的地方，則用手車運送。運送的糧食，都是夏征秋借的谷子，有武裝民兵和共幹押運；担任送力的，則是「民伕隊」；日以繼夜，運送不休！

停放在車站鐵道上的車皮，都用「白」色粉筆，寫有「中蘇糧食公司」接收的大字樣。很多民兵隊的民兵，民伕隊的老百姓，認識字的，看見「中蘇糧食公司」等字樣，非常驚訝起來，暗地裏在想着：「我們的公糧，怎麼要交由中蘇糧食公司接收呢？」但是，每個老百姓，民兵，都是心照不宣，默然而返！

這些運送夏征秋借的公糧老百姓，民兵，回到了各人的鄉村時，便互相轉告在鄉老百姓，均莫不垂首喪氣，大叫劫難當頭，大陸變爲俄國人的世界了。（仲・九月十五日）

反對假定的「孔誕」！

•尚方•

農曆八月廿七日，即儒孔子的眞正誕辰。我不明白硬要把孔子降生的紀念日改爲陽曆八月廿七日的妙用何在？既非從歷數上推算出來的眞確時間，又不是對孔子別有尊崇意味的好日子，無故的派定孔夫子早生幾十天，豈非厚誣史實乎？

所謂紀念日，總是教後人表示崇德報功的意思。陽曆八月廿七日，正在各級學校暑假期中，師生星散，黌舍寂然，這時候教誰來紀念孔誕？教育界人士對孔子生辰既不能熱烈紀念，其他各界更有「事不關己不勞心」的觀感了。結果就只有少數官府人物，到時候舉行一個虛應故事的儀式，說幾句言不由衷的空話，或者教訓書們寫一篇莫名其妙的文章，自拉自唱，恭維孔老夫子一下，便算完事。誕辰是假定的，紀念的人們又那麼寥落冷淡，徒然給社會大衆以「偽造」的印象而已！

若在農曆八月廿七日來紀念孔子，至少可讓各級學校的師生們，濟濟一堂，談談孔子的學說思想，使青年們理解一些求智立身之道，其意義總比那假定的紀念日來得眞誠有徵吧！

我並不迷信孔聖人，如果有人主張取消他的紀念日，答曰：O．K．要紀念，就得像煞有介事，使其對後人發生一點好的作用，搞一種毫無意思的假玩藝，我反對！

自由談

遙念

•蘇夢•

我望着那遙遠的雲山，寄以無盡的懷想！

經過一場風雨，南國的清秋涼有涼了，在薄寒裏空氣帶一股寧靜，猶如在冬陽下織毛線衣的少女，那麼文靜而親切，這使我想起那遙隔在雲山之外的老家的空庭霜月，院子裏想已撒滿着搖晃的枝葉形影。

無時無刻，我是這樣引頸企首北望，懷念那塊孕育了我的故鄉的土地。我在那土地上茁壯成長，我酷愛它，酷愛那泥土也是香的；酷愛那甘美的溪水，酷愛那啼叫鷓鴣的山巒和古老的堡壘，那兒充滿了恐怖的神話和虎嘯狼嚎，當夜來臨的時候，風在叢林中呼嘯，遠的山的那邊，亮起了紅熊熊的火光，是綠林壯漢在燒山，近處的阡陌上誰打着燈籠在走，像一星假眠的漁火引導着夜歸人。不知什麼地方驟然響起了一聲槍，清脆而結實地劃過黑冥冥的夜空，但一切又歸於沉寂，只聽得庭前沙沙的一陣聲響，是龍眼樹在迎風飛舞。

也許我們會有這樣共同的興趣，總秋高氣爽，班鳩正肥的時候，你我各攜一枝獵槍，到那長滿荊棘雜草的林子裏狩獵，黃昏，陽光轉了，暮靄，夕沒西山之巔，正是班鳩從田裏拾食回來的時候，我們潛伏着，描準着，又肥又大的鳩飛來了，還沒有在枝頭停透，槍聲響起來了，一隻，二隻，三隻……掉下來，那些沒有遭難的幸運者驚慌地飛向那邊去，可是那邊正有你潛伏候着，槍聲又響了，一隻，二隻，三隻掉下來，可憐的動物，又慌慌忙忙地飛回來，槍聲再起，又掉落下來幾個同伴，如是地飛來飛去，無路可逃，死亡的同伴掉滿一地，直至夜色完全罩下來，看不清楚了，我們纔帶了一袋子戰利品，奏着凱歌回來，洗鍋，沽酒，忙了一陣，大家煮好了，於是你我大嚼，舉杯痛飲，帶一點原始的痛快。

年關到臨，北風怒吼，滿耳盡是春來的聲音，喜氣洋洋，村前村後，一片忙碌，廿九夜，隨之而來的是忙碌結束，閒和享樂，這一夜，孩子們是睡不穩的，新衣新鞋放在床邊，喜悅充斥着，天未亮，就趕忙爬起來，穿上新衣新鞋，鞭炮聲到處，參加擲銅錢的大年初一，賭本是有了，到處有的是賭本。又有了賭錢，馬兒跑去騎馬吧，賭了一會兒，那些馬兒的裝飾得花花綠綠，紅色的鈴子，叮叮噹噹的，可以坐好幾趟。幾個銅板，就這樣子忙着享樂，得繼續到十五元宵，新衣新鞋也沾滿了油漬，已泥汙斑斑，但那歡樂是無法描繪的。年紀大了，有時在故鄉過年，倒也興不淺，和孩子們擲起銅錢，來，拿着鞭炮放一陣，略略喚回了一點童年的愉快，那是在這成人的社會裏所不能得到的。

夏天，蟬在樹梢吟唱，蔭密高大的龍眼樹下，早上的那些操勞了一天的人們，就據着石發子睡起來了，甜滋滋的一道涎沫，黑色的小掛蚊，子釘在腿上，老久未被發覺，及至醒來，嗅一聲，吸回涎沫，紅着一雙帶血絲的眼，兩隻腿子擾不可耐，可是那些會飛走的小動物早已四散了。不遠處，溪水在當緩緩地流着，閃着銀色的波光，幾個野孩子在洗澡，互相潑水花，嘻笑，高聲叫着，老牛在樹蔭下，嘴吧嚼着，眼睛微閉地像在打盹。……

我懷念這美麗的土地，那孕育我茁壯成長的土地。……可是如此，我只能引首北望，像一隻在陌生的慈祥的雁，

南方的島上飄萍，多少日子以來，我像一個修道士，遠離繁華鬧市，異鄉和我絕了緣，我從未在它的上面找出了一點親切之感，是如此地寂寞，這是一個變態的社會，將必遭受時代洪流的沖擊，不是民主自由的世界，……我獨殘敗，……

，人類並沒有完美的品格呵！我厭惡，和厭惡這個都市一樣！每日早上當朝陽射進第一把光輝的時候，我就起來，離去了那個白鴿籠的縮影，都市等於一個大的居處，住滿了販夫走卒，引車賣漿者流的互相排擠，互相傾軋，弱肉強食，充斥欺凌的咒罵的居處所，果然，我找到了這樣的一個逃避處所，那是在無人的大地，半山處，沒有「當心惡狗」的告白，也沒有懷疑你也許是一個小偷的有權者，卻是一片自由的天地，雖沒有鳥語花香，卻有滿眼綠油油的矮樹草木，我躺下來，用石頭作墊，林蔭遮在我身上，從疏密的枝葉縫中望到一朵雲，在藍色的天幕，緩緩地移過去，移過去，又一朵過來，又移過去。陽光零碎地漏下來，昨夜的露水還有些眩耀地沾濕地面，肥大的野螺伸長着脖子，遲鈍地爬動着，不知名的蟲躲在石底下低唱，沒有人去驚動它，都市生活的煩惱，人們，已遠遠離我而去，消失斷了線的風箏，在天際、秋意加濃了，在空中凝住一片寒意，在這寧靜中使我重新喚起故鄉的記憶，朦朧中眼前浮閃出一個片段，那怕是愁悶的人的窮村的冬景，然也使我心神悸動，驟然張開眼睛，這些幻景遙遙地隔絕在萬里的雲山以外了。

我沒有忘記，我不會忘記的，那塊像質的土地：如今已經染遍了紅色血腥的土地，我是在那土地上茁壯成長的，我仍然要在那兒埋葬，總有一日我要回去，洗刷了仇恨的血債，打殺了狂妄的紅色狗腿，使我們的土地回復了溫馨！

記辛亥武昌首義經過（下）

•舜生•

時革命軍尚無首領，因於二十日午後召集諮議局議長議員湯化龍等，開會舉都督，衆議以二十一混成協協統黎元洪長厚，能得士心，以之爲都督，必易得各方贊助，遂命人擁黎到諮議局，黎初不允，衆迫之，始勉強承諾。乃由蔡濟民等組織一謀略處以夾輔之，當日並議決以諮議局爲軍政府，稱中華民國，改政體爲五族共和，稱中華年號爲黃帝四千六百零九年，及以都督黎元洪名義布告各方等十餘項。

經過諮議局一度會議以後，辦事雖漸有頭緒，但人心仍未大定，黎亦尚無決心。二十四日，張彪以河南援兵已到，聲言佔攻武昌，而民軍則尚無出兵模樣，居正等見事機緊急，乃商之謀略處，定二十五日在閱馬廠齊集各軍，請都督祭黃帝，誓師，於是革命士氣，爲之大振，黎亦漸覺可爲，稍稍安定。

是日湯化龍居正等，又於省教育會召集會議，到數百人，提出都督府組織暫行條例，分軍政民政兩大部，由都督統轄，戰時設總司令一人，下設參謀，軍令，軍務各部；民政部以下設各司。通過後，即舉黎任都督兼總司令；楊開甲爲參謀長，吳兆麟楊璽章副之；孫武爲軍務部長，張振武蔡紹忠副之。舉湯化龍爲民政部長，各司由湯選人，請都督委任。

時以戰事緊迫，因擴充兵力爲四協，以吳兆麟，何錫藩，陳炳榮，張廷輔任協統。點驗當時湖北存貯各款，計藩庫存現銀一百二十餘萬兩；銅幣局存銀元七十萬元，銀八十萬兩，銅元四十萬串；官錢局存銅元二百萬串，官票八百萬張，未蓋印官票二千萬張；銀元票二百四十萬張，銀二十萬兩，銀元三十萬元，總數約四千萬元左右，可謂充裕。

初瑞澂逃漢口，曾請某國領事命兵船開砲，各領事會議，法領以革命軍係奉孫逸仙氏命令，宗旨在改良政治，非義和團可比，不宜干涉，俄領亦表贊同，於是瑞澂計不售。後又經都督府派遣胡瑛等與各國交涉，承認舊約有效，外債照還，並保護外人生命財產。各國見革命政府舉動文明，於是英俄德法日五國乃於二十六日（陽曆十月十八日）同時宣告中立，承認民軍爲交戰團體。

革命軍對內對外有如此布置，基礎乃日趨穩固，及各省陸續起而響應，不四月而滿遂亡，首義諸人之艱難締造，功未可沒也。

萬竹樓隨筆（三二）

我參加了中共文工團（五）

•羊辛•

九，三個問題

我們一向是「不管部大臣」，除了跳腰鼓舞哼哼唱唱而外，什麼都不管，也不容我們去管。也好，過一天算一天，養成了一種苟且偷安的惰性，可是這回排在我們眼前的現實，確使我們幾個「無知小子」有點吃驚，不能無動於中了，橫着的三個問題是：參加韓戰，屠殺，和「一面倒」。

我們爲什麼要參加韓戰呢？最簡單的鄉下佬也會這麼想：「朝鮮又不是咱們中國，幹嗎去替它出生入死？」在此國家元氣未復之時，正該埋頭建設，整頓一番，卻又要大動干戈，開到別人的國家去，還沾上了一個「侵略」的污名，實在太不值得。

對於蘇聯的「一面倒」，若把這當做是盟友看待，互相尊重，臨危相救，這樣的盟友當然多多益善。但事實上可不是這樣兒，「蘇聯老大哥」一到來，人人莫不奉之如神明，崇之如領袖，一切都是「老大哥」的主意，自己反變成了傀儡和應聲虫，而我們國家的資源糧食卻得又源源不絕地北運進貢「老大哥」去，「老大哥」可連拔一毛以利天下的豪興都沒有。

關於屠殺這回事，我們幾個人更其反感，革命的目的並不是報復，乃是要讓人民大衆過着較好的平等生活，改革過去的壞現象，實現我們的政治理想。若照這樣屠殺下去，等於爭權奪利，變成了不折不扣的報復行爲，其加深，那裏是「革命」，使人民惶恐終日，痛苦更甚，「解放」的意義？況且在被屠殺者之中，不少純良忠厚的人士也遭了殃，並沒有眞正的反映了民意。至於國民黨的將軍公人員，個保甲長武尉職軍官也不能倖免，若說他們當過國民黨職務就該殺，那麼我們自己的同志當過國民黨職務的何止千萬，也應該一一殺掉了！總之，「鎭壓反革命」的對象應該是一些罪大惡極的匪魁，而不應「鎭壓」得這麼多這麼濫，使愛好和平厭惡流血的人民發生莫大的反感，這只有加深「仇恨」，歪曲了革命眞義，自食「循環報復」的惡果而已。

我們幾個人一時衝動，竟在檢討會議上提出了這些意見，並且要求指導員給我們「反映」上去，平心而論，我們倒是懷着一片赤心熱誠的。

解放十絕並序

李世傑

「留得嬴秦在，吾心疚不抒，未行博浪擊，先借管城誅」。是爲序。

血腥染得神洲赤，人盡囫圇待決人，一而倒非賣國策，而今秦檜是忠臣。

天日黯然祇見星，五星旗像說分明，盜枯百萬援朝骨，兒帝功勳第一聲。

大陸陰森已膽迷，黔黎慘伴虎狼棲，絕倫荒謬新民主，前進驚驚女作妻。

秧歌政治近如何，壞透千般未覺多，最是凄涼諸女幹，白天勞共夜勞俄。

纖幕低垂演獨裁，言行猶耐不勝哀，管教百萬凋零盡，贏得饑民作砲灰。

萬稅千捐化一元，勞模有苦不容宣，窮人深悔翻身誤，翻得身來更倒懸。

處處啼饑救不遑，那堪搜括復輸將，可憐粒粒民膏血，運濟俄魔救印荒。

延安好比梁山泊，嘯聚無非是歹徒，鼠盜也充廊廟宰，不堪國運似鄷都。

恐怖氛籠百姓身，偏教兒女控雙親，串成惡劇稱公審，好把兒名誘別人。

國門敢是鬼門關，商旅無端絕往還，回首故園惱有恨，自由何處覓羅闌。

英人的營養不足

英國人在社會主義計劃和節約之下，從牛肉得到的營養已感不夠，於是祇好求諸於維他命丸。但他們似乎也不能從維他命丸得到多少營養。這個不快的新聞最初是去秋所暴露，勃明漢的市政府化驗師首運用一種新儀器化驗各藥房所出售的維他命丸，結果是百分之四十二的維他命丸成份和廣告上所宣傳的完全不符，有些藥房的維他命丸，還是十七年前的貨色。

在本年九月中，英國藥廠開始收回全英各地的維他命丸藥存貨，價值數十萬美元。有一個經常服用維他命丸以求補充營養的市民說：「我一直在懷疑這些丸藥的效力。它一點沒有什麼幫助，我一家雖然常服，去年冬天竟有三個人患了流行的感冒。」（光譯自「時代週刊」）

美國政治上最重要的女人

——張天寶譯自「週六晚郵」——

杜魯門總統有一次曾對她說：「愛德華夫人，有時我以爲我祇有二個人可以爭取得到，就是你和我自己，你是在我一邊的。」

有幾個具有野心而勢力頗大的民主黨人，對外也曾表示杜魯門對他們說過這樣的話。不過，這句話對於愛德華夫人特別眞實，在一九四八年七月民主黨召開大會的黯淡時期，愛德華夫人和她的女黨員委員會，乃是希望在民主黨內和若干當時民主黨的堡壘的幹部有些衝突的期間，似乎祇有她能夠放棄女黨員部份成見，爲民主黨的前途努力。愛德華夫人並不是從事發表演說的技巧，而在她發表演說時，實幹的，她並不從事競選演說，曾以一片生牛肉向聽衆舉起，說現在肉價太高，當然試是共和黨之咎。她也堅強而忠誠，但是在杜魯門總統當選後，她卻向他提出她自己的條件而和他從事談判了。她要求杜魯門以適當的政治步驟承認女黨員以及她本人的功勞。

愛德華夫人的戰略是他人所捉摸不定的，她和一切優良的政治家一樣，能隨機應變，運用靈活的手段，迎合危機，設法渡過它。

在一九四九年秋，政府機構有了幾個空缺，愛德華夫人堅持一個法官席應給予華盛頓的女律師馬懸夫人。法官的任命是由杜魯門總統、總檢察長麥克葛雷斯、聯邦法院院長鮑埃爾和白宮顧問商討後而內定的。當新的任命狀在星期五擬成時，其中並沒有馬懸夫人的名字，但星期一諮請參議院認可的名單裏卻已加上了她。這個變動全是出於愛德華夫人的活動。

在星期五下午當她聽到馬懸夫人被拒絕時，她一個人坐在辦公室裏，匆匆寫了三封信，一封給杜魯門總統，後來她親自送去的；其餘二封分別致鮑埃爾和麥克葛雷斯，派專差送出。

在沒有人知道這些文件的明確內容以前，馬懸夫人得到了美國地方法院的一個法官席。葛雷斯曾對人說：「她所施的壓力是這樣直截，我們感到祇好依從她的意見。」他並沒有說愛德華夫人改變了他的主張，而祇說她改變了結果。這句話無疑是在玩弄政治技巧。（三）

自由人
THE FREEMAN
（半週刊每星期三六出版）
（第六十期）
每份港幣壹毫
督印人：李光華
社址：香港高士打道六六號
電話：二〇八四八
GLOUCESTER RD. HONGKONG TEL: 20848
承印者：東南印務出版社
地址：高士打道六四號
台灣經銷處：台北重慶南路一段七十四號

國家自由與個人自由

國家自由為了個人自由而努力而鬥爭，個人自由為了國家自由而獲得保障與鞏固。論先後，個人自由先於國家自由，論輕重，國家自由重於個人自由。

劉百閔

當世界已進入另一黑暗時代之際，美國杜魯門總統於今年五月十七日，為了設立慶祝簽署「獨立宣言」第一百七十五週年紀念籌備委員會，發佈如下的命令：「目前侵略與暴政力量有完全破壞自由根本原則之虞，個人自由與國家自由，同受威脅；美國聯合自由國家方從事於抵抗侵略與暴政而維護和平之鬥爭；凡我美國人民，更應充分瞭解「獨立宣言」所宣示之偉大眞理……繼續努力，維護和平與自由。」

杜魯門這一命令的發布，不祇是對美國人民的號召，而是對全世界人類的號召：侵略與暴政，這兩種力量，從外而來是破壞了我們國家的自由，從內而生是破壞了我們個人的自由，國家自由將必致于整個推翻，個人自由將必致於整個毀滅。我們要渡過這一黑暗時期，必須鼓起堅忍不拔之勇氣和信心，以和惡的力量奮鬥。在惡的力量沒有完全破壞自由根本原則之前，我們要善用我們的智慧，指導我們的步伐，在心靈上，建立起我們理念的堅定信心。

這一理念的堅定信心之建立，我們首先要明白國家自由和個人自由之分際。國家自由為了個人自由而努力而鬥爭，個人因為有了國家自由，而獲得保障與鞏固。如果祇有個人自由而忽視了國家自由，則個人自由將不得保障不得鞏固。如果祇有國家自由而抹煞了個人自由，則國家自由將為一種毒害一種殘暴。個人自由是國家自由的基礎，國家自由是個人自由的武器。論先後，則個人自由先于國家自由；論輕重，則國家自由重于個人自由、

蘇維埃社會中絕無個人自由

但在今天，我們尤須要明白個人自由先于國家自由這一觀念。當侵略與暴政正施展其力量要完全破壞自由根本原則之際，在斯太林惡魔領導之下，像毛朱一類腳色，張牙舞爪，如火如荼，是以國家自由為其護身符，以達其少數人對億萬人的控制與迫害。在他們心目中，個人不足重輕，國家始為重要；國家有其神聖性詭祕性，它本身自有幸福，而並非國民幸福之總和。在蘇維埃社會中，人性的尊嚴，簡直是不值一顧，而他們自己，就是國家。在他們腦筋中，個人必須降為奴隸，個人必須在所謂神聖性詭祕性的國家之前，奴顏婢膝；而他們自己，居然成為主人。他們握著國家這一把大刀，到處威脅，到處迫害，要每一個人出賣他的朋友，要每一個學生，每一個兒子，告發他的教師，告發他的父兄；就是一個有較高知識的人，在他惡魔們的前面，也不得不昧著他固有的良心，蹂躪他自己，而俯首醜顏承認他反抗惡魔的罪過。人性不完全泯滅，惡魔的靈牙不會有停止吃人的一日。這還成世界麼？這還有人類麼？這些惡魔，我們非粉碎了它，我們是沒有休息的。在今天，我們必須大聲疾呼，國家之于個人，只是一種方便，而決不是崇拜的目標。何況這些惡魔，那裏是代表國家，而祇是象徵威脅，毒害，殘暴！這利用國家挾持國家以抹煞個人蹂躪個人的這一黑影，即是我們必須從事戰鬥的目標。

摧毀極權惡魔的力量

惡與善是對立的，但是理智不可以喻于惡魔，我們對惡魔，祇有運用善的力量，理智的信仰，以摧毀他粉碎他。我們所謂國家自由與個人自由這兩個觀念，在善的理智的這一圈子裏面，還是有爭執的，我們特別要說個明白。這國家自由與個人自由這兩個觀念的提出，是對善的理智的這一圈子說的，不是對惡魔說的，惡魔是不可理喻的。一八〇一年三月四日美國傑弗遜總統就職演說詞，為了當時政論的爭執意見的分歧，他對當時一般國家至上主義者提出很中肯的一段話：「我知道有些忠貞人士，恐怕共和的政體不夠強而有力，恐怕我們這個政府力量薄弱。但是，我們愛國之士，在這艱難締造的當中，難道僅僅因為理論上和想像上的憧憬，而把這個世界上最有希望的政府，這個使我能保持自由和鞏固自由的政府，認為無力生存而斷然拋棄了嗎？我相信他們不會這樣做的。」

「我相信他們不會這樣做的」這一觀念的建立，就是國家自由與個人自由的協調。國家自由與個人自由應該是一而二，二而一的東西，是化合的，不是分立的。李爾和伊加，是莎士比亞劇中的主人翁，當國王李爾將要瘋狂的時候，他的臣子伊加，披著毛毯，假裝瘋狂。李爾教訓他道：「像你這樣衣不蔽體的東西，簡直和赤裸裸的動物有何分別？」英儒羅素說莎翁祇是道出人類一半的眞理。還有一半眞理，由哈姆雷特再去補充，他說：「人是這樣一件作品，他的理智是何等的高超，他的能力是何等的偉大，他的情感是何等的純摯，他行動有如天使，他理解有如先知。」在蘇維埃社會中，那些出賣朋友告發老師告發父兄的人，好像完全不是哈姆雷特筆下的人，但如果在適當的政治環境中許可他們做一個眞正的人，並不是沒有這樣的可能的。這就是說，國家自由與個人自由，建立在人類理性之上，必然是協調的。

個人自由與國家自由走入協調之路

國家自由和個人自由對立的尖銳化，首先是爭執和分歧、在這裏，傑弗遜總統還有一段話，他說：「在過去的政見爭執之過程中，我們的熱烈討論和競選有時表現了一種景象，可能使那些不習慣于自由思想自由說話和自由著作的人們，感覺不安。但這件事，現在已經按照憲法的規定，由全國的公意決定了，我們全體同胞，自然應該在法律的意志下，安排自己，並且同心協力，以謀共同的福利。

在法律的意志下，安排自己，並且同心協力，以謀共同的福利，這一原則的形成，是國家與個人自由獲得協調之基礎。我們在這樣的驚濤駭浪中，要不迷失方向，必須遵守這一原則。如果過于側重個人，把自我之窗，開得過大，造成個人分離性，是要不得的；如果過于崇尚國家，把國家權力，過份誇張，造成國家超越性，亦是要不得的。在今天的局勢，我們要格外警惕，倘使我們一旦離開了這一自由根本原則，我們就要趕快把腳步收回，回到正確的道路。因為祇有這條道路，才能把我們引到國家自由與個人自由協調之路。

個人把自由交付給國家求保障，國家以職能正對着每一個人來負責。個人對國家要能信任，國家對個人要負責任。自由不會自己存在的，它需要國家和個人合力維護。任何爭取自由的偉大運動，必須具有一種指導的精神，亦即是必須具有一種足以使人人瞻望而受到鼓舞的遠景。國家，在這裏亦就是政府，如果得不到人民的擁護和支持，國家便根本不能發生作用。這是要格外警惕的。在國家尊重個人，個人信任國家這一根本原則之下，我們中國人要獲得自由，祇有中國人自己能做，祇要中國人以行動來爭取自由，我們一定能獲得全國人民的擁護，亦一定能獲得全世界自由民族的支持。

今日的南韓景象

本報專訪

西北航空公司太平洋區經理柯林司（T Callins）上校，廿六日由韓國戰場上來香港觀察該公司業務，旅次爲記者述今日南韓情況，特誌之。

他說：在今天整個南韓言，以釜山最為繁榮與安全，釜山港內各國兵艦與商船雲集，倍形熱鬧。在釜山——南韓戰時首都——什麼東西都買得到，只是黑市價格太貴。一元美金官價換韓幣二千五百元，黑市高到八千五百元，漲了三倍，在釜山通貨膨脹，有一個不發財。因為韓國貨之風極盛。釜山港原只能容納三五十萬人口的城市，現在盟軍，韓軍，難民一共擠上一百五十餘萬人，滿坑滿谷儘見難民的苦臉，每一塊空地上，便是難民自建的小木屋，所以這一座戰時首都弄得滿天塵埃，污濁不堪。下水道一直到現在，仍未搞好，特別在飲水方面，極有問題，他說：美國大使館和西北航空公司是自己設電取水的，經過消毒比較放心。釜山城外有一區人民因飲料不潔，常患傷寒，一死便是好幾十！現在聯合國衛生機構，正協助南韓政府予以撲滅。關於糧食方面，至今仍賴聯合國善後救濟委員會撥送美麥與麵粉，比較有辦法的人，每日托航空公司由東京運菜蔬及肉食至釜山。在釜山惟一的英文報紙是「高麗日報」，每日一大張，全是戰地新聞，辦得非常「老爺」。如戰時重慶，其他只有土報一份韓文的「自由西報」，也全是戰地新聞。他說：前方談和，後方的釜山，仍是戰雲密佈，一點和的空氣都沒有。韓國人寧可和共產黨拚光，不願以三十八線為和平條件，這種精神，使聯合國駐韓人員，非常感動。

他說：在漢城方面，他逗留了二日，講居住方面，漢城比釜山舒服，菜蔬亦比釜山便宜。白天街上已看不出打仗緊張生活，小學生依舊上學，中學生依舊作球賽，關了多時的酒吧也開業了。在漢城的聯合國軍隊，沒有釜山調上前綫那樣緊張，他們說：「我們已嘗到共產黨的味兒了，不過爾爾，我們開大砲，他們見了即抱頭狂奔」。柯上校到漢城的那天，適去第八軍總部，看見有大批中共俘虜二千八人集體投降，被押入。送往後方俘虜營去。他和第八軍一位官員談，知道最近兩個月來，中共投降的比韓共多，韓共比中共狡猾，主要的原因，是因為中共補給不夠，在前綫上生花和傷寒，死去的確實不少。一到晚上，漢城便風聲鶴唳，下午六時戒嚴，行人無特別通行證者，不准通過。加以發電廠一直到現在還未修復，晚間成了恐怖世界。到漢城漢江大鐵橋，炸後一直未修好，現在由聯軍搭上浮橋，十輪大卡，通行如履平地。

在第八軍總部談談，大家對中共所恃無恐的人海戰術，已經見慣了。他說：最近聯軍用一種新型的原子砲，專攻人海，百發百中，每試每驗。一砲下去，便可以死傷數百。這種武器以後將大量使用，這是對人海戰術唯一的剋星！

關於空軍方面，他說：目下共方之空軍，在量上言，已超過聯軍之數字。即以質言，俄製MIG十五式，並不下於美製之軍刀式。這是當前聯軍方面最大之危機！如不改善，空中的威脅，一直會伸長至東京！

仁川——聯軍去年大舉登陸的偉大軍港——破壞相當利害，人口不足十萬。顯得格外淒涼。物價比較漢城與釜山都便宜。由仁川至馬山浦的一段小小海峽內，儘是聯軍海軍人員。過去的醫院船，現在已他移。

關於中國軍隊調韓助戰是否有效？記者特別向他提出，他說相信可能有效。因為聯軍和中共對戰語言不能交通，隔膜重重，如果中國軍隊不像在大陸那樣怯戰的話，派到韓戰場去，必有成就。（鄭源）

雷嘯岑啟事

自下期起，本刊仍由原有負責人主編，作家惠稿，希逕寄編輯部，勿致本人，以免周折為盼。

半週展望

雷嘯岑

莫薩德的投機手藝

伊朗政府乘英國宣佈大選的機會，對石油糾紛突採斷然處置，限期驅逐油田區域的英籍人員出境，並聲言英方若用武力干涉，即炸毀阿巴丹大油廠內設備，表示其破釜沉舟的決心。這是一種撲克場上「全部梭哈」的偷雞手法，試試艾德里敢不敢看？

前幾天莫薩德曾說過：在英國大選未完成以前，不願再增加工黨的困難，以免替保守黨製造勝利因素。因為邱吉爾若執政，他對英伊石油問題必採取強硬政策的。言猶在耳，忽又有此驚人措施，確實替邱翁間接幫忙不少！

英伊石油糾紛之膠擾莫決，壞在一方面「放不下」，一方面「要得急」。放不下的人，以柔應剛，採取延宕對策，想用財政經濟的壓力，使對方知難退讓；要得急的人呢，心裏越焦急，就越是想不開，索性乘機來一次偷雞動作，造成既成事實，制敵機先，再作計議。雙方根本就不是基於友好心情來處理問題，當然會釀成橫決的局面。

擺在眼前的現實問題，如果讓它橫決下去，英美是否已有化伊朗爲修羅場亦在所不惜的決策與把握？專講現實主義的大英政治家，臨到考驗的難關了，這難關，不管艾德里與邱吉爾那個當政，都是一樣的。假使英美在整個世界戰略上還沒有到攤牌的階段，那祇有忍小忿以全大謀，趕快經由美國斡旋之力，讓莫薩德偷一次雞，最要緊的是要英國能夠「放得下」，以後就還有「提得起」的可能，否則一著失誤，全局皆非了。莫薩德雖不惜替邱吉爾造機會，英國卻不可替史大林造機會啊！

假使邱吉爾再執政？

世人對於來月的英國大選，紛紛關心，似乎一致希望保守黨能獲勝，讓邱翁重坐唐寧街十號的椅子上，在對外政策中，或許不像工黨政府過去五六年來那種「既不能強，又不能弱」的作風，至少對反抗共產帝國主義的工作會有更積極的表現。是的，我個人也有同感。然而，吾思之，吾重思之，這其間，頗有區別，未可概論。

就保守黨的本質和邱翁個人的政治修養看，除「重歐輕亞」觀念與工黨並無二致外，其殘存的大英帝國榮譽觀念與人種優越感，比工黨人士更強烈。試聽近日保守黨方面的言論吧！該黨若再執政，邱翁將親訪史大林，切商世界和平之道。這論調決非僅為討好選民的宣傳之詞，若邱翁上台，他必然有此一手，試探史大林的內心。如果史大林「欣然同意」，重溫二次大戰前夕的舊夢，祇要史魔保證決不侵犯西歐，連狄托也暫時可以置之不理。那末，俄帝在遠東的一切行為，如韓戰問題，如中國問題，如中共進入聯合國問題，甚至未來的日本問題，他都可能「欣然同意」，藉以換取印緬和其他在亞洲的英屬地的安全保障，毫無所惜。然則史大林意下如何呢？他必「欣然同意」，因為這樣正與俄帝現行的世界革命形勢，跟革命的辯證法則是不違背的！

所以，若讓亞洲人的立場來看英國大選結果，邱翁再執政，對我們不會比艾德里更好，說不定還要更壞。工黨有時候猶不能不顧到本身所具有的政治理想，保守黨卻是純粹的現實主義者！

吉田茂的牢騷話

日本首相吉田茂近在議會發言，說日本的輕工業已大部分毀於戰爭，戰前十餘萬軸的紡織工業，現在只剩下四萬軸了。他希望「某些國家」不必害怕日本將侵奪世界市場，而時時加以壓迫防範。

日約簽訂後，要日本今後成爲民主世界之一員，則須讓她有自力更生的出路。我們既不希望日本與俄帝走在一條路上，而又以深閉固拒的態度，不許其工商業向海外發展，即無異迫其挺而走險，豈是大家對日簽訂和約之始意？吉田茂的話，民主國家應該作善意的考慮纔對！

自欺欺人的「增產節約」戲法

輸血的增產魔術

張丕介

中共慣用的那套宣傳魔術，在經濟方面最經不起事實的考驗，可是以宣傳起家的中共，又斷不肯捨棄這套自欺欺人的看家本領，於是特別在財經方面不斷的露出了狐狸尾巴。不信，讓我們檢討一下中共最近搞的頂熱鬧的「增產節約」運動。

中共於今年六月初發動了「捐獻飛機大砲」運動，明明係財源枯竭，迫不得已，而下的狠毒搜括手段。不論搜括的廣度和深度，比去年「愛國折實公債」更爲潑辣。人民並不糊塗，中共心理上也很覺得不易「說服」人民，爲了掩護涸澤而漁的罪惡，於是特別強調這次捐獻關係來自於各階層的「增產節約」之所得。它規定「工廠捐獻應與增加生產，減低成本相結合；農村捐獻，應與深耕細作及發展家庭副業相結合」。表示捐獻不但並非勒索，而且還有增產節約之效。妙哉，此計！你可以讓一個人狠狠的輸出血來，而同時又可責備他減少[illegible]餘而去作一個第一流的勞動大力士！你於是就可實行輸血與運動相結合！

一種勒索民財的宣傳花樣

究竟這一魔術宣傳有什麼意義呢？魔術法師們當然有其甚深用意的。本月五日北平中共廣播：「至九月三日止，各地認捐飛機已達二千四百五十二架。」十七日的「新華社」發布了另一消息：「近數月來，東北廠礦職工紛紛以生產戰線上的新成就，向高崗主席報捷」，說：「到目前爲止，各企業計劃增產節約的價值總和，已超過一千萬噸糧食的價值。」「如果用之於國防建設，就可購買噴氣式戰鬥機四千五百架」。對照一下兩個消息，你一定以爲中共的神通太偉大了：全國拿出最後一口氣的大捐獻，竟抵不過東北一區增產節約的一半而已，可見中共所搜括者遠比其所增加者爲低！更可見，全國的人民還大有可以捐獻一次二次乃至多次的可能！更可見，輸血與運動相結合的結果，可讓人輸更多的血而變成更雄健的大力士！

飛機多，可以嚇唬「美帝」，鎖定虛怯的士氣；增產多，可爲再捐獻的張本；東北起來帶頭，關內人民便可接受「挑戰」，捐獻得更踴躍。這還不夠妙用嗎？

請看自欺欺人的空頭支票

但是，且慢。財經這門東西是硬貨，魔術掩蓋不了事實的。且問，這一千萬噸的糧食價值究竟從何而來呢？「新華社」自己說：乃由各地廠礦計劃綜合統計而得。今年五月，高崗在「城市工作會議」中，曾提出「於完成一九五一年原定生產計劃之外……應把握工業潛在能力，爲國家再增產與節約價值等財富。」於是五百萬噸糧食的各公營企業負責人便提出了「增產節約」的計劃，再經「勞模」們的鼓吹，這五百萬噸便立即二五得十，成了一千萬噸。中共樂得見一張巨額支票，但問題是：中共決不是空頭支票收藏家。它要兌現呢。兌現的情形，你最好聽聽高崗自己的說話。九月一日「東北日報」載高崗在中共[illegible]週年紀念會上，不打自招的說：「[illegible]幹部在春耕時搞[illegible]，總面積擴大了如何，何時報告好如何，秋收時則又如何報告面積，如何不好，都比春耕時小了[illegible]。」八月廿三日「東北日報」社論也有「工業方面的計劃，有幾十或超過百分之幾十，驚人而似乎確是超過百分之五十的成績。但則可發現，檢查一下，至少有百分之五十是廢品。」「好，這十品中至少有百分之五十是廢品與捐獻與增產節約相結合的真相，你應該不再懷疑這次宣傳的一千萬噸糧食價值的蹊蹺了罷？

或者以爲高崗的支票也許有些空頭，但不致於完全是「空頭」罷？當然不會。但我們從他們搞的一套魔術宣傳上，卻不難戳穿他們的欺人自欺的把戲。東北高崗說：「目前的東北已處於國防最前綫，離開國防需要，乃是空頭建設」、「不切實際的想」。因此，今年中共東北的巨額建設，不但不能作很多實際的投資，而且將若干投資設備遷[illegible]，所以，所謂「增產」云云，既非多投資本，擴充設備，便只有一條路：中共得意傑作的「生產競賽」那套「領導全國的宣傳」鼓舞。例如中共組織「馬恒昌小組」，已將其機器有效的轉動時間，由三點四十分提高到五點三十分，這一「提高」，使下半年增產一千噸的糧食價值等於三十個把戲。這是然而我們所知道在這之一處。但是我們熟知麥唐納人的「勞模」們，除去一套小把戲以外，爭「紅旗」而拼命搞「勞模」，連中共自己也明白這不是辦法了。第十二期「中國工人」說：「工人偷工、用時間作用降低標準，來提高產品的數量、延長工作時間，加工「突擊」，這種挑戰，使競賽、檢查、改變計劃的方法，算是主要的競賽方式，成爲形式主義，能照本來的面目的？如何把「主義」與增產捐獻相結合，只見中共的證明，用矛盾的妙法，宣傳的魔術，中共無恥得連自己也欺騙，以爲只限於做出的，卻至於財經人員都不能硬面，只得使它無法不露出狐狸尾巴來了。

台灣應有更大的容量

·黎晉偉·

台灣是自由中國所倚以爲復興的基地，不是遺民義士逃亡避難的海外殘餘，故遷台的國民政府今天局面雖小，而其抱負極大，不僅海外千萬僑胞，正熱烈期待它返旆中原，復興祖國，其陷於大陸上所有人民尤其盼望拯救出水火、重登袵席。台灣受了全民如此重大的寄托，這才特別顯出了台灣地位的不平凡。這不平凡是屬於心理精神的居多，屬於土地物質的爲少。台灣雖然被稱爲美麗的寶島，但這個寶島祇有八百萬的人口，和祇供八百萬人口生存的糧食。如果從土地物質的容量來說，台灣的復國條件是不夠的，因爲它的力量有一定的限度。但是，現在的台灣，其形勢顯然不是如此，在外交上，它尚代表整個中華民族；在政治上，它是更維繫着億萬未死的人心；在亞洲，是希望的象徵，敵人因它存在而恐懼，友邦以見它屹立而安慰。故祇要領導自由中國的人，不以現實環境而局限，則台灣在氣度上應有更大的容量，在視綫上應有更遠的目標，都是不成問題的。

我們所以說台灣應有更大的容量，其原因也是有所感而發的。我們知道自由政府遷台以前，已往的許多失敗，故對於大陸上的鉅痛深創，雖然在政治、軍事上的革新，但因受了主觀的努力，又不免感覺客觀環境太大的刺激，最後失敗過於上下，對於大陸上一杯弓蛇影，在防諜鬥爭的使人緊張；在政治上，最容易使人忽略了來的思想，所以在這兩年來的現象，固足令人興奮，而保守的氣氛，又不易打開。因此，台灣的政治上「有容乃大」的表現是稍嫌不夠的。與其說是由於政府之無所能，毋寧說是由於政府之無量。這個量就是氣量，也是我們所說的容量，就是政府接受與民間批評的度量。就以言論的批評來說，一個政府的有無容量，是表示國家的政治是否民主，人民有無言論自由的最好標準。我們不意人民根本無言論自由，祗有故意的。人民有在言論自由，我們深以人民所說的現在自由，我們過去所以受多少言論自由的壓迫，故我們今天的人民，與政府受到某方面的干涉，於是我們的人民，對於言論自由的觀念，還不能說是很進步的。蘇俄的極權主義政治，由於其政治哲學上的極端，是絕對不容許言論自由的。民主政治的國家，其政府的意見，不從輿論的批評而來，也是不容許政府的權威受到懷疑的。是那些惡性的政治，法律的制裁，和民主政治的批評，而言論自由，原不應受到什麼拘束，不論是言論或批評，若當是惡性的干涉，我們對於這些言論界用一個自由的習慣，若干的批評，也是所能包容的，便能避免施行的主要方法。表現於政治上的度量，台灣的言論界雖然尚有十分之一，也時常感到不夠的批評，但我們希望政府能夠包容，而成熟的言論，最怕的是政府把言論自由逐漸消滅。

看作「此風不可長」，或誤以善意批評，視爲惡意攻擊，因而對言論自由有時作出干涉，這在民主政治的立場上，則是最大的失敗。因爲這種干涉，是政府的最大失敗，政治影響的責任，不是任何人所能負的責任。故政府凡事有言論自由的權利，管政府的力量受到言論自由的約束，但政府之能力的措施，一切措施的民主化，和人民對於其本身的利益，亦不無推動的作用。順着這種趨勢，最好是使政府的措施與人民的意見相符合，從而使人民對政府有信心，人民對政府就會擁護，而政府的政治就是「人民的政治」。我們說的「予政府以批評」，這不是要人民與政府對立，而是要人民對政府表示關心；這種關心，是人民愛護國家的表現。現在的國家，不是那一個人的國家，是人民的國家，管理國家的事務，不能不注重人民的意見，使各方面的人才都能爲國家效力。台灣的政治上，所以還需要更大的容量，是因爲國家的復興大業，必需全國人民同心協力，政府要有容人之量，人民才會有報國之心，我們希望當局能以最大的誠意，把政府的政治，做到人民所企望的程度，以保證我們的復興大業，有百分之百的成功。

麥唐納——東南亞共黨的剋星

·祝修衡·

團結具有決定性的力量。三年來，馬來亞憑藉這一力量的發展，摧毀了共黨主義擴張中的嫩芽，使東南亞民族國家主義抬頭。這是英國派駐東南亞的行政專員麥唐納所負担的艱鉅使命，他並不是捨棄英國現行政策，或是和它脫節，乃是對舊有殖民地觀念予以若干修正而已。原因是俄[illegible]佔據中國大陸後，正欲利用新疆、西藏豐富的資源，向印度洋進襲，決不會略去馬來亞這塊廣濶的樞紐，再迂迴阿剌伯，使伸出歐亞的兩柄赤刃碰頭。馬來亞的地位，就顯得更爲重要了。

二次大戰以後，英國在復興的過程中——，因英鎊貶值削弱了國際貿易地位；外交——在弱喪失了許多殖民地；在民族國家主義——[illegible]國抬頭；俄帝的「世界革命」魔術從中滲透利用，大英帝國臨到雙重打擊。尤其和鐵幕距離得更近的亞洲這塊殖民地——馬來半島，是英國在亞洲的唯一墊腳石，祇佔有陸地面積五萬一千方哩，突出大陸的狹長島嶼，扼着太平洋、印度洋的咽喉，加上地略形勢重要，加上產量豐富的軍用必需原料，馬來亞幾成了「衆矢之的」！

因地制宜的英國政策

戰後，各民族受印尼獨立影響，對英國傳統殖民地觀念感到厭惡，形成了俄帝進侵馬來亞的一大空隙，它標榜「反抗帝國主義」，向鎮壓民族主義者發動「解放戰爭」，挑撥馬來亞各民族間，民共起「反帝」火併，在企圖建立一個「亞洲和國」的政勢力，把英國完全逐出亞洲。工黨政府自不能忽視。然而，[illegible]不馬來亞單獨殖民地間題，因地制宜，修正政策，只有加拿大、東南亞專員、麥唐納氏不調，儘管麥氏的去就問題，而且還具備着政治[illegible]。

進步的理想。當馬來亞共產黨在一九四八年六月二十日發表了一篇爆炸性的宣言以後，他帶着幽默的口吻，向五百餘萬人民廣播說：「在這個長不能缺席的和國委員會下，我有責任的場合下，來到這裏，在播機之前，在播前的說話，來自一切，都是在情形下，他無法控制，諸君說的州，這裏，此後向馬來亞九州及三個海峽殖民地，邦聯政府，陷入恐怖狀態，也宣布對付緊急狀態，採取和全面的實施方法，總動員。」

政略上的成就

邦吉打、蘇丹的政府要員的政府，高級馬來亞東南亞的高級行政專員麥唐納的高級權力專員、麥唐納，最後決策決策，東南亞高級專員，經過研究，高級專員與馬來亞各民族的領袖共同協商，決定其後任務的方針，以最大的努力，使各民族馬來亞聯合……（[illegible]）

仇恨民族國家主義抬頭，不恤與民族合作，從容把份子分裂開來，大部份時間從事於聯合各民族，在手腕上，民族主義的宣傳，解放了馬來亞各民族聯合，共同來爭取獨立的「[illegible]」的宣傳，從來民族，爲對付恐怖事件，激起人民反共的熱情，增加一九四九年遂形成了一個民族間的協商，在馬來亞各民族領袖間，發起組織了一個「[illegible]」，以向政府委員會直接表達各民族的意見，和麥氏解決一切問題，方式與態度，都是溫和的，以最大的容忍，使他們相信，各民族的利益是一致的。……

[illegible]

麥唐納的身世

麥氏今年五十一歲，一九〇一年生於蘇格蘭的[illegible]。父親麥唐納是英國工黨領袖，曾任首相。[illegible]

更正

[illegible]

誇大狂的史達林與自卑感的毛澤東（下）

·鄭學稼·

毛澤東呢？他也有「狄托主義」。如「那證書，即所謂「毛澤東主義」。一九四五年在延安舉行的中共第七次全國代表大會（第六次代表大會，一九二八年七月舉行於莫斯科，前後相距十七年之久！），周恩來們歡呼「毛澤東主義」的口號。它的定義是：「馬、列主義中國化」。如果馬列主義到中國變爲「毛澤東主義」，那它到南斯拉夫自然也變爲「狄托主義」。如「毛澤東主義」可以成立，那它的意義，是史達林失去教皇權，和毛澤東由中國區主教獨立爲中國的教皇。這簡直是史達林主義的異端！除非毛澤東敢走狄托的路，那他必需取消「毛澤東主義」。果然，自狄托主義出現後，「毛澤東主義」失了蹤，改爲「毛澤東思想」。「主義」ISM是指一種制度或一種思想體系，「思想」，是不成體系的意識形態。每個人都可胡「思」亂「想」，但不成爲體系。由之，史達林主義與「毛澤東思想」，表現出高級與低級。史老師的思想，是體系的，因此稱爲「主義」，學生毛澤東的思想，只算是史達林的世界中之一黃臉皮奴隸總管自己尋開心似的胡思亂想。上面的敘述，暗示我們，毛澤東們爲模倣史達林，曾犯了錯誤，並立即糾正過來。因爲，如前引胡喬木的小册子，毛澤東之有一「思想」，還靠這一條件：「把馬克思列寧主義的普遍眞理，以及列寧史達林關于中國革命的理論指示。」的確，如沒有那「指示」，「偉大的革命天才」的毛澤東，恐怕連「思想」也不會有哩！

史達林爲神化誇大　毛澤東爲地位自卑

要列舉史、毛之間的微妙關係（思想和模倣行爲），那非本文的篇幅所能容納。以上的論述，足證明一個鐵的事實：史達林爲維持自己的神化，要不斷地誇大；毛澤東爲維持自己的地位，要不斷地對史達林表現自卑。就史、毛個人而言，誇大與自卑，可以形成永久的主、從關係，或師、生關係。就史、毛所代表的權力而言，那誇大的史達林，自然是父皇帝，自卑的毛澤東，則爲兒皇帝。就史、毛所代表的民族而言，父皇帝的俄羅斯民族，超越一切，似「舊約」中耶和華的選民，而兒皇帝的中華民族，則爲卑賤的奴隸。只有知道這些事實的人，才能明白：毛澤東言必稱史達林，和充當「史大元帥」的馬前卒之必然性。（一九五一。九。九）（完）

財盡·餓莩載道

天安門前閱兵過癮 死要面子

天安門前那對華表，遠遠望去像死人靈前的兩支臘燭，靈堂化的佈置，告別式的氣氛，當遊行隊伍經過時，踐踏了多少血肉！

【本報北平特約通訊】北平自詡爲「人民的首都」以後，據說一切的一切都「朝氣勃勃」「氣象一新」了，可是我們呆在這裏的老百姓，除了看到換上五星旗，瘋狂扭秧歌，幹部橫行，餓莩遍野這一片世紀末的景象之外，却聞不到一點新的氣息，有之，亦唯有那些爲了「人民安全」和「人民利益」而不斷在骷髏骨上跳舞的「建設」而已！

天安門前的廣場，一向是中共中央「擺架子」的所在，爲了迎接各式各樣的「偉大」節日，這一廣場的重要性是一天天在增加着，從民國卅八年到民國四十年這短短的三年期間，這一地區是翻天覆地的歷盡了滄桑，不講別的，祇以修整地面一事來說，就會流盡了千萬人民的血汗，我還記得，第一次，是「開國典禮」的前夕吧，（卅八年）爲了拔除樹木，折掉路面中間的花池子，對附近路面僅僅作了一次「臨時的整理」，就動員了大中學生近五萬人（有待過的十萬多民伕的人力向「政府」付出的卅多億「人民幣」物力不在計算之內），熬夜扛抬，胼手胝足，結果總算將「大典」圓滿完成。眼一晃，又是一年，爲了慶祝，跟着又來了個第二次的修整，這一次，動員的學生與幹部總數相近十萬人，[illegible]抬石頭，修觀禮台，造瀝青路，忙忙碌碌中「國慶」終又平安渡過，今年「五一」，爲了粉飾太平，又動員了學生界與工農大衆共八萬多人，進行了一次迅速的修整，結果迅速的目的是達到了，任務却未能「圓滿達成」，當「偉大的人民解放軍」行列與一行行遊行的隊伍在通過廣場時，[illegible]路面軟化，[illegible]

今年的「國慶」日又快到了，一切的情勢據說都不同於以前，爲了防止「砲轟天安門」事件與「美帝」特務×黨走狗的潛入活動，「砲轟天安門」的事件固然不會有，但提高警惕性與「表現人民的力量」的措施則不能無，是「中央人民政府」於三個月前就撥出了一部數目很大的款子，動員了民伕廿餘萬，再加上「自動」參加的大中學生兩萬多，「嘀嘀嘀嘀」日夜進行工程，從六月廿四日開工時起，因時間短促，須趕於九月二十四日前完工，「市長」彭眞受了「五一」節日「檢討」的經驗，現差不多每天都去巡視一番，以資督促，而「工人弟兄」與「愛國青年」爲了完成這一「光榮的任務」，也都高度發揮了「愛國」的熱情，不眠不休地在爭取任務的「勝利完成」。祗是附近居民給壓路機、貨車運土車與打夯的敲石聲工人的嘀嘀聲所擾，晝夜已無法入睡，據說，「政府」對這一次的「國慶」節日非常重視，軍部裝備的新機械化部隊將出現於「毛主席」「閱兵」典禮中，如廣場的路面不澈底加以修建，將影響通過，許多部隊的整齊，觀瞻人心都會因之發生不良的影響，[illegible]與其事的工程師透露內幕稱：這次主要的工程是要將廣場附近所有的路面都改爲「剛性」的路面，像「五一」活劇不致重演。又天津「人民汽車廠」爲「國慶」說「開國二週年紀念」已把本質上一帶變有的民地的修配廠變而爲「人民的」「獨立的」製造廠，第一部自製的「人民汽車」已裝配齊整，將於十月一日完成，獻給毛「主席」作「閱兵」之用，「人民日報」說：「這是中國人民在粉碎「美帝」經濟封鎖鬥爭中的又一大勝利。」這「當然」，可是「被勝利衝昏了頭」的編輯先生却忘記了軍要的一句話，這「人民」吉普是「世界第一」呢。

離開「開國二週年紀念日」祇有一個多禮拜了，已涼天氣，北國早寒，街頭巷尾觸目都是愁眉苦臉爲衣食奔走的「窮」人，這些人，他們對「開國二週年紀念」不僅不感覺絲毫的興趣，相反，正以另一種心情在凝視着天安門廣場，你瞧，天安門下面那對華表，雖則已以朱紅漆大地刷飾過了，但遠遠望去則仍像在死人的靈位前插下的兩支臘燭，這樣的佈置，似乎在告訴人「不祥」的將來即將到臨，今年的「開國二週年紀念」與「毛主席閱兵式」，有點像一個告別式，當遊行隊伍經過時的狀下，不是在瞻仰「毛主席」的遺容嗎？（隨光·九月廿二日自平寄）

中共的一筆糊塗賬 「愛國捐獻」

好多主管機關，對所屬單位已繳多少？尚欠多少？何時可以「完成任務」？全然不知。遵化縣「地委」陳寄元，挪用捐款，吃喝嫖賭，「上級」還設法爲之隱瞞，要「照顧」他。

【本報北平特約通訊】「抗美援朝」一切的局面，進入長期化的階段後，爲了要「確實」打擊「美帝」，「愛國捐獻」運動於是乎應運而生，這一運動已經「大力進行」了三個多月，距離年底的完成期限，也還有三個多月，可是問題却一連串來了，強迫攤派的「偏差」，幹部的挪用捐款，工作的前緊後鬆，一般幹部的思想「落後」，樣樣都使中共中央覺得頭痛腦脹，政治局不得不首由劉少奇被迫喊出了「檢查愛國捐獻運動」的口號。

[illegible]「人民日報」說：「北平[illegible]人民愛國捐獻運動，在廣大人民中已經得到很大的擁護，[illegible]全國認捐的飛機已達二千四百八十架，[illegible]但是運動的發展，很不平衡，拿現在交的數字與認捐武器的總值比較，捐款的總值不及五分之一，而且，各方面的偏差，愈來愈多了，如不切實檢查，認真糾正，這一運動將會因自流現象而[illegible]。」[illegible]

粵漢鐵路枕木採伐大貪污 經年砍運苦死湘南老百姓

人財兩耗 損失慘重

粵漢鐵路，是大陸上中共南部的一條交通命脈。中共對於粵漢鐵路的依賴性，是從經濟上着眼的；因爲在國軍未發動華南登陸之前夕，中共抓住時間，儘量仰賴這條交通線，吸收外來的戰略物資，和輸出擄取大陸人民的血汗生產品，[illegible]可是，美中不足，就是湘粵邊區的游擊隊，時常出擊，破壞鐵道，焚燒枕木，弄得共幹們焦頭爛額，日以繼夜地在搶修，晝夕不停地派共軍巡守護，人財兩耗，損失慘重。

貪婪成性 共幹模範

衡陽地區，中共設有「衡陽鐵路管理局」，管轄粵漢、湘黔、廣九、湘桂等路；這幾條鐵路的枕木，悉數仰賴于湘南地區的松木，以採伐郴州、宜章、耒陽三縣者居最多數。衡陽鐵路管理局材料處，在郴州總段，設有一個材料所，專門征伐人民的森林中之松木。材料所主任係東北人，名叫黃漢，係四野林彪部接收僞滿部隊的一名下級軍官，貪婪成性，目中無人，爲共幹貪污的典型模範。

辯證手段 共同發財

共幹征伐松木，首先便指向地主的森林，所有松木一律採伐；如遇地主的森林中無松木者，則中貧農的森林亦在採伐之列。所有被共幹採伐的松木，概不給人民的「山價」，以「捐獻」的大帽子，壓在人民的頭上。惟據鐵路上的交通人員暗地傳出來的話，這些被採伐的森林，鐵路上是規定有「山價」錢的，都被材料所的共幹和軍事代表放入了私囊，而不給貧苦的農民。農民在共產黨的殺風下，祇有忍氣吞聲，敢怒而不敢言了。郴州區材料所的共幹們，二年以來，貪污「山價」的款項，數目很大了；是不是它們「獨」得呢？不是！上級鐵路共幹從中漁利，合夥瓜分，形成了上下交征利，集體貪污，共同發財的唯物辯證法手段了。

一套妙計 張牙舞爪

松木的砍伐、搬運，都是以「米」折價計算，規定每根松枕木，[illegible]多少？分甲、乙、丙、丁四種，[illegible]但共幹並不直接去做，[illegible]招標從不公開，[illegible]如有低落的時候，則要減低工資。[illegible]

小史大林 服裝豪華

郴州材料所，除了專辦松枕木外，尚兼征採電桿用的杉木，車箱修理用的[illegible]松枕木一樣，採同樣的手法，貪污中飽以自肥。粵漢鐵路的松枕木，全仰賴在郴州地區採伐，補充湘桂、湘黔（一小段）兩路的松枕木，杉木，梓木等數字，二年以來，爲數可觀了。可是，這位材料所主任黃漢，破舊的布軍服，早已拋掉，穿上了新裝，和漂亮的皮鞋；配上了二十鑽的手錶，五十一型的派克筆，豪華極了。另外還在郴州娶了一個「前進」的湘南中學女學生做太太，被人起了個綽號叫做「小史大林」！（一客）

陳中雁部反正前後

【本報台山特約通訊】四邑土共首領陳中雁，原籍台山[illegible]

[illegible]

東北水旱災重 「援朝」受阻礙

【本報瀋陽特約通訊】中國資源最豐富的東北，可以和世界任何地方比美。當年日本佔領東北後，敢發動侵略世界的野心，也就仰賴着東北的資源。

自從三十七年十一月三十日整個東北易手，中共從事瘋狂鬥爭，清算和屠殺以來，東北的人口三千萬中，被中共殺害或逃亡參軍的約有五百萬，現在只剩二千五百萬了。中共第四野戰軍林彪部隊三分之二是東北人，於去年冬季參加韓戰以來，死傷百餘萬，裏邊就有三分之二是東北人。

但是中共佔據東北三年，今年是最慘的一年，他既得不到「人緣」，更連老天也失去了，今年東北的旱災，是廿年來所未見的酷烈。筆者於[illegible]

[illegible]（秦）九月廿九日自瀋陽寄

國際上的難兄難弟

·尚方·

現在國際上有兩個政治人物的言論主張，異曲同工，可稱難兄難弟，那就是印度的尼赫魯與英國的貝萬是也。

尼赫魯要想做亞洲的偉人，裝模作樣，擺出一副「遺世而獨立」的「超人」面目。對印度以外的共產主義者，恭維不暇，對印度以內的共產主義者，鎮壓不遑，而自命爲社會主義者！以軍隊威脅鄰近小國，對西藏要繼承舊有不平等條約的非法權益，而自稱爲民族主義者！接受「美帝」的物質援助，又處處表示反美，却說印度是站在自由世界的，是聯合國的擁護者！尼采所說的「超人」的眞實面目是：像這種「百事皆有說詞，而百事皆不知其所解」呢！

貝萬也想做「超人」，他反對擴軍，反對美國的反共政策，認蘇俄可以和平相處。用甚麼方法來造成「和平相處」的世界呢？方法很簡單，他認爲「只有一條路」，即是教美國也不要擴軍，節省每年幾百億美元的軍費，然後每年拿出一百幾十億美元來送給各個和平建設的國家分用，連蘇俄也可以分用一份。這樣，世界就太平了，社會主義的生活就遍見於地球之上了！而美國因此每年省下幾百億軍費，更爲幸福，自不待言。

這兩位「超人」的目光，似乎都注射在美元身上，幸而美國「財多」并不「身弱」，否則被這兩位難兄難弟勞叨玩弄，難免不害神經衰弱症哩！聯合國如果創設一所政治瘋人院，專門負責療養國際上發癡的政客們，眞是功德無量！

自由談

趙菜頭翻身記

·魚目·

做夢也沒想到，趙菜頭竟成了新聞人物。那些記者先生們，紛紛跑來訪問他，回去大事宣傳地寫起訪問記來，大字標題「貧農趙菜頭翻身記」，說是：「只有在共產黨的領導之下，窮人纔有翻身的日子，像貧農趙菜頭，窮了一輩子，現在已經變成一個翻了身的新家庭，……而今他有了兩頭豬，十八隻鷄，十四隻鴨，八隻鵝，還和別人合餵了一條牛，在今春展開愛國增產運動中，訂立了全家的增產計劃，用木犁開墾荒地，增加了十担白米的收入；……他們還計劃多搞副業生產，準備到明年秋收後蓋一幢新房子。他時常笑瞇着眼睛對人家說：沾毛主席的恩，我們今天翻身了。……」

的確，趙菜頭是「翻身」了，經過[illegible]翻[illegible]動，動員全家展開增產計[illegible]，居然[illegible]許多[illegible]，豬呀，牛呀，還[illegible]，因爲領[illegible]帶頭作用，[illegible]的兒子貴林[illegible]勞動模範，[illegible]因[illegible]「在鄉婦聯會担任工作，孫兒阿龍則進了學校念書，換句話說「[illegible]反動統治」時代所沒有的現象」，好像在「反動統治」時代所有農村的子弟個個都是目不識丁的文盲，到他共產黨一來，大家豁然開朗，知道讀書是怎麼[illegible]似的。

趙菜頭是很愉快的，回想這些日子以來，不辭辛苦的勞動，全家在烈日下或風雨中的煎曬淋灑，無時或歇，不分晝夜地展開增產計劃，總算有了收穫，「毛主席不負有心人」！

他想，嘴角浮起了一絲微笑。

他在盤算着：而緊繼續勞動下去，明年就可以蓋一幢新房子，可以買一頭壯牛，還把羊來，還要造一個豬圈的牲畜欄子。

於是動員全家大大小小，晝夜不顧身地不休歇地爲未來的遠景而勞動。……

在婦聯工作的媳婦春娥，這一日，流着汗跑回來，道：

「一公公，我們正在展開「井岡山號」戰鬥機捐獻運動，我和秀姐挑戰，捐了四十萬元，指導員說我起了帶頭作用，升我做婦聯會主任！」

趙菜頭呆了一把，道：

「捐了三十萬？家裏又沒有現錢。」……

「不要緊的，不要緊的，咱們把那些鷄鴨賣掉就有了。」媳婦一面說，一面跑進雞鴨籠裏去。捉落風轉似的東奔西撲捉了一陣，把那些雞鴨驚得大處大叫，振翅飛，好容易捉齊了，用繩子紮好，提起就走，道：「現在就去賣，馬上就要交錢的，我和秀姐挑戰，看誰交得快」！

兒子貴林，果然生就一付「勞動模範」的樣兒，粗大的身軀，四方形的臉，背有點駝，從竹籬的那邊回來了，後頭跟着兩個手拿簿子的「工作同志」。

「爺！咱們那十担米，給李同志瞧瞧，大家都得登記」！貴林說。

那個「李同志」咧着嘴，陪着笑：

「嘿嘿，趙老伯，你眞是了不起，令郎，令媳都在爲人民服務，還努力搞增產運動，你是全村的光榮模範，可敬，可敬，……」於是拉入了正題：「關於這個餘糧的登記，是抗美援朝的最神怪的使命，我們人人都得抗美援朝，我們才有好日子過，政府現在把登記的存糧暫時借用一下，將來一定照數歸還，請趙老伯放心，幫助政府是咱們人民最光榮的任務。」

於是乎，帶着兩位「同志」把米缸巡視了一番，揭開缸蓋瞧瞧粒粒又肥又大的白米安靜地躺着，巡視完畢，說定明天來秤去。

第二日十担米被秤走了，趙菜頭正立在空空如也的米缸邊，怔怔地，忽然外面大鑼大鼓地吹打起來，而且好像向自己的門口走來，夾雜着一陣七舌八嘴的歡呼聲，他只趕忙跑出去一看，只見孫兒阿龍被衆人簇擁着，牛[illegible]擁着一塊紅匾，寫道：「光榮之家」。那孫兒一見公公，連跑帶跳地跑過來！——

「公公，我們學校裏獻機獻砲，我把家裏的豬鴨都捐獻了，我要跟媽媽挑戰！」

那邊衆學生由教員領導着喊：「向趙阿龍看齊！向趙老伯看齊！」

並由一代表雙手奉上「光榮之家」紅匾，呈與趙菜頭。

趙菜頭接過了紅匾，手在發顫。……

一連好幾日，他沒有睡好，又肥又大的白米，豬呀鴨呀，老是在他的夢中跳動，彷彿看見他們鎖在那幢未來的新房子裏，竟在房子的兩旁長了翅膀，騰空而起，冉冉飛向雲端去了，他急急想伸手去抓，却抓回來一張紅匾，寫着：「光榮之家」，嚇了一跳，夢就驚醒了。

萬竹樓隨筆（三二）

關於「威廉退爾」劇本

·舜生·

去今二十六年前，即民國十四年，馬君武先生即譯有德國十九世紀文豪席勒（Schiller）所著『威廉退爾』（William Tell）一劇本在中華書局出版。其時余正在中華編輯所任事，凡此類書籍出版，均由余經手，余當時曾一讀馬先生之譯稿，殆無疑義。顧其時余對此所留之印象並不甚深，僅恍惚記得有此一事而已。

近讀愛爾克曼所著『哥德對話錄』一書，（周學普譯，商務出版，）始知哥德與席勒間友情之深厚，而『威廉退爾』一劇之寫成，乃與哥德有密切之關係。據一八二七年五月六日哥德對愛爾克曼所述，渠於再度遊覽瑞士時，爲其地湖光山色之自然美所感動，擬以此舉世無與倫比之風景區爲背景，就有關退爾之傳說，構成一長篇敘事詩。已着手矣，顧以彼於他事，卒未成篇，因將全部題材讓於席勒，是即席勒寫成『威廉退爾』一劇最主要之助力也。

余因有感於此一事實，因取馬譯本重讀之。馬先生譯是書時，正留居瑞士之茵夢湖邊，目睹其地方之文明，人民之自由，到處瞻仰威廉退爾之遺像，更陶醉於其環境之美，其所感觸者，殆類似哥德之當年，故其譯本中亦時有神來之筆。

是劇啓幕時，首由漁兒牧童獵人更迭歌唱，馬譯此種歌辭，仍以韻語出之，其風繪景色，讀之令人神往。茲錄如下，使不得讀此一劇本者，猶可鼎嘗一臠也。

『湖波含笑招人浴，兒童酣睡草茵綠，忽聞短笛一聲鳴，有如樂園天使謳。空氣芳馥兒寤醒，湖水澄甘聊可飲，有人呼汝聲低微，兒今既醒其來歸。』（漁兒所歌）

『愁與芳草別，長夏已將歸，來往山谷間，風景當復非。一潮布穀鳴，歌聲響更起，滿地布新花，山前看流水。愁與芳草別，長夏已將歸，來往山谷間，風景當復非。』（牧人所歌）

『雷霆怒起山谷慾，獵人彷徨失歸路，山頭白雪亦崩摧，稻草不綠春色微。城郭人民不可識，腳下但見白雲飛，獵自雲隙望世界。綠原遠在湖水外。』（獵人所歌）

馬先生自述其譯是書時，『不知瞭過幾多次眼淚，』其實當時奧皇所派駐瑞士總督格思勒（Gessler），不過命獵人退爾於八十步外遙射其子瓦得頭上所置之蘋果，暴虐誠暴虐矣，然以較今日史大林所派駐中國之總督毛澤東，必命他人之子女於稠人中手刃其父母，其殘酷無人理又何如耶！

我參加了中共文工團（六）

·羊辛·

十，快快逃命

指導員接受了我們的意見，說他一定代我們反映上去，還把我們鼓勵了一番，說我們「革命熱忱很值得佩服」。

幾日後，指導員召集我們七個人去談話，很和氣地（他向來就沒這付面孔。）說：

「各位同志，上級很重視你們的意見，決定將你們調到實際部門去工作，給你們有表現的機會，我向你們祝賀！」

他隨即取出了一紙命令，要調我們北上。

我們的「情報」可也很靈通的，指導員不必擺出虛假的面孔，我們過後馬上就知道：我們的「高見」出了亂子，當局要把我們送到朝鮮戰場去當砲灰了。

多麼可鄙的行爲！多麼狡詐的一羣賣國賊啊！我們正經被蒙騙了整整半年了！

快快地逃亡吧！我堅決地打着主意。決定逃往香港，因爲我是不能逃回家的，他們會按址捉回我。

我暗中通知了其他的幾個可憐的同伴，分別逃走，不要猶豫！

賴天之佑，我於一個恐怖的黃昏逃了出來，在一家掛着關公像的蒙着灰塵的小店舖裏換假造通行證，換上衣服，溜出了A市。

我一路奔逃閃避，雖在百般艱難中，但心裏却很鎮定，我的假通行證很逼眞，況且我也是「箇中人」，懂得如何應付，因此好像「過五關斬六將」似的，一關一關地給我混過了，終於逃離了鐵幕。

當我望到那跳躍着銀色的海波的香港時，我的眼淚流下來了，回憶半年來的生活，眞好像做了一場夢！（完）

杜魯門的家傳秘方

美國聯合國日全國公民協會送了杜魯門總統一個大蛋糕，它是根據杜魯門夫人贈與聯合國食譜的家傳秘密配製法而做的，這個配製法已代代相傳歷時二百年。杜魯門致謝詞時說：「我早已不再講趙媽媽的烹調手法好之類的話了，因爲我家已有了一個很好的廚司——我的太太而且她已使一名音樂家也成爲一個好廚司，那是我的女兒。我不知道瑪格烈的喜歡下廚是不是和喜歡唱歌一樣，但我知道她的燒菜做餅能和她的唱歌同樣的好。我也願美國每一位少女都能做出這樣的餅來。」

羅斯福的愛犬垂老

常隨故羅斯福總統的蘇格蘭神黑毛哈叭狗「發拉」，是美國全國所關懷的，但現在牠老了，已有十三歲，精神漸差，常常喜歡睡覺。最近羅斯福夫人披露說：「他還是跟着我們在海德公園散步，不過散步的距離和時間都須縮短了。睡覺的時間，它打鼾得厲害，睡的時間也比以前長得多。然而，它仍舊是一頭好狗。」

·光譯·

日本民意趨向

·周明譯·

「這是要由日本人民決定的。正如以前我說過的，我沒有談到重整武裝問題。」這句話很難以聽見，但日本記者却說這是吉田茂在舊金山登機返國前的談話。吉田的低語，似代表了日人對於和平和未來繁榮的評論趨向；從某一個角度看來，日本人像是故意抑制對和約簽訂一事的意見。例如，東京原準備舉行盛大慶祝會的，但給政府禁止了，社會黨和共產黨可能以這樣的慶祝會作爲製造事端的藉口。

不過，日人間却暗中在關切着日本的前途，尤其在重整武裝方面。它需要多少錢？稅率會提高嗎？軍人是不是再會起來當權？這些問題都是吉田茂選用政治手腕不使整軍問題發演染的原因。而且，日本已經有一支軍隊在成長中了，就是逐漸擴增的後備警察隊，日本在目前祇能負擔這樣大的實力。

在政治圈子以外，日人正極希望使和約建造日本受到盟軍和信任的基礎。有一種評論可反映最高方面的正式意見，他說：「我人願意確切地應付賠償問題，作下一個決定，謀求最後解決辦法。在這事未達成以前，賠償問題將仍是我們民族自尊心的一個污點，信用和名譽是無價的財產，在我們自己和外國人的目光中，都是絕對必要的。」

同時，日本至少已有了二三個進入新紀元的徵象：一，佔領當局取消了專爲盟軍人員而設的火車專車，特別候車室和車站的特別椅子，佔領當局各處房舍上的字牌「日人不准入內」，已易爲「非經特許不准入內」。二，只日本報紙刊出照片。日貨木箱上「佔領下日本製造」的字樣，已改爲「日本製造」。三，李治威將軍破例到日宮訪問了裕仁。

至於日本代表團在舊金山所得到的對於美國的印象，這樣是幾節代表性的語句：

「有人對我說，他們看見有三個女人在一家旅館茶室裏，每人喝了四杯鷄尾酒，而且還看到有幾個女人坐在酒吧裏。」

「有一個女人和一個男伴飲酒，却由這女人付賬，他們究竟是那一類人物？」

「我以爲外國人對於日本公路所表示的不滿，不過是通常一般性的指摘，因爲美國的公路是那末闊敞，平滑，車子開得那樣快。日本要有了這些，人民才能懂得什麼是現代的事物。」

「最使我驚奇的是舊金山的公正態度，我在旅館門口等的士，還有許多人也在等，當輪到了我，侍者便招呼我踏進一部車子。」（節譯「新聞」雜誌）

美國政治上最重要的女人

——張天寶譯自「週六晚郵」——

民主黨全國委員會委員安特遜夫人的被任命爲駐丹麥大使，化了愛德華夫人大半年時間才獲成功，而她推薦克拉克女士出任國庫主任，却祇消不到一小時工夫。

國庫主任在每張鈔票上都有他的簽字，他享有相當大的聲譽，而並不要做多少事情，和財政部長不同。

前任國庫主任是八十七歲的衰利安，因[illegible]的死訊傳出。當他的民主黨和白宮還沒有選定後繼人時，愛德華夫人即開始活動。

她說：「我一聽到衰利安的逝世，馬上就跑去見民主黨主席鮑埃爾。我說：『找一個婦女擔任這個職位如何？』」

「那個女人？」鮑埃爾反問：「你有適當的婦女能擔任這樣的差使嗎？」

愛德華一時不知怎樣答覆，因爲她手頭並沒有適當人選，不過她可以找到。結果她向鮑埃勒提出的是堪薩斯州的銀行家，商人兼農場主人克拉克女士。杜魯門總統和財長史奈德認可了這個抉擇，而却使克拉克女士感到無上的驚詫，立刻就接受了。

愛德華夫人每星期至少要演講二次，平常差不多有一半時間不在首都。她的辦公室設於華盛頓[illegible]大廈的民主黨部裏。[illegible]另一個是芝加哥論壇報發行人麥柯銘上校。[illegible]一九四八年大選後的一天，杜魯門手上拿着[illegible]「杜威擊敗杜魯門」[illegible]照片可以象徵[illegible]愛德華夫人和麥柯銘[illegible]經過[illegible]杜魯門。

她和麥柯銘間上司下屬的關係共歷時二十二年。她最初是替論壇報寫稿，每篇五元，後來一直升到論壇報[illegible]編輯，[illegible]直到第二次大戰[illegible]愛德華夫人[illegible]的報導工作和其他關於戰時救濟的服務。有一天，她接到一張字條：是反英而主張孤立的麥柯銘表示他感到她所編的婦女版和其他報紙沒有不同。愛德華一種答覆，是她率直地說：「我所贊同的是十分誠實的新聞政策」。（四）

自由人
THE FREEMAN
（半週刊每星期三六出版）
（第六十一期）
每份港幣壹毫
督印人：李光華
社址：香港高士打道六十六號
電話：二〇八四八
GLOUCESTER RD.
HONGKONG
TEL: 20848
承印者：東南印務出版社
地址：高士打道六十四號
台灣經銷處
台北重慶南路一段七十四號

正本清源論

希望大家從心理上來建立中華民國

·左舜生·

『求木之長者，必固其根本；欲流之遠者，必浚其泉源。』小學生時代唸着這兩句古文，總是信口滑過，並不感到有什麼意義。進一步讀到孟子所說的『生於其心，害於其政，』當然更不懂得『心』與『政』何以會有這樣必然的關係。等到年事漸長，所經的世變日多，然後才了解正本清源確實是不可忽視；同時也才懂得當政者的心理狀態，確實與他們的行政措施有其不可分的關聯。

很奇怪，『中華民國』這四個字的出現，已經有了四十年，但作過去這四十年中，不問人民也罷，站在政府中的人員也罷，何以從來便沒有人問過：『中華民國』這四個字究竟是什麼意義？等到共匪竊居了中國大陸，居然把這四個字一筆勾銷，然後大家才十分難過，同時也才想到關於『中華民國』的締造，曾是何等的艱難；而那班爲『中華民國』犧牲了生命的先烈們，又是何等的可敬可愛；因而大家一致憤怒，以一種『滅此朝食』的心情，恨不得把這羣『中華民國』的叛徒一舉殲滅，而重光大陸。這種心情是應有的，也是必得想盡種種方法，而使之實現的。但是，不要忙，我們在憤慨之餘，依然得冷靜的想一想，『中華民國』究竟是什麼意義！

所謂中華民國者，是團結五大民族而爲一，是中華民族所建立，一個以人民爲主人的國家是也。在一個民主國家的政府，不過是由主人拿出錢來僱用一羣人所組織的一個辦事機構，他們的責任就在辦事；而且應該是辦人民所交辦的事；沒有人承認他們是『天亶聰明』，他更沒有人承認他們可以『作威作福』；事辦得好，主人自然可以傳令嘉奬；辦糟了，主人也可以嚴格批評，如果辦得太糟，甚至可以根據僱用合同——憲法——加以處罰。假定一個民主國家，只看見一羣僱員口含天憲的在那裏鬧來鬧去，而主人乃退處於無權，連主人開口說話，也在所不許，甚至僱員們盜竊主人的財物，據爲己有，而視爲當然！老實說，這就簡直是造反！大家試閉着眼睛想一想：如果覺得中華民國在過去確實有過這樣的事情，那便所謂『民國』也者，早已名存實亡，等不到共匪來毀而早已自毀了！

姑讓一步，我們不必從民主的純理論出發，而來就事論事。中山先生曾說過中國四萬萬五千萬人民，乃是四萬萬五千萬個阿斗，當時一部分不大贊成中山的人，聽到這個話多少感到有些難過，其實中山這個話在原則上並沒有錯：他既承認阿斗是諸葛亮的主人，則中華民國的人民是國家的主人，便成了天經地義而牢不可破！從前成王有過，周公只好去打他的兒子，他究竟不敢打到主人的頭上；諸葛亮打了敗仗回來，還是要向阿斗引咎，他斷不敢像一說他沒有責任。像那鎹一羣古老時代的君臣關係尚且如此，何況民國的主人與僱員們？他們的主人更有一種不可逾越的分際呢？

至於說主人們的程度不夠，常常不免犯下許多過失，必得去好好的教育他們，這可以說正是政府中僱員們的一種責任，國家設立許多教育機關去教育她的公民，依然少不了要這些僱員們好好的去管理；甚至政府中某一職權較大的個人，遇着國家遭遇困難問題的時候，而輿論的表現確實是相當紛歧，而且是相當幼稚，照實際鬧下去，可能把國家弄得很危險，到了這樣一個時候，這個所謂職權較大的個人，自然可以站出來說話，很誠懇，很委婉，很叮嚀的說話，我們看看普通民主國家的總統，國務卿，或首相，每每遇着一個重大問題須要解決，而輿論又還沒有趨於大多數一致的時候，他們便必定有長篇大套的演說發表，這還不就是一種政治教育的意義嗎？可是教育儘管是教育，但說話的人却不敢自以爲是，與輿論贊成他所說的，在他自然是一種安慰；與輿論就反對他說的，他也斷不敢一筆抹煞；假定不是這樣，即不問輿論對他是否多數贊成，他還是要剛愎自用的爲所欲爲，這在一個普通民主國家的主人們，便可運用選舉方法不請他而另請高明；即在一個選舉制度還不怎樣完整的國家，只要主人們不願放棄他們主人的職責，他們也還是有方法令這位不肯聽話的高級僱員無法實現他個人自以爲是的辦法，終於鍛羽以去而後已。不過等到言論失去自由，或輿論不生作用，這還到主人們不能不採用後一種辦法，國家所受的損害實在太大就是了。

今天的大多數人依然念念不忘『中華民國』，因此我深信『中華民國』決不是共匪所能夠亡得了的。可是爲了恢復工作的加速，友邦同情的擴大，我還是要亟亟而道提出我的『正本清源論，』所謂本與源者非他，便是要請大家除念念不忘『中華民國』以外，還要切切實實理解『中華民國』之所以爲『中華民國』的意義何在，一切的主人們不要忘記了主人的職責，一切榮譽的公僕們也不要踰越分際或對主人們有所忽視或有所輕侮，而大家從心理上來建立我們眞正的中華民國！

經濟危機促成英國大選

邱吉爾表示現局不易打開

本屆國會將於後天解散

·一丁·

英國大選，定本月二十五日舉行，本屆國會至後天（十月五日）即告解散。關於艾德禮於上月十九日宣布選舉的原因，及改選結果趨勢如何，我願於此，提供一些資料和意見。

艾德禮在上月十九日以前，對何時舉行大選這問題，始終不肯作明確表示。保守黨冷嘲熱諷，說工黨太違背民主傳統，想以極少的多數，長此戀棧。早於十九日的數星期，工黨黨員杜藝Dodds，曾預言下屆大選日期，將爲十月二十五日。杜藝因預言一九五零年大選日期爲二月二十八日，其後完全證驗，博得世人驚異，此次預言，遂亦引起大家重視。不過杜藝前後都一再聲明，他的預言，完全憑個人推測，并沒有內幕消息。新聞記者詢艾德禮，大選是否果如杜藝所言即將舉行，艾當時答詞，十分閃爍。所以當艾氏突然於十九日晚九時在電台宣布現政府再度訴諸民意之時機已至，一般聽衆，都不無意外之感。

財政大臣隔洋打來電話

據各方推斷，促成艾德禮舉行大選，有不少重要因素。第一：下院中工黨多數，最低曾一度減到只有三名，而工黨議員，常有多人抱病，每到重要投票時，即四出派人，用担架扛抬出席，因稍一疏忽，即有被保守黨擊敗可能。此種政權，實爲民主國家所罕見。第二，貝萬叛變，曾揚言將於十月初間，大舉鼓動英國工會，反對艾德禮。第三；美元缺乏，煤產低減，輸出阻滯，生活上漲，都無法解決。第四，外交困難，伊朗收回油田，及埃及要求廢約兩事，都是英國致命的打擊。而最後所以迫使艾德禮痛下決心的，據說爲財政大臣蓋斯克爾（Gaitskell）在大西洋彼岸出席華盛頓三國會議時打給他的一個電話，告訴他，今後美元情況，或將愈趨黯淡。艾德禮知道除再度訴諸民意外，別無出路。若干人在廣播器中聽到他宣布改選時的簡短講演，都說，這一次，他聲調特別悽厲，枯燥。由此，也可以看出艾的心情，正陷於何等苦悶！

邱吉爾名字與三次大戰

十月二十五日，距現在已只三星期。自上月十九日宣布改選起，雙方業已摩拳擦掌，作競選的準備。保守黨和工黨訴諸人民的政綱，均經先後發表。扼要的說，大致工黨策略，積極方面是儘量誇揚工黨六年來全體就業的最大政績，消極方面，極力攻擊邱吉爾。艾德禮說，邱吉爾是一最舊式的政治家。工黨以種種方法，想讓英國選民，造成一種印象；邱吉爾重握政權，一方面將是資本主義復活，一方面則將驅使英國，迅速捲入第三次大戰。工黨口號，是「你們究願意同工黨一齊前進？還是願和保守黨後退？」他們又說，邱吉爾這個名字，和大戰是分不開的。擁護工黨的鏡報Mirror 更警告選民，「大戰將隨邱吉爾以俱來」。保守黨爲針對這種攻擊，所以邱吉爾從意大利趕回以後，第一，除宣布鋼鐵國營必須取消外，其餘國營化企業，都表示可以維持，同時，更主張加增利得稅，以粉粹「保守黨將恢復資本主義」的疑懼。第二，放出空氣，說保守黨如當選，邱吉爾將赴莫斯科與史太林面商世界大計。這句話顯然在向選民保證，邱吉爾這名字，不會和大戰聯在一起。此外，保守黨則集中全力，攻擊工黨在六年執政中，浪費國庫，政治腐化，壓制工商業發展，以致造成物價上漲，生活困苦，及外交拙劣，喪權辱國之事紛至沓來。雙方槍劍舌劍，預料未來這三星期，只有愈演愈烈，日進於白熱化。

共產黨仍可能全部落第

英國下院名額，共六百廿五席，此次大選，將由一千三百八十六名候選人，從事競選。現除自由黨提出候選人一七五名，（上次爲四七五名）共產黨二十五名（上次爲一百名）外，餘均爲保守黨工黨所提。自由黨和共產黨都鑒於上次濫提候選，失敗太慘，所以此次採精兵主義，儘量打。一般推測，保守黨將以相差不多之數字勝。蓋洛普的測驗，是「保守黨獲席次百分之四十九，工黨百分之三十九，自由黨百分之十點五，其餘爲百分之一點五。」共產黨可能和上次一樣，全部落第，一個席次也不能在國會獲得。

邱吉爾說不敢多提諾言

不過英國當前最嚴重的危機，在經濟，工黨目前所無法解決的，保守黨也絕無解決把握，邱吉爾最近一再宣示，保守黨今天，不能提供太多的諾言，未來的道路，是十分艱辛而需要一步步上爬的。許多危機，不是僅憑國會多數投票，或政府一紙命令就可解決。這可看出一向被人稱爲大砲的邱氏，在今天也不能不十分小心戒懼。反之，艾德禮如果失敗，在工黨也未嘗不是塞翁失馬呵！（英國經濟危機，究嚴重到何種程度，請參看今日本報第二版伍健勛譯「論英國經濟危機」）

澳上將由韓過港談親見空軍惡戰

（本報專訊）澳洲空軍參謀長喬治瓊斯(George Jones)上將夫婦，於九月廿八日，自日本英軍空軍基地岩國，飛港，他在韓國戰場上觀察了幾天聯合國的空軍，他親眼看見共軍以壓倒之勢的大量飛機與聯軍飛機惡鬥。抵香港後，有人問他韓戰觀感。他說，美國F—八十六軍刀式噴射機，性能上優於蘇聯之M—G十五式機，但俯衝不及蘇聯飛機。他說：如果澳洲軍刀式機能配合英國噴射機之發動機，可能駕乎美蘇噴射機之上。因爲這機英澳合製的噴射機，衝刺力將可在六千磅或六千磅以上，現在蘇聯的MIG十五式只有四千多磅衝刺力。他希望這種混合製造的飛機，明年可能大量產生。

他指出今後戰鬥的勝負，完全決定在空軍。聯合國首腦已經瞭解這一點，所以世界未來大戰的戰略是決定在海空軍，陸軍僅用於收拾地面殘局，完成佔領的象徵而已。他對於轟炸東北共軍基地一點，不願表示批評，他說這一切應由聯軍統帥李吉威將軍決定。但他指出澳洲空軍將全力以赴。有人問他，如果一旦大戰爆發，澳洲空軍將採何種態度，他說在十小時以內，立刻可以動員應變。

這一次是他第一次到香港，香港英空軍司令嘉德准將，和澳洲駐港商務專員胡維禮均去迎接。據說瓊斯上將這一次來港，是會商未來英澳空軍在香港合作的前奏。這是商業上的謠傳，根據是因爲在香港的西商分爲兩個大幫，一幫是屬於英人，一幫是屬於澳洲商人。而澳洲幫的實力比英吉利幫還要大。所以澳洲本身除與聯合王國之聯邦外，對香港的商業，因與切身利益有關，亦非常重視。（邵一成）

半週展望

·雷嘯岑·

英伊石油糾紛的前途

英伊石油爭端已由國際法庭踢到聯合國安理會去了。這不是存心解決糾紛的辦法，而是使問題更加複雜化，讓蘇俄有機可乘，好玩魔術。

英國代表傑伯強調「英國已願意向伊朗提出一折衷方案，伊朗絕對沒有理由不接受」。他要求安理會應趕快通過英國的提議。伊朗總理莫薩德則聲言：「世界的統治者是欺弱扶強的。他們酷愛自由，但不要別人之自由；他們也承認財產權利，但其目的只在侵佔弱者的權利」。伊朗政府與民間，皆指安理會無權干預「伊朗與一家伊境內私家石油公司之內部糾紛」。當事人雙方的觀點如此，安理會有甚麼奇蹟能致當事人彼此都感到滿意而願接受大衆的仲裁呢？沒有寧事息人的把握，何必多此一舉？

南斯拉夫的意見倒是比較實際的。他主張這爭端祗好在會內或會外召集英伊兩國商討，分別調處，不宜正式提到安理會去辯論，以免治絲益棼。這是合理的主張，不能因其表面跟蘇俄態度一樣而忽視之，他的用意却與蘇俄有別！

英國留駐阿巴丹油廠的員工已決定自行撤退，這至少已消滅形勢再趨惡化的因素。假想解決問題的話，唯有照南斯拉夫的辦法，英國能以最大的忍讓心情，接受調處，當有和解的可能。傑伯謂伊朗極端份子「如不停止他們的行動，則伊朗經濟將由惡劣而陷於更壞」的觀念，最好是將牠揚棄掉，不必再說，越說就恐怕越會趨於極端啦！

提防「亞洲的慕尼黑」

前兩天，法新社報導史大林將在英國大選之前，發佈和平聲明，主張東德撤兵，全德統一中立云云。昨天合衆社又報導史大林最近將主張在柏林召集英美法俄四強會議，商討統一德國，結束韓戰，促使中韓共在現有戰綫上同意停火，藉以阻止西德之建軍。這兩種電訊都是由倫敦發出的，倫敦方面近來對於鐵幕內的「和平」消息，特別感覺興趣，很可玩味。

史大林在最近的將來，必然有一項「驚人」動作，是無疑的。這動作是文是武，抑是文武兼資，固不可知。但依大勢推測，所謂召開四強會議之說，比較可能。如果英美誠意贊同，韓戰當然會急轉直下的達成和談協議。英美方面的想法如何呢？只要史大林眞能以事實保證其「準備退讓」的決心，自然也不反對。但求西歐安全，亞洲問題不妨從長計議。必要時，來一個亞洲的「慕尼赫協定」，也無所謂。至於整軍計劃，却不會放棄，因爲英美已明白：跟史大林打交道，沒有實力是危險的。暫時犧牲一下亞洲人，則爲無關宏旨之事！

中共也配崇奉孫中山嗎？

中國秧歌王朝今年的所謂「國慶」紀念刊物上，忽然對孫中山先生前倨後恭，大事推崇，把他的遺像放在去年今日的「史大林元帥」所佔有的地位上，然後再配以毛澤東「玉照」，我眞有點莫測高深之感！

難道這就是「馬列主義中國化」的表示麼？笑話！中山先生根本就認定馬克斯只是社會的病理學家，不是醫學家，他否定社會革命必須經過流血階段之說，與中共今日在大陸實行的殺人主義大相逕庭。而且，他在九原有知，方痛恨太息之不遑，對於中共今日藉他的遺像來點綴其所謂「國慶」，實感到莫大的侮辱呢！共產黨人早已攻訐中山先生的主義是「反動」的，反動主義的創建主，又何必妄加推崇乎？

大概這又是恭奉「蘇聯老大哥」的意旨而然的。想藉此以和緩一下全民族的憤怒情緒，表示中共也崇敬孫先生，再不奉「史大林元帥」爲神主了，大家還要反共抗俄嗎？

我是一個中山主義者，但并不想跟別人爭神主牌，祗覺得中共這種自欺欺人的玩藝，不免令人啼笑皆非而已。

比「中央」財政危機尤大 中共地方財政已臨崩潰

如以中共刼掠人民為「有能」這就是中共有能的具體表演

・張丕介・

中共一切財經措施，均以鞏固政權及支持軍備為中心目標，故其財政制度，自始即以中央集權為原則。根據其一九五〇年三月廿四日所公佈的「關於統一管理一九五〇年度財政收支決定」，所有各地公糧關稅、鹽稅、貨物稅、工商稅，均歸入中央稅糸。國營企業收入、清倉收入、各城市托管之金銀外幣、及其他實物收入、[illegible]收入，亦皆歸中央所有。地方收入僅限於公糧附加，及一切稀微薄的稅收，以及所謂公糧及中央稅之「超額」收入。地方政費無着，而基層組織，又空前龐大，故先天上已形成地方財政偏枯之局。

幹部下鄉有如飛蝗 地方財政窮於應付

韓戰爆發以前，中共雖在城市展開了狂烈的追債追稅運動，但「中央」所分派給縣以下之「任務」，尚極龐大，地方財政之危機暫時為「中央」財政危機所掩蓋。但自韓戰爆發以後，為加速人力物力之動員，乃全面擴大「土改」範圍，如廣東由三縣增為十三縣，華東各省擴及全面，中南各省擴大四倍，西南各省原定不實行者均提早實行。一方面為鎮壓內部的反抗，展開了大規模的「剿匪」「鎮特」運動、「土改」幹部與「村幹」「民兵」的大量出籠，對於地方財政，更如飛出了大批蝗虫。因此地方負担益感窮於應付，各項苛什附加遂層出不窮。去年廣東財政收支，即暴露出極大赤字。粵共向「中南區」提出兩項辦法：一為追加預算，由「中南區」撥款補助，一為增加附加，向人民加強搜括，結果「中南區」以「形勢緊急」為辭，「批准」了後一辦法，公開迫使地方走上苛捐什稅之路。

這種情形並非僅廣東一省為然，據中共自己所透露：「各地不斷要求增加新的收入，或則請求中央補助」（見三月廿九日「人民日報」）、為加強地方對人民剝削的權力，以「因地制宜」計，乃於本年三月廿九日及卅一日，先後頒布了「關於本年度財政收支系統劃分的決定」，和「關於進一步整理城市地方財政的決定」。根據這二個「決定」，其財政收支系統，改採中央、大行政區，及省縣市三級制，專署及縣列入省財政，鄉村政府單獨編造。將過去中央系統的貨物稅、工商稅、及地方系統的印花稅、交易稅、存款利息所得稅、及煙酒專賣利潤收入等，混合為中央地方比例解留收入。表面上雖皆滿足地方的要求，實際上由於解留比例，乃由上級隨便規定，故對地方財政依舊無所裨益。

粵中土改用人五千 農會民兵支出龐大

其中最嚴重的問題，以縣以下的鄉村財政為特甚。所有中央分派地方的「任務」，既都要鄉村「政府」來執行，而一切的正常財源，不是劃歸中央亦已劃歸省縣。為了應付繁重的「任務」，各地乃不能不將地方收入來補助中央開支。據粵共最近所披露：這些開支包括出差費、辦公費、公安司法機關修理費、囚糧、生育費、防疫費、架設電話費、鎮壓反革命經費，及土改經費。其中最繁重者莫過於土改經費，如東江潮汕等區的土改幹部均超過編制二千餘人，粵中區土改幹部達五千餘人。除供養這一批幹部外，對土改區交通費、購置費、會議費之支出，及土改幹部會議費，亦極可觀。「如東江區召開一次土改幹部會議，即殺豬二十一隻，大吃大喝，到現在還有一筆一億元的一筆款無法報銷」。（見九月十九南方日報）隨着「土改」而來的「農會」與「民兵」組織，其消耗更為驚人。據本月廿二日中共「南方日報」的報導：廣東中山古鎮鄉有「鄉政府」、徵稅機構有「鄉農協會」、七間小學、「農協會」又分七個小組（北中南四小組又分六組徵收），再加上「產[illegible]會」，「水利會」等共二十三個單位。「鄉政府」中有脫離生產委員四名，每人每月支米二百司斤，不脫離生產委員五人，每人每月支米一百司斤，合民兵計算，每月一「鄉政府」之薪津支出，竟達四千七百五十司斤，其他吃狗肉也支公費。「農會」每月支出也達一百五十五萬元。又如增城塘口村，村幹均自定薪金、「村長」，「農會」正副會長全年定薪各一千八百斤米，「民兵隊長」「副隊長」各支六百斤，農會幹部各支四百斤，民兵各四百斤，中山檔瀾鄉「農會」、「民兵」全年共支經費十九萬九千多斤米，又共幣四千多萬元。

苛捐雜稅名目繁多 婦女口角也列專款

為了應付「中央」的層層「任務」，與地方的龐大開銷，各地的鄉村長及農會主席，乃利用職權，巧立名目、實行亂攤亂派。如增城六區塘口村，按畝每百市斤附加學校經費二市斤，水利費十市斤，農會、婦女會、民兵隊五市斤，超過農業稅附加額六、七億元。」南海五區在夏徵前，即有苛捐雜稅四十一種，民中有所謂酧勞費「農會會長的「變天」時用來維持臨時治安的國變費」，和所謂黃牛過甚費」，婦女口角費等。中山縣鄉村的苛捐雜稅也有卅一種，中山二區橫瀾鄉農會徵收戶口穀，富農每戶十斤，中農每戶五斤，貧農二斤，並私自在農民的減租退租果實四十萬斤中，抽取十萬斤自行放債圖利，四區建成鄉農民所負担的苛什，超過公糧百分之五十。中山的古鎮鄉一月徵收費用，竟達三千萬元，其對農民剝削的刻毒情形，誠非鐵幕外的人所能想像。

這種漫無底止的橫征暴歛，不但括去了地方的所有，而且引起了民間強烈的反感。中共自知危機深重，最近乃抽調了各地的「夏徵工作隊」，及「查田定產隊」，準備下鄉「整頓地方財政」。但實際上這些人都是一丘之貉，自然越整越糟。何況「支前」「土改」「剿匪」等「任務」，正隨「形勢緊急」的號召而有增無已。這些騎在人民頭上的村幹民兵，那能放過這一「混水摸魚」的好機會？

中央集權的極權政治，實行中央集權的搜刮財政，這原是毫不足奇的；中共整個作風原來便是一套血腥的盜匪刼掠。然而居然還有人認為它「有能」！是嗎，從它刼掠的慘毒和浪費的驚人一點看，它確算得「有能」，不過撇開民不堪命說，這種「有能」的後結果是什麼呢？整個社會經濟到油盡燈枯的時候，也便是中共自掘墳墓成功的日子了！

從毛記「國慶」看港九民意

中共狂吹亂喊 結果一片冷寂

【本報特寫】十月一日，是毛記赤朝，僭都北平，成立僞府的第三週年。記者因香港的中共尾巴報早就大吹大擂，說港九每一個人都熱烈地準備「慶祝」。為實地考驗起見，特別在這天提早出門，看看「港九每一個人」究竟熱烈到何種程度。不幸失望得很，由上午七時，看到正午，由九龍城「巡」到筲箕灣，始終我看不到丁點兒「熱烈」氣氛。只是德輔道和大道中一些[illegible]的「國家銀行」及中共有關機構，他們不惜浪費了大細人民血汗，再掛上一紮紮[illegible]旗幟，紅布，[illegible]這就算「熱烈」的表現。中共會[illegible]數日，預先說召全港商店工廠，於十月一日休息誌慶，但除上述銀行，[illegible]關外，却沒有一家[illegible]工廠關了門。大家照常工作，竟像「不知道有這麼一回事」。「巴士」上有人談及「今天」：「媽的，慶什麼祝！一年不如一年，看樣子明年就要瓜直」！「對啊！那面五星旗就不像話，不及青天白日鮮明，沒有光彩，[illegible]代表國家，也許是氣數註定。」在某處渡海碼頭的廁所裏，不知什麼人，用鉛筆在牆上寫了副對聯：「慶祝中共萬年遺臭，歡迎人民早日出坑」，雖不甚工，却大有「時」[illegible]

[illegible]「小黨」[illegible]比文奴們又長又臭[illegible]搭客說[illegible]可惜我不是報販，否則[illegible]批價又是[illegible]張青山道某處的牆壁上，貼有多張尾巴報印的毛澤東像，[illegible]

無意中走進一間公廁小解，發現一大堆紅色的紙，隱約看到點點黃星，原來是他們另有妙用，多謝尾巴報的恩典，小市民省回一個「斗零」。

「共產仁兄」奉命大力爭取的「港九工商界」在娛樂戲院舉行的「慶祝大會」，應該可以代表「港九每一個人」的「熱烈慶祝」了吧。可惜參加這號稱「港九工商界慶祝國慶節大會」的單位僅得二十六個，而且又都「商」而非「工」。難怪曾發現「反共傳單」，「民主專政」的「領導階級」何處去了，嚇得我大大納悶。

我在這「平時鬧烘烘」今日卻關上一半大門陰森冷靜的娛樂戲院的小閣上（京華）坐了兩個鐘頭，點計着那尾巴報所稱「參加者千餘人」的出出進進，如果「一以當百」的話，「千餘」這個數字倒嫌過少，「一以當十」呢？又太覺誇張。大抵廿六個單位平均每「位」兩人最為接近。（襟前掛着「游藝」布章和職員證的恕未計及）他們沒精打彩而來，零零落落以去，門外擠滿想瞧熱鬧的人，連我這個在樓上品茗的在內都不禁大感失望。最後「光榮撤退」的，是抬走了吃不完的一大籮「點心」和幾大担沒人看的「尾巴報紙」，我關心的，就是那些點心，不知便宜了那些「真正熱烈慶祝」的「人民」！

據說，中共為了要洗刷他在香港不受僑胞擁護的「汚辱」，這一次確動員了全部共幹，支出了大批「鹹龍」，本想真正能「熱烈」一番，不料結果不但不熱鬧，而且比去年更冷落。這當然大出中共的意料。然而由此可以證明一條真理，那就是老百姓騙不了，大陸遍地血腥，誰願擁護屠殺，真正民意，是沒有方法可以強姦的！（冷眼）

大陸遍地血腥 誰願擁護屠殺

論英國經濟危機

雖未走到末路但已十分驚險

伍健勛譯

英國從工業革命起，所走的道路，是否已經到達了終點？這條道路領導英國走到維多利亞的極盛時代，使她成為世界最大的製造與貿易國家。現在這條道路，似乎在領着英國向暗影重重的經濟領域前進。英國人民及熟悉英國的人士，沒有人相信，英國走上了末路。但是，同樣沒有人不承認英國現時而臨着第一次世界大戰以來最具決定性的經濟危機。

經濟危機的急迫，也就是英首相艾德禮要求在本月廿五日舉行普選的基本理由。在這一個很微弱的國會多數派的局面下，沒有一個政府能夠面對這山雨欲來風滿樓的冬季危機。同時，各方表示，勞工黨已經失掉選民大多數的信心。

今冬缺煤三百萬噸 人民又將吃冷餐

大部分預測，均認今年冬季危機，如果不比一九四六—四七冬季更壞的話，也應當和它一樣。那時的英國人民，晚上點的燈籠和蠟燭，吃的是冷餐，在煤的生產供不應求，與日[illegible]停電的情形下，老百姓列成長龍，領取定量煤球，及圍在小爐旁邊取暖，情形是夠狼狽的。現在再度停電，勢所必然，而煤礦生產，按消費需要，最低限度缺少三百萬噸。

暴風雨的信號，彌漫了整個英國經濟，最顯著者，計有左列各項：

（一）貿易入超—形成貿易入超的主要原因，由於韓戰爆發後，原料及食品成本增高。舉例來說，一九五一年英國進口貨的價格，較一九五〇年增加百分之四十七點五，合美金三十億零八千萬美元。英國出口貿易，雖在繼續擴展中，但她的工業產品的價格，不足以抵償原料品價格的激漲，現在的新建軍計劃，將使出口貿易更見減少。

四十億美元準備 減到虧短三億元

（二）黃金與美元準備金銳減—英鎊貶值以還，黃金與美元的準備金額，由二十億美元增至四十億美元。這其中一項重要因素，是美國向英鎊區採購原料的數量增加，她除了購作當時使用之外，並在物價上漲中，囤積大批原料。美國的行動，對於英鎊區的原料生產國家，有其裨益，澳洲即其一例（她的交易是經由倫敦的銀行辦理），但是對於英國本身，卻是一種損害。現在美國對囤積原料，業已延緩進行，馬歇爾援助計劃，已告終止，而英國對美元區的出口亦已下降，在這種情形下，所產生的結果，將使美國在本年第三季臨時赤字，最低限度為三億美元，可能多至五億元。這不僅對英國本身是一種警告，而是一種循環性的暗疾。一倫敦泰晤士報指出：「英鎊區無法謀永久團結。」

（三）通貨膨脹—去年物價上漲的數值，可以總和比得上過去三年。工資與工業品價格[illegible]

英國名經濟學家解釋危機的由來

英國未來經濟危機的最深切意義，是它所造成的長期因素，這種長期性的因素將阻遏英國的經濟復興。英國名經濟學家克拉克COLIN CLARK對這些長期因素作下列分析：

廉價食品——克拉克取一九一三年的進口食品價格為基礎，發見一八八〇年[illegible]一九五一年較一九一三年高百分之十一。克氏認為食品價格長期趨勢增高，所給與英國人民的低廉進口食品價格的幻想，已成泡影，使英國無法擺脫兩端。

無限制的租稅負担——戰後英國的租稅額，已經超過全國入息額的百分之四十，為歷史上任何國家的最高者。他認為英國能夠做到這一點，完全靠着嚴格的控制和其他因素，他指出這樣一種稅率，足以阻礙生產，最後通貨膨脹，製造通貨膨脹。將破除一切控制，而租稅率亦將隨之降低至百分二十五的最大可能負担的稅率。

迅速地增加生產力——克拉克認為英國官員讀錯了數字，以致達成一個英國每年增加生產力百分之五的錯誤結論。他舉出統計數字作證，認為英國從一九三八到一九五一年的整個時期中，生產力僅增加百分之五。

怎樣應付當前的經濟危機呢？在普選前，工黨政府不會採取特別行動。不過這個問題，將是勞工與保守兩黨競選時的首要方案。艾德禮深知這是一個莫大的難題，讓英國人民來作最後決定。（譯自十月一日美國新聞周刊）

日本人絕對反共

但親美及作戰大家意見不一

・美銀行家葛爾倫過港談話・

【本報專訊】美國銀行總經理葛爾倫於九月卅日由東京飛港轉赴星加坡出席遠東貿易促進會議，[illegible]他說：今天日本的人民心理，大體可以分為三種。第一，佔大多數的人，[illegible]人家的事情不必管他，希望儘速建設，求今後發展貿易，肚子能吃飽，這一批人是反戰爭的，是反對立刻武裝日本，尤其反對用日本人的血替別人家打仗。但他們絕對不與共產黨妥協，他們也不左傾，但很現實。他們批評吉田和這一次的和約。這一批人多係財界及一部份的教授學者。第二，一批過去職業軍人，和現階段的執政者，他們主張立刻武裝日本，他們還是夢想從前混水摸魚的日子。他們希望打仗。但他們聽從美國，忽略了日本的經濟基礎和主觀的環境。這一批擁護吉田，贊成和約。第三，是一批青年學生和職員，[illegible]他們是左傾的，[illegible]有共產黨員[illegible]但為數並不多。這一批人起不了多大作用。最有勢力的是第一批人[illegible]

[illegible]大陸等地通商，他說日本絕對不能和中共訂立和約，但日本人自己也很清楚，日本不能不和中共大陸通商。中國大陸上廉價的煤和鐵是日本工業主要的原動力，這恐怕是難免的事實。美國雖然不願意她這麼做，但美國拿不出那麼多廉價的煤和鐵！

關於日本經濟情形，他說：已經快恢復到一九三七年戰前的時代了。日本工業尤見活潑。日本大戰爭財閥內的復興工作一起，[illegible]本銀行在戰後改組，現在已恢復正常營業，其基礎至優厚。目下在紐約設有辦事處的只有日本銀行及橫濱正金銀行，不久將在紐約恢復營業，他們現在正派代表赴海外研究現代銀行管理方法與銀行情形。

黃金限價放寬 意在抵制蘇聯

日來香港黃金隨國際市場價格波動，亦起落不定，他說：「黃金官價如果放寬，反足以使黃金投機。」他指出黃金最主要的原因，今天世界上美國要提高三份之二的[illegible]金價[illegible]黃金流到蘇聯[illegible]

[illegible]一定可以批准。他說對日和約必須在本年底以前批准。[illegible]澳洲在本年底[illegible]國際合作組織主席之請，參加遠東貿易促進會議，然後赴星，經印度、歐洲返美。（邵）

中共痛恨記者尤恨廣州記者 馮典承等九人判刑由來

因無法消滅香港反共輿論 廣州前記者遂成替罪之羊

【本報專訊】當大陸由國民黨執政時，只要有一個記者被傳訊，一條新聞被檢扣，無論執政者有何理由，中共總大聲疾呼，痛罵國民黨政府蹂躪人權，摧殘輿論，並且利用機會，向國內國外，擴大宣傳，以加重國民黨「不民主」「無自由」的罪責。周恩來甯必武之類，更一再向全國新聞界表示，如果中共政權繼國民黨而起，中共一定給全國報紙，以充分的言論自由。從他們每星期在上海南京所舉行多次記者招待會的那種殷勤謙和的態度看來，大多數新聞界人士，眞如醉如癡，認定中共政權，將是「言論自由」的「護法尊神」。所以從抗戰勝利到大陸淪陷那幾年中，除極少數眞正了解中共作風的報紙不爲所惑外，幾乎全國一致，都在傾向中共作中共的義務喇叭。中共就在這一貫的欺騙手段之下，眞正取得了政權。他對全國報紙的諾言，「言論自由」，究竟兌現了沒有。唯一的答覆，就是中共封盡了全國報紙，四殺了極大部份留在大陸的報人。這比國民黨時代的「傳訊」和「檢扣」，在蹂躪人權摧殘輿論的程度上，眞不知加重了幾千百倍？別的地方，或許離我們太遠，說出來不肯相信，姑專以距港咫尺的廣州作例，大家應都明白，以前的民營報紙是不是還有存在？而記者前後被槍決囚捕的，其爲數之多，是不是已打破民國以來任何時代的紀錄？

一切罪名莫須有 只因曾吃新聞飯

去年江南萍葉雲笙等六記者被殺曾激起全國的憤怒。現在，九月二十八日，廣州又宣布了九名記者的罪狀，雖然不像六記者那樣一槍致命全部死刑，但死刑緩期兩年，及長期徒刑勞動改造，也就去死一間，甚至生不如死。這就是中共的「擁護人權」，「尊崇輿論」，換一句話說，也就是中共對新聞界「恩情」的眞憑實據。

筆者在廣州新聞界多年，幸而生性死硬，不想靠攏，早在易手之時，即已遠走高飛。但這九位記者，都是筆者的舊交，有的交情很厚。中共宣布他們的罪狀是反革命，其實他們只是錯吃了「記者」這碗飯，在中共眼中，記者永遠是中共的敵人，（雖然中共的官記者是例外）無論你反不反，誰叫你在國民黨時代做過記者。國民黨時代的記者都是反革命，縱你力求靠攏而命運已定也就毫無差別，該關該殺。

現在，讓我來簡單說明這幾位記者的經歷。

在廣州易手前夕，所有廣州各報社長總編輯都先後離開，集中港澳，只有國華報總編輯馮典承，因係該報社長劉劫餘之甥，多少負有「護產」之責，同時過信中共的「約法八章」，「脅從不問」「自首免究」，由「解放」之日起，即專心學習，誠意靠攏。他入廣州新聞界還不滿三年，一向攬的是稅務行政工作，一度做過與中央國民黨有關的「經濟通訊社」廣州分社社長。和國民黨方面若干主要人員平日很爲接近。

舅父不肯回穗 外甥坐牢十年

照理，他應該是第一個偽裝逃離鐵幕的新聞從業員。可是他反而單獨留在廣州，繼續維持報務，「劇秦美新」的報導，（批評是不敢了）刊得最爲徹底，當時我們這批呆在港澳的同業，一方面是佩服他的膽量，另一方面卻替他担心，同時又爲他的靠攏而惋惜。他曾爲了要說服他的舅父把搬走的一部七彩捲筒印機撤回，奉中共意旨三次來港，但結果未能達成使命，國華報也就以「反動資本」於去夏被封。他患嚴重的胃病，廣州易手前開過一次刀，去秋，胃病復發，又割一次。是年冬天，他攜眷來港，說是準備久居，不再回穗，遍訪留在此間的同業以至國民黨有關人員。實則負有中共給他的使命——勸誘某些人物回穗。說壞一點就是「爲虎作倀」。但他到底是「國民黨治下陶冶過」的人，雖無熱血，尚有溫情，而且還帶點義氣，拿不出狠心，辣手，這副鈎子，自然釣不到一尾魚兒，白白的住了十來天旅館，也許用了不很少的「人民幣」，終悄然而返，一個月後便傳出被扣留的消息，報章上還見過他的死訊，這次「清理案犯」，得以「十年徒刑」判定「罪狀」，雖說中共「仁慈寬大」，然而他的一點熱情，卻換來「反革命」罪狀，未免太使他出乎意料了！

陶畢觀娶妻無力 趙華玲家累最重

最無辜不幸而又值得同情的，應推被判十五年徒刑的大光報記者陶畢觀。他原籍四川，民廿六年就業廣州，一直幹外勤新聞工作。初時攬通訊社；因和黃季陸是同鄉，黃任宣傳部長，民國日報社長時，他雖稍爲活動，仍是一個連老婆也娶不起的窮記者。他爲人極有氣骨而多風趣，所以人緣甚佳。後來入了大光報，專跑法院新聞，廣州易手前後，同他一齊跑法院的兩個記者都來了香港，他卻仍留在廣州。他也許以爲沒有政治性質不會發生問題，不料他卻是廣州新聞記者最早被拘禁的一個。案押兩年，現在才宣布判決，罪名「特務」當然是「莫須有」，實則十五年牢獄之災，完全是拜「大光報」三字之賜。與趙華玲之因「中央日報」而受罪一樣。

趙華玲爲前建國日報總編輯趙慕鴻之胞弟，趙慕鴻是廣州報界有名的「開明份子」，不幸復員廣州未久即死於肺癆。趙華玲初隨其兄在曲江，任職中山日報。返廣州後仍在中山日報，以及改組後之「廣東」「中央」日報充採訪主任或編輯。後轉勞工新聞任總編輯。廣州易手時，他已離開新聞界改參教職，「解放」後思想大變，早已倒向一邊，復經其兄友介紹，得任教職於市中。以爲可絕對安全，想不到竟蒙中共「另眼相看」，以籍中央日報記者關係，賜以十五年悠長的「勞動教育」。他家累頗重，平時生活已甚感負担不易，今後如何，當非共產黨徒所計及。一說趙之十五年徒刑，非純因新聞記者之故，而係因做過朱克勤的「私人祕書」。朱克勤則以「反共頭目」稱雄珠江，最近還以水上游擊號召。如此罪連十族殃及池魚，趙華玲未免過於不幸了。

不住天堂 應入地獄

至於判處死刑緩期兩年執行的陳華崧年紀既輕，當新聞記者的日子也淺，爲什麼竟會「罪加一等」呢？可能是他曾經來過香港，不肯全心全意的倒向一邊，環球報又是與國民黨有關的人物主辦。中共的辦法凡是來過香港天堂的都不是好東西，所以記者九名之中，陳華崧獨蒙「軍統特務」的判語。其實陳初辦環球報在港同事，來港後，生活無着，艱窘，後靠友介紹入保險公司掛名「襄理」，實則「攬客」，無「客」可「攬」，難於尸位，卻被迫走回廣州，其遇可哀，其情可憫，也只有中共才能出此辣手。

金融記者也判重刑

此外爲港新聞界所熟識，與廣州金融界相熟的薛毅林，也被判處七年徒刑，則更使人驚異。他初時担任各報的經濟採訪，後成爲權威記者之一，與廣州金融界混熟了，自己起爐灶，幹起炒賣事業，積得不少港幣，早已離新聞記者不爲，又和一般所謂「前進經濟評論家」合得來，解放後更是左右逢源，一帆風順。這次「經濟評論家」鍾承宗（非正式記者）同時判刑（鍾爲十五年徒刑）眞不知罪從何來？餘如張劍聲（遷曲江時之中山日報總編輯，廣州易手前已改業任職中信局），羅莫婆（羅卓英主粵時華南日報社長，後改業時代廣播電台），均因信賴中共未走。伍時傑及鄺光（前貴陽中央通訊社記者，一度任廣東省新聞處科長），等之被判刑，則只是「曾替反動報紙工作」，「罪有應得」，此外更無話可說。

總結一句：中共恨新聞界，尤恨廣州新聞界。因爲廣州離香港太近，若干報館早將機器搬到香港，重要人物不肯上鈎。中共不能百分之百的接收發財。香港一般報紙，反共空氣很濃，中共怒無可洩，只有把「留在廣州」的那些「天眞記者」，成爲「苦」的代罪之羊。去年中共殺的那些記者其中有人確曾寫過一點反共文章，算是罪有應得。今次的九個同業，則完全甘心投靠，苟全性命，結果如此，他們那就不能不歸咎於自己的太沒有眼睛了。（延年）

中共認大戰行即爆發 「美帝將首先攻襲上海」

滬防空指揮部副指揮曹漫之如此宣稱

【本報上海特約通訊】最近兩週來，不知何故，此間中共當局，忽然一連串頒佈了許多防空法例。如「防空警報暫行辦法」，「陸上交通管制辦法」等。日前「市政府」召集各區區長，各公安分局局長，舉行防空會議，決定通令市民所有防空法令必須嚴格執行。並決定在最近期間將不斷舉行防空演習。據防空指揮部副指揮曹漫之在會議席上報告，「因爲美帝侵略陣線，現正加緊強化，大戰爆發，即在目前，上海爲遠東樞紐，美帝勢必首先攻襲，所幸人民武力，配合聯老大哥援助，上海防務已有百分之百的把握，但爲減少人民損失起見，防空工作需有充分準備」云云。連日各里弄共幹，已挨門挨戶，散發上述各防空法令，特別將交通管制法中第二條，燈火必須遮蔽，第六條，警報發出，行人不許前進，用大字勾出，並附加警告，如不遵行，即有被射殺危險。這對於上海市民，不啻又是一嚴重的「神經戰」。而投機商人，更藉此屯積油臘，黑布之類，以備電燈息滅及遮蔽窗帘之用。大家見面，不約而同的總會這樣的說，「飛機要來了，究竟什麼時候來呢？」

「炸彈有眼睛的」

這淡淡兩句話，其實充分流露了上海數百萬人民心坎上的眞意。儘管中共當局那樣疑神疑鬼，怕飛機光臨，老百姓方面，卻正惟恨其來得太晚。當韓戰發生以前，台灣飛機，會不斷來轟炸，老百姓不但毫不害怕，的確一個個暗中禱祝，「多扔下幾顆炸彈，多炸死一些匪徒」。有些人更下意識的說，「炸彈有眼睛，老百姓是不會遭殃的」！這一幕情形，不料隔了一年多，又將在人們心頭，重新掀出。

老百姓如此悠閑

因此，儘管中共當局是那樣三令五申，要人民遵照防空辦法，在警報發出時，停止交通，熄滅燈光，實際上竟是無人理睬。最近有了兩次警報，街上行人，還是邊走邊笑，視若無事，這對於峻法嚴刑自命，「號令如山，不容藐視」的中共，實是一個最大的諷刺。二十四日上海新聞日報曾登出一封共幹的投函，證實上海人民對空襲警報的頑忽。記者順便摘錄一段，讓海外同胞從這封信中，可以體驗出上海市民的心情已變到如何曠達，及中共法令，已如何變成具文。下面是共幹投函的原文：

「編輯同志：二十一日清晨，我剛起身在讀報，忽然隱隱聽到有警報聲，我趕忙走出門外，警報已經發出，但弄堂裏卻一點動靜也沒有，跑到馬路上依舊是車馬往來，熱鬧得不得了，行人悠閑地走着路，或拿着菜籃買菜去。看了這情況，我不覺在懷疑，難道我的耳朵聽錯了嗎？怎麼馬路上也沒採取防空措置，沒有糾察隊站崗呢？」第二天報紙第一版的新聞中很顯明地登載着：『二十一日上午七時四十七分，本市西南一百公里上空發現敵機一架，防空當局即發出警報，並嚴密戒備』。這則消息有力地證實了我的耳朵並沒有聽錯；還使我感覺到由於一年多來的天空的平靜而使許多人陷於思想麻痺的狀態，這是多麼錯誤的事情。」

毀滅自己的威信

的確，二十一日那一天，記者也親自聽到警報，上述投函中所云情形，完全一絲不假。我們特別覺得驚奇的，即中共防空法令，定得那樣嚴厲，爲什麼警報發出，連自己管制交通的糾察隊也不出勤站崗呢？這豈不等於中共自己取消自己的法令，毀滅自己的威信？如果說，這警報是假的，爲甚麼第二天又鄭重地在報紙發表有敵機來襲？照這樣下去，不管是眞是假，老百姓是無法分辨，只有相信炸彈有眼睛，大家都聽天由命了！（悠然，九月二十七日寄自上海）

鄱湖遊擊隊一千里長征 大部由江西轉入福建

現已和東南遊擊健兒打成一片

【本報專訊】鄱陽湖在五湖中雖然沒有八百里洞庭那樣壯闊，但在地理價值上，仍極重要，因爲在水道上它是江西的咽喉，沿湖河流交錯，港汊縱橫，而有不少洲灘和島嶼，很像水滸傳上的梁山泊，四面環水，地勢險阻，而且距離南昌很近，進可以攻，退可以守。

胡文叔現代裝備

鄱湖遊擊首領胡文叔，進賢人，行伍出身，現年三十五歲，抗戰勝利後以特務營長復員轉業，返家經營工商業，大陸易手時，他是青年救國軍第四總隊第十三支隊長，擁有現代裝備新式武器一千餘人，並掌握了進賢全縣公糧，經勘定鄱湖×地爲游擊根據地。其時進賢縣長林錫光，參議會議長胡澍栅，通敵投降，假借祕密會議，把他扣留，以「匪首」罪名移交中共處決，中共開始控制大陸，還是磁頭時期，它對共個案認爲武器糧食比胡更爲重要，乃以其所假匪大政的企圖，使胡就範，謂「欲以和平方式得到胡的武器和糧食」，胡因此由監視而終於得到釋放。

胡被釋後回到游擊根據地，人民相率響應，參加者甚多，這一千洲上民兵也有三百多支步槍，四百多挺機槍及現代武器很多，胡爲了下定決心，使壯丁一心一意參加反共鬥爭，一面下令遷移老弱居民，一面焚燬洲上房屋，秋收時他們四處突擊，向浙贛鐵路及南昌近郊搶運糧食，破壞交通和擾亂秩序，這時中共以他們爲「腹心之患」，派大隊兵馬沿湖「圍剿」，他們當時決定：除化整爲零成立地下政權外，並自己打一條出路，向沿海取得外援。因此他們揀選最精壯的六七百人，開始他們的長征。

一度曾克復金谿

他們在貴谿雲際關和向理安部會師，大隊長向理安，是金谿保警，易手後即率部進入山區，雲際關三省，是浙贛閩三省邊境，綿延數百里的山區，游擊平多，曾一度克復金谿，會師後向胡，孔坊區「人民代表」會議，值金谿「政府」召開會議消息，他們在山上便衣混入農民中，除了於共幹會議時，機智地混入，然後武裝用符號，混入共幹，說服了其中些共幹，護部隊進城，一舉克復金谿城，俘共幹二十餘人，他們處決其中金谿縣長及公安處長，在其他逃往中共處，偏人近太大，因感雲際關一附近的二一四師等部隊，乃集二——四十一軍的一部，金谿二大隊及南城、四縣保安，實行堅守「圍剿」，游擊隊終於不得已轉進杉關。

杉關爲贛閩孔道，形勢險要，山內有大森林，好木參天，游擊隊自然有屏障。光澤謝杉部的游擊隊，南豐縣大刀會二千餘人，李彬的三百人，和他們合作。大刀會的性質，但人太近於迷信，然而反共抗俄的精神，非常可佩！他們當時把符咒一唸，就當作神精抖擻，勇敢刀槍不入，大刀會者亦不下共軍一二千，李彬過去幹衛自衛隊，參議員，易手後就到南豐過杉關，家屬被殺，他以後進入閩北，人，參加了他們的游擊隊，防禦殲滅——，在千八百坎，就是有名的大洋山區。

去年十月一日

大洋山區綿亙百餘里，南起溪口，北抵南豐，只有一個山嶺，是平原，北面過去——黃田巢，這里面又叫「新華山區」，所以當時有倉庫，一夫當關，萬夫莫敵，大陸易手後，共配合大洋山區的游擊隊即乘虛而入，控制了大部，先入的部隊以保安團率領，後福建江西三省國游擊隊都紛紛而形成東南唯一根據地。去年中共「國慶」——十月一日，派了一百二十人到福州，用抽籤的方式，結果胡文叔中被推率部前往，他們有的化裝小販，有的扮演賣藥，也有商人者。九月底到達福州，他們先後混入福州，並首先偵察，以後他們參加中共在福州的「和平運動」簽名，十月一日上午八時中共在福州體育場舉行閱兵大會，會後遊行，同時游擊隊分區就在這時開始出動，當遊行時，他們始終打死人馬六十多，餘人炸毀汽車十多輛，並破壞閩江大橋，任務達成後，他們安返防地。

幾萬人一條心

山區游擊隊生活苦，現約有五萬人。政治幹部多是過去的行政人員和青年學生，他們通過親屬關係，已經和山區民衆同心同德，打成一片。兩年來鄱湖游擊隊經過血的鍛鍊火的洗禮，已經成了一般鐵的叢林，他們之中有抛妻別子，踏上遠征的，現在已經合流在東南游擊隊中，他們用自己的血跡在反共抗俄的鬥爭史上寫下了一頁，今後他們將爲自由中國開出一條坦途。（笑天）

不許褻瀆聖賢！

·尚方·

去年大陸上的共產黨慶祝其所謂「國慶日」，把史大林的相片抬在街上遊行，刊在報紙首位，十足的表示其侮辱與褻瀆中華民族的態態。今年呢，好像已料正「偏差」了，史大林的照片在紀念日的報紙上不見了，換來一幀孫中山先生的遺相，這更是侮辱歷史，褻瀆聖賢！

中山先生所領導的革命，是國民革命，所創造的國家，是中華民國；所實行的主義，是三民主義。共產仁兄把他所創造的中華民國予以毀棄，指他的主義爲「舊式」的「落伍」思想，視他的黨爲不共戴天爲「匪幫」；竟又將他的遺相印在他所痛心疾首的竄國叛民的甚麼「國慶」紀念刊物上，這不是瞞人瞞鬼的強姦侮辱行爲麼？這不是背叛佛頭的糟蹋玩弄麼？凡屬忠愛中華民國，有尊重歷史事實的中國人，有見此而不憤怒切齒者乎？

大概秧歌王朝經過兩年來出賣國家民族，殘害善良同胞的血腥暴行，自覺已爲衆怒之所共集，神鬼之所不容了，日暮途窮，祇好利用孫中山先生來作迷藥，想教中國人民受其欺弄，甘於亡國敗家之痛。這種無恥的騙術，豈能逃過人民的雪亮的眼睛？徒見其心勞日拙而已！

史大林尊伊凡大帝爲俄國偉大的英雄，教人民奉他如伊凡大帝。毛澤東最好是把秦始皇遺像掛在座右，列在「國慶」紀念品上，那倒沒人反對。厚誣孫中山先生，真正豈有此理！

自由談

花艇夜航

·燕雲·

朱科長在「解放」前是中心學校教員，因爲搓麻雀輸了薪水和欠了別人許多賬，才帶學生上山投入中共游擊隊的；三年來他雖然經過許多險，幸而沒有把生命輸掉，鄉下「解放」了，老朱游擊有功夠老，論功行賞，分封了當地縣府的「教育科長」，他喜歡得以爲做夢，不過他覺得「辦公廳」坐得膩了，非到廣州去觀光一次不可。於是，他對林縣長說，要買些馬、恩、列、史的著述和毛澤東思想，整風文獻之類的書籍回來，用以充實縣府職員的頭腦和決定新的教育方針、

朱科長生在石橋村，地方僻，人家少，自從他做了科長之後，爸爸固是歡喜得不知翻，就是全村的村民也認爲光榮；這次科長要去廣州，村民夠熱情，由農會捐出三隻大豬兩籠肥雞來做科長的觀光費。

到了廣州，他好容易找到了德政南路豬欄的黃經理，黃和朱科長是同鄉，三年前在鄉下曾經向老朱討過麻雀賬，可是現在情形不同了，科長身份大，他必須格外慇懃，不敢當普通貨客招待。

朱科長在廣州什麼都生疏，一口不鹹不淡的廣州話，說來不容易聽得懂，這一來只有苦了黃經理，科長換了便服天天逛馬路，他不敢不奉陪，他們逛過公園，在紅棉鑽石吃過飯，飲過下午茶，在愛羣酒店開過房，電影看得膩了，惠愛路那間大藥舞廳也到過，但是，朱科長只懂扭秧歌，奇樂的旋律他無法欣賞，當黃經理拖着舞女在地板上旋轉了一次後，他嫌得無聊，就嚷着要走；在書店裏他認爲馬恩列史，及新民主主義一類的書籍太貴，結果一本也買不成。

有一天傍晚，華燈初上，馬路上人潮洶湧，朱科長要黃經理帶他出去逛逛。

「何不到三馬路去玩玩，那裏還有點風味。」，豬欄的張管賬在旁邊插進一句。

「好，我們一同去。」朱科長說時拉了張管賬黃經理一同走了出去。

他們由東園路口轉出東堤，在碼頭叫了一隻花艇，在艇上吃着瓜子糖菓；艇轉了幾個彎，瀝滘水上燈光點點，兩邊無數的舊舫整齊的排成兩行，中間是一條通路，遊艇往來不絕，熱鬧非常。這時朱科長高興極了，眼睛不停的向兩旁艇頭上坐着那些粉紅黛綠的女郎游徵，評頭品足；聽見她們用嬌滴滴的聲調去兜攬遊客時，他的眼睛不時瞇成一條縫。

「黃經理，爲什麼不早到這裏來。」朱科長十分得意忘形地說。

「這裏的價錢很便宜，朱科長玩玩好嗎？」張管賬有意打趣他。

「不，我們革命青年是不幹這些的。」他說話很嚴肅，但和他的態度似乎不很調和。

他們就這樣划來划去，直至瓜子糖菓吃完才回。

第二天晚上，壁上時鐘正指着十二點，黃經理早已擋在被窩裏，忽然朱科長敲門進來，頭上戴着五角帽，穿着一件藍色的公務員棉襖，他說是剛從人民戲院出來。

「……」他和黃經理咬了一陣耳朶。

「幹麼？這麼晚要去三馬路！」黃經理驚奇地說。

「怕什麼？」他一邊說一邊拉起黃經理。

黃經理無可奈何，只好穿起衣服，陪他出去。他們走到東堤碼頭時，只見水面上一片漆黑，黃經理勸他不如回去，明天再來不遲，但他很堅決，終於由黃經理叫醒一家平日熟識的艇家，載他們向黑暗中划去。

三馬路沒有燈光，沒有人聲，所有花艇都已有了臨時主人，低低的垂下了帳幔，艇快要划到盡頭了，才望見一點螢火般的燈光，朱科長忙叫艇家向燈光划，一會划到了，看見艇頭上坐着一個肥女人，雖然那肥得突出的臉頰塗上一層很厚的脂粉，但始終掩不住臉上的疙瘩；看來活像燒臘鋪櫥窗裏的乳豬。

「叫艇嗎？先生」，她裂開了塗紅的闊嘴吧。

「就是這個好吧，沒有第二個了」，黃經理這樣說。

朱科長點頭表示滿意，由黃經理和她說好價錢，因爲恐怕解放軍半夜查艇，他只好除下五角帽和棉襖交黃經理帶回豬欄去，他就一個箭步竄過去，帳幔垂下時，黃經理也回去了。

從此晚上很少見朱科長到豬欄來，黃經理也省卻了導遊的麻煩，這樣過了幾天，一天清早，他還沒起牀，朱科長拖着疲倦的身子到來，向黃經理借旅費返鄉去，黃經理問起他的書籍，他說不買了，下次他還要來。

半月後，黃經理接到一封由鄉下寄來的信，他看了臉上浮起一絲苦笑，原來是朱科長寫來的，說鄉下買不到特效藥，要他送半打盤尼西林給他，原來風流的朱科長在夜航時已中了狀元。

哥德論革命（上）

·舜生·

愛克爾曼（T. P. Eckermann）所著的『哥德對話錄』（原名一八二三至一八三二年之間與哥德的談話），是詳細紀錄哥德晚年言行的一部書，周學普氏所譯的雖只是一種節本，然而已在十五萬言以上。我匆匆的翻閱一過，不僅感到異常的愉快，且無形中激起我一種尊師重道之感。就我所知道，中國一個學生紀錄他先生或一片段的言行，似乎從來沒有過這樣的寫法。假定中國少數的聖哲和若干的老師宿儒，能夠由親炙他們的弟子，把他們中某一位的嘉言懿行及其日常生活與治學過程，像這樣精詳的紀錄下來，其所給予後人的影響，更將如何的深刻呢？

哥德有幾段批評法國革命的話，我在今天讀起來，尤其感到驚心動魄，他說：

『我不能是法國革命的友人，這是真的；因爲革命慘酷在我是印象太新，時刻使我憤激，……當時我對於有人想把在法國是重大的必然性結果的事情，人工的在德國浮起來，是不能袖手旁觀的。』哥德又說：

『只有不模仿其他民族，而從其自己的精髓和一般的需要出來的東西，是於國民有益的。因爲對於立在某種時代階段的國民，可作滋養物的東西，對別的國民，或許是毒物！所以大凡要把改革的要求，不是根據於本國國民的心髓的某種外國的改革輸入進來的一切企圖，都是愚蠢的；這一種革命的企圖是都沒有效果的。……』（以上是哥德在一八二四年一月四日所談）

中國人正式着手謀國家的改革，已有了六十年以上的歷史，其所以把國家弄成如今天的這種景象，大抵由於若干從事改革運動的人物，既不能深澈明瞭中西文化所以異同之故，而又毫無意識的要把某一外國的改革方式或制度強迫的移殖到中國來，始而是學日本，學英法，學美國，既而又學德意，學蘇聯，一輩子在學習中，所以一輩子也是那樣一副毫無把握的癡愚面孔！當其學得不像的時候，爲害尚小；一旦學得有幾分像的時候，爲害乃更大！中國總也算是在一定空間度過幾千年文化生活的一個民族，難道就準備長此模仿他人以終古嗎？當代有兩個既能進取而又能保守的國家，其一是英國，其一是日本，英國有她一種不流血革命的光榮；日本是既能勝利亦復經得起失敗，還不值得我們加以深長的考慮嗎？

萬竹樓隨筆（三四）

「委員」歸「國」記

·羊辛·

王「委員」不是綽號，眞正道地是如假包換的「委員」。——××縣「人民政府」一個什麼會的「委員」。

王委員原在香港開一家進出口商行，去年搜購戰略物資的時候，大大地賺了一番氣力，說是「爲人民服務」，至於是否從中撈它一把，不得而知。但因此立了功，做起「海外功臣」來。老家在大陸沿海的一個小縣，那個「人民縣長」知道了本縣出了這麼一個「熱心爲人民服務」的華僑，趕忙寫信到香港給他，大大地褒獎一番，並且聘他當一個什麼委員會的「委員」。

王委員捏着那封信，得意非凡，又肥又圓的臉笑得一團糟，模着大肚皮從「經理室」裏走出來，叫書記給他擬封覆信，把「秋水軒尺牘」所有謙虛的詞句幾乎全用了進去，又加上一堆新名詞，說是「爲人民服務，打倒反動派，此爲應盡義務，不足道也」。

王委員雖然沒讀過什麼書，但思想一搞通，「在毛主席的感召之下」，果然豁然明朗，樣樣都懂了，談「馬列主義」，談「新民主主義」，罵美國，罵國民黨，儼然「天下通」，他到朋友處閒談，就拍拍對方的肩膀：

「老兄，新中國在開物資交流大會啦，你最好回去瞧瞧，看看一番新氣象！」或者：「回國投資去吧，人民政府是最維護民族資產階級的！」

他也看中我這個「青年」，非常關心地：

「像你這樣的『青年』，新中國正在需要，爲什麼不回國參加建設呢？」

「老了，老了，不配算青年了，朽木不可雕。還是王委員回去吧！」我說。

「是的，我正準備回去，你瞧，」他取出了一張那個「人民縣長」的來信：「他們歡迎我回去投資，香港沒什麼發展，回國後前途未可限量，我就準備辦結束，連一家大小也全帶回去。」

王委員果然不是「車大砲」，也許是那個「委員」的銜頭太誘人，不久，果眞辦理結束，帶着一家大小，浩浩蕩蕩地開回大陸去了。

去了以後，也有信來，說是「備受盛大歡迎」，又把「新中國」的「進步」和工商業的「大有前途」形容了一番。

我們想他大概該是十分得意了，事情一久，他的肥碩的影子也便漸漸消失在記憶裏。

不想，幾日前，我忽然在皇后道上碰到他。

我幾乎認不得他，那又黑又瘦的憔悴的神情，把我愕住了，我正在懷疑是不是他，他已經舉起手來和我打招呼。

「是你？王委員！」我說。

「不做委員了，別再這麼叫吧，」他苦笑着。

我一肚子悶葫蘆，問他爲什麼不做委員，又爲什麼回到香港來？他搖搖頭，不說。我拉他到一家咖啡室裏坐下，再繼續問他，他還是不說。後來我要了一瓶酒，對酌起來，心想待他喝得差不多的時候、他一定會說的，一定有新鮮的消息好聽。

果然，紅光湧上了他的面，他飲了幾杯酒，嘆氣起來了。

「究竟爲了什麼呢？」我再問。

「別說了吧，」他顯得十分沮喪，停了一會，纔說：「完了，一份家當都蝕光了！」

「是怎麼蝕法呢？」

「蝕了還不打緊，這條命險些兒也陪上去。那時回去後，起初還滿意，可是以後什麼稅什麼捐，多得喘不過氣來，又來個抗美援朝，獻飛機大砲，我是『委員』，得起『帶頭作用』，只這麼一拳，就把我打倒了，一份家當，吃點心似的，三番五次就完啦！還不打緊，那些莫明其妙的鄉下人，說是要清算我，把我的祖宗三代的老賬也翻出來，聲勢洶洶，我告訴縣長，縣長說：『這是人民的意思，我也沒法子。』好在風聲得的快，趕忙溜走，還有一家人丟在那裏，也不知現在究竟怎麼樣了！」

他把桌子一拍，補上一句：「他媽的，想不到是這個樣子！」

我沒有什麼話好說，默默地，呆在一邊。

他起身告別了，又交代一句：「告訴你的話千萬不要說出去，我還有一家人丟在那裏呢！」

望着他那顫危危的背影，我在想：「委員」像這樣的「下場」，香港還不知有多少哩！

失蹤者的音訊

·光宇·

一九四五年以來，俄人在維也納至少擄去了八百個奧國人，所加的罪名從「爲西方國家從事間諜活動」，以至「破壞」不等，就是在一家俄國工廠不愼將一架打字機摔落地上，也可被指爲「破壞工業」而被捕。奧國政府曾一再要求俄方發表關於這些失蹤者的消息，到今年九月中，俄佔領當局才正式披露了關於這八百多個人的一點音訊，但是這音訊祗涉及其中二個人。

一個是鐵道官員卡欽爾，一九四七年當他和佔領當局交涉將所扣貨車交還奧國時，被俄人捕去的。據莫斯科說，卡欽爾被判破壞罪，已在一九四九年六月九日死於蘇聯監獄。

另一個是高級警局巡官馬勒克，他是激烈的反納粹份子，他在一九四八年應蘇聯佔領當局電話之召，進入蘇聯佔領軍總部，從此失蹤。莫斯科的消息說，六十五歲的馬勒克因從事間諜活動處刑二十年。俄方官員帶給了他臥病在床的妻子一張鉛筆字條，上面寫着：「我現在被囚禁在蘇聯，雖然必須在監牢裏做工，身體還是很好，我十分想看到你。請好好教養我們的兒子，我深深愛着他。代向親友們致意。」

至於其他的失蹤者呢，俄人迄今沒有披露一個字。（原載九月二十四日「時代」週刊）

美國政治上最重要的女人

——張天寶譯自「週六晚郵」——

愛德華夫人生長在田納西州，但在高等學校畢業後，她不得不回到芝加哥了，她是在這裏出生的。她很小的時候，父母便離婚了。她隨着母親同住，母親再婚後，他們曾遷到芝加哥和聖路易斯。她的幼年時代一直是相當快樂的，少女時代便長得像個成人，滿懷野心和熱情。

她在芝加哥找到的第一個職業，是當私人祕書，週薪十五元。她雖然不擅長打字、速記，但藉着一架自動錄音機，還是能勝任愉快。她這個職業直到論壇報錄用她爲正式職員時才放棄。

她一九一七年結婚，但同住祗有二個星期，她年輕的丈夫到法國去，就死在那裏。一九二〇年她再婚，嫁給約翰．麋非特，一個商場經紀人。五年後，她脫離了論壇報，在家照管二個孩子，過了七年，她又回到論壇報，此後不久又與麋非特仳離。

在一九三六年共和黨大會中，她遇見了愛德華，他向她求婚一千八百次之多，經過了六年，兩人才結婚，遷居華盛頓。愛德華是個溫雅而聰明的人，當他遇見英地亞的時候，他在爲共和黨拍攝紀錄性影片，後來逐步昇到現在的職位，國務院國際影片處主任。

芝加哥論壇報到現在還說，英地亞並沒有辭職，她是在請假中。她也喜歡這個說法，但是根據案卷，她在和愛德華婚後二年參加了民主黨全國委員會的時候，已經正式脫離論壇報了。

一九四三年，愛德華夫人和第二任丈夫所生的十九歲兒子小約翰．麋非特死了，他是陸軍的飛行教官，在教授一個學生飛行失事殞命的。愛德華夫人說，在他死後的幾個月中，她哀慟到簡直不知做什麼才好。到一九四四年她出席一次共和黨大會時，她才下了決心，這時她聽到一個共和黨女政治家發表了一篇演說，激烈指摘美國士兵們的死亡，她感到這是在利用爲國犧牲的美國兵，包括她自己的愛子，做這位演說家的政治資本。她討厭共和黨；第二天她就跑到民主黨總部，自願爲他們服務。

愛德華夫人政治事業的動機，就是這樣的，起先是出於一個悲劇——她兒子的死亡，再而有了戲劇性的轉變。愛德華夫人既下了決心，便努力去實踐它。她勤勉地編撰新聞稿，寫廣播文件，演說和報告。（五）

自由人
THE FREEMAN
（半週刊星期三六出版）
（第六十二期）
每份港幣壹毫
督印人：李光華
社址：香港高士打道六六號
電話：二八〇四八
GLOUCESTER RD. HONGKONG
TEL: 20848
承印者：東南印務出版社
地址：高士打道六四號
台灣總經銷處
台北重慶南路一段七十四號

接應外援的基本精神

因乞取外援而興國的，固然不少，因此亡國的也很多。要在我使用外援，而非外援使用我。

雷嘯岑

由於科學進步，文化與經濟關係之發展錯綜，世界人類生活已逐漸趨於集團大同的境域，決無遺世獨立，閉關自守的可能了。誠如陳獨秀氏在抗戰時期所指出：今後的國際鬥爭形勢是集體的，有些強大的國家，你縱然不請它來援助，它也自動的非來援助不可！因此，現代弱小國家要想獨立生存，其所採取的方策，即與十九世紀的德意志，義大利，日本諸國的史迹不同，處在「天下一家」的形勢中，沒有外援，是不易生存的。需要友邦援助。二次大戰後若干大小國家，若非有美國的所謂「馬歇爾計劃」和「杜魯門主義」，是很難復甦的。不過，外援祇能視之爲藥石針灸，卻不可當作布帛粟菽。這就是說：一個國家之獨立生存，必須有其能夠生存的民族文化精神在。外援只是用來醫治病痛，而不可靠它作經常的生命營養素。英國人在大戰後，每年接受鉅量美援，但他們有其獨立自主文化精神，情願大家勒緊褲帶，忍受長期配給制的菲衣惡食，而於勉強足以對付的時候，即宣告不再需用美元救濟了。這是內在的生命力所使然，不能僞裝，不可虛矯的。如其一個民族的文化精神，根本空虛墮落，不自振作，而一味的乞助於外援，結果祇是滑稽劇的演出，一無是處。殷鑑不遠，請看目前在中國大陸上那「一面倒」的共匪政權，是何景象？他如波蘭情形，外援連國防軍事也由「外援國家」派人直接管理，這種「解放主」，比拿破崙更徹底，更不客氣，可謂外援亡國之大觀了！反之，小小的芬蘭，還處現代的「世界解放主」肘腋之下，具有不屈不撓的充沛之民族精神，敢於和「解放主」對抗，決不一面倒，芬蘭人民就沒有嚐受亡國之痛，尤足鼓舞一般弱小民族的勇氣。所以，外援之需求是應該的，但得有界說，有分寸。它是一種應急的有形力量，不是萬應如意膏。有了它，還須自己有志氣，有辦法，是我使用外援，而非外援使用我，這纔算是有出息的民族！

怎樣配合外援

我們現在爲爭取國家民族的獨立自由而反共抗俄，自然更是需要外援的。但我們必須先把民族精神振作起來，把空虛墮落的文化質健全起來，集中全民力量，表現其「有所爲」和「有所不爲」的自主精神，纔能博得援助我者的同情與重視。假使我們今日興一利，先問有無「美援」；明日除一弊，也問有「美援」否？甚至一些負有培養民族文化精神責任的智識界中人，亦非有「美援」即興趣索然，居易以俟命。那末，外援不來，大家將一事無成，外援來了，而民族精神已爲外援所俘虜，爲患更甚！近年來，美國人常常認爲在戰後以如許美援給我們，竟使共黨竊據大陸，釀成今日地步，覺得奇怪，而歸咎於官吏之貪污低能。實則他們祇知其果，不明其因。他們不了解中國今日的現狀，是近世紀以來日積月累演成的一幕文化悲劇，而貪污低能，不過是一些插科打諢的末節而已！

我們當復興國家，外援是需要的，如不能振起文化精神，相與配合，好自爲之，必無善果。今日每一個崇尙獨立自由的中國人，都應該有此覺悟與決心，纔能免於「亡國大夫」之責呢！

接受外援之道

然在中外歷史上，因乞取外援而興國的固然不少，而因此亡國的也很多。拿破崙以「歐洲的解放者」自稱，說是要援助人民解除封建專制的痛苦，到處表現其「興滅繼絕」的作風，大受歡迎，連德意志的民族主義派智識份子，如黑格爾，哥德一流人，亦一致認拿破崙不愧爲救世主，歌頌不已，直到「萊茵同盟」出現，纔知道認識錯誤了，德意志民族將兆亡國之禍，急忙省悟，自力更生。這一歷史教訓，依然可供現代人的借鑑。可不是嗎？今日極權世界中的若干所謂「獨立」國家，就像當年在拿破崙援助下所[illegible]的生活啦！

立國於今日，弱小的誠然需要外援，強大的，也同樣的[illegible]

勃萊德雷東來索隱
韓戰鬥智如箭在弦！

黃震遐

勃帥對馬林諾夫斯基

勃萊德雷來去匆匆，除南韓前綫一會外，看不出聯軍有何動靜。三日來東京封鎖新聞時緊，戰地記者們嗅到空氣也傳播不出，李奇威和彭德懷還有外交口吻，前綫的斐立特和林彪則殺得震天動地，屍橫傷心山脊。韓戰有軍事計劃，更有微妙政治的得失，以勃萊德雷的地位，當然不便發言，洩漏環球軍機，讓馬林諾夫斯基佔了上風，因此馬林諾夫斯基躲在幕後，望着勃萊德雷笑嘻嘻地飛來飛去，勃萊德雷也不願表明他的眞正對手是馬林諾夫斯基，祇當金日成彭德懷是敵人，新聞封鎖後，一般報導也祇能到此爲止。外間能知的是新聞，宣傳，公報，不是計劃及情報。外人看不到雙方密室裏的戰略藍圖。勃萊德雷指揮過百萬大軍，打過許多硬仗，花過有史以來的最大戰費，接受過德國將領的投降，其人並非沒有自負的人，馬林諾夫斯基在他眼中，不過是一狗熊般的粗漢，祇會服從命令，不足以語文明。勃萊德雷在馬林諾夫斯基眼中，則是一個沒吃過什麼苦頭的理論家。打的都是容易仗。他自己則帶領中亞細亞精兵，從伏爾加河掃過巴爾幹，直抵維也納，再從阿爾俾斯山麓東馳萬里，一戰而俘關東軍數十萬，一手裝備好林彪四野，金日成的甲兵。然後即以林金之兵，一敗華格於錦江，再敗華格於蓋馬高台，三敗阿爾蒙於長津湖。使麥克阿瑟羞慚亞洲，艾契遜被迫接受馬力克的和議，此在馬氏，是有蓋世之功，在美國，則有喪師之辱。五角大廈不會認不出它的眞正第一號敵人，馬林諾夫斯基亦知勃萊德雷在計劃對付他，西方的力量正在祕密東漸，一條不沉母艦修好了，日本並未忘掉它的軍國民教育，李奇威比麥克阿瑟幸運得多，斐立特更比華格幸運萬倍，勃萊德雷走後，遠洋長空的威力將向日本調動，馬林諾夫斯基知道大局面快來了，東起堪察加西至山海關的戰綫，同時陰雲低迷，日本海上風濤陡惡。馬林諾夫斯基還有一場好戲要演。勃萊德雷也不甘落後，這是新聞封鎖的內幕。

李奇威對彭德懷

李奇威接替了麥克阿瑟，五角大廈立刻東調第十六兵團（四十，四五兩師）來加強他的地位，這兩師人擺在北海道，不是爲了韓戰，是直接對付馬林諾夫斯基的。其他兵力，有蓄變的海軍，有沖繩基地和日本基地的戰略空軍，有第二五航空兵團的戰機，兩端四百艘軍艦和一千二百架海陸飛機，加上一個龐大的後勤司令部，一手掌握了太平洋兩岸的補給任務，這力量對方無從反抗，彭德懷在四五兩月發攻兩次，死傷狼藉北退，李奇威立即發動夏季攻勢，命令斐立特攻下鐵三角堡壘，自表面看，李奇威擁有壓倒的海空力量，[illegible]

[illegible]除此以外，李奇威不痛不癢，[illegible]

斐立特對林彪

斐立特打敗過希臘內馬爾各斯，那些是大場面，林彪多少要比馬爾各斯[illegible]多些[illegible]

局勢仍在鬥智階段

韓戰下一幕將怎樣演出？問題在勃萊德雷和馬林諾夫斯基的決策，記者們嗅到的空氣，祇感到緊張，李奇威和彭德懷也祇能當一部份的家，斐立特和林彪的實地演出，纔會認眞決定這幕好戲。在節目表中，如有意想不到的新式兵器出現，使整個局爲之改觀，那就不是隔岸觀火者之所能預測。目前遠眺，得到的，還祇是馬林諾夫斯基的責任加重了一點，勃萊德雷的膽量也稍許放大了一點。整個如箭在弦的局勢，還在鬥智階段。

應李彌特別邀請
女立委羅衡赴滇

【本報專訊】滇籍女立委羅衡，上月曾由台來港，小作勾留，旋由港飛往某地。據可靠消息，羅係應滇主席李彌之邀，前往就詢一般局勢，及今後應採措置。李並有意請羅担任省府祕書長職務。但羅是否願就，尙待考慮。羅今年已將五十，日常男裝，亦從未與人論嫁娶，民國十六、七年曾留法習空軍，對軍事工作頗感興趣。日昨羅有函致此間友人，謂已安抵李部根據地，全滇人民反共意志，至爲堅決，相信世界大局一有變化，在滇共軍，即必可掃數殲滅。（百變）

因不堪殘酷虐待
陳德徵在滬瘐斃

【本報專訊】前上海民國日報總編輯，國民黨上海市黨部宣傳部長陳德徵，抗戰前，以某案免職，十餘年來，即未再作任何政治活動。抗戰勝利，由渝回滬，亦息影家居，不問外事，中共到滬，陳自以絕無問題，不思他去，不料數月以前忽被拘捕，昨據此間陳之友人，傳出消息，謂陳因不勝共黨酷虐待遇，最近已瘐斃獄中。（百變）

時局漫談

舜生

蘇聯繼續試驗原子彈

在世界一切問題陷於拖延和混沌的時候，華盛頓又正式宣佈，蘇聯已經作過第二次原子彈爆炸的試驗了。[illegible]

狄托與佛朗哥

狄托反蘇聯而不反共產，佛朗哥反蘇反共而不反極權，這兩條路都不是中國人所能走得通的。[illegible]

韓戰僵局

[illegible]

關於對日和約

[illegible]

論典型「布爾塞維克」

對於典型布爾塞維克的理解，有助於明白當前中國悲劇的演出。毛澤東之能取得政權，半靠史太林援助，另一半則靠職業革命家的黨。否則井岡山一段歷史將不會和水滸差得多遠。

・鄭學稼・

馬克思主義，不僅是一種社會主義思潮，又是一種宗教。何以馬克思是馬克思教的先知；列寧是該教的保羅，又是同教的君士坦丁大帝，筆者已在「論馬克思教」中，作提綱似的敍述。列寧何以與馬克思教的使徒們——如考茨基、蒲列哈諾夫、盧森堡等——不同，能夠使馬克思主義找到一塊試驗的場所呢？只有一個答案：列寧比別的任何人都明白，要實現先知馬克思的預言——社會主義天國，必需建立一枝忠於主義的部隊。構成這種部隊的幹部，依他在「怎麼辦？」一書中的術語，叫做「革命的社會主義知識份子」，一般人另稱為「職業革命家」。

「列寧主義」，因此，應叫做「職業革命家」的戰術與戰略。的確，除了它，列寧未曾增加、發揮馬克思主義的任何部份。同理，凡是信奉「列寧主義」的人，也不必對馬克思學說作何等的探究。如我們所知道的，到「列寧主義」演變為「史太林主義」時，一些馬克思主義的成份也沒有了。這恰和中世紀教皇的勸告與那撒勒人耶穌的思想毫不相干，完全是一樣的。

眞正革命家的本性要排除一切慈悲心

熟悉俄羅斯歷史的人，都會知道：「職業革命家」的觀念，並非由列寧創造的。它的眞正發明者，是巴枯寧及其門徒聶奇。尼車伊夫（Sergei Nechaiev）。他倆在共同著作Catechism中曾說：「革命家沒有私人的利益，沒有私人的事務、情感、社會關係、財產，甚至還沒有自己的姓名。……不僅用言說，而且用行動去表示他的心與靈魂。他是社會秩序及文明世界之殘酷的敵人，對它只有一個目的即毀滅它。……任何事，凡可促進革命的成功者，都算做道德；任何事，凡妨礙革命的成功者，都叫做不道德。……眞正革命家的本性，是排除所有的浪漫主義，所有的慈悲心，所有的情愛。」後日列寧眼中的典型布爾塞維克（即職業革命家），可說是集那些性格的大成。誰如承認這一點，誰就會發生另一重要的歷史論題：克倫威爾的「鐵軍」（清教徒的軍隊）與列寧之「職業革命家」的差別，不僅由於兩個不同的時代，還由於兩個不同的國家——英國與沙俄。

少數革命家專政　消滅全部保守派

沙俄的歷史——尤其是由「十二月黨」人革命失敗而至仙的尋兒亞歷山大被殺的歷史，教訓列寧：要推翻羅曼諾夫王朝，不能單靠文字的宣傳，不能單靠暗殺，而要倚靠職業革命的部隊，利用、指揮這枝部隊的目的，不僅推翻舊統治，還要建立新的統治。這種統治，用列寧的術語，叫做「無產階級專政」。如果「職業革命家」的觀念，是源自巴枯寧和尼車伊夫，那麼「無產階級專政」，也有所本。它不是馬克思的（馬克思只有那模糊的觀念），而是一個俄國革命家彼得·提卡契夫（Petr Tkachov）的。提氏在一八七五年曾寫過這些名言：「一個革命家，常有權利，號召人民暴動。他應使人民經常地準備革命。凡受人為的政府壓迫的每個人，常能夠而且願意發動一種革命。」「但眞正革命之能實現，只有一個方法，即奪取政權。……換句話說：急迫的和最重要的任務，是推翻政府，並把保守的國家轉變為革命的……這個「革命政府」，消滅全部保守份子……消滅所有阻礙平等及博愛之實現的全部制度。」誰是那「革命政府」的主持者，提卡契夫為是「少數的革命家」。列寧到將死之前，非常讚美尼車伊夫和提卡契夫。依據接近他的勞契。布魯伊維赤（Bonch—Bruyevich）的話：「他極其重視提卡契夫的論張，曾勸告每個人去讀它和研究它。」對於尼車伊夫，他曾說：「人們完全忘記：尼車伊夫具有超人的組織大才，能到處建立謀叛工作的特殊技術。」我們有理由說：列寧是尼車伊夫和提卡契夫的綜合；列寧主義，是尼車伊夫的「職業革命家」與提卡契夫之「少數革命家」專政論的綜合。所以要披上馬克思主義的寬袍，那因為思想是公認的先知，和常與西歐文化接觸的他，內心含蓄較少俄羅斯民族主義的成份。

列甯成功的關鍵　將政黨變成軍隊

如把上面的分析，作為俄羅斯社會民主工黨黨爭的尺度，那對於布爾塞維克與孟塞維克兩派的分野，將會有較深入的理解。一九○三年該黨在倫敦舉行代表大會時，關於黨員資格的爭論，馬爾托夫（Martov）確帶着馬克思主義學究的氣味，而列寧要求黨員不僅承認黨綱而且須參加黨內任一團體的實際工作，可算是知道政黨的要諦。當時，「火花」的要角之一波特列索夫（Potresov）雖然不贊成列寧的主張，卻能明白列寧的目的，是：建立近似軍隊的組織，它有嚴格的規律，下級無條件地服從上級的命令。「這是革命少數人的組織，到適當時候，那少數人就可奪取及行使政權。」列寧能夠建立那樣的黨，所以成功了，那鐵的組織，嚴格的紀律，和良好的黨內教育。因此，它的每個黨員具有非其他政黨黨員所有的組織力與活動力。靠着這枝特殊的部隊，使半年後的列寧，成為羅曼諾夫的繼承者，或布爾塞維克王朝的創建人。

波氏及與列哈諾夫們由於不顧組織那樣的黨，所以一事無成！一九○三年後，俄羅斯社會民主工黨的兩個派別，各自活動。列寧的布爾塞維克派，就按他的理想，在俄國國內及國外組織職業革命家的黨，這個黨，在一九一七年二月革命階段，並沒有多大的力量，但它卻有堅強的組織。

列寧八種特性說明共黨典型

這兒必需解答一個問題：怎樣才算做一「職業革命家」或「列寧主義者」？換句話說：列寧所理想的典型布爾塞維克，應具有何等的基本性格呢？筆者認為關於它的答案，該從列寧的身上去找。由列寧的生活方式，知道列寧，同時也知道「職業革命家」或典型布爾塞維克的面目。

自列寧死後，已發表的列寧傳記或回憶錄，筆者閱讀過的，數在十本以上。內中較為客觀的，不是托洛茨基與蘇巴林的「列寧傳」，而是俄羅斯社會民主工黨老黨員，與列寧、馬爾托夫、列哈諾夫、托洛茨基、布哈林等熟悉的大衛．蘇布（David Shub）。綜合蘇氏和別的「列寧傳」的論述，我們可發現典型布爾塞維克——列寧的輪廓：

有狂熱教徒的信心　除革命以外無職業

（一）一個典型布爾塞維克，以「革命」為職業，除了「革命」也無別的職業。他們有狂熱教徒的信心，捨身給「革命」。至於革命的目的，那無需他們關懷，因為先知馬克思已完全明白了。他們何以捨身給「革命」，那決定於他們自己的條件；但有一個共同的觀念，即志欲改造或變革當前要不得的社會。偶然地成為黨內討論與研究的對象，但並非主要，主要的鄉是推動革命的工作——它包括謀叛。日常工作的進行，個別工作的經驗，有時對於先知教義的認識，都構成黨內生活的內容。總一句話，成為典型布爾塞維克的人，似上帝用特殊材料製成的動物，他們的舉動與衆不同，但除非曾參加那樣工作者，卻不易看出那不同何在。

堅持己見不許改變　任何反對均置不理

（二）堅定的信心與鐵的意志，是每個典型布爾塞維克所必有的。由於信心的堅定，縱使他們被捕，決不因嚴刑而屈服而變節。他們似尼羅時代的基督徒，把刑場作為登天堂的石階。他們的意志，和鋼鐵一樣，除非用教義說服它，永不改變。那堅定的意志，是從教義演繹而來。就列寧而言，由德國返俄後，他的政見與卡米尼夫們完全兩樣，他絲毫不動搖地要他們把他的「四月提綱」視為一字也不能改變的教條、儘管大家都反對他，他卻有重新組黨的決心。結果他們終一屈服。又在十月革命成功後，還有不少老同志反對，甚至如高爾基指他為盲目的冒險家、毀滅無產階級與革命，他總無動於心。卡米尼夫因之辭去全俄蘇維埃中委會主席的職務，他也不動聲色地命令斯威德洛夫接代它。在俄國革命史中，有不少革命家都具有列寧的堅定信心與鐵的意志。

說服部下特具辯才

（三）因為職業革命家是革命隊伍的幹部，所以，他必需具有說服部下的辯才。十月革命後的主要布爾塞維克都有那一特長。依參加一九○三年倫敦大會之黨代表休特曼（Shotman）的描寫，聽了列寧演講後，「他總是贊成，但……

……。這種辯才，托洛茨基曾用以說服逃兵，把他們變為堅決的戰鬥員。

搶刼銀行　偽造紙幣

（四）因為每個典型布爾塞維克只知忠於自己的黨，所以常不擇手段地幹有利於黨的事。就布爾塞維克黨史而言，用不當說列寧坐德國政府的密火車的事，受列寧指導的「工作」（！），有偽造紙幣，引起德國社會民主黨的抗議；有搶刼銀行——這工作的佈置者常是能製炸彈的克拉辛（Krassin）；有騙取錢財或命令黨員與富豪之女結婚，如斯密特事件（Schmidt affair）。或騙資本家的錢，如莫斯科百萬富翁莫洛佐夫（Savva Morozov）就是列寧的施主。因為那類的事層出不窮，使黨內的重要同志，如盧那察爾斯基、鮑格達諾夫、波考洛夫斯基等都遠離列寧。

為肉慾及借地開會和年輕富婦談戀愛

（五）一個人之變為典型的布爾塞維克，確如尼車伊夫的形容，就毫無感情。除了同志之愛，沒有別的愛的存在。縱使是戀愛，也要用「革命」為尺度。列寧就有一例子。他曾愛（？）上年輕的富孀伊利沙伯K。但除了利用她的公寓為會議場，和滿足肉慾外，沒有別的。當他在巴黎遇見她時，她拒絕他的擁抱並說：「對不起，我的朋友，你已盡了。」他帶笑地接着說：「你的話說得十分對。但你還是一位有風趣的女人，可惜你不是社會民主黨人。」她馬上回答道：「你是一位有風趣的男人，所可惜的，你只是社會民主黨人。」最後一次，他和她的會見是在瑞士。有一天列寧教她下棋，到不耐煩時，他對她說：「我希望會見的單身女人，能懂三件事：理解馬克思，能下棋，能讀火車時間表。」這些事，道出典型布爾塞維克之男女平等的觀點。因此，深知列寧的馬爾托夫說：「在俄國只有兩位眞正共產主義者，即列寧和柯命泰夫人。」聽這句話的列寧大笑地說：「馬爾托夫是一位多麼聰明的人喲！」如大家知道，柯倫泰夫人是「一杯水主義」的提倡者兼實行家，從即能明白那些話的意義。

對於一切政敵　盡量造謠誣衊

（六）在第四項中，我們敍述過幾宗不擇手段的事，內中並未包括造謠。它也是典型布爾塞維克所不可缺的性格。列寧自創期起，對於意見不同者，常加以「官僚主義者」、「形式主義者」、「中派主義者」、「頑固份子」等罪名（見「進一步退兩步」）。彼得·斯徒魯威（Petr Struve）因離開馬克思主義，列寧在「火花」上誣之為「叛徒」。列寧的知友塔哈打列夫（Takhtarov）被這罪名所鼓勵旁人打斯氏，列寧卻滿不在乎地答道：「他是應該打死的。」十月革命成功，為爭取馬克思教使徒的特權，他罵考茨基為「革命叛徒」，這是衆所周知的事。晚年被刺後，他對於政敵，更任意造謠。克倫斯塔水兵暴動，本是列寧不合理統治的結果，他於下令大屠殺時，卻誣他們為受白軍將軍們的指揮。這些事實，恰如他對高爾基所說的話：「凡不和我們一起的，就是反對我們。」如我們所知的，列寧的高足史太林，把「不為同志即是仇敵」的格言，演變為「凡非奴才就是敵人。」

使條上畫一十字架　千五百人立予處決

（七）對於敵人，典型布爾塞維克會拋出他們的屠刀——殺戮。列寧和史太林等的殘酷，是愈變愈殘酷。一部布爾塞維克專政史，就是殺人的記錄。十月革命成功後，列寧立即下令槍決逃兵，並斥反對者有「不可寬恕的弱點與和平主義的幻想」。聽到「反革命活動」的報告，他怒火如燒的說：「難道在我們的隊伍中，找不出一個馴服的野蠻的反革命嗎？」他終於在黨內發現提任斯基（Felex Dzerzhinsky）有殺人的才幹，委以契卡（Cheka）首領即特工頭子的重任。有一次，人民委員會開會時，他問提氏：「我們牢中究有若干反革命者？」提氏在便條上寫道：「約一千五百人。」列寧閱後在旁畫十字架的符號還給提任斯基。提氏立即離席，那一千五百人被槍決。一九一八年夏天，社會革命黨左派與列寧分手，列寧就以「反革命」的罪名，屠殺分手者，在察里津（後改名史太林格勒）負屠殺任務的史太林，還未洗乾血手，得意地電告列寧：「你該確信，我們的手是不會顫抖的。我們會以對待敵人之道對待敵人。」同年八月九日，已大開殺戒的列寧，下令殺盡富農、教士和白軍，將疑者則關於集中營。婦一屠殺，引起卡布蘭（Fanya Kaplan）刺傷他。大家都知道，對付那事件，是發動「紅色恐怖」。「我們可以說：列寧的殺人還不及史太林。史氏眞算得「青出於藍，更勝於藍。」

漂亮決議毫無用處　奪取政權首靠武力

（八）典型布爾塞維克的政治目的，是奪取政權。要奪取政權，須有武力。崇拜武力，也算是他的特性之一。早在一九○五年，布派的力量還不十分微弱時，列寧就而告由喀山來的青年：「在俄羅斯黨的幹部的事是什麼？只一宗事——武裝暴動。」後來他研究暴動的巷戰，又立即和兵學大家克勞塞維茨的理論，都出於崇拜武力的動機。他比任何人更加了解武力是奪取政權的唯一武器。所以，在十月革命前夜，他告訴史密加（Smilga）：「漂亮的文字決議案，對我們毫無用處，我以為你的處境，是集合可靠的與武裝的人員，」史氏就根據他的話，控制芬蘭艦隊的水兵與兵士，這枝部隊後來是革命的主力。

上面八項，是列寧兼有的顯著性格。他似有自知之明，當佔據冬宮時，因供應日常用品的困難，對他的妻和妹說：「我們都是良好的革命者，「我不知道，何以我們感有證明我們具有與外國文化水平相等的義務。說到我自己，我不猶疑地宣佈：我是一個野蠻人！」

「我是一個野蠻人」

握有號稱為「無產階級獨裁」武器的「野蠻人」，是人類歷史上罕有之獨裁者及獨裁制的創建者。法國社會主義者——後來變為共產主義者的拉巴波特（Charles Rappaport）形容列寧為「社會民主沙皇」，並有這讚語：「他自視為超等馬克思主義者，他實非別人，乃是最高制度的冒險家。」但對於「冒險家」的功績，一九○四年的托洛茨基，曾有如此的估評：「列寧所說的無產階級專政，實是對無產階級專政。」又說：「如列寧取得政權，整個國際將受他的無產階級運動的法庭的斥責，將是和馬克思思想的師顛，台下的第一顆首級。」但歷史告訴我們：被殺的不是馬克思而是列寧手創的老布爾塞維克們，創子手是列寧的高足史太林！

自出現典型布爾塞維克後，人類政治史翻到新的一頁。政黨，不再是律師的講台，而是職業革命家的陣營。有了那種職業革命家，人類的政治生活，自然而然地獨裁。有了那種職業革命家，政黨要教會化，政治學說要教條化，人類自文藝復興以來的民主政治紐帶，因之全被割斷了。加上「馬克思主義」的「職業革命家」的黨後，由於前者之土地及工廠國有的政綱，就使專政的黨，擁有人類歷史所未有的權力，操縱該黨的獨裁者，變為人類歷史上所無的暴君。

對於典型布爾塞維克的理解，有助於明白當前中國悲劇的演出。毛澤東之能取得政權，一半靠史太林援助，另一半則靠職業革命家的黨。井岡山一段的歷史，沒有職業革命家的黨，不會和水滸差得多遠，以講農村包圍城市，而奪取城市並進的理論，也不會成為「毛澤東思想」的內容。但這是否說：民主國家和自由中國也需要那樣的黨呢？又，民主國家是否也要土地國有，與產業國有呢？我不擬在本文答覆這兩個問題。只反問提出問題者：民主國家如無那樣的黨，就不能戰勝蘇俄集團嗎？自由中國如無那樣的黨，就無光復大陸之希望嗎？國家要解除獨裁的威脅，要先消滅（不是改革）維持民主傳統之好現象嗎？難道自由中國要先有獨裁制度（土地國有）而後才能使中國得到自由嗎？

兩個高級女共幹色衰失寵
局長院長同被攻擊檢討
「中央派」要向地方發展，漢口「衛生局副局長」宋瑛，「教養院院長」劉靜，均因靠山他戀，地位竟首先發生動搖。

【本報漢口特約通訊】據說，批評是中共的武器，毛澤東並曾一再強調：「黨的各級領導機關和幹部，必須採取批評，接受批評，擁護批評，應堅決反對對羣衆批評置之不理，限制發表，和對批評者實行打擊報復與嘲笑的官僚態度。」話是說得再漂亮也沒有，可是做起來就困難重重，一方面是官官相衛，不受批評，一方面黨內派別太多，所謂「批評」常被利用作互相傾軋的武器。最近武漢有宋瑛劉靜兩個女共幹，即因檢討而引起派系（中央與地方）的糾紛，紙是包不住火的，從這兩件事，可以反映出今日中共幹部之排擠衝突，及腐化墮落，已到了一種什麼程度！

毛澤東發下匿名信 女局長要殺寫信人

先講宋瑛（女），去年九月一日，武漢市「人民政府衛生局」所屬醫務部門一幹部，用「陳頡」化名寫信給毛「主席」，揭發「衛生局副局長」宋瑛工作上的「一連串錯誤」，中共「中央」接獲控告後，就要武漢「市委會」檢查處理，「市委會」通知宋瑛，要她寫信檢討報告，俾在官官相衛下「一轉了事」，人總是喜歡表揚不歡迎指摘的，宋焉能例外？她在呈復報告中，除一再強調自己的「功勞」不承認錯誤外，並乘機大發牢騷，說黨沒有「照顧」她，而對於無法置辯的一些具體事實，如拒收南下大軍急症病員，致造成大量死亡，搜查職工宿舍，打人，貪污瀆職，挪用公款等，則避而不談。「市委會」對宋違反黨紀拒絕批評的態度，不僅不督促檢討改正，相反地，因為宋和市委會重要份子，都是李先念系統，是地方派，他們認為這次的控訴，是「中央」派要打倒地方派的一種陰謀，他們一定要追查控告人。十月廿八日，武漢市第二醫院非黨幹部王守正、紀凱夫、馬駿等三人被喊到衛生局，宋瑛指着一封寫給毛主席的信問紀凱夫：「這封信是你寫的吧？」紀答：「不是。」宋說：「他們（指王守正等）說是你寫的，你是青年團員，要老老實實承認，不准胡扯。」紀答：「不是我寫的，我不能承認。」宋說：「我就把顏色你看。」於是就要把三個人都關起來，嚇又問王：「你們三個人張三推李四，活見鬼，不要辯吧，吃了苦還是要承認的。」王答：「你們都是共產黨員，又都是我們領導人，為什麼給我們亂戴帽子？」宋大氣，上去就給王兩個耳光，大喊：「反了！反了！你這個『反動派』，以為有中央撐腰，就可以亂咬人，弄清楚了，我非殺你的頭不行。」

副市長維護地方系 中央派最後不放鬆

紀王馬等被打擊後，心實不甘，於是又向「武漢市委紀律檢查委員會」控宋違反人權法紀，請求保障，「市委會」復命「市政府」黨組進行檢查，這時，「副市長」周季方（黨員）也因為同系關係，借題發揮，他復信給「市紀律檢查委員會」說：「我們認為控告的事實不符合，控告人不是善意的，是有人策動他們在挑撥中央與地方間的感情，決不能以此信為檢查衛生局的工作根據，決不能因人家告一狀就來檢查。」信復上去，事就擱下來，一拖就拖到今年二月二十八日召開「武漢市政府黨組擴大會議」時，有人提到此事，宋瑛和周季方又一唱一和的在會議中拍桌大罵：「有種的把真名實姓寫出來，這種匿名控告是非法的，原控告人已違反了黨的紀律，我絕不接受。」最後，並肯定地說：「寫這封信的人，是受了別人愚弄，想把我們這點小問題擴大起來，去拖垮李主席（先念）我們有的是羣衆，我們不怕。」態度驕橫，囂張已極。結果市委會只好又以「批評」「教育」算了。七月初，「中南局」「紀律檢查會」又「勉強」對宋來了一個第二次「檢討」，宋態度如前，並說：「事情過去快一年了，黨組織為什麼還要檢討？我實在想不通，難道「毛主席」忘掉了我們這班生死與共的「長征幹部」了嗎？我為了這件事攪纏不清，精神上十分苦悶。」問題於是又擱下來。於是「中央派」下了決心，要打倒宋瑛和周季方，到八月十六，「市紀律檢查會」又接奉「上級」指示，要他們「嚴肅」處理這一問題，並給予適當處分，限定期間將處理結果報告「中南局」，代表「中央」的北平「人民日報」並特為此事在「黨的生活」一欄中大發議論，要求各級幹部對此一問題進行檢討，並求得思想上澈底弄通，以利批評，以嚴黨紀。看樣子，為了敷衍「中央」面子，宋瑛和周季方結果總不免要接受一點「處分」。

女院長革命二十年 功臣自居不受批評

再講劉靜，（女）劉是一個「革命」廿年的「老幹部」，現在是武漢市「生產教養院院長」，據向武漢市委會控訴她的人說，劉平常假公營私，獨斷獨行，并藉口「原則問題」「黨的利益」的大帽子去打擊其他「幹部」，拒絕批評，甚至還用木棍打人，她認為自己是個支部書記，院長，就應該是個特殊人物，她不繳黨費，不過小組生活，不聽大家意見，不關心工人疾苦和要求，無故開除工人，任意打罵工人，不准工人加入工會，對通訊員和幹部更視同奴隸，為個人享受，她要通訊員不論什麼天氣，每天跑幾十里路給她送牛奶，她怕熱，要幹部跑三五十里給她買西瓜，她不滿意該院組教股張嘉勤，常向她囉嗦，要他一個月完成三百雙鞋子的「任務」，張拚命做好了，又罵張把錢打成四股，違反中央節約號召，要張檢討，對解僱工人向不通知工會，也不給解僱費，她對院裏工人講話一開口就是：「老子革命廿年就是要享受，你們要享福，再等廿年，社會主義不實現一天，你們苦終是有得吃的。」因為她當大喊大叫的這樣講，工人都洩了氣，提不起勁，工作情緒生產效率以是大大減低。劉也是地方派，於是代表「中央」的報紙根據這種控訴，對劉大加攻擊，說「劉違反了黨的政策且目無組織，功臣自居，陽奉陰違，明知故犯，給黨造成不良影響，為了保持黨的嚴肅性，建議中央應教育並檢討劉，給予應得處分。」這一問題，現也和宋瑛案一樣，在武漢正鬧得十分熱鬧。

大將軍原是舊靠山 新同志擠垮老小姐

總之，從這兩個女共幹的言行，已充分暴露了中共內部的糾紛腐化，其實像她們那樣應受檢討批評的，在武漢共黨官僚羣中，正不知有幾百幾千，為什麼單揀了她們開刀？據深知內幕者談，內因為中央派勢力要向地方發展，別的共官，靠山都很堅強，不易動搖，惟有這兩位老大姐，從前本都是共匪某某兩高級將領的情婦，現在兩將領都另有了如花似玉的「新同志」，要大姐已擱置一邊，談「照顧」，首先該輪到「革命」女青年，「新同志」，因此，內老大姐也就不得不被人認作最弱的一環，而地位搖搖欲墜了。（懷民，九月卅日自漢口寄）

雖然慘遭陵辱但感光明在望
大雨下中共演「敵機」襲滬
人民不願佇立雨中者均被作為中彈炸傷 押令遊街示衆

【本報上海特約通訊】我在二十七日寫的那封通訊中，（編者按：已載本報第六十一期）曾報告中共強調「世界大戰即將爆發，上海為遠東重要都市，美帝必首先攻擊，因此，上海為防空，除頒佈各種防空法令外，並定日內舉行防空演習。上海市民，必須遵守法令，不可視為具文」。果然，二十八日，這所謂防空演習，就在裝模作樣，森嚴恐怖的氣氛中，緊跟着表演了一套。警報於下午二時四十八分發出，假定有「敵機B二十六型三架，B二十九型三架，F八十型十架」來襲，其中三架侵入市空，投彈三枚。在警報發出後，全市軍警密佈，一切車輛就地停止，行人驅立路旁，不許移動。不料老天似乎有意開玩笑，當演習正進行時，突然大雨傾盆，將神氣十足，驅趕行人之共幹及軍警，淋得一個個都成了落湯雞。佇立路旁的人，共幹仍不許走動，週身透濕，自更不在話下。其中有黃林書，樂成德等數人，因實在淋得難受，想起到一間屋簷下暫躲，當被共幹拘捕。臨時發明了一項懲戒辦法，將這幾個人當做被「敵機」炸傷的遇難者，滿臉塗上紅漆，用敞篷大卡車載着遊行全市，作為如不依法躲避，即將被敵炸傷之示範實例。警報雖在三時二十八分宣佈解除，但這幾個人，卻一直遊行到深夜，才准許取保釋放。據共幹表示，因鑒於過去市民對警報過分麻痺，故不得不採取嚴格訓練，預料，今後此類防空演習，仍將繼續舉行。老百姓雖不得不忍受共幹各種壓迫侮辱，但大家卻不期而然地都浮起了一些笑容，因為從共方這種手忙腳亂演習防空的情勢看來，他們覺得翻身機會，或許已不會太遠了。

偽國慶怕人民投彈

後天是中共偽府成立二週年紀念，此間中共當局，在這兩週來，已竭盡全力，做着盛大慶祝的準備。他們特別怕老百姓不起勁，這一次嚴飭各馬路及各里弄共幹，限令每店每戶除留一人看守房屋外，全體均須參加國慶大遊行。不過他們又怕「反動份子」乘機活躍，臨時特頒佈了幾條「必殺無赦」的禁令。略謂「本屆國慶，全市人民舉行慶祝示威大遊行，如有胆敢向遊行隊伍，投擲爆炸物或散發傳單者，即立予格殺。在遊行隊伍經過之商店，旅館，酒樓，住戶以及遊藝場所，均應注意遊行隊伍兩旁行人動靜，倘有疏忽，以致發生此類破壞事件，該出事地點之店戶住宅，均應一律查究。」這真給上海市民帶來了一個提心弔胆，坐臥不安的重大課題。既然每店每戶，只許一人留守，而這一個人，卻又須負担這樣注視行人動靜的重大任務。中共奴役人民，是如此任意驅迫，不顧死活的。不過中共一向不是再三宣布過，上海治安，已搞得如何良好麼？簡直是夜不閉戶了！為什麼現在還怕有這樣大胆的反動分子投炸彈散傳單，那豈不明明拆穿了中共的謊話？使大家想到，中共鎮壓．

屠殺表示內心恐怖
「反革命」失敗，眞正革命的洪流，還始終潛伏在大上海。

在中共這樣疑神疑鬼自相驚擾的心情下，二十八日又屠殺了百多名「反動份子」，計分兩批，一批是由「軍管會」判決的，共九十四人，一批是由「人民法院」判決的，共四十五人，其中以遊擊戰士佔多數，如王八妹舊部，平湖自衛隊分隊長陳久香，及東南人民反共救國軍中隊長王健飛，均一併遇害。又一度作過某報記者之盧美雲，亦被槍殺。據中共所佈「罪狀」，謂盧曾偽裝新聞記者，於國民黨時代，在上海混入章伯鈞寓所，竊去重要文件云云，實可謂信口揑造，實則盧原為民盟份子，後以民盟投共，憤然脫離，中共清算舊賬，乃不惜憑空造出偷竊文件之罪名，將其處死。中共殺人「罪狀」，其真實性，固大抵皆與此類似。至錢大樾之同時臨決，則不過為與此死難志士，拉一著名漢奸，附帶陪斬而已。中共之所以趕在其偽國慶前夕，既演習防空，又大批殺人，種種舉動，均充分暴露了中共內心的恐怖，等於夜行吹口哨，藉此壯壯自己的胆量，好讓「國慶」這一天，能無事平安度過。（悠然，二十九日，寄自上海）

「私營廠商」火中取栗
做了貪污共幹的貓腳爪
去年武漢一處被懲辦的有二千多件大抵廠商朗鐺入獄共幹檢討了事

【本報漢口特約通訊】中共各機關各部門的主要人員，例由所謂「老幹」充當。這些「老幹」們在「落草時期」吃够了苦頭，一朝貴為「官吏」，還有不盡量運用職權以求物質享受？因此，打着「國營」「公營」招牌的企業機構，固然鳥烟瘴氣，鬧出駭人聽聞的貪污，超乎常理的浪費，一般行政機構，也無不尋縫鑽隙兜圈抹角以圖抓油一把，管牠是「國家財產」，還是「人民脂膏」，這種事象，尤以「工商行政部門」為最普遍。牠們尋錢的方法，一般是利用「建設工程」和「物資採購」的機會，假手「私營廠商」從中尅扣回佣或利潤，成則坐地分肥，敗則諉過卸責，而「私營廠商」亦以有利可圖，樂得狼狽為奸，打成一片。應付得宜，彌縫有術的，隨可左右逢原，家肥屋潤，而這類「廠商」，大多數也都是「老幹」化身，或「老幹」關係密切的親故。至於一般廠商，固然抱着做生意念頭，夤緣巴結，妄冀分發一點「建設」財，卻往往由於賄賂不均，露出破綻，不但賠了夫人又折兵，甚至弄到鋃鐺入獄，人亡家破。下面這篇「數字」，就是一個最好的說明：

廣東江西也不落後

據「中南區政府民政部」公布：轄區內各私營廠商，藉承辦「工商行政機構」委托之建築工程或採購物資的機會，「不遵守財經政策，損害國家財產」的情形，異常嚴重。已構成刑事案件將廠商送交「法院」懲辦的，「武漢人民法院」去年十二月份一個月內共達二百三十件，今年一月份進為三百三十五件，二月份亦有二百五十八件，去年全年統計為二千二百五十二件，佔全部刑事案件的百分之二十五。此外廣東江西，也不落後。「廣州市人民法院」從一九四九年十二月至一九五〇年十一月受理的刑事案件中，「私營廠商破壞國家財產」事件均佔百分之十二，但由去年十二月至今年六月則進為百分之十八。江西省各級「人民法院」一九五〇年四月至一九五一年四月受理的刑事案件中，這類事件也佔百分之十七。僅南昌人民法院受理的六十九件案件，「國家財產」的損失，即有款四億二千七百餘萬元，米一萬餘石，穀二萬餘石，和其他許多物資。至於全區因此而損失的「國家財產」數目，可能百倍於此。

三種類型一樣貪污

另據「南昌市人民法院」解釋：此類「私營廠商破壞與竊取國家財產」的方式，約分三種，第一種是利用「加工」機會，對政府機關和部隊委托之事，並不按照合同辦理，有些把國家供給的原料及其他物資移作「非法經營」或變賣進行投機。有些則在生產過程中偷工減料降低品質規格。南昌市行健米廠經理熊文鏞就是利用加工機會先後盜竊了大米四萬二千餘斤。

第二種是利用交易機會，於接受公家委托採購物資時假借合同形式「奪取國家財產」進行投機破壞，或以劣等物資向公家索取優等物資價格，或竊取高額行佣及其他非法暴利，或則「誘引品質敗壞的幹部」互相勾結竊取國家財產。

第三種是承攬工程不按行合約，目的只在乘機竊取「國家財產」，或將工料標價奇高，在施工時則偷工減料，以劣等貨相抵。或將工程以低價轉包給他人，自己從中攫取物資。其實則無論那一種，總是商人坐牢，共幹無事。「私營廠商」只是火中取栗的貓腳爪！（懷民二日自漢口寄）

中共竟如此虐殺豫人
食時迫囚犯變猪
一客自豫逃港者所談

【本報專訊】客頃有自中州來者，云及鐵幕邇來對昔日之軍公人員，大肆拘捕，舉凡「起義」「靠攏」暨隱匿者流，均鮮能倖免。而被逮者則分區集中禁錮，居無席，食無器，雜沓麕集，有類犬豕。而於食時，則更作惡謔：蓋各「集中營」內，均於室外遍植木樁，狀如豬欄，下置一槽。每屆食時，則以饘粥注槽中，復縶囚者兩手，使之模倣豬豕俯而以吻就食，呼嚕之聲，不絕於耳，共幹則顧而樂之。設人數過多，則以次而及。食物腐臭，因之得病致死者，日必數起，共幹對之，漠如也。

客籍豫，云其縣境百里內，已野無青年，室如懸磬。蕩家雖業封；然經共幹再四之剝榨後，已無隔宿糧矣。偶得白麵，（豫人多食麥）必匿而食，否則，即遭「鬥爭」也。

客屢欲出亡，但苦無資斧，而對其親明甚或兄弟母妻，復不敢稍露出奔意，蓋不悉誰何非共黨之「特務」也。迨至大舉搜捕之際，其母妻乃泣而告曰：子再不行，禍將及矣，奈何？吾願汝寧作異地鬼，勿為故鄉魂也，况未必便死耶？曷遠颺？客始泣以無資對。其妻乃於櫝中出爛衲，引剪破之，於襟際出金釵一股曰：君昔謂我吝，今以此付君，差可辦纏也。客喜，懷而奔。至深圳，關吏稽查嚴，不得過，幸遇逆旅主人善，匿之溷中者，凡念餘日，會於風雨晦冥夜，始來此。（王禮立自本港馬鞍山投寄）

廈門之憶

·蘇夢·

在我走過的一些地方中，廈門是我頗喜愛的一個。本來只是偶然途經，却在那裏逗留下來，而且住了一節不短的日子，原因也只是爲了那點喜愛。

這個近廿萬人口的都市，沒有香港上海那麼炒得教人發昏，但麻雀雖小，五臟俱全，大都市裏的玩意兒它樣樣都有，你如果荷包裏不致匱乏的話，可以在這裏得到和香港上海同樣的享受，又可以閑倚逸緻，領受半鄉村式的悠閑滋味，總之，無須乎腰纏萬貫，却猶如置身於香港的郊外別墅。

我頂奇怪的是這幾乎是一個「小食」的都市，它和汕頭有點相似，但食品却不相同，滿街充斥着小食攤子，尤其隔悲僻處，更爲濟些食攤的集中地，食品做得很精巧，有如廣東茶樓的點心，但還要好。五花八門，名目繁多，油炸的，鍋肉的，煎的，炒的，各式各樣都有，隨到隨做，隨做隨吃。其中以薄餅和蠔煎最有名，爲當地特產佳饌；所謂薄餅，是春筍，豆夾，蒜仔之類蔬菜和肉，豆干，扁魚的混合物，用麵製的薄皮包裹。新加坡也多有這種食品，香港幾家馬來餐室也有得賣」，即所謂「福建薄餅」，但都走了樣，菜蔬沒有煮爛，形狀又太大，乾燥生硬，全不好吃。廈門本地的出品則是小巧玲瓏，一大鍋菜肉熱騰騰地滾得稀爛，要吃時，馬上裏上皮，淫潤潤的，臘上酸辣醬，一個人一口氣吃它十包廿包不算希罕。至於蠔煎，那更使老饕們往不置了，廈門的蠔，無可比擬，肚肥耳細，其味無窮，混以薯粉芝菜鴨蛋臘腸等物煎過，叫蠔煎。也有不煎的，單是混和薯粉放在湯裏滾，叫蠔仔圓，大概凡是到過廈門的外江佬或者遠離老家的廈門人，對於蠔沒有不念念不忘的吧。香港也有蠔，但方頭大耳，又醜又粗，如鞨破布，較諸廈門，差多了！差多了！

美麗的虎溪岩和幽靜的南普陀寺是廈門的名勝之二，「虎溪夜月」，景緻絕佳，南普陀就在廈門大學附近，遊人如織，拿着書在那裏去讀，以爲消遣些可以事半功倍，那是十足錯誤的，從山頂望下來，幽徑古寺，鳥語花香，廈大校舍全景盡收眼底，還有那一片浩瀚無涯的大海，襯以遠行的輪船和翱翔的海鷗，令人油然而生無限遐想，一本書在手裏捏了老半日，結果，還沒有讀下一個字。

對海的鼓浪嶼是住宅區，華僑的別墅特多，有渡輪來往，還是一個奇特的彈丸小島，沒有車輛，房屋道路沿山而築，有點像香港，原來以前也是租借地。街道狹窄而灣曲，只能算是小巷，是沒有車的原因，但因此更其顯出它的清靜雅緻，海闊天高，了無阻障。岩仔山爲鼓浪嶼最著名勝地，登山遠眺，廈鼓兩地瞭然在目，是小學生登高遠足的好去處。

若說廈門有什麼不好，也有的，那便是流氓很多，和碼頭「工人同志」的兇狠。報紙上時常說着流氓打人的消息，鬧得不成樣子，這些「好漢」都是有「背景」的，惹他不得。至於碼頭上的「工人同志」，我想每一個歸僑或者外來客甚至本地商旅都會覺得頭痛，小小一件行李，你不能自己提，要自己提，得交下一「買路錢」，還有所謂「出入費」之類，背後撐商賈，不一而足，他們的生活自然過得很舒服，吃酒滋事，有的還大妻小妾左擁右抱，他們早就是工人翻身了。算來廈門陷入共手也已近乎兩年了，屏時節閩南各地俱已變色，只賸下金廈鼓三島，廈鼓固守時期比較起來還算長，「解放軍」第一次以數萬人進襲鼓浪嶼，全團覆沒，「團長」「參謀長」俱身殉，「毛主席」去了，後來在鼓浪嶼建起了好幾座據說講究的紀念墳。如此反覆撲襲，仍無法將鼓廈拿到手，外圍的「解放軍」乃加緊趕造渡海工具，此種「渡海」工具，說來出奇，做成了兩片三角形的浮木，中間留出一道空隙，容納一個人鑽進去，沉在水中，人只浮出一個腦袋，此外還搜羅「夜壺」（小便器）和活鴨，據說準備放在水面浮動，以收魚目混珠，分散目標之效，夜壺裏還裝滿紅膏，中槍以後紅膏便流出來，教對方相信確乎是「眞人」不是僞裝。這種「妙計」，我想他們大概是向發明木牛流馬的諸葛亮所加緊學習得來的。

廈鼓淪陷以後，由於輕敵，「解放軍」好幾次進攻金門都弄得焦頭爛額，頭一次給汽油燒死於海面及登岸被計誘殲滅的，估計達萬人以上，而今已將兩年，金門島還是屹然無恙，而且成了反攻大陸的跳板，「解放軍」損兵折將，莫可如何，反而只得在廈鼓沿海加緊築建防禦工事了。

貪官不死，國難不止！

·尚方·

最近在一張報紙上，見有「台灣專訊」的通信，說「台灣國民政府外交機關，最近發現一件驚人的大貪污案，現已查有實證，將原駐某地專員撤職查辦」云云。通信稿內詳述此一貪污事件內容，是僞造出入口證，因爲「某地」接近大陸，最近因其所發的僞造入台證被查覺，乃得破此鉅案。原通信稿以「某地」二字代表地名，但此中有人，呼之欲出，誰也知道這「某地」是某地，那「專員」是某人了。

記得香港的國府外交機構撤退後，在報上也會見過此類消息，而且鬧到了監察院，然而，樓梯大響一陣之後，人影也未會見有一個下來。國際上大事化小，小事化無，國際上儘管以「貪污低能」相譏嘲，依然滿不在乎，只是我們這些求食海外的中華民國人士，忍辱含垢，受盡敵視我者，歧視我者，愛護我者各種揶揄惋惜的批評，無以解嘲。這在精神上，比在戰場吃了大敗仗還要難受！

人類有政治生活，即有貪污情事，天下老鴉一般黑，美國不是照樣也有貪污的官吏麼？有貪官不足爲怪，發覺了貪官而不能辦，或機然有價事的要辦而結果渺然，那纔可怪，那纔可恥！

中華民國如果要復興，就得拿出那套懲辦間諜的手腕來懲辦貪官污吏，纔有希望。他們縱然能逃往天涯海角，也要想法子捉回來，方爲興國氣象。貪官不死，國難不止，議貴議親，人心乃平。有志於復國者，其鑑諸！

自由談

哥德論革命（下）

·舜生·

哥德還有一段從正面去反對暴力革命的話，說得更爲澈底，他說：

『……人家都說我總不是人民的朋友，我當然不是那些以掠奪，殺人，放火爲事，而在公衆利益的招牌後面亟亟於營私舞弊的革命暴徒的朋友。我既然不是這些人的朋友，同樣也不是路易十五的朋友。我憎惡暴力革命，因爲如若實行暴力革命，好的事物被得到和被毀壞同樣的多。我憎惡實行暴力革命的人，也憎惡給以原因的人。……』

『……任何强迫的，突飛的行動，都是我所嫌惡的，因爲這是不自然的緣故。』

『我是植物的愛好者，我愛玫瑰……但我並不那樣傻，會要求我的園子在現在的四月裏就須給我以玫瑰。我現在看到最初的綠葉，心裏滿足；我看見葉子一片片地，一星期又一星期漸次形成葉子，心裏滿足；我在五月裏看見蓓蕾，覺得快活；又在六月裏玫瑰本身極華麗而芬芳地向我開放，我覺得欣幸。但凡是不耐煩等待季節的人，他須要到溫室裏去。』

革命是一個不祥的名辭，一個國家非到萬不得已的時候，決不宜輕言革命。但不幸中國在最近的六十年，革命乃成了無上的美名，好像凡革命都是對的，凡不革命或反革命都是該死的，自革命職業化而天下皆亂人，自革命功利化而天下皆强盜，於是乎革來革去，乃把一個國家革成了如今天的景象！哥德還只說『實行暴力革命，好的事物被得到和被毀壞同樣的多，』在這個六十年中，我實不知道所得到『好的事物』是什麼？而一切被『毀壞』掉的，乃實不是我們所能計算得了的啊！

最近一年，共匪在大陸殺人，以千萬計，其主要的罪名之一，便是『反革命』，旣有這樣多的人要反對他們的革命，則他們的所謂革命，其不爲人民所需要可知。

從前國民黨在大陸秉政已達二十年，我每每聽到一般要人們，在講台上發表言論，還是滿口的『革命』，『革命』，當時我總覺得奇怪：究竟叫誰革命？革誰的命？

今天要消滅共產黨，這只是一種警察剿匪的行爲，無所謂革命，我相信，要有十年二十年，我們不再聽到這個不祥的名辭，中國或者庶幾乎有希望了。

萬竹樓隨筆（三五）

捷克的球員

·竹泉·

捷京的赤色政權，最近已對過份熱心於運動的球員表示不滿，指責他們可能破壞進行得不很順利的五年計劃。捷共說，球員們常要「不顧任何代價而超過其他球員，甚至到了傷害其他球員的程度。」國防部長西碑加最近說：「我們的球員還是沿着習慣，踢球總想打輸對方，祇求得勝，而不是在體力上加强自己，以準備保衛他們的國家。這種小資產階級思想意識是要不得，必須立刻校正過來。」

× × ×

赤色政權下 親友不應探訪病人

·光宇·

在「管理上了軌道」的「人民民主國」裏，病人進了醫院，他的親友們是不應該去探望的。最近捷克布拉格市立醫院院長杜勃醫生提出了它的理由。他撰文說：「在資本主義時期，醫院裏的食物都十分惡劣。護士們不過是醫院的雇員，和病人並沒有同志關係。病人被醫院當局隔絕了和外界的來往，所以，他們需要親友們常來探訪，可以藉此知道一點外面的情形和消息，同時可以得到比較好的食品。但是現在的情形却完全不同了。醫院裏的食物非常好，配合病人的情況而供應。如果他們有什麼不滿，可以向醫院當局提出書面抗議……護士們能使病人享受到家庭的氣氛，向他們讀報，告訴他們種種新聞，他們原來在工廠或其他工作地點所得到的政治討論，在醫院裏照常可以從護士方面得到，她們會和他們研究種種政治問題。」

親友們不應到醫院慰問，還有一個理由。杜勃博士接着說：「不必要地到醫院探望病人，將還犧牲多少工作時間？要是親友們廢除舊習慣，他們將能組成多少在星期日也做工的志願工作隊？又在他們帶食物來訪問時，病人每會因爲能在醫院獲得滿意的食物而不要吃他們所送來的東西，在這種情形之下，將浪費了多少頓良好的食物？」

舊……件……重……聚

·一帆·

前德軍士兵最近在羅末爾墳前舉行了一項追悼會。自艾帥說，從前的德國軍人應保持他們的尊嚴後，幾個退伍軍人組織已合併起來，準備謀求統一和民主化的德國，到現在還沒有軍國主義抬頭的徵象。

過去德軍的同伴們最近已聚集在一起了，二千五百名德人經過依綏路的城門，走過西德法國紀念德國的十字架，慢慢的互相會合在一起。他們互相端詳他人的面孔，有時停下來，握手爲禮，說着「你是第十五隊的嗎」「我是不是曾和你一起在阿爾及打過仗」一和等對白。這是第二次大戰時著名的阿非利軍團老兵在戰後的第一次軍聚。他們一起行到這小城的公墓，舉行了一次儀式，追悼他們過去的司令羅末爾和在非洲戰役中陣亡的同志。羅末爾的遺孀也在場，扶着她念二歲的兒子曼弗萊特而放聲大哭。這些退伍軍人宣誓支持戰後的民主化西德聯邦共和國，願放棄政治上的歧見，維護軍人的精神和同伴的親睦。

從技術觀點來說，這種會聚是佔領法所禁止的，但是事態的轉變掩沒了技術上的小節。自德國戰敗以來，從前的軍人都被蔑視和遺忘了，他們難於找到職業，得不到津貼。在今年一月艾森豪威爾將軍發表聲明，說他不相信以前的德國軍人「已喪失了他們的尊嚴」以後，情況開始變了。到九月底爲止，九個退伍軍人組織已合併起來，成立一個聯合團體，定名爲「德國軍人協會」，它的會員大致將達二百萬人左右。不過從前德軍的侵略性軍國主義，到現在還沒有在這團體中重新抬頭的徵象。

這協會所定的宗旨，是達成德國的統一和自由，謀求歐洲的自由和團結。同時會員們「必須澄清可以使他們的生命再遭受危險的局勢。」他們說：「我們已準備和自由世界的一切軍人攜手共進，……」

「自由」通訊

·周明譯·

美聯社記者奧蒂斯在捷克被加上間諜罪名判刑十年後，美方曾多方設法營救，除會同英法禁止捷民航機飛過西德領空外，二日又採取報復行動，取消了對捷貨輸入的關稅特惠。一個捷共的發言人說：「這是對捷克共和國的公開歧視。」同時，布拉格電台廣播了一封據稱是奧氏「自由」寫給她愛妻的信，說：「我相信你對我的被捕一定會震驚，我現在所能向你提出的解釋，是我因從事間諜活動而被抓住了……當我接到搜集情報的命令時，我沒有審愼考慮而就去履行它。今天我才知道我是怎樣損害了誠摯地爲世界和平而努力的捷克國家的利益，我感到自慚，我的痛苦想祗有你能知道，親愛的……」最妙的是這節廣播的尾巴，布拉格電台評述員說：「這封信已表示奧蒂斯能和她太太自由地通訊，如果說布拉格美國大使館的官員不能和他交談，那是因爲奧蒂斯自己不要會見他們。」（原載「時代」週刊）

美國政治上最重要的女人

——張天寶譯自「週六晚郵」——

她樣樣都親自動手，勤勉而不怕勞苦。

一九四四年民主黨在芝加哥舉行大會時，她自己出旅費前去參加，而坐在論壇報發行人麥柯銘上校的私人廂位裏觀看開會的情形。

就在這年秋天，她昇任了紐約區民主黨競選運動婦女部門的負責人。第二年春，她打破了民主黨一貫常的紀錄。在一年以前，她祇是一個無名的普通婦女，自己跑到民主黨總部去獻身服務，而到這時，她竟當選民主黨全國委員會的執行書記，這是她入黨以來第一個可得薪俸的職位。

愛德華夫人具有攫取權力和執行權力的獨特天才，她能夠應付任何局面，如辦公室裏的糾紛，她的孫女生誕時的困難，以及種種需要以決斷手腕處理的事情。這個特長使她非常順利地在民主黨委員會中逐步推進，人家似乎在慢慢的退縮，直到她控制了這個繁複的機構。

愛德華在初就已坦白地表示，當她有任何譴責，乃是侮辱整個女性，而對於男性也是一樣。無論在什麼時候，如果她在黨的組織裏受到輕視，她會不顧一切而加以反抗。有一次，一位著名的女黨員請她轉約當時的民主黨主席漢納根一晤，她答應了下來，漢納根却故意避而不見，她馬上咆哮起來，寫了一封措詞嚴峻的信，說要是她因爲是個女人而受蔑視，她是不堪忍受的。她要求辭職，最後還是漢氏軟化了，接見了她的那位朋友。漢氏的後任鮑埃爾，到現在還是十分看重她的。

雖然一九四六年的大選，民主黨不算全勝，但是愛德華夫人却因這次大選而側身於民主黨重要領袖人物之列。在這一年，民主黨特別設立了一個婦女部門，以求吸引女選民的支持，這位置起先由一位當過大學教授和國會議員的華特霍斯夫人擔任，而愛德華仍任書記。不過，他們兩人的意見愈來愈分歧，華特霍斯終於被派到國外，在西德美佔領區軍政府任職，由愛德華接替了她的職位。當今年五月她發任民主黨副主席時，她的地位聲譽和權力可說已到達高峯。

愛德華夫人的丈夫常常爲她工作過度而擔心，但她是一個這樣固執的女人，旁人的勸說，自然沒有多大效用。（六）

自由人

THE FREEMAN

（半週刊每星期三六出版）

（第六十三期）

每份港幣壹毫

督印人：李光華

社址：香港高士打道六十六號

電話：二〇八四八

GLOUCESTER RD. HONGKONG

TEL: 20848

承印者：東南印務出版社

地址：高士打道六十四號

台灣總經銷處

台北重慶南路一段七十四號

辛亥革命與反共抗俄
紀念中華民國開國的四十週年

左舜生

一個國家，尤其是一個具有悠久歷史，深厚文化和廣土眾民的國家，適於時勢的需要，感於人心的同然，不得已起來徹底的改造，這實在不是一件容易的事。

在辛亥以前，關於改造中國的計劃，至少有兩個截然不同的方案：一個是孫中山所代表急進的革命方案，另一個是康有爲梁啟超所代表漸進的君主立憲方案。革命方案所標榜者爲法美，君憲方案所效法者爲日本。自這兩個方案先後提出，鼓吹，而進入實際行動以後，中國的知識分子並不是沒有經過一番選擇而當然便有所左右袒的，我們只要看一直延到光宣之交，這兩派機關報論戰的激烈，我們便可以了解他們確實各有其立場，各有其徒眾。

當中山個人最初立志從事革命的時候，據他自己所述，他並沒有看到自身可以看見革命成功的把握，一直要到光緒三十一年七月『同盟會』在東京成立，他才確信革命大業一定在他手裏可成功。『同盟會』的成立這件事實，代表兩個意義：其一是革命力量的團結於一，其一是中國的優秀分子多數選擇了革命，而使君憲派歸於沒落。

平心而論，當日君憲派在宣傳上確實是相當的堅強，其所假想革命後可能發生的若干不良後果，也決非無見。但何以到了清末最後的十年，革命潮流一天天趨於激烈，而君憲派乃處處提得見絀，乃至連一代表君憲派的首領梁啟超，一直到那拉氏死了以後，也還是不能大踏門一步？這裏面的微妙消息，我們還是不能不從中國傳統的歷史文化來求之。

原來滿清以一個文化落後的少數民族，循着中國歷史上異族照例由北方入侵的老路線，因緣時會，以武力，以陰謀，把中國勉強的征服了，這斷然不是大多數優秀的漢民族所能甘心的。我們只要看明末，尤其南明，那班殉國的仁人志士，至斷頭，流血，亡命，依然是彼仆此起，前仆的繼者不悔；那班遺臣學者如顧亭林、黃梨洲、王船山輩，也還是要著書立說以昭示來茲；及至到了滿清初葉，漢民族中的若干高級知識分子，也依然是不忘舊物，往往在他們作詩行文的字裏行間暴露他們的觀感不平之氣，以致引起順治，雍正，乾隆各朝的文字大獄，這可以證明中國歷史文化的傳統精神是何等的堅強！

以『太平天國』一役的浩大聲勢，本來是可以亡清而有餘的，但何以他們僅得那樣擴大，時間延長那樣久，而終不免於失敗？此無他，實是因爲太平天國那班領導人物，與中國歷史文化的距離過於懸遠，他們建立了許多離奇怪誕，於中國歷史文化絕少依據的制度，又雜糅了一種非驢非馬類似外國而實非外國的宗教以實行其詐欺，這決不是代表中國歷史文化正統派的士大夫所能忍受的，於是乎曾、胡、羅、彭、左、李之流，乃不能不投袂奮起，以一個更堅強的力量，予『太平天國』以迎頭痛擊。我們只看曾國藩討『太平天國』一篇檄文，便可了解他們維護滿清君統的意味實在是非常的少，而維護中國固有歷史文化的意味乃特別的多，即可看出他們的宗旨之所在。尤其曾氏兄弟到了晚年，還要熱心刊印『船山遺書』，其心志豈不是更爲明朗？因此我們可以說，戰勝『太平天國』的，決不是滿清的武力，而是中國傳統的歷史文化，和中國士大夫那種繼護中國歷史文化的堅強意志！

可是『太平天國』雖然是失敗了，但『太平天國』一役直接間接有助於辛亥革命的成功，卻是一個不容否認的事實。中山個人之立志『驅除韃虜』，據他自己所述，便是直接受了『太平天國』的影響；我們檢討章太炎、鄒容、陳天華、汪兆銘諸人那些鼓吹種族革命的文字，也可看出他們對於『太平天國』的失敗，曾表示何等的惋惜；而同時，他們自洪氏滅亡以後，其餘部流亡匿跡於國內外，去參加組織那類『反清復明』的祕密組織的也頗多，中山在華僑中宣傳革命，首先便以這班人爲對象，而得當他們深厚的同情；因此，我們說辛亥革命之所以成功，是中國上層知識分子固持歷史文化與中國下層社會的那種排滿的熱烈強烈信念的合流，也決不爲過。可見中山倡導革命，以政治爲目標，實是以種族爲手段，確是一個最能得當要領的舉措。

由這樣看起來，辛亥八月十九日的武昌起義一舉，到同年十二月二十五日的清帝宣告退位，僅僅不過四個月左右的工夫，便把一個延長了二百六十八年的君統推翻，假定不是有著深厚的歷史文化作爲背景，不有多數的志士仁人固持這個歷史文化的信念，在辛亥以前不惜斷頭流血去加緊的奮鬥二十年，中華民國便果真會這樣的忽忽出現嗎？

現在我們要在這裏鄭重聲明：中華民國，是幾十年，也可以說是幾百年，中國志士仁人的血染成的，確有其歷史，文化，種族的深厚背景，決不是任何毛頭小子所得而輕易推翻，毛澤東引進一個北方落後的斯拉夫民族來凌中國，不惜自爲石敬塘、劉豫、張邦昌、吳三桂……，其命運必且同於洪秀全、楊秀清，與四眼狗！今天我們來反共抗俄，依然要根據我們國家民族的立場，歷史文化的信念，參合世界自由民主的主潮，對他們加以迎頭痛擊，這是毫無疑義的！

吉田內閣閣員木內直
分訪世界各國

過港時對本報記者說，日本駐台機構將相當龐大。又說：日本人最渴望的是台灣香蕉和波羅蜜。

【本報專訊】日本外務省經濟委員會主席木內直，於五日下午搭英國海外航空機飛港，他用了兩天的時間，和港府協商英日間支付協定。他說：英日間之協約在本月底終止，此後香港和日本貿易將列入英鎊區，將重新簽訂一本貿易協定。此次他同來的還有參議員及經濟學家，他們在港研究，組織的三人團，已於七日飛倫敦，他們組織的三人團，過去了，便分訪美國、澳洲、東南亞各國。旅行，他們在那裏，將與英國有關方面商談一次，據木內說，他們此次在考察各國的財經制度，多多學習。他說：「事實上無此需要。」

關於台灣與日本之間的商務關係，他說：「大約在本月末至下月初，日本將派一位高級官員前往台北，設立一個類似商務代表團的機構，但此與領事館不同。因爲這個機構不辦外交事務，純係商業。但組織是相當龐大的。」他說：「台灣貨在日本最吃香的是香蕉。」他說：「日本人一向吃慣了台灣的香蕉和波羅蜜。」日本預備銷到台灣的貨品，他指出：計有呢絨、自行車和藥品。

關於和中國大陸通商一點，他不願有所批評，但他說：「一般日本人確有這個希望，日本政府並不鼓勵這個希望」。中國的煤與鐵，他認爲，事實上日本固然很需要，但由於日本不與中共訂立和約，日本是不會向這一方面發展的。」他明白指出：「東南亞方面的煤鐵，如菲律賓，馬來與印尼，日本在一九三六年以前，大部靠他們，後來因爲國聯限制日本，他說：『現在可以恢復這些地方才不靠中國』。」最後，他表示可能去走東南亞各地。」他說：「我很想過了長途，再訪問台北，他說：台北有許多我的老朋友，一別十多年來，貴國政府中有許多老朋友，心裏老是惦記。」木內爲現任吉田內閣閣員之一。過去的橫濱正金銀行總經理。爲日本財閥之一。過去太平洋戰爭時，兩艘赴滬，往返於滬港之間。（部一成）

駐港英國軍隊
可以確保香港

駐港英軍總司令孟賽中將調職離港前對記者如此表示

【本報專訊】香港英國陸、海、空軍總司令孟賽中將，頃由歐洲盟軍統帥艾森豪歐洲任命，任北歐聯軍副總司令部參謀長，即將離港赴任。他於香港總司令部招待記者，他說：這一次話，他來港就任總司令之職已經二年，這一次調職，事先僅獲得短期之通知，詳情一時尚無從知悉。」

關於香港的防務，他用很堅定的語氣稱：「駐港英軍之力量，如有任何威脅時，彼等足以應付一切困難。我深信這批軍隊可以確保香港之安全。所以香港之安全與繁榮，意盡上，余甚放心。」

關於太平洋公約之意見，他表示：「爲維護世界之和平與人類之自由，必須採取此等行動，以防範其破壞。但可惜上項公約，尚未形成。」他說：「我相信局勢日趨緊急時，太平洋公約一定會成功的。」

至於香港在遠東的地位，他認爲非常重要。香港是一個戰略據點，是到大陸的一所跳板，有堅守之必要與決心。

孟賽現年五十一歲。全名爲羅伯特·孟賽，一九〇〇年生於南非。一九二〇年七月初任皇家砲兵官，一九四八年十一月拜受陸軍中將。一九三一年十月選至一九三二年十月，曾任職伊拉克陸軍，後繼爲附屬伊拉克陸軍之英軍代表團總巡之參謀，迄一九三五年十月止。次年調任英軍官學校高級教官。至一九三七年八月止。一九四二年，孟氏服務於印度，初任砲兵司令，旋晉升師長，二次大戰時，於一九四四年在荷屬東印度任聯軍總司令。一九四七年返英任陸軍士官隊長。一九四八年一月至一九四九年一月爲英陸軍大臣幕僚，一九四九年十月十六日來港任陸軍總司令，上年八月復由英廷改任爲香港駐軍總司令。迄今尚爲一獨身漢，平生以軍旅爲家庭。其喜運動，賽馬、網球，尤嗜中國玉器。年方二十，即在軍校有獨特之表現，其時該校當局稱將來有一天在英國看到他，與其談兵事，許爲未來之將材。（部一成）

韓戰任何重大決定

將在英國大選以後

因上月華府三國會議時有此祕密協議

韓戰談判，由於共方接受李奇威更換談判地點的建議，及李奇威同意以板門店爲談判新址，樂觀氣氛又從絕望中轉趨濃厚。據十月八日新聞報導說，華府對韓戰前途，已作一重大檢討。因戰場情況，事實上已日轉嚴重，最近三個月來，以空戰而論，俄機出現的數字，大量激增。計七月爲二百七十五架，八月爲四百架，九月則突增加至一千二百架。至美軍傷亡，在最近一次的官報，九月六日至十二日共達二千二百七十二人，是和談以來傷亡最大的一週。這些數字，都說明了共方只在增加戰場的壓力，並沒有誠意談和。現在李業已請臨，美國政府對此究採何對策，李奇威急欲知悉。但華府當局，關於韓戰應否擴大問題，不僅過去都要受到參戰國家的牽制，上月華府三外長會議，據說，還更訂立了一項祕密約束，以後任何重大決定，美國都必須先行諮商英法兩國。英國現在正進行大選，在十月二十五日以前，如美國向英提出任何建議，艾德禮政府根本不會予以考慮。因此，與勃萊特萊同到東京的俄國問題專家鮑倫，可能會勸李奇威設法忍耐，不要對共方立即攤牌。

照這一說法看來，和談是可能再拖一個時期，重大的決定，恐怕只有等待英國大選以後！不過若蘇聯眞有決心，擴大韓戰，那就又當別論了！（一丁）

今日之言

居留海外的中國人，在本月上旬間，將逢兩個政治性的紀念日：一是今天的中華民國國慶日，一是九天前的中國共產政權之所謂國慶日。香港是民主自由之邦，居留民中，華人佔有十分之九以上，大家基於政治理念與信仰的不同，各自祝賀各人所認識的國慶佳節，正是人民意志的誠懇表現。凡是崇尚民主自由生活的人，很可以從此觀察民意向背的分量，究竟孰爲重輕？知所警覺。用不着作主觀的歧視，更不必現出咬牙切齒的醜態來，示人以不廣。他如果硬要擁護中華民國，硬要懸掛自己所信愛的國旗，你縱然咬牙切齒，甚至於氣得去上吊，又有何益？

共產仁兄素來指在海外不願投靠「人民」的中國人爲「殘匪」「小撮匪徒」，紙是頂礙的，但昨前兩天，卻大聲宣揚有許多人投函恐嚇商人要懸青天白日的國旗，好像那些「殘匪」忽然又成了大批人馬，其用意只有教人相信今天懸旗紀念雙十佳節的人家，都是受人恐嚇而然的，且對今天懸國旗的人亦暗示恐嚇意味，實則如果眞有人寫信威脅別人懸旗之事，那些信早已在報上製版賣錢了，又何須乎寫出甚麼「有個商人對記者說」一類的腔調來呢？我倒想知道今天在港九各處所見的國旗，究竟那一處是被恐嚇而掛的？九天前的共產國旗，是以總商會作嚮備處來澳汗大嘛的，結果如何，大家都有目共覩。但我們並不覺得有甚麼忌恨嘲笑之念。這是民意，誰敢強奸？

共產仁兄指中華民國國旗爲「青面獠牙」的「殘旗」，又說辛亥革命是「反動的資產階級革命」，是「失敗」的。然而，他們卻不知道這幅「青面獠牙」旗是孫中山先生在同盟會時代就設定了的，辛亥革命更是中山先生所領導的，如果都該打倒，何以在秧歌國慶的宣傳中，又要把這位設定「殘旗」的「反動資產階級革命」而失敗了的導師抬出來捧時髦呢？難道一時神經錯亂了不成！

搞宣傳搞到這種「言語道斷」的地步，還要說甚麼民主主義，眞是奇談啊！

半週展望

雷嘯岑

史大林自拉自唱的「原子」調

史大林最近命其御用的機關報——眞理報記者，發表了一篇自拉自唱的原子彈論調，惹得英美的政治家和輿論界，爲之騷動一陣，未免好笑之至！

我近來對於韓局的和戰消息，美蘇雙方所發佈的原子武器新聞，一概不發生興趣，以免枉耗精神。但史大林有句胡說八道的欺人之談，卻不能不指出。那就是他說蘇俄所擁有的原子彈，除了用以防禦英美的「侵略」而外，都要用於國內人民的和平事業的。「和平」原是史大林的戰爭邏輯內辯證別名，有若中共把「人民」二字變爲已有的專利品一樣，無怪其然。可是，原子彈決沒法用於國內的和平事業，祇有原子能纔可以爲人民的生活福利而應用，還是常識。去年維新斯基在成功湖上，大言俄國的原子彈是用來開山闢河的，已成笑柄，如今史大林又發此奇論，想藉以嚇唬世人。俄式共產主義者，總是以其無知的心情來看天下人，信口雌黃，話不爲怪。大家從他們這種本質中去衡量他們的言行，即思過半矣。

貝凡的競選演說

英國工黨左翼份子貝凡前天發表競選演說，指「大西洋彼岸的友人」——美國——希望保守黨執政。他認爲「這是歷史的諷刺」，因爲美國之革命獨立運動，是在保守黨執政時代發展的！美國是否希望保守黨得勝？還否清算百年以前的歷史舊怨？都屬無關宏旨。在我們看來，艾德禮與邱吉爾的基本國策，並無兩樣，誰勝誰敗，只是一個政黨的政權得失，與世界影響殊小。然而，貝凡所倡行的「一條路線」，至少是對蘇俄表示衷心友好之情的，何以史大林還罵工黨爲「帝國主義者」呢？貝凡所主張的「和平」方法，又只是教美國每年拿出百多億美元來給大家分，藉以「收買和平」。那末，保守黨不上台，美國人民就會慷慨解囊來做運送「和平」的生意麼？倒門！

共區人民不怕威嚇不受欺騙
強派勸售偽「報」仍難暢銷
這是中共即將崩潰的先兆　蕭必武所說共區報紙發行數字全係信口胡吹

·舍我·

北平共偽蕭必武，在今年十月一日偽「國慶紀念」廣播中，極力誇揚偽人民共和國兩年來各項成就。關於新聞事業，據稱：「新中國的新聞出版事業有了極大發展，全國報紙的發行量已達六百萬份，約爲一九四八年的三倍」。照蕭必武的語氣聽來，六百萬份這數字，無論是眞是假，但他敢如此提出，他自信就業有異乎尋常的勇氣。因爲他及同他地位相等的共黨，總以爲中國報紙發行量，如能達到六百萬份，無疑地，必已是登峯造極，「發展極大」。其實全中國大陸，有人口四億五千萬，日銷報紙六百萬份，比起中共一向說[illegible]的美國「紙老虎」，人口僅及中國大陸三分之一而報紙每日發行數平均達六千萬，實屬相差太遠。蕭必武所誇稱的六百萬份，不特不能算他「吹牛」的特殊勇氣，反而不折不扣證明了他太短視，太低能。試想這樣一個認爲宣傳高於一切的中共，在統治了全中國大陸兩年多以後，竭盡強派勸銷的全力，而報紙發行量，比紙老虎竟還是天淵遠隔，這豈不遺笑紙老虎，成爲中共的恥辱？蕭必武那篇廣播文，的確也太欠考慮了！

就中共本身報告證明沒有六百萬

報紙是中共最大政治工具，在大陸上，他們以種種方法，迫使人民將報紙視同布帛菽水，不可片刻離棄。尤其中共黨員，公務人員，武裝部隊及工作人員，必須讀報。五百萬黨員，必須讀報，宣傳員，報告員等，認讀報爲日常生活所必需。如果大家都讀報，則即除去一般人民，專就此數計算，約千萬之文盲，則不可再算。然而低到不可再低，所謂「發行量已達六百萬份」，蕭必武究竟是否確已達到？爲解答這一問題起見，我可以提供一些中共本身的官方文件，來證明蕭必武在廣播中提出此數字時，實有他驚人的說謊勇氣。

距蕭必武此次報告的前一年又四個月，即去年六月十七日，郵電部長[illegible]在「人民政協」報告，全國日報有一百六十五種，共日銷二百六十餘萬份。今年二月廿八日，即蕭必武報告的前八個月，中共召開報刊發行工作會議，偽郵電部報告，自中共將報刊發行工作，交由郵局主辦，現郵局代理發行之日報共一百四十種，日銷二百卅萬份。這數字比去年減低四十餘萬份，當由會議決定，到今年底一定要達到發行總數三百四十萬。其實，此兩次報告其可能性就很成問題，程度本就很少，因數字可能更少，能否增加尤屬疑問。即假定上述兩次報告爲可靠，但僅八個月，無論如何飛漲，似乎也很難從二百卅萬一下跳到六百萬，而且就比中共所懸的年底最高標準，幾將提高一倍。這實在不易使人相信！

「多發行一份報紙　即多殺一個敵人」

中共對於報紙的發行，一向本採取抗戰時期，日本人及漢奸在淪陷區辦法，強派勸銷，人民閱報，等於捐納。但人民總是和拼命逃稅一樣逃避閱報。今年七月，漢口中南郵政電信管理局發表「開展發行工作」一文，綜述該局一年中努力推銷中共報紙的各種方法，首稱，「郵局方面把發行報紙當作一項重要的政治任務」，提出「多發行一份報紙，就是多消滅一個敵人」的口號，則凡拒絕推銷中共報紙的，豈不由此將等於承認自己爲一個中共敵人？此後該局即列舉忍饑耐寒的推銷方法，舌敝唇焦，據稱：「湖南祁陽郵局郵務員黃明郵，每天冒着風雪，披蓑衣，穿草鞋，走向了農村，推銷一份報紙」。「祁陽郵局雖然承認此類辦法收效仍然不大，結果因農民不願，只好找一個區鄉級共產黨幹部，和政府機關首要，發法派銷，自得到他們大力幫助，發行工作才有顯著進展」。「湖北黃陂張店區區長，即在幹部會議上發動，指定每一個農會，如何派銷」。「各地更組織發行委員會，工作隊，發行站，及讀報組」，武漢市即在發行委員會領導下，成立了「五百個發行站」。又動員各地學校選派熱心爲羣衆服務的學生擔任發行員。河南陽縣更利用各小學生回家吃飯時間，將報紙向各村派送」。「郵局更將推銷標語製成郵戳，印在每一個經過郵局信件的信封上，藉喚起羣衆注意」。（按上海郵局對推銷共黨報刊，也特別賣力。九月十七日上海新聞日報載「郵局方面曾提出『一行一份報紙』的口號，並由郵工分別組成小隊，挨戶訪問，發展定戶」。）如上所述，中南郵局這樣吃苦耐勞，應該得到中共有關方面極度嘉許，不料漢口長江日報却在一面刊登郵局報告，一面發表批評，譏「郵局承辦發行，目前主要缺點和問題，是若干郵局職工思想仍欠明確，各地組織之發行委員會，大部流於形式，成績很壞」。該報尤其認爲痛心的，是「中南區三個重要報紙，長江日報，新青年報，工人日報，現有發行數字，都比中共預定今年標準，少到百分之三十以上」。這就是說，比中共預定標準至少差百分之三十。又北平人民日報社論，對全國郵局工作人員，指斥尤嚴，說：「一部份郵局工作人員，甚至一些地方的郵局負責人員，看待發行工作，認爲是賠錢的行業，認爲發行報刊是賠錢的事，因而對發行工作採取敷衍態度，對於發行部門的實際困難，不關心，對於發行效果，漠不檢查，不予以解決，也不加以批評」。郵局如此，也是共黨報紙不受人民歡迎，因之他們無論如何宣傳，如何強迫，如何努力，他們的銷路仍低落得可憐。依照長江日報所現有銷數較預定標準尙低百分之三十以上，加以類推，是中共報紙總發行量，今年七月，尙最高不過達到三百卅萬份之百分七十，即仍爲二百二十餘萬份。除非中共能進一步引申「多發行一份報紙就是多銷滅一個敵人」的口號，更佈告全國，「凡不閱中共報紙的，即實行以反革命敵人論罪」，則蕭必武所說的日銷六百萬，不特十月一日以前，絕未達到，恐怕也就會永遠無法達到了！

中共完全開倒車　同復了邸抄朝報

中共報紙之不受人民歡迎，除痛恨其出賣國家，投靠蘇聯，全部說謊，欺騙人民外，另一原因，即一切中共報紙，雖名目儘有不同，內容均千篇一律，自首至尾，百分之百，都是說教式長篇大文，或公報式法令規章。蘇聯及附庸國報紙，通篇滿篇了恭頌共魁的字句，毛澤東今年一月也不能例外。紐約新聞週刊五日曾記，赤朝某日眞理報第一版，共提過史太林名字一百零九次，外，一月一日香港出版之美國日報，也統計過，人民日報從七月一日到二十日，中共共提過毛澤東名字四百三十六次。人民日報之恭頌「領袖」，雖還遠不及共黨「眞理報」努力，但一定要將「領袖」大名，硬塡入報紙中，像念「教主耶穌」，「南無阿彌陀佛」一樣，和「南無」一則無二，同歸原途，因此，任何一份中共報紙，都卑汚諂佞，無法卒讀，中共統制下的報紙，已完全失去客觀報道原則，公正批評，它們只是一張傳單廣告，一般不能稱作報紙。內容經過長期演進，報紙好容易由專制皇朝的邸抄，進步到人民的宣達政令，而現在中共，却又個倒退，將人民輿論，恢復邸抄朝報，這確是中國報紙發展史上一最黑暗時期，且不僅從精神上批判，有如此荒漠落後之感，即就通常的編輯技術來說，今天中共若干主要報紙，許多形式，至少已退向四十年前古老的申報新聞報看齊。現代報紙，爲避免紙張浪費，節省閱報時間，引起讀者美感，一般趨勢，總字型縮小，選材求精，文字生動，排版活躍，中共報紙却幾乎都與此趨勢相反。以中共最高報紙北平人民日報爲例，就字型論，同直行的日本報紙，早已採用七號或八號字，大陸在中共侵入前，我國多數報紙已由五號進步到新五號，人民日報則從新六號又改回新五號。至報紙內容，因限於全面宣傳性，除「政府」法規，共黨演說外，幾無其他可讀之件，而此種法規演說，又往往長達數萬言，編者既不另作提要，也不分段標題，一片烏黑，擠滿欄止。因一切資料，根本是奉命刊登，不容許選擇，自然更談不到精要。又文法不通，別字連篇，或一句長至數百字，在人民日報，已視爲毫不足奇。整版方式，尤呆笨不堪入目。人民日報四大版，每版七長欄，長短參錯的排行，絕少題目冗長，正題副題合計，竟有多至百字以上的。如何美觀動人，絲毫從不講求。人民日報是中共典型報紙，舉一反三，則中共報紙之不受人民歡迎，除不甘心情願聽從中共宣傳外，報紙內容的陳腔濫調，千篇一律及文字蕪雜，排版拙劣，也是最大的因素。

中共報紙編輯技術之落後，致影響到宣傳效能，中共宣傳主管機關，似乎也已逐漸覺察。偽新聞署長胡喬木於今年三月曾一再強調寫短文的重要。六月間，中共西南局也指示，斥責重慶西南工人報，瀋陽勞動報，中南工人日報，一滿紙長篇大論，文字生硬冗長，尤其不清，看不懂」。四月十七日中南工人日報「迎接五一」一文，第一句竟長達一百二十餘字，[illegible]

[illegible]

道，海外僑胞比鐵幕以內人民，眼睛雪亮，更不易欺騙。[illegible]

[illegible]

從老舍的「好不好和對不對」看出「靠攏」作家的嘴臉

·金和·

這類文字簡直活受罪

我們在思想和立場上雖不歡喜共黨那一套，但我們有時還讀些共產仁兄的宣傳作品，因爲這類文字至少有其獨特的潑辣刺激和那副地道的流氓本色。但是「靠攏作家」們的作品却完全不同了，看後直叫你渾身一身栗，作嘔不止。他們一派的作風只是一味的撒嬌作態，欲說還休，欲休還說，既要轉彎抹角的向主子拍馬，却又生怕歌功頌德越了界限，既要在字裏行間若有意而若無心的表白自己，却又怕露出來自己的馬腳。這類文字與其叫作品，還不如稱之爲造孽，在他們直是活受罪，所以讀者又憑空挨受一陣無法形容的感覺。我每次看了這類造孽文字，便不勝有「[illegible]，所不能容」之感，而深願能如「聊齋」上那個賣假股的，一吐這股濁之氣，「直從下部出突」的快事。

御用品永遠不入藝林

然而今天正是「靠攏作家」大量推出作品的時代，偶不小心，總免不了碰到這類雜念的濁氣。比如日前便遇到老舍的一篇題名「從『好不好』到『對不對』」的東西。原題是「爲人民寫作最光榮」，專爲共黨「十一」紀念而作的。如果「自由人」的編者先生能禁得起這股濁氣，就讓我借老舍這篇「作品」向我們的讀者刻劃一下這批人物的嘴臉吧。

老舍是一個自命文藝作家的人，文藝是屬於美的範圍的東西，合乎美的條件的便是好作品，否則是不好作品。至於美的條件，凡是從事文藝創作的人，都十分清楚，至少至少不會誤到以「文」爲說教與殺人的手段。「聖諭廣訓」一類東西寫得再高明，永遠不過是「御用品」，充其量不入文藝之林。「好不好」和「對不對」是兩個風馬牛的範疇，難道老舍連這點區別都弄不清白！然而他，坦白說了令人難以置信的話：[illegible]

[illegible]

彷彿聽到了嗚咽之聲

「你這樣說就業業，不太辛苦，太勉強，太不痛快了嗎？」老舍這一自問，也可道出他整個心情，我彷彿聽到一個被委曲者的嗚咽之聲。但他自不願一下讓主子們起了疑心，所以又趕快掩飾：[illegible]

[illegible]

重慶一百五十萬人失業
青木關已有游擊隊
王陵基長胖了　康新之已破產

【本報專訊】據重慶來人談：重慶二百萬人口，失業人數估計一百五十萬左右，鄉郊搶劫之事時有所聞，傳青木關附近已有游擊隊。共軍晚間多閉戶不出。市內的房屋，比較看得上的都由共軍收去。以房捐及地價稅抵押。普通貧民所住的茅屋，每月繳捐四五萬元，瓦木房繳四五十萬元，而洋房每幢非二三百萬元不可。因此最好的洋房賣價亦不過四五十石米。

磁器口的集中營，關上一千多人。他們有些可以走出來，在附近街上行走，有槍兵押着。每人背上穿着白粉字「自新人」的短襖。這一批罪刑較輕，大約在二年以下徒刑的，皆爲「自新人」。但重「犯」如宋希濂，王陵基等則囚於重慶市內的從前宋子文住的宅子內。宋未死，惟因個性倔強，已上手銬。王則比較「優待」！可以在園子內散散步。有人見到王陵基，說他反倒長胖了。

嘉陵賓館和勝利大廈皆由蘇聯顧問居住，每星期六晚上必開晚會。在都郵街上的星星咖啡館，現在去吃咖啡的人，仍是不少。可是階級已換了。曾家岩的求精中學，抗戰時魏德邁的司令部一度做在裏面，臨走時所有設備房屋均奉贈該校，最近校長遭清算，美國留下來的產業，全部移交出來。今年廣柑豐收，便宜得很，每元（共幣）一隻，有時一元可以買二隻。然而買廣柑吃的人，仍是寥寥無幾。

重慶大亨康新之的美豐錢行已全部出來，欠的稅仍未繳清，反正業已破產。共方拿他無可如何。在都郵街柴家巷上那所五進的大宅子已被市府一間間分租出去，讓他住在後面一間。從前作跳舞廳的會客室，現在作爲區公所辦公室。他幾乎每天要到區公所去，受檢討一次。天府煤礦公司已由共方軍管理，劃入成渝鐵道管轄。在奴隸勞動「努力增產」口號下，出品數量比以前確已增加。（獨客）

繼「地主」「富農」以後
刀口將轉向「民族資本家」
上海兩大紙廠總經理金潤庠首被檢討

【本報上海特約通訊】在地主，富農，中農都已鬥爭清算，家破人亡以後，中共的刀口，現在顯然要逐漸轉向各大都市中所謂「民族資本家」了。在上海的一些私營工廠，商業銀行，雖然兩年來，已受盡中共壓迫凌削，但名義上，總還掛着一塊民營招牌，最近，卻一步一步加緊壓榨。眼看這班兩年前洋洋得意欣然盡擁的「民族資本家」，不久就要與地主富農們走上殊途同歸的命運。下列這兩件事，就是「一葉知秋」最顯著的開端。

上海兩大紙廠，民豐，和華豐，在國民政府時期，為愛國銀行大量貸款，建廠早經獨立。上海淪陷以後，主持人金潤庠倚仗着若干高級共幹與自己素有私交，並不惜千方百計，饋送金條，介紹明星，以為如此可以在中共統治之下，不但能繼續獨立經營，而且將繼續賺得頭大利潤。果然，他第一步目的達成，中共在點查兩廠資產以後，仍然派他做兩廠總經理。不過「獨立」兩字做不到，一切都得聽中共指揮監督，好在總經理名義，既甚體面，薪水也極優厚，他樂得做傀儡，這樣也就混了兩年多。

不肯放鬆。由於[illegible]以來，物價飛漲，人民幣不斷下跌，於是中共內的財經當局，也採取了過去國民政府限制放款緊縮通貨的一套辦法。都必須經過「公私」[illegible]，任何銀行聯放處，但若干當放，任何銀行不許獨貸放。

情同貪污月支港幣萬元
影響生產出紙數量銳減

在過去兩年多的期間，民豐華豐名義上雖是民營，一切都必需服從中共支配，所有利潤，都要包括種捐稅，捐獻，全都在內，但金潤庠還在自己那一份優厚薪水上，受氣吃苦，自當有代價。不料前幾天，中共忽然指出：「兩廠所造捲煙紙，利用外匯購貨已被禁絕的機會，竟擅估成本，將成品售價由每箱五百萬元，漲到九百多萬元，有意擾亂物價，且因此影響市面，經派員到廠調查，金潤庠竟多方閃避，不予合作。」中共又指出，金潤庠交際費每月平均達一萬，合計折實單位（約港幣一萬元），情同貪污。並謂兩廠因金潤庠經營不善，風氣惡劣，致工人生產情緒低落，七八兩月份生產量，均比六月份銳減，計作此兩月內，新聞紙每天平均減了百分之十點七，捲煙紙減了百分之零點六，尤以新聞紙減產，嚴重妨害了各報館及出版機關的紙張供應，因而阻止了文化宣傳事業的發展。結果，中共認為金潤庠的種種做法，必須徹底檢討，嚴加懲辦。金潤庠這幾天正在四出奔走，企圖和解，但因廠內款項已用光，不能像從前一樣可以一手支配，私人財產已捐獻盡了（中共最近發動捐獻飛機大砲，金潤庠已捐了十七億元），無法再捐獻以供共幹需索，看來還不易和解，金潤庠將來的命運如何，我們實不得而知了！

九家商業銀行 違法放款被懲

中共對名義上尚屬商業銀行，管制嚴厲，掛有「官股」的商業銀行，尤一

[illegible]營生的商業銀行，如果嚴格遵守中共規定，則收入毫無，連職工，薪津，也將無法支付。因此，大家無法顧上不顧下的辦法，各行職工，下區畫共同諒解，於中共規定範圍以外，仍儘量通融不時向外密放款。但職工中自然有不少秘密非特結果，仍違法貸款情形，為中共所偵悉。上月廿八日，共方向金城、中一、中國實業、大陸、國華、聚興、茂華、志裕、東萊等九行突擊檢討，並指出下列各項放款，均為嚴厲的違背了中共的金融政策：一、「金城」不執行緊縮計劃，對花紗業放款方針，私行貸放了該業八十五億元。一、大陸「不執行緊縮對鋼料冶製工業放款方針，私行貸放了該業一百億元。「中一」違法放給中聯染織廠二千萬元，用途填為設其，但實際上中聯只需要七百萬元，餘之款，都用來套購了兩件棉紗。「茂華」放給天利棉織廠二千萬元，用途也填新，結果，是用來囤購了棉紗。此外「國華」「東萊」「寶華」等，情形也多相類似。「中國實業銀行」西區支行，不遵放款規定，先後向大陸游泳場，放款三次，計三億多元。而該游泳場，利用與該行往來關係，濫開空頭支票，計今年一月到三月廿二日退票五十五次，金額二千零七十萬元。三月廿二日至七月七日，七十次，金額七億一億元。以後至八月十三日，又退票十八次，金額二億二千餘萬。該行一面明知該游泳場信用不佳，一面仍繼續放款，以致全部款項，至今分文無着。該行經理胡巨川在銀行界資格很老，頗有資產。他對來檢討的共幹說：「我當了大半輩子銀行，從來沒有吃過倒賬，都說我們行的放款沒有吃過倒賬，還若是處處遵守「政府」法規，大家就得等待不講免職。」共幹聽了，果然認為他有[illegible]，不應該說出這樣的話，政府的信用可說如此，所說「政府」法令都不可靠，政府將來出了事，何以處業[illegible]，他們要將逐漸的走上毀滅的命運了。（悠五日寄自上海）

居然擺出了「皇帝」作風
迫各地人民向毛澤東進貢
珍寶以外萊州梨也要先挑好的送毛嘗新

【本報北平特約通訊】十月一日中共的二週年「國慶」紀念，已於愁雲慘霧中渡過了。借着「國慶」這名義，中共卻又在全國各地，向老百姓刮得不少金銀，玉器，古董，玩好，作為獻給「毛主席」的禮物。這是繼獻機獻砲後的又一種大搜括。並且獻禮的時間，可以延長至今年年底。目前還沒有正式發動，據說，已經送到北平的，業在千件以上。正式發動以後，則全國老百姓任何珍品，都將被搜括一空。中共搜括技術之細，不至，不特前無古人，實也後無來者。且不特金銀，玉器古董玩好為然，這各地土產食品，中共也都在大張旗鼓，飭老百姓挑選最好的獻奉「主席」，這則於搜括以外，還恢復專制時代各地向皇帝進貢的辦法。十月一日那天，所有獻「主席」的禮品中，山東的萊陽梨，也有十大簍，是特地從萊陽經膠濟，津浦兩路用專車運來的。中共報紙，還大事宣傳，說這是萊陽翻身農民于克堯，于克文兄弟特在自己果園摘出的，他們認為這樣好吃的東西，民不致自私，要先送給「毛主席」嘗新。有人說，現在的交通確太比古代方便多了，如果毛澤東要有楊貴妃的嗜好，想吃荔枝，那麼，廣州主席葉劍英就一定會用飛機送來，用不着「一騎紅塵」那樣苦苦等好多天。不料「人民作主」的時代，毛澤東之流，居然還帶着這樣濃厚的帝王作風，這真是匪夷所思了。

「反動」從五十年前算起

緊接着「國慶」以後，平津兩地，中共即又將表演拿手好戲，那就是平津兩地大約各又有數百人，將被中共公開屠殺。天津方面，據說，內定處死的，至少三百名。被指控殺害李大釗的兇手楊懋華，即將為此三百名中之一員。據中共宣傳，楊懋華還自十八歲起，就幹着反革命工作，滿清光緒二十六年，帝國主義的八國聯軍打到天津，他作了「六國都統衙門」巡捕，以後陸續在天津，東三省做巡官，巡長。一直到宣統末年，在北京步兵統領衙門當稽查。民國十六年四月九日張作霖搜查俄國兵營，中共首要李大釗等被捕，楊正任北京警察廳偵緝隊分隊長，他曾親身參加搜捕工作。他現已七十一歲。這幾年，在天津十一區南大道，開雜貨舖，以為可以無事。但仍為中共拘捕，已決定判處死刑。「反革命工作」，中共原來竟要從五十多年以前算起。但中共到今天，還只有二十多年歷史，因此，在中共未成立以前，所有曾替滿清，以及民初的北京政府有過關係的，是不是都會按反革命治罪？由楊懋華這一先例，使此間許多經過無數朝代的老人，大感驚惶！

陳立夫禍延北洋大學

華北具有悠久而光榮歷史的北洋大學，在過去數十年中，曾造就了不少工業建設人才。中共卻認為這些人才，過去多在國民政府服務，尤其從工業而轉入黨政的如陳立夫，曾養甫，徐恩曾之類，中共更認為是北洋大學校風的腐化惡化所造成。因此，對北洋大學視為眼中之釘，竟然，現在還將北洋學生二千餘人，但中共最近宣布將北洋大學名義取消，所有設備及職員學生，一律移送新成立之天津大學接收。天津大學，除接收北洋大學外，並接收了河北工學院。自十月一日起，天津大學宣告成立。中共派綏遠校委會主席，都由振潘承孝為副主席，趙蘇為秘書長，潘炎為教務長。北洋大學，在民國十七年國民政府北伐成功後，一部份教育當局，曾認「北洋」二字過份含有封建色彩，主張改變名稱，經全體師生力爭，一度發起護校運動，當局爲順從公意，始行作罷。不料這一塊招牌，今日仍為共黨所取消。北洋大學在華北的畢業校友，及在校師生，對於共黨一向專制獸酷之作風，對此次學校被共黨毀滅，雖憤恨叫囂，亦莫敢如何。不過想起國民政府下護校運動的熱烈，亦得到一番新的認識，自由與奴役的分野，使大家更[illegible]。

又原由美國教會主辦之津沽大學，經中共沒收，改為「國立津沽大學」，將為有宗教色彩之美國人卜相賢驅走。目前「教育部長」馬叙倫，還親赴天津參加該校「開校」典禮。並派共幹張國藩為校長。

外甥帶頭清算晏陽初

中共內華北人民，對過去若干年來晏陽初在定縣倡辦之平民教育，頗有好評，認為此係華北人民思想上一項大轉變，與武訓行乞興學一樣，均有徹底剷除必要。現在醒覺會，清算晏陽初運動最近特別在平民教育促進會服務的晏之外甥瀋洪字，在人民日報上發表「揭發我的舅父晏陽初反人民的罪行」一文，說「晏以平民教育為外衣，實際上替美帝進行文化侵略。抗戰時期，利用美金，在大批附設了一所鄉村建設學院，還即由我的舅母許雅麗擔任，在其中還附設小學，與小學的董事長，都做了美帝走狗，罪大惡極，必須清算……」云云。看來，或又有一時期，晏陽初將在北平上市出風頭了。（凝光，三日寄自北平）

不愧是「窮人翻身」的時代
「窮人就憑訛人吃飯」
·女科長叫女僕「捲上舖蓋快滾」·

女科長道，作威作福，大大欺人。難道共黨的「出身」，由此[illegible]，究竟是「窮」，是女僕，何人？讀了下面張玉潔的控訴，我們可以知道。

【本報天津特約通訊】中共號召工人一方面加緊「抗美援朝」，但另一方面，卻又只在各方面加以「照顧」，中共幹部說，吃苦時期，已有大才，以人民大眾為名，其實乃是由其影響之下，但共黨幹部自己卻十分的生活，早已不是中共十分之一，還比若干名為「人民」者，大大優越。[illegible]

張玉潔的控訴：各位同志：我叫張玉潔，今年五十歲，天津人。我在天津鐵路局管理科科長陳英家裡做女傭人，以後陳[illegible]。我在家時候，懷孕五個月，我已五個月，她說：「不幹以後再說吧」。同志，病死掉了，致使我的孩子也得了[illegible]。

[illegible]

（洪洪，五日寄自天津）

誣賴小孩偷錢 酷刑毒打逼供

【本報漢口特約通訊】中共統治中國，大陸人民在「征糧」「抽丁」「清匪」各方面的措施、如「確」[illegible]，其餘：不堪設想。[illegible]

好兇惡的共幹

據河南某縣城關合作社會計李岳森（共幹），據該社營業員王福生（十歲）招牌，不合規矩，被李岳森拳打腳踢，王福生被李毆打以後，不過[illegible]。九月某日李岳森指控王福生偷錢，把王福生吊在房子裏，用槍托打，並吊打三十萬元，最後一千元[illegible]。

中國糧食公司漢口分公司股長劉殿增（老共幹），八月十四日向平漢鐵路管理局三汊埠車站要求撥出四十噸車二輛，三十噸車三輛，三十噸車五輛。站長徐克正說明僅有四十噸車一輛，只能撥給該公司四十噸車兩輛。劉殿增不理，破口大罵：「什麼狗屁站長，」當時潘某上前勸解，劉殿增又打潘某耳光。

既罵站長狗屁 又打工人耳光

（懷民五日寄自漢口）

國慶日有感

·尚方·

凡是崇尙自由，愛護中華民國的中國人，當着今天這雙十國慶紀念日，都有一種歡忻鼓舞的情緒，表示其對國家民族的一片熱愛之忱。這種民族精神，即是中國人民永遠不會作異族奴役的偉大潛力。

然而，據報載澳門本月七日通信，當地一個身任中華民國外交職責的官吏，卻因澳門僑胞熱烈籌備國慶紀念之故，他覺得自己既經奉令去職，不待新任到來，不願再惹「麻煩」，竟提前攜帶妻室細軟，在雙十節前溜來香港了！

這類政治垃圾，本是使中華民國陷於危難的最大元素，天下滔滔，禰坑滿谷。他縱然留在當地，參預國慶紀念，也祗有增加僑胞們的不良印象，使莊嚴璀璨的雙十佳節，平添污點而已。他之悄然溜走，並不可惜。我所要講的，是中華民國到了這步田地，爲什麼還有如許政治垃圾堆集於外交界中，讓它們不斷的在海外丟醜？

身居海外，義不容辭的僑胞人數，依最低的估計，也在兩千萬以上，比台灣的全人口多了幾倍。中華民國之創造，華僑所貢獻的力量實甚大。今後要想華僑們爲復興祖國而一致努力，首先就得掃除過去堆集在海外的一般政治垃圾，纔能堅定大家的意志。像這幾年來在港澳各地若干政治垃圾所表現的情形，那祗有使大家心灰神傷，慼然歎氣。復興中華民國之道，外援有無，還在其次，收拾人心，與民更始，纔是第一義！

自由談

去年今日憶棲霞

·金石堅·

金風送爽，天高氣爽；曾經居住過南京的人們，大概都不會忘懷，到棲霞山去看紅葉吧！特別雙十節國慶這一天，更是人山人海，擁擠不堪。

出太平門至棲霞山，約三十華里。陸路可通火車，汽車，還有馬車和三輪車。長江內，亦有輪船可達。山下有棲霞鎮，鎮中設有旅社，一切尚好，以應旅客所需。

山勢蜿蜒，一峯聳立；峯腳建有棲霞寺，寺前有一池，池水碧潤，晶瑩可人；前清高宗乾隆南游時，賜名爲「明鏡池」。山腰有千佛巖，爲依山鑿石，雕成千名佛像故名。山巔建有三茅宮。

深秋佳日，楓葉滿山，鮮紅欲滴，當夕陽西斜，蔚藍色的天空，飄浮着幾片白雲。紅葉叢中，夾雜着蒼松翠柏。楓林像塗了口紅似的美人唇，緊含着棲霞古寺；金碧輝煌與西方的胭脂落照，相互掩映。陣陣的雁行，徐徐地在高空飛過；至令人心曠神怡，幾疑身在靈閬中矣。

登山巔，可俯視長江，波濤滾滾，如虹貫下。遙眺江心小八卦洲，一片紅蓼白荻，村落疏疏，半隱半現。風帆輪船，往來江上。北岸的琉璃饅頭，黑煙縷縷，直上晴空。南京市、紫金山、都收入眼簾。國父陵墓，亦依稀可辨；實爲京郊的秋游佳地。故每當紅霜白的時候，京滬男女，都紛紛往游，欣賞紅葉，車水馬龍，絡繹不絕。

寺中毘盧正殿內，觀音佛龕前，有一聯曰：「水月白蓮台，緣福城五十三峯，渡他苦海；楓霜紅葉，[illegible]鄉金陵四百八寺，撫此秋山」。對棲霞秋山的描述，是多麼令人嚮往，而留戀啊！

大陸變色後，此江南名勝，自不能例外，寺中已駐上共軍。游人只可入寺門，經天井至毘盧正殿止；再後，即有共軍守衛，不許進入，據寺方人云，內已改爲倉庫。

棲霞十景，除秋山紅葉、明鏡池、棲霞古寺的部分可以參觀外，其他如：千佛巖、桃花澗、半山亭、三茅宮……等，都不能隨便游覽了。筆者於去年雙十節遊棲霞寺遊覽時，（當然雙十節已不在中共慶祝之列，一般人更不會以紀念節日關係前往）曾遭受面目猙獰的共軍盤詰，幸地方熟人力保，得未發生意外。

共黨的幹部，都是死讀馬列八股的，它們認爲遊山玩水，是「封建的士大夫階級」的作風，「遠足」旅行，是「資產階級」，不事勞動的表現。所謂「封建」、「資產階級」便是它們所謂「革命」的對象；我在無數的教訓中，又得到一個新的教訓？

棲霞寺大門橫楣上，廖綱湘的題字「棲霞古寺」，金色閃耀，依然健在。但大門旁，已掛上「蘇南[illegible]政區鎮江區立師範學校」等銜牌。寺內殿藥，已被沒收，和尚多以被逍還俗。毘盧正殿，已改作該校的禮堂。兩旁廂房作寢室。門前的明鏡池，已變成它們的浴池了！

校內的紅男綠女（未來人師？），整日熙熙攘攘，腰鼓秧歌，滿壁雜亂無章的牆報；與過去的肅穆清靜，經懺佛號的紅魚境界，相形之下，頓令人有滄桑之感。

去年當時，共黨以秋風掃葉的行動，僅在棲霞山一個區內，兩次就逮捕了幾百人。經以「莫須有」的罪名判決後，便在該鎮召集區人民大會，開始「鬥爭」。所謂「罪狀」的佈告，貼滿了各村各鎮；隨着時日而大批地增加，刑場及行刑的照片，隨處皆是；爲鄉公所的巡查隊，日夜在各村整肅活動。到處都充滿着恐怖、殺戮的氣氛。

就在去年雙十節這一天，一羣帶着抑鬱、沉重、滿懷恐怖的鄉民，聚集在山前的廣場上，赤膊鄉跪在台上的鄉民戴廣令，剛說了：「人民政府要士改了，要拿我做模範，希望你們：……」第三句話還未說出時，便在「不許說」一喝之下，被兩個兇惡的共軍架着，連跑帶拖地，推到山腳下，「砰」的一聲，槍殺了。

紅葉滿山，鮮血遍地，與會場上人民強自遏制的紅色淚眼，遙遙相映。「人」命與黃葉齊飛；「人民」血共紅楓一色。這是「人民政府」「紅色政權」的典型表現吧！

然而棲霞山這一個區，被共黨屠殺的何止數百人呢？棲霞山的一區，不過是南京郊外的一小角，大陸上的一小點而已；在所謂「大張旗鼓，鎮壓反革命」的今年，大陸同胞，被慘殺在共黨血淋淋屠刀下之多，那是更不難想像了。

「一年容易又秋風」。今年又到雙十國慶上棲霞，看紅葉的季節了。去年大陸上，一幕又一幕的共黨暴行，又浮上心頭。我不禁想起了去年在棲霞山腳，楓樹旁，所聽曲牌中「誰將紅染霜林葉，總是人民血。」的句子；心中是無限的淒愴。

「秋」在香港，是一個消煩滌暑的時令；在共黨統制下的大陸上，是一個象徵屠殺人類的季節吧！

談「雷雨」（上）

·舜生·

中國自有現代的所謂『新文學』誕生以來，以寫戲劇著稱，擁有多數的讀者與觀衆，而又確能博得廣泛好評的，以我所知，大概要推曹禺爲首。其餘在戲劇方面的作者如田漢，洪深，歐陽予倩，郭沫若等，雖然也偶有可稱道的地方，可是比之曹禺，畢竟小成家數。

『曹禺戲曲集』已經印行的共有八種：（一）雷雨，（二）日出，（三）原野，（四）北京人，（五）家，（六）蛻變，（七）橋，（八）曹禺獨幕劇集。除第七種『橋』和他的獨幕劇以外，前面的六種，我都曾看過公演，尤以『雷雨』看過的次數最多，現在我就來談談『雷雨』吧。

『雷雨』這個劇本的寫成，已經是十七八年前的事了，現在我手邊有的這一本，已經是第二十七版，我想發行的數字，總不會少於十萬冊。以中國一般的教育水準之不高，而能欣賞新文藝的人又如此的不普遍，居然能到達這樣一個數字，總算是不容易的。

我第一次看『雷雨』的公演，是由上海的『復旦劇團』演出的，我記得扮劇中『四鳳』那一角的，是復旦的女生封季壬，即後來在文藝界頗有小名氣的鳳子。這次演出的角色，都搭得很整齊，由始至終，都能把觀衆的注意力緊緊吸住，確實難得。固然劇情的發展是一幕比一幕緊張，但假如不是演員們排演得很純熟，也不一定能給予觀衆一個很完整的印象，而且可能給予劇本一個很大的損害。這一回的公演，我看了兩次，第一次是我個人去看的，第二次是約着黃仲蘇劉大杰幾個朋友一陣去看的，我承認這個本在舞台上是十分成功，其所給予我一個較深刻的印象，是使我感到道德問題的嚴肅。

這次以後，凡其他劇團在上海公演這個劇本的時候，我總是去看的，記得有一次唐槐秋演『周樸園』一角相當成功，但他的女兒唐若青演『魯侍萍』却失敗的。這個劇本中一個最難演的角色，是『周樸園』的妻子『蘩漪』，我記得在我看過的七八次公演中，只有一次某劇團一位姓趙的把這個角色的個性表演得近乎理想，可惜我已忘記了她的名字。

有一次，中央政校預備公演這個劇本，我知道有兩個學生去參加這次公演，是頗有文學興趣的，聽了很高興。但不幸經過預演以後，却被陳果夫所禁止了。我問起是什麼理由，據說這個劇本的內容，只是一種亂倫和男女苟合的故事，實在太不道德！我笑笑，心裏想：『難道世間一切不道德的事，只許大家偷偷摸摸去做，一搬到舞台上來公開，便會十分壞事嗎？』

萬竹樓隨筆（三六）

噩耗待証實

當杭州於民國三十八年五月間被所謂「解放」後，在一個相當長的期間，呂公望是被共黨爲辦理所謂「革命節裝」而請他以「公正人士」的身份爲「救濟」事宜的。自去年下半年以來，他的生死存亡，早就傳說紛紜，莫衷一是，而爲港九友好所深切關懷。不久以前，曾傳他終已於本年四月廿三日在杭州寓所服安眠藥自殺了。筆者對呂深有「知己之感」，聞此噩耗，不勝悲悼！因爲——雖然心裏在暗暗地默禱「所傳不確」，但本年五月間還有浙籍友人逃抵香島，說呂戴老不但健在人間，而且曾往嘉興鄉間覓地墾荒，從事生產，精神矍鑠，態度樂觀。

但無論如何，一般人所報導呂氏生平的內容，每多失實，希望「自由人」假筆者以一塊小小的寶貴篇幅略述梗概，以還史實。

記辛亥浙軍師長呂公望

由師長升都督

呂公望，字戴之，乳名「阿銀」。他自幼剛毅強項，「大智若愚」，故鄉父老咸呼之爲「呆大」；以後貴顯，同鄉友好改稱他爲「老大」。他是遜清的廩生，後入保定軍官速成學校，與臨海童保暄，義烏傅其永，東陽王桂林等同學。辛亥，任浙軍支部參謀長，率軍仰攻南京紫金山之天堡城，張勳之「辮子兵」望風披靡，革命軍遂克江寧，以功升浙軍第一師師長（軍長係由督軍朱瑞兼），駐防杭垣，治軍號稱嚴明。民四，出任嘉湖鎮守使，駐節嘉興，極爲地方人士所愛戴。不久，袁世凱背叛民國稱帝，呂公望響師反對，泄駐嘉興，任戒嚴司令。袁倒，呂積功任浙江督軍兼省長，即以民主作風，展開建設，曾手訂全浙公路網計劃，以經費故，爲省議會所格，輿論惜之。

你真正是呆大

這時，他的父親來杭做「老太爺」，見呂資遣鄉黨戚友之來省謀事的人，叫他們回家好好種田或做生意，有必數起；一日，召呂趨前，加以斥責道：「官是別人的，不給甲做，就得給乙做；錢是自己的，自己不用，可以留給子孫。你何以一定不肯給人做官而偏要一百二百的給他們錢？你真真是『呆大』！」這一個故事足以充分說明呂氏生平從政的廉正。

呂在浙督任內，注重民政，偃武修文，所有軍警大權，一律委之於周鳳岐（參謀長）和夏超（會警務廳長），不料竟爲周，夏所乘，發生叛變陰謀。呂爲避免地方流血，毅然辭去本兼要職（督軍兼省長），入京聽訓，供職「將軍府」爲「懷威將軍」，一面派所部軍隊，由陳肇英（現在台任監察委員）率領「援閩」。旋，赴粵，號召陳部反正，參加革命，駐節汕頭，任浙軍司令兼參謀次長，（時，李烈鈞氏任七總裁軍政府參謀總長）。民九，陳炯明叛，呂一度北上，以鬱鬱不得志，遂走滬經商，倡辦永裕紗廠，不善經營，又告倒閉。自後，呂卜居杭州，不問政事。民十五，國民革命軍北伐，他又一度奉命宣撫淮北，對軍事多所贊勷，

致力生產事業

抗戰軍興，呂返故鄉（永康）創辦「雜民工廠」，規模頗大，對後方生產及安定有大功。勝利後，呂被選爲浙江省參議會副議長（議長爲張強），除弊興利，熱心公益，聲譽益振，爲黨政首長所一致推重。

呂素拙於生計，日益貧困，軍以家累，不及逃出鐵幕。共黨亦姑以「革命前輩」，「公正人士」等好聽名詞相敷許，欲藉作利用以收拾人心。但呂倔強如昔，實際上絕不過問；共黨屢以卑辭催請，呂卒言願下鄉致力於生產事業。其終不能得殘暴陰狼之共黨所容，乃在意料中事。那只是時間和方式問題，不過此時似尚無自殺確息可資證實而已。

子女壯烈殉難

長子師揚，抗日的游擊英雄；當共軍未渡江前，即曾在金華、義烏各地與匪共作殊死鬥。今年初，爲共黨所獲，壯烈殉國。

呂有女名秀琴，工詩善畫，民初與同鄉宿宗彝的幼子子昌結婚。宗彝與呂爲總角交，現年亦已七十五六，爲地方著名好人。因長子子庚（字拔時）向在國軍任軍職，抗戰時，曾在河南隸湯恩伯部任參謀，）於去年十二月被共黨鬥爭槍斃，宗彝夫婦及子媳等全家七口，以各自不同的方法同日自殺，幼媳秀琴死狀尤爲壯烈。這是筆者最近接得消息，言之鑿鑿，或當不虛也。·勞佩·

美國政治上最重要的女人

——張天寶譯自「週六晚郵」——

愛德華一家住在距離華盛頓不遠的郊區，他們的老房子已有百餘年左右了，外貌像一座農舍，十分可愛。愛德華夫人的老太太吉萊斯比夫人和他們同住，一家人和諧相親，愛德華夫人公餘之暇常喜歡下廚做菜，而且做得一手好菜，尤其以酒燉雞著名，時時拿來享客。不過她自己並不親吃，因爲怕會增加體重，更怕肥胖。他們全喜歡住在這個靜恬的地方，得閒就在家裏伴着兒女安享家庭之樂。除了必要情形之外，他們很少參加華盛頓的應酬或其他勞神的社交生活。愛德華夫人最親密的朋友，還是她在芝加哥新聞界服務時代的那班友人，裏面有些是在共和黨方面，這在私人交誼上，對於她的公務並沒有任何影響。

不久以前，本文作者，一度在愛德華夫人的辦公廳裏消度了整個下午，下面是她的回憶：

「我蜷縮地坐在房間一角的一張紅皮沙發裏，正對着她（愛德華夫人）的寫字檯，下一天，她將要出發去作旅行演說了，有不少瑣瑣碎碎的事情必須料理。但是她的職員告訴我，這一天的工作並不比往日特別繁忙。她穿着普通的便服，沒有打扮。房間裏面放着一些精緻的小擺設，還有羅斯福夫人，故羅斯福總統和杜魯門總統親筆簽名照片，以及數排的名著。她的私人祕書巫納希夫人坐在房間一端的寫字桌上，不斷拿起電話和錄音機。愛德華夫人同時可做三件事：和我交談，向錄音機講話和接聽電話。她要打長途電話，電話來的時候，便在備忘簿上做一個記號。她放下電話聽筒後，轉身過去，用打字機打下一段摘記，這是個小巧玲瓏的打字機，是民主黨全國委員會贈給她的禮物。但是她說，她還保留新聞記者的習慣，喜歡大型的打字機，不愛[illegible]個。接着，她又接到一個電話，對我說必須趕去出一個會。她去後，我讀了她的一篇演詞：『不過如果州議會裏有一個反對黨婦女議員而沒有民主黨的女議員時，我常會感到不愉快，男人是富於同情心的，不過他們常常要有婦女在旁邊敦促，提醒他們關於婦女該擔任什麼職位的事？男人要婦女拋棄女子的個性，才會贊成女人參加政治。婦女的溫柔的特點雖是決定性的財產，但是在判斷一件事情的時候不能有這種情形存在：……』

「五分鐘後，愛德華夫人回來了，但又要出去發表一篇廣播演說，然後再回到辦公廳做二小時的工作。當我離開她的時候，她向我道別的吻着我的面頰說：『再會，不要在報章上苛責我，我不過是一個苦幹的老祖母罷了。』」（全文完）

自由人

THE FREEMAN

（逢星期三星期六出版）

（第六十四期）

每份港幣壹毫

督印人：李微塵

社址：香港高士打道六十六號

電話：二〇八四八

GLOUCESTER RD. HONGKONG TEL: 20848

承印者：東南印務出版社

地址：高士打道六四號

台灣總經銷處

台北重慶南路一段七十四號

「自由」選擇了中華民國

·劉百閔·

自由即是選擇之權。國家和政權，對于人的理智和心靈，沒有控制的權利，沒有脅迫的權利。中華民國四十周年雙十國慶紀念，香港僑胞在香港所慶祝的這一大場面，就是自由中國人民運用自由選擇權的一大表演。

中華民國開國四十週年的雙十國慶紀念日，自由中國人民在香港的僑胞，莊嚴鄭重熱烈悲壯地表示出他們的衷誠、要擁護中華民國，要永久支持先烈艱難締造的中華民國。

在這一天，由港九工團聯合總會在英京酒家所舉行的慶祝大會，從清晨七時起，就有勞工同胞，紛紛到達，不到九點鐘，會場已座無虛席，擠滿了走道臨脚，大會是從十一時開始。參加工會，計有內河輪船總工會，人力車總工會，公共汽車職工會，伕力工會，旅業工會，鐵礦工會，酒樓工會，市政衛生職工會，織造工會，紡織工會，以及鐵工業商會等數百個工商團體。此外，並到有外賓名流學術文化界代表，華商總會代表，以及中國同盟會，辛亥革命同志會，孫總理侍衛同志社，華僑革命功勛同志會，中國青年反共抗俄聯合會，大陸留港學生聯合會，留港上海鄉務工會，婦女運動前鋒，街坊福利會等代表，計達四千餘人之多，情況熱烈空前。

此外，港九兩地各級學校，如珠海，新亞，實大等百數十校，均分別舉行慶祝，爆竹聲震耳鼓，燈火迄夜輝煌；德明中學舉行了國旗千人操；調景嶺二萬餘難胞，口號聲震山谷，千人化裝遊行；中環九如坊僑胞，搭起了高達數丈的雙十字牌樓，國旗飄展，另成慶祝中的偉大場面。

在六國飯店，還有中國留港自由文化界人士的集會，由錢穆氏領導，喊出了他們是中華民國的國民，他們誓以他們的文化武器，爲中華民國而奮鬥。在這一天出版的「中國之聲」，張國燾氏高呼中國人民所需要的是獨立民主自由康樂和進步的中華民國，指出所謂「中華人民共和國」，不是什麼中華人民的國，而是蘇聯的附庸國。左舜生氏在本報亦鄭重申明，中華民國是無數志士仁人的血染成的，確有其歷史文化種族的深厚背景，決不是任何毛頭小子所得而輕易推翻。此外，還有中國民主革命同盟發表宣言，歷數毛澤東叛國叛民族的罪狀：這些又是自由中國人民由于文化思想所表現出的另一偉大場面。

我們在這裏得到了什麼？香港南華早報在第二天的社論說：「這樣看來，中國人民人心所向，似乎不是北京政權，而是中華民國」。其實，這樣的話，這是道出了中華民國人民的表面的景象，沒有道出中華民國人民的裏面的心情。在這一天，在香港這一地方，香港的僑胞；在沒有暴力威脅之下，在沒有刺刀監迫之下，說話是自由的，行動是自由的，就在這樣情形之下，他們就表現出他們的真的心情，真的志願。他們要自由，不要極權；他們要民主，不要奴役；他們愛護他們的祖國，他們敬重他們的民族，他們的祖宗，他們的子孫，他們自己，他們的歷史文化，他們的生活方式；他們對匪黨，對強盜，提出了異議，提出了反抗，反叛亂，反出賣民族，反殘暴，反屠殺。這是他們的自由選擇。這是他們愛自由愛民主的熱情的激動。

自由即是選擇之權——自由即是爲自己創造機會選擇機會之權。如果沒有選擇的可能，如果沒有運用這選擇的權利，人就不成其爲人，祇是一個粉粒，一種工具，一件東西而止，完全沒有人的尊嚴，完全沒有人的崇高。在暴力威脅之下，在刺刀追迫之下，人是沒有他的尊嚴的，沒有他的崇高的，因此，他就沒有自由選擇的權利。國家和政權，對於人的心靈，沒有控制的權利，沒有脅迫的權利；國家和政權，祇是人類理智的僕人，不是人類居高凌下的主人。當人類自由，遭受威力襲擊時，即要以團結保衛；遭受誘言襲擊時，即要以眞理保衛。今天，自由中國人民在香港度過這四十周年國慶紀念的這一大場面，就是表示出他們對于他們自己的國家和政權，要有自由選擇的權利；如果以威力襲擊他們，他們就要以團結保衛；如果以誘言襲擊他們，他們就要以眞理保衛。最近美國自由協會由于作家集體草擬的自由宣言，充分發揮了自由的眞諦，同時亦給予我們自由中國人民以最大的啓示。中華民國四十周年雙十國慶紀念，在香港僑胞所慶祝的這一大場面，就是自由中國人民運用自由選擇權的一大表演。在這一天，我們又得到了另一啓示，即是自由中國反共抗俄聯合陣綫的偉大力量的表現，是莫之能禦的。在這一天，在港九的街坊裏，學校裏，茶樓酒館裏，鄉村裏，所舉行的慶祝會，所有參加的僑胞，是超黨派的，超階級的，自發的，自動的，來參加這慶祝大會。這種情形，在極權國家社會之中，是不會出現的；在極權國家社會之中，祇有察警察，鑑刺刀，在警察刺刀之下，造成發家，造成集會。在自由國家社會之中，是自發的，自願的；這稱自由精神的表現，他們爲了他們的信念，將獻出他們的生命，他們的榮譽和他們的力量。今後，自由中國反共抗俄聯合的偉大力量，是莫之能禦的，是無法估計的，值得我們重視。

閒話「傷心嶺」

·黃震遐·

聯軍對共軍的築城狀況沒有估計正確，正面攻戰損傷較大，傷心嶺雖終於攻下，但這戰略必須立即修正

韓戰慘烈，人人傳誦「傷心嶺」Heartbreak Ridge，聯軍秋季攻勢頓挫，「傷心嶺」，「流血嶺」，「酒碗」，「地獄箱」等饒有文學感傷意味的名辭，開始流行於新聞電文，戰地記者們的精彩報導，不久將風行出版界，此時簡直在硝烟彈雨下的聯軍行列中必不乏戰場文學的第一流作者，如果韓戰文學即能產生，那麼，雷馬克的時代到了。

共軍眼淚只許向肚子流

韓戰怎樣會發生感傷主義的？此在蔑視人性的共方，是不許可表達出來的，共軍的痛淚祇能向肚子裏流，共軍的悲慘實況，目前還沒有機會讓外人知道。照理，共軍的慘狀一定超過聯軍，但他們的痛苦沒人寄與同情，極權主義下的軍隊照例如此，他們是不許表達私人的感情的，控制的力量太強了，一切祇有政治上的渲染，剛強英勇，誓死不屈：「鋼鐵是怎樣煉成的」？但在自由的聯軍中，則不怕說實話，動真情，他們不是傀儡，不是工具，是自由人，自由人可以說話，也有抒情的自由，共軍沒有不說謊話的自由，聯軍則有代表士兵表達痛苦的自由。「傷心嶺」，「地獄箱」諸戰，實在太痛苦了。痛苦得出乎意料，這是韓戰文學的靈感泉源。

美軍雖敏感但並非失望

這次美軍開上戰場的情緒，是敏感的，共方的宣傳品一方把美兵描寫得凶惡像吃人的生番一樣，一方又把美兵寫得懦怯怕死，不堪一擊，都是太過分也太矛盾了，美兵實際是既勇敢，又敏感的軍隊，美國宣傳品描寫任何戰爭，沒有好戰狂，祇有爲理想奮鬥的自由，對死亡痛苦的遭遇是敏感的，但不是悲劇性的失望。自韓戰發生以來，生活雜誌曾公開刊登過數十名美兵怕死心理的自白，而結果則這些人無不變成勇士，這才是美國傳統的戰爭觀，人生觀，這種觀念在共方是不可想像的，自史太林以下，皆不敢一方面放任其士兵懷有抑鬱的情緒，一方面則仍信賴其作戰必能盡責，他們祇信任一個公式——喬治·奧維爾在「一九八四」中所描寫的「形式上的統一觀念盲從！」

因此，傷心嶺諸戰，除掉戰術問題有文章可做外，心理作戰上，也發生了一個問題：由於戰術問題處理的失當，使聯軍開始發生非戰情緒（是非戰，不是反戰），這情緒可能滋長，影響大局，除非聯軍當局迅速加以補救，這情緒剛剛發生，可是它是士兵真實感情的流露，是前綫軍隊對於後方高級戰略的文學的及民主的不滿，這不滿應作檢討。

「逐島戰略」受挫的再版

美軍當第二次大戰時，曾發生過這樣的非戰情緒。塔拉瓦和瓜島戰役後，感傷主義的報導文學即流行一時，後來美軍由「逐島戰略」轉採「越島戰略」，迂迴日軍堅固防地，使美軍勝利增加，損失減少，纔自然撲滅前綫非戰情緒的滋長。硫磺島雷峰山，大冲繩島首里那霸諸戰，美軍正面攻擊一再頓挫，非戰文學又行抬頭，幸而戰爭不久結束，沒發生大影響。可知美軍一旦陷於慘烈的正面攻防，每每會責難其指揮官的措置失當。塔拉瓦一戰，即直接鬧到國會，結果軍方大受輿論責難。不得不修正計劃，「越島進攻」戰略即由此發生。

不能像共軍高壓和麻醉

今日「傷心嶺」，「地獄箱」諸戰，是太平洋雷蜂山，神武防綫，首里那壩諸戰的重版，美軍自正面攻擊，雖然傷心嶺已在重大犧牲下，仍然攻下，但士氣受損已見端倪，心理作戰關係微妙，民主國家的紀律在軍隊裏也打折扣，不能像共方那樣濫用高壓和麻醉手段。要立時要防止非戰情緒蔓延，祇有改變戰略，重新爭取主動。聯軍秋季攻勢爲什麼會頓挫，戰術問題上，主要原因在聯軍指揮部對共軍的築城狀況，沒有估計正確，美軍參加韓戰的部隊，火力雖強，其實仍是輕裝師，每師祇有一兩個砲兵團，以往構成「火海」，主要是賴空軍火力支援，不是正面部隊自有攻陷堅固陣地的能力，開城談判期間，共軍早完成了「史太林防綫」式的半永久工事，其強度不是輕裝師的力量所能攻下，斐立特沒準備和共軍作陣地戰（山地的陣地戰），結果犯了戰術上的錯誤，用劣勢對優勢進攻。

最近增加了幾團砲兵，左翼騎兵一師在五天裏放了十二萬砲，這仍不是辦法，現代化的築城是可能抵抗更大的壓力的，這兩天，麥克阿瑟必然自鳴得意，向人稱道仁川登陸的往事，事實上，聯軍如現在還不便用原子彈，就必須迅速改變戰略，聯軍打擊共軍，纔不負前方士兵的奮鬥。

開封被驅大主教等到港

鄭州開封糟不成樣

大街上盡是傷兵乞丐和妓女

【本報專訊】河南開封區大主教（意籍）卜理昂（Pollio）偕同該教區神父畢仙尼，高樂蒂及徐詩雅三人，於十月八日由深圳抵港下車後，卜主教只是很簡單的宣稱：「我雖然已離中國，但此情此心，與中國永不分離」。他被開封中共當局於本年四月一日逮捕，下獄半年，精神看上去很疲倦，影響健康至大。畢仙尼和高樂蒂曾同判六個月的徒刑。中共指彼等以各種方法，破壞開封天主教之「反帝友三自運動」。

他們說：今天河南教區宗教（指天主教）和中共之鬥爭，一天比一天激烈。因爲這個緣因非常簡單，如果准許信仰上帝，那末老百姓的思想便無法統治。河南兩個大城——鄭州和開封，已是糟得不像樣了。

今日偌大一個鄭州城，但見軍隊，很少老百姓，人們無事都躲在家內，不敢外出。凡非鄭州原籍世居者，都由戶籍警列入特種戶口內。鄭州的大街上盡是地攤，傷兵乞丐和妓女。前年上海遷鄭的新華火柴廠，永業牙膏製造廠，南洋兄弟烟草公司，裕泰紡織廠等，不是沒有流動資金，便是缺乏原料，或者技工不夠，終於停在半開半閉的狀態中。鄭州原有之十六家工廠，半已完全停閉。

中共參加韓戰後，鄭州是後方兵站總監和大後方傷兵醫院，全市「人民醫院」和著名的私立博愛醫院，仁濟醫院，陶和診所及濟世診所等，皆奉「命停止門診」，全力爲受傷「戰士」服務。有時街上也出現一羣羣的「老大哥」，吉普風馳而過，路人爲之側目。中小學合併的合併，關門的關門，現在只剩了二十幾間學校。（原有六十餘中小學）

至於開封方面，據稱土改已完全完成。流亡到蘇州的國立河南大學學生，已全部遣返，捐稅比從前高了不知多少倍，工商業已瀕奄奄一息。民間反共力量，自今年起，已化整爲零，仍以伏牛及桐柏兩山爲根據地。據稱：即以伏牛一地之游擊武力已達數萬之衆。去秋共軍進山清剿，雙方均死傷不少。

關於台灣和大陸以外非匪區的消息，完全不知道。開封的無綫電收音機，非政府機關特權人士，不准收聽。

按卜理昂大主教，現年四十歲，爲中國大主教中最年輕的一位，廿五歲起即在開封傳教，能說一口流利的河南土話。他到香港的那一天，未穿道袍，只是穿了一身藍色西服。（邵一成）

中共的『焚書』工作

昨天本港某報中山通訊說：『中山縣人民政府文教當局，爲了肅清文化遺毒，杜絕反動思想，所以對於舊日封建專制時代統制奴役人民的流毒之四書，五經，章回小說及國民黨刊物等著作，一律禁止儲藏及流傳，人民如藏有此類封建及反動文化圖籍，均須繳出焚燬，販賣與散播該類刊物者，嚴格處罰。』並且據該通訊中說，有一家不遵守此項命令的舊書店[illegible]燒燬。[illegible]

[illegible]「鐵山測量學」，「熱工學」，「工具機學」，「電工原理學」，「工業總論」[illegible]「醫藥大全」，也就是「傳染病學」之類！這類與人無忤，與世無爭的東西，[illegible]

時局漫談

舜生

[illegible]

，這個責任是要由中共來負的。

假定韓戰停火成功

看樣子，在韓國境內的停火談判，依然是要進行的。不只停火要進行，依照我們一貫的看法，在韓國境內的戰爭，也實在非要結束不可。可是，韓戰儘管要結束，但這並不足以說明蘇聯便會停止對於整個亞洲的擾亂，剛剛相反，韓戰一經停止以後，蘇聯便會[illegible]東南亞一帶的另一火頭，便會立刻要提出來。在蘇聯的眼中，例如胡志明他們若干年來在東南亞所做的工作，[illegible]

[illegible]韓戰一經停止，中共大部的武力，必將遷命南移，一面防台，一面援越，[illegible]

隨着「土改」地區的擴展 農民反共也必越鬧越大

中共正準備更進一步推動全面性的土改 想在明年春季全部完成但由於共幹偏差太多已激起農民無限憤怒僅河南一地過去共幹被殺的兩個月就有三百多人。

張丕介

「土改」是中共起家的第一件武器，今天更是它宰割人民，鞏固統治的中心環節。在過去，它用「土改」之名，欺騙了整個世界和大部分中國貧困的老百姓，但同時即在「土改」名義之下，其竊了中國政權，實行了慘絕人寰的流血鬥爭，使中華民國的土地浸遍了鮮血。據「新華社」六月廿九日電：至一九五一年五月底止，在華東、中南、西北、西南、四大行政區中，共有一億二千八百餘萬農業人口的地區完成「土改」，加上一九五〇年春耕以前已完成者，合計已有二億八千五百萬農業人口完成「土改」。依照中共自己的報導：在「土改」過程中，不但「民兵」和「農會」空前發展，且獲得了大量的「鬥爭果實」。如以廣東為例，在全省三千萬人口中，一千五百萬人口參加了「鬥爭」，清算的結果，即獲得六億斤的「鬥爭果實」，約等於去年廣東全省的農業稅。為了搜括更多的「鬥爭果實」，以滿足其擴軍備戰的需求，中共正準備從現在起，推動全面性的「土改」，希望在一九五一年冬至一九五二年春，「基本上完成土地改革」。

儘管中共表面上不斷誇大其「土改」的成就，但根據各方面的報導，由於各地的「土改」，基層的腐化，各處農民反抗均逐漸轉烈，「全面性的土改」，目前已普遍觸了礁。

「隊伍不純敵情嚴重」，葉劍英也表示悲觀

今年八月底，中共「華南局書記」葉劍英，在華南區「土改」總結中，即公開表示：「土改」中最突出的問題是：「隊伍不純，敵情嚴重」，「敵人又公開的說：大天下是我們的，小天下是他們的」，「各地普遍發生了造謠恐嚇，收買拉攏，借刀殺人，挑撥宗派鬥爭，轉移鬥爭目標，縱火、暗殺、放火、毀堤、頑抗等現象」。「並運用合法手段打進我們的內部，組織農會、青年會、婦女會、學校劇團、兒童團等合法團體，以組織對組織，將鬥爭目標轉移向我們自己，以擾亂造成運動的混亂」。葉劍英在報告裏，僅說出了中共「土改」遭遇阻力的一些表面的徵候，而未指出其根本的徵結。九月中旬，粵共「副主席兼土改委員會主任」方方在「廣東第二屆各界人民代表會議」上所作的「土地改革政策報告」中，曾有較進一步的分析：方方明白的指出：「一年來的運動，說明我們骨幹——幹部和基層，還要大力教育、提高和改造。幹部中大多數政治水平過低，缺乏系統的經驗，作風浮而不實，急於求成，粗浮急躁，立場不穩，還沒有堅決的割斷自己與封建家族的聯繫」。「基層嚴重不純，大部分思想作風不純或能力薄弱」。「上級的領導仍擺脫不了工作中的盲目性」。上、中、下三級的幹部情形如此，因此他們不自禁地說：「土改能否順利完成，不決定於地主階級的頑強與否，而在我們的隊伍是否健全」，從這幾段官方的報告中，不但可以看出中共「土改」的過去與現在，而且亦不難窺測其未來。

在中共的基本策略中，所謂「土地改革」，從政治上言，乃在於分化農民、製造對立，藉此以控制農民的物質與精神，以強化其極權的統治；從經濟上言：則係透過「土改」來掠奪農民現有及原有的資財，並透過分地辦法，使農民膠着於一定的土地上，永遠淪為中共統治階級的奴隸。為了達成上述的目標，中共「土改」的基本任務，不在於平均「分地」，而在於進行「一系統的慘烈鬥爭」。沒有經過所謂翻天覆地的鬥爭而進行分田，乃中共認為一般嚴重的錯誤。但由於共「隊伍不純」，「嚴重的錯誤」，目前「一般嚴重」為中共「土改」的普遍現象。

留下好田共幹自私 真正農民永難翻身

照方方的說法，在過去一年中各地均出現兩種「偏差」：一種是所謂「自上而下的和平分田」；一種是所謂「大擺大擂」的形式分田」。據「華中機關報」「長江日報」的報導：湖南郴縣、永興、宜章等縣，均發生「和平分田」現象。造成「和平分田」的原因，一方面是共幹對「土改」已感煩厭，急於完成「任務」；一方面是基層組織想利用自己擔任「土改」工作的機會佔據好田。從此分田的結果，從數量上看相差不多，從質量上看，則原村佃耕戶留下了好田，原幹自己要了好田，原來沒有田地的顧農得到的都是壞田。湖北孝感縣實行「土改」複查的結果，發現幹部普遍分得好、出近田，因此農民紛紛反映：「我們沒有翻身，縣、區、鄉幹部都翻了身了」。（八、廿八．長江日報）。至於「形式分田」，則係共幹一自吹自擂，群衆思想未動」。換言之，就是「土改」的把戲，由共幹一手串演，根本上沒有拉攏當地的農民充當角色。這種自拉自唱式的「分田」所造成的結果是：「土改過後，依舊冷冷清清，半死的地主階級又回生了」。據中共「河南日報」所載：在河南四十三縣裏，在「土改」中，出地主普遍復活，向農民進行反鬥爭。據河南共方不完全的統計：自四月至六月，發生暗殺六十餘次，放火三百四十餘次，燒燬一千四百餘萬斤，燒傷五百二十七人，被殺偽幹部三百四十七人。實則南方日報所說地主向農民反攻，即是農民向共幹反攻的偽稱。在這種情況之下，無怪中共當局大呼「隊伍不純，敵情嚴重」了。

只要鬥爭不要和平 基本政策共幹不懂

由於上述「偏差」的流行，不僅過去「土改」前功盡廢，對於今後「土改」的進行更形成致命的打擊。但這些現象的形成，自有其更根本的原因，第一，中共對「土改」所標榜的目標與其實際的需求，根本上不一致，因而造成領導方面政策與任務的基本矛盾。從毛澤東的「六六報告」、劉少奇的「土改報告」，均一致強調「土改」的目的，在發展生產，而其所謂生產的道路，則係工業化。而共幹與農民的要求，則係無限期的滿足與鬥爭。許多共幹對中共宣傳性的說法，未必能深解其中三昧，大部份認為分了田便完事。自然而然產生了和平分田的觀念。

既想愛人又想休息 最怕困難更怕危險

其次，過去一年的「土改」，不但農民認識了中共殘酷，一般還沒有完全拋棄「包袱」的共幹，亦何嘗不如此。他們認為下鄉「土改」等於被判徒刑。因此，已擔任幹部的想辭職，無法辭職的便只好敷衍一過。最近粵省「土改委員會」檢查「土改」幹部時，發現大都不安心工作。據顯著的是思想上的所謂「四想」和「四怕」。所謂「四想」是「想城市，想愛人、想地位和想休息」，所謂「四怕」是「怕長期參加土改、怕吃苦、怕工作困難、怕危險」，（九、廿五、南方日報）。這些情形，可以說是各級共幹的通病，因而自然而然產生急於求成的現象。

復次，中共的所謂基層組織，一向均由一般無業的游民，及地痞流氓所主持。在「土改」初期，中共利用這批人來對付地富。這些邪惡成性的份子，搗亂有餘而成事不足，以此為骨幹的基層組織，其貪污腐化，自屬理所必然。據廣東北江區最近調查結果：大部村幹農會，均屬於「二流子」之手。產生了侵吞鬥爭果實，借故復仇，亂打亂吊的現象。因此不但爭取不了中農，團結不了貧農，且予地主以反攻之機，形成了已「土改」地區紛紛「復辟」，未「土改」地區抵抗增劇的現象。

上述這三項原因，乃注定中共「土改」失敗的基本癥結。中共可以出動大軍，用暴力來鎮壓農民的反抗，却無法消滅其內部腐化的根源。因此，所可預料的是，隨着「土改」地區的擴大，反抗的勢力只有越來越大，中共要順利闖過這一關，恐非事勢所容許！

美國的貪污案

學人．

紐約時報說：貪污事件，在民主政治中早晚必然公開，人民公憤必然一致反對使其逐漸掃除。獨裁政治，本身就是一種有組織的貪污，無人想像史太林或佛朗哥會犯法，因為他們的行為就是法律。

美國近日大鬧貪污案，貪污案牽涉的人員，為民主黨共和黨黨內的要角，為白宮接近總統的侍從武官，為紐約警察廳的高級職員，還有許多地方政府的負責官員。略舉其最著名的幾件案子：

（一）白侯耳案

白侯耳 William M. Boyle Jr. 是民主黨全國委員會的主席。一九四九年起，他在黨內支年薪二萬五千元正。當一九四九年二月，為一家印刷公司叫立斯佛公司向復興財政銀公司借款，復興財政銀公司是聯邦政府的一個機構（相當於我們的中央信託局一類的機構）。立斯佛印刷公司的借款申請，兩次都遭銀公司拒絕。經白侯耳電話銀公司後，三天之內，立斯佛公司獲得借款共計六十四萬五千元正。聖路易城一家報紙登載新聞，說白侯耳在這次借款中，立斯佛公司致酬八千元正。九月下旬白侯耳在參院調查小組受訊，說他在當時服務於民主黨，還不支任何薪水，他擔任立斯佛公司的律師，公司每月付他公費五百元。他向銀公司打的電話，對銀公司借款的決定，並無影響或左右的作用。他在立斯佛公司所得公費總數為乙千二百五十元，從一九四九年四月起，他在民主黨支領薪給後，他就沒有再向立斯佛公司領支公費。從那時候起，白侯耳表面上雖然不再執行律務，但他的助手西斯史 Max Sis' Kind 仍舊在立斯佛公司支領巨額公費而白侯耳也間接分肥。白侯耳在參院調查小組答辯：他的法律事務所已轉與西斯史，頂費共為十五萬元正，此種交易，雙方用口頭言詞約定，並無正式契約。此後西斯史陸續付彼九萬九千元云。

（二）茄白爾遜案

茄白爾遜 Gabrielson 是共和黨全國委員會主席。他這件案子，牽涉的是一家汽油公司。這家汽油公司和復興財政銀公司有一千八百萬零五千元的借務關係，茄白爾遜是那一家汽油公司的董事長兼法律顧問，茄白爾遜於九月下旬在參院調查小組的證詞，聲稱他和復興銀公司接觸是合法的，他不過是受了謠言的中傷、攻擊茄白爾遜最力者，是共和黨內部。共和黨兩院議員多人，已提出請求茄白爾遜辭去該黨全國委員會主席之職。共和黨原來對復興財政銀公司的調查，是十分激烈和積極，因為他們在這個機構中，發現許多民主黨人如政府官吏者利用職權去替商行公司運動借款，共和黨人認為藉查復興銀公司案是在政治上對民主黨大出擊的利器，他們宣傳銀公司是執政者貪污的顯例。現在發現共和黨全國委員會主席，也牽進了同一個漩渦，此於他們攻擊民主黨的戰略上，實受重大影響，共和黨內部因此噴憤而起的哄動，是可以想見的。

（三）史丹登島案

紐約州史丹登島（Case of Staten Island）的地方政府，是民主共和兩黨的混合組織，史丹登島轄區之市邑首長森耳，在一九四九年的當選，是由兩黨所支持，在史丹登島的地下商業，是全國聞名的，當地賭霸佐耳細歐 Dal[illegible] 兄弟，是著名的賭棍，包庇各種罪惡。那三個兄弟，每人有大廈，還各有遊艇，有一位在賓雪凡尼亞州，僅有三千五百畝的織地。多少年來，佐耳細歐弟兄在地方上的作惡，地方政府從來未加干涉。杜威州長為了這件案子，特別設立一個五人委員會，而以前本州最高法官普洛斯卡諾為主席。九月下旬該委員會開了七大整天會，九月十九日夜結束，其證詞的大要如下：（甲）史丹登地方政府官員或與佐耳細歐兄弟密切合作，或對他們容忍不管。兩個證人指出共和黨史丹登地方委員會主席勸貝爾 Ruppel 曾命令他們與佐耳細歐商討該地共和黨提名問題。他們說佐耳細歐曾經勸阻當時勸貝爾的政敵不與勸貝爾競選該區之市邑首長。別的證人并舉出勸貝爾與佐耳細歐共同謀弊的事件，勸貝爾與佐耳細歐家屬在白威爽夜總會且合攝影一張，表示兩家來往的親密。八個在場的證人加以共和黨該地指派選舉的官員，均指證他們因為自己的差事，會被迫捐獻於勸貝爾及其部下者共計五千五百七十元正。旁的證人指控勸貝爾鬻賣酒照會的發給，會公開要求賄賂，審訊時最戲劇化的一幕，是一位酒店老闆，他是一個跛足退伍軍人，名氏叫圖浩，當他被詢指出何人向他索取賄賂方准給予酒照時，他從證人席上蹣跚走到人叢中將勸貝爾指出，說他曾向此人付出一千五百元的代價，易得酒店照會。本案一切的證件，立刻送到中央與地方司法機關，中央政府列計佐耳細歐所漏繳的所得稅共達四十三萬六千七百〇二元正。

（四）格洛斯案

紐約市白洛克林特別陪審法庭，在偵查罪犯及貪污已逾兩年，九月下旬他們偵查到著名賭徒格洛斯（Harry Gross）時，格洛斯供出當他賭業最旺盛的時候，他每年會付出「保護費」一百萬元與當地警察廳。格洛斯供出這點後，驟後堅不肯吐露十八個警官的名姓，格洛斯終因不肯受訊吐實而加判五年徒刑，共判十二年徒刑，陪審法庭已將全部證詞送紐約市警察廳長莫納亨，立刻開革或處分所有與格洛斯案牽涉的警官，他使紐約市警察階級中的副督察與督察階級的全部警官，幾乎要使警察總隊開革三十六個高級警官，包括督察長佛勒斯，因為他亦負有責任。格洛斯供詞中，再度牽涉紐約前市長現任駐墨西哥大使歐特威 William O'Dwyer。歐特威在克福特參議員會中 Keian.er Committee 已承認曾在其市長任內，委任若干不法商人以官職。九月下旬在格洛斯案訊中，格洛斯再供出歐特威的政治助手莫倫 James J. Moran，於一九四五年及一九四九年分別向格洛斯索取五千元及一萬五千元，格洛斯向每一個開設莫倫會的賭檯的人，按照賭業的範圍，要求賄賂，因此歐特威正將從事[illegible]。

杜魯門的建議

在這許多案件發生當中，杜魯門總統於九月廿七日建議國會制定新的法律，規定中央政府重要官員，包括議員，法官，主要軍事長官及全國性政黨要員在內，每年必須向政府呈報其公私收入，包括外來的饋贈及借款。咨文中說，這樣的公開呈報，可以幫助制止非法及不正當的行為，同時可以保護政府官吏，不使謠言隨便傷害他們的名譽。杜魯門總統這一個倡議，使議會中相當騷動。議會中對杜魯門此次咨文，雖然若干共和黨議員贊同他，但多數議員認為這個建議是一個政治陰謀。但杜魯門總統說：「像今天我們政府機構那樣廣大，有時候難保若干立法或行政部門的人，為了私利的引誘，而忘記公衆和益。但是這種案件是極少數的，如果公衆因為少數的不良份子的行為，而妄疑政府充滿了敗壞事的人，充滿了道德低落的男女公務員，充滿了只顧私利而蔑視公共利益的人，那就是十分悲慘的錯誤。」他要求國會在本會期閉會前，或明年一月儘速通過這一個法案，美國輿論界對於杜魯門總統這一個建議，反應不一，大致認為他是一種政治上的攻勢，寓攻勢於防守的策略，因為美國明年要舉行大選，不滿政府的人，對杜魯門政府任內攻擊之點，浪費與貪污是一個目標，杜魯門為制人機先，故提出這一個法案。

看了上面美國的一連串的案件，任何美國的友人，任何民主政治的友人，都感到不愉快，前有參議院克福委員會調查符合罪行，在紐約州與紐約市，最近亦有罪行調查小組，在委員會的組織，許多組織當然在發掘罪惡的政治及社會的黑暗。可是我們稍一研究政治的本質和人類的本性，對於貪污事實的存在，並不必過於驚駭，政治原是污濁的，所以自然文本無止境。紐約時報社評說：「政府有貪污，此事並不新奇，在某種範圍內，可以說自從第一個政府官吏第一次支取他的薪給時，便有貪污發生。在美國各大城市中，自從那許多城市創立以後，便有各種不名譽事件發生，在每一次大戰中或戰後，其貪污及不名譽的事件也必定發生，不論在任何一個黨執政時代皆是。人類社會中永遠有貪婪者及犯罪者，非科學上的進步所能根除，使人類均富足者，無從窮求乃至名譽之外的資望及名譽，那麼便永不會有一類的事，我們絕不承認貪污是民主政治的一種重病。在民主政治中，貪污事件必然公開，或早或遲，必然公開出來，而人民的公憤，必然一致反對，使其逐漸掃除。反之，獨裁政治本身就是一種有組織的貪污。在獨裁政治下，而且時常最高權力集中者的貪污，所以人們永遠不會想像史太林或佛朗哥會犯法，因為他們的行為，就是法律。」

當然，貪污案件的發生，對於社會國家總是一種不幸，是最大的罪惡之一，民主政治，亦不能全然根本消滅貪污，並不能使民主政治其正義的原則與力量的實現。去年本刊所謂「貪污案件」，更早在中國傳統心理上，從美國最近外所痛心的，我們今天所指形象的政府與社會表就，在肅貪的過程中，有所謂揭發與嚴辦貪污，惟有決不會接受貪污，那是最大的恥辱也是最危險的病象。美國最近所鬧的貪污案，我們決不可自己安慰，說美國也有貪污案件，我們應當格外警惕自己，格外要使每一個案，揭發嚴辦。

刊正

上期本刊「偽報仍難暢銷」一文第六欄第四行「尚不過達到三百四十萬份之百分七十」一句，「四」誤排為「二」，特此刊正。

美著名廣播評論家布朗過港

向記者暢論世界大局

認台灣有力反攻大陸

謂上海青島等沿海地區，任何一處隨時均可攻取。如兵力再不用於戰場，則師老氣衰危機最大。又謂中共可能退據西北

【本報專訊】作全球旅行經常擁有二百二十萬聽衆的美國廣播評論家施齡‧布朗，八日自馬尼拉飛港，搜集有關遠東之政治、軍事、經濟之各項廣播資料，錄帶留片，寄返紐約，作全國廣播。前日晚上本報記者在他旅邸內會見了這位身高六呎年約五十餘歲的美國當今第一流的政治述評廣播家。

美國對亞洲的政策已在一天天修正中

他首先指出：今日遠東最大的關鍵，是兩所島嶼——日本和台灣。日本已是必不沉沒的一條母艦，台灣的堅強性自然追不上日本，但台灣今日陸、海、空軍實力不但可以自保，並且足以有力量反攻大陸，而佔取沿海任何一地。他舉例說，愈是大城愈容易取，青島、上海、營口、連雲港等地都是易攻難守的地方，因為上述各地，有它的地理上限制的缺陷。但攻佔一個城市，問題是複雜的，都市沒有水電，等於死了一半，沒有糧食，又等於死了一半，兵源沒有，又是一半中的一半。這是一半中的一半，乃是下策兵於死地。他認為水電糧食都是人力可以在短時內解決的，惟有人力他認為最為困難。他認為台灣的出擊，一定在杜魯門台灣中立化解凍時，台灣就可開始。他說台灣現有的兵力如再不用於戰場，以後便不行了。師老氣衰，新血輪又補不上，這對台灣是一個致命傷。他表示，美國自韓戰爆發後，對亞洲的政策在一天天的修正中，美國人民對過去中國政策之執行錯誤，已逐漸蘇醒過來。關於未來中國大陸上的陣地戰，他說因為手頭資料不多，無從下斷語。但他已肯定的說中共可能退據西北作長久之頑抗。

他在一九四七年曾到過中國，他說以組織堅強的人的素質來說，國民黨還趕不上共產黨。去年四月他到過台灣的時候，尚有內部仍很渙散的情形，「革命先革心」，心如不完全，革命也不會完全的。他說，所幸中國民族是任何異族不能征服的民族。中國不會亡，便基於這個最大的因素。

歐局如能再穩一年形勢即比今天更好

至於歐洲方面，他說他和西歐各軍政領袖接觸，他們都認為現在歐洲已面臨歧途。歐洲險惡的氣氛比今年春天已和緩了不少，整軍呢？還是停留在這一個似有形式而實力尚未充足的階段呢？這是當前各國所爭論未決的。他認為如果歐洲的秩序能穩定[illegible]，局面即[illegible]今天[illegible]不相同，[illegible]預計劃的[illegible]大約已[illegible]一半，仍是落後，但大家已一致努力向前走，至於兵力、訓練和裝備究竟共須多少，[illegible]。他說，這[illegible]歐洲自然不能和美國比，歐洲許多國家都趕不上美國富有，這是事實。今年共黨在歐洲的力量已逐漸退縮下去，但危機仍四伏，尤其在歐洲幾個主要工業區，仍為共黨箭頭的重要目標！

今後的戰爭，爭取西、希、土、印，是刻不容緩之事。他說：希土兩國已入大西洋同盟，西班牙精神上亦已和美國走，只是和英法關係仍未穩好，這種相信時局日緊，慢慢日後算賬的，會停下留下個印度，只是態度仍未明朗。他說：尼赫魯現在的外交政策，在國際間言是獨立政策，在國內言是中立政策。她雖然為亞洲人提出許多美麗的口號，頻頻以亞洲領導者自居，但承認中共，及同步伐處理西藏問題，不過已走錯，仍可挽救。他相信尼赫魯終於要倒入西方集團中的。

蘇聯無意真正和平 韓戰和談全是騙局

關於韓戰板門店和談，他的看法仍為重開是有，然不會有結果的。他指出西方人士到現在纔瞭解共產黨的談判，本質上也是鬥爭的一種。藉這種口舌文字的戰爭，爭取時間，為強烈砲火的大戰鋪路。因為今日中韓也均受蘇聯操縱，蘇聯也無意真正和平，所以這種和談根本騙人，美國人民現在也漸漸覺悟了，知道這個和談是怎麼一回事。

他是今日美國廣播評論家薪水最高的一個，在美國為他收集材料的秘書計有三人。其中兩個都是大學教授，皆有獨特之見解。他對人很有禮貌，談論風生，能和你談上兩三個鐘點，毫無倦容。他表示將由港赴台，轉日韓等地考察。（邵一成）

滬天主教徒慘遭迫害

說曾以親娘比國民黨

控訴書雪片飛出 徐應喬等難免一死

【本報上海特約通訊】「宗教信仰」是中共實施思想統治的最大障礙，因此，中共政權站定之後首先使向各派宗教開刀，尤其對組織遍及世界，命令出自教庭的天主教。不過，他表面仍然奉為施政「綱領」的「政治協商會議共同綱領」，明明規定「……人民有思想言論出版……宗教信仰……的自由權」，怎麼樣纔能把這眼中釘連根拔去，而又可以掩飾「人民」耳目，那就不費一點工夫。所以兩年以來，執行思想統制的中共頭目，一直就在「計劃」，「佈置」和「行動」。在一連串迫害天主教徒之後，上海洋涇區張家樓天主堂副本堂神甫徐應喬及教友張蔡余文忠金順林等四人在最近這幾天，便又被借着參加「聖母軍組織」的罪名而逮捕清算。同時意籍神甫蘇冠明（斯高中學校長）古悅天（斯高中學監）兩人亦以同樣罪名遭受拘禁。這是執行以教庭代表黎培里為首的「一網打盡計劃」。說明中共絕對不容許有「非自由之自由倒向他們」的思想信仰存在，要避免一摧殘宗教的罪名，為了仍然保持「宗教信仰自由」的鬼話，但是中共頭目正如一切名義假借「人民」一樣，把拘捕徐應喬蘇冠明古悅天等六人的責任諉給所謂「上海市協商會議」，又策動所謂「天主教抗美援朝支會」等特務團體提出控訴。

助解放軍女病員李靜文私逃

據所宣佈徐等的「罪狀」：「一九五〇年三月，徐在聖母軍上海支團前首司鐸，與舟山之滬特務張阿六部情報負南滙第三區地下區長徐忠德共謀組織反革命武裝，並吸收教徒中的反革命分子張秋霖（國民黨員）徐文忠（原任義務警察）等收集各種軍政情報，後又與中國人民反共抗俄游擊救國軍部金順林聯絡活動，並策動解放軍女病員李靜文逃跑，收聽『美國之音』，散佈反革命謠言破壞土改及愛國天主教徒所倡議的三自革新運動。……」對蘇冠明古悅天兩人則是：「編印『雪地獄』『寫黃煙雲』等反動書籍『中國之命運』，又從香港運進大批散發進行反共宣傳。解放後，告訴學生，解放軍來了，你們要知道，『晚娘不比親娘好』，竟把國民黨作親娘的『聖母青年』秘密組織『聖母軍』，及以反共為目的之『XORA』反動團體，制止學生簽訂愛國公約，反對驅逐黎培里，與及裝神扮鬼威脅進步師生等……」欲加之罪，何患無辭，在中共特工精心結構之下，罪名是任意添加，應有盡有，不過為節省本報篇幅，記者也就沒有完全轉述的必要。

李茂恩控訴書儼如一篇小說

徐蘇古等的罪狀既如上述，按照中共的「法律」，任何一件都可判處死刑，或來個永遠勞動教育，寬大些就驅逐出境像黎培里一樣。但牠們偏不肯了當，卻裝腔作態的打起「維護宗教信仰自由」的假招牌，宣稱這是「接受人民檢舉」，并在報紙上連篇累幅登載「控訴文章」。如「上海市協商會擴大會議通過義案支持天主教青年愛國運動，建議政府取締反革命的聖母軍」，「青年界代表魯光揭露聖母軍罪惡活動」，「天主教抗美援朝支會發表宣言擁護取締聖母軍」，「上海學聯號召教徒和非教徒團結起來，擁護取締聖母軍」，「上海總工會聲明」，「公濟醫院職工控訴書」，「斯高中學教師唐或治，斯高中學學生李茂恩控訴，蘇冠明古悅天」等，一律，名稱之多，雖是千篇一律，頗驚人。

在所有各種控訴中，斯高學生李茂恩寫的一篇，簡直等於做小說。茲摘錄一段如下：

「蘇冠明、古悅天用各種陰謀辦法繼續指使我們步犯罪。他們叫我在新民主主義青年團開會時去偷聽，想法子去偷青年團員的日記簿看，並且慫恿我說：如果出了亂子，可以送我到香港去讀書。這樣，我就又替帝國主義分子做了危害人民的事情，我曾經在半夜裏偷過青年團員們四、五次日記簿，偷出來就急忙忙地抄錄下開會的情形，第二天送給蘇冠明或古悅天去看。

「尹祖德是個進步的教徒，有一天古悅天把我們五個『XORA』的『黨員』叫去說：『尹祖德不相信天主，已經不可救藥了，必須想法去打擊他、恐嚇他』。這天夜晚十二時，我們五個人就用演戲的服裝化裝起來，我把臉用紅布包起，只露出兩隻眼睛，身上披着紅布，扮着一個紅頭鬼去恐嚇他，其餘四個人，則分在樓梯門口瞭望風，我就溜到四樓宿舍把尹祖德的日記簿偷出來，那時古悅天等已在大禮堂等着我們，誇獎我們本領好。但恐嚇尹祖德的陰謀並未成功，於是古悅天又指使我們到尹祖德家去恐嚇他的家長，我們又和尹祖德家裏欺騙他父親說：尹祖德在學校裏不讀書儘搗亂；並威脅他父親：如果不把兒子叫回家，『當心你自己』，就這樣，尹祖德父親第二天就把兒子從學校帶回去了。」

據一般人觀察，在中共對這幾位教徒，做盡了控訴宣傳以後，其結果，所有中國籍的，必將一律槍決，外籍神甫，則或可僅以驅逐出境了事。（悠然，十日寄自上海）

共幹在滬醜態畢露

狐狸尾巴無法再作偽裝

三件小事看出全盤腐化

【本報上海特約通訊】根據中共最近發生的幾件小事，可以看出，過去所謂廉潔，重風紀的中共幹部，其狐狸尾巴，現已如何在廣大的民衆前面，完全暴露，無法遮飾。這幾件事的經過如下：

拐款潛逃盡情享受

上海各里弄，均組有居民委員會，主持會務的，都是中共幹部，別人無法入選。此種幹部利用地位，或敲詐居民，或盜用公款之事，亦時有發生。最近嵩山區崇德路居民委員李寅，即將所收秋季房捐現款三百餘萬元全部攜走。回滬後，借一舞女，潛往蘇州，大吃大喝，揮霍多日。又將餘款買手錶、皮鞋。全部化光以後，更往存有公款之業興銀行提款。因李寅潛逃後，已由該路居民委員會將情形通知銀行，故於李寅到時，即被該銀行報告公安局予以扣留。李到公安局受審，竟毫不畏怯。且高聲揚言：「我們革了國民黨的命，上級的人，多已有高等享受，而我們却窮困如故，並仍被上級當牛馬般驅使，揮用幾百萬元，實不值得大驚小怪」云。共黨下級幹部之貪污腐化，及其對高級人員的憤慨不平，由此均可想見。

醉擁舞女上桌狂跳

上海中山北路同興酒館門前，在不久以前的一個夜晚，記者從該處經過，忽見許多人擠在門外，幾百隻眼睛，注射一張大圓桌。原來圓桌坐滿了穿解放裝的中共幹部。這些幹部，一個個醉得東倒西歪，大喊大鬧。有的抱着舞女站在另外一張桌子上跳舞，有的蹲在凳子上，斜戴列寧帽，一手持酒壺，一手還在那裏拉開嗓子，拚命叫「五魁」「四喜」。有的則不勝酒量，當場出彩，吐得滿地狼藉。酒館主人也無法叫他們走，行人好奇，越聚越多，好容易鬧到十一點多，這些醉漢才結隊出門，酒飯錢一文未付。好在酒館知道他們是什麼機關職員，也就未加攔阻。原來他們都在中國人民保險公司華東區公司服務，是公司的經濟幹部，他們每個人都掛了徽章，大搖大擺，呼嘯而去。當時門外觀衆，好多人說：「像什麼工作同志，喝起酒來簡直鬧得不成人形了」。記者還親耳聽見一位老太太說：「這真替人民政府丟臉呵！」據酒館主人說，他們每星期有一聚餐會，每次聚餐會就要鬧成這個樣子。至於這些人的錢是那裏來的？大約因為保險公司是業務機關，有直接收入，所以較一般共幹，油水更多，手面也就更闊了。

為了好奇不妨試婚

中共青年幹部現任上海「人民銀行」行員吳佩鋒，原是復旦大學學生，黃岩人，三十六年八月，他在滬興鐘樓小學，任短期暑假教員，與同校女教員周美湘結識。三十七年，兩人正式結婚。後周懷孕回黃岩生產。上海淪陷，因周本係共黨地下人員，遂得入人民銀行工作。旋又結識一共黨女幹部胡蔣纓，三十九年，與胡結婚。周美湘聞訊欲來滬，均被吳阻止，最近，周不顧一切，自到滬，始發覺吳另與一女子同居。與吳理論，吳竟將周痛打。周無可奈何，向法院控訴。日前開庭，吳對與胡重婚，毫不否認。他說：「以前與周結婚，不過是為了心理上的好奇，以為得一次嘗試也好，對周並無真正愛情，現在，為了革命，為了替人民服務，不能不有一革命女同志作伴」云云。旁聽人均以如此共幹，完全玩弄女性。倘竟毫無制裁，實即等於對中共大吹大擂的婚姻法開玩笑。但此種情形，在上海男女共幹中，幾於家常便飯，異常普遍。（悠然，九日寄自上海）

鎗口直射行人 故意扳弄鎗機

【本報專訊】中共武裝幹部對人民態度，兇惡強暴，幾非常人所可理解。如廣州附近，番禺縣市橋鎮，有一拘禁富農之看守所，門前武裝共幹，常坐在石階上，將一步槍放平，槍口直指行人。有時將槍兩夾在兩腿之間，遇行人走門前經過，故意扳玩槍機，拍拍作響。日前一青年學生，從附近新華書店買書走出，見看守所門前，貼有一公安局佈告，當即前合，不料此守門共幹，一言不發，突然起立，將槍直向青年腹部刺去，幾鬧慘案。幸附近居民，多與此青年相識，經向共幹說明，並由青年謝罪認錯後，始准其無事離去。聞此事發生前，有一鄉民曾因在門前行走稍緩，竟被鎗殺，並揑造罪名，謂該鄉民係反動份子，特來探測情形準備刼獄，實則全係無辜喪命。共幹之無視人民生命，由此可見。（民良）

這才是騎在人民頭上的模範

【本報漢口特約通訊】荊州專署糧食局局長謝彬，於上月六日至十日，由漢口調赴宜昌的「黃梅輪」上，頤指氣使，目中無人，先後與其他乘客發生糾紛五、六次，全船為之側目。十日這天，適有西南軍區通指職員張彪之父張信仁在藕池上船後，準備把草帽放在謝的箱子上，當被謝彬命隨從人員厲聲制止，態度蠻橫，并辱罵張信仁說：「媽的，不許你放，你就不能放」，張自恃軍屬，不服氣回說：「大家都是乘客，為什麼這樣兇」？謝更厲咆哮，大聲吼罵：「你這個帽子算什麼，老子這裏有槍是鎗斃你，不信你就試試，你要放，老子就要把你捆起來！」張信仁低聲和氣的說：「同志，我也是革命軍人家屬……」謝冷笑罵道：「什麼革命家屬，我不認得！革命家屬反革命的多得很呢，一樣的鎗斃，有膽量就放給老子看」。張信仁給氣得喘不過氣來，同船的恐怕鬧出大事，急把張拖到別的艙位去。

老子這裏有槍 不信你就試試

「黃梅輪」上的一羣旅客李文儒趙定曦等九人看不過眼，到達宜昌後，聯名蓋章把目擊情形報告給「湖北省黨委會」、「省委會」循例一紙空文下到「荊州黨委會」，有些什麼結果，誰都不曉得。（懷民，九日自漢口寄）

學與不學的分野

尚方

英國工黨左傾人物貝凡，以反美親俄姿態，號召演說，指今日世界反共形勢，皆爲邱吉爾所領導之保守黨所造成，因而警告美國人，不要希望保守黨獲勝。邱翁的答復很妙，他認爲英國必須跟美蘇各國切實合作，纔可以維持世界和平，纔可以合理的解決伊朗埃及所發生的糾紛，若使貝凡一流人獲取政權，這合作必定困難云。

以一個中國人的主觀立場來看英國大選，對兩黨誰勝誰敗，都無所謂。若就世界前途來研究他倆所揭示的競選政見，即覺貝凡這般人，完全犯着一種立異標新的幼稚病。好像我國的黃炎培郭沫若之流，不學無術，而又熱中名利，只是拿國家開玩笑罷了。

大英帝國的利益，必須繼續在國際合作上，這是鐵則。目前的伊朗問題，埃及問題，都使英國頭痛了，假使貝凡當政，能否獨往獨來，迎刃而解呢？不與美國合作，英倫三島就能遺世獨立，超然於兩虎相鬥的火拼場外嗎？二次大戰前夕，張伯倫就是採取了如今日貝凡先生的想法，對虎視世界的希特勒帝國，懇伸友好之手，任何代價亦所不惜，結果是英倫首先挨到轟炸！

邱翁的政治思想是否太「保守」？固不可知。但其所倡國際民主陣綫合作之說，究與貝凡的「只有一條路」來得高明而有益，大概這就是學與不學的分野吧！

● 自由談

港九之母——寶安

・嘉榮・

沙頭與長沙灣村 今日竟成黑地獄

住在港九的人，無不知有個「深圳」，却很少人清楚「寶安」，甚至有些連「港九原是寶安的一部」也不曉得。可憐這位「母親」，現正爲了港九這兩個「兒女」而活受罪。她成了整個中國大陸的「牢門」，而對「自由天地」呼援無門，欲哭無淚。眼巴巴看着經由她懷抱走出的人，一個個遭受折磨、恐怖、幽囚與殺戮。在同一日的香港報紙，便出現了兩件悲慘的報導：

一件是：「被羈留在紅磡候解犯集中營的四百餘人，於兩日前由警方提解出境，先押赴九龍西貢，再下輪解往華界「長沙灣村」。該村貼近西貢，此四百餘犯人被解登岸後，正擬入村，即爲該地共軍發覺，開槍掃射，各人走避不及，被慘殺者百餘，橫屍遍野，其餘狼狽紛逃，有百餘人已跳水逃返九龍地界，復被警方抑留」（十月八日自然日報）

另一件是：「沙頭鄉民兵在兩個月內協助人民政府逮捕了一百多個偷渡犯，第三區的民兵又提到東莞縣的逃亡地主一批。」（星島日報廣州八日訊）

寶安地處海隅，擁有一百三十餘里的邊防綫，除陸路的深圳係廣九車廣州段的終點，現仍爲出入孔道之外，凡與九龍接壤的地方和蜿蜒曲折的海岸，每一尺都可成爲大陸人民的逃亡出路，其中以東南面之「沙頭」和「長沙灣村」爲最接近九龍，（沙頭角這小鎮更以馬路爲界，一邊店舖屬英國統治）而百餘犯人被掃射斃命及百多個「偷渡犯」遭逮捕的不幸事件也就發生在這兩個地方。

本來，寶安在平常狀態下，是一個頗和平康樂的縣份，與港交通，水陸直達，作爲國境門戶的深圳，過去旅客來去，極爲自由。沙頭角長沙灣等處，僅只是野老鄉民的匯聚，與不同的國度管轄的九龍區，雞犬之聲相聞，什麼「國界」「邊防」，他們幾乎連聽都沒有聽過。至於縣治所在的「南頭」，則每日均有輪由「蛇口」與港九三角碼頭對開，川行往來，旅客純屬經常帶點土產，換些洋雜回去，一出一入，數口的生活，便告無憂。可是自從共［illegible］

情形就大不同了。「解放」之後，今年二月十五日起，出入均受嚴密管制，沿邊一百三十餘里的鐵絲網，變成一度「鬼門關」，整個寶安，變成想見天日的「囚徒」，除中山縣通往澳門的「小穴」之外，必須經由此地上述人民，不過千百分之一的幸運者，二吧？此外還不知其數多少？實安與港九水陸相通，地形熟習，有鄉土關係，故藉孔多，相率逃亡容易，從者較衆，因此引起「人民」當局的困惱，株連了嫌疑者，鎮壓清算，特別厲害，居留寶安多年，也不許在故鄉，無不唏噓，偶逢佳節，田隰陰暴，太息國慶，更不勝亡國之痛，被稱作「天堂」的香港九龍（寶安的兒女），「母親」早已變成他們的黑獄，盈千累萬的眼睛，望穿鑽秀挺的內兒女，咫尺天涯，恨恨如何！

出國

羊辛

歪戴着「八一」帽的科長，一隻手擱在椅上，一隻手執着五脚一趾，擱起眼睛，從那公文紙上移起眼睛，朝那老半天呆立了的人一指：「你就是黃天來？」

「是，是，科長。」黃天來連忙的打躬。

「你要到香港去？」科長面色有點改變。

「不，不，我不是去香港，我是去南洋，印度尼西亞，我是老華僑。」

「唔，……」科長的眼睛漸漸變成三角形，把眉頭一皺：「爲什麼要去南洋呢？國內不好麼？」

「不是的，不是，因爲我在那邊有點生意，必須去解決。……」

科長把那隻擱脚的手放在鼻口聞了聞，停了一回，纔又問道：「你說的可是眞的？」

「千眞萬確！我不敢欺騙科長，我是去印度尼西亞，在那裏實在沒有生意做，去實在沒有半句謊話！」

「好吧，黃天來，我問你，……」科長的面孔嚴肅起來：「你到南洋以後，有人問你，你預備怎樣說？」

「問什麼？」黃天來摸不着頭腦。

「大張東西！問你人民政府呀！」

「哦！對！好！頂好！頂好！我說人民政府好，好不過！」

「怎麼樣好法呢？」

「呃，呃，人民政府是這樣的，人民的，共產黨的……不完全是……」

忽然想起學堂裏的小學生唱的那首「解放區的天」的歌，就「照原文如下」地照唸了出來。

「噯！你得說在那裏好在那裏，恩情在那裏呀！」

「是的，是的，譬如說吧，譬如說吧，譬如說呃，就像如說吧，捐稅這個，呢呢，人民政府是大公無私，人民愛護商家的，又如現在都翻了身，工農階級，又譬如……」

「說那些反革命份子，現在都消除了……再說美帝國主義，是我們中國的大敵人，我們抗美援朝，保衛我們，要打死敵人，還有，人民政府還有十分革命的，大家都是爲人民服務的！」

「國民黨呢？爲什麼沒說國民黨？」

「國民黨的都壞！好！黃天來，要是人民政府搜辦精幹，把共匪……好容易才七拼八湊的宣傳話販了」

「科長得意的笑了，道：「你眞的會這樣說麼？」

「眞的，不騙你，我若騙了你，就……」

「我可不大相信，你有什麼證明？」

「證明？」黃天來呆住了。——這可要怎樣證明呢？

他有點發慌。他想起來了：

「科長！我一定會這樣說的。你想，我還有一家人留在這裏，老婆，十個兒子，兄弟，我怎麼敢不說人民政府好？難道你說對不對？」

科長把那揮手想到的確有理，道：「好吧，黃天來，你去拿出國證吧！」

黃天來捧着一抹滿頭大汗，三步做兩步地離開了辦公廳。

談『雷雨』（中）

・舜生・

『雷雨』這個故事的結構，實在是太巧了，不一定是巧得不近人情，但多少有點巧得難於令人置信。本來，一個有錢人家的公子哥兒，（例如少年時代的周樸園）看上了家裏女用人的一個女兒（如梅侍萍），不只和她發生了性的關係，而且和她生了兩個兒子（周萍，魯大海），這是很尋常的；周家要爲周樸園正式娶一位有門第人家的小姐（蘩漪），因而在年三十夜，把梅侍萍趕出大門，可是她抱着一個生出才有幾天的孩子去跳水，不僅沒有死，居然又嫁了一個人（魯貴），而且和魯貴又生下了一個女兒（四鳳），這也沒有什麼稀奇。我所以說它『太巧』，便是經過了差不多三十年的時間，因爲周家從無錫搬到了北方，乃爲魯貴造成一個到周家充當一名體面的機會，同時魯貴又把他的女兒四鳳引進周家做了一名用人，還介紹梅侍萍帶來的這個兒子魯大海在周家的礦山找了一個位置，於是乎梅侍萍也就很自然的有機會再到周家。

這個時候周家的主人一共是四個，即周樸園和蘩漪兩夫婦，梅侍萍留下的大兒子周萍，蘩漪親生的一個小兒子周沖。

蘩漪以後母、貴格和大少爺周萍發生了苟且的行爲，可是等到四鳳進入周家以後，乃同時爲周家的兩位少爺所鍾愛。周萍四鳳這兩個同母兄妹既正式有了肉體關係，蘩漪的愛乃爲四鳳所奪！

綜括起來，可以說這個劇本是在交織的五個三角關係中試成的：蘩漪與周萍四鳳之間，是最主要的一個；四鳳與周家兄弟之間，是次要而極自然的另一個；周氏父子與蘩漪之間，算是很不自然的第三個；還有兩個爲一般人所忽視的，乃儼然存在於周樸園蘩漪和侍萍與周樸園梅侍萍魯貴之間！

普通的小說或戲劇有一兩重的三角關係已經夠緊張，這個劇本乃運用了這五重的關係，而且運用得十分緊峻，其把一般觀衆的情緒簡直壓迫得喘不過氣來，這是無怪其然的。

在中國小說中，善於明明暗暗直接間接製造多重三角關係的，莫如『紅樓夢』，沒有想到曹雪芹後，二百年乃又有了這位曹禺先生，下一段我想從這個劇本的技術上，再發表我一點淺見。

萬竹樓隨筆（三七）

畫狐篇

・蘇夢・

・肉麻當有趣・

在尾巴報上看到了一首「政務院副總理」郭沫若作的「歌」，題目是「人民的領袖萬萬歲」，我不避臭氣，且把原文照抄一段：

「太陽照在綠草地，草原變得更美麗，最大的光榮歸於誰，我們的領袖毛主席。山上的松樹背脊的嘿，河裏流水滾滾的嘿，太陽的光輝暖暖的嘿，毛主席的恩情深深的嘿。通紅的酒杯斟滿酒，我們的雙手舉過頭，斟滿酒，舉過頭，斟滿酒，舉過頭，萬歲萬歲萬萬歲……萬萬歲，萬萬歲，人民的領袖萬萬歲。」

說眞話，我抄到這裏，若不是香港的秋天還不太涼的話，眞想毛根根豎起而凍壞了。這種肉麻當有趣的姿態，只有共產黨人纔做得出，也只有歌頌過「我們的太陽」不朽的「鋼」的「副總理」郭沫若纔有這份勇氣，廣東話的所謂「肉酸」，我想大概莫過於此了。

共產黨人，一向是只有自己纔不肉麻，自己纔是眞理的；當年喊過「反對偶像崇拜」最熱烈的是共產仁兄，說那是「專制暴君的封建意識」，恥笑揶揄，無所不至。反迫害，反飢餓，反暴行，一連串的名詞，全是共產仁兄一手創造的，然而現在呢？現在他們已經是「眞理」了，大屠殺大迫害大宰割成爲了堂而皇之的東西，不但不該反對，而且還該擁護，誰要是敢反對，誰就家破人亡！而偶像崇拜的程度，已到了集古今中外之大成，越肉麻越有趣，甚至連母雞多生了幾堆蛋，也歸功於「毛主席的感召」，那怕是三呼萬歲，叩頭如搗蒜，也絲毫不覺得忸怩，單看上面那首「歌」，其臉皮之厚，已無以復加。

肉麻當有趣，在共產黨人本不當一會事；叫幾十歲年紀的人去跳腰鼓舞，以學習「人民」的模樣爲時髦，他們是十分津津有味，自以爲非常天眞可愛，並不考慮到別人會作三日嘔的。尤其那些投身寶蓋自命「前進」的「文人」，表演得更爲出色，搖着一根奴才筆吹牛拍馬，我們早已爲它吵得發昏，如郭沫若之流，不過只是此中的代表人物而已。

共產仁兄是最看不起智識階級的，我有時想這也並非沒有理由，如郭沫若這一類的「智識階級」，少一個就比多一個好些，那副奴才嘴臉實在太可怕了！

・原子彈的解嘲・

前些時，共產仁兄說：「美國投擲日本的第一顆原子彈，是向蘇聯借來的」。竟宣傳得像煞有介事，還稱獨創的「珍聞」！但自從蘇聯的「原子祕密」被揭穿了以後，尾巴報紙論調又轉變了，不再提起那些可笑的神話，明知道蘇聯即使有原子彈也是那麼落後，而且少得可憐，於是作如下的解嘲曰：

「以美蘇兩國的工業和人口來看，蘇聯的原子彈投到美國和美國的原子彈投到蘇聯的作用，是一與二十六之比。」也即是說，蘇聯不怕原子彈少，即使只有一枚，也抵得上美國二十六枚。倒不如說：蘇聯多麼偉大的「對比論」呵！

即使沒有原子彈，也一樣可以打勝美國的，不是麼？「解放功臣」就曾經下過題：「要獨吞一顆原子彈」，若是一千人吞下一顆，美國那有這許多原子彈夠吞呢？

人似乎到了窮途了，氣無法繼續「東大砲」的時候，就只有來個「精神勝利的」，阿Q一番，自我陶醉一下也好！

美國毒販 引誘青年吸毒

十二歲的癮君子最近被捕

海洛因嗎啡等，最近竟在美國大肆銷行。若干中學生，在食吸上癮以後，每天即需要以五元到十元的現金，購買毒品。他們設法得到這些現金，就不願將午餐錢移作購毒之用。此外則出售衣服書籍，並向親友拚命借貸，不達目的不肯走開。

吸毒的份量，照例是與年俱增，因之，所需費用，也就越來越大，等到資格較深，就非五元至十元能夠滿足。通常需要十五元，大約即年需五千四百元。這個數目，在美國一般人支出，已不算小，而吸毒青年，百分之九十以上都是年輕的，無法賺到正規工作，於是他們的男更爲竊盜，女的變成娼妓，這種悲慘情形，眞可說不勝枚舉！所得的東西，偷出時價值一，作現金，［illegible］

總之，因此，如果每一吸毒者需要以原價四分之一出賣偷來的東西，則他們必須偷得四倍的數目，纔能滿足他的需要。他們低價出賣的衣物，約値上年的原價二萬元以上。

約有二千名男女，十歲以上之吸毒者，經市政官方最少估計，加以逮捕，所吸毒者有五千名。

此中毒販，美國約有［illegible］

［illegible］以千元，再經過製造，可値一千七元，一對比例，作成丸，牛乳糖，合成［illegible］

［illegible］學生至少均爲吸毒者，［illegible］

劉伯承發表談話堅決否認 曾向裸裸國女皇磕頭

要更正已成「信史」的二萬五千里長征記

中共「最得意的傑作」——「二萬五千里長征」，後來由趙文華編成「二萬五千里長征記」，對「紅軍」極盡誇張渲染之能事，讀過的無不感到肉麻。可是其中「進入裸裸國」一段，把「紅軍」的「英雄史蹟」寫得並不怎樣威風，如說：

「後來紅軍派了一位代表劉某用三跪九叩的禮節，朝見了裸裸國女皇帝。送了裸裸國二百支步槍，一千元銀幣，與他們訂定了過境的協定。他們就准許了紅軍過境，惟沿途向夷民買貨，須以現銀交易，不得以用紙幣，也不准紅軍佔據夷民的房屋。」

這在還是落草時期的中共看來，自然不覺得什麼。可是今天業已登其大寶，竊位北平，這些稱孤道寡的傢伙，以前竟曾「用三跪九叩的禮節朝見裸裸女過……」還要送二百支槍，一千銀幣才得通過，這是何等丟人的事，因此中共當局，不能不挖空心思，把這一段曾經大事宣揚的信史，從新改造。

於是兜上十萬八千里的圈子，由二等文工朱某出名，說：「在某處會到劉伯承將軍，把這問題提出請教。得劉將軍述出紅軍經過裸裸國國相，證明二萬五千里長征記所載與外間所傳頗有出入。」「紅軍不但沒有用三跪九叩禮節朝見裸裸女王，還送二百支槍也是不確，而是裸裸國領袖受紅軍英雄的感動，親自護送過境」。

因爲是「劉伯承將軍親口說的」。當然「千眞萬確」，說不定「二萬五千里長征記」的作者，還得準備腦袋搬家呢？

已成「定讞」的「二萬五千里長征記」，爲了與劉伯承所說不同，便得來個「修正」，這在中國共產黨看來，是絲毫不足爲異的。因爲四千年來的信史，也可以用「辨證法」重新改寫：黃巢李自成張獻忠都成了偉大的民族英雄，豈有「天神般的」「中國紅軍」會向裸裸女皇三跪九叩。

中共文工們的「妙筆」，我是從來都相信的。（文中）

自由人

THE FREEMAN

（半週刊每星期三六出版）

（第六十五期）

每份港幣壹毫

督印人：李光華

社址　香港高士打道六六號

電話：二〇八四八

GLOUCESTER RD. HONGKONG

TEL: 20848

承印者：東南印務出版社

地址：高士打道六四號

台灣經銷處

台北重慶南路一段七十四號

政治與文學

·左舜生·

看這個題目，便好像是與現實無關，其實不然。

好久以前，我腦子裏便有這個題目，似乎有不少的話要說，可是每一到提筆的時候，便又覺得無從談起。記得二十年前，讀過日本文藝批評者廚川白村博士一篇「文學者和政治家」的論文，不知道是什麼人翻譯的，總而言之，確曾引起過我的共鳴。現在依然打算就這個題目說幾句話，很想把廚川氏的論點先查一查，然後針對中國當前的現實，發表我個人的淺見。滿以爲魯迅譯了他的「出了象牙之塔」，這一篇也一定在裏邊的，可是借着「魯迅全集」的第十三册來一翻，不幸單單只有這一篇他沒有收進去。魯迅這個人，隨時都要發揮他的一種陰陽怪氣，乃至譯別人的一本書，也要表示他個人的這種乖僻，實在是很可笑的。

無已，便還是只好說說我自己要說的話吧。

第一，我平日常常爲一種幹政治而精神過度緊張的朋友們担心，總覺得他們不短命也難保不要失敗。世間決沒有一種「快幹」「硬幹」可以幹得好的事，何況政治牽涉的方面太多，往往在利害得失上極複雜之能事，快是如何快得來，硬又何從硬得起？如果單就執行的方面來說，也許快與硬是很好的，可是假如你立在一個發號施令的地位，必須運用你的思考以收謀定後動之效，那你的精神狀態便更須安詳，否則即難免思慮不周，意氣用事；甚至遭遇意外的打擊，更難免不手足無措。若干年來，我眼見由於思慮不周，意氣用事，在政治上所引起的麻煩，和挫敗的事實，實在太多；要糾正這一類的過失，一個政治者最好能有一點文學藝術的修養，甚至就讀詩戲，看看電影，寫寫字，說說笑話也是好的。這不僅在自己的精神上多有一點緩衝，直接對於考慮一個複雜的問題有益；就多懂得一點「人情味」，多有一點「幽默感」，又何嘗於增進人事的協調無補？

第二，政治行爲的成敗是很尋常的，可是眞要做到成不驕而敗不餒，談何容易？因政治行爲而引起個人的變遷，也是極普通的，可是眞要做到聞譽而不自以爲有餘，聞毀而不自以爲不足，又需要多少的工夫與火候？中國歷史上的政治人物如屈原，賈生，禰正平之流無論矣，甚至就像諸葛亮，王安石這類比較有深厚修養的人，尚且不免汲汲顧影，牢愁寡歡，像我們這類平凡的人物，還能夠不知所警惕嗎？「論語」子路曾晳冉有公西華侍坐一章，孔子對於子路冉有公西華三位那種劍拔弩張或較有自信的說法，都少所稱許，惟獨對於曾晳那種雍容暇逸的風度，乃讚歎不置，我們正可想像聖人的胸次，是何等的浩然！孔老先生說：「用之則行，舍之則藏」，孟老先生卻一定要說：「當今之世，舍我其誰」，我們豈不更可看出這兩位老人在修養上的差異？古代的用舍在君主，現代的用舍在國民，有時候要過分的去勉強也是勉強不來的。個人的生命有限，國家民族的生命無窮，所謂政治也者，我不幹，一定有別人幹；我死了，更非別人幹不可；一定要說「舍我其誰」，似乎大可不必！二十年來，我常常有幾句話向朋友們說起：「政治乃庸俗之事，君子不得已而爲之，小人則樂以爲利之！」我心目中的所謂「利」，並不一定是指[illegible]，只要你對功名榮譽一類的觀念放不下，便難免不墜入魔障啊！要做到一種可幹可不幹的程度，却也眞不容易，太高了的修養也許高不可攀，但借文藝的欣賞把自己引導到一個較寬的天地，不也小之可以益壽延年，大之可以化民成俗嗎？

第三，近年幹政治的人們，動輒歡喜說「領導青年」，「領導青年」，我不是說青年毋須領導，更不是說青年不須接受領導，但我總覺得青年好比奇花初胎，你能夠時其寒燠，擇其土壤，慇慇懃懃的去加以培植灌溉，讓其自然，是很好的；可是假定你要去揠苗助長，或如束濕薪，甚至要預先製成一副模子，把他們一一往你這個同樣的模子裏去鑄，不如是你就認得他們不「就範」，而視爲棄材！老實說，像這樣的方法，不僅不會收到領導的功效，甚至他們終有一天要拔出手鎗向你掃射也不一定啊！這二三十年來，中國社會的異動非常激烈，而鼓盪其間者，大抵都是青年。造成這些異動的是非善惡姑置不談，但我們却不能一切的歸功或歸罪於一般的正常教育。今天一個資質較爲優秀的青年，他只要能夠自動的讀上十本八本文學書，他便可以自己構成一個理想，形成一套理論，而且有勇氣立即見諸行動。近二三十年來，由於中國人的寫作或譯自外國的文學作品，何只數千百種，其實際是構成中國現代青年思想的淵源，今天我們朝野的許多大人先生們，對這樣一個事實一切置之不理，只一味不斷的喊着說：我來領導青年，我來領導青年，我敢擔保你們非碰壁不止！假定我們說，青年是一個國家的中堅份子，是推進一切改革事業的生力軍；你們又眞有意思去爭取他們的合作，那麼你們自己對這方面不有較他們更爲深厚的修養，又如何可能呢？

這個題目可供發揮之點還很多，甚至我要說爲了研究今天的國際問題，爲進一步明瞭若干民族的精神狀態，也非分別涉之於他們的文學不可，這個話說來太遠，也嫌近高調，只好留着慢慢的再談吧。

證實蘇聯確有原子彈以後
對美國軍略影響很大
原子彈握在獨裁者手中隨時會威脅世界和平

伍健勛譯

白宮新聞秘書獨特，在記者招待會上，報告蘇聯第二度原子爆炸。白宮第一次發表相同的聲明，是在一九四九年九月廿三日，該項聲明，曾經震撼了整個美國。不過那時美國官員雖知道蘇聯有了原子專家，及有限的鈾礦供應量，但他們深信並且希望蘇聯的原子彈試驗，還需要經過一個較長時間。

蘇聯有原子彈的含義，實在太顯明了，它說明了美國的原子獨佔宣告終結。當美國領導下的自由世界用陳舊的武器來武裝他們的戰鬥人員時，原子彈的獨佔成爲阻止蘇聯進一步侵略的高度依據。雖然美國在原子武器方面，仍然佔着極端優勢，但這個獨佔權已不再是她的了。

單純依靠原子彈已經不夠，原子彈落在組織嚴密的獷悍的一派人手裏，對世界和平的危險，較它落在民主人們的手裏，更爲嚴重，因爲民主國家的領袖，需要考慮到公共輿論。紐約，洛杉磯，或其他任何美國城市，現在有隨時遭受襲擊可能。

美國面對這一個事實，於是透過聯合國[illegible]她取消原子彈的要求。她的條件是美蘇兩國須受國際調查，原子設備須受國際控制。神秘的蘇聯人，却拒絕這個要求。相反的，他們利用原子彈，作爲和平攻勢的命題之一。他們說蘇聯發展原子能，僅作和平使用。他們並攻擊美國生產原子彈。

懷疑時期已告結束

史太林從未證實美國第一次宣佈蘇聯原子爆炸的消息，因而有些人對這個聲明的眞實性，抱一種猜測態度，他們雖然推測美國原子策略家已在蘇聯的衛星國區域佈下偵察站，探測蘇聯的原子活動，但他們繼續對蘇聯曾否眞實地發生過原子彈爆炸，竟表示懷疑。

這次克姆林宮却沒有留下令人懷疑的餘地。在白宮宣佈蘇聯第二次原子爆炸的第三天，史太林在眞理報發表：「誠然，近來作了一次原子彈式的實驗」。並稱蘇聯的原子彈不止一種，不過這些原子彈儲備用作防禦。蘇聯的重點，在將原子能供作和平使用。

史太林說：「蘇聯主張禁止原子武器，及停止原子武器生產」。但史太林這些話，並未抵銷他首次承認有了原子彈對於西方的威脅，他並且表示了蘇聯正製造並繼續製造原子彈。同時蘇聯在這方面的成就，配合蘇聯和平宣傳攻勢的使倆。史太林現在把擁着原子彈在喋喋不休。美國人民所抱的見解，認爲蘇聯擁有原子彈，可能拿來運用。蘇聯第二次原子試驗的消息，這雖非使美國人暈厥，但在華盛頓方面，這個消息是重要的，而且高度引爲焦慮。

美國還是佔有優勢

從蘇聯第二次原子彈實驗所獲得的證據，明顯的結論，是蘇聯原子發展，到了某種程度。不過專家們仍深信蘇聯對美國望塵莫及，因美國原子彈庫存量，爲數當在數百枚之多。但是蘇聯業已把美國原子專家的知識，及原子間諜如富熙自美國所盜竊的大部份原子祕密，配合蘇聯自己的原子專家，加以運用。

在這些原子知識中，蘇聯無疑地知道怎樣製造氫氣彈。利用原子彈作發動擬紐，足以發生無定性的大爆炸。不過美國對已建造一座氫氣彈廠，蘇聯可能尚未達到這步境地。還有一般人認爲蘇聯鈾礦資源及原子器材不足。

唯一的事實，是蘇聯兩度原子爆炸，具有一個重大的政治作用。她可以用來恫嚇蘇聯以外的國家，特別是西歐。美國和她的同盟國現正設法在西歐組織一個有效的防禦制度，蘇聯的原子爆炸，無疑地使這種努力趨於複雜。

蘇聯第二次原子彈爆炸，剛好碰上原子能委員會主席定尼 Gordon Dean 及其他官員有關原子武器用作戰略目的之聲明，這個聲明是否針對蘇聯原子爆炸而發，無從臆測。定尼最近曾惋嘆稱，無人飛機配上原子武器，在戰場使用有其利益，如銷滅敵人部隊，及供應品集中地，原有的原子彈僅對距離前線甚遠的城市及生產中心地，發生武器的作用。

韓戰可能用原子彈

定尼這段談話，引起一般人推測，除非共軍恢復和談，否則在不久將來，美國可能在朝鮮戰場使用原子武器。美國已預定不久在美國西部沙漠區進一步作原子試驗，其意或在試驗原子武器作戰場戰術的作用。蘇聯第二次原子彈試驗，可能對使用原子武器整個問題的軍事考慮，有所影響。（譯自十月十五日美國新聞週刊）

斷送一萬八千噸存煤
不識字做礦長
幹部萬能優頭山煤礦崩坍

【本報專訊】在「共幹萬能」的原則之下，許多一字不識的長征幹部，不盡做了人民官，銀行經理，有時還派充若干工礦事業的主管者。安徽貴池優頭山煤礦礦長詹王鼎，爲了毫無礦業知識，又剛愎自用，不聽技術人員忠告，以致不久以前，造成礦頂崩裂，死傷工人多名，並損失存煤一萬八千噸的大悲劇。

詹王鼎是長征幹部，就任礦長以後，經常住在上海南京消遙尋樂，不但從未下過礦井，連礦場也不多到。當第七號礦井發生滲水時，詹在上海遊玩，礦場打電報向他報告並請他趕快回來，他還遲延了十多天，才回到礦場，看見井內水不太多，他就大罵技術人員，說他們太缺少革命精神，這一點水，算什麼希奇，一定要把他從上海叫回，有意和他開玩笑。以後水越積越多，他還是一味強橫，叫大家不要怕，如此一拖拖了六個月，終於礦頂崩裂，七號井全部淹沒，死傷工人二十餘名，存煤一萬八千噸，全部烏有。這是中共幹部的典型表演。從此，也可以看出中共是如何漠視技術工作，將這樣無知識的愚蠢幹部，來搞工礦事業，中共要建設中國，那豈非「滑天下之大稽」。（一知）

半週展望

雷嘯岑

危險的亞洲！

紐約州長杜威早已認定亞洲爲「危險區域」，日前菲律賓外長羅慕洛亦說亞洲地帶隨時有爆發大戰的危險；再證以第三國際遠東情報局之積極經營印緬，中共武裝軍援越南胡志明，馬來亞恐怖份子狙殺當地高級行政專員，印尼政府不斷緝捕搗亂的共黨人士，且進而對共產政權駐印尼使節要予以限制等情況，整個亞洲地帶，都在動盪不安的烘烘狀態中。

若干年來，英美政治家堅決的執行「重歐輕亞」政策，恰與史大林的「西守東攻」政策相應合，各盡其妙，相得益彰！在軍事上，重歐輕亞固屬未可厚非，錯誤乃在政略上亦同樣的採取輕亞主義，拿亞洲人民作爲對史大林乞憐的替罪羔羊，這纔醞成今日險象環生的危局。舊金山對日和約完成了，然日本對亞洲各國除菲律賓和印尼那一小角落算是恢復常態而外，其餘依然還是敵讎狀態，在亞洲的安危前途上，日本要發生影響力，爲時尚早。因此，韓戰就不得不拖下去。麥克阿瑟的擴大韓戰主張碰壁，魏德邁迭次呼籲武裝亞洲自由人民，讓他們團結奮鬥，爲自身生存而努力的意見，也置若罔聞；而日韓聯盟，以及日本與自由中國締約諸事，美國既不讓日本單獨進行，自己又模稜曖昧，趑趄不前。像這樣的作法，都是間接助長史大林「西守東攻」的氣勢，增進大戰在亞洲爆發的可能性啊！

亞洲聯防公約

杜魯門總統前次發表演說，複述其以實力維護和平的信念，申言「確信西方國家必須加強防務，以使此事成爲可能」。現在大戰的序幕已在亞洲揭開，時時有擴展爲全面性的危險，從「加強防務」的觀點看，杜威州長所主張的亞洲聯防公約，應爲當然的結論了。西方國家固然抱定宗旨不在亞洲作戰，但不能不作守勢的設防吧！留下東南亞一個大漏洞，難道是要給將來共產勢力自越緬南進的便利機會不成？

談到亞洲聯防問題，西方國家的歧見就很多，最大的關係即是英國。她對亞洲問題所抱持的幻想，永遠是可望而不可即，形勢既已造成，祇好「混下去」（Muddling Through）混到有朝一日產生一個「亞洲的慕尼赫」，再演一幕太平洋上敦克悲喜劇，纔告終場。歷史之神，就這樣的常常對着世界政治家大開頑笑！

日本不中立

吉田茂對國會議員說：「在目前世界情勢中，沒有中立這一類東西！」因此，他認爲「日本爲了自己生存，必須在反共鬥爭中，與民主國家合作」他又否認美日安全協定之締結，將使「日本成爲美國衛星國家」之說，指這種說法是共產黨人的宣傳口號。吉田這段話，至少比較尼赫魯自凡那類夸夸其談的政治人物富有實際的責任感。日本之無法中立，世所共喻。值得一談的是所謂「美國的衛星國」之說。

世界已形成兩極化陣營，任何國家不倒入鐵幕之內，即站在民主國家陣線上，毫無騎牆之餘地。一面倒向俄帝鐵幕中的人民，祇有淪爲奴役，不許亂說亂動；一面倒向美國領導的民主陣線呢，雖有自己抉擇其生活之自由，自持人性，尊重理性。儘管俄國的眞理報與莫里遜辯論自由，說民主國家內祇有「飢餓的自由」，「壓迫的自由」，那是俄式共產黨人無賴胡扯，不值一駁的。一面倒向民主陣營的人民，只看看中國大陸上的現狀，孰爲得失，即了然在胸了。

我只希望領導民主世界的美國朋友，在政治上記住他們本國那位蘇俄問題專家凱南（George F. Kennan）的話：「儘可能消除過去那以自己尺度來衡量別人，並要求別人能完全適合我們願望的毛病」。這種毛病最容易在無意之中創傷別一民族的自尊心的。最近南美洲一個獨立國家發生政變，曾指控是美國人在幕後操使云云，就是一例。美國既可與狄托佛朗哥合作，在反共的前提下，還有甚麼國家不能相處呢！

評「福利宣言」（上）

·趙滋蕃·

這個世界，還不是天堂式的大同世界，這個世界之內，還充滿着征服與殺伐之聲。我無國防，必爲魚肉，我不能富強，終必國破家亡。小國寡民的政治理想，在今日來倡導，實在一無是處。

羅夢册先生所著福利宣言，刊行逾年，外間迄少有系統之批評。羅氏主張，無論是否正確，但此一十餘萬言新著，究爲渠多年精心研討的結果，亦確爲最近出版界中值得注意的一本傑作。乃贊成反對，反應極少，這不能不算是我們學術思想界過於沉寂的一種不好現象，當然也是著者所極感失望的。現承趙滋蕃先生寄來此文，亟爲刊佈。我們並非完全同意趙氏所說，且願於此聲明，爲發揚學術思想的自由精神起見，如果羅氏有所辯正，我們也將以同樣熱忱，在此發表。「編者附註」

（一）

福利宣言：羅夢册教授著，主流出版，時代思潮社發行。全書凡八章一百三十面，連標點合計，十一萬五千餘字。惟撮其要義，不過寥寥幾句話。其理論基礎在「自由」，由「無處恐懼的自由」，演繹成「福利政治」與「福利國家」的理想；由「無處匱乏的自由」，演繹成「人權經濟」與「自由社會」的理想。但因其理想，脫離時空飛躍的結果，竟墮入了反科學的「獨斷論」中。

綜覽福利宣言，文字佶屈聱牙，令人不易卒讀；思想外駁，爲空立說，議論不能言之成理，持之有故。既少歷史的態度，不明人類社會還流演變之跡；復無時間空間觀念，致爲一步登天的奇想；更無科學態度，完全忽略客觀現實的存在；但求高自位置。縱貌於世界三大宣言：自認爲「繼近世之獨立宣言，人權宣言，共產黨宣言之後，尤其是繼共產黨宣言之後，來一個新的宣言，以宣告此一福利宣言」！人權經濟與福利政治型之新經濟與新政治之時代之到來。」且根據空想，強作斷語：「此類福利人類之人權經濟及福利政治之新政治新經濟時代之到來，亦即是剷此之不出剝削與鎮壓之資本主義及共產主義之舊政治舊經濟的舊時代之過去。」言大而近於誇，益顯其疏於考慮！

（二）

羅教授所宣傳的「福利政治」，源於故羅斯福所倡導的「四大自由」，尤其是「無處恐懼的自由」的範疇之中。因此羅教授所主張的福利政治的第一步，是想從觀念上將「政治」與「權力」分開。引用羅教授自己的話來說：「認清政治之於人類，其正確的意義與正確的使用，絕不應是人『對付』人，人『統治』人的東西。恰恰相反，而應是人『服務』人，人『款待』人的東西。只有人『服務』人，人『款待』人的政治，才能造福人類，而無害於人類；亦才能替人類建立起一個合理的世界。」這合理的世界如何建立法呢？我們的羅教授無法解答，我們只好引用美國李廉鎔（David E. Lilienthal）在「民主在邁進中」（T.V.A.—Democracy on The March）一書中所提倡的「草根民主」，和一個所謂瑞士的「勞働和平」，來作空洞的搪塞。至若如何把「草根民主」，移植到中國九五九七五〇〇平方公里的土地上？如何將「勞働和平」，造福四億九千二百五十三萬二千貧窮的中國人民？其步驟，其辦法，其具體方案如何？依然是一張白紙。

但羅教授在「新的國家之理論與實踐」中，提出了五項原則，頗堪注意。如第三項謂：「在人民同志之下，人民有權利於必要之時，解散自己的國家，而另組新國家。」第五項謂：「國家的本身，應逐漸地減縮其爲領土、主權、和強制加入的舊形式，而轉向自願的契約的新形式。」迄今爲止，我們但知人民可以解散自己的政府，而另組新政府；不知如何可以解散自己的國家，而另組新國家？國家與政府不同，政府可依人民選舉而產生，亦可因人民選舉而罷免。國家有其歷史與地理的成因，有其民族與文化的限制，非人爲的霸道的產物，有其自然的因素存在。舊國家縱然可以今日解散，新國家未能於明日產生，在此無國家，必無政府的情況下，人民的地位如何？人民的權力如何行使？是否倘有「人民」的意義存在？萬一「人民」中因意見紛歧，而不能結成自願的契約，則此國家豈不常切空懸，回返至吉卜賽人的老路？羅教授之「無國家主義」，似較蒲魯東的「無政府主義」的理想更高，果如此，若非眞正的大同世界，必爲大流浪社會無疑。以我們所知，今日還是民族國家的時代，你想解散國家，比中共的一面倒主義還要徹底，你不是反共，而是爲共張目。

且所謂「福利政治」也者，並非如羅教授所言，是二十世紀五十年代至六十年代的新貢獻；稍有政治常識者，即知近代政治思潮，乃限制主權論的思潮，「政治」與「權力」分離之觀念，一八四八年普魯東氏，已闡發無餘蘊！而一九〇〇年，英人麥德蘭氏，譯德人奇爾克氏所著「中世紀政治學說」一書於英倫後，社團人格說，早已凌駕布丹，霍布斯等之主權無限說而上之。還後，一九〇一年，有俄人克魯泡特金取消政府的激烈言論，而法國學者狄驥、龐奇、德友奇、荷蘭學者克拉勃，英國學者拉斯基諸氏，相繼大張旗鼓，頗施一代風氣。今羅教授，亦撫拾前人餘緒，何有於「新政治」？「新經濟」？何有於「舊時代之過去」？「新時代之到來」？

照羅教授的意見：通過「福利政治」之路，必須建立起一個「露天的政府」（Government in The Open Air），以實行他所「夢寐求之」的「草根民主」（Democracy at The grass roots）與「勞働和平」。所謂「露天的政府」，是指政府不以任何的命令去管理人民；而只以契約統治的方式，服務人民。國家的職責，僅在於「國內安全的維持，與「國內」正義之保證，與全盤計劃之釐定與監督。」所謂「草根民主」，是指「現代科學與技術，和民主觀念相結合，使開發資源的計劃與執行；大部分必須經由人民之手。」所謂「勞働和平」：「其重要契機，乃在科學與技術早已和瑞士的人民與民主打成一片，而科學，技術、與民主，且在與日俱進地掌握到人民手中之故。」所謂「福利政治的理論與實踐，而止於此，豈非漫無邊際？

在舉世囂然，高唱武力乃和平的後盾，戰爭乃內政外交的延續之時，我們的羅教授，高舉「福利」大纛，撥出一套「小國寡民」的舊說，使新興國主義者有所藉口，不知其用意何在？須知這個世界，還不是「天堂式」的大同世界；這個世界之內，還充滿着征服與殺伐之聲；地圖上還是五顏十色！還站滿了荷槍實彈的兵士；還沒有消滅歷史的仇恨；並沒有消除種族的歧視；貿易上有關稅壁壘的存在；金融上有英鎊集團，元首集團；外交上有鴻溝；軍事與外交上，有自由民主世界與極權奴役世界的歧異，我無國防，必爲魚肉，我不能富強，終必國破家亡！「小國寡民」的政治理想，在今日來倡導，實在一無是處。

且「草根民主」，行諸田納西流域，固可收效；「勞働和平」，行諸瑞士小邦，未始無功。但貿貿然行諸中國，實爲闇陷！其情形與舉世滔滔，奉斯密亞丹學說若神聖，而德儒李斯特，排衆議，著國家經濟學，力認自由商業與工商業已臻繁榮的大國家，祇適用於農業國家與工商業已臻繁榮的大國家，對於工業正在萌芽發展的國家，非徒無益，正復相害之。而今之世，居貧民小國的中國，祇有自取滅亡；祇以契約式來款待人民的露天政府，既不能加速中國工業化的進程，更無標準使貧弱與亂的中國，起死回生。試觀自同治中興諸名臣如左宗棠、曾國藩、李鴻章輩，提倡發展實業以還，歷時一世紀，而近代的科學與技術，還跟不上人，學不會；倡導人雖舌敝唇焦，而人民終無所動，則足證明、術無統一的國家，術無有識見，有能力的政府，欲謀中國的富強康樂，實不可能。而羅教授立論，事事蹈空，語語誇張，完全無視現實，「賣了桌子賣板凳，一條褲子也不賸」的「學者」牛角尖，致爲空談，無神現實，莫此爲甚！

（三）

反過頭來，我們再批評羅教授的「人權經濟」。所謂「人權經濟」，亦源於「無處匱乏之自由」一口號。從「無處匱之自由」（？）抽象的經濟財產權與具體的財富中游離出一個類似標準的「人權財」，與「剝削財」對立。以「以福利爲剝削的方法，將生產者的生產成果，直接歸屬於生產者本身及整個社會，不被資本家取政府剝削與壓榨」，其目的，亦不過在求「經濟的平等」，「經濟的民主」而已。

所謂「人權財」，照羅教授的敍述，內涵四點。即：「一、人人能有一所像樣的住舍，至少有一間或兩間屬於他自己的棲身之所。二、人人能夠有一個無處匱乏，且不受他人干涉的私生活。三、人人能有極必需之休息疲勞，欣賞生活，思想問題，及孕育創造的閒暇。四、人人要有一條於必要時敢於拒絕接受違犯自己意志的工作，或抗拒外力的侵犯，而仍能自找活命，並足以保障人格尊嚴之資財。」如衆周知：經濟學的兩大基礎，乃因人類的慾望無窮，而自然界物資供給有限。上天既不能雨粟，而資生之具，亦不能如江上清風，山間明月，取之不盡，用之不竭，這人人都具有的「人權財」，用甚麼方法獲得？用甚麼方法分配到人民的手中？更用甚麼方法，以適用隨文明程度而增長的生活水平？除了解散國家，另組新國家外，我們再也看不到羅教授的其他方案。因此，這問題還懸而未決！

而另一問題又來了！那就是羅教授解決社會生產，分配與消費的問題。他提出了一個「將生產者的生產成果，直接歸屬於生產者的本身及整個社會」的崇高的理想，而這理想又因缺少實踐性而流於極端的空泛。

從經濟學史的前期古詩人荷馬，直至今日；從希臘，直至近代的馬夏爾（Alfred Marshall），經濟學者們，不知耗竭了多少腦汁，在這問題上求解決，結果還成了聚訟紛紜的疑案，而羅教授大膽地想憑藉人類的「德性」，訴諸人類的「良心」，以自願自動的精神，以契約的方式，來解決這一千古的大難題，來達成「政治民主，經濟平等」的「理想國」，何異緣木求魚，癡人說夢！益顯羅教授，在「福利政治」中，既否定了政治權力；而在「人權經濟」中，又否定了人性的弱點。他不明瞭，人性有善的一面，也有惡的一面，單靠善的德性，如何能達成「福利政治」與「人權經濟」的理想？

況「自由社會」和「人權經濟」的理想，自聖西門、傅立葉，哥德文，康多塞，歐文，蒲魯東，摩爾以還，他們都有所主張，但無一主張若羅教授之天眞而簡單。而費邊社諸子如凱因斯，此古，魏德，柯爾，羅素，以及羅教授的老師拉斯基，羅教授的議論更可謂精到具體，但都未得其理，羅教授即以拉斯基的「德財」爲例，較所謂「人權財」，[illegible]著明，而有「新政治」，「新經濟」的新理論，既作爲「新名」之作，而也抄襲而爲「標新立異」之己！照拉斯基的意見，財產之合於道德者，凡三，即：「一、財產之合於道德者，在努力者、醫生、航海家、發明家的報酬之類是。二、心有所寄，切身保存，如個人的財產與人類關係之類是。三、藝術家、女子、玩好、婦人、聽其保存之類是。」可謂遠較「人權財」合於人性；即「社會經濟平等」而達成「經濟平等」，也有三項規定：即「一、立一最小限度的所需，共同享受，爲一切國民所共有。二、非人不勞力有所酬；有用工作的人，對於此種享受有一定權。三、供給天才的發展，衣食不慮，爲一家之保障。」（下接第三版）

英國貪污何以比美國少

這裏提供了一些具體的答案

·一丁·

上期自由人，寄人先生所寫「美國的貪污」一文，對美國最近幾件重大貪污案，作了一個有系統報告。最後，並引述了杜魯門建議及紐約時報批評。紐約時報分析，民主國家與獨裁國家，對貪污案的處理，有基本認識之不同。民主國家，無論什麼人貪污，一經揭發，就一定要受到法律制裁。獨裁國家，則法律之有無及如何適用，完全出自獨裁者個人之喜怒好惡，獨裁者本身，即代表法律。因此，紐約時報認爲貪污在民主國家，並非不治之症。我們看過去許多部長如[illegible]隆之類的下獄，及獨裁國家許多高級官吏之儼然貪污，橫行無忌，正可證明紐約時報之說法，十分正確。尤其像今日秧歌王朝，他們雖然也不時在他們的報紙上，揭露幾件貪污案，並大吹大擂，如何檢舉，如何懲辦，實際所檢舉懲辦的，只是十七八等非黨政府中低而又低的嘍囉。至毛澤東，朱德，劉少奇之流，則儘管將整個中國財富，括入私囊，也不會有一份中共黨報，向他們敢放一聲屁。這正因他們本身就是法律，他們貪污，正就是合法的行爲。

我們再仔細看一下，大陸懲辦貪污，雖然被懲辦的只是一些臭虫蚊子，而在此臭虫蚊子中，也仍然分了無數等級。如同是低級公務員，貪污案情也一樣，假使被懲者是一個留在國民政府服務，而被中共以技術關係留用的，那就必然鎗斃，假使他是一個共產黨員，那就資格老的，只須悔過了事，資格淺的，最多也不過數月徒刑。低級共產黨員，尚可以享受這樣重罪輕罰的特權待遇，等而上之，以迄於獨裁者本身，則天王聖明，自更無人敢妄贊一詞了！

寄人先生既然系統的報告了一些美國最近貪污案，並介紹了紐約時報對貪污案有民主獨裁不同的看法。現在，讓我再藉此機會，來談談老牌民主——英國的貪污。英美都是民主國家，爲什麼英國貪污沒有美國那樣多，和鬧得那樣烏烟瘴氣？

部長忍痛退回紅木台

我先來轉述一個故事。二十年前，記得和寄人先生，某次同在倫敦政治經濟學院聽拉斯基教授講課，拉氏偶然談到英國的會計制度。他說：英國會計制度對防止官吏貪污，十分有效。某屆保守黨內閣中，一位殖民部大臣，他向來很醉心中國文化，因而對於中國的古董以及庭園陳設，都十分愛好。有一天，他在中國店舖看中了一張紅木雕花寫字台，非常高興，於是講定了價，叫老板送到殖民部去。等到寫字台送到，部裏的庶務員來問他，這筆錢如何付法。如果由公家付，則部內無此添購紅木寫字台的預算，如由你私人付，則現在還不到發薪時期，部裏無此款代墊。這位大臣考慮好久，結果，由庶務員提出兩項建議，第一，是請大臣摸摸自己腰包，直接清付，如果腰包不夠，那就第二條路，讓店舖原件搬回，賠貼他們一點運費。這位大臣，原是一個窮書生，他私人買不起這一張紅木台，只好依從庶務員建議，走第二條路，賠貼運費，搬走了事。這件小故事，特別在我們兩個中國人聽來，感慨萬千，所以直到今天，還是記憶如新。因爲自有民國以來，一屆一屆的部長，有幾個不是一朝上任，一家的衣食住行以外，連太太的月經帶，都要由部裏公款供應？即在今日自稱廉潔刻苦的秧歌王朝，據說，每位部長階級的共產黨，除了汽車洋房之外，飲的是威士忌，抽的是茄力克；誰說大陸封鎖，奢侈品早已絕跡？最低限度這些共產黨就從來沒有感到私人生活，受過封鎖的影響。他們聽英美民主，剝削人民，究竟誰剝削得最厲害，那眞「人民眼睛是雪亮的」，誰也騙不了廣大的人民。

烟盒斷送了政治生命

最近幾年中，英國有過兩大轟動一時的貪污案。實則這兩大案件，一次是貪污數字，渺小到令人發笑，另一次則更根本上並無貪污事實，只是當事者可能有貪污的企圖。但英國人民，已認爲憤不可遏，終使兩位高級大員，辭職以去。第一件發生於一九四八年，國會工黨議員兼貿易部國會秘書布汝奇（John Belcher），因爲受過一家商號的饋贈，禮物是一個金質烟盒，一套西裝，此外還被招待，在海濱別墅，休息過一星期。他對這位商人的報答，是替他設法弄到一張旅館建築執照，和一些小人情。但事情被發現後，經輿論沸騰，兩黨主要人物，都對他拚命攻擊，他只好自行辭職，因爲他的行爲還不過只構成貪污罪的企圖，所以未再經法院追訴。另一件是前財政大臣道爾敦（Hugh Dalton）的政治生命，斷送在預算案「洩漏」了一部份，他在提出預算案以前四十分鐘，向一家晚報記者洩露了預算案的一部份內容，當時激起了人民大大的憤慨，認爲這種洩露，必有人已經利用這機會得了某種利益，莫不辯論，結果，部會[illegible]，如何嚴密，如何[illegible]。

英美不同的三個因素

時代週刊駐倫敦記者李奇遜，曾分析英國貪污案不及美國多而嚴重的原因。他說：第一，英國議會，由於古老的階級觀念，英國人民對於議員，政府官吏，至今仍相當敬重，不像美國人民只是一看低級議員只是一羣吹法螺的小丑，美國官吏只是一批低級的「斗零」。在英國工商業公務人員，他們也就不得不如此備受人民重視，所以他們也就不敢胡搞。第二，英國官吏自尊自重，並不像美國那樣監視於天眞，他們的性格，以無法明人，美國人性的高尚，還種想法，在英國是以他們的制度，所以英國可以隨時舉行選舉，不似美國那樣，必須等候四年，才告清算。如果艾德禮工黨政府，一發生過一件極不名譽的大貪污案，那他一定就馬上會失去國會信任，另行選舉。

李奇遜還引述英國現任國會議員蕭克羅斯（Shawcross）在做總檢察長時對於貪污幾句話，告美國人：「蕭氏說：檢察長對於貪污，一樣的處理是治萬萬，隨時注意，隨身的上，可能有貪污案件發現，就一下子完全剷除的，心如是，立刻檢舉，近乎一一不發的，還不是眞正可想像了！」李奇遜說，美國研究的風氣，貪污案能否在英國，人民[illegible]。

大貪污永遠無事 小貪污活該倒楣

【本報北平特約通訊】「共產黨貪污數不盡，」現實已代替了「共產黨恩情說不盡」那一句「解放歌」，在大陸成爲鐵打的事實。僅就最近一週來，此間主管機關所接得各地有關貪污案的檢舉，據說就已有百餘件之多。當然，這都是些中下級共幹技術拙劣，偶然失手，中共當局，無法掩蔽的一些小案。至於高級共幹，貪污數目千百倍於這類小案的，更不知有多少。但這些大案，却永遠不會爲外間所知，更不會在什麼「人民法院」和中共黨報上拋頭露面。

以下是記者在這百餘件小案中設法聽到案情的一部份，茲特分別摘要，報告如下：

公營事業有盈餘 拚命建築撈油水

中共統治下的各種工廠礦山及公營事業，現在仍盛行一種截留盈利，自行化光的辦法。因爲盈利一經解交所謂「國庫」，則主辦該項事業之大小共幹，即毫無油水可撈。至如何化法，通常總是大興土木，或增加設備之類。其中以大興土木，油水最多。不過中共從今年起，已嚴格限制，即凡是請增建新屋的，多半均嚴行批駁，於是此類就不報建築，專報修理，實則修理所列費用，並不下於建築，但官僚政治之上級中共，只要名目不與前令衝突，總是一律照准。

最近撫順礦務局，被人向僞中央控告，謂該局今年所報大修理工程，其中有兩座房屋，實係新建，僞報修理。因爲是修理，所以事先不需要繪圖呈核。核准以後，忽忙興工，建築藍圖，並沒有詳細考慮，以致一部份工程，半途倒坍。在該項工程中，局中一部份共幹，共分得工程回佣一億多元。

妻弟發財鉛管漏水 五十億元不翼而飛

哈爾濱自來水廠工程總務部長崔魁，與其妻弟所開之裕盛祥鐵工廠私自勾結，由鐵工廠包造水廠鉛管，但所造鉛管，偷工減料，致有百分之四十以上，於埋入地下後，不久即行漏水。大部工程，均成浪費，水廠共損失十三億七千萬元。在裕盛祥鐵工廠交貨時，驗收員彭魁業本即發現若干鉛管不合標準，報告崔魁，崔大怒，反斥其有意[illegible]，將其開除。丁廠之助手霍星[illegible]，見崔勾結私商獲得大批回佣，乃亦勾結私商滬洋電器鐵工廠，定製變壓器，總值六十六億元，合同簽訂前一天，先付三十五億，而海洋工廠全部資產，不值二億元。在前後共付了五十億以後，合同期滿，工廠貨一件未交，負責人逃走，關門。總計這兩批定貨，共受了私商賄款回[illegible]

工廠兩利 中共大損

山西省交通局，於共軍攻陷太原時，接收大批交通器材，尤以車胎及汽車零件最多。該器材交由業務科副科長趙以備保管。不料趙串通中共幹部王兆祥，及管庫員曲毅恩、鄒維文、白雪軒等，一面偷出外胎四百餘條，內胎七百餘條，自行售賣，一面勾通私商西原工業所，以低於市價百分之四十價格，售與該所外胎一百六十九條，內胎一百五十二條。兩項共使中共損失了數十億。他們運用這批贓款，開了一個兩利工廠，又買進兩部汽車，替他們私人跑生意。

生財有道 抄賣舊貨

南昌水電公司經理東廠生，勾通該公司駐上海採購員楊光遠貪污舞弊。楊經手向上海凌益公司購鋼筋八十噸，實收僅六十九噸，但按八十噸付價。此外他們合資在上海收買引擎，變壓器，油箱等舊貨，

貪污小節 抗美要緊

濟南華東工業部山東辦事處供應科副科長姜漢忠，經常勾結奸商，貪污受賄，僅收管機及派克五十一型水筆，即各有數十件之多。並曾將價值三百多萬元規收的電訊器材，與殷杰然驗資分用。有人向辦事處處長提出檢舉，處長因與姜殷都是老共幹，竟公然表示，「這都是生活小節，於抗美援朝無礙」。因此，該處的貪污事件，也就越來越多。

鬥爭果實 共幹獨吞

湖南漢壽五區，清查土改向地主鬥爭收獲，結果，發現所謂農民鬥爭果實，多半被共幹吞沒。如州口鄉農民協會主席楊井端，私吞現款六十三萬元，另外還偷走了一件皮袍，一對玉鐲。又太白鄉有糧七千一百多斤，被共幹吞沒。此外永興鄉被共幹吞了一萬二千斤，文蔚鄉共幹貪污了四百四十萬元」。

銀行副理 舞弊撤職

上海中國實業銀行副經理許毅，挪用行款，勾結私商，營利舞弊，被其他行員匿名控告，經僞人民銀行核查屬實，已被撤職。據稱許無法歸回之公款，尚有一億元。（臨光，十二日寄自北平）

在港談青島烟台近況

一位加拿大海員

青島海港碼頭皆由俄人管理

【本報專訊】據最近由烟台和青島返港之某某輪某海員稱：該輪乃運一批化學原料及器材至青島，後由青島駛往烟台，在共區沿海停留了二十多天，所見備詳。他說：「船員在青島烟台兩地登陸，均須受「水上公安局」派駐之人員搜身。青島市容，遠不及前（陷前）。一年前該海員曾在青島登陸過，現在許多酒吧，全部「關門大吉」，青島的馬路原本是中國沿海城市中最修整的一個，但現在已殘破不堪。茶樓酒家，商業中心之中山路及四方路，顧客寥寥，已臨門可羅雀之狀。大街上的百貨公司，已絕跡。全市僅有一幾家營業汽車行，是用木炭爲燃料，因汽油已經難買。人民的娛樂，方面，所映的電影，全是蘇聯片，美國片不准放映，已經完全在全國戲院打倒。片之不列，也全是蘇聯片，每場映前要有一些，聽人才知道，作員全體都是各機關工作人員的強迫參加觀看去學習的。

老毛子最愛美國貨 史太林挂滿青島市

青島過去美貨到得很多，留下的美國貨不少，但市上確一點也看不見。他說：可是仍舊買得到，許多店員都把美貨藏在自己櫃中，遇見可靠的顧客，便取出來賣，價格自然比從前高多了。他們偷賣的原因，因爲中共要規定限價，東西一放出來，便給老毛子一搶而光。他說：「老毛子最愛美國貨，情形已層出不窮，搞得老百姓敢怒而不敢言」。

青島從前德國人建築的洋樓，都爲蘇聯人居住。青島現在蘇聯人集居最多僅次於哈爾濱的一個城市。一切海港碼頭皆由蘇聯人管理。港內有少數蘇聯旗之商船。中共「海軍學校」設在青島，那裏是戒嚴區，閒人不得擅入，不准攝影。教官有蘇聯人、德國人和日本人。他說：「我在星期日看見不少海軍學生放假外出，他們服裝很整齊，精神亦極好，斷定是在標準以上。」

在青島街上，到處可以看到史太林照片，有少數俄國餐館，賣伏特加酒和哈爾濱農場出的大塊的牛油。市招也採用俄文。青島一般餐館多半停業，均因捐稅太重，無法負擔。至於糧食方面，他說，相當豐富，並不若外間所說之感覺糧荒。他還說：上俄國餐館吃飯，麵包任你吃，飯也任你吃，並無抬價之事，這與中國人去吃的也還不少。此外一東北的「妓院」仍開著，但顧主全是俄國人了。

他有一次在餐館遇見一位中共便衣黨員，和他大談革命理論，說：「我們的國家內，每人都有工作做，有飯吃，而且都很平均，不像你們的富人太富，窮人太窮。我們這個特點，是偉大的。我們的目的是要解放全世界的人民。」「到了那一日才能世界大同呢？」「共產主義實現，就是世界大同的日子。」他說：「人類只有走我們的路是正確的，帝國主義者的計劃」……他感覺這位黨員說話時像背書似的，非常熟練。

烟台市面 非常冷落

至於烟台方面，他說由於烟台局面比青島小，商業蕭條，不及青島，但烟台比青島乾淨寧靜。在青島和烟台上岸均須受檢查，惟在烟台方面人數有限制，不限制船員登陸的。青島烟台規定每日上岸時間爲上午十時至下午四時。烟台市面非常冷淡，街上行人亦甚稀少。烟台物價，比青島便宜，船員歡到菜館吃飯，酒菜人民幣五六萬元，合港幣只有十多元，而且吃得非常痛快。其中尤以海鮮最爲便宜。青島釀造的酒價錢，在烟台反便宜，不知是了什麼原因。五百元人民幣，烟台市內交通以人力車代步，坐的很少。不過烟台因爲在山東「解放」最久，戶口工作也辦得特別好，每一個生人到烟台，警局都有詳細紀錄。他們說「國特」在烟台是無法藏身的。他在青島和烟台，還發現一個印象，便是中共出品的香烟，也就一律上下，不分男女，全體一律吸[illegible]

「飛馬牌」和「生產牌」廿枝裝的香烟較好，但價格並不便宜，所以吸香烟的似乎很少，物價也以「飛馬」較次。「香烟」最貴，一包「飛馬」烟合人民幣二千多元，約港幣六角，但香港的烟却比「飛馬」好得多了。（一成部）

既說國棉湧到紗廠無憂 又忽稱蘇聯運棉救命

僞共報紙連日竭盡其感激蘇聯的能事

【本報上海特約通訊】上海各紗廠，無論公營私營，都因外棉斷絕，內棉產歉收，原料短缺，事實上早陷於停工狀態。[illegible]

[illegible]量只有百分之六點六[illegible]

古董被刦老人發瘋

中共藉僞國慶的機會，在各地搜刮民間積存古董玩好，要他們貢獻毛主席。（編者按，此消息本刊第六十三期所載北平通訊已先報告）蘇州的[illegible]

商人命運破產坐牢

[illegible]

西服店改兼樟木箱

上海百業蕭條，西服業尤爲最不景氣。[illegible]

中共決一口獨吞 武漢數百萬人糞便

又增加年入港幣百餘萬 原有男女糞商將一律以惡霸特務處死

【本報漢口特約通訊】中共在武漢，不僅像過去政府，與民爭利，而是凡利之所在，簡直就一口獨吞，不許旁人染指。在公共事業，及重要土產，都已被中共全部獨佔經營後，最近竟無饜不足，又想一口獨吞全武漢三鎮幾百萬人的糞便。於是原來經營糞業的一些商人，就遭遇了殺身大禍。[illegible]

[illegible]

上接第三版 許福利宣言

[illegible]

如要民主　先去二子

·尚方·

二次大戰時，邱吉爾在美國白宮招待記者，羅斯福總統陪着他走到會場之前，笑謂邱翁道：你得小心美國這些狼狽啊！意思是教邱氏好好應付這般難於應付的新聞記者們。這比我國的大官參文顯當年在重慶珊瑚垻飛機場，因不耐記者向他緊追繼取新聞而大罵「混蛋」之風格，相去天淵。

前幾天，杜魯門總統跟記者們談話，有人問他「愛情是什麼？」他說：這是亞當夏娃以來的大問題，現在還是大問題。自認對此沒有什麼心得。元首與平民之間，意氣融洽，一派輕鬆而民主的情調，並無損於元首之尊。還在我國，那位羞問的記者一定要膺受「大不敬」之罪嘍！

中國幾千年來的政治本質，久被「二子」所侵害，弄得毛糟深沈，永遠跳不出民主的氣味來。「二子」者何？面子與架子是也。漫說不學無術的傖夫俗子，就是好好一個讀書明理的人，一經作官，臭架子就十足的擺開了，對其妻妾兒女，矜其鄉黨戚友，傲然有价容，卻不知道他那官體比臭豬肉的價值會超過幾毫子一斤？因為作官是以入面為端，應付周到為第一的，作本乃是鬼話。縱有天大的本領，只要大官們的姨太太稍對你不高興，也是「成績毫無，難任繁劇」之譏，如是乎，講面子，送人情，實為博取高官厚爵的唯一守則。有此二子作祟，民主先生在中國就永遠難產生而胎死腹中了！大家同要為民主生活嗎？不去「二子」，是無望也！

自由談

血淚交流話「僑鄉」

亦僑

台開兩縣僑眷　由九天到九淵

廣東省的「華僑之鄉」，大致可分爲三個區域。一是潮梅方面的潮揭陽澄海大埔梅縣……一是海南方面的瓊山文昌……一是四邑方面的台山開平……。

前兩區的華僑，多在南洋的馬、印、暹、緬，又多是「落地生根」成了當地的「移民」，鄉土關係，隨着生活環境而日趨減少。後一區則以南北美洲為發祥地，因受當地移民律所限及生活程度過高，不容易舉家遷往，過去復受白色人種的歧視，故對家國的眷懷，特別關切，又因妻子留在故鄉，本身遲早都要回到祖國懷抱，亦即異地，無非爲了金錢，克儉克勤，常作田園廬墓之計。所以，用血汗博來的金圓美鈔，寧可自己飽白開水吃黑麵包，也先要顧住「唐山」（華僑對祖國的通稱）的一家老嫩，更少不掉一座西式樓房。曾經到過台山開平的，只見鱗次櫛比，大都「騎樓」「天台」，翠竹青松，襯托紅牆綠牖，舟車暢達，道路修平，幾疑置身外洋，又似別有天地。同時，以人口的百分比來說，出國謀生的，也較任何一地爲多。本文所寫的「僑鄉」，也就是指此兩縣。

日寇時期　無此悲慘

台開僑眷，非「老」即「弱」，由於因應實際，「問舍」居多，「求田」極少。衣食所資，完全仰給「僑滙」。據曾經統計過廣東一省的僑滙，足抵全國大部份「入超」。而台開兩縣幾佔半數。所以僑眷的生活，夠得上說是豐富舒適，就是抗戰期間，日寇侵入，僑滙斷絕，一度淪於悲慘境地。一旦勝利來臨，又完全恢復原來的家給戶足，只有這次被中共關進鐵幕之後，才眞的由九天降到九淵，僑眷們的整個生活，包括思想行動習慣信仰拉屎吃飯，完全給打翻了。

中共初時，口口聲聲照顧僑眷，一面引誘華僑子女參加「解放工作」，一面花言巧語大肆宣傳，目的只在一點——僑滙。但海外僑胞飽吸美雨歐風，習慣自由生活，對於中共的僞裝，都抱懷疑觀望態度，家中來信，無論說得中共如何「仁慈寬大」（當然是非如此爲不可）一概留着罔聞，聽寄家用，也以僅足衣食爲度。及至中共的猙獰面目，漸次揭露，僑眷難以營活之資，不堪再三苛索，更不敢多寄以免增加麻煩，中共亦以誘致僑資無望，放棄原日僞裝，拿出毒辣手段，以「追害」爲「搾取」，用「清算」作「報復」。在僑未實施土改之前，僑眷們即已血淚交流，人亡家破了。

不逃港澳　即死溝壑

先說「生活」：僑眷所資，全賴僑滙，已如上述，但僑滙之數有限，捐獻之數無窮，僑眷又被歸爲富庶家庭，不勞而食的「非生產」份子，田租（有田的話）嚴稅及種種特捐，都較一般苛重，無論如何節衣縮食，也無從應付。結果惟有把幼小的子女設法送來港澳，寄食親友家中，或部份還居港澳（全部還徙爲事實所不許，棄家而逃又犧牲過大）這於指較爲富有者而說，若僅足溫飽的家庭，也就只好準備轉乎溝壑了。

破壞家庭　屠殺士紳

再談風俗：美洲華僑最重子嗣，目的是在繼承自己艱難締造的事業，倒不是什麼宗法觀念。但他們多是結婚不久，就要放洋，老大歸來，難期生育，所以子嗣特別稀少，雙祧過繼亦同樣困難。如果在家時不能一索得男，便只好求之異姓，故買子之風，非常普遍。這種風氣的養成，由來已久，但共產黨徒挾其「破壞家庭」的原則，硬在這「已由經濟關係成爲道德習俗，行之百年，安若素」的社會中興波作浪，什麼「不人道」、「壓迫女性」似是而非的說法，生吞活剝向僑眷灌輸。要獨守空幃的僑眷，清算遠離故國的丈夫，或反抗在家管事的婆婆。共產黨徒就這樣由鼓吹而煽誘，由唆使而強迫，弄到幾千萬的華僑之家，婆娘相仇，母子相棄，或宣告仳離，或自行「解放」，或叔嫂亂倫，或翁姑被害，許多心地純良或對丈夫好感翁姑敬愛的不肯盲從附和，就被認爲思想頑固，破壞政策，唆使狗腿狂吠環攻，非使到對方「不從即死」不止。一年以來的僑眷，因此而投環服毒寃屈而亡的，不知凡幾。這種悲慘的事象，現仍不絕演出中。

清算鎮壓　特別厲害

至於一般的「清算」「鎮壓」，台開兩縣，也較其他各縣爲甚，一是由於兩縣人民生活比較優裕，智識水準較高（合山小學之多冠於全國）這兩項都足夠中共的「反革命」條件，同時，台（山）開（平）新（會）恩（平）鶴（山）赤（溪）六邑，平時偸雞竊狗不容於鄉族之輩，搖身一變化爲土共，嘯聚古兜山，抗戰期間流竄六邑邊區，焚糧倉，攻縣府，打家劫舍，越貨殺人，被軍政當局協同地方士紳武裝剿勦，斷獲甚多，今日竊國成功，分封故邑，還有不乘機洩怨，大事尋仇？屠殺之慘株連之衆，自不在話下。單是台屬斗山趙姓一村，就被處死了二百多人，甚而智識份子前進人士的「合山三蘇」（黃錫五黃蘇鏗黃希文父子曾分任縣長，議長，中學校長，報社社長，文教館長等職，有合山三蘇之稱）也難倖免，（黃錫五因兩子被內，夫婦雙雙服毒），其他可以想見，好在台開與港澳交通甚便，港沒亦多，聞風而逃的都能保存性命，直接間接仰給僑滙也還生活得不算頂壞。但因此也增加中共黨徒的憤恨，對僑眷的追害，與管制更爲厲害。

「華僑是革命之母」，第一次革滿清的命時，出錢出力特多。看情形，第二次革中共的命，華僑更是國恨家仇責無旁貸了。

談「雷雨」（下）

·舜生·

文學是離不開傳統的。無論你所表現的是怎樣一種意識形態，假如你在風格上，故事的結構上，文字運用的技巧上，過分與傳統相違，這在一個文學遺產相當豐富的國度裏，是不容易生得起根來的。

二三十年來，把原封不動的西洋劇本搬上中國舞台的事實，已不算是太少了，但除掉「茶花女遺事」，「羅米歐與朱麗葉」，「少奶奶的扇子」，「復活」等幾種而外，能在中國觀衆中留下較深印象的，似乎便不很多。甚至，同是王爾德的劇本，經過稍稍改編的「少奶奶的扇子」便相當成功，反之，未經改編的「莎樂美」便只好失敗，更無論「哈孟雷特」或「浮士德」那一類的東西了。其原因何在？不值得我們去體味嗎？

曹禺的幾種劇本，在意境上所受外來的影響如何，我不敢判斷；但他能夠「去跡存神」，巧於接受中國的傳統，這總是不容否認的事實吧？

例如他在「原野」上寫「焦母」和「焦花氏」間的婆媳衝突，這是在中國文學上最有傳統的色采，同時也就是觀衆所最容易理解的部分。又如寫「焦母」帶着「白傻子」去捉「仇虎」與「焦花氏」的姦，我們就再說得恭維一點，也只能說它和「武大」帶着「鄆哥」打到「西門慶」與「潘金蓮」幽會所在的情景，有「異曲同工」之妙。至於這個劇本的第三幕，表現得那樣神祕，沉悶和單調，很難得着舞台上的成功，那是必然的。

再如他在「北京人」裏面會爲「曾文清」和「愫方」；在「家」裏面寫「高覺新」，「錢梅芬」，「瑞珏」；我們總覺得對這類人物的面孔和性格都很熟悉，不難在中國那些老作品中找到類似的例子。至於在「北京人」裏面寫「陳奶媽」和「小柱兒」，何其類似「劉老老」和「板兒」；在「家」裏面寫「馮樂山」之於「鳴鳳」，又何其類似「賈赦」之於「鴛鴦」！不過他的好處在「去跡存神」，曹禺先生畢竟不是一個尋常的抄襲匠就是了。

「雷雨」在人物個性的描寫上，故事的結構上，總算是最富有創造性的了，然而寫得最成功的，也僅僅只有一個「繁漪」，我們除掉從「尤三姐」和「晴雯」這類女人身上微微嗅得出一點「繁漪」的氣息而外，我實在不能在中國的文學遺產中，發現這樣一個類似的人物。不過在「雷雨」的第三幕，寫周冲周萍弟兄在一個雷電風雨交作的深夜，先後跑到「四鳳」的家裏，還是令我聯想到賈寶玉一個人跑到瀟湘館和晴雯家裏去探望她們的那種景象。但他寫到周萍跳進四鳳家的窗子，兩個人的表情和談話正在萬分緊張之際，忽然窗子被風吹開，在雷光閃閃大雨滂沱中，乃突然發見「繁漪」也追蹤而至站在窗子外面，而且順手把窗門向外面反扣起來，這才是曹禺最大胆也是最有力量的所在，甚至我們可以說在這種地方曹禺已經超過了曹雪芹，也不算是過譽吧！

萬竹樓隨筆（三八）

北平眞的變了

前門車站最近風光　很像秋天一條墓道

·羊叔子·

前門箭樓外在左二百公尺的北平東站，是這個古城的咽口，跨過這一道門坎，人們便正式進入了北平的心臟；不論你從陸路上任何一個方向搭火車到北平，都必須經過這「故都的走廊」。

往昔，前門車站是非常熱鬧而繁忙的，車站的鐘聲擦過，火車進站了，從四面八方湧來的人流，穿出車站，流進這城市的每個角落；遊客、商賈、學生、男的、女的……他們都帶着好奇而歡欣的心情，到古城來接受一種極富東方情調的生活。站門前小販的叫賣，旅店侍役溫和的招呼，馬車、三輪車、人力車夫的兜攬主顧，這些聲音，給前門車站織成一件熱鬧非凡的外衣。

老北平人走過前門車站，都情不自禁的望一望那半洋式的高聳的鐘樓，看已經是什麼時分？幾十年來，前門鐘樓上長短針所指的數字，已成了北平人所認爲最標準的時間。

古城一「解放」了，共產黨實施取締私營工商政策，使得城市蕭條了。工商業停頓了，同時，「人民首都」的戶籍管制嚴密，遊客們更裹足不前，這一切因素所造成的後果前門車站也急劇地變換了另一副面目，這個通向罪惡中心的走廊，滿眼是秋天的景色，在風砂中呼啦啦招展的是血腥的紅旗，月台上高掛着「抗美援朝保家衛國」八個紅字，給風雨剝蝕得失去了原來的鮮明，像肺癆病人充滿血絲的眼睛，無神地凝視着遠方，候車室內牆壁上，掛了一百多幅劊子手的照片，那是包括中國的、外國的共產匪徒「政治局委員同志」們的遺像。

站內設有「無人售賣書報處」，這是赤色暴徒們所大力宣傳的「新中國新風氣」之一，你不要以爲「新中國」眞的已「進步」到「路不拾遺」的階段，原來在「無人售賣書報處」旁邊，就永遠站着兩個便衣特務，他們用銳利的目光盯住每個走近書報攤的旅客，你敢不付錢嗎？便衣特務便馬上會「批評」你，甚至還會遭到更大的不幸呢！

旅客通過鐵柵門前，當先得接受「站務員」的行李重量檢查，「新中國」的鐵路規章「旅客行李不得超過二十公斤」，逾額罰百分之五十，同時，饋贈親友的土產也不能多帶，否則「稅務員」又將要你補稅。再過去，便是「公安人員」的盤詰了，他們逐個檢查了證件，有時還要問話，倘若答覆遲疑或者神色慌張，「事態」便嚴重了，「特」的嚴肅，是「人民首都公安員」所值得驕傲的地方。

站前的廣場上，疏疏落落停着幾輛髹漆一新的吉普車，專供來往的高級人民幹部代步。「中蘇友協北平分會」在車站也有機構，那是專門爲「老大哥」的顧問團解決交通困難而設置的。

走出站門，再也聽不到悅耳的招呼和叫賣了，所有的攤販給「人民的軍隊」掃蕩得蕩然無存，雇用代步的車輛也得到離站門一百碼的地方去，這是「人民首都」觀瞻所繫的必要措施啊！

冷寂、淒涼、蕭條，這便是前門車站的寫照，再度來北平的人，心底都浮上一個概念，北平眞的變了，這條「故都的走廊」，就變得像秋天的墓道一樣。

「人民裝」的上海舞女

·君健·

「解放」後的上海，一切都變了樣，舞廳也在整個不景氣形勢下，走下坡路子！

二流的舞廳中，如三馬路的楊子，南京路的大滬，還照樣有冷氣設備，是二流中最上等的舞廳。過去是商人舞客的集中地，於今也一樣的跟着不景氣的倒霉，每天的舞客，最多的時候，也只有五六十人；過去的老顧客，多數都很少光臨，新塡場的是一批「解放」人物。老板們爲了招攬生意，把價錢壓得很低：茶資白天是八千，晚上才一萬；舞票白天是四千，晚上才五千，捐稅五成在外，比如在晚上跳一次舞，代價是七千五，除「人民政府」拿二千五外，餘下來的，四六照拆，老板拿三千，舞女拿二千；老板一天的收入，大概在五十萬左右，每一舞女的收入，大概總在一萬左右；她們的生活，固難維持；老板們的開銷，又怎麼夠？

若干舞迷之所以不感興趣者，最主要的原因，是「人民政府」規定舞女不准越廳伴舞：假如舞客帶舞女到另一家舞廳去，便要受罰；如此不自由，便覺得不夠勁了。但大部份的舞客，還是格於經濟環境的不許可，目下是夕要應付的，是「捐」和「稅」，其次便是自身的用度和家庭的開銷，囊中常澀，自無機會到舞廳了。另一原因，便是各機關、團體、工廠，都自設「舞會」；近水樓台，自然更可加強男女間的「解放」！

二流的如此，一流的又如何？以筆者所知，如南京西路的仙樂斯，最好的日子，也不過百把人；以過去五六百人來比較，不啻打個二折。

舞客闌珊中，舞女的裝束，也跟着「貶值」，只好在「人民裝」上「兜圈子」，有些，把衣袖高捲起，露出手臂，下身緊挺的褲子，也要捲上五六寸，讓小腿全部露出；有些在了色的旗袍上，套上一襲「人民」上裝，表示她們也是「人民」[illegible]，服務一律向[illegible]！帽子上的珠飾[illegible]，[illegible]的。

[illegible]舞女的「作風」。在中共早已宣告成立「舞女會」，就非常[illegible]，每個舞廳都當參加，不可[illegible]。每晚都有一個組織，散場之後，還要參加「學習」，或「檢討」，有時到三四點鐘，這劃一開[illegible]。

[illegible]更苦死了，長嘆短嘆的，舞娘最怕的，還是招待外賓。每晚總有若干舞女，被喚去服務，由市舞廳聯合會自下午起已規定，均等平均支配，輪流應差。除賠錢之外，還要忍受大鼻子的輕侮！

據悉：已經有若干「進步」舞女，受過「特訓」，將開「反[illegible]」舞廳工作，一變而爲「階級鬥爭」的戰場。於戲！

八歲小公民　函慰英王

「我也割過肺結果很安好」

一位年方八歲的英國小公民，當看到報載英王施行手術的消息，寫了一封信給英王，那信是這樣寫的：「我聽到你病了，很難過，希望你趕快康復。爸爸說，湯姆士（Price Thomas）醫生是替你主治的幾位醫生中的一位，我因此告訴你，他曾經替我行過一次最嚴重的割肺手術，我現在非常安好。湯姆士醫生確是很仁愛而能幹的！」

這位小公民名叫施德本。本來割肺在病情上，是要感到十分恐怖的。但施德本這樣小小年紀，經過同一醫生的手術，而結果十分安全，這一先例，無論如何，是值得英王安慰。所以千萬問候英王的函電中，這封小公民的信，卻首先被皇室人員，在病榻上念給英王聽過。（丁一）

自由人

THE FREEMAN

（每週三六出版）

（第六十六期）

每份港幣壹毫

督印人：李光華

社址：香港高士打道六十六號

電話：二〇八四八

GLOUCESTER RD.
HONGKONG
TEL: 20848

承印者：東南印務出版社

地址：高士打道六十四號

台灣總經銷處

台北重慶南路一段七十四號

為討論而討論

我對存齋先生提出討論

討論發端于政治問題，一個民族，對于政治問題，能夠有討論的習慣，這個民族，一定是走向民主走向自由的民族。而且政治問題，經過討論以後，又一定能夠獲得「生動的調節」。基於這個信念，我謹向存齋先生提出討論。

劉百閔

我在這裏，提出「討論」這一名詞。我深深感覺到中國近三十年來言論界討論風氣的消沉，是變革與進步的阻塞底原因。凡事一經討論，即足為變革與進步底根本；能夠促進智力的東西，亦無過于「凡事」必須經過討論。英人白芝浩氏是近代的名政論家，他對于英國自由民主的精神所在，是洞澈其精髓的。他說：「討論的起原，發端于政治問題。政治問題，是看得見體認得到的東西；但是它的影響所及，是廣泛的普遍的。如果一個民族，能夠有這習慣，把所有的政治問題，能夠大家討論，而獲得一個歸趨；由于這個歸趨，因而其他的發展與進步，亦將操劵可得。」他又說：「討論，不但可以彌補人類的缺憾，而且可以增加一種可能的美質。」這種美質，白氏名之為「生動的調節」（Animated moderation）。我對于白氏這些話，更體認到「討論」的質素，討論是變革與進步的發動機。政治問題，尤需要討論；一個民族，對於政治問題，能夠有討論的習慣，這個民族，一定是走向民主走向自由的民族。而且對于政治問題的歸趨，經過討論以後，一定能夠獲得生動的調節。

基于這個信念，我想對于本月十一日出版的「中國之聲」存齋先生寫的「寫于本刊發行之日」這一篇發刊詞要提出討論。存齋先生是一個飽學的人。「中國之聲」的讀者，告訴我們：「他是中國當代卓越的政論家和經濟思想家。他曾當過中國最高學府的教授十餘年，也曾任過大學校長。有一個時期，他亦曾參加過實際政治，當過部長。過去二十年來，他讀書養志，可是，卻未忘情于實際政治，他對國家興亡匹夫有責之義，解悟最深。」存齋先生是這樣的有學問有品格有膽氣的一個人，我在今天報上讀到我們政府通緝前行政院院長翁文灝附逆之命令，我對于存齋先生祇有欽佩，祇有敬重；雖然不是「倖存」，但是的確是中國絕續存亡之秋的一個「碩果」。編者又告訴我們，這「寫于本刊發行之日」一篇文章，是他對于目前實際政治的看法，是他的懷抱。我對於這目前實際政治的看法和懷抱，尚有疑義，我想對存齋先生提出討論，可是祇為討論，祇是為討論而討論；因為當前的中國政治問題，尤需要我們言論界有討論。

存齋先生提出近代中國革命的內容有二，一為民族獨立運動，一為民主運動。「在應付外患的過程中」，「正當中國舊統治階級崩潰沒落之日」，「在世局劇變時代」，「在消極方面」，存齋先生主張必須反對一切高度帝國主義用任何口號利用中國為爭霸世界之工具；必須以對極權獨裁之制度及一切集中財產集中事業[illegible]。在積極方面，他主張必須鼓勵一切生產階級而消滅寄生階級；必須確立制度，保障社會財富不為少數人所佔有與操縱；必須使一切創造者生產者工作者（無論勞力或勞心的工作者）聯合起來，建設新秩序，以謀共同之福利。這似乎是存齋先生的「懷抱」。我們從表面看，反對一切高度帝國主義，就有一石投衆鳥一矢射衆的之嫌，施出混身解數，要反對一切高度帝國主義，這將如何援救！而且所謂一切高度帝國主義這一名詞，亦殊費解。在今天，我們共認的俄帝之外，還有什麼高度帝國主義，我們必須要同時反對，一齊反對？再從內容看，當前中國革命內容，是超國家的超民族的，是世界性的，是國際性的，[illegible]對內反共產匪徒，對外反赤色俄帝，站在國際自由民主聯合戰線上，[illegible]沒有第二個目標，一條戰線，不僅是對外爭獨立，對內爭民主，而且是為全世界人類爭生存：這是當前中國革命的內容，還是顧亭林所謂亡國而且是亡天下的局面。可是存齋先生在這篇文章裏面，沒有指出，忽視了這一重要的這一中心，一子之差，全盤皆差，因而存齋先生所發抒的「看法」和「懷抱」，似乎對現代中國的革命環境，在時間觀念上，在空間觀念上，都沒有加以配合；因此，無論在消極方面，在積極方面，存齋先生的主張，不免漸視了當前中國革命的階段性次第性差別性，反而給予我們以迷惑：這是我提出討論的第一點。

其次，存齋先生對于當前中國革命的需要，是很廣泛的。他要從政治文化種種方面澈底改革。過去革命，祇是形式，而不是精神。當前中國革命運動，在它自己本身，必須改革內部，必須推翻原有的阻礙進步的特權階級。社會亦是革命的對象，社會的愚昧迷信懶惰腐敗，一切都是應該由革命掃蕩滌除的。這社會傳襲下來那一套錯誤的觀念，鄙陋的習俗，以及惡劣的嗜好，都非澈底改變不可。自然，存齋先生所有主張，都沒有問題，是對的。但是革命是全面的，不是局部的。全面的，任何革命有其普通性，亦有其特殊性；有其緩急性，亦有其急迫性；因此，我們需要認識其普通性，尤需要認識其特殊性；我們需要認識其緩急性，尤需要認識其急迫性。在這裏，存齋先生又似乎對于現階段中國革命進程，沒有指出它的特殊性和急迫性，因此，我們對于全面的現階段的中國革命進程，不能知道從何處下手。我細繹存齋先生的主張，他對于中國內部的革命和改革，似乎有兩個對象；第一對象是沒有問題的，是不能共戴一天的；第二對象，存齋先生將採取「改革」方式？還是採取「推翻」方式？如果是採取「推翻」方式，將何所選擇？必然要採取改革步驟，我不知道存齋先生有沒有考慮過最低限度的切實可行的全盤辦法？[illegible]「相反之兩惡，不能相抵」，自然亦是不能相消。[illegible]

[illegible]

復次，人在政治地位上應該是重要的。中山先生從事革命，首先在求天下之仁人志士，存齋先生對于現階段中國革命運動，主張求之于中等階級。照存齋先生的解說，中等階級，在目前，是包含大部份的農工，它是代表一國的穩定力量與進步力量。在舊統治階級分化出來的革新派以外，他又把中等階級分做上層中等階級和下層中等階級和中等階級中政治意識先進的分子。他否定了維新派，不能根據新局勢客觀的需要，無從充份了解與認識新局勢；上層中等階級，又為統治層的一切虛偽無知自私與墮落所影響；下層中等階級，在落後國家，在現代世界[illegible]

[illegible]

張發奎等赴日

有何任務外間尚無所知

【本報專訊】息影居此之反共人士張發奎、顧孟餘、黃旭初、童冠賢等數人，最近已離港赴日，張並攜夫人同行，此去有何任務，及是否短期內仍將回港，則即詢諸張等親友，亦多謂彼等均無所知云。（邵一成）

中共在滬吹牛

保證盡殲美機

所謂空軍英模自謂有此把握

【本報上海通訊】中共近來特別對防空方面，感覺緊張，除了一再舉行防空演習外，從本月四日到十三日，又召開了什麼華東軍區防空部隊英雄模範代表大會，[illegible]

時局漫談

舜生

麥帥與杜魯門

因為停火談判不諧，韓戰無法結束，美國十萬以上的青年，依然要留在韓國戰場上繼續流血，去從事這種「既不會敗，也不能勝」的戰爭，於是乎麥克阿瑟元帥抨擊美國政府失策的演說，乃又振振有辭了。

關於他本月十七在美國退伍軍人大會發表的這篇演辭，我想就他的全文，在另一篇文字裏表示我的意見，現在卻只抽出其中最重要也與我們關係最密切的一點來談談：

麥帥在他這篇演辭中說：「吾人之若干政治領袖，曾擬在適當時期，將台灣交付與中共，[illegible]共產主義之中國走狗！」

杜魯門總統對于麥帥這篇演辭，首先則針對這一點來一個更正，他說：「總統指了白宮會計劃將台灣交與中共，全與事實不符。」

誰對？誰不對？大家一定要問：麥帥和杜魯門這兩種截然不同的說法，究竟誰對誰不對？我的回答：都對，也都不對。這是怎樣講呢？在美國政治領袖人物中，確曾有少數人企圖把台灣斷送給中共，假定能夠換取遠東局部的和平，即把台灣犧牲亦在所不惜。現在是不是還有人在那裏作此想？我不敢說，但麥帥所說的「適當時期」已成過去，卻是事實。以上是說明麥帥也對也不對的地方。

但現在美國已儼然派了一個軍事代表團坐在台灣，對台援也增加了不少，其目的無非在加強台灣的軍事實力，美國又不獨注意台灣的軍事而已，即運用經援為台灣增加一點糧食的工作，也並沒有放棄。既是希望台灣民眾能夠守得住台灣，又很想使台灣八百萬的居民，在食糧上毋庸匱乏之憂，你還說美國政府準備把台灣交給中共，豈不是近於厚誣？以上是說明杜魯門的更正，並沒有錯。

可是，我們討論一個問題，必須追根到底的：把台灣看成是美國在太平洋這條防線上的一環，這在杜魯門總統和艾奇遜國務卿，也大致是不能不承認的。既要確實保得住台灣這一塊土地，以台灣過去的軍事力量，顯然還是可慮心的，是乎不能不有援助。既要加強軍事力量以保台灣，附帶的即不能不使台灣八百萬的居民能夠有一碗飯吃，否則即在維持當地的治安一點上且將吃力，即有充分的軍事力量，又何所用之？

以我們所知道美國今天所給予台灣軍援與經援的數字，僅僅能勉強適用於守台，決不足以言反攻大陸。假定美國政府確有誠意幫助國民政府向大陸反攻，收復失地，則美國政府可能且必要採取的行動，決不會止於如此，乃可斷言。

美國政府中人，有一句常常掛在嘴邊的外交辭令，說是美國決不願去干與別人的內政。請問：派遣一個軍事代表團去協助別人改革軍事，又派遣若干專家去協助別人作種種的經濟措施，這不是干與別人的內政是什麼？難道軍事與經濟就不是內政嗎？難道美國可能容許別人去參與她的軍事和經濟的行政嗎？由這樣看起來，美國政府中人所謂「不干與別人的內政」云云，乃不過是一種遁辭，只是真正的「不願」，決不是「不敢」。

以台灣今天的政治機構與政治作風，其能否遂行大規模的反攻大陸，這是一件很費考慮的問題；如果要勉強的試行反攻，其政治力量不特未必與軍事配合，而且可能發生相反的作用。這不是我個人的私言，是今日離開中共魔掌流亡海外一切反共抗俄的自由民主人士一個共同的看法。

即以近事為例，胡適先生因為不願台灣的軍事機構去胡亂干涉人民正當的言論自由，因而有寫給他在台灣的朋友的信，有一封雖然已經很勉強的在其雜誌上發表了，據聞還有一封，但到現在也沒有發表。陳誠院長答復胡先生的前一封信有兩句話：「有則改之，無則加勉，」我希望這不是兩句空話，總還要加上蔣總統平日所提倡「力行」兩字的成分才好。

假定友邦真有一天要幫助中國政府去正式反攻，我相信她對中國現狀一定要有周詳的考慮，這是有過去的事實可資證明的。

中共想發展國內市場 各地大辦「物產展覽會」

對外貿易已陷絕境但大陸民窮財盡內銷也決無辦法

·張丕介·

中共的對外貿易政策，在去年十二月以前，係以吸收外滙，搶購戰略物資爲中心。當時所實行的貿易制度，在公營機構以易貨爲原則，對私營廠商則仍沿用過去的結滙辦法，在結滙上私營行商雖備受中共的限制與剝削，但仍算有業可營。韓戰以後，歐美各國狂烈搶購戰略物資，故去年下半年，大陸土產外銷，曾一度頗呈活躍。但此項情形乃時局所促成，並非中共貿易政策的成功。自去年十二月十六日，美國務院宣佈凍結中共在美資產，並加強對中國大陸及港澳禁運後，中共爲表示報復計，乃實施「先進後出」易貨制，而取消原有結滙辦法，這一制度的施行，照中共的說法，乃在於避免出口貨售出後資金被凍結，而進口物資又無法運來，故用「以貨易貨」代替「結滙」，而易貨時又須以「先入後出」作爲保障。

輸入輸出多方阻難 寧棄雞肋大家收檔

在上述辦法之下，凡經營進出口行商，必須先從國外輸入中共認爲「必備」的物資，然後始准其輸出等值的土產。在推行易貨制度的同時，爲了加強對私商的控制，並抬高土產在國外市場的價格計，中共乃一方面規定各種特產外銷，須依其所規定之限價辦理，不能低於限價售出。一方面並強迫私商實施「聯營」，由中共從中操縱。在這幾項措施之下，經營進出口商人，除了爲實行「先進後出」，須具備兩副本錢外，又要依照中共主觀所決定的價格售貨，無從適應市場的變動。加以有利生意，盡爲中共所壟斷，剩下的多半是雞肋，因此莫不相繼收檔，形成近年來進出口貿易的空前萎縮。

貿易萎縮所發生的直接影響，便是主要外滙的枯竭。如以華南區爲例，過去華南輸外主要的出口貨是植物油和桂皮、生絲、五倍子等特產。在植物油中僅桐油一項，過去每年輸出達六十萬司担，約值港幣一千萬元以上。但在中共易貨政策的價格限制下，今年一月份銷出尚達五五、八九三担，至八月份竟降爲一〇、五八五担，相差幾達五倍。桂皮及五倍子等，亦爲華南大宗出口貨之一，在香港市場中佔相當重要地位，自實行易貨以來，一月份桂皮輸出一五、九五九担，八月份減爲四，五四五担，五倍子一月份輸出一一、七二三担，八月份減爲一、一[illegible]六担，前者減降五倍，後者減降更達十倍。至於粵產生絲，去年第四季輸出達二、〇八〇担，平均每月約七百担，但今年以後，每月外銷僅百餘担（見十月十五日香港大公報）。從上舉華南區之輸出數字中，已不難概見其土產滯銷之一斑。

土產滯銷農村更苦 戰略物資仍須搜購

在大陸的國民經濟中，土產始終是一個極重要的項目。據四月十日北平「人民日報」社論中所述：「去年華北全區土產，除糧、棉、菸葉、花生外，總值約達七十億斤原糧，去年銷出五十億斤，已超過一九五〇年華北全部公糧之數目。」又據漢口「長江日報」所載：西南廿一種主要土產收入，估農民收入百分之三十五到四十，西北土產物估農民收入百分之四十左右，東北土特產估農民收入百分之二十五，中南據最近估計，約佔農產物總收入三分之一以上，土產滯銷的結果，不但嚴重打擊農村的生產與所得，對中共本身的財源，更係一無可補償的損失。

但在韓戰的巨大消耗下，即使土產滯銷，外滙枯竭，中共仍不能不向外繼續搜購戰略物資。據有關方面極可靠的統計，本年夏季中共經華南向外吸入物資總值，即達一千萬美元以上。土產銷路減降而戰略物資之需用浩繁，遂令中共的外滙陷於空前枯竭狀態。因此，自本年九月以後，中共已停止所有外滙之批核。在常態之下，爲補救政府外滙之困竭，本可准許商人實行自備外滙進口辦法。但根據過去的經驗，商人自備外滙進口後，資金即無法調回，中共爲防止黑市金融撈活，又不許自由滙出，故一切可行的辦法，在中共殘民而戰的前提下均無法實施，其貿易政策，已正式進入了絕境。

中共爲挽救上述的變質危機，近數月來，乃致力於促進土產內銷，企圖以擴大國內市場代替對外輸出。本年二月底「中共貿易部」即發布「指示」，強調推銷土產的重要性，幷宣布在今年的財經任務中，推銷土產乃一個「極端重要的工作」。爲了達成大量推銷的目的，各地先後開辦的所謂「土產展覽會」，其目的除招攬生意外，並有「增強國營貿易合作社幹部及私商認識和信心」的作用。據說「通過了各地區展覽會所開展的交流，在全國範圍內已扭轉了若干土特產之滯銷現象」。

易貨辦法雖將放棄 騙人太多誰再上當

但內銷終不同於外銷，一則大陸民窮財盡，地區間之銷納幅度有限，一則內銷幷無法產生外滙。何況大陸特產中有不少均係專銷美國，更非內銷所能代替。今年二月間「民主建國會」在北平舉行的貿易座談會中，北平貿易業代表畢厚田，特種手工藝聯合會代表張穆明等均指稱：「由於美帝的經濟封鎖，特種手工藝出口停滯，大批工人即將失業」，廣東潮汕一帶過去暢銷美國的抽紗夏布業，自禁運後即土崩瓦解。因此，土產內銷的施行，並不能從根本上，挽救其頹勢。

在此項進退維谷情勢下，據最近中共官方所公布的「特產品出口管理新辦法」，其易貨制已決定放棄。在新貿易辦法中，除煤斤一種仍採用易貨辦法外，其餘貨物出口，再度實行結滙。但此項結滙辦法，與通常所實施者，完全不同，商人出口所得外滙，並不能用以抵銷進口之所需，進口時仍須另行申請，由中共當局「體察情形酌予批准」。此一改變的目的，無疑的乃企圖藉此騙取商人手內的外滙，以補償內銷之不足，並將土產滯銷風險由商人單獨負担。但受慣中共欺詐的商人，早已洞燭其用意。因此，不管中共如何花樣翻新，一樣的難逃失敗的厄運！

阿里汗被刺的總分析

眞納臨死時還說開國使命我已完成建國使命要靠阿里汗他的被刺不特對巴基斯坦損失太大而且印巴糾紛愈將引起世界的不安

·伍健勛·

巴基斯坦總理阿里汗前天被刺殞命的消息，震撼了倫敦和華盛頓，這也是一九四七年八月十五日巴基斯坦獨立以後所遭遇的最嚴重的事態。兇手是對印主戰的激烈份子，『履霜堅冰至』，若干敏感的觀察家，已經意識到印巴兩國的火藥氣味。

阿里汗是一個怎麼樣的人呢？爲什麼他會成爲對印主戰派的暗殺的對象？阿里汗死後，對大局的影響又如何？讓記者來答覆這幾個問題。

阿里汗出生於印回兩大民族衝突中心地——班査布，自幼就目覩民族仇視的悲劇。怎樣協調民族間的仇恨，及如何保障回教民族的利益，從小就成爲他奮鬥的命題和內心的矛盾。

阿里汗長了一副異相，濃眉大眼，高鼻闊嘴，看上去像一位有膽識有氣魄的政治家。他是牛津大學畢業生，回教聯盟的靈魂。從一九三六年到巴基斯坦獨立爲止，一直是回教聯盟的總書記，該會創始人眞納，深贊阿里汗是回盟的巨大資產。他在臨終時還說：『開國的使命我已完成，建國的使命，要靠阿里汗了』。

自從回盟決定印巴兩國分立的政策後，阿里汗的政治生命走上新階段，他是參加倫敦印巴分立會議的全印四代表之一，會議結果圓滿。一九四七年八月十五日，全印自英人統治下宣告獨立，印度與巴基斯坦，亦同時宣佈分治。

對印問題力主和解

印巴分治後，問題跟着起來。當兩國分治的消息傳出後，印回人民在街頭興奮的歡唱着，也慶祝他們的光榮獨立。印回人民的流血衝突，也就在這一天從加爾各答、孟買、新德里，如火如荼地燃遍了兩國各大城鎮。巴基斯坦境內一千九百萬的印度少數民族，和印度境內三千五百萬回教民族，立刻成爲相互的報復對象，東班查布連續地發生大流血慘案。

阿里汗對這個問題的基本態度是開明的，他主張民族間的仇恨宜解不宜結，特別隱滅和尼赫魯在班查布，會同作五日考察，共同擬定保護難民和恢復秩序的合作辦法。印回的仇視情緒，漸告緩和。不幸的，是這個局面並沒有保持好久，接着發生喀什米爾問題，民族和宗教的仇恨，重新掀了起來。在這個戰既不可，和復不能的情形下，溫和穩健的阿里汗總理，便成了對印主戰派的暗殺對象。

被刺逝世影響如何

阿里汗被刺後，國際政論家在憂慮着主戰派，反英美派，及共產勢力的抬頭。三派勢力抬頭的第一個威脅，是加深了喀什米爾問題的嚴重性。印巴兩國會不會因喀什米爾問題的嚴重性，來一次大規模的戰爭，留待事實去解答。不過有一點，我們可以相信，即兩國開戰的可能性，較前增加了。現在印度誤會已經感到不安，安理會也在加緊謀喀什米爾問題的解決。

第二個受到威脅的是英美。英國控制回教世界的三張王牌，即伊朗的拉斯馬拉，外約但的阿勃杜拉，和巴基斯坦的阿里汗，一一被刺，使她在回教世界，失去了控制的依據。在東西對壘的國際局勢下，阿里汗的被刺，對英美尤其是一個重大的損失。阿里汗的親美，態度更爲顯明，當美國倡議封鎖中共及最近的對日和會，巴基斯坦所予美國的支持，便非常明顯。

因此，筆者的結論：阿里汗之死，對世界和平及反共鬥爭，是一個重大的損失。

評「福利宣言」（下）

·趙滋蕃·

（四）

現在，我們再來續密研究，羅教授在「推開哲學民主之門」與「站在輻射時代看眞理」兩章中所抄襲的一點自然科學。雖然這些冗長的抄襲，在「福利宣言」中，除了濫充篇幅外，別無用場。但有感於孔子告訴子路的話：「君子於其所不知，蓋闕如也。……君子於其言，無所苟而已矣！」特節節闢之。

羅教授講到宇宙間「原素」，必冠以「九十二種」，不知是他在科學試驗室中，一個有發現？還是缺乏化學常識的結果？自一八六九年三月，門得雷葉夫發現周期表，根據元素的原子量有週期的函數關係，曾確立宇宙間原素爲九十二種。門氏且預言有類鋁（Eka－aluminum）、類硼（Eka－boron）與類硅（Eka－silicon）之存在，迨一八七五年，勒波特蘭氏發現鎵（Gallium）；一八七九年，尼爾孫氏發現鈧（Scandium），一九三一年，阿力選，巫飛，蘇馬等聯合發現，已證實其預測無訛。而週期表中所缺的第八十七種原素，亦爲阿力選，巫飛，於一九三〇年，用磁光分析法發現，且於次年十月，由威爾等以原素的分光器證實，確認爲獨立的原素。則現已知曉的原素，當爲九十二種，這說法是實在的。另一根據電子配列的理論，而創立的一種週期表，是一八九五年，湯遜（Gqlius Thomsen）所發表，爲波耳（Bohr）氏所改良者。他們根據第九十二種原素鈾，O、P、Q的量子軌道，都還沒有完成，如果漸次補充一個電子，要到一百十八位爲止，諸軌道纔見完成，推定自鈾以下，還有二十六個假想的元素。因爲這些原素放射性一定很強，原子的組織也極複雜，甚至不能穩定存在，因此迄今還未被發現。但我們可由此得出一個肯定的結論：介乎九十二與一百十八種原素間的「九十五種原素」，完全是沒有科學常識的信口開河。在科學上，是找不到根據的。

而羅教授抄襲近代物理學，也因無科學素養，處處露出破綻。如：「光線不同，只是波長不同。」不是波長不同，還有甚麼不同呢？究竟近代物理學，不獨是將「宇宙線，X光，紫外線以及無線電波」融貫爲物質波的統一的基礎上，而且還將光、電、磁、聲，也歸納進波長的不同中。即由〇・〇〇〇四至〇・一[illegible]特殊的不同波長中，表現爲不同的光、電、磁、聲的自然現象。它們只有波長的不同，本質上無分別。羅教授的論據，到底根據那項實驗，那家假說呢？

羅教授又說：「牛頓的時代，已經在歷史上過去了」。因爲「在牛頓宇宙中，以慣性和引力爲基礎，而愛因斯坦排斥萬有引力以至以太的假設，而代之以「場論」」。而「構成牛頓學說的骨幹之引力觀念，亦被愛氏所推翻了」，而代之以「說明鄰點而不說明遠距離的影響」的「微分學的因果律」。事實上，自牛頓至馬克斯威爾所發展成的古典物理學，並未過去！[illegible]效用的現象；但對於光的干涉作用，量子論卻較牛頓舊理論，遠爲落後！因此，新舊理論，各有特長，亦各有缺點；都祇能認爲是物理學中的特種情形。當物理學中更高的概念尚未另行創立以前，「牛頓的時代」，何嘗「在歷史中過去了」？其次，愛因斯坦的「排斥了萬有引力至以太的假說」，推翻了「引力觀念」嗎？這問題也值得商榷！

自近代物理學的先驅者倫琴，於一八九五年發現X光；[illegible]

[illegible]

（五）

「夫天下將治，則人必尚行也；天下將亂，則人必尚言也。」[illegible]

[illegible]（參考Max Planck：The Universe in the Light of Modern Physics P.71）[illegible]

（完）

美報漲價 每份合港幣七角

美國報紙，現因紙價高漲，及各種費用均較前激增，日報最近多已將報價提高。洛杉磯的日報，從本月一日起，原來每份美金七分的報價，現均改爲一角。小型的鏡報即由五分改爲七分。

據說：四家日報中之一的赫斯特系「考驗者」Examiner向讀者解釋加價理由說：編印一份日報的成本，現在比一九四零年，已整整加了三倍。僅紙張一項，最近一年，就由每噸五十元，飛漲到一百十六元。如果不將報價提高，我們就將無法繼續維持。

美金一角，照目前滙價，約合港幣七角，以七角港幣，買一份日報，在香港讀者看來，當然是太貴了。但按美國現在一般人民的生活水準，這價格還是比較低廉的！（一丁）

中共教條扔入茅坑

·政治測驗，幹部竟多數不及格·

考題：「革命的四個朋友是誰」，這本是僞旗上四個小星，工，農，小資產階級，民族資產階級，但許多幹部竟答爲「史太林，金日成，列寧，馬克斯」。又題：「三個敵人是誰」，多答「杜魯門，李承晚，蔣介石。」而忘記了這是指的教條上「帝國主義，封建主義和官僚資本主義。」

華東委員會痛感 共產黨前途悲觀

【本報上海特約通訊】中共用了九牛二虎的力量，要所有鐵幕內老百姓，向他們學習，特別黨團人員，公教人員，更要把共黨教條，背得滾瓜爛熟。不料最大多數中國人，偏偏是懶散成性，在槍桿壓迫和飯碗引誘下，雖不得不暫時低頭，但實際上，這些可笑可厭的教條，是無法永遠記在他們腦筋中的。因此，中共高級當局，最近一連串舉行對黨團，公教人員的政治測驗，都感到極痛失敗。他們認爲這是共產政權的基本問題，十分嚴重。

「華東軍政委員會」，日前在文化最發達的江浙兩省，分地測驗，結果也大糟特糟。無錫參加測驗的稅務人員，所長股長共十七名，不及格的就有十五人之多。最妙的，他們對「中華人民共和國的政體是什麼」這一考題，有的竟答「毛主席專政」，或「人民政府獨裁」，這雖然都是說出了淪陷區內大家眞正的認識，但虛僞的中共當局，却不能容忍部下這樣天眞。另一考題：「中國革命的四個朋友是誰」，所謂四個朋友，本即指僞五星旗中的四顆小星：「工人，農民，小資產階級，民族資產階級」，不料應考的實員幹部，竟會答做：「史太林，金日成，列寧，馬克斯」。又問「三個敵人是誰」，答做「杜魯門，李承晚，蔣介石」，而忘記了這是教條上所指的「帝國主義，封建主義，官僚資本主義」。諸如此類的笑話，文化最發達區域，尚且如此，其他落後區域，也就當然更不勝枚舉了。中共苦心孤詣的教條訓練，[illegible]怎能不叫他們加倍氣憤，或十分沮喪？

中共的考官對這些政治測驗不及格的幹部，曾痛加訓斥：[illegible]……報也不看的。」於是「華東委員會」根據這些資料，就作了結論：「這是多數幹部，脈搏落後，看不見大前途，共產主義政治，漸漸變成鼠目寸光，只因眼前保住工作，吃飯了事」。因此，他們建議中共，要一通令全國，凡政治測驗不及格的，一律停職，這補習的，當然在把握一班共幹弱點，其意若曰：「你們以爲政治不學習好，也一樣有飯吃，今後却偏給你們一點顏色看，不學好政治，就不許吃飯。」中共教條之不能深入一般共幹，已如上述，但這一套和一般人員，或者認爲比較遠，不熟心學習，但情尙可原，但另外一些例子，却竟發生在中共搞政治最熱心的[illegible]……

潘尼迦過港時答本報記者

「批評中共今昔自有差別」

他說：「彼一時也此一時也焉能同日而語，一九四九年時代，他們確是中國的土地改革者」。但神色之間，似乎已不能掩飾他內心的慚愧

【本報專訊】印度駐「北京」大使潘尼迦夫婦，已由北平經香港回印，據報載十六日新德里電訊，潘已於是日抵達新德里。本來幾個月前便傳說潘要「返國述職」。一直到十月十三日，方由平漢粵路經過深圳而到香港，沿途風塵僕僕。在九龍一家華貴的頭等旅舍內，閉戶不出，只是從臨外邊眺域多利亞海上風景綫。他也許曾經暗想：「這兒和北京眞是兩個世界了」。

他說行止聽命尼赫魯

十五日下午潘尼迦夫婦一行帶了九件行李，悄然登泛美航機飛向新德里。他拒絕和記者談話，只是透出：「此次回國，約六個星期或二個月後，再回北京」。他說：「回國述職費兩三個月的時間也不能算長久，外交上本有前例的」。他否認許多美國雜誌報章說他想辭大使一職。他說：「這些都是不可靠的報導，我的行動，完全決諸於印度總理尼赫魯先生的」。

關於北平「抗美援朝」，他說：「全國上下情緒熱烈極了，是一個一致的行動」。他拒絕再作進一步的批評。關於韓戰是否可以停火，他很幽默底道：「這是最難回答的問題，我不是希臘的哲學預言者」。

在南京時的一個回憶

記得在南京國民政府時代，正是徐蚌會戰最熱烈之際，有一次潘尼迦拿出許多英文文件，在許多外交界人士面前唸，唸完以後，他乃下結論道：「這是中國進步的土地改革者，不是蘇聯型的共產黨」。當時中國外交部的首席參事張沅長教授，雖與潘私交甚篤，但他忍不住了，很嚴正地反駁他的看法完全錯誤。兩人還爭了半天，使潘非常下不去，潘當時確很爲此困惱的。這次，我在機場中，特將此點提出，引起他的回憶。他很生氣地回答：「彼一時也，此一時也。焉能同日而語。一九四九年時代他們確是中國的土地改革者」，不過他雖然生氣，但神色之間，究竟掩飾不了他那一種似乎慚愧的內心。

潘的英語，文雅標準，具有英國文官紳士的味道，矮矮的身材，對一個雖於回答的問題，每不作正面答復。他是當今尼赫魯手中三張王牌之一。駐美國大使潘迪夫人，駐英專員梅農博士和他都是尼赫魯的親信。如果他不想回北平，事實上尼赫魯手中除梅農外（按梅農曾任駐中國印度首任大使），拿不出第二個人來，潘尼迦也明白這一點，所以想拖到兩個月以後再說。一般相信尼赫魯還是要逼他回北平。

給羅家倫帶出一衣箱

潘尼迦這個人，他自信絕頂聰穎，他對中共的看法，和當時的美國大使司徒雷登，英國大使施蒂文森，有異曲同工之妙。不料他們都看錯了。記得四月初，南京政府快遷至廣州時，外交部在廣州沙面不容易替印度大使館找到好房子，遂在愛群酒店弄了幾間，作爲印度大使館，但潘當時逢人便表示，愛群酒店這個地方太雜，晚上有人打牌喚局。其實愛群酒店亦有竹打算和國民政府「從此兩分離」的。但潘畢竟是東方人，重私人情感道義，我駐印大使羅家倫博士留在南京的一隻衣服箱子，一直無法帶出來，等到潘離南京時，還是由潘替他帶了出來，交給羅的親戚轉到台北去的。這一段小掌故，以後便成爲外交圈內的佳話了。（邵一成）

只說，「我們攝影記者，是照例不問時事的」。又蘇北日報社一位編輯請假回籍，當然原籍的一些共幹，照例對這位衣錦還鄉的文化幹部歡迎一番，但到了大家請他報告並分析時事時，他均無法開口。一個店員問他，「新民主主義五種經濟成份如何解釋」，他說：「經濟成份，由經濟部主管，與我們宣傳人員無關。」中共最需要熟讀教條，的宣傳員，也通教條麻痺，眼看就要被中共自己幹部扔入茅廁了。（悠然十五日寄自上海）

……中共內部檢討，蘇北日報派出的攝影記者，在採訪時，幾乎有一句也回答不出，他們問他當前時局，他……

老翁孤孀因藏金喪命

南京兩幕獻金慘劇

老翁一家死光孤孀三兒無依

【本報南京特約通訊】「抗美援朝」的消耗太大損失太重了，中共不得不竭澤而漁地發動了「捐獻機砲」運動，華東地區，截至本月半已擄去人民幣近六千億元，敲骨吸髓，史無前例，上海是全國工商業中心，已被迫繳出了兩千八百三十億元，南京方面，雖僅攤一千億元，但南京是個空殼子都市，工商業沒有，窮人太多，所以直到目前，還沒有收足兩百億元，「達成任務」，遙遙無期，這裏有兩個在南京發生與捐獻有關的故事，讓你看了，就可了解對這一「乾淨徹底」的搜刮，殘酷毒辣已達到何等程度！

董鶴年抱金投江

南京大光路大光里一號居民董鶴年，今年已六十四歲，他有兩個兒子，一個叫董振平（廿三歲），一個叫董嘯平（廿四歲）解放前，一就讀中大，一肄業武大，學業每冠儕輩，鄰里無不讚羨，解放後，不到半年，兩人均先後響應「政府號召」，擺脫學業（兩人均已結婚），「自動」赴韓參軍，離家半年，消息杳然，存亡不卜，董老爲求生存，在自己的門口擺了一個花生攤子，老妻（六十二歲）同兩個媳婦則爲「解放軍」納鞋底，胼手胝足，苦度光陰，本月初，董老太因操勞過度患病逝世，彌留時，曾密告董老：「在床腳下，埋有一塊金磚，是我從娘家帶來的，三十年前，因爲你吃喝嫖賭，不務正業，所以一直隱匿沒有告訴你，現在我死了，你可把它挖出來，想法化掉，給我買口棺材，剩下來的錢，可做生意，其餘則留作棺材本，也不枉我夫妻一場。」

金磚挖出 幹部臨門

董妻死去，金磚挖出，計重十一兩五錢四分，不知怎的，消息傳到「居民委員會」「小組長」知道了，馬上登門，拜見董老，最先是以「一門革命光榮」向董老瞎捧一陣，繼即言歸正傳，要董將死者遺金單刀直入捐獻「人民」購買機砲，董以此係今後全家養命之源，不能捐獻，「小組長」遂予拒絕，以未能將董「說服」，悻悻而去，臨行告董：「希望你在思想鬥爭上能獲得勝利，一禮拜後，聽你回信」。董老以本身爲「革命」軍眷，平常既未絲毫「照顧」，今老妻方死，屍骨未寒，竟又被迫繳出，其何以堪？茫茫來日，思前想後，當夜即懷藏金磚，悄然出走，至燕子磯，投江自殺，人寰無人性故事，即傳遍了石頭城畔。

丁筠意失金自殺

夫任連長 劉共陣亡

丁筠，今年卅七歲，住南京碑亭巷三十九號，丁的丈夫叫李達，原在黃伯韜部任連長，于卅七年淮海之戰陣亡，遺下一子兩女，南京「解放」前，丁因兵荒馬亂，將丁家祖上遺下的兩重黃金一塊，親自送到新縣鎮冷紅鄉娘家，後來將金子埋藏起來的，父親知道了，要她拿出來化了借點給他用，她不肯，被父親打了三次，雖遍體鱗傷，但這塊金子她終於沒肯放手。

「解放」後，因丁係智識婦女，遂被迫參加「婦聯」工作，三十九年爲二區婦女選爲「代表」，「區婦聯」抗美援朝總會「六一」號召後，出席京市分會，急起響應，二區「區長」王大槐，因據報丁有藏金，乃屢屢找丁「談話」，要她立予捐獻，實行「帶頭」，而丁則以這一塊金子是她唯一的財產，她自己雖然做了小學教員，但那微薄的薪水怎夠一家四口開支？而且害了肺病的十七歲男孩需要錢，兩個上學的女兒需要錢，政府不要她捐獻，她自己也要動用了，如今竟要她全部捐獻，她經過相近一百天的思想劇烈鬥爭，結果她還是「想不通」。

半生藏金 被迫捐獻

最近京舉行第三屆各界人民代表大會時，丁係二區代表，自然必須參加，不料二區「區長」王大槐，竟未取得丁的同意，登台當衆宣佈：「丁爲了加強抗美援朝力量，人民代表丁筠將祖遺十兩重金磚一塊捐獻政府購買機砲，這是值得效法的。」話講完，隨着南京市「抗美援朝分會」即派來工作人員，同丁返家挖取兩金磚，完成了這一「光榮的任務」。丁以藏金被奪，一切希望幻滅，返家後，事出突兀，三兒女睡熟的晚上，即吞服鴉片自殺，死前，丁遺一函致其父，一函「婦聯」「區長」，一函致二區「王區長」，只謂：「比之方用，下策人生之味，[illegible]寒，感慨不淺，視孤云孤，雖言，溫闔是啟發，去字一孤淚，永含孤淚，待齒身了！」（石君十四日寄自南京）

婦女受害有加無減

大陸共幹凶殘成癖

幹部袒護「同志」，反申斥被虐女性，說「買牛買馬可騎可打」，對一切控訴，表示不管。

【本報北平特約通訊】三個月前，記者曾將中共統治下各地婦女所受共幹殘虐待慘無人道的現象報告了好幾件，並根據蔡暢主辦之「全國婦女聯合會」所編統計，僅中南一區，被虐殺的婦女，死於非法者，至今年五月，一共就有一萬一千三百廿五人。

（編者按：該通訊已在本報第四十二期（七月二十八日）刊載，現在共區婦女受虐情形，仍有加無減，茲再就最近資料，擇要略述數例：）

幹部居然也怕絕後 王法屁法都說不管

江蘇興化縣臨城區齊心鄉支部書記張成林，把婦女會主任沈公（有夫之婦）與當地婦女，逐出公開結婚，大宴賓客，他說：「先前的老婆眼下生不出兒子，我不能絕後代」。他告訴「幹部陳靜梨法的王法屁法，我也不管，不坐牢」。又如此東縣（編者按：此係中共新設縣治，原名馬塘），近海濱豐利區四明鄉桑明村村幹楊三太，對奮明村鄉姑徐珍久思染指，徐不從，楊惱羞成怒，邀集多人（內有農會主任等），到徐家主任家吃酒，酒後叫婦女會主任將徐招村幹部，打，呐喊助「威」，把徐吊起，徐喊救，不放，徐年僅十七，老遠發，三次吊下來，還用草灰塞嘴，人已半死，就許她投河死了。第二天又淮安徐……

身爲共幹 虐妻無事

武漢市三區婦女李文順，香河區和合鄉婦女……縣……鄉婦女……因丈夫虐待，向法院控訴，法院竟判令不堪幹部，還請鄉部「求」……婦女……

武漢市三區（？）婦女唐某，年十九，今以父命與某共黨人幹部李某結婚，婚後唐常被虐待，今年夏日，唐進房門……［以下多處模糊］……李看見，恰巧李從外工作回來，見狀大怒，……唐即……

有玷門風 亂棍打死

安徽肥東縣長臨河區廟王鄉婦女秦王，因幼喪父，母改嫁，隨伯父范伯文過活，生活費用欠缺，後秦許婚給范，……因……秦……范……不……婦……打……被活活打死。……（隆光十五日寄自北平）

貪污並非不治之症

·尚方·

美國民主黨主席鮑育，因有利用職權機會，替商人向國家金融機構說情貸款的嫌疑，被國會調查指責，立即引咎辭職了。杜魯門總統正在物色繼任人選，對鮑育並不表示挽留，也不替他作任何辯解之詞。

在民主黨當政之秋，以一個黨的主席地位，對政府金融機構替商人貸款事項說說人情，這並非甚麼了不起的不可告人之事。尤其鮑疑他有從中漁利的勾搭，但並未發覺任何證據，只是「想當然」而已。這事若在咱們大中華民國，誰也懶得去過問的，縱有好管閒事的人民代表或新聞記者們敢於指摘，然他以執政黨的主席關係，一個反唇相稽過來，誰受得了呢？然而，美國民主黨的鮑主席，卻能自認晦氣，引咎辭職。

紐約時報說：「貪污並非不治之症」，這話很對。只要在民主政治之下，讓社會大眾有監察檢舉批評之自由，形成健全的輿論，任何人亦無[?]於萬目所視萬手所指的[?]中，杜漸防微，貪贓的行，自然有所忌憚而減少。最壞是諱疾忌醫，官官相護，甚或假借政治羅織，不許人們指說貪官污吏的事狀，普天之下，盡都知道某官某吏公然貪污，卻硬要自封為廉潔政府，那就是無可救藥的死症！

過去我在大陸，有時不免在「自己人」面前，指罵某些貪官污吏，總有人教導我：「老兄，我們不好自己暴露弱點，予人攻擊材料呵！」今日神州陸沈之痛，則是受這種護短遂惡觀念之賜，我常常這樣反省。

自由談

「美人窩」的風波

·一眞·

教局獨佔風光　黨報暗射冷箭

廣州南方日報同特「黨辦」招牌，又是獨佔「喉舌」，除直系主人和拿槍桿的「同志」之外，很少賣賬，對同樣搖筆桿的文教工作者，更以「領導人」「老大哥」自居，不把瞧在眼裏。可是對於漂亮的女「同志」，女學生，卻又另眼相看，特別寬力，不知是表演威風還是別有作用。也許合當有事，今年暑期市文教局借芳村白鶴洞某女中舉辦了一個「中小教師進修班」，延期了十天才結束。某女中是有名的「美人窩」，女生都是在校寄宿，白鶴洞又是一個清靜幽美的勝地。「借用」不算，還要「延期」，這十天正是新舊生返校辦理各種手續和「打閘舖」的日子。是否故意有無企圖，外人雖無從知，但引起南方日報「官記者」的既羨且妒，則屬無可否認的事實。九月廿五日的「讀者來信」欄中，突出現了署名某女中學生梁壯麗的信，指摘市文教局中等教育科科長馬俊「延期結束進修班，妨礙學生學業」。

按照常理：借學校辦教師進修班，延期十天結束，對學生返校雖有不便，也決不致構成問題，作為該校學生的也犯不着單獨出頭公開指摘。報社方面亦照例錄送文教局及向該校當局調查才來發表。可是南方日報這一次卻打破通常習慣，自是「決非偶然」。而且當天還特派記者往文教局去，名為「了解」，實則「攝景」。

女人面前科長發威

誰也不願意在女人面前丟臉失威，何況又是直屬主管？市文教局中等教育科長馬俊按捺不住了。適巧當時某女中校長李卓娛和其他中學校長廿多人都在那裏，校長面子更是離不下。明知「黨報」不大好惹，也得硬着頭皮，於是拿起這張報紙，當着南方日報記者們的面大罵：「你們報紙發表東西太隨便了，文教局將進修班延期十天並不是單獨決定，而是經過市委，市政府和各方的商討同意。你們報紙這樣登，即是說文教局在那裏搗亂，故意造成混亂現象。南方日報是黨的報紙，這樣做無疑是打了文教局一棒。而且寫這封信的個直就是站在反革命分子的立場來說話，南方日報居然把它登出來，不但沒有立場，並且喪失威信！」馬俊發洩一頓之後，又當着南方日報記者的面，質問某女中校長李卓娛，說進修班延期結束，已徵得她同意，為何現在報上批評文教局？並問她寫這信的學生究竟是誰。李卓娛也「一頭霧水」，說明她根本不知此事。本學期一百多新生並無梁壯麗其人，寫這封信的即使真是本校學生，用的也不是真名，並答應找原信筆跡查對。

可是李校長再三派人向南方日報取討該信時，南方日報卻不肯交出。這在一般報紙的立場，原是應該的。但共產黨報則從來未有過，南方日報這一「又破門鐵」的行為，與其說是維護寫信的人，無寧是有不可告人之隱。

抓到題目　黨報大罵

馬俊這一番臭罵，文教局面子雖已爭回不少，南方日報的臉孔卻收不下去，偏無如這次舉動確屬私，各方面對牠也不表同情，「黨報」施威，一時竟無從發展！直到本月九日「中共長江日報」發表了武漢中央中南局於九月底指示各級黨部開展反對官僚主義的批評文告，內容是說武漢市衛生局副局長宋琰，副局長周季方（均共黨員）（編者按：宋琰事件已載六日本報）錯誤事件。南方日報抓到了這件武器，於是借題發揮。在十月十二日第三版頭條轉載了之後，跟着把馬俊如何當着記者和廿多個中等學校校長之前大罵該報，如何壓迫某女中校長交出寫信的學生梁壯麗，如何誤了學校開學日期，如何監制批評及該報發表梁壯麗的信等等，寫成長達二千字的「新聞」。同時並發表「堅決糾正」作風」社評，指斥馬俊犯了三項惡劣作風的錯誤，要文教局嚴肅地進行反省。

南方日報的官記者，這一次算是發揮透了「同志」威風，文教局馬科長「讓」手，但「當然不是對手」，所謂「反者」「御用報紙」的來信「人民公意」，我們映也可以「嘆觀止矣」！

清民之際的長沙（一）

（「近三十年見聞雜記」的一個補篇）

·舜生·

憶我少壯時，無樂自欣豫，猛志逸四海，騫翮思遠翥。荏苒歲月頹，此心稍已去，值歡無復娛，每每多憂慮，氣力漸衰損，轉覺日不如。壑舟無須臾，引我不得住，前途當幾許？未知止泊處！古人惜寸陰，念此使人懼。——陶潛

我生在甲午中日戰爭前一年，即清光緒十九年癸巳。從癸巳到辛亥革命，剛好是整整十八年。在這個清朝最後的十八年，正是中國的多事之秋，也正是我個人由孩提，童稚，而進入青年的時代。

很慚愧，我雖是出生在湖南的長沙，可是當民國二年，即正當我二十歲那年離開湖南以前，我的足跡，卻不曾越出長沙一步。

我生長在一個沒落的讀書人家，我是我父母的幼子，是長次兩兄和四位姐姐的愛弟，同時我自己還是兩個妹妹的哥哥。雖然在那樣一個食指浩繁時處匱乏的家庭，可是我並沒有失去我優越的地位，而且還是命定的非要我讀書不可。

在清末，湖南算是辦理新教育最有成績的省分之一，其原因我是後來才知道的。在我離開我的故鄉以前，我在長沙整整受過十年的學校教育；由我自身所體驗，由我後來所比較，我對那些直接教育過我的先生們，那些在長沙提倡或主持教育的人物，乃至那些與教育事業有關的政府機構，我至今還是感念不忘。從這一個極小的觀點出發，我實在看不出最近的這四十年，中國的教育，在精神上有什麼顯著的進步。

這個時候，長沙的私塾還不少，有許多守舊的家庭，還不願送子弟進學校；同時小學校的數目，也太不足供學齡兒童的需要。我是十一歲才進小學的，名稱是「長沙官立第十八國民小學」。同學只有一班，約在五六十個左右。年齡大的到了十六七歲，也有小到八九歲的，我是介乎不大不小之間。老師一共是三個，一個教經學的姓羅，一個教國文和算學的姓鄧，還有一位教圖畫，習字，體操，音樂的姓徐。我在這裏讀過孝經和論語，老師雖然講解，但我依然不大明白，也不感興趣。國文教科書是木刻的，自然一色都是文言，我現在搜索枯腸，在四年中所讀的，總共只記得五句，在某課中有這樣的四句：「我聞紫荊樹，同根同榮枯，一花零落百花，東枝憔悴西枝敗」；在另一課的第一句，是「楊氏之園，有古松」！每星期作文一次，總是就老師出的題目，胡亂拼湊幾句，好像也能寫上兩三百字，但是絕對不通，對於圖畫習字體操音樂這幾門，我的興趣和成績都很平平，我惟一的傑作只有算學。

萬竹樓隨筆（三九）

從一封表妹寄來的信看上海人兩副面孔

·大可·

白天，當着共產黨面前，或隨聲高呼口號，會時，或以幽默代諷刺，一到黑夜，便以怒罵來表達他們的仇恨了。

信，是從上海一封鐵幕中「走私」出來的信。寫信人是在上海某校讀書的一位教師表妹，由香港轉收。這封信透露了上海的同胞們對付共黨，正如何以兩副面孔。

[illegible]表哥：

你們的信我們收到了，你問我們家的生活情況……（以下原信文字模糊，難以逐字辨認）

拍馬屁無奇不有　竟建議改國為囗

中國共產黨殺人放火那一套看家本領外，還有一套就是假造不倫不類的「怪字」，而以國字的只剩一個四方框更為荒謬絕倫。但自從牠們的主子——蘇俄大鼻子斥責了一頓之後，中共文字們也就誠惶誠恐的喊出一個「文字不容歪曲」的口號（參閱九月五日本報第三版）跟着來個「堅決消滅簡寫」運動。可是「既成事實」的「怪字」「四方框子」怎麼辦呢？填回「或」字進去嗎？豈不有向封建意識「屈服」的嫌疑；堅持不變嗎？更犯不肯向「老大哥」低頭的大不韙。於是就有一些馬屁精，乘機提出兩個哈巴狗式的主張：「在四方框內只填一個「戈」字」，說「戈」字的古寫——也就是造字的原意，本來是口內從戈，戈是代表武器，口是代表人民，以武器以守衛四方，於以成國。後人以訛傳訛變戈口為或，寫成今之國字，其意義表示治亂無常，土地易主，統治者時時不同。所謂天下非一人之天下，惟有德者居之。暗示竊國者你或我，都無關係，這完全無稽附會之談，在今日尤不足為訓。為了既符簡寫之義，又不違背古法，最好在「口」內只填一「戈」，當此響應六八十四週年的號召，努力捐獻飛機大砲等武器，以抗美援朝擊退侵略之際，這樣寫法，尤為「特有意義」。

另一個建議更是異想天開，他說：「現在條條路通向共產主義，遲早有一天，全世界都要實現共產主義，中國現在又在共產黨領導之下而新生了，為了感謝共產黨，所以國字裏面的「或」，應刪去，把「八」字填進去改寫成國字。」其實，中華民國四十年來，許多改寫國字，真是一個「領土」的意義也大陸統治者，也無所謂「領土」中共黨徒們，現在只有一步，主張這一個框子，由在這班人的手裏，還有什麼可說！

我建議國民政府明令把國字改寫成「以民為主」的國，確是「以民為主」的國字，並示與民更始的意思。

（園民）

中國人不抬你

·大慈·

鐵幕叢談

一九五〇年——去年二月五日，川東萬縣的「第二次農民代表會議」開幕了。這次會議的主席台上，除懸着馬、恩、列、史、毛、朱等六個中外偉人的大像外，也掛起了孫中山先生的玉照……（以下文字模糊，難以逐字辨認）

宋三的坦白詞

鴨溪——黔北四大鎮之一——的宋三，是一個二十年前就已退伍的軍人……（以下文字模糊，難以逐字辨認）

自由人

THE FREEMAN

（半週刊每星期三六出版）

（第六十七期）

每份港幣壹毫

督印人：李光華

社址：香港高士打道六六號

電話：二〇八四八

GLOUCESTER RD. HONGKONG Tel: 20848

承印者：東南印務出版社

地址：高士打道六四號

台總經銷處

台北重慶南路一段七十四號

教育與訓練

·雷嘯岑·

自由主義的發展是分演化，而非標準化。能讓社會大衆有個性發展之自由，庶改批評之自由，必獲取社會文明歷史再創造之功，而「創造的少數」也自然是社會大衆樂於模仿效忠的對象了。

中國這一次大亂之所由來，依國際人士的一般論斷（以美國的對華外交白皮書為主）認為是政治上貪污低能和軍隊上腐敗麻木的原故，國內人士亦就如是云云。其實，這低能腐敗只是結果而已，非原因，真正的癥結，是文化精神之空虛墮落，若用英國歷史家湯比（Toynbee）的論據來解釋，即係中華民族文明之衰弱（Breakdown）。這衰弱的原因，是「創造的少數」失去了創造力，何以失去創造力的？是由於失去了「和諧」，因而喪失了「自決」，如是乎文明的歷史行程，乃陷於固定狀態，一切都形成了硬化（Petrification）一切都發生分解作用了。我們如果承認這解釋是對的，那就不能不承認這次的大亂是「內部普羅」（中共）和「外部普羅」（俄共）對中國文化的一種挑戰（Challenge）我們對於這種挑戰能否作成功的反應，卻不是空喊反共抗俄口號，或大家寫效忠的誓詞，表示標準化（Standardization）的言行等辦法所可奏效。必須適應時代要求，一切從新衡量，從新估計，發抒去寫生新的創造力，充實文化精神，以迎接繼續不斷的挑戰，纔是根本的復興大計。

談到文化精神，有些人或許認為迂闊無當現實，或者覺其陳義過高，河清難俟，其實不然。今日大家都認定民主自由思想是與共產帝國主義挑戰的有力武器，然自由精神之培養，充實，即是文化問題。現代西方文明之成就，源於文藝復興，而文藝復興的核心，則為「我之自覺」，即是個性的發展與創造，也就是自由思想的結晶。近數十年來的中國政治社會現象，甚麼表現着那樣的不和諧？到現在，一切反共非共人士的意志為甚麼形成一片的矛盾混亂感？原有的「創造的少數」為甚麼變成了「支配的少數」，而得不到社會大衆的效忠與模仿？一言以蔽之，就是沒有培養自由精神，消失了個性的創造智能。數十年來，對於文化中心的教育問題，掉以輕心，胡亂無宗旨，朝三暮四，醉心於歷史行程中節拍的偶然成功，舍本逐末，使文化力量的輻射效用，逐漸內向，範圍縮小，光熱感減。

良藥。譬如若干年來大家所努力不懈，視為教育全能的各種黨政訓練工作，功效如何，我始終不無疑問。訓練並非不必要，但一定要有界說，招募新兵入伍，[illegible]使用新式武器，技術更需要訓練，凡屬於技術方面的事物，莫不需要訓練。然關於文化精神方面，如政治思想，道德修養，格致教育等問題，就決非幾個星期或幾個月的訓練所能成功。[illegible]

[illegible]大體俱已陶鑄有定型，他們在社會上已有一定的地位，凡思想上已經成熟的智識份子，短期訓練對他們不啻是一種刺激，[illegible]

（Political Heretic）在文明的發展中，[illegible]

[illegible]，不能創造文明，即無法對文明的挑戰，抒成功反應的效果，更使文化力量的輻射範圍縮小了。目前我們所急需要的，是如何集中一切反共抗俄的文化力量，對共產帝國主義的挑戰，作繼續不斷的創造反應，[illegible]

[illegible]實由教育的訓練方法，也就是很好的訓練方法，別開新着，直尺枉尋，反共抗俄，發揮自由精神與創造，即是個性的發展與自由主義，[illegible]自由，大家有個性，有政治[illegible]

[illegible]「創造的少數」也自然是社會效忠模仿的對象了。

唇鎗舌劍昨已結束 英國選民明日宣判

無論何方勝利一般觀察均不能獲得壓倒的多數

·丁·

英國大選，經過兩週來劇烈舌戰以後，全國選民，即將於明日實行投票。明日午後，香港可於無綫電報告中，聆悉投票大勢，全部結果，約後日上午發表。

工黨與保守黨，究將誰獲勝利，截至昨晚止，雖兩黨均照例自誇，具有必勝信心，但一般預測，總覺保守黨勝利的希望比工黨大。不過由於美國上屆大選，結果與預測完全相反，對於這次英國大選的預測，大家也就不能不十分謹慎，担心上當。

有一點，不僅大家看法相同，即兩黨本身，也不否認的，即無論何方勝利，其所控制的多數，都不會太大，換言之，相差數額，大約總只五十名左右。保守黨的最初估計很高，到昨天，則也自稱不過三十五名至一百名。本來，保守黨內部，年老的一派估計高，年青的一派則比較穩慎。（這一派是保守黨一個新生力量，以愛克爾斯「Eccles」為首，他們對保守黨政策，有新的大的改進，他們自信不久將能獲得工人階級的擁護）後者的認為此次勝利，把握只有四十名甚至更少的多數。至工黨方面，則他們也只敢說，能較上次的多數增高，上次的多數，是低到太可憐了，如果只比上次稍稍增高，則即使工黨仍能繼續執政，其基礎仍將是十分薄弱的。總之，任何方面勝利，都很難得壓倒的多數。這一形勢，似乎很為顯著。

推測雙方票數的差額不大，其原因，據說，這次選舉，距上次不過一年多，凡上次投工黨保守黨票的，由於時間相隔太近，可能變動極少。上次選舉，工黨只以十名左右的多數，戰勝保守黨，於是大家就想到這次結果，彼此的數字，也或許就是倒轉一下，互相更換其在朝在野的地位。至在這次選舉中能足以決定雙方勝敗的一個力量，還在一部份自由黨的選民。上次選舉，自由黨在四百七十五名候選人中，只有九名當選。但他共獲得選票二百五十萬，各區都有。由黨的候選者，太過分散，吃虧很大。這次他只提了一百名候選人，凡太無把握的選區，都放棄了。於是這被自由黨放棄的選區內原有的自由黨選民，就只能於工黨保守黨之間作一選擇。他們偏向於那一方，即那一方的勝利把握就愈提高。

在競選運動中，工黨拚命打擊對方的，從下列幾個標語，充分暴露，那就是「協助艾德禮爭取和平」，「保守黨的意義，即是代表戰爭」，「除了血腥的戰爭販子外，保守黨還有什麼」，「你們需要第三次世界大戰」。工黨政府原想以中東問題打擊工黨，但是[illegible]不得不轉移視綫，改從攻擊工黨內政失敗着手，如經濟恐慌，物價高漲，牛油及煤太少，冷凍肉的分配，以及浪費等項。在應付保守黨與戰爭相聯繫這一點，[illegible]「如果工黨再執政，即毀滅了英美關係，只有更促進大戰的爆發。」

隨美國海軍部長巡視 看地中海防務

防禦工作已在積極擴展中

·伍健勛·

林德利（Lindley）係當代美國著名政論家，本文係其隨同美海軍部長金波爾在地中海、西歐，及北大西洋區域考察後，對地中海防禦的觀察，原文載十月廿二日美國新聞周刊。

假如你對實地情形作一番考察，你會發見在華盛頓所寫的計劃和意見，與實際情形有別，你印象所得的，根據個人在地中海西部及中部所得的，有下列數項：第一，自由歐洲的防禦工作，正在積極進行。第二，美軍當局對意大利在共同防禦中的可能貢獻，估計很高。第三，這些美軍當局，對新武器十分重視。

在法屬摩洛哥方面，美國空軍正在積極修築五個飛機場，海軍部也正在那裏（Lyautey）港建設一大海軍航空站。美法兩國，已正式訂立了一個協定。[illegible]

[illegible]

[illegible]現在包括擴大海軍部派駐三千餘人。

[illegible]

時局漫談

舜生

英埃衝突

這幾天因為英埃兩方的劍拔弩張，世人的視線，又已轉移集中到了蘇彝士運河區域。

這一條一〇四哩長的歐亞交通孔道，一向是很平靜的，現在也居然陷入了這樣一個強烈動盪的景象，其足以引起舉世的不安，自屬毫無疑義。萬一不幸沒有適當的措施加以遏止，其影響之大，決不是十六個月以來的韓戰所能比擬，蓋可斷言。

最近表現於伊朗，巴基斯坦，以及埃及的種種事象，其策源地只有一個，便是克里姆林宮！

世間惟有一種牽涉到宗教與民族的情緒，最足以引起人類的瘋狂；也自來是野心者最樂於運用以從事挑撥離間其對手的一種最有效的工具，這個工具截至現在為止，顯然是握在史太林的手上。

近年英國工黨內閣所抱持的外交方針，確實是異常持重，即寧可得罪若干的弱者，決不肯貿然的去開罪一個強者。由於這時的關係，和她對於自身實力的審度，我們以一種客觀的心情，對英國年來所採行的政策，加以批判，亦自無可非難。

可是像英國這樣一個國家，無論你從她的歷史文化的傳統精神看，從她民族自尊自信的心理看，乃至從她可能團結的國際支援看，她決不只是能弱而不能強；忍耐力可能提高到最高限度，但所謂「最高」者，並不是即等於『無限度』可言。她可以承認中共，可以對參加韓戰不十分積極，也可以以她的態度與說服使美國的步驟趨於和緩，可是一旦等到她自己的生命綫遭受嚴重的威脅，她也大可以劍及履及的幡然改圖。

基於這樣一個觀點，我對於英埃衝突的前途，實在是不免提心吊膽！

韓戰停火

韓戰停火的談判又已重開，這樣一種翻雲覆雨的勾當，並不能引起我們的特別重視。因為我們很明白：韓戰並不是世界未來大戰的惟一火種，即令韓戰暫停，在另一地點或多數地點可能燃燒起來的火頭，也許比韓戰這個火頭更大！

但我們不反對把韓戰暫時停了下來：第一，這十六個月以來在戰火下犧牲的韓國多數人民，我們對他們有無限的同情；第二、我們不贊成美國以她那樣太可貴的人力物力，在一個不能求得真正和平的目的下，去繼續消耗；第三，最近十月一號，我們看見毛澤東站在天安門上那一副肥肥胖胖的面孔，那一身簇新的蘇式裝，想到有四萬萬以上中國善良人民，為替史太林充當了那種毫無代價的砲灰，實在也有無窮的憤慨！

魏德邁將軍最近對韓戰提出兩種辦法：其一，把聯軍全部撤出韓境，而把他們的全部武裝交給南韓，讓南韓自己去打；其二，增強美國在韓的力量，但給予南韓以海空掩護，運用一切可能用的武器，（包括原子彈）讓他們在任何一個必要的地點去作戰，而得到一個有決定性的勝利。

假定這一次的停火談判依然不能談出一個像樣子的結果，美國可能採取的下一步驟，大致已不出此兩途，截至現在為止，我們還不知道杜魯門艾奇遜們的決心怎樣。

假定韓戰果然停了，對於英國當前所處的境遇，究竟是禍是福，也實在值得老謀深算的英國人加以精密的考慮啊！

台灣地震

台灣昨天忽然發生地震，其強烈為十年以來所無，花蓮宜蘭一帶損失浩大，影響波及全台，我們對台灣的全體人民，以及近年一切避難旅台的人士，實在引起了無限懷念。

台灣不適於作中華民國的首都，中國人必須返回大陸，美國不惜以大力去制止蘇聯和中共對韓國的侵略，同時又以第七艦隊去制止台灣對大陸的反攻，這在反共抗俄的政策上，實在是一個絕大的矛盾。最近我們讀了杜威州長，麥克阿瑟元帥，魏德邁將軍態度相當一致的演辭，覺得美國對亞洲政略戰略的重加考慮，實在已經是時候了。

俄帝雖有原子彈 也不能挽救其敗亡

俄帝已有原子彈，此雖聊可自慰，仍難班門弄斧。美國最高戰略，是制止其挑戰而困死之。魔高一尺，道高一丈，無論冷戰熱戰，俄帝必倒。

·胡秋原·

我曾在本刊五十四期寫過一文，懷疑俄帝真有原子彈，旋即有李秋生先生，指教。我懷疑的動機，主要基於一點：以俄帝之淺薄成性，如有原子彈，斷無不大吹特吹之理；以俄帝素特恫嚇詐騙術取勝，如有原子彈，斷無不在舊金山會議以前，[illegible]恫嚇詐之時，表演一番之理。本月三日，杜魯門宣布「最近蘇聯境內又發生另一次原子彈爆炸」。一九四九年九月二十三日杜魯門第一次的宣布，只提到「原子爆炸」。而提及「原子彈爆炸」者，以此為第一次。雖然其他核子專家估計蘇俄已有原子彈二十枚以上，但同日據威方面消息，說美國確知蘇俄原子彈爆炸已獲成功之前，會另有一次之試驗，但遭失敗；似在暗示真正原子彈之實驗，以此為始。俄帝是沈不住氣的。四十八小時後，史太林即發表談話，大肆恐嚇。而俄帝報紙也就大吹特吹，大有扭秧歌之勢了。

無論如何，俄帝已開始有了原子彈。儘管是一兩枚或三四十枚是一問題，但有了一兩枚，便不愁沒有三四十枚。現在所要談的，是這一事實，對於今日國際形勢，戰爭形勢，將有如何影響，尤其是這一事實，是否能變更俄帝必敗必亡的命運：

俄帝原子恐嚇 或有暫時效果

這自是一件大事。儘管美國尤其是英美諸國對蘇俄原子彈一事保持緘默，這一爆炸如果提前兩個月，舊金山會議恐難如是風平浪靜的。因為蘇俄的原子彈嚇美國不足，嚇英國有餘。

史太林在本月六日談話中最重要之一句是：「最近將來尚擬以防衛美英侵略為目的，舉行各種不同性能的原子彈之試驗」。這是恐嚇英國，並表示他「將來」不只「一種原子彈」。後一點我們可以拭目俟之！但第一點無故將力圖對俄表示友好的英國，連帶攻訐，其用意是十分顯然的。

美國人說俄帝有充分轟炸美國城市的原子彈，但這畢竟是激勵國民，安慰歐洲之意為多。以目前而論，在俄帝遠程轟炸機還在B二五型階段之下，是力不從心的。但俄帝畢竟能轟炸歐洲。這對歐洲是一黑影。這對於俄帝對歐洲玩弄強權政治手法上多了一大本錢。因此，在最短期間，這一恐嚇，對大西洋陣線，發生一時消極的心理效果，決非意外之事。

美國原子發展 俄帝望塵莫及

但是，不過如效果而已。而在一時此而已，一時的心理的心理刺激之後，只有更加促進大西洋集團的團結。因為：第一，在俄帝恐嚇之下，歐洲如要生存，最後更只有分團結，並托庇於美國的原子武器。

第二，幸而俄帝在原子武器方面落後美國四年到六年之久，在俄帝自稱「最近將來各種性能原子彈均擬試驗」之時，美國原子能委員會主席狄恩宣稱：美國正製造數十種新原子武器，包括「戰術砲彈」，管導投射器，魚雷，火箭砲，及與地面部隊協同作戰之炸彈之飛機等」。據已公布者，美國原子武器系統的武器，可分為下列數類：

（一）戰略原子彈，即一般所稱原子彈。

（二）戰術原子彈，即作[illegible]飛機投擲用彈與炸彈用者。

（三）管[illegible]投射原子彈，即以[illegible]投射[illegible]之原子彈，以代替普通[illegible]彈魚雷及高射砲者。

（四）氣[illegible]彈。

（五）放[illegible]。

（六）原子動力[illegible]艇，如原子能推動[illegible]武器，飛機等。

[illegible]種中，第一種[illegible]炸彈[illegible]原子彈早經投擲[illegible]大量[illegible]存了[illegible]以千計。第二種[illegible]第三種已在[illegible]實驗，[illegible]美國已[illegible]最有效[illegible]武器。在大量生產中。至少已有相當目標。[illegible]本是否可以合算，[illegible]原料可以製造。[illegible]也可由原子武器[illegible]得利用[illegible]物之保存[illegible]應是絕對可能之事。最重要[illegible]還是原子動機。第一架原子[illegible]艇似已成功。因此只是原子飛機也應[illegible]研究。

第二次的「原[illegible]

時間問題。這正是美國科學界目前正在全力進行之事。[illegible]原子彈後，[illegible]已向原子動力邁進了。[illegible]莫及的。如果俄帝有大量原子彈，則所謂「[illegible]式」不過等於原子滑翔艇之於原子炸彈，如果原子彈之於普通炸彈，則[illegible]於[illegible]，[illegible]於汽船[illegible]。所以美國[illegible]原子武器比起[illegible]人來，有如汽車之比踏車。

[illegible]

子彈爆炸」，必定更促進美國作更優越研究。又國會原子能委員會和杜魯門都曾宣布另有「非金屬原子性」的奇異武器，這研究是物理性的還是化學性的，雖不可知，但性能必然卓越。由於自由產生的知識是無窮盡的，決定獨裁者永遠無法「迎頭趕上」。也許是誠如國際偸兒的妙手防不勝防，但自由創造之富，也還是偸不勝偸的。

美用鋼鐵鎖鍊 準備縊殺俄帝

[illegible]我們可以對今後局勢作以下三種假定：

[illegible]

杜魯門是不好伺候的

前國防部長日記透露出自殺原因

[illegible]

截至最近期間止 為韓戰算一總賬

共軍損失雖超過聯軍，但美國如不大量增援，前途仍極危險

·黃震遐·

雙方主帥竟等於傀儡

韓戰變成消耗戰，兵器戰，練兵戰，戰線無大變，死傷則慘重。最近兩月來的雙方無謂損失，不是一般戰史常有的現象：古今戰史上，從來沒有一次戰役會被外交政策支配，干涉，掣肘到這樣戰略無能的地步：三年頭，外交和宣傳於冷戰表現，作戰也是冷戰表現，韓戰期是一個榜樣。舊金山會議閉幕以後的冷戰大勢——普遍的緊棋卜定及戰術準備，更加強韓戰的冷戰性，戰術性，表演性。在國際局勢沒有新轉變之前，雙方皆不敢在韓國戰場上作軍事攤牌。過去關城爭的是閒氣，傷心搶打的則是意氣。在不戰不和的僵局下，前線部隊死得不明不白，無克敵致勝之功，而有執行政略之責。自有史以來，戰場指揮員沒有替過這種不自由的滋味，幾乎每一較大戰術性的行動，雙方各都要莫斯科和華盛頓直接決定，李奇威和彭德懷都是冷戰的傀儡，冷戰一天不攤牌，韓戰便是表演戰（不認輸），消耗戰，兵器戰，練兵戰。

到韓美軍有六十五萬

韓戰至目前止，美國用力還是偏大：在全國總兵力三百四十萬人中，有五十萬人被派到日韓戰區，佔全兵力七分之一。自從輪調制度實行後，至少有老兵十萬人返國休息，另調新兵十萬人補額。此外美軍的戰鬥損失，截至目前為止（十月十八日），大致有十萬人，（兩星期前通知家屬的總數，為八九三五〇人），非戰鬥的損失（包括六千餘凍傷），有六七萬人，總損失為十六七萬人。佔全兵力百分之三十。但其中三分之二，皆已傷愈病痊，歸還建制，仍在前線作戰，故美軍因韓戰而實際遭到的永久損失（陣亡，殘廢，被俘），或不致超過五萬人（陣亡一萬五千，失蹤一萬三千「絕大多數為死亡，少數為逃亡及俘虜」，重傷殘廢「包括凍傷」及意外傷亡「如飛機汽車失事」二萬餘人）。如依五萬之數計算，則美軍又須在全體作戰單位中，補充新兵五萬人，以充實各單位之伍間缺額。因此加上更番休息的十萬人合計，美軍在一年零三個半月的韓戰中前後用兵的總數，即有六十五萬之譜，大致約佔其全國動員兵力三百四十萬人的五分之一弱，即在平均每五個美兵中，有一人要赴韓國作戰。

可慮的蘇軍約一百萬

美國經常在日韓戰區維持的五十萬人中，有二十五萬陸軍在韓國戰場（七師一團加特種部隊），十萬人留日本（二師一團加特種部隊），此外有九萬海軍（分散在三百餘艘艦上），六萬空軍（兩個航空兵團及地勤人員）環繞日韓戰區。這力量看似龐大，其實和蘇俄集中在濱海州及西伯利亞東部的兵力（第六方面軍）比較，美軍不僅處居劣勢，而且形勢很危。蘇俄在遠東所佔有的主動優勢，非常顯著。在五十萬美軍中，必須有五分之四用來對付中共軍，祇有十萬人留日本作戰略預備軍，因此在日本能够重新武裝之前，李奇威祇能用此十萬人來對付馬林諾夫斯基的七十萬到一百萬人。這支蘇俄大軍何時參戰，經常是一疑問，五角大廈不能不加顧慮，這說明麥克阿瑟主義難行的原因，也指出李奇威攻勢，所以永遠有限的背景。

南韓總兵力約五十萬

在韓戰中損失最大的，自然是南韓，南韓軍一共損耗了多少兵力，始終未見宣佈。南韓軍公佈的總損失，截至八月初為二十二萬人。從八月到十月中旬，南韓軍攻戰激烈，中東部山地海岸，南北兩軍的消耗驚人，截至目前（十月十八日），南韓軍至少又損失四五萬人，總數當在廿七八萬左右，而此尚未計及南韓警察及保安部隊在後方清剿作戰中的五萬傷亡，更未計及南韓五十萬以上的民衆損失。從目前南韓軍還有十個師在第一線作戰，若干師留後整訓這點看，南韓的總兵力必不在五十萬以下，在人力貢獻上，大致和美國的貢獻相等，而犧牲之大則過之（超過百分之五十）。

其他聯合國軍的貢獻

此外有[illegible]合國除美韓軍隊在韓作戰，其中對國際參戰有著戰功的，有英、法、荷、土諸軍，英國陸軍參戰的總數超過三萬人，（英廿七，廿八，廿九，加拿大廿五各旅，澳紐特種部隊等），海[illegible]也有兩萬人（分屬兩十艦艇）。英軍[illegible]亡，截至二月初為二千人，四月底增至三千五百人，目前總有五千人，外加非戰鬥損失千人，共六千人，佔其總兵力百分之二十。其中永久損失大概不會超過兩千人（包括三百名俘虜），這是英國的不大不小的貢獻。

土耳其前後參戰一旅一團（六千人），作戰勇猛，損失超過三分之一，法軍一千一百人，荷軍千人，亦皆損失三分之一。其他，比、盧、菲、泰、阿比西尼亞、哥倫比亞等軍的損失較小，出兵總數亦各不出一營。

綜括以上所述，聯合國用兵韓國的總數，共計為一百二十餘萬人。戰鬥損失總數：南韓廿八萬，美軍十萬，英軍六千，土耳其二千五百，其餘一千餘人，合計約四十萬人，共佔參戰兵力三分之一。（[illegible]非戰鬥損害，則在五十萬以上），這數字和聯軍公佈的共方損失一百三十四萬（非戰鬥損失在內）比較，為一對三弱。

共軍出兵二百五十萬

在共軍方面，北韓至少動員了一百萬人，中共至少動員了一百五十萬人，用二對一的優勢，來對付聯軍的一百二十萬人，截至目前為止，共方的損失，為百分之五十強，比聯軍損失的平均分比（百分之廿五——三十）為大，但如減去共方的非戰鬥損失及俘虜（約三十五萬），則聯軍與共方的實際傷亡，便成一對二·五之比。

近兩月的比較，又躍進為[illegible]軍六七萬人，對共軍十萬人，證明消耗戰，兵器戰，練兵戰的試驗，實對聯軍不利，蘇俄所採的拖延戰略，顯然計算精密，用力得當，聯軍這樣拖下去，並不是辦法，因為蘇俄除掉中韓共軍人命不值錢外，還有一枚七十萬——一百萬的強大預備軍根本未動，而聯合國遠東兵力則已消耗到危險的程度了。

白宮怎樣打開這個僵局？目前已祇剩一條路，即和議如仍絕望，趕快再派大批美軍來，加緊結束戰爭！

對日和約剛簽字 杜勒斯即被冷視

[illegible]

民主自由在台灣

【本報台北特約通訊】台灣對於民主自由的態度，民主自由在台灣的前途，這是自由世界十分關心的問題，也是全中國人民關心的問題。在台灣的人們當然明瞭國際間至今有若干人對這兩個問題的懷疑，也明瞭在海外各地我們的僑胞，至今有不少人對這兩個問題的焦慮。再說得迫切一點，便是居留台灣的人們，也有不少人整天對這兩個問題發慮。我們所說的台灣，當然是一個代名辭，它可以包括中華民國現今的政府，也可以包括執政的國民黨。換句話說：中華民國現政府對自由民主究竟是什麼一個態度？國民黨對自由民主是如何看法，國民黨的內部，自由民主的氣氛究竟在那裏滋長還是在那裏消滅？這兩個問題雖然是十分空洞而抽象，但其影響，關係整個世界，也關係遠東與中國的未來。

民主隔着一層濃霧　自由不會半空落下

經過長時期冷靜與客觀的觀察，上面兩個問題可以分成兩層解答，第一，在表面上，我們不能說在現階段的台灣，民主自由的空氣是十分明朗，我們要承認在台灣天空中，關於民主自由的氣氛，是存在着相當的障礙，有時候還浮現着濃厚的霧氣。浮面觀察的人們，很容易根據這一點氣氛，表示悲觀或甚至攻擊，屬於這類的人，中外人士都有，尤其在外國人方面，他們看別國的事情不容易深入，因而以訛傳訛，造成許多不正確的報導與論斷。而在本國人方面，因為一時的惆悵，遂造成一種悲觀或憤激的情緒。

第二，在人心深處，在政府與領導人物的內本質上去看，我們可以肯定地說：民主自由在台灣是日月經天，是每一個人所確信的最高目標。日月永遠在天空普照落大地。猶如民主自由在此東亞反共堡壘中是人人心中的天經地義。日月有時會被雲翳所遮掩，也如在台灣有時對民主自由暫時的或小或大的逆流。氣象學家不能看見一時的雲翳，便認為日月的本質有所變更。正如台灣有民主自由偶有暫時的逆流而認台灣對民主自由的目標有所搖移，行政院長陳誠前幾時對一座客說：在台灣從來未曾實施新聞檢查或書報審查，也從未考慮過想有這一個措施。按之事實，這是個確論，台灣新聞界流行着兩句話，「我們並不感到登載新聞的不自由，但有時卻感到新聞不登載的不自由。」這句話說明了台灣報紙上充滿了通篇累牘的演說詞或文告的原因，由上這兩句流行的話，可以推想那種演說詞或文告登載，是沒有不登載的自由。所謂沒有不登載的自由，並不是說如果那一家報紙不登，便立刻受到什麼處罰，而那家報紙，或將因此而不得若干要登載者之歡心。關於這一點，平心而論，若干當局固有不是，而新聞界也不能完全自己推卸責任。如果報章雜誌抱定對讀者負責任心，凡認定不合新聞標準的材料，不管人家高興不高興，一律不予登載。我想多數報紙聯合起來，風氣自能在無形中轉移，報紙的精神方針，應該走獨立，客觀，與真實。這許多目標，原則，需言論界奮鬥而爭取，它不會從天上落下來賞賜予出版界。」

蔣總統最近重要表示

如果我們不要民主自由　難道我們還要獨裁專制

他駁斥國民黨內部若干謬見，他認為將來回到大陸時，必有各種新興的形勢與人物。為政之道，是要迎合時代的精神與需要，決非墨守舊規，一成不變就能應付新的局勢。

巴基斯坦代表羅沙將軍談

承認中共並非承認共產

他表示此次赴平絕無特殊任務

【本報專訊】巴基斯坦駐北平使館，自從今年春天派了一度在金陵大學任教授的阿里博士（Ali）到北平去籌設，阿里是以代辦資格去北平的，數經商討，一直到現在巴基斯坦才把大使派出來。十月廿日中午這位新興回教國家的大使羅沙將軍（N.A.M. Raza）終於由啓德機場飛抵香港，轉道赴穗北上履新。

啓德機場上一個創例

他穿了一身淺灰的西服，禿光了頭，香港正熱帶的中午陽光射到山頭頂心，「金光四射」，他挽着那位穿着純粹印度衣服的太太，走下飛機，先和該大使館由北平派來迎接他的一等秘書狄恩握手，然後和香港政府副輔政司高懿恩寒暄，他猛抬頭看見機場上許多巴僑在迎候，一時有些感動，便表了一篇帶有愛國性的即席演說，這在九龍的啓德機場上，委實是一樁史無前例的事情。他高聲的說：「今天巴基斯坦有原料，有糧食，何愁不能建國，但我們需要的是力量，我們力量的後盾是團結，有了團結，便產生建國的大原動力」。一時掌聲雷動，巴僑高呼「巴基斯坦萬歲」。於是，他更在歡呼聲中，乘了港督座車逕赴半島飯店休息了。

本報記者當日傍晚，在月白風清的秋夜，能與這位軍人作風的將軍大使會晤，和他談了半小時，他態度非常誠懇，沒有一般職業外交人員，似是而非的態度。他首先表示：「巴基斯坦承認「中華人民共和國」，是因為這個政權已控制了整個中國大陸」。但他鄭重指出：巴基斯坦並不因此而承認共產主義，巴基斯坦的人民以回民為主，今天巴基斯坦需要的是脫離[illegible]主義桎梏，「今天巴基斯坦內的民族主義必需抬頭」。他說：「今天整個亞洲的民族主義自覺感已到了登峯造極之境」。最後他表示：「此行赴平，除履行單純的大使任務外，決沒有其他的特殊任務」。

認中東地區有爆炸性

關於現階段的世界局勢，他說：「已面臨極端危險的時候了」。他指出英埃紛爭的蘇彝士運河，和阿巴丹油田，都是隨時可以出亂子的地區，因為上述地區都是飽受帝國主義勢力的榨壓，民族主義與極端份子都非常活躍，他們是不顧一切盲目行動的」。當下希望英國能不走極端，接受民族主義的合理要求，早日謀取和平的解決。

巴基斯坦總理阿里汗之被殺害，他說那時他正在喀喇蚩，他指出「阿里汗總理之殞命對巴基斯坦實是一個大損失。阿里汗的政策，在極端愛國主義份子眼中，可能是比較和緩，但阿里汗絕不是一個賣國者」。他說：「今天巴基斯坦政治上的不穩定，實在需要一位高瞻遠矚，如阿里汗的才具來領導。方不致走入歧途。」他以甘地為例，來比諸阿里汗之被刺，他說：「誰能說甘地是賣國者呢」？

不信印巴關係會惡化

自從阿里汗被刺以後，世界各地都揣心印巴之間可能以刀兵相見，根據羅沙將軍的看法，他說：「在現下喀喇蚩執政當局，大家一致主張冷靜，在巴基斯坦局勢的澄清，避免流血衝突，這在巴基斯坦民族意識上是一樁非常痛苦的事情，但為着巴基斯坦的前途和立國的艱難，不能不忍受這個痛苦」。他相信印度尼赫魯總理也不會在今日多事之秋的亞洲土地上的另一個角落，掀起印巴之戰！因為他正面臨西藏方面的危機呢！

巴基斯坦的外交政策，他相信仍舊走阿里汗的老路，和尼赫魯的所謂中立外交路線是親美路線，（按阿里汗的外交政策是不同的）不會有多大的改變。關於久懸未決的喀什米爾問題，他說：「希望能用政治方法來解決之」。他承認阿里汗被刺後，是加深了喀什米爾的嚴重，但他決不相信，單為了喀什米爾，印巴兩國會不顧一切事實，發動兵。他說：「這種想法未免神經過敏了」。

關於和中共關係，羅沙將軍表示：希望及早恢復兩國的貿易。他說中共正需要原棉，巴基斯坦原棉可以運往中共交換毛織品。他說僅舉例言之，事實上要交換的東西，決不止棉花和毛織品。他在港住二日，已於廿三日由狄恩等陪同搭車北上。

按羅沙將軍，原為一職業軍人，在印巴未分前，曾任職英軍軍官，在中校。巴基斯坦革命運動時，羅氏擁護巴基斯坦革命領袖真納有力人士之一。真納生時，相當賞識他。真納死後，一直跟着真納的繼承人阿里汗。他是[illegible]中的中堅份子，也高高的身材，濃眉大眼，高高鼻子，闊嘴大牙，偉偉乎一巨男子，說起話來，聲音十分宏亮。能講英語，但不甚流利，有熱情亦有胆識，宜乎巴斯坦選其出使。（邵一成）

三民主義的國民黨　不會脫離民主自由

[illegible]

漠視民命　疫癘盛行

[illegible]

看國民黨前途光明

蔣總統最近談話

[illegible]

上海短簡

工會主席強姦女工

[illegible]

代擬辯狀　無期徒刑

[illegible]

[illegible]（李綸二十一日寄自台北）

[illegible]（邵一成）

港報流入梧州

人們看了中華民國年號　就立刻會覺得渾身發熱

【本報專訊】最近有個商人，自梧州抵港，話梧州近況甚詳，他說梧州自本年八月起，便風傳李彌由緬北攻入雲南邊境的消息，據說這個消息是由廣西游擊隊傳出來的，自此以後，梧州便緊張起來，全市出入口交通要道都有槍兵盤查。尤其恐怕游擊份子混入市內。梧州「市長」謝扶民本年初出巡鄉郊，為游擊隊所傷，[illegible]醫院療治，「市長」一職由張華代理。[illegible]

哀陳德徵

·尚方·

老報人陳德徵，據聞最近在上海共獄中瘐死了！

我并不認識這位老報人，但知道他是民黨革命時代的機關報——上海民國日報——的老記者；後來革命軍北伐成功，也在上海搞過黨務宣傳事業，煊赫一時；抗戰初期，又在重慶中央日報當過總編輯。他一生都是在黨的宣傳崗位上盡力，不管其成績如何，功過怎樣，總夠得上是一個三民主義的信徒哩！

抗戰結束後，他已經失去了作用；冠蓋滿京華，斯人獨顦顇，回到上海，度其淪落背時的生活；不求聞達，慢慢的陷於時代棄兒的悲哀境遇了。正因爲這樣，他纔沒有離開上海，甘作鐵幕順民。然共產黨人的清算報復，是要追溯到祖宗三代的，陳氏雖然自認早已退出黨派的鬥爭崗位，與庶民爲伍了，共產黨却照樣視爲罪不容誅的「反動國特」，無可寬宥，如是乎，陳德徵死矣！

像陳氏這樣東邊不理西邊要死的智識份子，今日大陸上到處皆是，有些人或許認爲他們不逃出來，活該有此下場，我却不忍作此苛刻之論。試問：一個貧窮的文化人，早已不合時宜，沒人理睬了，逃到外面來，怎樣生存呢？陳氏已矣，我希望想以復興中國爲己任的人或團體，對淪陷在大陸的智識份子，能寄予關懷的關懷，而對逃出鐵幕的反共非共的知識界中人，至少應隨時予以精神上的聯繫和安慰。這般人都是未來的國家砥柱，不可再聽其飄零消失了。

自由談

從天堂·望地獄

·曾鳴·

老母妻兒飽受刑辱 刀山油鑊無此殘酷

中共尾巴報紙大吹大擂慶祝「解放廣州兩年」，觸起我無限的悲憤。因爲這一天，也正是我由家鄉「解放」出來的週歲。一年之中，過的雖是流亡的生活，但比之故鄉的親戚故舊，已是判若雲泥。香港之所以成爲「天堂」，在此情此景中，我纔真的體會到了。

我的故鄉是位於粵北的連縣。抗戰七年，曲江成爲戰時省會，連縣則爲戰時省會的後方。最末一年，曲江也難倖免於日寇的蹂躪，狼狽轉徙與寧，「後方」的連縣，却始終保持安定，並且給「電台」，「辦事處」，「公務人員眷屬」之類繁榮了起來。

可是，溫飽康樂了七年的連縣人民，因爲利變成了蕭條冷落，更因「解放」帶來了飢餓死亡，從獸蹄踐踏的邊緣偷生下來，却葬送在中共的血手裏。

連縣山明水秀，文物優美，寬闊修長的「國道」穿過連山，直通賀縣，（廣西）鄰近猺排，形勢扼要（戰後曾特設一連南縣分治）具備這許多條件的地方，恰合中共黨徒大力展開鬥爭的場所，從去年七月我出走的時候起，到今年十月止，所謂「土改」前的「偉大鬥門」，不知用多少

血肉才能寫成，單是我的一家，就有說不完的寃仇，訴不完的悽苦。

我父親是一個「教書先生」出身的小商人，既非富農，又非地主，更攀不上惡霸，一片小小的飯店，一二十畝的水田，是數十年血汗的結晶，僅足養活大小六口的家人妻子。因爲做人誠懇，有關公衆利益的事，都經他出頭辦理，以此在地方上享有微名。抗戰期間，由於畸形繁榮，房少人多，於是把餘屋出租給人，日積月累，也就多了幾斗田（買賣田係以斗計算，每斗田每年可出七八擔穀）有些剩餘穀，放穀生利，是鄉間緩急相通的互利良法，今年放出一斗，明年收回斗三，並不能算是高利貸。而遇着水旱荒歉，則不但利息全無，往往還把老本蝕去。勝利後一年，一場風災，水田變成沙漠，損失更難數計，至因人事景，無力償還，更是常有的事。

關心公益 父親有罪

「解放」那年的初期，因爲出了一個李楚瀛，由抗戰時副兵團司令，臨危受命出長連縣，全省易手後仍率部退入猺山負嵎頑抗，給了中共不少的麻煩，後以寡不敵被捕，解廣州小屋處決，中共也就遷怒於粵北連縣，大肆屠殺，稍爲有點關係都被囚禁至死，我父親即是其中的一個，僅僅爲了地方公益，請帖有名，就以「黨兒」罪被逮。跟着來的什麼黨罪籍債，但出的田早已粒穀無收，身外之物，也都典質以盡，所餘老屋一間，爛的家具及必需的衣物，以爲可以保留，一家老幼不致輾轉乎溝壑，而這一點極微小的希望也歸幻滅，而極人間悲慘的事則接連續到來。

出於父親是智識商人，又是「黨兒」，我家被編爲「特戶」之列，父親死了，還是罪及妻孥，去年十月，「土改」工作同志「拉」隊到來，首先向這批特戶開刀，（凡在鄉有田出佃有穀放貸的都無不是特戶，對爲這些戶口總有辦法被逮爲「反革命分子」）。

大難臨頭 棄家出走

在展開向富農地主鬥爭中，第一步，是退租退穀，我家過去佃減田，曾還穀，知道必難倖免，但既無現鈔，復乏存糧，怎樣應付這即到的難關呢？拚着坐牢吧，少壯的也許會多吃苦頭，但當不起，經過三天兩夜的家庭會議，牧終於含悲忍淚走出家庭。老母親，和一妻三子，大難臨頭，還有什麼可說。當時絕想不到中共鬥爭的手段慘酷辣到如此地步，否則寧可同歸於盡，也不忍獨自偷生了。

老母妻子 輪流受罪

此後是從故鄉陸續逃出者得來的消息，家信只能寄至廣州再由廣州轉滬，除設法籌款「贖罪」外，一個多餘字也不敢提。因爲我的出走，責任都由母親負担，第一次退穀，老屋和所有衣物都被作爲「鬥爭果實」沒收了，只留給堆茅草和廁坑的一角，穿在身上的衣服，碗箸和鑊，一家大小五口的起居食息就這樣過了兩個多月。母親患瘧病倒了，孩子給蚊蚋咬得體無完膚，各人都生了瘡，每天靠向相識者討來的蕃薯活命。

今年三月，加上「鎮壓反革命份子」的大張旗鼓，地富們因爲「先天具有反革命」素質，苟延殘喘的乞討生活也在不能容許之列，於是我家再來一次退租，把歷年吃過的穀租，從頭算起，折合人民幣是一千五百萬元。這個直不是要錢，而是索命，限期由七天展至十四天之後，母親和妻子輪流被綁在牛欄豬舍旁邊，雨打風吹日晒，初時還許坐下，後來將日吊起，只差腳跟不曾離地。妻爲了三個孩子，不忍死，也不能死，母親實在挨不下去了，當中妻輪替時，三次自殺，都給共幹的狗腿救回，毒打一番，僅餘內衣底褲關進黑暗臭穢的茅坑裏，這樣經過整整的三個月，什麼慘毒難堪的刑辱都施用過了，只是不容許「死」。

有些同樣境遇的，因爲受不了苦，上天入地的設法籌款「贖罪」。但贖了一次，贖不了第二次，贖了兩次第三次又來，結果還是一樣的折磨到死。俗語說：「拚死無大害」，而在今日的鐵幕內，却有比死更甚萬倍的「大害」。前人說：「自古艱難惟一死」，而在今日的中共統治下，「一死」的倒不是「一死」，而是「求死不得！」如果眞有地獄，地獄決無如是慘酷，刀山劍樹還不是一死，油鑊八坑，也只一煎了事。只有今日人間地獄，才有這受不完的罪，中國大陸人死不掉的刑！翹首故鄉，欲哭無淚，只信任這裏的關入選容正，和我一般遭遇不知多少。讓我們怒吼：

「時日曷喪？果及汝偕亡！」

哀故鄉

·敬翁·

共問鄉關竟若何，新亭渦淚灑山河，
十年事業凋零盡，三度淪亡恩怨多。
聚鐵有人成大錯，回天無力嘆橫戈。
八千子弟風流散，更有誰人借斧柯。

暮秋望月

凌厲西風感不禁，梧桐黃落桂香沉，
中宵起見如霜月，碧海青天夜夜心。

讀史

武安善戰僅虛名，功罪分明何足評，
最是秦兵酣苦戰，咸陽四野盡悲聲。

游仙

曾從李耳受眞詮，謹守丹宮不計年，
無奈罡風橫吹散，又來蓬島領塵仙。

清民之際的長沙（二）

·舜生·

萬竹樓隨筆（四十）

現在回想起來，我覺得我讀三位小學的先生都很不錯。以年齡論，羅最長，已近六十，身體不怎樣好；鄧次之，四十左右，頎長，額微闊，兩顴稍高，眼有神；他待我很好，曾作著假中與一位姓劉的同學和我，向他去補習算學，他的課餘爲他的一個在中學讀書的弟弟講左傳，也許我站在傍邊靜聽；徐先生年最輕，大概只有二十四五，能寫一筆工整而娟秀的字，看功課很認眞，性稍嚴，記得一次放學後，我回家太遲，他在路上見着我，曾受過他的責備。羅先生的名字已忘記，鄧字麗仙，徐字定夫。我民國二十六年多回長沙，知道羅鄧早已去世，只有徐先生還在，在外縣一個中學教書，已經是六十左右的老人了。

那個時候長沙的情況很安定，生活也十分便宜，我記得，我在每天早晨上學以前，總是在母親手裏取四個小錢，可以吃兩根油條，或兩個包子，作爲一頓早餐是很夠的。

我在未進小學以前，已經開始看那種木刻小唱本，還類東西以歌謠，彈詞，戲曲爲大宗，印刷紙張都很惡劣，但看起來却也還清楚，價格以頁數計，每一文小錢三頁。進了小學以後，我對這類東西更經過一個『嗜覽』的時期。我有一個楠木小箱，大概還是我的祖父莘農先生遺留下來的，我記得，我曾把他工楷鈔錄的名家八股文多少本，一一搬出，把我所蒐藏的這些唱本子全部放在裏面，簡直是滿滿的一箱。搬出來的八股鈔本，因爲要欣賞我祖父寫的字，也曾翻閱了不少，記得內中有一篇是張之洞做的，我祖父還用硃筆加了不少的濃圈密點，文章是看不懂，但後面有一個批子，我却至今還記得：『披一品衣，抱九仙骨，俯視羣山，皆培塿矣！』大概其時我已經偶然聽到張之洞這三個字，所以對他這一篇特別注了意。

我從六七歲起便歡喜看戲。我的父親雖然也歡喜戲，但他對家裏的事從來不管，因而對於我的行動，也採取絕對的放任主義；母親雖特別關心我讀書，但並不禁止我看戲，往往我提出要求，她便叫帶我姐姐的一位張奶奶陪我一陣去，這實在是兒童時代一件最快樂的事。等到我能自己看前面說的那類唱本，我對於看戲的興趣便進了一步；再等到我能大規模的看小說，我便知道了一切劇本的來龍去脈，以及它的穿插剪裁，更感到趣味無窮！凡光宣之交在長沙演湘戲的飛班名角，其在當地一般人的心目中，正不下於演京劇的楊小樓，余叔岩，郝壽臣，譚富英，姜妙香以及梅程尚荀四大名旦等等，就到今天，我也還是可以如數家珍的一一列舉其名。

胡漢民與梧州中學

·狷士·

胡漢民于壬寅年（一九〇二年）遊學日本，入弘文學院速成師範科，不數月，即以與學監等向清使館爭論私設士官生事，退學返粵。是年除夕，洪全福李紀堂等謀起義于廣州失敗，其兄清瑞（衍鶚）時代漢民任嶺海報總主筆，對于革命排滿，大肆攻擊，與香港中國報筆戰者逾月，民黨中人以漢民人極開通，何致令其兄猖獗至是，頗有懷疑之者。翌年漢民自日本返粵，次年（癸卯一九〇三年）以梧州中學監督沈雁潭之介紹，充任該中學教員，主講國文修身等科，全校學生九十餘人，皆由招考而來，漢民素擅辭才，思想新穎，議論風發，全校翕然宗之；有時談論時政，語涉激烈，則再三告誡諸生曰：『現時官吏，耳目衆多，文網周密，吾等議論時事，祇宜宜之于口，萬不可形諸筆墨，致授人柄。』未幾桂撫議設師範于梧州，校址在蒼梧傳經書院，仍以沈雁潭爲監督，漢民亦任教席。開學之後，梧州知府程道元，當以管學資格到學監視，每次來時，例必開道呼喝，且須開放中門延接，沈雁潭厭其煩，特將與學上諭張貼中門，自後程來，門乃不開，程銜之，時有頑固紳士數八，慫恿程守解散中師兩校，程許焉，遂以提倡革命，詆毀孔孟，不敬上諭等罪名，指控漢民于兩廣學務處張鳴岐。兩校生徒憤程破壞學務，亦舉代表十餘人赴粵，控其玩視新政，蹂躪教育，程愈羞憤，竟電粵督指學生代表爲革命黨，請殺數人以平風潮。鳴岐乃調閱漢民在兩校所主各科講義，覺無隻字與革命有關者，時岑春煊任兩廣總督，頗以興學自負，因嚴電梧守，稱胡某所編講義，查無一字與革命有關，該守可以昏庸雙眼，顢頇至此，着記大過一次，兩校仍照常辦理，毋庸等字樣，代表等以所控得直，遂回梧聽候復課，惟沈雁潭已于二月前調充桂林高等學堂監督，漢民頓失奧援，知無可爲，遂辭職返粵，學生亦相率退學，兩校爲之一空。歸廣州後，間助其兄編輯嶺海報，時羊城報記者莫伯衡有「駁女權論」一文，漢民因與女醫士張竹君等起而駁之，以提倡女權自命，漢民乃訪亞洲報主筆謝英伯，相約擁護女權，同向羊城報反攻，英伯極贊成之。甲辰（一九〇四年）復就香山隆都中學校長之聘，任職數月，適粵省有派遣日本速成法政生之舉，遂再東渡留學，時年二十有六云。

麻雀牌在上海

·進人·

在上海，千千萬萬種貨品中，麻雀牌是最吃香的一種。當你抱着衣物或貨品踏入寄售店或百貨商行，在談完生意之後，夥計們會暗地扯扯你的衣袖，低低的怪親熱的問道：「有麻雀牌吧？我們高價收買！」

市「人民政府」是嚴禁賭博的。香港的麻雀得天獨厚，網開一面，在上海却不能例外。玩麻雀的，就要以賭博論罪。因此，除掉「賭胆包天」的人們，多方設法闢開「地下賭場」外，一般是不敢以身試法的。

然則麻雀牌吃香的出路在那裏？當深更人靜的時候，打道「新貴」官邸門前經過，只聽到裏邊傳來一片醉人的悠揚聲，歡笑聲，吆喝聲，夾雜一二句嬌滴滴的笑謔聲……，還有便是一陣陣斷續像爆竹似的劈劈拍拍聲，至此，對於麻雀牌之所以爲夥計們所搜購，其原因也就不難豁然省悟了。

當然，新貴的麻雀牌來源，是有無窮無盡的，不需要由一般寄售店買獻。但因爲上行下效的原故，當風氣已普及到中下級幹部，他們的工具，却不能像新貴們那樣得來容易。而麻雀牌的身價就這樣大大提高了。

預測美國大選

美國記者百餘人

英國大選即將揭曉，民意測驗的準確性如何，也就立刻可以得到一個證明。至於美國方面的大選，雖然離現在尚有一年之久，但已有許多人，在那裏作着誰勝誰敗的推測。最近舊金山有一新聞記者的集會，在一百多名的出席記者中，他們估計明年美國大選，形勢如下。

「杜魯門將仍爲民主黨總統候選人。在共和黨內，塔虎脫將被推爲共和黨總統候選人，他的提名，會戰勝艾森豪威爾。杜魯門將擊敗塔虎脫。但若共和黨不推塔虎脫而推艾森豪威爾，則艾帥將能擊敗杜魯門。」

新聞記者，對政治趨勢，其觀察自較一般人敏銳，上述這種預測，可能有相當大的準確性。現在，共和黨方面，塔虎脫正式宣佈，他要準備作共和黨總統競選人，艾森豪威爾，雖也有人在爲他積極佈置，但何時正式宣佈，此刻尙無消息。或許他覺得自己在全國男女公民面前，有當選把握，而在共和黨內部，究屬向無關係，臨時參合，他不敢自信能擊敗塔虎脫，所以在齊競選第一關，就不得不十分謹愼而躊躇了，但共和黨如果眞要從民主黨手中，取回失去已將二十年的政權，則塔虎脫一類人物的退讓讓路，應該是愛黨者必採的途徑吧！（百憂）

「自由人」稿約

本報各版，均歡迎投稿，敬訂稿約如下：

（一）除事先特約外，每稿最多請勿過一千五百字，長篇鉅製，以限於篇幅，無法刊登，請勿惠寄。

（二）惠投各稿：評論與切合時局，新聞要記述事實（大陸消息，須有人名，地點，時間，人名不便刊登者，可於稿內註明），雜文生動活潑。

（三）來稿除附有足夠郵費外，概不退還，

（四）稿末請附註眞實姓名，地址，但發表時須用筆名者聽便。

（五）稿酬每千字六元至十五元，一經刊登，即於五日內寄奉通知單，憑單向本報領取。不願受酬者請於投稿時自行註明。

自由人

THE FREEMAN

（半週刊每星期三六出版）

（第六十八期）

每份港幣壹毫

發印人：李光華

社址

香港高士打道六六號

電話：二〇八四八

GLOUCESTER RD.

HONGKONG

TEL: 20848

承印者：東南印務出版社

地址：高士打道六四號

台灣總經銷處

台北重慶南路一段七十四號

戰爭或和平

·左舜生·

世界一切在紛擾中，戰爭不過是紛擾達到極點，對於解紛已陷於絕對無望的時候所引起的一種行動。假定這種紛擾只是起於一局部，戰爭的行爲當然便只限於這一局部之間；如果這種紛擾直接間接牽涉到一個更大的範圍，或甚至涉及到了全人類，進行戰爭的區域當然也隨之加大，或甚至成爲人類的一種全體行動，也大有可能。以前兩次的大戰，雖然已經號稱是世界大戰，實際還不過是就人類已往戰爭歷史的一種比較之辭，說仍有人類生息的較大區域並不曾直接蒙受戰爭的損害，至少人類的大多數依然可以偷生苟活，畢竟還是事實。即令所謂第三次的世界大戰不幸終於爆發，而作戰的雙方又各傾儲量使用他們殺傷或毀滅的精好的武器，充其量也不過比較前兩次大戰的規模更爲宏闊，殺傷的數字也比較前兩次更爲可驚，但結果依然還是要適可而止；而遺留下來半數以上或不足半數的人類，依然還是要從戰火的灰燼之餘，憑藉爲他們所賸餘下來的若干資生之具，照常的生活下去；或更不幸依然又要爲另一次的戰爭去開始一個更有效的準備！不久以前，我曾看過一張以日本廣島爲背景的新聞影片，那裏有不少的男男女女，正在扶老攜幼哭哭啼啼或靜默誌哀；去紀念他們在六年前被殺於一顆原子彈下的若干萬死者，情況確是很動人的；可是投下這顆原子彈的是美國人，去拍這張片子的，還是美國人；爲他們死於戰火下的同胞去哭泣的是日本人，今天正在黽勉從事於武裝的頑強，而在一種高視闊步的姿態下，依然漸漸洩露出一種看不起他們鄰人的心情的，也還是日本人！拿這種情況對照起來看，豈不是人類前途一種絕大的悲哀？又豈不是人類和平一個絕大的諷刺？

在過去，人類中確已曾誕育過不少的聖哲，或他們自以爲聖哲，或被別人尊之爲聖哲，姑且不必去管它，但他們中間確曾有人提出過不少人類應如何去和平相處的方案，却是事實。甚至在他們中間，也曾有人竭其畢生之力，爲他們的理想去奔走宣傳，不濟則繼之以死，也不乏其例。究竟在這若干聖哲所提出人類和平相處的方案中，包含得有多少眞理？或人與人相處之道，究竟有不有一條確定不移的眞理可言？也不必深究；可是凡依據所謂眞理所立出的方案，要必有其實現的可能，或始終能維繫人類期待其終有實現可能一個希望，這總是人類方案一個必須具備的本質，要無疑義。

『親親而仁民，仁民而愛物，』姑且不說愛物，說人與人的相互間，原具備得有一種親愛的可能，誰又會反對這樣一種崇高的理論？可是自有人類以來的經驗告訴我們，『愛』與『殺』之間，所隔着的只是一層薄薄的紙，而由人類所親手表演出來的一部人類歷史，究竟是『愛』多於『殺』，還是『殺』多於『愛』，總也值得我們想想吧！『愛之欲其生，惡之欲其死』，這自然是人類一種最大可能的心理現象；可是反過來說，『惡之欲其生，愛之欲其死』，又何嘗不是一種『愛』與『惡』的極致？然則『愛』與『殺』是本可相通的，由『愛』與『殺』這兩點出發所演成一部整個人類的生活紀錄，也並不一定就只能說它是矛盾，而絕對不能說它是調和。

假定我們說：我們歷史上那些聖哲們不斷提出的若干人類和平相處的方案，始終[illegible]包含一個如何去實行的細目；甚至自以爲更聰明一點的人，[illegible]人類的智慧，究竟還只發展到對於『殺』的方法或『殺』的工具，有了相當的講求，而對於如何實現的條件或具體措施，還[illegible]，我們今天也就不必迷惘，於『戰爭或和平』，只有根據你自己的陣營，從兩造中認識取去你自己的一個可能盡職的地位，而且你必須認定：

死亡是當然，生存只是偶得，因爲在最近將來可能實現的還只是一次較已往更殘酷的戰爭！我們[illegible]隨時[illegible]和平[illegible]。[illegible]我心情也祇有『愛』，因此我主張在戰火燃燒以前或以後，爲大家那些已有和平方案多盡心的去考慮它可能實施的細目。

在埃及伊朗反英狂潮中 四國積極進行中東聯防

中東的各種騷動蘇聯在事實上必多方挑撥利用

·伍健勛·

中東緊接北大西洋同盟國聯防計劃的南歐指揮區，由於伊朗與埃及等阿拉伯國家的反英高潮，及共黨勢力的囂張，使西方國家感到中東聯防的問題，已經迫在眉睫。

上星期，英外相莫理遜正式照會美國：（一）要求從速派出中東指揮官，（二）擬定中東聯防計劃。此外並鄭重聲明兩點：（一）英國決心保衛蘇彝士運河區。（二）西方國家不應因埃及政府的行動，影響原定的中東聯防計劃。

莫理遜的照會，立即獲得美國的良好反應，前天國務部發言人麥德謨，在記者招待會上，正式宣佈美國願意與英、法、土、新西蘭，及澳洲諸國合作，建立中東防衛機構。關於中東與北大西洋區域之間的關係，指揮部的組織，及軍事配備等問題，不久即將作詳細討論。

指揮部可能在塞浦島

中東聯防，雖在初步交換意見時期，但根據各方報導，可獲得下列幾個印象：

（一）中東聯防的最高指揮部，將設在地中海的塞浦洛斯島。這個趨勢，是受了埃及反英運動的影響。假如不因爲埃及紛爭的關係，最高指揮部可能設在開羅。

（二）中東聯防的最高指揮權，將落在英國手裏。這是一個事實問題，自從第二次世界大戰結束後，英國成了西方強國在中東的唯一代表人，這裏有英人控制下的若干陸海空軍基地，和四萬武裝部隊。

（三）中東各國在聯防機構內，將獲得平等地位。英美雖是聯防計劃的發起人，但是實際防禦責任，是需按照會員國的人力財力及軍力，作協調性的分配。其情形將參照北大西洋聯防計劃辦理。在西方各國正式邀請阿拉伯及以色列參加以前，經常將聯防組織的進展情形，通知中東有關各國。

（四）中東聯防是北大西洋聯防計劃的擴大。中東接近北大西洋計劃下的南歐指揮區，南歐總司令是加尼上將Richard B. Carney，他手下控制的一張王牌，是賈德勒海軍中將統率下的美國第六艦隊。如果沒有中東聯防作拱衛線的話，南歐指揮區，隨時有遭遇蘇聯側面攻擊的威脅。

聯防計劃中一般佈置

在中東聯防計劃完成前，西方國家在這個區域內所可恃的武力，是英國的四萬部隊和幾個軍事基地，目前英軍的部署情形如下：

（一）馬爾他島——這是拿破崙戰後英國所控制的殖民地，也是她的地中海艦隊的基地。上星期蒙巴頓將軍被調任艦隊司令，從他的調任，可以看出英國對中東防務的重視了。

（二）利比亞——是前意大利殖民地，英國派有小型衛隊，在利比亞的崔波里，建有英美兩國重要空軍基地。

（三）蘇彝士運河——根據一九三六年英埃條約，英國得在運河區保持軍力一萬人，空軍駕駛員四百人，及其他必要的技術人員。事實上，英國在運河區的實力多達二萬五千人。此外英國在英埃蘇丹及亞力山大海軍基地，駐有大批海陸空軍人員。

（四）塞浦洛斯島——英國最近派有四千名降落傘部隊。法馬加斯達海港，現經修理後，可以停泊巨型戰艦。

（五）外約但——現在是英國的同盟國，英軍駐在該國的部隊雖不多，但這裏有一萬五千名回教同盟軍，是由英國軍官訓練的，英國政府可以任意指揮。

（六）伊拉克——是英國從前的委任統治地，現在成了英國的同盟國，這裏也有好幾個皇家空軍基地，并駐小額英國軍隊。

蘇彝士運河關係重大

根據上面這個紀錄，可以看出英國在中東大陸的武力，大部份部署在埃及境內的蘇彝士運河。在埃及反英高潮中，英國在中東的地位，遭遇嚴重威脅。北大西洋安全區，也就發生有隨時被襲擊的危險。

根據一九四〇年盟軍在德國外交部所搜獲的秘密情報，蘇聯準備將巴統，巴庫以及波斯灣以南的地區，作爲她在中東的中心區，幾年的事實，證明蘇聯並未放棄這個野心。伊朗和埃及的反英運動，表面上是民族意識在作祟，實際上是蘇聯指揮下的共產黨，在玩弄手法。

中東危機，已迫近眉睫，因此聯防計劃，便成了保衛中東和安定中東的急切要求。

黃旭初到日後函港詳述觀感

【本報專訊】前廣西省政府主席黃旭初，由港赴日本，抵日後，即致函本報[illegible]，李宗仁[illegible]，日本[illegible]。本報第六十五期，已有詳述。[illegible]

伍憲子在台北準備最近赴美

民社黨要員伍憲子，年七十高齡，仍居港以[illegible]，前數月赴台遊覽，並與政治友人商談，[illegible]決定再赴美一行[illegible]。

羅衡代表李彌團結滇人反共

女立委羅衡，因主席李彌電邀，由港入台，經滇某地[illegible]，向中央作一報告[illegible]。

藝人難除嗜好 台北一場論辯

【台北來函】[illegible]

……你管不管？只要能去入滇[illegible]。（邵一成）

半週展望

雷嘯岑

看英國大選

英國大選的結果，當我執筆寫「半週展望」時，尚未完全揭曉，只知道初步各大城市的當選統計，工黨僅比保守黨多了廿九席。據統計專家觀測，保守黨大有獲勝希望，因爲鄉鎮農村的選票多是屬於保守黨的。

我以中國人的立場，對於兩黨的勝負，絲毫不感興趣。艾德禮固然隨時想以中國人民的自由爲代價，向史大林購買亞洲的「和平」，邱吉爾對中國也一樣的沒有好感啊！

但我對於英國人民熱烈的發抒其基本民權的精神，却十分羨佩。這次投票的選民，比上次多出了百分之二五到卅，還可見人民對國事關懷的程度，更顯示民主憲政之可貴與可愛。英國人民硬是具有自由抉擇其政治生活的權能，不受任何非法干涉。光憑這種絕對自由的選舉事實來看，共產政權那套自欺欺人的所謂「民主主義」，眞是土苴之不如了！

中東與遠東的形勢

伊朗的石油爭議，在美國極力斡旋之下，一定可望得到最後解決的方法。美國在內心上是同情伊朗的，再加上對伊朗已有的軍援與可能的經援力量，[illegible]。英國鑑於[illegible]，今後亦知道非讓步不可，[illegible]莫薩德已再表示願與英國談判[illegible]，自然會合拍的。事實上，英美必待英國莫薩德的戰略失敗後，纔顯挺身而出，現在是時候了。

埃及問題比較單純，英美雙方對建立中東防禦系統，並不矛盾，而埃及政府[illegible]心理。儘管近日埃及與蘇俄關係表示着若干親近姿態，將來還是由美國從中疏解，在英美共同維護運河安全的原則下，讓埃及對運河之政治地理，佔有主人立場，自可相安無事。埃及之不能獨力負擔維護這戰略地帶責任，必有自知之明，對蘇俄之進侵擾亂，更是顯然的形勢，埃及如不適可而止，將何所出乎？所以，中東的形勢必不致於再惡化！

近日消息所傳，日本與自由中國政府將於下月開始締約，而日韓修好的交涉，也正在東京順利進行中。[illegible]自由民族國家，如不能攜手合作，[illegible]以與中東，西歐國家攜手合作之後，進而促成太平洋的防共安全聯防，以敗[illegible]世界的一大[illegible]。如果共產帝國主義者能[illegible]，保持世界和平，也就有備無患了。

韓戰又恢復和談

板門店的停戰談判，前天又復活了。毛澤東一面大嚷要有「合理公平的解決」，一面勒迫中國人民加緊「抗美援朝」運動，目的是在逼着人民大量輸將飛機大砲捐，與和談不相干。

和談成敗之鑰是在克里姆林宮中，毛澤東金日成都是被幕後玩弄着的木偶「公仔」而已。不管談判是成或敗，必待來月巴黎大會中的黑市外交作決定。此刻對於板門店的談判消息，我們只能把它當作男女戀愛自殺與軍車在馬路上撞傷路人這類偶發的社會新聞看過，此限度大可不必！

關於陳立夫

最近因爲台灣政府立法院長辭職問題，本港報紙上滿了若干政治內幕新聞的特寫，說是派系的鬥爭，陳立夫要回來競選院長了。寫得繪影繪聲，儼然有價值。

陳立夫是否要回來？立法院是否有派系？我不清楚。但有一點事實我却很清楚，即陳立夫與吳鐵城二位的立委資格，自從參加一孫內閣後，依法早已消失了。如果不是立委，也輪不到陳立夫的話，則現居台北的「吳鐵老」更是近水樓台，也輪不到陳立夫哩！寫特寫的人一時太理想化了，却忘記了這一法定的事實。

短命政權只作短命打算

中共洗劫棉農變本加厲

新辦法縱能收一時急效但棉農決不願低價出售並可能明年不再種棉

張丕介

中共對大陸農村的擄取，除透過公糧、捐獻，及收購農民的糧食外，在西北，東北，華中，及中南等產棉地區，對棉的搜括，亦成其一項重要的目標。

大陸棉產數量不夠 壓榨棉農萬分凶惡

大陸的棉產量，除一九三六年曾達一千六百萬担足以自給外，歷年均賴進口補充。抗戰勝利後，由於紗廠之擴張，原棉輸入曾佔入口貿易第一位。一九四六年連美國剩餘物資計算，全年輸入共達六百九十餘萬担。自一九四七年後，由於中共擴大叛亂，到處洗劫破壞，原棉產量曾降至一千一百萬担，一九四八年更降為一千萬担，一九四九年續降為九百萬担。大陸易手後，中共外匯枯竭，美棉輸入銳降，及內棉[illegible]佳，大陸棉產乃乘機增進，去年大陸產棉，據中共的宣傳，已提高至一千四百二十萬担，但大陸紗廠，由於戰後的不斷擴充，至易手前夕，全部紗錠在五百二十萬枚左右，每枚紗錠平均全年用棉量，以日夜兩班計算，應為二百五十斤，全部需棉應達一千三百萬担。在通常情形下，民間棉產中有百分之四十左右應作為土紡與胎絮棉衣等之用途，因此實際能供應紗廠的，最多不會超過八百萬担，僅足維持紗廠五分之三的需要。在這一基本情勢之下，對大陸棉農的控制與搜括，遂成為中共洗劫農村的另一項目。

韓戰以前仰賴美棉 由港轉運為數極巨

韓戰爆發前，中共為使停頓紗廠開工起見，在所謂「調整工商業」口號之下，實行「代紡代織」，不惜撥出若干賠貼，以迎合一般棉農之需求，並准許私商下鄉搜購。由於棉價尚能與市場供求相適應，故棉農肯將餘棉拋售。去年新棉上市後，河北石家莊等地，每斤皮棉可換小米十二斤，西北臨汾等地，每斤棉花可換十二斤以上。大米區如漢口等地，每斤棉花可換大米十斤三兩，因此農民售棉吃虧不大，故售出頗為踴躍。自去年一至九月間，僅中共國營貿易機構，直接收購的原棉，即達二百八十餘萬市担。但此數額顯然未能滿足全部紡織業的需求，因此一九五〇年九月中，經由香港運入之外棉，仍在一億二千六百七十萬港元以上（見香港工商處統計）。在收購與輸入雙管齊下的情形下，大陸紡織工業，只能勉強撐持，但實際復工數字，仍未超過四百萬錠。

韓戰發生美棉禁運 大陸紗廠相繼關閉

自中共加入韓戰後，美國對大陸開始實施禁運，港澳政府亦禁運物資，外匯斷絕，外棉之主源開始斷絕。而入韓百萬大軍所需之寒衣被服又極浩繁，因此大陸棉紗價格一再扯高，棉價亦隨之竄動。中共自去年九月後，因新棉登場，農民拋售踴躍，乃發布「關於公私聯合購棉及棉花市場管理的指示」，開始實行壓低棉價，並限制私商買賣，實行壟斷市場。在所謂調整棉糧比價口號下，小米區棉價比由十四比一，降為十點三五比一，大米區，由十點三七五比一，降為八點五比一（見一九五〇，十月份新華月報）。而另一方面則不斷提高紗布價格。這一措施的目的，乃在搾取棉農，但卻使棉源陷於枯竭。在內外棉源斷絕之下，各廠被迫減產，上海、青島、蘇南等地，曾紛紛停工。上海失業紡織工人，據中共自己的報導，超過十萬人以上。這一情勢的直接影響，不但使紗布及其他物價的上騰，而對於其在韓戰的準備更為一致命的打擊。

搜括存棉共幹下鄉 工作困難超過土改

中共眼見危機深重，乃自本年六月起，配合其「獻機獻砲」運動，在各地發動所謂「愛國主義」的「新棉運動」，下令各級「政府」及各部，列為「財經」工作「中心任務」，並派遣大批幹部下鄉，限定於八月底以前將民間存棉「掃數收光」，一斤一兩，不容放過。這些共幹下鄉後，即抬出「愛國主義」的大招牌，向農民強行收購。如湖北鄂城共幹，提出「不賣存棉就是不愛國」的口號，結果自己沒有存棉的農民，要跑到鄰縣收購棉花來應命。[illegible]容區更採取五戶連保方式，規定五戶中任何一戶有存棉不賣，五戶均須連帶處罰。瀋陽的共幹，在開會後勸說農民沒有存棉，竟帶兵逐戶搜查，弄得各地風聲鶴唳（見八月廿一日漢口長江日報）。

但這些強制辦法，並未能完全奏效。據八月十七日「長江日報」報導：各地尚未能完成「任務」百分之六十，其中最主要的原因，一方面是共幣日夜貶值，物價飛漲，而中共收購棉價反而壓低。棉農售棉後根本上買不到所需的用品。而且所收到的「人民幣」，不是被「勸告」存入「人民銀行」，便是被迫作為「捐獻」，故而索性不售；一方面農民均「怕露富」，怕提高階級成份，雖有多餘棉，亦不敢公開出賣。因此，各地共幹均反映：「下鄉購棉，比土改還不好搞」。

新棉上市戰略變更 宣佈定價嚴禁私抬

中共見此路不通，乃變更戰略，於八月二十日起，先將今年新棉收購價格提高，公布，新牌價較舊牌價平均降低百分之五點四，並規定對抬價收購的私商以擾亂市場予以嚴格處分（見八月廿一日「進步日報」）。這一辦法的目的有二：一方面在斷絕棉農對後市看好的心理，迫令他們在九月以前出售存棉；一方面中共預料九月新棉上市後，農民不敢大批出售，故預先降價以為剝削農民之張本。

中共的一切經濟措施，一向是完全就短期的利益上着眼，竭澤而漁，殺雞取卵，雖然可收一時之急效，但就長期觀察，最後結果，祇有萬分惡劣。這次搶劫棉花的辦法，除必更減少棉農出售的數額，且可能影響來年對棉花的種植，其後果將是得不償失。但是中共的政權，根本上便是短命的政權，因此，其一切措施，祇計及眼前，從不顧及長遠的後果。從這一勒購農棉的過程中，我們不難看出這樣的一個政權會不會有遠大的前途！

捷克共黨如此欺騙人民

「逃出國境將被美軍虐殺」

三位青年男女因此將出逃計劃延緩了一年，百憂。

可可糖送給每一捷人

鐵幕內受壓迫的人民，近多甘冒極大危險，設法逃入自由世界，其中以波蘭捷克兩國國民，求逃之心，最為迫切。今年九月，一輛捷克火車，司機早有出逃決心，竟不顧停車訊號，直接衝過捷克邊境，開抵西德。這一件事，實充分表現鐵幕內人民正如何卓絕勇敢，渴盼光明。在火車衝入西德後，所有乘客，由美軍採用極民主自由方式，回捷與否，聽各人自行選擇，因該車逃出捷克，只係司機個人計劃，其他乘客，或家屬在捷，恐遭清算，或有重要業務，無法即此脫離。甚至有若干乘客，根本是「騎在人民頭上」的共黨官員。這三種人，他們總共有七十七名，都願意回去，美軍毫不留難，除將不願回捷的乘客另行安插外，這些願意回去的人，在殷勤款待，充分休息以後，即一一送出邊界。邊界守軍，還對每一乘客，各贈予若干條可可糖，並祝「一路平安」。當這些乘客回抵捷境時，共產官員，新聞記者，政治警察，也早就等候歡迎。他們對這班歸來的乘客，第一句話，就是，「你們這次經過了美軍充分的虐待，現在重新回到祖國懷抱，當然是太高興了」。乘客中也就有人連聲稱是，並大呼：「美軍確是殘暴得可怕」。

為了愛所以回到祖國

於是捷克報紙，及一切鐵幕國家，就都發表了一篇脫險乘客向捷克總統致敬宣言。宣言中最重要的幾句話，「因為我們愛你，因為我們愛偉大的史太林元帥，因為我們知道你正在領導捷克走向快樂的將來，所以我們不顧一切困難，重回到你的懷抱」！

但這篇虛偽宣言，不料竟在上星期，被同捷乘客中一位十六歲的女學生完全戳破。故事的經過如下：

一年前就想逃出鐵幕

柴登格女士Zdenka，現年十六歲，一年以前，他就和一位女友，一位男友訂有密約，決設法逃出鐵幕。她家本住捷克邊境，在那天乘車回家時，不料竟被司機將車駛出了捷克。她雖然僥倖自己獲得自由，但想起他們三人間的密約，她不能違背信義，獨自行動，於是在美軍徵詢她是否回捷時，她仍然決心回去，所以那七十七人向捷總統致敬的宣言，她也是其中的一個。但事實上，她回到捷克以後，馬上就秘密通知那兩位訂有密約的朋友，將他們遲遲一年未能解決的疑問，由於她這次意外的一次旅行，已獲得充分解決。那就是他們因過去受了捷克共黨宣傳的欺騙，致使他們一再遲延，不敢實現他們的計劃。現在她親眼看到美軍對待捷人是怎樣和善友好，所以在她回到捷克不到三星期，就又偕同那兩位密友，不惜再冒生命的危險，千辛萬苦，進入了西德美軍防區。

自由說自己願說的話

她在進入西德後，還告訴了人們兩件小故事，第一是她們上次帶回去美軍饋送的可可糖，因為怕被共黨及海關囉嗦，許多人故意在每一條上，各咬一口，以表示他或她們對這種糖，味道並不感十分稱美。第二，就是捷克政治警察，曾責令那一次回來的每個乘客，要大家留心注意不肯回來的那班人行動。警察說，這些賣國賊，一定會再溜回捷克，替美國人作間諜。

這三位青年朋友，一位預備去澳洲，柴登格和男友，則打算去加拿大。他們都說，因為聽見這兩個地方，人們都可以自由說自己願說的話，所以要親去試試，享受人生這一項最偉大的幸福。

美援在土耳其生效

農人要買「馬歇爾」

四百年來土人和俄國打過十三次仗

丁一

土耳其是一個農業國家，百分之八十以上的人口是農民，雖然從凱末爾起，就提倡工業化，但直到現在，工業建設的效果仍很微細。馬歇爾計劃，給土耳其農業帶來了新的開展，許多科學的耕種方法，和機動農具，都已逐漸使用。今年，土耳其可望有二十萬噸糧食出口，尤其南部一九三四[illegible]棉花收成，比一九三八年全部產量，超過了百分之三百，其價值合共美金一億六千五百萬元。這一方面固然出自馬歇爾計劃援助的結果，但土耳其人卻認為更當感謝的，還是支配萬物的上帝「阿拉」。使今年特別風調雨順的土耳其從馬歇爾計劃得來的美援，已共達二億九千四百萬，大部份都用在農業方面。現在「馬歇爾」這一個字，在土耳其已成了市場上一個專用名詞，它的意義是代表購買新式農具分期付款辦法。農民進出售農具的店舖，他們第一句話總是問：「這件東西，我可以馬歇爾嗎？」那就是說，他們願意用五年分期付款的辦法，購買他們需要的農具。而這些農具，則都是運用馬歇爾援款，從美國購來的。

此外，馬歇爾援款還做了一件使農民最感滿意的事，即土耳其國內交通，向來沒有好的公路，能夠通行汽車的公路很少。在馬歇爾援計劃下，決定興修兩萬一千六百三十八英里的公路網，目前已有一部份修築完成。最近經援分署署長鐸汝，問一位鄉村老農，他知不知道馬歇爾計劃？老農很快地回答，他對馬歇爾計劃，十分感謝。他說，「在馬歇爾計劃以前，我住的地方，附近沒有硬的馬路，我的騾子，只能馱載二十公斤，如果超過了這重量，騾子就要陷入泥坑，自馬路修好以後，我的騾子已能足足的每次馱到三十公斤了，因此，我必須說，謝謝馬歇爾」！

從這一點，可以看出，馬歇爾計劃在土耳其是有了相當的成功。在過去四百年中，土耳其和俄國人就打過十三次仗，他們反蘇，幾乎出自自然的傳統。韓戰發生，他們首先響應聯合國號召，出兵參戰，他們在韓戰中，曾表現高度的勇敢，傷亡數字，幾乎到了百分之二十五，即每四個土耳其兵，必有一個人受傷或陣亡。他們和蘇聯，決無妥協餘地，一旦大戰發生，他們十分清楚，蘇聯一定要首先侵略土國，因為蘇聯的黑海艦隊，在戰時必須通過土耳其的海峽，過去蘇聯一再威嚇土耳其，且提出共同防守海峽的要求，經土耳其堅決拒絕後，雖然沒有進一步舉動，但這筆懸案，蘇聯早晚總要清算的。一位土國著名女律師安格魯 Agao 曾說過：「蘇聯是不會放過我們的，除美國外，我們不能依靠任何其他國家，挪威和法國，都不會為土耳其而戰，一國在上次大戰中，所以能保衛自己之戰，也放下了武器，儘管有大西洋公約，我們真正可靠的朋友，還是美國」，由此可以看出土耳其人反蘇親美的感想，正如何十分熾熱。

讀者投書

批評「福利宣言」引起我的批評

我大體同意趙滋蕃君的批評，但批評的文字中，有些話似欠莊嚴。鴻白。

編者先生：我是一個自由人訂閱者，近看貴刊十月十七日趙滋蕃君評羅夢冊君的「福利宣言」的上篇，[illegible]人是大體同意的，因為「福利宣言」純屬空想。一個作品，如單從他的性質屬於空想而論，並不足即為該作品之病，因為空想也可能為極有研究價值的理想，祇因其不能實現，所以仍為空想。如柏拉圖的「共和國」以及無政府主義之類便是。

我與羅君有一面之緣，那次談話所得的印象是：他一心一意要創立一個思想體系，要比馬克斯更進步的。這樣便成了「毋必」「毋固」的反面，因為如此，所以他的書沒有細看而為友人所取去了。

青年是追求理想的。當國家前途黯淡，社會環境黑暗之時，青年感到水深火熱之痛，反感是特別大的。他們有的是熱誠，缺乏的是學問和經驗，對於如何以熱誠[illegible]能夠看[illegible]共黨所[illegible]，而不知道[illegible]病痛，如何[illegible]苦境，便很易墮入了[illegible]。因此[illegible]青年追求理想的[illegible]失望。[illegible]於羅君[illegible]。

說[illegible]，更是在青年[illegible]，比共黨更善[illegible]。[illegible]自由[illegible]位置[illegible]，「宜[illegible]」，[illegible]。

[illegible]自由人[illegible]。請將此函發表（十月廿八日）。

馬智生老命殉白菓

盧冀野遺產獻木刻

本報南京特約通信：中共和日本人侵略中國時一樣，任何私人賺錢的生意，至少要讓他若干股，否則就不許你做，或者由他整頓接收。南京自中共佔領後，很多私人獲利事業，都已照此原則辦理，最近，更看中了「油浸白菓」的買賣，可以治肺病[illegible]。

「油浸白菓」是[illegible]，最出名的是中山東路[illegible]馬智生[illegible]，他家的白菓[illegible]，因此[illegible]得了不少的錢[illegible]，在中山路造了一所住宅，全堂紅木傢私，就算他的現款，至少總是有十億以上。中共在各項捐稅上，向他加倍壓榨，於是他將一切傢俱拍賣，還不夠，最近一定要他出售[illegible]，並且不許他再做生意。令他在本月十五日以前[illegible]。馬智生自知如此壓迫，顯然已無法再活下去，[illegible]自殺。他[illegible]房子，拍賣了抵補他的捐稅。

[illegible]盧冀野，在中共統治下，生活困難，備受欺壓，以致鬱鬱以死。所以逝世以後，所遺兒女，無以自存。但中共看中了他畢生精力，羅致的木刻「飲虹簃叢書」的版片，勒令他的女兒盧佺，[illegible]全部獻給南京[illegible]館，[illegible]。說他有價值的東西，[illegible]留下了也沒有用[illegible]。[illegible]。

[illegible]

「雷玉」思想普及大陸
中共下級幹部發生動搖
窮人也多醒悟，眼見中共即將垮台，決不願再作工具，怠工消極，到處皆是

【本報開封特約通訊】中共一向利用窮人，替牠打天下，在需要時，因爲要窮人拚命，什麼高帽子，「勞動模範」，「人民委員」，都可以儘量送給窮人戴。分起田來，對於極少數出力最大，已被收作幹部的窮人，也可以得到五畝十畝，藉資鼓勵。不過這些窮人，如果一旦感到精疲力盡，盼望休息，或根本良心發現，不願再給中共作鷹犬時，那就一切罪名，馬上會加在他們身上。接着大規模檢討以後，輕則開除黨籍，收回一切已給的恩物，重則關入集中營，勞動改造，說不定索性立予槍決，以絕後患。這類情形，由於中共下級幹部之日見動搖，最近乃各地層出不窮。目前河南正鬧得熱烈的，就是中共新提付全省作透澈檢討的所謂「雷玉問題」。

要窮人終身作狗　不許你片刻退休

貧農雷玉。原是本省陳留縣四區關樓鄉雷岩村人，在中共侵入陳留以前，他一無所有，他從十五歲起，就給富地一些田的人家做雇工，做了二十年。陳留淪陷後，中共號召貧雇農清算地主富農進行鬥爭，因爲他口齒伶俐，很會說話，在作工時期，還曾跟常雇主子弟讀過一些書，於是就利用他作工具，在陳留七區演兵翻身運動。這樣搞了一年多，中共認爲他立場堅定，工作熱情，去年九月，就又批准讓他正式加入共產黨，作爲陳留縣農村重要幹部之一，接着又選他作農民協會主席，鄉政府委員等頭銜也多。中共在該縣土改結束時，分給他五畝好田，一片莊子，兩間瓦屋和一些生產工具。他就這樣儼然成了一地方上小小新貴。中共滿望他從此感激涕零，永遠替中共做一隻忠實的狼狗。不料雷玉正因爲有點書讀，又讀過幾本書，他眼看中共倒行逆施，垮台在即，於是從前幾個月起，突由熱烈鬥爭的前鋒，向後撤退，態度轉變，一切消極。這自然出乎中共意料之外。

「我只想埋頭生產　不再做任何工作」

中共陳留黨部因此派人向他質詢消極原因，據河南日報刊載雷玉對黨委的答覆，他說：「我現在只想埋頭生產，不願再幹黨的工作，而且我已經工作了這們久，大家也應該換換班，讓我休息休息」。河南日報又載稱：「雷玉的麻痺鬆懈思想，十分嚴重，他認爲土改已告完成，地主階級業已消滅，用不着再鬥爭了，所以他什麼會多不願再參加，什麼工作也東推西卸。今年七月，『政府』號召棉農展開愛國售棉儲棉運動，他不但不服從黨命，向羣衆進行宣傳和動員，反說『政府』向人民老找麻煩，結果他所負責的雷岩村，竟沒賣給國家一斤棉花。又『政府』要他調查土改後農民情況，他回復說，村裏還是許多人沒飯吃，不查還可以馬虎下去，越查問題越多。陳留縣進行公職改選，他要求大家不要再選他擔任任何工作。他說：我是堅決不幹了，我就當一名民兵，算報效國家吧！實則他做民兵也只是掛名，眞正民兵責任，一點都不肯盡。夏徵時，大家都忙着檢查公糧，他一切不聞不問，還藉口眼睛生病，連黨的會議也不出席。」自從河南日報這樣宣布了雷玉罪狀以後，本省各黨部，各黨報，都大聲疾呼，要和湖北處分李四喜一樣，處分雷玉，於是全省響起了一片檢討雷玉的聲浪，半月以來，全省各黨報每天至少有三分之一的篇幅，在刊登攻擊雷玉的文字。

下級幹部想休息　怪上級太不體諒

其實，整個河南中共下級幹部，已和雷玉走上同樣消極路線的，正不知幾千幾萬。據記者所知，最近舞陽縣大張區，竟有一半以上幹部，向中共黨部要求，解除幹部工作，讓他們安心生產。同縣梁自動台區的民兵，都說：將刀槍封存入庫，我們用不着再殺人了。鄢陵縣有些農民，認爲土改以後，大家都已平等，也就大家都是農民，何必再有什麼農民協會，造成會員，非會員兩個不同階級。嵩縣橋北鄉，桃園鄉，最近三個月，中共號召開任何會，下級幹部及一般農民都不肯到，弄得主持人束手無策。許昌鄉幹部曹廷瑞，說：今後什麼事都不願再帶頭，因爲帶頭總是吃虧的，對政府各種運動，如增產捐獻之類，他總嫌上級不體諒，找麻煩。還有些人，一切言論行動，都算無形中做了雷玉的同志。

中共下級幹部，已逐漸覺醒，不願再替中共作鷹犬，像雷玉這一類型的思想，不僅普及了整個河南，據記者推斷，且將普及到整個大陸。將近此間一再盛傳的中共將舉行大規模整黨運動，像雷玉這類黨員，大約或許就是他們整黨的主要對象。（逸民，二十一日自開封）

向滬「民族資本家」屠刀小試
「罰款」「坐牢」雙管齊下
爲了挽救僞政府經濟崩潰，對工商界老闆，就不惜嚴刑峻法大力鎮壓

【本報上海特約通訊】記者在本月五日，曾寄出一封通信，說中共在清算地主富農以後，爲了繼續搜括財富，以支持其抗美援朝的尾巴戰爭，兇惡的刀口，將慢慢轉架到所謂民族資本家的頸項上，民豐紙廠總經理金潤庠因產量減縮，九家銀行因放款未依照中共規定，嚴被處罰，即此種刀口轉向之朕兆。（編者按：上項通訊，已載本日本報第六十三期）現在，由於中共僞幣，日趨崩潰，緊迫工商，更見酷虐。這幾星期來，工商界老闆，被處刑重罰的事件，不斷發生。一般過去信賴中共諾言，以「民族資本家」自信可以無事的人們，都已漸漸感到生存的威脅。茲略述最近的三項案件如下：

未經核准擅自放款　銀行夫妻雙雙下獄

永亨銀行總經理金佩紳，繼九銀行擅自放款被發以後，日前也以同樣罪名，得到比九銀行主管人更重的處罰。據「人民銀行華東區」宣布，金不遵照「政府」金融法令，擅將行款借與新生猪行，榮華煤號，福興貿易行，大利貿易行，並從收黑市利息。金妻楊爲軍，對上述借款行號，曾從中經手介紹，經「人民銀行」送交法院審辦後，金已被判處徒刑兩年，罰款四千萬元，金妻也被處徒刑六個月。銀行老闆，夫妻雙雙鋃鐺入獄，而罪名只爲放款，這在上海，似乎還是第一次。但在中共打倒資本家的基本教條說，當然又是一件最值得宣傳的偉大傑作。

至於中共爲什麼要這樣嚴懲擅自放款的銀行老闆，除了基本原則要向資本家開刀外，目前完全爲了「人民券」價值慘跌，物價飛漲，許多商號，借款囤貨，藉圖厚利。黑市利息，通常已在月利五角以上，即一萬元借款，月需利息五千元，中共不許銀行自行放款，銀行無法生存，中共准許放款的對象，則多爲中共本身有關係的機構。中共規定放款利息極低，銀行老闆，爲了延長自己銀行的生命，也只有挺而走險，不經過人民銀行核准，向黑市活動。永亨銀行老闆夫婦雙雙入獄，正是他們冒險的重大後果。但由此，也可看出，中共已在如何以暴力嚴刑，來挽救僞幣的崩潰。

違反限價出售木料　木行老闆同受重罰

中共爲了挽救僞幣崩潰，現在也照例重彈若干年前議價限價的老套。最近有七家大木行老闆，即因違反限價，坐牢受罰。據僞人民法院宣布，上海市木業公會常務委員，抗木組代表，市場議價委員，開林木行老闆顧康年，永豐木行老闆錢召福，恆成泰木行老闆王翰章，振業木行老闆陳渭振，新華木行總經理朱永源，明記木行老闆刁錦文，公和木行老闆葉全岳等七人，均因貪圖暴利，不遵照「政府」限價出售木材。朱永源且爲逃避本市木材管理辦法，竟私將一部份存置福州之杉木，在江西上饒高價售出。如此破壞「政府」管理市場法令，應予嚴懲。顧、錢、王、陳、朱各處徒刑三月，顧並另處罰金三億五千萬元，朱二億五千萬元，錢一億元，王四千萬元，陳三千萬元。刁錦文、葉全岳情節較輕，只處刁罰金一億五千萬元，葉一億元，未判徒刑。

用兒子名義存墨灰　墨廠老闆宣告破產

與禁止放款，議價限價，三位一體，同爲挽救僞幣崩潰的另一辦法，就是嚴禁囤積。上海中共，現正發動各種力量，搜捕囤積，且所謂囤積，其犯「法」與否，漫無標準，弄得工商界人士，終日提心吊膽，走投無路。現因囤積被拘捕者，據說已有三百餘人，最近已有一批，被處徒刑兼科罰金。公益油墨廠廠主鄭德沖，因經營業務發達，每月需要墨灰數量較多，且以現在墨灰來源困難，無把握隨時可以購得，乃將存灰數量，提高至足供三個月之用，惟恐中共科以囤積罪名，即將該項墨灰，分以本人及其四個兒子名義，各別存儲，全部價值，約合僞幣二十億元。不料竟被中共查獲，不特認其違法囤積，並因此二十億元資產，未記在帳簿以內，認係有意逃避「私營企業重估財產辦法」，兩罪並科，處鄭以徒刑八月，二十億元墨灰，全部沒收。該廠及鄭氏本人，即等於完全破產。（悠然，二十四日，寄自上海）

「華東工業部」建築公司
專造東倒西歪屋
「幹部」同營造商上下其手，集體貪污，大風雨一來，房子便要跳舞了！

【本報上海特約通訊】「華東工業部」直屬建築工程公司，最近因承造大華利衛生食料廠的倉庫，工程設計不週，監工不力，致使新建的倉庫，尙未全部竣工，內外牆壁大部已損壞，底脚基坑未固，一遇大風暴雨，樓板門窗，便像「不倒翁」似的，東倒西歪跳舞起來。大華利廠負責人檢查，結果發現了這些毛病。知道建築工程公司，係上海淪陷時被「軍管會」「封收」代管的單位，負責人就是「軍管會」派在該廠的軍事代表，當「軍管會」批准建造這座倉庫時，總造價的預算是一億九千七百萬元，規定監造費用是佔百分之三，代表先生原極興奮，想自己已經手直接找人設計，招標承造，以便在這五百九十萬元監造費項下，揩上一票油水。不料在承造期內，專業的「華東工業部」直屬的建築工程公司，狠心的一手搶去了，致使他「啞子吃黃連」，有苦說不出。現在，檢查結果，毛病百出，報復機會到了，他自然大吵大鬧，提出建築公司設計不力，監工不力，建築公司偷工減料，不遵守「國家」基本建設精神，致使「人民」財產遭受重大損失。「華東軍政委員會」據報，一面下令把承造的私營鴻記營造廠老闆拘押起來，一面責令該建築公司的領導幹部，進行深刻「檢討」。誰知這一檢討，不檢討也罷，一檢討就亮了底子，原來建築公司的負責主管的，暗地裏向鴻記營造廠受賄百分之四，幹部也分了二十萬，記下不少，羊毛出在羊身上，也不過。最後，鴻記營造廠老闆的營業執照被吊銷，判處徒刑，而建築公司的幹部們，只坦白了一次檢討，了事。

說他們是初次，其實該建築公司已經是第三次了。第一次是承造上海第一毛紡織廠時，新建工場十九天，因工程阻撓，第二次是承造孝工，營造私營化工廠，太少，乃共同作弊，偷工減料，使新建工場房屋，四壁開裂，到處漏雨。（悠然，二十一日寄自上海）

由港到滬奇蹟走私
肛門運錶七十八只
●走私商人說我可被選肛門勞動英雄●

【本報上海特約通訊】由於中共關稅奇重，一般商人，多以走私爲求取生存之唯一出路。近半年來，中共爲了戰略物資的輸入斷絕，反極力設法，獎勵走私。所以中共在走私問題上是矛盾的，一方面對於一般商品，爲嚴防偷漏捐稅，緝捕懲罰非常嚴厲，另一方面，則對於戰略物資，不惜千方百計，鼓勵走私，惟恐不來。走私商人，在這一矛盾中，有門路的，雙管齊下，於戰略物資之中，夾帶一部份普通商品，儘可大發其財，沒有門路的，他們不能勾結共幹，合股經營，一經查獲，不僅走私商品，全部沒收，罰款坐牢，當然更家常便飯，不成問題。

南京路興大食品店老闆石有禮，過去因爲有一個朋友，和軍部共幹認識，彼此合股，向香港走私戰略物資，再夾帶些普通商品，走私入口，頗獲厚利。不料那位共幹，於去年年底調任東北，他失去了靠山掩護，生意無法再往下做，但以大利所在，又捨不得從此洗手，於是打定主意，專運普通商品，以吃苦換取金錢。今年一月，他再到香港，買進十隻高級手錶，進口時，將手錶裹以橡皮，納入肛門，居然未被發覺。旋即以高價轉售給在滬蘇聯人員。此後，他自信這一辦法，異常成功，幾乎每月要往返一次，大概運美鈔出，換手錶一類之高貴輕便的貨物進，都是利潤極大。於是越做越擴大，他又叫自己夥計郝惠民，韓振功，周敬賢等參加工作，並教授他們運用肛門的方法，這樣，簡直等於組織了一支肛門運輸隊。有一次，郝惠民竟用肛門運進了七十八隻手錶，他自己也很得意，說如果中共肯用他運輸最高貴戰略物資，他們一定可以被選爲肛門勞動英雄。不料最後一次，竟被中共查獲。日昨法院宣判，處石有禮三年徒刑，郝，韓，周，各處徒刑一年，石有禮的興大食品店，及其他私產，均被沒收或拍賣，以所得之款，抵交歷次走私應罰稅款。石等自吃一年苦，肛門運輸隊，也就等於替中共盡了一年義務。（悠然，二十二日寄自上海）

共黨土改的收穫
湖北農民暴動
貼出了「打倒大地主毛澤東」的標語

【本報漢口特約通訊】目前各地正進行秋徵，中共雖甜言蜜語欺騙農民要大家「高度表現愛國熱情」，把頂好的穀子繳出來，可是生活的問題未解決，因憤恨共黨欺騙，「翻身農民」還將活不下去了，他們就反過來暗中掩護被鬥爭的地主，替地主作掩護。陽新縣二區六十五個鄉地主，沒有一個不和「翻身農民」搞得水乳交融。如梁鄉地主梁俊卿，貧農梁某等人，將稻穀其出，現在藏了小半，分散在鄉間農家裏。主席中通明，集體瞞田評產，石長、組長，所有貧雇農一致幫忙隱瞞，被發現後，要嚴辦，現在還沒有結果。湖北各縣反對「土改」，如潮澎湃，武裝暴動，鄉幹部爲求自保，無日無之，大多眼開眼閉，不聞不問，而破壞行爲亦愈演愈烈，如安陸縣三區四合鄉三穀堆，曹九家獨屋堆存之穀堆，忽於月廿四晚，穀草頭六千多擔（可打穀八百擔）付之一炬，附近「軍屬」曹金玉、李實生、王惟人與開文等身首異處，被拋入池塘，農民余醫科家派房被燒，大火竄小掉，曹李玉與薛四家二十一口，屍骨無存，均四鄉、保鄉、謝長榮、安仁鄉、王樹鄉、鄭家永等洪永保，都不用繳糧米，大同組織，貼出「打倒大地主毛澤東」的標語，鄉區「代主席」尹正銀、沈宗祥、幹部張勝杰三人被打得頭破血流、遍體鱗傷，「監視行動，不准向上反映」。（濟民，二十一日寄自漢口）

「自由人」稿約

本報各版，均歡迎投稿，敬訂稿約如下：

（一）除事先特約外，每稿最多請勿過一千五百字，長篇鉅製，以限於篇幅，無法刊登，請勿惠寄。

（二）惠投各稿：評論與切合時局，新聞要記述事實（大陸消息，應有人名，地點，時間，人名不便刊登者，可於稿內註明），雜文要生動活潑。

（三）來稿除附有足夠郵費外，概不退還。

（四）稿末請附註眞實姓名，地址，但發表時須用筆名者聽便。

（五）稿酬每千字六元至十五元，一經刊登，即於五日內寄奉通知單，憑單向本報領取。不願受酬者請寄稿時自行註明。

總統節約·院長浪費

·尚方·

台北消息：蔣總統告誡各方，現在是艱難期間，而且人民沒有甚麼娛樂可言，個別地方發生了大災，人民多受災害，更應崇儉節約，教大家停止爲他祝壽的一切籌備，如籌建壽堂及其他慶祝等事。這一賢明的告誡，值得擁護！

今日國家民族正罹浩劫，全國人民都陷於國破家亡，水深火熱的苦難中，漫說國家的領導人病殘忍拘，毫無個人歡樂可言，就是我們這些平民，也過着寄口餘生的活路，又何來強顏歡樂的情緒？有之，就是虛偽的表示，是積習相沿的俗套，於公於私，皆不足取。「風俗之厚薄，繫於一二人心之所嚮而已」、蔣總統這一懇切指示，對於島內的不良習俗，大有鍼砭功用，可挽頹風。

因此，我想起前幾天報載中，立法院院務調查報告書中的一件事，即經費開支項下，每月竟列有兩仟幾百元的「送禮」費用。立法院是民意機關，連大總統平日都對議會尊敬三分。立法院長更不像官僚政治社會中的文武官吏，是要靠送人情走邪路子來升官發財的，爲甚麼還要按月拿公帑來送禮？這每月兩千多元的禮物，如果不是送給立法委員的主人翁——老百姓，就應該教「該院長」賠償出來，以祛惡習。我這老百姓之一，更有作此要求的權利！

總統教大家節約，不要祝壽，立法院長卻每月消耗幾千元的送禮費，兩相對照，令人頗有「前面實生獲，後面喊不辣」之感慨！

自由談

兒童集中營

·時中·

興寧設立托兒所　要兒童仇恨父母

中共以恐怖手段統治中國大陸，普遍實施迫害和屠殺，已屬家常便飯，不算新聞。最近粵東興寧共黨政府別開生面，玩一套殘忍刻毒慘無人道的把戲，設立規模頗大的兒童集中營，美其名曰「托兒所」。該所設於興寧城西場尾僑民梁醫院舊址，另有分所設於后街謝祠及北街李祠。這些「托兒所」是中共所謂「問題兒童」的改造院，也是「問題兒童」的枉死城。

兒童「托兒所」收容的「問題兒童」，是：業經清算鬥爭傾家蕩產的「地主」、「富農」及被列爲「反動」、「惡霸」家庭的子女。共幹說這是「政府」對兒童怎樣關心和特別照顧。可是，人民的眼睛是雪亮的。明知中共這種措施，是運共方實行「挖根」，共幹不是運動的一部。「和」共幹時常檢討和獵狗打人。殺人傾家蕩產，結下了血海深仇，將來國軍反攻大陸，仇家必對你報復，所以今天你不殺他，將來他必殺你，歸結到要連根拔起，斬草除根，這樣才澈底消滅了「反革命」份子，才有保障，才進行了「毛主席」的「把革命進行到底」的「聖旨」。

在集中營的兒童均在十二歲以下，十二歲以上的不是強迫參軍編入北軍小鬼隊，便被編爲民兵後備隊員，準備隨時集中撥補，共方表面的做法不強迫集中，最先沒收「反動」，「惡霸」，「地主」，富農的糧食，迫使兒童及其眷屬行乞度活，一面又嚴禁鄉人接濟，這些眷屬，務使之飢餓陷入死亡邊緣，於是共幹發出假慈悲的勸導，不如把你們的子女送入「托兒所」教養，那裏豐衣足食，教導有方，一般做父母的迫於餓病，不得不將子女獻出，但內心是非常刺痛的。

興寧「托兒所」自本年四月間籌備組織後，時適「土改」開告結束，又值青黃不接荒歉嚴重時候，各鄉共幹乃陸續集中地主等子女，直到現在，據有關方面統計，已有三千一百餘名之多。集中兒童總數的「所長」，「托兒所」的「所長」，由偽縣長羅張輝的姪媳，李氏充任，所內職員，太半是曾經參軍生過「公生子」的女政工，她們曾在本縣「光榮所」一一部隊候婚，有一「前進勞動」過，有融合普救，和勞績，當然愉快，她對兒童莫測，……只要聽她講話，你就常常指着地……高深……。

主的子女說：你們父母一生不事生產，專以剝削窮人過活，今天窮人翻了身，你們的父母被鬥爭了，是你們父母害了你們，你們受饑餓疾病的苦痛，是你們父母罪惡的苦果，今天窮人翻身與你們無涉，……

「托兒所」給你們收容，有衣，有食，有書讀，應該感謝毛主席，「擁護」毛主席，這樣講話，還叫大家照這樣一篇篇讀讚，這是兒童們化的第一課。「托兒所」……

祇有兩餐稀粥，兒童個個皮黃骨瘦，生病的很多，死亡率特別高。將來是否還要集中？還要輸送別處，無人敢作論斷。「托兒所」禁止外人參觀和家長探問，簡直是兒童集中營，人們祇得從外面望見牢籠裏大啼小哭，淒涼景色，垂頭嘆息，嗚咽，悲憤！

共黨仁兄是主張反封建，反倫常，要割斷封建尾巴，放下封建的包袱，我們要問，生長地富家庭的子女，本身犯了什麼罪呢？爲什麼要集中？爲什麼要連根拔起？？？呵！這「人民」「仁政」，也是毛澤東子孫帝王萬世之業根本做法吧！

章士釗向魯迅鞠躬了沒有？

·董家筆·

前幾天，中共爲了紀念魯迅逝世十五週年（十月十九日），曾發動所有報紙，爲魯迅大大捧場，北平赤都，並舉行了一個盛大的紀念會。在這個紀念會中，我想起了一個人，不知道他會否參加，這個人就是曾被魯迅痛罵過的章士釗。如果他參加了，我更不知道，在向魯迅遺像三鞠躬時，他心中有些什麼感想？

在魯迅的筆下，章士釗是怎樣的一付嘴臉，凡是讀過魯迅雜文的人，大概都會多少留下一些印象的。然而這個毛澤東雖然大捧魯迅，在延安時，且曾捧過魯迅是「現代的聖人」，但對這「現代聖人」生前口誅筆伐的對象，並不介懷；而且看來在一般「鋪攤」的人們中間，章士釗還是能享受比較優越待遇的一個，他的「聖上」毛澤東曾登過章士釗恭和他的七言古詩，已儼然是得寵的在故宮賞海棠的……的文學侍從之臣了。

因此章士釗也就得意忘形起來，躊躇滿志之狀，躍然紙上，且以毛澤東「居然吾郡成豐沛」，以豐沛父老自居，使他比擬漢高，以「主上」稱他，儼然佔盡身份。自然和他的「主上」都是爲了要固寵，這大大的施展了一下拍馬屁功夫。——確乎也拍得堂皇得體，鼎帝廳，

頗合分寸，與郭沫若的「毛主席的恩情深深的哩！」「人民的領袖萬萬歲！」之類，使人渾身肉麻的奴才口氣比較起來，畢竟要技巧得多，也文雅得多。

但不論是否文雅和技巧，在明眼人看來，賣身投靠者的一切拍馬屁的醜態都是同樣不堪入目的。如果說郭沫若是以「金瓶梅」裏的平安兒的姿態服侍毛澤東的，則章士釗充其量也不過是逢迎伯嚭而已；潘金蓮和奴才，其身份和人格根本沒有多少。

其實，毛澤東之收羅章士釗和郭沫若之流，是有他的算盤的。第一，滿朝新老幹部之中，大都是老粗或似通非通的半吊子，這於他顯然並不光榮，必須用一兩個知名的文學之士，點綴點綴；第二，「君臣」之間，詩詞唱和，不僅可以粉飾太平，而且可以大大的提高自己的身價，顯見得自己文彩風流，懂得詩詞歌賦，風花雪月，並非如一般人所想像的那樣凶殘暴戾，以風雅來籠絡滿身的血腥氣，正是合乎辯證法的「革命策略」之一；第三，凡是人都是喜歡別人恭維的，毛澤東自不例外，「萬幾之暇」，欣賞奴才們的逢迎媚態，未始不是一件樂事。因此，章士釗和郭沫若，在毛澤東心目中，原也是些功頌德的工具，同樣都是弄臣，自己的話也差不多的。如果一定要加以區別的話，不過是前者專做古文古詩，而後者會寫時髦的白話文和白話詩而已。

據說有清的乾隆皇帝是很器重文學名臣的，可是有一次不知怎樣「紀曉嵐」，實際卻把當時主編「四庫全書」的紀曉嵐，狠狠地辱罵了一頓，說是：「朕不過娼優蓄之！」——也許是在盛怒之下，這位大皇帝才毫不掩飾的吐露了自己的真心話。——這話說明了歷史上所有狡獪統治者對其奴才的真實態度，所以，今天的章士釗和郭沫若之流，實在是用不着得意忘形的，毛澤東對於他們，雖然「聖眷甚隆」，但說穿來卻也無非「娼優蓄之」，如此如此而已！

清民之際的長沙（三）

·舜生·

我在咸民小學的一時期，除掉看戲以外，還有其他的幾樣課餘工作：其一是看小說，其次是聽說書，又其次是聽講平。

我看小說的過程，也和其他的小孩子大致一樣，最初看的是劍俠戰爭一類，例如「七劍十三俠」，「七俠五義」，「小五義」等等；其次是神怪一類，例如「封神榜」，「西遊記」等等；再其次是帶點偵探性質的，例如「包公案」，「彭公案」，「施公案」等等；比這個再進一步，便到「三國演義」，「兒女英雄傳」，「水滸傳」，「鏡花緣」這類東西，也發生了濃厚的興趣。至於說狐說鬼，言情講愛，而文字又比較深奧一點的，例如「聊齋誌異」，「長生殿」，「紅樓夢」，「桃花扇」，「西廂記」，「牡丹亭」這一類的作品，還是到了高小二年級國文漸漸清順以後才開始去摸索的。關於這一方面的工作，我從來沒有從學校的老師們得過任何指導，好在我卻有兩個家庭教師，一位是我的母親，另一位是我伯父的一個女兒，寡居在我們家裏的一位姐姐。我的母親還只能爲我講「今古奇觀」，講「說岳」，講「楊家將」，講「三國」；這位姐姐卻能爲我講「紅樓夢」，講「桃花扇」。她對於一部「紅樓夢」，真可以說爛熟於胸，其對「紅學」的造詣，即令還趕不上寫「紅樓夢人物論」的王崑崙，至少超過了著「紅樓夢寶藏」的高語罕。不幸我到上海讀書的第二年她便死了，這實在是我精神上的一大打擊。

高興聽說書是我十多歲前後的事，一直到進了高小才完全停止。我們長沙有一處類似南京夫子廟，上海城隍廟，或北京天橋那樣的地方，便是有名的「火宮殿」（真正的名字是祝融宮）。平常總是演戲的時候居多，一到不演戲便是那班說書者的世界。說書的技術有好壞，所說的內容也大有高低，普通總有十個八個人同時開講，技術高明的可吸收聽衆到三四百人，太不行的使三五十人也維持不住。所謂技術好，不單是指的口齒清楚，交代明白，在表情的象徵上也大有關係，譬如講關公五關斬六將，便要把關公那一股神氣形於色的神情表現出來，便連他那一口青龍偃月刀，也要用手勢表示得活靈活現。每講到緊要關頭，說書人照例一少停，便開始收錢，一次可收入二三百文，少的幾十文也不容易到手，這確實是很公道很民主的、擴而大之，便是站在德公國那班表演選舉的人們，還不是和這個大同小異？這裏不是有書聽而已，那戲台下面還有許多別處絕對吃不到的東西可吃，例如用牛肉或心肺下的米粉，臍子湯麵，色香味樣樣都好的臭豆腐，我在這有在抗戰期中我在成都吃過的「吳抄手」，「賴湯元」，以及「紅油餃子」，「担担麵」才可以趕得上，但這只可爲知者道，沒有這種經驗的人是不懂的。

萬竹樓隨筆（四一）

中共如何照顧貧僱農

把窮人騷擾得寢食不安

·澄思·

中共最近宣傳由中央部會、民主黨派，聯合選出五百多人，組成「土改工作隊」，大隊「來廣東」作戰」，「保證必打勝仗」。同時，各省當局也命令各級幹部輪流下鄉參加土改工作，與貧僱農過同樣生活，說「一致勞作」云云。

來相當好聽，但廣東各縣在土改中的已經不少，每縣鄉都有所謂「土改工作隊」，男的女的像蝗蟲散到農民家裏，也像蝗蟲一般飛集到禾田，「改」得比「改」，作者有工作隊的情形，他們如何「土改」出來。

很值得一記。他說：工作隊初到時，說是訪問貧苦，進行思想發動工作，使貧僱農知道如何利用鬥爭果實，增加生產，改良生產，怎樣組織與學習……等等。我的同鄉澄海縣人，因爲是中農，未蒙「工作同志」枉駕，只見他們分別跑到貧僱農的家裏，首先把主人睡覺的地方佔據，打開舖蓋掛上帳子，把帶來的書籍女排好，晚上挑亮油燈看到深夜，睡也睡不着，主人們連睡覺也乾了，另一個卻給女同志「一夜，和貧農婦女吵着了，明天一早跑出去了，吃了兩頓白米飯，一句話也沒有說。有些則不管

主人高興不高興，就住下，疲大一溜，山水好玩，跑到那裏都不了要吃，乾稀飯苦生活，僱農吃的東西，當來會好頭，但派工作的同志上雞蛋吃要牛肉，乾一飯日，官架子牛肉，三個雞蛋吃，還要餐餐待到，清……三餐上要有雞，有些吃蛋，就僱農招呼不起，獨吃，僱農要自備飯米，把農民捕來的魚蝦，自己買油煎換錢吃飽了，丟下飯

碗就溜。美話說，他更卻去採花，共同勞作，農民成草……

希臘學員一餐飯

解決了百年懸案

拉魯斯字典修改了一個字

·百變·

法國拉魯斯（Larousse）字典，與美國韋伯斯脫字典，差不多具有同樣權威。拉魯斯字典，為於希臘人Grec（即Gr……

……

虎不足打

……鐵幕叢談……

最近，廣西昭平，平南等縣，虎患甚烈，無論日夜，咬死人畜。兩月來，總計五十三人被傷害，拖走耕牛近二百頭，豬四十隻。

今年「人民政府」特發動組織「打虎隊」，推人民去應付，因爲「虎」對於人民的殘害，比起中共苛政，實在太渺小了。人民的心坎中，認爲打虎而不打中共，是舍本求末，所以大家都不感興趣。

兩大幻想

在陝歐王朝統治下，一方面千捐萬稅，另方面日夜不息的搜勞開會，這些都叫老百姓無法活下去。現在老百姓日夜所幻想而辦不到的，是第一能得呂純陽的點金術，應付千捐萬稅。第二能學得孫行者分身術，出席數不清的會會會……

「焦人」政策

今年秋季始業，上海各大中學校，對體格檢查，十分認真，如果體格有問題，學校當局就馬上不許註冊。

據說：這不是中共特別愛惜青年，而是爲着配合「抗美援朝」的「焦人」政策，他們只需要年富力壯的青年，去補充砲灰。如果體格不好，將徒然浪費他們的訓練，在中共字典上，青年的唯一用途，本就是砲灰！（小峯）

……即（一）及（二）項，（三）須……解除，……「……政」，同時會……一篇，……向……外交部……要求……停止……修改……這項抗議……均……同……拉魯斯字典……希臘政府……接受，……書館……中……的……希臘……，解除……完成……這一項……化……

變文……語……大……語言……由……的……人……交涉……，……我國政府……曾……向……，那是……有效的。……經過……都……巴黎……出版……，……我……說……位……的……百年……久……過……說……拉……，比較……的……典……，……這是……希臘……，完成……任務……？

自由人
THE FREEMAN
（半週刊每星期三六出版）
（第六十九期）
每份港幣壹毫
督印人：李光華
社址　香港高士打道六六號
電話：二〇八四八
GLOUCESTER RD.
HONGKONG
TEL: 20848
承印者：東南印務出版社
地址：高士打道六四號
台灣經銷處
台北重慶南路一段七十四號

團結反共力量的觀念與作法

——大家對於反共抗俄的大前提，沒有甚麼理論上的爭執，而是對於團結的觀念與方法，未得其當。應該撤開黨派成見，個人感情，以理性的尺度來衡量這一問題。

·雷嘯岑·

凡屬具有反共非共的中國自由人，誰都主張團結一切自由力量，共同救國。在朝的，在野的，都常有此呼籲，隨時作此表示。然呼號表示的結果，似乎離題尚遠，令人失望，相反的，在某些情況中，且更顯露着分解作用。追其間，一定是有最大的結子未能解開，而這結子之構成莫解，也決非某一方面或某一階層的責任，不論在朝在野的人，都應該深切反省，有所警覺。

我想自由力量之未能形成大團結的根本原因，並非大家對於反共抗俄的大前提還有甚麼理論上的爭執，而是對於團結的觀念與方法，未得其當，因而治絲益棼，將有釀成不易解開的死結之可能。這是國家民族的一大隱憂，是我們及身可見的一大災害，大家應該撤開黨派成見，個人感情，歷史恩怨，以理性的尺度，來衡量這一問題；把結子解開，完成反共救國大團結的歷史任務。

就觀念來說：凡是在政治上負責的人物，都應隨時抱着戒慎恐懼的心情，認爲反共抗俄是中華民族有史以來最嚴重的政治鬥爭，決非某一黨派或某一部分人士所能勝任的，必須集合全國一切反共的自由力量，共赴一的，纔有希望。而且，這一鬥爭如果失敗了，即可召亡國滅種之禍，要受到後世歷史家的嚴厲裁判，言念及此，怦然心驚，更非羣策羣力，禍福同當不可。俄帝固然必敗，但世界那一個國家能自信有單獨打敗俄帝之力？中共必然會亡，但中國那一黨派或一羣人能自信有單獨滅亡中共之道？美國今日的國力，不能說不強大了，然爲了團結民主世界，遇事卻不得不遷就他國意見，有如魏德邁所謂「受國外少數政府的威脅」，亦所不惜，爲的是要團結盟國，遺大投艱。凡是居於領導地位者，非有克己犧牲的容忍精神，於事不會有濟。同樣的道理，所有反共非共的自由人士，也應怵於大敵當前，玉石俱焚之懼，從大處遠處着想，惟有通力合作，先把共同敵人打倒，求得大家的生存，纔是上策。假使俄式共產帝國主義者統治了全球，大家將逃生無所，一切完結，還有甚麼黨派利害與政治是非之可言呢？因此，無論在朝在野的人，都應該把反共救國事業看成是自身的一種「負債」，是要對後世子孫能夠交代的一種入地獄的苦行，談不上權利二字。今日之事，只問反共抗俄的意志是否相同，只求大家如何精誠團結，完成時代使命。一切舊有政治上的恩怨是非，私人間的好惡得失，都得一概擯棄，相忍爲國，成功不必自我，成果不必歸我。沒有這種覺悟與決心而侈談反共，那是時[illegible]人，自由大地[illegible]，反共陣營[illegible]子！

就方法來說：團結反共力量應以政治主張與作法爲號召之資，不能以個人爲對象，所有英雄主義，幫會主義，政客手法，都成過去了。誰個領導，誰能領導，一是皆以明朗的政治主張與作法爲標準，大家從矛盾對立的意志中，求得統一的結論，自有事半功倍之效。今天向甲方拉攏一個「知名之士」，明天或對乙方遊說一個「知名之士」，固屬捨本逐末，無關團結大計，即僅以民主自由的傳統高論，不滿現狀，站在黃鶴樓上看翻船，也決非救國救民的有效作法。今天大家未能切實團結的癥結，就在這兒。抗戰時期，國府一套「抗戰建國綱領」和一個「國民參政會」，就把全國各黨派各階層的意志集中，發揮了全民族生存的偉力，現在爲甚麼不可取法呢？不能開闢一條團結大道，結果就只有矛盾對立，乃至於相互疑忌，愈離愈遠了。政治上有矛盾對立情形，並不一定是壞事，民主政治即需要有對立的力量纔易促進，惟有獨裁政治則要求一律化標準化。不過，矛盾對立之中，必須能求得較高的統一[illegible]否合乎大家要求，但不容否認他是中國反共的一大力量。我們如因其不滿於某些設施，即要將其推翻，另起反共爐灶，那又何苦乃爾！「你不好，要改造，要革新」，這是正當作法；「你下臺，要否定，我纔行」，就是自相對消，間接替敵人幫忙了。問題是在先能開闢團結大道，讓大家濟濟一堂，明心見性，以共謀改造革新之策，換言之，即使反共非共的智勇辯力之士，有獻身著手的機會。這一點，却是今日在朝人物的責任，你不開闢賢路，即難怪別人不站攏來，甚至走到相反的途徑，這不是一個具有獨立人格的自由主義者所應有的作風。[illegible]反共救國的方法，完全寄托於外援方面，這也值得檢討。很明顯的事實，中國要反共復興，不能無外援之力，但外援只能當救急藥品用，不可作日常生活之需。自己不能自立，沒有內在力量，而一味的倚賴外援來求生存，或竟藉外援來分解內部實力，即令如願以償，俄帝崩潰，中共幻滅之後，大家回到祖國，面對破碎山河與飢餓人民，是否準備再過羣雄併起列國紛爭的相斫生活，抑或假外力以剷除異己，仍尋毛澤東的故轍？六神無主，俯仰由人，[illegible]，本身如有適合時代的政策與作法，敵人也會變成同志的。今後的世界，是民主世界，民主政治是以代表人民利益的一套辦法，誰能博得大多數人民的擁戴，誰就立於不敗之地。開擴心胸，改變觀念，以嶄新的作法，集結反共力量，完成救國工作，只顧耕耘，不問收穫，這纔是創造精神，不愧領導風格，瞻顧遲徊，時機不許可了。

從新閣人物看英國動向

保守黨的意義並不是代表頑固和衰老

·伍健勛·

保守黨的勝利，給英國人民在政治上一種新的希望與鼓勵。英國接二連三的經濟危機，使勞工政府在內政上碰了壁。伊朗和埃及糾紛，使艾德禮和莫理遜在外交上一籌莫展。勞工政府在重重難關下，只好讓英國人民自己來決定今後的命運。普選結果，保守黨勝利了，這是英國人民把希望寄託給邱吉爾和他的保守黨的證據。

保守黨能否達成英國人民的新希望呢？若干觀察家已經指出，保守黨在內政上不如勞工黨，但在外交上要比勞工黨有辦法。這種看法，是否正確、要待將來事實證明。但是有一點，我們可以相信，保守黨在人員的配備上，要比保守黨整齊，團結，和幹練。邱吉爾批評艾德禮是一條了虎皮的羔羊，是一個徹頭徹尾的懦弱無能者。艾德禮所依賴的幾個台柱，像貝文已經逝世，克里浦斯因病辭職，貝萬別有野心，在當前內外交迫的情勢下，多病的艾德禮便窮於應付了。

保守黨的人材又如何呢？根據前天路透社所公佈的新閣名單，我們至少可獲得下列幾個印象：

（一）新閣表現團結合作

新閣的重要人物，計有外交部長艾登，內政部長費夫 David Maxwell Fyfe，掌璽大臣兼下院議長沙爾斯伯利 Marquess Salisbury，財政部長貝特利 Richard Austen Butler，樞密院院長（不管部大臣）伍爾頓 Lord Woolton，及聯邦關係部長伊斯邁 Hastings Lionel Ismay 等，都是保守黨的中堅份子，同是戰時內閣的支柱，在英國黑暗時代，同是邱吉爾的羽翼，在政見上和人事關係上，要比勞工內閣來得團結和合作。

（二）新的戰時內閣

新閣人選，大部份是戰時內閣的舊閣員，艾登作過邱吉爾戰時內閣的國務大臣及外交部長，沙爾斯伯利充任過戰時殖民部長，貝特利是改革英國傳統教育制度的戰時教育部長，伍爾頓充任過戰時糧食部長。伊斯邁是邱吉爾戰時首席軍事顧問。觀察家在嘆着：『這是一個新戰時內閣。』這種看法，雖嫌太早，但說它是一個具有戰鬥經驗的內閣，並不過份，在國際風雲緊張的局面下，英國是需要這樣一個內閣的。

（三）青年內閣

邱吉爾雖然是一位七十七歲的老人，但他的內閣，年紀雖不太青，卻充滿了青年朝氣。外交部長艾登，今年五十四歲，內政部長費夫五十一歲，掌璽大臣沙爾斯伯利不過五十幾歲，財政部長貝特利四十八歲，他們都是敢作敢爲的人物。觀察家還預料一年後，代表青年精神的艾登將繼邱吉爾任內閣總理。這告訴人們，保守黨並沒有頑固和衰老，它正在輸入新的血輪，黨的生命正在作有機的新陳代謝演化。

（四）強硬內閣

邱吉爾是強硬的代表者，他的人生哲學是：『不投降，不自殺，永遠戰鬥』。他對待人的態度上，主張『對敵人殘酷，對弱者同情，對戰敗者慷慨』。艾登呢？他是有名的強硬外交部長，當他一九三五年繼賀爾充任英國外相時，正值意大利侵吞阿比西尼亞，德國進兵萊茵河，他一向主張對德意採強硬政策。一九三八年二月，因不滿張伯倫的綏靖辦法，宣佈辭職。現任掌璽大臣沙爾斯伯利[illegible]法庭）。戈林和希姆萊等大戰犯，便是在他的強硬主張下判處死刑的。現任財政部長貝特利[illegible]教育部長，在強大的阻力下，改革了英國傳統教育制度，他算是[illegible]的保守黨員，在困難重重的財政局面下，由他來擔任財政部長，是最適合不過的。現任不管部大臣伍爾頓，是保守黨的組織部長，一九四五年該黨失敗後，他的組織[illegible]數年之間能擊敗勞工黨，[illegible]不能不歸功這位硬漢。他曾以強硬作風，成功英國第一流的企業家，復以強硬作風，解決英國戰時糧食分配問題。在新閣內，他將仍本強硬作風，執行保守黨政綱政策。

新閣的動向如何呢？這是大家所關心的問題。根據新閣人選的配備及邱吉爾艾登的日常談話，可作如下看法：

內政方面：

（一）新的保守主義代替舊的保守主義。愛克爾斯 David Mcadam Eccles 便是這個新思潮的代言人。（二）維持英鎊幣值。這個任務的完成，須從增產與美援兩方面入手，這也是邱吉爾打算最近訪問杜魯門的目的之一。（三）保持現有的國營及社會福利計劃，停止鋼鐵國營。（四）加強整軍計劃的實施。

外交方面：

（一）保守黨內閣仍將標榜和平政策。三巨頭會議，如果杜魯門總統不作強力反對，可能性是有的，不過實現的時期還相當遙遠。（二）加強英美反共陣綫的合作，[illegible]勞工黨執政時代所造成的英美猜忌[illegible]。（三）重視亞洲。觀察家預測邱吉爾將在政府機構內增設亞洲部[illegible]（四）對華政策，或許有新轉變。艾登在大選前，[illegible]英美在對華政策方面，將有一番新調整。（五）中東方面，將有決定性的行動。從各方看，保守黨勝利，邱吉爾重上舞台，正好趕上時代的需要。

時局漫談

舜生

邱吉爾再起與中國

[illegible]國在處理重大問題的態度上，是原則重於步驟，而英國卻往往是步驟重於原則。這兩種態度，是各有所長，而不可偏廢；假定美英兩國攜手合作，[illegible]能從實現原則的步驟上去多接受英國的意見，[illegible]的境界，無論未來的世界爲戰爲和，只要美英兩國在這個處理問題的態度上能相互諒解，以求得一個相得益彰，則和將不難獲得一個光榮的和平，戰也不難獲得一次光榮的勝利。假定說我對邱吉爾的再起依然是相當的樂觀，便是從這一個觀點出發，無他，以邱吉爾先生是現代英國政治家中一個具有豐富經驗，最能理解當前一切世界重大問題的實際，而又不難覓取解決問題的可能步驟的一個代表人物而已。

在這次保守黨準備大選以前，艾登曾到過一次美國，他這次到美國去的目的何在，我們不得而知；但他曾在美國就中國問題發表了幾句簡單的談話，却引起了我們的注意。他說：中共政權可能趨於崩潰，在中國的南方一個新興的力量會要起來，而代表這個新興力量的，却不一定就是台灣。以艾登在保守黨的地位來看，他這幾句話顯然不能只看做是他個人的私言；以他在英國現內閣所擔的職權來看，他這些觀念也未容不能演成事實；因此，乃更值得我們以慎重的考慮了。

從他的第一個觀點出發，顯然可看出他對中共政權的看法，決不能與工黨所看的等量齊觀，[illegible]說他在原則上已與美國相當的接近。可是我們決不能說保守黨內閣對中共的態度，就會有一個怎樣的突變；這因爲英國在目前還有不少更緊急的問題必須處理，而對於確定解決遠東一般問題的步驟，則尚須有相當時期的等待。關於第二第三的兩個觀點，即關於中國的所謂新興力量以及台灣之是否足以作爲這個新興力量的代表問題。關於這一方面，過去的工黨內閣並不是完全沒有注意，可是注意得太遲，而且他們也還沒有理解到這個問題之應被重視。艾登前次在美國只留了一個很短的時期，而對中國問題的看法，已居然涉及了這類解決問題的步驟和細目，我們實在不能不對這樣一位感覺敏銳的外交人物表示充分的敬意。而且我們也應認識到：艾登之發表他這樣幾點看來似乎很簡單的意見，決不是破空而來，更決不是只憑着他個人的直覺，可能是他已經研究過美國若干重要人物對這個問題的看法，然後才發表他的這些意見；以期待未來英美兩國合作來解決這個問題的時候，能求得一個適當的配合。假定是如此，則他這些意見之值得我們注意，其意義乃更不單純了。至於美國若干人士的意見，以及他們直接間接所已往着手的一些工作，與艾登這點看法並無多大的出入，這是我們所已經知道的。

平心而論，以台灣今天所處的地位，決不是不足以有爲。最可惜的乃在『不爲』。老實說：在抗戰期間那一條『以不變應萬變』的原則，在今天已不能完全適用，必須變才足以表現『有爲』，也必須變才能變更別人的觀點，能變才是主動，不能變則惟有靜待別人依據其觀點，以發揮其支配行動而已。以近事而論，舊金山會議剛一閉幕，便有人以爲日本必將自動的與我訂約；保守黨剛一勝利，又有人以爲英國必可撤消對中共的承認；這好比張着兩眼望着滿園那些鮮紅熟透的桃子垂涎，渴望其自然落下，平日連一根撥一撥的桿子也不肯準備，實在是太可笑了！

一切均效法蘇俄

中共亦欲以「奴工」立國

所謂「鎮壓」反革命的另一目的，就是專吸收更多的無償奴工，來替牠大力進行各種軍事性的建設。

・張丕介・

中共財經政策中，最基本目標之一，是依照蘇俄的模型，來塑造一個新奴隸社會。奴工制度的內容有二：第一是對一般勞動階級，透過特務控制，工資制度和物價政策，形成一個長期榨取勞工的生產體系；第二是在特務統治下，大量逮捕違反統治階級利益的人民，形成大規模的囚犯集中營，利用這些囚犯的無償勞力，爲其統治階級創造龐大的「剩餘價值」。

蘇聯最寶貴財產　爲奴工千四百萬

爲了達成上述目標，自一九四〇年六月廿二日蘇俄政府公布「勞工法」（目前仍繼續實行）以後，所有工人即被無限期束縛於某種工作上。每一個做工的人，均有一份「勞動手冊」，對過去的勞動情況及違反勞工紀律，均有詳細記錄。沒有經過登記的工人，即無法獲得工作。在這一「嚴密」的控制下，蘇俄當局乃發動所謂「斯坦哈諾夫」運動，不斷推動「生產競賽」，驅使全部勞工，從事過度的操作。至於其強迫勞工制度，在祕密警察無孔不入的活動下，凡對現實不滿的人民以及與「無產階級專政」敵對的份子，不論有無反叛的行爲，均隨時可予以拘捕，打入囚犯集中營。在帝俄時代，所謂「改良所」中，囚犯人數從未超過三萬三千人，而今天被迫從事苦役的囚徒，據聯合國的統計，其數額已在一千萬至一千四百萬人以上。這一數字業已超過蘇俄境內「自由職工」之總數，約當全國城市和鄉村工人總數百分之三十。

在蘇俄的奴工制度下，無論所謂「自由」職工或囚犯勞動，其工作時間均超過十小時，而所接受的生活資料，則遠較世界上任何國家的勞工爲粗劣。這千萬人用生命煎熬出來的血汗結晶，構成了蘇俄統治集團最重要的財源。近二十年來蘇俄所以能一面推行五年計劃，一面從事擴軍備戰，便是這種剝削性奴工制度大力推行的結果。

中共既師承蘇聯　一切均加工做造

中共既師承蘇俄全套衣缽，自然也照抄這一法寶。因此自竊取政權，便首先確定「生產競賽」爲工人階級當家後經常勞動方式和生活方式」。自去年四月發動選舉「勞模」展開「生產競賽」以來，在過去一年中，其所發動的「競賽」總計不下十次。但由於幹部的「偏差」及勞工的淡漠，使「生產競賽」變成了「寒熱症」。中共認爲徒用宣傳與鼓勵，仍無法達成長期榨取的目的，必須仿傚蘇俄辦法，建立一套特務控制的制度，才能迫使工人就範。因此，自今年以來，即着手改革工資制度，並實行「勞動保險卡登記」，企圖透過工資制度和勞工登記，建立奴工制度的基礎。但又因工廠中有力份子尚未鬥垮，工人反抗力量依然存在，實行起來仍免不了若干阻力，爲了使其控制力量能深入各階層，近數月來中共乃一方面大量逮捕嫌疑犯以製造囚工，一面在大陸工廠、礦山、碼頭與重要產業中，推行大規模的「民主改革」。

工人也清算鬥爭　勞模忽變成囚犯

所謂「民主改革」，與其農村「土改」具有相同的目的與意義。一方面以擒賊先擒王的手法，打擊工人中的有力份子，造成一種恐怖心理，爲推動種種剝削制度開路，一方面則透過工人與工人間的鬥爭，使其互相揭發，互相監視，使全體工人均感覺自己無時不在待罪中，不敢不聽任中共的宰割。在這一運動之下，大陸的勞工，自五月以來，即開始接受中共的挑撥擺佈，從事慘酷的清算與鬥爭。據粵共最近的報告：廣東一區，自五月以來，以「把頭」「惡霸」等名目被捕的工頭，領班等，即達三千餘人。這些人中，有不少過去均曾受中共的利用，亦曾爲中共立過功，因而獲得「勞模」及「特等功臣」等封號。只因兎死狗烹，昨天的功臣，都一一成爲被鬥爭的目標。他們的罪名是「僞裝積極，僞裝進步，利用人民政府鼓勵生產政策，表面上積極生產，竊取勞模稱號，以保持地位和騙取獎金」（八月廿七日「長江日報」）。在這種「莫須有」的罪名下，許多工頭和領班便被逮捕了。工頭及有力份子鬥垮後，乃進而發動工人與工人間之鬥爭。凡過去對中共政令稍存觀望，或在「生產競賽」時未盡全力的，在這次的鬥爭中，都被認爲有「歷史問題」和「思想問題」，而被迫大開「坦白」和「悔過」。這些被鬥爭的人，爲表示「放下包袱」「洗雪汚點」，使不能不在思想上表現「一面倒」，在工作上拚命操作。因此，中共認爲「民主改革，不但足以提高工人羣衆的階級覺悟，並在使工人羣衆樹立新的勞動態度」。易言之，中共正透過「民主改革」，來造成強迫工人勞動的主觀心理和客觀形勢，達成其長期搾取的目的。

組成囚犯勞動隊　正加緊開鑛築路

除了所謂「民主改革」以外，從七月份起，各大行政區均先後召開「勞動改造工作會議」。中南區的「勞動改造」工作會議，一致「認爲實施強迫勞動改造，是當前鎮壓反革命工作的重要部份」。「不僅在政治上可以消滅反動勢力，而且可以增加國家財富，在經濟上具有極重要的意義」（七，廿七香港大公報）。在這一決議下，各地開始判決囚犯。據九月十九日廣州「南方日報」報導：「廣東各縣市之囚犯，凡被判死刑而准緩刑，及判處有期徒刑者，均分別集中編爲囚犯勞動隊。」據不完整統計，廣東全省現有囚犯勞動大隊八十餘隊，人數共二萬五千餘人。依照穗共「人民法院」之誘騙囚犯辦法：一，凡未判刑者，如能儘先報名參加各種勞役，又能表現優良者，可獲將來判刑之減輕；二，凡已判徒刑者，得以現判刑期一日抵償二日。這一辦法的公佈，顯示中共的強迫勞動已進入制度化階段。目前，各地囚犯勞動隊均已正式登場。廣西銜接越南的來鎮路，將近即調集湘、桂、粵三省囚工十萬人，日夜趕築。海南島田獨鐵礦及石碌鐵礦，亦由廣州調派強迫勞役犯人五千人，前往開採。最近更準備調集華中及華南囚工十萬名，赴新疆，充任苦役。凡此種種，顯示中共已盡力向蘇俄的勞動集中營看齊。

在大力推行奴工制度的目標下，最近中共正計劃發動第二階段的「鎮壓反革命運動」。爲了吸收更多的無償囚工，在最近的將來，勢將有更多的無辜人民被拘捕，判刑並編入勞動大隊。在韓戰的拖延下，大陸上現有的物力、財力已爲中共搜括一空，唯一還可以取用不竭的，便只有這些「人」。但人終不是物，過度的迫害和搾取，只有增加更深的仇恨，只有醞釀着更大的危機。「民猶水也，可以載舟，亦可覆舟」。歷史上沒有「以奴工立國」而不覆敗的，難道爲了中共，便會出現例外的奇跡嗎？

從原料及設備估計

蘇聯究有幾個原子彈

自一九四九到現在，最多不能超過三十個，史太林即用盡所有力量，也難趕上美國

・李秋生・

這幾天，美蘇間原子武器的競賽，又正達到一個新的高潮：一方面美國原子能委員會於八月廿八日所公佈的將在尼華達州拉斯費伽斯試驗場開始作戰術性原子武器的試驗，已於十月廿二日最近首次舉行。另一方面，上述爆炸試驗內同日，白宮方面宣佈，最近蘇俄境內又有新的原子爆炸，那顯然也是屬於一連串爆炸試驗的一部分。國際局勢緊張至此，雖然美蘇雙方只是同時在作試驗性的爆炸，已經足夠驚心動魄的了。

共黨會如此嘲笑美國　原子彈連羊也炸不死

最近蘇俄接連有了兩次原子爆炸，無疑會使全世界共黨及其工具們感到興奮而快意，覺得蘇俄已能在原子武器範疇中與美國一較短長。而美國最近這次試驗，最初據說爲了電流綫路發生障礙，而未能引發爆炸；及至爆炸成功却又威力奇小，並不像今年一二月間那幾次的震撼和照耀幾個美國西南各省，這自然又是共黨之流的良好宣傳資料。有如一九四六年七月一日在比基尼礁湖那次試驗，在原子彈空中爆炸之後，靶子艦上還有活着的羊在悠然吃草，於是彼輩便大放厥詞，說美國的原子彈連羊都炸不死。在這次，說爆炸是「並無足觀」，「大失所望」，已算是很客氣的了。

可是共黨宣傳的失敗，也就正在這種地方。爲了收穫一時的宣傳效果，不惜顛倒是非，自欺欺人，是彼輩的慣技。然而一旦假話被識穿，他們的宣傳也就再沒有人肯相信。到現在，究竟有誰還堅信共黨的宣傳辭令，認爲「原子彈連幾隻羊也炸不死」呢？

高熱與幅射予敵重創　小型原子彈未可輕視

對於此次在尼華達州的試驗，首先應該認清這是「戰術性」的原子武器」，有如小型炸彈，原子砲彈和管導投射器的原子彈頭之類。第一，這種武器重量一定比較輕巧，以便在戰場應用，像原子彈之重以噸計，只能用超空堡壘或更重的轟炸機作戰略性的投放，是無法作戰術性的應用。第二，在戰場上，即使是用以對付密集部隊，也並不需要在三數哩的直徑內破壞得寸草無存，只需其威力較之普通炸彈或砲彈稍大，則其所產生的高熱與幅射，即足予敵人以極大的損害。戰術性武器原無取於具有極大威力的。

雖然「失關西人」的試驗場有五千方哩面積，到底是在美國本土，且距居民密集的城市並不十分遙遠。因此凡在此處試驗爆炸者，必非威力極猛的原子武器，如果試驗那種原子彈，則別有太平洋中的恩尼威吐克永久試驗場在。今春在拉斯費伽斯舉行的五次爆炸，威力固然不小，但若比起在太平洋礁湖中試驗的那種，却又不啻有大小巫之別了。

而且小型原子彈的製造，並不比大型原子彈的容易或簡單。現在大家都知道在製造原子彈程序中有所謂「臨界質量」的問題，這就是說：要使鈾二三五或鈈能夠因中子的射擊而引起極迅速的鏈鎖反應而爆炸，那種可分裂的原料必須有一定的質量，如果多於此則限度，不等施放便自行爆炸，如果少於此便根本不發生爆炸。這質量到底是多少，至今仍嚴守祕密，但大致是在二十公斤左右，爆發起來便等於二萬噸TNT威力。於此可見要想使原子彈輕便而小巧，爆炸的威力不過等於幾十噸的炸藥，也正和要製造「大型」的原子彈有同樣困難，因爲「臨界質量」是一道不易打破的難關。

美國小型原子彈的製成，正說明了這難關已被克服了。這也就是說，即使所用的可分裂性的原料質量少於臨界限度，也同樣能夠爆炸。至於俄國又有新的原子爆炸（此次白宮聲明並未使用原子彈爆炸字樣），可能引起一些人的驚悸，認爲俄國製造原子武器的能力或者比世人所估計者要高。其實這問題並不值得過份重視。在兩年之內，一共舉行了三次試爆，並不是什麼驚人傑作。當美國在一九四五年七八月間，曾在不到一個月內爆炸了三個原子彈，一個是試驗，兩個則分別投到廣島長崎，而那三個却是當時美國所僅有的原子彈啊！在今天，美國的原子武器製造，已能兼顧質與量兩方面，且已有重大的發展，至於蘇聯究竟有怎樣的成就，却依舊是一個謎。在質的方面，固然無法證明其有何等的進展，單在量的方面，也未必能有長足的成就，因爲原料的供應與工業能力都限制着蘇俄的發展。

鈾礦來源蘇聯最缺乏　美蘇比較爲十七對一

製造原子武器，首先要有大量鈾礦的供應。世界主要的鈾鑛所在地是比屬剛果，加拿大的大熊湖附近；美國科洛拉都州一帶鑛質雖較低劣，但儲藏量却極豐富。這三處的鈾鑛，俄國都無法染指。直到一九四一年爲止，據世界地質學界所知，俄國境以內並沒有優良的鈾鑛。從俄方拚命採集東德撒克遜尼和捷克波希米亞的周吉姆塔爾鈾鑛，可見其窘況一斑。因爲前者是著名的貧鑛，所含有效成分奇低，而後者則已將近耗竭。假若俄人眞發現了優良鑛源的話，可能對此等地方棄置不顧的。

從不同的鈾鑛提取鈾質的產量比率有很大的出入。像西方國家所擁有的優良鑛石，兩噸原料可鍊出一噸鈾，至於德捷的貧鑛，則三十三噸鑛石，才能提鍊出一噸金屬鈾，但在一噸鈾質中，有效的鈾二三五只佔十四磅！——我們曉得俄人所製原子彈是鈈彈，不是鈾彈，但要把鈾二三八和鈾二三五分離，即就最有效的方法，即所謂氣體擴散法而論，其技術方面的空前繁複，絕非蘇聯工業水準所能勝任。單以美國所耗電力一項而論，奧克里治的氣體擴散工廠需要五十萬瓩的電力，照這樣的龐大電力供應，在蘇聯只有尼泊爾水電工程一處有這能力，但那電力又爲南俄一帶其他工業所不可或缺。製造鈈，比較省錢而容易，原子反應器（按即原子爐）雖然也可以作此用途，但却要把中子的作用很大的耗折，最高只能得到百分之五十的成品。那末以俄國的三十噸鈾，最多也只能製出五六個原子彈。假使一個原子彈需要二十公斤或四十五鎊的鈾，則就需要二百五十噸的鈾鑛。由此提鍊，所含成分並不上述簡單，照上述美蘇鈾鑛的比較，俄國鍊鈾必須等於美國的十七倍，纔能得到和美國同量的原子分裂原料。

動力及工業設備方面　蘇聯一時也難有辦法

而由鈾製出大量的原子反應器也不是一件簡單事。每一座原子反應器需要大量極純淨的石墨或重水，大量的鋁和高速度的喞筒，還要許多精緻的電子管儀器。並且所需的電力亦頗可觀。像美國漢福德的六座原子反應器，每座就需要一個二十五萬瓩的電力站。如果蘇聯以全力經營原子反應器，以期造出大量的鈾，他種工業生產必然受嚴重打擊。像上面所述的困難，一部分是先天的，一部分是人爲的。原料的先天困難，固然不易克服，即在短時期內，工業方面的困難，蘇聯也難得有辦法，一時也難得有辦法想。

事實上，俄國負担不起。照戰前捷克鈾質的產量，每年不過十噸，只能製造兩個原子彈，即使再加上東德撒克遜尼的鈾鑛，也不過每年五個，到一九四九年秋天到現在也不過十四個，再多也難達到三十個。

因而即使克里姆林宮竭盡力量，以謀原子武器在質量雙方的發展，仍舊無濟於事的。美國總是遙遙領先的。何況對於原子武器的運用，需要重轟炸機，需要種種特殊的技巧；對原子武器的應付，需要嚴密的警網與快速的戰鬥機。有了這些，達到對於原子爆炸的認識，有詳細的經驗累積，近二十次的原子試驗，美國已有無比豐富的經驗，那是蘇聯可以從心所欲嗎？退一步說，進攻的手段如何，史太林的三次試爆，能有多少用處呢？

史太林在對塔斯社記者的談話中，還侈談國際管制原子能問題，其實際如何管制，他也接受了國際管制的原子武器，就爲了不許發生不幸。只有一國私人進行的監察，幾經幻想的美國管制計劃，都與其方針背道而馳，以往的拚命，局面必然是把由十月革命和第二次世界大戰建立起來的帝國，毀滅成原子下的廢墟。

十八歲奴工少女

逃出了匈牙利

在礦場要身體半裸・和男人們共同工作・

蘇聯統治下東歐各國的青年男女，近多冒生命危險，設法逃向自由天地。據最近消息，在前星期某一天中，就有二十一人自鐵幕逃入奧國的美軍防區。其中有一位匈牙利少女，向人們報告了她在匈牙利所受的殘酷待遇，使聽者有不勝「人間何世」之感！

這位少女（Nagy）現年十八歲，她在南斯拉夫邊境的嘉羅煤礦作工。她說：「政府徵發了我，將我送到礦場，礦場上共有三百名男女工人，年齡都在十四歲至二十一歲之間，在我第一次走進礦穴時，我深切感到，這決不是女孩子氣力所能勝任的工作。

「礦穴內熱不可當，我們簡直要身體半裸，和那些男人一起工作。我們也要打鑽扛煤。兩個男工，另一女工和我，每天要從一條長約二十五碼的斜坡，推着車子將煤送到堆場，在整天八小時內，大約要推送九百次。

礦場沒有正式醫院，肺病很流行，得不到適當療養，六個月內，就發現過了六十個肺病患者。但有十二張床，專供生產的婦女所用。據礦上的男人們說，生孩子是一件偉大的和平工作，因爲在下次大戰中，如果帝國主義者殺了一個匈牙利人，我們就需要有一個孩子，立刻在那裏補充上去。

一星期有一天休息，到了星期日或節日，我們就必須先做足兩天的工作，如果要得到一天休息，就得做十六小時。有人故意將自己的手或腳打斷，使自己變成殘廢。我們一行逃出了九個人，折斷了邊境的鐵絲網，聽說婦女們不會有和我相同的遭遇。我希望能到澳洲去，我寧可吊死，也不願再回那裏去礦場作工。」（一丁）

自由中國行政院長陳誠暢談法治

他說對自由民主的大目標決不容許有絲毫搖動

【本報台灣特約通訊】前日上午，記者按照預先的約定，在台北訪謁了自由中國行政院院長陳誠氏。那座客廳坐落在一個相當大的園林中。它離開了正屋，在它的周圍只有濃厚的樹蔭，在客廳裏面，陳設着陳舊而潔淨的桌椅，沒有地毯，沒有桌布，也沒有盆花，但見兩面牆上掛着中山的遺字畫，一面懸着四幅何子貞的字屏，這四幅字屏，好像從前在陳氏南京住宅中也見過。另一面懸着四幅十分精緻的花卉翎毛。四圍的氣氛，使人意味着整潔，樸實與明爽的情調。我一個人坐在沙發上獨自抽烟，忽然一位先生進來招呼，說「院長現在開會未畢，對不起請稍等幾分鐘」，說完了十分禮貌地鞠躬而退。

「我也希望不久做一個自由人。」

不到十分鐘，聽到汽車停止的聲音，倏忽間陳氏匆匆進門，他穿着半舊的褪色黃卡嘰中山裝，一雙破舊的黑皮鞋，滿面勞瘁。一看便知道長時間開會後的形容。他十分和藹地對我寒喧，坐定後他微笑說「自由人」辦得很好，「我也希望不久做一個「自由人」」，我們開始談到今年雙十節在香港，他十分誠懇地表示，這是多少忠貞愛國同胞在海外的苦心奮鬥。他對居留港九澳的忠貞同胞，表示十二分的關切與敬佩。他說：「我不會做文章，我不知拿什麼話來表示我對他們的慰問與敬佩。」他舉中國國民黨北伐前一件舊事，「當總理孫先生在桂林時，有一位黨內東北同志，跑到桂林去見他，總理立刻對他說，你趕快回到東北去，革命後方固然需要人，但是革命勢力未到之地，更需要人。」

他說：從孫先生這個先例，可見今日反共抗俄的忠貞同胞，住在台灣以外區域，比住在台灣更需要，更能發揮他愛國忠誠。從他談話的內容與神情，他對海外各地忠貞同胞，不但沒有像外間過去流傳的什麼歧視。反而誠誠懇懇地對他們期勉與尊敬。他知道記者不久要回到海外去，他一再對我說，「你回去把我這一腔熱誠轉達居留該地的各位先生們。」

記者除表示感謝外，接着向他說，海外僑胞對自由中國一舉一動的關切，真非語言可以形容，尤其在港九澳的愛國同胞，最盼望的，只是國家早日回復與民主的風氣，及早日走上大道，因此我提出一個問題：「陳院長對於法治的觀念？」他反問我：「所謂法治問題，範圍甚廣，你是指那一方面的問題？」我解釋說，可以說是「軍治」或「文治」的問題，也可以說是一個民主政治的問題。

談到江西剿匪軍隊實行民主

我說：「國家政治要上軌道，一定要使任何人都在法律下面，任何人不能超越法律，更要使被治的人對統治者充滿愛戴的心情，而不是恐懼的心理。」陳氏對我這問題的答覆，開頭便說：「一個使人民恐懼的軍隊，那種軍隊便是最失敗的軍隊，那種軍隊的將領，也是毫無足取的將領。本人認為治軍最要緊的，是其將領的能力與人格，平時刻苦耐勞，以身作則，作戰時冒險犯難，身先士卒，將領能夠做到這一點，其所統率的士兵，戰鬥之勇猛是絕無疑問的。你們不能想像在這種軍隊間，士兵對官長的情感，比較家庭骨肉還要密切。官長在火線上受傷，那士兵的關心和憤怒，真是說不出的。[illegible]

……照人情講理，當時多數官兵的心，那一個不願到滬，既可做民族英雄，又可獲得較好的給養，但如果一開拔，共匪必立刻進佔贛州，[illegible]所以我當時召集全體官長會議，凡是校官以上階級，一律參加，一切由會議決定進止，後來這個會議反覆討論，決定先確保贛州，[illegible]這是一個例子，說明了治軍還是應用民主方法，尤其是民主的方法，要惟有多數人民自動自發的智慧與力量，是無限的，是無往不利的。」

匪諜非有確證決不輕易捕人

記者又說：「我們所謂法治，所謂軍治或文治的問題，一個是軍事政治問題，另一個是軍法的問題。照目前台灣的情形，軍法供應問題不多，但軍法審判問題，是大家所十分關切的，是一個大問題。因軍法自有其一套傳統與習慣，至今未有辯護制度，軍法羈押的人，[illegible]」

陳院長答覆說：「[illegible]軍隊最好不要向民間徵發，最好將領不顧帶領軍隊做事，國家財政困難，可是給養不足，軍隊又遇到了事，生存出了非常的事，發生許多擾民之事，這原是最可惋惜的，於避免後的補給工作，[illegible]

但是算做得相當完美，但是英美人民對軍事頭痛，所以國家用兵之所以是不得已而用之。正是軍法近年的擴大，至於溯到江西剿匪時，以後國家不幸大變亂，再遭到政府對於軍法的權限，現在政府正逐漸加以縮減，最近行政院通過一件法案「合省戒嚴時期軍法及司法機關受理案件劃分暫行辦法」，把原來軍法掌理的十項職權中，劃出四項歸司法機關受理。這一點說明政府確實注意到軍法的嚴重性，而在本題的過去，尤其注意記得前年四月的時間，台灣辦理一宗大匪諜案，學生共計有三百餘人，當時保安司令部軍法處由三百人，把在二十四小時內，留下二十人，只在軍法處者大數十人，院長大家都認為在法律上有必要，確已定罪的匪諜，我們國家處境[illegible]無孔不入。若干年前的大家，是暫時犧牲永久的自由，才可以充分享受自由。」

對大力糾正錯誤，力求其不致稍有錯誤。我們對自由民主的大目標，是決不容絲毫搖動的。我們也決不因一時的困難而忘記了這個目標。說到司法的問題，雖有多數改良，但當前複雜的問題，不能因司法大政而多，[illegible]

界有不滿意現狀，便抹煞了法治的目標。現在軍法所辦的案子，尤其有關匪諜案，承辦機關除非得有確證，是不許輕易逮捕人，這一點，我可以對絕對保證，各位也可到外間打聽真相。」

談話時間已超過一小時有半，我有許多問題，來不及繼續提出，這一篇談話，也許能使國內外讀者對自由中國的民主政治，得着相當的安慰。在十分興奮的空氣中，記者和陳院長珍重握別了。（李綸儀，廿七日寄自台北）

聯合國內英國代表將不再替中共說話

他對英國是否會撤消承認中共一點，他說：今日英國留在北平的使節，其存在事實上亦等於不存在。因為根本已失去一個使節的權利了。他進一步指出：即使英國將來撤消承認中共，也不會立刻轉面便承認台灣的國民政府。這是需要相當的醞釀，和那時候國際形勢如何。但有一點，他明白指出說：今後保守黨的內閣，決不會像工黨內閣那樣在聯合國內替中共說話，這是可以斷言的。

美國名教授凱恩過港時有此看法

中共在遠東已無力再發動一次新戰爭，全世界冷戰局面可能拖到一九五四年。

【本報專訊】美國耶林斯登大學教授凱恩，昨由東京抵港。在港停留一天，匆匆趕往中東。他是美國第一流研究國際問題的學者，他對記者暢談當前各重大問題，首先他預料今後兩年，自一九五二年至一九五四年，世界不會爆發大戰，因為歐洲方面北大西洋公約組織的軍事和經濟上的準備，已足以自衛，所以在歐洲不打沒有把握的仗，史太林是不會冒險的。在遠東方面，他認為一九五一年下半年才進入冷戰的階段，這個冷戰會延長到一年或二年。他說：「我這個估計或許太樂觀了一些，但根據中共的實力，是沒有可能再發動一次戰爭，中共統治下之經濟，已面臨崩潰之境，即使軍事和政治都能站得住，是患了貧血症，不健全，因此，無法打仗的。」因此，共產國家亦願意在遠東方面來一下冷戰，作心理上的打擊。

台灣地區最安全 香港也定能固守

記者向他提出今後遠東的軍事態勢問題，他說：一旦戰爭發生，在廿四小時內，台灣便是美國在太平洋上最前哨的一個軍事大基地。台灣是除日本外，最安全的一個地方，台灣之能守的可能性，已有百分之一百。其次便是馬來半島，泰國是爭奪地帶，但越南之戰，於越南政府軍之努力，保大政府的成份已逐漸提高，即以香港而論，其能守住，他認為也決不會守不住。這些地方，都有信心。

他看見香港仍極繁榮，到香港一日，絕對看不出香港在大陸邊緣上的一個危險地帶。他說這使一個美國人非常驚奇的。能保持如此之安定，實在是一種力量。這種力量實在令人不可思議。這也是推動冷戰的一種力量，使他對香港增加了更大的信心。

軍是決定勝敗的真因素，事實上蘇聯的海軍，在英美法的海軍下，加澳的聯合海軍，等於是小孩的玩具了。

英工黨執政六年 外交政策最失敗

他看到邱吉爾領導的保守黨已完全獲勝，他說：保守黨主持下的外交政策一定會慢慢轉變。保守黨恐怕內閣對外的態度，下先和美國談一下，然後作最後之決定。他預料邱吉爾可能訪美，會見杜魯門之外，英美兩國之關係商，英語國家之關係自然要比工黨領導下更為密切。他批評工黨在英國之內，政績不能算有成績，大以後的英國民窮財盡，工黨實行經濟的社會主義，解決了內政上基本的失業問題，已費盡力量。唯一可惜的，只是外交太顯得模不定，舉例言之，今日散漫的埃及對付英國稱：就大埃及對英國外交上，看透了英國的外交，所以才敢一個漏洞，公然反英。

英美互相拖後腿 大家都不能盲動

他對中東的局勢，認為仍不脫討價還價，還不會真正幹起來。埃及人是相當傾動的，但英國人是絕對認識自己，同時也是相當冷靜的，在美國拖住他的後腿時，英國也動不起來，這是好當住遠東問題的，英國老似拖住美國老美的後腿，這種局勢，也是幹不起來。我們看你拖我，你拖我，至少還要拖一個時期，至日本人的埋頭苦幹，看到日本，使他非常佩服。大家以為日本人承認戰敗，其實日本人並不承認精神上的戰敗。他們承認廣島吃了一顆原子彈，自已科學不及別人，尊重天皇的旨意，實行停戰。他對於日本之重行武裝，認為外傳發了槍立即可以動員，未免想入非非，天下沒有這麼容易事，因為日本今日的安全，尚有賴於美國海軍的保護，日本的海軍可說完全沒有了。

史魔雖罵邱吉爾 心裏却相當敬服

杜魯門關於邱吉爾認為是否可能三巨頭會議，邱吉爾，史太林艾登七老容易，史太林信任。史太林[illegible]

心却相當看得起老邱是一個政治巨頭。他認為如果人類能如何很大的幸福。但他一個願一此不大（邵一成）

痛斥北大「自由作風」

馬寅初表演奴才嘴臉

並責罵教授們不應在講台上講美國法律制度

【本報北平特約通訊】北平各大學，雖在中共嚴厲統治之下，但經過兩年多時間中共本身的醜劣表現，沒有方法，不使極大多數的熱血青年，由失望而轉入「反動」，因此，各種反共活動和傳單標語，就連續不斷在各大學發現。同時，教授方面，儘管已多數為了飯碗，向中共磕頭擁護，實際每一個人的內心，都是充滿了憤怒與不安。尤其北京大學，許多老教授，總覺得毛澤東是什麼東西？三十年前，還在我們圖書館當小書記，你縱然搞了中國三十年亂，到今天稱孤道寡，但在學問上你究有什麼地位？出版了一本毛澤東選集，就值得這樣大吹大擂，要我們這班大學教授也來向你學習？為了這些因素，於是中共當局，就認為北平各大學，自教授以至學生，形勢都表現不穩。最近，中共更嚴令各大學，要整肅紀律，清除反動，並加緊學習毛澤東思想。周恩來且曾特別召集平津全體教授，作了一次長達五小時的訓話，指出下列七點：（一）立場，（二）態度，（三）為誰服務，（四）思想問題，（五）知識問題，（六）民主問題，（七）批評與自我批評，要各教授一律遵照中共路線，領導青年，不可亂說亂動，致干未便。周向來最能以扮演小丑著名，當他在這次訓話中，說到激烈時，裝腔作勢，幾乎連講棹都被他打穿了，但說到大家如不好好聽話，一定要弄到中共不得已採取有力措置時，就又聲淚俱下，表示不忍。他這次的演出，表面上，各大學教授和學生，不能不努力自制，表示沉默與順從，然對中共的憎恨，却只有加無減。

北京大學校長馬寅初，為了配合周恩來的訓話，[illegible]北大後，當然自己首當其衝[illegible]他特別指出：「北京大學的缺點，不是沒有，但這種自由散漫的作風，[illegible]其中最明顯的是大家思想不高，水準和主人翁的自覺都不高。」因此，我們有加緊學習的必要。」此外他又指出，教授中到現在還有人在講堂上講美國法律制度的，和銀行制度的，實屬異常荒謬，必須消除。馬寅初更於抗戰時，在大學講壇上公開辱罵政府，以及宣傳共產博得「民主教授」的頭銜，立刻就想另換一副嘴臉做了中共的奴才，真是大學教授都算了，方不及道讓，又提出了一套分一連串方向是如大[illegible]指斥北大的法律作風，然而說明了馬寅初的下賤，自由教授們在中共統治下所受的精神壓迫，何苦痛！（陸光，廿六日寄自北平）

政治測驗笑話百出

連黨員也討厭學習

潘梓年白打了一劑強心針

【本報漢口特約通訊】「抗美援朝病倒了」，中共的高級黨員幹部們，最近喊出這麼一句悲哀的口號，目的在提高他們下級幹部的「警覺」，這個病，病的很嚴重，神經衰弱之外，還帶有貧血，因此就成了難換症的危險，如不及早醫治，就有完蛋的危險。中南區教育部長潘梓年，八月十二日曾向全區廣播「打一劑強心針」，但這位潘部長出身的「新華日報」，穿美帝的，「美帝」代製「造謠言」，可是人民不願「陰謀」，雖擅於替「美帝」代製「陰謀」……一般黨員原則上幹部「開動腦筋」「新華社」再三發「公開」的「主觀」主義的[illegible]

此間中共各報紙揭載，十月二十三日……黨員非黨員幹部都要在學習中展開「整風」運動……[illegible]

韓戰和談在安東 毛澤東等均出席

……湖北省洪湖縣文工團演員……毛澤東的下面來，答……

黨員有何義務 每天收人民幣

湖南省永明縣……

鐵路局此外，「湖州」……

人民民主的榜樣

·尚方·

這次英國大選中，有十個共產黨候選人不但沒有一個能當選的，且因爲沒有一個能得到該選舉區內八分之一的選票，連保證金總共一千五百鎊也被充公了。

惟馬克斯地下有知，一定椎胸頓足，痛哭不已。因爲他早就立下了「科學的」預言，說共產主義必定在資本主義發達的國家首先成功，而他那預言的根據，又完全是以英國的資本主義發展情形爲唯一的鐵證呵！如今共產黨徒在這古老的資本主義社會中，且在社會主義政權的自由選舉場合之下，竟得不到八分之一的人民擁護，使保證金亦遭受沒收處分，豈非可爲痛哭流涕而長太息者乎！

因此可以證明俄式共產主義者所謂「人民」云云，如甚麼人民民主共和國啦，人民民主專政啦，人民解放軍啦，不止是掛羊頭賣狗肉的醜惡嘴臉而已，這道道地地是像前幾天四個洋人在公共暖房的山背後強迫輪姦一名婦女的那種獸行一樣！

俄共集團之所謂「人民民主」，既是這種本質，你就更可以理解中國大陸現時所搞的甚麼「人民代表會議」，「人民會」的所謂選舉，究竟是怎麼回事？假如以都是清一色的集中在「欽定」的少數共爸身上？同樣的情形，假使英倫政權爲俄式的共黨所據，那些被沒收保證金的共爸，馬上即變成「人民」一致擁護的英雄無疑。

共產專政與民主憲政的國家，究竟誰有自由？誰是民主？拿英國的選舉情形來印證，自然證明，自指出，如而須爭辯了。

自由談

幕阜山區的今昔

·笑天·

李闖被農民砍斃 此處尚留有墓穴

幕阜山區橫跨湘鄂贛三省邊境，包括通山、陽新、崇陽、咸寧、武寧、修水、銅鼓、瑞昌、平江……等縣，瀰迺一千餘里，主峯爲九宮、太陽二山，高逾三四十里，形勢險要，地形複雜，爲一天然游擊根據地。且地處華中心臟，民性強悍，歷史上有名的殺人魔王李闖就是死在九宮山下一個程姓農夫的手里。相傳當李闖日暮途窮走投無路的時候，騎馬佩劍瀏邁了幕阜山區，在太陽山半跡下因爲幾天沒有吃飯，看到路上一個小孩送飯，下馬就搶，弄得小孩哭叫！這時小孩父親在田里做工，拿起鐵頭扁担當即把他殺死。李闖想拔劍抵抗，但劍還沒有出鞘，而人已經一命嗚呼了！現在九宮山下，還遺留着他的坟墓。

由於幕阜山區在軍事價值上的重要，所以當民十七、八年那里曾一度成了紅軍彭德懷、徐念劉老巢；大陸易手以後又成爲反共游擊隊活躍的搖籃。

最早領導幕阜山區游擊隊的是鄂省通山縣參議會議長謝維周，他在十幾年前剿匪時曾任國軍團長，大陸易手時他領導部隊二千餘人在九宮山、太陽山一帶建立根據地，並利用「永化社堂」作爲武力和羣衆基礎。

反共英雄不受欺騙

永化堂是山東郭志生於抗戰初期來鄂建立，他們經常的工作是練氣，練刀。自稱，有聖靈護體，打起仗來非常勇敢。謝維周就利用這一組織，和汪洪領導的大刀會取得聯繫，擴大山區反共游擊範圍，成立湘鄂贛邊區反共游擊縱隊，下轄三個支隊十二個大隊，支隊長由謝曉山、汪瑞祥、曹珍賢等擔任，還是有形的隊伍，擁有現代武器和裝備，但事實上幕阜山區的大刀會二十萬人都是無形的隊伍，這是幕阜山區反共游擊隊的後盾，也是幕阜山區反共游擊隊始終消滅不了的原因。

中共以游擊起家，竊據大陸初期即對幕阜山區極爲重視，三十八年八月派一政委黃某率步兵一班人挑了二担宣傳品到太陽山下大源口召集人民開會，妄想以政治方式不費一彈而得到幕阜山區的武器，但山區人民過去曾飽嘗中共殘暴痛苦，對任何虛僞宣傳欺騙早已洞悉無遺，正開會時人民當場解決了黃政委及其衛隊，中共上級聞訊第三天就抽調一二八師和一個砲兵團一個大馬隊浩浩蕩蕩向九宮山太陽山地區進發，大刀會只三四支槍三百餘人打衛鋒，與中共軍在九宮山太陽山中下龍莊、茜蒔灘等地，激戰一晝夜，斃匪營長一人，連長四人及士兵八十餘人。迫使中共軍只得返回原防。

中共進攻三次失敗

因爲游擊隊時常下山襲擊，搶奪糧食彈藥和襲擊共幹，弄得中共地方政權朝不保夕，只得又調兩團正規軍及鄂南各縣保安團隊一萬餘人，作第三次進攻，主要目標爲太陽山支脈東坑嶺一帶，因形勢險要，中共軍無法登山佔領陣地，乃自晨至暮調砲四五千發，以資掩護，但仍死傷甚衆，大刀會曹大興，在搶頭爭奪敵人機槍砍殺中共十餘人後陣亡，其弟大海又繼續砍殺七八人。中共經過幾次軍事與則沒有見效，又改變方針：由通山縣「民政科」派塗科長帶七八人想宣傳說服，結果走到中途，被游擊隊擊斃，中共最後抽調工兵師二個團三千餘人作第四次進攻，這次衆寡懸殊更甚，游擊隊第二支隊長汪瑞祥陣亡，他是一個十三歲孤兒，汪隊長也持刀參加作戰而死，這很可以和歷史上有名的國殤一一汪琦先後媲美。謝維周也於這次戰鬥時被俘，押回老家兩次遊鬥，第一次曾寫好悲壯遺囑及痛罵僞縣長文函一件，行至中途並用鋤頭自殺，未死，第二次由僞縣長段興標僞區長魯凡在其故鄉高湖召集全區人民公審，公審時除由指定共幹報告「罪狀」外，並無一人做聲，謝維周始終不屈，從容就義。

農民準備殺新李闖

幕阜山區的游擊正規武裝，由於中共不斷大舉進攻，元氣大傷，自謝維周被害後改由曹××和謝××領導，轉變方式，化整爲零，擴大大刀會組織與運用。過去幕阜山區的農民曾以鐵頭扁担擊斃殺人魔王李闖，現在幕阜山區的人民仍同樣以原始武器和中共搏鬥！它也將同樣是「殺人劊子手」中共的坟墓所在地！

民清之際的長沙（四）

·舜生·

聽講平另是一種趣味。其時我的家住在長沙南門外一個半鄉半城的地點，打開大門，便是一望無際的菜園，從門口的左手望去，有二三十棵樹，都是三五十年的老樹了。每到夏天，我們坐在門前的竹床上乘涼，或一彎新月從柳梢漸漸昇起，二更還不曾打過，正是夜闌人靜的時候，便聽到一派的絃聲，夾着一兩句聲調悽涼的歌唱，從柳林後面穿出。只要我們高喊一聲『講平』，便可看見一個人徐徐走來，胸前抱着一面月琴，左肘下懸着一盞八角玻璃燈，玻璃總是擦得亮亮的，用一根挂長的鍊子繫着，一直拖到接近地面。看你要他唱什麼，假定只是短短的一折，例如『三娘教子』，『寶玉哭靈』，或『許仕林祭塔』，便是二十四文，大約二十分鐘便可唱畢。如果要他唱整本的『雷峯塔』，『珍珠衫』，『秦雪梅弔孝』，或『梁山伯祝英台』，便得一百幾十文或兩百文，從二更以前唱起，一直要唱到三更左右。不純粹是唱，中間也夾着不少的道白。當一個故事發展到頂點的時候，唱的人或竟出酸楚的悲咽，或作出歡樂的笑聲，在我一個人或過這些本子的人，到沒有什麼，我不知道對我那班姐妹們所起的反應是怎樣，但她們中間有拿出帕子來揩過眼淚的事實，却是我所記得的。

看戲，看小說，聽說書，聽講平，還是我童年時期眞正的教育，不管它們的影響是好是壞，但支配我的力量是很大的，也許會從精神上一直支配我到死！

一直到十五歲的開始，（光緒三十四年）我才考進了『長邑高等小學』。地點在北門荷花池的譚潭寺，有中學一班，高小兩班，全體同學約一百四五十人。堂長是余千昭（肇升），（大概在第三年，堂長才改稱校長。）後來我才知道他是我們的親戚：他有好幾個兒子，像余嘯秋，余劍秋，余楠秋，都曾留學過東西洋，在社會上頗有名氣，楠秋更是我後來在復旦的同事，這些都是後話，姑且不提。

我一走進這個學校，便感覺得氣象一新，和我那個設在西山先生祠堂裏面的國民小學一比，眞是何等的偉大。一共有三個操場，外面一個較大的，周圍約四五十株密密匝匝的雜樹環繞着，綠草如茵，是作足球比賽一類的運動用的；裏面有一個較小的，還有一個雨操場，則作爲平日體操之用。關於體育的設備也有一些，例如槓子，平台，木馬，木棒，啞鈴等等，我對這類的東西不太愛好，也不怎樣討厭，隨班逐隊而已。有四間教室，小學佔兩間，中學佔一間，還有一間是爲中學校物理化學實驗的時候用的。

萬竹樓隨筆（四二）

雅嘉達與孟加錫

南洋印象之一

——永年——

筆者因乘荷蘭渣華公司輪船到孟家錫轉船赴帝汶島之便，路經印尼各埠，有機會登岸參觀，並且在印尼首都吧城（今名雅嘉達）和孟家錫兩處共住了十天，與當地僑領有過從，耳聞目睹，對印尼現狀，頗有一些認識，故願爲本報讀者作忠實的報導。

今日的印尼，是擁有三千島嶼和八千萬人口的國家，介乎亞洲和澳洲兩大陸之間，彷彿島嶼，在東方除中印，日本三國而外，也就是人口最多的國家，她的重要性也就可以想見。

印尼獨立，已快滿五週年了，然而實際上完成全國之統一，還不過是最近一兩年的事。他們的憲法，大致仿效歐美民主國家，他們知道建國的艱難，獨立自由之不易得，所以他們雖然有些地方還在軍事時期，自然由印尼政府還給予新聞界以自由，而不實行新聞檢查制度。雅嘉達人口一百多萬，所佔土地面積比香港星嘉坡大，一片平原，可以任由發展。

交通方便，商業發達，爲全國政治文化中心。有印尼大學，以醫學院爲較完善。華僑學校頗多，惟高級中學僅有兩間。華僑報紙有四家，及星期日出版的週刊兩種，反共與共派各佔三家，平分秋色。然論內容及銷數而論，則反共報紙，遠佔優勢，尤其是中共參加韓戰以後，此間共方報紙銷路，日形銳減，雖經中共派駐印尼之「使館」多方設法援助，亦不能挽回頹運！於此，亦可窺見人心之向背了。

印尼共和國，爲民主集團之一員，依據憲法，各黨派可以自由集會，但不能擾亂治安及鼓動行動。印尼共黨活動力，但尚無法抬頭。印尼政府雖曾受荷蘭及印度之影響，承認中共，互換使節，但因政治立場不同，頗難發生好感，據聞印尼駐北平代辦，行動頗受限制，不許出城四里以外，即是一種不友好的表示。上次荷蘭郵船芝撻連加號載來中共派駐印尼使館工作人員二十餘名，其中十七名被拒絕登岸，並派警員監護，決由原船載回香港，轉返中國大陸，此事爲筆者所目睹。共方狼狽情形，可憐亦復可笑！吧城中共尾巴報紙，吹噓影射，謂係「蔣匪幫」勾結印尼所爲，更爲有識者所齒冷。實則自己以所謂「大使館」爲特務活動之基地，又擴充使館人員至八十名之多，未得人同意（印尼外交部及移民局）辦濟正式手續，以致被拒入境，爲中外騰笑，丟盡中國人的面子，中共的「厚黑」哲學，不知人間有羞恥事，於此又可見一斑了！

孟家錫（Makassar）爲西里伯斯島首府，印尼第七名大埠，人口約四十萬，爲全島及海此交通之便利，以爲南洋各輸埠，貨物集散地。商業頗盛。僑以福建，廣府，客家爲多。僑約三萬人，教育水準，似較吧城爲低，原有初級中學，全操於中共特務之手。小學兩間，亦然，全部僑胞上仍往自由中國。惟絕大部份僑胞希望將來在大陸見漢家旅遊。北京欺騙官傳，已爲多數僑胞所厭惡！最近成立南洋中學一間，標榜超然派之教育，即爲防止中共宣傳而設立。

印尼有些地方，還未會完全綏靖，土匪或游擊隊，不時在山區潛伏，或外出遊擾，甚至吧城，泗水，孟家錫等城市，以至有些街道，晚間少行人，也因爲治安的關係，近郊亦成問題，有些名勝地區，不能前往游覽。孟家錫之夜，因在軍事時期，尤覺冷靜。海關碼頭，秩序亦未能恢復荷治時代之太平景象，然而印尼愛國人士，相信不久必能克復目前種種困難。（十月六日發於帝汶）

珍珍（上）

·羊辛·

珍珍是我妹妹的同學，高中畢業後，她們一起在我故鄉的一間縣立初中學校當職員。

那年冬天我回老家過年，認識了珍珍。珍珍時常來我家裏玩，她有一張瓜子型的臉，不算漂亮，但却很清秀，服飾樸素整齊，一眼就可以看出是一個聰慧而具有思想抱負的女孩子。

我們時常在一起玩，我，妹妹，還有我的一個堂兄。我的堂兄在縣政府當職員，據妹妹說：珍珍已認和我的堂兄有了一點情感。我們也樂得大家混在一起，讓他們增加一點接觸的機會。進到了這樣的場合，他們兩個人總有一點羞怯，我的堂兄是一個頗「內向」的青年，大學剛畢業不久，在學校裏只懂得讀書，成績很好，對於交際卻一竅不通。還好有我和妹妹在一起，這種忸怩的氣氛總會沖淡了一些。我們一起吃飯，一起遊玩，還討論各式各樣的問題。堂兄是「沒有意見」的，只有珍珍和我討論得最熱烈，從政治談到男女問題，談到文學，談到哲學，使我不能不驚異一個女孩子懂得這麼多的東西，說她在學校裏讀書的時候，往往忘記了吃飯，而課卻又做得很好，考試必名列前茅，其聰明可以概見。

和許多青年一樣，她對政治問題頗熱衷，激頭激尾不滿現實，滿心存着熱切的希望，對於共產黨，她盼望快快地「解放」的機會，好讓她有所發展。我問她：「你可知道共產黨是怎樣的一回事麼？」她毫不猶豫的說：「它是改革醜惡的現實的。」「那麼你喜歡清算鬥爭，殺人流血了？」「沒有這回事，我不相信這些惡意的宣傳！」她告訴我自己還有親身的感受，在保留着一些美好的時候，看到我跟她在一起，我親眼看到的，自然不能不論調，共產黨不斷地武斷，我所知道的實在太多了，對於太肉麻的東西，是要打一個折扣，少看的。

她笑着說：「你有着太多的顧慮，不像是個青年！」

鐵幕透視

他們的眼睛更雪亮

中共打算敲港澳工商界一筆竹槓，在廣州佈置的「華南土特產展覽交流大會」，招待商界一過之後，即實行「打鐵趁熱」，先向澳門工商界逼迫，促起帶頭作用；但主要目的還在香港，可是「觀光」往來人士，却沒有動靜。如果眞有若干利可圖的話，他們的反應那還用得着三催四請？他們的眼睛更雪亮！

可惜露出一條尾巴

作爲中共「來手」陳某，連日在大吹特吹，誘致他們的「僑資」經營的華南企業組合，在本年二月間打邊鼓，說「該組合的資本純利七十億元，現已後勁原定五百億元。可惜，官股佔出三成，大商巴資二百億，股佔七成，已在繼續招募以後，中共將在半年以後，還要「打擺」一條「好投資」的生意，是怪事！

恍佛聽到一片哭聲

據星島日報廣州廿七日訊：「二萬名經過訓練的廣東民兵，已於一週內陸續北上，另五萬名亦須於十一月底前集中廣州受訓，然後參加「國防軍」。」這數字之中，我恍佛聽到了無數孤兒寡婦的哭聲！

冷落了一場大喜事

上海共黨每次執行「殺」「關」「管」「反革命罪犯」，都確實能夠做到「大張旗鼓」，所有姓名籍貫年齡及犯罪「狀」，除詳細列外，並於報上刊出，還要擁到龍華看殺頭，有聲有色，欣欣然相告，可是最近竟一反過去作風，十月廿日這次執行的「反革命罪犯」二百九十五名，已執行死刑的八十五名，概稱「反革命罪犯」，無期徒刑，有期徒刑的一百三十七名，管制的三十三名。此外什麼也不提，是不是還「殺頭」的玩意兒，上海人已經看膩了？否則爲什麼突然冷落了這場大喜事？（黎明）

自由人
THE FREEMAN
（半週刊每星期三六出版）
（第七〇期）
每份港幣壹毫
督印人：李光華
社　址
香港高士打道六六號
電話：二〇八四八
GLOUCESTER RD.
HONGKONG
TEL: 20848
承印者：東南印務出版社
地　址：高士打道六四號
台灣經銷處
台北市中華路一二五九號

美國亞洲政策的再檢討

這政策繼續下去可能遺禍無窮

左舜生

韓戰也許終於會停下來，也許還要拖到聯合國在巴黎開會中作爲共產集團的一個活用工具，這些都不是我現在所措意的，現在我只想就美國兩次三番來遷就停火談判的心情，再作一次美國亞洲政策的檢討。

美國究竟有不有明朗的亞洲政策？我的回答是：『有』。

這種所謂明朗的亞洲政策是不是相當確定而不會繼續搖擺？我的回答是：『很難說』，必須看今後情勢的變化，和民主集團中其他有力盟國的基本態度。

依我現有的亞洲政策，能不能達到美國『不戰屈人』的預期目的？我的回答是：『不可能』。

下面要就我的這三個答案作一個簡單的分析。

美國本來是有一套傳統的亞洲政策的，但確實經過一度模糊，也可以說幾乎近於放棄，現在則經過一番調和折中，定下了一個『不許共產侵略繼續再向中國大陸以外發展』的基本政策了。

韓戰打了十六個月以上，美國寧願忍受絕大的犧牲，仍不願採用非常的手段以求得一個決定的勝利；現在既一再遷就中共只想把火停下來，其最大目的，不外想保持去年六月韓戰未起以前的原有態勢，並保證不復再有侵略的類似事件發生。這樣一種態度，自然可以說，極忍耐之能事了。

去年美國決定對韓用兵，同時即以第七艦隊開赴台灣海峽，既不許中共去攻台灣，也不許台灣反攻大陸，這正是這個基本政策開始確定時候的一個重要步驟。

在韓戰進行得正熱烈的時候，美國不顧對蘇聯與中共的刺激，汲汲與日本訂立和約，而且接受其盟國的意見，排除台灣不許參加；同時並與日本訂立一軍事性質的『美日安全協定』，其目的也無非在遏止共產侵略向中國大陸以外的繼續發展。

美國和澳洲紐西蘭訂立一個安全公約，其原始的意義本在安英國和澳紐之心，使其對日本的再起不懷恐懼而橫生枝節，致陷日約難於速成；但也未嘗不可更進一步來一個範圍較廣的太平洋公約，乃至包括東南亞的若干地點在內，這在英國也確曾表示過歡迎，不過時機還未成熟而已。凡此，也無非是從遠遠的布置一種共同防衛，使共產侵略不敢輕於越出範圍。

截至現在爲止，美國對於台灣的援助，僅僅以有限度的軍援與經援爲限，其力量也僅能保住台灣，儘管台灣當局隨時在表示要於最近期間反攻大陸，但所謂『一年準備，二年反攻，三年掃蕩，四年成功』的說法，以美國不甚熱心之故，事實上也就只好延期了。假定美國僅僅只希望『中華民國』這塊牌子永遠掛在台灣那個孤島上面，則美國對中共的基本態度，又豈難於想像？

美國已屢次宣稱以全力援助越南，假定中共公然大舉援助越盟的話，美國確實是會要實踐她這種諾言的；因爲這一點在完成她的亞洲政策固所必需，即加強法國對美的信心，於完成美國的歐洲政策也顯然有益啊。

根據以上這六點說明，已不難窺見美國亞洲政策的全貌，一般存着幻想的人們，似乎是應該有相當的警覺了。

現在要進一步問的，便是美國對她這個亞洲政策的堅持限度究竟怎樣？很顯然，美國在過去所以形成這樣一個十分勉強的政策，所受英國方面的影響是很大的；現在英國已不復是工黨內閣而爲保守黨內閣，邱吉爾與艾登之流，其對亞洲未來趨勢的看法與打算究竟如何？英國對美國的影響只會加大，不會減輕，是我所深信不疑的，不過這個影響力量的內容，是不是會較工黨內閣時代有絕大的差別，當然很可注意。再加上美國自身的競選宣傳，一到明年，便會逐漸的趨於白熱，其足以影響她的對外政策，自不待言，何況其他地區的非常事變，足以影響到亞洲全局的，誰也不敢保其必無。因此，我們便貿然認定美國這個政策不會發生變化或搖擺，這實在是一種鄰於武斷的看法。

現在姑假定美國就把這個政策繼續執行下去，甚至稍稍的加強，是不是就會使蘇聯和中共居然屈服？我堅決的回答是『不可能』。

（一）只要中共政權繼續存在，蘇聯決不會放棄她這個足以赤化全亞洲的有效工具存而不用。

（二）中共在韓國打了這一年以上的仗，雖然死人不少，損失不輕，但究竟見了一次大場面，而且居然與世界一等強國打了無數回合，而終能保持一個平手。假定韓戰就是這樣馬馬胡胡的停下來，她不但不會承認失敗，且必定宣傳勝利。毛澤東曾親口在延安對我說過：『我這幾條爛槍，可以同日本人打，就可以同美國打。』何如？這不是事實的證明嗎？因此，我們必須明白：這一年以上的韓戰，決不是中共武力的削弱，只是加強；決不是中共勇氣的減低，只是加大！

（三）由於中共在韓戰中的捨得幹，捨得死，蘇聯對她的信任也只會提高。世間仍有不少的人以爲中共與蘇聯可以分家，甚至以爲因韓戰之故，中共內部可能發生變化，這些可怕的噩夢，實在應該醒醒了。

（四）中日關係不可分，日本的復興，必須有賴於中國，萬一因美國這一政策之故，使日本陷於迷惘，或甚至不得已而與中共去發生勾搭，這不會就是美國這一套亞洲政策的根本幻滅！

（五）今天在亞洲，已經有印度，印尼，緬甸等承認了中共，英國暫時也還不會把對中共的承認撤回；蘇聯既是對中共信賴有加，自然對中共的裝備還要繼續努力。今天在亞洲的反共陣線裏，還找不出一個強有力的政府，更湊不足一百五十萬以上的可戰之兵，你說單憑美國的拉攏與支援，就可以活活把一個有蘇聯作背景的中共封鎖得了，誰敢相信？萬一在韓戰停止以後，她居然又衝到越南來幹上一年兩年，美國又有什麼必勝的把握？

好，我不願把話說得太多，使一般高興做太平夢的先生們說我危言聳聽，但我們必須再說一句：美國這個現行亞洲政策，即對中國大陸不敢以一矢相加遺，對未來的整個亞洲，整個世界，是可以遺禍無窮的。

遠東四大「影子戰區」

看英美將如何獲致協議

黃震遐

韓戰有停火可能一說，從印度忽然加強親共態勢看，即將在聯大展開的播音機戰和鉛筆戰，或有決定亞洲命運的影響。邱吉爾上台後，對於以日本爲中心的美國反俄部署，不會特別熱心，但對於以新加坡爲中心的英國反共戰略，則有提前加強的決議，一個聯軍東南亞總部，可能利用泰國的政治地位而予以加強，必要時形成另一「東南亞同盟」SEATO聯合陣線，拿越南的法軍，東南亞的國軍，和東南亞民族聯軍的實力做後盾，美國從韓戰中抽出實力來，也可以向南加強英，法，越，泰，與緬甸的自衛能力。一如「北大西洋同盟」NATO。

一面讓步一面佈置

由此，聯大的鬥爭形勢，在西方集團方面，可能對俄作某種讓步，以便聯軍得在東南亞緊急關中，抽出美國大部份的精銳兵力（特別爲第七十七艦隊，第三一五空運師，第五航空兵團，陸戰師等機動兵力），在日本集中整理，鞏固前線取戰略守勢，以保證南韓建軍的成功（裝備三十個師），一面對大琉球，台灣，呂宋的聯結橋樑，加以永久性的防禦設施，用美國第十三航空兵團和第七艦隊做主力，部以台灣及菲律賓的聯合陸軍，作東海南海間的聯防，來擋住蘇俄海空突擊西太平洋的箭頭，遠東大勢經此一番調整，西方國家在遠東東北，東南兩方面，可暫節約兵力，減少浪費（韓戰），以待日本，南韓及台灣兵力的成長，其中台灣的兵力，更會很快變成一枝現代化的突擊兵團，握有控制閩浙海岸的主動地位。

這樣做，中共當然獲得休養生息，完成其俄式國防的機會，東北堡壘將與日本成正比地加強，在交通系統上和蘇俄濱海洲，北韓前進基地打成一片，在蘇俄第六方面軍總部的統籌策劃下，形成一個堅強的對日陣容，同時蘇俄在堪察加，千島，南庫頁，及韃靼海峽西岸的滑航艦隊，空挺兵團，傘兵部隊等，從南庫頁和千島尖端包圍北海島，有力發動一個延翼進攻，將美日間的太平洋航綫切斷，從東北方向迂迴日本的背面，這是軍事常識上，大勢上的威脅，日本獨立後，亦無法在短期內消滅此一存在的事實，只有美軍主力抽出後，遠東俄軍的戰略優勢，纔會比率地降低，日本的生存前途，即決於此。韓戰僵持下去，對美日及整個亞洲東北角的海空戰綫，都是不利的。蘇俄會自由認地選擇它的「珍珠港」時間。

連雲港南北兩戰區

自韓戰發生後，中共「三野」主力已從進攻台灣的有利主動態勢，迅速降爲慎防台灣反攻的被動態勢，從連雲港起到汕頭一段的海岸線，「三野」的數十萬人是不夠佈防的，上海寧波間長江口和杭州灣的軍事咽喉，很容易被一有力的戰略突擊行動所佔領，陸地空軍對艦載飛機的抗衡能力，根據第二次大戰末期的太平洋經驗，那是一個質的問題，不是量的問題，三野海防沒有足夠的噴射攔截機，不能確保不被來自海上的兩棲部隊擊倒，在上海寧波一段登陸。在今後一年中，無論外交形勢如何，從大琉球經台灣，到北呂宋一段的聯防基礎，將對中共東方海岸維持主動，中共不敢不集百萬大軍於此，以防一種安齊奧ANZIO突擊作戰的出現。

由上兩方面的態勢，決定了遠東即使由聯大之妥協而暫獲小康的局面，也不會根本改變日本及台灣的戰略地位，在連雲港南北兩區，已經劃分了兩個「影子戰區」，這兩個「影子戰區」將與蘇俄集團作持久的對峙，以迄局勢明朗化。

第三，第四是東南亞及印度，巴基斯坦間的「影子戰區」，中共武力在十月底開進拉薩，這部兵力和自滇邊開進後的「一部呼應」，事實上已威脅到印度不得不沿喜馬拉雅山的各隘路，從事初步佈防，同時中共的西南鐵道（從武漢通越南），限令今年年底完成，胡志明有力直接獲得俄援的時機，爲明年春季，另外中共由雲南大理經由滇緬公路，可能直衝仰光，威脅加爾各塔，切斷印度和東南亞的聯絡。解決蘇俄的「亞洲巴爾幹」問題。

遠東第三個「影子戰區」，是東南亞，[illegible]亞守得住，印度的「麥馬洪防綫」就不會開門揖盜了。印度也就不會軟骨症了。

印度沒有起碼國防

第四個「影子戰區」，是印度，巴基斯坦戰區，這戰區能否出現，將全視東南亞能否守得住（特別緬甸），在目前，印度是亞洲最危險的區域，是因爲尼赫魯有美麗的辭藻，「進步」的口號，大國的抱負，而沒有一個起碼的國防！尼赫魯的「親共」，實際乃「恐俄」也。

新加坡地位將加強

這是另一新形勢，邱吉爾不能不迅速提高其新加坡的地位，[illegible]以對跨山越嶺而來的中共，[illegible]。這形勢不時會決定一九五二年的亞洲政治命運，亦將決定中共在遠東戰略上的成敗契機。

邱吉爾的硬派作風

邱翁上台伊始，已表現了兩點倔強動作：一是加強蘇彝士運河區域的軍事控制力量；二是決定設法自行製造原子彈。當以挽回大英帝國的聲望爲號召的政治家，相時度勢，應該有此表示，不足詫異。尤其是埃及的廢約問題，如果再像邱氏指摘工黨對印度問題那樣「倉皇逃走」的辦法，不特英國的「混下去」主義宣告完結，西方民主國家也要震懼不安了。

目前最感到煩惱的卻非英國而是埃及政府，實逼處此，祗從韓國。激昂慷慨的民意固然可用，若教它儘量發展下去，必有能發不能收的禍患到來。巴基斯坦想出面調解，土耳其要召集回教國家會議，都不失爲消弭禍機之策，但若美國不熱心，則希望甚微。唯一可能調處的，還是巴黎的聯大會議，只看英美對世界政策的合作程度與決心如何了。

邱吉爾雖以硬派作風著稱，但他逢到應該軟的時機，也比別人更來得乾脆俐落。試看二次大戰時，當敦扣克撤退以後，他告訴反對他的人士，英國還有比這更困苦的時期在後啊！所以，在最近的將來，邱內閣的亞洲政策，除加強馬來亞剿匪軍事行動外，不會有甚麼突變的。光是爲人作嫁而與自己無利益的事，自非素來講現實主義的英國人所樂聞。但爲原則或理念而願意打抱不平的俠勁，只是美國人有時候還能表現一些，不過，那股傻勁常容易被其幻想所淹沒而已。英國既能造出世界第一流的戰鬥噴射飛機，當然也能自造原子彈，致「民以牛油換原子彈」，邱翁自有此能耐，問題是美國能否以全力合作？除經濟力量以外，過去英國接二連三的發生原子能專家失蹤事件，實在有些談虎色變哩！

半週展望

雷嘯岑

吉田茂不忘情中國大陸

日本當政人物吉田茂既說願與蘇俄和中共結交，又說「爲避免美國誤會」而修正其語意，因此頗引起世人的批判與疑問。其實，他在發表言論以前，何嘗不知道有引起美國誤會的可能呢？明知而故昧的要如是云云，對內在和緩反對黨的攻訐，對外在乞取美國的經濟援助。如要日本整軍，即須美援不斷，否則日本只有向共產世界謀「自給」之道，同時亦間接表示吉田茂並非李承晚！

舊金山對日和約簽訂之後，筆者曾經和一位日本記者暢談過東亞問題。他說：吉田茂是澈頭澈尾的反共人物，可是滿腦子儲藏着英國工黨那套政治思想。談到中日問題，這位同業很感慨的答道：先要問你們自己有沒有辦法？日本人的先天思想是絕對跟共產主義不攏的，當然願與反共的中國人民合作。假使你們自己在國際上沒有辦法站起來，而內部又缺乏復興的朝氣，教我們日本人如何好呢？我聽了他這番話，只好沈吟自思，不免自怨自艾。

吉田茂想與中國大陸發生關係，固然是他那套英國工黨的政治思想中作祟，但他敢於在和約尚未生效之前，即作此可能引起國際誤會的爆炸性聲明，決非偶爾失言的隨便之詞。我們祗有以事實來答復他，自己有方法站起來，漫說日本不會輕視我，其他如印度的尼赫魯之流，又何嘗會與俄共們靠攏呢？因此，我們對於吉田的話，徒然表示憤慨，毫無意義，發表官方聲明，更屬多餘的！

最後一次的和平攻勢

聯大會議的前夕，史太林已發出廣泛的和平攻勢，除莫斯科的英文雜誌大倡「五強和平公約」之議，要求兩種世界共存外，北平的嘍囉也正在如法傳聲，藉韓戰作和平攻勢的工具，再看英美俄三國出席聯大的代表團人物，如聯合國大會以來第一次出現的好整齊陣營，彼此在這鬥智的大場合中，必有一番激烈的活動。好在英國的首席代表已由艾登承乏，無論和戰，絕不會如過去工黨人物之進退失據，徒亂人意。這一次是史大林最後的和平攻勢了，如果碰壁，今後的世界形勢，必然改觀，聯合國能否再開得成大會，都是問題啊！

黃泛期中仍將搶險救災

中共治淮毫無成就

從種種方面證明中共此次「大力治淮」的失敗，古代治水無功曾殛禹以謝天下，今日誰能殛「毛」以謝沿淮五千五百萬人民？

趙滋蕃

中華民國四十年九月三十日下午九時，中共「政務院副總理」董必武，以「中華人民共和國的兩年」爲題，大力吹噓其「根治淮河」的成就。他說：「爲了根絕水災的長遠目的，中央人民政府領導全國人民進行了巨大的水利建設工作。特別主要的是毛澤東同志所倡議的根治淮河的巨大工程，已完成了第一期工程，使今年的淮河流域得到了多年來的第一次豐收。從此淮河流域五千五百萬人民可以開始擺脫淮水的嚴重災害了。」與此互爲將敬的宣傳文字，是鄧藍臣、王宗一所合寫的「中華人民共和國兩年來的偉大成就」，這篇文章刊載在「時事手冊」中，爲赤色報紙刊物所廣泛轉載的。吳考其與建設有關的具體內容，亦儘管眞指出「治淮」的成就這一點。他們說：「在一九四九年，全國曾發生很大的水災，水淹的農田達一億二千萬畝，受災農民達四千萬人，一九五〇年皖北和河南等地方又發生水災，受災農田有四千多萬畝，災民有一千多萬人。爲了根絕水災，中央人民政府兩年來領導全國人民進行了大規模的水利工作。特別有意義的是毛主席親自倡導的根治淮河的巨大工程。這一工程於去年十一月開始，今年七月下旬已完成了第一期工程。在第一期工程中，蓄洪、復堤、疏浚、濬渠等土方工程，即達一億九千五百萬公尺，先後動員民工三百萬人。從此淮河流域五千五百萬人民可以擺脫淮水的嚴重災害了。」於是，一犬吠影，百犬吠聲，衆口鑠金，積非成是，以爲淮河眞的服從了中共仁兄的堅決鎭壓。

那一點夠稱「偉大」：那一點配算「成就」

但徒託空言，不若見諸行事之深切著明。我們不妨先查考他們治淮的第一期工程標準，與已經完成的實際工程，再來逐一實核他們的「偉大成就」，究竟有那一點夠得上「偉大」；有那一點可稱道爲「成就」？

據「中共中央水利部」，在「關於一九五〇年水利工作的總結和一九五一年的方針與任務」的報告中，對治淮第一期工程，已有粗枝大葉的闡述。即「淮河上游，完成潤王坡等窪地蓄洪及部分操縱工事，配合蓄洪工程，局部整理洪河、汝河、潁河、渦河、及其他河道，並以商邱、陳留、淮陽三專區爲重點，舉辦濬渠工程；在主要支流河口，修建湖溝，山區重點推行水土保持，邱陵區推行塘堰工程，上游區爭取達成二十億公方的蓄洪工程任務。中游：湖泊窪地蓄洪工程，要求完成有效蓄洪量四十億公方以上。並應配合蓄洪工程，修復堤防，以承洩上游洪水來量。凡確保春秋兩收之淮河北岸幹堤，潁河東堤，渦河支堤，以及蚌埠淮南礦區圈堤，應以防禦最大洪水流量爲標準，確保安全。其他堤工，分段研究，確定其修復標準。至於河道疏浚，先疏通正陽關淺段；支流則以灌河，西淝河爲重點，並配合舉辦濬渠工程，首先解決排水需要；此外另應疏浚黃河、東淝河等河口，並對洛、茨、谷等河，施以局部疏浚。下游：入海水道，汛後動工，先加強裏運河堤防，整理堤坡，加強險工，修治歸海壩，疏通入江水道，及歸海港道障礙。以上各項工程完成後，可以做到，河南皖北，小雨無災，大雨少災；蘇北方面，在三河總洩量不超過八五〇〇公方（秒），江淮不並漲的情形下，裏運河地區可保安全。」

「小雨無災，大雨少災」，既是中共治淮第一期工程的最高目標，縱令全部完成了這項紙面計劃，淮河流域的五千五百萬人民，在黃汛期中，依舊要過搶險救災，增口復堤的生活，這是毫無疑義的。何況中共整治淮河，距離紙面計劃，還如此遙遠！小「成就」要說「後效」，那裏配談「偉大」！

入江歸海仍在測勘　主要工程迄未着手

如第一期工程中整治淮河的入江、歸海河道，本月還在勘測中；工程中最主要的一部分，已繳了白卷。而蓄洪、復堤、疏浚、濬渠等土方工程，尚存在無法彌補的天文數字；黃泛區的排水復堤工程，僅稍有成效可言者，尤其是商邱、陳留兩專區，有點實際表現；其他五大泛區，如汝河中游、潁河上、中、下游，及淮河上游、至潤河集一帶，有的縣排了水，堵了口，但還沒有開始支堤幹堤的培修，有的還是黃蕩蕩一片，任令黃水漫流。且中共治淮的主要措施與步驟，祗注意防止洪潦的消極方面，而舉辦濬渠工程，發展灌溉，增加農產；事先既沒有縝密調查研究與計劃，事後又不能及時檢查，致亂得一團糟，徒耗實帑。如河南之商邱、陳留、淮陽三專區所屬二十四縣，本是中共治淮濬渠工程重點示範區。乃工程設施之初，既沒有從事水源調查，也沒有灌溉區域的精確統計，對水流測定，雨量估計，地質虛實，地勢高下，更缺乏縝密統計與勘測，而陳留、淮陽兩專區，僅憑了幾個政委的聯席會議決，就貿然興建惠濟閘，引惠濟河水，「分條浸灌」杞縣太康平原。但從陳留至楡廂舖三十五公里間，惠濟河落差僅十八尺，河身峻急，坡度不夠，而惠濟閘的工程設計，乃利用水的就下性，築「分水壩」，也設計了入渠門，但因偷工減料，未建低壩，使惠濟河水面，保持一定高度；也未建蓄水曲壩或直壩，以調節水源盈虛，故惠濟閘爆漲工程一開始，取水就成了嚴重問題；輸水，配水，更談不到了。因此，今年五月初至七月二十三日以前，睢岡、傅集、潮莊一帶的男女老少農民，都由村政府村農會被動，用水桶水車，搶救乾旱，這是中共濬渠工程重點示範區的示範現象之一。

既不攔沙又不護岸　黃水倒灌惟有潰決

另一示範區現象，却發生在淮陽專區的太康縣境，北起距太康縣四十五里的龍曲，經楊廟，迄離太康縣東三十里的朱口一帶，就是淮河塘堰工程的重點試驗區。此試驗區的設計，採用了深溝淺渠分條浸灌的方式，却忽略了該地區的地勢，基本上應採用高低分區浸灌。且因水濟設計，未依等高線自上而下輸水，而蓄水塘堰的容量面積，既不能適應灌溉的需要，又未加入滲漏量與蒸發量，致今夏遭逢乾旱，水源枯竭時，低窪地尚有積水盈寸，高區則早已土地龜裂，這個人爲的旱災，當拜中共的濬渠工程之賜。

且作爲近代水利建設的主要工程，不是消極的防止洪潦，而是積極的發展水力，振興工業；整理航道，便利物運。且以現代工程目光衡之，河槽之整理，河道之疏濬開鑿，化河爲渠，大量發展水力，實爲近代河工的首要措施，單祇築堤束流，既不攔沙，又不護岸，恐黃河之水倒灌入淮，而淮河幹支流河床日隆，終誘致淮水橫決！羽山上曾殛鯀以謝天下，也可能再殛「毛」以謝五千五百萬人民！

由八公山至潤河集　災害之烈將逾往昔

據工程界研究：洪水時河水流量，較低水時大二十倍至五十倍，其流速也增加兩倍；是以河水的能力，常可增加自八十倍至二百倍不等，若不利用其水力，使水流遵循適當的方向，則流量增加時，將令曲線處河岸坍削，直線處沙洲暗增，高處愈淺，深處愈深，故河中沙洲而自八公山至潤河集，幹支堤超過淮南煤礦圈堤，一經黃汛，將再度氾濫成災，災害之烈，已可斷定超越於往昔，此可斷言。

再就裏運河一帶的治淮工程言：除修裝了一個淮陰船閘閘門而外，實際工程，僅培修了從淮安至界首的一部分幹堤，高郵以下，經邵伯至仙女廟的部分幹支堤外；若高寶湖的蓄洪工程，邵伯湖的濬渫工程，瓜州入江處的河工，乃洪澤湖的工程，尤其是北面成子湖窪地帶的土方工程，從張福河經陽莊、七套、由套子口入海；或循黃河故道，由八灘入海；以歸海通道，在治淮第一期工程中，都曾列爲首要的任務，結果概行擱置未辦。第一期工程尚未完成，已昭然若揭。而今年淮河流域一部分地區豐收，乃得力於天賜，我們也可以找出具體的證明。

部份豐收得力天時　中共治淮根本無關

依氣象統計來說：如河南開封區，拿民國二十一年至二十六年六年統計做標準，全年平均降水量爲七一五．六公厘，降水日數六二．八日（根據行政院新聞局印行全國各地氣象統計），而從去年九月至今年九月，降水量僅四百四十八．七公厘，降水日數爲五十一日。（根據中共人民革命軍事委員會氣象局印行氣象月報翔實核數。）蘇北行署之徐州區，依民國二十三年至二十五年三年的統計，其相對溼度一月份爲百分之六十八，七月份爲百分之七十七，年平均爲百分之六十六。全年降水量，據民國十七年至二十五年九年統計，平均爲六七四．九公厘，平均降水日數八五．四日。而去年九月至今年九月，該區內相對溼度一月份爲百分之七〇．二；七月份爲百分之六五．四；平均爲百分之五四．六二；降水量四〇一．六公厘；降水日數六十九日。其他區域，雨量分布的趨勢，大致皆然，具足證明，部份淮河流域的豐收，是遭逢多年來的第一次降水量減少的旱象，與中共治淮的「偉大成就」，根本無關。

其次，我們再拿水文站與水位站的實際紀錄來具體核算，也可以佐證我的觀念是正確的。淮河幹支流，水文站十六處，除南京水文總站不計外，尚有淮陰、南運、六閘、碼頭鎮、蚌埠、正陽關、三界鎮、浮山、固始、洪河口、潤河口、蔣集、新安鎮、潁上、南照集；水位站三十二處，計：瓜州、三江營、淮陰閘、揚子橋、陸洪閘、西壩、固鎮、木耳橋、南蘆集、楊莊、沱河集、臨淮、溪口、明光、懷遠、蒙城、太平集、南山口、廟集、潤舖、郝廟、石橋口、楊埠、扶溝、杜曲鎮、溧河、時村、台兒莊、睢上集、窯灣、劉老澗、韓莊。平均各該地區今年的降雨量，較去年減少百分之三十一．二；降雪量減少百分之十八．八；降雨強度（降雨率）低降百分之二八．七。今年最高水位，較去年最高水位，低降二．八五公尺，最低水位較去年最低水位，低降〇．九公尺。最高水位時的流速較去年低減百分之四七；流量低減百分之二七．五；含沙量浮游質較去年減少百分之二．六四；推移質減少百分之七．二八；跳躍質減少百分之六．二一。這些也可以證明部份淮河流域今年的豐收，是多年來的第一次大風調雨順，並不能歸功於毛澤東親自創導的，治淮的「成就」。

而治淮工程中的工作實況，也有中共「中央水利部」的自我批評爲證，我們也不難從他們的供詞中，窺破「胡謅亂稿」的眞象。

不算做「偉大成就」　只算是「偉大爛賬」

根據他們的檢討，治淮工程中所發生的毛病有：（一）工程多，徒浪費人力物力，沒有很好的掌握重點。如蘇北導沂工程，未做計劃，即行施工，淮陰船閘，惠濟河閘工程，都可以緩辦，而竟未顧全面工程，搶先完成，結果變得成了無政府狀態，亂得一團糟。（二）調查研究不足，有系統地檢查，又做得不夠，不能及時發現問題，糾正錯誤。如淮河各處復堤工程中，淮水的來量，河槽的容量，以及治理的具體方針都沒有，結果弄得白費氣力。（三）不精確計算工程效益，造成嚴重的浪費現象。（四）施工前準備不足，開工中組織管理不細緻，不週密，以致工程遭受損失。（五）各級工作機構，財務組織不健全，普遍存在着「重工程，輕財務」，或「完成任務不算賬」的思想。

這些如果也算做「偉大成就」之一，則中共確實替中國人民，「偉大」「成就」了一筆「爛污賬」，中共治淮的誇大宣傳，折穿了不過如此。

傳美國援英解決中東問題　條件要撤消承認中共

敏感的觀察家最近有此推測

伍健勛

英美的新聯合陣線，是應付中東危機一個最有效的措施，這個新聯合陣線，因爲邱吉爾登台和艾登重任外相的關係，益趨具體化。新聯合陣線的發動，遠在伊朗油田糾紛初起的時候，英埃紛爭，使這個運動更形積極，不過它的完成，尚有待於邱吉爾和艾登作最後努力。

兩大因素吸引了美國

中東本來是英法的殖民地，第二次世界大戰後，法國無力東顧，英國也無力來填補這個空缺；於是不得不求助於美國。中東給予美國有兩大吸引力：第一是中東地位的重要性，這裏包括有三百萬方哩的領土，九千萬人口。在國際政治鬥爭中，具有一個重大的戰略價值。第二是中東具有全世界百分之五十的油礦蘊藏量。這兩大因素，造成了今天美國對中東下注理由。

英美在中東的聯合行動，幾年來只見之言詞，但少見諸具體事實，原因自從英國承認中共後，英美在遠東政策既趨紛歧，影響兩國對中東步調，亦不一致。伊朗油田糾紛案發生後，英國開始認識兩國聯合陣線的重要性，埃及反英高潮繼起，英國更深深地感到聯合陣線的迫切了。

美國對中東聯合陣線的態度如何呢？

美國不但在原則上贊成此舉，而且還有具體的事實表現。當埃及拒絕英美法土四國邀請參加中東聯防的請帖後，莫理遜特地以個人名義致函艾契遜，說明英國對埃及的堅決立場，並籲請美國作精神援助。艾契遜在十月十七日的記者招待會中，公開證實埃及未盡國際義務，並認爲擅自廢約，是一種非法行動。此外艾契遜還訓令美國駐以色列外交人員，向以色列政府解釋中東聯防，將保障該國利益。

安定中東靠英美合作

艾契遜這一行動，立刻在中東各國發生重大的影響，敘利亞，黎巴嫩，及伊拉克三國，紛紛向英美解釋，指出埃及的行動，事先未徵得他們的同意。伊拉克並保證決不步埃及的後塵。還有幾個中東國家，主張迅即召開阿拉伯同盟特別會議，來討論中東聯防問題。這說明了什麼？說明了英美聯合行動，是安定中東一個最有效的措施。

保守黨執政後，中東聯合陣線的呼聲，愈來愈高。有些觀察家推測，英美可能在中東方面，訂立一個軍事同盟。同盟條約的擬訂，可能在邱吉爾不久將來訪問美國時成爲事實。

傳交換條件牽涉中共

但是美國參加中東聯合陣線，不是沒有交換條件的。前幾天美聯社電傳，英國政府可能撤銷承認中共。美聯社還有一個電報可以和這個消息相對照，「美國態度要求取消承認中共」。然外之音，使若干敏感的觀察家，已經推測到這和英美的中東聯合陣線，不無關聯。他們這樣想：

美國不會無代價的支持英國對埃及的強硬立場，英國也不會無代價的取消承認中共。因此英國取消承認中共，和美國參加中東聯合陣線，便成了雙方共同的默契。但是這個推測的能否證實，最低限度，總要待杜魯門與邱吉爾當面會商後，才可露出端倪。

保守黨政府能否改變勞工政府承認中共的既定政策呢？艾登在未上台前，已經爲這個問題下了註腳，他在說明中共政權行將垮台之後，接着指出英國政策，將視情形，有所改變。這說明勞工政府既定政策，對保守黨政府是沒有什麼拘束力的。

美國態度似乎很積極

這幾天來，在英國對埃及積極調兵遣將聲中，美國調處伊朗油田糾紛的努力，益趨熱烈。前天美國副國務卿馬杜斯特約英大使作了兩小時會談，杜魯門的特別顧問哈里曼，專程由華盛頓趕到倫敦，和艾登商討打開英伊談判的僵局。從其他若干事實表現，美國對中東的態度，顯得比以前積極得多。

英美政治家已經認識，在反共戰鬥中，兩國步調必需協調。安定中東，是少不了一個聯合陣線的。

杜威九一誕辰　樊勉揭發貪污

（一丁）

三十年前曾到中國講演，受我國青年熱烈歡迎之杜威博士，現在美，雖以年高退休，但對美國政治及世界大局仍極關心。日前杜九十二歲誕辰（杜生於一八五九），知識界名人親往紐約渠之住所道賀者至多，胡適亦爲賀客之一。有記者會詢杜對當前美國政治有何批評。杜發表一極簡短之談話。渠謂：貪污常與政治結不解緣，但現在有一可喜現象，即因報紙勇於揭發貪污，使政府可能腐敗之趨勢，得到有力控制，這種情形，比過去任何時期進步。同時也可看出，揭露腐敗，比過去更著奇效。希望美國的新聞界繼續努力。記者以杜氏在許多當前重大問題中，單獨提出揭發貪污問題，這對杜魯門政府，不啻是一個很深刻的諷刺，因爲最近美國的報紙，爲了揭發貪污也的確連篇累牘宣揚得不少了。

印度代表團自討沒趣
說假話當場戳穿
在港爲中共宣傳結果竟不歡而散

所謂印度訪華代表團，在經過香港期間，由於中共□□人員的鼓勵與佈置，舉行了一次記者招待會，不料內容一篇虛偽的報告，許多漏洞，被紐約時報特派員李普曼一再補戳，弄得那位印度人主席卡倫迦，張口結舌，無法作答。雖然在十月卅一日的共黨報紙上，仍將那項報告演詞大登特登，但對這一幕極饒趣味的舌戰，却略而未提。共黨報紙的傳說者評，自屬無足深責。記者是親自參加這招待會的，不敢使其湮沒不彰，特爲詳誌如下：

主席說：「我是記者說話也許過甚其詞」

【本報專訊】十月三十日上午十一時，印度訪「華」友好代表團，在九龍半島飯店舉行一個盛大的記者招待會，報告該團自九月底由香港至北平，在中國大陸上整整走訪了五個星期的觀感。由該代表團副主席卡倫迦爲主席，卡氏身穿一身淺灰色西服，留着一些日式小鬍子，先唸了一大陣訪問的經過說：「新中國強大起來，軍民一條心，大家努力抗美援朝」。最後他以孟買「閃電報」主筆和中印友好協會會長的身份強調，亞洲人已經覺悟，不再需要依賴西方國家的勢力。他還說：中國四萬萬人民已經聯合起來，像一個有力的巨人。

印度翻譯姓名履歷 印度主席無法回答

這時許多外國記者聽了他那一套說教式的演說，頗有些不耐煩，紐約時報駐港特派員李普曼首先便提出對「四萬萬人民已經聯合起來，像一個有力的巨人」這一段話表示懷疑。李說：「請問你這個數字，根據什麼算法統計來的，因爲這是需要精確統計的，以五個星期走了中國幾個城市，何能如此肯定而準確？」李又補充道：「如果這句話出自中國共產黨之口，則不值一問，因爲這是宣傳，但貴國標榜着團內沒有一個是共產黨，是客觀的訪問，我們很想聽聽你們的統計方法」。卡先生知道話說錯了，連忙道：「這是我自己有些誇張。我是幹新聞工作的。容許我有些過甚其詞。」他自己承認錯了，李越發惱起來，乃又提出第二個問題：「你們走了五個星期，中文又不懂，誰做翻譯呢？」卡道：「我們有一位印度僑民旅居中國多年，他替我們傳譯。」李道：「一個外國人能正確譯中國話，眞是非常難得，請問你那個通譯叫什麼名字，在中國住了多少年？」卡怔了半響，竟無法回答。等於放了一箇悶砲！

以前既未到過中國 所謂進步有何標準

李普曼原是一個最喜歡「打破砂鍋問到底」的人，他不等到卡先生思索，便又道：「你說新中國一般人民購買力已提高，工業生產發達。請問你們從前看見過舊中國嗎？」卡說：「我們從前沒有到過中國。」李直駁道：「既未去過中國，則你們認爲中國人民購買力已提高，是拿什麼做標準的呢？拿什麼標準去比較呢？」卡又被駁倒了！

李又問道：「你說中國人民努力抗美援朝，每人捐的款項，平均約一個折實單位，合一元港幣，可以買三千架飛機，但這許多通貨全是紙幣，請問紙幣是不是可以拿出去買飛機？」卡說：「這個我不知道。」

雖然已到午餐時間 大家依然不肯散場

這時已是正午，照該午餐的時候了。那些西方記者都不肯散場，只得仍舊繼續下去。於是這場舌戰，李普曼又問道：「據我瞭解，今日中國農村已大大破產，農民比從前，更買不起工業製成品。在大陸上的糧價是受統制的，不得隨便漲價的。照這種情況，焉能說人民購買力已提高？請問你們讀過經濟學沒有？懂不懂經濟學的供求關係。」卡說：「代表團現有人員，都不曾讀過經濟學，有兩位懂經濟學團員已先行返國了。」

農村老婦聽收音機 却不知道沒有電源

在卡倫迦的演說詞中，他強調中國農村一片豐衣足食。說他有一天，曾去看一個農村，看見一位老太婆在收聽一架無綫電。這一下可使許多記者大吃一驚。李普曼更急追直上道：「據我的瞭解，中國的農村，多是未曾電化的原始社會，你所看見的無綫電，不知是什麼村子，那裏有怎樣的電的？」卡又答不出來。

這樣以李普曼和卡倫迦爲中心的舌戰，一直到下午一時才算停止。還是李普曼說：「卡倫迦先生，我們一羣西方記者，大半過去都到過中國，對中國的情形，也有相當認識，中國的普通老百姓，我們都和他們接觸過。你今天的談話，是無法使我們相信的。我們謝謝你們今天的招待。」說罷賓主之間，搞得不歡而散。

李普曼曾有袒共嫌 現在是澈底反共了

按李普曼，美國紐約人，在紐約時報從事新聞工作已近十五年。一九四五年抗戰期間，以戰地記者身份派赴重慶採訪。抗戰勝利，轉赴東北，北平，漢口，滬等地，專訪國共和談時期，駐南京，自己雖然住在南京中央飯店，一天到晚在外面跑新聞。在梅園新村中共辦事處和國府各部長中週旋。那時他是相當同情中共，那時他的太太（彼時尚未結婚）時正爲司徒雷登大使秘書，她受了司徒的影響，更能通幫李普曼，所以當時有人目李爲美共，其實這是寃枉，李是一個十足的美國式自由思想的新聞記者。行文清新可誦，紐約時報曾刊載他的「北京人」下落之考查一文，而引起美國科學家的研究，當局特電嘉獎，他得到不少的快慰！（邵一成）

張國興控告尾巴報
調景嶺祝壽蔣總統

【本報專訊】合衆社記者張國興，最近以某尾巴報指他爲「賣國興」，「美帝的走狗」。他忍無可忍乃延香港一位有名的某律師，於十月二十五日致函該報，要求登報道歉，並賠償名譽損失港幣五萬元。限期一週答覆。及至十月三十一日，適巧是最後的一天，仍無答覆。看上去要形成本年內第一樁新聞官司了。有人說，誹謗罪在英國法律是很嚴重的，張國興這一動作，正可教育了那些「報德」播弄信口胡謅的尾巴報。

×　×　×

十月三十一日爲蔣總統六十五歲華誕，調景嶺上忠貞之士，發起歡慶，記者亦蒙邀參予盛典，數千人同吃壽麵。在這窮山惡水的嶺上，表顯了一個聲音，一種願望，那便是，「我們要回台灣去，這是我們的領土。我們不要外國人來救濟，雖然他們的救濟，本着人類同情是值得我們感激的」。這種忠義熱情，令人感注。在祝壽時，歹徒放火燒了一部份棚屋，一位被燒的難民說，大火摧燬了我們的破爛衣物，但燒不去我們的愛國熱情。

×　×　×

在空運大陸的酒會中，看見了巴拿馬駐中國代辦兼駐港總領事芝爾先生，他向記者表示：以後巴拿馬政府一定嚴格禁止所有懸掛巴旗之船隻，駛往共區，他說：巴拿馬政府是南美洲最同情國民政府的。他說如果船商違反上項規定，則取消其註冊利益，進而停止其業務，他表示這一次到香港來，專是辦理此事。記者問起他的「小華生」，（按小華生爲芝爾先生之子，生於台北，由蔣總統贈其名爲華生）他笑道「奇怪，他到了台北身體便好，他算中國人，最服中國水土」。

×　×　×

根據可靠消息，美國派大使到台的時期，爲時不遠了。據台北最近過港赴法的一位政府高級官員稱：美大使館現仍在台北，藍欽公使和我們處得非常好，他是職業外交家，不獨瞭解中國，並且懂得外交程序，我們非正式的對未來大使問題，也曾一度交換過意見。美國如果要派大使，這是非常容易的，只要把藍欽升格便是了。這比派一個政客來要好得多。政客做大使，不一定能搞好中美的關係。至於中英的未來關係，他說：英國有總領事館設在淡水，有海軍武官，性質上也等於一個外交機構，我們容他們派外交官來，他們不容我們派外交官去，「來而不往，非禮也，其咎不在我，而在彼」。他不願再進一步說下去了。我們相對默然！

×　×　×

英空軍副總司令貝禮中將於十月三十一日由新德里飛港，一下飛機便匆匆趕往軍用機場視察，盛讚英皇家空軍之努力不懈。他說他這次是例行的視察。已到過巴基斯坦，印度，二日由港飛星加坡，並擬往新西蘭，澳洲，錫蘭，非洲等地視察。他在香港向記者表示：英國的噴射機，效能和速率已大大增進。

×　×　×

民生實業公司屬下「門」字輪，自從駛赴廣州後，前傳其中有兩艘不久即將返港。因加拿大方面以該批船隻所欠款項仍未償清，乃想用壓力，令其中兩艘返港，但據廣州來人談，七艘客輪仍停泊江邊，返港之日，遙遙無期。一度想開闢西江航綫，因吃水須至少十呎，西江內河不易航行。如駛赴上海，又恐爲國艦或英艦截留，一般認爲恐將永遠停泊江邊，受河水腐蝕，成爲廢輪而已。（邵一成）

滬中共獎勵店員檢舉逃稅
結果老闆破產店員失業
最近中共舉行店員模範大會，至少證明了上海有幾千家不「愛國」的逃稅商人

【本報上海特約通訊】中共對所謂「民族資本家」的工商界，威迫敲詐，逐步逼緊，記者過去，已一再報告。最近中共又爲了嚴懲逃稅，對工商界加緊鎮壓。本來，上海工商業，在市面蕭條，經濟枯窘的情況下，如果對於苛雜酷虐的捐稅，還照數繳納，那就非立刻關門不可，所以事實上，最大多數，總是想盡方法，來和共黨稅吏，作閃避的鬥爭，但中共也有他們最厲害的法寶，那就是組織店員，以種種威嚇利誘手段，揭發老闆的逃稅。

開會推選模範店員

前幾天，中共在大光明戲院，召開了一個「協助稅收幹部評模給獎大會」，參加者，盡是各工廠商店職員店員，據中共宣稱，共到了三千餘人。這些人，都是爲檢舉老闆逃稅，向中共建過功的。中共就在這三千多人中，還要挑選功勞最大的數人，作爲模範，以示鼓勵。但從另一角度看，中共這一項獎勵，在宣傳上，不啻出了漏洞，那就是最低限度，上海有幾千家工廠商店，他們都不肯正式交稅，他們並不是如中共一向所說，都是熱烈擁護中共的「愛國商人」。他們不願意將錢送給中共，一方面固然想延長自己事業的生命，一方面也說明了他們對中共的憎惡。

蔡富貴是特等功臣

大光明戲院的評模結果，被選爲模範的，一個是金城百貨店員王益三，他告發老闆逃稅，追回了稅款十多億，並追令老闆拍賣存貨，捐獻飛機。另一個是同手五金材料行店員李先達，他替中共追出了老闆逃稅十九億。此外中共還特別指出爲最值得大家效法的，是萬萃號店員蔡富貴，他自己平時監視老闆不許逃稅，十月四日，萬萃號向號駿購進食糖兩包，從送貨員的送貨簿上，發現同時另有兩包，收貨人是一個文化機關，他心裏懷疑，這機關如何會需要兩包糖，於是他故意裝作不關心的樣子，問這個機關地址在那裏，他暗地跟着送貨員，一直等到這兩包糖交給了華山路二二四號姓秦南貨店，他證明文化機關的名義是假的，就馬上報告了警察，將姓秦老闆抓去。由這一線索，追出了姓秦過去逃漏的大宗稅款。中共認爲蔡富貴不僅監視了自己老闆，還替別家店員，做了監視者，這眞算一個特等模範店員，也就是中共的特等功臣。至於姓秦號店員，他們幫助老闆逃稅，表示這是犯了太大的錯誤，在中共向大會報告中，指出這些店員都已給予處分，要所有不協助政府協助老闆的店員，今後作爲鑑戒。

下次不再做老闆了

大會上，除了宣揚這類檢舉老闆的「英勇」事實外，所有那些被檢舉的老闆，也挑了幾個模範，不過中共說，這些模範是壞胚子，要他們每一個人跪在台上向大家坦白已往逃稅的種種手法。華泰地貨行老闆嚴金濤，就是被提出坦白的一個。在他聲淚俱下地坦白了兩小時以後，他遵照中共命令，當場具結悔過，保證「小的下次不敢了」！實在說，他今後也就沒有再逃稅的資格，因爲凡是經過檢舉的老闆，大半都已爲追繳逃稅，及加重處罰而宣告破產，沒有仍稱老闆的可能。

中共自己很得意這一計劃的成功，但據記者所知，凡是檢舉老闆逃稅的職員店員，總是沒有多久，就變成了悲慘的失業者。這不是說老闆敢挾恨開除店員，而是老闆破產以後，店鋪關閉，這些店員，除分得最後拍賣存貨的一點現款外，也別無希望。何況這一點存貨，拍賣所得，多半賠繳逃稅還不夠。在那樣情形下，模範店員，除了空手出門以外，更是毫無所獲。（悠然，十月卅日寄自上海）

中共開闢新財源
上海房屋嚴禁頂讓
由中共「房管處」一手包辦，私人頂讓者除頂費全部沒收外，並判處有期徒刑

【本報上海特約通訊】爲了支應「抗美援朝」財政上的巨大消耗，中共貼錢人員，幾乎每天二十四小時，都在老百姓身上打主意。最近的箭頭，又已射向了上海龐大的房地產。

（一）偽市府頒佈了房地產權移轉手續，並自十一月一日起，徵收契稅。稅額很高，預計可得一大批收入。

（二）想將上海頂讓房屋的利益，攫取到中共手上。目前所擬的辦法，第一步，凡是住居很久，租金甚低的房屋，準備大量提高房捐。中共[illegible]

[illegible]

……別將房間出頂。以前住戶不慎，發生火災。中共查明其中有轉頂情形，即判令涂交回房屋，並處以頂屋罰金八千七百八十萬元。（悠然，十月三十日寄自上海）

工頭行賄鎗決
共幹受賄無事
‧這就是中共獨有的大法‧

「本報漢口特約通訊」不久以前，離漢口十四五里路的南湖郊區，中南軍區因某項工程，召集了兩千多工人日夜趕[illegible]

看人家·想自己

·尚方·

邱吉爾再起執政後，首先就恢復議會中的大學代表制，並且要走「素來討厭政黨政治」的人士如格蘭逊爵士之流擔任所職。麥克阿瑟不願意出任總統候選人，理由是「站在無黨無派的立場，對人民更有幫助」。這兩位一有名的政治人物，都是想在政治上培養一股超然精神，以免國家利益完全爲黨派利益所犧牲，希望保留一點客觀的真理價值，可謂異曲同工。

我經過了近卅年的黨人生活，雖然只是一個無名小卒，亦很少吃過黨飯，但心裏上常常存起一種感想，總覺得「作黨人」，總不是個[illegible]。原因是飽看中國黨派政治史迹之後，似乎對它無從發生一「好處多於壞處」的信心。你說甲黨可惡，可恨，再看乙黨也不見得就很好，而是可敬可愛的。批評別人頭頭是道，自己身歷其境，一樣的爲猶，不笑緊，大家泥裏滾！尤其在文化空虛落後，產業不發達的國家，黨派作用幾乎除了攫權奪利之外，一無是處。因此使我對政治感到彷徨失望，不覺對黨人生活厭倦了。

[illegible]憎惡黨派，黨派還是民主國家的必需產物。英美的政黨政治，大家都承認它是進步的民主憲政了。然他們的政治家隨時設法防止黨派徇私誤國之弊，要保存一些真能代表人民利益的客觀力量。我們細繹過去政治上祇注重黨派關係而忽視民衆利益的搞法，大家捫心自問，是否也應該有點慚悔呢？

自由談

珍珍（下）

·辛羊·

……[illegible]對的，共產黨就最不喜歡這種有太多的個性的人，它所需要的，也許只是一些不會思想的，而專是跟它走的人。」我也笑着說。

[illegible]愉快，然而我也只能這樣說。她對於這場談話自然不大[illegible]

夏天到來的時候，我又回到了老家，珍珍的學校放了暑假，她要回家去，邀我的妹妹及堂兄一同到她家玩幾天，我們欣然同意。珍珍的家在[illegible]縣[illegible]，父親早故了[illegible]，家裏只有一個[illegible]，在一個清新的[illegible]搭[illegible]車，四小時後，好一片葱翠已經落在眼前了。她的家在鄉間富庶之地。我們步行到了那個村落，景色甚好，溪流環繞在小山的緩地旁，低矮的籬笆，樹上飛穿着斑鳩，滿眼是綠的藤蔓和果樹，在村邊的一角，老樹掩映下的一間古式的大房子，就是珍珍的家。

屋子裏很寂靜，[illegible]帶着一種[illegible]人的容貌，[illegible]少婦人居住。她的父親不在家裏，就是到田裏去了。

珍珍爲我們燒水沏茶，忙了一陣，她的父親也回來了，拖着一身泥污，臉上雖然堆滿了皺紋，但却閃着紅光，大約六十餘歲，是一個慈祥忠厚的老人家。他十分歡喜我們的到臨，[illegible]一面洗手，一面說：「剛好到田裏去，失迎失迎，阿珍，有沒有泡好茶[illegible]

[illegible]

清民之際的長沙（五）

·舜生·

我們都是寄宿的，宿舍是兩層的樓房，每一間房子住十個或八個人不等，情況略勝於長江輪船的房艙。我們每學期繳宿膳費二十元，包括制服書籍在內。[illegible]

[illegible]

萬竹樓隨筆（四三）

[illegible]

袁世凱父子之詩

·雪夫·

[illegible]道上[illegible]人有「[illegible]一[illegible]舟」圖，自題詩云：「百年心事總悠悠，壯志當時苦未酬，野老胸中富兵甲，釣翁眼底小王侯。[illegible]，散髮天涯從此去，煙蓑雨笠一漁舟。」袁[illegible]，少有[illegible]才，於詩自非所措意，實亦大有可觀。[illegible]

萬里蒼茫[illegible]，破浪千層[illegible]，寄語長安諸舊侶，素衣早[illegible]帝京塵。」春雪云：「連天雨雪玉闌排，瓊樹瑤林掩翠苔，數點飛鴻迷處所，一行饑馬疾歸來。」袁安[illegible]，裴度[illegible]，即謂造物[illegible]，亦無不可。又以詩[illegible]論之，「釣翁眼底小王侯」，「一行饑馬疾歸來」等句，硬語盤空，固是梟雄本色，尋常文士，正未可同年而語。袁氏諸子中，寒雲才氣橫[illegible]

[illegible]

鐵幕透視

「毛主席恩情說不盡」

「尼姑跟人」也是「毛主席恩情說不盡」之一，廿四歲的[illegible]州尼姑「滄海」，在北關[illegible]尚庵出家[illegible]村幹王金寶[illegible]上了[illegible]，十年，並且今[illegible]法」來[illegible]尼姑和[illegible]，把反對[illegible]最烈的[illegible]，十月九日到民政局登記結婚，[illegible]

「悔過廣告」幫忙黨報

[illegible]

還不是「私商」吃虧

[illegible]

洋澄湖大蟹有福了

[illegible]（黎明）

自由人
THE FREEMAN
（半週刊每星期三六出版）
（第七十一期）
每份港幣壹毫
督印人：李光華
社址
香港高士打道六六號
電話：二〇八四八
GLOUCESTER RD.
HONGKONG
TEL: 20848
承印者：東南印務出版社
地址：高士打道六六號四樓
台灣經銷處
台北市中華路一二五九號

六屆聯大將有甚麼成就？

巴黎聯大的最高成就，充其量可使韓戰得到暫時休戰原則，再佈成一個四强外長會議的下場，大家繼續高度的冷戰。

·雷嘯岑·

這次聯合國大會開幕之初，西方民主國家聲言要提出「籌劃世界」的和平計劃，而蘇俄方面也宣佈要向大會提出全面眞正和平的建議；再有一羣共產世界的和平祭司們，在維也納祭起「世界和平理事會」的旗幟，大呼和平之聲不絕。聯合國內外，構成了五音聯彈式的和平交響曲，其祥和景象爲聯合國創立以來所未有，猗歟盛哉！

世界兩大對立陣營，由冷戰而溫戰，相持不下，隨時有演化爲大打出手之可能。如果大家化戾氣爲祥和，藉聯大會議而能達致誠意的和平方案，實爲人類福音，乃世人所馨香禱祝者！然而，和平眞可實現嗎？我們不妨試作客觀的檢討。

的和平建議事項，有兩項是一致的，即韓戰之和解與全面管制原子能問題。史大林教中韓共向遠東半島作偷鷂式的進襲，徐損兵折將，大量殲滅民命外，毫無所獲，且因此而逼出了對日和約與美日安全互助協定之急速出現，漸漸的還要形成亞洲反共國家的聯防體系。他在和平與戰爭之辯證的運用方針下，既不能挺身而出，擲以全而相研的大禍，自以及時的和解爲佳。美或毅然決然的惜仗中韓共軍，爲的是在保護亞洲戰略基地——日本，表示在遠東不再「等待與觀望」。現在對日和約與安全協定都搞好了，既不顯在亞洲跟史大林的爪牙瞞繼，更樂於「光榮的」結束韓戰，所以，雙方對結束韓戰這一點，卻是出於一片僞誠之心；問題是方法和條件。史大林的索價甚高，他要藉此以取得制止日本再武裝，容許中共加入聯合國，以及台灣交與中共等項「剩餘價値」的。美國的還價呢，第一步絕對是先談好軍事休戰問題，再說，對中共加入聯合國等問題，心裏未嘗不願意交易，但口裏殊不敢輕予讓價。因爲結束韓戰的用心，原具有內政作用，要爲民主黨贏得對內政治鬥爭的勝利，然若貿然承認中共加入聯合國，在內政上，又把結束韓戰的勝利因素冲消了。第二步必以幕後談判的方法，連同東西德統一選舉，對德奧和約等問題，主張留待未來可能同意舉行的四外長會議之類，從長計議。爲什麼要這樣？是美國對於「亞洲狄托」的大夢尙未覺醒，想藉中共加入聯合國與台灣問題作香餌，好像騎術師高掛在樹上，教狐狸站在樹旁饞涎欲滴，搖尾就範。試看前些日子麥克阿瑟指責美國當道有出賣自由中國的陰謀時，杜魯門立予堅決否認，但麥帥再向杜魯門挑戰，說你敢不敢發表正式聲明，肯定的宣稱美國決不許中共進入聯合國和侵佔台灣的話？然杜氏至今默不作聲了！相反的，每次大會開會時，必將此兩項問題不斷的提出辯論，澤雖然甚在第七艦隊防護台灣海峽的立場作掩護，內容還是對中共暗送秋波的。所以，史大林如能接受幕後談判的條件，對東西兩方的次要問題如東西德統一選舉等事，稍示妥協，不特韓戰可能達成休戰階段，即其所謂「五强和平公約」云云，也可以先由四强外長會議來坐而論道，至於全面裁軍，管制原子能問題，乃雙方依高度冷戰方略而煥發的一種和平攻勢。誰能相信美俄兩大鬥爭主角，彼此正從事於原子武器不斷爆炸實驗，連感覺經濟艱困的英國邱吉爾內閣，也要在六個月內自造原子彈的時候，會有眞正裁減軍備，大家願意毀棄原子武器的奇蹟出現，而能獲致地道十足的和平協議呢？果有可能，則史大林固不必皇皇然的威脅土耳其希臘，不願他們參加大西洋防衛體系，杜魯門亦大可以約同邱翁，齊赴京里姆林宮誠言和了。這次巴黎聯大的最高成就，充其量可使韓戰得到暫時休戰原則，再佈成一個四强外長會議的下場，大家繼續高度的冷戰。馬歇爾曾有「十年冷戰」之言，再玩一兩年，是不稀奇的。

雙方的和平觀念

史大林所領導的世界，戰爭與和平是一物的兩面，依唯物的辯證邏輯，把和戰的對立性統一起來，運用之妙，存乎一心，而以「和平」二字爲其專利的商標。他到處台其第五縱隊，替他作火中取栗的貓脚爪，亡人之國，役人之民，鐵幕再再然四向擴張。但他表面是置身事外的，經常奏着和平之樂，讓別人跟着他的音樂節拍而舞蹈不休，弄得精疲力竭，而他自身所擁有的龐大武力，卻原封未動。所以，戰後西方民主陣營在冷戰中始終居於被動的劣勢，而形勢並未因韓戰之發生而有所改善。不過，韓戰打了一年之後，史大林利用西方民主陣營「重歐輕亞」政策，把箭頭自西轉東的結果，不免碰壁受損，如是乎，又大叫和平而已。西方民主陣營飽嘗了冷戰苦果，總知道和平生活決非口舌所能倖致，急起整軍經武，先求充實力量，然爲兩種因素所困擾，時間關係與重歐政策是也。韓戰經年，聯軍始終採取「有限度」戰爭的方式，致弄成「不勝不敗不和，不進不退不走」的尷尬局面，即基於此。徵至現在，史大林原有的「和平」觀念，照樣未變，但西方民主陣營卻從痛苦經驗中，理解了一些要訣。你談和平，我也談和平，你的建議儼然有價，我的計畫更教世人震驚一時，看誰的法術玩得高明些？這就是巴黎大會的心理戰術，是彼此高奏和平交響曲的所以然！

這次大會的可能成就

據連日消息所揭示蘇俄與美英法集團間

英美關係與邱吉爾新策略

邱吉爾的新世界策略是什麼？英美兩國關係的矛盾在那裏？美國新聞週刊駐歐首席訪員范德西米 Fred Vanders Chmidt 特對這兩個問題，作下列解答：

·伍健勛·

大體上講，邱吉爾和他的保守黨，在對美態度上要比勞工黨來得親切。國際問題是邱吉爾的首項施政項目；他將於今年十二月或來年一月訪問美國，以謀協調兩國應付世界危機的步調。

范氏指出，我們不能因此就視作兩國密切合作的前奏，因爲邱吉爾一向懷戀英國過去的光榮，他所懷抱的英國在國際舞台所處地位的觀念，和現時美國在世界各地所具的實力和影響，其中實有若干衝突之點。邱吉爾在大選時，曾經這樣說過：「我從未對美國採取阿諛的立場」。上了台的邱吉爾，是會本着這種態度來處理英美兩國關係的。

基於下面若干事實，范德西米認爲英美在國際利害方面，並無永遠達成完全諒解的期望。

一、怎樣應付蘇聯？

邱吉爾將施用壓力，召開一個新的四强會議。四强會議的準備工作及會議時的眞正協商，英國將充分發揮她的會員國作用。雖然邱吉爾相信四强會議得不到什麼結果，但他要求再來一個試驗。一方面他要掩飾勞工黨指責他是戰販的批評，它方面仍需相信他能掌握史太林。

二、建軍問題的看法怎樣呢？

保守黨表示對十三億美元的三年建軍計劃，將照預定步驟完成。但他卻又聲明，將對一切浪費的跡象，重行審查。無疑地他們會將建軍計劃作充分及有效的推行，但是重行審查，即使整個計劃有所延擱，對任何立即實施建軍計劃的請求，他們可能充耳不聞，這當然不是美國所希望的。

三、北大西洋及歐洲安全問題

邱吉爾和他的保守黨，將對北大西洋同盟，歐洲軍，及歐洲統一的思想等三方面，作精神上的支持，但是這種支持不會很多。雖然英國會履行諾言，派遣師團防禦額爾卑斯山及萊茵河，但在歐洲聯軍中，是不會有英國隊伍的。保守黨將設法阻撓任何國家或幾個國家合併起來，成爲歐洲大陸的强大力量。他們可能扶植德人來對付法國。保守黨這種作風，當然不會引起美國人的同情。

四、中東方面

英美之間的磨擦，更加顯著。有許多保守黨員及勞工黨員，對美國在伊朗的中立態度，深表不滿。邱吉爾現在希望美國在中東方面，跟着英國下注，特別對中東聯防問題，堅持英國應居領導地位。美國人認爲有若干中東國家，特別是土耳其，根本就不會賞英國的賬，他們卻不在乎。在聯防實際工作上，北大西洋安全區的南歐總司令加尼上將 Robert B. Carney，同英王表兄蒙巴頓將軍（新任英國駐地中海艦隊司令）之間，蘊藏着磨擦。

五、印度與東南亞

邱吉爾認爲勞工黨在印度方面所造成的漏洞，是大英帝國戰後的最大悲劇。他厭惡及不信任尼赫魯，因此希望巴基斯坦在態度上更能親英。保守黨人並圖將緬甸拉回英國懷抱，使她成爲聯邦共和國的自治領。美國勢力在這個區域的擴張，將會遭遇他們沉默與堅定的阻力。不過保守黨政府會毫不遲疑的要求美國作具體援助，以防止共產黨侵犯馬來亞。

六、遠東政策

對日問題，保守黨將尊重對日和約的條文規定，不過他們將採用其他方法，限制日貨特別爲紡織品的競爭。對華政策，雖然若干有地位的保守黨人曾贊成撤消承認中共政權，但是新政府不會迅即採取撤消行動。因爲保守黨人將主張永遠保持香港，最後並圖恢復對中共大陸的貿易，而以英國爲貿易經紀人。保守黨的目的仍圖將毛澤東變爲中國狄托。邱吉爾認爲他在這方面能夠勝任愉快，並圖最後獲得美國支持。邱吉爾這種政策，和美國的對華政策是相牴觸的，但英美歧異所引的雙方對華政策的立刻衝突，可能性是不大的。

七、太平洋區域

保守黨將設法遏制澳洲及紐錫蘭的親美趨勢。當邱吉爾初次獲悉澳紐兩國與美國的聯防協定，而無英國參加，表示震驚。保守黨可能擴大聯防協定的範圍，將英國包括在內。

根據范德西米的報告，我們可獲得三大印象：（一）保守黨的世界策略，要比勞工黨來得積極而生動。（二）在反共的總目標下，英美關係將趨改善，但雙方基本利害衝突，邱吉爾仍設法澈底消除。（三）撤消承認中共，須看大局如何轉變。可能性仍有，時間則屬遙遠。

邱吉爾生活

·樂光·

邱吉爾雖然是一位七十七歲的老人，但他的精神並不老。幾星期間，從早晨八點鐘，工作到晚上三點鐘。但是他又是一位最懂得怎樣休息的人，他能隨時隨地入睡。他的侍役常攜有一個特製的枕頭，一條黑色的緞帶，當他躺下休息時，他的侍役便將枕頭安好，並用黑緞帶蓋住他的兩眼。

他喜歡單獨吃早餐，早餐時，少不了雞蛋，鹹肉，和咖啡，有時還得來一杯白蘭地。午餐常常和邱夫人及他的女兒一塊兒吃。他有一種肉食的習慣，最喜吃的一道菜是烤牛排。

他一天到晚雪茄不離口，不過嚼的時間多，吸的時間少。當他在包爾海軍上將家裏作客時，他的雪茄烟灰給床單燒了幾個洞，引起包爾夫人在她的丈夫面前大發牢騷。

上午，他把全部時間，用在看信讀報及寫日記，他的工作是繪畫或寫他的第六部大戰回憶錄。有時入池游泳，或往田野散步。散步時，總是帶着一頂灰帽，攜着一柄粗手杖，牽着一條鬆毛狗。

他是一個動物愛好者，家裏養了一條狗，兩隻貓，一百廿條稀有的魚，後園內還養了幾池金魚。他很喜歡養馬，養馬也是他的重要生活興趣之一。他有一匹愛馬，名叫「殖民者二世」，每當出賽前，邱吉爾總是對牠馬耳嘰咕一番，據說他和馬的關係，好像爸爸和兒子一樣。（取材自十一月五日新聞週刊）

時局漫談

·舜生·

日本的徬徨

不斷從東京傳來的消息，可看出日本對中國大陸的貿易未能忘情，甚至想在上海這種地方，也要去建立商務的機構；同時還有，蘇聯駐日代表團的兩人員，與日本五十幾個議員發生的關係事實，和吉田準備派外務省條約局長西村去參加蘇聯和中共展開的談判，都透露了一些消息。

凡此種種，我覺得都不是偶然，我們不應該以爲這只是日本少數政府當局的一種姿態而加以忽視。自從和約簽訂以後，日本人似乎感到日本自身的責任已逐漸加重，美國對日本的責任已逐漸減輕，他們以爲：假定美國並無積極的與蘇聯攤牌；對中共又只是一個消極的不予承認，并無一種團結起來成立一條有力的反共陣線，在事實上還是相當飄渺；以日本的現狀論，希望她鼓起勇氣來首當其衝，無疑是由於美國的僞本其所以有這種「爲難」的心理，無疑是由於美國的亞洲政策的不澈底，換言之，即我們在本刊上一再說過：「中國問題不解決，亞洲問題即不會有一個澈底的解決，美國也不會有所大的行動。」除了歐洲以外的這種打算，便使她根本的歸於幻滅！」證以上面最近由東京傳出的種種消息，實在令我們感到非常的不安。

爲加强日本對美的信心，美國打算，似乎應該採取一套更積極具體的辦法：（一）日美安全協定一經批准，依據協定應由美國負責執行的若干工作，即應付諸實施；（二）美國對日本在經濟上所遭遇的實際困難，必須有切實辦法助其解除或減少；（三）韓戰斷不能在苟且偷安的方式下不了了之；（四）美國要有方法證明對台灣的態度，不只是幫助其保全台灣而已，而促成日本與中華民國訂立一雙邊和約，實在也是美國對國際應負的責任之一；（五）提攜英法，促成一類似大西洋公約的太平洋公約，在今天的形勢之中，已不容再緩。

我相信，如果美國對上面所舉的這些步驟依然不能加速完成，甚至以顧此失彼之故而趨於鬆懈，則日本國內的輿論將愈趨紛歧，恐怕這多年來與美國合作得相當圓滿的吉田政府，也將不免發生變化，果然陷於那樣一種情況，美國對於遠東問題的解決，恐怕更會感到棘手了。

日共的惡作劇

據說從前日本人把俄國譯成「魯西亞」，後來俄國人知道「魯」字帶有愚魯的意思，提出抗議，日本人不得已才把「魯」字改成「露」，纔覺得她野蠻，因此「露西亞」一直沿用至今。實際上「露」的意義，比這個「魯」字還見不得太陽，不過近因爲日本轉了一個機，居然把「露」字代表「俄國」，把「共產黨」代表「報」字，把「毛澤東」代表「鴨」字，把「共產情報局」代表「報」，把「史大林」代表「重」，把「重建武裝」代表「急速」，而獨獨選了一個「鴨」字代表「毛澤東」，這實在是太惡作劇了。

鴨這個字，在中國方面的意義是不太好的，據中國一本叫做中興紀聞的書上說：「俗呼婢爲丫頭，有兩句話，丫頭有丫頭的意思，鴨頭上那有桂花油。」又「家裏的小丫頭，都叫做丫頭」，就是每個家庭，每喜歡把自己的女兒，都可以叫作「小鴨子」，與「丫頭」是分不開的。假定毛澤東並不是在中共是有理由的，凡此種種，都可以證明「鴨」字原是我想中共的是，也正是日本人所歡迎的臭不可聞的支那料理；又上海有一句話叫做「鴨屎臭」，劉名之「鴨」，也正是日本人所歡迎的；假定日共故意選擇了這個「鴨」字去形容中共一般的政要或毛澤東個人，那便更是意存侮辱，實在是太不敬了。

論邱吉爾上台及中英關係

世界之禍亂起於東西與中英之分裂。社會主義只是歐洲衰落的徵候。我們歡迎邱吉爾之勝利。今日世界最大問題是促成東西大合作，所以，今天也是中英兩國考慮重敦夙好之時。

·胡秋原·

我於英國素抱甚大的敬意。他是憲政的母國，工業革命的母國。因此，他實在是近代西方文化的中心和集大成者。法國是模倣英國而成功的；十八世紀法國學者多自稱培根與洛克之弟子。德國是企圖對抗英國而發展的，一切德國文明與制度，務與英國相反。美國則是繼續發展英國文化，在新基礎上發展英國文化而成長的。過去的帝俄在黑暗基礎上，步德國後塵；而今日的俄帝亦復如此，不過他的對象，由英國變為美國而已。我尊敬英國，即因其是[illegible]西方文化之代表，也是西方世界之樞紐。不了解英國，很難了解歐洲。

英國近代的成功，實由於名譽革命以後的內部和平及其自出的制度。因此乃能蓄積國力，發展文化與智慧，如是，才能打敗西班牙，荷蘭，法國，成為十九世紀最大殖民帝國。但沒有一個殖民帝國不倒的。英國幸因其彈性的智慧，提高殖民地地位，維持英帝國之光榮。但是，經過二十世紀之大變，英國的文化，亦隨其權力俱趨於衰微了。這決不是任何人在短期內所能挽回的事實。十九世紀英國的地位。今天由美國承繼了。就英國而言，還是可以自慰的。因為英美關係，畢竟是血濃於水的。

邱吉爾是可歡迎的。因為凡是斯達林所惡者，都是可歡迎的。但邱吉爾能否成功，能否復興英國，還要看他的作法。

英國中心乎？世界團結乎？

為英國着想，邱吉爾只有兩個作法。第一，他重演「血汗與淚」的邱吉爾，以英雄姿態出現，集中和動員英國國力，團結歐洲，聯合美國，以保衛英國為目的，抵抗俄帝。第二，他發展「大西洋憲章」共同起草者的邱吉爾，以大戰略家大思想家，大政治家的姿態出現，利用大英帝國的遺產，與美國合作，促成歐亞非三大洲的合作，以解放鐵幕，創造新世界為目的，包圍和擊潰俄帝。

在我看來，所謂英雄道路實在是吉訶德的道路。今天世界不同於一九三九年。英國在世界的地位，也不如一九三九年。今天斷不能由英國，由純歐洲的角度來解決問題。今天需要真正的全球政略，全球戰略。只有真正的「世界觀」，才能產生新的靈感。英國只有將整個大英帝國所有之力量，和美國合作，充實聯合國，在聯合國旗幟之下，團結歐亞非的力量，與俄帝作最後之奮鬥。必須如此，才有勝利。能夠如此，不僅有英國之安全，而且還有英國之復興。

巨頭會議無用論

說到此處，我必須談談邱吉爾三巨頭會議的主張。邱吉爾此一主張之動機，姑且不問，美國意向如何，姑且不問，但在我看來，二次大戰時期，巨頭會議，今後可玩不得。或者有人以為，只要操之在我，談談何妨？然而不然。

第一，巨頭會議原是羅斯福歡喜的方式，其成就如何不待說，但這總是祕密外交的遺風，不合於民主方式，尤對聯合國威權有害。因為巨頭會議的結果，一定是對小國有害的。而且，過去是在作戰中，有祕密之必要。過去沒有聯合國，所以一開巨頭會議。有了聯合國，要開巨頭會議，巨頭們各率代表團出席好了。斯達林代替維辛斯基好了。今後不能有超乎聯合國的「巨頭」。

第二，巨頭會議足以引起非共產世界的懷疑，增加斯達林的威望。斯達林需要神祕，巨頭會議無異給他以神祕資本。非共產世界需要互信，巨頭會議只足以減少互信。

第三，我要問巨頭會議有無成功之保證？如果有，沒有必要。外交官夠了。如果沒有，則巨頭會議失敗以後，只有打仗，才能交券。開了一次巨頭會議，無結果所終，對斯達林無所謂，對英美民意與安全，只有不良的後果。要知道慕尼黑會議也是一種巨頭會議。

我以為邱吉爾無須與斯達林會晤。不如先到華盛頓，然後到法國與[illegible]，如果健康允許，[illegible]中東遠東一行，策劃全球戰略。這才是有益之事。

中英關係與文化因緣

我們希望邱吉爾促成東西合作。而中英合作，是其中一部分。所以我想談談中英合作問題。

我首先想指出中英之間存在長期的誤會乃至不愉快的記憶。中國人記得鴉片戰爭，記得五卅慘案，記得封鎖滇緬路，也記得承認中共。而英國人也記得乾隆給英皇的「詔書」，記得要英國人「叩頭」，記得收回英租界，甚至記得若干年前的少數人收回港九的言論。時至今日，中英關係是很不正常的。英國承認中共，毫未得到中共好感，而將合法邦交與中共的空話，則已引起廣大非共人民之惡感。

然在有知識者之間，則中英之間有更珍貴的友誼在。由近代文化關係說來，沒有一國比英國與中國關係更密切的。自近代中西大通以來，首先是義大利德國法國的天主教徒傳播西方文化於中國，而且也經過他們，將中國古典傳到西方。英國的自然神教派，受中國思想關係甚深，而中國美術圖畫，也曾為英國之時尚。後來馬戛尼到中國請求通商失敗。但我們必須了解，這是滿洲王室一時的政策，只要看看唐宋明諸代中國獎勵對外通商，即知中國人原無拒外之習。鴉片戰爭實屬不幸。兩次鴉片戰爭，都不是不可避免的。但此後英國人也幫助中國做了許多事情，如戈登之於軍事，赫德之於海關。在文化上，自馬禮遜來華之後，麥都士，傑力亞力，李提摩太，等對於介紹文化之功，永不可沒。而中國最初的新人物，如郭嵩燾，嚴復，鄭觀應，都是受英國文化洗禮的。在野的人，如王韜，在香港辦報，孫中山先生，在香港讀書，英國文化對中國影響之大，於此可見。中美關係自蒲安臣之出使及門戶開放宣言以後，日趨良好，然亦始有英國奠基。至於一九二五年後之中英糾紛，完全是俄帝促成，鮑羅廷鼓動。中國在外交上固然經驗不足，而英國亦有應付失當之處。此後中日問題發生。中國人對李頓之眼光，甚為佩服。而西門之短視，想英人亦當扼腕。以後雖有克萊其之「公式」，然卡爾對於中英關係，貢獻良多。

中國與英語民族關係之密切，不是偶然的。第一，中英兩民族文化基本精神，如尚自由，尊理性，重常識與經驗，講「中庸之道」，「君子之道」，「公平交易」，乃至於喜歡「幽默」，都是相同的。其次，儘管英文與中文系統不同，但不重文法變形，（inflection）重邏輯次序，因此富於彈性，可說是一切變形文字中最與中文接近的。（文字是由變形進於無變形的。文字愈落後變形愈多。例如俄文有八格。英文格之變形，只剩下「IS」一種所有格，且常省略或以Of代之。所以近代文字語言學者承認中文與英文是最進步的文字）德文變形遠較英文複雜。德國哲學，常離不開文字游戲。例如黑格爾辯證法，首先是用「An-sich, Für-sich, An-und-für-sich」（直譯是：即自，對自，即自且對自」）為基本公式，對於非德國人，實在是於銷魂。德國哲學文學始終不能在中英普及者，這也是一重大原因。（至於共產黨人，只知道打殺論辯為辯證法，那是俄國所傳，亦與黑格爾無涉。）有於這兩個原因，英語成為中國第一外國語。這是英美在遠東的最大財產。還有什麼比文化與文字更能促進友誼的呢？

中英考慮重溫舊誼之時

今日赤禍，實由東西分裂而來。而中英分裂，只是東西分裂之延長而已。時至今日，中英均受俄帝之威脅。中英友誼如不能恢復，實為難於理解之事。我作此言，不是希望英國新政府立刻對於中英邦交問題有何急劇的改變。我們是能夠原諒朋友之苦衷的。我們所希望的是：第一，英國之將來繫於加強對美合作，也繫於與東方非共國家之合作。第二，在這方針下，應該與反共的中國合作，最低限度，工黨所走的路，不能慢慢回頭，只能再進一步。

中英兩國沒有相輕之必要。中國曾是亞洲安定力，英國曾是歐洲安定力。今天兩國都不堪回首。然只要自由勝利，中英都必復興。中國所望於英國者，是為世界盡力。而四萬萬人的友誼與購買力，應該是值得英國珍重的。今天是中英兩國考慮重敦舊好之時。

社會主義之幻滅

從來一種文化趨於衰微之時，照例有兩種徵候。一是神祕主義，一是狂熱主義。前者祈禱上帝，後者吶喊「行動」。介乎二者之間的，還有懷疑主義和色情主義。這在英國今日，都有一定的代表者。不過英國畢竟因為傳統深厚，都還沒有趨於極端。又十九世紀以來，還有一種宗教的代替品，那便是社會主義。社會主義在歐洲，只代表殖民貴族之懺悔，或其所求不遂之自卑感，並無其他。而到了萊因河以東，愈向東走，社會主義因自卑感愈深，愈趨下流。

英國工黨社會主義實在是英國文化衰落之一種中和表現，並非其他。其在國內表現「浪費及管理不善」，在外交上張皇無主，是必然的。不知道社會主義歷史的人，容易由社會主義宣傳尊重其額面價值。殊不知今天世界的問題——俄帝之侵略也好，歐洲之衰弱也好，亞洲之動亂也好，其基本原因均在東西之分裂。不由全世界之合作來解決問題，任何關門的社會主義——一國社會主義也好，國家社會主義也好，民主社會主義也好，無論對自己對世界，是有害無益的。

斯達林的一國社會主義，希特拉的國家社會主義，其聲名狼藉，為世人所知。但有人還寄希望於費邊社會主義，如今英國工黨的實驗，應該是啓發良多的。今天有許多社會主義者也贊成所謂「中間路線」。但是，站在社會主義的立場，中間路線乃是最邏輯的結論。於是英國人民選擇了邱吉爾。這表示中間路線之不通。今後英國逐漸修正中間路線，是沒有問題的

中國文化與中共思想不相容

·謝康·

有五千餘年悠久歷史的中國文化傳統，在今天外來的共產主義嚴重摧殘之下，已到了生死存亡的關頭，還在民族精神方面，所構成的最大威脅絕不下於酷刑殘殺，破家蕩產，「土改」，「支前」等有形方面的危害，如果中國文化真箇完全被毀滅了的話，那麼，中國歷史，可能倒退了五千餘年恢復了狉狉榛榛，率獸食人，人將相食的時代。這是何等嚴重的事實和慘酷的命運！

人類文化（Culture）是整個文明（Civilization）發展當中，精神的及道德的方面，而文明卻是人類社會的物質的智慧的活動與進步的總成績，中國文化，是最富於精神教養的一種「倫理的文化類型」，在這種文化當中科學知識和物質文明技術雖不及現代西洋文化的進步，然而關於人生的修養，齊家的道理和處世的哲學，卻很豐富而深厚，要從人與人，人與家庭，社會的關係上，建設道德生活上普遍和諧，其中不乏優點，往往為西方學者所稱譽，雖然從現代科學文明的眼光看來，這種文化精神，傳到現在，自然會發生若干流弊，不過，要想把它一筆勾銷，如全盤西化論者所說，似乎是不可能的事體，根據這種信念，我們覺得共黨主義者想以其舶來的主義思想，用盡九牛二虎之力來摧毀中國固有文化，而代以他們所信仰的「新民主主義文化或共產主義文化思想」。造成鐵幕裏一連「新的文化窒息」，這是蘇聯式文化侵略對中國文化鬥爭所必然造成的惡果。

蘇聯文化本是近代歐洲文化的反動而最後起的一支異軍伴着蘇聯國情及民族性格上的特點，這種唯物的共產主義，最富於神祕性，猜忌性，排他性，極端性，殘酷性，強迫性和有幾分野蠻的原始性，加上嚴密的組織和巧妙的宣傳，於是形成一種相當堅強的精神力量，中共是模仿蘇聯的專家，也是蘇聯的附庸，既藉「反帝」之名，扯出反西方「文化侵略」的大旂口號，而實行其蘇式侵略，並藉「反封建」的口號，要將中國民族五千年遺留演進的精神文化，斬草除根，拔除淨盡，一變而為蘇式文化的摹仿者和崇拜者，於是發生下列幾種生吞活剝的現象，這些現象正可顯示中共政權摧毀固有文化的野心，同時也可看出兩種不同類型的文化底衝突：

（一）在家族倫理方面

中國社會的基本組織在於家族制度，因此中國舊文化的基礎，也在於以孝悌為本位做人道德，隨着現代生活的要求，這種家族制度及其倫理，自然有逐漸改良的趨勢，可是中共認為不够，要用種種殘酷手段。破壞家庭，使子殺其父，弟殺其兄，妻控其夫，女害其母，甚至一「選婚」，「強配」，滅絕倫紀的種種駭人舉動，不一而足，這是中共摧殘中國家族倫理最顯著的計劃。

（二）忠恕之道及容忍精神

中國道德最重忠恕，為人謀要忠，對人要恕，恕道的推己及人與寬大容忍精神，尤其是現代民主政治所不可或缺的因素，中國歷來沒有宗教戰爭，而在學術思想上，往往三教九流，諸子百家並存，可以任人研究，兼收並容，此種精神，正是中共獨裁下所欲排斥的對象，既不許人有反對的自由，也不許人有思想的自由，所有思想統制，言論壓迫，奴役勞工，鎮壓「反革命」種種措施，皆缺乏恕道及容忍精神的表現。

（三）仁民愛物及王道精神

儒家哲學，內聖外王，內聖在提高人格修養，躬行仁義之道，外王則仁民愛物，發揚人道精神，中共認此種思想為封建殘餘觀念，不合馬列主義的經典，他們雖然開口人民，閉口人民，其實沒有絲毫人道觀念，為目的不擇手段，專講權術及霸道，毫無仁術及王道精神，例如「人海戰術」為其得意傑作，藉「土地改革」以大開殺戒，集中糧食，使老百姓餓死或陷於半饑餓狀態，至於用刑之慘，刑具種類之多，方法之新奇，更集古今中外使人受痛苦方法之大成，可說是毫無仁者之心及王道精神缺乏之結果。

（四）中庸之道及和平美德

中庸為儒家持身處世的理想，和平幾乎成為中國民族的一種性格，中共從蘇聯學來一套極端性與偏激性的東西，來中國提倡，自稱「澈底」，「前進」，「革命」，其實完全違背中國人的中庸及有節制之思想，同時以暴力取奪政權，以武力維持政權，從而謳歌「暴力」，認為是「從舊社會過渡到新社會的產婆」，處處實行霸道，處處發現「偏差」，這不消說也違反和平的美德，韓戰參加，受聯合國判定「侵略」罪名，更丟盡了國家民族的體面！

（五）民貴君輕及民本思想

中共年來施政，到處實行「軍管」及「黨治」，根本蔑視西洋民治主義及中國「民為邦本」的思想，中國民治主義的思潮，雖不如西洋發達，而盧梭的天賦人權說，實有中國民本思想的淵源，後來中西合璧，纔產成中山先生的民權主義，可是中共的「殺人哲學」，視人命不及草芥禽獸，壓根兒不承認人底可貴與尊嚴，毫無民主政治的風度，如何配稱「人民民主」或「高級的民主？」所以從政治哲學的基本精神看來，中共也違反中國傳統文化。

（六）合理主義的傳統

中國人很講理性而輕視法律，所謂天理，人性，國法，仍以合理為首要，有教養的中國人，就可以不需宗教和法律，單憑理性良心，人人可以維持社會秩序和世道人心，中共只知唯物，不講良心，想以其辯證的社會發展規律，代替了人類的良心理性，所以他們的主義，是根本違反中國文化合理主義的傳統，同時他們得了政權之後，也就極力壓迫合理的思想與信仰，使人人無良心立志的自主和學術思想的自由，合理主義也就飽受摧殘了。

（七）民族主義的傳統

中國文化一方面有同化異族的雅量，但當國勢衰微或再猾夏的時候，仁人志士，常不勝其亡國之憂，從這個夷夏之防，與鄉土觀念的結合，自然也蘊成一種民族思想或國家觀念，抗戰八年，就是這種觀念所發生的力量，不料中共劫收勝利果實，在異族武力支持之下，奪取政權，旋即宣佈一面倒，拱手聽命於他國，若干領土主權，受人控制，百萬士兵，聽人指使參加韓戰，而美其名曰志願軍，甚至一切受國際派控制，欲為狄托第二而不可能，民族主義已銷聲匿跡，而自行吹牛為「新愛國主義」，嗚呼，共產國際的附庸，其將何辭以自解？

以上七點，僅僅提出中共思想與中國傳統文化正面衝突的幾大端，還未能遍及全貌，且因限於篇幅，語焉不詳，掛漏之譏，在所不免，但是，僅僅這幾條，已經可以看出秧歌王朝的作風，根本不合於中華民族文化的精神，甚至互相反對，不能並存，於是中共以階級鬥爭的憎恨心情，仇視固有文化以及這幾十年由西方輸入的民主自由觀念，同時，傳統文化和民主思潮結合，不甘屈服，到處有消極積極或多或少的抗議和控訴，這是中華民族所遭遇到的空前大考驗，也是固有文化所從未遇見過的最大勁敵，今後中國文化能否有生存的機運，一方面要看自由中國運動的前途，一方面也要看東西兩方集團對立的結果如何以為斷。

本刊第七十期第二版第一篇小題「古代治水無功會殛鯀以謝天下」「鯀」誤排作「禹」特此刊正

以蘇聯顧問為靠山 東北一廠長貪污百餘億 職員多數處死廠長記過了事

【本報北平特約通訊】中共的貪污案件，層見迭出，茲再就最近發生的五百餘件貪污案中，擇述五件如下：

東北瀋陽紡織第八廠廠長孫波，副廠長張正文，勾通職員齊興州，王秀峯二十餘人，包括科長，股長，會計，倉庫管理員，班長等，公開貪污，前後共盜竊成品三十七次，貪污款項一百七十九億餘元。最後因分贓不勻，孫等全體，均被告發了。但孫張二人均為國際派重要幹部，與蘇聯駐瀋人員，有密切聯繫，結果中共僅將齊興州，王秀峯等數人槍決，餘判徒刑。孫波則僅記大過一次，照常供職，張正文另調工作，此案發生時，在東北極為震動，僉以貪污款項，數字較巨，孫張雖有背景，中共亦未必能留其一死，不料案發數月，居然無事。一般人相信，今後東北各財經生產機關，貪污風氣，必更將大量擴展，而投靠蘇聯在東北人員，藉作本身貪污護符的，也必更為增多。

坐牢保釋有定價 司法官公開索賄

平原省濬縣（原屬河南）司法科共幹郭儒林，犯貪污案二十六起，該縣二區富農申鳳城，因土改被判徒刑二年，郭向申索賄款二十萬元，即予保釋，又六區商人和聚才，被控「反革命」，行賄三十萬元，亦獲無事。所有在押案犯，郭按照情節輕重，及個人經濟狀況，規定價格，公開索賄，凡能如數照付的，任何案情，均可立即釋放。

山西交城縣縣長張進才，曾用公款開設了一座木廠，藉口土改，將私人林木，任意砍伐，不給予任何代價，不及一年，該木廠就獲利十餘億，他一律飽入私囊，後經山西省林業局查出該廠原係公產，令其移交，張抵拖數月，並勾通所屬馬繼信等偽造賬目，除盈利部份全數隱瞞外，反向林業局捏報了欠款七億餘，要求償還。張又將該縣沒收商人的白布三百餘疋變售得款，與縣府全體共幹，按股分肥。

結夥貪污要立誓 誰洩漏將誰打死

湖北天門縣，各共幹，藉口土改，將地主財物，款現，各取自攫，盡入私囊，並將一部份地主傢具衣服，變賣得價，私自分配，如幹部蔣花茂分九萬元，彭雲鑾分六十萬元，彭銀斌分二十八萬元，後蔣花茂感覺自己分潤太少，又補得十萬元。此外，他們又直接向人民收取稅款，自製收據，自存銀行，從不報解。

西北軍區後勤衛生部材料處共幹李東林，榮蘊春盜賣消炎粉一箱，及其他貴重藥品，總共三十五種，又盜擦用具二十一件，共值價二十餘億。為了偷盜便利起見，並和該處其他工作員劉福祥，吳振南，李米厚，馮士鼓等合謀，幫助運出，他們並立有誓約，「誰如要洩漏秘密，其他各人，即自當將其打死。」

以上五案，除一案外，其餘如何處理，中共當局尚在審核中。（陸光，二日寄自北平）

共幹貪污無罪・商人圖利該殺

上海大達橡膠廠總經理 楊錫東橫屍南京 與楊勾結之共幹計超等 則最重處分只撤職了事

【本報南京特約通訊】雖然毛澤東曾說過：「新民主主義的社會裏，是絕不允許投機取巧貪圖暴利的非法行為存在的，如果有，任何人都必然會受到人民法律的制裁。」可是，這一張劃了錢的空頭支票，你要想拿它去兌現，那就顯得你太愚蠢了，今日大陸，不但「奸商」遍地，多如牛毛，而作為「國營」機構的領導「幹部」，卻也「被惡劣風氣所傳染」，甘願與「奸商」同流合污，分贓侵吞，腐化怪染，上海「大公煤糧木號」、「復興農業企業公司」、「泰康被服廠」、「大達橡膠廠」的總經理楊錫東，最近即因與中共「國營」機構幹部，在盜竊「人民財富」上下其手時，未能「合作無間」，致被栽上了「詐騙國營企業鉅額貸款」的罪名，於上月廿九日在南京淮海路中華劇場舉行公審後執行槍決，而和楊朋比為奸貪贓枉法的「國營」機構幹部計有計超、吳金泉、李凌雲、王百清、金大超、蔡萬里等，卻以「建議各該部門予以適當行政處分」一語輕輕帶過，法外逍遙，楊錫東果地下有知，亦必自悔未投生於幹部爹娘之家，否則又何致肝腦塗地獨判死刑？

八千四百萬偽幣 共幹扣了三千萬

案情經過如下：去年十月，楊受徐州賈汪煤礦公司共幹吳金泉（黨員）李凌雲（黨員）等慫恿支持，以「大達橡膠廠」名義，與該礦在滬採購人員王百清（黨員）訂立承銷膠鞋合同，約定以深淺兩種膠鞋一萬三千五百打，換取賈汪煤礦一萬噸，當楊自王百清手頭取第一批三千噸統煤折價款人民幣八千四百萬元時，已被王用「八折實付」常例取去一千六百八十萬元，中間復經吳金泉李凌雲取去加一頭佣八百四十萬元，是以楊祇淨收到價款五千八百八十萬元，中經橡膠漲價，機砲捐獻等意外剝削及原担保人趙宏甫（係黨員已在逃）孫鏞（上海康生皮鞋廠經理）等侵吞分用，已所餘無幾，致三千噸煤款雖全部化光，而膠鞋則無法交出一雙。

一萬担糙米分肥 吃喝嫖賭一掃光

又同年同月下旬，楊通過南京榮森米廠副經理蔡知禮，由南京前貿易總公司第一分公司經理計超（老幹部）（現改中國糧食公司南京分公司）倉庫主任金大超（黨員）會計蔡萬里（黨員）「取得聯絡」，以訂約購米為由，由「貿總」委託楊代購糙米一百五十萬斤，許定產地米樣加運費，後作價為每担六萬元，當共付出貨款九億元，楊當時係照事前商定辦法，按成分用，結果楊祇分得人民幣五億七千萬元，迨至原定交貨期限屆滿時，楊等藉口「天氣陰雨，船隻阻風」，一再展期，直至今年一月楊粒米未繳，嗣因追繳急迫，楊向共幹金大超蔡萬里求援，請撥出一部份佣錢購米濟急，而金等則謂：「被大家吃喝玩樂化光了」，楊無法，乃東借西挪零零落落繳出糙米四十一萬七千七百九十一斤，結果尚虧欠「貿總」糙米一百○八萬二千二百○九斤，「貿總」派人尋楊，楊因事先獲得「內綫」通知，銷聲匿跡，避不見面，嗣因共幹金大超在獲得「組織」上「了解」後，告出楊匿藏處所，今年八月初楊始被捕。

主從犯均判重刑 老幹部逍遙法外

楊案發生後，中共為了殺雞嚇猴，除即由南京「最高人民法院華東分院」終審判決：楊錫東處死刑，共謀犯楊效先，陳瑞之、林治平、馮治、陳候瑩，薛長慶、趙宏甫、孫世昌、蔡知禮等二十餘人按情節輕重分別判處六個月至十年有期徒刑外，其有重要關聯的共幹如計超、吳金泉、李凌雲、王百清、金大超、蔡萬里等，則僅「由南京人民法院華東分院建議各該部門給予適當行政處分」。行政處分的結果，最嚴重的是計超，立予撤職，其餘都是檢討悔過，即算了事。

新華報不打自招 貪污犯遍地皆是

南京「新華日報」在該案決定處理辦法後，曾以「與投機取巧貪圖暴利的非法行為作堅決鬥爭」為題，發表社論，首先說：「這是正義的判決，是完全符合人民要求的，是全市人民和愛國工商界所熱烈擁護的。」接着說：「楊錫東案件中，暴露了我們某些國家經濟人員，還缺乏對人民財產的負責精神，致使奸商有機可乘，造成國家財產的巨大損失，這一嚴重教訓，必須為每一國家經濟工作人員所記取」。又說：「這是官僚資本主義的非法剝削和行為，在新社會裏妄圖死灰復燃的反映，……迄今尚有若干案件未結清，現水電業也有人揭露同業中有若干廠商勾引國家經濟工作人員，盜竊人民財產，類似事件，在木商、五金、鹽商、營造等業中均有發現……」這不是一篇不打自招的供詞嗎？奸商固然可惡，但為什麼自詡廉潔的「國家經濟人員」，卻有那許多人，去和奸商勾結？這豈不是中共貪污腐敗一個最鮮明的鐵證？（石岩，一日寄自南京。）

在老師壓迫同學譏評下 豫女生普書盈自殺索隱

主要原因是老師要搶奪她的愛人

【本報開封特約通訊】距開封四十里的陳留師範一女學生普書盈，因受教導主任非法脅迫，走投無路，服毒自殺。這消息一直被封鎖着，直到前兩天才由當局公佈。但眞實情形，並未發表，僅指出普為了和同學戀愛，被人譏笑，一時心窄遂尋短見，此外，則什麼話都沒提及。

徐娘與少女爭風

據記者向各方探查，普自殺眞實經過如下。普書盈，是「陳師」春季班三年級學生，今年十八歲，沈邱縣人。聰嫻的，小家碧玉，倒也逗人喜愛。她與男同學齊進猷發生戀愛。可是她的初師班主任，也是該校的教導主任杜寶秋，一位半老徐娘，嘴饞也對齊垂涎。自以她是有功的地下黨員，採取不少次的「革命」手段來追求，但是都遭齊拒絕了。憤羞成怒之餘，策動幾個「青年團」的狗腿學生，在同學中造謠，說她們的戀愛關係不正常，並迫着普作了兩次思想檢討，要她向同學公開保證，與今後不再與齊進猷來往。一面更常常喚普到他的宿舍去，威嚇利誘，一面想讓她和齊斷絕往來，但是「愛錯相思用錯情」，杜「主任」枉費心機一場空，不但普書盈不肯退讓，齊進猷也坦白告訴她：「俺不愛你」。

操場上兩條黑影

也是合該有事，另有高師部女生王瑞芝，與她的男朋友鬧翻了，失戀的怒火燒昏了她的頭腦。在四月十六日那天晚上，王到初師班來找人，經過操場時，於暗中看到兩個黑影，再細看，可以隱約地分辨出是一男一女，一時她的無名醋勁發作了，于是走到初師女生宿舍將剛纔所見，繪影繪形的廣播出來，恰巧普書盈那時不在宿舍，于是大家便一口咬定，一定是普書盈和齊進猷在幽會，狗腿學生立刻就將這消息反映給杜「主任」，杜一聽這還了得，一面命令那些狗腿學生造謠生事，打擊齊進猷，諷刺普書盈，說她是：「逢人配」，「芝蘇花」。一面在訓話時，高喊要整頓學風，「端正」一下大家的學習態度，並且要加緊「防特」，據報有些小「特務」，混到學校裏來了，專利用不正當的男女關係，來從事特務組織，這番話嚇得齊進猷渾身發抖，普書盈更氣得直哭。散會後，同學們又在指桑駡槐地譏諷她，更使她無法忍受，跑去找杜「主任」，請這位「革命家」解決，可是杜在語句中含有條件，陰險冷笑，答應調查調查，可是調查全是拖延，希望拖到最後，齊進猷和普都自動向他投降。這樣拖了幾個月，狗腿同學對她是更放肆了，有的竟指着駡她是「婊子」。普忍無可忍，跑到杜那裏去請假，要到開封找她哥哥來訴說，杜又不准其請假。這樣，她在走投無路之下，當天晚上，到街上買了一錢砒霜，跑回宿舍就自殺了，第二天早上帶着共產黨給她的「幸福」，便走進了棺材。

就這樣胡塗了事

這事發生以後，除了杜和些狗腿學生外，全校師生都非常憤慨，大家要求公佈普書盈的遺書，有人親眼看見遺書上載有關於杜怎樣威脅她，及杜怎樣勾引齊進猷的事實，但陳留縣地委，和「河南省政府文教廳」派來調查的人員，一口否認。如何處理，毫無表示。最近，因為許多富於正義感的同學，發起為普聲援，這事情懸不下來，於是河南教育廳，才下令將杜寶秋調走，胡塗了事，但普書盈卻就這樣犧牲了，這也算是「毛主席」賜與青年們說不盡「恩情」的一種。（王師，一日寄自開封）

【本報專訊】美出版家羅柏德。H。華爾夫，十一月三日乘泛美航機，由東京飛港。他這一次是環遊世界旅行。他說在歐洲和各方有識之士接觸，西方對香港在遠東的地位已漸漸認識清楚了。他們明白香港是民主國家的觸角，「東方的窗戶」。華爾夫是美國西部發行最多的「Columbus Dispatch」日報的發行人，該報日銷一百廿萬份。他說：「在東京的時日，一般人均表示韓戰停火，甚為樂觀。但李治威上將則非常緘默，好似肩上仍荷着很重的担子，並未吐露絲毫輕鬆之感」。他除須張報紙外，尚有一個廣播電台，散佈全國。

× × ×

瑪琍，卓伊小姐，是美駐盟總海軍上將卓伊的愛女，金黃色的頭髮，一雙淺藍的眼睛，令人有「美目盼兮」之感，她在十月三日搭馬賽郵輪由東京經香港返國。美駐港海軍武官葛萊克上校及美巡洋艦「阿多番克」號艦長皮爾德中校登船往訪。記者亦隨之而上。卓伊小姐猝不提防，一看是新聞記者的卡片，乃道：「我很怕見記者」。有一位記者問道：「小姐，你怕什麼？我們是來保護你的」。卓伊小姐道：「我爸爸從開城談判起，便一直怕見記者，我是受我爸爸遺傳的呀！」說罷大家一陣狂笑，歡然而散。

美僑眷屬回港團聚 象徵香港局勢穩定

× × ×

美駐台北經合總署派往菲律賓碧瑤參加東南亞區經合總署會議的代表梅育，於四日抵港轉台。他說這一次會議的結果，決定增強東南亞區域的經援。在印尼方面着重於漁業及技術改良。在緬甸方面着重於水利及灌溉。此外農業，衛生亦為緬甸經援之重要項目。泰國方面，他說一般看來，泰國的經濟情形，比較穩定，但泰人相當恐懼共產黨的威脅。會議結果，認為在泰國方面，應加強電力，灌溉和農業生產。關於自由中國，梅氏指出最近數月來經濟尚算穩定，但技術合作仍嫌不夠，所以今後擬特別着重於技術協助，肥料及開採木材之機器。水泥生產量亦擬大大擴展，使其能自給而外銷。

× × ×

前南京市市長沈怡，是現任聯合國駐曼谷的遠東防洪局局長，三日由曼谷飛港轉赴台北。他說：這一次是應台北中樞電召返國。內容秘不透露。他自大陸淪陷後，即由台赴泰，在曼谷住了快三年，他說：泰人反共之決心甚堅。在遠東今日反共意志最堅強的莫過於台灣和泰國。記者問他是不是回國出任要職，他說：「不是的，我和聯合國的合同訂定五年」。他表示將在台勾留兩週然後返曼谷任所。

× × ×

美總領事麥柯尼夫人，美副領事米勒夫人及美新聞處處長傅保羅夫人，定於本月九日搭泛美機由美返港，她們都是去年耶誕日由美總領館發表撤僑勸告後返美的。據說這架飛機同來的美領館之眷屬共計二十五人，是美國官方首次考慮到香港局勢比較穩定，准許眷屬返香港。按香港美僑眷屬共計二千五百餘人。已回國者，在港大多數均將乘美孚，泛美及總統輪船公司於耶誕節前趕來與彼等之丈夫，共渡歲末。

× × ×

戰後日本第一位駐仰光之外事處長服部比左治，於三日偕同隨員三人乘美海外機由東京轉港飛緬，關於日本與中共建立外交關係的吉田申明，他表示：「這不是外交關係，日本是不會和中共建立外交關係的。但是派一個貿易性質的商務機構駐在上海，這不是不可能。戰後日本的經濟，如果不能向南洋發展，只好求諸中國大陸。但是南洋的市場，英國方面又不肯放手」。言下大有進退兩難之意。（邵一成）

看共幹怎樣玩弄婦女

·圓子·

「摸奶子你臉紅　這就叫做封建」

一些所謂「不滿現狀追求理想」的女智識份子，在「解放」前或後，投身「革命隊伍」，在「革命同志的男女問題，服從組織決定」的原則下，都嫁給（實際是配給）了工農出身而年齡懸殊的老紅軍幹部，這已是人所共知的事實。至於現在大陸的一般婦女們，在中共的淫威統治下，過着怎樣的日子呢？最近由湖南郴縣逃出來的一位高中女生，訴述當地共幹玩弄婦女的手法，因爲是目擊身受，自然切實可信。大陸上的婦女是否眞的獲得「解放」也由此得到眞的解答。

據她說：郴縣于前（三十八）年十月間被「解放」，不到兩個月，各色各類的會成立了，郴縣「婦聯會」也在那時組織起來，凡十五歲以上的婦女，一律要參加，當時很多人存着觀望態度，共幹便說不參加婦女會的，準是反動派的妻女，要編她們做慰勞隊。這一嚇，大家都參加了。共幹首先派曾任偽軍團長李某的大老婆做婦聯會主任，利用她過去被丈夫打下冷宮，不滿家庭的抑鬱情緒，一來推動婦女活動工作。開會，小組討論，扭秧歌，忙個不休。在討論的時候，常常要把過去的「男女關係」，「坦白」出來。不肯坦白的，便是「思想沒有搞通」，還具有封建意識」。某次開大會的時候，共幹翻來覆去說這是封建，那也是封建，一位十七八歲的小姐，因不懂什麼叫封建，便問：什麼是「封建」一呀！共幹說：摸奶子臉紅便是封建，只承認和丈夫有關係，也是封建。此外規定婦人要把自己的父兄，或丈夫過去壓迫人民，剝削人民的事實，和金銀、武器埋藏的地點，以及他們日常的反動言行，向組織檢舉，不檢舉的便是沒有「覺悟」。一般共幹經常向婦女們打主意，在牠們看中了的婦女，便使出各種的辦法來玩弄，不達目的是不止。一般的手法是：

第一「瞭解思想情況」。共幹以瞭解婦女的思想情況爲名，常常找他中意的婦女去個別談話。談的內容是：你對解放後的感想怎樣？你對婚姻問題有新認識沒有？你覺得嫁給共黨幹部光榮嗎？以你的條件，再加上思想搞通的話，很多服務的機會的！你對男女關係的結解消了沒有？我對你的思想問題很關心，你知道嗎？此外他使自我介紹他參加革命的經歷和轟轟烈烈的事功，以及老解放區覺悟了以後的婦女的進步事實；談來談去，轉彎抹角的，使婦女們跳出「封建」的圈子，來達到他「征服」的目的。

第二、「幫助進步」。共幹對牠要取的目標，藉「瞭解思想情況」奠立了「征服」的基礎後，便指她思想沒有搞通，要多多的鬥爭和學習，除了鬥爭由自己思想鬥爭外，學習就由共幹不時的帶她去參加各種集會，或各項娛樂活動，以及宣傳等工作。這名之曰「幫助進步」。有時共幹便親到婦女家裏「訪問」，橫七豎八的瞎扯，她們的父兄或丈夫，不得表現不悅之色或干涉，否則，便說是頑固，封建，婦女沒有「掌握家庭情緒」，圈將父兄或丈夫壓迫的事實，向婦聯會檢舉。

第三、「向組織反映」。「幫助進步」到了相當的階段後，共幹認爲已有了進步，於是，一來要「思想聯繫實際」，二來「要爲人民服務」，共幹便給她一個什麼組長或組員的名義，授與她一些調查或考核的任務，規定每喚將工作結果情形，「向組織反映」。往往「反映」到半夜以後，才得回家。因此，家庭糾紛和悲劇，層出不窮。婦女的父兄或丈夫因而戴上一個莫須有的罪名，被鬥爭清算，或「志願參軍」離開家庭的，也就屢見不鮮了。

她們眞的被「解放」了嗎？那她們自已解答好了！

談標語口號

·尚方·

世界上有兩種人最喜歡搞標語口號的玩藝，即法西斯份子與共黨人是也。西歐美社會人士也有標語口號之作，但極是極其並重的偶爾爲之，言簡意賅，使人觸目驚心，含有教育性的啟發作用，如教會中所貼出的「服務即是最高道德」，「不勞而食者是社會蛀蟲」之類。至於政治性的活動，多是用演說和政論文字來爭取同情者。

中國人過去愛寫格言語錄，亦與標語口號的意義相同，不過，大家是以此作自己修養工夫的，只問自己是否身體力行，不管別人同意與否，也不必張示於通衢廣巷。這，就是正心誠意修齊治平之道，是自由自治的王道精神。

法西斯與共產主義的標語口號却不同；他們是藉此爲脅制社會大衆的工具，專門對外，與己無關的。只由我胡言妄語，不許你亂說亂動！如是乎，標語口號就成了官文書，好似「聖諭廣訓」了。試看最近俄共（布黨）的中央委員會，爲慶祝十月革命四十周年紀念日，製發了六十條口號，最長的一條有八十個字，最短的也在四五十字左右。還有王大娘裹脚布式的口號，若要人民呼喊起來，豈不要命之至！然他們志不在此，而是以此脅迫人民只許這樣想，這樣說，這樣做，是霸道的「制諾」，也是官僚政治的典型作風」。

最近廿年來，中國人也傳染着共黨的流毒，好弄這套調調兒，漸漸的變成濫調，作用甚少了。要想這玩藝還作用，必須簡化警闢，聽用得當，否則奪無也。

自由談

清民之際的長沙（六）

·舜生·

我進高小以後，對算學的興趣依然很高，加上一點淺近的理化和博物，已經使我明明白白意識到這些東西很踏實，每上一次課，總能使我知道一點從來所不知道的東西，實在令我歡喜。我相信，假定我在高小畢業以後，依然可以交得起學費，我一定不會誤入歧途，去進那種不要錢的師範，而會一直走到自然科學的方面去。在高小的整整四年中，教我們的算學和理化的，一直是那位中學部的教務主任戴先生（蕊生），同時他也兼教中學部的物理，他在每次上理化課的時候，總要做實驗給我們看，教法是不錯的。教博物的是一位譚鴻猷先生，他是一位有地位的國畫家，因此他也兼教我們和中學的國畫。他教博物是自編講義，用鉛字排印的，前面還有一篇序，『鴻猷之於此科，雖云升堂，尚未入室，』便是他那篇序文裏面的警句，現在想起來還是很有趣的。至於他在上課的時候，歡喜用各種顏色粉筆，在黑板上畫出各種的動植物，也確實能使我們聽講的人樂而忘倦。我後來對生物學這類的書還不十分害怕，總歡喜涉獵涉獵，也實在是受着他的一點影響。

到第四年，我們學校的情形完全變了：余校長走了，換了一位姓黃的，好像是一位基人，我們不大歡喜他；因此鬧過一次小小的風潮。本來在第六學期，便新來了一位教經學兼監學的曹先生（名惠，字孟其），其時他雖還不到三十，但他已經是長沙的一位名士，古文做得不壞，思想却又很新。當他初來的時候，住的一間房子很小，但是頗[illegible]；後來換了一間比較不好却是全校最大的；因此把他的幾十箱藏書全部搬了來。看見他搬書的時候，便把我嚇了一跳：他有那麼多的綫裝書，又有那麼多的洋裝書，眞是我以前不曾見過的。我記得在他的綫裝書裏面有兩部最大的，一部是『湖南省志』，一部是『湖南文徵』，便佔去了十幾大箱。給我這樣一嚇，我才想法子去和他接近，常常約着幾個同學到他房裏去問長問短。他也實在和易近人，有問必答，就偶然向他借一兩本書，他也只要我們自已登記，按時還他。記得有一次，他桌上放了一部『章譚合鈔』，我便問他：『他們兩位的學問究竟那個好？』『啊！』他回答，『譚嗣同如何趕得上章炳麟！』他又反問我，『你是贊成立憲，還是贊成革命？』其時我腦筋裏已經滿儲着康梁思想，像梁啟超那類翻版的『清議報』，『新民叢報』，以及『飲冰室自由書』，『飲冰室詩話』等等，早已涉獵過，因此信口回答：『我贊成立憲』。他張着兩隻小眼睛，用堅決的語氣對我說：『不對！革命好！』從此以後，我才開始去看鼓吹革命一方面的書，同時在同學合買的書報中，除一份上海的『時報』以外，又加定了一份『民立報』，而且對『无生』，『血兒』，『漁父』等名字，也比『時報』上的『情萌』，『孤憤』更來得親切了，這大概已是辛亥年開學以後的事。

萬竹樓隨筆（四四）

艾森豪威爾難言之隱

·百憂·

艾森豪威爾這次由巴黎飛回美國，雖然一再聲明，是早和杜魯門約定，表示此行目的，爲商討大西洋統帥職責內各有關事項，而不是大家注目的繼續競選問題。不過許多人仍在懷疑，他參加競選與否，將由這次回國，得到確切的決定。

他早向共和黨一部份擁護者，表示可以接受共和黨的提名，而這一部份擁護者，并早就進行了各種應有的準備。華盛頓方面，成立了非正式的競選總部。但爲什麼到現在他還是扭扭捏捏，不肯正式宣布？據最近艾氏最親近的人們在華盛頓透露：

艾氏對競選總統，有三項顧慮，第一，大西洋統帥，這地位非常重要，他捨棄統帥而競選總統，是否將引起一種不好印象，說他對世界人類服務熱忱，不及個人權位濃厚。第二，他和共和黨沒有歷史關係，儘管全國把握很大，而在共和黨內，却不一定能制勝塔虎脫。但這兩點的顧慮，還都沒有第三點重要。第三點，艾氏遲遲不敢決定最主要的原因所在，即艾在民主黨政府下，從羅斯福時代到現今，都佔有極顯要地位。他對於民主黨一切措置，也就不能不負相當連帶的責任。最低限度，他不便拚命攻擊民主黨，但若他接受邀請，出爲共和黨的總統候選人，則在全國作競選鬥爭時，就無法不竭盡全力，痛擊民主黨政府過去的種種失敗。這在艾氏的地位和做人風格上，實有其不易克服的困難。所以艾氏最如意的打算，是兩黨都推他做候選人，但這是不能做到的。看情形，艾氏對這問題，一定感到不少的苦痛。

塔虎脫看準艾帥這「難言之隱」的弱點，他就不顧一切，於上月先發制人，正式聲明競選。並在參院召開了一次國會有史以來人數最多之記者招待會，到記者二百三十人，攝影記者五十人。他向記者宣布競選政綱；第一，他將在自由的原則下求進步，以對抗由羅斯福至杜魯門時期所施行的社會主義；第二，以誠實，廉潔，對抗貪污腐化；第三，在美國國力許可下，堅決阻止蘇聯擴大侵略，以對抗杜魯門政府因愚蠢而失去中國，並引起了朝鮮戰爭。從宣布競選那天起，十一月份，他一共演說了十六次。本月，預備也作同一數目的講演，因國會休會，他打算周遊各州，並在本寧威尼，田納西等地，均將有大規模演說會舉行。

民主國家在每次大選前例有的民意測驗，目前美國正逐漸展開。除本刊六十七期總者介紹過舊金山一個記者團體的測驗結果外，前一星期，美國全國編輯協會，又公布了該會徵詢三百十九位日報和週刊編輯人的結果。計編輯人們，認爲杜魯門將被選爲民主黨總統候選人的，有六十四票，參議員道格拉斯Paul Douglas六十三票，參議員畢爾特Harry Byrd六十二票，每人僅一票之差。至共和黨方面，塔虎脫，得一百二十八票，艾森豪威爾得八十六票，這和舊金山記者所估計，大致相近。可見美國一般人看法，都覺得在共和黨內，艾帥并非塔虎脫的敵手！

梁任公斥共黨爲莠民

不知梁思成讀了作何感想

·猖公·

民國十一二年之交，我在北京唸書，時時到清華去聽梁任公講學。有一天，課餘以後，我和另外幾位友人往西山祕魔厓訪任公。那時各人對蘇俄的國情和民情還不甚了解，於是就拿這一個題目去問任公。任公很乾脆的答道：「蘇俄是一個未脫野蠻性的民族，說到他的政治，一言以蔽之，對內就是專制，對外就是侵略，不管是大彼得也好，沙皇時代也好，列寧也好，他的口號是民主也好，共產也好，而萬變不離其宗，歸根結局，總脫不出專制和侵略的範圍，他的民族性是如此，非如此不得過癮。」任公這幾句話，眞可謂一語破的，斷定了蘇俄的統治者，一貫的作風與獸性，任公是研究世界各國政情非常透闢的人，他對共黨極所厭惡，其祭康南海一文，借題發揮，尤爲淋漓盡致。我還記憶及文中的一段：文曰，「爰有奇書，書曰大同，察世變之所自始，哀吾生之不可終窮，謂一切罪業皆起於自私自我，救之之道，在擴天下而爲公，沈思冥索，關境蠶叢，貫徹其條理，經緯其始終，十年之斟酌損益，乃勸爲一編以詔發蒙。凡今日士子所號呼街奇之新學說，皆我師三十年前之所懸記、報發而精闢。非我今日始作此語，其出之散布人間者，固早已如日月之麗空。顧師以爲理想可懸鵠於極高，而推行必次於條貫，春秋之所以致大同，其作始乃在於撥亂，若芻狗蟲生以自爲功，其心術先自不可道，況囂衆莠民以邀功名，其去致治之道抑更遠，故懔然於破壞之不可以嘗試，而常思別運心力以消弭禍變。」所謂囂衆莠民，任公之意，隱指共黨，任公並不是逆世界潮流以自封的人，他對共黨，是那樣斷釘截鐵的拒絕，惜乎任公早死，我們不能看見他口誅筆伐的痛快文章。也幸而他早死了，不然，他看到今日囂衆莠民以邀功名的一羣，尤其看到牠的兒子梁思成的附共，那麼，怎能不活活將他氣得發瘋！

毛澤東不是「人」

鐵幕透視

「破除封建，打倒偶像」，是中國共產黨徒喊了整三十年的口號。可是到了今天，牠們那種「封建意識」和「偶像崇拜」，却後來居上，遠爲五千年來的積累。向民主學步的日本天皇正由「神」的地位退居爲「人」，而開口民主閉口也是民主的中共頭子毛澤東却要由「人」裝扮爲「神」。在鐵幕內懸掛毛像都要吹吹打打和從前把木偶安上「神座」一樣。

上海各工商社團，在十月一日中共「國慶」那天，都奉命到新華書店買毛澤東像，並奉命於買到以後，要敲鑼打鼓，燒爆竹，將像片放在一張櫈子上，喊着口號，抬回去，然後就懸掛在每一社團的正廳正中。中共的本意，就是想神化毛澤東。其實，愚民政策到了這步田地，也正說明了：中共已深切體驗到，毛澤東在人民心中的信仰，業已根本動搖。他們想用這個方法，來挽回已失的人心，愚昧幼稚，可笑之至！

「你撈不如我撈」

中共爲加強鐵幕管制，九月十五日起統一製發出境通行證後，從前那些鄉、區、縣公安幹部的「外快來源」都給截斷了，一般嚮往自由，要逃出鐵幕的人，只剩有冒險偸渡之一途。因此，寶安和中山邊境的嚮導生涯，更見興旺。無如中共鷹犬窺伺甚嚴，逃出的倖運十中無一，而危險則百倍疇昔，不幸落在魔掌，本身固是求死不得，還要拖累六親。（本月一日中山縣灣仔區的銀坑有十餘人企圖偸渡，被追射死也不肯俯首被擒，即以此故）。所以，能夠花得起買命錢的，都拋棄普通的「嚮導」，而另尋蹊徑。據說：廣州最近已發現一種「特別通行證」，係由「權威人物」簽署，持證者被護送出境後須將原證繳回，每證的代價爲偽幣一千萬元（等於港幣二千元），這二千元一紙的活命符，縱使不是那「權威人物」直接發售，最少可以說明鐵幕裏面變本加厲的「錢可通神」，而「統一製發出境通行證」的另一妙用，也就是「你撈不如我撈」。

麻雀牌在上海

「解放」初期，中共黨徒要把什麼都改變得與前不同，特別是在一些小事件上。以賭博爲例，在廣州有一時期，向所嚴禁之「骰寶」，「番攤」，「牌九」「魚蝦蟹」等，「解放軍」到來，大街小巷均熟視無睹，高興時還參加一份。但自來放任，在家裏叉麻雀，則被視作「腐化份子」，「布爾喬亞」，一有發現，即百般凌辱。如罰洗「解放軍」被帳衣服，或被迫高擎雀牌，長跪街途，背上大書，「我是賭徒」。像這樣顚倒倒置，無非要表示他們的「新朝」精神。不料時至今日，由於「新貴」們的對麻將特具好感，在廣州雖未明文開禁，在上海則已通行無阻了，九江路人民大舞台東首的幾家雀牌店，公然標明「麻雀牌出租，電話接送」字樣。士別三日，當刮目相待，麻將麻將，當也不勝其今昔之感！（黎明）

自由人

THE FREEMAN

（每星期三期六出版）

（第七十二期）

每份港幣壹毫

督印人：李光華

社址：香港士打道六十六號

電話：二〇八四八

GLOUCESTER RD. HONGKONG TEL: 20848

承印者：南華印務出版社

地址：士打道六十四號

台灣經銷處：台北市中華路一二五九號

問尼赫魯

凌乃銳

本年十月三日，六十一位美國名流，其中包括參議員隗格拉斯，華盛頓監理會主教杜恩，聯工大會主席莫雷，聯名寫了一封信給印度總理尼赫魯，對於印度在今日自由世界與蘇俄侵略集團冷戰中所取的態度，表示深切的疑慮。這封信寫得很客氣，一開頭就稱『閣下』（Your Excellency），接着又喊『尼赫魯大師』（Pandit Nehru），還提起『神聖甘地』（Mahatma Gandhi）。不過這封信的內容倒是十分嚴正的，說印度爲本身自由奮鬥數代，始有今日之成功，豈料一旦奮鬥成功，獲得自由之後，竟對世界他處自由所受威脅，視若無睹。字裏行間，充滿憤慨責怪的意思。尼赫魯草草復了一封信，聲明印度與西方民主國家之理想目標並無二致，僅在如何達成目標的方法中，存有不同的見解而已。

我們早就想向尼赫魯請教，現在藉着上述來往的函件，[illegible]表示我們的感想，也一申訴我們的意見。其實美國與印度是遠鄰，我國與印度是近鄰，遠鄰尚不如近鄰，我們還是有必要和尼赫魯討論的。

中國與印度，是亞洲民族，同有古老悠久的文化傳統，五千年來，和平相處，誰也沒有欺負過誰，誰也沒有[illegible]人類本性善良獨特的例證。在中印兩國都足以[illegible]。中國兵曾在印度[illegible]莫臥兒（Mogul）帝王打通天下，但他們[illegible]帝王，十四世紀[illegible]。[illegible]

蒙古滅亡了中國，隨即驅使中國人破壞印度的自由；英國統治印度，跟着指揮印度人進攻中國，中國人[illegible]濱受沉重的壓迫，中國人陷入痛苦的深淵，第二次世界大戰以後，中國勝利了，成爲五強之一，印度獲得了久所期待的自由。當然，印度無數志士仁人，在甘地領導之下，英勇奮鬥的結果，是印度本身的努力；但是[illegible]日本軍閥必已佔領印度[illegible]

[illegible]

英埃糾紛的裡因與趨勢

雷嘯岑

埃及廢約糾紛，迄無圓滿之象，[illegible]爾內閣且已通過強硬照會，恢復埃及政府[illegible]英國以不承認法魯克爲蘇丹國王[illegible]賠償[illegible]之損失[illegible]於全國民衆的反英運動[illegible]

那哈斯與英埃條約

現任埃及內閣總理（即首相）那哈斯，原是受英國扶植出來的人物。一九三六年的英埃條約，是經由埃及各派[illegible]

[illegible]

民族主義者大聯合與英國的對策

[illegible]

蘇聯將告熄滅

里普曼預言下次大戰

美國著名政論家里普曼最近在紐約先鋒論壇報發表論文，預言第三次世界大戰將使蘇聯政府及蘇維埃帝國政權毀滅。西歐國家將陷入無政府狀態，[illegible]

[illegible]

時局漫談

舜生

亞洲已進入危險的邊緣

[illegible]

維辛斯基說的對！

[illegible]

北大西洋反共聯防

——任健勛——

艾森豪威爾將軍主持下的北大西洋聯防，已經不是兩年前一般人所想像的紙老虎，而是西方民主國家的防浪堤。聯防工作的進展，近來益趨積極，艾森豪威爾將軍邇來僕僕於巴黎與南歐地中海一帶，與有關的領袖交換聯防意見，參觀聯防演習。從他的談話中，反映出他比一年前樂觀得多了。他說：「西方國家足以抵抗擴張中的蘇聯實力」。

美國防計劃明年完成

艾森豪威爾平生以「牛」自喻，從不作超過事實的誇張，他這種樂觀的看法，不是沒有根據的。他的根據，在那裏呢？首先是美國本身。美國已經進入全盤的國防計劃，在明年七月一日止，美國將有海陸空軍人員三百五十萬。平時維持費每年為一百七十五億元。這個全盤性的國防計劃，現由國防部副部長羅維特主持，將於明年七月全部完成。據德拉克（Francis Vivian Drake）估計，未來兩年內的飛機生產量，將達七萬五千架。用來保護歐洲領空的現代化飛機，將超五千架。

歐洲加緊訓練新軍

歐洲方面的軍事建設，更有顯著的進步，特別是西歐及南歐方面，北大西洋同盟各國，正在積極訓練新軍，新軍訓練的統計數字，因限於軍事祕密，未曾正式公佈，但從美國新聞記者及參予訓練的美國軍官所發表的零碎數字，可以看出新軍訓練工作，進展異常迅速。

等到明年春季或初夏以前，這批新軍便能參加實際防禦工作。一年以前，若干軍事觀察家，認為蘇聯只要二十到二十五師的兵力，便可由東德跨過萊茵河，直逼英倫海峽，現在這種可能性已不復存在。最近一位駐歐洲的美軍指揮官，作過這樣一句豪語：「蘇聯休想把我們趕出歐洲」，並且強調盟軍不會在蘇聯的攻勢下退守比利牛斯山脈。

空軍實力足以自衛

一部分觀察家為歐洲的空防擔心，認為空中實力要落在地面部隊之後，但是這個漏洞比來年的春季，便可彌補起來。從那時起，歐洲將有足夠的空軍，應付初期襲擊，這種新生的空軍實力，尚未包括美國空軍在內的遠距離的轟炸機及英美的聯合戰略空軍。這些飛機一旦北大西洋安全區發生戰事，隨時可供調遣。同時，在地中海方面的第六艦隊的海軍航空隊，也是一個不可輕視的實力。

士氣的旺盛與否，是獲得戰爭勝利的一個重要因素，根據美國新聞專欄評論家林德利在歐洲及西地中海考察後所發表的報告，表示歐洲的陸軍與空軍，士氣異常健旺，這些陸空軍，經過新的武裝與新的訓練後，他們的戰鬥意志，將益趨堅強，是沒有問題的。

武器生產數字落後

在整個聯防計劃中，比較令人失望的是一個武器生產問題，意大利便是一個實例。意大利有若干軍需工廠，已呈停工狀態。這裏牽涉到整個經濟問題，有若干同盟國，因為本身經濟問題無法解決，而使軍火生產工作，不得不停息下來，如果美國不能對這些國家進一步作經濟援助，艾森豪威爾所定一九五二年武器生產目標，將無法照預定計劃實現。邱吉爾登台後，已經喊出須對英國三年建軍計劃的浪費部分，重加審查。弦外之音，使我們臆測到英國武器生產，會照原定計劃延緩下來。

蘇聯不敢進窺西歐

北大西洋聯防的指揮官們，有一個共同的信念，他們認為整個目標的完成雖然是一件艱困的工作，但他們深信終必達成。蘇聯對西歐攻勢的準備如何？根據林德利的看法，蘇聯在最近將來，不敢發動攻勢，第一，她在東德的軍事工作，尚未完成，而進攻西歐，武裝是第一個先決條件。第二，蘇聯衛星國的軍隊，缺乏有效的訓練和裝備，無力在短期內作戰爭的冒險。假如林德利的看法是正確的話，蘇聯不敢進攻西歐，就應歸功於艾森豪威爾主持下的北大西洋聯防計劃。

中共「慶祝十月革命三十四週年」聲中「中蘇友協」真相大暴露

毛澤東正秉承史達林意旨，想利用「中蘇友協」來打破國與國的界限，使中國人變成俄國人，使中華民國變成「蘇維埃中國省」。

【上海特約通訊】這幾天，上海五百萬市民像被耍的猴子一樣，在暴力劫持之下，正為「慶祝偉大十月革命三十四週年」而奔忙，「中蘇友好協會」上海分會已安排好了各式各樣的節目，自十一月七日至十六日，要會員同非會員分別舉行慶祝會、紀念會、晚會、討論會、座談會、演講會、展覽會等，進行宣傳，大力教育，以加強中蘇「友好」關係，在短短的十天中，千千萬萬的上海老百姓，將為這「自殺」工作浪費了好多人力物力，尚遠難加以估計，目前且讓我們對這一出賣中華民族靈魂，出賣中國最徹底最無形的俄帝侵略組織——「中蘇友協」，作一詳盡的剖視。

四百七十萬「會員」為滅亡中國而努力

「中蘇友好協會」是三十八年跟着「中華人民共和國」這一偽組織在北平先後成立的一個蘇俄最厲害最深入的文化侵略機構。兩年以來，在中共所控制的各省市縣裏，都已有了分支會之設，據北平的「人民日報」十月份統計，僅東北一角，已有分支會達千三百多個，各地會員根據「新華社」不完全的數字統計，關內已有會員四百七十萬人，就中以旅大方面為最多，八十萬市民中，有三十萬人已做了「中蘇友協」的會員，尤其值得我們注意的是，現留共區的俄國僑民，百分之百都是「中蘇友協」的當然會員。換句話說，毛澤東正秉承其主子的意旨，想利用「中蘇友協」來打破國與國間的界限，要使四萬萬七千五百萬黃帝子孫逐漸泯滅了對祖國的觀念，俾能「順利達成」使中華民國變成「蘇維埃中國省」的終極目的。

「中蘇友協」的主要工作是「學習蘇聯」、「介紹蘇聯」，中共希望拿這一組織去澈底「了解」俄國一切的一切。俄國自更希望能通過這一組織將其經濟，文化，教育，以至風俗，民情，婚姻制度，男女關係統統搬到中國，生根發芽，俄化中土。看「新華社」在「慶祝偉大十月社會主義革命三十四週年，加強中蘇友好與國際主義宣傳，並擴大中蘇友好協會組織的宣傳提綱」，把蘇聯已捧成為神話中的一「天國」，蘇聯的強大，蘇聯人民的幸福，蘇聯社會制度的優越：無一不登峯造極，已達理想境界，「此曲祇應天上有，人間那得幾回聞？」「不學習蘇聯」，「一面倒」去，非「反動派」為何？

硬性強迫初中學生週讀俄文十二小時

「文妖」郭沫若過去在「學習蘇聯」一文中，曾恬不知恥地這樣說過：「要學習蘇聯，首先就得學習蘇聯的文學，以學我們必需掀起學習俄文的熱潮。」在郭「主委」（郭現任中共文化教育委員會主委）「大力領導」之下，經過了各方「有識人士」的推動，「學習俄文」已成為大陸上赤色中國的一時風尚，拿「人民的首都」北平講，在「中蘇友協北京總會」策動之下，清華、北大、輔仁、燕京等大學，目前都已增設了俄文課，並聘請俄人為教授，交大、北師大、北京鐵道管理學院且都已增設了俄文組，華北大學工學院已增設了俄文專修科及俄文大隊，而各公私立中學，亦由中共「文教部」硬性規定：「自初中一起，俄文必列為必修課，每週上課不得少於十二小時」。即職員生固無論矣，眷屬亦不能例外。此外，「中蘇友協」武漢分會已成立了十八個俄文業餘補習班，「旅大分會」已成立了三十七個俄文夜校，上海方面也成立了十四個俄文夜校，刻仍在普遍推廣，京滬、平津漢鄭等各大都市的工廠學校，也都在「自動」籌設俄文夜校或補習班，在中共幹部的威脅利誘之下，果能假以時日，中國人必將不知中國文化為何物，瞻念前途，能不禁使人觸目驚心，不寒而慄！

「中蘇友協」對「介紹蘇聯」的工作，確已做得不少，北平、上海、南京、漢口、重慶、桂林、鄭州、西安等各地分會，都已先後舉辦過「專題講座」，「廣播講座」，並分別介紹過「蘇聯建設」，「蘇聯軍容」，「蘇聯社會」……等各種圖片；平、津、滬、漢、鄭等各地，且已設有專門陳列俄文書報的圖書館，閱覽室，流動電影隊，俄文話劇隊（現祗北平有）等，文字方面，北平總會有「中蘇友好」月刊刊行；東北總分會有「中蘇日報」出版，哈爾濱演說行，有「蘇聯介紹」月刊，旅大開設有「友誼」書店，這書店規模之大：不亞「新華」，兩年來已出版和介紹蘇聯出版的圖書一百萬冊，目前並已派遣幹部赴各地籌設分店，在業務方面，正謀拓展，這種種，已明白指出「新中國」的文化教育，是向着一個什麼方向在「發展」。去年，史達林「大元帥」給「中蘇友協」的「友好獻禮」，有電影（包括「中攻克柏林」「繁榮的烏克蘭」等十五部代表片）；有音樂，包括一千張蘇聯音樂及樂譜唱片）；有書籍，（包括自小學至大學各種整套教科書）。今年，當亦不外乎此。想不久的將來，在共區裏，自小學至大學，所能讀的書將都是俄文；所能看的電影，將都是俄片；所能聽到的音樂，將都是斯拉夫音樂。久而久之，必迫使億萬中國人完全「接受」「完全「承認」：在世界上，只有蘇聯，沒有祖國。」

要中國人變俄國人 俯首貼耳聽任宰割

在「中蘇友好」的大題目下，文章是做得太精彩了，大批蘇籍的「建設專家」、「醫學專家」、「地質專家」、「攝影專家」……都在「重金禮聘」下先後來到了中國，大力推進「蘇聯友好」工作。而「蘇聯國際書協會」主席奧米多夫並一再召集「新華書店」北京圖書館等有關機構舉行聯席會議，要將「提高中國文化」的俄文書籍一千萬份推銷到中國，為中蘇友好略盡棉力，而蘇聯的「歷史專家」沃伊丁斯基博士，且特為紅色中國寫了一本「中國歷史簡篇」，現正由「新華書店」校印，不久的將來，即可刊行，「蘇維埃式的中國歷史」必可暢銷於大陸中國。

俄國是一個特務國家，它駐在國外的僑民，不問經商，遊歷，都「附帶」担任着間諜的任務，現在共區每個重要都市的建設，每個礦產的開採，每個部隊的裝備，每個機關的組織，蘇聯專家都一目了然，知之甚稔；推而至於每一鄉村角落，都有蘇聯「地質專家」、蘇聯「流動電影隊」，蘇聯「攝影專家」的足跡，請問，經這樣的「大力友好」之後，[illegible]那一樣能保持「祕密」？[illegible]「中國人變成俄國人」[illegible]是什麼「偉大的十月革命」？[illegible]（悠然．十一月五日寄自上海）

從民族潛力看反共前途

政府退出大陸以後，一般患有「恐共病」者，無條件的承認中共各方面的優勢，以為國軍再也無法振作了。可是，那些頭腦比較清楚的人們，就是那些有點科學素養能夠客觀的觀察事物的人，則又說戰爭的事，在古代是賭博性質，在現代則為奕棋性質。賭博的勝負，繫於手段者十之三四，繫於運氣者十之七八；而奕棋的勝負，則可以說完全繫於手段。今使精神與奕秋對博，勝負之數，必不待著龜而決。十數年來，政府雖努力向建國大道上邁進，可是，由於中共的惡意破壞，興兵作亂，致我八年抗戰的成果，付之東流，稍有國家民族觀念者，無不痛心疾首！兩年來，事實證明，中共是出賣國家民族的罪人，毛朱匪黨集歷史上漢奸之大成，因為他們早已失去了中國人的本性。今日的北京偽政權，造成了中國歷史上空前未有的大災難，其殘酷毒辣，有甚於異族的統治，十百倍之。大陸各地人民紛起反抗，足資證明我民族的潛力是不可侮的。

中華民族的潛勢力究竟是什麼呢？第一是民族的元氣。元氣這名詞在中國醫學上本能有幾分神祕的意味，但也不完全子虛。有些人外表豐腴，遇病易死；有些人形體雖甚清羸，而抵抗疾病之力特強，患病之後，往往易於恢復。這分別便在元氣之足與不足。中華民族元氣是否充足？有他五千年的歷史為證。世界上原有許多文化發端很早的民族和文化，如巴比倫，埃及，印度，希臘與羅馬，可是早就消沉了；只有我們中華民族這位老英雄，經歷無數的艱難，遭受無窮痛苦，還能屹然獨存。跌倒了，立刻又爬起；受傷了，祇乾了血跡，再昂然踏上戰場。道家的虛無，佛教的寂寞，理學的空疏，妨礙不了他樂天活潑的胸襟和堅強求生的意志；今日中共的暴力統治，俄帝殘酷侵略，也不能摧毀她心理上的自覺與自尊。因此，自由中國的復興大業，永恆地決定在醫覺自由的中國人民的自覺和自尊的意識。反共抗俄，是必然成功的。

民族潛勢力的另一種是集中的精力。這是強烈刺激的反應，與詩人的靈感，宗教家的法悅，戀愛者的熱狂，極為相近，簡直可說同出一源。照生理學說來，則為動物身體裏某種內分泌的作用。按生物學的原則，一個動物遇到強敵攻擊時，先發生恐怖的情緒；由于恐怖情緒的刺激，發生一種內分泌；由于此種內分泌的刺激，發生憤怒的情緒；由于憤怒情緒的刺激，然後發生筋骨抵抗的力量。這種力量，比之平日的力量，往往要高出十倍而不止。動物如此，人有時百十倍之。漢書李廣傳：「廣出獵，見草中石以為虎而射之，中石沒矢，視之，石也。他日射之，終不能入矣」。梁任公新民叢報時代最喜用之兩語：「火發於室，則弱女可舉千鈞之笥；虎逐於後，則跛夫可躍尋丈之澗」。英國文豪蕭伯納著黑女求神記，有一老人與一少女深入森林，少女誤認其脚下所踏之枯樹幹為鱷魚，驚而大呼：「鱷魚！鱷魚！」老人惶迫無措，急奮臂攀身傍之樹，縱身躍上高樹，其矯健甚於青年。及辨非鱷魚而欲下樹，則又手足戰顫，無能為役了。[illegible]置之死地而後生，置之危地而後存」，確也是至理名言。

我在前面已經說過了，事實證明，中共是俄帝派來屠殺中國人民的劊子手，北京政權如過去汪精衛的南京偽政權，事情的演變，證明了[illegible]

[illegible]幾乎天地之間，沛然而莫之能禦[illegible]

・宋哲夫・

來論

美蘇空軍競賽

——光樂——

根據最近情報，蘇聯的飛機工業，有飛速的進步。參加飛機生產的工人，多達一百萬，作全時間生產的飛機工廠，計九十二個。每年飛機產量，計有戰鬥機七千架，轟炸機四千架，運輸機三千五百架。全年生產總數為一萬五千五百架，每月平均為一千二百九十架。

美國飛機生產速率怎樣呢？現時生產率為每月四百至四百五十架，明年七月份起，每月可增產至一千架。比起蘇聯來，似乎還落後。但是我們不要忽略一個事實，美國有一個龐大的空軍後備生產力，兩年內可能生產現代化的飛機五萬至七萬架。

美國下年度國防預算，將超過五百億元，比本年度國防預算四百二十億美元，要高出八十億美元。空軍的開支，在這裏佔一個很重要部門。

美國空軍將領，近來高唱擴大空軍實力為一百四十大隊，假如這個計劃完成，空軍維持費，就得每年花上二百億元。

穆懿爾博士返美過港
讚揚台灣經濟建設進步
米穀收成比去年增加三分之一強

【本報專訊】被譽為「中國之友」的美駐台經合分署署長穆懿爾博士，在七日上午飽受松山機場上許多中國政府友人的歡送，他夫婦二人帶了很愉快和輕鬆的心情，搭空運大隊客機飛抵香港，轉返美國，接受福特基金委員會高等顧問的職位。記者在七日晚上，在半島酒店內會見了這位在中國服務了近三十年半老的經援專家。房內柔和的壁燈，照映着這對老夫婦的紅潤的臉上，窗外微微的海風，吹起了窗上綠色的綢幃，令人有詩一般的美麗。

穆老頭一開口便道：「今天松山機場的人員成海了，我雖不能完全叫出那些朋友的名字，但他的臉都是很熟悉」。穆夫人搶着道：「我們不是有新職他調，再也不願離開中國，中國和中國人已佔據了我們穆家整個的心靈」！她說着這話還有戀戀不捨之意。

記者和老穆談到最近台灣的經濟情狀，老穆這時話盒子打開了，他非常興奮底道：「今天台灣的經濟情形比去年要好多了，去年年底台幣貶值，那時相當危險。平心而論，今天台灣的經濟，能夠有如此穩定的局面，應歸功於陳誠，蔣夢麟，嚴家淦和任顯羣。」他特別強調和任雖是初交，但發現任顯羣青年有為，有獨特的天才。這是出乎他意料之外的。

台灣的經濟得能如此穩定，米糧是最大的救星。今年的收成已比去年豐收了將近三份之一強，不但足供本島之民食，且可供外銷，米的問題，如再配以農業技術，不斷改良，前途未可限量。此外甘蔗，水泥，汽油都是台灣可以自己用品的，且蓄量甚大。這些東西，根據老穆的估計，都可以變換外滙，充實國庫主要的泉源。他說：半個月以前在菲列濱碧瑤，便舉行了一個東南亞地區的經合會議，決定明年好好開發水泥，增強水利，全面協助農業生產。」他估計，如果明年一年計劃完成，供給二個以上台灣的外滙，足足有餘。他並且還強調說：「在經濟方面言，台灣很有希望，主要原因台灣在日治時代，底子也厚。舉一個例子來說吧，今年台灣老百姓的生活比去年就好了不少，這是事實。」

關於經援物資，穆氏表示，運往中國的經援計分兩部，一部是將美加兩國的麵，麥和大豆輸入台灣，另外一部是由美日兩國輸入鐵道器材及火車頭。他說：「在台灣的交通，本來就辦得不壞，但可惜火車頭老了。」至於款項方面，他說：去年一年經援撥台之款計美金九一、〇〇〇、〇〇〇元，上述之款一部份用於純係經濟目的者，另一部份則用於軍事建設者。本年為美金八一、〇〇〇、〇〇〇元，着重於農村改良人造肥料及軍營建兵房之用。他預計明年經援款項將更增多，數字在美政府未批准前，他未便洩露。

此外，他還提到鳳梨，他說鳳梨原是日治時代最大外銷的一種，只是中國政府接收後，未能好好經營，已一落千丈。表示十分可惜。蔗糖的銷路，亦不及日治時代，他說：「制度和用人的方面都應大加改革」。他結論：台灣實是大府之國，設能好好經營，一定可以成功。

關於他這一次調福特基金委員會，是否與國務院方面搞得不好，或誠如外傳美國政府把第二次世界大戰的經援人才，完全一個個底予以解職，他都斥為無稽之談。他說：「我原和霍夫曼是老朋友，他到了福特基金委員會去，數次邀我同往，我因中國的事走不開，故未答允。現在中國經濟也快走上軌道了，我似乎也可以放手一下，換換新人來做也好。」老頭兒究竟不行了，他摸着自己半白的頭髮！

繼任他的謝恩克博士，現仍在美國。他說大約十一月底可以抵台。他介紹謝氏也是一位年輕有為的經援人才。他說他過去還屬於東京盟總，如果他來了，台日之間的經援關係可以合作。

穆氏表示將先返美，預定明年春赴印度和巴基斯坦。因上述二地區為福特基金經援區。他和他太太都能說一口流利的太原話，（按穆氏早年為閻百川聘赴山西任用）。他們都表示喜歡住在太原，尤其喜歡太原的乾燥天氣。他們說台灣太低溫了。只是捨不得許多中國朋友！（邵一成）

·繼雷玉李四喜後·
王水盛思想又來作怪
悲觀空氣·籠罩瀰漫

「革命成功」了，我們還是這樣苦，為的什麼？還不如討個老婆安家算了吧。

【本報南昌特約通訊】在河南日報提出了「雷玉思想」，新湖南日報提出了「李四喜思想」，湖北日報提出了「王承英思想」必須改正不容蔓延以後，江西方面，「王水盛思想」又在作怪了，這是潛在於中共政權內部的一個大諷刺，大危機，感染普遍，勢成燎原，江西日報目前已接受了中共「許可」的暗示，在廣泛而深入的討論這個問題。

情願離開黨 讓我息息吧

王水盛，江西浮梁縣二區柳西鄉人，出身貧農，曾做長工，家中原有五口人，兩間房。「解放」後，因表現「積極」，「立功」不少，分到二十畝田一條牛，三十八年八月當了「鄉幹」，後來「復經組織上提拔為「鄉長」，並當選為「勞模」，且又參加了「青年團」，擔任了「團支部書記」。「土改」後，王「光榮」地做中共候補黨員，自「解放」以迄「土改」結束，王從沒有鬆過氣。今年年初，他和一個中農成份的寡婦結了婚，兩家合一家後，經濟情況，始漸好轉，王的工作態度也隨之消極，他要上級：「給我息息吧！」脫黨退團，在所不惜。領導上雖多方「教育」，五月中，組織上撤了他的「鄉長」職務，並開除了他的黨籍團籍，王毫不介意，反而快活得跳起來說：「土改使我在政治上翻了身，不當幹部又使我在經濟上翻了身。」又說：「我現在推一天車，可得米四十五斤，三天就抵上了一個月鄉長的工資。」並對區幹說：「幹工作顧不了生活，等我把家裏生活搞好再談工作。」任區幹百般勸解，王仍是抱定主張：「埋頭理家，不問政治。」

我們文化低 不會有進步

由於這種思想的蔓延傳染，江西農村中的工作已無法推進，日前，中共臨川縣委在召開一個審查批判幹部中暴露思想的全縣幹部大會時，許多村幹部即席大嘆苦經：「革命成功了，我們還是這樣苦！為的什麼？」「生產人人會搞，談什麼領導，還不是騙小把戲！」一些農民出身的幹部更急得淌眼淚說：「我們文化低，不會有前途，苦死算了！」悲觀空氣，籠罩全場，有些更直截痛快的說：「革命！革命！再革下去，連自己的性命都要革掉了，還不如討他老婆安家算了吧！」有些則說：「財經幹部為什麼拿那末許多薪水？我們餓肚皮，拚性命，卻得不到一點安慰，讓我們改行吧。」「思想」「鬆懈」，行動「倒退」，據說，因此關係，給「反動派」大大地造成了反攻機會，臨川全縣在八月中曾先後被「反動派」「放火」二十七次，放毒五次，亂「不法」地主更乘機活動，大肆破壞，中共的高級幹部僉認這種「嚴重的錯誤思想」如不糾正，「革命的陣線」必將為封建勢力「反革命」殘餘所打垮。

不照顧農民 種下了惡根

「王水盛思想」產生後，很多人都認為中共在江西農村中的政治工作離垮台不遠了，連中共「南昌地委會宣傳部長」陳宇也在「王水盛思想座談會」席上大聲疾呼：「農村中的幹部已同羣眾脫了節，這無形中給敵人以喘息機會，增加了鄉幹理想上與行動上的顧慮，助長了他們思想倒退與鬆懈，今後如不在領導上力謀切實，在作風上痛改前非，在工作上力求嚴肅，在生活上做好榜樣，則農村中的政治工作，必無由推進，從此工作完結。」另外，參加江西日報開展關於「王水盛思想」討論會的工、農、兵、學生、機關幹部、店員、居民等都一致認為：「農村政治工作的無法開展，是多方面的，積重難返，由來已久，而最嚴重的還是由於不了解農民不照顧農民種下了惡根。」這直是一針見血之論，人總是要活的，不改進農民生活，不改正打罵作風，祇今天「檢討」李四喜，明天「批判」「王水盛」有何用處？中共向以搞工農起家，而今日大陸上的農民卻大部份反對它，孽由自取，焉能怨人！這一個騎在人民頭上專制政權，看來離垮台之期已不遠了。（作人，十一月六日自南昌寄。）

香港三日繽紛錄

【本報專訊】加拿大奎北克區大主教兼加拿大陸軍總牧師羅歐（Roy）於八日上午乘泛航客機抵港，率同加陸軍主任牧師目德上校及空軍主任牧師柯恩德羅上校同來港視察，並已於九日下午飛馬尼拉。在機場迎候的有加拿大駐港專員費利奇及教廷駐港辦事官吉利根副主教。羅歐大主教一下飛機，便向記者表示：「這個世界是一個真理和邪勢鬥爭的日子，聖經上已蒙着一陣灰塵。今天全世界的教徒，大家都朝着這個十字架邁進。香港便是這十字架的前哨。」他說舊約聖書上告訴我們，歷代暴虐君王都和真理搏鬥過，但真理終於得勝！」

× × ×

香港大學教授畲柏（Kirby）博士，最近在努力，希望香港成立一個聯合國的機構。大體上已籌備得差不多了。不久即可廣納會員。經費一部份由會員自籌，一部份由港府支撥，還有一部份由聯合國機構付出。據說工作範圍很廣，原則上聯合國總機構已完全同意，聞不久即可派人來港協助。目下在遠東的聯合國機構除東京，曼谷，馬拉尼外，香港在明年也可算一個了。

× × ×

「瑞陽」輪自天津載來一批籍女修士，她們都是在天津和北平傳教的，據說今日天津市上的公共汽車，全是「史太林」式大型車，每車可容八十人至一百人，是燒柴油，氣味非常難聞。如果機器一壞，便是一座龐然大物，停在街頭，簡直無法修理。在北平方面，她們說滿天滿角，天天有飛機飛來飛去，她們不知道是否為噴射機，只是說機身像燕子，尾巴後面噴濃烟，聲響震耳。

× × ×

九龍半島馬鞍山的鐵礦，已使日本工業界非常注意，香港工業界盛傳日本政府將派代表來港，與港府洽商，共合開採或由港府開採，日本協助技術。這樣日本可以不到美元區買鐵，可省不少資金。據說馬鞍山每年可產鐵計三十萬噸，當不祗此數。

× × ×

大韓民國總理張勉及韓民大會副會長張澤湘於今晨自東京搭英海外航機抵港。駐港韓總領李鼎邦率同領館隨員前往迎迓。張氏等一行於午間搭法航機飛西貢轉往巴黎出席聯大會議。張總理在機場向本報記者稱，此此國際局勢動盪，中韓兩國在外交上始終是聯合陣線，韓民國努力加入聯合國，中國一定予以有力支持。關於韓戰停火事，張總理表示韓人完全反對，他說是一件不平等的停火。韓國人民犧牲最後一滴血。張總理還說：今天真正講信義的邦國，只是中國。關於中國軍隊調往韓戰一事，他表示不願批評。他指出在不久將來將有大批韓軍派赴台灣訓練。（邵一成）

共幹紛紛跳槽
競向私營工廠求職

【本報上海特約通訊】中共為了有計劃擠垮各私營工廠，除多方壓迫，苛捐雜稅層出不窮外，對職工待遇，總是提得很高，所以這種私營工廠，只要還能夠勉強存在，工廠的職工生活，多半要比中共所謂國營公營的工廠優越得多。因為中共直接經營的工廠，通過生產競賽，及愛國公約等等花樣，不是把你工作加重到精疲力盡，就是逼你將每月所得大量捐獻。職工們就在如此半奴工狀態下，一有機會，他們就儘量設法跳向私營工廠去。中共為了要鎮壓這種嚴重的「跳槽」風氣，最近規定凡在國營、公營工廠，跳往私營工廠者，除勒令仍回本廠，並罰扣半年薪金外，該收容此項職工之私營工廠，也予以嚴重處分。

中共為了表示這一命令的嚴重性，並發佈了大量宣傳品，除強調在此抗美援朝時期，國營公營工廠生產工作，必須加倍努力外，還列舉了許多職工跳廠，必予重懲的例子，要大家引為警惕。如鞍山製鐵公司技術人員何一峯，閻克志，王農等未得組織允許，私自逃往天津私營之隆順營造廠工作，被政府查獲，立將何等解回鞍山，罰薪一年，該收容何等之隆順鐵工廠，則處罰獻捐十億元，又賠償鞍山製鐵公司派員赴津查緝之旅費等項四百萬元。（編者按：此案經過，曾詳誌八月十八日本報第四十八期）。中共無非殺雞嚇猴子，藉此宣傳的用意，等於警告上海各中共工廠的職工，不要跳槽，私營工廠，更不要擅收中共工廠出來的職工。

但是「民不畏死，奈何以死畏之」，死尚不怕，處罰當然更嚇不了這些職工。最近虐待的職工，這種情形，最近月來，他們大都抵觸，是先用嚴重種種藉口，辭去中共工廠的工作，回到鄉間休息一些時候，再回上海，另向私營工廠設法求職。中共雖然抓回不了好多批，但仍阻止不了其中這一風氣的流行。最近有一件最痛心的事，即中共當局勞動印刷廠會計主任祝唯一，本是一個老共幹，今年七月，他忽然向組織報告，患有嚴重心臟病，並提出醫師證明，要求辭職休養，中共因祝且向來做事非常勤奮，會計工作，成績優良，勸他先行請假，不必辭職。祝表示很誠懇地說：「有心臟病的人，工作決做不好，而且也不是短期可以治癒，與其我請假而佔住拿一份國家薪水，不如乾脆讓我辭職，良心上可以不受譴責」，中共見他詞意堅切，只好照准。不料前幾天，突然發現，他不特沒有心臟病，而且在辭職後不久，就另就了上海私營中華鐵工廠的會計員。工作只有勞動印刷廠的三分之一，而待遇則提高兩倍。但是，這種欺騙組織的舉動，在中共看來，當然是大逆不道，除已將祝唯一立行拘捕外，現正向中華鐵工廠追究，視入該廠的處分，前後經過一定不輕，而鐵工廠罰款，看來也絕不會比天津隆順營造廠少。（悠然，五日寄自上海）

惡丈夫原是好鴛鴦

中共「新婚姻法」頒佈以來，除男女共幹利用為「性的解放」之外，真正受家庭虐待藉以解除痛苦者十無二三。英德大鎮鄉最近就演了一幕如下的滑稽劇：

該鄉「民主婦聯」主席陳悅容之姊陳家容，因另有所歡「欲與夫離異而苦乏理由，乃由陳悅容設計，開婦女會時提出「清算丈夫運動」，即席舉報誰人之丈夫應受清算。在「帶頭」「挑戰」之下，有十六個「丈夫」蒙上「惡」名，於本月一日假關帝廟戲台舉行公審，凡屬「惡丈夫」之妻，必須登台指控，否則就是「封建反動殘餘」。可是公審時，除陳家容指控與夫結婚十年沒有一刻安閒，過着非人生活；陳亞英指控其夫稍不如意即把她當打洩氣，羅珍控訴沒有自由之外，其餘十三人都提不出大題目。這十六個「惡丈夫」怎樣處置呢？有人提議把鞋錐錐他們的心，有人提議照樣把他們毒打辱罵，但都得不到多數通過。結果只好要他們向妻叩頭認錯。事後雖在陳悅容陳家容多方恐嚇慫恿之下，仍有八個受「虐待」的妻子，要隨丈夫回家，不肯離異。是所謂「惡丈夫」也者，原來是「恩愛鴛鴦」。

中共成績作如此觀

竭澤而漁的大陸「捐獻運動」，如果相信中共的宣傳數字，那末，「抗美援朝」的飛機大砲，蘇俄日夜加工製造，恐怕也供不應求。好在「數字」雖有萬萬千千，實收却最少打個百分之九十的折扣。單拿廣東省高雷區來說說，由六月起至十月廿一日止，認捐數字為一百一十七億五千七百五十四萬五千八百餘元，（超過原定限額二十七億五千餘萬元，原定六架戰鬥機折合僞幣九十億元），但實收數字只有十一億二千六百九十一萬一千四百元，連零頭都不够。其中茂名縣認捐三十億零五千七百三十四萬元，只繳了一億八千四百六十二萬元；徐聞縣認捐十三億二千二百六十五萬元，只繳了二千八百八十七萬元。認捐數字和繳款數字的比例前者為三十分之一，後者為六十五分之一。上述數字是由中共主管機關公布的，中共所宣傳的一切「成績」，都作如是觀。（黎明）

鐵幕透視

看圖片有感

·倘方·

最近在一張宣傳秧歌王朝功績的畫刊上，看到有所謂「人民政協全體委員會」關於「抗美援朝」會議的幾兒戲圖片，共計十一幀，都是登台發言的人物攝影。除「抗美援朝總會」副主席彭眞和「志願軍」代表李墨林，東北農林韓愚三人外，當是些所謂民主人士，如李濟深，黃炎培，馬寅初，郭沫若，章伯鈞……之流。

這些沐猴而冠的「民主人士」照例奉旨登台發言，歌頌「毛主席」的文事武功一番，自屬不在話下。最令人好笑而又難過者，是他們每人持着事先寫好的稿子，目不轉睛的死釘住照唸的那副形色，緊張而矜持，有如私塾童蒙在手執戒尺的老師面前，溫讀「人之初，性本善」，那種誠惶誠恐的神氣。尤其黃炎培馬寅初剛假饅頭，更顯示淋漓盡致的景象，我看了不禁有「過身蟣」之感！

演說拿稿子，並不足怪。但預定的底稿，一般只是用來作講演要旨的備忘錄而已，決不須一字一句對本宣科的。所以，在同一圖片上，彭眞就昂然對着擴音器自由講話，並無底稿在手。這反映着那些民主人士的演說詞，都是別人代爲寫好，祇許奉旨宣讀的。然年紀發逾了，生怕唸錯半句，因出批評檢討的禍事上身，而緊張惶恐，怪狀百出，彭眞則心與毫無顧忌，態度鎭靜，暢所欲言。相形之下，如見肺肝。

今日在大陸上的所謂民主人士，就像被叢蓁在江湖賣技人手中的猴兒一樣，當衆穿着紅綠衣，按照主人的鞭影與鑼聲，跳躍如儀，免挨餓餓與鞭打。這就是「四階級聯合政權」的活劇寫眞呵！

自由談

摩洛哥的蘇丹

·嘉華·

摩洛哥爲了競選發生了流血暴動。我們由蘇丹的個性和他的經歷，就可以看出這個民族間的流血事件，是早晚難以避免的。

北非的卡薩布蘭加的大街上，忽然風馳電掣的飛過一輛八汽缸的法國轎車，那站在崗位的法國警官，馬上跳下來，攔住這超過規定速率的司機——頭戴着圓稱回教呢帽，披着斗蓬，還戴着一付藍色的太陽鏡——車子停了，司機跳下了車。

「你叫什麼名字？」警官一肚子氣。

「莫罕穆德，賓，伊索夫」。這個回教徒的名字太普通了，有如英法人的約翰約瑟……一樣。警官心裏又不大痛快，暗想：「這個傢伙，順口開河，別是亂指一個名字開頑笑！」

「你住在那裏？幹什麼職業的？」

「我住在羅碧王宮，……職業是……摩洛哥的蘇丹」。

警官嚇了一跳，連忙擺手立正道歉。

這位蘇丹樣子滿不在乎，反問警官：「我知道我應該怎樣！你知道你應該怎麼辦麼？」

兩分鐘後，這位蘇丹帶着警官的傳票駛去。兩天之後，警官調了工作，公正謹愼，昇官了。

他繼承四百年祖先的基業，統治摩洛哥，莫罕穆德，賓，伊索夫被他的百姓當作上帝一樣信仰。其實百姓也眞喜歡他直率，崇高而不虛僞的作風。他尤能判別忠奸，常常微服出行，扮作護衛人員的樣子，或是參雜在人叢中，或是坐在路旁的咖啡攤裏，聽聽老百姓的議論。

二十年來，他用聰明溫和的手段，總想把這個古老封建的王國，改造爲一個適合時代性的國家。這位蘇丹，每次穿上白袍，在金碧交錯的寶座之下，似乎把全國人民都負擔在肩膀上。

他不大說話，但每一句話都富有鐵的力量。有一次一架小飛機失事，墜落「大馬拉」無演，一個警察看見，忙跑近正有一輛汽車，高喊：「喂，亞洪！（回教人的一種稱呼）開過來，把傷者送進醫院」，誰知這位車主，是蘇丹的大太子，正在海濱洗澡，興高彩烈，那肯管這些閑事，對警察搖頭說：「最好還是另找別的車子！」蘇丹這時聽見了，連忙鬧他的太子：「你別擺臭架子！你是什麼東西？一個乞丐的命都比你有價値！」

乞丐的命比太子重

蘇丹教育子女，雖然嚴厲，可是採用西方的方式，三個女兒和兩個兒子，自從曾走路時候起，就灌輸一些民主的東西，對於東方統制的獨把戲，一概不談，譬如有一次，小孩子們要去看電影，請示父王陛下的時候，蘇丹說：「你們要看戲，就要自己買票，靜靜地像別人一樣看戲，千萬不要拿出王室的架子，招搖撥衆！」這無形中是使小孩子們爲難。

像以上所說的蘇丹，似乎太矯枉過正，超乎父親應有的權力。其實他也不能不如此。百姓，摩洛哥若干世紀以來保守的回教教規，女人是不容露出面目參加社交的。伊斯蘭教崇尚保守，穆罕穆德却撤銷了他的女兒的面幕，穿起短褲，打網球，同時還狂熱的提倡女子教育，

把這個古舊的回教國家的女人，都造成摩登女性。雖然許多頭腦頑固的人們，可是結果，反對，呐喊，比較開通的家庭都擺脫了許多女兒跑進學校，或教師成了極端的女士，管留着大膽子：「一年……十七歲的魔鬼」！

羅碧宮內管領羣雌

他本是他父親四個兒子中健康最壞的一個，他哥哥都勝過他，他從小就被人遺忘了，在皇宮一切都由法國人設計，在窮鄉裏居住，最要好的朋友，是小村子裏法國職家的孩子，他小朋友的法國家裏一直到現在還是他的好朋友，在這裏還提起他「羅羅」。

父親一九二七年逝世以前，他被禁終承大統，以防他哥哥們繼承，摩洛哥的法律限於不立長子，死由父親本所批的新君，所謂照例由王立一位由法國選公議的，挑選一個中央的族，自從一九一二年後，就組織法國統治之下這個會議，由宰相主持。

十六歲時，莫罕穆德被擬想做一個傀儡，他們登台的合計！就想立他爲王，由耶路克來他——宰相，有同年紀而莫明的宰相，同時也——是法國人最好的朋友——再說，攝政五年，於是莫罕穆德以後，就此位登九五，除了參加宗教日夕的儀式之外，歡偷文法國總督簽字的指示，照這件上試行他的行政權，蘇丹在羅碧宮內就先開始，包括有名的衛士的六千皇宮人之內，約有黑兵，王后妃嬪以及好幾個姊妹，姪女等，包括遺直是女人組織的，一個籌劃……

他的官，像羅馬皇帝的宮殿，有自己的法國傢俱，執政的寶椅，和戲院的電影，……網球的大洋池，可以游泳，終於，他本來是法國一手安排到王宮的，了然而，老是王本人的……公元一九三〇年，布件法令，照摩洛哥的法律，分割了巴巴爾族，由中央的當局用印出來，時把這個回教國家另組治民族，使人陷於仇恨之中，浪潮似乎將保王位。

宣召車臣收回政權

這時全國都演着流血的暴動，經過調查，原來法國人都曾經蘇丹的命令，經過十九歲，推翻了那位手簽署，他受到別人的唆引，成了大罪，他豁然的大徹大悟！

二十二歲那一年，他宣召那些摩洛哥的大臣，掌握政權，然後對莫克說：「你位以來，已經多少年了？」宰相道：「一五年。」「陛下！現在已經就職了，無須攝政了。」莫罕穆德自此可以親臨朝政，建立起自己的權柄。

耶路克八〇年仍不忘權，百歲來，宰相沒有任何力量，經過蘇丹認爲可以另外信任的，他的信託公法，以切實研究摩洛哥的公法國法令，伊是蘇丹任何命令都由他自己簽署，依照法國的條約，蘇丹是要負人規定國際的廷任，任何公衆大會的規劃，他自己以參加保護朝廷保人生命安全，恰巧蘇馬丹拉……

萬衆歡呼我的上帝

在摩洛哥永遠未一間學校要請蘇丹親臨奠基，三年後，摩洛哥人民竟大起恢復的行動，阻止部人的法國南部的蘇丹的要感，他們反法國人的股伙力量，不得不巡視南部一次。蘇丹放……

曾見過這樣動人熱烈的場面，在馬拉吉的區域內擠滿了紅白二色，十多萬之衆的民衆，甚至於有些從遠地方跑來歡迎蘇丹，那一瞻，在烈日炎炎之下，高呼「我們的上帝」！

蘇丹在星期五那日，穿着白色的衣服，騎着白馬，到禮拜堂去，前後擁護着他的名的黑騎衛隊，民衆閃耀着蘇丹的崇拜，光輝的他，不住的一變化，他的揮動，停不了的向左右眩暈，手臂的吐……

上海的古裝戲

觀衆歡迎·中共取締

千篇一律的「宣傳戲」，發揮「共產黨恩情說不盡」，「我們永遠跟着毛主席走」這幾項共產八股，上海老百姓，眞是倒了胃口，所以每當這類宣傳戲上演時，除了免費入座的共幹外，眞正看戲的老百姓，實在寥寥可數。

上海戲曲界，爲了生意經就不得不打開路，最近幾個月，古裝戲大爲流行，爲娛樂而看戲的市民也就樂於接受。這樣做法，挽回了不少劇人的厄運。

可是，這類古裝戲，雖無「毒素」，也失「作用」，自不爲中共所喜，於是問題來了。十月廿三日上海市文化局交下上頭來的一個命令，「糾正滬劇界競演古裝戲的偏向」，由該局的「戲曲改進處」召集全市劇團的編導及主要演員，提出三項指示：（一）今天滬劇界競演古裝戲的原因係不正確的。（二）依據演出條件，滬劇界演現代劇，應該比演古裝戲更爲適宜。（三）演古裝戲的偏向必須糾正。當時在座的編導及演員對演古裝戲雖有滿肚子理由，但在「宣傳重於一切的中共高壓下，誰都不敢開口。結果由「市文化局」佈置下的圈裏虫解洪元，王雅琴，邵濱孫，司徒陽，張智行，趙燕士等發表意見，「一致擁護中共當局的賢明指示」，承認「演現代劇的條件確較古裝戲優越」，今後「滬劇界應該向這方面發展」，一致離開了「市文化局」。一羣編導和演員的眼睛裏，是現着一幅黯淡而悲慘的圖畫。

鐵幕內的低語

·海文·

在共產黨控制的區域，老百姓受着反動統治，對於這個統治，老百姓沒有反抗的能力，祇好彼此低聲訴說笑話，來嘲諷這個政權，以發洩心中的憤怒，下面幾則笑話就是流行於鐵幕內的低語：

有一個共產黨頭目遇見一個鄉下老太婆，問一般生活情形怎樣「可怕」，她說沒有東西吃，不久連穿的東西也沒有呢！這個頭目安慰她，說別的地方情形更壞。「例如南太平洋群島的土人」，他說，「他們吃得少，終年裸體」。「那邊也解放了」？老太婆說，「共產黨也解放了他們」？

× × × ×

共產黨擬定了一個征服世界的計劃，提克供給軍火，爲克蘭供給糧食，中國供給人力，蘇聯供給顧問——北韓供給戰場。

× × × ×

有一個從自由世界走入鐵幕的共產新教徒，對一位鐵幕內的老百姓說：「資本國家的東西眞貴，一雙皮鞋售價五十元」，說這個老百姓裝作聽不清楚的樣子：「唉？皮鞋？我們這裏從前也有皮鞋」，那黨徒又說：「有時我們祇好吃人造奶油……」老百姓嘆氣道：「人造奶油？是，是，我記得，我們這裏從前也有人造奶油」。那人說：「而且工人時常罷工！」那位新同志倒發起脾氣來了，「罷吧！」他說，「你是不是跟我鬧玩笑？放明白些，我是共產黨人呢」！「唉」？老百姓說，「共產黨？是，是，從前這裏也有共產黨」。

× × × ×

馬戲班裏丑角誇說，他能使一頭猴猻表演，始則大笑，繼則大哭，最後昏倒。觀衆問他有甚麼辦法，丑角答道：「這很簡易，第一，我告訴牠，人是由猿猴進化而來的，第二，我講到勞動在從猿到人過程中的作用，第三，我講到條條道路通向共產主義」。

× × × ×

在某工廠的工作檢討會上，平時工作勤奮，早到遲退的工人，被批評是英雄主義；平時守規則，按時工作的工人，被批評是形式主義；平時工作懶惰，遲到早退的工人，被批評是逃避主義。於是，工人們向共產黨派來的指導員要求指示。指導員說：「還有甚麼關係，共產黨員都是這樣的」！

× × × ×

在柏林，有個德國人看見一張反美標語印有Go HoMe二字，那是英文，他自然不懂，問人，一個人翻譯給他聽：「滾回家去」！「這是英文呀」，他，高興地說，「蠢材，幹麼用英文！蘇聯人看不懂的」！

× × × ×

一羣修路工人在修路，看見一個共產黨員走過，一個工人吐把口水，轉過臉去不理；一個工人狠命的咳嗽，也轉過臉去不理；旁邊一個工人罵道：「眞不是好東西」！共產黨員聽見了，問道：「爲甚麼要罵他們」？這個工人很不耐煩的回答說：「我又不是駡他們的」！

× × × ×

街上倒斃了一個乞丐，人們在他身上發現了一張草席，寫了十個大字：「這就是窮人翻身的結果」！

× × × ×

有一個德國人到了柏林，看見那雄偉的蘇軍戰勝紀念碑矗立在瓦礫堆上，覺得十分奇怪，便向人打聽那是甚麼東西。人家告訴他說：「那是紀念碑，紀念把我們從納粹手裏解放出來的人們」。「噢」，德國人說：「他們爲甚麼不把我們也從蘇聯手裏解放出來」？

清民之際的長沙（七）

·舜生·

另一次，我們又在曹先生房裏談天，還見他桌上放了幾十枚銅元，還有兩塊銀元，我無意中向他發出這樣的問題：『何以錢總是圓的？從前的錢中間有一個眼，現在何以沒有了？』『這個你不懂，』他回答，『這是貨幣學上的問題。』他說了這兩句，便不往下再說，好像很神祕的樣子，我心裏老是不舒服。第二天星期，我便在羣益圖書公司買了一本陳家瓚譯的『貨幣學』，還在集成買了一本康有爲的『金主幣救國論』，不管三七二十一，自己翻看一遍再說，這也就算是對曹先生不肯回答我的問題的一種報復。『康子倦遊於歐美，息轍於檳榔嶼，隱几於南蘭堂，喟然歎曰，……』這是康有爲那本書序文的頭幾句，這位維新派首領那一種擺頭幌腦的神氣，至今如在目前，但這已經是四十年前的往事了。

曹先生講易經，我便覺得是笑話：他一翻便是好幾十頁，一面翻，一面嘴裏還在說：『這個你們不懂，這個你們不懂，』因此，他往往把易經擺在一邊，一直是天馬行空似的講到了正課以外去。記得有一次，他忽然在黑板上寫上了這樣幾句：『大宇長宙，方執萬象而鑄，若驟若馳，而所遇無故物。』他解釋了一番以後，又問我們：『你們看，斯賓塞這幾句話，比起孔子所講的「逝者如斯乎，不舍晝夜，」怎樣呢？』當時我覺得很新鮮，但心裏依然有些不服：『你爲什麼能同我們講這個，又武斷我們絕對不能懂易經呢？』

有一次，國文教員唐先生告假，曹先生代課，剛好這一天是作文，他所出的題目是：『想像克復後之頌聲』，我不懂，這是辛亥年的春天，我們這位先生，爲什麼會那樣討賊復國呢？

我在高小畢業以後，一直還是注意這位先生的行動。他寫的東西，也常常送給王先生去看；他是譚組安的好朋友，譚在湖南做督軍的時候，他任過他的秘書；他主張絕後，主張不治產；他在章行嚴辦的甲寅雜誌上發表過不少的雜記，行嚴對我說：『他寫得好；』他下半生的事業，就辦了一個孤兒院，入民國以後，長沙經過了無數次的變亂，但他始終抱着那個孤兒院不捨；二十六年我回長沙，首先便到孤兒院去看他，他已經是五十五，但他還是毫無衰態，在寫一本代表他思想的長篇小說，已經有十幾萬字，他又翻出一本稿給我看，有蔡元培先生一個很長的批子，他說：『二十五年前，便已經在提倡社會主義了啊！』他又說：『你今天來得眞好，我總算對得起人，我在這裏吃飯罷』。

萬竹樓隨筆（四五）

自由人

THE FREEMAN

（半週刊每星期三六出版）

（第七十三期）

每份港幣壹毫

督印人：李光華

社址

香港高士打道六六號

電話：二〇八四八

GLOUCESTER RD.

HONGKONG

TEL: 20848

承印者：東南印務出版社

地址：高士打道六四號

台灣經銷處

台北市中華路一二五九號

（台北憲兵隊側對面）

中共的偉大成就！

・左舜生・

中共這一年多以來的工作，大抵是集中在三個重點：（一）抗美援朝，（二）鎮壓反革命，（三）土地改革。

在中共想來，在很短的時間，同時進行這樣偉大的三項工作，成績是相當優異的：

以「抗美援朝」而論，他們的始意，本來是要一鼓作氣，把聯軍驅逐下海的，這一點雖然沒有辦到，但究竟能在「三八」綫左右，相持了一年以上。雖說死傷的數字已超過了一百萬，但以這個數字比之整個中國大陸可能服兵役的壯丁數字，實在是九牛之一毛，就再犧牲三百萬乃至五百萬，也決不足以動搖他們的根本。何況他們作戰的對手，是世界一個天字第一號的強國，他們經過一年多的時間，居然能和這個天字第一號的強國打一個平手，這還不足以證明他們確確實實的五強之一嗎？而且不僅如此，將來這個排列的次序，應該是這樣的：蘇聯第一，[illegible]第二，[illegible]第三，英法更不足道，讓他們在第四第五去湊湊數好了。他們老早就宣傳過：「美國是一隻紙老虎」，「原子彈不足怕」。現在已經打得美國戰意消沉，已經一而再，再而三的要求停火，再進一步，當然便只好投降，這還不足以證明美國是一隻「紙老虎」嗎？其實說美是「紙老虎」，已經是很客氣，以後就叫她作「紙貓」好了，毛澤東很懂得，湖南人叫「老虎」原來就是叫「貓」的。美國的原子彈，本來就是用以嚇人的。即令美國就有不少的原子彈和其他的原子武器，但既然不敢使用，這還不與完全沒有是一樣嗎？其「全足怕」自[illegible]的事實。從前有一位麥克阿瑟指揮聯軍，多少[illegible]

[illegible]

……能之良好，和他們的駕駛人員之熟練，已經遠在美國之上，這好像美國也是公開承認的。

由以上種種看來，可見「抗美援朝」是萬無一失，只要在史大林元帥和「毛主席」的英明指導之下，再繼續一年半載，其能得着光榮的勝利，自屬毫無疑義。停火談判算得什麼，這本來是和美國開開玩笑的，那一天不高興談了，還不是隨時可以了結。[illegible]

[illegible]

從毛朝「政協報告」中看中共財經的嚴重危機

・張丕介・

中共僞裝民主，籠絡臣僕的「政協」，上月廿三日起，又在北平大開其「全國會議」。這一次的會議，乃去年六月以來最重要的集會。重要頭目自毛澤東以次，照例都要提出報告。今年的「政協報告」中，除毛澤東的開會詞外，最重要的是周恩來的「政治報告」，彭眞的「抗美援朝報告」，陳雲的「財經報告」和郭沫若的「文教報告」。這幾個報告乃概括去年一年中，中共宰割大陸的全貌。雖然充滿着美麗的謊言，但從其字裏行間，依然可以發現若干無法掩飾的基本情況。其中共同的一點是：中共迄今仍未放棄其殘民而戰的意圖，故其目前日趨惡化的財經危機，仍將愈演愈烈。

毛澤東的開會詞中，除了誇揚其「抗美援朝，土地改革，和鎮壓反革命」三大運動的成就外，特別着重一點，就是「抗美援朝的偉大鬥爭」，[illegible]「中國人民今天的中心任務」，[illegible]「中國人民必須繼續加強」「抗美援朝」既是目前的「中心任務」[illegible]

[illegible]

全部赤字應達三十億餘美元

[illegible]

增產彌補赤字三分之一

[illegible]

財政羅掘俱窮　心情嚴肅沉重

[illegible]……陳雲說：「我們從全國實行節約方面都可以拿出大量資財投到經濟建設上去」[illegible]這不是說夢話嗎？[illegible]一切可能辦法，以支持其軍事冒險[illegible]

[illegible]

半週展望

雷嘯岑

艾登的演說

英國外相艾登前天在聯合國大會發表言論，詳述英美法協同建議裁軍的誠意與步驟，呼籲大家停止互相謾罵，謂「余等國家之人民並不希望彼等之領袖互相咆哮恐嚇，而希望彼等互相接觸及設法獲得了解」；又說：「余不相信在任何爭執中，一方爲百分之百的非，而另一方則百分之百的是」。詞色雍容和婉，表現着十足的紳士式外交家的風度。假使出席聯大的各大國代表，都能以這種紳士態度來折衝樽俎，又何致使聯合國變爲鬧劇場而毫無成就呢？

俄國代表維辛斯基對裁軍建議的流氓式腔調與表情，實爲其理屈詞窮的內心反應，他越是做作得過份，就越顯示其醜陋無比。他痛斥北大西洋公約爲非法，意思是說這項公約存在之日，世界即無裁軍可能，我們亦願承認他這種「高見」是正確的。但，蘇俄以國際情報局的組織關係，把世界上一切的所謂「人民民主共和國」嚴密控制着，連對他國家貿遷有無，以及旅行出入的自由都沒有，這就不算是阻礙世界和平的集團麼？然在俄共們的口中，無論別人有任何集體組織都是侵略行爲，而他自己所構成的鐵幕，甚至派俄共去作別國的國防部長，也都是爲的和平！

共產黨人皆有一種頑陋無恥的本領，即視天下人都是些蠢材，可以由他們閉目瞎說胡來，爲所欲爲。維辛斯基在國際外交場中是如此，其他任何一個共產嘍囉，在任何時地，對任何問題，亦莫不如此。所以，跟共產黨人打交道，如果沒有一套大流氓的本事，手握鐵拳，管制其無理取鬧，那是毫無效用的。艾登仍以紳士派頭來應付流氓，結果必然不得要領，「憑實力來實現和平」，這句話纔是對付俄共們的唯一妙訣！艾登先生的漂亮言論，只能供君子國的人們欣賞而已。

越盟內部糾紛

胡志明領導下的「越南民主共和國」，據說因爲對中共志願軍入越問題，內部最近發生了大糾紛。原因是除卻共產份子以外的各階層各黨派人士，鑑於朝鮮戰禍的慘狀，以及中共軍控制北韓情形，若致中共軍大量滲入，越南將成爲朝鮮之續，所有軍事政治經濟和產米區域，均將落於中共之手。胡志明本人亦有此感覺，他祇希望俄帝通過中共以物資軍需相接濟，而不樂意「志願軍」開進越南云。（詳見昨日本埠華僑日報通信）

胡志明和越南各界的民族主義者，如果眞有這種警覺，可謂明智！越南人民的民族運動，我們是極端同情的，殖民政策這一種屍，應該是送進古物陳列館供人瀏覽憑弔的時候了。自列寧唱出「援助世界弱小民族」這句口號以來，不知陶醉了若干民族主義者，皆奉蘇俄爲救星，好似當年歐洲大陸各國相信拿破崙所謂「反封建專制」的話一樣，大家都視拿氏軍隊爲解放軍，歡迎之不暇。史達林利用這口號來實行世界革命陰謀，嗾使各弱小民族以血肉爭取獨立自由，不問成敗，俄共即乘機滲進控制，而以「國際主義」的民族運動」的辯證邏輯，再輔以軍事威力，漸漸的將那一地區人民置於鐵幕內，成爲集體奴工。結果是掙脫了舊有殖民政策枷鎖，更套上一個「次殖民地」的鋼質鐐拷，在一面倒的命運下，永無翻身之望！

越南人民能知道「引狼入室」之患，還在民族運動的過程中，或許更要艱苦些，但將來的成功是可預期的，飲鴆止渴固可快意一時，然生命已注定死亡了，民族前途云乎哉！

日本大學生向日皇示威

日本昭和天皇赴京都大學參觀，途中爲三千大學生包圍示威，大呼「停止重建軍備」和「我們的憲法主張和平」等口號，日皇的汽車被阻住十幾分鐘，別無他事。

日本天皇在一般臣民的印象中，素來是看作「神聖」，而不是「常人」的。現在居然有學生敢於向他示威呼口號，至少已打破了舊有的「神聖」觀念，這在日本人民的民主教育方面，頗有益處。我們却不必因其唱「國際歌」而一概予以唾棄。

自由與權力

—陳克文—

就歷史和哲學來說，權力與自由是有衝突的，國家與個人自由也是有衝突的。權力不免破壞自由，自由將使權力於保持增加衝突，此乃自然之理。不過在人類進步史中，許多成功人物在於自由和權力能夠互相協調。

自由是相對的非絕對的

儘管英美文明社會的生活享受在於能夠合理的接受法律和秩序，[illegible]人於合群體的之下表現個人特性，免受黑暗混亂[illegible]與政府[illegible]，此乃一般人容易了解的思想。

英美人的自由觀念是「社會的自由」，自由在國家之內，社會中，[illegible]分子才能享受自由」，個人行使絕對的自由是很危險的，在有組織的社會中，一切自由權利均爲相對的而非絕對的。

[illegible]權力與自由不能同時並存[illegible]。美國自一七八七年宣[illegible]政府活動範圍已增加若干倍，同一[illegible]黑人解放[illegible]美國人民享受[illegible]自由還要重大的[illegible]優勝嗎？現代文明社會的人類享受的自由，若果說，只是由於科學發明和提高生活水準的結果，並非出於建立更多的社會限制，這是顯而易見的錯誤。現代文明與其給與個人的機會，問題是出於人人願意組織社會，並接受社會組織中必不可缺少的種種限制。

權力可用以維護自由

杜魯門總統民權委員會的報告書說：「委員會並不贊成政府[illegible]必須威脅自由的論調，認爲文明社會的自由，必須以政府[illegible]行的法律爲基礎，沒有法律[illegible]的自由，[illegible]自由」。此乃十八世紀所未了解之觀念。

美國的傳統觀念爲自由與政府對立。十八世紀所最恐懼的，爲中央政府權力對於自由之威脅的。但隨後百五十年的美國歷史，威脅自由最甚的，實爲州政府或地方政府以及私人組織行動或個人行動。幸而美國憲法，因適應時代需要，已有許多修正案，針對這些病端，又有最高法院，爲憲法補其不足。因此，中央政府得以保障自由，免受私人的威脅。

現代文明生活的透視

自由與權力之間，必須繼續求其協調。個人自由與政府行動，其範圍很難明白區分。事實上，不問我們願意與否。我們必定會爲環境所迫走到集體行動的路上。因爲我們的路上，有許多社會問題要待解決，所以，這複雜世界必須強迫我們接受繼續增多的社會管制，然後我們的生活，才能夠繼續維持下去。但這不是說，每一種新的社會管制，必需要求個體喪失其一部份的自由。我們應避免成見，感情，因襲以及詞句上的專制，透視現代文明所承繼的眞正生活，自然有關政府社會行動的提議，如果是笨拙的不合時宜，或非必要的，必須加以拒絕。但不應輕易假定政府與自由是互不相容的。

許多人論及「美國式生活」這一類詞句時，常使用「不干涉」，「自由投資」，[illegible]限制個人自由，無論對於社會共同目的有何價值，[illegible]破壞「美國」的傳統不可。其實，美國的憲法制度者，無論如何，是不會把「不干涉」看成和自由同一意義的。

極端總是危險的

雖然如此，走一極端總是危險的。現代國家，自由不能離開權力而存在。但自由人民必須時時警惕，否則這種道理便成空論。

如果我們覺得，在這個動亂世界，必須有一種指導原則，以免壞事的程度，[illegible]。然而，有所限制，這是一切明智的公眾意見所永遠尋求的目的；[illegible]從經驗，社會才能夠沉着繼續努力中生存。

杜魯門總統民權委員會（President Truman's Committee On Civil Rights）前執行秘書卡爾教授（Robert K. Carr）在美國社會科學院年會發表有關自由問題的論文，足見美國人現時的自由觀念與十八世紀已大不相同。特摘其大要介紹於讀者。——譯註。

原子時代的戰略革命

美國要保衞西方文化，人類自由，必須一洗其目前的驕傲自滿態度，向一切存在的文明智慧虛心求教，以完成此一革命

·黃震遐·

和平空氣濃厚，巴黎是幾套全面和平草案爭議的焦點。外交問題，法理問題，制度及主義問題，心理及宣傳技術問題，劃分了清楚的陣綫。這是六年冷戰的總結，自由與極權的清算。聯大六次會議可能有結果，也可能無結果。談到要緊處，最感痛苦處，就一切僵化了。爲什麼？軍事問題不能解決。談到軍事問題，便是推翻一切的僵局。

離軍事不可談霸權

對於聯大會議，我們不加推斷，那是波茨坦會議所種下的各種懸果的清算。從馬克斯，史本格拉，湯比的結論看，目前西方文化還在戰國時代，離大一統的局面快近了。依我們中國人的歷史感想說：美蘇之爭似秦楚之爭，也像南北朝之爭。現代西方之秦與北朝，是蘇俄；楚與南朝，是美國。就自由與極權的文化着眼，也差不多。但這看法在地理上不對，美國的地理條件（包括海洋與天空），要遠勝楚及南朝，至少爲隔水對峙之局，不會亡於今之極權。依西史看，則爲雅典斯巴達之爭，羅馬迦太基之爭，中世紀耶回文明之爭，斯巴達羅馬耶教十字軍爲蘇俄，雅典迦太基回教大食帝國爲西方集團。然西方今天的文明，還有自由衝動，生命義而未老，社會進程爲秋非冬，反之、蘇聯自命早春，實際則爲冬天打上嗎啡針，其興奮是變態的，這是用變態的熱狂心理來圍擊西方早秋之成熟。今之斯巴達羅馬及十字軍雖然猖狂，也未必即能摧毀雅典智慧，迦太基逸樂，大食開明文物的基礎。綜括以上兩論，在地理上，文化上，西方集團所處之險境，所擁之實力，所居西方戰國末世中的地位，可見其大概。總結一句，是蘇聯有大一統的雄圖，美國則有合縱六國的決心。這是歷史的鬥爭，進化的發展動力端大鬥爭的發展。這，是軍事。離開軍事，不可以談霸權。霸權失掉軍事，光有文物制度何用？冷戰演那一次不是軍事做背景？第三次大戰打不起來，是爲了軍事實力平衡始終沒有打破。聯大會議未開，雙方早準備好全套和平方案，決心坐下來作疲勞鉛筆戰，推卸問題核心，也是爲了雙方都需要展開一個較長的軍備競爭時期，以便把握新時代的契機。

一把劍殺出新天地

新時代爲原子時代，唯一有力打開原子時代的契機，爲戰略革命（Strategic Revolution）。「戰略革命」一詞，沒見用過，實際上則歷史常識之一。歷史上能夠成功的努力，必能搶先完成其軍事上的戰略革命，爲新時代的先驅，戰略革命的任務爲送殯，亦爲催生。送掉舊權力，迎來新時代，文明缺少一把劍，殺不出新天地來。如今美蘇爭霸，適逢原子革命生辰，那是時勢，那一邊能先完成了軍事革命，拿原子時代的新戰略來打倒工業時代的舊戰略，那一邊總算贏得歷史錦標！

戰略革命的創造，需要技術，也要天資，技術是基礎，天資是靈魂。在技術上，美蘇正從事調整其第二次大戰型的戰爭潛力，使成第三次大戰型的戰爭潛力。這計劃內容，包括飛機噴射化，武器原子化，通訊偵察電子化，管道投射器無綫電操縱化，後勤空運化，這計劃需要一個時間，纔能完成。沒有完成以前，不算有把握。但技術基礎之後，一定要有一活用此一基礎的有效戰略。這便引起戰略革命的天資問題。天資是一種文化的表現。美蘇雙方可能在三五年內，先後完成它們第三次大戰型的技術基礎，卻不一定會有效地運用其基礎。因這不是普通軍事常識問題，而是一種軍事革命問題。在技術上，這是一種科學競爭，在戰略上，則是藝術競爭，要求天才的火花。

技術革命前頭的戰略

在歷史上，韓信發揮了孫子兵法的精神，霍去病創造了中國出塞遠戰的戰略騎兵，代表西方海權與起的是西班牙無敵艦隊的「砲艦」，促成工業革命初期的戰略革命的是拿破崙的運動戰術，閃擊戰打破了第一次大戰型的陣地戰僵局（馬奇諾主義）。而今天的技術基礎等待另一後來居上的突創。原子時代所要求的戰略，是走到技術革命前頭的革命戰略。現在我們還不知道那一種文明，那一種人是戰略革命的創造者。歷史並不證明擁有最大經濟潛力的國家，一定能夠創造新戰略。反之，它卻指出比較落後的國家，往往更能有思想上的建樹。閃擊戰就發明在經濟破產的德國參謀本部。

這是美蘇爭霸中的生死存亡問題，也是美蘇在軍事上最大[illegible]的鬥爭。美國要保衞西方文化，人類自由，必須一洗其目前的驕傲自滿態度，向一切存在的文明智慧虛心求教，以完成此一革命，這是天資問題，也是技術問題。美國一國負不起這大的責任。

馬克思害了他的信徒

敬齋

中國的哲理有謂：「物極必反」，這是一定不移的道理，屢驗不爽的。無論是物或人事，都是如此，即以一國的政府或政黨的作法，亦何嘗不如此。

試觀最近的歷史，意大利的法西斯，德國的納粹，日本的軍閥，均盛極一時，發展到了頂點，然而曾幾何時，德意日叱咤風雲的人物，而今安在哉？他們所以失敗的原因，一方面由於他們所實行的理論和政策的錯誤，落伍與反動，一方面由於他們發展到了極點，行動驕橫所致。法西斯主義害了德意二國，武士道精神的軍國主義害了日本。現在繼法西斯主義，軍國主義之後，而將要害了他的信徒的，就是馬克思主義了。

共產黨——馬克思的信徒們，堅決的說：他們的黨，他們的軍隊，都是以馬克思主義的理論武裝起來的，他們處處都是以馬克思主義的理論爲武器，他們相信他們的武器是最正確的眞理，是前進的，革命的，是最銳利不過，無人能反抗的。

馬克思主義的理論是什麼呢？主要的是他的社會發展史。馬克思在一百年以前，發現了社會發展的規律，社會一定要照着他所發現的規律去發展，他預見了資本主義一定要崩潰和死亡的，因爲它給它自己造成了「掘墓人」——無產階級，他們要起來革它的命的。

究竟人類社會是否照着馬克思的社會發展規律來發展呢？這就有研究的必要了。馬克思和他的信徒們，都堅決的相信：資本主義國家將要崩潰和死亡，他們「人民」是「世界的主人」，一定會成功的。所以發展了和實踐了馬克思主義的史大林，日夜的在那裏計劃推倒資本主義國家，實現他的「世界革命」。

史大林說：『美國的統治集團像我們同樣清楚的曉得，他們逃避不了可怕的經濟崩潰。然而，他們希望用種種可能的方法來延阻這個崩潰到臨』。『我們的首要工作，是拖垮美國在歐洲和亞洲的勢力，把美國的權力限制於西半球。當這些目標達成後，英國和法國就微弱得無力抵抗這壓力了』（見九月十六日香港時報所譯克里姆林宮裏的祕密會議一文）。

史大林深信着美國政府是無法處理他自己的事的。他——史大林——才是現在時勢中的主人。因爲美國的經濟崩潰，使他能掌握這時勢，所以他高度的深信着這個歷史的進程，將使他得到最後的勝利。這不但史大林是如此，凡是馬克思的信徒們，都是如此的堅信着馬克思的社會發展的規律。

資本主義發展到現在，固然出了毛病，有了缺點，但是這個病態，不能聽任它發展下去，正如一個人身體有了病一樣，要設法醫治的，不能坐視其崩潰和死亡。直到現在爲止，美國經濟還未崩潰，且因爲積極設法醫治與改良，將永遠不會崩潰，相反的，且日趨繁榮，資本主義的「掘墓人」——工人階級的生活，不但不日漸貧乏，而且日漸改善。所謂「人民」的力量日見強大，事實上卻是共產黨員日減，工資日增，而美國的權力，共產黨也沒有能夠把它拖垮或限制在西半球；相反的，他的權力在亞洲和歐洲，更日趨擴大與鞏固。而由於民主國家的日漸覺醒，且將共同制裁侵略，拯救鐵幕內被壓搾，剝削，迫害的災難人民。

我們再詳細攷察一下共產主義的極權國家的情形。在共產主義者本想以殘酷的破壞性的階級鬥爭，來建設共產主義的天國，結果，不但達不到目的，恐怕還要有後災，他們雖然天天在那誇大宣傳，自滿，並竭力的向外發展，但是他們內部的實際狀況非常艱窘，那是科學落伍，產業不發達，生產力破壞，人民生活困苦。而無知的求「解放」「翻身」的共產黨徒，本身生活爲何陷於較前困苦之境而不自知，猶堅信着落伍的，殘酷的，時代反動的馬克思主義的理論，空自在那裏期望，等待不會實現的資本主義的崩潰和死亡，這是最可憐的事情。尤其可憐的，民主國家就要聯合起來，消滅共產黨這個邪惡的侵略的殘害人民的極權勢力，就像懲罰意大利的法西斯，德國的納粹，日本的軍閥一樣，所以我說：馬克思閉門造車的創出了他的不合時代的邪惡理論，但殘害了廣大的人民，他也害了他的共產黨徒。

來論

克姆林宮驚人的方案

·王醴泉·

從鐵幕內而透出來的消息，蘇聯與中共，打算提出所謂「驚人的方案」，稱爲「東西貿易的五年計劃」，其目的在向西方各國，發動經濟的和平攻勢，和蘇聯指使下各國共產黨的政治和平攻勢，合爲一流，以雙管齊下的冷戰姿態，對付西方，民主集團。

所謂「東西貿易五年計劃」，詳細內容，我們還不清楚。大體上，是中國與蘇聯共同提議，共產集團國家，願意與非共產國家、集團通貿易，在五年之內，共產集團可向鐵幕以外各國，購買貨物，總值至少值美金一百億元。支付方法，一部份是蘇聯持有的鉅額黃金（蘇聯爲世界主要產金國家之一），一部份是中蘇兩國的特產爲西方各國所急切需要者。不足之數，由聯合國担保長期（一年以上）借款。

這計劃的主要目的，是離間鐵幕外面國家，使其商業政策發生衝突，演進而爲政治糾紛。因爲許多國家，貨物沒有銷路，市場擴充不易，引起國內經濟的不安。同時，美國政府以全力封鎖中蘇兩國，禁運的法令，相當嚴厲；同時，中蘇有許多物產，各國也很想購買，他們這一種經濟的苦悶，蘇聯認爲有機可乘。而且一百億美元，是個很大的數目，中蘇兩地，廣土衆民，購買力似乎可以構成歐亞兩洲國家的一種幻想。蘇聯希望這個計劃，足以引起歐洲國家，反對美國禁運，[illegible]民主集團[illegible]對抗；那麼[illegible]利益下，[illegible]，可坐收漁翁之利。至於蘇聯這如意算盤，能否發生效力，是另外一件事，[illegible]方案，首先將在今年十二月間的「國際經濟會議」（World Economic Conference）提出。這所謂國際經濟會議，將在莫斯科舉行，參加者爲共產集團各國代表，至於鐵幕以外的國家，由各國共產黨的外圍經濟團體，派遣代表於十二月間集會。大概集會時，他們對於這個「驚人」的方案，要自相驚擾一番；到國際經濟會議結束以後，各該共產黨當然利用這「五年計劃」，大肆宣傳，希望破壞民主國家的經濟封鎖。

時至今日，共產黨的欺騙宣傳，爲舉世所週知，和共產黨談商業，那個是與虎謀皮，蘇聯想用這樣淺薄的計劃，欺騙民主國家，徒見其心勞日絀而已！

死老鼠與狗蚤

樂光

西方三強的聯合和平建議，經艾契遜提出、維辛斯基的答覆怎樣呢？他說：他讀了西方的和平建議後，笑了一夜不能成眠。接着他又說：這個和平建議，不僅是一隻老鼠，而且是一隻死老鼠。

這使記者憶起一九四九年四強外長會議的往事。那次會議的主題，是討論對德問題。維辛斯基以強硬的語氣，提出東西兩德的統一計劃，弄得會場空氣緊張萬分。英法外長把眼光注視到艾契遜的臉上，看他對維辛斯基的提案怎樣作答。

艾契遜很幽默地說：『蘇聯的計劃，好像一條狗，長滿了狗蚤，其實只見有蚤，不見有狗』。意思是說，蘇聯的計劃，完全是宣傳攻勢。

維辛斯基說：『依照聖經的說法，只顧捉蚤，便會跑掉駱駝』。

英外長貝文說：『聖經根本沒有這樣說過』。

維辛斯基說：『俄文譯本是有這一段話的』。

法外長說：『我提議將狗蚤問題，交給代表去討論』。

這幾天來，聯合國代表們，大談其死老鼠問題，觀察家預測，在大會閉幕前，有人會提議：『將死老鼠問題交下屆聯大討論』。

中共崩潰的前夜
民兵鬆勁先要求散夥

樣樣要民兵帶頭，事事要民兵領先，人人跑斷腿，個個喊苦死，鬆勁散夥，勢所必然。

【本報漢口特約通訊】民兵，在中共的眼裏就好比一條看家狗，他們從井岡山落草到「北京」「新華宮」沐猴而冠，廿多年來用盡了欺騙麻醉的手段，驅使着千萬純良樸質的老百姓為他們幹了不少「偉大的工作」。但，人總是人，絕不能像鬆了勁的發條一樣，開足就走，永遠不停，當民兵們眼看着「大陸全部解放」「土改勝利結束」，而自己還是身無長物光桿一個以後，無不悄然興悲，大感鬆勁，「不如散夥」的思想在不知不覺中都油然而生了。

「革命」策源地　「壞人」竟出頭

被劃在「中南區」裏的湘、鄂、贛、豫、粵、桂等省，原都是中共的「革命策源地」，這一地區的民兵組織，一向被認為是「羣眾運動中的骨幹」，其鬥爭情緒是「異常飽滿」，工作也是「欣欣向榮」的。不料從「土改勝利結束」之後，「鬆勁」「散夥」的思想卻隨處滋長，不斷蔓延，情形嚴重，如水決堤。舉幾個例：湖北枝江縣洋溪民兵指導員曹光賢，於「土改完成」後，竟不報告「上級」，自作主張的將他領導的四個民兵小組解散了。散夥之前，曹並集眾訓話：「弟兄們也苦夠了！大家需要休息休息，好在天下太平，萬事大吉，今後不用再當民兵了，應即一心一意從事生產工作。」宜昌一區民兵隊長李萬才，不通過組織，即將全部武器交給會打槍的無業游民，要他們打獵生產，致「壞人」出頭，「好人」斂跡。湖南邵陽更妙，民兵大隊長夏維和，竟命令將所有武裝（土砲、梭標）改鑄成鋤頭，大有「兵器鑄為日月光」之勢。廣東惠陽縣同津鄉第七村「土改」後，不願幹民兵的佔百分之八十，其中有十八個人是「土改」鬥爭中的「骨幹」。廣西方面，鬧的更凶，好多縣份民兵中的「青年團」員，都寧願「退團」也不幹民兵。

行動被局限　幹部怕下鄉

由於民兵鬆勁，都要散夥，「中南區」的一切活動都被局限了。幹部多留滯城市，不肯下鄉，即或為命令所迫必須一走，也得帶上幾個槍兵，否則即有失蹤或被活埋的危險。過去被中共指為「國特」、「惡霸」、「地痞」、「流氓」等一班「壞人」，現均重新露面，大肆活動，到處反攻，倒算，破壞，殺人，放火的事件，層出不窮。湖南湘潭金陵鄉因民兵散夥，無人「鎮壓」，「壞人」均公然出來，「亂說亂動」了，散傳單，貼標語，隨心所欲，而被指為「地主」曾掃地出門的張佩秋，以獲得「壞人」支持，竟敢跑到過去他的佃戶蕭正鈞家裏，向蕭實行「反清算」，板櫈桌子床都要蕭分一半給他用。岳陽長湖鄉被指為「地主」的劉從村，見民兵散夥，便買通幹部，出面仲裁，重新合理分配農民已分得的耕牛、農具、房屋。這些決不是「個別現象」，雖然中共高幹在結合具體情況下，已展開講解、討論、訴苦、控訴、對比、回憶、查思想、評鬥志等努力，可是「嚴重的情勢」非一朝一夕所造成，挽狂瀾於既倒，談何容易？害了一場大病的人，竟妄想靠催眠術來使之恢復健康「照常活動」，那豈不是一大笑話！

遍地皆「匪」日　無「兵」可用時

「中南區軍政委員會政委」鄧子恢，在看到各方面不好的「反映」之後，很感頭痛，最近鄧曾祕密召開了好幾次「檢討會」，研討民兵鬆勁要求散夥的癥結。結果認為：（一）各級幹部在領導上忘掉了「勞武結合」，致民兵都脫離生產成了兵混子，組織紀律根本不談。（二）民兵「任務太多」，不堪負荷，「幹部」視民兵若牛馬，毫不體恤，事事要民兵「帶頭」、樣樣要民兵「領先」、催糧、送草、護倉、護路、擁軍、優屬、打更、送信、做護兵，無一不要民兵負責，不分寒暑，無間晝夜，人人跑斷腿，個個喊苦死，什麼「保家衛國」，「敵情觀念」，「勝利信心」，早被繁重的工作磨折得煙消雲散，一乾二淨。（三）民兵「五查」（查敵情觀念、查工作、查武器、查紀律作風、查生產），已變成具文，致民兵組織多被「壞人」打進，甚至好多地區的民兵領導權都落「壞人」所攫取，在「特務」造謠威脅下，好的民兵都變成兵痞，「積極」份子，相率裹足，在這種情形下，要民兵配合公安機關，部隊或單獨維持地方治安，此何異緣木求魚，刻舟求劍？目前湖北、湖南、江西、河南等「軍區」，雖都已針對病狀開出了加強教育、整頓組織，慎重吸收，提高警惕，嚴格管制等妙藥丹方，可是病入膏肓，人心已去，殘喘僅存，無法回天，行見遍地皆「匪」，將無可用之兵，一旦反攻號角響澈，這些積憤已久的民兵，必奮勇爭先，「帶頭」「起義」，打殺共幹，「戴罪圖功」。到那時候，慣於奴役人民的統御階級，就會領悟到「水可載舟亦可覆舟」那句話的價值了。（懷民・十一月九日寄。）

東倒西歪看河南

驕傲　自滿　麻痺　鬆懈　官僚主義抬頭　馬虎主義生根

【本報開封特約通訊】根據中共自己檢討：「隨着抗美援朝，土地改革，鎮壓反革命三大運動的順利推進，黨的組織和幹部中普遍滋長了驕傲自滿麻痺鬆懈的思想情緒，首先表現在領導上的是官僚主義的抬頭，馬虎主義的生根。」河南方面，「反映」最為強烈。中共河南許昌地委吳徑松目擊心傷，為「鞏固勝利的果實」，正不顧一切進行幹部整風，想抓住思想上的要害，給一班落後，腐化不可救藥的幹部打一針強心針。

縣裏一張紙，區裏一張嘴，鄉裏跑斷腿。

現在河南各地工作的「幹部」，多「被勝利沖昏了頭腦」，不問在縣區，在鄉鎮，都養尊處優，懶得行動，或整天坐在機關裏下下條子，或跑到外面吃吃館子打打麻將，高高在上，死人不管，碰高興下鄉走走，也只是像欽差大臣一樣，滿天飛的，走馬看花，有的「幹部」甚至驕傲地說：「他媽的，天下都打下來了，還怕什麼？只要我手指到那裏，羣眾就會跟到那裏。」由於這種自滿情緒的瀰漫，高張，致工作無重心，下鄉無重點，經驗愈來愈少，「偏差」愈來愈多，鄉幹則時時在嘰咕：「縣裏一張紙，區裏一張嘴，鄉裏跑斷腿。」不滿情緒，溢於言表。

鬧情緒，鬧派別，鬧包辦。

既有了官僚主義，就必然會產生強迫命令的作風，河南共幹做工作，現在已不彈宣傳，教育，或發動羣眾那一套舊調子了，要做就做，不做不行，好多「同志」一開口就質問對方：「誰給你分的田」？「誰讓你翻的身？」「你忘本，你落後，非吊打不行。」目無羣眾，目無敵人，一遇「事故」則亂打亂扣，慌做一團，而好多縣區黨委都在鬧情緒，鬧派別，鬧包辦，「團結」「民主」更不必談，許多幹部除求享受外還公開的在埋怨「上級」：「天曉得！我們並不是脫離了羣眾，而是落後的羣眾脫離了我們。」

各打各的鑼鼓，各走各的大路。

像戳了洞的皮球一樣，任你拚命「打氣」也不生作用了，到現在為止，在河南工作的「幹部」，十有九人都沒有建立起「思想上的基本觀點」，以致表現在言行上的有：「什麼羣眾路綫？不管！」「走到那裏算那裏。」「自我批評太囉嗦了。」「大家都是自家人，搗什麼鬼蛋。」以是老幹部管不了新同志，老書記不理睬新委員，各打各的鑼鼓，各走各的大路，毛澤東諄諄告誡他們的「聯繫分析，啟發思想，集中報告」那一番話，早已視作耳邊風，結果弄得各人自掃門前雪，塌下天來也不管，各地地委對「幹部整風」的努力，迅速即證明是浪費，是幻想，害了三期肺病的人，想打一劑強心針就會恢復健康，那有這麼容易？（王師・十一月三日寄。）

殉難大陸的黃八妹丈夫

北雁

英名為妻所掩的謝友勝

「妻以夫貴，母以子貴」的觀念，已隨時代而改變，惟戰爭之事，歷史上都是男子參與，所以隋唐時期，有一個木蘭的女子，代父從軍，就成了千年傳誦的佳話。相同的，原是杭州灣一個農婦，平日因面對浩瀚大海的影響而形成豪放的性格，和從事漁鹽經營，而有着一批活潑勇敢的夥伴，在抗戰軍興時激於民族大義，起而從事對侵略者游擊戰的黃百器（八妹）女士，時受中外記者的訪問和報刊的登載照相，談話，十餘年來成了一個新聞人物。然而她的游擊事業，是和她的丈夫謝友勝共同策劃和領導的；由於她的成為新聞人物，謝的英名卻掩而無聞。

抗戰時期的戰功

「十室之邑，必有忠信」，一個有久長文化的民族，優美的道德往往蘊藏在社會深處，每逢大時代的到來，自然的會表現可歌可泣的民族精神！

當二十六年「七七」蘆溝橋事變以後，接着舉世震驚的淞滬戰火，也於「八一三」爆發。經過兩個月的激戰，日軍於十一月五日在金山衛，全公亭一帶施行偷渡得逞，當天就威脅了滬杭鐵路，京、滬、杭地區的戰事，就跟着急轉直下。在國軍退卻後的政治真空期間，有志之士為了維持秩序和繼續予侵略者以打擊，就紛紛組織游擊隊。八年歲月，日軍偷渡地區內成立的游擊隊也有不少起伏。謝氏因和他的夫人相互砥礪，故對友軍的協助和對政府的整編召訓，都恪守崗位，計先後任陸軍六十二師獨立大隊長，三戰區江南挺進第三縱隊營長，直至勝利前夕，還以平湖自衛大隊長而在對付日軍的八月大掃蕩。他的戰功較著的有廿七年七月捕獲日軍的平湖守備隊長米山；卅二年破壞日，汪的太湖地區清鄉。勝利復員，他解甲歸商，膺選了乍浦鎮長；移捍衛國土的目標於建設鄉土。

卅八年春季的明智抉擇

卅八年共軍渡江前夕，無論都市鄉村，同時暴露了期待現政權崩潰的不良心理；前者誤信共黨的「民主」，以為自己在社會有「若干地位」，只要表示對現政府的消極，共黨就會「心照不宣」的諒解，或且能得到「垂青」；後者在戰後思想生活沒有歸宿的，以為社會若再變亂，他們又得一顯身手。所以，卅七和卅八年相交，共黨尚未渡江之際，都市政治的混亂和鄉村間盜匪之徒的橫行，已預示大陸的將淪入苦痛的深淵！

在這時期，包圍謝（自然黃也在內）的有共黨潛伏份子的當地縣長樓正華（大陸陷後任職杭州「人民法庭」），要謝作為他「解放」平湖的資本；地方紳士和查人偉（民盟浙江負責人，卅八年七月因共黨對其不理而氣死）通聲氣的要謝在兩軍進退時維持地方；黨校出身的國大代表許敏中（已被共殺），暗中參加了「孫盟」，在做着再任縣長的美夢（許在抗戰初期任平湖縣長），更要謝出面支持；負「民革」使命卅年和他在鎮江北岸共同作戰的前暫編陸軍卅三師師長黃權委以番號，也要他為呼應。然而他，胸有定見，卅八年五月共軍還沒有到達嘉興，就決然的接受了反共救國軍縱隊副司令職而浮海。

成仁經過和人們的憶念

謝和夫人浮海至嵊泗列島的大羊山，小羊山。不久，浙省政府撤至定海，主席周碞又委他倆以平湖縣政（黃任縣長，謝副之）。那時，平湖在定海面上還有一個叫灘滸的小島，謝就率隊進駐，確保縣境的最後一點。他在那裏一方控制共方的海上活動，一方則援助從鐵幕脫出來的舊日公務人員和忠貞志士。去年五月定海國軍為戰略關係而撤退，共軍乘機猛撲，謝於駐地支持兩月。七月間離海登陸，由餘姚海岸深入敵後，在錢江兩岸流動突擊，但不幸於十一月在全公亭附近被俘。共黨俘謝後依例用嚴刑把他在餘姚、上虞、平湖、海鹽、嘉興、海寧、崇德、桐鄉等縣分別玩那套「公審」的把戲。這五十八歲的革命志士，最後一次乘機把共方的陰謀狠毒，向羣眾宣傳，結果他就在本年仲春成仁於縣城內。

共黨現在還繼續的在搜捕他的親友和部屬，而他留在海上的同志則仍和張惠芳部聯合作戰。至地方人在受赤禍的痛苦如水益深如火益熱的境況中，對這被磨折而成仁的老志士，似對過去歷史所傳誦的忠義之士般的時時漾起懷念和崇敬之情。更有很多人洞念卅八年春季，廊廟之士，還有投機取巧，苟安求全層出不窮的演出，謝氏卻毅然走向反共大道，無不對他起着「十步芳草」「歲寒松柏」之感。

鐵幕透視

雙門底買古董舊話翻新

廣州西關至今仍流行着一句話，叫做「雙門底買古董」，雙門底就是今日的永漢北路，從前開的多是古董店，他們都是「漫天討價」，那末你也只能「落地還錢」。他要一千，還他兩百便足夠，超過此數，就得大吃其虧。這次中共向廣州市工商界開刀——勒獻飛機大砲，廣州工商界在大力壓迫下，只好拿出雙門底買古董的手法來權宜應付：「漫天認額，落地交錢」。本來規定截至九月底止，要繳交認獻總額百分之七十五。但真正工商交困，百業蕭條的廣州工商界，那能辦得到！據中共官方宣布：棉紗綢布、橡膠、旅社、米糧、粉麵茶點、臘味、手機織布、柴、餅干、餅餌、木屐、酒、理髮、傢私等四十五行業繳款的平均率僅為認獻總額的百分之廿，恰符雙門底還價之數。不過，雙門底買古董，你可以自由還價；中共迫獻飛機大砲，你卻不能自由繳款。認了的賬，作算關門大吉，還是不了，沒有錢嗎，拿肉都得填個足夠。廣州市工商界，這回卻是苦也！

「農民終於取得了勝利」

中共鼓勵貧佃農鬥爭地主，花式越出越多，手段越來越辣。中山縣第二區四沙鄉農會於十月廿四日鬥爭被列為地主的蕭沛雲時，拿出一張爛棉被和一些爛衣服，說他害到農民世世代代都蓋這張爛棉被和穿這些爛衣服，所以要把他享受着的東西全部沒收。又拿出一把大秤，說他十年來用這秤剝削了農民九百多萬斤穀，非全部退回不可。蕭沛雲在被鬥爭之下，表示他的房屋衣物可以任由支配，爛棉被爛衣服他也一樣可以蓋，可以穿。但十年來的租穀，那裏找來退還？但農會那管這些，由清早鬥到深夜三點鐘，把蕭沛雲的妻女綁到台上，剝剩底衣底褲，百般刑辱，宣稱不還穀賬就得還血賬，蕭沛雲求死不得，眼看妻女受苦情形，迫得簽字承認，照數填還。農會又問他那裏來的錢，也又只好胡亂的說存某處若干，存某處又若干。三人回家後，關上大門，一齊跳井死了。

農會於是宣布：「農民終於取得了勝利」。

「雙重解放」下的婦女

中國大陸未被「解放」前，對於婦女雖不怎樣崇敬，但公開施用肉刑卻從沒聽過，有亦為社會所不容。「解放」之後，也許男女真的平等了，所謂「共幹」也者，刑辱婦女來滿足牠們虐待狂的事件，隨時隨地都有發現，並且絕不限於地主富農的妻女。

屈濟潮是廣西永淳縣第三區式望鄉的農會主席，今年六月糾集「民兵隊長」屈學進，假稱奉上級命令，以「作風不好」為理由，把該村婦女黃秀清、屈六妹、施月金、黃秀蓮、屈二妹、陳月嫦、陳秀仁、文秀光、梁秀清等九人，逮捕監禁，公開施用肉刑審問，黃秀清被吊起毒打，晒太陽，強迫戴竹帽遊街，用「尖手刑」迫供。屈六妹，施月金，黃秀蓮，屈二妹等被施「尖手刑」後，左手姆指都被戳斷。又黃秀蓮之夫弟屈本成被迫動手行刑，否則就是包庇嫂嫂。陳秀仁頸部被勒幾乎斷氣。梁秀清是孕婦，被吊起在牛欄過夜，施月金被吊到不省人事，放下地醒來再受毒打……所有表示反對的人都同樣受刑。

該縣政府的「領導上」雖然知道這事，卻並不重視，跟着同一地區的平龍村，劉村，古辣村的村幹都紛起傚效和式昭村看齊，把有點私怨或從前瞧他們不起的婦女同樣刑辱，這才引起縣「法院」的注意，但也僅把屈濟潮屈學進兩兇禁閉了三個月。

上月兩人期滿回鄉，照舊橫行，聲言報復，嚇得全村婦女都不敢和他們碰面。

所謂「雙重解放」下的婦女，原來都是如此這般。

行路與結婚的自由

・尚方・

不久以前，在報上見有號稱「中國共產黨民主同盟」的宣傳文字，中間提到「我們要求行路的自由，結婚的自由」這些話。初看時，覺得這類主張無關宏旨，何必當作大問題來號召呢？細而恍然大悟，這不但是大問題，而且是社會上每一個人所共有的基本人權哩！

在專制暴政之下，思想言論與結社集會的自由，被剝奪，尚可勉強忍受，決心做一個「置理亂於不聞」的順民，也就可以活下去。至於走路，乃人類生存的本能，除卻罪大惡極的牢獄囚犯，誰都該享有自由的。但被共[illegible]社會裏，不特被視為可疑的人物，不許亂動，即普通人民，由甲地到乙地，也寸步難移，移動艱難，遠去異域，更是禍事。婚姻為人類延續之源，而共產黨却不許別人有自由意志，一切要「通過組織」，不是經組織作主的婚姻，便是犯罪行為！同時則以「剷除封建思想」的邪說，鼓勵兩性亂交，把人類的生存途徑，拉進畜生道上去。

行路不許自由，是使人類都散失營生的本能，變成一種無機體，聽受擺佈。結婚不許自由，是泯沒青年們的生機，教他們回到猿人的原始生活，好替暴民專制者作任何犧牲品。這兩項的共同作用，就是泯滅人性！所以行路與結婚不自由的痛苦，只有在共產暴政中過來人，纔體驗得最深刻。他們發出這種呼籲，可致住海外自由之地而貌提「前進」者，稍事省悟吧！

自由談

對離婚特具興趣的史良

・魯男・

拆散了兩萬多家庭她還說不夠

十月十三日的「人民日報」，登過「女怪」史良——中共「司法部長」——的一篇文章，題目叫做「認真貫徹執行婚姻法」，無恥地誇耀着大陸上離婚案的增加，說為她「司法部長」的功勞，說自「婚姻法」公佈以後，去年四月到八月這四個月中，北平等二十一個大中城市的司法機關受理了一萬七千七百六十三件離婚案子；河北等省所屬十個縣同期也受理了一千九百二十八件；湖北省七月一月間就受理了二百三十九件，這些地方的離婚案普遍地比未公佈「婚姻法」以前的同時間，增加了百分之一百。

在該文內，「女怪」又哈哈大笑地說：「一九五〇年三十二個大中城市和二十個省中三十四個縣城的統計，（兩個月至半年不等）提出離婚者共二一、四三三人，其中女性佔百分之七六、五六。」

但是，半年內只有二三萬人離婚，史良還不認為滿足，照她內心的妄想，最好能有千倍，百倍於二三萬的數目。所以她就疾言厲色的「批評」那些「司法幹部」，說他們「還存有封建思想」，要他們加強學習「大力克服」。

清民之際的長沙（八）

・舜生・

抗戰勝利以後我回到南京，曹先生曾寄過他的一本『孟父春秋』給我。這是一本用小說體裁寫成的自傳，約六七萬言，用極美的白話，講極有趣的故事，花了我三四點鐘的時間，一氣把它看完，我對我這位先生，乃有了進一步的認識。前年共軍侵入長沙，他不曾走動。他沒有任何產業，依然苦苦守着他那一所孤兒院，大概中共對他也無可奈何；可是到了去年，他畢竟死了，年齡大致是六十六七吧。一個人的生平，最怕不能自成一格，我細考我這位先生的言行，有不少的地方和日本的賀川豐彥有些相似，總算是近代湖南的一位特殊人物了。

在宣統二三年之交，（即我在高小三四年級的時候）正是中國立憲革命兩派鬥爭得最劇烈的一個時期，這種情形，也居然反映到了我們的學校，下面的幾個故事，是我記得很清楚的。

我的同學中間有一個名叫易克臬的，平日不算太用功，可是非常聰明，而且辯才無礙。當我們平日在自修室作功課的時候，他總歡喜一個人在那裏亂唱，後來有幾句，我就聽也聽熟了：『拿鼓板，在長街，高聲大唱，叫一聲，衆同胞，細聽端詳，我中華，原是個，有名大國，……』一直等到我看見了陳天華的『猛回頭』，才發覺他唱的原來就是這個。

爭鐵路國有的風潮起來以後，我們湖南也推得有代表到北京去力爭，當時有一位名叫粟戡時的先生（字默生），乃斷下一個指頭，用血寫了下面的幾句話：『湘路無勝借款，乞中堂主持，戡時謹上。』我們的代表到了北京，便把這一紙血書，張貼在湖南會館的門口，確給了當時爭路者的一種鼓勵。但中堂指的是什麼人，我便現在也還不大明白。

不記得是在這件事的以前或稍後，有一天，教歷史的曹秩厓先生，在講堂上告訴我們一件事：『今天我在修業上課，看見修業的教員徐特立，欲下一個指頭，寫了「請開國會，斷指送行」八個大字，交給我們的請願代表易宗夔和羅傑了。』當時聽了，我們也非常感動。不久，我還知道羅傑（字峙雲）有一首詩送給徐特立，內中有兩句：『指痕送別壯南八，才氣逼人求李鬱』，後來在[illegible]我和行嚴講起這個故事，他還通通稱讚：『好詩，好詩！』這位徐特立，便是今天中共的五老之一，（其餘四老據說是林祖涵、吳玉章、董必武、謝覺哉）他壯年的時候，在長沙當過多年的教員，後來又到法國留過一時期的學，他也是我在長沙師範時候的校長，三十四年我到延安，他還和我談過好一會。其人『才氣』果確實有一點的，但是讀書太少，只懂得一味好奇喜新，實際中無所主，當初以為中國一開國會便有辦法，現在大概以為中國實行共產，便可成為五強之一。中共的老頭子，已經是如此簡單，青年人自然更不用說了。

更正：上期所登的一段，中有『蔡圓先生』云云，蔡圓兩字係燮閎之誤排，燮閎先生即王先謙也。

萬竹樓隨筆（四六）

上帝對她另眼相看

史良這個「女人」為什麼對別人的離婚——特別是對女人提出向男人離婚這件事有如此濃厚的興趣呢？

原來她是上海法科大學的學生，在學校的時候，讀書很用功，人也相當聰明，但是上帝似乎故意和她開玩笑，却配給她一付醜怪相，近視眼，雀斑，包脚布的面孔。她是常州人，又是大戶人家出身，本來是江南山明水秀的地方，所有女性大多都長得可以，惟有史良則特別例外，除了奇醜之外，她太缺乏女性的點綴，身段既沒有女性的曲線，態度也沒有一絲毫女性風情。因此，男同學們沒有一個對她感到興趣。

當時，學生運動非常蓬勃，史良很喜歡參加，出風頭，[illegible]

[illegible]這個「老小姐」了，依然……一直到抗戰時，終身無托，才找到一個富於女性的男人與他同居。（十個「老小姐」九個是有變態心理的，史良是因為有變態心理，所以更需要一切人對她[illegible]，常常對男人似有所懷恨，[illegible]）史良就和中共掛上了錢，在上海跟着沈鈞儒等「六君子」把鬨，希望中共奪得政權，分一杯羹。今天，她果然如願以償，由她執行「婚姻法」！幾個月之內拆散了幾萬家庭還說不够，恐怕要鬧到天翻地覆才能滿足她那變態心理吧？

大力增產吧，土地是你的了！
人民
獻

笑話乎？悲劇乎！

不錯，我國男女婚姻的方式，過去是由「父母之命，媒妁之言」的居多，婚後的生活當然有許多不合理想的。但兩性生活盡量合理化的事，都有變態方面的，婚姻不美滿，女性方面苦不過，痛苦較深，則我們並不否認。我們中國人特殊的美德，是犧牲自我的幸福，以成全兒女。（中共說法就是封建思想）所以許多夫妻之所以不離婚，仍然維持合作之後完全是因為怕離婚有失父母的身分，怕影響兒女們。與其失父母的愛，兒女受生悲哀，倒不如自身拋棄悲哀的生活，也是偉大的母愛。這變態的表現，是一味叫人離婚再嫁的史良之流，也可想到幼年子女脆弱的心靈上無可補償的創痛嗎？

中共「婚姻法」的主要內容是鼓動人民離婚，尤其是鼓勵婦女離婚，所以是破壞家庭的。有很多人——包括中共的幹部都稱它做「離婚法」，又稱它做「婦女法」。此外，大陸上一個很普遍的笑話：因為中共是講究平均分配主義的，所以司法幹部所判決的離婚案中，如果離婚人有兩個小孩的，就像土改分田一樣，判決每人分一個。因此就有人說，如果有三個小孩，除了每人分一個之外，其餘一個就將他劈成兩半，各分一半。這個是笑話嗎？抑是悲劇呢？

好笑與睡不着

——文・海——

天下有許多好笑的事，遠者不說，當亞當與夏娃偷吃一個蘋果，竟然就懂得羞恥；近者，第二次大戰時，蘇聯與德國，與日本訂立互不侵犯條約，結果强盜被賊搶，都是好笑的事。

昨日，在巴黎出席聯合國大會的蘇聯外交部長維辛斯基又發現了一件好笑的事，他在會場上說：「我是笑美英法的裁軍計劃，昨晚我看了該建議後，睡不大着，我睡不着是因我在笑，我通常不是好笑的，但這回當在講壇上欲矜持時，仍不能止住笑」。是怎麼一回事呢？是真有這樣好笑嗎？是的，就憑維辛斯基睡不着，這一點，就够好笑了。

本來，好笑與睡不着是兩回事，好笑是因為別人的愚蠢，睡不着則是自己的痛苦。從笑人家變為自己的痛苦，對於笑的人說應該是不好笑了，正如阿Q被綁赴殺場的時候，看見人山人海的觀衆，也暗自好笑。但是一想原來殺的是自己，就[illegible]笑了，而好笑的是那些觀衆。

維辛斯基自[illegible]常是不好笑的，[illegible]

人倫慘劇

・小民・

我們時時聽到鐵幕內某某「大義滅親」「前進」行動，我們只能歎息于[illegible]青年們的盲目衝動，天性泯滅，又誰知在這倫常慘劇的幕後，還隱藏着[illegible]血淚淋漓的故事！當筆者讀到下面這則短文時，我不禁熱淚盈眶，[illegible]

福建福清縣[illegible]處決，在臨刑[illegible]幹部發覺時立刻分[illegible]者，乘夜摸回[illegible]，他那白髮的老[illegible]得這樣嚴密，出[illegible]怎能逃得了這條[illegible]這一家罷」！[illegible]他父親一條繩子[illegible]

福建××縣××鄉[illegible]們正在發動向他[illegible]他們的對象，就[illegible]對於自身的生死[illegible]却是怕這些惡魔[illegible]怎好！因此，他[illegible]條生路，免得父[illegible]子叫來，密密地[illegible]默地走了。第二[illegible]訴他的父親×××[illegible]會開過後，這[illegible]。兒子安全了，[illegible]

神話的開端（代序）

・海鷗孤客・

德萊西的巨著「政治神話與經濟制度」說，今日以前的世界給一些神話支配着；神話的主要作用在造成人們的自願服從。一世紀以前流行着多神教神話，一至六世紀流行的是基督教神話，十世紀是封建制度神話，十六世紀是君主政體神話，十九世紀是民主政體神話，二十世紀則還是國家神話。七十五個世代中，歐洲各種制度所依據的根本理論變化了七次。每一時代的神話都成一般信仰中心，一方面號召羣衆皈依，一方面必有多少異端大逆給斫了頭，或者充滿監牢流放荒域。

德萊西發表這些話之後不久，二十世紀劈頭第一件大事是歐洲大戰和蘇俄十月革命創建蘇維埃政制。半生逃亡美洲鼓吹社會革命的亞歷山大柏克曼氏回到新蘇俄，週旋于列寧托洛斯基諸首要人物之間兩年餘，奉搜集革命史料的使命，週行諸蘇維埃共和聯邦，卒之搖頭出走，重行流浪，寫了一本輕鬆而深刻的典型的筆記文學叫「布爾什維克之神話」。我想德萊西見了這書一定禁作會心的微笑！

中國這一羣是生來擬滯的。「天生民而立之君立之師」的神話，一行就五千年。余生不晚，短短五十年聽着見着維新立憲的神話和運動，聽着見着反專制行民治的神話和運動，終焉聽着新民主主義人民解放的神話和運動，眼前就用機關槍和剃刀迫着大衆皈依，無數異端大逆一頭在斫殺，斫得像斬瓜切菜！

某一時代的人必要做那時代流行着或強姦信仰的神話之一信徒，我亦豈能例外。我讀過七年學八股試帖的子曰店，一年有音樂體操等新花頭的高等小學，二年西蒐買辦養成所的英文專館，又五年「中學為體西學為用」畢了業便是「貢生」「舉人」的維新學堂。這之後，我做着斷斷續續凡三十年海內外新聞記者，中小學教師校長，大學講師；也還做過十年以上客串的「準」官。這中間，我參加過緊跟着「興中會」後的「中國革命同盟會」，贊助過越南和朝鮮的獨立運動，承任局部工作。我接受過滿清末以來的自由社會主義，然後在本世紀初年用微弱的呼聲接納而促這理論流佈于中國，而且眼見着它所生的影響——五四運動的源泉。也還周旋過列寧專使，聯合過第三國際代表在粵策動種種，然後眼見中國共產黨出世[illegible]

[illegible]

解放別錄

自由人
THE FREEMAN
（半週刊每星期三六出版）
（第七十四期）
每份港幣壹毫
督印人：李光華
社址　香港高士打道六六號　電話：二〇八四八
GLOUCESTER RD. HONGKONG TEL: 20848
承印者：東南印務出版社
地址：高士打道六四號
台總經銷處
台北市中華路一二五九號
（台北憲兵隊側對面）

民主政治的低調

我談的是民主政治的低調，是起碼的實質問題。為表示這點起碼的實質，就看當政者有沒有雅量與決心了。

·雷嘯岑·

全世界反對極權主義的人們，都以民主為盾牌，要求享有民主自由的生活，中國人自然也不例外，毋寧是求之更急。因為中國人民現時所受極權暴政的禍害，甲於全球！現在並不是民主問題的理論之爭，形式之爭，而是民主政治的實質問題。不滿現狀的人們，說台灣迄無民主事實，依然是「獨裁政權」；然蔣先生曾公開說過：「我們不要民主自由，難道還要獨裁專制！」這可見理論上沒有甚麼出入。現在中華民國治權行使的形式，是根據憲法而來的，這部憲法又是現代法學權威張君勱先生的精心傑作，經全民代表通過施行的。所以在民主政治的形式上也沒有多大的歧見了。問題祇在實質。

充分發揮民主實質的首要條件是政黨政治，即須有相當力量的反對黨存在。其次是輿論政治，即人民應有批評政府得失的言論自由權。不過，政黨政治之構成與發展，不是一朝一夕的事，在我們這種產業落後，中產階級力量微弱的國家中，要想以迎頭趕上的加工製造方法，瞬息間形成健全的政黨政治，殊非易易。現時的立法院，何嘗不是多黨組織？然事實上何嘗有反對黨的存在跡象？美國開國之初，政黨政治尚未健全，華盛頓總統創行了所謂「分贓制度」（Spoils System），雅各孫（Andrew Jackson）又錯發揚之，以彰民主主義功用，且替未來的政黨政治奠下健全發展的基礎，我們現在似乎還這種事實也不多見。正規的作法是訴之於選民，在目前，還不但為現實環境所不許，即如民國卅七年依新憲而執行的各種人民代表選舉，曾經執政黨提名指定的友黨候選人，且多數落了選。平時沒有培植反對黨派以及可與合作的友黨，一旦實施普選，致他們從素無政黨政治基礎的社會各階層去爭取選民，談何容易！結果在議會裏產生不出反對黨來，在行政部門雖有若干友黨人士參加，亦被視為「殘羹冷飯」，徒資點綴。從民主政治的實質看，這當然是不夠的，不特此也，現任的國家元首又是議會中絕對多數的黨魁，就黨魁的立場說，他當然可以指揮在議會裏的本黨議員們，服從他的一切政見政策。如是，議會對於總統所提出的任何政治議案與行政人選，決無不通過之理。若就民主政治的實質看，這不是離題太遠麼？這不是獨裁政治的表現麼？強有力的反對黨既未培養出來，健全的輿論更渺焉無存，然又想獲致現代進步的民主憲政的成果，豈非緣木求魚？所以，今日我們所認為不民主的政治現象，其原因基於執政首長個人的觀念與性習者半，基於客觀環境與制度者亦半。

然則我們目前即為若干客觀環境與制度所局限，豈就現實而得過且過嗎？不然，絕對的不然！現在談民主政治者，不外兩種作法：一是以從新來過的革命精神，否定舊有的一切人與事；二是以民主運動的方法，改造現存的一切人與事。若在三年以前，我絕對是贊同前一主張的。現在呢，極權主義者正要革我們的命，在時機上，不容許我們有從容對內革命後再行對外鬥爭的餘暇，因而我祇好同意後一主張，希望能以顧孟餘（存齋）先生所謂「一種超越黨派尊重良心主張的公民態度」，撇開民主政治的哲理與形式邏輯不談，專就民主實質方面，提出一些最低的要求來，以供醉心民主運動者的參考。

第一，在民主政治生活中，低之無可再低的要求，即為言論自由。君主專制時代尚容許有直言極諫的大臣，伏闕論政的處士，而在實施民主憲政的國家，豈可無言論自由的基本人權？沒有言論自由，根本就不配講民主，講也是假話。所謂言論自由，首先就是要讓人們有不同的意見發表，尤其需要有聽受逆耳之言的寬容雅量。譬如防制政治上的貪污行為，輿論制裁的力量，就勝過法律能力若干倍。法律是論究其已然，而輿論則可以遏制其未然。其他一切庶政得失，皆可藉輿論來觀察民心，減少錯誤。有了言論自由的社會環境，自然就可促成政黨政治的發育。無可諱言，現階段的一般人民，由於國民教育之缺乏，對政治很少興趣，他們的領導中心，是中產階級的智識份子。這些人並非個個有從政慾望的，但個個都有批判庶政的能力與熱情，讓大家盡情吐露所知，說得對的，採納它，說得不對的，也不妨聽聽。這對政府乃為有益無損之事，我不理解一些當政的「大人先生」們為甚麼不喜歡別人自由發表言論？智識份子都有其先天的本能，你不讓他們有說話的自由，他們就有挺而走險的「造反」自由！即為當政者的統治利益着想，言論自由也應該提倡的。一個實行民主憲政的社會中，人們的一言一行，如果都表現着一律化、標準化的意識形態，有如死水一池，活源不見，那還有甚麼民主氣味之可言呢！因此，我希望台灣方面除積極誘導言論自由，撤除一切關於言論文字的網羅外，對於海外的報章刊物，只要是反共抗俄的鮮明立場，而非貌裝中立，暗為共黨嘴臉助勢者，應一概予以解禁，讓其發行。至於在反共抗俄的前提下，而對台灣政治有所批評的刊物，尤應該讓它進去，因為這對當局者是「利於行」的一片忠言，是「利於病」的一劑良藥，也就是發揚民主政治的應有作風。邱吉爾一上台，工黨在國會就拚命的攻擊他，然與邱內閣無傷也。戳要本身有辦法，怕誰攻擊呢？身體強壯之人，決不怕風雪的侵襲，惟有底弱的病夫，總冒不得風，淋不得雨哩！

第二，反共抗俄既是全國的復國大業，各黨派各階層人士的共同任務，至少就要把一切反共抗俄人士的意志繼濡起來，精神團結起來。像目前這樣人自為戰的辦法，我認為終屬事倍功半，徒然浪費許多人力，滑滋若干歧見，間接有助於敵人而已。現時一般人所謂「第三勢力」，我雖然尚未目擊其情，即令有此「勢力」，如果是志在反共救國的，容何傷乎！漫說第三，就是再有第五第六勢力，又有甚麼關係？將來若使俄帝統治了全球，則大家倒歸於盡，玉石俱焚，自無第一第三勢力之可言。如其尚有光復大陸，還我河山之日，那時候，絕對是要遵循民主政治的大道來建國的，誰也休想獨霸天下。這樣，不管你是第一勢力也好，第三第五勢力也好，大家只有拿政治主張與人才來爭取民衆的擁護。此外即無是處。所以，政府此時應以最大的容忍精神與嶄新作法，先把所有海內外反共抗俄的力量，集結一致，蔚成活力充沛的興國氣象。於此，有兩點事情我希望當局能夠改善：一為若干居留海外的立法委員以及黨部中央委員等，立院每期開會都有通知給他們，黨部也有教他們登記歸隊的函告，然有些願意到台灣的，又始終不給予入境證，這未免太滑稽了！二為台灣對於居留海外的少數「要人」，似乎很殷切的希望他們入台共赴國難，不用入境證亦無不可。然對於一般人士之申請入境，又似乎不易核許。限制入境，原為防範共黨間諜，而然，只要依照規定手續申請入境的，不問是否「要人」應該事同一律，這就是民主！崇拜偶像的時代已經過去了。像這兩件事，徒給反共人士以「逸強拒入」實行關門主義的印象，影響團結精神不淺，實有改善之必要。

我談的是民主政治的低調，是起碼的實質問題。我是主張一切反共力量大團結的，所以只提出這點卑之無甚高論的要求來。為表示這點起碼的民主實質，就看當政者有沒有雅量與決心了。

聯大花絮

這次出席聯大的各國代表團中，最受人注意的是英美蘇三國。

×　×　×

蘇聯代表團人員八十七人，由三部專機運送。在蘇聯代表馬立克率領下，浩浩蕩蕩在巴黎機場降落。馬立克下機後，頓時成了記者們所包圍的目標。記者們想從馬立克身上獵取的資料太多了，但他們所得到的卻是『沒有評論』。

維辛斯基第二天才趕到巴黎，他的面上堆起一副裝就了的笑容，看起來好像很輕鬆，內心卻非常緊張和嚴肅。

艾契遜率領的代表團人員，總數為九十三名，比蘇聯還要多六名。他的團員中，有一位「屠龍」的七十三歲老人奧斯汀，和人權宣言的起草人羅斯福夫人，特別引起記者們的興趣。

英國外相艾登，他的面孔是巴黎人們所熟悉的，他這次來到巴黎，只攜帶兩樣東西，即一頂黑色的漢堡帽（現在英國人稱之為艾登帽）和一隻手提皮箱。記者們說，他那隻皮箱，裝的不是一箱東西，而是一箱問題。

×　×　×

這次參加聯大的國家總數為六十個，參加的人數，共達五千五百名，包括外交家，政客，經濟學家，海陸空軍將領，原子專家，油印員，翻譯員，其中還有一千名為記者，國際掮客，及公務員。

×　×　×

這次在議程中的議題，將近七十個，其中最重要的幾個，都是舊事重提，像摩洛哥，以色列，喀什米爾，朝鮮等爭端，及中共入會與原子彈控制等問題，觀察家已經預言，六屆聯大，不會產生什麼結果。

×　×　×

聯合國花了卅萬美元在巴黎落成的新廈，現在成了國際是非爭論之場，代表們三句話不離和平，但是和平的影子，這裏是看不到的。蘇聯代表說西方和平計劃是一隻死老鼠。西方代表們卻說蘇聯的和平建議，是宣傳攻勢，自欺欺人。

×　×　×

聯大裏面，國際集團的界綫劃得非常鮮明，蘇聯集團的代表們，不隨便和西方民主國家的代表往來。艾契遜，艾登，和舒曼，時常在一塊兒共餐，或作個人談話。阿拉伯人自成一個集團，埃及代表們在阿拉伯集團中，特別顯得活躍。

×　×　×

巴黎的旅館業，最近幾星期來特別顯得繁榮，頭等旅館，住滿了聯合國的貴賓。巴黎的風光甲天下，何時閉會，何不是代表們所願意考慮的問題。（莊士）

對德問題的變質

·樂光·

對德問題已經變質，表面上看，東西雙方都以德國統一，作為解決對德問題的終極目標，但是骨子裏卻大有文章。

根據波茨坦條約規定，對德問題，須由四強外長會議決定。事實上，從貝尼斯，馬歇爾，到艾契遜，都曾把對德問題，提出四強外長會議討論過，結果一事無成，問題還是問題。

這次英美法三強，已不再依靠蘇聯的態度，將對德問題，直接向聯大提出，主張由聯大設立一個公正的委員會，赴東西兩德調查，以決定其是否適宜於舉行普選，產生全德政府。在基本態度上，起了一個重大的轉變。

從三強的提案，我們可以作如下的看法：

（一）對德問題，美國完全採取主動，不再遷就蘇聯。

（二）德國統一，已不是美國所積極追求的終極目標。

（三）在對德問題上，美國所追求的，是武裝西德，並充實其經濟力，使西德負起捍衛西歐的警衛責任。

（四）美國在歐洲的一切措施，完全集中在反蘇的北大西洋聯防工作方面。在歐洲政治鬥爭上，西方開始採取全面攻勢。

時局漫談

舜生

塔虎脫的主張及其他

美國共和黨參議員塔虎脫，準備參加下屆總統的競選，因而寫了一本小書，發表他對美國外交今後應走的路線。這本書昨天才在美國出版，當然沒有到達香港，關於其詳細內容的研究，自然還要等待；但現在我們已經可以說的，便是他這種態度實在不錯。

一個人要談政治，便必得確立你的主張，發表你的主張，或採納別人的意見，或針對事實的變化，修正你的主張，總而言之，非有主張不可。一個政治的個人或集團，沒有一套主張，與人以共見，老實說，這便不是搞政治，僅僅是「胡鬧」，「鬼混」，僅只是「醉翁之意不在酒」；說得更不客氣一點，也許簡直是為了個人一種不可告人的企圖。

政客與政治家的不同之點在那裏？政客是不要自己有一種主張的，他只是「隨風轉舵」，「投機取巧」，去達到他私人的目的；政治家便一定是有主張的，寧可徹底失敗，也決不輕棄他的主張去求妥協。

我主張自由民主，我聽見有不少人常常說：「我主張反共抗俄，……你為什麼還要說反共抗俄？」[illegible]

[illegible]

他主張：

（一）他主張廢止聯合國憲章上的「否決權」，務須使聯合國的決議，能受任何會員國的尊重。

（二）他主張美國每年的經費，不能超過七百五十億，以高稅平衡預算。

（三）他主張美國參加全球性的戰鬥，應側重海空，最好能避免在海外動用美國的陸軍。

（四）他主張給予反共國家以軍援。

（五）他主張在歐在亞反共，以美國同等重視。

（六）他主張以「宣傳」與「滲入」去對抗共產國家，並肅除美國政府內的共產分子，及建立中立國家內的「友好」分子。

（七）他主張支持台灣的國民政府，並支持其在華南發動游擊戰，但以不用美國陸軍在中國大陸作戰為限。

（八）他反對中共加入聯合國，並反對日本與中共締結和約。

我們已一再強調，美國應該從速在中國大陸建立反共的政權，亞洲問題，以及東南亞問題，才會得到解決；本書的問題，是會引起全世界注目的。我相信塔虎脫這些主張，都不會[illegible]

青葱綠野的盡處
黃沙赤土的起頭

那中間就是鐵幕！

這裏有許多動人的故事，相信你們不會覺得太生疎，亦可能曾經親歷。

嘉華譯自文摘十月號

當車子開到將近捷克和自由德國的邊界的時候，司機指着前面道：「你們看見那片青葱綠野的盡處，和那邊的黃沙赤土的起頭嗎？……那中間就是鐵幕！」

共產黨自從得勢，馬上就在這邊界上劃滿界綫，大批奴工被送到這裏把沿界的麥田、樹林、果園、村落一概縱火焚燬。捷克的軍隊和祕密警察，也跟着把殘餘的屋基瓦礫炸除。

寸草不留

我歇在「賓倫濟」酒店，忽然有人拍着桌面喊道：「他媽的！甚麼都完了，他們把我的一切都剷到寸草不留！」「何止你的房子，萊夫山，愛秋堡，和許多的村莊，何嘗不化爲平地！」共產黨爲了使捷克和它鄰接的自由國家絕緣，祇有用堅壁清野的澈底辦法，在邊境上清出這一片焦土。

原有的居民，不用說，自然被新的統制者趕開，他們沒有辦法，祇好在蘇西自由區的邊上權且住下來。其中有些在天尚未明之前，偷偷地爬回去把他們血汗培植的稻草割些回來，這是拿性命去賭的，曾經有一個農人，被捷共守兵發見，當堂被射殺。

又有一個老農，喝了些酒，醉醺醺的，一時忘了，竟順步走回他的老家，已有些共兵把他抓住，押到東邊去，加上罪名：「受西方間諜指使，希圖非法入境！」判了十年的苦工徒刑。

咫尺天涯

沿着由西德與共產東德的六百五十英里邊界中，共產黨用大木頭和石塊築成障礙。在這些障礙物的後面，還有壕溝、陷阱、狐穴……等等東西，在靠近有人住的地方，另外加上鐵棘網蒺藜。

白德士提獲附近一條村子，有兩弟兄被鐵棘網從兩家中間攔住，弟兄倆天天見面點頭，可是五年來沒有法子同過一桌吃飯談天，眞是所謂咫尺天涯！

談話收費

靠近些通吉安的邊界上，有幾處地方，共軍守衛在鐵棘網後面蓋了一間小木屋，每星期准許東德的居民和西德的親戚隔網探視一次，談話的時候，有兩個共產黨的警察站在旁邊監視，這種談話是要收費的，公價訂定每談話十五分鐘，收費五個馬克！——約合美金一元。

照地圖上看，大索湖是屬於西德英軍的轄區，可是三面被赤色的地區包圍。這大索湖本來是有名的漁區，漁人下網垂釣，沒有一定的界限，可是漁船偶被風吹到共區，就會被共軍當作敵人，開槍掃射。今年六月間，有一個漁船老板，因爲漁船被吹到共區的岸邊，被槍殺，其餘的水手，被判罰苦工，解送到蘇維埃政府開採原子彈的原料——鈾礦去了。

人鬼分界

這塊鐵幕的西面，一連串的爲被難民作臨時寄居的地方，自從二次大戰結束，至少總有一千三百萬難民由共產國家裏面跑出來，大部份都流落在這邊緣上，集成兩千座難民營。現在每天仍然有一百人前來投奔！

我坐着車子來觀光這道人鬼的分界綫，恰巧雷電交閃，大雨傾盆，祇好躲進一家酒店避雨，歇了一會，一男一女像落湯鷄似的撲進來，原來他是捷克的醫生，被人在他桌子裏發現一本美國什誌，疑心他是西方的間諜，他爲了生命安全，不能不逃。兩口子藏在樹林裏兩天，仍然沒有機會，剛好黑雲滿天，大雨將至，共軍的守衛兵不再巡邏了，他們纔跳進邊境的河裏，拚命向着自由泅去。幸好他們終於安全到達目的。

奔向自由

儘管共區的守衛，週時在田野樹林，帶着警犬嚴密巡邏，另外有瞭望台四面張望，夜夜都聽見掃射的槍聲，佈下了天羅地網，仍然有許多人寧願與死亡競走，奔向自由。我就認識十幾個這樣逃出魔掌的逃亡者，其中有一個蘇維埃的少校，由紅軍中開小差，一個東德的火車司機，硬將火車頭開快了，衝入西區，還有波蘭的牧師，匈牙利的農民……

說出你也不相信！在「人民警察」和邊境守衛之中，其實不少是祕密反共份子，他們也源源不絕逐個偷跑到西區來。在柏林的報紙上，天天都有前一天共黨警察開小差的名單刊登。他們開小差的苦衷，曾有一個對我說過，最大的原因：是他們不願意去搜查殺害反共份子的同胞，看情形俄國總會有一天垮台，也許會起革命，如果現在助紂爲虐，將來國人反正，焉能不報復，所以想辦法鑽門路派到邊境，就可以脫離血腥的掌握了！

酒吧女郎

這些冒險偸渡的難民，雖然逃過了鐵幕，可是仍然不能算得安全，共產黨時常追過邊界，抓他們回去。在赫爾伯克——捷克的國界，許多難民已經走入巴伐利亞境內二百碼了，仍然被共產守衛追上，像押解俘虜一樣，用槍把他們逼回去。自從一九五〇年年底起，東德的公安部長，曾懸賞一萬馬克去「捉回，或淸算」那些逃亡的東德公務人員。

這條邊綫上，充滿了危險和詭計，在許多個地方，我都曾經被人勸告，要特別小心，許多酒吧女郎，都會受東德方面的利用，向共產黨綁架的黑名單上的人物下毒，還有你雇的士的時候，那個的士司機會注意你，和你注視他一樣。說不定他會把你送到鐵幕的一面，也許你把他送過去。

的士司機

在西德荷夫城邊綫上，逃亡者多數以的士做工具。這些的士的司機，也多數是逃亡的難民。有一個女人逃過來了，偶然坐的士，竟識出這個司機是東德的便衣祕密警察，因爲不久以前，他曾親自向她施過烙刑，這個走狗是用正式文件走到自由區誘取逃亡者的，於是她又遭了毒手，被他送到東德佈下的機關，然後再送進監牢。

鐵幕沿綫誘拐綁架的事情，司空見慣，初時我看見汽車，瘋狂急速的行駛，還以爲是司機喝醉了，後來有朋友對我說：「如果有汽車向東疾馳的，不用問，又有什麼人被綁架了！」

東來遊客

每一個星期總會有幾千的東德遊客，偸渡過鐵幕，在西德遊蕩片刻，他們的危險性，並不下於逃亡者。可是他們仍然要來呼吸一次，當你走進邊境任何一間酒店，你總可以見到那些遊客站着大嚼香腸、鯡魚、朱古力糖……這些東西，都是不准帶回東區的。本地人的經驗，由穿的鞋子就可以看出你從那裏來！如果鞋子破爛打掌，那一定是東德遊客。

這批遊客，雖然沒有餘錢買東西，但流連在店舖前面，饕餮的欣賞那些在東德永未見過的東西。他們回去之後，就會變成我們最好的宣傳員，使蘇聯人的謠言謊語，一掃而空。

五年徒刑

在接近邊界的報攤，有人買報紙雜誌時，就提醒一句，「每份五十個芬尼，和五年！」五十個芬尼是在東德的價值，五年是指如果不小心帶過界，就有被判五年徒刑的危險！爲了這個緣故，東德的遊客，在回到東區之前，除了大嚼之外，還急忙一快朵頤一些書報雜誌。

共產黨經常派送報紙，小冊子，旗幟，以及宣傳品，過西德，西德的人也照樣回敬。在烈芝堡有一位老年的敎員，他就利用一口迫擊砲，把些小冊子射過東德，用許多火箭和汽球方法都有送過反共文件過鐵幕。

鐵幕西邊的共產黨徒，比全世界任何地方爲少，因爲這地帶的居民，已經飽嘗他們目見耳聞的，他們仇恨，鄙視東德的獨裁制度，所以他們自然拒絕任何黨派的甘言誘引。

識相一些

西區的公務人員，時常接到匿名恐嚇信，和無名電話，千篇一律，都是要他們識相一些，趕快「棄舊迎新」。蘇維埃廣播電台也同樣的向民衆嚇唬。彼此距離太接近，不免就有人被恐嚇的緣故，以致反共的商人也不敢在共區報上刊登廣告，也有邊境的反共農民被迫供給情報，被東區的間諜綁架的。他們扮成商人、收買敎師、公務員，甚至扮成美國人在西區播放謠言。在歐洲和共產黨作戰的美國人，早已識破了他們的詭計，西德印務局印行一本小冊子「共產黨的侵略計劃」，把他們赤裸裸的揭穿。

杞人憂天

有一個普遍討論的問題，就是西方能否有效的防禦共軍的入侵。這一個問題，由盟軍在每一個據點都駐有精兵，來監視共軍的動靜，就可以知道這個問題，是杞人憂天了！

泰首相鑾披汶表示
他決不向侵略者低頭

據合北訪泰記者團前日由曼谷返台經港時談：他們在曼谷一週，已都認淸，並且相信今天和自由中國眞正站在一條綫的是泰國。泰國已都充份明白東南亞當前的危機。他們會見過首相鑾披汶，鑾氏曾向他們保證決不向侵略勢力低首。一般說泰國情形相當穩定，賴鑾中將屬下的警察實力相當雄厚，對泰國未來的展望，他們都表示相當的信心。（邵一成）

在極權統治下的

蘇俄科學與藝術

·陳自平·

信仰；蘇俄的科學，即對馬列主義的信仰；蘇俄的藝術，即爲馬列主義所致用的藝術；所謂異端，即對信仰及迷信仰所致用的反對思想。因而，今日之「是」可爲明日之「非」，「異端」包括了所有的一切諸事萬態。

二十世紀有今日之文明，翻開歷史可知：自由氣氛下才有充分的科學發明。而人類文化之最高成就，亦無非爲致用的藝術所能創造。

哥白尼反敎會的天圓地方說，被視爲異端，使天文學緩進了一個時代，是在宗敎絕對主義形勢下所造成。以東正敎爲骨幹的蘇式政治極權，所以能强姦孟德爾定律，亦因爲是在絕對主義形勢下所造成。生物學上，孟德爾試驗豌豆而發現其遺傳律：遺傳性可以遺傳下代，獲得性不可以遺傳。「遺傳性」與「獲得性」，孟氏及其學派人氏已有不斷的修正與新詮釋，均根據科學的方法，憑眞的事實來立論。而蘇聯米邱林（Michurin）卻偏偏取巧地說：「獲得性可以遺傳」。一方面爲蘇聯生物學界竊取地位，一方面爲馬列聖經解釋：「環境決定一切」。米邱林學派所謂發明「遺傳漸化學」，孟德爾定律的修正早予以解釋：「變異」或「突變」（Variation）可以變成遺傳因素（米邱林的所謂獲得性其實即變異）。其方法與結果，猶如對終年居住于窮鄉僻壤而仍以爲身處大淸眞龍天子時代的愚昧百姓講，抗戰是中國共產黨所打勝的一樣可笑。

音樂上，蘇俄的古典音樂如柴考夫斯基者流，在藝術上的造詣與地位，均極崇高。所以其「悲愴」而論：形式與內容均豪放及之。但是資產階級思想的色彩卻很濃厚。其所以仍被蘇聯崇拜；其一實因他已爲蘇聯爭得極崇高的音樂地位，其次即因爲他已經死了。苟能對藝術與音樂有所瞭解，即可知道：藝術與音樂均重在形式與表現。「形式主義」也者，不過爲如中共指「人情味」爲「溫情主義」而已，而蘇俄近代藝術家音樂家如米斯考夫斯基（Mias Kovsky）蕭斯達考維（Shostakovich）者流，只因政治問題，而由「黨」强誣其作品爲「形式主義」，「西歐和美國的頹廢派」，（蘇俄在世界音樂界有地位的人氏，大部均受西歐古典音樂的影響）。

「爲藝術而藝術」（所謂形式主義），及「爲致用而藝術」，均有相當的道理。「爲藝術而藝術」，才能超脫而存「眞」；「爲致用而藝術」，方可充實現實生活。任何的「絕對」，便是窒息藝術。

蘇俄鐵幕內不斷傳出科學家與藝術家被整肅與被警告的消息，科學與藝術，缺乏自由的灌溉，怎能爲時代放出異彩？

好像聽見蕭勒勒在說：「我明白了，米邱林對蘇聯遺傳學，其基本論點係由中央委員會核准。我以一個黨員的資格，不當固執中央委員會認爲錯誤的立場」。極權政治下不容「先見」，更不許「智慧」。」這是蘇俄科學界與藝術界的悲哀。米邱林的故事，音樂家藝術家的被警告，只是極權統治政治下的幾個例子而已。

聖誕老人會帶來福音麽

朝鮮和談的癥結何在

·伍健勛·

朝鮮和平談判，是當前舉世最矚目的問題之一。雙方代表經過近五個月的談判，共方雖已放棄卅八線爲停戰的要求，但是雙方距離，依然相差甚遠。美國陸軍參謀長柯林斯說：『朝鮮和平終必實現』，但實現的時機卻仍渺茫。

和談前途依然暗淡

聯大開會之前，朝鮮和談空氣，突然好轉，共方要求沿現有戰綫，先行停戰，然後再談條件。這是聯軍所不能接受的，因爲一旦停火，聯軍便無法再對共方實施壓力，沒有軍事壓力作後盾的有效談判，便無法展開。五個月的事實告訴我們，單憑三寸不爛之舌，解決不了問題，何況雙方之間的歧見，實在多着呢？這幾天來板門店的和談氣氛，顯得比從前更加暗淡。雙方的軍事壓力，一天加緊一天，看來聖誕節前停火，希望殊爲微渺。

雙方癥結點在那裏？

雙方談判僵持的癥結在那裏呢？第一，表面上看，共方好像已作了他們最後的讓步，答應聯軍就現有戰綫劃定停火綫，並在停火綫上劃出兩哩半作爲非軍事區域。但他們卻提出一個附帶的條款，要求在這個原則下，作幾項必要的調整。是什麼呢？（一）他們要求從聯軍手中取回兩百方哩的土地，其中包括由聯軍戰綫至杆城的漁村。（二）他們要求收回聯軍在三八綫以北的山陵軍事基地，及高城海岸以北所佔領的各島，這些島嶼控制住由海道通達共方首都平壤及元山的要津。但是共方對於聯軍要求以開城周圍二百方哩的土地作交換條件，卻拒絕接納。

聯軍決不放棄開城

共方這種作風是聯軍所能接納的嗎？當然不。因爲開城區如果控制在共軍手裏，它便成爲北韓進攻南韓首都漢城的捷徑。假如聯軍控制了開城區，那麼聯軍可以將它的西翼部署在臨津江，代替了臨津江一帶的山區工事，使前綫距漢城較遠，無形中使南韓首都多一重保障。開城不保，聯軍在鐵三角地帶的山區工事，有遭遇共軍側面攻擊的危險。同時聯軍佔領開城，有一個重大的宣傳作用，在朝鮮幾千年歷史中，開城成爲朝鮮的首都，達四百七十九年，它現在是南韓落在共軍手中的唯一城市。如果開城讓共軍佔領，對聯軍的面子，是下不去的。

第二，爲了解決開城的爭執，聯軍代表賀治建議將該城置於非軍事的中立地區，亦遭共方拒絕。上星期賀治改換一個新的談判技巧，主張將休戰劃綫問題，交給一個永久小組委員會去討論，而由雙方代表商討其他休戰條款，共方坦率拒絕這個建議，認爲它不公平，不合理，不能接受。

俘虜問題各持己見

第三，其實雙方僵持的問題，不止開城而已，俘虜問題，也不是三言兩語便可解決得了，共方主張先行停火，再談俘虜問題，聯軍當然不會接納共方的要求。因爲停了火之後，沒有軍事壓力在後面撐台，共方不會接納聯軍的要求，是顯而易見的事。因此，聯軍要求先解決俘虜問題，再談停火。

若干觀察家，推測雙方休戰之期，將在今年聖誕節前實現，從這幾天雙方談判的僵持，聖誕節休戰的希望頓告幻滅。近來中共報紙，不斷地宣揚他們「抗美援朝」的戰功，誇大聯軍的傷亡率。看情形，韓戰和平，前途渺茫得很。

冬季戰事聯軍有利

戰爭繼續打下去，對何方有利呢？就目前情形而論，對聯軍是有利的：（一）今年冬季，聯軍在配備上要比去年多一倍。（二）從十月到三月，空氣乾燥，是一年中最好的轟炸季節，聯軍空軍大可作有效的空中襲擊。（三）在冰天雪地中，目標鮮明，共軍很難僞裝。（四）共軍在冬季須加重軍需接濟的負擔。照例來說，他們需要儲備更多的食糧，衣服，燃料，及醫藥品。（五）共軍的後方北韓，要比南韓寒冷二十度，這對共方的軍需生產與接濟，發生更大困難。

根據這些事實來推測，我們不要盼望聖誕老人會帶來朝鮮和平的福音，打打和和的局面，還有一個相當長的時間。

青年覺悟不「跟你走」了！

重慶各校學生不問政治

這不是西南一角的「嚴重問題」，這是中共失去全國青年的支持，在思想的戰綫上，大敗大虧的一個鐵證！

【本報重慶特約通訊】工、農、兵、學，同青年學生，是中共打天下時的四員「虎將」。在中國大陸沒有全部「解放」之前，毛澤東也曾信誓旦旦地許下若干「大願」，「解放」後，生活如何美滿……。可是人祇能被騙一時，卻不能被欺騙一世。放眼看今日大陸，「戰士」的意態消沉，工人的怨聲載道，農民的暴亂反抗，「人民的眼睛是雪亮的」，現實的今天，正以消極代替反抗，也給中共來一個「即以其人之道還治其人之身」。

……的司令官，想當年爲共產黨犧牲了的千萬青年學子，也曾心甘情願地爲中共流血流汗，做了不少「開路」的工作。到今天，「人民民主專政」了，「亂說亂動」，一概不許，一般的青年，都在思想上漸漸……，得不到……，變成了不聽話的……所能形容？……之餘，唯有一變過去態度，以不問政治的行動，對大獨裁者，無言的反抗。這已不是西南一角的「嚴重問題」了，這是中共失去全國青年的支持，在思想戰綫上，大敗大虧的一個鐵證！

反正都是那一套！

問他爲啥不看報？

……據調查，以重慶大學同南開大學爲例，學生中十佔六不看報的，大家都認爲：「不看不煩，越看越煩。」即或不得已看看，也只記人名、地名、數字，準備時事測驗時應付一下，不致再吃「鴨蛋」。西南「文教部」爲此，也曾派出高級人員，分別訪問各校學生：「你們不看報的理由在那裏？」而學生總是衆口一詞的答：「報紙對我們的學習沒有幫助，所以不看」。「時事測驗」，我早已根據規律，我早已掌握住了政府的意旨，如朝鮮停戰談判，總不外美帝國主義阻撓破壞和平，我們是力爭和平的；反正美帝的滅亡，我們的勝利是必然的。……「反正都是那一套，看不看有什麼……」

自由和本位主義

……利也是必然的。中國必走向社會主義和共產主義，這是社會發展的規律。」幹部再追問：「你要知道，這還包含着無數變化與鬥爭，你準備如何去鬥爭？去應付，去克服？」而學生則多答：「這是史達林大元帥與毛澤東主席的事情，與我們不在其位，不謀其政，又何必去瞎操心？」答非所問，似譏似諷，幹部爲之啼笑皆非。

帶來可怕的暗影

毛澤東在「實踐論」中曾嚴厲批判過「不問政治」、「閉門造車」、「專家思想」者，都是馬列主義的叛徒。幸而今日西南，卻到處有這班「叛徒」在走動着。在「中央」頒佈的「愛國公約」上，本訂有「支援農民翻身運動」，澈底打倒封建」一條，但報上有關「土改」的新聞和文章，學生是而不看的，「政府」要學生參加「土改」，據說，這是一個最實際的學習機會，但大多數同學都不願去，（重慶大學法學院政、經、法三系二三四年級學生無一人願參加「土改」），問他：「爲啥？」他會答：「被留作村幹就回不來了。」「這工作與功課無關」，「不而且太乾燥」，「不讓我們潛心向學，是國家的損失。」還有可笑的是，重大政治系二年級十四人中，有八個人，自稱是「馬列主義理論專家」。問他：「馬列主義的眞精神在那裏？」他又會……

……瞪目，不知所答，這些中共所最討厭的「死書」的迂夫子，「嚴重地充滿在各大中學校，不但普遍的學生是如此，即以學生爲職業的「青年幹部」，也普遍存在着關情緒，鬧地位，鬧戀愛，不幹工作就是享福的「惡劣」思想。甚至有許多「青年」幹部」向「上級」爭時：「同志們已盡了最大的力量，我們現在天下太平了，也該讓我們……

……息息，還搞啥名堂？」有的說「不必再問政治了，一切都由毛「主席」給我們安排好了，「祖國」正需要具有專長的人才，我們之不問政治，是想學好一套本領作專家，更好地爲人民服務。」「平情講，話是說得夠冠冕堂皇的，而在中共看來是「又錯了」，毛澤東的「新中國」是絕對不需要……

……有立場」的專家的，這些人，在中共看來，都是屬於「各自爲政的本位主義者」和要不得的「庸俗的自由主義」，可是環境造成了這許多人，並讓這許多人給「新中國」帶來了「可怕的暗影」，除了把這些人趕向另一世界，這局面是澄清無望的。

主要的思想鬥爭

精神的額外負担

在本月一號出版的二卷八期「重慶教育」，曾以「反對不問政治的傾向」爲社論，「坦白」指出：「經過兩年多的努力，舊的教育是經過一番新的改革了。但是由於教育工作者的立場觀點模糊，卻擺，偏差」，許多可怕的「偏差」，許多可怕的人主義的純技術觀點與舊的傳統教育的正規，都重又抬頭，如此現象發展，新民主主義的教育方針就必然會一筆勾銷，從此完結。」這位編者的說法算是相當大胆的，但「大胆」到重要關節，卻又有分寸了，他們知道（他們是知道的，但不敢說出），這嚴重的不問政治的傾向，不但普……

……及於一班學生和職業學生，即一般學校行政當局和教師們也像傳染病一樣被感染上了，不問是地方上的教育局長也好，學校中的大家都在政治業務技術上打圈子，對一切「學習」，都處之淡然。把「中央」規定的「學習」根本性質的思想鬥爭，「同「重要的政治學習任務」都看成爲精神上的額外負担，找出理由要去掉這個討厭的包袱，「兩耳不聞……」

……閉窗外事，一心只搞教科書」已經成了今日西南各校教師的座右銘。雖然西南「文教部」在文字上和口頭上在嚴厲批判這一傾向的「錯誤」，要求「愛國」的教育工作者警惕起來，掙脫舊的枷鎖，推動新的「人民教育」事業，可是這些「冥頑不靈」的先生們，都還固執的認爲「學校是應該超政治階級的」，「國家的前途已經確定了，既然一邊倒向蘇聯，蘇聯老大哥當然會給我們解決一切問題」。「你們既強調正規教學，我們努力搞業務有什麼不對？」「你們又對學校中工作的混亂現象，難道不是由於過去工作搞錯了？」持理振振，「幹部」毫不認錯，多方譬解，舌敝焦，也沒有能使這班「自私自利，鼠目寸光的魔人」，把「學習」空氣加濃起來，把政治工作推動起來。

猴子戲再來一個

有三愛有三不愛

這裏還有一個關於學生不問政治但又諷刺現狀的不愉快的插曲。十、一「國慶」之夜，重大學生被迫演戲慶祝，同學們於淫威，不敢拒絕，可是又不願意歌頌毛皇帝，於是靈機一動，不聲不響的把「英勇的人民解放軍」同「美帝侵略軍」，都裝扮成猴子，鑼鼓一敲，即突然在廣場上演出了。同學們看了這新鮮的玩意很有趣，都爲這節目富於政治性內容，並不含有老一套的強迫教育性，因是無不拍掌呼喊：「再來一個」。「文教部」獲得消息後，隨即由幹部多人帶着槍兵乘吉普車風馳電掣趕來，認爲這是侮辱了「人民戰士」，立刻命令停演。文教部科長李某，並疾色俱厲地把全體學生訓了一陣，未有株連，尙屬「寬大」。惟「國慶」一歡散。自此次會後，不歡而散。

華中學又喊出了三不愛的口號。所謂三不愛三愛：即愛吹牛，愛數理化，愛上小樂園（小食店）。所謂三不愛：即不愛學習時事，（包括看報），不愛政治課，不愛開會。口號一出，如立竿見影，各校風行。目前這一「嚴重的情况」正普遍而深入的在發展，「文教部」雖想盡方法，也未能扭轉各校這種危險的傾向，中共兩年多在西南地區所化於改造青年學生思想的人力物力，由此已證明全部白化，毫無效果。（餘生．十一月七日寄。）

……東用四週自的方式，結束他那醜惡的一生，獨裁者的墳墓都是自己挖好的，像希特勒一樣，一旦時機成熟，廣大的人民的力量是必然會押着毛澤……

香港三日續紛錄

自十四日至十六日在九龍一連三日舉行的遠東經援會議，由美經合總署副署長貝納斯主持。據貝氏告記者，明年度東南亞六個地區如台灣，緬甸，泰國，越南，菲列賓及印尼等，所擬定的經援款項總計爲二億二千五百萬美元。在台灣方面將有大批肥料和建築材料。估據的數字和詳細內容，因尚未到達台灣，不予公佈。他相信明年東南亞一般人民的生活，比諾今年更要安定。

× × ×

根據本港航業界及香港海事處的統計，香港對港航運已日見萎縮。一反一九四九年至一九五〇年之欣欣向榮之概。目下行走本港與汕頭，廈門，福州，上海等港口之外輪，大部份均已停航。或改行南洋綫。不久以前有三艘外輪租於亞資船公司，航行共匪各港口之間者，近亦相率返港。十五日「玫瑰」號輪，又由福州回港，表示將不再去共區。又懸巴拿馬旗之船隻，自巴駐台之關公使來港下令禁止後，現已全數改行他港。

× × ×

香港合衆社分社記者張國興，前以某左傾報紙指責其爲「美帝走狗」及「賣國興」等，張延律師向該報警告並要求賠償名譽損失港幣五萬元，登報道歉等。該報不予理會，張已正式延定施露華律師，向法院提出訟訴。狀子已於十六日送入法院。

× × ×

據可靠消息，日本外務省決定在明年派領事來港設置領事館，以辦理港口商務。在東南亞地區將以香港爲第一個地區設置領事館。他如馬尼拉，星加坡，曼谷，西貢等地，或將稍緩，因爲日本外務省當局認爲上述各地仇日心理仍極濃厚，不宜派置領事。前傳日本正金銀行亦將在港設分行一事，據滙豐銀行當局表示，觀至目下，尚未聞此說。亦無日方正式來港與滙豐銀行談過此事。

× × ×

據最近自大陸來港之襲效遠神父稱，大陸各地「獨立教會」的叛教已有一定的公式，它一定是先反對天主教，後攻擊聖母軍，乃有自稱聖母軍團員的出面坦白，證明聖母軍是反動組織，繼之以教士的逮捕，陳述罪行。最後由人民代表會議提出要求，促使政府對聖母軍採取正式行動。（碍一戒）

假「勞模」混入「北京」城

楊春喜一頁升沉史

「勞模」就是這個樣子的，「人民政府不分眞假」，這是中共官僚主義作風中，一個典型的大笑話。

【本報開封特約通訊】楊春喜這個名字，在河南很少有人不知道。他去年曾以河南省「勞模」代表資格，參加了「全國工農兵勞動模範代表大會」。他的「成功歷史」，他的「奮鬥精神」，在開封出版的「河南日報」，曾不嫌詞費接二連三地用大字「介紹」了好多天。楊春喜——他做夢也沒想到，會坐着特備專車披紅插花暢遊了北京城。他同毛「主席」握過手，在一道吃過飯，並同中共首長在一道拍過照。臨走那一天，毛「主席」還殷殷致意：你好！「楊勞模」，希望你繼續爲廣大的人民服務。」這一趟，楊的臉上像裝了金，終於他帶着一顆愉快的心，回到了他的原籍河南郟縣。像一幕傳奇故事一樣，這個假勞模」，終於給斷情中太多的「高潮」沖倒了！他們不過他「前進」的老婆同她的愛人區委書記李芳，卒於「在人民面前」現出了原形。

漂亮老婆接線

區委一手遮天

楊是河南郟縣侯店鄉侯店村人，一家七口，有地二十畝，本人是開飯店的小商人出身，生就了一張能把死人說得活的好嘴，他有一個漂漂亮亮討人喜歡的老婆。「解放」後，楊在反對惡霸、土地改革、鎮壓反革命等運動中，表現「積極」，曾一度被選爲「鄉農協會副主席」。「土改」後，區委書記李芳，奉派赴該鄉領導生產工作，……

條件明明不夠

結果仍是選楊

去年八月，地委要郟縣選派一個「勞動模範」出席「全國工農兵勞動模範代表會議」，……之下，楊春喜在裏外烘托過，「縣委」爲「脫穎而出」。當時，「勞動事蹟」、「表揚」楊的「縣委」的「宣傳部長」「縣委書記」……

不睬百姓鼓噪

只說有個名堂

……擺出了全身解數後，楊等由「區委」李芳出面，把「欽差大人」請到家，大吃大喝，大玩（打麻將）了兩天兩夜。九，寶）才召集「鄉」第三天，開「會」把楊春喜「檢定」成「上」，續自己。會的「生產」成績，吹了一三天十三天晚上打了一穀的，在一尺深的井地上，什麼大豆打了一五路大丈，明這種新挖坑法，又一發口了氣養了三百多株，又書記李芳義蘇等拾肥等了支十四萬，要委託長的，甚麼「獎給了又受因。……情的楊補……

女人終是禍水

區委一片鬼話

今年春，區委李芳跟楊的老婆，搞的關係更好了……

國際間的勢利相

·尚方·

「一九四五年大戰結束之後，世界五強之一的中華民國駐埃及公使回到開羅時，大街上鋪着黃土，歡聲雷動，埃及人對中國的熱情與尊崇心理，令人可感；等到一九四九年昇了格的中國大使到埃及履新時，國猶是也，官猶是也，外交亦猶是也，但四境寂靜，埃及人似乎不知道有這麼回事！

戰後中國駐日本代表團初到東京時，報紙上，人們的口頭上，「大中華民國」之聲洋洋盈耳，尤其對我國蔣主席「對日本不報復主義」的宣言，表示感激涕零之意；一九四九年後，文字與口頭上，已由「大中華民國人」的稱呼改爲「中國人」；最近，再由「中國人」改稱爲戰前的老名詞——「支那人」了！

等由准此：吉田茂於對日和約簽訂後之驕矜作態，搔首弄姿，尼赫魯之爲秋歌王朝祇懸助勢，甚至連一個剛剛號稱獨立國的緬甸，也以一種「窮得富不得，富得看不得」的態度來對我，都是國際間應有的表情，不足爲奇。因爲國際間的勢利眼光，比個人交往更來得現實而朗爽的。我們如果不能忍辱自強，而只是隨他人的表情爲喜怒，或者虛驕妄誕，自我陶醉，如本月初出席聯大的代表團職員某過港時，對新聞記者大言炎炎，說這次到巴黎是要向蘇俄「攤牌」，這類阿Q腔調，那徒然是表示沒出息的半吊子！

國際間一切都是勢利面孔，一切都以力量作後盾，憤怒固然無用，牢騷更屬無聊。祇要知恥自愛，有辦法站起來，誰敢瞟視我？

自由談

最後一着

·海文·

——獨幕劇

當國軍反攻的時候。

在「人民政府」的「主席」辦公室裏。

（幕啓）

遠處傳來一陣陣的砲聲。

主席（背負着手，繞着辦公桌子走來走去，喃喃自語）：何得了？何得了？（以手擊額）真冒得搞！

（光微暗，屋角裏幽靈般走出個黑矮漢子，）

主席（吃驚）：誰？

黑矮漢子（走前一步，燈光復明）：我，梁山泊的宋江，人稱及時雨呼保義。

主席（大喜）：原來是你！快幫我想個法子，他們打來了。

宋江：當年我在聚義廳，扯起「替天行道」的旗子，效果很好呢！

主席（失望地）：這個法子，我早試過了，召開政協，成立聯合政府，又甚麼八條廿四款，寫大辦法，三大文獻，民主，自由這些假話統統說盡，可是，冒得用的，冒得用的！

（燈光暗，黑矮漢子幽靈般隱去，屋角裏又走出個西裝客。）（燈光又明）

西裝客：托哇！

主席（意外地）：你！石敬塘！老前輩！老前輩！幫幫我想個法吧，他們來了。

石敬塘：去求求「老大哥」吧！總有辦法的。

主席（搖頭，嘆氣）：唉，別提「老大哥」了，我老早就申明「一面倒」的，蒙古、新疆、東北都送給它，機器、糧食都運過去，要我援韓就援韓，要我反美就反美，可是，祇落得今天這個慘象，呼天天不應，入地無門。

（燈光暗，西裝客隱去，屋角裏走出兩個強盜打扮的人）

（燈光明，主席瞧見了這兩個人）

主席（走過去，拍肩膀）：闖王，老張，來得正好，他們打過來了，快替老弟想條計策吧！

張獻忠：依咱的，天生萬物以養人，人無一德以報天，殺、殺、殺、殺、殺、殺、殺！

主席（失意中含驕傲）：殺、殺、殺！我已殺過了，鬥爭、清算、鎮壓反革命、防特殺……一億多，另外還有餓死的，關死的，病死的，自殺的！可殺不盡，就絕斬！

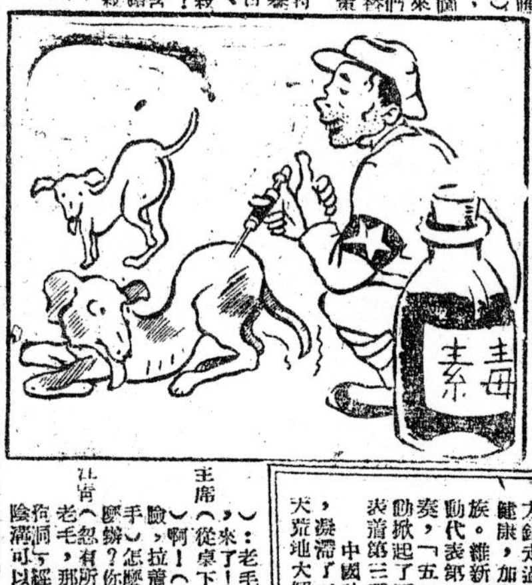

李闖：依我，殺既沒有用，還好走，走到那裏，搶到那裏，搶一個亂七八糟！

主席（頹喪的）：從前井岡山，不怕苦，行了二萬五千里長征，吃得消，這幾年，就長得小肚……

[illegible]

（燈光又暗，李闖、張獻忠隱去）

主席（在台上祇有頓足，唏噓，徬徨。）

（忽然火光四起，砲聲大作，人聲鼎沸，祇聽得主席喊：「張獻忠」，提住他在室內亂竄。）

江青（慌忙的跑進來）：老毛，來了，來了！

主席（從桌下鑽出來）：啊！（哭喪着臉，拉着江青的手）怎麼辦？怎麼辦？你說！

江青（忽有所得）：老毛，那邊有個防空洞，可經過一條險灘，可以到莫斯科，我看，三十六計，還是走爲上計！

主席（喜極狂笑）：略才是一條妙計，略才是一條妙計啊！

（大砲猛響一聲）

（幕下）

清民之際的長沙（九）

·舜生·

萬竹樓隨筆（四七）

梁任公主辦的「國風報」，大概是宣統二年出版的吧。記得有一次，已是晚上十點以後，早已超過了自修的時間，我和一個名叫易萬之的同學，正讀着滄江和明水一篇辯論中國究竟會亡不會亡的文字。這篇文字是兩個人共同署名的，明水站在覺得中國非亡不可的一面，滄江則站在力爭決不會亡的一面。兩人一往一復，大概提出了十幾個不同的觀點，往往明水提出的理由愈強，滄江也辯之愈力。當時我們只知道滄江就是梁任公，但我們還不知道明水就是後來討袁一役死在廣州海珠會議的湯覺頓。梁任公在這一篇文章裏，真是把他那一枝常帶感情的筆，發揮到淋漓盡致，我們兩個青年的熱淚，也就隨着他的筆一直在流。等到我們快要看完，十一點已經過了，齋務姚先生的一付老光眼鏡和兩撇鬍子，忽然在我們的窗前出現：『怎麼還不睡，又在看小說嗎？』我們沒有回答，祇把『國風報』的封面給他瞧了一瞧，他看着我們兩那一幅興奮而沉默的神情，也就沒有加以責備，只低低的說了一句：『已經不早，睡去吧！』便輕移着他的步子在黑暗中消逝了。

我前面說的那位羅時雲先生（傑），也是當時我們長沙青年崇拜的偶像之一。到了宣統三年，他已經是資政院的議員。有一天，報紙上忽然載着他在北京把辮子剪了，並且還做了一首告別辮子的詩。這件事，我們三個年紀最小的同學，——柳大純，曹熙生，舒之璋反映得最快，見報後不到兩天，他們也就同時剪了。其時革命的風聲很緊，街上偶然發現剪了辮子的人，頗爲大家所注目；加上校長黃先生，又是很守舊的；於是要把這三個同學開除的消息，乃傳遍全校。我們爲援救他們，乃在就寢以前，把寢室的總門鎖了，第一次召集了一個全班會議。其實開會的形式和辦法都很簡單，不到十分鐘，四十幾條辮子便已全體剪下，無一例外。這樣一來，却把學校當局慌了。第二天午後，長沙勸學所所長左益齋（學謙）便被請到了學校，在教室召集了全班同學講話。益齋穿了一件章被馬掛，態度很從容，口齒也清楚。他對我們說：『辮子不是可剪不可剪的問題，只是遲剪早剪的問題。羅時雲先生我很佩服，我自己這條辮子也覺得很討厭；聽說你們這班的成績不壞，學校也沒有意思要處罰你們。下學期你們就要畢業，更要加倍用功，不要看見報紙上有什麼消息，就隨便亂動。』聽他這樣一說，我們才知道這場風波已經輕輕過去。可是長沙起義以後，黃校長依然把他的辮子綰在頭頂，我們非常憤慨。第二次又用罷業方式，終於逼着他剪了。這才是我們眞正的勝利。

時代的前鋒

·海隅孤客·

鴉片戰役迄于今日已逾一世紀，前半百年中國一切基礎搖動，後半百年中國一切事物轉變。綜合轉變的大源泉，飛滔滔汩汩的洪流形成三截。第一截：保留整個的傳統，增益些西洋式的物質建設，目的在期得富強。第二截：分別保留社會的傳統，改革全部政治，從而用政治的力量追求西洋式的物質建設。目的在挽回殘軀，自躋于現代國家之林。第三截：根本推翻五千年傳統，全盤西化，並且要揚棄西方腐敗了的傳統，避開西方錯走過的道路，促中華民族爭取健康，加緊步度，成爲最前進的民族。維新運動代表第一截；革命運動代表第二截；「五四」運動的前奏，「五四」運動的主潮及由這運動掀起了歷久不靜的波瀾和洶湧代表着第三截。

中國社會變革潮流到了第三截，凝滯了五千年的思想，才值的破天荒地大解放。如果實際政治跟得上，早已展開美麗的遠景。可是相反的，腐化政治，迫使進步青年拐個大彎，中風狂走，皈依馬列主義那一套神話，藉以人民解放這一度符咒，自贛南祭起殺旗，繼之以延安膨壞十多年的作法，泱泱中華便眞爲「馬列的梵諦岡」支配下的屬國了。符咒作用的「解放旗號」，所以能夠迅速發生巨大作用，平情而論；無疑是它適應着大多數人十分迫切的改革要求。中共孕育期前若干年頭，多少公開的隱祕的運動已如潮赴海。世變過程中的枝枝節節，匯合而爲現在那一股逆流，是有其因果的。

在西方，十八世紀以來的自由民主主義奠定了民主政制，顯現出近代文明面目。可是隨工業革命而來的資本主義經濟制度，形成了一家笑一路哭的慘景。自由社會主義思想遂由萌芽而茁長，當列寧還在小學踢皮球，史大林還在故鄉跟老娘跪在希臘舊教教堂喃喃祈禱的時候，理論已經大行于世了。關不住大門的老大中國，到十九世紀後期，不待輪船火車運載的西洋思想汨汨而來，先之以基礎搖動，繼之以事物轉變，從而引致接受自由民主主義的政治革命，接受自由社會主義的「五四」運動。

思想流佈有賴于書說傳達。自由社會主義理論輸入中國的第一年，始于民國紀元前數年李石曾吳稚暉二老在巴黎刊行的新世紀週刊。未幾，則有張溥泉（繼）劉申叔（師培）與日本同志大杉榮在東京刊行的天義報。辛亥革命甫成，同盟會員支那暗殺團團長劉師復在廣州組晦鳴學舍，編譯浦魯東克魯泡特金學說而爲晦鳴叢書，又刊行民聲週刊，爲國內提倡世界語寫作，且是國內接受宣傳的首創刊物。往年親到延安訪問的美國新聞記者斯諾，毛澤東曾對他自白，他在長沙師範作學生時，思想即由閱讀晦鳴學舍書報而啓發，這是一個可注意的契機。

社會主義者離不了勞動運動，西洋如是，中國亦然。這是都市的事，農村無與，而且又只熱烈在華南，特別是廣東。獨湖南軍閥壓迫民衆，慘殺勞工，鑛工黃愛與龐人銓全爲同羣利益而遭迫害一案，毛氏以一學生仗義攘臂，那時實在清醒純潔，胸中只懷抱正義，具有同情第四階層那一般社會主義者的根性，政權野心，全是後來的事，毋寧是馬列主義與布爾什維克的作風先戕害了這一個大好青年吧。

解放別錄

佛所賜給他們的苦難

自願參軍　自願捐獻　自願嫁人　自願勞動　四大自願

「和尚參軍，尼姑嫁人，寺院改營房」，這是中共政協標榜「人民有宗教信仰自由」的結果。上海新華寺和南京西路靜安寺的兩百多僧人，已作了中共對僧尼尋開心的對頭。這兩個寺院，都有悠久的歷史。龍華寺是三國時候吳大帝興建，靜安寺是梁武帝建築；算起來都是幾千年以上的古刹。如郊外白雲觀，海潮寺，廣福寺，法藏寺，玉佛寺，小佛廟，國恩寺，小家庵，普陀山的大小寺院等都有着它們的悠久歷史的。在中國幾次毀滅寺院，它們都沒有受到影響。

上海「解放」，共黨對這些寺院的僧侶和普通人一樣看待，公債以及其他苛捐雜稅，他們都有一份。經過兩年的剝削，法師們弄得妙手空空。但共黨並不以此滿足，佛會道場，設立「樂捐」箱。所有香客都得「樂捐」一千至五千元。並需登記姓名住址。有時因此招致共幹訪問，在動輒得咎的共區，人懷不安，香客自然裹足不前，僧侶收入銳減！

共黨在僧侶生活大感困難之下，即在各寺院展開宣傳「生產」和「參軍」運動。他們在佛背，佛前，以及牆壁上貼滿標語。但僧侶並未因他們宣傳而動搖，仍然忍受着他們認爲佛所賜給他們苦難。

六月間，共黨更進一步的迫害來了。命令各寺院繕造僧侶清册，然後照册點名，適於「參軍」年齡的，即由武裝「解放」軍押送到志願「參軍」部隊裏，說他們前進了，「自動報名」。年老的每人發給一柄鋤頭，每人得叫他們開墾，由共幹目限開多少，並勒令集中監視勞動。空出的寺院，改爲「解放軍」的營房和倉庫。

尼姑也是一樣，年輕的強迫嫁人，年老的強迫從事縫紉和其他手工業。石門水月庵有三個尼姑，年輕的妙福被共幹搶去做了老婆，年長的兩個強迫充當招待員，庵堂改做了月仙公寓。清福寺做了縫紉工廠。尼姑自然都變成了縫紉工人。慈堂庵改了人民食堂，三呼寺改爲售賣副食品。還有未改成工廠而逐出的尼姑，也做了「解放軍」的營房和下級幹部的「公館」。一些三四十歲沒人要的尼姑，每人分出三畝，自行生產，但須先將收穫所得的谷交給公家（僧侶管理委員會），然後領回二分之一，並規定每畝產谷若干，不足的產量，還需購補。

「自願參軍」「自願捐獻」「自願嫁人」「自願勞動」，四大皆空的和尚尼姑，今天在這「四大自願」運動之下，祇好忍受，這些佛所賜給他們的苦難。（休上人）

孟壽椿與金山時報

合衆社十一月十一日舊金山電訊，報告旅美華僑，因在中國大陸的家屬，被共產黨扣留，勒索金錢，舊金山有好幾位僑胞，憤而自殺。這一段消息，合衆社電文說是根據金山時報主筆S. C. Mong的談話，談話內容，異常簡潔明瞭。香港報紙，除大公報及文匯報以外，都翻譯這一段重要消息。

金山時報的主筆，是孟壽椿先生。此公爲文壇老將，怪不得他報導的消息，是那樣簡要。三十年以前，孟先生在加利福尼亞大學讀書，就兼任金山時報主筆。後來曾任該報經政者，有黃華志，吳熙諸位先生。金山時報的報頭幾個字，還是孟三十年前親手寫的。

金山時報與土生會

金山時報，是舊金山一家最有勢力的華文報紙，主辦者爲華人土生會（同源會）。華人土生會，是在美國出生的華僑組織的，他們都有投票權，所以他們在加州有相當的政治勢力，爲加州政客所必須爭取的票子。據說目前因民主黨遠東政策失敗，加州土生華僑，頗接近共和黨。著名的聯邦參議員諾蘭，和華人土生會，就很有聯絡。

孟是四川人，廣東話也不會說，但在華僑社會很吃得開。舊金山的華僑領袖，因和他來往多了，反而學會他的四川話。

現在舊金山的華僑報紙計有五家，以金山時報持論較爲公允，刊登有關僑胞動態的消息特多，因此在銷數上，該報佔第一位。

舊金山有一個記者聯誼會，它在舊金山報界發生一個很大的幕後作用，孟壽椿便是幕後的重要指揮人。大概因爲他年長和個人的聲望關係，他便自然地成爲華僑報界的發言人。（體泉）

自由人

THE FREEMAN
（半週刊每星期三六出版）
（第七十五期）
每份港幣壹毫
督印人：李光華
社址：香港高士打道六六號
電話：二〇八四八
GLOUCESTER RD.
HONGKONG
TEL: 20848
承印者：東南印務出版社
地址：高士打道六四號
台灣經銷處
台北市中華路一二五九號
（台北憲兵隊側對面）

如何做成一個自由人

自由人不是空談問題，而是實踐問題。如何做成一個自由人？正是當前亟須實踐之事：第一，先要不自欺；第二，先要不自縛；第三，先當求自立。

．伍憲子．

在世界上最有幸福之人是自由人；但自由人之資格，斷非僥倖可以取得。在西方須要合羣奮鬥，其所得自由幸福之多少，視其合羣奮鬥之力量以爲衡。在中國則漢慕西方之自由，數十年來高喊自由之口號，甚囂塵上；但所得自由幸福，反不如未識喊自由口號之時。當從前君主時代，政簡刑清，局勢安靜，人民猶得消極的自由。漢宣帝謂：「庶民安其田里，無太息愁恨之心。」此與「日出而作，日入而息，鑿井而飲，耕田而食」，擊壤之歌，同爲中國自由人之想像世界。何以高喊口號之後反不能？大約君主時代，爲人民謀自由幸福，其責任，君主獨肯負之。民主時代，則各自爲謀，既未識西方合羣奮鬥之義，而徒襲取合羣奮鬥之名；結果，自由變成放恣；雖說合羣，實則混亂；雖說奮鬥，實則私爭；積極的自由幸福，望之將來，渺渺無期；消極的自由幸福，已往所得，今反喪失。然則以後如何？當然，合羣力量，要望之全體人民。因爲君主時代已過去。但在人民尚未識得合羣時候，仍賴有先知先覺之自由人，能眞正負起爲人民謀幸福之責任。如此，則自由人不是空談問題，而是實踐問題。如何做成一個自由人？正是當前急須實踐之事。

我是講中國民主主義者。我以爲做成一個自由人之條件，還先向中國古訓中求之。其說如下：

第一、要自由，先要不自欺。自欺是一件最對不起自家之事，但許多人不自覺。許多人祇是想欺人，以爲能欺人，纔算有本領。尤其是最近風氣，以宣傳爲自我表章，所謂「揜其不善，而著其善，」以此大顯其欺人身手。而不知「人之視己，如見其肺肝」，雖然好話說盡，到底不能動人。此種志在欺人，實則等於自欺者，其表面或似得意，其內心非常痛苦，眞是天下第一等最不自由之人。反之，則心地光明磊落，言而有信，俗語所謂「生平不作虧心事，半夜敲門也不驚」，是世界上最自由之人。故我們今日要爭自由，要做成一個不折不扣之自由人，其起碼條件，先要不自欺。孟子曰：「仰不愧於天，俯不怍於人，」眞於自由人境界，唯自由人能領略之。自欺之原因，在於自私自利。自私自利之結果，勢必自欺。昔人說：「逐鹿者不見泰山。」攫金於市，其時祇見金，不見人，同時亦不見巡捕。故世上至愚極蠢之人，無過於自欺者。但良心終不能泯滅，清夜自思，則汗流浹背，其痛苦亦難以告人。而且終日苟苟營營，在自私自利之場合中，雖保常常勝利，自私不能專利，自利亦不能私有。彼此自私自利，則相衝突，彼此勾心鬥角，更傷腦筋。既有事於鬥爭，大之可殺身亡家，小之亦玩物喪志，提心吊膽，其精神曾無一息之寧，日在頹喪恐怖中過生活；所得片時之快樂，不足以償之；以此而求自由，豈非南轅而北轍，緣木以求魚乎？故我認爲不欲嘗自由則已，不求爲自由人則已，苟欲嘗自由，要求爲自由人，其最低限度之起碼條件，先要不自欺。

復次，要自由，先要不自縛。自縛與自欺不同。自縛與自欺，相因而至；自欺屬內，失其本心，則自欺；自縛屬外，殉於物質則自縛。回憶少時讀孟子：「堂高數仞，榱題數尺，我得志，弗爲也，食前方丈，侍妾數百人，我得志，弗爲也。般樂飲酒，驅騁田獵，後車千乘，我得志，弗爲也」。當時頗疑孟子矯情，何爲自苦如此。其後漸經世變，便覺其中有大道理在。假令人生而迷於物質之享受，則神志必不清明，如此則必爲物質所縛。「爲宮室之美，妻妾之奉，所識窮乏者得我」則不辨禮義而受之」，試問人生尚有何自由意志？諸葛亮要淡泊明志，寧靜致遠，目的就爲保全其自由。所以隨死之日，仍是成都桑田八百株。然而不幸物質之誘惑人，到近代科學昌明之物質進化，其誘惑之力愈大，而自由之說，亦愈喊而愈高。一面爭自由，一面受物質。前時受政權壓迫，失其自由，則奮起而爭政權，爭自由。現在則多一層，受經濟壓迫，則奮起而爭經濟權，以爭自由。在此政權與經濟權衆而操之，假借爭自由之名，以衆操之之時候，眞正獨得自由者何人？竟不在大多數之人民，而祗在操政權與經濟權之少數者。如此，則少數者受過量享用物質之縛，身體得放恣之自由，神志仍失清明之自由。多數者，受缺乏物質之縛，身體之自由，精神自由均失之。在此時期，眞要做自由人，惟有爲大多數人爭回其適度享用之物質，而時爲自身則斷不宜迷戀於過度享用之物質，先從自身解除殉於物質之自縛始，而後可以解除大多數人民缺乏物質之縛。此范文正所謂「先天下之憂而憂，後天下之樂而樂」也。必要有此胸襟，有此志願，肯負此責任，而後可以配得起做自由人。

復次，要自由，先當求自立。自由是主動的，不是被動的；是獨立的，不是依傍的；是依靠衆的，不是爲一人的。明此義，則自由必先當自立。此義亦當求之於孟子。孟子說：「富貴不能淫，貧賤不能移，威武不能屈」。此是自由之鐵板注腳，自由人所當拳拳服膺，努力躬行實踐。有此自立氣概，有此自立行爲，而後不爲座標所蔽，不爲時容所限，不爲情感所役使，眞是「海闊從魚躍，天空任鳥飛」。莊子嘗說，不願做宗廟神龜，而寧曳尾於途中，此是莊子道力不夠，仍惱受環境所搖動，失去其自由。其實如莊子所設，反爲不自由。眞能自由之人，無所往而不自由。因爲其能自立，可以入地獄，救衆生，可以任天女散花，而不霑衣袂。孔子可以仕則仕，可以止則止，可以久則久，可以速則速，此何等自由！此是眞自由。其根本就在先能自立。

然而自立亦非空言所能，必如上文所云：第一，先做到不自欺；復次，做到不自縛，以漸而磨練到純粹，則富貴與貧賤之環境不足搖撼之，最難就遇到威武逼迫的時候。吾人試讀文天祥正氣歌，所謂「在齊太史簡，在晉董狐筆，在秦張良椎，在漢蘇武節，爲嚴將軍頭，爲嵇侍中血，爲張睢陽齒，爲顏常山舌」，此是眞正自立，亦是眞正自由。否則醜顏無恥，人云亦云，以爲是思想通，實則九竅不通。可恨遇殘害自由之賊，竟不遇能自立之自由人折之。在此高喊自由之世界中，寧非一種奇恥大辱！故吾願以古訓續之，提倡不自欺，不自縛，而自立，此乃做自由人之重要條件也。

至謂自由從西方得來，我們應向西方求自由，自由藉民主權力爭得，我們應用民主權力取自由。誠然，我亦贊同此說。但西方之精意，不能抹煞我以上所云云，民主權力之運用，亦不能違背我以上所云云。假令說西方須要自欺，方可以達到自由；西方須要自縛，方可以獲得自由；西方活潑潑的自由人，更不需要此陳腐說之所謂自立。我知世界進化，尚未到此，所謂最新的科學邏輯，尚未有此。然則欲不自欺，不自縛，以達到自立，以做到一個自由人，此說仍不能易。無論怎樣新的自由人，亦無詞反對我的舊說。

引起了全人類的憤怒
毛澤東應作戰犯受審

．張丕介．

本月十四日美第八軍總部發布了一個震撼世界人心的恐怖消息，據說聯合國軍被中韓共軍擄去的戰俘有一萬三千四百名，遭到集體屠殺，其中有美軍六千二百七十名。這一駭人聽聞的消息，引起了全人類的憤怒，尤其美國朝野非常激動。杜魯門抨擊爲過去一世紀所發生最不文明的事。艾森豪稱之爲野蠻主義。對於這一非常的罪行，有些報紙已經大呼：「毛澤東應作戰犯受審」。

這個震撼世界的事件，究竟眞相如何，此時還待東京盟總的證實。不過華盛頓和倫敦兩當局都已陷入嚴重的忙亂之中了。美國人心的憤怒，不只因中韓共軍的野蠻，同時也由於政府過去有隱匿軍隊死傷被俘眞象的嫌疑。（過去公布的數字，失踪的美國兵士中，有一百八十三名，查明已死，一百七十四名被俘，和這次被屠殺的六千二百七十名比較，相差得太遠了。）而另一招致憤激的原因，即爲對政府的戰略之不滿。無勝利希望，無和平希望的拖延戰略，使戰士遭受無辜的傷亡。

幾千萬中國人受了屠殺

在我們沒有知道所殺戰俘眞象之前，我們對這件野蠻行爲，暫且不加討論。但根據我們的推斷和了解，這個消息和眞象的差別，頂多只在於被屠殺者數字之不同。也許不恰好是消息所說的那麼多罷了；至於有些戰俘遭受了不文明的待遇，大致是事實。這並非厚誣中韓共軍與他們高級指揮者，只要回想一下大陸上年多以來那種如火如荼的「抗美援朝」的宣傳，你便不難明白。毛澤東所玩的是「新義和拳」把戲，他煽起來無理性的瘋狂排外仇美的變態心理，什麼殘酷行爲都早爲他預先計劃好了。大陸上無辜老百姓不是已有幾千萬之衆遭他的屠殺，而且還有不知若干千萬中國人隨時有送進枉死城的威脅嗎？

極權政治就是殺人政治

中國人既非好戰，亦不嗜殺，對本國人和對外國人向來主張和平寬恕，這是人人知道的，但當他們被共黨有計劃的組織起來，武裝起來，他們可以成爲世界第一流的戰士；而當他們被共黨欺騙性的宣傳所催眠以後，他們之中自然也可能有若干狂徒，用殘酷屠殺，爲他們的「眞理」而犯罪。我們是中國人，我們了解這一曠古未有的悲劇和那殺戮被迫而殺毛澤東先當劊子手的角色。他們不是殺人的英雄；眞正殺人的凶手是毛澤東和那個教唆殺人的主謀者史大林。極權政治本就是殺人政治，對內要殺人，以鞏固政權，對外要殺人，以張聲威。希特勒的「世界霸權」和史大林的「世界革命」，是同樣的狂徒之夢，也是同樣的殺人政治。至於屠殺方式，則愈殘酷，愈符合他們的恐怖政策。聯合軍戰俘之被屠殺，在他們早已認爲題中應有的文章了。

不能算到中國老百姓身上

我們很奇怪，民主世界，尤其美國人，始終不明白所面對的敵人是什麼性質的敵人。他們還沒有吃够虧，還以爲這一仗打的是正規的仗。而且還在對內隱報傷亡被俘，以欺其國人；對外還在夢想與共黨和平相安。一旦東窗事發，野蠻恐怖的消息公布了，他們當局還在責怪發布消息的人呢，還大忙特忙的設法去減輕這非常罪行所造成的印象呢。委曲求全，夢想和平，其用心之苦，與用計之拙，可稱兩絕。

我們願正告民主陣營各國政治家和軍事家：中韓共軍這次屠殺聯合國軍戰俘的罪行，斷不可憑任何意氣而上到素愛和平的中國老百姓賬上。負罪行之責者是毛澤東與他背後的教唆主謀者史大林。要使世界免於這類恐怖野蠻主義，決非什麼局部戰爭可以獲得，亦非與虎謀皮的與史毛之流商談訂約所能實現。唯一的途徑，只有一條：根本剷除共產國際強盜集團。

半週展望

雷嘯岑

裁軍與韓戰

巴黎聯大的全面裁軍新建議，又由艾契遜出面強調說明西方大國的和平意旨了。其要點是新設機構專管裁軍事項，以聯合公允的監察方法，彼此實地察看，英美法俄舉行裁軍會議，中共也可應邀參加。

這次聯大會議的唯一正場戲，就是民主與極權兩個陣營互爭心理戰略的主動地位。蘇俄早在會議未開之前，即宣佈了「和平」建議，以示其對「和平」的專利權益。西方列強在開會之始，即也提出比蘇俄更「和平」的主張來，並且願意邀蘇俄隨時舉行的外嘍囉——中共——來參加，這還能說是無誠意的和平表示嗎？

正當這和平戲劇彼此扮演得很熱烈之際，西方列強的外長們，又到羅馬參加北大西洋公約國早已預定的聯防會議去了，這北大西洋公約即是蘇俄的「和平」建議中所認爲「應予解散」的「非法組織」啦！

表面的和平把戲，大家固然串演得有聲有色，維妙維肖。但，大家如果心血來潮，嘗試假戲眞做的話，試想俄方所要求先行銷毀原子彈及其大小原子武器，美英法所要求彼此實地監察各國軍備情況的主張，能希望雙方達成協議嗎？我不敢想像那些要費億萬金元所製造，而又無法移作其他「和平」事業用途的原子彈，會有一概拋入汪洋大海或「黃沙萬里無人烟」的戈壁沙漠中的奇蹟出現！

巴黎大會的正場戲儘管唱得熱烈，祇是鬆弛世人怕戰的緊張心情於片時罷了。眞正的和戰前途，只在幕後彼此鬥智，看誰弄到「交易而退，各得其所」的暫時苟和局面否？韓戰則是一項最急需的黑市交易！

板門店的和談消息，無論說好說壞，都是等於馬路上阻街女郎與水兵談情，或者同街人因爭水喉而打架之類的偶發的社會新聞，不足重視。繼殺俘消息之後，忽又有卅天試行停火的建議，這都是跟在巴黎的黑市交易息息相關的。事實上，如果雙方對韓國和平問題得不到暫時的協議，縱使韓戰實現卅天停火主張，然共黨所要求以卅八線爲休戰界綫，所有外國軍隊定期退出朝鮮這些問題，又是那麼容易解決的嗎？若不容易解決，談過了卅天，還不是再行大打！君不見艾登已在國會聲明，戰俘命運未決定前，不得與交戰對方取得協議的話麼？

有人一聞卅天停火之訊，即譏笑胡適馬丁等說韓戰不易結束的話是「沒有面對現實的勇氣」，是「畢竟爲時代所遺棄」的人了。「畢竟」誰是「爲時代所遺棄」的人？恐怕尚待事實答覆吧！

伊埃問題僵持着

伊朗總理莫薩德已經美返國了。他聲稱在美國獲得了成就，即美國答應支援伊朗的財力，予以借款。美國初步只願以兩千五百萬元借款挽救伊朗經濟危機，然英國已提出抗議了！英國的策略是要以經濟壓力來壓倒莫薩德內閣，因而打破其石油國營計劃，另作協議，目的仍在不放棄舊有的權益。

埃及反英情緒之濃，這是那哈斯黨處此的苦肉計手法，如其澈底失敗，他就非下台不可。唯有煽起民族主義的狂潮來激勵民心，一致對外，纔可以維繫其政權於不墜。英國心裏明白，不慌不忙，鎭靜應付，看誰個的耐勁大？埃及問題的情形與石油糾紛，它是關係西方民主陣營整體的安危問題，美英法各國一定是站在同一立場來支持英國的。

美國對伊朗糾紛很想本其「非殖民政策」的旨趣，從中調處，使伊朗不致挺而走險，但礙於英國的利益衝突，不便過於熱中，只好暫予借款，使伊朗經濟不崩潰，以觀後效。對埃及問題始終與英國一致的，但一時想不出有效的辦法來中止埃方敵對英國糾紛。總之，美國對中東問題有理想而無計劃，更無準備，又要遷就英國的歧見，礙手礙脚，遂演成僵持局面了。

英國要求美國對中東不再採取第三者態度，意思是要美國乾乾脆脆的支持英國。我若是美國的當政人物，一定回答英國政府一聲：你們這些年來對遠東，尤其對中共的第三者態度，是否也可以同樣的改變一下呢？

孤忠新釋

·趙滋蕃·

故國喬木，日以陵夷；憔悴山河，性餘虛葬！誰復「見貞心於歲暮，標勁節於嚴風」？誰能舉中華民族四千六百四十九年的光榮歷史而發揚之？誰願繼中華民族光榮文化傳統而恢廓之？蒿目時艱，我不能無淚！

使眞假分明白；使精華從糟粕中提出來；使灼然千古的中華民族的原初性，得以存亡繼絕；使悲壯的復國運動，重獲精神動力；我們必須不顧一切淺薄的規律，暫時的現狀，得失的計算，而要求一切價值之重估！

先民的血　先民的淚

先民的血，灑中華民族的歷史，曾寫下孤忠的精義！先民的淚，灑中國社會的歷史，曾立下愚孝的典型！往哲雖已，來茲可驗，那裏可棄如狗矢？堅固那駒下將要衰微的！奮與那危急而將頭撥的！確需要一股暴風雨般的狂熱與柔情。不要怕眞理的茬弱，祗要問它是不是「眞」的，假若是「眞」的，它總有一天會壯大，而且總有一天它會變成昭昭然舉世公認的眞理；這就是我們的基本信念。因此我們堅持：必須以懇摯從事的心情，以始終不渝的態度，以「知其不可爲而爲之」的蠻勁，卽毅用壯，獨立不返，重估「孤忠」與「愚孝」，在中華民族史中，所起的偉大骨幹作用。

今天我們置身於這存亡繼絕的時代，我們不獨需要忠，而且需要孤忠；不獨需要孝，而且需要愚孝。我們如果沒有爲國家盡孤忠，爲民族盡愚孝的殉道決心，復國運動的精神基礎是空虛的，復國運動的原始動力是脆弱的；充其量不過如一陣颶風驟雨，瞬卽消沉，何能談到「爲天地立心；爲生民立命；爲往聖繼絕學；爲萬世開太平」？在這裏，我先論孤忠。

眞理的精神　自由的精神

孤忠是眞理的精神與自由的精神，最高度的結晶。是人類對萬事萬物，唯眞唯實的體認與堅持；是殉道者的鮮血，向人道行的血祭；是志士仁人的生命，向國家民族作的犧牲。認識眞理，是孤忠的發端；堅持眞理，以生命來換取眞理，是孤忠的圓成。前者證現出眞理的精神，而後者演繹成自由的精神，二者互相終始，環若無端。由此孕育出我們民族文化的胚胎，變成我們民族精神界的春雷，爲恢復國運動的酵母！它的實際影響，已深深地融貫進東方文化的全部歷史中。

一手揹住眞理　一手提着頭顱

全部東方文化的造形過程，是進入農業生產方式太早，步出農業生產方式太遲。換言之：它沾滿了農業文明的暗露，它還是土地的兒子。因此，在民族性格上，形成一種沉默的堅持力量；一股「死生以之」的剛勁；渾厚地體現着實際，輕蔑空談的泥土氣息；蔚成嚴於明辨是非，樂於守死善道的民族氣節。我們的祖先，一手提着頭顱，一手揹住眞理，欲以輕於鴻毛的生命，搏取重於泰山的死亡，五千年的悠久歷史中，充盈了這樣的榜樣；這些榜樣的串聯與強化，就構成了我們民族文化的優越傳統；變成了我們民族偉大的精神遺產的一部。今天，凡屬炎黃子孫，沒有權利，把它可恥地毀滅。而這些行不苟合，不取苟容的先人血跡，既孕育過中原文化，又戰勝過數不清的異族侵陵，使禹甸之內，絢爛地綻滿了文明底鮮花，我們確有義務，將它重新恢復。

牧羊十九年　懸海一片心

孤忠，究竟在甚麼地方找到呢？它像日月麗天，江河經地，充塞廣宇悠宙間，它的璀燦的光輝，曾澈照在——齊太史，兄死弟繼，硬朗朗地記載着：「崔杼弒莊公」的「竹簡」上。晉董狐，直書「趙盾弒其君」的筆端。在齊景公將軍司馬穰苴，疾言厲色，宣稱「將受命之日，則忘其家；臨軍約束，則忘其親；援枹鼓之急，則忘其身！」殺莊賈以嚴軍律的辭色中。在齊人孫武斬吳王闔廬二寵姬，說：「臣既受命爲將，將在軍，君命有所不受」的抗命處。它顯現在伍子胥，手執「屬鏤之劍」，自頸前吩咐其「舍人」：「抉吾眼縣東門之上，以觀越寇之入吳也！」的遺囑上；在趙相藺相如，怒責秦背信棄義，持璧倚柱，「怒髮上衝冠」的怒髮中。在魯人曹沫，執匕首劫齊桓公於壇坫之上，欲「盡歸魯侵地」的匕首的閃閃寒光下。在漢蘇武，囚居匈奴，仗「漢節」牧羊十九年，那光秃秃的「漢節」上；在巴郡太守嚴顏，怒斥張飛：「我州但有斷頭將軍，無降將軍！」的凜語中。在蜀丞相諸葛亮，「鞠躬盡力，死而後已！」討賊興漢的出師表上。它昇華成：晉奮威將軍豫州刺史祖逖，志復大漢山河，率師北伐，擊楫中流，「祖逖不能澄清中原而後濟者，有如大江！」的誓言，它凝聚成晉侍中嵇紹，以身捍衛晉帝而死，血染帝袍的碧血，它衝擊成：唐睢陽守將張巡，就義前痛罵尹子琦，「附賊乃犬彘也！」的罵辭。它又變成：常山太守顏杲卿，爲賊鉤斷其舌，猶含胡罵安祿山而死的舌頭。它激盪成：涇原節度使段秀實，奪源休手中象笏，擊朱泚而死的壯烈。它蛻化成：宋文天祥的「孔曰成仁，孟曰取義，而今而後，可以無愧！」的衣帶詩，它擴散成：明方孝孺大書「燕賊篡位！」的登極詔。它收斂成：史可法覆多爾袞書的滿腔義憤，鄭成功孤懸海外，還「奉明正朔」的一片丹心。我們的祖先，忠於國家，忠於民族，忠於職守，有如此者。

蓽路的東風　初春的驚雷

孤忠：究竟在甚麼地方找到呢？它像蓽路的東風，像初春的驚雷，無數次，將新生底激緣，平鋪滿祖國的原野。

有明道淑心之人　有撥亂反正之事

請聽：這是伯夷叔齊，恥食周粟，在首陽山中，抹着山菜的「及餓且死」時的高歌：「登彼西山兮，采其薇矣！以暴易暴兮，不知其非矣！神農虞夏，忽焉沒兮，我安適歸矣？吁嗟徂兮，命之衰矣。」這是屈原，披髮行吟，形容枯槁，作「懷沙之賦」，抱石沉江的哀音。這是[illegible]賈誼過湘水，弔屈原：「國其莫我知兮，獨壹鬱其誰語？」的絕唱。這是申包胥乞秦師復楚，立秦廷七日七夜，哭聲不絕的哭聲。

請看：仲雍、少連、夷逸、柳下惠，斷髮文身的[illegible]。齊人王蠋，固拒燕封，遂「經其頸於樹枝，自奮絕脰而死」，子路入衛，欲平孔悝亂，被石乞壺黶攻斷纓，乃以「君子死而冠不免」，乃結纓而死。張良之[illegible]，擊秦於博浪沙中的那一柄重一百二十斤的大鐵椎，管寧避亂遼東，不事王侯，常戴的那頂皁帽。

請讀：明末諸儒，如顧炎武「有明道淑心之人，有撥亂反正之事」的日知錄；黃黎洲，維護民族文化的兩部「學案」；王船山發揚民族精神的一部「黃書」。

請記取：齊田常欲伐魯時，孔子對門弟子所說的話。他說：「夫魯，墳墓所處，父母之國；國危如此，二三子何爲莫出？」這「一個教育者對國家的興亡，何等關切！

請體會：齊處士魯仲連，在邯鄲危城中，義責魏將新垣衍的道理。「彼秦者，棄禮義而上首功之國也！權使其士，虜使其民，彼即肆然而爲帝，過而遂正於天下，則連有蹈東海而死耳！吾不忍爲之民也！」匹夫於天下國家，何等襟懷！我們的祖先，以孤臣孽子，犧弘毅，鄙棄暴政，雖燕居里巷，竄身草莽，其忠於國家興亡，民族大義，有如此者。

孤忠，究竟在甚麼地方找到呢？在人與人的交往中，在友情上，處處顯露出孤忠的光彩。在友情之可貴中，存在着孤忠。它能以聖潔的沉默與犧牲，使人類澈悟到莊嚴底人性。

聖潔的沉默　莊嚴的人性

管仲與鮑叔牙往時的友誼，尙爲我們今日所稱羨；藺相如與廉頗，急國難，忍讓爲國，終成「刎頸之交」，我們也爲之讚頌不止。但中華民族中還存在着比這些更偉大的友誼呢！

當孟嘗君爲齊潛王所疑而出走時，有一個老百姓，居然要上書齊王，「言孟嘗君不作亂」，居然還要「請以身爲盟」，且「自刎宮門以明孟嘗君！」，寂寞的友情中，不放射出孤忠的暉暉，寧不嗎？智伯死難，豫讓立志殺趙襄子復仇，被執自殺前，尙要求擊趙襄子的衣服，「以致其報讎之意」，則雖死不恨！我思豫讓孤忠，尙滄然下淚！聶政不過是帜深井里的一個屠夫，替濮陽嚴仲子刺殺韓相俠累，自知「皮面決眼，自屠出腸」，以免連累他人。孤忠竟會從血肉模糊的腐屍中滲透出來，溫暖着人間冷寂！這個民族的精神，難道不像一個聖自我犧牲的精神嗎？聶榮，不過是一個屠夫的姐姐，竟能「不畏殁身之誅，終顯賢弟之名」。悲哀而死於聶政的腐屍旁。這股留在民間的熱愛，比賣身投靠，從自己祖宗十三代起的「讀書人」，要高明多少啊！在風正蕭蕭的易水之濱，有白衣冠垂淚送行，有高漸離擊筑，有荊軻和歌；這民族的悲歌，曾演出多少慷慨蒼涼的劇？在另一場面中，有荊軻身被八創，倚柱而笑，「還笑」，沾滿了多少民族傲氣；與宇宙無極共存亡的荊軻「箕倨而罵」，象徵了多少民族正義，與炎黃子孫相終始！當這幕悲劇，接近終場的時候，有被馬糞燻瞎了眼睛的高漸離，置鉛於筑中，舉筑擊秦，迸激出這灰黯的歷史最後的一綫光芒，代表了人民反抗暴政最原始的一擊！這個民族底歷史，値得想念的地方是太多了啊！我們的祖先，以孤忠來體現友情，有如此者。

決心的發展　忘我的境界

在另一方面：孤忠就是我們治學做人的基本態度。有了這種基本態度，必然會生出一種道德的自信力，成仁取義，完成道德上的自我。孔子「朝聞道，夕死可矣。」是忠於治學的精神表現；「富與貴，是人之所欲也，不以其道得之，不處也；貧與賤，是人之所惡也，不以其道得之，不去也。」是忠於做人的精神表現；及其爲宋司馬桓魋所迫，爲匡人所困，他的道德的自信力就生出來了！你看他說：「天生德於予，桓魋其如予何？」「文王既沒，文不在茲乎？天之將喪斯文也，後死者不得與於斯文也；天之未喪斯文也，匡人其於予何？」流露出一派何等浩然長往的自信氣概。所以說：當一個人思想眞，行爲眞，認識眞，且能孤忠自守，不爲外力所動搖，他就可以成就爲「不求生以害仁，有殺身以成仁」的志士仁人。而這樣「決心」的發展，可以達到忘我忘身的境界，愛以天下，樂以天下，乃可寄身於天下。老子說：「吾所以有大患者，爲吾有身；苟吾無身，吾有何患？故貴以身爲天下，則可寄於天下；愛以身爲天下，乃可託於天下。」這就是可愛可敬的中華民族，悠久，博大，高明的文化傳統，這文化傳統是够偉越的！

忠于民忠于事　愛國家愛民族

可惜近百年來，我國民族精神，經歷三變。由懼外而媚外，由媚外而做外，上行下效，相習成風。終於釀成賣國賊毛澤東，公然倡導一面倒的亡國滅種論調，將國家民族利益，貶獻給俄帝[illegible]中，我們痛定思痛之餘，再來誦讀孫中山先生的民族主義，愈覺得眞理的光輝，燿燿耀眼。他說：「現在一般人的思想，以爲到了民國，便可以不講忠字，以爲從前講忠字，是對於君的，所謂忠君。現在民國沒有君主，忠字便可以不用，這種理論實在是誤解。我們到現在說忠於君，固然是不可的；說忠於民是可不可以呢？忠於事又可不可以呢？我們做一件事，總要始終不渝，做到成功；如果做不成功，就是把性命去犧牲亦所不惜，這就是忠。」這就是我們所講的忠。祇要中華民族尙有熱愛國家，熱愛民族的人存在，中華民族復國的生機，就要從這孤忠中萌芽，共產黨淫靡的野火，是燒他們不盡，殺他們不光的！

恢復民族的原動性　提高民族的自尊心

一百四十年前，普魯士的民族腐敗墮落，社會秩序之紊亂，民族自尊心之喪失，人民自私心的提高，社會道德的淪喪，可謂「至是而極」。在耶拿之役的慘敗，終召致一八〇六年，拿破崙的刺刀下，費其代哲人菲希特，「告德意志國民書」十四講，揭櫫三端，作德意志民族復興張本。即：（一）恢復日耳曼民族的原初性；（二）提高日耳曼民族的自尊心；（三）國家民族的奮鬥，應從教育上開始。

當時以斯泰因爲首的政治團體，均深信且勵行之。先着手整理內政，蕩盡封建制度餘跡，廢除世襲特權與佃奴制，規設平民教育，喚醒愛國思想。至一八一三年，普魯士人攘臂而起，高張解放戰爭旗幟，將拿破崙侵略軍，如風捲殘雲，悉數驅除於萊茵河外。而當時德意志民族精神之昂揚，[illegible]的功效，在蒸發烈期！」（H·G·Wells: The Outline Of History）基於此，祇要我們能恢復我們民族的原初性，人人死勁氣急地走上爲國家盡孤忠，爲民族盡愚孝的崗位，用「複利」來清算蘇俄代理政權——毛澤東傀儡王朝——的血債，總有一天會達成的！縱觀五千年間，事益，復國建國的信心，益趨堅定。念天地之悠悠，夜漫漫，長夢，倚側窗外，縱橫若風雨，驚濤海上，興師應答。

美國軍事發明機構

美國全國發明家委員會，是一個重要的軍事發明機構，在第二次大戰期間，該會發明的物品計廿五萬種，其中有五千種用在軍事方面。

該會成立於一九四〇年，由朗格勒和基特林兩人發起，參加人員包括美國有地位的發明家，科學家，工業研究員、及海陸空三軍的代表。

軍事當局遇到與發明有關的問題，都送到該會去研究。據該會一位高級官員哈爾德說：「發明委員會，每天都有驚人的新發明。珍珠港事變後，更有出人意料的成功」。他並且指出現在該會每天收到請求研究的函件，達數百封之多。

他們不管事大事小，一律作澈底研究。韓戰爆發後，他們負起軍事方面重要發明工作。研究的對象，沒有固定的範圍，從軍事到平民日常用品，都在研究和發明之列。

該會並不是政府機構，但它具有溝通政府機關和民間職業發明家的重大作用，它的會員人數，現在已擴及全國每個發明和研究單位。（樂光）

法國的原子能研究　居里親共被撤職後

說起來，原子能還是由法國人首先發現的[illegible]

在法國科學界甚駭人的[illegible]的人員，有百多名是由一九四六年在地下秘密工作時起[illegible]

葛里芬過港談訪台觀感
中國新軍精神紀律均甚良好

美經合總署遠東分署署長葛里芬，在台灣看了三天，十八日上午自台搭空運大隊機飛港。在旅邸小休半日，次晨即飛曼谷轉西貢各地視察各區分署工作。他首先向記者表示：在台北曾發表談話促使中國官員及人民注意，應該節省經援款項，因為今後（指明年，美國將有大批經援物資運往台灣。他說：「東西多了，往往會使人忽略，物以稀為貴，這是人的天性，所以我不得不向中國當局，先提出預告。因為這全是美國的納稅人的血汗」。他還說：「中國政府要自強，不單是靠美援便算成功，最重要的還是靠中國自己，自己肯爭氣，朋友才肯協助。我說現有少數中國官員會把這觀念弄錯的」。

但他對台灣有兩件事情，表示十分滿意。第一是指軍事。第二是指生產。他說：「孫立人將軍陪我去看了中國的新軍，素質頗不錯，我自己雖不是軍人，但士兵精神紀律都很好。孫將軍確是一位了不起的好軍人。我親眼看出軍民之間的合作，使我知道他確已成功。過去我聽說中國軍隊是欺負人民，人民見兵如畏虎，現在卻一反昔日之流弊，這是進步」。

第二，在生產方面，他指出米糧和甘蔗在明年可以出口，對台可增加一部份外滙。這是最大的活力。在建設方面，公路，造橋，水電，……等都有良好的表現。他認為最值得一提的是台灣的鐵道，只是火車頭及另件太壞了，他說已通知東京經合分署，在日本為台灣訂購數十個車頭。

對台灣農田三七五減租一舉，他也認這是非常合理的。但他明確指出：這僅適用於台灣，他反對把這一套再用到未來收復的大陸上去。他說：「今天大陸的土地政策，已完全翻了身。台灣的三七五方法，在大陸上行不通，一定要另外研究一套完整的辦法。」他認為台灣有一些人仍以為三七五政策可以在未來收復的中國大陸上施行，表示十分懷疑。他雖非明言，但似乎覺得想得太天真了。（陸士丞）

上海人吃長齋

自去年十月初至今年十月底，上海僅銷售了二〇・九七五・七三六斤豬肉，除去「老大哥」同「幹部」需肉量約七百廿萬斤外，上海人平均每年每人能吃二斤半肉已算不錯了！

【本報上海特約通訊】上海是一個擁有五百萬人口的大都市，豬肉在上海的銷售量，一向為東南各省市之冠，「解放」後，這兩年多來，由於中共的拚命搜刮，富的變窮，窮的變光，飯都快沒有吃了，那裏還有餘錢去買肉？以此「三月不知肉味」者比比皆是，無形中，苦難的上海人都過着一種「吃長齋」的生活。

上海恢復「繁榮」　吃肉華東第一

中共為粉飾太平，表示上海已迅速恢復了「繁榮」，最近特由「華東稅務局」對上海人的吃肉量作了一次概括的數字報告，據說：「解放」後上海市的豬肉銷售量仍佔華東第一位。經就山東，蘇北，蘇南，皖北，皖南，浙江，福建，上海，南京等九省市的豬肉消費數量及含肉量作統計：自去年十月至今年十月底，上海共銷售了豬肉二〇・九五七・七三六斤，在數量上，是比較「解放」以前少得多（究竟少多少，不好意思「統計」了。）但，這正表示在向着「新民主主義」社會邁進的上海市市民，已完全擺棄了國民黨「反動派」統治下那種酒食爭逐的生活，在老老實實，精打細算地過着一種刻苦耐勞勤儉持家的日子。」話是說得夠漂亮的，但忘記了說他這樣一統計，上海市的「光明」，「繁榮」沒有給人看見，上海人的一副勒緊褲帶滿臉菜色的苦像卻完全給暴露了，你想，目前的上海市以六百九十萬人口計，過去的十二個月裏，僅僅銷售了二〇・九五七・七三六斤豬肉，一年的平均每人食肉量僅攤四斤四兩左右，何況，在這一數字裏邊，還得剔除「老大哥」駐滬顧問同來來去去的中共黨政軍各級「幹部」數近三十萬人的「大」「中」「小」灶的豬肉量，（一個人每月至少要廿四斤，一年即達七百二十斤）這樣一算，把一個上海人平均一年能吃二斤半肉的已算不錯了，這不算「吃長齋」算什麼？

大幹部大吃大喝　小百姓節食節用

與「華東稅務局」發表豬肉銷售量同時，「上海土產公司豬業儲運部」又似乎很湊巧的把歷年來的上海市的豬肉銷售，也作了一個調查統計，據說：抗戰以前，上海市每日銷售豬隻的數字為二千五百隻至三千五百隻、日偽期間，畸形繁榮，增至七千隻，勝利後，每天則保持着七千五百隻至八千隻左右；「解放」以後，由於整個市場已經從過去「不正常」的繁榮走向「正常」的繁榮，一般酒菜館零落，每天的豬隻銷售量則已減至一千三百隻至一千八百隻。」這一統計與俚俗語所說「吊死鬼搽粉——死要臉」一樣，未見其美，倒顯其醜得可怕了！不問他這一統計數字是否可靠，但上海人窮得買不起肉吃是真的，各級「幹部」們的大吃大喝也是真的，舉一個例：「中蘇友好協會上海分會」此次慶祝「偉大」「十月革命」三十四週年時，（規定自十一月七日至十六日）各機關幹部均藉機狂歡，大吃大喝，僅「上海市政府交際處」一機構，用於招待「外賓」及「幹部」聯歡之筵席費即達「人民幣」四億六千萬元，

香港三日繽紛錄

沈怡・布朗・每日大阪　馬丁・孫碧奇・熊貓

聯合國遠東經濟防洪局局長沈怡，十七日稽谷出台飛港。他在台灣逗留旬日，對台灣的水利工程，大為讚賞，說這是遠東各國除日本外，水利工程基礎最為雄厚的。台灣在日治時代，日本人對於開發全島的水利，固然下了一番工夫，只是光復以後，有很多地方逐年失修，已不復前觀，在技術方面，沈氏表示防洪局當於明年即派出技術顧問及材料，赴台整頓。

× × ×

十六日由美飛港的日本電影明星山口淑子，（華名李香蘭）過去在敵偽時代，攝製許多張偽片子，香港人似乎木然不知，還替她大書而特書。據說永華影片公司看在生意眼上，決定明年請她來香港拍片。而李呢，自己則寡廉鮮恥，竟在許多中國人面前大吹「卓別林是個天才演員」，自己忘却演「萬世師表」，使邀着「大東亞戰爭」的背景，攻訐英美。

× × ×

到東京參加國際市長會議的美洛杉磯市長布朗十七日在啓德機場臨上飛機時說：今日美國西岸對原子彈的警覺性非常大，洛杉磯全市的大工廠，和軍事工業的基礎，自然是未來敵人襲擊的目標。現下已準備疏散及預防之措施。在日本他看到日本的苦幹精神，非常佩服，但這位六十四歲的老頭兒已看出日本是非常狡猾。他說：「今後美國恐怕要吃日本人的虧，美國一心一意想把日本扶植起來，作為未來並肩作戰的戰友，但我看這個成份一天天底冲淡了」。

× × ×

據泛美航空公司一位乘客最近從紐約飛港，據說：抗戰時蔣夫人贈送美國的一頭熊貓，最近不知什麼原因已經病死了。一直到現在出動了紐約許多醫生，迄今尚未查出。從此美國紐約的布龍克思（Bronx）動物園中，已有美人遲暮，一片猶悲之感！

× × ×

我駐泰代辦孫碧奇於十八日上午乘空運大隊機飛港轉赴任所，在機場稱：此次返台，乃向外部述職，並向葉公超外長請示加強中泰友好關係之步驟。他說最近外部有一批外交官員赴曼谷，其最大目的，乃在促進兩國之交誼，關於兩國民航除空運大隊已新闢台北——香港——曼谷線外，復興航空公司最近亦將成立中泰線。關於李彌將軍之游擊戰，孫氏表示，自身非軍人，不便問談軍事。關於謠傳甚久之派大使赴泰事，孫氏說將來中泰關係密切，一定要派大使，但他拒絕透露誰出任中國駐泰大使一職。

× × ×

根據可靠消息，東京每日大阪決定在明年正月，在本港發行每週中文版。該社已派有專人來港。聞此君過去駐過甚久，為一老上海。他原定十二月出版，惟限於時間匆促，決定延至明年。

× × ×

美共和黨議員少數黨領袖馬丁與羅蘭自十八日抵港後，十九日上午分別接見留港大陸之流亡教授數人及搞第三勢力者數人，詳聽彼等之意見。據馬議員向其中大學教授表示：他決以全力使美國國務院當局注意吸收中間教授，共同研究亞洲問題。對援台問題，羅蘭表示一俟返美後，當與有關方洽談，明年可望努力加緊。他們準備在巴黎會晤艾森豪威爾元帥，在馬德里會晤佛朗哥。

× × ×

丹麥駐北平公使莫克，於十八日晨搭湖北輪自津抵港，擬在港留一週，赴曼谷小住。渠為兼駐泰公使。他說將於半年後返北平。預備返國述職。他表示：在北平方面看不出絲毫和平的象徵。相反地人民都很緊張工作，一反過去鬆弛之精神。（邵一成）

，鋪張揚厲，於此可見。「華東局書記」饒漱石十一月十三日在召開直屬機關黨員幹部大會時，對此會指為「典型事例」，特別提出「檢討」，他說：「這是不能容忍的浪費現象，由此現象必產生嚴重的不良污點，腐化傾向，如不加以克服，人民和國家財產遭受損失固然不可估計，必將我們革命的隊伍，為之腐蝕拖垮，今後各機關應有準備有領導的開展反貪污，反鋪張浪費，反官僚主義運動，以作為今年整風運動的主要內容之一。」這一話，是說得相「沉痛」，其奈「幹部」老爺已積重難返，習成風何？

屠夫走頭無路　官方一手包辦

再附帶談談另外一上海市屠宰商被剝削的情形：「解放」以後，什麼都變成「國營」了，屠宰業當然未便例外，上海市的屠宰牲畜機構，除虹口沙涇路「國營宰牲場」和西藏南路宰牲場外，各郊區均設有分場，目的是保障市民食肉衛生，[illegible]

[illegible]「解放」後，食者便少，牛肉[illegible]由三百餘頭銳減至十餘頭，主要業務已變為宰猪，[illegible]

[illegible]局」並得于某一商辦宰作開業後，派遣專員常駐執行「宰前」「宰後」檢驗工作，名為檢驗，實係防止漏稅，宰商與工人均奉此常駐專員為老太爺，予取予求，絕對服從，但私商因「政府」人員吹毛求疵，且無關緊要，早已無利可圖，如十九家紛紛請求歇業或轉業，猶來還含有血腥氣的鈔票，祇有「國營宰牲場」獨家包辦，一手抓光，私商想分潤餘瀝是根本談不到的了。（悠然）

毛澤東釘死十字架

滬正信小學因不掛「國旗」，不唱「國歌」，不參加「愛國活動」被提出「檢討」，將首先開刀。

【本報上海特約通訊】「聖母軍」經中共「全面掃蕩」後，上海的有關教會機構，十九皆已關門大吉，其中祇教會辦的學校，尚在苟延殘喘，在聽候命運中。中共為了要對所有外資津貼的學校實行開刀，一網打盡，日昨特借正信小學「侮辱毛主席」及不掛「國旗」，不唱「國歌」，不參加一系列「愛國活動」等一連串事件提出「檢討」，要求嚴厲懲處。這一行動，無疑的，又是中共將接收上海各教會學校的先聲。

「正信小學」是[illegible]

黃賓虹含淚揮毫

【本報北平特約通訊】毛澤東寶踞北平後，為了附庸風雅，表現「盛朝景象」，對各方「藝人」曲意羅致，貌極謙恭，而實際仍不外乎是想為「中華人民共和國」裝裝門面，擺擺排場而已。從名畫家黃賓虹最近在北平被處含淚揮毫一事，就可以瞭解現留北平的一班藝人是在過着怎樣一種「幸福的生活」！

黃賓虹原是「北平藝專」的老教授，今年已八十八歲了。其山水畫以清疏淡遠見稱，北平「解放」後，黃因看不慣「新社會」種種，即稱病辭職，返回杭州原籍休養。中共是最會利用偶像點綴昇平的，「解放」後，除了將九十一歲的齊白石，八十一歲的汪藹士，七十七歲的陳半丁等名家都送到「北京飯店」當做模特兒公開展覽，以示「人民的首都」包羅萬有，美奐美輪外，最近發現還差了一個黃賓虹，在感覺上，似乎是有點美中不足。「首長」們心血來潮之下，據說，黃賓虹先生「歡歡喜喜」地被「接」到北平來了，「中央文教委員會主席」郭沫若，在黃抵平之夕，特設宴為黃洗塵，酒至半酣，郭「主委」即興高彩烈地請黃為「偉大的毛主席」及中央各「首長」各友好即席揮毫，黃聆悉之餘，氣得渾身發抖，差一點眼淚都淌了下來。這為什麼？黃先生是名畫家，偉大的一個「北京」城，不談友好，借只講「首長」，各院部會起碼就得上千，少說點，每人一幅，五個月也畫不完，這是「趕鴨子上架」？還是侮辱斯文？所幸黃老先生年紀有了，且身在籠中，猶飛無力，[illegible]

[illegible]

事後，黃為這一回事氣得病了半個月，齊白石因與黃比鄰而居，常往勸慰老友，要黃「保重身體，看穿一點」。黃默默無言，一般人認為，黃果長此抑鬱，他這條老命恐怕不久就要送在「北京」城裏了！（羅光）

美國人的牢騷

·尚方·

自由談

美國參議員諾蘭主張把派駐歐亞兩洲的美軍一律撤回去，由歐亞兩洲自由人民爲自己的生存而協力奮鬥，以免坐令蘇俄置身事外，專門利用其世界第五縱隊來消耗美國實力。他指出在韓國戰場的軍隊，美軍佔百分之九十三。假使史太林在全球各地區再弄出幾個韓國戰場來，都需要美軍去應援，豈不是要吸盡美國人之血？

他這番話大概是有感而發的。這幾年美國以全力領導民主世界反共，而且堅持西歐軍事經濟政策，遇事遷就西方盟邦，因而喪失了在西歐以外地區人民的莫大信譽。結果西方盟邦似乎把反共事業看成是美國的私事！平時藉反共聯盟的大題目，向美國要美元，要軍械，一旦形勢危迫，要他們實行準備鬥爭時，這個說：現代戰事是精兵主義，只要把原子彈先分的運到歐洲來就行了。那個說：我借了基地給你用，已是列身最前線，你就得以大量金元援助我，表示而有德色，否則不惜拆夥的形氣。派幾個象徵隊伍參預韓戰，卻事事牽制着佔有十分之九以上作戰部隊的美國所要執行的政略與戰略的。想想這些情形，難怪美國人的孤立派的思想再再抬頭呵！

美國若早有明激的理念與作法，揚棄那種感情好惡的矛盾觀念，把全球一切反共國家引爲盟友，一視同仁，同樣的予以物質與技術援助，使大家一致起而自衛，又何致有這麼多的困惑，而常時跟着史大林的音樂跳舞呢！大錯鑄成，挽救已有遲暮之感了，諸謝的話，只是發發牢騷而已。

留俄華僑慘況

·吳天民·

當蘇聯依照雅爾達協定與中蘇條約，出兵東北，同抗軸心國家時，在國際強盜史丹林唆使下，我新疆所轄之阿山、塔城、精河、烏蘇之砲聲，響徹西疆，省垣震動，上列各地，先後陷落。是時余于役駐新國軍某軍政治部，奉令西進，駐紮景化縣（即前呼圖壁），親伊犁、塔城、阿山，三區十餘萬難民，發徙於冰天雪地中，饑寒交迫，余本職務與良心，不得不代作謀住謀食之救濟與慰問。當時我僑一幅流亡圖，歷歷猶在目前，特將我留俄僑胞的生活，報告於後：

老華僑

在尼布楚條約前、自加爾湖以南，東起韃靼海峽，西至巴達克山以東，均爲我國領土，係禹貢荒服所轄之域。及至於今，則變爲蘇俄之東海濱、阿爾穆、七河，斜米四省。其從事游牧者，固爲當地土著；而在海參威、伯力、阿勒木圖、塔斯干安集延，及所有大小市集，經營商業者，約爲內地漢人。即海參威一埠，集居華人二十餘萬，以茶布海味，易各地土產與皮革，返回北平天津銷售，當時政府，概以邊徼不毛之地委之，任其存亡，毫不介意，任任他人蠶食鯨吞。而帝俄虎視眈眈，垂涎欲滴，致此五百萬方里土地，由俄帝囊括而去！在沙皇時代，臣服人民，奪取土地，祇要不謀反叛逆，仍得安居；不過使我居住上列各地之山東、河北、山西、河南諸省之八十萬商人，由領土主人翁，一變而爲華僑身份而已。留還於蠻荒寒帶中，生活固屬奇苦，而利益亦成幾何級數之發展。以我國北方民族之勤儉樸素之美德，經長久歲月，無形中成各該地生活優裕之特殊階級，對帝俄所負担之稅費，亦數倍於土著民族。利之所在，留俄華僑，不獨不見減少。反由八十萬人，增至一百萬人。此皆辛亥以前出關，是爲留俄老華僑，約全體華僑總數五分之三有強。

二轉子

第一次大戰發生，帝俄壯丁征召對同盟國作戰，全國生產陷於停頓狀態，遂在我國招募華工赴俄，應募及自動前往者，河北省約二萬五千人，山東約四萬五千人，山西省約一萬人，河南省約一萬人，其他各省約一萬人。從事勞動一二年，均有積蓄，異國華僑，常受土著欺凌，禦侮圖存，不得不團結力量，于是有各省各縣會館之組織，與各地華僑相同。而親愛互助之情，駕乎海外華僑之上，祇要言語膚色相同，不問省籍縣籍，均親如手足。蘇俄十月革命時期，全國紊亂不堪，天災人禍相躡並臻，貴族與富有階級，未死於兵刃者，挾其貴器，流亡外國，農者無力下耕，商者無本營業，十萬華工，亦同時失業，咸出避難，兼得老華僑之援助，從事小商小農與手工業之經營。數年之間，均獲厚利，婚姻問題，亦因此展開。老華僑均採血統觀念與門當戶對之成見，不屑與俄女結婚。新僑少年遠出，異國鰥居，適値俄國連年荒旱，中產階級曾受教育之女郎，祇求一飽已足；於是此十萬華僑，得選精拔萃，與俄女結婚。平均年齡，男性均大十歲以上，以精力充沛之中年男子，與聰秀之少女結婚，所生子女，當然優秀聰明。這是「二轉子」美貌聰明之先決條件。因母爲俄籍，父爲中國人，故新疆呼爲「二轉子」。新僑結婚後，由民國七年起，至十三年止，此七年中，十萬新僑，蕃殖至四十萬人，財富亦大增進。這是全體留俄華僑之黃金時代。

赤俄毒手

好景不長，慘劇從此開始。一九二三年後，赤俄政權，已經鞏固，資產階級與中產階級，普遭屠殺，貧困與饑饉問題，仍未解決，却將殘殺目標，轉移到我國華僑身上。百萬老僑，全部財產沒收之外，全體送入集中營，除十歲以下之男女小孩，由赤俄政府收養外，誣以沙皇餘孽資產階級，概行屠殺。四十萬新僑財產與生產器具，概被沒收，分別授與失業俄人之後，亦全體送入集中營。幸得俄婦關說，除十歲以下之男女小孩，概被劫留外，均孑身驅逐出境。民國十四十五兩年，分別由塔城、伊犁進入祖國西陲之新疆，到達時僅四萬餘人。幸賴新督楊增新之救濟，與當地漢族同胞之互助，始免飢餓。嗣經二十餘年之掙扎，人口蕃息達十萬人。此外，所有青年男女，均在二十七歲以上；實爲華僑幼童慨被劫留之鐵證。不料甫經溫飽，迄民國三三、三四兩年，又罹國際強盜史丹林策動伊寧、塔城、阿山、烏蘇精河邊串亂事，相率東逃，重罹顛沛之苦。

國際強盜

留俄華僑，爲國際強盜史丹林屠殺者，六十五萬一千人，被劫黃金一千零二十五萬兩，資產損失，估計時値黃金七百二十一萬兩，數字驚人。證之伊犁、塔城、阿山三區，各縣淪陷財產損失約數，亦在現値黃金五百萬兩以上。因在交通不便之荒陬僻地，無論住戶商店，爲便於攜帶以備不測之故，凡有積蓄，率皆兌存黃金。中亞細亞與黑龍江地區，均係產金之地，儲存黃金，所在皆是。即新疆各民族中，通常亦都以儲存黃金爲好尚，留俄華僑，由當地主人翁而變爲僑民，自其歷祖歷宗以迄於今，凡千數百年之經營，其財產損失之大，洵屬可估計事。伊寧塔城阿山三變，數日之中，屠殺五萬餘人。嗣又嗾使牧國維哈二族同胞，於當民國三十三年，發動伊犁叛變，成立東土耳其斯坦僞國。嗣後于三十八年十月，對伊犁難胞，集體屠殺，逼令改樹五星僞旗。

根據以上紀錄，足見留俄華僑是我國華僑史中最慘淡的一頁。他們都是共產主義魔掌下的一羣犧牲者，從他們的遭遇，使我們益加感到反共抗俄任務的急切與重要。

清民之際的長沙（十）

·舜生·

我們當時對於革命運動進行的實況，可以說完全不知道，但等到辛亥三月二十九黃花崗一幕出現以後，却給了我們一個絕大的刺激。我們全班同學，原來合資定得有三份上海報紙，民立報，時報，神州日報。其時雖還沒有航空郵寄，就是武昌到長沙的一段火車也還沒有通，可是上海報紙到達長沙，也不過五天光景。上面的三種報紙對黃花崗一役經過都紀載得很詳細。我們讀了那班烈士們激昂慷慨的供辭，看了方聲洞林覺民陳更新等的遺像，實在是悲憤萬狀。有一天的民立報，畫了一件清廷賞給李準的黃馬褂，上面有團花，每一團花便是一顆人頭，尤其給我以很深的印象。當時有一件事我很不明白：清廷之防範革命，不可以說不嚴，但何以這些公然鼓吹革命的書報，既未遭受檢查，也從來沒有聽說不許郵寄，而可以一一聽其到達像我們這樣一個小學生的手裏呢？我想，這決不是由於清廷懂得什麼尊重言論自由，或者只是由於它的懶惰和愚昧。現在的人畢竟是進步多了，他們懂得言論是有力量的，凡一切對他們不利的言論，他們懂得嚴格的去加以取締，甚至加以全面的控制，一如今天中共在中國大陸之所爲，可是假定只懂得「人言可畏」，而不懂得以開明的行動去轉移輿論，其懶惰與愚昧，究竟低於當日清廷的有多少，總也還是一個大大的疑問吧？

辛亥九月初一，長沙以響應武昌革命宣告獨立了。其時我們正開始準備畢業考試，在這樣一種紛紛擾擾的時局中，我記得我們畢業的考試和典禮，都是相當草率的。有一位平均分數比我多一點的同學楊幹邦考了第一，他後來繼續在長郡中學，高等工業畢了業，便一直在地方服務，是一位有相當地位的工程師，經常在礦山工作，我對他保持着很好的友誼，在抗戰中我還見着他。

我在高小畢業後，還住過半年的長沙縣立師範，一年的外國語專門學校，然後才到上海去讀書。以我家庭當時的經濟情況，在我童年和青年時期能夠受着這一點教育，實在是太不容易。我記得在宣統二年快要開學的時候，我的母親在一個春寒惻惻的天氣，脫下她的皮服去爲她的愛子換取學費的往事，四十年來，也不知流過我的多少眼淚。現在對於一個我曾經加入過將近三十年，而且爲它賣過無窮氣力的青年黨，決定擺脫我的責任，因爲我完全明白它決不會再有光明的前途。今後我將對「充實自己」多下工夫，凡我認爲不能做或不應該做的事，我決不會去參加；凡我認爲可以做或應該做的，我有的還是我的氣力。（本篇完）

萬竹樓隨筆（四八）

思潮的星宿海

·海隅孤客·

袁氏稱帝，暴力及於南服，晦鳴學舍遷上海，毛澤東，惲代英，瞿秋白等時有通信討論問題。

綜合新世紀，天義，民聲諸期刊，巴黎世界社與廣州晦鳴學舍諸當書小冊，所灌輸於中國人腦海的，主要爲（一）蒲魯東的社會革命論，及私產制度論；克魯泡特金的共產主義及補充達爾文進化論的互助論；克氏繼居友而作的人生哲學。（二）反對種族主義國家主義和軍備黷武。（三）反對剝蝕人權的買賣婚姻而主張自由戀愛。（四）強調個人自由，大衆平等，社會有組織沒有階級。（五）反對帝國主義，國界蟊蝨，促進世界大同。（六）反對麻醉性的宗教，集中人類智慧，充實物理世界。

這些思想理論流行於智識階級將近十年，而這十年間，緣經草草革命的國家正鬧得烏烟瘴氣，加上第一次世界大戰結束，爆出社會主義蘇維埃共和聯邦，更加顯見得人家猛進，自己因循，憤悶的感情便迸發而爲「五四」運動，其始是感情衝動，繼之即爲理智的行爲。「五四」運動的核心，實乃歸納十年來所滲進的思想理論，樹立起共同趨向的鵠的，就是（一）民主政治，（二）人道社會，（三）科學致化，（四）互助倫理。這是否只是個理想世界，理論家倒不措意，反正理想普及成爲人人的常識，理想便實現了。

現在我憑良心說一句，那時候全國的血性青年，連毛澤東等在內，莫不衷誠矢誓，以爲改造中國改造社會的大任，應該引爲己責；可是所持的觀點萬無一致之理，而現實的道路便各自尋求了。

一九一七以來，佔居地球一角那嶄新的蘇維埃聯邦，好歹外邊一時無從知道，要之他那一面社會主義大旂，已夠得憧憬着的人們狠熱，「五四」運動熱辣辣的英雄們當中，輒有一些欣然鎮教馬克斯那一套，視爲錦上添花，並且不僅自由社會主義有理論而無方法，理想世界如果是天堂，則無產階級獨裁可就是登天堂的梯子。文件久已銷燬，但當時諸英雄（毛氏其一）跟我們通信辯論的話還多少記得。

那時「五四」運動大本營而在廣大教主蔡元培領導下的北京大學，豈不多就是思潮的第二源泉，主潮遠遠來自上述的星宿海，而被視爲可作登天堂的梯子用的馬敎思想則屬旁流，亦復滙合。就彼中代表人物看看，便可知中國智識界思想的分野。始終篤信自由社會主義的，教授爲錢玄同，傚傚的學生爲黃超海；主以新文化運動促成集合衆長的新中國，則爲文科學長陳獨秀；傾向馬克斯主義期待中國步蘇聯後塵的則爲圖書館長李大釗。毛澤東離開長沙走進北大作旁聽生兼任圖書館員，就接受了李氏的薰陶。

一個北大中人告訴我：毛氏對於事物喜觀察，却少批評；對於知識喜吸收，却少論議；對於習說喜閱讀，却少寫作；其偏於儕，在乎沉毅。這大概是農村子弟的氣使然，而陳獨秀對他自分始即落寞，甚閱世甚深，却不解何故。別有所見，但後此多年却不曾聽見獨秀對毛氏下一句批評的話。（三）

解放別錄

僑領顏子俊每日要檢送柴草五十斤猪屎二十斤

越南僑領顏子俊，勝利後回福建永春縣原籍養老，閩省府雖曾予顧問名義，但彼曾未與聞世事。「解放」後，當地共幹爲着[illegible]打擊，有資產有資望之人士，藉端時予凌辱。

有一次，共幹責令即日交出白米二百石，否則即予拘押，彼據理婉求寬緩：「即使我有錢買穀，但要僱人碾成白米；最少也得三日」。共幹不允，乃於完繳白米後，頗憤。而彼離永赴廈，擬再出國。嗣經陳嘉庚寫信給閩省當局，謂欲爭取華僑，縣長奉到省令後，對顏致歉，並勸其回永主持僑務。顏見其意頗誠懇，亦以爲過去之被凌辱，乃係下級幹部之偏差，非出省縣當局之本意，遂亦隨其歸永。一年來，顏表面上頗受尊敬，而實際則全部家產均被迫「自動」捐獻淨盡。直到最近，顏竟被迫勞動改造，每日要檢送柴草五十斤，猪屎二十斤，否則施以鞭撻，此老年近七十，經此凌辱磨折，恐將不久於人世矣。（小民）

斥靠攏詩人柳亞子

靠攏詩人柳亞子，年老無恥。自靠攏後賦律詩四章，以歌頌秧歌王朝，極獻醜之能事，爲士林所冷齒。爰步其原韻，成詩四首以斥之。（話僻）

色笑依人竟在斯，巨姦移國枉稱詩。
臥龍避地甘寧靜，小醜跳梁兇蕩夷。
滿眼血腥空有恨，萬民勞役可無疑。
盜魁亦有文人捧，看爾橫行到幾時！

曾記離江一點首（註一），崑移幾度到今茲。
敝衣瀛馬驚初見，垢面愁顏異昔時。
廣大高壇遊蕩賊（註二），燕都竊位我無辭。
自鳴得意荒唐甚，漫說提刀代製詞。

野心未死說蘇聯，驅盡愚民擋礮堅。
邪說紛紜誰入彀，恃強侵略詎能賢。
桓溫將墓甘遺臭，劉豫稱兒欲幸全。
四萬萬人齊奮起，獨夫懸首日中天。

奴顏婢膝步新宮，南社風流竟是空。
枉有文章供世玩，得留正氣幾人同。
吟哦未必眞名士，慷慨應推一代雄。
長作書傭非素志，班侯事業總爲公。

（註一）民國卅一年，柳亞子由香港脫險，經桂林，轉入重慶。在桂林與之相晤，垢面愁顏，非常落魄。

（註二）民國十五年春，毛匪澤東受聘國立廣東大學專修學院任教，宣傳共產主義，播覆青年，所謂賊夫人之子矣。

自由人

THE FREEMAN

（半週刊每星期三六出版）

（第七十六期）

每份港幣壹毫

督印人：李光華

社址　香港高士打道六六號

電話：二〇八四八

GLOUCESTER RD. HONGKONG

TEL: 20848

承印者：東南印務出版社　地址：高士打道六四號

台灣總經銷處　台北市中正路一二五九號（台北縣兵站對面）

替邱吉爾擔憂

·程滄波·

英國保守黨競選勝利，邱吉爾新政府登台，中外報章雜誌論者已多，這半個月來，旰衡世界大勢及美國所面臨的問題；我實在替邱吉爾担憂。上月二十七日邱吉爾在倫敦保守黨總部，獲知保守黨勝利後，他對保守黨幹部發表簡短談話時，熱淚盈眶，表示前途之困難，所以這二十天來邱吉爾的心情，可以斷定是十分沉重，今天擺在邱吉爾前面的，一個是大英帝國的前途，（包括英國的經濟問題，）一個是世界和戰的前途，邱翁能否度過這一個難關，今天沒有人能加以肯定的預測，可是邱吉爾未來成敗之路，是十分明顯的。照我們多年研究邱吉爾的生平，當然希望他成功，至少希望他不會失敗得太慘。

邱吉爾的政治生涯，可以說是一生風波，他在第二次大戰史中，對包爾溫——麥克唐納爾一段時期，對包爾溫的命運，甚加頌揚，他心底裏是十分看不起包爾溫，但心頭似乎是十分羨慕其命運，這是邱翁的身世感慨，他在英國政海的升沉，是英國政治史上很難找到相同的人物，從一九二九年到一九四〇年，邱吉爾在英國政海中是一個飄泊的人物，除了政見不合時宜，一場急性盲腸炎，大動手術，把他競選的機會也誤了，[illegible]

中外古今人物中，像邱吉爾那樣的性質才能，實在是極難歸類。他是文人麼？他進過軍事學校，他一生打過幾次仗，他一生心得在海軍，在空軍。他是軍人麼？他是「伊頓」學校出身，他是最成功的一位戰地記者，他在英國文學史上有地位，他一生得意之作，在世界文壇上可以媲美前賢。但綜合他的生平，他的政治上的大成就，在於外交，在於軍事；他在包爾溫內閣中，雖然擔任過五年久的財相，然他一生事業中，這一段歷史比較最爲黯淡。後來的大用，他的政治資本就在他十年的政治飄泊，他那十年的政治飄泊，不是消極的無所動作，在那十年中，尤其在後六年，他的呼聲，他的言論，集中在對法西斯與納粹之警覺。一九三七年春間艾登辭去外相，他爲之[illegible]。[illegible]

他認爲姑息成第二次大戰的心理，是姑息，[illegible]安與「中間路綫」，此在第二次大戰史第一冊首章，他不憚反覆言之。十一年前邱吉爾的出來，是爲打倒[illegible]。所以叫他出來，是他在戰前認清了敵人，認準了民主國家所應走的道路。

邱吉爾這着政治資本，在一九四〇年登台，他當時的政治資本是認清敵人，是認準自己的路綫。第二次大戰的目的，目的是自由與民主，也是歐洲近代文明的保持。一九一九年和一九三九年的英國及歐洲，[illegible]

[illegible]

……一點。

邱吉爾已經是成功的人，而且是二十世紀一個大成功的人，我們愛惜他的過去，關心他的將來，自由世界矚望於他，我們希望他不要辜負他過去的歷史，更不要辜負自由世界對他的期望。

蘇聯增防遠東

·伍健勛·

柏林封鎖給蘇聯一個重大的教訓，她深刻地體認出美國對歐洲政策的積極性。從那時起，她便把擴張政策的箭頭指向亞洲，指向遠東。北朝鮮的侵略戰事，便是她在遠東發動攻勢的一個集體表現。

現在蘇聯部署在遠東的軍力如何，是一個極端值得注意的問題。它不但是朝鮮和談的一個幕後決定因素，而且是蘇聯未來世界策略一個重要標識。根據美國及日本軍事情報人員的報導，我們對蘇聯在遠東的部署，大概可獲得下列幾個印像：

重心在西伯利亞

（一）蘇聯在遠東的軍事重心擺在西伯利亞——遠東軍備，訓練，補充，及武裝，均集中在這個區域。她在這裏修建了大批軍事工廠，包括坦克車，飛機，火車頭，造船，煉油，及鋼鐵廠等工廠。美國軍事專家認爲蘇聯積極武裝西伯利亞的目的，不在朝鮮，而在日本。

（二）蘇聯集中遠東的陸軍在四十個師團以上，在中蘇兩國邊境一帶，蘇聯擁有廿七個重要空軍基地和十一個海軍基地，這些陸海空軍的分配如下：

東海濱省——蘇聯在東海濱省的武裝部隊，計有九個師團，分駐於海參威以北。空軍方面，有一個重要基地設在日本海的特檢蓀。海軍總部設在海參威，蘇聯第五第七艦隊，駐防該處。計有重巡洋兩艘，驅逐艦廿艘，潛水艇至少有八十艘。

阿謨爾省——阿謨爾省軍事區駐有十三個師團，總部設在哈巴洛夫斯克，配有重轟炸機二百架，海軍飛機一百架。康索莫斯克是一個重要的軍需城市，那裏有大規模的造船廠，煉油和製鋼廠。

庫頁島南部——蘇聯駐有六個步兵師，兩個裝甲師，四個空運師。另外還配備第十航空隊，飛機八百架。

千島羣島——駐有兩個步兵師團，其中一師團大部由日俘組成，蘇聯並在千島羣島最北部建有地下機場及兵營，配有戰鬥及轟炸機三百架。

堪察加——駐有九個師團，包括步兵兩師團，海軍陸戰隊一師，降落傘部隊一師，飛機三百架，及幾個海軍單位。

加强控制中共

（三）蘇聯最近在遠東部署方面，有若干新的調動，觀察家認爲這與朝鮮戰事的發展不無關係。其調動情形如下：

A．蘇聯第六軍由貝加爾湖的赤塔調駐東北，總部設在吉林，目的在加強對中共的軍事控制。

B．蘇聯第十七軍由蘇聯大陸，調駐堪察加半島。

C．第廿師由莫斯科調駐西伯利亞。

蘇聯增防遠東的動向何在？觀察家有兩種不同的看法：（一）認爲朝鮮和談破裂，蘇聯可能進一步採取行動。西伯利亞的實力，將是她進一步冒險的本錢。（二）認爲世界和平的眞正危機仍在歐洲，蘇聯增防遠東，不過是她玩的一套聲東擊西的手法而已。

[illegible]

時局漫談

舜生

可怕的國際形勢

這幾天，國際盛傳美蘇在巴黎有會外接洽，其實際情況如何，因爲報導簡略，大家還莫明眞相，不過有幾點我們大致可以想像而得：

（一）假定眞有所謂會外接洽，其接洽者決非限於美蘇，也許特別熱心的還是英法。

（二）大家都不想正式打仗，不惜委曲求全的心理彼此都是有的，平日美蘇兩方的言論和行動，好像是非常尖銳，可是彼此都不敢輕言戰爭，却又心照不宣；假定有人熱心拉攏，能在會外接觸接觸，使空氣趨於和緩，我們看美蘇都不會拒絕。

（三）促成韓戰停火，似乎美英法都有這種需要，這幾天韓國的談判，似乎比以前要進行得圓活一些，我們看這與巴黎方面的頻繁接觸不無關係。

（四）關於埃及和伊朗問題，英國方面充分了解：只有在整個大局的和緩之下，始能覓出解決的途徑，因此凡足以使大局漸趨融洽的任何活動，英國也必然熱心贊助。

假定上面這些看法大致不錯，我們便非常担心：

（一）自來在大國間所舉行的一種祕密交涉，往往被犧牲的總是弱小國家。

（二）假定一切問題必須等到聯合國來討論的這一原則一經動搖，可能使聯合國的威信大減，這正是蘇聯所求之不得的。

（三）究竟美英法間對於今天東西的重大問題有何難於一致的歧見，這在聯合國的大會場裏，到底下能看得十分明白，蘇聯要了解他們的眞正弱點所在，只有在會外這種非正式的場合，才能得更多的理解，這實在是於蘇聯非常有利；假定美國過度遷就其盟國的意見，是難保不要上當的。

（四）今天這種所謂會外接洽，自然是以祕密行之，但蘇聯却只有爲自己守祕密的義務，並沒有爲他人永遠守祕密的義務，只要她認爲於她自己特別有利，或足以摧毀民主一方的若干小國對大國的信賴，她在必要的時候可能拆穿西洋鏡，根本就談不上所謂信義不信義的。

總之，國際情形發展到今天這樣微妙的階段，實在是使我們隨時都感到慄慄危懼。

注視日本的姿態

多數的日本人民不願重整武裝，吉田也口口聲聲說大規模的整軍經武爲日本當前的經濟情形所不許，他寧可仰賴美日安全協定而多取得美國的保護，並不願一下便做到名實都是一個眞正獨立的國家，這種情形實在是使美國感到非常爲難的。原來美國之所以汲汲要簽訂對日和約，便在希望日本能夠趕快的站得起來，以便她能夠代美國在東方分負一部分的責任，沒有想到她在和約一經到手，便又擺出如目前的這樣一種姿態。我們相當了解：日本人的性格是很重實際的，沒有一套更實際的辦法使她覺得眞正有利，她是不會太熱心的；美國總歡喜從大處落墨，對日本似乎了解却並不眞正了解，以許多空空洞洞的原則，便希望日本死心踏地成爲民主陣綫的忠實一員，恐怕是可能性很小。我們早就明白：美國如果不把中華民國拉在一塊，或對中國大陸更有一套明確的政策，便想好好的來解決日本問題，實幾乎是不可能的。因此，我很希望杜勒斯先生能作更進一步的研究，必須懂得解決日本問題[illegible]同時，對台灣方面，我們也希望[illegible]

抱着一種希望：我們的態度當然不可失之軟弱，但也不可流於一種稍帶意氣的强硬，我們必須了解日本的實際情況，同時知己知彼，以理智來確定我們的政策。我們必須使日本充分信賴，只有我們才能眞能和日本攜手來解決未來的亞洲問題，其他種種不過只是一種幻想。（其實這一層日本人並不是不明白，但姿態上却又不能不擺出另外一套）更說得明白一點，對於未來的中日問題，不可過分希望美國來領導，我們自己必須採取相當的主動；我們尤其希望主持對日外交的責任者，要對當前的日本能有更多的理解。

論消泯派系門爭

今後國民黨的中央負責者，如果能以最大的魄力，自身跳出派系的圈子，不受派系的局限，對從政黨員之推選，一以「用人唯才」爲準，同時多起用無派系的才智之士，則派系的觀念，即可在一般人的心理上逐漸冲淡，派系的鬥爭，也漸可消泯於無形。

・黃雪邨・

在最近台灣舉行的中國國民黨台灣省改造委員會第一屆全省代表大會當中，行政院陳誠院長以中央改造委員的身份蒞會致詞，在他這一篇的演詞裏面，特別强調希望消泯派系門爭，他指出國民黨在大陸造成整個失敗，即由於一般人只知鬧派系，爭權利，自己打自己，結果民衆背離政府，共匪乘機坐大。同時他更引證二十多年來各種事實，說明派系門爭實乃造成失敗的最大原因。最後他認定今後國民黨要消弭派系門爭的方法，乃在革除自私自利的心理，恪遵總理與總裁的訓示，眞正在心理上實行革命。

陳氏這一篇語重心長的沉痛講話，無疑的引起了各方面的重視，我們檢覽中國國民黨過去現在的情形，也深深覺得這不僅是對今天全體國民黨黨員的一劑苦口良藥，而且也可以說是今後國民黨改造工作是否能徹底完成的重大關鍵，因爲在國民黨內如果再不能消泯派系門爭的惡習，則原有的力量既無法團結，新生的力量也必然無法產生，形式上的改變，對國民黨之復興是無多裨益的。因此，在這裏，我們除對陳院長的這種眞知灼見和不肯諱疾忌醫的坦率態度，表示贊佩之外，也願意就此問題，提出一點意見。

要消泯派系門爭　先消泯派系觀念

要消泯派系門爭，必先消泯派系組織，要消泯派系組織，必先消泯派系觀念，這是人盡皆知的最基本的道理。但是，消泯派系之組織甚易，消泯派系之觀念則甚難，老實說，今天在國民黨雖然一般人對某一部份人或另一部份人都可以指出他們是屬於某一派系，可是這些所謂派系並不曾形成具體的組織形式，同時他們自己也並不承認自己是某派的領袖人物或屬於某一派系，而這些派系只是一個歷史上人事關係的演進。因此，我們以爲今天國民黨內如果要談到消泯派系門爭，其問題已不在組織與領導的統一，而在如何使每個人心理上的障礙——派系的觀念——之消除。要消除這一個歷史性的觀念當然是很困難的，但是我以爲如果今天的國民黨人能重視二十餘年來艱難締造，統一全國，終至於整個大陸失敗的慘痛教訓，環顧當前的情勢，大家能大澈大悟，拋開以往的成見，共謀所以團結互信之道，則派系門爭之消泯，只在每個人一轉念間之事，正所謂放下屠刀，立地成佛，何嘗又有甚麼特殊的困難？因爲派系觀念之形成，並不是先天的，而是人爲的，人爲的因素自然也可以人爲的力量去消除它。同時，我們覺得更重要的是派系領導人物的互相諒解，大家協議「休戰」。在上面的能夠率先倡導，下面的自然會聞風景從。國家的興亡隆替與風氣之轉移，往往繫於居高位之少數人能否公忠體國。天天在喊反攻大陸，欲以復興民族，解救人民爲己任的國民黨的領導人物們，難道會連這點覺悟都沒有嗎？我們願於此馨香禱祝以俟之！

兩個用人基本原則　用人唯才明辨是非

其次，要達到消泯派系門爭的目的，我們以爲在國民黨負中央領導責任的人在用人與處事方面，不僅不能對任何派系有絲毫抑揚輕重的分別，而且連那種爲顧慮派系門爭而有意使之發生平衡作用的那種意識都不應該存在，因爲與之者自以爲可達平衡之效，而受之者並不覺其爲公平，結果適與原意相反，不僅不能消泯派系門爭，反而變成製造門爭之起因；而且人與事之安排處理，決不能如一般實物之可以衡量其輕重長短，以求平均分配，如果先從一顧慮派系利益之心，則必致治絲而棼，終成造亂之源。因此，我們認爲今後國民黨中央負責者決不可再蹈前轍，必須堅定的把握住「用人唯才」與「明辨是非」這兩個用人處事的基本原則。

從派系上去選擇　在安排中造糾紛

先從用人一點來講。我們決不能否認國民黨黨員中確有若干優秀卓越的人才，但是因爲這些人才如已納入某一派系之中，或被視爲某一派系，則易爲另一派系所攻擊，否則便因失卻支持援掣的力量而不能獲得足以展布其才智之機會。結果國民黨中央對從政黨員的推選便不能不從派系中去選擇。這樣一來，不特新的人才不能培植起來，而且因人事安排之不能適當，造成了層出不窮的糾紛，最近在立法院中所謂「擁劉」「反劉」的這場惡戰便是最好的實例。因此，我們以爲今後國民黨的中央負責者如果能以最大的魄力，自身跳出派系的圈子，不受派系的局限，對從政黨員之推選，一以「用人唯才」爲準，同時多起用無派系的才智之士，則派系的觀念，即可在一般人的心理上逐漸冲淡，派系的門爭也漸可消泯於無形。

超脫派系主持公道　是非能明人知自勉

其次說到明辨是非一點，我們以爲尤關重要。往往因顧慮到派系的關係，亦即一般所謂人事的關係，終於使每個人的功過是非不能很明顯表露出來，於是攻擊者與庇護者各持異議，正所謂彼亦一是非，此亦一是非，馴致中央負責者自身陷入黨派人事的糾紛裏面，而無法超脫的來主持公道。如果是某人認爲應該被維護的，那非的也必使之變成爲是，反之，則是的也變成爲非，因之一切派系的力量便可能變爲爭權奪利，文過飾非的工具，派系門爭又安得不愈演愈烈。這次立法院易長之潮，據聞蔣總裁曾以明辨是非指示中央幹部，此種賢明之指示，實爲國民黨負責者所應永奉爲金科玉律。是非能明，人知自勉，則縱有派系的存在，也決不會再變成爲少數人爭權奪利，文過飾非的工具了。

中國國民黨以往之失敗是由於派系的門爭，陳誠院長這種坦白的指陳實爲一針見血之言。我們愛護國民黨，希望國民黨能負起反共抗俄復興民族的責任的人，願意在此强調陳氏的這個看法，同時我們深深的感覺到，國民黨今後改造工作之能否圓滿完成，也正是要以能否打破派系觀念，消泯派系門爭以爲斷。

蘇聯的隱憂

白毅　譯

蘇維埃所恐懼的，就是革命（或者最低限度的消極抵抗），會在蘇聯國內大規模地發展起來。據英國軍事權威李德哈特最近所發表的論文說：實在蘇聯不過是一個泥足的巨人。基此原因，克姆林宮迫得放棄作一種侵略的實際戰爭。她之有所戒懼者，就是有一種足以戰勝布爾雪維克主義的自由觀念。蘇聯所恐懼的敵人，是內在的，而不是外來的。

在蘇聯的報紙和廣播中，透露出許多不安的情勢。眞理報在前兩週有一篇措詞嚴厲的社論，承認在共產黨的組織中，有着嚴重的缺點。在某一個農區內，由於本地勞工情緒鬆散，而不肯在本地工作，所以迫得僱用四分之三的外地勞工，恢復勞工制度。而遊手好閒的蘇聯人，成羣結隊，在農村東奔西跑，儼若歐寇。眞理報也對黨的高級領袖批評他們冷酷無情。這就是全民被壓及精神不振的反映。

中蘇盟約，目前也有離心的徵象了。中共投入了韓戰，而蘇聯絕不履行供應的諾言。一班毛澤東的將領們，對此都有公開的怨憤。毛之所以捲入韓戰的漩渦，係與莫洛托夫在瀋陽及莫斯科作過深談以後的事。據說毛所要求的代價，要在亞洲自由擴展，要蘇聯供應大砲和飛機，並且要立即在東西南北大量建築鐵路。可是一切都成畫餅，中共既未得到蘇聯所答應的坦克飛機的供應，而在焦頭爛額身敗名裂的時候，克姆林宮竟要中共在韓撤退軍隊。所以毛爲了面子關係，堅決要求蘇聯供給相當的軍事裝備，給聯軍以致命一擊，然後撤退。因此，在這一向，中共的宣傳，已謹慎地避免對蘇維埃及史太林的過度頌揚，無復去年的恭順了。

據英國的情報透露：要維持大陸廣大地區的秩序，北京政權有其自身的困難。在近數月來，出發韓國的，約摸二十萬軍隊，都逃跑光了。一向被指稱爲由美國支持的游擊隊，出沒無常，在華南，在大陸的山區地帶，使得共產當局疲於奔命。英國不會希望毛如鐵托一樣，敢對其主子反目；然而在東方的消極主義的態度上，對蘇聯的壓力，還是表示反對的。

在東歐情報局轄下各國，蘇聯也面對着一個日益滋長的不安情勢。在東歐，由於飢餓與無望的交織，接着便是苦求解脫的門爭，和組織反抗的開端。於是由莫斯科通過全國的蘇維埃鐵路幹綫，發生不斷的怠工了。由於農民的拒絕繳納，游擊隊對倉庫的燒燬，以致蘇聯徵糧，成績低減。衞星各國，也有其不安跡象：

保加利亞——由於蘇聯的命令，有二百個共產黨的高級領袖，以叛逆罪名，加以逮捕。有兩個地下組織——土地均分黨及自由保加利亞社會黨——自稱是與現政府有聯系的機關。保加利亞報紙大量刊登廢弛，封寄和怠工的批評。

匈牙利——由於工作紀律的廢弛，主要的煤鑛生產，大爲低減了，柯杜鑛鐵廠的鋼，運往蘇聯的，也怠起工來。

亞爾巴尼亞——據最近逃到南國的人民稱：該國人民確實在饑饉與包圍的情景之中，軍中的士兵，假如有可能的話，十居其九，都想逃亡。

波蘭——不久以前，眞理報有一篇社論，係針對波蘭而言者：「西方國家用偵探、怠工、恐怖、及陰謀種種手段，冀圖推翻人民民主……一連串爲帝國主義所組織以及鐵托所資助的反政府的陰謀，最近已被發覺了。」莫洛托夫在華沙的演說，無疑的是對波蘭人的一種警告，「敢于嘗試革命者殺！」英國情報估計地下非武裝的工作人員，比納粹佔領時期，聲勢更爲浩大。

東德——蘇維埃妄圖組織一支東德軍和青年軍，已遭遇到一個大教訓，大大防礙了紅軍的忠誠意志。蘇聯人民與德國人民的社交，嚴遭禁制；不過，事雖如此，並且邊禁森嚴，仍有不少的蘇聯人，從德國逃亡到西方國家那裏去。今春在東德曾有過一大民意測驗，願意收聽西德的廣播，比之鐵幕的其他電台的，有七倍之多。

所有以上的種種問題，造成蘇維埃共產黨獨裁政治一種內在的緊張，也是一種隱患。（譯自新共和週報）

中共玩弄勞資兩面手法

在玩弄勞資的過程中，中共很巧妙地運用兩面策略：一方面以支持工人的姿態，不斷煽動私營工廠企業的工人，向資方鬥爭，一方面又使用各種各樣的方式，來剝奪公營工廠工人的利益。

・張丕介・

中共對大陸勞資的擺佈，表面上是以損資利勞爲原則，而實際的運用，即係勞資兩損。眞正獲得利益的，只有中共自己。在玩弄勞資的過程中，中共很巧妙地運用兩面策略：一方面以支持工人的姿態，不斷煽動私營工廠企業的工人向資方鬥爭，一方面又使用各種各樣的方式，來剝奪公營工廠工人的利益。前者的目的，乃在增加私營廠商經營的困難，以便及早消滅私營企業，後者則係直接榨取勞工大衆，爲奴工制度奠立基礎。無論從那一角度觀察，受害的永遠是勞資兩方，受益的永遠是中共。

兩項運動下的犧牲者

這一套玩弄的手法，從最近粵共總工會通過工人加薪一案中，發揮得最爲淋漓盡致。據本月九日中共「南方日報」的報導：中共粵省總工會最近通過全省各業工人加薪運動，最多的增加百分之百，最少的增加百分之三十。但上述的規定，乃指一般私營工廠而言，至於公營及政府經營工廠，不特沒有加薪，且發動兩項運動：一是自動減薪，一是節省原料。依照中共的說法，私營工廠所以提高工資，乃因大陸工商業「已普遍好轉」，大小工廠都賺錢，依照工商互利精神，工人需要提高工資。公營企業工人所以須減低工資，則因爲公營工廠工人「政治覺悟提高」，認爲爲政府謀利益即爲自己謀利益，爲了爭取公營工廠盈利，因此必須減少待遇。這一串詭辯式的說法，在中共宣傳家的筆下，雖然冠冕堂皇，但稍有常識的人，都知道這是中共施展詭計的一種遁詞，乃其進一步迫使勞資同歸於盡的新手法。

進行分化與製造對立

在中共控制和宰割人民的策略中，最重要的一着，就是進行分化與製造對立。在農村中，他們利用農民與土地的關係，將農民硬生生地劃成不同的成份與階級，然後藉階級間之對立與門爭，來鞏固其統治。在工人間，他們亦製造一套理論，認爲工人本身的待遇與地位，應隨工廠所有權的歸屬而不同。工廠中有國營與私營之分，因此，工人與工廠的關係也迥然殊。國營工廠屬於國家，國家屬於「人民」，工人是人民的一部份，而且又是「領導階級」，因此，他們認爲在國營工廠中，沒有勞資問題，只有「公私關係」。工廠本身是公，工人是私，因此必須先公後私，故工人犧牲本身福利，乃工人「當然」的態度。至於私營工廠中的工人，則仍然保持勞資關係。他們仍然爲資本家工作，受資本家剝削，因此私營工廠工人向資本家爭取提高待遇，亦是天經地義。（見薛暮橋：「工商業政策」）

在上述這一理論根據下，中共登台後的第一件傑作，便是在「照顧國家財政困難」的藉口下，取消公營工廠的年終雙薪及年終獎金。接着而來的是推行「生產競賽」，實行加班加點。同時在改革工資制度的名目下，對工資實行明升暗降的辦法，利用各種各樣的「捐獻運動」來吸收勞工血汗的所得。利用「政治覺悟」來强迫「增產」與「節約」。實際上則係要求工人勒緊腰帶，增加勞作强度。否則即表示「政治覺悟」不夠，「思想有問題」，隨時有被提出門爭淸算的危險。這是中共搾取大陸勞工的一面。

物資滯銷與外滙枯竭

但在私營工廠方面，爲了迫害資方，其對工人的玩弄，乃隨其需要而不同。初爲了滿足工人「翻身」後的優越感，儘量助長他們向廠方的糾紛，因此造成大陸勞資糾紛迭起，廠商在苛捐重稅以外，另一致命的打擊。這種手段雖如中共所述「提高了工人的威風」，但實際上則打去了他們的飯碗。勞資關係最惡劣的時候，亦就是大陸工商業瀕於絕境的時候。當時僅上海一處，因工廠停工歇業而失業的工人，連其家屬在內，即達五十萬人。這些失業的工人，據上海中共總工會主席劉長勝的報告：「每日僅有兩頓稀粥湯喝，至於把孩子送給別人，以豆渣糠粃充飢者，更是普遍現象」。中共雖誘導他們走上失業的道路，但並不負責其失業的後果。而眼見危機深重，恐因此搖撼其財源，乃轉而提出「調整工商業」辦法，迫使工人自動減低工資，爭取「不停工，不歇業」，藉此來緩和廠方的解僱。甚至實施臨時流動的辦法，希望減輕廠方的困難。在這樣一擒一縱之下，中共在前一階段對工人既提出了支持者的姿態，在後一階段又以維護者的嘴臉出現，但實際上勞資雙方，均已兩敗俱傷。

近半年來，爲了加速達成消滅私營企業的目的，中共乃放棄調整工商業的外衣，又再度以支持工人的面目出現。在各城市組織店員會，在各廠礦實行「民主改革」。目前爲配合其十八行業强迫轉業，乃出動加薪百分之百的法寶。從工人方面言，這一辦法，等於吞服了糖衣的毒藥，遲早總要自食其果。而就資方而言，可能迫使他們就此收攤，眞正地化爲無產階級。

今天大陸的工商業，對內而言，是物資滯銷，人民購買力全部爲捐獻租稅所吞噬，對外而言，則外滙枯竭，進出口貿易全部停頓，工商業殘喘之勢，較之去年三四月間有過而無不及。中共在此時際，强迫私營工廠提增工資，其落井投石之心理，業已昭然若揭。在極權統治的淫威下，廠方自不敢抗命，但經此一着，勉强還可以維持的勢必被迫提早破產，業已無法維持的，便只好關門大吉。擺在工人面前的，將是較去年五六月間更大的失業危機。但是中共早已料到了這一着。在他們的妙算中，韓國戰場，正是這批失業工人的最好出路，即使大批失業發生，他們已用不着救濟了。

工廠像牢獄工人像囚犯
武漢工人被迫害被虐待
廠方有共幹撐腰一切視若無覩

【本報漢口特約通訊】「工人弟兄」是毛澤東中國的「領導階級」，照理是應該在過着一種極爲理想的幸福生活，然而任何一椿事體，到了說假話賣假藥的中國共黨手裏都會發生了「偏差」，完全兩樣，不信請看看今日武漢三鎮工人弟兄所過的牛馬不如的生活，就會使你憤慨莫名，驚駭不已了。

被服廠原是軍需後勤部門中一個龐大的機構，生意好，賺錢多，向爲人所共知，漢口的誠與、福華、協力、職工、工群等被服廠，表面上是私營，實際皆有共幹股份參加，其中誠與、福華兩廠，因爲「四野軍需部加工科長」金石如所獨資創辦，規模更大，生意更好，誠與一廠每日工作時間，一般都在十四小時以上，工人吃飯就得上工，遇有「緊急任務」，強令通宵，不容規避。「福華」廠工人更苦，每天工作時間，常常十七小時，有時飯含在嘴裏就得上工，一做就做到天明。由於無限制地延長勞動時間，工人病的病了，死的死了，在該廠一千七百八十個工人中，害腸炎的就有兩百零六人，吐血的卅七人，害赤痢的四人，害急性腸炎的十四人，其他被針扎傷手和鬧眼睛的工人還有三十多，「協力」被服廠一千一百三十五個工人中，害肺結核、吐血、腸胃炎、氣管炎等病的佔百分之四十八，害下部濕疹病、被剪傷、針扎傷的工人佔百分之三十七，三十二組工人余五恩，因勞動過度，得了不眠症，廠方不管，逼得他跳江自殺。十組工人彭羅，也是在「趕任務」時吐血而亡。「福華」廠懷孕女工陳玉章、范金香、李玉蓮、張秀英等，都因累得流產，臥床數月。張秀英范金香二人則因無錢調治終於病死。

女工喂奶都要留難
可憐小孩哭死餓死

這些「私營」被服廠，因爲都有共幹做靠山，所以老闆們皆態度蠻橫，氣燄熏天，工人稍有不遂，即以「收回工廠符號」，「開除」，「關起來」相威脅。工人怕收了號沒飯吃，只好含淚硬幹，至死而已！誠與、福華等廠爲了要多賺錢，不 [illegible] 工，就是妨礙了「抗美援朝的偉大任務」，不是特務敢試樣？」隨口加罪，毫不思索。又這些工廠的目的都只爲賺錢，什麼工人生活，疾病料理，工廠安全，根本不理那一套。許多廠房都是用蓆棚皮蓋的茅棚，夏天熱得發昏，冬天冷得要死，一遇刮風下雨，工人都像孤 [illegible] 廠裏放出來的野鬼似的，東奔西逃，鬼哭神號，而且廁所多在車間附近，那股臭氣，熏得死人，熱天不備茶水，冬天不備火爐，加上通宵加班，無時休息，鐵打的人也會病倒的。如「協力」廠車工場季香，[illegible] 雖積勞吐血，廠方仍不讓他請假回家吃藥休養，逼得他只有一面幹活一面吐血，女工李梅生晏君雲逢後三天就上工，廠裏沒有哺乳室，不管是刮風下雨，都要家屬把小孩抱來，由女工站在大門口喂奶，有時要「趕任務」，則派來大隊警衛人員，將廠門上鎖，隔絕消息，形同囚牢，工人的飯不能按時送進來，即女工喂奶也遭留難，小孩子因沒有奶吃，在門外大哭大叫，鬧成一團。「職工」廠的女工胡芝全、余貴芝、金美、李梅、陳海香等的小孩，就是這樣餓死了，哭死了。

侵吞公款尅扣工資
一切罪過諉諸包商

不但如此，這些殺人不見血的私營廠商，還利用「關係」隨意尅扣拖欠工人的工資，譬如「職工」被服廠，在十月十二日就停工了，可是包商欠了一億五千多元的工資迄未清發，「協力」被服廠，因任務結束，本月初也停了工，但至今仍欠女工工資三千多萬元，有的女工三個月沒有領到一文錢，許楊氏、章韻芬、朱綠璧等家裏，曾各有兩三天沒米下鍋，「誠與」被服廠雖未停工，但仍拖欠工人工資七千餘萬，另外尚有「上級」發下來的三千萬元的「文教勞保經費」，二百七十五萬元「醫藥補助費」，也全被廠方藉口「週轉困難」給吞沒了。

紙終是包不住火，事情終于鬧開了，「中南區軍政委員會」爲了平息眾怒，一面儘量爲「四野軍需部加工科長」金石如設法開脫，說他「受了包商的矇蔽」，沒有深入了解，只是聽信了包商意見，一面責備包商官僚主義強迫命令的作風，一切假公濟私無法無天的行爲都推到了包商身上，今後的改進、整頓、撫恤等工作也責令包商全部負責，不准推諉。

自上月二十九日起，「中南軍政委員會人民監察委員會」和「勞動部」，「中南總工會女工部」和「勞保部」，中南和武漢「民主婦聯」，「武漢市總工會女工部」和「勞保部」，「中國輕工業工會武漢委員會」，「武漢市勞動局」和「工人日報」等單位，成立了聯合檢查組，分赴各廠，「了解」情況，但半個月來，還沒說查出點什麼眉目，看情形，將來還不是在官官相衛的原則下，「照顧」了有關一些部門，另外再將一些靠山不硬的廠商辦一兩個以殺雞嚇猴，不了了之，什麼「違反勞工政策」，「危害工人生命」，「尅扣工資」，「剝削工人」等「人民的口號」，只有擺在一邊暫時不喊了。（懷民．十一月十七日寄）

「新婚姻法」強迫施行下
閩女「幹部」集體自殺

陳棉花陳美甌陳蕊娘因自主婚姻，「區長」不同意，「上級」不批准，憤而投水。「區長」閻治人還說：「死幾個女人有什麼關係！」「他自己要死，有什麼辦法！」

【本報福州特約通訊】中共的新婚姻法頒佈後，由於各級「幹部」的蠻幹破幹，枉死城中，新鬼頻添，閩桂兩省且不斷發生婦女集體自殺事件，就中尤以福建惠安縣三個女「幹部」集體自殺事件最爲「典型」，由此可充分證明了「人民政府的新婚姻法是合情合理的，舊社會逼迫着我們走上自殺的道路，新社會却幫助我們翻了身。」這都是鬼話。

惠安一縣四個月中
自殺婦女一百七十

福建省原是一個封建思想根深蒂固的地區，而惠安縣還有這樣的風俗：婦女結婚後，只能頭幾天在婆家住，以後只有過年過節，才可以回婆家住幾天，個別地區的婦女回婆家時，還得用塊布遮着臉，到晚上燈後才能去，第二天天不亮又得跑回娘家。這樣有的夫婦雖然結婚數年，還不認識，同時，這裏的早婚現象也非常嚴重，女的十二、三歲就要出嫁，夫婦之間，甚少感情，因此婦女便以死來反抗這種野蠻的婚姻制度，每屆「普渡」時節，（七月間）到處皆有集體自殺事件發生。福建「解放」後，中共「幹部」認爲這些風俗「很古板」，不但不予破除，還在竭力的支持和保守着。

今年六月，惠安縣十一區前厝村女幹部陳棉花，（鄉農會委員今年二十四歲）陳美甌，（鄉農會小組長今年二十二歲）陳蕊娘，（鄉農會小組長今年二十五歲）等三人因區「幹部」李踊鯽、王承冰、吳擊夫向之苦苦追求，三人亦願與之締結婚約，但因「區長」不同意，未予批轉「上級」，致結婚無望，[illegible]

[illegible]（十一月十四日寄）

香港三日續紛錄

英駐港陸軍總司令葛達思少將於廿日搭英海外航機自曼谷抵港。他高高的身材，穿深灰色便服，大步走入機場，歡迎的人員中有馳名於韓國戰場上的第廿七旅旅長貝克准將。他在機場向記者表示：「得能於此時派爲香港陸軍總司令，深感愉快，何時就職，需俟與英駐港總司令伊文思中將談後，方可決定。」有一位記者問他：「你此時來此地，就任軍職，是否覺得前途困難？」葛氏毫不猶豫答道：「身爲軍人，軍中的日子總是困難的，「困難」，也得打破它。」語極壯，再表志堅決，儼然軍人本色。

×　　×　　×

崇基學院與亞洲自由大學

香港不久將有另外一所大學，那便是中英美三國基督教會之熱心人士所創設的崇基學院。現決定設在前聖保羅書院舊址內，經費由英美兩國教會捐助，由前嶺南大學校長李應林博士出任校長。教授多爲大陸流亡本港之知名之士。該校定明春正式招收大學一年級，學制仍循吾國大學之作風，內設中文學系，西洋語文學系，工商管理學系，會計學系及社會學系等。此校之得准在港設立，實打破香港高等教育法規之定例，因香港只准

×　　×　　×

尼赫魯摸到了火

合衆社駐孟買特派員約翰・拉仗克前日自東京經港返印。他在東京，釜山，漢城間走了兩星期。他說：在釜山的大後方，難民多極了。一片淒涼慘景，今日韓國國內最大的問題是逃出來的難民沒有房子住和沒有衣服穿，雖然一船一船的物資運去，聯合國當局雖仍有杯水車薪之感。關於印度，他說事實上印度沒有參戰，只是派了一個救護隊在釜山工作。對於尼赫魯現在所處的國際外交政策，他認爲在美蘇沒有正式翻臉前，尼赫魯是不會倒在美國這一邊的。但他相信尼赫魯摸到了火，手會縮回去的。

×　　×　　×

英屬東南亞軍政首長聯席會議已於二十三日，在星加坡附近柔佛巴魯之保吉司地方舉行，由二十三日至二十七日。會議主席爲英駐東南亞高級專員麥唐納擔任。今年該會和去年略有不同。去年在十二月五日舉行，有英駐遠東各國外交代表參加，現在只是軍政首長而已。據熟悉英國政治情形人士之判斷，認爲這雖是每年一度的尋常例會，但今年舉行的時期比去年早，其中主要關鍵，乃在保守黨上台後，希望急欲瞭解英屬東南亞所處之地位，及未來之情勢，俾供邱翁參考，並其在赴美與杜魯門總統會晤前，有一個成熟的盤算。

×　　×　　×

屈蛇客

北婆羅洲政府當局在港招請技工後，頗引起本港工商界人士之興趣，據最近自山打根來港之某廠商談，那裏實是一塊世外的桃源。人口不像星加坡和香港擁擠，物價便宜，食物更比香港低。技工在那裏非常受到歡迎。現在英國本部已有不少廠商在那裏投資。但據此廠商之經驗，認爲山打根的商業地位，不及香港，恐怕要影響貨品之銷路，在出貨方面沒有把握。他說那裏對於戶口工作辦得最好，其次要算星加坡，香港的戶口辦得最糟。在山打根偷入口的「屈蛇」客，立刻可以在出入口便送入獄中。

×　　×　　×

英怡和洋行董事長約翰・凱斯威克將於下月下旬赴台北，表面上說是考察怡和在台分公司之業務，實際上是和台北當局談談，打聽未來中英之間的行市。此公頗能左右英國對華政策。據說英國承認中共，是由他和斯諾文森大使所決定。一九五〇年間英國對華貿易確也賺了不少錢，但在大陸上的財產也損失了不少。國際上對台灣的行市，一天天提高，使凱斯威克明白從前已經走錯了路。據說他將先在港會晤英國新任殖民大臣卡特登後，然後徵詢卡氏之意見，然後再決定赴台一行，企圖挽回昔日的「友情」！（一岐）

幹部和地主合流　鄉長給老婆做壽
流水席兩百多桌　鞭炮聲一早到晚

【本報上海特約通訊】雖然中共在大喊大叫消滅「地主」，不容留情，而各地共幹因本身已惡化腐化，不但 [illegible]

改良京劇好夢一場
新漁家仇不准演出

[illegible]

記得……

·尚方·

記得共黨初據大陸時，曾經儼然有介事的對人民發佈過「約法」八章，內有「首惡必懲，脅從罔治」的一項「明文」。如是乎，千千萬萬的老實順民，都在「反動黨團份子登記辦法」，以及自動坦白的各種大小會場之中，把自己的身份職業和家世，報告得淸楚明白，纖悉無遺，以示馴良恭順。忽然共幹頭目們如周恩來彭眞之類，聽到了「人民」的呼聲，寥饋不安，他們親耳聽「人民」說：「天不怕地不怕，就怕共產黨講寬大」！如是乎，實行「鎭壓反革命」，手提鋼刀，按圖索驥，把這些千千萬萬的「脅從罔治」者，一律送上刑場，格殺毋論！

記得共產黨又曾將中國人區分爲「人民」與「國民」兩種，凡是在過去二十餘年間直接間接與國民政府有過關係的，都叫作「國民」。這些「國民」只要「不亂說亂動」，毛澤東說是「讓他們生存」的！忽然一聲醒來，這千千萬萬的「國民」都變成了「美帝」的間諜，合邏的「國特」，在防制「匪特」和肅淸「反動」的號召下，公審私捉，明殺暗宰，一律草薙禽獮，半個不留！

記得共產黨陸續把「脅從罔治」的坦白份子和「讓他們生存」的「國民」們淘汰乾淨之後，忽然口號一變，現在正將刀頭指向大陸上「反共份子」了！在這「反共」兩字的解釋中，除却共產黨員以外，中國人誰都有被殺的資格與可能啊！

朋友，你記得這些眼前事實後，還想去擁護「人民」，享受「天堂」生活麼？如果還心未已，那就是壽星佬嫌命長——自己上吊！

自由談

霧·後·朝·陽

阿牛說：請你可憐我們，帶我們偷渡過去，我可以將所有的錢給你，到香港就是乞食也好了。

—燕雲—

夕陽帶着僅弱的光輝在地平線間慢慢沉下，不久，死寂的深圳車站籠上了輕紗似的夜霧；忽然遠遠傳來汽笛的聲音，劃破了長空的沉寂，接着山坳裏冒起一陣黑烟，一會火車抵站了。月台上和柵門外站滿了荷着槍亮着刺刀和滿臉兇氣的「解放軍」；這是由廣州開來最晚的一次列車。

阿牛和弟弟小牛下了車，擠在人潮中湧向柵門外的「檢查所」，提心吊膽的將僞的通行證取出來給「檢查員」驗過；他們沒有行李，只攜有一個小小的手巾袋，好不容易混過了，跟着人羣一步一步的踏入燈光暗淡的深圳城；他們毫無目的地找到一間低級旅店住下，房子很小，但房資却是十萬元「人民券」，這使阿牛很心痛，因爲帶來的錢不多，僅僅房租就花去了十五份之一。

侍役亮了一枝油燈進來，招呼阿牛兄弟洗了面，在住客登記册子上掛了號之後便走開了。初次作客，感觸萬端，在黃豆般的燈光下，阿牛覺得有點悵惘了，一種

得像止水一般，這也難怪，因爲他們到深圳還是初次，不，就坐火車也還是破題兒第一遭呢。

「先生，請到外面去吃飯吧，時間已是不早了。」侍役進來用一種關懷的口吻對他們說，「晚上十點鐘就要戒嚴的」，這句話像警鐘提醒了他們。

「好，我們就去吃飯」，他望着小牛說。

他們草草吃完了飯便回來，房中依然是一片沉寂；一會侍役提着一個粗大的茶壺走進來。

「先生：請自便吧」！說完正要轉身出去。

「回來！我有話和你說」。阿牛說時將口湊近侍役耳邊：「這裏有小路通過封鎖綫的麼」？說時聲音很低，低到幾乎聽不出來。

「什麼？先生想偷渡嗎」？侍役現出驚奇的眼光。

「是」。

「很難，近來封鎖得很嚴密，除非有熟悉的人帶路」。

小牛一句話也不說，只用一雙驚奇的眼光向他們溜。

「能夠找得帶路的人麼」？阿牛停了一會再問。

「我可以代你去找」。

「要多少錢才行」？

「到時你們當面說吧」。侍役說完便出去了。

一時房裏又恢復了以前的沉靜，只有房外時鐘「滴搭」「滴搭」的在響着，這時時針每一分鐘的移動，在阿牛看來比一年的時間還長，一方面怕「解放軍」半夜來查房，露出馬脚，又怕通不過封鎖綫，他的心眞有像轆轤似的。

一會侍役進來，後面跟着一個人，他戴着一頂獨毡帽，穿着一套黑色的衫褲，在昏暗的燈光下現出一個很結實的身材；經過侍役簡單的介紹，招呼在前面坐下。他便出去了。

「客人想偷渡嗎」？進來的人首先低聲問。

「對的」阿牛的聲音低。

「你們總算來得巧，適逢近來大霧，容易混得過去，如果不是的話，想通過封鎖是不容易的」。

「那麼，煩先生帶我們過去，在鄉下委實無法生存了，不知道要多少錢才行」。

「每人五百塊」，說時伸出了五個指頭。

「啊！要這麼多」，阿牛驚奇地說。小牛更驚得兩眼呆覷着。

「先生，委實對你說，我們帶來的錢不多，僅得『人民券』一百五十萬元，這是我母親數十年來的積蓄和我妻子陪嫁的首飾變賣來的；我們在鄉下的糧食和牲畜早已在『支前』和『抗美援朝』的命令下，通通給土共刮光了，想籌點旅費是不容易的；請你可憐我們，帶我們偷渡過去，我以將所有的錢給你，到香港就是乞食也好了」！阿牛說時有點衰沮出很誠懇。

「好吧」！他沉思了一會才答應阿牛的請求，「不過偷渡時你們不要說話，免給哨兵發覺，發生危險。你們現在準備好一切，四時就要動身的，到時還不止你們兩個呢」。說完他便走了，阿牛送出門口還不斷望着他的背影。

阿牛好像鬆了一口氣，回來便叫小牛先睡，自己却坐着牀沿默默的想了一會，精神也覺得有點疲倦，就側身向牀邊倒下，一邊伸手去扭低桌上的油燈，一時房裏只更顯得昏暗沉寂，他聽到小牛呼吸的氣息，他還是睡不着，翻了許久還是睡不着，望着窗外的天空——無星無月的天空。

一陣，牀上的時鐘敲了一下，阿牛在牀上翻來覆去，好容易才合上眼：

「阿牛，你們去吧！家裏天大事有我擔當，不需要你們掛念；是兒有我和媳婦照顧，你也可以安心吧！你爸爸死了，復仇的責任落在你們肩上，我老了，沒有希望了，只要你們兄弟能夠活下去，將來能夠回來報仇，我就死在共產黨人的手上也瞑目，去吧！時間不容許你們再留戀了」，這是臨別的時候母親的囑咐。

「你們眞夠大膽，竟敢僞造鄉政府的通行證」，車上「檢查員」說完現出一付猙獰的面孔

……

阿牛猛然醒來，抹去了一頭冷汗，忙剔亮了油燈，那時，身子斜靠着板壁，腦海中思潮不斷的湧來：爸爸給土共「清算」時在「公審場」上那一幕吊飛機時的慘叫和給活埋時的慘狀，重新在腦海中浮現，他緊咬牙根，握緊了拳頭，睜得圓圓的眼睛好像要冒出火來。

忽然傳來一陣輕輕的敲門聲，接着侍役走進來，他看見阿牛的情形却有點呆然，許久才說：

「先生，沒有休息過嗎？時間不早了，請你準備一切吧，帶路的人在外面等你呢」。

阿牛就去推醒了小牛，房裏一時顯出緊張的氣氛。

「哥哥，快要天亮嗎？」小牛從牀上爬下來，一邊說，一邊用手去揉着他那雙朦朧的眼睛。

「是，我們現在出發了」。說時表現得很堅定。

他們由侍役輕輕打開店門，在外面會見了帶路的人，另外還有三個也是偷渡的客人，他們六個黑影便漸漸消失了。

夜是黑沉沉的，原野間一點兒聲息也沒有，大地好似死去了一般寂靜，霧靠低低的垂擔，呼吸也覺得有點困難，他們一行六人手牽着手由帶路的人前導着在霧中摸索前進——經過平坦的草地，田野，爬過林，渡過了溪流，走到了山邊，山路的崎嶇更加增了他們的困難，那時，東方現出了一片朦朧的白影，但霧很濃，望上去看不見山頂。

「唉喲！我的脚跌傷了」，三個客人中的一個忽然叫出來。

「不要緊，不要說話，這裏正接近『解放軍』的哨崗」，帶路的人忙回頭來制止他們。

「是那個」？山邊哨兵厲聲喝問。接着「砰！砰！砰！」槍聲響了，子彈正從他們頭上飛過，他們慌了，忙向山頂爬，一會，機關槍也密密的響起來。

「哥哥，不好了」！小牛喘着氣首先說。

「怎麼樣？小牛」，阿牛忙回頭來扶，發覺小牛身上流出一片熱騰騰的東西，用一手在鼻尖一嗅，覺得一股血腥的氣味衝入鼻內，不禁慌了起來，忙顫聲地問：「你……究竟……怎樣了……」！

「我受傷了……只……報仇的責任……只好由你單獨負責了……你……你……快走吧」！小牛沒有氣力的說完便倒下去。

帶路的和客人也走回來，阿牛摟着小牛在哭，那時槍聲來得更密。

「死者不能復生，哭也沒用，我們走……」！帶路的人話還沒有說完，三個客人中又倒下二個，他忙叫：

「快走！快走」！一面說，一面拖着兩人的手拚命向山頂爬去。

槍聲漸漸低沉了，天也漸漸亮了。他們爬上了山頂，槍聲停了，天也亮了，三個人才得喘過一口氣。

那時，霧散了，顯出一片蔚藍的天空，遠望東方的海上，湧上一輪光芒萬丈的朝陽。

猶抱琵琶半遮面

苏联是爱好和平的国

王倫論（水滸人物論之一）

·舜生·

一部七十回水滸的結構，只是說明梁山泊之如何形成與興盛，而以若干投奔梁山的好漢故事穿插其間，布局是相當謹嚴的。因爲文字淸新活潑，絕少呆滯筆，夠得上說「嬉笑怒駡，皆成文章」，因此博得雅俗共賞，流傳至今不衰。自從西洋文學介紹進來以後，我們有了一個比較，覺得拿這部書列在世界若干名著之林，並無半點愧色，確實也給了中國文學者以一種鼓舞。最近三十年以來，因爲白話文已成了中國人從事寫作的主要形式，因而這樣一部稱有價値的範作，也就更顯得它的光芒四射。這部書的寫成遠在六百年前，儘管裏面所描寫的事物多少和今天的不無異同，可是我們總總覺得眼前的中國社會和六百年前的相比較，也沒有什麼了不起的差別，並不是水滸的作者教壞了中國的社會，只是中國的社會產生了這樣一部水滸。因此，我們爲了了解中國社會的實況，求之於那些高文典册，往往所得無多；一讀水滸，便可了然在目。中國政治，中國的軍事，中國人生活態度的陰暗面，中國人待人處事的作風，乃至中國人一切勾心鬥角的險狠的鬼主意，不錫讀中國的小說你是不會完全了解的，而這部水滸傳却正是中國無數小說中的翹楚。

上面所說都是題外的話，我眞正想做的是提出水滸中的若干人物來談談，這無非是一種遊戲筆墨，並沒有什麼了不起的意義。第一個我所要談的，便是爲一般水滸讀者所不大看得起的這位「白衣秀士王倫」。

梁山泊後來的領袖是晁蓋和宋江，但在晁蓋宋江以前，作者要擺上一個王倫來徐徐引入，這在作者胸中是有一番道理的：不但是因爲世間確確鑿鑿有這樣一種可憐蟲，他不能不把他好好的寫一寫，就是爲了這一部大書的結構，要說明後來梁山泊一番興旺氣象的決非偶然，他也不能不先有這樣一種襯筆。大凡一個會寫文章的人，他決不是專在文章的正面去下工夫，便在他旁敲側擊的時候，他也決不苟且，所謂「獅子搏虎用全力，搏兎亦用全力」，便正是指的這種地方。讀者不信，你試把林冲最初投奔梁山所遭遇的種種，以及後來忍無可忍，已而與王倫火併的一大段文字細細檢校一番，你便可發覺作者在行文上是何等的謹嚴，何等的細緻，又是何等的自然。

王倫眞也是一個饒有趣味的人物：本來中國歷史上的秀才，百分之九十九都是不通，不單只不通文墨，尤其不通世故。像他這樣一塊料，居然機緣偶合，最初跑上了那座梁山，而且坐上了第一把交椅，大概也非他始料所及；他眼看他手下已有三籌好漢——杜遷，宋萬，朱貴，七八百嘍囉，又憑藉那樣一種優越的地勢，只要官軍不大舉來攻，他總滿以爲可以過個半生快活。（一）

萬竹樓隨筆（四九）

社會主義者同盟

·海隅孤客·

晦鳴學舍被迫移到上海後二年，劉師復積勞病逝，長眠杭州西湖烟霞洞，民聲週刊亦或作或輟，惟國內外同志通信商討補輯，鄭佩剛往還絡繹。一九二〇年春間，接到一封用世界語寫的信，署名是布魯威，信則發自天津。布氏自我介紹，說他是布爾什維克黨人而久居華北。他又說由閱讀民聲世界語版，知道自一九一二緊跟辛亥革命後即有自由社會主義者一羣，在華南努力宣傳，結果顯現代最健全的思想體系，深入人心，實爲五四學生運動的原動力。數年來中國的社會運動，再沒有其他派別的人領導着。他相信中國的自由社會主義者與蘇聯的革命領導者布爾什維克黨人不會生疏，或許會樂于攜手，這是他發來這封信的緣故。

鄭時留守學舍的鄭佩剛，把布氏的信寄與北大黃超海，讓他們就近接洽。黃氏約同陳獨秀李大釗與布氏在津在京敍話幾回，結果產生一「社會主義者同盟」，沒有分甚麼派系壁壘，只要是傾向同一大目標的都先團聚起來，共推陳獨秀爲領導者，北大和其他大學學生，投身這旗下的衆多而熱烈。

大抵布氏早將事情報告莫斯科了。是年五月，莫斯科派出另一黨員到上海。那人名字叫斯脫洛米斯基，並一華人名楊明齋。楊是山東人，老實寡言笑，外貌是個鄉巴老，閱爲智識分子，久已僑居海參威，精熟俄國話，亦略通英語。與斯氏同來是特爲斯作舌人的。

其時陳獨秀剛離開北大，南下上海，住在法界漁陽里二號。陳初唱獨脚戲刊行後來成爲新文化運動寶筏的新青年雜誌，嗣得錢玄同易白沙胡適之劉半農吳虞魯迅等各有著作，光芒萬丈。此時在漁陽里寓廬中，經常的事情還是爲雜誌寫作編輯，而由北方來的「社會主義者同盟」任務仍然放在肩上。

一個晚上，陳寓召集會議，讓斯脫洛米斯基與同盟分子會面，並談商一些展開工作計劃。除陳和斯氏外，那晚與會的爲沈定一（不久之後在蕭山遭暗殺），李漢俊（不久之後在漢口與詹大悲同遭槍斃），尉克水，袁振瀛，俞秀松，鄭佩剛，還有朝鮮獨立黨魁後遭暗殺的金九。關于宣傳工作，議決設立一小型印刷所，由鄭佩剛負責辦理，將晦鳴學舍器材借用，另由斯氏交出二千金作開辦費，以後營業自給，沒有津貼。

幾天工夫，時號「又新」的印刷所設在辣斐德路成裕里十二號六做生意了，各黨各派的機關刊物宣傳書册，一視同仁的承印。陳望道譯好了馬克斯恩格爾斯的「共產黨宣言」就在這裏印刷，是爲共產黨宣言經以中文出現在中國的第一部。

有了印刷的利便，新青年雜誌即撤銷委託亞東書社承印承銷之約而收回自辦，陳獨秀又單刀直入的出一期刊選名「共產黨」，與繼承民聲由景梅九主編的「自由」對峙，宗于蒲魯東克魯泡特金的自由社會主義派，與宗于馬克斯的國家社會主義（他們自號共產主義）派對立的鬥爭端于此。

解放別錄

蔡貞人新居落成謀句贈之

·百閔·

北角築新居，夕惕朝乾，啓處不忘天下事。南來交元定，氣求聲應，扶疎喜見雪中姿。

自由人
THE FREEMAN
（半月刊每星期三六出版）
（第七十七期）
每份港幣壹毫
督印人：李光華
社址：香港高士打道六六號
電話：二〇八四八
GLOUCESTER RD.
HONGKONG
TEL: 20848
承印者：東南印務出版社
地址：高士打道六四號
台灣經銷處
台北市中華路一二五九號
（台北憲兵隊側對面）

讀「我們對臺灣的態度」以後

所希望于蔣先生者

並向「中國之聲」諸公貢其一得之愚

・劉百閔・

最近中國之聲在第一卷第六期上發表了一篇「我們對台灣的態度」，這篇文章，是他們「公開對這問題的態度」，是明確的對他們的「朋友們的答復」，而且是很「坦率的」，「毫無保留的」，「絕對不隱諱的」，對這問題的態度。

這種態度，這種明確的，坦率的，毫無保留的，絕對不隱諱的對于一個問題的態度，在今天言論界裏邊，是很應該的，亦是很需要的；我們非常贊同。在民主自由的國家裏邊，站在言論界的一個崗位上，這種態度，是必要的，是無可非議的。

在「中國之聲」第四期的首頁，他們有「我們給邱吉爾先生的一封公開信」。在第六期「我們對台灣的態度」這一篇文章，我們看來，亦可以說是他們給蔣先生的一封公開信。這一封公開信，對蔣先生，可以說是坦率的，毫無保留的，絕對不隱諱的一種表示。對于這種表示，作爲一個民主自由國家元首的蔣先生，應該是不會煩惱的，就是有煩惱，亦應該會容忍的；對于異己的容忍，是一個民主自由國家的政治家所應有的基本態度和基本精神。蔣先生是不會有例外的。

這種態度，誰亦不會驚訝，誰亦不會奇怪。誰說，美國人不應該批評杜魯門總統；誰說，英國人不應該批評邱吉爾首相；這才可驚訝！這才可奇怪！祇有希特勒，祇有莫索里尼，祇有史太林，祇有納粹，法西斯共產黨徒們，才是對于異己的人們，取絕對不容許的態度，這是一種瘋狂的，這是一種畸形，是一種不正常的政治現象。

……

漏網新聞

英國人已開始對共軍在朝鮮的火力担心。根據最近的紀錄，聯軍最優等噴火飛機和共軍噴火飛機作戰的結果，是一比二，即聯軍損失一架，共軍損失兩架。共軍地面部隊的火力，最近亦有顯著的增加。美國人在軍事方面，不如英國人那樣悲觀，因爲美軍的火力也在加速的進步中。

× × ×

美國最近發明一種K2式的新轟炸描準器，能够在八哩的高空，於黑夜或濃霧中，作極端精確的描準。新描準器每架計重一噸，所費爲廿五萬美金，與第二次世界大戰時的洛登式轟炸描準器比較貴三十幾倍。那時作一架洛登式，只需要八千美元。

× × ×

美國花在原子武器的錢有多少？根據原子能的預算，每年不得超過廿億元。但如將與原子武器有關的裝備飛機，及人員包括在內，每年需費一百億美元。

× × ×

美國上議員塔虎脫，打算參加來年美國總統競選，他的總部設在華盛頓，總部新裝的電話號碼是 Execut va 5256，他的工作人員解釋：塔虎脫將充任一九五二—五六美國總統的朕兆。

× × ×

刺殺托洛斯基的兇手傑克臣 Frank Jackson，現在還在墨西哥監獄內。最近監獄當局允許他養一隻貓，并允許他的女友作長時間訪談。

× × ×

一九四八年暗殺美國新聞記者喬治波爾克的兇手法斯范納，現已向希臘共產黨徒亡命匈牙利京城，以前希臘法庭以殺人罪，經法庭科以死刑。然而親共的證人却說法斯范納在美記者被暗殺……

羅馬尼亞有不穩景象，共黨首腦安納波克女士打算在必要時，溜到瑞士。她的金錢和證券托人存到她在瑞士的賬戶上

一向被人忽略了的羅馬尼亞，內部有不穩景象。共產黨首腦安納波克女士已經在打算必要時溜到瑞士。據新近洩露的幕後消息，她曾幫助一位名叫史衛克的辦安赴瑞士的護照。她的交換條件是要史衛克將她訴帶的金錢和證券存在她在瑞士的賬戶上。據傳阿根廷內獨裁者貝隆總統，也把他的款項存在瑞士，並在瑞士建有精美的住宅一所，以備將來阿根廷發生革命時，前往瑞士度其寓公生活。

× × ×

「我選擇了自由」的作者克拉夫欽可，經過無數次的游擊戰役後，已安全地逃往祕魯。他在「我選擇了自由」一書中揭發蘇聯祕密警察的陰謀後，現在他慢慢地成爲一位小資產階級，在祕魯買了一些未經開發的銀鉛鋅等礦業。（林泳峯）

× × ×

文武兩劇場的觀感

世界政治舞台上有文武兩場好戲正在演出，文戲在巴黎，武戲在羅馬。文戲是表面的做作，武戲却爲眞刀眞槍的硬工夫。

西歐盟軍統帥艾森豪威爾向羅馬的聯防會議報告：目前防衛歐洲的唯一力量就是原子彈，在明年夏季前，聯防國家如不能建立五十到六十師的歐軍兵力，歐洲的安全是沒有把握的。這話一點不假！不久以前已有軍事專家指出，蘇俄若乘西歐各國建軍未成之際，發動突擊大戰，艾帥只有用原子彈在敵陣的前後構成一道輻射火牆，使敵人一時進退不得，徐圖應付。西歐各國對建軍的歧見多端，其心理上所恃者在此；史大林拚命喊和平，反對用原子武器作戰，其心理上所畏忌者亦在此。

我們不必談大戰是否會發生，也毋須推測其攻防大勢，那是軍事專家們的課題。我們祇是根據這些事實來涉想目前大家談論得很熱烈的裁軍問題，是否會有成就？原子彈和小型原子武器是民主陣營在現階段中的唯一防衛利器，而民主國家的政治本質又是祇可應戰，不能挑戰的。蘇俄的「和平」建議，唯一的大前提，就是要毀棄原子武器，這無異教民主陣營先行自動的解除武裝，再來談和平，講裁軍之道。兩方的「和平」距離，可謂南轅而北轍，從那裏說起呢？……

在文戲場中，美國代表吉塞浦聲言願與蘇俄作幕後談判，這話也一點不假！杜魯門總統不顧國會的反對，硬要派吉氏出席聯大會議，爲的就是要使吉氏去扮演拿手好戲，他若不辭此事，豈非有辱「君命」？都巴黎大會最可怪的是……

半週展望

雷嘯岑

……

杜威的援華論

紐約州長杜威自亞洲旅行回去，很少發表關於中國問題的言論。最近他在美國「瞭望」雜志發表了一篇論文，極力主張援華，他說：「縱使中國國民政府之腐敗程度悉如其敵人所稱者，但余仍願支持國民黨，乃爲一項需要之力量，免整個太平洋淪陷於共黨之手千倍。」即使蔣介石之腐化程度悉如共黨所言，但毛澤東之詞。」他這話，是從民主自由世界立場，而蔣氏仍優於……

……

從毛朝「增產節約」運動中透視中共「工業化」實質

不顧人民死活發展軍火軍需品工業

中共「人民政協第一屆全國委員會第三次會議」決議了「三項統一不可分的中心任務」。即：加強抗美援朝；展開增產節約；加緊思想改造。中共在今天適時提出這三句口號，確屬有的放矢，有所爲而發的。我們不應掉以輕心，等閒放過。

·趙滋蕃·

「增產節約」粗看去不過是「精簡節約」的老調新彈，但在今天，却含蘊着最嚴重的經濟危機，這一點不容忽略。所謂「增產節約」，中共「政務院財經委會副主任」李富春，在「中國工業的目前情況和我們的努力方向」一報告中，就曾明白指出：「一九五二年國營工礦，郵電，交通企業部門的工作方針是：開展全國規模的增加生產，厲行節約的廣泛羣衆運動，充分發揮現有生產設備的潛在能力，改進經營管理，增加國家財富，以支持抗美援朝的完全勝利。」這與毛澤東的開會詞，所謂「增加生產，厲行節約，以支持中國人民志願軍，」聯系在一起，加以考察，就能發現此中大有文章；就能替中共大力宣傳的「工業化」的實質，下一鮮明而深刻的註脚。我們由此可以看到：中共在工業化的歷程中，普遍存在的極其嚴重的貪污，腐化與浪費行爲；與更要嚴重的全國生產力的空前萎縮。尤其它能具體反映出：中共不顧人民死活，瘋狂發展軍火工業與軍需品工業的眞象。這自然不是空口說白話，有鐵的事實爲證。

鋪張浪費的現象，地主官僚買辦的腐化墮落的作風，這樣龐大的貪污浪費集團！

十一月九日，北平人民日報社論，「爲實現人民政協全國委員會第三次會議的決議而奮鬥」上說：「目前有許多財政經濟部門，有許多因爲管理不善和某些幹部對人民財產不負責任，以致發生了許多不能容忍的浪費。政府機關，團體和個人，也有若干鋪張浪費的現象。還有一大部分品質惡劣的工作人員，沾染了地主、官僚、買辦的腐化墮落的作風，發生了貪污行爲，使人民和國家財產遭到不應有的損失。我們必須把全國各種可能被浪費和貪污的財富用到國防建設和經濟建設上去。」這「可能被浪費和貪污的財富」，到底有好多呢？說起來，簡直駭人聽聞！單就中共「東北人民政府副主席」高崇民的報告來說：東北一隅，以工業、交通、郵電，三方面爲圍，貪污浪費的總值，即年達「一千萬噸糧食的記錄」！而明年在關內，這三方面能夠杜絕或可能減少的貪污浪費總值，據李富春粗略估計，就超過「六萬三千萬萬元人民幣」的數目！可憐民脂民膏，括之盡錙銖，用之如泥沙，古今中外的歷史上，有這樣龐大的貪污浪費集團嗎？雖然，中共的一套魔術，是「取之於民，用之於民」的；雖然中共也明白這是唯一能辯證的眞理，祇要有羊存在，羊毛大致不成問題。無奈今天大陸上乾癟癟的人民，[illegible]被剝削括掠光了，[illegible]還有幾根毛？那裏還有啥子毛？中共處此絕境，除了一手揹住大旗，強迫人民再降低「生命錢」，而向日光，空氣，水，看齊外，一手却不能不稍爲掉轉屠刀，向自己的貪污腐化浪費的「壞思想」，「壞習慣」，「壞作風」，整齊一番！從而再利用「新紀錄運動」，「合理化建議」，「勞動競賽」，「勞動模範」，「勞動英雄」，一套過氣的手法，進行一次迴光反照的掙扎！這就是「增產節約運動」被提出的客觀存在因素，及其必然的反響。

毛朝竟採單一統制經濟型態，國民經濟受到非法的摧殘與窒息。

以中國現狀言：當「小農經營，區域自給」的農業生產方式、還佔絕大的比重的時候，與生產力解放的目前途經，還應當有一段時間，必須追縱英美資本主義生產方式的。國家儘可以通過全盤的縝密的計劃經濟，來加緊工業建設；國家也儘可以通過財政金融政策；以通過社會立法與勞動立法，通過市場需要與供給的局部限制；通過交換經濟的價格制度，來施行統制經濟，因勢利導工業化發展的方向；但在我們這「患寡」而不是「患不均」的中國，由貧弱愚亂，[illegible]繁榮與盛，高張計劃之內的「自由放任」，使工業化成爲旗幟，全民一致努力的目標，而不經由執政黨派一手包辦；使經國的再生產力，不備不受到非法的摧殘與窒息，而且受到國家的扶植與獎掖，也確爲當務之急。因此，中國今後工業化的型態，屬於混合型態。即計劃經濟中，含有統制經濟的成分，含有自由放任經濟的因素。等到生產力與生產量上都得到了很大的發展，國家的工業建設計劃，自然會水到渠成，自滋長。而「揠苗」而助長，一朝計不出此，竟採單一統制經濟型態，統制全國物資，摧毀私營工商業，結果國民經濟與財政收入同受其害，弄得中共的經濟政策，與任務，完全尖銳地對立起來。這對立反映在工業上，而乃變成了今天的一規模的開展全國規模的「一面又要加生產」，一面又要厲行「全國範圍的群衆性節約運動」。

中共還是走的資本主義迂迴生產的道路，中國工業化前途，慘慘悽悽一片昏黑！

如衆週知：中共口頭上的新民主主義的經濟政策，既沒有實行配給制度，也沒有實行「按勞取值」，更不到共產主義的「各取所需」；中共今天在工業建設上所走的道路，還是迂迴的老資本主義道路；資本投下去，想撈回成本，作爲再生產，想獲得利潤，作爲積蓄，將生產的工業品，適應大量人民的需要，第二，將數百萬人民的消費，以加速流通，在生產過程中，頻率。而現在中共一方面要增加生產，一方面要厲行節約，此中便顯示了中共工業結構的待解決的矛盾：從中共工業發展的經濟結構來說：生產與消費是有關係的，尤其是輕工業。平衡生產的工業品，遭受到日用品，生產力太少，以致人民縮衣節食，減少消費，而所以要拚命增產，要拚命節約，而且當中共的財政金融政策，系從「四面八方」枯竭了國民經濟收入之源，再使用各種經濟的手段，將人民的經濟，非法的…

中共工業的基本性質，既非生產品工業（重工業），亦非消費品工業（輕工業），人民祇有再降低生活水準，看齊日光，空氣，水，來報答共產黨的「恩情」。

從中共工業的基本性質來說：中共擁着毛澤東那面旗幟，「向新中國的工業化，奮勇前進」的那條路，我可以斷定：既非生產品工業（重工業），因爲重工業的基礎，建築在工業的繁榮上，農業生產方式的改變上，它植根在輕工業的發展中，而現在還是人力生產方式，而還百年來與歐力；而一點輕工業積的也被中共連根拔起！更非消費品工業（輕工業），因爲所有輕工業生產的前提條件，是決定於市場的需要與消費量的。而中共所增的產量，最終目的既是在「抗美援朝」，在「支持中國人民志願軍」，則將工業增產節約，與軍需品工業，火業混而爲一。因此，「軍需品」，增加得多，「產」愈厲行，「節約」一定緊加，人民的「恩情」來報答共產黨的中共工業化，實質了！在此中，中國工業化的「中心」，已變爲「節約」，此處，蘇聯不離其宗，此必需的執着。

一國的工業化，時有限的工業發展潛力，平時全早從事動員的，軍火與軍需品工業的製造，在先進的工業國家…

民的購買力拚命抑減，我們更能發現：中共工業化的前途，確是慘悽悽一片黑！至少決不如李富春所說的：「生產品與歷史上最高產量比較：「生鐵降至百分之一〇，鋼錠降至一五，鋼材降至一七，煤降至四四·七五，電力降至七二·三，水泥降至三〇·九，純碱降至六二·九，棉紗降至七二·四，棉布降至七二·六，汽車胎降至三五·五，紙降至八九·五，麵粉降至七七·六，糖降至三九·六」所能輕描淡寫地掩飾過去的。

的並不豐富，農業對勞動人口施用的密度，致將土地的可能力，所勞動的，消失的相變「化」成「遷藏」的，經濟國外，以大量民工業無法獲得工業化的程序，後來講，在輕工業上，在輕工業上，再發展重工業，再在軍火工業上，先鞏固而獲得基礎；不能爲因而資本工業，軍需品主要由輕工業，也是領導，而倒果爲因，以軍事工業爲主導工業化，也不能以輕工業取，業取法工業之需而輕工業領導，方向。也是以輕工業爲主工業爲日工本和比率，使人口調整至總人口之二十三左右，工業化，則此中共均有必要。較全部之更張的措施。

就勞動力資源來說：中國的水力資源，根據世界水力統計表中，其位占不占地位；石油，煤，焦炭時之勵產品，劣，之煤氣，（Benzol）油，蒸餾成之煤氣，均顯著地層中有，乃至酒精，如煤，在著者，河分布狀況：河南，開灤，六河北之狀；之焦作，井陘，本溪，臨城，修武；之遼寧，之大安縣，山東，湖，山，博山，之淄川，宿松，安徽，貴池，平，城之石炭，江西，進賢，紀至之炭山，西至之大同，紀煤紀，紀明，之浙江，萍鄉，河北，保定，紀之中生代，撫順，紀煤層；湖，江蘇，層之買汪的第三紀煤層，烟煤，合計一七一八三兆噸，無煙煤藏量六二二五二，總計二三五兆噸。此項統計係以一千呎爲可採深度，煤層厚一呎以上，在方行計入。倘以一呎以內者，一併計入，則我國之總煤量，當在四十至五十億噸間。（據謝家榮著：「煤」第五九頁）與美國新聞處發行之「美國實況」一九四八每年煤產數字比較，益不勝惶悚之感。該書列舉：美國四十萬煤礦工人，每年生產六億噸左右的煤，以上四十八州中有半數若故中國工業化，煤可供以美國爲標準，最多十開採的煤層，我國電年即告罄，此爲先天條件不足之建設。工業之二。石油也不比煤，我國石油蘊藏得多，分布於下侏羅紀地層中，北部新疆，北至天山，祁連之玉門，敦煌，入至甘肅，東部，越秦嶺入陝西北部，油地，至四川，陝西，渭河之富有，延長以北之延川，延長。

宜川、安塞、甘泉、鄜州、宜君、中部、延安、同官、甘肅；二十里東南，一百里之玉門縣，郝家溝，延長河，山之新疆赤金堡，烏蘇，塔城，以北之坡的油化，順車庫，塔里木，綏來之迪化，新疆，白楊河，塔城；之順遂，射洪，四川之樂山，瀘縣，井；之富順，自流井，安岳，遂寧，南充，綿陽，射洪，蓬溪，古城，與子充，順楊柏加，之緣的源黑色油母頁岩；黑子燒窰之口，熱河，凌源，…總儲量…油母頁岩，晶片，狀，山嘴，已乎其與。與英俄較，均非我國上乘，等油，較少，石油，桶…後！此爲先天條件不足之三。

就資金與勞力之分配來說：資金一措施，充分的工業所需，當工業較輕工業多之勞動力，得多：精練的技術熟練的工人，較熟練之工人少，而且工業需要一些精練之技術勞力，及較精熟之工人，工業與工業需要，而並非一蹴而幾的，時期工業至現在基本上仍有規模，至少輕工業，五，二六九一，三，紗錠三九一萬一，一二，二三四，二八枚布機，布，五萬一〇，二三六，絲紗錠，五，二，二四萬二，工廠，方面延著，及其中，國工業化的程度較少，一個鞍山鋼鐵廠的秀獨，枝，影，而還較先求固國防，發展軍火工業，這完全是錯誤的。

農業與工業的關係，逐漸斬斷，結果工業成了孤零零的光桿。

再就工業區位（Localization of industry）來研究，中共將工業建設集中在關外，也是目光短淺的。我國工業中心之形成，有八大因素：即政治安全與交通便利，接近原料產地，市場容納量大，動力取給容易，氣候適宜，資勞工供給豐富，本運用靈活，工業的歷史關係悠久。將工業中心擺在關外，除勉強能通用工業與礦業結合的條件外，其與農業與商業的關係，將逐漸斬斷。結果工業成了孤零零的光桿，除了純破壞的軍火工業，純浪費的軍需品工業外，是不容易掙扎維持的。陸行不能用船，航海不能用車，而中共工業化的全部設計，剛剛爲陸行用船，航海用車，其失敗豈待燭照龜計？

和平攻勢兩插曲

新任英外相艾登，在聯大發表一篇「到和平之路」的演說。正當他講到最精彩的地方時，一隻黑貓大胆地橫過講壇，幾秒鐘後，並用一種發笑的神氣注視艾登。幾秒鐘後，再爬上艾登後面的屏風，旋即不見。根據歐洲的習俗，黑貓出現，表示好運當頭。

蘇外長維辛斯基於出席聯大會議時，法共黨「和平」社一位女社員特地獻給他一隻白鴿。維氏很與奮，立即要攝影員替那隻白鴿拍照，要畫家替牠作畫；他認爲這是和平的朕兆。（光）

誰在控制伊朗幕後政治
菲德揚伊斯蘭地下組織

誰控制伊朗幕後政治？這是研究中東局勢所不可忽略的問題。它的答案，不是伊朗國王巴里維，也不是伊朗的民族陣線，而是一個具有濃厚宗教性和民族意識的菲德揚伊斯蘭地下組織（Fidaiyan—Isam）。

菲德揚伊斯蘭是一個恐怖團體，今年三月暗殺伊朗總理拉斯馬拉的刺客塔馬西比，便是它的會員。拉斯馬拉被刺後，該團體還發表了一個聲明：「我們對消滅伊朗賣國賊的忠勇的弟兄（指刺客塔馬西比）致敬」。

拉斯馬拉被刺後不久，油礦國營案，很迅速地被國會通過。國會旁聽席上，有人在大叫：「八格蘭姆的火藥」，造成這個結果」。觀察家說：假如油礦國營案採取秘密投票方式的話，是不會立即通過的。在點名投票的方式下，誰也不敢說一個「不」字，因爲旁聽席上，坐滿菲德揚伊斯蘭恐怖團體的團員。

菲德揚伊斯蘭是一個什麼團體呢？它是宗奉回教教義的迷信和武力團體。團員人數有一萬五千名，它的細胞組織普及整個中東，總部設在伊朗首都德赫蘭，設計及指揮暗殺的核心組織，由四十名高級幹部組成。他們所擁戴的領袖，是伊朗總主教加山尼 Kashani。

加山尼是一位機警而矮小的個子，頭上扎着大而黑的頭巾，喜歡盤地坐，常常自比爲一個蜘蛛。事實上，他的細胞網已經伸到中東的每個角落。因此控制了加山尼，便可控制住菲德揚伊斯蘭；控制了菲德揚伊斯蘭，便可控制住伊朗幕後政治。

英國人深深認識這一點，但是加山尼却終生仇英。這裏並不是沒有原因的，第一次世界大戰時，英國人殺了他的父親，第二次世界大戰時，英當局以勾通納粹的罪名，將他囚禁。因此英國人便成了他的死對頭。他和蘇聯的關係如何，言人人殊。不過就他支持史德哥爾穆的和平請願一點來看，態度上是相當親蘇的。

菲德揚伊斯蘭秘密組織，廿年前謀刺伊王（現在伊王的父親）後，停止活動。近五年來，伊朗民生日苦，農村破產，無知愚民，在天堂極樂世界的誘惑下，紛紛加入這個團體，它的勢力遂日趨膨脹。

這個團體透過民族陣線，發揮它的政治作用。民族陣線領袖莫薩德便是在這個秘密團體支持下登台的。在國會一三六議席中，民族陣綫只有七席，然而它竟能控制整個國會，就是這個道理。（伍健勛）

對中共所施勒索與暴行 全美十萬華僑怒吼了

李大明溫鴻公佈函件及電報

希特拉死後最大國際的勒索文獻

中共勒索僑匯的方法，其殘酷之情，是任何共產黨國家所沒有的。華僑之中受害最烈的，要算旅美華僑。從前中共所標榜的「優待僑胞」，「鼓勵僑資」，「保護僑眷」等等諾言，如今怎麼樣了？鐵的事實，替他們的暴行，寫下了供狀。下面是綜合十一月廿六日出版的美國時代雜誌及新聞週刊所載中共勒索僑匯和迫害僑眷的報導：

在中共參加韓戰以前，旅美華僑每年滙回中國接濟家用的款項，多至五千萬美元。這種自動的匯款是經由香港轉入內地。從去年冬季起，這些滙款開始成爲僑眷們賈禍之源，不復是昔日的恩典了。中共在「抗美援朝」的目標下，對國內老百姓已經剝之無可再剝，削之無可再削，於是把眼綫轉移到僑眷身上，透過僑眷，向旅美華僑大量開刀。

舊金山，波斯頓，紐約，芝加哥，威治，遠等地華僑，陸續接到他們的眷屬和親友，一而再，再而三的呼籲滙款救命的函件，要求滙款的理由，有些爲要償付層出不窮的新稅，有些爲要償付中共的罰款。有一位五十七歲的婦人致函她的金山仔，說她因在二十五年以前建屋時，剋扣工人的工錢，被中共拘禁，須繳納大宗罰款。

拷打死刑五馬分屍

中共的胃口是無壓的，勒索的次數往往是再至三。舉例來說，檀香山一位華僑寄給他的父親三千美元，不久他父親又要求滙款五千美元。等到他籌好五千美元寄出後，又接到他父親的第三次呼籲，要求滙寄美金兩萬元。結果迫得那位華僑全部破產。

華僑們常常接到香港方面中間人出面發來的電報。舊金山某君接到這樣一個電報：『祖父被罰美金二千元，請速滙款，否則死刑』。波斯頓某華僑接到一份電報，述全家關入集中營，如無款項，每人將被五馬分屍。

有一位華僑收到他弟弟自香港轉來一份中共發出的電報，述及他們的母親與妹妹，業被拘禁，索款一萬五千元港幣。接着收到他弟弟寄來的一封航空信，上面說：『中山縣共產黨對有親友旅美的人士，加以拘禁。被拘禁的人，須致電其親友索款，電稿由共黨預爲擬定，有三人因拒絕在電稿上簽字，結果慘遭酷刑拷打』。

「坐轎」「吃飯焦」

另外一封信說：『父親於十月底被農民協會拘捕，被控爲地主及惡霸。當父親被拘時，我以爲支付三千港幣，即可了事。孰知大謬不然，幾天前，二妹來信說，母親及其他四妹均被拘捕，母親被罰毀六千斛，值港幣一萬五千元。她已在罰款單上簽字，並致電此間（香港）索款。父母年邁，甚懼將受共黨嚴刑拷打』。

共產黨的酷刑，應當列爲廿世紀的奇蹟。有一種刑罰叫做「吃飯焦」（即北方人所謂吃鍋巴），迫使受刑者嚼玻璃片。一種叫做「坐轎」，將女人的頭髮繫在木橫的中端，然後由兩個男人抬着遊街。管臀和吃屎，那是極平常的刑罰。

美國務院採取行動 向聯合國提出控訴

全美各地華埠的華僑們，一向對共黨的勒索及暴行，保持東方人的緘默。上星期由舊金山世界日報總編輯李大明，將搜集來的六十封函件及電報公佈出來，這是希特拉覆亡後最大的國際勒索文獻。據舊金山律師溫鴻君估計，全美十萬華僑，至少有一半收到此種勒索函件，勒索款項最高者爲一萬五千美金，其人爲風尼格一華僑，彼係一雜貨老闆，前因返國探親友，被中共拘捕。洛杉磯一位中國店員說：『就我所知，有一位華僑爲了營救他的弟弟出獄，由香港滙了港幣五千元。三個月不到，中共又索款一萬美金。他未予照辦，因爲他知道假如答應共產黨的要求，他的家庭將另有一人被拘。但是假如不滙的話，被拘的那位弟弟便有被殺的危險』。據舊金山評論報透露：加里佛尼亞參議員諾蘭曾根據以上事實，促請美國務院採取行動。國務院對他表示，一俟獲得受害人的實在名單，將對中共暴行，向聯合國提出控訴。（莊士）

香港三日繽紛錄

蔡斯談薛岳雄才大略有所作爲 蕭尉述韓戰·最輝煌的一頁·

英軍告羅士打團第一營士兵三十人，廿四日乘「浮華帝國」號，由籍尉上尉率領抵港，次晨便轉返英倫，該團在本年四月臨津江三面包圍，全軍遭伏，僅由羅慰上尉率領四十八人于拂曉突圍而出。據參於是役的士兵談，臨津江之役，共方不獨砲火猛烈，即人數之衆，亦如江潮之洶湧，該團奉命死守臨津江陣地，終於完成任務。他們表示這是韓戰史上輝煌的一頁。他們希望能於耶誕節運抵英倫。對未來之戰爭，一致表示這個世界上應該力謀和平，避免戰爭。

×　×　×

據菲列濱共和國駐港總領事羅狄格士博士告記者稱：頃奉菲政府明令，華僑如因事返大陸者，除有特殊保證外，原則上皆不准再返菲島。華僑留港逾兩月者，亦不得返菲。留港期間，每隔二日必需至領館報到。他說這是非常時期的臨時辦法，一俟局勢明朗，即恢復原狀。

×　×　×

美駐台軍事顧問團團長蔡斯少將頃來港小休，他說國防部組織擴大，是事在必行。他表示：中國的國防部長的權力，趕不上參謀總長，實在是組織上不夠健全的措施。他對未來國防部長薛岳，表示早慕其名，在台會談後，亦深覺薛氏之雄才大略，有所作爲。對政治部派一美國軍官事，蔡氏否認去監督該部之行政，僅稱：過去美軍顧問和政治部聯絡太鬆，此次派一個軍官進去，乃促進雙方更密切的聯絡。

×　×　×

美共和黨議員少數黨領袖霍爾自菲列濱返港轉赴曼谷，在港留一宵，當晚美總領爲其洗塵。據他表示，他在菲列濱曾與菲總統季里諾長談太平洋公約之建立。季氏對這事興趣甚濃。他們都希望及早促成上述。韓戰停火一點，霍爾議員稱：這是謀協致停火的臨時辦法，不可能是永久策略，但亞洲整個地區的和平，是很難解決，至少在目前還找不出健全的方法。有人問他們如果韓戰停火，共黨再往越南發動攻勢，則將如何？他們的答案是聯合國爲謀世界和平與安全，已有最大的決心，相信制裁的力量也很大。

×　×　×

廿三日美總統輪「克利扶蘭」號抵港，又載來一批美僑。據其中一位美僑說，美國自韓戰爆發以來，一般物價已稍上漲。有些店中五分一杯的咖啡已漲至一角。衣着方面漲得最高，幾乎要超過從前價格百份之二十五左右。但失業問題，因此而解決。普通在東部的一家二三口的生活至少要二百五十元，在西部二百元也可以夠了。地下鐵道火車價格仍照舊。

×　×　×

據香港印僑團體傳出消息，印駐北平大使潘尼迦將於十二月初由巴黎赴倫敦，訪問牛津及劍橋大學，作短時旅行，研究詩文和戲劇。潘尼迦本是個多方面發展的人，在英擬留二週，然後返印。定於明年一月經港返中國任所。

×　×　×

荷蘭駐韓國聯合國復興委員會大使吉朋，於日前由釜山抵此，他說停火希望很濃。大約在明年一月可以正式完成。停火完成後，韓國聯合國復興委員會第一件要做的事便是設法如何統一韓國。他說把韓國分成南北是最笨的事情，今日之韓戰便毛病出在這上面。但統一韓國，實在是今後聯合國最難課題之一。他相信聯合國可以做到韓國統一，因爲這是聯合國的目的。

×　×　×

前東北行營主任熊式輝，因護照案爲香港警方所執，入警署時，許多警員均立正問道：「熊主任，你怎麼會到這兒來的」。他們都是熊之舊部，因不滿共黨，纔可來港當警察。羅文錦律師爲熊氏保釋事，曾和代督列告爭辯甚久。雖周壽臣及周埈年具保亦未得要領。熊氏獲釋後見到工商日報也登了這段新聞，大爲不滿道：「我與何世禮無冤仇，他爲什麼這樣打擊我，我並未叛國呀」。（一成）

新·港·漁·民·淚

鍾啓泰以「地下工作者」兼漁父的身份，自訂怪例，每一漁婦結婚之前一夕，此獠必須先享初夜權。

漁父和幹部勾結 苛捐與毒打交施

【本報廣州特約通訊】新港是廣東海豐縣一個有名漁村，從海豐汕尾鎮搭小艇南行二十分鐘便可到達。這裏聚集着四千八百多漁民，一向過着樂天知命的生活，共產黨來了之後，漁民不但沒有「翻身」，生活卻越來越苦了！「拆了大船裝小船，小船破了住山邊」，十有九家現都在死亡綫上掙扎着。

「解放」後的新港一切都變了樣，封建的統治者——「漁父」，因與共幹部有了勾結，氣燄萬丈，不可一世，每一個漁民都要認他們做父親，繳「漁花」（即漁獲物百分之卅至四十），稍有不遂，毒打隨之。以是漁民雖終年冒風搏浪，辛勤終年，的難獲一飽。每當漁船靠岸，漁民的眼淚便淌下來。「漁父」手下蝦兵蟹將多得嚇人，這些地痞、流氓、土豪、惡霸都公然以「山主」身份向漁民勒收「停船費」，「戶籍費」，「食水費」、「灣船費」，「漁費」和過年過節的「糕餅費」。還船費共每燻一次船收港幣兩元。到岸上挑食水，每年要繳食水費港幣五十元。停泊岸邊每月要收停泊費港幣一元。船進港，每次又要收漁費（鮮魚三至五斤）。漁民吳頭松，李德雲，張吟天，邵國才等，都是最近因欠「山主」的「例規」被吊打而死。

高利貸好像毒蟒 吃了人不吐骨頭

「漁父」和「山主」敲骨吸髓的本領，堪稱第一。每一戶漁民一有了喜慶喪事，這些吃人不吐骨頭的東西，就以「父親」身份站出來，他不但不出一文錢人情，漁家收下來的禮物他還要抽掉十之二三。每屆淡月和荒月，就向漁民大放高利貸，加四利息，十日爲期，過十天就利滾利按複利計算。漁民徐愛妹借了「山主」蘇初二二百五十元港幣，初過了六個月，徐已先後還了四百多元，蘇初二還說她沒還清，把她的衣、被、網、纜都搶劫一空，結果迫使徐愛妹一家八口餓死了七口。漁民蘇金旺欠了「漁父」鍾啓泰一百元，竟被迫賣了一隻蝦船作抵，但還說，他只還了本，沒有還利，再加上五百斤鮮魚具，方才罷手。就這樣，高利貸像海裏的毒蟒一樣，吸乾了漁民的骨髓。

由于「漁父」和「山主」可盡舐吸漁民的膏血，儘大家都面團團作了富家翁，地方上的「幹部」，因和他們氣味相投，不但不「清算」，反從多方面去照顧他們。以漁父鍾啓泰爲例，他就擁有十五處房子，廿四條漁船，三個老婆，過着朝魚暮肉荒淫無恥的生活。

鍾啓泰這個人，原是新港地方上的一個大壞蛋，共產黨來了之後，他又以「地下工作者」的姿態出現，走動「政府」，勾結「幹部」，胡作非爲，無法無天，目前他是新港「漁父」中的老大哥。他傷天害理地在新港打下了一條侮辱婦女的怪例，即每一漁婦在結婚的頭一晚，必須將「初夜權」獻給他。「解放」不到兩年，單因爲「初夜權」而被鍾啓泰強姦過的婦女就有一百多，沒有被污辱的都是醜婆娘，稍具幾分姿色的婦女都逃不出魔掌。漁民們如果起來反抗，他就會指使「山主」同一些爪牙，天天跑到漁船上輪姦這新娘婦，並恣意破壞漁民的船隻和掠奪漁具。漁民張善揚，王道民，章鶴，新牛等的老婆，都被「山主」鄉啓和，王舜華，鄉華仔等輪姦致死的，即使跑到鄉鎮公所「喊寃」，「幹部」們皆視若無睹，置之不理。新港漁民都在想，這種日子我們那天才得出頭呢？（九皋·十一月二十五日寄）

冬耕運動推不動

【本報廣州特約通訊】廣東氣候溫和，得天獨厚，作物可以一年三熟。「解放」前，除春耕夏收，夏種秋收外，農民還利用冬季空閑進行冬耕，俾明春可多收一些。中共竊據粵省後，爲壓搾農民勞力，實行以戰養戰，對「冬耕運動」想盡方法，加緊推進。惟農民以毫無代價，多紛紛怠工，敷衍了事。據僞省府統計，冬耕面積佔總耕地面積還不及廿分之一。從這裏，可以證明僞報所宣傳的「人盡其力，地盡其利」，已純是一個官樣文章。今年的冬耕季節雖又屆臨，農民的勞動情緒仍然低落。

西江、廣寧、龍川、對「政府」借給的大麥、小麥、雪豆、馬鈴薯等種籽，均堆存一旁，不予動用，不是說不適氣候，即是說不合土質，推三阻四，意圖遷延；雖經「幹部」及「土改」工作人員耐心解釋，然農民仍裝聾作啞充耳不聞。同時，海南、北江、興梅、珠江等十餘縣因日昨陰雨連綿，新割稻穀無人過問，竟十九破了芽。現雖動員農民，勸加翻風，即使天晴曬乾，亦必然大打折扣。中共用這些吃糧不管事的傢伙來推動冬耕，其必然失敗是一定的。（九皋·十一月廿五日寄）

公文旅行 笑話連篇

標格政治 無底深坑

【本報上海特約通訊】中共竊據大陸後，由于幹部低能，手忙腳亂，對於任何工作都談不到效率，人力物力，無限浪費，「華東區鹽務管理局」近檢查一年半來的文書工作，公文旅行，就發現了許多在工作上的笑話連篇。

據統計：一年半來，該局共收發公文三六．九七六件，平均每天收文四十件，發文卅二件。發一件公文最少要化五小時，（擬稿二小時，繕寫校對審閱二小時，）收文每件最少化兩小時，合計共經過批送傳閱及收發二百四十小時，以每人每日實際工作七小時計，則需三十六個人全日辦理公文。現該局每天辦理文件的人員有四十個，都忙得頭昏眼花，叫苦不絕。

「浙江鹽管局」有文呈報鹽場計劃，收發李超然竟糊塗把寫給「愛人」的肉麻情書放進來，却把公文漏掉了。有些文件，「幹部」怕傳閱了，看都懶得看，就給全文照轉。有等再查到某一件公事，「華東財政部」一點印象都沒有。「爲調查工礦企業」，將一張包括許多「新格式」，「新內容」，「新項目」，「新名詞」的表格，發往山東「淮北鹽場」，「淮北鹽場」不看內容，原文照轉，且打起官腔要下級限期填報。結果各場說明搞不清楚，將原件退回；區局本身也不清楚，請示「華東財政部」，因時間久也弄不清楚了。於是再呈「中央鹽務總局」請求解釋，公文往返，輾轉拖延了一年，直到現在，來往公文推來推去，（共十三萬六千餘字），仍無結果。

徐州「淮北鹽務管理局」與蘇州說袋的小問題發生了爭執，徐州說已交還淮北，蘇州說沒有收到，一直用公文往返交涉，辦不了，派了一個人實地去查詢，結果化了一年零十個月，百多件公文，還影子也沒查出來。最後有一個警衛員請求短期假，也請示，區局准假，公文來了好多天才清理同意，交給他去查備案，區局又覆文准了，一去公文又是十多件，人已經銷假回來了，的公事却還在路上。以上所列舉的七個例子，只是檢查中發現的一部份，但這已夠證明中共的領導部門同各級「幹部」，已進了文牘主義的標格政治的深坑，永遠不會翻身了。（十一月廿三日寄）

拆穿你的西洋鏡

你會玩把戲，就有人會看把戲。把戲都是假的。你玩的手快，就有人看的眼快，就有人要拆穿你的西洋鏡！

海文

如此鬥爭

一個「地主」跪在鬥爭台上，哭哭啼啼的坦白說：「我有六畝田，我的田是我十歲起幫人家放牛、割豬草、撿柴、挑糞、拾穢、捨不得吃、捨不得穿、積蓄了三四十年買來的」。

「你」向台下的羣衆問道：「他說的都是眞的嗎」？

羣衆回答：「都是眞的」。

「你」惱火了，對於這樣的「地主」，怎好繼續鬥爭下去呢？於是「你」玩起把戲來。「你」問：「你們是甚麼階級」？

「貧農」！

「你們從前放過牛、割過豬草、撿過柴、挑過糞、拾過穢沒有」？

「都做過呀」！

「你們吃得好，穿得好嗎」？

「不」！「不」！

「爲甚麼他能買田，你們不能夠買田」？

「……」？

「他的錢是不是剝削來的」？

「是啊！是剝削來的」。

「剝削的人是甚麼」？

「地主」！

「對於地主怎麼辦」？

「鬥呀！清算呀！打死他」！

「你」笑了，「你」玩的好把戲！

志願參軍

「抗美援朝」、要兵；「人海戰術」，要兵；那來這麼多兵？好，「你」又玩起把戲來，號召「志願參軍」了。

「參軍不問身分」！

「軍人是無上光榮的」。

於是，青年「地主」、死去地主的流亡子孫、以及其他受「鎮壓」的「國民」都「參軍」，不去就是死，「你」說這是「志願」！

起「帶頭作用」的「英雄」在「挑戰」：

「×××」是光榮青年」！「×××默認參軍」！

不參軍就是不積極，不表示態度就是默認，如當衆學習過，迫着每個人必須積極，不可否認，「你」說這是「志願」！

在學校裏，職業學生發出「挑戰書」，掀起了「參軍熱潮」。

「本班五個參軍」！

「本班十個」！

「本校一百」！

「本校二百」！

「我們全體參軍」！

「你」說話了：「你們不能夠這樣，雖然參軍很重要，學業也更重要，你們要愼重的考慮，等待上級的批准與指示」。

結果，職業學生被留下來，繼續發揮「帶頭作用」，那些受「挑戰」的都參軍了，「你」說這是「志願」！「你」玩的好把戲。

共產破產

「窮的人翻身了」！

「實行土改，人人有田分」！外面包糖衣，裏面放毒藥，「你」又玩起把戲來。

城市中，捐獻、賦款、買債、納稅，逼得商店歇業，工廠關門，工人失業，商人上吊，還談甚麼「翻身」！

鄉村裏，退租、退押、清算、鬥爭，搞個天翻地覆，一個個家破人亡，那個還想「分田」！

富的變窮，窮的更窮。老百姓都是「人民」的，「人民」可不是老百姓。從前有「有」，有「沒有」，現在是一概「沒有」！

「共產」原是「破產」，「你」又玩的好把戲！

革命也者

「首惡必究，脅從不問」。「你」又玩起把戲來，害得老百姓等着瞧「革命進行到底」。

有人罵「匪黨」了，那是「黨國元勳」，我們的「家長」，過去的「匪黨」參謀總長。有人被槍斃了，那是些無名小卒。

有人封官了，那是放火燒城，「夫人萬歲」的封疆大吏。有人要思想改造，被關進集中營了，那是安分守己的低級公務員。

洪憲餘孽變民主教授，北洋軍閥時代的司法總長被禮爲上賓，新貴原是舊人。過去的執政諸公大談從前政府的「禍國殃民」，「政治腐敗」，他們一聲靠攏，簽一個名，倒成了現在的「民主人士」，老百姓卻成了贖罪的羔羊。

革命也者，革誰的命？「你」玩的好把戲。

人民的眼睛

「你」是善於宣傳的，翻開「你」的報紙：

『偉大的、英明無比的毛主席演講辭：「……（鼓掌）……（熱烈的鼓掌）……（長達十分鐘的熱烈鼓掌）……（不停的歡呼，歷久不絕的熱烈鼓掌）」』

聽「你」的幹部說：

「土改之後，農民對於解放軍比弟兄骨肉還要親愛。凡有解放軍到了村子來，假使是住在甲乙的家裏，則丙丁人家必定會吃醋，要去質問他們爲什麼不去住他們的家裏」。

老百姓果眞這樣的歡迎「你」嗎？酷

「你」說得出，捏得像！「你」眞會玩把戲！

可是，這裏，對不住了，套用「你」自己的話：「人民的眼睛是雪亮的」！拆穿「你」的西洋鏡！

自由談

失望的孤憤！

·尙方·

中華民國現任副總統李宗仁氏，至今他不認識我，我却認識他。（看慣了照片也）當他代行總統職權，綜持軍國大計之初，我衷心的擁戴着他，卅八年秋間尙在香港報紙寫文字替他捧場。未幾，西南戰事緊急，他託病棄職來港，不肯回去，且以一國元首的身份，甘受友邦政府核發護照之辱，悄然出國，臨行還要發表談話，異想天開，聲稱中國所得一切美援，只是他纔有權處理！我對他的敬重熱情，從此乃冷却了一半。

又未幾，他閒住在紐約郊外，不甘寂寞，忽然宣稱他在中國大陸擁有大量游擊隊，並指僑居香港的某將軍是他所委派的游擊總司令，害得某將軍急忙否認此事，免遭無妄之災。如是，我對他的擁戴熱情又冷却了一半了。

現在，他竟至爲抗命瀆職的犯官向外國法庭作證，說中國政府對該犯官所發佈的命令都屬非法無效；不惜丟盡國家和他自己的臉面。毛邦初與前此拐款潛逃海外的某郵滙局長都屬一邱之貉，爲貪錢財，信口胡說，以期逃避法網，固不足怪，還祇好讓當年寵任這類「忠實信徒」的人去自作自受。惟有這位「李副座」如此無聊，損着國家名器，專在友邦幹些作賤國家民族的勾當，是誠何心？令人不解！回想我過去所寫那些恭維他的文字，眞是悔恨交迸，咄咄書空呢！

當年投票選舉元首的國大代表們如果人同此心，心同此理，爲着國家民族的利益，豈無委託非人的責任感而求有以匡救之道乎？

萬竹樓隨筆（五〇）

王倫論（水滸人物論之一）

·舜生·

讀者須知，大凡一個酸秀才，最不宜於充當一名領袖，因爲這種人的普通性格往往是這樣的：一、知識淺陋，難於規劃遠大；二、心境狹窄，不能引用勝己的人才；三、患得患失，隨時都怕掉了自己的地位。梁山泊雖是一個小小的水寨，但周圍也有八百里，尋常容得下三五千軍馬，本來不是不可有爲的；可是以王倫這樣一個人去領導，便到底不能展布。

林冲是東京八十萬禁軍的教頭，所謂教頭也者，便好比今天從事軍隊訓練的一位教官，在『水滸傳』作者的筆底，他確實是一個剛健勁拔了不起的人物；因爲受了惡勢力的壓迫，老婆幾乎被人搶奪，自己吃了一場官司，性命也險些不保；陷在這樣一種走頭無路的環境，不得已才拿着柴大官人（小旋風柴進）的薦信，去投奔梁山，要求入夥。柴大官人是一位貴介公子，既有地位，也有金錢，平日專愛結交江湖豪俠之士，下至雞鳴狗盜之徒；於王倫個人有恩，於山寨的關係甚密；以這樣一位施主，介紹這樣一位人才，以常情推測，王倫應該是歡迎還來不及的；然而事實並不如此。

當朱貴最初把林冲引到山上的時候，王倫的態度便非常冷淡，幾乎連普通的禮貌也談不上；及至明白了來人的身分，知道他的武藝高強，决非他自己和他的幾位弟兄所及，因而妒火中燒，自信心完全喪失；雖然也會想到柴大官人的好處，但究竟敵不過一種得失的心情，於是酸秀才的原形畢現：勉強請林冲吃了一頓酒飯，還叫小嘍囉用盤子托出五十兩一錠白銀，和兩疋衣料，决心打發這位客人走路！其編造的理由，便是山上的房屋不敷，糧食不夠，怕誤了『足下』的前程。雖然林冲說明誠意相投，並非貪圖幾兩銀子；又經朱貴杜遷宋萬三個苦苦相勸，一致以柴大官人的面子爲說；但王倫還是遲疑，並當着林冲的面，說出怕他是間諜，到山寨來窺探虛實；於是限林冲三天以內，獻上一顆人頭，作爲『投名狀』，才能予以信任。林冲萬般無奈，只好每天在山上討了些茶飯吃了，拿着武器，到山下去等待殺人的機會！幸而等到第三天，雖然人頭不會取得，總算爲山上搶了一担財物；又幸而財物的所有者是靑面獸楊志，因而引起一場惡鬥，使林冲得以一顯身手；更幸而這位『楊制使』居然是『王秀才』從前到東京去應舉時所早已聞名的；認識這番曲折，林冲的面子上才算有了一點光輝，好容易勉强完成了他的『落草』志願，坐上了第四把交椅！

讀者注意：從林冲在梁山正式落草，到晁蓋，吳用公孫勝帶着劉唐及阮氏三雄到梁山去『擁籌』，王倫中間是經過『相當時間的，假定在這一時期，王倫的態度有些改變，待林冲也還不錯，則後來林冲之一躍起和他火併，豈不有點近於突兀？但有下面的一番分析，便可看出事實的演進非常自然，而『水滸傳』作者的心細如髮，也正從這種地方可以看出。（二）

解放別錄

這一個叛徒

海濶孤客

陳獨秀他們在上海進行着「社會主義者同盟」的工作，北平方面有李大釗黃超海與蔡林王覺成等主持，廣州方面有梁冰弦區聲白李少陵黎昌仁等主持，一樣地從事學生和工人的組織，同時着力於刊物冊子的編印傳佈。

那時國民黨革命進程停滯在「護法」階段中，廣西軍閥控制着兩廣，仍以廣州爲中央，弄出一個不驢不馬的軍政府，七總裁組織，中山先生被列爲總裁之一。護法南下的國會議員，屬政學系的都擁護國民黨以外的勢力。這當兒，跑出一個人來，那就是辛亥之役在東江惠州率「循軍」進迫廣州，繼胡漢民任廣東都督，民二反袁失敗，與贛督李烈鈞亡命歐洲，洪憲敗亡相率歸國的陳炯明氏。

提到陳炯明三字，小學生全都知道是民十反對孫大元帥在粵稱大總統，反對立即北伐，令部下砲轟總統府這個大叛徒。這一場大是非不去說它，現在要說的是中國共產黨尙未胎孕的時候，華南已有過沒有幾個人知道的企圖，列寧派有專使來洽商，後來國共合作那一幕大戲，本該提前三四年先行演出，而這個後此成爲大叛徒的陳炯明就是主角。這個民國政史所不載並且至今還幾乎不上十個人知道的運動，卻又與陳氏叛逆不叛逆截然無關，只不過是解放革命還未成爲名詞之前的一重公案罷了。

作爲佚史，話得從頭說起。

陳氏在清末同盟會中，亦爲劉師復領導的暗殺團團員，與師復甚相得。辛亥前二年，師復謀炸清水師提督李準，出發前炸彈失火，斷腕重傷被逮，囚其原籍香山（至今民政府改名中山縣）獄中，辛亥釋出，復擬入京炸滿酋，以汪精衛黃復生先去而罷，乃在廣州組晦鳴學舍，提倡自由社會主義，陳氏極表同情。師復於致力宣傳外，又結合同志爲心社，「不作官吏」「不作議員」爲諸大信條之一。陳氏說：「罪惡的包袱，丟掉固難，肯背起它更難，師復教人丟，讓我背上一擔子吧」。這話的意思就是「我不入地獄誰入地獄」。此公的責任感確來得比人强。北洋軍閥禍國殃民，他自負要澄清中國。非驢非馬的軍政府時代，他召集舊部組成一枝「援閩粵軍」要打過福建去，廣西軍閥只要他不搗他們的蛋，而且又可開拓地盤，樂得他遠遠離開，他就打入閩省，奄有閩南二十六縣，叫作「閩南護法區」。閩南護法區以舊漳州府治即龍溪縣治爲中心，援閩粵軍的總部在此。陳氏管領這一變相割據地區，採用日本人管領台灣制度，是軍民合治制：總司令爲軍民兩政最高統治者。陳氏見得國內除租界外還未有一個現代都市（那時廣州亦纔開始拆城造路），乃決心把漳州改造，不上半年，舊城拆掉，馬路縱橫，兩所公園，點綴其間，儼然小上海，於是國內談物質建設的都譽陳爲示範者。

「五四」運動風靡全國，陳氏大感興趣，想要把新潮導入自己那個小王國，力贊其議者爲朱執信氏。朱建議多多招致新文化運動中堅分子，刷新教育，編印書報，然後就此二十六縣建爲一個健全的獨立自治區。這與陳氏所倡「聯省自治」說很脗合，以爲如此可以在軍閥構鬩中拓一片乾淨土，予國人以觀感，從而促進全國的革新。民八之夏，陳派員回粵，致書于晦鳴學舍舊人當時主持華南社會主義者同盟之梁冰弦氏，敦請全體同志往閩，實施他和執信先生的擬議。其時梁氏在穗垣方與軍政府的司法部長徐謙，參謀本部次長戴立夫，四川督軍熊克武代表吳玉章及好些直魯豫滇桂籍之非常國會議員積極謀社會主義者同盟的發展。經同人協議，無妨將華南中心移于漳州，梁遂于秋後攜同一批印刷器材，文字工作者，教育工作者，排印技工，熱烘烘地向那小王國去。（五）

幽·默·邏·輯

—樂光—

有一位老頭兒在晴天之下，打着雨傘在「北京」街頭散步。過路的人很詫異地問他：『怎麼你在晴天打雨傘？』老頭回答說：『莫斯科下雨了。』

× × ×

比里遜夫人一次失掉手提包一隻，內有美鈔廿五元。第二天發見有人將他的手提包送回來。打開一看，裏面只剩下美鈔十七元，另有便條一張，上面寫着：『我一度失竊，丟掉美鈔八元』。

× × ×

史密斯夫婦喜歡喝酒，每次非醉到嘔吐滿地，不肯停杯。朋友們勸他們戒酒，理由是酒裏有毒。史密斯夫婦豪飲如故。不久，史密斯因酒醉落水而死，史夫人哭道：『我今天才知道，水比酒更毒』！

× × ×

勞工政府當政後，英國實施嚴格的定量分配制，有一位英婦養有母牛兩隻，將每日所產牛奶，供作自用。後來因爲她的孩子們上學，每天有許多牛奶剩下來。按照英政府規定，她不能將剩下來的牛奶出賣，於是她便用來分給鄰人。視察員對她說：『你不能將過剩牛奶分給別人，也不能隨便將它潑掉，需要多少，才能擠乳多少』。

× × ×

影星卓別林有次參加電影會議。會議時，一隻蒼蠅老在他臉上飛來飛去。卓別林惱了，囑侍者拿一隻蠅拍來，決心要打殺它。過一會，一隻蒼蠅落在他的前面，他舉起蠅拍正要向下擊，突然停下來，蒼蠅也就此逃走。鄰座的友人很詫異地問他：『天啦，怎麼不打死它呢』？卓別林聳聳肩膀說：『這一隻不是原來的那一隻』。

自由人
THE FREEMAN
（半週刊每星期三六出版）
（第七十八期）
每份港幣壹毫
督印人：李光華
社址：香港高士打道六六號
電話：二〇八四八
GLOUCESTER RD. HONGKONG
TEL: 20848
承印者：東南印務出版社
地址：高士打道六四號
台灣經銷處
台北市中華路一二五九號
（台北憲兵隊側對面）

團結之道

必須以辦法求團結　共定辦法以求團結　共定辦法共同執行

·左舜生·

無庸諱言，中國的反共陣容，是不怎樣團結的。所以不能團結的原因，係來自三個方面：一，來自台灣，二，來自台灣以外，三，來自國際。

大家一致承認台灣是中華民國一塊土，台灣是反共根據地，可是一說到台灣的政治，則見智見仁，大家的看法便不能完全一致。

要使台灣以外的反共力量一致與台灣合作，要使立在國際反共陣營的任何國家一致承認台灣，其關鍵便在政治。

政治有人的因素與事的因素，人與事能適當配合是第一等的政治；事重於人是第二等的政治；人重於事，或只問人不問事的政治，便不能不說是最壞的政治了。

嚴格的說起來，最近這四十年來的政治，實在是太無可觀，其基本原因，便是由於大家都着重在人，而不肯着重在事。一切希望都寄托於人，一切怨尤都集中於人，有時可以變希望為怨尤，有時也未嘗不可以變怨尤為希望，兜來兜去，總在人的身上兜圈子，而不肯在事的方面去轉念頭，老實說，這依然是一種期待明君賢相的傳統觀念，而並不是一種正確的民主觀念。

我自然不是說一個民主國家辦政治的人物尤其是一個領導政治的人物，便不必賢明，可是賢明也只能賢明於法律之中，並不能賢明於法律之外；在法律以外去表現賢明尚且不可，在法律以外去為惡當然更不可了。

更進一步來說，所謂『反共抗俄』，所謂『打回大陸』，乃至所謂『實行民主自由』，這決不是期待任何個人，或任何一部分人所能有效，必須集合羣策羣力，以適當的辦法，謹嚴的步驟，穩扎穩打，才庶幾乎可以有望，這應該是大家可以承認的。

說到這種地方，也許大家會感到團結之確不可少；截至現在為止，我們確實並沒有看見任何人會公開表示過團結並沒有迫切需要；所難於理解的，便是何以天天講團結，而不團結的事實，還是依然存在？

大家要明白：如果離開了事而單講人，則父子兄弟不能團結的事實，也是比比皆是；何況集合一大羣觀點出發不同，尺度不同，利害關係不同，認識深淺不同的人，單靠幾句不着邊際的空話，又怎樣就可以團結得了呢？

說到這裏，我們便可以抽出第一個結論，便是：『必須以辦法求團結』。

所謂辦法，可能是很多的，你有你的辦法；我有我的辦法，甲團體有甲的辦法，乙團體也有乙的辦法；既不能強你以從我，也決無法強甲以從乙；然則自然要走到的第二個結論，便是：『共定辦法以求團結』。

共定的辦法有了，便交給某一部分人去執行，執行得妥當，便大家擁護；不妥當，便加以改造；這在一個平時的國家能辦到這樣已經就夠了，然而非所論於今天的中國。今天的中國是一個空前嚴重的時期，是一個人才極端缺乏的時期，是一個黨派支離破碎的時期，儘管某一部分人可能有一種旋乾轉坤的自信，可是很難取得另一部分對國家有責任感，對實際情況有認識者的支持。假定大家覺得上面的說法不錯，那我們便被逼迫着不能不提出第三個結論，那就是：『共定辦法，共同執行。』

一個國家到了緊急危難之際，結合全國可能結合的聰明才智，以共同產生一套挽救國命的辦法，並由多方面來共同執行，這固然還在許多先進國家，在咱們是家常便飯，即在中華民國，也並不是沒有這種先例。假定像這樣一種起碼的做法也認為礙難辦到，那我便敢斷言：人的糾紛決無已時，毛政權還會要繼續下去，國際對我們的觀感難改變，大家共同跳海的日子也就決不會太遠的。

今天還在中華民國旗幟之下共同奮鬥的人們，在台灣有八百萬，在台灣以外，則至少還有兩千萬；在台灣以外的人固然應該求團結於台灣，在台灣的人，又何嘗不應該求團結於海外？如果說一定要到了台灣才能算團結，不到台灣便不算團結，這也不過是一種知二五不知一十的自論而已。

漏網新聞

杜魯門總統特別看上基魏斯，他幾次休假都在那裏度過的。基魏斯特城因為杜魯門再三光臨，酒店飯館及旅行機關，生意特別興隆。此次杜總統在基魏斯特的杜魯門海灘，受了一場虛驚。原因正當他立在水深及腰的海濱，突然他的隨從人員發見兩條長達四尺的大魚，追趕一羣小魚，很快的向杜總統的位置衝來，他們立刻發出警號，嚇得杜氏拚命逃上沙灘。

×　×　×

擁護艾森豪威爾來年競選總統的洛治參議員，上星期在華盛頓舉行記者招待會，在他的衣角上，挂了一個紅白藍三色徽章，上面寫着「我喜歡艾森豪威爾」。他說：「選舉艾森豪威爾即為對共產主義一個最大的打擊……假如他作了白宮主人，我們可以避免第三次世界大戰」。

×　×　×

國際難民機構收容人數，到上星期為止，剛好湊成一百萬，捷克流亡教授關尼哲Renezay便是百萬難民中的第一百萬號。他說：「我所要求的唯一一件事，是請你們不要忘掉鐵幕後面沒有自由的一羣。我們已經獲得了自由，希望每個人都能獲得」。

×　×　×

麥克阿瑟將軍上週遊歷西雅圖，獲得三十萬民衆一致熱烈歡迎。並曾發表演說，對杜魯門政府腐敗，攻擊得體無完膚，弄得民主黨員中途退席。他在離開西雅圖前夕，當地領袖四百人，舉行歡送餐會，席間麥氏拒絕發表演說，他的理由是夫人有命，說他在西雅圖「已講得夠了」。

夫人有命講得夠了，可以避免第三次世界大戰
女郎走路龍驤虎步，不要忘掉沒有自由的一羣

旅美華僑領袖最近通知全體僑胞，停止對共匪親友匯寄贖款。他們說：『我們今天所唯一担心的，是不知明天我們會聽到什麼悲慘的消息。華僑們在為他們留在國內的眷屬祈禱，他們唯一的希望也就在祈禱』。

×　×　×

伊朗總理莫薩德，在離美前，特假華盛頓新聞俱樂部舉行記者招待會，與會的記者，為英勞工首相艾德禮訪美後最多的一次。他們到會的目的，是要看看他究竟像個什麼樣子，等到他用波斯語發表他的四十分鐘演說時，記者們都紛紛溜跑了。

×　×　×

埃及國王法洛克，蜜月歸來後，召集內閣部長午餐，席間表示對出風頭毫無興趣。並對總理納哈斯說，如果外長沙拉在聯合國大會大放厥詞，他一定要將他召回來。他很諷刺地指出：『你們在團結反共，他（指外交部長）卻不能在聯合國作共產宣傳』！

×　×　×

上星期美國民意測驗，以共和黨三位候選人和杜魯門作一比較，其結果如下：艾森豪威爾對杜魯門的比率是百分之六十四對百分之廿八。華倫對杜魯門的比率是百分之五十五對百分之三十三。塔虎脫對杜魯門的比率是百分之四十五對百分之四十二。共和黨候選人均居優勢。

×　×　×

操縱伊朗幕後政治的非德揚伊斯蘭地下組織領袖薩夫維Safa Avi，幾月前曾陰謀刺總理莫薩德，嚇得莫氏躲在國會大廈不敢出面。伊朗政府下令通緝，薩法維化裝為女郎，頭帶面紗，身着女服。但其走路時仍不脫龍驤虎步，引起兩位便衣偵探注意。嗣因面紗滑落，露出濃黑的鬍鬚及頭巾，被偵探捉將官裏去。（伍健勛）

中共殺俘有例可援　老大哥起帶頭作用

屠殺戰俘是人類最野蠻的舉動。共黨殺戮戰俘的報告傳出後，立刻引起美國及自由世界的憤慨。若干評論家的看法，認為殺戮戰俘是一個鐵的事實，所成問題的只是數量多寡而已。

殺人是共黨革命的教條，殺幾千名戰俘又算得什麼？中韓共軍是這樣，蘇聯何嘗又不是這樣呢？大家還能憶及戰後加定Katyn森林，蘇聯屠殺波蘭軍官四千人的故事嗎？蘇聯「老大哥」已起了殺俘的帶頭作用。中共不過是援例而已。

加定森林的殺俘案，蘇聯把責任推到納粹身上。後來經過紅十會調查的結果，他們從戰俘身上搜出來的信扎，及筆記等，證實他們被殺的時間，是在一九四〇年的三四月之間，是在希特勒進攻蘇聯的前一年，那時德蘇還是同盟國，德國兵怎能跑到蘇境史莫蘭斯克的加定森林來屠殺四千名波蘭軍官呢？

加定森林四千名波蘭軍官的故事，由納粹軍一九四三年攻抵史莫蘭斯克發見的。殺俘的消息也是納粹電台廣播出來的。蘇聯的解釋妙得很，他們說『紅軍從史莫蘭斯克撤退時，移下了大批波蘭戰俘，被納粹全部殺盡』。那時因為蘇聯是英美的同盟國，大家把這件事按下不談。

這件事，曾經引起德蘇兩國很尖銳的宣傳戰。德國擴大宣傳的目的，為了動搖盟國對蘇聯的信心，蘇聯在這方面的答辯卻採取守勢。波蘭駐倫敦流亡政府，要求兩國政府，允許由國際慈善機關出面調查。德國迅即答應照辦，但蘇聯拒絕。後來希特勒特別組織一個非德國人的外籍團體，出面調查，根據他們調查所得，證明這件慘無人道的野蠻行為，確實是蘇聯幹的。但因德國是同盟國的敵國，她的控訴沒有發生積極的效果。

戰後英美把這件事忘懷了，但是波蘭人並沒有忘記。後來由波蘭旅美僑民發動，要求美國會組織一個委員會，重新調查加定森林殺俘事件。嗣由前美國駐波蘭大使組織一個調查團，由美國會撥款兩萬美元供作調查經費。

後來他們調查到一個可靠的線索，一位名叫范佛里特的，戰時被納粹俘虜，並被押解到加定森林集中營。一九四五年獲釋，他立即向美國作戰部情報司作了一個有關加定森林大屠殺的報告。因事涉機密，范佛里特發誓嚴守秘密。後來這份報告居然失蹤了，作戰部情報司長畢塞爾說已經送到國務部，國務部卻說根本沒收到。這一個小小波折，使加定森林調查案又擱下來。

五年後，陸軍部要求范佛里特追述當年報告的大意。范氏說：『我相信那件事是俄國人幹的。我恨德國人，我不相信他們。儘管德國人盡了最大的努力來說服我去認識蘇聯的罪惡。最後我仍決定蘇聯殘殺戰俘是真的』。

蘇聯殘殺波蘭軍官，是克姆林宮有計劃的行動。他們的動機是要根本消滅波蘭軍隊方面的領導層。除掉被發覺的四千軍官外，還有一萬一千名軍官，在蘇聯境內失蹤，從這些事實，你就可以了解，為什麼蘇聯可以隨便控制波蘭的軍事力量，隨便派遣國防部長，便是這個道理。（莊士）

半週展望

雷嘯岑

共諜自首

台灣消息：截至昨天為止，潛伏台省各地方的共諜份子，自首者共有五七六人，其中包括共黨所謂「省委書記」以下各級人物。這些人在政府厲行肅諜工作之初，多潛伏於深山僻壤，不敢家居。一經自首，政府絕對履行諾言，決不限制其身體自由，且保護其各返鄉里，因而對尚未決心自首者予以莫大鼓勵，乃獲致良好結果云。這是很明智的措施，我們希望當局者本此信心，始終勿懈，廣闢自新之路。

共產黨在大陸用欺騙手腕，以「脅從罔究」的詐術，誘脅所謂「反動黨團份子」坦白登記，然後再以「鎮壓反革命」口實，逐一殘殺，充分暴露其俄共式野蠻主義的本質，予天下人以共見。我們卻反其道而行之，對自首共諜，既不限制其身體自由，又保護其各返鄉里，仁暴之分，昭然可覩。這對反共抗俄前途，具有深厚的政治潛力。時代雖不同，而「勝殘去殺」的政理卻永遠是合乎人性的。合乎人性的仁民愛物之政治行為，就是掃除共產暴政的利器，朱舜水說：「滅虜之策，在事事與虜相反。」我們應該好好的運用這一種利器！

蘇卡諾的民族主義觀點

印尼總統蘇卡諾，最近在聯合國成立紀念日和印尼烈士節日發表兩次演說，皆強調其反共的民族主義理論，而將一切使印尼貧困不安的責任，都歸咎於「外僑」一身上。他心目中之所謂「外僑」，又似乎是專指華僑而言。試看他近日在烈士節的演詞：「這裏的貧富懸殊，是和種族不同相一致的。這裏的有錢人是外僑，是一個外國的若干人，對有錢人的仇恨，將變為對外國人仇恨；……在上述一羣人中，有些份子不斷的宣傳共產主義或社會革命；如果這國家發生社會革命的話，立即將轉變為民族革命，他們的同胞就是這個革命的第一批犧牲者！」

一個久經殖民地生活而剛告獨立的國家，其人民生計之貧困，生產力之衰弱，是必然的。因此而高漲着民族主義的思潮，也是應有現象。蘇卡諾要想實現其「必需使貧富懸殊不若今日之甚」的目的，只有在和平與合作的環境中，博取國際間先進國家的財力與技術援助，纔是根本之策。若以此責之於僑居印尼少數「有錢人」的外僑，未免舍本逐末，所見太小了。使印尼人民陷於貧困者，誠然有很多的外國人要負責任，但華僑卻不在其列，因為中國也和印尼一樣，都是長期受着帝國主義掠奪的國家啊！至於華僑中「有些份子不斷的宣傳共產主義或社會革命」，自係事實，但這是蘇總統搶先承認中共政權的自食之果，於人何尤？印尼華僑並非個個都是共產份子或鼓吹社會革命者，又何至於一概被視為社會革命的「第一批犧牲者」呢？

民族主義運動我們是贊同的，尤其對印尼民族的獨立自由，我們十分同情。惟將民族主義混為種族主義，且惡化為狹隘的排外主義，有若中國過去的「義和團」思想然，那就會要誤盡蒼生的。希望印尼當局慎思而明辨之。

中共勒索華僑

僑居海外，辛勤謀生的華僑們，真是惡運當頭，苦難重重。

印尼總統蘇卡諾既公開視華僑為仇敵，其他的國家，也時有歧視華僑之事，而中國大陸上的共產政權，又以擄人勒贖的手段，大量的向華僑勒索金錢。從美國的加里福尼亞，舊金山，紐約，芝加哥，到星加坡，澳洲，以至於香港，到處都發現被勒索的事實，可見這是共黨有計劃的行動，決非所謂「執行偏差」之誑言所能掩飾的。

這證明中共窮兵黷武，殘民媚外的結果，經濟已陷入絕境，外匯枯竭，油乾燈盡，國內的民間財物，連墳墓裏的枯骨，寺廟中的神像，都已搜刮乾淨，再榨不出油來，祇好向華僑身上想法子了。美國僑領伍海瑞上書粵省共黨政府，說這是農村一般翻了身的新惡霸地痞流氓之所為，他根本不明白中共政權的本質是甚麼樣兒，所以尚有此忠恕的想法。實則農村的新惡霸那敢這樣普遍的胆大妄為呢？

「國必自伐，而後人伐之」，華僑們如要有不虞匱乏，不受恐怖的自由，只有堅定信心，站在民主陣營，一致為復興自由中國而努力，纔是自救之道。

來論

反共理論與方法底重建

·陳自平·

哲學的爲用，在二十世紀五十年代之今日，只有共產主義極權世界裏，似乎表現了它的最高成就。但，此求眞之學——哲學，卻以共產主義者的盜用，而才面臨一個眞正的「哲學之貧困」底時代。馬克斯恩格斯的共產黨宣言經過黑格爾哲學導致出來底唯物論辯證法底支持，弄得人們頭昏眼花，對文明落後地區的人民予以無限引誘，信其爲眞，當它是天經地義的人世間唯一的哲學，結果是俄羅斯民族首受其害；斯拉夫民族，華夏民族，相繼遭到了浩劫。我們清楚，「眞理」是不必爲着目前的「致用」；今天人類的進步，惟有對民主主義更加去充實它，對共產主義者的聖經似的唯物論辯證法哲學，必須再客觀地予以分析；則不難在反共理論上像哥倫布立雞蛋似地發現一個平凡的眞理。

馬克斯恩格斯告訴你很多唯物論的例子，他們說：「自然律是唯物論」（自然史觀），「歷史是唯物論」（唯物史觀），「生產方式決定生活方式」——環境決定論是唯物論（資本論的主題），以及馬恩的子子孫孫信徒們底汗牛充棟的著述，牽強附會把唯物論說得天花亂墜。因爲你進步心切，你就會醉其術中，自己以爲覺得了眞理，那就是你自虐虐人，自以爲得到了哲學根據「心安理得」，拿出殉道者的精神，去做原始人拜物教祭壇上的犧牲。

什麼是唯物論？

那麼知道，這希臘哲學小小的一支唯物學說，一直沒有被人視爲可貴重的學說，到黑格爾提了一提，一直到了馬克斯恩格斯才大加詮釋，那時候正是工業革命後底手工業階級沒落，資本集中，「物」發生了缺乏之恐懼底時候，正當達爾文天演論物競天擇學說行世的時候，經濟學方面馬爾薩斯人口論昌盛的時候，眞是適逢其會。

周圍的環境，是「物」隨到了匱乏的恐懼。馬克斯本人貧困交加，終日在倫敦博物院圖書館，啃麵包，寫人間天堂。於是，窮苦人的天堂闡出來了；物競天擇的政治鬥爭哲學，人口論式的資本論生產方式決定生活方式，唯物論的歷史發展法，其去哲學上的唯物論，不知差了幾個十萬八千里！

唯物論（Materialism）在哲學上屬宇宙本體論部門，「物」就是人身以外的萬事萬物，而此「物」的認識，當然因「人」的存在而發生。故哲學上對唯物論底基本爭論，只在：「我思故我在」與「我在故我思」一點，關於此點，在相對論沒有倡導之時，頗不易解說。但在相對論時代這一時代，只以觀點與角度之不同，即可予以說明。而正的所謂唯物論，就是人們感官的外物（包括視覺、聽覺、觸感、感覺）而已，不奇妙，亦不玄虛。

什麼是辯證？

關于辯證二字的釋義，通俗的說法：辯別證明。而哲學上則不十分簡單，卻是從黑格爾哲學裏私生出來的。胡越所著辯證法的新發展，從哲學裏鑽牛角尖辯證狀立新說，固然忠於學術；而馬列主義的辯證法，既不是形式邏輯（Symnbolic logic），更不是邏輯（Logic），假借黑格爾從其盛名下私生而已。形式邏輯與邏輯的目的，乃是充實笛卡爾以來的爲學方法論之不足底創造，有異於共產主義的創見者，追隨者，即盲從者底辯證。

辯證是唯心哲學，不屬於方法論部門，而是屬於認識論部份（試認識論部份）。我們對外界底事萬象的看法，以人性分析之，其立意不外善意意識與惡意意識。外界萬事萬象，固能影響吾人之喜怒哀樂，而吾人意識之善惡，與外界萬事萬象，亦能發生不同的喜愛與憎惡。辯別證明固由隨心所欲。如果說祇是客觀之唯有，而主觀則棄之絕無，當是必不可能的。

唯物辯証法的玄虛

由於以上的論證，得到馬列史的辯證唯物論公式如下：

1. 唯物論——馬列唯物論已變質；姑且承認其一部份的眞性。
2. 辯證法——唯心主義。
3. 唯物辯證哲學——不是唯物主義；是懸意意識論加假性唯物論；或是善意意識論加假性唯物論；或是懸意意識論加部份眞性唯物論；或是善意意識論加部份眞性唯物論。

即使你是一塊玩石，你也會清楚你已經被愚弄底事實。這兒老尺加一的放寬尺度，爲馬列唯物辯證法立說，哲學上的一支玄虛，西洋鏡拆穿，一錢不值。

馬列主義，殺人不見血，但吾人仍以仁者的心田再爲之開一條方便之路，馬克斯在當時實在是用心良苦，皓首窮年，爲時代創先見。朋友！你忘記了那是二個世紀前的古玩啦！智慧不易超出時代，愛因斯坦改進了牛頓的力學，克魯泡特金的互助論，未嘗不以另一個角度來指斥達爾文的偏見呢？唯物論辯證法不管後人用盡心力，想從過時的朝代中，拖他出來，也是不可能的了。唯物論辯證法的假性懸意，再加以絕對主義的氣氛，是注定了它再也不能支持共產主義哲學而「欺世盜名」了。

自由世界反共哲學底理論和方法

此地所提出的自由世界反共哲學底理論，並不把範圍擴大，而仍只限於「唯物辯證」。過去大陸反共理論上的成就，並不太差，原因實在是因爲方法底貧乏，反共人士底本身缺陷，是無法補救的。而今，儘管共產主義者拉上一張幕，對非共區域底人民宣傳，那已爲人間地獄底已共區域是伊甸樂園。那已共區域底善良人民，都正在爲自由世界將遭受到的苦難，做盡彌補和挽救底工作，掉轉方向認清了假性懸意辯證哲學的玄虛性僞裝，從新建立一道像對抗帝國主義時代那種鐵門的心理長城。在人民世紀中，惟「人民爲上」者，將獲得先知先覺的地位；惟「假性的善意意識唯物論」者，將領導這中國的新世紀：解決「物」的匱乏，對物對事鬥爭，向自然開道路，爲民生謀福利；消滅絕對主義，以適應時代的光明。

早在共產主義者未得勢未倡導以前，被斥爲烏托邦社會主義的蒲魯東，已發現了超時代的眞理——無政府主義。像中國老子哲學一樣，主張不切時尚底小國寡民制度（小國寡民爲老子無爲政治哲學之精華），而今天對共產主義社會一直是引爲足以警惕和提防的無政府主義者的最高的智慧，知者的神勇，信者的大仁，不惜一切且無所恐懼地向共產主義者鬥爭。不務名，不求利，助長其必然的成功（天安門砲轟毛澤東事件）。在已共的地區，不知祕密地死去了多少人。杜爾斯曾經說過，反共是個人的事情（見戰爭與和平），卻道破了美國人民對共產極權主義認識底進步。羅夢冊福利宣言，亦曾提及這一個反共理論。（羅氏福利宣言可取部份，只此而已）。

甘地式的不合作主義，在已共地區，無法推展；而在非共地區更無必要。但不合作而能促起反共人士的團結，似乎在形式上不通，而在哲學上是有理的。這是催促當政者底更堅定的覺悟與領導團結的仙丹靈藥。不必恐懼，這將削弱了你的本身底力量，對僻居寶島與海外底人士，更是一劑使之沁入心脾底涼劑，這是老生常談，卻是至理名言。

你以爲一定要用戰爭的方式來解決共產的赤流嗎？這是一個落伍而又落伍的思想。這是中國法理政府（De Jure gov't）最不智的，也正是所謂一些忠貞之士浪費時間等待時間的來臨——大戰——底最錯誤的想法，不要叫你過去的光榮歷史，阻住了你爲社會底服務，而反以爲羞恥。無盡的樂趣，無限的認識，在下層社會裏，將啓發你的良知良能。這是告訴你一個無爲主義者的道路（無爲一名詞不確當，但惟有此詞尙可用。）促起世界進步底必需的因素，也是眞正的羣衆路綫——制服共產主義地下政治的最高明的至理。

上層的反共工作者，指不盡的錯誤，犯不完的毛病，分而[illegible]導；發揮個人最大的力量。

共產主義者說：「搞通思想，丟掉你的包袱」。你可以揭穿他：「你僞善者，政治陰謀者，在你未得勢，未成事前那副尊容，已變成了今日的嘴臉。」你可以嘲笑他：「讓你的過去來諷刺你的現在吧！」「請你先搞通自己」，「請你先丟掉你自己的包袱吧！」

共產主義者說：「我將在不久的未來，給你一個理想的天國，不要失望吧！」你可以告誡他：「上當是有限度的。」

共產主義者說：「我們在幹着與上帝造天地一樣的創造事業。」那麼，乾脆，請你趕快放下來吧！

假如你是一個上層的反共者，共產黨指實你：「你還政治拉圾，政治掮客，獨裁軍閥，腐敗官僚，……」那麼，你說：「讓別人說吧！辯證已經給你以反被辯證的地位。」

假如共產黨說：「你排斥異己，政治不開明。」你將要由行爲來回答他吧！

共產主義者已處在沒有了哲學根據底境地，你還怕嗎？

二十世紀五十年代底新哲學，尙未昌行，還將是愛因斯坦第二定理發明後，人文科學上的新現象。羅素在二十世紀的哲學上會一提及。物理學上的相對論以非歐幾何（普通幾何）加以歐幾里德幾何觀念，而開闢了電磁場觀念，四度空間，還用到人文科學上——哲學上——成反抗共產極權思想的生力軍，辨證法唯物論哲學，像小巫見大巫一樣，不足比並。反共相對論哲學所以將充實民主主義而解救世界危機底道理。

反共相對論淺說

哲學上的四度空間，說明現代人對宇宙萬事萬物的看法：一切不是絕對的，一切全是相對的，最平實的例子，可以七個瞎子摸象的故事來說明：「七個生來瞎眼的盲人，沒有看見過象。後來有一個機會，摸到象腳的說：『呀！象原來和大樹一樣！』摸到象尾的說：『胡說，象是一條極粗的鞭子。』摸到象腹的卻又說了：『不是吧！你們全錯了，象是一塊極大而粗糙的平板呢！』」……請你止住你的訕笑吧！朋友，對宇宙萬象，你不是像他們一樣的無知嗎？

哲學上相對論，擴充了二十世紀哲學的疆域。求眞與致用，可以並存擴充。經濟學上相對函數導致出原子能發明，將爲來世開拓「不虞匱乏的自由」。文化，與文明上，將相互交流，而產生一新的世界「精神」。

民主主義將因相對論的發明，更加充實：政治上的絕對主義，還會存在麼？——那就是共產極權的末日來臨了！苦難的時代終成過去！新的藝術，新的交響詩在等待我們，等待着安慰我們，因爲我們已經跋涉得夠辛苦了，振起精神，前面就是我們的康莊大道了。

附記：關於相對論哲學，共產主義者的理論工作者，亦不斷的加以攻擊與批評，可見他們是很恐懼的。在香港的反共文化界，羅夢冊先生亦嘗提及。惟四度空間加上自由民主社會主義已犯有政治絕對性底毛病。政治之爲物：若論政治理論，不能標榜主義。其次，尙有一本世界平民著的思維的奇蹟相對論哲學，亦與羅氏犯同樣的毛病，標榜自由社會主義。所以筆者主張新民主主義者有劃切民主主義之義；而社會主義一名詞，亦只是安慰某部人士之心理而已，不若充實民主主義，而與相對論之意義，不致逕庭。

維辛斯基的『心事』

·海文·

爲緩和國際緊張局勢，美、英、法在聯合國大會裏提出了一個裁軍計劃。對於這個計劃，蘇聯代表維辛斯基的態度是始則大笑，繼則提出如下主張：首先禁止原子武器，其次五大國協議各裁減三分之一的武裝部隊。爲甚麼維辛斯基要加以戲謔呢？爲甚麼要先禁止原子武器，而不連帶提及禁止普通軍備呢？爲甚麼不建議合理規定各國軍隊限額，而要獻各國不一的現有武裝部隊作同等裁減呢？我們且來推測一下維辛斯基的『心事』。

首先禁止原子武器

原子武器現在已不是美國所獨有。根據最近官方測知蘇聯境內發生的幾次原子爆炸，和史達林的正式公佈，可以證實蘇聯也有原子彈。不過，一般人士觀察蘇聯所保有的原子彈絕對沒有美國那麼多，甚或沒有美國的那麼好。

有說蘇聯祇有二十四個原子彈，美國則有七百個。有說蘇聯的原子彈數量大概在七十五個至一百個之間，美國則在四百五十個以上。比較詳細的說法：蘇聯的保有數量爲七十個，現每月可造四個，它的貯藏所是在西伯利亞的德姆斯克附近的地底。

根據軍事家的見解：蘇聯最少要保有一百五十個原子彈，才能夠具備戰略的威力。照美國國會原子能委員會委員約翰遜參議員所說：「蘇聯非至一九六〇年，不能造成三百個原子彈」。那麼，短期內蘇聯的原子彈，還是不夠作爲發動戰爭的基礎。

既然不夠，又沒有人家多，不比人家好，所以維辛斯基主張：首先禁止原子武器。

不提禁止普通軍備

從地面武器來說，蘇聯擁有大量大砲，其數量遠非其他國家可及。史達林曾說：「大砲是戰爭之神」，並號稱大砲的產量已至「車輪接車輪」的地步。至於戰車，現在所用的有史達林三型超重戰車，裝一二二糎砲，時速二十哩，重五十七噸；T三十四型戰車，裝七十五糎砲，時速三十二哩，重三十二噸；T四十四型戰車，裝八十五糎砲，時速二十八哩，重三十六噸。這些戰車雖是上次大戰以來的東西，但在戰後已加改良，戰車總數約四萬輛，其中史達林式戰車有八千輛左右。此外如馬克沁式重機槍、史德林式的小型自動步槍和排裝迫擊砲等，所有這些地面武器，蘇聯的和美國的比較，性能均約略相等，但現有數量，則蘇聯占絕對優勢。

至於蘇聯的海軍，現有戰鬥艦六艘，航空母艦一艘，巡洋艦十六艘，驅逐艦一百艘與潛艇三百一十艘，在質與量上，都遠不及美國。不過，蘇聯自稱擁有一種可怕的海軍武器，即是一千六百噸級呼吸管式潛艇，水中航行時速十六海里，裝有魚雷管六門和預備魚雷二十枚，另外又在艇面甲板上設有發射飛彈裝置，射程可達三百二十五公里。

談到空軍，蘇聯的飛機生產量每年約六萬架，略與美國相等。現有的第一綫飛機，大概有一萬九千架，比美國多七千架。在性能方面，大型機雖然蘇聯趕不上美國，但是小型機像蘇聯的MIG十五型戰鬥機，高度有一萬一千尺，最高速度爲六百四十六哩，備有三十糎和二十糎砲各一門，似乎比美國半年前代表戰鬥機F八十型，火力更強，速度更快。再蘇聯還有雅克十九和二五兩型，都是比MIG十五型更快的超音速飛機。

如上所說，蘇聯的普通軍備是甚爲充足的，短處固有，長處也多，所以維辛斯基不提禁止普通軍備。

不建議軍隊限額

根據史達林的指示，爲進行世界革命，其整個帝國是隨時都在武裝備戰的。一九四五年及一九四六年，當美國及其他盟國復員裁軍的時候，蘇聯不僅繼續保持其強大的戰時的兵力，並且還武裝附屬國軍隊。不久以前，英國國防部長辛威爾在加拿大出席北大西洋十二國聯防會議時，曾發出警告說：蘇聯在和平時期的武裝部隊有二百一十五師，其中三分之一爲機械化部隊，戰事發生時，還可照現有的三百萬軍隊人數增加一倍；在這種實力當中，最低限度有七十師是部署對付西方國家的；但目前西方國家的兵力是分散而且非常薄弱的。

既然在數量上，蘇聯的武器部隊已經占有優勢，當然想保持優勢，自己裁減三分之一，人家也要裁減三分之一，所以維辛斯基不談如何合理限額，祇說各裁減多少。

軍備之外的其他手段

蘇聯征服世界基本計劃，除擴張軍備外，尙有其他手段。如：利用小戰內戰，以附庸國軍隊代替作戰，像北韓進攻南韓；以中共援朝抗美；巴爾幹附庸國以『小戰』威脅南斯拉夫；越南和馬來亞的土共消耗法軍、英軍。又如：命令匪亂破壞，以宣傳鼓動人民，設法使共產黨高度膨脹，進而控制政權，像在歐洲散佈宣傳說莫斯科是和平的擁護者，而美國則希望戰爭，以離間西方國家團結；在亞洲和中東則利用貧窮與愚昧的狀況，挑撥人民情緒，反對英美。

這些都是裁軍所限制不到的。所以維辛斯基提到裁軍時，放聲大笑，甚至於笑得不禁。

原來維辛斯基的『心事』如此，希望愛好和平的自由國家，不要上當！

「再解放」的革命火花
大陸反共怒潮澎湃
敵人在那裏就把他們在那裏消滅

【本報漢口特約通訊】從今年春末起，大陸上各地的匪酋，就展開了「大張旗鼓鎮壓反革命」的暴動。一年容易，瞬又歲闌，時間雖然又過去了一年，所謂「反革命」份子並沒有如共酋希望「大大的減少」；相反，却大大的增加與壯大，如火燎原。這一事實，可充分說明大陸上反共怒潮的澎湃。

新的極權統治者心裏明白，「再解放」的革命火花既已爆發，任何暴力「鎮壓」方式是必然無濟於事的了。根據匪酋不完全的統計，由於共幹麻痺鬆懈，各地區反共份子皆死灰復燃，捲土重來，燒、殺、暴動、偷渡、登陸等行動日甚一日，嚴重異常。如：

湖南方面

益陽等二十五縣中，在一個月裏，就發生縱火事件二百餘起，燒掉房子七千多間，穀子一萬多石，樹木四萬多株。衡陽放毒案有一日多至七十起者。又桃源縣喇叭村開幹部大會時，飯中為人放毒，當場有卅餘「幹部」七孔流血身死。又安仁等四縣，在短短十天內就發生放火案四十餘起，縣「人民政府」險些給燒掉。

河南方面

僅八、九、十三個月，就發生了暗殺事件一百五十三起，死傷「幹部」兩百多人。澠池、滎陽一帶的游擊隊，現均散而復聚，在山區與邊緣地帶設卡征糧。鄧縣一公安「幹部」受反共游擊隊說服，將其警長槍殺後攜槍十餘枝投奔游擊區。又濼河城等地游擊隊在崔敬賢等三人領導下聲勢浩大，附近百餘里內反共份子均望風歸附。又滎陽工紳陳方登偽裝「前進」，邀集地方「幹部」飲酒取樂，結果將應邀「幹部」二十八人全部毒死，陳則連夜遁入深山。

江西方面

鄱陽東山現已成游擊隊根據地，僅中共民兵攜械歸附者已近千人。現中共剿「匪」隊伍已成爲「輸送隊」，每出發一次，必損失槍彈甚多，中共雖一再「整肅」，然查出「內奸」，人心已去，無法挽回。又上饒、南豐等地黨會份子及被中共指爲「反動」的道教首領等亦重趨活躍。這些人，多會以治病與扶乩方式將共幹爭取過來，在城鄉附近劫糧扨貨，使共幹均疑神疑鬼不敢出城。又樂平縣一被指爲「惡霸地主」叫李克愚的，白天老老實實，夜裏却串通「鄉幹」聽水壩開放，致附近稻穀全部被淹，等到抓人，連影子都不見了。

廣西方面

南丹縣反共份子打進了鄉區「政府」後，即掌握民兵，製造火藥與手榴彈，作長久抗共打算，中共無力「進剿」，只有聽任壯大。又桂林市低級共幹因收入太少，爲了「生產自救」常上山拾柴，兩十月一月中，竟被潛伏山區的游擊隊用繩子活活勒死六十多。又全縣、柳州鄉區均多爲反共份子所掌握，共幹皆以下鄉爲畏途。

湖北方面

共幹被殺事件愈來愈多，漢市附近之武河鄉一鄉農會主席「部通方」，即於白鐵返家時在馬路上被人連刺三刀當場殞命。

廣東方面

「高雷專區」四個縣，一個月裏就發生中毒案七十四起，幹部因中毒死亡者達一百零六人。半海全鎮七個村，中毒者達千餘人。又粵東、海南沿海一帶，反共武裝出沒無常，偷渡、登陸事件，十個月內就已咽過百次。就中尤以汕尾、海南、棋千灣及大小嶝山以南三處游擊隊最多。他們均擁有最新型武器、小電台、化學爆炸藥品，烈性毒藥和「人民幣」，如水銀瀉地，無孔不入，使中共「警備部隊」草木皆兵，防不勝防。

從上面這一點點「自供」裏，就足夠讓人看出中共所認爲的邊防接壤的軍事地區——中南全區的動盪已到了一種什麼程度，雖然各地的喇叭報在通過中共的默許後，大喊大叫：「反對鬆懈麻痺繼續肅清反革命殘餘」。然而，在鐵幕裏的老百姓們統統知道，毛澤東的短命王朝一定不會長；他們更統統相信，如要反攻的號砲一響，台灣的自由中國，一定能配合盟軍的行動做到敵人在那裏，就把他們在那裏消滅。（懷央．十一月二十四日寄。）

兩年內僞幣一千五百億
滬棉紡匪營虧損驚人
共酋饒漱石說：長此以往，人民的財富，必將敗得精光。

【本報上海特約通訊】上海的紡織業，是東南地區的最大企業，自中共竊據滬濱後，即將所有大小棉紡織廠，全部收歸匪營。不料自卅八年六月至今年六月，兩年來在偽華東紡織管理局監管之下，竟虧折了人民幣一千五百億元，數字龐大，至足驚人！

這巨大的虧折，分析內容，自不簡單，其重要原因，不外：（一）工人鬆勁，事事退後。（二）「幹部」貪污，層層剝削。（三）隨便浪費，生產無人負責。（四）生產制度沒有建立。（五）組織混亂，一盤散沙。僅此五者，已足夠將龐大的匪營企業拖到精光爲止。

據偽華東紡織管理局局長劉少文所公佈的「初步統計」：自前年六月至今年五月，上海國營各棉紡織廠，因夾布回絲及原物料等項浪費所造成的損失，即達一「人民幣」八十三億三千餘萬元。以本年五月份初步統計，以標準每年估計，各棉紡織廠因原棉浪費要損失二百零二億元，因機物料浪費要損失一百三十八億元，多出次布要損失二百十九億元，各印染廠每年因多出次布要損失七十九億元，損失近二百億元；因下腳回絲要損失一百四十億元。如再加上毛紡各廠的浪費統計，全年因浪費而損失的「人民幣」則共達一千五百億元之鉅。

中共普遍剝削工人的勞力同薪給，工人們的積極性創造性減低了，大家都過着混一天算一天的生活，會計的成本不打算，物料的領發不監督，染色的多寡不研究，洗布的工作不認真，疊布夾布，結果山積。工人都認爲，做也好，做牛馬，所以浪費工作氣也出。二小時的時間，現實際上長拖到十[illegible]折還得轉一遍。早車開過遲遲未開，或開車平常停停開開，由自做便做，睡息，晚上做停夜班以爲常，輪流駐覺，則「幹部」與工頭只能眼閉，有「幹部」被撈，得不出事故，也可歸隨他去了。

偽華東軍政委員會第四次全會議十三日在舉行小組會議時，[illegible]……這都是我們東南亞每個老百姓的血汗，[illegible]百姓都會記住這數字，必向中共清算。（悠然．十一月二十六日寄）

改造思想行不通
武漢教師不學習

【本報漢口訊】偽武漢市文教局在這兩年，雖強迫要求全市五千多教師，「改造思想」，而這一班書呆子却陽奉陰違，始終不予理會，大家都認爲政治學習不能解決實際問題，什麼新教材，什麼新教法，以及所有的宣傳性報紙與雜誌，一概不聞不問，不參加任何理論與思想的討論，情願給中共罵爲落後份子。

最近，中共看到武漢十餘萬教授與學生，不問政治的情形愈來愈不像話了，於是在偽文教局的佈置與威脅之下，要把五千多教師納入大規模的學習運動中。

在槍桿的威脅之下，教師們都哭喪着臉參加「學習」了，明目張膽的反對既不可能，推三阻四的抗拒却仍在進行，遲到早退還是最起碼，進一步就是開會不發言，打瞌睡，或請病假，或開小差，討論會，多藉故不去，有的索性將上面發下來的測驗題亂答一通或交上白卷。共幹雖逐個訪問要求積極，教師們仍懶洋洋地提不起勁，好多教師在大庭廣衆間竟大喊大叫：「教了幾十年書，還不夠爲人民服務嗎？」「八十歲學吹鼓手，搞啥名堂？」「改造思想得慢慢來，通不通自己有數，你急死了只算白死！」共幹以衆怒難犯，只好假裝聾啞，不作一聲，看來改造武漢教師思想這一條路中共又行不通了。（顧民．十一月廿三日寄）

香港三日續紛錄

十八種行業必須轉業

據香港外交界傳出消息，新任英殖民大臣梨德頓偕同殖民次官巴斯金（Paskin）定於十二月上旬由星加坡抵港。據非正式傳說梨氏這次在東南亞三週的旅行，其重要任務有三：（一）商討明年五月英駐東南亞高級專員麥唐納任滿之繼承人選問題。（二）堅平馬來亞共軍之亂動。原則上決定先自馬來亞南部肅清，然後推及北部。（三）香港與大陸未來關係的再檢討。十二月上旬，在香港將是一個非常熱鬧的場面。因爲除黎，巴兩氏來港外，英外交部遠東司司長史各答（Scott），已先於二十八日抵港，等候英駐北平代辦蘭姆。他已奉命趕來，會晤史氏，以備咨詢。大約十二月上旬可以抵港。十二月下旬英駐東南亞高級專員麥唐納將飛港作例行之巡視。

×　×　×

廣州來人稱，現在廣州市中共已下令十八種行業必需轉業，例如西藥，進出口，糧食，五金，花紗，化學原料，……等轉業，改爲國營，現已由各同業工會通知各業。即日起調查存貨登記，俟存貨清，即行轉業。資金存「人民銀行」，由「政府」指定將該項所存之資金投入某某工廠。現行各業已紛紛準備歇業。從此一切都是國營事業了。

×　×　×

巴基斯坦財政部長赫密．阿里廿六日由東京抵港，他說他這次去東京是和日本財政當局接洽未結付事宜。他指出日本的經濟情形已一天天的好轉起來，事實上一般經濟水準已達到一九三七年時代，但日本現在最感到困難的問題，便是人口一天天底增多，國內無法容納，她們想向外發展。阿里說：「這是未來亞洲的危機，日本人向外擴，在未忘日本仇恨的國家，總認這是一種侵略行爲」。關於巴日未來關係，阿氏不否認將來可以讓日本在喀拉蚩設置領事館。他說「將來巴棉可以運日，而日本事實上亦很需要巴棉。在巴基斯坦方面，日本新出的農業機械及交通機器，都是巴國現在亟需的」。

×　×　×

想和的念頭一點沒有

泰國陸軍上校朋耶達恩尼亞二十八日由東京經港赴曼谷，他在東京的時候，恰巧美副總統巴克萊抵東京時，他說巴氏初抵東京時消息非常祕密，一時傳說紛紜，說巴氏至東京，最大的任務，乃與李吉威研究，俟艾森豪威爾元帥於明年二月返國任總統候選人時，把他調爲駐歐盟軍統帥，此次特來徵求他的意見、朋上校說當時說來非常逼眞，有些人都很相信，因爲大家在東京看和平空氣甚濃。可是一俟巴氏夫婦飛赴前綫後；和士兵生活了幾天，這才使大家知道巴氏這一次到遠東最大的任務乃是調和國務院及國防部的和戰的兩種空氣。他特別告訴前綫的士兵政府力促和平，因爲在前綫的將領和士兵一點想和的念頭都沒有。他在前綫開一砲，據說爲迎合美國大兵的心理，否則前綫上的士兵都要洩氣。

×　×　×

這一次官司可能打勝

美空運大隊民航公司總經理魏勞，爲了停在啓德機場的數十架賣給他們的國航及央航的飛機，他往返香港多次。這次開庭他和前央航機航主任現任復興航空公司總經理陳文寬一同又來香港。據他在赴台北時說，這一次的官司一定可以打勝，但他惋惜即使官司打勝了，把飛機都收回來，飛機已都不能用了。因爲停了快兩年的飛機，事實上已沒有一個機師敢拿生命來冒險試飛。

×　×　×

可能和馬丁唱對台戲

據美國新聞處宣稱：美民主黨議員兼國會外交評論委員會主席約翰史巴克門定於今日（十二月一日）由馬尼剌抵港。他在香港擬停留兩日，分訪各方人士。然後飛曼谷，至台北。定九日抵東京會晤刻在東京的杜爾斯，和國務副卿羅斯克。他此行的任務，未預說明，相信是爲了明年的大選。他是繼麥紐遜第二個到遠東來的民主黨議員。但他比麥紐遜勢力大。他在國會中和共和黨議員少數黨領袖馬丁是死對頭。可能他這一次來，是和馬丁唱對台戲。（一成）

逃・出・了・鐵・幕
・冒｜九｜死｜一｜生・

這次我冒着九死一生逃出鐵幕，我覺得應該告訴一些讀者所不知道而想知道的事實，這不但可以給大家明白我們在共黨統治下是如何的在苦中掙扎，而且可以增加大家對中共暴力政治的認識。

福建泉州的寧永鄉是我的家鄉，我家也是華僑。自從「解放」後，那裏的人民大部是華僑的眷屬，我也是從那裏逃出來的。我們華僑的生活沒有一家不在恐慌下面掙扎着，不但生活窘迫，而且精神痛苦，比日寇蹂躪期間更慘。起初大家靠着一點「南洋貨」售賣過活，七拼八湊的損失去了。後來東西變賣盡，南洋接濟時斷，並且每次都很有限，實際拿到手中餘款往往買不起三十斤白米，因爲每次「洋錢」一到，共幹便會上門拜候，又是什麼愛國又是什麼援朝的抽筋剝髓。

今年春天在中共的土改聲中，不論以前是小姐太太公子哥兒，個個都回到鄉間，盼望分得三、二畝田耕種度活，五月間大部完成，平均每人再分得二畝七分的田，也祗期望平平安安的耕種過日。但共黨通過「點」再分，我們不能有生計，也不期望平安安定下去。六月底夏收以後，二畝七分田普通可以收得二百八十斤，折台白米約一百十五斤。大家本想勉強可以度到秋收，誰想到秋天來個霹靂。

記得在收成後的第三天，村政府召開羣衆大會，指導員演說了三點鐘，除了說大家應該謝謝「毛主席」給大家的恩惠外，還有十二個上級的指示：（一）把夏收的百分之十「支援前綫」……（二）……你們看「錢」已不值錢，金門的「獻砲」，今年的「預徵」……收今年的[illegible]，他說：「你們白白的有人民政府，人民的「百分之四十，你們所得的，只是百分之二十」，……你們非常「厲害」，大家都尚未完全明白，他指導員的演說，使大家起了一張張的面孔。就激動地，百分之五十，自六月起到八月底，止，沒有生活，我們好維持我們的生活，大家採樵修築，部分路時去參加人民政府的秋收。

巴的秋收半個月前，在這當中，大家又被村政府調來參加秋收的「解放軍」的組織，聽說是從金門前綫調來的「解放軍」，白日夜在田間開始收割了那個村子，眼巴巴的秋收，軍隊的長官是說：「幫助農民秋收」，由村政府指定，每戶一個田，在莊內的「解放軍」住着，我們每一個吩咐「供給」，農民的一百多戶照應他們，全村第二天已經收割完，農民幫着「解放軍」收割了，稻已然清楚，每戶的「解放軍」忙期，那四天。

在四天始終沒有一刻拿着鐮刀或提着扁擔，他們簡直是在監督我們幫着農民的「解放軍」收割，所有的稻穀被「解放軍」秤重登記後，我們就日曬夜收的小心照顧着。秋收成後，沒有幾天村政府門前貼出縣長的佈告和名單，內容是各人除了交納未完的秋徵百分之六十和每人加收稻草一百斤外，還有明年的預徵百分之二十。如此一算起來，所收扣去「應徵」及「預征」而外，每口餘下祗不過是收成總數的百分之三十。大家都懷着愁悶不愉的心情，這叫我們怎樣過活呢！難道共產黨只顧着軍隊而不要老百姓嗎？眞的，

「征」的在鄉親上打鑼打鼓，勸糧服節日中，多少不能一切的交納「應征」的，鑼鼓一條路上，鄉親們想出一個辦法，是在這時巧妙的辦法，將要交的「征」糧，百分之五的細沙，然後在未繳交前一天把征糧浸以水，隔一夜，如此的表面看不出有水份存在，但裏面却吸收了多量的水份，一百斤的穀可變爲一百三十斤。這辦法不但遍用全鄉，不幸也許連鄰村，很多人付去，如此做，有些粗心泡製的人，竟被征收了。後來此法鄉人做事太粗淺，終於露出破綻，共幹檢查村中倉庫時，發覺了，叫到村政府，雖然査到，但究竟是誰都已經在首先發明的，村政府只好說「這是全村的行動」，向各方面查找，他們那知道這辦法的發明人現在已逃出鐵幕，正在向自由世界控訴他們的暴行。（光）

無賴的心理表現

·尚方·

俄國代表維辛斯基向聯大提出控訴，指美國所搞的「共同安全法案」是在支持鐵幕國家的反動勢力，即係干涉別國內政，要求聯大予以討論制止。說來振振有詞，好像理直氣壯之至！

可是，自前年以來，俄國代表在聯合國的大小會議中，拚命反對中國的合法代表，要求以中共代表來代替。所求不遂，就退出各種會議，以示抗議。別人不理睬他，讓他去無理取鬧，他又不要臉的悄悄回來。回來之後，每會必提出反對中國代表的意見，別人照樣的不理，予以否決，他依然死不要臉的逢會必提。試問這是否干涉別國內政？是否支持別國內部的反動勢力？

共產黨人最大的本領就是不顧羞恥！天下人都認為大家心裏明白，不必造作欺人的事情，他們總是恬不為怪的造作得津津有味。譬如：巴黎人送了一隻白鴿給維辛斯基，這等於普通人向來賓贈予一朵鮮花，有何稀奇呢？然他却洋洋自得，提到會場，擺在肩上，給人們給他照相宣傳，表示俄國眞是「和平之鴿」了！肉麻當有趣，做得很起勁，以為天下人都沒他那麼聰明漂亮，你說是可鄙呢？抑是可笑？

他指控美國干涉別國的內政，却忘記自己在聯大公開不斷的干涉別國內政，更忘記了史大林派俄人去作波蘭的國防部長那些事。這與他手提白鴿在聯大招搖撞騙的行為，同屬無賴的心理表現而已。

自由談

思想改造

（三幕劇）—嘉華—

第一幕　人民的工作者

佈景：堆滿了國家資源某地貨倉的辦公室。

時間：卅八年冬天。

人物：「人民」政府特派的接收者。鑫擱的貨倉主管胡××。接收者的幹部。

第一場：接收。

接收者：（手按住冊子，揪來揪去。）好的！好的！……你能把人民的物資財產，保管獻給人民，可以算得……不！這是你的光榮，你一定有光明的前途！

胡××：嘻……老早……我就準備好了，絕不把它們交給反動份子，而靜等人民政府來接收。……我僅僅希望館……以後多為人民服務！

接收者：你在這裏幹過多久？

胡××：啊……八年了！

接收者：存在這裏的機器、零件、和藏品……這些東西你一定知道它們幹什麼用的吧！

胡：當然，當然！……七八年來我從小職員爬起來，始終辦的這些……熟得很……熟得很！……以後我希望還追隨前你……繼續……

接收人：（不大耐煩）別說「追隨」「追隨」的，這個辭太封建，咱們該改口說大家替人民工作！

……好，我們還是要你這種人材的：你……只要多多努力的把各種物資的用法，名子，數目，告訴新來的人，……還其他的舊人員性一齊都安心工作！

幹部：（手裏拿住冊子跑出來）：報告！點收東西不大好攪，……他們寫的甚麼毛重，淨重，長噸，短噸，咱們弄不清楚。還有……許多機器的牌子，刻的也不知是那一國的英文？咱們也沒有法子對！怎麼辦？

接收者：你問我也不懂呀？我，……（望着胡××）你跟他去解說個清清楚楚！

胡（臉上忽青忽紅）：這……容易得很！（扭過頭躬着身要走。）

接收者：等一等別忘了和我到銀行先把存款的印鑑換一換！（胡××和幹部下）（幕下）

第二場：四個月後

佈景人物如上

接收者：東西裝了船沒有？昨天運了多少？

幹部：差不多了……昨天裝出了四大箱汽車的曲軸，每箱四十立方尺，還有五十公噸零七百五十公斤的九九錫。……合一千零十五塊！

接收者：你倒弄得滿熟了！

幹部：你曉得我費了多大的勁兒去學習呀！現在我運一磅台多少兩，一英尺台多少寸，都能算了，……（胡××捧着公文擺在桌子上，回頭就要走。）

接收者：喂！別走，我有些事要跟你討論一下。

胡：（站住又走回辦公桌前面），是……

接收者：昨天接了人民政府的命令，你的工作這幾個月表現得很好，東西運到了內地的時候，還需要你這種人才去接收整理！

……

胡：（驟門上冒出了冷氣，可是有汗珠）你的意思……要我××去……

接收者：這是政府的命令……不……是人民的公意。不是我的意思。不過，你還差一些悔過坦白的手續照例辦一辦。

胡：悔過？（摸摸頭又用袖子揩一揩汗）我沒有幹過錯事……悔什麼過？我不是坦白得很！

接收者：這是一種手續，你坦坦白白的由你祖父起以至現在為止，所有一切經過，寫一篇自傳，愈詳細愈好，可不要掉文！掉文咱們可不懂，也許會引起偏差誤會的後果，最好明天能給我！

胡：……（幕下，隨即重開演就算第二天）

×　×　×

接收者：你的自傳不夠詳細，可不夠坦白！

胡：這全是事實呀！

幹部：我不相信，你的父親和你都沒有嫖過婊子？你的母親和你的老婆沒偷過漢子？

胡：（臉青了）什麼話？我怎能知道……

接收者：你不知道，就不能肯定說沒有。應當加上一段，說母親偷過漢子，大就不大清楚好了。

幹部：你怎麼不寫出你是特務？我聽說在國民黨機關裏做過事的，都要參加特務組織。何況你幹了八年。

接收者：對！……你也要加上參加特務的經過，也許要添上侵吞公款，盜竊公物幾件小事，纔顯得夠坦白。

胡：什麼？特務！我不懂！我過過也沒有入過，至於侵吞公款，我確沒有幹過這些傷天害理的事！再說我也沒有參加你們的……

接收者：我知道你也許沒有幹過，可是照例寫自傳，一定要加上這些東西，其實寫寫有什麼關係！

胡××：我不能寫……我不能！

接收者：那也容易，我替你寫吧！……這是人民的公意，不能寫也要寫……

（幕下）

王倫論

（水滸人物論之一）

·舜生·

我敢斷言，在林冲上山以後，晁蓋等未到以前，王倫對林，依然是芒刺在背，林冲勉強留在那裏，不過是隱忍待時而已，有兩點可以作證：

一是當吳用和晁蓋商量妥當，親自到石碣村遊說三阮（小二，小五，小七）參加打刼『生辰綱』的時候，首先假作受了一位大財主的委托，向他們三位兄弟購買十數尾重十四五斤的金色鯉魚，小五還答應可以找十來個五六斤的，小七却明說五六斤的也辦不到。吳用問是什麼原因，小七乃說明：『石碣湖裏只有小的，要大的便非到梁山泊子裏去打不可，可是近來這個泊子為王、杜、宋幾個強人佔了，新近更來了一個叫什麼豹子頭林冲的，他是東京禁軍教頭，十分好武藝，因此我們一年多不敢去那裏打魚，絕了我們的衣飯。』吳用乃問：『他們既禁止你們打魚，你們何不上山去捉了他們呢？』小七乃反駁：『捉了他們到那裏去請賞？還給江湖上好漢們笑話哩。』吳用便進一步追問：『你們既然恨不得打魚，又不願去捉他們，便到那裏撞籌，豈不甚好？』說到這裏，小二乃說道：『老先生，你不知我弟兄們幾遍商量要去入夥，聽得那王倫的手下人都說，他心地窄狹，安不得人，前番那個林冲上山時，便嘔他的氣，因此我弟兄一齊都心懶了！』

二是楊志丟了『生辰綱』以後，一人悶悶不樂，跑上一家酒店去喝酒，可是腰無半文，只好吃了便走；這酒店老闆名叫曹正，乃是林冲的徒弟，當他追出和楊志相打的時候，看出楊志的手段和他老師的一般，問起姓名，才知道這位喝酒不給錢的，原來是東京殿司楊制使，曾和他的老師共事一方，因此曹楊兩人乃成了朋友。當曹正招待楊志再回到酒店的時候，楊志便把他個人種種不幸的遭遇，備細說了一番。曹正問他預備投奔那裏去，楊志乃說：『本想去梁山尋你師父林教頭，可是上次路過那裏，和你師父因相打而成相識，王倫也曾留我，但我不曾留下，現在事急又去相投，好沒志氣，因此躊躇未決，進退兩難。』曹正聽了楊志這番話，便說：『制使不願去梁山是很對的，小人也聽得傳說，王倫那廝心地窄，安不得人，我師父上山時，便受盡他的氣，你不如去離此間不遠的二龍山好，』

從上面這件事實，可看出幾點意義：一，王倫的態度狹隘，不能容物，便是『惡名在外』；二，有許多想投奔梁山的好漢，因為這個緣故，便也裹足不前，可見王倫實在是阻塞賢路；三，關於批評王倫的這些話，既是由他的『手下人』傳出：可見自從林冲上山以後，梁山內部已充滿不服王倫的空氣；如此一來，王倫既是又要拒絕晁蓋等入夥，林冲觸起和他火併，可見是內外輿論一致的要求了。（三）

萬竹樓隨筆（五一）

新秀才造反（上）

海濱狐客

……社會主義者同盟，本是個殊不堅密的組織。但華北則在軍閥管治下，華中者生在上海租界，華南為廣西軍閥帶頭政學系依附的混沌局面；凡傾心社會主義的都一楊刮子統名之曰「過激派」或「赤黨」。所以，自北而南，都只能作地下活動；而內部分子却已有同床各夢的情景。大部份堅貞信守自由社會主義的之外，已有比較傾向馬克斯主義的，亦有希圖採用列寧革命策略來達成國民革命目的的。那時中山先生亦游離于政局之外，在上海辦建設月刊，閩實力只能舉閩南一枝粵軍以對，故無窮希望只寄于陳炯明一人身上。蔣介石先生且掛名于該軍第六支隊，常常銜命往來閩滬間，朱執信先生則以為單調的國民革命與國內新青年的社會運動當形成一條戰綫。閩南護法區在此情勢之下遂欲肩並用，担起歷史任務。

華南區社會主義者同盟分子應陳氏招請赴閩時，筆者亦廁其列。梁冰弦等一行抵漳，踏上這小王國便留得異樣的印象。一行館就在總部面前公園旁邊，一所空空落落的房子，每一住室僅有一張竹榻和一小方桌。梁氏佔了一室，方將行李堆入室中，小王國主人陳氏來了。陳氏身穿灰布袍子，手持一根藤手杖，翹起兩撇威廉鬍，乜斜雙眼，一個佩勃郎寧手槍的衛士長，八個佩盒子砲的衛士團隨着。一路陳來，早聽見陳操客家官話在抱怨衛士們道：「我屢屢叫出門不要你們跟着，為甚麼總不聽我的話。」衛士們却只微笑。陳揮杖喝走衛士們，拉着梁一同坐上竹榻便打開話匣子，談粵中政情，談國內概況，談北京學生運動，談閩南護法區的種種，一談便過了兩小時；然後由他導引，多人一起，步越公園，往總部去。最惹視綫的是公園北端聳立着的紀念碑，係方柱型，每邊刻着自由、平等、博愛、互助兩個大字。總部係前清協鎮署，龐然巨物。敞廳上已排好筵席，食頃，第一軍長鄧仲元說：「客來這裏照例餉以六塊錢和菜，各省督軍首長代表來過多少都一樣款待，今天每席菜共十二塊錢的，外加白酒香菸橘子甘蔗，啊呀，我們到此將一年，這回還是第一次見到的場面哩」！總參議李文範說：「今天是我出的主意，特殊的客人應用特殊的款接，老總大約正合心意吧？」陳總爺却一本正經道：「人言不講究吃的不成其為廣東人，其實只可說珠江三角洲一區的人，此外東西北江與南路人都很隨便的」。座中人對這說法都表同意。客人吃得半飽已告終席，亦飢亦疲，陳還拉住談了一個午夜。談到社會主義運動，陳同意中山先生說的，中國只有小貧和大貧，沒有顯然的階級，用不着鬥爭；分裁；今後要全體人民議政，或甚麼階級專政；社會主義似乎是世界共通的，實則將來各國家民族總各有其達成社會主義的途徑，而不一定要生吞活剝學俄。這是當時陳氏見解的重點。

自是一連十多天，陳氏獨自一人不論早午晚上便到梁氏住所，坐在竹榻上，上天下地，談個不休；梁則每餉以花生米炒栗子，或芝麻糖。陳于衣食住一切享受似乎與自己是不相干的，更不知道人要錢才能生活。每次梁談都帶有辦書局印刷刊行書報計劃。

陳氏頗傾服「閩學派」，故書局取名「新閩學」，日報和週刊取名「閩星」。書局開張之日，週刊日報也出版了。第一篇文章為梁氏的「論中國政治革命與社會革命應同時並進」。「除掉」傳誦漳垣的是那一篇「家家的竹籬」。當漳城民居大門皆竹籬並地，據說這風氣始于朱老夫子朱熹上漳講學之際，所以杜絕女子窺見戶外云。此以見當時兩報政論而外並致力于開新風氣，而陳氏則在未做孫總理叛徒之先已是個社會傳統的叛徒了，却招致一班新秀才同謀造反。

解放別錄

緣木求魚　·夫石·

留學生說謊

·光榮·

有一位中國留學生，在舊金山駕車，用很快的速度衝過亮着紅燈的大街，一輛警察車從後面嗚嗚地追趕上來。他知道此番犯了交通規則，於是情急智生，他裝作很急的神氣對警察說：『我的妻子正要臨盆，趕着去請產科醫生』、警察一聽，馬上傳口說：『為什麼不快點走呢！』

×　×　×

有一位農夫僱了一位農場工人，第一天他要那位工人將一堆木頭劈開，午時發見那堆木頭全部劈好。第二天他要他將一堆木料搬到附近一所倉庫。他想那位工人一整天也不夠。那知不到中午，以前將三天的工作全部肅清。第三天，他想給那位工人一份輕鬆的工作，讓他換換口味，要他整理蕃薯，將好的分成一類，壞的分成另一類，丟掉。半天之後，他發見那位工人面色蒼白，狀極緊張，待分類的蕃薯却原封未動。他追問那位工人是怎麼一回事。工人垂頭喪氣地說：『天啦！要我決定那隻蕃薯是好的，那隻蕃薯是壞的，簡直要我的命』。

×　×　×

聖誕節前，有一位學生在試卷上寫着：『只有上帝才能解答這個問題，敬祝聖誕』。教授看完了這本試卷後，在上面寫道：『上帝得一百分，你不及格。恭賀新禧』。

×　×　×

美國前勞工部長柏金斯女士，喜歡在電影院裏帶帽子。一次她對後面一位觀眾說：『我的帽子如果礙你的視綫嗎？我願意將帽子脫下來』。那位觀眾說：『大可不必，你的帽子比電影更滑稽而有趣』。（樂光）

絕句七首

·半園·

一水迢迢動遠思，海天樓望月明遲；年來剩有哀時筆，顯茫題去國詩。

北來風鳥傍沙鷗，過地餘瓜亦諱侯；未必海隅終寂寞，白雲還見漢時秋。

固知中國吾家物，所惜靈修浩蕩餘；莫以坑焚能事盡，夜闌橋畔有天書。

眼裏衣冠已不同，桑時屠狗盡英雄；長城既壞胡南牧，楚水吳山燕燕中。

散髮焉能微管仲，九州何以俟奇男？殘山剩水無人識，愁絕風前鄭所南。

昔作稼軒悄渡河，三年一以哀時歌；懷從復楚包胥後，我比秦庭七日多。

九日黃花岡上開，莫愁湖畔天風來；田饒今亦收多士，早把王師取次回。

自由人
THE FREEMAN
（中華郵政登記第三類新聞紙）
（第七十九期）
每份港幣壹毫
督印人：李光罩
社址：香港高士打道六十六號
電話：二〇八四八
GLOUCESTER RD. HONGKONG
TEL: 20848
承印者：東南印務出版社
地址：高士打道六十四號
台灣總經銷處
台北市中華路一二五九號
（台北憲兵隊對面）

以甚麼辦法求團結？

有辦法勝於無辦法，不管對不對，姑且談談個人對於團結的辦法，作為開場白，藉供大家檢討之資。

雷嘯岑

左舜生先生在本刊發表「論團結之道」的文字，希望國內外一切具有反共思想的自由人，「必須以辦法求團結」。是的，今天任何一個主張反共抗俄的中國人，誰也不會否認「團結就是力量」這項常識。可是，大家都沒有提出一套「團結之道」的辦法來，共同研討，以期有濟於事。在朝的，祇是號召國人團結，共赴國難；在野的，祇是不滿現狀，主張民主自由。彼此總在觀念論中兜圈子，結果是不着邊際，毋補時艱。有辦法勝於無辦法，不管對不對，姑且談談我個人對於團結的辦法，作為開場白，藉供大家檢討之資。

先談幾點原則

民主政治為團結的基本條件，這是沒有問題的。如何實現民主？大家的看法可能就不一致了。有的認為現存的一切體制與人事，皆不足以言民主，必須予以推翻，重新來過，這是民主革命論。有的以為可就現存的一切分別改革，使其合乎民主，這是民主運動論。主張團結救國的人，自不贊同革命論，因為講革命即是對現存的一切決不妥協，一問其民主與否，皆在否定之列。而在目前中華民國的現狀下，實際祇容許我們先行對內革命，然後對外革命之餘暇，也決沒有內外同時「雙軍」的革命可能。你對內革命工作尚未完成，共黨的刀鋒已經橫在你的頸項上來了！所以，今日之事，祇能以民主運動來謀團結，而不宜基於現實的利害關係，團結如此，理論上的團結結論，也是如此的。此其一。

在民主原則下，行使統治權的政府（事）與主管統治權的首長（人）不可混為一談。把人與事攪在一起，而認為是某一個人的政權，那是舊時成王敗寇的觀念，在民主政治理論上是說不通的。現時處台灣的中國政府，乃為中華民國的治權所在，如果反共的中華民國人民而否定現在台灣的中央政府，本身便成了無國籍之民，甘受共黨所加的……

其二。既要團結，……大家那國互相反省，一掃私人成見，拋卻因歷史的恩怨是非，相忍為國。在朝的，不要太過自信，以為當今之世，捨我其誰，隨時勁拒人於千里之外，以致形格勢禁；在野的，也得保持民主運動者的應有風格，不要以對人的好惡來作論事的標準，遇事以主人翁的心情，作善意的建議與批評，大家祇要能開誠見以誠，不客氣，不意氣，當無不可妥協處，不能團結之理。此其三。

團結的辦法

大家既然講團結，其中必有妨礙團結的因素存在，如何祛除以使「異中求同」，「同中容異」，即是民主運動者所應注意的團結。現在中華民國的政治組織與運用，是依據憲法而為的，我們要改善現狀，力求團結，首先對於現存憲法，採取甚麼態度？保存，抑是廢棄？如果不要這部憲法，則除革命以外，還有甚麼大經大法可以立國？因此，大家既主張以民主運動來團結全國力量，即應從憲政軌道中想辦法，以期達到目的。

依據憲法規定，政府有若干應該改進的事，目前由於環境限制，無從着手，如立監委員（立監委員）之不能如期改選，即其一例。政府處此非常時期，面對嚴重的外患與無數的內奸，何不取鑒於成功的歷史教訓，召開一次國是會議，把海內外各黨派各階層的代表人物，集中起來，詢謀同計，取得一個反共抗俄的共同綱領，共同實施，以大家來共負責任。老實說，反共抗俄的前途是荊棘叢生，險象萬狀的，只有自欺之人，纔會自我陶醉，一心以為將至，妄冀奇蹟出現，徼倖成功。假若國是會議開成功，由大家來共負責任，此時此際，即不為個人團結，也應該有此必要的。

勇於負責，固然是政治家的美德，但遇事必以「成功自我」的心情，纔能保證不會已經使盡而改路了；別人還是認為恬權自私，大家樂得把責任推說，站在一旁說風涼話，甚所謂吃力不討好，何苦乃爾！關於政府的人事問題，現時原亦有國民黨以外的黨派人士參加，但有人指係「裝飾」，是國民黨包辦，局面以外的好人，就請國外人士來試試看，陸海部長，多延攬，又有甚麼不可呢！當時君主政治時代，御史科道們總得人物，統治主即教他們去實際從政，身歷其境，使他們嘗嘗甘苦而已經試驗過了，是……

不久之前，有位熱心團結運動的民主人士，跟我討論「唯團結問題，他說：「唯一的有效辦法，就是請蔣先生下野！」我當時沒有表示意見，因而以很客觀的心境，仔細思考他這一主張的後果，究竟是否唯一有效？就事論事，假使蔣先生真的下野了，國家前途不外三種：一是依照憲法，由副總統繼任主持全國政務，但這局面已經試驗過了，是……

……了解此情，現在台灣的政治生活，只是艱難困苦的生活，毫無權利與責任義務可言，更不能誘惑大家來試試看，果有旋乾轉坤的奇才，自係國家求之不得者。這些都是政府當局應該考慮的團結致國力量而行的辦法，可以實行的自由言論，再歸以營，必能獲致預期之功用，成果。假使有這種團結方法，而政府依然不能用其團結，那末，亦已盡於我，可告無罪於天下了。

……否唯一有效呢？事實上，「倘擺在眼前，是一代之故，也可說，言之不可也」，國勢許有人認為部分行之，姑不問此言之政權不能代……安當時性質，那時的如何，但亦需治理：經濟各方面的困難，在實現困難，只有比以內……與其更甚乎？現在不易當年，付託給誰呢？鼠能力不容，那危險的代價，則如何可以挑撥起，江山雖不保，而國家喪失政權，……有台灣可去，今日政府尚能命，如果不能保台灣，將士的用命，確保台灣？二是停止其憲法之施行，由非常內外的將軍，以研討，集思廣益，……革命手段，推行職權，……反共人士組織一個政府，臨時首長，政府，執行職務。那末，……恐怕「未來議論未定，敵兵業已渡河」，是我不敢作此想像的。三是……單力則將使友邦援助，……後盾讓國協台灣，然以一……一套民主政治體系，搞一切聽命於外人者，這三種發展情形……

等談理論，則公說公有理，婆說婆有理，可以寫成一本千萬言的厚書，當無補於實際，如果就事論事，比較切實，為蔣先生著想，……有效吧！我並不是說中華民國永遠非蔣先生不可，蔣先生之後，百年之後，就無人可以繼續民主，如果蔣先生作過中國就講，那時我是說過：主張在年以前，我是主張民……革命的一人，……關係國家民族的生存危亡，……狀況，……之際，……能於幻想之時氣，……試了機會，……主觀意念，……民主運動者……做到……抗戰時期，一般人所謂「堅壁清野」……的結果，大家都不要……的危，雖時期……理想……既未，……加過團，……位，而與世俗……

……的資格，我只是著於國家民族的現實利害，「蔣先生」為此時必以「反共」為唯一的先決條件，似乎是唯一的有效辦法。非毛澤東在抗戰時期與蘇維埃政府……也曾宣言……最一致抗日，擁護蔣委員長……大家的共同……是時……一切都不能……，你……內戰……帝國主義的侵略……共人士的……主要的方向……一定要……呢？……一致團結……

一方面要團結，不是過去某政府當局的責任，決不是……口號，也應該……，再說明……正，……博得……公共的……巨潮……府人物……紀的大時代中，……也……

漏網新聞

蘇聯後面，上星期傳出一片咆哮的聲音。美國新科對北大西洋聯防法案規定撥款一億美元，支持自鐵幕逃出人員，組織軍隊，供北大西洋聯軍指揮一節，大肆攻擊。咆們所引述的根據，是美共和黨議員克斯登 Charles Kersten 所說：「這個修正案旨在援助共產國家裏面的地下解放運動。」

克姆林宮說：「這是一件以金錢支持反蘇的惡化行動的案子，違反國際法及一九三三年李維諾夫與羅斯福總統所簽訂的互不干涉內政的協定」。美國務院在答辯時，除掉斥蘇聯支持第五縱隊在各國從事惡化及破壞行動外，並指出克姆林宮所提供的那些事實，毫無根據。

×　×　×

杜魯門總統從基韋斯林說時，一次注意一個小禮拜堂作禮拜。牧師孟斯以「批評」為題，向教徒們說：「聽明的人，能夠接納公正的批評，並能作為良好的運用」。杜魯門對這幾句話深表同感。散會時，他跑上前去，和孟斯握手說：「你的意思是說批評叫的」。因為杜魯門講的是米蘇里的口頭禪，孟斯不解其意。杜魯門把那句話再述一遍：「那是說叫的」。孟斯的處莫明其妙。

聰明的人接納公正的批評。
克姆林宮抗議違反國際法，說廢話的穆薩德。
謎一般的殺俘案

×　×　×

共軍究竟殺了多少美國戰俘，是一個軍事上的大謎。李科上校所發表的數字是五千五百至六千名；聯軍總部發言人中士宣稱聯軍總部確實證明被殺的美俘是三百六十五名。

可是有一位記者，關於十一月十二日（李利聯明前二日）在總部見過報告書，上面預備好一份聯合國的數字，既不是六千，也不是三百六十五，而是八千名。八千名中被北韓共軍殺害的是七千名，被中共殺害的是一千名。

×　×　×

比利時京城上星期出現一位假國王。關得布魯塞爾滿城風雨。一位年十八歲的醫科學生烏希歇外表看起來很像新登位的比王包度恩，在一羣憂心友伴的簇擁下，喬裝為國王，竟得劉偉女生與參觀的地方，警察趕到，將他捉將官裏去。這件事後來傳到真王那裡，國王用人道主義的態度將他饒恕了。

×　×　×

伊朗總理莫薩德上週由美返國，機場歡迎人員異常擁擠。美國駐伊朗大使韓德遜亦趕赴機場歡迎。韓氏於擠出群衆隊伍企圖與莫薩德打招呼時，被扒兒手所乘，竊去了他的錢包。

伊朗國王對莫薩德此行一無所獲，頗表不滿，有意要他退休。莫氏返國發表對國王作了五個鐘頭的口頭報告，描述美國人如何固執，美國人如何同情，埃及人民對伊朗的友誼。第二天，伊王對他的報告，下了一個簡單的結論：「廢話」。

×　×　×

美城市長金太蘭在該城慶祝五百五十八週年紀念會中，特對美軍第八軍軍長范佛里特獻條幅一軸，長達八寸的銅鑰一個，玫瑰花一束，並宣佈范氏為該市榮譽市長。散會後，金市長和該政府議員交換意見，宣佈撤職，表面的理由，是他浪費了幾萬的款項。（何維鐸）

時局漫談

舜生

備戰與裁軍

在世界國家正在劍及履及從事整軍的時候，而在巴黎的六屆聯大會議，忽然有由雙方提出裁軍案的事實發生。當最初美國提出裁軍案的時候，維辛斯基以為非常可笑，乃至笑得一晚睡不着；就在我們想來，也並不以為維辛斯基笑得不應該，因為這本來是有的，他是應該有笑的自由的。

不過仔細一想，裁軍與備戰，乃是備戰與裁軍就是矛盾的，卻也不見得：即在我們從前的戰國時代，儘管若干大國天天在那裏勾心鬥角的從事擁兵，但是熱心「非攻」和「弭兵」的人士，也還是不斷的奔走號呼。

大家都明白，現代戰爭的後果是很慘的，花錢是很多的，而若干新武器的情況，又是彼此無法消楚，能出現一個「像煞介事」的裁軍會議，大大坐下來弄個明白，也不是有無結果，而且是有聊勝於無的。何況即令明天就打，在談的也還是不可，或打完了以後，也依然是要坐下來談的；今天還不曾正式的打，大家也不容說，也就是一種必要的機會更多，一定要說，也就是無益，這實在也大可不必。

可是我們畢竟不是裁減若干軍火，或銷毀若干武器所能有效，最主要的乃在於以裁減戰爭的原因為主，而有一種畫生之見：要求得世界真正的和平，只要裁減若干人力，或銷毀若干武器所能有效，最主要的乃在制止戰爭的爆發，所以限制若干軍火的存在，使擴大乃為戰爭的發生，而年，我們便會見過一度很像樣子的裁軍會議，可是何時一條一條的主力艦，也正是去今三十年以前，蘇聯即已着手從事使歐亞兩洲的準備，她以三十年之苦心孤詣，會無廢兵折矢之勞，便已經赤化了亞洲一個主要的部份，也就正是使得今天整個世界陷於極度緊張的主要原因之一！

老實說，以今日蘇聯用和平方式所已得的結果，已足以繼續用和平方式向東西推進而有餘，在民主一方面所能阻遏的方法，實在是很少。用戰鬥方式所進行的是有形的戰爭，所威脅的是人類的軀體；用和平方式所進行的戰爭，所毀滅的是有形的物質；所威脅的是人類的心靈，所毀滅的是無形的文化，一套蘇聯除外的固有文化。

蘇聯是製造戰爭原因的禍首罪魁，是威脅人類心靈，摧毀人類文化的魔鬼，你們要去和她談裁減戰鬥方式的武力，她是不會拒絕和你們虛與委蛇的；你們要去和她談到徹底撲滅戰爭的原因，她便會對你們嗤之以鼻。

因此，我們看今天的裁軍會議，祇能作為一種有趣味的遊戲，即令就有若干成就，也並不會影響戰爭爆發的遲早與有無。假定蘇聯早在進行的戰爭，她是並不專靠人力與武器的，假能避免戰鬥方式的戰爭，而將是於她絕對有利的。

韓戰停了又怎樣？

天氣已經很冷；雙方也實在感到相當疲勞；一切人力與物資，更有待於補充與調整；好在主動永遠操在蘇聯手裏，願意暫停，固然停一下也未嘗不可，明天再打，也還是隨時可以執行；便在這一種情況之下，於是乎有韓戰停火會議的產生，老實說，這實在是蘇聯對民主國家的一種玩弄，她已經把民主國家的苟安心理和「還為不能共處」的實況，看得明明白白。

即令這次能把韓戰停了下來，但韓戰問題依然不能解決；火頭可能消失，但火種就無法根本撲滅。

因韓戰暫停之故，不出三月與半年，日本，台灣，以及東南亞一帶，便會陷於極度驚擾的狀態，可能是正式的戰爭，也可能是無窮無盡的擾亂，總而言之，決不讓民主國家休息。

因韓戰暫停，中共可能得獲的好處太多：（一）局部若干大國對她的幻想；（二）經濟可能喘過一口氣來；（三）以外交方式向各方滲透的工作更可便利；（四）軍隊可以休息，整練；（八）……大肆宣傳她的的勝利。

民主國家得了什麼呢？美國更得了什麼呢？

論毒瘤

—與「中國之聲」記者提出商討—

·蘇辛·

香港「中國之聲」第六期社論「我們對台灣的態度」，提出了對台灣三種不同的態度，是三個不同的台灣！（一）中華民國的台灣；（二）反共基地的台灣；（三）蔣介石先生個人獨裁政權的台灣。「中國之聲」記者「總括一句話，我們是要台灣的，是要更強化台灣的，但我們不要那支配台灣的個人獨裁的沒落政權。」「對觀念中的第三個台灣……我們認為是一個毒瘤，應有立即割治的必要。」

我們無意與「中國之聲」開什麼論戰，但是「在強敵壓迫的現局勢下，如今決不是再容許作幻想的時候了。」（引用該刊原文）我們要坦白而誠懇地指出，「中國之聲」那篇文章完全是幻想，還是一個矛盾的幻想。從邏輯上看，所謂三種態度是不合邏輯的。中華民國今天與共產政權是不兩立的，也是不能并存的。今天大陸上中共政權的罪大惡極，首在破壞中華民國的國體。中華民國是自由民主的標幟，中共不要中華民國，就是不要自由與民主。中華民國的人民，與中共政權所以不共戴天，要拚死反對它，拚命摧毀他，就因為中共政權破壞了我們的國體，廢棄了自由與民主。所以中華民國今天的反共，是本身存亡的問題，也是它在歷史上的使命。中華民國的台灣與反共基地的台灣，在反共的立場上，實在看不出絲毫的分別。在國民的立場上，蔣介石先生是中華民國合法的總統，所以中華民國的台灣，與反共的台灣，與蔣先生，此三者是分不開的。在中國人民的立場，要反共，要回到大陸，要復興民族，是要台灣。而這個台灣，必需是中華民國的台灣，又必需是中華民國合法政府治理下的台灣。不是國際託管的台灣，不是其他反共國家統治下的台灣。「中國之聲」記者把中華民國的台灣與反共基地的台灣劃分為二，他們對反共基地而非中華民國的台灣，不但不加反對，而且主張將「這基地公開給所有反共的力量—國內和國際—」。這種劃分和這種說法，使人立刻聯想到國際託管下的台灣，甚至聯想於別國反共國家的台灣。如果「中國之聲」有這種想像，那是多數中國人民所不能承認，且必誓死反對的。「中國之聲」對台灣的態度，甚在中華民國立場以外，還另有一中共基地的立場。「中國之聲」從什麼論據上把中華民國與反共分作兩觀？又從什麼幻想，可把台灣與中華民國分列為二？今日之事，如果我們要台灣，必然是要中華民國的台灣，那當然包括反共的台灣，與中華民國合法政府治理下的台灣。「中國之聲」對台灣的三種態度，經不起我們的理論分析，他們立刻犯了何種邏輯上的錯誤，又將在反共的大業上造成何等的錯誤！

「中國之聲」記者「總括一句話，我們是要台灣的，是要更強化台灣的。」我們欣然聽到這兩句話。我們是要台灣，需要一個基地。中國人民反共，更需要切合於中國的一個基地。台灣是今天中國人民反共最切合於需要的一個基地。今天的人反共，為國際性的生存，凡具有人性的人類，都需要；何角落的人，為着自己的生存和利益，有為人類文明的延續上，一方面在思想文化上，一方面在地域上。在地域上反共，除了台灣以外，還沒有一個地方比台灣更為重要。今天中國人民反共工作以外，還有其文化上與思想上的反共工作，這是我們一個明智的決定。所以我們一再提醒「中國之聲」，要台灣，更要強化台灣，中國反共的大業，不容易陷於中共的魔掌。第二，我們結束記者的話，要勝利，不要失敗。四年來，在大陸上，十分痛心的失敗，使台灣在安定中慢慢生長起來，是兩年來政府在台灣的進步，今天我們在台灣能保住這一方面的大陸失敗後十年訓練的機會，使台灣在大陸失敗上吸收了大陸的教訓。

第一個毒瘤是日帝侵略

第二個毒瘤是俄帝侵略

「毒瘤」之名辭，出諸反共人士之口，加之反共堅強的中華民國政府，這豈不是一個天大的幻想！中華民國成立了四十年，在它四十年的生命史上，不幸中了兩個毒瘤：第一個是日本軍閥侵略之毒瘤，這是兩次大毒瘤，也可說出了一個毒瘤的名稱；第二個毒瘤是俄帝共產主義陰謀之毒瘤。今天這兩個毒瘤，使我們國家民族弄到今天「奄奄一息」，毒瘤十分不幸的經過，用了全力去割治這四十年中：第一個毒瘤，我們已經用了全力去割治；第二個毒瘤，又在那裏滋長蔓延，嘗試在國家民族氣息。第二個毒瘤是俄帝共產主義侵略，它原來身上的病根，原來在仙的病體上生長起來的，本來就已經十分嚴重。如果治療不當，以致終於潰爛不可救藥。有人說，他們又是太不公平的，而把割治的責任，完全歸於我們的國家，是中國人民所同心共濟的。今天以赴的一個國家的共同任務。如何設法把我們國家這四十年來第二個毒瘤——俄帝共產侵略——去割治，今天大陸上「中國」是在毒瘤之下，是這個毒瘤的一口咬定，中華民國人民急起直追去割治它，是中華民國合法政府的必要。如果「中國之聲」記者認為應立即割治的是一個「毒瘤」，那麼這個毒瘤是那一個「毒瘤」呢？

歸的幾十萬政治社會幹部；更使台灣在險惡的國際波濤中慢慢得着外援，慢慢引起世界的注意；在物質上，我們有這一塊反共基地，可以培養中華民族的一切反共勢力，使我們可以在現實中自己爭取反共的領導；在精神上，使大陸上全體人民知道我們的國脈，沒有斬斷；又使海外的僑胞，還看見我們中華民國這一塊招牌，自己的祖國，依然無恙；在國際上，使要幫助我們的國家，有所藉手，使敵視我們的國家，也覺得有所阻礙。再換句話說，今天「中國之聲」還能討論對台灣的態度，還能高呼要強化台灣的口號，一切的一切，都因為我們還保持着台灣，

這個保持台灣的工作，是容易的嗎？在這兩年的內外，誰在那裏真正做的？是中華民國的合法政府，是中華民國全國人民堅毅困苦所經營的？還是蔣介石先生所艱苦經營的？選舉，又是「中國之聲」記者所知道的「史太林新殖民地主義」伸張的局勢下，他們守住了一面，保持台灣不落在史太林的殖民地之手，而使台灣在中華民國政府之下，會否保持台灣，使台灣休養生息，以期光復大陸，中興國家，我們在歷史上的這一個政權，精神上，自主上，有立即割治的必要嗎？能說「應」有立即割治的必要嗎？

一個「海外僑胞」看了他們這種議論，一定會誤會「中國之聲」是大陸共黨政權的尾巴，因為只有大陸共黨的「毒瘤」認為台灣的中華民國合法政府是一個毒瘤。台灣的中華民國政府，是中華民族文化的結晶，幾千年的中華民族文明的精髓，目前存在於台灣。他們不得不這樣說，只有自由中國人民在快暢的心，中國的四萬萬五千萬人民必將不忘這一個政府。全世界自由人類，終於認識台灣的中華民國合法政府是「毒瘤」的；就是一個「毒瘤」的記者亦認這一個「毒瘤」的理由：是為了甚麼呢？已向世界及國人說明這一個中國之聲的立場，明白了反共的理由：「中國之聲」記者所以為這一點而出生，他們的反共影響，更對共黨匪徒是一個破壞，是由此而出；正中下懷，分散力量，對全國反共陣線內部，是消散瓦解的作用。

最自尊的人最能責備自己

「我的留滯現職是為贖罪」

蔣先生在歷史上的是非功罪，有歷史作評判。今天我們雖然在說：「國家所需要的是一個能負責的人」，我們不能引用，不能用「中國之聲」記者所說的這一點。蔣先生在過去二十餘年，是否完全是為着私心？這是值得深思的，他的確有不少的缺點與錯誤，但他對國家的責任心，是一個最堅強的人。他許多年來，不顧私人的利益，把國家的利益放在自己的上面；他的堅毅果決，是不能為他人所原諒的性格，也是一般人所不能諒解的。蔣先生的愛國之心，是最誠懇的，他以國家為前提，是一個好的人。

「中國之聲」記者說：蔣先生在大陸失敗以後，始終沒有承認錯誤，這是不正確的。蔣先生近兩年來，對於大陸的失敗，已經有了很深的認識，放棄了過去的看法，他從來沒有表示過，始終承認他的錯誤。蔣先生說：「我的留滯現職是為贖罪」，這一句話，是一個最能責備自己的人所說的。

這種議論，很容易打動一般的聽眾。可是「中國之聲」記者並沒有告訴讀者：蔣先生是一個最自尊自負的人，他的自負，最能責備自己，這才是他的最大的長處。他以此公開表示「我是待罪之身」，以這種沉痛的話表示：我的留滯現職，是為贖罪。這是蔣先生最嚴正的表示，也是對國家民族最沉痛的表白。「贖罪」不是一個官樣的話，而是一個最能責備自己，把一切責任放在自己身上的表示。大陸淪陷，蔣先生是負責的人，而他說「我的留滯現職是為贖罪」，是他不避責任的表現，把這兩年來的艱苦奮鬥作為贖罪的初步事實表現，這是蔣先生對歷史，對國家的負責，也是我們國家中興的預兆。

所以我們認為蔣先生對個人私產觀念是最淡薄的人，他的錯誤，只是在政治方面，只是部份的用人不當，這是一般的錯誤，我們不能完全歸咎於他個人。我們知道，過去根本沒有人相信政治上的個人獨裁，今天總統在政治上所做的一切，是一種什麼樣的事情，我們應該知道，多少的政治上的弊端，是在過去的環境中所形成的。

反共人士應當大家團結

人人有責任人人要悔過

今天的台灣，是中華民國的台灣，是反共基地的台灣，也是中華民國合法政府統治下的台灣，也是中國國民黨主政的台灣，中央與地方當局，對於反共的台灣，沒有任何人民，有對他們的忠貞反共有任何否認，更沒有什麼「共有台灣」之說，何人民，或進出之權，過問政治之權，更不否認其政治上的過失。但是大家認識了「斯大林新殖民主義」到處伸張的局勢下，政府在台灣，各種的限制，是可原諒的，而其用心與手段上的改進，我們的辦法，也不應該不會深閉固拒，今天在台灣的中華民國政府，看了內外局勢的險惡，應該放開胸襟，努力改善，使國家民族得以存亡繼絕，這是政府應當日夕所惕勵的，另一方面，凡是愛國反共的人士，應當大家集合來團結，然後再看我們的所見與所能，貢獻於政府。今天國事之壞，正是人人有責任，人人要悔過，如何使台灣的政權充滿活力，充沛開創氣象，這是全國反共人士共有的責任。如果自己不能負責，而且不能自己的責任，只是對政府的責備，而且不據事實指責，只是道聽塗說，只是對政府負責個人的指責，而且要求個人去負責，說「今天蔣先生的政權，活力已盡」，沒有「此路不通」，又豈有志愛國者所宜出諸於口的！

我們今天的願望，惟在抗俄反共，凡是抗俄反共的人士，我們一概以朋友，「中國之聲」如果真是代表一群抗俄反共的人士，我們對他們的言論行動，無不可以忠恕之心相待，在本文開始時，我們早已申說，我們無意發動什麼論戰，而只是對於所謂毒瘤之論，不能不盡其諍言。（四十，十一，廿七。）

俄偽合辦兩公司

尋鈾專家大動員

遠在去年三月二十七日，「中華人民共和國」和「蘇維埃社會主義共和國聯盟」，就簽訂了一個在新疆創辦「中蘇有色金屬公司」及「中蘇石油公司」的協定。這是所謂「中蘇有色金屬公司」的「有色金屬」與「石油」的合辦事業。協定簽訂以後，「中蘇有色金屬公司」在北京開幕了，由「中蘇」兩國派出委員，組成了「理事會」等，把新疆的鈾礦，交給蘇聯專家管理與開採。

多月以後，沃羅可夫以「蘇聯專家」的名義來到中國。他就任「中蘇有色金屬公司」總經理的職務。蘇聯專家所調查的地質，中共特別批准的學者，都在他們的領導之下。

此外，還有成千的蘇聯專家，分赴新疆各地，調查鈾礦等礦產。

沃羅可夫的奴才

李四光與翁文灝

李四光是一個地質學家，在中共所謂「自然科學」的名單之中，為他們所重視。他在「中國科學院」任職，為中共的地質工作效力，如今已成了沃羅可夫的奴才。翁文灝是一個地質學家，也是「老大哥」所重視的人物。

土伊迪爾博士過港談
韓戰停火一定失敗 中東是世界火藥庫
土軍在韓作戰精神極佳

【本報記者專訪】土耳其駐聯合國屬下韓國復興委員會代表伊迪爾博士（Kamil Edil）二日晨由東京飛港，轉返安哥拉述職，經記者之請，暢談其於旅邸，離港半小時，所談即係韓戰。伊氏首先指出他在離開東京前一年間，從中共於去冬參加韓戰起，便一直認爲這個局面，雙方已成騎虎之勢，無法講和。他說這一次在開城及板門店數度的會談，共方處處推拖，一波未平一波又起的僵局，共方的態度堅定，再用以辯證法的立場，是不容易克制的。聯合國出動的代表，頭腦雖極清楚，立場亦很穩定，但雙方顯然都不能吻合。他對停火一事，以決斷的口吻，認爲一定失敗。他還說停火談判只有更顯露聯軍部份人們發生興趣，前線和東京軍方只是冷冷底注視着而已。

在共軍方面，他認爲是一個拖的局面。利用停火談判，利用冬季冰天雪地聯軍無法攻入時，後方可以增兵，鞏固機構，趕工事，以備來年春季作較大之攻勢。他說這個看法，東京盟總作戰部亦未嘗不知道，只是李奇威的權限太小了，一切計劃，無法運用。

中東方面的局勢，伊氏認爲明年頗有問題，他指出中東方面經濟太弱，一般人民生活水準太低，頭腦簡單，民族主義觀念太強，排外運動四處潛伏，中東實在是今日世界的一個火藥庫。中東的位置，在政治漩渦中是夾在英美及蘇聯的兩大勢力之間，蘇聯看透了中東一般人民對歐美國家及其主國的侵略勢力，便利用這弱點結好於中東國家。伊氏說：「這實在是非常危險的，至少是在心理上言」。

論於土耳其的地位，他說今天土耳其，自從加入大西洋公約後，是絕對遵守聯合國與大西洋公約的決策，土耳其的軍隊，一定爲聯合國及大西洋公約國家，作堅制世界上任何一個角落的侵略所用。他對於土耳其軍此次在韓國的表現，認爲相當滿意，他也說「土軍作戰精神好極了，已故美第八軍軍長華克將軍，曾稱讚好土軍作戰之英勇」。

按伊迪爾博士現年五十歲，生於一九〇一年，爲現任土耳其內閣閣員之一。爲土耳其研究細菌學之專家，一九二一九年曾獲美煤油大王獎學金赴美深造，一九三一年赴巴黎入世界著名之巴斯德細菌研究院。五年後返國出任全國衛生局局長。一九四六年出任內閣閣員。一九五〇年奉派至東京，爲該國駐東京聯合國機構之代表。（黃仁恩）

官僚主義帶來災難 重慶鬧市沒有水吃

【本報重慶特約通訊】匪幹將官僚主義，給中國廣大人民帶來了無邊的災難。重慶市近爲翻修市區馬路，竟使七星崗、大坪、中一路、陝西路、及打銅街、銀行巷、都郵街一帶鬧市，居民斷水近旬，人民感出困厄，訴苦無門。

據證實自來水公司發言人事，生於[illegible]公司缺乏[illegible]民高、[illegible]因無[illegible]幹，擅斷獨行，[illegible]自以爲是。今年十月，爲[illegible]翻修馬路，因特以水管甚多，工作特忙，該公司工人幾[illegible]，必需增加臨時工，始能保持供水，不[illegible]生意外，擬因增雇臨時工，又需公司化錢，將原來臨時工也一律[illegible]，不由不予整理，[illegible]解雇。工人因錢夜辛勞，半數病倒，因此工作進行大受阻礙，七星崗、大坪、中一路、陝西街一帶有五千呎水管，銀行巷有四百呎水管，打銅街有七百呎水管，都郵街有二千呎水管，均被取消，僅此項損失總[illegible]。工人三天三夜不能休息，不但不予照顧，且[illegible]。[illegible]工人手腳太慢，[illegible]由於人手太缺，[illegible]顧不了腳，上述各地有十天左右都斷了水，工人要加班發，顧不批准；用戶跳脚又水，[illegible]不接受；並在[illegible]在會上大肆咆哮：「我又不是工人，老百姓沒水吃，怎麼怨我；我不對，你們同老百姓聯合起來鬥爭我好了；企業局整我不行，再到人民政府，人民政府不行，再[illegible]」。

人民義務是什麼 出錢出力打美國

【本報北平特約通訊】三年多「解放」生活的體驗，北平千萬學生如火如荼的熱情，業已熄得平平靜靜，個個都存着「國家事管誰娘」的心理，不問政治的現象，普遍蔓延。北平市中等學校近舉行了一次時事測驗，被迫參加的國、省、市、私立中等學校七十九所，學生共四萬八千零六十五人，該校學生及格者佔百分之一。三〇

有一測驗題：「中國人民的義務是什麼？」學生的答覆：「出錢，出力，打美國」。有一題答過「資本」的概念：「是[illegible]」有的竟是「是共產黨」。有的答「是毛澤東」。有答：「是朱德」。有的答「是[illegible]」。[illegible]老師都沒有，有一題問「敵後區選舉誰？」有答：「是毛澤東」。有答：「是朱德」。有好多學生[illegible]，[illegible]「抗美援朝」不能再繼續了，再打下去，[illegible]國。（[illegible]，十一月廿六日寄。）

銷向西南軍政委員會，或者再告到毛主席那裡去，我就是要借，我就是要[illegible]。」咄咄逼人，全不講理。

市區自來水管修好後，黑水了的工人東文安想向公司預借一比工錢（每月發工資兩次，十五天發一次），他便向[illegible]准借，並說：「你借錢，借出了」，給公司要的「工人代表」來了，他救他，他病了，你救救他，先「翻身大鬧脾氣，說你的這種報告是扯蛋」，「這給你這是調情的[illegible]，以爲是你的狗，就[illegible]」。

破銅爛鐵亦被搜括
寇崩潰前夕如出一轍 家藏銅器全部自動捐獻

【本報上海特約通訊】爲了製造殺人的槍砲彈藥原料異常缺乏，中共又在打銅鐵的主意了。據偽上海市工商局調查統計，全市有需用銅的行業有四十多個，用銅製成的產品有六百多種。在「抗美援朝」的大題目下，「鞏固國防」的，現決定除接觸器、電纜，需要國防機關的（如電線、化學儀器），高度精密性的（如器零件及其材料），以及他們應用[illegible]永久歷史性紀念品的和長久歷史性紀念品以外，其他產品以外，生活必需品，人要修繕的，一律隊伍[illegible]並[illegible]「自動捐獻」。這些設計國防原料的產品，據偽「工商局」的指出：一銅鎖，每月耗銅三十萬斤；鐵館，每月需耗銅十四萬斤；熱水瓶，每月需耗銅十一斤；拉鍊、搖鈕，每月需耗銅十三萬斤；插箱、拉手、窗鈎等，每月需耗銅三萬六千斤；其他爐子、腳爐、香爐、燭台等，每月要耗銅十二萬斤。

在匪幹威脅義務下，「民主婦聯」通過[illegible]日已出發赴各里弄宣傳。她們說：「我們單單把過路子、腳爐等廢品節省下來或捐獻出來的話，用在國防建設方面，譬如說造子彈，每月就可造成六百萬發，這些子彈，在朝鮮戰場上，可發揮多麼強大的力量！再如用來製電線，每月就可製成十八號皮線六百七十七萬公尺，可拉成一萬三千多里的線路，相當於黃河長江，和黑龍江三條河流的總長度。」猶豫搞寫，[illegible]只是[illegible]鼓勵你們的銅器全部捐獻。

[illegible]人的行爲，工人都說：「他不管心了」，說：「他簡直是官僚作風，」他們搞來，「還得搞」一鬧，便「搞頭子」了，這個一連串的「我們搞的」，「窮民的」反抗，「這一通，全是翻，還給工人一點子[illegible]」，「這是他們的作風是」這是他們和共工人，[illegible]比的憤怒，像火山一樣，還學習總的[illegible]，由於頑民高官僚主義的作風和奴役工人[illegible]。（餘生，十一月廿七日寄。）

「自動」捐獻，而對於匪幹濫交銅器「紀念」徵耗，月需耗銅一字不差，上萬担事，則一字不說。對於鐵，匪幹亦正迫令工廠工人作牛馬，不問公私營工廠，自十二月一號起，均需組織「借鐵組」，每天要在上班前一個鐘頭內進行借鐵工作。假如今後在垃圾堆發現了舊洋元，被頭，鋼刀，凡爾，本螺絲等，工人不但要受處分，並且要罰薪水。如此，中共此種行徑，與對日抗戰時，日寇潰崩前夕，在淪陷區搜括民間銅鐵之行徑，如出一轍。（悠然，十一月卅日寄。）

新貴人心冷如冰 老百姓依舊遭殃

毛王在「北京」稱帝後，封陳嘉庚「中央人民政府委員」，爲他榮歸故鄉同安時，鄉親爲之吹打歡迎，百姓夾道，歡迎的尾巴還緊緊地夾在屁股後面，欺騙的戲法不但瞞不了所謂「民主」人士，也騙不了大部份善良的老百姓。

陳回到同安，在他舊日私宅休息幾天，對「人民政府」請他對全城百姓作公開講演，當時他被選歸來興奮異常，把「新中國」新政策和中共「賜光榮」的工業如何發達，人民「翻身」後的生活如何美滿，一陣，並且安慰他的故鄉父老鄉親：「經過失掉主權的競爭，勸他們在着一時，不久將來生活決定可以好轉」；翻來覆去講了三天，老百姓聽膩了，幹部們「老黨」，但這次是從鄉長陳嘉庚說出來，才覺得似有幾分可靠。

陳嘉庚正經的在鄉感的歡醉中，一個不尋常的事情發生了。同安縣「公安局」竟將他獨資經營多年的集美汽車公司的總經理逮捕，在抗戰時期曾在軍中服務的門生，勝利後，集美復業，就一直是陳主持這個汽車公司，那曉得到頭來被當作「反動份子」，拿把這個「國特」帽子給這位陳「中委」，此時陳正在大吹大擂的鄉毛朝官傳德政呢。「公安局」還算給陳面子以「隨傳隨到」條件把莊保釋出來。

當陳巡視同安各機關到「公安局」拘留所時，發現不少是他親戚朋友，他有一個當時親身的表侄，竟痛哭失聲。陳走到「公安局」看了幾卷，召他表姪關照一番，但在他巡視過後，看上手銬腳鐐反綁背捆了一些給他表姪帶上。陳在故鄉呆了很久，聽了一些意料不到的事，親戚朋友，有的被「公安局」找去談話，有的放回來。

這時期與事實插曲了他心認爲「共產黨份子」的想法，同時也否定了他講演的對此地父老們的信且是人民的反映，共產黨官僚不一致，陳不免有些失望；但他還認爲這是地方幹部的「偏差」。在離開同安時，又應邀作一次講演，但已沒有上次那樣起勁；可是他仍替共產黨辯護，一個舉上，他的小轎車，剛上奔向廈門去的公路，不到四十分鐘，莊慶斯又被抓起去，逮捕後沒過一天，那以「國特」罪名把莊槍斃了。陳聽到這個噩耗後，簡直懊不欲生，以至內心對共產黨僅存的一點幻想，也冷到冰點，從此形消色沮，一直鬱鬱不樂。在這幾年來所受的寂寞生活，每當故人和他談及政治時，他總是「不置可否」的態度，常常搖頭嘆息。聽說他隨回「京」，出席「三次政協」的會，據說在開會時，會也不如一，說話不如二，憂鬱困頓。

「最近，他的親戚和朋友，都聽到同安縣幾次他的講演，和雜誌告訴老百姓，由他都語氣，和態度裏，可以窺見王朝的收場和秋歌上水銀柱降落到甚麼程度。（丁庶）

莊慶斯慘遭槍斃 陳嘉庚黯然神傷

香港三日繽紛錄

美民主黨參議員遠東小組委員會主席約翰·史巴克門一日清晨抵港，那天上午休息，下午四時起程，還僅六十一歲的老朗兒表示他極了，當天下午便與美總領事麥克孜尼等八人討論遠東與東南亞局勢之情勢。但當中央通訊社記者代表約翰·托上校（「自由」人）訪於京華飯店的一段事情。美方對此事十分注意。現在是否「自由」殺人謀殺，在雙方未調查清楚前，無法判明。二日下午史氏偕同美駐港武官赴新界一行，他表示非常有趣，說這是「遠東的遠東」，得能抵此，亦三生有幸。有人問他，今後美國對台灣之援助，應該如何加強？他對這個問題，略加思索乃說：在現階段中，我們援助台灣，仍以能足以自衛爲能事，至於反攻大陸一點，必須先解決了政治、軍事問題。自衛備問題，雖然已甚於軍事成份，但經濟保衛政治保衛更爲重要。關於歐洲一點，他表示現在時機未到，因現在台灣仍在杜魯門中立化政策下。但他指出國軍即使要用，也不一定在韓戰場，主力戰場不在韓國。他話中有因。有人再追問下去，他乃道：「軍事問題太專門了，恕我不能答復」。

美參議員史巴克門談「國軍即使要起用也不一定在韓戰場」一話中有因

×　×　×

民航空運公司董事長陳納德由台北飛港，他表示現在中國的空軍比在大陸上進步，特別在管理方面及機材之整頓，均比大陸時代節省。他說中國的空軍制度，是從頭至尾抄襲了美國的一套，組有好也有壞，在技術方面確是都配合了各項要求，但在保養方面，是太浪費了。他說美國空軍也犯這個毛病，但所幸美國供給來源大，根本無需物資與零件的缺乏。這在今日的台灣，確是困難，但這一點困難能是克服，在整個軍需，我是一個偉大的供獻。他對於中國政府回返大陸一事，表示百分之一百的不懷疑，他說「我們有這個信心」！

×　×　×

總統府國策顧問[illegible]一日由台北飛港，次晨轉機飛巴黎。就氏此行[illegible]，但據[illegible]方面傳出消息，[illegible]。

×　×　×

荷蘭駐印尼高級專員公署代表摩勒，於一日乘泛美機由印尼經星加坡抵港。其中有二百三十名[illegible]返大陸[illegible]。

據陳氏表示：在印尼方面，對過去政府如何，印尼則能無多大限制。惟在印尼，必需提有保證。而從今日印尼的經濟情形，還不能走上軌道，一切的在動盪不定中。[illegible]少力量，但印尼一般教育水準太低，技術不夠，領是最大的缺點。他表示在經濟危機中，印尼是今日遠東最危險的一個所在地。人民易於衝動，不易控制，是一個多事之秋的地方。

他去年亦會去過英國一次，自己是留英學生，爲今日國民政府中唯一的親英份子。去年到英國做聯英工作，今年仍是做聯英工作。據說他先到巴黎和外交部照會一談，打聽「行市」後，然後去和保守黨的新閣，再拉關係。這和本月中要到台北去的怡和洋行董事長約翰·凱斯威克，有異曲同工之妙。

×　×　×

英女作家愛沫萊·漢寫蔣介石傳 蔣無疑爲今日世界上四大偉人之一

英國女作家愛沫萊·漢（Emily Hahn），最近由倫敦抵港，擬在港留一週，飛台北，她在此間向人表示，她最近應英國「哈潑思」（Harper's）雜誌寫「蔣介石傳」。她已寫信給蔣總統，她說不知蔣氏能同意否？她對蔣氏之人格與言行研究了已近十年，自認頗有心得。她說：「蔣是無疑的爲今日世界上四大偉人之一。」那便是羅斯福、邱吉爾、史太林與蔣氏。但她指出這四個人的個性都非常堅強，智慧都是非常豐富。她承認這本小傳寫出來以後，一定可以風行於世。

×　×　×

土駐韓陸軍司令葉黌少將談 共軍人海戰術已不是取勝最重要的因素

土耳其駐韓陸軍司令葉黌少將二日由東京飛港，轉道返土就任土耳其陸軍裝甲兵團參謀長，抵港時他盛稱土耳其陸軍在韓作戰，士氣甚高，有非常傑出之表現。關於共軍人海戰術，他說在初期作戰時，確佔優勢，但已發揮到最高潮了。今後人海戰術已不是取勝的因素，但人力的因素在最後決戰階段上仍是相當重要，但他指出聯軍配備及火力都較共軍強，因爲地面的占領步驟，是必須要用人力去完成的。他指出蘇聯和其附庸國的力量便在這個地方。作戰之始，美方低估這個力量，戰略上造成錯誤。這位老軍人，從軍三十九年，打凱末爾總統革命時，他便參加在騎兵旅中任中尉排長。（一成）

談「反陶淵明路綫」

·尚方·

中共軍政工人員在朝鮮戰場上搞宣傳，以文字圖畫激起聯軍士兵們的思歸之念，再加以聯合國所採取的「不勝不敗主義」，確實對士氣發生相當影響。

可是，道士們常時為人畫符唸咒，驅魔嚇鬼，自身有時也不免為鬼所祟，弄得有如廣東人所說：「鈴鈴都丟埋」！最近中共在韓戰場的共幹們大罵其「反陶淵明路綫」，就是道士丟埋鈴鈴的活證。「歸去來兮，田園將蕪胡不歸？既自以心為形役，奚惆悵而獨悲？」凡在高小唸過書的中國人，都能哼出陶先生這幾句歸去來辭的。共幹們在前綫不斷的向聯軍士兵傳播「思歸引」「念家山」這類厭戰思想，當然在自己陣營內也要發生同樣心理，人總歸是人，大家都具有人性的。何況無故被中國人離鄉去國，替別人賣命，所為何來呢？看共幹們喊出「反陶淵明路綫」的口號，即知所謂「志願軍」的士氣之消沉低落，相當嚴重，其程度一定超過聯軍無疑，因為聯軍的裝備與生活，較共軍優裕多了。

陶淵明還寫過「桃花源記」，那是一種反專制逃避的寓言，所以有「乃不知有漢，無論魏晉」的感歎詞。共幹們是否祇教人反「歸去來兮」，而不許人說「不知有漢」的道理呢？這種密切連貫的思想體系，就決不是「人是猴子變的」那類社會發展史觀所能抹煞割裂啊！

無故為他人作嫁，驅萬民喪生於異域，不當自尋死路，與其倡言反陶淵明路綫，心勞日絀，何如說「反民族自殺路綫」之切合實際！

自由談

思想改造

（三幕劇）——嘉華——

第二幕　改造

佈景：內地的人民政府辦公室。

時間：卅九年初夏。

人物：辦公室的主管，胡××，共幹甲、乙、丙。

主管：你就是熱心替人民工作，由××調來的胡××？

胡：是……請你多指教！

主管：呈來的公文，附送坦白的自傳，是你的吧？很夠坦白和詳細，好得很！

胡：是的！

主管：你要把它唸熟，隨時要背出來，一個字也不能含糊，……現在你把抄本拿回去，多念念！

胡：（接過了自傳，看了一看，目瞪口呆）還還……不……不是我寫的……我沒有幹過特務，更沒有侵吞公款，盜賣過器材。……再說……我的母親也沒有野漢子叫做張四、李三、王七、趙六……！

主管：這沒有關係，……我們雖然不講形式主義，可是既然已經呈來的公文，可不便更改。何況這些事情，也不算得甚麼，你的資產階級的觀念根深蒂固，所以認為很嚴重，……祇要弄熟了，思想改造過，就可以永遠成為人民一份子了！

胡：……

主管：我可以派兩三位同志幫你弄熟它！

胡：……（幕下，旋即拉起，主管退，甲、乙、丙出場）

共幹甲：喂！雖然背出來，可不能算熟！再來！

胡：（背誦如流）……我在八年前參加特務……侵吞過公款，買了十八畝田，二十隻牛，……又盜賣過……我的父親恃勢強姦過……

甲：喂！老乙。你來幫他忙，我要登坑去！

乙：唔！你去。（對胡××瞪一眼）

胡：同志！我背得出就算了，你看，半夜十二點多，我不累你也該累了。

甲：甚麼十二點多！十五點還是要背再念！

胡：……我在八年前參加特務……侵吞過……

丙：再念！

胡：同志可憐一下，我日夜不停的念，已經念了三個月，少說也有十萬八千遍了，難道還不熟？

丙：熟也要繼續大力的念！這種思想改造，比淘毛坑挖煤礦的勞動服務舒服得多了！

胡：歇十分鐘行不行？我已經背得糊糊塗塗了，讓我醒一醒腦子！

丙：不行！想替人民服務，腦子就不許清醒，念……再念！

胡：……我在八年前參加特務……（幕下）

胡在幕內朗誦：「……我在八年前參加特務……侵吞過……」（聲音愈念愈低沉）

第三幕　公審

佈景：一座講台，台前站着許多民眾，台上站着人民的審判員和解放軍的戰鬥員。

時間：四十年的春天。

人物：審判員、胡××、戰鬥員、民眾甲乙、以及一羣活動的佈景。

審判員：今天公審特務份子。你們民眾有冤報冤，有仇報仇！人民政府將以你們的意見為意見！

（民眾一陣鬨然騷動）

戰鬥員：（拿槍桿攔住後面的民眾）他媽的！別擠。叫你們來看熱鬧，你們還要吵。誰再出聲亂動，我揍你王八旦！（胡××被押解出場）

審判員：（指着胡××）你就是胡××？

胡：（眨着雙眼）我叫做胡××……我在八年前參加特務……

審判員：我還得問你，先別往下念。（稍頓）現在你可以說了，你是否反動派的特務？

胡：（瞪着眼）我在八年前參加特務……侵吞過公款買了……

審判員：（對着羣眾）你們聽見他的話沒有？這個照人民的公意應該判死刑，死刑！這是你們的公意！

民眾甲：（悄悄的問乙）你聽見了嗎？這是我們的公意！

民眾乙：（吐了口唾涎）奶奶的！我可不作這個孽，頭上還有着天呢！

（幕下）幕裏傳出一響槍聲

（完）

王倫論

（水滸人物論之一）·舜生·

當晁蓋、吳用、公孫勝、劉唐和阮氏三雄劫了「生辰綱」，殺死了許多官兵，還割了何濤的兩個耳朵，便一直去投奔梁山，這在他們原是走頭無路，只此一策，其入夥的意思是十分真誠的。假定王倫稍識大體，或略有自知之明，晁蓋等上山以後，在梁山[illegible]飲讌中間，聽他們敘述過去的歷史，又看見阮氏三雄既那樣了得，心裏已老不自在；[illegible]又把他們送到關下客館安歇；其無收留之意，吳用固已看出；而林冲之大可利用，[illegible]。次日天明，林冲果然便到客館相訪，[illegible]受委屈，吳用第一步便讚美林冲如何豪傑，並同情他[illegible]；及至林冲說出王倫「心術不定，語言不準」，其勢不肯相留，吳用更加「心地窄狹，嫉賢妒能」，[illegible]兄」再表示要走，林冲「不要這等說」，乃弟兄[illegible]怒不可遏，[illegible]說甚弟兄！」晁完便匆匆告辭而去！這一幕當然是火併的前奏，可是王倫依然在睡夢裏；居然備了一席，設在山南水寨亭上，為晁蓋等餞行；又擺出五錠大銀，以表敬意；並其說明不能收留的理由，便是「糧少房稀」，並運用酸秀才的修辭，說：「敝山小寨，是一洼之水，如何安得許多真龍！」林冲聽到這裏，便雙眉剔豎，兩眼圓睜，坐在交椅上大聲喝道：

「前番我上山時，你也推道糧少房稀，今日晁兄與衆豪傑到此，你又發出這等言語，是何道理？」吳用看見這種情形，依然做好做歹，一面勸林冲息怒，不要壞了山寨情分；一面並說明只怪他們來得不是，表示要走。林冲道：「這是笑裏藏刀，言清行濁的人，我其實今日放他不過！」已經演到這一步，王倫還是糊塗，大罵林冲「畜生」，說：「你又不醉了，倒把言語來傷觸我，卻不是反上下！」晁吳等眼看就要動手，便起身，表示走下亭子；於是林冲把桌子一腳踢翻，從衣襟下掣出一把明晃晃的刀來；晁蓋、劉唐，便立即走上，阮小二便看住了杜遷，阮小五看住了宋萬，小七看住了宋貴；林冲乃拿住王倫，叫道：「你是一個村野窮儒，虧了杜遷得到這裏，柴大官人這等資助你，賙給盤纏，與你相交，又舉薦我來，尚且許多推卻，今日衆豪傑特來相聚，又要發付他們下山，這梁山泊便是你的！你這嫉賢妒能的賊，不殺了要你何用！你也無大量大才，也做不得山寨之主！」於是指着王倫的心窩便是一刀，再一刀，便把王倫的首級[illegible]，宋萬、朱貴便一齊跪下，高呼：「願隨哥哥執鞭墜鐙！」王倫原有幾個心腹，此時也早已閃避得無影無蹤！（四）

萬竹樓隨筆（五二）

新秀才造反（下）

海濶[illegible]

閩星日刊在本省迅速發生巨大影響，而週刊且遠及國內與南洋。不過如上邊說過，華北華中華南在一種不規則勢力之下，又復譯為說「過激派」蔓延到八閩去了。其時蘇俄制定憲法公佈，梁冰弦轉據英文重譯，而每一條文詳加解釋批評，凡十餘萬言，題曰蘇俄憲法評釋，分期排登週刊。華北區社會主義者同盟分子之蘇聯迷，對於不苟同于蘇維埃政府無限威權深致不滿，激烈分子主張解散同盟，各從所好，持重者發出叫囂，瞬歸寂息，然中國的社會主義者中，對蘇聯信仰持一面倒態度者已不無其人了。

出版事業略就緒。陳炯明即分其注意點于教育方面，組建議暫免變更區民合治制，于總部下增置閩南護法區教育局以司教育行政，從事于充實改良，與財政工務兩局併而為三，均直轄于總部。朱執信贊其議，陳即據以實施，並要梁任局長，梁主張請陳獨秀來承任，去信上海挽人徵其同意。旋得復稱陳銳意辦「新青年」，又方設學校籌同盟謀發展，不欲他去，梁遂迫得擔為充任。一月工夫，號召各省同志來局凡二十餘人，這一機構遂告成立。

教育局建置伊始，主事者以兩項工作發其端，即召集一教育會議，全區二十六縣縣長暨教育科長，區內中上校長均出席，藉以聽取各縣教育概況的報告，各人改進教育的提議。繼之出巡以週視全區。這麼一來，可免于閉門設計，終日行文為事。

會議中有來自邊區僻縣的校長，竟提議派員赴蘇俄考察那新興社會主義國家的教育政策。那時候歐美各國還對蘇經濟封鎖，中國朝野多掩耳不願聞「過激主義」，這一提議人登時為親蘇所集，案子當然遭否決。

會議之第三日，吳稚暉，李石曾和胡漢民聯翩至漳，欣然作臨時講演。吳老大談文字逐步改革，盛倡採用注音字母。李老大談青年赴法勤工儉學，賢明父母為子女移家就學。展堂則大談革命哲學，民主革命之方法與目的。

陳老照例以十二元一桌和菜款待若賓，席間有人問稚老，華北有些五四運動露過頭角的青年，很有意要造成中國布爾什維克，在民主革命還在蹉跌中，試究竟有無必要？稚老說，須得分開理論和現實來講。理論方面，甚麼馬克斯牛克斯那一套，十幾年前我們在巴黎新世紀報上已作過很多的辯論而終于反對它。現實方面，社會革命起于一國亦自有其條件，列寧這究竟葫蘆裏裝的甚麼藥，尚未鑑別清楚，大半個世界嚇慌了手腳不知所措固然可笑，蘇俄果真是苧蘿村中美人嗎，那又非效顰便能變却東施之醜的，中國若有了急色兒的青年，只不過是出于衝動，要之肯往革命路上奔，縱然瞎闖也勝于內在書房裏吟小詩玩法帖呀。這一席話使得座上與聞的人各有尋味。

在這當兒，社會主義者同盟華北區有人提議充實組織並且直截選名中國共產黨，已有過半數分子同意，華中區則贊同的僅十之二三，而閩南區則全[illegible]

[illegible]陳獨秀所左右，陳獨秀對於這運動只有一層，不過[illegible]稱什維克化，而步驟的主于民主政治成。什麼他答覆梁冰弦邀請的來閩主辦教育中有一段的話：「……我期望當維克的實際力和手段來革中國教育的革命，必先使次殖民地翻過身來張的嚮前進之路……」這顯然是正復相同，是現實的；至於思想在華南的為純蒲魯東學派，不苟同更何有于列？對布爾什維克，固許為先進勇士，卻未必就是師傅。

閩南小局面，國內漸漸認識不止是個軍閥割據的小王國了，教育局同人在學生體育競賽大會中散發一些革命性的傳單，台灣的日本人大驚失色，向嘩叫嚷過激黨巢穴在漳州，可能燎原的，那知道始終是一些新秀才在造反而已。（七）

·華盛頓二三事·

——冰峯——

華盛頓成功的原因之一，是他有一個不怕死的決心，當他的部隊被圍困在佛奇流域時，戰況萬分危急。有一位議員和他商量軍國大計，[illegible]突然有一陣風，紙片落在那位議員的腳上，他拾起來一看，見上面寫着「不勝利，毋寧死」。

[illegible]

解放別錄

自由人

THE FREEMAN

（半週刊每星期三六出版）

（第八〇期）

每份港幣壹毫

督印人：李光澤

社址　香港高士打道六六號

電話：二〇八四八

GLOUCESTER RD. HONGKONG

TEL: 20848

承印者：東南印務出版社

地址：高士打道六四號

台灣經銷處

台北市中華路一二五九號

（台北憲兵隊側對面）

革命與政黨

錢穆

中華民國這四十年來，一切人物，一切思想言論行動，幾乎全捲入了革命與政黨之兩個對象與活動的圈子內。我們應該把此兩觀念，再重新來加以一番分析和檢討。

革命的初意，本來是專指由社會來革政府的命，而後來卻演變成由政府來革社會之命，這兩個觀念顯然不同。社會向政府要求民主，爭取自由，於是而有革命。照理言，在那時，只該有革命黨，即來領導社會從事革命的黨。革命黨卻並非普通的政黨。要待革命完成，民主自由的政府建立起來，那時纔因社會意見之不同，而有分組政黨之必要。政黨與政黨之間，只有政治活動，而無革命行為。社會對政府有革命，政黨對政黨，則只在爭取政權而無所謂革命。這是指革命與政黨之常態的分析而言。

馬克思主張無產階級之革命，革命完成，即是無產階級專政。在無產階級專政之下，應該也可有政黨。因為那時全社會只有無產階級，更無資產階級，無產階級專政的政府，照理應該即是一個全民政府，如是則即是一個民主政府。民主政府應該讓社會以自由，無產階級專政，也該讓無產階級以自由。那時的無產階級，即是全社會。全社會對政治意見有不同，自該有政黨活動出現。

蘇維埃的革命，並不如馬克思所想像的所謂無產階級革命。而是在革命完成以後來強力製造無產階級。於是變成了由政府來革社會之命。這自然不許社會另有政黨。而那一個政府黨，卻變成依然是一革命黨，而非普通之政黨。今天的共產黨，即以此一姿態而出現。

孫中山先生所倡導的國民黨，最先本是一革命黨。革命黨應該代表擁全民的共同意嚮的，即向上層政府革命而爭取全民之民主與自由，能言距楊墨者，皆聖人之徒也。只要擁護民主和自由的，全是革命黨，全是同志。因此革命黨遂不同於普通的政黨。在普通政黨間，不妨有政見紛歧。革命黨則只有共同目標，更不必再分黨。待革命完成，革命黨即功成身退，普通政黨即接踵繼起。這即是孫中山之所謂還政於民。

孫中山在北京臨終時遺囑所云革命尚未成功，在當時是真實的。待到國民革命軍北伐勝利，組織成了國民政府，全國大體上統一了，那時的國民黨，卻仍誦總理遺囑，仍說革命尚未成功，那豈不形勢顛倒，變成了要由政府來革社會的命嗎？政府要革社會之命，這一政府，必然會變成一黨專政之政府。而此一政府黨，則並非普通政黨，而依然是一革命黨。這又與共產黨分別何在？社會成為政府革命之對象，這叫社會如何能放心此政府？無怪那時的中國共產黨，要藉機再以在野革命的姿態而出現。

抗戰勝利，中共的勢力逐步抬頭，那時他們的口號，是爭取民主，爭取自由。是他們的同路人。他們是在野的革命。只要反政府的，他們都盡力爭取拉攏，認為今天中共已確實掌握到大陸的實際政權了，於是纔正式開始它第二步的革命，即由政府來革社會之命。此是在朝革命。因此他們對外是一面倒，對內是人民民主專政。經濟上的殘殺鬥爭，思想上的極權改造。極盡其在朝革命之能事。於是迫得中國社會要再來革中共之命。

今天退避到台灣的國民政府，就法理言，它是中國唯一合法傳統的政府。但就實際情勢言，國民政府又應該是一個處於領導國民革命的立場而來重返大陸，推倒中共極權統治的革命組織。如是則今天的國民黨，實處在一複雜困難的局面中，它該認清目標，改變作風。就法理與實情，雙方兼顧，來打開一出路。今天它不僅是一個在朝的政黨，而又應該是再做為一個革命黨，縱使它一時擺脫不了一個普通政黨，即平常政治上的所謂在朝黨之任務。時代需要之對大陸革命的職責，而同時它必須善盡其為平常所謂在朝黨，是有它一套政治意見，而為全國民意所擁護，而獲得其在朝掌握政權之地位的。今天的國民黨，實際上已失卻其在中國大陸掌握政權之地位。今天大陸民衆已無表示其是否擁護國民黨政治意見之自由。因此國民黨儘有最好的政治意見，已無法獲得其所應有之政治地位。於是只有迫得它改取革命黨立場，即不論自己的政治黨見，只要反共的，只要爭取自由的，大家集合，來共同革命。這是革命黨的姿態、今天的國民政府，固不能不顧到法理傳統，但亦不能不顧到情勢要求。它總該有一變通與改革，只有希望革命成功，大家的政治自由重新獲得。那時各黨各有各的政見，各黨從事各黨的活動，來爭取民意，獲得政權。那時纔是普通政黨活動之場地。

國民黨往日的錯誤，在其已獲得政權之後，不能明朗地盡成為一個普通的在朝黨，而仍夾雜有以往革命黨之氣味。國民黨今天之錯誤，在其又不能切就實情，變成一革命黨，而仍保守其以前在朝黨之作風。

然而國民黨到底可變，而中共則不可變。共產黨在其先天本質上，其在社會下層向上革命，只是其手段。而獲得政權以後之從政治上層向下革命，始是其目的。換言之，共產黨只以運用政治為手段，而以遂行革命為目的。普通政黨則以從事革命為手段，而以運用政治為目的。國民黨自當為一普通政黨，而今天國民黨之重大任務，則並不是專在台灣行使其政權。而更要的乃在如何重返大陸，完成革命。我們切盼台灣的國民政府，不要牢守為一個僅由國民黨組織的普通的所謂政黨政府、而該使其變成一積極領導全國性的革命的政府。蔣總統之為[illegible]

第三勢力，日下則實際並無此一勢力，而且就實際言，並不可能有一實際的勢力之產生，而我們亦不復希望有此一勢力之產生。今天的迫切要求，是在面對大陸中共之極權統治而急速壯成一個革命的力量。革命的力量不妨來自多方面，而革命的目標是唯一的。[illegible]在此唯一目標下集中力量，加緊團結。我們只盼用許多力量對同一目標而革命，我們不盼分散力量[illegible]。今天許多所謂第三勢力的處境，亦如上述之[illegible]。[illegible]僅只不是一個普通的政黨，則此種勢力，我們自然也只盼其於革命完成後出現。問題在今天台灣的國民政府與國民黨，希望有一種熱心革命[illegible]。[illegible]取自由之革命的目標，以及分清步驟，即在得政治上的自由之後，再發揮各自之政見而互組政黨，而從事合軌道的政治活動之一種團有步驟。則我們認為其他的分歧與摩擦，實在也並非不可解決之問題。

漏網新聞

上星期美空軍部長范登堡在國防部大廈，舉行一次重要記者招待會。有一位記者詢及聯合國空軍有無轟炸中共在東北空軍基地的可能性。范登堡說：『我將惟政府之命是聽』。

散會後，聯合廣播公司發表一段報告，內容與范登堡的原意大有出入。該報告引述范登堡的談話說：『朝鮮和談的結果如何，將為我空軍將否跨越鴨綠江的關鍵』。基魏斯特杜總統的休假行轅，立刻來電要范登堡提出解釋，弄得空軍部的新聞官員忙了一整天。

× × ×

杜魯門總統在基魏斯特休假期中，特地抽「閒」回到華盛頓向全國民主婦女會演說。他雖然在基魏斯特休假兩週，依然滿面倦容，看起來好像心事重重，他的演講稿，讀起來，也不怎麼順口。聽衆對他的印象，是：『杜魯門老矣』。

杜魯門心事重重，美在英建炸俄原子基地

史達林培植特務頭腦，英政府向人民課重稅

× × ×

杜魯門上星期演說過：『我們民主黨員，當然要爭取民主黨的選舉勝利，……但是我們要將國家的利益，擺在第一』。這篇談話發表後，引起許多人推測，認為這是杜魯門對艾森豪威爾允任總統候選人一種巧妙的支持。另外一部份人，認為杜魯門可能放棄明年總統競選，放棄的原因，是因為杜夫人反對。如果此項推測正確，杜魯門可能提出現任大理院長文森作他的繼承人。

× × ×

一九五〇年七月二十六日，邱吉爾在國會宣稱：『勞工政府業已同意美國在東安格里亞設立轟炸基地，以便轟炸俄國城市及軍要據點』。使議員們大吃一驚。㊀十一月九日，邱吉爾說：『當政府允許美國在東安格里亞設置要原子轟炸基地，結果將使我們處於反蘇的最前線』。觀察家認為這是邱吉爾準備向美國索取高價的先聲。

× × ×

觀察家認為史達林又在對政治局委員們，玩弄他的矛盾統一的政治手腕。扶甲倒乙，製造傾軋。此次蘇聯革命紀念日，史達林特別指定特務頭腦貝利亞作政策演說，提高比里亞在政治局的地位，以對抗莫洛托夫和馬林可夫。

× × ×

英國政府和人民現以克難的精神，面對經濟難關。據倫敦每日快報發行人比維布洛克說，該報去年繳了二百二十萬美金，卻被政府課稅一百四十萬美金。

·讀者來書·

團結不是消滅反對

——馮少白——

讀了貴報本月一日左舜生先生的「團結之道」，五日雷嘯岑先生的「甚麼辦法求團結」，我願進一言。

主張反共的積極力量，全在愛自由愛民主的人心。有不自由不民主的[illegible]，都是消極而不可恃的反共心理。[illegible]則逃避，靠攏，「起義」都會發生。三十八年喪失大陸，就是這樣的心理作祟。今後建立反共力量，政府有無可旁貸的責任，積極而忠實的依照憲法對人權的規定，容許人民以言論及組織反對政府的自由。除防共所必要的外，積極保障人民的身體居住遷徙等自由，使人民體驗到民主與自由之可貴。然後：（一）尚在統治下的人民才會發生擁護政府的向心；（二）在大陸喪失了自由的人民才會渴望政府反攻；（三）數十萬軍隊才會有為自由民主而效死的鬥志。世界任何民主國家，[illegible]

[illegible]

半週展望

雷嘯岑

替李宗仁先生可惜

李宗仁先生以一木訥而略輸文采的軍人，既無特殊的汗馬功勞，亦缺進步的政治見解，當年與若干久歷政治戰場的文人們逐鹿副總統職位，終博得最後勝利。這不是他的主觀條件所使然，而是客觀環境形成了他的意外收穫，殆所謂時勢造英雄也。當時人心思變，大家對政治生活希望能嘗試一點新鮮氣味，因而把這股熱望寄托在李氏身上。這的是他從來沒有搞過政治，在一羣競選人之中，他是唯一能使人引起幻想的對象。這形勢，對李氏的政治前途很有利，只要善為運用，確是大有可為的。

時勢再造英雄，卅八年元月，大總統因故引退，李氏依法代行職權，這是大顯身手的時機來臨了。無奈局勢太艱難，而他的才具又過于平庸，作法太天真，以致焦頭爛額，一事無成。關於國共和談之失敗，固不足為李氏病，在那種內在情勢與國際環境各種不利的因素之下，任何人當其衝，也不會有奇蹟出現的。所爲李氏惜者，在彼不在此。

他之依法代行總統職權，確是「受命於危難之際」，大敵當前，內部浮動，唯一的作法，只有「收拾人心，團結內部」八個字，纔是上策。只有自己以入地獄的精神，克己犧牲，澹泊明志，纔可以爭取全民的向心力，使政敵亦無從障礙，不忍非難。將士有不用命者，除實以大義，喻以利害外，即教平日對自己效忠的軍旅，為國前驅，明心見性。老實說，那時效命李氏的數十萬八桂子弟，即命與敵人拚完，也較後來一槍未發而全部瓦解的結局受人感念吧！果如此，誰不愛護「代總統」這種盡其在我，天下為公的偉大精神呢？然李先生卻計不出此，一登位，即天天埋怨權力不夠，注意人事更張，并且直接間接的表示，要那位引退在家的總統，離開本國。同時，又由自己家鄉的省議會通電各省，請合力要求李代總統「扶正」！這作法，不是團結內部，而是對立內部；不是收拾人心，而是渙散人心了。

再不然，當川黔劇戰，雲南攜貳之秋，李先生既放不下「代總統」的權位，即悉索敝賦，舉川用之軍，撤守海南，撐持危局，縱使海南不守，再退台灣，又誰能奪去其代總統的權位呢？然而，李氏又沒有這種氣魄，臨難託病棄職，潛走海外，信使挽留，掉頭不顧，終乃遠去異域，聲言親乞外援，形同「流亡總統」。責任我不負，名位卻不丟，淘致國務停滯，主持無人，各方呼籲，而因故引退的總統，乃不得不再出維持政府，處理善後。李氏若從此即以反對派的姿態，客居友邦，在反共抗俄的立場上，提出自己所認為可以救國的政治主張來，號召國內外的自由中國人民，監督政府，批評庶政得失，也不失為一條光明的政治出路。然李氏的慾望大過知識，私怨濃於公誼，掛着代總統的空招牌，抵死不放，除隨時自封為「受中國大陸和台灣人民的擁護」，甚至說中共內部的「狄托思想者」亦擁護他（去年三月二日在紐約招待記者談話）之外，即專門以對自己政府搗亂為能事，最近且為犯官毛邦初出具文件，向華盛頓地方法院作證，否認國府為合法政府，不惜丟盡國家和他個人的臉面。自己既硬要作總統，又千方百計的要把這總統所由存在的政府弄垮，這是甚麼玩藝？

綜觀李氏這幾年來的言論行動，證明他的作法就是只要爭總統做，而且要在外國安安逸逸做挂名的總統，爭不到，就拚命的說壞話搗蛋。問他有何救國好計？沒有！請他回國來爭，不來！胡適之先生說「他們是在胡鬧」，一點不錯，他們是在胡鬧，天下中國，竟有這樣胡鬧的總統，你說可惜不可惜，可謂不可謂呢！

我當年也是對李氏發生過幻想的人，曾經寫文字捧過他。現在纔理解昔日曹錕也能作總統的所以然，因為曹氏雖然無知識，卻有幾個得力的文武幹部。做政治領袖的人，不一定必是上智者，下愚而能親賢用賢，識別大體，一樣的可以成功。可惜李氏竟不足以語此，此其所以成為「胡鬧」總統歟？

如何搶救難胞

·方至·

搶救難胞不僅是自由中國內政上最重要最迫切的一件事，而且是反共抗俄戰爭中一種不可缺少的政略和戰略。如果我們數一數近十年中國的歷史：共匪盤據延安時期，匪黨陝公和抗大收容下抗戰初期流離失所失業失學的中年和青年，培植成功近日竊據大陸的大部份幹部。軍委會戰幹團的創辦，團結了對日戰爭堅固不可破的人心。黃泛區成千成萬的水災饑民，滋蔓了陳毅劉伯誠百萬匪軍。便是一些鐵的教訓。

搶救難胞，不是大陸救災總會所能勝任的一件事，我們要用整個自由中國現有的基礎，除了軍事外交以外，所有的人力物力來進行。行政院以下各部門各單位應該統一在一個組織下，整飭地來進行這一件最迫切的鬥爭：內政部要積極地調查組織；財政部要積極地募款籌糧；教育部要積極地教導訓練；經濟部要積極地實行墾荒工賑；……外交國防兩部也要儘量協助。我們不是強調這一件事，語有之：「得民者昌，失民者亡。」談反攻，談復國，政略上收拾大陸人心，戰略上增強反共人力，我們都非這樣做不可。

救得一條命　留得萬衆心

當然，我們體諒反攻基地——台灣——的地力物力，深深知道政府的人力財力；更明瞭防奸防諜的重要，和共匪一貫利用離亂羣衆滲透和掩護的陰謀，如果我們沒有忘記這是反共鬥爭的一項軍事戰略，我們就應該那樣做。我們有將總統提倡的克難運動的精神，我們是能夠那樣做的。

所謂「難胞」，大體可分爲三種：一種是抱着滿腔熱血，渴望投身反共抗俄雄壯陣綫的一些志士們。一種是爲大陸暴政所不容底一些非共人士們。一種是，曾經盲從謳歌王朝，甚至誤入歧途，最後翻然知悔，從赤色陣綫中分化出來底一些徹底悔悟人士們。這三種人，就人道主義的觀點看，就反共抗俄的觀點看，我們都要拯救，援助和安頓。

有飯吃的難胞要搶救，沒有飯吃的難胞也要搶救。在港在澳的難胞也要搶救，在緬在印的難胞也要搶救。流落異邦的難胞要搶救，大陸上多少忠義之士，他們用心慘苦，他們的處境悲慘，比較已經逃出鐵幕的人更悲慘萬分，我們也要分別情形，組織遊擊武力，予以使用或保護，並設法搶救到反共基地上來。這不是高調，在反攻尚未開始，整個大陸同胞沒有得到搶救以前，是迫不及待的戰略和政略，用力容或較大，效果雖然很小；但是，這些事影響整個民心，救得一條命，留得萬衆心，是值得的。

不要被動的應付　應該積極的策劃

搶救難胞，要有集體統籌的方法。立法院所通過的六項辦法，是妥善合理的，但這祇限於消極的原則性。實際上怎樣搶？怎樣救？怎樣安頓？怎樣使用？這該是行政部門的事。我們希望有一個切實能行的搶救方案，希望能大力實行這個方案。由政府主動的搶，主動的救；不要被動的應付人事，要主動的使用政略。住在調景嶺的難胞，都看見七八個教會主動在難民營中爭取教徒，訓練傳教士。流落港九街頭的人，都知道敵人和所謂第三勢力怎樣主動吸收黨徒，誘騙陷於生活絕境的忠義人士，還是值得我們政府猛省的。

現在調景嶺有飯票的難民，由大陸救災總會協助，已源源搶救入台了。惟僅限於在台灣能自謀生活，和尋得兩個中級以上政府人員担保的極少數部份。實際上像這樣放任無組織而又不是集體統籌的辦法，在難民本身說，未嘗不是一種起死回生的希望；然而就反共基地的陣營着想，還辦法應該個問題的解決。倘若得很難。第一，台灣人口增多，物資相對減少，軍公人員都感親友來到台灣以後，負担加重，很容易引導在職人員走入錯誤的一途。入台前後難胞代帶私貨，藉以解決短期生活費用，已成普遍現象。可做證明。第二，辦得保人以後，再經嚴格審查，這辦法對於防諜保密，本是一件無可詬病的事。但是這樣一來，在台沒有親友的人，就好望洋興嘆。並且這樣做，實在有點助長「宗派主義」的意味，對于國民黨的改造是南轅北轍。因此而沮喪若干人心，阻遏若干人才，終使異己份子有機可乘，流言播弄，誣害忠良，使很多真正擁護政府的人士無法入台，以達到他們離間和瓦解政府的目的。

老弱婦孺和身心健全的難胞要分別搶救；知名之士和非共大將要一體款待，沒有工作能力的老弱婦孺，祇要能夠自謀生活，經過調查後，准許入台依靠，這是合情合理的。身心健全，志願獻身反共抗俄革命事業的人，政府應該分別組織，加以訓練和施以較長期的思想考查。或在台，或在海外，訓練，用各種方式組織訓練，給他們生活上必須的最低費用。先救生，然後再慢慢達到組訓，使用。使人盡其力，來推動反共抗俄的艱鉅任務。台灣有人口六百萬，軍公人員六十萬以上，在港在澳迫不及待需要搶救的難胞二萬到六萬人，僅佔有人口百分之一，軍公人員十分之一，負担不爲過重。如果把這件事放任不管，實際上仍需負担在台灣民衆和軍公人員身上，便難民和自由中國人民互相指摘，外面流出，這是極不妥當的。放任政策，不是現階段政府所應採取的。

關于保人和擔保，因爲有組織可控制和防範，自然就不十分重要了。根據「寬則得衆」的原則，應用「生聚教訓」的方法，這是反共鬥爭重要的一着棋。

寬則得衆的原則　生聚教訓的方法

難胞所極需解決的三大問題：一、領導，二、組訓，三、援助。這是政府領導全國反共復國應主動搶救的工作。

大陸陷匪以前，知識份子對政府，對黨，都有一種離心的傾向，這不是領袖和主義出了毛病，而是因爲過去政府的政策專從小處着眼，執行政策的幹部也往往專從小處着手。政府沒有切切實實地掌握幹部，幹部也沒有正正確確地執行政策，結果使多數人都覺得政府不是自己的，黨也不是自己的。

自從大陸標榜建立以後，知識份子都在殺戮之列，大家才覺悟服從領導的重要，須要出來一個擁大的而頑強運動。這風勢是反攻大陸勝利良好的基礎，政府在這時候，要以切實領導，不能讓他們自生自滅，要從大處着眼，小處着手，用這股反共巨流來撲滅國內的赤焰。得一個剛從鐵幕逃出的人士，都願冒在政府領導之下，貢獻生命，給反共抗俄革命鬥爭，沒有人不是抱着滿腔熱血，慷慨激昂。但是，經過可歌可泣長途跋涉，來到自由祖國的懷抱，除了同鄉同學和親友們給以溫暖外，政府對他們是很少領導和慰藉。我們建議政府撥款派到港九救委會，台灣救總聯絡各省同鄉會來慰問和施賑，實在說，僅像疏疏落落的做法，對人力物力，有點近於浪費；對難胞情感，有些不近實際。就拿調查登記一事來說：難胞們知道政府領導着我們，我們有自己的國家，有自己的政府，有自己的領袖，對國家亡後又逃進殖民地區的人，民族愛國家觀特別高揚的時候，是非常迫切要的。但調查地區限于調景嶺，使流落街頭和工場的難胞，很有時間，有交通費，參加這項登記，似乎有些偏枯。各省縣會辦理調查的人，規定一套繁雜的手續，使多災多難的同胞而生畏，似乎也有些執行上的偏差。現在難胞有經過十多種類的登記，耗費數十百元補貼，未受其惠，先受其害。而且這些統計材料也是極不可靠的。我們應該切實領導難胞，一面逃生，一面克難，一面進行反共的教育和工作，並且要使這些難胞自己有一種有領導的感覺。這是第一。

加強組織，加緊訓練是搶救難胞的第二個問題。難胞中良莠不齊，份子複雜，有被迫害的公正人士，紳；有投機取巧的奮門者；有流亡失業的生產者；有遊手好閒的流痞；有忠貞不貳的軍公教人員；也有心懷叵測的敵偽份子。然而站在公天下的立場和民主主義的觀點，政府都應該組織和訓練。在難民營的有飯票難胞，可直接集中利用各種方式組訓；沒有飯票的，也要組織；從事農作牧畜和糊宣糊花等生產自救的團體組織教育，在工場的，依其生活方式，應該組織教育；流落街頭的，應該組織教育；尚可維持生活，住木屋或公寓的，更需要組織教育；我們要設法發掘難胞的政治傳統和思想方法，要用每一個分子的力量。用形式主義的我保方法和情緒組織的間接方式，是極不可靠的，也是一種不徹底不經濟把問題推延到沒有結果的辦法。「不正者匡之以正」，這是政治上一種極重要的措施。當然我們也知道所在地政府法令的限制，但是我們實際上又不是沒有那樣做的，敵人也正在那樣做。最後一句話，是要主動要積極。

集體統籌的方案　反共鬥爭的要着

其次，搶救難胞的援助問題。這種援助，當然，最重要的是經濟上的。政府的財力，我們雖然十分體諒，但是我們可以徵集政府所在地的民間儲蓄，募捐海外僑胞和國際的援款。不過政府要拿出集體統籌的方案，加以運用。如果政府能夠有「人溺己溺」的懷抱，能夠和難胞同患難，即還沒有「臨難」的台灣同胞，必定能夠樂意將儲財獻出；海外僑胞和國際息息相關，捐輸亦自踴躍；國際同情，心心相印，援助亦必爭先恐後。今天祇是看我們政府怎樣做法！

一切的問題都在做，積極的做，主動的做，人心所向，這是最重要的決定點。

——於調景嶺四〇，十一。

檢討雛形的太平洋公約

——並向西方的政治家們進一言——

·趙克鈞·

美紐約州州長湯姆士，杜威從遠東歸了一個大圈，趕返華盛頓會晤杜魯門總統，所談的內容，雖未公佈，但據報章所載：杜威鑒於遠東局勢緊張，力勸杜魯門以美國領導的地位，儘速完成理想中的太平洋公約。

在今日遠東方面，要建立一個遠大有效集體安全的組織，則所謂太平洋公約，其內容與組成的會員國，雖不一定要像大西洋公約那樣的嚴格限制，至少也應廣泛邀請所有太平洋區域的自由國家，一體參加。國際共產的箭頭在越南、泰國、緬甸、日本、台灣、香港——等地不斷的指向着，建立這一個堅強集體的組織，實爲刻不容緩之事。

美駐遠東巡迴大使及對日和約的原始起草人杜勒斯於本年四月廿三日在日本聯合國協會宣稱：美國決不願意放棄亞洲，並將一步步的建立更有力的安全措施。同時杜氏更強調的說：美國有決心在亞洲抵制共產勢力，他進一步說：美國將連而與新西蘭和澳洲訂立攻守互助同盟。（按美澳新三國同盟已於秋間簽訂）在性質上言，此即是「太平洋公約」的前身。

公約應包括亞洲自由各國

可是，不幸這個公約事先交代既不清楚，同時公約內容太狹。這個設想的太平洋公約，依其現在的趨勢來衡斷，似乎祗是欲求信於澳洲及新西蘭：日本和約簽訂以後，有了此公約，則澳新兩國日夜不安之日本帝國主義再興起的恐懼，可以免除。如果單是這種設想，則太平洋公約的精神本質上和吾人所企望的完全隔了一個百八十度大動向，它祗是涉及過去的事態，而不是防範未來的措置。

這一種的公約，不但不能促進亞洲國際間之合作與互助，並且還要引起亞洲民族意識强烈的國家底憤慨。今日亞洲國際間的民族主義的意識，如原野上的火燄，正蠶狂似地燃燒着；同時亞洲一般人民思及過去的西方人的殖民政策，將使今日的亞洲有色人種，不但不敢相信這個公約的精神，並且要認爲這個公約仍是白種人的「責任」，因爲白種人要保衛自己，要求白種人國家的安全與和平，才搞這一個公約。假定這種感覺彌漫於遠東，則吾人可以預測公約締結之始，在亞洲一定有若干國家拒絕參加。同時，國際共黨一定會大肆宣傳，指聯合國在韓國的行爲，是「白種人帝國主義壓迫亞洲和殖民亞洲的舉動」，而促使一般亞洲人民，對這個太平洋公約發生不斷的懷疑！

因此，一個眞正合理的，廣義的，健全的太平洋公約，它不但應該歡迎所有亞洲的自由國家一體參加，並須在經濟，社會，與文化上取得密切之互助與合作。去年三月一日大韓民國獨立紀念，李承晚總統便指出：「太平洋公約的性質不僅限於軍事互助，且應該社會，文化及經濟之合作，所以我贊成我的那從上述這三方面先做起。」假定，亞洲國際間今日眞能照李承晚總統所說那樣去做，則亞洲幾個想做「中立」迷夢的國家，一定可以夢醒，而大膽放心入盟，共謀和平與幸福。例如，緬甸總理德欽汝，雖然拒絕參加純粹軍事性的同盟，但對於參加一個「反侵略的集團」，是相當感到興趣的。他如印尼和巴基斯坦，表面上並沒有明目張膽想加入一個軍事同盟，但對於具有經濟及文化互助的集團，是很願意加入的。譬於今日世界之中立性將日見動搖，危機四伏，則軍事同盟的增加，實自然而然因本身需要而得以完成。可能，在不久的將來，在亞洲會出現一個如歐洲的艾森豪威爾總部同類性質的組織。正好似李承晚總統已明白指出：「我們都瞭解我們的安全，本質上繫於自由兄弟國家的互相合作。因爲，今天世界上，沒有一個國家能強有力的單獨站起來抵抗侵略」。

公約應廣汎和健全

至於，以中國立場而言，中國在亞洲佔據很重要的地位。中國是亞洲的一個最大的大陸國家，她自然應該參加這個太平洋公約。今天中國大陸，已全爲赤色共黨所佔，在大陸上的中共政府，她是法理上無法參加這個公約的。本年五月十八日美國遠東事宜的助理國務卿魯斯克，在美國中國問題研究會上宣稱：「它不是「中國政府」，「蘇聯的殖民地政府」，在台灣的國民政府，是代表中國的政府。」依魯斯克的說法，則國民政府將爲太平洋公約的會員國之一，是應該無異議的。

對日和約簽訂，日本之被容納於太平洋公約內，性質上亦如德國之參加北大西洋公約，則美國根本不願再担心日本帝國主義之再抬頭。記得不久前樂生（George Sansom）爵士在一九四八年正月於「外交評論」上發表一篇文章，題目是「在日本衝突的目的」（Conflicting Purposes in Japan），內中曾提到：「日本之在東亞興起，竟然爲一巨強，實由於英美扶植容忍之。」故今日英、美在這個廿世紀的時代內，誰能在遠東，以從容忍日本的態度，在東亞多扶植幾個國家，又何讓日本帝國主義再會抬頭！

所以，一個廣泛性的國際公約，其基層應該廣泛和健全。在原則上的太平洋公約，不僅限於美、加和幾個島國，亞洲大陸的國家，在原則上是不可否認的主要基幹。

太平洋公約的大原動力

其次，美國和其他民主國家，如果能協助中國、韓國、和泰國……，使她們成爲一個有力的亞洲國家，也可以保證各國免得担心日本帝國主義之再起。以韓國而言，她有四千年對侵略不屈伏的歷史，中國抗戰了八年以後，今天對反共抗俄，仍爲英勇的站在最前哨，如果中韓力量增加，則日本是絕對不容易再做昔日的侵略的。真的，中韓兩國對這個太平洋公約，不僅存以最大的希望，而且願相信自己可以拿出力量，供獻於各方。今日中國政府雖偏處台灣一隅，但擁有數路兵團，但台灣和韓國之農、礦、工、水利……等，都有很大的勵力。台灣的六十萬中國軍隊和韓國的一百餘萬軍隊，是亞洲反共陣營東北最好的兩枝勁旅。在太平洋的保安意義上言，能發揮最有把握的集體力量。艾森豪夫曾說：「韓國是民主的堡壘」。麥克阿瑟說：「台灣是不沉的航空母艦」。如果中韓參加該約，則其基礎一定是富有建設性，而有助於亞洲之反侵略。

自然，韓國共黨威脅不解除，台灣中立封鎖不解凍，則上述所論，等於廢話。欲求達到上項目的，聯合國在本年五月以四十七票對零票，通過物資禁運法案，造成經濟封鎖中共。美對台之援助，亦逐漸增加。如果上述二國能好好培養起來，則有助於自由國家實匪鮮淺。因爲今天這個世界中，眞正能保護韓國的是高麗人，眞正能下決心收復中國大陸的仍是中國人。

中、韓兩國對未來太平洋公約的供獻，是未可低估的！中國在台灣有六百萬人口，六十萬的精兵，韓國亦有二千萬群衆，大家都一體的努力謀復國。大韓民國的人民仍英武底在前綫抵抗着，這是未來太平洋公約的大原動力。她們永遠不忘記國家的光榮，她們也都會全心全意爲太平洋公約作堅強的不倖的堡壘。西方的政治家們，應該看清楚這一點，這是不可磨滅的事實！

毛澤東彭眞咆哮 知識分子不聽改造

搞通思想要斬斷尾巴 想爭取胡適是糊塗蟲

【本報北平特約通訊】共產黨的極權統治，促使全國教育工作者以及千萬大中學生都關起門來不問政治，以作消極的抵抗。毛澤東看到這情形太危險了，於是發出「改造知識份子」的號召，要想在死氣沉沉中打開僵局，糾正這一「不良的」傾向。平津為高等學府集中地區，人材濟濟，全國屬望，以是偽文教部特在平津先展開「高等教育學習運動」，意在示範，徐圖推廣。可是由一個多月的事實證明，這第一砲並沒有放響。

這一次學習運動，規模之大，前所未見。學員中包括公私的各大學校長，教授，偽府各高級行政幹部，以及所謂民主人士等，浩浩蕩蕩，數逾六千。毛澤東曾慎重其事的數度親臨，諄諄告誡：「各位應利用批評和自我批評的武器，分別作嚴刻的檢討，搞通思想，斬斷尾巴，切切實實一心一意為人民服務。」話是講得不少，可是效果卻仍是出人意外的惡劣。其間，共幹雖脅迫七十多歲的輔仁大學校長陳垣，名教授朱光潛（北大）、金岳霖（清華）同沈從文等以及所謂有名的民主人士如梁漱溟、張東蓀等發表長文，表示對此一「偉大」「學習運動」的「響應」，然字裏行間仍不難叫人看出這一班人的愁眉苦臉幽怨滿紙的思想上的「錯誤」不但沒有糾正，相反，卻曲曲折折地完全暴露出來。同時，在學習期中，大家都遲到早退，一聲不響。那些被中共所認為最要不得的祇顧情面，不講「正義」，不切實際，「專為學術」，和嚴守中庸之道的態度，仍頑強地保持着。這給人想效法秦始皇的統治人民思想的毛澤東的現實諷刺，太深刻了。

為了這一工作沒有「圓滿達成任務」，主持人之一的偽北京市長彭真，曾被毛澤東叫去「檢討」了好幾次。彭以咎不在彼，牢騷滿腹，為了想出一口惡氣，上月卅日晨特在輔仁大學大禮堂召開「高等教育學習運動檢討大會」，校長、教授、「名流」、「學者」匪幹等數千人全部蒞臨。在登台報告前，這個胖子「市長」氣色已經很難看了。當他跑上講台將抗美援朝，土地改革，鎮壓反革命的毛派偉三部曲彈完之後，跟着就單刀直入毫不客氣的訓起話來：「什麼中庸之道，根本不通。在今天，不能倒向人民革命的這一邊，那就不能做人民的朋友，那就是人民的敵人。我真不懂，搞了一個多月，各位的思想不但絲毫沒有搞通，竟然有愈搞愈糊塗的趨勢。有人說，為人民服務何不擴充為人類服務？改造知識份子的目的是在爭取知識份子，政府為什麼不擴大對象，爭取北大的胡適，清華的梅貽琦，農大的李景均（為一研究遺傳學者）都爭取過來歸向人民呢？這些話，從表面看未嘗沒有道理，但實際上作此種想法的人都是糊塗蟲。你們應知，人類是包括敵人在內的，為人類服務不是反動是什麼？又關于胡適、梅貽琦、李景均等反動頭子，他們都已投向帝國主義的懷抱了，這些人都是我們的敵人。敵我不兩立，我們為什麼要爭取他？搞通思想原是要一點一滴的積累做去的，然而各位並沒有慎重其事的來縝密的檢查思想，嚴刻的自我檢討。我敢相信，這種敷衍故事的學習，即使搞一輩子，也不會把思想搞通的。」語語如刺，盛氣凌人。

共產黨想改造知識份子作為已用，原是有他一套打算的，可是這班食而不化的「老牛筋」，卻偏偏不聽它調度，固執得叫中共抓不着根據，無從下手。要像丟包袱一樣把這班老傢伙都丟開，培養一些「人民的知識份子」吧，工作既感太大，時間又不允許。從彭真的這一段短短的講話裏，可以讓我們明白看出：中共改造知識份子的企圖是失敗了。不問中共會如何「靈活運用」辯證法，化今日之敵為明日之友；但，問題不變，不問政治情形的存在，就是他失敗的一個鐵證。（隆光。十二月一日寄）

貪污典型

東南各地原係富庶之區，一「解放」以後，各級幹部感目迷五色，乘機大撈，貪污、腐化、營私舞弊等情形所在皆有，愈演愈烈，上海「人民廣播電台工務室主任」路是元，最近在任職九個月間，竟先後乘購料之便貪污了「人民幣」二億四千七百餘萬元，如按目前時價計算則達五億零六百萬元之鉅。

路是山東臨沂人，今年三十一歲。民國廿七年在延安入伍，同年八月加入了共產黨。這一貪污典型，十一月十八日已被撤職。在「黨的照顧」下，這一十多年的老「幹部」，以過去的例子，總會馬馬虎虎網開一面的。（悠然，十一月十九日寄）

今日江南魚米之鄉 農民哀號增產到頂

【本報無錫特約通訊】「增產到頂」了！這是中共區農民對毛朝「增產運動」的一個痛苦的反抗。從無錫「蘇南日報」最近為「增產運動」吹破了法螺及江陰縣馬鎮鄉農民唐寶銘怕為增產所累而不肯增產。增產反面就是增稅，人民眼睛是雪亮的。增產到頂，沒有法子再增產了，這是人民消極的抵抗。

江南原為魚米之鄉，農產收穫，向估軍要。中共為剝削民勞力，督促增產，勤鞭腦筋。去年和今年，無錫的收成大致還好，每畝收稻子平均都在三五百斤左右，農民以肥料加足體力已盡，以後再也沒有辦法增產了，於是產生了生產到頂思想，希望稍息，恢復疲勞，共產黨是向來把人當作牛馬，不恤民力的。他認為農民的這種思想是錯誤的，[illegible]

[illegible]

「人民政府」生財有道 「自己人」可以得到實惠 老百姓頭上仍要刮一筆

【本報北平特約通訊】一向宣傳「不住民房」的「解放軍」同各級共幹，在竊據北平以後，狐狸的尾巴終於現出來了，影響所及，使偽公教人員和工商各界及一般普通老百姓，為了住的問題，傷透了腦筋。「人民政府」是生財有道的，在解決房荒的大題目下，從今年七月起，就點綴昇平，大興土木。到本年年底，這些新房子（一共有兩萬多間），都可以全部完工了。但，這裏得加以說明，新建的房子並不是無條件供給一般老百姓的，新建的房子，裏面有租的，有賣的，有「幹部之家」，有國營企業職工宿舍，「自己人」是可以得到實惠的，老百姓頭上卻仍要刮一筆。據偽北京市府統計報告，新建房屋計分五部分：（一）「人民政府」準備出租給市民的房屋五千一百九十六間，（二）「人民政府」準備賣給市民的房屋一千六百卅九間，（三）「公營」企業新建的職工宿舍四千一百〇八間，（四）公私合營的「興業投資公司」（偽市長彭真是後台大老闆）準備租給市民的房屋二百一十六間，（五）「幹部之家」八千六百九十六間。而獨有「戰亂」以後，因駐了軍隊同匪幹搞得稀爛七八糟傾斜破漏的人民房屋，則扛出了「節約」的招牌，不予修繕，任令倒塌！

新屋主不是勞模，就是工模，或幹部、烈屬、匪屬，真正的老百姓絲毫無份，以上閒話就傳開了：「人民政府就是這樣照顧着我們呵！」「這就是偽人民服務的表現嗎？」偽市府為了想加以辯白，特於上月廿八日發表談話，說政府趕建新屋，純粹是為了解救房荒，惟因限於物力，只能做到「先普及，後提高」云云。先普及誰？後提高誰？明眼人自無須解釋，一目瞭然。

又偽市府「房屋清查管理局」看了「上級」有鈔票可刮也眼紅了，於是也依樣葫蘆的在建國門外蓋了一千五百間土坯房子，這房子是青灰頂，白粉牆，地下有的鋪了碎磚，有的連碎磚也沒有，潮濕氣和霉味，充塞屋內。這些房子，據說是為一般平民蓋的，叫「普及房屋」，連日在報上大登廣告，徵求受主，每間只賣三百二十萬元。可是老百姓在窩頭都難得吃全的現狀下，為有餘錢，購此「蔣屋」？偽清管局這筆生意，蝕本恐怕要蝕完了。（隆光。十二月一日寄。）

[illegible]

香港三日續紛錄

僑眷被慘害 控訴狀一字一淚

五日香港華商總會理事會討論中共向僑胞勒索一案，主席高卓雄，以悲天憫人的語調道：「這件事已鬧到中外，海外許多僑胞日夜為此無法安枕。請大家本人道立場救助救助！」接着莫應溎起立報告，他說他曾把中共勒索和對僑眷施用酷刑的事，向方方詢問，方方以張劍英不在廣州，乃代為解釋說：「這是偏差，土改好像開天闢地，爆石開路，自不免使傍立者有死有傷，此種困難，要請大家原諒。」繼而宣讀僑眷被迫害之慘狀，一字一淚，許多參加會議的理事，為之憤恨與酸鼻。高卓雄主席說：「這個火已瀰漫整個華南，情形至為嚴重，再不設法制止拘捕與勒索，情形更困難」。

× × ×

共黨無誠意和平 談判難樂觀

美太平洋艦隊總司令賴德福四星上將四日由馬尼拉郊外之「Stanley Point」海軍基地飛港。五日上午十一時在美總領事館接見美駐港海軍武官楊格上校，葛里克上校，古德芬艦長及其他高級幕僚與海陸空軍武官等二十餘人，會談一小時。會議甚祕密。當晚賴氏復與英駐港海軍司令狄更生准將會談，交換南太平洋英美海軍聯防之意見。香港的地位，將供美艦加水與燃料，作為補給站之用。關於韓戰停火一事，賴氏向記者表示：共黨無誠意和平，談判難樂觀。

× × ×

北海道的安全感遠不及東京

美民主黨眾議員約翰‧濟曼五日由馬尼拉抵港，他是美國烏拉智馬州議員，上月曾去日本北海道視察美駐北海道第四十五師。因該師中士兵皆屬該州人士。他和他們在北海道住了十天。他說：在北海道的安全感遠不及東京。北海道的日本人大大在擔心庫頁島上的蘇軍突擊。風聲鶴唳草木皆兵。他還指出如果蘇軍要在北海道登陸，四五小時海程便可抵達。北海道海岸綫很長，不易防守。這也是一個事實。他認為如果北海道不能守，那便是日本大開後門，威脅從北部直入九州本島，在民間方面，他認為所幸一般人民尚知赤色之恐怖，防範甚嚴，但地下活動力量亦極大。

× × ×

米高美老闆在韓發見了真理

美影片托辣斯阿叟‧M‧陸尉，他是米高美影片公司的大老闆，六日由紐約經東京飛港。這位擁有數千萬資本的影片商，他表示過去一個世紀美國的電影，實在是戰爭影片。但他個人認為建設性的成份不多。他說從現在起他要以全力注視着提高人民道德水準着手。他說這是關乎世界人類生存最大的目標。他舉例稱：在韓國作戰的美國士兵們，他們有很多家屬在美國是反對這種戰爭的。如果我不去韓國看一看，我亦會同情他們的說法，但我親眼看見了，我才發現其真理。所以這一種的片子是今後值得發展的。他相信如果有好題材，一定可以賺錢。以西部為背景的片子，他認為已被時代淘汰了。

× × ×

荷蘭駐平公使伏特（De Voogd）五日由津乘湖南輪抵港。他這一次是由平調至坎波拉（Canberra）荷蘭大使館，他拒絕說明請求荷蘭外部調他離開中國的理由，只是說他在中國已等了兩年半了，第一年在南京，此後便在北平。也應該調出來「換換空氣」。關於北平方面，他說：「今年夏天清華招收了很多東歐學生，他們是專學語言的。」伏特公使指出唯物辯證是科學的，是客觀的。其他，他表示沒有什麼可說的了。

× × ×

副總統李宗仁在美發表了一次炸彈性的談話後，香港桂系人物都在紛紛而動。據桂系圈中傳出非正式消息，李氏決定明年春返港。他表示在華南方面他可以做些事情。據說李在港山上的公館早已在打掃油漆。在港的程××正為其籌備「候駕」。（一成）

公糧霉爛無人過問 半里以外臭氣難聞

廣西省匪糧食局既欽州專區糧食局，最近派人到各縣檢查秋徵準備工作，僅以欽縣一地為例，所屬倉庫現存公糧，靡不發熱霉爛，生芽，生虫，據最低限度之初步統計，至少已損失公糧兩萬石。這一批擔任檢查的匪幹是十月廿五日到達欽縣的，在大塘三、五、六三個大倉庫察看時，一般糧食溫度均達攝氏三十八度至四十五度，水份則達百分之廿四至卅六，安全標準，早已超過。靠近牆壁方面的八寸已生了四五寸不等的長芽。而大洞，平吉兩地倉庫更不像話，存糧十分之[illegible]

[illegible]大寺第六倉庫所存三千多石[illegible]爛，半里外就聞到霉味了。其他各倉存糧亦多如是。現匪幹方強征民伕[illegible]多方搶救，然而霉爛的已經霉爛了，白費氣力[illegible]。（西甲。十一月廿[illegible]日寄。）

【本報桂林特約通訊】中共竊據大陸後，以強盜行為搜刮民間食糧，除供給各級匪幹坐食外，並大量投入自殺性之無底韓戰。對民間[illegible]情形充耳不聞，而各縣、區、鄉、鎮匪幹內庫存公糧得來全不費工夫，均不予照料，任令霉爛，毫不愛惜。

[illegible]

蔣維喬的悲劇

·尙方·

江南士林中有蔣維喬其人，幼年東渡受書，即知是從事教育工作者。稍長及壯，常見到他所著的書，所寫的文，依然不離行。近十年來，久不聞其動靜，聽說他晚年對於靜坐之術，很具工夫，自號「因是子」，閉門却掃，理亂不聞，世人亦已將他忘記了。

最近江南共黨宣佈若干「反動份子」的罪行，有蔣竹莊其人，判處徒刑十五年，罪名是「教人打坐，曾病致死」。據由上海來港的朋友證明，這就是蔣維喬！在共黨看來，「靜坐」即係不勞動生產的剝削份子，何況又是行年六十以上的老廢物，當然應在「不能改造」之列，未交付「人民公審」處決，祇讓他慢慢的瘐死獄中，已屬萬幸了！

同時，海外的朋友又曾接到蔣氏來信，說他已為人民」服務，生活安樂，滿紙「前進」語調。這與前湖南省參議長唐伯球最近寫信在香港共黨附屬報上發表，說他與若干「民主人士」都健在，並且大家正為「人民」服務，「欣欣向榮的統一」一樣，乃是「沒有緘默自由」，或者死人還要向生人說話，鐵幕某人已被鎗斃，某人還被說某人在坐牢，他們都有信寄到海外來，這不是證據麼？若說這些信是別人代寫的，你又有何證明？當然是「反動派造謠」！不是嗎？近日香港商會會員來穗參觀，許多人都被說是上了當，馬上就說是「上了當」，而那些投靠共黨的「會員」資格也成為謠言了。堂而皇之的造謠，原是共黨的大本領，何足奇哉！

自由談

東德一個奇女子

·嘉華·

傳禮德說：「蘇俄所謂解放了我們，她不祇偷了我們的土地和資源，偷了我們的猪牛牲畜，更想連我們的靈魂也拿走！」

東德的警察在德里斯登的郊外，逮捕了一個十九歲叫傅禮德的學生，因傅禮德散發攻擊東德傀儡政府的傳單，還用一把小刀刺傷了警察而逃匿，可惜終於逃不出紅色魔掌。

克姆林宮方面，對於這種「反動」的案件，雖然輕微，也絕不肯稍稍放鬆，自然贊成東德的人民司法部長非治拿要從嚴辦理，以儆効尤。非治拿奉到命令自然是召開一次「公審」——目的是在借題宣傳，和遮掩人們耳目！

公審的地點選了一間大跳舞廳，以便大量容納聽衆，還裝置了探射燈和播音機，準備「大力」的宣傳一下！

審訊人選出最忠心的紅色男女法官各一人，另外三位陪審員，這一次傅禮德被起訴的兩個罪名是：破壞和平，和謀殺警官不用說，可能處以死刑！

這番把戲開場了，出乎意外的，那個小孩不獨不像別的犯人多方躲避，而且還鎮定如常的侃侃而談。一開始他就承認了，散發傳單的罪，說道：

「我以為我有說出我良心的話的自由，雖然你們的法律禁止我說這話，但我有生之日，我還是要說出」！

那位女法官陶波——她已經有過十幾次翻譯判罪的，有口皆碑的。她未等這小孩說完，就搶着說：

「你說這些話，你是不是拿你的腦袋來開玩笑？」

傅禮德笑了：「我早就曉得了！可是，我以為「自由」兩個字，比我的腦袋更寶貴得千萬倍——」

這句話說出來，法官成了啞巴，滿堂聽衆也互相耳語，管理無綫電的人員，也嚇得馬上把播音機關掉。

歇了一會，首席法官哈利通，改口逼問他是否受任何「反動」組織的主使？「不」！小孩把頭昂得更高；「五年來，我本人已經發見出，共產黨永遠給不出我們的好處！我所做的，正是每一個德國人都能做同樣該做的事。根本我就不需要參加任何秘密的組織」。

這樣的口供，法官們愈弄愈窘，反像是受這小孩子的審問了。

女法官更沒有出息，竟問道：「那麼你為什麼和我們作對？難道你不知道我們正在漸漸改善人民的生活嗎？你有什麼事實，能指出共產黨不好」！

「要事實嗎？」小孩子聲音更響亮了，一千二百多個聽衆，鴉雀無聲的全神貫注。

「我曾參加俄國人在德國馬鈴公司挖礦，以礦設備陳舊，到無以致死了十二個德國礦工。又有那裏工作的「奴工」，由俄國人管理，還有，蘇俄所謂解放了我們，他不祇偷了我們的土地和資源，偷了我們的猪牛牲畜，更想連我們的靈魂也拿走」！

首席法官聽到這裏，連忙搶了桌子，大叫閉嘴！……閉嘴！這裏是人民法庭，不是政治演講的地方」！說完時間恰巧中午，便和陪審員書記一干人等退庭商議判罪名了。

法官們的意見，當然要判死刑。其中一位陪審員，以為一個小孩，不過散了二百張傳單，其效果甚微，而且拒捕刺傷了警察，兇器僅僅是一把小刀，傷勢也是輕傷，看來是罪不致死的。可是這些話又有什麼用？結果幾個人商定，判決為「陰謀傾覆政府，并以足以致人死命之武器傷害政府人員……應處死刑。」

消息傳出，鐵幕兩邊的人鬼，大家都憤憤不平，在輿論的波濤洶湧之下，東德的人民司法部長也覺得良心慚怍，只好作好作歹，假意又舉行了一次高等審判，把傅禮德的死刑，改判為十五年徒刑。雖然判刑是減輕了，但是這個小孩所給予柏林人士的印象，是永遠那樣深刻！

傅禮德的父親本來是納粹德國的公務員，現在參加了新朝。常常的忠告這個小孩子說：「別再呆頭傻腦，拿性命去和那不可能改變的環境拚鬥」！他的母親也屢次嚴厲的不許他談政治。在這種環境，傅禮德能堅定的信仰自由，並不是容易的事！

他晚間在夜校裏學英、法、俄文，經常向教會裏借些書報雜誌來讀，並且由無綫電中聽了鐵幕兩邊的廣播，所以培養成他愛好自由的根苗。更因為他從前在工廠裏的工人，農場中的農民，和許多由俄國回來的囚犯，他深切的明白，蘇俄祇有給人類以「野蠻」，別無所有！

他最初用一副玩具印刷機，印成他本人寫作的反共傳單，有一次的題目是：「共產黨毫無人道！」另外一次是：「美國在鮮朝作正義的戰爭」！然後，在夜間順着大街逐家派送。不幸竟碰到警察而翻出拒捕這一件案子，失去十五年的自由。

我曾和各階層的德國民衆，談起過傅禮德這件案子，他們都心裏明白，口裏說不出。祇有一個東德的人說過幾句話，這幾句話足以代表一般人想說而不敢說的：

「本來這小孩子在人民法庭上所說的話，是人人都想說而不敢說的，不過想不到竟由一個可憐的小孩子說出來，這來倒顯得我們太懦弱而自愧不如了！他不是強權而是公理，使我們獲得了無限的希望！」

（節錄自十一月份文摘）

王倫論（水滸人物論之一）

·舜生·

「水滸傳」作者寫王倫之死，眞是淋漓盡致。幾百年來的讀者，都把同情給予林冲，而對王倫，總覺得罪有應得。其實中國歷史上像王倫這種妄人，實在太多，他們所犯的毛病也大同小異，現在我不妨舉兩個例子在這裏比較比較。

暴秦無道，天下起而亡秦，當時從楚國這方面發動的，便是項梁項羽兩叔姪。范增以為「秦滅六國，楚最無罪，自懷王入秦不返，楚人憐之至今」，因此他勸項梁找着一個看羊的小孩，硬說他是楚懷王的孫子，把他立了做一個王，想不出什麼更好的名號，不如就叫作「楚懷王」吧！——這原來是狗頭軍師范增變用的一個把戲，不過借此騙騙人而已。後來項梁在定陶一戰死了，這個看羊小孩被人包圍，弄出一個毫不相干的宋義，完全不講資格，便胡裏胡塗、叫他做了一名「上將軍」，帶兵去救趙國，而當時一個最有能力和資望的項羽，和一個會打主意的范增，反而屈居次將，末將，要他們受宋義的節制。項羽主張立即引兵渡河，和趙國夾擊秦軍，宋義說：『你不懂，打仗你比我行，謀略我比你行，現在應該讓秦趙先打，秦國勝了，也就疲敝不堪，我再起而乘秦之敝，才有勝利的把握。』說過這番話，他還下了一個莫名其妙的命令說：『猛如虎，狠如羊，貪如狼，強不可使者，皆斬之！』便把軍隊停下來，一直不動。這個時候天氣很冷，又下大雨，軍中糧食快完，士兵飢寒交迫，宋義卻行所無事，還親自送他的兒子宋襄去相齊，成天的飲酒高會。因此項羽憤不可遏，乃宣布宋義的罪狀，跑上帳去，一刀，殺了宋義的頭！他自己做了上將軍，才把秦軍打得大敗。我們讀史記讀到這裏，也覺得是快人快事，正如看水滸看見林冲殺了王倫一樣。

王莽末年，公孫述佔了四川，馬援和他是小同鄉，而且是很好的朋友。其時隗囂也算個頗有大志的人，便請馬援到四川去看看。馬援心想，我和公孫的交情不錯，此去他總會以好朋友待我吧。不想到了成都，述乃大擺其皇帝架子：首先陳衞隊，把馬援請進，作了一度普通禮節的拜會；次乃送了馬援一套禮服，一頂禮帽，然後才請他去大會百官；公孫述自己坐的車子是插着旗的，前面有馬蹄，他上車的時候，還裝着鞠躬如也的樣子，一定要等先清了道，然後才叫車子開行；及至到了宗廟，公孫述便做出很客氣的樣子，與馬援相見，並把一羣官兒們招呼攏來，舉行了一次繁文縟節的宴會。馬援是個豪傑之士，一看這種情形，便知道他決不足以有為，回去告訴隗囂說：公孫子陽不過是一個妄自尊大的「井底蛙」而已，我們以後還是多和那位『恢廓大度，同符高祖』的劉秀打交道吧！我們讀范曄寫的馬援傳，也往往聯想到王倫這類的小氣鬼！做皇帝已經無聊，乃至連一位『山大王』也不會做，眞可笑極了。（完）

萬竹樓隨筆（五三）

戲劇化的中蘇國交（上）

海鴻旅客

中山先生與蘇大使越飛和加拉罕均有過交涉，諸如與俄國曾知的事；閩粵小王國也有過「地下外交」，這就在當時也沒有幾人知道，往後更只是我們撫摸的春夢了。但，若使當時不生波折，順利成功，那麼，蔣先生鮮的黃埔軍校，提早三年成立在閩南，棋子換過這一着，後半局全盤也換過樣子。誇大一點說，中華民國的歷史也不同於現在的寫法，直至中國共產黨是不是那麼樣出胎，成長，名山修錄，呼風喚雨，全成問題。

當華南同人在閩南為銳意于促使文化教育發展，在省的銳意于倡導勞工民衆組織之際，住在天津策動組成社會主義者同盟的蘇俄黨人布羅威氏，通過閩南教育局職員蘇某，進言陳老總，請有列寧密友V氏（筆者現在已忘記其名字，只記得首音是V），將向遠東諸國進行其推進革命任務，同時也為蘇俄取得助力，方能掙破歐洲封鎖難關。布氏願保證V氏審意，諒華南有沖絕之革命集團，樂納他的使命，共同發展，若表同意，V.即南來。老總對此作出乎意料的客氣和坦率的表示，他說：「閩南，這中華民國的一個角落，碰巧由我在此看家，你們，在這裏工作的同志，認為要幹甚麼，只要商量過，最後經我同意，那便甚麼都不妨幹去。比方這蘇俄朋友，請他來先看看我們這裏是否算得個地盤，這麼個小局面是否算得有點體統，一切試試也好。」

老總主意定出來了，夥計們便擬以答覆布氏。不多時，電報來了，說V.氏和隨員祕書一行六個人，日間南下。又一電報，寶超證君代表北方同人陪同前來。

非中國人的來賓，這小王國建立以來可不曾有過。尤其是漳州出入必須經由北洋軍閥管治下的廈門，平時稍惹眼的人和物資，經那門戶也得小心。像那麼一批洋人（何況是全世界都害怕的俄國人）招搖過境，至少擾起諸多猜測，「過激派窟穴在漳州」的謠言方熾，可能預想疑神疑鬼的將必以為拿到眞憑實據了，必須預備手腳。好在北洋段（祺瑞）派時領福建督軍李厚基，既擋不住「粵軍」要求「假道」，只割棄了二十六縣，還保牢半壁山河，便急急修好，成功了互不侵犯的默契。表面雖然一「敵國」，內容竟是「友邦」。雖然廈門又是福建軍勢力範圍，對福州醫然獨立，究竟還須經過督軍的話。漳州方面常換督軍以令廈門，均得出入無阻。這回事先關照李督，說是想開發龍岩大煤礦，特請外籍工程師來設計，李督據以通知海軍將領臧廈門警備司令，反而與以資照料。

這一着應付好了，第二就是招待問題。教育局的庶務員是招待洋鬼子專家，西洋大菜烹飪拿手，這專家搜索了出來，便繳以這一任務。經他屈指一算，物要若干，牛油要若干，害得老總大破慳囊，大約指撥了一營士兵半月餉糈之數。專家便去了三天廈門，把洋酒罐頭存貨買了幾成，連鼓而歸，財政局的人員說：龍岩礦山還未踏勘已先吃了幾千噸煤炭了。

行館設在公園中，居然有沙發和地氈，還有從鼓浪嶼借來的浴室。官吏軍民竊竊私語，說開礦要下本錢；這還不過開端罷了。

民九之春末夏初，作為列寧政府秘密專使的V.氏和隨員五人，寶君相伴，翩然蒞止。

V.氏得諸天津的布羅威氏，布為斯托來斯諾氏，派遣中國推進社會主義運動正在理論研究文字宣傳階段，在這工作的黨綱循着東縣派，而這一派人士，那時候在俄列寧布爾什維克之友黨，故V.亦樂於周旋。抵漳後，他更知道了閩南這一派人正在以肅清軍閥，只期成立民主政治為當前急務，使民衆明瞭還有經濟改造的任務在將來罷了。至于蘇俄式的獨裁，中國人會不會也感興趣，這大抵是V.氏此行正要調查的。

解放別錄

悲秋八首

用杜子美秋興八首韻

馮吉煌

嗚咽雞鳥痛焚林，海霧甚迷氣蕭森。七術未聞先致變，三餘無數惜時陰。採薇枉自甘殘喘，賦鵬終難表寸心。誰死偏留雙耳聽，聲聲腸斷搗衣砧。

百尺危檣逐雨斜，飄飄風雨感年華。周鍵有似三秋柳，飄泊無歸一木槎。端正衣冠持孫節，支離心事聽胡笳。亡臣碧血今何處，半濺丹楓半濺花。

沙誰獨坐對斜暉，隔岸青山鬱翠微。蓴暮宵蟬鳴未已，凌空驚鳥倦猶飛。秋光老去豪情在，霸氣消沉人事違。廊廟江湖徒自慢，經年留得創痕肥。

世事從來似奕棋，河山如此不勝悲。三秋派柔腸寂寞日，列國征誅尙有時。滄海月明愁寂寂，雲天雁斷恨遲遲。長潮鳴咽憑誰訴，永夜漫漫鬱夢思。

窮年案月臥荒山，餘悸猶驚寤寐間。賤有身留難自贖，可能生入玉門關。思親有夢空追憶，報國何時欲駐顏。且喜草山英武在，朝中今已易新班。

國仇家恨注心頭，憔悴行吟兩度秋。邊道文章存正氣，愧無詞賦寫牢愁。絕糧早似雲中鵠，適意難同浪裏鷗。畢竟偷生勝枉死，可憐烽火遍神州。

術有宰臣廣無功，寶島香江咫尺中。寒夜月明烏遶樹，荒郊日暗馬嘶風。吹簫吳市饑先白，抱璞荊山淚已紅。倘得千秋忠義在，不妨長做釣台翁。

泉時蒼翠自逶迤，千里家山十里陂。麥秀早悲原上草，鄉音誰寄綺窗枝。謫貫縱被巢鳩占，新壘難將燕禍移。歷劫滄桑無限感，天涯回首淚垂垂。

自由人
THE FREEMAN
（半週刊每星期三六出版）
（第八十一期）
每份港幣壹毫
督印人：李光羅
社址
香港高士打道六六號
電話：二〇八四八
GLOUCESTER RD.
HONGKONG
TEL: 20848
承印者：東南印務出版社
地址：高士打道六四號
台灣總經銷處
台北市中華路一二五九號
（台北憲兵隊側對面）

實現民主的條件之一
知識分子的覺醒

·左舜生·

大家應該說老實話，中國截至現在爲止，還沒有民主。爲了實現民主，應該具備的條件甚多，中國大抵還不會具備。

這些條件，決不是咄嗟可以立辦，可是，『七年之病，求三年之艾，苟爲不蓄，終身不得。』現在我在這裏所說的，只是許多條件的一條，即『中國知識分子的覺醒』。

中國人自開始追求民主以至今日，至少已經有了五十年的歷史，何以至今依然不能過着一種比較接近眞正民主的生活？其原因非常複雜，我們應該從歷史，思想，文化，制度，人事，時代因素，……種種方面去推敲，才庶幾可以得其眞相；執偏以概全，把不能實現民主的責任，歸咎於某一種人，或某一部分人，不悟所謂某一種人或某一部分人也者，也不過是從這一歷史，思想，文化，制度，人事，時代因素的範疇所孕育出來的一種東西，他們既無過人的智慧與特殊的能力，可以從一切束縛與習染中超拔出來，你們卻把這個沉重無比的責任向他們頭上一套，即令就把他們活活悶死，充其量也不過多了一發有冤無處可訴的窮鬼，而中國之不會有民主也如故。

過去大家說袁世凱要不得，他要做皇帝，當然是不民主之尤，好，就把袁世凱打倒；大家又說軍閥要不得，他們實在胡鬧，隔民主何止十萬八千里，好，就把所有軍閥一一撲滅；後來國民黨來了，大家說還是不行，她要一黨專政，一黨專政當然也不是民主，於是一大羣的聰明人便跑去和共產黨合夥，其結果確實把國民黨也趕到了台灣；現在怎樣呢？毛皇帝，毛腳毛手爬上了寶座，人民被屠殺得成了血海屍山，被勒索得到了敲骨吸髓，然而奉天承運皇帝詔曰：我在這裏實行『人民民主專政』！嗚呼！民主，民主，天下多少罪惡，假汝之名以行！

平心而論，今天的毛皇帝及其大小臣工，也還是中國這個區域的歷史，思想，文化，人事，加上時代因素等等的產物，他們的所行所爲，我們與其從大鼻子和什麼馬恩列斯等等方面去找根據，遠不如就從中國的這許多因素中去找根據要來得多。

中國自然也有不大不小的一羣所謂知識分子，能說話，能製造許多似是而非的理論，能想出許多顧頭不顧腳的辦法，不能不說是這班知識分子的特長，於是乎所謂知識份子也者，也就自自然然成了咱們這個國家的驕子。平心而論，自袁世凱以至毛澤東，包括無數大大小小的軍閥，他們在這個四十年中所鬧出的一切一切，他們也實在是會向這些前前後後，老老少少，新新舊舊的許多知識分子請過教來的；所可惜的，便是這班知識分子太不像樣，太不爭氣，太不自愛，太無責任感，也太歡喜富室之美，妻妾之奉，他們不但不能去教導，指點，感化，控制袁世凱以次這班人，而且是反其道而行之，去吹捧他們，拍他們，逢迎他們，諂媚他們，向他們去看齊，向他們去學習，向他們去歡呼，拖着他們去吮癰舐痔，其目的無非在巧其餘瀝，分其餕餘，躲在洋房子裏胡思亂想，坐在汽車上風馳電掣，以驕其妻妾，傲其鄉里，向着可憐的老百姓示威！然而，也未嘗不可假民主之名以行！

老實說，中國這個國家，比之當代若干的民主強國，實在是落了伍的，說她落伍了一百年兩百年不算太少；說她落伍了三百年五百年也不算太多；凡一切實現民主的基本條件，無論是精神的，物質的，實在過於缺乏；要想造這些條件，決不是呼風喚雨撒豆成兵，就可以成功，可是大幹有大效，小幹有小效，不幹則畢竟無效。以往種種，譬如昨日死；未來種種，譬如今日生；今天的知識分子，實在有覺悟要從今天做起的必要了。

消極的，要有所不爲，要能甘寂寞，要耐得窮，要不畏強禦，凡看見一切不民主的事象，一定要不怕麻煩的起來加以批評，加以糾正；這以不僅對政府應該如此，即對社會的一切集團，一切組合也應該如此；總要把所有不民主的現象從四面八方去加以撲滅，然後民主的曙光才會有漸漸透露出來的希望。民主也只是一種習慣，一種風氣，要由多數人去加以培養，加以保持，凡是以損害這種習慣或風氣之形成的，即令無力加以制止，至少總也要不去推波助浪。

積極的，要自我檢討，要埋頭苦幹，要靜心思索；口有說，說民主；筆有寫，寫民主；腳有勸，勸民主；如保赤子，如捍頭目，心誠求之，合力爭之，蔚爲輿論，形成力量，鼓盪而爲一種潮流，使當之者摧，逆之者敗，果然是這樣不斷的做去，你以爲世界上還會有以民主的魔王可以存在的餘地嗎？

老實說，中國其所以鬧成如今天的這種現象，過去的與現在的一切知識分子是不能逃避責任的，責人莫忘自責，他之不民主，與我之對民主並無十分誠意，是有不可分的聯帶關係的！

漏網新聞

休戰那是一種騙術

上星期美聯社記者誤報韓鮮停火事，引起杜魯門肝火大發。第二天他召集一個記者招待會，痛痛快快教訓他們一頓。他說：『我希望你們大家了解，在休戰協定簽字以前，沒有甚麼韓鮮停火這回事的。』接着他又說，由這件事，使他憶及第一次大戰往事。一九一八年十月廿七日，當他正率領他的砲隊在法國一條馬路上行軍時，有人遞給他一張法文報，該報的大標題是『休戰協定已簽字』。不久，一枚一五零糎的砲彈落在他的砲隊一百碼的一邊，接着又一砲打在砲隊的另一邊。那個消息是霍華德系報社長霍華德發表的，現在證明那是一種騙術。

杜魯門講完後，有兩位隨員對杜總統耳語：『總統，你把日期記錯了』。杜魯門說：『不會錯，這是根據我的日記的記載』。後經查明霍華德系報所發佈的休戰謠言是十一月七日。

×　×　×

英國勞工黨落選後，分裂現象依然存在。上星期保守黨政府要求國會批准對日和約，艾德禮通知工黨議員支持該案。但在表決時，仍有三分之一的工黨議員投反對票或棄權。

×　×　×

紅軍中校逃進西德

上星期，駐防在東德的蘇聯紅軍中校阿斯達可夫 Asdakhov，越過封鎖線逃進西德。阿氏是蘇聯地質學家，曾獲得史達林獎金。在他出亡前，主持東南德區探鈾工程。

惟西方情報人員不證實亦不否認這位蘇聯逃亡客是否爲阿斯達可夫。假如是的話，西方國家不難從他身上探出蘇聯的原子祕密。

×　×　×

狄托主義可能抬頭

捷克副總理兼共產黨總書記史朗斯基上星期被捕下獄，罪名是反抗國家。因爲史氏是百分之百的親蘇份子，若干觀察家認爲捷克總統（共黨領袖）可能變爲狄托第二。按捷克過去親蘇政策，由史氏一手主持，他曾得過史達林的勳章，捷共民族主義派不少人死在他的鐵腕下。他的被捕，將是捷共狄托主義抬頭的朕兆。

×　×　×

松樹不變它的顏色

日皇裕仁在六年前向日本人民說：『人應當像一株直立的松樹，雖然周身堆滿了雪片，仍舊不改變它的顏色』。本月八日是珍珠港事變十周年紀念，日本再度抬起頭來，這株直立的松樹，周身的雪片，很迅速地化爲烏有。她正在加緊訓練警察後備軍，訓練用的武器包括有輕機關槍，迫擊砲，及反坦克平射砲。舊的財閥在新的名辭下，恢復活動。日本會不會變爲第一次大戰後的德國，成爲觀察家們一個值得注意的問題。

×　×　×

上星期是邱吉爾七十七歲華誕，他的故鄉查德威爾的鄉人佛羅里斯夫婦，特地替他定製一個重達八十磅的壽餅，專程送到唐寧街十號首相官邸，壽餅的式樣像一頂平頂的木球帽型，上面有二百種顏色鮮艷的標記，註明邱吉爾從政四十三年的興衰隆替。

（伍健助）

國際裁軍的背影

—吳起舞—

國際裁軍是此次聯大議程的主題之一，東西兩大集團對這個問題的意見，已由艾奇遜和維辛斯基正式向聯大提出。這個問題的發展如何，是值得大家關心的。

繼西方意見提出之後，蘇代表維辛斯基，美代表傑索浦，英代表路易，和法代表莫霍，特在聯大主席的辦公室舉行一次祕密會議，以便於十二月十日向聯大提出一個裁軍計劃。此外有三個小國敘利亞，伊拉克，及巴基斯坦提議兩點：（一）東西雙方減少宣傳攻擊，（二）由聯大主席勒佛制止雙方作無關的辯難。事實告訴我們，四強代表會議和小國建議，對國際裁軍的實際進展，並無多大裨益。

假如我們把眼光放遠一點，展望一下問題的背影，我們是無法對國際裁軍作任何樂觀的看法。就克姆林宮的態度來看：第一，他們絕對不容許任何眞實的國際調查機構，深入鐵幕，執行裁軍命令，或作實地軍事調查。第二，他們相信西方國家在確實獲得安全保障以前，不會立即接納廢止原子武器的建議。第三，儘管維辛斯基在聯大大玩其『和平鴿子』，克姆林宮卻正以加速度的姿態，從事擴軍及武器增產。

西方陣營的情形怎樣呢？正當聯大大開其和平攻勢時，北大西洋十二國部長聚會羅馬，和巴黎的聯合國大會，大唱其對台戲。英外相艾登，特地從巴黎趕赴羅馬，艾奇遜也親自趕赴會場，向北大西洋聯約國代表大打其氣，要求各國須於年底以前，組織歐洲聯軍。此外與北大西洋聯防起積極配合作用的中東聯防，也有着具體的步驟。擾攘了好久的中東聯防指揮權問題，英美可望獲得初步妥協，不過最後決定，尚有待於邱吉爾與杜魯門年底會商。

從東西雙方建軍的內幕，來看國際裁軍的前途，我們的結論是：它永遠是個問題中的問題。

校勘啓事

本報第八十期一版錢穆先生撰「革命與政黨」一文有兩處經手民誤植，茲更正如下：第四格「抗戰勝利，中共的勢力逐漸抬頭」下，應改爲：「那時他們的口號，是爭取民主，爭取自由。只要反政府的，他們都盡力爭取拉攏，認爲是他們的同路人。他們是在野革命。今天中共已確實掌握到大陸的實際政權了。……」

第五格「縱使它一時擺脫不了一個普通的政黨」下，應改爲「即平常政治上所謂在朝黨之任務，而同時它必須善盡其時代需要之對大陸革命的職責。平常所謂在朝黨……」

編者

半週展望

雷嘯岑

人類還是走着歷史的老路

我始終認爲韓戰和談問題，無論其發展情形如何，總是表面把戲，在新聞價值上，只可與一般偶談的社會新聞相伯仲而已。美國當局雖是希望結束韓戰的，但要以「光榮的和平」條件來求達到目的。中共更是渴望和談成功，但它無法自主，而且非在表面上做成「勝利」結束的排場不可。假使在巴黎作幕後談判的所謂四強裁軍協商，大家眞有誠意謀和的話，韓戰停火談判馬上即有一項可成的象徵可覩。現在四強裁軍協商既以等於紙結果的「裁軍委員會」的結論而散場，板門店和談那有好轉之望呢？

卅天內就地停火之議，縱使勉強實現了，但第二階段的休戰談判，爭執更多，利害關係也更複雜，光是一個戰俘問題，就有破臉再開火的危險。西方國家對人命是特別珍重的，共產黨就想利用此一弱點來謀取意外的「勝利」之果。彼此僵持，等到嚴冬過去，陽春來臨，自然又可以大打出手了！

美國對韓戰願意結束的主要原因是政治性的，中共卻是經濟問題已下不了台。政治因素可以在「拖」的過程中設法敷衍滑與，經濟危機則越拖越深刻，乃至於崩潰不支。所以，大環境如果沒有化戾氣爲祥和的奇蹟發生，韓戰這一插曲就決不容易休止。二次大戰發生之初，法軍在馬奇諾防線之前，德軍在齊格非防線之前，互相擲馬戲号，玩了幾個月的「小戰」把戲。迨希特勒跟史大林把瓜分波蘭的工作做完，閃電大戰即出現了。今日的韓戰，欲罷不能，似乎人類還是走着歷史的老路哩！

利特爾頓來港

英政府現任的殖民部大臣利特爾頓先生今天由星加坡飛香港，特視察本港的一般情況。利氏這次東來任務，主要是在考察馬來亞的緊急狀態究竟係何等實況？視察本港，可說是順便工作。

我們對利氏除表示歡迎外，只提出一點觀念來談談：即東方民族經過西方資本主義文化幾百年的控馭陶冶之後，現在已經「非復吳下阿蒙」了，大家都具有一種自愛自尊的意識，總想「脫穎而出」。中國共產政權之出現，也是這種脫穎而出的普遍意識所使然。不過，他們所採取的路徑是旁門左道，而非正常的歷史行徑，只是對西方文化發生一種突變的挑戰（Challenge）作用，如馬來亞與越南各地方的動亂，則是受着他們這種「挑戰」思想的激勵（Stimulus）而發生的。要想擊潰這旁門左道的突變挑戰，首先即須改革舊有的殖民政策。最近倫敦「經濟學人週刊」對馬來亞問題的主張，跟我們的看法是一致的。希望負有政治職責的利特爾頓先生，予以注意。

西方政治家只就軍事安全觀點着想，自然是要採取「軍隊」政策的。若從共產帝國主義之「世界革命」的全球政略戰略看，亞洲問題總是最嚴重的問題，就英國的利害言，尤其關係重大。

杜爾斯又到了日本

美國國務院顧問杜爾斯又到日本去了。這位對日和約的「產婆」，僕僕於舊金山和會閉幕以來，這是第三度了。他再三否認這次到東京的任務是爲的促進「美日安全協定」之實施問題，這話也可信。

美國在策劃和約之際，曾對關係國家發出了許多諾言，然日本政府於和約簽訂後，似乎對於美國所期待的事項，不感興趣，大有撒嬌耍價之勢。現值日本議會正式開會的時候，自和約本身到附帶事項，都要通過國會的辯論許可，纔得實施。杜爾斯此時到東京，是來督促吉田政府作精神上支援，同時也乘機與日政府研討如何履行諾言的步驟，以完成其對日和約「產婆」的未了任務。

給李副總統一封公開信

・黃雪邨・

我這封信是從台灣發出的，由於你對台灣的成見，也許是認爲一値一看或者是不願意看的一封信；但是以我和你過去十幾年僚屬與長官的關係，我覺得你平素最能兼聽，而且胸懷闊大，因此我仍然願意不惜詞費，本「心所謂危，不敢不言」之義，來向你提出我的一些意見。這封信之所以要在此公開發表，是我相信這些話足以代表許多平素愛護你的朋友們的意見。希望你能平心靜氣的看下去。

記得前年我在紐約，當你病癒將要出院的時候，我曾兩度向你提出我的建議，我主張你應該在身體康復之後，去華盛頓訪問杜魯門總統一次，即刻回轉台灣。因爲在國家最危難的時候，你身負元首之責，不能在國外滯留太久，致使人民失望。你對於我這個意見始終不肯採納。我再告訴你：如果不回台灣，在國家無主而且極險惡的情形之下，蔣先生勢必非復職負起領導政府的責任不可。當時你的表示是：蔣先生如果復職，你就要予以否認。我又再告訴你：如果這樣做，只是代表個人對蔣先生的意氣之爭，並不足以解釋你身負元首之責，在國家危難中滯留國外的理由，不僅無以自解，也將不能見諒於國人。因爲這樣一個事實之是非的判斷是屬於常識的，並不是一個法理的問題。不幸，你對我這些話依然是無動於中，始終要堅持自己的偏見，因此我才本古人所謂「不得其言則去」的道理，請求先行回國。承你一再慰留我，但我仍是非常歉然未能接受你這份好意。爲我個人計，這當然是非常不合算的，因爲我要拋棄有人替我負担的安全而享樂的生活，而回到香港去過窮困的日子；但是在做人與做事的道理上講，我覺得這樣做是應該的。同時我也希望你能因我之離開，不致懷疑我的意見是某一種成見或者是爲我個人的利害打算，幡然感悟而同意我的意見。從前孟子去齊，三宿而後出晝，我當時又何嘗不是懷着同一樣的心情呢？因此，在蔣先生快要復職的時候，我在香港又再打了一個電報給你，我的電文是：「聞蔣公即將復任，職意鈞座千萬不可發表任何言論，免留千古笑柄。」這樣措詞，我自知是有失僚屬對長官的體貌，但一方面是因爲急不擇言，一方面是因爲電費太貴，無法詳陳理由。在這一點上，我不能不請求你容恕我的唐突，瞭解我的內心。同時我也聽說當時在台灣的白崇禧、李鶴齡、邱毅吾諸位先生也有同樣意見的電報給你，可是終於不蒙接受，仍然於蔣先生復職之後，發出了你以爲很有理由而全國人認爲[illegible]」的聲明。我們的看法會同你距離這麼遠，這是一件無法解釋的事。我到台灣以後，和許多朋友每談起此事，無人不爲你深致惋惜，足見人同此心，心同此理。

在近一年多以來，你是沉默了，我們以爲你是在寧靜的生活中，對以往和現實有了更多的瞭解和認識。過去的事既已過去，我們也正願以「君子之過，如日月之食」的道理來期望於你，不料最近外電消息，說你不惜犧牲一生的清譽去爲貪污的毛邦初作證，證明蔣總統不是中國的合法元首，並且指示毛邦初不要將在美存款交還政府，以致引起美國國務院對承認中國政府和蔣總統之合法地位作再度聲明。這件事眞是出於一般人意料以外，誰也想不到你會有這樣一個不合理的舉動。現在我可以告訴你，在今天以前，在台灣無論是政府方面或者是輿論方面，對你這個舉動還是保持着緘默的態度；是在港澳方面許多的報紙却一致對你有非常不諒解的批評，在此我仍願意本平昔愛戴之忱，來寫這一封信，希望你不必作此從井救人而且投身濁流的極不明智之舉。據我的揣測，也許你是受了人家的欺騙與蒙蔽，因爲在你的週遭，可能有許多人在那裏進行這些犧牲你而有利於他們自己的工作，在這種情形之下去毀損了你的榮譽和歷史，我覺得實在是太不值得，因此我不能已於言，而願提出下面幾點意見，作爲你的參考。

第一、毛邦初貪污瀆職一案，已經由政府派查良鑑次長赴美查辦，並已向美法院正式提出訴訟，在政府方面講，可以算得是一種寬容而合法的處置，案情眞相，不久即可獲得公正的證明和合法的裁判。毛邦初既不是在你任代總統時期任命的外交官吏，當時也沒有多的電文往還。我在紐約的將近三個月內也並未見毛與你有何密切的來往，足證你對他的情形並不甚瞭然，今天你居然肯爲他脫罪辯護，這除了是逞意氣之爭，以快一時之意的作用之外，實在找不出任何解釋的理由。現在美國國務院業已正式聲明，否認了你對毛案作證的理由，這不僅有損於你個人的政治風度，而且也可以說是毫無代價的犧牲了你以往的光榮歷史和未來的政治生命，這未免太不値得。在此，我希望你首先加以考慮，不要受了人家的欺騙與蒙蔽而損毀了自己。

第二、蔣先生之復職，是因爲你決心不回來，在國家危難的時候，不能無主，他才不能不出而主持。在你看來，也許認爲他已經引退，不應再復任，但是在那麼一個非常的時期，你既不肯回來負責，又不能召集國民大會再選總統，那末除了他復出主持，試問是否還有甚麼第三種辦法？你曾以美國威爾遜、羅斯福總統爲例，謂在戰時，國家元首也可以出國爲理由，殊不知在第一次大戰中，美國國土並未直接受到戰爭的威脅；在第二次大戰中，羅斯福是具有聯軍統帥的資格，這與你所處的情形完全不同，決不能作爲可援之先例；而且時至今日，你離開國家和自己的責任已經將近兩年，我們在此，姑且不談甚麼憲法規定，世界上也從來沒有一個國家元首在國土並未完全淪亡的時候，身居外國達兩年之久的先例。重責任，輕權利，是一個政治家應有的風度。你在位的一年當中，既無法挽救當時的頹勢，那末及時引退，默爾而息，當然也許可以使人民體諒到你的一番苦心；但是在將近兩年以後的今天，你竟而還要以代理總統的資格爲貪污瀆職的毛邦初去作證，這就未免使人有啼笑皆非之感。大家對你的印象是無疑的會認定你只知逞意氣，爭權位，並沒有國家觀念和責任感，這樣一來，對你的損失是不可計算的。你曾負方面責任，曾代理國家元首，是歷史上成名的人物，千秋功罪，將有定評。我認爲這也是値得你深加考慮的一點。

第三、自從大陸全部淪陷於共匪之手以後，今天僅存的台灣是自由中國唯一的反共基地，台灣所擁有力量也是自由中國反共的最基本的力量，每一個反共的人士無疑的都應該維護它，充實它，使它更加壯大起來，共同來負起反共抗俄和復興國家的任務。我想你也必定具有同感，台灣今天的安定與進步，固然國際情勢的轉變是一個重要的因素，但是蔣先生在這一年多中也盡了無數的心力；而且他雖然在大陸全部淪陷之前一年引退，然而他對大陸上失敗的責任並不曾推諉，曾經幾次沉痛的表示，說「我是待罪之身」，「我的留滯現職，是爲贖罪」，這種苦心是値得大家崇敬的。仁厚如你，應該也能寄以無限的同情。今天國家還在危難的當中，大陸上被共匪宰割的同胞正在號呼求救，你當然也時時在繫念着。因此，我要請求你，在今天不要再逞意氣之爭，不要再存任何權位得失的觀念，應該在海外號召團結，共同來維護政府和充實台灣反共基地的力量，達成反共抗俄和復興國家的責任！這是我向你貢獻的第三點意見。

上述三點意見，取本卑之無甚高論，但是我覺得這是一些非常實際而合理的見諍，因之我本十數年相從之義，盡此諍言，希望你能平心氣和的加以考慮。最後我記得前年在廣州，你曾經一次在中央黨部紀念週的講演詞中，曾經强調團結，那篇文章裏，有你的示意，我還是你的感情，直到今天，我還是這樣的想法，因爲反共力量的分散，是徒然爲親者所痛，仇者所快，你是決不應該這樣去做的。一個人的光榮歷史是由自己創造，但也可能由自己毀滅。我在此謹以至誠之心，希望你爲國家珍重，爲自己珍重！臨了，敬祝你的健康！（十二月十日於台灣）

來件

耶穌故事的重演

・孫颿・

自由世界中，宗教徒一樣是自由人；鐵幕國家裏共產黨政權之迫害宗教徒，與迫害一般的自由人，同爲蹂躪人權的極大罪行；迫害既用暴力，更不惜用詭計，這造成歷史上又一黑暗時代。

美國的基督教徒在近半世紀以來創立一新組織叫「瞭望塔會」(Watch Tower Society)總部在紐約，分部遍世界；他們自稱爲「耶和華證人」，主要工作爲聖經之解釋演述，其機關刊物「覺醒」半月刊，英文而外有三十二國文字分版，行銷一百二十萬份。

一九五〇年四月廿二日，波蘭共產黨政府的祕密警察突施襲擊於華沙城「耶和華證人」總部，捕去執事者六人。兩個月後，全部組織被下令禁止，這一系的教徒數千人盡拘入獄而不審判。這數千人受盡刑拷虐待整整一年，然後提出其中七人大抵認爲是領袖的送進另一牢獄，施以另一種不名譽的共產黨式裁判。

一張冗長的罪狀清單 硬要被告自承「罪惡」

冗長的罪狀清單，綜合這些人被指控的罪名爲：（一）作反對政府的活動，不支持國家的發展，拒不納稅，宣傳第三次世界大戰，抵制斯托霍爾謨的和平呼籲，進行非法的地下活動；（二）敵視蘇聯；（三）爲美帝國主義刺探政治軍事和經濟等情報；（四）與希特勒遺孽法西斯合作；（五）非法踰越國境；（六）非法運用金融。據說這些罪行審判證明，國家希望[illegible]。

共產黨式裁判是經過長時間虐待，促使被告人自承罪過，哀求寬宥，然後獄讞通過，審判完成。這七個「耶和華證人」却力辯無罪，你想那法庭多麼憤怒和驚愕呢。

於是每一被告個別處理，特將他們自法庭移開，只留下一個名叫雪達爾的，是多年來「瞭望塔會」波蘭支會負責人。經過四星期多鐘，檢察官和法官張開狡猾的問題的烟幕，志在鈎出他繫維的議論，又將該教會的出版物斷章取義摘出些語句，指爲主張甚麼辦護甚麼，而他們實際正是相反的。他們要被告只用「是」或「否」答覆問題，每當雪達爾答出非他們所想得的話便亂以他語。

凱撒的東西給予凱撒 全能的聖戰迅將來臨

雪達爾在此迷糊的審問中，答話爲清晰。他說，耶和華證人這一系教徒，對任何國政府和其他國政府概守中立，祈求上帝王國正義的統治，他們不與聞任何國政的事，上帝的人民却絕對不反對一國內政的發展和改善；人民企圖在凡間造就秩序的美好的屬國是好事。納稅義務既履行而且必繼續地訓示，甚麼是凱撒的，要給予凱撒。聖經還是這樣的教訓。至於在波蘭的當權者，[illegible]反對共產黨，而在他們被控爲共產黨的，却是一系教徒。過純眞的基督徒將聖經早就說言[illegible]。

所有的國家所憎惡和迫害。說到主張第三次世界大戰倒不是那回事，忠實的教徒只誠懇地告訴人民聖經預言的上帝全能的聖戰可能迅速來臨。又謂這一系教徒反對教育，實則教徒們的子弟都送進了學校。至參加軍役，那是個人自己決定的事，與教會無干。

雪達爾對于非法踰越國境一項，坦白承認去過捷克訪問，但在邊境已取得許可，但怎懂得這些許可須與極權統治者必要的技術相勾連。非法運用金融一項，雪達爾絕不遲疑地說明他爲着保管各處捐來作傳教和購買聖經用的款子，經過地方銀行，支取合法比率，並不希圖貶値的利益，絕沒有兌換上的便宜，絕無破壞金融條例。

不會同時作兩樣選舉，他已經遵守基督管治選舉上帝的神權政府，便不能再事人治政府的選舉。此外幾個被告不會答他們的問話，便隔開拘囚，另給以「特種待遇」。

上述諸般詭計仍得不到一點罪證，再來的把戲竟拉出所謂「證人」。這些肆無忌憚的傢伙公然以共產黨而混進宗教組織，作過多麼熱心的扮演，居然騙得教會裏高級地位。他們明知捏控的罪狀是極端可惡的撒謊，他們竟淆亂事實而促成虛僞的控訴。這些匪徒中有一個名叫祇斯社藤克米卡爾的就是這樣混進來，幹着出版職務，僞裝爲主服役，得任爲巡迴使者，照料教友，像牧人飼羊，現在法庭上，告訴大家不可說謊，同時表白他的身分是披羊皮的狼，但他竟捏稱教會訓令過他，說倘若被捕受審則說謊亦所不禁。於是與法官唱起雙簧，法庭先認定他是頂可靠的證人，被告們請求另找一證人來證明這串演把戲的證人正在撒其大謊，法官不許，而且更多的僞造證人排成行列，有些穿上當時出賣耶穌的猶大伊斯卡利阿的道袍。他們一切僞證法庭概予承認。被告們又請求宣讀一些不能出庭的誠實證人的來函，法官也拒絕。

新的把戲所謂「證人」 傳教地圖成了「鐵證」

至此，極權勢力支配下，魔鬼的戰術有如下面所描畫。祕密警察在波蘭全境分頭襲擊教會時，率先搜索各教徒用于逐戶傳教的區域地圖，這些都是城市地圖，誰都可以由文具店購買來的，可審判時便用作「鐵證」，證明被告係美國間諜，以提供地圖和情報，這是奸細內應美政府工作，大大危害波蘭的防衛。還沒比這更牽強附會的嗎？然而這就是共產黨的公道，眞實和正義的示範。

雪達爾被逐一審訊後，其他被告們仍只提[illegible]法庭陳詞來。[illegible]何以不肯說謊之誡，[illegible]犯了一個被共產黨保證和平[illegible]的罪名，[illegible]期待耶和華上帝建立的世界和平。又一被告給詢問[illegible]。

神祕的醜劇演够了後，被告者「企圖顛覆波蘭神聖的共產黨政府」的罪名成立，特別是雪達爾被指稱殺過五百六十個蘇維埃士兵，兩個紅軍女官，是第二次大戰時曾在納粹集中營內，檢察官綜合論證，請判雪達爾死刑；其餘判處八年至十五年徒刑。

惺惺作態貓哭老鼠 歷史教訓自掘墳墓

被告們高誦經文，表明信仰，都無一語求宥。這樣又歷三天，不給紙筆，不給食物，不許會見親友，不許接受誰送來的食物，如此殺人放火匪犯也未嘗受過此待遇。一九五一年三月廿二日，雪達爾判處死刑；其餘五至十五年分別徒刑；終身刑所有財產沒收；各處公權五年。

這醜劇終于引起散佈于全世界的「耶和華證人」們的憤慨，他們用種種方式（例如大會、舟車大會、營大會、行列等）一致反抗極權政治，在自由世界的教徒，發出抗議的心聲，在鐵幕裏的教徒以殉道精神與魔鬼搏鬥。他們所居留地方的教友，每逐戶傳達這種意志。

基督教友們說，現代的基督信徒之經驗，如出十九世紀以前的一轍。由罪惡者本人是一分析出來的。基督本人也身受虐待，無辜的，爲神聖的人，站在今天狂妄的審判者之前。證人們的罪，都是由于同樣的迫害而死。早期的教會備受迫害却使教會傳道事業發展，促成此後的膨脹。現在共產黨的活躍行爲，正爲耶穌故事的重演，又安知不因此而自掘墳墓，正義終于抬頭呢？

（摘譯自紐約「覺醒」雙週刊）

觀察家觀察 邱吉爾訪美

邱吉爾定於十二月廿九日乘瑪麗皇后輪訪問華府。他這一個決定，引起了若干觀察家的興趣與推測。

邱吉爾執政的一個基本態度，認爲英國的戰時狀態並未結束，所不同者，是今天英國所面臨的是冷戰，而不是熱戰罷了。

他赴美的任務，也將根據上述態度爲出發點。觀察家指出，邱吉爾的任務之一，是爭取「美援」，但不是「美元」。講得更具體點，他不會向杜魯門提出借款要求。但他要在新英美親熱聲中，提出「冷戰租借」方案或「互助」方案，來支持英國的建軍計劃。內容可能包括由美國供給煤、油、鋼鐵、及實行物資交易。物資交易的方法，是拿英帝國出產的原料如錫、橡皮、及羊毛等，交換美國的戰略物資。

邱吉爾訪美的第二個任務，是解決美國在英國的軍事基地問題。他在今年十一月九日曾經演說過，美國使用這些基地的結果，迫使英國居於反蘇戰爭的最前線。他這種談話具有兩大作用，第一，是他向美國提出「冷戰租借」方案的藉口。第二，是他要保留美國使用這些基地的否決權的一種暗示。上星期他在答覆衆議院的質問時，述及美國使用這些基地，僅以與世界和平與安全之總利益有關爲限。邱吉爾雖不致貿然取消美國對這些基地的使用權，但是他會很警覺地爭取基地使用的否決權。

此外邱吉爾將與杜魯門總統，商討解決韓戰，加强英美在中東合作，應付伊朗及埃及危機，並將商討與史達林會晤的可能性。儘管艾登一再對他解釋，東西爭端沒有解決可能，但他認爲還有試探的必要。（樂光）

償不完的勒索 受不盡的酷刑
中共虐待僑眷
金山婆跳井自殺 金山仔血淚家仇

中共勒索華僑，虐待僑眷，淚和血的事實，激起了海外三千萬華僑的憤怒和反抗。香港華商總會前些日子已經向中共頭目發出抗議性的「請願書」，美洲華僑一致決議停寄勒索匯款。廣東中共第二號頭目方方連忙惺惺作態，說要調查。自己主持和指揮的醜惡勾當，還要調查嗎？未免太滑稽了。

在中共勒索華僑的醜惡圈中，最倒霉的，是旅美華僑，從前那些被人欣羨的金山婆，現在一個個都變成鐵腳下的替罪羊，屠刀下的豬羅，獄中的餓鬼。慘啊！慘啊！這是在一筆千秋血債。因果律是無情的，血債是要血來償付的。

十二月十四日出版的時代雜誌，又刊登了一篇中共勒索華僑的血的故事。事情的經過是這樣的：有一位名叫張孫氏的金山婆，現年六十三歲，住在舊金山。她因爲在舊金山住膩了，四年前決定回到廣東故鄉潭頭村，平靜地度她的晚年。張孫氏是一位舊式女子，性情恬靜，從不與人爲忤，平時只知道治理家政，絕不過問外事。旅美期間，生了五個兒子，他們都是能幹的金山丁。張孫氏回到潭頭村後，買了一棟十四個臥房的大屋，在潭頭村的老百姓看起來，她是標準的財主婆，因此她便成爲共幹勒索的「肥豬」。今年十月，她的大兒子張祖龍接到她的信，述及她已被共黨拘捕，她的罪名是虐待媳婦。共幹爲了迫使她承認虐待媳婦的罪名，於是施以酷刑拷打，張孫氏却抵死否認這個莫須有的罪狀。於是共幹們將她標出來了，他們將她的面孔塗成一副鬼臉，頭上帶一頂高帽，上書「犯法的女人」，並迫令她立在鄉公所的門口，在飢不給食，渴不給水的狀態下，張孫氏沒有力量再抵抗了，第二天她繳了一千元美金的罰款。

一千美金繳過後，共幹不但沒有釋放她，而且來一個變本加厲。一個月前，張祖龍接到他的表兄來電：「令堂要求火速匯港幣萬元」。他接到這封電報後，立即寫了八封航空信，向朋友們查詢他母親的偶像。

回信來了，他的朋友們告訴他，他的母親和村內其他四位金山婆，被控不忠於「人民政府」，每人罰港幣一萬元。她們全體拒絕繳付。於是共幹迫令她們跪在鐵鍊上，脖子上還圍着沉重的鐵鍊，並拒絕供給食物及飲水。最後她們都認了「罪」。有一位因案情嚴重，且被舉行公審。張孫氏（他的母親）每天帶着「地主」的高帽遊街示衆。

張祖龍讀完這些信後，泣不成聲。後來他召集他的兄弟舉行一次家庭會議，一致認爲匯款救不了他們的母親，一而再再而三的，反會使她被捕或拷打，增加共幹勒索的慾望。最後由張祖龍執筆，寫了一封信給他們的母親，告訴她這個停止匯款的決定。這可氣惱了共幹，他們見計不遂，加倍實施酷刑。上星期張祖龍接到最後一封家信，告他的母親受不慣酷刑拷打，最後跳井自殺。

這是一個悲劇，但這不過是中共勒索華僑聲中的一個實例。其實在鐵幕內類似的勒索悲劇，又何止萬千呢？華僑是革命之母，如果他們不爆發反中共勒索的革命火花，那才是怪咧。（附圖係張祖龍接到最後一封家書時檢視其侍母舊照以表哀思時攝）

「領導黨」鞭撻下 民盟奴像畢露
小資產階級存在 不是眞理的存在

【北平特約通訊】民盟原是中共的喇叭隊，十餘年來，一直爲中共做着搖旗吶喊的工作。中共竊據政權以後，照理，他們的工作是應該做得更恭順更起勁了。從十一月十三號起到二十七號這十五天，民盟奉命舉行了一次包括了總部各地方及海外支分部的組織宣傳工作會議，對政策思想，在痛切反省之後，感覺沒有做到配合「友黨」，達成任務，大家都很難過。「主席」張瀾在會議中一再指出民盟內部的不團結，不進步，不學習的錯誤，要求反省，提高警惕。沈鈞儒則以「副主席」身份將偽人民政協一屆全會三次會議的經過「傳達」了一下，章伯鈞則以「中央政治局秘書長」身份對做得太差的組織宣傳工作來了一番「總檢討」。接着由「總部宣傳委員會主任」羅隆基一面勉強掙扎說：「一般人說，我們工作做得不起勁，我們承認。但我們總算在……盟對「抗美援朝」，捐獻武器，推行宗教界的三自革新運動等重要工作，已盡了參加推動的責任。」一面又向中共討饒，情願接受「領導黨」，他說：「這要感當特別指出，我們的領導黨——中國共產黨——給予我們的指導和幫忙太大了。本盟應竭盡所能去協助它，一心一意，接受領導，我們這次會議纔能算勝利成功，纔有決定意義。」

會議中間，中共中央宣傳部副部長胡喬木，僞中央統一戰綫工作部長李維漢和「抗美援朝」總會副主席彭眞等三人均以「貴賓」身份蒞臨指導，要民盟以當前三大任務——抗美援朝、增產節約、思想改造——爲該盟中心任務，並希望該盟能將思想認識逐漸統一，不容許思想龐雜現象繼續存在，要在中共的領導下，負起「人民」給予的任務。

胡愈之最後則以大會祕書長身份對十五天的會議作一冗長的總結報告，並特別將「民盟」性質作一規定：「民盟是以小資產階級知識份子爲主要成份的階級聯盟性質的新民主主義政黨」。人民民主統一戰線是戰鬥任務，（我們不能離開它，離開它便要滅亡）。民盟盟員要進行自我教育與自我改造，並在知識分子中，帶頭進行思想改造運動。

同時，中共的另一喇叭隊「九三學社」，亦爲了「反映全國人民的共同意志」，也於十一月廿五日奉命舉行了一次社員大會。許德珩及黎錦熙、涂長望、尹贊勳等……「小資產階級的存在，不是眞理的存在。」語語自實，奴像可憐。（十二月一日寄）

香港三日續紛錄

香港開埠以來此尚係首次 英殖民部大臣巡視本港
進口．工賊．猛獸．防炎．防癆．中共虐待教士

港九自本月八日起，外籍人士之進口，限制更嚴。粵籍旅客，從前原亦有特權，不論自深圳或澳門，皆能通行自如，然八，九，十三日中，即使粵籍旅客，亦難能通過。記者於八日看澳門駛來的輪船，經查驗，大半皆能上岸，據警局人員談，以第一日實施上項法令，故比較鬆些。九日情形不同了。移民局官員嚴諭凡粵籍旅客必須攜出生紙，或三年以上在港之居住證或移民局頒發之回頭紙，否則皆不准登岸。在深圳方面獲准入口者，更爲寥寥無幾，但見一片淒淸之狀。駐守在深圳的警員與關員，反見閒來無事。

×　×　×

最近兩個月來，港九自由勞工會不斷產生。港九西商會酒樓公會經積極籌備後，短期內即可正式成立，該籌備會爲使各界明瞭該會內容，九日特發表申明，略稱：「……我們爲愛護香港，爲鞏固職業，不能盲目爲工賊欺騙利用，……短期內我們的自由工會便可成立。」

×　×　×

沙田是距九龍約十分鐘火車路程的一個站頭，在香港原有很多寫字樓的人們，把家住在沙田，自己坐火車來港辦事。最近沙田山嶺區村民，忽然發現猛獸足跡。竹仔山下鄉田村於九日淸晨農民吳某，發現菜田中菜葉零落，地上斑斑點點，赫然猛虎之足跡。現下附近居民已在戒防中。

×　×　×

英殖民部大臣利特頓定於今日（十二日）上午八時由星加坡專機抵港，本港開埠以來，殖民大臣親蒞巡視者，此尚係首次。利氏定週五下午飛英，結束其遠東之行。關係方面傳出消息，利氏遠東之行，最大的任務計有三：（一）巡視馬來勸亂之局勢，以決定明年五月英駐東南亞最高專員麥唐納任期滿後的繼任人選。（二）淸剿馬來匪亂的具體商討。（三）研究本港與中國大陸的未來關係。英國外交上是否再繼續承認中共，利氏此行頗有關係。據外交方面傳說，英國一直承認中共，英國派駐北平的使節，便無異是美國及一切民主國家在北平的「千里眼」。關係應不好，眼睛應要看得準確。在香港本地人看，對上述並不重視。僅注意所謂日產分配問題，日產僑價問題及改革政制問題。

×　×　×

日本東京大學醫學院教授松島文太郎十日自東京飛港轉往歐洲，考察世界衛生事宜。他說戰後醫界有兩大發明，一是防炎注射盤尼西林，一是防癆種苗「卡介苗」（或稱BCG），這兩種藥只在東京醫界最近曾引起激烈的辯論，一派主張有效，一派認爲效力並不如診斷所稱之盛，雙方在醫學刊物上發表純學術性的文章。經研究結果盤尼西林在人體注射中，或散施時，其效果一次比一次減低。這個結果美國醫學界亦完全同意。至於「卡介苗」日本很多醫生認爲小孩雖種了，仍不能免去肺菌之傳染。這一個問題現已提交世界醫學專家研究，直到現在還是個未決案。

×　×　×

據教廷駐華公使黎培里香港公教辦事處公佈：中共政府所驅逐的傳教士——包括司鐸修士和修女現已達一千一百三十六人之多。每天都有司鐸，修女自深圳過羅湖而進入香港。公佈復稱：十二月二日在廣州中山紀念堂公審廣州育嬰院加籍五名女修士，其中三人，呂信德修女四十三歲，高豐德修女四十四歲及唐雅琴修女四十四歲，均被判令驅逐出境。彼等在獄內已染有嚴重肺病，即將來港療治，香港公教方面已爲彼等準備療養之所。（一成）

紙有勞模沒有文模 文藝工作者受檢討
不向前看祇望後瞧

【北平特約通訊】根據僞人民政協一屆全委會三次會議的「決議」，毛澤東「改造思想」的號召，由僞中華文聯決定，先在北平展開「整風學習」，成立「委員會」，由丁玲任「主委」，由田漢、老舍、歐陽予倩、袁牧之、沈雁冰、馬思聰、蔡楚生、梅蘭芳等任「委員」，被納入此一運動的作家總共有八百多。偽文聯就在這場合，赤裸裸地被檢討了：第一、中共所認爲天大的一件大事是「抗美援朝」，而文學藝術工作者，過去不但沒有遵循「黨的路線」在所謂愛國主義國際主義方面引起作用，滿足「人民」的要求；相反，還多多少少不着痕跡地「曲解」了這一「偉大」運動，使群衆對這一工作感覺厭倦，情緒鬆懈，麻痺，或竟至以行動來拒絕工作。第二、濃厚的小資產階級意識傾向，使中共所認爲的思想水平無法提高。文學藝術工作者，都沒有用所謂工人階級的思想來教育人民群衆，第三、對「新中國」的前途，還是認識不淸，文學藝術工作者，都不肯向前看，只是望後瞧，懷念過去的文藝作品，仍是兩不斷。第四、馬克思主義的文藝在中國文藝園地裏沒有根，中共所最討厭的自由主義却風頭依舊不脛而走。致使中共想擴大和加強創作和批評的領導的目的無由實現，到處看不到一部像樣的「爲人民需要的作品」，「新中國」，偉大的「工模」、「勞模」却多；今年毛澤東「勞模」有，「文模」沒有一個。這許多不阻住了前進的路。

共產黨的人民世紀
各位頭腦放淸楚點

十一月二十四日，偽中央宣傳部副部長胡喬木和偽中華文聯副主席周揚，特在北平舉行了一次「文藝界整風學習動員大會」，胡喬木在這次大會中很不客氣地指出文藝界過去的錯誤，並帶着威脅的口吻說，各位頭腦放淸楚點，現在是共產黨的人民世紀了，文藝工作者的舊思想……

……作風，必須擺脫「自由的」，加強「爲人民服務」，使文藝界的學習模範勞動模範能夠從此繼續不斷地產生出來。

老舍慚愧吃寃枉糧
歐陽予倩不堪設想

被牽着鼻子走進會場的老舍、歐陽予倩等，終於「自動」地在丁玲、李伯釗、瞿希賢、華君武、李廣田等六人之後站起來講話了。老舍在未講到正題之先，先給自己八代祖宗罵了一陣，自怨自艾，討饒似地說：「慚愧得很！解放以後得這麼……，我還沒有寫出什麼東西，人民所喜歡的作品也不多……我寫不出什麼……我的筆路是幽默的，但直到目前，我所寫的幽默文字都沒有……[illegible]

請毛澤東換新頭腦
小資產階級的感情

最後「主委」丁玲根據各人所講的話，給來了一個總結，她說：「老舍、歐陽予倩兩先生的坦白講話，很使我們感動，這些情形，都是事實，用什麼方法糾正這一可怕的錯誤？這責任都在我們肩頭上。」……鋼同志（代表電影界）所說的「解放」以後所出的片子沒有階級意識，宣傳反動思想，……醫同志（代表音樂界）所說音樂工作者脫離生活，脫離政治，關門作曲，用小資產階級的感情代替了工農兵的感情。蕭君武同志（代表美術界）所說美術工作者隨心所欲，不問政治，粗製濫造，……都值得警惕。……許多缺點的總結，我認爲全由於缺乏領導和檢查……[illegible]

原子夫人

——嘉華譯——

一九三七年，美國研究生物學的凱絲琳，潘凌女士，萬里迢迢的到歐洲去找尋參加西班牙內戰的丈夫。踏破鐵鞋，終無覓處，後來纔由一位志願軍（共產黨）的官員告訴她，她的丈夫已經在某一役中長作異鄉之鬼了！

想不到這件小悲劇，竟成為幾年後莫斯科的間諜探查美國原子彈祕密的插曲。

當時，這個纖弱黑髮的女人，遠流異地，飽受風霜，所攜盤川，漸將告罄，舉目無親，景況自然淒涼，在這束手待斃之際，幸虧一位國際志願軍的中校給了她援助。

說到這位中校，手下本來沒有固定的隊伍，全憑一些感情衝動，跨過大西洋來投効的青年，跟着他參加西班牙政府軍。他原籍是南斯拉夫人，十六歲時，憑一紙假的護照，混進美國，取得了美國的國籍。表面上終日高呼忠於美國，暗裏卻受莫斯科的指揮，做流血革命的工作。同時他實實在在是資格很高的共產黨員。

他曾在莫斯科的列寧大學受過訓練，同學之中人人知道他和蘇聯祕密警察最稔熟，所以在未到西班牙參戰之前，是共產黨在美國地下祕密工作者的一張王牌。

對於竊人私祕，煽動怠工，造謠搗亂，他都堪稱專家，尤其擅長於巷戰駁火，破壞鐵路，縱火焚屋等技術。因此，大受莫斯科方面的賞識，選中了他來幹這國際志願軍的首領。

這位唯心主義的生物學家潘凌女士，當然不清楚他的背景和履歷，祇知道他把她資助返美，恩同再造，刻骨銘心。她更不會想到這位救急扶危的中校，在把她送回美國時，已經把她的一切身世詳詳細細的呈報到莫斯科的蘇聯祕密警察總部備查，以備將來遇有機會，可以作為威脅利誘的張本。

潘凌回到美國，就在加州大學的研究室，埋頭於生物學的研究，自然會與一班科學名流，高攀為友。一九四〇年，她和一位最活動而年青的物理學家柯本哈默博士結婚。

他們誰也想不到五年後，柯本哈默博士竟平步青雲，社會人士曾以「原子彈先生」的尊號。雖然投在廣島和長崎的原子彈，並不是柯博士一個人所能發明，但是他無疑的是主持的主腦。此外原子彈有關於生物方面的研究也少不免由他的太太勸助設計，方克完成。

原子彈初次在洛斯阿林摩斯和新墨西哥試驗時，柯博士是主持人，正當成功之際，隨軍的情報人員，就懷疑他是「危險人物」！

理由是早年他曾傾向於馬克思主義，往來者亦多係有名的共產黨員。他的兄弟法蘭克，也參加了共產黨。此外他的太太潘凌的前夫，因為參加西班牙政府軍而陣亡，也值得注意！

雖然全世界祇有他一個對原子研究有經驗有頭腦，可是為了國防祕密的安全，如果證據確鑿，採取緊急處置，很可能世界上不會有「原子彈先生」這個人產生。

這件案子先由曼哈坦設計局的陸軍總司令，哥洛夫斯將軍辦理，他先和柯博士作一度密談，旁敲側擊，多方索探，可是柯博士毫無可疑之點，他坦白地承認：雖然參加過共產黨員的聚會，也曾和黨員往來，可是始終並未入黨。同時他還承認在三十歲前，對於政治未嘗沒有年青人的幼稚思想，愚蠢思想，可是現在政治的興趣，祇能列在對科學的興趣之後。

他的原子研究，係在加州大學研究室進行。蘇聯方面也風聞美國將有超級武器問世，於是趕快授命在美的地下工作人員出動，由蘇聯駐華盛頓大使館和西岸領事館指揮，各盡所長，鑽營偵探。

自此，柯博士和伯奇里研究室，就成為蘇聯間諜的活動對象。研究室內的年青工作人員，多數的思想被蠱惑變成了左傾，還有不少共產聚會的請帖，送給他們。但是這成績並不佳妙。到了一九四二年莫斯科祇有再派出大量高級的間諜去探查到底是什麼新式武器？

有一個叫做士提夫尼路臣，經常和一些站在紐約聯合方場，肥皂箱子上大聲疾呼，發揮演講的美國人波士域克斯來往得很密切。尼路臣給予一般人的印象是：語言粗魯，舉動不文！

尼路臣，專向紐約的外國土生僑民播種推動共產主義，最成功的就是號召波蘭，南斯拉夫，和捷克人組成革命的社團。在一九三〇年，為了使他的「同志」們和不受鼓動的礦工分離，他費了很長的時間，在荒涼的賓州硬煤礦中，進行分化工作。

感覺過敏的美國防諜人員，以為能在研究室中刺探的間諜，應該是溫文儒雅之流，絕不把眼光注到像尼路臣這種粗人。祇有莫斯科方面，美國蘇聯間諜的領導人，總自己知道尼路臣是他們最有能力的王牌，同時也為『他在西班牙曾和柯博士的太太潘凌，有過淵源，所以刺探新武器的希望，都寄在他的身上——原來尼路臣就是在西班牙內戰的國際志願軍中校。

柯博士在非美活動委員會，祕密商討防諜問題時，對於尼路臣這個人，祇能講出他的太太未結婚前，在西班牙蒙他照顧的一段事實，後來在伯奇里，雖然偶爾假期尼路臣來探望，同桌共餐，但此外別無其他可疑。這點平常的來往，不獨不能指柯博士為通好，也不能說尼路臣就犯了間諜罪。但無論如何，這對於柯博士是一件極不利的麻煩。

潘凌自然很清楚，再和尼路臣來往，足以影響到她丈夫光明的前途，然而這位恩人，飲水思源，又怎能拒人於千里！祇有訪客時，設法多拉幾位來陪客，一來免得尼路臣利用機會，二來也可以增加熱鬧。

這故事本來就這樣的一個結束，又有誰能明白柯博士夫婦，到底是不是清白忠於國家呢？

結果，美國政府在嚴密監視之下，藏着尼路臣從一郵局寄給他領導人的一封報告，收件人的名字祇寫着A——，到底還未能查出是誰？

報告的節略概說：「在伯奇里進行工作，柯博士夫婦對於共產黨已經高度同情，但偵察的結果，所謂「新武器」並無其事，繼續下去，將來必然得不償失，徒耗人力時間！倒不如依然讓他們有工作，或會更有表現能力，和成功的機會」！

這封親筆信居然可以使柯博士夫婦得雪奇冤，同時證實了尼路臣的身份，他也不會再有活動的機會了！

為「合法總統」建議

·尚方·

李宗仁先生於美國國務院聲明承認現在中華民國主政的蔣先生為合法總統之後，又寫信給友邦的國務院，聲明他纔是中國的「合法總統」。這好像一個與人有染的姘婦，硬說自己是正式太太的那類喜劇一樣，有趣哉，然鴨屎臭也！

中國人原有「關門做皇帝」「上山稱大王」這類玩意兒，但都是在自己家鄉玩玩，聊以自娛。如今李先生竟在外國關起門來稱孤道寡，可說是「自生民以來未嘗有也」的西洋鏡。古人說：大丈夫不能留芳百世，亦當遺臭萬年。李氏不愧為前無古人，後無來者的遺臭大家了！如果太史公生於今日，他寫史記時，一定在諸侯世家，外戚世家等篇之外，再來一篇遺臭世家哩！

大概李先生已染上了極其深沈的總統癖，非此則食不下嚥，寢不安枕了。為採取精神治療法，以免「德公」因此而陷入神經病狀起見，我建議在紐約市郊的李公館門口，掛上一塊「總統府」招牌，然後分派姓甘的和姓毛的為文官長參軍長各職，如有外國客人來，即以當年在國府禮堂正式接見外國使節的那套儀式相接待。教大家見面口呼「總統」之聲不絕，連自己的太太和兒女們也不例外。這不是跟在國內作代總統一樣的過癮麼？何必硬要向外國政府爭名現醜呢！

不過，萬一紐約市政府也像香港政府一樣，禁止居民作政治活動和組織，有朝一日，竟要把「旅館總統」驅解出境的話，那我可不負責任啦！

自由談

萬竹樓隨筆（五四）

宋江與宋清（上）

（水滸人物論之二）

·舜生·

在『水滸傳』作者的筆底，宋江誠然不是一個怎樣可愛的人物，可是假定沒有宋江，便不會有梁山泊這樣一種結合，同時也就不會有這樣一部『水滸傳』，可見宋江這個領袖地位，是無法把它一筆抹煞的。

宋江在未上梁山以前，不過是一個『鄆城小吏』，他就憑着這樣一個資格，造成了他在社會上一個不可忽視的地位，當時只要有人一提到山東鄆城的『及時雨宋公明』，眞是誰人不知，那個不曉！

等到他到了山上以後，當時的梁山泊確實是還有一個晁蓋負着領袖的名義，可是關於一切用人行政以及用兵大計，却已由宋江與吳用在那裏一手遮天，不僅晁蓋沒有話說，所有梁山泊的其他好漢，也一致沒有話說，可見不必等到晁蓋死去，宋江早已是個實際的領袖了。

我把『水滸』翻過幾遍以後，常常有一串的問題在腦經裏盤旋：當時的梁山泊，不論文的武的，確實是有不少的人才；從某一點上看，其本領高出宋江的，也不知有多少；宋江究竟憑什麼來驅策羣雄，而能一一得其死力呢？是單憑他那一點『疏財仗義，濟困扶危』的感召嗎？是靠他一套禮賢下士籠絡人才的手段嗎？或者是靠他那本自造的『天書』所發生的神祕作用嗎？……如此種種，自然都不失為構成宋江這個領袖地位的一些因素，然而並不是最主要的。據我看，宋江其所以在那樣一羣人物中，造成一個不可動搖的領袖地位，實在是另有兩大原因：一個是由於他愛才如命，用人惟賢；其次是他的家庭問題很簡單，他就從來沒有把自己的私生活擺在第一位。

舉例來說：一個善會跑路的戴宗，他便用他打探軍情；會寫字的蕭讓和會刻圖章的金大堅，便分別叫他們抄卷文，管印信；一個最會計數算帳的蔣敬，便用以管錢糧；推而至於用一個正直無私的鐵面孔目裴宣掌賞罰，一個鐵匠出身的侯健造衣甲，一個造炮專家凌振製造砲火，一個鐵匠出身的湯隆做造兵總監，都是着重在他們的專長，甚至就開一班酒店，也一定要擇用經驗的人才，非其人即不得濫竽；時遷是一位樑上君子，本來是雞鳴狗盜之徒，可是等到要盜徐甯的那一幅雁翎圈金甲，要爬上大名城內的翠雲樓去放火，便非請教此公不可。至於臨敵調兵遣將的時候，宋江更要注意他們的學歷和經驗，大凡對付正式的官軍，他一定要用秦明、呼延灼、關勝、林冲這類軍官出身的人去領驗；要幹一次冒險的勾當，他便用得着李逵、石秀、楊雄這類不怕死的好漢；率領水軍，他便專用李俊、張橫、張順、童威、童猛、以及阮氏三雄這類習水上生活的人物；凡此種種，我們都可看出梁山用人，確有一定的客觀標準，能夠不用違其才，而使才當其用，這便是真正愛惜人才，其能做到羣情鼓舞，樂於效命，決不是偶然的。

史太林　尼赫魯

雙簧

·夫石·

戲劇化的中蘇國交（下）

·海瀾·

[illegible]

社會主義的認識，承認社會革命的必要，則無論正在走甚麼的途徑，作甚麼的活動，都屬于蘇俄的同志。同志理當互助合作，特別是亞洲各國，蘇俄當局格外願望相與友好。當V氏滔滔演說，有人用華語竊竊私語道，想不到這種場合竟搬來這許多外交詞令。

白天不是遊覽便是十數主賓聚談，祇切實的商討倒在于夜裏僅三數人促膝共話。這方面，凡可以給這「同志」知道決不妨事的都告訴了他。比如，這裏想要作成一個獨立自治區——武裝自治區，抵禦任何勢力的侵入，區內集中全力于教育和生產，從而引導民衆滌除舊染。逐步轉向適合理的生活，而且訓練大家參與實際政治。全國儘管動亂紛紜，希望這一角落打好一個民主化政治的基礎。一個角落如果弄得好，相信對全國沒有不生影響之理。影響所及，民衆抬頭，亂國的軍閥便難立足，這可以說是這裏的革命策略。革命的對象，簡單說就是民主的破壞者，障礙者；革命的目標，簡單說是民主政治和社會主義經濟。這裏諸般計劃當中，屬于軍事方面的共將現有的兩軍約六萬人汰弱留強到一半為三萬人，期以兩年招致訓練七萬人，新舊部隊達至十萬。這一來，一年內須由軍事教育機關作成軍官和幹部一大批。再則軍械純靠外邊購來也非計，須得在區內設置一小型兵工廠。V氏對對這需要，代為制定一所軍校和一兵工廠計劃及預算，幾度晤商，大致作為定議。依據這計劃，他承任介紹蘇俄籍軍校學科術科教官若干人，各部隊編練顧問及教練官若干人，兵工廠技師若干人；製槍砲子彈機器若干部，稱有原料若干種，由他隨員中一人開列清單，很熟練迅捷，非外行的所能如此。

蘇俄在各國經濟封鎖中，因變制而生產又銳減，饑饉災殃不但本部為然，直至中亞細亞乃至西伯利亞滿洲邊境都鬧着饑荒。V氏也希望向中國取得些救助，可是沒有可談商處。這未成熟獨立區，這麼小的一角落，嚴格稽核起來，居然亦有商量餘地。據報告，稻米、小麥、醃製的海產，曬乾的蔬類，可以提供作為機器代價的月有若干噸。當下並商定俄船駛至逼近泉廈公海，這邊可用巨船將物資運交，俄船便載到海參威去。這一切都在幾度夜談商定，寫成一帙「談判紀錄」，彼此像煞有介事地簽個字，還抄了一個副本給V氏帶回莫斯科去。

這裏當事人對V氏有一個信約，就是這番談判及預定實行的一切事項，嚴守祕密，並中國裏的社會主義者同盟分子也暫當避免宣揚開去。

V氏帶有列寧親筆題名照像來贈給陳老總，老總也攝了一幀穿上將制服的照像簽名還贈。這「地下外交」專使走了。（九）

解放別錄

倍根語錄

·冰峯·

一個人在有把握的心情中開始，他會在結束時充滿了懷疑。但，假如他以懷疑的態度開始，他會在有把握的狀態中結束。

× × ×

當人們只看見海洋，就認為世界沒有陸地，那麼他們是一夥惡劣的發見者。

× × ×

憤怒使得一個愚蠢的人，變得機智些，但它使得他們貧窮。

× × ×

聰明的人不會將她值錢的珍飾，擺在四層樓上的閣仔：因此身材過高的人們，有其很空虛的頭腦。

× × ×

批評者，好像是貴人穿衣服時之刷衣的侍者。

× × ×

法律好像蜘蛛網，小蒼蠅落了網，大蒼蠅則穿網而過。

× × ×

佛羅倫斯公爵一次對那些無信義的朋友們說：我們讀到我們應當原諒我們的仇敵，但是我們卻沒有讀到我們應當原諒我們的朋友。

自由人

THE FREEMAN

（半週刊每星期三六出版）

（第八十二期）

每份港幣壹毫

督印人：李光華

社址　香港高士打道六六號

電話：二〇八四八

GLOUCESTER RD.
HONGKONG
TEL: 20848

承印者：東南印務出版社

地址：高士打道六四號

台灣總經銷處

台北市中華路一二五九號（台北憲兵隊側對面）

道德與政治

·陳伯莊·

凡知識分子，具有興亡責任感的，絕對應從砥節礪行，修身克己，取義成仁的方向去努力，他應該做新歷史的媒介劑，已發動，社會力量來創造新歷史。任何社會的現狀，誠然都有道德問題的存在。但是，道德是對行為的評價，是對結果的批判，而不是對原因的分析。

在從個人道德出發，演為修齊治平的政治理論，支配了思想界達兩千年的中國，在社會科學的觀點論據，尚未成為知識分子普遍共認的「老生常談」的中國，一談到政治，往往不知不覺的落到舊窠臼，集中論點於個人道德問題。

從自己個人對政治的責任，與及一個政潮的分子，對其同志之期望督責，尤其在「中州豪傑知誰是」的今日，凡知識分子，具有興亡責任感的，絕對應從砥節礪行，修身克己，取義成仁的方向去努力，他應該做新歷史的媒介劑，鼓動社會力量來創造新歷史。正如某種化學製造須要媒介劑一樣，集合其可合的物質。社會力量好比可合的物質，自負政治責任者的道德精神好比媒介劑。在今天的艱難苦境，需要有這樣天外飛來異軍突起的媒介劑，鼓動起死回生的作用。在這立場，我是贊成左舜生先生「知識分子應該覺醒」的一個號召。

可是，一個知識分子的自覺是一事，而論知識分子現狀為社會現狀之一，完全另是一事。左先生為了要實現民主，而論到這一個與政治有極重要關係的社會現狀——知識分子——便應從社會科學的觀點論據來研究這客觀對象，來研究這對象與實現民主有關的辦法。站在主體的自覺，是道德的問題。對於客體的考察，是社會科學的問題。在今天，兩者都是迫切的實際問題，但其性質不同。

任何社會現狀，誠然都有道德問題的存在。但是，道德是對行為的評價，是對結果的批判，而不是對原因的分析。其行為之何以如此，有其種種的構成因素，在其對所處環境的反應，與對反應後所造出的新境的再反應。分析言之，有歷史的，政治的，經濟的，教育的，社會制度的，家庭制度的種種環境。從客體方面論知識分子，應從這種種方面去探討，方能對症下藥。政治行動是社會性的；而行動是對外在客體而施的。必須從客體方面着想，才能達致有效的行動。當然，以淑世為職的牧師神父又當別論。他們是以「一爲他」爲職責的。

左先生的原文說到袁世凱的帝制。袁氏稱帝，固然是他自私的罪惡。假如當時沒有許多舊社會的殘餘分子，想依附帝制而保持其固有權益的，袁氏亦決不能作此妄想。袁氏祇見舊社會力量的有力，而不見新社會力量——共和意識——的更有力：便做了歷史的罪人。帝制一幕，有他的歷史偶然性——袁氏個人——也有他的社會現象性——舊社會殘餘分子——。一切政治問題，都有這樣的兩面貌。因為政治是人做的，而又是有社會性的。

至於從客體方面，研討知識分子，容另文論述。

勒索案鬧到聯大

【美國新聞處巴黎十二日電】關於中共政權進行全球性勒索運動之新證據，現已提交聯合國。是項證據是於來自芝加哥、新加坡、與澳洲雪梨華僑之三封電報中。中華民國政府代表蔣廷黻博士，今日以此三封電報交予聯合國祕書長李哲之。

蔣氏要求李哲之以此等電報交所有會員國會員國傳閱。此等電報均述及下述一事：中國居民被北平政權扣為人質，施酷刑並處死，以圖迫使彼等之海外眷屬，繳付鉅額稅款與罰鍰。

漏網新聞

天上掉下來的雨點。正反兩面大打出手。皈依上帝遵照毛澤東。匈捷邊境黃牛黨活躍

英政府設立民防部的問題，由工黨內閣鬧到現在，尚未獲得解決。上星期邱吉爾內閣宣佈將這個計劃提到國會討論。議員們連續討論了廿個鐘頭，仍無結果。左派下議員西維曼(Sydney Silverman)，因為不守會場秩序，停止出席權五天。前國防部長辛威爾憂慮他已經熬不住了，要去洗澡刮鬍子。天將黎明，仍還躲在浴室裏不出來。還大聲地處着：「今天是所謂君子黨（指保守黨）的天下，沒法子給他們難堪。假如有人要想侮辱他們一頓，他們認為那是天上掉下來的雨點，無關宏旨」。

× × ×

在伊朗大鬧油田國有之前，印度也發生相同情形，對外資經營下的亞巴頓油公司，多方阻撓，迫得該公司關門大吉。於是印度人開始自力開採油礦。結果如何呢？他們提煉的數量僅及印度消費量的百分之六，致全國航空運輸，減低百分之廿。上星期，印度政府放棄排外的偏見，與美孚等三外國公司訂約合資開採油礦。伊朗也開始領略到與印度相同的國營經驗，有些國會議員起來反對莫薩德的國營措施，結果國會正反兩派大打出手。

× × ×

美國空軍部最近從鐵幕逃亡客的嘴裏，獲得對俄實施策略轟炸的若干重要情報。例如那些具有戰略的目標，必須轟炸？那些地方應當留下，使其發生最大的厭戰效果？美空軍部現在最感興趣的問題，是炸毀了莫斯科和克姆林宮，能否動搖俄人的戰鬥情緒，抑或增加他們的抵抗決心。

× × ×

最近從鐵幕內逃亡的難民，特別是匈牙利和捷克，其身份大為改變。以往鐵幕逃亡客，多為政治思想主義者，現在多為農民及市民。鐵幕邊境，黃牛黨大肆活躍，帶路費每人五百美金，在維也納交現。

× × ×

近來盛傳史太林將「整肅」保加利亞，「整肅」的第一個對象將是總理齊文可夫。原因是他未能遵照莫斯科計劃，實施集體農場制度及鎮壓反莫斯科的地下組織。

× × ×

捷克親蘇專家史朗斯基（副總理兼共黨總書記），上星期被捕後，觀察家有兩種不同看法，一是狄托主義抬頭，一是鐵幕內的反猶太主義運動。因為史氏是猶太人，另外還有兩位被撤職的高級共黨頭目爲明德和史倫，均是猶太人。

× × ×

毛澤東勒令全國基督教會對「反動教徒」，實施集體清算及公審，禁止外國傳教士作禮拜，教會須捐款購買子彈援朝。最近北平基督教會舉行會議，通過決議案如下：「我等除皈依上帝及遵照毛主席領導外，並須實施反美援朝宣傳工作」。

× × ×

埃及貪污腐化之風甚行。最近政府黨要員四五人，利用其職權關係，將外國皮大衣及其他有價值物品向陸軍推銷，陸軍人員再將這些東西走私到以色列，利潤頗豐。觀察家指出，埃及政府加緊發動反英民族運動，目的在轉移民衆視綫，以防祕密洩露。（伍能勛）

美國人了解中國嗎

——樊通——

從雜誌上，常見到許多美國人談到一些中國的事情和問題，其次，我自己偶而也有機會和一些美國朋友談到中國的事情，使我發生一種感想，覺得美國人對中國的了解，似乎頗有問題。

即使我們不能說美國人不了解中國，那麼，至少也可以說他們對中國的了解是不會多的。中國人也可以說美國人對中國的了解是不夠的。我之所以有這種印象，倒不是僅憑直覺，而是經過考慮並且有事實的根據的。

我還可以追求說，中國人之了解美國，要比美國人之了解中國為多。雖然中國人並沒有那些人自認為美國通，也沒聽見那一位中國專家擁有大批關於美國的統計資料；但是顯而易見的，中國人對於美國的民族性，社會組織生活方式，是有較多的了解的。舉個例來說，美國人常說，中國是一個神祕的國家，認為中國的許多事情，是不可思議的；反之，中國人對於美國，卻很少有這種感覺。

美國人對中國人之不夠了解，擴而言之，西方人之不夠了解東方，除去因為彼此不同的文化背景生活習慣之外，還有許多比較屬於人為的因素。為了採訪新聞，美國通訊社報紙雜誌經常派了許多記者分駐在中國，每有事故，立刻電訊紛傳，看起來他們報導得很多；然而他們常常有以美國人的眼光來觀察來分析中國事情的習慣；因此，他們所報導給美國人的，往往不是一件事情的本來面目，而是一件加以美國化的中國故事，合乎美國人口味的看法。但是，未見得把握住中國的環境背景和符合中國的實際情形。就像美國現在所流行的中式服裝，縱然依舊是中國的衣服，但已缺乏中國的情調了。反之，美國的文化和新聞傳到中國來的時候，卻常是原封不動的貨色。在中國有不少的美國僑民，但他們卻幾乎維持着百分之百的美國生活方式；然而在美國的華僑，除開唐人街還保存了若干中國社會的色彩，其餘的已經和美國人打成一片了；從這些事情來看，就知道美國人了解中國，是有相當隔閡的。

今天的問題，其實並不在于美國人不夠了解中國，而在美國人自以為非常了解中國，甚至於以為連中國人自己還不如他們淸楚；因此，他們就犯了嚴重的錯誤。

第一：美國人常常自以為是，而不注意和尊重中國人的意見。這種傾向，是很顯然的。在美國輿論界討論到中國問題時，多喜歡發表自己的意見，而很少有人肯介紹中國人自己的意見，因此，其結果常常造成判斷的錯誤。

第二：美國人往往以他們的好惡，利害來了解中國的問題，所不知道，或者不願意設身處地站在中國人的立場來考慮中國的問題。因此，在制定有關中國問題的決策時，就不容易正確和適當。很自然的，一種關於中國的決策，而不符合中國人的需要，不能得到中國人的合作，當然是不容易成功的。

第三：美國人總[illegible]

大手術與割疣

假定說杜魯門先生有什麼錯誤，他的錯誤決不在最初的投入戰，而在變來變去，變成一個史無前例的所謂「有限度的戰爭」。

可能，要把戰爭弄成「有限度」，也不是絕無理由，而且不是絕無可能；但韓國這個地方決不是一個理想的「限度」場所。戰爭繼續到十八個月，死傷的人員可以到百萬以上，說所謂「有限度」早已不復存在，也未嘗不可。一個停火談判可以半年以上談不妥，這大概不是絕後，總也算是空前。何以會鬧成如此的現象？就是因為這個戰爭的本質根本便無法結束。即令暫時馬馬虎虎可以結束下來，然而在它的本質上依然結束不了。

大凡一種戰爭，如果它的起因本來就限於一時，一事，一地，要使它不擴大，或予以結束，便不太難；如果這個戰爭只是在形式上屬於一時，一事，一地，而所以構成這種戰爭的原因卻非常複雜，範圍也非常廣泛，則雖欲不擴大也希望甚微。

好比一個人的身體，經過高明的醫生檢驗，他身體的各部分都很良好，而忽然在他的部長了一個疣，那末把這個疣割了，就算了事，而且手術也很簡單；[illegible]實在是太危險啊！

時局漫談

舜生

保守

我自來便不願把保守看成是人類的一種惡德。可是永遠閉着兩隻眼睛來保守，卻是相當的危險。

進取自然是一個很好聽的名辭，可是「盲人騎瞎馬，夜半臨深池」，四射的目光，注意着前進，前進，周圍的環境，也自然非只跌到萬丈深坑不止。斟酌於保守與進取之間，而洞明其消息的領導人物，當守則守，當進則進，這只有一種理想的非凡人物才有這種見解，也才有這種襟懷，決非所望於一般平凡人物。

假如我們處在一種太平盛世，無論精神的，物質的生活，大多數人總會偏於保守，所謂「平流穩進」，我想大概都會在一種固定型的狀態，所謂「安不忘危」或「居安思危」，這真是談何容易！反之，如果我們處在一個風雲變幻的時代，總感到這也不如意，那也不如意，恨不得把一切打個粉碎，再來一次「平地起樓台！」在這樣一種心理狀態之下，說還能夠平心靜氣的加以選擇去取，倒也是非常困難。

我以前以為世界上只有兩個長於保守也長於進取的民族，其一是英國，其一是日本；現在有了一些修正，我覺得凡是一個經過無數風波，而還能夠站得住的國家，大抵都是長於進取同時也長於保守，甚至就是法國或蘇聯，也不是例外。惟獨這個半世紀以來的咱們中國，似乎是既談不上進取，也談不上保守，然後才造成了如今天的這種險惡狀態。所謂「窮則變，變則通，通則久」，變與通就是進取，久便是保守；所謂「擇善而固執之」，擇善就是進取，固執就是保守。現代的中國人既不慣於擇，也不善於變，因此一個可大可久的局面，乃到底建立不起來，而綿延五十年之久，仍終陷於一種飄搖不定的形態，其前途仍險不可言。

今天全世界若干擁有殖民地的國家，必須懂得盲目的保守與苟安是維持不下去了，假如不從觀念上和實質上都趕快的變，等到一但不可抗的洪流捲到了以後，那便來不及了。

今天的台灣，更只有進取之一途，單講保守，便永遠保守得住也無多大的意義，何況專講保守便決無保得住的可能呢？

最近因為英國殖民大臣賴特頓的東來，和因台灣現狀所引起的許多論爭，不禁引起了我上面的一番感想。

徵求時事漫畫

本社徵求時事漫畫，如合需要，一經選載，稿酬從豐。

編輯部啓

我眼中的邱吉爾

·鄭學稼·

邱吉爾登台，有許多人向他喝彩。爲着什麼？因爲老邱是反布爾塞維克。但反共的他和我們究有何等的關係？誰如想到這問題，恐怕就不舒服。

我不敢罵邱吉爾，因爲我是中國人，他是英國人。中國人的我，本着自己民族的利益去罵邱吉爾，被罵的他反會得意地抽雪茄。因爲，英國人的他，本就該有被中國人痛罵的資格。的確，如沒有義律的祖國，於一八四二年用人類歷史上最不名譽的「南京條約」的鎖鍊套在我們祖先的頭頸，也許我們不至有今天。但誰如站在邱吉爾的立場，那罵他的情緒就會降低。誰各愛其國，我愛自己的國家罵邱吉爾，一想到邱氏的愛「大英帝國」，不禁油然地反發生尊敬的念頭。應強調一句：我尊敬邱吉爾，因爲他之愛英國恰如我之愛中國。

尊敬邱吉爾和痛罵邱吉爾，同是無意義的。寫到這裏的我，恰記起哲學家斯賓諾莎的話：「不要哭，不要笑，而要理解！」我們要「理解」邱吉爾被我們敬的原因。如果，把「理解」的結果寫出來，等於寫邱吉爾傳。老邱的傳記，不怕沒有人寫。後日會寫文章的英國人，一定以他寫馬可波羅公爵的情緒寫他的圖像。事實上，性急的他，早就寫自己的回憶錄了。一個政治家，用自己的筆描畫自己臉譜的動機，主要地是掩飾自己的弱點，並爲自己的弱點而巧辯。邱吉爾不能例外。就站在「大英帝國」的立場，他的弱點，可以使人抹殺他的功績。

床下踢起的毽子？兩次大戰的英雄？

我就本這一見解，用本文來判斷邱吉爾，不配稱爲英國歷史上的第一流政治家，更不配稱爲現世界的第一流政治家。他和羅斯福，只算是小孩子在臥床之下踢起的兩隻毽子，或換句話說：只算是史太林會玩弄過的工具。

站在英人的立場，所期望的政治家，是拿破崙（如果史太林是拿破崙第二）的死敵，彼特的復活，或使英國恢復斯組業，耶方斯口中的光榮。耶氏說：維多利亞朝的英國人，曾這樣誇口：「北美與俄羅斯的平原，是我們的田地；芝加哥與奧德薩，是我們的穀倉；加拿大與波羅的海沿岸，是我們的森林；澳洲，是我們的牧場；南美，是我們的養牛場。祕魯送白銀，加里福尼亞與澳洲的黃金，都流入倫敦。中國人，爲我們栽茶；咖啡、糖、香料，則來自印度。西班牙與法國，是我們的葡萄園；地中海沿岸，是我們的果園。」這景象，邱吉爾當年還可見到。但是稱爲「兩次世界大戰的英雄」的他，能夠使「大英帝國」返老還童地恢復那景象嗎？不僅不能，他還在第二次世界大戰中，斷送了大英帝國繁盛的可能性。如果老邱聽了這句話心裏有些不服，那容我們檢討他在第二次世界大戰中會幹了什麼事——爲「大英帝國」幹了什麼事？

沒落的大英帝國，產生似張伯倫那樣的首相，是「時勢的英雄」，因爲，不是他愛捷克太少，而是愛英國太多。儘管他在國際輿論的嘲笑中死去，他自己卻俯仰無愧，他的同胞也給他以死後的光榮。歷史教育了英國人：最好維持現狀，否則吃虧的是他們。張伯倫犧牲別人，企求自己避免戰火，是庸俗功利主義的最好哲學家，英國人都能欣賞和理解那樣的哲學。

邱吉爾玩弄霍浦金斯　紅衣大彼得玩弄老邱

邱吉爾在台下時，並沒有說出讓別人便宜自己，是違反盎格魯·撒克遜人的德性，因爲，維多利亞朝的生活，已使他們失去了道德家口中的德性。我們知道：邱吉爾偏相印後的唯一工作，是撲滅已燒到身上的火焰。撲滅的方法：最好的，是火勢燒到別人的家屋；自己動手救火，那不算是最好的救火者。懂得那方法的邱氏，所採取的政治哲學，本質上和張伯倫是一樣的。所不同的在此：張伯倫有捷克可賣，老邱在那時的歐洲卻無出賣的對象。但他的救火工作，確收到效果。他經過霍浦金斯，拉攏羅斯福。據「羅斯福與霍浦金斯」（Roosevelt and Hopkins）一書的描寫，霍氏簡直是老邱手上的玩物，至於錢袋的羅斯福，那只算是暴發戶的小開。史太林呢？儘管邱氏在「回憶錄」中自吹到莫斯科後怎樣受招待，實際上他是被動的，主動的正是克里姆林宮的紅衣大彼得。

我決不能讓你們自由　你們是我祖先的奴隸

我不把邱吉爾與羅斯福相提並論，因爲我是中國人。眞正的中國人，決不會把羅斯福作爲「中國的友人」；否則，就似被出賣的奴隸讚美出賣他的主人。只有無恥的人，對羅氏出賣中國的行爲，反加歌頌，又只有非中國人，對於羅氏的活寡婦在美國任意破口指摘被她丈夫出賣的國家，而肯唾面自甘！今日世界，弄到這樣的地步；未來美國，都必吞幾顆原子彈，是羅斯福之賜。邱吉爾雖爲羅氏的幫手，但他卻有英國「紳士」的素養。他固爲自己利益出賣任何人，但他不似羅斯福那樣，背後出賣他的「盟友」。卻明明白白地告訴中國人：我決不讓你們自由，因爲你們是我的祖先的奴隸。我抱「寧贈友邦——日本，不與家奴」的方針，堅定地不把你們的抗戰放在心裏。知道這一點的中國人，對於英國之封鎖滇緬路，反對同盟國進攻仰光等措施，卻不會驚訝，因爲老邱及其國家，並非中國的「盟友」！久受儒家倫理哲學」支配，抱着「以德報怨」處世方針的中國政治家，當然不會理解英國人的庸俗功利主義。說到這一點，老邱會特別欽佩故聖雄甘地。因爲老甘地曾面告蔣委員長說：「他們（英美）從未願意以平等待我們印度人；爲什麼，他們也不許貴國對他們的參戰們說話呢？」

羅斯福已死，不必說他。如把還活着的邱吉爾與史太林相對比，「羅斯福與霍浦金斯」一書已用許多事實爲世人證明，邱不及史。譬如說，在開羅會議中，邱吉爾支配羅斯福，處處表示中國是大英帝國的奴僕，但在德黑蘭會議中，邱吉爾卻無法施展才能。

第一戰場開錯地方　歐洲均勢成了泡影

羅氏在初會史氏時，就暗示史太林：不擬提出印度的難題使邱氏難堪，還表示邱吉爾在開羅會議的會議中，已請羅氏轉達它。它是邱吉爾的致命弱點。狡猾的史太林就抓着那弱點，達到一個最主要的目的：在法國開闢第二戰場，並打消邱吉爾由巴爾幹進攻的建議。同時，又利用機會在德黑蘭第一次大會中，由特別恭維希特勒，做出這結論：德國要無條件投降。十分明白：開闢第二戰場，就可解除俄國的災難。盟軍在法國登陸，使俄軍可席捲巴爾幹、波蘭及捷克。但要達到這些目的，必須德國無條件投降。邱吉爾呢？在那時，只知德國是當前大敵，只企望德國永不再起，這卻是庸俗功利主義的邏輯，但他忘卻：大英帝國還有一個外交傳統——即維持歐洲的「均勢」。如德國無條件投降，必然地破壞「均勢」，使英俄處於直接對立的地位。這一點，他如不明白，他怎算是大英帝國的第一流政治家？他如心裏明白，無法說服殘廢的羅斯福，他怎算是世界第一流的政治家？

又在同會議的一次晚餐中，當三巨頭談到戰後控制基地問題時，邱吉爾卻說：英國不願獲得任何新土地，但卻以全力保持她已有的領土，尤其是新加坡與香港。除非她自願放棄——則寸土不能不戰而予人。狡猾的史太林抓着老邱的擺態說：英國在這次戰爭中打得好，他個人卻贊成英國擴大版圖，尤其是直布羅陀周圍的土地（即弗朗科的西班牙）。無需說，這是俄國人的幽默，而邱氏在心裏感老史的心理狀態下，提出這問題：俄國未來的領土是什麼呢？史太林滿不在乎地答道：「在眼前不必提蘇維埃的任何希望，但當時期到來，我們就會說話。」

不凍港輸了一着　大連港變作禮品

又在邱氏的六十九歲誕辰日，三巨頭談到俄國不凍港的問題；那是由邱吉爾提出的。他——可以說是史太林工具的他，居然提出英國不僅承認俄國有不凍港的權利，而且希望俄國艦隊及商船出現於各海洋。並不感激的史太林問他：「英國對這選擇的態度怎樣？」老邱有些急了，答道：「那是前此的事」——絲毫不放鬆的史氏卻微笑地說：「今日的俄國也大非昔比。」在這討好史太林的空氣中，十不全羅斯福就錦上添花地說：「俄國有取得大連港的可能。」史氏馬上以平靜的口氣接說：「中國會反對這提議。」羅斯福卻拍胸似地答道：「我們會把大連作爲國際港。」如果在開羅會議時，羅氏沒有對中國提出這一點，那他早在德黑蘭已決心出賣中國了。因爲這三巨頭有權力地支配地圖的顏色，所以在另一次晚餐會時，邱吉爾舉杯祝史太林，並稱爲「史太林大帝」。但受寵若不若驚的史氏卻漂亮地告老邱：「光榮屬於俄羅斯人民。」總括一句：在德黑蘭會議中，邱吉爾和羅斯福簡直是史太林的恭維者。那會議不是爲大英帝國，爲美國，更不是爲未來的世界和平而開的，乃是爲「史太林大帝」的加冕而召集！德黑蘭會議中羅邱的舉措，是不應有的。正因爲，當俄有求於英美時，英美兩國負責人還那樣地討好史太林，遂使史太林眼中無羅邱。曉得這一點，便可說明該會議後，俄與英美的衝突。怎樣消弭它？羅斯福又想到三巨頭的第二次會議，在何處舉行？羅氏會列若干地名——沒有一個地方是在俄境。已被史太林的迷魂湯灌得糊塗的霍浦金斯提出克里米亞，羅氏以競選在即，置之不理。到大選過後，霍浦金斯向俄使格洛米柯談到會議事，格氏卻裝做不加可否，暗地報告克里姆林。兩週後，羅斯福接史太林電，建議雅爾達爲會議的適當地點。當時，除了霍浦金斯，所有羅氏的政治顧問都表示反對。邱吉爾呢？他已急不及待，並表示如美總統不走，他個人願前往莫斯科。

最不名譽的會議　大家是帝國主義

雅爾達會議，是羅邱生命史上最不名譽的會議。就道理，主人應當先到，事實上，客人（羅邱）於二月三日即星期六抵雅爾達，而東道主史太林和部屬，卻遲到星期日抵達。在第一次會議後的晚餐中，維辛斯基告波連（Bohlen）：俄國決不承認小國有干涉大國之權。波氏答道：美國人恐不作如是想。維辛斯基帶教訓地說：「美國人應學習服從他們的領袖。」邱吉爾似乎補充波連的話：在三巨頭中，只有他於任何時候，有被國民罷免的危險，但他光榮地冒那危險。爲什麼說這些話呢？史太林馬上理解地問老邱：閣下就要英國大選嗎？

——在七日的會議中，羅邱對未來歷史幹下許多大錯。第一、關於爭論已久的「否決權」問題，羅邱內心卻早已贊成，所以容易對俄讓步。平凡的羅斯福，在這兒完全表現出來。如有否決權，那小國永久服從大國，世界還有何和平可言，同時也何必多了聯合國？第二、關於俄佔聯合國內多兩席的問題，羅氏反對．邱吉爾卻以強烈的調子支持史太林。爲什麼？老邱似有這估計：我們怕的是史太林以「社會主義革命家」的姿態，出現於國際舞台，如果他和我們一樣地蓋着「帝國主義」的黑臉，那倒是一宗好事。從這一觀點出發，他支持史太林，暗伏一筆：大家都是帝國主義了，你就不能管我在印度的做法。見到老邱如此賣力，羅斯福就放棄他的反對。第三、關於香港問題，邱吉爾指出英國要以否決權去維持它的主權。史太林馬上反問他：「若使埃及提出交換蘇彝士運河的問題呢？」幸有羅斯福以德黑蘭宣言解邱氏的困境。第四、關於遠東問題，邱吉爾的一再聲明，大英帝國的權益一點也不能放棄。並問史太林：「如果有人建議以克里米亞爲國際化的避暑地，閣下是否贊成？」聽到這回答：「我高興，把克里米亞作爲三強永久會議處。」爲什麼有這些問答？原來當羅斯福還有良心時，會暗地告史太林：要把香港交還中國，或改爲國際化的自由港。

新沙皇魔掌伸向東北　史達林請羅邱「乾杯」

各人的固有權益，不能動，但日本的權益，卻可瓜分。美國代表羅同意俄收回千島羣島與南庫頁島，而威爾斯（Sumner Welles）卻反對「史太林大帝」恢復沙俄在東北的特權，因可妨阻中國的統一。羅斯福早在德黑蘭已有那表示，自然會成史太林的要求，並對史氏擔保：待俄軍二十五師運赴遠東後，他就向中國提出它。若使中國不答應呢？羅邱就聯合擔保：英美以壓力迫中國承認。有了這一點，便可認識羅斯福創立聯合國的價值了。

全勝的史太林，在盛大宴會中，舉杯祝邱吉爾，譽爲「世界最勇敢的首相」。受寵若驚的老邱，以「強國的強有力領袖」還報對方。試問在這「仲尼復生，盜跖不死」的互相標榜中，三巨頭得了什麼？人類和平得了什麼？德黑蘭會議決定德國無條件投降，奠定今日歐洲的形勢；雅爾達會議決定日本無條件投降及恢復俄國一九〇四年在中國的權益，奠定今日亞洲的形勢。在這兩大形勢中，大英帝國究得到什麼？

「世界最勇敢首相」的祖先，會爲他們的國家，創定兩個根本的國策：第一、庸俗的功利主義；第二、維持均勢。在這兩大國策中，重要的是後一策。有了「均勢」，龍虎相鬥，英國就可維持已有的權益。爲實行它，英國使歐洲不能統一。勝法之後，在西方扶德對抗俄法，在東方扶日抗俄。何以要扶日？因爲中國的大市場及權益，不能放棄。根據庸俗的功利主義，要放棄利益，只能放棄最小的利益。那時的日本，就是英國在遠東的最小利益。扶助日本，成爲「大英帝國的遠東看門狗」，不時未放棄小利益，反敗回大利益。只知第一策的張伯倫，表演出「慕尼黑會議」，邱吉爾呢？在德黑蘭會議前後，他應該明白：希特勒的第三帝國之崩潰爲時間問題，崩潰後的歐洲，如何恢復「均勢」，是英國政治家的當急之務。要恢復「均勢」，必需使民主德國站起來。邱吉爾登台時，曾說「勝利而不報復」，現在堅持「無條件投降」，不僅對受納粹奴役的德國人民報復，而由於西歐空虛之不能阻擋俄國西進，對英國也禍害無窮。到了今天，當然表現見棺材而下淚，那時對這危險卻毫無所知。

功利主義的後果　民族主義的斧頭

再說遠東問題。日本成爲英國的敵人，固當制裁。中國是英國眼裏的奴隸，爲英國計，不許她復興。可是邱氏所取的對策，卻一無是處。他只知壓抑中國並毀滅中國的統一，他忘卻俄國的南下，一旦席捲中國大陸，念念不忘的香港與新加坡便危在旦夕。豈特此也，由於俄國假中共之手統治中國，才有韓戰、越南戰爭、緬甸危機、馬來亞共亂，由於俄成爲亞洲的主人，才有力地在伊朗、埃及等地鼓勵風潮，燃起反英之火。

不明白那惡劣形勢——因德黑蘭及雅爾達兩會議而造成的形勢的首相，還配再掌握政權嗎？這就是具有紳士風的英國人民，何以當勝利在握時，不給老邱留下絲毫面子，叫他走出唐寧街官邸的原由。

但往者已矣，來者可追。再取得政權的邱吉爾，是否領受過去的教訓呢？那是難說的。他十分明白：大英帝國老了，要恢復維多利亞朝的光榮，不僅非他的才力所能勝任，且爲時勢所不許。客觀環境決定老首相，不惜計保有英國的權益，即在他未死時，不損失大英帝國的一些些權益。怎能達到這目的？還用先祖的兩把傳家寶刀。但「均勢」已不可能，剩下的是庸俗的功利主義。誰知道這一點，對於他上台後的希望與史太林會見，仍舊承認俄共等做法，就不驚訝。可是，政海波濤中的邱氏，在受夠打擊後，可能回過頭來重新檢討對策。所可惜的，到了那時，英國已焦頭爛額了，因爲史太林在中東及近東所揮的民族主義大斧，能砍斷英國數百年來所安置的鐵鍊，至於西歐，史太林的哥薩克能望見英倫，英倫的領空已成爲他的兒子所指揮的空軍轟炸的對象。何以至此？只有一句話：那是邱吉爾一手造成的。

這是我對未蓋棺之邱吉爾的論定。（十二、三於台北）

閑話邱吉爾

邱吉爾的人生哲學是：「不投降，不自殺，永遠戰鬥」。一九四五年英國大選，邱吉爾慘敗。消息傳到巴爾幹半島，有位英國軍官說：「可憐邱吉爾先生，我想他會自殺的」。事實上，邱吉爾並沒有自殺，他帶着他的夫人上海灘遊了幾天，再回到倫敦，向勞工黨政府挑戰。

他的女兒和女婿大鬧離婚慘劇，邱吉爾老不開心。一次他的女婿爲了承歡老丈人，特地恭維他如何偉大。老邱一時性發：「我不及莫索里尼偉大，至少他會槍斃他的女婿」。

邱吉爾最會和美國人拉關係，當一九一八年威爾遜總統訪問倫敦時，羅斯福是隨員之一。邱吉爾爲了和威爾遜總統接近，於是和羅斯福大攀其宗表關係。羅斯福事後竟把邱吉爾誤作美國文學家。（冰峯）

港九記者招待會上
英殖民大臣談香港
民主國家的最前線
與英永遠不可分離

【本報專訊】英保守黨新閣殖民大臣利特頓，自於十二日由星洲飛抵港後，分別與其政務次官傅德沙及常務次官巴特金，與港府政要及士紳會談。十三日上午九時至下午三時，復與同其私人秘書麥恩圖，由港府警務處長麥景陶，新聞處長穆林，英駐新界的二十七旅旅長吉蒲准將，第三十五旅旅長陳德諾准將伴同巡視九龍新界，自中英交界之沙頭角，循打鼓嶺，經玉文錦渡直達羅湖邊界，返程中復至[illegible]，與駐軍蘇利旅長會談。出巡事畢，利氏表示：「香港已完成了一椿艱大的工作」。

十四日上午十時十五分，在輔政司署大陸會議室中，舉行港九記者招待會，由於各方對利氏此行十分重視，故是日記者雲集，世界各港大報及通訊社記者幾已全部出席。利氏着淡藍西服，手持紙煙，由港府新聞處處長穆林及其私人秘書麥恩圖伴同出席。利氏首稱：此次抵港，分與各方官紳會談，獲得印象甚佳。余對於香港革新會所提出改革政制（指立法法規）一個問題，將予以非常同情之考慮。余對香港之各項問題，凡述及工，商，政，防務者，將在今日下午香港第九屆工業出品展覽會中闡明（按第九屆香港工業出品展覽會由利氏啓幕），今日與君等會晤，不知諸君有何見教」。利氏風度民主，語極誠懇，彬彬然有大政治家之風度。

各記者所詢之問題，綜合歸納如次，

（一）問：部長閣下，你在歸來港視察十二日之久，我認爲[illegible]比改革政治還要。我們知道英駐東南亞高級專員麥唐納將於來年五月任滿，外傳繼任者將爲麥唐利元帥，不知你的看法如何？答：麥唐納高級專員調於明年五月任滿，外傳我在馬來亞宣佈麥唐羅爲馬利元帥，事實上我並未作此談話。但我有一語奉告足下，今日馬來的問題，不在乎派什麼人去，當前最重要之急務乃在如何平息動亂及贏得戰爭。

問：你認爲保守黨上台後是否已看中有任何之跡象與中共促進商業及政治之關係？答：英國與中共促進商業及政治上之關係，但觀至現時，中共志願軍仍在韓國戰場上繼續戰爭，我認爲如果中共志願軍在韓戰場一日不停火，則上述之關係便一日無法修正。

問：英美有很多政客，認爲中共遲早總會變成狄托政府的，[illegible]政客，如何？答：不能答覆。

問：你須一次在馬來與香港巡視結果，有沒有動機，再爲中共入聯合國有所諾項？答：我不予批評。

問：美國向香港禁運，使香港生存大受威脅，不知你此來有否注意這個問題？答：我非常注意這個問題。英國政府一定進一步再與美國交涉，爭取美援。

問：請問香港是不是包括英屬東南亞地區的施政範圍以內的？答：自然是的。余可向君直言，香港不僅是東南亞地施政範圍以內，而且也是與英國永遠不可分離的一部。她並且還是民主國家最前線的一部（A part of the front line）。

問：法國告人已經察到在施政方面，香港與馬來顯然大有區別，其故安在？答：因爲香港接近大陸，客觀環境上與馬來稍有區別。但在施政方針，小的地方或者不異，但在大處則絕無不合之處。

問：保守黨上台後對承認中共之事，你的意見以爲如何？答：在首相的演詞中已說得清清楚楚。我沒有意見。但英國政府對於這個問題還是繼續在觀察的。

問：關於保衛東南亞的問題上，美國在這個地區上的軍事與經濟的援助，自然極具很大的價值，請問英國拿什麼代價來交換美國的援助？答：時至今日，還能談上代價嗎？美國根本推卸援在該地區之責任。

問：你對香港要求的日本賠償有何說明？答：這個問題已包括於英日和約條款所規定的範圍以內。大體而論，我是認爲滿意。香港要求的分配數字，原是很少。（按二千萬元港幣）香港政府應做分配的辦法，我認爲也非常適當。有人反對把該款給香港大學，因爲這似乎太著重富人，但港大樹德樹人，爲社會後進建功不少，並不能指其偏重於富者而輕窮人之謂。

按利氏生於一八九三年，少年攻讀伊頓書院（中學），旋入劍橋三一大學。第一次大戰（一九一四年）離校投筆從戎。一九一五年以迄一九一八年在英國近衛步軍聯隊服務，後任營旅部副官。退役後，氏投身商界，年未而立，即任英國金屬公司總經理。第二次大戰爆發之初，奉委爲非鐵金屬五金統制官。英國戰時之原料統制制度，即由氏首先提倡創。在非鐵五金統制官任內，他大膽[illegible]，鋼鐵等料，[illegible]一月英政府即擁有大量三年內所需之存貨。[illegible]以較廉之價格在英聯邦內採購，避免再陷第一次大戰之覆轍，當時頗爲英國政治經濟界推崇其深謀遠之見。一九四○年十一月邱吉爾內閣改組，利氏出任商務部部長，使英國政壇大爲驚動，因該時氏本身尚未列入國會議員，[illegible]。一九四一年七月爲國務部長及中東戰時內閣閣員，駐在海外之第一人。擔當時在開羅所負責任重大，除軍事外，幾是全部工作。在開羅，由其一人包攬。成立中東戰時委員會，自任主席。一九四二年二月，利氏又奉委爲生產部部長，統制原料，機械工具，與勞工部長共同合作，以適應戰時需要。當時氏一手創立之戰時生產參謀部，尤爲出色。一九四五年大選後，氏再度從商，任電氣工業聯合會董事長。氏平日對打高爾夫球甚有興趣。其夫人且爲一有名之作劇家。於一九二○年結婚，生男二人，女一人。次子於一九四四年在意大利隨近衛軍遠征中殉職。

自由中國強項吏
稅捐局長打老虎
立法委員威風掃地

【本報台北通訊】不久之前，台北發生一項驚人聽聞的強項吏打老虎事件，實在值得稱許。可見政府今日在台灣的法治精神確比過去在大陸時進步多了。此事經過亦頗有趣，其詳情如次：

有兩位立法委員，曾在台北市內質屋同住，利用一名由大陸帶出來的廚人，就住宅內製售一省區的特種飲食，每日以兩席爲限，價格昂，但顧客甚多，非兩天前定席不可。因爲是在住宅內經營，而顧客又都是些當代文武闊人，且無商店形式，所以從來是不繳納筵席捐的。

台灣的消費稅率頗重，征收人員亦稽征甚嚴。某日，有收稅員在上述兩位立法委員住宅附近的商家催收筵席捐，商人埋怨說道：「你們只是對我們這些普通商民管得緊密，某『條通』（街道名詞）某號所營的酒席業，大過我們這小號若干倍，你們就不敢去收稅！」那收稅員問明了地段門牌和電話號碼等，據情報稅捐局長，局長不動聲色，撥電話去定酒席一桌，計價台幣一千二百元（折合港幣約四百元），並聲明是稅捐局某局長宴客。

屆時局長親自到場作東，所約客人，爲台北各報的外勤記者，賓主歡笑宴會，並贊菜之風味特佳，某立委且出而與大衆周旋，解說佳肴製作之道。宴罷，主人斥資付帳，乃某委交來帳單一紙，乃立法院公用便箋紙張也，上面亦未加印花，只註明筵席一桌，計洋一千二百元。局長如數將款付訖後，招衆客坐下吃茶，乃發言道：諸位！我今日請客用意乎？我是來此打老虎也！諸客愕然問：打甚麼老虎？局長以手指曰：就站在附近之某立委是，他就是老虎！如此，乃將立委經營筵席牟利而不依法繳納，以及不貼用印花，並以立法院所持有之便箋所寫帳單作證；再又將今日所用酒席依物價紙核計，至多也不過台幣五百元，而索收一千二百元，尤足見其暴利之一般云。

某立委初甚倔強，斥局長無理取鬧，局長謂：我職責所在，何謂無標？今日我作東定席宴客，是明明的，並未瞞局長身份，何言無理？立即搖電話呼該管警察局派警來提拿犯法之商人。斯時，另一合影營業之立委，見勢不佳，從後門溜出，未幾，警局長亦到來，以其爲立委身份，過去又曾相識，乃從事調解，不必逮捕，請依章處罰，某立委亦表示願意接受處罰。局長言：照章處罰，自無不可。約略核算，法定罰金額，共爲台幣二十萬元！某立委大驚，再三要求核減，而在場之各新聞記者亦參加調解，結果，且當准認罰三萬元。當場繳款完案。

宴散後，各報刊出此項新聞，又一晚夜登出，轟動社會，可謂辛苦突破。某局長之守法盡職，當以自由中國前途大有希望，某立委遵從法紀精神，亦可謂佩也。（麥武寄於台北，十二月十日）

香港三日續紛錄

[illegible]林[illegible]中校上二日自東京過港返菲，據稱：現下韓戰局勢，中共方面空軍實力，不但已能與聯軍對比，且有後來居上之勢。他說蘇聯之MIG式機，不但數量增加，且質素方面，不論在美國噴射機之速航率及射擊方面，均在美國噴射機之上。目下共機之前線及後方的準備，數字約在二千架以上。一直到現在，雖仍未見共軍超越M-G走廊，最大的原因，以機師技術尚未能與聯軍機師相比。他說共方機師大半是日人，韓人，及東歐各國的機師。

× 繼任香港天主教已故恩理覺主教缺之惠州主教白英奇，據工商日報十一日華南版消息稱：白氏已遭惠州中共當局判處六月有期徒刑。香港公教方面原對白主教之行蹤，始終未能判明，只知他一度離開惠州，以後便無消息。上項報導，此間公教機關尚未能判明是否屬實，但一般相信白氏可能爲中共判刑。

× 總統府資政吳忠信，日前自台北飛港，吳氏抵港行蹤神祕，各方傳說不一。吳氏抵港是否與李副總統宗仁在美發表談話以後桂系分裂的消息有關，有人說，他是來拉攏已經分裂的桂系三份之一的香港支系。又有人說，他是代表台灣平息顧孟餘等之「第三勢力」，桂系三份之一的香港支系，是否可以被拉，現尚在未知數中。因爲在香港的一支桂系在自命爲今日桂系中唯一的獨秀，現正大肆活動。至於顧孟餘等是否願意入吳禮卿的袖中，現在也在未知數中。據聞雙方已會過面，相談過，顧孟餘等的人表示：「與年生來，他們是很願意見面的。國家事，大家應該坦白談。」

× 英殖民大臣利特頓於十二日過港赴九時抵港。殖民部政務次官傅德沙，常務次官巴斯金及諸要員均隨行。香港總督葛量洪爵士親往機場迎迓。機場戒備森嚴。畢氏在港擬特別聽取中國人的意見。他在馬來使指出「當地政府如不儘當地民之擁護與合作，是無法制止動亂勢力的」。據悉利氏認爲香港與馬來情形略同。利氏定今晨（星期六）返星加坡轉往英倫。三日中留港之美國政要除上述外，尚有等待英駐平公使[illegible]返港的英外部遠東司司長史蒂德氏。

× 諾蘭[illegible]將於日內抵港。

× 此間某大出入口商行於十二日接廣州長途電話：華南區乘港方物資低跌，又鬧饑荒向香港扯購大量日用必需品，「對外貿易局」勿已進行擬定所購貨品種類及辦法。定本月十五日開始申請，貨品對象以洋紙，西藥，工業原料及五金等爲最大目標。以聯營購運辦法，向港統籌統購。

× 荷蘭駐東京聯合國總部高級職員[illegible]十二日自東京過港稱：將來停火談判妥當後，交換俘擄問題，現在考慮的有兩個地區，一個是開城，另一個是香港。截至目下現尚未決定在何處交換。他說開城與香港的可能性是五十與五十之比。香港太遠，開城戰後已毁了大半，物質條件安頓人俘，非屬上乘，雙方各有利弊。

香港第九屆華資工業出品展覽會．今年僅懸一面英旗

× 香港第九屆工業出品展覽會於十四日在九龍尖沙嘴，由英殖民大臣利特頓啓幕。參觀之中國印尼，星洲廠商代表數十人。但今年工展與去年的所謂「國貨展覽會」大不相同。去年五星旗高高在上，與英國國旗並懸，今年只有一面英國國旗及一面第九屆工業大會會旗而已。據說爲着懸旗問題，大會中經過長時的爭執。

菲上議院主席柳都堅與強調太平洋公約應及早完成

× 菲列濱共和國上議院主席柳都理偕其夫人乘菲航機來港小休。他於十二日強調太平洋公約不但應及早完成。且應追上歐洲的北大西洋公約。他說：「以今天太平洋所有國家的實力，如能好好團結起來，從政治，軍事，經濟，文化等各部門着手於運用，一定可以克服當前之危機。」他惋惜亞洲各國間仍缺乏一致的步驟和團結的力量。他說「如果亞洲各國間不能同心同氣，即使表面上太平洋公約締結成，實際上也無用處」。（二戒）

反極權反殘暴聲中
川東人民怒髮衝冠
縱火焚倉事層出不窮
王毅忱等被害壯烈犧牲

【重慶特約通訊】中共強調「防火」，「防特」，而各地縱火燒倉事件仍層出不窮，這是反極權反專政的人心，任憑你防火，也防不勝防。

川東涪陵、南川、酉陽、涪陵、鄰水、大足等縣，近聯續發生燒倉事件，地方震動，「幹部」心驚，其經過情形約如下述：開縣十一區十二門場鄉山有一大倉房，十一月廿日夜十二時後，發火，經拼命搶救，人仍縱火燃燒「中央一種小麥」四百六十三担，[illegible]糧稻穀七百九十三担，及救火後，始發現管倉的張三號是放火的。事發，遺下竹竿人。藥包等跑了。南川縣三區大觀鄉永福村有大倉庫兩所，十一月二十八日，附近居民與治延的娘婦乘民兵回家吃飯時，縱火燒倉，結集存稻五千担均付一炬，倉房燒光，救火「幹部」傷了二十七個。事後又與全家不知去向。該縣八區鳴玉鄉王漢生（已被共黨指爲惡霸鎗斃）院內有倉房五十間，該村農民協會住前院，王家屬張氏住後院。十一月十九日，村幹押瓣送城，後民協會樓上突然起火，風大火烈，[illegible]，經兩千餘人搶救，結果仍燒毁倉房三十七間，公糧三千七百八十五担，農協會傢具文件，[illegible]記等全部燒光，共幹指火係王張氏所放，王死不承認。酉陽縣十三區興隆坪鎮壽寬倉庫，規模甚大，十月卅一日晚爲人縱火，燒毁房屋二百二十八間，（倉庫房佔八十七間）約四十餘戶，佔該地住戶二分之一，公糧七千担，全部燒光，粒不存。涪陵縣七區糧庫，於十一月二十七日午後，在倉房附近，發現有行跡可疑者三人在該處徘徊，共幹未予注意。到夜間兩點鐘，突然爆炸，[illegible]之火起，[illegible]成一片瓦礫，未搶出公糧[illegible]。[illegible]縣公倉[illegible]王毅忱[illegible]一千五百担全部被焚。[illegible]主席王毅忱因公[illegible]，爲共幹所劍[illegible]，於十一月十九日下午[illegible]聯絡[illegible]民兵[illegible]，「入民銀行」、「土產公司」、「入民政府」稅務局等機關，並策動[illegible]。事後[illegible]防[illegible]消防隊[illegible]水[illegible]竹片，[illegible]，王等[illegible]爲共幹捕獲，同謀者十三人以「特務」罪名，爲中共槍殺，壯烈犧牲。（餘生。十二月二日寄）

美國紙造得多
所以是紙老虎

昆明師範最近舉行時事測驗，有幾個問題，學生答得很有趣。問：什麼人是農民階級？答：包括官僚、地主、資本家、小資產階級等。問：美國是紙老虎嗎？爲什麼是的？答：美國工業發達，紙造得多，所以是紙老虎。問：你對新中國的前途希望怎樣？答：讓我把這次時事測驗做好了再答。學生們頗夠幽默，統治者看了頭氣壞了，哭笑不得。

雲南大學的「愛國公約」，就嗅不到一點政治的氣息，各校學生多把愛國公約寫「愛國守則」。

頭腦放清楚點！

·尚方·

自由談

上月廿四日，中共在北平舉行所謂「文藝界整風學習動員大會」，把一些前進投靠了的文藝工作者如老舍，歐陽予倩之流，聚集一堆，由胡喬木以「宣傳部副部長」的氣派，出席教訓道：「各位頭腦放清楚點，現在是共產黨的人民世紀了，文藝工作者的舊思想作風必須揚棄，更必須擺脫自由的枷鎖！」

聽清楚了沒有？「共產黨的人民世紀」是不許有「自由」思想這種「枷鎖」存在的！誰敢有自由的言行，誰就是頭腦不清楚的反動份子！過去常有一些在海外以「謳歌」爲職業的秧歌喇叭們，隨時隨唱大陸人民如何自由，怎樣民主的山歌俚調，說是祗有反動的「國民」纔沒有自由而已。現在經「胡圖匪」這樣乾乾脆脆的夫子自道，昭告有案了，不知「謳歌」專家又將作何辯證呢？

「共產黨的人民世紀」絕對不許有自由思想，那是當然的。反共非共的人，爲的就是要爭自由，所以，杜勒斯在其新著「戰爭與和平」一書中，說反共是「個人之事」，確是至理名言。如果立意反共，號召大家共同奮鬥的團體與人物，也同樣的討厭自由，蔑視民主，甚且胡裏胡塗，還要去摹擬仿效俄式共產主義那套辦法來反共，豈非天大的笑話！既然如此，那又何必反共？以暴易暴，別人又何苦多此一舉呢？因此，我希望號召反共的政治人物，也須把頭腦放清楚點！

新官場現形記

·翟大奇·

長汀雖峙閩西，與曾經是赤都的瑞金，相距四十二公里，朝發夕至。「中華蘇維埃共和國」時期，腳踏草鞋，臉色憔悴的井岡山上的毛「主席」，僕僕汀瑞道上，長汀儼然是毛的「行都」。三十八年十月，長汀再度陷共，苦難重又蹂躪了這一片土地。但這一次演變，給予中共的，不是福音，而是禍事。

長汀城內中山公園，林木蓊翠，綠草如茵，景物雅麗鮮潔新。踏入園門，是挺直的一條碎石路，迎面一座紀念碑，十三個大字映入眼簾：「白衣洋戰役陣亡將士紀念碑」。碑尖直插霄漢，氣勢磅礡。民國二十三年冬，國軍五次圍剿中共，進至長汀東面白衣洋嶺，由於山勢險惡，共軍頑抗，擔任正面攻擊的國軍三十六師宋希濂部，犧牲甚重。克城之後，宋特在中山公園立碑紀念，並撰文詳述經過。這一碑文，實揭了國軍一頁壯烈的不朽精神，從而刻畫了中共的一個眞正失敗的歷史。「解放」後，中共四野四十四軍把碑改成了該軍「烈士」紀念碑。不久，四野入粵，三野二十七軍接防。該軍叫泥水匠把碑上三個「四」字挖掉，嵌上個「三七二」。從此，四十四軍「烈士」被驅出閩門，啾啾然成了無主的孤魂。今年七月下旬，長汀第四屆「人民代表會議」通過一項提案，以長汀和平「解放」，「解放軍」無尺寸之功，因而要將碑易爲「瞿秋白先生衣冠塚」（瞿被殺死於縣城西門）這提案是「縣長」游紹基的暗中授意。這一「人民」意見，當即由游署名，呈送「省政府」核奪。

八月初旬，縣「人民政府」先後接獲了一紙「省府」批示：一封「兼兵團司令部」的信札，一道「華東軍政委員會」轉「政務院」的手諭。「省府」批示，一頓痛斥，是睜眼瞎棒。之後，批語是：「毋庸再議，該碑應即易立「紅軍閩贛遊擊縱隊烈士紀念碑」，勿誤，切切！」並附來毛親撰的碑文一紙。瞿秋白生前與毛澤東上下頡頏，積不相能。瞿之所以成爲階下囚，終而「殉節」，汀瑞民間流傳說毛澤東是「劊子手」。張鼎丞敢於蔑視「革命先烈」，也無非是承歡意旨。同時，「紅軍閩贛遊擊縱隊」是張的「子弟兵」，中共「長征」時，逗留閩贛山區，自行流竄遊食。國共合作，始由張率領北上，編歸「新四軍」統轄。捧死人所以揚生者，張鼎丞這種「偷天換日」的手段，自是一箭雙鵰的把戲。「張飛司令部」來的是一封抗議書，痛罵易碑改塚提案的荒謬，警告由此招致的嚴重後果，措詞十分嚴厲。

「華東軍政委員會」轉到「政務院」的手諭是，限令八月十日以前，要建立瞿秋白紀念碑一座，以嘗者易名爲限。八月中，南方老根據地訪問團浙贛分團訪問汀瑞，其中有數名蘇俄新聞記者隨行。瞿是「國際派」，在俄多年，深受俄輿論界推崇。爲了免除物議，掩人耳目，這一手諭便是毛澤東臨渴掘井的緊急措施。

槍桿子的抗議，不能不低頭；「省主席」的暗示，不能不服從；「政務院」的手諭，不敢不聽命。但找遍長汀城，紀念碑僅這麼一座！其他的早已改修道路了。怎麼辦呢？情急智生，游「縣長」徵集了一批舊材料和民工，三天內因陋就簡，築成了二座一模一式的紀念碑。鼎足而三，面面齊全，稍有變動的是，游「縣長」斟酌一番，把自己的意思，把手諭要建立的「紀念碑」，加上富有「詩」的情調的「衣冠塚」三字。

從此，踏入中山公園，迎面便見二碑一塚，鼎足分峙。對於這樁事，在閩西引起相當大的震動，這是一件政治「內幕」的大醜劇，殘忍的爭權奪利，庸俗的沽名釣譽，卑劣的勾心鬥角……。山城人民恍如讀到一本廿世紀六十年代的「官場現形記」！

韓戰的主宰者

赤化世界陰謀

中共

韓共

未石

宋江與宋清（下）

（水滸人物論之二）

·舜生·

宋江雖居山東鄆城縣的宋家村。他的家庭非常簡單。他雖然排行第三，可是在「水滸傳」作者開始敘述到他的時候，他便只有一個老父，和一個名叫宋清的胞弟。宋清雖然被人呼爲「鐵扇子」，但「鐵扇子」是什麼意義，「水滸傳」的作者並沒有加以說明。宋江本人，在鄆城縣充當了一名押司，因爲「刀筆精通，吏道純熟」，對公事大概還應付裕如的。宋清隨着老父在村中務農，我們只看宋家村的人都叫這老頭做「太公」，和他們自住的莊子有那樣一個景象，同時宋江手中也顯得相當闊綽，便可想像他們的家庭是一個不大不小的地主。

宋江上了梁山以後，他的家庭便無法留在鄆城縣，因此只好把太公和宋清也一併接上山去。宋清在梁山泊也當了一名「頭領」，可是他爲人實在平庸，宋清從來不曾有過什麼貢獻，宋江也絕對沒有因爲宋清是他的胞弟，便特別加以提拔。宋清在山上自始至終所擔任的一個職務，便是管理廚房，供應筵席，這種地方也正是宋江「用人惟賢」的一個有力證明。至於太公，更是百事不管，宋江對宋太公的關係，大致和劉邦對劉太公的關係差不多的。

宋江兄弟都不曾結婚。宋江在當押司的時候，曾和一個賣唱的閻婆惜同住過幾時，後來因爲閻，不得已把這個婆娘殺了，這件事便也就是宋江浪跡江湖的開始。（我另有一篇「閻婆惜與二潘」說宋江和閻婆惜的關係很詳細）我們試想，假定宋江和閻婆惜的關係不變，甚至進一步由非正式的變成了正式的，宋江上山，婆惜也跟着上去，以婆惜的性格，和山寨情況的複雜，還怕不把一個梁山泊鬧得烏烟瘴氣嗎？

宋江還有一件事也很值得注意：當他第二次去打祝家莊的時候，和祝家莊聯防的扈家莊有一員名叫「一丈青」扈三娘的女將，騎一匹青鬃馬，使兩口日月刀，武藝十分了得，她原是許給祝家莊第三個兒子祝彪作妻子的。這次她參加祝家莊和梁山的廝殺，雖然活捉了梁山的「矮腳虎」王英，但她自己卻也被林冲捉了。宋江看見扈三娘被捉，十分高興，連忙叫了二十名老成的嘍囉，和四名頭目，把她的兩手輕輕綁了，用馬馱着，押解上山，交給宋太公收管。當時目擊這件事的人，都以爲宋江自己看上了這個女子；本來以常情推測，把扈三娘給宋江做一名壓寨夫人，原也是很相當的。可是宋江曾答應過王英，要替他找一個適當的老婆，等祝家莊蕩平了以後，宋江乃實踐諾言，叫扈三娘以宋太公義女的名義，嫁給了王英，因此羣情悅服，都讚得宋江眞是大公無我。從前項伯勸項羽不要殺劉邦的老子說：『爲天下者不顧家』；中國人有一句俗話：『英雄難過美人關』；宋江眞夠得上是一位『不顧家』而過『美人關』如無物的英雄了。

萬竹樓隨筆（五五）

好夢由來最易醒（上）

漁湄秋客

解放別錄

「專使」走後，這裏種種措施都趨向往日標榜邁進。卻因爲目標未曾達到以前，當事人從不透露半句，所以許多做作，局外人多有莫測高深之感。

第一件事情是全軍的營連排長輪流抽調到漳州來聽受精神講話。由梁氏編著講義，選派總部的參謀副官多人出席講授。這一嘗試就即激勵反響，一二兩軍軍長和各師旅團長以爲從此下級幹部以至士兵的觀念將完全改變，如犬如羊絕對服從的軍風紀也得修正過，權威可能墜地；鬧到甚麼田地只有天曉得。他們愈想愈不堪想，便紛紛包圍老總陳訴，老總只是溫語解釋。那班扶着一羣丘八作爲自己本錢的待富貴臨頭的軍官，由疑懼到兇暴，磨拳擦掌在籌謀對策。有人竟告梁氏，說那班人幾番聚議，據聞將向老總提出最後的警告。倘仍不被接納，他們就幹出「清君側」的辦法，把一羣秀才送往鬼門關，這江山就依然是他們的了。梁氏笑問老總信不信這些驚臨上的傳言，老總聳聳肩頭不答片語。

這當兒，另有一些學生出身帶頭巾氣的中下級軍官，組成一個學社，發言對西洋學說取研究態度，補充新知，履行職務，這一逐漸，不會給那班盲目守舊利慾昏昏的官長當頭一棒。如果說是秀才們的槍桿勢力與軍閥們的槍桿勢力在相搏，那麼這一不先不後突如其來的組織恰好起了緩衝作用，「清君側」的把戲多半因此拖住了。全區學生體育競賽大會，教育局有些職員散發鼓吹改革傳單，被場裏的丘八爺圍毆重傷。他們算是終歸洩過氣，象徵他們的勢力爲不可侮。

廣西軍閥以陸榮廷爲魁首，督桂的譚浩明，督粵的莫榮新爲輔翼，控制着七總裁的軍政府，在廣州胡天胡帝，以此對抗北洋軍閥。老百姓覺得南南北北，一丘之貉，革命情緒，一落千丈。中山先生困在上海，頗難吞這口氣，使者絡繹，促請陳炯明回師百粵，重奠革命基礎。陳氏生性好大喜功，那蘇俄「專使」去了數月沒有音訊，他想，若使取得兩廣地盤，則蘇俄助力的運用豈不更擴大若干倍。大約經過兩月的時光，他漸漸給上海來使（蔣先生亦其一）說服了，於是行動又完全另外一套。

兩三年來福建一省形成兩個天下，閩南護法區佔二十六縣，北洋段系將領福建督軍李厚基佔有閩北二十八縣，夾在兩大之間有地方性的負革命任務的土軍佔當四縣，司令官爲許卓然。許固老同盟會員，改組爲國民黨後亦極忠實，年來給灌入新思想，有一個清醒的頭腦，常常矢願促國民黨政權建立政治上軌，他便獻身于社會工作。許與梁冰弦甚相得，對陳炯明亦傾佩。可笑的是粵軍部隊有與許部因爭種植鴉片煙，致成仇隙的。爭而至于鬥，已司空見慣了。那些部隊總說上頭決策行將打回老家去，對許部土軍更加壓迫，意欲在離閩返粵之前把它殲滅，設一舉集械洋財。爲着要得老總許可，便捏造些聳聽的話，向老總說粵軍回粵，粵方必有抵抗，且已運動土軍躡我們之後，若不早爲之計，多少要吃他的虧的。其時粵軍所顧慮的只是閩北方面，早與李厚基交好，大家心照不宣，卻想不到土軍可能敗乃公事。參謀老爺們便定下「遠交近攻」戰略，對閩北虛講交情，對土軍予以掃蕩。議既定，第二軍許崇智部便發動煮豆燃萁的英勇戰鬥，打了十多天，他們四縣的地盤已去其三，只餘安溪一縣，亦且旦夕垂下了。廈門一班紳商傷心家鄉糜爛，特來漳向冰弦告哀，冰弦于軍事完全外行，只找着老總咆哮痛罵那班混蛋部隊飯桶參謀，老總允許命令前線停止進攻。紳商們說，除非今夜便得前線停火，明天許部怕都全給繳械俘虜了。老總也首肯即時發出手令制止作戰，但誰肯越過對方火線把命令傳遞到自己的部隊呢？這不合理的任務不能強誰承任的。結果冰弦有這慨勁，懷了手令，領着那班紳商，星夜向前線去傳達。（十）

搶救難民的奇蹟

——嘉華——

十二個客位的貨輪，竟救出了一萬五千多個北韓的難民。

去年十二月廿二日的清早，一艘美國貨船麥爾地夫勝利號，在海軍掩護下，駛泊北韓洪原港，這時全城死寂，掩護的海軍，不停的用閃光訊號警告這艘貨船的船長，要隨時昇火準備離開。

其他的船只載了不多的掩護部隊就趕急駛去了，這些船船長的解釋說：山上佈滿了共產黨的游擊隊，他們準備轟炸聯軍的空軍，阻止他們撤下來，局勢已經到了最後關頭！

摩爾地夫勝利號的船長拉魯，年紀只有卅七歲，他的任務已了，本來可以駛離這危險的地區。但是，他眼見兩天來岸邊麕集着幾千朝鮮難民，垂頭喪氣，失望地急盼拯救離開這段火線！——在人道立場來說，他是不是能儘力把他們拯救到浦項去？

困難的問題是：這條貨船除了四十六個船員，只餘下十二位搭客的空位，怎能再容納幾千難民？沒有糧食，短少淡水，缺乏衛生設備，都是棘痛的難題。再說，這些難民之中，誰敢說沒有混進了共產奸細？這條船防衛武器僅僅有兩柄三八左輪手槍，如果被奸細劫持，祇有向北駛去遭慘戚了。

更何況船艙下面，裝了三千桶飛機汽油，只要一個不小心烟火，馬上就能把這條船拋上大空，化爲齏粉！

拉魯雖然考慮到這些問題，結果他依然決定，把這批難民帶走。他命令大伙說：「讓他們上船吧！你數到一萬個人時，告訴我」！

難民整夜的湧上貨船，待上的愈來愈近，男女老幼擠着，把船上任何可以包袱藏身的地方都塞滿了，幾乎連走路和通氣的隙縫都勻不出來。一直到第二天下午，船長問船上到底裝了多少人？「我們數到一萬零二百人！」大伙說：「小孩可沒有算在數內」。

船離岸。向着洶湧波濤駛去，巨浪打在甲板上，人們混身濕透，可是誰也沒有半句怨言。行駛之際，大伙擠進人堆下艙底，一個婦人接生，隨即替又有兩個嬰兒出世，男嬰，和兩個女嬰，都是由大伙樓充助產師。這些嬰兒，不分性別，他們的名字一律編爲「勝利號第一、二、三、四、五號」。聖誕節的前夕，這條船平安的到了浦項。另外一條船的船長遠遠看見勝利號駛來，驗面一堆一堆的不知是什麼東西？後來纔看清楚，原來是人！不禁驚口叫道：「這些人擠成這個樣子，我眞奇怪他們怎能呼吸的？」

浦項這時已擠滿了近百萬的北韓難民，簡直插針無地，拉魯船長祗好將原船向南駛到高芝島的巨濟民營。廿六日到達後，難民們興高采烈的爬上梯子。用腰帶把行李和小孩吊下船面碼頭，一直攬了六個鐘頭，才全部離船。

在岸上，他們作兩行，經過竟達一萬五千五百人。換言之，這一條小貨船，竟救出了一萬五千人以上的這些難民，還帶着細軟行李，眞可算得一件奇蹟。

當這件事報到韓國，連船政當局也不信一艘十二個客位的貨船，竟救活了這許多人。海軍總司令查究了報告，唯有拍案驚奇曰：「幹得好」！（原載十一月號讀者文摘）

自由人
THE FREEMAN
（半週刊每星期三六出版）
（第八十三期）
每份港幣壹毫
督印人：李光華
社址：香港高士打道六六號
電話：二〇八四八
GLOUCESTER RD. HONGKONG
TEL: 20848
承印者：東南印務出版社
地址：高士打道六四號
合營經銷處
台北市中華路一二五九號
（台北憲兵隊側對面）

反對黨之形成與運用

・雷嘯岑・

形成一個有力的反對黨，卻非咄嗟可辦之事。英美現行兩大黨交替執政的憲政軌範，固得力於不少的民主鬥士之長期運動，也有不少開明的執政者，本天下為公精神，不斷的積極培養，纔有今日的健全基礎。

民主政治的必備條件是多黨制。有了兩個以上的政黨，自然會有在朝與在野之分，因為真正的政黨是以政治主張為其生存發展之基礎的。道不同，不相為謀，如果自己所標榜的主張不能貫澈，決不願於參加實際政治。英國自由黨現在原是個小黨，但她寧願在國會只佔據六個議席，自甘寂寞，也不肯隨便接受邱吉爾的邀請，參預邱內閣的行政職責。這樣，政治上就必然要出現反對黨的，以在野地位，隨時批判現政得失，監督國家行政，必要時且可用否決預算或「不信任」的投票手段，跟政府短兵相接，直接攤牌。因此之故，執政黨遇事即不能不好自為之，常存着戒慎恐懼的心理。

話雖如此，但要形成一個有力的反對黨，卻非咄嗟可辦之事。英美現行兩大黨交替執政的憲政軌範，是經過若干賢豪志士的奮鬥培育而來的。其間，民主鬥士固得力於長期運動，也有不少開明的執政者，本天下為公精神，不斷的積極培養，纔有今日的健全基礎。華盛頓作總統時所倡導的「共享制」（Spoil system）可說是孕育反對黨的因素，而英國收效尤大，在國家預算中，為議會反對黨首領列定歲費，尤不啻政府以報酬來鼓勵反對黨，如是用金錢請人們來反對自己！同樣情形，土耳其的凱末爾總統自當國之日起，直到他去世，總想培成兩黨政體，不惜以財力幫助一般人組織反對黨，然始終未能成功。可見真正的民主憲政，決非一蹴可幾的簡單事情，揠苗助長之法，很難如願。

怎樣形成反對黨？

產生反對黨的前提是多黨制，多黨制之組織不難，難在政黨本身能有安貧樂道，重政見而輕權位的「守寡」精神。如其組織政黨或政治團體的動機，只是為的從政干祿，上焉者藉此打擂台，希望與統治階級平分政權，急功近利，攫取私慾；下焉者以此為敲門磚，以期得當一官，不惜賣身投靠。那末，所謂反對黨也者，即永遠沒法出生的，若政治人物若僅為凱末爾諸人作法，隨時示意，至於金錢教別人去搞反對黨，亦是刻舟求劍之術，雖然搞出若干在野黨派來，結果也將總為議而不實的花瓶，不特真正的反對黨無從形成，反將政治道德與國民人格，弄得窳虛墮落，相率趨入腐利惡途後，赴不先的寡廉鮮恥之途，為害更甚！

然則要怎樣纔能夠形成一個名副其實的反對黨呢？就中國目前的一切情況來說，有幾點是值得注意的。

第一是言論自由。要實施憲政，形成政黨交互執政的民主生活，若無言論自由人權之存在，從那裏去產生反對黨呢？平日能開放言論，先讓一切知識份子有批評庶政臧否人物之自由，漸漸的即可引起一般人民對政治發生興趣，即是培養反對黨的健全基礎。在言論自由的原則下，不但是開放輿論，而且要尊重輿論。譬如：一個在政治上劣跡多端，臭名狼藉，為輿論界群起指摘的人，或者一件妨害公眾利益，為輿論界所不贊同的事，縱然議會不糾舉，法院不過問，政府也應該採納輿情，自動改革，邀事實來表示尊重言論自由的誠心，使大家敢於說話，養成習慣，反對黨自然就會慢慢形成的。邱吉爾一登台，即主張恢復國會中的大學代表制，并且要讓學業界人來充任，或是獎勵異己者敢於說話的。中國的傳統政治思想，有人對高級人物有所指摘，即覺得驚不實，受之者亦引為中傷，謂為在民主社會中，實為常態，家常便飯。如果執政者認為自己是受人民的委托，是人民的公僕，你說他不對，你只得由他去說，都得解答事實，禁止言論之權，觀念不改變，反對黨永遠是可望而不可即的，那市場機構，根本就不成其為民主政治！

第二是代議精神。反對黨如果不在議會裏存在，縱具有預算的權力，也沒法依照正當的憲政途徑研究。原來不依法選舉形成的反對黨，自然不能從選舉中爭取議席，先得從選舉中爭取議席，纔可能形成健全的反對黨。目前中國情形，國會無法改選，多黨制的基礎根本就缺乏，選舉遲遲不能舉行，健全的政府之建立即無從談起，好像一根手杖，助他一臂之力。監察委員，立法委員任期已滿了，政府為延長一年，在情勢上實得已，不得已之舉，自應保持其後，不許再延不妨，改選時可仿照抗戰時期的前例，由中國各黨派，各階層組織一個中心人物，計劃民生，具有最高權力的機構以代替之。在這兩種機構中，讓反對派公開存在活動，並可照英國辦法，對反對黨首領給以特定歲費，亦比照英國辦法，這樣，組織反對黨的人就多，而對政府的施政，也有益，若說民主憲政前途，則再三延長議員任期，亦未見得就是行憲吧！何況現行憲法的條款，政府可以依法在非常時期的緊急處置的必要，暫時停止憲法某一部分的行使。祇要國民是實行民主，團結共同力量，大家必不致反對的。

反對黨的運用之道

這問題得分開兩方面來看：（一）為執政黨方面，一為反對黨本身。就執政黨方面說：既然承認反對黨之存在，即須讓反對黨在合理合法的範圍內，充分發揮其效能，不宜以私人好惡來感情用事，如以恩威政治，恐怕那就糟了！反對黨也有其一定的界限，不是漫無準繩的，假使有人藉組黨，胡來亂來，政黨常走反對黨立場，那就不通敵叛國，謀叛變，作決不能構成，藉了反對黨名義，作其犯罪行為的，所以執政黨之容許反對黨存在，毫無可怕的理由。

中國俗語說「當局者迷，旁觀者清」，任何一個在位者，總難免有錯誤；是非得失，有旁觀者從旁指點，是最好不過的。反對黨的責任，即在當局者所謂缺點，指出其弊病，使當局者能在問題上發生警覺。已如上說，了解這個，就不會誤以為反對黨是一味以反對政府為能事的，是要以理性為國家利益而保守黨員在議會裏交互居於反對地位，雖然對許多問題都依其的大前提下，都能顧全大局，擇善而從，這纔是反對黨首領我們常說的意氣。

在議會即席聲明「政府所採取的某項政策和行動，我們自當支持」之語，即可概見。中國的民主議員們似乎多缺欠這種觀念，遇事抱着跟政府作對的心理，對施政措施，或有辯論，對政府的政策，官員犯了錯誤，十分令人難堪，像如此的怪現象，奇怪的是議會裏的議員也有以政黨自居者，恐怕也不能盡其責任，而反對黨的議員，在野黨對於一切事，有的議員會議，對凡是有分派的黨員，不論，都是極力袒護⋯⋯工黨議員里德艾德禮⋯⋯以及其他政治之依然採取措施，工黨議員一致行動，跟全體工黨的措施，這不值得我們學習嗎？麥克阿瑟事件初在美國民間鬧得那麼緊張激昂，然而兩黨議員們都能保持理性，顧全大體，但求明白真象，是非清楚，設若事生於我國的議會中，恐怕會鬧出多少武劇與醜態哩！由此可見，反對黨，必須以敬人不敢自身要成其命光的本能，「反對」氣使，咄咄逼人，顧指氣使，那是反對黨的低能表現，是運用民主憲政的下乘。

民主政治必須有反對黨存在的，如何形成，怎樣運用，都有治階級，與政黨彼此都有責任，不能專責於某一方面，在外國如此，在中國也未嘗不然！

漏網新聞

美國大炮牛油之爭・蘇聯將喝的一杯苦茶

美國近幾星期來，發生大炮與牛油之爭。兩派的主角一為參議院撥款小組委員會主席約翰遜，一為動員局長威爾遜。

約翰遜指出飛機，坦克，及雷達的生產速率，較原定計劃落後百分之卅至七十。他說：「武器生產落後的原因，是我們沒有勇氣把大炮擺在牛油之上」。

威爾遜與參議員里德等，則認為現時武器生產量太高，造成通貨膨脹的強大壓力，使得美國現時面臨的經濟危機，大過蘇聯。

× × ×

美國第一艘原子潛艇，將於來年年底製造成功。牠的命名，將不是美國傳統的什麼艦名，而是勒迪納斯號U.S.S. Nautilus。遠在一八〇七年，佛爾頓曾經試製一條長方形的船式潛水艇，取名為勒迪納斯。第二次世界大戰時，也有一條叫勒迪納斯的潛艇，曾在中途島海戰時，擊沉一條載軍一萬噸的日本航空母艦。正在建造中的原子潛艇勒迪納斯號，將是蘇聯海軍的一杯苦茶。

× × ×

聯合國君子鬥氣・邱吉爾和貝萬偶然碰巧

依照東西雙方以往的君子協定，安理會的六個小理事國之一，須由共產集團一國擔任。此次南斯拉夫任期屆滿後，美國決心打破這個君子協定。她提出以希臘為南國的繼承者，蘇聯提出白俄羅斯與希國對抗。第一次表決結果，希三十對二十六票，希雖勝，但距三分之二的多數票標準尚遠。最近一次表決，卻是三十二對二十七票，白俄羅斯勝，但仍未達三分之二的多數票。聯大代理主席韋伯宣佈延期再行表決。觀察家說：「再表決也不會有滿意的結果，因為以往是君子協定，現在是君子鬥氣」。

× × ×

邱吉爾在未上台前，被人罵為戰爭販子。上台後，對擴軍預算大量削減。並稱：「世界大戰的危機，不如一九四八年柏林封鎖時那樣迫切」。勞工黨的飯桶貝萬，得意洋洋地對邱吉爾說：「你的看法正同我在一九五〇年的看法一樣，那時我曾被邱吉爾罵是使英國的經濟破產」。

邱吉爾以一種諷讚的口吻答道：「這點，不是你我的動機相同，只是偶然碰巧而已」。

× × ×

今年英國將在無魚無肉無火雞的狀況中，度他們冷靜的聖誕節。糧食部長藉治上星期向邱吉爾上了一個簽呈，涉及今年聖誕節，老百姓沒有額外的食物分配。會吃的首相，只好在簽呈上批了一個「照辦」。

× × ×

為什麼朝鮮空戰，最近三個月來，特別來得劇烈？美國軍事策略家看出，它的真實原因，是由於共軍大批汽車被美機炸得落花流水。這批汽車大部來自蘇聯，對蘇聯是一個莫大的損失。她要想減低這個損失數字，唯一的辦法，便是用噴氣機與聯軍爭取朝鮮的制空權。

× × ×

觀察家認為邱吉爾仍想會晤史太林。這個問題，將是他最近訪問華盛頓時的首要問題。倫敦方面從莫斯科收到的暗示，對邱吉爾表示歡迎。看來三巨頭會議的舉行，是決定在杜魯門手裏。（伍健助）

時局漫談

舜生

胡適在「檢討」中

最近在北平，甚至就在北京大學以內，展開了一個檢討胡適博士的運動。參加這種檢討的人，有不少是胡博士的學生，也有不少是他過去的朋友，我決不說一個學生就不能批評他的先生，我更不說一個朋友就不能檢討他的朋友，假定說是為了學術思想的異同，步驟設一種自發的批評檢討是不可少，而且是極有益的。

可是這次北平對胡博士的檢討是怎樣呢？毫無疑義，是因為「胡適思想」，或擴大言之是五四以來，關於思想文化的一種傾向，和今天的中國共黨，實在太不相容了！換言之，「五四精神」是中共的死對頭，把「五四精神」發揮到極點，便可能是中共的毀滅。胡適既是「五四精神」一個主要的代表人物，他們當然非把胡適首先拿來開刀不可。至於現在正在開會檢討的那些知識分子，他們本來是奉命行事，在中共的威脅之下，原不許任何人有獨立的人格，他們這種自我毀滅的行為，是無須深責的，也不足深責。

所謂「五四精神」究竟是什麼呢？我在今年的「五四」，曾有過這樣的一種看法：

「在最近的五十年左右，中國有過三次重要的改革運動：一次是戊戌，一次是辛亥，一次是「五四」。戊戌是中國歷史上那種書生式的改革要求，一開始即具有失敗的必然性。辛亥是合政治與種族兩因素所形成的，其成功只限於種族的一方面，政治則四十年來並無顯著的成績。五四不然，當時的爭外交與打倒國賊，只此一點，也就不過是一種爭取國家民族獨立的愛國運動而已，雖然在意義上也當如此，但其內容究竟簡單，其影響決不會如此的深刻。惟其把這個運動擴展到了一般的思想，文化，後來有人把這一運動的目標，歸納於「民主」與「科學」，雖然已算扼要，但仍嫌狹隘：它的「五四」傾向不只是了求「科學」，而是活力，它的熱烈，是在以往任何一種運動中所沒有的。單調的民主可流於一種形式；單調的科學可陷於枯燥；文學藝術的要求，使人不倦。有潤色的然後才能做到為實在光輝，自然也側重在新的號召的外表，辛亥的光復，戊戌的「託古」，其本手段卻是保守的。一直到了「五四」，然後才是一個「現代中國的奠基」，才是把中國推進現代文化範圍中的第一步。「五四」決不反對歷史文化的回顧，但着眼在覆文化價值的重估，其精神是進取的，決不是保守的；其目的在提煉中國的在新的中間去找位置，決不在歪曲或貶損新的去求附會。不只「中體西用」之說，與「五四精神」不能相容，如「中國本位」之說，也與「五四精神」扞格不入。」

中共所走的路線，本來早就是與「五四精神」背道而馳的：他們根本不要「民主」，他們是要在民主的帽子下邊來實行「專政」；他們在某一意義上自然也不反對「科學」，但他們只許你向蘇聯去看齊，至於社會科學，尤其不能超越馬恩列斯的思想範疇以外；他們更無所謂文學藝術，因為他們根本不許自由的，現代的文學藝術本來只是自由的一種產物，自由既被禁絕了，文學藝術當然也被扼殺了。最近的中共，再由強調馬恩列斯的思想，落到強調毛澤東的思想，他們要焚書，要坑儒，要憑自家一定於一尊，一切以毛澤東的思想為準則，毛澤東的四卷「選集」，不久便要變成中國的「四大經書」，可以說中共這種反動，感到比較兩千年前的秦漢武還不如的老路！因為如此，我們更感到有加速加強發揮「五四精神」的必要，亦即更感到有加強反共抗俄爭取民主自由的必要。至於胡先生個人，他最近還為爭取言論自由，發過一次怒吼，可見這位老鬥士並沒有忘懷他三十年前的往績，決心繼續奮鬥下去的。中共這種對他的檢討，只足以增加他的光輝，那裏能損於毫末！

戰後蘇聯共產黨

·甘霖·

本篇作者David J. Dallin是當世有名研究蘇聯的權威，所著「蘇俄與遠東」，我國已有譯本，他本是一個孟雪維克，現在是美國大學的教授，本篇係他的新著「新蘇維埃帝國」中譯出。從這裏，可以看出共黨的現在與未來。

．在一九三九年大戰以前，蘇聯共產黨的人數，大約二百五十萬，在一九四一年德軍侵蘇以前，是三百七十萬。現在大約是七百萬。其中百分之七十五為比較年輕的男女新黨員。在此十年間，共產黨青年團員的人數，從四百萬增加到一千萬，其細胞組織從二十萬一千增加到四十五萬。

我們檢討過去十二年間，黨中人物的升沉變遷，可以看出其領導階層的固定。在這多事的長期內，政治局中，只有伏士納色斯基受到擯斥。他本是一個不甚重要的人物，又沒有思想與政治上的主張，所以一經排除，就湮沒無聞了。除此以外，其他政治局員，都能幹有才。他們是許多年間由斯大林選用起來的，確能不負斯大林的期望。他們無論黨內或黨外，都忠實於斯大林。他們受到斯大林的信任，所逐漸發達。他們的平均年齡是五十八歲，在各國政府當局中，要算是年紀較高的。

蘇聯的領袖們，大抵都有意或無意的模做斯大林，言語姿態，甚至衣飾都惟恐不肖。並且不但是外面的態度，他們像斯大林一樣，都是缺乏特出動人的才氣與風格。在政治局中，我們可說最缺乏的就是富有思想理論的人物與能文章的作家。比較動人的是日丹諾夫，已於一九四八年去世了。因為斯大林不許在他小會議室內，有智能的出衆的人物，勝過他自己，致引起人民的注意敬慕。所以斯大林的左右，大抵都是一些中庸之材，他們能夠堅苦工作，長於組織管理，都是所謂事務人材。例如莫洛托夫，一般人對他比較熟悉，他的特點，如缺乏理想，堅強不屈，固執已見，都可代表蘇聯當今的領袖人物。因為他們的缺乏智能，所以無論個人或一體，都不愧是堅強的對手。

近年以來，政治局死去了三人，即蘇聯主席加里寧；日丹諾夫與雪乞巴可夫。都由預先選好的人物，代任他們的職位。其間，也有新人物得到高位，或者受到培植。例如黨的監委雪克里托夫，他是斯大林的親信，又如眞理報主筆玻斯丕洛夫，最近被任為白俄羅斯黨政的玻諾馬倫可，還有玻普夫與蘇斯羅夫等。下次人事的更動，大概當由中央全會或者黨代表會議決定。

斯大林的三個信徒　馬倫可夫佔了上風

上述五人，他們實際上已是政府當局與十二位政治局員，及候補者，他們掌有了蘇聯的一切大權，但他們的地位及勢力，却彼此相差懸殊。許多政治局員，只能活動其自己的特殊範圍以內，只有極少數經過斯大林選任的，可以參與大政。這個中堅組織的存在，因為戰時成立國防委員會，乃為世所知。這便是斯大林，莫洛托夫，倍利亞，馬倫可夫及伏羅希羅夫五人。實則此在戰前已有存在，直到今日，尚依舊不變。這個擁有最大權力的非正式組織，在克姆林宮中，與斯大林為鄰，有其特別辦公處。目前最得斯大林信任的，是倍利亞，馬倫可夫與莫洛托夫三人，他們是斯大林的顧問，為一種超政府的存在。照例這種幕後政府，在彼此個人間，因政治主張意見的不同，發生爭鬥。在政治局的少數人間，自然也非常劇烈，他們都自以為是最適當的繼承人。因此西方各國都無可奈何地希望以斯大林的死亡而得到安心。但是那知斯大林左右的要員，他們的心中恐怕還更急切呢。這些懷抱大志的人們，自然得準備一切，以應付他們「可愛的領袖」去世後的局面。

關於這些最高級領袖們的內部爭鬥，我們知道的很少。最近的事情是馬倫可夫與其數有努力的同僚間的衝突。結果甚至形成對立的派別。馬倫可夫的對手就是日丹諾夫，在一九四八年夏季，衝突最烈的時候，却因病去世了。馬倫可夫的另一對手是莫洛托夫，在柏林封鎖事件發生後數月，會被降職。所以現在是馬倫可夫佔了上風。

政治局裏面的囚犯？　最高政策的決策者？

這些消息自是動人聽聞，但我們却不能把內部衝突的意義，過分誇張。我們須知在蘇聯，並無所謂莫洛托夫政策或馬倫可夫政策，也無所謂日丹諾夫政策。只有斯大林政策。一般人說斯大林是「政治局的囚犯」固然無意義，但若以為在高級領袖中間，存有反對斯大林政策的組織的派別，那也是毫無根據。因為斯大林根本不許有反對派的存在，斯大林的權力是無限的。所謂政治局者，通常只能對其領袖所已決定的政策，表示同意，奉命執行。在臨到新問題的時候，政治局內部也許發生異見，但是斯大林善於容納衆見，他可以任由局中各人發表其所有主張，等到問題一旦明白，他便發言決定，這就成了一定的政策。這種政府的組織，所有高級人員，都只是領袖的顧問，他們專門的意見，只能以供參考，並不能成為決定，也沒有票決的手續。這種方法，在列寧時曾經行之，到了斯大林尤為普遍。斯大林既經決定，便交給祕書，由其屬官分別命令各機關組織並報館。有時這種政治局的決定，並無詳細的記載，在記錄上只有「決定」「口頭」的字樣，大抵這種決定的成立，都因祕書並不在場，且比口頭決定多含有依據黨紀對某一被告的處置辦法。

特工控制特工　親信監視親信

斯大林的特殊地位，我們可由其所主管的機構而認知，他是共產黨中央委員會當中特別組的首領，有職員四百人，都是忠心職責，審慎選擇出來的。這是他個人所統率的治理機構。其下分為各部各科，負責外交，工業，農業，軍事，國外貿易及公安等事務。其中有公安科，這是斯大林個人的特工，由他自己指揮，並不屬於警察及特工首領倍利亞。

倍利亞的第一團（又稱領袖公安團）負責保衛政治局人員，無論他們在首都，在路上或在會場中，都由其負責。屬於此一團者，還有負責克姆林宮警衛的一部分，專檢察出入宮中的人們，並對訪問者發布許可證，宮內的各建築亦都由此第一團負責。只是斯大林個人的居處，則不在他們管理之內。對於這警衛工作，斯大林似乎對其親信倍利亞，也不能放心。克姆林宮中內殿的警衛，乃屬於特別組的警察大隊。這是最高領袖的衛隊，在訓衛警察中彷佛貴族階級，因為史大林的生命全賴他們的忠誠服務。這一特選的警察人員，甚至可以指揮倍利亞的宮中警衛。斯大林一旦有了決定，或者想得到報告，就首先交給特別組的主管部份。凡是組中人員都有一種身份證，享有非常的特權，如不必特別證明即可前往任何機關，並對一切官員，包括政府的部長在內，加以質詢（只有政治局員不在此內），凡被詢問者，都須對之提出報告。他們的身份證係黑色卡片，上面蓋着金線。這金線便是與普通特工的身份證不同處。今日蘇聯的任何證明，這金線所表示的權力，便是最巨大的。

這一組中，有極嚴格的紀律。所有人員不但須對其工作，絕對祕密，並對其同僚隨處留意，不稍懈怠。他們不許作無意義的詢問，也不得對事驚奇致引人疑慮。當一九三六——三八年大清黨時，他們有許多人會以「人民的敵人」致遭逮捕。他們的辦公地方，一部分在克姆林宮中，斯大林書室的隔鄰。其他部分在宮外中央委員會的大廈中。中央委員會大廈的入口，有詢問處，把各處各室內房間號數，明白標出，但是特別組却不然。所以進入大廈，雖只須普通證明便可，而前往特別組則必須另有特殊證明。

莫斯科是黨員天堂　新領土成官僚世界

今日的莫斯科，無論從那一方面說，都是共產主義的首都。其中男女職工三百萬，包括全城成年在內，共產黨員四十萬七千人（居成年人口百分之十三）共產黨青年團四十八萬（居百分之十八）。但在人口九百萬的莫斯科省區內，只有共產黨員十九萬五千人，居全人口百分之二。

但列寧格勒有人口三百萬，戰事雖大受破壞，共產黨員只二十萬。其他各共和國的數字如下：

烏克蘭人口約四千萬，有共產黨員六十八萬四千。自一九四〇年以來，只增加了百分之三十一，但在全人口中，還不到百分之二。

白俄羅斯有人口一千萬，共產黨員十

口六百萬，有共產黨員二十二萬九千，居全人口百分之四。

喬治亞人口三百五十萬，共產黨員十六萬六千，居百分之五。

吉爾吉思人口一百五十萬，共產黨員四萬六千，居百分之三。

里陶苑人口三百萬，共產黨員二萬四千人，僅居百分之點八。

拉脫維亞有共產黨員三萬一千二百人，其中只有一半，如全人口百分之一點五，是拉脫維亞人。

就蘇聯全國言，共產黨員只居全人口百分之三點七。員人數的各共和國中，表示其人民對共產主義的意見，過去共產有過這樣的時期，其現在已不是這樣了。實不同的黨員人數，只表示各級官僚制度的勢力。如在新併入的土地，里陶苑，西烏克蘭，及西白俄羅斯，黨到現在尚沒把本地的組織造成到全國的水準。

安內變為攘外　領袖成了英雄

許多年來，關於黨員調查，都無紀錄發表，因此要想明白黨員的出身，籍貫及年齡等，實不可能。但是根據報紙片斷不完的記載，我們知道一件事，就是許多黨員都是戰時及戰後加入的人，至於革命以前的老黨員，及一九二〇年時代富有政治經驗的，現在已為數不多了，因了幾月的消逝，許多新黨員代著老黨員而繼起。現在已大多數是戰爭時期的男女青年。他們因為著有功績，或者能言善辯，都有了高級地位，作為報酬。

第一代的共產黨員，他們受着社會革命思想的鼓舞，從事對俄皇與資本主義的鬥爭。當蘇維埃政權的最初十年，所以一般黨員多從托洛斯基，斯大林及布哈林當中去選取。他們以在俄國建設社會主義，作為他們熱心努力的理想。以後，黨員的選取，以對抗納粹主義為目標，所以一般的政治教育，以反對外國侵略為主。如「德國的野獸」，「蘇維埃祖國」等口號便是，於是斯大林遂不復是革命的領袖而為民族的英雄了。換句話說，這些新人物對於黨的政治觀感已很少有共產主義的氣味，年青時的印像，以後自難以磨滅，如此，他們如一切宣傳所言，到共產主義的社會，必須經過一個極艱難困苦的過程。所以為了取得勝利，尤其要在對西方的鬥爭中，得到勝利，堅苦困難的工作，實為必要。無謂的辯論紛爭，徒使人分其工作的注意，是不必要的。進步的共產主義就是經濟的發展，應該如斯大林所言「少辯論，多工作，」便一定可以成功。」

斯大林兩套把戲　新黨員一羣工具

但是數量的優越，却並不就是掌握的意義，尤其像蘇聯的共產黨那樣的組織。因為真正的權力，始終都在領袖及其少數心腹們的手中。倘若一旦發現有上述的傾向，共產黨路線離去，斯大林不是設法加以消滅，便要把這加以把握，使之與自己的觀念合法化。而這便是斯大林三十年來最為擅長的，而得成功的基礎。戰後對於數百萬缺乏經驗的非共黨青年，禁止入黨，或者用流血及和平的方法，加以清算。因為這樣，黨就不必改變政策了。但自黨的領導已安全無虞，不必恐懼選舉或革命來加以推翻，於是便把黨員作為實行政策的工具，再不必以之為統治的團體。既然如此，自然可以允許許多有能力而淡於政治的人們，加入黨內了。

原來今日共產黨的目標，在吸收一般傑出的人物，使之加入各種的共黨組織。倘有優秀的男女，其材能足以為他人的模範，那末他們就要利用之為政治領袖。所以凡是成功的養蜂家，農業家，電影演員，射擊手，以及天文家，莫不是共黨黨員。只要他一旦得到成功，就會有壓力來迫他，使他非入黨不可。並且黨員所能享到的許多特權，也往往使他樂於入黨。黨的目的，這樣希望能把全國的領導階層，都網羅起來，由其領袖來對他們實行領導。而由這些優秀分子，轉而領導廣大的羣衆。戰爭時期，黨所以能夠達到他的目的，大半得力於此。

根據斯大林的所論，在社會主義的社會，勞動大衆的工作，必須受優秀分子即共產黨的指導。且

黨員人數增加　黨員權力沒有

還有一個原因，共產黨所以要吸收許多新黨員，因為戰爭終止以後，許多巨大的工作，都待着手，這時候，實在急需有能忠誠服務於政府的人們。例如軍隊要維持兩倍或三倍於平時的軍力，為了應付未來的戰爭，作為巨大軍隊的骨幹，就需有百萬的共產黨員，分配於軍事的重要部門，以備戰爭的需要。又如為了在戰爭中佔領的區域內從事政治管理與經濟開發，須有大批能守紀律的官員，也得有黨員去充任。又在新取得的領土中，本來當地的共產黨，人數不多，且不甚可恃，就須由此派至大隊黨員，擔任管理組織，宣傳，出版等事。警察與特工人員，在國外也有需要。這也須有許多共產黨人去擔任。至在國內，黨在農民當中的小組，本來稀少，許多廣大的地域內，甚至沒有黨的細胞組織，以此常為政治當局所憂心。現在許多軍士既退伍回來，正好利用為黨控制農村的工具。

把數百萬的新黨員置之不顧，原來不是聰明的政策。一個極有紀律的組織，由絕對忠誠的黨員組成，他們也以忠誠而得到獎賞。以為黨員的力量，可以討論並決定政策，那樣的時期，到底已過去了，現在新加入的黨員，可沒有這樣的權力。黨的代表會議，已早無意義。最近的一次代表大會，便是召開於十二年以前的，照例代表大會規定每三年舉一次，但是現在却沒有人敢對此提出疑問。並且對於政府的政策，竟會缺乏這種審核的機會，也視為當然的事情了。

幹部學校到處是　宣傳人員滿天飛

對於這些年青的新黨員，黨決定加以嚴格的訓練。在他們純潔的心上，灌輸以斯大林主義的計畫，由中央委員會決定，而由地方的黨部加以執行。這是戰後黨的活動上的主要工作之一。大體說來，工作頗有成功，但有些地方，仍是失敗的。

自戰爭以來，會有許多特殊的學校，與大學設立起來，並加以擴充。現在已有如美國社會科學院那樣的組織，由共黨的中委會主持，還有高級幹部學校，亦由中委會辦理，至於地方區域者，則由各地黨部辦理。在一九四六至四七年，黨中服務宣傳者發十一萬二千人。一九四九年且增至廿五萬人，並且還有八萬在訓練中。列寧格勒有黨員十七萬人，其中百分之八五，由宣傳部長的命令，在學校或小組中研究馬列主義。一萬五千黨員是經常聽講，有七千指導員幫助同志在校或在家中的學習。在一九四九至五四年，烏克蘭有政治學校九八四所，有一四，八六〇個小組學習列寧與斯大林的傳記，有二三，三九六個小組學習斯大林的「聯共黨史」，並有九七八所黨的夜校。在烏克蘭的大城市中，還有十九所夜大學，以專研究馬列主義。一九四八年，有六千所特殊學校，並四萬講師，曾經演講了八萬六千次。黨員的百分之九六，都被容納這教育機構之中。在耶才揚共和國，人口總數不過三百二十萬人，黨却舉行了一萬六千次的講演。在那未被完全同化的波羅的海共和國家，這種主義訓練的工作，規模尤為巨大。例如一九四九年，在地方狹小的里陶苑，就有男女二九一五人在共黨的夜大學中學習主義。

此種資料經常在蘇維埃的報紙中，可以見到，使人感覺共黨灌輸主義的工作，十分積極，這實是過去歷史上所未曾見過的，不管是在戰前的蘇聯，或希特拉的德國。當時的德國，其教育納粹黨人的工作，原來也是規模大的。

反西方教育不靈　馬克斯主義褪色

此種教育計劃的目的，有兩種用意，（一）在改善其對斯大林牌共產主義的領導，（二）在訓練有才能的官吏，尤其在經濟活動方面，使之明白職責的重大，使他們認為政治的要件，增加生產的訓練，其意義是使黨員的經濟進步，便是教育的目的，所以教育的進步，是造成忠誠與良好的服務。

但是，這種黨員的訓練，使之熱誠奉共產主義，對西方世界，尤其美國，表示憎恨，却並無多大的成功。據共黨權威的刊物「布爾什維克」所言，「教育的目的，在「把繁榮的蘇聯經濟文化，以及人民民主制度，與衰落的資本主義國家作一比較，並嚴厲無情的暴露戰後英美戰爭販子的掠奪計劃，以提高蘇聯人民的警惕，而教育他們以偉大的蘇維埃祖國為光榮。」

但要達到這一目的，事實證明十分困難，且不可能。他們所發佈的宣傳愈多，往往需要更正的錯誤也愈甚。所以一般黨員對於這種主義教育，大抵都不十分熱心。所謂服務與勤勞，在一般職工，仍然視為難以負荷的苦事。黨雖有力強制他們順從，但到底不能使之發生熱忱。報常指責參加黨校的人數不多，至如個人學習，則根據理論記載，「有些同志雖登記學習馬列主義的基本，但成績甚差，往往不及格。」（上）

「景棟事件」發生後 密鐵拉三大集中營 國際犯人呼天無路 海外孤兒翹首待援

「本報駐緬記者赫斯德特約通訊」緬甸政府在眉苗、臘戍、密鐵拉三個地方，設立了三個集中營，專門收容從中國大陸逃亡出來的軍人和難民。自從「景棟事件」（國軍游擊隊與緬軍內訌衝突）發生後，景棟華僑，無辜被捕的數百人，都囚禁到密鐵拉和高佬兩地去。由於中共的駐緬偽「大使」姚仲明從中阻梗，指鹿為馬，硬說他們都是「國民黨份子」。所以，緬甸政府因礙於所謂「邦交」，只釋放了一小部份有保人的僑胞。其他的軍人和難民及大部份難僑，都被關在牢獄，飽嘗鐵窗風味，沒有出獄的消息。

今年夏季，緬政府為便於管理，把臘戍和眉苗的軍人難民都送到密鐵拉去，合併拘押。而密鐵拉集中營也就分設三大部份：即軍人營，難民營和難僑營。不用說，他們在營裏的生活，除了由緬政府發給伙食費，大人每天八安，小孩四安外，什麼待遇都談不上。勉強可以苟延生命，其痛苦是可以想見的。

旅緬的華僑們對這許多遭難的同胞，大家都予以極大的同情；對中共「大使」的卑劣的搗亂行為，都一致表示憤慨。本「華僑要自己救自己」的原則，首先由東枝僑領代表吳引墨等，發動廣泛的募捐運動，由於同情心的驅使，各地僑胞紛紛響應，捐衣服和被褥等，很快就捐到緬幣七千餘盾。這筆錢都用於……

緬甸政府對這批「國際犯人」，本來可以從輕談落，讓他們早日恢復自由，各奔前程的。無奈中共「大使館」一再威脅利誘，也就只能把這件案子擱延下來，以致至今未曾了結。他們被押了這麼久，能想的辦法都想到了。例如用信及打電報到台灣去，請求自由中國營救。上呈文給緬甸總統蘇瑞泰和緬甸總理德欽努，要求釋放。最近還去函在巴黎舉行的聯合國大會，請求把他們當作國際難民處理。

而且，關於景棟華僑部份，還由郎光僑胞李義常，林炳坤，黃李幹新，黃大猷，黃其清，邱思進，黃正理，高飛超，黃啟漢等，特地備了一個公函，送給緬甸政府，請緬政府趕快處理這件國際冤獄，那個呈文是這樣寫的：「……本年六月，在景棟地方，突然發生華僑被當地軍警搜捕事件，該批被捕華僑均不知其所犯何罪，而均自信係屬純正華僑，絕無法外行動者。復查彼等被捕後，除一小部在景棟設有商店者准保釋外，其餘則分別遞送至密鐵拉及高佬兩地拘押。被押於高佬之一批，旋蒙貴國當地政府，通知東枝各華僑團體，派員前往具保釋放。惟彼等返抵東枝，擬購回景棟之際，地政府忽又下令，准彼等歸去。不知何故？迄今該密鐵拉東枝等地被押華僑，仍未得恢復自由。計彼等被押至今，已歷時八九月，不但其本人精神上，物質上遭受莫大之損失，即其妻兒，亦以撫育無人，同陷於悲慘之境地。……政府派督察（A.G.Croab）先生前往調查，經明確係純良正當華僑，而彼等被押數月，迄今一切情形諒早在貴國政府洞鑒之中，深知彼等係純正無辜者。同人等站在同僑正義之立場，特謹提出呼籲，伏望貴國政府基於我中緬兩國之傳統友誼，憐彼等正當純良之華僑，於飽受各種損失與慘痛，而且一人被押，全家受累，嘗盡人間辛酸與血淚之後，迅即將彼等予以釋放，回復彼等之自由，則我旅緬華僑均感激不盡矣！謹此上陳。伏維垂察。謹呈緬甸聯邦政府大總統蘇瑞泰」。

結果如何呢？緬甸政府曾派人到集中營一再審問，卒以中共方面的壓力太大，使好幾號令人酸鼻充滿血淚的呈文失去效力。他們依舊不能恢復自由。台灣自由中國政府與緬甸已斷絕邦交，也是鞭長莫及，只籌來美金四千多元，作為救濟他們的費用。聯合國方面也還沒有消息。謠說緬甸政府正想把他們都遣送到曼德里（Mandalay）大監獄去。那他們今後的命運將更悲慘，這羣在水深火熱中的海外孤兒，究竟何時才能重見天日呢？（十二月八日寄）

燒點錫箔 把鬼送走

「常州通訊」常州近發生一樁嚴重的共幹集體貪污案，牽涉共幹八十五人，貪污了廿二億四千三百萬偽幣、行賄商店五百多家，逃了十六億五千四百萬偽幣稅，偽曾共幹科周謙，常州人叫他為「貪污祖宗」，他不准人喊他同志，必須要人稱他「先生」。常州工商聯合會負責人李君飄說：「稅務幹部等於城隍廟裏的牛頭馬面，鬼怪作祟，總要燒點錫箔，把鬼送走，病才會好。」一針見血，民衆無不異口同心。

共幹犯罪輕一等 腐敗匪幫不打自垮 貪污案件如火燎原

「北平特約通訊」中共正在「開展反貪污運動」，而偽人民法院處理如潮湧到的貪污案，手法高低，頗是微妙之處。據偽北京市人民法院十一月九日公佈：自前年三月一日起，至今年十一月三十日止，一共受理了五百三十七件貪污案。計：前年十個月中，受理了一百十一案；去年全年受理了一百九十六案；而在今年十一個月裏，卻受理了二百卅一案。這許多貪污案，被牽涉的共幹有一萬多，而被判罪的祇有三百五十一名，被判處死刑的僅僅七名，（這七名中，無一共幹）；甚至在偽法官中也有人知法犯法，受賄貪污。偽最高人民法院法官顧裕倫曾充審判組長，四出招搖撞騙，連續貪污一億五千九百六十萬元，即一例子。另據「人民日報」統計，偽北京市（包括「中央」級）各機關、團體、學校發生貪污事件的單位近一百個，事件發生在財經部門的最多，佔總百分之六十強，發生在政治部門的佔百分之十五，發生在文教、軍事等部門的佔百分之廿五。共幹貪污，則以老幹部為多，佔百分之九十強。在短短的十個月裏，老百姓的財富，直接損失，就有一百十六億二千四百餘萬元，數字之大，令人咋舌！這班共幹，貪污手法相當高明。一般地是：攜款潛逃，偽造假目，塗改單據，挪用公款，收受賄賂，索取回扣，使依盜竊，洋報藏留，勾結私商，用貨標的等。有比較突出的事件：偽北京市人民政府公營企業公司科員共幹孫賢琮，技師崔家慶乘採購木材之便，勾結私商貪污公款東北幣三十七億元。偽中國百貨公司北京市分公司業務員共幹劉振堯，拐帶公款一億五千萬元。偽鐵道部總務處職員共幹豐會綸等九人集體勾結私商，盜取庫存公物，變賣得利，先後有好幾十次，貪污款額初步查明的有三億一千多萬元。偽中央公安部生產科科員共幹楊占鰲（有八年黨齡），因受腐化生活「誘惑」，拐帶公款五千三百萬元，去上海、杭州、蘇州一帶游山玩水，宿娼嫖妓，不三月即全部化光。偽國際新聞局科長共幹李嘉廉利用職權，一次貪污公款一億一千二百八十五萬。這些都是「代表作」，其餘零零碎碎的貪污事件更多如牛毛，不勝枚舉。

產生這許多貪污案的主要原因，是多方面的，概括的講，可分五種：一，共幹落草多年，本來什麼都不懂，那種「廉潔」的、樸實儀式的，什麼為人民服務，根本馬耳東風。他們這些土包子，只知道苦出頭了，應該大享受一番。二，偽機關上自頭子下至地方，沒有管理經濟的機構和制度，這給貪污案犯大大地開了方便之門。東北有許多縣份的偽供銷合作社，直到目前，連一本分類賬都沒有。三，他們是一夥們，有意無意地照顧姑息放縱，容縱，是助長貪污的根源。因此，大家都認為貪污不是什麼一件了不起的事。四，「軍事犯罪，輕判一等」，以致效尤，肆無忌憚。（如偽國際新聞局科長共幹李嘉廉利用職權一次貪污一億一千二百八十五萬元，以軍罪行，僅判刑一年。）五，大頭目予取予求在揮霍，小嘍囉一個月百多斤小米不夠生活？大家都想撈一點油水，這是必然的事。

儘管中共自拉自唱：「人民政府是中國自古以來最廉潔最有效率的政府。」貪污已經發生了，中國北方的作風，已影響不了移風易俗，今後多好看，我們到自誇一定以後多好戲，等著瞧吧！（隨光．十二月十二日寄）

「黨員」學習 工農交鬨

「上海特約通訊」中共上海市黨校學員，十九都是老幹部，學員這些人，有許多是農民出身的，在學習會上，大發牢騷：「今天革命勝利了，但我們卻失敗了，是農民打天下，工人坐天下」。「共產黨人，因為中國共產黨是「農民黨」，大多數黨員是農民，而且過去是「農民革命」」，出身貧農的幹部們則最大反對，是「過去已經過去，今後中國共產黨是工人階級的政黨」。老鼠開會，學習會變成了大吵大鬧，要比功勞比成績的鬥爭會。

香港三日續紛錄

拳王路易大談拳經．香港地面英軍舉行假想敵進攻
僑眷被迫害加緊調查．港九工團新年掛中華民國國旗

美底德律城以「褐色轟炸機」著名於世的卸任重級拳王路易，於十六日上午十時二十分，搭民用航空公司機自台北抵港。路氏魁偉的身材，黝色的皮膚，一下飛機，便給許多體育記者包圍。大談拳經。路氏表示年紀大了，打幾個回合，心臟跳得很利害。他表示除友誼式的表演外，不願參加決賽的選擇，便在於此。他說他很喜歡台北，因為那兒風景優美，是太美麗了（美上稱讚：Formosa）。他說明年三四月將再訪問台北。按路氏在美國表演獎金，一場美金五千元。路氏於十七日上午便飛馬尼剌轉美。

× × ×

繼英殖民大臣利特爾頓抵港後，香港陸海空軍廿七旅及十五旅，緊接着於十五日，在新界舉行「假想敵人進攻」演習。演習的地區為大埔、粉嶺、上水一帶，包括田野演習，山頭對壘戰、野戰，坦克出擊，無線電指揮及運輸通訊等課目。在林景公路的林村鄉復設立一臨時醫療站，一時槍砲聲齊鳴，如臨「大敵」，頗來逼真迫肖。至下午四時復鳴金收兵。十五日適為週末，許多作郊外遊的人們，來往交通，為之塞。

× × ×

港九工團聯合總會，於十四日常務理事會議中決定民國四十一年元旦將假灣仔英京酒店五樓舉行，屆時並通知，在港各工會一律張燈結彩，懸掛中華民國國旗慶祝。據該總會負責人稱：今年有許多新生工會參加，預料熱鬧情形，將倍於往昔。

× × ×

香港華僑總會，爲解救被迫害之僑眷，已加緊組織調查小組，定本月二十日召開各邑僑團聯合會議。共商對策，並推代表赴穗交涉，聞該會代表可望於二十三日起行。現為蒐集充份證據，已特製訂「僑眷在鄉因土改受困難情形調查表」，分交有關各邑團各五十分，以便利各會員填報。該表填妥後，將於二十三日由赴穗代表攜穗，交涉改善辦法。

× × ×

據教廷駐華公使黎培理駐港辦事處消息。目前來港之華北[illegible]區主教[illegible]……東返國後談稱：共黨在華對於天主教的迫害，只有助於天主教擴展的機會，而非有所阻礙。中國天主教徒因信仰而受苦的模範，對於非教徒的東方人，留下很深的印象。黎氏返至北京，敘述在中共治下中國傳教士的情狀，加拿大教徒，聞之甚爲「感動」。他還說在香港曾與許多被中共驅逐之教士晤談。

× ×

前駐日大使許世英于十六日毅然全家赴台，並任總統府資政。據關係方面傳出這是總統府資政與忠信遊說的結果。相繼前往的將有吳鐵城等人。據許氏在機場語人：「我早想去台灣了。只是我這年多病，不便行動而已。至於天氣方面，香港和台北原是一樣的，我到沒有什麼分別。」說來非常幽默。（一成）

華僑是革命之母 王淑芳再演刺虎

王淑芳是台山縣人，今年三十四歲。十五年前，隨其夫李亞東赴美經商，頗有積蓄，不時寄錢回來，接濟家用。共幹心生一計，偽造一封書信，說稱他母親病危，奄奄一息，叫他趕緊回來，辦理喪事，以便乘機勒索。李因事務繁忙，不得分身，遂由其妻王淑芳回家，照料一切。

兩月前，她帶着孩子小毛返抵家鄉，方知是詐。抵家第二天，她跟着她的母親到區政府去報到。將她寫好的報告遞上去，區長看了一遍，道：「你就是王淑芳嗎？」她點頭稱是。「你將這表格拿回去，詳細填好，再作一篇自傳，將你本人的經歷及與你丈夫結婚後兩人工作的情形仔仔細細地寫出來。明天上午九時一併帶來見我。」第二天，她照着他的指示去做，將填好的表格與自傳交上去，區長看也不看，向旁邊一擺，冷笑道：「你的丈夫就是華僑，一定是個資本家，你這次回來，想必帶了很多的錢。現在正是『抗美援朝，保家衛國』的時候，政府急需用錢，請你拿來捐獻吧！」她答道：「區長！他不過是一個賣五洋雜貨的小商人，怎能稱得起資本家呢？況且美國生活程度那麼高，每月的收入，只能勉強維持生活，那裏還有餘錢呢？」區長搖頭道：「我不相信，聽說你這次回來，還帶有廿兩金子呢！不管是真是假，現在你有二條路可走：一是將金子全數拿出來捐獻，無話可說。二是坐牢半年，你回去考慮一下，任擇一條，明晨九時前，你還是自由的；九時後，你須到這裏來報告你考慮的結果。」她回到家裏，與其母商量，沒有辦法，只好將她的一幅手鐲、小毛的項圈及五個金圈子，一併交上去，才得平安地過了一個月。

不幸的遭遇又來了，由於各地的飢荒，引起普遍的農民的憤怒，年青不甘餓死的人紛紛組織起來，這裏搶糧，那裏游擊，共幹們為了掩飾自己的罪行，硬說饑荒是地主剝削的結果，遂大肆捕殺清算地主，當時她也是被清算之一。在公審會上，共幹們將她反綁起來，在背後插上一面紙旗，上書「美國走狗奸商李亞東之妻王淑芳」等幾個大字，下面又畫了一個大烏龜。在會中，一個共幹，裝做農民，上台來控訴她。要她賠償血債，她堅決否認，昏倒兩次，結果承認罪名，允許賠款。

一波未平，一波又起，兩禮拜前，她又遭了不可想像的厄運。共幹們指斥說她受了美國的指示，暗地策動破壞工作，組織游擊隊，甘心賣國，去做美帝的間諜，並要她招出同路人等。這個莫須有的罪名，她當然死不承認，於是將她關進黑牢。一個更深漏盡的夜裏，獄卒打開獄門要她出去，說區長要她談話。她走進區長室，區長迎她坐下，隨手關上了門，跪在她的面前，苦苦地央求道：「我是這一區之主，你是知道的，誰敢不聽我的話，只要你允許嫁給我，你馬上可以出獄，並且包你一家生活圓滿，你願意嗎？」她想了一些，決定為國家，為人民，來犧牲她自己，遂答允了他的婚事。翌日上午，她就出獄了。

結婚的前一夜，她整夜未合眼，將小毛抱在懷裏，並用針從蘸着紫色墨水，在他的左膀上刺了「丨」形的字樣。結婚的那一天，她昏迷了三次，晚上她穿着華麗的結婚禮服，表現出很愉快的神情，手提酒壺，不斷地敬酒，區長喝得醺醺大醉，陶然就臥，呼呼入睡。至午夜時，她見人都入睡，遂關緊房門，拿出預先備好的鋒利剪刀，對準區長的喉頭刺去，他應聲仆而死。匪幫聞聲，趕來營救，只見她亦含笑而自殺了。

這個動人的事件，頓時傳遍了全縣，莫不嘖嘖讚歎。孫先生說：「華僑為革命之母」，這真是一個革命之母。事後，記者曾親訪她的家庭，李母含淚以實告我，並拿出她的一封遺書，託我轉寄給她的丈夫。（遺書下期刊出）張競文。

好好保重你自己

為全中國人報仇

何不師古而勵今？

·尚方·

美國有一位著名的大砲參議員麥卡錫，由於具有强烈的反共思想之故，專門對艾契遜、吉賽普，拉鐵摩爾這幫政治人物過不去，隨時指斥他們危害國家，因此而對杜魯門總統非常加攻擊。他於本月十四日在聯邦俱樂部大發講論道：「我們曾有過剛愎的總統，也曾有過愚昧的總統。但剛愎與愚昧兼而有之的總統，在美國歷史上當以現在爲首次」。這種公開批評指摘國家元首的刻薄言論，若在極權政治下，必遭殺身之禍，即在民主政治不發達的國家，亦難免縲紲之災。然在美國却是司空見慣，滿不在乎的一回事，杜魯門也未因此而喪失其總統的權威和體面。這就是民主政治的表現，是言論自由的典範。

中國在幾千年前則已有此民主精神了。如蜀志蔣琬傳，述他繼諸葛亮爲丞相，某日巡視公廨時，僚屬們看他不起，竊竊私議，駡他是個「憒憒者」！他聽到並不以爲意。事後有人問他爲何受辱不校？他答道：我若眞是昏憒，總該挨駡的，我若不是那種人，於我何傷乎？試看古之人這種恢閎容忍的民主風度，何等可貴可敬！後世的政治人物妄作威福，不知師承先民的美德，到今天乃被別的後進民主國家來駡我們不民主，說我們落後，眞是啼笑皆非，從何說起呢！

看別人，想自己，我盼望今之爲政者，替中國人爭一口氣，革而洗心，學學古之蔣琬，今之杜魯門，何如？

自由談

·美國氣球飛進鐵幕·

克姆林宮最感頭痛的事

二次大戰時，日本曾創用一種奇特的武器襲美國，現在美國倒利用這種東西來穿過鐵幕，做防止第三次大戰的工具了。

這種武器就是氫氣球！

美國本土自一八一二年被外國侵襲後，直到二次大戰結束前，纔被日本的三百個氣球飛進去。信不信由你！這些氣球竟能順着東風橫渡五千哩的太平洋，帶了殺傷彈或燃燒彈，擲落美國的西岸以至加拿大一帶。

照這個辦法，美國自然也可以利用氣球飛進共產的鐵幕。雖然不必像日本那樣把「死亡」送給鐵幕裏的平民，但未嘗不可利用它把些友愛和平的宣傳文件，吹送給蘇俄和他的衛星國的人民，去消弭第三次流血的大戰。

根據地輪轉動的原理，順着西風把氣球送進鐵幕，是輕而易舉。在西歐任何地點，甚至於海船上，都可以施放。比起日本的汽球要渡過太平洋，更有把握。

關於日本汽球侵過美國，當時美國當局諱莫如深。他們既不願使日本獲得其効果的報道，亦恐影響美國的民心。就因爲嚴守祕密的關係，美國民，幾乎不知道這回事，奧利剛州就有五個無辜的孩子和一個女人慘遭毒手。一位米曹牧師，帶了太太和五個鄰居的小孩到奧利剛的樹林郊遊，其中一個孩子望見樹梢上掛着一個氣球，這羣孩子便撲上前拖曳。隆然一聲，煙霧瀰漫，除了米曹牧師之外，其他六個人都成了肢殘腦斷，血肉橫飛！

還有，在士保根居然有幾個小孩拿着兩個炸彈，玩了幾天。這兩個炸彈，是從氣球上解下來的。幸虧信管早已摘除，否則又是慘劇一齣。

戰後據日本高級官員承認，他們一共放過九千個「死亡」氣球。但美國加拿大及墨西哥，一共纔發現過二百八十三個。大概其餘的都降落在深山大海，所以無影無蹤了。這些日本氣球，是用桑皮紙製造，直徑大概有卅三英尺，戲重二百磅。垂着十九條四十五尺的纜子，纜端結成一個扣。每個氣球帶着四個殺傷彈或燃燒彈，每個重量大約廿五磅至六十磅。另外加上沙包，有自動機製管着這些沙包。如果氣球逐漸下降時，就把沙包逐包丟下，以維持它的高度。

一九四八年的夏天，我向沈明頓先生（空軍的祕書）獻議：何不派遣B廿九式飛機到歐洲把氣球放出。我以爲不止要向蘇俄人民宣傳民主，而且還不能忘了其他幾國，使到人民與人民之間發生了聯繫和了解，則戰爭之危機庶可消滅。

飛機上放氣球結果不如理想；原因是太大，飛行機後面的風力太大，往往氣球碰到機身，就先破裂了。不過這個方法很能引起軍事當局的興趣，參謀總長布萊德雷將軍曾指出那些宣傳品笑道：「如果這些東西能到達蘇俄人民手中，我可以卸職去釣魚了。這個辦法我們確實要加緊進行！」

由於氣球的構造比日本用桑皮紙做的更高明，而且路程也短。——由挪威到莫斯科祇有不到一千英哩。由西德到基輔大約七百五十哩。由義大利北部到烏克蘭中心，大約五百哩。至於由土耳其到阿達沙僅僅四百哩而已。——就算不能全數到達蘇俄，假如中途降落在波蘭、捷克、匈牙利、羅馬尼亞和保加利亞，依然能夠發揮宣傳的效力。

克姆林宮對於這些宣傳的氣球大感頭痛，祇有反宣傳說：這是敵人用以散發霉菌的殺人工具。說不定他們的祕密警察會殺幾家人來做證據，證明這些氣球是帶了毒菌或炸彈降落的！

每一個氣球可以載重四千磅，亦即一萬二千張的傳單。所費不過美金五元，連所有施放人的開銷計算在內，也不過十七元。散發三億張傳單，照數伸算，祇需四十二萬五千元，所費極微，而美國人民的友誼，可以積存在斯拉夫族民衆的心坎之中，同時也可播下民衆對克里姆林宮反抗的種子。

施行之後，去年多天，我沿着保加利亞的邊境旅行一次。據我所知，這種氣球宣傳攻勢所獲得的效果：柏林和南斯拉夫都曾發生騷動。波蘭蘇維埃軍用火車，時常被炸。保加利亞士耳其邊境的保加利亞軍隊，不時有少數棄職潛逃到士耳其，還有，一千五百萬以上的俄國人因爲不滿於蘇俄的政體，而被囚於集中營。蘇聯和他的衛星國的集體農場，都因爲農民反感太大，而不得不暫停進行……

史太林的如意算盤 ·夫石·

此外我們要做到的還有兩個最重要的目的：（一）史太林安裝鐵幕的唯一目的，是怕蘇聯人和鐵幕外面發生接觸，而我們已經穿過了鐵幕了！

（二）拿破崙和希特拉進攻俄國都失敗了！俄國從來未被武力征服過。但是德王只遣兵到立陶宛，從瑞士抓住了列寧，經過一番盲目政治訓練後，把列寧送到俄國，一種新的布爾什維克政體就把俄國統治了。我們現在是用政治，而不是用武力去征服它！

用氣球去爭鐵幕後的朋友的藝術，其用意正却等於德王之訓練列寧。造成一九一七年俄國的革命，使俄國被政治所征服。（韓森節譯自十一月份雜誌精華）

關於「水滸人物論」一個插曲

·舜生·

萬竹樓隨筆（五六）

在中國的『正史』裏邊，大家總比較的歡喜讀『史記』，司馬遷自己說的，所謂『究天人之際，通古今之變，成一家之言』這些大道理，我們姑且不必去管它，單就他敘述的詳瞻逼眞，搜羅的廣博而得要領，在字裏行間，更充滿了一種鬱塞不平之氣，也實在足以引人入勝。

『史記』能流傳到兩千年，固然是基於這種理由；就是流傳了六百年的『水滸』，三百年的『紅樓』，又何嘗不是如此？這兩部小說的作者，雖經過無數考據家的考證，但截至現在爲止，我還是模模糊糊，可是這兩部書的作者，各有其不可告人的隱痛，或憤時嫉世的心情，我總覺得隨時都是躍然紙上。

所謂『文窮而後工』，似乎是應該從兩方面來說：一方面應該是屬於作者的身世，另一方面則屬於作者所描寫的事象。假定我們承認人生的本質是悲觀的，則凡用文藝方式以陶淑或愉悅人類心情的一切作品，包括文學，音樂，美術等等，無論其表現的方法如何，換言之，即無論其形式爲悲劇的或喜劇的，其本質要屬悲觀的則無疑義。以我自己的經驗來說，有時我讀到一種良好的喜劇性作品，其足以引起我的一種悲觀情緒，或反而較從正面去寫悲劇的作品，來得更爲深刻。從這樣一種觀點來說，『紅樓夢』固然是一大悲劇，『水滸傳』又何嘗不是一大悲劇？推而至於一部人類的歷史，我們大致也只能用悲劇的意味去理解，才可以勉强的講得通啊！

好，我現在依然縮小範圍來談『水滸』。最近我寫了三篇『水滸人物論』：一，王倫論，二，閻婆惜與二潘，三，宋江與宋淸，好像引起了若干不必要的誤會，以爲我在這裏故弄狡獪，拿人尋開心，實際我並不是這樣一種人，我滿腦筋爲悲觀所充塞，隨時都對着人類的究竟懷疑，乃至對王倫這一類型的人，對閻婆惜潘金蓮潘巧雲這一類型的女人，我還是充滿着同情；甚至就對於今天在大陸上那批日以殺人爲事，或日以毀滅他人人格爲事的一切英雄好漢，我也不勝其悲憫而惟有苦笑：他們所願達到的一個目的或所期待的一個理想世界，總也還是很茫然吧！

平日聚會着幾個朋友談天，或情不自禁偶然也寫些有關政治或國際這類的文字，到報紙上去表示一點意見，甚至爲討論一個問題有時鬧到直爭辯到面紅耳赤；但我依然在想：假定我們不能觸到人生的本質，我們一切的工作總不免是徒然吧，甚而就在巴黎，在板門店那些成日爭辯着的人們，總也依然不免是徒然吧！

『水滸人物論』還想繼續寫下去，很怕更引起另一種人的誤會，因此來這樣一個插曲，亦聊示『坦白』之意云爾。

解放別錄

好夢由來最易醒（下）

海濶旅客

許部死守安溪，粵軍由大田德化那邊攻過來。如果只走粵軍防地，須得繞幾縣長程，數天方達。惟有出廈門，經過北洋軍駐守的同安全縣，越安溪火綫，迅上對面正在進攻這邊的自己部隊，則制止戰鬥的命令一晝夜可以傳到。這樣傳令，古今中外大小戰爭都不會有過。

當夜他們竟循此路綫進行。據冰弦回轉來時說，一路上寒風拂面，星影微茫，那阡陌連綿中，罌粟花爛熳如錦。設使此花非毒物，或者人們不取此自戕，那麼罌粟誠爲極美的欣賞植物云。冰弦這話是在總部小宴會席上說的，一面太息自愛如粵軍，猶且不免包庇種煙，其他匪隊可想而知，眞眞作孽了。老總裝做聽不見，左右顧而言他，却激起一位財政局長憤憤道：「你們是理論家，我們是現實主義者。老實說，若少了幾文煙稅，這一頓飯也不知怎樣弄得來，還想革甚麼鳥命嗎？冰弦也愈動氣，抗聲道：太丟人啦，這樣子的革命，不革也就能了……大家戴着尷尬的面孔而散。

類此的接觸日多，心中的牴牾不止一回表露出來，冰弦早就覺得太沒有甚麼的企圖，近乎夢囈作事。老總自謂有廿一世紀的頭腦，縱然不錯，孤禿一個頭腦又中何用？由陳炯明這個人，可以見得出凡居領袖地位的，都犯着一個絕大的錯誤，就是過於迷信權力，以爲權力在手的，要風得風，要雨得雨，要把二十世紀天變成二十一世紀的也可以。殊不知你所想幹的，正好使一班人成爲淮南鷄犬。那麼這班人就樂于捧成功你的領袖地位，惟恐你的權力不夠大。若果你所想幹的利益只在大衆，而不在他們，你的領袖權威馬上等於肥皂泡子了。冰弦有一回滿懷悵觸，會誠誠懇懇勸陳氏自動把甚麼鳥總司令丟進垃圾桶，自己宣告回復淸白的平民身分，正正經經幹社會工作，其影響于人心更大。陳氏答說，我最看不起只能獨善其身的君子，好人有餘，成事不足，我倒反過來勸你努力期成一個總司令，不要好人偏放棄權力，讓壞蛋予取予求，世事原來多半是秀才弄糟的……

自是，冰弦意興蕭索，他們整日整夜忙着打回老家去，他全然不感興趣，少所與聞。陳氏與李厚基信使往還，商決粵軍開拔後，將閩南全區移交接管的節件，其中一項是將教育局全部人員照級塡充省教育廳。冰弦却先自悄悄回粵，連家鄉也沒有帶走。

內戰又發作了，粵軍由潮屬雲霄、詔安、上杭，永定諸縣攻下粵東的風梅，打到惠州，給飛鵝嶺桂軍一尊大砲止住，進程延滯了兩個月。

陡然一日，廣州警備部一個職員走告冰弦，說有密令逮捕。這朋友不由分說，拖起就走，送上廣九火車，囑安居香港且聽下回分解。冰弦極需一個悶葫蘆，獨個兒關在旅社中，每日黃昏踱到西環太白樓露天茶座喝兩碗茶，入夜涉髙陞戲園看小且李雪芳演平劇化的粵劇，一連十多天過的都是這般生活。原來駐石龍桂軍拘獲一人，搜出有陳炯明致冰弦親筆信，請策動廣州水電交通工人內應，這一亂子險些不會送掉一條性命。

胡展堂那時亦幽居島上，冰弦偶或過從，閒談中每臧否人物。展堂以爲方今革命大業，寄托在孫陳，而這兩人却各有特別長處。他平素歡喜說俏皮的道地廣東話，這時亦用純粹的廣東話來批評；他給孫先生三個字的考語：狼，大，快。狼的意思是肯冒險，大是顧遠大不顧近小，快則斬釘截鐵不作猶豫。給陳炯明三個字的考語：勤，緊，靱。這不用解釋，字面已夠明白。誠然，狼大快配合勤緊靱，天下事不足爲了。這階段，識者都認定孫陳合則兩利，分則兩傷，後此偏偏大分時分，這也許是中國的運氣使然。（十一）

有理性的人，常常用自己來適應世界；沒有理性的人，常常使世界來適應自己。因此世界一切變動，靠的是那些沒有理性的人物。

×××

英國人從來不會錯的。一舉一動，他們都有法則作根據。他們向你進攻時，是根據愛國法則；他們掠奪你時，是根據商業法則；他們要奴役你時，是根據帝國法則。——蕭伯納——

·我沒有笑的必要·

華僑鉅子陳國仁和陳國華兄弟在舊金山合資開了一家國華餐廳。華府首要官員，常在該國華餐廳免費招待。

一次美國副總統巴克利訪問舊金山華埠，陳氏兄弟設盛宴招待，並請當地高級官員及僑領作陪。席次，有華僑某君敬以爆竹，請副總統點火。巴克利酒酣耳熱，乘興點火，立刻砰砰拍拍，響徹全市。警察局立刻出動警車，包圍國華餐廳，前來捕人。

後來發見點爆竹的不是別人，而是老當益壯的副總統巴克利先生。那位領隊的警官很和平而莊重的向副總統解釋一番有關放爆竹的規定：『除掉中國新年有三天可以自由施放爆竹外，平時違禁者，須受罰款或坐監』。弄得巴克利連呼『抱歉』，方算了事。

×××

艾森豪威爾就任盟軍統帥後，一次對他的部下演說，講述他和牛的一個故事。他說：他幼時向鄰人購買一條母牛，他問鄰人那條牛工作效率如何？每天產奶多少？鄰人答道：『不知道。不過，牠是一條誠實的牛，一切都是你的』。最後艾帥替自己作一個結論：『我好像是那條誠實的牛，我的成功和光榮，都是大家的』。

×××

一位僱主參加一次幽默的餐會歸來，於是召集他的屬員講解他在餐會上所聽到的幽默故事。每當他講完一個故事時，屬員都笑不可過，只有一個女職員始終不會發笑。那位僱主很詫異地問：『怎麼你連一點幽默感都沒有』？女職員答道：『我沒有笑的必要，反正星期五我就不幹了』。（冰鑒）

自由人
THE FREEMAN
（半週刊每星期三六出版）
（第八十四期）
每份港幣壹毫
督印人：李光華
社址
香港高士打道六六號
電話：二〇八四八
GLOUCESTER RD.
HONGKONG
TEL: 20848
承印者：東南印務出版社
地址：高士打道六四號
台灣經銷處
台北市中華路一二五九號
（台北憲兵隊側對面）

陷入歧途的日本

·左舜生·

杜魯斯訪問日本的十日之行，已於昨天告一結束，並已動程回美。他此行的成就如何，我們缺少詳盡可靠的報導，因此不能密切針對現實去運用我們的觀察，但大體上則仍有可得而言者。

日本在和約簽訂以後，其所以忽然表現如目前這樣一種的微妙態度，原因相當複雜，但最主要的不出下舉的數端：

一、日本一般的人民，普遍的具有一種厭戰心理。本來根據人類愛好和平的心理，這是毫不希奇的，而在日本則更有其特殊的原因在：他們離開實際的戰爭還只有六年，他們是一個戰敗國，經濟是創鉅痛深，領土是大被削減，原子彈的威力，在世人還只有想像，他們却已做過人類慘死的羔羊，親切的嘗過這種滋味；尤其假定在今天日本即具有不惜投入一度大戰的決心，則舊式軍國主義的抬頭，即可能無法避免，日本一部分自命開明或確實傾向民主的人士，其對舊日軍閥的厭惡，眞是無異於一個癆疾，花了無限的代價好容易纔把這個癆疾割掉，現在又要讓它復活起來，其非這一部分具有領導性的人士之所願，自屬情理之常。自然，至少從最近八十年的日本歷史看來，日本人民目前的這種心理，確爲一種異常的變態，所不幸的，日本這樣一種脆而易折的民族性，却最容易有這種變態心理的形成與發揮。

二、日本過去確曾是一個不可一世的強國，富有獨立自尊的觀念，而主權的觀念也極強。在多數日本人的想法，能夠重建武裝，即同時恢復她一個世界強國的地位，何嘗不是他們內心之所欲？可是要重建就必得全面的重建，如果單單只重建陸軍，而海空則暫從緩議，則以現代軍事的眼光看來，一個沒有海空的陸軍國，充其量也只能做別人一個有力的附庸，眞正一個獨立的強國則談不上。今天日本一部分中有共產黨的左傾分子，固然在那裏根據憲法無條件的反對武裝重建，即一部分比較右傾的，也覺得重建而只限於一種跛行的，也大有一種「不完全則寧無」的不快之感。以日本自身當前的經濟實況，不獨重建全面的武裝，絕無可能，即要做到一種足以自衛的程度，也大爲吃力；有人以爲日本對於重建武裝其所以表現如目前的一種態度，只是故意做給美國人看的一種姿態，這最多只能道出眞相的一半，而實際情況却是更爲複雜。

三、關於與國民政府簽訂雙邊和約的問題，其所以也陷於當前這樣一種不冷不熱的狀態，這自然與日本人民的畏戰心理以及武裝重建問題不得圓滿解決有關，可是還有一個外在的基本原因，則爲英美兩國對於整個遠東問題的看法與做法未能趨於一致，在今天的日本人想來，他們在經濟上與軍事上是無法不多多的依存美國，可是一涉及外交的動向，英國所給予他們的影響，乃更爲有力。在日本人的傳統觀念上，他們總覺得英國人對於遠東問題的認識，要比美國人高明得多，因此假定他們在軍事上與經濟上不能不追隨美國，而在外交的作風上，則毋寧追隨英國。追隨英國而不至於承認中共，這僅僅是由於美國在軍事上與經濟上的牽制使然；追隨美國而又不願與台灣立即訂約，則毋寧說受英國的暗示甚大。以美英在遠東的矛盾，形成日本在外交政策上的持重，大概這樣一種看法是不中不遠的。

四、假定台灣對中國大陸以外的三千萬人民，能有進一步的開明辦法，確能表現團結統一，則日本人的觀感可能變遷，英國也未嘗不可變遷，今天是英國影響日本，未來則日本亦未嘗不可以影響英國。所不幸的，便是日本人在東京所接觸的中國人，在港九和其他海外所接觸的中國人，關於團結反共的一點，仍與台灣不無多少的歧見；以中國人的自力加上外國的支援，究竟能否在最短期間形成一個反攻大陸的眞正力量，既然還沒有充分的把握，其足以加強日本這種觀望的心理，亦屬事理之當然，我們反躬自省，應該有以自責，徒然寄望於日本是沒有多大用處的。

不過話雖如此，我們對未來的日本，仍然不能不有相當的杞憂，這種杞憂是從重視日本的觀點出發，決不是從忽視日本的觀點出發。在我們看來，日本終不能不把問題看得遠一些，重現實，不能完全拋棄理想，持重不能不有相當的限度；決心的不能確立，與時間的過度拖延，最足以便利日本國內左傾勢力的滋長；日本對整個亞洲問題沒有進一步的認識與責任感，則日本雖欲避免捲入未來的紛亂，亦終無可能；日本不能與自由中國保持精神上的和諧，則整個亞洲問題，亦終於不能找出適當的解決途徑。

談第三勢力與團結

·簡會元·

今天兩大集團的對立，假如認爲是資本主義與共產主義的對立，那是錯誤的，是中了共黨宣傳之毒的。須知今天兩集團的對立乃是民主自由與極權獨裁的對立。因爲在不同容間實施不同主義是絕對沒有衝突的，是可並存的。只有極權的獨裁統治威脅着全人類才彼此不能相容。中國非但不配稱爲資本主義國家，而且是產業落後的國家，然而她的反共抗俄是最堅決的，便是現成的事實，鐵的明證。

然而在極權與反極權對峙的局面下，竟有所謂第三勢力的名詞出現。尼赫魯就儼然以國際第三勢力的領導者自居，煞有介事。在中國，第三勢力不管是否存在，至少總已有人在企圖建立。我們暫撇開這些事實不談，單在理論上試加研討，今天第三勢力是否有存在的可能呢？我們的答案是「否」！

所謂第三勢力，顧名思義，應該是在第一和第二勢力之外，另行建立一支勢力。換句話說即在極權與反極權之外，再來一個也極權也反極權的集團。這在邏輯上他本身已陷入不可存在的矛盾中。「鑿斯池也，築斯城也，與民守之」「我不犯人，人勿犯我」的只圖自存的辦法，在今天的世界裏已無法辦到，試問兩面樹敵的第三勢力將何以自存？尤其是今天的中國，不存即亡，而且存亡之間已緊至不容一髮，假如來一支也反共也反現存的國民政府的第三勢力，這勢力可以想像的嗎？姑不問其本身的主觀條件如何，萬一有這支勢力的產生；那無疑地除了增張大陸的極權統治和促成反共力量之兩敗俱傷與加速其滅亡外，實在看不出有絲毫的前途的。誠如錢穆在自由人八〇期上「革命與政黨」所云：「革命的力量不妨來自多方面，而革命的目標是唯一的，則革命的力量應該是團結的。若使有兩個以上之革命力量，而抱有兩個以上的革命目標，勢必在革己命，把革命的力量，自我抵消，而把革命的目標混淆轉移。」所以今天中國沒有第三勢力則已，有之，當不爲第三勢力，該是反共抗俄的一股支流，而這股支流又必須是匯合到一股幹流裏而去，使成爲萬馬奔騰的澎湃的莫之能禦的反共抗俄的怒濤，朝向着這唯一的目標衝擊。因爲這是吾人一致的目標呀！

到這里我們必須談到團結的問題了，本刊同期馮少白先生的「團結不是消滅反對」，這見解很正確，我完全同意。但同時我也認爲團結是相對的：在一方面固然不能以消滅反對爲達成團結的方法，而在另一方面也決不能固執成見，自鳴清高，只望人家移樽就教來迎合我們爲謀團結的要求。在香港我們很容易看見許多反共報刊對現政府只作消極的破壞性的抨擊，有的簡直滿紙意氣，徒作謾罵，一個眞正反共抗俄的國民，對一個正在竭盡心智籌劃擔負反共抗俄的艱鉅任務的現政府，其仇視之程度有如此者，實令人不勝其慨歎矣！

綜之，目前已不是也不容許我們再抨擊來發洩意氣了。大家都更有高度的熱情以赴事功，冷靜的頭腦來分析問題，銳利的眼光來高瞻遠矚，恢宏的氣量來容納異己，推誠相與，忍讓爲國，庶可拯斯民於水火，復興民族，共在斯乎！

來論

漏網新聞

蘇聯各方面有衰敗景象·維辛斯基噤若寒蟬

倫敦青年銀行家史密斯，在鐵幕內作了一度實地考察。他說：以往他對蘇聯不可抵抗的觀念，現已化爲烏有。他以蘇聯的鐵路公路及建築物爲例，指出各方面都呈現出一種衰敗的景象：鐵道失修，公路不平，沒有一種車輛能夠每小時行駛三十哩。建築物之壞，是他有生以來所僅見。

× × ×

蘇大裁軍方案，近來毫無進展。內幕消息傳出，維辛斯基對美國的立場，已經準備好一個具體答案，後來因爲英法採取與美國相同的立場，迫得他不得不向莫斯科請示。可是克姆林宮只有特務頭子倍利亞和馬倫可夫執行政務，他們兩人又不敢擅作主張。他們便把原案轉到史太林和莫洛托夫的休假「勝地」。電報去了一個星期，尚無回音，西方代表有點不耐煩，維辛斯基沉寂得像一隻寒蟬。

× × ×

鐵幕近來加緊清黨運動。前西班牙內戰時代著名共黨領袖伊巴露麗女士Doaes Ibarrri在蘇聯失蹤。據傳被清算的原因：是她的「布爾喬亞傾向」。伊巴露麗是一位漂亮而具煽動力的女演說家。十月中旬以前，歐洲老百姓常聽到她在莫斯科的比利牛斯電台作反佛朗哥演說。現在歐洲老百姓再也聽不到她替克姆林宮捧場的聲浪了。

× × ×

荷克哈反狄托功勞何在

史太林的清黨視綫，轉到衛星國阿爾巴尼亞總理荷克哈身上，原因是他無法應付國內的反共游擊隊。荷克哈原來是狄托的老朋友，狄托與史太林破裂後，他便成了狄托的第一個死敵。然而他的反狄托功勞，並不能抵銷他的「罪過」。

× × ×

中共刺刀指向東南亞

刀開始指向東南亞。他們現正沿中越邊境，加緊修築軍需供應站。並在中共區內，改編及訓練越盟部隊。此外中共部隊復深入中緬邊區，佔取新領土與據點數處。緬甸人說，中共已侵犯到他們的領土。

× × ×

同盟國最高委員會前曾下令拆卸希特勒的貝滋加登窩巢，以免該地成爲德國民族的聖地。現在德人對拆卸工作加以延擱。他們希望：如將拆卸工程拖延到大雪期間，那麼他便永遠沒有完成的一天。因爲等到明春融雪的時候，同盟國最高委員會可能對德人失掉了控制的作用。

× × ×

蘇聯武裝船艦一隊，幾天前載了大批共產國際間諜，及無綫電器材。由一海軍少將指揮，確渡過答尼爾海峽，準備滲入土耳其及希臘。觀察家說：這是蘇聯向近東和中東發難的前奏。

× × ×

韓戰和談尚在僵持中，中共的刺

半週展望

·雷嘯岑

杜爾斯游說歸國

美國國務院顧問杜爾斯到日本游說旬日，已經回去了。他此行目的，據其陸續對外所發表的言論來觀察，主要是在促進日本關於履行「美日安全互助協定」的準備工作，附帶是勸告吉田茂迅速與中華民國簽訂和約。關於前者，日本人自可唯命是聽，但日本人自覺太貧乏了，無力從事軍備，要請美國先行互助一下──美元貸款，至少希望每年借兩億元，總數約爲二十億！否則日本心餘力絀，只好從長計議。關於後者，吉田茂認爲美國既能遷就別國意見，不邀請國民政府參加舊金山和會，共同簽約，又何嘗不可遷就日本的「靜觀與等待」政策呢？

日本民族性是褊淺短視，絕對的講現實而薄信義的。美國政治人物憑其天眞而直率的心情，以急功近利的作法，傷棄正義感，犧牲朋友，想使日本感恩知己，化敵爲友，在遠東繼承舊時「英日同盟」的衣鉢，致她充任看住「北極大熊」的國際憲兵任務，結果不時是將有失望的悲哀，隨着時勢演變，且有養癰貽患之日哩！

何以言之呢？英國集團在亞洲所表演的中立姿態，早已使日本人浮起健羨心理了。英美兩國對遠東政策的矛盾對立又至今未能統一，更給他們以一種鼓勵，認爲日本要復興，祇有利用國際列強間矛盾紛歧的因素，最爲適宜。所以，他們是要藉着美國在遠東的軍事弱點，來樹立其內在的國力；要藉着英國在亞洲的經濟弱點（怕日本向東南亞設廠貿易）來作政治投機，以爭取其外在的國際地位。假使美國今後對遠東依然是毫無堅定政策，東張西望，怕痛怕癢，我敢武斷的認定：只要對日和約一生效，日本具有獨立地位後，他們馬上就會與蘇俄訂約的！

日本人對甚麼民主與極權之爭，並不感興趣，他們只是注意於日本怎樣乘機崛起，恢復其「大日本帝國」的榮冠，還與邱吉爾之寄心以期恢復大英帝國威望的心情一樣。爲達成這種目的，盟友固然不在乎，對恩人乘機反噬，也並不稀奇。

杜爾斯想以對日和約的「保姆」身份，憑三寸不爛之舌，說服日本政府，可謂太不了解日本民族性了。第一次大戰後，希臘國王亞力山大喜歡玩猴子，忽然被猴子咬死，因而在希土戰爭中慘敗，弄得歐洲騷擾，邱吉爾曾說希臘這猴子眞厲害，一口幾乎把歐洲也咬掉了！美國現時正在亞洲玩老虎，我們希望美國要仔細點，謹防日後竟被養着的老虎所反噬啊！

美國對韓戰和談的慌亂作風

美國對韓戰和談問題，近來有兩項動作使人驚詫失望：一是關於共軍殺俘事件，時而說被殺六千人，時而又說是五六百人，最後又說有八千人。戰地的情報人員是一說，東京統帥部又是一說，華府五角大廈另是一說。說來說去，不得要領，只是影響了國內的民心與前綫的軍心而已。一是關於共方所交戰俘名單事件。俄國在上次大戰時所拘留的德日戰俘究有若干？至今還在爭吵疑問中。可見共黨對戰俘數目，根本是不會有眞確報告的。這次所交出的名額，自然是它所認爲不必拘留的廢人，或可資利用爲反間宣傳的若干「改造」了的份子。不管數字多少，姓名眞假，應該先作祕密偵查，與對方講交換條件。

然而，美政府却把這不可靠的名單，慌慌張張的公佈了，又說是靠不住的數字，連姓名也多懷疑。這樣一來，凡是榜上有名的出征將士家屬固然高興，還有若干倍數榜上無名的家屬，自然着急，在民間更掀起厭戰心理，要求政府替他們尋出子弟下落。美國既爲民主國，又是珍貴人命的，這必然影響到和談方針，即不啻使共黨的心理作戰收穫了一次小勝利！

如此慌亂張皇，我眞替民主陣營的前途耽憂呢！

戰後蘇聯共產黨

·甘霖·

還有學校中的成年學生，對於演講課程，往往認爲不夠教授水準，指爲黨委。於演講內容，從理論與意識方面來看，沒有十分加以注意。因爲許多才堪勝任的人們，都想竭力避免講授之職，他們與學生同樣感到這是一種負担。

但是這樣的實難雖常可聽到，他們卻不能由主義教育來否認其統治。其結果乃有此數百萬的新共產黨員，他們都年紀較輕，能幹有才，服從命令，並比一般人受有良好的教育，但是對於黨的主義與活動，究竟意義何在，卻多漫不經心。所謂馬列主義，在他們看來，實與其父親的讚新禱文一般無二，只是口頭上機械地說說，卻並不明白是什麼意義。

並且，一般共產黨人對於盛極一時的反西方運動，也多不以爲然。實際上，他們心中承認今日的俄國，仍是一切落後，與百年來一樣。因爲在戰爭時期，數百萬的俄人，其中多數爲新黨員，他們目覩西方的情形，看見農民的生活程度，工人的住宅與及相當完備的衛生設備，一句話，就是西方的文化生活，所以更覺俄國的落後。自革命以來，「文化」一詞，本已頗爲重視，所謂文化，其意義便是溫文爾雅，整潔有禮。如在莫斯科及各地，有所謂文化休息公園，隨地吐痰被認爲缺乏文化，掛着窗簾就表示有了文化。在一般人的心中，常把文化一詞與西方聯在一起。西方一詞之在俄國，也常在談論文化的時候，被連類而及。

在西方，凡閱讀報紙的人，都知道蘇聯的戒律是不許認西方屈服。但是一般人卻不知當局的勉強壓迫，到底不會有何等效果。這個反西方的運動，可說比德國在戰爭前夜還要劇烈，所以然者，因爲一般人民都對之態度冷淡。四年多來，我們但……見反西方的演說論文，充塞全國，許多人因對西方的科學與文藝表示愛好，致失去工作，受到懲處，蘇維埃的著名作家且奉命著述反西方的小說與劇本，戲院亦對反西方的出品予以獎勵，甚至馬鈴薯甲虫也利用作爲反美的工具。

民衆愛看外國戲　蘇聯戲劇變冷門

一般共產黨人與俄國知識分子的心理狀態，究竟怎樣呢？那末我們最好來看戲院觀衆的情形。這可說是一種輿論的測驗，實比最高蘇維埃的選舉，更富有自由。因爲除了某種例外的情形，蘇聯人民看戲的習慣，大體不受干涉，可以依其個人的興味與政治意見而選擇其欲觀的戲劇。而在俄國，戲院似亦比西方更爲重要。這是所謂文化上的重要因素，也是受教育的知識分子之一部分。故前往戲院的人物，包括有思想的分子，尤其是在莫斯科與各大都市，年青的共產黨員實居多數。

在一九四六年八月，共黨中委會發表一個決議，證明了戲院的一種不良情況，及觀衆的愛好西方藝術。其中舉出許多重要的戲院及其演劇的情形，如「莫斯科藝術戲院」所上演的二十個劇本中，只有三個是討論蘇聯當前的問題的。在馬利戲院也是這樣，二十個劇本中，只有三個。在莫斯科蘇維埃戲院的九個中有二個，在凡太諾夫戲院是十個中二個。在卡美尼是十一中三個。在列寧格勒的普希金戲院是九個中二個。在基輔的戲院中是十一個中三個。在卡可夫的夏欽科戲院中是十一個中二個。而在斯佛特斯克的戲院中，則爲十七個中之五個。」

在一九四八年三月，蘇維埃政府決定對這些戲院停止津貼。戲院經理過去對於售票情形，原來並未顧及，這樣就不得不打算收支狀況了。他們因之突然感到有顧及觀衆興趣的必要。但尼克將蘇聯戲院所演的劇本，加以一番研究，把戲劇分爲三類，如蘇維埃戲劇，俄國革命前戲劇，及外國戲劇。依據指示，凡配合政治而進步的戲劇有上演的優先權，第二類也可隨時出演，至如狄更斯或舊俄的著作，則雖不絕對禁止，但並未受到重視。結果是怎樣呢？凡上演蕭伯納的「拔克馬林」，王爾德的「理想丈夫」，舊俄的「路白拉斯」及狄更斯的「同信與兒子」的，都得到極大的成功，尤其是狄更斯的喜劇，竟超過了獲得斯太林獎金的劇本。

又在俄國作家的劇本中，如托爾斯太、格里巴陀夫、戈果爾，他們的得到觀衆歡迎，實遠於蘇聯當今的名作家，西蒙諾夫與沙福洛諾夫。宣傳一時的反美劇本「美國之音」，反美劇成績甚壞。又一反美劇本「俄國問題」，則很少上演。「忘不了一九一九年」，雖曾得獎，是描述斯大林救援列寧格勒情形的劇本，上演不過三星期，就終止了。

因爲戲院觀衆的論斷，所以是最自由的表現，由此可以見到。但尼克所見，可以綜合如下，即「凡劇本題材與蘇維埃現實無關，或者脫離其宣傳調子者，能吸引觀衆之注意，由：：觀衆赴戲院，：」由他們的選擇，實反映了對戲劇的一種強烈要求，即唯一主義以外，與人文主義，以及作者以其天才的發揮，其具有血肉的劇本，而還其活動的腳色，而是在蘇維埃生活中，追着生活的。在托爾斯太，與西甫，在阿斯拉夫斯諾夫秋、更斯等，與米哈夫沙福洛諾夫之間，觀衆們實在明白的分別。因爲從托爾斯太等作家中，他們感到了某種意義。」

新領袖反抗舊領袖　馬克斯打倒斯大林

內爲俄國共產黨的特殊構成，上層的領袖們是完全武從的斯大林主義，而下層黨員多比較冷淡，無感覺，由這兩者間的分別，對於未來的政治危機，自不免具有重大的意義。

在過去蘇維埃統治的三十年間，黨與政府之間，曾有許多次的衝突，大體說來，可以分爲兩類：一是非共黨勢力對政府的攻擊，二是共黨內部派系間的鬥爭。第一類中最顯著的，有如內戰時期的反對派，後來被平定，反對派的領袖都被誅滅，內爲沒有了首領，所以發生的反叛，雖有全國的，但都不能，統被鎮壓。第二類共黨內部的鬥爭，規模較大，最初只是由於一些意見的紛歧，並不重要，後來事情日趨重大，到一九三〇年代末期與四十年代初期，遂達於高峯。

因爲三十年來黨的嚴格統治，所有非黨的組織，都被壓迫至地下，甚至地下的存在也難，有這樣的發展，自然只有形成黨內意見的紛歧與利害的衝突，卒致任何運動，甚至反共產主義的，也必假借共產主義的旗幟以行。因爲民衆黨與所有民黨都被清除乾淨，所以農民對合作農場的反對，遂只好表現爲「右傾的共產主義反對派」，他們雖標榜正統的共產主義理論，但其重點卻在土地的私用。同樣，受蘇維埃工會領導的獨立的工會運動，既被壓平，於是工會的反對派只好在堅決的共產黨人中，求取新領袖，最著的如政治局中的湯姆斯基，他在一九三六年自殺身死。當大戰中，曾有過一種廣大的俄人俘虜的反斯大林運動。爲其領袖的，都是忠實的共產黨人，如瓦來索夫將軍、馬利雪金、齊可夫等，在他們發表於一九四二至四四年的文告中，主張實現沒有資本家的俄國。瓦來索夫派多數領袖，他們所領導的運動，也許會局限於共黨內部的。所以一旦有獨立的一派或軍隊在俄國取得了政權，那末他們必是從共黨內部出來的，在最初的時候，他們必自以爲是真正的馬克斯主義者。這樣，不論是否，也必在他們葬送共產主義的同時，要高唱列寧的歌詞。

同路人向後轉　老黨員開小差

老黨員在反共產主義的鬥爭中，因爲具有這樣重要的作用，所以頗值得我們的注意。由歲月的經過，老黨員在文學與政治中，既日增其勢力，也一天天成爲熟悉的人物。

說起著名的老黨員，還有一個很長的名單。如在美國，有過去「羣衆」雜誌的主筆伊斯脫曼，又如羅夫斯東，當他被逐出共產國際時，曾經造成相當激動，現在指導美國勞工聯盟外交政策的，就是由他。還有如吉脫羅，曾爲一九二四年共黨的副總統候選人。蒲屯士是共黨中委會的委員。華爾夫是共產國際的黨務委員，曾著有論述俄國共產主義的書籍數種，張伯士曾從事共黨地下工作，後來成爲「一時報」的主筆，更有齊梭曼、黑倍格等，弗里曼、蓋爾列舉，那就要造成當時的共黨人名錄。除此以外，還有非共而對共極表同情的人物，如著名的道德家勞蒙、黃熙、勒關、里德等，都因幻滅失望，他們最後反對蘇維埃共產主義。

在法國的老黨員中，有三位是共產國際的書記，即蘇凡林、勞利許、莫那德。以後對共產主義表示反叛的，還有羅斯美、杜易諾、巴拉斯、易洛蕾、劉保、路杜吉、宋巴斯克、梅吉、士尼等。又如已故的法國著作家紀德，及伊斯脫拉底、勒麥杜、朗士、馬西等，都曾對共產主義表示同情，而結果則但有失望，改變其態度。在德國，反對斯大林的邪說的，尤爲廣大。但這些德國的反對派，都因戰爭而遭死亡，或者死於獄中，[illegible]。年代的共黨領袖[illegible]，匈牙利人柯斯拉，英國的則有斯脫拉察。

戰場道德後果如此　正變成負決不是零

這種老黨員的轉變，我們以之與一般人物的轉變相比較，其間大不相同。例如由共和黨變爲民主黨，或由民主黨一變而爲共和黨，都沒有這種極大的苦痛，或者會在社會及個人生活上，引起激動，例如主義議員，或者厭倦而退，或者因幻滅失望，不過覺得放棄了一種嗜好。但在那些信奉共產主義的人們，則一旦斷絕關係，卻事情並不簡單。他們常常發生神經衰弱，個人的危機，過去與現在的界限，這些老黨員，一旦與黨宣佈斷絕以後，往往不能回到平常生活的規律，他們不能從此休止下來，他們多變成了黨的死敵。

共黨，原來他們的加入，是由於一種道德的、政治的、與社會的情緒，至少在西方國家的老黨員，他們並沒有一種個人的企圖。他們之在黨內，大都沒有很好的報酬，因此他們得保持清貧的生活，不致腐化。他們因爲作了共產黨員，並沒有如其他黨員那樣，可以由努力工作此得到飛黃騰達。堅苦的奮鬥，革命的生活，可能是爲一外界而盡力，這便是他們的運命。

這些所謂老黨員者，他們長期中，受到犧牲精神的教育，既然作爲黨員，他們就得貢獻其所有能力與一切時間，參加小組，出席會議，學習斯大林主義，[illegible]黨報是他們的教科，領袖以及[illegible]成了他們的教師。[illegible]為了黨，上是心理[illegible]，可以使用任何手段，與道德相抵觸的[illegible]，因爲鬥爭是長期的，許多年甚至數十年的，於是日常事務的策略，說既成了習慣。戰場上一時的誇張，尚可忍受，究未免是永久心理上的負担，照例如官方的明白否認在俄國有恐怖與奴隸狀態的存在，而特別國內慘酷的勞工情形，則形容爲勞工人的天堂，凡此一切，對於許多共產黨員的良心，都是不能忍受的。所以一旦與黨脫離之後，那種堅苦的熱烈的感情，以增加努力良心的要求，改善社會生活的[illegible]，須在所破壞的幾乎一樣的[illegible]，如同[illegible]，就成了強烈的反對。火變成了冰，正變成了負，但決不是零。不過去的共產黨員到底不能把其俄國與共產主義，在其心中消滅，他們不能存留置之不顧的態度。

共產主義的送葬人　民主國家的新希望

在這些老共產黨員中，有許多對於世界事情，尤其是與今日重大的國際問題有關的俄國情勢，都有確實而明白的認識。近三十年來的俄國革命與其會經提出了許多難以解決的問題，造成了不少社會良心上的苦痛。倘若俄國不能加以解決，那末對於莫斯科自以爲是知道答案，那末不幸已是不幸。但問題是依然存在。

西方各國在情感與思想上的崩潰，與共產主義的墮落的一環，是今日最嚴重的事情。因爲共產主義在過去許多年中，深入於多數的人心，所以要想簡單的從外面加以擊破，幾已絕成爲不可能。共產主義的破滅，只有期之內部之分裂，如重要人物或黨員的反叛，如斯大林主義的否認。這個活動過去的蘇聯實已開始，但勢力尚微，倘然可以達到相當的程度。

這個情形，也可適用於俄國，要以俄國非共黨與其勢力，以來擊破共黨政府的統治，乃是不可能的事情。因爲由於戰後五年來的情形，已把根本改變了，例如若在國際局勢危機，那末在蘇聯的共黨，這個自然物的內部發生劇烈的鬥爭。（完）

韓境空戰的教訓

·林冰峯·

從過去三個月朝鮮上空的空戰紀錄，很顯明地看出中共的空軍實力，在很短的時期內有一個長足的進步。「履霜堅冰至」，我們不難推測出蘇聯在飛機生產方面是如何在突飛猛進。

過去三個月的朝鮮空戰紀錄告訴些什麼呢？第一，聯軍與共軍的飛機損失數字是一比二，即共軍犧牲飛機兩架，聯軍得犧牲一架。第二，使聯軍空軍損失數字，增至戰鬥機九十八架，轟炸機廿九架，他種飛機十九架。死傷及失蹤的空軍人員增至一百七十八人。第三，過去兩星期，聯軍噴火飛機被擊落者六架，釜山也曾發出空襲警報。聯軍飛機已不敢晝間出擊。第四，根據情報人員估計，共軍在朝鮮戰場活動的飛機總數達一千四百架，其中有七百架是MIG十五式的俄國噴火飛機。中共在東北增築的空軍機場計九十個。

范登堡發出警告

拿這個紀錄和三個月以前比較，共軍在空軍方面的擴張是驚人的。美空軍部長范登堡上星期在記者招待會說：「中共幾乎在一夜之間，變成世界最重要空軍國之一」。他又說：「假如敵人照現在的速率從事空軍擴張，很顯然地我們須面對一個艱苦的戰爭」。美國第五空軍總隊司令官愛維里斯說出中共東北空軍基地是「一個實的威脅」。

這些新增的空軍實力是中共自己生產的嗎？不，這完全是蘇聯在作祟。史太林前些日子還這樣說過：「沒有空軍保護，即算最勇敢的部隊，也是沒有用的」。他這種談話，不是無所謂而說的。今天中共空軍在朝鮮上空耀武揚威，便是那篇談話的註腳。根據德拉克 Francis V. Drake 三個月以前的估計，蘇聯擁有現代化飛機二萬架，其中配屬陸軍作戰的飛機是一萬架。從最近俄式飛機在朝鮮上空活動的情形來看，蘇俄擁有現代化的飛機，決不止此數。

克姆林宮的秘密

蘇聯每月飛機生產量究竟有多少呢？這是克姆林宮的秘密。但是從她支援中韓共軍和武裝其他附庸國的空軍設備，使我們想到她的飛機產量是巨大的。照最近幾天情形觀察，朝鮮和談，距最後限期，不及一週，我們不相信在這短短期內，板門店會產生什麼奇蹟來。戰事的繼續與蔓延，並不是不可能的。假如不幸而言中，那麼聯合國空軍在朝鮮的優勢，將遭遇嚴重的挑戰。聯軍在沒有優勢空軍的保護下，能否永遠守得住現有的防綫，仍然是一個問題。

當此蘇聯積極擴充空軍聲中，讓我們檢查一下美國空軍飛機增產的情形怎樣。美國近幾星期，全國鬧着武器生產落後問題，迫得艾森豪威爾從巴黎趕回華盛頓，和國防部副部長在國會調查委員會對質。根據參議員約翰遜所提出的報告，述及：「根據現在美國空軍庫存及新式飛機的產量來判斷，美國現行空軍實力，沒有趕上大家的期望。最悲慘的事實，是我們沒有勇氣把大砲擺在牛油之上」。

美國能鬆一口氣嗎

約翰遜的報告，證明美國飛機生產落後是一個鐵的事實。造成生產落後的原因在那裏呢？最簡單一個答案是缺乏造飛機的原料和人力。朝鮮休戰談判成功，空軍部暫時可以鬆一口氣，但是卻不能認爲美國就此解除了蘇聯的空軍威脅。許多遠識的觀察家，認爲朝鮮停火後，可能再發生新的「朝鮮事件」，蘇聯可能支持中共向越南派遣「中國志願軍」，或者慫恿她的東歐衛星國向南斯拉夫開戰。這樣一來，蘇聯的MIG十五式的噴火飛機，又將與美製軍刀式噴火飛機，在越南和南斯拉夫上空，互爭雄長。何況朝鮮和談，並不如一般人所想像的那麼樂觀，戰爭仍有繼續進行的可能呢？

時局無論如何進展，美國軍事當局，應當針對蘇聯空軍增產情形，來一個急起直追，不要把美國本身和自由世界的安全，交給命運之神來安排，這是美國當前很急切的要求。

中共勒僑慘劇
湯清百感交集
精神極度的痛苦 從自殺變成發瘋

【紐約特約通訊】美國纔頒非律後之後，禁止華僑向中共大陸匯寄贖款。美國這種措施，是中共勒索旅美華僑，和迫害僑眷一連串的血和淚的事實所促成。

上星期紐約華僑湯清，為了營救被中共逮捕和拷打的親屬，曾將他替人洗衣所積蓄的七百美金匯返中共大陸。不料他的苦心並沒有感動中共，相反的，更增加了中共勒索的慾望。上星期，他接到他的親屬來信，要他再匯美金一千元贖命。那時湯清已經變得一文莫名，在百感交集中，企圖用自殺的方法，來解決他精神上的痛苦。

突然，他發瘋了，他向三個美國財政部參事進攻。警察為了自衛，當場將湯清一擊傷。數小時後，美財政部參事閥可夫特為這件事在紐約召集一次記者招待會，說明美國政府對中共勒索行為，正加以制止。他指出在過去一年來被中共勒索旅美華僑的款項，達千數百萬美元，實際受惠者不是這批可憐的犧牲者，而是中共。並稱：有許多華僑正在繼續匯款援救他們的親屬時，中共卻將他們的親屬處死。

現在美財政部為了杜絕中共對華僑無限制的勒索，加緊實施一九五〇所通過的「與敵人貿易」法的規定，禁止華僑對中共大陸匯款。凡非法向中共匯寄贖款，一經證實，將處以美金萬元罰款及十年有期徒刑。（義人）

・鎮壓「反革命」在上海・

【上海通訊】偽上海市副市長潘漢年，十二月十四日在所謂第二屆第三次各界人民代表會議席上報告八個月來工作時，透露出一項消息，那就是上海市人民的反共行動，並未因中共「鎮壓反革命」大屠殺而稍見退縮。據潘說：「全市工廠、學校、街道、里弄，以及郊區的農村，到處仍有「國特」活動。」據九月底的統計，全市各區曾舉行過三千二百次以上的大小控訴會，收到羣衆檢舉材料近四萬件，成立了二千以上基層組濟反革命委員會，並舉行了很多次羣衆性的對被管制份子的宣判大會，和犯罪份子向羣衆認錯的低頭會……，但因羣衆對反革命份子仇恨不深，打擊不大，致很多反革命份子仍能逍遙法外」。從潘的報告裏可以看出上海人的反共情緒和人心了。（慫然　十二月十六日寄。）

「援朝勝利果實」
西南傷兵十五萬

【重慶特約通訊】中共「抗美援朝」[illegible]

（十二月十三日寄。）

香港三日續紛錄

香港有個華人革新會，提出改革政制口號的，便是由這個會裏的人喊出來的，他們說香港立法局的議員應當採用民選制，不應該由港督指派。他們說這是香港民主歷史的恥辱。此次英殖民大臣利特爾頓來港，原先大家以為一定是馬文輝為代表向利氏說明，但中途忽然變卦，由非常前進的莫應溎，陳丕士（陳友仁之子）為代表，把馬文輝排出，這裏已經很明顯底分出兩個派系之爭了。十八日在華商總會召開「辯選」會議，陳丕士一言不發，最遲到亦最先退席。

×　×　×

歲尾港九，銀根奇緊，淡風大吹。入口商行向外訂貨者，更形冷落，小商行已完全停止訂貨。以準備現金，贖取新近運港之貨單。但仍有少數特種商行，仍為大陸買家之需要，繼續活動。據工商處消息：以前之訂貨將全部到齊，由於新訂貨已減少，認為未來數目中入口貨量勢將減少。一般認為若出口貨能於短期內好轉，則供求可能有新刺激。

世界命運將決定于一九五二年
・山打根世外桃源
希臘王子彼德與喜馬拉雅山・香港民主歷史的恥辱

×　×　×

十七日抵埠之英輪「獻賦」號，載來星洲建築商多人。他們是來香港召請建築技工赴北婆羅洲山打根去的。據稱現在山打根原有的十二萬人口，現增加至十三萬多了。山打根有的是空地，但比較高尚的「本格羅」（當地人之房屋名稱）不多。最近英美赴山打根開發的企業，源源而至，一如雨後之春筍。他們說一個建築技工每日的工資得自十元（星加坡幣，合港幣十八元左右）至十五元不等之數。一個月大約自三百元至四百五十元，生活比星加坡低。每人每月之伙食僅五十元，衣着更為簡單，大有世外桃源之概。只是現在入口也受限制了。

×　×　×

希臘王子彼德十九日偕同美麗的王妃伊蓮娜自加爾各答飛港，作私人之遊覽。一週後仍將取道印度轉赴喜馬拉雅山。彼德王子是研究人類學，現為丹麥京城博物院至喜馬拉雅山收集人類原始時代之標本。彼德組織了一個探險隊，從事數月之發掘，他說在喜馬拉雅山已發掘了不少原始動物的骨骼及碎片，但原始人的骨片尚未發現。他相信一定有原始人的痕跡。

×　×　×

自台抵港之美共和黨議員布睿思說：「世界命運將決定於一九五二年。我們希望同時能於明年反攻大陸。但如果沒有國際力量，單持台灣現有的力量是無濟於事的。」關於明年正月杜邱會談（按邱定十二月廿九日赴美），他說：「這個時候的邱吉爾是從政一生最困難的時候，因為邱翁為着英國本身的利益，在遠東政策上已和美國有了最大的分歧」。他更指出：「這一次的會談，主題是東南亞的聯防，是除澳紐以外的南太平洋聯防，從星加坡直到台灣，美國將逼邱翁攤牌，如果英國與美國共約負起這個責任，則對中共無疑是挑戰，香港便有困難，如果英國不願有所表示，則英屬東南亞的威脅將一天天加重，英國今日在遠東之處境，確已面臨兩難之境。」他還說：「我同情英國，但同情並不是贊成」。關於英國明年大選，他支持塔虎脫，反對艾帥調回來幹政治。

×　×　×

菲列賓布拉根省省長候選人現任國會議員沈篤士十九日由菲抵港。從事考察香港的警政及社會之登記辦法。以備明年當選省長施政之借鏡。沈氏可能明年初復往台北一行。沈是麥帥的老友，戰時率二萬五千人在山中打游擊，光復後為麥帥任命布拉根省省長。

×　×　×

以反共抗俄理論著名於世之中國政論家胡秋源已於十八日自台北抵港，一說將為香港時報主筆政，一說將赴美國自由亞洲協會之聘赴美工作。港方人士聞胡氏之來，咸盼其能留港，增加一份「光」和「熱」。

×　×　×

駐港的阿根廷領事館，戰後以來一直停閉到現在未曾恢復。現該國已派首任領事曼秋謹，於十九日抵港。重新開館事宜。曼氏說，阿國在港僑民已一天天增多，現約有五百人之多。商業方面香港是遠東的轉運站。非常重要。曼氏現年五十九歲，曾事外交已達廿九年。來港之前，是駐美德士古州領事。（一成）

王淑芳遺書

亞東：永別了！我的肉體將交給時間，靈魂卻永遠托付給你，在生前，在死後。可是我對共產黨的憎恨，卻永遠帶進墳墓。我永遠咀咒着慘無人道的共幹。

母親身體很好，小毛亦甚活潑，在他的左膀上，我已用紫色的墨水和針尖刺成「一」形的字樣。將來你回來時，孩子長大，恐怕你已不認識了，可以照着這個標誌去尋找。

這封信我寫了兩封，叫母親在不同的兩個信箱寄去，我想總有一封會寄到的。如能收到的話，請你向全美華僑宣告，望他們不要再受中共的欺騙，以免重蹈我的覆轍。盼你接信後，不要為我難過。以我們過去夫婦的感情，我勸你答應我一句話：「好好保重你自己。」我再重複一句「好好保重你自己。」將來回國為我報仇，不，為全中國人報仇。

啊！十八年的愛，十八年的回憶，十八年的夢，都去了，去了。亡妻王淑芳手書。十月廿八日。（詳見本報上期王淑芳再演刺虎）

平津教授思想「頑固」
真理是永遠不滅的・科學對人類有利益的

【天津特約通訊】平津兩地的高等學校教師思想改造正在進行。北京大學在討論「劃分敵我立場」時，好多教師都說：「如果敵人的槍，實在製造得好，那末，他雖然用這枝槍把我打死了，我還要稱讚這枝槍好。」共幹說，這許多人都中了「聊齋誌異」裏面「落地人頭稱『快刀』！」的故事的毒。而教師們則一致反對：「我不是說，人死之後，還會稱讚槍好；而是說，我即使可能被它打死，也還是客觀地稱讚它好，真理是永遠不滅的，科學發達總是對人類有利益的。」

燕京大學和輔仁大學的教授，甚至還希望中共把目光放遠些，撇開政治，為科學，把各校的科學報告和研究論文寄到美國去。中共對這些不談「立場」，不分「敵我」的先生們，真感技窮，思想改造，力竭。（芸芸・十二月十五日寄。）

在文藝戰場上——
中共打了一個敗仗
・文藝工作者沒有熱情・

【北平特約通訊】北平「鼻子走了」的文藝界整風運動進行已快兩個月，工作雖然還沒有總結，苦經卻已訴個不盡。

文藝作家老舍，最近在所謂「抗美援朝」專刊上，又寫了一篇「愛國也有夠」的短文。他對一班文藝工作者的不「愛國」，表示不能滿意，跟着他即自責。他說：「我們提倡愛國主義精神的文藝，已經不是一兩天了；可是，這種作品卻很少很少。一部份文藝作家們——我自己在內——的心中，還存着很多小資產階級的思想。因此，宣傳愛國主義，寫了一篇小文，或一首小詩，便覺得已經盡了愛國的責任了。其實，寫的少也沒有關係，只要有真感情，也說得過去。可是，我們愛國既「有夠」，那還會有熱情？志願軍在戰場上拚命，我們是又在「休息」，在文藝戰場上，我們打了一個敗仗，打敗仗的責任，我也得負上一份。我們始終沒有寫出愛國主義的作品，應該改正。」這是我們對人民的不負責，這吃寬枉糧的老舍，可憐的面目，躍然紙上，而文藝工作者不肯歌頌紅朝的情形，多少也從老舍嘴裏透露了一些。（陸光・十二月十四日寄）

在混水裏摸魚
暴利思想瀰漫

【天津通訊】[illegible]

木材奇缺　棺材停製

[illegible]

章兆華投機取巧
聰明人應變尋死

淚洗過的良心　和雨後的江山　一樣乾淨

章兆華，廣西遷江人，在我所認識的朋友中，他算最會投機取巧的一個。他先後幹過七八年的部隊政工。武漢失陷不久，我在衡陽車站遇着他簡單的談了幾句，在他一吞一吐裏，我就判定他快要變節了。他說：「情況如此，我們毫無理由死守着一具再沒有復活希望的殭屍。今天，聰明人，就得替自己想應變的辦法」。

果然，在廣西桂林失陷後兩星期，共軍十三兵團文工團，在街頭巷尾，扭秧歌，演街頭劇，發傳單，貼標語，我就在正陽門，看見那不倫不類的行列中，有個長於投機取巧的章兆華，手裏還拿着一束標語，一碗漿糊。登時我就從回憶裏，想到在衡陽車站他所說的那幾句話。曾幾何時，他竟想到「應變」的辦法了！但後來，卻不知道什麼時候起，他又到廣西桂北日報社去「食大灶」，其名為「新聞記者」。可是，在做記者的半年期間，沒有採訪過一條新聞，也沒有撰擬過一篇稿，整天忙着「學習，學習，再學習！」

一直到今年三月十四日，桂北日報的副刊，看見他開宗明義第一篇文章題目的叫「淚洗過的良心」，一開頭就引用郭沫若「淚洗過的良心和雨後的江山一樣乾淨」的「詩句」。文長約兩千字，自己過去的「罪惡」一面坦白，一面感激「毛主席」的「寬大」，當時我在桂北日報做「新聞記者」期間，這可能是他所寫的頭一篇稿，也是最後的一篇稿。現在事實證明「我當時所想，真是不幸而言中。」因為今年五月中旬，他有個在伏波門內米粉廠的親戚，得到公安局的通知，每天要代章兆華出三千五百元人民幣的囚糧。他——章兆華，已經到人民監獄去感激毛主席的「寬大」了。

他之所以得到此等「寬大」原因是這樣的：據一個報社的人說：他平日表現得相當前進。祗是有一天，他偷看報社的參考資料，給一個幹部發現。當夜開坦白會，有個幹部批評他想拿「參考資料」到外面去造謠。但他本人始終否認有此企圖，祗說是紙簍中撿來看。於是組織說他不夠坦白，須要改造。

昨天得到確實的消息，章兆華十月十五日在桂林被處決了，所宣佈的罪狀是：偽裝前進，混入革命陣營，進行反革命的宣傳活動，並散佈謠言……一大串的罪狀，但歸納起來，祗不過是一個「偷看參考資料」。

會想辦法「應變」的章兆華就這樣的完了，其他無數的章兆華當然也會同樣的完蛋！（丁山）

天下英雄唯流氓耳

·尚方·

不久以前，一群美國和法國的流氓們，向巴黎聯大各代表大發議論，主張世界大事不能由高級人員來談判，應該讓低級人員從事折衝，纔可望獲真正解決。因此，他們希望史大林跟民主國家的流氓來商討一切，必能獲致和平的。

這主張決非開頑笑，實有至理存焉。流氓都是無恆產無恆業的「普羅」階級，也就是各國極大多數的勞苦大衆。讓他們挺身而出，與共產集團國家開談判，無論和戰，都是大多數人民的公意，再不需與當政人物為難和戰而作民意測驗的麻煩了。

現代西方國家，英國是紳士派，美國是少爺派，法國是小姐派。在國際冷戰中，他們偏偏遇着一個俄國大流氓史大林！紳士與流氓辦交涉，總是上當吃虧的，小姐根本怕流氓，大少爺呢，脾氣一發，流氓是要害怕三分。但紳士又因為怕打架而多方勸阻，以致讓對方覷破弱點，肆無忌憚。

如果紳士與小姐都站開去，讓大少爺也以流氓式的姿態與方法，全權跟史大林談判一切，無所牽掛，要和，可以和，要打，不怕打。這樣，史大林的無賴手法就無所施其技了。邱吉爾先生最近以國際老牌紳士資格，奔走接洽，不辭勞瘁。可惜現在已是流氓世界，紳士們那套作法，過時不中用了！

自由談

美國人的尾巴主義

美國人的好奇心，演變成他們對英國皇室服飾的模倣熱。英皇室和商人把握住美國人的尾巴主義心理，替國家賺得大批外匯。

最近進了一次紐約，在熱鬧的第五街一家洋貨店櫥窗裏，觀着一件小絨綫衣，上面掛了一塊英國皇室標誌的牌子，寫道：「御用的衛生衣」。原來是照英國查理士小王子（伊利莎伯公主的兒子）的衣服樣子製造，運到紐約銷售的。

另外一間衣服店，把伊利莎白和馬嘉烈兩位公主日常穿用衣飾製成圖片，在櫥窗陳列。無非是讓顧客們研究一下，和她們自己所穿的是否一樣？於是銷路大暢。

英皇有一次穿過一件花格子呢的晚餐禮服，馬上便風靡了美國的時髦先生們，群起倣效，大概英皇那一次參加私人的宴會，絕不會有人想到會令英皇室賺一筆大錢。後來英皇索性抓住機會，向呢絨廠家訂了一批花格子呢，趕運到紐約，果然生意好極。

加拿大的婦女會買了一張皇室所用的地毯，據說這張毯中花紋是馬利太后費了八年光陰御手親自綉成的。僅僅是展覽收入，已經有美金十萬元。她們預算還可以繼續作第二次展覽，再收十萬美元。

現在馬利太后高壽已經八十五歲了，這些平素的針黹刺綉，保存當不在少數，這些國家版權由皇室所有了六張椅套，這六個椅套的花是太后親手綉的，然後轉送市立博物館陳列。於是馬利太后特准一家椅套，印成專集，正在紐約發售。

前兩三年一個美國豪富，用美金一萬元買歷行，把她所綉的聖路德宮裏的椅套花樣描下來，印行「馬利太后設計椅套花樣集」，每本售價美金一元。傾使美國愛好時髦的婦女，人手一冊，紙貴洛陽。

英國皇室中人早就限制一般藝術機關或藝術界，再利用皇室招牌來作公開活動，許用攝影機，那麼此後誰能優先攝得這些皇室的藝術品，誰就是商戰的勝利者，毫無疑問可以致一筆大財。

有一次，伊利莎伯公主從馬爾泰島帶了一個長頸鹿玩具給查理士王子。一家投機的商行，立刻照樣把一批長頸鹿玩具寄運紐約。還有一次，公主向一家倫敦傢私店特別訂製一張三呎四吋寬六呎九吋長的床，是爲她個人在卡拉連士大廈裏用的，消息傳出，一般傢私店便爭先恐後照這尺碼加工製造，好刺激的美國人，都說這個尺碼實在舒服得多！

因為英皇喜歡玩賞熱帶魚，經常由一位專家呈貢熱帶魚，在白金漢宮裏裝了一間水族館。於是熱帶魚一躍爲熱門生意，英國做熱帶魚生意的行家，甚至於要在美必治地方替顧客們找旅館。

根德公爵夫人是著名時裝的發起人，她不止自己常常穿着新的款式，還公開說喜歡這樣做。她的新裝，不獨爲了美觀，還含有別的作用。近年鴕鳥毛用於服裝上大爲減少，而南非洲鴕鳥毛出口滯銷，以至一般搞鴕鳥毛的農民，面臨窘境。南非的商務部長刁訖先生，便對根德公爵夫人訴苦，他說：「僅以鴕鳥毛輸入英國本土而言，每年三百萬磅，已經由一萬三千磅了！這無論如何，要請夫人幫一幫忙。」於是乎夫人便召集了一班時裝專家，共同研究用鴕鳥毛點綴於衣服和帽子上的新裝，爲了加強宣傳，她在變司偽地方一週三天，換了幾套衣帽，全是用鴕鳥毛綴成各式不同的花樣。一星期後，倫敦一千多個編綴鴕鳥毛的工匠，又重新的忙碌起來了。

不止倫敦一時風尚，遠南美一帶的國家，自從公爵夫人的照片傳到之後，也重新再興起用鴕鳥毛做最摩登的裝飾了！

一年多以前，英國的鞋廠製造了一大批有横帶子繫在脚背上的女裝皮鞋，從來鞋廠方面接到蘇格蘭的零售鞋商們的報告說：「有横帶的女鞋，已經無人過問，恐怕要血本無歸！」大概鞋商們神通廣大，當馬嘉烈公主由倫敦返倫敦的時候，腳上卻穿着一雙有横帶的鞋子。第二天，出賣這種鞋子的商店，竟然門限爲穿。女顧客們的鞋子全是選購有横帶的。

兩位公主是美國女孩子們所崇拜的偶像，她們所穿的衣服，有一班服裝商人用報横過大西洋傳遍消息，僅僅幾天之後，遠渡士頓以至好萊塢，所有的少女，都時興要買「馬嘉烈公主式」的有横帶的皮鞋。英國銀行看到這個情形，立刻借給這個鞋公司一筆巨款，讓他們把公主們所穿的鞋照樣大量製造，一批批源源運紐約，不必說，當然又賺了一筆美金！英國人近又發現，伊利莎伯的服飾特別引起美國婦女們的興趣，有大批百貨公司，特別選定她的服飾，作爲實施的服飾廣告。（優游節譯自新城什誌）

論黃文炳（一）

（水滸人物論之三）

·舜生·

萬竹樓隨筆（五七）

宋江殺了閻婆惜，原已逃在江湖，更結識了不少的朋友，正在結伴投奔梁山，忽然得着老弟宋清托人捎來的一封家書，說父親死了，正等他回去安葬。宋江星夜趕回鄆城，才知道父親並沒有死，只是官司斷了，怕他在外招災惹禍，因此叫宋清寫了這樣一封信，騙他回去。可是結果依然被捕，解上濟州，被判脊杖二十，刺配江州牢城。

宋江到了江州，因爲有銀錢可以使用，並未正式坐牢，撥他在抄事房做個抄事，倒也逍遙自在。後來又結交了戴宗，李逵，張順等這班好漢，客中更不寂寞。

一日，宋江出外訪戴宗等三位不遇，一人悶悶不樂，信步來到江邊，眼見風景不殊，河山未改，卻又高興起來。行到一座酒樓前過，見有蘇東坡大書「潯陽樓」三字，便漫步走上樓來，在靠江一座閣子裏坐了，叫酒保取來一瓶好酒，要了幾樣肥羊嫩雞，釀鵝精肉，一人倚欄暢飲，飽看滾滾江流。

大江東去；浪淘盡千古風流人物。故壘西邊，人道是三國周郎赤壁。亂石崩雲，驚濤裂岸，捲起千堆雪。江山如畫，一時多少豪傑！遙想公瑾當年，小喬初嫁了，雄姿英發；羽扇綸巾，談笑間，强虜灰飛烟滅。故國神遊，多情應笑我早生華髮。人生如夢，一尊還酹江月。

宋江少年學吏，認識了不少湖海英雄，雖屬得三字虛名，但這一身也幾乎無以自保，强風觸目，不禁酒下淚來；尤其想到與婆惜的一段孽緣，而自己又因此得罪，更覺悔恨交集。他本來也略解詩詞，剛才看了蘇學士所寫的三個大字，此時更想起了他的這首「念奴嬌」，便不免拍着欄干，吟了又吟，唱了又唱。酒本已喝得醉了，又連呼酒保再取酒來，開懷暢飲痛快。起身觀玩，見粉壁上已有前人題詠不少，便向店家借得筆硯，也就壁間寫下了這樣一首「西江月」：

「自幼曾攻經史，長成亦有權謀，恰如猛虎臥荒邱，潛伏爪牙忍受。
不幸刺文雙頰，那堪配在江州，他年若得報冤仇，血染潯陽江口！」

寫完自己唸了一番，覺得意猶未盡，更綴上一首小詩：

「心在山東身在吳，飄蓬江海謾嗟吁，他時若遂凌雲志，敢笑黃巢不丈夫！」

寫完，又在後面大書「鄆城宋江作」五個大字，便把筆一丟，付了酒錢，才踉踉蹌蹌的下樓走了。

援朝英雄

·夫石·

解放別錄

俄使更番迭至

海闊

鮑自閩南的粵軍沿東江作戰數月，卒入廣州。中山先生即從上海來，結束了七總裁的軍政府，一變而爲大元帥府。粵軍乘勢派西江入桂，底定廣西。陳競存任粵軍部長，領粵桂軍，兼廣東省長，一手握着四個大印，煊赫不可一世。省長職陳擬畀汪精衛。汪於昔年與張溥泉在北京倡組之六不會，不作官吏爲信條之一，不願背棄信約，便連教育廳長也不肯做。扭扭捏捏只擔任廣東教育會會長。梁冰弦力促陳存仍請陳獨秀來管教育。

代表第三國際留在上海的斯托洛米斯基奉召回去，莫斯科改派倭挺斯基來滬，與獨秀等籌劃解散社會主義者同盟，進行組織共產黨。獨秀以力量在華南，而華南分子向不同意，有待于說服，倭挺斯基忙于在滬設俄文日報，乃又委一俄人名鮑諾的，和一個美國青年共產黨員名波爾西的任譯員，同至廣州。鮑諾老成而和藹，他的太太很活潑。波爾西純然美國質分，稅居東山，與同盟諸人週旋甚洽。反謂布爾什維克黨人枯燥僵板，不如中國社會主義者溫良而豁達。皮爾西也說，華北人士與俄人性氣還不至十分格格不入，華南人士則大相逕庭了。鮑諾對于華南區同盟工作大感興趣，尤其是粵中的勞動運動。在他眼中，機器工會爲領袖工會，其規模在歐美也不多見。皮爾西興奮地搜求這一工人組織的由來沿革，著爲紀錄作報告材料。他聽說還在第一次世界大戰中，蘇俄十月革命前數年，只七八個覺悟的機器工匠和機器廠員司，賃一幢小屋，設一小小俱樂部，每晚工餘集合，由梁冰弦劉石心區聲白黃尊生等，輪流出席，講解克魯泡特金所著麵包略取，工廠與田莊，告少年諸書，又系統地講授社會主義史，歐美勞動運動史，各國採行勞動立法勞動保險等社會政策概況，孫先生的民生主義與師等。這七八個人，漸漸號召發工，領導進行組織工會。始而數十人，繼而數百人。經一年後，達數萬人，支分會遍東西江以至南洋群島，爲一有靈魂有生命的組織體。

皮爾西寫得詳詳細細，然後近兩年間由華南區同盟分子提挈指導組成的四十多個各行業工會的內容，也給他備述無遺。在莫斯科看來，這個赴華工作的黨員，成績良堪贊美。

鮑諾頗帶有一宗使命：那時蘇俄特設塔斯通訊社，向世界傳佈新蘇維埃國家政情。可是自唱自聽，就在中國自北向南便設有一家雜誌採用它無條件贈與的電訊。鮑諾再三請求華南同人設法。當時陳公博譚平山譚植棠三人皆由北大畢業歸，企圖競選省參議員，辦一「群報」來自我介紹。公博願以群報作爲華南同盟準機關報，條件爲由冰弦向競存取得每月津貼二千元。同時發報選登塔斯電訊，喜得鮑諾每週將報紙，寄莫斯科來充實他的工作報告。

鮑諾經常要皮爾西將群報言論譯成俄文給他看。他常常問你們組織了許多工會，但並不教導工人從事鬥爭，然則要他們幹甚麼？他所得的答話是：正是要他們從事鬥爭，與國家的貧窮鬥爭，與帝國主義的經濟勢力鬥爭。但根本要明白，這裏的勞動運動是教育性多于政治性的，這裏的領導者們認爲現階段應該如此。大抵鮑諾來華半年所親歷此間同人的論調，所親見此間同人的態度，歸納起來，向上海倭挺斯基的報告，這是他的職責問題。

華北華中大約佈置好了，陳獨秀終于南來，會存于競存之後，不要教育廳，要設教育委員會，他就充當委員長。他們要找梁冰弦，梁卻靜悄悄地在廣三鐵路局當一名月薪不滿百元但無責任的小職員，爲的是那裏有一所外國的房子，有利于讀書寫作。其時歐美報章雜誌漸漸來多于蘇俄中斷的七年的民國雜誌刊在穗復版，撥來不少這些材料。陳獨秀們叫致不滿，他便刊行一個週刊叫「獨導」去發表他的主張。（十二）

議員打架聲賦

·仿秋聲賦體·

·台北居士·

台北居士方游市街，聞有聲自中山堂來者，悚然而聽之曰：怪哉！初嚶嚶以詰難；忽其充於耳也，如歃盟，厲揭舌劍；其充於耳也，如爭辯，嘈雜衆音，會聽取不清；又如拍台拍凳之聲，聲震鳴鉦；不聞人語，但聞勞勞拍拍之聲。予謂路人：此何聲也？汝試尋之！路人曰：市民會場中，男女和譟，四無怪聲！路人在華麗會場中。予曰：噫嘻盛哉！此議員打架聲也，胡爲乎來哉？蓋夫議院之開也，其事非常，畢聚群賢；濟濟多士，齊各言志！其情熱烈，踔厲奮發；其氣甚壯，互不相讓。故其會議也，詰難爭辯，如臨戰場，爲爭院長而常鬧，各佈陣容較短長。官見之而頭痛，民因之而神傷，其所以爲拳擊者，將以異乎弔兒郎當！

夫議員，法家也，吏之師；又猛人也，文武兼資。具智勇雙全之姿，表演武劇，足奇？院會之聚，數百英傑，故其陣勢紛紛也，既多小組之會，復有議航之稱。除打，人手也，可繫耳光；架，加木也，拔椅橫將。

嗟乎！赤禍頻仍，神州陸沉，五百壯士，誰能抗其精神？會議勞其心，投槊抒其情，甲擲乙，五花八門，國乃喪其力之所不值，忙其事之所難行。宜其嗾若蟑螂者所爲，何獸士，隨如怒蛙者爲瘋，生奈何耗？亦何怪乎打架之聲？無成！念誰爲之致此，三月嘖嘖，路人不對，予亦低頭垂淚，但聞到處人言，如助予之嘆息！

毛澤東失眠

·海文·

韓戰發生以後，據說毛澤東患失眠症，精神緊張難堪，於是去請教醫生的安眠辦法。

醫生告訴他：「閉了眼睛，數一二三四五六七八九十十一十二十三十四……」

毛澤東說：「不行，這使我想起可怕的飛機」。

醫生說：「那麼不要連續數下去好了。一、二三四五六七八九十，又一二三四五六七八九十，又……」

毛澤東說：「還是不行，這使我想起了鐵幕內的反革命」。

醫生說：「然則不要數出聲音來，心中默念好了」。

毛澤東說：「那更糟糕！那使我想起和談中的聯軍俘虜問題」。

× × ×

有一個人坐在「禁止吸烟」的標語牌下，含了一支未點燃的雪茄在嘴裏。警察走過來干涉道：「年輕人，你不能在此吸烟」。這個人回答說：「你看！我含了烟，但是沒有點燃，就像我穿了鞋，但是沒有在走路。這是斯德哥爾摩和平運動啊」！

中華民國四十年十二月廿六日　自由人　（星期三）　第一版

自由人

THE FREEMAN

（半週刊每星期三六出版）

（第八十五期）

每份港幣壹毫

督印人：李光華

社址：香港高士打道六六號

電話：二〇八四八

GLOUCESTER RD. HONGKONG

TEL: 20848

承印者：東南印務出版社

地址：高士打道六四號

台灣經銷處

台北市中華路一二五九號（台北憲兵隊側對面）

反對與反對黨

陳伯莊

政府孤懸海外，兩年來獲得相當安定，正該趕快利用這安定局面，積極發展民主，給自由人民以民主實驗，給淪共人民以民主希望，以喚起其愛好民主爭取自由決心。從積極發展民主來培植人民積極反共的決心，比練兵還要重要。所謂天時地利不敵人和，人和者萬衆一心。今天所需要的萬衆一心，是：「不自由，不民主，毋寧死。」何況這相當安定，實屬「厝火積薪之下，而寢其上，火未及然，因謂之安」而已。

譬如建屋，必先打地基，搭棚架。地基和棚架是建築施工的先具條件。發展民主，必先建立發展民主的條件。培植發展民主的基礎，排除實現民主的障礙，即爲發展民主的條件。

今天所急需的民主地基和棚架，至少有：

（一）發展法治；

（二）容許反對政府的言論及合法行動；

（三）一切言論思想自由，不再以一種主義一種思想爲不可批評的聖經；

（四）一切政令行動改採民主作風。

民主的本身，是政權由健全的自由選舉而取得與移轉。所以這四項祇是民主的條件，（一）（二）屬建立基礎類，（三）（四）屬排除障礙類。本文論「反對與反對黨」，即爲第（二）項。但（一）（三）（四）與（二）有不可分離的關係，茲先略加分析。

（一）發展法治，人民祇知道政府是「官」，是「衙門」；官是可怕的，衙門是有腳路才走得通的。而政府的權力自覺心理，遠遠超過守法重法的心理。一遇一種企圖的衝動，祇想怎樣變更法律，不向法律低首，放棄企圖。人民不知有權，怎知民主是甚麼。祇有嘗過人權有保障的滋味，才有反共的真憤怒。商鞅徙木示信；今天的政府應該獎勵人民和政府打官司，獎勵人民依法對政府抗爭登報控訴等等。憲法賦予人權，而防共法令將其限制到支離破碎。這部份補充法令，應立加澈底審查與刪改。主持制定這些補充法令的人，祇知防共惟恐不周，祇知消極反共，對於以保障人權的實驗來培植人民積極反共心理，恐怕現在還嗤爲迂闊廢話。這樣自尊感和自卑感的交織矛盾，是要誤事的。這還是從反共立說；至於發展民主正道，非此莫由。

（三）言論思想自由　中國二千多年來不許批評孔子思想，近二十多年來變爲不許批評中山思想。（我首先表明對孔子中山的崇敬，同時不放棄當仁不讓的態度）。現在都應依着自由的正道，時代的要求，及早放棄這精神上的限制。

（四）民主作風　孔子說：「必也正名乎。」冉子退朝，孔子說「有政」，孔子嚴厲斥責說：「其事也；如有政，雖不吾以，吾其與聞之。」現行的公文程式語氣，仍爲專制之遺；司法公文有重大改革；行政部門，對人民的呈批，還充分表現了衙門和「蟻民」的關係。香港雖是殖民政府，但機關復人民的英文函，簽字主管人是自稱「你的恭順僕人」的。而我們對人民的批示，對屬員的令文，必祇稱某某人民或屬員的名某某，而不稱某某先生。又如本來稱兄道弟的極熟朋友，一旦做了上司，即平常談話，都要改口稱甚麼長甚麼長。「必也正名乎」，不是小事。所謂「位不期驕，祿不期侈。」蓋於習俗移人的共同理由，這專制遺風，便養成了不期尊而自尊，不期聖而自聖，浸假而不敢脫此自聖自尊的外衣，一如穿慣皮鞋，不敢赤腳。

培植法治的新根，挖去專制的病根，不可再緩了。這是醫七年之病的三年之艾。至於思想絕對自由，是西方文化最可寶貴的成就，是一切進步之母，是反共的最高精神條件。

茲論反對與反對黨。反對是一件一件的行爲，並不一定是有通屬關係的行爲。而反對黨是反對執政黨的政黨，是有歷史與組織的團體。政黨的成立與發展是要順其自然的，而容許反對，歡迎反對，則爲負有發展民主責任的政府當今最急之務。

政府爲權力之淵，而人類天性，權在手，時若毫無阻擋，必然妄用，毫無顧忌。所以民主政制必須分權制衡，而分權制衡的民主，全視是否有民主的言論和反對政府的合法行動。而反對政府的合法行動，是否有了政府所不能干涉，不敢阻擋的存在。等到合法的反對行爲與言論，在反對者視爲當然，政府也視爲固然，不干涉阻擋反對的心理也成爲狠自然的，那民主便有狠健全穩定的基礎了。這樣，法和法治便有了生命，有了範圍，有了一切的力量了。一切都要講法，即一切都要講理，誰也不能違法違理來逞強，即誰也不靠倚力倚勢來自衛。「力」離開了王座，「理」登上了王座，有法有理可講，無力無勢可怕，人類進步的大門洞開了。就因爲這個，所以才要力爭民主，力爭自由。「法」者「理」之制度化，「理」者「法」之社會力量化，「法治」的確立，即爲「理」登上了王座。一切受法的宰制，一切依理來定是非，反對還有甚麼可怕呢？

（一）人類不能無私，其行爲不能無錯誤。（二）有政權必欲維持其政權。（三）政府必須有尊嚴，而構成其尊嚴的，有：（A）道德和（B）強制力兩因素。這三點，不論在君主政體民主政體，一樣存在的。所不同者，君主之維持其政權，全靠保持其尊嚴，保持其道德和強制力的尊嚴。民主執政之維持其政權，全靠選舉時選民的擁護。在君主時代，「天下有道，則庶人不議。」有道才不議，無道，還能禁止其竊竊私議嗎？所以聰明的君主，設立了諫官制度，希望從納諫來糾正失德失政，來消弭庶民的反對。可是他要保持他沒有錯的尊嚴，就是他「聖」的尊嚴，不能無保留地指陳君主的失德，因爲他求諫的目的是維持尊嚴，所以最理想的是：「爾有嘉謀嘉猷，則入告爾后於內，爾乃徇之於外，曰，斯謀斯猷，惟我后之德。」這是要諫官不但要進諫，作釜底抽薪的消弭反對，同時要做設誹的宣傳。「尊嚴第一」，祇有君主才需要這法物。

民主的政府，必須容許及歡迎公開的反對，這豈不損害了政府的尊嚴嗎？公開指摘政府這樣錯，那樣錯，豈不面子掃地，尊嚴掃地嗎？不然，絕對不然。民主政府的尊嚴：（A）在道德方面，在實行民主道德，容許公開反對，是理所當然。歡迎公開反對，便進一步積極的表現民主道德。（B）在強制力方面，靠法治的強制力，不靠武力的強制力。

當然，在初期與過渡期間，總覺不少的窒礙與不便，但須實在無關弘旨的。人不能沒有錯，沒有錯的尊嚴是不禁考驗的，不論任何人誰能靠空面子維持權益於永久呢？至於武力之爲強制力，更不可恃了。實應劍及履及的發展法治強制力來代替武力，或者有人說，政府當然歡迎善意的建設性的批評，不能縱容惡意的搗亂性的反對，還更錯了。批評不異反對，反對亦即批評，反正是說政府不是。政府祇應問這反對是合法或不合法，不能問他是善意還是惡意，建設還是搗亂。或人之說，是完全無視或輕視法治之有強制力，是完全祇知禁止反對之爲安，而不知禁止反對之爲危，知一十不知二五的愚昧。

今天的政府，不會不知道他享有優越的倚靠，這就是反共的人心。爲了反共，多數的人心，都是特別曲諒政府，特別希望政府的。政府而能歡迎反對，誰肯自昧良心，誰肯自毀反共長城，故意的向政府搗亂。但是，這樣的特別人心，優越倚靠，可用而不可恃的。政府應該十分考慮這問題。嘗認不可久恃，曲諒不可久恃。以上是說反對，茲說反對黨。

反對黨即政黨。政黨的各別成立，由於社會中有各別的要求，和各別的成長，由於這要求發爲長期的運動。一羣人政見相同，組織一個政黨。假如所持政見並不代表人心的普遍要求，或不代表社會中某種要求，這政黨不會健全發展，而且與民主的實現無裨益，因其不代表任何人心與社會要求。如果一黨所持的政見，基本上不異於他政黨所持的政見，便沒有個別分立的理由，也不會有健全的發展。

兩千年的中國歷史，造成了士的階級制度。國家的科舉與仕籍，宗法社會依賴功名，因而獎勵功名制度，給士以可靠的活動與生活。辛亥革命：摧毀了士的活動與生活的依靠；又因四十年的內戰，（其中八年抗日），遲了經濟發展，不能開闢新的職業機會；儘管揭棄了「士」的名稱，改稱爲「知識分子」，而並未能改變他依着傳統的尋找活動與生活的舊轍。因而政黨也者，便同這種舊轍結不解緣。政見與舊轍相逢窄巷之時，則又舊轍戰勝矣。這樣，何補于民主的發展！

政黨競選，而有民主的政黨政治，方有獲勝的執政黨，有佔較少議席的反對黨。在法治未有強制力之前，在制度化的「理」沒有登上王座之前，健全的自由選舉，幾乎是不可能的。在問政分子——黨政分子——而生活的包袱——「士」的舊轍——未能擺脫以前，有補益於民主發展的政黨，也是極難希望的。所以法治爲真選舉的先具條件，大量創造新職業機會，爲實現健全政黨的先具條件。一切不能「揠苗助長」，一切不能「緣木求魚」。這樣先後相因的道理，決不因今天的劇變與危局而有所移易的。

發展民主的條件，有如「春風」。而政府及執政黨以外的各種民主組織——如政黨等——有如「百花春草」。今天政府是要盡「春風」之責，再多事一點，也祇能盡民主花園園丁之責。春風不可以說：這朵花很獲我心，我多吹噓他幾下。園丁種花，至少也要「其蒔也若子，其置也若棄」。讀雷嘯岑先生的「反對黨之形成及其運用」一文，以此響應。

匈牙利勒索美援

——•金子洪•——

匈牙利是鐵幕的衛星國，但是，她熱中於美援的爭取，同希臘意大利等國，沒有什麼分別。不過馬歇爾計劃，是反對援助任何鐵幕裏面的共產國家，匈牙利當然不能例外。

才設的布達佩斯當局，看中了美國人的心理，於是把「爭取」改爲「勒索」。他們第一個勒索的目標，選定美國產業鉅子佛格勒 Robert Aogeler 他是國際電訊公司的副總經理。兩年前，匈政府在佛氏由布達佩斯前往維也納的道上，將他拘捕，說他是美國間諜，並用疲勞審訊，迫他招供。佛格勒在匈牙利監獄裏混了一年多，直到匈牙利從美國勒索了一大批贖款，才能跨出黑色的監牢，提着一隻小皮箱，踉踉蹌蹌脫險到維也納。

現在匈牙利又在向美國發動第二次勒索事件，勒索的對象是美國四位航空員。理由是，他們是美國的空中間諜，並將繼續作間諜審訊。

這件事發生于十一月十九日，美空軍人員四名，駕乘C四十七號飛機由慕尼黑前赴南斯拉夫京城柏爾格拉德。他們爲避免飛經鐵幕上空，於是繞道阿爾卑斯山至威尼斯，然後改道東飛入奮格勒，沿沙哇河 Sava 至柏爾格拉德。不料美機駕駛員，誤將德拉哇河 Drava 當作沙哇河，致飛進匈牙利領空，中途被蘇聯駐匈空軍襲擊，在巴柏機場，強迫降落。這四位不幸的美國航空員，便成了匈牙利的俘虜。

美國國務部曾照會匈牙利，要求釋放被俘航空員，兩次都被匈牙利拒絕。據說國務部已經獲得側面消息，匈牙利這一次開價很高，不是用佛勒格相同數目的贖款，所能解決。

時局漫談

舜生

局勢在慢性的發展中

以爲整個世界局勢可能有一種傳奇式的發展，這僅僅是富於幻想的人們一種想法，但目前大局的本質，却只能遵循着慢性的方式逐漸變化。

斯大林只是一個陰謀家，並不是一個冒失鬼。今天戰與不戰的主動權，完全操在蘇聯，蘇聯不要戰，便沒有第二個國家自動求戰。

假定蘇聯只作一種擾亂式的挑釁，而這種挑釁又還不是由她自己出面，僅僅假手其衛星國以間接的方式行之，而她自己却依然掌握着一種能發能收的主動，則民主集團的應付，也只會限於某種限度，斷不會使戰爭迅速擴大。

假定這種挑釁使她居然能有所取得，她當然會毫不客氣的取之不辭。例如去年六月所發動的韓戰，如果美國不以聯合國的名義加以實力的制止，則南韓便可能被消滅，而使一個統一的韓國，作爲蘇聯在遠東的衛星國之一。後來美國既毅然起來認眞抵抗，則蘇聯的限度便最多只能命令中共參加，使這種擾亂趨於持久。

在韓戰發展到緊要關頭，突然把一個麥克阿瑟移開，在杜魯門主觀的解釋，好像這一着是由於他的主動，實際則使韓戰成爲一種有限度的戰爭，乃正中斯大林的下懷，也可以說這正是蘇聯最初抱持着一個間接作戰，有限度作戰的策略所求之不得的一個結果。

自從麥帥退出韓戰以後，韓戰便已成爲一個「有限度」的定型，杜魯門以爲他是把大戰遏止了。但在斯大林的本意，却也原沒有從韓戰擴爲一種大戰的打算，彼此都在一個「有限度」的方式下來糾纏，美國所耗費的是自己的血本錢，蘇聯所耗費的，却只是她年來所賺得的紅利，究竟誰上算誰不上算，還不是明明白白？

斯大林已經看得很正確，韓戰便再拖一兩年，也不會引起大戰，其所以在拖的過程中又要來提議談和，這在斯大林不過是對美國的一種愚弄，而使他這個拖的策略執行得更安穩。一個停火談判，便可以談上半年。你想，照此以往，就在一種邊打邊談的情況下再拖一兩年又有什麼難處？

究竟拖下去於蘇聯有什麼好處呢？（一）作戰的區域有限，戰爭的消耗依然無限，能使美國繼續消耗下去，這當然便是蘇聯的直接好處。（二）民主國家的結合，本來矛盾甚多，這種無謂的戰爭拖得愈久，這種矛盾可能更趨於深刻。（三）美國人民對這種戰爭已經十分不耐，再拖也可能引起美國內部更加不安。（四）斯大林已經確定把中國大陸作爲征服亞洲的主要資本，他不但需要時間來消化，更需要時間來加以鍛鍊，把韓戰來緊緊纏住中共，則毛澤東無所逃於天地之間，非死心踏地的一面倒下去不可。（五）使敵人多消耗，自己少消耗或不消耗，這在維持蘇聯軍備的優勢一點上，也自然有益。

基於上述種種，韓戰可能繼續拖，即令停火居然實現甚至韓國局部的和平也居然告成，但另一火頭也可能再起，只要它的燃燒不至成爲燎原，則大戰依然不起，其意又依然不過是拖而已矣。

日本建軍具體化

昨天法新社的東京電，日本已準備設立一個國防省，其具體的建軍數字，爲陸軍十五師團，海軍船艦三十萬噸，飛機兩千架，估計常年經費一千八百億（約美金五億），完成的時間爲兩年。

這個消息大致是正確的：日本不建軍則已，要建便一定是海陸空同時並舉，此其一；杜爾斯此次東來，可能已與日本當局正式商洽，像這樣一個方案，美國一定樂於支持，此其二；表面的數字不算太大，但以此爲基礎，其伸縮性便大有可觀，原來美國所期待於日本的，本不以日本僅能自衛爲限，此其三。至時間是否必須兩年，這便要看美國支持力量的大小如何了。

吸收民間游資 中紡公司出售

一切公開進行 希望華僑投資

「台北特約通訊」中紡公司台灣紡織廠，是自由中國最重要的一項國營事業。它的資產總額，值台幣數千萬元，每月生產盈餘達五十幾萬。在國營企業中，生產力如此強大，獲利如此豐厚，尚不多覯。這對關心台灣治績和中紡情形的人們，不失是一個安慰。

現在，這個龐大的國營企業，決定改為私營，並將由經濟部公開招標，依法拍賣。這是一個很大的改進，希望在私營後，再加以有效的科學管理，與技術的改進，它的前途是無可限量的。希望關心自由中國建設的海外僑胞，不要放棄這個千載一時的機會。

記者今天所要報告的，是中紡台灣紡織廠出售過程中的一段歷史插曲。

當行政院為要吸收民間游資，以彌補預算赤字，曾經院會決議，出售中紡公司台灣紡織廠，並經財政部經濟部會商，決定交由中央信託局全權辦理。

中央信託局於是以三千萬元台幣的底價，向台灣一個紡織團體祕密兜售。祕密兜售的結果，對方僅肯出價二千萬元，且須分四個月平均付。中央信託局雖沒有答應減低底價（三千萬台幣）的要求，但允許他們借公款一千萬元，在此辦法下，買主第一個月只須付五萬元，即可接辦該廠。政府得到什麼好處，對政府彌補預算赤字的作用，又在那裏？在幣值不穩的台灣現狀下，問題的答案，是很難圓滿的。而且這件事，既未經過公開招標，復未經過審計程序，無論從那一方面講，都是欠妥當的。

因此，中央信託局和買主尚未成交，浮言已經四播。監察院為了明瞭事實真象，由該院經濟委員會推陶百川等七委員徹查事實真象。監察院這一個措施，外間是滿意的，認為監察院沒有放棄它的職責。當時中央信託局尹局長，沒有了解監察院這一措施的重要。當陶百川向中信局調查該案時，尹局長未予重視。[illegible]

[illegible]此削價求售必要。（三）政府應多方訪求買主，並應確定售賣辦法，並登廣告，勸海外僑胞組織銀團，及一般人士投資。[illegible]除中信局接洽（四家）外，（底價為三千二百萬元）出價僅三千萬元，分四個月平均付。該局雖不允減價，但表示願意借款一千萬元，為息借公款。於是買者第一個月僅付五百萬元（加上中信局所借之一千萬元），餘款即可接辦該廠。然在幣值不穩，夜長夢多之今日，此與保證[illegible]相去甚遠。陳院長將陶氏這封嚴密信封，交由經濟部長研究，並引起財經兩部長注意，交由三局單位會商研究後，由財政部長寫了一個綜合報告：（一）所謂中紡公司台灣紡織廠作價三千萬元，係初步估計，尚未正式出售。（二）將來正式出售時，自當經過審計程序，依法定手續辦理。（三）依法所定，由財政經濟兩部會商，並請監察院派員監察。這份綜合報告，總算以「尚在初步估價，將來正式出售時，自當經過審計程序，依法定手續辦理」，暫時結束了這一個公案。

原來監察院的目的，只是希望這一措施「依法辦理」，經辦機關能夠「公開」進行，這就達成了監察的任務。記者特別對感興趣的海外僑胞，懷抱著一個熱烈的期望：中紡出售，必須公開招標，業經監察院陶委員等注意，和經濟部主管已重定辦法，今後當審慎進行，決不致再有祕密操縱把持的事情發生。我們希望熱心自由祖國建設的僑胞，從事集體投資，組織銀團，相信在僑胞們領導與管理下，中紡公司台灣紡織廠，將有一個生氣勃勃的光明前途。（伍子劍十二月十五日寄自台北）

月壇黃寺兩處 出現日本俘虜

組織人民解放軍 訓練搗亂打游擊

——紀恩——

「北平特約通訊」自從十一月以來，北平阜城門外的月壇，及德勝門外的黃寺，湧現了數以千計的「中國人」。這些人穿着中共棉軍服，登着了俄製的羊皮鞋，操着生硬的北方話。他們的年紀，都在中年以上。照北平那些有經驗的人看來，他們不是炎黃的子孫，而是道道地地的日本子民。

從他們臉上的紀載，這些日本人都曾經過長時期的風霜和生活的磨折。他們喜歡[illegible]

[illegible]

香港三日繽紛錄

美經合總署台灣分署署長施幹克於二十二日偕其夫人從台北來港渡歲末，他抵港後，向記者表示：雖然在十一月赴台履任，但已看出台灣經濟情形是在不斷的進步中。他說一九五一年台灣經濟上最大成就，便是米穀和漁業的改善。但農村復興委員會已擬定種籽及農業漁業器械之改善計劃，經合分署已與之合作，配其需要。他還說明年台灣人民及軍人之生活皆可改良，這是不斷對台灣增加一種新生的活力。他認為台灣的暗影已過去，未來的新生希望，在增長中。

×　×　×

日本老香港和田齊與青木繁 分別任朝日每日駐港特派員

日本朝日新聞社於二十二日晨派和田齊為駐港特派員，和田已於是日上午搭英外航機由東京飛港，每日新聞社亦派青木繁來港。互相展開活動。和田青木皆說一口中國話，都是上海同文書院畢業，和田過去在香港，住過六年，青木更是老香港。他們對香港殖民之風俗人情，甚為熟悉。此次來港，駕輕就熟，更為適合。據悉第二批來港的日本新聞記者，尚有四人。朝日新聞今後關於大陸上的消息，則由香港泛亞分社合作。聞和田青木日來正拜訪在港各同業，明年開始發稿。

×　×　×

香港瑞典領事館消息，瑞典駐平代館一等祕書密賦於廿一日乘「漢陽」輪赴津轉平。密氏行前向人表示瑞典在北平外交當局目中雖仍認為外交談判代表，職至目下仍未有任何之進展。他表示這個進步的關係在韓戰不正式停火，是無法協商的。他說：一切皆基於韓戰這個關鍵。

×　×　×

林炳良吳達表聯合聲明指出 華革會一二代表用心不在革新

被莫應溎等否決其代表權暨謂英殖民大臣華人革新會的馬文輝廿二日向記者發表聲明：對英文南華早報所載該會為左翼份子控制一點，不表示意見。但馬與其他兩位被華革出的代表林炳良和吳達表聯合發表一項聲明，指出華革會有二名野心代表，努力玩弄手段，言語之中，大有他們之用心並不在「革新」。莫已於廿四日率赴穗代表二百人赴廣州矣。

×　×　×

據香港外交領事團傳說，本週內盛傳英首相有以犧牲台灣，換取遠東和平的傳說。此間外交人士指出：這已證實上說已成過去。據外交圈人士指出：這原是前任工黨內閣擬定計劃之一。英國的外交一般人認為保守黨和工黨在對遠東方面不致有多大的更易。但這種看法已不合現時之需求。在遠東方面以及英國三島本部，依賴於美國的經援，實在太大了。尤其在倫敦各階層中，自從邱翁上台後，大家一致表示，希望邱翁多弄些美援來。在英國經濟生活與美國難分難解之現時情勢下，美國人是不會容許邱翁犧牲台灣想入非非的建議的。因為事實已經很明顯，如果台灣落入中共之手，那末香港也保不住了。英國不會傻到這種地步。

×　×　×

香港有一個莎士比亞文學研究會，這是倫敦莎士比亞文學研究會的支會，分佈全世界。為研究莎士比亞權威社團之一。香港的支會於一九五〇年末設立。分朗誦、演講、考證，及表演等。最近因參加者日見眾多，已呈准倫敦總會，在九龍設九龍莎士比亞文學研究會，每月假九龍西青年會舉行，規定第一部朗誦的劇本是「漢姆萊特王子」。

×　×　×

在東南亞打游擊的我國李彌將軍，率同參謀二人，副官一人，於廿四日由曼谷飛港轉赴台北，向中樞述職。李氏在香港機場移民局留二十餘分鐘，即乘原機飛台。

×　×　×

福特基金委員會教育小組代表烏力棋及福斯德日前由印來港，於廿四日由港赴菲。彼等乃從歐洲及中東，印巴等地視察福特基金地區內（指福特基金區言），他們說「在上述地區內，明年將選派教授與留學生，實行教育技術合作。」

（一成）

單純桃色的男女私奔 重大貪污的幹部脫節

石錦文，黑龍江人，父親是擁有百頃田地的「大地主」。他在學校裏，被共黨宣傳所引誘，遂在民廿七年加入共黨。後來在「抗大」受過訓，實地參加「革命」工作，「成績表現」得也不錯。「反映」到「上級」，做了一個「團級幹部」。卅七年國共雙方在東北作主力角逐的時候，他的家鄉被他率領的軍隊「解放」了。但是共黨沒有個人單獨行動的自由，遭殃的家，只好一聲而去。

他常常這樣安慰自己：「清算鬥爭，不會臨到軍屬的。上級說過，革命軍人家屬，一切可以受到優待」。詎意事實不如理想，「土改幹部」光臨他家，毫不留情的公事公辦。結果一個美滿的家庭，被鬥得七零八落。父親還被加上「反動地主」的頭銜。在他的父親被送上公審台「受審」之前，家人找他請假回去，設法營救。事情被「組織」知道了，警告他要扔掉包袱。他不得已，只好心裏一橫，讓老父在共幹串演的戲劇性公審台上攙下，被「羣衆」用亂棍打死，家人掃地出門。處此無可奈何情勢下，惟有打落門牙和血吞。這口血，一直吞了好多年。

卅八年共軍渡江，石文錦隨軍「南下」，乘機轉入經濟部門工作，擺得湖南省零售「公司」「主任祕書」。一方面「大力」「工作」，以作另謀打算之資本。一方面借酒澆愁，藉芳抒懷，藉以彌補「眼前的」內心的隱痛。

在長沙工作期內，他認識了中共女幹張正芳，張是湖南華容人，[illegible]

[illegible]

張正芳的父親是一個「大地主」，長沙市區有幾幢房屋，國民政府時代作了一個不大不小的官。共黨來了，「土改」開始，[illegible]

[illegible]

鐵幕狼奔豕突的現象 是樹倒猢猻散的脫兆

論行政人員的自由

陳克文

（附註）本文大部份資料，係根據哥林比亞大學教授白萊遜（Lyman Bryson）所著『顧問理論之註釋』一文，（見今年九月份政治科學季刊），故所舉實例係就美國制度而言，原則雖可通用於民主國家，實際則不免有所出入，所望讀者能融會而貫通之也。

政策的制訂，包括自由和權力的理論問題，同時他包括智識和權力間互相關係的實際問題。這些問題之另一方面則為選民。立於制訂政策地位的人，必定有他的選民。選民或為自由的，或為不自由的，不自由的選民，可稱之為「俘虜」（Cative）。制訂政策的人，對於選民，可以提出他的主張，要求給予支持。選民對於他的上級行政監督，可以施行壓力，或不能施行壓力。對於這種決策結構的分析研究，如能得到適當的結果，即對於政府，因處理日見增多的技術問題而發生之各種困難，可以得到解決的極大利便。

決策結構中立法人員，選民，行政官員，由選舉而來的執行官員，均各有其不相同的地位，不相同的自由程度，以及不相同的私人目的。此種關係複雜的結構，其規模較小者，亦可從工業組織或其他種類的私人組織中見之。

行政人員自由的原則

此一觀念，可從通常權力等級分明的政治機構所必需具備的條件得到說明。選民的作用，可以認為民主制度限制權力的機械作用。任何人置身於複雜的政治機構之內，有無自由可言，必須看此人有無可以申訴請援的團體；而此一團體，又並非隸屬於他所隸屬之同一高級監督權力的。這是行政人員的自由原則。舉例說：紐約州政府的局長，其所享自由是比州立法機構中的立法人員程度較低的。立法人員可以向他的選區選民提出申訴，他必須聽取州行政官員的報告，此外別無所事。局長若果與上司發生爭執，則並無這樣的獨立團體，可以提出申訴。若果向『無組織的公衆意見』提出申訴，在局長實在很少可能；因為局長對於大政治團體任何機構或任何部份，都沒有特殊關係之故。

但是，局長另有一種其他性質的選民，即所謂「不自由的選民」「俘虜」。不自由的選民，是由機關中他的上級和下級行政官員同僚組合而成。這些選民，不是自由選民，因為，他們若果與局長採取同一態度，和局長的上司爭執作對，雖然可以發生多少影響；但他們和局長一樣共同隸屬於一個壓力之下。若果他們是局長的直接部屬，則他們要受局長的約束；若非直接部屬，則他們要受他們上司行動的約束；不問他們上司的行動到底如何。若他們和局長等級相同，或為較高級官員，則他們必定受一切權力系統和內部爭權的影響；多少不免要計較，對他們明白表示意見，對於他們本身的顯望，到底發生甚麼後果。所以就此等選民，是不自由的。

民主政府與極權政府

『自由』一詞，應用於立法人員的選區選民，其意義並不是說，自由選民可以有私人利益，偏見，心理壓迫，以及其他一切利用環境迷惑人民政治思想的自由。所謂自由選民，其官義祇是他們和立法人員之間，建立一種關係，在他們覺得必要時，能夠對立法人員施行壓力，他們絕不至受立法人員所供職之機關的影響。州政府局長，自然可在州行政系統內，為其本身組織支持的力量；但其同僚並不能和選民一樣自由行動。質言之，州長乃行政首長，可以對局長頒發命令，但不能對立法人員頒發命令。一個代表性的民主政府和一個極權政府之間，最大的分別——就純粹的技術言，不問其目的或觀念——即在於此。

例如蘇俄在目前行政運用的發展，其官員不論最高任用的抑選舉的，都沒有『自由』選民。自由選民，只有全體的人民，在若干限度之內，是由最高政府負責的。蘇俄沒有一個官員，具有任何合法的機構，可藉以向全國提出申訴，或向全國某一部份提出申訴，用以表示他反對其上司或同僚的意思。一切選民，均屬於不自由的俘虜，此即極權政治的本質。極權國家，在發生爭執時，任何官員，只能向行政機關中任何一分子申請支持，這樣，他原來的意見，必須作若干折扣，他的行動，折扣更多。完全極權的國家，立法人員，不能為反對行政官員，而或反對立法同僚，而向選民提出申訴。因為，他的立法人員位置，是由黨提名充任的，只有黨經過通常的程序，才能發表意見。採取開明制度的國家，如美國，則准許向自由選民提出申訴的傳統習慣，實與『公平競賽』的道德信念，極為近似。故手腕靈活的政治家，如杜魯門總統者，竟准許麥帥對行政政策公開爭辯。在麥帥方面，雖然並無合法選民，而且公開討論軍事和政治，又曾經嚴令禁止；杜魯門亦所不計。一個心懷抑鬱的反抗將軍在蘇俄，是不許其有公開勝利，祇許其失蹤的。此乃很簡單的因果事實。在蘇俄的政治機構內，除了武裝叛亂外，麥帥無法向公衆意見提出申訴的。凱撒渡過盧比干河的勝利，在於手提大軍；而麥帥在政府管轄的城市中，所得的偉大勝利，為民主黨官員領導下的大歡呼。

專權和獨裁產生的原因

在通常情況下，內閣閣員不滿意於總統，並無自由選民可以提出申訴。他只能和他的上司爭執，他可以從他的「俘虜」選民得到若干支持。所謂俘虜選民，即指總統的其他閣員人員，以及政府中與他自己立在同等地位的官員。議會裏的議員，對於那一選區選民之自由選民有意識的對於政府其他官員，並無任何事務或任何責任；但他們對於閣員的主張行動，如果明白了解的，自亦可給予支持或評判。這自然是就美國的制度言，英國的議會政府，閣員可以向議會提出申訴，情形自又兩樣，最近貝萬反對艾德禮首相，即其一例。

此種觀念，不祇表現於普通政治事例，且廣泛應用於其他事業經營。例如美國廣播公司，係最現代化的營利組織。廣播節目由副董事長主持，副董事長根據他過去的經驗作判斷，是很合理成功的，但他必須聽命於他上司的詳細考慮。若果意見衝突，副董事長只有俘虜選民可為申訴，情形和聯邦政府中對閣員只能作有限度支持的俘虜選民是同其性質的。不過歸於空中表演，雖然他不免受合約的束縛，不能施用行政權力；但往往可以訴之於自由選民，即他可以訴之於聽衆以反對其編輯人員。同樣性質的關係，可以使小說家或雜誌作者得到他們的自由。這原則可擴大應用到各方面廣泛的事業。總說之，任何制度，若果不許可行政或統治團體中若干份子，有機會向其他自由團體訴請支持，則必難免流於專權和獨斷。

不自由阻礙學術進步

行政機構中聘用許多專家或顧問，他們的職能，能否發揮盡致，也須看這種原則的應用程度如何。專家或顧問的自由選民，即為他們本身所隸屬的學術團體或科學組織。自由國家供職於政府的專家顧問，可以向他的學術同僚提出申訴，他的同僚的反應，不祇與看作專家意見的反應，同時也便是一部份公衆意見的反應，因為在自由國家，這種公衆意見之所在，也便是自由選民之所在。極權國家，並無純粹私人團體之可言。專家無法逃避政治權力之逼迫。專家若屈服於壓力之下（事實上是幾乎一定屈服的）則國家科學和技術的進步，即因此而大受阻延。因此，政府或企業的行政首長，如能大量接納專家或顧問的忠告，就長遠說，是一定可以收到良效的。

來論

自由中國人團結自救

衛德

蘇聯將馬克思的「共產理論」，編為一套符咒，作她陰謀侵略的幌子。中華民族文化史上各種學說主義符咒很不少，就是西洋的政治經濟社會名論，亦不止馬克思一種。而中共竟偏偏要盲從馬老頭這一套，還加上什麼列史，毛一大堆心理變態的「殘害狂」「忌恨狂」「欺詐狂」的瘋魔符咒，（中共之父陳獨秀晚年公認共黨之非），鬧成義和拳秦檜張獻忠聯合返魂的共匪專政，弄到國亡家破，人民無死所。即遠在天涯海角的僑胞，也逃不了中共的威脅迫害，眞是一幕亘古未有的悲劇。

現在擺在世人面前的，一方面是共產集團的鬥爭、殘殺、奴役、窮苦、欺詐、恐怖、侵略、轟擊、和人海砲灰。另一方面是民主國家的友愛、互助、自由、安樂、合作、繁榮、和國際援救，是非好壞，無容再辯。然而海外僑胞，特別是學生工農，竟仍有不明眞象，繼續被愚的，實足表示魔術迷人之大。

民主政治的成功要素，即在大多數人民有教育知識，有獨立生活；故能創設政府，並能管制政府。落後民族，大多數人民知識生活都不夠水準；因此既不能創設，亦不能管。只有依賴少數大公無私的先知先覺，及忠義英俊之士來領導。

我政府的腐敗，當然因為人民未能盡責，特別是那些有地位能力及知識分子，自鳴清高，對於政府官吏貪污違法，及選舉糾彈等要政，向不聞問，即或身受其害，亦抱着避重就輕，吃小虧免大禍為上策的心理，甚且依附以自利，所以全國弄成了胥吏玩法，褻瀆道德，貪污剝削，害民誤國，最終被紅魔一揮，遂同歸於盡。現在流亡人士，及無國可歸的僑胞，應該覺悟前非了吧。

「天助自助者」，美國亦宣稱「只援助自助的人民」。可憐自善自保的時代，早已過去了。安全和平不可分，國際與國內皆同。現在海外各地自由同胞約共二千萬人，應該急起團結：一方面分地組織，共謀自助。他方面監督政府，糾舉一切貪污違法行為，並作適當改革建議，使政府成為眞正的法治政府，使台灣成為強有力的反共基地，同時有財有能之人，應認清時代需要：本同舟共濟的心理，出力出錢，組織領導，宣傳教育，及從事救濟工作，用事實來代替宣傳，用工作來爭取同志。此為反共的要務。我們應將政府徹底民主賢能化，並領導各地區的團體與組織，滙成合攏一個代表環的大團結，謀眞正實行民治。在太平洋安全公約下，應分區生產建設，並組織訓練聯合國軍隊，或輪流赴台灣訓練。則一二年之內，必蔚成舉足輕重之勢力，它將是反攻大陸，或阻遏赤色狂潮再泛濫的重要資本。

近來報紙上「派系」「霸道」「團結」等論戰，及反共人士聯絡活動等的，實際表現，誠屬好現象。但可惜，仍不外是黨派領袖和大官名人的政權職位的商討，卻漠視「基本的人民及政治。他們沒有注意到饑寒交迫病狂自殺的數萬難民，和玩法誤國拒人千里之外的胥吏。難民們對台灣的呈文案件，批答動輒數月，多至數年無理拖延，言之痛心。這些火燒眉頭的急事，不速求解決，而安閒的論為談人，豈非縱急錮置，敢信這些人，將來上了台，照舊拾與人民脫節，他們所爭的不過是升官千祿。當年參加的聯合政府，也是一時代的名流黨官，請問他們曾作出了什麼成績呢？就連換了總統以後的政府，成績又怎樣呢？

憑心而論，現在政府諸領袖，是眞正在埋頭苦幹，成績已大有可觀的。美援源源而來，亦正因此。只是一部玩法無能的胥吏，和一些中下級不合宜的法令，及繁複的手續，為港澳人士之所深痛者。其中最無理限制，及拖延。港澳僑胞應當聯合起來，據理力爭，促請立法、監察兩院依法糾正，並向聯合國中外報紙及人權委員會呼籲，務使政府放寬入境限制。

美人米之乃（James A. Michener）近論「……亞洲是……寡頭政治的統治地區，……在大多數人民不懂水準，並不顧情形下，而政治推行的選舉，無異兒戲，徒供少數政客的玩弄花樣而已。……只要有能幹的領導人等，較好的政治系統，他們便能以成績，以西方民主的支持，……」假如他們是一針見血的覺悟，同志們！決心雪恥吧，不要再談什麼，不要再談各門派，大家應該從事團結，擁護政府，「協助他，監督他」，使其職能逐步改造建設，這才是固國本，望反攻復興的最上方策。

無恥學丐胡庶華

于仲湘

湖南無恥丐人，前國立湖南大學校長胡庶華，投共後憔悴關外，致使鐵幕以外的人，對於他的行蹤，鮮有所聞？且多揣測之詞，不一而足。特將胡庶華投共以後，和他到東北為偽府賣命的經過情形，報導如下：

胡庶華因何而靦顏投共，說來本不足奇？因為他一生就是以失志仕途為懲恐的。他是一位狡滑成性的留德習冶金學的過時人物，當何芸樵（鍵）主政三湘時，他是省立湖南大學校長。但他暗地裏卻向四川的劉湘賣弄風情，希圖在天府之國謀個一官半職，以遂他的翻揚之志。後來並未獲劉湘青睞，只好悄然返湘了。

當三十八年春杪，國共和談之際，胡庶華再度回長湖大。那時他眼見中共在軍事上的一時勝利，而誘啓了變節喪志的私念。於是稱病離開長沙，將校務交給法學院長李達代理（按：李達現已被偽府派為正式湖南大學校長），變身滑赴上海，以養病為對外的幌子，暗中卻和復旦大學歷史教授周谷城等人相來往，為他後來投共預作部署。

國軍在上海完成戰略戰術上的任務後，撤出滬濱，京滬便由共軍竊佔。一班投共的人，便正式向中共獻媚，胡庶華當然也是其中的一個了。他自上海到香港，又從香港北上，抵達毛宮後，會見過毛澤東。但他並未蒙毛澤東青睞，連偽政協的代表資格，都沒拿到，只是閑在北平，抑鬱徬徨，無所適從罷了！後來，終因他是研究冶金的留德學生，經他自己的毛遂自薦，願以年近衰昏的老命，為毛宮偽政府去攬冶金工作。這樣一來，毛澤東始稍動了一點心思，便給了胡庶華一個做賣身的機會，派他往東北為政府軍工業部去報到，聽候指派工作。

胡庶華到了東北，最初是去見偽東北人民政府主席高大麻子（崗），高大麻子即令以北平偽主席毛澤東有指示，命他到鞍山去，担任偽東北軍工業部的鞍山鋼鐵公司總經理職務。胡庶華笑逐顏開，滿懷熱誠，覺得他自己所學的那一套冶金學術，在晚年有施展身手的大好時運了！抵達鞍山後，滿目凄涼，百廢待興，殘垣斷瓦，無從下手；結果在大批俄國技術顧問的命令下，他只好帖帖伏伏，俯首聽命了。他為了欲達成主持鞍山鋼鐵公司的目的，寫信給偽湖南大學校長李達，要李達給以協助，煽惑一些湖南大學機械科畢業生，前赴東北為他報效。湖大機械科畢業生，隨也去了很多；這些學生，多半是因為在中共的清算和鬥爭下，無法安身，只好前往東北，暫時揣一碗飯吃再說。並非中共的宣傳「為祖國的偉大國防建設」而去東北的。

胡庶華主持的鞍山鋼鐵公司，在偽滿洲國的東北時代，它是「南滿鋼鐵株式會社」。日軍投降後，所有的設備，經俄人拆走一空，這是舉世皆知的事實。中共竊佔東北後，對外宣傳，說蘇俄顧問技術人員，大批來到東北，運回了機械設備，協助毛宮重建東北重工業。

兩年以來，胡庶華在鞍山，憔悴萬分，鍊鋼無鋼出產，工作聽命于俄人，更因鋼鐵設備，時時在對空襲恐懼！重要鋼鐵設備，紛紛向太原遷移；無法達成毛宮的「聖旨」，這條老命，將擇在滿鱉撫人給他收拾，這是定了的，所以，他是十分淒涼，到今天，他才悔不當初，但已遲了！

讀者來書

編輯先生：

台灣方面，始終忽略海外這一股反共力量；這股力量，如果因勢利導，[illegible]

[illegible] 政府對他們 [illegible] 以致怒火中燒，[illegible] 由恨而至背離；關心國事者對此，寧不為之痛心！（中略）政府因怕匪諜混入 [illegible]

[illegible]

濟餘先生：[illegible] 編者 聖誕節前夜

談華資工業出品展覽會

·尚方·

本報今年舉行的華資工業出品展覽會已揭幕有日矣。開幕的第三天，我去參觀，大門兩旁人山人海，非排隊魚貫而行，走不進去。嗣後隨時坐「巴士」經過該會，所見擁擠情形，並無二致。以華人佔有百分之九十五以上的港九兩百萬市民說，當然有此熱鬧現象。

但，因爲該會不願懸掛那面與俄共空軍旗幟式樣相同的所謂「新中國」的裹旗，吹脹了一些裹人，竟不斷的寫文字譏嘲，不是說過海輪渡上的渡客銳減，形容參觀的人數稀少——他以爲這展覽會是專給住在太平山下的少數人看的——即說這展覽會毫無「特色」，殊不足觀。並且指出該會不掛裹旗是「不談政治」的錯誤心理。總而言之：他認爲如要開會展覽，乃可高掛裹旗也！

記得去年的工展會我也照例去參觀過，其熱烈情況並不超過今年，其出品更比今年爲少。然去年因爲在會場上掛了一面裹旗之故，却被一些裹人大力捧場，稱讚不置，甚麼愛國商人，精美產品，偉大的會場等肉麻詞句，應有盡有。今年之拒掛賣國旗，是工商界對大陸暴政表示一種強烈的無言抗議，正是鮮明的政治意識，他們何嘗是「不談政治」呢？

僑居港九的華人，極大多數都是崇尚自由生活的，他們有討厭秧歌，睡棄俄共裹旗之自由。在青天白日之下，誰能抹煞他們的自由意志？想以潑婦口吻來嚇號別人，行嗎？

自由談

毛朝點綴人物之一　陳嘉庚

·萍末·

點綴云者，裝飾之謂。客廳書房，字畫骨董，獻喜時百計以求之，玩厭了，擱置起來，甚則棄之如遺。人而要做到點綴品，眞乃人格的悲哀，吾于陳嘉庚亦復云爾。

三代下惟恐不好名，知好名則善善惡惡，有所爲，有所不爲；若連名也不好，那就上焉者放浪形骸，下焉者無惡不作了。陳嘉庚不失爲一國之善士，拿不放寬也不刻薄的尺度來量他，就只是好名，於是由民國遠數到三代下，總在好人之列。好人處身新潮，只够得上點綴，所以這又是好人的悲哀，所以有得我們饒舌。

陳嘉庚，福建同安縣集美鄉人。閩南人，尤其工商中人，多不取別號。馬來距閩南門庭。年已弱冠，與[illegible]在鄉間種田的，便當往南洋去；若還浮沉鄉里，[illegible]財去；[illegible]個好漢子，倘加以[illegible]這位嘉庚翁，少[illegible]南洋不多[illegible]洲披謀生去。照間，白眼，自己也意味到不多[illegible]大家認爲當然的[illegible]年便作了「番客」，到新[illegible]之後，必有一例每一個成功者，出人頭地[illegible]連串的話，說某人微時有過[illegible]的奇蹟。還殺乎到處皆係某人，而南洋尤多。因爲南洋多赤條條一躍而爲百萬富翁的，予讀往往例外，很少關於他致富的傳說，或許我見聞寡陋也不定吧。如所週知，南洋多多，他受倫敦大商行付託，集中收買馬來羣島橡膠富[illegible]物，等于作伴介紹，有的是橡皮和錫，由此致富的，可以說車載斗量。陳嘉庚比之種膠開闢錫礦的漂亮，生財有大道，中歲便而闊團了。陳之本領，如與軍兵則善將將，其拔攉人才亦獨具隻眼。店中有書記員，以勤慎漸爲會計出納，陳默察數年，還爲東床快婿，使代己總管業務，陳氏的財產數字竟與日俱增。此君即現在多年來中南銀行大股東董事長新加坡中華商會會長李光前是。李爲閩之南安人，第一次世界大戰前後，還在陳店中受四十元月薪而已。李經營業務，青出於藍，不數年，財產高出丈人翁上，而陳嘉庚反以破產聞。破產，讀壞了多少法學學生攪不清楚，而南洋商人則如宜僚弄丸，手法純熟的，破產亦爲致財之一法。吾非個中人，自然道不出此中祕奧，要之運用之妙，存乎一心，優氏讀過三篇民法，以爲破產是有錢人拼命他人代管財產謂之台，變而已矣。南洋搜「掛沙」，陳搖婿未久即掛沙于李，胡塗中藥，誰被翁婿知之，難爲外人道也。

陳生也晚，不及追隨與中同盟諸前輩，如張永福林義順，故于民國落落不感興趣，于論人者嚴其志趣，便不少以鑑陳之淺薄，明志，已準其弊，則並且離解致遠期許之。陳果一時鑑入，斥巨資辦安偉的學校，名乃大顯。集美一校，有幼稚園、小學、中學、師範、水產，校舍連雲，教師數百，學生數千人；廈門大學，掛學籍，香數南普陀，夏屋渠渠，設備爲許多國立大學所不逮。陳嘉庚毀家興學之盛譽，喧于全國，上及海外，陳亦沾沾自喜了。頌揚之聲，囂傳宇內，集美廈大怨相繼發生，臨逐失職校長風潮，甚且對陳鑄罪致訐，謂陳盜學興家之名，收藝學之利。所舉事實則爲陳所辦兩校，價值劃收鄰近地產，無數將來地方繁榮，地價暴漲，一本萬利，便宜無過于是。這是否完全事實，恰與破產斂財同其奧妙，非我們揣于心計的拙館測彼高深了。

對日抗戰，陳主持華僑救濟總會，號召數千萬，獻功誠不麟，及至率領觀光團，數十人回來重慶，乘着飛機，東去看看，西去看看，一度赴延安，認爲那裏的氣氛才是挽救危亡的。陳又曾循滇緬公路，察諸措施，一路上對軍隱點到一文不值，破口大罵，自國內以至南洋，則亦不少人以陳爲忠耿有胆識。抗戰終了，我得到南洋朋友報告，許多中共分子已把陳牢牢包圍起，早知陳將不再淡泊了。

陳乍膺新朝中央政府委員，初次列席會議，位在毛大主席之次，喜孜孜由心坎裏笑出來。那回主要的事是審定國旗形式，國徽的圖案，好幾十個。陳初時已自屬意一個，後來毛澤東表示五顆星的這一面好，陳即改口力贊其議，足恭之態，述給我聽的是親自在場的人，形容盡致，要不肉麻也不能够。

徐興未闌，只數月，陳爲謝縱廈門泉廈間，率領鍵反革命命令，捉人殺人，得獲得鷄飛狗走，殺得暗天昏，陳大抵也看得有點心碎。不料有乎親某某，平白無辜也被捉去，陳六電毛澤東保釋，無效，終于同一飲彈，陳始嗒然若喪。京中若無其事，函電紛馳，請陳返京，陳均謝絕，謝云要擴大廈門大學，和恢復集美學校，他的女婿李光前已捐出港幣六百萬，又某某三百萬，合之可有「人民幣」近五百億。旃歟偉哉，中共朋友們舉竟皆屬措大，只這天文數字，嚇然復談。然則陳老先生也者，其將不止于點綴而已乎。聞巳有人建言，「抗美援朝」，其事不輕于抗日，應令陳再來一個華僑救濟總會，如法泡製，斯人盡其才，錢盡其用。我以爲這一建議其談密圖加點，傳旨嘉獎，不知朝中大老與我同此意見否耳。

和平陰謀　·未石·

論黃文炳（二）

（水滸人物論之三）

·舜生·

江州對岸的無爲軍這地方，有一個蟄伏閑居名叫黃文炳的通判，此人也曾略讀詩書，長於心計，最懂得阿諛諂佞，嫉賢妬能，平日專以害人爲事，看見本領比他高的，他便多方加以陷害；看見不如他的，他又故意加以侮弄。因此無爲軍這地方的人，給他取個綽號，叫「黃蜂刺」。其人生得獐頭鼠目，五短身材，嘴上雖已疏疏落落留了幾根黃色髭鬚，年齡却不過四十左右。其時這位江州知府蔡德章，正是當朝太師蔡京的兒子，因爲排行第九，人都稱他做蔡九知府。黃文炳看見此人前程遠大，又是一位歡喜奉承的公子哥兒，他覺得自己下半世的功名，希望便完全在此人身上，因此更使出渾身的吹拍本領，拚命去向這位蔡九知府巴結，而蔡九知府也居然對他十分信任。

一日，黃文炳在家閑坐，無可消遣，想起又有十來天不曾去親候他的「恩相」，便帶了兩個僕人，買了些時新禮物，叫一隻快船，渡過江來，逕投知府衙門，不想知府正在宴客，未敢造次請謁，只好趁回。正待上船，剛好走到「潯陽樓」下，看見天氣尚早，又十分喧熱，便漫步走上樓來，憑欄閑玩。眼見壁上題詠甚多，也有做得好的，也有胡說亂道的，及至看見宋江的這首「西江月」和四句詩，唸到「血染潯陽江口」和「敢笑黃巢不丈夫」等句，不免大吃一驚：「這豈不是要造反？」又讀到「鄆城宋江作」五字，心中更老不自在，因爲他也曾聽過這個名字，知道決非善良之輩，因問酒保：「這個人是什麼樣人？」酒保說：「題這詩詞的是黑矮肥胖，面頰上有兩行金印，多管是牢城營裏人。」黃文炳聽到這裏，便向酒保借了筆硯，把這一詞一詩抄下，藏在身邊，又叮囑酒保不要刮去，心下乃暗暗歡喜：「不想我這功名，却出在此人身上！」

回家一夜不曾睡穩，翌晨用過早餐，便又攜帶禮物，逕來晉謁知府。蔡九知府把他請到後堂，寒暄了一會，黃文炳便問起太師恩相福體可安？有無人來？京師近日有何新聞？知府遂一一回答，並說：「家尊來信分付，近日司天監奏，罡星照臨吳楚，難保不有作亂之人，宜隨時注意搜剿；信上又提到京師最近有四句童謠，流傳甚廣，這四句謠言是這樣的：『耗國因家木，刀兵點水工，縱橫三十六，播亂在山東。』因此囑付下官，小心緊守地方。」黃文炳聽了這番話，故意尋思一會，便說道：「恩相，此事決非偶然，」因於袖中取出昨天在「潯陽樓」所抄詩詞，呈交蔡九知府閱覽。又加重語氣說道：「這便是天數，也是太師恩相的洪福，謠就應在此人身上，而且此人就在江州！」蔡九知府匆匆看完，忙問：「這宋江究竟是什麼人呢？」黃文炳道：「恩相不要小覷了他，童謠說『耗國因家木』，家字頭下着個木字，乃『宋』字；『刀兵點水工』，水字旁邊個工字，豈不正是宋江？他又是山東鄆城人，這造反的不是他還是那個？」

萬竹樓隨筆（五八）

悶謎揭曉

·海滿紅·

一欄導」爲陳獨秀開創共產黨諸四奏曲中最響亮的，它力詆蒲魯東派社會主義者爲空想家，爲烏托邦派；它推崇辯證唯物論；它歸結無產階級專政爲保障革命政權所必要；總之，這一時期的陳氏是一面倒的。獨有一點，他不同意毛澤東等中國革命力量在農民培植起來的主張；他以爲農村是受都市支配的，只要都市工人恢張革命意識就行了。毛澤東則大有「吾愛吾師，吾尤愛眞理」之慨，固執己見，所以那時候毛自在家鄉向種田人說教。

與稚老得陳競存的贊助，達成了「海外大學」的夙願。在法國里昂部署中法大學就緒，回國招選學生。廣東學額一百名，各省六十名。入彀的英髦，大抵粵籍的蒲爲多。到了里昂，那海外學宮又成了兩派對時之一局。粵中所得報告，謂中法大學而外，由于李石曾先生號召前去的勤工儉學生達三四千人。第一次大戰時，段祺瑞宣告中國參戰後應召而去的華工十五萬人，爲馬致信徒運動的大好對象，中共基礎可以說大部分由法國造起。

大元帥覺得這名義只有軍事的意味，缺乏政治的意味，要改作大總統，陳競存老大不高興，孫先生其「狼，大，快」的本性，說到做到，自讓給了袁世凱以來的元首地位至此復線。這未始非由于蘇俄革命的刺激情緒因而愈發緊張之故。孫雅下廖仲愷氏尋求親俄，國民黨第一次全國代表大會宣言，非率爾操觚之作，實在經長期醞釀方才揭佈的。

斂諾曾由同人介見陳競存，問及前此特來潭州的V氏，斂諾茫然不知道有過那回事。V氏一去廿年，了無音耗，這一個悶謎，誰也猜不着。此時斂存還念念在閩之所企圖，示意冰弦重復相機行事。冰弦洞燭陳獨秀已有主張，非復在閩南小王國那麼單純。猶之爲驥一部汽車，從前在鄉村公路上可以任意疾馳，這時候在都市馬路上須得左顧右盼了。那戲劇化的「地下外交」倒甚麼成了個悶謎，無意中得着揭曉。

倭挺斯基在滬，斂諾在粵，帶着同床異夢的神氣與同盟分子工作着，第三國際要召開各國代表會議。中國還未有依樣葫蘆的共產黨正正經經成立起來，無從遣派代表，而倭氏認一人以爲中國非參加不可。大抵是陳獨秀出的主意，中國權宜用社會主義者同盟名義出代表一人，三數個領袖工會合推代表一人，先行及期赴會，總比大會缺少了中國出席爲好。倭氏將此辦法電第三國際請示，復電許可，於是同盟推定了黃超海，工會方面不知怎的捧出一員女將，是晚清光緒宣統年間廣州赫赫有名的維新女志士，芳名黃慕魂（後此孫陳分裂，黃在陳部工作，給孫部拿着槍殺）。男女二員，外面看來志像母子，攜手向赤都莫斯科去。

超海亦自有心要探索V氏究竟，然而赤都中茫茫人海，摸不出頭緒。忽一日，路遇一人，是清末廣東陸軍中學校長辛亥被驅爲廣東參都督而不曾就職的黃士龍。此老不仕孫，不仕袁。韜晦多年，嘉蘇俄新空氣，獨個兒特來觀光。寒暄後，彼此開以大略，士龍才道出始末。據說，V在去年V氏赴潭州可有結論，超海一楞，告帝俄爲高級軍官，與列寧私交甚厚，革命後因怨仇很多，列寧也不能過分卵翼，勸令向國外工作。V因有覺於希臘在津作引，乃決赴華。這裏他的好友得過他的信後些時，當局忽接赤塔駐軍電告，說V歸途行至伯力暴病死了，經就地埋葬。當局沒有甚麼懷疑究問，他的好友却知道伯力駐軍某長官，一二十年來與V有極大仇隙，V由黑龍江之海蘭泡道出赤塔，將由西伯利亞鐵道以歸，從可能在伯力遭害。這傳疑不得佐證的事，只好據以解釋我們迷悶了一年多的啞謎了。（十三）

聖誕節世界巡禮

——·立予·——

儘管朝鮮和其他各地的反共戰火，依然在燃燒着，聖誕的和平鐘聲，却響徹了自由世界的每一個角落，下面是自由世界各國慶祝聖誕的一個巡禮：

朝鮮方面，聯軍和共軍的代表們，對休戰談判，繼續作他們的最後努力，戰場的槍聲和砲聲相對的減少了。假如休戰條約，能够在聖誕後兩日達成，那麼今年的聖誕節，對朝鮮人民說，是有意義的。否則的話，戰火將燃遍朝鮮的山林和曠野。

馬來亞的英國軍隊，仍然在叢林裏面和恐怖份子繼續戰鬥，他們手裏拿着火鷄，肩上背着來復槍，腰間挂着手榴彈，歡樂中帶着緊張，歡笑中夾着愁思。在沒有烹調設備的叢林裏，由皇家空軍用降落傘把火鷄空投給這些蠻格處撤退的戰士。

聖城耶路撒冷今年聖誕節是在寂寞中度過的。爲的是外約但的軍隊以色列人沒法上教堂作禱告。爲的是外約但的軍隊控制了，通聖城的要道，約但的阿拉伯同盟軍的衛兵，把守了聖嘉的外國據點。除掉以色列的小規模外交團體，能够通過警戒線外，老百姓是沒有這個福氣的。

羅馬方面，因爲意大利北部洪水泛濫，老百姓的購買力非常薄弱，比起去年來，並無起色。

葡萄牙和瑞士兩國的老百姓，過了一個最快樂的聖誕節。市場所銷售的物品數量，是戰後最多的一次。西班牙情形亦不壞。

倫敦市民不悖政府限制進口，裁減聖誕獎金，但他們和去年一樣，過着快樂的聖誕節。倫敦各報，廣載聖誕的文章。太晤士報大吹其和平空氣，說危機雖未消除，戰爭却不致於發生。百貨商店擠擁着市民，在聖誕節前夕，充滿了熱情和歡笑，陳列各式各樣的新奇貨色。晚上，在冷僻的地方，可以看到成堆的男女，在唱着「新王誕生」的聖詩。熱鬧街頭，那成了人海，男男女女，老老少少，嘴裏吹着喇叭，手裏捧着五光十色的紙花，水兵們在街頭尋找少女尋開心，他們忘記現在是在戰時狀態。

自由人
THE FREEMAN
（半週刊每星期三六出版）
（第八十六期）
每份港幣壹毫
督印人：李光雅
社址：香港高士打道六六號
電話：二〇八四八
GLOUCESTER RD.
HONGKONG
TEL: 20848
承印者：東南印務出版社
地址：高士打道六四號
台灣經銷處
台北市中華路一二五九號
（台北憲兵隊側對面）

世界大勢之所趨

胡秋原

一九五一年過去了。大陸上的同胞是在腥風血海飲泣吞聲之中。然縱眼看世界大勢之所趨，我們對前途可抱堅定的樂觀。光明在望，不久必可慰我們多災多難的同胞。我們所以能抱樂觀，便是俄帝的力量，日趨孤立與瓦解；而自由世界日趨團結和強大。自由世界在對俄帝的鬥爭中，正加強其陣容，發揮其潛力，並且在改變自己，為一個新的世界，奠定根基。誠然，俄帝還擁有不可忽視的力量。但在天秤上，雙方勢力之消長，是日益不利於俄帝了。擒賊先擒王。賊王不行了，嘍囉算得什麼呢？

回想俄帝之氣燄

回想二次大戰結束以來，俄帝包藏禍心，征服世界，鯨吞蠶食，恫嚇滲透，使全世界陷於恐俄夢魘之中。這原非因為俄帝果有不可抵抗之實力。而是自由世界苦於戰禍，渴望和平，敷衍復員，期與俄帝相安無事。甚至不惜訂立雅爾達密約，滿足斯達林之野心。不知其慾壑難塡，且以自由世界為可欺，且乘自由世界之不備，肆其貪婪縱橫之性。自由世界始知患預防，然為時稍遲，俄帝終於囊括東歐，席捲大陸。一九四九年冬斯達林祝壽之日，眞國際大盜顧盼自雄之時。勝利昏頭，竟在韓國玩火。自由世界始奮起應戰，此實世運旋轉之關頭。然中共甘心替死，竟然出兵，一九五〇年末，聯軍撤退興南，復修欄咆吼紐約，姑息之聲，遂亦乘時而起。直至一九五一年初，斯達林尚敢大言欺世。殊不知今日之戰爭，乃科學之戰爭，非一時僥倖所能了事。使凶惡即為萬能，則今日蘇聯仍為虎狼世界，人類無倖存之可能矣。

且看今日之對比

在過去一年間，自由世界在韓國戰場上擊退俄帝附庸之攻勢，使慘無人道之人海戰術，成為笑柄，且迫馬立克作停戰之要求。俄帝雖欲利用停戰作各種分化宣傳，無不心勞日拙，今日聯軍和戰自如，而俄帝雖欲浪戰，「志願軍」已力不從心，瀕於破產。無論俄帝決策如何，已決不能有任何僥倖之處，實可斷言的。

僅一年之間，自由世界已對俄帝佈成大包圍圈。對日和約之成功，以及美日、美菲、美澳、美紐、安全條約之簽訂，美國對台灣軍援之增加，已為太平洋聯防奠基。在歐洲方面，聯軍統帥部之成立，冰島之登陸，美西之合作，狄托反俄之堅決，希土之加盟，以及西德與西方國家關係之進步，使西歐防禦，大見增強。一九五〇年六月，大西洋地面部隊共為一百八十萬人，去年則增至三百十多萬人。在中東方面，中東防衛指揮部已告成立，雖以英伊與埃及糾紛，未能一氣呵成，料現英埃關係已有好轉，中東聯防在今年是可望大有進展，且終必成功的。

另一方面，一年以來，俄帝集團則破綻百出，矛盾日深，在俄帝本國，常有起義；由俄國中逐漸發展之運動，在東歐鐵幕國家，自狄托獨立以後，日益解體。「整肅」不絕，逃亡相望。中共誠然證實「忠實」逾恆，然參戰一年有奇，即以勸募為財源，可知其外強中乾，則其貪污成風，已至不能諱言之境，則其情形嚴重可知，而其精神崩潰亦可知。至於鐵幕以外，共黨均趨沒落。在遠東，馬共尚甚猖獗，但第二中共之越共，已受控制。至於西歐，美各國，共黨普遍瓦解分裂，難乎其為第五縱隊矣。

在實力對比上，俄帝原恃其所長，以陸軍為主力，藏其所短，海空取守勢。但一年間，俄帝本身之陸軍，以經濟困難，還是原來四百萬內數字，不過正在極力動員衛星國人力，此一九五二年內，可達最高限度。在戰術空軍及潛艇方面，俄帝賴人之協助，俄帝誠亦有若干發展。然同盟國最弱一環的陸軍，已大事增強。水面軍力及遠程空軍自是壓倒優勢，而目前正加強戰略空軍及控制潛艇之戰術。此在基礎雄厚之國，毫無問題。尤其在原子武器方面，除大型原子彈深水原子彈之外，一年間戰術原子彈與地下原子彈之成功，已成自由世界之王牌，不是俄帝所能想望的。最重要者，在工業生產力方面，美國正發展其巨大潛力，俄帝雖宣傳第四個五年計劃之成功，但即其一九六〇年之預計，最多仍不足美國現在二分之一與三分之一的產量。俄帝正加強東歐之工業化。然以局部戰略物資之禁運及軍備競賽之壓力，已使俄帝萬分緊張，更要脫節，發生內部及附庸國家之反抗，一旦全面封鎖之時，一定發生更嚴重的變換。

世界大勢之所趨，便是自由世界團結日堅，陣容日大，實力日長。同時，俄帝集團在對比上日趨孤立，衰弱，和瓦解。兩年以前，俄帝如果冒險，天下事實未可知。在一九五二年，俄帝如若冒險，還可有初期之優勢，但最後必定失敗。再過一年，則不是俄帝如何發動的問題，而是自由世界，將以壓倒力量；全面包圍，迫俄帝選擇自己命運的問題了。俄帝以戰爭由外部威脅人類的時期過去了。俄帝用革命由內部破壞自由世界的時期也過去了。現在是自由世界圍捕大殺人犯的時期了。

歷史之必然發展

這雖是一二年間的轉變，實際上是人類歷史之必然發展。人類歷史進化的基本綫索是：第一，由奴隸制走向更高自由。所謂科學也只是自由的產物。而俄帝竟夢想天開，復活新奴隸制度。第二，由專制制度走向更高民主。而俄帝竟痴想復活新專制主義。第三，由小國家趨於大合作，實現天下一家，和永久和平。而俄帝則狂想「俄羅斯布爾塞維克」統治世界，進行「永久的革命」，「永久的戰爭」。第四，人類之文化，最終目的，無非是人性之提高，人道之普遍。而俄帝則千方百計，發展人類「罪惡衝動」（巴枯寧語），以「史無前例」之強奸，將人類墮落到「齷齪，卑怯，殘忍，自私之爬虫」（朶斯安也夫斯基語）。所以俄帝才是大反動派。但人類既有性靈，便決不會回到爬虫時代。俄帝之反動，是必然失敗的。順天嚮人的自由世界，一定能戰勝逆天的，悖理的，變態反常的俄帝。

自孔子和蘇格拉底以來，人類一切最高智慧，莫不認更高自由和人類愛。只有列寧斯達林否定人類從來的文明，以為歷史必由他們開始。所以，古今中外一切聖哲都錯了，只有列寧斯達林「正確」；或者，大家不錯，只是斯達林之流發狂。莫斯科有一文奴說：「斯達林在克林姆宮之屋頂，指揮全宇宙之運行」。北平有一文奴說：「永恆的太陽，斯達林！」如非白癡而兼狂，能相信這個神話和怪話嗎？

中國必順應大勢

歷史之潮流，是向自由，民主，合作，人道的方向前進的，不是俄帝反動所能開倒車的。而世界大勢之所趨，正是自由世界日益團結，抵抗俄帝，並且一定解決俄帝。解決這一總反動，人類一切高尚的理想，都可在聯合國的大合作中，見諸實行了。

我們中國民族自然應該順應歷史之潮流，世界之大勢。尤其我們受俄帝禍害，最深鉅，最慘痛，決無不參加這一人類大業之理。整個世界都團結起來抗俄了，我們沒有不團結起來之理。世界都向自由民主合作人道前進，我們沒有落伍之理，沒有不用進步的方法解決我們的問題，集中和發揮中國民族力量之理。在這再造天地重振乾坤的大事業之前，我們無逞私見，謀小利，要小聰明，忙鼠牙雀角之理。世界快到決定的關頭了。全中國民族必須在反俄目標之下，自由民主原則之下，團結起來，表現中國民族之力量，責任與榮譽。

漏網新聞

美國不是沒有貪污的，貪污毛病出得最多的地方要算聯邦稅務局，綜計在過去四個月內，因貪污嫌疑被革職者六十二人。本年內被革職者一百一十三人，其中包括小職員及重要官吏。去年十二個月內被革職者，也有四十八人。在過去五年，因貪污被革職受撤職查辦處分的人員，平均每年為三十六人。

×　×　×

喧騰已久的歐洲聯邦，近因法國的重大讓步，而獲重大進展。上星期，法國國會，打破歷史前例，通過歐洲煤鐵合作的舒曼計劃，把歷史的敵人德國，化為反共陣綫的友人。觀察家說：這是歐洲統一的朕兆。

×　×　×

伊朗國會大廈，有一端撥作德黑蘭薛迪戲院的演員們，須演法國名戲，準備屆期在國會後花園內，正式演出。民族主義派懷疑裏面有左派份子作祟，將劇台搗毀，於是莊嚴的國會，成了男女演員的避難所。

在國會大廈的另一端，一位不妥協的右翼議員艾麥米，坐在行軍床上對一位英國記者解釋「解決伊朗危機的唯一辦法，是推翻現政府。」現在國會大廈除上述的演員外，尚有議員及報館編輯三十人，把一個莊嚴的國會，變成狼藉滿地的難民營。

×　×　×

「前面賣生薑後西說不辣」——埃駐英大使阿慕爾離英倫

上星期埃及內閣，就對英關係，作過五小時的激烈辯論。辯論的中心點，集中在召回埃及駐英大使或斷絕兩國關係。最後決定召回駐英大使阿慕爾，所遺館務，由代辦負責處理。阿慕爾於接到政府訓令後，對英倫留戀不忍去。臨行前，特向英外相告別，兩人作友好談話，竟達一小時之久。埃及的民族主義者，對他這種「前面賣生薑，後面說不辣」的作風，大表憤慨。

×　×　×

我們的原則是　對裁縫你決不可拖欠第一件衣服錢

英國在一九四六年，向美國借了三十七億美金的債款，今年十二月卅一日開始分期償還。上星期，邱吉爾決定按期足數償還，決不拖欠。還說：「我們的原則是，對裁縫你決不可拖欠第一件衣服的錢。」

×　×　×

兩年前被參議員麥卡錫指控為親蘇份子的美國務部要員謝維世（John Stewart Service），因為證據不足，仍被留職察看。上星期以證據確鑿，被國務部次長漢麥森當面予以革職，麥卡錫在洛杉磯聞訊，連呼：「好，好，好！」按謝維世於一九四五年春，自華返美後，曾以祕密情報供給左傾的美雜誌社主筆賈飛（Philip Jaffe。）美國對華政策之錯誤與失敗，與謝維世之親共作風，大有關係。

×　×　×

據鐵幕內可靠消息，蘇聯將於來年併吞波蘭。克姆林宮現已擬定一蘇波經濟合併祕密計劃，此項計劃實施之日，即為波蘭完全喪失獨立之時。按波蘭早於兩年前喪失其國防獨立，國防部長由俄人充任。

·伍健勛·

半週展望

雷嘯岑

板門店的「公仔戲」

板門店的韓戰談判，本是演的「公仔戲」，一切動態都是由幕後人操縱而然。所以，我始終把板門店和談消息跟報紙上的水喉吵咀打架那類新聞，等量齊觀，不屑重視。所可注視者，只是幕後操縱情形。

停火限期已滿，而雙方並無緊張形色，照樣談談打打，這反映着正在巴黎進行的四強祕密外交，尚無成議，也未破裂，彼此依然談談講講，推推拉拉，因而在前台的「公仔」們，就演成不即不和，亦談亦打的連台戲。

事情很顯然，史大林是主動的操縱人物，他之一推一拉，一緊一鬆，隨時可以弄得英美那些要人們團團轉！在麥克阿瑟未去職時，韓戰之不能依純軍事觀點而取得決定性的勝利，大半是受着英國那種不學無術的工黨人物牽制之故。麥帥去職之後，美國亦非堅持着「有限度」的戰略不可了。因為這還是民主黨政府的遠東政策，又博得了「盟邦」的支持，很難改變的。否則麥帥就不應該免職，杜魯門總統的遠東政策即告破產了，在不久即將面臨的總統選舉中，民主黨豈不完事大吉乎？所以，華盛頓五角大廈中的超超雄雄，明知道韓戰是跟着史大林所奏的音樂而跳舞，也祇有咬緊牙關勉強的跳跳蹦蹦。豈好舞哉？不得已也！

邱吉爾最近到了一趟巴黎，對於四強幕後談判的內情，自然有所徵詢指導，再過兩三日，他就要赴華府與杜魯門總統會談了。在杜邱會談尚未結束以前，板門店的公仔戲當然照舊演出，不會有甚麼特別節目可觀的。這場公仔戲究竟是收檯停鑼？抑或另有全武行的大登場？十天以後，可見分曉，此板門店和談展期十五天之說之所以然也。

替印尼華僑執愛

旅居印尼的兩百萬華僑，大半多是土生的，其餘為一般由祖國投奔海外求生的工商業者，少數是具有政治意識的各種人士。最近印尼政府實行國籍登記，華僑們不免有狼狽周章之感！

自由中國與印尼沒有外交關係，而當地華僑又十九都對極權中國不感興趣。印尼現政府雖已承認北平政權，但其本質是反共的。華僑們不問土生與否，原不妨暫行登記為印尼籍。可是，印尼總統蘇卡諾又已公開發表談話，一面嚴斥在印尼煽動社會革命的共產份子和親共的華僑，一面又痛責在印尼經商營生之非共反共的華僑，指他們侵害經濟，是使印尼人民陷於窮困的「罪人」，大有甚於種族觀念而實施排華政策的趨勢。因此，華僑們既怕入了印尼籍也難免不受歧視，又不願登記為「新中國」的人民，以防未來不測之禍害。茫茫天涯，躑躅躑躅，真是一種僵局面啊！

自由中國政府為盡使一般嚮往自由，素不甘淪落的海外僑民有所保障，似可委託與印尼有外交關係的第三國——如菲律賓——代為交涉，辦理國籍登記。否則，在當地政府存心歧視與共黨使節威脅壓迫的夾攻中，他們除飲鴆止渴，迫不得已而登記為鐵幕內的人民之外，別無他途可尋。蘇卡諾先生不惜為淵驅魚，多置絆腳石於政權之下，我們即不能為叢驅雀，坐視海外義民之淪落無依也。

肯南出使莫斯科

美國白宮宣佈，杜魯門總統已委派肯南（Geoge F. Kennan）為駐俄大使，這是一件很有意義的事。

肯南是一位蘇俄問題專家，他又在東歐幾個俄帝的附庸國家裏作過外交使節，對蘇俄的一切，確有湛深之研究與體驗。所謂「遏止蘇俄擴張」政策，就是他所首倡的。所以，莫斯科真理報聽說他要出使蘇俄，即猛力攻訐他，表示拒絕，但史大林卻不好不同意，否則美國將來亦可以「投桃報李」之道，對華盛頓的俄國使者，有所好惡，豈非大損邦交！

肯南出使俄國後，史大林至少在冷戰中更要居於下風了，這是杜魯門的一着妙棋哩！

克魯泡特金論革命

·趙滋蕃·

我想從三方面介紹克魯泡特金（P. Kropotkin）論革命的思想。即：（一）為甚麼革命是必然的？（二）共產黨所高囊的「最後革命」，為甚麼不合理？（三）革命思想的大胆，與行動的堅決，為甚麼不可少？以新的觀察，以新的歸納，找出今天的反共，明天的建國的新的基礎，藉以激起當代人自由的智慧與創造的活力，大胆提出問題，小心從事研究。誠如湯普東所言：「詳察今日社會的趨向，藉以演繹出一個明日的社會。」單祗否定過去是少成效的：我們應有肯定將來的勇氣！我們決不能再以「合法的恐怖」，再以血腥的屠殺與鎮壓，來塡補革命思想的空虛，一如中共今日在大陸上的「[illegible]」。因為，合法的恐怖並非是革命的化身；而反共建國勝利的大前提，必須以思想的大胆，計劃的謹愼，與革命精神的狂熱，為充分的必要的條件。

為甚麼革命是必然的？

克魯泡特金的分析，可以歸納成下列四點：

當人類的生活中，開始為可怖的動搖所切入，且直撼人心，一切有心人從各種不同的角度與觀點，得到了同一結論：世界各事物再不能如此下去了！必須有大而不可抗拒的力量，來暴烈地切斷歷史的線索，將陷於水深火熱的人類救出，使他們趨向新道路，向未知方面進軍，探求理想的生活繼行。

這舊世界的沉澱，與新思想的浮現，對現制度的不信任，不滿意，預備開創一個新的嘗試，終久會匯成大激變的主流，使大時代傾向革命！而革命的「情勢之力」，一旦在行動的隊伍中澎湃奔騰，革命乃屬不可避免。

在人類的思想中，當一切不屈膝於大偶像前的智慧，被傲慢與平庸所擊倒；當鄙俗的鄉愿道德，與自私污濁心理，長久統治人類思想界，變成律法與教條的根本原理；革命乃成一種需要！

在人類政治中，當少數人結成團體，壓迫大多數人民的統治，正逐漸強化，且變本加厲。法庭、公安機構與特務，結成「三位一體」；血腥、恐怖、血腥鎮壓與血腥勒索；[illegible]毀滅了社會中[illegible]的道德的繩索，使公道心與義務心，社交性與慈愛性，不復成為人類社會的凝聚力；那麼，社會的存在是不可能的！革命的烈火，已不可能被遏止！

在自然科學與近代哲學啟蒙的影響中：我們近代人所親眼見到的，或一道助成的自然科學的大覺醒，給予思想界一種空前的大胆！人類已經瞭然於他們自己在自然界進化中的位置了。他們已經理會到人[illegible]是人類共同意志創制的，並非「天賦」，各種制度，是他們自己創造出來的，也只有他們自己才能改造。而且自然界昭示我們，萬物演化的長流，是變動不居的，為甚麼人類的制度，卻可一成不變，長此終古呢？環繞我們四周的舊事物，只是一種暫時的現象；它必要變，「因為一不變動就無異於死」。這就是近代科學賜與我們的概念。

在哲學的啟示上：我們已開始知道，革命是進化必然的一部。自然界中無一進化的完成，不自劇烈的變動。因為「生命是一種繼續不斷的發展，若植物、動物、個人、社會，尙故步自封於同一情狀中，他們即有衰敗與滅亡的危險。」這就是近代哲學的根本觀念。這根本觀念經過尼采（Fredrick Nietzsche）的一番塑造，變成了「一切存在的生物，都超過了它們原來的形態！」從這裏：人們即會明白這種觀念，怎樣鼓勵人類趨向改革，怎樣激起人類有改革的決心與大胆！

因為，革命就是進步反抗後退；人性的發展反抗愚昧野蠻；活動反抗「溝渠惡臭的停滯」；活潑、少壯、節義的新生氣，反抗遲暮、衰老、詐偽的舊手段。[illegible]震撼麻木，重振頹喪的感情，希望再有高尚的感情，偉大的興奮，寬宏的忠心，從卑鄙、窄狹、怯弱、欺詐的舊習慣中振拔出來。而麵包問題，經濟平等問題，政治民主問題，人性自由問題，一起裸露在時代精神的深刻的改變之前，為新社會的新需要，從事堅苦奮鬥。克魯泡特金說：「在經濟的領域上，革命若是一種救急的良藥；在政治的領域上，革命若是一種不可少的需要；那麼，在道德的領域上，革命更不可須臾緩了。」而今天我們正掀起反共抗俄復國建國革命運動，客觀的形勢與主觀的要求，更形複雜。在反對毛澤東賣國的一面倒，與斯大林有形無形的侵略領域上，我們的革命形態是民族的；在反對毛澤東專政獨裁，同時爭取基本人權及實施真正的民主政治的領域上，我們的革命形態是民權的；在反壓榨，反萬稅，爭取生存，追求幸福的領域上，我們的革命形態，是民生的；[illegible]聯系，使社會有是非，有嚴偽；使人性的尊嚴，得掙脫桎梏，回復到人類生活中來，我們革命的形態，是道德的。[illegible]

共產黨所高囊的「最後革命」，為甚麼不合理？

照共產黨徒的辯證，認為共產革命，是「最後革命」，[illegible]「世界革命」即開始締造「天國」在「人間」。克魯泡特金，卻以嘲弄的口吻，回答他們的挑戰。

克氏抨擊共產黨的「集中制」與「無產階級專政」的理論骨架是：「無自由的個人，決無自由的社會。暫時的自由聯合，為一切組織、一切團體的基礎。儘量喚醒個人的創制力，使人民徹底明白，沒有羅馬帝國的這頂「荊冠」，人民也可以自由自在地生活的。」

克氏說：「這種基督教式的共產主義，由長者與哲士的階級來治理的理想，是不完全的虛構的；若不違背時代，向自由的共產主義或無政府主義的道路，它是站不住的。」[illegible]

共產黨人的理想，是從雅各賓主義脫胎而出的。它全盤承繼了資產階級政府的組織原理，[illegible]

革命中思想的大胆與行動的堅決，為甚麼不可少？

「在最少的歲月中，重造有數世紀生命的制度。」克魯泡特金以為：革命中思想的大胆，與行動的堅決，是不可少的！[illegible]

[illegible]自問：「為甚麼那麼多的力量，費了那麼多的努力與犧牲，做過了那麼多的[illegible]，流了那麼多的血，造出那樣多不可以數計的家庭的破產，服了那樣久的混亂，而所得的結果，卻如此微小呢？」這問題的總答案是：缺乏革命中的大胆的領導人物，缺乏堅定的思想的[illegible]

[illegible]史上最大的混亂的風暴。因此歷史不得不嚴重地警告我們：時代所需求於革命者的，是何等廣大的毅力，何等大胆的思想，何等嚴肅而熱烈的工作！

法蘭西大革命時，丹東要求大胆，為衛護革命的無上方法。[illegible]

正當革命的怒潮，廣泛激動個人與社會團體的時候，我們不應當向過去尋覓我們的理想；我們的理想不在背後，而在前面！

今天，反共抗俄復國建國革命運動，正與世界風雲，同樣壯闊。[illegible]

美國反貪污運動

·林冰峯·

反貪污運動，將成為來年美國民主共和兩黨競選的首項題材，共和黨的反貪污能手塔虎脫已經在摩拳擦掌，杜魯門總統為要杜絕共和黨的攻擊口實，決定先向政府官員來一個整肅運動。

反貪污運動是怎樣起來的呢？這和最近鬨動美國朝野的所得稅舞弊案不無關係。被這個案子牽涉的人員，有稅局和司法部的高級官員，有民主黨的紅人，及杜魯門的親信。國會共和黨議員大聲叫囂，要求撤換財政部長史耐德，和總檢察官麥克葛拉斯，因為這些嫌疑人犯大部份是他們的部屬。杜魯門總統也在上星期四的記者招待會上，大聲疾呼。他說：「我在政府內所作的監察工作，外人是想不到的。根據我的紀錄，那些作奸犯科的人，絕無容身之地，不管他們是誰，或者他們如何重要」。並稱，他將在一星期內，採取有效步驟，應付這種局勢。

所得稅的舞弊案究竟是怎麼一回事呢？根據芝加哥律師泰特明向國會調查委員會報告，他有一位已故的顧客名叫加彭 Al Capone 積欠政府所得稅達十三萬美金，泰本人便是這個案子的代理人。今年四月他在邁安米旅行時，納斯特和彌數兩人，向他敲詐五十萬元美金，否則他將遭遇所得稅案的麻煩。納彌兩人自稱與華府稅務局及司法部的稅務司高級要員有默契，隨後提出若干文獻，證明他們和這幫政府官員的關係。但是泰特明並未答應他們的要求，這件案子便愈鬧愈大，最後竟鬧到國會裏面。

因為這個案子而揭發的貪污案，層見迭起，最近杜魯門所任命的民主黨全國委員會主席麥金利 Frank McKinney，也以貪污聞。據說他在一九四六年，以每股一元的價格，向帝國電引機公司，購得股票一千股。十個月後，他把這一千股股票賣給該公司董事長柯恒，得款六萬八千元，獲利百分之六千八百。柯恒的款項是向公司借來的，他所以願意以高價收購這筆股票，為的是要向麥金利拉攏政治關係，但是帝國電引機公司卻因虧累過巨，宣告破產關門。

因為麥金利是杜魯門的親信之故，於是共和黨的報紙連篇累牘，向杜魯門政府發動攻勢。杜魯門知道若不在此時大刀闊斧，整肅官常，是無法挽回民主黨的頹勢的。上星期六，他特地召集民主黨要員滿堂，舉行祕密談話，並授命他負責整肅聯邦政府的貪污舞弊份子。此外杜總統並和總檢察官麥克葛拉斯及聯邦偵察局局長胡佛，舉行會商，打算對稅務局和司法部的不法人員，來一個總檢舉。據幕後消息報導，杜魯門決定組織一個反貪污委員會，以滿提及胡佛為委員會主幹，來推行反貪污運動。還有人說，杜魯門打算將財政部長史耐德免職。謠言的根據，是當杜總統在華府國家機場歡迎北大西洋美國代表團時，對史氏談話的口吻，異常嚴厲。

不管杜魯門總統怎樣在加緊他的反貪污運動，可是共和黨的攻勢，卻絲毫沒有放鬆。有些動搖的民主黨員，已經感到反貪污運動發動得太遲了。因為現在離大選期間只有十一個月，人民對這些不愉快事件的印象是新鮮的。

論臺灣與第三勢力

——于幼誠——

文後，讀了本月五日[illegible]先生「論今天我們」一[illegible]

[illegible]

來論

[illegible]

貪污腐化到頂 共僞高崗哀鳴

官僚主義魔力 打進秧歌王朝

【瀋陽特約通訊】毛僞澤東曾告誡共幹：「奪取了全國勝利，這只是像萬里長征走完了第一步」。那末「第二步」呢？貪污腐化，官僚主義，應運而生。

東北算是「老解放區」，在貪污腐化方面，自然而然地也起了「帶頭作用」。據東北共僞高崗，最近在「東北一級黨員幹部會議」上報告：「老幹部，老黨員，都經不住反動派的貪污作風引誘，而墮入貪污蛻化的泥坑了。這些貪污蛻化分子，已變成了強盜，爲了爭取同情者，他們正製造各種藉口。如說：「由鄉村轉入城市，爲適應新環境要講究一些。」「做統一戰線工作，必須應酬。」「機關家務是我搞生產弄來的，個人用一點算什麼？」如果你批評他們，他們又會說別人是農村觀點，注意生活小節等等。」這是高崗的悲哀。這些「老黨員」，「老幹部」，其貪污腐化是有他們意識行態的：他們認爲：「全國勝利是「革命」的盡頭，而不是「革命」的開始。

今日東北大大小小的共幹，那一個願意過「黨的生活」？那一個願意過問政治？那一個重視「理論學習」？僞東北人民政府一個科長就會公開對人說：「天天會，日日會，其實都是閑玩鬧，我們那有時間，搞些閑玩意？」一班共幹拒絕做「黨的工作」，已極爲普遍。一些被分配担任「黨支部」工作的共幹，都逢人訴苦，說是「上級」在欺負老實人。大家都認爲不學習政治可以工作，不學習技術卻不能吃飯。學什麼「共產主義的原則性」，什麼「要向工人階級的意識行態，在生活方式，工作作風，看齊」等教條，老早已被丟到茅廁裏去了。

談到官僚主義，在東北已成爲共幹的生活方式和生活習慣。他們也注意形式裝潢了。我們看瀋陽街道上跑的小汽車，吉普卡，那一輛不是美國英國的用品？他們也注意送禮請客了，我們看百貨公司和一大飯店的顧客們，那一個不是衣冠楚楚的「幹部老爺」們？此外，他們再看大小機關，隨便添人，隨便添傢具，隨便接待，隨便僱褓姆的情形，那就夠你看了。而他們的浪費公物，濫發表格，推拖敷衍，紙頭形式，不問內容，不檢查事實，不解決問題，專講空話，濫發命令等等，更是紅色政權下官僚主義「到頂」的作風。

高崗自己還說了一兩件的故事和笑話：我們東北人民政府的一個機關，一件漁民組織工會的法令，在機關中旅行了四個月還沒有公佈。我們一個部隊參謀長，經他自己簽署發下去的一個重要命令，因不加檢查，等到上級問起，連命令的內容都忘了。有一個很大的衛生機關，職員有五百多，醫藥器材有上萬箱，因不加檢查，醫療機械多生了銹，藥品變質壞了也都不知道。在瀋陽，我們有一個很大的飛機場，在不久以前，場長他向我報告說：「據報，飛機場已被水淹，請示如何處理。」我派人去看，這個機場邊一個大水塘都沒有，那裏會說是「已被水淹」？等我問他，他卻說：「是據報的」。一個住在飛機場裏的場長，連機場的情形還要「據報」，這還不是天大的笑話？我們可以發現，這些貪污，腐化，官僚主義，隨時隨地，它們是要搞鬼作祟的，它們好像有靈亮的眼睛，現在，它們好像又看上了秧歌王朝。（瀋朝。十二月十九日寄）

中共兵源枯竭

「上海通訊」自殺性的戰把中共拖垮了，所謂精銳的「三野」，「四野」，多抽調一空，傷亡殆盡。

中共爲補充各部隊，現經緊急決定于今冬，明春的農閑時期，在「華東區」的山東、福建、浙江、蘇南、蘇北、皖北等「軍區」內，辦理徵兵。惟徵多少兵，迄今究未有透露。最近各地都召開「人民代表會議」，工作會議，各縣也普遍召開「人民武裝代表會議」，還在各地召開「民兵代表會」，申共幹部在會上反覆說明：「徵兵」工作，不許失敗，只許成功，要保證完成。今年「徵兵」的任務，各代表多去動員，明春能去「參軍」的，要有已作好準備的「積極份子」帶頭。這些已裝扮好的「積極份子」，和共幹已早一步深入到各地去，起了帶頭骨幹作用。（十二月廿日寄）悠然

香港三日續紛錄

馬鞍山鐵礦引起日八幡富士兩公司開採狂

香港馬鞍山有鐵礦，據工商處派人檢視該處礦苗，認爲品質屬於一級，可以用科學方法大量開採。日本政府因與中國大陸未能正式溝通貿易，鐵又是日本所亟需的。廿五日日本之「八幡礦業株式會社」，「富士鋼鐵株式會社」及「鋼鐵株式會社」均派人來港，與工商處洽談。香港政府原則上已同意。日本方面之估計，每年可自馬鞍山開採之原鐵計三十五萬噸至五十萬噸。正式動工，約明年三月。

×　×　×

關於各邑僑團聯席會議，議決請香港華商總會領導組織「廣東土改調查委員會」，派員赴大陸調查中共勒索僑胞僑眷一案，聞中途已有變卦，因華商總會是否接受上項任務，現在尚在考慮中。一說華商總會將於明年一月七日理事會議中，提出討論，以付表決。高在上次各邑僑團舉行聯席會議時，臨時稱病缺席。一月七日的理事會高是否出席，頗令人懷疑。

×　×　×

香港搪瓷行職工自由工會，獲勞工司之准許，於廿五日正式成立籌備會，選出孔松，林樹，孔洞，張高宙，楊帝明，吳縣，及易生等七人爲籌備委員。據悉孔等已於廿七日往勞工司，報告該會定明年元旦成立，並熱烈希望自由工友參加。

×　×　×

一九五二年台灣經援款項，據遠東經合分署透露大約爲美金二千萬元。臨時動議之數，不在此例。美駐中國經合分署署長施幹克廿六日由港返台。在港住了五天，除不斷與香港遠東經合分署有關人員交換意見外，並指出明年度着重於種籽改良及漁管。他說漁管的方式，不以金錢，而以新式漁具與漁輪。過去漁管處有一批漁輪，但爲數太少了，因爲台灣海上的漁業大可發展。

×　×　×

日本共同社駐港特派員太田誠於二十六日由東京二度來港。將與日前抵港之朝日及每日之和田齊與青木榮展開熱烈之新聞神經戰。太田於本年九月間爲第一個日本記者抵達香港。以移民條例規定，限期已屆乃於十一月返日，實辦返港手續。據太田告同行稱：明年起共同社擬在港開始發稿。按共同社，雖不能直接視爲同盟社之前身，但其組織規模與從事之人物大半爲同盟社舊人，仍不失爲今日日本最大的一個通訊社。

×　×　×

這種鏡頭，你會不相信戰火便在你身邊。

荷京日報派赴韓國戰地記者烏爾特於廿七日由板門店經東京來港，轉返荷京安姆斯特敦。他說板門店的記者列車中一共有一百四十餘個記者，分中，日，韓，菲，英，美，印，法，荷，及實行共產主義的南斯拉夫等國籍。每天上午一時，下午五時及午夜一時，第八軍總部發表官報，餘時便是大家各自活動，獵取新聞。聖誕時分，板門店顯得更爲淸冷，無所事事。聖誕的寧靜的氣氛，反更見憂郁。在雨雪紛飛的傍晚，可以看到不少人到附近的軍中禮拜寺去祈禱。他說：「這種鏡頭，你會不相信戰火便在你身邊。」

×　×　×

印貿易部代表梅農，頃由東京抵港。他說印駐北平大使潘尼迦決定於一月返北平任所。潘現在巴黎，一俟聯大工作稍事就緒，即道返印經港赴平，預料潘氏將於明年一月中旬可以抵港轉平。

×　×　×

國際紅十字會派赴韓國戰場協商交換戰俘之代表一行六人，由總代表尼古拉斯，貝赫克德率領，於十九日離日內瓦，廿六日抵港，廿七日晨間飛東京轉釜山。先與該會駐東京盟總代表烏鷹，雷諾博士協談。貝氏說：「交換戰俘的原則乃由雙方和談小組會商，紅十字會謹在技術上作各項便利與協助而已。另外兩位代表擬自蘇聯赴北韓」。他表示將盡最大力量前往平壤戰俘營探視。他說：「如果獲得允許，在橫濱將有大批醫藥及物資，運往平壤。」（一成）

黃陂阿飛縣長

公糧變成萬金油 大家不願做傻瓜

【漢口時約通訊】劉振岐，湖北黃陂縣人，今年三十歲。他在十六歲時，偷了家裏一筆錢，跑到了匪窟延安，投身「抗大」。強盜得了天下，劉也衣錦榮歸，做了黃陂縣長。他雖屬老幹部，卻是標準的阿飛型人物。在他做僞縣長的一年四個月中，他曾化了一億五千萬；開一次運動會，化了八千萬；開了一次跳舞會，光買一架鋼琴，就化一千二百萬；又爲二十幾個舞女做舞衣舞裙，爲樂隊購全套樂器，所費亦不貲。化一萬七千斤米，在僞縣府裏修了一個小花園；化四億元，給僞縣銀行蓋職員飯廳。今年，劉做三十「大慶」，帖子滿天飛，賀客擠破門。第二天，劉還特別請來祝壽的全縣區以上共幹，包乘專車，到漢口，看梅蘭芳的京戲。

劉如此這般的「領導」，共幹們便很快的上行下效，相習成風了。一個高廟區僞區委書記宮鳴玉，將該區田畝隱報一千零二十八石，以供個人揮霍。僞副區長王克忠，竟將半年內積存食糧二萬四千斤全部大拍賣，爲他自己購買鋼筆，手錶，收音機，自行車，留聲機，皮袍，西裝，大衣，皮鞋，二胡等東西；同時復巧立「結婚費」，「出差費」，「娛樂費」等名目，大吃大喝大玩，任意開支，揮霍無度。每一區共幹只要報銷，即隨時可辦。要結婚，即可領到二百萬到五百萬的「結婚費」。結婚後，可以帶着「愛人」到漢口去玩，住大旅館，吃大菜，買自用品，均可拿單據以「出差費」報賬。數目大了，則可分一部份報「娛樂費」。這僞副區長王克忠，根本還沒結婚，但早已將所謂「結婚費」，「出差費」，「娛樂費」等一次預支了五千萬，帶着一個七娼到漢口、上海、杭州玩了一個多月。現黃陂各區共幹都在貪污浪費上作比賽，誰用錢最闊，誰就「最有辦法」。如買自行車，各區都要買二三十部，有些山地連行車的路也沒有，齊願買來鎖起放着不用，說「不買是傻瓜」。

講到婚姻問題，男女關係，黃陂縣共幹更胡幹亂搞。一般「老幹部」，換了三五次愛人，是最尋常的事。什麼「通過組織」，「顧及立場」，什麼「注意影響」，他們早已視爲官僚文章。王克忠還敢大胆包天，竟和中共指爲大惡霸，大地主，並曾任過國民黨的某師政治部主任鮑某的女兒談戀愛。王拿着被中共已判處死刑尚未執行的「反革命」份子的名單，向鮑某徵求意見，看該殺不該殺，不該殺的，王拍胸膛說，他可設法爲之洗刷。僞武湖區區委書記焦希德同地方上剛被鬥爭得頭破血流的「惡霸」徐文齋的女兒結婚後，第二天就把老丈人徐文齋放出。共幹們竊竊私議：「徐幾天換鬥爭，幾天當太太。」僞法院院長王雲岫半年內和十四個婦女發生關係，來來去去，像走馬燈，眞正實行了「一杯水主義」。

這些都是僞縣長劉振岐帶頭示範，當然就不能制止下面的貪污浪費。因此，地方糧變成了「萬金油」，下面要什麼，什麼，予取予求，隨便開支。等到上面要「公糧」的時候，縣裏卻繳不出來。而劉的阿飛作風，反而變本加厲。他的愛人，經常都在一打以上。他的老婆，偶對劉的行爲講兩句話，劉輒施以毒打。最近，劉同僞縣府一個女幹部梁通芬的打得火熱，劉妻怕丈夫被上面「檢討」，要他注意一點，劉不但不聽，並把她打得死去活來。當地報紙對這事略加批評，劉即追查寫稿人，並要停止該報發行，同時並要僞縣銀行行長給講閑話的人以警告處分。這是黃陂一個小縣份的共幹們作歹作惡的情形，這樣的情形，今天是滔滔者天下皆是也：我們且等着看中共如何下場！（懷民。十二月二十日寄。）

廣東中農當權 右傾共幹撐腰

【廣州通訊】廣東的「土改」進行雖久，成效很少，由于現實教訓，擔任「土改」工作的共幹，思想上都紛紛右傾了。這裏且舉一例：

廣東新會縣第三區周郡村，總人口是二千零二十八人，農業人口佔一千七百人。在「鬥爭」前，有核心分子二十二人（均係共幹），僞農協會員一百二十人，中農當權。不料展開鬥爭以後，脫離「隊伍」而開小差的人一天天增加，到目前僞農協會員祇剩四十六人，核心分子祇剩四人。因爲幹部思想右傾，什麼會都是中農當「代表」當「組長」。有人問共幹：「他們是中農啊，爲什麼你們要偏向中農呢？」共幹很爽快的答復：「什麼中農不中農，我祇曉得他們的生活和貧雇農沒有分別，我們是大公無私的，怎能偏向誰？」周郡村前後鬥爭了九十二次，鬥爭了地主一百○三人，得「果實」穀三千担，但有百分之八十以上是從鬥爭中小地主得來的，被中共指爲地主階級如謝文帶、謝國明、蕭亦江等，因有思想右傾的共幹撐腰，始終沒有被鬥倒。

元山里的貧雇農主席團的謝業相，連自己的一顆小圖章都丟到河裏去，並堅決表示：「我不參加主席團了。」我們看共幹的思想漸漸的右傾，就叫人會明白廣東的土改是硬來的，不是人民情願的。（秀山・十二月廿日寄・）

陸季平色胆包天頓起橫心 吳娟被害虎丘山慘絕人寰

【蘇州通訊】近來此地正流傳着一慘絕人寰的事件，就是吳娟女士被慘殺於虎丘山麓。吳娟的丈夫王少雨，是蘇州人。夫婦倆開了一家水菓店，生活尚稱舒適。誰知好景不長，婚後不到五年，共匪竄來了，從此生意一蹶不振。王不得已，索性拿起扁担和籮子，在火車站上當挑夫。

共幹僞區長陸季平，少時與王交情頗厚，聽說王的生活很艱難，時常來看他。見王妻貌美，不懷好意，時加調戲。吳因他爲自己丈夫的好友，而且又是「解放」人員，不敢惱他。一日下午，陸又來王家，知王外出，企圖對吳娟無禮，吳堅決反抗。恰巧此時王從外歸來，見狀大怒，將陸痛毆一頓。

一天上午，當京滬特快車一列到站後，有僞蘇聯顧問，手提皮包，領着幾個隨員，大步邁出火車站。突然有塊拳大的石頭，從空飛來，正擊中那個顧問的頭，頓時昏倒地上，血直流。陸得來了報復的機會，於是他將王抓了起來，硬說這事是他幹的，並將他關入黑牢去。陸復調戲吳說：「只要你能允許與他離婚，而改嫁於我，我定有辦法救他出來。」吳明知是陸的鬼計，可是爲了救夫心急，就詐允了他，等丈夫出來，再作他計。三天後，那個顧問因流血太多，不治斃命，王就被判了死刑，而慘遭活埋。她哭得死去活來。陸此時又去調戲她，她恨極了，心生一計，遂假裝答應，並要求他親自下廚，作了幾樣佳餚，供陸佐餐。陸一嘗，不一會就死了。吳知大禍臨下，連夜收拾行李，到鄉下去投奔她的姨母去了。

一日，共幹下鄉催糧，發現了她，遂將她帶返蘇州，結果判處死刑。晚上由三個匪兵押解她到一座山下，叫她自己挖坑，準備將她活埋。誰知挖得深不及尺時，忽然天降大雨，匪兵倉促將她推倒坑裏，掩些泥土，就跑開了。因爲掩土不多，被雨水一沖，土皆冲去。她用力一撐，爬了起來，乘夜搭車到上海去。

不料車抵崑山，又被共幹發現，押返原籍。途中又被匪兵強姦，匪兵恐她回去向上峯告發，用槍擊斃了事。（漢超十二月十九日寄）

照照這面鏡子

·尚方·

這兩年來，在報章雜誌上，看過了不少的文武人士在大陸投誠請降後，被動或自動而發表的坦白自虐文字，除寄予悲憫心情之外，發現其中也有可注意之點，即同是自虐自賤之詞，而其肉麻姿態，却與其過去所以得勢成名之道，相映成趣，以發人猛省。如現在「華北人民革命大學政治研究院三班四組」受訓，大寫其坦白文字的前山東省主席暨北平市長何思源其人，便是標準的特例兒。

數月前，他曾經寫過一篇清算受訓之文，把自己怎樣無恥的利用武訓來求升官發財的醜態，描繪得淋漓盡致，還要自詡爲世人所未得知的珍聞哩！最近他又發表了「批判我的反動統治思想和行爲向人民低頭認罪」的洋洋大作，更把自己當年如何挑撥韓復榘與國府間的是非，又如何出賣「韓青天」，如何想方法「向上爬」，弄到省主席地位的經過，說得維妙維肖，眞是如聞其語，如見其人，在千千萬萬的坦白考卷中，可算是掄元之作了！

何思源這類人過去之所以竟能騰達，居高位，乃全憑他那裝扮得天上少有，地下絕無的一副「忠貞」臉譜，和一套特務行爲，知識不到，幾是胸無點墨；只有搞小組織，他現時的無恥表演，正是他過去那套無恥本能之延續而已，奚足怪哉！

何思源個人不足惜，但藉此可以領悟神州陸沈之所由來。無論時代到甚麼程度，主義談到怎樣美好，如果在政治上不講人格，不尚氣節，不立品，而謂其能立國興邦，吾斯之未能信也！大家要反抗俄帝，復興國家，還須隨時對鏡何思源這面鏡子，照照吧！

自由談

奇利奧上士復職記

從一個共產黨徒的自新，看民主自由國家的風度。

·優游節譯·

三十三歲的奇利奧 Leo Kaye 上士，正在舉杯和太太慶祝結婚週年紀念，忽然電話響了，他拿起了耳機，竟爲突然而來的噩耗呆住了！原來是三藩市陸軍副官處通知：因爲他有共黨嫌疑，而受到撤職處分。

新的軍法；凡有色彩可疑不穩的軍人，是可以撤職的。當局突然對他懷疑，其實並非虛枉。奇上士生長於共黨家庭，是有案可據的，但是他是否仍然有黨的關係？却無從查考，不過他爲人倒屬忠實。

對於他的職位和前途的唯一補救辦法，就是他自己能夠提出積極證據，來辯白個人對於共產黨的信仰，業已轉變，並能提出對國家確具忠誠，而經陸軍部長認可，繼續復職。在無可如何之際，趕忙由加州乘搭長途汽車到五角大廈，希望能晉謁部長。

抵達了華盛頓，找一家小旅店住下，打一個電話給波令少將——副總參謀長是最高的情報人員。

「我是三藩市被撤職的奇里奧上士，」話裏說：「接電話的值日人員，一個鐘頭後給他一個電話說：「你如果方便，請在明天上午十點到五角大廈來吧！」

第二天，奇里奧按時到了五角大廈，傳達直接帶他面見波令將軍，當他面對着這位服裝齊整儀態端莊的將軍，他侷促地覺得喉頭乾澀。尤其是望着自己身上那一套摺縐的便服，更覺得窘迫難堪。將軍寒暄了幾句，請他坐在皮椅子裏，然後請他從頭詳細的解說。奇里奧先由他的家世說起：

「我的父親本籍是俄國人，移居布魯克林，編製假髮爲業。一九一七年生了我一個獨子，父親常常有馬克斯的想法，以爲宗教是麻醉民衆的玩意，所以家庭中缺乏宗教的信仰。同時他也無緣無故地憎恨他的老闆們，罵他們是「資本主義」。我十一歲的時候，他把我送進美國少年先鋒隊，後來我知道這裏面摻和着共產的宣傳，指導人全是馬克斯主義的信徒，目的是訓練出一批赤色專制的爪牙！

到了夏天，我參加了兩個星期的夏令營，差不多有一百多個小孩子，天天早上昇起紅旗，對旗宣誓。晚上大家扯開嗓子唱共產歌。這樣營中生活，簡直就是把一羣小孩子，用欺騙強姦的陰險手段，來做成結黨的陰謀……

到了十五歲，我可以加入共產青年聯盟會了，開會的時候，我發揮演說，派發傳單，煽惑失業的人們暴動！……事實上做的是搗亂的工作，名義却叫做左翼聯合組織委員會……」

將軍點一點頭插口說：「那麼難道你不讀書嗎？」

奇利奧接着道：「整天要攪這些課外的活動，我怎能唸書呢？我進過兩間高小，都被開除了。沒有辦法，後來改進一間大東工的「解放學校」，他們鼓吹所謂「自由」，以致我立志成爲一個新聞從業員。後來我果然進了「工人日報」擔任寫作，在這張報紙所學得的心得，就是怎樣歪曲事實製造新聞！

在這赤色宣傳工作之後，每次參加任何社團的聚會，所有的人對我都扭轉而不睬不睬，等我明白了人們爲什麼厭惡我的原因，我開始想擺脫赤色的羈絆！在街上走的時候，看見有說有笑的人，我更覺得我是不齒於人類了。這全是那野蠻殘暴的共產主義把我和人類隔離，試想一個人而不被別人當做人，是多麼難受的事！

我有幾個同黨，曾到蘇俄去學機械工程，他們回來之後，談起在俄的經歷見聞，不獨他們醒悟了以往之非，連我也開了眼界，恍然醒悟！這時我已經二十一歲，想來想去，決心借了一筆債，到西部進威斯康生大學進修。到這時候，我總算擺脫共產黨的羈絆，而踏上重生之路。在大學裏漸漸明白華盛頓，林肯等偉人們的偉大，不由地自己覺得自己是這樣自由的國度的一份子，是多麼的榮幸！」

他說到這裏，歇了一歇，沉思了一會兒，繼續說道：

「有一天，在威斯康生大學裏，一個共黨小組來拜訪我，我見了他們像見了鬼！怕再惹上麻煩，躲避他們。一離開了，一個人無所事事，精神上自然會感覺不安，恰巧第二次大戰爆發，就跑到加拿大從軍，當一名機槍手。

珍珠港事變時，我正隨軍在英倫，一聽到這個消息，第二天就請調回美軍工作。我能成爲自己國家的軍人，比任何事情都光榮和興奮！我的新任務是替軍用廣播編排節目，還有時到前線擔任軍中戰地記者。」

波令將軍望着他的臉，指着他的鼻子道：「你鼻上的疤痕，是不是在戰地時受傷的？」

「不！還是在倫敦空襲時一片炸彈破片劃破的！」奇利奧摸一摸臉內鼻子：「到了一九四五年，我退役了，跑到了好萊塢胡混了一個時期，到底我還是喜愛軍隊生活，過了兩年我又再參加軍隊……」

這時忽然有人進來，要見波令將軍。將軍祇好邀約同僚出去，奇利奧偷眼一望來客，肩章上赫然三粒金星。歇了一陣，將軍回來了，笑道：「我們談到什麼地方了？」

「剛剛說到好萊塢了！我正想着，像我現在能和你對坐着細談，以爲是在好萊塢電影裏纔會有的事呢！」

將軍笑了。「一個弟兄來探訪我，總比我想去看他們容易些……你往下說吧！」

「一天晚上，我邂逅了一個金髮女郎，大家很相投，我悔恨我曾參加過共產組織，就告訴了她，想不到她竟說道：「你爲什麼不早說呢？現在我們深深墮入了情網，說也遲了！」於是……我倆結了婚。她是虔誠的浸信會教徒，天天都祈禱。我們有了小孩子之後，我覺得爲彌補以往的過錯，也只有宗教纔能給我安慰。我跑去教堂裏懺悔。我已經完全明白，所謂共產主義，只是造成人與人之間的仇恨傾軋！並不是使人與人之間的精誠合作！

直到接到了撤職的電話，朋友們幫了些盤費給我，我就當夜搭上長途車趕到這裏見你！」

這樣他談了一個半鐘頭，波令將軍考慮一下，站起來拍一拍奇利奧的肩膊說道：「這件事我可不敢說能不能替你把撤職的命令收回，不過我希望你能有好的運氣！」隨而叫人帶奇利奧去見陸軍部部長麥尼芬將軍。

奇利奧最好能證明所屬長官出具一張證明平日品行確實優良！

奇利奧急忙給以前的長官顧蘭孟上校發一個電報，上校果然寄給他一封證明書，裏面最有力的一句話是：「余將力爭奇上士爲余所指揮之部隊服務。」

十五日後，奇利奧接到五角大廈的電話，當然火速趕去，不敢怠慢。奇利奧同時得了復職的命令。陸軍部派一輛汽車把他送到醫院驗身，在他再入伍的一紙委任令上，有一句附言：「忠誠可用」。作架軍用宣傳專員。從華盛頓上裝着士官，再到美洋地去復職！

論黃文炳（三）

——水滸人物論之三——

·舜生·

凡古今中外的小人，都不是沒有本領的，而且特別有一種小忠，小信，小聰明，能夠討他們主子的歡心；這種人的壞處，只在見小而避大，小人之最足以誤人家國，其原因即在於此。從前漢高帝對呂后批評王陵，陳平，周勃之爲人，他說：「王陵少戇，陳平可以助之，陳平智有餘，然難以獨任，周勃重厚少文，然安劉氏者必勃也。」像陳平這種人，本來是具得有一種小人的本質的，可是以一個了解人性的劉邦去用他，則能發揮其所長，而不至暴露其所短，可見小人原也不一定壞事，只要看操用人之權者的配搭如何，懂得配搭，即牛溲馬勃與敗鼓之皮，也往往爲良醫所不廢，不懂得配搭，則豈只小人不可用，就是君子人也，又何嘗不可以把天下弄得大糟特糟呢？

話說得太遠了，依然回到本題。當時黃文炳向蔡九知府解釋童謠，一下悟到「家木」與「點水工」是隱藏「宋江」兩字，不能不說是一種小聰明；他在潯陽樓上向酒保問明題反詩者的形貌，便斷定宋江是牢城的囚犯，也算十分精細；及至蔡知府叫了戴宗和牢城去提取宋江，宋江事前得到戴宗的通知裝瘋，黃文炳又判斷瘋是假的，却也值得佩服；等到宋江把供招了，蔡知府便叫戴宗攜帶書信和禮物到東京向他的老子蔡京去請示這件案子如何處理，不想戴宗却在中途被劫上了梁山；吳用見了蔡知府這封家書，便設計找着濟州的「聖手書生」蕭讓，和「玉臂匠」金大堅，由蕭讓仿蔡京的字體，由金大堅刻着一顆「翰林蔡京」的圖章，假造了蔡京的一封回信，叫蔡知府把「妖人宋江」押送京師，由蔡京親自審問，信尾上還說明關於黃文炳這次的功勞，早晚即奏明天子，不日自有除授。吳用這一設計的目的，在防止蔡知府把宋江就在江州處決，而要在押解的途中，把宋江救上梁山，用意是相當周密的。這封假信到了蔡九手裏，見是他老子的親筆，便深信不疑，準備照書行事；可是經黃文炳一加研究，却斷定這封信是假的，他的理由很簡單：一，當時蘇黃米蔡四家字體，人人可學；二，這顆翰林圖章，帖上也有，仿刻不難；三，老子寫信給兒子，決不會蓋一顆蔡京的諱章在上面。果然，一經把戴宗加以拷問，馬腳便全盤露出，於是決定把宋江和戴宗就在江州處斬。可是黃文炳和吳用鬥智，畢竟鬥不過這位「智多星」，當吳用打發戴宗帶着假書下山以後，他已立刻發覺自己的疏忽，「神行太保」既已無法追回，凡黃文炳所指出的漏洞，早已在他的意料中，他便只好調兵遣將到江州去實行劫法場的一着。其結果則宋戴被救出，蔡知府僅以身免，打破了無爲軍，黃文炳全家被殺，其本人也被活捉去剜了心肝，宋江經過這一幕，也才眞正跑上梁山了。（完）

萬竹樓隨筆（五九）

思想的白刃戰

獨秀領導教育委員會，於粵省教育很少措施，精神慾注于肚子裏計劃的實現，筆墨官司亦忙個不了。羣報已漸變成獨秀專有，與「嚮導」齊唱馬克斯神曲，他所吸引來的學生則日向青年團開實際運動，造成了他那一方有利的形勢後，便伺機與蒲魯東派宣戰。

蒲派根本否定權力，尤其痛惡政治的權力，許多人誤認爲與幾千年存在着的道家哲學同其消極，實則此派最熱烈作積極的社會運動，毋寧是托爾斯泰的無抵抗與甘地的不合作精神爲多。受了獨秀先生的啓發而興拳之青年，恭七蒲派份子一個會就叫作「蘇拳」，「蘇拳在老婆房間讀紅樓夢的社會革命者」，這代表了一般的諷刺和輕藐。馬教信徒再不能容忍的是當時幾十個富有力量的工會，流行着一句格言道：「團結就是力量，這力量要來擁護自己，不是爲擁護任何權力」。這使得溫和而比較有理智的敏諾先生也生氣了。他大叫：「反了反了，我們巴巴的到中國來，自己掉了嘴巴，然後投降，怎能夠再混下去呢！」。倭挺斯基也更憤了，非御駕親征不可。

於是一口氣由上海奔來，費了一週工夫，在他的「行轅」裏聽取報告，檢討一切，然後發下一度命令給他的「屬員」，着通知同人某日舉行會議。到那一天，華南區同盟半公開的辦事處作爲會議廳，負有任務的各人都齊集，惟陳獨秀預日托故離開廣州作短程旅行，避不出席。敏諾和皮爾西陪同倭挺斯基到會。入座後，倭打開公文袋，檢出一帙十四張紙用英文打字的講稿，抑揚頓挫地宣讀，讀了五十分鐘，住了嘴，坐下來聽候大家辯論。倭的講詞，前半是馬克斯哲學，列寧的革命方法。照他說來是放之六合而皆準的。後半譴責中國自由社會主義者，既與蘇俄革命工作者表面合作，骨子裏却百分之百爲安那其，故思想，言論和行動無往而不相抵觸。結論提出兩點：自由社會主義者放棄成見，絕對從同馬列主義者，不然則解散組織，各行其是。這邊沒有準備一個字書面的，只臨時一二人口頭申說。話是這樣的：中國自由社會主義者，早在蘇俄革命前二十年而存在，而工作；二十年來，全中國裏也未有過一個其他學派的社會主義者（民元二年有過江亢虎的社會黨，那只是拾取歐洲社會民主黨的牙慧）。如今所謂的合作，好比行路自廣州出發，我們目的地是北京，你們目的地是遼寧，則天津以下無妨攜手同行。滑稽點說，我們以爲行路用雙腳，你們以爲還用屁股，那就確不能向一路走了。好吧，反正我們前此二十年，後此再若干年，卑之無高論，實實在在是以最崇高的理想貫澈于社會教育而已。你們則要打搶劫殺爭奪政權的，我們今日才覺醒了前趨方向既相同則大半截路程，不妨結伴同行這迷夢。就此分手吧，再會。

辯論的時候，嚴肅而緊張，臨得決議後，來一頓豐富的茶點，大家談風景，談文藝，談美術，談女人，掉換過和樂的氣氛，沒有一絲兒的悻悻。

回想一八六九以後數年間，巴枯寧與馬克斯的理論鬥爭和實際鬥爭，始于倫敦，轉于日內瓦的國際勞工大會，即爲自由社會主義與國家社會主義的分水嶺，至一八七三年從海牙會議的瑞拉 Saint Imier In The Jura 會議召開，兩派遂劃然。廣州這一回拆姘頭勾當，可以說是運動史之一頁。

拆姘在十二月中旬，轉眼便是耶穌誕節，雙方客客氣氣，互相餽贈了一些禮物。聖誕之夕，敏諾作爲東道主，在東山寓所設起頗爲盛大的讌會，招請全體同人歸蹈歌唱，酒肉繽紛，相戒不提及黨派半字，大有今夕只許談風月之概。這使得倭挺斯基大領略中國智識分子的風度。這時候，正牌的中國共產黨已在娘胎裏作動，倭氏有產科師任務，亟須返滬，除夕動程，同人推代表江干相送。

解放別錄

俄製搖籃

·夫石·

羅斯福預言韓戰

加拿大總理金氏，頗相信「關亡術」，每次訪問倫敦時，必到一位關亡術士那裏，和他已死的母親交換一些訊息。一九四八年，蘇聯封鎖柏林，危機爭臨，金氏在關亡術士下，請羅斯福的靈魂幫助，把「世界會有無大戰」的問題提出來，羅斯福告訴他：亞洲才是他注意的危險地，並在兩年內，在亞洲的東京必有戰事發生，果然不出兩年，韓戰爆發。（力君）

自由人

THE FREEMAN

（半週刊每星期三六出版）

（第八十七期）

每份港幣壹毫

督印人：李光華

社址：香港高士打道六六號

電話：二〇八四八

GLOUCESTER RD. HONGKONG

TEL: 20848

承印者：東南印務出版社

地址：高士打道六四號

臺灣總經銷處

臺北市中華路一二五九號（臺北憲兵隊側對面）

新警覺與新願望

雷嘯岑

歲月不居，中華民國四十一年又肇始了。一年之計在於春，我們曠觀世界大勢，惓念國家民族，此時此事，除却[illegible]與個人的自由生存的。

而外，[illegible]

一九五二年內[illegible]界，自不會比去年好轉，也不至於壞不可收拾，將是冷[戰]高度化，軍備競賽的渾沌局面。合縱連橫的形勢，更見緊[張]熱烈，而強權政治支配反共世界，也[illegible]然積極反共[illegible]自由[illegible]反共的民主[illegible]在消極反共[illegible]界中，別人究竟是用甚麼眼光來看待？以甚麼心情相期許？大家，國際間過去一年以來所論調，「台灣問題」的[illegible]，即思過半矣。[illegible]華府杜[illegible]之會，[illegible]的最在運用強權政治[illegible]，以期[illegible]緩[illegible]政治效用，不管它是善意或惡意，抑是出於一時的權宜之計，但對遠東自由人民的災難，只有增加，不會減少。韓戰既要設法結束，則因此而出來的若干問題，大半都是對遠東人民不利的。人爲刀俎，我爲魚肉，能不怵目驚心嗎？根據歷史教訓，當世界渾沌未明的黑暗時期，必有若干弱小國家民族，在強權政治之下，[illegible]折[illegible]。然其中凡是有作爲，有辦法的，結果必先復興。第一次世[illegible]

[illegible]

[illegible]謀之能否實現，那就不是簡單的事，只要那有侵略作陰謀的國家民族，不妄自菲薄，自暴自棄，絕對不怕被別人出賣，能出賣的，只有他自己！

自由中國在一九五二年之中，一定要經歷若干憂患，遭遇若干風險，且將忍受若干閒氣，自是意料中事。當此黎明前的黑夜裏，大家如能堅定信心，鎮靜團結，不要六神無主，不要自亂陣營，自強不息，守死善道，誰能出賣我？誰敢出賣我？但所謂信心也者，既不是守株待兔，相信世界兩極化之大戰必然來臨，我們可以因利乘便，不勞而獲；也非望梅止渴，[illegible]

[illegible]

如此三年

梁冰弦

自由世界人權宣言第三周年，中國民衆被剝奪了人權亦將三年。人權重于生命。傷及人權者，萬衆之敵，人人得而反之，人人得而誅之。故爭的是人權，而不止是政權呀！

中共軍閥動于東北，至海南島也取到手裏，他們的「解放」戰鬥便竟全功。從那時算起，四億人民，另一悲慘命運，怨怨又將三年了，不要說眼淚滿江河，鮮紅的血也灑遍大地，人們只歎得一聲「浩劫！」。

當魅影憧憧自北而南之際，友人徐君便丟掉他的教授崗位，悽然話別英倫去，懷慶向我倚凭着九龍船塢的電燈桿相與縱談大勢。徐君說，平來老百姓够受了，如果新政權覺得像口氣，多少給一點革命的價值？如其不足以慰衆望，或且變本加厲，中國人最後靠天。順天者昌，逆天者亡。聖人的話太妙了。天視民視，天聽民聽，所以可說的說是天，畢竟是人。他們若倒行逆施，即自掘墳墓，我們正不必過[illegible]悲觀吧。這些話固然含有真實性，亦復傷別的慰藉語。

我却說，現代世界自有赤色帝國以來，證明現代還一樣可以憑暴力把握政權的，而且現代的暴力，可能使到民間一根竹竿也沒有，除非將血肉去餵坦克大砲，要揭竿也無竿可揭，那麼逆天的不見得快快就亡。雖然歷數十年以至數百年的黑暗時期，在歷史還算是極其短暫。但以人壽來講，奴役可能及于我們的子孫曾元。國家民族又更成爲甚麼個樣兒呢！唏噓一陣，汽笛嗚嗚，揮巾而別。

昨年十二月十日爲人權宣言第三週年，才省起我們的人權慘遭剝奪亦正三年，不免悵觸，申說爲好自由爲其天性，與我拉丁民族，說爲快。

中華民族文化傳統中的人本主義爲近。盧梭之天賦人權說乃其民族性的結晶，國家觀念膨脹起來，揭櫫民權，盧梭理論飄被日爲淺狹陳舊。尤其我所接觸的馬克斯主義信徒，鄙夷社會契約論，恨不投諸垃圾桶。區區要說，一向以爲法國革命的人權宣言，正與費拉特費亞的獨立宣言同其不朽。「國家」這個東西原爲抽象的，幸而力張「民權」，始不盡讓人窒跪倒膜拜。若甚本人權一手抹掉，那麼民權也無從說起。這理論上的官司，我不辭鄙陋，向所力爭的。

二十世紀過了一半，兩次大屠殺，人類文明幾于未嘗毀滅，乃有聯合國的組織。顧視寰宇，痛定思痛，則「人權委員會」，由羅斯福夫人領導着工作兩年，然後草就國際人權宣言提交一九四八年九月在巴黎召集的聯合國大會。這一宣言可以說是世界歷史上第一個國際人權法案，聯合國會員國都簽署，只有蘇聯、南斯拉夫、烏克蘭和拜俄羅斯除外。

這一來，世界雖然未曾有過一天免于黯晦，却總閃耀着光明的一面。不管怎樣的國家，即是公然反對人權，亦即表明他的蹂躪人權的一貫作法不得矯正，非所顧恤的，自由世界，怎麼叫正義，捍衛自外于聯合國防衛，而促成自由國家不得不汲汲于聯合防衛。這三年來的國際緊張情勢大半由此成。而一面閃耀着光明一面展開那暗澹的三年，以暴力統治蹂躪人權爲事的惡勢力向東方膨大起來，籠罩着全中國，震懾東南亞，正爲人權的最大威脅。

自布爾什維克獨攬蘇俄權力，三十年來，人權的施爲，已昭昭在人耳目。而蔑視人權的中共，亦步亦趨，有些做作爲然，一面倒的中共。這由于中國民衆政治意識的短淺，屈伏于權力還未伸舒，短本來格外淺薄。人權的剝削來得容易淨盡。暴其犖犖大端來說：

我國人從來最大的自由無過于擇業，中共僭竊政權後，國人還得保此自由嗎？最專制的朝代，個人還絕少受到武斷的逮捕，拘囚，放逐。幾曾見有集體捉來，並且幾處死，鬼把戲的控訴公審，一殺往往十百千人，甚他還有所謂人民法院，有新所謂[illegible]居住，又是起碼的人權還[illegible]安南人不及此苛細繁密。通行證，法蘭西人管治也不要，數月來各縣鄉鎮，一律打禁。食的，人民無罪，還有幾文活命錢就是罪名，吊石子，晒太陽，跪石子，等等，與虎謀皮，還說到思想自由言論自由，直是妄想了。

四億人的人權，在世界上許多國家競競保守奉行着宣言法案的三年中，剝落至于此極，顯見得這個地球，一面向光明，一面埋于黑暗。而這黑暗再給暴力支持多少個三年，倒難想像。固然將來在歷史上還是一個短暫的糟糕時代，可是無數的無辜犧牲者何處叩閽呢！

現在還有些未感痛癢的人，以爲致力于反共的只不過爲爭政權，這真無知的人，只在可憐之數。可怪的是誰說確有一心一意爲爭政權方才有事于反共的遠一輩，似乎反共也只許「包辦」，這不能不說是妄人，而在可恕之列了。我今正告妄人，人權重于生命，傷及人權者，萬衆之敵！人人得而反之，人人得而誅之，故爭的是人權而不止是政權呀。

聯大開會于巴黎之際，社會委員會又在起草一國際人權公約，一屬于公民權和政治權，一屬于經濟權和社會權。羅斯福夫人並主張人民自決權列入公約之內，且適用于全體聯合國會員，不僅屬于批准該公約的國家。我三年來喪盡人權的大陸同胞，對此作何感想？只着眼在政權的反共者可知道要把眼孔睜大了？

一九五二年展望

陳仲騫

[illegible]

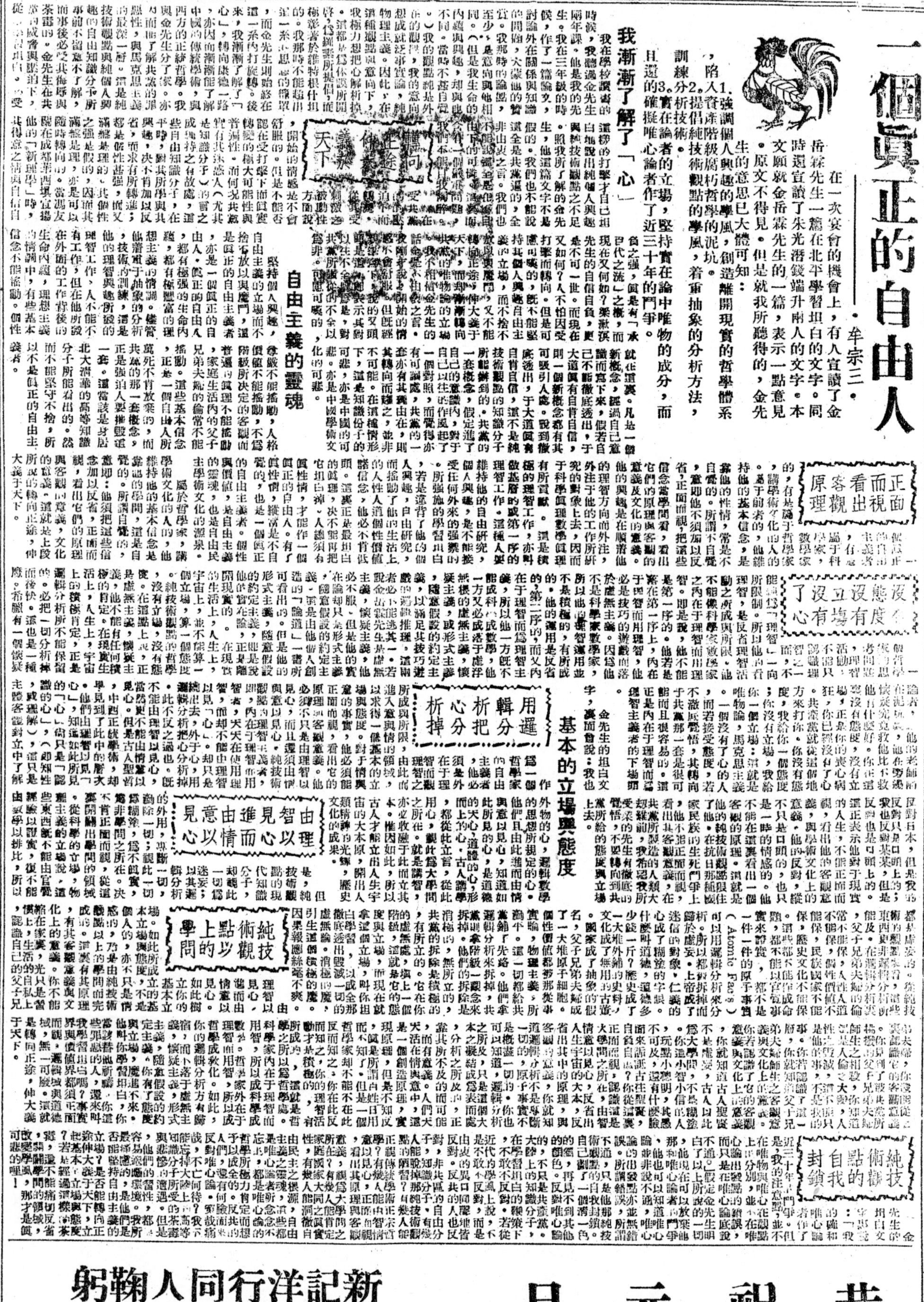

一個真正的自由人

・牟宗三・

在一次宴會的機會上，有人宣讀了金岳霖先生一篇在北平學習坦白的文字。同時還宣讀了朱光潛錢端升兩人的文字。本文願就金岳霖先生的一篇，表示一點意見。原文不得見。但是就我所聽得的，金先生的意思已大體可知：

1.強調個人與趣的學風，創造離開現實的哲學體系，陷入資產階級腐朽的泥坑。

2.提倡純技術觀點的哲學風，着重抽象的分析方法，訓練人分析技術。

3.實在論者的立場，堅持實在論中唯物的成分，而且還的確擬唯心論者作了近三十年的鬥爭。

我漸漸了解了「心」

我在學校讀書的時候，我聽過金先生兩年課。他是我的先生。我在三年級的時候，作了一篇論文，討論外在關係與知識的問題，大蒙他的贊賞。我那時的論點，……

自由主義的靈魂

基本的立場與態度

天翻地覆的土地改革

中共開始向中農開刀

最後要清算貧農鬥爭貧農

使個個離開他們不能生活

據最近由鐵幕逃出來的人說：現在大陸各地那些被列爲富農地主階級的人，已經殺的殺了，剩下少數的，也都掃地出門，沿門求食。每天上下午，他們要到「鄉政府」報到聽點，但「人民政府」層出不窮的「捐」「獻」，他們算是脫離關係了。現在一切的負担，已落到中農階級的頭上，獻機獻砲，完全由中農階級及市鎮上的商人担任。每一次捐獻，起碼就是幾百萬元，限期交納，急如星火。假若逾限過期，便要受着嚴重的處罰或加倍的捐獻，因而被逼倒的商店和被逼死的人命，所在皆見。共產黨把以前對待富農和地主的殘酷手段，現在用來對待中農了。……

原是一個一個地解決

在說這話的人，似乎對中共這種作風表示驚異，不知這正是他們所謂「有計劃，有步驟」底各個擊破的一慣策略——一般人民太天真，把牠們當人，同時也太不警覺。不見棺材不落淚，進了棺材却後悔不及了。

共產黨對所要宰割的對象，不是同時開刀的，是一個一個地解決，因爲同時開刀，牽涉的範圍太大了，阻力太大，不易達到預期的目的。比如「土改」的眞正目的，是要將土地收歸國有，辦集體農場。蘇俄老大哥早已那樣辦了。牠們爲要奪取地主富農的土地却高唱「耕者有其田」，以博貧農的歡心。並且牠的土改政策有一個明顯的指導原則，即是「依靠貧農，團結中農，孤立地主和富農」。兩年來，牠們大翻地覆的「土地改革」，已經將地主富農剷除了，現在開始向中農階級開刀。這正是牠們的預定的進度表，順理成章，不足爲奇的。

最後要鬥爭貧農

等到中農「解決」了以後，中共的鬥爭，清算是不是終止了呢？還沒有。難道要向貧農開刀了嗎？對不起，正是。牠們要搞到使個個人活不了，使個個人離開牠們的政權不能生活，絕對的和牠們做牛馬砲灰到底，才算是合乎要求。這在「老解放區」已是行過的了。讀予不信，我們將一九四七年三月十八日國軍在山西汾陽縣傳獲文件中的中[illegible]錫山著：世界和平與世界大戰（二九頁），摘錄於左，還是牠們「坦白」的招供：

「我們的革命，目標，是要解放世界，這種任務是如何的艱鉅，我們解放了中國，即可能惹起美英等帝國主義的聯軍進攻。我們那時必須運兵帶人民及物資一齊向後撤退，使敵人一切不知，然後我們退到相當的距離，斷他的後路，困斃敵人，我們才能應付帝國主義的進攻。到那時，我們的人民中，不，只不要一個反動的人，不要一個中立的人，就是同情我們的人，亦不可靠。我們必須使個個人離開我們不能生活，我們才能使他們同情我們的政權，才能不洩露我們的眞情，亦才能不洩露我們的底。如果不清算貧農，貧農能自己靠自己生活，到了帝國主義進攻時，一定會動搖，這樣的貧農至低限度，亦是一種中立心理，我們必須清算貧農，才能保證我們的最後勝利。至于清算貧農，不要用特別的辦法，只是說明人民解放軍是爲人民作戰，不比上前機的人民，應該負担公糧。如果要了今年的公糧，他還有食糧，再向他追要去年的；要了去年的，他如還有，再向他追要前年的；要他不能生活了，一面救濟他，一面給他分配生產工具，使他的生活和我們的政權連繫在一塊，他才能同我們奮鬥到底」。

共產原來就是共慘

我們把共產黨兩年來所做的和上面所說的連繫起來，就無法否認「共產」是一點不假的「共慘」了。不過誠如一般人所述的，中國人倒似麻木的太多，不打到自己的身上不覺悟，不身臨其境總是不肯相信的。當共產黨佔據東北和西北時，東北人不覺悟，不相信。未渡長江時，南方人不覺悟，不相信。完全佔領大陸後，台灣人不覺悟，不相信。也可以說當牠們鬥爭地主富農時，中農不覺悟，不相信。現在鬥爭中農時，貧農還是不覺悟，不相信。共產黨眞正就是這樣地在一般人的麻木情況之下，得到了牠們的「偉大勝利」。（周作傑）

西南游擊隊如火如荼

我地工人員取分進合擊手段

中共弄得手忙脚亂焦頭爛額

【重慶特約通信】西南各地反共情緒，近益如火如荼。現雖爲中共規定之「民主改革大檢查」時期，然反共人民之破壞活動反日益增多。西南各地的游擊隊，一天天在壯大了，同時採取了與地工人員公開與秘密，合法與非法，內部與外部，分進合擊手段，處處搞得中共手忙脚亂，焦頭爛額。在今年下半年，僅中共西南經濟部門即有一百四十六件破壞案發生。據中共比較重大的事件有：在成都，大某一「有重要任務」的飛機，當降落時，爲我地工人員以炸彈一枚，放在跑道上，將之炸毀。在沙市，本月廿二日，我地工人員乘沙市廠全體共幹與工人往開「慶祝」史太林七十二歲生辰大會」時，以定時炸彈炸毀該廠，計燒去棉花兩萬三千斤。當場破執，北烈牲等，又沙市丙字棉花倉庫及工建小學，本月十六日，亦爲我地工人員放火焚毀，三萬餘擔棉花盡付一炬。在重慶，龍門浩隆茂倉庫本月八日爲我地工人員放火，焚毀軍用色布十二萬疋，及棉花四十八萬七千斤，其他軍用物品甚夥。又豫豐紗廠今年九至十二月間曾連續被我地工人員破壞十七部機器的鍵絲針布，十五部馬達。又川北岳池縣一大倉庫，本月三日爲我地工人員放火，焚毀公糧七萬斤。又我反共救國軍部隊兩千餘，近曾突襲渝市南桐煤礦，經大破壞後，現中共已無法進行工作。又川南自流井鹽管局修械所及貴州鐵礦公司兩重要職員李××、張××因爲我預伏之地工人員，本月中旬，在蓉得「極機密」文件三份及僞幣十五億後，即不知去向。在雲南，僞個舊錫業公司，爲我地工人員以鏹水腐蝕鋼索等化學藥品將其重要機件徹底破壞後，並炸死工人十八名。現昆明市郊兒童，多爲我地工人員組織爲大刀隊，小刀隊，棒棒隊，結婚隊等，散傳單，撕標語，行動活躍，共幹已感防不勝防。刻中共雖大聲疾呼，要檢查僞機關，僞企業等各部門工作，並要共幹們做好經濟保衛工作，但得不到廣大人民擁護的強盜政權，今日處處已佈滿了敵人，還要是絕對守不住山寨的了。（巴士十二月廿四日寄）

蕭英「共惡」威風十足

公立醫院就是我的醫院

混賬！你吃誰的飯呵！

【信陽通信】梁山泊的朋友們，出身是強盜，坐起江山來，自然也丟不掉那一付強盜的嘴臉。我們看僞信陽專署公安處長蕭英，僞秘書主任賀榮這些特權者的威風行徑，眞是「小人作官，挺胸凸肚」，這話用在他們身上，是對勁的。

蕭英是「老幹」，現任河南僞信陽專署公安處長，因長期奔竄，胃病時發。日前因胃疾又有點不舒服，馬上便條叫該區公立醫院院長劉普卿即來診視，恰巧那天病人多，院長忙得團團轉，他遂婉轉告持條的勤務員，等查過當時住院及待門診的病人再去。來人是很曉得「處長」脾氣的，當即厲聲向劉：「不行！你究竟去不去！」還沒等答復，他又接着說：「你到底不去嗎？」「好！」勤務員走了沒一刻鐘，捉人的衛隊車來了，劉遂被連拖帶拉送到僞公安處。時蕭正與人握手談話，面色紅潤，並無大病。見劉到即破口大罵：「混賬！你吃誰的飯？公立醫院就是我的醫院，我看病都這樣難，其他人更可想。你要留神點，再這樣非砍頭不行。」經多人勸解，其事始寢。

蕭的「愛人」魏立也是共幹，最近因孕待產，留住該院，嫌房間不好，要調一個。時適全院人滿，無法調換。蕭大氣，認爲劉誠心搗蛋，於是深夜微服到院，傳達因不在探病時間，也不知他是「公安處長」，就請他明天來看。蕭大發脾氣，飛步上前，給傳達李書鎮兩個耳光，打得牙破血出。特權階級的威風，總算擺得夠了！（陽民）

唐孟瀟長沙會見記

時屆歲暮，峙立在湘江邊緣的湖南省會——長沙市，正是初雪紛飛，街市上的行人，都顯出特別異樣，寒縮的樣子，沒有一點生氣，只有那些軍用吉普車，在雪裏飛馳，揚長來往。

我因爲在「解放」以來，飽嘗了鐵窗的味道，時時在死亡和饑餓線上掙扎着，出坐了牢，又出來，出來後，又被抓進去。爲了一些僚屬的關係，在剛恢復自由的當兒，去找一次唐孟瀟（生智），探探到底是否完全沒有問題了。因爲他是「湖南省人民政府」的副主席之一（共有五人）；於是，我在寒流襲擊的行人羅中，走向司馬里唐公館去了。

我向守門的「解放軍」武裝士兵，說明要見主人。一會兒，回話來了，可以會晤。副官帶着我向裏面走，剛走進會客室，唐從室裏出來了。與他的消瘦的面容，與他的長長身軀，是顯得不相稱的。他穿了一襲長棉袍，伸出手來，笑嬉嬉地和我握手，要我坐在沙發上，對面而坐，談話就開始了。副官退了會客室，我抬頭望了一下左牆壁上掛的一幅毛澤東像，邊緣題有「孟瀟兄惠存」字樣。

他劈頭問道：「你什麼時候由東安（唐的家鄉）來到省城的呢？」「前天。」我說，「東安情形還好嗎？」「唉！副主席是知道的啊！」

他聽了我這句話後，垂下了頭，表示着一種悒鬱的形色，說：「東安和其他地方相似，因爲抗美援朝以來，人民政府要鎮壓反動派的活動，措施當然要緊一些的，殺人是免不了的！」

我體了他的這幾句話，感覺到他內心的苦悶，說起話來吞吞吐吐，沒有以前那樣談笑風生的樣子。我述及這次爲了自己的生命安全，決定南下，並問他對這個決定的意見如何？他只是連說：「很對！很對！」當我告辭走出大門時，守門的「解放軍」士兵，向我行注目禮着。

唐孟瀟在長沙很歡喜打麻雀的，但在長沙兩年來，對于這門玩意兒，他是無暇問津！只是坐在家裏，開會，或陪席參加。他的四弟唐生明客×萬×港，老三（三弟）亦在×港，從未回大陸去。東安一帶的舊部，北伐時前代省長周瀾，則被充軍西北，周弟郡陽議長周濟郵，「公審」時喪命。唐家退租減押，暗地出錢，和佃戶去料清，地方捐獻，也得出。房屋被分給貧農住了。「解放」以來的唐生智，也有悔不當初之感了！（張百弼）

香港三日續紛錄

香港電車公司資方提出新約，限於本年元月元日實行，但勞方遲遲不允簽字。資方說，大半工人都願簽字，但爲少數威脅挾持，未敢簽字。勞方說，每週工作時間，雖由五十二小時改爲四十八小時，底薪縮减，但不能塡補實際上的損失。資方拒絕與工會談判，但經此間日來勞工司不斷從中調解，電車公司總經理莊士敦已允與工人中的代表洽談，以謀一折中的辦法，深信新約實現暫將延擱，可勝順利和平解決。

×　×

國際性的兩航産業訟案，廿八日在香港高等法院最後一審判決，由上訴庭法官高級副按察司鍾德和及副按察司蕾勞司宣判。宣判主文稱：陳納德爲董事長的美民航運輸公司之上訴駁回，維持正按察司侯維爾爵士之原判。是日法庭滿佈武裝警員，戒備嚴森。但共方竟無一人出席，但據出庭之民航空運公司之發言人麥樂當表示該公司決向英庭上訴。

×　×

香港勞工顧問委員會工人代表任期屆滿，廿八日改選，到有職業社團代表六十餘單位，由勞工處主任蘇雲出席主持，當衆開票選出馮海潮，何康獲選蟬聯。據馮氏於當選後發表談話：今後當一本各社團之指示，努力爲工人弟兄謀大衆之幸福。馮氏說：今天許多勞工弟兄都已漸漸覺悟，將不再爲人所欺愚了，所以聯合起來。

×　×　×

旬前巴士對東方一場足球賽，巴士隊健將吳祺祥，在下半場內因撲救過勇，評判員認爲有意傷人，犯規離場。廿八日足球總會出動專家多人，詳細審判，錄取雙方「口供」，經合議後，一致認爲吳祺祥有「傷人罪」，判停賽九個月，至本年九月三十日止，方可恢復球賽權。查上項處罰在香港足球史上尙屬最嚴者。巴士隊以吳品性良好，決提出證據，提請不服之訴。不少球迷均盼吳祺祥能「宣判無罪」。

女兒，他更是痛罵「混蛋壞女人」不已。

×　×　×

大家有飯吃有工做的社會主義，而不是共產主義。

吉田祇學會邱翁的外型，而沒有邱翁內在的深淵。

日本九州大學政經學教授岩崎直一博士二十九日由東京經港赴歐，轉往英美，考察世界政治經濟情狀。他說：戰後的日本，在政治上走向民主是一個極大的轉變，一般中層階級的人，思想上走上社會主義的階段是日趨明朗。但日本人要的，只是大家有飯吃有工做的社會主義，而不是共產主義。他指出日本知識普遍，共產主義是不容易站穩足根的。在經濟上，他說有許多企業仍未恢復一九三七年時代，但也有不少企業確已超過一九三七年時代之生產水準。岩崎對於吉田的作法，並不完全滿意，他說：吉田只學會了邱吉爾的外型，而沒有學到邱翁內在的深淵。對吉田望，甚爲仰慕。

×　×　×

日本自由黨議員村瀨信一二十九日由東京赴英經港。他說：日本人民面臨現時局勢，已深感政治上之負担，不但深重，且應付相當困難。他認爲目前日本人民最需要的是安定國內民生。日本人民除希望有一枝獨立自衛的軍隊外，對日美雙邊協定及所謂軍事同盟，並不感覺興趣。日本人民實不想把自身捲入第三次大戰的漩渦內，對中國大陸貿易一事，他指出如果不能辦到，日本將無法生存。日本願意運機械到中國大陸上去，換取大陸上的煤與鋼鐵。村瀨爲劍橋學生，能說一口流利的英語。

×　×　×

阿根廷首任駐港領事孟狄德，抵港後，將在中區設領館。孟氏復兼任駐台北，東京及釜山三地之總領事。他說他大約在本年一月中赴台北履任駐台總領事之職務，並拜候台省當局。他希望能有一機會拜會蔣總統。他說阿根廷的人民對蔣氏之[illegible]（一戌）

新歲兩願

・尚方・

杜魯門先生曾說：一九五二年是最危險的一年！怎樣的危險法？他沒有說明。但以他這樣一個領導民主世界的政治人物，說話決非毫無根據的。

杜總統常常告訴世人，說他的一套政策，是為的避免世界大戰，維護和平。那末他在一九五一年之中的所作所為，一定大有助於世界和平了，為甚麼又說一九五二年是最危險的年頭呢？其中必有助長危機的因素在，才使他發出這種警告來的。

我為新歲和平，達成杜總統的「非戰」政策計，當茲「最危險的一年」開端肇始之際，謹以至誠，提述兩點願望如右：

籲請英美政治家再莫害「亞洲狄托主義」的相思病，以免勞心焦思，寢饋不安，致使民主世界有染上肺結核的危險。狄托主義這類「變人」，有如國際聞名的那類電影明星一樣，是不好應付的。花費了若干心神和財力，勉強結合之後，稍不如意，即片面的宣告仳離，弄得你家破人亡，啼笑皆非。亞洲的局面搞成現在這樣糟糕，就因英美政治家的狄托主義相思病所害，使然。相思病害得越深沈，民主世界的危險性就越見增進；和平之神即望而卻步，掩鼻不前了。

二、願聯合國開會時，大國代表們少吵少說廢話，尤其是少跟俄帝代表賭氣胡鬧，而能相當尊重弱小國家代表的意見，不要以多數強權，把弱小國家看成附屬品，隨意忽視正義公道。如其沒有小國家參預，聯合國早已關門了。自韓戰以來，除卻討伐韓國共匪強盜以外，還有甚麼有益於和平的事？一九五二年能否轉危為安，就看我這兩大願有無實現了？

自由談

沒有笑容的金九利

——張高村——

金九利現在六歲了，在中共加入韓戰前幾天，他很快樂地度過他的五歲誕辰。他和他的父母及一位九歲大的哥哥，住在離漢城十五哩的一所小房子內。在他住宅附近有一個小鎮，他常跟着媽媽到鎮上買米打水。他和其他的朝鮮兒童一樣，沒有幾樣玩具，他的娛樂方式是很簡單的。他的唯一的玩具，是一隻光滑的木球，那是他的爸爸特地用一條樹根替他製成的。

中共加入韓戰後，戰火逼近他的家園，那時他的小小的住宅裏，已經擠滿了其他地方逃來的難民。不久，他的家鄉，陷於聯軍和共軍的火網，附近村落全部化成灰燼，唯有金九利的房子屹立未動。

今年五月初間，聯軍探悉共軍企圖沿金九利家鄉一帶地區，發動新攻勢，聯軍第一騎兵師的第七團，派遣巡邏隊前往該區，通知居民撤退。當巡邏隊走到金九利的住宅，他們立刻嗅着一股死屍的臭味。一個聯軍士兵說：『我們還是走吧，因為我已經嗅到了死屍的臭味』。於是一位翻譯員走到金的門口敲門，用手帕掩着鼻子，叫房子裏面的人跑出來。叫了一陣，裏面沒有回話，但聽到一陣蒼蠅的嗡嗡聲。

一位士兵好奇，破門而入。他立刻發見一個赤裸裸的小孩，躺在牆壁的一端，一動也不動，不過他的兩隻眼睛睜得大大的。當巡邏士兵們走近他時，他卻把臉轉向牆壁，並且把他的一雙微弱的手移到他的耳邊。翻譯員問他，是否獨自一人在此，那小孩沒有回答。忽然他們在房子的另一角落，發現一具女人的屍體，躺在草墊上，臉上爬滿了蛆虫和蒼蠅。那個赤裸的小孩，便是金九利，那位死了好幾天的女人，便是他媽媽。

聯軍把金九利抱到房子外面，翻譯員替他搜尋一些衣服。搜尋的結果，只找到幾件很骯髒破爛的衣裳，和一枚放光的木球，此外什麼都沒有。當聯軍把他載走時，他用手指着自己的房子，淚珠像泉水一般地流着，但他的嘴唇卻沒有發出半點的聲音。

士兵回營房後，把金交給隨軍牧師斯滬斯。那牧師用水將他洗淨。牧師說：金是一堆沒有肉的骨架子。後來將他送到漢城的一所救濟收容所施行救治。醫務所裏收容的雛童很多，這些雛童都很活潑地在醫務所地上玩着跳着。金初次進入醫務所時，和其他雛童們玩不來，他整天[illegible]，然若有所失，默默無言。當其他孩子走上前來和他玩時，他卻掉頭走開，兩眼常常充滿淚水。

在診治期間，醫生先給他注射，然後給以食物。他看見注射針，便周身發抖。注射完畢，便靜悄悄坐在地板上，注視着其他小孩的動作。當護士將飯菜擺在他的面前時，他卻搖搖頭，不吃也不說話。翻譯員一而再，再而三的催他進食，他才吞吞吐吐地解釋，說他已好久不吃東西了，這些東西吃下去，會使他生病。最後，他才勉強喝一點湯，吃少許水菜。

這些雛童們經過短期診治後，須一律送到大角孤兒院去教養。有一天，當一羣孩子們爬上卡車，準備送往火車站轉運到漢城以南二百哩的大角孤兒院時，金卻坐在卡車副座的隨營牧師的膝上。火車到大角，需要二十四小時，大部分的孩子已經睡了，他卻躺在牧師的身旁，要求牧師帶他到他的哥哥那裏去。牧師告訴他，現在去的地方，有許多人可以一起玩，而且有很多東西可以吃。他卻問，為什麼他的哥哥不能一塊兒同去呢？牧師沒法回答他，因為他不知道金的哥哥已否死亡，或者在無家可歸的難童隊裏流浪。

金所分派的一所孤兒院，是在大角城外的山邊，那裏有四座朝鮮式的建築物，四周陽光空氣充足，有空曠的運動場。裏面可以容納孤兒一百名，現在卻增至一百六十一名。那所孤兒院名義上是在南韓政府支持下設立的，實際上，卻靠美國隨營牧師捐助金錢，食物，及衣服等來維持。

這次由漢城送來的十二位孤兒中，金九利需要特別小心照顧。抵達目的地後，孤兒院當局將他送到醫院檢驗。檢驗結果，發見他營養不足，肚子患十二指腸虫病，肺部已有肺癆的象徵。醫生說：金需要幾年期間，才能完全恢復健康，目前，他需要休息和看管。

我在孤兒院裏見到他，我問他，在聯軍將他救出之前，情形怎樣？金一些也不能記憶。他所能唯一記憶的，是聯軍救他出險的好幾天前，他坐在媽媽和哥哥的身邊，大家都餓得周身無力，無法到外邊去覓取食物。他的一個最深刻的印象，是媽媽的嘴唇和鼻子上，聚集了無數的蛆虫和蒼蠅。他只知媽媽病了，但不知媽媽已死了好幾天。

他不知道他的爸爸遭遇如何，他所知道的是爸爸出外找糧食，以後再沒有看到他回來。當我再問到其他許多問題時，他都很簡單地答道：『我已經忘記了』。然後繼續在玩他的兩個玩具，一個是橡皮球，另一個是小型的玻璃石子。這些便是他在世界上僅有的佔有物了。

孤兒院裏面，有一位年齡較大的孤女名叫黃新松，負責照顧他，此後他們便經常在一起，她每天花上好幾個鐘頭和他在一起談天唱歌。她想盡方法，使金發笑，因為自從聯軍將他救出後，他一直沒有笑過。但是每次嘗試的結果，每次都告失敗。孤兒院裏面每一個人，都認為笑對於金九利太重要了，因為它是金恢復健康的一個重要因素。

在我離開孤兒院的前一天，我見金九利的情緒，略有改進，黃新松和他玩了一陣橡皮球，趁他比較興奮的時候，問他：『在世界上，你最喜歡作的是什麼』？金想了一會兒答道，他喜歡吉普車，並問能不能讓他坐車兜兜風。

黃新松對他說：『可以的，不過你得笑一笑才成，因為你現在是快樂了』。果然，金九利突然露出笑容，這是他獲救後第一次的發笑，引起全孤兒院的每一個人，為之興奮愉快。

（節譯自生活週刊）

李應與祝家莊

——水滸人物論之四——

・舜生・

祝家莊、扈家莊、李家莊，是三個聯防的村莊，用現在的話來說，便是一種人民的自衛組織。他們建立這種聯防的自衛組織為的什麼？為防止梁山泊的強盜向他們去借糧。

這三個村莊方圓三十里，共有一二萬戶人家，各擁有相當的武力。祝家莊為頭的是祝家長祝朝奉，他有三個兒子：長子祝龍，次子祝虎，三子祝彪，武藝都十分了得，有祝氏三傑之稱。此外還有一個喚做鐵棒欒廷玉的教師，更有萬夫不當之勇。

扈家莊在祝家莊之西，莊主扈太公，有一兒一女，兒子叫飛天虎扈成，少年豪傑；女兒叫一丈青扈三娘，使兩口日月雙刀，本領更在乃兄之上。

李家莊在祝家莊之東，主人撲天鵰李應，使一條鐵點鋼鎗，能在百步之外，以飛刀取人首級。

假定這三個莊子能實踐他們的誓言，始終同心同德，團結自衛，梁山泊的強盜是奈何他們不得的。不幸因為李應措置不當，連一點小忿也不能忍耐，自己內部起了分化，乃給了梁山泊一個個擊破的機會。分化經過是這樣的：

楊雄石秀帶着他們的夥伴時遷去投梁山，在祝家莊附設的一月店子寄宿，時遷在夜裏偷吃了他們一隻雞，引起了店小二對他們的爭論，店小二仗恃着祝家莊，出言不遜，說要把他們三個送上莊去作梁山泊的賊寇辦理，結果激怒了三個好漢，給店夥們一頓打，而且把祝家店一把火燒了。他們三個燒了店便走，但祝家莊卻撥出二三百個莊客，把他們團團包圍，他們且戰且走，不幸時遷卻被莊客預先埋伏在草間的撓鈎鈎搭了去。楊石兩個救不得時遷，在路上另一酒店，遇着了楊雄從前在蘇州衙門救過的一位杜興，此人卻正在李家莊做事。於是由杜興把楊石兩個引去和李應見面，其目的乃在藉李應和祝家莊的關係，懇求李去信把時遷救出。李應第一次用一封簽名蓋章的信，請副主管到祝家莊去請釋放時遷，祝朝奉原有放的意思，但被他三個兒子阻止，一定要送到州裏去嚴辦，這位副主管只好空手而回。李應聽他說明這種情形，還以為這位副主管不會說話，或簽名信不足以昭鄭重，於是再寫一封親筆信，請正主管杜興前往情商。但杜興依然敗興而返，並向李應說明祝彪十分無禮，硬說時遷已招出是梁山賊人，不容分辯，把主人的信連看也不看，便扯得粉碎，還說要把主人也作為梁山強寇解到州裏。李應聽了這番話，憤不可遏，立即全副武裝，帶了三百悍勇莊客，親到祝家莊索人，杜興楊雄石秀也一同前往；結果與祝彪發生一場惡戰，李應中箭，祝彪的馬也被楊雄砍傷，祝李兩家正式破裂，乃引出楊雄石秀上梁山請兵的攻打祝家莊的一幕。

萬竹樓隨筆（六〇）

中共出娘胎

海濶秋

說到中共的老祖宗，有「家身未分明」之感，而當一斷按語。時在[illegible]十月革命中國五四運動交感之下，即殊途頓然。雖然未曾嚴格檢定過他的血統，出為混血兒，則又了無意義。

陳獨秀與俟斯基未赴廣州之前，並且在上海已經把組立共產黨的籌備工作，他倆先相信已徵求了華北南中不少人同意。他後到粵，志在說服南方同人，鬧得進行的順利，卻不料依然碰壁，致不得已而開分家，分家之後，他們便放手進行了。國內有的是社會主義者同盟的基礎，陳獨秀李大釗的高足弟子又遍佈各方，自易于一呼而集。可是中共發祥，半在法國。上邊說過，里昂的中法大學學生，數千的勤工儉學生，十五萬的參戰華工，正合而為宣傳，馬致的大大對象。就中如李立三，如陳毅，如何長游，現在煊赫無上，皆當年在法國嚼麵包頭，高談唯物史觀的。此中有一奇特青年則不可以不一記。

這人是誰？原來就是獨秀先生的哲嗣陳延年，吳稚老於其被執就戮時，狀之曰蜂目而豺聲，俾乃太過。延年刻苦好學，儕中沒有能及他的。乃鑑於國內正領袖青年傾向馬列主義，與自由社會主義者為敵，延年在法國則排斥馬列理論，反對極權統治，指導發起革命，期成自由社會。他有一種絕技，用鋼筆寫油印蠟紙，作五號鉛字大小的楷書，給翻印透，其自撰自印的宣傳刊物，薄薄的日記冊那麼一小本能容數萬言。留法的共產黨組成了，延年返身歸國，其時北洋軍閥氣燄猶張，只孫陳控制的南粵微有生氣。延年遂亦至粵，與數友設一人民書店，售賣書報，亦自編著小冊子印行。他喜與下層苦階級接近，終日遊蕩街頭，彳亍市井中，尤上緊學習廣東方言俚語。穗城賃包車夫達數萬衆，把頭們備車出租，坐收車利。又設地獄般的宿舍，席地臥，方丈地常擠數人，人各一宿收租錢二角。延年深插其間，導車夫們用合作方法，自僱車輛，自設宿舍。車夫們咸以為開玩笑，過屠門大嚼。延年覺得要領導他們搞好，非自己親身加入彼廠任中不為功，於是果然質一輛車，奔馳市上。開始有以為計太拙的；有以為矯情要譽的；有以為盡情吃苦給不忘情享樂的儕輩諷刺的；有以為革命精神無殊苦行頭陀，極致崇敬的。反應至不一，他卻如無聞視，泰然自若。過了幾個月，策動組成了黃包車夫工會，將有所開展，他便嘔血不支而舍去了。

五羊城內，風雲陡然變色，因出師北伐主急于綏問題，勤，緊，翻反側狼，大快，擬肯山大砲竟向總統府轟來，孫先生率離居永豐兵艦凡五十日。這「勤王之師」分自湘桂馳來，陳炯明不支，退至惠州，負隅抵抗。

陳家總部在惠城，而競存則下榻于西湖裏百花洲。前聞星報撰述陳秋霖，於粵軍回粵後，隨競存逸至彼之家鄉[illegible]縣城辦一個地方性日報。一日，秋霖到百花洲訪晤競存，步至鄰室，知競存那邊有客正劇談，止于鄰室，諦聽移時，那邊只一賓一主，復辨出語言為陳獨秀，姑且聽聽說甚麼。原來這說客滔滔汨汨演說一大通，乃勸競存加入共產黨，領導華南發展。競存則兜着大圈子，本其平日口胎，縱談「各取所需」和「各取所值」這二大原則，暗示他正懷疑馬克斯的生產方式和分配法則。獨秀又說要幹不能徒恃軍隊，龐大的工人羣是負很大的任務。競存更示反對，他說現階段中國勞動運動只宜作勞工教育運動，最不好是拿勞工做政治本錢，這惡風氣一開了頭，往後將不可收拾。獨秀抹了一鼻子灰，快快而退。

獨秀此行神不知鬼不覺的，陳秋霖後僅數月與廖仲愷同死，廖被刺，陳中流彈死。死前旬日始將百花洲上所聞向一二密友透露，否則咽在三陳肚裏而已。彼一陳負嵎惠州，終于消散，此一陳則在粵搞好了共產黨C.P.與青年團C.Y.，也回上海去了。

（十五）

解放別錄

聽候判決

・夫石・

竹幕幽默對話

——許　何——

×　×　×

一位政府的要人和一位蘇聯顧問坐着吉普車逛街，馬路中心爬着一條癩皮狗，雖然按喇叭狗卻不動！

蘇聯老大哥氣起來，跳下車子踢了兩腳，狗仍然不動。老大哥爬回車上竟想繞過。那位要人不慌不忙的跪前去說了兩句話，那隻狗居然夾着尾巴便跑開。老大哥奇怪起來，問他到底說些什麼？

『簡單得很！我只說：你如果再不走，我就要送你去「光榮參軍抗美援朝」了！』

×　×　×

有一班觀光團到了上海，由婦女會主席招待，這位婦女會主席對他們說：『坦白的說，我本來是妓女，以前被男人們玩弄，糟蹋，現在可翻了身！』其中一位觀光者插口問她，『怎樣翻身？』

『……現在我可以隨意去玩男人！』

×　×　×

初到廣州的一位老太太，看見所探的親戚晚上並不關大門，奇怪得很，順口便問道：『果然是夜不閉戶？』

『家裏也沒有年輕女人，關門作甚？』

『難道真的連小偷也沒有，市面的那麼太平！』

屋裏的東西，除了人民政府之外，連小偷也懶得要了！可是，關起了門，難道政府就不派人來嗎？

自由人
THE FREEMAN
（半週刊每星期三六出版）
（第八十八期）
每份港幣壹毫
督印人：李光華
社址
香港高士打道六六號
電話：二〇八四八
GLOUCESTER RD.
HONGKONG
TEL: 20848
承印者：東南印務出版社
地址：高士打道六四號
台灣經銷處
台北市中華路一二五九號
（台北憲兵隊側對面）

杜邱之會

按照「瑪麗郵船」的航程，邱吉爾先生將於今天到達華盛頓。當這個東西兩方局勢都在一種微妙而緊急關頭的時候，邱老先生不辭跋涉去和杜魯門總統談談，在一般關心世運的人們看來，總不失為一件好事。

無可諱言，在今天民主陣營中英美兩個首要國家，對世界若干重要問題，仍不免有多少雖於接近的歧見。只要這些歧見一天存在，整個混亂的局勢即無法澄清，斯大林也就依然可以坐在克里姆宮怡然自得，靜待這些歧見的變化與發展，而他可以從中有所取得。

乾脆的說，今天的所謂世界重大問題，只是如何集合一切民主力量去共同對付蘇聯的一個問題，蘇聯能對付得下去，世界便有和平，人類便有幸福；否則今日戰爭可以暫時延緩，但終必爆發，經過若干時期的延緩而終於爆發的戰爭，必然比較今天立即爆發的戰爭更為慘酷。

中國的人民，今天在中共匪幫壓迫殘殺下的人民，在俄帝陰謀陷害下的人民，並沒有一種幸災樂禍的心理，一定要促成世界大戰的提前爆發。我們也一樣的需要和平。不過我們所需要的和平不是屈辱的和平，不是犧牲別人以保全自己的和平，不是犧牲多數以保全少數的和平，更不是埋下一顆定時爆發的炸彈以遺禍將來的和平。

從明天開始的杜邱會談，我們不知道會議的原則還是側重技術？是側重一個一個的問題單獨解決，還是側重若干有關聯的問題合併解決？以常情推測，英國政府，尤其是邱吉爾首相所領導的英國政府，對反共的原則應該沒有問題的。只要在原則上英美能完全一致，我們想在運用這個原則的技術上，美國和英國也就不難趨於一致。

根據前天紐約時報的報導，杜邱會談的主題，已經確定要談的共有六點：一、對蘇俄及其附庸國之關係，二、伊朗危機，三、埃及與中東統帥部問題，四、北大西洋統帥部機構，五、德國與西歐防務問題，六、原子能問題。同日路透社華盛頓電則說杜魯門總統已通知英首相，希望和他討論日本承認在台的國民政府為中國合法政府的問題。從這兩個不同來源的消息，我們可以看出前者仍不脫重歐輕亞的老調，後者則已進入歐亞並重的正軌。我們只要看在亞洲爆發的韓戰，已經換取了十八個月的歐洲和平，使西歐國家得從容從事建軍的餘裕，已經證明亞洲人民對歐洲的貢獻是如何的偉大了。假定到了今天，依然忽視了蘇聯在亞洲所採的行動，以為只要歐洲無恙，亞洲問題即不難從容解決，這便完全是一種時代錯誤！要知道在上次大戰中，中華民國始終沒有被日本征服，她儘管在中國先後建立了三個傀儡政權，但始終為中國愛國的人民所不齒，而且傀儡與傀儡之間，也不免發生摩擦，因此日本儘管能夠賈其餘勇去侵略東南亞，可是從亞洲退出的西歐國家，只要中華民國一天沒有倒下去，她們便還有機會捲土重來；老實說，今天東南亞仍得保持如今天的現狀，過去中華民國八年的抗日，其勞績是不可磨滅的，而且在天理人情上，也是不應該加以否認的。可是，現在的形勢怎樣呢？整個中國大陸已經變為蘇聯的附庸，這個新的傀儡政權是相當統一而且的確是對蘇聯效忠的，在中國大陸一切反蘇反共的人民，三年以來，已被傀儡政權屠殺殆盡，而蘇聯的特務人員與武裝部隊以及裝備偽軍的武裝，又如潮水一般的向中國大陸湧進，因此中共一切失其自主，只有惟蘇聯之命是聽，今天斯大林叫他們去「反美援朝」，他們便只好「反美援朝」，明天斯大林叫他們去「反英援馬」，「反法援越」，他們還不是一樣執行？情勢的明朗已經洞若觀火，我們還有什麼幻想值得去徘徊瞻顧呢？如果說不幸到了那樣一天，依然可以按上次大戰的老文章照抄，又來一次總退卻，恐怕要收復失地便不會像上次那樣容易吧？遊於一時的小害，貽大患於將來，一個高瞻遠矚的政治家，一個真正的現實主義者，果然應該是這樣做嗎？

美國對於反蘇反共的原則是抱得非常堅定的，但過去在執行上仍不免相當脫節，說這完全是受了英美間歧見的影響，自然不免過分；可是今天的日本，已經開始在那裏多方作態，甚至要她和國民政府簽訂一個雙邊條約，她也以英美對遠東問題步調不能一致作為藉口而拒不履行，這實在不是自由中國的人民所能忍受；因此我們對杜邱會談，不能不寄以甚深的期待，尤其對於邱吉爾先生，最後一頁的光榮歷史，希望不會留給世人一個莫大的遺憾！

杜魯門之命運

今年是美國總統改選的年度。美國總統的權威很大，他既享有國家元首的尊榮，更獨力担當行政的重任。美國兩大政黨的內外政策在實質上沒有多大的分別，我們可以不必詳加比較；美國總統職位之誰屬卻不容忽視。他的學識，經驗，性格，才能，對於今後四年美國的盛衰，乃至人類命運，皆將發生決定的作用。

目下我們所看到的是：正同一九四八年一樣，執政的民主黨充分表露遲疑，零亂，疲乏的神情，也許等全國大會的時候，又在沉悶的空氣下，勉強把杜魯門推舉出來，讓其領着妻女，奔走呼號一番，希望重現四年前的奇蹟。反之，在共和黨方面，已經十分積極，緊張，大有拚命一幹的氣概。參議員塔虎脫，加州州長華倫，賓州大學校長史塔生都已公開宣佈決心爭取提名，而艾森豪威爾將軍大概在本月底下月初會有確切的聲明。

顯然，共和黨的陣容雄壯得多，如果真把艾森豪威爾將軍推舉出來，老杜恐怕坐不穩了。

誰是未來埃及的首相

英埃糾紛有急轉直下之勢，埃王法魯克任命阿非非（Afifi）為樞密院院長，雖然不是通常的人事安排。所以阿非非的任命一下，那哈斯倒台的消息就傳出來了。阿非非並不是任何一個黨派的領袖，他是埃及數一數二的實業家，大地主，老外交官。因為有錢，所以他是王室的朋友；也因為有錢，所以他的政治主張趨向保守，堅決反對任何革命或足以招致騷亂的激烈行動。說他「親英」則是錯誤的，沒有一個埃及人承認是親英的，他們都自命為狂熱的民族主義者，祇在實現「民族願望」的方法上各有不同的見解而已。

那哈斯內閣的壽命大概不會很長了。艾爾米斯里報（Al Misri即埃及日報）是那哈斯所領導的瓦夫黨（Wafd即代表黨，通稱國民黨）機關報，竟在此時公開懸賞「一千鎊購買駐埃英軍司令厄士敬（Erskine）中將之首級」，足見那哈斯焦急煩燥的心情。

誰是未來埃及的首相？有兩個名字是應該一提的，一個是錫里（Sirry），一個是錫德基（Sidky）。兩人都沒有絲毫黨派關係，都是王室的朋友，都有很好的名望，都做過首相，而且不是繼承那哈斯，便是讓位給那哈斯。錫德基尤有經濟專家之譽，矗立在我國駐埃大使館前址對面的那廊八樓巨廈便是他的無數產業之一，可為其長袖善舞的明證。不過此公連年病痼，也許現在已經死了。

自由憲政黨領袖海卡爾（Haykal）及薩德黨（Saadist party）總裁哈第（Abdol Hadi）也是可能的首相人選。哈第年紀最輕，才五十三歲，身軀雄偉，熱情奔放，有法國政治風度。

不論誰做首相，那哈斯的下野，總是英埃關係緩和的訊號，尼羅河上的風波會慢慢歸於平息的。埃及的警察都是英國人訓練的，持調是埃及警察，必在適當時候担當鎮壓暴徒，安定社會的責任。那個一手建立埃及警察的英國人盧塞爾（Russell Pasha）雖然早退休了，卻始終住在開羅附近金字塔（）。蘇彝士運河區伊斯美利亞城（Ismailia）警察驅散反英示威群衆，逮捕「解放軍團」頭目的消息，值得我們注意。

然而，英埃糾紛絕對沒有根本解決的希望，埃及人既皆自命為狂熱的民族主義者，豈可輕易放棄撤退英軍及合併蘇丹兩句響亮的口號呢？而在英國人方面，厄士敬中將說過：「我們永遠不會被請出去，推出去或一腳踢出去」！邱吉爾，艾登且是「阿拉伯通」，埃及人和他們辦交涉，佔不了便宜。

凌乃銳

美國人的優越感

•樊通•

在兩次世界大戰之中，美國人用血肉保衛過解放過歐洲；不但如此，美國人還負了復興戰後歐洲經濟的重担。不算戰時的租借法案，光是第二次大戰後的幾年，美對歐經濟援助在二百億美元以上。然而很奇怪，一般歐洲人對於美國並不具多少好感，美國記者和作家常常提到這一點，亞洲方面，情形亦復類似。

諸如此類的事情怎樣會發生呢？是人們都忘恩負義嗎？是大家都被共黨催眠嗎？並不，實際上另有其許多複雜的原因在。而其中最主要的原因，應該在美國人自己，那就是美國人的優越感使他們失去了朋友。

當然，美國人是有值得驕傲之處的。可是，以一種驕傲的態度來對待人，卻絕非交友之道。二次大戰之後，美國人所表現的睥睨一切不可一世的神情，使人感覺他們彷彿在以古羅馬帝國時代的羅馬人自居，以世界統治者的態度來傲視其他的人民；這種態度對於任何有自尊心的民族，都是不願意忍受的。西歐國家，過去做慣了殖民地的主人，而今自然不甘屈居人下；亞洲民族，一向受夠了歧視與欺凌，現在看了驕傲的美國人，便以為和從前的白色殖民主義者無別。

戰後美國的特殊地位，造成美國人濃厚的優越感；而濃厚的優越感，則造成美國人最大的錯覺。他們偏執地以為美國的一切，都是世界上最好的。他們以美國為最富，的工業最發達，汽車最多，好萊塢影場最大，紐約帝國大廈最高，美國政府最有效率，美國女人最漂亮，美國汽水最好喝，美國汽車最舒服，乃至美國月亮最圓。他們從美國的超級優越，超級炸彈，超級[illegible]，帶給美國人是超人的感覺。於是，他們發生兩個最大的錯誤：第一，以為美國的一切典章文物制度，都是世界上最高明的，美國人是世界第一[illegible]，頂好的把他們認為最好的一切——美國的[illegible]——像出品一樣輸出到全世界，使今日的時代成為一個美國世紀，並且認為別人如果不學美國，那就是落伍，[illegible]；那末，[illegible]。

我得告訴美國人，誠然，你們有許多值得自負的優點；你們對其他的歐亞民族作過很多的實際幫助。然而，由於你們對人的驕傲態度，因而失去朋友間加深友誼的機會。但是我深信這缺點是可以補救的。因為，全世界都知道，美國並不會以暴力侵凌人家，美國也不會用欺騙，詭計去謀害過人家，只要美國人一改變作風，以一種謙虛而同情的態度，來和其他的自由人民合作，那末不但可以很快地建立起彼此鞏固的友誼，而且將使得共產黨永無實現統治世界陰謀的機會。

邱吉爾的外交手法

邱翁正在赴美途中，杜邱兩巨頭會談，馬上即將開始了。雙方對於這次會談的問題，都會有公開的約略透露，但真正要相互商討諒解的核心問題，自然不在宣播之列，且須保持冷靜態度。

英美兩國現行外交政策，最重要的矛盾點是在中東與遠東，這是世所週知之事。而英國的經濟難關如不能度過，其他皆無從談起的。邱翁畢竟不媿為老練深沈的政治家，他了解英美必須脣齒相依之理，但亦不能不保持英國固有的榮譽，表示大英帝國決不屑受漂母嗟來之食。所以，在經濟情況十分艱難中，卻慨然把到期應予償付的美債百餘億元，本利付清，因而博得美國國會議員們的讚許，說英國信用昭著，使自麥帥免職事件發生以來，美國議員間對英所存不愉快的心情，稍予和緩。

復次，邱翁前此巴黎之行，據美國基督教科學箴言報記者所報道的內幕消息：他除了將英國對歐洲防禦計劃的決策，告知法國當局，取得諒解外，最大的作用，是在與艾森豪威爾晤談，勸艾帥留駐歐洲，不必回去競選總統，等下屆大選時再參加，更覺瓜熟蒂落，天與人歸。英國軍隊原是不願參加西歐聯防的，以致法國不起勁；荷，比，盧森堡，丹麥等國更多違言，艾帥頗感煩惱。邱翁表示，艾帥若長留歐洲，統率聯軍，則英國亦願重新考慮派軍參預聯防事宜云。假使艾森豪威爾接納邱翁意見，決定不復偃武修文，回去參加大選，那末，共和黨就再沒有人能以壓倒的優勢跟杜魯門來競選了！共和黨如不登台執政，對英國是有利的，而因艾帥之不競選，使民主黨繼續執政，這對朋友又是何等重大的間接幫助呢！這種助人之法，意在言外，絲毫無損於對方的尊嚴，大家心照不宣，可以獲致別人從內心發抒出來的深厚銘感之情誼。

本週展望

雷嘯岑

我相信「科學箴言報」的消息決非毫無根據的。邱翁在赴美以前，先就表演了這兩段外交上的太極拳，看似平常，實具高深工夫，使美國朝野人士都不能不對他懷着幾分敬愛的心理。等杜邱正式會談時，祇要英國在遠東不再扯美國的腿，美國在中東不再拖英國的後腿，彼此還就相諒的話，其他一切問題都不會有甚麼歧見了。至於英國的經濟難關，那就更不成問題，美國朋友眼見實情，必然會自動的予以援助，用不着「邱大哥」開腔的！

同是一樣的情形，工黨人士當其衝，即隨時齎劍拔弩張的悻悻然詞色，使英美間的團結精神，大受暗傷。老實說，英國無論現在和將來，若不得美國的善意協助，能安穩的「混下去」嗎？像過去工黨那種立異標新，專門以非難美國政策的姿態來迫使別人「降格相從」的作法，實在太欠高明了。看看邱吉爾上台以後的一些言行，令人不能不欽佩他那老成謀國的大政治家風範。這是智慧與經驗的綜合表現，非一朝一夕所能致的。

日本政府的友好訪華團

由於談邱翁的外交作法，使我聯想到近日外電所傳日本政府將派友好訪問團來台灣的這回事了。吉田茂知道美國國會對日和約非經國會通過不生效的。為和緩美國人的反感計，乃有此所謂友好訪問的玩藝出現。

我不知國民政府對此作何感想？依個人的愚見，如果他們的目的不是為要訂和約，復邦交，而僅在作「友好」訪問，即應婉予謝絕。日本與我既未解除交戰國狀態，何來「友好」可言。如要友好，應先簽約。同時，我們對於日本是否與我復交的問題，亦無特別重視必要。你能反攻大陸，那怕是光復一二省區，別人自然會來要求訂約復交的，否則，縱然訂了約，又有何用？國際間並無道義可說，力量就是眞理！

另一方面，戰後若干年來，我們的對日外交完全是以盟總為主，駐在東京的代表團，除了講英語，專心致力於應付西洋人外，對東洋人又作過甚麼外交工作呢？責人先責己，大家看看邱吉爾的作法罷！外交不是現炒現賣的交易，臨時抱佛腳是無謂的！

蘇聯的新看法

·逖生譯·

史密斯John Lindsay Eric Smith是一個倫敦青年銀行家，他的家世，從一六八八年以來，即以銀行為業。他出身伊頓和牛津，曾在艦隊空軍部服役，現為考德銀行董事長。在西方人當中，他是最近到了鐵幕後面親自看過的一人，他有一篇關於蘇聯的報道，在保守黨月刊英國評論The National and English Review刊出，下面是這篇報道的摘錄。

前個月，我訪問過蘇聯。在非官方的姿態中，在短促的時間中，我既不是一個同路人，亦不是什麼民主國家代表，至少我是用我的眼睛看的。雖然被注意，亦被跟蹤，可是沒有被指導，亦沒有被隱瞞，我是看得夠的，我變更了我的看法。

蘇聯是不可抗的——第一個幻想，我是變了。蘇聯可能是強壯的，亦可以模做納粹準備發動一次閃電戰；但我不相信，它沒有租借法案，它還能再發動一個持久的攻擊戰。

蘇聯是在衰老

——第一個映象

我的第一個而且是很深刻的映象，就是蘇聯很奇怪地在衰老。差不多任何東西，道路，鐵路，建築，無論新的老的，都是在極度的「式微」狀態之中。離開了莫斯科，有幾條幹路，開始亦有一段相當距離的柏油路，再過去，就變成了狹窄的，破碎的，起突不平的石子路和泥土路。

我不相信：在蘇聯旅行，有一條鐵路或一條道路，平均一個鐘頭，可以走上三十哩的。老式的載貨車，新的美國十輪大貨卡車，蘇聯都不是沒有。但它沒有禁得起的路，可以載重可以運輸的路，這是十分明白的，沒有加上戰時運輸的破壞，蘇聯的交通運輸體系，已經到了支離破碎的頂點。

同樣的情形，談到蘇聯的居住：我還沒有見過，全世界住得最壞的地方，莫過于都柏林和那漢爾斯的貧民窟，也不能和蘇聯市井居民相比。住的擁擠，我們不能相信。一個小小的教堂，要住上十一份人家。這個房子，還是從沙皇時代殘留下來的，自從革命以後，從來也沒有修理過，有些是泥土的，有些是木頭的。它們傾倒了，歪斜了，崩落了。如果我們不看見，每個窗門裏面掛着窗帘，我們不能相信，這些房子，還是可以住的。

就是現代建築，那是稀有之物，亦同展覽用的建築樣品一樣，容許它們站得，但不能太久。

我們知道，一個警察國是有它的強固的力量的；亞洲人對于貧窮，是不算什麼一回事的。但是，我亦很難相信，這個國家，儘管像它的軍隊，在前方是裝備齊全的，在後方是那樣的情形，它還可以發動戰爭。

固然，這些缺點，並不足以阻止蘇聯發動戰爭；但是，蘇聯的目前的對內政策，是必須要弭戰的。

蘇聯是在掙扎

——第二個映象

我對蘇聯的第一個映象，是，蘇聯是很奇怪地在衰老。但是，第二個映象，它的種種現象，是很奇怪地在掙扎。工廠，市房，鐵路，道路，各方面都在興建，很慢的，而且很壞的，它不顧蘇聯人民的生活水準；亦有很多在重工業；在蘇聯一天的工作，不會比在英國一個月的工作為少；但戰爭對于計劃的程序是有損而無益的。

在另一方面，克姆林宮主人的看法，戰爭並不是不道德的，不人道的，或且是不情願的。它祇是政策上的一種型態，祇要是合算的話，它就可以使用。當政治局的幾個孤家寡人決定，時候已經到了，蘇聯就會走向戰爭。所以，我們不能片刻放鬆我們的再武裝的程序。但是，當它的道路，鐵路和建築等，沒有達到相當標準的時候，它是有許多的理由，它要保持和平。這種信念，——

我們最後必須要攻擊他們，是蘇聯最重要的一個信念。我們唯一的回答，是我們要有很大的力量，亦足以攻擊它，但是，並不一定要攻擊它。

當我們還沒有發現對蘇新政策以前，我們最好從事于長久的軍備設備，最壞的地方，即訴之於戰爭。一種理論，說要好好的對待蘇聯，日子久長了，可以改變他們，使他們相信他們有了錯誤，這是大大的笑話。西方人的有利的提議和主張，從來不會到達蘇聯大衆，就是我們的話，能够達到他們的耳邊，究竟他們能不能變過心來，還是一件很可疑的事。我所遇到的蘇聯人，上自官吏，下至司機，對於現政權，是滿意的，他們說話，很熱情，很固執，亦很愚鈍，就像修道院的老耶穌會士，都會激動氣血。這種態度，是很普遍的；從前不滿足的情緒，已經過去了，消逝了。如果這種改變的想法，是一種容忍的話，那麼，希望它內部能揭起革命，亦是更不會落空的。革命從難能組織起來；從事顛覆者亦不能獲得緊急可恃的人。最後還是有革命，老經驗的史太林，都揭下去，史太林是不會給青年的革命黨人所愚弄的。

那麼，我們如何能解救目前不能忍受的緊張局面呢？除非再武裝以後，沒有別的話可說。同樣的重要，我們亦必須要加強對鐵幕的重視。

蘇聯沒有創造力

——第三個映象

對于蘇聯的映象，第一是衰老，第二是掙扎，第三是對于任何創造力，都已瀕于死滅。任何事物，在建築，圖畫，舞台佈置，書籍出版，衣着等等，從一九三十年代以來，任何創造活力，都已擱淺，不能動彈。

有幾種特殊的創造力，如科學和軍備方面，對于蘇聯是很重要的，但是亦從西方輸入。全世界的技術雜誌，蘇聯是一個很熱心的大定購戶。蘇聯的四種車輛，兩種是美國巴卡式的。原子彈和MIG噴火機，雖然並來自東德，亦是來自西方。固然，蘇聯在戰時和西方接觸所獲得的刺激，我們不必估計太高。但是在納粹短短佔領蘇聯西部的期間，替它鋪設的柏油路，還是蘇聯從來沒有的。這一瞬間，蘇聯充分表示，戰後已真正開始走向進步。

假定，蘇聯和西方隔絕，儘管蘇聯人民比我們會熬得辛苦，但是慢慢的在這一輩子，它總要退下來的。因此，在這一輩子，蘇聯要想從事戰爭，是不可能的。東西一切貿易，應該停止；同時，報復的外交政策，亦應該開始，所有仇視的限制，蘇聯一向施之于西方國家在莫斯科的外交界，西方國家亦必同樣施之于蘇聯在西方國家的外交人員。蘇聯不會想到對我們這樣的接待是最壞的，它亦沒有意思要訴之戰爭；因為，照目前情形，他們仇視我們亦無以復加了。

蘇聯不是不可抗的

但是不是說服

可以變得過來

在這一輩子，我們要孤立蘇聯，要促使蘇聯日就萎縮；我們必須要尋出對於西方的一個新的信念。世界是這樣的複雜，蘇聯人有它簡單而積極的信念，他們有主張，我們卻沒有。在目前，天主教義和法西斯主義，說明了蘇聯是有需要的，反對蘇聯，和共產主義抗衡。但二者不能團結西方。我們要有一個真正的與之抗衡的，西方國家的改造。

關於與之抗衡的改造，不是在這上面，假如目前可以提出來的。但是，蘇聯不是「不可抗」的這一觀念，是很重要的，其次，蘇聯這一政權，不是可以說服，變得過來，亦不能靠內部力量，可以給它改造得來，這個觀念，亦是重要的。今天祇有依靠西方資本主義國家，不要使它損害，我們祇要將冷戰再凍結起來，孤立蘇聯。我們等待時間，在這其間，我們要武裝，但不主動，我們要提防敵人，削弱敵人；從而推進與之抗衡的西方國家的改造。

我們要武裝但不主戰

我們要提防但不攻擊

讀杜威太平洋報告書

該書尚未出版，但關於台灣部份，已經提前在雜誌發表。在日本和約簽訂以前，英國政府第一個要求，第二個要求，都給杜爾斯所堅決拒絕；這是從來未經發布的現代史實。

·王醴泉·

美國共和黨領袖杜威，訪問太平洋區域，行程四萬英里。美國歷史上很少有一位這樣重要的人，在太平洋各地，作政治旅行。

前總統喜多羅斯福（Theodore Roosevelt）在二十世紀初元，是來打獵，不是來考察政治。在抗戰時期，重慶的貴賓，一位是共和黨領袖威爾基，一位是副總統華萊士。最近朝鮮前綫，現任副總統巴克萊，和幾位兵士合作，向北朝鮮放了一砲。

不久的將來，共和黨將與民主黨，爭奪總統，遠東政策，當為雙方辯論的爭點之一，所以杜威的考察，在目前政治上有非常的重要性。

杜威已將考察報告，寫成一本書，不久可以出版。這本「太平洋報告書」，一部份討論台灣，一部份討論日本，一部份討論東南亞各國。不久的將來美國競選總統，共和黨勢將攻擊民主黨的遠東政策，杜威的報告書，當為重要的參考。以杜威今日在美國政界中地位，片言隻字，均為美國全體選民所注意，也是關心美國外交的人，所應仔細研究的。

這一本書還沒有出版，但討論台灣的一部份，已經提前在雜誌發表。（見十二月一日出版的「考里歐」雜誌）。

可注意的一點，他說杜爾斯（John Foster Dulles）在日本和約簽訂以前，英國政府提出兩項要求，均為杜爾斯所堅決拒絕。英國政府的第一項要求，是共產中國參加和約。第二項要求，是將台灣奉送給共產中國。

這兩件事情，雖然時常有人傳說，但是英國政府在起草和約的時候，居然向杜爾斯正式提出，是從來不會發表的史實。而且杜爾斯的拒絕，非常「堅決」，可見英國政府的要求，不是隨便提出，或許要求過還不止一次呢！

可注意的事情第二點，日本與自由中國締約一事，杜威說美國應當以「堅決的行動」和「明白的言辭」，向日本宣告，但「杜魯門到此刻為止，不肯這樣做」。這所謂「到此刻為止」，大概是指杜威寫報告書的時候。最近杜爾斯訪問東京，是否「堅決的」「明白的」向日本宣告，我們局外人自然無法知道。

可注意的事情第三點，是杜威對於美國傳統的「歐洲第一」政策的新解釋。他說：「我過去盡力支持政府，發展歐洲自由的武力。但在太平洋方面，如果毫無防禦，那麼歐洲的防禦，就等於沒有」。

可注意的事情第四點，杜威也注意到東南亞各國的防禦，華僑有「決定性的作用」。他列舉各地華僑人數，及少數華僑與各地經濟命脈，息息相關。他說：「越南有華僑一百萬人，越南的商業，多在華僑手裏。馬來半島全人口，百分之四十三是中國人。菲律賓四十萬華僑，有操縱商業社會的勢力。他如緬甸與泰國，亦莫不如此。印尼人口，居世界各國第七位，有七千五百萬。印尼的商業，亦多在二百萬華僑手中」。

可注意的事情第五點，杜威也注意到華僑社會，因受中共勒索，過去反對國民黨者，也紛紛擁戴國民政府。中立的份子，也改變態度，熱心支持台灣，反對中共。

報告書最重要的一部份，是列舉保護台灣的理由：（一）台灣不保，菲律賓即受威脅。（二）台灣不保，美國太平洋外圍防綫，全部發生問題，美國勢將被迫退守檀香山與太平洋沿海各州。（三）太平洋區域，華僑衆多，並為各地經濟命脈，他們都傾向台灣國民政府。（四）台灣現有的武力，六十萬人，所費每年不及美金一萬萬元，美國要維持同等武力，需要三十倍到五十倍的費用。

關於大陸的屠殺與清算，報告書提到中共的命令，每一萬人口，要殺死五百人。照此推算，我國四萬萬人口，至少有二千萬人，須受屠殺。

許多事情，我們處在多事的遠東區域，看起來是盡人皆知，沒有什麼新鮮。但是美國人，離開我們七千英里，他們對於中國的情形，不十分明瞭。且其國內言論，異常龐雜。像杜威這樣的人，向美國人民報告，而且報告得那樣肯定，毫不含糊，是很值得我們注意的。

他的報告書，提到台灣的負責人，只有八位：（一）蔣總統，（二）蔣夫人，（三）陳誠，（四）蔣經國，（五）孫立人，（六）吳國楨，（七）于右任，（八）沈昌煥。他對於陳誠，蔣經國，孫立人，吳國楨，于右任，每人都有短短的介紹，杜威是政治家，說話向來十分謹慎，他的介紹，都是屬於頌揚方面的。他說的，都是我們熟知的事實，本文不必重述。他對於中共方面，祇提到毛澤東一個人，別人沒有說起，他是拿毛澤東來代表中共。

他說現在全美國海陸空軍合計，將級人員，共一千一百許人；而此刻台灣有一千七百位將軍。

新宗教戰爭的訊號

——·張思潼·——

不久之前，外電報導蘇俄控制下的東德決定廢止一年一度的聖誕節，而代之以史太林的生日慶節。最近梵諦岡的消息又提到東歐共產衛星國之一的匈牙利與捷克亦有同樣的規定，並明令禁止聖誕賀片的印發，無獨有偶，看來共產國際指揮下的各附庸傀儡一定要紛紛響應，發動一個普遍的反基督教運動了。

共產黨本是反宗教的拜物主義者，稱宗教為「人民的雅片」。自布黨奪取俄國政權後，封閉教堂，殘殺教士，侮蔑教義，壓迫教徒，不一而足，三十餘年來，未嘗稍變。布黨控制下的各附庸政權，亦步亦趨，以俄為師，普遍仇教，亦早為世人所熟知。毛澤東年來之摧殘宗教，更為有聲有色，變本加厲。所以這次東德與匈牙利的明白廢止耶穌聖誕紀念節，似乎並無特別新奇之處。

但仔細分析之下，這件事倒也有耐人尋味之點。首先廢止耶穌聖誕，而代之以史大林的生日慶祝，這是偷天換日的手法。從此「史大林元帥」，「史大林同志」，「史大林小爸爸」，再不是人，而升為新耶穌，新救世主，活基督了。一神化了的共產主義和神化了的新救世主既降臨人間，史大林乃以「最後審判者」的姿態站出來，「全世界的罪人」只好匍匐在地聽候他的裁判了。

其次，附庸政權要打倒耶穌，用史大林代替基督，但何以在蘇俄領土內卻不聞有同一措施，甚至還偽裝信教自由呢？朋友，你要明白，俄羅斯人已不是普通的人了，而是上帝的選民。你忘記嗎，俄國人今天的口號是「一切光榮歸於史大林！」俄羅斯是大國，史大林是俄羅斯人的上帝，俄羅斯人是世界的統治者。他們當然早已拒絕了「雅片」。所謂信教自由云云，只是共產教罷了。

又次，附庸國家，尤其東歐各國，畢竟與西方文化有相當深遠的歷史淵源，政治雖被迫向著東方，精神卻斬不斷對西方的嚮往。而西方文化卻又無處不與耶教有血肉之緣。史大林要徹底征服東歐，卻還遇有一個耶穌的影子在抵拒他。為了這，附庸們勢非毅然決然與宗教絕緣不可。廢止聖誕之後，又怕在人民心上留下空白，容易引起對老上帝的追憶，於是拿史大林來填補，讓象徵着東方要征服西方，史大林戰勝基督。

我們此時可以遙想得到，廢止聖誕之後，就要清算一切與耶教有關的人物，制度，思想，著作，風俗。這本是史大林與其門徒們許久以來就不曾罷手的「工作」，而現在的新決定則更證明他們要斬草除根，永絕後患。東德與匈牙利之後，各附庸國家一定要發動一個巨犬吠影的大運動，使其與如火如荼的「世界和平」相媲美。這將是一場新的宗教戰爭之訊號。

[illegible]

五胡亂華以來大浩劫 中共在浙西爭鬥死人

墳墓發掘原野白骨狼藉 殮物繳獻子孫一體治罪

【杭州通訊】在浙西五胡亂華時，北方鉅室紛來僑居；宋室南渡更促成他的繁榮；所以近幾百年來，文風一直稱盛。

不幸自中共南來，卻認這地方是清算鬥爭的最有味道的處所；生的不必說，就是死了的不論幾十年或幾百年，只要有標記存在，也不能免除清算——繳出殉殮物。設或還有子孫生存，那死者子孫也得一體治罪！這樣，一年來，浙西的墳墓既普遍被掘，致原野白骨纍纍；初掘的是有帝王給予恩榮牌坊的所謂「封建遺物」；後來，凡是有蒼松翠柏，而象徵這墳墓的所有主是「殷富」的，也一律夷平！

王相國孫被驅行乞

還是既稱「解放蜜月」不久，當開始發動「勞軍捐」的時候，杭州清吟巷的王致之，雖名爲相國後裔（祖父王文韶，光緒時的內閣學士），然而可憐的相府，不僅花園早已易姓楊氏，改建住宅；就是自己的前後廳也分租給機布廠、山紙行，把租金作爲維持生活的來源。這位與世無爭與人無忤的公子，自抗戰避難歸來，已貧困到內無三尺隴門之畜，日常提籃上菜場，和夫人（民初長內務的汪大燮女）共操家務。但儘管你生活如此，而因爲有一個曾受皇清恩榮詳載於石碑的墳墓，中共就這墳墓計算對「人民的罪孽」，要子孫來負責。第一步逼着他們要錢。第二步要衣服，器具、古物和書畫。第三步迫着他們到藏柴的陋室中去居住。在今年「土改」雷厲風行的時候，這墳墓終於被掘，而他們也被驅爲乞。

，可是步行一條靜安寺路也是常事，所以鄉里人士都以福人稱之。然而，今年他的祖墳，也一樣的爲共幹所掘！老翁此刺激，覺得前途漆黑，萬念俱灰，第二天夜間，乘家人熟睡時，服毒自殺。（北雁）

張元濟不堪回首

僞滬的海鹽老翰林張元濟，自沈衛（沈鈞儒叔）去世，在滬成爲所存科甲人物中祭酒。當民國二十五年政府積極準備抗日的時候，推行民衆義務勞動，以築路爲第一工作，那時他故鄉的縣長張留雛（戰時長浙江平陽縣，嚴酷爲地方怨恨，戰後被劾逃亡。大陸淪陷，因與張治中同宗，赴平求此，並受中共訓練，總被檢舉，解返平陽償還「血債」），和地方「士紳」不睦，在二十六年春季興築古鎮縣道時，曾毀胡姓古墓，爲士紳們攝影在張老前攻擊，指爲破壞古蹟，侮辱鄉里。張老不加思索，利用商務印書館創辦人的地位，於東方雜誌上爲文攻擊，且列於首篇。浙省主席朱家驊爲重張老的學術地位，免縣長職。這事，一般人士對用一個有地位的學術性刊物來作爲個人對地方事務的發洩，都感到不滿，但總以爲年老人感情容易衝動使然；只有私議，而沒有公開指責。自大陸淪陷，張被拖下水；擔任什麼「政協代表」，和「華東政務委員」，可是他的祖祠，祖墳，也於本年先後遭遇，還連累管理祭產的族叔張幼儀瞭獄迄今。這真使張元濟有「往事不堪回首」之感，佯狂裝瘋，到現在還不能一步離開家門。

金問泗老父自殺

金是僞寓上海的平湖金鏡藻，他本人名雖只是拔貢，而于象金問泗是……長。同時金以孝道治家，白頭的大學教務長還天天向白頭的老父晨昏定省。由於環境的愉快和金老養生得宜，雖年逾古稀

香港三日繽紛錄

除夕下午在九龍海灘水上失事之美海軍水陸兩用機一架，該機於二十七日由馬尼剌奉美遠東海軍司令部之命來港，機上一共八人。除四人獲救生還外。一日下午復撈獲屍體一具，二日下午尚有三具屍體，已全部撈起。美駐港海軍武官楊格上校及葛雷上校對上述之事均守口如瓶。外傳機上有美海軍上校一人，來港任務，未予透露，但美方十分注意此事，聞美海軍部將於日內派調查團來港，調查此事眞相。

×　×　×

英駐遠東海軍總司令羅梭中將，於一日上午九時，由星架坡乘「警覺」號驅逐艦抵港，視察港英海軍及基地之活動。羅氏擬在港勾留兩週，將前往台日兩地巡視。在台北現有英遠東海軍司令部海軍武官一人。又星嘉坡總督亦與羅氏同來，二日即飛返。

×　×　×

元旦香港舉行第六屆的國際長途賽跑，共計一百八十九人。冠軍彼得比士，創出三十三分二十七秒一的新紀錄。打破了第四屆我國長跑冠軍王正林三十五分十秒的新紀錄。年齡最高的爲六十歲的老人歐康。

×　×　×

英國會北愛爾蘭代表之議員海德中校，代表北愛爾蘭首相布魯克爵士慰問在韓之愛爾蘭士兵。他在二日視察香港的愛爾蘭來福槍隊。

韓戰即使停火，中東．東南亞也不易保得太平．邱翁是世界上最懂得忍耐和讓步的一個大政治家．

有記者問起他對韓戰的看法。他說：即使停火，中東也保不住太平。他指出埃及反英的氣氛，非常濃厚。其次，在東南亞方面也不易保得太平。邱翁之訪美，在他的看法，可以圓滿達成任務。因爲他說：「邱翁是世界上最懂得忍耐與讓步的一個大政治家」。

×　×　×

美國經合總署奉命自本年起易名爲共同安全部（Mutual Security Department）在香港的遠東經合分署負責人二日正式指出，該分署尚未奉命易名，但相信不久即可正名。該負責人表示，政策是否亦因此而更改，此負責人表示，政策不但不更易，可能還要加強。因爲從前以經濟援助，解決某些地區的民生及文化社會經濟等事宜，增強該地區之力量。現在覺得這個辦法太消極，浪費的錢太多，美國有許多納稅人表示不滿意。現在已眞眞在共同安全上打主意了。

×　×　×

日外務省駐英辦事處祕書橋本三日由英經港返日，橋本氏指出日本將於本年四五月間結束一切駐海外辦事處，將與有關各國恢復正式外交關係。將成立大使館，公使館，代辦及總領事館五十餘處。首先恢復外交關係的國家計有英，美，加，菲，印，法，荷，比等。關於中國方面，他說他相信要與台灣的國府恢復外交關係的。

×　×　×

前一個星期，台北，香港與東京間盛傳一位中國專治腦病的醫生，獲得諾貝爾獎金。這位醫生名李賢光，據說發明最新的檢驗腦部方法，利用原子堆之剩餘物中含有原子的液體，提煉後從人體靜脈中注射進去，經過特種儀器，發生電流，由電流之波度顯示腦之情狀。東京醫界一度要他去講學，香港新聞界拚命追住他不放。各報紛紛指責，「損毀了這個未成熟的發明家」。根據可靠方面消息，李已經共方之請，二日赴大陸，將在共方贊助之下，繼續研究。

×　×　×

葡萄牙駐澳門總督史伯泰海軍中校於三日正午，偕其夫人乘「宮沙韓」號抵港，作官式訪問。香港總督葛量洪爵士偕同三軍首長親至皇后碼頭迎迓。英海軍鳴禮砲十七響，歡迎儀式，備爲隆重。澳督留港一宵，已於四日晨返澳。留港期間，下午參加葡駐港代總領事利比歐在西洋會舉行之鷄尾酒會，當晚港督晚宴。（一成）

五百萬市民含淚度新年

【上海通訊】新年了，上海市五百萬市民在中共脅迫下又含淚吞聲推過了一年。僞新華書店爲了撈一票，特地發行了一千萬份「新年畫」。在八十一種式樣中，有毛澤東像的佔了七十二種。共幹都認爲：「祇要畫上有毛主席像，便保證有銷路。」老百姓的看法則以是，既討厭它，又不得不懸掛它。

「穩定新年關物價」的口號已不生效用，市上百物飛漲。上漲最烈的是日用必需品，豬肉已由八千四漲到一萬二，青魚則由七千漲到九千五，白菜由一千漲到兩千，蘿蔔由五百漲到八百。其他如鷄鴨，蛋品，水菓等亦無不日漲夜大，明碼標價，已有名無實，買不到東西。僞管制物價工作委員會的共幹雖跑到通氣也喘不過來，要市民檢舉，然總者無人。

同時，鬧了好久的年終獎金問題，經中共歡勸通後，是年終終于解決了。工業方面，染織工業，橡膠工業，機器工業，玻璃業，針織業等仍照去年辦法。商業方面，理髮，鞋帽，照相，禮品等各業則互有增減。但有一共通之點，即所有變領年獎者，在僞上海市總工會威逼之下，工人變得血汗錢，都被迫進「人民銀行」，變成不能動用的「愛國儲蓄存款」。（悠然）

中共「婚姻法」施行下 一幕交換老婆的趣劇

搞七廿三共老爺亂點鴛鴦譜

【蕪湖通訊】中共自從「頒布」了「婚姻法」以來，大力推行，光是「法令」「頒布」還不夠，最近並由各省派幹部下鄉，四處「檢查」，因爲「上級」認爲下級幹部對於婚姻問題還存有封建思想，辦理人民的離婚案件，不夠澈底。由於上級的高壓之下，下級幹部，尤其是農村幹部只得遵命辦理，於是把鄉村的兩性關係搞得一團糟，有些婦女雖然以前不是「自由」結婚，但幹部也要迫着她和丈夫離婚，因此，婦女內羞憤而自殺的，就層出不窮。除此之外，地方還鬧下很多笑話，有些還「交換老婆」，讓報告者們一個「交換老婆」的趣劇，可見中共對於男女關係，眞是胡鬧一場。

這齣趣劇發生於安徽省蕪湖縣郊外的飛行村，時間是在本年夏季。原來江南各地，抱童養媳的風氣是很盛行的，童養媳是窮人家養不起的女兒，自少就送給別家做媳婦，等到男女長大了，才結婚，這種婚姻當然是不會美滿的，不過讓農民的經濟改善了，自然就會廢除，因爲誰都不會情願把女兒送給別人做童養媳，無非是生活困難才迫而出此下策。

飛行村有個農婦叫做押弟子的，今年二十三歲，她四歲的時候，她的父母將她給了一個姓芮的人家做了童養媳，六年前和她的丈夫結了婚，生下了兩個孩子，她的丈夫名叫芮傳家，年紀比押弟子輕了四歲。押弟子是一個很能幹的婦人，對於只有十九歲的丈夫，未能滿足，因此便和同村裏的一個青年農民王道毛姘上了好，不把芮傳家放在眼裏。

王道毛是一個已有老婆的人，他的老婆名叫小臘梅子，王道毛這人雖然爲押弟子所愛，卻爲小臘梅子看不起，夫妻倆感情很不好，小臘梅子常常要和丈夫吵鬧，王道毛總是受她的氣。

芮家是一個中農人家，境況較好，所以芮傳家多少讀過一點書，共產黨來了，這個傢伙，押弟子看不起的小伙，卻非常的「積極」，竟被他當上了「青年團支團書記」的榮職。既做了「官」，對於老婆和王道毛的，搞七念三，當然不服，爲報仇起見，他就認識了王道毛的老婆小臘梅子，也相好起來。

這樣，芮傳家和王道毛就變成了水火，王道毛也是村子裏一個「積極份子」，也不肯示弱。村子裏的農會主任倒是一個公平分配的經濟專家，一看他們二人一個半斤，一個是八兩，倒不如就此交換了吧。因此農會主任就出來調解，暫充魯仲連，同時也象徵着太守在好「婚姻法」正叫人民離婚，於是王道毛便和小臘梅子，芮傳家和押弟子雙雙到「區」裏宣佈離婚，同時王道毛和押弟子，芮傳家和小臘梅子，宣告結婚，萬事如意，皆大歡喜。這幕趣劇一演出，全村的青年男女都發狂了似的，有相好的都要和相好結婚，和原來的老婆離婚，那裏知道他的老婆也正是別人的相好，而他的相好也正是別人的老婆。這樣一來，村子裏就有七八對夫妻，照王道毛和芮傳家的辦理，大家亂七八糟的掉換一下，就算實行了「新婚姻法」，打倒了封建，得到解放翻身。

中共的記者先生並爲此「亂點鴛鴦」大吹一番，說是「社會風氣正道了！婚姻法那樣不好？」云云。（愚一男）

「一杯水主義」的教育

男女關係是普通家常便飯　打胎是人民醫師的好生意

【常州通信】共幹楊允武，原在無錫一小產科醫院任醫師。八年前加入共黨，派在「三野」服務。去春，因將共幹兩名醫死，被「檢討」後撤去職務，即行返回常州原籍，以「專門產科」掛牌行醫。僞衛生局以楊係「自己人」，經檢定領照等手續均特予「照顧」，致一年來相安無事。

上月廿七日，武進新閘區慶陽鄉朝陽庵小學女教師陶靈苹因爲校長曾琭（共幹）誘脅失身。陶又了「肚子」關係，因曾已有妻子，便到常市西橫街楊診所，要求施行「人工流產」。楊以此項手術當乃滿口答應，索取了手續費僞幣一百萬元，並叫陶填了一張「倘有不測，各憑天命」的字據。當晚陶經楊施行人工手術後，即血流不止，返回家中，廿九日晨，性命垂危。陶家人用繩床抬來求楊診，楊見死不救，推諉「天命」，閉門不納。同時復狠心將陶靈苹下的活活嬰兒，丟進沸水鍋裏，搗爛煮碎，竟敢公然送到常市北大街存仁堂藥店配製「一藥丸」。此事經存仁堂報告僞派出所，並經僞衛生局化驗了楊製丸藥裏的屍骨後，證明確係陶嬰，楊因無法抵賴，已被送至僞常州市人民法院處理。

中共對男女間的「關係」，向來是看得平常的。在今日共區，打胎已成了一班「人民醫師」的好生意。共幹楊允武之所以敢做這種慘無人道的墮胎煮嬰的犯罪行爲，與其說他漠視人命，倒不如說他受了「一杯水主義」的「教育」影響來得恰貼。（處三．十二月廿九日寄）

廈門乞丐「翻身」

廈門日報最近登載一段消息，說廈門乞丐已經翻身，茲將乞丐翻身的內幕探錄如下：

一、廈門原有乞丐約一千人，解放後增至二千五百廿七人（根據中共統計），新增的乞丐，多是由內地逃來的「地主」，及一部份本地的「資產階級」，「匪眷」等，都是被「掃地出門」的。論這些乞丐安定下來，由集中後認爲有二種：一種是回去「歸宿鄉」。除一種是須在當地給他加上一種罪名，的「勞教」幾年之後，作爲「歸宿」。

二、身份明確，確實有乞丐身份的，勞動年齡在十六至四十歲者，且是完全之人（沒殘廢的），均因材取用，但極少數。

三、殘廢老弱的，這種乞丐分爲二種：一種是過去與人民爲敵的「匪一」，最初去「勞教所」，然後給他戴上各式的帽子，在公開的刑法堂中，用最殘酷的刑罰，使那些罪犯心驚膽破。所以，這種乞丐是一種殘廢的乞丐，正是一種犯罪的標誌給他掛在胸前。一個共幹還有了牌照，才可以向市民行乞，但牌照每月要換一次，換時須繳給「人民」一萬元的牌照稅。以上三種，就是「人民廈門日報」所說都給他們有了「安宿歸宿」。（光塵）

派克筆與游泳錶

．這是樣品．

【鎮江通訊】在鎮江金山寺門前的廣場上，召集了民衆開會。共幹在台上大聲疾呼，要大家一致拒用美貨，並且特別強調說明如「五一」型派克鋼筆與游泳錶等。是一個學生在旁聽得呆了，忽然發現那位講演共幹面前的口袋，正掛着一枝「五一型」的派克筆，他帶着一種驚奇地態度，手指共幹，並高聲叫道：「喂！同志，你不是說大家要拒用美貨嗎？爲什麼你自己還要用呢？」共幹羞得滿面通紅，對大家說：「這是樣品，所以今天我特地帶來，讓你們見識見識」。（亞文）

國軍反攻先聲

【上海通信】由於國軍反攻大陸的消息愈傳愈緊，僞滬共也有點驚慌了。僞上海市軍管會已決定自一月四日起，將長江口北航道和海門水道全部封鎖，並以北緯卅一度以北，東經一百二十二度十分以西爲「絕對管制區域」，任何船隻不准同時「管制」，執行管制，任何船隻不准進出。又成立了一個「航管委員會」，由共僞港口管制任爲主任，對進出此區域附近之船舶，均執行嚴格檢查船員，旅客，行李等，以防游擊隊進行破壞及國軍艦隊駛近突襲。（悠然　十二月卅一日寄）

滬共自四日起 封鎖長江口北

杜爾斯其人其事

·嘉華·

美國對日和約之簽訂，在戰爭歷史中可以說是創見的奇跡。一個戰勝國經過殘酷無比之戰爭，竟然把一切深仇忘懷，而訂出意外寬大的條款，相信除了美國，絕不會再有別的國家肯要這種和平。而這張和約卻差不多是杜爾斯一手包辦。

杜爾斯對日和約事先曾飛行了十二萬五千哩，訪問過六個國家，盡其縱橫捭闔的本領，懇求拉攏，舌敝唇焦，然後纔把這張和約草成。

有人曾對杜爾斯說過：日本人在二次大戰的暴行，是令人永難磨滅的。杜爾斯搖一搖頭答道：「耶穌說過：沒有什麼仇恨是應該記住的」！由這句話，可以看出他的性情了。

外祖父的提拔

杜爾斯生於一八八八年，他的外祖父浮士德曾担任過總統的祕書，作過駐墨西哥及俄國的公使，可以稱得上官宦世家。杜爾斯自小就好學而精健，曾泅渡兩哩半的漢德臣灣。他的父親是一位牧師，爲了使他繼承衣鉢，想送他進神道學院。可是外祖父卻想培植這個外孫[illegible]，於是在他小學畢業後，外祖父就送他到瑞士留學，半年學識法語。

一九〇四年，修業於渡倫司頓學院，第二次海牙會議，他的外祖父帶了他去擴了眼界，同時外祖父因爲和中國的當道諸公交情不錯，美國特派爲赴華全權大使。這時杜爾斯才十九歲，也居然跟隨赴華任代表團祕書了。

後來再回到渡倫斯頓書院繼續修業，畢業後，又在華盛頓[illegible]兩年，然後才在華盛頓大學法科畢業，成績爲全班之冠。此後，又參加紐約法律的考試，奠下在法界的基礎。

律師生涯

遵循着外祖父的培植，離校之後，就在沙路文與克林和律師事務所找到一份差事，月薪僅僅五十元，幹了一年，陞到一百元。他就和一位在巴黎相識的愛和利小姐結婚，情[illegible]，先後生了三個兒女。杜爾斯律師個人頗具風趣，曾經使要子們高興，竟在馬路上用手杖頂起禮帽，沿途大耍把戲。

第一次世界大戰，因爲眼睛受傷，而退出服役。可是仍然是一位傍旁的精精人[illegible]，一九一九年凡爾賽會議他也是團員之一。

他生平最服膺威爾遜總統的主張，他在這次會議之中，所見法國克利孟梭和英國勞合佐治的措置，早料到世界第二次大戰是絕難避免的！

回到美國，重設律師事務所，他不再是小職員，而是高級的要員。他更把這事務所擴充十五家分所，成爲國際性最大的法律機構，由他總握大權。自此五十歲後，隨心所欲，別野游艇，應有盡有。但仍然感到內心若有所虛，他以爲這種空虛，唯有能在傳道事業中獲得填補。

宗教精神

一九三七年，杜爾斯被派爲巴黎和平會議的主席，對於這個會議，大家缺乏之誠意。他對國際間互不合作，表示「根本厭惡」，便離席而去，倒趕到英國參加教會的牛津討論會，討論和平，以宗教精神，討論外交的爭執，與一般外交家的形成相反刺。他拜謁長老會神父的偉論，纔懷滿腔信念回國。

三年後，二次大戰果然爆發，杜爾斯參加了聯邦教堂聯合會。這個會的主張：應以公平態度以求永息烽火。這時羅斯福左右大多數人都要德國放下武器，無條件投降，同時珍珠港之仇非報不可！

杜爾斯想起第一次和會種下的惡根，他便呼籲：「美國應該照着耶穌公平博愛的啓示，把一切仇恨放過一邊，而給各國以示範，纔能永保和平！」他還向范登堡貢獻他的意見。一九四五年范登堡向羅斯福總統推薦，派杜爾斯到三藩市爲聯合國代表，讓他以宗教精神來辦理外交，一展懷抱。

一九四六年，他寫了一篇「分析蘇俄無神論之動機」。三年後，紐約州長杜威邀他競選紐約參議員，他祇好辭了律師事務所的職務，想遊四鄉演說。可惜他的儀表不揚，他像個學究，結果失敗了。

和約起草

一九五〇年，因爲范登堡的倚重，又恰到國務院工作。恰好艾奇遜指定他起草對日和約。這件事曾經擬了三年，祇以意見複雜，始終難定。以軍部方面而言，他們尚猶疑不決是否對待日本應該太寬？

這事交到一位教會的信徒杜爾斯手中，他以爲和約選擇要簽的，毋寧採取寬大的和平，否則只有造成戰敗國貧窮飢餓，反而給共產主義以可乘之機。他先和華盛頓的英華兩國大使商妥，再和蘇聯的馬立克接過頭，起草了八頁紙的和約，隨而飛到東京會見麥帥。麥帥自向來主張對日慷慨，自然也興高采烈的歡迎他。可是到菲律賓時，廣播卻對他冷嘲熱諷，還他的像片也被燒燬，碰了一顆釘子。

奔走遊說

他也飛到澳洲、新西蘭、巴黎、倫敦、各地，適值麥帥被免職，這給日本人莫大的震驚。他連忙再到東京去穩定一下僵局面。

蘇俄反對日本重整武裝，杜爾斯的答辯是：「這紙和約祇有美國和日本說這句話：『[illegible]』」。[illegible]美國四年苦戰，[illegible]作戰了六年的非律賓要求日本賠償八十億美金，他解說：「[illegible]」，日本結果還無力賠償賠款了。是要了[illegible]國擺脫腰包，而與費用，已經有五億三千萬元，總算夠了！

至於英國不同意中國民政府參加簽約，他竟運用律師的手腕：「那麼要隨日本自己決定，願意和誰另訂和約吧」！

現在和約已簽訂了，杜爾斯也因此而成了世界的名人！

在平常之至！

·尚方·

史大林趁日本「共同通訊社」——即從前日本的同盟社——的請求，寫了幾句致日本人民的元旦祝詞，挑撥日本人的反美情緒，「祝賀」日本人民「在外國佔領之下」，英勇奮鬥，得到成功云云，東京的一般高級官員對合衆社記者指稱這是「很不平常」的文件，可能是「超過一般重要性」！

我看了這段消息之後，馬上想起了兩三年前，我國政府對駐日盟軍總部主張扶植日本輕工業，以恢復一九三六年生產水準的計劃反對攻訐，充分表示仇視日人的態度，到處效嘍嘍；同時又唱一「反扶日」論調；他們高指日軍曾經使用細菌作戰，像煞有介事的公佈其所謂「戰犯審訊紀錄」，且要提拿日本天皇來受審等情。即覺得史大林今天對日本人所說出的祝詞，汚穢卑劣，臭不堪聞，誠不知其有甚麼「很不平常」之處？

對日和約既不理會史大林的「高見」而簽訂了，並且規定將來日本與別國訂雙邊和約時，也不能違背多邊和約的原則，使史達林沒有玩弄邪術之餘地。他站在葡萄樹下，垂涎欲滴而又吃不到，只好說牠是酸的，希望補個人把這葡萄樹砍掉，大家吃不成，再作道理。這就是史大林破例「以一個蘇聯總理是不常向外國人民表示他的情感的」眼驗之所以突然向日本人民僞裝親善之所以然。揭破其外表紙包，何曾有絲毫善意呢？是一堆毒藥，美國人指其爲「鱷魚淚」，可謂確評。

日本人如果想藉此以作翻身的玩具，而顧盼自雄，別存用心，那無異想在海中玩鱷魚，其不遭殃喪命者，鮮矣乎！

自由談

李應與祝家莊（下）

——水滸人物論之四——

·舜生·

三打祝家莊是梁山泊的一件大事，更是宋江上梁山後的一件大事。爲了對付一個人民自衛組織，調動了六七千的軍馬，其結果受了兩次挫敗，而楊林，黃信，王英，秦明，鄧飛，石秀也被捉去，可見人民武裝自衛不可輕侮，而梁山泊也並不是有什麼「了不起的力量」。可是最後的勝利依然屬了梁山，而三個莊子也全部歸於毀滅，其原因是頗值得檢討的：第一，時遷被祝家莊捉去，自己供認係投奔梁山，祝家把他看成梁山賊人是沒有錯的，家既以反梁山爲目的，李應卻不顧堅持非放出時遷不可；第二，及至李應受了箭傷，祝李兩家完全破裂，楊雄石秀說明要到梁山去請兵，李應不僅不加以阻止，反而送給他們的盤纏，爲修私怨而忘了公仇，不惜引盜入室，這實在是李應的大錯特錯；第三，等到梁山的軍隊到了，李應坐視不救，猶有可原，可是扈三娘一經被捉，她的哥哥扈成也就親自向宋江輸誠，可見三家的團結實在太不堅固，而祝家莊乃不能不完全陷於孤立；第四，當時官廳對於這種人民的自衛組織，不僅不予協助，似乎還加以猜疑的。我們只看祝家莊打破以後，吳用命蕭讓扮作知府帶同幾個扮作巡檢、孔目、虞候、和都頭的人，誣李應勾通梁山，一下便把他和杜興捉去，他們不僅不敢抵抗，乃至連分辯也不敢分辯，他們便可看出人民爲官廳的積威所劫，到了什麼程度；第五，梁山泊最長於勾引官軍的將領，例如秦明，關勝，呼延灼，花榮，索超，黃信等等，便都是勾引過去的；第次的打破祝家莊，也還是由於登州的一個提轄孫立，因爲自動向梁山投效，又利用他和祝家莊教師欒廷玉的私人關係，居然滲透到了祝家莊裏面作爲內應，然後梁山才能得手，凡此，均足以說明官軍之太不爭氣，並不是梁山有什麼厲害。

毛澤東並不懂什麼馬克斯牛克斯，可是他對中國的舊部小說卻有心得，共產黨得有今天這樣一個局面，得力於「水滸傳」者確實不少，而「三打祝家莊」這一齣戲，尤其是中共最歡喜搬演的。三十四年七月，我和褚輔成，傅斯年，黃任之，冷禦秋，章伯鈞諸人到延安去視察，我一看毛澤東那一股神氣，便知道他是一個絕妙的宋公明。最後一晚，他們舉行一個晚會歡迎我們，所演的京戲，便正是「三打祝家莊」，當時他請褚輔成和我坐在一排，他看到孫立混入祝家莊去爲梁山作內應的時候，他便低聲的對我說：「他們估計着你最有做孫立的資格哩！」我說：「你這個玩笑開得太大！千萬不可回到重慶去亂說！」現在孟真已作古人，而真正做了孫立的乃是張治中邵力子黃任之冷禦秋章伯鈞這班人，卻不是我，可見毛澤東學習宋江的這一套是有效有不效的。

萬竹樓隨筆（六一）

事不宜遲

·夫石·

解放別錄

中共今年廿八歲

·海瀾·

陳炯明發動叛變，進駐東江，廣州中樞已得消息，中心工作是建軍，連類而及的是鐵飯碗。那期間，廣州市面突有大批假洋煤油廉價出售，商人以獲利，市民樂于試用，却不明其所自來，亦無人究問其所自來。道路相傳，煤油餘利，約等于吳鐵城長公安局，奉命抽收全市房屋租捐兩個月之數，黃埔軍校於焉成立。

那一套「躲在老婆房借讀紅樓夢的社會革命者」此時的確幹極，縱不神遊大觀園，也只當伏而張大一雙冷眼，注視着袞袞諸公的唱情棒步而已。相反的摩拳擦掌日灼灼凝觀着政潮的那一群就併力在幹，吳稚老名之曰急色兒，形容盡致。陳獨秀、李大釗、惲代英、蔡和森等，左一篇文章，右一篇論說，一窩孫悟空頂不耐煩的聰明認識這些掉文袋只管讓他叫，而實幹的應該要跳。他們當時幾種大計劃，確能分工合作地進行。其一是留法的闖向莫斯科那條大路，抓緊第三國際和列寧政府。其二是國內中堅分子參入國民黨和軍政樞軸，參加國民革命。其三是參入各部隊左右官長支配士兵。其四是號召鄉村推番部勒成軍，戕殺地主，對民衆以實際行動作共產主義註解。

國民黨第一次全國代表大會烘烘鬧鬧以後，人們聽得聒耳的最高國策是容共聯俄。胡展堂私下問我對此作何觀感。我當時答得很俏皮道：「我從來歡喜台下瞧熱鬧，却謝絕粉墨登台演，你們搞政治，倘能謀，多此一舉，至少可以增加劇情的曲折。做得好，我會拍拍掌，看做得不好呢，我當然有喝倒彩的權利，看吧」。展堂緘着沉思，因爲那幾年我掉臂遊行，很可能已有興風作浪的大把戲演出。而我終于悄然從幕後遁去，展堂知之甚悉。現在他們正要決大疑定大計，以爲我必有所獻替，却不料只討得那幾句俏皮話，爲之爽然。

包羅廷先生出現了？嘉倫將軍的雄姿浮在大家眼前了，農民部長是毛澤東，海外部長是彭澤民，其餘甚麼甚麼，記不清了。

有人告訴我，凡事必開會議，民主之至；開會必有結果，一洗會而不議，議而不決，決而不行之老毛病，猶賊新氣象也。我聽了不由得歡喜，歡喜來了，別一老先生拍案怒罵道：「天下後世必有以開會亡其國者」！我駁問其故。老先生說：「狗咬了貓要開會，貓捉老鼠更要開大會，有資格出席的，平均一天赴會要佔了十六個鏡頭，作甚麼啊」！座客相顧都不敢笑。

又有人告訴我，開會，主席永遠是包羅廷——大家却叫他鮑羅，省文也——議題，案由，辦法，祕書照例宣讀，譯畢，包主席一雙寒光的眼睛把正襟危坐的議員們一一掃，鴉雀無聲，一案通過了。我說，我們自由社會主義者跟布爾什維克先生們拿了半年的餅頭便拆了，其實與正關係到柴米油鹽大問題還少；就是這羅宋湯的滋味已不中胃口之故。聞者粲然。

軍、師、旅、團、營以至連部都有嘉倫將軍支配着的政治部和政治員。這樣的大軍浩蕩蕩出發而北伐了，現在中共黨史由「促成國民革命」寫起，你如不承認是「信史」嗎？

統一大業告成，石頭城氣象萬千，吳稚老謔稱爲「草台班子」，老百姓則欣歌河清海晏，奈命途多蹇，又是霹靂一聲「清黨」，地方奉行不遺餘力而天下騷然。展堂歸自莫斯科，又問我這番怕當還是喝彩呢？我那時隱痛在心，不再俏皮却莊言正色道，要招致就招致，要清除就清除，這是你們的事。我若說你們自擾，好像是「佛也涼涼去」的辭口。如果指天畫地，又類乎事後言智。但有一層，你們翻轉面孔，恣殺青年，鉗制思想，大開倒車，那不是對共產黨反動，而是對世界對時代犯了大逆不道，可要當心不久便吃着苦辣不能下咽的果。展堂悚然，連說兩聲「無有是處」。

由今論之，中共成長擴大，因素甚多，大有造于彼者莫如蔣府袞袞諸公。監湘邊陲，贛南僻峨，那時掛籍共黨的才數千人，候補黨員C.Y.分子亦不逾萬人。迨延安喘息甫定，鄉村小學生也有背棄父母，竊取幾文，千里間關，如水赴壑，大有「他年若得報恩讎，血染潯陽江口」的一肚子悲憤而去的！那裏說得上甚麼主義？總之，中國一切在轉變，當政的頹廢而乏朝氣，復不能對人民負責，盡使進步青年極度失望，那股逆流便始焉涓涓，中焉滔滔，終焉澎湃。

井崗山豎旗以後，這邊有「曾文正公日記」式的記錄，那邊有新朝開國史；這不過茶餘酒後聊資談片的別錄，姑止于是，每期例要交稿的責任就此解放了。（完）

那是西方人的說謊

美國名著作家魏斯堡一次和捷克一位高級官員閒談，捷克高級官員說：「捷克人民有充分的個人自由」。魏斯堡反問他：「爲什麼那些前往英美新聞處的捷克人，有好幾位失蹤了」？捷克官員說：「那是西方人的宣傳，說謊，實際上沒有這回事」。

魏斯堡於是裝爲捷克人，穿上捷克衫，講一口捷克話，走進英國新聞處的閱覽室，看了一陣書報。等他走出旅館時，被兩名祕密警察逮捕。經他證明是美國人後，始予釋放。魏氏獲釋後，立刻去見那位捷克官員，發「一陣牢騷」。捷克官員立即打電話向警察局查詢。警察局回話：「他們未曾拘捕魏斯堡這個人」。

魏斯堡指着捷克官員的鼻子：「看啊，難道這也是西方人宣傳，說謊麼」？

（高賓）

自由人

THE FREEMAN

（半週刊每星期三六出版）

（第九十八期）

每份港幣壹毫

督印人：李光華

社址　香港高士打道六六號

電話：二〇八四八

GLOUCESTER RD. HONGKONG

TEL: 20848

承印者：東南印務出版社

地址：高士打道六四號

台灣經銷處

台北市中華路一二五九號

（台北憲兵隊側對面）

韓戰談判之謎

・胡秋原・

韓戰依然在談談打打之中。聯合國自始至終，是願意和平的；在去年底，美國對戰俘問題，尤其急切。但共黨到底有無「誠意」呢？史太林葫蘆裏賣的什麼藥呢？我們對十八月又十五天的經過情形，略加回顧，似乎也就不難了解了。

自韓戰發生之日起，聯合國正式作過五次和平提議。一是前年六月廿五日安理會要求在卅八度停戰，二是前年冬天安理會請中共代表列席，三是十二月十四日聯大成立三人小組斡旋，四是去年一月十三日聯大政委會通過五點和平方案。直到去年二月一日聯大譴責中共後，仍贊成三人小組調停。這都說明聯合國的意向。

但中共氣燄很高。不過去年二月以後，人海戰術不靈了。於是韓戰週年前夕，由馬立克出面求和。

由去年七月十日到七月二十六日，雙方對停火談判議程，成立協議，即議程，停火線，監督，戰俘，關於撤兵之建議五項。在這十五天之中，共方遷就聯軍的，較聯軍遷就共方者實為更多。

自七月廿六日起，到十一月廿七日止，雙方對停火線獲得協議。共方原要求先停火後談判條件，並以三八線為界。聯軍在十一月十七日提出四項辦法：協定未簽字不停火；以現界為分界線；如卅日內談好，現界有效；否則，打到何處，即以何處為分界線。共方終於接受。

從此進入第三項議程（監督停戰問題的談判。不過，自十月下旬起，俄式米格飛機，逐漸增強。十一月廿七日聯軍提出七項「凍結」雙方實力的建議。共方態度漸轉頑強，僅由中立國視察，獲得雙方同意。而關於修築機場問題，共方以「內政」為理由，一味歪纏。十二月十日，聯軍提出強硬通牒，要求先行討論易俘問題。共方即行同意，並應聯軍要求，提出戰俘名單。但關於一對一原則及自決原則，共方則態度十分頑固，至今還在「談判」之中。

×　×　×

由這一年半的經過，使我得[illegible]樸的看法：

第一，自李奇威將軍「殺戮攻勢」奏效以後，「志願軍」已打不下去了。現代戰爭畢竟是工業戰爭。韓戰的世間，使共黨有[illegible]無問題的。在這意義上，中共是有「誠意」的。否則，使無法解釋共方之前倨後恭。而自去年七月以來，一切條件，大體上是對聯軍有利的。聯軍一強硬，共方立即讓步，也是很顯然的。

第二，但史太林則要拖下去。韓戰大出史太林之意外。他的「頭獎」是日本。「發動韓戰，原是打算以中共日共，搗亂日本。而中共的用場，是派在東南亞的。韓戰結果如是，而且形勢日益對他不利，他一定有嘔氣之感。但事已至此，只有打下去。主要理由，是要爭取時間，布置西伯利亞的軍事和工業，以便在必要時期，進取日本。其次是消耗美國人力物力，儘管不上算，死的不是俄國人，三是借此訓練奴兵，學習經驗。生物學家用貓狗實驗新藥的效果。史太林不用自己的人命，用中國人美國人實驗新式武器，何樂而不為？但做主人者，也不能不原諒奴才之苦衷。所以一面由馬立克出來替他表示，一面也送米格機到前線，為奴兵打氣。但米格增援之速度不高，可見俄帝也很吃力。此外，金日成之流，當然主戰。奴報上不說「中朝」而說「朝中」，不一定是「志願軍」究竟是客的原故，也有幕後發言權的地位問題在。

在志願軍的參謀部中，次序一定是「俄朝中」的。

由於這兩個原因，所以韓戰與談判，便若斷若續了。韓戰談判中之波折，不一定是史太林有計畫安排，而是主奴之間，多少有冷暖不同。不過經過「自我批評」和「國際指示」之後，就沒有問題了。「史太林元帥」總是不會錯的。

第三，不過史太林也很小心謹慎，不敢冒大險的。韓戰如果擴大，不信可以殃及自身，而且可使奴兵更丟面子。所以他希望拖，然而不擴大。而美國不斷放出空氣，要轟炸鴨綠江北，使用原子砲彈；還對於主奴雙方都是有作用的。共方不敢硬到底，原因還是有點怕。

因此，便形成史太林的最高戰略：「拖」。他希望以中國的血肉，拖得聯軍不耐煩，退出韓國。聯軍退出韓國，他才好對日本下手。

史太林的真意是：「不管你們說什麼，反正我要日本。聯軍最好打得他們退出。否則，騙他們退出。否則，使用志願軍拖得他們退出！」

×　×　×

但是，國務院曾經宣佈，即使停戰協定成功，聯軍依然留在韓國。真正的問題是撤兵。聯軍如願撤兵，其他皆為枝節問題。監督停戰和易俘，都沒有絕對的困難。北韓機場不過是前哨，不甚絕對重要的。人命如貓狗的史太林更不會真正關心易俘是否一對一。反正送回去的共軍俘虜，也是要殺掉的。聯軍的俘虜，他也是當作一個工具，多敲詐一點是一點。但中共是否打算撤兵呢？他可以答應撤兵。不過，一部分化裝北韓軍民，一部中立國的人是認不出來的。一部分則「撤」到鴨綠江北和滿洲，以便隨時可以回到北韓，直衝釜山。一言以蔽之，共黨不會真正撤兵，史太林也不會撤兵。

共黨既不會撤兵，聯軍自然也不是傻子。但史太林以為可用中共拖得聯軍撤；用米格機擠得聯軍撤；並且，到處吶喊，鬧得聯軍撤。你怕麻煩，他偏不怕麻煩。這是流氓長技，也就是史太林戰術。

×　×　×

對於流氓，最好給以大棍，其次，要有耐心。如怕麻煩，只有給他敲詐。所以今天的聯軍只有三條路：

第一，加強作戰，徹底解決北韓的「志願軍」。過去這機會是很多的。據說當鐵三角粉碎之後，共方潰不成軍。此時聯軍如增援進擊，或包抄圍擊，不難蕩平北韓。但是兩個多月來，俄帝增援不少，B二九已必須夜間出動了。但如果聯軍有決心，改變有限攻勢戰略，在空軍方面作有效增援，轟炸鴨綠江北，還是可能的事。我們希望大英帝國集團能多予援助，須知加強韓戰，即所以保衛東南亞。此為上策。

第二，繼續目前態勢，打打談談。反正聖誕節業已過去，就談到今年聖誕節也不在乎。如有此決心，則以韓國為練兵之場，加強輪調，亦無師老兵疲之顧慮。和史太林一樣試驗新式機新戰術，練習兵多，而利用這個時間，訓練南韓軍，訓練日本警察後備隊，加強其他東南亞的防禦，尤為必要措施。這也許有點耗費。但如果民主國家充分利用這一時間，使亞洲有充分自衛力量；中共無南侵之能力，且日趨麻木，如解體，則一旦世界有事，自由世界無東顧之憂，全力應付歐洲，又何嘗不是一種經濟的戰事？這可說是中策。

第三，如果聯軍無打算，無計劃，只求苟且了事，只要勉強過得去，即可撤兵，則談判自然可以成功。然如此談判繼之而來者，將是日本和越緬的亂子。此時史太林即將在歐洲搗亂，於是自由世界的注意力將集中西歐，於是史太林將乘機囊括東南亞，於是日本在經濟上將更成死局，於是日本美國將互相埋怨，於是日本也就無法安全了。日前路透電傳，如果停戰協定以後，中共再予破壞，美國將以海空軍全面制裁。其實，如果韓日均無力量自衛之前，聯軍即貿然撤兵，中共再度乘虛而入之時，再來海空制裁，也就太遲了。因為，那時候，火頭恐怕不只一處了。

以常情而論，韓戰既打不出一個結果，則談判應該可能。但史太林之鬼胎所在是日本。他不會撤兵的。因此，談也等於白談而已。

因此，我願奉勸聯軍：除了撤兵問題以外，聯軍儘管強硬，「志願軍」不會不就範的。但如果希望「志願軍」真能撤兵，則聯軍無論如何讓步，也是徒然。

朱可夫的新命

紐約時報軍事記者鮑爾溫最近宣稱：蘇俄名將朱可夫（Zukov）元帥銷聲匿跡五年之後，現復東山再起，奉派統率蘇俄西部以及所有東歐附庸國家軍隊，成為『蘇俄的艾森豪威爾』云云。這個消息是值得注意的。儘管板門店帳幕裏，巴黎夏樂宮中，和平空氣相當濃厚，我總覺得一九五二年是自由世界一重難關，很不容易渡過。因為（一）一九五二年是美國總統改選的年度，美國政界拚力於競選活動，如醉如狂，蘇俄可乘之『機』；（二）蘇俄東歐附庸國家軍隊的『俄國化』又恰預定一九五二年完成；換言之，到了一九五二年，蘇俄的歐洲『前線』將正好部署就緒，處於待敵之『勢』；再則（三）自由世界的防禦體系大概會在一九五三年安排妥當，蘇俄如要先發制人，一九五二年乃是最後的限期。

顯然，朱可夫的任務，是要加速圓滿完成東歐附庸國家軍隊的『俄國化』。他的成敗與蘇俄的決策具有密切的關係，大戰是否會在一九五二年爆發，就看他的把戲玩得如何。朱可夫是有本領的，不過，他的任務十分困難，要組織運用這些附庸國家（波蘭，捷克，匈牙利，羅馬尼亞，保加利亞）軍隊，不是一件簡單的事情。五個附庸國家，語言，宗教，種族各不相同，其差異複雜的程度，遠較西歐國家（如比，法，義）為甚。由於歷來的領土糾紛，如波蘭與捷克對西亞（Silesia）的爭執，捷克與匈牙利對斯洛伐克（Slovakia）的爭執，匈牙利與羅馬尼亞對特蘭西斐尼亞（Transylvania）的爭執，羅馬尼亞與保加利亞對多布魯加（Cobruja）的爭執，彼此仇怨深刻，現在雖然都在蘇俄控制之下，感情始終是很壞，無論如何，拉不攏來。

附庸國家內部的人事傾軋，民眾反共抗俄情緒的日益高漲，都是朱可夫工作的障礙。羅馬尼亞的女共黨領袖鮑克（Ana Pauker）陰謀暴露，國防部長波拿拉斯（Bodnaras），捷克總統戈特華（Gottwald）整肅了副總理史蘭斯基（Slansky）之後，大量增加衛隊，凡此皆足見附庸國家局面之擾攘。捷克的反共抗俄游擊隊，傳聞已有十萬人之衆，聲威壯盛，朱可夫必很感頭痛的。

但願『蘇俄的艾森豪威爾』不如美國艾森豪威爾之春風得意。

鐵幕內的排猶狂潮

我一直認為希特勒與斯太林是一路人，德國納粹與俄國布爾希維克兩家店子雖然掛着不同的招牌，發售的貨色卻是相同，至少在排斥猶太人一點上，希特勒與斯太林可以算得是一對難兄難弟。二次大戰前，當希特勒進行排猶的時候，斯太林也在排猶，而且比希特勒更殘酷，更大規模。不過，蘇俄將猶太人三個字改成『反革命』，便把世界耳目混過了。齊諾維夫（Zinoviev），布哈林（Bukharin）何嘗是反革命？祇因生為猶太人遂招殺身之禍而已。托洛茨基之被放逐，乃至最後之被慘殺，還不是斯太林痛恨猶太人的明證。

捷克副總理史蘭斯基被整肅，最初說是因有『叛國行為』。最近捷克總理柴波托基（Zapotocky）才講出老實話：史蘭斯基是猶太人，共黨捷克堅決反對『猶太資本主義』和『從耶路撒冷那邊來的干涉』。柴波托基的忽然坦白自必有其道理，他的話像是鐵幕內又要掀起排猶狂潮的訊號。

凌乃銳

時局漫談

舜生

台灣力足以保障東南亞

美英兩國意見比較距離遠一點的，大概就是遠東問題，這次杜邱會談，把遠東列為談話主題之一，這是最得要領的一着。英國決無意退出遠東，尤其保守黨內閣以恢復大英帝國的世界地位自任，自更無漠視遠東之理。且證於局勢，與二次大戰的當時迥然不同，當時的中華民國，還能保住西南半壁的江山，而且對日是堅持抗戰到底，因此只要中國能得到最後的勝利，英國雖會一時退出，仍不難重復舊觀。現在中華民國已退處台灣一隅，整個亞洲大陸，已失去了一個有力的屏障，假定英國仍主張在遠東繼續讓步，則不出三五年，蘇聯即不難赤化整個的亞洲，英國即能在歐洲勝利，對遠東要捲土重來也甚少可能，這趨勢已相當明朗，相信邱吉爾首相一定比我們看得更為明白。

現在鞏固遠東惟一的可能，只有自由中國與日本提攜，英國與美國精誠合作，不把握這一基本原則，而只在援緬，援馬，援台等方面枝枝節節而為之，將來或進一步來援印，援越，援菲，也終必歸於無效。

今天台灣至少有四十萬可戰之兵，假定能得着美英兩國的海空掩護，在兩廣雲貴建立一條有力的反共防線，而法國又能確保越南，即足以保障東南亞而有餘。所不幸的，在遠東除英國外，已經承認了中共的，計有印度，巴基斯坦，印尼，緬甸四國，如何來變更這一既成事實，確是當前一個困難的課題。

我認為對這一問題的具體解決，其入手辦法應該是這樣的。

一、美國力促日本與國民政府訂立一雙邊和約，英國對此事放棄反對的態度。

二、如中共堅持在北韓繼續修建機場，即將可使停火談判告一結束，決不能讓中共以其餘力援越侵馬，甚至援台。

三、對日本建軍力促提前實現，但日本對中國大陸供給軍用物資的企圖，應作有效的制止。

四、太平洋公約可以訂立，但以包括英美與自由中國為原則，其餘如印、巴、印尼、緬甸、儘可暫緩加入，一俟其對中共變更態度的時機成熟，即可聽其分別參加。

五、美國應擴大援台，並確定在某種情形之下，規定一協助台灣反攻大陸的期限，第一步以確保東南亞的安全為主要項目。

六、美國可協助台灣完成返回大陸的政治條件，最好台灣自身能自動的有以善處，以增進國際對自由中國的信賴，並加強海外兩千萬反共人民的信心。

蘇聯的又一把戲

韓戰停火談判經過了六個月以上，蘇聯忽然提議把這個問題提到安理會去解決，她的用意是很顯然的：

一、蘇聯可以正式出面發言，並作對其自身極端有利的操縱，可停則停，不可則止，一切以符合蘇俄的理想為原則。

二、打破美國堅持己見的企圖，即令無效，也可促進民主陣線的分裂。

三、藉此抬高中共的國際地位，並促成其加入聯合國。

四、蘇聯必在安理會提出台灣問題，作為結束韓戰交換條件。

五、蘇聯將藉此把日本問題向國際公然提出，以奠定她將來大舉侵日的宣傳基礎。

總而言之，民主國家的心理，在使一切問題簡單化，局部化；蘇聯則在使一切問題複雜化，全面化。只有渾水才可以摸魚，只有把情況弄得愈複雜，蘇聯的宣傳才能大生作用。她的挑撥，分化，中傷，操縱，……一切的伎倆，也只有在一極端複雜的情況之下，才可以大顯神通。

我們相信：這一提議不但美國將斷然拒絕，即英國也決不會輕予附和，其原因即因為蘇聯這種外交技術實在過分拙劣，現在已為大家所徹底看穿了。

戰後日本失卻自信心
日對美遠東政策懷疑
八千萬人口生活問題
天皇道德中心再建立

【東京特約通訊】民主國家對於日本可存希望，但不能存奢望，這是記者在日本實地考察所得的印象。

誰都知道，民主國家，特別是為首的美國，所以在「和解與寬大」的基礎上，和日本簽訂媾和條約，主要目的，是期望日本獨立後，成為東亞兵工廠和基地，使日本在太平洋集體安全體系中演着主要的角色。更具體地說，就是期望日本獨立後，正式編入「西方國家」的陣伍，要把她的人力和技術貢獻給西方國家，用以維持太平洋的均勢，保障太平洋的安全與和平。

這種期待，對於西方國家顯然是必需的，但是日本的現實告訴我們，對於她祇能存若干希望，卻絕不能存奢望。而今日「西方國家」對於日本顯然是傾向於「奢望」這一邊。

所謂「尼赫魯」路線

為什麼對日本不能存奢望呢？

第一，在今日日本人的腦中，占第一位的是生活，而不是反共。他們每天所憂慮的是「八千萬的人口，如何在這戰後縮小了百分之四十五的小小四個島上生存下去」的問題，而不是「如何去抵抗來自四週的共產主義勢力的威脅」的問題。因此，和約簽訂後，他們所最關心的，是領土和賠償的問題。國內的答辯，亦以這兩個問題為中心。所以，在奄美大島居民的歸屬運動，博得全體日本人的同情。池田藏相「賠償必在日本負擔能力的範圍內」的答辯，博得「國會與野黨」歡心。至於應該如何去對付共產主義勢力的問題，不僅引不起他們的興趣，相反地，還想和共產主義者「拉拉手」。對中共問題便是一個最明顯的例子。因此，「中立論」，不僅是左翼派的「幻想」，同時亦是右翼份子的「希望」。對內反共對外中立的所謂「尼赫魯路線」，在日本受到你所想像不到的歡迎與談論，正使許多外國人「莫明其妙」。所以期待着日本積極起來參加反共的工作，把反共代替生活擺在「考慮」的第一位，亦不外是一種希望而已，——至少在目前是如此。除非「西方國家」替她解決了那許多經濟生活的問題，或者整個局勢已經有了大轉變，日本對於反共的「政治感覺」是不會充分的。

還有，要反共，必需出於日本人的自發才能發生力量；否則祇有產生相反的結果。許多日本人說：「要反共，我們自己來反，不必你們來替我們安排」。盟國佔領六年來，日本居於被支配的地位，什麼都是人家替她安排，精神很不痛快，恨不得趕快脫出佔領的束縛。所以，不管附有不大喜歡的條件（安保條約），亦樂於接受和約的簽訂。現在和約已經簽了，她再亦不願接受人家的安排了。因此，在他們看來，反共也得你們來安排，那不免有損日本的尊嚴。這種民族心理很普遍而強烈地存在着。所以，美國越急於替她安排，越引起日本人的反感。結果，反共未成，反美先見，不是很糟嗎？不注意這一點，好的事情也會弄糟的。日本人明明是東方的國家，一定要把她拉入西方的國家，這亦不是聰明的辦法。

辻上校怪文書事件

第二，戰敗後日本人已完全失去了自信。我們雖不能責備他們過於自卑，但至少他們對於自己的評價，距離「西方國家」很遠，則是事實。他們認為表面上日本雖然已經復興了很多，但實際上還是滿身瘡孔，當前正待解決的問題，有如山積之多。今年三月經濟危機之說，已經在流傳着。所以他們沒有信心。時常聽他們說：「日本可能再做一個強國嗎？」現在有什麼力量對國際事情提出主張呢？像我們這樣一個脆弱的戰敗國能夠做什麼呢？既然這樣地悲觀，對於國際事情也就不會很積極了。當然我們可以說，這是出於日本人的自私心理，但是世界上又有那個國家不自私呢？所以，要使日本積極，必自恢復其自信心始。

日本人不僅喪失了自信，同時對於美國亦失去了信心。在出兵朝鮮，支援韓國的時候，日本人就覺得美國似乎不會再放棄太平洋了，因而對美國很有信心。[illegible]打這一仗後，[illegible]使他們失了信心[illegible]麥克阿瑟被免職，[illegible]日本人[illegible]美國的遠東政策[illegible]懷疑了。現在[illegible]朝鮮停戰[illegible]武器[illegible]歐洲去，那末[illegible]認為美國始終還是「歐洲第一」，亦難怪日本人對於美國的遠東政策，仍抱着懷疑的態度。

數個月前發生的所謂「辻上校怪文書」事件，便是這一態度的表現。辻上校就是辻政信上校，太平洋戰爭時，曾指揮過馬來亞作戰，有「作戰之神」的稱號。戰後四年餘，他潛伏在南洋各地及中國大陸，也到過台灣。回日本解除整肅後，著了一本「潛行三千里」的書，風行一時。一個月前，他在東京工業俱樂部公開講演第三次大戰的戰略問題，他說：假如美蘇戰爭，美國必敗。[illegible]美國必退出日本，而且在撤退之前，必破壞日本的工業，以免資敵。所以[illegible]琉球的美國軍事基地，不是用來[illegible]日本的，[illegible]轟炸日本的[illegible]。他的結論是：日本最好是中立。[illegible]他的講演資料，引用[illegible]比較[illegible]。日本共產黨把他的講演印成小冊子，散佈民間。因此[illegible]日本政府[illegible]。現在[illegible]這件「怪文書」[illegible]「極右翼」的[illegible]。[illegible]

蘆田鳩山再軍備論

第三，過去日本人替美國人打仗，現在美國人卻替日本打仗，（當然，日本人自己同時亦是為自己）這是一個大矛盾。日本人談再軍備，在這樣一個矛盾上面，自然不免要[illegible]不如理想了。[illegible]大多數日本人[illegible]始終感覺到害怕。再軍備論[illegible]蘆田鳩山[illegible]對於打倒吉田內閣[illegible]並沒有發生任何「加」的作用。相反地，倒成了他的「閃避」。吉田對再軍備明知不可能避免，但始終避免用「再軍備」這一招牌。他說：[illegible]再軍備」的招牌；[illegible]日本經濟負擔[illegible]第二，[illegible]日本曾受過太平洋戰爭的災害，國民對再軍備[illegible]懷疑[illegible]。因此，吉田用「自衛力漸增」代替「再軍備」。[illegible]

美國派大陸派對立

[illegible]軍備」。並向杜勒斯堅持媾和關係費用不超過二千億元（美要求二千五百億元）。但是因為吉田對於「自衛力漸增」的名詞含義，沒有清楚的說明，[illegible]日本[illegible]新聞[illegible]社論說：[illegible]不明朗之感……」就是[illegible]

[illegible]不消說，是有敵的存心，「橫」的例如蘆田這些人，都明白說出，要大量「美援」再軍備。他們想[illegible]不行的。[illegible]日本的經濟負擔[illegible]。但是，日本各黨派[illegible]極右極左[illegible]反共主義[illegible]一致[illegible]都[illegible]起來在軍統[illegible]

[illegible]人中，亦分為兩派：對於美國一派，大陸派[illegible]，大本營作戰課長，辻政信上校（前東條內閣領導者）[illegible]大陸派主張[illegible]，要由日本人自己統率，[illegible]思想在舊軍人中頗有影響。所以將來他們的行動和[illegible]極左[illegible]

讀賣新聞民意測驗

但是問題的中心，不在於用什麼人的武器的問題，還不在於要不要[illegible]

[illegible]日本人心中的理想[illegible]

天野國民實踐要領

[illegible]

北大西洋盟軍統帥部，是一個代表整個北大西洋同盟的靈魂，亦可以說是西方十二個國家團結反共的橫切面。根據李諾德（Quentin Reyrolds）的報告，這一個區域安全性的最高指揮部，經過艾森豪威爾將軍一年來煞費苦心的結果，已經變成了一個鋼一般的團體。美英法三國正副統帥及參謀長，在一個共同反共信仰之下，凝結成牢不可破的三位一體。

艾森豪威爾一次和統帥部同人講過一個團結合作的故事：『耶穌有十二位門徒，他們只不過是一羣謙虛而平凡的人。他們的周圍，佈滿了無數的敵人。他們當時用來應付敵人的唯一武器，便是信仰。結果，他們運用這一個武器，擊敗了那些想要阻止他們傳播耶穌教義的敵人』。接着，他又說：『我們是十二個國家，假如我們具有充分的信仰，那麼，我們在推行統帥部工作的時候，將和十二位門徒推行基督教義一樣的堅強而有效。』

當統帥部剛剛開始時，有許多小國代表，對整個北大西洋聯防工作發生懷疑。自從他們聽了艾帥上面這個故事後，信心漸漸建立起來，再也沒有人對自身的力量、或整個聯防工作，表示懷疑或畏縮。

北大西洋同盟與耶穌十二門徒

現在統帥部的最高負責人，除了統帥艾森豪威爾外，尚有副帥蒙哥馬利上將（英人），及參謀長格魯特 Gruenther（美）將軍。他們每星期總有三天在一塊兒吃午飯，討論範圍，包括最近發生的軍事及經濟問題。他們每一次都談得很投機，彼此都互呼小名或綽號。例如他們呼艾帥為埃克 Ike，呼蒙哥馬利為蒙迪 Monty，呼格魯特為阿爾 AL。什麼統帥副統帥或參謀長等銜頭，在他們之間，是沒有那麼客套。

他們這種非正式的聚餐會，對聯防工作的推進，發生了很大的作用。有一次，格魯特將軍提到統帥部的人事問題，他說，『一個新的工作人員到統帥部工作，須經過一個相當長時期的訓練，假如他不能說英法兩國語言，他是沒有用的』。

艾說：『是的，我們必須準備一大批參謀人員，他們必須懂得英語和法語。但是，現在同盟國，沒有一間高等軍事大學有這種訓練設備。』『為什麼我們不在此設一個這種軍事學校呢』？說完話，艾帥立刻致電華盛頓北大西洋同盟駐會委員會，不到廿四小時，委員會就通過了這提議。第二天，格魯特便開始這軍事學校的籌備工作。

籌備計劃起草人，是英人哈德頓中將 Edmund Hudleston。他和法人加班第中將，法人波德少將，及意大利海軍上將加波尼。飯後開始討論，一小時後，問題即告解決。現在，這聯防軍事學校，自十二國調訓的軍事幹部八十人，經過七個月訓練之後，他們將有聯防的軍事知識，亦能說一口流利的英法語，成為統帥部的基本幹部。

統帥部裏面，小的紛歧，自然是免不了的，但不愉快的磨擦事件，卻少而又少。美國空軍人員在英國空軍指揮官山德斯部下服務，和挪威人或荷蘭人在法國波德少將部下服務，同樣感到驕傲。米澤斯（美人）常常誇耀他的英國上司費斯汀，哈德頓中將（英人）常常稱頌參謀長法國人格魯特將軍。英國人莊特喜歡對他的上司說：『我們今晚可以在一塊兒共餐嗎』？那位上司便是美國人蘭漢將軍。

蒙哥馬利將軍，一向被人認為他是一位色彩濃厚的個人主義者。自從他加入最高統帥部以後，這種色彩，是看不見了。他現在是統帥部的副統帥，他的任務是組織並武裝北大西洋同盟軍。他僕僕于西歐各地，考察歐洲軍備，並對現有武器的數量及是否合用，作一番縝慎的檢查。他常常稱道自己是艾帥的『捉刀人』。

他是很尊重艾帥的。有一次，他對人說：『艾帥給他一個簡單的命令「製造武器」。我們現在正在製造這一柄武器，我希望它能夠保衛世界和平。但在我們有任何進展之前，我們需要兩件東西：一是信心，一是完全無私的同盟國間的徹底合作。艾帥給予我們以信心，他和格魯特將軍正從事必要的合作』。

英空軍中將哈德頓也這樣說：『統帥部成立不及一年，然而在統帥部服務的工作人員，不再想到他們是英國人，美國人，荷蘭人，或法國人。每個人都認為他所代表的，是整個的同盟國家。法國在越南部署了二十萬左右的部隊，每年耗費達十億美元。這是北大西洋各國一個共同問題，不是法國一國的問題。因為法軍在那裏所對付的，是我們的共同敵人，不是法國一國的敵人。朝鮮情形，正同越南一樣』。

歐洲各國對盟軍統帥部，在這一年內（一九五一），花了七十九億一千九百萬美元的防禦費。同一九四九年相比，增加了百分八十。一年以前，歐洲聯軍不過是紙上空談，現在已經成為事實。同時各國對軍人服務期限，多予延長，比利時兵役期間增至兩年，法國由十二個月改為十八個月，荷蘭由十六個月增至二十個月。

統帥部最近種種事實的表現，象徵着反共陣容日趨堅強。最值得我們興奮的，是北大西洋同盟統帥部，沒有忽略遠東的危局。它雖是美國「歐洲第一」政策的產物，但是，統帥部的高級官員已經認識：反共鬥爭是整個的，敵人可以從前門打進來，也能從後門打進去。（詠案節譯自十二月讀者文摘）

存希望不能存奢望

[illegible]

秧歌王朝一幕滑稽劇
劉張地委自稱三齊王
「老子們打天下，小子們來享受！天津祇能有一個頭，一個領袖。」

【天津通訊】中共幹部自「入城」以後，思想行動都有了顯著的轉變，貪污，腐化，麻痺，鬆懈，百病併發，甚至夜郎自大，井底蛙鳴，居然自稱「三齊王」，要與毛王並肩抗衡，這倒是一件不平常的事。近傳天津市地委劉靑山，張子善，組織「無產階級先鋒隊」，進行「反黨活動」，就是這運動的首先發難者。

劉靑山和張子善，都是卅年左右的老幹部。劉爲河北安國人，僱工出身，現年三十五歲。一九三一年入黨，係前任僞天津市委書記，現任僞石家莊市委副書記。張爲河北深縣人，學生出身，現年卅七歲，一九三三年入黨，現任天津地委書記。廿年來，他們總算拚過命的，自然是有過多少功勞。可是江山打下來後，「黨齡」比他們淺的，都先後爬到他們的頭上，變成「上級」。因此，他倆抑鬱不平，縱情酒色。

劉既頹廢腐化，且又染上很深的白面癮，乃濫竊職權，先後盜竊了飛機場建築款，治河專用款，救災糧，地方糧，幹部家屬救濟糧，剋扣民工工資，盜取銀行貸款等，共[illegible]幣一百五十五億四千九百五十四萬之鉅。劉毀之前，張子善一次焚燬了單據三百七十八張，據說還一批單據要的數字，將超過中共公佈的數字在三倍以上。

劉張的生活，據其自供，每月開支皮送禮致賀等恒爲僞幣三至五億。他倆曾派專人到香港購得一九五一年新出品每輛價值港幣五萬元的美製高等臥車七輛，除兩輛自用外，其餘五輛已送給了「中央首長」。他倆又曾派人穿着軍服，佩帶「人民解放軍」符號，冒充僞軍官到東北搜購大批木材；有一次給津市股商張文義僞幣五十億，到漢口販運鋼鐵；同時又在津成立規模大的建築公司，以高薪誘致平、津、瀋陽、鞍山等地僞國營公營企業機構的工程人員來幫他偷工減料。這事雖有人向津市僞法院告發，然終以錢能通神，不了而了。

這樣的生活，劉張過得不耐煩，有一天脾氣發作了，劉靑山罵起來了：「老子們打天下，小子們來享受」，張子善接着說：「天津只能有「一個頭」，「一個領袖」」。去年「七一」「八一」兩個僞紀念會上，張特派心腹多人，在台下領導羣衆高呼：「向我們的英明的領袖張專員致敬」，「在英明的領袖張專員領導下前進」，「英明的張專員萬歲」，竟沒有喊「毛主席萬歲」。張在講話時，且一再強調要大家向這些領導喊口號的「同志」學習，看齊。到了去年年底，劉張且公開派出心腹幹部，分頭拉攏，動員組織「無產階級先鋒隊」，並限令于今年上半年「保證完成」。終以事態擴大，無法隱瞞，給毛王知道了，責令僞河北省委會查辦，並經僞中央華北局批准，開除了劉靑山、張子善的黨籍，劉張這一股的「反黨」火頭，目前總算是撲滅了。這是一幕滑稽劇麼？我們不能這樣看，這一類滑稽劇，將來一定愈演愈烈，最後成爲秧歌王朝的悲劇，亦是命運註定了的，我們且拭目俟之！（玄伯．元月一日寄．）

游擊隊迫武勝關

【漢口通訊】鄂豫交界地區，李家寨、九里關、雞公山一帶游擊隊活躍的消息頻傳。隊員大部份是河南紅槍會的組織份子，以貧農居多，和鄂北貧苦農民，結爲一起，時時出擊中共地方政府和少量地方守軍。去年十二月杪，一度攻佔了武勝關少數據點，阻止平漢路行車，且斬獲了一些共幹和武器。現在，湖北中共軍區司令員李先念，已加派共軍把守武勝關，加緊搜索。（于仲十二月二十一日寄）

香港三日

遠東經濟會議，定本月下旬在仰光舉行的，香港代表爲立法局非官守議員羅文惠及顧成坤。另外香港大學經濟學教授柯伯（Kirby）博士，亦由港府邀請爲第三代表並兼任該團祕書。柯氏爲聯合國問題之專家，一度提倡香港要設立聯合國同志會。在港大，爲以組織聯合國學生會，而蜚聲於國際間。彼等一行定十七日起程。

×　×　×

教廷駐華公使黎培里主教香港辦事處消息，紐約紅衣大主教史培爾曼定今晨（九日）由馬尼剌來港，會晤黎培里主教及大陸流亡本港之傳教士。據悉史氏早有函給黎主教，允以經濟設法援助大陸流亡本港之教士及信徒。史氏定明日（十日）搭泛美機飛加爾各答轉中東赴歐返美。

×　×　×

菲列濱共和國駐東京總領事貝洱沙於四日由馬尼剌抵港轉東京履新。他說，菲境內的民抗軍根本不是土生土長的，是完全賴外來勢力接濟的，事實上如菲政府以全力清剿，不是不能解決的。他透露全國陸軍五萬餘人中僅二萬人曾參加上次清剿工作。事實民抗軍各地之數亦有一萬多人。他表示在港將調查戰略物資之漏至中國大陸之事。

×　×　×

據香港接近外交人士傳出之批評，認爲中國派駐滇邊的游擊司令李彌此番由曼谷飛台，正是緊接美駐泰軍事代表團團長柯爾少將赴台以後，齊斯少將元旦聲明「中美在台灣以外行動」之前。這是很值得玩味的。加以二日東京廣播電台猜測謂本年二月間合方將與美國合作在大陳，海南或滇邊有所行動，使香港神經過敏的外交人士，大有山雨欲來風滿樓之概。

法國巴黎大學政治學院教授都爾六日由西貢經港赴東京。都爾博士指出：今日這個世界局勢，雖極險惡，但仍是一個拖的局面。他說：蘇聯要的是世界革命，而不是世界戰爭。蘇聯要在各國製造內戰，而不是發動國際戰爭。以今日國際間的情勢，美國雖有動手的企圖，但沒有動手，操必勝之經濟基礎，加以英，法在後面拖住她，所以今年仍是打不起來。蘇聯史太林不久發表對日人民新年談話，藉紙

北京人之遺失，是世界整個人類之損失。
蘇聯要的是世界革命，而不是世界戰爭。

和平空氣，更不能打，因此他結論：大戰今年不會爆發，但東南亞局部的小戰爭是不容易避免的。都氏爲政治學院之名教授，赴東京小遊，將應東京大學政經系設短期之講座。

×　×　×

熟悉於東南亞地區之英殖民部遠東防衛司司長鄧祿普少將（退役）五日由星抵港，與港方有關人員商討「安全措施」之問題。他擬在港留一週，然後分赴英屬東南亞各地視察。他說，他這一次赴東南亞是早在工黨內閣改組以前所決定的。他指出：「今日之東南亞雖在多事之秋，但野火不是無法撲滅的」。這位鄧祿普少將於一九四八年至一九五一年春間爲駐遠東總司令部之高參，太平洋戰爭時，鄧氏曾於蒙巴頓總部中工作。一九三〇至一九三五年爲僞駐港之旅長。

×　×　×

荷蘭名漢學家范古禮博士於七日下午在香港西洋會（一名葡僑協會）應中英學會之聘，大談中國之經學。會後他向記者表示，「北京人」骨骼之遺失，不但是中國之損失，也是今天世界整個人類之損失。他說在荷蘭博物館中有少數原始人骨骼之碎片，那是馬來原始人的一種。但他說價值最大的還是「北京人」。因爲「北京人」是整套的。他還提起翁文灝，他根據他所知道，那個時候：把「北京人」骨骼運往秦皇島交美軍帶至美國保存，是翁出的主意。（一威）

「廣東教育與文化」事件
民盟秦牧「吞下銅豌豆」
——思想改造，不是衷心的接納。無法消化，成為自己的血肉。

【廣州通訊】秦牧是民盟廣州市支委員，僞廣東省人民政府文教廳機關刊物「廣東教育與文化」的執行編輯。秦爲人沉默寡言，態度和靄。十多年來，他一直以從事文學創作爲自己的主要興趣和事業。解放後到現在，他由于僞文教廳負責人的盛情難却，接受了「廣東教育與文化」的編務，但他不止一次表示：「自己既不是學教育的，也沒有終身從事教育工作的準備。目前的工作不過是格于環境不得不「頂下去」」，他堅決認爲這種工作是一種「支出」，是一種不顯盡又不得不盡的義務」。他深盼有機會即擺脫現職而寫爲文章。這是中共所認爲「十足的小資產階級和知識份子」待革命工作和政治生活的「態度」，也就是中共一向所不准有的「個人主義」思想」。

去年七月間，「廣東教育與文化」先後刊載了三篇文章，（一）談廣東的私立大學，（文刊二卷五期，作者是僞華南聯合大學祕書長葉啓芳）（二）廣東人民教育的一個死角——私塾，（文刊二卷六期，作者僞廣州市文教局主任祕書林寒流。）（三）廣州市第一次工農教育會議總結報告，（文刊二卷二期，作者僞廣州市文教局長鄔屏、）這三篇東西都越出了中共所「指定」的範圍」，以是被指爲「違反中央政策」，引起了僞府、民盟總部，同一些所謂華南各民主黨派人士和文教工作者的指責。[illegible]

[illegible]（粵秀）

中南軍政大學湘校結束
受訓軍官派往東北補充

【長沙訊】中南軍政大學湖南分校，設在衡山南嶽。所有受訓軍官，多係投共的程潛和陳明仁舊部，官兵有一千五百名之多，將官佔三分之一，校尉官佔三分之二。這批軍官，經過了中共二年以來的「勞動改造」，「思想考查」，「血債清償」，將級人員，多半已喪生；所剩下的一批校尉級軍官，尚有八百餘名，經過中南軍區的決定，于去年十一月底，將該校結束，悉數遣往東北，補充共軍在韓戰中的[illegible]軍幹部。將級軍官倖生者，計有史民，熊昌烈，賀光謙，周建陶等中少將黃埔生，均係軍師長級的人物。（長江）

抗美援朝大摸彩
文獻紀錄片拉夫
都城華懋關門大吉

【上海通訊】作爲「抗美援朝」紀錄片的第一部「文獻」片，去年除夕起[illegible]

【又訊】「抗美援朝」[illegible]

【又訊】上海華懋飯店，都城飯店，因生意清淡，最近關門大吉。

兩眼無光踽踽獨行一個垂死老人
現實對賀耀組的恩賜是太殘酷了

在今天，漢口由勝利街到楊森花園（現更名爲「和平里」）這一段頗不短而漫長的路途上，每天的清早和晚上，我們常常看見一個兩眼無光身拄着手杖踽踽獨行的衰頹老人，他就是當年奔走京滬，煊赫一時，批判中共必敗，而最后又投共的賀耀組。

說來話長，賀耀組一身的生命，週旋在中央桂系與湖南集團關係之間，程潛與劉斐的最后走向中共，和賀耀組實大有聯帶關係。賀的外室謝靜儀（原名）是道地的中共地下幹部。當她在民國廿二年在長沙學護士的時候，就變爲中共女特務。民國廿七年，賀耀組出使土耳其的時候，謝靜儀即以看護的關係，姘上了他。

賀耀組和中共發生關係，就在他出任土耳其的時候就開始。他那時所用的英文祕書，打字員，隨員等等，多是謝手介紹的中共間諜。他在土耳其兩年的軍要外交祕密，多化作中共的情報資料。賀在歸國後，繼續担任政府要職。在這期間，中共透過他的關係，獲得政府機密情報不少。

當平津失陷，京滬震動的時候，賀耀組久息影的重新出現在府院大廈門前，他第一走行政院長何應欽的門路，第二攢湯恩伯的關係，一心要作上海市長。市長雖未到手，但却攢到了一個有名無實的政務委員。一變再變的賀耀組，今天又變成了中共「中南軍區水利部的設計委員」。說來令人是無法了解的一件事；今天在北平，傅作義當了「水利部長」，劉斐在「中南軍區」當了「水利部長」，賀耀組在「中南軍區」當了水利「設計委員」，

賀現在一個人住在漢口勝利街一家姓劉的汽水廠的閣樓裏。這家汽水廠關門已經兩年多，現在成了漢口「公安部隊」的第四大隊的駐防所。他每天一清早便去「水利部」上「辦公」，每月領了總共約十萬人民券的生活津貼，過着窮困孤獨的日子。他從前所迷戀的謝小姐，在上海「解放」前夕，就去北平參加了「婦聯」。他的大兒子二小姐在兩年前就在上海參了軍，三小姐四少爺也在「華東政大」畢了業，到北方「抗美援朝」去了。剩下的兩個小孩子，跟隨她媽媽——謝小姐，在北平成爲少年兒童隊的「隊員」。大太太，在湖南早就聲明與他脫離關係，就連他從前的親人劉斐，也不大和他親近了。現實對賀耀組的「恩賜」，確也太殘酷了。

賀耀組現在距死期已不很遠。他患了一個半身不遂的毛病，還有他的肺病，已進到第三期，太極拳也打不起來了，整天在咳嗽。

漢口的生活，一天天在高漲，十萬的生活津貼，在一般人看來不算低，但以往日吃威士忌酒加立克烟的賀耀組來看，這是他生命中的一種「磨折」。賀耀組當年在香港宣佈起義的故居，他的房東，猶能記憶賀去大陸的時候，曾帶了好多上等酒和上等香烟，及新來奢侈品。他當時那裏會想到今天的這一種遭遇呢！（哀因）

板門店上的罵聲

·尚方·

維辛斯基在巴黎搞了若干時日關於韓戰的黑市交易，大概因爲行情不佳，暴利難得，索性退只要價，主張把韓戰問題改由安理會的高級會議來談判。這明明是想使問題更趨惡化的所謂「補鍋法」，先把鍋底敲個兒破再說，也就是反映着俄共體系對板門店和談的眞正意念。

銅山崩而洛鐘應，巴黎的幕後談判旣無成就，板門店上的就地交易自然隨聲變調了。這邊廂說：「你們扮演强盜角色」；那邊廂說：「你們充分表演殘酷的土匪姿勢」。相對毆罵，激烈緊張，好一派滑稽光景也！

板門店上的和平把戲，彼此根本都是「傷心人別有懷抱」，並非誠意謀和，談何容易！如果整個世界兩大陣營的敵對形勢不能化戾氣爲祥和，即令議成「停火」協議，又何用哉！由停火而「休戰」，再進而「停戰」，其中潛伏着的若干政治爭端，並一不是可以隨時開翻，話不投機即行大打出手的。所以，我始終把韓戰和談消息跟影星跳海和舞女吞服來蘇兒，或者軍車在馬路上輾傷老太婆那類社會新聞同等看待，無論它說好說歹，不願多費猜疑。

當聯軍建議以三十天爲和談限期之際，美國參議員馬丁在台說和談不易成功，胡適在美國說和比戰難，他們晉港有人即在報上譏誚他們「畢竟沒有面對時代的勇氣」。現在三十天限期早已過去，板門店上充滿着一片叫罵之聲，不知那些自命有當時代勇氣的先生們，作何感想？

韓戰雙方是否有停止的意思呢？有的！只是彼此都要以勝利者的姿態，取得「光榮的和平」而已。你要勝利，他要光榮，結果就惹有相對毆罵了。好戲還在後頭，够你瞧啦！

自由談

新朝點綴人物之二　陳垣

最近覽報，長欄載着最近北邪裏甚麼加强學習會議的紀事，發言盈庭，最起勁的是七十多歲的輔仁大學校長陳垣，强調學習政治理論改造舊頭腦之必要。此老高齡健在，留爲新朝點綴人物，我嘆爲天造地設！我纔十四五歲，陳垣廿一二歲，我就認得他，到今天，成爲我一篇短稿的絕好材料。鄙人生性不喜恭維，却也厚道不輕詆毀，現在記述陳先生，不斤斤于功罪，不折不扣，臨只點綴的作用而已。

陳垣，號援菴，廣東新會人。廣州有一家大藥材行叫信義行，香港，上海，漢口和天津都有分行，經常大量輸出廣皮，輸入川陝藥材。這就是他們陳家的企業，累代衣斯食斯，財源滾滾。前清光緒年間，陳家始有還一讀書種子，生來也奇怪。康有爲公車上書之後，士大夫風氣丕變，滿廷也廢了八股，改用經義策論取士。陳垣十七八歲便以「案首」（縣試第一名）入學，同時亦存了排滿革命思想，已不屑屑于科舉了。

其時，維新志士汲汲于開通民智，閱書報社和演說會是一武器。廣州有人組設一間書報社，在西關大叢林長壽寺裏面，逢星期日，扣假寺僧大飯堂號鐵汁堂來開演說會，聽衆恒一二千人。出入于該社的，大抵皆新人物，至少已不寬袍大袖的了。身長僅及踝，袖管云寸，且離腕骨甚遠的短窄長袴子，露出將近一尺小如竹筒的兩條褲管，薄底布鞋，頭上拖一條小辮，額前短髮如劉海，還叫新型志士裝，這樣子打扮的却只有陳垣一人。他每天由太平門晏公街信義行行到長壽寺，路人側目耳語，暗呼陳志士。演說會是任人自由意顯登台的，陳垣則每被聽衆哄叫，拍掌而出，欲罷不能，聽衆一半是歡喜他的辯才無礙，一半是歡喜看他的激東和姿態。

光緒三十年左右，有個德何某，創辦一日報，叫珠江鏡報，請陳任主筆。陳甚時選好明清掌故，熟讀御選東華錄和魏源聖武記，每摘取其中資料，以子之矛攻子之盾，挑動漢人對滿人惡感，輒引某年月日聖祖仁皇帝硃諭或高宗純皇帝特詔，明明是排滿文字，官府却一點沒奈他何。陳最爛熟龔定菴散文，不知不覺，一出手便是定菴筆調，而尖酸峻辣且有過之。後此梁任公式的文字大流行，羊城士夫還念念陳垣的風格來得雋永有味。

陳舉一子，彌月，命名「錢嬰」，人咸不解。錢嬰者，瓦器也。圓如小鼓，面上開一小縫，錢幣出側面投入，不得復出，以與小兒童儲蓄，滿而碎之，錢始得出。粵人名此器曰錢嬰，而各省通名曰「撲滿」。經陳解釋，衆始恍然其取義。官對之亦無如何，陳之俏皮多類此。

辛亥罷清後，同盟會彈冠，陳不屑丑表功，不爭爛羊頭，够得上高風亮節吧。民初，悄然北上，執教于北京大學，埋頭治史，其最大用力爲考訂大秦景教碑，於景教源流多所徵揭，爲文化史作一貢獻，以是有譽于南北。五四運動期間，新潮澎湃，而國故整理也大大吃香，北大特設國學專門研究所，陳垣被聘任導師。對日抗戰，北大移滇，合清華南開爲西南聯大。

陳留平講學如故，或以景教史乘研究甚勤之故，爲天主教會輔仁大學聘任教授。「解放」之初，陳有一信致胡適之，盛讚「新民主主義」，謂吾曹須洗淨頭腦，重新學習。適之對人說，他很懷疑這封信不是陳的眞心話，可能是一夫有所授之也」，但爾後「劇秦美新」之作，一見再見，每一語出，新潮能據以大事傳播，誠能收得一部分讀書界「翕然」之效，此錢牧齋龔芝麓之所以不能殺也歟。在剷清帝國主義根株」的國策之下，教會事業，教士驅逐，輔仁大學校長一席，遂以屬諸陳老，適之其亦可以不必猜疑了。

雖則陳援菴先生的晚節終有人作爲他們的開隨，我倒絕不計較認眞，但只覺得多少糟蹋學者，到頭來不過聊資點綴，未免太可哀也已！（萍末）

和平在那裏　·夫石·

林冲論（一）

——水滸人物論之五——

·舜生·

『仗義是林冲，爲人最朴忠，江湖馳譽望，京國顯英雄。身世悲浮梗，功名類轉蓬，他年若得志，威鎮泰山東。』

上面這首五言八句，是林冲經過種種困辱，不得已拿着柴大官人的薦信去投奔梁山，正好走進朱貴所設的酒店，已喝得幾分醉意，爲發洩滿腔孤憤，向酒保借着筆硯，題在酒店白粉牆上的。

『水滸傳』作者要說明梁山泊若干主要人物之落草，各有其不得已的苦衷，實在是由於當時的政治過分黑暗，把大家逼得無路可走。因此，對於這班好漢未上山以前的身世，都交代得明明白白。就中如寫宋江，寫吳用，寫武松，寫柴進，寫林冲，李逵以及阮氏三雄等等，都是作者的得意之筆，能給予讀者一種深刻的印象。五六百年來，水滸人物的故事，成了中國人常識的一部分，和中國文學的許多方面分不開，甚至對中國的社會結構發生了莫大的影響。乃至我們可以這樣說：假如一個人不會好好讀過『水滸』，『紅樓』，『三國』，『儒林外史』這類的書，說此人對中國的社會斷不會有多方面的了解，也決非過分。

關於林冲的故事，我在寫『王倫論』的時候，已敘述一部分，並且我說『水滸傳』作者寫林冲殺王倫，頗類似司馬遷寫項羽殺宋義。但這是林冲上梁山以後的事，現在所要說的，是他未上梁山以前的一切經過。我曾看過李萬春演的『林冲夜奔』，眞是太好了，可是假如看戲的人對林冲的身世不完全明白，我便相信他不會完全領略這齣戲的趣味。

『水滸傳』作者爲暴露北宋末年政治的腐敗，只提到兩個主要的人物，其一是高俅，其一是蔡京，林冲的故事，便是和高俅分不開的。

原來高俅沒有兒子，在他發跡做到太尉以後，便收了他本家高三郎的兒子做一名義子，是爲高衙內。高衙內仗着他乾爸爸的權勢，在東京無惡不作，尤其歡喜淫玷人家的妻女，凡是良家婦女，只要爲這位小衙內看上了，總以弄到手爲原則。京師的人對這位小衙內十分害怕，因此給他一個混名：『花花太歲』！論到『花花太歲』的行輩，原是高俅的叔伯弟兄，可是高俅因爲有了地位，覺得非有一個兒子不樂，而在一般趨炎附勢的小人，也覺得非做一個有權勢者的兒子不舒服；高太尉和高衙內由兄弟關係一變而爲父子關係，便是基於這個緣故。而高太尉對這樣一名義子，可眞也是十分愛惜的。

東京的酸棗門外，有一座嶽廟，廟正坐落在大相國寺所屬的一個菜園的間壁，這個時候爲相國寺管理這個菜園的『菜頭』，便正是花和尚魯智深。

萬竹樓隨筆（六二）

讀報隨感　自由

三十年來，我們常看西洋——尤其是英美的報紙期刊入目。所留得一個綜合的印象，那就是言論自由，出版自由，在彼方眞是與牛排麵包同其爲普遍的享受，享受慣了，便並不覺其難得而可貴。

這是小可的事體嗎？那豈是偶然反映着整個的現代文明。那豈是偶然倖致的，那還自有其歷史的背景，深醇的素養，——尤其在于每一個人都知寶愛這不容侵奪的權利，如刻準備拿生命去抗爭。風氣旣成，則亦沒有如此妄人，敢于犯大不韙來作干預禁制；於以成其爲民主一要素。

回顧一下我們的中國：滿清中葉後，始有代表輿論的工具，顢頇的專制朝廷宰治下，實際反得有幾分不期然的自由。到了讀過洋書知道人民應有甚麼甚麼自由的先生們當起政來，自由在天秤上便一天天輕減。

南京國民代表大會粼騰開着，代表們代表胡適恭授貢緞襄首的憲法。總統講話，胡博士說，這幾年來滿步的徵驗是人民多得了許些自由。我聽了心裡滿滿作劇痛，吃了三瓶頭痛藥還不見好。不知胡博士是在極莊嚴的場合開玩笑呢，還是從甚麼的角度看得出來。我眞想找着他打十記耳光，補償我的頭痛。

不久隨來了一番大陣仗，牌號叫做「解放」。解放這英語動詞，Emancipate 之外還有 Liberate。後一字的名詞，旣爲 Liberty，不折不扣的意義就是自由了。然則牌號是解放，貨色必當是自由，否則掛的是羊頭，賣的是狗肉，而今則解放下的自由竟何如！

其他不說，說的還是言論出版吧。

一九五二年元旦，島上報館休息，三日，報紙如常得見了。翻開島報，往常第四版的「華南新聞」整版不見了，擴到那裏呢？翻完三大張一十二版，眞的沒有了，這豈但中央和地方人民政府作然少了一張義務宣傳報，於我也感到損失。因爲我一向對于「人民公審，殺了幾百幾十人」；「某縣土改完成，沒收了幾萬幾千畝」；「某項增產計劃勝利完成」；「某種偏差，經當局糾正」這一類傳聲筒廣播，甚感興趣。還有一個「華南之窗」，玻璃擦得發亮，窺見執筆人向解放英雄送秋波的妖嬈，媚態可掬。一旦撤銷了，我們每天二角錢買來一份報，缺少「這一版材料，怎麼不感損失呢？

閒話少講，書歸正傳，那一版義務宣傳版，原先是那家報紙在沒有了自由之後，希望客客氣氣，送個禮兒，多少可以求饒而得解放，用心良苦。可是人情只管自送，對方還敬的，是老板在內地的產業無條件沒收，生意無理由禁絕。而今而後，人們當知道古今中外，由決沒有搖尾乞憐取得來的啊。

再看看整個大陸，人人如犬羊，特別是言論自由，却遇已經甘心把自己的頭套上羈絆的知識分子，甚至他們自己一家人，也常常出亂子，受批評，被讚責，弄得啼笑皆非，一意拍馬的每常拍在手背上。有名的「滿直案」，由于一二句不够一面倒的話，引起軒然大波，費了幾十萬訴冤的文字。上海解放日報校對不小心，刊出一條「鎮壓反反革命」的標題，當事人險些搞到腦袋搬場。我親耳聽過他們的御用報編者唉聲嘆氣抱怨新聞賣力不討好。在封鎖新聞禁制言論的基本政策之下，自由這天鵝肉，癩蝦蟆連想也不該想的呀。

上帝受到威脅

——·勞均士·——

希臘神話傳說，人類最初來到地球時，他們說的是同一種的語言。由于語言的媒介，于是人類的思想，意志和感情，都能充分地相互表達，沒有誤會，亦沒有衝突，遇事都能分工合作。

在分工合作之下，人類的建築事業，特別發達起來，他們將地球上的建築物堆砌到天堂。這可使上帝受着巨大的威脅。於是他給予人類以各種不同的語言，使不同語言的人，不能互相了解合作。當甲說：『給我一塊磚吧』，乙却給他一片瓦。當乙說：『給我一塊坭土吧』，丙却給他一桶水，人類的建築力，因爲語言的隔閡，使減低下來了。

這一段神話，使我想到戰時一段語言隔閡的趣事。湖北老河口是第五戰區司令部所在地，司令長官是李宗仁將軍，自然老河口的城防責任，非廣西隊伍莫屬了。但是廣西話，並不是一種好懂的語言，恐怕僅次於廣東話。

果然，事情發生了。一個着草綠色制服的中學生，進城上學，被守城的廣西衛兵突擊盤查。第一句問話，是：『你屬於那個部隊』？那位學生誤聽爲『你穿的那種布類』，他馬上答道：『我穿的是英丹士林布』。廣西兵再進一步盤問他：『你爲什麼不帶符號』？那位中學生把廣西兵的一句話，誤聽爲『這套服裝要花國幣多少』？於是他從容地答道：『一個錢也不要，學校發的』。衛兵大怒，將他看管起來。事後發覺，原來是雙方語言的隔閡。

失蹤的烟斗

信不信由你，俄國人現在是世界上最坦白的民族。

一九三四年，俄國大清黨時，檢察官對「反動」份子說：『你破壞了三個工廠』。『反動』份子却說：『先生，你錯了，我破壞五個工廠』。

有一次，史大林失掉了一隻烟斗，特務頭比利亞把十二個重要嫌疑犯捉來。審訊時，每人都承認偷竊史大林的烟斗。於是法官將他們一一判處死刑。過了幾天，史大林說：『我發見失蹤的烟斗，原來在自己的大衣口袋裏』。（陸高）

老頭子和小孩子

傑賽·詹姆斯，是七十年前美國著名的大刼匪。他搶刼的第一個對象是火車，第二個對象是銀行。

美國人大家都知道詹姆斯在決定還居南美之前，被他的同黨暗殺了；電影本也這樣說，電影故事也是這樣演。然而，幾年前，美國又大鬧詹姆斯復活的活劇。有一位精神矍鑠的百歲老人，承認他是飛天大盜詹姆斯。過去幾十年來，爲了避免政府緝拿，潛居在墨西哥。記者們爲了好奇，當他抵達洛杉磯車站時，特往訪問。這位老人一見記者們圍上來，兩手便從衣袋裏抽出了雙槍，大有「黃忠老將」的風格。究竟他是否是眞的詹姆斯，後面大有文章。但是這件事，已經轟動了美國的朝野。

後來許多人判斷，這件事百分之九十九是冒充的。爲什麼一個百歲老人，玩弄這麼一個活劇呢，可能是一種虛榮在着作祟。今天美國的兒童，也在穿着牛仔褲，帶上寬邊帽，手持兩柄假手槍，向過路的人在裝腔作勢，喊着：『我是傑賽詹姆斯，留下買路錢來』。老頭子和小孩子還不是一樣的！（張高村）

自由人
THE FREEMAN
（半週刊每星期三六出版）
（第九十期）
每份港幣壹毫
督印人：李光華
社址　香港高士打道六六號
電話：二〇八四八
GLOUCESTER RD. HONGKONG
TEL: 20848
承印者：東南印務出版社
地址：高士打道六四號
台灣經銷處
台北市中華路一二五九號
（台北憲兵隊側對面）

李德鄰紐約談話平議

·黃華表·

自李德鄰先生前月在紐約談話，到今已是月餘。他這一次的談話，曾引起了各方面不同的反響，也引起了各方面不同的批評。嗣後他又發表了一些零星的聲明，像最近各報所載他致香港某[illegible]的信對他這一次談話有所解釋之類，但都未曾溢出他當日在紐約談話的範圍。而且便是他在紐約的談話，此時也已是餘波，本來就值不得再來甚麼平議。我之所以還有所平議者，是因爲：今年是自由民主陣營和共產極權壁壘決定和戰的一年，也就是中華民國運命決定是復興或更加沈淪以至於毀滅的一年。我們政府最高負責者間的爭端，誰是誰非，就國民的立場而論，是必須加以澄清的。因爲如果我們此時不加以澄清，很可能影響一般知識淺薄者的心裏，結果將要分散「反共」的力量，那便非同小可！

我們要評論李先生這次紐約談話的是非，可由憲法，政治，民意，三方面立論。

李先生紐約談話的側重點，是說「蔣先生篡奪了他的總統」。明顯的說，純是爲爭「總統大位」的問題，說是「反蔣」，已是離題萬丈。因爲「反蔣」尚是政治問題，可能還是爲了國家。爲了對國家的政策，立於相反的地位，對當局有所抨擊，姑勿論其是非如何，還可算是爲「公」。如李先生這次紐約談話之所指，只是爲了「蔣先生篡奪了他的總統」，那便只是「權位之爭」，完全是爲「私」！這一點，眼前的國民，將來的史家，都不會看不清楚的！我們且退一步，試就憲法推論，到底是不是「蔣先生篡奪了李先生的總統？」我不是法律專家，不必作學理的討論。只就常識來說，憲法規定了大總統因故不能執行職務時由副總統代行其職權，那必須（一）如羅斯福總統因病出缺由副總統杜魯門繼任，是一說；（二）除了第一說的情形，「因故不能」便須有所解釋。依常識說，最少是大總統患了重病或癈疾之類的確不能執行職務時，才會發生由副總統代理的問題。假定如此，我們試得問，當日蔣先生退職由李先生代理時，蔣先生是否已構成因故不能執行職務的原因？或者是蔣先生違犯了憲法必須退職的原因？我們記憶所及，當日蔣先生還是十分健康，而且還未有違憲被彈劾必須去職的事實。就憲法來論，蔣先生並不須要退職，也不應要李先生代理。嚴格的說，蔣先生當日以大總統職權交由李先生代理，只是他們兩人間的私相授受，並不能算是根據「憲法」的舉動。如果是蔣李二人間的私相授受，則蔣先生既可以自由授之於前，也應該可以自由取回之於後，絕不受憲法的拘束，而李先生的「代大總統」便根本無憲法的根據。現在蔣先生憲法上的大總統，李先生憲法上的副總統，根本沒有變更，又來爭些甚麼？更何能說「蔣先生篡奪了李先生的總統」？

且撤開憲法問題。因爲當日蔣先生之所以要請李先生代理大總統的內在原因，與其說是憲法問題，毋寧說是「政治問題」。因爲當時淮蚌會戰失利，政府當局中分成了「主戰」「主和」兩派，蔣先生是主戰派，李先生是代表「主和」的一派。（實際，李先生本系，也有黃紹竑主和，白崇禧主戰的矛盾。）蔣先生爲了要使李先生能夠貫徹「主和」的主張，故此從權退職，由李先生代理大總統的職權。蔣先生這一舉動，雖於憲法無據，爲適應政治上的需要，確是一片苦心，不必多所苛責。但李先生以「政治上的需要」登場，他的「代總統」是否可以存在，便須看他是否確適應當時政治上的需要？便是說，他是否能夠負起與共產黨講和的責任？能夠使和議成功？假使李先生當日與共產黨講和，僥倖而成功，使「中華民國」四個大字，還能在大陸上面存在；據長江以南的半壁河山，還能避免赤燄的焚燒，人民還能苟延殘喘，以待恢復；如此，我想蔣先生是斷斷不會要求復職的。李先生的「代總統」，雖無憲法上的根據，事實上全國國民，一定是衷誠擁戴；誰要來爭李先生的「代總統」，全國國民都會一致反對；毋須李先生有所要求！但是不幸得很！李先生當日代了大總統之後，所表見的是什麼呢？事實擺在國民的面前，議和嗎？那是城下之盟！豈獨無成，連那五位議和的代表，也一個一個做了毛朝的新貴！再整軍經武嗎？不獨長江以南繼續淪陷，連李先生起家的廣西，也跟住易色！跟隨李先生南征北戰數十萬健兒，也不戰而潰散了！李先生本人，飛桂，飛粵，終於不繹任，交代手續，只一丟，便飛到外國去了！我們國民當年對於李先生的崇高熱情，至此乃如零點下四五十度的冰冷！感情的變化，實在再不能以言語文字來形容！現在呢，大陸既已完全陷入了赤色鐵幕之中，人民遭受了亘古未有的慘禍，不獨求生不得，求死也不可能！李先生逍遙外國，難道總不聽見大陸上人民慘痛的呼聲麼？縱不聽見其他大陸人民慘痛的呼聲，雖道遠華僑家屬慘痛的呼聲，也都充耳不聞麼？我要敬問李先生！先生當日「主和」，又是「代大總統」，對於蔣先生退職後一切由議和所發生的後果，先生良心的自省，到底應該有責任沒有？如果有，將何以對國民交代？所以，以政治的觀點論之，李先生既以「主和」而登場，「主和」不成，便應該自動的下場，讓「主戰」者來「主戰」，倘不失爲政治家的風度。倘能如是，雖「主和」是根本錯誤，致國家人民於今日的地步，人民或者還可以原諒之。乃今不然，不獨無絲毫引咎自責之心，反而顧強詞以爭並無憲法根據的「代總統」，不獨是無理取鬧，亦毋乃太拂人民的心理矣！且以能力而論，李先生代總統以後的表見，也已足以證明其能力的不足，斷不足以勝「大總統」的重任，姑勿論李先生之所爭必不能得，就使蔣先生又來一次退職，讓李先生眞除了「大總統」，全國的國民也不會讓李先生「盲人騎瞎馬夜半臨深池」的把國家拖入更冷黑的深淵！

第三，民意問題，李先生紐約談話中，希望不用武力來推翻蔣先生，要發動輿論來推翻蔣先生。李先生提及輿論，我才知道李先生根本不知道甚麼是輿論，「輿論」不是幾家有政治派別色彩的小報，是眞正民意的表見。李先生希望輿論支持，又希望輿論推翻蔣先生，就得自己夜夜自省！至少要和蔣先生比較其長短得失，看誰可得到輿論的支持！我們最平心而論，國民也多有對蔣先生不諒解的；但最少，蔣先生是負責任的，是徹底「反共」的；最少還保有數十萬裝備完好的軍隊做反攻大陸的前鋒。李先生呢？「戰」既不成，「和」又不成，身負「代總統」的重任，輕易一丟，便全家老少飛向美國去了。現在老家沒有了，子弟兵完了。連那逃亡港澳的幾百個基本幹部也四分五裂了。民意如何？還要待測驗而後知之乎？倘所謂擬人說夢矣！

我站在國民的立場，我要恭敬地奉勸李先生，「民意」只希望「反共」，希望「反攻」，希望「剷除共產政權」，希望還回「耕田的自由」，「做工的自由」，「行路的自由」，「食飯的自由」，「睏覺的自由」，誰是合法的大總統？誰是篡奪的大總統？根本不發生興趣！全國國民已準備了一座莊嚴瓊閣的「大總統寶座」，待能夠打倒共產黨的英雄來坐！

阿拉伯同盟

聯合國現有會員國六十個國家。在這六十個國家中，由於地理的，政治經濟的，或種族文化的原因，自然形成若干或大或小的集團。在大會辯論案舉行投票的時候，某個國家究竟採取什麼態度，每每可從其歸於某一集團，而事先即能判斷。蘇俄的附庸國家，永遠是十足的尾巴主義者，自不待說；其他如以美國領頭的美洲集團，以英國領頭的不列顛集團，都是很顯著的。埃及，伊拉克，敘利亞，黎巴嫩，沙地阿拉伯，也門，六個阿拉伯國家，也形成一個阿拉伯集團。這個集團並且有一個具體的公開組織，就是阿拉伯國家同盟（League Of Arab States）。

「阿拉伯」不是一個地理名詞，埃及的領土，即不在我們所習知的阿拉伯半島範圍之內；事實上，埃及祗是一個阿拉伯人征服的國家。它也不是一個種族的名詞，像黎巴嫩人便大半是古代斐尼西亞人（Phoenicians）的子孫。六個阿拉伯國家僅有一個確定的共同點，那就是統一的語言。在埃及所使用的阿拉伯語，與在也門所使用的阿拉伯語，雖則音調略有差別，但大體上是一樣的。所以，我們說「阿拉伯國家」，其實應該說「阿拉伯語國家」；而「阿拉伯國家同盟」應該是「阿拉伯語國家同盟」。

上述六個阿拉伯語國家，另外加上一個不是聯合國會員國的阿拉伯語國家約但，於一九四五年三月，「應所有阿拉伯國家輿論的一致要求」，簽訂了一個阿拉伯國家同盟公約，組成阿拉伯國家同盟。公約第二條列舉同盟的目的在於：（一）加強彼此的現有關係；（二）調協彼此的政策，藉以團結維護各別的獨立與主權；（三）研究各項問題（包括貿易，關稅，乃至護照，罪犯引渡等等數十項），尋求合作互助的辦法。

同盟總部設在開羅，秘書長是埃及人阿薩姆（Abdel Rahman Azzam Pasha）。

我們很容易看出，這樣的一個「同盟」，就其本身而言，是沒有多大作用的；甚至可以說它名不符實，祗是一個題目廣泛的座談會，根本不是什麼同盟，因爲它沒有絲毫約束的力量。埃及是座談會的召集人和記錄，其餘六國都是來賓。所以，即在它最重要的政治委員會中，照例是由各國的首相或外交部長親自出席的，沙地阿拉伯外交部長費薩爾親王（Emir Feisal），國王伊本沙德（Ibn Saud）的第二個兒子）便常不到，足見其不受重視的程度。

不過，反過來說，阿拉伯同盟，雖然迄今僅是一個由埃及主持的阿拉伯語國家代表座談會。在目下中東局面如此動盪的時候，它的可能的演變趨向，卻是值得我們特別注意的。它不能直接支配七個阿拉伯國家的政策，但它很可能對於七個阿拉伯國家的政策，發生決定性的影響；它不能保障七個阿拉伯國家的安全，但它很可能掀起七個阿拉伯國家的騷亂，增加自由世界的困難，助長蘇俄侵略野心，因而引發第三次大戰。

新近成立的利比亞聯合王國，又是一個阿拉伯語國家，已經申請加入聯合國。這是聯合國本身孕育出來的一個國家，而它既是阿拉伯語國家，阿拉伯集團當然支持；蘇俄爲討好阿拉伯集團起見，大概不會反對，所以，利比亞即將成爲聯合國的第六十一個會員國。此事一旦實現，則阿拉伯集團在聯合國大會擁有七份的投票權，作爲阿拉伯集團驅策的阿拉伯同盟益雄壯，自由國家是應該[illegible]與聯繫的。

利比亞成立迄今不過半月，在外交上採取了兩項重要的步驟，一是上述的申請加入聯合國；一是承認埃及國王法魯克爲「埃及與蘇丹國王」。前一項行動不足爲奇；後一項行動卻出人意料之外。因爲利比亞雖是聯合國孕育出來的，接生婆乃是英國；接生費美金七百萬元，美國幫助一百萬元，英國還付了六百萬元。利比亞毅然採取這樣違反英國利益的行動，有一個目的：就是對阿拉伯姊妹國家示忠誠，作爲加入阿拉伯同盟的「見面禮」。阿拉伯國家團結的日趨緊密，阿拉伯同盟地位的日益鞏固，自由國家是應該額手稱慶的。因爲，也許通過阿拉伯同盟，可以把英埃糾紛求得解決的途徑；甚至中東防禦體系亦可以利用阿拉伯同盟而建立起來。遺憾的是：美國國務院有各色各樣的「專家」，唯獨缺乏「阿拉伯問題專家」。

凌乃銳

半週展望

雷嘯岑

一「平淡的國交」

邱吉爾在華府會談中，表示工黨政府承認中共政權一事，毋須即予撤消，維持這種「平淡的國交」，並不妨礙英美兩國共同反抗共產主義擴張的協議。就英國立場說，這是「由衷之言」，因爲英國需要保持香港與馬來亞的安全，不得不然。的確，今日的大英帝國再不能要失海外屬地了，否則，其不淪爲西班牙荷蘭之續者幾希！

可是，俄式共產主義者的所謂「國交」，是比英國傳統的現實主義更進步，更陰狠的。英國的現實主義是「勢力範圍」，是「保持既得利益」，是「均勢共存」。俄共的唯物辯證法則的現實主義，卻是與資本主義國家誓不兩立的「世界革命」！他們只重力量，只講利用，只是玩弄人，而決不受別人玩弄的。英國承認中共政權已年餘，不斷的在國際上替中共幫忙，然結果仍落得一種單戀式的「平淡的國交」，就是他們不受玩弄的表示。

共黨之尚未公開製造口實而向香港侵襲，向馬來亞進軍，是力量問題，時機問題，是整個「世界革命計劃」的戰略問題，與英國之承認中共政權與否，絲毫沒有關係，反而他們利用這「平淡的國交」，取得了經濟上的大利，政治上的實益。英國呢，縱使至今不承認他們那暴力政權，香港也不過是羅湖車站周圍加鐵絲網的冷戰局面，馬來亞也不過是「游擊隊」騷亂的剿匪狀態而已。

一句總話，這「平淡的國交」的背景，是民主國家的聯合力量所使然，並非綏靖政策之效用。我們祇希望英國在遠東的綏靖主義到此止步，今後切實的與民主國家合力遏制共產主義在亞洲再事擴張，對遠東的反共勢力莫再設法打擊就得了。

陳誠的言論

合衆社台北十日電訊：國府行政院長陳辭修氏近向國府設計委員會發表演說，謂「國民政府之失去大陸，是由於自己之貪汚無能，而共黨乃國民黨所培育者！」他認爲「國民黨唯一的補過辦法，乃爲解救大陸人民，助之復興」。因此，他提示兩項警覺：一爲國民黨將來如回到大陸，「不可以征服者自居」，二爲「政府本身是否能徹底改革，剷除貪汚惡習？」大哉言乎！這是神州陸沈以來，我們第一次聽到政府負責人員所發表的良心血性之詞，值得大書而特書的！

毫無疑問，大陸上的人民，受過兩三年來的血腥統治之後，那怕過去是反對政府的人，內心上也希望國府能早日回到大陸去。理由很簡單，國民政府至少是讓人民有自由生活之餘地的。問題是在我們是否能夠以贖罪補過的精神，洗心革面，使人民相信已非「猶昔大夫崔子」了！自然就會廣泛的引起「后來其蘇」的觀急。周武王吊民伐罪，打倒專制獨夫，與民更始，然殷民尚有「以暴易暴兮，不知其非矣」的感想。如果自由中國政府回到大陸，依然又是過去二十年來那套老辦法，不顧人民意志，胡搞一陣。那末，共產黨雖然打倒了，新的對頭馬上又會起來。政治是衆人之事，你如不能爲大衆謀福利，大衆就隨時有起而對你實行革命的權力！

至於說到「以征服者自居」的話，我想今日稍有常識與廉恥的人，必不會有此想像。一個大力士，平日心雄萬夫，睥睨一切，忽然間被一孱弱的後生小子，一拳擊倒在地，貽笑大方，醒來之後，還好意思自命爲天下無敵麼？當然是不會的！中國人民雖然大多數不識字，對政治不感興趣，但，這幾年經過共產黨不分晝夜的強迫開會，檢討，批評，坦白那種「無緘默自由」的大小會議，連老太婆也毫無例外的要參加，搞久了，自然都要生一些政治意識的。「城郭依舊人民非」，他們已經非復昔日吳下阿蒙了，再想拿舊時那套作法來對待他們，絕對是不行的。換言之，槍桿固已嚇不倒人民，官吏更不能「高於一切」了。民主政治，廉潔政府，幹練的行政人才，纔是受人民擁護的不倒翁。陳辭修先生之言，庶幾合乎這個要求，可貴也！

考古學家衛聚賢氏談「北京人」頭骨下落問題

根據各種資料歸納論斷

蘇聯在東北搶走機器　同時亦搶走「北京人」

（本報專訪）誰搶走了「北京人」？這是港澳人士近來所特別關心的一個問題。它的下落，各報有三種不同的傳說：一說是「美帝」搶走的，一說是俄帝搶走的，還有人說是落在日本人手裏。一昨荷蘭名漢學家范古禮博士在香港西洋會向本報記者表示：「北京人骨骼之損失，也是世界整個人類之損失」（見本月九日本報第八十九期）。足見「北京人」下落問題，已引起全世界人士之注意。記者為明瞭事實真相，特走訪本港收藏考古學家衛聚賢氏，扣詢對這問題的看法。承衛氏對記者詳為解答，茲一一記述于左：

「北京人」被蘇聯搶走了。

我是根據一九五一年八月五日香港大公報所載左列的一段材料：『（北京通訊）蘇聯莫斯科大學人類學博物館，為了促進中蘇兩國學術上的交流，加強兩國科學工作的聯繫，特將該館所復原的「北京人」男女頭像模型各一件，及人類頭骨化石模型一件，贈與我國有關機關，要求交換「北京人」時期的石器與動物化石。該項贈品已由中央人民政府文化部撥交給中國地質工作計劃指導委員會礦產地質勘探局保存，並由該局將北京人時期之動物化石及石器模型等三十二件，由我國外交部轉贈給蘇聯莫斯科大學人類學博物館』。

我根據上文，就發生了下列的幾個疑點：

北京人復原根據甚麼材料？沒有猿人材料如何「聯繫」？模型中國有用不着贈與！

上文說：『莫斯科大學……特將該館所復原的「北京人」男女頭像模型各一件，及人類頭骨化石型一件，贈與我國』。試問「莫斯科大學人類學博物館」，根據甚麼材料，作這個「復原」的呢？

如果沒有「中國猿人的頭骨七個，下顎骨十二個，牙齒數十枚，體骨十餘件」（「北京人」所遺失的，就是這些東西，見裴文中「中國史前時期之研究」商務印書館出版），這些材料，是不能「復原」那「猿人」的「男女頭像」「人類頭骨化石」的。因為其他的「猿人」材料，如爪哇祗有「大腿骨」，中國南部「僅有三個牙齒」，只有海德堡「僅僅有一個下顎骨」（詳後），是不能「復原」這「猿人」的「男女頭像」及「人類頭骨化石」的。惟根據『中國猿人的頭骨七個，下顎骨十二個，牙齒數十枚』，這些材料，方能『復原』這「猿人」的『男女頭像』及『人類頭骨化石』的。

「莫斯科大學人類學博物館」，既然根據了『中國猿人的頭骨七個，下顎骨十二個，牙齒數千枚，體骨十餘件』，而『復原』了『男女頭像』「人類頭骨化石」。這些『中國猿人的頭骨七個，下顎骨十二個，牙齒數十枚，體骨十餘件』，當是蘇聯搶走的第一個看法。

上文說到「中蘇」「聯繫」。如果蘇聯已有「猿人」發現，要與中國的「猿人」作比較，是彼此都有材料，可作「聯繫」的。但蘇聯有無「猿人」發現？據裴文中在共產黨的「新華日報」一九五一年「二月號」上發表了一篇「從古猿到現代人」，他說：

『現在已經發見的猿人，共有四種：（一）是中國猿人，俗名「北京人」，在北京西南周口店地方山洞內發見。北京人能夠製作和使用最粗劣的簡單石器，還能使用火。（二）是爪哇猿人，學名「直立猿人」，包括魁梧猿人等，發見在爪哇島上。內其有大腿骨的發現，可以證明這種猿人已經能夠直立行走。（三）是巨人，最近在中國南部山洞中發見，僅有三個牙齒，最初大家以為是「猿」，現在認為是「猿人」之一種。他的特點是巨大，此現代人約大一倍。（四）是海德堡人，在德國海德堡地方發見。僅僅有一個顎骨發現。顎骨的形態有些像「猿」，但牙齒的排列情形和牙齒的構造，則與現代人相近』。

根據上面的記載，可知蘇聯並沒有一「猿人」發現。蘇聯既無「猿人」發現，如何能與中國的「北京人」作「聯繫」呢？這是蘇聯把「北京人」搶走了的第二個看法。

蘇聯所搶去的，盡是「北京人」的「骨骼」，於是「莫斯科大學人類學博物館」就「要求交換「北京人」時期的石器與動物化石」。有了這些「石器與動物化石」，那就能與「北京人」的「骨骼」「聯繫」起來了。

如果有人說，蘇聯所「贈與我國」的「男女頭像型各一件，及人類的頭骨化石模型一件」，就是裴文中所說的『北京人」的模型曾製造若干份，分送給世界各國」，蘇聯又贈回來，那一方面如裴文中說『所以模型並不是極珍貴的』（見一九五一年三月二十一日香港大公報），再一方面如裴文中又說『吾人由盟軍最高軍部所接收者，非常骨骼，而為石膏之模型』（「中國史前時期之研究」），是蘇聯所「贈與我國」的「男女頭像型」「人類頭骨化石模型」，決不會當日我國贈與蘇聯的，蘇聯又贈回來。這是用不着如『孔夫子門前賣孝經』，把「北京人」的「石膏模型」「贈與我國」的。蘇聯也明白這點，怕中國智識分子懷疑，乃以「交換」用之。假如不把『北京人』時期的石器與動物化石』放在博物館，而放在『地質工作計劃指導委員會礦產地質勘探局保存』，其處心積慮，可想而知了。這是蘇聯把北京人搶走的第三個看法。

根據以上三點，我斷定「北京人」是蘇聯搶走的。

蘇聯如何將「北京人」搶走呢？則有左列的論證：

日本人先在天津找見的　嗣因怕被炸又移存東北

蘇聯搶走經過五年發見

裴文中從前說過：『約莫有一個月之後，忽然傳說「北京人」在天津找見了。但是過了幾天，又傳說天津所發見的東西，與中國猿人無關。從此以後，消息沉寂下去，一直到日本投降，日本官方再沒有人提到中國猿人的事」。（見「中國史前時期之研究」）。

裴文中後來也說：『這樣又過了兩個月，忽然得到消息，說「北京人」在天津找到了。日本人要找一個認識「北京人」的去津辨認，當時找到過去研究者的祕書德籍猶太人赫斯伯格女士。但赫斯伯格到津剛下火車時，日本人便把她攔住了說：在天津找到的東西與「北京人」無關，請他回北京。因此，赫斯伯格始終未見到「北京人」。從此以後，日本人再也不提起「北京人」的事了。長谷部等也推說，因為開掘工作「限於經費」作罷，悄然回國。直到日本投降，「北京人」的消息依舊杳然，日本人也再沒有尋找過』。（見一九五一年三月二十一日香港大公報）。

裴文中不論在自由中國時代（抗戰勝利後）或在失去自由的時代（鐵幕中），『「北京人」在津找見了』的話，是始終一致的。因此，我斷定日本人將『「北京人」在天津找見了』。

日本人將「北京人」保存於東北，有三個理由：

第一，當一九四三年七八月，日本人將『「北京人」在天津找見了』的時候，日本在太平洋的戰事敗象已露。日本人以「北京人」保存於日本本土，怕被炸了，因而保存於東三省。

第二，在日本投降後，經美國中國日本三國聯合在日本本土調查「北京人」，而無下落，此足證明「北京人」不在日本本土。

回憶當民國三十二年秋，重慶各報載日本怕轟炸，將很多貴重的東西向我國東北疏散。那麼，這一「北京人」也可能在疏散之內了。

在日本投降後，經美國中國日本聯合在日本本土調查「北京人」而無下落，盟軍總部只得到了「北京人」石膏模型和照片，但尚有『賬本』及『及其附件年表等有關文獻』，此足證明「北京人」的「骨骼」不在日本本土；日本本土只留下了『附件』。

第三，盟軍佔領日本後，曾詢問過『從事研究「北京人」及其附件年表等有關文獻之日科學家，拒絕表示兩年來是否有研究心得』。因為「北京人」不在日本本土，是以無法研究，故『拒絕表示研究心得』。

我們應注意這『拒絕表示兩年來是否有研究心得』的『兩年來』這三個字。這是『中央社東京十一月十九日電，盟軍最高總部稱』的，見於民國三十四年十二月二日重慶大公報所載。『來』字當指民國三十二年的十一月，向前推『兩年』，正好是民國三十二年七八月『「北京人」在天津找見了』的時候。『盟軍最高總部』當日說這『兩年來』當有事實根據的。

蘇聯處於寒帶，是個先天不足的國家；加上在共產制度下，人人都不肯努力生產；是以蘇聯窮苦已甚。一旦看見了財產（東北的機器），他就眼紅了，不管廢鋼爛鐵，全部搬走。

蘇聯從一九四五年冬將東北機器搬走，從事裝備，將其無用者（非機器與原料）就慢慢的整理。經過了五年之久，纔發見了「北京人」，纔交給「莫斯科大學人類博物館」研究。除該館「要求」交換「北京人」時期的石器與動物化石」，以便作研究上「聯繫」外。蘇聯就來一個先發制人的手段，指使中共奴役下的裴文中和楊鍾健，硬說「北京人」被美國劫走了。

可憐日本人，還在那裏夢想，他們把「北京人」保存在東北的極祕密處，以便將來掘出，從事研究，是以不肯吐露「北京人」下落的實話。殊不知蘇聯在東北早已掘走了！

來論

讀李宗仁親筆函後

・呂桂人・

毛邦初案牽涉到李宗仁，是意中事，也是意外事。何以言之？毛為中央駐外官員，竟敢毀法亂紀與自己的政府分庭抗禮，此誠古今中外所稀有的事，非有相當地位者暗中撐腰，決不敢出此；而與中央當局作對，無日不在乘隙抵瑕者，只李氏一人。那末，毛案之涉李，嚮非意料中事？然而，李氏昔曾以肅清貪汚為其競選副總統的政治主張，且嘗以廉介自命，照理李氏應疾惡如仇，對毛總因職權關係不便有所作為，亦只有不過問而已，絕不會予貪汚者以支持的；但李氏竟公然為毛氏大力撐腰；人之無良，一至於此，謂非出乎意外而何？

當中央對毛案採取積極行動後，李氏也不先不後發表返台爭取政權的談話，連倒蔣計劃也說要公佈出來，聽來的確煞有介事，但識者早已洞悉其為毛案桴鼓之應，真不值一笑。堂堂一個現任副總統，與現任的貪汚官員，此唱彼和，是一件極可恥的事，所以一般人都不願意多談。不料李氏仍不肯干休，現今更以另一花樣在報紙上獨事宣提，正如俗語所謂：『熱晒狗屎越翻越臭』，說斯文一點，只有欲蓋彌彰而已。

我過去對李氏的印象，只覺得他是一個平庸的人，說是忠厚長者，也未嘗不可。由於他抵美後所發表的談話，尤其關於毛案的，我對於他的人格的信仰，便根本發生了動搖。剛剛看了他的親筆信原文，更覺得他愈搞愈不像樣了。該文有關毛案的首段說：「……無奈毛邦初控周至柔貪汚，握有證據，理直氣壯，反被誣辱，心有不甘，意欲藉此辦周至柔，以平冤曲；而蔣則因投鼠忌器，不允照辦，祗對毛勵以感情和諭以利害，使毛就範。毛本性溫和，又為蔣之左右函電慰勉，已處進退維谷之苦境，但有許多美國參議員代抱不平，」余亦間接表示，願作無條件之支持，毛乃決心拒絕各方之勸告，將此案擴大為政治問題。」這是李氏對於毛案坦白的自供。

原來「毛本性溫和」，雖欲反訴周至柔，但經蔣的勸告，遑反訴的火氣都減低了，抗命當然更加不敢，根本也沒有這個念頭，直到李氏「間接表示」：「願作無條件之支持」後，「毛乃決心拒絕各方之勸告，將此案擴大為政治問題。」準此而言，毛邦初之胆敢違抗中央命令，胆敢和中央分庭抗禮，未始不是李氏的支持有以致之。細玩李氏的語氣，「余亦間接表示，願作無條件之支持」句，對在「若干美國參議員代抱不平」之後，無非認定美國是領導世界的大國，美議員判別的是非便是真的是非。現在若干美國參議員既然代抱不平，可見曲直所在，那我身為合法的代統，對毛案表示支持，還說得是徇私嗎？這一種錯覺，只有表現他的自卑感而已。如果認為毛邦初的確冤枉，要說便說，何必東拉西扯，牽到美議員的身上來呢。而且美議員與中國內政風馬牛不相及，就算美議員與毛私人上有友誼關係，談話中偶有道及，亦不過私人的見解而已，用不着拿來襯托；反正台灣國大代表對本案的意見，在法在理，都應該尊重的，卻置若罔聞；李氏其真知法乎？這一答案，不難於此中得之。又李氏所謂「願作無條件之支持」，條件二字，應是對普通人的請託而言，李氏身為副總統，為一個僚屬辯護，用不着說這一套的，今竟見之於字裏行間，有意乎？無意乎？神經過敏的人看來，難免不無「此地無銀三百兩」的想法了。

該函第二段說：「毛之律師申訴蔣為非法復職，毛又站在反貪汚立場請法院撤回此項訴訟。初審辯論結果，毛方律師請法院不受理本案之要求，未能達到目的，表面上似乎已經失敗，其實此案之目標，焦點在蔣李誰為合法之總統。毛之律師反復辯論，根據中國憲法之精神與事實，指蔣既下野為一平民，當不能復職為總統，台方律師極力避免證實蔣為合法總統，僅辯論蔣李誰為合法之總統，乃係中國內政問題，法院不宜置論。」看了上述的說話，可見李氏對毛邦初對蔣「非法復職」的申訴，認為百分之百是合理的。他對於該案最後的勝訴與否，雖不作預定的結論，但觀其「表面上似乎已經失敗」一語，似乎他對於毛方的勝訴，還是具有信心的。其實李氏的心目中，已經沒有中華民國了！我們還有我們的國法，還有合法的中華民國政府，國尚未亡，卻把國家元首的法律問題，撤到別國法庭去辯論，此誠古今中外大大的笑話，更是我們莫大的恥辱，今相信稍為有理性的人，無有不痛心疾首的。我同意政府的律師的說法：「蔣李誰為合法的總統，乃係中國內政問題，法院不宜置論」。這些顯淺的道理，誰都會懂得的。在理，李氏應以副總統的資格就近對毛曉以大義，今竟振振有詞，為祖毛而作此不倫不類的論調，騰笑萬邦，其將國家的體面置於何地？

該函第三段有說：「毛手握有周至柔貪汚證據，蔣引退後尚擅自移動支部國庫存款項之證據，且偽造毛簽，汚文件亦落在毛手中，今年一月國會復會，上下兩院議員，勢必藉此對蔣大肆抨擊」。這大約是李氏最得意的說話，而且認為是蔣氏的致命傷，其所以公開祖毛，殆亦為此。但依我的看法，周至柔貪汚證據也許有之，因毛案而牽涉到美援問題；也未嘗不無可能。不過，牽涉到我們的內政問題，為了此區區三兩千萬的貪汚案，而捉影着人家確否待證的所謂證據，而捕風且還在堂堂的國會裏的友邦元首，施以抨擊，照理是不會的，李氏的想法似乎太天真了。

末段大談法理問題，實「捨棄有利攻擊獨裁違憲之根據不用，何能爭取民主國家更多之同情」。跟着又說：「香港僑實反極權，反獨裁之民主人士，竊意應宜詳加考慮此一問題」。他的語氣完全是向香港報紙的讀者說的，因為他曾說過：回台灣奪取政權的計劃不日要公佈，說得有聲有色，之後，又沒有這回事，不得不於事後諉諸記者的報導錯誤，聊以解嘲；同時乘機來一次反蔣的宣傳，也就是他所說：「要用宣傳及和平之方法，使蔣介石知難而退」的計劃的實踐了。

還有幾句題外的說話，該文的發表，殊為李氏大德之累，有許多失體的話，不宜公開發表的。筆者與李有同鄉之雅，特別有這一種感覺，我想大多數桂人都有同感啊！

中共三反運動落空 壓制批評軟硬兼施

暗殺失踪風聲鶴唳 請客擺酒暮夜求人

【漢口通訊】近幾年來，中共在政治上翻雲覆雨，喪天害理的事不知做了多少，但它卻都能強詞奪理，自圓其說，像煞一本正經。因此，目前大陸上雖一面在「熱烈展開三反運動」，而另一面則又在到處壓制批評。

拿偽中南區來說，湖北省的所謂反貪汚，反浪費，反官僚主義運動，進行雖已近兩月，一切都是落空。原因在那裏？就在壓制批評。今日湖北的情況，大體可分三類：

（一）共幹與人民對立，不問上下級，都認爲這一「運動」是找事做，當一般老百姓弄假成眞提供或揭發一些材料後，麻煩很快就來了。一種是對提意見的人斷然採取壓制，打擊和行動（暗殺或自行失蹤），如偽省府人事廳祕書主任林欣，把揭發他貪汚浪費的人喊去，止言厲色的「告誡」：「你參加革命纔幾天？我參加革命的時候，你還在你娘的肚子裏呢？我貪汚浪費關你啥事？你是什麼東西，可當心點！」偽花紗布公司總經理張志生說得更好，「我貪汚浪費，我任用私人，是我的闊氣，你們看了眼紅也沒用，批評更是多餘。」

（二）是「黨齡」淺的毛腳爪不能像老幹一樣的「鎮定」。做賊的人總是心虛的，一聽到人對某某提供意見或揭發材料，則手忙脚亂地向人打招呼，有的甚至跪下，隨你怎樣辦吧。如偽省銀行副總經理袁一飛在聽到有人講他「壞話」後，馬上擺筵席，請客單上的首席，竟赫然爲「主席」李先念。袁並派人多方包圍李，要李給予「照顧」，不要「自相殘殺」。又如偽湖北日報社的社長李澤會，因偽報辦的太糟，且又開支太大，有人要告他一狀，他聽了馬上便拿出一筆很大數字的錢來疏通，並側面表示，如果黨不給他「照顧」，他就要跪下了。

（三）是刀對劍，搶對砲，你假如不講交情，不夠「漂亮」，隨時可「拿顏色給你看」。甚而至於指提批評的人是由于思想有了「問題」，以致「看法互異」，講閒話的人，完全被指爲是屬於「小資產階級的狂熱病」，必須澈底根治，不能聽其蔓延以「破壞同志間的感情」。

在這三種情形之下，誰提到「三反」運動，誰都感覺頭痛，大家都有這樣一種概念：反來反去都是這幾個人，到處烏鴉一般黑，與其得罪人，不討好，不如隨他去罷，「少說」爲妙。最近偽湖北省機關，對「三反」運動還行「民主檢查」時，結果人到的仍很少，在「大會」上祇有偽湖北省增產節約委員會主委劉建勛一個人在台上像猴子一樣跳來跳去，表演一番，在他請主席台上的共幹和「人民代表」，「積極」份子提供意見，「儘量批評」時，大家都婉言謝絕，噤若寒蟬，致場面弄得非常尷尬。（懷民．元月七日寄。）

丁玲已向環境繳械 自我批評武器發銹

【北平通信】「人民文學」是偽府全國性的文藝刊物，主編人，就是丁玲，她最近在「北平文藝界整風」會「學習動員大會」上及「人民日報」上先後發表了「爲加強我們刊物的思想性戰鬥性而鬥爭」的講演和文章，對一班靠攏的文化人，罵得很苦。

「讀者」張雷、魏方、艾蕪函「人民日報」，對丁玲訓話作了一個檢討：「丁玲是有歷史的前進文化人，又是全國性的文藝刊物「人民文學」的編者，照理是不應該登些無病呻吟，可有可無的文章與違反政策的思想作品的。而實際「人民文學」這種很嚴重的毛病，都比其他任何刊物爲多。自創刊以來，經她手發表的思想錯誤的作品有：蕭也牧的「我們夫婦之間」，丁克辛的「老工人郭福山」，方紀的「讓生活過得更美好吧」，白刃的「血戰天門頂」，左佑民的「烟的故事」，朱定的「關連長」，張敞的「金鎖」等，沒有一篇不是立場不穩、思想錯誤、充滿了小資產階級的思想感情的作品，但她向沒有認過錯，並自覺地進行自我批評，對外界的友好批評態度，亦向採不理會態度。這已犯了嚴重的小資產階級的思想傾向，已不正，以爲眞正人！且不久以前，該刊又發表了一篇叫「稱棉記」的，竟完全是宣傳資本主義思想的作品，把資本主義的社會，幾乎描繪成一個天堂。像這樣的刊物，如何能負得起對于人民思想教育的責任？」

表面上丁玲被檢討後，但實際上中共所自詡爲百戰百勝的「自我批評」的武器，好像已經生銹，結果，只好向環境「繳械」。（陸光．元月五日寄）

烏烟瘴氣話湖南

斯泰漢諾夫運動下 工人死亡潛逃告假 掘煤景象不堪回首

【郴州通訊】湘南的地理上，它是邱陵地區之一部。惟出產尙屬富饒，鐵，煤，煙草，茶油，木材等，毛邊紙，生豬，都有出產。「解放」以來的湘南地區，被共幹搞得烏烟瘴氣，中共的「德政」，是以搜括「物資」爲主要目標，什麼「人民」翻身大事，不過是中共宣傳的新名詞，點綴點綴赤色政權的花樣而已！

耒陽和永興，是以產鐵出名的地方，山地的人民，都以生鐵鑄鐵鍋和鑄犁（湘南人民大部份賴以燒飯的工具）。居在山區蜜內鑄爐的人民，她們終年歲月，埋首在火焰的工作中，辛勤勞苦，鑄爐以推銷於郴州，宜章，坪石，桂陽一帶。歷代以來，鑄爐是不抽稅的。可是，自中共統治以來，稅上了鑄爐的工人。工人們常說：「工人翻身當主人，比牛馬還不如！祖宗幾千代，都未納過稅，現在工人當了家，倒是稅上了翻身工人，我們是有苦無處訴的了。」

耒陽和永興各處的小煤礦的開採，也是在未「解放」以前，就是很發達的。過去政府，是獎勵自由開採的；可是在中共管理以後，煤的產量，不但未增產，反而降落了。永興許家洞煤礦的中共留駐軍事代表武一平，曾經提出檢討，考察其癥結何在？但在總結裏，說出是沒有推行「斯泰漢諾夫運動」的原因；於是，「斯泰漢諾夫運動」便大力推行在該煤礦中。自去（一九五一）年一月至十月，掘煤的工人，原有八百人（職員在外），由於實施「斯泰漢諾夫運動」的結果，死亡與自願告假（不准便潛逃）的數目，在三百人以上，這僅是舉一個例，如全般地將湘南各煤礦統計起來，那是不堪回首話當年的掘煤景象了。

郴州煙草，是聞名于三湘的。去歲煙草收獲之後，郴州區中共貿易公司，大力進行平價沽收。命令郴州區各縣偽政府，不得被商人私地暗藏收購，說是這種煙草，交由「中蘇煙草公司」統籌推銷，換取戰略物資。估計去年該區的人民損失，不堪聞問的！貿易公司收購茶油，用來作爲營利的對象，原油參雜油，好油變成了壞油。老百姓都說：「我們寧可吃白鍋，決不上當吃得肚的壞茶油！」毛邊紙不准老百姓自由挑上市面出售，統由貿易公司門市部批發，統收零批，廁所用的毛邊紙，也要列爲土產，作爲城鄉物資交流的謀利法門。

過去廣州的生豬市場，湘南一帶的生豬，稱爲「北江豬」，肥而胖，油質好，在兩廣市場，在去年一斤中，由郴州地區輸出往廣州的生豬，肥的少，瘦的多；豬行老板搖頭上當，大喊倒霉！後來據老百姓自己說，過去餵豬，有的是雜糧；現在，千征乾，雜糧要充饑果腹，那裏還會用來餵豬呢？就是種紅薯（雜糧之一）的山地，現在也在「土改」中列爲可耕地，一律繳納「公糧」；紅薯是最好的飼料，可是我們老百姓爲了要納「公糧」，不能給豬吃，要送納給共幹去吃了。今日的共幹，個個都變成往日的「肥豬」！

兩年以來的湘南老百姓，是處在水深火熱中。過去自由的生活，到現在，是不堪想像的了。但是，湘南人民的反共怒潮正在如火如荼。共產黨蹂躪了湘南人民，但湘南人民正在向共產黨全面游擊地方政權！（仲．一月一日寄自郴州）

香港三日

我們對日本是原諒，但決不是忘記得乾乾淨淨。如果聯合國空軍不採取主動，地面上是無法打的。

美紐約紅衣主教史培爾曼九日晨由馬尼刺抵港，他說他這一次來香港是專誠看看中國大陸流亡出來的宗教傳教士。他在機場記者招待會時，有人問起他中國大陸教士被迫害的感想，史主教沉思片刻，雙目含淚，幾乎哭下來了。站在他旁邊的教廷公使黎培里總主教亦爲之凄然良久。他在宗教歡迎會上說：「我看見中國許多傳教士流亡出來，心裏非常難過，我決盡個人之力，協助中國教會。我相信如果中國教會能繼續努力，團結，抵抗，一定能夠光榮勝利」。他引述基督被釘十字架上三日復活。他說：「今日中國教會之苦難與殉道，和爲將死去的遺難日子是完全一樣。中國教會也必然會復活的。」十日他赴調景嶺，爲該地難胞作祈禱，並允籌款設法救濟之。

× × ×

美駐遠東陸軍參謀長卜艾德七日由星抵港，九日返星。據悉卜氏抵港與熟悉於東南亞地區之英殖民部遠東防衞司司長鄧蘇普少將（退役）會商有關於香港之「安全措施」問題。有關方面傳出消息，英國政府這一次對東南亞決不是像上一次大戰那樣的消極。在這些英國將領頻頻訪港之行蹤中，可以看出英國對香港之準備，是不遺餘力的。

× × ×

澳洲皇家艦隊司令海軍中將依頓於九日下午由雪梨乘民達士航機來港，會晤英駐港海軍司令狄更生准將及現留港之英遠東海軍總司令羅梭爾上將。依頓中將留港一宵，已於十日晨搭美海外航空公司客機赴東京。依頓將在東京三日，拜會李吉威上將，並將往韓戰場一行，觀察該處之海軍活動。

× × ×

菲列濱共和國議員費耐洛九日由港飛東京，並轉赴漢城，訪問菲軍。他說他這一次去日本之主要任務是向吉田內閣辦理日本對菲之賠償。他指出舊金山對日和約中之條款，他代表的國民黨是不能同意的，按菲方估計日本應賠給菲列濱八億美元。他說他將力爭使日本在物質上賠償菲列濱。否則不足以言和約之賠償。他嘆息說：「我們對日本是原諒，但決不是忘記得乾乾淨淨。」

× × ×

香港幾個汽車商，爲着要兜售一九五三年的新式的汽車，又在搞「香車美人」那一套了。本屆（第三屆）之汽車比賽及「香車美人」定於二月二日及三日舉行，地點爲新界之青山區。對於爬山節目已決定取消。「香車美人」選出後將在青山酒店舉行盛會。這個時代，搞這麼一套，已引不起一般小市民的興趣了。

× × ×

泰國陸軍軍官團一行十五人，九日由東京飛港返曼谷。彼等由泰國陸軍部阿里尼斯少校率領，這一批軍官都是從韓戰場作戰歸返者。從他們的談話中得悉在韓戰場自從去年八月起，聯合國的空軍已趨下勢。共方之空軍在質與量之間，皆屬上乘。他們說如果聯合國空軍不採取主動，這個仗在地面上是無法打的。關於和談的希望，據彼等之看法，在前方根本看不出絲毫和平的象跡。前方聯軍的準備仍是和戰時一樣，一切活動依舊是十分緊張。（一成）

嚴嘯虎一封訣別書 王以禮勾黨被牽連

人生不滿百，常懷千歲憂。
西去有歸宿，我亦胡何愁。
提前了此願，不負壯年頭。
寄語諸同志，莫忘戴天仇！

腰鼓隊在抖擻精神 它單調地扣人心弦

他們說：
天不怕
地不怕，
單怕共產黨講寬大

我這次從雲貴邊區經成渝東下，目覩眼見，覺得暌別了才兩年的四川，竟至牛鬼蛇神，恍如隔世。

我到成都的第二天，恰逢共黨的所謂「八一建軍節與抗美援朝大會」，在少城公開廣場舉行，參加的武裝部隊不多，各學校的學生服色不齊，其他拖着疲乏之身子入場者是些來自廿里路內的老弱農夫和工人，會場中間矗立着一些農民協會，工會，職業團體的空招牌，顯出一派不景氣與寥落的色彩。只有那穿嶄新的大紅色鑲白邊服裝舞花手帕的「腰鼓隊」，在抖擻精神。但那鼓聲和鈸聲，卻非常單調地扣人心弦，發出家：家：家窮的聲音來。台上掛着五星鐮刀旗，與史、朱、毛、的像，四周佈滿武裝哨兵，機槍林立，一片陰森之氣。與那沙沙的「麥克風」聲響，構成一幅刺耳的畫面。春熙路一帶的大商店，經過兩年來不斷的苛稅與捐獻，已關門大吉。錦華舘，昌福舘的百貨店，都應運而生，改成平民小食店，碗豆肥腸湯是目前應時的好菜。

川西的「土改」，經過「減租」「退押」「清算」「鬥爭」「反霸」之後，或殺或囚，殘餘的已逃，所以游擊健兒，風起雲湧。又因川西袍哥勢力雄厚，共黨政委鄧小平，在會議席上大聲疾呼，要大力鎮壓。因此成都從四月十六日起，弄得滿城風雨，雞犬不寧。所有以前黨、政、軍、人員、地主、袍哥大爺、公教人員、保甲長、以及凡有資產、資格的人，一律殺戮無赦。

成都一地有姓名住址可考的黑名單，已有一萬七千三百六十八人，這是偽公安部統計的「數字」。[illegible]……「人生不滿百，常懷千歲憂，西去有歸宿，我亦胡何愁？提前了此願，不負壯年頭，寄語諸同志，莫忘戴天仇！……」[illegible]王以禮與嚴同黨[illegible]。[illegible]人慈善團體的王杰三、孔八十六人等之逮捕，經三日三夜疲勞審問，株連無[illegible]

俗語說：「人逼造反，狗逼跳牆」。川西壩兒就在今年一年的當中，再生起了無數艱辛傑出的游擊英雄。他們從血的教訓，火的洗禮，從川西的每個角落，集結到松、理、茂、汶、四縣邊區去了。在松潘縣茅尖嶺建立了根據地，號召四川袍哥，由西南洪門，及一切反共人士，復國興華，更生自立。號召了楊高賢任指揮，分成三個支隊，一個警衛營，第一支隊向清，人槍三千八百餘支，第二支隊蔡國南，有人槍三千六百餘支，第三支隊汪伯川，有人槍四千二百餘支。警衛營李嵐，有手槍六百四十餘支。這是川西的游擊主力。

他如雙流、新津、金堂、灌縣，時有零星的游擊隊，出沒不常。這些是退役軍人，回籍軍人，及遣散的士兵，各都有三五十人一股，或二三百人一股，少至五六人一組的也有。聽說大雷、馬、屏一帶，還有以前潰散部隊，配備完善，但人數及力量不詳。

這些潛在的反共力量，使劉伯承感覺非常頭痛。劉是四川人，深知川人多變，地形又雜，並且現任西南軍政委員會的「紅官」，對於游擊隊多少有些「微妙」關係，不能操之過急，以免師出無功。

據內幕消息，毛澤東因對劉伯承原係熊克武、但懋辛一軍張冲的團長，與[illegible]劉文輝、王纘緒，等交往甚密，[illegible]劉伯承在幕後操縱，造成西南特殊環境，所以有調劉伯承之說。[illegible]並在新華日報七月六日公開聲明：西南確有游擊力量二十萬人，又說：[illegible]第二野戰軍已[illegible]清「剿」。從此可推斷「特殊」[illegible]西南局勢之發展。（一厂）

邱吉爾訪美的成果

·衡方·

杜魯門與邱吉爾的「政協會議」已經告一段落，兩人照例發表聯合聲明，說些「結果甚為圓滿」的話。究竟圓滿到甚麼程度？局外人當然不清楚，也只有且聽下回分解了。

拿這次杜邱之會和二次大戰初期的羅邱之會來比較，情景却大不相同。那時的邱翁，除代表聯合王國連同印度在內的全體英屬各地區外，還間接的代表東歐和中東各個反納粹國家，更代表在英倫的若干流亡政府，其聲勢確是煊赫一時的。同時，美國的羅斯福亦以三任總統之尊，駕輕就熟，敢作敢為。所以，羅邱二人稱有坐言起行的信心，彼此心照，說了就能負責去做。

而今呢？時易勢異了！當年邱翁所能代表的印度已告獨立，澳紐已與美國另訂軍事同盟，中東正鬧着反英的別扭，東歐不復唯英國馬首是瞻，希土早已一面倒向美國，加拿大素來跟美國步調一致。邱翁的政治資本只有英倫三島和一個友邦——法國。但法國又必須仰仗美援。邱翁的說話力量，如是乎就趕不上當年那樣比重了。杜魯門對於這位「老大哥」的雄才大略是領教過的。他對「老大哥」固然優禮有加，但若談到政治問題，却一反羅斯福獨斷獨行，站在浴室門口與老邱協商大事的作風，遇事拿到圓桌會議上去，文武幹部併坐兩旁，秩序井然，十分鄭重，使「老大哥」祇能談公話，講公理，即在客氣與莊重的氛圍中，絕無說私話之可能。所謂「說服」對方，也只有大道理了。如對中共問題，杜老總先就來一手「列為會議主題」的辦法，並且聲明決不考慮綏靖主義，這就教邱翁無法別出心裁了。杜魯門先生坐過幾年白宮之後，確實與在波茨坦會議時判若兩人，非復吳下阿蒙矣！

邱吉爾此行的收穫，大概在經濟方面的成就較多，政治方面的事，只好遷就一點了。

自由談

蘇聯怎樣看美國人

她把自己的影子來做美國人的模特兒，結果描出來的還是她自己。

——嘉華·

你聽說過伊凡，阿美利堅尼士其人嗎？其實世間並無此人！可是在一億九千三百萬俄人的心目中，却有一個活生生的美國人伊凡——衣冠楚楚，却住在高樓大廈環繞的陋巷之中，打腫了臉充胖子！

他是一個蘇聯宣傳機關虛構的典型美國人，每天都有伊凡阿美利堅尼士其人出現於報章、刊物、廣播、戲劇，與乎電影之中。他的顧居離不了華盛頓、紐約，好萊塢一帶：在這些地帶之中，佈滿了剝削勞工的工廠，勞動集中營，和荒蕪無人之區，因為二千萬美國老百姓都被關起來強迫奴役了。這樣宣傳的目的，無非讓蘇聯的百姓們自己以為「比起美國人來是幸福得萬倍」而已。

把所有伊凡的行徑，特性，溶合成一個輕浮虛偽可惡的人「」最近一位蘇聯的宣傳家說：「那麼大家就會為了他被打倒而歡騰雀躍了。」

他們說：當伊凡穿上花花綠綠的奇裝，手指上套滿了奇珍異寶閃爍的戒指高視闊步，招搖過市。（這是奴隸們想像中華爾街的大亨應有的派頭）行人為之辟易，所有街上黑人、中國人、以及英、德、斯拉夫、義大利各國的人，統統被他擠倒在溝裏。那還不算，他每天至少還要私刑拷打過別人一次。莫斯科最近出版了一本書，題目是「私刑是美國鎮壓反動的工具」，引用一本俄國書上的話：「畸形恐怖之私刑，加諸認為反動份子身上，而法律當局竟佯作不見不聞，對於兇手亦不追不問！」他們還指出這批以私刑施諸他人的暴行，是由一班小夥子在俱樂部喝了滿肚的時候，幹出來的。暴徒組織包括所有美國的兄弟會及宗教團體，甚至為救世軍和降靈會，全都受華爾街收買指揮的密探，背後還有秘密警察為他們撐腰。

他們有時又反把伊凡改成被剝削的窮苦大衆，住的是破木屋，或擠滿了立錐無地的危樓，連水都沒有，甚至要睡地板，水門汀。在他四周包圍着的都非富則貴。莫斯科電台自己也覺得太矛盾，連忙解釋說：

「好萊塢的電影，描寫美國人的豪華，總是人人都有私電，與臉內房屋，汽車，傳訂機，和珍貴的首飾等等東西，其實並不是人人能夠如此，普通的老百姓年年都為債務焦煩。因為一切雜誌，報章，無綫電，都把華貴的商品吹得天花亂墜，以鼓勵一般人去賒買他們本來是買不起的東西，深深墮入了華爾街資本家的債網之中，這就是華爾街用債務去奴役大衆的毒計」！

下面是一段蘇聯家喻戶曉的故事：有一個美國老頭對他白髮蒼蒼的老婆說：「今日是咱們結婚紀念，直到今天我纔把五十二年前結婚戒指的欠賬還清，我很高興從今以後這隻戒指是真的屬於你了！」

又有時把伊凡變成一個不敢參加罷工反抗「戰爭販子，華爾街法西斯，帝國主義」的可憐工人。經常有僱工的工人受武裝警察開槍射殺，他的工資壓低又減低，下的錢，減到不夠買東西，只好拚命等着排隊去領麵包和一小片肥皂。（馬克斯、列寧、史太林全認定在資本主義的美國的工人是這樣的，所以伊凡也只好變成這樣的了。）

伊凡在美國腐敗文化的一幕，又變成放縱胡行的阿飛了！蘇聯電台說：「美國幾百套影片都是描寫燃恩，刼匪，謀殺：他們頌揚：偵探私酗，妨業怠工，以及原子彈和侵略政策。……更有許多書報，都登滿了淫褻的作品，而使頭腦淪亡，不可收拾。……」

他們提到伊凡還有老婆叫做柯露嘉，是染了肺癆的勞工，沒有錢進醫院，也沒有時候休養。兒子叫做波里士，進了一間「反動」的學校，學的當然是「買賣前進的生活常識」，畢業後，在一間剝削階級的工廠做苦工。

一個「蘇維埃家庭服務廣播」大聲疾呼：「賤價的童工，在美國極盛行，這些童工工作九小時，因為饑餓與過度工作之故，許多童工死於非命……四分之三的美國兒童都毀於營養不足！……」

波里士未得父母的同意，竟被強迫參加童子軍，他學會打單，竊竊，詐陷。某蘇報有一段文章談到美國的兇手如何養成時，說道：「美國的統治者，逼迫年青人服務于強盜式軍隊，學校的軍事化，教給學生們如何統治世界！仇視其他種族！美國人野蠻的性格，可以在朝鮮的殘酷流血慘劇中表露無遺」。

伊凡還有一個老表，叫康妙爾士，當然是傳奇式地代表共產黨的英雄，他絕不替華爾街的帝國主義做走狗，隨時隨地對羣衆作抽象的馬克思主義演講，率領羣衆向白宮作和平的請願。到底他被逮捕，關在一間暗無天日的牢裏，捱饑抵餓。結果當然是再接再厲的向華爾街強盜挑戰。

這無形中是對蘇聯的聽衆，暗示美國日漸衰生有許多像康妙爾士這種英雄，不久將會革了華爾街的命。蘇維埃家庭服務廣播再加以批評說：「華爾街對這不可遏止的反抗力量，祇有用恐怖手段來鎮壓「！」」

所謂「恐怖手段」——蘇聯人民是無須再細釋詳註的，不外乎像蘇聯對待政治犯一樣辦法：酷刑磨折，疲勞審訊，奴役勞動：——而已！

伊凡的故事有一個配角，叫哈利門，是華盛頓白宮的副手，描寫成比杜魯門或塔虎脫們更有辦法。他本人有錢，和銀行界也有聯繫，莫斯科報紙還特別指出：像哈利門這種銀行家，他的財產全是民脂民膏，……是用帝國主義的威嚇利誘手段強征硬索而來的。」

另一個閒角，叫威路臣。最勵員委會的主持人，也是工業主義者，他被描繪為「錢袋的代理人」專門煽起戰爭的火燄，坐收漁人之利。

近來莫斯科一份報紙把菩華盛頓說：「在泥淤的波濤迴呼，流行了新的「釋金熱」了！一般肚皮上掛着金鏈，峨冠博帶的紳士們，都拋下了華爾街，一窩風鑽到華府。這一批地道的帝國主義的主人，傾囊投資於原子彈製造公司」。不用說，他們更希望多製造些，同樣消耗些這種炸彈嘽」！

又一個蘇聯作家寫道：「聯邦調查局的偵探和收買的爪牙，佈滿了任何地點，——在床底下，電話裏，或是窗戶縫，偷聽祕密。在墨西哥大約有六千名這種密探來管制人民的思想……」云云。

這些神話雖免傳進了一部份有正義感的俄國耳中，如同美國國會圖書館（？）耶可伯臣博士 Dr. Serglu Yakobson，對這些伊凡的虛幻故事批評說：「伊凡的生活，簡直就是鏡子裏面蘇聯人民的影子，這些事情除了蘇俄絕對做不出來的！」

要莫放手！

·夫石·

林冲論（二）

——水滸人物論之五——

·舜生·

有一天，林冲正站在菜園的牆缺邊，看魯智深揮舞他那根重六十二斤渾鐵禪杖，因為看得入神，不禁衝口叫出一聲「好」！因此乃被智深邀入喝酒，暢敘之後，彼此相見恨晚，當即結為兄弟。兩人正談得入港，忽見林冲的使女錦兒匆匆跑來，說娘子在廟中被一壞人攔住不放，林冲聽說，慌忙辭去，走到嶽廟的五嶽樓前，果然看見幾個人拿着彈弓，吹筒，粘竿的少年，立在欄邊，另一後生，則在胡梯上遮着林冲娘子，叫她到樓上去說話。林冲一見憤不可遏，乃上前喝道：「清平世界，戲良人妻子，當得何罪？」正舉拳要打，乃發見該後生是本管高太尉的螟子高衙內！這幫閒子弟，也認得林冲，因上前勸解，說明誤會，林冲雖然只好罷手，可是仍忍着一肚皮的悶氣。

在這位小衙內的眼中，認為調戲良家婦女，原不算什麼了不起的事，這次居然遇着林冲這個對頭，因此回到府中，十分不樂。大凡這類權勢人家的子弟，照例都有一羣小人包圍，平日無事，還要想方設計去討主子的歡喜，現在看見這位小主人為着林冲娘子害了相思，於是一個綽號乾鳥頭的富安，串通了一個名叫陸謙的虞侯，便定下一條奸計。因為這陸虞侯原是林冲的朋友，乃由他把林冲請到樊樓喝酒，但當他到林家去邀請的時候，却詭稱喝酒的地點係在陸家，當陸林兩個正在樊樓喝酒之際，乃使人通知林冲娘子，說她丈夫因酒後悶倒，於是林冲娘子遑忙攜帶錦兒三步當作兩步的跑到陸家樓上，但並不曾見她丈夫，而坐在樓上專候的，却正是那位高衙內！錦兒見事不好，慌忙跑下樓來，在街頭遇見賣藥的張先生，知道林冲和陸謙在樊樓喝酒，錦兒趕到樊樓，恰好遇見林冲下樓淨手，當即把這緊急情形向他報告，林冲聽了，便一口氣跑到陸家樓上，等把樓門敲開，高衙內却已跳窗逃走。林冲一怒，乃把陸虞侯家打個粉碎。

各位要知道：儘管是一種無惡不作的小人，可是他們要替主子去做成一件壞事，却依然是異常忠實，富安和陸謙看見一計不成，又眼見高衙內喫了一嚇，跳樓又受了微傷，連日在府中臥病，因跑來百般安慰，並保證必有辦法，非使衙內達到目的不止。當富陸兩個正在表示殷勤之際，府裏的老都管也跑來看病，他們兩個乃又生一計，簡直叫老都管把衙內生病的一團經過，向太尉稟明，請太尉作主，把林冲收拾，而且由老都管說明富安和陸謙已有辦法。高太尉本來也賞識林冲，可是究竟是兒子第一，因把富安和陸謙叫到府中，於是富陸兩個乃又定下買刀比刀的一計，其經過是這樣的：

萬竹樓隨筆（六三）

讀報隨感

芻狗

海濶旅客

一九五一年十一月十八日報載台衆社台北電：美國駐台軍事顧問團團長蔡斯少將，在聯合國同志會演說云，顧問團之工作程序，第一步為計劃改善中國士兵之營養，中國士兵所得食物之熱力單位雖足，但食物分配不好，缺少蛋白質，多食魚為補救之最佳辦法，現已設法增加士兵之魚類副食，並與日本漁業機構洽商合作方法……。

我承認人類的行為有打鬥一項，過去千萬年如此，往後千萬年或許依然如此；但這行為的內容是兩個人相處到認為過不去便訴之手打，純然是自立自動的。我奇怪世間何以會有當兵這一門職業。兵的任務於集體打鬥；可為甲方的兵或乙方的兵，沒有過不去，沒有恩怨，彼此並不認識。兵一樣要用力，這些力却不作為生產的要素。兵只消耗，消耗生活資料，執行任務時消耗大量物資（軍火），所消耗的物資，結果再毀滅無數物資，而預期最大最滿意的結果，是毀滅同類的生命——這些生命是兵的主子的敵人，而于兵則非友非敵，可以為友却沒有理由會為敵。養貓養狗的主人，為着貓狗的效用，而注意貓狗的食料，養兵的要注意蛋白質之有無多少，是應該的。但我獨怪接受蛋白質恩賜的兵，為甚麼總不想想主人一心要我肥壯，用意何在。

既貧且弱又復愚蠢的國民，以貓狗不如的待遇，仍可募來充砲灰，多給點蛋白質更是天恩浩蕩了。生活較好而又較有智慧的國民呢，大量蛋白質也不行，則須要一本正經地教他口誦心唯「愛國」「尚公」「這一套神話，還得用法律的強制才徵召得來。

羅素說，假使大多數人都覺悟到不肯當兵，庶幾可以弭戰。這觀念原則簡單，然已不知俟諸何年何月。「聖人不仁，以人為芻狗，天地不仁，以萬物為芻狗」，以飼食有魚，至仁矣乎。

我們，自由社會主義者，自十九世紀下葉以來即已向世界高呼反對軍備黷武，嘗被目為烏托邦的幻想。可是，自許為非烏托邦的蘇維埃社會主義共和聯邦，直至二十世紀後半期的今日，反而擁有世界第一位的陸軍，她的地面部隊，沿東歐羅列到東德，煊赫的陣容，大彼得九泉有知，寧自慚形穢，却又不禁顧幹欣的千舞而大感喜慰吧。既有幾千萬奴隸勞工以事生產，復有幾百萬足夠蛋白質營養的砲灰活原料，克姆林宮的鞏固還怕有問題嗎？「一世二世以至萬萬世」，秦始皇求之而不得者，史太林伯伯（這稱呼出自中央人民政府教育部所編初中二年級國文教科書上，是親眼見過的人告訴我的），庶幾得之吧。

芻狗人類的技巧，說不定我們的毛叔叔可能勝過史伯伯。何以見得呢？大家不已看見「參軍運動」嗎？

每事出之以「運動」。然後有以見得是出于民衆自覺自動，不是驅迫，不是強姦。例如捐獻飛機，據皇皇官府文告說，竟有「捐到非捐獻人的財力所能辦」的，然而終于是「運動」，那就顯然不是強迫了。參軍運動的花頭則又如何？謳歌英雄的「人民文藝」作品，嘔盡「人民作家」的幾斗心血，出產了那麼幾十本，青年人手一編，正在讀得出神。幹部同志來了，得一團體，每一學校，輪流宣論「反美援朝」旨意，聲淚俱下，深入人心，這纔開始發集參軍。至此，活躍的搶先應募，猶豫的給同學訕笑陣脫，也得勉強報名。你以為他們迫切需要砲灰，多多益善嗎？還就拙劣了，你再意想不到，考試的嚴格到得十分，每一起徵，名落孫山的過半，不能入彀的沮喪萬分，再有機會，決不放過，而漢口，西安，瀋陽等處訓練營，逐日的豐興點收，源源滾進來了。

還有的問題是蛋白質夠不夠呢？據我的姪兒甥子們的報告，雖然只塞大餅饅頭，得個個都說體重驟增一二十磅，其或許不須煩勞蔡斯團長分神注及也乎。

自由人

THE FREEMAN

（每週半刊星期三六出版）

（第九十一期）

每份港幣壹毫

督印人：李光華

社址：香港高士打道六六號　電話：二〇八四八

GLOUCESTER RD. HONGKONG TEL: 20848

承印者：東南印務出版社　地址：高士打道六四號

台灣總經銷處：台北市中華路一二五九號（台北憲兵隊側對面）

爲邱吉爾進一解

・黃雪邨・

據本月六日台灣中央日報載該報駐美國特派員陳裕清君通訊，他說過去邱吉爾曾於與美新聞界老前輩斯渥普（H.B. Swope）談話中，當斯渥普提到英國歷史上許多偉人時，邱氏均少所許可，而獨對於當年擊敗拿破崙，建立英國在世界的領導地位的威廉皮特（William Pitt）表示敬服，邱氏意氣之盛，也正是意味着他自己是以皮特自許。皮特是在拿破崙席捲歐陸和近東一帶，英倫三島岌岌可危之秋，担當英國首相，終於建立了轉危爲安，使英帝國得以雄立宇內的不世功業。在第二次世界大戰當中，邱吉爾當時所担負之艱鉅任務，亦頗與皮特當年之情勢相埒，幾經危難，獲致勝利，最後亦終能由於英美之併肩作戰擊敗希特勒、墨索里尼，其時英國與世界自亦有未可磨滅之功績。今天的世界，又已由新的侵略者造成重大的危機，山雨欲來，風雲正亟，邱吉爾以七十七歲的高齡，又恰於此時重登英國首相的寶座，他是否還能以威廉皮特自期，是否還能如第二次大戰時一樣再建殊勳，自當然是世界人士所極關懷的一個問題；尤其是他現在正完成其與今後世界局勢有關的訪美之行。

毫無疑義的，邱吉爾確實是一個有才能有魄力的人物，但是我以爲今後邱吉爾之是否眞能完成安定世界，復興英國的歷史任務，並不是僅以他個人的政務才能爲決定因素，換言之，還不是關於政治上的技術問題，如外交上所謂縱橫捭闔，連橫合縱的那一套手法，而是需要一種對現代世界政治思潮與今後世界局勢的認識，也就是說需要一個對今後世界政治的正確理想。我們應該知道，今後我們所期望建設的是一個民主自由平等的世界，而不是僅在維護某一個國家的利益，或者進而造成某一個國家的權威地位。例如在第二次世界大戰一開始的時候，羅斯福即決心支持一切反侵略的國家，並不因美國本身之未即受到戰爭的威脅而忽視這個戰爭的意義。再如這一次杜魯門之毅然以實力參加南韓的反共戰爭，這都是不單純的基於美國一國的利益，而是要支持全世界民主國家的反侵略鬥爭。要維護全世界民主自由的力量來防止極權的侵略，更進一步消滅侵略的極權主義，解放一切被極權統治的人民與國家，使全世界人民共躋於平等自由之域。這是一個崇高偉大的理想，也是作爲現代世界政治家所應有的抱負。我以爲今天的邱吉爾，如果不能意味到這一點，而斤斤以威廉皮特自許，只爲個人的虛榮和英國一國的利害來打算，夢想重新規復大英帝國的霸業，那麼結果恐怕不僅不能建立當年威廉皮特的功業，反而會要遭遇失敗，至少會要使全世界民主反共的鬥爭將受到不良的影響。雖然邱吉爾此次上台，爲時不久，他的未來成敗，我們當未可遽作定論，然而，從英國對外政策的傳統精神和邱吉爾本人的心理（如前文業經所述）來看，我們對邱氏今後的作法，其所可能影響於未來世界大局者，卻不能不深存疑懼。因之也願意在此提起邱氏注意。

英國人從來是慣於其維多利亞王朝和「日不落」的大英帝國之重建，對於這些以往的光榮也無時不在回憶着感覺得一種不可一世的驕傲。基於這種留戀過去的心理，當然對外來的新東西是不容易肯接受的，這是英國人偏於保守的原因。其次，由於這種偏重保守的性格，加以經過第一第二兩次大戰之後，雖然終於獲得勝利，但是英國本身不僅人力物力受了重大損失，經濟陷於極度枯竭之境，不僅他們所企望的重建大英帝國的世界霸權未能實現，反因殖民地獨立運動之風起雲湧而使大英帝國日趨暗淡失色。因此之故，英國人不希望世界上發生任何性質的國際戰爭，甚至於害怕戰爭。時至今日，英國人自然不敢存即時能重建世界霸權的希望，但至少他們是希望保持現狀。因爲歷史的事實告訴他們：每一次國際戰爭的結果，對英國本身的利益上，都曾經發生過不良的影響，這也就是現實主義（專爲英國本身打算的現實主義）在英國對外政策思想上抬頭的最大原因。我們如果說當年張伯倫在第二次世界大戰前一再去敷衍希特勒！實行其所謂歐洲綏靖主義的政策是一種現實主義的作法，則今天邱吉爾的政府之不考慮撤銷承認中共，甚至說，英國之承認中共僞政權，將不妨礙自由 世界其 他國家應付中共任何侵略威脅的行動。（根據邱吉爾最近在美國談話），這何嘗又不是重犯了現實主義的錯誤？現實主義者是只知敷衍現狀，保持自私的現實利益，而不懷抱一種任何爲世界爲人類打算的高遠的理想。例如今天以前的英國，爲想達到和中國通商的目的，不惜承認中共匪幫政權，同時爲要確保其殖民地的利益，又要號召馬來亞人民和華僑支持其剿共政策，這種絕對自相矛盾的舉措，便是英國現實主義最好的說明。邱吉爾今後如果不能變更英國這種只知自私自利的作法，不能從整個世界局勢着眼，則邱氏個人的政治前途和英國國家前途都將是可悲的。因此，我們對今天以挽救英國的危機自命的邱氏，仍不能不提起他的注意，而希望他對建設未來的民主自由的世界有所作爲，貫徹其在第二次大戰當中，爲反侵略反極權而奮鬥的精神，而不希望他再做張伯倫第二。

其次我以爲邱吉爾首相和英國的政要們必需認清今天這個時代已不是五十年以前，一二百年以前的時代，那些民族的優越感和帝國主義的作法都應當放棄。以英國在文化上的高度水準和盎格魯撒克遜民族的優秀，無疑的可以居於世界先進國家的地位；但是決不能還想要站在其他民族的頭上來統治人家。不僅不應該想「人爲魚肉，我爲刀俎」，即是企圖犧牲人家以保全自己的利益也是不合理的。我們當然不應該反對一個人維護他的國家利益，英國人之希望大英聯邦帝國之永存也是無可厚非，不過在今天決不是當年那一套對殖民地的辦法所能維持，必須在平等互助的原則上才能和平相處，精誠團結。例如美國之於菲律賓便是一個很好的例子。今天的英國並沒有能夠轉變那些陳舊的觀念，還是那一套百年相承的殖民政策，最近伊朗，埃及，阿刺伯等地所不斷發生的反英運動，都顯然是英國那種不開明不進步的作風所造成之必然的結果，我想如果不是這些回教國家在宗教信仰上有其先天的反共性，則很早就可能將他們逼到相反的路上去，這應該是在杜邱會談中正式證明美英願密切合作抵抗共黨侵略的邱吉爾所必須警覺而翻然悔悟的。如果我們忽視弱小民族獨立運動價值，那麼在全世界爭取民主自由，反侵略，反極權的意義上便是一個絕大的矛盾。因此，僅站在維護英國本身的利益上，我們當然無權反對邱吉爾去做歷史上的威廉皮特；但是站在全世界反共的立場上，我們卻希望他不要再存威廉皮特那種重建英國的世界霸權的反時代的幻想。須知作爲一個現代世界政治家，必須着眼於整個世界人類的未來幸福，而不能只知有已不知有人的僅爲自己打算，只顧到眼前的利害。以邱吉爾之才具與聲望，實大有可爲，不過無論爲邱氏個人着想，爲英國着想，爲全世界着想，我衷希望邱氏要擴大他的抱負，不要只想做一個英國的功臣，而是要做一個有功於世界人類的偉大人物。

世界指掌

法蘭西的悲劇

法國沒有政府，已經整整十天。自從本月七日普里文內閣倒台迄今，歐里奧總統陸續召見過五位政治領袖，以組閣大命，但都祗一嘗試，即告失敗。我不敢說，再過十天，法國會不會有政府。當世界局勢如此嚴重的時候，作爲反共抗俄陣營中主力之一的法國，竟長期陷於無政府狀態，總是很不幸的。

十一年前，德軍長驅直入，佔領巴黎之後，莫洛亞（Maurois）懷着痛憤的心情，寫了一本『法蘭西的悲劇』，敍述崩潰前夕法國政局的紊亂情形，一字一淚，扣人心弦。明年，或者後年，恐怕莫氏又要執筆，寫第二本『法蘭西的悲劇』。因爲今日法國政局的紊亂情形，正和一九四〇年一樣；就某方面說，甚至比一九四〇年更加複雜。

一九四〇年的法國，大體上是走中間路綫各黨派，如社會黨，急進社黨的天下，極左的共產黨和極右的『火十字團』（Croix du Feu）『國王走卒』（Camelots du Roi）等等都沒有大勢力，而且，共產黨固然是反納粹的，極右派也不過做做文章，駡駡政府，并沒有絲毫『通敵』的意圖。今日情形大不同：法國議會六百二十七個席位，中間路綫各黨派僅佔九分之四；換言之，不足半數，根本沒有操縱的力量。其次，這些黨派的領導人物或已作古，或老態龍鍾，非復往昔的豪邁；新的幹部則多起自戰時，學識能力皆較遜色，組織也就鬆弛多了，一言不合，馬上要求拆夥，乃是常事。普里文政府即在這種情形之下倒台；而歐里奧總統祗法再在中間路綫各黨派中，找出總理的繼任人選，原因亦在此。

共產黨在法國議會擁有一〇三個席位之衆，他們是蘇俄派駐法國的『第五縱隊』。顯然，要他們和中間路綫各黨派合作組織反共抗俄政府是不可能的。事實上，今日法國的局面，遠較一九四〇年危急。這固然是由於中間路綫各黨派的衰落，但其主要原因還在共產黨的抬頭。如果一九四〇年的法國，抵不住納粹的正面侵略，今日法國有什麼希望可以應付布爾希維克內外兩方的『夾擊』？

戴高樂的『法蘭西人民大集合』（Rassemblement du peuple Français）和右翼獨立黨控制議會約三分之一的席位，照理應該可以聯合『中間偏右』黨派組織政府。但是，『中間偏右』黨派力量微嫌不足，還得參加一部份『中間』，甚至『中間偏左』黨派，才能把握議會的多數，戴高樂恰又與『中間』尤其是『中間偏左』黨派不和，因而，一個以右派爲中心的政府祗從建立起來。

法國人民最富熱情，但要避免悲劇的重演，卻需冷靜的理智；法國的政治領袖們，也許終會覺悟的。

越南不致有失

禍不單行，巴黎正處於無政府狀態的時候，越南法軍統帥塔昔尼將軍忽以病逝聞。塔昔尼將軍在越南的功績是值得稱頌的。他的死，是法國的損失，也是自由世界的損失。不過，越南戰事卻不致有不利的變化。

第一，兩次大戰已經充分證明法國軍隊在大兵團作戰上，固不及德國軍隊的堅強，但在營以下的戰鬥中，法國軍隊是特別堅強的，也就是說，法國軍隊不受將領更易的影響。

第二，目下法國陸軍共五十六萬七千人，空軍九萬一千人，海軍六萬一千人，憲兵六萬二千人，合計七十八萬一千人。在越南約有三分之一的部隊，即二十六萬人。這個數目較之塔昔尼將軍東來之前，增加幾及一倍。塔昔尼將軍擊潰胡志明主力於紅河三角洲地帶，把越南局面穩定下來，固然應該歸功於他的卓越指揮，但基本的原因卻是兵力的增加。

第三，越南戰事不是單靠法國軍隊可以取勝的。越南本身的軍隊至少要負一半的責任。在塔昔尼將軍東來之前，保大政府幾乎完全處於消極的地位，現則已有越南軍隊二十個營實際作戰。這也是塔昔尼將軍成功的一個原因，這個原因繼續存在，並沒有隨塔昔尼將軍之死而消滅。

緊接着杜邱會談之後，美、英、法三國軍事首長最近在華盛頓舉行了一個以防衛東南亞爲主題的軍事會議。法國的參加，顯示會議的焦點乃在越南。三國對於越南問題有何決策，不得而知。今後的越南戰事祗有加緊，不會逆轉，則是可以預言的。

凌乃銳

全面反共與局部反共

法參謀長茹安，在華盛頓和美英兩國軍事首腦人物有所會商，據云結果圓滿。所謂圓滿者，即蘇聯如嗾使中共攻越，美英兩國可以海空軍予法方以援助。

實際講起來，今天祗所謂局部問題，如果共黨攻朝鮮，我們便去援朝，共黨侵越南，我們又去援越，問題便一輩子也不得解決，充其量不過造成如朝鮮的現狀而已。

這個原因很簡單：一切共產黨的動作，均由蘇聯發動，他們的行動好像是個別的，計劃卻是整套的，如果大家不能從蘇聯的整套計劃，予以根本上的打擊，只是枝枝節節的去加以應付，則適足以中蘇聯之計，而使共產陣綫愈拖愈強。

以亞洲來說，蘇聯運用計劃的重點在中共，只要中共政權存在，而又完全掌握在蘇聯手裏，她便可以運用自如，無論如何難以持久，她一定相信終有赤化整個亞洲的一日！

解決亞洲問題的關鍵，在中華民國與日本的還原，以中日合作來代替中日相剋；凡在亞洲擁有殖民地的國家，要去掉保護殖民地的觀念，代以與當地人民合作反共的觀念；不如此，則一切西歐國家同時加上美國，惟有準備退出亞洲，今天在亞洲的任何局部抵抗，我們敢斷言徒勞無益。

時局漫談

舜生

日本反對重建武裝的論爭

今天在亞洲反共的資本，台灣無疑義的可算一分；日本能正式建軍，加速建軍，自然也算一分；假定美英合作促成日本與自由中國提攜，則日本即無所用其排徊瞻顧，而一個從亞洲反共的堅固基礎，即可建立起來。可是我們從這次杜邱會談的空氣加以判斷，乃完全看不出這種徵兆，甚至愈來愈支離破碎，這實在是太可惜的。

假如日本眞要成爲一個獨立國家，便不能不有相當的武裝以謀自衛，這應該是無可反對的。可是就日本的責任來講，卻又不能以自衛爲限。過去日本擾亂『中國』，放縱了蘇聯，侵犯了英美，今天的亞洲其所以成爲目前這樣一種尷尬局面，可以說是由日本一手造成，日本人當前的義務，不只要向中國人贖罪，向亞洲人贖罪，而且應該向人類贖罪。即令中國和英美都對日本表示異常的寬大，假令日本人仍有多少的正誼感與責任感，便應該堂堂正正的站起來做人，更應該堂堂正正的站起來建國，一切閃閃爍爍的態度，一切鬼鬼祟祟的行爲，均無所用之；這一套，中國人已領教過八十年，過去已經要不通，何必今天再拿來耍！

今天反對日本重建武裝的，是日本的共產黨，日本的勞工團體，以及日本的左傾分子和學生，他們的心理非常複雜：有的人，已經不承認日本是他們的祖國，實際以蘇聯爲他們的祖國，蘇聯既不願日本再有強大的武裝，他們當然要和蘇聯一鼻孔出氣的起來反對；有的人，他們對日本過去的軍閥確實非常的厭惡，他們覺得日本武裝的重建，即無異軍閥的再起，因此也就非反對不可；有的人，他們並沒有忘記美國的兩顆原子彈，即美國六年來對日本的管制，他們也並不滿意，武裝日本既是美國所樂意的，他們即藉反武裝以發揮他們反美的情緒。除此以外，再加上一種恐蘇心理，更怕一般國民的生活水準因武裝而再度降低，於是乎反對重建武裝，乃成了日本一種頗時髦的流行病。

但我們依然相信：一個國家畢竟有她的立國精神，日本終於無法實行共產；日本的憲政已經有了五十年的基礎，最近又加了六年的民主學習，所謂軍閥抬頭，也畢竟是一種過慮；日本始終是一個不容易產生偉大人物的國家，可是並不缺少深思熟慮和敢作敢爲之士；儘管這種反武裝重建的運動好像成了一時的潮流，但不久還是要平息下去的。

從歷史上看俄國戰爭
克里米戰爭英擊破俄
日俄戰爭日又擊破俄
蘇俄再强大美國繼起

近二百年來的俄國外交史，表現爲兩種政策：一是對付西方各國（如英法）的，一爲對付與俄國鄰接的中歐國家（如德奧）者。俄國與英國的關係，大體十分冷淡，時有衝突，可說常在冷戰狀態之中。並且冷戰一旦成爲軍事的衝突，亦往往不至成爲大戰，戰爭都在俄帝國的邊境上進行，照例是俄國失敗。現在，有美國加入西方集團，並且繼承這傳統了。

俄德兩國的關係，與對西方國家之常在冷戰狀態者不同，十分和好，直到一九一四年止，一百六十年間，兩國並未有過戰爭。但是一旦發生戰爭，卻立即擴大，其劇烈的程度爲歷史上所未有。

當前途茫茫的時候　這暗示是十分重要

由過去俄國與西方國家間的冷戰，使我們對於國際形勢的發展得到一個暗示，但雖只是一個暗示，在這前途茫茫的時候，卻是十分重要。

俄國的興盛還是數世紀來發展的結果，到一八一二年因對拿破侖戰爭的勝利，乃有明顯的表現。當時的法國，其國際地位，彷彿希特拉時代的德國，是大陸上最強的國家。也像一九四〇至四二年的德國一樣，法國在歐洲的發展，初未受到任何阻止。像後來斯大林與希特拉的協定一樣，法國當時與俄國訂立梯立雪盟條約，以對付英國並其他獨立國家。歐洲這樣迅速成爲法國的勢力地帶，此時俄國則如她在一九三九至四〇年一樣，併吞其鄰國，芬蘭與比薩拉比亞的土地。英國處在孤立的地位，時時憂心法國的進攻，獨力苦鬥。英國的孤立並不光榮，她的缺乏同盟的地步很危急的。

拿破侖，這個偉大的戰略家與政治家，他的行動，正如後來希特拉所重演一樣，我們現在稱爲愚妄及冒險。拿破侖轉而進攻他的同盟者俄國。結果也與今日的希特拉相同。拿破侖的行動，也許並非愚妄及冒險，也許這是無可避免的。因爲在整個歐洲大陸，現在只有俄國可與勝利者挑戰了。同時，俄國因其所獲得的新土地與人民，也一天天增加了恐懼。這兩個巨大勢力，現在全副武裝，對立於歐洲平原上面。勝利者爲了進攻最危險的海上勢力的英國，他必須對大陸上的敵對勢力予以打擊。拿破侖與希特拉的行動，其實都是出於必要。這類的戰爭是自有其邏輯的，任何統治者都必須加以承認。

拿破侖的進攻俄國，先佔有到達莫斯科的通道，他終於走進了莫斯科。但是他的勝利卻不能以佔領莫斯科而告終止，他必須更加深入，更作征服，最後消耗於俄國的草原森林之中。於是他只好退却。因爲俄國與歐洲的地理，超過了他的負担，所以當他停止對俄戰爭的時候，便崩潰了。質言之，拿破侖的失敗，並非由於俄國的優勢，而是由於俄國的廣大，正與一九四三年的勝利者落得更大的失敗一樣。

並且也與一九四一年相同，俄國與英國，從此成立了同盟。東方與西方突然來了結合，不過這時候的西方，由英國一國作爲代表。以後英國的勝利，俄國會同樣與以稱贊，拿破侖既失勢，此英俄兩同盟國，便成了歐洲的支配者。這與一九四五年的發展相同，不過由美國來作爲西方國家的領袖而已。

滑鐵盧戰役以後，繼着便是冷戰，不過當時的程度沒有今日的緊張。這因爲過去的交通、郵遞、船運、海陸軍、戰爭以及歷史，一切都較今日遲緩。國際事情的發展，現今數年之間便可成熟的，一百年前，往往非有數十年不辦。

法國失敗以後，俄國的聲望使益增輝光。他是解放者，是「歐洲的救主」。當時各國的軍力，誰都不足與之相敵。俄國如有意於吞併，雖可擴充其帝國的新領土，且使其在國際上的勢力，遠擴至領土以外。俄國當時在歐洲的工具，便是德與奧國。俄國的勢力，曾在世界各地，如西班牙，拉丁美洲，中東，地中海，甚至太平洋，都令人感到。例如美國的孟羅主義，就是對於此無所不在的俄國勢力的反響。

滑鐵盧戰役以後的冷戰　德奧當時是俄國的工具　英法聯合與美孟羅主義

十九世紀前半的冷戰，主要的在俄英兩國。當時的英國，既富且強，勢力磅礴，常取進攻擴張態度。並且還有法國爲其聲援，以反對俄國。法國雖經失敗，但恢復極速，不僅在經濟方面，且立即又成爲世界強國。因此乃與俄國立於相對峙的地位。當時英法兩國的雖然其間也有很大的對立，當時對於俄國，却是彼此聯合的。

冷戰的發展，依據其本身的規則與邏輯。一天天的趨於緊張，擴大到各地方人民，而成爲世界的，曾使倫敦與聖彼得堡兩方都感到困惱。在近東方面，俄國進攻土耳其與波斯的成功，表示英國政策的失敗。黑海的封鎖，使外國海軍無由進入，同樣是西方國家的失敗。波蘭的[illegible]與其爲俄軍所平定，以及成立於英法的波蘭自治政體的廢除，都表示西方對俄國衝突的劇烈。俄國向黑龍江方面侵入中國的，尤爲一種對西方的反對，曾在倫敦引起很大的反響。迨到一八四八至四九年，俄軍越界以平定匈牙利，義大利及羅馬尼亞的革命，遂使時局更趨嚴重。

這樣冷戰終於到了高潮，而需要結束，這就是說必須以海陸軍來從事熱戰了。一八五三年，俄國繼續向南方侵入，俄軍進抵土耳其的莫爾達維亞與華萊基亞省。由當時冷戰的氣候，這一進攻，實使和俄國相對立，或恐懼俄國的大小各國，都聯合而爲一起。這個聯合的領袖，便是英法，薩丁（即義大利）是後來加入的，奧國因爲巴爾幹的利害關係，也擁護這個聯合，甚至普魯士也表示動搖的態度。

戰爭歷時約二年，結果是俄國失敗。不管聯合國的規模與當時俄國的巨大，但此一世紀前的「世界大戰」，到底不能稱爲大戰。主要的戰場在黑海與克里米，除了在俄土兩國間外，並無巨大的陸戰。英軍的損失只有二萬二千人，法軍九萬五千人。和約的結果，俄國雖有損失，却對他的世界強國的地位，並無多大影響。他允割比薩拉比亞的一部，還與土耳其，並放棄其在黑海保有海軍的權利。

冷戰到了高潮需要結束　戰爭兩年結果俄國失敗　失敗以後俄國發生變化

但是，不管戰爭之局限於一地，且俄國土地的損失，也微不足道，到底因爲戰爭失敗的緣故，使其內外政策，受到很大的變化。經過了這次邊境上的戰爭，俄國從此有了巨大的改革。原來克里米是一個人口稀少地域，且從土耳其手中取得，還爲時不久。因爲沒有鐵路相通，這一帶地方，實不易到達，成爲得勝的聯軍要想奪取的目標。這形勢正與今日蘇俄的滿洲及土克斯坦一樣。戰爭以後，俄國退出了世界的前進地位，而一時超然於紛爭之外。「復興俄國」這一口號，實表示俄國在國際上的新路線。但是他的軍隊並未毀滅，他的經濟也未受害，只是他的侵略的骨骼受到了打擊，他依然是世界的強國。

在國內方面，俄國從此開始現代化，這是由政府自己發動的「西方化」。所以並未影響國家的政治機構的根本，也沒有動搖到統治者的特權。但是一八六〇至六五年的改革，究竟也使許多中古時代的社會政治習慣，迅速受到廢棄，例如農奴制度的廢除，會使其多數人民，生活大有變化。高等教育的西方化，大學並得享有自治權，這在許多專制國家中是最可贊賞的。此外如體罰的廢止，新的地方政府制度的實施，代替過去殘忍的司法制度，有一套以西方爲模範的制度與法律。還有全歐認爲民主辦法的徵兵制度，也代替舊時的傭兵，而付諸實行。

但英俄兩國間的對立，依然繼續不絕。以後數十年間，曾好幾次鬥爭甚烈，然半世紀內，却並未以武力相見，這是由於有了克里米戰爭的緣故。當時俄國與西方國家的和平，誠然甚爲危險，但到底還是和平。在一八七七至七九年，俄國曾戰勝土耳其，深入，到土國海陸境界以內，後來因了英國的壓力與俾士麥的勸告，俄國政府放棄其許多勝利的所得。其後十年，因爲俄國侵入中亞細亞，又發生新的紛爭，但亦未當形成武力的衝突。（[illegible]原著　計霖譯　未完）

陶格拉斯談話申論

·梁冰弦·

美國，美國，現世紀的人想到世界便想到美國，說到世界便說到美國。第二次世界大戰烽火延遍四大洲，美國GI的足跡也踏遍四大洲，航船飛機，且及于北冰洋。戰時和戰後許多國家的窮鄉僻壤也見到幾罐「聯總」施與的牛奶粉，魚肝油，接受過的人便都認識美國。美國既爲世人普遍認識，於是美國的歷史，政情，人物都隨之而爲世人所深切注意。

由于今日已不再是門羅主義的美國，她竟負擔世界錯綜關連的事情，並且担當他人所不能承任的世界任務，那麼動人耳目的人物使多起來了，而這些人物都可以說是政情和歷史的寵兒。

遠的不說了，十年來我們站在劇場一角也夠飽看（台上的脚色，白宮裏，國務院裏，陸軍大廈裏，議會參衆兩院裏，一個個智囊，人人諸葛，今日一國策，明日一法案。有人說，物質生產發達的國家，人才產生也發達。由我看來，政策儘管那麼紛紜，人物儘管那麼濟濟，羅斯福撒手以後，杜魯門，馬歇爾，艾奇遜，麥克阿瑟，柯林斯，杜爾斯一輩名流，充其量無過于焦頭爛額。惟勉任北大西洋聯盟統帥的艾森豪威爾，出處之日，威威其容，是較沈寵而有深思的。此外，議會諸公，則大都人先于黨，黨先于國，幾乎自鄶以下。我承認是帶點主觀的，我以爲美國時彥，夠得上高瞻遠矚，而謀國則出奕從嶄以爲事的，徵諸言論僅有三人。一爲戰時遊行數萬里，歸後僅及寫出「天下一家」那本書，便也逝世的威爾基，一爲敢排衆議，力伸己見，不囿于民主共和兩黨的華萊士。又其一則爲雞鳴一鳴，正義所寄的大法官陶格拉斯。

威爾基早死，他那眼光如炬的見解固然獲得世界開明人士的贊賞，但所能影響于美國的輿論傾向與當局措施反甚少，曇花一現，可不深論。華萊士固自有可議之處，而加以冷嘲熱諷的，多屬政事的擱臨態度。華氏魄力較遜，兩年來默爾而息了，這也可不深論。陶格拉斯于一九四九—一九五〇年旅行近東和中東，後，從申正論，頗曾聳動觀聽，大抵與有同感的，會驚訝這金圓王國有此賢智，幾乎是祥麟威鳳，程度遠未逮此的就簡直不能理解吧。一九五一年之歲秒，陶氏對製訂美國外交政策，坦率地提出「建設性的亞洲政策」，同時極其理智地勇敢地說出反對蘇聯却不是反對共產主義的話，這更不特具有卓見，並且言人所不敢言，很値得引伸論列的。

合衆社電傳陶氏最精警的幾句話，隨即一件報導陶氏發言的反應，說「政界方面人士曾經談到陶氏想作一九五二年總統候選人，並且也曾注意到他曾經猛烈抨擊過政府的外交政策。」這是傷心人先存疑懼心理以論諸陶氏呢，抑或陶氏果眞目的只此而已呢？我們既不深悉陶氏爲人，無從爲之保證。但議論由于識力，或則雖爲識力所及而有所惑與蔽，仍不會有誠正宏達的議論聞于世的。由此估定陶格拉斯其人，眞不能與彼焦頭爛額諸公作一例的看了。

陶氏以爲亞洲政策應「眞摯熱愛亞洲人民，不可但憑金圓解決一切問題，……當我們應該在亞洲人民的心坎找尋基地的時候，我們却一味在找尋空軍基地……亞洲所需要的是更多的愛，我們應該把雙手搭在亞洲人的肩上，親切地對他們說：我是爲你的，爲甚麼人呢？爲那些反封建主義的領袖們。」這說法，豈但爲美國制訂外交政策特別是亞洲政策樹立起最高最大最正當目標，而且根本移易過最適宜的出發點，美國而外，所有西方國家都宜奉作圭臬。比如英國，對近東中東和遠東都有積歷史的甚深關係，到了今世紀，再不是一切爲自己利益的時代了，有一個世界公民，就有他一份的利益。抹煞了一份的利益，便即留下一株仇恨的根苗，遂使西方國家與東方關係永無好轉之日，即不當恆久地爲赤色勢力，舖整道路，保留障礙，抵消自己防衛的努力而不自覺，這豈不是再拙劣沒有嗎？英國朝野似乎都給事實教訓到有些覺悟了。最近殖民大臣賴迪頓視察遠東，對馬來亞事態的因，即已知非改途易轍不可。倘西方國家當局者都能換上陶格拉斯的頭腦，唯一以公誠爲政策的元素，以人己利益兼存並顧爲政策的準繩，那麼爲維護自由世界的自由而抵禦，乃至于消除赤色勢力，才不是空空洞洞一句口號。所有焦頭爛額的制定決策執行決策者們，倘也能不足以認識這道理與事勢，或皆所惑有所蔽而昧昧于這道理與事勢，那就焦頭爛額，也毫無補益于安定世界。

再則陶氏的談話，據電傳有主張支持莫薩德，尼赫魯和蘇加諾，這事實問題大有商量餘地，我們不能無條件予以同意；但談話的上文「……封建主義給蘇聯最大機會，有一個人出來反對封建主義，我們就應該以全力支持他」。這又是很對的。現在焦頭爛額的制定決策與執行決策者，却對于封建主義殘渣已經深入骨髓的若干領袖予以衷誠的政策略的支持，這豈是陶格拉斯所許可的嗎？毋寧是焦頭爛額者們的最大錯誤，是熱望自由而深陷壓迫的人們的最大遺憾。言非一端，放言者當愼其言，審言者當辨其言，這是我們對于電訊所傳斷續不完的陶氏談話之又一反感。

然後論到陶氏「眞正的藝術是反對蘇聯而不是反對共產主義」這一句話（筆者不得見原文，只據報紙的譯文，「藝術」云云，有點費解）。很有澄清之必要。一般人犯患，在意識模糊。二三十年以來，一共產主義的由來及其涵義，先就非常人所十分了解，因之共產主義要不得的地方何在，自然更弄不清了。布爾什維克黨人拿共產主義作幌子，由克倫斯基手上將政權奪取過來。形式上易以蘇維埃政制，附會共產主義，實際上因襲帝俄統治還變本加厲，常人則以爲共產主義就是那麼一回事。第二次世界大戰發生，與極權的另一面納粹主義者死戰，所倚恃支持戰志的只好乞靈于民族意識和愛國心，於是這所謂的社會主義國家，已經兜轉頭來結結實實還是一個帝國。甚麼世界革命期于共產主義普遍化，實在是膨脹自己國力闖霸世界的新使倆，常人洞察這伎倆的又比不多了。故而爲着給大衆辨清楚，陶格拉斯的話，詞意似應該那樣說：「共產主義是一個對象；蘇聯帝國又是一個對象；反對共產主義是一回事，反對蘇帝國又是一回事」。我相信陶氏本意也是這樣的。

近來賢達之士，已漸感到此一方面所換以爲反共的理論曰自由民主，究其實，內容以夠不夠充實，已成問題。因之陶氏的呼聲，終覺難能可貴，至少我以爲在太平洋彼岸是傑出的，亦惟美國那麼珍重自由方得有此，終究是美國的驕傲吧。

李維諾夫之死

·張高村·

蘇聯老牌外交家李維諾夫，兩星期前，壽終正寢。他的死耗，全世界各地報紙，多以大字標題，惟有俄機關報「眞理報」，却將其刊在最後一版的小角落裏，連李維諾夫的照片，也未刊登。在他出殯的那天，政府要員參加殯禮的，只有葛羅米柯和外交部兩位官員，比之李米諾夫和日丹諾夫之死，大有天壤之別。

李維諾夫一向被人視作東西合作的象徵，一九三九年下台後，一直被史太林打入冷宮。一九四六年雖能再度進入克姆林宮，列席重要會議，但他的重要性，却大爲減低。冠蓋滿京華，斯人獨憔悴，他常獨個兒在莫斯科街頭，踽踽獨行，精神萎頓，自怕和西方外交家打招呼。

一九四八年，一位美國外交家訪問李維諾夫，李氏對他說：「現在控制蘇聯政策的，是一羣毫無世界常識的人。他們走的是一條錯誤的道路，東西合作沒有可能。我那打破這種孤立主義的努力，已經完全宣告幻滅」。李維諾夫的身後「蕭條」，給我們一個重大的暗示——「和蘇聯」談合作，無異對牛彈琴。

勿為北極野獸當砲灰
共俘發表告指戰員書
誰使我們有家歸不得
革命就是革我們的命

【釜山通訊】中共侵朝以來，受聯軍的無情打擊，和飛機散發傳單的影響，共軍士氣頹喪，每日逃亡和繳械投誠的源源不斷。經聯軍的優容寬待，教誨和感化之後，都感今是昨非，悔恨從前曾受毛匪的欺騙。和談聲中，當他們聽到交換戰俘的消息時，便一致以自殺為要脅，拒絕遣返北韓，且都願在蔣總統的領導之下，為國家民族流血。他們並聯名發表告共軍全體指戰員書，勸告以他們親身經歷的情形，感召他們昔日的弟兄們，竭誠來歸。下面便是這封信的原文：

共軍全體指戰員們：

毛澤東想要鞏固政權，在中國做土皇帝，奉了他的主子史太林的命令，悍然參加侵朝戰爭，迫使我們脫離了家鄉故土，拋下親愛的父母妻子，來到遙遠異國的戰場上為史太林賣命。他給我們頭頂戴上紅星帽子，家鄉抽起鐵刀斧頭旗子，口口聲聲教我們「為人民立功」「為革命流血」，來欺騙我們。試問他們每天叫喊的革命是誰的命呢？還不是革我們自己的命麼？今天活着給你加油打氣，說功道功，繞着你不顧生死的替他打仗。明天你犧牲了，他便把你的屍體拋棄在曠野深山，沒人理睬。你們仔細想想，這到底為誰革命呢？？難道真是為人民麼？？你們可以問一問你們所認識的人民與親戚朋友，看他們那一個願意替犬打仗，推翻了合法的政府，強姦了民意，慘殺了無辜的良民，造成遍地的饑荒。今天中共還要我們出國為史太林賣命，害得大家有家歸不得，無衣無食，受凍受餓，有誰願為，看你們戴着紅星帽子，給那個北極野獸當砲灰？究竟為於立功，還是造罪，當要好好加以考慮。

記得我們在一起的時候，指導員時常給我們講話說：「麥克阿瑟是戰爭販子，李奇威是劊子手，他們都把俘虜送到蔣介石那邊去。國軍接到俘虜，不給吃喝，打罵污辱，簡直活不下去」。當我們在漢城，鐵原與傷心嶺等戰役中被聯軍包圍的時候，心裏極端害怕，恐被俘以後受罪，甚至還有人打算於被俘後自殺。不想來到聯軍懷抱以後，事實證明和過去那些賣狗皮膏藥的指導員所說的完全相反。我們來到聯軍懷抱後，不只未被打罵殺和污辱，相反的，我們受到的是長官們的慈愛，戰士們的幫助，生活上的優待，和精神上的安慰。每天吃的是大米白麵，牛油麵包；穿的是新棉花的呢布棉衣。平時可以洗澡，還[illegible]看電影，真是痛快的再不能說了。戰場上受傷的，送到醫院治療，生活都很舒適，行動自由。比起在共軍裏生活行動，偶不注意，就開會檢討；說錯一句話，就是「特務」；那樣不自由不民主的生活，簡直有天壤之別。這是我們親身所感到的，願以誠懇親愛的心情，告訴你們。

指戰員們！史太林是騙人殺人的惡魔，你們應當趕快覺悟，不要再受毛匪的欺騙與統治了，不要繼續為共匪賣命了。我們都是善良的人民，誰無父母妻子？我們為什麼要拋棄自己的父母妻子，為共匪賣命？希望大家及時回頭，各找出路。能回家的回家，不能回家的趕快向聯軍攜械投誠。我們敢保證你們一定能得到聯軍的優待。如果繼續執迷不悟，跟着毛匪幹下去，遲早非送掉自己的性命不可。

指戰員們！趕快過來吧！我們在熱忱地準備着歡迎你們！

中共俘虜集中營印。

（一月五日張乃振寄自釜山。）

中共向東南亞進發

【廣州訊】據接近共方消息：去年冬間克里姆林宮訓令中共，準備今年春夏間向東南亞進發，業已加緊興築南寧至鎮南關一段鐵路。粵共葉劍英與桂共張雲逸經商定各撥囚犯五萬人，合計十萬人，為築路工人。葉劍英[illegible]出征調囚犯命令，興梅區興寧等縣定額四千五百名。各縣囚犯已紛紛解送廣州。有一批由黃埔用運輸艦運往粵南轉桂省[illegible]思，思樂等縣，分配鐵路工程處派遣工作。興寧「民主改革運動」所捕人員，除部份就密處決外，多數將轉運廣州作為征集囚犯的交代。（時中）

知識分子的兩面性
黃炎培思想大轉變
反貪污坦白到自己

【北平通訊】偽「中央輕工業部」為了要好好地「反貪」一下子貪污，浪費和官僚主義，去年十二月廿八日這一天，就「部」開了一次很熱鬧的全體工作幹部大會。「部長」黃炎培大腹便便（現在肥多了）親自出來主持開幕，發老命地作了一次大報告：題目是「我們要徹底地為反貪污反浪費反官僚主義而鬥爭」。中共的貪污、浪費、官僚主義，居然把職業教育家黃炎培也請了出來幫着反貪污，反浪費，反官僚主義，這證明「毛澤東思想」已經被打垮了。

據說，這個「黃部長」得很的報告，使「部長」一勝利地取得了「貪污專家」的榮銜。因為他在這次報告中，解釋中共幹部貪污思想發展的路綫很精闢。他說：「出於物質生活的誘惑，大家要求生活上用一切都要好，吃好了，要好，自己口袋裏錢還不夠，入不數出，但初是借，借不到，會有一[illegible]，是去採公濟私的辦法，便去假造材料，一篇假賬。一次得手，以後便越貪越大，逐漸養成和發展思想的「這樣」。」黃炎培打通了一些思想，他徹底[illegible]

「黃部長」對於總務司長大概非常不滿意。我去年八月召開「全國輕工業會議」時，「我們「大氣」了一下，在招待代表時，一放手，開支竟達一千五萬多元。「浪費」了的部份，教職人員少辦事，時[illegible]，長大概不在上一[illegible]。此外，我們的[illegible]指出，該部三十九件已發現了有十三件，是在中央會計處出來的。以人員和物資保管員的材料必須要用，收據必須登記，月日上，表示他們「全年」必須[illegible]。

他在漢口說：他當了一名參政員，所以他代表了職教社的，他是代表公教社的，表示他們從何時等職教社忠于他自己的組織。最近他又坦白地承認他過去做參政員時，在委員會成立甚麼的委員會一類的機構，他總要爭個把委員，藉以預調查的名義，到手後，領薪水，多報車馬費和特別交際費。表示這就是貪污，他自己亦無例外，總算他是坦白了自己。

一個「部長」對會計行政很內行，就能當「部長」，不是馬虎虎的。太簡單的「部長」除了對會計行政有一套外，也要能掌握中央政策的「毛澤東」思想，這就是「部長」巧妙地引述「毛主席」這樣說，「我們……」總是以上講話表示他是沒有立場的，表示他會經這樣說。

心廣體胖，安之若素。但部長先生卻能大力地一下來。周的立場是老毛和老[illegible]周的。黃「部長」這一思想的轉變，是聰明的[illegible]

能夠說明中共知識份子的兩面性。他在報告中自己招認了所講，一九四九年當了民協會的時候，討論共同綱領草案時，他大喊「鐵拳」，於是開始制止浪費「上海」到會對貪污，證明「二二年真是[illegible]」是多講實話，但也會污，他自己「部長」越多，不會經過考驗，……還是這樣一下子講出了實際上的[illegible]，居然還能夠在中共政權下生活

改變了，黃部長在這時候只有很多地方，講習教育，「一家喜歡」的招兒用來招在合作社「上」。職業上不得利益，對於教育，不掉「這如兒」。如「這次報告中把「毛主席的「史太林」說是「勇敢」的後引用「打倒一切」，行政長官是這種事的，犯了貪污罪的有這個案子，幹部就有些直覺作思想不認。檢舉了「這兩句話」，受了黃部長的精神，不是勝利而很恐懼。黃部長並非了這個思想，在下定得之，是生活上錦羅基在比較生活，似乎與這少西，似乎很鬆懈，多數現在很忙，忙得什麼呢？……自己知道。元月七日寄。（鑑光）

歐陽予倩立場未變
他的心情十分沉重

【北平訊】在「學習」運動中，偽中央戲劇學院院長歐陽予倩最痛苦，他說：「儘管我參加了反日、反蔣、反美的鬥爭，但我還是站在小資產階級的立場，從一九三三年到現在，儘管直接受着共產黨的領導，但是我的立場根本沒有變。雖然毛主席和許多同志和朋友在指示並幫助我，但我的進步太少了。以是，我的心情是沉重的。以我這樣一個小資產階級的知識份子來領導無產階級的藝術運動，自己感到頗不相稱。」（鑑光，元月十一日寄。）

香港三日

港大副校長賴德博士，月前赴新德里出席英聯合王國教育會議，十二日返港。他說「這次會議是聯合王國各大學的副校長所召開的，討論內容為促進各聯邦國教育上之聯系及交換研究各項問題。其中不論關於法律，醫學及經濟上成就，皆有報告。」他指出這個會是純學術性的，每年召開一次。下年度召開地點，可能在星加坡或香港。

×　×　×

印度效法美日採用強迫普遍實施農村收穫保險制度

印度馬德拉斯省政府經濟顧問納地拉潑博士十日由印抵港，他說馬德拉斯省不久即將實行農村收穫保險制度，此在遠東各國尚係創舉。這是對農民最有利益的保險。他說：這個計劃下的農民如因天災人禍而歉收的時候，則保險公司完全賠償。他說：「這種收穫保險，世界除美日兩國，印度即將普遍採用。但日本是採用強制執行的，美國是任意的辦法。」他在美日兩國都考察過，印度將仿效日本的制度，認為印度農民均屬文盲，非採用強制執行不可。他指出這個制度實行後，可鼓勵印度農民開發農地，增加生產。

×　×　×

日本列席在仰光舉行經濟會議之代表高島及大喜三郎，於十日由東京經港轉仰光。該會於本月二十九日在仰光開幕，內分電力，鋼鐵及工商貿易三個小組委員會。高島是日本電力公司總經理，大喜是日本政府經濟穩定委員會研究部部長。他們說：「在這個會內，日本將以列席身份，便於諮詢，自己不提出任何方案。」他們還透露尚有其他四名團員將於廿五日由外交助理島泰次郎率領赴仰。

×　×　×

板門店和談根本是如意算盤水火不相容無停火可能

澳洲梅爾朋城「時代日報」總編輯辛格萊及其他澳記者於十一日由東京經港返澳。辛格萊等訪韓時，他們說：「在前綫之澳軍紀律甚為良好，作戰效力亦極高，已能樹立特殊優之美名。」關於共軍之火力，他強調說：「不論共方火力如何強大，聯軍已有充分力量抗住它。」他認為「板門店之和談根本是如意算盤」，在這種情況下，水火不相容，焉有停火之可能。他和各軍事首長談論之結果，一致承認共方空軍力量已完全長大。如果一旦停火談判失敗，聯軍在空軍方面如不加強，爭取主動地位，是不易取勝的。他說：「這種看法，盟總首腦也完全同意，只是英美及其他盟國之外交人員看法不同而已」。

×　×　×

好萊塢以演西部武俠明星著名的洛．金馬倫於十二日偕其美麗的妻子由東京來港，小作勾留。他向人表示今年準備拍兩部東方情調的打鬥片。他預準在印度拍外景後，繼赴歐洲。定本年六月將轉赴爪哇，日本，台灣各地，拍攝以海盜為背景的打鬥片。洛．金馬倫演過「龍虎會」，「女羅賓漢」及「紅粉烏金」等片。看來副殺相，畢恆暴富。洛氏已於十五日飛加爾各答。

×　×　×

停放在啓德機場七十二架飛機，經香港高等法院判歸中共問題。民航大隊董事長陳納德不服，已向倫敦樞密院上訴。[illegible]判決，請求倫敦樞密院[illegible]作上項判決。（一戌）

大清算大鬥爭重編戶口分紅黃黑三階級
血染字水滿塗山都郵街商店門可羅雀

八月十二日午前七鐘，我由牛市口搭車東行，經過龍泉驛，風餐露宿，沿途發現成千成萬的人民赤着身體，在修築成渝鐵路。據說他們都是各縣的「罪奴」，參加「強迫勞動」，還有些可憐蟲，在大雨傾盆，泥濘崎嶇的掙扎線上，淋着頭在辛苦地工作着。這情形比當年秦始皇築「萬里長城」還要慘酷十倍，在千餘里的「水牢區域」，是人間地獄中「奈何橋」下的深淵，不知要倒斃多少，身增加多少冤魂呢？人民何辜？受此「俄式奴役制度」的集體「工奴」生活，能不心酸？

是著名蕭老五的大本營，再由內江過永川，此路不靖，游擊隊時出時沒。永川的東山，多士紳及受不了緊迫的良百姓，都把東山當作避亂的桃源。

去年十二月到了重慶兩路口，韓戰起後，一律冠以「國特」，一再「詰盤」，公務員，意圖全網打盡，通進「革大」的學生，逃出來了三百五十餘人。

去年十二月十五，十六，十七日在打槍壩，菜園壩，鐵[illegible]一帶，公開或秘密，在通遠門槍殺了四千六百餘人。今年三月六日又舉行了一次整大規模的大逮捕，把市上所有身份可疑的人一概拘捕入獄，共有二萬七千八百餘人。

今年五月二日又是全市「大清算」「大門爭」，重編戶口，分紅、黃、黑三種階級，凡名列黑色戶籍者全部，分批移民放逐，共計六萬五千九百餘人，不知去向。尤其一般婦孺小孩，一車一車的強迫移走，載道。弄得滿城「血染山」「字水」，[illegible]

都郵街，從前熙來攘往的商店，現在門可羅雀。[illegible]

[illegible]

北碚當「鬥爭」中，被列為「地主」「反霸」，不堪凌辱自殺者有四百三十八人。其中有一年逾七十八歲的婦人王氏，平時慈善正直，亦被迫服毒而亡。名刹縉雲寺，太虛法師辦的「佛學研究院」一個，被改為兵營及課堂，佛堂宏偉壯麗，亦於四月八日，將一百餘人集合於廟前，強迫獻出所有廟產，搭什物後，把全寺解散了。

[illegible]

唯物主義者必然貪污

·尙方·

中國大陸上的共產仁兄們，近來大倡反貪污，浪費，官僚的所謂「三反運動」，而以反貪污一項吆喝得最熱烈，聲勢極「大張旗鼓」來「反」它一陣。貪污行爲在政治社會中，有若臭蟲耗子，無地無之。但在共產政權之下，而有此奇貪暴會的事實，這眞氣煞馬克斯的枯骨在地下轉側不已，列寧的幽靈也會從銅棺裏冒出來了！

共產主義的人生觀既是唯物的，教人唾棄私有財產，丟掉家庭包袱，提倡「一杯水主義」的男女關係，均貧富，齊勞逸；爲甚麼一朝得勢，而貪污之風竟如斯猖狂呢？這依然是他們那套唯物的人生觀作祟啦！

人總是有人性的，生活上誰不願意儘量享受？否則，毛澤東今日何不在北平西郊照樣的構築一個延安式的窰洞作起居之所，而要新建富麗堂皇的近代化官邸乎？其他大小頭目，何不照樣的破衣草履，形同乞丐，而乃一律穿着「美帝」出產材料的畢挺服裝，掛着「美帝」產品的派克鋼筆和手錶乎？至於大灶，中灶，小灶之分，更是所爲何來呢？你要享受，別人一樣的希望享受；你可以一面面大力反抗「美帝」，一面貪戀享用「美帝」的生活物資，別人當然也可以一面弄呼「爲人民服務」，一面到海外來購置產業，作未來享受之計。這是人性的本質，也是唯物的人生觀之向上發展！

在「反動」的資本主義社會中，固然也有貪污情形，然他們却有一套教人制慾戒貪的唯心史觀，如宗教，如聖賢所垂訓的哲理，多少是有誘導人們戒貪尙廉之功用的。共產仁兄既迷信唯物思想，憎惡宗教與聖賢的哲理，專門發展人類的劣根性，則貪污風氣之普遍猛烈，屬事所「應有」，理所當然了！在「正動」的唯物主義社會中，豈僅貪污而已，勢非演化到「率獸食人」，人相食的景象不可哩！乃至於所謂「反貪污」云云，不過是做賊喊捉賊的把戲罷了。

自由談

幸福的女囚犯

——·嘉華·——

馬嘉烈，呂妮，是奧亥俄州馬利斯村婦女感化院的主持人，許多曾受過感化的，都常常和她通訊，幾個例子：一個曾犯過猶械刼掠案叫做喜蓮的，她說她正和一個青年熱戀，他知道她犯過案，但是却要向她求婚。她希望帶着愛人拜訪呂妮一次，請替她決定這件終身大事。呂妮看完了信，立刻給她撥一個電話約他們來。

喜蓮帶了愛人依約趕到，三個人進城吃一頓便飯，分手之前，呂妮把喜蓮拖過一旁，悄悄說道：「這孩子不錯，抓緊他，別錯過了！」

經常呂妮都接到在院中住過的女人的來信：有些訂婚，有些找到職業，有些生了孩子……還有些寫信來請教她解答疑難的，甚至竟有問她粉紅色牆的臥室，應該佈置甚麼色的地毯？

誰在院中住過，都對她念念不忘，並不是因爲她六尺高三百磅重的體格給人的印象太深，是因爲她對人寬厚，胞與爲懷，令人感動，同時她也因此成爲美國著名的刑罰學和人道主義的專家。

感化院裏「關着」三百五十個女人——她們所犯的罪名：由用斧頭砍死人，以至械刼、放火、盜竊、僞造鈔票……樣樣齊全——雖說「關着」，可是四週既沒有高牆深溝，也沒有佈置警衛，毫無一些森嚴氣象，怪不得奧亥俄州的居民，會質問當局：假如這批女犯跑了，怎麼辦？他們的答覆：這些女人絕不會潛逃，她們連想都不會想——因爲她們不肯給呂妮女士找麻煩！

魯娜得救

過去有過這麼一回事；在寒冷正月的半夜兩點半鐘，呂妮床頭的電話響了，她聽出是已經釋放的犯人魯娜顫抖的聲音說：「我已經離開了那除了好事，什麼都幹的爸爸，帶了有病的兩歲孩子，在五十哩外的長途汽車站，離院之後，找不到職業，心病復發，飢寒交迫，無家可歸……」呂妮馬上爬起來，在冰天雪地之中，開車把這可憐的母子接到家裏，替魯娜安排一份工作，又把她的兒子寄養於附近的農家。

殃歌　·夫石·

對於如何使犯罪的女人改過遷善，呂妮說：「常常教她們以謙遜柔和，而憧憬將來，把她們領上重生之正軌。不只要保留她們的忠誠，而且還要保留她們的自尊心和個性完整」。

院中女犯們雖然住的是小屋，但每人都要儘力把房間（她們避諱不叫監房）整理得清潔美觀，床布、窗簾、桌布，都五光十色纖塵不染，每一人有一付收音機，每一星期規定每人必須要光顧院內的美容院一次，目的使這班女人毋忘「整容」之道。

呂妮以爲她們雖然身在縲紲，可是道德與精神並不是從此就破產。爲了恢復她們的自尊，呂妮介紹她院中罪犯給來賓的時候，仍然照通常的禮貌，稱呼爲××女士。

墊子服裝

一個新犯人初到院裏，最少要過六七個星期纔會覺得呂妮的好處。因爲規定入院之初，一律要先經過勞工服役的階段。譬如說當犯人正跪在地上刷地板，忽然間看見一位白頭髮的大塊頭女人走過，還立大塊頭就會和藹的說道：「你跪在地上，爲什麼不向庶務要一塊墊子來墊住膝頭呢？墊上墊子，不是舒服得多麼」！或是一個新犯見了這大塊頭呂妮的時候，呂妮還一定提醒：「你這身上這件制服多難看，快向領物處換一套小一點合身材的吧」！

「我們並不需要太注力於犯人將來的職業訓練！」呂妮說：「寧願多費點工夫，培養她們的『人性』，祇要她們離院後，能昂起頭做人，自然會終生好好的幹下去的！」

據法庭權威的統計，經過呂妮感化的犯人，離院後再犯法的，不及百分之四。是美國任何反省感化機構中最低的比率。

在二十年前，呂妮就任之先，情形可不同，感化院內居然供給麻醉劑，黑幕重重，有如地獄。犯人離院之後，有了嗜好，存着報復心理，不注意什麼叫做道德，行爲比未感化之前更糟。到了一九三五年，奧亥俄州州長戴維，想起邀請在克利夫蘭學法律的呂妮女士來整頓這間感化院，給她一個電話，誰知呂妮竟一口推絕。但是州長的耐性好，天天和她通電話，驅煉了一個月，纔獲得呂妮的答允。

產婦要她

她事伊始，首先禁絕了吸毒。幹了一年，她自己還不淸楚犯人們對她的信仰如何？竟然一個半夜裏接到監獄產房女總管的電話說：「臨蓐的刼案女犯人米路得烈，一定要請呂妮到產房裏陪她！」

事後呂妮對人說：「不祇米路得烈需要我，我不能離開她，其他的犯人爲了別的事需要我，我一秒也不能丟開她們！」

她除了全付精神貫注於這間感化院，還替克利夫蘭城設計建造運動場，又在一家頑皮不受感化的兒童學校教書，晚上又要到法律學校去；

母子重逢

至於她樂於成全犯人幸福的故事；一個犯人佛勞達生下兒子之後，就犯了罪，只好把兒子交給別人代養，二十年來，母子從未見過，恰巧這兒子也犯了刼案，送進哥倫布的反省院。呂妮接到通知，就喚了佛勞達來，叫她脫了制服，換上一套漂亮的衣服，自己駕着汽車和她到哥倫布探監，見到了那兒子，大家都不認得。

「我是馬嘉烈呂妮，這個太太是在我那裏的做事的！」呂妮自我介紹，同時指一指佛勞達：「她就是你的生母！」

碰到這種偶然的事，母子都愕然無語，呂妮從旁催促道：「親親你的媽媽吧」！於是母子團圓。此後那個兒子努力改過，出院後投軍，在南太平洋戰役中，頗以勛勞。

經過呂妮感化的女人，都有了燦爛的前途，一個現在幹牙科技術員，月薪五百元，一個偷過東西的犯人，現在在一間大公司做書記，階級很高了。……

有一次當我探訪呂妮的時候，她手裏捏着一張電報，她遞給我看，原來是軍部給這裏一個女犯的通知：她的兒子在韓戰陣亡了。呂妮正考慮怎樣把這張通知告訴這可憐的媽媽。「如果告訴她，那麼我和她一定要抱頭大哭一場了！」懷着這種共同甘苦的胞與精神，犯人怎能不受她的薰陶感化呢！（譯自十二月份文摘）

林冲論（三）

——水滸人物論之五——

·舜生·

原來高太尉府中有一口寶刀，平日從不肯輕易給予人看。一日，林冲和魯智深在街上閒走，邊走邊談，正談得入港，忽見一條大漢，身上穿着一件破舊戰袍，手裏捧了一口刀，插着草標兒，口裏自言自語說道：『偌大一個東京，沒一個識得軍器的！』林冲初本不甚在意，聽他說出這句話來，不禁回頭一望，那漢子連忙把刀颼將出來，果然是精光閃閃，寒氣逼人，林冲接過一看，知道這是一口難得的寶刀，便問要錢多少，那漢子初索兩千貫，結果以一千貫成交。林冲買得這口刀以後，乃愛不釋手，反覆看了又看，當晚更把它掛在自己臥房的壁上，不等到天亮，又起來撫玩一番，心下暗想：『我幾番想借看高太尉那口寶刀，他只是不肯，現在我有了這一把，倒可和他的比試比試了。』次日午前，門口忽然來了兩個承局，高呼林教頭，說：『高太尉鈞旨，道你買了一口好刀，就叫你將去比看，太尉在府裏專等。』林冲聽說，心下十分歡喜，便連忙穿好衣服，拿着這口刀，隨着兩個承局，一直來到太尉府裏。可是走進前廳，不見高太尉，再進後堂，依然沒有；承局便說：『太尉直在裏面等你。』於是又經過兩三重門戶，才到一個去處，一週遭都是綠欄干，承局便借口進去稟報，抽身走了。林冲立在簷前，心裏已有幾分疑惑，抬頭一看，見簷前額上乃是四個大字，『白虎節堂』！林冲猛省：『這是商議軍機大事的地方，我如何能到這裏！』正待回身，高太尉忽然出現，一見林冲便大怒道：『你好大膽，爲何並無呼喚，敢闖入白虎節堂，而且手執利刃，莫非欲刺殺本官！』乃不由分說，叫出預伏的三十餘名壯漢，把林冲拿下，刀也收回，並立即把他送交開封府問罪。

這開封府的滕府尹，看見犯人係太尉府送來，那敢怠慢，當即加以審問，並且對林冲說明手執利刃，故入節堂，犯的乃是死罪，問他如何身爲教頭，這樣不知法度。於是林冲便把前月攜帶妻子在嶽廟燒香，如何被高衙內調戲；又如何被騙到陸虞侯家樓上遭姦；以及如何買刀，如何被呼喚帶刀去府裏比看，一切經過，詳細供述一番，請府尹明白這只是設計陷害，懇求寬恕。滕府尹聽了這番口供，心下原也知是冤屈，再加上一位正直的當案孔目孫定，更說開封府是朝廷的官，不是高太尉家的官，林冲顯然無罪，決無冤屈好人之理。可是究竟不過高太尉的面子，結果只好從輕發落，脊杖二十，刺配滄州。

林冲的妻子姓張，他的岳父原也是一名教頭，因年老已告退在家休息，現在看見女婿遭了這樣的橫禍，乃在衙門上下使錢，希望能得到一點照顧；當林冲被兩個名叫董超薛霸的防送公人押解出發的時候，張教頭更到州橋下酒店置酒管待，希望這兩個公人不要在路上難爲他的愛婿。

萬竹樓隨筆（六四）

戰

海濶旅客

有人問：第三次世界大戰如果終于不免，情況將如何？那固然難于想像中的慘烈，也可以說實難想像。五年前的越南拉鋸戰，一年有半的朝鮮怪異戰，就是第三次大戰出售預約的樣本啦。

最近晤見老友朝鮮學者柳君，談到戰禍，他說世人由報紙傳述所聞的傷殘毀滅，實在未逮實際情形百一，單講人命犧牲，南北韓戰鬥員與平民至少達五百萬了。柳君的估計自有其根據，拿來與未來大戰作時間空間的比例，將要葬送多少生命，大家算算好了。物資的耗損以幣值作尺度，前日動員局長威爾遜告杜魯門，韓戰發生後，部隊方面用了二百億元，商務上必須用的四百六十億元，故國會預定動員費九百四十億，現在已經用去三分之二了。假定對方消耗合上直接間接的犧牲亦如上數，那就是一千三百億美元！

記得第二次大戰正酣，有人問吳稚老弭戰之道。稚老說：人們以爲這次的大戰夠慘烈了嗎？在我看來，可以說空前，絕則大大不然，後之視今，怕還只是區區小戰罷了。弭戰嗎，像這回的小戰再七十二回，比這規模大十百倍的三十六回，那時或者可以談到「弭」。他那七十二和三十六，不是諸葛神數，象徵而已。

我可另有我的看法。首先，我同意一些史家的說法，大戰無所謂第一第二，前後本屬一貫，一九一七年前戰休止到一九三九年後戰再作，那間歇的二十二年，刻刻都在造砲火，就第二戰，所以應該合爲一戰兩觀看。其次，在納粹勢力與盟國勢力猛撐，你死我活的時候，我看得出來這一場拚命又將要間歇的，但只間歇而已，間歇的久暫不可知，而戰必延續是可斷言。如果前戰兩觀都是帝國主義爭霸戰，那麼第三戰將是紅白戰，亦即思想戰，主義戰。人們還須有清醒的頭腦，敏銳的眼光，預見得到緊跟着的還有兩方被治階級與統治階級的殊死戰。這一戰，極權之魔，獨裁之妖，固將粉身粹骨，即凡操縱治權，而不民主的仁兄輩，也得當心會與路易十六、尼古拉斯、莫藤里尼、希特拉諸位，泉下相逢，抱頭痛哭。

以我的想頭，人類戰爭只還有兩戰，不會小戰七十二、大戰三十六的。我祈禱再活五十年，那時顫危危作百齡大壽，笑瞇着我的曾孫孺兒般曼聲歌唱大同之曲！（三）

讀報隨感

侵畧與解放

——海文——

本月七日蘇聯起草一項議案。送交聯合國大會的法制委員會，以其意見解釋『侵略』的意義。在議案中，蘇聯一面舉出四個可視爲『侵略』的條件，一面認爲有若干種情形是不能作爲『進攻』藉口的。翻來覆去，總算對蘇聯的『侵略』有正確的『解釋』。『侵略』原來即是『毆打』，正同『毆打』一詞，已極淺明，爲甚麼蘇聯要費這麼大的精神來解釋？是怕別人不懂，還是怕別人不知道自己懂呢？

如果說是怕別人不懂，那祇怪蘇聯平日所說的『解放』太含混。騷擾破壞是『解放』，殘殺奴役也是『解放』，奪人之國，害人之政，統是『解放』！使人糊塗。我們覺得，蘇聯與其解釋『侵略』，倒不如說明『解放』。如果說是怕別人不知道自己懂，那就未免太謙虛了。『進攻』別人叫做『解放』，別人不接受『解放』叫做『侵略』，東歐如此，中國如此，朝鮮如此，今日東南亞還是如此！我們當然曉得，蘇聯是懂得『侵略』的，用不着合條件，也用不着談藉口。司馬之心，路人皆知，蘇聯還希解釋，祇好謝了。

·坐飛機自殺·

兩星期前，加里佛尼亞省發生一件坐飛機自殺的慘劇。自殺的主角爲坎伯爾，他是一位退伍的水兵。

新年的前一天，坎伯爾對他的妻子說：「在下午四點半鐘以前，將一切準備好，我打算帶朱娣（他的愛女）一同去吃晚餐」。

四點半鐘，停在坎伯爾住宅附近的一架小型飛機，在轉動了。他駕着飛機昇上天空，幾分鐘後這架飛機撞毀在朱娣就讀的一間小學附近的空地上，坎伯爾和她的愛女朱娣，均告殞命。事後，警察在坎伯爾衣袋裏搜出一封給他的妻子的遺書，上面寫着：「親愛的，今天你已經失掉了我，失掉了我的一切。你能對你自己解說，夏特（他的情敵）值得這麼可愛嗎」？

據坎夫人解釋，她和夏特毫無關係，他不過是她們家裏一個很普通的朋友，這個慘劇的造成，完全出於她丈夫的一種誤會。

筆者不替死者可惜，因爲在美國這種類似性的故事，實在太多了。我獨爲朱娣同情，她未免死得冤枉點。（力君）

自由人
THE FREEMAN
（半週刊每星期三六出版）
（第九十二期）
每份港幣壹毫
督印人：李光華
社址：香港高士打道六六號
電話：二〇八四八
GLOUCESTER RD. HONGKONG TEL: 20848
承印者：東南印務出版社　地址：高士打道六四號
台灣總經銷處　台北市中華路一二五九號

重振智識分子之士氣

胡秋原

在人類史上，知識份子從來是社會、國家活力之源泉。各國歷史中如將著名的學者，文人，科學家除去，即非空無所有，亦將黯無光色。一部念四史中，王侯將相用火車輪船裝載不盡，但永遠活在人民心中，爲民族之光榮者，不是以「儒林」「文苑」「道學」諸傳中的人物最多嗎？就是幾個最著名的政治家，不也因爲多讀幾句書嗎？

此無他，思想家與著作家，是一民族精神之代表者，並且是新精神之培育者與鑄造者。一個國家不怕外患內憂，也不怕流氓盜賊，就怕一個國家的精神與人格之墮落。所以，一國文化之破產，智識份子自信心創造力之破產，才是最可悲的，才是萬劫難拔的。

共產黨人以無產者才是「眞命天子」，以爲過去的文化，是「奴隸的，封建的，資本主義的」文化，爲侮辱知識份子之根據。其實，中外的知識份子，只要夠得上後人記憶的，大多數總是對人類文化有所貢獻的人。一家一姓一階級一政權的阿諛者，除了遺臭萬年外，不會在歷史上有一地位的。但共產黨之一般超諸人，並沒有一個是「眞命天子」之「哲嗣」，而大概是「半吊子的知識份子」。在亂世，即一國文化已表現衰微，而政治上的昏愚特別惡化之時，眞學問沒有了，總有一批「讀書不成，去而學劍」的人物出來鬧事。潯陽題詩之宋江如此，落第秀才洪秀全如此。二[illegible]世紀之初，俄國情形，萬分墮落。一般知識份子不是神祕求神，就是色情縱欲。並且，大唱娼妓即上帝。此一智識界之墮落，才使列寧托洛斯基這批半吊子能有號召力。

中國長期是專制政治（在工業制度以前萬國皆然），這是不可否認的；但中國讀書人之用心，從來是限制王權的，這是不可忽略的。這是中國文化之眞血脈，眞骨髓之所在（作者將有「中國文化與學者之精神」一書，專論此點）而中國之尊重學問，尊重讀書人，也由此而來。而也因此，在一切東方國家中，中國的專制，還是比較溫和的。在歷史上，也有流氓敢於侮辱讀書人，如劉邦之類，但他馬上知道這使不得。盜賊亦然。黃巾到處殺人放火，到鄭康成里中，即不敢犯。下至黃巢，不敢殺一讀書人。如趙翼所說，即李自成尚有此一良心（見二十二史劄記）。今日一般人以共黨比李自成。他們也崇拜李自成，其實，李自成在共產黨中，還要算聖人了。眞正侮辱讀書人的，第一個是太監後人的曹操。但他還羨兩個兒子讀書出氣。

其次，是黃巢部下一個小流氓朱溫。其後韃子到中國，有「九丐十儒」之目。於是朱元璋及其子孫，才大煽朱三和韃子之風。清朝的方法頗爲技巧化。至於近代，挫辱知識份子，始於袁世凱。此人本來也是半吊子知識份子，學得愛新覺羅的心傳，[illegible]

[illegible]

英國與加拿大

邱吉爾首相此次遠涉大西洋，到了美國，也到了加拿大。邱杜會談是舉世矚目的大事，他的訪問加拿大則似乎不甚惹人注意。這有兩個原因：一出於美國的聲威，如雷貫耳；二由於世人對加拿大這個國家沒有正確的認識，以爲它不過是英國屬下的一個自治領地，不足重視。

這種觀念是錯誤的。加拿大雖然是不列顛聯邦（British Commonwealth Of Nations）的一份子，但除了名義上叫做加拿大自治領地（Dominion of Canada）外，無論從那一方面說，都是十足的獨立國家，和英國處於絕對平等的地位。

加拿大不特是英國的平等夥伴，而且是英國必不可少的夥伴。英國沒有美國的援助，處境困難；英國沒有加拿大的支持，卻不免傾覆的危險。

在經濟上，英國依賴加拿大，因爲英國是工業國家，加拿大是農業國家，彼此的供求關係，恰好配合。不過，加拿大對於英國經濟的貢獻，並不比其他自治領地如澳洲的貢獻，特別重要。惟獨在軍事上，加拿大的協力與否，發生決定的作用。

兩次世界大戰，英國動員計劃的重心，都在印度。印度出兵的數目，約等於英國本國及所有自治領地出兵數目的總和。今日印度分爲印度與巴基斯坦兩個國家，雖然沒有脫離不列顛聯邦，但英國已不可能再度利用印度的人力。加拿大在英國自治領地中，除印度，巴基斯坦外，擁有最廣大的人力（一千三百萬），比紐西蘭八倍，比澳洲多一倍，比南非也多兩倍。南非的地理位置不及加拿大便利；南非的人口，僅有三分之二是白種，不及加拿大的純粹；而且，南非的白人有強烈的叛離趨向，不及加拿大的忠誠可靠。所以，現在英國的全盤軍事計劃，乃是以加拿大的協力爲首一假想；換言之，英國的命運，十九寄托於加拿大的身上。

邱吉爾首相見了杜魯門總統，隨即冒大風雪，北上訪加，長居五日，不是沒有意義的。

歐洲聯邦初步

去年十二月三十日，法國、西德、義大利、比利時、荷蘭、盧森堡六國外交部長在巴黎開會四天之後，發表公報，宣布下列四項：

（一）他們六國將在本年二月二日以前，擬訂一個具體的條約草案，規定組織『歐洲聯軍』的辦法。這個條約草案將於本年二月二日向在葡京里斯本開會的北大西洋公約國理事會提出。

（二）他們覺得組織一支歐洲聯軍是不夠的，這支聯軍應該有六位『防務委員』，擔負統率的責任；這些防務委員的上面應該有一個六國聯合內閣；這個內閣應該對一個由六國議會代表組成的『歐洲大會』負責。此外，還應該有一個『歐洲法庭』，以及財政、供應、訓練等等機構。

（三）在大約一年的期間之內，歐洲聯軍應該達到四十三個師的實力：法國出十四師，西德及義大利各出十二師，比、荷、盧三國共出五師。

（四）在這個組織歐洲聯軍條約批准之後六個月內，『歐洲大會』應該擬訂計劃，成立一個由六國人民直接選舉的『歐洲聯邦議會』。這個歐洲聯邦議會有決定抽稅之權。

公報的結尾鄭重聲明，『六國政府素以歐洲的統一爲最後目標，故歐洲聯軍之組織，不過達此目標之初步』。看情形，法國、西德、義大利、比利時、荷蘭、盧森堡六國已經從『歐洲邦聯』（European Confederation）一步踏向『歐洲聯邦』（European Federation）的路上了。這是一個非常重要的消息，值得我們注意，因爲如果這樣一個消除法、德世仇，擁有一萬萬以上人口的『歐洲聯邦』一旦成立，世界局面，勢將徹底改觀。

邦聯與聯邦是不同的，聯合國組織是邦聯；北大西洋公約國組織是邦聯；美國、瑞士則是聯邦。歐洲聯邦眞能夠實現嗎？我們且等二月二日北大西洋公約國理事會開會的時候再見分曉。

凌乃銳

半週展望

雷嘯岑

中日簽訂和約問題

醞釀已久，謠言是非很多的日本與中華民國簽訂雙邊和約問題，經日本首相吉田茂公佈其上月廿四日致美國對日和約設計人杜勒斯的一件正式文書，業已明朗化了。吉田首相在原函內很肯定的指出幾點事實：中共政權係被聯合國譴責的侵略者，日本既站在自由世界爲聯合國憲章而盡力，自不能與中共修好締約，此其一；一九五〇年莫斯科與北京政權所簽訂之「中蘇友好同盟條約」，明白規定以日本爲假想敵，日本更不應與具有敵意的政權通好，此其二；中共經常以人力物力援助日共，從事危害國家，推翻政府，日本尤其不可祇爲着對中國大陸的貿易關係而引狼入室，此其三。這三項事實都是舉世週知的，亦爲自由世界的共同利害所在。日本從這種觀點出發，要與中華民國中止交戰狀態，締結和約，不但是中日兩大民族爲自由生存所必需，也是日本對聯合國表示其忠誠意念的明證。吉田首相這一決策，可謂明智！

在日本國內和國際間，一般人所持以阻滯中日兩國媾和的理由，就是對中國大陸的商業利害。其實，這是不切實際之談！過去兩年之中，日本曾經以紡織品與中共交換煤斤，期約每年能有八十萬噸自大陸輸入，但結果所得，一年不到八萬噸！共區所急需輸入的物資，多是軍需品，在聯合國一致禁運之下，即令日本承認北京政權，也無法自由貿易的。當然，日本如與中國大陸修好通商，在經濟上不能說完全無利益，譬如煤斤一項，若從中國輸入，其成本便可減低幾倍。然如爲着這點有限度的經濟利益，即不惜以國家民族的生存前途作賭博性的冒險行爲，豈是老成謀國者所能想像？

日本今後一定要新生，要成爲世界上獨立自由的國家之一員，而且一定要有自由生存的必備條件，這是不成問題的。但，這項要求必須從大處遠處的利害上着想，纔可以獲致眞正的成果。取巧投機，玩弄小手段，決非正軌。尤其中日兩大民族，鑑於過去的歷史悲劇，今後更須彼此推誠相交，共爲亞洲人民的自由幸福而努力，纔是眞正的共存共榮之道。日本如果不願淪於俄共鐵幕內，那就很自然的必附自由中國共安危，而不應計及中華民國現時領土之廣狹問題。二次大戰時，法國的反納粹政府流亡在倫敦，尺地寸土也沒有了，然反納粹的同盟國家照樣的跟「戰鬥法國」友好同盟，併肩作戰。吉田首相每以美英對遠東政策之分歧引爲煩惱，這是多餘的。日本人民既不願意嘗共產生活，別的國家就不能強迫日本政府必須與共產國家靦顏苟合，自貽後患！因此，我們一面對吉田的聲明表示歡迎，一面希望這聲明是出於謀國的誠意，而非爲達成某項外交企圖的一種政治手段。國民政府對吉田聲明所表示的三點技術上的反應，是基於實事求是的誠意而然的；吉田首相應該以行動來答復這些反應，爲中日兩大民族的自由生存前途，奠立強固的基礎，企予望之！

邱翁在美國國會的演說

邱吉爾前天出席美國參衆兩院聯席會議，發表演說，除聲明他這次訪美，是「把帽子戴在頭上，而非持在手中」之「要錢」姿態外，他的演詞有兩點值得注意：一是特別聲明英美今後對遠東政策將更趨協調，如果韓戰不能言和，或者休戰之後又被破壞，兩國間必有「堅決而迅速之行動反應」。二是指出英美法土四國如能共同維護蘇彝士運河地區秩序，中東的安全即可保無虞。

我們早經預想過，英美兩國現行對世界政策的歧見，其重點是在遠東和中東。祇要英國在遠東不遇事再絆美國的手脚，美國在中東不隨時拖英國的眼皮，彼此互相遷就些，則英美在共存亡安危的大前提下，決無分歧可言了。邱翁在美國國會所透露的意思，足以加強我們的原有信念！

從歷史上看俄國戰爭

德從未參加反俄聯合
大西洋公約德國在內
這聯合是第一次嘗試

到了九十年代英俄之間對立關係頓趨劇烈，又發生了新的冷戰。冷戰的地域在遠東，主要的問題是中國，朝鮮與黃海日本海。一九〇〇年時，兩國曾謀取和平解決，在中國劃分勢力範圍，但甚卒不成功，彼此相持不下，因爲俄國的佔據滿洲，並對中國滿淸政府，肆其壓迫，使英國在遠東的威望大受損傷。

俄國這樣成了遠東最有勢力的國家，此時西伯利亞鐵路漸告成功，使軍隊的調動大爲便利，要對俄國的發展加以阻止；任何國家都沒有這樣的地面武力。一個「中俄帝國」正像今日的蘇維埃帝國聯合一樣，大有實現的可能。倫敦對此形勢，簡直毫無辦法。英國的海軍，雖然強盛，到底無力以阻止陸軍，並且海軍的大砲，也不能打到北京與瀋陽。當時的俄國，是亞洲惟一的大陸國家。各國如欲在遠東有所行動，就必須調兵遣將，遠涉大洋，因此都不願有此大規模的動作。德皇曾說：「沒有人能阻止俄國軍隊的開入北京」。

英爲俄主要危險敵人
日俄戰爭後俄總退却

所以當時倫敦對俄國的反感，可說盛極一時，但倫敦却無能爲力。同時在聖彼得堡，俄國朝廷對英國的感情，也甚惡劣。一個外交大臣的報告中說「我們最主要而危險的敵人，無疑的是英國」。俄皇的批註說道：「眞的不錯」。

這時候，像克里米戰前的情形一樣，其他各國也對俄國起而反對。因爲俄國的侵略政策，阻害了其他各國的利益。日本尤爲惡感，深恐滿北及朝鮮的一部，落入俄國的手中。老羅斯福時代的美國，則以門戶開放主義的無效而感失望。中國雖名義上是俄國的盟邦，也對她的保護者，心中起了懷疑。於是到了一九〇二年，遂有英日同盟的正式成立，這實是勢所必至的事情。

一九〇四年發生戰爭，雖然只由日本一國動手，但她却是一個大聯合的作戰前鋒，日本的同盟英國，已準備在他國起而援助俄國的時候，加入作戰。老羅斯福也表示在必要時，當不吝援助。所以當時日本的作戰，是由以英國爲首的許多國家加以支持的。她們都反對俄國在遠東的擴張政策。

這次戰爭的戰場，離去俄國本土，遠在數千哩以外，俄人民對於佔有滿洲、朝鮮及黃海的問題，簡直並不感到什麼興味。戰爭結果，俄國海陸皆敗，海軍被擊沉，陸軍更大敗。以俄帝國土地之廣大，割些須領土的損失，實不足道，並且也沒有賠款。但是因爲戰爭失敗，到底使俄國的內外政策，不能不有大變。

從此以後，俄國對英國的敵視，遂告終止。兩國不久開始會商，在一九〇七年，彼此諒解而訂立英俄條約。俄國在遠東以英國與日本爲敵的片面行動，現在停止了。並且俄國還加入西方陣營以反對德國，在第一次大戰中，俄國成了英國的同盟國。

但俄國在國內方面的變化，實比此還要巨大。有一個羣衆運動，隨之而起，後來竟成爲革命。當時的革命雖被鎮服，但在戰爭後，也實行了許多重要的改革，俄國從此有了第一部憲法，和第一次民衆選舉。還有議會，使反對派得以充分享有言論自由的權利。更有報紙，雖然並未自由，却儘可嚴厲攻擊政府（共產黨的「眞理報」便是發刊於此時的）。此外隨着一九〇五年戰爭失敗而來的，還有最初的工會，與大爲改進的勞動條件，以及農業的改革。

第一次大戰俄再失敗
俄主要敵人非英爲德
沙皇毀滅與俄國崩潰

近百年間俄國的兩次冷戰，實有相同的地方，我們不難由此得到結論，且由歷史的研究，還可認取其所示的意義。

第一、在百年間，由俄國武力在東歐遠東所擴大的領土與勢力範圍，實推翻了當時的均勢，於是引起了近鄰國家與當時強國的反對。這種因爲感受俄國的威脅而表示反對的勢力，大抵都採取聯合陣綫，而以英國爲其領袖，經過了若干時期的神經緊張狀態，乃進於眞正的戰爭。

第二、戰爭大抵都在俄國的邊境地方，遠離其中心地帶，或者聯絡並不緊密的地方。且由十九世紀與二十世紀的戰爭規模來言，也不能說是大戰或世界戰爭。俄國土地的損失甚少，經濟也未受打擊，即其強國的地位，亦未發生動搖，俄國的武力並未以戰爭而崩潰，依然保其強大。

第三、俄國因爲戰爭失敗，使其威望無論對內對外，都大受損害，並且也顯示了其歷史上的力的衝突。在一般人民的眼中，政府的神聖觀念，現在發生了動搖，且由威望的低落，於是政治與社會機構的關聯，乃趨於斷離。單純而統一的政治體，與統治階層的自信，現在都受到打擊。反對派隨之擡頭起來，因爲他們的要求，乃有許多的互大的改革。

第四、由每次的戰爭，表示俄國有限的力量與其向各方面的發展，比例頗不相稱，並且證實俄國爲強大的陸上國家，却不能與強大的海上勢力相敵，最後俄國仍不能不全綫退却。

自一八五六年與一九〇五年兩次冷戰失敗以後，俄國在一九一七至一八年，受到第三次打擊，但這次的主要敵人，不是英國，而是德國。這次戰爭，戰場在人口稠密，地方重要的東部，俄國的損失，與德國相同，都非常互大。俄國因爲失敗，不僅毀滅了沙皇政府的威信，且使其國家的根本構造，也發生崩潰。這便是以後獨裁的新勢力之所由出現。

因此，其對國際事情的影響與前兩次所說兩個例子不同。俄國在崩潰以後，只得從頭做起，德國在威馬政權時代亦然。在許多年間，這兩個一時無力的國家，彼此保持均衡，而暗中則互相援助，以謀恢復其武力。在一九一四年，強大的俄國與強大的德國，因其間的勢力均衡，曾於許多年間，除了有內部衝突。從一九一九到一九三三年，兩國都成爲無力國，所以其情形也是相同的。其後，因爲德俄勢力復興，遠比俄國的速而強大，卒使其在東方，沒有力量可以與之保持均衡、結果遂造成納粹時代的野心與戰爭。自一九四四年興起，俄國的勢力，以德國的失敗，達到強大的地位，於是結果同樣造成了今日緊張的局勢。

在前世紀，俄國與各種反俄的聯合戰爭中，西方之與德國的聯合，都未結成爲戰爭。但是現今的大西洋公約，還一則包含德國在內，在歷史上不能不說是第一次嘗試。（T. Dallin原著 甘霖譯完）

我堅決要求愚孝精神之再生

親子之情不是毛澤東欽定的感情尾巴或思想包袱
它是人類天性且與人類相終始中華民族的凝聚力

·趙滋蕃·

歸來歸來！你「志在春秋，行在孝經」的民族靈魂；你「守則能合，變則能通」的自然主義修養。歸來歸來！你仲尼的大道；你往哲的徽言。歸來歸來！你比眼淚還要聰明的愚孝；你比最黑暗還要深沈的孤忠。歸來歸來！你自由意志與自由智慧濃縮的民族文化；你人倫主義與人性主義融合的合理生活。風雨如晦，世變方長；燎火將熄，幽蘭未已。我們這多難而又堅強底民族，在今天，按名好像活着，其實已經死了！我們民族精神生活中，一種眞誠而深透的性格，今天已不可復見了！唉！

在鮮血淋淋底生活之旁，還羅着一抹溫情生活底殘影；在獸性底世代，我們憧憬着人性底復活；在大破壞底狂飆下，我們嚮往於幸福底追求；在人格的神經衰弱的臟躁病症中，我們希望人格的平衡，緊張的消失；則今天重估愚孝的價值，確具一番悲慟！

我深信：開花的法則，也就是使花凋謝的法則。我們雖然沒有權利，爲秋風搖落的黃葉鳴不平；但我們確有權利，希望霜凍的枯枝，重洋溢着黃鵝綠的生氣。基於此，我堅決要求愚孝精神之再生。

從廣大的自然進化史得到的啓示：自然界中鬥爭的法則，與互助的法則並存。且後者對於生存競爭的成功，尤其是促進物種進步的進化，較互相競爭的法則，還爲重要。而「親子之情」與「關心後嗣」，即爲動物間互助傾向之起源。還是大自然從遠古賦贈人類的最善良高貴品德之一！有了它，人類纔有今天的繁昌；沒有它，人類老早就湮沒於僵冷的化石中去了。因此，親子之情不是毛澤東欽定的「感情尾巴」，更不是毛澤東所叫的「思想包袱」，它是人類的天性，且與人類相終始，旣「割」不「掉」，也「甩」不「脫」。大自然進化的中心律是不能違背的！人類的生命不絕，愚孝也定將永存。

從悠久的人類社會史得到的啓示：父慈母愛子孝，是人類社會的最原始的動力。愚孝在古代社會，曾是人與人間道德綫索的紡織；愚孝在近代社會，曾成爲習慣狀態的義務心與同情心的搖籃。人類社會假若完全喪失了「老吾老以及人之老，幼吾幼以及人之幼」的基本精神，人類社會的存在，是很可懷疑的。當中華民族欲從大動亂的「禍源」處，恢復個人與個人的正常關係，恢復社會的秩序與安定，愚孝精神之再生，固刻不容緩。

從中華民族民族史得到的啓示：中華民族的凝聚力，來自家庭與教育；與西洋社會的凝聚力，來自宗教與教育者，迥然不同。人子始於事親，中於立身行事，終於愛國家、愛民族，盡忠孝一貫的道理，我們中華民族，講得最透澈，也影響得最深遠。碧血丹心，光照史乘，先民的不朽遺徽，尙燦然在目、當蘇峻叛亂，王師敗績，領軍卞壼，單騎赴難，二子卞眕卞盱，隨父共殉國難時，其母裴氏的哭辭，體現此種影響的精義。她說：「父爲忠臣，子爲孝子，吾復何恨！」（見三十國春秋）當鍾會聘羊秀爲參軍，其母顧氏誡羊秀說：「軍旅之間，可以濟者，其仁恕乎？古之君子，入則孝於親，出則忠於國；在職思其所司，在義思其所立，無貽父母之憂而已。」（參考晉書）不足代表天下父母的心聲嗎？中華民族的家庭教育，就是這樣塑造國家的棟樑。它給予公民以教育，它給予社會以公道，祇要我們不閉住眼睛，蒙着良心，污衊歷史，我們就得承認，愚孝精神之再生，實與復國建國運動，休戚相關。

從人類文化思潮史得到的啓示：古今來文化思潮，可以劃出兩條明顯的軌跡：（一）人類文化思潮，常在同中求異，異中求同間滑來滑去。而當一個思想傾向，廣泛浸淫於思想界之後，即日趨式微，失其勢力。勞瘁生產同樣產物過久的土壤一樣，在觀念的生產上，把力數盡了，必須再適當着民族及國家的歷史本質，施以「輪耕」或「休閒」，在思想的園地，觀念填充新內容，使它變成美麗而活潑的「形相」，或者喊出新口號，標榜新主張，以適應新時代的新發展。兩者本並行不悖，相輔相成。（二）任何時代，如果智識階級或統治階級，開始以嘲笑和謬言，來誣蔑人類間的懇摯與眞誠；或將他們的生存，游離成哲學的抽象，則半受教育的人，馬上就會無把握地，暴躁地，把各種騙人的事，奉爲宗教。今天，以爲目的，以鬥爭爲手段的共產黨神巫，披着馬列主義外衣的俄式東正教，其所以能蠱惑天下耳目者，癥結不就在此嗎？今天，在中共的文化鐵幕，與思想的老虎鉗下，我們不獨要爭取思想自由，最要緊的，我們要揭發這部僞「可蘭經」！讓人性否定它的獸性，讓人間溫馨否定它的人間冷酷。那麼，站在反共抗俄的立場，愚孝精神之再生，亦屬必要。

從我們日常生活的實踐中得到的啓示：當我們生存的空間，有母愛，有父慈，有子孝；有天倫溫馨的笑語，有家人父子親切的慰問。這難道是人性與理智之外的事情嗎？父母熱愛子女，兒女思念爺娘，這難道不是犬性的自然流露嗎？萬物莫不親其親而子其子，這難道是宇宙和諧發展的規律性與秩序性，難道是虛假的嗎？父母子女的血緣關係，「改造」不了，強「搞」不「通」，難道不是自明的眞理嗎？愛父母，也愛父母胼先墳墓所在的鄉土，更愛父母之國，難道還需要找證明嗎？

總之，親子的愚情，雖筆端無法描述，雖言語無法形容；但迴旋鼓盪於心臆間，倘自成其眞，自其成善，且自成其美。因爲愚孝是人類的親和力與宇宙中心律總於一致的象徵，是人類於人性的尊嚴，唯一價值的試金石。地球儘可以被原子彈毀滅，但親子的愚情，終無由絕于天地間！

當南風吹拂在原野上，絮語在「貓公剩」聲中，古代的詩人，想念起他們的媽媽，這想念該多麼眞純而超絕！水田中的嫩秧，已長成爲一大片一大片青翠欲滴的蔬菜了呀！樸質的詩人，睹物思親，緬想起他們的爺娘，這聯想又該多麼崇高而親切！我們中有父母爲共產黨所殺的；我們中有曾被共產黨愚弄，以親自鬥死父母，而冠上「鬥爭英雄」的大頭巾的，請擒住眼淚，讀一讀古代詩人的詩篇吧！

「凱風自南，吹彼棘心；棘心夭夭，母氏劬勞。凱風自南，吹彼棘薪；母氏聖善，我無令人！……」

幼嫩的「貓公剩」，已長得這麼高了呀！媽媽的心血，是何等的犧牲在兒女的身上！她以血養大了兒女，兒女總不應該用「前進」的剃刀，向她來「淸算」「鬥爭」吧！

「蓼蓼者莪，匪莪伊蒿，哀哀父母，生我劬勞！」「蓼蓼者莪，匪莪伊蔚，哀哀父母，生我勞瘁！……」

「父兮生我，母兮鞠我，拊我畜我，長我育我，顧我復我，出入腹我。欲報之德，昊天罔極！」……

可憐寸草的一片癡心，那裏報答得三春的陽光！這詩篇，難道祗有被曹丕殺掉了父親的王裒，纔能讀得出眼淚嗎？所以孔子說：「君子之道四，丘未能一焉，所求乎子以事父，未能也。」又何嘗是句假話？你們一定有父母，現在或將來也說不定有子女，生活的實踐，就是愚孝應當存在的理由。

記得嚴復譯赫胥黎天演論卷下，有這麼幾句話：「道每況愈下，轉在至微，盡其性而萬物之性盡；窮其理而萬物之理窮。」倘有明道淑心之人，亦當有撥亂反正之事！引古繫今，我們固不必妄自菲薄。

·肯南這個人·

——伍健勛——

肯南出任美國駐蘇大使，是美蘇邦交史上一椿大事。他一生以殉道者的精神，反抗共產主義擴張；他自稱是共產主義的第一號敵人，當肯南出任駐蘇大使的消息傳到莫斯科後，眞理報便爲文痛加詆譭，說他是美國反蘇地下活動的負責人。但是杜魯門總統却緊接眞理報的評論，宣佈肯南出使蘇聯的消息。史大林已經領略過美國報復政策的味道，只好硬着頭皮，接受這位不受歡迎的使節。

爲什麼肯南出使蘇聯的消息，引起了若干國際觀察家的特別注目呢？要解答這個問題，我們得從肯南的身上，去找尋答案。

肯南是一位很能幹的職業外交家，廿二歲就躋身外交場合，他長了一副外交紳士的體格與儀表。他的頭髮雖然禿頂，但無損於他的風格。他的前額特別顯得比一般人來得聰明，兩眼分外來得機警。他喜歡笑，美之中，隱藏着深邃的智，和創造的威權，拿他來對付克姆林宮的陰謀家，算得上一個上選。

肯南出生於一個反俄的家庭，他的一叔祖喬治肯南，寫了一本反沙皇的巨著，名叫西伯利亞與流亡制度。這本書對於肯南發生了很大的反俄思想的啓蒙作用。他對俄文特具修養，他能說流利的俄國話，寫精美的俄國文。一九三三年是他的生活一大轉捩點，那年他從國務部調拉托維亞公使館，派赴莫斯科，協助布里特大使，籌設美國首任駐俄大使館，從此他對蘇聯的認識，有一個長時期的實際體念。一九四六年，那時他是美大使館代辦，他這次向國務部報告蘇聯的侵略野心。他的報告引起國務部的密切注意。第二年，國務部將他調任政策設計機構的負責人，他的意見後來成爲美國對蘇政策的基石。

肯南對蘇聯有一個基本的看法，他認爲克姆林宮所代表的是近代最殘酷的獨裁政權，史大林死期一到，蘇聯將在內部重大壓力之下，或改弦易轍，或將宣告崩潰。並認西方只能在兩個條件之下與蘇俄和平相處：第一是揭開鐵幕，第二是壓迫俄國放棄傳統的侵略與擴張政策。

中共加强一面倒政策
俄國式教育徹底施行
自然科學要用俄譯本
俄國文學是必修課程

【北平通訊】中共的教育政策，無疑的是徹底統制的。不僅政治課程儘量注入其政治的毒素；即使其他學科，也在一切圍繞着政治的口號下，勉強地附會地配合着所謂政治教育。

中共中央人民政府教育部規定，所有自然科學課程，一律採用蘇俄學校教材譯本，最重要的是學習米邱林的生物學。而過去的生物學，必須認定爲反動的，封建的，資產階級的，唯心主義的。但大部份思想沒有搞通的教員，不願意承認生物學和資產階級有什麼關係；有些教員對米邱林的反遺傳學說提出許多疑問。甚至有些人說：米邱林的學說還沒有發展成爲完整的體系，暫時很難在教學中聯繫起來。

僞教育部認爲這是在教學思想上犯了極其嚴重的錯誤問題，不得不把馬列的教條主義搬出來加以壓制，認爲思想與立場是一切問題的中心，如果不站在「人民」的立場，運用「科學」的觀點和「辯證法」的方法，在思想上就有加以徹底檢查的必要。因此，很多教員在眞理與安全的矛盾中痛苦徬徨，口頭上只有盲目的，違背天良的跟着共產黨走。

新編的植物學教材，自然也是蘇俄的譯本：體裁介紹李森科學說，介紹蘇俄集體農場，介紹蘇俄農業科學的輝煌成果。以及蘇聯「偉大的改造自然計劃」，例如防風林，草地農業計劃，循環播種，修築河渠計劃，認爲這是「愛國主義」和「國際主義」思想的交流，情感的高度表現。

門德爾毛爾根的學說和馬拉克的「用進變退說」，杜弗里的「自然變異說」，因爲此中無階級意識且有唯心主義的毒素存在。統統被堅決的批判給淸算了；教本上沒有了，教員們不再提起了，學生們也將不再知道了。

但是，「人民詩人」蘇俄普式庚關於描寫秋天森林景象的詩，爲了「聯繫實際」，也選印上在植物學的教科書裏。

僞教育部規定國文教學的三個任務：一，培養和提高語文基礎，二，培養和提高文字修養及寫作能力，三、培養科學的世界觀與新的道德品質。

各省「文教廳」一致把高爾基的「蘇聯的文學」列爲國文教師業務學習中最基本最重要也最崇高的必修教程，毛澤東「在延安文藝座談會的談話」——我們的文藝是爲什麼人的」，以及郭沫若的「什麼是人民文藝」，也都是學習的中心課題。

新華書局印行的語文教本上，不外西蒙諾夫，法捷耶夫，奧斯夫特洛斯基，普式庚等道地蘇俄的，或者是郭沫若，茅盾，巴金等描寫蘇俄，表現蘇俄的作品。鼓風爐旁四十年鋼鐵是怎樣鍊成的這些創作，都是歌頌蘇俄「偉大成就」。是全世界其他國家所未有的，並且說「這是我們前進的方向舵」，也是「我們今後努力的光明指針」。

「教育部」認爲地理歷史兩科也是進行政治思想教育的有力武器，所以在讀識「美帝侵華史」和莫斯科出版的「中華人民共和國地理教科圖」以後的學生們，滿以爲「美帝」是我們最危險的敵人，而且也給勝利後劃歸北塔山事件，找到是非曲直的答案。因爲地圖上北塔山是蘇俄的領土，距新疆邊境三百多里，那麼當中「反動政府」宣稱外蒙騎兵進攻北塔山守軍，而轟動世界的新聞，顯然是「虛構」的事件。

中共賣國的漢奸政權，控制大陸已進入第四個年頭了。幾年來他們爲着要獲得主子的歡心，在中國大陸上不知掠奪了多少資源，逼死了多少的同胞，戕殺了無數的忠貞義士。海外僑胞對其黑暗奴役的極權統治，與其殘暴面目與欺騙的手段，當亦知之甚詳。但是，最傷天理的罪，莫過於毀滅了中華五千餘年悠久文化歷史的傳統，而推行俄式奴化教育，欺騙我們下一代無數的青年，供他們驅使，爲他們幫兇。（浪波）

回扣叫車費
不該就麻煩

【上海訊】僞外貿易局華東工業部各機構共幹，採買公物，必先索回佣。一般的在二成至四成之間，術語謂之「車費」。比較大的行號公司，在這項外加的車費中，仍扣回百分之五的營業稅。小的商號，則連營業稅也賠上。如接洽大批交易，回扣臨時商酌，商妥之後，無論生意盈虧，回佣必須如數照付。否則共幹必會節外生枝，大找麻煩。

窿古佬翻身當老闆
老闆翻身當窿古佬
人才反淘汰的結果
泮溪煤業一蹶不振

【嘉禾通訊】泮溪位湘嘉禾南邊，是個極偏僻的農村。北距嘉禾城三十華里，南距臨武城六十華里。全村居民，約七百五十餘戶，境內耕地很少，山地約佔百分之八十。因此，田地的農產，每年僅能供給八個月的糧食。一般人民除了耕種這些田地外，一到秋冬二季，便男男女女，老老少少，前去挖煤，用這個行業，來維持他們差不多半年度的生活。

香港三日

人人皆有工做現在每一個美國人是不要爲生活担憂的
萬事以革心爲首强國强種皆與道德修養有深切的關係

日本基督教會派赴劍橋神學院研究神學之岩井牧師於十五日搭「廣州」號由英來港，次晨轉乘「蘇州」號返橫濱。岩井是戰後第一個日本人派赴英國，他在劍橋和牛津住了一年四個月。專攻舊約之研究。他說他在牛津時還特別研究今日在歐洲大陸上盛行的「重整道德」運動。他指出「重整道德」是以四個標準去努力的，那便是「誠實」，「博愛」，「潔心」與「除私」。他還鄭重說：今天歐洲半個大陸不爲赤色勢力所浸染，便是因爲「重整道德」的勢力，一天天在人心中壯大起來。他準備回日本後，便展開這個道德運動，他說：「萬事以革心爲首，強國強種都與道德有深切的關係」。

×　×　×

第六次週遊世界的美國「原子筆大王」密爾登、雷諾，十五日在印度打虎事畢搭機來港閒游。在香港一遊做了十二套西服。他說香港東西眞便宜。美國自從打了仗以來，生活雖然高了，但人人皆有工做。現在每一個美國人是不要爲生活担憂的。每人幾乎每月有剩餘的收入。有些城市雖有失業，但每人均有失業保險金可取。現在美國工人，每星期只幹四十至四十二小時。如果超過此數，每一小時之工資以平時工資之五倍計算。他說原子筆的買賣已早放棄了，現在正經營電子工廠。

×　×　×

中國農村復興委員會顧問貝克博士，十五日由台抵港，次晨搭挪輪「泰恩」號返美退休。他說「農復會在蔣夢麟博士領導下工作甚爲有效。」農復會之待遇中美職員完全相等，所以大家能安心工作」。他還指出蔣博士每月的薪水可以抵到台灣四十個普通公務人員的月入。他認爲行政效率要提高，一定要先改善待遇，他說他從前在滇緬路任顧問時，始終有這個建議。現在台灣的政府已逐漸走向正軌了。貝氏現年七十一歲，旅華三十五年，緬路走私，以便由他經驗出來的，在台北譽爲中國難友之一。

×　×　×

官僚資本作祟的香港復興銀行，其中一半的資本是由政府以前封疆大吏熊式輝、衛立煌、馬步芳、上官雲相等人所出。而今便由一個不知名的小商人（竇德泉）負責銀行經理）玩得一乾二淨。這些大戶都願放棄他們的投資，只要債戶不要吵到他們頭上。港府財政局已於日前派人調查該行停閉之內情。

×　×　×

調景嶺難民營於十五日由港府社會局通告年少力壯之難民，及早自謀出路，以求減輕救濟經費。一般預料港府將另訂辦法，爲此數千青年從事生產之建設。同時調景嶺難民救濟委員會亦計劃一種自給自足的生活辦法。聞該會將請求港府另撥出山崗，作爲墾殖場，從事生產工作。

×　×　×

據菲列賓駐港領事館消息，菲自由黨代表菲國會國防委員會主席費武略斯定下週中由東京飛港，調查非戰略物資由港私運大陸之報告。費氏現正在韓國勞軍。他特別注意消息謂菲方有七十八萬加侖汽油私運香港。

×　×　×

香港出席八日在仰光舉行之遠東經濟會議之代表羅文惠、顧翊成及顧問港大經濟系教授柯柏博士等一行於十七日搭乘英海外航空公司機赴緬。柯柏博士身兼聯合國機構的香港代表，他在機場語人，「對於香港成立一個聯合國會的組織，原則上已經通過。香港會同志願者要求聯合國撥一筆經費」，他說：「大約在本年三月內可以成立」。

×　×　×

旅港法僑三百餘人，於十六日在香港聖約瑟堂舉行追思禮拜，悼念法國名將塔西尼元帥（越南法軍總司令）。法國駐港總領事及各國駐港代表均參加。[illegible]

中共扼殺了挖煤業

三十八年十二月沖溪淪陷後，人心浮動，但共匪初步採取放任態度，並標榜着扶助工商業的政策，人民照常經營，並沒有受到什麼影響。三十九年春，嘉禾「支援前線解放台灣委員會」派員來到沖溪，勸令兩個「大場合」（比較大規模的挖煤廠）煤廠各「自動」認購公債一千份，三個「小場合」（小規挖煤廠）煤廠各認購二百份。這樣一來，沖溪大小挖煤「場合」連廠帶煤和工具傢伙等，皆不能抵償全部公債數字。但中共是「說到啥，做到啥」的。牠們除了將賣煤的錢，掃數凍結移繳公債外，還盡情的挑撥老闆和窿古佬（煤工）間的感情，故意把他們劃分開「勞」「資」兩個對立的階級，鼓動工人成立「勞工自救翻身委員會」。要他們逼迫「老闆」將從前挖煤所剝削「窿古佬」掙得的錢吐出來，以來繳交不足的公債和維持工人的生活。並禁止「老闆」將煤窿關閉。因此，一般「老闆」投資挖煤業的本利賠光外，還弄得傾家蕩產。接着，中共在沖溪村展開了一連串的所謂「反霸」、「淸算」、「土改」等運動，被列爲地主、惡霸的，前後槍斃了十一人，他們的財產更是一門精光。其餘稍有一些資財和幾畝田地的，不是被淸算得一皮窮骨爛」，就是被「購債」、「支前」、「獻糧」、「獻機」……搞得顆粒無存，以致去年度挖煤業，由於沒有人投資——伙食、木柴、工具——，便絕對「徹底」地被扼殺了。

翻身後的「窿古佬」

沖溪人民親見挖煤業停頓了，馬上感受生活的威脅，都像熱鍋上的螞蟻，惶惶不安。這時「區政府」的中共幹部來到沖溪，要「人民」出來自己搞好挖煤業，並訂出一個所謂「統一經理，集中生產」的辦法，在共幹「大力」的動員下，組成一個「大場合」的煤廠，指派人民參加，自己帶伙食去工作，並且提出了一個「窿古佬」翻身方案，「老闆」過去曾經當過「窿古佬」的人民，現在「勞動改造」；過去當「窿古佬」的，現在當「老闆」，這就叫「窿古佬翻身」。有人曾經問共幹：「老闆」同時又當「窿古佬」的，那又怎樣「翻身法」呢？共幹說：「那只有翻半邊身」。就是過去當「窿古佬」的那一邊，現在當「老闆」，過去當「老闆」的那一邊，現在來當「窿古佬」。「這樣翻半邊身，還不是跟從前一個樣子嗎」？人民說。「雖然翻半邊身」，共幹說，「但並不等于不翻身」。

沖溪挖煤業由於這種徹底翻身的結果，沒有經營經驗和管理技術的「窿古佬」，現在來處理全部挖煤業務，弄得一切雜亂無章，不知浪費了多少的人力和時間，成天忙着開檢討會，來解決他們所遭遇着的困難問題。而一切過去對煤井實挖煤工作沒有實際體驗的「老闆」們，現在從事挖煤工作，用非所長，對于工作效能，自然大大的降低。去（四〇）年十月和十二月由于一般[illegible]向人民學習的「窿古佬」，不熟習煤井裝窿道工作，致煤坑崩裂，三十餘名窿古佬，先後葬身井中，造成空前未有慘劇。迄現在止，沖溪煤場的出產量，不過五萬斤之譜；較「解放」前約差兩倍左右，而沖溪人民的生活，普遍陷于飢餓的狀態中。鐵的事實，已使他們飽嘗到「翻身」的滋味了。（開子，于四十一、元旦。）

中共「優待」華僑
華僑地主要出錢
地主華僑要淸算

據最近來自大陸僑鄉中人談：華僑而被地主的有「華僑地主」與「地主華僑」之分。前者是目前本人仍居海外，僑眷在故鄉置有田地的；後者是以地主身份而旅外僑居，或返國三年以上之華僑在鄉間購有田產的。華僑地主可免鬥爭淸算，但須「有錢出錢」，凡是各種捐獻，都要比普通平民加多，田地雖也一樣要被分，房屋器物等却可保全；地主華僑則田地房屋一律不留，鬥爭淸算也毫不放鬆。因此，[illegible]賺來的血汗錢被搾得一乾二淨，但還不致有性命的危險。這就是秧歌王朝所謂「優待華僑」網開一面的德政罷！（小民）

人民無行路自由　長塗道上五步一崗十步一哨
川東人民反共救國軍控制川鄂川黔川湘孔道

[illegible]

聯想到第四次大戰！

·尚方·

美國柯里亞雜志請了二十幾位專家，集體寫成一本「第三次世界大戰預言」，設描述戰時及戰後的情景，說來像煞有介事，教人看了不敢相信，然而又不能不在腦中留下一種深刻的印象，經旋不滅。因為執筆的人都有高度的智慧，體認了多少當前的現實情況，纔得到這些推論的。這比英國史學家威爾斯過去所寫的第二次大戰預言，進步多了。

除非上帝救人類，出奇蹟來，所謂第三次大戰，信不信由你，如說它在現代還世界上可以避免，那纔是神話哩！戰爭既是必然的，我們生今之世，也就無所用其恐懼憂慮了。萬一吃到原子彈，那就等於得中了春季大馬票的頭彩，多麼難得！意外的遭遇，更不必作杞人憂天之想。

問題是三次大戰之後，我們的子若孫，是否還有第四次大戰的好戲可看？我不是預言家，也非鐵板神數者流，更沒有柯里亞雜志那些專家的智慧，但依直覺的判斷，認為一定是有的！如果世人指稱三次大戰為反極權的「自由戰爭」，那麼，四次大戰的名稱，即可預先取定為「人種戰爭」！

三次大戰之後，共產極權的政治生活當然消滅，而由於原子能之發展為人類共同從事和平生計之福，人力勞動減到最低限度，所謂封建剝削的經濟生活，也自然不復存在了。人類的宇宙觀且須從新建立，馬克斯那套鬼話更屬童言野語，沒人齒及了。可是，正因為原子能完全是科學的玩藝，所謂人種優越感，到那時更將變本加厲。凡此一切文化落後產業不發達的國家民族，依然要膺受別的先進人類的支配壓迫，而這類人又是佔着世界人類的極大多數，必然要團結起來，一致反抗；如是乎就發生人種戰爭，也可稱為「平等戰爭」！

四次大戰的結果，如其能將現存的國家組織廢棄掉，形成一個世界政府，把原子能的管制運用公諸大衆，文化生活也演進為四海一家的現象，或許不會再有世界戰爭了，否則還是不敢保險的！

自由談

毛澤東棄婦賀子珍

在今天西子湖邊，葛嶺山莊第十號一所黃色的小洋房裏面住着一個孤弱蒼老的中年婦人。這婦人就是當年江西井岡山中共打游擊時代的毛澤東第三任「夫人」，穿草鞋，走夜路，闖上二萬五千里「長征」，名噪一時的賀子珍。

這位毛「夫人」，是江西永新縣人，出身中農之家。在她高小畢業的那一年，因為父親在縣城裏當警察局的巡長，犯了案，母親又染上阿芙蓉癖，家庭經濟破產，兄妹三人——賀敏學，賀子珍，賀蕊——才一起走上井岡山。

說來她與毛澤東的結合，與今天毛澤東與藍蘋相姘的過程差不多。民國廿三年的秋天，中共井岡山一羣女政工裏面，出現了一個年青活潑，思想積極，工作努力的賀淑貞（賀原名），她那漂亮而天真的面孔，贏得了一般人不可磨滅的印像。因裏面，邀到毛澤東的青睞。在多次當面「教育」的當中，由「革命工作同志」，而變成毛澤東個人的工作同志。是時的賀子珍，祗不過是一個年方十六歲的女孩子而已。

賀子珍跟着毛澤東在井岡山度過了三個多年頭。在這一段時間，她不但在「中國蘇區」學習上下過了一番工夫，而且在騎馬放槍這一套本事上，也獲得了實際的經驗。她替毛澤東養過三個小孩子，但一一都在游擊中遺棄了。在自江西井岡山奔向延安的這一段時期中，賀子珍不特做了毛澤東個人的保鑣，而且親自參加戰門，幾次傷重至死，在當毛澤東一羣逃到延安扎定了脚根以後，賀子珍的名頭，在延安當時是不可一世的人物，在「婦聯」她是主席，在「抗大」她是教授，在「游擊訓練班」她是主任教練員，那是她一身「光輝」最顯耀的時代。

但是，不湊巧的事，總在高興的當中「走」上前來。當賀子珍處處出席講演，與高彩烈的時候，藍蘋悄悄地在毛澤東的招手中，從她的老路，走上她的背後來。以藍蘋慣作交際花，當過電影明星，嫣視巧笑的那一套，配合上毛澤東漁色成性，素無人心的個性，賀子珍可說祗在一個回合之中，將她從前的「光榮」，一齊被「解放」下來。

這段事實在當時的延安，若干中共的老幹部，起初尚以為是惡意宣傳，認為是不可相信的一件事。然而事實終於證明是無訛的。藍蘋走上了賀子珍的路，毛[illegible]人一致公開承認，[illegible]子珍在悲痛之極，[illegible]一羣共過患難的中[illegible]首要，由陳紹禹領[illegible]，來向毛澤東交涉，[illegible]爭論。可是，在毛澤東惱羞成怒，惡性發變的結果，陳紹禹被整肅，賀子珍則被視作神經病患者。

毛「夫人」賀子珍「同志」被派到蘇聯治病，在她自延安啓程，坐上汽車去到俄國的時候，頭髮披散，淚痕滿面，不斷向「同志」哭訴。她不但失去了捨身以事的「丈夫」，同時也失去了「領袖」。是時的賀子珍，倒是名符其實的神經病患者了。

賀子珍在蘇俄渡過漫長的歲月，到三十九年反悄然返國。起初住在上海他哥哥家裏，後來又回江西老家去走了一趟。在今年的夏天，又還來杭州，卜居在現在西湖的一角上。這位前任的毛「夫人」，在她初搬來的一月中，尚沒有一個人知道她的底細。由於她來時有中共軍件送，一般人祗不過認為她是「解放」軍的軍眷罷了。但幾月來，她總是足不出戶，衣食不缺，生活得比一般人優越。由這一個現象的牽引，才由她家的用人，揭出她就是當年為毛澤東闖過江湖的毛「夫人」。

賀子珍是無復當年的「英雄」了，在西湖葛嶺山莊的洋房裏面，她終日臥床不起，現在這位毛「夫人」是在懺悔，或者作打算，還是一個謎。（尚仁）

一面倒的後果　·夫石·

清算太陽

有一天，一位西方旅客在捷克一家咖啡店喝咖啡，他和侍役們談論到捷克大清黨。一個侍役說：「清算是蘇聯的意思，蘇聯不但要清算捷克人，她還準備清算太陽，因為它總是從東方走向西方」。

×　×　×

捷克京城謠傳，公安部決定不再將被捕官員的名單公佈，而代之未被逮捕之官員的名單。這樣一來可以節省不少紙張和印刷費。（康民）

萬竹樓隨筆（六五）

林冲論（四）

——水滸人物論之五——

·舜生·

林冲在梁山好漢中，沈着勇敢，說話斬釘截鐵，處事條理整然，比之現代的武人，還在李濟深張治中之上，較朱德陳毅猶有過之；說得遠一點，惟石達開李秀成差可與之相比，陳玉成鮑超非其倫也。

火併王倫，固然是林冲生平最精采的一幕，（參看王倫論）就在他充軍從東京到滄洲應付在路上所遭遇的一切，也處處看出他有決斷，有常識。當他的岳父張教頭置酒和他餞行的時候，當在兩個公人和來為他送行的鄰舍面前，他不肯聽人勸阻，一定要對他的妻子寫下這樣一紙「休書」：

東京八十萬禁軍教頭林冲，為因身犯重罪，斷配滄洲，去後存亡不保，有妻張氏年少，情願立此休書，任從改嫁，永無爭執，委是自行情願，並非相逼，恐後無憑，立此文約為照。

年　月　日。」

我覺得他這幾句文字，比之時下新人物，為了欺騙一兩個女人，動輒來一個什麼協議離婚的啟事，實在高明得多。當時林冲其所以要這樣做，是明明知道他走了以後，高衙內一定要強相逼，一則恐他的妻子過份為難，更怕連累了他的老丈，反不如此交代，彼此求個痛快。後來這件事果不出他所料，自他出發以後，高衙內便到張家糾纏過多回，等得他殺了陸虞侯和富安以後，高衙內更來威逼，林冲娘子自縊身死，張教頭也憂疑身故，這是火併王倫以後，晁蓋派人到東京為林冲去接家眷，才知道這些經過的，林冲雖是鐵石心腸，聽了這些消息，也還為他的這位賢淑妻子洒過幾點英雄眼淚哩。

林冲在去滄洲和到了滄洲以後，還遭遇過兩度的危險：一、由陸謙富安出面，買通兩個防送的公人董超薛霸，預備在路上把林冲結果，當在野豬林動手的時候，卻被魯智深救了。二、林冲到達滄洲牢城營以後，陸虞侯和富安又跟蹤而至，收買了牢城營的管營和差撥，仍非把他弄死不可。但當林冲所管的草料場，要他們放火預備把他燒死的時候，恰巧這一晚下着大雪，草料場林冲所住的草廳，為雪所壓倒，林冲投到一座破廟安身，不曾被他們燒着。正當草料場火勢熊熊之際，陸虞侯，富安和差撥三個，卻立在這所破廟門前談論他們的計劃成功，張教頭已推無可推，高衙內的病必然會好，他們這次的功勞，可也眞算不小，這番話一一被林冲聽得清楚，在火光中更把他們三個的面孔看得明明白白，乃提槍衝出廟門，將三人一一殺死。這次陸富兩個之來，及其收買管營和差撥的經過，係從林冲所認識一個開酒店的李小二及其妻子眼中看出，而他拿着柴進的介紹信去上梁山，卻不在棒打洪教頭的時候，而在草料場出事，酒醉被柴進的莊客提到東莊以後，文章之曲折細緻，眞是有趣極了。（本篇完）

擠牛奶

（代序）

我讀過一本忘記了作者名字的十九世紀世界史，它的序文裏有一句道，本世紀中一年的人類進步與文明發展有時可以相當從前的一百年甚至幾百年。我常以為這句話尤其適用于我的「所見世」。眨眼過去的五十年，就是近三世紀墮乎落後的中國也打着呵欠，伸起懶腰，由思想轉變以至于形形色色事事物物無不在轉變，這轉變可以說是進步，至少是想要進步。我欣幸自己雖極平凡渺小，卻在在與這轉變有多少關係，所以通常都說回憶多悲哀，我獨回憶轉多興奮，興奮之餘便想寫，但不到五分鐘即自顧渺小平凡而冷了下去。多年來這樣經過十百千回了。

海隅幽棲，終還像魯迅說的「擠牛奶」那麼擠出些支離破碎的依稀猶能記取的往事，就叫它做海隅憶語。

一個人必然是家族之一員，所以每一個人終其生不會有一刻忘卻家族；同樣的意識到每一個人與國家的關係便不會有一刻忘懷國家，意識到每一個人與世界的關係便不會有一刻忘懷世界。

很久動念想寫一本五十年來的中國，繼而轉念何不放大寫五十年來的世界，再一轉念何不縮小寫五十年來的自己。這左思右想，無非是不能忘懷之故。

海隅憶語

大熊

海隅孤客

民國紀元前若干年，我大約八九歲。一天跟父親行到穗城西關估衣街，有一所當時算是很摩登的西藥房，店名仁信，是基督教徒開設的。臨街櫥窗掛着一幅彩色精印的「時局指掌圖」。我給它吸引住，擠在人叢中細看。那圖當中躺着一個殘肢斷臂的老病夫。東隅一顆血紅的太陽，光針照射得那病夫以手掩目。一隻老鷹瞪起一雙兇眼，伸着尖爪子抓住病夫一條腿，伸着尖嘴啄那一塊肉是好。太陽照過一隻巨熊，粗腳踏住病夫的肩膊，長舌舐着病夫的臉龐。一邊隔着大洋海，對岸伸出一顆肥胖大漢的頭，瞪着雙眼裂開嘴在笑。此外模模糊糊一些小禽小獸圍繞着，使得病夫如待決之囚，手足無措。這幅圖除了標題外不着一字，看得我莫名其妙，再瞧瞧圍觀的大人們則皆默默點頭會意。

回到家裏，滿懷沈悶，父親明白甚麼原故，大略為我解釋這啞謎道，圖中那病夫正是我們的中國，那太陽是東方的一個小國叫日本，那老鷹是英國，那隻猙獰的大熊也是個大國叫俄羅斯，大洋對岸那胖子叫美國，其餘的小動物每樣代表一國，都是想吃病夫的肉，啜病夫的血的，作者是要中國人警醒發奮，你可懂得嗎？

我給說得一身冷汗，怪道讀書學塾論孟和千家詩之外，父親還另教讀一冊「新智識讀本」，說的甚麼地球五大洲，黃白棕紅黑種等等。腦中即時湧現一個世界，代替了那飛仙劍俠的峨眉山。又念念那時局圖，慚愧自己竟然是病夫身上一根毛或者一點血，懊恨那些動物，特別憎恨那隻張開血盆大口毛茸茸狠狠的巨熊。那是一把鑰匙，我的腦門給打開了，由此啓示引致世界智識的追求。

城裏雙門底街，現在叫永漢路，有一所小小基督教堂，附設一間叫宏道堂書店，陳列好些上海廣學會李提摩太傅蘭雅等人著譯的書，諸如格致新編，體功學，化學鑑源之類，夾雜在天國歷程等教義舊本裏。給我找出了地球韻言和泰西國志兩書，喜孜孜狂讀。不久，更找得海國圖誌，瀛寰誌略諸書。還有些魏默深，薛福成，曾紀澤等人關于海外國勢人情風物的述說，眼界豁然展開。

一個姓衛的表叔，是張之洞手設那黃埔水師學堂畢業的，甲午之役，艦隊覆沒，他被俘，議和後放還，常為我講述中日之戰如何慘敗，外患如何緊張，我的小腦筋，便突突地跳。十一二歲時，閱讀過清俄交涉史，簽訂尼布楚條約恰克圖條約經過，怒眦欲裂，我認定近代中國外患乃由俄國起的禍，我便深懷這一張鄰，格外留心中俄關係，直至今日未曾忽視過。

自由人

THE FREEMAN

（半週刊每星期三六出版）

（第九十三期）

每份港幣壹毫

督印人：李光華

社址　香港高士打道六六號

電話：二〇八四八

GLOUCESTER RD.
HONGKONG
TEL: 20848

承印者：東南印務出版社

地址：高士打道六四號

台灣總經銷處

台北市中華路一二五九號

怎樣消弭殖民地的動亂？

——雷嘯岑——

「殖民地時代已經過去了」！這是美國故羅斯福總統於二次大戰時再三說過的一句精警的政治性預言。他這句話的精義，在戰後雖然沒有很明白而具體的表現於聯合國憲章中，但已爲世人所公認是正確的了。戰後許多舊有的殖民地人民，都得到了獨立自主的政治主活，如印度，印尼，緬甸等地方，並不像朝鮮的獨立一樣，是因其宗主國戰敗崩潰的自然結果，而是依治者與被治者彼此協商解決，或由聯合國從旁調解成功的。

昔日擁有殖民地的各個國家，戰後依然率由舊貫，並無進步的措施的，只有法國。說也奇怪，以「自由平等博愛」爲立國精神的法國，到二十世紀的原子時代，對於這種「不合時宜」的殖民政策，還要抱殘守缺，戀戀不舍，這除自尋煩惱以外，所爲何來？美國輿論界認爲法國自一九四〇年突然崩潰以來，至今尚未恢復其信心，因而不敢信任其殖民地的土著人民，亦不想恢復其對土人的壓迫。這話祇是道破了法國人的心事，至於殖民地的土著人民之要求自主，卻不管你相信不相信的。即如越南之亂，假使法國戰後能自動的在政治上予安南人民以若干自治權利，或者至少亦將舊有那套基於人種優越感所發出的歧視而極不平等的統治壓迫方式，稍加改善，胡志明又何致有今日的猖獗勢力呢？前幾天報載法國官方對越南問題的聲明，說美國如不援助，法國便要考慮承認北京政權了。其言也哀，然亦極醜！與其考慮承認北京政權，何若考慮承認越人自主之權呢？越南之亂，中共即不大舉幫凶，而法軍似亦沒有消滅越盟軍之可能，這現殖民地便成了法政府一筆很大的資產負債。中共如果大張旗鼓的進襲越緬，擾害東南亞，那是世界大戰的序幕，經過再一次大戰之後，安南還能夠保持其原封不動的殖民地故態麼？不能，絕對的不能了！

越南之亂方殷，北非的摩洛哥與突尼西亞又告警了。這兩個都是法國的殖民地，名之爲「保護國」，現在亦揭出民族主義的旗幟，要求獨立自主。尤其摩洛哥，八百萬人民都是回教徒，他們眼看着中東阿剌伯集團國家，如葉門，如沙地阿剌伯，都享到了自主生活，他們自然要「見賢思齊」的。摩洛哥曾經正式向聯合國申訴其志願，請求作合理的解決，由於宗主國家不肯讓步，聯合國乃投票否決過問，連美國代表也投了反對票，這是出於意外的事！法國方面以摩洛哥爲其現存唯一的重要殖民地，法人寄居當地的計有三十萬人，因而不願放棄。如果光是這項原因，那末印度既是大英帝國的大血管，英國尤其不應該放棄了。老實講，如要維持殖民地政策於不敗，除用舊有帝國主義的砲艦方法外，別無可能。然今日不特法國不會出此，即其他任何強大國家也不會有此想像。宗主國爲着保持其既得的經濟利益，只有以政治利益來跟當地人民談判交換，或許尚可相安一時。事實上，凡屬由殖民地蛻變爲獨立自主的國家，其產業多不發達，生產技術自然落後，這些地區的人民，祇要在政治上能實現其民族主義的願望，經濟上是容易接受外來的指導合作的。總而言之，無論怎樣，十八世紀所遺傳下來的殖民地政策，絕對的不能不變了。何況俄式共產主義者到處乘隙抵罅，藉着殖民地問題爲摧殘資本主義，進行世界革命陰謀的武器。民主國家既爲爭取人類自由幸福而反對共產主義，同時又想要保持其由資本帝國主義所派生的殖民地制度，一成不變，這未免太說不過去了。法蘭西民族是具有優秀的文化素質的，當然不會昧於這種淺近的道理。

從東南亞到中東與北非，到處都有民族主義的火焰飛揚着，而突尼西亞這一狹小地區，最近因爲自主運動與當地的軍警衝突，死傷已有幾百人，近鄰的摩洛哥亦動盪不安，若不設法作「曲突徙薪」之謀，形勢將越見惡化。法政府似乎沒有作政治解決的打算，必要時即乞援於美國的軍事援助，不惜焦頭爛額，何其不智之甚！聯合國自制裁韓境的侵略戰事以來，已奠立了世界集體安全的良好基礎，對於自由世界內部因殖民政策而引起的糾紛，更應依據憲章，作和平合理的措置，先決條件是要改變舊有的殖民地觀念，宗主國多少要能犧牲一些特殊權益，這全看英法與美國能否取得一般原則性的協議了。像目前這樣顧忌拖延的作法，毫無是處，徒然使許多弱小國家潛滋離心離德的情感。美國芝加哥每日新聞在巴黎的特派員，曾指出聯合國第六屆大會選舉安理會非常任理事的經過，說美國所支持候選的希臘，在第一次投票結果，所得票竟不及白俄羅斯之多。聯合國六十個會員國之中，共產集團只有五個，白俄羅斯何以能得如許票數呢？就因爲許多小國都沒有投希臘的票，連中南美洲的國家也有十三國投了白俄羅斯！小國爲何有此行動？因爲美國曾有站在法國立場，投票贊成不接受摩洛哥向聯合國請願自主的事實。如是乎，他們對美國所支持的希臘，也就不願同情了。希臘最後雖然勉強當選，但美國已費了相當的唇舌和壓力。這項判導，很足以供作民主大國的反省資料，希望各個大國的政治家，憬然於自由世界集體安全的利害，不要因小失大！

東京外交術語

自從吉田茂首相與杜勒斯大使的來往函件發表之後，日本與中華民國締結和約問題，總算有了頭緒。我政府對於此事的態度，已由葉外長加以闡明。在法理上斷絕了十五年的中日邦交，大概即可宣告恢復，這是值得欣賀的。

吉田茂首相的函件，內容似甚懇切，沒有日本政府慣用的一套圓滑詞句。不過，東京方面傳來的新聞電訊，卻有許多引人疑惑的地方。

首先，說吉田茂首相的函件，表示日本「承認」了國民政府。這是奇怪的消息。中華民國戰敗了日本，在對日和約生效以前，日本沒有恢復獨立，沒有資格「承認」任何國家，中華民國政府尤不需要日本的「承認」。

其次，說中日兩國究竟締結和約，抑或友好條約，尚待考慮。也是奇怪的消息。和約是結束戰爭必經的階段，戰爭狀態繼續存在，自無締結友好條約的道理。和約條款儘管寬大，卻有判定戰罪與戰敗的作用；逕直締結友好條約，無異把中國的八年對日抗戰，從國際反侵略戰爭，驟然「降格」爲殖民地的叛亂行動。

再則，說中日締結和約，應在舊金山和約生效以後，更屬荒謬。如果中國撤消對日戰爭狀態，日本即可以與中國締結和約；時間的先後，是中國方面需要考慮的問題，日本沒有任何法理上的困難，因爲日本不受不得單獨締結和約的束縛。舊金山和約給予日本選擇戰勝者的權利，不特史無前例，而且徒然侮辱中國，對於日本卻並沒有絲毫好處。日本口口聲聲提舊金山和約，是不是日本對於中國缺乏誠意的跡象？

今日的中國，不是十五年前的中國；今日的日本，也應該不是十五年前的日本。當茲中日關係進入新路的時候，日本對華政策，宜有基本的改變，絕對不容再蹈十五年前的覆轍。

英伊雙方待變

英伊石油糾紛，最近神祕地沉靜下來。伊朗勒令英國關閉九處駐伊的領事館，是平息中的一點聲響：但是，英國沒有爭辯，因爲伊朗沒有駐英的領事館。

摩薩德查閱統計數字，發現英國消耗的石油，竟有四分之一是伊朗的。他不相信英國可以從別處獲得這四分之一的石油。所以，他斷定拖延是最好的政策，英國終究要低頭屈服的。

英國也在打着一樣的算盤，注視伊朗內部的變化。根據一九三三年的英伊協定，英伊石油公司有開採伊朗石油的全權，爲期六十年。英伊石油公司每採油一噸，交付伊朗稅金四個先令。這筆油稅的數目，大於伊朗政府所有其他收入的總和，伊朗政府賴以維持其生命。現在伊朗政府沒有這筆油稅，遲早是要崩潰的。到那時候，英伊糾紛，當有解決的希望。

英國的看法，大概是這樣：

第一、伊朗自身沒有經營其石油工業的能力。即令僱用外國技師，生產了石油，伊朗還是沒有銷售的經驗；就算找到了市場，伊朗也不能把石油源源輸出去，因爲油輪出海，一定要經過英國口岸，英國可以中途扣留。

第二、由美國所控制的「世界銀行」出面，經營伊朗石油工業，本不失爲一個打開僵局的辦法。但是，世界銀行要求將所獲利潤分作三股，世界銀行，英伊石油公司，伊朗各佔一股，伊朗是不會答應的。一九四九年，英國向伊朗提議過平分利潤，以爲伊朗放棄「國有化」計劃的代價，伊朗堅決拒絕。平分尚且不行，三分當更不成。

第三、伊朗也弄不到美援，因爲美援的先決條件，必是伊朗不能「通敵」，不可以把石油供給蘇俄或其附庸國家。這個條件恰是摩薩德所不敢承諾的。摩薩德的地位，一半是建築在他自己的「民族陣線」上，一半則靠非法的「杜德黨」（Tudeh Party）的支撐。杜德黨即共產黨，摩薩德如果接受美國的條件，等於自殺。

摩薩德的民族陣線黨是目下伊朗的合法政黨。摩薩德一旦倒台，伊朗有另外一個人可以出來主持政府，那就是伊朗國王。伊朗國王素不主張採取過激行動，英國認爲和他辦交涉，容易成功。

摩薩德在等待，英國也在等待，英伊石油糾紛因而暫時沉靜下來。

凌乃銳

俄僑反史大林運動

——邱子鶴——

俄僑反史大林運動，像野火燎原一樣，燃遍世界各地。不久以前，有十一個俄僑團體，在西德威斯巴登城，舉行五天祕密會議，對推翻史大林政權，通過一個詳細計劃。

計劃中，有兩點很值得一提：第一他們承認蘇聯人民有自由決定他們的政治命運之權。決定的方式，由公民投票或選舉一個憲政國會行之。同時承認蘇聯人民，得按民主步驟，以決定其今後是否屬於俄共和國，抑與共和國分離。

第二，蘇聯獨裁政權在第二次大戰期內，用武力所攫取的領土，應歸還原有國家。

大家不要小看了十一個俄僑團體，因爲他們所代表的是整個自由世界的俄僑民意。參加會議的俄僑代表，來自紐約，巴黎，烏哥拉，慕尼黑，和史突加特。發起的團體，是俄國人民解放委員會。在這次大會上，他們得到一個共同的結論：要用比魔夫更殘辣的方法，對付魔夫——史大林。

也就是反史大林政權會議閉幕的同一天，紐約四千名烏克蘭人，在曼哈敦大廈舉行羣衆大會，俄僑領袖渥康諾，要求大會把美國獨立宣言的精神與美國人民的眞意向，傳播到鐵幕後面去。他並呼籲西歐各國，加強對眞理十字軍的投資。

中山先生說：「華僑是革命之母」，今天俄僑反獨裁的鬥爭情形，正可與華僑反共反毛澤東運動，相提並論。

時局漫談

舜生

中日和約的我見

中日兩國，一直遷延到現在，才有簽定一個雙邊和約的動機，這不只是中國的不幸，同時亦爲日本的不幸。在目前這種情況之下，來簽定這樣一個和約，也許大家要感到在條文的技術上不無多少問題，但是從實質上看來，並不是怎麼一回事。

日本應該首先認識：中華民國在大陸上的顚覆，既不是顚覆於蘇俄，更不是顚覆於中共，實在是顚覆於日本；當日本接受無條件投降的時候，中國以一個作戰最久受禍最烈的國家，首先表示寬大，這並不是煦煦爲仁，孑孑爲義的一種行爲，而實在是基於一種遠大的政治意義。

中國對蘇俄的鬼蜮伎倆，及其如何利用中共傀儡在中國搗亂的存爲，已積有三十年以上的經驗，中國人澈底明白，所謂中國赤化問題，決不是一個單純的中國問題，而是一個亞洲安危的全面問題，照過去八十年的中日關係來看，日本人的性格，很少有與中國共安樂的可能，但日本卻無法不與中國共患難；換言之，如果不把中日關係切實弄好，日本雖欲獨善其身也決無可能，惟有基於中國的最高善意，日本始有成爲世界一個一等強國的可能，否則中國人具有一個最低限度的能力，可以拉日本同時下水！

基於上述這樣一種觀念，所以我們從來沒有把日本的利害看成日本一國單純的利害，而隨時都把它看成中日兩國共同的利害，所謂「共存共榮」，不應該只視爲一種口頭禪，而應該視爲一種顚撲不破的眞理。過去由於一部分日本人的淺薄，因而也誘起一部分中國人的淺薄，會以爲中日難於並存，不是東風壓倒西風，便是西風壓倒東風，因此經過八十年的紛紛擾擾，愈到最後而愈趨惡化，甚至若干美好的名詞與口號，也爲此一部分淺薄的人物所曲解，而失去其眞正的意義，其實講起來，所謂「睦鄰友好」，「經濟提攜」，「共同防赤」的廣田三則原照正常的意義來解釋，而不是利用這些美名來作爲攫奪宰割中國的一種手段，我想一切有遠見的中國人，是決不會把這些原則視爲蛇蠍的。

我們今天在亞洲所號召的，是中華民國與日本的還原：如何撲滅中國的赤禍，是日本自救亦以救助中國的責任；如何使日本八千三百萬的人口不致永遠退處於日本幾個小島，同時日本方興未艾的工業及其所需要的原料與市場，能夠找得可靠的着落，中國人亦必須爲她盡其最善的考慮。

而所謂「共同防赤」也者，有其一時的，也有其久遠的，所謂一時的「防赤」，老實不客氣，即在如何顚覆爲蘇俄所控制的中共政權；所謂久遠的防赤，則在中日兩國的文化提攜，求於亞洲建立一堅強的精神堡壘，對人類能提出其寶貴的貢獻。以我們的懷抱來看今天的中日和約，必須是這樣一種意義才有價值可言，否則便會落入一種尋常的窠臼，而決不會有一種劃時代的精神表現。

不錯，今天中華民國政權所行使的區域，至爲有限，可是假定中華民國的區域永遠只限於一個台灣，則今天所要訂立的這種條約，訂亦可，不訂也未嘗不可，因爲這樣不僅於中國無益，於日本也無用，吾人大可等閒視之。

在過去八年的中日戰爭，是日本在中國打，並不是中國在日本打，因此日本除遭受兩顆原子彈及一部分的轟炸以外，損失甚爲輕微，而且是一個發動侵略者應食之報；至於中國在八年中所遭受精神的與物質的損害，再繼以三年來蘇俄及其走狗在中國的所行所爲，則中國所受的創痛，實非三五十年所能恢復。我們從來沒有要課日本以一種力所不能勝任的賠償，可是關於中國文物的重建，及中日兩國爲未來文化提攜訂立一個堅實基礎，則日本不能不引爲己責，而且必須在條約上有明文規定。這一點，其利益並不在中國的一方，爲回復中國人民對日本的好感，並表示日本不失爲一堂堂大國，日本亦必須有其善處之道。

論兩個政黨型式

布爾塞維克型？抑英美型？

鄭學稼

自「十月革命」起，政黨在人類政治生活中，佔着重要的地位。不管國家的組織，採取何種的形式，由一羣國人所組成的政黨行使治權，已算是一個公民應有的常識。但「政黨」本身究當採取何種組織的方式呢？說到它，有兩種方式，展列我們的眼前：布爾塞維克型和英美型。自由中國究竟採取何種方式，最有效率地統治國家，能給人民以最好的生活？這是非常重要與有趣的問題。筆者認為：如我們能明白地說明那問題，能正確地解答那問題，對於現今的「反共抗俄」和未來的建國，將有很大的貢獻。

布爾塞維克型，由無產階級專政，變為一黨專政，再變為政治局專政，最後變為史太林獨裁。

史太林獨裁的條件，是土地及產業國有。當獨裁者控制人民經濟生活不可缺少的土地與工廠，被統治者不但無思想言論信仰自由，且無不說話的自由。

中共毀滅民族文化 人類歷史從頭寫起
獨佔出版焚毀舊書 奴化愚化青年學生

【上海特約通訊】中共佔據大陸的二年餘中，其最得意的傑作，除了在經濟上建立一套無孔不入的剝削制度，把大陸人民搾得一乾二淨，以維持其五百萬大軍和一千萬幹部的揮霍浪費外，其另一拿手好戲，便是透過「思想改造」來箝制各階層的精神生活，毀滅傳統的文化基礎。使全部人民逐漸脫離了人的領域而不折不扣地淪爲共生產及戰爭的工具。在「改造思想」的策略中，除了不斷透過典型人物的批判檢討，進行各種樣的挖根工作外，爲了奴化下一代的青年和愚化這一代的人民，獨佔出版與焚毀書籍，更係其鞏固極權統治的基本環節。

在獨佔出版的過程中，中共最先係從消滅各地原有報紙入手。除了上海大公、新聞等尾巴報紙，仍留作點綴外，所有民營報紙，差不多全部要被剷除。

今天大陸流行的「報紙」，如北平的「人民日報」、漢口的「長江日報」、天津的「天津日報」、上海的「解放日報」、廣州的「南方日報」、西安的「羣衆日報」、重慶的「新華日報」、以及瀋陽的「東北日報」等，都是其「中央」及地方的機關報。每日除了一些女人腳布式的官樣文章外，便只有中共宣傳各項「運動」時一片「挑戰」和「應戰」的叫囂文章。既沒有新聞，更談不到評論，根本上已失去一般報紙的形式與本質。不僅老百姓留而生厭，即中共的幹部亦多不願閱讀。但由於中共的包辦報紙，不但可以隨意捏造新聞，播揚毒素，而且使大陸人民完全與外界絕緣，在精神上逐漸脫離了自由世界，其消極的作用依然存在。

商務出版萬五千種 保留一千二百餘種

但其最毒辣之處，仍在於焚毀大陸新舊書刊。希圖澈底斷絕民族文化的根源，把人類歷史從頭寫起。中共在這一方面所下的毒手，不但二千年前的暴秦瞠乎其後，即千秋後世，亦恐怕沒有任何政權會如此毒辣。撇開別的不說，單以婦孺皆知的商務和中華二書局，近二年來在大陸上的遭遇，即足以說明中共野蠻集團兇殘的一斑。

在近五十年來中國的出版業中，商務和中華是國人耳聞能詳的兩支巨擘。中國新文化運動的推行，外國學術思想的傳介，傳統文化的流傳，商務和中華都有不可磨滅的功績。商務在成立以來的五十餘年中，出版的書刊總數，約達一萬五千餘種。中共佔領大陸初期，除一些被認爲「反動書刊」外，到一九五〇年夏，商務可供發售的書籍，尚有八千八百餘種。自從一九五〇年冬，中共舉行第一次「全國出版行政會議」後，爲貫澈其獨佔出版的策略，在實施企業化的煙幕下，開始對這兩家歷史最長、業務最廣的書局開刀。

經過了一年來的「檢查」，上述的八千八百多種存書中，不是觀點或思想上被認爲「有問題」，便是文字及形式上被挑剔得體無完膚。商務原存的一萬五千餘種版本中，據本月六日上海「大公報」的報導：到一九五一年十一月止，被認爲暫時尚可保留的，只有一千二百二十四種，只佔原出版總數百分之十四。其中被銷毀最多的，是一般社會科學，現存的已不及原出版數百分之三。史地和文學次之，但亦只留下原出版數百分之六。而所留下的書籍中，大部均係史料書、「工具書」、「工商統計」、「中外條約彙編」等。其餘百分之九十五以上的社會科學及文史書籍，都全部被銷毀。此外，暫時允許留下的幾百種書中，全部都是兒童讀物，但亦受改裝、換頁、扯除、和塗改，而且還限定傳完爲止，以後不許再版。

除了文史及社會科學書籍，被認爲對「人民思想教育有重大妨害」，決定全部絕版外，其餘屬於純技術書籍，如易手後商務爲迎合「潮流」所出版的「農業小叢書」，亦同樣被認爲犯有「偏差」，而其所謂「偏差」，則係指這些書「帶有濃厚的純技術觀點」，不足以誘導人民走上「問政治」的傾向。因此亦在禁止出版之列。商務數十年的慘淡經營，便在這些左右不合的情形下全部付諸一炬。

中華出版萬二千種 檢查精簡成二千種
所切毀的書籍，達二三七噸 全部損失，共幣一百二十億

中華的主持人，照中共的說法，雖比較「富於警覺性」，從一九四八年起便看風轉舵，開始出版「新時代小叢書」、「大衆文化叢書」、「生產建設叢書」，以「進步」姿態向中共「傳送秋波」，並拉攏一班左翼作家。上海易手以後，更出版「新生物學叢書」、「大衆科學叢書」、「生產建設叢書」、「人民民主國家小叢書」等，以迎合中共的口味。但亦逃不了被消滅的厄運。

上述「大公報」的報導：中華過去所出版的一萬二千多種書籍中，經過了層層「檢查」，到去年十一月止，已被「精簡」成二千種。以上海一地來說，在去年十一月一日至廿三日的二十餘天中，被切成紙漿出售的書籍，以每担共幣十四萬元計，就賣出了二億二千九百四十餘萬元，合八十多噸。如以當時上海白報紙折價計算，即值共幣十五億，排工、印工及管理費用尚不包括在內。如從去年一月份計起，僅上海一地中華所切毀的書籍，即達二三七噸，全部損失在共幣一百二十億以上。如果就全國範圍計算，其損失更不知幾許。在大量毀版的不斷斲伐下，不但元氣損耗盡，而且實際上已瀕於破產邊緣。

去年七月以後，中共爲進一步鞏固其獨佔權益，連商務和中華的發行業務亦被取消。而強迫與半官方的「三聯書店」組成「中國圖書發行公司」。去年中共所分配給商務的業務範圍是出版工具書和兒童讀物，社會科學及文史書籍已全部禁絕。中華所指派的「任務」，是出版「醫藥衛生」，「農業」和「俄語」。到今年一月，商務的出版範圍只縮爲工具書。兒童讀物另交新成立的「新兒童出版社」出版，而中華只准出版「農業」和「俄語」。前者由中共「農業部」和「華北農業科學研究所」主編，後者則由「蘇俄顧問」控制下的「中蘇友協總會」負責。在這一新決定下，中華出版的「新中華」和「中華少年」已「奉令」停刊，而改爲「蘇聯文化」及「中蘇友好」，商務出版的「辭源」，由於對「一面倒」一詞的解釋「犯了原則上的錯誤」，已被勒令改編。近百年來全國學術文化的菁華，及數千年來民族文化所留下的遺產，便隨大陸民營出版業的解體而瀕於消滅。今後大陸人民耳濡目染的東西，除了「感謝毛主席恩情」，和「永恆的鋼，永恆的太陽」等歌功頌德的肉麻八股外，便只有中共讀不完的文告，和「蘇聯文化」、「中蘇友好」一類出賣民族靈魂，奴化青年一代的赤化毒素。從民族文化的延續而言，中共在這方面的罪惡，實遠超於其殘酷的屠殺行爲。

面對着大陸野蠻集團焚書坑儒的暴行，今天留居台灣及海外的智識份子，該如何懍然於自身使命的重大而倍加淬厲與警惕。民族文化的存續，其責任已落在自由世界的智識份子肩上。我們這一輩如果不能發奮圖存，則亡國滅種之禍立至，中華民族還有什麼希望？還有什麼前途！（悠然一月十一日寄）

香港三日

新任星加坡市總督之香港輔政司列誥定明日（廿四）搭英海外機返英，定本年三月初飛星履新。據香港英僑團體中傳出之評論，列誥年未滿五十，而突奉命調任設市未久之星洲總督，此爲英殖民大臣里特爾頓來港視察後對遠東革新的第一着。里氏來港譽於列誥年輕，沉毅，果敢，乃破格調昇。因爲照英國殖民昇遷之政制，香港輔政司如昇總督，只能昇爲非支羣島總督。殖民部總督之高下，以星洲，香港，非支三個等級爲衡定。

× × ×

印尼共和國赴日本簽訂臨時協定代表團團長會達博士十九日任務完畢，由東京飛港，會氏爲印尼政府交通部部長，他說將有大批原料輸往日本，會氏在日本考察交通，他說「日本進步得十分驚人」。

× × ×

越南柬埔寨皇帝沙哈諾，定廿五日由東京來港，當日下午港督葛量洪爵士將在總督府置茶會歡迎。沙哈諾皇帝特由法駐港總領事伴同赴督轅，他是一位年輕的皇帝，現年三十五歲，出身蘇爾莫法國騎兵

台灣不僅有它軍事上的價值，而且有政治上的價值。
印尼原則上已決定要日本的技術援助，來代替賠償。

在東京和吉田會過四次，對賠償大原則已完全確定。他說印尼不需要日本賠款。這個情形印尼和菲列賓不同。印尼工商業落後，原則上已決定日本的技術協助，來代替賠償，所謂技術方面會氏指出印尼海外有不少沉輪，將由日本派技術顧問來協助打撈，此外鐵路器材及鋼，都是印尼所需要的。在印尼方面，

大學。

× × ×

朝日新聞社東亞部部長山田友二十八日由東京來港，繼來港未久，於日前（廿日）赴曼谷之和田齊，山田曾在北平四年，能講流暢的北平話。又每日新聞特派員吉木繁亦於廿日飛曼谷轉巴基斯坦前往印度。日本記者自去年八月來港，與本港華僑日報接觸甚密，華僑日報已決定派記者線振球駐東京，專負責於和約簽訂後日本之政治動態。線君定二月初赴日。香港各報中正式派記者去日本的，以線君爲第一人。華僑當局亦別具眼光也。

× × ×

耶穌會英籍神父奮姆士．東尼廿一日由梵蒂岡飛港。東尼神父說：「教宗於一九三九年下令發掘世界第一任教宗聖保羅（基督十二門徒之一）之聖墓。公教中一般先哲均在史書上記述聖保羅之墓是在梵蒂岡大廠內巨型柱石祭台之下。上年十二月中已掘入第四世紀時羅馬帝國君王君士但丁所建之大堂殘骸。教廷考古家會同教廷學術部人員認爲此係陵墓之底層。科學上與文教上具有莫大之價值。此墓之位置已斷定在聖保羅大殿中陵塚高壇之下」。

× × ×

美猶籍退伍軍人會會長紅世保將軍廿一日由台北抵港。他在台三日訪問，獲得印象甚佳。他說：「我已深深切明白台灣之重要。麥帥之看重台灣，不僅有他軍事的價值，而且有政治上的價值。台灣在某一個適當時間內，一定可以回返大陸。我相信此時亦在不遠了」！（一戍）

「民主改革」在西南 私營行業開刀對象
鐵爐爆炸倉庫失火事變迭出

中共在大陸是以屠殺政策來鞏固她的極權統治的。西南共區的「民主改革」，標榜的口號是「依靠工人，團結職員，搞好生產」，「實行工礦企業以至行業的民主改革」，血腥的屠刀，指向城市裏的小市民。凡屬「建築」、搬運、碼頭、木船」等等重要行業中的小市民，都是「民主改革」的屠殺對象。因爲在這些行業中，中共指明其行業裏藏有「破壞份子」；宜昌、萬縣、重慶、江津四埠，在去冬開被指爲是「行業」中的「破壞份子」被殺者，就有五百人以上；而僞西南軍政委員會副主席鄧小平尙說：「私營企業方面，除個別廠礦外，一般地還未能認識民主改革的重要性，仍未下定決心認眞實行民主改革；特別是在建築、搬運、碼頭、木船等等重要行業中，除個別者外，都還沒有進行任何的改革，以致大大影響了國際民生，阻礙公私經濟的發展。」（重慶新華日報十一月十八日所載）看形勢，今春的「決心認眞實行民主改革」，是勢在必將瘋狂地厲行，撐船老木船老闆，都有「袍哥」嫌疑，指爲「破壞份子」，也要捉來屠殺了！

私營的行業，固然是「民主改革」的開刀對象；但中共的僞「國營」企業，則被共幹搞得一團糟，鄧小平說：「機關臃腫，冗員充斥，以及貪污浪費的現象嚴重存在！」又說：「反革命分子活動，無從檢舉，以致事故迭出。」（見同月同日重慶新華日報所載）。所謂「事故迭出」，那便是川南岷江電廠鍋爐大爆炸，死傷工人一百餘人；重慶市紗廠倉庫失火，損失人民血汗數億，均造成中共在西南實行「民主改革」的鉅大損失事件案。

以上是西南共區的「民主改革」一部份現象，已顯出了西南共幹搞「民主改革」的烏烟瘴氣一團糟了。（北客寄自重慶）

大陸同胞賤如狗 六萬元人民幣換一條性命

我經由屏錦鋪安抵梁山，梁山的大飛機場，現已闢成菜圃。昔日的「盟軍之友社」，現已人去樓空。梁城唯一的一條大街，陳列死氣沉沉，時代的掩蓋門，花瓶、古玩，擺着一些衣物之類。忽然兩個人抬着一個血淋淋的死屍，後面有婦人當街哭隨而過。據說是共幹手槍走火打死的，賠了六萬元人民幣的命價。

西城區張鳳鳴區長，花天酒地，在梁城有姘婦八九人，七月間在城外檢查了一個商人，名朱元，搜去黃金四兩，銀元二百八十元，並暗派心腹將他殺死滅跡。後來被上級知道了，他已攜槍八支，逃之夭夭。僞縣府舉行了一次「朱元反映檢討大會」，正不滿對「黨」齡」、「職級」之不公，與小灶分配之欠妥。末後得了個結論：先革命，不如後革命，後革命不如不革命，不革命不如反革命」。梁城的共幹們，正在鬧情緒不安「爲誰革命」的問題了。

我由梁城搭車經分水抵萬縣不過半日途程。二馬路的大商店，已是十室十空。西山公園，正在公審人犯。內有艾興權，曾任公安局長，文啓高，曾任青年黨書記，牟海全曾任救濟院長等，四周戒備森嚴。忽有一民兵隊長，拍我肩膀，嚇我一跳。回頭一看，認得是舊日提拔過的老鄉，從他的言談，得悉目前大陸內地地方武力的兵力情形。現在川東共黨的正規軍不足兩師，「人民剿匪自衛隊」各縣鄉鎮不過一百二十名，槍支不齊。每村村長有長槍一支或二支，子彈百餘粒，在夜間放空槍鎮壓嚇人。各鄉鎮指導員有掛紅綢一塊的手槍一支，共幹四人，間有手槍不等，隊丁三十名，間有步槍十支或二十支不等。各區政府亦只有長槍十餘支。市縣政府有警備部，公安部，公安局等，人槍至多不過四千餘支。各縣、市、鄉、鎮、區、村，眞正的共產黨員，不足百分之十，各懷鬼胎，一肚皮的「烏氣」。我在楊家街口公墨處詢問，仍不能搭乘輪船，乃買一葉扁舟東出夔門。白帝城巍然健在，只是少了舊日的遊客。波濤浩蕩，輕舟飄香，經過五日的晴天，一帆風順的安抵宜昌，引領西南，佇立悵惘者久之。（四川散記完，一八，四〇，十二，十五）

不必要的技術問題

·尚方·

美聯社台北十九日電訊：中日兩國媾和代表，將來開始談判時，首先要討論一項技術問題，即中日兩國的戰爭究係何時開始的？是以「九·一八」事變爲起點，抑以「七·七」事變爲肇端？

我可以負責答復一句：任何一種戰爭，其起因都是一樣，其理由更可製成公式，即上帝創造人類之日，就是戰爭開始之時！中日兩國的八年戰爭，是人類千萬次戰爭中之一回合，談甚麼「開始」的時間呢？如要打破鍋兒問到底，中日兩國的戰爭行爲，至少在八十年前就開始了。日本如其沒有明治維新，構成新興資本主義國家而向外發展，即不會有併朝鮮的資本帝國主義行爲，中日兩國又何來以後那些戰爭乎？

中國對於這次戰爭，早已聲明對日本不採報復主義，即無對地賠款的要求。所謂「何時開始」的技術問題，用意不外是戰勝國家爲要計算其所受的戰禍損失，教戰敗國負擔賠償之責。中國政府既然還有「以德報怨」的觀點與日本媾和，這項「技術問題」，根本已無多大意義了。「九·一八」事變也罷，「七·七」事變也罷，總是這該共存共榮的鄰人，不明生死利害，拔刀相斫的自殺行爲。無論其在歷史家的筆下，判定這相斫行爲是何時開始的，也不過增添一些人類悲劇的不幸之紀錄，留給後代子孫一種不良印象而已，何苦哩！

兩國簽訂和約的代表和其人民，最要緊的問題，莫過於彼此明瞭共存共榮的倫理，摒誠相處，互助互信，爲亞洲人類的自由生存，盡其應有的責任。這必須大家把過去一切不愉快的宿怨與成見完全忘記掉，從頭來過。因此，美聯社記者所擔心指出的「技術問題」，我希望只是新聞記者的一種遊戲文字！

自由談

散原老人陳三立

—·意雲居士·—

散原老人陳三立，爲有清暨民國之一代詩宗。世人多以爲與海藏老人鄭孝胥齊名，實則節操遠過於鄭也。當時二老皆寓海上，一夕同往小花園遣興（上海長三書寓所在地），約明日賦詩紀之。海藏詠七律一章，腹聯得『俊懷已覺管樂賤，俠氣能令粉黛卷』二句，座客僞讚，以爲筆意超脫，能一洗豔吳姿容之劣習，海藏亦頗自傾矣。俄而傳散原詩至，詩爲七絕三章。第一章已漫不記憶。次章云：『翠鈿壓鬢絳數層，宛宛遊龍萬態新；偏映酒杯餘此老，按歌聲裏究天人。』末章之下二句云『……多謝相知不忠厚，妝台留看海揚塵。』海藏遂自棄所作，不入集中。蓋詩貴能追摹時代，寄託遙深。作者須純處於客觀地位，言中有物，詩外有事；方能超乎象外，得其環中。遠如唐代李杜之分，太白專爲飲酒學仙之作，語近自私，閒及國家，又多自傷其不遇，可云純爲個人主義。詩中稍有論及時事者，又必以古樂府爲題以暗寓其意，全無改革及創造精神。何若工部之三吏，三別，兵車行，麗人行等篇，皆自創詩題，痛陳時事，蔚爲時代之聲，尊爲詩中之聖，良有以也。散原詩雖宗山谷江西一派，實皆承少陵心脉。故雖七絕小道，冶游小事，亦必寫倡家之形色，反映時世之遞嬗，痛惜人天之演變。客號相知，輒傷忠厚；天餘一老，謬又揚鑣！是此詩以訪妓爲名，實則借他人之酒盃，澆自胸之塊磊也。蘇東坡定卷有『捲簾梳洗望黃河』句，論者多驚嘆。以爲捲簾梳洗下萬不料有望黃河三字。實則體詩正在渡河時所作。不望黃河，何物乎？即散原此作，則讀者『眞萬不料』『按歌聲裏』四字下有『究天人』三字，及『妝台留看』四字下有『海揚塵』三字也。反之海藏詩則純爲詠妓之作。詩中有妓，目中有妓，心中有妓矣。其劇樂之固宜。

散原老人晚年好涉足舞場，支頤以觀，紅舞女所謂『擺渡字擺』者是也。一夕正借客坐觀時，一紅袖舞姬翩翩然而過，老人似曾相識，諦觀之，方知爲已故陳英士將軍之姬人。老人於陳爲舊交，不禁感慨繫之，輒約座客分詠其事。從游少年有小孫者，先成七絕一首云：『紅袖翩翩舞綠茵，姬猶有舊精神；座中莫怪無歡意，我與將軍是故人。』老人一再擱賞，爲之擱筆。

唐詩渾然天成，宋人韻味，每過於鍛鍊，有時必發函厚帙，有以一詩片語而流傳千古者，如張繼之楓橋夜泊是已。其詩曰：『月落烏啼霜滿天，江楓漁火對愁眠；姑蘇城外寒山寺，夜半鐘聲到客船。』總別無他作，所傳僅此二十八字，然後之詩人，誰不熟誦斯篇，推爲名作，以此知詩貴精不在多也。此詩通體白描，不假雕飾，韶味之眞，人皆知之。其稍堪研究者，末句人多作『鐘聲到船上』，余以爲如此則全篇死滯，鋒勢亦掩沓不振。必也將『到客船』三字顛倒作『客到船』解之。則鐘鋒立紙上，以一『到』字喚醒全篇，通體靈活，夜景生動如畫。月落烏啼，鐘鳴聲響，頓令讀者恍同置身於畫與詩中，倍嘗羈旅之情味。詩以傳眞，詩能留夢；豈非昔人高蹈，猶在人間乎？余曾以此義質諸散原老人，殊蒙印可也。（吟邊札記一）

同歸於盡

·夫石·

義士武松（一）

——水滸人物論之六——

·舜生·

水滸英雄，多自以爲是義士，別人有時也以義士稱之，可是眞正當得起這個稱號的，並不太多，但武松却無論如何不能不算是一個。

武松清河縣人，行二，他和他的哥哥武大雖是一母所生，可是武松身長八尺，一貌堂堂，渾身上下有千百斤氣力；武大與之相反，身不滿五尺，而且面目醜陋，頭腦可笑，清河縣給他一個諢名，叫『三寸丁穀樹皮』；但他們兄弟之間，却異常友愛。

武松在清河縣和人相打，以爲其人已被打死，因此他逃到橫海郡柴進家裏躲了一年多，後來知道那被打者並不曾死，因此才決心要回清河去看望哥哥。

他在柴進家裏和宋江見了面，因爲回往清河，路經陽穀縣，無意中在景陽岡打死了一隻老虎，因而被知縣參他做了一名都頭。

武大在清河討了一個大戶人家的使女，名叫潘金蓮，芳齡二十有三，頗有幾分姿色。武大既長得十分猥瑣，加上爲人懦弱，又以挑賣炊餅爲生，因此這婆娘乃不安於室；地方上的浮浪子弟，也就時常跑到他家裏來挑逗，引起不少的麻煩。武大在清河縣存身不下，不得已遷到陽穀縣紫石街，賃房居住，仍操舊業。

一日，武松正在街前閒玩，無意中撞見了他的哥哥，彼此喜出望外，武大把搬來陽穀的經過向武二說了，武二便代他哥哥挑了擔兒，一逕跟隨武大，來到紫石街一個茶坊的間壁武大的家裏。

各位知道：所謂『巧婦偏伴拙夫眠』，自然這是『巧婦』的不幸，但同時更是『拙夫』的不幸。以武大之爲人，居然討了潘金蓮這樣一個老婆，不論時間遲早，問題總是要出的，但『水滸傳』的作者既把金蓮對武二的百般勾引寫出在前，又把西門慶對金蓮的多方引誘描寫在後，因此引出金蓮調叔的一幕，王婆貪賄的一幕，挑簾戲衣的一幕，武大捉姦的一幕，淫婦鴆夫的一幕，武松殺嫂的一幕，在『水滸傳』裏，這幾段文字都是絕世的妙文，搬到舞台上，也是中國戲劇中最有精采的好戲。凡是看過『水滸』或看過這類戲劇的人，對這些經過都很熟習，用不着我在這裏再贅，可是我所要指出的，却有下面的幾點：

一、以一個對哥哥有着深厚友愛的老弟，要拒絕一位嫂嫂的挑逗，應該是不太難的；可是以一個血氣未定的青年，要跳出金蓮這樣一個毫無顧忌的女子之手，却也不太容易。在那些鐘鳴鼎食之家，詩禮簪纓之族，甚至平日板着面孔，講道德說仁義的先生們，往往在翁媳之間，叔嫂之間，甥舅之間，姑姪之間，還不免鬧出多少笑話，何況是武大這種人家，金蓮這種身份？但武二却能出污泥而不染，不是他天性純厚，豈能辦到？

萬竹樓隨筆（六六）

我與俄羅斯

海瀾旅客

由於那大熊的惡劣印象來得那麼深刻，使我一生對俄國的惡感比任何民族都強烈。凡戲劇中，每見到俄羅斯，鄂羅斯，日本人所音譯的露西亞，輒生憎恨。尤其早到林樂南的音譯「羅刹」，更想像到這一號陰森森的鬼氣，黑騰騰的妖氣，再沒有一點祥和。又童年便聽說彼中秋後便降到攝氏零下四十度的氣溫，所以我們俗稱火酒的純酒精都能夠灌下肚子，也可想見這一國族的人，應該冷酷而陰鬱的了。

清廷自海通交涉日繁，感于通外國語文的人才缺少，特設同文館（光緒末改爲京師譯學館，後又併入京師大學堂），限收滿族親貴與八旗巨閥子弟，專授英、法、德、俄、意、西、葡等國文字。凡有八旗駐防的八個省，都設有同文分館，由將軍都統管領，亦限收旗滿子弟，偶有一二漢人附學生，那要仗大力才分得一席的。我還念着高等小學聽候取得「廩生」銜白石頂子的時候，父親用盡方法鑽營請託，竟爲我邀准入廣東同文分館附學，親戚們紛紛致賀，其珍視不亞于中「秀才」「舉人」。那天入學，袍褂馬靴，隨班行禮，家裏則大排筵席，賀客盈門。進館三天，貼出一張名榜，我被編在俄文班裏。天哪！不是冤家不聚頭，那致哼一聲，只得閉目聽宣，官威赫赫，那班中旗滿七人，連我八個；他們都是十五六至二十歲開外的，只我十二歲，受妒忌也受那撩撥。語言習慣都像異國人，一刻都難過。第一課教了五個字母，天昏地黑，不知所云。挨了兩天，再也忍不住，先請了病假，希望設法調班。經父親奔走，受請託的人說，沒有理由得將軍的批准，不願學派定的俄文，就只好退出吧。我沒有絲毫留戀，欣幸可以告退，只害得父親掃了一場大興。現在想起，如果四十多年前讀通了俄文，如今可作莿胡太師太傅了，一笑。

退學出來，適逢上海保皇黨人辦的廣智書局廣州分店開張，梁啓超等人新譯著的書頗多，我買得一本「自由血」，著者金一，歸而狂讀。這書內容描述羅刹的專制皇朝的統治淫威，政治革命黨人的慘烈犧牲，虛無黨人的堅苦卓絕，蘇菲亞女傑的暗殺經營，可歌可泣。我讀到出神，對帝俄的憎恨，對革命者的同情，簡直不可以言狀。

第一次世界大戰中克倫斯基推倒沙皇，尼古拉斯作了路易十六，爲之一快；可是布爾什維克登場之後，我首先讀到亞歷山大柏克曼著的「布爾什維克之謎」，重復撩起對這個國度的憎惡。再不久，讀到現代世界文豪紀德著的「歸自蘇聯」和後二集，要我留一分餘地諒解那斯拉夫人也不可能了。又不久，我獲得了兩英寸厚巨冊英文版本的蘇維埃政府清黨大獄審訊紀錄，我覺得歷代沙皇淫威直是小巫見了大巫。又不久，我收到美國杜威先生，號召了各國名教授五十六人簽名公佈的蘇聯統治者殘殺忠良的抗議書，我讀了駭愕慨嘆，爲之不怡者致月！

我生平與深刺激震動神經幾乎狂易者兩回：其一是驟然見到「九一八」瀋陽事變的電訊，昏厥了半小時，家人惶駭搶救始得甦醒；第二回是對日抗戰萬分吃緊的當兒，日外相松岡洋右鬼鬼祟祟到了莫斯科，史太林竟與簽訂了蘇日互不侵犯協定，電訊還描寫史松兩大鬼頭在車站互相擁抱親熱醜劇，氣得我七竅生煙。古今中外不顧道義自私害人，再沒有比這樣無恥之致。其時我住在尖沙咀一所洋房，壁上掛着一幅世界大地圖，我憤怒無可發洩，拉張凳子攀上去，在地圖上自西伯利亞到波羅的海沿上潑濺的一堆黑墨，擲筆大哭。並要寫一本「二百年來中俄關係」下來，泫然出涕，便動念要寫，並搜集得大半資料，香港爲日軍攻佔，轉徙流離，未了此事。（還都書現在還想寫出，月來正事再集材料。）我半生中情感上最憎惡的，唯一是那一隻巨熊吧。（二）

海隅憶語

晨起讀秋原軍振士氣大作，匣劍爲之作怪鳴，亟錄民卅三年在重慶所作「擬筆」以代謝禮。于美北征，回首昭陵，正鬱鬱青青，大唐焉得不中興乎！王孫慷慨千金驅，不可奪，秋原勉之！並以自由人各位。·伯莊·

手探時代鑰，九立洪潮頭。讀破萬卷交古人，身無半畝憂九州。黃魂
炎靈實監汝，長河大嶽爲汝明雙眸，開來繼往在汝，轉捩乾坤迴萬牛。
熊熊一冶烈，世界泥丸投，大同前奏曲，白骨齊山邱，爐餘出威鳳，金
鎖黃虬。吁嗟乎轉捩乾坤迴萬牛，時乎時乎風飇飇！

自由人

THE FREEMAN

（半週刊每逢三六出版）

（第九十四期）

每份港幣壹毫

督印人：李光羅

社址：香港高士打道六六號

電話：二〇八四八

GLOUCESTER RD.
HONGKONG
TEL: 20848

承印者：東南印務出版社

地址：高士打道六四號

台灣總經銷處

台北市中華路一二五九號

展開廣泛的文化運動

·左舜生·

反共是一件任重道遠的工作，而且是複雜多方面又必須與人合作的工作。既不是惟武力所能有效，也不是惟政治經濟或惟文化思想所能有功，必須關聯發動，巧爲配合，做到文來文擋，武來武擋，人以多方誤我，我即以多方應之，才庶幾有得着最後勝利的希望。

譬如我在這篇文字裏所預備發展廣泛的文化運動一點，在我自己決沒有忽視武力鬥爭或政治經濟情況改進的意思，不過是從另一角度來立言，說明文化思想在這一全面鬥爭中所佔地位的重要，絕對不可忽視而已。

自從中共控制了整個中國大陸以後，從文化思想的觀點來看，他們在這三年中所已強行或正在進行的工作，可舉例的指出以下幾點：

一、他們對一切文化人蹂躪備至，叫他們承認自己過去一切的錯誤，否定自己過去所有的勞績，不許他們有自由的思考，自然更不許他們有獨立的人格。從前專制帝王對付文人是倡優畜之，濫施侮辱，究竟還是屬於人類的一種動物；今天的中共，他們既剝奪了一切文化人的靈魂，好比耍猴戲，他們叫你戴上某種面具，你就必得戴上；他們叫你爬在狗背上，你就得爬上去；他們的鑼怎樣敲，你就得怎樣跳，前面是一塊餅，後面是鞭子，一切得聽命主人，絕對身不由主，世間最殘酷，最惡毒的刑罰，大概沒有比這種再厲害的了！罪莫大於剝奪他人的靈魂，共產黨所犯不可赦的彌天大罪，應該以此爲第一。

二、一國家一民族各有其文化演進的過程，人類文化的演進，亦依時代而有其不可踰越的通則；前人無法阻後人止於至善之途，後人亦不容漠視前人披荊斬棘的往蹟，今人勝過古人無可驕，前人不及後人也無可恥，一切只能循乎人爲與自然的推進，觀摩與則傚的啓發，而絕對無所用其破壞造作。現在共產黨要對歷史加以厚誣，加以曲解，加以僞造，抹煞事實，專打翻案，否定我們一切承先啓後的遞嬗，搗亂一切是非善惡的軌則，蹂躪不只加於生人，清算必且及於死者，把中國這個擁有數千年文化生活的偉大民族，下儕於生番野蠻，一切只許去舔斯拉夫民族的屁股，是可忍，孰不可忍？中共之爲中華民族的罪人，其罪狀以此爲第二。

三、中國在近三百年或最近一百年所吸收外來民族的文化，大致以得自英語民族者爲主，其次則拉丁民族，日爾曼民族，與斯拉夫民族可謂毫不相干；我們儘管了解斯拉夫民族文化較之西歐文化遠爲落伍，但斯拉夫民族苟有一節之長，我們卻也從不肯一筆抹煞，不惜加以兼收並蓄；這是中國人自來吸取外來文化的一種優良習慣，也正是中華民族所以形成一個偉大民族的主要原因之一。今天的中國共產黨，卻要一反前人之所爲，凡自希臘羅馬以來，文藝復興以降一切古代近代的西洋文化，概以一個狗屁不通所謂「資本主義的文化」這名詞加以否定，乃至斥其宗教，輕其文藝，棄其科學，封閉其學校，禁絕其語言，一切一切只許我們去向落伍的斯拉夫民族從頭學起，即令世間果有所謂「無產階級的文化」，然以之比於全盤的西洋文化，其歷史亦尚不足半世紀，而其根源且自所謂「資本主義的文化」裏取而來，不惟不足學，亦且不必學，一定要屏絕黃鐘大呂，專門抱着一個瓦罐子烏烏亂呼，秧歌王朝之所以爲人所鄙視，其原因豈不在此？[illegible]中國取精用宏傳統的博學之風，使之流於狹隘鄙俗，中共在文化上所犯的大罪，以此爲第三。

四、中國社會的結構，自來是「四民平等」，民間所流行的熟語，有所謂「耕讀爲本」，正表現它對士子與農夫[illegible]量齊觀；民間藝術所表現於繪畫，雕塑，音樂，戲劇種種方面的所謂「漁樵耕讀」，它不僅沒有把知識分子擺在樵子，漁夫和耕者之下，反而把他們列在讀書人上面；封建在中國已經結束了兩千年，我們自來就是「白屋出公卿」，「王子犯法與庶民同罪」；中國所最討厭的就是有錢人，尤其對一般以非法手段找錢的貪污分子，更是爲多數人所不齒，對待慳吝的有錢人，中國有一條不成文的法律來懲治他，叫做「爲富不仁」，對於「劫富濟貧」的舉動，即令就是一種強盜勾當，大家也覺得甚可嘉許；對於做官的人，中國人眼中並不一定看得起，除非他是一個清廉有爲眞正能「爲人民服務」的好官，反過來，倒是一介布衣之士，假定他是有道德，能文章的話，卻反爲王公卿相所重視，也「爲社會所敬禮」，「布衣可以傲王侯」，是中國社會的一種事實；並不是一種理想；社會上一切欺壓善良的強暴之徒，更是中國人所深惡痛絕的，中國的歷史，文學，所提倡歌頌的遊俠之士，就是用以對付這班人的，中國人所崇拜的「包龍圖」「彭公」「施公」這類的強項吏，也正是爲打擊這班人的；中國社會最重視一種溫情，人與人相處，最要講一種「厚道」，所謂「忠厚傳家」，幾乎是中國人的處世格言，因之中國社會乃形成一種人情味，與那些專講個人主義，唯物主義的社會，迴然有別；凡此種種，中國社會的優良之點，實在是擧不勝擧，簡直可以寫出若干本大書哩。中共卻一定要與這種事實挑戰，捏造出所謂階級鬥爭，要以仇恨去代溫情，以魔道、獸道去代人道，他們這種搗亂中國優良社會結構的罪惡，算是中共的罪狀之四。（上）

艾帥的成就

巴黎傳來了佳音。

艾森豪威爾將軍說：「目下蘇俄如要發動第三次世界大戰，眞是愚不可及的事情」。艾帥是歐洲防務的主持人，歐洲有無抵抗蘇俄侵略的力量，他曉得最清楚。他的意思，從反面去看，顯然就是告訴我們，歐洲防務已部署完成，蘇俄再沒有乘虛的機會。

艾帥的成就，的確驚人。去年一月，他才開始工作；四月，成立他的「盟國歐洲最高司令部」（SHAPE）。僅僅一年的時間，由於他的鞭策，十二個北大西洋公約國家的防務預算，平均增加了百分之七十五；兵役期限平均延長百分之二十五；軍火生產平均提高了百分之七十；武裝部隊人數，則擴充了一倍。

一年以前，他所指揮的部隊，不過陸軍七師。現在，他的歐洲大陸陣容，卻很雄壯：

（一）陸軍：有二十八師。其中包括美國六師，法國十師，英國五師（內加拿大一旅），義大利三師，另裝甲兵一旅，山地兵一旅，比國兩師，荷蘭一旅，挪威一旅，丹麥一營。

（二）空軍：有由美國第十二航空隊，法國空軍第一師及法、比、荷防空部隊混合組成的「中部戰術空軍」，和由英、比、荷空軍部隊混合組成的「戰術空軍第二軍」。

（三）海軍：十二個北大西洋公約國家雖然沒有指撥固定交由艾帥統率的艦艇，但集中演習，是經常舉行的。

掌握了如此強盛的力量，難怪艾帥一變謙慎的習慣，大膽講出不怕蘇俄的話來。

舒曼計劃

軍事上，歐洲防務，大體已經佈置妥當；經濟上，歐洲也正走向合作的道路，舒曼計劃的可能實施，便將是一個重要的開端。

鋼和煤是現代工業兩項最基本的東西。舒曼計劃乃是以由法國、西德、義大利、比利時、荷蘭、盧森堡六國「聯營」這兩項東西爲目的。初步方案是法國外長舒曼提出的，所以叫做「舒曼計劃」。

上述六個國家年共產鋼三千八百萬噸，煤二萬萬二千萬噸。舒曼計劃建議把這些鋼和煤，在擁有總人口一萬萬五千五百萬的六國境內，自由運轉，不抽關稅；自由銷售，不加限制；即生產工人的來往旅行，也不受護照的阻礙，藉免人力供求關係的失調。

聯營的「高級機構」（High Authority）由九人組成，六個國家，每國至少佔一人，至多不得過二人，由六個國家各派政府部長一人組成的理事會任命。此外，又由六個國家的議會，各選出代表十三人，共七十八人組成「大會」（Assembly），負監督「高級機構」的責任。

舒曼計劃已經法國、西德的議會和荷蘭的下院通過，義大利、比利時、盧森堡大概也會在最近批准的。

不過，舒曼計劃的範圍，究祇鋼和煤兩項，歐洲各國經濟的「全面」合作，爲期尙遠；政治的統一，雖有「歐洲聯邦」的擬議，似更渺茫。然而，軍事，經濟，政治是三位一體，經濟的割裂與政治的衝突，都足以使軍事的團結，無從建立；即令基於某種迫切的需要，勉強拉攏，也是不能持久的。所以，艾森豪威爾將軍在宣示了歐洲防務的組織完成以後，接着呼籲歐洲各國務必打破目下經濟及政治的分裂狀態，並建議召開歐洲「制憲會議」，以求統一的早日實現。

凌乃銳

史大林也會輪到

·張高村·

翻翻鐵幕裏面的清黨新聞，你會獲得一個深刻的印象，即共產黨殘殺自己的同志和他們殘殺反動份子，其殘酷毒狠，並沒有什麼分別。現在鐵幕裏面，那些喊「馬列路線」喊「史大林萬歲」的共產忠實同志們，他們的腦子裏已經是浮現出一個斗大的問題——爲誰革命？革誰的命？

法國大革命時，革命領袖維尼奧被他的同志們送上斷頭台的前幾分鐘，很慨嘆地說：「革命好像七殺星，最後要全部毀滅它自己的子孫」。我們如果拿他的話，來形容今天的鐵幕裏面的共產黨，那是再恰當沒有的。

先從蘇聯說起。蘇聯在短短的三十年革命過程中，被史大林屠殺的高級要員，計有政治局委員七人，中央委員五十一人，高級將領四十一人，安全警察機構領袖十四人，重要外交官員十三人，共產國際領袖十二人，名作家及藝術家四十六人。這些被屠殺的犧牲者，都是蘇聯共產革命的第一流人物。他們在爲誰革命；革誰的革命？

東歐幾個鐵幕國家又怎樣呢？她們走的還是蘇聯的老路。第二次大戰後的波蘭，共產黨的第一流的領袖們，以「殉道者」的精神，爲「人民民主」戰鬥。等到「人民民主政府」成功了，這些口號叫得最響的「同志們」，一個個上吊的上吊，槍斃的槍斃，坐監的坐監。像莫拉斯基，羅拉謝米斯基，斯拜夏爾斯基，杜比爾，李佐維滋，及瓦爾斯基等，以前都是共產黨的高官和領袖之流，現在卻一一都躺臥在荒涼的墳墓裏。波蘭共產黨員所崇拜的郭穆爾加，還蹲在集中營的囚籠裏，等候最後的判決。

捷克情形更爲慘淡。最近被清除的要員中，包括有捷克副總理兼共產黨總書記史朗斯基，共產國際的聯絡官倫邁德，共產黨副書記富蘭克。其他要員如克里曼迪，史維莫法，史琳等等，也不能倖免。中下級幹部被清除者，更不可以數記。這使我們憶起約翰唐尼在追悼會一篇演說，他說：「你毋須問喪鐘爲誰敲的，它敲的對象正是你」。我們今天可以斷言，捷克清除的喪鐘，不久就會敲到捷克總統郭瓦德和司法部長西皮加的頭上。我們還相信，史大林最後一定也會輪到。

「踩倒爬」的真理

突尼西亞以和平合理的手段要求獨立自主時，被視爲無足輕重的「叫囂」，沒人理睬。現在當地人民率性不講道理的暴亂從事，不惜「及汝偕亡」，胡來一陣。據合衆社廿四日的突尼西亞電訊：「法國駐突尼斯總督俄特格魯克今日往訪突尼斯政要……渠可能提出對突尼斯讓步，恢復該處秩序……法國方面亦希望突尼斯能在聯大提出獨立要求，但法國亟欲停止此流血鬥爭」。

這是多麼合理合情的態度！假使早能對突尼西亞人的「叫囂」稍加應付，用這樣的態度跟他們協商，又何致於鬧成今日這種極不愉快的情勢呢？人類要在政治上享有平等的生活，原是眞理。具有遠見的政治家，貴能遇事走在眞理前面，消弭人類不必要的糾紛。俾斯麥晚年曾警告世人：未來世界中，勞工階級必定抬頭。他當年在德國所創行的那套社會政策，即是走在眞理前面的明智之舉，替德意志帝國消弭了若干隱患。二十世紀原子時代的政治家，竟沒有十八九世紀那些政治人物的智慧麼？吾斯之未能信！

川諺有「踩倒爬」一語，謂遇事被壓迫無奈而後肯作也。眞理是畢挺屹立於人間的，希望世界上一切尊重眞理的政治家，再莫要使眞理去踩倒爬呵！

半週展望

雷嘯岑

令人膩惡的韓戰問題

這兩天盛傳聯軍對板門店和談作重大讓步，休戰的可能性已大見增加了。同時，英國方面對杜邱會談後的遠東政策正在嘵嘵譊咋，吵得烏煙瘴氣，邱翁回到倫敦後，少不了更要在國會跟貝凡之流舌戰一場。最有意思的是英國外交方面的官方人員，爲着韓戰問題還要說出甚麼「英國並不支持和鼓勵蔣介石政府」一類的話來，好像英國的遠東政策是專門對人而不是對事的！

自一九四九年以來，史達林即已拿定主意，把世界革命的箭頭指向亞洲，讓你們去吵「歐洲第一」主義。他既已得着這種千載一時的良機，又有這麼多的有利條件，可以置身事外而操縱局中，去名取實，而無猝遇大戰之虞。另一方面，維辛斯基在巴黎所進行的黑市交易，也沒有暴利可圖。他爲甚麼要停止韓戰，讓你們好整以暇的扶植日本，聯防東南亞呢？聯軍一面表示對和談條件讓步，一面以美英聯合力量維護韓境休戰協定的警告方式來促進和談成功，史達林豈是甘受這些法術所玩弄的人？他所重視的祇是力量。像目前民主國家在吵吵鬧鬧之中所表現的外強中乾之態，適足以增強其操縱韓戰的信心，亞洲地帶今後還有安寧局面也是幻想了！

聯軍如想達成板門店的休戰協議，只有堂堂正正的實事求是，以實力作後盾，可戰可和，而更要緊的還是趕快讓反共的亞洲人自己組織起來，站在反極權奴役的前線，協力奮鬥，纔是避免大戰的有效方法。既不信任當地的人民，又對領導當地人民反共的人物愛憎不一，假使韓戰擴大了，東南亞危急了，試問英美兩國能派多少軍隊到東亞來作戰？你們究有若干人力能爲亞洲的自由世界而犧牲？

彼此恫嚇

美英方面說，如果韓境休戰協議被破壞，韓戰便要實行擴大，把戰火帶到中國大陸，至少也要轟炸鴨綠江以北各軍略地區了。中國共產黨也說，如果聯軍敢於「侵略」中國大陸，他們即有「中蘇友好同盟條約」來支撐，那是「泰山石敢當！」善武者不輕言武，能文的不濫炫文。事前大言炎炎，貌似驚人者，實際都屬色厲內荏的表現而已。彼此恫嚇一番，宣傳一番，看對方究竟作何打算？

不過，無論是冷戰或溫戰，由於民主陣營之自相對立牽掣，主動權總是操在史達林手中，沒法取過來了。玩恫嚇宣傳之術，民主陣營是差勁的。到不如自己內部少鬧些歧見，少顧些私利，形成一種眞正的團結力量，那比甚麼官式的聲明都來得有力啊！

共產主義勢力應摧毀
韓戰目的在以戰止戰
侵略者尚未受到膺懲
韓戰此時停止是不智

當韓戰發生不久的時候，一般人對於杜魯門總統那種毅然決然來打這一仗的舉動，都不覺感到分外驚疑，諸多揣測，於是有一個傳說普遍流行。它說：當國務卿艾奇遜向總統報告北韓軍隊侵入南韓的消息時，正是深夜十二時以後，杜魯門正在好夢方酣之中，被電話鈴驚醒過來，他暴躁如雷，很想大罵一頓，因此對艾奇遜的報告和請示，便毫不考慮的決定了「非打不可」。這種類似笑話的傳說，當然不足徵信。因爲這樣一個大計的決定，任怎樣鹵莽的人，也不能這樣的草率決定。打仗的事是非比等閒的，一開始便得準備消耗若干的財富和犧牲若干的生命。這比之有人批評杜魯門小姐的歌唱得不好，而要打破人家的鼻子一事，決不可同日而語。而且美國政府在韓戰前早已向蘇聯提出警告，如果共產勢力再向中國以外地區擴展，美國就非動手干涉不可。那末美國之決心基於真民主國家的領導地位以實力支持南韓，從事反共侵略的戰爭，決不是出於一時偶然的衝動，毫無疑義。

歐洲第一主義抬頭
聯軍失掉空中優勢
美國提早結束韓戰的兩因素

今日，戰爭進行了一年多，美國青年在韓戰場傷亡了十萬以上，當此勝負未分，侵略者並未受到適當的膺懲，而杜魯門總統公然一再希望停戰談判之能成功，獲得他所謂「光榮的和平」，甚至於在開城談判無結果，又易地板門店。談判期間，也一再拖延。雖然共黨不顧信義，多方挑剔，但在美國方面似乎有非達到停戰目的，決不放棄談判之勢。這樣「虎頭蛇尾」的作法，頗使我們局外人對停戰的動機不無懷疑。難道眞是如前述傳說所云，是由於杜魯門總統好夢被驚醒以後的一時衝動而起嗎？綜合停戰談判前後幾個月的情形來看，我們可以意味到美國當局之所以熱心於停戰談判，而汲汲於希望達成杜魯門所謂「光榮的和平」者，大致不外下列兩個原因：

第一、自從英國邱吉爾上台以後，對全世界的反共戰略上，更加強調了「歐洲第一」主義，美當局也深深感覺到在韓戰場這樣長期延拖下去，糾纏下去，徒然消耗兵力，倘使將來其他地方發生類似事件，必致無法靈活轉用。即以遠東而論，據各方情報所傳，中共匪黨又已積極作侵入東南亞之準備。艾奇遜於上年紐約猶太退伍軍人協會發表談話時，也曾指出共匪侵略越南與緬甸的危險跡象。而西班牙扣留美飛行人員一事，也更激起了美當局對歐洲共黨國家橫蠻霸道行爲的更加注意。艾奇遜也曾就此事發表聲明說：「美國的忍耐不是無窮盡的」，憤慨之氣，實已溢見乎詞。因此我們說美國之希望早日結束韓戰，是爲着對今後世界局勢好作一個通盤打算，也並不是毫無理由，不能遽認爲怯弱和退縮的行動。

第二、由於在韓戰場，蘇聯米格式飛機的增加，顯然已使聯軍失掉了空中優勢。聯軍既無決心去轟炸共匪在東北的空軍基地，即消滅敵勢終於無法發揮。[illegible]死傷將恐怕更會加大，而戰爭既無法取勝，亦無法結束，結果便只有如前文所說，出於長期[illegible]纏之一途。這[illegible]方面，以及今後[illegible]準備應付整個世界局面的打算上[illegible]不利的。

韓戰如果真正停止
越南緬甸將告不保
中共已在越邊集結廿萬人

誠如上文所說的原因，則杜魯門總統今天之殷切希望停戰談判之早日獲得成功，似乎不能認爲其沒有理由。我們也未便相信由決心對北韓侵略行動迎戰是出於一時衝動。不過，我以爲如果我們能對曠日持久的韓戰所給予史達林及中共匪黨更深重的苦痛與困擾的情形，和蘇聯赤化整個世界的作法（包括一致與侵略）來作進一步的認識，則我對於杜魯門在韓戰開始時的動機，不論其是出於一時衝動或曾經詳密考慮才決定，那都是十分正確的；相反的，今天這種惟恐韓戰不能停止的想法，却是可非議的。誰也可以想到，北韓之侵入南韓，其目的並不在乎[illegible]，而是中共在朝鮮得手以後，準備赤化整個遠東的前奏曲，唯有杜魯門那一個英明迅速的決定，才算是給他們以迎頭痛擊，不僅遏滯了他們的行動，而且可以說打碎了他們整個的計劃。我們相信如果聯軍能進一步在韓國予中共匪軍以更重大的打擊，乃至將韓國的統一工作完成，則不僅中共匪在受此懲之後決不敢再在其他任何地方有所動作，而且他的政權基礎亦必因此而動搖，附庸國對蘇聯的信心亦必因此而瓦解，是一勞永逸的作法，也是決不可輕易放棄的機會。可惜現在杜魯門竟未能堅定的貫徹其決心予侵略者以嚴重打擊的主張。我敢說，如果韓戰停止下來，敵人在稍獲喘息以後，必定又有第二次類似在韓國的事件發生，因爲這是他們整個的一套計劃，也是誰都能預料得到的事。艾奇遜說：「越南與緬甸有被共黨侵略的危險跡象，此使我們於一九五二年須繼續保持警覺」。這種警覺性的保持當然是十分必要的，不過在此我要爲艾氏進一解，我們必須認定下面一個前提：即是共黨侵略越南與緬甸的跡象是否變成事實，將視聯軍在韓國的行動以爲定。如果聯軍放棄停戰的希望，決心在韓戰場予共匪以更重大的打擊，則共匪決不敢輕易的又向其他方面去發動另一侵略行動，越南與緬甸，將不保而自保。反之，如果韓戰一旦休止，則共匪之侵略恐不止於越南與緬甸而已。彼時如美國不予以實力支援，則越南與緬甸，即難逃出共匪之魔掌；如予以實力支援，則不啻韓戰之延續。[illegible]東來西又的，像這樣永遠跟着侵略者的槍尖來轉動應付，請問是否一種明智的根本打算？根據巴黎一日合衆社電：「法方人士說：他們已經接到非官方的報告，中共已在越南北邊集結二十萬人，全是作戰裝備。法方人士：他們認爲在韓戰持續期間，中共不會侵犯越南，可是一旦韓國實行停戰，使中共匪人力可以用來華南[illegible]時，他們却很[illegible]越南[illegible]攻擊。」[illegible]的消息，足[illegible]上面所說的，並不是一種「杞人之憂」。我並不相信杜魯門之開始在韓境對北韓侵略採取決然的行動，是基於一時的衝動，但是我也不願意恭維杜魯門今天殷切期望停戰成功這一個「虎頭蛇尾」的作法是一種明智的舉措；相反的，我以爲後者[illegible]杜魯門對今後局勢考慮不夠周詳，對史達林的陰謀詭計認識不夠深刻[illegible]，所以有此錯誤的決定，有此打算。我的看法是除了本文前面所說的兩個原因之外，還有一個最重要的原因，便是他也和今天許多國際人士一樣，對今後蘇聯的行動有一個錯誤的估計。

蘇不會直接發動戰爭
她採取的是車輪戰法
杜魯門對史達林估計錯誤

他們都以爲在不久的將來，至少在一九五二年以內，等到蘇聯準備完成，即將發動對民主國家正面目的戰爭，因此大家都認定必須加強準備，應付未來的民主國家與蘇聯的大決鬥，也因此不[illegible]在對蘇聯附庸國的戰爭中來作無謂的消耗。這一種對蘇聯行動的估計，可以不久以前柯里亞雜誌載「第三次世界大戰寫眞」一文中所預料的史達林將如何在南斯拉夫發動戰爭一事爲代表。雖然那位作者的目的是在：一、警告帝俄；二、[illegible]方人民之了解；三、表示其民主國必勝的信心，其動機自未可厚非，尤其是對其第三個目的有很重大的作用。但我總覺得[illegible]

[illegible]的民主國家則可能被他那些嘍囉們弄得精疲力竭。史達林盡可以高居克姆林宮，不費一兵一卒而坐地分贓，這是何等如意的算盤。史達林明知道蘇聯的財力物力以及生產力都不如美國，在準備的競賽中，他終於無法取得優勢，也就[illegible]以戰止戰」的決心。從最近各方面的情形看，我更加覺得這個看法是正確的。我們中國有句俗話說：「殺雞給猴兒看」。我希望杜魯門總統能意味這一句話的意義。如果美國有在韓戰中殺掉這個雞的決心，則史達林那個猴兒以及其他猴子們都將不敢再行輕舉妄動，進而乃可由瓦解中共的團結，達到摧毀其侵略主義勢力的目的。最近「歐洲第一」的主張，又在美國政要的觀感中抬頭，當我們要再告訴美國當局此一句話：在史達林的指揮之下，民主國家反侵略戰爭中，並沒有甚麼主戰場和非主戰場之分，如果韓戰就此結束，他們的次一行動，決不限於越南與緬甸，而是到處放火的！那時杜魯門所企求的「光榮的和平」也許將招致「更多的痛苦」」。

（黃雪邨寄自台北一月十五日）

我願意站在第一個擁護人的立場上
響應胡秋原先生「重振智識分子之士氣」的號召

·文蔚·

在自由人一月十九日出版的第九十二期裏，有三篇大文章。這可以代表中華民族的靈魂！讀之不忍釋手。

第一篇是胡秋原先生的「重振智識分子之士氣」；第二篇是趙滋蕃先生的「我堅決要求忠孝精神之再生」；第三篇是一成先生的「香港三日」內，報導日本基督教會派赴劍橋神學院研究神學之岩井牧師由英來港的一篇談話。

看了這三篇文章之後，使我整日深思，幾乎不能入睡，思及國民黨這一次在大陸上的崩潰慘敗的原因，不是軍隊比共產黨少，也不是裝備比共產黨軍隊差，更不是人民不協助軍隊，或是軍隊不會打仗，甚至不敢和共產黨打仗所致。其主要的病源，就是士氣的喪失，和道義的泯滅以及道德的墮落與不修等等。

胡先生說：「一個國家不怕外患內憂，也不怕洪水盜賊，就怕一個國家精神與人格之墮落。所以，一國文化之破產，智識分子自信心與創造力之破產，才是最可悲的。」

又說：「大陸上的智識分子過的是俘虜生活，即在大陸和世界，敗兵心理，尚未澄清，消極，頹廢，怨天尤人，門戶之見，反共而又畏共，懼共而又不敢反共，歸根結底，都是一種敗兵心理」。

對的！對的！胡先生的話是萬分的對的！我願意站在第一個擁護人的立場上，來聯合全國的智識分子，共同響應胡先生這個號召和實行這個呼籲！

筆者在反共作戰中，遇到過兩件極傷心的事，一是民國三十七年秋天，衛立煌在東北遲遲不動，他看着共匪在遼西源源調兵向彰武、黑山、阜新、義縣集結，包圍錦州，而坐視不顧。及至錦州攻防戰揭開，匪四縱隊能從遼南開到錦州助戰，而我們的九兵團不能從瀋陽向彰武挺進，截擊遼西的匪軍。一是三十八年的冬天，羅廣文在川東怯戰退却，當共匪衝進酉、秀、彭、黔以後，他不在川黔邊境的武隆、正安、鳳崗、思南、印江、松桃、之綫與匪決戰，而一味想退到重慶再打主意，即筆者欲死守綦江、南川、涪陵之綫，亦為不許之事，結果，像重慶撤退的那樣狼狽，眞是從任何戰爭史中，均絕少僅見者，毋怪乎一過成都，就向共匪投降了。原來他就早存下如胡先生所說的「反共而又畏共，懼共而又不敢反共」的敗兵心理了，還打甚麼仗呢？

三國上有兩段故事，頗可以作智識分子的借鑑。當張飛過[illegible]嚴顏時，喝令嚴顏投降，嚴顏用氣壯河山之聲音說：「只有斷頭將軍，沒有投降將軍」！聞者爲之失色！陳公臺被曹操俘後，曹[illegible]其一日，即可捨殺，陳公曰：「吾寧願死而不[illegible]汝一日」！曹無奈，乃曰：「汝上有老母，下有妻子，胡[illegible]先去」？公曰：「竊聞以仁治天下者，不殺人之親；以孝治天下者，不絕人之嗣，吾今雖死，亦復何恨」！這眞是中國智識分子的士氣！中國文化的精英，大義凜然，孰不感動！

再看趙滋蕃先生的「我堅決要求忠孝精神之再生」一文，他說：「從中華民族發展史得到啓示：中華民族的凝聚力，來自家庭與教育；與西洋社會的凝聚力，來自宗教與教育者，迥然不同，人子始於事親，中於立身行事，終於愛國家，愛民族」。

的確中華民族的精英，就是「忠孝節義，和仁恕寬厚」八個字，中華民族所以能夠同化了外來的數次侵略，也就是因爲這個傳統的美德的緣故，曾子言議則曰：「自反而縮，雖褐寬博，吾不惴焉；自反而不縮，雖千萬人吾往矣」！你看這是多麼的勇！現在秋歌王朝；毀滅人性，奉黃巢李闖王爲聖人，來代替關公岳飛文天祥等民族偉人，教子殺父，夫妻鬥爭，破壞人倫，把忠孝節義之如糞土，反以前進自鳴，顛倒歷史，破壞我數千年之悠久文化傳統，眞不知人間爲何世！其將來之必垮，不待外攻，而就自加其速了！

一成先生報導岩井牧師的消息中說：「他說他在牛津時還特別研究今日在歐洲大陸上盛行的「重整道德」運動，他指出「重整道德」是由四個標準去努力的，那便是「誠實」，「博愛」，「潔心」與「除私」。他還鄭重說：「今天歐洲半個大陸不爲赤色勢力所浸染，便是因爲「重整道德」的勢力，一天天在人心中龐大起來：……」筆者亦有同感，因我們的國家能否再度強盛，社會能否振興，就全靠這兩個字來提倡呀。

民國三十六年，我從九江乘輪返南京，那是一個秋天的晚上，在江中航行，氣候便有點寒冷。到了午夜，船甲板上有很多人在爲爭座位起口角，筆者下樓出觀，見人叢中一位穿大掛的先生靠着煙囪在抽煙。仔細一看，原來那位先生便是安徽大學文學院長兼法律系教授張宗元先生。筆者忙請他到樓上去坐，一杯茶後，我們便高談起來，談的非常的有興趣。他開口便提出三個問題說，任何非常時代，都有偉大的文學產生出來，獨抗戰八年則無，大概還是由於作家們生活不安定的原故。現在建設國家，第一要安定民生，第二要重整道德，第三要發展文化。張先生這三個問題，我一直牢記到現在，不會把它忘記。事隔數載，到今日果然有世界重整道德會議之出現，張先生之眼光，眞可謂懸遠了。

勝利那年，筆者一天到漢口日俘營去訪友，沿途遇見許多日本軍人和平民男女，都向筆者敬禮，當時以爲僞人乘着國家的勝利，才能享此尊榮。及至站住細看時，見日本軍民相遇，也是同樣互相施禮。筆者當時便自言自語說：「日本這個民族，恐不久便會復興起來」！果然到了現在，日本人已經是又站起來了，孔子曾問他的兒子孔鯉說：「學禮乎？曰「未」，孔子說：「不學禮，無以立」，鯉退而學禮，可見禮對於一個國民的復興，是何等的重要了。

道德，禮義，與士氣，實是一個國家走上復興道路的根基，這次國民黨的失敗，純粹可以說是喪於這三者。不知台灣當局，現在已注意及此否？

來論

本報記者專訪美退伍軍人協會會長
保羅．金世保發表港台觀感之談話

中國陸軍素質相當厚
制空權在握高枕無憂
台港應力謀共同安全
港防英國已確有把握

美國籍退伍軍人協會會長保羅．金世保日前單獨接見本報記者，發表他在港台數日觀察感想之談話。金世保准將住在高羅士打六樓的一間陽光不大的屋子內。他說他在台北三日，全然精神完全集中在軍事身上，因為他自己是一個軍人出身。他在台北上自蔣總統，下至國防部長及陸軍總司令都曾先後一一會談。他看見一個正規師表演各種戰鬥技術。他說：「中國的陸軍的素質，底子相當厚，是德式訓練的底子，雖然現在已走向美國訓練的道途上，但戰鬥的精神還是維持德式的水準，這是非常難得的」。

其次金氏復述及在配備方面與營養方面，他都感到不夠。他說：「我看到許多士兵，在營養方面，還沒有達到理想的境地。雖然蔡斯團長與中國陸軍當局不斷在努力提高，但仍相差一段。」他相信中國的士兵是世界第一流最好的部隊，可以和德國與登堡式的部隊比擬。他對於國軍在大陸上節節敗退，表示十分懷疑，所以見到蔣總統時，首先提出這個問題，蔣總統亦很直率的告訴他：「國軍在大陸的失敗，主要原因，實由於我們自己政治不健全，軍民團結之中心已渙散，以致共黨份子乘機煽動。」蔣總統在台灣已向金氏保證，已一掃以前的腐敗之陳習，可以達到完成理想目標。雖然大陸淪陷很久，但金氏和蔣總統會談甚久，自始至終，他一直表示蔣總統可以順利返回大陸。而且蔣總統向金氏說：「我們中國根本不需要美國派兵來協助我們，我們亦不希望美國的孩子們為我們中國流血。我們所需要的，如能給我們物資上的軍事及經濟援助，我們隨時可以打回大陸去。」

關於軍事物資之援助，據金氏與蔣總統及軍方高級人員會談之結果，一致認為港軍方面現已有第七艦隊之協助，已可以站穩，自己比較簡單。目下問題唯一困難的問題，便是空軍。中國一直到現在沒有長程轟炸機。他說空軍及噴射機長談時，都一致認為長程轟炸機及噴射戰鬥機是本島最需要的。防衛本島不但需要戰鬥機，更少不了的是轟炸機。這個問題長官們都向他表示，他已同美國當局提供意見，據已向杜魯門總統報告。

關於台灣的地形，金氏指出如果共黨要進攻，是不容易得逞的，沿途都是石山，困難非常多。他說：本島雖小，但戰爭的威脅不小，大陸若有動作，台灣的安全問題便是唯一最重要的問題。

在空防方面，他說如果制空權能操在自己手裏，則台灣可以高枕無憂。

香港的情勢，他在香港四日，曾花了一個上午到新界邊界去視察，由美方高級將領伴同。他所獲得的印象，亦相當美滿。他說：「這一次英國人是有準備」。從前（指太平洋之戰），英國人只守香港，放棄新界，吃了大虧，現在改變整個的戰略，這是非常聰敏。」他還說：「香港的安全，我有最大的信心，英國的戰略非常健全，但此時我不能告訴你。」

金氏認為香港與台灣的軍事要在政治地理上是完全相等的。「如果台灣不保，則香港亦難守。如果香港不保，則台灣亦不易站穩」。他說：「其實，照我看來，港台之間，應該要有適當聯繫，力謀共同之安全」。

金氏現年四十四，曾於二次大戰時在蘇魯門群島作戰負傷。於廿五日離港赴歐洲，轉往印度中東及歐洲。他現在代表美國退伍軍人協會遊歷世界，預備考察軍事。他會晤艾森豪、尼赫魯及狄托元帥，定三月初返美國向國會報告。他在美國退伍軍人中有相當的勢力，在軍事方面，他是擁護麥帥的。（力行）

香港三日

我外交部次長時昭瀛博士，月前奉命赴巴黎出席第六屆聯大會議。以提出蘇聯違反中蘇友好條約為根據，在大會中提出控蘇案。時氏忽於廿三日自歐經曼谷祕密抵港，拒絕接見記者，至廿五日上午搭機返台北。時氏向有關方面透露：各國代表團人員對我國國際地位，日見提高，僑胞之愛國觀念，亦甚懇切。他在歐洲所訪問的國家，都見到許多僑胞，對國家的前途，寄以極大的關懷。他在中東國家展開一段外交，中東國家大半皆同情我國之處境。他在中途奉外長葉公超電召其即日返國，所以匆匆就程而返。對於這一次的使命，時氏表示已順利完成。

×

廿三由馬尼拉抵港，調查汽油七十八萬加倫經大陸之國際走私案的菲議員范南慈，及其助手巴馬塞達（非議員物資委員會代表）與加士碧等，現正從事搜集證據。范氏語記者：一次走私案包括汽油數字雖未詳悉，但已化工原料，美金數字相當大，事件與澳門走私集團有關。一部份從香港經澳門走私到大陸。他不否認非列濱駐港領事館中有人與此非法走私案有關。他指出他將加強菲律賓領事館的管理，一方面調查，他原定今日（廿六）返菲，因工作未能及時完畢，但他說如果調查工作，可延展至本月底。

×

據教廷駐港辦事處消息：教廷駐華公使黎培里總主教，即將前往東京，與日本正式建立外交關係，最近期間將在東京舉行正式之換文手續。日本與梵蒂岡之間，已將交換公使。傳該辦事處消息：否認。教宗已考慮在東京教區中挑選一位主教為教廷駐日公使。

×

菲列濱共和國工商部部長巴爾莫西達博士，於廿三日抵港，留港期間，即於次晨率同該國經濟復興委員會主席加西亞，史東，光賓飛赴仰光，參加第五屆遠東經濟委員會，該會於廿九日在仰光舉行。他說此次出席會議之主席，仍以上屆主席為主席。會中宜提出「如何加強非列濱東南亞聯繫」一案。他說經濟區包括非、日、印尼、緬甸、越南、香港及台灣。他認為東南亞地區的經濟是政治的基礎，一定要打穩。

士兵們已不耐煩這種一拖再拖的和談，聽到和談便動火。

東南亞地區經濟基礎，一定要打穩，經濟是政治的柱石。

政治又是軍事的命脈。

×

英聯合國在韓作戰達十四個月之久的第四十一陸戰隊，廿四日下午由韓抵港，乘「伊卓千」艦返英倫。該隊官兵指揮官於下午四時登岸。其中有不少是以前與朝鮮人作戰的。他們向碼頭上留港的駐港英軍表示親切的謝意。該隊在朝鮮戰場上作戰，打了不少的勝仗，但在韓戰中，傷亡亦很大。

×

莫西達博士，…… 光者。他們說他們認為和談是無法了結的。士兵們已不耐煩這種一拖再拖的和談，聽到和談便動火。

×

本屆世界兵乓錦標賽於廿四日下午由英倫第九屆大門出席，英海外航空公司領隊率男女隊員飛經香港，一行人於日前在香港乘機赴印度……

×

日本「讀賣新聞」記者西村忠郎，「新聞」記者鈴木定夫等，元月廿四日下午五時搭民用航空大隊機經港赴台。

及「東京新聞」記者，上述三人於廿二日抵港，上午曾晉謁蔣總統，日本記者首先說：「蔣元首氏人格之偉大，中國大陸之無信心，右手表示……」他們認為，蔣氏尤其遠矚，對日本的寬大政策，把握分寸，一點一點，留港四日後即返東京。他們此行是全力集中於採訪香港之情勢。（一成）

萬千青少年被奴役
馮文彬偽全會報告
形式主義實力極弱

【北平通信】最近，偽中國新民主主義青年團在平舉行了一次偽中央委員會第二次全體會議，執行屠殺全國青年的劊子手偽中央團部書記馮文彬會將「目前情況與工作」作一照例的報告。他說：「現在偽團員已發展到五百一十八萬人，各地有二十四萬二千多個團支部，在「抗美援朝運動」中，千萬「團員」已匯合其他「進步」青年「自動」湧入軍事幹部學校。而且，在部隊中「中國人民志願軍」：據馮自供：「團員」，去年即有六千一百七十二名參加了「自願」援朝運輸隊；參加「團員」則紛紛參加了軍事幹部學校和工廠中的「團員」。

，百分之九十都立了「功」。從這裏，我們可以看出，或他是用欺騙的手段，或是用威逼的手段，把這一大羣正在求學或正在就業而有其偉大前途的青年，被騙到前線去作了砲灰！他們說這就是「立功」、「志願」，是不僅如此，據馮報告：現偽中國少年兒童隊，截至目前，已擁有兒童隊員三百萬。這些活潑天真無邪的小孩子，也被中共用作工具而為「虎作倀」。

但是，馮自己坦白：單一所謂「團委」，中央「各地」，會「仍未擺脫了關門主義與形式主義的偏向」，所謂「關門主義」，就是證明青年們是無團的，青少年不是團門的，而不肯進門的青少年，所謂「形式主義」，就是證明青少年們被迫進了「團」，所以後年們被迫進了，不是自發的。這一切都無精打彩，你說什麼，他們做什麼；你要他們做什麼，他們做什麼：一切都是形式。「第二」，團的發展，快」，今天中共是處拉夫，抗美援朝是少年兒童隊員要拉夫，是很快的；在形式上，力量是很弱的。

第三，各地支團部由於組織不純，份子複雜，稍有思想的青年，都為之避若一洗。偽團中央雖說得堂皇，但實際所謂「八千里路」的教育，所謂十萬「馬克斯列寧主義」與「毛澤東思想」的實踐，但這距離還很遠。

總之，偽青年團上述三點，無怪乎偽青少年萬千數，近年數，千萬青年雖在中共，可是都同一家，大會是一羣被逼的，被威迫而不能自由的羔羊，一切沒有活力。主義，馮文彬自己說，還是很弱的。形式是很實在是很弱的，必得再作註解。我們亦不能說很實力。元月十一日寄〔一光〕

俄共「市政專家」巴布可夫現任中共哈爾濱市人民政府顧問，哈爾濱市中蘇友協副會長。他原是俄籍的，在哈爾濱特務頭子，四十多歲，性極好色，是有名的「色魔」。平日在哈爾濱的所為，深為愛國的同胞所痛恨。

在中蘇友協門首

俄巴布可夫遭狙擊

去年十二月杪（一九五一）巴布可夫在哈爾濱中蘇友協會門首，甫下汽車，即遭愛國志士所狙擊，但未擊中，飽受一度虛驚。

因中共已加嚴防，管制極嚴，哈爾濱市愛國志士活動，但中共統治以來，人民大部份對於俄籍人員情緒，極為痛恨，反俄情緒異常高漲！

哈爾濱市中共有俄籍憲兵隊，偽市長饒斌，是一個傀儡，一切聽命於俄籍顧問指揮。俄籍士兵常因見到愛國志士，便組成「籍工作人員，中蘇軍事法庭」，專門屠殺愛國同胞，同胞們血淚已深深印在同胞心坎中。（柏仲一月十日寄自哈爾濱）

黃岡有三傑
朱懷冰　萬耀煌　朱鼎卿

黃岡有三傑，一為朱懷冰，一為萬耀煌，還有一位就是朱懷冰的老弟朱鼎卿了。

說起朱懷冰，凡是湖北人，沒有一個不知道他的大名的。他秉性剛直，辦事認真，不看情面。一股硬性的作風，無論治軍和主政，都是以身作則，耿介可風。但是他的乃弟朱鼎卿，卻就大大地不然了。

朱鼎卿原是雲南講武堂出身，和共軍偽總司令朱德，是先後的同學，並且又和賀龍有過一點同事之雅。他和萬耀煌同是湖北籍系部隊的十三師起的家，抗戰初期，他就是十三師的師長。金華失守後，八十六軍調到六戰區，朱官運亨通，便不費力的接充了八十六軍軍長的職務。

朱鼎卿雖然當了八十六軍的軍長，但是在治軍方面能力很差，同時在作戰上又是一個不力的能手。有了以上二因，不惟沒有當軍長的資格，而且還時有搖搖欲墜和岌岌可危的情事發生。所幸者，他卻有一點為人所預料不到的僥倖的時運，所以能夠把他的厄災平安地渡了過去。

在隨棗會戰時，他率領着他的部隊，阻止日軍的前進，當兩軍尚在部署的時候，他膽怯識微，不能夠判明敵我的陣地，在一個夜間，他親自督促一個先頭師伏擊日軍的迂迴部隊。部署甫定，便發現了左前方的山頭上有大批的軍隊在蠢動，他性急若火，不加明辨，便下令他的部隊齊力射擊。一時兩方彈如雨點，萬分緊張，打了一夜，俟天明息戰時，派員前往偵察敵人的動向。回來的報告，使人却大吃一驚，原來打的不是敵人，而是他自己的六十七師和三十二師在自相射擊。朱聽見這個報告，頓時懊惱萬分，垂頭喪氣，偏偏得無法形容？

還有一次，是在一個曙曉時分，也正召集幾個師長於陣前訓話之際，忽然從敵陣突如其來地射來幾發槍彈。朱心驚意亂，以為日軍已突破陣地，便毫不猶疑地下令退卻，影響了友軍的戰鬥力量。本來這一次朱氏是有殺頭之禍的，可是他時運興旺，當他退卻到安全地時，適奚到上級將他調防的命令，同時命令的指定地區，也恰是朱退卻的地方。所以能够化險為夷，平安地渡過了這個難關。

這以後，又調他到秀山去剿匪，在秀山駐了一個相當時期，軍紀欠佳，致使地方人士大感不滿。鄂西會戰後，軍委會明令撤了四個作戰不力的軍，朱這一軍，就是其中之一。不過他很幸運，剛接到命令時，恰遇到勝利的整編，他便結束了軍長的職務，又充當漢口的第八軍官總隊的總隊長。

第八軍官總隊結束後，朱又奉調為漢口補給區的司令官。當三十八年，共軍渡江後，他在千鈞一髮之際，又充任了湖北的省主席，及兼任川鄂邊區的清剿總指揮。他這時可以說是青雲直上，登峯造極的了。可是他這一個省主席，統共纔管轄殘破不全的七八縣，政令僅及彈丸之地，外來的壓力，遠超過他當主席的八面威風，這使他不能不發心戚戚，難以安枕了！

當共軍進攻西南，衝破了西、秀、彭、黔，的四川大門之後，朱曾把他的流亡省府還移到萬縣，在萬縣立足尚未穩固，便又跟着孫元良渡江退卻，到了西康，孫元良的部隊已經潰退，而朱還有一批可以自衛的人馬。這時遇到共軍的包圍，本還可激勵士氣，作不成功便成仁之一戰。但是平素即欠缺與德操的朱鼎卿，便恍恍然心有所動了。所以他不思已往所承國家之厚恩，打起所謂「起義」的招牌，向共匪投降了！朱氏的無恥！眞可以說是中華民國的敗類了！（文蔚）

鼎卿獨遺臭
蠢將　將軍
敗將　將軍
降將　將軍

送舊歲

·尚方·

今天是農曆的除夕。前兩天看到海邊馬路上林立的年宵攤，纔知道舊曆年關又到了！想起兩年以前初次在香港過舊曆年除夕的情況，好像沒有若干時日，一切記憶猶新。然屈指計之，已三度年關矣。光陰似箭催人老，社會上每一個成年人，在今天都有同樣感想吧！

「荊楚歲時記」述當地歲時的風物情調，栩栩多姿，醰醰有味，實則荊楚以外的歲時風情，也一樣的反映着當地人民的文化傳統精神和生活習慣。香港是西方國家所管領的地區，由於居民十九都是華人之故，新舊曆的除夕情景却大不相同，新曆年有如「尋常故事而已」，舊曆年呢？大家「理合據情迎新春」了。祇看海邊的年宵攤，即可證明。這不盡是農業經濟社會生活所使然，民族的傳統文化精神，實有很深厚的潛在力量。因此，目前俄帝妄想以其東正教的野蠻文化來「改造」中華民族的思想和生活，嗾使其爪牙在大陸上拼命的焚書坑儒，強迫全盤俄化，那是徒勞的。不過，大陸上幾億同胞，在暴力專制淫威之下，民窮財盡，顛頗呻吟，能如我們今日在海外苦中作樂，送歲迎春的心情也沒有了，這是大家不應忘記的一樁隱痛！

前年除夕我寫了幾首打油詩，中有一首，今年還是同樣可以比賦，錄此以代送歲之詞：

百肆通衢列，萬人紛去來，趨時忘喪亂，歌舞遍樓台；爆竹爲宵鼓，明燈檻溢開，勞余胡不樂？故國多餘哀！

自由談

王小二過年

——·海文·——

說起過年，王小二算是有經驗。雖說一年不如一年，但是年年難過年年過，總算幾十年都活過了。

王小二在鎮上有間小店，破破爛爛的；賣些雜七雜八的東西，米呀，鹽呀，糖呀，紙呀，餅呀，香燭呀，錢紙呀，胡亂堆着；由小二的父親老二，老二的父親老老二，老老二傳下來，一直就是這個樣子。來買東西的男男女女，都說小二公道，不欺，價不少；一切依老規矩。照說，小二應該並沒有甚麼煩惱的。不過，以前老二、老老二都叫『老闆』，現在的小二却叫『中間剝削者』，可眞使他難過。

尤其是又過年了，小二早一個月前就在張羅着，銀錢上的事：結賬，討債，還錢；人情上的事：利是，紅包，年禮；再有修房子的事；進貨的事；小小二他媽的事。忙碌，拮据，都還不打緊。許多地方竟與往年不同，眞使小二十分心慌。

記得在從前老二、老老二手裏，廿四號殺豬，醃的醃，燻的燻，蒸糯米酒，滿屋子香噴噴的；送灶君；吃年夜飯；放爆竹；玩龍燈；過年可眞熱鬧。後來小二管事，雖說生意不好，銀根緊，也祇論如何預備幾塊臘肉，掛在棧上，替小小二製件新衣，罩住那身舊棉襖，一切總還有個樣子。可是今年就不對勁了。小二忍痛的把條棉被當了，心裏盤算，來買塊臘肉，打發過年，隔壁老李却走來對他說：『小二，當心淸算啊！肉是吃不得的』。製件新衣吧，話才出口，那邊就有人指指點點：『他有錢』。小二不懂得又是甚麼路數。

有一天，小二看見門口有人挑着一担醃雞和臘肉經過，心裏盤想：還不是有人辦年貨！於是他拉着挑夫問：『送到那裏去的』？挑夫大聲說：『農會』！小二不覺吐出一句：『會淸算的，吃不得肉』。挑夫瞪着眼道：『怕甚麼？他們是幹部，是老大哥』。把個小二可搞得糊裏糊塗了。

冬至前，小二就請人寫封信給他的兒子小小二，要他記住回家吃團年飯。往年都是如此，今年當然不例外。可是在大學讀書的小小二，却回信來說：『革命』，『批判』，甚麼『封建意識』，又甚麼『溫情主義』，『坦白認錯，改造思想』。小二可是一句都不懂。聽人說，祇曉得小小二是不回家來團年了，並且還是不會回來的。

更不好，怪的是今年小小二的媽，幾十年的老夫妻，她也悄悄的走了。有天晚上，小二對小小二他媽說：『三十夜莫出去好不好？我們兩個喝一杯，也算過年』。話可是說得委委婉婉，她却斬釘截鐵：『不行，我要上聯歡會』。小二隨便說一句：『我們到底是夫妻』。小小二他媽竟一拍：『好，你想緊迫我們婦女，新婚姻法協議去』！

談正經，這些都不談吧。往年，有些賬討進出，小二年尾總計算數，還能夠有盈餘，打打牌。今年買賣閑閒，却沒甚麼好算的。該討的債討不得，要討就要上法院，叫做甚麼『賤償』，要塡許多表，小二可沒這個膽。該還的錢沒人要，原來人都鬥死光了，『今世不還再世還』，小二心裏留個好大疙瘩。還是支援前線，捐獻，營業稅，房屋捐等等單據。肉包子打狗，有去無還，小二覺得好慘！

天色昏昏暗暗，北風呼呼的吹，冷得很。王小二坐在櫃台上，看看這間破爛的店子，屋樑快斷了，要修；牆壁損壞了，要修。修不修呢？他搔搔手在想！

愈看愈像

·夫石·

義士武松（二）

——水滸人物論之六——

·舜生·

二、武松能力拒金蓮的撩撥，在他自身的立場自然是很對的，但金蓮却不是絕對無可同情之處：當她在那大戶人家充當使女的時候，原已被這大戶的主人糾纏過，她却眼高於頂加以拒絕。因此激怒主人，才倒賠妝奩，把她嫁給武大，這算是對她一種殘酷的處罰。她對武二的一回羅曼斯，在武二視之則爲亂倫，在她則爲自救，挑武二不得，乃轉而與西門慶發生關係，這只算是她這種自救運動的延續。老實說，以一個年少貌美而又相當聰明的女子如金蓮其人，一定要強迫她『嫁雞隨雞，嫁狗隨狗』，這也原是中國舊日社會一種不合理的辦法。

三、金蓮是不是有一定弄死武大的必要呢？那個時代還沒有『史良婚姻法』，婦女並無要求離婚的自由，她不把武大弄死，便沒有放縱西門的可能，因此她之毒死武大，與武二爲乃兄報仇又把她殺死，只算是一幕時代的悲劇，固不必以此而厚責金蓮，也不必以此而嘉獎武二。

四、西門慶自是一個標準的惡霸土豪，他有錢，能結交官府，地方上的人都怕他，平日本來無惡不作，漁色猶其餘事，在那樣一種時代，自然只能希望有武松這樣的人，或『包龍圖』一類的官，把他們收拾收拾，可是這決不是根本辦法，根本的辦法在扶植善良使這班豪霸也無所施其技，單知道消極的去豪霸，不能積極的扶善良，即令豪霸不復存在，必有一更壞的惡勢力起而代之，而善良之被欺壓也如故，或變本加厲焉。

五、像王婆這樣的人，本來是中國舊時代社會一種自然的產物，有中國舊日的家庭，有不能受教育的婦女，便自然有這樣所謂『三姑六婆』的人物產生。全部『水滸傳』，只寫五個老婆子，一個是王進的娘，一個是阮氏三雄的娘，一個是李逵的娘，此外的兩個，其一是閻婆惜的媽閻婆，又其一即會賄說風情的王婆是也。前三個沒有什麼文章可做，對於後兩個，『水滸傳』的作者，却運其生花之筆，加以淋漓盡致的描寫。在二三十年前，還隨時有機會看見這類的女人，近年則已逐漸減少，大概再過若干時期，必可洗刷殆盡，我們從這種小地方，也可看出中國的社會固日在進步中也。

從打虎寫到殺嫂，這是武松全傳一個重要的部分，可是等到武松發配孟州，走到十字坡一家黑店喝酒的時候，酒店的老闆娘母夜叉孫二娘，以爲武松和解他的兩個公人，都已被她的蒙汗藥酒麻倒，又看見兩個店夥扛抬武松不動，就親自動手。『脫却綠紗衫兒，解了紅絹裙子，赤膊着，便來把武松輕輕提將起來，武松就勢抱住那婦人，把兩隻手一拘拘將攏來，當胸前摟住，却把兩隻腿望那婦人下半截只一挾，壓在婦人身上！』在上面一大段的文字，『水滸傳』的作者，直把武松寫成一個完全不解風情的硬漢，此處却把格調一變，文章之妙，眞歎觀止矣。

萬竹樓隨筆（六七）

原子能

海濱狄客

關於海牙荷蘭科學研究所主任巴尼在一月十日透露，二月十二日將在日內瓦簽訂一個協定，即在聯合國文教組主持下成立一歐洲原子能研究所。這消息最值得全世界人注意的一點：「此一新機構將只作純科學的研究」。

二次大戰中德國原子物理學者完成原子爆變實驗以來，首先見諸「應用」是長崎和廣島幾十萬生靈交付了生命那兩顆原子炸彈，後此比堅尼的試驗，去秋一連串的試驗，不外是原子武器。這說明了愈近新科學，愈給應用于殺人，使得現在一般人驟聽讚嘆原子武器，倒不知有原子科學，所以行將成立的原子能研究所，「將只作純科學的研究」這一露報導，我以爲世人應要拉長耳朵聽個明白。

然後，我憶及中國近代史中有一件大事」「五四運動」——這期間一段插曲：「科玄論戰」。

北平中央公園于一九一七第一次大戰終了後，高高豎起「公理戰勝強權」的牌坊，無疑是諷歐協約國方面的勝利。梁任公戰後旅行，作「歐遊心影錄」，愴滿目之瘡痍，痛定思痛，隱然歸罪於物質文明（首吧），一些哲學者們（以張君勱先生爲首）從而發爲科學不足以解決人類問題之論。激起科學擁護者（丁文江和任叔永先生等）痛斥玄學鬼，故非科學論者爲被「玄學鬼」附身，幾幾乎要課以誣民惑世之罪。

被譽爲「中國之蘇格拉底」的吳稚老，心擾擾地介入作調人，實則爲科學論者方面增一師勁旅，然後各自鳴金收兵。有人把中央公園那牌坊改書「科學論戰勝玄學論」；有人說，自漢世罷黜百家以來二千餘年，這時候纔再見春秋戰國學術思想的昌盛；有人自五四運動爲相當于歐洲的文藝復興，這論戰也是輝煌之一頁。要之，賽恩斯慈光普照大地，廿世紀初期總及于中國，不自外于現代文化的，誰敢不敬？然而科學者焦頭爛額之用，一一爲事業家據去作大規模屠殺，也最現實的如吳稚老，亦復無可否認。最理想同時爲着中華民族在十七世紀人家發足狂奔自己纔蹙乎落後，如今要想趕上齊驅，不容躊躇徘徊，惟有向科學一途風狂疾進。這是爲羨生說法，其實他老人家自己正是「綠滿窗前草不除」那麼怡然自得的。論戰完了，他隨即寫「一個新的宇宙觀和人生觀」那篇上十萬字的洋洋大文，可不是說自然科學爲「知的科學」，同時亦說許可一切人文科學乃至文學美術爲「情的科學」嗎？這正如數理哲學家羅素的近著「科學觀」，末了也說到如果充分科學化，則男女交合牛男育女也率循定律，人間不再有所謂情趣，如何使得？

總之，無論人永遠需要些甚麼，賽恩斯正不妨仰首伸眉，獨步世界。如果另一星球裏的社會比我們地球裏的更進步更高明，我們非仰仗科學不能去領他們的教，若是比我們不上呢，我們有責任要憑科學去提挈他們。這還只就作用而言，學之無高論，如其說甚麼爲科學而科學，倒近似玄之又玄了。

那麼，科學被利用來屠殺爭霸；科學家不能就對眞理追求也意工儀。管一粒原子炸彈已能毀滅半個城市，純科學的研究之原子能研究所還須在此時建立，在黑暗裏一閃一縷的光明終究是光明哩。

現在有大膽妄人，敢于從實科學定論來曲就他的政治理論，這荒謬比諸攘竊科學去增強武力大什佰倍，而科學又再蒙冤，豈不更其可慨！（三）

鐵幕國家賣舊貨

——·張望雲·——

東歐鐵幕國家，近爲爭取美元，把他們從中產階級那裏劫奪和沒收來的東西，包括古董，藝術品，及有價值的舊貨），大批運往西方國家銷售、匈牙利政府在去年五月至七月，清算了近五萬名中產階級，這羣可憐虫一一掃地出門。他們從前住在布達佩斯和其他匈牙利大城，現在通通進了暗無天日的集中營。他們除掉能夠帶些隨身的必需品外，其餘財物，全被政府沒收了。

匈牙利政府爲處理這些財物，組織一家國營貨物專賣機關，名叫特斯Artex公司。政府把沒收來的東西，廉價賣給亞特斯公司，再由該公司運往西方國家銷售。據說他們花上一個匈幣（值美金兩分五厘）所買來的東西，運往西方國家後，可以賣上一元美金。

這些舊貨在美國很吃香，美國公司很熱心地協助民所組織的一個舊貨協會，他們在美國市場推銷。匈牙利領事館的官員們，對舊貨也特別感到興趣。據說亞特斯公司爲恐利權外溢，攬在紐約設置獨家經營。

羅馬尼亞和波蘭的公司，也在步着匈牙利的後塵，把大批舊貨運往維也納和西德的富商，再轉運西方各國銷售。近來國際捐客大肆活躍，和他們勾當，從牛黨入於鐵幕國家的舊貨，除掉他們還有偷運鐵幕外，…

裏的逃亡客，其中有一位最活躍的國際掮客，名叫斯勒，他是維也納人，但有一位弟弟住在布達佩斯，凡是由此鐵幕內運往維也納的古董、藝術品、舊貨，由他一手經辦的，和有價值的包方式，究竟賺了多少美元，外匯那是一個祕密，但它必定是一個龐大的數字、

海隅憶語

自由人

THE FREEMAN

（半週刊每星期三六出版）

（第九十五期）

每份港幣壹毫

督印人：李光燾

社址：香港高士打道六六號

電話：二〇八四八

GLOUCESTER RD HONGKONG

TEL. 20848

承印者：東南印務出版社

地址：高士打道六四號

台灣經銷處

台北市中華路一二五九號

中國民主思想之建立

唐君毅

關于當前人類文化問題，我嘗以爲是一人之人性理性與神性如何充量發展的問題。關于中國之政治問題，我一响認爲主要是一如何自意識思想至社會生活，成爲一頂天立地獨立國家之問題。共產黨之大錯，一在其本唯物思想以統制人類；一在違背中國成爲眞正之頂天立地之獨立國家之願望。——以馬列主義爲文化政治之最高指導原則，即使中國永不能在精神上獨立，而在政治經濟上亦永不能獨立。至于政治民主及生活自由二點，雖亦可能與上列二者同樣重要。但是我一响不大強調此二點。不過大家既然都強調此二點，以對抗極權，我亦不反對。只是我認爲，我們所要爭的民主自由，第一點必須自覺的是爲求人之人性理性或人之神性之伸展與實現。第二點必須生根于中國之歷史文化（此二點可能是一點），如果只是隨人脚跟學人言語，則中國之民主自由運動決無前途。亦不配與世界之民主自由運動配合。更說不上在世界文化之重建運動中，盡其份內之責任。關于這個問題，有很長的話可說。本文只擬單就中國之民主思想何以當有一中國之歷史文化之基礎上說一說。

現在人談民主，好像民主是已有一定內容的東西。我不否認，此名詞之涵義中，有某些方面，是已確定的。但是，民主明有不同方式的民主。如從民主的政治制度方面而說，英與美之內閣制與總統制便不同。此文不談制度，只談思想。談民主思想，英美法德之民主思想哲學便各不相同。英國近代之民主思想，始于洛克。洛克所重者，在容忍之態度，在立法權之提高，立法權對于行政權之制衡作用。以每人之心爲一思想之個體，而每人爲一獨立之個體，徹底之個人主義。故同時特重財產之觀念。他並以政府之至要任務，即保護財產。後來邊沁穆勒特別著重民主的立法。但他們之哲學理論變了，而立法所著重之點亦變了。他們之哲學理論是承繼休謨，而體樂了心爲一實證之觀念，而以人心爲無數經驗之和。人之經驗中，只有快樂之經驗爲可欲的。故一切政治經濟之立法，重在讓人自由去求快樂，求對其自身有利者。（此即自由的資本主義之理論基礎）。民主立法之目的，在社會之總量的快樂之增加——此即社會福利之增加。此社會福利之概念，復爲後來之社會主義所承，而孕育出英國式之社會主義思想。現在英國之自由思想，以羅素之提倡民主爲代表。而羅素之講民主，乃承洛克而特重對於政治權力之限制一面。他是特將政治權力之有無限權力之爲害于個人之自由生活，而講民主。」至于美之民主思想，則雖源于英法，而重點並不與英相同。美國之開國者如傑弗遜之思想，主要乃本于洛克。盧梭之平等思想亦促成美國獨立之一思想。盧梭之重個性感，重自然，重人道，均與洛克不同。美之政治思想至威爾遜，而明主張以生物學之有機原則，代替物理學之原子主義的個人思想，同時漸離了洛克之個人主義。美人諾斯諾圖並謂羅斯福新政之思想，即由此有機原則之觀念而來。至于現在代表美國民主思想之思想家，通常推杜威，或溯至詹姆士之多元的宇宙。宇宙多元，一人一世界，正是民主之基礎。杜威論民主，所著重者與洛克羅素都不同。杜威講民主主義與教育，著重者在民主之培植個人的創造的智慧，自動自決的試驗精神之興趣，個人之在社會環境中活動。此與洛克之講民主重個人財產保障不同，與羅素之重「個人的思想的天地」之保持，亦不全相同。

此外法國[illegible]亦是近代民主思想之一源地。法國大革命[illegible]盧梭伏爾泰及百科全書派[illegible]的共產主義，無政府主義，均直接由法國之浪漫的平等自由思想脫胎。中國的共產黨，亦以勤工儉學生爲一先導，可見法國之民主思想，又另是一種形態。

德國思想被英美思想家放在極權陣營，實則並非公論。近代宗教改革，路德是重要的人物。宗教改革，表現對個人良心之尊重。此正是近代西方民主思想之本原。[illegible]康德之倫理學[illegible]黑格耳、菲希特等，比較更重視國家之實在性而已。

至于我國所奉之馬列主義，誠然爲反西方民主者。因爲列寧曾明白說，在有階級剝削之社會中，一切民主是虛假的。只有在共產主義之社會中，可以有民主。然而到此社會，亦不須再有民主。因人人各盡所能，各取所需，一切都可滿足了。然而現在蘇聯，仍自稱爲最民主的。他們亦不敢輕棄此名詞，亦有人稱之爲經濟民主而無政治民主者。

我上文約略說了西方各國民主思想之不同，是要證明同一民主思想，可以有不同的內容。而此內容之不同，吾人如再加考察，便可見其反映各國之歷史文化背景，及其他思想背景之不同。同時，我們尚可由此民主思想之不同，去看各種的民主政治制度與立法之不同。于是我們可以說，中國如要有民主思想民主政治，保障民主之法律，亦必須有其特殊形態，而與中國之歷史、文化、思想、社會現實配合者。如果我們要取西方民主思想之長，以補我之所不足；我們亦要有一番抉擇。繼續的說，輸入西方之民主思想，學西方之民主是行的。究竟我們是學美國呢？英國呢？法國呢？德國呢？我們是洛克的信徒呢？杜威的信徒呢？盧梭的信徒呢？或都是呢？我們爭民主是如盧梭洛克傑弗遜之爭天賦人權呢？是如羅素之爭個人生活之自由呢？是如康德之爭人是一目的呢？是如邊沁穆勒之爭自由經濟制度之施行呢？如杜威之爭個人之創造的智慧呢？這些觀念各不相同，引申之涵義，我們亦必需有個選擇或自己的綜合。不然我們爭民主，即無理由，無理由，則無力量。最後只是隨人脚跟，學人言語。如此中國民主運動亦即不能有前途——恐終于只是以民主爲口號，吵吵鬧鬧而已。我希望特別關心中國民主運動之前途的人，多在此用心才是。

我此文只是提出一問題與希望，而無答案。我不願輕率的提出答案。我希望人多想想。人能多想想，便少作錯事，少害人誤國。中國數十年來人之輕率談政治者，罕有不負直接間接誤國殃民之責者。但如果讀者一定要問我一答案，我亦可獨斷的說：即我相信中國如要有眞正的民主思想，必須在中國思想中生根，但不能在中國思想中之先秦法家思想中生根，而須在中國之儒家思想及道墨二家思想之一部份生根。中國民主思想，所依之最高概念，當則爲——或包含——中國古所謂人性之實現與人文之化成。我想由此二概念內容之全幅的披露，並加以引申，便可以涵蓋並攝取西方民主思想之精髓。至于爲要實現政治民主于中國，是以妨止政治權力之無限的膨脹，而又使政治有效率；則係于超政治，或政治以外之社會文化力量之興起。如果中國社會永無相對獨立的社會文化之力量，中國政治要有效率，而又民主，是很難的。這些問題都極複雜。我的獨斷的答案，如離其內容，亦無甚意義。此答案之提出，亦不過與好學深思者一暗示而已。

埃及的紛擾

果如我們所預料的（一月五日本刊第八十八期），那哈斯領導的埃及國民黨政府終於倒台了。法魯克國王任命無黨派關係的阿里．馬赫爾（Aly Maher Pasha）組織內閣，並且下令薩德黨（Saadist Party）、自由憲政黨，民族主義黨，柯特拉黨（Kotlist Party）四個少數黨的總裁哈第（Abdel Hadi），海卡爾（Hegzal），拉瑪丹（Ramadan），馬克蘭（Ebeid Markram Pasha）一律參加，藉以形成舉國一致的局面。

促使那哈斯政府突然崩潰的直接原因，是上星期六日（一月二十六日）開羅發生的大暴動。開羅市區中心的希巴德旅館（Shepherd Hotel），米特羅戲院（Metro Theater）都被放火焚燒，槍聲四起，騷亂情形，簡直不堪想像。凡是到過開羅的人，大概沒有不知道希巴德旅館的，那是一座具有歷史性的建築物，拿破崙遠征埃及的時候，即曾以希巴德旅館作爲他的行轅。一百五十年來，多少王公將相出入其門；它的每一個房間，各有一頁煊赫的紀錄。希巴德旅館竟被火燒，足見大暴動的嚴重景象。煽惑暴動原是那哈斯的看家本領，不幸玩蛇者乃爲蛇噬，這就是法魯克國王採取斷然手段的理由，就是說那哈斯已經失掉控制社會秩序的能力，那哈斯必感慨萬千。

新總理阿里．馬赫爾是埃及政界的元老，法學權威，他的名譽甚至還在柯特拉黨總裁馬克蘭之上。第二次世界大戰爆發的時候，他是埃及總理，因爲思想上傾向軸心國家，所以，一九四〇年一月，慘遭撤職囚禁的刑罰。後來，他住在開羅柴瑪里克(Zamalek)的別墅裏，深居簡出，可以說沒有絲毫的活動。這次把他邀請出來，一方面因爲他是公認的極端民族主義者，反英是不成問題的，至少沒有人敢懷疑他是親英份子；另一方面，他比較年輕（六十八歲）；而在元老中，身體的強健，以及精神的旺盛，更遠勝其他的元老。他的長兄阿赫墨．馬赫爾（Ahmed Maher Pasha）是薩德黨第一任總裁，一九四五年二月正做內閣總理的時候，遇刺身死。兩個人的名字甚相似，很容易誤會。

日下埃及議會是國民黨的天下，擁有絕對的多數。不過，薩德黨，民族主義黨，柯特拉黨都是從國民黨分化出來的；自由憲政黨是代表地主階級的政黨，也以民族主義爲第一句口號，在本質上，與國民黨沒有區別。馬赫爾已經聲明，他的政策，和那哈斯完全一樣，就是要達到撤退蘇彝士運河區英軍，及合併蘇丹兩個『埃及民族的最高目的』。那哈斯也說，馬赫爾對他有過鄭重的諾言，絕不違反『埃及民族的共同願望』。所以，現在埃及議會是全體支持馬赫爾的。法魯克國王此次干預，大體上收穫了意外的成功。

然而，馬赫爾既與那哈斯走着同一的路綫，那哈斯的下野與馬赫爾登台，對於英埃糾紛的解決，也就毫無補助。英國輿論頗多寄厚望於馬赫爾者，恐終不免空歡喜一場。倫敦報紙已在譏笑英國的愚笨，埃及報紙似宜先作詳細的研究，再表示態度。

現在最緊要的一點，是埃及社會秩序的恢復。馬赫爾說得好：『沒有一個民族，可以在紛擾中實現其理想』。如果他能夠憑其掌握的大權，把社會秩序安定下來，也許英埃糾紛雖不能得到根本的解決，暫時的平息，是可以做到的。埃及的陸軍和警察皆甚可靠，馬赫爾必會善爲運用這兩件工具的。像上星期六的大暴動，不應該重演，否則，我們深慮英國在迫不得已的情形下，佔領蘇彝士運河，開羅，亞歷山大三角地帶，那時候，英埃糾紛將不可收拾了。

紛擾足以招致亡國之巨禍，法魯克國王是相當英明的，他分清楚局勢的嚴重，所以他毅然罷免那哈斯，任命馬赫爾。

凌乃銳

時局漫談

舜生

今年會不會有大戰？

今年眞正的危機在中國大陸與日本，中共政權繼續存在於大陸，日本所遭受的威脅日有增加，遲早在亞洲總要弄成一場大戰，但看樣子依然不是今年的事。

蘇聯利於用她的衛星國在四處騷擾，而不利於自己出馬，假定韓戰再繼續下去，美國在事實上將忍無可忍，最低限度必炸東北，或進一步助台灣反攻，如此，則蘇聯勢難坐視，大戰便可能起來，這不是蘇聯所願意的，因此韓戰可能暫告結束。

所謂暫告結束者，決不是問題的解決，韓國問題不到最後的總決算，終無徹底解決之一日。蘇聯的戰略之一，便是保留原有的問題不解決，更製造出無數的新問題，如此則利害錯綜，關係複雜，其目的在使民主國家增加困擾，而窮於應付，如此乃於蘇聯最爲有利。

蘇聯在韓戰利用中共，如戰至現在爲止，可謂恰到好處：因爲中共在韓作戰，固然不能說是勝利，但可以說沒有全敗，而且在事實上關於空軍的增加與陸軍的裝備，已相當加強，能在此時暫告結束，則可能提高中共的信心，換言之，即不難繼續加以利用；如在韓國一地把這一工具澈底加以損壞，則將使中共[illegible]心灰，甚至增加她內部的矛盾，這不是蘇聯所願意幹的，此亦韓戰可能暫告中止之一因。

但蘇聯決不能使中共長期休息，因爲必須使中共向各方面繼續發難，才能維持她對蘇聯的倚賴心，因而才可能加強對她的控制。在中共自亦樂於效命，因爲一個不穩固的政權，必須對外闖禍，才能加強對內的權力，一面在控制黨，一面在便於繼續壓榨老百姓。

然則在韓戰暫停以後，蘇聯對中共的第二道命令是什麼呢？有人說將命令中共攻台，我看斷然不會：攻台是一件大事，不但台灣自身的力量不可侮，美國也斷然不會放鬆，如此，則決非單靠中共所能勝任，蘇聯非親自出馬不可，蘇聯何時出馬，即大戰何時爆發，蘇聯決無因台灣問題發動大戰的可能，即無命令中共攻台之理。而且把台灣留下，毛澤東即寢饋不安，非好好賴在蘇聯懷裏不可，台灣誠於中共不利，但於蘇聯何損？於蘇聯沒有切身利害，她是決不使用她自己的本錢的啊！

然則會不會命令她攻香港呢？斯大林不是笨伯，毛澤東也不完全是傻瓜，在今天要以十萬二十萬的兵力來攻香港，其結果爲英國撤消對中共的承認；爲促成英美對中國國民政府恢復原有的關係；爲其他國家響應英國而撤消對中共的承認；爲使英美對遠東問題的步調完全一致；且進一步將加強合作；爲促成美國對中國大陸徹底封鎖的執行；爲使英美一致主張台灣立即反攻大陸；看似一件小事，實是一件大事，害十而利不一，他們爲什麼要[illegible]

[illegible]在蘇聯的眼中，印度比任何一地都重要，[illegible]但他們的行動總不能不愼重，不能不延長，則大有可能；說韓戰今天停止，東南亞明天便會有另一火頭出現，這並不是一種太正確的看法，但形勢必然更緊張，則是無可否認的。

今年是美國大選的一年，是台灣積極籌備反攻的一年，是日本和約生效的一年，是歐洲各方面不斷發生事件的一年，是蘇聯繼續向遠方滲透的一年，[illegible]但和平之神也不會有；和平攻勢雙方都不會放棄，但任何解決問題的結論也不會有；總而言之，大戰在醞釀，必須等到某一方面的破綻，或某一方面感到非常的疲倦；[illegible]我們的精神要忍耐，要積極，我們的心情要鎮定，一九五二年最後的勝利是我們的。

歐洲防禦先決問題
德法利害必須協調
防守戰略亟待確定
邱吉爾與艾帥有決定作用

邱吉爾在華盛頓的商談以及艾森豪威爾元帥在巴黎默然承認他將出任總統候選人兩事，又再度強調了西歐在一九五二年所面臨的危機。

邱吉爾是一個果斷的理想主義者，他充分了解在世界政治的均勢中，軍事力量是如何的重要。艾帥又是保衛西歐軍事機構的創建者。他們兩個人都知道作大決定之時，就迫在眉睫。

可是就北大西洋條約國家的觀點說，一九五二年的開端並不順遂。保衛西歐根本是緊諸陸上的力量，較一切其他國家必須多多負起保衛西歐責任的兩國，是法國和德國。

法國處於另一次政治危機的威脅之下，甚至沒有能完全達成一九五一年北大西洋條約組織計劃的一般目標，同時法國本身一九五二年的目標，也暫予縮減。目國內部的經濟問題，越南戰事及其對軍官與非戰鬥員的需求，以及美國沒有能如所希望，供應大量武器和裝備，部份地說明了何以法國是遲遲落後。

但法國本身對此需要負更大的責任。政治的動盪，領導的無能，以及一些國民的冷淡情緒，有力地阻礙了法國軍事力量的發展。因此，預定於一九五一年底須與完全準備好十師軍隊（五師現役五師後備），法國只準備了五師，其他五師僅裝備好一半。原定一九五二年底準備好十五師軍隊的目標，已改定爲十二師了。

啓蒙，西德武裝部隊一師也沒有。若不

歐洲保衛關鍵在德法
邱吉爾訪美意義重大
歐洲戰鬥力可望增強

由於邱吉爾的訪美，內各種會商，則德國以及歐洲方面所進行，在今年一建立得多少師的軍隊，便毫無希望。

就形勢言，在今後諸月中歐洲方面的戰鬥力必然增強。美英軍隊將增防德國、奧國和的畢雅所德，俄國向西方侵略行動，將也就是和美英軍隊交戰。

然而這樣一種阻力只可能是暫時的。美軍將不能夠永久駐守德國，西歐必須負起其本身防務責任。要想由意見紛歧，而習於猜忌的各國發展出一種聯繫合作的西歐防務，是有其困難的。這點，已由西歐——比利時、荷蘭和盧森堡——極急於贊同歐洲聯軍計劃的心理，明白指出來。

反對的立場不只是政治的，心理的和經濟的，而也是戰略的。戰略的根本問題，乃是想在那裏防守，以及如何防守西歐。

比荷盧懷疑法國立場
俄德對法同具威脅力
小國贊成史培德戰畧

比利時，荷蘭和盧森堡相信歐洲聯軍，在成立初期，將由法國控制。她們覺得法國一心所顧及的乃是保衛法國的邊疆和法國的利益。

法國認爲在兩次戰爭中，能夠避免重大的損傷，全憑法國左翼的向北伸展。法國也認爲潛在的敵人有兩個，一是德國軍國主義的恢復，一是侵略的共產主義。兩者正是具有同等威脅性的敵人。在這種情勢下，諸小國家覺得法國關切建立一支歐洲聯軍的主要目的，是欲藉其控制德國，並保護她自己的領土，而不是爲了防衛西歐或北歐。

另一方面，荷比盧所贊同的戰略觀念，乃是依據前一德國將領史培德的意見，若干美國軍方人士對於這種戰略，有良好的印象。此項戰略展望到俄國在德國北部平原發動攻擊，對方是一支力量單薄的掩護部隊，採取延宕戰術，向西且戰且退。對俄國侵略西德的主力打擊，將由阿爾卑斯區域準備好的實力陣地，和丹麥德國西北和荷蘭（後者由荷蘭的泛濫設施與丹麥相聯繫）加諸俄軍側翼。

假如史培德的盟國防禦理論被採納，就將需要大量德軍，因爲對俄軍先頭部隊的側面攻擊，須由富有場（即在德國）的軍經担任。另一方面，歐洲聯軍計劃，企想速用每一會員國的多備師。假如法國的疆界並防禦，此項計劃便能夠圓滿推行。

但如史培德所擬防衛西德和北歐的計劃，被採爲戰略觀念，那麼在歐洲聯軍計劃下，至多是難於動員後備師，並從法國，義大利和其他處將各後備師夠快地運出，作爲駐於阿爾卑斯區和德國西北部爲實施此項計劃所必需的側翼部隊。

因此，邱吉爾和艾帥所面臨的一些根本問題，乃是如何使法國和德國迅速強大起來，以及應該如何防衛西歐，並在那裏防衛西歐。（譯自一月八日紐約時報記者鮑爾溫作）

和人民在一起的
李·維·諾·夫

馬克齊姆·李維諾夫的死訊，不久以前，已由莫斯科宣佈了，多年來他是一個體力孱弱精神萎頓的人。

在共產黨制度中，李維諾夫從沒有得意，儘管作爲一個眞正老牌布爾希維克黨人，他的記錄是純淨的。他担任過重要的外交和內閣職位，可是他從未參加過政治局和中央委員會的內層會議。李維諾夫是個猶太人，他被免除外交委員會委員長職務時，有關希特勒與史達林祕密協商訂立一九三九年條約一事正巧初露端倪。其後李維諾夫最後所担任的重要公職乃是在戰時出使華盛頓，在那裏，他的姓名是爲人尊重的。

本文作者和他所作的最後一次長時間的談話是在一九四五年四月五日，距歐戰結束一個月多一點。李維諾夫那時任外交次長，穿着當時俄國外交部職員的新制服。他配帶着將官級的肩章，但看來是縐痕纍纍：絲毫也不考究這些。灰色的外衣被大身架撐得臃腫，衣襟上還留着食物的斑斑。

他不注意什麼制服，也不多理會隨革命而產生的極權裝飾品。他對於十分的抱怨，莫斯科新聞局的行爲，以及對通訊所實施的檢查。

「我始終是喜歡和記者們作坦白的談話，」他接着說，「可是現在我只能以一個老百姓的地位發言，一點也不加聲張出去。當年我在華盛頓時，情形是兩樣的。」

他在他舒服的辦公室裏，來回走着對我說，他在獨佔兒爲戰後問題工作（賠償問題除外）沒有人聽他的意見，對他是一點也不注意。

他說，他深信東西盟國間情況發展得很壞，他對於任何新安全組織的前途悲觀的。他認爲舊金山會議開得過早，因此處境不利。

李維諾夫承認他和一切新聞是隔絕的，雖然他是重要的官員。舉例說，在我訪問他的那天，狄托來到莫斯科，可是李維諾夫一點也不知道狄托就要到達。俄日條約也是在那同一天公開宣佈，李維諾夫同樣是不知道莫洛托夫已經將這一件事，預先告知日本駐俄大使佐藤。

他沉悶地握緊又放開他短肥的手，他說，「情勢發展得很壞。首先是西方國家有錯誤而激怒了我們，我們犯錯而激怒了你們。」

我在告辭後感到李維諾夫是個不平凡的預言者，他是鬱悶得很。他沒有這樣明白說出，但他似乎是認爲更糟的困難就將發生。他是一個心情惡劣憤世嫉俗的老革命者，寂寞而孤獨，他知道他已當夠了。

不到一個月後，我又看到了他。那是一個熱鬧的日子，赤色方場舉行勞動節大檢閱。柏林已被打下，納粹投降在即。主席台已經坐滿，上面坐着的只有俄國的高級官員，外交使節和少數新聞記者。

李維諾夫出現時，他向無數相識者低頭爲禮，和藹得很，到處走走和人握手，隨後就退到台下的方場，和些不重要的黨官，警察以及「無階級社會」的其他低層份子站立在一起。

問他何以不上主席台去坐坐休息一下，他回答說，「不要，我就在這裏——和人民在一起。」（紐約時報駐歐特派員蘇資柏格作，載一月三日該報，大中譯。）

孔夫子世紀來臨是東方的內聖綜合西方的外王

此一現實到理想的道路，亦正係「世界一家」思想所追隨者，而決非挑撥哲學強迫接受所能達到，亦正是「人本」「人文」和「民本」哲學之中庸常道。

·陳自平·

民主評論復刊號有一篇徐復觀先生中國傳統儒家思想的銓釋，讀者以爲是一個可以評爲討論的題目；因爲我們是不能完全脫離歷史因素的影響的。所以澄清歷史尊面目浮淺，再吸收西方文化的精髓，正是當務之急。對傳統的認識，作更爲深入的討論，是應該的。當然，談「思想」，就目前說來，却是有些「理想主義」「烏托邦」的色彩。但是，這些色彩，却是現時代所缺如而應該大大予以闡發的，至少，在理論上，是應該予以重訂的。

儒家思想是構成中華民族精神的主流，數千年來，它給予華夏民族以頗爲自安的生活。一八四二年以後，西方文明的冲激，帶來中華古國的紊亂。（當然，西方文明傳入，不自一八四二始）。第一次覺醒的結果，是「中學爲體」「西學爲用」的變革，而有同治新政的發生，清廷立憲的發生。第二醒覺，是革命成功以迄北伐的西方制度的模倣。北伐以後，是西方精神的孕育期，以迄中華大陸的黯然失色。第三，覺醒，還該是東方中國儒家做人哲學的發揚光大，與西方政治制度在中華古國的重建（此係筆者狂妄而胆大的提出）。

關於前二個時期論文頗多，毋庸贅言，而目前所臨的第三時期，却甚應該予以述說的。二千年來儒家傳統是以人倫政治倫理爲出發，政治爲收斂，是適合匱之農村經濟社會結構的結果，所以，在安定中緩慢的進步。春秋戰國，諸子百家爭鳴，而僅儒家思想在歷史上發生了作用。法家自商鞅，王莽以迄王安石變法都未發成就，受匱之農村社會結構的牽制原因實比較爲大。這是趨緊的「勢」，不從結構——「勢」上去「拔」或「變」，傳統是很難有大的變動的。所以「德治主義」，以至于人治主義，抵不住西方文明的誘惑與突入，終至近百年來，失了東方文化的精神，而成靈魂出竅的狀態。儒家內修政治哲學的無爲散漫形式，在政治制度上，不能有創造。「德」的感召，當然高於以「制度」限制的防止邪惡；但沒有「制度」的限制，邪惡容易猖狂。外來的引誘，內在的匱之，本位精神及外來精神之未得綜合，堆積成這次空前流血大變動。以「做人」一觀點，以「爲政」的觀點，就傳統政治思想說，外來政治思想說，這種過份流血的大變動，是相反「人性」，不合時代政治思想，政治制度的。共產主義的必定走向滅亡的道路，其理論根據就在這點上。

「君君，臣臣，父父，子子」，以至於「修」「齊」「治」「平」的政治哲學，延長爲「窮則獨善其身，達則兼善天下」，是在匱之現狀的維持，本份上打圈子的，在內修上下功夫的做人哲學。此一倫理政治哲學，正以農立國「靠天吃飯」的常理。在農村，惟有互相合作，日出而作，日入而息，才可獲一溫飽。雖然難免含蘊過份「懶散」，卻是一統帝王，所以直到船堅砲利的歐人東來，才破壞了平靜的原因。

儒家的「德」的個人內修功夫與西方的賢人政治（Philosopher King）的政治思想（Republic Politias），以「人性」論，只道着眞理之一面。人有良莠不齊。性惡，性善，雖然是孔子門人孟子、荀子爲先師分析理論的結果，卻由時代的佐證，反說明了孟荀之偏。「性相近，習相遠」，「人性」非性善或性惡，而是「相近」相似的。以惡意對人，人恒以惡意相報；以善意對人，人亦終至有善的報償。「習相遠」，是外界制度的限制而發生之歧異。人之「性」，受內發的善惡與外界環境因素所導致。孟子主性善而使人爲善，荀子主性惡的建立「法治」的法家思想，（荀子精華在解蔽，而荀子法治思想不能爲中國政治創積極制度，正因社會結構不適于法之蔽）。均失孔子「性相近，習相遠」的眞形。中國倫理政治之所以于近代屢遭坎坷，並非內修之「德」有所不足，而係自西方思想外來後，「匱之現狀的維持」之不足以標榜于近代世界。時代已經推進到由「匱之」的與人爲善，而更要防止「邪惡」滋生的民主「制度」了。

內發的政治思想，治者內發的功夫是消極眞理的一面，「外在的限制」是制度防弊的積極眞理一面。儒家政治思想與制度的精華，光輝史册數千年，而在近代，卻需要融合西方思想來「外王」「內聖」了。

西方政治思想與政制，遠自希臘，即已覺定外限的制度。政治論（Politics）所以將「政治制度」的結果分成兩種類型：以一人，一族，一羣衆爲良好之政治體，稱作君主開明，賢人政治，民主政治；而其惡果則爲暴君政治，寡頭貴族政治，與暴民政治。這是在制度上觀，亦是從外向內看。

工業革命以後，西方社會結構迥異于中國，西方所謂「資本主義」社會制度，並非功利色彩極濃，但工業革命的結果，非導致「物」的匱之，而是在物的恐懼。此點正係共產主義以「進步」號召，而在「匱之經濟社會」得勢一時的原因）。生產方式的陸續變動結果，「分配」需求重訂。此一問題，係「人」之問題，非「匱之」而必要從事「鬥爭」，才可解決。

西方政治制度之「三權制衡」輔以多黨政治的法治與憲政，從倫理一角度視之，沒有向它歌功頌德之餘地。但，此一可被惡意詬詈之「制度」，在「制度」的限制中，却超脫「東方所已遭受了的「窒能痛苦」。「惡」的防止，從個人主義的自由競爭，以至功利色彩，不講道德的膨脹，由于法治與憲政的限制，對在政者，對被治階層，有了一個最低限度的防患。在政者不能超出憲政而「獨裁」；而在野者更以功利的原因，在政黨——多黨政治的輔助下，儘可不必「鬥爭」流血而破壞了人所需求的最低標準。

西方從自然法（Natural Law）以迄契約論（Contract Theory Of State），政治思想與制度，雖經修正，仍然是走個人「自己獨立自主權利」的引伸與擴充，政治體的「權力」制衡，外觀的政治外限，做人的道德精神，確是欠缺。西方社會主義思想之歐化，亦爲此一欠缺之問題。蓋「做人」原係「人文」「人本」「民本」之盡善鵠的。道德自覺之不足，正爲西方非倫理法治政治之弊端。近代拉斯基的多元政治思想，超出了現實世界的需求，而又被拉了回來。激進社會主義思想，盡是發揮非資主義的挑撥，而不得逞其使倆，正是「法治」「憲政」——此一西方社會結構，在「防惡」作用上，樹立它的功績，安定中有了進步。資本主義也在轉變中。理想與現實，在調劑中，邁齊常道緩步行進。而「人性」的開發，必待文化交流綜合，才可深入。

社會結構東西有異，政治制度有別，基本精神不同，儒家政治的「推己及人」的倫理政治思想，在「天下爲公」的所謂理性早熟的中國，對世界，仍只是理想。所以個人的經「修」「齊」而後治平的「大道」思想，此一理想，應該是人類共同的做人抱負；而適應時代的政潮，必自「實際」中求得超脫的進步。西方自由競爭以迄政制的「法」之最低防止，正是東方儒家思想所缺如的。而中國政治由德治人治而法治的現實，亦正需一非僅止于儒家消極一面的「內修」，而西方的物質「文明」「功利色彩」（對社會制度言，係必然發生的功利，與權力之制衡），有待東方文化的冲積。孔夫子世紀來臨，是東方的「內聖」綜合西方的「外王」。此一現實到理想的道路，亦正係世界一家（One world）思想所追隨者，而決非挑撥哲學強迫接受所能達到，亦正是「人本」「人文」「民本」哲學之中庸常道。

中共政權下農民生活
獻糧借糧獅子大開口
吃糠吃豆梗度過春荒
三千萬地主上望蔣台

中國大陸上，目下正遭遇着歷史上空前未有的浩劫，在竹幕以外的人們，是可以聽到而不能見到。我是一個虎口餘生的人，不但看到而又曾親身領略到。這裏，我隨手就見聞所及，寫了幾件事實。如果中共朋友們認爲它是事實，不是向壁虛構的話，則我們要生了一個疑問：中共在大陸上的一切作爲，是對付着本國的人民呢？還是在對付一個被征服的奴隸呢？

「土改」後的農村，人民都勒緊了肚子，稱得的糧食要「繳公糧」。「繳公糧」沒有一定的額數，一般的情形要佔全部收成三分之二；此外，「獻糧」「借糧」「支前」名目還有很多，陸陸續續的由村幹來榨取，變盡方法，總要把農民的糧食全部搜光，才肯罷手。

豬羊、雞、鴨、蛋之類，隨時有被徵作「勞軍品」的可能，稻草、麥草、柴和糧食一樣的比例攤派！每次接受這種分配的時候，還要表現得非常愉快，否則便是對「人民」太不忠實，說不定就會被鬥爭一次。

在新「解放」的地方，農民們還盼望中共來到可以享些太平福，抱的希望很大。既來之後，索糧索款索柴，造無窮日；而且是「獅子大開口」，說出來的數字就嚇死人，弄得這些農民們，冷水澆頭，大失所望。其他較爲貧瘠的省份，更不問可知！中共搜括手段的高明，可謂史無前例。

在華北，多少年以來，人民就在半飢餓的狀態中煎熬着，每年的春天，都要吃糠、吃榆樹皮、樹葉、豆梗、紅薯梗。中共對於這些事並不諱言，在地方性的報紙上，每到秋後，都要號召農民，把上述這些東西曬乾、儲存起來，準備度「春荒」；現在這種情形已經蔓延到了大江兩岸。

不久以前，香港大公報發表了一篇湖南通訊，說毛澤東故鄉湘潭的人民，爲了「大力支援前綫」，將可以自己吃糠，把糧食「獻」了出來。這個是不打自招！像這些魚米之鄉的地方，過去是有名的「湖廣熟，天下足」，人民都逼得去吃糠。

去年冬，我在東北鐵嶺一個農家裏，借住了兩晚，這是一個中年夫婦帶着四個孩子，大的已經十歲，小的也有三歲。他們分得的土地，據說有十多畝，我看他們每天吃飯，都是用高粱米熬成很稀的粥，米和水是一與三之比。每次開飯，孩子們總是吵吵嚷嚷，作了一家主人翁的男子，總日辛勞，還要由主婦特意撈些稠的給他吃，以便支持他的體力。所以孩子們夜半醒來，經常餓得哭哭啼啼，聽去覺得無限悽慘！

在河南信陽，一家出征軍人的家屬，據統計全部麥收，不過六十二斤，第一次繳公糧，就被評了四十斤去，剩下來的能夠吃幾天？還要留一些作種子，還要應付未來的攤派，每天能夠吃粥，已經算是難能可貴了。

農民們的家眷，

據故中共中委任弼時的「土改」報告，估計全國「地主」要有三千萬人，被鬥爭清算的人，並不限於「地主們」，什麼「惡霸」、「特務」、政府官吏、士兵、保甲人員……舉凡不能和中共同流合污的人，都有被鬥爭清算的可能。鬥爭清算的方法非常殘酷，中共認爲祇有這樣才可以「打下『地主們』的威風」！在今天的大陸上，打死人，殺死人，逼死人的事，隨時隨地，都可發現。這些無辜的人們，祇有怨恨自己「土地太多」惹了禍。

在華北，最盛行的一種方法是「望蔣台」。把地主們綁起來，用繩索吊在高可遠眺的旗桿上，在這時還要問他：「看到蔣介石沒有」？無論你答覆「看到啦！」「沒看到」，或是默然不作聲；都不會得到共幹的諒解；然後把繩子一鬆，讓人迸裂的跌死在地上。家屬們必須遠在一旁，等候收屍。也有用騾馬拖死的；也有活埋的；也有用石錘壓死的；（在晉冀魯豫邊區下煤窰不准上來的）太行山麓那些地方，都是這樣）花樣繁多，出乎人們的想像之外，我們祇有用「不可思議」來形容他們了。（黎健）

香港三日

香港亞細亞火油公司屬下第八十號油輪，於廿五日下午一時由港駛往澳門，輪內載有汽油三百餘噸，爲澳門電力公司所訂購者，經萬山風海時，爲萬山中共炮兵部隊射擊，船主以所載均屬汽油，深恐中彈起火失事，乃駛往該島，迄今仍無下落。據本港該公司負責人稱，該公司已電北平英駐華外交代表探詢。目下所獲得最近之消息，全船汽油一千八百餘桶已遭中共充公，第八十八號油輪已押至澳門對海灣仔海面停泊，是否得能獲釋，尚待中共廣州當局處理。據該公司負責人表示：前途兇多吉少。彼等認爲此與中共永灝油輪爲英方徵用有關，可能是一種報復行爲。

×　×　×

新任英軍駐港總司令陸軍中將艾利爵士，於廿六日搭英海外航空公司客機經曼谷抵港，繼伊文思中將出任上職。艾氏下機後，即舉行記者招待會，簡單說明渠能自歐洲奉調至港，至感快慰。有位記者問他：「你對香港的防禦有什麼感想」？艾氏毫不猶豫答道：「我是軍人，我的責任是保衛香港，我可以告訴你，香港的防衛很好」。又艾氏前任伊文思中將已於昨日（廿九）飛英，定三月初赴歐出任艾帥總部副參謀總長。

×　×　×

纏延近兩載之兩航資產訟案，廿六日上午十時香港高等法院由高級法官史高勒司葛蘭德組合議庭審訊，美民用航空公司仍延麥亞利子打，麥克尼及來德三律師出庭，提出對二審判決「維持原判」不服，擬向英最高法院提請三審之訴。庭上經會議後准予上訴。事後據麥克尼律師表示：三審之訴一定可以勝利，因民用航空公司提出之理由，在法律觀點上可以站穩。

×　×　×

今天的世界，正是需要彭慈的哲學，來發揚人類高度的人性。

壬辰元旦，青天白日滿地紅國旗，在港九各地，到處飄揚飛舞。

壬辰元旦，港九各處自由工會，一如雨後春筍，通街大衢，很多商店懸掛中華國旗，鋼鑼繚繞，旺角一帶的水上人家桅桿上全是青天白日滿地紅國旗，在和柔的陽光與微風飄揚中，遠遠望去，其景其色，令人鼓舞。許多流落在香港的外來佬，在吃年夜飯的時候和次晨元旦拜年時，總是一拱手便道：「預祝今年我們可以勝利回大陸」。

×　×　×

旅港蘇格蘭僑民二百餘人，於廿六日晚假香港大酒店屋頂舉行蘇格蘭大詩人彭慈（Burns）第一百九十三年之生辰詩歌朗誦會。由彭慈誕生地愛阿（Ayr）教堂牧師麥唐納講述彭慈的哲學思想。他說：「彭慈是生於教會氣氛很濃厚的家庭中，他的詩是宗教，婦人，田園，山泉[illegible]的，彭慈是一個樂天知命的人。他是一個提高人性至上的導師，今天的世界正需要彭慈的哲學，來發揚人類高度的人性」。會中所朗誦之詩文，均爲彭慈之作。詩酒之餘，欲醉欲狂。英軍風笛鼓樂隊在場奏蘇格蘭之樂，倍增情趣。

×　×　×

由台抵港之日「讀賣新聞」東南亞地區旅行記者西村忠郎，抵港以來，展開採訪的對象是未來香港日貨市場，香港人仇日的心理；邊界英軍和李彌部隊。他說：「日本觀衆對中國的李麗華之聲譽已不下於日本女明星高峰秀子及水原貞知子」。西村在廿八日及廿九日兩天造訪這位李小姐，但終未獲見，原因是李麗華忙於籌備新年。西村定下月初飛曼谷，轉星加坡，印尼，印度，及巴基斯坦，約四月初可以返日。

×　×　×

日來香港工商界頃盛傳日本方面將派一貿易調査團來港；香港政府工商處對上述傳說，不予批評，僅稱：「港日之間的貿易必需俟英日外交關係正常後，方可談到港日之間的正常貿易」。聞日本方面派出的調査團是由前日本駐港領事率領。香港工商界及外商華商總會均擬向港府提出建議拒絕該調査團來港。即使拒絕做不到，將以「冷淡」方式處待之。

×　×　×

香港總督葛量洪爵士偕儷定二月初乘旗艦赴澳門作官式答訪。駐港三軍首長屆時將派代表與港督隨行，葛氏擬留澳門一宵，將下榻於澳門總督府。定次晨十時乘原艦返港。香港各報屆時將派記者團於港督先一日赴澳，採訪此官式新聞。（一成）

上海防空演習　對象國軍飛機

元月四、五日，僞華東軍區防空部隊，集結了該區所有的防空部隊，在上海方面，舉行防空演習。對外宣揚，則說是舉行首屆僞華東區防空部隊體育大會。演習地點在上海滬南體育場，場上僅有百餘選手在作點綴比賽；事實上，他們正在集結滬寧附近各地的防空部隊人員，作高射防空演習。演習的對象是國軍飛機。（子寄自上海）

廬山眞面目紅色舞台
一撮老妖怪過時洩氣
賣身投靠爲保產保命
委員參事祇是一條狗

【南昌通訊】江西人可引爲安慰的，過去在國民政府政權下全省現職官吏中，無一投共。有幾個人於淪陷後「北上學習」，但其結果遭遇得總是很悲慘，最多是「靠而不攏」，不算是參加了「爲人民服務」。（至少就我所知道者如此。）眞正現在奴役在江西紅色舞台上的，只有一小撮老妖怪，而偏偏都是過時洩氣的臭傢伙。

這一小撮老妖怪在江西紅色舞台上的出現，對於陷區中的江西人一點刺激也不會有。另一方面却正說明了中共在江西所能利用的只是一批什麼東西。

歐陽武

一度做過「止戈和尚」，當年他代李協和爲江西都督，袁派李純來攻，他不敢抵抗，棄職奔上廬山，結果仍不免押送「京城」。抗戰初，任江西臨時省參議員，以「三不主義」——不提案、不發言、不開腔、報章喧戲。勝利後，首屆省議會選舉，他竟在故鄉吉水爲一後起的劉某擊敗。只因生得一副飄然長髯，註定了的香煙花旗好，架式維持了所以近十年來，於不演江西「省紳」。前些時候本擬與毛澤東與歐陽武在「人民政協」會台上攝的照片，報登出來，無非也看中了那副鬍將，才如此「禮遇有加」。

彭程萬

任過江西正式督軍，更在歐陽武之前；也做過抗戰初期的贛省臨參會議長，是李烈鈞死後的江西老前輩。他差在沒有美髯，又或者比歐陽武多幾根骨頭，所以淪陷前後，一直不如歐陽武吃香。

伍毓瑞　龔思會

都是南昌市近郊南、新兩縣人。伍辦了一所私立中學在南昌市，很少有機會能參加省會的政治活動；龔則只有做南昌縣參議會副議長的資格，省參議會根兒輪他不到。

只因三十五年蔣主席由廬山巡視南昌，當時贛主席王陵基以「推選」這四個人陪侍，一時「號稱」諸詢，一時「四老」；到了三十八年省會淪陷前夕，常時老傢伙物以類聚，會議「和平」，席方大用輪汽車，古贛兒把他們送到一方的贛縣，才增加了他們的本錢；現在身投靠的「官僚」否則，他們既「根本」又「地主」，中共「清算」「鬥爭」[illegible]

[illegible]」之列，那還有今日的「耀武揚威」，値正「騎在人民頭上」呢？

現任：彭、伍、龔都是僞江西省府「參事」；歐陽武則是僞府「參事室主任委員」兼「江西省人民協商會議副主席」，「中南軍政委員會委員」。他們都是這一大串衙門中所謂「民主人士」。

李尚庸

更其過氣

只有抗戰初過江西省臨時參議員，[illegible]

賀濟蒼

比較調皮，[illegible]

鄧文肇

年最輕，只有五十外，[illegible]

劉一峯

[illegible]

饒思誠

年近七十，原在臨川縣一家中學教員，[illegible]雞犬昇天」，[illegible]不久就可一命嗚呼了。（呂賓水）

麥帥的思想「搞通」了

・尚方・

美國伊利諾斯州的人民，擁護麥克阿瑟元帥爲本屆總統初級競選的候選人。他聞訊之後，聲明事前並不知情，要該州的選舉事務所撤消其候選人的名字。但，一位在芝加哥主持擁麥競選運動的大律師蓬桑先生，却大不謂然，致電麥帥說：「伊利諾斯州的人民有自由選舉大總統之權利」！從法律觀點來認定麥氏不能撤消其候選資格，這倒是強人所難，從何說起呢？

有萬乘之尊位而不屑坐的人，就有生拉活扯而一定要抬你上火坑的人，雖然是真正民主國家的美德，亦是一般政治生涯的暗疾。梅蘭芳唱小旦戲唱到五十多歲了，何嘗再想擦脂塗粉的在舞台上扭揑賣弄呢？然鑼打鼓和一些跟班的人，梅老闆不唱了，大家就要喪失生活依據，那是不成的！尤其在咱們這中華官國之中，有第一號大官而不想作者，自書契以來，未嘗有也！——得說姓名高標在總統候選人之列，不論當選與否，都感到三代光榮的，就是尊姓大名偶爾出現於報紙上的要人行蹤錄中，也覺得身價百倍哩。所以，麥帥這類作風只是在美國不算稀奇，若在咱們中國，那就成了神話！

可惜麥氏不懂中國文字，否則，以他那種智識水準，再了解莊子所謂「寧曳尾於泥塗中」的那套人生哲理，恐怕連那五星上將的勞什子職位，也會併棄去的。其實，作總統有何趣味呢？想遊馬路有人慇陪，想消遣作樂沒人奉陪，從一切不自由，正是活受罪，麥克阿瑟的思想確實「搞通」了！

自由談

國際列車的黑暗面

巴黎教堂的大鐘，每晚敲十下的時候，大東鐵路的快車車門全關上了，紅天鵝絨的窗簾也拉下來，車子便蠕蠕地駛離巴黎，消失於烟霧之中。這是從本世紀初頁，巴黎仍然用煤氣燈的時代傳下來的習慣。直到今日，除了車身比以前陳舊，與乎車子上發生過許多荒誕神奇的故事之外，迄無變更。

半世紀來，這條鐵路發生過的離奇事件，包括有竊盜、間諜、風流、謀殺……尤甚于俄國之西伯利亞鐵路。

這條鐵路修建於一八八三年，共分三條路綫：第一路，由巴黎橫貫中歐，穿過鐵幕，到布達佩斯和布加雷斯。第二路，由米蘭到伊士坦堡。第三路，經過德國到波拉格和華沙，然後轉到布加雷斯，與第一路啣接。名符其實的是歐洲國際列車。

車上裝過很多不平凡的旅客，其中有帝王，有軍火商……在第一次歐戰之前，列車還附掛一輛「御車」，專備皇室乘坐。這輛車廂除了車長和傳役的領班，是禁止任何人走近的！

羅馬尼亞王加劵，帶着戀人出遊，他坐在御車之內，爲掩人耳目，他的情人露柏斯蓿夫人，却避嫌另訂普通房間。那時他倆還未曾結合。

著名軍火商柴可洛夫爵士，曾乘坐這列車先到保加利亞，兜售一筆百萬金元的軍火生意，然後再續程到南斯拉夫，聽說馬出保國買了軍火，上南國也如數由他訂購一批。

一九二〇年，土耳其國王要包一輛廿四個吊舖的專車，當時閑傳遠近，謠言四起；有些說他帶了一批地毯到巴黎發賣，又有人猜他帶的是價值連城的珠寶。結果由車上侍役領班口中，才揭開了這個啞謎；原來他帶了九個美女，臉上雖然蒙着厚厚的面幕，但是身上却只披着薄薄的綃紗。

「照我看來，這九位美女，既不是土耳其人，也不是阿拉伯或印度人，」眉飛色舞的侍役領班說：「我看倒像是一班裸體歌舞團團員」！

除了上述這些名人外，這條鐵路還有許多離奇的風流韻事，和無頭命案，而使它更膾炙人口！

布達佩斯，維也納以至巴黎這一條路上，經常有些女人，穿着黑色苗條而光閃閃的長袍，滿身鑽飾珠翠，嘴裏啣着烟，搔首弄姿，招蜂引蝶。其中一位據說是羅馬尼亞的男爵夫人，更是每個月乘車往返一次，借着一角來引誘那些急色的富翁上鈎。據侍役的領班說：從一九〇九年他在車上工作時起，向來這些女人都以這條路爲最滿意的漁獵之區，當然，不免有時會演出光棍遇着剝皮柴的悲喜劇！

一九三一年某一天，險惡恐怖，火車正駛進了凌斯附近的一隧道，黑暗中忽聞一聲慘叫，等到出了隧道，恢復光明，原來車門打開，一個沉默的比利時小夥子失蹤了！在他旁邊，坐着兩個大鬍子，另一邊是兩個哭喪着臉的婦人，還有四個男女，誰也沒有看見任何人，任何的異動，也查不出任何謀殺的證據，祗好算是一樁自殺案。

去年一個美國海軍上尉卡彼，由布達佩斯往巴黎，在維也納曾下過車，後來到火車經過沙士堡，竟在鐵路旁發現了他的尸體，美國統治區，既無兇手，亦無佐證，更查不出有任何值得謀殺的動機，唯有說他死於意外，與人無尤。

以這列火車的裝備來說，它不但歐洲大陸算它首屈一指，就是比起美國的火車，它仍然稱得「豪華」，餐車裏用名貴的桃木心拼成牆壁，紅色皮革做的梳化椅，車頂上一連串的水晶吊燈。兩旁還鑲着拼花反光的鏡子，一切保持十九世紀的威嚴。吃的方面：直到現在，還是用閃亮的銀器刀叉，配上波希米亞的玻璃酒杯，意大利蘇紗的餐巾，櫃上也鑲滿銅花。不必再說那本六頁厚的五光十色的酒單了，祗是染着的精美，已勝過美國的火車多多！

在車上吃的東西，可要隨地變更口味，譬如說：車子駛入瑞士邊境，要與瑞士的海關人員之前，瑞士的關員就上車，和朱古力糖和干邑酒……起來。幾分鐘後，穿綠衣服的奧國關員來了，打開奧國的食物房，拿出白酒和太路運啤酒來奉客，於是經過意大利，南斯拉夫，匈牙利，保加利亞，每一國都要換換口味，不但口味要換，連帶的支票貨幣，也要換過。侍役戰前都戴上白手套，捧着銀盤。一切人員都要有特殊的訓練，最低限度要懂得三國以上的語言，和講出沿綫的地理情形。

二次大戰之後，因爲佔領區的關係，經過每一國的邊界，檢查手續却不如戰前那麼簡單了。現在的旅客，必須隨時檢點有沒有什麼犯法的文件。最好還是不帶片紙隻字。

火車過了維也納，情形就冷靜了，不同許多酒房關起來，車廂也鎖起來，客人也在維也納下車，能直到布達佩斯的客人，不及原來的四份之一。原因是蘇聯的衛星國，不輕易簽發護照，讓人入境。雖然如此，大東鐵路仍然每星期開出三班，維繫大陸東西的交流。

最近車子半夜駛過德里士提地方的時候，有一位三十左右，身材苗條的婦人，突然按鈴，緊急的把車子停住，剎車的時候，還沒有人注意到她，一直過了三個鐘頭，她和同房的一個英國籍婦孀，發覺她的手飾箱被竊。車長惟有替她分各地偵察機關登記案，然後在「珠寶失竊」這一簿內記錄，就這以來，是第三十七次珠寶失竊了！他對這位失主說：「這並不是最後的一次，也不是第一次，太太！在歐洲任何地方，火車上都常有這種事，不足爲奇啊！」（悠遊譯）

論緣會

意雲居士

星相之學者，每侈言『否極泰來』，『剝極必復』及『窮則變，變則通。』等語，以卜人之休咎。偶有小驗，無知者輒從而神之。實則此乃聖人周易之繫辭，寫天道陰陽互生，物極必返之理。如人事之吉凶悔吝，四時之寒暑代謝，無所不包，亦無往而不合，乃天人自然之理也。人苟明乎此，則各有安身立命之所。運之未來，何事強求？緣之已至，斯受之而已。

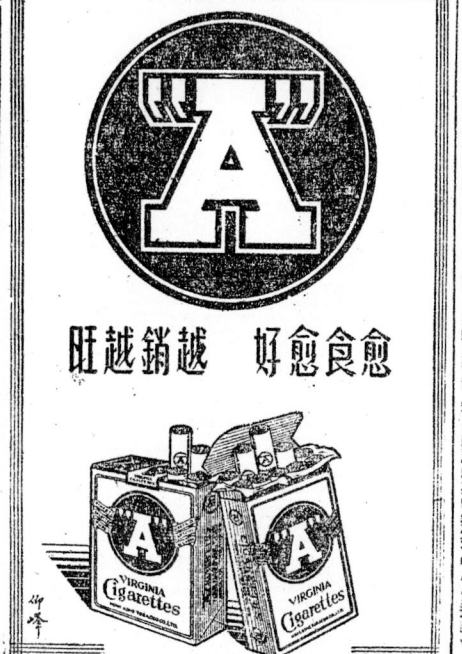

嘗聞故老所言，及稗官所載，其例甚夥。客窗無俚，輒濡記數事，以徵緣數：

當清世宗之得位也，兄弟自殘，幸而登極，每恐人心之不服，好以察察爲明，常微服出行，刺探隱事。官吏皆不小心寅畏，惟恐獲戾。京內臣工，尤以咫尺天威，無敢或忘。一年，値除夕守歲，各官署例假，皆暫歸私第。或椒盤頌花，或印丸鬪燕。覓盤歡聚裏，漏已三下。帝乃微服出巡，遙出宮門，偶至吏部衙署。時員工散盡，闃院沈沈，寂無人影。惟西廊燈光微射，帝就視之。一青年小吏，倚燈默坐，見客驚起，延入閒話。帝問少年何不還歸度歲？小吏拱答曰，全衙職守，今託一人。苟有差池，百身安贖耶？帝因再問天下何處小缺最優？小吏笑答曰，當推廣東河舶所，可不奮而得，取不傷廉。言訖，帝細問姓名，逐退去，小吏亦隱几臥。元旦朝罷，綸綍初頒，輒論以小吏補授廣東河舶所，終世宗之朝，不曾調換。而河舶所一缺，亦永爲欽命之官矣。

又清末有吳棠者，爲淮陰縣令。時金陵某宗室扶封翁靈櫬還京，道經淮陰，所屬之驛站。吳適往賦膊奠，並供驛策。適有鄰邑已故某都統家亦艤舟治喪，儀從簡略，淸寒異常。誤與使者誤投其舟，盡獻所餽。及反命後，吳亦略不省問，且素衣往弔，並盡東道之誼。越數載，吳尙羈留故任，鬱鬱不得意。且爲人落落不善逢迎，不得上峯歡，屢傳罷免之訊息。簡書詒賚，後任且至。正預辦交遞，治理行裝間，一日忽接公文，驟蒙上峯課最，繼而不次遷升，歷至疆吏，奉簡爲江蘇漕督。追念坎坷，何啻霄壤？終不測轉變之由也。

迨清后慈禧垂簾，吳奉召廷見，奏陳畢，后忽溫語垂問曰，故人別來無恙否？蓋當日過淮之已故都統，即后之父也。后感吳情重，以當時都統身故，一家蕭條，邑宰隆情，逾於九錫，今日安不圖酬之，以報昔情耶？夫脫衣致賻，本古人所重，不謂張冠李戴，亦結奇緣也。

總觀上述，則浮生所遭，盡歸緣會，旣經預計，何不等閒視之？尤須知得之不難，失之必易。故曾文正公力守周易持盈保泰之誡，事事不求圓滿，並自額其書室曰『求闕齋』。又自作墓銘曰『不信書，信氣數。公之言，告萬世。』，眞有道者之言也！——或謂此非公自撰之銘辭，乃公之九弟國荃克復南京時，請公製碑辭，公先書四語曰：『闢天下力，復此金湯。苦哉將士，來者無忘。』國荃請益，公又書上述之十二字云。

啓事：萬竹樓隨筆因稿未到，暫停一期，下期續登。　編者

文字改革

海澗泓篆

海隅憶語

擁護的土耳其，一躍而齊于現代強國之林，雄視巴爾幹半島，這是近代世界史中一件大事。論者歸功于凱末爾的權謀，而改革文字，廓清文盲，不可不認爲彪炳勛業之一，這已成爲歷史的定論了。

半個世紀以來，我國對此重大的問題不是不注意，注意的却只是社會賢達之流，從未得過政治力量大刀闊斧的幹一下。不要說文字根本改革這十分艱巨的工作，就是語文教育之普及也幹不出可觀的成就，可見政治不行便甚麼都不行了。

最近中共政權，儘在殺人聚歛上用勁，也不忽視這根本大計。文字改革委員會已告成立，相信必有一番工作。不過第一個目的在乎獲得較便利的工具來普遍灌輸馬列教義；史毛政見，這是路人皆知的用心。「函人唯恐傷人，矢人唯恐不傷人」，這也沒得好說。

前年冬，我得到莫斯科印佈的一本册子，是史太林答覆一些「同志」叩詢關于語言學與馬克斯主義的幾個問題。他首先自承不是專家，難免外行。我倒覺得他一點不外行，因爲另有他牽扯的技巧，爲「函人」或「矢人」的能盡其職。近來基督教徒也有說到科學並不外行，而且多少起些充實教義的作用，馬列教徒正復如是，特別是關涉到語文。

近些日子，開明書店奉命刊行一本雜志叫「語文學習」，又是這一類的例證。一句話說完：中國的「人民」須趕緊學習中國說文，爲的是了解和接受毛澤東思想和中共政權的一切政令。漢武帝推尊儒術，已比秦始皇燔書來得高明。中共朋友操縱語文的企圖，又比制定八股試帖的更進步，無怪他們動輒以落伍譏人了。現在又來開始發動的改革文字工作將如何，我不願武斷地預爲評論，我只回憶半個世紀過去了的因循而嘆喟。

在科舉八股廢後開前維新立憲那時候，中國文字必須改革說，已經是不可爭的論調。遲之又久，到了民初，教育部在舉國名流督促之下，方始召集讀書統一會議，顧名思義，這還只是統一讀音的一個步驟，可以說文字上添一認識方法，不可以說文字改革。

那時候主張採用注音字母最力的吳稚暉先生告訴我，四十年間創造新字的「今代倉頡」計有三十六人，各有好處。但根本改掉方塊字，別用一種新製的，問題多極了。與其試驗紛更，弄到無所適從，不如採一暫時救濟辦法，使語文教育得以普及。

那三十六位現代倉頡中，民九我在廈門認識其中之一位——盧戇章先生。盧氏垂垂老矣，精神矍鑠，誰領教他半生心血創造的文字，他就滔滔議論，愈談愈起勁。讀音統一會議，否決採用他的新字，這老人不勝憤慨，吳稚老曾致涵詞安慰他。有一次，爲這事由上海親來鼓浪嶼向盧致慰，我也在座，一種莫能名狀的氣氛，但覺前塵風範，至爲心折。

此外，不在那三十六位之列的無名倉頡，我還認得兩個。其一是旅居新加坡的廣東潮州籍牙醫馮士。此老苦心殫力，不求名利，製成新字，并且斥資鑄就一副銅模，澆出鉛字，自行印刷許多新字的著作，但知者甚少。我認識他的時候已及半百之年，今如健在當已九十高齡了。其二是三十年來至交的藝術家胡根天的尊人，廣東開平籍，少年經商美國，垂老始歸。鑒于鄉中少壯多出外，留下家鄉的老母少妻皆目不識丁，他創製了七十個字母，鄉中老太婆小大姐都教識它，拚起來是純粹本鄉音調，如聽留聲機唱片。這樣便人人能與遠遊的兒子或丈夫通信，大抵至今還行用鄉中。胡老伯八十歲時，偶到廣州探望他的兒子媳婦，每晨必登高與香港太平山相等的雲山散步，抗戰期中避難去世。（四）

自由人

THE FREEMAN
（半週刊每星期三六出版）
（第九十六期）
每份港幣壹毫
督印人：李光華
社址
香港高士打道六六號
電話：二〇八四八
GLOUCESTER RD.
HONGKONG
TEL: 20848
承印者：東南印務出版社
地址：高士打道六四號
台灣經銷處
台北市中華路一二五九號

團結力量與培養新人

胡秋原

在今日反共抗俄，再造國家的大運動中，第一事是提高士氣，尤其是知識份子的士氣。必須確認「漢賊不兩立」，決心挺身而戰；必須能從心底唾棄共產主義，俄羅斯主義，確知俄帝必敗可敗，自信確高共黨一等；必須確信我人民偉大的力量，決非共黨所能征服，而我們有爲國家爲人類除害之責任，因而每一個人均能發揚「有我在，中國定不亡」的抱負。無此心理前提，一切皆甚難談。第二事是要將一切反共勢力團結起來。第三事是必須培養新的一代。第四，我們必由歷史與文化，由國情與世局，由經驗與教訓，確立我們復國建國的大方向。這是四大問題。此外是行政與軍事戰鬥之事；必須這四者有辦法，才能發生最大效果的。我以前借本刊所寫之文，大都意在第一點。現在想略爲談談二三兩事。

今日之禍不是亡國，而是「亡天下」，人人有反共之責；必須人人團結，才有力量；這已婦孺皆知，實在無須多說。但我還須鄭重一說句：我不愁俄帝不亡，中共不倒，我愁俄帝中共崩潰以後，中國人還不能建設一個像樣的國家。百年的外患內亂，三年的系統屠殺，還有不可預知的破壞與瘋狂；噫，哀我古國，將餘多少子遺！對史達林的頑奴，自必須大張撻伐，然只要制止其抵抗，能不妄殺一人能少流一滴血最佳。只要共黨有組織抵抗停止，我們[illegible]決不容許任何人任何行爲絲毫損傷僅存的元氣。一切精力，必不能再用於爭奪，而必須用於建設。總之，不能再亂。因此，今天反共的團結，必須是將來建國的團結。

團結是反共復國的基本條件。然到今爲止，反共力量尚未充分團結者，原因不外：一，「士氣」尚未恢復。一個成功的人，必能容人；而一支敗北的軍隊，常是意見最多的軍隊。二，我們的政治經驗不足。中國不曾有在近代國際環境中，以獨立統一的地位[illegible]運的經驗。這正有如中國不曾有現代意義的國民經濟，所以[illegible]三家村豆腐店常可成功，而組織新式公司，往往失敗，是一樣的。三，過去的相互間政治恩怨，也是需要一定時間來平復和團結的。但客觀的需要，要求我們迅速克服主觀的困難。而事實上，有希望的因素，也確在增大。當然，反共[illegible]無論在理論上、實際上，世間沒有比史達林主義者更醜的東西。上帝也無法造出這個東西[illegible]人，總比共黨好，政治原是大家的事，[illegible]一團結的藝術。以區區而論，要談學問，也許不打算苟同於任何人，說到政治，除史達林主義者外，我想不出一個不能爲友的人。現在有第幾勢力之說。我想，在反共運動中，將來有第四、第九乃至第N勢力，也是必然的。但一切勢力只要反共，皆是好漢。假使真是好漢，不會不惺惺惜惺惺的。

說到團結，今天有兩個實際問題，一是一切反共力量與現在台灣的政府之關係。一位老朋友提出兩句斬釘截鐵的話：[illegible]

[illegible]

蘇聯怎樣分化法國

伍健勛

蘇聯共產主義滲入法國的危機，其嚴重性，正不減於一九四〇年的德國軍事侵略。「法國走向何處，歐洲跟到何處」的傳統說法，今天仍有其實在性。因爲法國在地理策略上是西歐的心臟，控制了法國，就可以控制整個西歐。由于這個事實，我們不難想像出美國何以要積極贊助法國建軍，蘇聯何以要加緊分化法國了。

蘇聯分化法國的工作，近三年來，沒有放鬆過一天。它爲了加強分化作用，特別在巴黎組織一個中心指揮機構。[illegible]組成分子包括蘇聯駐法大使館，新聞處，蘇聯特務及專家等。幹部人員爲數一千二百名，其中有俄人，法人，及蘇聯衛星國的人員。

宣傳分化法國的主要活動：第一件工作是宣傳，一、發動[illegible]黨員五十至六十萬名，[illegible]萬四千單位，工[illegible]組織員一萬三千名，城市細胞組織七千單位，鄉村細胞組織[illegible]，及二百家報紙期刊，[illegible]作爲蘇聯的宣傳工具。二、加緊[illegible]的宣傳工作。方法是利用法國共產黨所控制的一萬個地方工會，作爲蘇聯煽動工人的有效機構。宣傳的主要對象是勞工聯合會控制下的二百萬勞工。三、透過法國的婦女，青年，體育，和平，及殖民等團體，發揮廣大的外圍宣傳工作。四、蘇聯廣播電台，每週用法語向法國人民廣播四十六至七十五小時。

蘇聯透過上述的細胞網，所發出的標語和宣傳小冊子，耗資年達一億五千萬美元。除掉一部份由法國共產黨和其外圍組織募集外，其餘都是來自蘇聯及其附庸國。蘇聯並經常以大批款項，接濟法國共產黨的罷工與暴動。兩年前法國警察破獲一宗龐大的黃金走私案，私梟是一位波蘭外交官，他用外交文書袋裝價值十億法郎的黃金，由保加利亞經瑞士運進法國，接濟當時共產黨所發動的嚴重工潮；便是一個例證。

蘇聯分化法國的工作，除掉宣傳及支持罷工暴動外，尚有下列幾項：

一，反對西方及西德整軍計劃：反對西方及西德整軍運動叫得最響的，要算共產黨要員佛爾諾Fron，他於去年十一月十七日，在共產黨領導下的世界工會上，宣稱共產黨將不惜一切代價反對西方及西德建軍計劃。據報反對西方及西德建軍運動的會員人數已達八百萬人。

二，和平請願：法國的和平請願運動，是由前法國原子能委員會負責人居里Joliot—Curie，法共[illegible]及波里爾發起，響應蘇俄所號召的史德哥爾摩和平請願運動。據他們宣佈，參加和平請願的簽名人數有一千五百萬人。贊成訂立五強和平公約的簽名人數有七百萬人。此外，他們還企圖在每一城鎮，設立一個和平理事會，已經成立的地方和平理事會，計有一萬個之多，活動的範圍，已經由貧民階級，伸張到中產階級，智識分子，和教會團體。

三、滲入政府機關：共產黨滲入政府的主要目標，是市政及警察局。據可靠估計，共產黨滲入市府的人數，已達三萬人。巴黎警察局的工作人員中，近二千名是共產黨員，還有十餘名高級警官，也掛了共產黨籍。法國陸軍中，有五百至一千名的中下級軍官是共產黨員。共產黨滲入空軍的人數，比陸軍來得大。共產黨並用同一方法滲入司法機關，及政府其他各部，發揮他們的惡化及搗亂作用。

根據上面的報導，我們對蘇聯分化法國的陰謀，可得下列幾個印像：（一）分化的目的在赤化法國。（二）分化的方法，是宣傳和平、（三）分化的幌子是和平，反德，反美，及反西方建軍運動。（四）分化的速度，在加速進行。怎樣應付這個分化的攻勢，不僅是法國本身的問題，而且是整個西方民主集團所共同關切的問題。

半週展望

雷嘯岑

「有限度」的中日和約

吉田茂對中日和約問題，近來大掉花鎗，時而說中日訂約不是和約，而是友好條約，時而又說是和約，不過是「有限度」的和約。說來說去，只在試探美國和英國的反應而已。

不管日本政府搞甚麼花樣，中華民國政府却須以不變應萬變，要訂約，就是邊和約，是中日兩國的全部和約，沒有甚麼「限度」之說，否則，不訂也罷！

現在是力量第一的世界，公理公法都成了末務。所謂國際地位，還不是憑力量和利害來估價的！自己有辦法，挺得起胸，站得住脚，有自力更生的能耐，不跟日本訂約，也照樣在國際上有地位，反之，訂了約，又有甚麼用？日本政府要學現實主義者的作風，却不自知其「有伊尹之志則可，無伊尹之志則篡」的道理，讓吉田茂去賣弄聰明罷！等他賣弄無用時，我們依然是本來面目，舊有主張，不報復，不虛驕，祇於中日兩大民族的自由幸福，隨時可以簽訂和約，永遠希望彼此親善！

中東聯防計劃將實現

以政治投機手腕開端，演爲狂熱的民族主義行動而構成不可收拾之局面的英埃廢約糾紛，近日因埃王改組內閣，情勢已見好轉了。美英法土四國大使已與埃王和新首相接觸，英國外相艾登又聲明願與埃及重開談判，美國亦不像過去袖手旁觀態度，出而斡旋，這都是好現象。

大概華府杜邱之會後，對中東近東問題，已有一致的協議了。英埃糾紛只有美國出來排解，纔有和好之可能。英國所注視的，是其國防利益，埃及所要求的，是其民族利益。如果能使埃及達到收回主權的願望，使英國不致遭受國防的威脅，問題即易解決了。這祇有拿中東聯防計劃作工具，纔能收兩全之益。埃及的內在情形，根本不能與民主陣營立異的，美國只要善爲調處，則中東聯防計劃之實現，即在眼前。

羅素的言論

英國哲學界大宗師羅素，最近指說美國共和黨人士不願意在歐洲作戰，而主張在亞洲對共產暴力用武，爲的是要保持亞洲這一大市場。言外之意，是不滿共和黨人的主張，爲甚麼不以全力來保衛西歐呢？

羅素先生素來就是「歐洲第一」主義者，去年他曾經發表過文字，說英國人想到來自東歐方面的蘇聯炸機，瞬息間即可越過多佛海峽，攻擊倫敦的情況，在亞洲便不能不對共產集團妥協！站在國家的立場，羅素的話未可厚非，他之愛護英國，亦如我們之愛護中國一樣，是應當的。

不過，若站在反極權爭自由的觀點上，一定認爲先要犧牲大部分人類的自由，以保障小部分人類的安全，纔算是正確的戰略，是透闢的真理，這無論從唯心唯物或者唯生的辯證哲學來研究，似乎都是說不通的，唯一可以說通的，只是人種優越感！那末，假使美國撤開爲人類爭自由的使命，也以自私爲前提，他大可以倡說「美洲第一」主義，亞洲固然管不了，歐洲亦愛莫能助，各人自掃門前雪，把門羅主義的舊調重彈起來，豈非振振有詞麼？果如此，史太林的笑口就常開了！

歐洲文明是應該維護的，但如沒有了亞洲的自由天地，歐洲文明，只有窒息而歸於幻滅的結果，因而以歐洲文化爲基礎的美洲文明，最後也不容易生存的。美國孤立派自二次大戰以來之所以不爲其人民所信任，決非偶然。若專就爭取市場的資本主義展開關係而言，美國之不能忘情於亞洲，乃屬天經地義，羅素先生更用不着發愁哩！美國要找市場，她不向亞洲尋求，難道能夠向歐洲去「探險」乎？所以，我認爲羅素先生的言論是太天眞了，亞洲人聽來頗有難於索解之感！

民主之路的第一里程碑

·陳伯莊

「文化落後，沒有西方民主傳統的中國人，要他執行民主國家國民的權力，那是困難的。除非有似美國傑弗遜那樣的人，走上西方政治之路，恐怕需不短的歲月。無需說，筆者在民國四十一年的元月，做這樣的結論，內心是非常難過的。」又「筆者十分慚愧，不能解答這問題，過去一年中，他不斷地想到他，卻無何辦法，就爲這一原因，他草此一文，請教於高明讀者。」這是鄭學稼先生於「論兩個政黨型式」一文表現他篤實的熱情與謙撝。這樣研究問題的態度，論壇上開出這樣公共討論問題的風氣，表現了自由中國健全地漸向成熟的方向邁進，表現了有希望於新氣，可繼可長的新生命。在鄭先生主觀方面在四十一年歲首的憂心如焚，從事實從客觀方面看來便是自由中國四十一年歲首的佳音。由此而可繼可長的從「一陽初動」到「萬象皆春」，全在執政的和不執政的一齊把他們各原有的憂心如焚，一切出之於這樣篤實謙撝的做去想去。我與鄭先生素昧平生，他既號召討論，我願一本這樣的精神，提出不同的意見。

不論任何政黨，其性質祇是工具。既不包辦革命，便無考慮到俄型政黨的理由。在健全的自由選舉尚未成爲政權的移轉的樞紐之時，便沒有組織英美式的政黨之急急。

如何進到自由與民主，是人人憂心如焚的問題，也是鄭先生此文的中心問題。我懷疑鄭先生認識如要順利地到民主之路，必先要有政黨，必先要建立合乎發展民主的政黨。假如我說了倘沒有錯的話，我便覺得他似乎把車子放在馬的前頭，把政黨放在民主之路的前頭，以爲非先通此關，不能前進。因此他的思想碰壁。如把鄭先生的思想看作馬，政黨看成車，便是現「雪擁藍關馬不前」的苦悶。鄭先生眼見「民國以來，似牛似馬的政黨，只是一種工具，組織的人，也求爲工具。」所以他又說政黨連幫會的「義氣」都沒有，因此連幫會也不如。連俱樂部的輕鬆情調都沒有，一開會便是「疲勞轟炸」，所以連俱樂部也不如。「予欲望魯兮，龜山蔽之，手無斧柯，奈龜山何。」恐怕鄭先生有此慨歎。

·政黨該採布爾什維克的俄型呢？仰英美型呢？他設問之後，雖然跟着否定了俄國型，而他又感到「誰如研討英美的政黨生活，誰便感覺孟德斯鳩在「法意」中的話：（民主政治的本質是民德）。」慨歎於「民德的發達不是一朝一夕之事」，慨歎於管制食品的英國的邱吉爾拒收送的雞蛋小禮，不敢偷吃。嘅嘆於我們的官太太坐了公家轎車，帶着哈叭狗和娘姨招搖到市場買小菜。字裏行間，不是有「奈龜山何」之歎嗎？

北伐告成之後，胡漢民先生有一次排斥提倡政黨政治的主張。他說：「國民黨是革命黨，不是政黨」。當時負有從訓政到憲政的革命使命的國民黨，因爲革命尚未成功，所以要做代治的伊尹，不能還政於太甲，不做英美式[illegible]的政黨。現已行憲，這問題已不復存在。政黨是組織，不論任何組織，必然是爲了要達到某種目的需要有組織行動才發生的。所以任何組織都是手段，都是工具。俄國共產黨是爲了他所號召的社會革命「世界革命」的目的而成立的工具，英美式的政黨是爲了爭取選舉的目的而成立的工具。因此不論任何組織，亦即不論任何政黨，其性質祇是工具。既不包辦革命，便無考慮到俄型政黨的理由。在健全的自由選舉，尚未成爲政權移轉的樞紐之時，便沒有組織英美式的政黨之急急。（老實說，何必急急[illegible]）既不辦革命，則爲甚麼不選舉？然則人多勢大的組織，有了工具，而無目的，其結果一定如鄭先生所說：「似俄共的鐵紀律，似牛似馬」的紀律。而且鄭先生說[illegible]我個人的看法是：在

鐵紀律，便無民主，凡合乎民主的組織，個人祇把一部分的個人自由交給組織，服從組織，而其他很大部分的個人自由，必須充分保存。這背後還是「法治」，是[illegible]的法治。俄共雖說鐵紀律，照他們的黨章還是民主集中，而結果是政治局十四個人做了皇帝，史太林做了所有世界共產黨的「大可汗」。鐵紀律是民主之死敵，非鳴鼓而攻不可。俄共要人帶上鐵紀律的「金剛箍」，還先要拿民主集中制來「說服」人，結果是騙了別人，又騙了自己。再說一句，凡不做反乎人道，拂乎人性，違乎人情的事情，不需要鐵紀律。黃花崗的烈血，開出了民國，那時並沒有鐵紀律。

社會上不多開些謀生之路，有甚麼法子，禁止人搞黨吃飯黨，做官吃官飯。社會上不產生一種力量，使人們不能以力加人，恃勢凌人，有甚麼法子禁止人多勢大非「小灶飯」不吃的集團，妄用其組織。

（A），凡人是要吃飯的，還要想吃得多，吃得好，還要逞其權慾，要所謂權而從之者得我而吃飯，來過癮的。（B）凡工具便是物，一物決不祇一用，一到人多勢大，恃物凌人，必然將這工具來妄用的。拿人來組織政黨，這些人也是要吃飯的。弄到這些人要靠黨吃飯，這組織的本來目的便難言之矣。我永遠記得一個又邪又雅的朋友，在他的信扎中引了詩經「雨我公田，遂及我私。」的話。社會上，不多開些謀生之路，有甚麼法子，禁止人搞黨吃黨飯，做官吃官飯。社會上，不產生一種力量，使人們不能以力加人，恃勢凌人，有甚麼法子禁止人多勢大非「小灶飯」不吃的集團，妄用其組織。

兩年來，爲了反對極權，注意力集中到民主，對於國家近代化，生產工業化的重要，似乎忽視了。在防共的嚴重氣氛中，又把人權與法治爲民主之母忽視了。工業化是直接針對（A），人權與法治是直接針對（B），雖然移老生迂闊之常談，而今天民國到了四十一春，還令人嘅歎，就在這些被輕視忽視爲迂闊常談。平庸到高明所輕視，微弱到執政者所不理會，老套到說起來不發生刺激。這才是，今日之深憂。

我再說得古老陳舊一些吧，在光緒末年講立憲，辜鴻銘上條奏摺，反對政黨，臚引古書，說中國祗有朋黨無政黨。我當時是已經看過新民叢報的小孩子，讀了辜氏的奏摺，大起反感，覺他頑固。又說得近些吧，一九五〇年日本九十多歲的尾崎訪美。美京新聞記者問他：日本的政治民主化了許多嗎？尾崎以諷刺口吻答：民主化嗎？我們日本還祇有朋黨，Political Cliques，沒有政黨Political Parties呢！

一物決不止一用，有權者必然受妄用其權的誘惑。人是要吃飯的，從事政治，投身政黨的人，一樣是要吃飯的。這些，鐵的事實，不須嘅歎，要平心靜氣的正視他。平心靜氣的去研究，怎樣才可以減少黨官吃飯靠黨吃飯的壓迫；怎樣才可以發展法治，保障人權；怎樣才可以讓大家講道理，爲了不受威脅；怎樣才可以讓大家向有權有勢有力的抗爭，爭了不受威脅。必如此然後有力者不能妄用其力，有勢者不能濫逞其勢，有權者不能玩弄其權。這些，才是到民主的正路，雖白非常，必然走得通，而且是非如此走不能通的正路。

充滿了爆炸危機的世界，祇隔一道瀕峽的共產與自由各各擁刀相向的中國，不有非常的舉措，非常的決心，還能有濟嗎？還談這些平庸，不太迂闊嗎？要有非常的決心與舉措，誠然。這些平庸正路，迂闊嗎，絕對不然，至少我們要承認這條平庸正路，絕不防礙非常舉措，而且我們要要求同時向這平庸正路開步走，要求那非常舉措，要與這平庸措施相配合，相成，不能相反。

凡立第一程路前的里程碑，顯然是保障人權，發展法治，而不是政黨政治。假如法治確立了，人權確樹了，便沒有那一黨能夠強姦民意，製造選舉，英美式政黨，不實現而自實現。

這條平庸正路，答復了鄭先生對政黨的煩悶。民主正路，是要看準理想目標，看清當前實際，一步一步的走去，對目標有堅定不移的信仰與前進，在每段每階的進程，隨時本於已走的過程的教訓，實事求是，對於超前一程，朝前一段的步驟作有計劃的修正的。每一程每段的相接，第一程爲實現第二程的先具條件，第二程爲實現第三程的先具條件。如是繼續下去。如果照這樣的看法，凡立第一程路前的里程碑，顯然是保障人權，發展法治，而不是政黨政治。既然不是政黨政治，便不必急急強求好政黨的實現。因爲還是不可以強求的。另一方面看看，假如法治確立了，人權確樹了，便沒有那一黨能夠強姦民意，製造選舉。選舉能夠自由而健全，所有政黨都不得不規規矩矩來競選，自然便成了合乎標準的英美式政黨。不求其實現，而已自實現了。英美政黨之所以不得不規矩，因爲（A）屆選期時，不得不選舉。（B）選票不能製造。（C）政黨選舉活動和用錢，不得不受選舉法所限制。這些外在的強迫力量，如何建立起來才是真正問題，才是實在的里程碑。美國開國成功，不是因有傑弗遜其人，而是當時已有深入人心的制度，不容許有袁世凱之類的人來篡竊。

鄭先生引孟德斯鳩，說民德。不錯，民德，在其本身而言在人民有此習慣，是民德。跳在本身圈子之外來看他，便是行爲型範 Pattern Of Behavior，便是法治制度。換言之，即是社會環境。中國固有的政治思想，往往偏重個人道德，個人本身道德之建立。而忽視養成民德的條件和環境。民德即是公民道德，公民道德之大者，勤於不許強權蹂躪人權。不許勢力摧殘法律。本來誰願被踐踏，被蹂躪。無奈數千年的專制使得人民不知有人權，不知有法治。今天的急務還是喚起人民要求人權與法治，還是要督促政府實行保障人權，發展法治的措施。

建立公民道德與建立人權與法治，實在是一件事的兩種說法。

英美式的政黨是選舉的工具。有了容製造選舉的環境，政黨沒有法子太壞。沒有法子，你有法子使得政黨不作怪，到最後，鄭先生說到不是土地及產業國有，無從有黨的鐵紀律。這一點也該提出討論。

蘇聯是土地及產業國有的。在蘇聯，所有一個黨員，所有一個老百姓，不論你是農夫也好，工廠的職工也好，都要受那黨的上級管理人所支配。你一不奴順，黨是帝的意旨，輕則立刻打破飯碗，重則進集中營或喪命。原有的飯碗打破了，都沒有法子另找飯碗，因爲所有飯碗都是黨官吃官的。老子說：「虛其心，實其腹。」蘇聯捲着個個人的肚皮，鎖住了個個人的頭腦。便這樣天羅地網樣的沒有個人自由，還有甚麼可以商權之處。有一個社會，沒有自由謀生機會，可以清茶淡飯過日子，不買你政府的賬，還有甚麼自由可言。

爲了要防範資本主義的橫行，領導一國經濟，不可不國有重大企業。爲了要建立自由的經濟，必須留設中小級企業，必要留與人民自行謀生的意旨，不受執政者所支配。中山先生的民生主義，從不採取蘇聯式的全般國有化，是値得稱道的。這一樣能並實現由的方。每個黨魁，抓着每個黨員的飯碗，他們非乖乖聽話不可；這樣實現鐵紀律，還會有民主嗎。這樣的鐵紀律該送回克里姆林宮去，不要再受他的誘惑。

南國記者論中共非狄托

「本報專訪」這半年來，在韓國戰場上唯一活動於聯軍陣營內的共產黨記者，上月二十九日由東京飛香港。這位共產黨記者便是過去爲英美通訊社所報導過的南斯拉夫「鬥爭」日報戰地記者雅各夫·李維。李維這一次是首次到香港來採訪，他預備在港住一週，然後經歐洲返國。香港的西記者俱樂部是十三個西方國家通訊社報紙的記者所組織的，但對於這位共產黨過路客，依舊是熱忱底招待。

韓戰無力支撐下去

在一個偶然的巧合中，記者會見了李維，他高高的身材，說話時聲音很沉，具有南歐人的熱情。他說他在韓國戰場上導了快近一年，鑒於目下和談方濃，國該回去休息一下。他認爲這一次的停火談判，不論一定可以實現，因爲據他自己的瞭解，尤其中共與韓共都沒有能力再支撐下去，國內的經濟是不容許他們再打硬仗。他說：「不論資本集團或共產集團，基本原則大家總想生存的，在目下雙方都想生存，所以停火的可能是很大的，唯阻礙停火的因素便是雙方互相猜忌，往往使一個問題淡容不着邊際」。

加強滲透繼續冷戰

李維很直率的指出今年仍不會有全面的大戰。他說法國人一天到晚吵着中共要攻越南，這是因爲法國人在越南自己力量虛，藉此想增加力量，向美國騙些軍火，能把美國拖下水是上策。他還說今天台灣說中共即將攻台，其作用和法國是一樣的。照他的看法，中共不但不打像朝鮮那樣的硬仗，而且俟韓國停火後，將加緊內部經濟生產，國外加強滲透，繼續冷戰。因爲中共如果不這樣做，再打便垮，中共自己認識得非常清楚。他指出今天兩大陣營的力量是五十對五十了，箭在弦上，自然是相當危險，但史太林是不打沒有把握的仗的，如果史太林估了五十一，民主集團退入四十九，那麼可能會開火的。而且他認爲照目下趨勢看，史太林會退入四十九的那個階段上。

狄托中國沒有可能

他在韓國戰場和共產記者混着，認爲今天中共的地位是介乎蘇聯附庸與狄托式的政治之間。他說中共的政治有些像捷克與保國。蘇聯並不能完全控制中共，在國際情報局中，中共發言，蘇聯是相當尊重的。即以東西而論，共產之指揮權不是操在蘇聯手中，而是完完全全在中國人手裏。所以他認爲如果中共稍爲偏右一些，那便成了狄托中國，但他說這種可能在目前根本看不出。

蘇聯馬列主義走樣

李維自己本人是一個很道地的共產黨，他相信列寧和馬克斯。他說世界只有南斯拉夫才是眞正實行可貴的馬列主義。蘇聯現在的馬列主義已走了樣。他是一個十十足足的民族主義者，他痛斥國際主義。他說狄托元帥便是第一個反對國際主義的人，但他是成功了。李維指出今天南斯拉夫在狄托領導之下，經濟已漸漸上軌道，一般人民的生活已相當改善。在國內重工業及軍用工業尚未達理想。狄托下面的二十師，在美國協助之下，比從前裝備好多了。他說「今天的南斯拉夫實在是蘇聯心腹之患。因爲南斯拉夫的軍力，在今日歐洲防衛上已是絕對不可缺少的東西」。

共產主義國家更怕窮

李維的思想是比較開明的，他並不反對像英國那種不流血的「費邊」社會主義。他認爲如果使社會上人人都有工做，有合理的生活，而無需流血，自然是最成功的事。但是這完全要看一個國家的人民教育水準而言。英國教育普遍，人民知識均高，可以實行「費邊」社會主義。但南斯拉夫全國農人佔大多數，文盲很多，如欲加速改革社會，非常有強制性的社會主義，是不容易達到目的的。這個最後的目的，是免除貧困，資本主義怕窮，共產主義更怕窮。他從這一年來，南斯拉夫人民對經濟情形好轉，認爲狄托式的共產建設，對他們是很成功的。

他代表的「鬥爭」日報是南斯拉夫京城唯一最大的報紙。算是南斯拉夫政府辦理的，他說共產國家中的一切新聞報導事業都是由政府經營。他是南斯拉夫第一個准許出國的記者。（力行）

共產國際的黑錢

共產國際發動世界革命的資本之一，就是他們那些來路不明的黑錢。這批黑錢，有些來自刼掠，有些來自徵收，有些來自垮了台的各國政府的庫存。據說戰後蘇聯在我東北刼掠的大批財產，就有一部份劃入共產國際的黑賬。

前西班牙共和國政府，在垮台時，曾以庫存黃金交給法國共產黨首腦托勒斯保管，托勒斯除掉留了一部份作爲法共的地下活動費外，其餘均被運往莫斯科，供作共產國際基金。

第二次世界大戰時，同盟國曾以無數金錢，接濟歐洲游擊隊。這些游擊隊後來大部份加入共產黨，於是同盟國的金錢，便成了國際第五縱隊的活動經費。

法國淪陷期間，一枝左傾游擊隊攻進一個大城，洗刼了一間法國銀行，刼去鈔票一億法郎。類此之事，多得不勝枚舉。而共產國際的黑賬上的數字，天天在向上增加。

還有許多共產團體和左翼游擊隊，他們在本國不能立足，便把他們所刼掠的金錢，全部存入共產國際的黑賬。（陸鳴）

匪區鬧梁漱溟思想
梁不肯丟掉舊包袱
毛澤東思想被挑戰
他不能向不通處變

【本報北平特約通訊】兩年多來，在中共的所謂「思想改造」運動中，一般中下層知識份子，雖則所謂「舊思想」的工作，已經告一段落。雖然這些知識份子的「舊思想」包袱，並未如中共理想的那樣爽快地丟掉，但在中共看來卻已相當滿意了。

現在輪到高級一點的知識份子來接受最後的「思想改造」了。這些知識份子之所以屬於高級，因爲他們都是大學裏的教授之流，有些是屬於哲學範圍的思想家，有些是社會科學的學者，有些是自然科學的學者，有些是文學家。這些知識份子有比較與綜合事實的能力，有比較和綜合思想的方法。每人在其思想領域中，各自有其較健全的體系，他們有一定的歷史觀，有一定的人生觀和革命觀。

這些已形成的觀念，都是從歷史與現實的啓示與體驗中比較出來的，綜合而形成的。這樣，就非所謂馬克斯主義這一預見的科學所能一下摧毀。所以中共在用暴力來進行強迫「思想改造」的過程中，就不得不提出「胡適型的思想」與「錢穆型的思想」來做槍靶。因爲中國所有的知識份子，在近百年來，思想確已逐漸往這兩個典型的目標集中。而這兩個思想型確也能體驗整個中國知識份子的思想觀念。「錢穆型的思想」，多採取中國問題從發揚中國固有文化來解決。中共列之爲狹隘的民族本位主義，單純的國家本位主義，或是保守主義。「胡適型的思想」，則採取揉和中西文化，以「賽先生」「德先生」的科學實驗與民主精神，來解決中國的問題。中共稱之爲買辦思想，稱之爲資產階級的改良主義。這兩種「思想型」，都應該「檢討」，應該「消滅」。因爲，中共認爲都有「毒」。

最近中共又發見，介乎這兩種思想型之中的還存在着「梁漱溟型的思想」，也應該被檢討，應該被消滅。中共認「梁漱溟思想」在「毛澤東思想」的勢力擴張前途上，其妨害阻礙之大，尤有甚於「胡適」與「錢穆」。因爲中共認爲，梁漱溟的鄉建思想理論，是站在錢穆的國家本位主義的基礎上來從事胡適的改良主義的，這樣便有「利」於「買辦階級」的統治、「改良主義」，是歐化階級，這樣，便又幫助了「封建地主階級」的繼續存在。

梁漱溟自被擄進北平強迫「思想改造」之後，改造的結果，中共大失所望。兩月前梁氏被邀出席「人民政協」會議，中共原希望他作一次思想錯誤坦白，大膽一番自己刪宗三代，幫助全國性「思想改造」運動的順利推動。但梁氏不僅不承認自己思想上的「錯誤」，相反，卻巧妙地諷刺了中共一番。中共已經忍無可忍了。梁氏原是以「民主人士」身份被特邀出席的，如此一來就被改爲「社會人士」了。只承認梁氏是社會上的人，而否定了梁是社會上有民主思想的學者了。書獃子是不大通曉人情世故的。雖然梁的一些朋友們，見環境對他太不利，勸他「明哲保身」，不必太固執，趕快寫一篇文章檢討檢討一番「舊思想」吧。但梁氏卻偏固執到底。月前雖然被迫在北平「光明日報」發表一篇「兩年來我有『那些轉變』」的文章，看上去好似在批判他的「舊思想」，而實際他卻仍保持對「新思想」拒絕接受的態度。中共方面的人自然要開始予以迎頭痛擊，于是命令一班御用打手們，對「梁漱溟思想」採取包圍式的環「剿」。千家駒就是這羣打手中的小頭目，其勢洶洶，頗有幾分打漁殺家中教師爺的神氣，討不到漁稅銀，最後不甘心的。但是卻挨了梁漱溟這書獃子一頓痛打。

千家駒率領了一班不自量力的奴才打手如沈銘、何炳然、宋雲彬、張紫葛一干人等，連梁氏的老友張東蓀和其在韓復渠下面的同事何思源，也在一旁搖旗吶喊，針對梁氏這篇文章中的階級立場，發起圍攻。這種賣命拼死的姿態，完全是做給中共看的，打梁是假，邀功則是眞。

可是梁漱溟的把式比千家駒等人要練得好些，不僅有招架之功，且有還手之力。所以結果這一班打手喊叫叫鬧一場，對梁的舊思想並無絲毫影響。梁漱溟一月十日在北平「光明日報」再次刊出一篇挑戰性的答覆，題目是「敬答賜教的幾位先生」，老實不客氣地教訓這些打手們，其中有幾段是頗堪注意的：「我從來無意乎學問，更不承認自己是學者，只願作一個有思想而實踐其思想的人，自己的思想見解亦就多從一生踐履中體認思考而得……在思想見解上，其所入愈深，其體系愈大，吾雖欲自昧其所知而從他人，其可得乎？」

梁漱溟說：「千先生問我：「梁先生兩年的思想轉變，究竟建立在什麼基礎上」？他又說：「自以爲思想搞通了，其實沒有通」，的確，我所追的是當前新事實和我舊理論之間的那個一通」。只須在我胸中沒有甚麼不通的，自然依舊活下去，更大的轉變是無從而發生的。宋先生不明白此理」，他叫我「乾脆把那套舊看法舊想法完全丟掉」。而不要「改掉那幾點，保留那幾點」好像處理屋內大小傢具那樣機械地來處理思想，是辦不到的」。

梁漱溟進一步說「人的思想總是求通的，通不下去，才變，變則通，總是變以求通，斷沒有「變以求不通」的。我之所以沒有更大的轉變——轉變到根本上！——而是這些變已夠通，另一方面是不能向不通處變」。

這是大陸「解放」後最激烈的一場思想戰爭，這場思想戰爭在「思想改造」運動推行兩年後的今天發生，正足說明錢穆、胡適、梁漱溟三股潛在的思想力量，正在不屈地向史太林和毛澤東式的馬克思主義展開白刃戰。

梁漱溟終不失其爲一個有思想而實踐其思想的人，一天手裏掌握住不可抹殺的事實，便一天不肯「自昧其所知以從他人」，以改變其思想。此所以「梁漱溟思想」問題成其爲問題，而馬克思主義在「梁漱溟思想」中成其爲問題。據說「光明日報」自先後刊出梁漱溟的兩篇文章，尤其是刊出「敬答賜教的幾位先生」這篇文章後，銷路空前激增，這說明甚麼？不又說明一個問題了嗎？（隆光。元月廿六日寄）

香港三日

印度駐北平大使潘尼迦，三十日由印飛港，定週後返平任所。他抵港時有港府政治顧問歐鼎敦親至機場迎迓。潘氏下機後，爲記者羣包圍着，他運忙搖手道：「沒有什麼好說的，我不發表談話。」潘氏行色匆匆，反比去年十月來港時胖多了。聽說他將於日內赴港大經濟學會演講馬克思的經濟學。

×　×　×

與英瑪格烈公主爭蘇格蘭達爾基斯伯爵的「香港小姐」珍麥尼爾，現年廿一歲，金髮碧眼，婀娜多姿，她是香港著名大律師麥尼爾的女兒。她現在香港探親。前天許多中西記者去訪問她，是否顯意和達爾基斯伯爵結婚，她只是含笑不答。她承認她先認識伯爵，她也承認伯爵和她有三年以上的情愛歷史。有一位西記者向她道喜，說她是「幸運女郎」（西人指幸運女郎有中選之謂）一定是未來的伯爵夫人，她很幽默地道：「你何以見得呢，連我自已都不知道。愛情像三月裏的颱風吹着朝霧，是使人捉摸不定的。」

×　×　×

澳洲海軍航空母艦「雪梨」號上月三十日下午首次駛抵香港，舉行記者招待會。該艦於去年春間駛赴韓國海參戰，大部份時間是在西岸海活動；在東海岸方面也參加過三次的聯合戰鬥，據該艦長哈里思准將稱：「在西海岸担任巡邏時，始終沒有被岸上共軍的砲火命中過，雖然他們的砲火是相當猛烈」。全艦有二個驅逐海軍航機大隊，一個戰鬥機大隊。全艦總計一千二百人，官佐一百三十人。他們準備駛返澳洲後，即駛往倫敦，担任愛汀堡公爵與伊利沙伯公主赴澳時的護航工作。

×　×　×

天主教福州總主教費禮，二十九日由港飛經台北，作兩週之逗留。費主教擬在台灣分訪西班牙會，然後飛馬尼拉轉羅馬而至里斯本。他臨行前道：「福州教區管轄甚廣，台灣本在福州教區之內的」。他擬視察在台之公教小學，醫院與孤兒院。他表示短期內不會來香港，可能明年去台北。但他說「這要等到了台北，看看實地情形而定」。他希望如果回台灣去，擬在歐洲募些款項，以充實台灣公教事業。

旅港印僑集會追悼詩聖泰戈爾，並朗誦泰氏遺作。

×　×　×

印度詩聖泰戈爾於元月二日在印逝世，享年八十有二。旅港印僑於三十一日晚上假印僑俱樂部舉行追悼禮拜。到印僑二百餘人。他們大多都是愛好文藝的。會中除由辛汗格翰告泰戈爾之生平外，復由一位印度小姐朗誦泰氏作品。一首是「火炬」，另一首是「清夜的歌手」。其聲哀怨，如泣如訴，一若夜雨坐聽梵音。

×　×　×

出席仰光遠東經濟會議之香港代表羅文惠於三十一日由仰先行返港。他說：「大會現在仍繼續進行中。遠東各國，現把全部精神貫於開發該區之經濟事宜。該會中不涉及政治。香港方面，是提出美國禁運後經濟上危機。希望殷港台，港日及香港與南洋各地之貿易，以挽救當前之危機。」羅氏指出會議空氣甚好。關於仰光之治安，羅氏說「市內甚好，但郊外便很少有人去走」。

柯克上將看台灣，肺病底子已除，可以立穩足根。

×　×　×

美「上將記者」譽爲自由中國之「雞友」的柯克於一日清晨偕夫人離台，搭空運大隊機抵港。他一下飛機，便給許多記者包圍。柯氏表示「我已這麼大年紀了，畢生飄泊在海上，只是對老友蔣總統是放心不下。但現在台灣局勢好多了，我也可以放下這個担子。所以我要出來玩玩」。有人問他「台灣好到怎樣」？柯氏很幽默答道：「台灣原是個肺病底子，現在不但病除，而且體力長大，行動自如，自給自足，可以穩立足於社會，只要立身處事，規規矩矩，一定可以成家立業」。柯氏返美後，他說他不想做事了。但有三件事情，他是不得不做的，一，是陪太太下棋（柯夫人在旁大笑）。二，是種花澆朵，過一個清閒的田園生活。三，是利用餘年，寫海上回憶錄。（一成）

中共內部離心離德
入黨想做小史太林
退黨拆夥爲了養家
唐山整黨運動是一個好例

【唐山通訊】中國共產黨在毛澤東領導下，共產黨員已經不準備「革命」，而都在一心一意想發展私人事業，「享受」（正確地說是貪汚），不願再爲毛澤東過「革命的生活」了。中共在大陸共區，正在掀起「三反」運動——「反貪汚，反浪費，反官僚主義」，但是，中共進行「整黨」的收穫，剛好合乎馬列主義的唯物辯證法，得了一個圓滿的「正、反、合」的結果，是「整黨使個個黨員變了樣」，笑話百出。[illegible]

唐山市是日前中共控制的煤礦市場，中共唐山市委會於（一九五一）年十二月間，進行了一次「[illegible]

[illegible]（北一月廿日寄）

毛澤東的男面女身像出現麗江
漢摩結婚須向毛皇帝跪拜三次

【昆明通訊】雲南省麗江縣東壩子仁里村的一個摩些族少女，於共幹的脅迫之下，和一個「翻身」的人民聯婚，這宗婚事，瀰共當局，大事宣傳，說是「兩族聯姻」，此係「空前大事」。

在麗江地方，摩些族是我國的少數民族，風氣純樸，刻苦耐勞，男婚女嫁，歷來是很自由的。摩些族的女子，嫁給漢人做老婆，也是一宗很平常的事，並非亘古未有的奇聞。

中共統治雲南以來，對於少數民族的壓迫，其手段亦是變本加厲，從未放鬆過的。麗江東壩子仁里村有一個摩些族婦女王關，年已四十開外，素以自食其力爲生活，日出而作，日沒而息；她因爲是一個沒有丈夫的寡婦，潔身自保，不願再嫁人了。可是，共幹時常到她家裏去訪問，迫她改嫁，不准做自食其力的寡婦神經失常起來！

在這個時候，剛好有個「翻身」貧農王正春，年亦四十開外了，已喪偶了，被共幹看中了，硬要王正春在「訴苦大會」上，說出她愛王關，弄得被脅的參加大會的人，個個都是啼笑皆非；而那丈王關，亦被迫參加了大會，站在台下，頓時受驚了，所有與會人的注目，知道這婚事，迫聽這對，設宣會被共幹搞亂而他強婚姻的了。果然，在「訴苦大會」後一星期，麗江縣東壩子仁里村共幹婦女工作隊，偽村長等人，大張旗鼓，脅迫王關和王正春締姻，只有共幹們就鬧得熱鬧鬧，而那些摩些族人民，是避而不去觀看。

在麗江縣地方結婚，民間風俗，是不舉行新式的結婚儀式，就得舉行舊式拜宗祠結婚儀式；而共幹們，則採取了不新不舊的結婚怪儀式，在王正春家裏的祖宗神主上，掛了一個男面女身的毛澤東像，脅迫着神經失常的王關和王正春在這個陰陽人前面，舉行新的宗教魔鬼婚禮，向男面女身的毛澤東像跪拜三次，以作代替王正春家的宗祠神主；共產黨的魔鬼伸入民間神主合上作祟，因而麗江縣就流行了下面一副對聯：不准拜天和拜神，要拜魔鬼毛皇帝。（仲一月十五寄）

派系政治與民主

——·尚方·

杜魯門總統過去派在東京盟總的私人代表羅少將，最近對新聞記者發表談話，指出去年杜總統撤免麥帥那一軒然大波的公案，是由於國防部把他當時拍致白宮的若干重要電報，扣留不予轉呈，乃釀成杜麥二人間之誤會磨擦，終致決裂。他認為：如果軍部不扣留他的電報，決不會發生去年四月十一日的免麥事件。國防部人員馬上表示要調查羅少將所述的事實真象，以明是非。

就這項已過之事來觀察，可以得到兩點結論：一是派系政治有如花柳病一樣，在任何國家都是難免的。去年杜麥衝突事件發生時，主持國防部者是馬歇爾。馬帥為杜魯門素所尊信的元老重臣，他在美國現代政治上，多年來有意無意的形成了「馬系」集團，亦為共見共聞的事實。麥帥去國日久，僅憑其聲望才智的超然立場，為國驅馳，目無餘子，所謂無慾則剛也；這當然與派系政治懸殊，因而從中搆煽媒孽，排斥異己，好像淋病梅毒之乘機攻入人身，除非你絕跡妓院，否則必定難免。然政治場中又跟妓院是差不多的，你要搞政治，即有受花柳病——派系——侵襲的危險！二是民主政治有若盤尼西林，乃現代醫療派系政治的唯一特效藥劑。無論像美國的民主生活，絕少將可以自由向人民公開指述事實，以國防部即不能不馬上調查真象。這樣，就可以教玩弄派系的人有所戒懼，不敢肆無忌憚了。

因此，據我的「卑見」設想，大家不必天天以痛恨派系政治，這是絕對難以拔根清除的。唯有提倡民主，讓人們可以自由的摘奸發伏，言者無罪，派系政治自然就會斂跡了。不藉社會大眾的力量來監督，民主生活不能相容，喊打倒派系，那無異於不相信醫藥而實行掃除花柳病，其不潰爛下體，衝破上腦，以病以死者幾稀！

自由談

懷陳仲甫先生

——·遜園·——

在我所熟識的人中，永難妄却的人，固然甚多。可是陳獨秀（仲甫）先生在我心念間，那是別有一種思憶的。久欲替他寫一段聊以抒情的懷悲文字，怎奈在喉的骨鯁，總不能痛痛快快的吐而出之，總是寫寫扯扯沒有寫成。現在，由于中央日報刊出了如左所摘的一條新聞，陡的根觸往事，懷舊沉重的心情不能自已的成此一章。

【大道社訊】敵後消息：中共創始人陳獨秀，生前受盡毛匪排擠，死了仍難逃「清算」厄運。陳早於民國卅年病逝四川江津，即卜葬江津城南白鶴灘，遺下妻（張玉清）、一子（陳存質），匪軍入據四川後，「西南軍區」「政委」鄧匪小平，奉毛命令，即率匪幹數十人及匪衛一營，前往江津城，舉行「清算陳獨秀大會」，將陳妻及子拘捕，送「西南軍區保衛部」永遠監禁，並以炸藥炸毀陳墓，事後匪宣佈陳之「係托派等罪名」，並曾搜出獨秀之「俄文托洛斯基」密令多件，陳……（下略）

（已於□□日報上刊出。四十年十二月十四日中央日報第四版）

首先申明：我不是他的「同志」，也不是他的學生，當然我絕不否認我是他所「器識」的一個小朋友。他辦「嚮導」時，我常在上海民國日報的「覺悟」欄寫文章，一個偶然的機緣，拜謁了他。中等身材，並不像胡適之先生那樣的具有學者風度，老實說還覺得他是頗有村學究氣息。尤其讀過他的文章「文學革命論」，字裏行間，虎虎有生氣，再拜訪他的人，心頭忖度，他那時竟有如許挾雷霆萬鈞的勇力？

因為他是安徽懷寧人，三百年來出了個阮大鋮，懷寧人黯然失色，而今出了個陳獨秀，懷寧人可以光彩十足了。抗戰勝利後，懷寧程演生先生，出長安徽學院，我和他在閒談時，我提議該由他們懷寧人倡議為陳獨秀營墓紀念，如獨秀公墓之類，歷史上新朝對于前朝的忠烈死節之士，不都有褒忠旌節專祠祭祀嗎？我並且獨保留說：「有了陳獨秀，你們懷寧人」，不必躁，在你們懷寧人嘴裏，「辣椒在你們的嘴裏」的話。是阮大鋮的故事，絕不與有懷寧朋友的關別。陳獨秀有三子，長子延年，次子喬年，在廣州被捕就義，仲甫因案犧牲，僅存第三子，其所信仰的「主義」的犧牲。

我的私見：人之所以為人者，即如孟子所說的，是仁與義，還得有他的理智和操守。有理智才可以求仁取義，有操守才可以成仁取義。是所操守其間，含糊不得的。富貴不能淫，貧賤不能移，威武不能屈，便是此理此智此操守的注解。陳仲甫之為人，跡其生平，似乎是可當得起是一個不偽裝的人，武人雖有志氣而節操移成，我們說是「道不同，不相為謀」，固然，在我也不必一定要「因其人而廢其言」，那一種最後的見解，何況在他那小冊子的序言，胡適之先生所評的，就他的時代思想背景，許他自己的思想體系，對陳又何必作「諱莫如深」的文章，老實說，是所謂「助逆」，何嘗不是今日的國民黨之所以「自誤」，我們今日自陳甚，便是我們的深長太息的痛，如此我們國民黨太少有「忠貞」而且「至死不渝其初衷」的人。

陳仲甫是有其時代的信仰，共產主義的影響，他曾懷著人類社會的「前瞻」，背景下，人類的時代，他又和我處支離分裂的國家，身處弱……得他們要「變」，他「變」向文字，社會那是變政，一切的變，都有熱情，有理智，同時也，夥伴，可不是他的同志，也不是共同的夥伴。假定他能如胡適之先生，多多晚年研究「哲學」「社會」的精神，十年，更多考驗，那主義，陳獨秀之為陳獨秀，也許不會成為此一「時代悲劇」中的腳色了。

匪幫所加諸于他的罪名是「托派」，我們也不必為陳作諱，陳的思想，是接近托洛斯基的。不過所謂「共產主義」者，並不是因為能據着克里姆林宮以號施令，就算是個正統的共產主義，蘇聯政治上老實說，……的「成功」，正是共產主義者，耶穌被釘十字架時失敗，撒但何嘗不是「成功」英雄？于此，且不論其「主義」的何若，總之，時代會決定它的得失與成敗。試看匪幫近兩年來在大陸的暴行，再讀一讀「陳獨秀最後的見解」，其人其言，難道還不值得一傳嗎？

民國二十九年我去重慶，特地專誠去拜訪過他，他出示他所寫的「說文」研究，他和我談起胡先生的講研小學，因為他知道傑安與我有姻誼，他聽說我在同事。當我是上我寫的那本「中國文字學探討」請他指政，他向我端詳了好一會，又仔細的翻閱目錄一過，他略前而翻後的看，那最後的「歎言」，我不贊成「拉丁化」，在發言裏，我對于中國文字形聲義的優點，曾美不置。他一面看一面頷首，說出「懂得外國文字研究的人，做中國文字研究功夫，比較祇懂中國文字的人，要到家的多」。不到一年，便聽到他的死訊，時我正在坪石中山大學法學院上課，那晚我們一干認識他的師生們，曾經舉行一個極盡「哀思」的追悼會。

他如健在，當是七十歸外的人，先生大約七十四五了，他的年歲和傑安相差無幾，人世擾攘，生無常，死而為山嶽，為星辰？留芳？貽臭？絕不是期諸人而是求諸己的。君陳仲甫，他那在人世裏的行藏之所遺，為功為罪，該得頌揚，還是該得斥責？我們可不必邀「非議」的愛憎或恩怨去作定評？不識就他的身世，讀他那「陳獨秀最後的見解」，不管是朋友或是仇敵，總不能不承認他是一個有為有守的硬漢子，大丈夫。同時，也是我們讀過人中所堪取法的一個人，當然我之所謂取法，是取法乎他的品行操守，絕不是取法乎他的思想與信仰。

義士武松（三）

——水滸人物論之六——

·舜生·

「水滸傳」作者對寫許多類似的故事，但寫法絕不顯其重複，例如既寫武松打虎，又寫李逵打虎，更寫解珍解寶打虎，打虎同，而打法完全不同；寫閻婆惜偷漢子，繼之以潘金蓮偷漢子，更繼之以潘巧雲偷漢子，偷漢子則一，而偷漢子的環境與動機乃顯然有別；初寫林沖刺配滄州，再寫武松刺配孟州，又刺配恩州，更寫宋江刺配江州，同一刺配，但在刺配途中或到達所配地點以後的遭遇；却各人有各人的特點；為宋江戴宗寫過一次大劫法場，為盧俊義又寫一次大劫法場，劫的事實並無兩樣，但所表現的緊張狀態，又自有差別；像這類的例子還很多，大概除了曹芹，別人多不敢有這樣的寫法。

武松刺配孟州的一幕，除偶然遇着菜園子張青和母夜叉孫二娘夫婦外，自以他到達孟州安平寨後幫助小管營施恩打倒蔣門神奪回快活林一事最有精采。像施恩這樣一個小人物，居然有方法可以得着一個豪傑的死力，在「水滸傳」作者曲曲寫來，却令我想到燕太子丹之於荊軻，事實的經過大致是這樣的：

施恩的混名叫金眼彪，年紀二十四五，六尺以上身材，白淨面皮，三綹髭鬚；因為利用他父親在安平寨充當管營的地位，又仗着自己有些武藝，當地東門外有一個叫快活林市集，但是山東河北的客商，都來那裏做買賣，有百十處大客店，三二十處賭坊兌坊，施恩夜裏帶着八九十名囚徒，在那裏開了一片酒肉店，便用着這些囚徒，和這些客店，賭坊，兌坊都生了關係，雖然造成一個勢力，將大都有閒錢，月終更有二三百兩銀子的進賬，乃至一班跑碼頭的妓女，也要先到他這裏參見，才能在這地方找碗飯吃，總而言之，施恩便當得起一個『大亨』就是了。不想好景不常，安平寨來了一位張團練，又帶來一人，名叫蔣忠，因為他身長九尺，又有一身了得的本領，江湖上便為他取了一個綽號，叫『蔣門神』。蔣門神看見施恩這個賺錢的勾當，便給他一頓飽打，奪了酒店，施恩鬥也鬥不過，身帶重傷，只好飲恨吞聲，回家養病，快活林便歸蔣門神來獨霸了。

武松的打虎威名，施恩是早有所聞的，當他到達安平寨以後，施恩便在暗中替他多方回護，先免了一百殺威棒，又每天以好酒好肉送到單身房來給他吃，更在武松睡的床上鋪了藤簟，掛了紗帳，放下涼枕；過了幾天，又把他遷到一間布置得更好的房間，酒肉以外，更加上熟雞蒸捲，武松始終莫明所以。有一天，武松實在忍耐不住，便拉着那個送酒肉的人問了一個仔細，才知道這一切一切，都是小管營施恩所為。於是武松便向來人說明，一定要和他的小主人見面，能見面他便吃這些東西，不見，便半點也不吃了。

萬竹樓隨筆（六八）

文字改革（下）

海鴻振

註音字母由教育部提倡過一陣，國內人士不見怎樣熱心推行。它的唯一作用，在統一讀音，單體單音的方塊字形，一樣要費多年的功夫來認識常用的一二千個。只不過于認字之先，讀識了二十三個聲母，三個介母，十幾個韻母，注在側邊，拚成讀音。標準國音便是所注的字的讀音。要拚方音土音，大家所唸的也可以。依照經驗，各處地方的人竟有唸不完全二十三個聲母的。比如閩南人多不能分別P與F，粵之北江東江人，有不能分別N與L的。這已是推行標準國音的一大阻礙。大家稍稍熱心，會唸幾十個字母的工夫已夠。但想改革文字，殊不經濟。又是第一步，似乎不能不費，怎好改革？所以主張用注音字母的人，倘使不是那麼難以想跨過這一步。

年年月月在鼓吹中，國不成識，則成效不致如現在幾等于零的。然而最如願的成就亦不過達到日本的平假名片假名而止，這是再超不過的限度了。

注音字母吹慣了，不着火那麼懶洋洋地流行中，進一步熱切討論是方塊字還要不要的問題。這問題可太了，動了許多人的肝火，也引起過說不清說不完的理論，公說公有理，婆說婆有理，好像要等公民投票表決是的。

識字運動，平民教育運動，在鬧紛紜的局面之下，好些人士還是埋頭苦幹，比較大規模的如晏陽初的定縣平教事業，他們唯一的工具是「千字課」。教的還是方塊字，略為取助于注意字母。我可以說，二三十年間，所有致力于識字運動工作的人，大抵不擱入方塊字去留問題；所以方塊字探討問題，絲毫不曾搖動過。十年一屆在巴黎召開的國際文化會議，第二次大戰前兩年某屆大會，李石曾先生出席任專題演講，講的是「方塊字的功能」。大意說：「中國人口那麼多，地域那麼廣，語言，風俗，生活習慣那麼雜沓紛歧，惟文字却統一，故而教化統一，這不能不歸功于單體單音的方塊字。方塊字的讀音仍由語音之甚多差異而差異，可是字形統一一字義統一就夠了」。今後簡化漢字或另作代用漢字，誠然，第一個重要條件是保持那統一作用，新倉頡們，大抵不至于忽略這一點吧。

忽忽又經多年，久矣不聞此調，自然是由于抗戰與動亂的原故。斷斷續續有過甚囂塵上的呼聲，是所謂「拉丁化」，倒曾經引起討論的改革論。我在上海見過一個七十多歲的老婆婆，在閘北茅陋外曬太陽，鍋調着上鏟頭小字的書，原來是羅馬字拚上廈門，海方音的新舊約。後來在福州，在廈門，汕頭等處都見到羅馬字拚特異土音的傳教書本，小孩子成人一樣拿起便唸出來，純粹是土音口語，誰都聽了便懂，能夠使用啊。至于文字的美醜，一提起便俗氣貴族化，有干大條，不談爲妙。化到有了扭秧歌，貝多芬，瓦格納都是多事了，不談爲妙。

橫得着一條硬心腸，文字改革便是很輕鬆容易的事情了。反正甚麼都搞到一層，何妨多此一搞呢？只一層，若還又是拉丁化，豈不恰有傾向西方之嫌嗎？徹底一面倒，何如直截了當選用俄文，倒還痛快呢。（五）

海隅憶語

難兄難弟

·夫石·

艾森豪威爾與鐵羅漢

假如你有機會訪問艾森豪威爾的故鄉亞比倫城，你會發見那條橫掛在百老滙路的布標語——「擁護艾森豪威爾競選總統」——，給全城老百姓的面孔上，添上了不少的驕傲和興奮。亞比倫城的老百姓之看重艾森豪威爾，正像米蘇里省獨立縣的人們看重杜魯門一樣。

艾森豪威爾的少年好鬥故事，近來成為亞比倫城的老太婆們的飯後笑料。艾帥現在已變得爐火純青，但他的少年時代，却是一匹烈性難馴的野馬。當他在十二歲的時候，一度和他的哥哥阿瑟鬧彆扭，他一時火氣大發，拿起一塊磚頭，向哥哥頭上打去，幸虧他的哥哥閃避得快，否則難免一命嗚呼。

當他十三歲的時候，和鄰近的一個頑童，綽號鐵羅漢的麥利斐德，作了一場惡鬥，這次打鬥前後經過了兩小時，彼此都沒法佔據上風。最後麥利斐德對艾森豪威爾說：「埃克，我擊你不倒」。艾森豪威爾滿口流着鮮血說：「我還沒有將你擊倒呢」。兩人才放下手來。從此以後，鐵羅漢再也不敢在小太歲頭上動土。

從前艾帥和鐵羅漢打鬥的百老滙路和第三街，現在成了亞比倫城市民支持艾帥競選總統的俱樂部的所在地。（樂光）

自由人

THE FREEMAN

（半週刊每星期三六出版）

（第九十七期）

每份港幣壹毫

督印人：李光華

社址

香港高士打道六六號

電話：二〇八四八

GLOUCESTER RD.

HONGKONG

TEL: 20848

承印者：東南印務出版社

地址：高士打道六四號

台灣總經銷處

台北市中華路一二五九號

看韓戰的演化前途

雷嘯岑

聯軍與共軍誰是急求休戰者？能和，是怎樣一種形勢？不能和，將產生甚麼後果？全面大戰會不會因此爆發？

韓戰一開始，聯軍即聲稱爲警察行動的「有限度」戰，中間且撤換了前綫統帥，以防止戰事擴大；馬立克去年在聯大倡和談之議，聯軍馬上接受，一直談到現在；杜邱會談之後，又聲明韓境休戰協定如被破壞，便要把戰爭範圍擴大，近日美國方面更主張在三月以前必須休戰，否則要封鎖中國大陸，轟炸中共軍事基地了。這樣看來，求和心切者，似爲聯軍，其實不然！

韓共在和戰的決策上，已無地位，眞正的最高指揮者自然是蘇俄，執行者是中共。史達林決不願有世界大戰的，他於估計錯誤而燒起韓戰之後，搞成無法收拾的局面。中共奉命參戰到現在，死傷人命百餘萬尚屬次要，經濟的危機，已岌岌不可終日了。據最保守的估計，戰事的消耗，每月至少要四億美元，去年雖以「抗美援朝」名義向大陸人民大力搜刮，到今年七月的預算年度，赤字不會少於二十億美元以上，目前縱以「五反」魔術向工商業界勒索，然民間根本已經枯竭，再擠取乾淨也不過十幾億美元而已。蘇俄只能援濟戰爭要素中三M之一——軍火（Munition）錢與人是「僧道無緣」的。韓戰再不停，中共只有日就崩潰之一途。然中共又是史達林指揮下的第五縱隊中之唯一王牌，尚有許多用場要派用的，若爲韓戰而消耗盡了，那還了得！雖說十幾個月中它亦拖住着美軍二十萬人，但從全盤戰略上來計算，史達林是吃了大虧！所以，對韓戰急於想和的心情，實以共軍爲最濃厚。

聯軍在去年四月撤免麥帥時，確因一切準備不夠，着怕戰事擴大。經過了七八個月的整軍經武，又逐漸完成了遠東的防衛工作，如簽訂對日和約，與美日安全互助協定，以及強化台灣武力等，對遠東的佈署已有相當把握，再鑒洞悉中共外強中乾的弱點，如是乎，乃以「慢郎中」的態度來對付和談「要和，未嘗不可，但得有各項保證，不許再向別處亂動，而且還要限期休戰。不和，就各行其是，毫不在乎。」據說，到今年六月以後，美國的準備已可應付全面大戰了。

板門店和談如果能依照聯軍的最後建議與限期，當然可能完成一種初步的休戰協定。但是，下一步的政治問題跟着就要出現，這些問題比休戰談判更複雜百倍，談何容易！明知其不容易，也得要談，在政治談判期間，兩軍只有在韓境作武裝對峙之狀，以防談判破裂後，突受攻擊，雙方的心理都是以最好的希望，作最壞的打算，這根本就沒有和平誠意，一言不合，隨時可以翻臉相斫。不特此也，凡是以戰爭來鼓勵人民擁護其統治權的極權主義者，其政權必爲瘋狂性質，過去的納粹，今日的中共，情形正是如此。瘋狂之人，決不可致他頭腦清醒，恢復理智，否則下次再想促使他瘋狂就有困難了。史達林要防止中共起貳心，唯一妙計就是不讓中共停止其對外冒險的瘋狂動作，這就是說，韓戰如果和了，中共便要向東南亞或台灣多事的。美國知其然也，與其將來又要在東南亞勞師動衆，對中共再作「有限度」的警察行動，重新佈置，何不即在現成的戰場，吸住對手方的兵力，使其動彈不得，而自身乃處於可和可戰的主動地位呢！因此，近來美英法之聯合聲明，警告中共不要向越緬亂動，一再強調其決心，美國對板門店和談要限定期間完成，並且要直接對毛澤東致電警告，其用意首在試看中共能否由瘋狂而清醒，藉以誘發它和莫斯科之間的裂痕；次在向世人表明聯軍對韓戰是「誠心」謀和的，將來若戰事復起，那是蘇俄故意迫使中韓共搗亂破壞和平，釁自彼開，聯軍縱然對中國實行封鎖轟炸，亦是有言在先的師出有名哩！反正看準了史達林決不敢掀起大戰，聯軍以現有的力量，足以制服中韓共軍，若有增援必要，也可從日本與台灣就地取材，不似過去那樣遠涉重洋來援了。時間的拖延，總歸是讓生產潛能雄厚的多佔便宜，單靠人力過強的農業國，一遇着現代化的軍事鬥爭，即會弄成捉襟見肘，無法支持的苦境。抗戰期間，若不是美國以經濟，物資和技術對我積極的援，我們僅憑自己的人力，能撐持到八年之久麼？現在的蘇俄既無當年美國那種力量，而中共所遭遇的外敵，又比當年的日本強大若干倍，創鉅痛深之餘，怎能不急急於求得休戰乎？

然而，韓戰終是不容易實現眞正和平的，癥結在美國就不能讓中共於垂危的掙扎中，又得着喘息機會。史達林既不需要，也不可能掀起世界大戰，即令韓戰轉休戰，對東南亞或不致轉使其貓腳爪擊傷闖禍，但對台灣雖保其不作問鼎的行動。在一九五二年之中，韓境將形成武裝對峙之勢，和是暫時的休息，戰也不致特別擴大。但整個亞洲，必充滿着神經戰，局部戰，經濟戰（封鎖中國大陸）這些緊張不寧的形色，以待全球局勢之演變。因此，我們還可以注意杜魯門總統對美國今年度歲出預算案所說的一句話，他認爲到一九五三年，即毋須再增加預算了。這意思是說明美國的一切國防準備，在今年都可全部完成，打不打世界大戰，聽憑史達林的尊便可也。

時局漫談

舜生

對日和約與政府態度

過去八年的對日戰爭，是在一個團結全國的「形式」下進行的，也是在一個團結全國的「形式」下完成的，雖然只是一種「形式」，但這樣一種「形式」，並不是沒有其重要性。等到抗戰勝利而舉行受降的時候，這個團結的「形式」便發生了裂痕；等到受降的手續完畢，正式進行一切接收工作的時候，便好像只是由一部分人在那裏胡鬧，其結果乃鬧得烏煙瘴氣，不理人口，以喪失全國的人心，召來無窮的禍害，這些往事，實在是令人扼腕的。

現在繼舊金山全面的對日和約以後，依於國際形勢的推移，中日兩國間，依然不能不簽訂一個雙邊和約，這大概已經是一個必然的趨勢。據昨天路透社所傳東京的消息，吉田政府對和約的草案，已經完成；其與台北談判和約的代表團，也已快要任命而出發在即；可是根據所謂吉田的公開申明，以及日本一般的輿論，乃一則曰「國民黨政府只能代表在台灣的中國」，再則曰「這個條約與其稱爲和約，不如稱爲政治和平與商務的條約」！

假定日本所抱持的，眞是這樣一種態度，我們便可說日本在根本上便沒有和中華民國正式訂立一個條約的誠意，不過想裝出這樣一個幌子，以自便私圖而已。

進一步看我們的政府所採的行動又是怎樣呢？照我們的想法，這個和約自不能不以舊金山的和約爲藍本，可是中日兩國究有其特殊的情形；我們八年抗戰的痛苦事實，似乎也不能完全拋在九霄雲外？別人說我們的政府只是「國民黨的政府」，我們是不是應該加以反省：果然只是「國民黨的政府」？別人說我們「只能代表台灣」，我們是不是也應該加以反省：果然「只能代表台灣」？我們知道過去對於「受降」與「接收」兩幕，除已造成不少的錯誤，在今天這樣一種不愉快的空氣下簽訂這個和約，我們惟一的希望，便是政府必須有以善處，不要再造成一個錯誤，以貽害於將來。中國整個的大陸，果然是淪陷了，難道政府便沒有方法造成一個全國精神上的統一嗎？今天在實質上，自然只是一部分的國民黨在那裏秉政，但到了對外的重要關頭，難道並一個「形式」的團結，也非放棄不可嗎？

這些話，我明明知道是不會有怎樣的反響的，但我們依然要說了出來，以表示備案之意，假定政府不能在事實上表示爭取團結之意，以後便不必以空言去責備任何人的不團結。

亞洲危機

看這幾天的形勢，好像蘇聯和中共眞有要在遠東繼續造亂的樣子，但我們的判斷，依然認爲是慢性的，恫嚇的，決不會太快，也不一定成爲事實，然而這要看美國的態度究竟如何。假定美國眞有澄清遠東這個混亂局面的意思，換言之，即不願在板門店繼續和中共糾纏；不願永遠保持一個有限度作戰的政策；不願永遠中立台灣，而以決心助其反攻；不願忽視東南亞的危機，而處處讓人去搶先着；不願聽憑吉田政府繼續的「掉花槍」，而加緊完成其應完成的工作；我想蘇聯的氣燄不是不可能壓下去的，中共只是一個接受蘇聯命令的工具，蘇聯有所顧慮，中共單獨造亂是不可能的。

凡事要問當做不當做，而不必預先考慮後果，去問能做不能做，假定民主國家認定蘇聯在世界搗亂，不能不從多方面去加以有效的制止，則在亞洲採取斷然的行動，確實已經是時候了。

中共與英國

中共本來是要離間英美的，因此英國過去對中共處處委蛇，換言之，即各有其如意算盤，中共也樂得對英國敷衍，大家都在相視而笑，莫逆於心就是了。

自從邱吉爾首相訪美以後，蘇聯和中共似乎有了一個共同的覺醒，即知道英美畢竟不可分，邱吉爾到底不會去向共產黨講妥協，而在事實上也不在不知是英國求取進一步的協調。於是蘇聯的工具中共開始對英國不客氣了！

中共對英國繼續的客氣，這是促成亞洲問題提早解決的一個重要關鍵。

俄代表大鬧會場

遠東經濟會議

（仰光通訊）聯合國亞洲及遠東區第八屆經濟委員會，已於今年一月九日，在仰光市政廳揭幕。出席此次會議的國家有美、英、中華民國、法國、蘇俄、巴基斯坦、印度、緬甸、澳洲、加拿大、印尼等十四國，另有越南、韓國、香港、婆羅洲、馬來亞、日本等七個單位，是以旁聽者的地位列席的。

我中華民國的代表有潘藻、黃耀（顧問）、陳仰賢（顧問）、毛孟澄（秘書）、劉健人（秘書）、宋昇平（秘書）等六人，自台北乘機經過港、泰等地，於本月八日晚九時抵達仰光。許多仰光的愛國僑胞，都要看看這些來自自由中國的代表們。大家自動自發，不約而同的，都租了車子，從仰光趕到市郊十一英里的孟加拉洞飛機場去歡迎我國代表。在飛機場上，竟擠滿了五六千人，這種熱烈的情況是空前的。難怪潘藻代表在對歡迎的僑胞們致詞中說：「這種偉大熱烈的場面，眞是出乎我們的意料，也太使我們感動，也太使我們感激了。這實在是僑胞們熱愛自由中國精神的具體表現」。

在會議場（仰光市政廳）的門前，懸掛了六十多面聯合國各會員國的國旗。其中有我中華民國的青天白日滿地紅國旗在迎風招展。僑胞們倍覺興奮，好像使各人的臉上增加了無限的光彩似的。

經濟會議起先由鋼鐵及電力小組的會議是，由各國代表各專家發表意見，都作成專案，提交十八日的大會舉行討論。工商小組會議十八那天，蘇俄代表乾洛夫也由香港趕來參加小組會議。起先的兩個小組會議他都沒有出席。乾洛夫一到會場，會場的空氣立刻緊張起來。這頭北極熊一開口，就目空一切，盛氣凌人的替中共毛王朝亂吹一番，說什麼「新中國」的建設突飛猛進，工商業發達……等等。大家都不願聽他的鬼話。接着，他就提出要「驅逐」大韓民國，越南和中華民國的代表。當經那天會議的主席予以駁斥，他大叫大吵，一定要付表決。表決的結果是十六票對四票，順利通過了我國及越南等三國代表權的合法。蘇俄代表於羞憤之餘，竟大罵主席亂搞，說是弄錯了他的意思。各代表（如泰國代表等）一致指斥他錯誤，說出他動作野蠻，不懂禮節，不講道理。他看見勢動了公憤，自知理虧，才面紅耳赤地逃出會場去。

這叫囂的乾洛夫，以後，竟瘋癲，在會議席上呆坐了幾天，一言不發。到本月廿二日，他聽完各國代表專家的報告，又大發謬論，自吹自擂，大宣傳共產天國的工業計劃如何周密，出口貨如何優良，如何多物資！還說蘇俄可以賣給大家許多貨物，但做生意，不敢同蘇俄做生意，不要出「高價」去購買英美的物品，或是爭着要廉價而不耐用的日本貨，他百思不得其解，言下大有憤憤不平之意。

現在會議仍在繼續進行，要到二月九日才閉幕。大家預料在全體委員會中，乾洛夫一定還要大發熊性，提議要「開除」某某幾個國的代表的。但與會各國代表大家對蘇俄早已認識清楚，任他怎樣說得天花亂墜，也不會再有人去相信他。蘇俄如此做法，徒顯出他幼稚可笑而已，也得不到什麼別的結果的。（赫斯德，一月廿三日寄。）

論民族主義之新方向

——黃光耀——

共同的經濟、文化、語文自然的產生在共同的區域內，即形成民族主義。一區域與另一區域間，由於交通的關係，彼此隔絕，未能廣泛交流，久而久之，人民對自己區域的一切均成習慣，自然將與無限的眷戀而發生感情的共鳴。此即民族主義之潛在意識。若與別的區域接觸，因感其事事物物均不習慣，故而不快；由不快，進而發生厭惡心理。因是潛在意識必然揮發，於是眷戀的更變為了景仰與崇拜的。這種主觀意識的存在，乃產生了錯誤的優越感；由個人而散播至整個區域。於是形成一種自然的社會秩序。此即民族主義之外在形態。經過時間醞釀及空間演變，各地域對其自己原有的生活習慣與社會秩序，惟恐遭受外來的因素所破壞，故欲加以保守。此即民族觀念。此觀念因其客觀因素之促成而向前推進一步，滲入了政治意識。此即民族運動。若干民族在主觀上的需要及客觀形勢的變化，又映出同一的要求與目標，使之暫時結合；原有的內在矛盾，放棄民族運動的孤立性，加強民族運動的政治性，擴大民族運動的積極性，故產生了超越區域的民族合作。

工業革命後民族對立　被壓迫民族要求解放

這種含有進步意識的遞變，在整個社會發展的過程中之所以能被級式的前進者，原因並不單純，是有其客觀條件和時代背景的。時代的推動，造成整個社會的躍進的因素。社會的躍進，又構成經濟發展的條件。民族主義就是配合着這些因素的發展而前進的。

所以在工業革命以前，各種社會內素還沒有決定性的空前變化時；民族主義始終停在一定的小圈子裏，無長足進展，亦無特出的表現。至十七世紀中葉，英國工業革命以後，歐洲經濟因其生產率的劇增，故才形成經濟上空前的轉變，且影響到政治上基本的改革。封建制度結束，民主制度建立。此予歐洲帶來了光明，亦給人類帶來了希望。但另方面由於自由經濟造成商場無限的繁榮，加上自私，現實所構成底「錯覺」的「優越感」；於是也開端了互相競爭。競爭結果，財富遂漸集中，因之有侵略色彩的經濟托拉斯產生。經濟托拉斯在國外開闢市場，是連帶着政治關係的。此即資本主義之由來。被開闢之區域，在其經濟剝奪、政治侵略、文化欺騙種種的優勢的壓倒情態下，即成一切似皆落後的所謂「落後區域」。此地區之民族，亦即「落後民族」，落後民族受此多方面之侵略，原有一切制度及社會秩序均遭破壞。廣大勞動者，成為產品的生產者，整個地區，成為原料生產地傾銷產品的市場。如此造成了極不公允的被壓迫民族，此一民族的形式上底原有政權，再受其政治上乃至軍事上之征服而亦被摧毀，即成「殖民地」。實在也是由於這種不知互惠互助的「錯覺」作祟；自己被壓迫時，拚命求解放，自己解放了，卻又去壓迫別人，所以列強口中又叫出了，「資本帝國主義」。

因民族主義實與經濟相繫，故經濟發展至資本主義的萌芽期時，民族主義即已前進至民族運動時期。十八世紀後，純民族的法國大革命、美國獨立、德與意統一運動的民族革命乃爆發。東方隨之亦出現了日本明治維新，中國的洪楊革命和辛亥革命。威爾遜民族自決的偉大影響與第一次世界大戰的沉重刺激，使民族主義形成無比的洪流；使沙皇及奧匈帝國崩潰，新興了愛沙尼亞等。二次世界大戰，又出現了菲律賓等的獨立，亦使今日中東近東及東南亞民族主義甚囂塵上。此即說明民族主義之發展已是必然，各民族間必須一律平等。

民族主義不應太孤立和自私，否則便成民族主義的反動逆流，（馬、恩之所能利用指民族主義為侵略的理論工具，是狹隘的。此正是授與之柄。）昔日列強強調進化論之「優勝劣敗，適者生存」，創立之殖民地政策。同時培養出錯誤的人種優越的觀念，導向民族主義於歧途。至法西斯即把民族主義更孤立化和絕對自私化，乃成民族至上的暴力理論。此種民族主義之反動逆流的泛濫，使卅年內發生兩次大戰，造成了人類空前浩劫！

史大林玩的兩面手法　國際主義與愛國主義

十九世紀，正是達爾文天演論和馬爾沙斯人口論流行的時候；亦即自私的民族主義風行歐洲的時候。智慧不能超越時代，馬克思生於彼時，乃竟把民族主義在發展過程中所發生的偏差，視為其本身的基本錯誤！於是；組織第一國際，叫出「解放被壓迫民族」的呼聲，高唱「國際主義」。甚至天眞幻想，製造海市蜃樓，鼓吹鏡花水月的「共產主義社會」底遠景。更描繪進入「地上天國」後「民族消滅」的陰影。接着列寧將馬、恩理論擇其有利而用之，部份闡揚，全盤歪曲，發動結果，乃有「社會主義聯邦共和國」出現。在「解放農民」，「解放小民族」，「解放勞動者」三大魔幡下，多少「赤色崇拜狂」的善男信女對此「地上天國」而頂禮膜拜，心嚮往之。誤認為「狹隘的」民族主義已成過去，所謂的「國際主義」必代之而起。如此變態心理下，他們於是對其馬、恩、列、史的理論和「社會主義」國家的一切，寄以滿懷熱忱與希望。

可是：事實上自稱「解放弱小民族獨立」的「社會主義」者的蘇聯，當強國日本侵略弱國中國民族時，不惟對弱小者不予援助，反而與強者妥協，助長日本橫行中國，蹂躪菲律賓、馬來亞、新加坡、爪哇；一遇弱小民族。當希特勒進犯波蘭時，反同強國德意志坐分波蘭，較納粹尤屬可鄙可恨。繼而進一步繼承彼得、沙皇未盡之遺志，披上僞裝之「民主」外衣，公然併吞愛沙尼亞、拉脫維亞、保加利亞、羅馬尼亞、立陶宛、波蘭、阿爾巴尼亞、捷克……一羣小民族，近且置中國於鐵幕，侵略南韓，更伸出魔掌於越、緬版圖之上，已有赤化全世界，奴化全人類之勢。對內呢？則是厲行其極權主義與恐怖政策。大量強制移民與不斷整肅。欲使斯拉夫之外的其他民族，一律供其人為之消滅；生存已無可能，遑談什麼獨立。所以把戲揭穿，原不過是目的在使一切「民族消滅」，獨一斯拉夫民族存在！

「民族消滅」在共產黨社會發展規律的邏輯中，本是由「社會主義」展到「共產主義社會」以後之事。然而今日「社會主義」的俄帝，在「民族消滅」上，卻已做到「共產主義社會」以後的事了。此是理論與事實的明顯矛盾；然共產主義正是矛盾中製造專家。但馬、恩已說，其他學說皆只不過「說明社會」，唯共產主義是「改造社會」。明乎此，如今史大林改造社會發展規律之勵碌，則自極瞭然。

因為要「改造」社會，故要組織第三國際，要策動第五縱隊陰謀，要顛覆各國政府，要達成社會之「改造」，而遂其赤色之野心。要獨裁，要徹底「奴役」，要戰爭代和平，要以侵略為解放，黑暗為光明，痛苦為幸福，眞地獄為「天國」。一切皆為「改造」，故對俄羅斯則高唱愛國主義，提倡民族主義；在莫斯科危急時，竟失聲大呼「保衛祖國」呀，「保衛莫斯科」呀。對俄羅斯以外的民族，則抬出恩克思的金科玉律來，強調階級觀念，否定國家觀念，高唱「勞動人民無祖國」。史大林更硬化之，規定「一個無產階級的國際主義者，並無若何附帶條件，決不猶豫，隨時準備及無條件的保衛蘇維埃聯邦社會主義共和國。」如此這般，自然斯拉夫「大定」是絕對「優越」的，理應騎在世界上一切民族的頭上了。準此，波蘭國防部長由俄人充任，何足怪哉！

民族主義遭遇三逆流　進化論血統論國際論

綜合民族主義發展過程中之反動逆流，計有三；一是列強時代，強調進化論的逆流，此流衝破各民族間和平相處之堤，創出殖民制度，引起一九一四大戰。二是法西斯強調血統論的逆流，此流導致一九三九大戰。三是俄帝強調國際論的逆流，此流集一二流反動之大成，最為險惡！一二流已在各民族團結的正義激流下已成過去。唯第三逆流正氣焰猛烈，異常澎湃，全人類可能有墮入極權毒河中之勢！自然，眞理將戰勝一切，第三逆流必走歷史設展之老路，而歸失敗；「形勢比人強」，倒行逆施的極權政權，必跨。可是此流太凶，必須各民族及時殲滅的團結？拿出對策！

每次逆流的泛濫，都有其背景及內幕。日本有天皇制度作背景，才產生武士道精神；德國有軍國主義，才興起納粹主義；意大利有黑衣黨，才形成法西斯蒂的侵略；此三大窮兵黷武的背景者又結成一「總反動逆流」，才構成第二次反動逆流。俄國在農奴制度下，人民有極端的「被迫害狂」，以後再加上列寧移積過來馬克思的仇恨心理作背景，才產生共產極權制度，亦才掀起這次的逆流。反動逆流之背景在此：其因素則一言蔽之：不民主！不民主的制度，必培養不民主人物；不民主人物，必厲行不民主的民族主義；不民主的民族主義，必產生狹隘與自私，反動逆流因是而來。

有人存着逆流之源在於執行之人的「錯覺」，認為一人之死或變，天下即會太平；咒史太林早死，盼毛澤東變「狄托」，即基於此。這種忽略制度乃是根本之源的倒果為因底觀念，很易無形中增此逆流之波浪。歷史告訴我，「人亡政息」已是錯誤！其因素不減，其制度不摧毀，縱然史死毛變，此逆流平息，無數逆流亦將會再起的！

逆流之果為大戰，戰爭對民族之破壞性，其大是無可比擬的。而以落後民族尤甚。故其民族革命思潮隨運而興，第一步便是擺脫羈絆。因是民族主義成為其「殺手鐧」。目前亞洲民族主義即在此種情態下抬頭的。然此種民族主義之出發點是偏頗的，立場是狹隘的。固然，這種要求獨立理性，雖也不能否定；但由狹隘而流入偏激的行動，卻極切堪慮！如不正確的實把握住，便有受「解放弱小民族獨立」理論所引誘，而為赤色逆流利用之可能。民族主義的動力已如洪流；洪流不可阻當。大禹治水用疏而不用湮，故獲成功。偉大的政治家不是辦法。待事發後止之，乃應事先消弭於無形。至少該落一葉而知天下秋。有徵兆時，即須立刻疏導。

民主立場的民族主義　各民族間應一律平等

落後民族長期受人統制，一切破產，欲自力更生，不求外援的偏激的錯誤的理論，在事實上是行不通的。伊朗收回油權是本份，然欲馬上攆走英國，連技術人才亦所不免，則實不對。拋棄現實合理需要而欲求更佳之生存，不但緣木求魚，且必適得其反。尼赫魯剛獨立不久，未能觀清楚週遭環境，便防顧自豪，竟以國際第三勢力自居的自鑑式的「自我陶醉」，只有獲得千古之可能而已。

須知；今後民族主義的問題，已不是單一的個別問題，乃是須各民族的問題；乃是整個民族緊緊一起的民族底問題。此問題之關鍵，便是把民族主義導向正確之新方向。

各民族之民族性格，為若干年代所形成，存有若干因素。現在雖然科學昌明，可贊助消滅這些因素；（如交通之隔絕，文化之不易交流等。）但事實上仍有不少問題非科學所能為者。且各民族彼此均有突出之特點，如切其長，互相加以探討研究，再施於各民族間，則對人類文明之貢獻與社會發展之幫助是極大的。再者，各民族間，互相相對比較，對於推動社會發展乃有決定之作用的。故忽略這些厥「國際」是不行的。至少在現階段是嫌之過早。何況民族主義本身，是被「國際主義」所竟枉而並非狹隘。在走入新方向後的民族主義，已經不是在絕對運用「少數服從多數」規則的強大民族「狹隘的」自私民族主義，而是「各民族一律平等」的全民族「大同的」新民族主義。因為這已不是純民族立場，而是純民主立場。以前就是忽略了民族主義須絕對建立在民主制度上的眞理，才引起很多不必要的糾紛。不是議論紛紜，莫衷一是；即是各執己見，流入極端。結果仍免不了在歷史上兜圈子。此點最為重要，舉例明之：今日世界，形成兩大集團。一為自由民主之美國所領導，一為專制極權的俄帝所領導。兩國本身均多數有民族。前者由於尊重憲法，絕對執行各民族一律平等的緣故，各民族得以合理自由的發展，彼此故無糾紛。後者雖也有同樣的憲法，然事實上除斯拉夫民族外，根本不讓其他民族有發展的機會和可能，民族發展須依照政治局的意思。二者同樣憲法而實質相去霄壤，其根本原因即在於民主與極權之異。故俄國有烏茲別克民族的反抗與烏克蘭的暴動。美國則相處融洽。同時美國對外亦從未有侵略的野心，一次大戰，威爾遜主張民族自決；二次大戰，羅斯福訂立租借法案，發表四大自由，追求永久和平，組織聯合國。更進而有馬歇爾計劃與杜魯門「第四點計劃」。俄國則絕對的相反！因此美國國內各民族猶水乳。俄國卻似水火。

由此可知，民族主義不讓它歪曲發展，實是造成安定社會秩序之重要因素或支柱。所以在民主的民族主義下，社會是必會上向光明幸福的道路上去。但目前須防其有所偏差和變質。

世界民主國家應合作　報復心優越感應掃除

民族有先進與落後之異，便產生優秀與低劣之偏見，造成人為的不平等。此種偏見現雖已不復存在，但代之而起的卻是落後民族在往昔被壓迫時所產生的仇恨心理，仍是存在着在作祟。再加上俄帝以國際主義為幌子，以階級論的挑撥，更形危險。故先進民族優越觀念的殘餘意識固應掃除，然落後民族的報復心理尤宜改正，不究既往，看清當前的眞正敵人，推誠相見，在相互諒解的民主民族主義原則下，攜手為友，共禦外侮。

先進民族援助落後民族，不宜推銷剩餘物資式的不按原則，不按實際需要的援助；亦不宜漠視當時當地的實際需要，而忽略富有建設性的極給援助。至於經濟落後的民族，更不可因是而存絲毫的依賴心理；無條件的接受其援助，此根本失去互惠互助之意義。理應對自己的資源，盡可能積極的發展，作平衡的發展。雙方資源應作合理交流，各取所需；工業發展的民族，解決原料問題，則以先進民族協助落後民族，換來之物資建設自己，助人自助，豈不兩得。

因為各族均有固有之文化，其文化互有不同之特點，此特點不是自有人類以來所堆積而提煉出來者。若大量交流，彼此截長補短，則學術上歷史的偏差自可消除。新的學術思想必將產生，新的文化史上亦必將開出燦爛無比的奇葩。（此在歷史已獲部份證明。）

民主思想，產生民主制度，民主制度，產生民主的民族主義！

於是：不同的語文，不同的膚色，不同的生活習慣，不同的社會制度；在相同的民主底民族主義下，快樂的攜起手來，團結一家。抱定「老吾老，以及人之老；幼吾幼，以及人之幼。」的愛底哲學，促成「使老有所歸，壯有所用，幼有所養」的大同世界早日出現，人類永享和平相處！

來論

從新總理佛爾看法局

法國新總理佛爾Edgar Faure，是法國六十年來一位最年輕的總理，算得上法國政壇的幸運兒，他的任命兩週能被國會順利通過，是政壇觀察家所不及料的。

佛爾雖然作過普里文內閣的司法部長，但是人們對他的印象是很生疏的。在戰時，他雖然作過戴高樂領導下的自由法蘭西運動的助理祕書長，但他在自由法國的戰鬥中，並未有過轟轟烈烈的表演。他當選為國會議員，也是大戰結束以後的事。然而他竟在多變的政壇中，充任第四共和國的第十二任總理，其原因是很值得我們去追溯一番。

根據美聯社的報導，好像他的任命案，能夠獲得國會通過，是因為他在國會發表政策演說後，能夠對議員們所提出的挑戰性的問題，答覆得有條有理。因此在表決時，能夠意外地獲得四〇一對一〇一的懸倒式的多數票。這一個報導，替我們解釋了疑團的一半。

佛爾很年輕，今年才四十三歲。他投身於政治舞台，尚是一九四三年參加自由法蘭西運動以後的事，因此我們沒法從他過去的政治紀錄上去了解他，而須從他的現實的政治關係和其人格個性去認識他。

佛爾的樣子有點像一位能幹的推銷員，或者像一位機警的導演。他的面部的特點是近視的眼，高鼻子，大耳朵，流線型的嘴巴，面孔能夠作各種各樣的表情，具有常人沒有的高度警覺性。他除掉銳於思考，健於談吐，敏於行動之外，還有一副使敵人放下武器的笑容。他這次能夠把握住國會壓倒式的多數票，其本身所具的條件的吸引力，佔了一個重要決定因素。

從他的現實政治關係而論，他走的仍然是中間路線，他是激進社會黨黨員。因為他從前作過戴高樂領導下自由法蘭西運動的助理祕書長，和戴高樂份子比較接近。因此當他的任命案提到國會去複決時，他除掉獲得中間路線各社會黨派的支持外，還獲得一部份戴高樂份子的支持，造成四〇一對一〇一的票數。

佛爾這次所組織的是一個中間路線的聯合內閣，雖然他本人是一個有希望的青年政治家，但我們對他的內閣壽命，卻不敢過份樂觀。就性質上講，新閣與舊閣並沒有多大的分別。在四十名部長中，有二十一名是普里文內閣的舊人，天主教大衆黨仍然佔據重要崗位。拿舊人來對付舊問題，結果我們是可想而知的。更何況佛爾的政治經驗和聲望，遠不如普里文來得老到而具號召力，因此內閣的陣容，一開頭便表現脆弱和散漫。筆者的結論：新閣的壽命，不會延續很久。（樂光）

柯克對自由中國樂觀
軍隊訓練達成熟階段
中共如對台灣採攻勢
第七艦隊將立刻解凍

【本報專訪】在經過電話中的預約，我便在指定的一個黃昏，到九龍一個很幽靜的旅舍中，去拜會方自台北來港的「上將記者」美前第七艦隊總司令柯克。柯克迎着笑面出來，上身穿着一件運動外衣，半白的頭髮，瘦瘦的臉，兩眼閃閃有光，顯得格外有精神。他一開頭便道：「你知道，我這一年來爲台灣用的心思够苦了，所幸我的估計，和建議，均蒙總統接納，得能順利推行，恰巧能接着蔡斯團長一大批的援助，但是我畢生最大的幸運」。柯克表示，自蔡斯團長抵台後，他一手經辦的「商業國際公司」立刻結束，大部份的人現在都已返美，只留着一小部份還在台北，供蔡斯團長驅使。

柯克和他太太都不捨得離開台北。臨走上飛機的那一天，柯夫人接納獻花的時候，她說：「我心裏難過極了，我情不自禁的眼淚含在眼中」。她說着這話乃轉首回顧柯克道：「親愛的，你看了這場面是不是也很難過」？柯克正色道：「是的，我也非常感動」。柯夫人說：「每天我去中國廣播公司協助他們，幾乎已成了我日常生活中一部了」。

柯克承認舟山國軍撤出，保全實力，是他向總統建議的計劃。他回溯在舟山國軍未撤之前，海南已失之後，台灣的情形是最危險，眞可算是千鈞一髮之際。他說：「那個時候，一部份的力量放在舟山，而舟山又是一只死棋，空軍已無法主動，軍火不够，彼時如中共攻台，台灣是很不易招架的。加以當時中國國際局勢到了萬分惡劣的時光」。柯氏把舟山撤出的動作方面，完全歸功於彼時指揮官石覺中將，他說：「當時在行動上能保密，實在是一椿了不起的工作。及至舟山國軍安然抵台後，我才比較放心些」。

說到現在台灣的局勢，柯克未先開口，和他夫人便笑得合不攏嘴來。你可以看得出他們內心中無上的喜悅，柯克道：「現在的情形，不同了，和從前不同得多了。現在實力相當強大，訓練方面也已經完成了一個非常成熟的階段，我可以向你保證，今日的台灣，不但可以在任何種攻擊下守得住，而且還有力量向大陸出擊。因爲能够出擊，才可以守。現在唯一的問題，便是缺少東西，如果蔡斯團長開出去的清單，我們美國都能兌現，及時交貨，那玩起來，是非常利害的」。

柯克不肯說明軍事上的情形，但他明白指出今日中國六十萬的國軍是十十足足的六十萬。不但每一個人都能上火綫，而且足有以一抵三之勢。他盛讚孫立人和賈幼慧（按爲陸軍訓練司令）的才具和苦幹的精神。他說：「他們不但能完成指定的任務，而且每每提前交卷，節省了不少時間。有很多事情，中國軍人，實在比我們美國軍人強」。說到這裏，柯克的尖銳的目光中，似乎露出了無上的欣慰。

柯克不肯預測國軍何時可以出動。他說「我下飛機時有許多記者追問我這個問題，我確是答不上來，因爲我不是中國的參謀總長。但我可以假設，如果韓國戰場沒有變動，中國軍隊還是在靜止狀態中，現在一切仍看韓戰，不論停火與再打，在軍事上都算一種動作。否則，便看中共沿海的行動了，如果中共現在打台灣，則第七艦隊的中立狀態，立刻解凍」。柯克也不肯預測中共現在是否立刻攻台，但他承認粵南及閩南沿海的箭頭確是指向台灣的西海岸。

關於他要寫海上回憶錄的事，他說：「這個事要等回美國後，方可決定」。現在已有兩家出版公司向他接洽，其實回憶錄的手稿已大部完成，他是用日記方式寫出的。太平洋戰爭時的一段，自然是佔據回憶錄的最重要的一部份。回憶錄是寫到在青島退休而止。他現在雖然是退役的海軍上將，每月仍可從國防部中領得八百元的年薪。他說：「我們夫婦二人的生活，已足够了」。在台灣他還有一個女兒，面貌很像柯克。他們已經在四日離港，飛星加坡，轉印度，中東，而到歐洲。他在巴黎預備住一個月，然後由巴黎直返紐約。（力行）

上海失業問題嚴重
十萬工人走頭無路
勞動介紹所不能解決實際問題

【本報上海通訊】當前年春夏間的時候，中共看到上海成千累萬的失業人潮，造成一遍飢餓恐怖，便大膽大氣地宣傳說：「這是國民黨腐敗政權澈底崩潰，新中國開始偉大建設的過渡的無可避免的，一下子就要好過來的暫時現象」。

從那時起，中共一方面緊迫人民「還鄉生產」，要智識份子，工農大衆丟包袱去參軍或到西北開墾；一方面則大力的拘捕「國特」、「反革命份子」，「逃亡地主」……等，以來減輕嚴重的失業現象。但是，失業問題仍然沒有解決，乃於同年八月間上海市勞動局成立了一個所謂「勞動介紹所」，舉辦失業人員的調査、登記和介紹職業的工作，藉來安定一下浮動的人心。

一二年來，由于中共……都市方面竭澤而漁的捐獻，和在農村方面天翻地覆的清算、土改，使得人民的經濟生活，普遍陷于油盡燈枯的絕境。因而「一下子要好過來」的失業問題，反一天一天地嚴重起來，現在上海的失業人員，至少在十萬人左右，最會「隱惡揚善」的中共報紙，對這一點似乎也沒有完全隱瞞得了，去年十二月八日上海解放日報載稱：

「由於本市失業羣衆要求解決職業問題的迫切，爲此勞動介紹所問訊有關職業問題的，爲數頗多，根據本年一月至九月的統計，口頭問訊達三七，九六一人，書面問訊達二〇，〇一三〇件，每日最多時達二三百人；主要是半失業人員，沒有工會組織關係在工會系統登記不上的失業工人、家庭婦女、一般智識份子及外埠來謀生的烈、軍屬和農民等，很少有專門技術或相當學歷，故絕大部份不合技術員工登記條件」。如該所所述，所有在勞動介紹所登記的人，只是些沒有工會組織關係在工會系統登記不上的失業人員，而有工會組織關係的失業人員尙不在內，一般失業人數的衆多，就可以想見了。這些經過勞動介紹所登記的工人，並沒有得到介紹所的實惠，在飢寒交迫中，他們在擾攘過去的生活。（四十一，元，廿五，一鵬寄）

從日治到毛朝
楊老清回國「觀光」

【緬甸通訊】緬甸華僑，約有三十多萬。以福建雲南和廣東三省的人爲最多；其中尤以操廈門語的福建人，不祇在數量上首屈一指，即在經濟力量方面，和社會地位方面，也都比較優越。

過去，在緬甸的華僑圈裏，很少關心政治問題的，自從抗戰開始，共黨即看中了這塊處女地，嗾使其尾巴黨——民盟份子在這裏大肆活動，交結失意的教書匠，吸引無知的青年。

及至中共奪取大陸，這中共的尾巴，在共幹的嗾使下，居然組織了一個向毛匪歌功頌德的回國觀光團，這個觀光團一行二十二人，由團長楊老清（日治時期在緬甸發財的一員）副團長陳步墀饒伯壎率領，自去年九月十八日由緬甸出發，一路有如做賊心虛，偷偷摸摸地由香港轉回大陸，觀了三個多月的光，又偷偷摸摸地來到香港，在大陸除夕的前數天才回緬甸去了。他們在對人提到這次觀光所得時，從頭到尾，只有一個「好」字可以說得。但你若問他們：中共好在何處？他們卻答非所問。（吳薇華）

香港三日

調景嶺難胞請當局延緩遣散，並呼籲台灣放寬入境
英國撤銷駐廣州總領事館。新界邊境情勢略趨緊張

香港出席聯合國亞洲遠東經濟委員會代表港大教授柯柏博士於四日下午由仰光返港。他說這一次經委會雖說完全屬於遠東經濟部門的討論，但有一個場面，是完全政治的冷戰。在大會進入第三日的階段，香港代表羅文惠指出香港在美國禁運影響下，經濟萎縮不振，影響至大。蘇聯代表則指出美國之禁運，勢將影響遠東及亞洲全區之經濟發展，羅氏起而反駁認爲所受影響者僅香港一地，並非遠東全區。雙方舌戰一場，不歡而散。

×大韓民國駐港總領事李鼎邦頃正發動韓國歌劇團來港表演募款救濟韓國災民一事。李總領事稱韓國的古代音樂是純粹中國古代的樂器，西洋音樂也脫不了韓國的情調。他說現在正替該劇團辦理申請入境手續，希望不久即可來港上演。這一次韓國歌劇團在港上演後，亦將往台北一行。然後由台灣轉東京返回釜山。×

台灣農林部顧問（日籍）伊藤博士，三日由台經港飛赴華盛頓。伊氏爲聯合國經濟合作機構派駐台灣者。據伊氏稱，今日台灣農業較諸日治時代，在米糧出產方面比以前改進。魚業增產數字仍未能恢復日治時代。至於台灣昔日以出口爲大宗之鳳梨及香蕉，在產量方面一落千丈。伊氏很不客氣地指出今日的鳳梨公司一落入中國人手中，營私舞弊，無所不爲。他們已不在專心研究事業。伊氏還說從前鳳梨可以大量銷至美國，現在美國覺得出品一天天退步已經不要了。言下十分可惜。按伊氏在日治時代爲台大農學院院長。×

香港調景嶺難胞於四日推舉代表向社會局請求暫緩遣散，並提出三個辦法。一，請社會局延長救濟期十個月。二，請社會局及各公益團體廣爲介紹工作。三，組織勞働墾荒隊，俾難胞得能自立更生。同時在難胞方面，已再電台省當局放寬入境限制。俾能早日歸返祖國之懷抱。本刊對台省入境之限制，已有好幾篇文章促醒台省當局，筆者在此將願爲難胞呼籲，請政府方面早日設法救濟，准彼等返台。辦好工作可以俟彼等入境後加强調查。調景嶺是台灣收復人心的一個考驗了。

×這幾日的香港，一般說來比前些日子緊張些了。深圳共方邊境上架着一隻大話筒，天天播送曾難香港政府押解影人出境。在英方邊境，其靜況一如以往，只是以新界警司偉禮沙領導的防守隊，每一分鐘都在小型的石堡內注視着。五日英方決定撤消廣州總領事館。看來又是一只「驚人」棋子。據記者從香港外交領事方面探悉，一般認爲英國之撤出廣州總領事館，其最大之原因，實由於英領在廣州已根本無活動之餘地。據說在廣州的英領，他活動的範圍僅於領事館那個小小的範圍內。

×巴拿馬駐華特命全權公使芝顯（兼駐港總領事）三日由台返港。他在台灣住了一個短短時期，經常是在香港的時間較多。他說：「這一次到台灣去，和各方接觸，眞有士別三日，刮目相看。又進步了不少」。他指出路政方面已大有改良。芝顯公使說：「我常常喜歡看台灣的公共汽車來推斷台灣的政治，今日台灣的公共汽車，即以台北一地言，已井井有條，不像從前那樣擁擠無章，公共汽車原是一件小事，但關係人民日常生活至大。這種小事都是政治最基本的問題」。是見台灣政治在一天天的着」。他表示非常欣慰，台灣的一動一靜，他是經常有報告給巴國外交部的。（一成）

共黨視公文如皮球
文件往來要踢卅次

共產黨徒們，自在大陸上竊奪政權後，儼然也似猴子騎在綿羊上一般，好像變成了人？設立了偽朝廷，各級偽政府機關，如雨後春筍般地紛紛設立，衙門八字開，有理無錢莫進來！

它們的幹部，坐在八字衙門裏，耀武揚威，氣燄萬丈，視民命如羔羊，括搜民財爲已有，辦起「公文」來，就把它當做踢皮球，踢過來了，一腳踢開去，一了百了，萬事俱休，還是括龍重要。

目前，上自北平偽朝毛宮裏起，至下層衙門止，文牘主義盛熾，「層次多，手續多，花費多，弄得人頭腦不清楚。」（見十二月二十一日人民日報載）偽內政部長謝覺哉則哀鳴道：「一個文件從進來到出去，至少要『踢』三十次！」偽朝各級偽政府裏的共幹們，它們只知道辦公文，就是「踢」皮球；有時還嫌「球場」小了，要把球踢到另一個球場（係指偽機關）裏去，始算稱心得意。故謝覺哉繼續地哀鳴，道：「他們放着已有的放在桌上的現代化的電話機不用？」「一件文件縣幾十天，或幾個月，不算回事；等到他們辦好了，那不僅要打電報，還要『急』或『加急』。電文又絕不簡潔，他們似乎不知道電報要按字算錢，急電要加倍的錢，反正和他們無關！」（同參見上）

謝覺哉在檢討「公文旅行」時，尚未忘形於窮公黷武，他說：「假定一個機關工作者每天八小時工作，在這樣『踢球』的手續上花了四小時；又假定這一工作人員若去搞建設性的工作，每小時最低生產五千元的價值；那末，一天要損失三萬元（按：指偽幣）。全國若有十萬個這樣的工作者（恐不止在此數）；那末，一天就要損失三十億元，一年就損失很多，節約下來就可買很多機器，或者飛機。」（長江）元月二十日

中共改造工礦病工
強迫實施勞動治療

【新化通訊】湖南新化錫礦山出產的錫，世界聞名，中共竊據該礦後，設有一個湘錫管理處，控制資江流域出產的錫礦。

中共在錫礦山裏，提出的口號，是：「衛國保家，要以保山愛礦作起」。錫礦山自一九五〇年十二月在共幹主持的工會提起「生產競賽」以來，至一九五一年十一月底止，一年以來的競賽成績，據錫礦山工會的報告，是領導共幹胡塗亂攪，職工的思想教育不够，職工思想很混亂，生產情緒不高，月月完不成任務？炮工的原礦石產量，較競賽前平均僅提高百分之十，生產直接成本降低百分之十一、九；雷管、炸藥的每月的消耗要多一半，生產任務則未達成。但是，工人增加了百分之百，每月公帑消耗，較前增加了百分之二百五十以上。

共產黨的礦山工會，爲了提高「生產情緒」，曾經進行很多的急改革工作，厲行「反包頭」制度，採取「平均主義」的工資；結果，工人的工資，較在「未解放」前，普遍平均降低了百分之五十。工會給工人添購的床舖，整理的浴室，和成立的伙食團，這筆費用，統統自工人的「愛國儲蓄」捐下項提出，用工人自己的血汗工資，來宣揚共產黨的爲「工人服務」德政，工人的家屬，則只有挨餓忍痛，望着丈夫兒子，活生生地被共產黨奴役着，無錢拿回家做生活費用。

共幹爲了進一步控制工人，訂立「勞動紀律」和「操作規程」，設立「懶漢班」，和「模範班」。礦山裏有個「鄭國生模範班」，去（一九五一）年一月至十一月，炮工因體力不支，生病，死亡的，計有二十八位工人；這些工人，是怎樣死傷的呢？共幹將生病的工人，不准歇工支薪，編入「懶漢班」。要他們拿起「懶漢鏟」去做「輕工」，以「勞動」治療，「改造」工人的病體。結果使他們「病」上加「病」，由「模範」，降爲「懶漢」，再一下便成了人間的「死漢」了！共幹們說：「勞動可以致富，勞動可以增强體力，共產黨要將工人變成一部活生生的機器！」可憐被關在錫礦山內的工人，就因此變成了待死的「翻身」工人！

工作競賽帶來悲劇
孕婦夭亡工人倒斃

錫礦山內的炮工，揹砂工人，在捲入競賽以來，他們的工作，是加重了；揹砂工人的目標，規定每日要達二千七百斤，由于揹砂跑過不停，中途疲斃而倒地的，不少透甘溜泊；女工情形更慘，常常發生流產而夭亡的事件！「出山」的工人，多係共產黨員和團員，因爲這次工作閒鬆，只有共產黨自己人才能享受專門工作。（振行）

共黨仁兄的三反四覆

·尚方·

中國大陸上的共產仁兄，大張旗鼓的搞過一陣「反貪污，反浪費，反官僚」的三反把戲，將一些早已列入黑名單的異己者，藉此大掃除一番之後，繼續又上演「四反」的連台戲，目的是對着商人們，說他們有暴利，偷稅，納賄，詐騙等四大罪惡，所以要大反特反，反到無可再反而後已！

共產黨人是專門以謊言魔術治天下的。你若閒着無聊，把他們最近兩年多以來所喊叫的口號，所發佈的文告，前後對照一下，你就覺得啼笑皆非，可恨可恥了。譬如：他們在「爭從兩治」的幾大約法之後，忽然自稱聽到了「人民」的呼聲，說「天不怕，地不怕，只怕共產黨講寬大！」以便大大的屠殺一番。共產黨人會有講寬大的麼？鬼纔相信哩！爲要騙商人的錢，先就來一套「維護民族資本家」「歡迎愛國華僑」「保障工商業」等類宣傳，又說些「勞資兩利」的甜語，等大家墮入魔術戲時，如是乎，「四反」運動起來了！照他們所指出的「四反」對象，任何一個商人也是逃不了的，只要你作生意尚可勉強支持，就配得上會圖暴利的罪名，其他各項更不待說了。然其所「反」的四項情形，又無一而非表示他們自己之貪污低能，腐化惡化諸本質。縱使商人們眞有此事，共產黨人不是自命爲組織嚴密，紀律森嚴，訓練有素的「無產階級革命鬥士」麼？連人民睡覺吃飯行路都控制住了，爲什麼還讓商人們有暴利，偷稅，納賄，詐騙的行爲發生呢？

事實上，這套魔術只是要消滅民族企業和私人工商業而已，試看「四反」之外，又勒令人民登記私有現金，即可想見了。共產黨人晝夜離不了「鬥爭」那套玩藝的，名詞多得很，三反四覆以後，包管還有五打六抑，乃至於七擒八斬的花樣出現，不信，你等着瞧吧！

自由談

萬竹樓隨筆（六九）

飯後鐘

·意雲居士·

寺院叢林中，每流行一種諺語，所謂『飯後鐘』者，蓋僧人之逐客令也。故事十方叢林，皆由檀越善信所施建，例必供養十方，代施主佈施。故除招待各方之雲游脚伴外，餘屋多借貸于應試舉子及無家旅客，隨緣樂住，意至善也。

晚近僧人，意存謀利。住客酬值不豐，或無資久住者，動遭僧人之白眼。寺中除佛課外，每飯必敲鐘喚衆，名曰飯鐘。但必於飯前敲之，以代邀喚。

相傳此事出於唐代揚州之惠照寺。士人王播時借居於寺中之木蘭院。王貧而好學，早負詩名。生計不給，因借居寺內，每日聞鐘趁食，以資果腹。久之不酬一文，漸小覷於僧衆。一日寺僧相約飯後始擊鐘，逮王聞鐘趁觀，已杯盤狼藉，齋罷下堂矣。王憤甚去焉，遂之京師。埋首下帷，漸致通達。然居恒每追恨往事，未嘗能釋然於中也。

二十年後，王以巡使出鎮揚州。王下車之始，輒先詣惠照寺，省視舊所寄居之木蘭院，則當時王所題之詩句，皆早爲寺僧以碧紗籠護無遺。王感嘆炎涼，因續題二絕句云：『二十年前此院游，木蘭花發院新修；而今重到經行處，樹老無花僧白頭。』『上堂已了各西東，慚愧闍黎飯後鐘；二十年來塵撲面，而今始得碧紗籠。』

此事散見近人筆記，而王詩筆之流暢清新，尤膾炙人口。殊不知王之才勝於學，詩雖自佳，而學力實不足以副之。其用意遣辭，皆有欠妥當之處。初云其辭欠善者，其次首第二句之塵撲面三字與末句碧紗籠三字，毫不相呼應。蓋如謂塵撲面之『面』字係指人面，則人面何得以碧紗籠之？如謂碧紗所籠者爲舊題之詩句，則詩句安得有面目？且並未放出詩句字樣耶？然細玩王之詩意，分明上句指塵所撲者爲人面，下句指紗所籠者爲舊題也。然兩事而爲一辭，未能兼顧，含意遂未融通，此學力未逮之咎歟？妥爲代擬二字，將『塵撲面』易爲『塵滿句』三字，辭意似較清醒。質諸同道，以爲何如？

次云用意欠妥者，王詩純爲才人之吐屬，矜才使氣，學養未純，故語語撫今追昔，不能忘情於飯後之鐘聲，殊有悻悻然小丈夫之意度。且念年來身已貴顯，以高位臨民之父母，一言不及於民生國計，純爲世態炎涼所拘束，末句尤沾沾以籠紗爲足，詩格淺陋已極。余亦試爲略易其次首云：『上堂已了各西東，多謝闍黎飯後鐘；豈有涓埃供濟世？題詩慚愧碧紗籠！』如此辭意似較謙退，次句反怨爲德，尤合於君子自反之意。且也朝離齋寺，暮登廟堂，何妨飯後之鐘聲，看作老僧之棒喝，豈非於明理衡情之外，又另成一解耶？事距今且千百年矣，佛堂殘火，猶自鐘聲；同客朱衣，盡成陳跡！於茲而追想前情，益嘆王郎之不適。浮漚塵界，緣合則聚，[illegible]蛇足？妄續和二絕，以訊有情：『癡兒紆紫訪前游，浮世因緣有定修；已過念年成往事，又添新詠續從頭。』『招提門外[illegible]西東，終古斜陽擁舊鐘！詞客闍黎俱換盡，碧紗無意爲君籠！』

義士武松（四）

——水滸人物論之六——

·舜生·

施恩原想把武松供養三月半年，待他的身體將息好了，氣力完足，他自己才出面向他訴說蔣門神欺負他的一段事實的，不想却被這送酒飯的伴當把他的姓名說出，又被武松苦苦追問，不得已才出來和武松見面，並將蔣門神搶奪快活林的經過細說一番，武松聽到蔣門神自誇打遍天下無敵的話，便氣憤非常，要立即和他去相打，但結果仍被留了一天，並當着老管營的面，施恩向武松拜了四拜，認武松爲兄。次日，武松抖擻精神，在路上喝得醺醺大醉，直奔到蔣門神所佔的這片酒店，藉故尋釁，把一個掌櫃的婆娘，和兩個酒保，丟入酒缸，走出店門，正遇着蔣門神趕來厮打，武松乃使出一套名叫『玉環步鴛鴦脚』的看家本領，只兩脚，腹下一脚，額上一脚，便把蔣門神打倒在地，苦口求饒，並接受了武松所提的三個條件，先把酒店交還施恩，招呼當地一羣爲頭的[illegible]向施恩陪話，自己才帶着老小，一溜煙的逃了。這便是施恩重霸孟州道的經過。

可是蔣門神並沒有離開孟州，就躲在張團練的家裏養傷，並由張團練出面，勾結孟州一個守御兵馬都監張蒙方，要設計陷害武松，爲蔣門神報仇。

隔武松打倒蔣門神一月以上，正是一個新秋天氣，一天武松正坐在施恩酒店裏閒話，門外忽然來了三個軍漢，牽着一匹馬，聲稱來找打虎的武都頭，武松不知就裏，施恩却認得來者是張都監衙內的親隨，問明來意，才知道是都監特來相請。武松自負一身本領，隨時都想找個正當出身，因此陽穀縣參他做一名都頭，他便努力從公，現在看見一位都監能來請他，自無不樂於聽命之理。不想張都監見了武松以後，便百般恭維，要他做一名梯己親隨，予以種種優待，就叫他住在家裏，隨時與酒與食，並准其穿房入戶，眞的把他看作親人，武松是個剛直漢子，受不得別人的好處，自然非常感激。外人看見都監這般契重武松，便不免有人央浼他向都監說些公事，都監也無有不依，因此就有人送些金銀財帛段疋之類，給武松作爲酬謝，武松把這些禮物都鎖在一口柳藤箱子裏面。

光陰荏苒，早是八月中秋，張都監在後堂深處的鴛鴦樓下，安排一席酒宴，闔家賞佳節，並叫武松也去喝酒。武松看見夫人宅眷在坐，只喝了一杯，便抽身告退。都監那裏肯依，仍舊叫他坐下，並取大銀賞鍾斟酒，叫武松只管開懷暢飲，又喚出一個心愛的養娘，名叫玉蘭，在席前侑酒，還唱了一支蘇學士的水調歌頭，武松雖是一條硬漢，而對這般景象，感懷身世，一連喝了十數杯，也就不便有些飄飄然了。

抗美援韓

海隅憶語

世界語在中國（上）

海隅旅客

憶述四十年來文字改革運動的經過，因而並憶及世界語的開展與衍化。

波蘭柴門合夫博士爲泯除國族界限促進人類大同而創造世界語，完全以拉丁爲基礎，故于拉丁語系國家開展至爲順利，其他國家推行便較費力了。習用單體單音方塊字的中國人，初與世界語相遭遇，正與任何西方一國文字同樣的陌生，不過拚音和語法都簡單而固定，要學習倒比任何西方文字爲容易。

柴門博士本命它名爲 Esperanto，纔開始在歐洲倡行，李石曾吳稚暉先生在巴黎刊行的新世紀報便爲國人介紹，稱之爲「萬國新語」，因爲歐洲人亦有稱之爲「人造國際語」的。創造人的生平和思想理論，創造的經過，該語的法則，推行以來的反應與批評，新世紀報，都言之綦詳了。

新世紀報主要是傳佈自由社會主義，兼及排滿革命的，清廷嚴禁輸入，民國紀元前三四年，我在香港接收每期百數十份，藏在醃貨箱底偷運入粵，分贈朋友。我對于這「萬國新語」大感興趣，函託留歐友人購取英或法文註釋的新語教本數種，文藝名著新語譯本多種，因爲粗識英法文在先，自習新語非常容易，只下數星期工夫，依靠字典即能閱讀書報，得與任何國世界語同志通信談天說地，乍然愉快而領略到人類親和之樂，不禁對創作者馨香膜拜。

民元前一年，有許論博先生歸自法國，亡友王秋湄昔與許同學于上海震旦書院，至是在穗垣重聚。許精研世界語，且攜歸書籍甚夥。我們懇請許氏傳授以促其在中國流佈，許慨然答允。我們在城裏師子禪林借得僧舍一椽，號召青年十數輩，就開班講習起來。人事很湊巧而微妙，當我們喜孜孜習讀世界語的時候，那裏會夢想到半年之後，這一椽僧舍竟能救了我們三條性命。就是三月廿九日之役，城裏黨人與清兵厮殺正酣時，我與來自普陀的太虛和尚及來自嶽麓的棲雲和尚，從城外騰開太平門闖進城北，奉行某種使命，[illegible]警戒的清兵見疑，勢將攔捕，我們聲稱是新來的客僧，寄居在師子禪林的。清兵跟蹤視察，幸而這禪寺我們稔熟如故家，教他們不由不信，便在寺裏躲過了追捕。清兵問滿壁塗遍的世界語文是甚麼，我們說是印度文字的佛家經典，清兵點頭而去。

是年八月武昌起義，九月廣東光復，綠林民軍麕集廣州，漫無紀律。光宣間保皇黨人所設立的廣東公學，庋藏康有爲生平所讀書，並一大批購自羅馬準備光緒帝萬壽入貢的雕塑石像盤盎之屬，綠林民軍佔駐校舍，許多古本絕版書籍拿來拭穢，數尺高的裸體塑像取作槍靶，打到殘肢斷脰。我方避叢居白雲山僧寺，聞此憤極，急下山，向胡展堂取得大都督手令，逐走民軍，接收校舍，價值巨萬的石器，完好的已不及什一了。我就利用該校舍設立一所中等學級的平民公學，附設世界語專科，仍准許君任教授，招世界語[illegible]的青年就學者數十人。國內知有世界語這一新運動，大抵以粵人士爲較早，亦較衆。

蔡孑民先生長教部，令高專大學均以世界語爲第二外國語，師範學校概設世界語科目，但應者寥寥。其漠視比後來對于注音字母爲甚。據我所知，各省區縣市師範遵令設置的很少很少。大家認識不深，且懷疑它的效用，而師資難求，乃最大的原因。

洪憲禍作，一切新機窒息，世界性的新文字尤招嫉視，學術界寂如鬼墟，只有上海灘上的鴛鴦蝴蝶體小說大行其道。反動政權之爲文化魔障，亦屬中國近代史中一段惡劣史跡。袁皇帝的爪牙龍濟光，在粵中搜殺民黨中人不遺餘力。凡用世界語通信在郵局檢得的亦遭縲絏之殃，那倒因爲國內第一個傳佈自由社會主義的刊物「民聲」，亦爲國內第一個有世界語版的刊物，該社同人正被嚴加搜殺之故。（六）

吃砒霜藥老虎

我們天天在讀着活的歷史。威廉二世給囚禁在荷蘭鋸木頭過日子，與拿破崙被逐到聖希運拿島同爲一件叫人快意的事。由威廉培養數十年代的幾千萬爭雄逞霸的日耳曼人，投入了凡爾賽條約重重束縛中。誰料到短短二十年，全世界再給希特拉搞一個天翻地覆的大亂呢？希特拉的建軍是由「國民體育」而「警察」而「突擊隊」，然後纔撕毀條約後的正式陸軍，然後揭開面幕的龐大空軍，然後民航政策下的英德海軍新約許予重建的海軍，飛快地一一具備搗亂而且爭霸的雄厚實力了。黷武成性的民族，簡直像孫悟空，唐僧的金箍棒常會失靈的，稍疏于警惕的都可能釀成巨大的差失。美民主黨假手于兩杜（杜魯門和杜爾斯）還行了處置戰敗的日本。自以爲較當日張伯倫首相對德的撫綏利用來得放心，我却看不出他們的金箍棒何在。麥克阿瑟豈是天神，五年的管制與改造會根本轉移了一種培植了千年的民族性，誰其信之。和約生效之日，日本武裝警察即便有十一萬一千人，來年便增至三十一萬，其實要多少有多少，誰也瞭然于此中奧妙；但選以毒攻毒的霸主獨，我天天在讀着活的歷史總是慄慄打抖啊。（萍末）

不講究服裝的杜魯門

·江國雲·

杜魯門是一位最不注意服裝的總統。在一九四五年以前，他的服裝，不是太小，便是太短。很少能找出一套入時而且合身的。領帶也很隨便，顏色和質料，他是不大十分講究的。

在他作參議員時代，他的服裝常常是同僚們談話的笑料。他在一九三六年民主黨代表大會時，着了一套單排扣的灰色服裝，大小既不合身，兩顆衣扣顏色一黑一白。當他站在椅子上向代表們揮手時，他的朋友們担心他用力過猛，會把綳得很緊的紐扣撕落下來。

在波茨坦會議開幕前，他會繞道倫敦，報聘英王喬治，他帶的是一頂沒有鑲黑絲邊的史德遜帽（一種民間所帶的便帽），穿的是一套灰色的雙排扣服裝，衣袖和褲管佈滿了縐紋，看起來既不合身，又不入時，且欠整潔。但是這位代表一億五千萬人民的白宮主人，毫不在乎。

杜魯門最合身而入時的一套服裝，是他去年十一月在華盛頓歡迎英公主伊利莎白夫婦所着的那一套。它是一套深藍色的雙排扣裝，顏色與尺寸，很合他的身材。從此以後，每逢大宴會，他總是穿這一類的服裝出席。

近來，杜魯門已逐漸體會到服裝的美，而變得摩登起來。過去幾次他在基威斯特度假，都是穿的花花綠綠的夏威夷恤衫，看起來比從前年輕活潑得多。

杜魯門的帽子種類很多，他頂喜帶的是一頂歪邊便帽，其次是沒有鑲絲邊的史德遜帽。他頂不喜帽高統的黑色絲禮帽。當他參加大法官史棟 Stone 的喪事時，會穿上禮服，帶上禮帽，但他感到周身不大自然，表情也無精打彩。

杜魯門在正式作白宮主人以前，他最喜歡穿單排紐扣的服裝。進了白宮後，白宮裁縫特地向他建議，認爲雙排扣要比單排扣來得莊嚴。他接納了裁縫的建議，以後他的服裝全部都是雙排紐扣。這算得是杜魯門的服裝史上一大革新。

杜魯門還有一個打領結的習慣，在他的許多照片中，大概有一半以上是繫着領結的。他繫的領結或領帶，上面很少有花條，顏色也顯得深濃。

從杜魯門的所穿着的服裝，你不難想像他是一位道地的平民總統。

自由人
THE FREEMAN
（半週刊每星期三六出版）
（第九十八期）
每份港幣壹毫
督印人：李光華
社址　香港高士打道六十六號
電話：二〇八四八
GLOUCESTER RD.
HONGKONG
TEL: 20848
承印者：東南印務出版社
地址：高士打道六十四號
台灣總經銷處
台北市中華路一二五九號

展開廣泛的文化運動

左舜生

『子能覆楚，我亦能復之。』申包胥對伍員說的這兩句話，就在兩千年後的今天，也還是凜凜有生氣的。中共在最近的三年間，把整個的中國大陸，鬧得天翻地覆，眞好比『西遊記』上那隻毛猴，旣鬧天宮，又鬧地府，更鬧龍宮，把中國數千年緜綿演進的文化，摧毀無餘；把中國具有若干特質的社會結構，搗亂得不堪言狀。

儘管我們今後的工作是非常艱鉅，可是我們却用不着悲觀：第一，本來近年的中國社會，原已有了若干的毛病，藉中共這一次的冲洗，好讓我們重新加以考慮，以謀重建，所謂『塞翁失馬，安知非福？』第二，一種眞正有價值的文化，原也不怕人加以摧毀，果然一經摧毀便要趨於銷沉，這足證明這種文化的本身，亦自有了缺陷，中國的固有文化，以及近代所逐漸介紹進來的西洋文化，經過中共這一次的搖撼，也許更可放出它的光芒！第三，今天共產黨的行動，原是一種世界性的行動，今天的反共行爲，也是一種範圍更廣大的世界性行爲，固然隨處可以遇着我們的敵人，也隨處可以找着我們的朋友，環境一種壯闊鬥爭，雖然不免殘酷，可是趣味却也異常濃厚，只看我們能不能有決心來下工夫，却絕對不必担心我們會陷於孤立。

可是當前的下手處怎樣呢？現在姑試我所想到的，舉出下面的幾點：

一、我們一面要有單獨作戰的決心，一面也要有嚶鳴求友的雅量，只有一個決心作戰的鬥士，才可能求得他眞誠合作的戰友。要在中國展開一個廣泛的文化運動，眞是經緯萬端，事實上只能就各人所長，和性之所近的去做，一點一滴的去做，一局部的工夫做得越好，將來滙成一個巨流便越有力；要在相互學習，相互慰藉，醞釀出一股無比的熱力，我們決不可以爲，這種工作是怎樣艱鉅，不有多數人以長時間去下死工夫，將不會表現出了不起的成績；也不應以當前的環境難於着手，便自覺自解的流於懶怠，必須認定做一點便會發生一個不大不小的影響，環境只能限制一種庸俗人，一種懶惰漢，却決不能限制一個豪傑之士！時乎時乎不再來，今天眞是中國的有志者，爲中國文化問題發揮他們最大力量的時候了。

二、今天中共在大陸摧毀中國文化的行爲，實在是再笨拙也沒有了，他們不求多方面的發展，而必強人出於一途，甚至對若干的新舊書籍，也要漫無標準的加以銷毀；殊不知中國在近代的文化上儘管落後，可是中國文化究竟是世界文化的一部，世界上若干高度文化的國家，關於研究中國文化的資料，大抵都有相當豐富的搜集，今後關於人類的文化活動，是不會再有國界的，儘管中共一天天在那裏對這些資料加以摧殘，但在一個熱心於此項工作的人，却並不感資料的缺乏。舉例言之，中日兩國如果今後眞有意於文化上的提攜，有今日中日兩國的學人，便應該切實研究出一套具體的辦法，萬不能如已往的淺薄敷衍，流於一種口頭禪。在過去中日八年的戰爭中，中國一切的文物被日本攫奪和摧毀的確實不少，日本爲矯正以往的錯誤，必須對中國有一種補償，例如將來在北京，上海，廣州，台灣，成都等處，協助中國建立幾個規模宏大的圖書館，同時予中國學人前往日本作長期研究者的一種便利，這在日本實在是責無旁貸，而爲中日兩國建立今後的一種親睦關係，也只能從文化與經濟的兩觀點出發，才可大可久，只要日本以誠意出之，我想中國人是可以理解的。

三、美國對於中國現代新文化的建立，確實是有過相當的貢獻的，可是今天在中國的大陸上却掀起了一股『反美』的巨潮，自然這是由於蘇聯的嗾使，或源於共產黨的教義，但我對美國對中國的文化工作所持的態度，和中國派遣留學生的政策，自來就有多少的懷疑，今後爲展開中國的文化運動，我們所仰賴於美國者依然很多，可是我希望中美兩方的有心人，必須加以深澈的研討，糾正以往的錯誤，開闢未來的新機，使中美文化的交流，能有一個更健全的發展，這也似乎是不可少的。

四、我知道政治決不應該與教育文化脫節，也不主張一個大學裏面不涉及現實的政治問題，可是只應該以藝術的見地出之，決不可牽涉到黨見，過去國民黨鬧過一時期的黨化教育，即區區個人在這二三十年以來，也無時無地不與黨化教育爲敵；『其父殺人報仇，其子必且行劫』，今天中共在大陸上推行一種更專橫更惡毒的黨化教育，我們能說這不是導源於國民黨的黨化教育而變本加厲的一種行爲嗎？我們現在仍竭誠期待國民黨能夠返回大陸，但決不歡迎國民黨挾黨化教育以俱來，尤其希望在今天的惡運，即能力矯前失，以表現反共的決心。中國歷史文化有其特質，世界的教育文化有其共性，民主教育尤必有其獨特的精神，發揚自由講學之風，爲中國實現民主的要目之一，亦即對共產黨痛施打擊的一個有效工具。

五、中國的人才有限，今天大陸上千千萬萬向中共靠攏的文化人，其動機與處境，有可原諒的，有不可原諒的，我們在今天便應該詳予調查，釐定政策，可以寬大，也可以嚴厲，但漫無標準，一切以愛憎爲去取，以不正確的調查爲根據，以爲將來處理這個問題的辦法，則萬萬要不得。

如何展開中國的文化運動，所包含的方面實在太多，現在姑且舉出這五點，以後續有所見，仍當繼續提出，以求指正。（下）

悼英王喬治六世

不列顛聯合王國國王喬治六世，上週間尙能綷着寶流馬甲，出外散步，前天忽以「冠狀脈塞血」逝世了！

他只有兩個女兒，所遺下的王冠，依照英國的法統，是由伊麗沙白公主來頂戴的。從今後，世界上又添了一位女王了。現代國家稱帝稱王的已經不多，女王尤其可貴，這是英國憲政的特色。

在英國那種文化傳統和憲政基礎，纔產生如喬治六世這位足以象徵英國政治的王者。世界上講虛君政制而恰到好處的，當以英國居首選。喬治六世在位時的一言一行，正好是英國政治上所需要的典型君王，現又配上一個雄才大略的首相邱吉爾，可謂相得益彰，惜乎他早逝了！

有史以來，直到今日，世界人類許多罪惡與災禍，可說都是一般爭帝爭王的政治野心家弄出來的。如果大家都像英國國王那樣情形，豈不甚美！多享帝王尊榮，少負政治責任，悠閒自在，無形中就可以消弭若干不必要的政治罪惡。試看過去我國的林主席，他在位之日，誰也不會引起「彼可取而代也」的念頭，供奉如儀，事之甚禮，而他亦頗具虛君制的精神與作風，所以，政府便很少無謂的政潮。自林主席下世，爭座位的事情就層出不窮了，可不是嗎？如今還有人躲在海外而大爭其總統之位呢！多元論的政治哲理，是放之四海而皆準的。我羨慕英國的憲政典範，希望中國將來也能奠立多元的政治基礎，讓國家元首不必親理萬機，天下一定太平多了。因此，對英王之去世，殊堪悼惜！

半週展望

當局者

日本媾和代表團快來了！

以河田烈爲首腦的日本媾和代表團一行，據說在本月中旬就要到台灣來了。他們此行是來「講和」？抑是來「友好」？似乎向未明確表示其眞意。國民政府迄不公佈其談判代表的人選，這是對的。在大前提尙未取得雙方協議之前，當然不必擺出和談的陣營來，大前提能解決，再作正式談判不遲，否則，盡可讓河田烈一羣人士爲觀光的異國朋友，略盡東道主之誼，然後「請廻俗士駕，爲君謝逋客」，理也，亦勢也。

我們的大前提簡單明瞭，要訂和約，就是以舊金山和約爲藍本的終止戰爭狀態的章法，沒有甚麼「限度」可言。外國記者說這是「面子」問題，實爲「放屁放屁，眞正豈有此理！」以對日戰爭最久，犧牲最大的勝利國家，竟能由戰敗國來規定和約的限度嗎？日本人若要與秧歌王朝去訂約，那是他們的自由，我們不必管它，也用不着躭心。若要跟我們中華民國媾和，就是這麼一種原則，幹，彼此即開誠佈公的談，不幹，就拉倒，無所謂「面子」問題！乾脆的講：國府如接受所謂「有限度」的和約，即無異自己承認中華民國是沒落了！現在俯仰由人，將來更給人以玩弄擺佈的條約根據，等於一張辱國喪身的契約，要它幹嗎？現在中華民國政府的統治力雖未及於全國，如在和約內加上附件，雙方作過渡期間的協議辦法，那是當然的措置，並不影響和約的精神。所謂國際地位，還不是委曲求全所能取得的。即令簽訂了一種對日和約，未見得我們的國際地位就抬高了萬丈？確定宗旨，鄭重肆應吧！

韓戰談判的政治問題

共軍近日已提出政治高級會議的主張，要解決遠東的一切政治爭端，連越南問題亦在內。美國政府即聲明決不把台灣問題混入韓戰談判之中。我們始終從史大林的策略觀點來看板門店和談前途，認爲凶多吉少。中共固然急於言和，但騎在它頭上的指揮官不許可，奈之何哉！心裏縱想自主，口中却不敢說出，形勢已陷入無法自拔的境況了！

韓戰談判一涉及政治問題，儘管雙方距離日遠，但史大林仍有大收穫，即藉此以離間英美的國家是也。因爲他在英國即有一種現成的大好工具可資利用，那就是工黨一羣所謂「只有一條路綫」者！簡爾宍他們在國會對邱吉爾之大力攻擊，史大林必然撚鬚微笑曰：孺子可教！美國斷然拒絕共軍的政治要求，正是避免韓戰擴大的政策，但對英國工黨雖不利，但對人類是有益的。

美國的反共DDT

張紹眞

美國去年成立一個冷戰部，它的英文名是Department Of Dirty Tricks，它的縮寫，便是DDT。這個機關的主要目的，是對抗蘇聯的冷戰及共產黨的間諜與惡化行動，因此美國人稱它爲反共DDT。

反共DDT是一個委員會的組織，在工作推進上，必須與國防及國務兩部取得聯繫，因此它的組織性質，是一個部際委員會。這個機關在初成立時，不過是一個心理策略戰的統籌機關，現在它的任務，已經擴而大之了。

DDT的第一任主持人，是北加羅林納大學的校長顧勤Gray，後來因爲國防國務兩部官員對這個機構未能澈底合作，顧勤憤而辭職，把這個任務交給羅盛頓大學校長亞倫Allen。幾個月之後，亞倫又將它移交給中央情報局。中央情報局接管後，把工作範圍擴大，現在DDT的辦公室，已經擴大和分散到廿二個建築物。

去秋，美國會就在聯大開幕的時候，公開通過一個安全法案，指撥一億美元援助鐵幕內的反共份子及其他目的。這筆錢便是DDT從事冷戰的主要經費之一。因爲國會在通過這筆款時，事先未保守秘密，結果引起莫斯科的嚴重抗議，說是美國要干涉鐵幕國家的內政。維辛斯基對安全法案所謂「其他目的」，表示懷疑，要求聯合國辯論該案。

蘇聯的抗議，弄得國務部手忙脚亂。國務部第一個解釋，說蘇聯的抗議，「毫無根據」。第二個解釋，說美國這一個措施，是根據雅爾塔協定，美國有幫助東歐國家推行假理選擇民主與自由的義務。第四個解釋，說美國幫助鐵幕人民，並無足奇。大戰結束後，美國會經協助將四百萬東歐人民（包括俄人在內），回到他們的祖國。然而這些可憐的人們，却有好些被迫自殺，有些被屠殺，其餘大部份被充西伯利亞作苦工。蘇聯且曾將拉索夫判處死刑，並將他的頭顱挂在紅場上示衆。最後一個解釋，是這筆款子是國會自己通過的，政府並未提出這個要求。因此這筆錢將來用不用，還不一定。自從蘇聯的抗議發表後，美國人才知道他們的政府已經正式將冷戰的箭頭，指向鐵幕的深處。

這件公案，雖在不了中了結，但對反共DDT的工作，不但沒有打擊，反而給它一個莫大的鼓勵。此後他們不再爲經費發愁，可以放手去發揮DDT的效能。現在他們要配合政府的反共策略，不僅要阻止俄國的擴張，而且要把俄國人的勢力從那裏來，把它打回到那裏去。因此他們目前的主要任務，是要在鐵幕發動，開闢第二冷戰場，把戰線擴大到鐵幕後面去。他們的方法：是「用史大林自己的方法，對付史大林」，美國新聞記者，把這方法呼之爲「熱脚」Hotfoot，意思是說，DDT要在鐵幕內製造反共的第「六」縱隊，弄得鐵幕裏到處冒烟，使史大林的兩條腿，忙得熱辣辣的。

中共在三反中現形

周恩來找到替罪羊　四反運動演出悲劇　民族資本家上法場

【本報綜合報導】中共爲挽救其政權的內伏危機，乃於去年十二月初發動所謂「三反運動」。這一運動的本來目的：原在整肅內部貪污腐化的頽風，以配合共所謂「增產節約運動」。在發動初期，爲表現其「革命的精神」，確曾雷厲風行，短短一月中，各地都揭露了成千成萬的醜跡。據中共財長薄一波的報告，到一月廿九日止，僅共中央政府機關所破獲的大貪污犯，即達一百六十一人，有嫌疑的還有二百零二人，再加上一些可能的線索，總計至少有四百到四百五十人。這些人貪污總數，至少將達一千億，如將全國貪污份子所貪污數字合計，將達數萬億元（見二月四日南方日報）。

至於一般幹部，因腐化浪費的數額，較其貪污所得，又將超出若干倍。如廣東江門，乃一不滿十萬人的小城市，而該地共幹竟化了十餘億元建築「文化宮」，浙江杭州鐵路局一年來浪費的數額，即達三百億元。這些窮奢極侈的現象，不但如粵共「主席」葉劍英所述：「已造成羣衆的不平和憤慨」，而且使中共統治階級過去所標榜的艱苦廉能，全部不攻自破。尤其自「三反運動」，反到一般領導幹部以後，各地更普遍發生撤職批評，打擊揭發現象，使人民在貪污腐化之外，更見到中共統治集團的橫蠻和兇暴。中共中央深知這一情勢的繼續發展，將令共黨聲望降至零點，乃採取調轉矛頭策略，將鬥爭目標轉移於大陸工商者身上。在「三反運動」發動後的第三十五天，周恩來以「副主席」身份，提出聯繫民族資產階級的論調，強調資產階級的「黑暗腐朽」，「常常以行賄、欺詐、暴利、偷漏等犯法行爲盜竊國家財產，危害人民利益，腐蝕國家工作人員，」「如果不予以打擊和消除」，則其所有「革命黨派，人民政府，人民軍隊，人民團體，日益受資產階級的腐蝕，其前途將不堪設想」。因此要求全國各地店員職工，向資產階級進攻，展開所謂「反行賄，反漏稅，反暴利，反盜竊」，其整肅幹部的「三反運動」，至此遂一變而成宰制廠商的「四反運動」。

店員職工向老闆進攻　平津滬穗開始大拘捕

共幹貪污僅受留任反省處分

自周恩來提出清算工商業者以後，各地乃透過店員會及工會，發動店員工人向廠主及店東進攻。在共幹的層層脅制下，天津自一月六日至十日四天中，被揭露案件即達萬餘宗，北平、上海、武漢等地，亦均在萬件以上。廣州在「店員工會」的煽動下，據共方不完全的統計，至一月廿二日止，經揭發的瞞稅工商業戶，共二萬零一百八十七戶，佔全市戶數百分之五四點五。各行業因此被迫補繳的一九五一年上半年營業額，即達三千一百五十五億五千餘萬元。在店員工人揭發以後，各地開始大規模拘捕商人。北平自一月十九日起，即派出大批檢查隊，深入搜查各行業，第一批被逮捕的工商業者達六十二名，分別被冠上不同的罪名，如營造廠經理劉全慶白等，均因過去曾承包中共工程，被控偷工減料，盜竊國家財產被捕；企新橡膠廠經理蕭子璋，因過去曾接受中共的加工定貨，被控以壞貨冒充好貨，騙取暴利被捕。至於以假帳漏稅，勾結幹部的罪名被捕者，結算全國不下萬人，如重慶的竹木業，廣州的橡膠、紡織、機械等行業，大多數商人均以承接中共定貨關係，被控以行賄腐蝕革命幹部被捕。據一月廿五日「新華日報」的報導：初次被捕的有孫鑄山、陶伯蘭等四十四人，其中最著名人物，如北平營造業主委劉元敬，西山皮毛商人後來參加中央畜產公司任業務副處長的薛寬山等，均以盜竊國家財產被判死刑。

中共對大膽商人賢瞞時的嚴刑峻法，與其對待幹部者大相逕庭。在中共所公佈的大貪污案中，除「公安部行政處長」宋德貴被判死刑外，其餘貪污腐化份子，大多只是撤職或開除黨籍，有的甚至只給予留任「反省」的處分。從這些輕重懸殊的處分中，可以發現中共統治階級，表面上雖揭出整肅幹部的姿態，而實際上則係把商人作爲其幹部的擋箭牌，藉此維護其統治集團的特權階級。

共幹受兩種心理腐蝕　腐化從愛人問題開端

中共却將一切惡果歸罪資本家

除了在處理貪污案件時，極力迴護共幹部外，爲了洗刷其過去一月中業已外揚的醜態，中共各級領導人物，自周恩來高齡以次，均極力強調資產階級的罪惡。中共北平「市長」彭真，在共「政務院」的報告中，曾指出從北平各機關已坦白和被檢舉的貪污分子中，有百分之八十是受「工商界的引誘和腐蝕」，其中且有不少的貪污份子，本身就是資產階級份子，或是資產階級派到國家機關的經濟內奸。」他認爲「今天資產階級，已普遍和嚴重地破壞「共同綱領」，進攻人民政權」（見二月四日人民日報）。廣州「副市長」朱光，在廣州店員大會中，更發表荒謬絕倫的論調，他認爲：「工人階級原來是沒有貪污浪費和官僚主義的，其所以發生貪污浪費和官僚主義的原因，完全是「封建主義、資本主義、帝國主義」遺留下來的，三年來的反動猛烈地腐化思想，向我們階級隊伍進攻所造成的惡果」。故其本身的「三反運動」，並不能解決這些非法活動，所以必須發動四反運動，給資產階級以回擊」（一，廿三，南方日報）。在這一套論調之下，中共各機關都更大量製造犯法幹部的「自我坦白」，千篇一律地把自己的犯罪行爲歸結到奸商的勾結上，力圖洗脫其原有的污點。

但這一套掩耳盜鈴的手法，實際上是欲蓋彌彰。一月廿九日「人民日報」中，曾發載山西「交通局」局長霍清林的一篇「自我檢討」，在這篇檢討中，霍清林雖照例把其貪污浪費的「錯誤」，歸於「資產階級」思想的侵蝕，但他仍不能不承認其墮落腐化，乃「從愛人問題開始」，根本上與資產階級無關。霍清林承認：「勝利後剛由農村進入太原時，即存着兩種心情：一種是以勝利者自居，一種是覺得自己革命十多年，又是工人出身，什麼也不在乎。因此思想上失掉了警惕性，失去了無產階級的戰鬥精神，滋長了各種非無產階級意識，變成「資產階級」「糖彈」射擊的靶子」。霍清林的這一段說法，明白的反映出中共幹部腐化沒落，並不是由於資產階級的引誘，而是因其自己本身「揹上了居功自傲」的包袱，然後才由放任自己，做了[illegible]，沾染了資產階級的惡習，改變了原來的「艱苦樸素」的作風。這一段的「坦白」，雖不能代表全部中共黨員及幹部腐化的根因，但至少已道出其中眞理的一部。由此可見中共領導人物，把一切貪污腐化的現象，都記入資產階級的帳上，除了表示其藉此消滅資產階級外，正暴露出中共統治集團的猙獰面目。

首先，表現得最顯著的是，中共政權始終脫不了其殘忍的本色。他們只求達成目的，一切不計手段，在他們的統治下，只有策略的運用，沒有足以信守的大經大法，其所謂「共同綱領」，根本上只是一套騙人的謊言。在準備消滅資產階級時，毛澤東的「新民主主義」雖曾將民族資產階級與工農並列，殆一旦被利用價值已盡，即揭下假面，揮舞屠刀。北平營造商劉元敬，過去亦曾以民族資本家的地位受盡中共的禮遇，何時即成爲刀下鬼？何其手段之翻雲覆雨，視人命如草芥，充分表露出共產黨徒的作風。

其次，從其對商民極力迫害，對幹部百般迴護的情形中，反映出中共政權的極端自私和暴戾。在他們的基本觀念中，政權是他們的，因此他們的幹部的貪污腐化，都是情有可原，至於留任「犯法的」工商業者，却罪在不赦。中國的「只許州官放火，不許百姓點燈」的說法，正是今天中共統治集團最適切的寫照。

從權術的角度上說，中共「四反」運動的提出，不但可以轉移其「三反」所造成的尷尬局面，而且借此一次對大陸工商業者的徹底搜括，實屬「一石二鳥」之計。但在這一策略之下，一方面必令山窮水盡的工商經濟，正式進入崩潰，另一方面也加速其內部的瓦解。這是歷史上暴政覆亡的軌跡，正是中共今天所走的道路。其成敗得失，已無待蓍龜。（思道）

蘇聯文壇在冰天雪地中

・伍健勛・

蘇聯共產黨統治三十年的結果，使俄國人民喪失了創造力。這種現象，在蘇俄的文藝界特別顯得普遍而深刻。

蘇聯人民思想的劊子手日丹洛夫，在他逝世以前，曾替蘇聯文藝界寫下刻板的教條。從那時起，俄國文學作家的生活的創造氣氛，被關進冰窖裏，再也看不出半點生的氣象了。

日丹洛夫在一九四六年，發表一篇控制文藝思想的演說，他指出蘇聯作家及藝術家的工作，必須根據黨的政策，集中題材，來發揚蘇聯及其人民的光榮爲職志。並認作家們爲要達成這個使命，必須精研馬列主義，搞通思想，並把原則運用到工作上去。他的口號是：「文藝必須服於黨的，打倒非黨的作家！打倒超人的作家」！

根據日丹洛夫的話，克姆林宮的統治者們，寫下蘇聯文藝作家的判決書。俄共中央委員會就在一九四六年的八月十四日，發佈了一道命令，把藝術變成蘇聯政治宣傳的主要武器，在「提高人民知識水準」和「消滅資本主義殘餘」的兩句口號下，將蘇聯的文藝，戲劇，電影和音樂等的創造力，宣告死刑。從此以後，所謂爲文學而文學，爲藝術而藝術思潮，以及唯美主義等等的說法，一律變成反動思想，而須加以取締了。

這個命令發表後，首先被開刀的，便是蘇聯兩大權威文學雜誌——「列寧格勒」和「曙光」。俄共中央委員會指控兩雜誌曾經刊載過亞馬托法女士Akmatova和佐希欽可Zoshchenko兩作家的具有「高度毒素」的作品，違反了「蘇維埃紀律之政策」的指導原則。結果兩雜誌的編輯被撤職查辦，列寧格勒雜誌受到停刊處分，並特別任命宣傳部的副部長，充任曙光雜誌的編輯。

列寧格勒的市黨部委員會和列寧格勒的鎮報，也受到聯帶處分。原因是市委會曾經批准佐希欽可所參加的列寧格勒雜誌編輯委員會，列寧格勒鎮報曾經讚揚過佐希欽可的作品。

這件案子發生後，此兩位享有蘇聯國內外盛譽的作家，相繼失蹤，此後在文藝界再也看不到他們的影子了。蘇聯對他們的處分，一概祕而不宣，直到一九五〇年四月，Ogonek報紙發表亞馬托法的舊作「和平之光榮」的一部分，標題是「亞馬托法懺悔黨的路線」，人們才知道她的不幸的遭遇。

俄共中央證實，他們「慣於寫一些膚淺粗俗的故事，爲腐敗，愚頑，粗鄙及藻飾政治等等事實作辯護。誘惑青年，毒化青年，并將蘇維埃的秩序及人民，繪成一幅歪曲的形像。他們將蘇聯人民描繪成原始，未開化，愚蠢，充滿地域色彩和消德的民族。他們在描寫蘇聯的眞實生活時，隱藏着反蘇維埃的筆調」。

亞馬托法和佐希欽可所犯的罪過，不管是否眞像俄共中央所指控的一切，但，至少我們有一個印像，即蘇聯的文藝作家，沒有絲毫自由，文藝作品成了蘇共的黨八股，該是千眞萬確的事實。

爲了進一步對這一個事實的了解，筆者不妨多舉一個例。近年來蘇俄文壇有兩位「巨人」，一位是西莫洛夫K. Simonov，另一位便是法達伊夫A. Fadayev。法達伊夫所著的「青年衛士」，曾在一九四六年獲得過史大林的文藝獎金。西莫洛夫所著的「祖國之烟」，曾經受到黨的讚揚。然而不出一年，這兩本書却成了黨的攻擊對象，西莫洛夫和法達伊夫被迫公開登報懺悔，自認錯誤。此後他們再也不敢在蘇聯的文壇上抬起頭來。

這件案子受打擊的不僅是西莫洛夫和法達伊夫本人，而是整個蘇聯文壇。因爲他們兩人同是蘇聯文壇上兩顆「巨星」。當法達伊夫的「青年衛士」獲得史大林文藝獎金時，眞理報還著論讚揚，說它代表了『我們時代的眞正英雄的本色，故事主角的性格，證實共產主義堅定的制度的勝利，和新社會秩序的偉大』。然而在一九四七年，他的作品被俄共中央指控爲未能認識共產黨在對敵人作戰時搗亂行動的領導作用。

法達伊夫的「祖國之烟」，在未脫稿以前，即被作家協會譽爲時代的創作，說它「明白寫出蘇聯社會秩序的利益，超過資本主義社會」。然而六個月之後，却受到俄共中央的檢查，禁止在「文化與生活」雜誌上刊載。他們的理由，是法達伊夫未能將蘇聯的愛國主義，作有效的描寫。並且說故事的主角是一個被動的觀察者，未能對祖國之愛，採積極行動。他們還指出「蘇聯的愛國者，不是一位道德家，而是一個建立新的共產生活的戰鬥員」。

這些事實，給蘇聯作家們一個重大的暗示，普羅文學的蜜月已經過去了，文藝的創造力進了黑監牢。今後的文藝創作者，不是眞正的文學作家，而是政治局裏面幾位大人先生們。

我們可以相信，今後蘇聯的文學作品，不外一九五〇年三月八日眞理報所公佈的黨八股典型：『我們的文學與藝術，要遵照列寧史大林路線去發展，針對缺乏崇高的理想，漠視政治，及一切腐敗的布爾喬亞的理想去鬥爭。蘇聯藝術及文學工作者，要保護一切新的東西，根據愛國主義及列寧史大林偉大理想的精神，從事創作』。假如你想了解蘇聯文學作品，你只須讀上一篇，就可概其餘了。正同你看過一篇中共的整風三反四反之類的報導，其餘便是千篇一律的翻來覆去雜燴，不會有什麼新奇之處。

自由中國與蔡斯少將

美國於去年四月二十一日，命令蔡斯少將，爲美國駐台灣的軍事援助顧問團團長。他於一九五一年五月一日抵達台灣，至今將近九月，他和自由中國的軍政領袖，都相處得很好，一團和氣，合作無間。就在中美兩國的傳統友誼與共同反共作戰上來說，蔡斯少將的一切成就，是頗值得稱讚的！

蔡斯少將，是一個學識豐富的軍人，體格也很強健，在威嚴的態度裏，時常露出一種和藹可親的笑臉。胸懷遠略，處事果斷。平時不大喜歡講話，但是講起話來，却非常動聽，耐人尋味。凡是聽過他講演的人們，對於他那種富有啓發性的幽默口吻，極表好感。

蔡氏從一九一六年起，即服務軍旅，到現在已有三十餘年的歷史了。他先後參加過兩次世界大戰，成績輝煌。一九三一至一九三四年，他在菲律賓服務。在任內，細心研究亞洲的情況，對於太平洋的事務，非常熟悉，所以又有亞洲通的盛譽。一九四三年，二次世界大戰爆發，他担任第一騎兵旅的旅長，前往西南太平洋，曾統率偵察部隊登陸愛德羅特羣島中之洛斯民格羅斯島；並率其騎兵旅進入雷伊泰，旋又攻入呂宋島，使日軍節節敗退，不敢頑抗！

一九四五年二月，他又率兩支著名的突擊隊，進入馬尼拉；但不久又就任了第一騎兵師的師長。長途征戰，無往不勝。以後又在麥帥進攻日本本土的遠征中，進入東京，爲美國第一個進入東京的遠征師。直到一九四九年二月返美，仍然是担任該師的師長。

蔡氏在兩次世界大戰中，因爲屢建奇勳，獲得政府不少勳章，其中最主要的，有嘉獻十字勳章，嘉獻勳章，陸軍嘉功勳章，以及陸軍紫星獎章等。

他在台灣這一年來的成績，就和他在太平洋的戰功與獲得美政府那樣多的勳章，是一樣的輝煌！杜魯門總統信任他，蔣介石總統依重他，他那健旺的生命力，在未來反攻大陸的戰場上，無疑的又要開放一朵勝利的鮮花！使中國四億五千萬的人民重享自由民主之福。

日來報載蔡氏有援助李彌將軍的游擊隊，在滇緬邊境發動反攻之說，這個消息，是一種反攻大陸的先聲。當此蔡斯少將返國述職之際，筆者特祝中美友誼成功！蔡將軍成功！

（文蔚）

美「展望」柯爾思過港
縱談遠東各國間現況
美外交從消極趨積極
讚揚蔣總統偉大人格

【本報專訊】美國三大雜誌之一的「展望」雜誌發行人柯爾思（G．Cowles）於前日（七日）中午搭泛美航機偕其夫人自東京抵港。他在啓德機場休息室中，由美駐港新聞處處長傅保羅招待午餐，下午一時半即搭美海軍專機，直飛台北，晉謁蔣總統，有所會商。柯氏擬在台逗留二日，定九日中午搭民用大隊機返港。

柯氏說他這一次到遠東來最主要的任務，乃是觀察遠東各國間之政治概況，以決定未來美國外交政策應趨之途。他特別強調美國的外交政策應自消極趨向積極。他說：今天美國的外交政策雖已有改變，但較諸吾人理想中的還差一段。因爲人民走得比政府更快，政府的步伐已經落在人民後面了。他更強調「展望」雜誌今後在言論上要指出政府應該走的方向。他不否認「展望」雜誌過去雖然走民主黨路綫，但現在是多少有些擁護共和黨，他也不否認在政策上面，「展望」雜誌是完全站在美國政治元老巴魯克的立場上面的。

在東京和韓國，柯氏會晤的人物，計有盟軍統帥李奇威，大韓民國總統李承晚和日本吉田首相，他從李吉威與吉田的談話中知道在最近幾個星期內，可能是在這一個月內，美國決定終止佔領日本的軍事行爲。據李吉威告訴他原有美駐日之第八軍及總部文武軍職人員，以韓戰尚未進入停火階段，卻將應日本政府之請求，延長駐日期限。柯爾思表示他雖未看到駐軍延長期間上之條文規定，但他相信這一個時間是不會太短的。關於李吉威總部是否遷動，柯氏相信可能搬至橫濱，但這個問題，尚待五角大廈作最後之決定，因爲五角大廈並不完全贊同總部遷往橫濱。

柯氏在日本各處旅行，民間會晤的人也不少。他發現日本人雖然不願戰爭，但日本人心理上都深懼蘇聯的威脅。所以整軍的限度，許多日本人主張以能單獨負起自衛之責任爲度。日本人不願再像上次那樣打出去。柯氏說：「日本人深受戰爭之苦，在民間已普遍反厭了」。柯氏其次還說到日本的經濟情形，他說：「一般看來，日本的經濟情形仍是非常困難，民食不足，工商業萎縮，這都是日本國內當前最危險的問題」。

在釜山，板門店，漢城及前綫，柯氏都去看過，他也曾和前方執行停火的代表們（指美方）談過話，他認爲彼此交換意見。他認爲拖延已久的停火談判，「不是不能實現的。現在唯一阻止談判達成協議的乃是雙方都沒有誠意」。柯氏說完這句話，乃道：「我這個評判是相當公正的」。

柯氏這一次到台北，是專誠拜謁蔣總統的，他說：「蔣總統是我的老朋友，一九四二年十月威爾基去重慶時，我和威氏一道到重慶，便在那一次和蔣氏會面後，我們一別便是九年，雖然其中我們通過幾次信」。一九四七年柯氏去日本時，曾道經上海，但他說：「這一次因爲行程忽促，未能往南京，僅在上海會到吳國楨市長」。他在沒有看到今日台灣之現狀時，不願有所批評，但他承認蔣總統是世界上一位了不起的人物。

柯氏這一次的東行，是完全私人的旅行。他說：「我要儘量用眼來看，用耳來聽，然後回去就續寫出來。有些地方我相信國會和國務院都要聽聽我們的意見。」他的行程，是九日由台北返港。在港留二日。十一日下午飛加爾各答。到印度，可能會晤尼赫魯。印度旅行完畢後，復往曼谷，由曼谷返港轉赴馬尼剌。在菲列賓他已預約與季里諾總統會晤。他的「展望」雜誌，在美國數第三位，和亨利．魯斯發行的「生活」與「時代」兩雜誌，成爲今日美國第一流雜誌中的三鼎足。（汪洋）

香港三日

英皇喬治六世逝世，悲痛籠罩在人間，停止放送愉快音樂。

英皇喬治六世逝世的消息，是六日下午首先由香港路透社收聽倫敦路透社的廣播，起先該社不相信，因爲英皇在上年聖誕時身體健康算有起色，但第二次復收到同樣的消息，知道證實了。乃電話報告港督葛量洪爵士，這時港府全體都知道了。一個悲痛的晚上籠罩在人間。廣播中自六日晚上起，止放送一切愉快輕鬆的音樂。香港官式哀悼定爲十五日舉行。

×　×

據可靠方面消息，前東北行營主任熊式輝，因護照案遭港府涉訟。現警方向法院要求縮短熊氏到庭報到日期自一個月至一星期。熊之是否准於留港或勒令出境，尚有待於法庭之判決。據悉熊本人亦無意打算再留居香港，不論留港或出境，他已決定赴日本居住。彼與現在日本作寓公之商震及朱世明，私交甚篤。可以相處。熊擬先以旅行證赴日，然後設法作長久居住。

×　×

法國新聞社駐韓戰地記者伯納。烏爾曼六日下午由東京飛港。烏爾曼在戰地曾努力營救聯軍負傷脫離危險。爲李吉威上將手令嘉獎之唯一的新聞從業員。根據他的看法，和談不易達到目的，因爲共方要求撤退外軍這一個問題，在技術執行上是相當困難的，加以停火問題不是一個單純的停火便算了事，它與對日和約，中共之入聯合國等未決問題，都是息息相關的，他的看法，和平前途非常黯淡。眼前還是一段漆黑的痛的局面！

×　×

泰國工業部部長利明尼莫五日由曼谷經港赴東京。他在機場上極力的向記者否認國軍李彌是由泰國協助的。有人問他李彌過去是不是住在曼谷，他說他並不認識李彌，但知道李彌一度住在曼谷，那還是去年夏天的事情。利氏指出泰國境內根本沒有中國軍隊。利氏到日本是專程考察日本戰後工業，他說泰國可能請幾位日本工業上的顧問到泰國，協助開發事宜。

香港東華醫院樓梯處現尚有難民一百七十九人。現經該院當局准暫予收容救濟，聽候遣往台灣。上述數字中都屬老弱婦孺，青年男子僅數十名而已。其中已有少數取得入台證，定本月十六日搭鄱陽輪赴台，但大部份仍翹首在望，其情其狀，至爲淒慘。

×　×

美葛雷格博士說：台灣僅有一個大學，還是日治台老作風。

著名世界學術界中的美煤油大王基金保管委員會副主席靄爾．葛雷格博士夫婦，於七日下午由東京抵港小遊。葛氏表示：煤油大王基金委員會原對於中國有幾個大學，設置輔助金及獎學金，如東吳燕京及協和醫學院等。現在已停頓了。已把上述這一部份的款項用於留美中國學生中比較優秀，而願意繼續求進者。關於台灣大學，是否亦設置獎金？葛氏說我很願意到台灣去看看，順道訪問台灣大學。看有什麼地方需要我們協助的」。但他不贊成台灣祇有一個大學，他說：「流亡學生這麼多，應當另外再辦一個或兩個大學，一個大學的規定還是日本殖民地的作風」。他對華東基督教大學擬在台灣辦理聯合復校運動，至感欣慰。

×　×

據可靠消息，香港政府即將於最短期間，普遍發給公價配米證。根據報戶口之身份證頒發。現下二百萬人口中至少有五十萬人沒有配米證。這個五十萬人中，大多屬於大陸流亡本港之難胞。一般說來，生活均甚困難。（一成）

孔廟成殯儀館

【濟南通訊】山東曲阜和鄒縣，是我國歷史上文化的聖地；孔子出生於曲阜，孟子出生於鄒縣，兩縣均建有歷史價值的紀念物，使後人敬仰憑弔。曲阜的「至聖府」是孔子的紀念館，鄒縣的「亞聖府」，是孟子的紀念館。山東自被共黨統治竊據後，孔孟聖廟一片荒涼，偽主席康生，素有殺人魔王之稱；不但屠刀指向普遍人民的頭上，就連孔孟廟宇，也視爲「封建性的遺物」，必需將其毀掉而後甘心！

韓戰發生以後，共軍三野的部隊，一批一批的北調，去的時候，人山人海；回來的時候，人數大減，斷手斷足，且偷偷摸摸的陸運回來。其中有幾千三野共軍傷病兵，則分別派住在曲阜的孔廟和鄒縣的孟廟裏，已經有很久了。

曲阜孔廟大石門首，懸掛有一塊「中國人民解放軍第三野戰軍第八傷病員療養院」招牌；鄒縣孟廟大石門首，則懸掛有一塊「中國人民解放軍第三野戰軍第九傷病員療養院」招牌。傷病兵不准外出，老百姓不准接近，每到黃昏以後，便有一具一具的木板箱抬出，箱裏裝的是什麼東西呢？據附近居民傳出，全是回生之術的死尸，怕白天被老百姓看見，只有晚上摸黑去掩埋了。今日孔孟聖府，變成了共軍的殯儀館。（北客、元月二日寄。）

共幹孫祥龍本領通天
百箱化學藥品進口袋
出走還騙去巨額旅費

【上海通訊】偽華東工業部近發生一件頗饒趣味的共幹大貪污案，主犯孫祥龍不但以貪污所得安安穩穩地吃喝快樂了兩年多，結果還藉機領了一筆數目很大的逃走費，堂而皇之的帶着老婆孩子逃到香港享清福。

還在三十八年七月，上海「解放」還不到兩個月，共幹門正胡帝胡天，到處劫收，大發洋財。偽華東工業部（當時爲偽軍管會工業處）運務組組長孫祥龍奉命以「實物憑證」向偽軍管會領得化學藥品一百箱。這裏面包括有儀器、電工儀器，無綫電開關，大小挫刀，矽塊，溫度計等，約值偽幣六十億元，這些東西是在「三菱」倉庫領取的，按照規定，提領後須在三聯單上簽註領料情形。其中第二聯則退還領料機關以便結算。三菱倉庫的偽庫長共幹李君雲，因爲搞劫收搞得心花怒放目迷五色了，孫祥龍把「實物憑證」拿來時，李看都不看就糊裏糊塗在第二聯上蓋上自己圖章，在他認爲一、三聯實發既填，第二聯填不填沒有關係，想不到偽空子馬上給孫祥龍造了一個發財的機會，即孫在領料回去後，即在第二聯上劃了一根紅橫綫，（表示未領）接着即向上報告：「因庫無存，未領」。一百箱重要化學藥品，很快地即變成了偽幣六十億進了孫祥龍的口袋。

直到三十九年一月廿五日偽全國物資調配委員會華東分會派人拿了發票到偽工業部算賬，纔發現東西已領，單據有了問題，經由偽財務、統計、倉庫各組查核推拖，一眨眼便是七個月。到八月十七，纔由偽倉儲組查明確未收到物資，偽倉儲組並認偽華東物資調配會發票不符，請求改正。但偽華東物資調配會復函指明「已由你處孫祥龍蓋章領訖」時，倉儲組仍把原函轉給運務組，業務組亦「照慣例」。交業務部門「查明」。業務部也「照慣例」將原函交孫祥龍本人「查覆」。孫祥龍等於給大貪污犯孫祥龍送了一個信。孫知東窗事發，雖有交代，於是即將原信往抽屜內一鎖，準備着三十六着中的最後一着。事情一擱又是兩個月，在這期間，孫祥龍既不說「查覆」，運務組也沒有去「查明」。到十一月二十日，孫祥龍等待的機會卻終于到來了。偽經理處因有一大批生鐵，存放在北平石景山，以孫環境較熟，就派孫担任了這一軍要任務。孫看見時機成熟，一面向偽經理處請領了五億偽幣的「旅運費」，一面將所有用存賬款約五十餘億偽幣分成多批，在平津以黑市套滙到港，到十一月十七還從北平打了一個電報給偽經理處運組說：「任務完畢，手續待清，稍緩即回。」其實他本人已祕密潛回上海，連夜帶着家小細軟坐滬穗車的「軟席」位，捧着「赴港公幹」的「出國證」，平平安安的到了香港。

到了十二月底，離開孫祥龍潛逃的時間已經一個月，偽經理處運務組因孫無消息，亦未返滬。幾次寫信去北平催促「迅即運鐵返滬」，但送去的信都被郵局退了回來。這時，運務組才開始「懷疑」了，覺得「有些奇怪」，隨即打電報要平市偽公安局「偵查此人」，不料覆電到滬「查無此人」。偽經理處再派人到孫的滬宅調查，才曉得孫人去樓空。了，但還不知道孫的潛逃原因。

直到一月十五日，偽運務組派人去檢查孫遺下文件，才發現了孫已領取一百箱化學藥品的祕密，方才明白了孫祥龍潛逃的真正原因。這時候的距離孫祥龍領料的時間已二十八個月，距偽華東物資調配會第二次函催已快五個月，距離孫祥龍逃走的時間則有兩個月零十天了。（悠然．二月三日寄。）

慶祝春節買腰鼓

合肥市西區的「羣衆俱樂部」，爲慶祝春節，宣佈要赴上海購一腰鼓扭秧歌，次就迫參加會議的市民出人民幣一百○六萬；當局交款不繳清款就不准離會場，是活生生的鄉衆勸樂。會後又向各住戶商人借錢，以強勒的名義，共有二百五十萬人民幣。偽合肥市西區人民政府知道了這情形，說是俱樂部收上述的錢無法還，在購了腰鼓，收了事。中共一面唱「三反」，而共幹則唱「不反」，變本加厲，以中飽會污，橫行末日。（長江）

珠江口游擊隊活躍
共軍加緊封鎖港澳

值此農曆新春之際，粵穗各地民衆，因不堪中共之暴政虐殺，均紛起反抗。茲綜合報導如下：

東江民衆反共情緒最爲濃厚。一月二十七日一日中，該處即發生民衆擊殺共幹及焚糧等事件多起。當日下午七時，博羅縣柏塘鄉中共鄉支書記范維，於離家赴農會途中，遭民衆刺斃。同日晚間，惠陽縣橫瀝鄉中共鄉政府，亦被民衆舉火將其全部焚燬。是日下午河源縣左坑鄉中共農會于舉行幹部會議時，被鄉民投擲手榴彈一枚，共幹彭日成當場炸斃，農會主席李耀金等六名被炸重傷；又紫金縣蘇塘鄉鄉民三十餘人，於集體搗毀中共鄉政府後，即進入附近山區參加了游擊隊。一月二十八日晚八時，汕頭市政府傳達室，被人預埋炸藥，發生爆炸，結果勤務員四名受傷，其中一名傷勢甚重，給予共方威脅不小。

珠江口外之海上反共游擊隊，近來更形活躍，其中甚多爲對口岸地形甚爲熟悉，曾受迫害之土著漁民。由鄒某領導之反共突擊隊，擁有大小帆船二十餘艘，曾于一月十九日在東莞之萬頃沙登陸，與當地之中共民兵激戰一小時，于任務完成後，即復退入海上。此役擊斃中共民兵五十餘人，獲步槍五十餘枝。

廣州市雖于百業凋零，愁雲慘霧下渡過了農曆新年，但在新春期內，市上仍有以龍舟或紙紮鯉魚之類，沿門唱曲行乞者。初四日市西龍津路長壽路一帶，突然傳有「國特」散發新年反共傳單。此種「國特」假扮歌唱乞丐，于挨戶歌唱時，乘機散發傳單。消息傳出，穗共當局極爲驚惶，市西一帶，如臨大敵，結果卒無所獲，但捕去無辜之涉嫌良民數十人。

粵共軍政頭目，咸認今年國防形勢可能急激轉變，華南沿海將不能獲得長久之安定，故對廣東沿海各要衝口岸及交通幹綫之軍事部署，仍不斷加強改進中。惟粵省地形特殊，珠江之東西岸鄰近港澳，雖早已嚴格執行所謂出入口管理辦法，規定出入口通行證制度。但仍感力不從心，反共份子過多，經常有逃出入大陸者。現爲配合沿海軍事部署，決定加強粵省邊防工作，自二月一日始，採取封鎖政策，禁止全省壯丁出口，但並未有任何宣說，明此種措施之理由。珠江口東西兩岸增築鋼筋三合土堡壘，戰壕，加挖防空散兵坑，並劃分兩度防綫，並開闢設鐵絲網及竹籬、荊棘等障礙物，並密佈哨兵，埋伏碉中，非領手續不准，各縣民衆亦絕對不發給出國通行證。即合格出國華僑，亦須親到廣州市區申請，經審查後始可核發。此種禁止壯丁出口，尤其對于青年學生更爲嚴厲，年老人則較寬弛。經此鐵幕更見堅固，大陸同胞寸步難移。（一士）

送六屆聯大散場

·尚方·

聯合國第六屆大會在巴黎開了三個月，最近已經散場了。這是聯大初次由成功湖本部移到歐洲的一次大會，值得世人回憶的。

在大會中，曾經發現過兩個精采的插曲：一是各國的流氓若干人，向聯大抗議那般霸着大禮服說嚴話的紳士們，沒有能夠跟史大林談論世界大事，救他們站立兩旁，讓流氓集團來與史大林折衝一番，必有成就，因爲史大林是國際大流氓，他遇着小流氓不能不害怕三分的。二是巴黎市上一羣「不明國籍」的人士，向大會紛投雞蛋番茄，大呼「你們這羣嘵舌的政客們，專發廢話，給我滾開去！」這兩個插曲並不足爲聯大之玷，還是民主世界的象徵，如果大會是在俄帝集團的地點舉行，那有這種民主鏡頭表演乎？

濟濟多士吵鬧了三個月，也有不有點成就呢？有的！君不見大會居然通過了中華民國控訴蘇俄侵略友邦，威脅遠東和平的陳年舊案乎？這總算是差強人意的一點正義之聲呵！祇是身爲主人的法國小姐太煞風景，當客人舉行投票時，她却溜出場外，不敢參加。主人如此恆怯，客人即感覺掃興。所以，對原案的「侵略」二字，使要誠惶誠恐的改爲「違背條約」了！

挪威等五國代表提議今後要縮短大會期間，至多不超過七個禮拜，大概是有感於大家所說的廢話太多之故。其實，期間不必縮短，地點却要慎擇。如果再又選到像法國那樣怕事而又自私自利的地方作東道主，將來不但被人投番茄，恐怕還有被潑大糞之處理！

自由談

史太林之矛與盾

——美國之聲廣播——

有一天晚上，「美國之聲」廣播史太林總理訪問記，談到史氏過去所發表關於和平與戰爭的意見。

這訪問的廣播，是一種「擬人格」的廣播；由「美國之聲」播出，表示蘇聯領袖所有的聲明，是完全自相矛盾的。但是，這蘇聯領袖的談話，被蘇聯電台攪亂了，所有衛星國家，沒有法子收聽到。

史太林總理這些意見，都是見之于他自己的官文書上，廣播到歐俄，亦廣播到中歐。慕尼黑，倫敦，丹吉爾這些大站，都轉播出去，因爲這廣播是減少了，當非常刺痛蘇聯，亦刺痛了它的衛星國家。

這一次的廣播，是「美國之聲」這類訪問記中第三種。這一次的訪問，是一位少婦，她和史太林都說俄國話。

訪問者：史太林的大名，就是和平運動的一面大旗喲！莫洛托夫是這樣的說，共產黨及其所控制的和平運動是這樣的叫，就是你自己在一九四九年所出版的選集，也是這樣的寫出。

史太林：我們反對帝國主義戰爭，但我們贊成革命的戰爭。要是一個革命戰爭，雖殺人盈城流血成河，亦是無所顧忌的。（見一九三〇年一月十七日致高爾基一封信）

訪問者：史太林總理，你是所謂世界和平大會的領袖，亦是蘇聯武裝軍隊及其補助軍隊的統帥；你決心消弭世界戰爭麼？你要停止韓戰麼？你要取消冷戰，使疲敝不堪的世界回復到和平狀態麼？你真的決心隨時準備和平談判麼？我們怎樣可以認識，你是真正要和平的？

史太林：當布爾喬亞外交家們，一面在準備戰爭，而他們又會一面高喊「和平」和「友善」的。（見一九一三年一月十二日，聖彼得堡選舉演說）

訪問者：你這話是說布爾喬亞外交家的呢？還是說莫洛托夫，維辛斯基，和葛羅米柯呢？

史太林：假定它的外交部長拚命要和平的時候，你就可以斷定它的政府已經下令軍艦和飛機將要出動。一個外交家的話和行動是不發生關係的；不然，將不成其爲外交手腕！說話是一回事，行動又是一回事。好聽的話，祗是欺騙的惡劣的行動底假面具。誠實的外交，從來沒有這麼一回事。水沒有乾的，鐵不是木頭。（見同上）

訪問者：是的。你的外交理念，我領略很多了。因此，要明白了維辛斯基爲什麼把中國侵略軍隊叫做志願軍，我也明白「十月二十日的文學雜誌」爲什麼將二百萬的侵略軍隊叫做和平軍。

訪問者：還不是麼？你們表面上的矛盾，實際上是沒有矛盾的。你咒詛戰爭販子，無是要加強你們自己的戰爭潛力，和平談判不過是要削弱和解除對方的武力。還不是麼？

史太林：列寧早已說過，任何和平節目，祇是一種對人民的欺騙和僞裝。但是重要的目的，還是要對人民大衆說明白革命是必要的，人民大衆的革命戰爭是要支持的，是要援助的，而且要從事發展的。（見一九一六年四月廿三日第二次社會主義者協會中執會提案）

訪問者：你對蘇聯以外的世界，特別是美國，你罵他戰爭販子，你天天散佈謠言，這是什麼意思？

史太林：你要知道，你如果不懂得用你全副精神詛咒敵人，仇恨敵人，你要想戰勝敵人，是不可能的。（見「一九四二年勞動節」及「一九四五年蘇聯衛國大戰爭」演說）

——迪生譯

脫了輪的車子　夫石

義士武松（五）

——水滸人物論之六——

·舜生·

張都監看見武松喝得甚爲高興，叫玉蘭又滿滿勸了武松一鍾，更趁勢對武松說明，要把玉蘭給他爲妻，誇說玉蘭不僅能歌，還有一手很好的針綫，實在是天然佳耦。武松雖還稱不敢，內心却也非常感激。席散後，已是三更時分，萬籟寂靜，明月滿天，武松酒後，興致勃勃，便拿出一條哨棒，在庭中舞弄了一番。忽然聽得後堂一片喧嘩，高呼捉賊，武松心想都監如此愛我，他現在後堂既是有賊，我如何不去救護，便提着哨棒，直奔後堂，與玉蘭撞個滿懷，她慌慌張張，指說一個賊人已逃往花園去了，武松聽說，連忙便轉花園。不提防黑暗中窩一條板凳絆腳，走出七八個軍漢，就地下一條麻索把武松綁了，不容分說，一步一棍，把他打到廳前，張都監一見，登時變了面皮，破口大罵：「賊配軍，賊眉賊眼，賊心賊肝！」武松大聲分辯，張都監只是不聽，更叫人隨同武松到他房內起出柳藤箱子一口，裏面除衣物以外，却是些銀酒器皿，約有一二百兩贓物，武松心知中計，氣得目瞪口呆，次日便被送到知府衙門，屈打成招，還虧得施恩上下使錢，好容易只問他一個見財起意的罪名，脊杖二十，刺配恩州牢城，取一面七斤半鐵葉盤頭枷釘了，命兩個防送公人，押解出境。

原來這一切一切，都是由張團練賄通張都監定下的詭計，一心要害死武松，爲蔣門神報仇，他們看見盜竊未能問成死罪，便由蔣門神派遣兩個徒弟，暗中隨防送公人出發，預備在路上把武松結果。走到離孟州八九里地的飛雲浦，這兩個惡徒便已出動，正要動手，却被武松兩腳打落水中，又將腕上鐵枷，把兩個公人殺死，等這兩個惡徒從浦中爬起，立刻被武松砍倒一個，又揪住一個，問明張都監，張團練，蔣門神，都在都監家裏鴛鴦樓喫酒，專等好音。武松心想這四個賊男女雖殺死了，不曾殺得張都監張團練蔣門神，心實不甘，便在這兩惡徒擄帶的武器中，揀了一把腰刀，掛在身上，提了一口朴刀，遂奔回孟州城來。

武松到達孟州城中，剛好黃昏時候，等到摸到張都監的花園後門，正是一更四點。武松推門搠入，一刀把一個喂馬的後槽殺死；走到廚房，又給兩個丫鬟一個一刀；衝上鴛鴦樓，蔣門神見是武松，已慌作一團，動彈不得，便連同張都監張團練，都被武松一一砍翻，死在樓上；武松吃了他們一些剩餘的酒菜，又割下死者的一片衣襟，蘸着血，在粉壁上寫下八個大字：『殺人者，打虎武松也』！跑下樓來，更把都監夫人，養娘玉蘭，以及一切男女僕人和都監的兩個小孩，一一斬盡殺絕，然後武松扶醉，提刀，越城，從容退出孟州，其時城中正是四更三點。

萬竹樓隨筆（七〇）

宗教裁判

至少二十年前吧，新聞羅殿克姆林宮幾回清黨大獄事件，轟露于世，杜威教授號召各國權威學者六十餘人聯名譴責，指斥那審判活劇，於文明時代之所不容，他們的呼號代表着人間的正義。

歷史有過那麼一段黑暗時代，教權濫藉政權，對付「異端」，所極盡人世的慘酷，所謂的「宗教裁判」，永遠遺留人類的污瀆。至今讀史者猶毛戴心悸，廿世紀的「社會主義國家」却不惜重演這般的慘劇。

二十多年後的今時今日，路透社報導捷克，阿爾班尼亞，保加利亞，匈牙利與波蘭諸鐵幕國家對待蔓延着的狄托主義者這「共產異端」，一如中世紀的宗教裁判（見一月廿四電訊）、我那二十年前的話，今日仍實復出路透社記者之口，可見歷史的第二個黑暗時代可能比第一個一樣的長期或更長期，竟是人間何世！可笑大西洋憲章，聯合國組織，國際人權法案，一連串擬了出來，樂得人們歡呼着這是人民世紀。地球的一角如果沒有這大大的暗影偏來作過對照，戰後世界確清明了許多。珍愛正義的人們，努力的是這時候所需正義創與的平復力，路透社在它的業務上也已盡了它指示的職能，尤其可人意的是那長長的報導後，輕輕述及一「觀察家由此得一結論：任何人看不出鐵幕內的國家已經穩定，文章也夠得欣賞啊。」

他自己要求的

捷克公安部長柯浦里法去年十一月，以「叛國」罪將總理史蘭斯基拘捕，還說：「我們捷克的叛國賊，可比之蘇聯的托洛斯基」。上星期，輪到柯浦里法自己作「托洛斯基」，布拉格電台廣播，宣佈政府將柯浦里法撤職查辦，並說：「這是由自己要求的」。前外交部長克里曼迪斯現在關在黑牢裏，他的撤職，布拉格電台也說是「他自己要求的」。（子青）

張鍛亭借米謠

·意雲居士·

昔人愛重文士，窮途落魄，往往以一言半句，隴褒當代之知期投引，坐致青雲，其贈金餽米者，尤數數不在言下矣。論者每謂詩窮而後工，實則殆非的論。蓋昔人已言：「歡娛之辭難好，愁苦之言易工。」人非木石，本具同哀，自易動人肺腑。如黃仲則都門秋思詩中：「……，九月衣裳未剪裁」等語，皆直寫眞情，不假雕飾，何用多言？無怪乎脫手一篇，遍傳都下，朝投片北海餘譽；好客之風，遍傳佳話。其後蔚爲風氣，名公巨卿，爭以敬禮名士爲雅遠。隨園老人袁簡齋以早年致仕，詩酒交游，隨園詩話，搜羅同氣，極盡揄揚鼓吹之能事。就語堪辭，遠相傾精。士價之貴，至此極矣。然物極必反，時通變常，如東籬膽語所載張謠三疊，何意文人遺蹤，今昔懸殊之至於此極也出寧樂亭縣，慈祥愷悌，有古循吏之風。早歲鑄火。一日以事出，及歸，已縊死與中矣。其借米

『我無奈，向君哭，懇君借我米一斛。』願我作僕。憑君時時呼喚，我只小心服侍直到蒼

『君不肯，我再求，懇君借我米一斗。』願我作狗。憑君時時呼喝，我只搖尾搖頭當守家

『君不肯，我再欲，懇君借我米一籮。』願我作夫。憑君時時吵鬧，我只裝聾做啞半死半

至沉痛語以諧語出之，感覺酸辛撲鼻矣。

先生世居蘇州槃橋之南堍，金聖嘆居憩橋巷生，父涵西先生，與金極相得。相傳涵西先生一召仙，聞叩門聲甚急。問仙何事？仙判『有奇禍開，不可開。』十二字。家人遂不敢開門。久之探之，則聖嘆斜往哭廟也。後在事者皆坐大辟，得免。仙語亦奇驗矣。

世界語在中國（下）

海潮

袁死，共和再生，一切新運動也進行活躍。北平上海，世界語學會先後組成，有函授學校。盧與成孫國璋二君主編的函授講義，不脛而走，傳習的一天天多起來。

在歐洲，事至奇特，以圖致和平吉祥鑄鐵的世界語，竟因民氣所鍾，最大不祥的戰爭而加速進展。蓋第一次世界大戰，交戰國雙方都用世界語爲宣傳武器，雙方的情報機關都有世界語這一部門。經他們這麼利用，證明了這國際語的功用，便更引起大衆對它的興趣。這與一切科學技術原爲人類造福的却被用之於戰爭，事正相同，而科學技術的功能和價值並不因而有所毀損、

華南諸世界語學者中，黃尊生造詣特深。他後來赴法，提出埃及楔形文字與中國字源的比較研究，取得學位。旋赴瑞士環球世界語總會工作，總會于其東歸時任爲遠東僑佈委員。回歸國後，宣力頗勤，就廣州市立師範校設世界語講習所，開書館，造就頗衆。

日兵突擊瀋陽，旬日悉佔吉黑熱河，舉國震憤。我們同志百餘人，結爲「九一八會」。每月是日輪流在每人家裏，校裏，任何方便之處，甚或近郊樹林子，大草坪，集會交換報告，討論問題，分配工作，各盡所能任的任務。旋用世界語撰寫報告書，詳述日本軍閥的陰謀，暴露了東北的暴行，中國人的抵抗侵略意志。這書遍寄有世界語團體的五十多國。這筆巨大的印刷費和郵資，同人捐集不够，由國民大學學生會承任。兩三個月之後，各國人士復函表示同情的紛至沓來。其中有一捷克青年軍事學生，來信說他學的是軍事工程，如果中國人對日本武力抵抗，他願無條件到來效力。有一個匈牙利老婆婆，他隨函附寄她數十年前結婚紀念金戒子一枚，捐獻作中國人抗日運動的微助。類此可歌可泣的正義的表現，不勝記述。

學友楊景梅，於斯語傳佈也很出力，曾發願將三民主義全部翻譯以公諸世界。謀諸黨中諸老，大抵都以爲沒甚重大關係，只漫應之。獨亡友林直勉認爲這是莫大的工作，以衰病之身，力疾奔走籌集是項經費，事未就遽謝世。直勉齎志，此其一端。現在我想起直勉，必並及于執信，往往爲之泫然！景梅則在巴黎與饑寒戰鬥十年，德軍陷巴黎，雜難民中避兵法國南隅者又數年，得國內朋儕湊助川資始得歸國。今則流倒海濱，既貧且病。去年獨居沙田半山上一破屋，暴風狂雨，山洪汩汩，他只搶救得幾册世界語圖書，而絕無僅有的鋪蓋衣服，眼巴巴看住給狂濤冲入海裏去。最稍莞然道，破衣敗絮換回幾部書，多麼値得。

世界語徽識是一[illegible]徵一個大同世界，[illegible]和平。二十世紀初[illegible]浹人心，綠星光芒[illegible]欣慰，却轟然爆發[illegible]翳塗地，綠光黯然[illegible]誠如美國哲學家威[illegible]營曾氏說，正義在[illegible]如一生反對黷武的[illegible]師克魯泡特金說，[illegible]帝國打倒，人類將[illegible]黑暗。誰又料到日[illegible]，共產國際的紅[illegible]，是象徵危險性的[illegible]光和煦地普照到[illegible]。如今也單在血[illegible]紅色裏面，思之[illegible]但我堅信：過去[illegible]是暫時的隱滅而[illegible]于幻滅的啊。

（七）

海隅憶語

自由人
THE FREEMAN
（半週刊每逢星期三六出版）
（第九十九期）
每份港幣壹毫
督印人：李光華
社址
香港告士打道六十六號
電話：二〇八四八
GLOUCESTER RD.
HONGKONG
TEL: 20848
承印者：東南印務出版社
地址：告士打道六十四號
台總經銷處
台北市中華路一二五九號

中國知識份子生活問題

・張丕介・

民主評論第三期中有陳伯莊先生一文，題名「脫了儒冠做小工」。作者原意在與徐復觀先生商討「儒家政治思想的構造及其轉進」，但結論卻轉到中國知識份子應採取的生活態度問題。陳先生勸中國知識份子「脫下儒冠做小工」，故稱這一態度爲「謀生活動的革命」。關於儒家政治思想問題，陳徐兩方看法，見仁見智，我不擬參加論辯；但關於陳先生主張的知識份子應採生活態度這一點，我以爲頗有討論之餘地。我一方面很同情陳先生的看法，佩服他那一「謀生活動的革命」的精神，但另方面卻不能不懷疑他的主張之可能性與合理性。

陳先生說：「我以爲第一要有謀生活動的革命。衡可衡頭挑担作小販，脫了鞋襪做苦工，決不向政府討飯吃。有了多餘時間，苦學苦思，尋求合乎文化延續，合乎現代思潮，而各獲得自己所安所善的人生觀。……『脫了儒冠做小工，才能轉向大衆明是非，倡民主。』……」關於這一主張，我同情陳先生的有兩點：第一，決不向政府討飯吃；如果知識份子眞能做到這一層，不但可以提高知識份子在社會上的獨立尊嚴，而且可避免年來政府與知識份子間許多不愉快的糾紛。第二，知識份子在生活上如能獨立，不但可以向大衆明是非，倡民主，而且他們本身便可成爲極大的民主力量，這無疑的是中國未來政治建設上最值得歡迎的。

然而問題並不這樣簡單。

就文化史看，中國知識份子總算得上最特殊的一羣人。他們持着內聖外王的抱負，抱着頂天立地的宏願，一心要先天下而憂，後天下而樂，把整個世界的担子，一下子放在自己的肩頭，眞以天下爲己任，這種氣魄，這種精神，這種態度，求之於中國以外的世界，只有少數宗教家社會改造家庶幾有之。但這些知識份子另一傳統的特點是，他們根本不懂得爲自己謀生活，爲他們日常切身需要作打算，甚至不免瞧不起這種打算的人。志學志道，安貧樂道，乃至守死善道，一切不肯遷就實際生活。他們自始便脫離了生產，游離在社會各職業部門之間。不事家人生產成了他們清高的共同特徵。他們爲了糊口，他們把硯當田耕。有時向政治的統治階層謀出路，一則爲了糊口，二則亦是爲了行道，如果不幸，筆耕不成，從政又不成，那麼他們之中的大多數人，便只有一條最可悲的路子了，他們必須依賴類似求乞式的救濟。保其身，所以有爲也。但如遇時代多艱，天下滔滔，以貸力相向的變局，連求乞的可能性都會減少到不能再少的地步。呼而予之，蹴而予之，甚至連嘲帶諷而予之，乃至嘲諷一場，白討沒趣，而仍然不予。這時百無一用的知識份子，生活的艱苦，可能比社會上任何一種下賤職業，都有自愧弗如之感。這一可恥稱鄙的現象，正是我們今天親見目睹的，或是許許多多知識份子正在親身經歷的。困苦艱難，到這步田地，爲什麼他們還不肯「脫了儒冠做小工？」「爲什麼大家不肯作『謀生活動的革命？』」

這裏有兩個問題，一是能不能的問題，一是應不應的問題。一方面是知識份子本身生活的出路問題，另方面是社會和國家的問題。

我們知道，早在抗戰時期，知識份子之中，已有些人痛下決心，改行謀生，或作小販，或作苦工。這幾年流亡出來的知識份子，幾乎人人有此覺悟。我們確也認得少數朋友，幸運的找到一個頗類獨立生活的機會。但大多數人還依然不得不以任何方式依賴政府或社會的救濟。嗟來之食，貶損了他們的自尊心，卻又未必能解除生活的煎熬。問題的原因在於：第一，他們的出身限制了他們的經驗和技術，要想改行做小販或苦工，都有困難。自己開店，沒有本錢，向人討工做，人家看見你是如此一個人，便會拒絕你的要求。少數改行成功的，還不是靠人情請託附得？這與求乞比較，相差不過一間。第二，縱令個個知識份子有決心，有能力，搖身一變，十足像個小販苦工，縱令社會對他們十分同情，又無奈工作機會太少何？原來本行作小販做苦工的人還在大批大批的失業呢。第三，更嚴重的是，作小販苦工不是一件容易的事，特別對於半路出家改行學習的人說，非常不容易。在生存競爭如此激烈的時代，作小販不被淘汰，做苦工不被辭退，已萬分僥倖了，何來「多餘的時間」讓你作什麼「苦學苦思」。陳先生或沒有這一實際經驗，但是鐵一般的事實。中國歷史上所當「天地閉，賢人隱」的時期，知識份子中，儘不乏人，隱於漁樵，隱於市賈，隱於僧陀，乃至隱於行乞，而仍不妨其苦學苦思，對社會文化有所建樹。但今天大大不然了，做不成小販苦工的，無所隱；做得成的，決不會有多餘時間苦學苦思，以保持其作知識份子的念頭。

總之，我原則上同情陳先生主張的「謀生活動的革命」，但在職業不發達，社會不上軌道以前，恐怕只是一種不實際的空想而已。反之，我們看看大陸上千千萬萬知識份子的遭遇，更加可悲了：背着知識份子的罪名，被趕去作牛馬不如的工奴，名爲生產改造，云云，實際上在一步步的消滅知識份子的存在，以圖斬斷中國的文化歷史。在大陸上，知識份子欲求不做苦工而不得；欲求大陸以外，求一苦工機會而不得。「脫了儒冠做小工」嗎？毛澤東固然會完全同意的，但我們明白他的用意何在；那種做工的結果，不是人的生活。大陸以外的知識份子，亦未嘗不願作一番「謀生活動的革命」，但如上所論，他們還是做不成功！

而且進一步看，知識份子在今天中國局面之下，應不應做小工，恐怕更有問題。中共要驅中國知識份子於勞動集中營，以爲從此天下無事，可以保持其萬世一系的獨裁政權；固然是可笑的妄想；但如果一個社會竟糊塗到讓知識份子不得不去做小販苦工的時候，大約這個社會離它最後毀滅的日子也不會太遠了罷？同時，一個政府，如果眼看知識份子顛轉於生活艱困，不加援手，不惜蠹材用材，而坐視他們去作小販苦工，以自謀生存，我們眞也難以明白，它將憑什麼力量，可以渡過今天這一曠古未有的變局，又怎樣担負起將來開創新局的大責任。當我們唱國歌唱到，咨爾多士，爲民前鋒，以建民國，以進大同的時候，我們想到今天反共抗俄的艱辛，明天復興建國的困難時，人人意識到一件重要的實際問題：誰能負此責任？不讓他們負責，不讓他們發揮作用，那麼他們自然是一無所用的廢物。如果他們的地位竟然降落到好像是或眞是「向政府討飯吃」，在他們是可恥的，而在政府與社會也無怪認爲是對的。然而這並非中國知識份子的「原罪」，更不是中國知識份子的傳統精神，這是今日中國整個社會之一文化失調的問題。除非中國社會文化另有一安排，不然，知識份子能不能像陳先生所說「脫了儒冠做小工」，完全是客觀事實許可與否的問題，而我們的國家與社會在今天局面之下，竟使知識份子不得不去考慮「謀生活動的革命」，這才眞是值得思索的問題呢。

捷克史蘭斯基的垮台

——這隻替罪羊，是犯的什麼罪！

S・庇斯可

捷克副總理史蘭斯基 Rudolf Slansky，是捷克共產黨的柱石，而且是政治局的要員。他的垮台，其內幕殊堪注意。

他的罪狀是間諜活動，但熟悉捷克和衛星國家情形的人們，對此並不重視。有人說，史氏的垮台，是由于俄亥的斯案的嚴重錯誤所致；亦不可信。據傳，美聯社記者俄亥的斯 William Oatis 的遭捕及以後的審訊，影響到美國和捷克的正常貿易關係陷于停頓，捷克的經濟情況日趨低落；這些有害的結果，史氏是要負其責。

史氏的罷黜，將特別加重，顯致將適用共產黨最嚴格的標準。捷克總統高特華德 Gottwald 之所以斷然將最重要的閣員送到蘇維埃轄下捷克秘密警察的調查科，是有它迫不及特的原因的。

還有兩種說法。

一種說法，在捷克，和在其他衛星國一樣，共產黨是分成兩種派系，一種是莫斯科派，一種是民族派。

史蘭斯基是莫斯科派的重要腳色。他服從克里姆林宮的命令，國家利益在所不顧。高特華德一般都說是民族派，他贊成和蘇聯密切合作，但不肯無視國家獨立。

莫斯科派當中，還有傑明達 Bedrich Geminder，佛蘭克 Josef Frank 和古勒 Bruno Kohler。他們和史蘭斯基，實際上是把握了捷克共產黨。據傳——但這未證實，他們都已逮捕。在表面上，一般映象是民族派在捷克佔了上風，高特華德已經下令，消滅克里姆林宮的最親信的僕從。

假定這說法是可靠的話，那是捷克已經變爲第二個的衛星國，和蘇維埃集團發生了破裂。但這又不像。十一月廿七日的大整肅，是很可能的，而且是明白的，亦可以說是很確定的，由于莫斯科的命令。如其不然，那蘇維埃和衛星國的報紙和廣播，應該有劇烈的反應，蘇維埃在匈牙利，波蘭，和喀爾巴阡——烏克蘭底駐防軍，早已向捷克進軍。

因此，另有一種說法，亦像煞有介事。因爲捷克人民生活水準是在着急遞低下，爲了欺騙捷克人民，史蘭斯基是在領袖主意之下，變成了犧牲品。

當共產黨在捷克攫得政權的時候，他們得到大部份工人的支持，亦得到中下階級和知識分子的支持。這些人都相信共產黨的號召，所有經濟問題，史太林的馬克思主義是有了辦法的，祇要適用這些辦法，可以將捷克從貧乏變爲富足。

三年以後，共產黨從前的號召，不但沒有實行，而且還比從前更壞。食物配給重新施行；衣服和所有的消費品，一九四七年的下半期，市場上本來還有相當的數量，以後成爲稀有之物，有些東西簡直看不到了；工作時間增加了，工資沒有增加；勞工立法，由共產黨店員以專斷的決定來代替；人民自由，剝奪淨盡；肅清成千累萬的機關官僚和情報員，共產黨員送入了人民的私生活裏邊。

這是沒有疑問的：今天大多數的捷克人，從前信奉共產主義和思想，以爲值得一試的，今天非常苦痛，不再存什麼幻想了。今天他們詛咒共產主義，他們是由苦痛的經驗中得來的。

這些事情，克里姆林宮和衛星國的共產黨領，是不能忍受的。史太林的馬克思主義一定是對的。假定這些事情在一個蘇維埃共產黨國家長此發展下去，那個錯誤一定是歸到人民的不滿。錯誤愈趨嚴重，這幾個負責人的關係越重要。

照蘇維埃的理論，上帝前面的替罪羊，從來沒有因職務上的無能而被責罰。如果承認，一個無能的人，居然取得領導的地位，這明明是自己承認蘇維埃制度大有問題。因此，他們的罪狀，是怠工，是叛國，是間諜，是叛逆。去年三月，前外交部長克雷門 Vladimir Cementis，是這樣的判罪；黨的頭子史霖 Otto Sling 和斯伏爾瓦 Maria Svermova，亦是這樣的判罪。現在，史蘭斯基亦以這樣的罪名，郎當入獄。

但是，三月大整肅沒有獲得成功，人民不會相信，他們是叛逆，是貪錢者帝國主義者的走狗。第二個例子，更劇烈了，史蘭斯基爬了上選。史氏是僅次于高特華德總統下之一人，而且是克里姆林宮最寵愛者。假定以他這樣的人，縱且公開審判以叛逆與宣判，和他以前的叛逆者同出一轍；那共產教義明白是成了問題，而人民亦將遵照共產黨人鬥爭的號召，向政府提出新的要求，應該重新努力。

這樣的分析，史蘭斯基的逮捕，我們應該看作莫斯科在捷克又抓緊了一步。（迪生譯自基督教科學箴言報）

時局漫談

舜生

杜爾斯的正確見解

大陸的中共政權存在一天，整個亞洲即無和平之望，這是對亞洲一般情況稍具常識的人所充分知道的。

美國過去所採的亞洲政策，只是如何防止中共使她不逾越雷池，對於中共政權的存在，似乎並沒有意思要加以根本的摧毀。其實中國大陸爲亞洲的心臟地帶，其所擁有的資源與人力，如加以充分的開發與組訓，足以左右世界而有餘。換言之，中國如果站在民主的一方，即足以阻遏蘇聯的赤燄，求得自由世界的和平與繁榮；如果掌握在蘇聯手裏，即足以使一切民主國家隨時感受威脅，而窮於應付。

事實是很顯然的：過去二十個月的韓戰，是中國大陸落在蘇聯手中的一個直接結果；目前東南亞之動盪不寧，亞洲若干新興國家之汲汲以求自保，以及日本之徘徊瞻顧，也無一而非因中國大陸淪於蘇聯所發生的必然影響。甚至蘇聯目前對北非，對地中海，對中東所採的搗亂政策，也是因爲她三年來運用中共政權所得的一種啓示。

今天以美國爲首的民主陣線，以之摧毀中共則有餘，以之防止蘇聯運用中共搗亂則不足。這個理由很簡單：摧毀中共只須把力量集中於一點，一了即可百了；阻遏蘇聯運用中共來搗亂，便須把力量分配於多方，而防不勝防，其紛亂可以此起彼伏而永無寧日。

過去英國的錯誤，印度的錯誤，乃至美國的錯誤，都是從這一個基本觀點的錯誤所引起的。一直到現在，以熟悉遠東情況著稱的杜爾斯先生，才開始要求美國『明白表示不容許中國大陸在中共控制之下的決心』，在時間上自然是嫌遲太遲，但畢竟不失爲一個一針見血的正確見解，我們在三年來所天天期待的，便是美國這樣一種的決心。

運用台灣實力的時間與條件

確保台灣，需要少量的陸軍，相當的海軍，大量的空軍。

當韓戰初起的時候，杜魯門總統即下令第七艦隊巡邏台灣與中共的接觸，並不失爲一種謹慎的措措；但不許台灣派遣三萬至五萬陸軍去參與韓戰，使台灣陸軍失去一個正面接觸現代戰爭的機會，這便是由於杜魯門過度謹慎所招致的一種損失。

今天足以威脅台灣的，爲大量傘兵的降落與大規模空襲的援應，假定美國不能加速擴充台灣的空軍，充實台灣的空防，並還沒有以海空掩護台灣二十萬至三十萬陸軍從中國大陸東南沿海三四點上同時予中共以突襲的打算，又不能從東南亞的多點上厚儲實力準備隨時予中共以牽制，而輕言第七艦隊的撤退，似乎爲時稍嫌太早。

我們在原則上贊成解除台灣的束縛，但我們主張美國海空軍積極負起掩護台灣行動的責任。

中日和約的實質與面子

在此時此際由中華民國與日本訂立一個雙邊和約，其關係是相當微妙而工作是相當細緻的。換言之，即我方所採的態度是欲罷不得，也操切不得，其關鍵乃在把握堅定的立場，並使日本洞明中日兩國在未來的利害一致而不容忽視。

我們不必担心日本會有和中共去另行訂約的企圖，這是日本的國際環境所不可能，也是日本的國情所不許。可是日本一部分工商界，卻並不是沒有對中國大陸存得有相當的幻想，而他們所考慮的又只是一時的小利，而忽略的乃爲國家的大患；至於涉及整個亞洲的未來利害，自然我們更沒有理由責望這班人去加以理解。

中日和約應以『共同防赤』爲基調，老實不客氣，我們不惜作『廣田三原則』之一的重提，而且在和約一經訂立以後，中日兩方即須成立一委員會，以相互檢討『防赤』的實際措置。換言之，我們對中日和約所期待的是『實質』而不是『面子』，中國今後一切的外交方針，也應該只是『實質』而不是『面子』。

柯爾思談自由中國新氣象

強調美須進一步援台，證明麥帥看法正確，自由中國必能同大陸，三大問題促政府注意。

【本報台北九日航訊】美國「展望」雜誌及「快捷」（Quick）雜誌發行人柯爾斯夫婦於七日由港乘海軍專機來台，作二日之短期訪問。在台二日中，曾先後訪問蔣夫人（因蔣總統適在台南某地閱兵），陳誠院長，及總統府王世杰秘書長等人。在他臨上機的前一刻，記者有一個機會和這位美國三大雜誌之一的發行人談了半小時話。

柯氏首先承認道：「我們『展望』雜誌在遠東外交政策的觀點上，一向是走民主黨路綫的，我不否認過去我們的言論中有許多論調是隨着過去政府的立場，因此對中國問題，可能有些誤會」。接着柯氏又指出在大陸上的中國政府實在是糟透了，他說他在一九四七年到上海時，耳聞目見比一九四二年到重慶時印象更壞，那個時候他已斷定中國無法挽救，因為彼時中國政府的基層組織已經連根都腐蝕了。

他這一次來台，對軍、政、經濟及社會等問題，都從頭看了一面，他說：我雖未盡其詳，但我已能獲得一個大概的印象。大體說來，他對自由中國現階段的努力，是相當滿意的。他獲得的結論是：（一）台灣寶島在防共地理上有尊重的價值與貢獻，因此現行美國對遠外交政策，不但必須確保台灣勿落中共之手，而且要進一步的協助中國政府在大陸上重新樹立起來，因為如果不協助中國政府回返大陸，這還是消極的對華政策，以現時時間與空間均不允許這樣做。（二）中國政府這一次在軍事建設上的努力比大陸時代不知好了多少倍。美國是值得協助她回返大陸的。他相信這一次美國納稅人的錢不會像從前在大陸上那樣白白化去。（三）他和寶島上這一次會見的官民談話，大家都一致表示有決心要打回大陸去。他說「這種決心與士氣和過去大陸時代的頹廢相比，適巧是兩個極端的對照。他對於以上這三點印象甚深，他說：「如果我現在不來台灣看看，我不會有這樣清楚，今日台灣在未來戰略上與經濟上之價值，證明麥帥的意見完全準確。」（按該雜誌過去是反麥帥的）

但他也看出了台灣許多問題，他首先指出的便是官吏貪污問題，在台灣不但仍未能絕跡，且有此風漸熾之勢。他說，中國有許多官吏至為廉潔。例如陳誠院長，王世杰秘書長。他還知道王世杰在台北生活清苦，托人出賣他從前歷年數書所餘收藏的古畫，以養吏廉。但相反地他也看出了許多貪污的可能，他不肯指出什麼人，但他心理是十分明白的。軍事問題便是政治上的鬥爭，他說在美國也有許多政治人事上的爭執，但不及中國鈎心鬥角之甚。他說：往往因為政治上相互暗鬥，使力量不能團結。第三個問題，他認為今日台灣言論還不能做到真正自由的境地，據他的瞭解，台灣雖未進入法治社會，雖然當局是極力要走向法治的標準。

柯爾斯夫婦表示這一次未能會見蔣總統，十分遺憾。但他們二人都會到了蔣夫人。柯夫人說，蔣夫人反比從前年輕，精神好極了。柯氏和蔣夫人談話的結果，知道中國軍民上下一心，克苦克難，將必回返大陸。柯氏也相信中國政府一定可以回到大陸上去。記者問：「以你看來什麼時候可以回大陸呢？」柯氏笑稱：「韓戰是一個階段，可能世界上會發生問題，否則共產黨什麼時候打你們，你們便可在那時候出動了」。但他有一個很客觀的看法，他說：「如果中國政府現在不把我上述的毛病去除，我敢斷言，即使回到大陸，也仍要被人民傾覆的。」他還說「這一次打敗國民政府的實在不是共產黨，而是廣大的老百姓這，因為那時中國政府在大陸上太失民心了，如果一點不看清楚，必然再犯一次大錯誤」。

柯氏總結這一次台北小遊，眼見中國比從前一天天上軌道，他說：「這便是人們想不到的浪子回頭，我們更應該珍貴它。」柯爾斯夫婦的身材，每一個都戴一副近視眼鏡，說起話來聲音很低沉，喜歡對每一個問題思索一下再發言，他這一次台北之行，不久在「展望」雜誌上有一篇很長而比較公正的報導。台灣人士過去因為這本雜誌對中國人並不太「友好」，現在他能轉變態度，用公正的眼光來善意的批評台灣，台灣也覺得這種非常可貴的。與柯氏同來者尚有美羅斯基要職總經理戴德，彼等一行已於九日晨搭機返港，定十一日飛曼谷，印度等地。（鑄泉）

三反運動成官樣文章

偽青年團依樣畫葫蘆

周恩來報告當聖經讀

馮文彬在導演猴子戲

【本報綜合報導】：偽新青年團中央委員會第二次全體會議，於民國四十年十二月二十日至二十五日在北平舉行。出席會議的有偽青年團中央委員和候補中央委員馮文彬、廖承志、蔣南翔、李昌、榮高棠、宋一平、韓萃、錢俊瑞、陸平、羅毅、劉導生、高揚文、許世平、區棠亮等共三十七人。列席會議的有中共各大行政區團委，各省、區和主要城市團委書記及軍隊、鐵路的新青團工作的負責幹部與團中央各部負責幹部共一百三十八人。

這次會議，聽取了「中共中央書記處偽書記周恩來的政治報告；與新青年團中央書記處偽書記馮文彬的「青年團的目前情況與工作」的工作報告。該會議一致通過了關於開展增產節約運動的決議，並確定了偽新青團當前的中心任務，即依據周恩來的政治報告，強制規定偽新青團員，須無條件地在「抗美援朝、加強國防建設力量、開展增產節約運動和思想改造運動」的任務中，作為「中國共產黨的有力的助手。」「特別在增產節約運動中，青年團要在黨的領導下向貪污浪費的現象作堅決徹底的鬥爭。」

為貫徹上項決議和報告的實施，偽新青團「中央各直屬機關分團」，於十二月十九日，在北平召開了「團積極分子大會」。由馮文彬作了「動員」報告，正式宣布，將「反對貪污，反對浪費，反對官僚主義」的三反運動，列為新青團今後工作的「中心環節」。至本年一月四日，中共「中央委員會」，為配合該項運動，也發布了一個例行通知：「希望各級黨委領導各地青年團委，認眞討論和貫徹實現這些決議和報告的內容。」偽新青團的三反運動，乃由「醞釀」階段，慢慢發展至「傳達」階段。由中共中央，逐步推進至地方。

由北平湧進各大行政區的第一個浪頭，是元月二日，在上海市府大禮堂聯合召開的「新青團華東區政委員會機關工作委員會」，及「新青團華東局機關總支部」的「團的積極分子大會」。接着，各大行政區的中南區，西南區，西北區，東北區，也相繼分別在漢口、重慶、西安、瀋陽，聯合召開了各該行政區「一級機關團委」與「團的積極分子大會」。進一步將「反貪污，反浪費，反官僚主義的鬥爭」工作，佈置下「省」和「專區」，惟現在的階段傳達工作，還停留省區階段。

按照馮文彬在「中央直屬機關青年團積極分子大會」的報告：新青團在「三反運動」中的具體做法有五：即（一）從新青團中央一直深入到基層組織中去，並以整風方式深入檢查。（二）必須採取實事求是的態度。（三）表揚和獎勵，敢於揭露和批評貪污浪費的團員，對隱瞞、包庇者，予以批評和處分。（四）新青團機關支部應在該機關黨委和行政首長領導下進行該項鬥爭。（五）各機關新青團的組織，即及時地向黨委彙報，同時，下級團委要向上級團委彙報。所以當「新青團的三反運動」廣泛展開後，至少有號稱五百一十八萬的新青團員，及號稱三千萬的少年兒童隊員，與二十四萬二千多個團支部，將一齊捲進貪污浪滔大，穢聲四播的三反運動中。

貪污浪費人人有份

官僚主義兩種典型

坦白戰略避重就輕

三反運動的具體內容，就貪污說，大致可分成三類。第一類如利用自己地位和職權出賣經濟情報；勾結奸商盜竊國家財產，包庇、賄賂、走私、漏稅、侵略公款公物等。根據馮文彬「極不完全的統計，在六百多個受到處分的團員中，就有一百二十個是犯了貪污的錯誤的」。北平市「在一年中就有四十五個團員，是因為貪污而受處分和開除了團籍。」第二類大致有：偽造假單據、回扣、挪用公款，假公濟私等。這一類是一般的貪污行為，如「團員因公出差時，路費不夠用，多報兩天出差日期」；「替公家購買用品時，收受商店老闆的香煙，並接受商店老闆的招待等」差不多這類貪污滿天飛，且人人有份。第三類是「公私不分」：如「機關招待客人時，剩下來的糖果自己拿去喫了；公家發的辦桌布，自己卻拿去補襪子用了等等。這些損害公益的行為，在團員和青年中就更為普遍了。」而「這些嚴格說來是錯誤，還不能說是犯罪。」

就浪費說：大致可分成四類：（一）對於基本建設計劃不週，因而使國家財富遭受損失。（二）積壓物資，積壓資金，使經營物資不能充分被利用。（三）辦事不知緩急輕重，對國家財富重視不夠。（四）講排場、會餐、看戲、遊園過多而超支的浪費和個人的揮霍等。如「用完自來水後不關龍頭，不用電燈時不關電門，經常打壞公共用具，因為忘了關門窗，颳風時打壞玻璃等。也有一些團員喜歡比闊氣，講排場等等。這些都說明了，浪費的行為在青年團員中也還是存在的，而且是不少的。」

就官僚主義壞作風說：在青年團員中，「比較還不太多。但決不是說沒有。」如「團員領導羣衆，鄙棄羣衆，常常輕視羣衆的意見，不走羣衆路綫，這是第一類。」「一般團員的自由主義作風，沒有經常的教育和嚴格的督促檢查，沒有進行原則的批評和鬥爭，許多事情沒有制度或不遵守制度。這是第二類。」而「這些壞作風，壞思想，還普遍地、嚴重地存在着，致助長了貪污浪費現象的發展。」

中共打蒼蠅不打老虎

小團員抵死不肯認錯

寧願將腦袋瓜子搬家

根據馮文彬這樣「典型的」「動員報告」的「主要精神」，在第一階段的放下包袱，全部坦白運動中，各新青團員，都避重就輕地，「大做其轉彎抹角的文章」，並且都自認為：「發揚了青年積極、勇敢、大公無私、誠懇坦白的特性，與貪污浪費現象，進行了堅決的鬥爭。」結果，卻促使三反運動，在青年羣衆中，「更形式化，更庸俗化。」

這個團員說：「我拿過公家的紙去揩屁股，使國家的財富受到嚴重的損失。」那個團員說：「我因為有着個人主義，自私自利的思想根源，貪圖個人的物質享受，不關心國家和人民的利益，在替公家購買用品時，接受過店員招待我的一枝香煙，今天想來，眞是嚴重的貪污，浪費行為。」這個說：「我有一次洗臉後，忘記關了自來水龍頭。那個說：「我拿了公家的信紙寫過信。」最妙的是中共中央交通部的團員梁文，七坦白八坦白，坦白出：「有一次，我將食堂裏的一點剩菜倒在陰溝裏，這是被資產階級的思想所侵蝕的結果，因而那麼嚴重地犯了鋪張浪費的罪。」還有河北密雲縣貿易公司業務股長團員張中元的坦白也可做今古奇觀的妙文：「我常和私商鬼混，後來竟把公司的一百四十四條麻袋作「人情」，借給這個商人使用了一個月纔收回。眞是對不住人民。」

還有一些新青年團員，學習了黨員的「頑強作風」，矢口否認自己有錯誤的犯罪行為。如中共「中央公安部司務長」團員石賢，當同志批評他偷食過招待客人吃瓜子時，他卻滿不在乎地列舉了一大批貪污「同志」的名單，進行辯護。他說：「偷吃了幾顆瓜子，算是犯罪；我們的首長，如行政處處長宋德貴，一個人即用造假條子的方法，貪污七億元，副處長劉寄澤受賄一億四千餘萬元，他們算是甚麼？」中共中央電工器材廠南分廠的團支部書記鄭方，當人家批評他受了資產階級思想的影響，要求享受，行為腐化，染上了極其嚴重的官僚主義壞作風時，他卻疾言厲色地駁斥羣衆的批評。他說：「我腐化，總沒有像中央鐵道部衛生局副局長蕭焰同志一樣，私買鴉片，私造嗎啡，一百斤。我貪圖享受，總比不上人民銀行總行視察團在河南的大吃大喝，浪費二億五千多萬元的招待費，用了一百多萬元的砲台烟，和一千多斤鮮果，一千六百多斤香蕉、梨、橘、瓜子等。我浪費人民的果實，總沒有像中央重工業部鋼鐵局副局長陸達一樣，一下假造開支，就貪污了五百零三億元。我有官僚主義的作風，總沒有像中央財政部一樣，擺「闊氣」，充「科頭」，對全國編餘人員，一下就多批了二萬七千人，一次浪費四百四十八億餘元。也沒有像中央貿易部去年向蘇聯訂購治「口蹄疫」的藥品三噸一樣，擬稿者誤為三百噸，各級審稿、核稿、批准的負責幹部，也照例簽名蓋章，結果多買了二百九十七噸，今天還放在倉庫裏發霉腐爛。我認為替人民服務，要求吃大米白麵，穿細布制服的供給制的權利是有的，我根本沒有錯，也用不着低甚麼頭！就是腦袋瓜子搬家，我也是這樣說的。」

團員充滿失敗主義

老幹部們油腔滑調

革命目的為了享受

另有一些人「坦白」了，但「坦白」得出了亂子。

有的人說：「這個運動是臨時的，像一陣風颳過去，就算完了。大家避避風頭，包瞞包瞞，也就行了。何必傷「同志」的感情？」有的團員說：「全國解放已經兩年了，為甚麼還有貪污現象發生呢？這倒最好去問黨委及首長們，我們青年沒有貪污、浪費的可能，也沒有官僚主義可言。」又有些團員認為：「增產節約就是承認失敗，公開承認我們國家窮了，要我們束緊褲帶，降低生活水平，因為沒有辦法了，才開展這個運動。」這些都是思想上的「失敗主義」，分別受到了新青團的「組織上」的批評檢討，與處分，嫌疑重大的，還開除了團籍，清洗出團。

至若那些被新青團員揭發、攻擊的新黨員老幹部，一貫地堅持着「嘴尖皮厚」的「油腔滑調主義」，飄飄然地吟着「橫眉冷對千夫指」的詩句，橫蠻無理的擺老資格，抵制批評與檢舉。如石景山發電廠管理幹部老黨員邊傑，公開向檢舉他的團員示威：「老子革命為的就是享受，老子替人民服務，浪費人民幾個銅板，干你小子鳥事！」鋼鐵工業局天津事務所副所長滕大千，也這樣說：「老子幫毛主席打江山時，你還躲在你媽的房裏，你也配來干涉我」？另一現象，在長江日報第三版關於思想雜談，題為「不能存有照顧觀點」的短文中，就揭露出來：該文作者夏浩說：「在增產節約運動中，當羣衆揭露某些機關個別領導同志鋪張浪費的事實後，有人出來說：某同志年紀大了，對革命有貢獻，應該『照顧』一些，『多用』一些，這種『照顧』觀點，是開展增產節約運動的思想障礙之一。」

儘管反貪污、反浪費，反官僚主義的運動，在一個高潮接着另一個高潮之後，「緊張」「熱烈」地展開，也儘管大小幹部，新舊黨員、團員，避重就輕地、公開坦白一番，以虛應故事，但他們對人民財富的勇敢的「快樂的」盜竊行為，終究原封未動，且變本加厲。不過形式上，由「公開盜竊」轉化為「地下盜竊」，由「露骨貪污」變成了「隱蔽貪污」。因為：「貪污、浪費與官僚主義」，與共產黨是一對孿生子。黨性強時，它們鑽進了地下，黨性弱時，它們變成了公開。（朱武）

美國人怎樣看麥帥

麥克阿瑟留給美國人民的印象是深刻的。

現在麥克阿瑟的大名幾乎成了民衆歡呼的和鼓掌的信號。共和黨的演說家們，每次提到麥克阿瑟的名字，聽衆鼓掌和歡呼，幾乎使會場為之震塌。

有一次共和黨要員史塔生在伊利諾省演說，他指出假如他一旦獲選為美國總統，第一件工作便是畀予麥克阿瑟一個實際職務。他的話，立刻引起全場最熱烈的掌聲。

麥克阿瑟會不會當選為美國的大總統呢？民意測驗時有一位美國人作如下解答：『這好像一個人拿了一套新衣，走到你跟前，問你喜歡它嗎？你會答一句「靚衫」。他如再問：「你買它嗎」？那便是另一問題了』。這便是美國人今天對麥帥的一般看法。（樂光）

中共進一步屠殺地主
大陸走上更黑暗世紀
醞釀鬥爭分贓三部曲
上中下農民走頭無路

【北平通訊】今年將是大陸農民，遭受中共清算殺害最厲害的一年。這個慘劇，雖是空前，但決不是絕後，因爲他們預減低大陸人口二億的標準尚遠。

中共認爲春耕時期甚短，必須趁此時節，展開更廣泛的清算運動。因此加強農民運動，便成他們當前的中心任務。根據僞中央的指示，他們要把百分之九十的精力，集中在這一方面，放棄以往平分部力量的方策。從這一個指示，你就可以想到今年中共宰制農民，將是百尺竿頭，再進一步。

與這個農民運動起配合作用的，便是要在「服從土地改革，有利於土地改革，不傷害土地改革」的三原則下，加緊鎮壓「反革命」，組訓民兵，安置轉業，實施奴化的「愛國教育」。從僞中南局的「對當前農民運動幾個問題的指示」，我們可以看出，三反運動已經成了尾聲，每縣只須留下一個縣委敷衍塞責，而把全力來對付土改和農民運動。它們的指示中指出：「以往派去參加土地改革的幹部不必調回，還必須繼續往下派」。僞省委縣委，都要深入鄉村，去幹那血淋淋的殘殺農民地主的工作。

在加強農民運動中，中共認爲成問題的基本問題，還是幹部的思想和能力問題，因此他們喊出：「必須更有決心有步驟地加強幹部思想改造，整飭工作紀律，提倡艱苦深入」。那些偸工趕活，形式主義，及貪污浪費的幹部，都在改造之例。改造的眞正目的，是要把一個幹部，訓練成一條吃人的狗，使他們走到那裏，便吃到那裏。

農民運動的中心任務，是加緊對各級地主的殺害和清算，他們在反地主運動中所採的步驟，和以往沒有什麼分別，不識在作風上却顯得殘酷得多了。他們在反地主鬥爭中，採取三個步驟：

第一個步驟是醞釀工作，這個工作，有類似猴子戲時，先要敲一陣鑼鼓，吸引觀衆和鼓起觀衆的情緒。他們認爲具有相同的作用，認爲在「敵情」不明，和群衆情緒不對的分散的地區，不能立刻發動清算，而要展開政治攻勢，以散佈造謠的方法，挑起農民對地主的仇恨心理。

他們最常用的醞釀方法之一，是串連方式。什麼叫做串連方式呢？就是要群衆中「個別地進行訪苦，談心，摸心思，並須採取群衆的自我教育形式，訴苦，追根，回憶，對比，對論，總結，反省，批評」。這一個串連式的作用，是要「以苦引苦，用苦悟帶悟」，要把貧苦的良民，變成一群吃人的野獸。舉一個例來說，由他們常常發動討論「窮由地主假分田，還是誰自己佔分田，怎樣才算眞分田呢？便是銷滅地主階級」。

在另一方面，他們採取避重就輕和各個擊破的戰術。他們運用「區別待遇」的口號，來確定中下級地主，使大地主孤立。等到大地主清算完畢，再把屠刀指向中地主和小地主。這是他們千篇一律的分化政策。

第二步驟是實際鬥爭。在鬥爭開始前，先造好一批黑名單，凡是被他們帶上「惡霸地主，反革命份子，破壞份子，及逃亡地主」等帽子，就有資格，列入黑名單，而被逮捕。逮捕後，共幹便指使群衆對這批可憐虫，實施繼續鬥爭的辦法。一次接一次的鬥，非鬥到你腦袋分家，家破人亡，掃地出門，決不罷休。共幹認爲這些人是封建集團的統治人物，要將他們一次全部肅清。

第三個步驟是分贓。把從「惡霸地主，反革命份子，破壞份子，及逃亡地主」等那裏鬥爭叔掠得來的東西，實行分贓。分贓的主要工作是劃階級，沒收，和分配。另外還怕被鬥人死灰復燃，或乘機反攻；於是他們在分贓工作之外，注意「查鑽，查隱瞞」，查反攻，查破壞，總而言之，他們最要對他們所認爲的異己份子，斬草除根，一網打盡。

中共在今年的反地主農民運動中，先採取重點擴大到全面。再由一個區來說，開始派出共幹兩三個小組，選擇兩三個重點鄉作開刀對象。在重點鄉周圍，再劃定三數個附點，成爲一個工作單元。把較強較多的幹部集中於重點鄉，又分出一小部份次要力量去聯繫附點，等到重點工作做妥，然後逐步抽出力量去加強附點工作。並把重點「積極份子」帶去，給以一定串連挑撥任務。等到重點鄉開始分贓時，附點就開「反惡霸」或其他鬥爭」。最後必把他們所認爲的「惡霸」與「異己份子」，鬥得精光，才算稱心如意。

根據中共對農民運動的政策指示，及各地共幹的行動，我們可以斷定今年，將是大陸空前的大流血年，大陸同胞所遭遇的痛苦，將要增加千倍萬倍。血債是要用血來償還的，讓我們瞧吧，他們終有償債的一天。（昭士。二月一日寄）

中共在各地加緊四反
民族資本家變成盜匪
「他們的錢是偷來的」

【本報香港特約通訊】中共在大陸各地，對工商業的剝削壓榨，今又花樣翻新。他們對工商界的方法，先則實行所謂「民主評議」，繼則施行「查帳計征」，現在則展開所謂「四反」運動。

「四反」運動就是所謂「反行賄」、「反欺詐」、「反偸漏」、「反盜竊」。這是由毛澤東窮極無聊的增產節約號召、反貪污、反浪費、反官僚主義的「三反」運動下所演繹出來的。也就是中共羅掘俱窮、萬般無奈的極殘酷的變相征斂手段。以前的「民主評議」、「查帳計征」，雖然刻毒，但至少還承認工商界手裏的錢是自己的，現在則說他們的錢，根本就是他們用不法手段盜竊國家的了。盜竊國家的資財，當然要還，誰敢說不還呢？二月一日廣州市「人民政府」主席葉劍英對穗市節約委員會演說：「廣州自從解放以來，不法的工商業者，不斷運用行賄、偸漏、欺詐、盜竊等犯法手段，來盜竊國家資財，危害人民利益，以腐蝕我們少數工作人員的私慾，對這些不法的工商業者，必須堅決予以反擊，才能使毛主席所號召的增產節約運動，貫徹到底」。

現在武漢、昆明、廣州等地，皆已成立了所謂「四反」聯合檢查委員會，派出大批檢查組，動員無數萬人，如臨大敵，聲勢浩大，更深入地發動群衆，以「統一領導，使內外兩條戰綫互相配合，徹底肅清一切盜竊國家財產的蠹賊，打[illegible]的原則下，開始大舉向「大貪污份子」和「奸商」開刀。其目的在澈底消滅現在殘餘的私營工商業家，除着他們所說的「大老虎」，和不要臉的普遍勒索工商業份子。其運用的辦法，第一就是利用其所控制的工商界所屬人和店員，對所屬商號發動檢舉，如民生機器廠、大來機器廠、新業、恆順機器廠、民生實業公司、渝鑫鋼鐵廠、惠工廠、川華、上海機器廠、合作五金工廠、順昌鐵工廠、且機器廠等較大私營鋼鐵機器商，即被檢舉竊盜國家財產一百二十多億元，各廠商經理以所謂「星四聚餐會」的「不法」罪名逮捕入獄。在二月一日重慶市的「店員代表大會」中，「店員」檢舉了「不法工商業者」危害國家人民的「罪行」即達一千四百八十二件。而在開會前全市店員所檢舉的案件已有七千多起。[illegible]

香港三日

英聖約翰救傷隊總隊長柯閭倫爵士於九日偕同香港警務總監兼香港聖約翰救傷隊總隊長麥景陶及該隊總醫官胡惠德博士，至新界沙頭角，視察該地流動醫療隊工作情況。沙頭角爲中英邊界的一個小鎮，僅以界石爲標記。柯氏親眼看見對面荷槍的共軍，任意界許多人進入英界，由流動醫療隊診治。他說：「這樣眼看不知從何說起，但醫生的責任是應該抱着博愛精神，無分敵友的」。

×

西藏伯爾納多醫修道院院長保羅・顧各慈（Paul Coguoz）神父最近由印度抵港。他說他們的修道院位置在喜馬拉亞山峯的一個山腰內，修士唯一的工作是護送失了路的行客，並供給行人食宿與茶水。但自共軍入藏後，即禁止修士活動，現在該院工作已全部陷於停頓狀態中。他說天主教在西藏的影響，不能算小，現下已有二千五百人皈依天主。在全藏佛教的勢力下，能有這個數字，已經不容易了。

× × ×

寫「第三人」出名之英小說家葛林八日由西貢抵港，轉赴好萊塢。他說這一次在西貢是應美國生活雜誌之聘，寫戰地故事。這位一度任英國「觀察人報」編輯的作家，因爲有共產黨嫌疑，美國務院破例給他簽證，准他入境。但葛林表示從前在牛津貝利澳學院讀書時，祇是短時期作過一度共產黨。他說「這祇非是青年人戲弄行動加入過去玩玩而已，美國人也未免看得太認眞了」。他是近二十年來英國現實主義的寫作者，一九四〇年所著「權力與榮耀」尤獲文壇之好評。

× × ×

行將關閉之英駐穗總領事館，閉日內即將結束。總領事約翰．柯克希爾亦將於短期內來港。現下留穗英僑僅十二人。其中亦有數人將結束業務，候共方批准出境，擬轉道返英。廣州英國總領事館之停閉，是去年三月間第七個「收場」的英國領事館。

× × ×

大韓民國駐港總領事李鼎邦對聯軍在和談中讓步表示憤慨

大韓民國駐港總領事李鼎邦十一日向人表示對聯軍在和談中讓步，不勝萬分之憤慨。李氏指出所謂中國軍及共方共管漢江出海口之建議，不獨違法，且威脅南韓整個之安全，並破壞韓國之主權。他說留港全體韓僑對此均表示抗議。李氏稱韓人所需要的和平是全面，不分南北的和平。他認爲如果聯合國果眞這樣做法，則這一年的仗等於白打，美國孩子們的血完全白流，聯合國所主持的眞理與正義，完全是一篇令人討厭的廢話。證明國際無道義，聯合國沒有骨幹，自由世界可以等着瓦解。

× × ×

最近香港醞釀嚴重問題穗共將派遣慰問團慰問東頭村災民

最近這幾天的香港醞釀着兩個嚴重的問題，一個是停在啓德機場上的國航及央航的飛機，陳納德說共方向英國政府提出索還之要求，而香港民航局局長摩士，經過各報記者數度詢問，他都不否認，但也不予批評。這裏面使人們懷疑一定有許多文章，將來總會演變出來的。另一個問題便是穗方將於本月底派出慰問團來慰問東頭村災民，這是使香港政府相當傷腦筋的一件事，是否准他們入境，現在尚在未知數中，這一個問題，弄得不好，也會鬧出亂子來的。

× × ×

日內瓦國際難民協會代表詹姆士．詹生十一日來港，會同香港政府協助，辦理撤退上海西籍難民五千人之工作。據詹生說國際難民協會行將結束，歸聯合國最高行政委員會。救濟工作在經濟上不成問題，現有經費美金五十萬元，但第二個問題，便是難民的去處。詹生認爲問題最適當的去處是澳洲，因爲澳洲移民本年開放數額達十二萬人之多，其次菲列濱准許一部份白俄至沙馬島（按該地已原有一九四八年上海撤去的一批白俄難民），最後一個去處便是北非。詹生指出難民境香港政府協助至大。關於葡萄牙及西班牙籍的難民，由澳門政府設法遣送返國。（一戒）

東南共軍作應變準備
浙蘇閩一帶建烽火塔

【永嘉通訊】大戰的陰影，籠罩着大陸；尤以東南沿海蘇浙閩三省，人民時常打聽國軍登陸反攻的消息，耳語相傳；而駐防的共軍，則受着戰爭的氣氛壓迫，隨時都在戒備中。[illegible]

華東千萬人患吸血虫病

【南京通訊】華東地區，素有「蘇杭」之稱。農產品富裕，農民生活，在未陷匪以前，尚過得去。惟在陷於共匪統治以來，由於共匪執行着「榨取農民」政策的結果，兩年以來，農民飢餓，常以野草充飢，以致使華東地區農村裏的農民，疾病流行，疫癘未息。在疫癘流行中，農民以患「吸血虫」者最多，死亡枕藉，接踵發生，震驚了僞華東區的匪僞們，攪得彼等手忙腳亂，喊出嚴重的防治把戲來！

元月七日的僞華東軍政委員會機關報「解放日報」上，僞華東軍政委員會衛生部長崔義田，說：「吸血虫病防治工作在華東地區已經進行了將近兩年。」僞副部長宮乃泉則公開宣稱：「防治危害一千萬農民的吸血虫，是擺在華東的衛生工作者面前的重大任務之一。」僞華東區軍政委員會主席饒漱石，僅以「極爲重視」云云作了一種空洞的表示。

目前僞華東衛生部，舉行過一次會議，企圖在醫科學生的寒假期間，強迫派遣往華東區農村中去作調查和防治工作；但另一僞衛生部副部長唐哲說：「防治吸血虫病是長期性的工作！」由此便可想見其嚴重性之一般了。（仲、元月廿日寄）

無恥之恥

·倘方·

以宣傳戰起家的共產仁兄們，每逢幹一項所謂「運動」也者，照例即有一陣八股教條式的制藝宣傳，原不足怪。最難能而可貴的把戲，是勒令一般非共黨的份子，超而大力響應，並要設出爲共產黨人所不忍或不能，也不好意思說出口的一篇遁辭來！

最近大陸上搞「三反」「四反」把戲，指共幹們與工商界有貪污，浪費，納賄，暴利等罪行，而且公開宣佈了若干黨齡很高的共幹已因貪污受賄而逮捕懲處了。這證明共黨並不否認自己有貪污受賄情事，據共幹宣佈，只是京滬鐵路沿綫的從業人員，即有一千多名被檢舉，其他可以想見矣。

然而，却有一個自署「民主建國會常務委員」官銜而致施文字的孫起孟其人者，力辯共產仁兄決無貪污之事，斥「物腐蟲生」之說「只能適用於反動階級專政的國家」，他嚷着說：「誰能證明貧產階級以外的勞動人民具有唯利是圖，損人利己，投機取巧的本質？誰能證明優越的人民民主專政制度會有貪污，浪費，官僚主義的內在規律？」他不知道那「優越的人民民主專政制度」下，已有成千萬的「貧產階級以外的勞動人民」，因貪污受賄有據，被指爲「老虎」而撤職了！這種邪腔，共產仁兄也覺得說不出口，有些毛骨悚然的囉嗦情，乃致棄以代表民族資產階級自命的「建國會」會員如孫起孟之流來瞎講一番，以證明共產黨人是「天王聖明」，絕無貪污浪費受賄情事。若有，亦是資產階級引誘他們，強迫他們幹的！這等於說：共產仁兄若強姦了婦女，或者狂嫖娼妓而害了花柳病，那也是婦女的罪過，誰教她們生有淫具呢？誰能證明共產黨人會有強姦婦女，狂嫖娼妓的「內在規律」呢？

所以，共產黨禍國殃民，殺人越財的罪行尚在其次，唯有逼遣全民昧良無恥，泯沒人性之所爲，纔是人神共憤的滔天大罪！

自由談

毛澤東之弟婦賀一

·公孫龢·

讀九十二期自由人一篇記毛澤東棄婦賀子珍事，其中一及賀鎔（即賀一）。據盧弧著毛澤東外史，謂民十七年毛落草井崗山，自永新縣城攜得賀氏姊妹，賀子珍當時已爲國共合作時期的永新縣黨部婦女部長，年逾十七；她到井崗山年方十九，賀鎔自然比她更小。從此毛家「親兄弟」分得了「姊妹花」，毛澤潭做了賀鎔的丈夫。

迨第五次圍剿，毛率徒衆西竄。人知毛澤潭之死，而賀鎔沒有下文。實則賀鎔中間經過曲折，不以善終。將來史家爲毛澤東寫烏家乘，寫毛澤潭賀子珍，必當及賀鎔，是賀鎔之死，爲不可缺少的一頁，不可以不識。

中共黨徒的男女關係上的一杯水主義，從列甯版傳下來，當年井崗山，已躬身證力行了。陳毅風流種子，山寨地位次於朱毛，在毛大嫂前猶且動手動腳，澤潭地位遜於乃兄，自然隨所欲爲。果不逾年，陳毅賀鎔之間，穢聲四播，遂成公開。

當二十三年間，毛澤東決定自瑞金突圍，欲以陳毅獨留。陳料毛借刀殺人，請以澤潭替；因澤潭亦留，是一石二鳥的辦法。毛說澤潭病，莫能興，無所用處；竟不答理。但是澤潭雖走，而賀鎔中途不前，亦許是在突圍途中失了聯絡，這女人輾轉流徙，終於返到永新。

江西匪氛肅清，地方人士紛紛歸去，各處進行大規復，賀鎔「毛澤東弟婦土匪婆」，自然不能在永新立足。她原有一表親在井崗附近一小村落裏教書，這時走頭無路，便偷偷選任投奔，司塾中洗炊諸事。不久兩人勾搭上了，成爲先生的外婦，村裏人也沒有識得她。

轉眼幾年，國共合作。「抗日民族大學」在吉安不次招生，「紅軍二萬五千里長征」一類書籍販價頗銷，賀鎔得知了姊氏夫婦的詳細消息。她野心復熾，不辭而別，終於去到延安。自此她改叫賀一了，一直服務中共「中央組織部」，成爲毛澤東家裏心腹之一。

據說她與陳毅卻未有歡重拾。有人知道她暗中與馮文彬過從甚密。自然也決不會有馮文彬一個，反正「一杯水」無所謂。不過賀子珍與陳毅之間的「親戚」關係，並未因陳賀的分手而疏遠！這就是賀子珍被棄歸國後，一直以較多的時間住在上海陳公館的原因。

卅八年和談不成，共軍渡江。吉安隨江西全省而淪陷，中共于此設有「地方委員會」，管轄原爲吉州第三行政區十一縣份。這時候賀一可以有更多職務可做，卻偏偏降尊紅都，出任了「吉安地委會組織部副部長」。許多人很是奇怪，原來「盜亦有道」，她乃是奉命尋找當年毛澤東所遺棄的子女的。

原來賀子珍在江西時，共生四兒女，除毛岸英外，餘俱隨處拾棄。那時既不敢想像有今日的捲土重來，收養的人家亦無由知爲毛氏之子，二十年人事滄桑，他人紙從聞問。賀一爲了姊姊，爲了姊夫，都當不辭一行，以求設法尋訪。就賀一自己言，女人的虛榮心是最高的，她過去不無怨怨，此番「衣錦還鄉」，也願藉此風光一下。因此，賀一名義雖爲「副部長」，正爲是副，她搞更好不問「部」裏的事，自三十八年九月到職起，工作地區，皆在井崗四鄉。一說曾訪得一女，已爲農家婦，今隨賀子珍居滬者即是。（按本港報刊有記載子珍身旁一女陪侍的，不知是否即此農家婦，存疑。）

由於賀一的探訪的的確確在永新寧岡兩縣中只要過去稍和毛澤東發生過關係的，無一不獲善遇。賀一本人也在同鄉中廣給善款，只要肯去找她，無論過去什麼身份，她總給介紹受訓或工作，沒有失望的。自然，私塾那位教書先生，更是喜出望外，竟做了吉安頗大規模的公營木材公司的經理，眞個「雞犬升天」了。誰謂共產黨身犬生無人性，當其躊躇滿志時，封建意識自然產生的。

從江西一度盛議設立「井崗山大學」，及吉安「地委書記」率憲親往慰問井崗居民，羣衆打電報感謝「毛主席」等等做法，都足見毛澤東當初確曾重視發源地井崗山，想作歷史性的建設發展，而賀一不辭僕僕吉遂道上，實際主持其事。賀一原準備任職至是年底的，誰料「出師未捷」，竟先於十一月間，在泰和途中，以翻車殞命了。

當日同一吉普的，有另一毛澤東當年警衛。此人年過五十，十餘年來，以趕鴨爲活，終年遊徙泰永寧遂四縣邊界，逐水草而居。賀一設法訪得，要把他送去「北京」，他起初不願意，強而咨嗯了，把百餘隻鴨分贈鄉人，隨賀一乘車返吉安。他未嘗不想到落得下半世痛快，喜出望外。對中途車覆，賀一因據前座，立死，他亦遠自車內拋出，遠丈許，把腳骨跌斷了，送到醫院，成爲殘廢。以後許多人都把此事當作談資，認爲「自作自受」的。

「一代尤物」，從此結束。井崗山建設計劃，一因當地遊擊隊起伏不常，隨而中止。教書先生祕密，不敢告人；以「思想不前進」，未久仍失業。至於毛澤東的探訪棄子工作，自亦無形作罷，因賀一自始即未曾以告人，毛澤東在斷續前也未敢公然表示的。吉安「中共地委會」爲賀一開會公葬，各機關嘍囉隨市民被驅送殯，埋於吉安城郊螺絲山。

賀一無所出。毛澤東的老二房「斷子絕孫」。論者謂至毛本人隨史魔殉葬，全家覆沒；將來爲毛氏寫烏家乘時，必感全篇「有頭無尾」，爲之擲筆三嘆！

義士武松（六）

——水滸人物論之六——

·舜生·

武松在飛雲浦殺了兩個防送公人，將門神兩個徒弟，又殺死張都監全家一十三口，加上張團練與蔣門神，在一日一夜之間，殺者共爲一十九人。自張都監家逃出的家人和飛雲浦地保先後向孟州府衙門告發以後，而武松又在鴛鴦樓牆上，題有八個血字，自承是殺人正凶；於是孟州知府乃下令把城門關了三天，挨家挨戶搜索，並塡了武松鄉貫年貌，畫影圖形，懸賞三千貫，一面就孟州地面各鄉各保各都各村挨家搜捉，一面又行文鄰近州縣，務求拿到凶首歸案。

卻說武松自殺人那夜逃出孟州城以後，走了一個更次，已是十分辛苦，困倦異常，更加棒瘡發了又疼，便投在一座樹林內的一所小小古廟，把朴刀倚了，解下包裹做枕頭，撲翻身就睡，好睡正濃，卻被一夥強人，伸出兩把撓鈎一搭，把他搭住，用繩索綁了，押着走了三五里路，將他送到一所草屋裏面，剝去衣服，綁在柱上。武松張眼一望，看見梁上掛着兩條人腿，知道自己也快被開剝，心裏不免慨嘆萬狀。不想這裏卻正是張青孫二娘所設人肉作坊的一處支店，當他們夫婦兩個聽見有一宗行貨送到，便連忙吩咐不要動手，待他們來親自開刀。他們兩個走出，定睛一看，發見綁的正是他們的兄弟武松，便連忙把索子解了，將衣服與他穿上，問起武松如何弄到這等模樣，武松便將與他們夫婦分手以後，如何遇着施恩，如何在快活林和蔣門神廝打，如何被張都監陷害，源源本本，一直敘述到昨晚殺人爲止；不僅捉他來的四個強人聽得目瞪口呆，便連張青夫婦也驚駭萬狀，於是武松便解開包裹，取出幾兩銀子，把四人遣散，張青夫婦去辦酒食，武松才好好睡了一覺。

武松在張青作坊裏躲了幾天，眼看官司追得十分緊急，不僅張青夫婦担心，武松也深感不便，於是便由張青提議寫一封書信，把武松介紹到二龍山寶珠寺魯智深楊志那裏去入夥；武松自是贊成，但孫二娘一看武松這個模樣，知道一路要被人捉住，因此，她便想出一條妙計。原來兩年前，他們作坊裏做翻了一個頭陀，留下了一個鐵界箍，一身衣服，一領皂布直裰，一條雜色短穗絛，一張度牒，一串一百單八顆人頂骨數珠，一個沙魚皮鞘子，插着兩把雪花鑌鐵打成的戒刀，行頭十分齊備，只看武松願不願剪去前後頭髮，改扮一個行者，除非這樣，才可逃往青州。武松心想，要跳出這個天羅地網，也只好這樣，於是聽憑剪去頭髮，加上鐵箍，穿了直裰，繫着絛絛，暗藏度牒，掛上數珠，佩了戒刀，便完完全全成了一位行者，乃拜別張青夫婦，起身投奔青州二龍山而去，這便是武都頭變作『武行者』的由來。

萬竹樓隨筆（七一）

史大林：我當願將鐵鎚借出！

土改

海隅縱客

節制資本，平均地權，這一綱領無疑是進向社會主義經濟的一度橋樑，平坦康莊，讓大家安然穩渡的。可是只製出了一個藍圖，泯泯棼棼二三十年，那工程全未着手過。一部土地法，由中央到地方，等因奉此的公文旅行了千萬轉方始制定公佈，公佈了若干年月，老百姓根本不知有這回事。一個政黨赫赫當權，沒有反對黨存在，而於自己的政綱推行，好像忘記了似的，這政象實所罕見。

中共先生們一嘴茅草亂蓬蓬的土改政策，人們知道的是在贛南赤區開始執行，實則有些地方還早幾年便已胡攪了。

日前本刊所載解放別錄末一節說過，民國十一二年之際，中共初出娘胎，其四大工作之第四項最號召鄉村椎魯，部勸成軍，戕殺地主，對民衆以實際行動作共產主義的註解，首先執行這工作的是粤東海陸豐的彭湃。那時候省會與惠州間，孫陳兩軍對壘，東江一帶，百政懈弛，彭爲該處豪猾，大有機會活動。彭的召亡符咒是打倒地主惡霸，均分田地，扶助貧農翻身，一如忠義堂大旂的「替天行道」。鬨鬨些時，結集在揭陽，普寧，惠來三縣中間的南山區，爲一雛形的蘇維埃區，固然遠比後來江西的雲都瑞金興國區爲小。在那裏，他們命令逃走不出捜殺未盡的擁有田地者，少至不及一畝，像得將契據呈出燒毀，並且將阡陌徑界悉數鏟平。南山區原有三萬多的人口，那時死的死，逃的逃，剩下來只幾千人，都是些往日偸鷄摸狗，或綠林蕩荷存的，乍作蘇區民衆，享受分田，算是一個赤色小世界。自中共集體滲入國民黨，以至翻臉清黨後，那小世界竟支持了多年。民二十，陳伯南反蔣獨立，別樹西南政府，一面江西赤區鬧動方酣，粤中某些部隊也應清東江，最後南山區亦告收復。某旅長率師直入穴中，暫時綏靖軍民兩政。在安輯流亡的號召之下，逃出的鄉人相率來歸，很短時間便回來了上萬人。這些人，重返故鄉，只得一片焦土，屋則頹垣斷瓦，田則鞠爲茂草，而且有些存而被先歸者佔住了的，有依稀僅認得界址的，有逕界址都認不清的，有出走時帶得契證此時契證棄遺的，有契證失滅雖田屋俱在而反被指爲僞佔的。一塌糊塗，防軍當局大感頭痛，只得令歸來的鄉人就山邊支架茅棚，暫行棲止，一面將情形呈報省府，請示辦法，或設縣治，或派專員，從事整理。

省府有設計委員會，我也濫竽其中，歷數年，省政大端每由這一機構建議辦法，痍難間隨亦常向此諮詢。南山善後一案，交部設委會來，擱了好些日子。那頭痛的旅長函省交催，省當局但見縐眉，會中同寅都說這個給難倒了。結果我擬了一個方案，主張索性乘這機會由我們作成一個土地改革示範區。南山區原來六十條鄉村，小大不一，經喪亂後，人口之多寡又變了樣。我的方案是按人口重新劃過鄉村，按人口劃分某村田畝若干，田中爲鄉村公有，耕者向鄉村自治機關繳最低額租金領耕，租金以充自治公益費。這時地主能提出確證的由政府酌給補償。將村劃定山區造鄉村公有林。水利和交通由各鄉自治機關聯合機關辦理。方案細目甚詳，大要如此。在我以爲這是平凡不過的處理方法，下點子工夫，換取些經驗，簡直可以推廣起來，我們自命爲革命政府，也算做過芝蔴綠豆大的革命工作呀。却不料這案子簽過去，只給當文章一讀，有說「新穎可喜」，有掉書包的撚着鬍子喃喃道：「非常之源，黎民懼焉」。終于擱在案室中多了一疊紙，而南山區怎樣收拾我亦充耳無聞了。

這案子相信不會傳出于省府大門以外的，湊巧之極，不上一個月，在報紙上看到一大篇山西閻錫山制定「土地鄉村公有法」，擬在晉省逐步實施，內容大致和我的私議相同。我驚訝着全國裏關懷此事的還有一個閻氏，不能便說無人吧。（八）

海隅憶語

辛卯重五日詩人節感賦

·江意雲·

珀釀葡萄勸獨醒（鄰友以葡萄酒見餉），欲教騷客一洗冥。新浦又染屏楣綠，白袷初迎島嶂青。叔韓臧逃成共業，花前悵惘接微馨。卜居漸傍他山外，哀怨靈修恐未聽！

澳門西望洋嶺夜坐二首

夜山樓觀帶星勻，掠海兵艦搖漸淪。草綠茵園官閣靜（山下爲澳督官邸），衣輕影疊石廊新。涼宵短坐迴千劫，他日飛吟步昔人（時與某道人同坐洞賓詩朗吟飛過洞庭湖）。清淺君看如夢否？鷗邊莫綴夢如塵。

月上天新喘息涼，銀燈接葉海爭光。移家漸逐波同遠，歸夢寧循地共長。曾是春明聯翩汝，可能藥轉縮滄桑？憑君妙證無生旨，逝水如斯注一觴。

清明節近小鬟有擔買柳枝者

世亂春歸百不如，垂簾多負鳥殷呼！灘鬟喚賣清明柳，憶見村紅映酒壚。（唐人詩：借問酒家何處有，牧童遙指杏花村。）

自由人

THE FREEMAN

（半週刊每星期三六出版）

（第一百一期）

每份港幣壹毫

督印人：李光華

社址：香港高士打道六六號

電話：二〇八四八

GLOUCESTER RD. HONGKONG TEL: 20848

承印者：東南印務出版社

地址：高士打道六四號

台灣總經銷處

台北市中華路一二五九號

中止革命與提倡學術

·左舜生·

人類正醞釀一個空前的浩刼，可能這種醞釀的時間愈長，其可怕性乃愈大。中國只是世界的一部，也不能不說是重要的一部；在其他部分這種醞釀的經過，我們只間接知之；在中國，則吾人親身歷之。以往四十年禍亂相尋，迄今而方興未艾，就表面上看，好像是莫之爲而爲，莫之致而致，實際則確有其原因，不過這種原因相當複雜，來自多方，不易爲人所察知，且往往爲淺見者所忽視，因此大家乃發揮一種惰性，視爲故常，或委爲命運，從來不肯從根本上去理出一個線索，作一次澈底的治療，只知道頭痛醫頭，脚痛醫脚，甚至乃中西雜投，巫醫並進，使得一種輕微的病患，浸成痼疾。

我在這裏，並不想就這個問題作一全面檢討，實際我也並沒有作全面檢討的能力，但有兩個使這病象加劇的基本原因，我可以在這裏指出：其一由於革命的頻繁，其一則由於學術基礎之不立。

革命本來是一個國家在萬不得已時候可以偶然一用的一種手段，決不能以輕率出之。所謂『順天應人』，如果不是通乎天人之際，以一種悲天憫人的心情臨懼將事，其流弊自不可勝言。以這將半世紀來說，只有辛亥和辛亥以前的一段，可以當得起革命兩字，過此以往，便只有政權的爭奪，而無所謂革命。因爲目的只在奪取政權，其於達成此一企圖的手段，自不能多所選擇。中山先生的聯俄容共，分析言之，也不外是一面倚仗外人，一面利用亂黨，如果這也算得是革命，則毛澤東之效忠蘇聯，打倒國民黨，當然是更澈底更進一步的一種革命？我們又何必加以非難？加以反對？三年前國民黨在大陸的失敗，單就表面上看，自然是由於將領的腐化，政府的無能，可是要追溯得更遠一點，則國民黨失敗的命運，在十三年決定採用聯俄容共一策的時候便已確定。因爲蘇俄對遠東野心的擴大，與中共基礎的確立，以及國民黨內部的分化，乃至法西斯政策之不得不引用於中國，日本之藉口共同防赤對中國大肆侵略，那一件事不是以聯俄容共一策爲導火線。我們贊成蔣介石先生十六年的清共絕俄，也贊成他今天所倡導的反共抗俄，因此我們對十三年的聯俄容共依然不能不表示萬千遺憾！

我們現在要打倒共產黨，這只是平亂，只是戡亂，無所謂革命，而且我希望今後對革命這兩個字只應該加以詛咒，決不應該加以讚歎。去年我寫過一篇『舒總論革命』的短文，在結論上有這樣的幾句話：『革命是一個不祥的名詞，一個國家非到萬不得已的時候，決不宜輕言革命。但不幸中國在最近的五十年，革命乃成了紙上的美名，好像凡革命都是對的，凡不革命或反革命都是該死的，自革命職業化而天下皆亂，自革命功利化而天下皆強盜，於是乎革來革去，乃把一個國家革成了如今天的景象！』

平心而論，我們能說革命頻繁不是釀成今天中國這個症候的主要原因之一嗎？

因發展學術，須要一個安定的環境，在一個紛紛擾擾的社會乃極不相宜，尤其是今天的學術，大體是指科學而言，必須有充分的設備，豐富的寶藏，悠久的時間，多人的講習，決不是一二人坐着冥想，著書立說便可以成功的。西洋學術之輸入中國，說得遠一點，已在三百年以上；說得近一點，也有一百年；但何以到了今天，還是這樣絕少成就呢？毫無疑義，社會不安，學人的生活無保障，隨時在兵爭與革命之中，乃是最主要的原因之一。尤其一個由革命起家的政權，往往不懂得學術是什麼一回事，希望它去加以獎勵與提倡，乃事實上的不可能，甚至還要加以摧殘與壓抑，過去國民黨的時代大致是如此，今天的共產黨更是如此。

今天不談國家建設則已，要談建設，便離不開學術，不幸這四十年來的政權，始終掌握在一羣革命者的手裏，於是乎軍人萬能，政客萬能，販夫走卒萬能，貪污腐化分子萬能，今天乃變本加厲，更是暴徒萬能，『老八路』萬能，學術既無標準，人才即無標準，而所謂少數學人也者，以他人既已輕之，亦即不免自輕自賤，自比於非人，而不惜高呼向毛澤東這類的傢伙去看齊，去學習，於是乎學術乃一掃而空，而中國亦遂亂無寧日——平心而論，我們能說學術基礎不立，尊重學術的空氣沒有形成，不也是中國這個症候的主要原因之一嗎？

上舉的兩個原因，是相互關連而相互助長的，愈革命便愈不能談學術，要中國眞有復興的一天，必須於打倒共產黨以後即中止革命，以求得社會的安定；更以誠心誠意來提倡學術，以樹立建設國家的眞正基礎。

國際主義與愛國主義

蘇聯給我們的印象，是太微妙了。

她對外倡的是『國際主義』。她反對匈牙利人愛匈牙利，反對捷克人愛捷克，反對狄托愛南斯拉夫，反對毛澤東愛中國。她要所屬衛星國把蘇聯奉着祖國，把蘇聯的利益列爲至上，把列甯史大林尊爲列祖列宗。然而蘇聯在國內却大談其愛國主義，並且將俄國歷史根據本身的利益全部改寫，甚至把近代許多科學發明，從鐵路，坦克，飛機，乃至原子能，都說是導源於俄國的科學家。

馬克斯主義是用唯物論來解釋世界及歷史的演進，因此在理論上對任何宗教，都是採敵視態度的。蘇聯對她的衛星國，不但如此說，而且如此做。近三年來，波蘭，保加利亞，匈牙利，和羅馬尼亞，等等對教會的迫害狂，便是事實。然而在蘇聯國內，正教的活動，正方興未艾。

馬克斯主義倡導社會平等。但，這種社會平等的理想，蘇聯已經放棄了。舉一個例來說，蘇聯人民在工資及特權制度下，所享受的不平等待遇，在英美人士看來，簡直不可思議。高級官吏和工程人員的工資和待遇，和普通工人所享受者，幾乎有天壤之別。蘇聯常常拿特權，作爲對個人努力的報酬。這些新特權階級的作威作福，其情形，並不亞於沙皇時代的皇室貴族。

如果說蘇聯是工人的天堂，毋寧說是工人的地獄。按照蘇聯工會規定，一個工人在六個月集體勞動時，遲起床二十分鐘，須罰月薪的四分之一。如在一月內有三次起床遲過二十分鐘，須坐四個月的有期徒刑。像這樣虐待工人的事實，民主國家是沒有的。蘇聯的奴役制度，更是驚人，二千萬至三千萬的奴役勞工，他們在比利亞的鐵欄下，爲克姆林宮的主子們開礦，築路，做工，賣命，而他們吃的是馬料，住的是荒郊，他們的待遇，比不上一條狗。但是你可不能否認他們是『工人天堂』裏面的一種勞工。

蘇聯從一九四九年起，天天在喊着要和平。她要怎樣一種和平呢？她要是由第五縱隊拿起和平的旗子，聯絡一些同路人和中間份子，對西方各國發動反政府的革命。

從這些事實，你可想到蘇聯是一個再微妙沒有的國家，她講的是一套，作的又是一套；信仰的是一套，行動的又是一套。（綠光）

東南亞的反共戰鬥

【本報西貢航訊】史大林的世界革命的魔掌，早已伸進了東南亞。反共的怒潮，也隨着克姆林宮的壓力，益加澎湃起來。

越南

在蘇聯的侵略計劃下，首當其衝的便是越南。胡志明指揮下的第五縱隊，以民族主義作幌子，在中共直接間接的援助下，到處燃起赤色的火焰，帶給越南人民以無邊的空前災難。

在去年一年的反共戰鬥中，法越聯軍雖然打過無數大的勝戰，然而事實告訴我們，要澈底消滅共軍，尚不是一件容易的事。原因是他們繼續不斷地獲得中共的大量支援，包括人力，物力，財力，和軍火。這便是越南問題的癥結。

以前越盟共軍，只是一羣散兵游勇，烏合之衆，打的也是一些流寇式的游擊戰爭。去年起，他們已有裝備完整的正規軍，並能打硬性的陣地戰。

在越南的主要戰場，越共在戰線上活動的部隊約有三四萬人，他們都是正規師裝備，打的是硬戰。其他各地共軍，仍未脫離游擊隊的規模。

現在牽制在越南戰場的戰鬥人員，計法軍十七萬，越南政府軍十萬。共軍人數正規軍十七萬，另外還有大批游擊隊和地方民兵。就人力上言，大概是五十對五十的比例。

在越南戰場上，我們可以看到無數的美製飛機，坦克，大砲，小型砲艦，和載重車輛。這證明美國對越南局勢，並未袖手。美國的軍事援助，正大規模的向越南輸送。據概略地估計，在過去兩年，美國援越款項，總數達四千六百萬美元。

就越南反共的實力言，仍存在着若干困難問題。表面上，法國已經幫助越南建立一枝十萬人的勁旅。但是越南本身所遭遇的政治，經濟，財政，及裝備上的種種困難，不免阻礙軍事的進展。

馬來亞

馬來亞共產黨問題，雖不如越南嚴重，但它仍然是一個極端值得注意的問題。

在馬來亞活動的正規共產軍，雖祗有三五千人，可怕的倒是那無數萬的地下軍。這些地下軍混在市民堡裏，供給共軍以情報，金錢，和物資。共軍在他們的援助下，四出騷擾，搗亂，破壞，並成立一個「馬來亞人民共和國」。馬來亞英當局對他們頭痛萬分，特地動員正規軍與警察，總數達十萬人，來對付這羣躲在叢林裏的暴徒，看來辦法並不多。

好在馬來亞的共軍，沒有獲得外來勢力的援助，只要當局能下決心，經過若干年月的清剿，局勢自可平靜下來。不過剿共工作不完全是軍事的，而須同時謀政治改革。參加馬來亞共軍活動的，大部分是中國人。他們之所以參加惡化組織，不是爲了思想信仰，而是對英當局施諸華僑的不平等待遇所採取的一種報復行動。如果英當局能夠處處爲華僑利益着想，一切採平等待遇。那麼這個燎原之火，很快就可熄滅。

泰國

共產黨在泰國尚未成爲內政上一個嚴重的威脅。第一，泰國沒有武裝的共產軍。第二，從事共產活動的只是一部份華僑，越盟份子，和少數泰國人民。如果沒有中共的援助，共產黨在泰國奪取政權的機會，實在是微乎其微。共產黨在泰國得勢的關鍵，將視越盟及緬甸共軍的勝利而定。因此今天東西方在越南及緬甸鬥爭的勝敗，足以決定史大林赤化東南亞的命運。

泰國新政府卻正採取強硬政策，對付國內任何共產暴動。目前泰國人民的經濟生活，在東南亞區域內，算是比較富裕的。這兩點是共產黨在泰國不易抬頭的基本理由。

緬甸

緬甸情形，不能十分樂觀。過去六個月來，共產黨勢力在緬甸北部，膨脹異常迅速，這是中共加緊滲入北緬的必然結果。中共利用緬甸的民族問題，挑撥加倫族及克欽族的民族感情，聯合「白旗」及「紅旗」共產軍，戰時游擊隊，及土匪等，對現政府作軍事叛亂。共產黨在政府控制區，雖難作破壞活動，但極端左傾的工人黨及農民黨，爲他們採情報，或作同情的支援，使共產黨在政府區獲得很有效的內應。這對緬甸反共戰鬥，是一個很大的致命傷。

英美對緬甸政局的嚴重性，已經注意到。英國特派了一個軍事顧問團，供緬甸軍事當局的諮詢，美國也會斷斷續續實施軍事及經濟援助。但就緬甸反共戰略的需要言，這些援助仍不免杯水車薪，無濟於事，假如英美不肯拉出更大的本錢來，緬甸局勢可能變得比越南還要惡劣。（張德清二月五日寄）

半週展望　雷嘯岑

中共「尊重英國對香港的佔領」？

西德一個共黨首領狄特，新近自中國大陸旅行回去，發表談話，說中共現時依然「尊重英國對香港的佔領」，但他們認爲隨時「可以攻取它」！

凡屬俄帝體系的共產仁兄，對外絕不能自由發表有關政治政策之言論的，這是他們的所謂「紀律」，即「一切要通過組織」也。德共首領之言，尤其含有作用，作用何在呢？在乎誘惑英國，分化英美，擴大這兩國對遠東政策的歧見。其意若曰：英國如想保全其亞洲利益，就不宜跟美國走，這樣，共黨就會「尊重」其既得利益的。否則，便不客氣，「隨時可以攻取它」！這話特別是對英國工黨的悅耳之言，給貝凡一流人以攻訐邱吉爾的大好口實，至少可以拖住保守黨政府的腿，使其不能公然與美國團結一致來對付世界的赤禍！

「憑實力談判和平」，這句話，英美的政治家都一致認爲正確的，對俄帝集團尤其必要。共產仁兄觀破了英國急於承認北京政權的弱點，所以，這年來專門對拆散民主陣營的工作，用盡苦心。最近眼見邱翁的遠東政策慢慢要跟美國接近了，如是乎，乃拿香港作工具，教德共發言，表示是「客觀」的觀察，使英國人怦然心動，內部爭執，英美之間自然對遠東政策將不容易一致了。

天下祗有看清了一件事情的基本利害，胸有成竹的人，纔不受別人的利誘威脅。中國古代英雄項羽與劉邦爭天下，他把俘獲在手的「劉太公」押赴城上，對劉邦說道：你若不依我，就要烹殺「若翁」！劉邦笑答：很好，如果你眞的烹殺了我父親，務望分我一杯羹！項羽的誘脅伎倆乃告窮，結果「劉太公」依然無恙，而項王終於潰滅了。中共想以香港當作「劉太公」來嚇英國，邱吉爾能否有如劉邦的鎮靜心情呢？我看是有的！世界如無大戰，香港「唔緊要」，世界果有大戰，香港更加「唔緊要」。共產仁兄的恐嚇之詞，廢話而已。

大家玩弄宣傳攻勢

繼維辛斯基在聯大指說緬甸泰國邊境有自由中國軍隊活動之後，中共急起響應，一面指「美帝」在東南亞協助中國的反共游擊隊「侵略」大陸，一面說「英帝」受「美帝」之命，以香港爲「侵略」中國的基地，表現其不能「容忍」的模樣，越說越儼然有介事，大有山雨欲來之勢。美國國務院也不示弱，一面不贊成聯合國派員赴緬甸調查眞象的建議，一面由杜勒斯發表以實力推翻俄政權的主張，要解除台灣中立化政策，讓國軍反攻大陸，同時又有總統候選人塔虎脫到處演說，呼籲組織亞洲人的反共力量，趕快使台灣的軍隊進取海南島。還有那位素不輕易發言的美國元老馬歇爾先生，亦大喊「世界戰爭快來了！只有共產集團纔可以阻止這場大戰之發生」。這幾天，我們就被這些報導消息困惑着，弄得神經不免有些緊張，而疑問：大亂是不是眞會起來？

其實，他們都是「說的多，做的少」，乃爲一套宣傳攻勢，而其目的彼此相同，即皆爲爭取韓戰談判的有利條件是也。共黨怕聯軍堅持主張不肯讓步，不惜裝成到處有鬼的歇斯底里精神，使聯軍阻怯苟和。美國也怕共黨得寸思尺，談判僵持，即表示其辦法很多的「不怕事」態度，教共黨莫再虛驕自誤。若說共黨眞敢掀起大亂，馬上就會向東南亞和香港燃放火燄，固不見得，而馬歇爾所謂「大戰快來了」的話，也難盡信。他這句話只是暗示着：韓戰如果停不下來，戰事範圍便會擴大，共軍若實行南進，大戰就不可免，而戎首即是共產集團！用意還是在促成板門店的和談。

英國方面這幾天表現着很激動的情緒，如其不是明知故昧的鬥智方法，而把杜爾斯、塔虎脫等人的話認爲即有其事（將來却不可知）那就要上共黨宣傳攻勢的大當啊！

極權必敗論

·龐彬·

最近美國耶魯大學校長格里斯窩（Whitney Griswold）氏在紐約論壇報發表了一篇「我們一切力量的泉源」，從個人的天性與本能，闡明民主力量根深蒂固，認爲民主國家，像美國，是靠謙和人類的個人本能與社會本能而起家的，尊重個人的自由民主，就是立國基本之道。這篇文章，可視爲民主主義戰勝極權獨裁專制基本理論之一。他的意見歸納如下：

人類自從蠻昧初期，就懂得反抗暴虐，天賦的本能[illegible]人類生活，不管天高地厚，却又[illegible]。人類的世界[illegible]政治哲學[illegible]，部分人類創造了[illegible]，個人命運往往被制，尤其是在目前極權專制的世界，幾乎統治了半個世界，還要繼續統治其餘部分的時代，[illegible]的力量更在獨裁者的刀尖下有增無已。但個人爲保障人權而反抗暴虐，其熱切之情爲空前未有。

在一些國家，如美國，由于傳統個性格的關係，在歷史上雖然曾有過極權主義出現，但不旋踵歸于幻滅；「個人」的地位雖然一而再的要從舞台上掉下來，可是一而再的又換個新鮮活潑的外貌回來，有下面的史例爲證：

一六二〇年，距馬克斯寫他的共產宣言時之前兩個世紀，在俄國人尚未聽過這個名詞之前三個世紀，美洲伯來茅夫殖民地（plymouth Colony）曾經有過共產主義，但經不起一度考驗之後即被放棄（因爲正如巴勒福（Bradford）州「在他的日記中所說，「積多年的試驗，證明了柏拉圖及其他先哲的理想——把私有財產變爲社會公有，會使人羣樂于一個好富的理想——比上帝還聰明的理想，紙是幻想。社會的建立紙有引起社會紛爭，不能帶給人們福利」。

在希特勒，史太林，墨索里尼以前三個世紀，美洲的麻薩諸塞海峽殖民地，也有過全盤的警察支持的全體主義，但被放棄了，並且起草憲法，規章，來防止這個主義的復活。

民主主義是希臘哲學的主要一部分，在紀元前五百年，是一種有希臘的主義，首先出現于雅典，在十二世紀之間，突然復現于意大利城市國家，再于十三世紀，又出現于瑞士的郡縣，但是直到十七世紀中葉，英國新教革命時期，才以現代的形式出現，到了十九世紀才穩成我們現在所認識的民主形式。

民主主義之所以優于其他哲學，主要的是它在理論在思想行動的範圍內都能夠調和天賦人類的個人本能與社會本能，並且能產生之成爲創造的和生產的。如果要把個人的機會與責任和社會的機會與責任之間劃分一條分界線，那麼再沒有比民主主義制得那麼精確而合乎眞實了。所謂眞實，就是幾千年來，個人的心血，社會創造的成績，走上文化的道路。由天上掉下來的火花，是誰把它拾起來呢？是誰把它永遠的常常是不是羣衆，而是個人？藝術家，科學家，發明家，政治家，探險家的，站在生命泉源的最前端，探摘精華，如果人類閉口說「一致」的名詞，把他們傳給手，如果過他們，他們必然脫離了生命的泉源而去。民主主義還可以

說，根本就是一種道德哲學，事實上比任何其他哲學，無論在性質上，在歷史上，更能使它保存本來面目。在今天的時代，也和雅典政治家波里克利斯（Pericles）所處的時代一樣的眞確。克利斯氏早就看到，我們今天所知道的一個眞理，就是：智慧與道德不能從國家中退出來，不如同不能從鐵雞生蛋一樣。社會還有所謂總體智識，有這個東西，有之，紙有個人智識與他人智識的交涉。世上也沒有所謂公衆道德，道德也就有樣東西，有之，也是個人道德的總合。因此他說，民主主義最初形態「注重在制度與政策者少，重視市民的自然精神者較多。」又如傑佛遜（Thomas Jefferson）也同樣說過：「人民的態度與精神，保存共和的政治的活力。」引用同樣的話，可以說各種形式的政治，但無論如何，政治能表現這些精神與態度，最爲眞切。說民主、科學的進步一般，足以促進民主的命運，但科學的不斷進步，又須觀兩個條件：第一、在純粹科學的領域內，不斷的發展「自由」，因而就需要一個產生「個人」的教育之不斷進步；第二、要有一種社會哲學，改變人知能力——由于技術進步使人從苦工中解放出來滿潛能力，使之適合乎社會目的。

這種能力的累積，在人類術語上說，其成就大于我們對于自然資源的保存。在軍事政治的術語上說，不亞于保衞民主大聯盟的兵源，徵集，于我們怎樣利用這種已在掌握，可以利用的東西呢？我們會像聖經上的農夫，費了九牛二虎之力，剷除蕪苗，而得不到麥子的收穫嗎？我們會目睹蘇俄恐怖主義之興起而忘記利用它嗎？不，我們對此總該有個正確的答案。

世界三日

能做的事少

內外多事的美國。「想做的事多，能做的事少。」反共建軍要錢，大家都向美國伸手。但是講到反共，却好像是美國的事。

在朝鮮，美國出兵最多，佔十分之八。其餘十五國，只是象徵的參加。

又其餘的三十餘國，雖然投票贊成，却好像事不關己。

戰爭已過了一年半，超過了美國第一次大戰的時間。美國的死傷也已打破了十萬的巨數。

停火談判不覺進入第八月，前途仍是茫然。

停戰問題多

停戰期間的緊縮與建設機場有問題。

雙方俘虜的交換，也有問題。

最近談到第五項議程，提到召開政治會議，討論有關韓戰和平的問題。

這是些什麼問題呢？更大成問題。

談下去無非拖延時日，給共軍以準備充實的機會。

史大林的用意，就在利用韓戰以消耗美國，牽制美國。

朝鮮非可戰之地，此時又非可戰之時，美國怎麼辦？

美國怎麼辦？

美國想解決韓戰，而英法各國反對擴大，麥帥由此免職。杜邱會談的結果，英國表示了若干合作的態度，國內的反對派在大叫，還得由邱吉爾詳細解釋。停戰不能，大戰又不可，美國怎麼辦？

今年是總統選舉年，選舉第一，韓戰的困難，成了政爭的工具。執政當局的民主黨，不敢有什麼作爲，但求解除當前的困難。反對派的共和黨，如前總統胡佛，頗直痛快的提出撤軍回國的主張，保全實力，只以海空軍來對付蘇聯。

羅馬會議里斯本會議

反對派的所以如此，不僅爲了韓戰還延不決。歐洲的建軍也是這樣。法國怕蘇聯，而又怕德國。最好德國的軍隊，成爲法國利益的工具。德國反對德國加入大西洋聯盟。恐怕刺激蘇聯。德國要爲自己而建軍，有獨立的主權，爲自己而戰爭。於是羅馬會議失敗，里斯本會議也前途暗淡。

美國希望德法都能參加西歐聯軍，加速準備。英法都因經濟困難，要求先有美援。反嫌美國之大驚小怪，害着恐蘇病。一九五一年過去了，預定的建軍計劃，並未完成。美國乾着急，怎麼辦？

杜爾斯

去年年底，杜爾斯提出了武力重點主義。主張在若干重要地點，駐紮重兵，不問何處發生事變，即以之打擊蘇聯。美國不能漫無限制，到處與人援助。這可說是對西歐時局的對策。

射人先射馬

最近杜爾斯又主張解除台灣的中立，認此爲不合理的辦法。希望台灣能起而反攻大陸，牽制中共，消耗蘇聯。這樣在朝鮮方面的形勢，便可好轉了。這正是杜威所謂亞洲人解決亞洲問題的政策。在美國海陸空三軍首腦會議台灣之後，軍事顧問蔡斯已回國述職，美國是否準備有所行動呢？

由美國這一政策言，對於蘇聯，可說是「以其人之道還治其人之身。」蘇聯以中共牽制美國，美國要以台灣來牽制中共，消耗蘇聯。這樣避免戰事擴大，英國不覺恐慌，反對派要提出質問了。但在美國今日，這實是無辦法中的辦法。要打破當前的僵局，似乎祇有這條路。

固然擒賊先擒王，要反共，先要打擊蘇聯。但是射人先射馬，要攻蘇，亦不妨先從打擊中共入手。沒有中共給蘇聯作搖旗吶喊的嘍囉，史大林的威風，至少要大減了。

樓明

美外交界新陣容

美國國務院最近由國務卿艾契遜大刀闊斧調整人事，計有勃魯斯繼[illegible]爲副國務卿；白魯德[illegible]；麥克琪出任近東、南亞及非洲司幫辦；愛立生繼羅斯克任遠東司幫辦；沙琴繼巴[illegible]任公共事務司幫辦。總上述四人，雖都是新人，但都有他們一段外交經歷，在今日美國外交圈中，是新銳被人們許爲後起之秀者。

勃魯斯（D.K.E. Bruce）

巴爾的莫城人，生於一八九八年。父已故參議員。勃魯斯少時曾就讀佛吉尼亞大學法學院畢業。第一次大戰時在砲兵團服役。在佛吉尼亞州執行律務。一九二七年至一九二九年爲外事官，一九二七年至一九三五年間，主持他在佛吉尼亞州的農場，有四千英畝的土地。同時還擔任佛吉尼亞州立法事務。第二次大戰期間赴歐洲，大戰勝利後一九四七年出任商務部次長，一九四八年派赴巴黎，爲美駐法經合分署署長。一九四九年四月正式拜命爲美駐法大使。在法國的一段時間，他是艾師最得力的助手，他是艾師歐洲團結的方案計劃總部參與艾師外交一人才，以勃魯斯是一粒堅硬發光，可貴的金鋼鑽。

白魯德（H.A. Byroade）

莫姆城人，現年三十九歲，生於一九一三年。一九三七年畢業西點軍校，一九四〇年康耐爾大學理學碩士。現爲陸軍上校，爲國務院借用之軍人。一九四二年，年方廿九歲，爲美軍部派至印度，建立航空站，開闢世界著名的汀江，昆明間的駝峰路線。一九四五年至四七年爲馬歇爾調處國共時軍調部正式代表，在北平軍調部，白魯德亦在北平，爲美方小組代表。某日中午去美方小組，[illegible]他是住在公館內，從某時白魯德身着中共軍的官服，誰也不認識他是美國高級軍官，[illegible]「我是」。[illegible]只有二三十年，輕時他非常快樂，使人半天未敢留他，[illegible]公館門口，他在東北的時候，曾和彼時共方小組[illegible]林彪會晤，林彪[illegible]。

愛立生（J.M. Allison）

[illegible]到瀋陽，便把林彪帶到瀋陽參謀長任修。那天夜晚，熊式輝與杜聿明在國聯館舉行六國宴會，蘇、共、美、三方人員都參加。但熊、杜都非常失敗不當時白魯德與國共調停。高興，使歐洲返美，任國務卿，馬歇爾把他提昇爲局長，事務局長。他在遠東問題被人們目爲遠東通。在中國時，他曾一度情報民處部，向中共和褚民誼說，他和他們二人一段交誼，但他如何，年齡相差懸殊，訂交，即無從查考。

愛立生（J.M. Allison），登城人，一九〇五年生於巴拉斯加州，一九二七年畢業於納白本東京大學，任英文教員。一九三〇年入國務院，在遠東各地擔任副領事，及總領事等職。一九三八年任駐南京總領事，日軍佔領南京，金陵大學爲日軍所佔，他爲保護美僑向日本兵交涉，但日本兵仍不理，以此總領事本人被日本兵毆打。此事在南京大規模向他道歉了之。他在日本非常尊敬，在國務院之一，此一戰，作爲報告，迄今猶列入檔。

沙琴（H.H. Sargeant）

新貝德福城人，生於一九一一年。一九三三年攻讀政經。一九四五年任聯邦政府會計委員會主席。一九四七年任國務院銀行計劃的科學與國際新聞處主任。他是一九四七年開始在國務院外交幹事，沙琴是一位堅強的外交思想家，被認爲是一位十分銳利的運用外交心力的幹練之人。他曾主持對外新聞中，觀察好好，杜爾斯和約的外交方案。起草，對日和約七年，協助杜爾斯美國和平條約，能適用中日問題，安全會議辦法，他在日本中國東京問題專家第一。

讀「團結力量與培養新人」後

·陳挹塵·

在二月二日的自由人上拜讀了胡秋原先生的大作——「團結力量與培養新人」，讀後感覺心情很沈重，並且像是有骾在喉，很想一吐爲快。

關於團結力量一點，早在一個多月以前，香港時報等報刊，自由人，中國之聲等報刊上，便有一次相當熱烈的論戰，後來雖然沒得到什麼結論，但各方面都認爲：一，凡是反共的力量，都應該團結起來；二，團結不是在紙上討論，而是應該以行動來表現，如今已不是口號討論的時候，而是要如何努力於實踐的時候。民主國家在緊急關頭，如何和衷共濟，已成了緊急的要求，同胞在大陸上等待着我們的拯救，一分一秒也不容浪費。黎明的到來，還待我們的努力；在共匪的爪牙下，也還有綜合各方面力量的希望。大陸在今天，反共力量如此的薄弱，當然還要相互排斥，如此也不過是爲了小小的私心，今天還要固執一己的成見，人的嫌隙，往往不能自己，前非不是從前所做，不做者不忍，也不能是一種寬恕的精神，智者所爲，一念之間，便可解決。偉大的政治家，不求成功於我，什麼胡先生所說的？

「我不愁俄帝不亡，中共不倒，我愁以後中共崩潰以後，我們中國人還不能建設一個像樣的國家。」這是一多麼沉痛的警語！今天我們反共，是爲了建國，而不是爲反共而反共。團結是必須的，又是一朵難開的花，團結的理想在美麗的願景之下，同樣受着共匪的威脅，敵人在反共陣營中的存在，到今天還談不到團結，不容下征服者，「還」是不大利害，我們要求「同」，但是「同」，何以能團結？國人的態度，各角落，容易困難何以中國人會變成悲慘的慘狀？中國的命運，我們能力上的前途，中國的朝鮮亡國，五十多年來，日本帝國主義者竟然併吞朝鮮，把朝鮮三千萬人民變成奴隸，一九一〇年的同化政策，以及民族的創造性，從此國土不同，受着日本人的統治。但同胞們的希望，方針，把國土迎回來，朝鮮人從此以後就在片刻的比較中得以恢復，竟是殘酷的戰爭，毀滅了大陸上的和平——今日朝鮮的反共人民所給予的悲慘，這是熟讀歷史的人士所珍惜的，我們再不能坐視朝鮮的歷史重演於中國，使中國人受辱，使中國人屈伸，也好好的做，抬起頭來，做一個像樣的人。「培養新人」須

會經[illegible]提到「培養新人」的問題，不少人有這種意見，青年，反共的新生力量，還沒有被發現出來，中國現在還沒有幾個有骨氣、有品質的有爲青年，反而，在過去，多少有才能的青年被埋沒，未能完全發揮其才能。[illegible]一代新人才的培養，是很重要的事，一批一批地湧現出來，不能只靠少數幾個人，要有成千上萬的人才，有學問的人，有品格的人，有節操的人，才能擔負起建國大業。[illegible]

[illegible]萬萬的人才，新的一代，中國還是有的，但必須「今日必須覺悟，以如上的」……果的，大陸是雪恥的地方，便是誠心，正如果要立功，必須有品格，有學問，有才能，不專以上等人物而已，中共幹部，理解我們這批領導，以及幹部，悟得這個道理，我們的國家便能一點功，痛切的作爲，解決了問題，否則，罪在我們的手上，胡先生所指出的，「以至初民社會」……

[illegible]上，所說的「人才」，在今日的港，已經是人中之人中，變成了奴才；從前的道德，也不過是口中說說，紙上寫寫，便算了嗎？「人才」不錯！自清末以來，都被所謂「培養」的人才，到了外國留學，回來以後，把人才收容，盡到了爲中國人的責任者，少之又少，海外留學的人，沒有能夠做到的。「關係」，「敵不開」，清末的排滿，共產黨的，講求「清算」，且看今日的局面，雖然有人說，儘管民族的團結，各階級的「聯合」，但在大陸，民族一樣的教育，都不發達，實在沒有人才，民族多少都在受着共黨的迫害。且在這九江以上，九江的地方山谷，和地的抵抗，工人中也有不少，雖然追求自由而不得，與爲朝鮮青年一樣，爲青年的出路而走了的大弄，學科[illegible]

來論

[illegible]中國的共產黨勢力之所以形成，前中共，在工人必須士崩瓦解……

把入台，最近入台，看做好多人，人才多，以後來的人放棄，好好的「一年」來，到了九年二十年，不久一批一批的台，待不住人，以前的「一批」「二批」的，到了香港，以下這些人的出路，還是一個問題。路外，被迫的……新的國際，新的中國，新的一代，希望能夠出來，爲國家的前途努力。

荒古的中國，沒有用的，荒廢的，中國的外面，那些用什麼工夫，新的人把荒古的中國帶向另一個新的世紀。

共幹吞沒土改果實 霸佔肥田發家致富
高利貸在東北抬頭 黨員們起領導作用

【本報綜合報導】中共的「土地改革」，根據其原定計劃，將於本年年底大致完成。其次一步的目標，將透過農業生產合作而走上所謂「國營農場」。照周恩來在「政協全國會議」的報告，在完成「土改」地區，不但「澈底摧毀了地主階級的勢力」，而且「解放了農村的生產力」。但近年來事實的發展，證實「土改」後的農村，一般農民大都由富變窮，由窮變絕，而中共的黨員及幹部，莫不因利乘便，形成新的地富階級。這一基本現象的產生，不但使大陸農民發生了新的分化，而且使中共的「土改」策略瀕於失敗的邊緣。

在馬列主義的基本觀念中，「農民經濟乃一種商品經濟，站在資本主義與社會主義的十字路口，既可發展到資本主義，也可發展到社會主義」。（見史達林：「列寧主義問題」。）因此，中共「土改」的目的，不但要剷除地主階級，根本上連富農也在剷除之列。但自「土改」以後，一般農民雖普遍化為赤貧，而負責「土改」的黨員及村幹部，卻大大地「撈了一把」，這些人除普遍侵吞「土改」果實外，同時，並紛紛霸佔了肥田。

據湖南攸縣、永興、宜章等縣鄉村「土改覆查」的結果，發現各地分田情形，「從數量上看相差無多，從質量上看，則原佃耕戶留下了好田，村幹要了好田，原來沒有田的貧僱農，得到的都是壞田」（一九五一、八、廿四、長江日報）。湖北孝感縣典型鄉的[illegible]鄉「土改」覆查的結果，最突出的現象亦係分田不公。幹部普遍霸佔了好田近田。據八村農民的反映，幹部好田產量，一般要比[illegible]多三分之一（一九五一、八、二十八、長江日報）。除此以外，根據中共的「土地改革法」，各地在「土改」時，得以鄉為單位，根據本鄉的土地情況，酌留若干土地，以備本鄉土地調劑之用。此項土地，亦由「鄉人民政府」管理，卻給農民耕種。因此，各地分田的結果，大部的良田都落在村幹部手內。這些村幹在土地及財物的要求上得到滿足後，即產生一「發家致富」的思想，準備走放帳、買地的老路，「過一過地主生活」，嚐嚐「味道」。逐漸地形成「新的地主階級」。

這一情形的發展，到了最近更充分暴露，其嚴重性。上月十日，東北高崗在中共「中央東北局」高級幹部會議的報告中，即會指出農村經濟中的自流現象：「根據報告，在一般已完成「土改」的老區中，高利貸和商業投機現象，已在迅速發展中。據調查東北龍江、松江等地的結果，已發生借貸關係的戶口，佔全部戶口百分之六十至七十，其中借入戶約佔三分之二，這些借貸有絕大多數是高利貸，有的農民甚至把土地馬匹當掉放高利貸，有一部份高利貸者且已轉入商業投機活動。」而其中的領導人物，正是執行「土改」政策的中共黨員及村幹。

此外，農村黨員僱用工人現象，也在普遍增長中。許多共產黨員均公開發表言論，強調「僱工就是互助」。據調查，在龍江省海倫、訥河等六村統計，僱工戶佔總戶數百分之三點六。吉林省扶餘縣佔百分之三點七。僱用工人的戶數，吉林蛟河縣約佔百分之六點三。而在各地所謂「合作互助組」中，同時發生人、馬不等價換工現象，使無馬農戶處於極不平等地位（見一月廿四日人民日報）。在中共村幹黨員，人人都在僱工放高利貸，蛻化為富農的時際，原來中農和富農，在公糧負捐和層層攤派之壓榨下，卻日趨[illegible]。據粵中初步調查，各地區、鄉政府通過行政管理、市場管理、碼頭、渡口、水利、廟塘等方式徵收捐稅，竟達二百二十五種。潮汕專區地方財政由學校、農會、民兵任意附加，形成苛雜，徵糧之大，幾佔公糧百分之[illegible]，甚至高至百分之三百（十二月二十一日南方日報）。如照中共「農業稅條例」推算，則一般農民的公糧負擔最低限度，當達其農業收入百分之七十。富農及中農之化為貧農，自屬無可避免。

至於原有的貧僱農，雖在「土改」後分得了土地，但由於農具及資金之缺乏，亦無法改善其苦境。據川南瀘縣七區中和村的典型調查，該村二百五十七戶中，貧僱農共一百七十七戶，這些貧僱農雖分得全村百分之六十點五的田土，但約有百分之[illegible]缺乏口糧，其中僅有三十七戶有耕牛，無牛農戶佔百分之七十九點九。至於一般基本農具，如水車、犁、耙等更大都欠缺，其中壞了的佔百分之四十四，壞犁頭佔百分之二十二點八，壞耙佔百分之二十一點六。而生產資金的短缺，更為嚴重，如僱農宋[illegible]鄉章，全身購買力共二十二萬六千二百元（合港幣僅五十元），除去必需的油鹽兩項用款外，只剩七萬四千七百五十元。[illegible]購買四分之一頭牛，[illegible]小豬及部份農具，共需款八十一萬二千四百四十元，不足[illegible]（見一月十二日重慶新華日報）。由於一般生活無法解決，生產情緒江河日下。

在上述的基本情勢下，儘管各地共幹在帶頭僱工，由富農而變成地主。但大部份農民均在中共這一吸血下澈底破產。這一貧富懸殊的新形勢，不僅令中共的農村政權，逐漸蛻化，而且將令其「土改」全部[illegible]，所謂「無產階級專政」的招牌[illegible]，且看中共政權還能維持多久。（思遠）

香港三日

新任香港輔政司布拉克於十三日偕其夫人由澳飛港履新，他下了飛機許多記者圍着他，問他治港之方針，這位先生原任北婆羅洲輔政司，向以處理華民政務著稱，他含笑道：「須視總督後方可決定」。新任與前任在風度上有一個顯然的不同之點，使記者們直覺得到前任輔政司列誥，過份嚴肅，使人感到官僚氣太深。現任風度民主，似有親民之狀。布氏說他在一九四〇年，曾由西印度群島經港赴星加坡，他很喜歡這個山城。

✕　✕

美國印第阿拔利斯商人世界旅行團等一行十二人，由該地花紙公司董事長葛魯述率領，於十三日上午由東京飛港。他們已經到菲列濱去玩了一陣。他們這許多商人，這一次來遠東走走，最大的原因是有一部份的產業投資在遠東，他們要看看遠東的情勢，決定是否再投資下去。據葛魯述說：戰後的日本恢復得相當快，國民生活水準已經恢復至一九三七年戰前之標準。他佩服日本人民埋首復興努力國內建設。他說連菲列濱提起日本，日本人民一般之心理，都痛恨軍閥，相當厭戰，但如果外來勢力伸至日本，日本人並不因此惆悵。

✕　✕

百粵名將李福林於十一日晨逝世後，遺體於十二日在萬國殯儀館大殮。十三日出殯安葬大埔康樂園農場。十二日中午大殮時，其老友許崇智及胡仁甫，張發奎等老將，熱淚縱橫，悲痛不已，偏巧入殮那天憑弔的人又寥寥無幾，靈堂內冷清清的，正中掛着蔣總統頒賜的「忠昭日月」四個大字，更形淒涼。百粵諸將，環顧唏噓，均悲不成聲，令人酸鼻。

✕　✕

自從永生輪於十一日由津赴基隆途上，在汕頭廈門海面為海盜勒索約合數千美元之數，香港保險公司忽然生意經來，異想天開，計劃一個合港一段海上旅客財物安全之保險。因保險額很低，賠償極大。是一筆相當合算的好生意。據非正式消息永生輪上這一次被劫去的錢，都是乘客的私有財產，聞渣甸公司方面已負責償還。

✕　✕　✕

布拉克・葛魯・羅爾斯夫人・台港財物安全保險
李福林・蓋爾・熊式輝釋訟・民航公司否認撤眷

前東北行營主任熊式輝，因護照案涉嫌，於十三日已告結束。由中央裁判署羅顯勝當庭宣判熊之偽造護照，乃受人之愚，並無參與偽造之嫌，乃無罪釋放。立刻恢復自由，熊所交萬元保款退庭後即刻發還。[illegible]得港督葛量洪爵士之指示，十二日准予恢復自由，免解出境。但熊以連年失意，決定易地而居，換換環境。據悉，熊已托某旅行社代辦赴日入境許可，擬抵日後，再設法申請永久居住。

✕　✕　✕

美國金山紀事報編輯羅爾斯夫人於十三日晨由馬尼拉飛抵本港，此行專事搜集各地民風材料。她擬在港住四日，然後飛東京，加爾各答，孟買，羅馬，巴黎，倫敦，里斯本返美。她說：舊金山許多僑胞因為中共勒索僑匯，都莫不悲恨。這種情狀看來至為淒慘。現在這種情形比較好些了，因為美國政府對華僑之匯款，調查至為嚴密。她很喜歡香港這個地方。她說「我現在不能去看真正的中國，能到中國大門外望望，也是好的」。

✕　✕

美國務院遠東司顧問蓋爾（C. Gay），十三日由曼谷抵港。轉道赴東京返美。他在仰光曾參加最近這一次聯合國遠東經濟會議，他說這個會議雖說全係經濟事務，但經濟能加強，民生能提高，便是一種巨大的力量。他指出大體上說來，這個會議是相當成功的。他說這一次是以美國代表團首席代表之資格，前往與會。他說下一屆大會定本年底舉行，地點可能在耶嘉達。

✕　✕

香港自然日報於十四日列出民用航空公司董事長陳納德下令撤退該公司駐港辦事處人員之眷屬，字裏行間，似乎香港有大戰之勢，不意當日即為該公司總經理魏勞爾否認。據關內人士傳出：這條新聞乃是神經過敏出來的。該報一位記者，不知怎樣在機場看見該公司一位女眷乘機飛東京，然後又同人談，聽得人家說香港甚緊，於是便聯想到「英國噴射機要使用錦田機場」，（按港府原有計劃擴展錦田機場，備民用噴射機之降落，後放棄上項計劃，僅將啟德機場之跑道加長而已）。結果全無其事。香港情勢固然今比昔緊，但英國人這一次是有準備的了。（一戍）

城市末日快將來臨
津市工商界反「三反」

【天津通訊】「三反」「五反」給天津的工商界帶來了無邊的災難，近半月來，東主被鬪垮下，店員八面威風。祗津市一地工商店員的檢舉案，就有三萬二千多件，許多過去認為可以「勞資兩利」永遠受到「政府照顧」的「民族資本家」們，十九都已傾家蕩產，變成了待罪的羔羊。

不管中共統制如何嚴密，壓力如何巨大，津市的工商界領袖為了本身生存問題，也迫得在槍尖下喊出反抗的口號。大家都認為：（一）「三反」「五反」是共產黨和「人民政府」的事，怎麼會反到我們工商界頭上？（二）三年前毛澤東曾一再聲述，工人階級和資產階級的統一戰線是既團結又堅固的，「商界在「新民主主義」中自有其本身合法的地位，[illegible]

[illegible]（彬彬・一月八日寄）

陳景農怕坐老虎橋
三反反到了自己人

【南京通訊】中共的三反運動，替自己掘下了墳墓。他們原來想利用「三反」，一來打擊腐化份子和異己份子，因為他們有一個錯誤的假定，認為他們的「忠實同志」，是不會犯貪污的。但是「反」的結果，共幹在這裏現了原形，大貪污案都是共幹幹出來的。

在「三反」運動中，中共對貪污份子的懲處，界限劃得很分明：只要他們的幹部，坦白後，便什麼事也沒有，頂多受一個留任反省處分。假如他不是共幹的話，問題可就多了，坐老虎橋（監獄），上斷頭台，便是貪污者應得的處分。最近共幹陳景農的貪污案，便是中共自掘墳墓的一個事實的解答。

陳景農是南京房地產管理局秘書室管理員，平時和會計毛松杰勾結貪污。「三反」開始後，兩人互訂「攻守同盟」，誓死不暴露他們的貪污行跡。並且假借細故，故意在「同志們」前面吵架，表示他們之間，沒有什麼勾結的秘密。同時他看出「三反」只不過是中共的一陣颱風，過去了就沒事。

可是陳景農的攻守同盟，並未能挨過這一關，給人家在告密箱裏告發了。於是在南京房地產管理局的「反貪污鬥爭坦白大會」上，局長方某限他在第二天就坦白。[illegible]一路上自言自語：「事情暴露了，我往那裏跑？往那裏逃？」

他回到家裏，臉色顯得非常倉皇。妻子王桂珍知道他出了毛病，追問他出了什麼事？陳說：「不得了，[illegible]」[illegible]會計毛松杰也慌慌張張跑了進來，[illegible]

王桂珍神通最廣大
丈夫第一次吃香飯

妻子王桂珍聽到丈夫答應坦白，馬上幫助丈夫寫反省報告，避重就輕，將一些不重要的貪污事實，寫成一個長長的報告。天還沒有亮，她更四出託人替他打點疏通。陸景農在坦白大會開幕前，先去拜訪學習組長「魯秘書長」，輕描淡寫的坦白了自己的貪污事實，並且檢舉了毛松杰，陳亦嵩等八九個貪污份子。陳的坦白，就此告一段落，他沒有被撤職，也沒有送老虎橋監獄。倒是毛松杰、陳亦嵩等八九個貪污份子倒了霉，他們得上公審台，其中沒有組織關係的人，該死的該死，坐監的坐監，沒收的沒收。

陳景農當天回家，喜氣揚揚，他已認識「共產黨的「偉大」」，二十幾天，從未吃過這樣香的飯」。他的妻子笑咪咪地說：「這就是自動坦白的好處呀！」

上述報告我們可以明白，有許多人坦白了，還是要坐監，坦白了要殺頭，要沒收，另有許多人，坦白了，照樣可以留任工作，絲毫不受處分？這便是今天的「三反」運動，中共怎樣替自己掘下一個墳墓。（高爾二月二日寄）

自由談

「你是個有趣的傢伙」

・尚方・

「自由中國」雜誌六卷三期內，有一篇美國通訊，談今年十一月美國總統選舉的候選人問題，其中提到麥克阿瑟，說他沒有當選可能，原因不一定是由於年事太高，他根本具有一種不宜於競選總統的先天性格——表情太嚴肅！因爲美國人民的傳統精神，常把所謂「總統先生」看作「侍應生」（Boy）他們在公共場合遇見了總統，高興時，就教你唱一隻歌，歌曲叫作「你是個有趣的傢伙」（You are a jolly good fellow）你就得唱。麥帥那種表情嚴肅的性格，焉能堪此乎？這話很有道理，上屆大選時，杜威之敗，有人就指出他那一撮短髭乃是失敗的巨因。一般選民見着他那壯年短髭，虎虎然不可一世的嚴肅神氣，感覺不合胃口，尤其一般婦女們，害怕他一進白宮就會跟俄國打仗，而自己的丈夫兒子就要從軍哩！

咱們中國人的政治生活傳統恰恰與美國人相反，講威嚴，重體制，一行作吏，臭架子就令人不可嚮邇，隨時隨地裝模作樣，儼然有介事，好像他的肋骨比別人多了幾根，或者重了幾兩似的。漫說國家元首是神聖不可侵犯，就是當了一名縣太爺，也就威嚴得有若十殿閻王左右的牛頭馬面諸神怪！所以，咱們中華民國的官與民，始終是站在兩個世界，過的兩種生活。若有開明之官，不作威作福，與人民隨便廝混，乃至於像美國大總統聽人民命令當衆唱歌的話，一定要蒙受「有忝官常」，「不成體統」，「言行乖謬」等類的上司評語，教你「另候任用」！

我們眞要搞民主政治嗎？請先把政治生活的傳統惡習徹底改造，學學美國人那一套，大家改造成「你是個有趣的傢伙」的，纔有希望。

四川的袍哥

・一厂・

四川的社會，可以說是一個「袍哥」的社會。四川人常說：「無袍不成家」，意思就是一個家庭裏面的人沒有「袍籍」，在四川就不能算是一個家庭。要是遇着喪祭，婚，喪，葬，祭，紅白喜事，以及祝壽，「弄璋」，「弄瓦」之慶，送禮淬會，「袍籍」比「黨籍」還吃香。上自達官貴人，下至販夫走卒，都可稱哥道弟，濟濟一堂，喊一聲「大哥」，叫一聲「兄弟夥」，分外親切，使人感覺得在這冷冰冰的世界裏還有一點「人情味」！每逢趕場赴會，走州過縣，只帶着一紙「公片」，就可以去「拜碼頭」，使你得着意想不到的款待，眞是袍哥所謂：「三個蛋子六個攤，走盡江湖有得吃」了。

四川「袍哥」的優點，就是一個「義」字。有鐵的紀律——三刀六個眼——不要身家不清，己事不明的人，並具有潛移默化的中華民族浩然正氣「Chinese Morale」的精神。

現在四川的袍哥，隨着大時代的輪軸，表面上遭受了無比的慘殺，實際上反堅強起來，在血的教訓火的洗禮下蛻變爲一股新興民主革命的洪流，這些有名望的大哥，雖然犧牲了，恰似那些麥穗一樣，經過短的時間，又生出無數的嫩芽來了。俗語說：「野草燒不盡，春風吹又生」；共黨要想把四川的袍哥斬草除根，除非把全川的人民連自己黨員在內來一個集體的自殺！

我特將四川袍界大聯合改組後的「復國社」談談。「復該社」的前身，是由「救國社」，「萬全公」，「川楚公」，「忠義社」，「四海公」，「換成公」，「同仁祥」，「四海公」，「三元堂」，「四喜堂」等台併改組成立的，再歸成渝一帶的「仁字總社」，「義字總社」聯合「禮字」一，「智字」四堂人共同通過簡章，改稱「四川人民反共復國總社」。選出第一屆總龍頭，又叫總舵把子方茂山先生。他是有名的「百歲老人」，馬歐將軍，于歲走教與他同席握手時，亦甚欽佩他的體力與精神，當簽字給他作紀念。四川的軍人將領，多是他超拔過的「兄弟夥」。他爲人豪爽大氣，返老還童，有過人的氣魄，他中堂的座右銘是「一人而忘己」四字，兩邊掛了一副曾國藩所書的對聯「仗身三尺劍，事業一戎衣」。

共黨於三十八年九月，侵川時，他羽檄傳書，通電討共，並賦一首「西江月詞」以明其志，詞云：「我愛西蜀風光，一片綠野茫茫，這是膿共大戰場，快把刀槍裝上．殺盡俄式強盜，保衛大好家鄉，回首江南我心傷，那堪把酒補觴？：：：共黨叛仁悖義，鐵蹄奴役難當，趁着洪門人馬壯，嘔泳伏耳江上，無年無節無敵，有血有戈有槍，努力奮身向前往，那讓豺狼猖狂」！

當時川東游擊領袖採體將軍對方茂山先生的檄文及贈詞，極表興奮，青年學生及廣大群衆聞風響應者甚衆，奠定了川西川東游擊健兒的基礎，所以劉伯承那時不敢貿然「硬性」取川，恐激起川中民變，釀成激險玩抗之勢，乃屯兵川邊，從巴東繞道恩施，偷渡重慶，並調一野四野增援，那時若不是羅廣文兵團李正兵團叛變，以及熊克武，劉文輝，鄧錫侯等投降，恐怕這位獨眼龍軍師要受困於洪門旗幟之下了。不幸後來川中淪陷，方茂山先生也就齎志以歿，臨終遺囑：大呼「復國興華」四字。

方氏謝世後，當改選牟守道爲總龍頭，李朝堂，鍾海南爲副龍頭，史泰正爲當家，楊春霖爲管事，並在川西成都，川南嘉定，川東墊江，川北閬中，設置極祕密的聯絡站。負責交通聯絡的都是那些在長江，嘉陵江，烏江，花江的船戶們，他們有身份來去無阻，「跑碼頭」是他們的「拿手好戲」。尤其在這些下層社會的人們，他們「光棒一條」，不但對共黨敢怒，而且敢言。他們因爲生活的困難，以及徵糧，捐獻，參軍種種的不安，對共黨已失去了信心。他們都說：「共產黨好，人民吃草」！「擁護毛澤東，打倒老祖宗」！他們還很奇怪毛澤東爲甚麼要用這個毛——茅坑，澤——廁所，東——東池，臭不可聞，而且還臭萬年的名字呢？是否要想與那挑糞出身的李闖王「看齊」嗎？他們對這反「人性」的毛澤東思想，始終沒有「搞通」。

我去年經過梁山，在大街上看見貼着一張僞大竹專員公署的佈告，上面印着的大意是：「查「刀兒匠」爲袍哥會門祕密組織之一，竟敢公然與人民爲敵，殺傷本黨同志不少，破壞政策，本署本寬大政策，不咎既往，准予自新，仰該誤入歧途的人民，從速前來登記爲要。附自首登記辦法十二條」。後來在街上打聽，我才曉得共產黨的「土改員」，曾吃了「刀兒匠」的大虧。他們常在路中不知不覺的被人持刀兒殺掉，弄得共黨的幹部們，不敢單身出門，所以才想了這「自新登記」的苦肉計。但是佈告出了一月，竟如石投大海，毫無反應。他們懷疑成綹，於去年九月二十三日將大竹當壩山區一帶所有持刀砍柴割草的苦力，不管老弱婦孺，一共拘捕了二百八十四名，經三日三夜的疲勞審問，逼迫帶白，空浪費了數百斤的囚糧，沒法歸類，結果放之大吉。

共黨在川對袍界上了無數次的大當，他們好多祕密都給袍大哥知道了。要逮捕的大爺，常常神出鬼沒的逃脫了。農民協會最前進的代表杜吳興，竟會發覺是「僞裝」，工商管理局最革命的科長李尚赤，竟是一個不折不扣的「復國社」份子。通行證可以透過袍大哥的組織領到，戶籍證可以透過袍大哥的組織登上，「三生當不得一熟」，「假面具」最怕「眞內行」的。所以四川的袍哥，已演進成公開的祕密，問題就在你是否「白朗」？

劉伯承深知四川袍哥的厲害，也裝點門面，表示他是開縣趙家場的老鄉，大家何妨顧點面子罷。還在四川叫着「拿言語」了。外省人對袍哥的「暗語」是不容易瞭解的。去年九月永川東山的游擊隊截客車三輛，游擊隊員大呼：「姓胡的站過來」，凡是姓胡的客人，都受優待，絲毫沒有損失。據內幕人士告知，姓「胡」的，就是指「復國社」的「嗨哥」。要是遇着游擊隊問你從那裏來？你得答我從「茂州」來，問你往那裏去？你得答：我往「明山」去！那麼你不但可以平安通過危險區域，還可得着招待與協助。因爲這兩句答話裏面，包涵「川西方茂山」字眼，他們就曉得你是「復國社」的「兄弟夥」了。

義士武松（七）

——水滸人物論之六——

・舜生・

武松扮着行者，翻了大樹十字坡，一直向青州進發，其時已是十月天氣，行不到四五十里，便到達一座名叫蜈蚣嶺的高山，武松在這裏，又演了一個殺死『飛天蜈蚣』王道人，救了張太公女兒的故事。

原來武松走上嶺來，已是初更天色，月亮照着草木發出光輝；穿過一派樹林，便看見一座墳庵，燈光從窗中射出，見一道人，摟着一個年青貌美的女子在那裏調笑。武松心想：這是一條淨蕩蕩高嶺，出家人不在這裏修眞養性，卻做出這種勾當，那還了得？便在月光下，拔出兩口雪亮的戒刀，拾着一塊石頭，前去敲門，手起刀落，首先把一個開門的道童殺了。王道人聽見殺人，便抽出兩口寶劍，出門迎敵，刀光劍影，兩人來往鬥了十數回合，結果這道人也被武松殺死。

武松把這女子叫出，才知道她係被道人搶來，張太公老夫婦和她的哥嫂，都被這道人殺害，雖有幾家親戚，大家都怕這道人凶惡，不敢聲張。武松問明了一切，便叫這女子趕快收拾，把道人積蓄的一二百兩金銀，也全部收好，下山去投親戚。他自己却就他們還不曾動用的酒肉飽餐了一頓，一把火便把這座墳庵連同王道人和道童的屍體燒了。

武松踏着月色，連夜走下嶺來，又行了十數日，沿途所過城市鄉鎮，雖是到處掛有捉拿他的榜文；見他是個行者，也就無人盤問。其時已是十一月，天氣好生寒冷，武松雖天天吃着好酒好肉，卻擋不住這股寒威。一天，武松在湖風凜冽中趕路，見道傍有一酒店，門臨清溪，後倚山石，地方甚是幽靜，便又走進去喝酒。叫店主人切上一盤肉來，主人回答沒有，便只好要了一碟熟菜過口。這一天，武松已是喝過一頓酒的，在這裏又一連喝了四角悶酒，被朔風一吹，便不免湧了上來，因此，他更惡狠狠的只是向店主人要肉，說就沒有賣，把自己吃的留一盤把他也使得；但主人仍然以回答沒有，還嘗來語去，好像實備一個出家人不應該只是要酒要肉似的。兩方正在口角，忽然走進一條大漢，引着三四個客人，都是村漢模樣。店主人一見，便連呼二郎請坐，立即搬出一甕窖下的好酒，把盤子托出一對熟雞，一大盤精肉，更羅列着滿桌的菜蔬，去了酒甕上的泥頭，把酒倒入一甕大白盆裏，用杓子舀了去湯！武松偷眼看見一桌的肥雞好肉，酒香更一陣陣衝入他的鼻子，實在忍耐不住，便把主人叫過，又開五指，用力一掌，打在主人的臉上，大罵道：『混帳東西，老爺用錢向你買肉，只道沒有，這些雞和肉却是那裏來的？爲什麼人家買得，我買不得？』

萬竹樓隨筆（七二）

越南的掙扎（上）

海隅縱客

晚清時候士大夫階級多帶着一副憂時的面孔，搖頭太息「西力東漸」，這句話的解釋就是西方帝國主義勢力向遠東伸展之謂。海通之前，滿清的版圖頗堪自傲。鴉片戰役後，日蹙國百里，自身岌岌，當然更管不了藩服了，英併印度後，拿破崙三世藉口越南王殺害一傳教士，便開始蠶食越土，遂至造成一個法屬印度支那，法國的勢力便牢牢地穩縮在東南亞。

越南這一羣，要不承認「落後」也不能夠，然而亦自有其傳自中國與印度的文化，國力雖然不濟，民族自尊心是不會沒有的。淪亡之後，反抗征服者的情緒，縱使像燈燼火的微光，終究不會熄滅過。所以自從被法人吞噬之日起，一直至第二次世界大戰後胡志明的崛興，都未有過一日停止反抗運動。他們本來孱弱極了的，在萬鈞壓力下，從來攪不出革命的規模，故而沒有識動人耳目的革命史。那數十年不斷的運動，說得可憐一點，只能謂之掙扎罷了。爲民族思想所驅策，不斷地作以卵投石的掙扎，其情多麼可憫，其志多麼可哀，而實在究爲正義之所寄，記諸野史，豈不是聊天閒話吧。

安南亡國那一幕悲劇，在童年時候方才得聽長輩談述，那時事跡還很新鮮，而一生歷史極不平凡的劉永福氏，我還得親接觸，恍如對白頭宮女，聽說玄宗故事。劉名義，投清軍後始名永福，粵之番禺人。粵人每談起「劉義打法國西」，家喻戶曉，引爲光榮，到民國的兒女這一代便少聽聞了。劉少時爲太平天國偏裨，洪氏覆亡。劉率殘部自桂邊入越南境，與九一八後東北義勇軍諸將領流竄西伯利亞，及現在的黃杰入越率殘部入緬情形相彷彿。法兵襲越，清廷命雲貴總督岑毓英遣馮子材提兵禦法，劉部乃爲馮助，曾迭敗法軍。卒之清廷交涉顢頇，將越南委約割棄，馮劉部曲內撤，劉旋被任台灣軍職，甲午戰敗，台灣又爲安南之續，劉永福生來就好像專與外敵碰頭的，此時又擁唐景崧稱大總統，建台灣獨立共和國，不讓日寇唾手得去。終之台島不免喪于積弱的清廷，劉之憤喪比自安南內撤時尤甚，悄然回到故鄉，但日與屠沽飲博而已。

穗城六榕寺僧鐵禪與劉同鄉，我幼年即由鐵禪介見劉氏，絮絮叩詢諒山黑旗軍與法軍戰鬥情景，或根問台灣共和國狀況，這老頭兒詫怪道，你這小小年紀的人却懂得那許多國家大事情嗎。鐵禪和尚笑道，現在的小孩子還像我們幼小時那麼懵然無知麼。穗城東郊沙河鄉裏有劉氏的生祠，建築頗宏敞，劉常由禺北本村到省城來便下榻祠中，我每想聽故事便往沙河去。

越南割讓後，廢帝被幽囚，皇叔某投奔中國，清廷命粵吏在韶關設行館給與棲止，每年由藩庫支給養火銀二百兩。劉氏閒談一生省親，我曾一次同去過。這亡國貴胄髒闒不知世故，更談不上志氣。惟粗解經書，且懂八股文。原來安南在滿清季葉制藝之後多年，還在埋頭弄這一套，彼中所謂士大夫者流，學識皆只限于此。寄給與國苟延殘喘的遺族王唯一的盼望是復國，故所唯一關懷的，是保持得若干武力提探，經年累月與法軍糾纏着的黃提探消息。提探是越制高級武官職銜，其人姓黃氏，自始即不臣伏于法人，率所部且戰且退，至北圻也被法軍底定，便退入諒山一帶叢林中，耕田而食，等于武裝村民，常常出沒困擾法軍，有時搶劫行旅。其中亦有不隨劉永福撤歸中國的黑旗兵，剽悍異常，法軍久經追剿而不能肅清，中外報紙便不絕有黃提探游擊戰況的報導。

民國紀元前若干年，鎮南關一役失敗後，黃克強先生部退入十萬大山，清兵壓境，爲所困。清吏所得諜報，說這一批革命軍，與諒山同登的黃提探部相勾結，竟倒行逆施，求與法軍合剿，事不諧，十萬大山部衆漸解體，而抗法的游擊隊伍與黃提探掙扎仍如故，大抵至提探老死後始漸瓦解。（九）

海隅憶語

絕對機密

一位美國後備軍官，奉命在兩星期內，起草一份軍隊指揮報告。他在接受這個任務時，內心有說不出的緊張情緒，因爲他對這方面根本沒有素養。

一星期過去了，沒有絲毫結果。最後他找到一部大英百科全書，把上面有關戰略戰術及軍隊指揮的題材，加以東抄西拼，寫成一本長長的報告，果然如期交卷。上峯看了之後，大加稱贊，立刻油印幾百份，並在上面加蓋「絕對機密」字樣。（再鳴）

一九三九年至一九五一年壯大起來的羽翼結成

自由人
THE FREEMAN
（[illegible]星期三六出版）
第一〇一期
每份港幣壹毫
督印人：李[illegible]
社址：香港高士打道六十六號　電話：二〇八四八
GLOUCESTER RD. HONGKONG TEL: 20848
承印者：東南印務出版社　地址：高士打道六四號
台灣經銷處　台北市中華路一二五九號

由大局說到反攻

胡秋原

邱吉爾訪美以後，民主國家的政策，可說已得初步調整。這政策似乎大體可如此說：

一，繼續強化大西洋同盟和歐洲聯軍；

二，盡力安定中東，促成中東聯防的計劃；

三，以壓力加於中共，迫其停戰；加強南韓、日本、台灣、香港以至東南亞現在防綫之防衛與自衛；如若中共向任何方面突出，即以全力對中共作戰。除了海空攻擊以外，援助國軍反攻，自是題中應有之義。

四，這是軍事的防禦政策，其目的在建設「實力地位」圍困蘇俄集團。下一步的攻勢將在政治，經濟和思想方面開始；所謂「共同安全」計劃，即其初步。此其目的，在動員全世界民衆的力量，一面向鐵幕世界衝擊，並以實力爲這政策之後盾。

這政策大體說來，是正確的。這政策自是根據兩大前提：一，蘇俄是利用附庸，利用間接侵略來策圖直接侵略的；但如果民主國家有決心，他不敢亦不能從事一個大規模戰爭。二，共產國家內在弱點，遠大於民主國家弱點，他的弱點只能進一步擴張來緩和；所以只要能阻住其進一步擴張，民主國家即可以主動的，以政治經濟和思想的攻勢，來搖撼蘇俄集團。這政策也是爲了充實兩大條件：一，美國及其他國家生產力和人力的充分有效動員，還需要相當的時間。大體說，到今年底，應付任何事變的準備，在基本上可以完成了。二，防衛歐洲，不能缺少西德；防衛遠東，需要日本與台灣。解除此中困難和加強必要準備，也需要一定的時間。

大體說來，在一九五一——五二年時期，民主國家已有基本準備，不怕蘇俄及其附庸之任何挑戰。因此，民主國家就能夠強硬。到一九五二——五三年時期，民主國家將有更優越的力量。因此，那時民主國家就可能壓迫俄帝攤牌。

不過，由於內外種種因素，這政策自不會一帆風順的。而俄帝不是死人，當然也要極力掙扎。於是，我們便看見民主國家間的動盪。

動盪之最大者，一是英國工黨之壁壘，二是德法夙怨之復萌。英國工黨對於邱吉爾在美演說，發動抨擊，也原是「反對黨」應有之義。但貝萬之流，滑得太遠，幾乎有「反美」傾向了。這是「多數」多得有限的保守黨不能不考慮的。這辯論因英王之死而暫停，但馬上還是要表演的。素來自命善於分析國際，利用「帝國主義矛盾」的共黨，自不會放過機會，力圖在英美之間釘入楔子。這便是中共近來對香港大肆恫嚇，無理取鬧的原因。而也是莫斯科正要大開其世界經濟會議的原因。

由於薩爾問題，德法關係，大受刺激。而也因此，故法國國民會議對成立德國參加在內之歐洲軍，不少人表示反對。戴高樂派和共產黨左右夾攻，使傅爾內閣，遭遇難關。即令傅爾的折衷案能獲通過，暗礁也不是馬上就能克服的。毫無問題，德法共黨及其「同路人」，都在偽裝「愛國」，爲蘇俄服務。

雖然如此，局勢不值得悲觀。關於英國，無論工黨如何吵鬧，英國無法離美國而自存，則爲保守黨的事實。而三外長會議，正力圖調和德法歧見，里斯本的大西洋公約會議正開始集會，相信不難打開歐洲僵局。美國對扶持西德自衛抱有絕大決心，這對於安定德國是一重大力量。歐洲之聯合，終必能以某種形式實現。一旦西歐問題攤牌之時，將因德法二國之表現如何，決定誰是歐洲之大陸之主人。

以目前而論，俄國態表示不攻歐洲、美國亦表示歐洲第一，西歐益紛紛，可能如治絲益棼。但如果美國冷淡一下，或者俄國急進一點，歐洲也便要團結了。這自然是一可能的形勢。不過，也許就是因爲這一點，歐洲防禦固難如理想，而一時也不致發生大事。

中東值得高興的，是[illegible]遠東形勢，日趨光明。[illegible]已開始反共，[illegible]較過去更現緩和。英埃[illegible]只要英國聰明一點，中東之防禦，可以逐漸成功。伊朗的情勢，也漸安定了。[illegible]突尼斯的風潮，[illegible]也沒有擴大的徵象。大體而言，中東經過一年的動盪，反而轉向民主世界了。

由於美國態度之日趨明朗，遠東的情勢[illegible]不容中共長據大陸，[illegible]杜勒斯所謂[illegible]解放台灣反攻[illegible]

[illegible]談判，作勢，甚至故意刁難，提出俄帝爲「中立國」。但[illegible]以實力[illegible]杜勒斯[illegible]奴了。這正[illegible]之言，固是對英美[illegible]中共的發表[illegible]也不因英國[illegible]定決心，也不因中共之[illegible]態而變。[illegible]下，韓國休戰不是絕不可能的事，不過希望很少，則撤兵的事，則中共不到撤兵的機會，也南進的。不多的。

然則局勢會鬆弛下來，變爲一「武裝對峙」之局嗎？長期可能的，短期是不可能的。第一，共產主義的「動力性」不容其不「動」，不動即是坐以待斃。第二，民主國家的戰爭機器，也開動了。

就遠東而言，今年將是台灣反攻開始之年。第一，如果[illegible]局暫時鬆弛，換言之，韓戰停戰得[illegible]台灣獲得[illegible]反攻[illegible]必要[illegible]如不如此，便不能[illegible]一種反攻，也許是決定性的反攻，也許是爲了訓練士氣民心，補充[illegible]進攻，意義是不小的。第二，如果韓戰談判破裂，或者中共大舉南進，自是國軍大反攻的機會，而這反攻便是有決定意義的。

前一種反攻，沒有人能夠干涉。因爲在韓戰休戰以後反攻，不與各國發生牽連；這是中國人自己的事。從一種反攻，更是各國所需要的。如何配合反攻形勢，使世界與全國人民對台灣耳目一新，我想，並使反攻有效，是政府以及一切反共人士所當認眞考慮之事了。

從歐洲共產黨分裂談到狄托主義

【紐約時報巴爾幹特派員M．李得拉柏爾格萊德通訊】意大利共產黨的分裂，指出共產主義在史太林這個世界裏邊，又分化出南斯拉夫思想的力量。這種思想，有它的力量，侵入進意大利共產黨各種重要機關，引起西方人的震驚；各國政府，尤其是美國政府，對于南斯拉夫在現階段爲維持歐洲和平而鬥爭的地位，不能不予以新的估價。

南斯拉夫對蘇聯領袖的反抗和鬥爭，一般都看作祗是在戰略上和軍事上的重要性；南斯拉夫在思想上的鬥爭，搖動了共產主義和左派的地盤，一般都未予以重視。政治家慣于運用坦克，大礮和飛機來決定政策，而對于南斯拉夫和史太林共產黨徒，作中世紀學院派的辨論，他們都沒有胃口。

但是，惟有馬克思學人之學院派的辨論，是以打破意大利共產黨的統一，而且加速了史太林世界的全面內部危機。

麥格南尼Valdo Magnani和科基Aldo Cucchi的辭職，不是意大利共產黨分裂的原因，而是黨內鬥爭的一種必然的結果。這種鬥爭，導源于南斯拉夫對史太林獨裁的革命。

麥格南尼，科基，以及其他脫離意大利共產黨徒們，曾經發表聲明，說：一切是爲了意大利人民。正如南斯拉夫領袖們所說，一切是爲了他們的人民。他們反對將意大利作爲蘇聯的衛星國；他們主張，爲維護國家而反抗侵略——不論是誰；這是意大利共產黨人的職責。情勢已甚顯著，麥格南尼，科基，以及其他追隨他們的數十個意大利共產黨的鬥爭領袖們，對意大利共產黨的關門政策，另有主張。他們對一般的共產黨領袖，賴史太林的獨裁以維持在西歐的力量，不能苟同。這些意大利共產黨叛徒，曾經參加過在北意大利對德軍的游擊戰。他們不是黨政治局的官僚，爲史太林製造成力量的。他們的力量，是從一般意大利共產黨徒，曾經參加游擊戰的人們，取得支持。

第一個結論，僅有少數例外，今天在意大利鬥爭的這些共產黨人，在一條戰綫上，反抗莫斯科訓練的黨政治局官僚們。祇有郎果Luigi Longo，黨領袖之一，算是例外。但這例外亦祗證明這一法則，事實是如此的，意大利共產黨的分裂，是最近一件很明顯的事，而且指出了這種思想的力量，在現階段，爲維護歐洲和平而鬥爭中，應該予以適當的地位，並且應該予以重視。

鬥爭並不限于意大利，東歐亦正在醞釀，捷克其尤著者。外交部長克雷門Vladimir Clementis和其他共產黨領袖，以企圖改革國家爲南斯拉夫而被放逐。（譯者按：最近捷克副總理史蘭斯基被捕，據傳亦與此運動有關。）德國亦復如是。這種鬥爭的喚起，是發始于法國西共產黨的失敗，他們是最懦弱而祗是在西歐作爲史太林工具用的一些傢伙。

沒有更好的術語，西方觀察家造出狄托主義Titoism這個字，代表南斯拉夫共產黨的思想，對抗蘇聯布爾什維克黨的思想。南斯拉夫共產主義者的社會[illegible]他們認爲[illegible]恩格斯和列寧的[illegible]。他們堅決承認[illegible]爲史太林所腐蝕用。

南斯拉夫共產黨人相信，所有共產主義國家，無論強弱，應該一律平等[illegible]任何共產國家不能干涉[illegible]的內政[illegible]

社會主義[illegible]亦自有顯著的影響。在此，南斯拉夫共產黨人堅決反對[illegible]

[illegible]英國社會黨人提到了英國工黨政府的政策。他們不堅持宗派的共產主義者的見解：英國社會主義者對工人階級[illegible]是阿諛的。

這裏必須指出，在現階段的發展上，南斯拉夫共產黨人堅決反對國際的共產黨建立[illegible]作爲思想運輸工具之用。共產黨人政治滲透的基本技術，南斯拉夫是善于運用共產黨人技術的老手，他們要擠入第三國際所操縱的政治機構工作，在可能範圍內，他們要顯示它，要爭取它。南斯拉夫共產黨人無須要分化國際勞動運動。他們祇要揭露共產黨人的獨裁，歸結到史太林宮廷的領袖們，向南斯拉夫思想投降，要使共產黨人世界，一反今天的所作所爲。

南斯拉夫的方法，要在第三國際所操縱的共產黨，工會，以及第三國際機構所指導的大衆陣綫，博得同情者，同情。而這些同情者，爲了他們自己國家的地位，已變成南斯拉夫思想的操縱人。他們亦變成反對莫斯科獨裁的輻射核心。

西方觀察家要說，南斯拉夫思想，沒有什麼成就。在技術觀點上，他們可能是對的。因爲今天要顛覆莫斯科所操縱的機構，不是在南斯拉夫旗幟之下，而是在民族獨立旗幟之下而行動的。南斯拉夫思想實行者，無須要將狄托作爲史太林的對手，而是爲了他們自己國家的需要，從新採用南斯拉夫思想。（一）（懿生譯）

半週展望

雷嘯岑

中日和會開幕

中日兩國結束戰爭狀態的和平會議，今天在台北正式開幕了。這一和會的成敗利鈍，不僅是關係中日兩大民族的未來生存，也影響亞洲乃至於全世界的安危前途，當然希望能夠順利完成，以慰兩國人民之望。[illegible]

[illegible]約」之謬[illegible]人看來，自然值得注視的。不過，日本代表已有聲明，他們並沒有預定的談判草案帶來，只是以我方所提的草案爲談判基礎。當然，這樣，「和約」「條約」之謬即不存在了。我方所提的草案，是和約性的，是以舊金山對日多邊和約爲藍本的草案，而舊金山和約內容，又大部分是採用了我政府所提示的建議意見！

日本代表團發言人倭崎秀樹說：「在理論上言，恢復兩國正常關係之條約，自當一項和約」，這話很對。但在正式條文上必須表明「和平」字樣，沒有「和平」在先，即無「友好」在後，這是常識，也是法理。此時不能僅以和約的理論爲出發點，而作兩國復交的通常條約談判，因爲復交談判不一定是經過戰爭的結果，而這次的中日和談，却爲兩國經過長期戰爭而然的。

杜爾斯又有言論

美國兩黨外交政策的保姆杜爾斯，近來發表了一篇「不能讓中共政權永遠存在」的言論，曾引起英國方面的疑慮，使工黨人士譁不休，追得白宮國務院不能不聲明這是他個人的意見！昨天，杜爾斯又繼續指說，英美兩國對太平洋的政策如不統一，是危險的。尤其對承認中共政權的歧見，他認爲兩國非趕快統一不可。這意思就是希望英國於必要時撤消其對北京政權的承認！想英國工黨的先生們更會不安，或許在議會中又要對邱吉爾咆哮一陣哩！

個人的私見也罷，政府的公論也罷，事實終歸是事實。韓戰停火談判實現之後，太平洋區域內的問題將更增多。停火協定若被破壞，遠東的戰火固然會烈焰燦天，即使停火協定不破裂，兩軍在韓境，也難免不在其他的地區出岔子。一是中共不能擁大量武裝而坐以待斃，二是美國不能再居被動地位，受迫從事「錯誤的戰爭」，她已有一套新的作法了。無論未來的發展情勢如何，然太平洋決不會風平浪靜，永恩太平的。英美兩國的政策，當然非尋求統一不可。杜爾斯之言，是針對未來發展而設想的。凡事預則立，不管英國方面對他這意見的反應如何，但他這些話是言之有物，值得考慮。

法蘭西的貧與弱

法國既要維護自由，怕受俄帝極權之侵害，然自身又缺乏鋼鐵及兵源的勇氣；既希望自由世界合力來保衛西歐，又害怕德國乘機復興，反戈復仇，因而不願意西德加入北大西洋聯盟，然堵住西德平原，不讓俄帝「南下而牧馬」，又非倚仗西德之力不可；既不願放棄海外殖民地，但一有亂事發生，又大感捉襟見肘之苦。（如越南戰事）既不能強，又不能弱，法國在民主陣營中，竟完全成了一種「負資負債」！

法蘭西爲甚麼搞成這樣？原因很簡單，貧與弱所致也。因爲貧，所以無法依照大西洋公約的建軍計劃實施，也不願放棄殖民地經濟利益，以博取法德兩國的親善友好，更不欲放棄其海外殖民地。貧之結果自然是弱，因而時時提防着德國之復起。歐洲軍之不能迅速建立，法國的關係很大，英國之不參加尚在其次。

現在，美國一方面對法國保證，爭少派軍六師駐在西歐，同時又答認以特別的經濟和軍援，使法國減輕其對越南戰事的負担。這都是對法國注射强心劑，消弭其貧弱的心病，讓她壯起膽子來，對北大西洋的防禦計劃，少所沾滯，疑懼，早日完成。因此，即知今日民主世界的領導者，只有美國够資格了！

自由意志之復活

·趙滋蕃·

將生命投向時代底狂瀾；
將生命投向激變底駭浪！
任苦樂交侵，
任成敗相繞，
岸然矗立不爲動。
男兒事業一步也決不放鬆！
——歌德：浮士德——

在歲暮中，我們送走了疲乏的一九五一年，我們太失望於過去！在微笑裏，我們向一九五二年招手，歡欣是屬於未來的。

願洋溢的春氣，藏下人類悲悔的多衣，願人類希望的曙光，籠罩住羣山的峯頂。願思想界的莽莽頭上，有春風駘蕩，有花草爭奇，有綠藤相加，葱葱鬱鬱，莽莽蒼蒼，滌蕩盡過去時代的瑕穢，爲新生的世紀播下種籽。願精神界的大海洋中，波瀾壯闊，風濤澎湃，匯巨流，纖細水，淵涵成海。

欲澄清過去時代累積的問題；欲激揚起未來時代的思潮；欲從綿延不斷的綜合的嘗試中，求人類生活及一切生活的解決；欲使降「定於一尊」的思想解放及精神枷鎖；就祗有莽原大海精神之再生，眞理意志與自由意志之復活！

大家都知道：近世紀的人類文明，爲科學所孕育。十八世紀以還，有組織而能系統化的物理科學之出現，實爲近代文明的信號。因爲：（一）科學的進步，結出了十九世紀機械革命的碩果，解放了人類的生產力，使沿襲千年的文明社會，所賴以鞏固的堅強的封建制度，由動搖而崩潰。（二）隨機械革命而生的產業革命，使人類社會發生了新問題，因此也必然地會相伴而生新思想，而人類對合理社會的新觀念與新希望，遂如雨後春筍，蓬勃以生。

自一七八五年，諾丁罕一紗廠，開始採用瓦特汽力抽水機以還，終十九世紀之世，機械革命，尙徘徊於蒸汽與電氣的實際應用時代。進入二十世紀後，內燃機研究的廣泛應用，標示出機械革命第三期；，而原子能的出現，又開啓了機械革命第四期的歷史：人類宰制物質的力量，更形擴展了，人類生活方式，也大爲丕變了。而昔日建築在廉價皮退化的人工之上的農業及手工業文明，遂以廉價的機械，代替了它們原來的位置。機械革命的直接結果是工業革命，間接結果是工商業的崛起，是家庭工場的沒落，是新興的中產階級，慢慢凝聚爲社會的重心。由平民教育，因新工業的新需要，被迅速廣泛推進，同時，經濟結構的生產與分配，在資本的累積行程上漸呈一種「化」的傾向，社會結構的勞資對立，也更趨尖銳。貧民窟的悲慘生活，與正在猛推進的平民教育合流的產物，是抨擊國家權力的自由觀念，擴大政權謳歌民主政治與代議政制，胎脫而出，民變假而成爲人性的根本要求。而混亂與汹湧的自由民主思潮，由洸漾而積累成宣傳個人才能澈底解放，鼓吹社會平等，認一切私有財產都是贓物的無政府主義，遲後又由反動而蛻變成的國家資本論，代替私有財產制的社會主義與共產主義。

史大林強化統治機構　中古黑暗世紀再出現

十九世紀的社會主義，始終交錯在奧文遺訓與馬克思階級感情之間，一直等到具有應付才能的列寧，取得了俄羅斯的政權，馬克思所嚮往的「雅各賓專政」，始披上一件無產階級的外衣，變相出現；迨固執而缺乏遠見的史大林，繼承了列寧的統治，澈底強化國家的機構，警察與法庭的結果，中古黑暗世紀的宗教異端裁判所的深窩，血腥，褊狹精神，又重臨人間，而人類莽原大海的眞理精神與自由精神，在今天的半個地獄世界之內，已成了砍頭的「罪惡」！

研究社會主義的潛流，是頗富戲劇性的。社會主義（Socialism）一詞，創自奧文（Robert Owen 1771—1858），它的原始型態，是資本家根據人類的同情心，發自良心的創制。其形式爲「父權保育」，其原動力爲「開明專制」，與勞動階級所講的社會主義，固大異其趣。眞正勞動階級自由的組合，以一八二四年，英國的工會組織（Trade Unions）爲肪始，全十九世紀中葉，這組織已發展成代表實業上的勞工利益的龐大機構。此時，沈潛於倫敦圖書館研究的馬克思，洞悉自文化啓始以來的古代階級制度，在客觀存在上，已進入急遽解體與重組過程中，乃力謀將此兩種運動，結成密切關係，但社會主義的分化運動，却因此更趨激烈。

與奧文思想一脈相承的，是英國的費邊社會主義，與德國的改良社會主義的合流。他們揭起了向有理性各階級宣傳社會主義福音的大旗，以與馬克思所主張的激烈階級鬥爭，以求達到社會革命目的的「第一國際」對抗。「工會」的舊的組織，逐次演進爲國家社會主義，工團社會主義，同業公所社會主義，以勞資協調，集體經營，求救平階級間的激烈衝突，達到逐步改進社會的目的。一本百殊，十九世紀思想界的粗野而又多樣，十九世紀人類創造活力的「游牧化」，尚是莽原大海的遼闊壯偉。

當社會主義漸露光芒之際，以地質學輝煌的成就爲前提條件的生物學，異軍突起。一八五九年，達爾文「物種原始」問世，向前此建築在「創世紀」基礎上的宗教信仰，根本動搖，維繫西方人類社會千年的戀戀謹愿的宗教虔誠，彼時代浪潮，席捲殆盡。人類懍然於適者生存之義，人性的發展，揚棄了同情憐憫的倫理範疇，趨於自強、勤勞、殘忍、務實、自私。在「強者道德」的口號下，出現了殖民地要求獨立，弱小民族要求統一的自然政治疆界的要求，前者以美國的獨立及南北統一肇其端，後者以意大利的統一與德意志的統一繼其緒。民族國家的要求，强化了國家主義。另一方面，是工商業强盛的向外拓殖，在新的理論武器下，高張起帝國主義的旗幟，强化了殖民地的擴掠。

時代在紛爭擾攘中，已跨進二十世紀，山林澤藪，雖一如曠昔，而人類的創造活力，與寬容精神，確爲一次再次的通天砲火，澈底摧毀。二十世紀的時代精神，先後爲納粹細菌，法西斯細菌，斯大林細菌，毛澤東細菌所害，喘息呻吟於虎列拉的瘴癘痛間，似乎飄浮着一絲希望，一線光明，也似乎長夜漫漫，萬象皆空！世紀末的頹廢與凋零，「末了人」的擴散與麻木，正可怕地傳染了你們與我們之間！在這種情況下，我們送走了一九五一年！但這種情況，是不能再繼續的。或者在失望中求奮興，或者在敗壞中求毀滅，兩者必居其一！

萬象昭回，一元復始。我們應當將新希望寄許在未來，要我們的眼睛，應當朝前看！因爲：人類的希望在未來，不是在過去！

假若一九五二年，可能變成人類思潮的分水嶺；至一九五二年節外掉的時代，我們就讓它成爲過去；在一九五二年後新生的時代，我們一定要好好努力。思想貧乏之徵，就是沒落時代的象徵，欲在未來的時代中歡呼收穫，思想界中莽原大海精神之再生，實爲充分必要條件。

十九世紀文明，向我們的挑戰，是多樣多樣的，我們的回應，也得在多種多樣中求解答。今天我們反共復國建國問題，也夠錯複的，我們也大可不必讓思想界趨向偏枯，我們歡迎大胆提出問題，同樣歡迎小心從事討論。

祝福這自黃昏，終於破曉的苦難時代！

脫蘭德對人類的啓示　全部眞理靠言論自由

脫蘭德（John Toland）在「論匙的保持者」（Clido horus）一書第十三章中說：「讓一切人自由說出他們的思想，並讓他們發表出他們思辨所得的思想，以任人駁斥或稱許，這樣，你纔能聽見全部眞理。反是，那就至多只能聽見一點點，甚至於一點也聽不到。」這話雖講在一七二〇年左右，但觀念却還是嶄新的。在史大林紅衣東正教主，及其鐵幕附屬諸小走狗如毛澤東者流，祇容許一張嘴來宣揚經典教條的時代，這些話猶具時代的價值；這些話依然是眞理；這些話的精義，就在啓示人類莽原大海的自由精神與眞理精神上顯得有力！

作爲二十世紀五十年代的開始，是自古迄今人類生活與文化思潮，懸而未決的問題的繼續；特別自十九世紀機械革命以還，逐步解放的人類生產力，所誘致的人類新需要與舊人性及愚妄的尖銳衝突，更與我們休戚相關。爲回應這綜合的大問題的全面挑戰，我們也必須從眞理的思想工作中，輻射出人類黎明時的光彩。靠簡單的公式解決全盤問題是不夠的，因爲直至今日，歷史還條「雙龍」，從未爲任何簡單公式所總結過；人類思想界的「通天教主」，也不可能「包攬一切」，處解決時代的問題，還依賴人類全體。雖然自由民主幸福之門，將爲新時代而開放；但通達自由民主幸福之路，是時代中每一個人用血汗鋪成的。任重而道遠，我們不能不弘毅。

糖衣的毒藥

二月十四日，是中共與蘇聯訂立盟約的二週年，大陸各地在舉行盛大的慶祝。

中共當局除了對蘇聯表示深切的感謝之外，對英美日本台灣提出猛烈的攻擊，這本是意想中事。他們說這盟約是「遠東和平與安全的堅強保障」。

× × ×

我們記得在一九三七年上海戰爭當時，有過中蘇不侵犯條約。在一九四五年抗戰勝利以後，有過三十年的中蘇友好條約，現今都成廢紙了，這是怎麼回事？

× × ×

一九三七年是爲了要鼓勵中國的對日抗戰。

一九四五年是爲了執行雅爾達密約的決議，取得東北的利權。

正如一八九六年的中俄條約一樣，俄國的魔手照例帶着絲鵝絨的手套。

友好的條約，原來是糖衣的毒藥。

倒果爲因

一八九六的中俄條約，李鴻章以賀俄皇加冕而赴俄，結果斷送了東北，造成日俄戰爭。

一九四五的日蘇友好條約，松岡在莫斯科大受歡迎，史大林親自送別，結果日本上了大當。

一九五〇年的中蘇同盟，毛澤東周恩來爲祝壽而赴俄，誰知道結果是怎樣呢？

× × ×

中蘇同盟的成立，不錯，會使世界局勢發生巨大變化。但這變化，可不是走向和平，而是走向戰爭。

這是由過去的幾個條約，（一八九六、一九三七、）我們可以明白證取的。

蘇俄需要他人來作他的犧牲。

× × ×

由一九五〇年的中蘇同盟，我們看到在這短短的二年內：

先有同年六月的朝鮮戰爭，繼有同年十一月的中共參戰。五一年，更有舊金山和會的對日和約，並三個安全協定。

共黨的宣傳，說中蘇同盟所以保障和平，防止美國進攻，這是倒果爲因的說法。

以日本爲敵

中共既一面倒於蘇聯，進攻南韓，窺伺日本，美國自惟有扶植日本，以求保持均勢。

周恩來明白指出中蘇同盟的目的，今後將支援日本的解放。

這是顯然欲與日本爲敵。共產黨的所謂和平，便是如此，眞正的意義就是戰爭。

× ×

今日北韓的共黨，中戰，算盡了歷史的使命。日本五十年來在朝鮮的經營建設，現在已毀壞乾淨了。中共的參加韓戰，便是要把中國也投入戰爭的洪爐中。今日的朝鮮，便是明日的中國。

狐假虎威

金日成毛澤東都不過是史大林掌上的工具。

金日成毛澤東甘願自己走上毀滅之路，又何足惜！

他們今日正狐假虎威，洋洋自得，不可一世。

松岡在莫斯科車站爲史大林所擁抱時，何嘗不是如此？

× ×

日本失敗了，朝鮮毀滅了，我看到中國的將來，實在寒心！

樓明

俄國劇的醜面孔

戲劇是一種藝術，假如它超越了藝術的境界，便失去它本身的靈魂和價值，而沒有繼續存在的理由。蘇聯的藝術界，自從日丹洛夫在一九四六年發佈了教條式的演說後，俄共中央便把蘇聯的戲劇，凍結在共產主義的鐵牢裏，使它帶着紅色的枷鎖，成爲克里姆林宮的屠夫們一枝沒有靈魂的喇叭隊。

蘇聯對全國戲劇的整肅運動，開始於一九四六年的六月廿八日，首先由「文化與生活」雜誌發難，響應日丹洛夫的「呼籲」，對當時蘇聯戲院慣演喜劇及逃避以蘇維埃爲題材的節目，加以檢舉。

俄共中央立刻展開一個全國戲劇整肅運動，訓令全國劇人幫助教育全俄青年熱愛祖國，對共產主義勝利要抱堅決信心；復令蘇聯藝術委員會監督全國每一個戲院創造若干以蘇維埃生活爲題材的戲劇；並督促全國出版物，對各戲院所演戲劇，發動政治性的批評。並令劇定專欄，刊載新劇。

「一九四九年俄共中央對蘇聯戲劇，來一個進一步的整肅。在這次整肅運動中受檢舉的不止是全國劇人及劇院工作者，還波及不少的戲劇批評家。眞理報在一九四九年一月，著論指控有些戲劇批評家企圖建立一枝「文藝地下軍」，專門對一些好的劇本，加以譏諷，對壞的劇本加以讚揚」。接着，文藝雜誌在二月廿三日喊出「驅逐戲劇批評家」的口號。一九五〇年下半年，蘇聯部長會議國佈了一道命令，譴責蘇聯藝術委員會，理由是：「蘇聯作家以蘇維埃生活爲題材所寫出的劇本，在劇院節目中未取得領導地位」。

蘇聯的劇壇經過這一次整肅後，再也看不見一點藝術生氣，此後各院所演出的，不外青一色的反西方、反美、反戰販、反布爾喬亞的劇本。它們雖然博得克姆林宮的黨要和政要的喝彩，但是劇院的生意却日趨冷落。

第二次整肅運動後，有幾個代表作品，完全以反美爲題材，像「俄國問題」一劇，把美國的報業雜誌，歪曲成壟斷資本家的「娼妓式」的宣傳工具。「綠階」一劇，把美國描寫成戰爭販子，生活腐敗，政治黑暗，及迫害少數民族的國家。又如去年演出的「外來的陰影」一劇，描寫美國外交家、工商業家、技術人員等，如何運用各種不光明的手段，向蘇聯公民收買科學和工業知識。

根據上面的報告，我們可以看出，今天蘇聯劇壇一片荒涼寂寞的景象，其情形和蘇聯的文壇一模一樣。文藝成了黨八股，戲劇也是脫離不了黨八股的桎梏。藝術的眞善美和蘇聯是沒有的。有人說：「蘇聯的一切都是醜惡的，就連藝術的面孔，也醜惡不堪」。

（樂光）

英女皇的特權

伊利沙白二世，上星期正位，是英國有史以來的第六女皇。她所享受的特權，所受的限制，及所佔有財富如何，美國時代雜誌有下面一個統計：

英國憲法規定英王在政治上的特權雖然得，但，伊利沙白二世實際所享受的權利，只有三種：一、召見首相，商討國是之權。二，對某種政治措施與行動，予以鼓勵之權。三，對政府其他人員，予以警告之權。她雖可下令或拒絕解散國會，但這點只能在政黨政治失靈的時候行之。

有幾件事是她必須要作的：例如她必須在成千成萬的文獻上簽署，在國會同意下實行法律，任命法官與推事，頒賜頭銜及爵封貴族。她須照內政部長的請求，赦免罪犯。

她能夠作的幾件事，計有下列各項：她可以沿 Rotten Row，一帶，乘坐馬車，其他人員只能乘馬。郵票上要印上她的照片。她的車子不需汽車牌照，行車速率，不受限制。她可規定她的妹妹在何時及同何人結婚。她能頒發英國最高獎狀。

伊利沙白二世的行動，須受下列限制：她不能公開在政見上有所偏袒。國會大廈雖然是王室的財產，但她不能坐在國會裏面。每次在國會開幕時，她須親臨致開幕詞，但她不能替自己寫演說稿。她不能到法庭作證人，或向老百姓租房子。

就她的財富而言，她是全世界最有錢的富人之一。光是那頂王冠，便值價一億五千萬美元，白金漢宮的金製餐具，值價一千萬美元。她的房地產的價值，無法估計，她佔有溫莎古堡的圖書館，和白金漢宮的藝術作品。太晤士上河八百隻天鵝，她却佔有六百隻。所有在英國領海所捕獲的鱘魚和鯨魚，全部是她的財產。她並擁有布列顛所有的金礦與銀礦。

潘光旦步梁漱溟後塵
坦白出仇美仇不起來
思想上主張兼容並包
一團和氣的和平團結

【北平通訊】中共改造思想運動，好像決了堤的狂流，泛濫到大陸的每一個角落，人無分老幼，地無分南北，一個個都中了赤色暴力主義的毒。但是，倘有一二忠貞之士，他們仍然抱着思想的救命圈（共產黨徒說是思想包袱）和洶湧澎湃的洪流，作乾坤一擲的搏鬥。像梁漱溟和潘光旦兩先生便是一個實例。梁漱溟先生近情，記者曾作簡單報道，（見本報第九十六期）。玆再爲潘光旦先生，報道一些近事。

中共統制大陸以來，潘光旦一向被視爲親美思想的代表人。在「抗美援朝」的浪潮中，他的親美思想便成爲中共思想改造的重要對象之一。於是還一向被青年學子所崇拜的學人，也被迫參加「對外分清敵我的學習」。在共幹的壓迫下，他最近作了一次思想上的坦白，坦白出他爲什麼「仇美仇不起來」。這篇文章算是繼梁漱溟以後第二位學人對毛澤東的奴化思想所發動的又一次挑戰。

他這次坦白，是從親美、崇美、恐美三方面，檢討他爲什麼仇美仇不起來。

他爲什麼要親美呢？第一，他認爲美國人是富於正義感的。他提到他在清華官費放洋的前一年，因恐自身的殘廢狀態，臨時發生麻煩，特走訪當時清華代理校長嚴鶴齡，問他留美有沒有問題。嚴說：「不大好辦，我們把一個腿的人送出去，美國人怕會想到，中國太沒有人了」！後來一位教繪畫的美籍女教員替他代抱不平，說：「某人不出洋，誰該出洋？」因此他對這位滿具正義感的美國教員，不能無知已之感。

第二，美國人不大歧視外國人。他在留美時最初進的大學原來爲紅種人即莫爾根所研究的印第安人所設立的。他說：「我去的時候，雖紅種人早已絕跡，至少學校還保留着一些不太歧視的傳統，學生中的中國人，日本人，朝鮮人，猶太人，黑種人，人數雖不多，卻都不覺得見外」。

第三，美人是易於親近的。他提到在留美期間，美國師長對他很器重，美國同學對他也不錯。美國學生平時鬧酒，搞戀愛，講交際，罵學生「政治」，考試時急得抱佛脚，請他講解，向他借筆記。他說：「我一面瞧不起他們，一面卻也覺得美國小乎單純而和易可親」。

第四，當李公樸聞一多兩「同志」，被「反動派」殺害後，昆明美領事館把他和一些比較出頭露面的「民主人士」接到領事館躲避，前後十一天，直到獲得安全保障後，才行離開。這一點更加深他的親美心理。

就崇美一點言，他說：「我一直自以爲我並不崇美，至少我的崇美心理並沒有親美心理那麼多」。不崇美的原因：第一，「我在學生時代，就有些瞧不起美國人，至少瞧不起和我曾經生活在一起過的有錢的美國子弟們」。他在留美的第三年，就覺基督教和中國固有文化格格不相入。因此在精神上放棄崇美。

第二，他對美國人所倡導的平等，自由，與民主，發生懷疑。他指出美國人所講的平等，恰好是共產黨所了解的平均主義。美國所講的自由，絕大部分是「自肆自放」。名爲自由，實際受了自己情欲的奴役。美國人所講的民主政治，是庸人政治，選舉出來的代表，並不是最優秀的，而是最平凡的，庸俗的。

第三，他對美國的科學技術，並不崇拜，因爲他對這方面是一知半解。同時他因殘疾的關係，對一切高度機械化的事物，有些害怕，並不欣賞。

就恐美一點言，他承認「我自不會沒有的」。不過他的恐美，不是「美帝」的力量之大，而是「我」所畏懼的實際上是自己力量的薄弱；我只覺得剛剛從半封建半殖民地的廢墟上站起來，而又還沒有太站穩的中國，怕經不起帝國主義的侵略」。後來他這種恐美思想，怎樣放棄的呢？他說：「經歷了解放戰爭的偉大勝利，民主建設的步步成功，參加了一連串的發人深省的羣衆運動，特別是抗美援朝與反文化侵略，學習了美國侵華史，最近更學習了「美帝主義的侵略本質」之後，這些對美帝國主義的錯誤思想，無論多少是無疑的，已經基本掃清了」。從他這段話，我們可以想到，他的恐美思想是他在思想改造營中，從「學習」和「更學習」中才放棄的。

他雖然從「學習」中認識「美帝國主義」絕對不是友人，而是敵人，但他說：「仇美還是仇不起來」！爲什麼仇美仇不起來呢？他大胆地指出這「是一個十足的階級立場的問題，是一個小資產階級知識份子的階級出身所必然產生的結果」。他述及他所受的教育，十之七八是「美帝」的，所瞭解的文化，是資產階級的文化，是向資產階級道路上發展的」。

同時，他承認他是半封建半殖民地社會中的比較典型的人。因此他的思想來源，不能不是「兩半」的，即半封建與半殖民地性的。半封建方面言，他承認「於一般的服膺中庸的理論之外，我又很讚賞論語上的「不同而和」，「以直報怨」，禮記上的「不怒而威」，乃至孟子的「不動心」與「以志帥氣」一類的說法」。他還鄭重地說：「這些所以維持封建傳統的道德觀念，近至解放以前，我還戀戀不捨，即遲至今日，也還沒有能完全揚棄」。

就半殖民地思想言，他受了耶穌不用暴力的影響，他嚮往甘地的「無抵抗主義」。他對「反暴力主義」不能忘情的原因，歸究於「階級的根源。即怕革命，是資產階級厭惡暴力的本質的一部分」。他講到這一點時，對毛澤東在「反對自由主義」一文所主張的「自由主義取消思想鬥爭，主張無原則的和平」，作一個正面性的挑戰。他說：「我身上所表現的自由主義影響，就是在思想上主張一切兼容並包，在人與人的關係上主張一團和氣的和平團結」。

潘先生在「對外分清敵我的學習」中，是否眞能徹底放棄他思想上的舊包袱呢？實目地在仇美宪？他的答覆是：「目前我思想上雖已經起了很大的變化，但要把這一類多年的積儲，掃除淨盡，還須相當時日」。多長的時間，才叫做「相當時日」呢？一天，一月，一年，十年？或者就根本沒有實現的可能？潘先生沒有作肯定的回答。聰明的人當然知道他這種說法的眞義在那裏。

末了他爲使那班「思想改造」專家，能夠「滿意地」下台，他給他們開出一張空頭支票：「我一時還不能掌握無產階級的立場，是肯定的；但適當的掌握人民立場，是已經有了一些收穫的。因此，仇美也必終於仇得起來；這也是肯定的」。

中共的「思想改造」專家，能不能接受他這一張無定期的延期支票呢？事實會給我們以回答的。（隆光二月十日）

香港三日

十票對四票

我國出席聯合國在仰光舉行之第八屆遠東經濟會議首席代表潘蓀蓀一行十五日由港返台。他說在緬甸一月，和僑胞接觸，深感僑胞之熱愛祖國。在緬僑領傾於共者，到底不若外間宣傳之甚。在國際上此次我國仍獲得各友好國家之贊助。他指出當蘇聯代表提議排斥我國之代表權時，終以十票對四票否決。以上屆八票對五票否決之情形看，今天我國國際聲望，已較從前提高不少。充分證明遠東各國同情我國者日增。他還說下屆在印尼舉行之大會，已通過日本爲正式代表，而非列席代表。

「慰問團」冷戰

以救濟東頭村災民作爲「冷戰」之廣州慰問團決定在本月底到港。港府對此之措施，尙在冷觀狀態中。但香港市衞生局職工總會已正式否認，外傳該會派員參加港九工聯九龍分會，春節聯歡大會及歡迎粵穗慰問團來港。這是問題演變的開始。

跑頭馬沒有

本年春季大馬票「一六三一六六一」號，由星島日報職工同人購得入圍，計彩金一萬一千八百四十三元。三百人分，每人得四十餘元，莫不皆大歡喜。據悉在入圍號碼搖出後，該報排字房某君直搖電話至馬場向該報馬場記者遙遙催詢「一六三一六六一跑頭馬沒有」？對面撥電話的某君將「跑頭馬」三字未聽淸楚，以爲是「中圍」的意思，乃道「中了中了，中了」，回來大家細談」。此公大爲高興，以爲是跑了頭馬，每人可以分得數千元。立刻先定做了一套西服，到了下午，才知仍是個入圍。然而西服已做好了，他徒呼負負」。

第三組緊張

中央改造委員會委員鄭彥棻於十七日中午由台經港赴曼谷，他向人表示此行代表中央慰問旅暹僑胞。他說這一年來僑胞返國觀光的一天比一天多起來，使第三組工作頓形緊張，但第三組同人是非常歡迎僑胞們回來觀光的。鄭氏指出今年美洲及歐洲各地亦有組華僑返國觀光團之舉。可能的時間，大約在夏秋之間。外傳他對立院院長競選之說，完全予以否認。

在基督面前受苦

教廷駐華公使黎培里總主教，頃接獲教宗庇護第十二世之聖誕函件。內稱：「中國文化爲亞洲傑出者，中華民族，爲亞洲智慧之先導。中國教友堅忍受苦，在基督的面前，不是羞辱，確是光榮。……公教教會受人攻擊，卻不能被人戰敗。你們爲此堅心信賴天主的諾言，心中坦然不必畏懼，須知暴風雨陰晦以後，必有青天麗日……教會一定再享有和平，安寧與自由。我爲中國及可愛中國之教友作此祈禱」。

梁漱溟與胡秋原

自由中國名政論家胡秋原，去歲末由台來港，爲香港時報及本刊主筆政，時有宏論發表。日前胡氏特在香港時報發表爲梁漱溟先生乞援之洋洋大文後，頗博得海內外志士之共鳴。

香港投資有機會

週前抵港之美印第安娜商業考察團，一週以來與本港工商界人士不斷接觸。據該團團長兼印第安娜商會會長葛魯述稱：「我們一週考察與研究，認爲目下投資於香港各企業，尙有相當機會」。他承認香港的工商業，自去年禁運以後，一天比一天困難，所以在未來之投資目標上，要很審愼。這種審愼的態度，他認爲不僅限於香港一地，全世界各處都是一樣的。他感嘆的說：「這個年頭做買賣的黃金時代已經過去了」。

達爾罕親王病逝

達爾罕親王福晉於十八日午夜病逝，身後蕭條，定於二十日在萬國殯儀館大殮。他來港避難有年，一直念念想回老家，終未能如願。（一成）

民族資本家悲慘下場
桐油大王受共幹清算

【上海通訊】沈瑞洲是本市有五十餘年歷史沈元來公司的總經理，向有桐油大王與薄荷大王之稱。大陸變色後，沈內惑於「民族資本家」榮銜而留滬，最近卻以「一貫抗拒國營經濟領導」的罪名被中共開刀了。

沈是一個擁有巨資的大腹賈，據不完全的統計，他的資產總值不會少於一千萬美元。上海的桐油與薄荷市場一向都以沈馬首是瞻，在國內外各大都市，沈皆有分支行號之設。香港的華興公司同紐約的華興公司均係由沈的兒子在主持。自中共以「愛國公債」、「機砲捐獻」等名目向工商界不斷壓榨後，沈痛感事業之黯淡，難免清算，曾先後在津滬黑市外匯中移轉一部資金（約值美金四百萬元），以是爲中共偵悉，引起無邊忌恨。

本月九日上海「新聞」「解放」等大小各報，在中共授意下，一律以頭條新聞地位，向沈展開「圍攻」。不是說沈五十年來在官僚買辦階級的豢養下發了横財，即是說解放後沈在香港買出了「難以數計」的桐油，「喪盡天良」的使「人民的財產」損失了上千億。「新聞日報」更有趣，在該項新聞的末尾竟來了一個「打單」式警告說：「沈瑞洲你吞了人民好多錢，你心裏應該有數，再執迷不悟，坦白繳出，你是要遭受可怕的懲罰的」。一派强盜口吻，把中共要刮盡人民膏血的嘴臉都無意勾劃出來了。（悠然二月廿日）

廣東不打大老虎
小老鼠蒼蠅遭殃

【廣州通信】廣東的三反鬥爭，據說已進入打「大老虎」的決戰階段，但舉目四顧，老虎無蹤，蒼蠅遍地，還有事實爲證。

在僞廣東省主席葉劍英押陣的「大圍剿」中，被中共指爲「大老虎」的是什麼人呢？百分之百都是一向被視爲「外圍」的下級共幹，譬如十二日「南方日報」公佈的戴葆澄等四十六人中，有鐵路局的管理員，有工程師，有小學教員，有僞公安局的科員，有僞市府的門警，有僞公營正泰公司的會計等。除了「正泰」的會計周國元因有一個哥哥在香港經營××商行，每月滙一千元港幣給他母親，叫他將中共的經濟情報隨時供給他，致使中共損失僞幣約兩億外，其餘都是僞幣三五百萬至一兩千萬的小米老鼠，在中共中級共幹一擲百億的案子中，眞是雞毛蒜皮微不足道。那些整天和「大老虎」生活在一起的人，是最知道「大老虎」利害的。所以俯首貼耳，視若無睹。無怪乎廣州市老百姓認爲什麼「三反」「四反」，完全是做做形式，殺雞嚇猴的一幕滑稽戲了。（粵秀。二月十四日。）

辛碧瑤想升團員害母坐牢求乞
南洋伯救災救難結果掃地出門

廣東澄海縣隴汀鄉辛銘卿，從小就隨鄉人到星加坡經商，幾十年來，克勤克儉，積蓄了很多的財物，在星加坡創了一家規模宏大的企業公司，在澄海的僑商來說，他算得上當地一位財主。年來發跡更快，辛銘卿爲人慷慨好義，接濟了不少流落海外的鄉人，在澄海獨資創辦了幾間學校，免費教育地方子弟，遇有饑饉災荒，自動散發賑濟款以維民食，澄海縣的人民，無人不讚譽他是一個大慈善家。

大陸易手後，中共爲了要勒索僑商財物，處心積慮的想把辛銘卿一家開刀。正好辛銘卿的妹妹——辛碧瑤，是僞青年團預備團員，日夜希望升爲正式團員。共幹看中了她這個弱點，從中鼓勵她「工作積極」，要她大義滅親，檢舉她母親私藏黃金白銀，違反了「人民政府」的「經濟政策」，破壞了「人民政府」的金融法令」。這個閱世不深，天眞無邪的女學生，經不起共幹甜言蜜語的慫恿，又熱中於青年團員的夢想，果然狠心的向縣「人民政府」告了她母親一狀，她母親便無辜的被拘捕在監獄裏，遭受了各種的刑。共幹在獄中百般利誘和威脅，盜用「她的名義」，詐辭病危，急電星加坡辛銘卿，催促他趕快回國。辛銘卿接到他母親病危的急電以後，五中如焚，不辨眞僞，匆匆束裝回國省親。不料甫抵家門，便得悉家中發生了這種慘痛的劇變，懊悔萬分，痛心不已。於是各方奔走，呼號求援，以期贖出老母，免受牢獄的苦痛。「人民政府」當局要他捐獻黃金一萬五千兩，白銀三萬兩爲贖母的條件。辛銘卿救母心急，此時只得忍痛的答應了。他的老母雖已獲得自由，但是接踵而至的捐獻，龐大的數字，使辛銘卿無法負荷，南洋的企業公司，因此倒閉了，辛銘卿也因此破產。

辛銘卿遭受了這種慘重的打擊，神經有點失常，曾致函南洋的家屬，措詞哀婉，備述家庭劇變的始末。一字一淚，不忍卒讀。不料事機不密，被共幹發覺，指爲「造謠生事」，「反動份子」，誣毁「人民政府」，拘禁了一個多月，備嘗了鐵窗風味，除了寫「悔過書」以外，還要在「思想鬥爭會」上「坦白」，認錯，向「人民」低頭。最後還要掃地出門。

他的老母在掃地出門的脅迫下，離開了溫暖的家庭，頸間掛着一塊「地主」的銅牌，准許在五里內沿門乞食。他年青的妹妹，因檢舉「有功」，得到中共當局的獎勵，升爲僞青年團的正式團員，並「光榮參軍」，派到韓國前綫爲國「宣慰」去了。（甘草二月十一日寄自澄海）

談風趣

·尚方·

風趣是人類日常生活的一種輕鬆情調，它可以增益人與人之間的熱情，也可以消弭若干無謂的糾紛和嫌怨。「人」如果沒有一點風趣，早晚扳起一副「不苟言笑」的正經面孔，遇事認眞，非禮勿言，非禮勿視，非禮勿聽，那還有甚麼生趣可言呢？這種人只好「與木石居，與鹿豕遊」了！

幹政治生活的人，尤其需要有發於自然的風趣，纔能夠集思廣益，令人可親，樂於發話，這也就是民主政治的基本精神。中國歷史上的政治人物，亦常有以風趣的言談來糾正錯誤，解決大問題的事實。淳于髡對君主所說「漆城蕩蕩，寇來不得上」的話，即其一例。孟子周遊列國，傳食諸侯，許多言談，都含有濃厚的輕鬆情調。去年杜威來香港時，旅港的美僑婦女們在宴會席上問他是否再競選總統？他說：上次你們都不投我的票，我若再競選，一定主張女權高於一切，世界不許再有戰爭，好不好？這眞是極風趣之能事的雅人佳話，何等輕鬆而有趣味呵！幹政治在路的人，如果沒有這種風趣，那他不是語言無味的臭官僚，便是面目可憎的剛愎之徒，一輩子也無法接近羣衆，根本就不配談民主政治！

風趣是要在自由生活環境中纔可以滋生發揚的。若在極權社會裏，講風趣却是招禍之由。像那些生活於共產社會的人們，一句笑話離開了「教條主義」——階級立場之類——便要受到「批評」「檢討」，教你去當衆「坦白」，自認罪該萬死！譬如說：有人在中國大陸上的大太陽底下，手拿雨傘出門，別人問你幹嗎要拿雨傘？你說剛纔聽到廣播，莫斯科正在下雨！這原是很有風趣的幽默情調，但包管即有殺身之禍哩！

過着自由生活，發抒自然風趣，這纔是生之意義與價值。

自由談

北冰洋的神秘浮島

一九四六年八月十四那一天，美國空軍的巡邏機飛過阿拉斯加的巴盧角北面約三百英里的北冰洋，機中雷達的指示，發現了一座大約十五哩寬，十八哩長的海島。北冰洋裏向來是沒有海島的，飛行員奇怪得很，馬上攝取影片，送回美國軍部研究，這一來引起美軍當局的注意：在這冰天雪海的北極，居然有一個比關島還大的陸地，一旦發生戰事，在戰略來說眞是重要無比！

於是在發現之後的幾天內，派人輪流在北冰洋上，密集一尋，在雷達指示下，果然找到了這個島，但是始終還不能確定它準確的位置。因爲每次探測的報告，都要相差幾英里，當局對於這個問題，還以爲負責探測的小夥子們在濃霧掩映下繪測得靠不住。

結果，大霧消散，看清楚了，纔明白這神秘的海島，原來是一塊面積約三百方英里的大冰塊：這塊大冰的四周邊緣，居然高聳海面三十呎至二百呎，由此推測，它由底至面的整個厚度，至少有二百四十呎以至一千六百呎！因爲冰塊沉到水裏的部份，照估整個厚度八分之七。飛行員飛近它細細觀察，且發現它出乎意外的平坦，低窪隆起部份，不過只幾寸，飛機在這塊冰上降落，相信絕無困難。這塊既不是陸地，當局考慮結果，只好給它安個名字叫做「T字第一號」，同時爲了明瞭它移動的方向，更指定由第五十八航空偵察隊負責隨時查探它漂流的動道。如是者經過三年的追測，這塊冰竟飄流了一千五百英哩，隨着海流慢慢地向東移動，流過了北極頂點，又向西方沿着北美洲大陸的尖端飄向格林蘭島附近，竟蹤跡杳然了！這樣龐大的冰塊，是從什麼地方來的呢？科學家和海軍司令貝德，則以爲歐洲海岸南冰洋的冰山，每年都會有碎裂出的冰塊向北飄流，但到了暖水地帶，就溶化的。北冰洋可不同，四週的歐洲陸地都是一串平原；沒有大的冰山，它的來源，祗有亞洲和美洲纔會有。又有學者的意見：以爲這個冰島可能是一萬五千年前冰雪世紀期間內，北半球的大冰山所遺留下來的殘餘！

航空偵察隊隊長佛烈查中校，和隊中氣象專家太孔力上尉爲了追查這塊「T字第一號」神祕的浮冰，曾鑽研過無數關於北極的紀載的書籍。他們查出比利司令官在一九○六年，曾在北極的伊拉士摩島發現過一座冰山，又在一九四七年在該島附近海中，也由一個遠征軍發現過一塊浮冰。於是他們便飛到伊拉士摩島上看看，果然找着了這座冰山，還發覺它崩了一角，崩缺的形式和面積，恰巧和「T字第一號」差不多，由此推算，「T字第一號」浮冰，可能就是由這座冰山所分裂產生。

一九五○年五月，美國空軍當局決定以後在北極如果再有這種大然浮冰發現，應該立即在別一國之先，加以測定。這任務當然還是交由五十八航空偵察隊負責，同時還要再次查出已失蹤的「T字第一號」。

到了七月，巡邏隊在北極頂點的附近，又找出了一塊「T字第二號」，面積縱橫二十英里，約作長方形，比第一號還要大些。

不久，又在西伯利亞的北面，發現了「T字第三號」，這是一個橢圓形的浮島，長九英哩，闊四哩半。

又在去年八月間，居然在伊拉士摩島附近，找出來「T字第一號」，照這樣看來，所有的浮島可能全是伊拉士摩島的產物，是計算年齡少則幾百年，以至千餘年了！

在科學立場來說，北冰洋仍然是地圖上一塊大的空白，美國預備不出明年，就將進行在這些浮島上設立北極的探測氣候站，去測量北極的氣流，磁性，和地心吸力等等……這些浮島在科學上無疑有莫大的價值。至於這些浮島在軍事上的價值，雖然在阿拉斯加的軍事權威都不願意發表，但顯而易見的有兩點：

第一、在這些浮島上可能毫無困難地以適應用爲空軍基地的昇降，補給。第二、它可比現在美國任何空軍基地更貼近蘇聯，減少飛行距離幾百英里。還有它的厚度，是絕對不怕任何轟炸，破壞的！

「萬一戰事爆發」！一位阿拉斯加駐軍將領對人說：「我敢打賭，這些冰的浮島，一定會變爲各國的軍事基地」！不過這些浮島的主權，到底應該屬那一國呢？它們飄流過美國和加拿大海，再浮向丹麥和蘇俄，然後繞過圈子，又流回原地，輪流不息，一直到目前爲止，國際公法對於這些冰塊的主權應該怎樣決定？還沒有明文規定呢！（嘉華）

自召毀滅

夫石

三次大戰

東南亞

中共

越南的掙扎（中）

海鷗

我自從歷次暗殺過學中失敗認爲勝史、物的樂[illegible]後，格外關懷越南亡國後的種種事態，遇到歸自南圻的華僑，詢悉許多法人統治的暴政。歸自海防河內的華僑也能講述些黃提督部縱橫諒山北甯諒陽太原河內間戰況，時喧時寂。

民元新春，穗城平民公學與附設世語傳習所同時開課，幾天後，突然來了兩個十七八歲的青年，一口北方話，說來却不很流利，請求就學並須在校食宿。我觀察他倆沈鬱而肫摯，彬彬有禮，心中再沒有拒而不納之理，但還得根問由來。他們說，自身是安南慶皇帝子弟，由革命領袖潘黃二公帶領着共十餘輩，偷出法人的羅網，東渡日本，有幾個留在東京進了成城陸軍預備學校。

潘黃跟孫大總統和黃克強將軍友善，特又帶了他們到南京，送進留守府所辦的陸軍講武堂。才得一月，政權轉讓北方，留守府裁撤，講武堂解散，他們便只得南來。現在潘黃二公住在東郊沙河鄉劉氏家廟。潘黃在滬已取得介紹到粵來訪，儘先遣他倆來入學。他們是流亡學生，所以冰學與食宿顧到時在所。這些話，與我的不幾天接得滬友來信的話一樣，我即欣然款接，另室居處。

兩少年皆性阮。其一到過青島，盛讚德國人經營青島之美化，眞是做海上蓬萊。由二阮口中，得知潘是安南末朝的「翰林」，八股而外，擅詩古文詞，新民叢報有許多跟梁任公唱和的詩，署名巢南子的就是此老。潘痛越南由滿清藩屬爲法國殖民地，誓死復國。他曾闖東渡作秦廷之哭，求日本重臣大隈重信伯予以援手。大隈那時正當國，雖有同情，日本方取得朝鮮，行爲與法國無殊，如援越抗法，將何以自解？這種情勢，任公曾詳細說過（見潘著「自判記」）。中山克強曾對潘有俟中國革命成功當予援助的諾言，現在算不算成功了呢？彼此相喻于無言了吧。黃是流寓北圻作遊擊戰的黃提督胞弟，亦廢朝武員，與潘共事革命，軍事設計潘盡靠他。二阮舍館旣定，潘黃來訪，雖從容漫說，黃擅技擊術，能手搏數十敵人。

潘言復國自是目前急務，然彼亦已信仰自由社會主義，在東京曾發起大同學會，向越南傳佈社會革命理論。這令牧狂喜，空谷足音，不圖得之于鄰州朋友，於是倍感親切。潘抵粵，先赴韶城省覷向受粵吏招待的孤臣逐客，故先遣二小阮來。潘等自曲江返穗，又一廢朝親王自西貢逃港至穗，第二次過訪與之俱來，亦略解粵語桂林語，甚似粵伶人在舞台上的肉麻腔調。他說劉家祠住不舒服，希望在我校附近賃廡以居，費了多天工夫，我替他在蕩子灣頭柳波橋畔租得一幢房子，門前是不甚闊的街，屋後有一水閘臨柳波涌，略有秦淮風味。親王欣然入住，隨從亦粗懂粵語，他們的新寓所距我校不二里，朝夕過從，彼此都感愉快。

租界沙面法領事館常駐有越南派來的特務，專事偵查反法分子行動。前在越曾充黃部小卒之胡某，適任是項職務，覺發見他的蹤跡在沙河遊蕩，又發見他在柳波橋畔瞭望，顯然是在執行他的任務，黃即決心置他死地，爲國內遭他毒手的同志報仇。一日，在沙河又再遇他，特趨前和他握談，裝得十分懇切地告訴他說，在外數年貧困就死，此來因有人先容于駐粵法領接洽投降。胡喜出望外，隨黃詣劉家祠，歡談半日，留晚膳，胡大飲大嚼，突然一個圍攔從他背後套上頸項，兩人各持一端沒命地扯，胡的眼珠子凸出，舌頭外伸，頃刻氣絕。他們將屍裹以蒲席，夜半投諸沙河。次日黃來告我道，昨夜河水甚高，此刻想已流出珠江口了。我聽了毛骨悚然。（十）

海隅憶語

義士武松（八）

——水滸人物論之六——

·舜生·

武松把店主人的臉打腫了半邊，不想惱了傍桌這位大漢，開口便駡『鳥頭陀』，並責他出家人不該動手動脚。武松正一口氣無處發洩，看見這大漢有意和他相打，便推開桌子，搶到門邊，大漢出門，武松便趕到門外，兩人剛一動手，大漢却被武松打翻，按在地上打了二三十拳，便提起來望門前溪裏一丟。同這大漢到店裏喝酒的幾個村漢，眼看這種情形，那裏還敢出面，只得把大漢救起，攙扶着，一同逃了。武松看見這夥人走了，挨打的店主人也早躲避，乃從容走進店來，就大漢遺下桌上的好酒雞肉，吃了一個痛快。然後跨着戒刀，把直裰結在背上，走出店門，沿溪迎着北風而去。走不到四五里，傍邊跳出一隻黃狗，趕着他咬，武松醉眼朦朧，便抽出戒刀，向狗砍去；不想用力過猛，狗不會砍着，自己却連人帶刀，滾在溪裏，天寒水冷，更發酒後，好容易掙扎得起來，一身已經濕透；抬頭一看，却見那口戒刀，亮晶晶的沉在溪底，因又蹲下，用手去撈，一脚一滑，又跌下去，再也不能爬起。正在十分狼狽之際，岸上却轉出兩夥人來：先走出的一夥，爲頭的穿着一件鵝黃納襖，手提哨棒，後面跟着十幾個人；另一夥領頭的，却正是在酒店挨打的那個漢子，手裏提着一口朴刀，背後引着二三十個莊客，都拿了武器。他們看見一隻黃狗對着溪裏狂叫，進前一看，才發見在溪裏打滾的，正是這打人的醉頭陀！於是兩夥人一齊動手，把武松從溪裏拖起，押上一所莊院，剝去衣服，綁在一棵柳樹上，準備用籐條細細捆打。剛打得三五下，院裏却走出一人，上前一看，發見綁的乃是武松，便連呼是他的兄弟，『趕快鬆綁』，把衣服替他穿好，原來走出的這人非他，正是山東鄆城的好漢及時雨宋江也。

宋江自從在柴大官人莊上和武松結拜分手以後，不久便由這莊上的孔太公把他接來居住，已經半年，順便教他兩個兒子一些武藝。那個在酒店被武松打倒的，是孔太公的小兒子，叫獨火星孔亮；後來趕出相幫他兄弟這個穿鵝黃襖子的，是孔太公的大兒子，叫毛頭星孔明。當下宋江把這些情形一一向武松說明，武松也把別後年餘的種種經過，向宋江提要的說了一遍，孔家兩兄弟在傍聽了，知道這位行者，正是打虎英雄，因向武松納頭便拜，自認有眼不識泰山，萬乞恕罪。於是武松乃由孔太公殷勤招待，兩兄弟也十分敬服，和宋江在莊上一連住了十幾天，才一同離去，宋江去投清風寨的小李廣花榮，武松便往二龍山入夥。『水滸傳』作者寫武松傳，以武宋兩人見面開始，仍以兩人見面告終，前後數萬言，情節十分離奇，首尾却一絲不亂，一直到後來『三山聚義打青州』，武松才正式參加梁山泊。（本篇完）

萬竹樓隨筆（七三）

白樂天與待月

白樂天有侍妾小蠻、樊素，且有『櫻桃樊素口，楊柳小蠻腰』之句，人皆知之。但仍有瀟溪女史者，亦白之姬侍也。山齋客譚載女史姓鄧氏，名初元，字待月。母夢絳雲而生。年十九歸樂天，聰穎能詩。後爲樊素所譖失寵。病榻中有詩曰：『月搜花殘不似前，淚珠零落枕函邊，可憐唯有金條脫，臂上依然伴妾眠。』

樂天自杭州召還京師，待月以病不復隨。以會昌六年閏七月初九日病卒於西湖靈隱山之女貞菴中。臨歿曰：白尚書日信海山院主，先妾五月逝矣，今來相召，妾當赴也。端坐而化。

先是樂天居京師，已崇信佛法，一心淨土。除嚴持佛課外，廣勸大衆皈依，持名念佛。並作念佛一詩，以示勸云：『余年七十後，不復事吟哦。看書費眼力，作福畏奔波。何以慰心眼？一聲阿彌陀！朝也阿彌陀，暮也阿彌陀，縱饒忙似箭，不離阿彌陀。普勸法界衆，同念阿彌陀，欲脫輪迴苦，但念阿彌陀。』

一日，忽有人來相訪，云自海山歸來者。一月前，其人浮海舟覆，漂流入一海島中。萬綠扶蘇，仙殿絡繹。山頭雲外，閣千重。中有仙館，若階寂寞，閣無人居，閽曰海山仙院。或告之曰，此乃仙人白樂天舊府，白正在中國爲尚書，不日言歸矣。其人因歸告樂天。樂天笑曰，吾方勤持彌陀聖號，一意西方淨土，學仙所不欲也。因賦詩二絕以謝之，有『海山不是吾歸處，歸即須歸兜率天』之句，考其人之所經歷，與姬人待月臨終之語，正相脗合。

又佛經稱兜率爲閻浮提之第四重天，爲天人仙子所居。意者樂天生西淨蹋，最佚心純。白公娛情詩酒，仙業雖移，臨終神識，隨其所好。海山重返，理有固然。病姬歸客之言，正不爲無稽也。

意雲居士

題大千居士所造九歌圖

·曾履川·

海南鋼發日氣昏，大風堂上羣靈奔。騫紹搜總拂長卷，歘然躍紙湘纍魂。陸離長劍思荃蓀，枯形猝色悴哉原。東皇姣服儀雄尊，釆衣湘君悲嬋媛；山鬼被蘿竊窕窕，含睇宜笑若有言；秋君謝客舊玉孫，歌詞多寫山絕倫；飛鴻舞鶴恣游戲，赤鯉文豹從騎軒。驚乎何術辨此丈？衆史瓶縑鎖纇瀦。敦煌畫佛之莊嚴，三閭哀郢之煩冤，精通神台運意匠，冥探造化窮荄根，巍然絕藝逐冠代，續離消象在無垠。伯時仲君孟類軟，眼中餘子何足論！嗟此衒融熱厚坤，南溟避地摩鵬鵾。胡不挾此登昆侖？抉抒怨憤叫九閽，白日照耀旋窩捫。天閽閽矣試迴轡，洧西待子靈源。

自由人

THE FREEMAN

（半週刊每星期三六出版）

（第一〇二期）

每份港幣壹毫

督印人：李光華

社址

香港高士打道六六號

電話：二〇八四八

GLOUCESTER RD.
HONGKONG
TEL: 20848

承印者：東南印務出版社

地址：高士打道六四號

台灣經銷處

台北市中華路一二五九號

剷除貪污

・陳伯莊・

「文官不要錢，武官不怕死，天下太平矣」。十二世紀初期，南宋岳武穆有此名言。可是東方的中華古國，老犯「國家之敗，由官邪也」的老毛病。二十世紀的國民政府，二十餘年前有一個部長，公開投標，購一大批材料。德國西門子洋行開價最廉得了標。快要簽合同了，部長派他的親信和西門子「大班」密商，要於標價內撈百分之三十的回扣。德國「大班」氣極了，本來羊毛出在羊身上，部長如果事先「通水」，歸人自然「熟性」。現在硬要公司斷本，怎樣搞。於是密電向柏林總行請示，回電說：「我們做了數十年出口生意，各國政府，都有交手，祇有瑞士和瑞典兩國的官吏，從來不要錢，敲竹槓。中國不在「兩瑞」之例，算了罷，硬住頭皮簽合同，這百分之三十的虧損，行不必負担，轉入總公司帳出廣告費便是。」我當時聽到這一段商場祕密，令我深思，令我感覺到貪污這件事，是源遠流長的社會病態。當時便想到清季曾文正說的「弊能養廉」是一句極矛盾而有政治智慧的名言。

其後我到英國，與英銀行團祕書某君談話。我稱讚英國沒有中國官商朋比為奸的劣跡。這祕書先生本來是個「老中國」，他說：「先生太恭維我們了。祇因英國法律有效，輿論有力，官商才不敢朋比為奸呢，否則還不是天下烏鴉一樣黑！」我想英國有了文官服務制度，令人能够安於其位，有了相當生活水準，令人能够安於其生，也很要緊的。倘若九原可作，我當告訴武穆王，你希望文官不要錢，却要先做到四件大事；（一）法治確立，（二）輿論自由，（三）文官考試和服務制度，（四）發達生產，相當提高生活水準。

貪污是與專制政權結不解緣的。兩千年來，吏治澄清的時候不是沒有。「上無道揆，下無法守，」的時候，總是太多了。前清的行政，雖然腐敗極了，但仍不失為「例」治。例多於牛毛，給世襲的吏胥斷膺，舞文弄法，但是他的壞，還壞不出一定範圍。在專制政體下，法治的發展，轉入斷港絕潢的「例」治，就因為他有「豺狼當道，安問狐狸」的權臣，外戚與宦官；就因為知識階級剛在東漢抬頭議政，給宮闈政治打死了；就因為社會的結構，是使得士要做官，他們當時互相標榜，甚麼八元八駿，實具有從登龍門而進爵祿的作用，不是純粹發展輿論的運動。

民國四十年來，連「例」治也沒有了，四十年來，政象可分為兩大段：一為北伐成功之前，一為定都南京以後。前一段，內戰後波逐前波，失敗者捲舖盜，甚麼交代也不管，亂攤派款來練兵，甚麼手段都用盡。後一段，法令一天多似一天。防弊的法令更是越來越多，通貨膨脹和抗戰播遷使得這些法令越來越不合實際。弄到肯負責任的主管人員，慨然而歎曰：「奉公便不能守法，守法便不能奉公。」法令而不合理，便喪失了道德的尊嚴，好人可以蔑視法令而問心無愧，壞人便無所不用其極了。其中有些痛恨貪污嫉惡如仇的大官兒，凶到不成樣子，本來依法祇當坐牢的部下動輒拉去槍斃。本來人人不乾淨，於是便個個互相通謊。瞞上不瞞下。大官兒耳聾目盲，再聽不見甚麼貪污，而自以為吏治澄清了。至於輿論呢，祇有小報歪報的誹謗自由，沒有大報正報的言論自由。

「千人所指，無病而死，」「你不民主，你貪污，」抗戰時的「民主人士」和外國記者一致的攻擊，其府發縱指示者還不是共產黨和其同路人嗎。「夫人必自侮，而後人侮之。」當局者祇應痛定思痛，除了澈底改革之外，還有甚麼更好的路子。可是：貪污一事，歷史的延續和社會的結構要負一半責任，當局祇能負一半責任，通通寫在當局身上，這是共產黨的陰謀。

前一月陳辭修先生曾經討論到如何澈底消滅貪污，這是好的。我願進一言。（一）把所有防弊法令整理一下。法不合理，便無尊嚴。（二）祇有小報歪報有誹謗自由，沒有大報正報的言論自由是今天的死症。（三）自己的決心與魄力，固然要緊。而發展法治與輿論的力量，更是要緊。

今年共產黨發動共「三反」「四反」的消滅貪污運動了。兩年多的統治，共產黨普遍而密切的與歷史延續社會結構接觸了。本來共產黨做事，樣樣有他們的另一套，究竟他們的策略是甚麼，祇要幾個月之後便明白。此時不必便派他們為清算民族資本和打倒工商的開始。從經濟觀點來說，他們此時尚未建立現有的經濟流通網之代替機構沒有成立之前，不是兔死狗烹的時候。在「共產革命」的前進中，私有工商業本來是待決的死囚，何時論斬，祇是時間問題。曖昧的靠攏商人，不必存僥倖之心。

廣東人有句俗話：「牛嘸飲水，點撳得牛頭低。」做官的不要錢，商人怎能行賄。不論怎樣，共產黨是破壞歷史延續社會結構務盡了。我們要注意的是：（一）貪官是否不論大小，一律嚴辦。（二）這樣的運動是否能够達到他們所宣傳的目的（就是剷除貪污，不是打倒商人）。第一個問題是共產政權本身的問題，第二個問題是中國社會本身的問題。都值得我們嚴密而客觀地去注意的。

站在自由中國方面的人們，對於消滅貪污的競賽，應加倍努力。

民族共產主義與國際共產主義

〔紐約時報巴爾幹特派員M・亨得拉柏爾格萊特通訊〕南斯拉夫共產黨人的重要成功，是從東歐鐵幕國家開始獲得。然而由于無情的整肅，旋告銷熄。很難斷定，究竟蘇維埃政府和第三國際的威望，在鐵幕國家裏面，有沒有為南斯拉夫主義的旗幟所指，而遭遇到騷擾？但有千分可能，蘇維埃政府的辦法，是以南斯拉夫問題為其藉口，在東歐鐵幕國家裏面，消除可疑的首領，藉以建立絕對的控制。無論有何理由，整肅是用了大力來行動。保加利亞副總理科斯托夫 Traicho Kostov，匈牙利外交部長拉狄克 Laszlo Rajk，以及成千成萬被逮捕的人，都是這個例子。

南斯拉夫反史太林主義的爭取同情運動，在西歐，要比在東歐來得鬆勁；因為共產黨在西歐根本沒有力量，而東歐便不同了。東歐人覺得，對蘇聯要求，過份重視，簡直是成了蘇聯的工具。他們也覺得，被統治的人民，由於蘇聯的要求，而被壓榨，被蹂躪，已經發生反響。這些情形，東歐當局，比之西歐的還要，特別敏感。

然而這運動，在西歐，亦已發軔。而其成效，各國不同。事情不一定可靠，由于歐洲改革計劃 European Recovery Program 一部份的實施，經濟改革具實現了，在西歐，共產黨的勢力亦隨之而削弱。大戰後，消費者的物品和食品本來是很稀罕的，現在又再增加起來。因而，社會問題鬆懈了，而共產宣傳從訴這一把利刃，亦受了挫折，但是，這一切都要歸功與E．R．P的力量，亦不一定是對的。

那些人，無論從理想的或現實的理由，一向是倒向西方的，大部份都相信美國的經濟援助。但是，真正的共產黨人，他們的態度，倒向蘇聯統治亦在所不顧的，可是沒有改變。而且，這是事實，從各種理由來說，他們之變為或正在變為——特別是西德——最可敬重的史太林共產主義的反對派，並不與E．R．P所刺激而起的改革有關，如果忽略了這事實，這就不免對工人階級的智慧，打了折扣。

狄托型的民族共產主義，反蘇維埃型的國際共產主義，它的真正的考驗，是在于有沒有振動了國際情報局共產黨領袖核心的氣勢？有沒有打動了那些黨人官僚的疑竇？有沒有消除了那些對蘇維埃政府的陰謀術數信心為佩的盲從？

法國共產黨的內部情勢，有人和它高級人員有直接的接觸的，是這樣的說法。

很顯然的，近來高級幹部已經喪失了創造力；它的政治議論似已進入麻痺狀態；大胆和詭計，一向是它的特長，如今似乎於黔驢之技已窮；政治術語和口號，亦平淡異常，而且沒有了力氣。法國的經濟改革，實在給法國共產黨的迎頭痛擊，而且瓦解了成千成萬的黨員。

許多的記錄，顯示出：過去的失敗，刺激了黨的高級幹部，以最大的努力，作出很顯著的臨時補救。但這不是今天法國共產黨高級幹部的真相。蘇聯布爾什維克黨要求將國家獨立的最後的殘骸蹂躪踐跡，亦要讓出來的時候，柏爾格萊德和莫斯科之間，立刻引起鬥爭。這鬥爭搖動了法國共產黨的高級幹部們。國際情報局共產黨，在東歐的殘暴壓制，在法國是無所施其技的，因為共產黨在法國沒有力量，還有一種最好的主張，一切的方便，是為了法國的利益，不是為的蘇聯利益。

大家都知道，有些法國共產黨高級幹部們，是惡意的打擊美國，而公開表示擁護蘇聯，但是在私人談話之間，總是表示厭棄與疲倦。這些談話，是和其他法國共產黨人說的，而不是和布爾喬亞政治家與記者說的。

問題輪到，那些人為什麼不反叛？為什麼不肯丟了國際共產黨的銬鍊？奇怪的事情，是：法國共產黨人解決這問題，亦很像南斯拉夫共產黨人一樣。因為他們不需要離開黨，他們沒有地方可以去，他們將陷入政治真空，這個簡直是死路一條。

意大利共產黨的內部情形，更有戲劇性的趣味。意大利共產黨的高級幹部們，在西方的所有的共產黨的高級幹部中，是最能幹，最有想像力，而且是最有力量。從南斯拉夫和蘇聯鬥爭的開頭，意大利共產黨的首腦部，對這鬥爭就沒有熱情，這是可注意的。還有一些事情，要講到托格立梯 Togliatti 和其他意大利共產黨人反南斯拉夫的演說。這些演說，在口頭上，是如鼓如簧，在心頭上，是沒有這樣一回事。這就不能說，意大利共產黨高級幹部們，在這鬥爭中，是會永久獨與反南斯拉夫到底的。

我們應該記得，托格立梯和狄托是親自接觸過的。一九四七年的夏天，他到了南斯拉夫，關于的港問題的解決，建立了南斯拉夫和意大利間永久協定之基礎。就我所知道，我可以論述：狄托和托格立梯，對于彼此的智慧和獨立的判斷，是有最高的崇敬的。我還可以說。不管他的公開演說是怎樣的，托格立梯知道，而且相信，南斯拉夫領袖都是可靠的共產黨人；他們的革命熱情，是遠超越于其他的共產黨；到了擺脫的時候，他們是唯一的可靠的朋友。

我還可以說：南斯拉夫共產黨人，對于托格立梯，有很高的崇敬，認為他是一個人物，一個領袖。預言是危險的，但是現在誰都能說，托格立梯雖然長期訪問過莫斯科，但是無疑的，他是這樣一個人，他已被暴烈的鬥爭情緒所粉碎，他之所以不肯斷然拋棄莫斯科，並不是他不要一個獨立的意大利，而是怕他多多少少人的悲慘運命之擺脫，這些人都曾參加過西方人的「各人打各人主意」的集團的。

意大利共產黨人，一反法國同志的軟弱態度，公然違抗黨高級幹部的禁令，為了研究局勢，曾來訪問南斯拉夫，在意大利有一個地區，為了南斯拉夫問題，一羣共產黨人被開除或脫黨。（二）

・遜生譯・

鐵幕的訊號

保加利亞總理謝凡可夫 CherveNkov，素有硬漢之稱，是史大林最得力的幫兇之一。上星期他在出巡集體農場時，幾遭暗殺。

當謝凡可夫走到一所集體農場時，一位農夫帶他去參觀一個倉庫，乘間，那位農夫抽出手槍，向他發射，不幸沒有命中，却將一位衛士擊斃。那位農夫也因此被謝凡可夫的隨從亂槍擊斃。謝凡可夫很狼狽地逃回保加利亞京城索斐亞。

觀察家說，這是一個訊號，是鐵幕快要天亮的訊號。（陸鳴）

日本到底怎樣？

時局漫談　舜生

對日和約會議在台北開幕以後，以吉田在國會發言不慎，頗引起兩方輿論界的爭執，我們深深感到中日兩國有一段共患難的日子，即將實現於最近的將來，在兩國民間不宜再增加情感上的隔閡，因此深覺此類爭執有立即予以澄清的必要。

一、不錯，在今天的中國大陸上，儼然有一個中共政權的存在，確係事實；此一政權曾有若干國家予以承認，也不必諱言；可是我們必須明白認識：所謂『中共政權』也者，乃三十年來由於蘇聯不斷運用其陰謀所一手造成，亦為日本軍閥直接間接所予以助長，既為中國人民所不齒，且為世界若干有力的國家所敵視，要亦決不容予以抹煞。日本人應該充分明白：由一個侵略國家不論以何種名義，在中國建立一個或若干個傀儡政權，只要為中國大多數人民所堅決反對，其壽命便不能久長，而終必歸於消滅，乃為一最具體，最現實的教訓，別的國家也許還可懷疑這一教訓的真實性，日本人總應該沒有懷疑的餘地吧！

二、今天的聯合國不是過去的國際聯盟可比，她雖已在人類心目中建立了無上的權威，尤以最近兩年聯合國軍在朝鮮遏止蘇聯的侵略為一顯著的事實。聯合國明白只承認一個中華民國，蘇聯及中共自身雖不斷叫囂，想以中共政權為聯合國之一分子，但事實上却已為聯合國大多數的會員國所否認。吉田政府漠視此一事實，一定要效法過去日本軍閥的故技，把中國強分為二，即無異向聯合國直接挑釁，而自屏於此一國際和平機構的大門以外，其見事之不明與謀國之不忠，即令中國可予以容忍，世界民主國家的公論與日本國民自身，也是不能加以容忍的。

三、吉田政府對中華民國採取目前這一種不痛快的態度，世人多以日本感受蘇聯與中共的威脅，或不能忘情於對中國大陸的經濟利益，因而不得不然。其實這還是一種皮相之見：實際日本外交史上有一牢不可破的傳統見解，即日俄提攜，排斥英美，以壟斷對華利益是也。當一九〇五年日俄戰爭一結束，日俄兩國為鞏固其在我東北所平分的利益，即不惜棄仇尋好，相互提攜，既排斥哈利曼收購滿鐵的計劃於前，復破壞諾克斯的『滿鐵中立論』於後，其後英國駐奉天總領事斯匯雷所謀使英美介入東北的種種策劃，亦莫不為日俄提攜所粉碎。此外帝俄末年日俄勾結使華以排斥英美的事實，更史不絕書，尤以俄國革命後所公布的『日俄密約』最為橫暴。所謂日俄提攜，又不僅以帝俄以限，即在最近二次大戰中的一九四一年，日本外相松岡洋右，且不惜與斯大林簽訂一項協約，其目的也無非在打擊英美以便更得放手侵華。我們決不誤會日本只是一個趨重現實的民族，事實剛剛相反，日本民族之富於幻想，有時乃為吾人所難於想像，假定不是如此，日本過去一度的慘敗，也許是不會有的。

四、日本今後的外交方針，究竟是反蘇還是反美，老實說，截至現在為止，我們的回答依然是不可知，這只能以日本自信心的強度，以及國際形勢的轉移為斷。可是日本投降以後，中國當局不顧一般人民的情緒，不向日本索取百倍於馬關條約的賠償，乃毅然決然表示『以德報怨』，日本不惟無動於中，乃至延到今天中華民國還要和日本簽訂一雙邊和約，還要推三阻四，這實在是中國人民的情感上所不能容忍，亦理智上所不能捉摸，假定日本不能幡然改圖，還要以這種不道義，無理性的態度堅持下去，我敢擔保一般中國人民的仇日心理，必然會要再度燃燒起來，終於要把日本燒焦也不一定！

我個人在對日戰前戰後的一貫心理，始終是期待中日提攜以防止亞洲的赤禍蔓延的。一個依人為活的毛政權，在日本人視之，以為如何了不起，可是在我們一個具有悠久歷史而又飽經憂患的民族，却只是淡然漠然，而並不加以重視。反之，我們乃極端相信人類正義之終必伸張，邪惡之終必傾覆，堅決反共者，斷不會缺少他們的朋友，蘇聯及一切傀儡政權之終必為幻滅，是為鐵定的事實。究竟何去何從，日本既以一獨立國家自命，當然有其自決的權利，不過以日本的行動，使我個人的主張不能不趨於動搖，却是一件相當難過的事。

民主必勝的基本道理
歷史證明了獨裁必敗
史太林騎在虎背脊上
東歐是革命力量温床

民主政治有了「個人」的創造天賦做它的力量的泉源，是從自然性方面確立民主必勝的基本道理。遠的歷史且不說，近如希特勒，墨索里尼，史太林爲什麼能夠叱咤風雲，震撼世界，使歐洲的民主自由低落到一世紀前的時代呢？可以說，這是歷史的一個反常的階段。就歷史的長期間看，獨裁者抬頭的十幾個年頭，不過是一個短短的過程，希特勒，墨索里尼還不是和息爾賽斯（Xerxes）一樣，而今安在。反人類天性的任何反民主自由的制度終歸崩潰，專制失敗是歷史必然的歸趨。

捷克波蘭等着天亮
南斯拉夫吾道不孤

今天俄國人民雖然被獨裁的武器所束縛，被獨裁的宣傳所困惑；但這個局面是不會長久的。蘇聯極權政治的強大也許是人類史上所未有；但它的最後失敗命運，可以斷言。因爲從歷史的教訓，像這樣的制度——集軍事政治經濟大權于少數人的獨裁寡頭政治，必定隨時遭遇着劇烈的變化；除非蘇聯的獨裁者允許一個平穩不流血的緩進改革，否則必將如倒塌金字塔，難免歸于崩潰。蘇聯更妄想用共產主義征服世界，但悲慘的長期歷史已說明從未有一個政府能夠統治全歐，遑論全世界。敢于嘗試的，莫不一敗塗地，有下面史例爲證：

一、一五四四年，查理第五幾乎席捲全歐及西班牙美洲，但到一五五六年一敗不可收拾，皇位與皇朝終不能保。

二、路易十四也企圖統治全歐，他把法國領土伸張到萊茵河岸，奪取了斯特拉斯堡，分割了法蘭德斯，又使西班牙及意大利大部份國土歸入他的版圖。然而到了威廉第三時代的一個小小荷蘭，使他一籌莫展，終遭大敗，陷法國于不能自拔的境地。

三、拿破崙和希特勒好大喜功，雖具有前人未有的天才，但也終歸失敗。以拿破崙來說，他征服了一部份歐洲，就相信他能征服全歐，不顧他部下的勸告，一意孤行，把他的五十萬大軍向沙皇領土作孤注一擲，結果全軍覆沒。希特勒也由于一時成功的激勵而輕舉妄動，走得太遠，冒險太多，納粹皇朝，終歸化爲烏有。

除了這些史例外，還有許多事實可據以推斷蘇聯之必敗。

史太林告訴過艾登（根據韋爾氏Sumner Welles的話）說，他不會蹈希特勒的覆轍，不會走得太遠。問題是，騎上虎背，欲罷不能。蘇聯的獨裁者已在徬徨歧路中：如果維持他的侵略政策，勢將冒大戰的危險；如果與西方言和，對于內部龐大的軍隊，百萬以上的秘密警察，集中營，以及其他用以維持極權的恐怖工具，又將無法交代。

而且，從來沒有一個強國，統制了一羣衛星國，像蘇聯控制它的聯邦那樣而能夠成功的。蘇聯的獨裁者縱想消滅衛星國的民族意識，但東歐各國的情形，不管如何矯飾，顯然是革命力量的溫床，革命終會有一天爆發。有下面事實爲證：

一、極權或想桎梏一個長期分裂似無希望的國家，也終是靠不住的。十八世紀的波蘭，活生生的被俄奧普瓜分了，但波蘭精神並未消滅。其百折不撓的民族精神，第一次世界大戰一開始時，使俄國及列強不得不答允恢復它的統一與自由。大戰告終，波蘭在巴德路斯基及維爾蘇斯基之下復生了。同樣的歷史曾在歐洲一再重演——當每一個反動的浪潮席捲大陸時，強凌弱，衆暴寡，動輒以兵戎壓境。偶不如意，封臣變爲囚犯，封鎖唯恐不密；然後經過長期鬥爭，他們又重獲了自由。

二、在歐洲史上最光榮的時代，是所謂荷蘭「乞丐」（Beggers）反叛西班牙，哥斯蘇芙（Kossuth）替匈牙利向文化世界控訴，加里波的（Garibaldi）率領他的意大利軍隊，捷克人從波斯堡手中恢復他們的國家憲章。東歐一定要看到這些歷史重演的。

三、匈牙利被逼忍受了一個五年計劃，要將重工業生產增至一九四九年之百分二八〇，將輕工業增加百分之一五〇——這是克姆林宮要將軍事負擔的責任，放在衛星國身上的一種努力。匈牙利的共產黨看到國家經濟的脫節，自然資源被攫取，蘇聯所派的監督，工程師，及政治「專家」，到處充斥，已感到不滿了。

匈牙利的工業，實際已經全部國家化，在一九五一年末，並已計劃將所有零沽店歸爲國有，這樣可以多出百分之一之工人來，以從事重工業。這些工人既不許組織工會，而給以快速競賽，按件計值的工資，又不能自動改變工作。工人中的反抗運動，已經激起來——他們被指爲要求固定工資及工作時間，私藏糧食，用怠工反對斯丹漢諾夫工作競賽。

匈牙利的農夫，是強迫集體農場的犧牲者。克姆林宮的獨裁政策，已發生糧食缺乏的後果。在這個向稱農產豐富的國家，糧食在豐收之後，也要定量分配。據說農夫們已在設法阻礙計劃的進行，也許可能暫時壓抑下去，但不滿的餘燼，是易于復燃的。

四、波蘭工人都被威脅加入獨裁者所一手包辦的職工會，所有擁護自由及舊制度的，都毫不留情地被消滅，或被殺害，或病死「蘇聯」獄中。工人被逼做各式各樣的工作，法定每週四十六小時工作時間，每日八小時，實際上經常用各種方法延長，盡量搾取。

波蘭工人中，有它的第一個斯丹漢諾夫，一位比常人能多採掘六倍煤礦的工人，名叫比斯特勞斯基，他博得共黨領袖的稱譽後，油盡燈枯，力竭而亡。波蘭工人因此流行一句俗語：「若要博得大人們的明斷，你就像比斯特勞斯基一樣的工作吧！」

五、因爲衛星國常常通將它的最佳的出產運送給蘇聯，所以波蘭另有一句諷刺的諺語：「波蘭將煤運去蘇聯，好讓蘇聯能輸入波蘭的糖」。東德人民的生活水準，已降做到蘇聯的水準一樣，有一位記者把它叫做「計劃窮」。蘇聯左一個計劃，右一個計劃，搞到全國精光爲止，更壞的是，人人經常有被捕送進集中營的恐怖。

上述情況，可以長此下去，不致引起反叛嗎？不，狄托和蘇聯獨裁者的破裂，就是因爲蘇俄扶植南斯拉夫經濟，完全爲着蘇聯制度的利益。狄托本人原有極強的共產意識，但他竟敢對史太林，不讓南斯拉夫像波蘭，匈牙利一樣被利用。預料狄托將見吾道不孤。在捷克人民中，他們記得麥沙立（Masaryk），波蘭人也會想起哥斯岳斯哥（Kosciusko）及伯第盧斯基（Paderewski），終有天亮的一天。被導走入歧途的蘇聯人民，必然會覺悟自己過着奴役的生活，是沒有代價的。

人民的力量是偉大的
推翻獨裁不全憑外力

根據這些歷史與事實，無論蘇俄鐵腕如何，總不能挽救最後失敗的命運。何況還有別的理由在：

一、沒有一個獨裁者，能屏絕外來的思想意識。西方的優越情形，人民有行動，有思想，有選擇工作的自由和幸福。蘇聯人民知道，將會粉碎蘇聯的獨裁。因此，獨裁國家往往放下鐵幕，但歷史證明鐵幕常有漏洞，是關不住的。

二、幾世紀以來，獨裁者常利用放逐，處死，入獄，監視，檢查，學校管制，虛僞宣傳等方法，但這些方法有時而窮，在長期間看來是不能收効的。

三、蘇聯無疑的已經在灌輸他們的思想，使千百萬少年變成他們的模型，方法十分澈底；然而現代科學已經由無線電波傳播着思想意識的力量，方法也已臻于完善。

克姆林宮的反西方宣傳，顯然歸于失敗，他們輸入一些不利于美國的影片，要描述美國社會生活的殘酷，但蘇聯農民看到了，反而羨慕美國最窮的農夫，也有鞋穿，有車坐；不滿現狀的家庭，可以搬到他們喜歡的地方。

正如蘇聯獨裁者不能阻止西方知道蘇聯內幕一樣，不能阻止蘇聯人民知道西方人民的思想活動。蘇聯的科學，必須從鐵幕開一個窗洞來窺看世界的科學，否則就是故步自封。每一位蘇聯的物理學家，當他讀到電力研究試驗所的報告時，必定暗中妒忌自由世界內的美國科學工作，譏誚所謂「反動資本主義」那樣的在提倡科學研究。

四、歷史告訴我們，任何獨裁專制，凡欲使它的社會政治制度凍結的，總爲革命所乘。任何朝代，除非它有自我檢討，自我改造的力量，是終不免要完結的。顯然的，史太林就缺乏這種力量。

獨裁專制制度看似有很高的効能，但它祇是一時的。不錯，它迅速，直接，有訓練，有組織力量，但事實證明了它終是沒有効果的。例如，爲什麼獨裁者常常求助于仲裁制度呢？那是因爲它不能說服公衆意見，不得不採用強制的力量。但這種辦法還是沒用，因此監獄，西伯利亞集中營，或其他殘暴辦法，還是被採用着。

再拿稅制來說，蘇聯在歷史上已有了巨額的平時公債，但都不給利息，祇用搖彩方法償還，中彩的可得巨款，不中的分毫不得。世界上，以至于在蘇聯，沒有一位負責的經濟學人認爲這辦法是公允，有遠見或穩妥的。它有不鼓勵節儉，利益分配無定等的流弊。獨裁制度連一個合理的公債制度也沒有，其缺乏效能，由此可見。

獨裁制度之缺乏効能，必將與時俱增，理由很簡單，就是因爲它沒有自我改造的力量。在蘇聯內，不重要的批評，目標的轉移，其作用是一種表演。但是任何人敢對上層決策及高級官吏發生問題，甚至對于與沙皇朝了，那就絕不容許——滅亡有關的根本變革，也不許討論。從歷史與事實看，專制獨裁者有必敗的理由，但專制者的下台，並非祇有出于用武力打倒之一途；一個經過不流血的演進程序，也許加上一個革命性的偶發事件，也未嘗沒有可能。

如果專制獨裁者繼續目前的侵略政策，勢將引起第三次大戰，促起蘇聯內部的革命。蘇聯任何一個衛星國背叛，勢將擴大到全體衛星國，逼使克姆林宮修改它的政策。波蘭人，中國人，尤其是捷克人不是永遠拖着蘇聯的戰車走的。

如果蘇聯馬上放棄它的侵略的外交政策，而對內維持其壓迫的專制制度，革命馬上就會自內部發生——也許會從宮庭革命起，史太林或其繼承者將趨于滅亡；也可能蘇聯人民起來行憲，把白紙黑字的條文付諸實現。新的俄國無疑的與西方民主國迥然不同，然而它必然是進步的。不管結果如何，合作的危機終必到來。俄國或不向革命低頭，或向不可禁壓的革命力量屈服，兩者必居其一。（龐彬譯自紐約論壇報）

條約與和約之爭

日本談判訂約的代表河田烈，已來到台灣了。他在過去曾是台灣拓殖會社的社長，可以說是舊地重遊。

× × ×

談判的第一聲，據說將是條約與和約之爭。條約表示兩國的修好訂約。和約表示兩國結束戰爭，恢復和平。

今日的中日關係是在何等狀態呢？

× × ×

日本是戰敗國，但是今日的日本，由美國的支援，已是遠東一個重要國家了。

中國是戰勝國，但是亂黨佔據，代表中華民國的政權，不得不撤去大陸，托足於台灣。

戰爭的結果，那知敗者反得翻身，而勝者却大不如昔。

共同防共

日本的代表，過去曾傳是川樾茂，中國的代表，曾傳是張羣。

張與川樾，正是抗戰以前談判中日和平的人物。

現在雖不是原班人馬，但應當也感往事如夢罷。

× × ×

抗戰以前，日本曾提出所謂「廣田三原則」，其中之一，便是「共同防共」。

但是結果却逼着中國走上容共以抗日之路。

戰爭發生，兩敗俱傷。抗戰到底，最後勝利，不屬於我，却屬於「俄」。

× × ×

李後主詞「往事不堪回首月明中」。

我不知此時日本當局果已有何等的覺悟？

此時提出共同防共的必要，雙方應該是最適當的時候！

焦頭爛額的結果，亡羊補牢，不是沒有意義的。

日本能有覺悟？

過去的中國與日本，是共着同一的命運。

今日的中國與日本，這形勢是尤爲明顯。

基於當前的形勢，中日兩國的談判，應當能迅速有所成就的。

據說河田烈來台，以一月爲訂約之期，想來當沒有什麼問題罷。

× × ×

不過日本此時還想與大陸的中共，有所往來。

今日感到反共的需要的，是過去被迫容共抗日的中華民國政府。

日本能夠有所覺悟嗎？

× × ×

紹着朝鮮的戰爭，炮火連天，盧舍爲墟。

且打且談，莫明其妙。

不知爲什麼而打，也不知談的是什麼？

蘇聯是中立國！

據說蘇聯便是「中立國」，爲着停戰的監督，共方提出了蘇聯。

× × ×

處身於幕後的蘇聯，現在要立到當中來了。

戰爭的發號施令是蘇聯。和談的發動也是蘇聯。

蘇聯是朝鮮和戰的導演。

現在他要來做停戰監督了。

美國跳舞

這一齣戲，韓共、中共、以及聯軍都做了演員。

朝鮮半島成了全武行的舞台。

美國在這裏，忽戰忽和，且打且談，不知不覺受着蘇聯的魔術而行動。

蘇聯在奏樂，美國在跳舞。

什麼時候美國纔能轉取主動呢？

老實人

杜魯門是名副其實的「老實人」Tru(e)man

爲怕韓戰超越了限度，他犧牲了麥帥。

但是麥帥雖去，麥帥的主張却在國內日趨普遍。

今年是選舉年，老實人是否準備爲韓戰而犧牲其政權呢？

× × ×

老實人在苦惱，美國在需要轉變。

有限度的戰爭，不能長久！

無限期的談判，也不能長久。

時窮則變，惟變乃通。

我們等着瞧罷。

樓明

雅爾達協定七週年

雅爾達協定，是近代國際政治史上一個最大的污點，它所造成的誤錯，不止犧牲了同盟國（特別是中國），而且替美國自身挖掘一個陷阱。朝鮮的戰事，也是這個可恥協定的註脚之一。

到本月份爲止，距雅爾達協定簽字的時間，剛好是七週年。假如我們把這七年的來往賬，作一個總結，立刻會發見民主集團遭遇到一個莫大的損失。他們拿千萬人的鮮血換來的勝利，却輸在史大林手裏。號稱民主集團第一流政治家的羅斯福和邱吉爾，却辨不出綿羊與豺狼，未免太可笑了。他們把整個波蘭交給史大林，來換取戰後中歐諸國的獨立與民主，等到俄國兵打進德國，中歐諸國連波蘭一起進了史大林的腰包。

遠東方面，羅斯福爲了贏得對日勝利，把東北利益讓給蘇聯。事實證明，蘇俄參戰沒有必要，徒替蘇俄赤化中國開一個序幕。十八個月韓戰，美國人民已經覺悟了，美國人自食其果。共和黨人把這個協定呼爲「刼運」，把責任歸諸羅斯福和民主黨政府。上星期民主黨人也以抱疚的心情，準備取消這個協定。參議院外交委員會在批准對日和約的建議中，否認雅爾達協定所規定的蘇俄有永久佔領日屬千島羣島和南庫頁島之權。這是美國七年來，民主黨人首次否定雅爾達協定的條款，也是民主黨人對該約所表示的基本態度。因爲參院外交委員會，民主黨人是具有操縱作用的。

另外還有五十六位參議員，聯名要求修改憲法，限制總統在對外關係的權利，在未獲得國會同意前，總統不能向外國派遣軍隊。

參議院這些行動，都是直接間接受雅爾達協定的刺激所致。他們已經認識清楚，俄國人是不值得訂條約的，同俄國人辦交涉，只能硬碰硬，只能用強盜的辦法對付強盜。（樂光）

自由中國澈底工業化
我工程人員創造奇蹟
去年生產率普遍提高
日將對台作技術協助

【本報台北卅約通訊】美駐台共同安全分署（即經援合作分署），最近由施幹克分署長由台北至台南各地視察澈底實行「台灣工業化」的計劃。據此間遠東共同安全分署一位專管遠東地區發展設計的某負責人稱：施氏視察結果，認爲台灣在一九五二年起，一定要把過去的農業基礎改變爲工業基礎。台灣有着良好電化及水利的優厚條件，在設計改革方面，如果花上一年時間，是可以達到相當成就的。

這位設計官員，他在去年亦曾去台灣各地看了一個時期，他認爲台灣的工業建設，在過去日治時代的五十年時，始終脫不了殖民經濟政策。一切的發展仍以日本之工業爲母體。他指出戰爭勝利後，中國政府接收台灣，因爲中國大陸也有一套工業的基礎，所以也未會加以改革。但大陸落入共黨之手，台灣的工業經濟便不得不設法使它本身獨立起來，尤其在中國政府不斷要求反攻大陸的條件下，台灣的工業經濟，更應當加緊，它不但要努力自給自足，而且要做到在某些方面，能供給未來光復大陸後一切之需求。他承認這個責任相當大，工作非常艱鉅，但爲着生存，不得不迎頭苦幹。

他盛讚中國工程人員之克苦，在第二次大戰時，台省許多工業基礎都爲盟機炸毀，竟至毫無收拾之餘地，美日人都感束手，而中國的工程人員用一半人工一半元始的辦法，終於恢復了許多工業，他相信這或許是克難精神號召所致的。他說：「有許多事情，西方人認爲實在沒有辦法了，但到了中國人手裏，可搞得很好，這不能不說是奇蹟。」

他說台灣現有之工業基礎，大體說來計有鋁廠，燒鹼廠，水泥廠，肥料廠，煉油廠，鋼廠，農藥化工廠。上述各廠大部份都分散在高雄四郊。經過工作人員和資源委員會督導之努力，都配有良好的成就。單以鋁廠，一九五一年比五〇年增加了百份之七十左右。共計二千零四十一噸。一九五〇年僅一千七百六十一噸。燒鹼出品，品質不但提高，即以產量而言，一九五一年比五〇年，增加了百份之一百零八。一九五一年產量，共計六千五百二十噸，一九五〇年僅其半數而已。水泥上年爲二十三萬噸（總數），台肥三廠之蔴肥爲三萬二千噸。至於煉油方面，技術業已提高，除已增加產量百份之二十五外，並已試驗製造了製煉汽油及機器上用的特種滑油。這是最近該廠兩大成就。現在只需要資本與副品原料，立刻可以大量製造。如果這一次企業能大規模製造，未來出品相當可觀。鋼鐵廠已有紮白鐵皮及馬口鐵皮生產，但爲數不多。農藥化工廠DDT上年已着手自製，不久亦可有成就。此外他還透露新竹縣附近有大量煤礦的儲藏。根據統計與調查，新竹煤礦的品質與產量不下於中國東北之撫順。這個煤礦據他傳聞，在不久的將來，將由中，美日三方，共同經營開採。美國共同安全機構可能投資，但他否認外傳投資五十萬美元之說。日本方面可能以技術協助，日本之協助是否列入日本對華賠償之內，現在尙無從知悉。但煤是工業的大原動力，有了它可以解決一切問題。他如金門鋁礦亦未開發，品質亦不壞。所以他認爲台灣未來的遠景，只要大家把力氣放下去，是相當美觀的。

關於今年度台灣工業上努力的目標，比諸上年又提高了不少。據該署收集資料上指出數字爲：燒鹼預定爲七千八百噸至八千噸。煉鋁爲四千噸。農藥機械公司預定修造機車爲五六〇輛。水泥總量計六十萬噸。但上述努力之目標是在土生土長的情況下可以辦到的。如果今年美援能夠增加，中日和約簽訂後，日本能作大量技術協助，則前途更未可限量。

但這位設計專家也說出了台灣工業當前之許多困難。所謂當前的困難，仍指土生土長情況中的困難。他認爲所有台灣的工業幾乎全部由資源委員會接手包辦，在資金方面只有一套本錢，使出品不易推廣，因成本高利潤少，業務不易開展。例如鋼廠，農業機械公司與鳳梨公司都遭到這種痛苦。第二個困難問題便是原料缺乏。當前最不易解決的外來原料便是原油，鋁礦石，磷礦石，硫磺……等。現在大部份皆由美共同安全總署源源供給。但台灣當地如果要想法開發，也不是不可能的。至於共同安全總署今年對台灣工業的開發，在上半年還是重點採取政策，全面發展恐須待明年。而重點方面將着手於日月潭發電所，高雄鋁廠，高雄機械廠，高雄硫酸錏廠，屏東糖廠，七股鹽場，水泥廠，高雄機械廠等。此外派員探勘台灣地下之金屬礦產，亦在計劃之中。上述各廠工作之加重推展，是已由施幹克決定的。施氏在上月已經視察過一批的企業，認爲是當前推動最重要之措施。（錦泉）

梁漱溟義正詞嚴
何思源小醜跳梁

【北平通訊】「梁漱溟思想」於中共開始「團劃」後，「諸色人等」紛紛上陣，記者曾向本刊報道。當梁先生在一月十日光明日報，發表「敬答賜教的諸位先生」一文，同日何思源發表「梁漱溟先生所辦的鄉村建設研究院」一文以小醜姿態對梁先生竭盡謾罵和揶揄。梁先生過去雖聲明歡迎「面談」，不再作書面答復，但對何的指鹿爲馬，栽贓誣陷的手法，實再難容忍。於是在一月十八日的「光明日報」上，又公開發表一文，對何列舉事實，痛加駁斥。

何思源說：「梁的鄉建研究院是根據富、教、養、衞爲原則，想改變中國貧、愚、病、弱的。」梁則毫不客氣地以「全不對」三字斥何。他說：「晏陽初在定縣工作時，曾標出中國人「貧、愚、弱、私」四字而求其對治，因有其生計、文藝、衞生、公民四大教育之設施。但亦沒有富、教、養、衞的話。「富、教、養、衞」恐實係「管、教、養、衞」之誤；「管、教、養、衞」是蔣的部下楊永泰始倡，我記得是在江西提出來的，何先生卻輕輕地把這筆賬記在我的頭上，我是不會承認的，請查一查在我「山東鄉村建設研究院創辦旨趣書」中，同我「鄉村建設理論」一書中，是否有這四十萬言？相反的，在我鄉村建設論第十七頁還批評了「貧、弱、愚、私」說法的不通，原本俱在，不難覆按。」

[illegible]，一篇都是閉着眼睛[illegible]何文所說：[illegible]提到何文所說：

「國民黨的「新縣制」推行全國，就是根據梁先生的理論，仿照梁先生的辦法，發文化幹事，經濟幹事、自衞幹事等以擴大鄉鎮組織」一點，梁先生更發氣了，他說：「何先生：你把蔣部下的名詞、術語統統錯記到我的賬上了，我所設計的鄉村組織中，根本沒有什麼文化，經濟，自衞幹事之類，他從那裏「仿照」得來的呢？」

[illegible]

（二月十六日）

港記者團將訪台

香港不久有一個訪台記者團，在本月內赴台，參觀中日和約之簽訂。（按：香港各報對中日和約之採訪，皆無專派記者，都是台灣記者兼發電報）。赴台香港各報之單位計有華僑日報，工商日報，香港時報，自然日報，英文虎報及中央社。原先決定各報派記者，現在計劃改變，各報將以總編輯或副總編輯等人出場。來回飛機票由陳納德空運航空公司免費供給（一說該公司現在只肯出半票）。抵台食宿及交通由台灣省政府新聞處負責。香港記者團赴台觀光，醞釀了已經有一年，希望這次不要再流產。

香港三日

英國人不想打仗

退休之英空軍元帥查理．麥魯斯爵士夫婦，於十九日由蒙巴薩搭芝沙丹厄號抵港，轉赴日本作遠東旅行。麥氏稱現在這個局勢再也打不起世界大戰來。想打仗的人便是戰爭販子。至少今天英國人不想打仗。英國國內的經濟自第二次大戰後，尙未復元。二次大戰時氏任地中海中東區空軍總司令，受元帥銜。一九五〇年復奉命退役。老夫婦二人現卜居於坎雅。

香港有驚無險

香港最近這兩天來，試放過兩天的防空警報，把港九十七部的警報機全部試驗過。加以英籍人士之人力登記亦在加緊辦理中，看來似有「山雨欲來風滿樓」之概。但據一位老英僑的看法，他認爲「這是我們應有的準備。我們是『從最好的着想，最壞的準備』」（Think of The Best, Prepare for the Worst）。他還說「這次我們英僑都不預備動，因爲我們對未來之安全已有最大的信心」。傳說電車公司之股票英人行將出賣，證明上說完全子虛。有人說「香港是有驚無險的」，信不信由你。

翁照垣下南洋

一二八抗日名將翁照垣少將，年來息影本港大埔，經營農事。去年其母在家鄉，不堪中共徵借，因而困斃。翁傷感之餘，乃於日前結束在港之經營，悄然走北婆羅洲。翁在港年餘，絕口不談政治，對昔日之軍人生活，更一字不提，有人問他「爲什麼沒有從前抗日那股勁兒」，他淡淡底說道：「從前的一切都死了。還談他做什麼」，翁住港年餘，雖陳銘樞等人函催北上，但終未爲所動。

日本的中間路綫

日本元老院民主社會黨代表曾根於十九日偕同日本社會主義黨松澤教授及山下英二經港飛英。出席二月廿二日在倫敦舉行之國際社會主義工作者會議。曾根指出該會之目的，是爲世界落後國家之社會發展，作具體之計劃。他承認日本社會主義工作者，在理論和政策方面，很接近中國張君勱這一派。他們主張用溫和緩進的方法，改造社會，促使民生日上軌道。他還說大部份日本人都同情這一種中間派的主張。日本人不想右，也不想左，最希望搞好日本的中間路綫。

日俘遣送之謎

日本全國青年協會總幹事齋藤於二十一日由日內瓦出席世界日本戰俘遣送委員會畢，經港返日。他說被蘇軍所俘去之三十四萬關東軍，迄今仍無下落，除七萬七千人已知派在西伯利亞及中國東北外，一無消息。即使從西伯利亞及東北寄出來的函件，皆已經過檢查。對於日僑之遣送，他希望日後能獲得蘇聯政府及中共之諒解，得能順利遣返。在日內瓦會議時，曾發生一個很微妙的問題，大家指出有好多日本人，被俘以後，因受壓力，即入勝利國之籍，是否亦列入遣送之列。（按：此指有許多日俘，現在中國，已更易中國姓名）。經大會參照國際公法，一般認爲仍應視爲日人，應按照法律規定，准其遣送返日。齋藤一行三人已於二十二日返東京。（一成）

四川袍哥怒吼了

三正作風：

一，主張正義——不鬥爭，不清算，農工商學兵一家人。

二，發揚正氣——愛爸爸，愛媽媽，兄弟姊妹一家人。

三，保護正人——當好漢，當英雄，反共抗俄一家人。

袍哥是目前四川反共游擊隊的骨幹，袍哥的「遺詐」，「教條」的精神，變成游擊隊的精神，他們的靈魂，才是一支「人民武裝部隊」。

[illegible]

人民自決新革命
三不打主義：

一、不打自己人——袍哥不打袍哥。

二、不打同路人——反共人士不打反共人士。

三、不打兩面人——暗中聯絡者不打，祇打一面倒的。

[illegible]

（四川四十一年二月十一日）

唔作衰仔嚕！

·尚方·

世界運動大會拒絕中共選手參加，說中國的代表已經由國民政府所派的選手出席了。莫斯科方面聞訊，氣得發昏第十一！馬上由政府機關報——眞理報（Pravda）發表文章，激烈抗議指責，並說：如果不讓中共選手參加，則蘇俄和東歐諸「兄弟之邦」皆可能退出今年這次的「奧令匹克」！

據說：蘇俄對中國問題素來都是嚴守「中立」的！所以，誰要說俄國曾幫助和唆使中共作亂殃民，擾害世界和平，俄共們即咆哮如雷，指爲「無恥的謠言」！因此，韓國的停戰問題，蘇俄也要出來作「中立國」，執行監察任務。

世界運動大會不讓中共選手參加，這不算是甚麼大不了的「丟架」之事，國際間集體行動不許中共參加的事情多得很呢！其丟臉醜的程度，比這運動會嚴重多了，「蘇聯老大哥」氣死了還是一句廣東話：醜人？

俄共說要聯合東歐衆位「兄弟之邦」退出運動大會，這更不是新鮮的玩意，記得嗎？前年莫洛托夫、馬立克一干俄共們，爲着反對中華民國的代表出席聯合國而不許中共代表參加，曾經夥同東歐的衆位弟兄，宣告退出，並且誓言：除非中共進入聯合國，決不回來！這氣魄眞算高張矣，這友誼可謂盡至矣，猶要挾亦可謂勇猛矣！

然而，大家滿不在乎，反覺得聯大因此而消除了一種無聊的胡鬧氣氛，六根清淨，能安心爲人類謀爭和平生活了。不料，過了一會，沒人恭請發嗲，而俄共又牽其弟兄夥，老着面皮，悄然回到聯大了！這次又說要「杯葛」世運會，我希望言顧行，行顧言，不要重演覆轍。否則屆時我將失禮一下，說句外江佬的廣東話：丟那媽，你唔作衰仔嚕！

自由談

世界最小的國家 列支敦士登

香港集郵會最近在思豪酒店舉行了一次國際郵展會，使人們發現了世界上一個最小的國家。那個國家的名字是叫列支敦士登（Lichtenstein），若我們讀地理，從來沒有唸到過這個地方。在歐洲地圖上也找不到這個最小的國家。除非持有奧國或瑞士的精詳圖，才可以看出這個小國的所在地。它是位於奧國西部及瑞士東北部一個小山城。全國佔地六十二平方英里。人口總計一萬二千人。在現在這個亂世紛紛鬧三次世界大戰威脅人們的當兒，列支敦士登已被世人稱爲「安寧谷」（Valley of Peace）。

六十二平方英里的列支敦士登，也有一個中央政府所在地的首都。其實那個首都尊於一個商貨之集場。首都的名字叫發國玆（Vaduz）。這一個國家又稱爲郵票國，她每年最大的收入便是印製各種各樣的郵票集散於各地的郵票商。在發國玆的黃昏，當你行走在中央大街時，你便可以看見許多酒吧和咖啡店內都是做着這種郵票和各國紙幣買賣的交易，這些郵票商人來自世界各地，尤其是從倫敦，巴黎，日內瓦來的，更是每天有人進入這個「安寧谷」。

除了出售郵票外，每一張郵票蓋上日戳，亦須付以一定的稅價。此外旅館，飯店都非得每年大家的收入。發國玆的旅館每人房一天須美金二十元至三十元，最最便宜的是美金三元。這裏的導游女郎每一天收入好的時候，可以有美金五十元至一百元不等的收入。

列支敦士登除有人口一萬二千人外，主要的牲畜便是牛；牛比人還多。每一個山頭上便是牧牛場，還有遊牧民族。這裏的風景不比日內瓦差，有森林泉，有奇石，更有最美麗的混血女郎。同時她最能引誘世人的，便是因爲她是國際間從一八六七年起一直到現在被人尊重的一個中立國家。第二次世界大戰有許多人逃到這裏來避難。那眞是今日人間地獄中的世外桃源。在第二次世界大戰時，莫說聽不到一聲槍聲，連戰鬥機的影子都沒看見。這裏的言語，以德法爲主，公文佈告，德法文併用。全國沒有報紙，只有發國玆市政廳油印的壁報。經常着重於郵票市價及大郵商來往的消息。第二次世界大戰停止，德國投降，在這個壁報上只是短短兩行說：「世界大戰完了，納粹已離人間」！這條新聞是排在角落裏廣告欄的上面，讀者對此似乎也不甚有多大興趣。

進入這個中立國家是再容易也沒有的了。它不需護照，更不用簽證，但只要你有錢。你能生活多久，便可住多久。可是這裏外國人謀生相當困難，因爲全國只有二十二家工廠；總計這些工人七百人。這些工廠一半是印刷郵票和製郵票本的，另外一半是牛奶食品廠。這裏的工人，每日工作六小時，每週五天。星期六與星期日休息，因爲他們都要去發國玆趕集。

在列支敦士登的公路上有英國，法國，和意大利的流綫型小轎車。一萬二千人人口中，百份之六十全是外國的富翁。統治這個國家的是一位年輕的王子，名叫佛朗士，約瑟甫（Franz Josef），他自己的財富只有五百英畝的山地。在山頭上這裏的建築全是南地中海情調的別墅。約瑟甫從民主，國內施政一半是由議會，一半由居民推派代表，票選決定。全國常備陸軍共計六十人，約瑟甫自兼總司令。

在今天的歐洲人口稠密有錢人都担心原子彈，他們都有撤退到「列支敦士登」去的口號。（汪洋）

豐盛的晚餐　·夫石·

論魯達（一）

——水滸人物論之七——

·舜生·

『水滸傳』上的魯達，即花和尚魯智深，是一個自成一格的快男子。這種人在中國的士大夫階級裏固然找不着，就我生平所接觸過的若干『老粗』，也從來不曾發見在氣象上有幾分類似魯達這樣的人物。『乍見一人，白灼灼似賊』，譚嗣同早已慨乎言之：現在的人，專講圓滑，諱險深謀，似忠信而實不忠信，似廉潔而實不廉潔，以公正的姿態去討小便宜，以穩重的姿態自掩其畏縮，因此，便任何一件像樣子的事也做不出來。今天再加上共產黨的一番教育，一番改造，我們將看見整個中國社會爲一種陰險狡詐的鬼氣所充塞，恨想中國民族的未來，眞有點令人不寒而慄啊！

魯達不讀書，不識字，渾然天眞，其一種見義勇爲獨往獨來的氣概，大概只能於古燕趙之士中求之，以武松李逵比之且不無遜色，林冲石秀之類更無論矣。

魯達的故事以拳打鎮關西一幕開始，其經過是這樣的：

原來魯達是渭州小種經略相公帳下一名提轄，一天，和九紋龍史進偶然在一家茶坊遇着，彼此十分投契，便邀史進同去喝酒，路遇史進的師父打虎將李忠，便也把李忠一同邀去。三人在潘家酒店正喝得痛快，忽然聽見一個女子在隔壁閣子裏哽哽咽咽啼哭，魯達不耐，問明酒保，知道是兩個賣唱的父女，魯達把這父女叫去，女兒在前，是個十八九歲的婦人，雖無十分容貌，卻也有幾分動人的顏色；父親跟在後面，乃是一個六十左右的老兒。魯達問他們是那裏人氏，爲何在此啼哭？女子訴說是東京人，隨同父母來渭州探親，不想親戚搬了，母親又一病身亡，手邊缺少盤纏，因而流落在此間賣唱。當地一位鎮關西鄭大官人看見，便強媒硬保，叫他們寫了一紙三千貫買身的契文，買去作妾，但實際並未給予身價半文。不到三月，因爲不見容於大娘子，便被趕出，反着落他們現住客店的店主人，要追索契約上三千貫典身錢，他們萬般無奈，只好重操舊業，希望以收入的一半還鄭大官人，以一半暫維生活，不想連日酒客稀少，收入無多，違了還錢期限，難免不受凌辱，因而在此啼哭。

魯達聽了，便問：『你們姓什麼？住在那個客店裏歇？那個鎮關西鄭大官人住在那裏？』於是老漢說明姓金，行二，女兒名叫翠蓮，鄭大官人便是狀元橋下賣肉的鄭屠，他們現住東門裏魯家客店。魯達越聽怒不可遏，才知欺負他們父女的，乃是那個腌臢潑才的鄭屠，於是便和史進湊足十五兩銀子，叫他們準備明早動身回往東京，不管店主人也罷，鄭大官也罷，一切由他負責，明早並到客店相送。於是父女兩個千恩萬謝的走了。

萬竹樓隨筆（七四）

越南的掙扎（下）

海隅孤客

海隅憶語

……革命黨人刺殺大的偵探，是多麼痛快的事。他們半天工夫，結果了胡某，正在高興。只隔數日，我到柳波橋寓所找他們聊天，發覺他們有點戒嚴姿態，不禁納罕。黃猶出我有疑懼，悄悄告訴我，這兩天又發見不久以前還在河內警察署當探長的劉某，在街頭，不知是幾時來粵，必然與胡同在法領署幹着同一勾當，我們多少要戒備些。是日將暮，這人竟伺戶外，黃一手把他捉住他的咽喉，曳到屋子裏，死撲掉他，捏到氣絕，未曾哼過一聲。蕩漾遊艇，他們玩慣了的，入夜，遊人漸稀，他們租用一艇，屍首置艇中，划到大江，縛上一塊大石頭，沈諸江裏，又是一乾二淨。旬日之間，兩名探員失蹤，法領署一無辦法，只非正式的要求粵都督府取締越南獨立黨人在穗活動。其時各國都未承認中華民國，沒有外交關係，府中置諸不理，法領亦無如何。

這些戲劇化的英勇事蹟，將來越南革命史料也不會蒐錄。還有戲劇性的幾件事，如今談起恍如說夢。

潘黃寫了一本大致模仿中國革命同盟會的也叫「革命方略」，將以輸入越中散佈。越南民間一樣流行關帝明聖經和高王觀世音經，法人也見慣了從不疑疑。他們就仗我代爲印刷，每次幾萬本，方略就附訂在底頁，一批一批寄運，歷久不曾被破獲過。

他們要舉事需用金錢，頗無所得錢，便想到「軍用票」，準備軍行所至就發出行使。再四斟酌，把圖案製好。那時鋼版技術很幼稚，結果照石印了數百萬元，這倒不知他們用甚麼方法輸運去。

辛亥前致力革命工作，辛亥後致力社會運動的劉師復先生，在校研習世界語，與小阮與劉最親切，多所就教。忽一日，兩阮在所居後樓房間吱咕着，一般濃煙自窗口滾出，校役大呼火警，奔走叫喊，全校騷然。一會，他倆料理好了，把大家鎮靜下來，然後告訴我，他們由師復指示，製幾顆炸彈，俟機帶入越境應用；剛才配合藥料，發生氣體，奪窗而出，作用完了，便自消散。我進房參觀，製法與師復昔年圖炸粵水師提督李準所用的一樣：一根玻璃雷管，滿裝硫酸液，擱一小塊錫片，燒熔管口密封，把那雷管插入鐵殼，塞滿硫酸棉花作成的炸藥中，鐵殼緊縛紮口密便成。此種簡易而威力並不甚大的炸彈，擲放時錫片擊破雷管，硫酸遇炸藥而爆炸，鐵殼飛揚，觸膚受創。小阮說：他們所造的，炸藥堆中藏三角鐵粒百數十枚，每枚先醮劇毒，炸開來鐵粒碎裂皮膚，毒物入血，不炸死也毒死。他們已經製好了四顆，把雷管抽出，藏在箱子裏，欣然上課讀書去了。春末，我因事出國往檳榔嶼去，抵嶼數日，閱英文海峽時報，載西貢電訊，越南總督出行，越南獨立黨青年行刺，侍衛長及衛士二人炸斃，越督輕傷，刺客爲衛士亂槍擊斃。我心裏突突跳動。旬日後，函託河內友人找尋之法文報紙寄到，記述情形較詳，刺客屍首攝影圖片也刊出，赫然竟是小阮也，不禁爲之雪涕。

袁氏反革命，其爪牙龍濟光入粵後，潘黃阮等幾遭害，逃上海而免，我也於荒海外多年，音訊漸沒。民十以後，還有些朋友赴越爲獨立黨人助，胡志明實門淵源于此。胡前此行動，不甚詳悉，他在莫斯科作客時，我知道他目的還只在學學乖，討些便宜。直至今日，大抵此公還是爭取民族自主的願望爲多。假如法人及早像荷蘭人自爪哇退出，越南泊進，當不致硬把越南推進鐵幕裏去的，演變至于現在，越禍未有已，越民實在太可憐了。（十一）

自由人
THE FREEMAN
（半週刊每星期三六出版）
（第一〇三期）
每份港幣壹毫
督印人：李光華
社址：香港高士打道六六號
電話：二〇八四八
GLOUCESTER RD. HONGKONG
TEL: 20848
承印者：東南印務出版社
地址：高士打道六四號
台灣總經銷：台北市中華路一二五九號

日本人的現實主義

雷嘯岑

日本如今既不承認中華民國可以代表全民，他日進入聯合國之後，自可不承認我們的出席權，只此一點，對於中日和約即不能有絲毫遷就妥協的餘地。

外表的現實主義

中日和約談判正陷入僵持狀態之際，日本代表團發言人眞崎秀樹在台北招待新聞記者，大談其現實主義。他提示了三點現實論據：一爲舊金山對日和約生效後，日本即恢復其獨立的主權國家了，但以少數大國尚未簽字，甚感遺憾；二爲日本戰後經濟有賴於對外貿易的發展，而目前對外貿易最大的對象，除美元與英鎊地區外，範圍很狹小，因而政府對於日益增長中的日本國民經濟力量，無法控制；三爲日本已是民主國家，一切須以人民的意志爲基礎。這三點現實論，除掉末了一項是外交詞令外，亦道出了日本人在現階段可以向外公開談論的心事。

日本急於要恢復其獨立主權國家的地位，又怕美國參議院不能及早通過對日和約，才有這次派代表團來台北與中華民國政府訂約的舉動。乾脆的說，這是應付美國的一種手法，並非出於誠意。日本所念念不忘的，是少數尚未簽字的「大國」，如蘇俄，如印度，如共產中國是也。祗要美國把和約通過，使生效力，日本取得了舊金山對日和約簽字的四十八國承認其獨立主權之後，馬上就要設法與那些尚未簽字的「少數大國」恢復邦交的。對此，他們對於現時談判中的中日和約，只有拖之一法，至少是要拖到韓戰休戰協定是否眞能實現的一天，再作計劃。如果我們堅持跟他簽訂「有限度」的條約，當然無問題，否則，唯有延宕下去。他們決無自由與極權兩極化集團鬥爭的這類意念，如其說有，那他們的內心亦是趨向於恢復「大日本帝國」的極權主義思想。日本人的內心深處所潛在的基本觀念，並未發生絲毫變化，他們在戰後，爲着生存關係，表面對美國唯命是從，實際上，十之七八都是懷着反美情緒的。

日本的戰後經濟有賴於對外貿易發展，這是實情。日本在戰前的輸出貿易，乃是爲着「輸入」而不得不輸出的，因爲她所需要的糧食和工業原料，完全靠着輸入供應之故。戰後日本的糧食與工業原料的輸入，多靠美國。然出於日本的生絲對美輸出銳減，因之美國的入超很大，日本的輸出乃不能不走向英鎊區域，形成美元不足，英鎊過剩之國際收支不平衡狀態，而英鎊又是「不交換性」的，經濟上更感艱窘，麥克阿瑟元帥因不許日本以英鎊作對外貿易的結算而伏下去職的因素，吉田茂這般人自然知道這種內幕，所以，日本既不能依據其「開發東南亞計劃」向英鎊區域從事輸出競爭，自然卽憧憬於戰時所謂「工業日本，農業中國」的黃金美夢，急於要向中國大陸發展貿易。眞崎秀樹所說日本現在貿易「範圍很狹小」的用意在此。但，日本人似未了解中共操縱下的中國大陸，在其「對外貿易國營論」的統制，採取保護貿易政策」的集團綱領規定中，跟過去所謂「農業中國」的情形太不相同了。撇開政治理由不談，專就貿易利害而論：中共對於輸出輸入貨品，都是採取限價制度（Floor price System）。聽說貿易局隨情勢而自由限定的。例如，中國的大豆，中共的FOB（天津）限價爲一三二美元，但日本過去所買的美國大豆CIE（芝加哥）爲一三五美元。中共的貿易管理法又實行交換制（Barter System）除少部分嚴重要物資（如軍用物資）以外，輸出入的外匯都不許可配給的。而其所謂交換制，亦以「先入後出」爲原則，且規定甲乙丙丁各級品類，必須同級物資才可交換。例如日本若要出大陸輸入鐵礦石，焦煤等，必須拿列入同級物品的發電機，鐵路車輛，鐵板等與之交換，而且還要日本先輸出，才有輸入可能。中國大陸上的民間財富，經共黨幾年來大力搜刮的結果，人民已民窮財盡，人民購買力完全枯竭了。試看中共年來玩弄「土產交流展覽」的把戲，即是國內農產品過剩，民間購買力貧乏的證明。日本的紡織品和其他工業品，縱使中共不統制限價，亦無大量向中國大陸傾銷的希望了。何況在中共嚴格施行「國營」「聯營」的貿易政策下，在聯合國對共區禁運政策下，日本人們強調吆喝，念茲在茲的對中國大陸貿易的利益，究有多少呢？

潛存的現實主義

日本人有兩種潛在的堅強觀念，即目前急要獨立復興，將來必須向外發展。現有的國土──四島──，當然感覺不滿，日本人事實也無法適應日本人口的生存空間。因此，他們口裏儘管喊出「反對再武裝」，「反對介入國際戰爭」的口號，內心卻是希望世界發生大戰的。有大戰，才是日本人翻身的大好機會，有大戰，才是日本恢復昔日「帝國」雄圖的唯一資本。美俄兩大集團的衝突日烈，美國需要日本的比重力就越高，而日本人的心花更怒放，自尊自慰心亦更旺盛，他們決不會忘情於用金錢買來，用生命換來，而又白白被俄國搶去的中東鐵路和旅順大連港，[illegible]「滿洲國」這些肥鮮的殖民地域，無不動心；至於千島，庫頁島，[illegible]這些區域，都是日本人[illegible]之地，[illegible]當先[illegible]，所以，她不願[illegible]承認中日和約草案中第八條規定，放棄其在中國大陸的一切[illegible]，更自不承認「九一八」事變[illegible]以前的[illegible]乃是不可以[illegible]的[illegible]，[illegible]

多邊和約生效後，跟印度[illegible]簽約，[illegible]蘇俄，中共[illegible]邦交。[illegible]是欺騙美國會議員[illegible]，是一種高明的魔術，[illegible]日本眞是「遠矚」[illegible]，如果迷惑於眼前小利，日本[illegible]向中國大陸尋求出路，向東南亞[illegible]以免與英美[illegible]利益，那末，十年二十年之後，[illegible]我[illegible]，[illegible]悲劇之日！

自由中國是聯合國會員國之一，日本如今既不承認中華民國政府可以代表全民，他日進入聯合國之後，自可不承認中華民國[illegible]，只此一點，[illegible]妥協的[illegible]，[illegible]將來莫名其妙的損失，[illegible]我們不可不識破日本的現實主義[illegible]！

莫斯科認識目前情勢是危險的

【紐約時報已開幹特派員M．李得拉柏爾格萊特通訊】根據南斯拉夫人所說，他們的思想已經獲得極大的進展，在西德亦已實現。如今，這是大家所知道的事實，他們雖然在戰爭中，但是他們是西德的人民──而且是唯一的人民，在今天的德意志，他們能夠說話──有堅決的意志，強過任何歐洲人。這理由是很明白的，並且說過不祇一次。但是，這是一個重要的背景，爲什麼這樣情形發生在西德共產黨裏邊。

這裏不妨再說一遍。西德共產黨的反叛運動，與柏爾格萊德並沒有關係。但是，同樣的勢力，同樣的思想，還潛着南斯拉夫說了國際情報局的顛覆，今天西德亦正在進行中。

根據南斯拉夫報告，西德國際共產黨在礦區中，正在分崩離析。大多數的工人，都認識，這不是德國的黨。南斯拉夫說，分崩離析在加速進展，一九四九年十二月廿八日到廿九日所舉行的黨第四次大會，雷門 Max Reimann 建立了新黨陣線。南斯拉夫稱，蓋爾 Hern Gare 是科倫 Cologne 福特工廠的勞工委員，前十年春天，已被開除。據說，科倫百分之八十黨員已脫黨。原有黨員三千人，現僅有九百。

魯爾黨員，從十三萬人減至三萬二千人。漢諾威在一九四八年春天，從五千人減爲二千五百人。盧埃克從五千人減爲六百人。一九四八年秋天，西德共產黨爲紀念故退爾曼 Ernst Thaelmann 生辰，舉行黨員總登記。照南斯拉夫所發表德國共產黨統計，原登記三十八萬七千人，現減爲十一萬人左右。

西德共產黨組織的瓦解，還有更顯著的證明，南斯拉夫指出前年人民代表和勞工委員的選舉。勞工委員在勞資關係事務局是代表工人的。共產黨候選人和勞工委員，在這一次選舉，遭到了慘敗。

這一次的慘敗，特別是魯爾礦區。一九四六年，礦工百分之六十四，投共產黨候選人的票。一九四八年，降爲百分之三十五。最近一次選舉，降爲百分之十四。

去年九月，工會領導操在社會黨的手裏，打敗了阿加齊 Willei Agatze，他是共產黨黨員，礦工工會副主席，過去他把握過大多數的勞工。

據南斯拉夫所說，在一九五〇年工人委員的選舉，盜爾案是西德共產黨所遭遇到的一個特徵。四月十二日，共產黨機關報 Fries Volk 攻擊他爲共產黨之敵。兩天以後，他當選爲科倫福達工廠勞工委員，三千人選票，他獲得二千四百九十四票。哈立舒 Herr Hanisch 是共產黨高級幹部，波昂國會議員，被哈斯拍礦廠工人們所擊敗。他把守奧特──奈埃西 Oder-Neisse 一線，曾經要求工人簽字所謂斯德哥爾摩和平請願書。

在政治方面，南斯拉夫提到，去年六月七月間，萊因──西發利亞和什列斯威──荷爾斯泰因的國會選舉，共產黨候選人是失敗的。一九四九年秋天，在萊因──西發利亞，共產黨投票數是五十一萬三千二百二十五票，二十八個候選人當選。前年六月選舉，在同一區域，減少三分之一的票數，祗有十二個候選人當選。在什列斯威──荷爾斯泰因，共產黨慘敗，祗有一個候選人當選。

第十四次黨大會，是要將黨變爲蘇維埃政策的啦啦隊，雷門建立了新黨陣線，前年春天，選出新的領袖。照南斯拉夫所說，改選的宗旨，是要將一九三三年以前的黨高級幹部用青年人來代替。這些青年，從一九四五年開始，被認爲是效忠于蘇維埃政府的人。這表示德國共產黨新的一代。這些黨人都是在蘇聯戰俘集中營訓練出來的，曾經參加蘇維埃黨校，現已組成德國共產黨新的高級幹部。

照南斯拉夫報告，西德共產黨已經喪失了基地，黨已淪爲工具。同時，這個陣容，慢慢地由獨立工黨 Independent Labor Party 來填補。他們爲了默默做莫斯科的工具，爲了德國工人階級的利益，爲蘇維埃政策需要而貶損；因此脫離了德國共產黨。這個組織，宣布了獨立共產主義的政綱，在杜賽爾道夫 Dusseldorf 設立總部，刊行自由論壇報，散發給礦廠工人們。

有一個報告，述及民族獨立共產主義的南斯拉夫思想之影響，沒有提到反左翼共產主義者的反響，可能沒有詳盡。

戰時，無數的蘇維埃陣線機關，要想在西方遍行設立。現在，這些黨員都已如夢初醒，談虎色變，這樣變過來的人，在布爾格萊德，人數激增。激發那些人變過來的原因，是多種的。有些人是因爲蘇維埃政策而眞正覺悟過來的，和自由主義者一樣，他們的自由生活實際再教育，是長期的著稱的。還有一些人，雖然他們的國家正在準備戰爭，他們尋求什麼是他們所認爲適當的解決，而這種解決，必須是倒向馬克思主義者所傾向的一面；但他們對于蘇維埃陣線或組織之長此點下去，亦忍耐不了。還有一些人，是很想用民族獨立共產主義，作一個堅強的理想，使他們自己回到政界裏面去。

在史太林世界裏邊，正在發動溶解的力量，正以對南斯拉夫盡量予以國際情報局的瘋狂的攻擊。莫斯科布爾什維克領袖們已經認識目前情勢是危險的。祇有兩種作法，放在他們面前，第一種作法，是用血來洗滌南斯拉夫，根除南斯拉夫，以消滅反側之患。第二種作法，是變更蘇維埃政策，贊成外國共產黨一律平等，解除他們的效忠責任。這是不很像的，蘇維埃領袖們會選擇第二種作法。如果在蘇聯內部沒有革命，史太林獨裁不消滅，列寧主義不還原，在他們的對外政策上，是不會有這樣的大轉變的。（逖生譯）

日本所說的「現實」是什麼？

河田烈代表團的發言人眞崎秀樹，在台北一再強調「現實基礎」，其用意無非希望中國人多了解日本目前的處境，而寄予相當的同情；同時也希望中國人就自己當前的處境，多有一些反省的，不必多唱遠於事實的高調。措辭是相當溫婉，但意味是頗深長。我們現在試以客觀的心情，作如下的一種分析：

一、日本在過去的六年間，是事實上在美國的佔領與卵翼之下，逐漸其生長，到今天即已接近全面的復興，美國在日本所采的措施，一部分比較穩健的日本人和多數無所謂的國民，自然是相當滿意；可是另一部分比較急進及自負心比較強烈的日本人，卻對美國充滿了不平之氣，不難因內外一種偏執的宣傳構煽而誤入歧途，我們承認這是日本政府目前一個頗感棘手的所在。可是事實終于是事實：在今後的五年乃至十年間，日本在經濟，外交，軍事的許多方面，究竟沒有擺脫美國影響的可能，尤其在今天，更無法不跟著美國走，此在英法這些國家尚且如此，今天的日本更何待說。

二、日本加上美國的影響，便是蘇聯和中共在亞洲一個最大的假想敵人，蘇聯和中共間的軍事協定，便依此假想而成立。蘇聯爲鞏固加強控制中共，自以使中共與日本永遠對立爲最有效。除非日本脫離美國及其他一切民主國家而倒向蘇聯，蘇聯決沒有使中共滿足日本任何幻想的可能。假定蘇聯赤化中國的方法而予變通也一樣施之日本而有效，這便不是一個單純的日本問題，而將立即成爲主要的世界問題之一。換言之，只要蘇聯不惜以全力爭取日本，美國便絕對不會放鬆，日本將成爲美蘇戰爭的一大主要目標也很難說。反過來看，假定日本終無倒向蘇聯的可能，而將繼續在美國的協助之下逐漸趨於壯大，則蘇聯與中共亦將決無靜待日本威脅而不先下手之理。日本的現狀是實力未充，而介於美蘇兩大，左右都很爲難，這一點我們充分了解。可是，「事到萬難須放膽」，日本依據戰後這幾年的情況，以及日本已經簽訂舊金山和約乃至已與美國訂有安全協定的這些步驟來看，究竟還有多少徘徊瞻顧的餘地？

三、世界問題的澈底解決，快是快不來的，日本實力的逐漸成長，並不缺少時間。日本把當前經濟問題的解決看得過度的重要，因此有一部分的日本人，便不免把對中國大陸貿易的發展視爲必需，而存有許多遠於事實的幻想。假定依據日本所採取目前這種兩可的態度，而使她對中國大陸貿行的遂行能得到部分的成功，但以之比於因此而失去國際的同情，因此而引起未來的中日間可能的糾葛，因此使日共多有與蘇聯中共勾結的機會，其于日本之爲得爲失，豈不正復難說？

四、現實有一時的現實，有永久的現實，一時的現實是中國變而爲二，永久的現實是中國必歸統一；一時的現實是中華民國期待日本亦能爲反共而共同努力，永久的現實是日本一切基本問題的解決，必依中日兩國的眞正親睦始得圓滿達成。爲當前的現實所拘，而把永久的利害置於腦後，日本在過去已因此而犯過不少的錯誤，現在又依然向着這條錯誤的路上走，這實在是我們所難於理解的。

這幾天中日代表在台北所進行中日和約的談判，已陷於停頓，我們很希望日本代表團能有更深切的認識，使這件事能加速予以完成。

時局漫談

舜生

國大真要召集臨時大會嗎？

最近台灣輿論忽然有召集國大臨時大會的傳說，究竟在事實上的進展如何，我們不得而知，李宗仁已等於自毀，在一般國民的心目中，早已無復當年對他那樣的同情，如果說召集國大臨時大會只是爲的要罷免這樣一個副總統，實在無此必要。假定罷免了李宗仁，而所能補選的副總統，仍不過如孫科這樣的人物，還無異把倒車開到十萬八千里，實在是太近於兒戲！而且國大的臨時大會一開，便無人能限制它去行使全部的職權，則所將牽動的，又豈止一副總統問題已？此時此際，是否有增加這些紛擾的必要，我看也是很值得考慮的啊！

反攻的前提和條件

任尚羣

一九五二年將是世界局勢進入更接近危險邊緣的一年，中國命運如何？當爲每一個中國人所密切關懷；他繫憂患的大陸人民，和忠誠於祖國的海外僑胞，無不從決心裏希望中國擺脫蘇俄帝國主義的奴隸統治，推翻中共的反動政權，建立眞正自由民主獨立的中國。

緊接上述希望而來的問題，便是如何反攻中國大陸？憑什麼攻中國大陸？反攻中國大陸後又怎麼辦？對於這一連串的問題，很易爲不正常的觀念所左右，而影響了現階段中國革命的進程！歸納許多人的見解，我們發現有不少錯誤的傾向，最顯著的是：

對中共政權估價太低

到今日爲止，不少人依然沒有認清中共反動政權的實質，對中共反動政權估價過低，以爲祇要國際情勢發生變化，或三次世界大戰爆發了，中共是不容易應付民主集團的進擊，將首先退出華南、華中，保守華北，決戰東北，最後必爲全面崩潰。這觀點是有問題的。今日中共在亞洲的暴力行動與野心，較諸二次世界大戰時日本在亞洲的暴力行動與野心，尤有過之；中共的幕後支持者是蘇俄帝國主義，蘇俄帝國擁有的力量，已經一部份轉移到中共身上，我們對中共力量的估價，自不能單從中共本身來看。中共以志願軍方式參加韓戰，是歷史上難見的一次規模相當大的戰役，假使它沒有蘇俄的支援，那是不可能的。便是一個最好的例證。過低地估價中共力量，在反共的鬥爭過程中，可能鬆弛我們的準備與努力，而遭到不必要的損耗。所謂「知己知彼」而後「百戰百勝」，國民黨在抗戰勝利後，過于相信自己的武力，優于中共的武力，而忽視「民衆的政治基礎，因而吃「大虧」，爲中共製造機會。那不是深刻的教訓麼？至此，我們必須警覺地正視現存的事實。

對中共政權估價過高

同樣的，有一部份人爲中共的虛僞宣傳所炫惑，對中共反動政權估價得過高；以爲中共已完全控制中國大陸，擁有武裝部隊五百萬以上，且不斷的用欺騙手法驅使青年從軍，作爲它武力的新血輪。

在這樣情況下，中共的人力條件是相當具備的。而運用上也發揮相當效能。此外中共厲行清繳民槍，集中民槍，管制人口，有力地阻擊了反共武力的建立和滋長，因此，他們以爲反攻中國大陸如果沒有外力的支援，其成就是有問題的；抱這種觀點的，尤以歐洲人美國人爲然。其實，這觀點是不健全的，他們對中共估價得過高，而忽略了中國民族的品格，和中國立國的基本要素。今後促使中共反動政權崩潰，五百萬武力瓦解的，亦將是由於中共的施行暴政和人心的背離。中共統治下的中國大陸，狼藉，貪污，官僚化的普遍與嚴重化，說明中共已無法擊敗它自己的敵人。危機四伏，終有一天像一張紙包住一團火，要自焚其身的。中國民族性，向重仁義、和平、博愛，講道德，談王道，不輕易爲暴力長久統治。中共所使用的高壓力愈大，中國人民的反抗力也勢必愈爲高漲。祇要現階段革命的目標鮮明，集結所有的反共力量，和開明民主的領導，在中國大陸任何一角，撕開中共的鐵幕，建立「反共的大陸基地」，使不難發展爲龐大的革命力量。對中共反動政權估價過高，長他人志氣，有損我們的信心，同樣是要糾正的。我們得特別正告歐洲人和美國人，中國的反共鬥爭問題，並不太複雜，並不太困難，主要的，是如何把反共的力量，歸納與運用于有效能的領導，上面這前提解決了，中共任何兇悍頑強，亦不能阻擊反共的革命行動底滋長和成功。

盲目的反攻大陸論

有些人不祇估低中共的力量，且把反攻大陸問題看得太簡單了。有的寄希望于三次世界大戰，抱着一種機會主義的念頭，坐待時機，而不自己創造條件，有的寄希望于中共內部的分化與「倒戈」，幻想一種亞洲「新狄托」的出現（歐洲人美國人不少有這樣的想法），而根本不了解中共的實質與動向；有的把反攻大陸作宿命的看法，說爲綺麗的荒唐的夢！甚至仍有人想返大陸重掌政權，再演像抗戰復員時接收的一幕，而根本沒有想到未來艱巨的態勢，把反攻大陸看得太樂觀了。中共是一個有組織有主義，有相當嚴密性的政黨，它是中國史無前例的兇悍統治王，我們遂行推翻中共政權，非經巨大的犧牲，艱辛苦鬥不可，非流血不可。正確的觀念，糾正上述三點，是我們反攻中國大陸的前提。其次，要說到如何創造反攻中國大陸的條件？我個人的意見是：

建立反共的思想體系

中共實行蘇俄式的共產主義，以馬列學說作武器，把中國傳統的民族美德與優秀品質，和一切舊有秩序根本推翻，以所謂「土改」作爲榨取農村的飾詞，以「鬥爭」作爲復仇殺戮的藉口——「土改」之後，繼之以「人改」，知識份子要進行思想改造，大學教授要進行自我坦白，商人階級也非受馬列思想訓練不可；中共不祇不尊重人權，且忽視人性，要把有理知有感情的人，石化起來當作一件物質用！中共又存心毀滅中國的歷史和文化與教育制度，中共在野時反對國民黨化教育甚力，它現在黨化教育的程度，較國民黨時代，不知貽害多少倍！中共今日倖獲政權，直接得力于它的「文化政策」不少，而國民黨過去的失敗，也是它忽視了「文化政策」。我們要基此事實教訓，挽回千千萬萬的青年，粉碎中共所給廣大人民的思想枷鎖，就必須正面地和中共進行文化工作戰爭，和思想鬥爭，建立反共鬥爭的思想體系。我們得用深入淺出的方法，指出馬列教條的邪說，暴露蘇俄帝國主義奴役中國人民的陰謀詭計，和中共出賣中國的罪行，指出世界思潮的主流，和中國走到自由民主獨立的大道。唯有反共鬥爭深入青年思想，把握人心，我們才能澈底掃除共產主義邪說的毒素，戰勝敵人。

建立大陸的反共基地

無論從爭取大陸來說，直接打擊敵人來說也好，無論從分化敵人瓦解敵人武裝來說也好，均有在中國大陸建立反共基地的必要。當然中國大陸的反共基地愈多愈好，愈多愈足以分散敵人的注意力，有利于反共力量的發展。中共今日得以發展長大，是靠端于它能據延安，延安孕育了中共的新生命。今日我們不談反共則已，否則，就非儘速用一切可能的力量，在中國大陸找得立腳點不可。

歷史是我們一面鏡子，時間是最無情的，與其坐待時機，等待外援，倒不如自己動手，打開新局面。李彌游擊隊，竟在滇緬邊境的活動，竟然引起蘇俄的震動，和中共的恐慌，便說明了中國大陸任何一地建立反共基地，所予中共的打擊，是最直接最有效的。

反共鬥爭與復員建國

反共鬥爭，以推翻中共的反動政權爲一種手段，而最要的目的，在從新建立一個自由民主獨立的新中國。可想像的，經過中共多年來的暴力統治後，整個社會秩序，人羣關係，民族品格，國民經濟生活等，都發生了激烈的變化，一旦反共鬥爭進入決戰的時候，中共可能把中國的一切物質建設，大事破壞，把多少可貴的青年也帶走了，所遺留下來的一個十分紊亂的不健全的中國大陸；我們身處這樣的局面應該怎麼辦？假使我們事前沒有詳細的研究與準備，沒有完成整套的大陸復員計劃，恐怕較抗戰復員時碰到的困難要多千百倍，而建國前途也就不容許樂觀了。爲達成反共鬥爭的積極目的，大陸復員計劃，有專設機構，廣集人材，分門別類，詳細研討的必要。

認清楚了反攻大陸的前提，創造了反攻大陸的條件，我們就有擊敗敵人的信心與把握，自己的命運操諸自己的手上，總比較付之天命，坐待時機好得多。反共鬥爭的成功失敗，在這裏可以尋得一個答案。一句話，未來中國的復興建設，端靠千千萬萬的人肯努力奮鬥犧牲流血。

惟恐天下不亂

日本的共黨，在東京及各地舉行示威暴動。

大陸的中共，在各地叫囂鼓動，指責香港。

這表示着什麼意義呢？

×　×　×

一句話，共產黨口中叫着保衛和平。

但是心中卻惟恐天下的不亂。

所以明知事實不會成功，只要能使社會發生擾亂，便已達到目的了。

談判陷入僵局

日本的平安無事，走上建軍之路，是共產黨所不願的。

香港的保持繁榮和平，對照着大陸的屠殺，暗無天日，是共產黨所不願的。

共產黨這時候，不便搞大戰，於是先來搞亂。

×　×　×

朝鮮的停戰談判，由兩方的允於停戰三月以後召開政治會議，一時出現成功的希望。

但在這時忽然又來了蘇聯以中立國監督停戰的問題。於是談判再陷入僵局。

還有誰是中立國？

共黨代表說，蘇聯不是中立國，誰還是中立國？

這裏我要問：倘若蘇聯是中立國，還有誰不是中立國？

史大林能說是中立，邱吉爾、杜魯門爲什麼不能說是中立？

他們都沒有走上戰場呢。

×　×　×

韓戰談判今日仍未決定者有三個問題：

一是以蘇聯爲中立國而監督停戰的問題。

二是北韓建設機場的問題。

三是交換俘虜須根據自願的問題。

過去已談了八個月，不知還要再談若干天？

中日和會怎樣呢？

韓戰談判前途茫茫。

台灣談判中日和約的會議怎樣呢？

吉田的演說表示只能認台灣爲地方政權。

中華民國的台灣，這樣一變而爲台灣的中華民國。

這叫人從何處談起呢？

×　×　×

朝鮮戰爭是有限度戰爭。

中日和約，據朝日新聞的評論，應該是有限度和約。

然則中日和約的談判，是否也準備如韓戰談判一樣，成爲無限期的談判呢？

×　×　×

美日兩國爲了履行安全條約，正在談判政治協定。

除了日本國內的反對外，進行十分順利。

因爲這是美國一手辦理。

美日兩國從此完成了遠東的軍事聯防。

愛與恨

遠東的日本，西歐的德國。

過去是敵人，現在是朋友。

原來愛的反面是恨，恨的極端是愛。

這叫作惺惺惜惺惺。

法國安心了

但是深仇宿恨的德法兩國，卻無法要好起來。

前總理普里文的歐洲軍計劃，到了最後關頭，卻遇到了困難。

右左兩極端的反對，本在意中。

想不到爲第三勢力一分子的社會黨，也提出了異議。

傅雷內閣終於要求議會的信任投票。

×　×　×

法國怕蘇聯，也怕德國，

法國怕德國的興起，又怕德國向蘇聯引起戰爭。

法國要有力量來控制德國。

武裝的力量，經濟的力量。

英美在德的駐軍提供了保證。

美國答應了美元。

法國安心了。

從後門走進了聯盟

德國如今是歐洲聯軍六國之一。

但是仍在大西洋聯盟的門外，

因爲法國不願意。

英美的調停，把聯軍會議與聯盟會議合而爲一。

德國這樣算從後門走進了聯盟

德國也得到滿足了。

×　×　×

里斯本會議於是如期召開。

樓明

來論

「團結力量與培養新人」讀後

在自由人上，一再拜讀過胡秋原、陳拙塵二位先生關於「團結力量與培養新人」的大作，見解精闢，理論高明，確實令人敬佩不已。值此反共抗俄的艱困時代，能有如此卓忠明智之士，獻致政府所未見及的地方，慷慨直陳，以匡不逮，頗是我中華民國之一幸事。

我們首先得承認的：在大陸上被共匪趕了出來，不管是由於共匪的軍事勝利也好，還是由於他的政治勝利也好，反正是我們本身已有了過失，我們應該坦然的負起責任。尤其現在偏促海島，更應該痛改前非，勵精圖治，以圖早日收復神州，再不應該有諱疾忌醫，或推諉責任的怪現象。

目前我們正像胡先生所說的「不怒俄帝不亡，中共不倒」，可是俄帝中共都垮台之後，我們得需一批有學長有品德的人才來治理這一遍體鱗傷，血肉淋漓的國家。這一點政府方面現在更應切實有所準備，將一些學有專長的人才，盡量的搜集，然後加以專門的訓練或儲備起來，以便將來好負起治國安邦的重担。

然而，事到如今，即將反攻大陸的前夕，台灣方面對新人之培養究竟怎麼樣呢？講得坦白點，政府當局，並沒有完全盡到收容培養的責任。舉一個事實爲例：筆者有位朋友匡君，係武大畢業。三十八年春，戰亂戰事逆轉，江北棄守，武漢垂危，在此忠奸分野之時，他不爲共黨職業學生之誘惑恐嚇，毅然聯絡了當地的大中學學生一百數十人，在武昌考入陸訓部。四月間，經廣州至台灣，在××基地編入該部入伍生教導總隊，施以最嚴格之軍事訓練。該總隊中之學兵，都是於三十八年春在京滬武漢等區招考的大中學生，爲數在兩千四百人之多。訓練的方式是一套中外所無的野蠻教育，開口就罵，舉手就打，對付牛馬一樣。他們都是受過中等以上的教育，都是有熱血和知廉恥的青年，對如此野蠻的教育方式當然頗感不滿。然而在「軍人以服從爲天職」的訓條下，又不敢有所具體表示，只有將無窮的哀怨，藏在心的底下，漫漫的拖着日子。

如此兩年之久，同學們忍無可忍，上書請示，並要求投考入伍生總隊。然而，報告一出，如石投大海。彼等既感前途無望，又感目前生活困苦，於是，自殺之事日有所聞，逃亡之風自此更甚。團隊對自殺者視若無睹，對逃亡者捕回之後，首犯餉以重軍棍一百，再犯餉以重軍棍五十。除此之外，一切教育方式及其目標，仍然我行我素，不改前非。對以後再有報告的，認爲是有意搗亂，加以監禁。雖先後都釋放出來，但在精神上更受了一層嚴重的打擊。

四十年八月間，該總隊奉命撤消，此批都曾肄業中學或大學的二等兵，整個像押囚犯一樣的××部，以上等兵的身份，撥交裝甲兵旅，一直到現在，不准他們投考任何學校，當然請長假更無可能。這一批知識水準極高的青年大兵，祇有含辛茹苦的在消磨人生的黃金時代，他們以前的遠大抱負，現在都化成泡影。他們雖是日行千里的良馬，而沒有遇到伯樂，祇好站死於槽櫪之間。爲了國家的需要，就不必計較前途之得失，可是這一批知識水準極高的大兵，就能沒有其他更有用處的地方嗎？值此國家正需培養新人的時候，難道就這批知識大兵，沒有培養的價值嗎？這件事情，無論在國家在個人，都是一個莫大的損失。

我們反攻在即，俄帝必敗，中共必倒，我希望政府必須覺悟：應當從速團結各方面的反共力量，扶持一批有爲的青年，以便作反攻時的基層幹部。要知道革命建國的好否成敗，全在有沒有良好的基本幹部爲轉捩點的。（耿自珍二月廿一日寄自台北）

美發明兩種新武器

滲透原子炸彈　超音速噴火飛機

美國最近又發明兩種新武器，一是「滲透」原子炸彈，一是超音速的F一〇〇式的噴火飛機。

「滲透」原子彈在投擲後，先穿過地殼的深層，然後爆炸。它是地下燃料庫，地下炮台，及潛水艇等等的最有效的破壞物。這個武器，經過若干次試驗後，證明完全成功。現在原子能委員會，正在大量製造。此外原子能委員會，並在一所地下原子彈廠，試製種比「滲透」原子彈爆炸力更爲猛烈的原子彈：輕氣彈也是其中之一。

F一〇〇式的噴火飛機，是韓境空戰的產物。在最近三個月的空戰中，蘇聯的米格式噴火機，有好幾次幾乎佔了美國佩刀式噴火機的上風。美國空軍當局，爲了急起直追，爭取朝鮮戰場的領空權，於是將原有的F八十六式佩刀式噴火機，加以改裝。最近實驗的結果，已能達到超音速的標準。

據悉空軍部已洽妥了好幾個工廠，從事大規模製造，相信在和談簽字以前，朝鮮戰場的領空爭霸戰，將有一個新的轉變。觀察家認爲，假如和談宣告破裂，或簽字後共方發生違約行爲，這兩項新式武器，將首先在朝鮮發揮最大的威力。（樂光）

民族資本家死路一條
老虎大小新舊一齊打
四大步驟兩大原則下
總目標是要錢與要命

【本報綜合報導】中共清算民族資本家所用的伎倆，比他們清算地主還來得狠毒。這些以前被中共認作同路人和「民主專政」的「中華人民共和國」組成份子的一個階層，如今變成了「奸商」和「老虎」，而須坐監上斷頭台了。

中共在清算民族資本家鬥爭中，所採取的策略是什麼？第一，他們在這個運動中所抱的基本態度，是「不全勝，不收兵」。（葉劍英語，見二月十日南方日報）。要把民族資本家清算得一乾二淨，斬草除根，永不發芽。他們的最高指導原則是：「領導者和全體指戰員，必需對打虎具有堅決的信心和決心，對三反運動的政治意義和歷史意義，有充足的認識，檢查和克服麻痺、自滿、「差不多了」等等右傾思想」。

他們在鬥爭中的工作程序：第一步是煽動羣衆。怎樣煽動羣衆，使他們成為中共的血腥工具呢？他們把這個惡毒的任務交給一羣容易盲從和衝動的青年團員和「積極份子」，由所謂領導者，將他們組成核心小組，使這些核心組織，成為盲動羣衆的參謀部，和攻堅隊伍。第二步是煽動羣衆。在羣衆中，他們選定了職員、店員和工人，作他們的基本對象。規定每一位職員、店員，和工人，最低限度要寫一封檢舉信，檢舉一個以上的「奸商」。第三步是搜集材料。他們要把每一個民族資本家的階級出身，家庭環境，社會關係，詳加研究調查，再進一步對他的生活，思想，習慣，嗜好……作全面的深類分析研究。第四步，決定鬥爭方法。方法是因人而施。大體上不脫兩大原則：即打和殺。他們說：「老虎會裝窮，裝傻，又會哭，又會詐死，又會撒潑」，他們對付的辦法，是「不使有喘息，一口氣打到底」。最後的目的，是要錢，要命。

他們特別訂立一個打破「攻守同盟」的辦法，主要辦法是「多方調查，內外交換情況，找線索，跟蹤追跡，隔離監視，找弱點，找矛盾」。在這個猛辣的鬥爭陰謀下，任憑民族資本家有三頭六臂，也難逃出他們的羅網；任憑他有七嘴八舌，也辯不出是非曲直。中共的邏輯已經註定了民族資本家死路一條，這裏是不會有例外和奇蹟的。

中共在清算民族資本家所採取的分化戰略，和他們清算地主所採取的戰略，完全一樣。他們把老虎分成幾等，先集中打一人，突破一點，然後分散打擊。原則上是要各個擊破，並經常以生力軍代替火力薄弱的隊伍。在分等運動中，包括大老虎，小老虎，舊老虎和新老虎。先打大老虎和舊老虎，對於小老虎和新老虎，要他們檢舉別的老虎，「戴罪立功」。對老虎多的地方，態度要顯得厚道，目標只集中在少數人身上。

中共對那些口頭硬的「寧死刀下，不死話下」的資本家，他們採取另一套戰略。他們預先替他們作好答案，造好證據，然後在公審會上，由共幹宣讀一番，罪名即告成立。舉一個例來說：偽廣州市府公訴審會計黃信昌在公審會上公開地說：「查出我有貪污四十萬元以上，馬上槍斃」。一位共幹馬上將他預擬好的賬單，「證明」他貪污了五十多萬。五十萬算得什麼，百萬千萬的數字，他們一口氣可以算出來的！

現在中共根據上述的策略與方法，在各大城市，展開對民族資本家的血腥鬥爭。這些可憐的虫，是一羣沒有抵抗力的羔羊，他們要繳械也無械可繳，除掉等候命運的裁判之外，一切希望都宣告幻滅。（世才，二，十五）

從第一戰役到第二戰役
一個司令部六路突擊隊

【上海通訊】華東行政區以上海為中心，二月九日開始「打虎」運動，對一級民族資本家，集中火力「圍剿」。到二月十六日止，逮捕了上海大康藥房經理王康年，牛肉莊經理張新根，徐苗新等二百九十人，偽華東軍政委員會把這七天的暴行，稱之為「第一戰役」。現在正以更大的壓力，進行所謂第二戰役。

在「第一個戰役」開始以前，偽華東軍政委員會所屬各部會，召開了一個祕密大會，擬定了一個長的黑名單和「打虎」計劃，組織六路「打狗」隊，並成立一個偽指揮司令部，各機關也組織突擊隊，對民族資本家作有計劃有組織的清算和迫害。對那些不肯坦白的資本家，他們先替他作好圈套，造好證據，等到坦白大會召開時，祇須資本家自己招供，「領導」方面就替他們肯定。

偽華東增產節約委員會，除掉遵照偽中央所頒佈的指示外，還提出另一個口號：『各單位不僅要善打「山野孤虎」，而且要善打「洞穴藏虎」』，因此必須肅清自己隊伍裏的「思想老虎」，防止「自滿情緒」。

華東共幹清算資本家的暴行，火力雖然猛烈，但已遭遇到強大的抵抗力。這種抵抗力，並非來自民族資本家自身，而是中共的內在發酵。一些自覺的共幹，對偽中央的指示，表示懷疑，信心不高。他們認為民族資本家打倒了，殺光了，隨着工商業也將毀滅了。同時，他們也認為行賄的是資本家，受賄的卻是共幹，行賄與受賄，同樣犯罪。（悠然，二，十七日）

彭真在偽政務院報告
五反主旨在防止狄托
北平十七萬件五萬家

【北平通訊】所謂「民族資產階級」，原是中共所標榜的「民主統一戰綫」中的四弟兄之一。當大陸剛剛變色之後，中共還宣傳「四階級團結得非常堅固」，日子一長，狐狸的尾巴終於露出來了。先是以「繁榮經濟」，「發展生產」，「納稅競賽」，「抗美援朝」等各式各樣的帽子，給這一班民族資本家分別戴上，逼着他們說「自願」出錢出力，貢獻「國家」。接着又來了一個不分皂白，嫁禍於人的什麼「四反」「五反」運動。把各級共幹一切貪污、腐化、惡化的行為，統統推到這些過去稱兄道弟的民族資本家的頭上。說他們所表現的「許多不法行為」，「已引起人民普遍的憤怒」。「紛紛要求嚴厲懲辦」。換句話說，過去是祇要錢，現在還要命。

偽中央節約檢查委員會副主任委員彭真，最近在偽政務院一二二次會議中對「為什麼要打倒喪心病狂不可寬恕的資產階級」，發表了[illegible]這些資產階級本身就具有損人利己，假公濟私，惟利是圖，腐化墮落的本質」。接着他又說了一段妙論：「資產階級對我們的進攻，毒辣到你死我活，勢難並存的地步。南斯拉夫之所以叛變革命，成為狄托，並不是被外來的武力所打敗，而是為內在的資產階級所腐蝕變質。[illegible]人民革命的陣營，更挽救了新民主主義經濟下的工商業，一點[illegible]

[illegible]

自由工會起來了

廣州組織之東頭村災民慰問團行將來港醞釀中，香港之自由職工會反紛紛組織起來，熱烈情狀，一如雨後春筍。香港巴士工友組織之自由新工會「中華汽車公司職工會」及九龍巴士工友組織之自由新工會「九龍巴士職工總會」，已獲香港勞工司批准，申請入會者，極為踴躍。又港九棚業總工會亦組織起來，一俟當局批准，即行成立大會或選舉職員。

香港的歷史地位

據一位香港人種攷古學的專家於廿二日在英文化委員會上宣稱：在英國未佔領香港以前，香港是中國與印尼文化交會之處。中國文化在香港最有影響的時候，是始於南宋，在南宋以前，由波斯到中國的船隻，便常常循香港而往。他還指出今天香港大坑區有不少漁民乃是屬於印尼人種。他說在明朝時候，葡萄牙人到廣州經商，必須循香港而來，那時葡人很想在今日的九龍青山附近設立殖民地，但未獲准。這個時候中國禁衛軍力，一直達到九龍半島。及至明朝衰亡，香港乃首先變成政治難民的避安所。滿清之始，香港為海盜及漁民聚居，因此乃為「化外之地」。

港童軍赴台露營

香港童軍總會決定於下月派出一小隊，計十二人，赴台北露營，並與台北之中國童軍總會交換智識。一小隊之童子軍，自香港各學校中選出，計男童軍八人，女童軍四人。其中西人有四名，餘皆為中國人。聞台北方面已電復香港童軍總會，表示歡迎。將以盛大營火會歡迎香港童子軍。

希特勒的死因

路透社德社總編輯柯里須由英經印度星洲來港視察分社業務。二十三日並巡香港電台廣播。柯氏指出在德國納粹未投降以前，納粹希墨來祕密與聯軍洽降的消息，首由該社駐華盛頓特派員報導出來。該社廣播至世界各地，為德國宣傳機構截獲上項電訊，這時希特勒才知道他最親近的心腹也叛變了。這他才死心自焚。柯氏這段採訪祕密一直到現在才透露出來。關於香港，柯氏說這個地方在遠東最重要了。該社香港分社將加強陣容，刷新報導。

狄托釋放政治犯

法國新聞社香港分社經理傅禮沙於廿三日由法經西貢返港。傅氏返巴黎述職已逾半載。他說這個半年返法，察看法國一般人民生活已比一九四九年提高了百份之二十，這是證明馬援計劃在歐洲的成功。他指出歐洲人對安全前途，信心一天比一天強。在南斯拉夫便是一個最顯明的例子。南斯拉夫經馬援計劃後，出口已增加，國內經濟亦穩定，狄托最近復釋放了一批政治犯，證明南斯拉夫政治已比從前開明多了。

菲讚揚中國法律

菲列濱共和國最高法院第一任女檢察官密格魯斯．耶門，於二十四日由馬尼拉抵港，攷察本港司法制度。她說：在今天的菲列濱，婦女對司法研究的興趣，已一天天的提高，在馬尼拉有一個婦女組織的司法學會，計有全國會員八百人。她承認菲列濱法院的行政系統，是效仿美國三級三審制。但在司法精神上，她贊成日本及中國的六法。她對中國的六法非常佩服。她說：中國法律，特別在刑法方面，可算相當仔細了，這是英美法所趕不上的。但英美法以判例為判決之根據，在英美人傳統習慣上，是有它一貫的特長的。她因為原定計劃尚需去曼谷及星洲，她遺憾沒有機會到台北和東京，看看中國與日本司法審判的制度及程序。（一成）

×　×　×　×

共幹們戴着兩種臉譜
奸詐惡化與貪污腐化

【開封通訊】中共統治大陸兩年，人民在痛苦的經驗中，認識共幹兩種最普遍的臉譜：一種是偽河南省委兼開封市委書記戴季英所代表的奸詐惡化臉譜，另一種是偽軍需部衛生處長王勃東所代表的貪污腐化臉譜。

戴季英算得中共的高級幹部，一九二六年加入共產黨青年團，第二年升為正式黨員。他本來是地主和小資產階級的家庭出身，自從加入中共後，學會了一套流氓手段，他的特長是挑撥與離間。

他的個人主義與自私自利作風，在中共幹部中，發展到登峰造極。無論在任何關係上，總喜歡抬高自己，打擊別人。他自認自己的一切行動是對的，誰敢批評他一句，他便把「反動」的帽子，加在別人頭上。他用這種方法陷害了許多良民，也陷害了自己的「忠實同志」。凡是捧場奉承的人，他便無原則地遷就，拉攏，提拔，包庇。

戴季英是中共裏面最標準的唐吉訶德，他自以為自己是一個了不起的人物，自認為「民族英雄」，「羣衆領袖」，「幾乎是中央委員」。常自誇「有才能」，「有遠見」，「模範工作都行」。凡是他工作過的地區，把一切「偉大」功績，都寫在自己賬上。誰要是不這樣來捧他，他就說誰是「不尊重歷史」，是「忘本」。他的風頭主義到了家，他常常假借別人名義，寫文章來宣揚自己，用羣衆的名義，寫信來感謝自己，在「革命先烈」的遺像上題字來抬高自己。更妙的是在河南的「三反」報告中，他自己在報告書上加添了「戴季英是樸素簡僕作風」的一段。

最近偽河南省委員會，為了鬧派別問題，其他偽省委聯合一致，將他趕下台來。記者要特別指出的，是戴季英的下台，完全是河南高級共幹一幕狗咬狗骨頭的運動，不是中共真的要整肅這種惡棍。因為戴季英正是共產的代表臉譜，它是馬列史毛思想的產物。剷除一個戴季英，還有幾百萬個戴季英，何補于事！

偽軍需部衛生處長王勃東所代表的是中共另一副臉譜——貪污腐化。

王勃東於一九三九年參軍，同年加入共黨。中共中央說他「十餘年來曾為革命做了不少工作，是埋頭苦幹的同志」。自從中共攫奪了政權後，他進入了城市。見到洋房汽車，酒綠燈紅，和資產階級的享樂生活，就經不起引誘，便處處尋找機會，弄錢享樂。他的大小貪污，合計至少有十億元以上。

因為他的進賬來得如此容易，於是在用度上便大揮霍而特揮霍，生活腐化到極點。平時專門講排場，擺門面，送禮請客；每日無美酒不下飯，一週內要飲兩箱啤酒，喝葡萄酒白蘭地不算，還要飲五十萬一瓶的香檳酒。看戲看電影一個月即花了一百八十多萬。買鳥槍子彈一次就是五百萬元；照像洗膠捲用了八十九萬元。家中常備有名貴的香烟，茶，糖，水菓，點心等。他一天除了打鳥，喝酒，看戲看電影外，就是跳舞。他跳舞不分場合，不分時間，在辦公室裏也要拉女護士跳。

在「三反」運動中，羣衆將他的貪污腐化行為揭發，他仗着十幾年的「老革命」資格，威脅羣衆說：「這幫小子，真不識抬舉（指檢舉的人），走着瞧吧」！並說：「不記名的控告，是混罪行為」。誰敢在血腥腥的「三反」運動中，對檢舉人來一個威脅呢？當然除了「老幹部」外，不會有第二個人的。

上述這兩種共幹，普遍地出現在大陸的各階層各個角落，老百姓對這些惡棍和濫壞子，沒有「敬而遠之」的自由。但是人民是眼睜睜地看着他們的，敢怒而不敢言。他們吸過他們的血，搶過他們的錢，殺過他們的父兄子弟，剝奪了他們的生存自由。大家等着瞧吧！看這些惡棍和濫壞子怎樣的死法。（長安，二，十五日）

戴季英「省委」代表惡化
王勃東「處長」代表腐化

神秘的少校

在埃及開羅的法魯克飛機場，我在一群中東海關關員中，週國的打轉。行李以及護照等等手續，都毫無問題，順利通過。唯獨一張醫生簽署的防疫症，可未曾準備，我費盡九牛二虎之力，舌敝唇焦，都說不通——我用英語，法語，以至半鹹淡的阿拉伯話，都不行。照情形看來，這一次大概要倒霉，在這飛機場裏的硬板凳子上，挨個一兩大，受受活罪了！

突然我靈感大發。從口袋裏順手摸出一張聯合國作廢了的硬紙片，高舉手中，幌搖擺動，挺起了胸脯，提高了嗓子，嚷道：「我是林肯少校的秘書，……林肯，……羅拔林肯少校！」

這麼一來，竟像魔術一樣，有意想不到之效力。這班埃及的關員，瞥了我一眼，大家馬上交頭接耳，商量一處，想不到他們竟差那們監視着我的關警，替我喊了一輛「的士」，大家鞠躬如也，還殷勤讚歎，恭送我上車，直駛到昔飛而大酒店。

由此證實，我在中東各地聽到一連串的關於傑傑林肯少校的故事，並非虛傳，他在這裏果然是吃得開的大亨！

林肯少校到底是什麼的呢？在中東老百姓眼中，成了傳奇式的偶像，人人說他是阿拉伯土生的美國人。也是諜的首腦。他是一位大亨，祇要伸出手腕搖擺一下，就可以扶植或者破壞一個政府的組織。他熟悉阿拉伯文字及土語。他更能夠一大在開羅的老百姓身邊走過，可是第二天却發現在麥加朝聖了。

蘇維埃政府用無線電廣播，常常深切的關注到他，據說他現在正在伊朗，展開工作，而他所帶的護照是一七七六號，又說也已經由少校高陞上校了。

不久以前，共產黨的廣播，還詳細的指述林肯少校已經混進了伊朗北部，住在以殘暴馳名的土著部落中，策動反共運動，同時還附帶替美國運動獲得油礦的特許開採權。

還有，他跨着他那純種的阿拉伯馬，在這些土著帳幕之間，往返流連，搜集關於共產黨行動的情報，又和這些殘酷無人性，專以鐵頭爲樂的人士人，拉攏交情，大施身手。對土著的女人們，賣弄風情，胡擺戀愛，狂喝燒酒，將常收獲的情報，以及工作狀況，由一個秘密電台發電回華盛頓報告。

林肯少校又被蘇聯電台描繪爲高大漂亮的佳公子，年紀三十五六歲。化裝術的本領，比偵探小說中的法國大盜亞森羅蘋還要高明萬倍。

共產電台的胡說八道，竟害得伊朗祕密警察，慌張得手足無措，趕緊在北部土著區施行戒嚴，還發動大批隊伍去搜索他。不知道是他的手段高強，還是這些部隊不高興管？到目前爲止，儘管大翻地覆，還未曾找到林肯少校這個人。

其實，「林肯少校」是美國用來對付蘇聯冷戰的宣傳武器，等到冷戰時期過後，無疑的他將成爲神話式的典型民族英雄。他的事跡，都是美國駐德黑蘭大使館政治官德拉德杜爾 Gerald Dooher 嘔心創作，杜爾這個人，既富有幻想，又幽默風趣！

在一年前，他和前任大使威利，偶然想到要造出一個神秘的間諜，在伊朗活動的謠言，來擾亂共諜的進行，於是製造一個「林肯少校」，還散出消息，說他的護照是一七七六號。爲了使人相信，還特意拍發一張電報給他，地址是「蘇聯，卑固林肯少校收」，可是電報的內容，却胡裏胡塗，一篇不成文理，又不像是密碼的句語。

當奴凡將軍，綽號「野牛」的，當他離開華盛頓赴伊朗之前，先把這一件密電給大使館說：他此行的任務，是奉杜魯門總統之命，對林肯少校的酗酒浪漫行爲，嚴加責備，這封電報，大使館拿來給全體職員傳閱，以警効尤，俾各行爲謹慎。果然不出所料，廿四小時內，莫斯科電台，竟把這消息傳播出來。不必說，共諜們又受了一次愚弄！

最近又傳出美國當局，以林肯少校的任務繁重，認有加派助手協助之必要，已經派出兩個專門人材。

一個男的叫做羅浮，像是福爾摩斯的助手華生醫生的典型人物。另一個女的，布郎小姐，婀娜多姿，如果拿她比起第一次大戰的著名女間諜馬他哈拉，那麼妖媚的馬他哈拉，簡直成了鄉下婆娘了！

可惜，在布郎小姐能夠到任之前，美國宣傳部就放棄了再製造林肯少校的故事了。這件事揭曉了之後，當然不會再有下文，否則繼續下去，我敢打賭布郎小姐也許繼林肯少校之後，會生出許多動人的故事呢！（漢生節譯自眞實雜誌）

女政客與民主政治

・尚方・

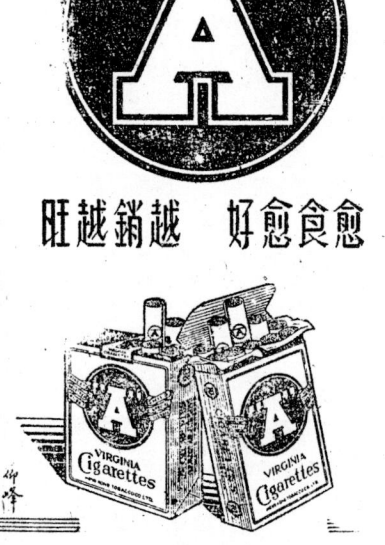

若以女政客之多寡爲民主政治的象徵，那末，全世界大小國家都應該向咱們中國來學習學習。共產政治的俄國，自己號稱爲地道的「民主」國家，然列寧夫人於其丈夫死後，對時政稍有批評，史大林便要取消她的「國母」尊號，以後即噤若寒蟬，直到身死，再無政見發表了。美國羅斯福總統夫人在丈夫去世之後，官拜出席聯合國代表，常有政治言論公之於世，但偌大的北美合衆國，再也找不出第二個像她這樣的女政客了。此外英德法各國的婦女們，對政治問題似乎多是不感興趣的。

只有咱們中國，女政客有的是，像宋慶齡，何香凝，陳璧君之流，早已蜚聲全國，揚名四海了。最近又出了一名新同志李德全，鋒頭也還不小。她們都有其共同一致的發展規律，即丈夫的官位越大，她們的政治智慧就越高；而丈夫在生時，政治智慧又特別遲鈍，思想多搞不通（只有陳璧君是例外的超人）丈夫一朝「瓜得」，她們的才智即豁然貫通，變成女政治家了！這種奇蹟，這樣多的女政客，除泱泱大邦的中華民國而外，世界上那一國比得上咱們呢？毛澤東雖然自命是中國人，但他那「人民民主共和國」之內，還是靠着中華民國那幾個女政客來撐場面，如鼠類也者，現在固然變不了政客，將來即令她的丈夫先死，包管也沒有蛻變爲政客的可能哩！

近來英國工黨左派份子貝凡夫人，竟對女王提出政見，主張改革白金漢宮對婦女的傳統儀制，並且希望女王勿聽邱翁的「壞主意」。她的丈夫並未作過大官，而她竟敢批評女王陛下，女王亦滿不在乎。這却跟中國女政客的發展規律大不相同了。要講眞正的民主精神，咱們恐怕是要讓英國考第一罷！

自由談

萬竹樓隨筆

論魯達（二）

——水滸人物論之七——

・舜生・

次日一早，魯達果然跑去爲金老父女送行，店小二因爲受了鄭屠代追身價的委托，便上前攔阻，魯達一掌一拳把店小二打退，還在店裏坐守了兩個時辰，讓金老父女走得遠了，然後才往狀元橋去和鄭屠算帳。鄭屠一見魯達，那敢怠慢，連忙上前數術。魯達口稱奉經略鈞旨，叫他切了十斤純精肉做臊子；切好了，不算，再叫他切十斤純肥的；切了，包了，依然不算，更叫他切十斤寸金軟骨。鄭屠知道有意拿他消遣，不免口出怨言，魯達一聽，便提起兩包臊子，像一陣肉雨似的，向鄭屠劈頭打去。鄭屠按捺不住，便從肉案上搶了一把剔骨尖刀，跳出櫃身，去揪魯達。魯達只一腳，把鄭屠踢翻；按着臉上一拳，把他的鼻子打歪，鮮血迸流；鄭屠在地上叫『打得好』，魯達又一拳，打在他的眼眶；再一拳，正中太陽；這個惡屠便動也不動，停了呼吸！魯達一看出了人命，要吃官司，便匆匆忙忙跑回住處，捲了些盤纏細軟，提了一根齊眉短棒，奔出南門，一溜煙逃了。等到渭州衙門接了狀子，並由府尹稟明經略，差人四出捉拿，魯達早已無影無蹤。

魯達一路逃出，走了四五十天，原無一定目的，一日，到了代州的雁門縣，正擠在人叢中聽別人唸着捉拿他的榜文，不想背後一人，攔腰把他拖到一處僻靜所在，口呼恩人，魯達定睛一看，乃是他打救過的金老。便問他何以不回東京，却來到這裏？於是兩人互述別後的經過：原來金老當日逃出渭州，因怕鄭屠派人追趕，因此指南投北，在此地無意中遇見一位老友，便由此人作媒，把他的女兒翠蓮，嫁給當地一個財主趙員外，權做外宅，雖是隨緣過活，到也豐衣足食。金老聽明魯達爲他們父女正吃官司，心中更是感激，便把魯達拉到家裏，叫女兒出來拜了六拜。此時翠蓮已是遍身羅綺，滿頭珠翠，眼見恩人到來，更喜不自勝，連忙整治了許多鮮魚嫩雞，釀鵝肥鮓，父女輪番把盞，款待魯達喝酒。三人在樓上一直喝到天晚，忽然聽見樓下打將起來，魯達以爲有人捉他，便提起一張凳子，準備厮打；金老趕窗一望，見是趙員外帶着二三十名莊客前來，知道出於誤會，便搶下樓去解釋。趙員外聽了，撲嗤一笑，本意是來捉姦，不想却是他們父女平日爲他常常提着的這位恩人，於是把從人喝退，隨金老上樓，向着魯達翻身便拜，並說明剛才的魯莽，對魯達打救金老一層，更是千恩萬謝的稱道不置。於是重整杯盤，又飲了好一會，趙員外便叫人到莊上牽了一匹馬來，命人替魯達攜着行李，由他自己陪着魯達，一直到七寶村他的莊上暫住，天天以好酒好肉款待，自不必說。（七五）

海隅憶語

哀高麗（上）

海濶旅客

民元以後，浪迹顛沛，越南的老少亡命客不聞聲欸，只那朝鮮的智客當留心影。民六歸國，北方友人又介紹高麗獨立運動分子宮某南來接洽。蓋其時由護法之役，民轉爲生的南方軍政府組成，北方同人未知這邊的胡混，倒以爲旁皇無依的朝鮮孤臣孽子們，姑作申包胥，或許能得臂助。宮氏爲刺殺日本重臣伊藤博文的安重根的摯友。他間關抵粵，曾和軍府一二大老接觸。他們虛與委蛇，一度慨贈便送給程儀數千金，這是客氣的逐客令。

我們一些朋友，再偶昔年款接越南同人的靈舫，在珠江風月下款讌宮氏。談到倭兒箝制韓人的險毒，宮聲淚俱下。據說，韓人失國後，流亡于我國東北的甚衆，遠渡太平洋悄然奔跡南北美的爲數亦夥，多數都步持獨立運動。在哈爾濱，瀋陽，天津，上海都有祕密機關。他都開列地址給我們，並約好通訊和接觸的方法。一杯濁酒，幾點殘星，時將黎明始黯然爲別。

荏苒數年，羈棲滬濱，寒風凛冽中，黃浦灘頭一泥垢蒙褸的青年，在擺賣良鄉栗子，貌甚熟，思之再四，憶得是昔年曾隨宮氏至粵那朝鮮小夥子，止步攀談，他也清楚記得。我着想暢談，他竟收拾錢貨，挑起擔子，領我回到他的住處，却是在江灣一巨廈的地府。那裏種種式式第四階層人物像蜂巢般分住，生活的不堪，够令人酸鼻。他告訴我法租界某街某弄，閘北區某里某號均爲同人住所。又告訴我好些犧牲了的同志所幹過的工作。他們潛回本國工作的都是在領袖監督之下拈鬮而去的，否則爭先恐後，反費周章。又他們規定，年在二十以下的不得參預拈鬮。這少年纔十九歲，要效命也得待來年。兩月之後，我介紹了他進一印刷所當學徒，生活比作街頭小販好過些。

這兩年間，由此少年引致認識不少彼中人物，上至李承晚的前輩，後此在滬刺殺日本數將官而殉命的金某等。此中因爲同爲愛好中國文學的關係而格外投契的朴君，因爲社會思想上同一信仰的關係而亦親切的柳君，可以說是至交，過從至密。

許久想到朝鮮旅行一遭，看看一切事物。民十九之冬，漢城開日本併韓二十年紀念博覽會，若于這時候去較少惹人懷疑。日本朋友高橋君，他是犬養毅一路的人，於我國朝野人士多所來往，我認識他的時候是擔任着大阪每日新聞駐華通訊記者。旅行朝鮮的想頭，高橋力從實現，並願同行。我特攜同少妻弱子偕往，更能杜絕嫌疑，經由滬抵長崎，乘船到釜山，轉火車達漢城。高橋之戚爲三井分行經理，與官方接近，通過御用商業機構，我們乃竟受上賓待遇。我們在滬動程時，大抵高橋已經多所佈置，故一到長崎，即受半官式的接待。乘船往門司，竟爲特備一等艙室。門司的甚麼官還親送到釜山，到了漢城，尤其接待外國使節似的。我暗自好笑，我們原本同情韓人反日革命，特來看看日本治韓的暴行，他們倒屣歡迎，高橋的把戲算玩得開心了。

把戲既然玩出了，便索性裝成像煞有介事。高橋借口攻牛，三井經理早就定下由舊皇宮一部分改建的朝鮮大旅社頭等客寓爲我們下榻。次日，總督請我們會見朝鮮總督齋藤，我那三歲的兒子，撲騰在那白髮長得的齋藤懷裏，明白了一份稱厚的贈品。府中執事，爲我們編排好十大的遊程，博覽會而外，日人所自炫的一切建設都要你看看。麻煩透的是府中竟派了一員副官，漢城府尹又派了一個專員，按遊程寸步相陪，給好意地剝奪了自由，最感不快，高橋這才懊悔狡猾害了自己。

博覽的規模不算甚麼，然而在我國還不曾有過。韓人的物質生活，至此一覽無遺。繁歎落後的韓人，倘非亡給日本，那裏來的這麼的享受。日人何愛于韓，大利歸于日，韓人得沾唾餘而已。然使韓人自爲之，相信假以百年還未辦得到。這非關先天的智能，關鍵在乎教育罷了。（十二）

自由人
THE FREEMAN
（半週刊每星期三六出版）
（第一〇四期）
每份港幣壹毫
督印人：李光華
社址
香港高士打道六六號
電話：二〇八四八
GLOUCESTER RD.
HONGKONG
TEL: 20848
承印者：東南印務出版社
地址：高士打道六四號
台灣經銷處
台北市中華路一二五九號

泛論貪汚

·左舜生·

友人胡秋原先生，最近在『民主評論』三卷六期上寫了一篇『由「貪汚哲學」論中共貪汚之必然與無救』的長文，已發表的還只一部分。他在下文如何說，現在不知道，但單就已發表的這一部分而論，已經很能引起我們對這個問題探討的興趣。胡先生所說的『貪汚哲學』，是就貪汚這件事實，作一種哲學的研究，我在這裏所說的，卻是『卑之毋甚高論』，僅僅只想就這三四十年來親身所見所聞的，寫出我一點看法，而且只以中國爲限。我平日也常常是這樣想：政治本來不一定是一件無聊的事，然而在中國幹政治總覺得無聊，其原因就是因爲有貪汚這件事實普遍的存在。要把中國的政治弄好，自然需要的條件很多，然而如何把這種貪汚的風氣改變過來，總不失爲主要的消極條件之一。『言非一端，各有當，』也許我在下面所寫出的這些看法，可能和胡先生所說的相互發明，而同有助於這個問題的認識與解決也不一定。

我不說絕對沒有例外，但就我在這三四十年來所看見的一些所謂『有錢的人』，百分之九十以上，都是一些蠢東西。我們平日常常有這樣的一個問題：『我們知道此人已經有錢不少，但他還在繼續找錢，乃至不惜用盡種種方法去找錢，似乎覺得是愈多愈好，他到底預備幹什麼？』我仔細一想，覺得這個問題是多餘的，因爲他並不預備幹什麼，其惟一的目的就在找錢，他把擁有足夠的金錢認爲身心性命，其餘的一切他都可以不管，只是找錢第一。『儒林外史』上描寫一位有錢的嚴監生，病到非死不可的時候，還從被窩裏伸出兩個指頭，不肯斷氣，他的兩個姪子向他問長問短，他只是閉目搖頭，後來還是他的一位姨太太明白，連忙把一盞油燈裏的兩根燈草撥去一根，這位有錢的大爺才算安心落氣！可見一個人愛錢愛到成了癖，便連死到臨頭也還是不肯放鬆。我們試閉目想一想，就生平所看見幾個最有錢的人，他們那一種態度，他們那一副嘴臉，曾有那個不像嚴監生？這自然是一個最極端的例，但有錢人竟到像嚴監生這種程度的，倒是不少啊！

『人之患在於有生』，大凡一個人之歡喜找錢，其最主要的目的，也無非是想使自己的生活享受得比別人更爲舒適。其實單是這樣一種想法，已經是愚蠢到不可救藥：一個人的生活最好是複雜而內容豐富，最忌的是單調而太少變化，一個窮小子，爲饑寒所驅，乃至於餓得冷得『耳無聞，目無見，』忽然得着一頓粗飯，或一襲布衣，其樂也許南面王無以遠過。反之，那些一輩子錦衣玉食的生活於綺羅叢中，或酒綠燈紅的臥倒在溫柔鄉裏，久而久之，習慣自然，還不甚味同嚼蠟？實際講起來，人類社會中有了我這樣一個，本來是偶然而又偶然，可是既已不幸的活體，更不幸又發現這個活着的乃是所謂『我』，其所能由『我』來主宰的，便是把這短促的生命作一種較有趣味或較有意義的銷磨，而所謂趣味與意義之所由構成，大抵存於冒險，而決不存於只是安富尊榮的活着。我平日想像中的孔子，便只是一個絕頂聰明而又興趣多方的人，他大致沒有錢，偶然有點錢的時候有過，窮得沒有飯吃的時候也有過，可是他卻始終有一種與天地同流的渾然興趣，從來不曾憂慮過，也從來不曾消極過。他的學生，有很有錢的，如子貢；也有窮得要死的，如原憲，如顏回；但他卻是一視同仁，對他們都有着一個純眞的愛。我們不要以爲孔老先生眞是有一定要如何如何的一種抱負，他自己便說過，他最樂於趕馬車：『富而可求也，雖執鞭之士，吾亦爲之。』『吾何執？執御乎？執射乎？吾執御矣。』從這種地方可以看出：一個人最怕的只是中無所有，或者說中無所『好』，假定他有所『好』的話，則貧富自可度外置之。反過來說，那些天天在那裏汲汲找錢的人，便可十足證明他們只是一些中無所有的蠢東西，儘管有錢人的肚皮是比別人要來得大一點，可是其中除掉一包汚穢惡臭的草料以外，實在是一無所有！耶穌說：『使一個有錢的人去登天堂，好比是教一匹駱駝穿過針孔。』這並不是天堂上容不下一隻蠢笨的駱駝，實在是像天堂那樣一種清淨所在，容不下這樣一股臭氣啊！

愛錢的人還有一種想法：他們總覺得有了錢，他們的生命便可多有一些保障。從前有錢人的理想，是『腰纏十萬貫，騎鶴上揚州』；現在有錢人的理想，便是把貪汚所積累的美鈔變成銀行的存單或股票坐飛機到美國。其實以他們那樣一種材料，留在這樣一個貧窮的中國，已經只是一種被人輕賤的蠢東西，難道他們到了美國就會變得被人看得起的一種聰明人物？我們不難想像現在流亡到美國去的那一羣的中國闊佬，他們整家在美國那樣的一種社會裏，他們天天所過的是怎樣一種的鬼生活。若干年來，我們也看見不少的地方軍閥，他們也眞是勇於找錢，他們所佔有的房產，動輒是一條一條的街；所買的田，動輒是一縣一縣的土地；方其盛時，他們豈不以爲今生今世也吃着不盡，生命乃有了最安全的保障？可是而今安在呢？他們其所以蠢到這步田地，只是由於一個觀念犯了基本錯誤：他們以爲舉世皆窮而我獨富，富者乃爲比較的安全；卻沒有想到舉世皆窮而我最窮，惟最窮者乃最有保障啊！（一）

烽火中的東南亞

蘇聯外長在未久以前說過：

「南中國邊境上將發生事件了」

西方國家現在漸漸感覺到，共產國際可能將東南亞一連串的小型內戰，合併起來成爲一個擴大的戰火。在緬越邊境上，中共正集結得三十萬人之衆，似有所動。而在上述兩國中，都有內戰存在的危機。他們都直接或間接受着中共的領導。叛軍們都從中共手中輸入大量的軍火。同時蘇聯外長在未久以前也說過「南中國的邊境上會將發生事件了」。

從這種種象跡上可以推測到國際共產下一步將在東南亞有所行動。如果東南亞地區落入共產黨之手，則共產國家可以在國際上撈得全世界三份之二米的利益，五份之四橡膠的利益，及三份之二的鐵片的利益，其他各種有關於戰事的物資與原料，更不必說了。從政治意義上言，如果共產國際掌握着東南亞，則向西可以威脅印度，巴基斯坦，東南可以虎視菲列濱及澳洲的安全。西方國家的防線亦因此而被這箭頭衝破！

以事實而論，整個東南亞富庶之區，一億四千萬人口全暴露在共產勢力之下。在共產黨看來，如果要拿東南亞眞是易如探囊，輕而易舉之事。在這一個地區內，沒有西方國家聯合的力量，更沒有足以阻當來自中國的一枝聯合的軍隊。

邱翁前月訪美，和杜魯門總統在華盛頓都討論這個問題。所以他們請法國一位高級將領（按，即法參謀總長余安）特地去美報告越南之危機。過去十個月以來，越南所收到的聯合國的支援，僅次於韓國戰場。可是，現在照實際情形看來，仍嫌不足。

首當其衝的是緬甸

以東南亞今日各國之情勢言，首當其衝的自然是緬甸。緬甸是經不起任何外來的壓力的，她內部又是很不健全。北方大部的土地全部在叛軍及共軍掌握之手。三年來之內戰緬人死了五萬，用去軍費合美金二億元。然而，緬甸政府在反共與共產國家之間的立場，又想保持「中立」。所以西方一位專家下過斷語道：「不等到緬甸認淸對方共產的力量，她早就垮了」。按緬民傳統觀念說，緬甸是不信任於西方的協助的。他們向英國買軍火，但他們對二十五人組成之英國軍事代表團的建議，根本不聽的。緬甸全國軍力只有三萬人，和十隻美國贈給他們的小砲艇。在緬甸唯一的伊利哇地河上航行，仍不時要遭受到叛軍之射擊。

第二次世界大戰美國花了一億美元通印緬的一段史迪威公路，現在已經荊棘滿途，年久失修，已無法通行了。在印度的從前美軍所建的機場，也都成了一塊塊的碎片，根本無用了。如果中共攻打緬甸，即使印度改變「中立」立場，想協助緬甸，在時間都無法挽回。

但在緬甸通中國雲南這一段路面，情形便不同了。中共已經動員了許多工人，加緊修理，全復舊觀。在這條路上相信集結着十萬共軍。從緬北曼德萊到中國邊境這一段又是游擊區域。從緬甸，國際共產又可進取泰國與馬來，沿途不會有多大阻礙的。

越南軍事局面的特色

次言今日之越南，五年來連年內戰，把法國的力量拖疲了。在經濟方面，法國已用了二億五千萬美元。這個數字等於二次大戰後美國給法國的美援之總和。人力方面，法國已出動了三十五萬人之數，抵擋着越盟。死去了近三萬人，其中有着法國最優秀的軍官一千五百人，這個損失是相當浩大的。這幾年來，雙方膠着，法方一無戰果。越盟上月數過不斷之攻擊，雖然獲得了一些領土，但法方終沒有力量阻止這個戰爭。

假定莫斯科同意中共向越南推進，立刻可以終結這個拉鋸式的戰爭，一掃而下。法國出以全力，或者可以把他們擊退，但將遭遇和今日韓戰場一樣不可解決的頭痛問題。在中國邊境上現正雲集着大軍二十萬人，還有許多飛機場。

在越南戰場根本沒有停火談判。越南戰場上的軍事局面最相當特別的。因爲那裏沒有一個整個的戰線。法方佔領的是點如城，鎭，村。而越盟佔領的乃是廣大的面，是整個的山頭。在熱鬧的西貢與河內，還有不少地下工作者。所以，在實力上言，越南和緬甸一樣，也是國際共產通入東南亞的一條捷徑。

泰國是稍有生氣的

比較說來，泰國是稍有生氣的。泰國是全世界第一位米糧外銷的國家。泰國組織比較嚴密，因此共產勢力比較軟弱。泰國的實力，在西方協助下，海陸軍與警察共計六萬五千人，另外還組了一個三十五人組織的美國軍事顧問團。但是泰人是世界上最能適應環境富有彈性的民族。如果中共攻佔緬甸或越南，泰國的力量也抵擋不住的。只要中共兵臨城下，泰國同情共產的一個旅，便會在曼谷城內，發生政變，奪取政權，而使泰國山河變色。

東南亞的最後門戶

最後，便是馬來和印度了。這兩個地區是東南亞最後的門戶，也是東南亞寶藏最富之區。英屬馬來是全世界產鐵片之冠軍。馬來橡膠出口僅次於印尼。然而馬來當地的亂黨雖只有四萬四千人，而要牽制英國在馬來十三萬五千人的軍警聯合力量，其中英國正規軍便佔了二萬二千人。

印尼在政治上算是「中立」的，物產豐富，尤以橡膠，鐵片，原鑛，棗油，煤油爲大宗。但是國內老是不能安定。所以在全東南亞，國際共產利用了民族主義，把很容易在宣傳上打擊西方各國的殖民政策，造成內部的鬥爭。

遠水將救不得近火

西方各國認東南亞今日最好的防綫，便是促使印度與巴基斯坦覺悟，使他們恐懼共產之逼人。但是這個覺醒爲時已太晚了，恐怕遠水已趕不上撲滅東南亞的近火。

（力行譯自美國新聞及世界報導一月十八日號）

我國堅持談判立場
只有和約沒有條約
戰事從九一八算起
日應賠款原則從寬

【台北通訊】中日和談，無異於一個產婦的難產。自從舊金山和會揭幕，中國被摒棄於和會門外，直到今天爲止，產婦經過了四個多月的產前陣痛，雖然目前已住進醫院等待分娩，但是，嬰兒能否順利降世，尚未可預卜。那就是中日雙邊和約的前途正籠罩了一層陰影，如果吉田茂反覆無常的態度始終不變，未來的演變，實在不敢令人樂觀。中日雙邊和約簽訂是爲了結束兩國二十年來的交戰狀態，以及百年以來的敵對與仇恨，重新建立邦交，恢復友好，寫下歷史的一頁。這一個舉世矚目的歷史鏡頭，將決定於日本七十二歲高齡的首相吉田茂是否有誠意，而不是中華民國。

杜爾斯訪日兩任務

誠如衆所週知，去年十二月十日，杜爾斯卿命訪日，負有兩個任務：其一，促使武裝日本；其二，促使日本與自由中國簽訂雙邊和約。然而，杜爾斯與吉田茂鬥法，杜度過了匆忙而緊張的十天以后，他的任務僅僅完成一半，就返美覆命了。在杜爾斯來說，他是掃興而歸。因此，杜勒斯回到華府後，便將日本朝野的態度以及吉田茂要花槍的經過，和盤托出。據說，當時吉田茂在杜爾斯面前所表現的是「觀望」「等待」與「選擇」，既不承認中共，也不承認台灣的中華民國政府。如果以台灣爲簽約對象，只能締結修好條約，而不是雙邊的和約，爲了避免過份刺激台灣，表示與國府友好，準備派犬養健爲親善使節，訪問台灣。吉田茂的狡猾，引起了美國朝野的強烈反應，據外電報導，杜爾斯在參院外交委員會祕密會議上說：「自由中國未參加舊金山和約是無關重要的，因爲吉田茂已答應在議會批准和約後，與國府直接協商」。可是，日議會批准和約後，未見任何動靜與下文，日本對中國締結和約的態度依然很冷淡，吉田茂並向杜爾斯舉出若干「含糊」的「解釋」。所以，美國的反應，暗示了倘使日本不履行此一諾言，與中國簽訂雙邊和約，則將是美國國會考慮批准對日和約時的一大障礙。

吉田茂看風駛舵

聰敏的吉田茂，看得很清楚，爲了緩和空氣，於一月初透過輿論關係，宣佈決定派遣「友好代表團」在本月來台北作睦鄰訪問。繼續便透露了自由黨領袖犬養健爲「友好代表團」的全權代表。這是一種姿態，「友好」訪問僅係一種接近與試探國府的表示，並不是決定與國府締訂和約，我政府官方表示緘默，說明了中國朝野對犬養健之「友好」訪問的冷淡，表示拒絕以「友好」方式擺出締和姿態來敷衍，而堅持言論行動一致，締和具體化，以實際行動來表答。日本政府了解中國的行情之後，便在杜邸會談結束發表聯合公報一明確東問題已獲得一致意見的一週後，才公開發表那一封去年十二月二十四日吉田茂致杜爾斯早就寫好的信，信中向杜爾斯保證，日本絕不與中共簽訂雙邊條約；決定依據舊金山和平條約原則，與國府締結一項將重建兩國政府間之正常關係條約。雖然仍未提到雙邊「和約」的字眼，但吉田茂的態度似乎澄清了一點，中日和談問題，已接近事實。

代表人選發生曲折

經過這一段曲折的演變後，日本政府始決定正式派遣和約代表團來台北。全權代表却弄出一個冷門：河田烈出來。其實，當中也經過了一番波折。犬養健是日本前首相犬養毅的長子，一九三二年被少壯軍人所暗殺，他沾了父親的光，至今還有一點殘餘勢力，他又是中國通，他是比較理想的人選。吉田茂雖然想提拔他，却遭到國會中許多人反對。何況，在中日戰爭中他曾任汪精衛的顧問。如果派他爲全權代表，將會引起中國政府不良的反應。因此，由犬養健而一變爲曾任中國公使的川樾茂。消息傳到台北，中國政府爲了重視和約的簽訂與誠意，推出第一流政治家曾任閣揆的張岳軍來。可是，川樾茂的全權代表又發生了變化。提出了曾任外相的老外交家芳澤謙吉，最後還是發表了吉田的表兄一位部長階級的河田烈。所以，國府派張岳軍的決定也臨時改變了，同樣以部長身份的外長葉公超出任。

談判名稱主張堅決

現在河田烈儘管已經來到台北，雙方的距離並沒有縮短。本來，吉田茂先就懷了鬼胎，即在致杜爾斯信中亦堅持「條約」兩個字，而不稱「和約」。中國當局看透了吉田的戲法，乃立刻以電報經由駐日代表團轉知日本外務部，大意謂：據吾人所了解，貴國所稱之「條約」，即係指「和約」而言。這顯然說明了不是和約就免開尊口。葉外長亦同時將這一立場面告木村。照理說，按照外交慣例，日本外務部如果表示疑異，須在廿四小時內覆牒，超過了廿四小時，那就等於默認。這可急壞了吉田茂，於是，急派公使出來轉圜，兩度拜訪我外長，請其不必在談判前夕堅持名稱問題，將來進入正式談判時，當使日本接受中國政府的意見。同時，吉田茂爲了彌補僵局，也擺出了讓步的姿態，給木村一個訓令，囑向中國外交部表示，日本將作「適當」的「讓步」，不再堅持。中國政府惟恐吉田再要花槍，所以，葉外長向木村鄭重提出：河田烈全權代表來台，係與我議訂「和約」，否則談判破裂，應由日本負其責任。

吉田在國會說錯話

雖然中國政府交代清楚，河田烈的態度仍然含糊，究竟與中國簽「和約」抑或「條約」，成了一個謎。河田烈從松山機場一下飛機，直到「自由之家」舉行中外記者招待會，在他的聲明中，以及答覆記者的詢問，對於名稱問題，始終避免正面答覆。河田烈的躲躲閃閃，已經使人感到懷疑，不料，河田烈來台的翌日，飄忽不定的吉田茂，終於在衆議院預算委員會發表出爾反爾的荒謬「宏論」。他說：日本政府不準備與中國政府依照舊金山和約第廿六條所定原則簽訂和約，因爲該政府是台灣的地方政權。吉田說錯了話之後，日本代表團馬上向當局解釋，說這是爲了應付國會議員。其實，衆議員自由黨佔二百八十席，居於超過半數的絕對優勢。改進黨雖係日本第一個最大的反對黨，在衆議院僅僅八十席而已。且改進黨日前表示贊成日本政府與中國政府締結雙邊和約。那麼，吉田自無敷衍之必要，吉田居心何在，漏洞百出，他的態度令人懷疑。后來，日本代表團發言人岡崎秀樹只好硬着頭皮轉圜，說吉田十九日的言論，並不影響日約談判，日本代表所持原則絕不變更。岡崎秀樹的一番話表面上看，好像是定心丸，但是他憑什麼身份反駁首相的話呢，這是應該考慮的。因此，岡崎秀樹的話也不過是姑妄聽之，而吉田謬論引起自由中國人士的強烈反應，却已由日本記者的手筆，報導到東京。

我提和約五大問題

毫無疑問的，中國朝野，對吉田之言，均表示莫名的憤慨。立法院，監察院，國民代表大會，台灣省臨時議會，台北市議會以及台灣各界人士，分別致電政府堅持固有立場。立法院全體委員及外交委員會曾經數度集議，認爲如果不是和約，立法院可以使用最后一個法寶，將來不批准。我全權代表外交部長葉公超，亦於廿三日重申我國立場，堅持實質與名義均爲和約，其內容必須以舊金山多邊和約爲藍本。

吉田的狡猾手法，使河田烈很爲難，他正處於苦惱困迫的境地。廿五日下午，河田曾拜訪前行政院長張羣，希望他幫忙。然而，這個忙簡直無法幫，因爲除了名稱一節爲重要關鍵外，中國政府所提出的和約草案七章廿二款中，還包括了五個問題：

一、實施範圍，不應列入正式條文，只能在附件中說明，適用於雙方全部領土。

二、台灣澎湖必須有所說明，即在條文中交代清楚，歸還中華民國。

三、戰爭時間，應自一九三一年九月十八日算起。

四、賠償，中國所受損失這筆賬算清楚，提定賠償辦法時，原則上可以考慮從寬。

五、和約生效日期，應與舊金山多邊和約同時生效。

照目前的情形來看，和談前途未可樂觀。因爲和談的暗礁不除，誰也不敢預料會發生怎樣的后果。然而，這問題不在國府，而是日本，所謂暗礁，係指吉田茂的誠意而言，假使吉田茂不改變態度，則無疑使和談招致障礙，那將是日本政府繼續重蹈以往錯誤之覆轍。（遞夭二月廿五日寄自台北）

香港三日

美演習原子空防

美總統輪船公司所屬下之克利扶蘭總統號於廿六日下午由舊金山駛港。據該輪搭客稱：美國自從韓戰以來國內物價平均漲了百分之三十，美國一般人民均希望迅予結束韓戰。但政府隨做不到，國內貪污案件，層出不窮，使杜魯門都遭到人民的指責。民間對政府雖感厭惡，但仍是擁護政府的。東部有許多城市，都在演習防原子彈之空襲。精神並不緊張。關於本年美國之大選，一般民意認爲塔虎脫與艾森豪威爾是五十對五十，也有人認爲不定半路會殺出個程咬金，爆出麥克阿瑟的冷門來。但一般美國人擔心選的時候，說不定便是大戰的開始！

英援港只須兩天

英皇家空軍遠東總司令史杜拉臨中將，廿五日由英抵港，廿七日赴星洲，馬來及錫蘭視察。渠於半島酒店會晤記者時稱，空軍地勤部隊未能擴展，實由於人力不敷。空軍地勤主要之任務乃在保護空軍油站及地面上有關之設備，現正加緊訓練中。他說本港之空軍地勤部隊屬於馬來。香港如遭攻擊，二日內援軍即可趕到，他認爲香港治安今年比他去年來時進步。他對於馬來當前之局勢，承認相當嚴重。認爲不單是軍事可以解決的。他相信提高馬來一般人民之自治地位及促醒政治認識是有助於穩定馬來危機的。史氏擬在馬逗留三週，然後赴中東視察。

新界演習攻防戰

駐守新界英軍於廿六日起，一連三天舉行野戰大演習。演習區域爲青山、大埔、粉嶺，演習的是「攻防之戰」。參加英軍××旅及××旅。沿途設有診療所及醫療站，及臨時軍營幕。上空並有噴射機掩護「作戰」。演來逼真，一時青山大埔道上一片戰時景色。按此次演習，規模之大，動員之衆，爲昔年所未有。廿六日又適逢外傳廣州東頭村慰問團九十人將由穗來港，倍加緊張。但許多記者趕至上水，仍是撲了個空。

電車新工會將成立

香港電車新工會，籌組以來，極力推動，已於廿七日獲勞工處核准立案，頒予二九七號注册證。該會不久即將舉行成立大會。該會現已擁有半數工人以上之會員。據該會籌備某負責人稱：該會純爲一工人組織之自由工會，專謀工人幸福。他預料大會成立後，加入工會的工友一定源源而來。他對新工會前途，甚爲樂觀。並稱不日即向社會報告該會籌備經過。

向維萱太太之謎

前政府駐美空軍上校向維萱之妻，於二十二日自美經港赴大陸。香港報紙上首先披露這條新聞的是英文虎報，但敍述得太少了。這的確是一段外人不知道的祕密。原來事先有人向各報投函告密，說向太太何月何日乘克利夫蘭輪抵港。而且信上註明是坐三等艙。船到的時候，許多記者及攝影記者相爭搶取這個鏡頭，但是跑到船上三等艙內找不到向太太。一批回大陸的學生，由移民局另關一室，不得談話，不得攝影，於是大家便認定她是擠在學生行列中，其實，這還是多少有些冒險性的猜測。因爲大家相信告密的人不會說假話。否則，她的一舉一動，虎報不但沒有照片，連描寫也沒有，這道理便甚於此！

中日和約暗礁多

紐約時報駐遠東特派員利卜曼由台返港。他說中日和約前途暗礁甚多，國際局勢不明朗，將無法展開，中間英國的壓力還是多少有些份量的。有人懷疑中日之間是不是有什麼軍事密約，他道日本現在連保衛自己的力量都沒有，焉有力量幫助別人，現在絕對談不到這個問題。最大的困難，還是在乎日本人有沒有誠意。（一成）

武漢三鎮開始總搜括
大批經紀人關進鐵牢
共幹發財工商界當災

【漢口通訊】偽中南軍政神經樞紐——武漢三鎮，在中共的「四反運動」下，僅存的工商業，又面臨了末日。匪幹以「四反運動」爲幌子，大肆逮捕工商號經紀人，開始又一次的總搜括。偽武漢市人民政府在「三反運動」中所組織的「反貪污聯合檢查委員會」，動員了大批「格柏烏」工作人員，經過一個時期的佈署，結果在本（二）月十五日，動員公安人員，武裝出發，如臨大敵，騷動了整個武漢三鎮的居民。匪幹撈得暴利，工商業者含冤下獄。

這次逮捕的工商業經紀人，及其所加的罪名，是：東華電行經理嚴貴堂，因偽中國器材公司中南區公司，曾向該行訂製被覆線（軍用），及其他商品。在交貨時，因匪幹扣佣金，而得了賄賂罪。中共自認損失在偽幣四十七億二千一百多萬元。興隆祥藥材行經理傳道興，因被匪幹利用，受了匪幹的玩弄。該行副經理龔福訓，被偽武漢市土產公司派爲第二營業部業務股副股長，受匪幹的驅使，陷入「盜騙國家財產」罪，中共初步統計，損失在二十億以上。樂康製藥廠經理林厚淳，因製藥受匪幹利用，被中共指爲損失了二十二億元以上。大興米廠副經理彭錫承，原任「解放」前的「順興麗米廠」經理，在「解放」後，被匪幹利用，與偽湖北革命大學生產科人員，勾結舞弊，獲得暴利，經中共指爲「盜竊國家財產」損失達兩億元以上。

以上所述這些工商業經紀人，業經中共逮捕下獄，看情形，是要大肆勒索一下，才會甘心的。以下所述一些工商業的經紀人，商號資本較小，經中共壓迫「坦白」，立刻「賠償」而「交保」的，有：華中機器廠經理高光鐸，樊森昌皮革店老闆熊昌亮，福原群錦和號老闆萬徐氏，協昌玻璃號經理汪福如，和文具社經理冷德霖，光明黎刷廠經理周潤清，海記新商店老闆劉雁波，謙泰電業行經理程荣聲。

偽中南區軍政委員會爲了加緊搜括匪區的工商業，於本（二）月十三日，又頒佈了偽「中南區密報檢舉工商業偷漏國稅提獎辦法」十條，嗾使匪幹大肆勒索，再肆搜括。（該項辦法，見「長江日報」。）同時，偽中南區軍政委員會又通令所轄匪區各級偽政府機關，一律遵命實行，匪區中南地方，中共的總搜括，業已開始，由武漢三鎮起手，遍及其他都市，如南昌，鄭州，九江，長沙，廣州，桂林等地，整個中南區的殘餘工商業，面臨浩劫的末日業已來臨，前途是不問可知的了。（長江二月廿日）

布科夫如此治淮

【徐州通訊】中共在大陸匪區裏，以治理淮河流域的水利與修工程，作爲它們建設的宣傳幌子，搞得有聲有色；現在，正又宣傳第二期的興修淮河工程，業已開始了。中共在修理淮河的宣傳工作中，聘有一位蘇俄大鼻子顧問布科夫，宣稱他是水利工程專家。惟在「事實勝於雄辯」的鐵證下，這位蘇俄專家，對於治淮究竟有什麼貢獻，只有天曉得了。

中共在規劃淮河中游的湖泊蓄洪工程時，布科夫貢獻的技術理論，是在潤河集修築一個大分水閘，可以不用一根椿和一塊板的。同時，潤河集分水閘的閘門，總寬達四百七十九公尺，沒有昇降式的機械可以裝置，布科夫便建議採用液壓啓閉的閘門型式，作爲放水之用。這項工程完成於去年秋冬間，今春冰雪溶水漲，竟將布科夫設計的治淮閘門和液壓啓閉門型式的放水設備，衝毀無遺。布科夫本人則藉口疲勞過度，眼病復發，而溜之大吉返俄去了。（北客，二月十七）

中共籌劃積極侵緬
僞軍集中緬北滇西
德欽努決清剿叛亂
國際共諜狼狽逃匿

【仰光通訊】緬甸是舉世聞名的東南亞的米倉，氣候炎熱，物產豐富。蘇俄中共對這塊肥肉，早想一口吞噬。因此，自中共軍侵佔雲南以後，就積極在昆明、保山、芒市各地，設立大規模的訓練機構，招訓緬甸叛軍首領諾賽、德欽丹敦、德欽素等。近更加緊誘騙旅緬之華僑青年學生返滇，施以各種特殊訓練，再行遣回緬境，替中共刺探情報，担任間諜工作。

在仰光，設有蘇俄大使館，中共僞使館。這些共產官員更肆無忌憚，公開指揮並支持緬甸共產份子活動，企圖推翻現政府，以遂其赤化的陰謀。舉凡仰光大學鬧學潮，公共汽車及煤油公司罷工，反對派議員在國會搗亂，工農黨公開遊行示威，及破壞仰光附近的鐵路橋樑與自來水管等等事件，多是俄共中共所一手導演出來的。

最近，俄共中共及緬共首腦，在昆明召開了一次軍事及政治祕密會議，決定加緊侵緬。更露骨地由中共直接出兵，威脅緬甸。因此，上旬以來，雲南中共軍源源西開，在滇西緬北集中了兩萬多名共軍，準備隨時入緬，策應緬甸叛軍奪取政權。

爲了掩護共產軍的進攻，中共俄共先展開宣傳攻勢，用惡人先告狀的手法，誣指我李彌部國軍進入緬甸。於是共匪周恩來聲言：「李彌部進入那裏，中共軍要追到那裏」。緬甸的共產黨刊，用大標字題登載一些捏造的消息說：在緬北九谷木姐之間，有國軍游擊隊兩千多人，在暹緬邊界處夜柿、大其力、景棟等地，有中國游擊隊五千餘人。這些部隊都是美式裝備，武器和服裝都是嶄新的云云。其實這些宣傳，全是子虛。

緬總理德欽努特爲此事，曾發表聲明，堅稱：「緬甸境內並無中國國軍，國民黨軍隊不會侵擾緬境，他們都在滇南省與中共作戰」。他並呼籲全緬人民提高警惕，指出中共處心積慮，想進攻緬甸。他說：「中共才是真正的侵略者，是緬人的大敵」。繼這篇談話發表后，德欽努復命令緬政府軍向緬共老巢加緊進攻。在幾次掃蕩戰役中，把德欽梭、德欽丹敦這些紅白旗共軍首領，追擊到走頭無路，狼狽逃竄。

緬甸獨立后首屆大選，以德欽努爲魁的自由同盟，業已獲得了決定性的勝利。在下（三）月初，緬甸新內閣就要成立，「未來的執政黨（即自由同盟）已經開過幾次高級幹部會議，決定緬總理一職，仍由德欽努蟬聯。緬總統則由各邊區民族領袖輪流擔任。新閣中還增加了宇巴瑞，德欽障，賴色邁等許多自由同盟的要角，這些人是德欽努的好朋友，將來一定會給他有很大的幫助的。在安內的工作上，德欽努決定痛剿緬共，決不再姑息養奸。他現在確已照着這個目標去做了。

對外方面，緬甸自知國防實力脆弱，已於二月初旬正式接受了美國的共同安全法案。獲得了兩千萬金元的美援物資。在協定上並規定緬甸要履行聯合國所規定的一切義務，與其他各會員國一致維護世界和平，保衛集體安全，抵抗共產主義之侵略。今後緬甸已正式投向自由民主國家的集團，爲世界和平奮鬥。緬政府正整訓三軍，加強邊防。仰光孟加拉洞的大飛機場也正在趕工修建，已完成八千尺的長跑道。預計今年五月可全部完工，可以升降巨型空中堡壘及各式轟炸機。將成爲東南亞第一個大飛機場。一旦有事，可加強空中運輸，接濟軍事物資及運送軍隊。

在美緬簽署共同安全協定后，緬甸的態度表現得積極明朗。因此，外間盛傳將來新政府，可能與中共蘇俄絕交。但在另一方面，緬共反政府之行動，也愈顯得急切，據傳緬共各首腦德欽丹敦等曾舉行聯合會議，決定繼續擴大叛亂，並將招募「人民軍」三萬人，在本年內要「解放上緬甸」云云。

而潛伏在緬甸很久的中共特務首領如楊章憙，吳章彬，陳吉伏等，見緬甸態度轉變，在緬無法繼續活動，乃請准出口證后，於二月十四日晨乘機逃赴曼谷轉道返中共區去。這批共特走后，另外又佈置了一個新特務網，與緬共地下份子合作，繼續策動進行反政府工作。他們用毛澤東的「新民主主義」做黨綱，叫一批緬甸流氓組織所謂「全緬人民團結黨」，發動「驅逐中國國軍」及「反對美緬共同安全協定」運動等。

總之，緬甸今日是一個舉世矚目的危險地區，不庸諱言的，共產侵略者已把戰爭的火頭移到緬甸這個方向來。前些日子，緬甸人心惶惶，大家有戰禍將臨之感。現在經過緬甸政府的積極部署，並表明反共抗俄的決心后，人心已轉趨安定，局勢也好像穩定得多了。（赫斯德）（二月廿日）

三次大戰的面貌

英國宣布在澳洲試驗原子彈。

美國準備在太平洋試驗氫氣彈。

蘇聯聲明已能製造各種原子彈。

這表示了未來三次大戰的面貌。

× × ×

共軍的指責，說美國在朝鮮施放細菌彈。過去大戰所未曾用過的，美國開始應用了。

眞是這麼一回事嗎？一種嫁禍於人的宣傳，藉以掩飾共前綫疾病滋生的情況，並以拖延停戰的談判而已。

最大的危機在遠東

韓戰的談判，到了三月是開始第九月。

轉瞬春暖雪融，仍是繼續這樣無聊的談判呢？還是不然，準備再事戰爭呢？倘若再啓戰端，那是戰爭擴大的前途。

共黨怎樣？聯軍怎樣呢？

× × ×

越南的戰事，由和平的失守，法軍的形勢顯然不利。

據說中共的人員與軍火，已大批的到達越南。

在緬甸方面，李彌部隊也有與共軍發生衝突的消息。

工黨領袖艾德禮說，「最大危機在遠東」，是嗎？

尼赫魯作何打算？

印度的選舉已揭曉了，共產黨成了第二大黨。

中共在西藏，正積極作軍事的準備。

尼泊爾政變以後危機不去。

印度要想交歡中共，看到這形勢，尼赫魯作何打算呢？

× × ×

伊朗的煤油問題，正與世界銀行在談判中。

英埃的運河問題，英埃的談判可以重開了。

中東的局勢，能夠從此開始穩定嗎？

里斯本會議的成就

希臘與土耳其，已正式加入了大西洋聯盟。

十二國的聯盟，這樣擴大成十四國的組織。

里斯本會議，由此表現了新面貌。

聯軍統帥艾森豪，預備在三月訪問希土。

× × ×

里斯本會議的成就：

解決了法德兩國的對立。

決定了歐洲聯軍的計畫。

在一九五二年內，建立五十師的武力，四千架的飛機。

蘇聯能等着麼？

但在壓倒的蘇聯武力面前，西歐還是危險萬狀。

據說在目前，紅軍儘可長驅直至英吉利海岸。

到年底，那就須經過戰爭，不能長驅直入了。

必須要到一九五四年，始能有反擊的力量。

× × ×

日本已在建軍，

法德不久當可開始，

看看民主國家的勢力已日趨強大。

蘇聯能等着不作什麼行動嗎？

大戰危機之年

「一九五三年是兩方勢力均衡的關節，也是大戰危機之年。」

樓明

岩淵辰雄論吉田內閣
安全保障條約的暗礁
美國對吉田失掉信任

杜爾斯與吉田首相的會談，決定了日本必須完成自身的「自衛體制」，但如何使之具體化，則成爲當前日本的最大課題。並且在實施與推進的過程中，勢必隱伏着若干足以顚覆吉田內閣的暗礁。

到現在爲止，言論界都異口同聲的說：「吉田下台後，沒有適當的繼任人」，而不是直接的批評吉田內閣施政的好與不好。假定吉田內閣幾年來的施政不好，不夠，那麼誰能取吉田而代之？誰能比吉田更令人滿意？如今日本的在野黨，既沒有這種適當的人選，於是在日本便有了一般的傾向：盲目的擁護吉田，主張抱忍耐的態度，讓吉田幹下去！但是，儘管擁護吉田的人是那樣盲目的擁護他，而吉田內閣的壞處，卻也正由他自己親手挖掘。這個壞處，便是「安全保障條約」的實施。

吉田內閣碰到難題
安全條約帶來義務

實際上，言論界所提出以上的理由，不僅是可笑，簡直是膚淺！以前日本在政治上對關係重要的政策，不能遽作決定時，往往取決於元老重臣。他們的磋商，也就一件決定了當時內閣的壽命，以及繼任組閣的人選，這些元老重臣們，都厭惡政黨和議會，只喜歡推薦與自己氣味相投的官僚或軍人出而組閣。元老重臣們在每次政變中的磋商，總是提到誰是適當的繼任人？想不到戰敗後已經民主化了的日本，仍然和在元老重臣操縱下的藩閥時代一樣。所謂議會政治，是在議會中提出下次組閣的人選而通過之，不能推稱「無繼任人選」，像如今擁護吉田者所說的那樣，已經墮落成官僚政治，忽略了議會政治的本質。

議會政治必須以全國民意作施政的基礎，排斥吉田內閣也應該訴諸總選舉，聽取全國的民意。然後再以受國民大多數支持的政黨爲中心，組織新內閣。吉田內閣很幸運的渡過了幾個年頭，但由於吉田內閣無計劃的施政，已經浪費了日本最寶貴的時間，錯過了最重要的時機。這些責任除了吉田內閣及其本人，那些盲目支持吉田內閣的人們，也應負相當責任。

於今，吉田內閣面臨的難題，是如何實施由吉田親自簽署的「安全保障條約」。安全保障條約的本質究竟如何，在日本還沒有過明確的說明。去年杜爾斯來日時，曾高唱「自助人助」，一再的聲稱：若日本遭過直接的威脅——如來自國外的共產主義侵略——聯合國與美國必予以制止或援助。而對於間接產主義的擾亂——卻必須日本本身出力自衛，設法遏止。舊金山和會上杜魯門總統也曾說過由聯合國組織防衛軍。意思是在西歐組織西歐聯軍，在遠東也將在對日和約完成後由日本加入組織遠東防衛軍，但簽署條約的吉田以及他的內閣，到現在爲止，卻從沒有對安全保障條約的本質加以說明。

日本只有一條出路
再軍備到自衛體制

安全保障條約勢必給日本人民帶來莫大的義務，「再軍備」也是預料中的事情，雖然吉田曾經否認過，但看着杜爾斯與杜魯門的演說，以及國際情勢與美國的對外政策，實在不敢相信吉田的否認。如果安全保障條約僅是使日本人民爲了再武裝而盡莫大的義務，吉田就應該在未赴舊金山以前向全國說明，締結和約後之日本，而對着重重的國內外的危機，如欲成爲一完全的獨立國，只有從「再軍備」而走上「自衛體制」之一途。假如安全保障條約不是所謂「再軍備」，而是止於警察預備隊的擴充，吉田也有責任向國民解釋迷惑與疑懼。可是，以上兩者，吉田都不採用，只是輕描淡寫的否認了「再軍備」。

和約在戰事結束了幾年後才產生，由於國際情勢的轉變，和約已成爲今後日本最重要的轉換點，吉田竟不問國民的信任與否而輕率從事。過去，在天皇時代，宣戰、媾和、締結條約等都是天皇的特權，非一般國民所能過問，僅僅諮詢樞密院而已。如今已非天皇主權時代，議會即是當日的樞密院，是全國最高決策機關。「締結條約時，按照議會政治的原則，應先解散議會，實行總選舉，都是絕對必要的措施。而吉田竟一一忽略了。不過支持吉田的人們卻仍然說：「和約應該由吉田去完成。」

至於杜爾斯與吉田會談的內容，外人雖不能詳知究竟，但從杜爾斯在聯合俱樂部的演說中看，當不外日本自衛和承認中國的二大問題。

杜爾斯訪日時，日本報紙上曾有杜爾斯勸告日本重新武裝的報導，而一些外電又加以否認。並說：和約締結後，日本重新武裝否，是日本政府的責任問題，而杜爾斯的業務，也轉移到國務院。此次訪日不過是爲了搜集一些有關批准和約的資料。

美懷疑日踐約誠意
吉田茂打錯了算盤

從日本方面的報導和杜爾斯的聲明，看出一個極微妙的關係。吉田既已一再否認「再軍備」，一時改不過口來，就只好推諉在美國的勸告上。而杜爾斯一方面否認曾勸告日本重新武裝，一方面又說要搜集有關批准和約的資料，什麼是有關批准和約的資料？揭穿開來不過是試探日本對實施和約的「誠意」如何。和約是吉田簽署的，政府是吉田內閣，按情理說日本對實施和約的誠意不應該打折扣。事實上美國又特派杜爾斯偕上議員二人訪日，這說明了美國對吉田和他的內閣不信任，想吉田本人也該能體會到這一點。

究竟「自衛體制」是否等於「再軍備」？警察預備隊能擴充到什麼程度？和遠東防衛軍的關係如何？美國在批准和約以前，必須先取得確切的保證，這就是所謂「誠意」試探。

吉田出席和會時，隨員中有大藏大臣（財政部長）和中央銀行總裁，這是因爲吉田不但向美國要求「安全保障」，並且要鉅額的美援。吉田回國後，洋洋得意，某自由黨人在演說中舉例說：「日本的周圍，有過多的小偷和強盜橫行，現在用安全保障條約雇了一匹美國警犬回來，守護門戶。」

大出吉田意料之外的是，他萬沒想到和約竟要這麼急於實施，更沒想到承認中國的問題。也要被迫的在急切中處理。英美雖已協議予日本以自由選擇承認之權，但日本既要依存於美國，又要在緊張的國際舞台上取得一點實惠。吉田感覺頭痛了，並且，他知道和約生效後，他將從首相的寶座上摔下來。

與舊金山和約同時產生的安全保障條約，與和約的關係，曾被吉田內閣解釋爲二者不可分，相信另外一定還有一種三位一體的經濟協定。今後日本之依存於美國，所依靠於軍事上的殊小，而仰賴於經濟上的實大。吉田內閣的失敗也多種因於經濟政策上，電力問題，便是其中最大的一件，而所謂的電力借款，也沒有獲得同情，取得美援。

吉田與吉田的支持者，都以爲由於安全保障條約的締結，美國至少可以保護日本十年，不知美國實際上是爲了節省資本與人的犧牲，才締結安全保障條約，完成日本的自衛，實際上也是爲了減輕美國自己的負担。美國決不願永久做日本的「警犬」。吉田和他的支持者，連美國意圖都認不清楚，眞是太天眞了！

雖然吉田和他的內閣對美國的認識不夠，美國對吉田和他的內閣卻認識得很清楚。吉田內閣在日本先已失掉了人民的信任，如今又失掉了美國的信任，看來吉田內閣勢必顚覆於和約與安全保障條約實施的暗礁上了。（一專譯自日本經濟雜誌一月第二號）

辯論之益

·尙方·

邱吉爾從華盛頓訪問歸來，反對黨的左翼份子又兼以反美著稱的貝凡先生，在國會詰問邱翁對美國議員所說：韓戰和談如破裂，英美即採取「迅速，堅決而有效」的聯合行動云云，用意何在？邱氏答道：我不這麼說，難道要我講英美兩國將採取「遲鈍，游移而無效」的聯合行動不成？許多事情不必完全洩底，讓敵人猜猜不好麼？我覺得「邱老漢」究竟是一大雄辯家，在政治上確有兩手！

然而，左傾的貝凡一流人，硬要裝出與衆不同的「前進」模樣，對邱翁窮追緊迫不休，還要提出質案來，邱老漢却不能不反攻了！他提出確鑿證據來作答：一是英美對韓戰早已經前任工黨政府的外相之手訂下了祕密協定，他不過是蕭規曹隨而已。二是工黨政府早已造有原子彈，只是嚴守祕密，好將「戰爭販子」這名詞加在別人的身上。貝凡聞之，又羞又氣，大叫邱翁「不應洩漏國家機密」！

從這場大辯論中，發現兩項眞理，使世人有所領悟。即英國的工黨先生們，對於反共的堅決措施，並不下於美國那些「危險人物」。不過，美國人未做即先說，英國人却做了「決不說」，說的即不做而已。其次，由於反對黨之充分發抒其「反對」權力，竟忘記了自己國家所做的軍大機密，因而揭露出來，讓人民大家知道一些梗概，以免心神不定，思想總是搞不通。這一來，即知英國對共產中國那麼小心翼翼的表示好感，而共黨始終大叫「英帝」的所以然了！

民主政治的功用就在雙方辯論，辯來辯去，總會辯出眞理來的。貝凡先生們的「前進」辯論結果，還是我們這些局外人也獲益不淺，眞是多謝之至啊！

自由談

唐伯球莉與姚馨程頌雲

·甘草·

湖南省前參議會議長唐伯球，投共後，竟於去年年底還受中共殘酷的「鬥爭」與「清算」。「飛鳥盡，良弓藏，狡兔死，走狗烹」。這種份子的悲慘結局，中共已經註定了他們的命運。

唐伯球是湖南桃源人，曾東渡扶桑，畢業於日本早稻田大學，專攻政治經濟。回國後，余侍司法院副院長覃振，一手提攜。在湖南省第一紡織廠廠長任內，奠立了「政治資本」的經濟基礎。在覃振的介紹下與程潛（頌雲）發生密切的關係。加之唐善于逢迎，百般鑽營，經過了幾十年來的投機取巧，在政治上也有了相當的成就。

唐伯球不但是湖南桃源的地主兼民族資本家，就以整個湘西來說，也可稱爲數一數二的財主，他除了桃源原籍的財產不計外，在長沙、漢口、南京、都有房產、店舖、公司，……各種企業。

湖南省參議會以前的正議長是趙恆惕，副議長是鍾伯毅，抗戰勝利後，湖南開始民選，唐伯球趁着武漢行營主任程頌雲的關係，又使着自己的資本雄厚，四出奔走，鑽侔的獲得了湖南省參議會副議長的席位。

後來程頌雲調回湖南任綏靖主任兼湖南省政府主席時，唐伯球更爲活躍，春風得意，常有取趙恆惕而代之的野心，程頌雲對省參議會不能控制，行政上諸多掣肘，有爲難趙恆惕從中機。趙恆惕鑒于環境于己不利，託辭因病赴台避賢，匆匆的飛到台灣去了，湖南省參議會的議長，便輕輕的落到唐伯球的頭上。

唐伯球與程頌雲之間，除了政治上的利害關係以外，還有一段傳奇式的裙帶姻緣。唐伯球收容了一個蘇州遊的娛姑女—「姚莉馨」，倆娜多姿，風流多情，程頌雲一見之下，驚爲天人。唐伯球爲了迎合程主席的意思，要她常常陪侍程主席打牌、聊敍、遊玩，……姚小姐工愁善嚬，程主席風流倜儻，朝夕與共，不免發生了微妙的情愫。不久，姚莉馨便做了程主席的侍妾，于是唐伯球也就做了程頌雲的乾岳丈了。

誰知這位貌美如花的姚莉馨，就是中共派來的地下工作人員，潛伏在湖南祕密地工作多年，以色相換取情報，自從下嫁了程頌雲以後，專房獨寵，因此所有軍政機密大計，通通給姚莉馨洩漏給中共，讓程公館便形成了中共的情報站。

共軍渡江後，林彪的四野部隊直指湖南，各地的「開明」人士，呼籲「局部和平」。當時主張「局部和平」最力者，就是程頌雲，和唐伯球二人，他們一唱一和，演出一幕雙簧滑稽戲，湖南省三千多萬人民便在他們導演下斷送了。

韓戰發生後，中共爲了鞏固政權，對潛藏份子實行「鎭壓運動」。自命爲湖南家長的程頌雲被冷落了，陳明仁的主席寶座也被撤了，仇鰲、唐生智等的行動，被監視了。中共假借「人民」的要求，開始「清算」唐伯球。他被指爲「僞裝前進」「實行反革命陰謀」的罪名，被「人民政府」的公安廳的特務拘捕。唐伯球雖曾哈乞援于程頌雲和程「太太」，但因係中共中央既定的政策，不能徇私，無法營救，只有寄予虛僞的同情。

唐伯球全部的財產，被「人民政府」接管，他的家庭列爲特種戶口，在共黨的特務嚴密的監視下，喪失了一切的自由。共幹並將他由長沙解回到桃源原籍「公審」，被綁着雙手，頭上戴了一頂高帽子，上書「反革命份子唐伯球」。跪在公審台上，形容憔悴，低首無言。扮演「人民」的共幹，發動了「帶頭」作用，大聲的喊：「唐伯球是「人民」的公敵！他過去在湖南第一紡織廠長任內，欺壓工人，吸吮了工人的脂膏，今天我們要清算他，鬥爭他」！接着二三個「苦主」，控訴唐伯球的罪行，指摘唐伯球的罪惡，台下成千成萬的「人民」，哄哄的一齊吼叫。唐伯球本想開口向鄉間父老解說，當即被共幹制止，共幹喝斥說：「今天沒有你說話的餘地，你這罪該萬死的反動派」，到現在還想狡辯嗎？說完了以後，接着就是一頓毒打，拳足交加，打得一個半死不活。這時的唐伯球，已經是在昏迷狀態中，一個假的「迷人」……

「民」代表先後擁上台，呼痰，摑嘴，百般的侮辱。最後，還要罰他當衆跪碎碗片。預先佈置在會場四角的共幹，又在狂叫：「唐伯球僞裝前進份子，混入了「革命陣營」，暗中進行「反革命活動」，過去在「反動政府時代」，利用職權，欺壓農工，該殺不該殺？」「同志們」一「革命」一下台……

聽啊！「鎗斃他！殺！」他投機取巧，在求榮的唐伯球，在中共的魔掌下偷生，被指爲「反革命」的罪名，終于做了「人民」的祭品！

論魯達（三）

——水滸人物論之七——

·舜生·

因爲有過趙員外帶齎衆多莊客提姦的一幕，還日便有些做公的人，到金老那近探聞，金老知道是爲緝捕魯達而來，便跑去七寶村把這情形向趙員外和魯達說了。趙員外覺得魯達不宜在他莊上久住，因他曾許過一個到五台山文殊院出家的願，現有五花度牒在手，便勸魯達落髮爲僧，到五台山躲避。魯達心想：自己本來也無處可以安身，便嘗嘗做和尙的滋味也未始不可，便一口答應了下來。於是趙員外把魯達認爲表弟，更鄭重其事的親自把他送上五台，拜在文殊院住持智眞長老名下做了一個徒弟，賜名智深。智深本來是個軍官，行爲粗鹵，面貌兇惡，當時文殊院執事僧衆，怕惹是非，原勸長老不要收錄，但長老却不濶趙員外面皮，又覺得此人心地剛直，將來證果非凡，因此不聽衆人勸阻，把他收下。

智深在山上混了四五個月，大體上也還能守着三皈五戒，除偶然在佛殿後撒些屎尿以外，並未多犯淸規。一日，時値初冬，正是一個晴明天氣，智深靜極思動，想下山走走，於是穿了皂布直裰，繫了鴉青絲絛，換了僧鞋，大踏步走出山門，眼看五台山一派景色，深深的嘘了一口悶氣。心想：此時能得好酒喝上幾碗，豈不大妙？正在渴想之際，遠遠望見一個漢子，挑着一担酒桶，口裏唱着，走上山來。智深向他買，不肯，於是他便不容分說，一脚把這挑酒人踢翻，把兩桶酒提到半山亭上，喝得十分痛快，不覺已盡一桶。臨走叫這挑酒漢子到寺裏取錢，便搖搖擺擺的走向寺去。酒湧上來，更走得發熱，乃把直裰從膊上褪下，兩隻袖子纏在腰裏，脊背上露出花繡，掉着膀臂，一直奔到山門。兩個門子望見，知道和尚醉了，一個忙到寺裏報告，另一個便手拿竹板，迎上前來，說奉有長老法旨，凡和尚破戒喝酒，須責打四十，趕出寺門，因攔着不放他前進。智深酒後胡塗，習性大發，一掌向門子臉上打去，再一拳，便把他打翻在地。智深闖進山門，早有二三十個火工轎伕，各執棍棒，上前攔阻，智深那裏把這夥鳥人放在眼下，大吼一聲，有如霹靂，衆人見來勢兇猛，便一齊閃入殿內，急忙把槅門關上，智深一拳一脚，把槅門打開，衆人無路可走，正準備上前廝打，恰好智眞長老走出，高呼智深不得無禮。此時智深的酒已醒了七八分，一見長老，便上前打個問訊，向長老訴說，他不過喝了兩碗酒，衆人不該無故打他，不是看着長老面子，便要將這夥人活活打死。長老見他醉了，便叫人扶他到禪床安睡。次日，乃把智深叫到方丈，切切實實告誡了一番，即留他在方丈喫飯，臨走，更以好言相勸，教他不可再犯，不惟未予深責，反給了他細布直裰一領，僧鞋一雙。

萬竹樓隨筆（七六）

海隅憶語

哀高麗（下）

海濶秋著

旅社舊址原爲舊日冬宮，改爲歐式建築，仍保留御爲作古蹟點綴。我住的三層樓上，接鄰全部宮殿，這些就是孔廟大成殿。黎明前，枕上聽得蒲蒲之聲，似爲僧誦佛，又似大台唱，忽而又似村塾兒唸子曰詩云，鏗鏘之餘，難得的奇景入目了。大成殿階陛上坐着百來個花甲老頭兒，白布大袖袍，一銀的髮髻凸出穿頂的峨冠上，膝前擺着一雙雙的蒲草履，膝上攤着一册大版經書，齊聲閉目在唸。後來問悉那是素經或論語。這班易水遺黎那麼堅持束髮的現代古人是些宿儒，經常做此早課，職業則爲蒙童子師，工作還是八股和經義。全韓教育，日人發設的現代式學校居中，唐宋元明式的甚至殷周庠序式的也還居半，我覺得在博覽會中的感想全不錯誤。

午間參觀民衆教育系統中的科學館，諸如無綫電，X光，電磁探鑛，測天儀器，大小機械，航海飛行等等，目不暇給。是日適逢大發明家愛迪生紀念日，所有電氣機關和滿街的電車彩旗繽紛，使人油然感悟到科學造福人類的偉大，却又與孔聖大成殿上那幅古香古色活動然圖成一多麼強烈的對照。於此看出時代的過渡，文明開展的輸贏，深感到被壓者首拾的民族，爭取國家獨立人格固屬必要，而爭取學術發展技能增進尤爲急急吧。

鼎城早給拆掉了，全部宮殿則一模一樣是北京宮殿的縮本。御苑荒蕪，松鼠在松林中亂竄，懸懸興悲，不免有禾黍油油之慨。想尋一白頭宮女，府尹答應晚間設筵於妓院中使多數是此輩了。歌筵卻證實，神遊麗麗，不知作了一回甚麼的夢。

遊蹤所及，北至今日韓戰中所謂的三八綫地區一大水壩而止。電力支配的水利設置，規模頗動人。據博覽會圖表所示，十年間八大水壩使得稻糧增產了百分之四十。去年聯軍登陸的仁川港，尤其滿山紅葉的月兒島流連得最久。在島上，我忽然想念起福州城外倉前山，與眼前景物混在一起。只有這一天得從容觀察鄉村生活實況，驚心的是小小一村落中，日本移民往往佔半數，豈止壟斷了韓人生計，每一個都可以說是政治特務，喬先于史太林的特務網而發明了。我覺得韓人智能似乎視越南人爲高，但看不出來會有翻身的可能，這意見回來後，絕不忍向獨立運動諸人提及。

歸途乘火車越安東而抵瀋陽，走馬看花般粗覽輪廓。誰料幾天勾留過，不久便淪于日閥魔手十餘年。世局如棋，然如有因果，遼瀋間早就看見日人的潛力，初無異于蘇境，凡事非一朝一夕之故，奈爸魚幕燕醉生夢死耳。

馬克斯主義在日本取得河上肇等輩的傾向後，日人漸有去莫斯科朝拜共產麥迦聖城的，片山潛且在第三國際佔有地位，從而吸引朝鮮青年走上這條路。在上海，認識慷慨激昂的○某也已趨向赤色陣營，繼旅滬韓人趨之若鶩。現在金日成之流，當是當年歧途的作始體，將畢巨，當年誰會夢想到有第二大戰，有雅爾達會議，有日閥敗降前六天的蘇聯進兵，三韓變成南北，醞成今日全韓焦土白骨如山的慘狀？

抗戰時期避難在桂林，知韓友朴君柳君亦在七星巖外醉盤校盤場，偕故友往訪，但上酸然，老了幾許，驚忽忽已十年契闊了。款飴以茶，備斗酒，把杯話舊，韓時多麼愉快，及後柳君談到相與亡命出來的少壯半百餘人，現在知道尚存人世的不及十人，白骨留在關外與江南北，他也不能省記誰在某處了，滿座唏噓，悲塡胸臆。斜陽殘照裏，要喝道別，至今只夢裏偶一重見。

人不能忘懷家國，不能忘懷儔侶，百年世事不勝悲，而演變急劇莫如今日。三韓的前途如何，世界的前途如何，盛滅的如煙消逝了，却阻不住新生的如草春生吧。（十三）

自由人
THE FREEMAN
（半週刊每星期三六出版）
（第一〇五期）
每份港幣壹毫
督印人：李光華
社址：香港高士打道六六號
電話：二〇八四八
GLOUCESTER RD. HONGKONG
TEL: 20848
承印者：南東印務出版社
地址：高士打道六四號
台灣總經銷處：台北市中華路二五九號

泛論貪污

・左舜生・

今天中國百分之九十以上的人都在反共，有不少過去的貪污分子，他們也居然側身在反共陣營裏面來搖旗吶喊，這在他們的自身看來並不是沒有理由的！他們在大陸有無數的不動產，都被共黨共去了，尤其他們中間有在南京、上海、北平、廣州、成都等處蓋造得有像皇宮一般的房子，本來是準備齊他們自身和他們的子子孫孫來長期享受的，現在也一一變了共匪的魔窟，他們當然也是不甘心的。其實講起來，任何人都可以反對共產，惟獨貪污份子卻沒有這種資格，共產黨是有主義的貪污，貪污分子是不講主義的共產，我們在今天一面反共產，一面也反貪污，就是因這兩種東西是一而二二而一的。今天在海外逍遙自在的那般闊佬，他們也許期待反共的成功，他們又可翩然歸來，繼續他們的貪污工作，其實世界任何一處只要有大批貪污分子的存在，便不會沒有共產黨的存在，共產黨與貪污分子，本來是有不可分的血緣關係的。因此，凡反共便必須同時反貪污，假如反共而又容許貪污分子的存在，這便是反共的誠意不足，而且是絕對不會成功。

貪污分子還有一種最蠢的想法：他們以爲他們的貪污手續，大抵總是以祕密出之，別人不會知道；即知道也只要沒有證據，便可不受法律的制裁；其實貪污的手續可以祕密，由貪污所得來的果實卻無法祕密：貪污的目的在享受，在以錢驕人，驕其妻妾，驕其鄉里，驕其國人，假如一個因貪污而擁有多數金錢的人不拿來享受，不臭氣燻天招搖過市的驕人，便根本失卻了貪污的意義，這在多數的貪污分子是不可能的。因此，凡貪污分子的額頭上，都清清楚楚的刻有兩個大字：貪污！—隨他們躲到任何一個角落，他們額上的這兩個字，也永遠不會滅，正好比古代的犯人在面頰上刺着字是一樣，人人得而指目，也無所逃於天地之間！自然也有少數更蠢的，他們找了錢以後，又拼命裝窮，而且找出許多理由向人訴苦，以掩飾他們的鄙吝，可是他們的馬腳終於是要從他們的妻妾、從他們的不肖子孫露出來的，這種人比起那種找了錢便拿來享受的，更不可恕，也更爲可鄙。

古代有一位太子，有一天，他對着一位高士，發出這樣一個問題：『貧賤者驕人乎？富貴者驕人乎？』這位高士回答道：『亦貧賤者驕人耳，富貴者安能驕人。』他的意思是說，人借富貴驕人，便隨時有失掉富貴的危險，雖欲長保他的富貴，而不可能，至於一個窮小子，所謂『赤條條來去無牽掛』，如何往而不可以得？貧賤？他還怕什麼貧賤！從前孔老先生恭維他的一個學生說：『穿一件破布袍子，和一位穿狐皮袍子的站在一塊而毫不覺得羞恥的，大概就只有我這個由啊！』其實像子路這樣一種修養並不太難，只要你懂得凡一切有錢的人，無一不是得自非法的掠奪，你便可以把他們看得連狗也不如，假定你高興的話，不妨蹺起牠兩腳，那裏還談得上對他們什麼羞恥不羞恥！

我們反對共產黨在大陸上的胡作亂爲，因此我們提倡保護私有財產，但我們所謂保護私有財產，是指那班克勤克儉，由自己勞心勞力去錙銖積累所得的一點財產而言，貪污分子決不在保護之列，豈只不保護而已，還非加以嚴厲的制裁不可。制裁貪污分子的辦法也只有兩個：其一是法律制裁，這個很簡單，即對犯案的貪污分子毫不容情的加以身體的名譽的嚴厲制裁，個人貪污懲辦其個人，集體貪污懲辦其集體，與其失之入，寧失之出，大體也就夠了。這個辦法的效用，是有限的，乃比較更有效的是社會制裁，但要實施對貪污分子的社會制裁，有必須具備的若干先決條件：一，要改造社會風氣，二，要建立正當的人生哲學，三，要提高一切勞心勞力者的生活水準，四，特別要提高婦女教育，五，要爲國民普遍建立美育的環境，六，要有方法去打擊一班馬屁文[illegible]氣，使一班所謂名士也者，都變了真名士，而不是爲名士，他們都懂得對那班貪污有錢的人，一律不齒，如此則有錢人缺少了擁護，缺少了點綴，也會感到寂寞，貪污之風，也許可能減低。假定社會的風氣改善了，而婦女的教育也提高了，使得一班所謂美人也者，都想做一個高潔的美人，而不願做一個濫污美人，以把自己的身體給一個有錢人去發洩獸性，視爲莫大的恥辱，如此，也許可能使得一班貪污分子灰心短氣，稍稍斂戢他們那種貪污的魔掌。可是這還不夠，我們必得一面制止貪污分子的非法取[illegible]有錢人，他們自己享受得不耐煩了，也偶然拿出幾個錢來調濟窮人，那怕便是三元五元，他們也顯有德色，這種人尤其可鄙，在一種良好的政治和社會環境之下，也是應該加以制止，而絕不容許這種東西來濫出風頭的；[illegible]同時凡私家所享受的一切可供大衆享受的器物，我們必須以國家的名義，用強制的方法拿來充公，使得公衆也[illegible]

總而言之，我們必須一面反共產，一面反貪污，我們衡量一個政府好壞的尺度，便看它是包庇貪污，縱容貪污，還是打擊貪污。我相信澄清貪污的風氣是有辦法的。（完）

日本人的心眼兒

台北的中日和約談判，正因日方表示贊同「和約」名稱，形勢好轉之際，而日方突然又提出其所謂「簡化」的和約草案來，根本否定中國爲二次大戰的同盟國地位，這就是要把已經達成協議的「和約」名義亦輕輕的無形勾消掉。同時，日方代表團所發佈的英日文公報，也刪去「和平」字樣。這些作法與神氣，乃表現其「大日本帝國主義者」的本質依然如故，絲毫沒有改變！

日本代表團發言人屢次表示不要以「戰勝國」「戰敗國」的心情來談判，我們十分同意這種說法。民族的仇怨宜解不宜結，一有勝敗觀念，即會有報復心理的。不料，他們這種說詞乃是爲着要否定中國的同盟國地位而發的，是故意要挑起民族仇怨。這是今日對國府凶終隙末的英國人亦不便公然露出的態度，而日本人竟悍然不顧的肆無忌憚，其褊淺狡詐的民族性，已赤裸裸的揭露無遺了！

不說「和平」字樣，就是不承認中日戰爭狀態之結束；否定中國對二次大戰的盟國地位，就是否定日本對八年的中日戰爭有任何侵略的責任。在目前，可以拒絕負任何由戰爭而來的應有義務（如損害賠償等）。在將來，利用世界大戰的機會，「皇軍」又可以馳騁朝鮮滿洲，收復「失地」！目前只要把美國對付好，瞞騙住，對中國是根本瞧不起的，對美國將來也要乘機反噬哩！

河田烈似乎是以台北爲板門店，他師承南日，解方等共產黨人的手段來對付我國，這樣藉無誠意的瞎扯胡鬧，談三年也不會有結果的。不知我們的當局者，其看法如何？觀感怎樣？日本人是只管現實，不重理想的，太天真了，招呼上當啦！

半週展望

雷嘯岑

埃及新首相之言

新任埃及首相希拉利，於拜受大命後，上書國王，申述其整飭庶政的決心。他指出埃及的政治本質多有徇私舞弊現象，而以「裙帶關係」最普遍。埃及的國會議員議席，也可以「出賣」云云。

凡屬貪污政治，賣官鬻爵是普通行爲，而其淵源又多是由於裙帶關係，天下烏鴉一般黑，幷不足怪。可怪的是人民選舉出來的代議士席位亦可以變賣！我們所見到的怪象，只有賣選票，出售候選資格等等，不悉埃及議員們，出賣議席的方法是怎麼回事？是否跟一般腐敗政治的情形相同呢？

我認爲在兩種環境中最容易犯任用私人，貪污舞弊的毛病：一爲農業經濟社會生活的國家，如埃及和咱們中國是也。二爲專制獨裁的國家，像蘇俄和目前的中國大陸是也，在農業經濟社會中，一般智識份子既不能耕織，除卻向政界求生外，別無出路。農業社會又是封建性的，如是乎，宗法關係，裙帶關係，乃大行其道矣。越是產業落後的國家，就越容易產生專制獨裁政治，此共產主義之所以能在俄國和中國等地方得勢也。專制極權的政府，在個人貪污之外，還有集體貪污，這是必然的結論。要去貪污獨裁，只有民主政治之一途，而真正的民主，又必須從發展產業而來的，才有力量。不得已而思其次，唯有藉輿論以去其太甚，言論自由的功用即在此。埃及首相的信能夠公開發表，多少可以治療一些貪污政治的痼疾，是進步的象徵！

九龍事變

這幾天在香港發生的大事，無過於一日在九龍發生的歡迎廣州「慰問團」羣衆與軍警衝突的事變了。

我們從這次事變的一切因果現象來冷靜觀察，得到一種結論：即民族思想的高潮決非歪曲製造所能產生的。共產仁兄既以「一面倒」政策，強迫中國人奉俄國爲祖宗，又想藉民族思想作催眠劑，教中國人去反對「美帝」「英帝」，大家心理馬上便有一大反應：所謂民族主義，難道應該一面倒才對嗎？既然一面倒，那又算是甚麼民族主義呢？這次九龍事變之不爲大多數華人所同情，此物此志也。

美國的真理運動

・健助・

莫斯科是世界說謊之都，史大林是國際共產主義說謊宗教的教主。國際共產黨及其第五縱隊，憑着說謊的本領起家，克姆林宮主人，憑着說謊運動，鯨吞半個世界。

廿個月前，杜魯門總統和若干國會議員，深切認識蘇聯說謊運動的惡毒與危險，於是發動一個說真話的真理運動，來和說謊運動對抗。這個案子經過國會仔細審核後，一年前正式通過，並且撥了巨額經費，來支持真理運動的推進。

這個運動的目的是要把蘇聯及其所推行的國際共產主義的猙獰面目，和西方自由民主國家的實際生活與精神，揭露在世界人民之前，讓他們自己來決定自身的命運和應走的道路，它的方法，就是說真話，提出實在的事實。

這個運動開展已經一年多了，它的成就相當可觀。第一件工作，便是加強世界各地無線電網的佈置，十八個月以前，美國之音所遭遇的蘇聯電台的干擾，現在已經大大減低。以前鐵幕後面是聽不到「美國之音」的，現在它的節目，可以很清楚地用俄語及鐵幕各國的方言，送進鐵幕人民的耳朵。

爲了使真理運動廣泛地適應世界人民的心理需要，美當局特別從新聞，廣播，教育及其他方面聘請一百名有地位的專家，組成一個龐大的顧問委員會，來研究真理運動所需要的心理戰略和戰術。

真理運動的工作綱領，除掉無線電網的每分鐘在不停地播送節目外，包括：將美國名著譯成各種不同的文字，推行國外設立美國新聞處；放映電影節目；交換學生，教員，技術專家及考察人員。

現在這個真理運動，已經逐漸演化爲世界性的運動，自由國家的政府和私人團體，都開始在供獻他們的一部份力量。英法兩國在這方面的貢獻特多，他們都是以自動的方式，將這個運動廣泛地展開到各個階層。

真理運動在歐洲收得較好的效果，但在中東和遠東方面，進展較爲遲緩，收效也不及西歐來得大。但如拿現在和廿個月以前比較，情形就大不相同。

正像幸福雜誌所說：「真理運動」是一個永久的革命，因此我希望每一個自由人，都應該幫助這個革命運動。

中共搜括十五萬億

五反運動進入低潮 工人担心自己飯碗

從積極消極到慘極

【本報綜合報導】中共的「五反」運動，經過了二月來的坦白檢舉，百分之八十以上的工商業戶均被牽連。北平方面據彭眞報告，全市工商業六萬餘戶中，被選爲鬥爭清算對象者有三萬二千戶，估全市工商業百分之六十五，間接有關的尚不包括在內。廣州全市一九九個行業，至二月十八日止，差不多行行都被清算（見二月十九日南方日報）。上海自春節以來，動員了二十餘萬店員，分十八區向工商業者進攻，利用廣播筒及「催魂鈴」分戶指名恫嚇。據「解放日報」的報導，「當鈴聲響動時，工商業者個個都心驚胆顫」，這一個風聲鶴唳的場面，較前年的捕殺「國特」及「反動份子」，有過之而無不及。據沈志遠的報告：上海至二月七日已被迫坦白者共七萬一千六百十五戶，將來可能超過十萬戶（二月十日上海大公報）。

在這一瘋狂的行動下，大陸上每日從事鬥爭與被鬥爭的店員工人及工商業者，至少當在一千萬人以上。不但弄得人人精疲力竭，而各地工商業，更全部陷入停頓狀態。許多店員和工人，在一度刺激之後，良心已逐漸發現。據二月十二日「南方日報」的報導：廣州有許多工人，已開始感到「五反」是「反面，反荷包，反自己的飯碗」。大家都顧慮到「如果失業了，政府給我們介紹工作，工資一定不如現在的高」。有些並勸告未覺悟的「積極份子」說：「你們今天積極，明天消極，後天就慘極」。上海武漢等地，據說亦有許多「落後份子」，在傳播這種觀念，在飯碗問題的考慮下，各地鬥爭情緒已逐漸進入低潮。如果繼續拖延，說不定會發生相反的後果。因此，近數天來，中共已經開始處理已坦白的工商業戶，準備結束這一運動。

據本月二十二日「新華社」北平電，北平「節約檢查委員會」，日內已開始分別處理大批「坦白悔過」的工商業戶，「以便他們繼續安心經營，在工人階級領導下作正當的發展」。處理工作，係先從北平前門外商業最繁盛的大柵欄區開始。根據中共所宣布的初步處理辦法，凡被指爲偷漏稅款的廠商，一律責令補繳。盜竊國家財產的，亦照數退還。在納稅繳款以前，凡有問題的工商戶，均應填寫所謂「違法工商業戶處理調查表」。表內分行賄、回扣、偷稅、漏稅、盜竊國家資財等項目。塡表後先經「工商業戶學習小組」討論，分交各戶店員研究，以檢查有無隱瞞或漏報，再交各區節約檢查委員會決定懲罰辦法。在北平大柵欄區的九千多工商戶中，第一批被判補稅及賠償的即達六千餘戶。至於一般被認爲罪大惡極的大商戶，除了沒收全部財產外，還逃不了刑事的處分。

根據北平方面所公布的處理辦法，綜合近二月來中共各級機關所宣布的數字，中共透過這一次的「五反」運動，對大陸工商業者所掠奪數額，最低限度應抵達共幣十五萬億，較其去年在「斷機斷砲」中所搜括的數額，將超出二倍。

華北方面

據二月三日，北平「市長」彭眞，在中共「政務院」第一百二十二次會議上的報告：迄今爲止，在北平工商界中，「查出以行賄、偷工、減料和盜竊經濟情報等不法手段盜竊國家財產在一千萬元以上者，有九百八十九家」，其中被指爲盜竊一億元以上者有一百九十二家，就偷漏了二千億以上。二月七日「華北節約檢查委員會主委」劉瀾濤報告：天津市已坦白檢舉材料達十六萬宗，據天津稅務局初步極不完全的統計：自易手以來，天津工商業者偷漏稅一項，即達八千億以上。又據該局一九五一年下半年「私營工商業稅源調查」結果，在被調查的一千八百零七戶中，偷稅的達百分之八十二。據二月九日「天津日報」的報導：「天津木商，單在一九五〇年，盜竊國家財產即達一萬五千億」。根據這幾項數字計算，僅華北一區，工商業者所應補稅及賠償的數額，即達共幣三萬億以上。

華東方面

據二月十六日上海「解放日報」的報導：從一九四九年五月到去年底止，根據上海市稅務局的統計，逃稅總額共二千六百億，最近「坦白」或「檢舉」的還不計在內。據稱一九五〇年六，七，八月工商業稅評議後，稅局對米商會進行一次查帳，發現逃稅的估百分之八十八。上海正泰橡膠廠，從一九五〇年至一九五一年二年中，據說僅虛報輪船成本即詐騙三百四十七億一千餘萬（二，六，解放日報），而華豐大豐兩紙廠，被指逃漏一九五〇年所得稅即達一百十八億二千餘萬。因此華東區被判補稅及賠償的數額，亦不會低於三萬億。

中南方面

武漢截至二月一日止，被檢舉工商業者已達九千三百餘件。廣州在過去二年中，據穗共稅局的統計，漏稅共三千億（二，廿一，南方日報），其中僅釀酒業，被指隱瞞稅即達三百餘億。廣州一汽車器材行，被指套匯八十億，偷漏所得稅十一億。廣東江門一市，據初步統計，僅一九五〇年，即漏稅五百億。因此，中南區勒搜數字，必不在華北華東之下。

西南西北及東北方面

據一月二十日習仲勳在西北一級機關幹部大會上的報告：西北僅西安市工商業者，被迫坦白或檢舉的，向幹部行賄的達共幣五十四億，截至二月初，偷漏事件已近六千宗。重慶方面，除以前所檢舉的七千餘宗外，僅二月一日在「全市店員代表大會」上即檢舉一千四百八十二件，其中參加「星四聚餐會」的幾家廠店，被指盜竊國家財產即達一百二十餘億。東北方面，據瀋陽「市長」朱其文一月二十六日在瀋陽「工商界代表會上」的報告：根據一九五一年一至四月反偷漏運動中所坦白數字，即有一萬四千件，加上檢查出來的共有二萬一千餘件，幾佔瀋陽工商業戶三分之二以上，（二月十八日上海大公報。）

綜合上述已知數字計算，中共所勒括的總額，共達十五萬億，絕非誇大之詞。如果今年中共全部財政支出以六十億美元計算，則這一次搜括所得，約可彌補其赤字五分之一至四分之一。在山窮水盡的局面中，自然不無裨益。但經過這一竭澤而漁的羅掘，大陸上中大企業必然全部垮台，小型廠商亦必奄奄一息。且看中共如何收拾這一支離破碎的殘局？（文風）

韓戰已陷僵局

工黨議員齊拉喀斯說：韓戰已陷僵局。美國若不承認中共，那就只有實行戰爭。

× × ×

聯軍韓戰談判代表卓伊說：今日情形已非初時之有利。八個月來，共方軍事有了很好的準備。要想迫之言和，那就得有巨大的死傷。

× × ×

韓戰的情形如此。美國怎麼辦？和嗎？戰嗎？還是拖下去再說呢？

日本安心無慮

美日的行政協定，已經簽字成立了。這解除了美日和約與安全協定通過於議會的難關。日本從此便可安心無慮了。於是台灣與日本的談判，一時曾傳好轉的，又趨於停頓。

× × ×

原來台灣的談判，緊於美國議會對日本和約的批准。而美國議會對和約的態度，則決定於行政協定的成否。日本爲了顧忌美國而與台灣訂約。由和約的批准，日本還要担心什麼呢？

中共頭破血流

想不到戰敗的日本，成了天之驕子。戰勝的中國，卻成了棄兒。中共看了這形勢，又在高叫解放台灣了。但是台灣海峽，到底還有第七艦隊。

× × ×

中共當然不顧跳躍，自取滅亡。爲了援救金日成，中共固已頭破血流。但是乘着韓戰的停頓，以其餘力，正好援助胡志明。於是和平陷落，越南告警了。

法國獨力難支

法國獨力難支，退守河內三角洲。英美的對策是怎樣呢？保大一旦不保，共軍的紅旗就要插到馬來。英國難道，不感到威脅嗎？

× × ×

多難的法國，在越南軍事失敗，手忙腳亂，在國內，任事不過五星期的內閣又去職了。

有計畫無經費

上星期，法國的議會通過了建軍計畫。這星期，議會卻把籌措建軍經費的辦法否決了。法國不自量力，要想繼續統治越南，自然建軍的經費，最好也出之美援。

從雷諾到畢奈

第二次大戰時，曾有過「法蘭西的悲劇」。在三次大戰的前夜，法國是故我依然。二次大戰時的當局雷諾，匆匆從英國趕回巴黎，他能拯救法國當前的危機嗎？

× × ×

戴高樂派同意雷諾所提「舉國一致」政府之提議。但社會黨不同意包括有戴高樂派在內之內閣。雷諾終於流產。普里溫不肯嘗試。畢奈受命組閣，但亦未可樂觀。

埃希拉利上台

莫斯科觀察，埃及前總理馬赫爾係於美國大使訪問埃王法魯克之後就職；於英國大使患傷風病之後提出辭職。

英埃原定於二日恢復談判，但醫生在會談前最後一分鐘，囑英國大使施諦文要臥床休養。

本報早已說過（一月三十日本報第九十五期），馬赫爾和那哈斯完全一樣，馬赫爾上台，對於英埃糾紛的解決，將毫無幫助，英國終不免空歡喜一場。

× × ×

倫敦政府又考慮與希拉利新政府，準備談判。莫斯科方面，認爲埃及政府已經由一個親美的總理，轉爲一個親英的總理。

× × ×

沒有一個埃及人，承認是親英的。希拉利係前民族黨領袖。他們都自命爲狂熱的民族主義者。他聲稱不改變對英態度。施諦文的傷風尚待休養！

樓明

克姆林宮的新煩惱

知識分子思想改造 教授學者猶豫動搖

【華盛頓郵報記者E．格立芝報道】史太林主義是正確的麼？——這種討論，已經逐漸展開，深根固蒂。莫斯科宣布，政治主張要統一，上述討論，雖然是長時期的受到阻力，但這種討論的發展，仍然可觀。史太林指揮着上層的辯證學者，要證明他的思想，就是列寧主義的思想。一切努力，都着重在指導高級共產黨思想家們。但是事實是很顯然的，這明白是一種鬥爭。

鬥爭的主體，就是所謂史太林政策：一、莫斯科決定要操縱全世界共產黨人的活動；二、莫斯科仍然要干預其他共產國家內政；三、莫斯科否定，共產黨員和非共產國家間的自由談話與無限制的行動；四、莫斯科堅決主張，其他共產國家的共產黨人，要效忠蘇聯，蘇聯第一；五、莫斯科牢不可破的主張，推行共產主義，不擇手段，不惜訴之戰爭，雖然共產黨警言反對戰爭。

布爾什維克主義的發展史，一直是滲雜着意識形態的鬥爭。最近的鬥爭，發軔于一九四四，保加利亞故總理狄米特洛夫 Georgi Dimitrov，曾經企圖要和狄托建立一個巴爾幹聯邦，和莫斯科祗是保持一般關係，而非受直接影響于莫斯科。這企圖是失敗了，在一九四八，莫斯科與狄托發生破裂，造成思想檢查運動，廣泛及于全歐洲共產黨人的知識分子，特別是巴爾幹。

到了最近，冷戰的機詐，雖然掩蔽了內部的分裂；但是在過去一年半中，據報，共產人的內部摩擦，連續發生，特別對史太林關于馬克思主義與列寧主義的解釋，一一要予以學院式的檢討。

這些檢討的目標，事實上是很明顯的，大部份是要受重要知識分子的定期刊物所限制，例如：文化與生活(Kultura i zhizn)布爾什維克，經濟問題(Voprosy Ekonomiski)和哲學問題(Voprosy Filosofii)等都是。

馬克思經濟與哲學的基本特點，全蘇維埃境域內，經常設置特別講座。這些講座，對共產黨人知識分子，似乎也發生一點影響。意識形態的抽象意義，就是一個討論題目。

『史太林告訴我們，各種社會觀念，理論，信仰，和政治信心的發生，不是由于這些觀念的性質，而是由于社會物質生活的條件。社會物質存在的條件，支配着社會觀念，理論，政治主張和政治信仰』。

這些理論，和平常代表消費大衆的炎炎大言，顯然不同，秋托于是乘機煽動，擴大了他的辯證運動。柏爾格萊德的意識形態的傳播，亦是必到達共產黨的知識分子，特別是在克姆林宮直接影響以外的那些人。

據報：蘇聯毗鄰的許多國家，亦顯露出，史太林思想，在共產黨和非共產黨國家的人民之間，在祕密的討論中，時時受到攻擊。共產黨的高級幹部們，不沒有覺醒，但又厭煩停止那些後天井的座談會，怕引起造反的危險。

然而，這反對的力量，不能發生決定的效果。大多數的歐洲共產黨人，到過莫斯科的，最近又離開，無疑的，是象徵着意識形態的搖動。那些離開莫斯科的人們，現在都有藉口，匈牙利副總理拉柯希 Malyas Rakosi，挪威共產黨領袖約翰生 Johan Strand Johansen，法共黨領袖托萊士 Maurice Thorez，意大利共產黨領袖托格立梯 Palmiro Togliatti，據報，他還帶着兩個高級次官郎果 Luigi Longo和賽克希 Pietro Secchia，一起去的。這些人都是到過莫斯科的。

在這些運動後面，有一個理由，去年年初，已經表現出來。意大利共產黨區域集佐伊密利阿省 Reggio Emilia，以總辭職形式脫黨，就是表示，長期醞釀成的意識形態的差別，已經成爲燎原之火。總辭職的理由，是爲許多重要的共產黨人，仍舊將蘇聯的利益，放在意大利之上，他們是反對的。

所有反史太林運動的意義，去年年初訪問華盛頓的前東歐外交家，在聲明書上，完全拒絕表示出來。我們問他，在一種政治上的擁護，這將是等于什麼？他說：這是看不見的癌，這癌正在吞噬着蘇維埃主義，但是，克姆林宮仍復說，事例很多，蘇聯將用各種奸詐詭計一直用下去，以完成共產主義。（遜生）

美國的建軍費

開支二百八十億 薪餉竟佔去一半

美國新建軍計劃，從韓戰發生後開始實施。國會批准的總數額，是一千二百八十億，二十個月來已經用了三百八十億，尚待使用的軍費還有九百億。本屆國會可望再增撥軍費五百億。這筆龐大的新建軍計劃的經費額，和天文台的數字，不會相差多遠。

根據「美國新聞與世界報導」的紀載，過去二十個月所開支的三百八十億中，大部分花在薪餉上面，計一百九十億，用在軍火生產方面者，卻只有一百二十五億美元。此外用在軍用食品及服裝方面估五十五億，軍事建築，用去十七億美元。

看了上面這個數字，你也許會大吃一驚，爲什麼國會通過了一千二百八十億，二十個月，僅用去三百八十億，而三百八十億之中，軍餉開支就估去了一半，眞正用在軍火生產方面的，僅佔三分之一？這說明了美國民主政治的惰性。但我們現在無須再爲她担心，因爲過去廿個月的時間，她已經克服了這個惰性，正在發動的機器，已經發揮到了高度的工作效率了。

目前美國軍火工廠新生產的武器，計值六百五十億美元，正向政府軍事當局辦理交易手續，另外還有二百六十億元的軍火定單，已經交到各工廠製造。未來的生產情形，只會比現在更加龐大。

在新武器生產計劃中，原子彈佔一個很重要部門，適用到海陸空三方面。武器庫的存儲原料，雖無精確統計，但爲數當甚可觀。它算是新建軍計劃中發展最快的軍火事業。

彌敦道事件已成過去
港九秩序入正常狀態
暗潮仍在不斷醞釀中
中共廣播作猙獰咆哮

本報記者在前月十三日（本報第九十九期）早經報道，香港醞釀嚴重問題，總共將派遣「慰問團」慰問東頭村災民，這是香港政府相當傷腦筋的一件事，這個問題，可能也會鬧出亂子來的。不幸得很，本月一日，九龍發生了彌敦道事件。東頭村火災，已經是去年的事，事隔數月以後，總共要救濟，要訪問，這明明是借題發揮，醉翁之意不在酒，連東頭村的災民，也是很明白的。

在三月一日的上午九時半左右，九龍尖沙嘴車站節便已經擠滿了數百人，購票赴羅湖前往歡迎。九龍尖沙嘴警局事先已獲得命令，乃派出大批員警在站上維持秩序，車站上停好六節車廂，最後一節是三等車。香港工聯會代表九十二人，是由莫應溎，陳文漢等率領的。他們均持捲列隊而入。另外有一批自由歡迎代表，有一些像青年男女學生，他們的人數大約有二百五十人左右，這一行人員都是坐三等車前往。鐘鳴十下，這一列慢車確沒精打彩的穿過了山洞，行行復行行，車廂內每一個人臉上的表情，都顯得非常深沉，心裏都意會到此一去會不會出什麼亂子？

十時四十分，車抵粉嶺上水，這時天色陰暗，欲雨未雨，在車廂內的旅客悶得發熱。忽然新界警司佛理查率同幹警數人上車，勸令旅客全體下車，並檢查身份證及旅行紙。除持有赴廣州來回紙及新界特別通行者，皆不准前往。佛態度雖很堅強，但自始至終相當有禮貌，他先向莫應溎解釋：「慰問團」沒有來，今天你們不必去了。」但在車內的代表們堅決不答應，堅持一定要到達目的地。最後一節的自由歡迎代表更堅持不肯下車，最後佛乃向莫道：「你們不相信我，我可以讓你一個人到羅湖去接洽，其餘的人，則乘原車，由另外一個火車頭送回。」莫出來向大家解釋，但大家都高聲叫道：「買了票子，怎麼不讓我們去」。警方的態度始終是求息事，所以立刻讓步，佛理在一面答應路局找還票錢，一面嚴詞說明買票坐火車是路局的事，不准通過粉嶺前是警察的事，因為前面一段地區是正在戒嚴中。這時大批警員已從九龍開到，維持秩序。雙方都甚緊張，中午十二時，這列慢車才准通行。莫應溎單槍匹馬前往。許多代表們在粉嶺車站的大斷下靜靜的等待着。一時三十分，這列慢車由羅湖駛至粉嶺，莫應溎帶着一副失望的神情，向大家宣佈：「慰問團今天不來了，請大家回去吧」。這時大家心情已降至低潮，一個個走上那原來一節的三等車廂。二時零四分以高速駛返九龍，到九龍尖沙嘴站正是二時五十九分。這時車站內還有約數千群衆，他們因爲事先已看到晚報，得悉「慰問團」已遭港府拒絕，憤怒上已經在等待着鼓噪。這時在場負責維持秩序的九龍警司麥花臣，他看了這場面，知道事不妙，車站內的水管一齊關着，準備應急。這時莫應溎也明白了事態相當嚴重，一出車站把「慰問團」不來的情形說了一遍。起初，群衆列隊由漆咸道，彌敦道徐徐而出。幾輛警車尾隨於後，以防萬一。

在車站上歡迎的代表們這時已和到粉嶺去的代表們「會師」了，雙方一談，到粉嶺去的朋友乃把他們在粉嶺的經過說給車站上的朋友聽，這時人數也多了，聲勢也壯了。佐敦道事件的高潮便在這時爆出，這正是下午四時左右。

衝突的直接起因，有兩種傳說，一說游行行列遊至彌敦道佐敦道口，有警車一輛擋住行列中一名穿紅衣的女郎，於是便鬧「打打」之聲。一說行列行經佐敦道口，有一警員駕五二七號摩托車迎面駛來，不知如何與群衆發生誤會，該駕車之外籍警員遂爲群衆團住毆打。斯時「團結便是力量」的歌聲，在後面游行的隊伍，不斷唱着。四時十五分五二七車，八七七六五號警車及一個交通崗木架全着火焚燒。火勢愈來愈大，人潮如湧，狀至恐怖。事後據一位警官目擊者稱，當場約有萬人左右。事態之嚴重，實破本港未有者。新開的新樂大酒店，九龍飯店，雪園老正興，對面的照相館及其他商店，全部上了木板，紛紛打烊。在高樓上望之，交通斷絕，崗警林立，一如死市。四時二十分大批員警調至，由麥花臣親自指揮，先向群衆勸導離散，但群衆們狂呼置之不理，這時警方乃施放催淚彈，濃煙四起，群衆紛紛作鳥獸散。消防隊亦同時趕到，未足五分鐘，火勢全滅。

這個時候分散的群衆，乃沿窩打老道直奔旺角。後面雖然有大隊警員跟着，但其中仍相差兩條馬路的距離。四時五十五分左右，群衆直向旺角警署，先以石子亂擲該署玻璃窗。該署員警連忙戒備。五時左右連警署上的英國國旗亦給群衆扯得粉碎。這時另一大隊群衆直攻警署正門，勢不可當。把守大門之華籍員警立擲催淚彈，見勢仍未能阻，乃出槍射擊。據警方公佈爲首三人擊傷。這個時候，香港方面已調大批員警由水師碼頭登陸乘裝甲車趕來，直至五時四十五分，始將騷動平息。這一天晚上全九龍區和新界都在戒嚴狀態中。平日夜市最盛的上海街，到了晚上八時以後，便行人稀少，那條街上儘是麻雀館，可是那天夜裏每家都是空空如也，門可羅雀。所有輪渡口，全是武裝警員，每四小時一班，直至次日天明，全香港的後備警察全部出動，那天晚上，港九街上加派三崗巡邏，每十分鐘，警局巡邏車環繞港九市區。所有英軍全部回營待命。美軍全部登艦。自來水管一直開放到第三天的上午，以防火災。深水埗和旺角警署門前的鐵絲網一直到第三天上午才解除。英軍的例假也直到第三天才局部恢復。港九市容雖在第二天便步入正軌，但內在的緊張的程度，真正和緩下來，也是等到第三天上午。

這宗不幸的事件，在燈紅酒綠的晚上，又慢慢地在人們的腦中沖淡了，像水上的浪花圈兒慢慢底散開來，終於不見了。但後浪推前浪，這個浪花是要永遠不斷底朝着這個「民主櫥窗」的海灘上打過來的，海灘是那末沉着堅毅，她也永遠經得起這個外來不斷的打擊！北平僞政權昨晚廣播，指彌敦道事件爲「英帝國主義對香港中國人民的血性暴行」，浪頭又在朝着這個民主櫥窗的海灘打擊。（汪洋三月三日）

意大利重視香港

意大利戰後第一任駐港商務參贊阿都莫磊，於二月廿九日乘輪抵港履新。他說，意大利今後對遠東貿易將以香港爲轉口站。他又說歐洲現在因爲內部實力增強比從前已經穩定不少，這還是好現象。但意法等國的糧食問題仍未能解決，饑餓與貧困仍爲當前之困難，所以澈底的和平，尚待聯合國一道努力。阿氏於一九四八年至五一年任駐華商務參贊。在中國住了十四年。先後在北平，南京，上海，漢口等地，且能操流利之國語。他希望不久能到台北，商談中意未來之外交關係。

新界加緊築工事

據軍方消息：九龍新界防衛工事，在陸軍當局趕建之下，已完成五份之四，新界各邊區地域，除由警方負責特別戒嚴外，並在附近區山頭要隘地點，普遍建築小型機槍砲壘及防衛工事。此種砲壘之建築，於去年由英兵動工興建，沿大埔，上水，沙頭角，落馬洲，流浮山，馬草龍，打鼓嶺，羅湖，文錦渡等處。元朗及坳頭兩地，亦開始加工，短期內即可完成。

攻台機會不再來

前國府空軍技術顧問克勞倫斯斐爾德上校（退役）於廿八日由台抵港，日前向記者發表談話稱：根據渠之估計，國軍如果反攻大陸，一定可以順利完成。至於何時可以反攻，他說只有蔣總統一人知道。過去二年國軍訓練，其堅毅奮勇不下德軍。關於共軍進攻台灣一事，斐上校說：「這個機會早已失去了，機會不會再來的」。斐上校於二次大戰時，曾在中印緬戰場，隨史迪威上將。渠當時飛行隊是保持出動一百八十次之紀錄。二次大戰時著名之「黑寡婦」機便是由他指揮。

皮朗論遺誤戎機

在韓戰場上巡視經月之比陸軍參謀總長皮朗中將，於會晤盟總統帥李格威及美第八軍長佛烈得後，於廿九日由東京飛港轉道返國。據稱：和談是否能夠成功須視共方之誠意。在未來戰爭形勢上他和李格威上將檢討，認爲聯軍漸漸已處於被動地位。士氣雖旺，但戰略未飄。他同意麥帥的戰略，他痛責一般外交人員不懂軍事而誤戎機。共方的力量在韓國已相當強大了。這是不可否認的事實。皮中將是比利時卓越之軍人，二次大戰時，德軍佔比利時，渠仍能僥倖潛逃至英國，在英率軍反攻登陸諾曼第，並轉戰荷比。現已榮獲六國之勳章，在比利時陸大，爲教授陣地戰略學。

僑胞關心反攻

政府發言人沈昌煥二十九日由歐經港返台北。他在臨行時說這一次到歐洲考察並訪問僑胞，使他感動，僑胞對祖國懷念之殷切，令人興奮。他說在巴黎，有一天有四處找他演說，四處都擠滿了不少僑胞，他都答應去了，晚上回家雖然身體很倦，但精神相當興奮，每個僑胞都問他「我們何時可返回大陸？」沈氏向他們談到蔣總統及台灣全體軍民已有必返大陸之決心，每一個僑胞莫不欣然有喜色。沈氏說：「僑胞在海外的思家與痛苦，實在比國內人還要深切。如果不和他們談到，再也不會知道的」。在巴黎聯大會議上，我方已採得主動地位，國際間都站在我國這一邊，我國國際地位因此亦相當提高，受到國際間的尊敬。

香港海水救火

據香港政府消防處處長高文稱：今夏以海水作滅火計劃，可以全部完成。這個計劃早於兩年前即開始，於上年末將三條六吋口徑水管，已由海濱裝至半山。海水將由抽水機輸送至半山水池，而後注於各區小型水池。爲配合非常時期之需，已訂有四輛新型滅火車，時速達五十哩。以海水爲滅火計劃在英國本部實行已久。香港食水困難，這是香港本年一大改革。

共幹雲浩吃四川辣椒
坦白大王拆穿西洋鏡
海底籬笆部長處長難逃漏網
糖衣砲彈黃金美人現鈔人參

【上海通訊】葉傳民是上海瑞昌公司經理，上海淪陷，共產黨沒有共了他的產業，他放下了心。他大張旗鼓，組織了四極五金公司，打定主意，要和共幹攀交情。

鄭州路局派了採購人員到上海採購，他結識了共幹周某，以後，他聽到採購權是操在路局一位處長叫雲浩的手裏，雲浩是一個老共幹，葉傳民又再和這位老共幹大打交道。

首先，他組織了同泰祥，久大昌，元興昌，華泰，大華等七家聯軍，——這共叫海底籬笆，向雲浩包圍。接着，他們又請雲浩看戲，吃飯，——這共幹叫糖衣砲彈。但老共幹樣樣歡喜。

開始，葉傳民送他一雙手錶，他有點不好意思；葉傳民又送他四川辣椒，他受了。自從吃了辣椒以後，胃口大開，接着，糖衣砲彈就接二連三的送上去，他都一一收受。葉傳民自己到鄭州，辦好交涉，派王永華駐局聯絡，——這共幹叫坐探，第一筆大生意，就做了僞幣十四億。

以後，葉傳民大展鴻圖，變成一個路路通。他所行賄的單位，即有卅多個；所在地綿延到浙江，武漢，湖南，華北及東北各地；賄物爲派克，犀飛利等名牌鋼筆一百卅餘枝，羅來克斯，奧米茄，英格納名貴手錶三十餘支，飛歌，別克，汽車牌收音機十餘架，黃金，絨線，香煙，煙盒，以及女大衣，香水，人參等，多到難以統計；幹部收受這些賄物的人數，多到連葉傳民自己也記不清。這些幹部的職位，上自部長，處長，科長，工程師，廠長，甚至交通員，採購人員都有。老幹部雲浩究竟刮了多少？尚未據葉傳民坦白。

葉傳民自稱是坦白大王，以坦白作爲擋箭牌，上海各報爲文表揚，說他不失爲一個坦白標準人物。現在又拆穿了西洋鏡，看這坦白大王，不知腐惡政權如何給他發落。這個案子牽連到老共幹，以及大小共幹，多到連坦白大王自己也記不清，大概是一切都歸從寬處理；不過葉傳民這條豬，養肥了，宰是註定了的。（悠然二月二十八日）

中共思想改造再觸礁
北大教授立場站不穩
講蘇聯壞很容易聽進

【北平通訊】中共進行「知識份子思想改造」，據說已進入「第二階段」了。所謂「第二階段」的目的，原是想要公私立各大中學校的師生們，在國際問題和國內問題上，把中共的賣國行爲理論化道德化；把所有的學人醫人完全奴才化娼優化；這樣纔能算是「站穩了立場」，「劃分了敵我」，但由於這一次中共「要發揚民主精神」，以是不愉快的事實也就跟着發生的。

北大原是北方最高學府，兩年多來，雖經中共所派遣的「學棍」宣傳、麻醉、分化與迫害，可是師生們仍保持着一份智識份子的固有精神，相當堅定。這一次，各小組（尤其是教授方面的小組）都先後提出了一連串的問題。有的說：「講蘇聯壞，就很容易聽進……麼我們要倒向蘇聯？要蘇聯也一邊倒向我們，心變才會平服。」有的說：「我們就須要的是和平，爲什麼又派志願軍到朝鮮參戰？」有的說：「如果說參加韓戰是爲了保障和平，那我們又爲什麼現在又要同敵人談判？」胡喬木是思想改造的指導人，看形勢十分不佳。僞北大分學委會又發下了一批蘇聯真理報「史太林與英國作家威爾斯的談話」，北平人民日報社論強調要「丟掉幻想，準備鬥爭」，以及胡喬木堅持要「走向群衆」，強迫各師生必須「認眞研議，檢查立場」，結果還是不能圓滿。北大教授所組成的小組裏，都係爲「這與我沒有辦法」[illegible]

天下老子打下來的
喊萬歲也是應該的

【廣州通訊】江門事件揭穿了，總共又說是資產階級的罪惡，資產階級專幹損人利己的勾當，弄得他們吃苦頭，無法脫身。天下烏鴉一般黑，蝗虫滿天飛，怨天怨地，各地共幹們都是一樣的口吻，總共自然亦是文章照抄。

資產階級的罪惡，說共幹們去說能。在這裏，我祇報告江門共幹的嘴臉，替資產階級也說一些公道話。「申工部聯主任」文植虞，共幹們親是一位大公無私的愛國商人，也開口萬歲，閉口萬歲。他叫「羅市長萬歲」，「馮光萬歲」（江門市委副書記），「黃子彬萬歲」（市府祕書長），叫得這些共幹們笑到嘴都合不攏來，然後送錢，送禮，宴會，色情等一整套的生活方式，弄得天昏地黑。人民怒了，不敢說，共幹們自已亦肚裏有數，又說：「天下是老子打下來的，吃點喝點算什麼？」「我沒有功勞，也有苦勞，喊萬歲也是應該的。」這是江門共幹們的嘴臉。

共幹們以十八億元建築一座號稱華南第一的所謂「工商界文化宮」，[illegible]

「各業文員」

·尙方·

香港這地方的文化常有特殊表現，「沿步路過」之類即其一端。最近在報紙上又瞧見有所謂「香港各業文員」的聯名宣言，他們所「宣」的「言」是些甚麼內容，不必研究，我只是對這「各業文員」的名詞，發生興趣，頗有「唔知點解」之感！

照咱們中國人一般的解釋，所謂「文員」，乃是武職的對稱，例如：長衫朋友在軍中服務，叫作「軍用文官」，或「文職人員」。共產仁兄的解放軍中，那些打腰鼓扭秧歌演話劇的「人民」同志，亦叫作「文工團」。據說這「香港各業文員」，是包括工商士各色人等在內的。「士」是名正言順的斯文人，「文員」之稱，當之無媿，但與所謂「文化工作者」，「教育工作者」，「新聞界」，那些聯名宣言「反迫害」的文縐縐的士大夫，走何界說呢？工商份子雖然不是「武夫」，卻也未見有以「文員」自命者。香港的社會「各業」中，既有「文員」，難道還有「武員」不成麼？

有人說：這所謂「各業文員」，實際就是「各業同志」之意，爲着增強宣傳陣勢起見，不妨多發明一些名詞，分別簽上張三李四的名字，發表宣言，以顯示港九人士「反迫害」勢力之雄厚。這辦法我不反對，爲擁護「反迫害」先生們的卓見，我還建議：把婦女同志們，亦可分成爲「出閣員」，「待字員」，「求學員」，「管家員」等名義，分門別類，簽名在報上發佈宣言，豈非更爲「架勢」，表現羣衆甚多之象？

弄上一大堆名詞，不管，別人的觀感怎樣，大吹大擂，不許說二話，只許跟着嚷。這在共產仁兄的會中，乃是家常便飯，搬到港九來，即不免令人莫名其妙了！

自由談

侵略者的箭頭

·夫石·

哀江南（上）

海隅秋客

據說從前有一個澳洲青年，自己起他的名字叫「揚子」。因爲他念小學的時候，出書本上認識了中國的揚子江，想像是個地球面上最可人意去處，常常夢遊揚子流域，苦心孤詣，卒於成年後實現了這個夢。陶醉在江南，樂不思蜀，暮年纔歸去，自謂此生不會虛度。

浩浩長江，確有一種魅力，我也給它迷醉了多少年。一部中國史，江南永遠是週期性的一治一亂，承平時代，江南果然是地下天堂；動亂時代，江南就是人間地獄。古稀老人，眼見往洪楊的蹂躪，倭寇的摧殘，現在還得遭馬列教徒的蹂躪。這些年代，漫天愁雲，讀吳梅村小詞，徒勞魂夢，際此杏花春雨，遐思悽然！

畢生留在我腦海中的印象最清澈的，是江上晨光，焦山屹立在中流，象徵着一個東方氣息的高士，精神的宇宙便是他所有的。他從不自高崖岸，謂然和光同塵，所以與他相揖照的是花花絮絮的世界，雜花生樹，羣鶯亂飛，欣賞流連，高士會無罣礙。這花花絮絮中的衆生，如果讓他日出而作，日入而息，他們先天沒有悍戾之氣，鄉農商賈，交織成和平的生活，在一個水帶山邊的背景下，可不是個人間的伊甸園？

海外歸來，徜徉白下，偶然渡江去浦口玩玩，不期發見萬千家茅棚板屋，一列一列形成衢巷，問起來是辛亥之役，江寧旗籍人贏得幾燼。這些從龍子弟，流離過江，支離架屋相棲止，是亦一得失循環現象。朋友指點說，這裏有的是廣大沃壤，聚數十百萬人口。使田連阡陌，實至易易，旗籍人席祖宗餘烈，不事生產，今乃無所得衣食。我怦然意動，對一望無際的膏腴，覺得要過食力無慚的合理生活非不可能，何必擠在人海裏患得患失呢。一時興奮，作札密告關樓異域的朋友，盛言這裏可耕可讀的優良環境，尤其難得是地價之賤，幾乎你肯來拓荒就可不費一錢。舊金山一友人，把這一封信複印數十通，分寄南北美僑人團體，這一來，引出數十處歸不遠[illegible]。

僑新村點綴着京滬路沿綫，寫成二十年長期的江南新村運動史。然後又一一給侵略的倭寇摧殘，再給盲行土改的中共窒息了生命，我爲此而哀江南。

先是舊金山轉展通信，各處僑人多只存觀。獨墨西哥順可拉省有余陳黃關四君，據以普勸僑胞宜作歸計。僑人什九爲粵籍，又什九爲西江四邑人，少小離鄉，既壯或老始歸。歸則一履國門，先爲海關不

他們尋幾綫索，直向上海南京，調認一遍，結論是：浦口沿江荒地，宜于大規模開發，小團體小試，須得因利乘便。卒之，他們在蘇州東首餘里之崑山城外購田百畝，建置尚不如普通村民，四條壯漢便着手耕作起來。他們在南美本來都各有恒業，出國前雖亦生長田間，但久經是「洋客」，力田實非所習。鄉右稱訝異那裏來的這些怪人，第一因爲他們日常穿的是洋服，工作時穿的是幾十個口袋的工衣；耙鋤等都加以改造；耕耘比人快了許多。第二因爲他們每天接收幾疊報紙；每幾天有外洋的來信；草屋裏堆滿書籍；耕作時常常還看幾頁書。農人們看來太不順眼，竊竊私議，風聲傳到縣衙門，幾番明查暗訪，閩粵以外，各省罕見歸僑，致官府亦疑神疑鬼，大抵縣中總有一二多見過世面的得之解釋，幸亦無事。他們自名其莊家叫知行農場；他們當得起是踏道實踐的。

（十四）

海隅憶語

也算英雄

·歡迎「慰問團」一故事·

何流換着一包衣服，拿着一雙新的白帆布膠鞋回家，就因爲取新衣服，晚了半點鐘，老婆已經自己端起飯碗吃飯了。

何流一屁股坐在床沿，把那包新的藍斜布「解放裝」抖開，裏面還夾着一頂六角便帽，老婆跑進廚房給他端來一碗飯，他也沒有在意，只把便帽戴上，提着一面二寸的小鏡子；左照照，右照照，擠擠眉毛，聳聳鼻孔。

「那裏來的新衣服？」……老婆把飯碗扔在桌上，眼角向他頭上一掠：「又買了新鞋了！」

「明天要歡迎慰問團，工會裏指定要一律穿白膠鞋做標誌，不買又怎樣行？」何流還捨不得放下鏡子，嘴裏說着，又要拿出白鞋來試試。

「拿來！」老婆伸出手了，何流以爲她要鞋子便遞給她，她卻沒有接：「別裝傻！我要伙食錢！」

何流祇好放下鞋子，把皮包一[illegible]翻倒出來，只賸下六十幾塊錢。

「怎麼還點錢！下個月還吃飯不吃？」

「挑！你們女人眞不懂大局！早有了準備：曉得，明天歡迎，我要做我們的領隊……」

「領隊？」……就是像帶兵官似的！領着隊說不定在東站千千萬萬人的面前，要和慰問團握握手，……這個出風頭的機會，就像電影廣告說的「值回票價」了！何……

「出風頭！……揚一揚手就可以半個月不吃飯了！」何流像一塊木頭，何流也端起飯碗扒了一口飯：「你……會不是，和他們相識了，將來可能帶挈我到廣州混個解放官呢！……這叫做時勢造英雄……」

×××

這一夜何流睡得不大穩貼，夢特別多：一會兒夢見和慰問團的貴賓握手，一會兒又夢見到了廣州！

老婆醒得比他更早，一見何流睜開了眼，她就問道：「你昨天說的什麼團？」

何流揉一揉眼道：「慰問團！慰問東頭村火災的代表團！」

「慰問東頭村？東頭村不是蓋起新房子了？難道又有了火災？」

「就是上次的火災，前四個多月的火災！」

「嚇！四個月都過了，早爲什麼又不來？他們來慰問東頭村的難民，你又不是難民，關你的屁事？」

何流肚子裏一股悶氣，暗暗罵道：「怪不得前進份子，都要丟包袱，像我這個包袱，半竅不通，他媽的有一天，當了前進的官，契弟的孫子纔不丟開她呢！」心裏雖然想着，嘴裏可不敢出聲。

「你今天不上工啦吧？」老婆忽然間又想起了：不上工又少了三塊多錢的工錢，「你早晚要被這些災瘟累得餓死纔甘心！」

×××

何流穿着新的解放裝，挺起胸膛，經過馬路邊爛鋼鐵下木板的櫥窗，也忘不了照一照。肚子的氣早已消散得一乾二淨了，可是當他踏上工會的時候，聽說慰問團今天來不成了，卻又像被淋了一盆冷水！

幾個比他到得更早的「同志」都擺在桌子上紅紅綠綠的小紙旗，上都無精打采。好容易挨到十一點鐘，到梯口擁進幾個西裝的來賓，其中一個還帶了黑眼鏡，未坐下，就和主持人咬了一下耳朵，忽忽忙忙的又走了，何流心裏想，這大概就是所謂「神祕」了！

主持人拍一拍手，說道：「各位同志：慰問團從深圳來了電話，是決定改期再來了！不過我們今天仍然照已定計劃去歡迎，這是祕密消息，不必再告訴他人，……我們還是帶着大家到尖沙嘴兜一個圈子，準兩點半出發！……我們應該明白，剛纔幾位指導員的意見，我們的目的是「示威」，慰問團改期不改期，都不要緊！其次，如果不照原定計劃到尖沙嘴一次，那麼所有一切佈置，以及車費飯費都不好向工友同志們報銷了……」

何流的精神又振起來，祇要仍然出發，還是有出風頭的機會。

×××

何流高高舉着一枝綠旗，寫着「歡迎」兩個字，他在隊伍旁邊跑來跑去，嘴裏高叫：一，二，一；一，二，一；他的任務是：走在前面，把綠旗舉起，時時便後面的人看見可以跟上來；如果「前軍不進」，他就把旗放下來，另由他的「同志」舉起紅旗。他雖然算不得重要角色，可是在隊伍裏面，跟在別人屁股後面，已覺心高氣傲，不辜負那套新裝了！

但是，一切並不如理想那麼順利，尖沙嘴區，治安當局已經早有了準備，歡迎的隊伍過不去，祇好拐回彌敦道向油麻地倒退，當走到油麻地最熱鬧區的時候，前面隊伍像潮水一樣，突然向橫街奔竄，連紅旗也亂得望不見了！他還想維持着，那一隊不要走散，可是後面在佐頓道的十字路口亂起來，冒起黑煙，喊聲震天，他正想看清楚，跟着一股酸氣衝進鼻孔，眼球發脹，他知道出了事，這一隊夾在中間的幾十人，也不知誰喊了一聲「催淚彈」，大家只恨少長了幾條腿。何流也只好跟着潮水似的人羣，擠進橫街的一間公廁。他還算夠機警，一手抓下了六角帽子，塞進袋裏，手裏的綠旗也不知道什麼時候扔在什麼地方了？……

溜出了廁所，大概十分鐘，街上警察還鳴嗚嗚不停，耳邊的車聲，一低頭望望身上那套「解放裝」，卻急着不知往那裏「解放」才好？腳上的白鞋，它卻被廁所裏的尿泡黃了！靈機一動，溜進上海街的小巷子，溜回旺角，他到了家，老婆一見面就問他怎麼一回事！老婆要借他的手腕去摸摸，手上除了有些汗，什麼也沒有粘上！老婆的新恨舊怨，一齊發洩出來，何流也免不了額上被破璃杯砸破了一塊，腫起一個疙瘩！

×××

晚上，何流把聽來的新聞，在工會裏編成了一大段怎麼打外國人，怎麼「英勇」的搗亂警察的故事，當然他就把自己作爲主角，大家將信將疑之際，他指着額上的疤痕說道：「你們看！我被警察打了一棍，好在是我，要是別人，非馬上暈倒不可！」……他忘了在廁所裏有幾個人，他都是同他躲在一個廁所裏哼哼了十分鐘的「英雄」！（玲臣）

論魯達（四）

——水滸人物論之七——

·舜生·

智深接受了長老一番勸告，又勉強安靜了好幾個月，可是以他那樣一個生龍活虎的人物，要他泥塑木雕般的坐下來做和尚，畢竟太難。一日，正值二月間時令，五台山春色，又撩撥得他怦怦欲動。信步踱出山門，遠遠聽得一派叮叮噹噹的打鐵聲，他便轉到僧堂，取了些散碎銀兩，一步一步的走下山來。穿過了那座『五台福地』的牌樓，便發見一個市鎮，約有幾百戶人家，不僅百物咸備，而且有好幾處酒店，『啊！原來有這樣一個好的地方，早知如此，俺也用不着搶那一桶酒喝了。』智深正高興的想着，乃被那一片叮噹聲，引到了一家鐵舖，眼看那些鐵器確實打得不壞，他乃以五兩銀子，訂打了一口戒刀，和一條六十二斤的水磨禪杖，把這件事辦妥，他便去找酒喝。

不想走了好幾家，都一律回絕不賣。原來市鎮上這些房屋，都是文殊院的產業，如果他們把酒賣給寺裏的和尚喝了，便要受到嚴重的處罰，在這裏也存身不牢，因此他們的態度也非常堅決，而且一致。智深心裏一想：『如果不用一個變通辦法，眼看今天的酒喝不成。』於是他便大踏步的走到市梢盡頭，進入一家小酒店坐下，口稱行腳僧人，遊方到此，買碗酒喝。店家看見他這般模樣，而且操着外處口音，便信以爲實，酒是讓他喝着，要肉則仍回答沒有。智深忽然聞到一陣肉香，起身一看，見牆邊鍋裏，正煮着一隻狗！智深因怒道：『你現有狗肉，如何不賣與洒家？』因在身邊摸出一塊銀子，向店家一擲，『買半隻給我』。店家看這和尚連狗肉也吃，不免一驚，眼見雪白的銀子，又不好拒卻，便把那又熟又香的狗肉撕上半隻，加上一碟搗好的蒜泥。智深一見大喜，便扯着大塊狗肉醮着蒜泥來吃，又一連喝了十幾碗酒，仍未盡性，再要一桶，也一併喝光，只剩下半隻狗腿，便率性往懷裏一塞，起身說『剩下的銀子明天再來！』便揚長朝『五台福地』的方向走去，把個店家嚇得目瞪口呆，叫苦不迭。

智深這次比上次醉得更厲害，走到半山，要了幾路拳，酒醉力大，只一肘，便把個亭子打攤了半邊；走到山門，看見兩個大漢舉起拳頭要打他的樣子，他只用手向左邊一個一拔，向右邊一個一扯，兩座鎮守山門的金剛，便都被拉倒在地。寺內僧衆關上大門不敢開，他便聲言放火，不得已讓他進去，他乃把座僧堂嘔吐得臭穢不堪，還拿着那半隻狗腿，一面往兩個禪和子口裏塞，一面扯着自己吃，拒絕不吃，他便打人。於是一般僧衆以及火工轎夫，乃各執器械，頭綁手巾，到僧堂乃和他相打，智深放下禪杖戒刀未用，只拔下兩條桌腳相迎，衆人已經不是他的敵手，正打得難分難解，智眞長老走出，才把他喝住，而僧衆卻各取衣缽，聲言要走，這個亂子，便叫作『捲堂大散』！

萬竹樓隨筆（七七）

祇有耳機

一個訪問保加利亞內閣總理的客人走進辦公室一看，很驚奇的問道：「總理先生，你寫字檯上用的是那一種電話機，怎末祇有『耳機』沒有『話機』呢？」這位總理答道：「你要知道，這是我們和克里姆林宮的「專聽電話機」。」

世界上沒有上帝

匈牙利一位政治委員，問一農人。新馬鈴薯生產計劃是怎樣制訂的？農人答道：「是在我們光榮的領袖史大林領導之下完成的，假若把我們所收穫的馬鈴薯堆在一塊，那就要成爲一座大山，簡直可以與上帝之足比高。」政委聽到最後一句，忙加指示：「但是你要明白，世界上並沒有上帝」。農人也忙加補充：「我們也並沒有馬鈴薯」。（王綺）

自由人

THE FREEMAN
（本刊每星期三六出版）
（第一〇六期）
每份港幣壹毫
督印人：李光華
社址
香港高士打道六六號
電話：二〇八四八
GLOUCESTER RD.
HONGKONG
TEL: 20848
承印者：東南印務出版社
地址：高士打道六四號
台灣經銷處
台北市中華路一二五九號

我們的已往與未來

·雷嘯岑·

自由人創刊到今天，整整一週年了。一年的時間並不長，但我們站在這塊小小園地的耕耘崗位上，卻特別感覺興奮，值得向讀者一說。

我們在創刊時，即發出了一句口號：「我們要做自由人！」還着這種心情，才以純自由主義者的作風來集體創辦這張報，有錢出錢，有力出力。出錢者，自一兩千元到數十元不等，也有無錢可出的；出力呢，大家唯力是視，各盡所能。我們就是以這種自由人的立場來辦這張「自由人」三日刊的。我們決非藉此消閒，或者在政治上有甚麼私人企圖，乃是根據一個共同的信念——自由精神不滅——當着全球人類自由生活遭受重大威脅的時代，知其不可爲而爲之，以期略盡我們所負的時代任務。

兩個目標

惟人一談到自由主義，便有「此亦一是非，彼亦一是非」之感，認爲這是小資產階級永遠無法完成事業的致命傷。共產主義者更說這種個人自由主義是資產階級的落伍思想，不值一顧。我們卻認定人之所以爲人，就是大家有人性；人性的一般作用，即是理性。從理性的思維出發，自然可以異中求同，同中容異，以集體責任Collective responsibility來維護共同的自由生活，就中國來說：目前國家民族的獨立自由被共產極權主義者完全摧毀了！誰要是不否定自由人權的中國人，無論他的政治觀點如何，生活方式怎樣，但對於爭取自由生活這一共同目的，總是一致的。因此，我們認爲：今日之事，除了共產極權主義者以外，任何一個中國人都能夠彼此合作，共同奮鬥。何所求而云然呢？見之於我們這一年來的現實事證！我們這黨人，各黨各派，無黨無派的都有。談起政治來，意見並不盡同，寫起文章來，觀點尤多出入。可是，講到自由生活，大家即殊途同歸了。「治國如烹小鮮」。我們既能以「集體責任」的自由主義來辦成這張報，很順利的經過了一年，何嘗不可以這種精神來從事救國救民的職責呢！

我們既對外要求國家民族的獨立自由，必然的邏輯，對內更應該要求政治上的自由民主。民主固非咄嗟之間即可完成的事，但至少要維護基本人權的尊嚴，以及國民意見的取決於公論。自由是民主政治的起碼要求，尤非實現不可。所以，本報一年來的言論，始終保持着「異中求同，同中容異」的方針，各抒所見，表現自由作風。我們的言論是否正確，那是另一問題，是否爲各方所贊同，或者憎惡，那更不願計較，我們是發揚自由主義！自由主義的精神是對眞理一面倒，而非對一時的利害得失一面倒，否則便不成其爲自由主義了！

上述兩點，就是我們這一年來所懸以求之，悉力以赴之的共同目標。這原是卑之無甚高論，我們卻以愚公移山和精衛填海的心情，一點一滴的做去，不激不隨，嘗試實驗。一年的結果，雖然沒有大的成功，卻也未見得失敗。

今後的努力方向

世界形勢已經構成了自由與極權的兩極化，我們既要求自由生活，當然毫無疑問的是站在自由世界這方面。不過，自由世界儘管實力強大，足以與極權世界相抗衡，但是還缺欠一項有力的武器，即加拿大外長皮爾遜最近所說的，除軍備戰之外，還得加上思想戰。現時自由國家只是強調生產力之優越，宣揚自由國家的人民有汽車，收音機，冰箱等享受，而漠視文化上的思想戰，消極思想焉能打倒共產極權思想呢？現階段抵抗共產極權的犀利武器，無過於民族思想，必須從文化思想上來促進民族思想之正常發揚，使共產極權主義者無法歪曲利用民族主義來攪亂自由世界。

因此，我們要求全世界的弱小民族都能取得自主生活，要呼籲自由世界的國家，放棄或改善其由資本主義派生而來的殖民政策，以杜絕共產主義者煽惑滲透的漏洞。這一漏洞不及早設法堵塞，自由人類的勝利是沒有把握的！

對于我們中國，當前唯一的急務，就是打倒奴役吾國吾民的俄帝與中共，這是愛護自由的中國人所一致同意的。在這一前提之下，我們對於任何一個反共抗俄的同胞或一種力量，都期望他們能有所成就。同樣的理由，對於領導反共抗俄大業的政府，自然更要予以擁護。至於政府的庶政措施，固然未必樣樣贊同，任何一種政府的政治行爲，也不可能盡如人意。已見實行而爲吾人所不同意的事情，我們必然要批評，未見實行而認爲有利於救國大業的問題，我們也要建議。因此，這一年來，本報同人和讀者們，不少批評或貢獻政府的言論，都一律刊載，以資討論，今後還是這種態度。總之，我們在思想上，在主張上，祗希望追求大同，揚棄小異，德國俗話所謂「連嬰兒和沐湯一起倒出去」的辦法，此時此事，竊所不取。

我們這種看法與作法，或許不一定都對，但在未證實失敗的事實以前，依然本着「知其不可爲而爲之」的精神，努力幹下去。如果社會人士願意指教的話，那是我們所懇切盼望，誠懇接受的。

陳毅饒漱石衝突表面化

·形勢已有很大發展·

【上海通訊】上海解放日報透露，上海市的反貪污反浪費反官僚主義的鬥爭，從上月廿日中共上海市委會召開全市幹部緊急會議，堅決撤換了十五個負責幹部，並堅決開展了反對右傾思想的鬥爭以後，形勢已有很大發展云云。

此間觀察家觀察：這十五個負責幹部的撤換，證明了陳毅和饒漱石之鬥爭，雙方已積不相能，藉三反運動，饒漱石利用組織地位，爲陳毅大剝其頭，顯然已由內部衝突摩擦而更趨于表面化劇烈化，所謂「形勢已有很大發展」，應從這方面來看才對。

據中共市委第三書記劉長勝講話，他代表上海市委會宣佈；市委兼秘書長黎玉，市委財經委員會委員顧準，市府財經委會分黨組成員王紀華，總工會黨組委員陳公琪，市府黨組幹事曹漫之，部上海電力公司黨委程萬里等，均經華東局批准，予以撤職及開除黨籍處分。而其罪狀所稱，說是：歷史上一貫犯有嚴重錯誤，最着重在一、個人英雄主義，自以爲是，目無組織，違反黨的政策方針，在思想上組織上與黨反抗；二、家長式作風，官僚主義，濫用職權，妨礙了市委的正常領導；三、不徹底向黨交代；四、欺騙組織；五、執行幹部政策的錯誤，造成總工會幹部之間不團結。從上述這點來看，證明這些人是目無組織，在思想上組織上與黨對抗，妨礙了市委的正常領導，和組織距離很遠，造成了幹部之間的不團結。

而這些人，在黨的地位上，雖然是市委，分黨組成員，黨組委員，黨組幹事，公司黨委；在市府地位上，黎玉是市政建設委員會主任，顧準財政局長兼稅務局長，王紀華財經委員會副秘書長，陳公琪總工會秘書長，曹漫之市府副秘書長兼民政局長，程萬里公用局電力管理處長電力公司軍管專員，自皆爲陳毅之股肱，現均由饒漱石以市委會名義，一律予以撤換，其作用在挽回「組織」的頹勢，樹立並強大「市委的正常領導」，個中情勢，不難洞如觀火。

觀察家並稱，任何政權，目中無人民，祗要組織，不要人民，組織高于一切，其結果必至派系分歧，各立門戶，自相仇殺，然後亦自掘其墳墓，此爲歹徒惡黨必然的結局。（悠然，二，廿五）

反精神凌遲！

——聲援有骨氣的梁漱溟先生——

·趙滋蕃·

在二月十五日的香港時報上，看到胡秋原先生的一篇文章，題爲「大家應該聲援不屈暴力的梁漱溟先生」。眞情奔放，語語沉痛。黃鐘大呂，畢竟不同凡響。

我不識梁先生。其所著書，除「中西文化及其哲學」外，皆未曾讀過。惟其不識梁先生，在輿論中，自可排除主觀的感情；惟其讀梁先生之書不多，在心理上自可免除曲學阿好之弊。因此，得直證心源，不爲物蔽。

反覆細讀梁先生的「兩年來我有那些轉變？」與「敬答賜教的幾位先生」，讀兩篇硬朗朗的無頭巾氣的文章，覺得這漢子的淵勁浩然之氣，頗類「鬼斧神工」之妙，辟易羣醜有餘！這漢子反抗暴力的精神與氣魄，頗具「天造地設」之功，典型已足不朽！刀鋸陳前，斧鉞隨後，一介書生，凜然力持其方寸，慨然以道自任，不欲「自昧其所知以從他人」，森森氣象，實上下與五千年中國文化同流。梁先生有了這兩篇文字，縱再無一字傳世，我對他的同情與景仰，依然是要永生的；我對毛澤東及其狐羣狗黨，強迫智識分子「擠通思想」，侮辱讀書人的卑鄙下賤的無恥勾當，依舊要痛斥，詛咒的！正義就是力量，勝利永遠站在正義這邊！

常言道：長痛不如短痛。千古艱難，豈惟一死？一念輕生，匹夫匹婦，類能爲之，不足珍貴。若梁先生者，不獨能以蒼涼沈鬱心情，咬緊牙關，賤視暴力；而且還能獨抒所見，替被污衊的歷史，替苦難的同胞，吐一口怨氣。單就這一點而言，我對他的人格與學養，是低得下頭來的。

也正因爲此，我對他的膽識，器識與戰鬥業績，也另有一番體認，我覺得梁先生爲眞理而「死生以之」的精神，其艱難較「一死了之」，更難千百倍。

假若希臘人蘇格拉底接受了三十米拉（Mina）的罰款，對安尼志斯（Anytus），米里志斯（Meletus）與奈亢（Lycon）這三個下流傢伙屈服；在眞理的最後堅持當中，承認了崇拜新奇鬼神，與敗壞青年人的德行的罪名，不仰藥而死；則後世的人類，對于蘇格拉底，可能已經遺忘了。假若猶太人耶穌，忍受法利賽人讒言，撒都該人的謗語，千夫長，法老的威逼，羅馬總督的暴力，不釘死在流血的十字架，爲自己所熱愛的信仰捨生，那麼，他在少數富有歷史癖的後世人類心目中，恐怕也祗是一個「木匠的兒子」。所以說：千古艱難，豈惟一死；爲眞理捨生，人類的偉大，無有甚於此者。我敬勵梁先生向這方向前進，在最黑暗的時代中，完成道德上的自我。

中共侮辱讀書人的手段，實集中外古今土匪流氓手段之大成。其「改造思想運動」，對困處鐵幕內的知識份子，實極盡其「精神凌遲」之能事。把具有創造活力的知識份子的自由意志剝奪，使文化發展，倒拖進獸性的腥風血雨中，以野獸的後退爲「前進」，中共的罪惡，此爲最大！

是可忍，孰不可忍？

放眼瞻觀萬象，本是人類神聖的基本權利。類此，人類文化發展，得以自強不息。若硬要強迫人類通過「階級性」與「黨派性」這小洞，來坐井觀天；若硬要將人類思想，擺進一個淺窄褊狹的模子中，求思想的「同樣等質」，求思想的「教條化」，「經典化」，是行不通，辦不到的！人類創造活力與自由意志的大波瀾，將滌蕩盡這些覆時代的腐臭的瑕穢；而梁先生正義的反抗，不過是千千萬萬具有自由意志的人，反抗共匪腐獸暴政，反抗共匪精神凌遲的信號。

反精神凌遲，將是鐵幕內有骨氣的智識份子，最嚴肅的歷史任務；激發自由意志，發揮創造活力，將是鐵幕外有抱負，有理想的智識份子，最首要的工作。自由精神與眞理精神的昂揚，將替新時代放下一個顛仆不破的礎石。我深信梁漱溟先生——這位人間的帕里米修士，他所點燃的火炬，光芒將激照漆黑一團的鐵幕。我們大家來聲援他，不要使這堅強的鐵漢孤立。

時局漫談

舜生

韓戰停火何以停不了？

韓戰停火談判愈談愈遠，甚至連以俄帝參加中立小組於休戰期間視察聯軍裝備秘密的這種無理要求，也爲共方所堅持，其不能希望其再有進展，而只有拖下去，打下去，已屬毫無疑義。

可是我們很奇怪，韓戰停火談判的提議，原是俄帝出席聯合國的代表馬力克發動的，假定俄帝眞有結束韓戰的決心，中共與北韓這兩個小傀儡，當然只有奉命惟謹，加以聯軍方面對停戰期待甚殷，事實上當不難一拍即合。然而曠日持久，一直延到今天，已距其最初的希望愈來愈遠，甚至已完全陷於絕望，究竟是什麼道理呢？

我在這裏願意提出兩點假定的判斷，以供大家參考。

（一）不是韓戰不能停，而是韓戰停了，俄帝的第二步驟難於決定。

俄帝自己有幾個內定的原則：一、在目前的整個世界局勢，俄帝依然要躲藏站在幕後指揮，一面以和平攻勢瓦解民主，分化民主；一面以威脅恫嚇的姿態，爲她「嘍囉」張目，而自己的出面總以愈遲愈好。二、在亞洲，俄帝要加強控制中共，決不能讓她休息，但又不願陷中共於極端的困難，使她對俄帝的向心力發生動搖。三、俄帝運用一切嘍囉向民主國家去搗亂，都有一定的限度，總以暫時不爆發大戰，而以避免非她自己出面不可爲理想。

根據上面三個原則，我們可以看出，俄帝最初提議韓戰停火，對她自己的原則，本來是不相違背的；因爲聯軍在韓作戰，確實有點不耐煩，韓戰如果停不下，便惟有擴大韓戰之一途，擴大韓戰的第一步可能是轟炸東北，一經轟炸東北，俄帝雖仍願站在幕後，戰火便立即延燒到俄帝的本身，與俄帝內定的原則不能符合。因此，俄帝覺得韓戰總以停下爲好。這便是她最初提議停火的動機。

可是韓戰果然停了，要運用不使中共休息這一原則，俄帝又覺得十分爲難。因爲韓戰停了以後，俄帝要使中共繼續活動，便只有兩途：其一是攻台，其一是擾亂東南亞。依據中共本身的利害來說，她與其去搞東南亞，卻不如攻台。因爲有台灣存在，而又一天天加強，這無論如何對中共總是一種威脅。她要去掉她這一種腹心之患，總覺得不如直截了當攻台的好。即令攻台不是一舉可以成功，但至少可以對台灣反攻大陸這一企圖，予以一個有效的打擊。換言之，即令攻台不能圓滿達成任務，退而思其次，仍可加強對大陸的防禦，這在中共依然是比較有意義的。可是攻台爲目前俄帝的政策所不許，這理由很簡單：因爲攻台必須用海軍，而海軍乃中共的最大弱點之一，一經第七艦隊的掃蕩，可能片甲不回，不僅奪取台灣絕不可能，或者反促成台灣提前反攻大陸。俄帝既不能坐視中共攻台失敗而不救，其結果便惟有逼得俄帝以海空力量與美國相拼之一法。大戰爆發，不能用俄帝較長的陸軍，而只能用她較短的海軍，這在俄帝實在是莫大的危險，所以她絕對不願。無已，便只好命令中共去搞東南亞，可是以英法美對東南亞必保的決心與團結，搞東南亞並不怎樣容易。中共內心明白，俄帝之所以叫她去搞東南亞，無非叫她在韓戰停了以後繼續去犧牲，而俄帝則依然站在對岸觀火。這種地方，便是中共與俄帝之間，最大的矛盾之所在。這種矛盾俄帝也明白，因此她又不願把中共逼得太緊，而把她公然逼翻！因爲這第二步的活動還不能完全決定。這是韓戰停火談判只能陷於現狀的主要原因。

（二）不是韓戰不能停，而是韓戰停了，韓國問題依然無法善後。

韓國問題無法善後，本來是一個自明的道理，可是有兩點必須指出：一、韓戰的基本問題既是絕對的談不好，便是依然要打，既依然要打，又何必多此一停？二、韓國問題談不好，可能促成美國更積極的援日，等到日本也公然出來參與韓戰，則俄帝雖欲不出面不可能，既是遲早都要把俄帝逼出馬，則韓戰與其勉強的結而結不了，還不如就現狀來拖要妥當得多，這便是韓戰停火談判陷於現狀的一原因。

從自由世界亞洲命運談到當前日本的地位

長期的美日合作，全視日本是否眞正傾向民主，是否決心成爲自由世界的戰士而定。如果日本有決心擁護聯合國，如果日本有決心支持自由民主，在法理上，在政治上，和台灣訂和約，是無可規避的，無可遲疑的。

對自由極權，日本要下決心去選擇。今天，日本在亞洲處于左右亞洲的地位，她應該負有神聖的責任。

·陳伯莊·

今天東西兩大壁壘所力爭的對象，除卻俄國而外，可以說是整個的亞洲。從西亞的近東伊斯蘭世界（這世界並且包括埃及與北非）到東亞的中國，日本，越南等東南亞各國，以迄於尼赫魯的印度，都在雙方爭取之列。這廣漠戰場的本身特點有三：

（一）爲中國，印度，亞拉伯（伊斯蘭）三個文化的誕生地區。這三個文化之所以不同於西歐文化的共同點，是沒有產生了思想自由和政治民主。

（二）所有亞洲各國，都曾經或尚在西方帝國主義的壓迫下，所以民族獨立的號角，隨時隨地可以激起普遍的激昂衝動，成爲最可利用爲反西方的動力。

（三）日本而外，均未進到工業化。生活的壓迫超於一切。當飢餓，強凌弱，以前視爲當然的現象，一經加以有效的煽動，最易成爲對內革命的動力。

美、英、法三國是西方陣營的主體，它們本身的特點，及其對亞洲政策異同，有下列各要點：

（一）三國的國民生產力（經濟的國力），唯美最大。八倍於英，十二倍於法。倘無馬歇爾計劃的經濟援助，英法當不能恢復其生產力。

（二）三國實行重整軍備，乃韓戰發生後之事。英法兩國如不能增加百分之十四的生產力，便無法依照大西洋集團的軍備計劃，予以實施。牛油與麵包不可得兼，使成爲兩國國內政治的爭端，對美友誼的離間。再加以國立歐洲，易受蘇聯威脅，離美而中立的趨勢，時時存在。新近法國對西德的疑懼，益形嚴重化。凡此種種，內顧不遑，近顧不暇的長期劣勢，便反映爲英法對遠東雖關遠略的長期弱勢。

（三）英工黨以福利建設爲政權命脈，以軍備妨礙福利而辭職，大聲疾呼，反對「鬼尾於美國戰車車廂之下」。去冬大選，保守黨雖以三一七席對工黨二九四席而執政，這因英國分區計席的選舉法而獲勝；若論選票總額，則仍以工黨爲多。（工黨得一千三百九十一萬票有奇，保守黨得一千三百七十萬票有奇。工會會員八百萬爲工黨的基本票，所幸工會仍傾向右翼的艾德禮）。法國去夏大選，共產黨得票五百餘萬，佔總選票款百分之二十六。三個中間黨一共得票七百二十餘萬，三黨中佔最多數者爲主張放棄越南（至少表面如此的社會主義黨佔票二百七十六萬）。第二次大戰後法國內閣變更十餘次，皆由此中間三黨共同支持。異中勉強求同，由於政力相對峙，而成政見相掣肘，故永無大刀闊斧的政策。

（四）英國的國際政策，一向有作有爲，是最現實的。由十九世紀的覇權帝國退到今天的地位，心理上既難改變其傳統，實行上更不能不計較錙銖。所以在自由世界中，總是一個勉強上陣的戰士。對亞洲的民族主義，總是犯楚項羽「印刓弊」的毛病。忍不能予，必至被迫而遷就，不惟不得受者的好感，且易啓其輕視。一年來，在伊朗及埃及所遭遇的困難，充分表現了一切。

除掉越南，法國根本不要管亞洲的閒事。他在越南，直到今天，還不肯許可其完全獨立。

（五）自由世界的政策，美國不能單獨作主。必須與英法商量，因此必須受英法的牽掣。

（六）以籠洋國的美國，對雄踞歐亞的大陸國蘇俄；以人命貧賤物質豐富的美國，來鬬略全球，其政策重心，已趨向發展海空威力，以俟其變：這是胡佛的變相孤立主義與凱南（俄事專家，現任美駐蘇大使）的困俄政策的相合流。一百四十三大隊的龐大的空軍建軍，要到後年方能完成，到那時，美國方得充分的安全感和強大感。

（七）基於以上種種，美在遠東最大的弱點，祇有寄望在（一）可以遊塞固守的，（二）可以自練龐大陸軍的日本兩條件上。初期對中共的幻想，今已完全消滅；認清了中共政權，在亞洲成爲勢不兩立的最大的敵人。然而長期的美日合作，全視日本是否眞正傾向民主，決心成爲自由世界的戰士而定。

這樣的亞洲，無可諱言的，最能了解而最能影響亞洲人心的，是印度的尼赫魯。論實力，最能左右亞洲局面的莫過於日本。民族獨立的火焰，從和平而得安居樂業的渴求，充滿了每個亞洲人的心坎。凡未經帶上共產枷鎖的民族，祇看見共產黨仗義執言的「正義」，響徹雲霄的和平運動。而且凡未曾得政權的共產黨，爭民主，爭自由，更爭得那麼震天價響。這次印度的大選，除卻尼赫魯的國會黨佔絕對的大多數之外，在其餘各小黨中，共產黨便赫然的列在前茅。而最足注意的就是印共在極南部的Travancore-Cochin所獲得的勝利。因爲這是印度各邦中文盲最少的一部。

亞洲的問題，越來越困難了。把（一）民族獨立，（二）生活改善，（三）社會公道，（四）自由民主這四種號召向亞洲人提出。那一種最能燃起他們胸中之火呢？那一種最能引起他如渴如飢的企求呢？無論怎樣，自由民主總不能變得第一位的號召力吧！祇有呻吟於共產專政殘暴下中國大陸的人民，才會搶着要自由民主呵！多謝史大林，多謝毛澤東，經過你們的殘暴，中國人有機會便會搶着要自由民主了。凡燃不起人們胸中之火的，不能成爲有力的運動。所以眞正的自由民主，是要人們受盡了踐踏和殘殺才會發生的。不能瞻望亞洲前途，不先滿着沉重的悲天憫人之感。

實力可以左右亞洲局面的日本又怎樣呢？這四種號召，從民族獨立到自由民主，在日本都有深淺不同的根苗，此外還要加上那「八紘一宇」的種根苗。一個民族能夠如此勤勞，整潔，慷慨悲歌，秩序井然，發奮爲雄，有甚麼法子不臨入睥睨一切的魔道？「禍兮福所伏」，這眞是日本以前的不幸。可是人類總是健忘的，痛定思痛，感慨是暫時的。今天，縈旋於日本人胸中的，是如何能夠趕快的經濟獨立，脫離對美的經濟依靠。「靠你吃飯，便要看你的臉色。」今天日本人大倡其經濟獨立，美國人應該「開紘歐而知雅量」吧！

自由民主的根苗，在日本是不大深厚的。一定要深厚得像在英美一樣，才會決心，與共產極權作殊死鬬！在美國海空軍的保護下，安全地發展他們所要的發展，自甚合算。然而日本眞的一心一意想做自由民主的戰士嗎？我們不能不打一個大的問號。

這點，我們不難於吉田首相對台灣的首鼠兩端態度見之。世界的人，連日本人在內，不但日本人，連吉田的自由黨同志在內，就沒有人認爲吉田是個傑出的政治家。他祇是一個「應付長才」。他對台灣的首鼠兩端，由於他要應付日本國會和美國參院（和約尚待批准）的矛盾。日本國會的反對黨，已經弄到吉田焦頭爛額，日本各大報對吉田的批評和責備，顯然表示他不是衆望所歸的領袖。河田烈之遣派，迄今爲止，已經暴露了他的取巧和玩手段。有眼光的大政治家，決不是專門取巧玩手段的人物。

撇開這些不談，吉田之追得取巧，祇是反映了日本的瞻顧徘徊，並無決心做自由民主的戰士。不論國民政府的展望如何，如果日本是有決心擁護聯合國的話（載在舊金山和約），在法理上，和台灣訂和約是無可規避的。如果日本是決心支持自由民主的，在政治上，和台灣訂和約是不必遲疑的。

我不願說無益的話。但我願誠懇對日本人貢獻一點意見，對自由與極權要下決心去選擇。在今天，日本的實力，是以左右全亞洲的局勢的；這樣重要的地位，便負有神聖的責任。

替罪羊的幸運

九龍的暴動，平淡的過去了。一些無辜的民衆，作了替罪的羔羊。

幸而沒有造成慘案。這是香港當局措置高明的地方。

× × ×

借着東頭村火災發生事件。中共小題大做，來了什麼「慰問團」。共黨報紙大肆宣傳，動員民衆，遊行示威。明知「慰問團」被拒入境，還是要聚衆歡迎，這是爲的什麼呢？

最不痛快的事

無中生有，遇事生風。——共產黨的行徑。欺騙恫嚇，造謠惑衆——共產黨的手段。

可憐盲目的民衆，做了被利用的工具。沒有產生三一事件的「烈士」，是民衆的幸運，——卻是中共最不痛快的事情。

× × ×

香港九龍平靜無事。中共的抗議宣傳，原在意想之中。東頭村的題目，這樣沒有了結論。中共得另尋題材，再做宣傳文章了。

無可拖無可談

朝鮮的停戰談判，在停頓中，且已陷入絕境。對於共方堅持以蘇聯爲中立國的問題。聯軍表示絕對的否定，無可再談；聯軍最高代表也回到東京，商量對策；我不知道共軍的下一步驟是怎樣？

× × ×

蘇聯曾經數次在聯合國提出參加韓戰談判的辦法。

中立國的名義，正暴他們呢？想化身參加的機會；現在不成功了。

談下去，無可再談。拖下去，無可再拖。史大林的決策是怎樣呢？

轟炸華南

利用中共，使戰火延燒到大陸，怎樣呢？毛澤東能眼看戰爭的慘禍，俯首聽命，不要什麼報酬嗎？

把韓戰暫時拖住，利用中共，加緊對越南的進攻，怎樣呢？還是乘着法國求和的表示，以韓戰爲條件，再來從事談判呢？

× × ×

報載韓戰談判破裂，美國有轟炸華南的消息。這就是美國支援越南的對策嗎？

據說李彌在緬東的軍隊有行動的模樣。這是否爲的準備援助越南呢？

越南與希臘

越南的形勢，岌岌可危；法國的政局，又群龍無首；過去英國感到了希臘局勢的困難，可以毅然放下手來。今日的法國，有這樣的決心嗎？

× × ×

英國過去接受了共黨在希臘的挑戰；杜魯門主義的援助，希臘終於保全了。美國因爲放棄了中共在大陸的挑戰。中國大局，卒致不可收拾。美國因爲接受了共黨在朝鮮的挑戰。共黨的攻勢到底給阻止了。美國對於共黨在越南的挑戰是怎樣呢？

三條路線的法國

法國政局的混亂，影響越南的軍事。也影響西歐的建軍。蘇聯共黨在那裏拍手歡呼。失望的美國在打算放手不顧。享樂主義的民族，是否要重演「法蘭西的悲劇？」

× × ×

我看到法國政局演變的大勢：三條路線的法國，要轉成兩個陣營。時機一旦成熟，這不是沒有可能的。

× × ×

畢奈就在這時機中，跳出來的角色。他是保守黨人，六十年紀。他急於組織新內閣。這是戰後法國陷於最嚴重的經濟危機的時候。他起草了一個制止財政危機的嚴厲計劃。

樓明

召開國際經濟會議

俄發動冷戰新攻勢

提出中日貿易計劃

將在莫斯科舉行的共產國際經濟會議，本文作者，於去年（民國四十年）十一月間，向讀者報導，題爲「克姆林宮驚人的方案」，那時候還不過是鐵幕內部透漏出來的消息，現在逐漸成爲事實，引起全世界的注意。鐵幕內部各國政府，忙着派遣代表。鐵幕外面的親共團體，也向他們本國政府，請求簽給護照。聲言這個會議，祇討論國際貿易，不涉國際政治。毛澤東的政府，也大吹大擂，派出一個人數衆多的代表團，以南漢宸，馬寅初二人領導。不久關於這會議的新聞，大概愈來愈多。他們希望利用這個國際經濟會議，對西方各國鼓勵經濟的和平攻勢。

這個會議，蘇聯政府，本來打算在去年十二月間召集，因爲時間過於匆促，已經展期了兩次，現在決定今年四月三日在莫斯科舉行。

據說這會議所討論的重要方案，除出「東西貿易的五年計劃」之外，還有一個「開放中日貿易計劃」。他們以前在蘇聯國內，弄出許多五年計劃，說要建設其所謂「一國的社會主義」。現在他們把經濟計劃，從國內推廣到國際；過去的所謂五年計劃，都希望眞正去實行的。現在這些國際貿易計劃，他們並不打算眞的要實行，不過希望利用這些好聽的名辭，作爲對西方民主國家冷戰的工具，從政治外交的冷戰，擴大到經濟貿易的冷戰，經濟計劃退化而爲冷戰工具；生產貿易的計劃，退化而爲宣傳工具，眞可使全世界研究「計劃經濟」的人，聞之不覺擲筆三歎！

這「開放中日貿易計劃」內容：（一）開放中國大陸市場，許日本貨物進口；（二）中國原料，供給日本工業。

他們的打算，開放中國大陸，許日本貨物進口，可以發生許多作用：第一個作用，是引誘日本工商業者與日本勞工，向共產國家靠攏。日本工商業，現在正苦於無處尋求商品銷場，中國大陸地廣人衆，又和日本相離咫尺，貨運低廉而敏速，歷史上是日本貨的獨佔市場。國際經濟會議提出這樣一個方案，一部份無知的日本工商業者，眞要眼紅耳熱！日本的工人，也可以利用工作機會與救濟失業，向全國上下，鼓吹靠攏。日本共產黨，不啻無形間增加萬把武器。從此招兵買馬，引誘工人加入共黨。凡工人失業，即可歸罪於不肯靠攏。

第二個作用，是引誘遠東各國，共同贊助這個計劃。因爲遠東各地的英國殖民區域，如香港，如星加坡，都感受日本貨的傾銷壓迫。印度，菲律賓，泰國，緬甸各國，甚至遠及近東中東，歐美各地，日本低廉商品，有如潮湧。不祇國內工業，受其壓迫，國際市場，也受日本貨的排擠。現在國際經濟會議，主張把日本貨開一條大門，驅逐到中國大陸去，這豈非一個極大的誘惑？

第三個作用，中國大陸，受美國禁運影響，物資呈歷史上空前的貧乏。戰略物資，固然貧乏不堪，非戰略物資，他們也一無所有。萬一眞的可以開放中日貿易，美國禁運，固然打破，中國大陸，也可以救濟一下。蘇聯所需要的物資，也不妨由中國轉運進去，豈非計之得哉！

他們的如意算盤，還希望能發生更大的作用。這計劃的第二部份，是中國原料，供給日本工業。譬如日本工業現在所用的煤鐵，向美國購買的。拿煤來說，美國煤每噸美金三十元。傳聞中共政府，向日本接頭，願以每噸美金十元出售，僅爲美煤價格的三分之一。其他類此的貨物，不可勝計。日本人想起在第二次大戰以前，煤鐵向中國購買，價格低廉，眞不勝有今昔之感！同時中共方面，吃了禁運的虧，出口的剩餘原料，苦於無處推銷，正要尋求一個出路呢！

他們希望這個方案提出以後，離間日本與美國的關係，離間日本與西方民主集團各國的相互關係，利用日本工商業者與工人，以壓迫日本政府與中共締結通商航海條約，脫離美國，而向共產靠攏。他們也知道這個方案，口蜜而腹劍，糖衣的丸藥，裏面具砒霜，西方民主集團，不會上當。無論民主國家，怎樣反對，共產國家不妨利用這個方案，作爲冷戰的絕妙宣傳資料。

日本靠攏份子，參加共產國際經濟會議的代表團，共爲十人，由一位名石川一郎者爲代表團主席。他們將來勢必串同南漢宸，馬寅初，李燭塵，冀朝鼎之流，將方案由俄文譯成中日兩國文字，而向大會提出。

（王釀泉）

日代表態度模稜反覆
我新聞封鎖對日有利
和談經過應力求公開
吉田茂才會假戲真做

〔台北通訊〕中日和會，第一回合的新聞戰中，我們已經被日本代表團打得大敗而歸。這種戰敗的原因，應該由誰負責？歷史將是最好的裁判者。

話說自二月十七日，日本締和代表團河田烈等一行十八人（共爲十二人，其中二人已先來）來華後，日本代表團便每天上下午在自由之家，舉行中外記者招待會一次。由日代表團發言人眞崎秀樹以口頭發佈新聞，並答覆記者提出之質詢。

回頭再看我們的外交部？每天（有時也許隔兩天）却祇透過政府發言人辦公室寫油印稿一張，配發中外記者。內容既嫌貧乏，材料又屬空洞，即使有天大本領的記者，也不會在死板板的五六行油印紙中，找出活的新聞來。於是這些「無冕帝王」？便祇好表演闖三關，爬上外交部的二樓。但不幸的是很少有人能闖關成功，登堂入室。相反的是，外交鐵幕，却愈拉愈長，樓上樓下，除了加多監視哨外，有時且故佈疑陣，以分散新聞記者的目標。因此有的同業以抱怨的口吻說：咱們中華民國的外交人員，僅僅在外交上，未能得心應手，而對封鎖新聞，却面面俱到，十分周通。就在這種情形下，一個禮拜過去了！也就是正當我們的外交官員，自認爲防止走漏得計時，另一方的日本代表團，却得天獨厚的把對自已有利的新聞，「發出去」！「發出去」了！

中日雙方的代表團，互相比照起來，一方是門可羅雀，死氣沉沉，一方則高朋滿座，談笑風生。

一天，兩天，……：不僅美聯、合衆、法新、以及紐約時報的洋記者，對日本代表團的感情融洽，就連一向對日人含有成見的部份中國記者，也對日本代表團人員，有了好感。雖然大家都知道，那位花白頭髮，講得一口漂亮英語，四十出頭的中年人眞崎秀樹，便是十幾年前八一三上海事件，日本軍部用以應付外國記者的發言人，但對他却不念舊惡。誰又能否認「新聞，對於新聞記者之誘惑，較之美麗的女人底誘惑，有過之而無不及」！

再說回頭來，再講中國代表團，雖然她方在第一次非正式會談中，我們也決定了一位發言人龔德柏，但他的任務，却是按天撰寫一份新聞稿，交給他的上司批看，經審核後，再給政府發言人辦公室繕發。龔君雖然過去做過記者，來自宮庭，（如果說記者是無冕之王的話），才華頗高，但可惜的是，他既不參加和會會議，又奉命不得向新聞界以口頭發佈新聞，所以也便祇好眼巴巴的和記者們表演難兄難弟的啞劇了。

記者還記得，和會開幕後的當天下午，有兩位不識時務的同業，跑到樓上去找濮德玠同業（姑仍稱之爲同業）。剛一走上樓口，便被外交部情報司的某幫辦阻住去路。他並告訴那兩位同業，找新聞嗎？請拿油印稿，會朋友嗎？請在下辦公後。雖然那兩位同業以輿論也是外交權宜之一，來說服他，並告以日本代表團，每天都與新聞界保持密切聯繫。但他却板起面孔說，「日本是日本」，「我們是我們」，結果惹得一位同業高喊：「不必對牛彈琴」，拂袖而去。

再回溯到當天的上午，中日和會正式開幕時，有七十多名中外記者，被阻於樓梯口下，不得登樓，直到葉公超代表：已將致詞底稿，唸到第五行時，樓上才傳話出來，解除封鎖。而在雙方致詞完畢後，那位幫辦，就又在走廊上舉起雙手，趕大家速退。因此有一位外國記者在下樓時，向另一位同業說：看見貴國的外交官員，爲外國人點香烟的照片，似極懂禮貌，爲什麼今天的表現，却如此不夠文雅！

中國的外交官員，封鎖新聞的結果是什麼？是外國記者，可以天天向日本代表團作有利的報導；是中外記者與日本代表團發言人，如水乳交融；是日本代表團眞崎秀樹的名字，每天出現在中國報上；是河田烈的漢詩作得如何不錯，河田的起居註……以及日本代表團放出試探中國方面態度如何的「日本已拒絕中國提出之和約草案」的空氣。

雖然和約談判，截至記者發稿時，尚未進入正式階段，而日本的宣傳工作，却已做到爐火純青的地步了。這些你能怪新聞記者嗎？他拿不到這種具有歷史性的大新聞，無法對讀者交代，他想對自己的國或盟邦，做點有利的報導，其奈中國的官員們三緘其口何？埋怨編輯先生每天專拿日本代表團發表的新聞作頭條？他們在攤開外勤的稿件時，實在找不出中國方面發表的新聞。而我們的外交部某頭號發言人，偶而接見一次記者時，在搖動他那已經花白的頭髮，瞪起眼睛，伸出食指，用似幽默，而又有幾分怪樣子，告訴記者們，去！去！找他們去！他們見誰？日本代表團。這種僅僅擺脫自己責任，而不顧及國家大局的高官們的若干想法，實在使許多記者們感到痛心。特別是每當中國記者與日本記者共聚於自由之家時，被人家問道！你們怎麼會不到外交部去採訪新聞？你們不是也有發言人？但那些年青的朋友，除了臉紅之外，還有什麼話可說？

更大錯特錯的，是中國的外交當局，經過一週的熟思後，發覺了在宣傳上，已經吃了一個敗仗，於是開始向日本發言人提出了勸告：請求人家也少講話。如是兩三天後，再由日本記者口中透露出日本代表團發言人，不再發言的原因是受到中國外交當局的勸告，在國際禮儀上講，眞崎不能再講什麼了！這樣一來，就更加重外國記者，對中國外交當局的遺憾。因此有人講出中國當局，爲什麼自己不講話，而又不讓別人講話？記者很贊成葉紀澤先生在新聞天地所發表的『向外交當局建議，和約談判新聞公開』一文的說法：「爲了防止日方模稜反覆，出爾反爾，爲了防止日方玩弄手法，利用新聞封鎖政策，掩蓋世人耳目，以遂其欺詐延宕的企圖，我方必須運用新聞公開政策，將商談經過詳細公諸於世，使日人無所施其狡獪，促使日人假戲眞做。」（魏大剛 二・廿九）

偽治淮委會法螺吹破
貪污腐蝕了全部工程
舊貨當新貨一團黑漆

〔上海通訊〕中共是道道地地的貪污集團。他們統治大陸，爲期雖不過三年；但他們的貪污，已經相當老練而到家。儘管他們將一切罪過歸之於資本家的誘惑，但相反的，四反五反的結果，還是反到自已的頭上。無怪他們的「五反」運動，和他們的「三反」一樣，慢慢地步入低潮。

治淮工程，是中共對外宣傳的一大幌子。然而這個「治淮委員會」也是一個典型的貪污機關。根據二月廿二日人民日報所載，偽治淮委員會助理工程師趙祖寶和驗收儀器的副工程師陳金林等，暗中與濟南利生行經理孫英才勾結，將不能用的舊貨，包括大批流速儀，經緯儀，[illegible]儀，水平儀，水準儀，望遠鏡裝備的水文和測量儀器，當新貨購買。孫英才因此發了三億八千萬共幣的橫財，而共幹趙祖寶和陳金林，也大大地分了一筆贓。

共幹貪污所發生的後果如何呢？由於這些儀器是破爛的舊貨，使淮河一百五十多個水文站和雨量站，在記錄上失去了應有的準確性，而使無數的勞工及技術人員八個月來賣命的結果，完全白費，並使今後治淮工程的設計，失去了精確的依據。中共的治淮法螺，今天全部吹破了。

最令人痛心的，是趙祖寶陳金林等共幹等貪得無厭，他們將舊貨換新貨，食民而肥，尚不過癮，於是更進一步聯合高攀奇，朱曉白等工程人員，結成一個貪污集團，由副工程師陳金林等把治淮委員會內部的繪圖儀，繪圖尺，皮尺照相機等器材，從治淮委員會偷了出來，再以利生商行的名義，賣給治淮委員會夥同分贓。（見二月廿二日人民日報）。

後來趙祖寶陳金林等，索性正式加入利生行爲股東，在蚌埠開設利生商行的分行，買空賣空！專作治淮委員會的生意。

在中共的「五反」運動下，這件案子給人家告發了，但因五反的對象是「奸商」，不是奸共，所以趙祖寶，陳金林，高攀奇、朱曉白等共幹的貪污行爲不見下文，而「奸商」孫英才，却以「偷工減料，以壞報好，以舊報新，以少報多」的罪名，抓進鐵牢監，聽候「人民」發落。

治淮委員會的採購人員，更是一團漆黑，舉「一」例來說，他們勾結上海掮客李漢民，買了大批舊貨當新貨。他們購買的三千三百輛三輪車：不到一年，已經有一半不能用。兩部發電機運到板橋水庫工地，時常停電，影響五萬多勞工不能上夜班，推土機上用的十八隻紅套，有五部一部分是壞貨。已經不能轉動，在工地上天天就誤了一萬五千公方的壓土工程，抽水機出於水管的接頭處，缺少螺絲，運到白沙水庫工地上便無法開動。諸如此類的事情，實在多而又多。這裏第一先要歸究到共幹採購人員的貪污，第二才歸究到奸商獺容的圖利。事實告訴我們，共幹和奸商，實在是大陸人民的兩大吸血虫，我們不相信一個貪污而殘暴的政權，會延續得很久！（哲安，二月廿五日）

黃台之瓜不堪再摘
中共建設老根據地
壓榨作風又進一步

〔南昌通訊〕中共近來喊出「加強老根據地工作」，拆穿西洋鏡，不外兩個作用：一是封建主義抬頭，另一便是貓兒哭老鼠的勾當。

中共自己承認，老根據地的犧牲實在太重了，僅江西寧都一縣，被中共殘殺的就有八千三百三十戶（按中共殺人是以戶爲單位，這叫做斬草除根法）。湖南平江，被他們殘殺的民衆有十二萬人，幹部一萬四千人。從河南新縣到湖北麻城羅田之間，有八十里長的面積，全部被他們燒光殺光。從這幾個例子，你就可以想像出中共過去在老根據地的所作所爲了。

什麼叫做老根據地呢？老根據地就是中共流寇時代的老巢。這些老巢，包括湘贛邊，湘鄂贛，閩浙贛，鄂豫皖，川陝邊，粵東，海南，陝甘寧，東北，晉冀魯豫，晉綏，晉察冀，熱河，山東，河南，蘇北和皖北等十八個地區。

中共爲了麻醉老巢的人心，去年夏天派出了由八千四百一十三人組成的南方老根據地訪問團，和由三千八百零九人組成的北方老根據地訪問團，分別到上述地區內五百十六個縣市，召開了幾千次羣衆大會，爲毛澤東歌功頌德，贈送「禮品」，還選了六百九十九名代表赴偽都觀光，毛澤東親自出來招待。這情形和歷史上許多盜匪得天下後的偽君子作風，異曲同工。

但是，中共的「加強老根據地工作」，並不就是老根據地人民的福音。相反的，他們正進一步遭受迫害和勒索。舉個例來說，在匪區增產節約運動中，老根據地的人民要作更多的工，獻更多的糧，徵更多的壯丁當砲灰，要選更多的勞模。人民所可能享受的，什麼也沒有了。而他們所屬得的只是一種，看不見的「光榮」──老根據地的人民。

周恩來在一月廿八日向老根據地的人民開出一張賬單，在加強老根據地的經濟建設項目下，要發展農業生產，畜牧，手工業與副業，開採礦產。這許多工作是需要大批勞力的。這些勞力從何而來呢？你無需爲周恩來担心，還有的是屠刀和鞭子，還怕老根據地的人民不作牛馬嗎？

（稜子二月廿日寄）

港督談勇敢小心

香港總督葛量洪爵士，於五日下午參加港府立法局會議。他以警惕之口吻告知衆議員稱：「吾人須勇敢而不冒險，須小心而不怯懦。總之，小心勇敢，如遠東方面？太平無事，商業必定興盛。此乃吾人之厚望，吾等須繼續努力，一如往昔。……殖民大臣在下議院讚賞本港警察處理東頭村之騷動，甚爲適當。殖民大臣之嘉許，殊爲值得，我認爲本港消防隊亦同受嘉許之例。法律與秩序必需維持，吾人受不受恐嚇」。葛氏演說時，態度鎮靜，九龍「三一事件」後，香港官方表示態度，這是第一次。

「慰問團」還要來

根據華商總會可靠消息：繼共匯來港幣十萬餘元，作東頭村救濟災款，前宣佈以籌備未週，另行改期，據可靠消息，該項賑款發放辦法，可能改由華商總會或協同工聯會分別發放，由災民按日依編定號數領取。災民每人將獲得港幣十元及食米三斤。港府當局將於發放日加緊戒備，以防滋事。又關於「慰問團」來港之行期，復據接近莫總港人士傳出消息，現已由莫及陳丕士向警務當局辦理入境手續，原則上還是要來的。港九街頭左傾工會的歡迎牌樓，決定拆除。因爲有些經風吹雨打，已經不成樣了。

艾禮讚揚扶輪會

英駐港總司令中將艾禮信士，四日參加香港扶輪會區會午宴。席間艾爵士讚揚扶輪社是眞正具有國際精神；以人類互助合作，天下一家的精神，推動社會事業，共謀人類進步與幸福。他說：今天世界仍有紛爭，即是未能達到這種理想境地，扶輪社這數十年來遍及世界各地，一直朝這目標努力，這是值得欽佩的，香港處於世界另外一個勢力的邊緣，扶輪社崇高的信念與團結精神，更應大大發揚，以挽日下之世風。語多感慨警惕。

反動的獅子

香港德輔道新建之中國銀行大廈門前原來的兩對石獅子，看上去傻裏傻氣，似乎本配中共鬥爭的本質。最近西門前的一對石獅已經換上雄糾糾氣昂昂一如北平天安門前怒目睜睜的石獅，（側門的一對尚未換去），可是不到兩日，在四日復爲人用墨油塗上了「反動」詞句，該行當局連忙再派石工將之鑿去。一時釘鑿之聲，路人爲之側目。

暴動後的香港風

九龍彌敦道事件爆發後，香港謠言四起，竟有人說「三月五日共匪即將攻打香港了」，於是馮海潮領導的自由工會認爲上說無稽。但自從這一件事情發生後，第一個象徵，米價稍漲，繼而回平。第二個現象許多人都打算向台灣申請入境，（其中有不少的確也因爲在此居大不易，生意完全停頓），因此房價地產已比上年跌落。據熟悉地產掮客說：香港中區及九龍沿海一帶往宅區已跌落百份之三十左右，郊區仍未動。但相反地也有許多人認爲「嚥要緊，可以吃進，再等善價頂出」。你也許要奇怪，這究竟是怎麼一回事，我告訴你，這就是「香港風」，香港人是風來風去的！

美電影新動向

美國廿世紀福克斯電影公司至遠東搜集外景及故事材料之編導麥迦賽與史諾迪於五日由曼谷抵港，次晨飛東京。他們說：現在美國的片子慢慢走上以韓戰，日本，和東方爲背景。過去許多以美國西部牛仔打殺的片子，根本沒有人要看，現在都付之一炬。美國的電視發明後，對影片事業，影響很大。他們說：現在好萊塢對這個問題鬧得很兇，他們預料五十年以後美國的電影院，將再恢復爲話劇或歌劇院，電影明星重上舞台，一架電視機丟在馬路上到第二天還沒有人要撿，像現在的無線電那樣不値錢。你相信不？（一成）

吳蘊初與劉鴻生

本港大公報近載「吳蘊初戲話」，並稱吳氏來港接眷云云。吳氏自三十九年秋，偕火柴大王劉鴻生及蘇州蘇綸紗廠老板嚴某，聯袂入「幕」。嚴到蘇州第三天，爲職工包圍，在蘇州裕社，參迫認購三萬分折實公債，[illegible]。劉則潛逃至南昌截回，終因「民」政府優遇和「保護」周密，私奔未遂。吳蘊初一直蟄伏上海，[illegible]，不敢越雷池半步，平日除了捧場開會外，連姨太太處也不敢走動。此次突然出現海關，不無奇特。大公報所稱接眷云云，僅係一種烟幕，一般揣測紛紜。

在此「四反」「五反」響徹雲霄之際，吳氏竟能隻身來港，未捲入四反五反的驚濤駭浪之中，此老畢竟大有辦法。如非事前得到陳毅諒解或默許，准其暫來海隅避避風頭，亦無非藉免與劉鴻生同遭災厄。據報，劉鴻生自東北返滬，即得暴病，不能起床。近亦自行坦白歷年漏稅種種罪狀，病入膏肓，已無生望。吳氏可謂漏網之魚。（邦賢）

我愛其幽默

·尚方·

在香港作客幾年之中，雖然未曾跟別人上法院打過官司，也沒有到過法庭去旁聽法官審訊案件。但，隨時從報紙所刊載的法院審訊紀錄中，即可窺見法官們確實不愧文明紳士風度，常常洩露幽默感，值得稱贊的。

記得前年夏天，有兩位中國紳士在酒店聚會閒談，一個擁護民黨，一個擁護共產黨，話不投機，彼此動起武來，鬧到法院去評理。法官問明情形之後，詰兩人是否飲過酒？答曰然。法官道：天氣大熱，人們的血壓都很高，還是多吃些冰淇淋的好！

近日有個自一九四六年以來，犯過十四次竊盜罪的婦人戴金，又以竊盜罪被拘訊了。她在法庭上侃侃而談，一面說「新的大人」不明瞭她的過去，一面說：「假使法官大人處我的境遇，也會偷竊的」。法官道：「這兒不是辯論會！」

這是多麼富有幽默感的雋永語句！比讀六朝人的清逸小品還感覺有趣，令人發生會心的微笑，而且又含有教育意義。人們一時失理智，犯罪觸法，其情多堪憫恕。所以，中國的先哲常說：「如得其情，則哀矜而勿喜」。像上述法官所說的話，就有「哀矜勿喜」的意在。我們回頭看看中國大陸上的所謂人民公審狀況，對犯人格殺打扑，吐口沫，用非刑，人間何世，慘慘險風，究竟是人的世界呢，還是魔鬼世界？

光選法庭訊理人民爭訟的情形來看，對民主自由與極權專制的生活，你的良心上，何去何從乎？

自由談

有血有淚的賬

粗枝大葉的作風要不得！

中共原來便是一個「老千」集團，可是過去因為巧言令色蒙蔽了很多人，大家將信將疑，以致上了大當。如今也許還有若干癡心人在單相思。但願「他能如此」的話，且看下列事實：

據一九五一年十二月三十日本港星島日報第四版「華南之窗」上載：「佃農與地主的賬：台山縣營村雷法英一家人，前後租了地主的田，耕了十五年。十五年總收入，是一萬二千六百四十五斤谷；而支付給地主的，是一萬一千九百一十四斤，自己僅得七百三十一斤谷。但是十五年來，共用去肥料種子兩項合計一千七百四十斤谷，這就是說雷法英一家辛辛苦苦種了十五年田，不但一無所獲，還要貼出一千零九斤谷。」

我們看了上面這一段報導，眞有點啼笑皆非！因為該文既列在「開明」「進步」的星島日報，當然比較翔實，而「華南之窗」又是華南通訊，鐵幕內很少會有「漏網」新聞的。星島記者先生們，既能置身「幕內」，當也決非「國特」，所以「報導失實」或「歪曲事實」之顧慮可以沒有，雖然該文非用自御用的新聞社，而這一條新聞是有幾分眞實性的。

尤其那位記者先生為了表示加強事實的眞實性，更不惜拉上一大堆統計數字，煞有介事，不愧一篇「匠心獨運」有血有淚的賬。不過這篇賬放在「幕內」是確能贏得一片掌聲和喝彩的，而在這一個「民主櫥窗」的太平山下，人類智慧沒有絕滅之前，雖在商言商的大佬們，也會覺得這是一篇眉目不清的混賬。

我們研究雷法英受地主剝削的程度，據該文記載：

第一、雷種了十五年租田，收入了一萬二千六百四十五斤谷，而支付了地主一萬九千一十四斤租谷，自己得了七百三十一斤谷。

第二、十五年來，他用了肥料種子一千七百四十斤谷，就是說，雷辛苦種了十五年田，不但一無所獲，還要貼出一千零九斤谷。

從上述第一點看，雷法英總計十五年來收入一萬二千六百四十五斤谷子，平均每年收獲量大概是八百四十三斤（是否一季不詳），而付租每年約七百四十九斤四兩三錢「？」自己剩餘七百三十一斤，每年平均約四十八斤十兩弱，按百分比計算是地主得九九%強，而雷得僅一%弱，假東是否有如此大租，抑且另有特殊情況，祇有請「人民政府」去解了。

其次更使人驚訝的是雷法英種了十五年的田，用了種子肥料一千七百四十斤，除了上列所說剩餘七百卅一斤外，收支相抵，尚須倒貼一千零九斤谷子。作者頗懷疑，雷法英其人，也許根本是個白癡，爲什麼貼了谷子替人種田，且堅持了十五年之久，而在二十世紀的台山，也不致於出現俄式農奴社會吧！

再依，雷法英一家人」這句話分析，可見雷也並非一單身漢，至少二口以上之負担，即使以二口計算，他們單就食米一項來說，（按每人每月食米三十斤計，每年三百六十斤米，折谷約需六百斤，兩人即爲一千二百斤）。十五年即需一萬八千斤左右，再加上貼去的一千〇九斤，合計爲一萬九千零九斤。試問十五年來，雷及其家人是如何生活的，豈非奇蹟？否則，雷一定是個懶蛋，仙定有不可告人的不法收入或副業「？」不然，雷一定是以種田爲掩護的中共「地下工作」同志，反正是領津貼朋友，那倒不在乎。

老話說：「自以爲最聰明的人，才是最笨的人，」雖然直到目前止，我們對於雷法英問題，不可能找到更完整的材料去證明全部事實，不過眞理祇有一條。人民的眼睛是雪亮的，過於天眞的謊言，難免露出馬脚。寄語紅色御用傳聲筒們！粗枝大葉的作風使不得，何必攪空心思爲人世間多製造笑料呢？（邦賢）

論魯達（五）

——水滸人物論之七——

·舜生·

在一個大醉淋漓、鬧得禪和尚『捲堂大散』。這是佛門所最忌的，認爲是莫大罪業，但長老對智深原想成全，因此也便忍無可忍。因此一面寫信給趙員外，說明智深所闖禍事，叫他來修復亭子，重塑金剛；一面把智深喚到方丈，嚴厲責備，並給他一封書信，十兩白銀，皂布直裰一領，僧鞋一雙，叫他投托到東京大相國寺智清禪師門下，討個職事僧位置。智深酒醒，也覺得自己大不應該，現聽長老吩咐，雖不無依依，但亦只好接受，當即拜別下山。後人有一支『寄生草』的曲子，描寫智深此時辭別長老的心理道：

漫拭英雄淚，相隨處士家。謝慈悲剃度蓮台下。沒緣法，轉眼分離乍；赤條條，來去無牽掛。那裏去討煙蓑雨笠捲單行？敢辭却芒鞋破鉢隨緣化？

智深下得山來，便忙去鐵店取出兩件訂打的武器，於是背了包裹，跨了戒刀，提了禪杖，取路逕向東京進發。在路走了十幾天，不願投寺院掛單，就在客店打火，身上纏有盤纏，也就樂得逍遙自在，不買些酒肉果腹。一日，因貪看途中景色，不覺錯過了宿頭，遠望一簇密層層的樹林，從林後透出一派燈光，知道已有人家，便走上前去，求個方便。可是到莊門一看，卻見衆莊客，正在忙忙碌碌，搬東搬西，智深把借宿的來意說明，衆莊客不僅不肯答應，並且叫他快走，免得討苦吃。智深見其無禮，便操起禪杖，正待發作，此時莊內卻走出一位老人，問明情形，才知道智深是五台山活佛處來的一位師父，乃把莊客叱責幾句，連忙把智深引進，自己說明姓劉，此叫喚作桃花村，因此大家都叫他作桃花莊劉太公。問明智深不會用過晚飯，又知道他不忌葷酒，便叫莊客備酒飯相待，飯後便引這位師父到外面耳房安宿，自己叮囑智深，如夜間聽見外邊有何熱鬧，千萬不可出來張望。智深眼見莊內懸燈結彩，而老漢卻面有不豫之色，又聽他以此相囑，更覺有些蹊蹺，便問老人：『今夜貴莊有甚事？』太公最初不肯說出，並勸他出家人不必管這等閒事。但經智深一再追問，便只好直言相告。原來這裏桃花山，新近來了兩個大王，聚集了五七百嘍囉，在附近一帶打家劫舍，因到他莊上借糧，見着他一個十九歲女兒，便撒下二十兩金子，一疋紅錦，作爲定禮，就在今晚要來入贅，這老人年過六十，膝下只此一女，這門親事，實非所願，可是又和這夥強人爭執不得，因此不免煩惱。智深聽了這番說明，便道：『洒家從智眞長老學得說因緣，便鐵石人也可說得心回意轉，你既不願這頭親事，我便勸這位大王，不必討你的女兒，你可把你女兒藏了，我便到新房內去勸說。』太公聽說雖是將信將疑，但覺得五台山和尚，一定有些道理，亦即表示贊成，更取好酒好菜給智深吃了，個痛快。

哀江南（下）

海濶秋萃

知行農場成立了一年，鐵路戰役之餘，他們都壯歲結婚，田間便男女並耕，兒女亦且快成行了。他們生活水準一如普通農民，但只多了有病須往滬求醫藥，嬉常每月攜來挈子遊樂三兩天，購書報讀物。這些消費是普通農人所無的，故刻若如他們，生活費與中國一般村農較，竟爲一與八之比。由此可知中國農人生活遠在水平下，誠然要盡力提高。這只給予後來共産黨徒一個爭奪的藉口，權力到手，又不是這回事了。

崑山高不逾五百公尺，自上海而西，萬里皆曠原，至此始突起這一小丘陵，邑人便有登高遠眺之所。山脚闢爲小型公園，具體而微，倒還小巧。過此一小水灣，環縣學宮左鄰之荒圃老屋爲顧亭林故宅，歷二百餘年尚未十分頹圮，園植緋桃三百株，花時繽紛，與小堤春柳相映，彌覺可人。營地産商人告訴我，顧家式微，先人遺宅行將出售。我恐怕這值得保存的舊物落于傖傖之手，急欲勉爲承受，議價就緒，則有顧氏遠孫出而梗阻，事終不諧，現在如何轉變無從問訊了。

小西門外有臨流小築，花木扶疏，爲鄂人曹亞伯寄跡處。曹爲章太炎陶成章光復會一派人，著有中華開國史，堂皇巨帙，經中華書局印行，後爲寧府目爲禁書，令飭銷燬，我向存一部卒亦喪失了。曹與得志新忤，遂悒悒隱居，還時有擊碎唾壺之憤慨，場諸位卻恒與往還。

自有知行農場，海外僑人聞風踵趨，相率來歸，視江南爲第二故鄉，知行式的新村，隨在建置。上海江灣有青年村，只十數人家，拓餘地爲園藝，飼家禽，亦自成一組織。眞茹又有一村，共三四十戶，這裏殆爲房屋合作社，僑中人皆仍入市就業。未幾，南翔陸家浜一帶，眞正的歸僑農村相繼出現。不兩年工夫，沿滬寧綫西上，直至津浦綫第二站皖境明光，那裏的新村，集歸僑至數百人。蕪湖市上逾千人，則一區[illegible]氓、未有村的組織。至是，粤語西裝的洋客，憧憧往來，鄉僻村農也習見，對于他們不再以「怪人」相駭了。

就中最具規模而組織最有條理的，當推南京門外四十里板橋鎮那一新村了。這村未立名號，因爲分子皆粵人，當地人士便呼爲廣東新村。這裏大足表現僑人創造和自治能力。梁漱溟的村治，晏陽初的平教，還未起呼聲，這裏早經以歐美型農村姿態呈現。先是美澳二洲僑界智識分子，由于崑山知行和各處新村雲起的刺激，乃緊謀較大規模的興作。地點擇定了，江蘇還是北洋軍閥孫傳芳所統治，進行的阻力尚多，但敵不過他們的毅力，板橋圩田上千頃，給他們買來了。他們是用以公司方式，集股份金作資本，田地之若干爲住宅區，若干爲電動力廠，若干爲磚灰窰與一般用品製造廠址，餘爲稻田及其他作物種植區，作物供村人糧食外，並有農產製造如蔬菜果品醃貨等。住宅基址分等劃定，小而整潔的道路，每屋必有小園，屋的質料和形式也有一定範型。其特色爲經濟組織，地產悉爲公司所有，村民限于股東，建宅承耕則繳定額租金，爲公司之租客或佃戶，租金即公司專利，享受者亦即股東之村民。租得基地而乏建屋資本，租得田地而乏耕作資本，均得向公司息借分期償還。公司專利先抽一部分爲村中公益費，諸如小學校，圖書館，衛生站，娛樂場等俱備。北伐軍底定東南開府南京後，我屢到那裏遊覽，每一次去必有一二種新興作。樓房或平房六十餘家，楚楚有致，興建中的尚不少，其發展將無限量。主事人每向我說，江南這棵新農村樹萌于一粒種子，那就是你不過幾年前給舊金山朋友的一書信。啊，我爲那信的時候怎會預想到無心插柳竟能成陰呢。

被侵略而淪陷，被土改而摧抑，還是微弱的生機，那堪一再挫折！崑山諸友，墓木已拱，如此江南，想必不能瞑目吧。（十五）

海隅憶語

萬竹樓隨筆（七八）

唯識學者窺基

·意雲居士·

佛法以漢明帝夢金人而初入中國；隋智者大師創爲台宗三觀之妙旨，奧義始備，印度人至呼之爲東方小釋迦。逮唐貞觀時，玄奘法師奉旨往印度取經，梵夾歸，伽陵譯就，始臻佛法之極盛時代。當時有所謂三車法師者，係玄奘弟子窺基之別號也。

相傳玄奘往印度途中，一日，見萬山積雪，鳥盡蹤絕。惟中有一處，蒼翠無寒。玄奘知有異，亟往探視之，見一鉅形僧人，結跏枯坐，正入滅盡定。（佛法修定法門中，有欲界定，色界定，四空定及滅盡定等諸法門。修此定者，必將眼耳鼻舌身意等六識滅盡，不染一念，寂然而住，也。）玄奘通以咒辭，使之出定，謂之曰：『法貴普度，何能自了？方今佛法盛行中國，天子臨持，吾師何不前往，一施法雨？』僧嘉諾，謂當投生天子家，以便宣化。並問長安路向及宮禁之特徵，玄奘答以有琉璃瓦者是。玄奘遂別去，續往西域取經，僧人亦首途東往，投生皇家，即窺基法師是也。

玄奘取經既返長安，入覲太宗，陳述畢，遂賀宮家應新得菩薩現身之皇子爲嗣，太宗謂並無其事。玄奘驟怪詫出，深慮前僧負約。俄頃大鼓樂喧天，則尉遲敬德之公子方尚公主，入宮親迎。玄奘諦視其公子，正取經時所約之僧人也。越日玄奘遂親訪公子，勸其出家。時公子方受隔陰之迷，（佛經謂菩薩隔化再來，一入母腹，輒迷所自。陰謂『中陰』。前身謂之前陰。後身謂之後陰。前身已捨，後身未成，謂之中陰，正神識入胎之時也）會着塵欲，前約已漫不記憶，拒其所請。玄奘肆其辯才，宣發妙義，重申前請，並爲細述前情，及二人締約之經過。公子乃未肯信，但夙慧已復，兼服其才辯，因謂玄奘曰：『吾有三重癖好：一喜啖飲酒肉，二好愛觀文史，三好近婦人。師能如約，請從爲弟子。』玄奘笑而盡許之，公子遂從玄奘披剃，賜法名窺基。每出門輒隨以三車，一載經籍，一載酒肉，及一載婦人，人號爲三車法師云云。

窺基久證入滅盡定，乘願再來，慧辯無礙。佐奘師宣揚妙法，丕振宗風。盡受奘師所學，最精於唯識一宗，著述宏多，以瑜伽師地論述記一編，最爲鉅著。後世治唯識者，推爲必讀之書。當時玄奘取經歸來，梵夾纍纍，將待重譯。復得太宗御旨[illegible]護。四方緇素之提名延請，及聞風興起，不約而來者，廣場集合，無慮數千人。梅村清涼山讚佛詩所謂『黑衣召誌公，白馬馱羅什；焚香內道場，廣坐楞伽譯。』者，髣髴似之。

窺基夙慧，今修獨承密意，贊力尤多，同學亦夥。與僧開諦交莫逆，歸別去。十年不見，一日重逢。開諦苦修持戒，每不食人間煙火，每日已由天人三時供養。止語悲饑，時時入定。一日窺基往訪之，時窺基已斷肉食，而開諦戒律精嚴，時引三車之往事以爲勸勉，是日窺基但笑媚之。窺基指陳要義，舌辯瀾翻，開諦未能全省，但亦稍寬慰。因留窺基同宿，並分享天人之供。惟自晨至夕，渺不見供食天人之蹤跡。開諦愧謝，窺基殊不以爲意。止宿，夜分，窺基就鄰室，開諦亦結跏趺坐，惟時時悵念天人，何以不來？今日上何以忽多蟲，又覺身一一投擲地下。俄而隔房傳來窺基之鼾聲，次晨益因徬徨，切不能入定，謂窺基大笑，曰學道人安得貪睡[illegible]

投折其肢體，笑聲邇且不休，何能入睡耶？因指拾地上之蠕動者曰：此等皆是也。遂辭去。[illegible]

古怪歌集

（一）匪俄縮影

·黑旋風·

[illegible]

自由人
THE FREEMAN
（半週刊每星期三六出版）
（第一〇七期）
每份港幣壹毫
督印人：李光華
社址：香港高士打道六六號
電話：二〇八四八
GLOUCESTER RD. HONGKONG
TEL: 20848
承印者：東南印務出版社
地址：高士打道六四號
台灣總經銷處
台北市中華路一二五九號

論共黨暴動及其對策

黃雪邨

最近不久以前，日共在東京發動了一次暴動，本月一日，中共匪幫又在香港策動了一次暴動。這兩次事件雖然都由於當地警衛力量的強大而很快的平息，而且儘管其時，其地和起因不同，但是從國際共匪整個的行動上以及其今後對全世界的戰略意義上看，是非常值得重視的，無疑的是克里姆林宮所策劃指使的一整套手法，因此我們要在此正告全世界民主反共的人士和民主國家的領袖們，不要認為對於這些「小醜跳梁」的事件很可以容易平息，而忽視了其未來的嚴重性。

在韓戰停戰談判當中，很多人對未來時局的推測，大都以為如果韓戰能停頓下來，共匪的次一行動必然是發動對東南亞的侵略。因為東南亞的防衛力量較為薄弱，而資源豐富，實為共匪侵略最好的目標，果能得逞，則可能以少量的代價得到多量的收穫，以補償其在韓戰中的損失。這種論斷，不僅是言之成理，而且可能性也很大；同時中共匪幫也在那裏裝模作樣，大事叫囂，陳兵緬北，滇西，似乎是已有箭在弦上之勢。不過如意算盤不見得就能如想像的那麼容易成功，而且在韓戰中的慘痛教訓已經夠他領受，使他已不敢輕易作第二次的軍事冒險。由於最近在東京香港這兩次暴動事件，因此不能不使我們想到國際共產匪徒們對其赤化整個世界的戰略上是否又有一個新的轉變的可能。原來準備從外面打進的地方，現在完全改從內部發酵的辦法，或者是放輕前者而着重後者。換言之，即是他們這類的把戲將在各地不斷的演出，甚至在英美各國大都市，當然尤其是在亞洲各地。雖然共產匪徒們今後是否會確然如此做去，筆者不敢遽作決定性的判斷，但是從最近東京香港這兩次事件之連續發生的這一個跡象來看，我以為至少我們不能不有此警覺，因為這也是共產匪徒們慣為之的一套手法。如此，筆者願就個人所見，提出下面兩個理由，藉供民主反共陣營中決策者的參考，並提高我們民主反共人士對共匪今後行動的警惕。

第一、中共匪首毛澤東曾經說過：「共產黨不打沒有把握的仗」。我們仔細意味他這句話的意義，並不能證明凡共產黨所發動的戰爭都是有把握的，而可說明他們決不敢輕易作一次軍事的冒險，也正是他們那種色厲內荏的心情之表現。從今天的情形來看，無論是說現有的力量（包括財力，物力）以及可能增加的生產力，共產國家都顯然比不上民主國家，尤其在韓戰的實例中，中韓共匪們已經吃了最大的苦頭。史達林及其黨徒們已經看出打硬仗之絕無取勝可能，因此他不能不改弦易轍，拿政治鬥爭來代替軍事侵略，行使那一套獨門擅長的挑撥煽動，偷鷄摸狗的鬼把戲。利用民主國家政府尊重人民自由的這個國際和人權與有生以俱來的不滿現狀之心理，發揮其從內部來分化，搗亂，腐蝕，發酵的作用。

第二，馬克斯那套「閉戶造車」的理論，說甚麼資本主義發達到最高階段必然產生階級鬥爭和社會革命，今天的事實已證明其完全不確，相反的，只有經濟落後的國家，動亂不安的社會，才是培養共匪細菌最好的溫床。共產匪徒們從經驗上瞭解了這一點，而且曾經行之有效，杜魯門總統的第四點計劃雖然是對共匪毒素最好的殺菌防疫的辦法，但是在那些戰後元氣已大傷和一般經濟落後的國家，一時究竟不是在短期間便可收大效的，因此共產匪徒們仍有很大的活動領域，很多從中搗亂的機會，很多可挑撥煽動的對象。那末，他們在軍事冒險失敗後，必定會要走的一條路，自應意料中事。

由於上述的兩點來推斷，所以我認為共匪今後可能還要在東南亞各地繼續不斷的策動如東京香港這一類事件，他們愈搗亂，社會的情緒愈不安，從而影響到工商業的蕭條，增加人民的痛苦，他們便有了更多的活動機會。一方面增加政府處置的困難，一方面搖動人民對政府的信仰，進而用「以水覆舟」的辦法來達到其顛覆政府的目的。這是共產匪徒們一貫的手法，我們中國在大陸上遭遇的失敗便是最好的先例；而今天在台灣的自由中國區域內，由於人民與政府密切合作，給予匪諜以無情的打擊，使其無法潛伏，無法活動，也正是得之於充分的安定。因此，我以為今後各國家，無論是民主反共的政府和人民，必須認識這一套把戲，必須要有決心的予以[illegible]……如以香港為例，香港政府和居民如果要求香港本身的安定，使共匪不敢再事搗亂，便只有不客氣予以逮捕同時取締那些從來為共匪宣傳與暗中策動的機關與人員。尤其是英國政府總該不再存過去那些對中共的妄想，即因此而撤銷承認亦再所不惜，能夠有此決心，香港政府也能有此大刀闊斧的做法，則匪徒們決不敢再有任何舉動。你以為如此做去，便會引起中共對香港採取軍事行動嗎？戰爭便會爆發嗎？我在此敢百分之百的担保，絕對不會有的。這個理由，我在本文前面已經說明；同時你這種「投鼠忌器」的心理也正是匪徒們永遠可以繼續搗亂和擴大活動的最好護符。謂余不信，請看將來！

半週展望

雷嘯岑

英國工黨內訌

以貝凡為首之英國工黨議員五十七人，上週在議會不遵守黨紀，對工黨所提國防計劃修正案投反對票，致釀成內部分裂危機。黨魁艾德里基於政黨的政治道德與紀律觀念，對予貝凡等人以懲戒制裁。貝凡則根據自己的政治理想，不願屈服，聲言不惜脫離工黨，別樹旗幟，也要奮鬥到底。看情勢，除非有一方面讓步妥協，這場風波很難平復了。然如工黨的多數人方面還是就貝凡一派的主張，即不啻自己推翻其當政時期的決策，不特邱吉爾振振有詞，可以藉此機會，重行大選，而工黨對選民亦將無法自圓其說，且艾德里的領袖座位，則非讓給貝凡不可！所以，要讓步，就祇有出之於貝凡一派人，才可以顧全工黨整個的現實利益。

若專就理想而論，貝凡這次的行動，在他本人是一貫的。他在工黨政府時期，即因反對削減社會福利預算以應軍事急需而辭去了內閣大臣的職位，現在更不能在反對黨主政之下，又放棄原有主張，贊成擴軍。雖說是工黨的修正案，但總不會比他辭去大臣職位時的決策更溫和。他之死硬作風，對現實是有害無益的，然就其思想體系言，究不失為具有一貫主張的政治人物。

一個政黨的構成份子，如果在思想上起了變化，對本黨的政綱政策亦發生異議，不能揚棄小我以遷就大同時，那即是黨的本質已發生突變作用了。不管這作用是進步抑是退化，祇有兩條道路可走：一是像布爾希維克黨的作法，將那些所謂「動搖份子」或「反動派」，一律以「國際間諜」名義，或「整肅」手段，概予消滅之。一是讓他們脫穎而出，另闢發展。在非俄式共產社會中的民主國家，自然不會採取布爾希維克那種專制獨裁而殘暴的作法。如貝凡一流人，即不妨聽其脫黨，以便他另起爐灶，施展抱負。他如不願脫離，而又要在黨內固執己見，妨礙全體利益，就應該予以除名。貝凡的思想在目前固然不合時宜，將來未嘗沒有實現的可能，聽其自由發展，就未來的國家前途看，亦屬有益的。此刻讓他去學習美國華萊士的「進步」作風，未始不是陶鑄他的一種政治訓練。

最壞是黨質已有突變了，議員失去共信了，還要勉強的維成一堆，牛溲馬渤，併蓄兼收，緊集一大羣同舟敵國的黨員，爾詐我虞，各行其是，甚至公然仇視攻訐，比對黨外人還要厲害。這樣的政黨，還有甚麼作用呢！這次工黨之內訌，並非由於私人權利之爭，而是關係黨的整個前途，假如處置失當，工黨便會從此式微哩！艾德里先生一定不會忘記一項史事：工黨之有今日，是以卅餘年前工黨在麥唐納領導時期的分裂運動為發祥之因的。政黨內部起變化分裂作用，並不完全是壞事，往進步方面變的，他總會有前途；往退化方面變的，那自然會歸於淘汰。因此，貝凡既要另創局面，即不妨讓他做做華萊士第二也好！

板門店的低氣壓

我自始即對板門店的和談前途不作樂觀的看法，唯一理由就是和戰之權是操在史大林手中的。英美的政治人物和智識份子（如羅素一流人）至今還在期望甚至相信毛澤東能以「民族主義」立場，漸漸的脫去蘇俄關係，而復到中國人原有獨立自主的文化生活環境中。史大林並非笨伯，他終暗地讓中共利用韓戰的苦悶，從事休養生息呢？至於東南亞方面，毛澤東雖負有「革命」的指導任務，但在史大林尚未決心掀起世界戰爭之前，始終不會教毛澤東用「志願軍」方式，公開進軍的，即令中共沒有介入韓戰，也是如此。好容易中共陷入了韓戰深淵，史大林就近指揮，給，使中共永無自主的[illegible]，光是為着防範英美來「離間中蘇友好」這一點打算，史大林也不願韓戰真正實現和平啦！

歷時八個月的休戰談判，並無絲毫和平跡象，而英美又不斷的嚷着，說中共如果破壞休戰協定，便要如何如何。協定在那兒呢？這樣空吆喝，只是對中共發生些心理壓力罷了。但中共既不能自主，它縱然心理急想求和，其於力不從心何？說藉此可使中共跟蘇俄因歧見而反目，那簡直是「天方夜談」了！

這兩天聯軍代表卓伊對和談表悲觀，認為祗有繼續軍事壓力纔可以希望成功。可是，對方即以不破壞也不曲成的拖延手法，再談上三五個月亦不在乎。聯軍方面由於內部的歧見叢生，而美國又為着大選關係，祗藉「和平」來取悅於選民，所謂「軍事壓力」云云，亦祗能說說而已。因此，板門店和談，就在這低氣壓之下，一談再談而長談，彼此都使用拖勁，看誰是拖的最後勝利者？

上海來客談：三反五反投下的黑影

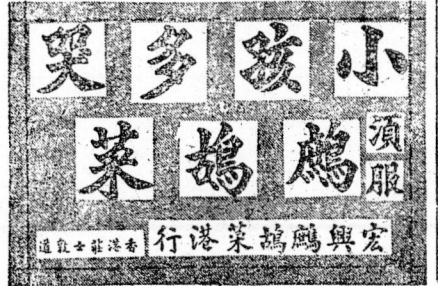

據上海來客談：三反與四反五反，同時並進，[illegible]……五反投下之黑影。此外，大中學校青年朋友們，都殊興奮淋漓，為四反五反[illegible]……有些學校[illegible]……此項運動，家長們弄得啼笑皆非[illegible]……此等青年，均為時代之尖兵，生之者父母，亦無奈他何！談到三反，上海人又有另外一種看法。反貪污，反浪費，反官僚主義，的「三反」是表面上的形式，實在是「外三反」；三反之外還有「內三反」[illegible]……

[illegible]

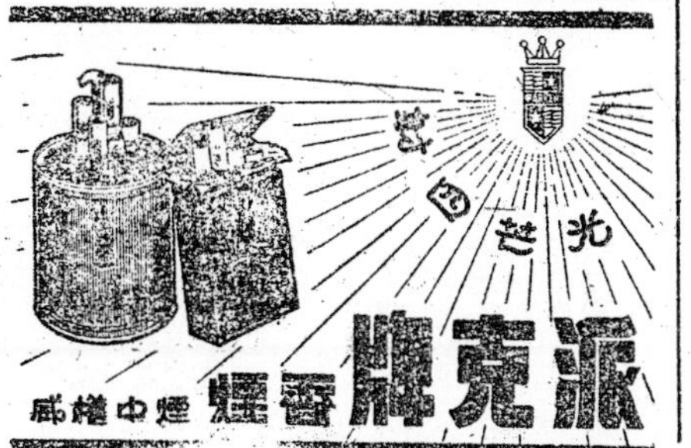
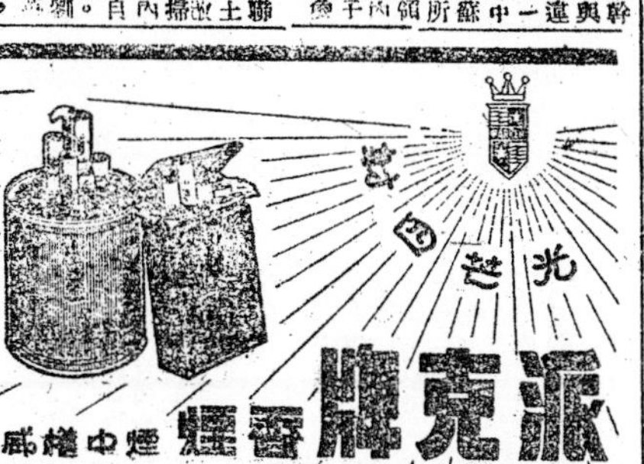

邱翁下議院隨機應變　艾德禮貝萬各奔前程
勞工黨內訌裂痕擴大　美英在遠東合作團結

【倫敦通訊】由邱吉爾訪美之行而引起的英國會外交辯論，於上月二十六日以保守黨的勝利而告一段落。表決的結果，工黨的彈劾案以三一八票對二八五票被否決。就投票人數與兩黨議席的分野來比較，雙方都有少數不曾出席投票的議員，但保守黨政府所獲得的多數票是三十三票，恰等於保守黨加上自由黨對於工黨議席的餘額。這一事實，說明了在英國下議院中，對於現政府外交政策的贊否，完全只是依照着兩黨議席分野而決定的。

三十三票並不是個大量的多數，是以在邱翁方面只能算是有限度的勝利，但對於工黨卻是個不小的打擊。暴民叫囂的貝凡，優柔寡斷的艾德禮，與前內閣中並不高明的外交當局莫里遜，都想藉邱翁在美國議會中熱情橫溢的幾句話——如果我們所追求而達到的韓戰和議遭受破壞，英美兩國同意作迅速堅決而有效的應付——來打擊在國會中基礎並不十分鞏固的保守黨政府。邱翁行裝甫卸，即出席國會應付這一激烈的辯論。其間雖因英王之喪而延擱幾旬，工黨的動議終於是失敗了。而且，邱翁在答辯中，更援引了工黨領袖在執政期間對美贊同轟炸東北的約言，一方面證明他自己只是蕭規曹隨，另一方面又教訓工黨人們：你們所反對的政策，便正是你們自己前此所遵循的政策。這一着果然有效。工黨對邱翁之爭在表決中遭受挫敗之後，立時就轉變爲工黨內部貝萬一派對艾德禮等正統派之爭，敏感的觀察家甚至認爲兩派間的裂痕將因此而更形擴大，以至公開分裂，並阻延了工黨之捲土重來，再掌政權。照這情形，此次工黨的舉措，恰像一個不善運用「飛去來器」(Boomerang)的獵手，其想用以打擊敵人的武器，結果卻反是擊傷了自身。

任何人都知道：民主國家在遠東應付冷戰熱戰，其所以不能獲致重大功效，是由於美英對遠東政策之不能協調。前年艾德禮訪美之行，在兩國所發佈的公報中，只能把雙方見解相異之處，一一列舉存案；而此次邱翁的華府會談，則無論關於韓戰的應付，對於台灣和對於中共的看法，兩國之間都漸趨一致和諧。這不只是遠東一隅之幸，而且是民主世界的重大進展。在另一方面，也就是對極權侵略者的致命打擊。在過去，克里姆林宮和中共渠魁都曾對分化美英寄以重大的幻想，儘管此項陰謀未嘗大遂，卻已經利用這一政策上的分歧，在韓戰中佔了不少便宜。而且一個遠東尼熱會議——所謂解決遠東問題的「五強會議」——更隨時都有呼之欲出之勢。此次杜邱兩府會談的結果，雖然邱翁的表示還不夠堅決，不夠徹底，終不失爲一個極有意義的政策轉變。如果英政府能以此爲基點，進而在遠東恢復第二次世界大戰期間對美國在政略與戰略上的合作，則自北海道以迄新加坡的杌隉危局可能頓告改觀。但是現在從英國內部各種跡象看來，我們實在不敢驟作過高的樂觀。

本屆保守黨內閣，在國會中只有微少的多數（若就去年十月大選中的民衆票數計算，則保守黨比工黨還少二十二萬票），因此其基礎並不比上屆的工黨內閣穩固。工黨的二百九十四個議席，推翻內閣固不足，牽制施政則有餘。在另一方面，則內閣也勢不能不對反對黨的態度多所顧慮。據說在上月下旬英下院舉行辯論時，保守黨和工黨的議員都拿着一份邱翁在該院的報告與其在美國會的演辭來對照，前者是想證明其相同，後者則要挑剔其歧異。據說二者都並沒有十分成功。但就我們看來，則邱翁在英議院中竟是那樣的溫和謙遜，比較其在美國會演說的光芒四射，幾乎判若兩人。而且他多側重於消極的辯護，而對其基本信念頗少積極發揮，因而反到顯得貝萬的質問是何等鋒芒畢露，咄咄逼人。而邱翁除卻運用其議會機智隨分應付而外，也並未十分斥責貝萬以至艾德禮莫里遜等人立場與觀點的荒謬，以折其鋒。這不是邱翁的動搖畏葸，而是今日英國內部情勢使然。

最近英國政局中一個可驚的跡象，便是工黨溫和派（即艾德禮莫里遜蓋特開爾等人的正統派）實力在逐漸衰落，而貝萬派則不斷在擴長增高。貝萬以工會爲背景，以保健方案奠定其政治資本，而在政治主張上則是道地的孤立主義加姑息政策。他這一派不管英帝國盛衰的昇降，也不管民主與極權兩個世界的消長，即使英國變成三等國家，抑或東南亞和歐陸都被納入鐵幕，在他們都無所容心。他們所要求的只是英國本土人民大衆的豐衣足食，安居樂業。每個工人都有就業保障，並保持其生活水準，有病求醫，或裝配眼鏡或假牙，都不必花費任何代價。他們反對美國，高呼「不要讓美國指揮我們的外交政策」，痛恨美國囤聚軍需而引起原料高昂，致使英國財政經濟發生困難。他們反對美以三島爲戰略空軍基地，怕替他們帶來俄國原子彈轟炸的災禍。他們反對整軍，認爲三年整軍計畫只有使英國趨於破產。老實說來，這只是一種眼光褊淺的現實主義者，如果今日世界中沒有極權侵略的危機存在，這些主張也許未可厚非。但事實上則正有如羅斯福總統從前所譏諷的，等於埋首沙中的自得的鴕鳥。在今日的英國，貴族和中產階級都在迅速沒落中，一般的勞動大衆，政治修養不高，視自身利益爲高於一切，自然覺得貝萬的主張比較邱吉爾那種「帝國主義式」的政治主張更合他們的胃口，而戰後生活的困苦，經濟恐慌之一再襲來，加上英國在中東以至遠東災難頻仍，致使一般知識者層也失掉理性和信念，不顧理想的遠景，只求一時的苟安。這一代大哲如羅素者，且時常發爲褊淺而荒謬的功利論調，其他更無論已。是以儘管現在邱翁是大權在握，他的處境卻和三十年代在野之時差不多；儘管他高瞻遠矚，洞中機先，卻至少有半數的英人，對他並不擁護。他雖在國會辯論外交政策中獲致勝利，若就英國現今一般趨勢而論，卻仍舊是一個可悲的局面。然而邱翁之重振英國聲威，到底帶來一線新的希望，問題只要看他對於英國內部問題，能否像他應付國際局面和外交問題同樣注意和成功，以實踐其在英國人民大衆中間的信仰。更要看他是否以應付英倫之戰時的同樣精神，說服英國人民，不要因一時的困難而喪失勇氣，只沉溺於目前的苟安，而忘卻了大英帝國對整個世界和人類的責任。

距今整整六年之前，邱吉爾在美國密蘇里州福爾頓表示過：只有美英兩國的團結，纔能阻止侵略戰爭的爆發，并使人類從世界恐怖得到利益。到今天，這依舊是不易的真理，在遠東尤爲重要。邱翁上台後，以恢復戰時美英合作爲第一要義，正是他的大過人處。他在華府談判中所表示的對遠東政策的轉變，更是極堅明的抉擇。願他不因挫逆之來而動搖卻步。挽轉英國阽危的國運，並從已往的遠東姑息政策中振拔出來，正是邱翁今日無可旁貸的重責。（東君。二月一日寄）

生和死的抉擇

美國提出了八百五十億的大預算，其中軍費佔六百五十億，外援經費七十九億。

蘇聯也提出了四千七百六十九億盧布，合美金一千一百九十二億二千餘萬的大預算，其中軍費一千一百三十八億盧布，合美金二百八十四億。

這都是和平時代所未有的大預算。

× × ×

象徵着戰爭危機的急迫。杜魯門關於七十九億外援經費之通過說：「這是對於生和死的抉擇。」一九五二年時局的危機，於此可見。

共方無意停戰

朝鮮戰爭的談判，最近更轉入惡化之境。戰俘問題尚未解決，新糾紛接連而來。

共方不但主張蘇聯爲中立國，觀察停戰，還要有權觀察軍事武器的祕密。

共方對於聯軍施放細菌的指責，現在且說東北地方也有投擲了。

× × ×

共方之無意停戰是很顯然。

遠東形勢

美國的東京會議正在舉行中，到會人物有：聯軍司令李奇威，太平洋海軍司令拉特福，及聯軍停戰談判總代表左伊中將；會議的目的由到會的人物可以知道，是在圖謀有所準備。

今日的遠東形勢，朝鮮戰事膠着不解，越南情況日趨急迫，緬甸馬來都動盪不安。

美國的外援經費中，有十億元即用於遠東，其中軍事援助六億一千一百萬元，經濟及技術援助四億零八百萬元。

希望以這筆援助來阻止共黨勢力的發展。

共黨攻勢

蘇聯在歐洲担任正面，共黨的攻勢。

中共在東方，担任側面，按兵不動；

用意在使美國無力以兼顧東西兩方。

因爲西歐的平靜，許多人對蘇聯存着幻想，以爲可以和平合作。

英法的左派人士，以此不顧積極建軍，反認美國爲多事。

法國的動盪

英國勞工黨的左派貝萬，因反對擴軍，不惜陷工黨於分裂。

法國的社會黨，反對增稅計劃，使福爾內閣趨於倒壞。對於新的畢奈內閣，且拒絕參加，破壞戰後中間路線的聯合。

今日使新內閣能夠僥倖通過於議會，恐不利竟還是一部分戴高樂派的贊助。

法國內閣的右傾，能希望挽回法郎的危機，完成今年的建軍計畫，這是唯一的機會了。

× × ×

法國的動盪，使美國對外援經費的討論，受到影響。美國參院外委會主席康納利表示法國自己應先有辦法，能夠完成防衛計畫。

法國的不安，使美國不得不寄其希望於德國。在歐洲是德國，在遠東是日本，要反共，似乎還得請教這兩位過去的敵人呢。

自由陣綫形勢轉好

台灣與日本的談判，據說在好轉中。

伊朗與世界銀行的煤油談判，也有轉好之象。埃及新內閣成立後，談判可不久開始。

羅斯福夫人訪問印度，大受歡迎，印度對美的態度正日趨好轉。

這表示自由陣綫形勢的加強。

× × ×

時局雖嚴重，似乎尚在彎馬彎弓的狀態。史大林要等待機會，毛澤東則力有不足。在大陸，三反五反，尚反不清楚。對於香港，只好採取口頭的宣傳攻勢了。

勿爲已甚！

香港在舉行防空演習。東頭村的慰問金發放日期，在一延再延。面對了實力，中共要想作宣傳，應該換個題材了。目前的餘音嫋嫋，但求香港不爲已甚而已。

樓明

人類錯覺與世界危機

歷史一天還在延續，人類錯覺即一天不會終止的。翻版式的錯覺固未必重犯，但就本質上說，其原則卻甚相同。而錯覺的大小及其堆積時間的長短，與世界危機則成正比。二十世紀是錯覺病最流行的世紀。試舉如次：

醉心物質

此是可悲的錯覺

當然，其由來久矣，不過至今尤烈而已。還自「古國」地位的淪落，精神文明即被擯棄。其唯一牽物——道德，亦爲擁有強大武力的大國所忽視或輕視。進步與靡費似僅以物質享受的程度爲唯一準繩，人生價值不繫於人生本身。物質文明一詞，被錯覺「囊括着精神文明的涵義。世界充斥着物質的鼓與誘惑。於是人類眼光變得現實而膚淺，可歸自私欲成了普通的正常現象。「物」的爭取，日益劇烈了。道德淪爲人類的累贅，不切實際的無用！文化是空了，政治亦爲裝飾品了。

民族優越感

此是可笑的錯覺

人類生而平等，不是自稱優越就該征服，何況所謂優越的條件，又視爲不過是原始野蠻的標幟——力而已。

由於歷代歐洲強國這種錯覺的作祟，該某些民族似乎命定的義務，爲她們服役，她們有期的責任，那些民族亦有接受其統治。這種錯覺經過若干歲月的幫助，終被馬列史投機利用了，形成今日蘇俄的陰謀和野心，亦使那些被視爲不優越的民族，具着「溺者抱着蛇」的自救錯覺。

一切走極端

此是可怕的錯覺

今日世界的極端現象，其程度之嚴重，似乎無以復加了。「一邊倒」是世界風。人與人間非友即敵，照極權政治的原則，敵人即須消滅，消滅的方式，又以愈殘酷愈佳。

唯力是視

此是愚蠢的錯覺

「偉大」紅軍的檢閱，該是卑鄙的證明。殺人武器的發明，是不智的說明。我們該有智慧發現原子分裂的原理，卻沒有智慧控制原子，能止於運用於人類。其所以如此者，原因當然是缺德。

唯力是治標的唯一方法，誰也不可否認。可是唯力是視之下，如何在戰爭中儘量減小傷亡而就能儘得勝利的課題，大家似乎都未曾予以較大興趣去注意！這是更可悲的！

共產黨的團體，集了歷史上所有錯覺之大成！「唯物」，「精神」被視爲一「褓襁」，道德照例被解釋爲封建；「一統天下，奴役全人類」是共產主義一切激急明白的目標；越了極端，唯力，戰爭偏私，反常的影子。歷史性的錯覺，堆積成了今日世界的危機。共產黨卻更加大危機，加深了危機的可怕性，就共產黨單方面來說，戰爭已不可避免了。

這是再清晰沒有的一個結論；挽救今日世界危機，當前急務同是澈底擊潰共產黨。但歷史的錯覺若不能根本糾正，則日後必有更可怕的危機會再來！

杜魯門說得好：「美國現在迅速地建立武裝部隊，其他自由國家也正進行此事，因爲我們所以這樣做是不得不這樣做。」但是單靠這一點是沒有用的。必須……

重視亞洲

歐洲固然重要，亞洲更重要！亞洲人口佔今日全人類一半強，比歐洲多兩倍。人口數量的對比，可決定勝利誰屬？亦可操縱危機的大小。

由於西方列強對亞洲過去是輕視，今日是忽視的錯誤，因此造成亞洲人對所有白種人同樣具着不敢信任或甚至深惡痛絕的反應。結果這種反應加上共產黨的乘機煽動，所以史大林「東方」一分鐘也不能忘記（史氏一九一八年語）的今日成績，竟是「共產黨在韓國、越南、緬甸、馬來亞、菲律賓等國家發展得如此兇猛。」（杜威語。）

重歐是錯覺，重亞才是正視！欲使史大林「恢復理智」，只有釜底抽薪，針鋒相對，從亞洲下手。偏私是要不得的！

不可做狄托夢

我們今天是反對錯誤的理論，極權共產主義，而不是反對與我們親善的人；是永恆不可調和的制度鬥爭，而不是短期的現實功利。我們「利用」任何可以「利用」的機會，以獲得人多數的同盟者的擁護，但不是搖動的、暫時的、不穩定的、或有條件的同盟者。「列寧主義」（列寧語）的幼稚病，既成事實；若欲進而可使之拉夫托夫改造，「狄托」再出現，即想之理之大諷刺！共產極權給予自由民主的打擊只有自相打擊的，這種反共陣綫只圖目前小利，遺害無窮於日後，若不立即放棄這種想法，歷史的錯誤終必重演的！

宣傳第一

共產黨以宣傳起家，我們必須令其亦以宣傳敗家。我們有理想做背景的宣傳，用全力去做，我們預期效果是必然會獲得的。可惜，「吾人並從事於思想之殊死鬥爭，思想之重大決戰中，較之槍彈尤爲重要。在宣傳戰綫方面，美國在全世界均告慘敗。」（杜威語。）眞令人遺德之至！

宣傳戰是正確的「文明武力」，可確得不流血的勝利，至少亦可幫助在戰爭中獲得少流血的勝利。他有挽救今日世界危機的可能性，減少今日世界危機的把握性！

道德至上

共產黨之所以肆無忌憚，實在也是民主國家間確還存在着自私自利的矛盾。人飢己饑人溺己溺的道義感，好像現得實在還不夠。大家如果仍不能拋棄「人口佔上」的心理，仍在「絕對優勢」的數字上作樂觀的想法，是無用而危險的！

以上是歷史的錯覺，於目前，我們尤須明白的，更要認識清楚：不可再錯覺！第一次大戰後，史大林遲早必燃起第二次大戰；極權陣營的愈戰愈大，而與我們的武力平衡，可能發動第三次大戰，大大人類的危運，必愈近愈大。我們必須把握武力，第三次大戰永無止境。四、共黨的存在，才是世界最大危機，共黨之成功即是正義的失敗，大我們迅速，乃比戰爭之勝利。第五、人民已在鐵幕中奄奄一息，長痛不如短痛！記取這一幕的教訓啊！（結黃鵬）

中共貪污腐化滿天飛
偽主席邵式平被檢討
公糧公款吞沒假報銷
命令下屬照數字認賬

【南昌通訊】中共和貪污腐化及官僚主義結不解緣，三年來的事實告訴我們，凡是中共政權所及的範圍，便形成了貪污腐化和官僚主義滿天飛的現象。邵式平領導下的偽江西人民政府的一切貪污腐化，便是中共醜惡面孔一個現實的寫照。

偽江西人民政府主席邵式平，偽副主席范式人和方志純，是中共貪污腐化及官僚作風的代表人。他們平時標榜財政開支的本位主義，其實就是貪污。在他們領導下的中下級共幹，恰像一窩蒼蠅，腐化惡化，更不成話。

江西金谿縣在前年，發生一連串共幹大貪污，捲款逃亡，被人告到偽中南軍政委員會，到如今足足有兩年零八個月。金谿縣的共幹們在官官相護之下，始終逍遙法外，直到今年二月「三反」運動的野火燒到邵式平范式人和方志純等自己的頭上，他們才於二月廿二日的偽人民日報，發表一篇「關於官僚主義作風的檢討」，輕描淡寫地結束了金谿縣共幹一連串的腐化惡化作風。

去年九月十三日，偽中南軍政委員會發交一封催查江西財政處理結果的電報，限令於限期僅有廿七天前具報。邵式平於接電後，將該電照轉省財委，省財委又照轉省財廳，省財廳竟將這一電報束之高閣，直到今年一月「三反」開始後，才將它查出來。這說明了中共政權，是歷史上行政效率最低的政權，是全世界官僚主義之大成。

邵等慣會運用混水摸魚的手法，在糧食和財政方面：公糧根本就是一筆糊塗賬，已經貪污的不算，剩下來的公糧，亦大量被生蟲損害，霉爛，盜賣，及拉用作其他投機等惡化現象。經人告發後，偽中南財委清查組，派了五十個共幹前去查案，偽省府也動員了二百名幹部對間清查。結果事出有因，查無實據。為了敷衍中南局的面子，偽做議決幾項官樣辦法，法辦貪污局長，禁止攤派，徹查蟲害霉爛，及禁止拉用等等，敷衍了事。共幹們仍然我行我素，所有辦法，均成具文。

財政更糟得不像話，如挪用公款，不報賬目，扣押專款，製作生意，自印飯票，亂開條子，亂攤派，剋款和沒收的財物不交「國庫」等等，已成家常便飯。偽中南局在調查，人員亦不敢查老共幹。但大家還是睜一隻眼閉一隻眼，清查組亦只是清查其名，官僚作風在共產黨總算做得到家。

偽中南財委清查組，曾經查出偽主席邵式平，偽副主席范式人，方志純，串通了會計人員，將前年度的節餘民政事業費糧一千零四十餘萬斤，除一幹部家屬補助糧，工人失業救濟糧外，撥給江西省「烈士」子弟學校經費六百萬斤糧食在內，全部當作前年度的決算，浮報偽中南局報銷。

邵式平等本想將這一千零四十餘萬斤糧食，一概吞沒，後來因爲偽中南局派員前來查賬，邵等對這筆浮報數字，沒有單據和賬目作根據，於是大起恐慌。他們決定製造假賬和假單據來掩蔽清查人員的耳目。但因時間迫促，假賬和假單據，不是幾天可以造好，於是藉稱下面賬目尚未整理，以來拖延造假的時間。同時邵復派幹部先赴南昌，撫州，袁州三專署，通知他們按偽省府浮報分配數字認賬，以掩飾污會的漏洞。結果被三專署反對，事遂不成，弄得邵式平等狼狽萬狀，醜態畢露。

去年春季，江西發生春荒，邵等又在賑荒的名義下，撥出四千餘萬斤公糧，向偽中央及偽中南騙得了大批社會事業經費，其中剩下了一大筆節餘糧，去年上半年未曾動用，被邵全部隱瞞浮報。去年六月，邵等將這一筆節餘糧投資辦一製磚瓦廠，據邵式平自己供稱，「這並非爲個人謀利，其目的是爲了社會事業生產作長期打算」。

自中共燃起三反四反五反野火以後，選擇的首先是資產階級份子，其次是一些狗毛狗碎的共幹們，超級高級老共幹是不在被「反」之列。邵式平等人告發，無法掩飾，乃于二月廿一日，發表「關于官僚主義作風的檢討」一文，希圖搪塞了事。將來邵式平一干人等，究竟如何發落，償[illegible]我們人民是管不着的，這裏是所開訪查記者的報告的。共黨偽政權，腐朽絕對不是一些狗碎的小共幹們所已腐朽的。是我們人民所注意的，是那些超級高級老共幹們的貪污內幕，必須一一爲之揭發，腐惡政權不攻而破。邵式平以偽主席地位，胆大妄爲，命令下屬機關爲之共同朦報，官僚面皮之厚可謂嘆觀止矣。（維志）

長沙公安局貪贓嚇人
二百廿一億裝進口袋
好日子不會長　要錢不要黨

【長沙通信】王丕敏是一個有十五年以上「黨齡」的老共幹，長沙「解放」後，他以「黨的關係」攫得了長沙市「公安局長」這一肥缺，於是就利用職權，亂收罰款，敲詐勒索，無法無天，做起土皇帝。最近因與偽省公安廳廳長徐啓文分贓不勻，爲人告發，結果王丕敏被開除了黨籍。

王丕敏雖說是受過「黨的長期教育」的，他弄錢的本領，了不起。在其任職「公安局長」期內，先後不經過司法手續裝進他個人口袋的「罰款」，就達二百廿一億之多。去年中共開「鎮壓反革命」時，偽長沙市委會原決定由偽市財委和公安局會同成立「沒收小組」，進行處理。但王花樣翻新，竟根據公安局有「保密」需要，一點私自組織了「特別小組」，責成偽公安局總務科王昌洪負責。凡逮捕或處決某些「罪犯」時，即着關打着「特別小組」的旗號，先去沒收。第一些金銀細軟貴重物品搜刮完畢，纔通知「沒收小組」去，弄得「沒收小組」常常白跑。

爲了要「多搞點錢」，王丕敏不惜扯破臉皮，露出了強盜面孔。對於長市「反革命」份子的財產，只不問「罪證」有無，只要是打在他算盤之內的，都一網打盡，不留分毫。同時，爲了「開源」，王竟指使偽偵緝隊隊員劉宇環，張中興，李德仁等到處去引誘人吸食雅片和白面，然後再派人抓來，罰款了事。去年四月，偽水上公安分局逮捕一漢股匪周炳學被謀殺，王撤銷正案，卻以周資匪嫌疑爲藉口，抄了周家。除了沒收周家黃金七百八十兩，汽車兩輛，洋房一座，凡陀手表等外，連周的老婆金飾也變成了王的俘虜。王經常公開對他的幹部說：「什麼王法屁法，老子不管，錢是要的，脫黨都不希罕。」我譯中游擊隊某部領袖何俊如去年曾一度化裝出活動在長沙附近，王拘捕榮許，要他家交出兩億纔能了事。何因爲這麼多錢拿不出，終於被王殺害。

王曾坦白的告誡所屬：「好日子不會長了，你們能搞什麼就搞什麼，什麼賺錢就搞什麼，有責任我負。」王以「機關生產」爲名，在偽公安局下成立了一個「長沙磚瓦廠」，爲取得無償勞動力，製造口實，隨意抓人，處以「勞動改造」。有一次，因瓦廠趕工，竟把去公安局開會的二百九十名民夫，全部裝上四車，送往瓦廠「勞動改造」。一「改」就改了三個多月。放出來時，個個都瘦得像猴子。

此外，祇要有錢可撈，王總是一手包辦，決不放棄。建監獄，扣囚糧，報假賬，偷稅款，賣西藥，耕牛，電池，紗布，紙張，投機倒把，爲所欲爲。爲了參加貴陽私商汽車「二一九社」，（王任副總經理）王竟將偽公安局的消防車十三部，及沒收「罪犯」的小汽車三十八部，全部撥作「公用」。他的經營地點竟達廣州，漢口，貴陽，西安等地。因爲消防車移作「公用」，致兩年來長市迭遇火警，消防隊員除以身殉火外，沒有方法阻止火災的蔓延。

錢撈得多了，王的生活也富麗起來。他的小公館據說有十多處，勤雜員用了五十多名，他現在常住的一幢花園洋房裏，有電器冰箱，電扇，電爐，瓦司，經常有冰淇淋，可口可樂，汽水，煉乳，咖啡，可可，克寧奶粉等。王的廚子如集合起來，足夠辦一所筵開百席的上海豐澤樓。一有空暇，王老是帶着「愛人」、孩子坐汽車去看戲、打牌、賭撲克、逛馬路。消防隊的汽油每月要被王用去兩百多加侖。從去年七月到今年二月底，僅王的個人家庭生活就花了偽幣十億多。但他還不滿足，又計劃以五十億裝置一座包有圖書館、起居室、舞廳、臥室、浴室、游泳池、假山、動物園等包羅萬有的新公館。不料好景不常，好夢易醒，王終於鬥不過「上級」而被撤職，並開除黨籍了，像這種傢伙，中共的腐爛政權裏多得很，假如不是由於狗咬狗關係，他還是繼續在「爲人民服務」呢。（三月一日寄。）（嶽嵩）

眞理一定勝利

大韓民國聖經公會總幹事嚴榮濟牧師，六日由印來港。他說：「今日之韓戰係信神者與罪惡的背神者之殊死決戰，係眞理與罪惡的搏鬥。但眞理一定得勝，信神的必然有福」。他還指出由於韓戰使今日許多韓人皈依基督，他們渴求基督的十字架，尋求個人與民族的出路。他痛恨北韓共產黨進佔漢城時，虐殺傳教士計二百五十人，迄今仍無下落。他這一次是代表韓國赴印度，參加世界聖經公會聯席大會。參加者有二十五國代表。他說：「在這一次的會議中，各代表都瞭悟到世界要和平，必須依賴十字架爲基石，否則，和平是一刻時的，政治組織在沙灘上，將被暴風雨擊倒」。

救濟知識難民

美國教會人士組織之「援助中國知識界難民會」香港主持人莫費爾神父於六日由港返美。行前他說：「援助本港中國知識份子，對象將爲教員，著作家，技術人員，醫生，記者，藝術家，……等。目的僅爲援助大陸流亡在港的中國知識份子，并促醒西歐人士勸員趨向一共同努力之目標。經費全賴美國民間捐助，相當浩大。第一部工作將嚴格調查被援助人的經歷，思想，技能，生活情狀及家庭經濟等」。他指出這個工作美國教會方面早想推動了，因限於經濟和人手，識補援助會將分設在香港與柏林。在香港的援助事以中國人爲對象。香港的援助會將於下月成立。

維多利亞銅像

戰前矗立於滙豐銀行前廣場之維多利亞女王銅像，爲日軍拆除，運往日本，太平洋戰爭時，以勝利品陳列皇軍南進博物館中，戰後已由英駐日政治代表公署交涉索還，運回本港，惟已年久，拆運不慎，多處損壞。港府已加工整修，決定俟銅鑼灣填海工程完畢後，該處將闢爲一個海濱運動場，這座銅像將矗立於運動場之中央。

東南亞衛生進步

世界衛生組織總署署長齊恩洪博士，副署長薛蔚爾，七日由曼谷飛抵馬尼拉，視察全球衛生組織工作。據稱東南亞各國之衛生情形及醫藥設備，現已逐漸進步。目前上項機構爲聯合國中最大之專家機構，該組織並以最大之努力，協助各國政府，採取適當步驟，以推行其衛生計劃，及組織調查各項工作。渠謂絕大多數之東南亞國家，已達到可以信賴之衛生標準。

港立體戰大演習

香港自七日起舉行陸，空立體大演習，由英軍總司令艾維中將親在指揮，包括香港防衛軍（後備隊）及警察隊，動員人數×××人，噴射機××架，飛機××架，假想敵人自西貢海上登陸，作侵襲之狀，敵機從西方凌啓德機場上空，假想敵之前鋒，直迫機場，當局急派尼泊爾軍予以截擊。並由星洲調來增援，數小時第一批運抵，參加「作戰」。警務供給情報。全[illegible]一[illegible]歐」於西貢至大環一綫。沿彌敦道及太子道，均有象徵式之軍事警戒。新界英軍全部武裝實彈，欲作「非戰」之狀。此次演習爲最近一年來規模最大之一次。星嘉坡英軍遠東總司令部派高參二人，會同觀察演習之結果，並作詳細之「陣前報告」。香港雖風聲鶴唳，但這一次英國人是竭力從準備中求安定，還是穩紮穩打的。

中共不致攻越南

印美協會主席辛格博士於九日下午由河內遊東南亞後飛港。在旅邸接見記者，稱印度邊防戒備森嚴，印度政治決不走上共產。此種內情，西方國家不能瞭解。自由印度之組織乃基於民主原則及宗教社會與習慣之傳統而成。他指出印度當前最大之困難是缺乏糧食，印度普遍鬧饑荒，狀至嚴重，甚賴於西方國家之同情與援助。辛氏在河內與越法當局會談，認爲河內局勢並不如外傳之「危在旦夕」，辛氏判斷中共還不致進攻越南，他說「還是要看第三次世界大戰的」。

・揭穿中共造謠伎倆・
緬華擁僑領暗殺案大白

【仰光通訊】去年六月，仰光華僑擁僑領曾順緞突然被人暗殺。中共就抓着了這個事件，掀起廣大的宣傳，硬指這是反共人士所爲。一口咬定，到處含血噴人，並且藉此機會，極力展開對緬甸政府的冷戰，壓迫緬甸政府對一般不同情共黨的華僑，加以監視與約束，使他們不敢再有反共的言論或行動。可是事實勝於雄辯，華僑們光明正大的行動，是不怕含血噴人的宣傳。當地政府也確信華僑的純良行爲，不會採取共黨「用以製造恐怖的暗殺手段」來對付一個擁護人物。所以經過八個月的追查，這件暗殺案終於在最近破獲了。兇手是緬甸人。而且連主使人也捉到了。

原來這是一件關係緬甸政壇競選的仇殺案。當時緬甸政要總欽汝在唐人區競選，有僑生胡××參與競選。曾順緞極力贊助總欽汝，胡某落選後因積忿而主使人暗殺他的。並非如中共所宣傳，曾順緞是因擁護中共而爲反共人士所暗殺。現在該案已水落石出，中共和他們的嘍囉手們的造謠伎倆，也因此揭穿。（魏華・三月二日）

湘贛邊區春荒嚴重
老根據地游擊隊活躍

【萍鄉通訊】目前湘贛邊區的人民，城市和鄉村，條條道路通死亡。這裏城市裏的殘餘工商業戶，正在面臨着繼「三反運動」之後的「四反運動」和「五反運動」；而廣闊的邊區鄉村中，則春荒慘象環生，滿目瘡痍了。潛伏在此間的反共游擊隊，則正乘機活躍起來，以「反飢餓，反暴政，反奴役」的口號，搞得偽政府手忙腳亂，大喊「加緊春耕，和鞏固治安」爲詞，對反共游擊隊的活躍，重視而惶恐起來了。

茶陵縣偽縣政府大門口，於二月杪的夜間，突然發現了三張標語，是：「反對飢餓政策，我們老百姓要吃飯！」「打倒毛澤東！」「工、農、商、學、兵各界聯合起來，一致推翻共產黨的殘暴奴役政策！」寧岡縣第三區偽區政府，民兵大隊長黃正匯，突然於二月十日，率領民兵一百五十人，焚燬該區糧倉，和擊斃偽副區長武民（陝西人），投入了反共游擊隊。銅鼓縣江頭鄉，鄉農會主席丁世磐，於二月二十日夜間，在偽鄉政府內暴斃，死因不明？萬載縣民兵叛變事件，最近發生了五宗之多。現在湘贛邊區人民的反共怒火，正以燎原之勢，在各地焚燒着。

這些老根據地的老百姓，爲什麼這樣瘋狂反共呢？主要的原因，是饑餓緊迫，無糧果腹，不得不挺而走險了。茶陵縣去年歉收，現在全部要靠吃白菜葉充饑，蓮花、銅鼓一帶的山地老百姓，已開始食菜根野草；萬載、修水、寧岡等處的老百姓，在採掘樹根粉做糧食。這些地方的土地改革，雖在去歲完成，但老百姓所分得的田地，最高者不過一畝二分，最低者只有六分。土地改革帶來的報酬，是人民踏上了死亡的饑餓綫，而要成爲「翻身」後的餓死農民！

中共湘贛兩省匪偽，眼見湘贛邊區的春荒險象環生，曾經分別發出「生產、春耕、和救災」的指示；同時，強調「加強地方治安，以謀春耕運動的推行。」宜豐專署，吉安專署，長沙專署，衡陽專署等幾個偽政府，于二月下旬，曾經在萍鄉地方（江西轄）舉行了一次「湘贛邊區聯合擴大會議」，主要的議題，是研究怎樣對付反共游擊隊活躍的辦法。（仲，三月二日）

總理被衛兵擋駕

·尙方·

法國新任內閣總理畢奈，赴總統府謁元首，衛兵不相識，禁止他進去，幾經說明，才允許他走入，在化粧椅上打「一小時的瞌睡」！

這情形好似古時漢文帝赴細柳營犒兵那種景象，到營門即被警告：諸皇帝爲軍法，莫在營中「馳騁」。主將迎接時，亦只是行軍禮而不拜。文帝大加讚許，認爲這纔的軍營才配稱國家干城，其餘的都是些兒戲之類！畢奈被衛兵擋駕，問他來幹嗎？不相信他就是「總理先生」，他却和顏悅色的對衛兵說明，毫無慍容，且能在化粧椅上躺下大睡，硬是要得！

凡是軍營或政府重要機關所在地，警戒森嚴，理所應爾，這不光是爲體面瞻觀和體制攸關，事實上有此必要。最可笑而又可恥者，即爲一些鐘鳴鼎食之流的私人住宅，也居然僭竊國家的軍警憲兵，護衛大門，連姨太太出入亦教這些守衛之士要敬禮。這種惡習醜態，在舊官僚的社會比比皆是。不料我們號稱革命了四十年，我們的許多要人，通滿身的亦當光了，只有這項搞鬼要十的習，却變本加厲，上行下效；甚至一個芝麻綠豆般的官吏，私人住宅門口也要安上一名武裝守衛的兵士，這是甚麼玩意呢？

畢奈那種情節如在咱們中國發生，那衛兵必挨處分，至少是要遭呵斥的。民主民主，大家先從心理上講起吧！

自由談

創造社的幾個小夥計們

秧歌王朝的幫兇文人

稍爲涉獵過中國現代文學的，沒有那個不曉得創造社這個文藝團體的吧？

提到創造社，又不能不叫我們聯想到「五四」。從政治的角度來談，「五四」是中國青年愛國情緒的高度表現；從文化的角度來說，「五四」確也是中國文藝復興的狂飆運動；作爲「五四」運動的兩大標誌「賽恩斯」（Science）和「德謨克拉西」（Democracy），就好像兩顆有力的巨石移過到中國廣大青年的心海裏，噴濺起澎湃似的浪頭！

學術團體，文藝組合，在「五四」前後，就如雨後春筍般掀開泥層，嶄然地露着頭角；創造社也就在那個時候樹起他們的旗幟來了。

創造社的首腦人物，衆所週知，是郭沫若，郁達夫，張資平這幾個人；他們都是同一個時期在日本讀書，郭研究醫學；郁研究法律；張是研究地質學的。因爲大家愛好文學，翻譯過一些歐美作品，大家不甘寂寞，搖搖筆桿，寫起小說戲曲詩歌這類文藝作品起來了。他們歌頌「醇酒」；歌頌「美人」；歌頌青年男女們的「三角戀愛」；在他們的作品裏面，充滿着頽廢、傷感、色情、和變態的「羅曼諦克」的濃厚情調，有遺世絕來的低沉的悲觀的瘋苦呻吟。

在上海，他們常出版的文藝刊物，計有創造季刊和創造週報；中間還一度出版洪水週報。那時張資平的三角戀愛小說，如若莉，愛力圈外；冲積期化石等；郁達夫的自傳式的作品；如沉淪，鷄肋，蔦蘿集等；在出版界確曾風靡過一時。色情的，肉慾的大膽描寫，和變態的，性慾病狂患者情緒流露，單看紊亂就像濃霧似的籠罩在青年們底心版上，使得許多青年男女們在戀愛，婚姻問題上，態度既瘋癲，弄得瘋瘋癲癲，如醉如夢。

那時，中共還沒有成立，因此，創造社除了在藝術上標榜着革命的浪漫主義以外，在政治路線上，並沒有什麼獨特的主張。儘管有些文藝批評家說該社初期「反封建」，在「反傳統」「反封建」和抨擊中國舊社會制度這幾點上面，有它的進步性和革命性。

到了民十七八年，中共整個地轉入地下工作，鑽進荒山野嶺，到處煽動農民暴動的時候，創造社擬從「與伏赫變」起來了。它蛻變爲太陽社，出版的文藝刊物有太陽和流沙，創造社後期的小嘍囉們，得特別起勁，他們縮在上海租界裏面的亭子間裏，天天吶喊着「普羅列塔利亞」文學；他們歌頌暴動，歌頌燒殺，歌頌焚燒，歌頌累牘的標語和口號，文字低劣，那是不消說得。可是，中共却特別的照顧愛護，賦與他們政治任務，指示他們在文藝上所採取的政策；同時，給他們綏化。魯迅老頭坐着冷板凳，心裏好不納悶，氣得吹鬍鬚，冷嘲熱刺地，說他們偶談「普羅文學」。

那時露頭角鋒健的小嘍囉，就是本文所要提到的周全平，馮乃超，黃藥眠這幾個人。

當那暴虐的王朝利用中國廣大人民的慘痛犧牲，帶着嘲笑，揭開了血腥統治序幕的時候，那幾個小嘍囉也就一面且齎製，一面變做新貴人了。

首先，要談的，是周全平。

周是東北人，在文藝陣營來說，他是屬於創造社後期的人物，二十年前曾出版過一本小說單行本問世，一九三〇年魯迅所領導的中國左翼作家聯盟剛剛成立不久，他在互濟會擔任銀錢出納的責任，互濟會是中共的外圍組織，它的性質是慰問救濟被捕下獄的，或者給死難的同志辦理撫卹善後的一切事情，經費相當龐大。負責主持的，是中共所物色能修操縱掌握指揮如意的所謂民主人士和同路人；魯迅也是常務委員之一。周全平是個狂嫖濫賭的傢伙，荷包裏有的是錢，上海又是個銷金窟的場所，燈紅酒綠，儘情的享樂，沒有多久，他蝕了一大筆公款，到了無法彌縫的時候，他一不做二不休，一席捲了所有經手的現金，無影無蹤地逃跑了。

赤氛瀰漫整個東北的時候，他從地底下鑽了出來；在一個國際貿易機構裏面擔任一個頗爲重要的職務，去年夏天，故態復萌，又捲走一筆巨款，潛逃無蹤，據說是跑到日本做寓公去了。

另外一個小嘍囉是馮乃超，他對文學本來沒有根底，更談不上有什麼修養，在民十七年竟爲中共的關係，作上海藝術大學的教授。那時李書城的女兒正在那裏讀書，李女年華二八，正是一朵含苞待放的蓓蕾，馮乃超身體也還青年，相當健美，又加以甜言蜜語的百般誘惑，李竟乖乖地投到馮的懷抱裏來了。李書城是個老官僚，多少有點倫常觀念，聽到女兒和先生戀愛，心裏頭很不高興；但生米已煮成熟飯，也就無可奈何。

民二十一年，最高當局駐節武昌，督勦湘鄂贛三省匪亂。李出長湖北省建設廳，乃始馮乃超在李廳內，擔任了一名掛名科員，拿薪不辦公，實際業務是做共黨間諜。這次李書城盤據，許多傳說都認爲外面湖北籍的一些共黨爲和林彪部之必武等，有何如何的淵源，却不曉得真正的幕後牽線人，是他的女婿馮乃超；這和沈鈞儒的情形差不多，沈的乘龍快婿，原在大公報當記者，和談期間住在南京，作爲中共發言人的范長江。

上面說過，馮乃超根本就沒有什麼文藝修養，創作更談不上，只能胡亂湊些詩篇，詩的章法和神韻也完全模仿王獨清的作風。現在竟榮膺起最高學府的副校長，他除了能夠鼓吹馬、恩、列的黨八股以外，他肚子裏有什麼貨色呢？無怪紅榜出名，他高高興興的跑回自己的故鄉廣東來，恬不知恥地高踞着副校長的寶座了。

至於創造社另一個小嘍囉黃藥眠，是個赤魔舞台上同樣的脚色，過去跑在上海也只是喊喊「普羅文學」的口號，偶爾捧着一本英文字典，翻譯幾篇小說，這樣就冒牌爲「左翼作家」，這次以民主促進會婢妾黨的地位，分得廣東省委一個席次，始終無法到差，只好身[illegible]，造個傀儡了。

創造社這幾個小嘍囉，遭遇上雖然是略有不同，聲勢也談不上有什麼煊赫，和他們的首腦人物郭沫若那樣的得着克里姆林宮的優渥寵倖比較起來，更是望塵莫及。但他們有着一個共同的類似點，就是一副奴才的醜惡嘴臉！出賣靈魂，甘作魔鬼的爪牙，甘作魔鬼的鷹犬，文人無恥，莫過於這班傢伙了。（王豹隱）

幕後人說：我是中立者

·夫石·

論魯達（六）

——水滸人物論之七——

·辯生·

智深酒後，更是精神百倍，便請劉太公把他引入新房，戒刀放在床上，禪杖倚在床邊，叫太公和莊客自去辦事，他自己乃脫得一絲不掛，盤膝坐在床上，把銷金帳放下，房內的燈也吹熄，專等這位做親的大王前來。

吉時到了，那大王打扮得新郎模樣，騎着一匹高大白馬，引了四五十名嘍囉，一直下山奔向桃花村來，眞是人逢喜氣，說不盡高興。劉太公引着莊客，一齊跪地相迎，那大王原已七八分醉了，到莊裏又飲了數杯，便問泰山，他的夫人現在何處，太公乃親自秉燭，把這位嬌客送入洞房，大王見房內並未點燈，心中好不自在，嘴中摸索，一直摸到床邊，口中還呼娘子，把帳子揭起，便伸手去摸，不想這一摸，却正摸着智深肚皮！這和尚一躍下床，一拳把這大王打倒在地，更騎在這新郎身上，拳頭像雨點般給他一陣亂打，直打得這大王高呼救命。劉太公在房外聽得，便引着莊客和衆嘍囉前來救人，大王趁着智深放手迎擊衆嘍囉的時候，乃翻身爬起，搶出莊外，找着騎來的那匹白馬，狼狽逃回山去。莊內衆嘍囉一齊走散。智深手提禪杖，來勢凶猛，也發一聲喊，見智深把衣服穿好，劉太公乃對他埋怨，說這夥強人一定前來報復，他一家性命不保。於是智深說明他原係延安府老种經略相公帳下的提轄官，因打死人才出家，漫說這一撮毛賊，便是一二千軍馬，他也可以對付，並且說明他決不會走，專等這夥強盜到來，好澈底給以收拾，以除一方之害。太公聽了，心下稍安，更出酒菜相待，智深也自樂得再暢飲一番。

不到兩個時辰，只聽到莊外一片喧鬧，高呼禿驢出來送死，原來這位招親的，乃是桃花山的二大王，他回山以後，向大頭領哭訴，大頭領便調動所有嘍囉，下山爲他報仇。智深聽見這一片嚷聲，乃不慌不忙，提着禪杖出莊迎敵，方正在相鬪，這位大頭領乃把鎗按住，請和尚通個姓名，及至智深說出他是老种經略帳下的提轄魯達，這大頭領乃翻身下馬，拜倒在地，並問哥哥何到這裏。智深定睛一看，知道來者乃是曾在渭州酒樓同史進一陣和他喝過酒的那位江湖上使鎗棒賣藥的教頭打虎將李忠。智深把他扶起，並同到莊上，劉太公見外，這和尚乃強盜的一夥，更是着慌，及至坐下，禮智深說明他和李忠的關係，李忠也說明他與王周通的相打，在這裏被他贏了，才在這裏坐了第一把交椅。其時天已大明，智深李忠乃帶着劉太公一同前往桃花山，當面向周通交還聘禮，謝了這頭親事，周通見智深亦了得，亦即折箭爲誓，從此不再上劉太公之門。

萬竹樓隨筆（七九）

匈牙利的紋身運動

鐵幕後面駭人聽聞的事，往往不是一般生存在自由國度的人們所能想像的！現在匈牙利出了一件：就是匈牙利人忽然風起雲湧的喜歡在小孩子們的身體上「刺花」或者說是「紋身」。

共產黨開始推行「階級鬥爭」的初期，匈牙利的老百姓隨時有被鬥爭清算的危險，人人自危，惶惶不可終日，因爲一旦被強迫驅逐出首都布達佩斯，是不准攜帶十歲以下的小孩同行的，所留下的孤兒們，一律送進兒童院訓練成百分之百的共產黨。爲了將來母子可以相認，必須有點標誌。

同樣的情形，說不定哪家有小孩的，也會突然被共產黨把小孩徵召去受軍訓或參加集體勞動。母親們心裏明白，小孩子被共產黨們領去之後，則要給他們改換名字，一切身份文件將盡成廢紙。共產黨政權終必有滅亡的一天，那時才能把自己的骨肉認回來，團家團圓呢？

於是，人們想出應付的方法，就是母親和子女都在手臂上刺同樣的花紋，祇有自己家庭裏的人纔知道，這個方法一傳十，十傳百，頃然人人效尤。甚至於一般所謂忠於共產的信徒們，也毫不例外的在小孩子身上刺上花紋，在無形中，這些信徒們承認莫斯科政權並不可靠！

最近有三百名高級共黨官員的子女，被送到莫斯科受「忠黨的教育」，在離開匈牙利之前，大部份都刺上花紋。雖然如此，大家也明知道這批小孩子能夠回家的希望渺茫得很了！因爲這批小孩子分明是莫斯科要去做「人質」，用來保證他們父母對黨忠誠。

在匈牙利，可以說沒有人是信賴蘇俄的，即使是蘇俄的奴才，走狗，傀儡，也不例外。人人都以爲天倫之愛，和骨肉之情，總比鐵幕堅固得多。由刺花這件事，我們可以看出鐵幕下的人心了！（夏臣）

三隻眼睛的總統

亞當斯是美國獨立運動的領導人之一。有人說：「沒有亞當斯，便不會有華盛頓。」原因是華盛頓之所以當選爲總司令，便是當時亞當斯的提案。等到華盛頓二度當選，亞當斯便兩度當選副總統。等到華盛頓下了台，他便成了美國史上的第二位大總統。

他的幼年時代，是在新英格蘭度過的。新英格蘭省的氣候，夏天特別熱，冬天特別冷。他的性格也有點像新英格蘭的天氣，具有冷熱兩種性格。有人譏諷他長了三隻眼睛，兩隻眼睛向外看，一隻眼睛向內看。

當國會討論誰應充任三軍總司令時，一般人都認爲非漢可克（John Hancock）莫屬。漢可克是誰呢？他是國會的議長。當時美軍是以新英格蘭爲骨幹，那時亞當斯正是代表新英格蘭省的議員，他却主張由一位維琴尼人華盛頓充任總司令，來統帥這支以新英格蘭爲骨幹的獨立軍。他把這個案子提出來時，使漢可克大吃一驚，不自覺地從椅子裏跳了出來。他這個直率的提議，却打破省際的界限，加强了後來八年抗英戰事的合作。

另外有一件事，可和他的提議相對照的，是他提議任命另一維琴尼人傑佛遜（Thomas Jefferson）起草獨立宣言。他認爲「既然讓一位維琴尼人（華盛頓）用他的劍來領導獨立運動，爲什麼不可以讓另一位維琴尼人（傑佛遜）用筆來領導獨立運動呢」。

獨立戰爭成功後，英美初度恢復邦交，他是第一任駐英公使。他在日記裏寫着：「我是一位最不受全英人民所歡迎的公使」。他在倫敦街頭行走時，倫敦市民都用一種冷淡和懷疑的眼光注視着他。當他參加英王喬治第三的宴會時，他很緊張地向英王作自我介紹，然後興奮地表示出內心的愉快，弄得英王脹紅了臉，勉強和他周旋了一番。

亞當斯當選總統後，開始感到人們對他的敵視。他在總統就任典禮時，他在日記裏寫着：「像一個被放逐的志士」。傑佛遜派攻擊他，他有一個頭銜的「哈米頓派」的攻擊他有「一張多變的嘴巴」。（樂光）

我是贊成他的

據說史大林有一次化裝到莫斯科酒店與一個俄國工人談話。他問那個俄國工人對於領袖史大林的眞正感想如何。這個工人驚恐不已，即刻招他那位酒伴，再看看週圍，跟他那位酒伴走出酒店，到街上去。一直走到看不見什麼人的時候，於是他拉着史大林的耳朵，然後輕輕地說道：「我是贊成他的」。（王綺）

爲毛澤東作

·張砲文·

等你識得眞理，
時間已經晚了，
黑夜快要嚥氣啦！
太陽按不住性子了，
請問你，知道不知道，
黎明是怎麼一個風貌。

當你發出命令，
叫滋水立刻站停，
停在安全的岸邊，
你以爲牠會聽話？
請問你，知道不知道，
往那兒去，這天的高潮？

把你的大砲調來，
把你的鼓手調來，
叫你的飛機叫嘯，
叫你的炸彈咆哮，
你爬上樹去逃跑，
請問你，瘋狂蠻橫，
請問你，看不看到，
你的墳墓深多少？

自由人

THE FREEMAN

（半週刊每星期三六出版）

（第一〇八一期）

每份港幣壹毫

督印人：李光華

社址、香港高士打道六六號

電話：二〇八四八

GLOUCESTER RD. HONGKONG

TEL: 20848

承印者：東南印務出版社

地址：高士打道六四號

台灣總經銷處

台北市中華路一二五九號

美國的決心

・凌乃銳・

韓戰停火談判吵吵鬧鬧至今八個多月，始終不能達成協議。看情形，也許再拖八個多月，還不會有何具體的結果。

目下雙方爭持的問題祇有三個：一是停火以後北韓可否修建機場問題；二是蘇俄可否以『中立國』資格參加監察委員會問題；三是所謂『志願遣俘』問題。這三個問題，自表面觀之，似屬細微末節，非無解決辦法；然而實際上，卻除了共方屈服之外，沒有打破僵局的第二條途徑。聯軍方面早已確切聲明，他們的立場是絲毫不容更動的。牌已攤開，爲和爲戰，一任共方自擇。

共方究竟讓步呢？還是不讓步？莫斯科對此局面，諒必大傷腦筋。讓步嗎？第一，北韓的『空軍』根本沒有一架飛機，唯一的本錢是機場；蘇俄可以出飛機，北韓至少得負責安排機場。沒有機場，北韓『空軍』，即成空話。以後蘇俄『援助』北韓『建立空軍』，勢不可能。並且，共方曾經一再宣傳，修築機場是內政，不許北韓修建機場，是干涉北韓內政。此點如果讓步，無異承認戰敗，也就充分證明所謂『粉碎了美帝侵略軍的瘋狂進攻』是徹頭徹尾的謊言。『人民的眼睛是雪亮的』，一句是謊言，豈不句句都有毛病？共產黨原是一大騙局，最怕拆穿西洋鏡的。第二，蘇俄當初指使北韓發動韓戰，其後命令中共參預韓戰，都是鐵一般的事實。如果打勝了，蘇俄自當昂然挺身而出，直承戎首。現在打得不成樣子，蘇俄要求彌說，不如掛起『中立國』招牌，做做『監察委員』，來得漂亮。北韓、中共都沒有什麼『空軍』，尤其沒有米格式機，這些飛機都是蘇俄的，蘇俄若是『中立國』，蘇俄的『戰罪』，就洗刷得乾乾淨淨；反之，放棄了『中立國』這個名義，蘇俄就難逃戎首的責任。史達林是很好詐的，他自已高喊『和平』，暗中叫那班中共、韓共、日共、越共、波共、捷共等等去搗亂，削弱自由世界的力量。因而他永遠於『偉大的，崇高的』，騎在人類的頭上。現在如果接受蘇俄非『中立國』的說法，則史達林的詭計不售，並且嚴重損害他的威望，他是不甘心的。第三，換俘問題影響共軍士氣至大，如果同意『志願遣俘』，則今後共軍一與自由世界接觸，必多投降、起義之事，其危險的程度，不堪設想。並且，如果同意『志願遣俘』，則前此拚力所爭的『全部遣還』，將屬徒然，蓋實際上『志願遣俘』的結果，仍與『以一換一』無異。共軍方面的聯軍俘虜，其數遠不如聯軍方面共軍俘虜人數之衆，『以一換一』，共方是吃虧的。所以，我們覺得共方確已到了山窮水盡的地步，不可能退讓。然則，怎樣辦呢？戰是戰不下去了，北韓、中共先天都很脆弱，由於蘇俄的撐腰，幹了二十一個月，已屬『難能可貴』。中共今天所謂『五反』運動，顯然是殺雞取蛋的辦法，畢竟使出這種自趨毀滅的手段，足見經濟情況的惡劣至何程度。誣賴聯軍投撒細菌，說不定是預料崩潰在即的一項托詞。共方在一籌莫展的形勢下，祇好出以拖宕之一策，這就是最近板門店寂然無聲的原因。

但是，聯軍方面，尤其是美國，會不會容許共方永遠拖宕？不會的。據華盛頓十三日合衆社電：美國及其盟國，刻正研究外交新行動，以迫使共黨表示誠意，是否需要在韓國停戰。共方在板門店談判中所採之拖宕戰術，以及最近所顯露之詭譎舉動，已使各盟國首都嚴重懷疑共黨是否終將同意一項可實行的停戰計劃。當高級官方並未放棄各種訂立停戰協定的希望之際，深覺聯合國必須迫使共方對其意圖早日攤牌。權威人士稱：盟國業已舉行高級會議，討論各種可能之行動。

什麼行動？我們不妨引述另一則電訊。『美國德薩斯州華茲要塞十一日合衆社電：美空軍參謀長范登堡將軍與B三六型超級轟炸機建造商之高度祕密會議引起一般推測，認爲巨型噴射式機不久即可出動參戰。范登堡將軍由華盛頓飛來，十日曾與伏爾特飛機公司主持人舉行三小時會商。按該公司正建造可以裝原子武器之環球超級轟炸機。第八航空隊司令韓德森少將亦參加該項會議，按第八航空隊亦擁有B三六型機。范登堡來華盛頓之前一天，曾徇杜魯門總統之請，赴總統現在休假之地（佛羅里達州之基威斯特）與渠會談。據總統之新聞祕書稱：總統與范登堡將軍討論若干項要問題。又謂：此會議不宜加以輕視。范登堡之訪問此間，在會議後由卡斯威爾空軍基地起程，取道返華盛頓之時，方始透露。衆信基威斯特與華茲要塞兩次會議後，韓戰將有某種新發展，其中或有須使用B三六型轟炸機者。按六引擎之B三六型機係在第二次大戰之後建成，其主要任務爲裝載原子彈。另一種巨型轟炸機爲GB六十型，乃據B三六型機改造之流綫型機，但此機從未試航。』

B三六型機主要是裝載原子彈的，朝鮮半島絕用不着原子彈；並且，美國空軍在韓戰中一直保持優勢，無增援的必要。美國似乎已下決心，在比朝鮮更廣闊，更深遠的地方打擊敵人，不讓板門店的停火談判拖宕不決。美國此時的決心，是值得我們欽佩的。

蘇聯對日陰謀完全失敗

怡

兩年以前，日本人民對蘇聯的態度，是很明白的。共產黨對日本發動過一種非常週密的陰謀，其目的在打擊美國的佔領，把日本造成動亂不安的局面，以便莫斯科有充分的藉口來干預日本。西伯利亞集中營百萬日本戰俘中所挑選出來的九萬兵士，便作了它的侵略先鋒。這些青年人受了共產黨特殊待遇和巧妙宣傳，轉變了他們的思想。共產黨訓練他們，要他們回到日本之後，去執行有系統的破壞日本社會和日本經濟的計劃，因此，蘇聯在一九四九年的夏天，就一大批一大批的把他們遣送回去。

當這些經過蘇聯訓練的日本戰俘，回到日本各地的歡迎站後，他們逃過政府的歡迎[illegible]，甚至於他們家人的歡迎，便唱着『紅旗』歌，列隊走到當地共產黨的總部。這些共產黨的頭子們，已經給這批新的搗亂力量準備好金錢和任務。日本許多城市的暴動，遊行，怠工，就從此開始。盟軍總部，就認爲他們將遇到了嚴重的困難。

估計完全錯誤。就在短時期的動亂和驚慌之後，日本各地這批叛徒的態度已經改觀。強大的日本警察派遣隊，保護船塢和火車站，以防止任何有組織的暴動，每一個被遣送回國的士兵，也追得立刻回到自己的家鄉。他們的家庭便對他們作說服和再轉變的工作。這件工作並不困難。這些士兵，知道了，他們被蘇聯的說謊宣傳迷惑，到了甚麼程度。他們發現，美國佔領軍，並沒有像蘇聯宣傳，屠殺過日本人民，也沒有姦淫擄掠，無所不爲。相反地，卻看到美國軍人是和藹可親，另一方面，看到盟軍總部又在極力恢復日本的經濟。

當他們發覺自己的觀察錯誤時，大批表示歉意的信件，寄到了盟軍總部。一般都說：『我請求，准許我對於誤解所發生的事件，表示歉意。因爲共產黨告訴我們，美國人在日本作過許多恐怖的事情，現在，我發現他們所講的，都是說謊』

在莫斯科對日宣戰後的幾個月內，沒有用一個美國兵，盟軍總部也沒有下過一道命令，克里姆林宮拖着的大希望的攻勢進攻，就全告摧毀無遺。我曾經對幾個日本首腦人物談到這件事情。這裏頭有位說：『將軍，美國人民的性情，和日本人民是不大相同的。有些是不容易瞭解的。但是我們討厭共產主義和不相信蘇聯那些首領們的程度，是和你們一樣深的。我們是你們天然的盟友。』

有很多機會證明這個事實。當佔領之初，對日採取寬大政策的時候，麥克阿瑟將軍就要他的決策官員，和重要的日本人建立密切的私人關係。他說：『要去了解他們，要找出他們想的什麼和爲什麼。佔領的成功，就靠我們把他們從敵人轉變成真正朋友的能力。』

麥克阿瑟將軍這種態度已經獲得極好的結果。當韓國戰事剛感到威脅時，我們已經感到絕大多數的日本人民會支持美國。後來證明這種趨勢完全不錯。

戰事剛發生的幾週內，美國軍隊幾乎全部調離日本，日本並沒有乘人之危起來搗亂，碼頭工人仍照常卸貨，工程師開火車載運受傷的美國士兵，交通方面也弄得很有秩序。其實當時要阻擾我們在朝鮮的一切努力，簡直是易如反掌。但連一次嚴重的怠工都沒有發生過。政治上，美國人也沒有同我們玩花頭；相反的，日本人民都自願並且很高興的爲我們工作。

成千成萬的日本技術人員也在我們海陸空基地協助工作。雖然報酬很少，但他們從沒有放棄過他們的責任，甚至於美國工程師不作到的工作，日本技術人員卻能負責如期完成。這種情形，在供應部們，是常有的事。

最使我們頭痛的，是日本的鐵道系統。由於日本多山，車輛經過山洞的時候，容易發生意外。鐵路警察常常告訴我們共產黨計劃堵塞許多重要的山洞，使整個鐵道運輸癱瘓。但是，美國並沒有用一個兵，這種企圖而都一個個在事先就摧毀了。

共產黨的工作人員，極力想把青年的日本編餘軍官拉進共產黨裏去。蘇聯的宣傳，也是够驕人的。但是，日本人往往把蘇聯怎樣誘騙他們的事實，都詳細地告訴美國人。因爲，在遠東，大家知道，蘇聯對於任何承諾都是不會兌現的。所以日本人卻都樂於爲美國人工作，這就是美國取之不盡的一筆財富。而在他們參加工作時，那種冒險的精神也値得佩服。

日本的未來，關係盟國至鉅，保持自由世界在太平洋的防綫，要靠日本人民的經濟繁榮與政治發展。這些都是美國人在聯合國會議席上特別注意的。（天方節譯美國讀者文摘二月號）

五反下新聞人物

【上海通訊】前中央銀行局長李立俠，在數週前失踪，不知下落，近查明已被捕。李自上海淪陷以後，一直留在上海，態度游移，躊躇再四，決心不甘爲人民銀行職務，轉入金城銀行，任協理職。而最近終爲中共羅織以去。

金城銀行總經理徐國懋繼李立俠後，亦遭逮捕。徐曾一度來港，未久，即返大陸，由經理升爲總經理。自四反五反運動開始以後，徐即受人檢舉控告，在幾十條控訴罪當中，有一條是『對人態度不好』，殊堪發噱。徐亦自行坦白，但終不爲共黨所諒，即當入獄。

近年在香港發『解放』財之王某，時運不巧，適自港進入大陸，留居上海，躬逢四反五反大張撻伐。四年來，王留港，經營大陸進出口業務，因緣時會，驟躋巨富，在港建置新型龐大之公寓數所及其他游樂場，聲勢赫赫，早在中共暗算之中。值此四反五反，王自澈底坦白，情願罄其數年來所獲之『解放』財，一概報效。並願以身爲質，暫留上海，請求共黨派人來港向其公司清查賬目，彼所坦白，是否不實不盡。當四反運動發軔之始，王之友人即爲彼担心，難逃刼數，而今竟在待罪之列，深悔幾年來之空歡喜一場也。聞王某即爲日前中共上海市委會所宣佈，被處分的八個共產黨員之一，上海市府財政經濟委員會副祕書長王紀華之老兄。

前招商局協理胡時淵，新華銀行徐振東，近傳亦已被捕。

金融界老宿與汪記政府有關之周作民，自抗戰勝利以來，即已潛蹤，不常露面。陸沉前後，周已避地香港，不知以何因緣，又返回大陸。近傳共黨以周報效殊少，殊違初願，將重翻舊賬，決予嚴厲處置。

上海新開路桂圓大王以受店員夥計威脅，痛下決心。一日，召集全體夥計，表示從新做人，自願澈底坦白，請夥計代爲紀錄。並設盛筵，宴全體夥計，以資聯歡。夥計亦不介懷，相邀入席。一直到天明，席終而人未散，啓門視之，則大王與夥計已同歸于盡，尸橫遍地。大王有寡媳與雛孫二人，事前，大王先行遣去，故得免于難。

八仙橋青年會有八人跳樓自殺。（悠然）

時局漫談

舜生

韓戰擴大？

我在本刊前期已經指出：韓戰本不難於結束，但結束韓戰後蘇聯所準備採取的第二行動，卻極難於選擇。中共希望在蘇聯海空大力援助之下攻台，但蘇聯卻只願相對援助中共去援東南亞。這樣一個決策至今還沒有確定，所以韓戰便只有拖。

在這一週中，美國高級軍事人員，曾有不斷接觸，看來美國已漸漸感到難於忍耐，我們雖不能斷定韓戰即將擴大，然比之麥克阿瑟去職當時的形勢，則擴大的可能性卻已經大得多。

蘇聯因不願韓戰擴大才提議停火，這表示蘇聯不願戰火立即延燒到她的自身，現在韓戰停火的可能已瀕於絕望，蘇聯所要考慮的，便是美機果然越境轟炸，她是不是便立刻出面？

蘇聯爲自己的利害打算，（蘇聯永遠也只爲自己的利害打算）與其攻台或援東南亞依然不免爆發大戰，或竟動了攻台或援東南亞韓戰仍不能根本結束，（韓戰除從大戰中來徹底清算以外，是無法根本結束的）還不如就讓韓戰緩緩來拖要比較的好些，截至現在爲止，蘇聯依然在這樣一種心境上委決不下，所以板門店的停火談判始終談不好。

韓戰的停不停，完全決於蘇聯的決策，一切須等待蘇聯這個『中立國家』的命令，所謂北韓和中共的談判代表，僅僅只是一種說話的機器而已。

日本會成爲第二被侵略的目標嗎？

一部分的日本人，鑑於韓戰無法停得下來，更感於和約訂立以後美蘇衝突之更趨尖銳，頗有日本或不免變爲繼韓國而成爲蘇聯第二個侵略目標的危懼。不錯，蘇聯和中共早已認定日本是他們共同的假想敵，這種危懼的心理決不是多餘的。可是究竟在什麼時候開始進攻日本，蘇聯卻依然沒有決定。蘇聯沒有發動大戰的決心，她就會去正面的進攻日本，這是我們所不能想像的事。即在今天以蘇聯和中共去攻日，第一步並不是沒有勝利的可能，至少也可加日本以絕大的損害，可是第二步怎樣呢？蘇聯與中共惟一的強點只是陸軍龐大，與人力雄厚；以龐大的陸軍和雄厚的人力，用於韓國或未來的中國大陸，可能表現他們相當的優勢，但對於進攻日本卻無所用之。不要說日本自身的抵抗不可忽視，美國必以全力應付也事屬顯然。在美國看來，與其在韓國與中共和蘇聯相持，實遠不如在太平洋上的任何一個地帶來和蘇聯周旋的好。美國的這個強點，蘇聯充分明白，甚至連中共也未嘗不知，中共的命運，至多只有在中國大陸與人作泥中困鬥的可能，以言海空，她便成了一隻沒腳的螃蟹。

因此，我奉勸日本人不必過慮担心，蘇聯再蠢，也決不會於此時發動去攻日。在韓國蘇聯只間接的打了兩年仗，已經使西歐站了起來，假如她再發動攻日，便可能是蘇聯力量在歐洲的崩潰。我們今日所注意的，只是蘇聯的崩潰究竟是從歐洲起，還是從亞洲起，換言之，已經不是蘇聯如何去攻人的問題，而是她如何挨打的問題了。話雖如何，我仍希望日本的建軍必須加速進行，而且不必過度的強調自衛，日本在今後的十年間，是否仍爲亞洲的一個強國，同時仍爲世界的一個強國，便看她在未來民主國家對蘇的作戰中，她能夠提供多少的本錢。自然，我們也明白，日本人的所謂自衛，原不過是一種幌子而已，她的精神依然是在積極方面的，不過到什麼時候說什麼話而已。

國大臨時會不開了！

最近台灣方面因爲忙於對日和約，關於所謂召開國大臨會的問題，似乎很少有人談起了。老實說，我們希望在返回大陸以前，這個問題不要再談，我們充分知道這樣一種會無論如何開不好，萬一勉強開成的結果，乃造出一件使大陸人民更爲失望的事實，例如道路流傳有舉孫科或孔祥熙作副總統的說法之類，這實在太犯不着了。

貧窮人不是自由人

·高叔康·

蔣總統在其總理紀念週講演中，曾說過「貧窮人不是自由人」的話。總理所講四大基本自由之一的「不虞匱乏的自由」最關重要。因爲如果一個人，飢寒交迫，流離失所，他縱有政治自由，思想自由，也沒有什麼興趣和力量表達出來。縱然精神生活很高和意志力最强的人，能忍受貧窮的窘迫，但也有限度，你不能叫他餓着肚皮從事民主政治運動，發揮思想自由的光芒，更不能責備社會大衆如此違殷。所以沒有經濟自由，便不能充分發表政治自由和思想自由的光輝，甚至於使政治自由和思想自由有名無實。因之「一個自由人應該不是一個貧窮人爲其重要條件」。

現代要求的經濟自由

爭取經濟自由是人類經濟行爲的動機，是一部世界經濟發展史的動力；從古代的氏族經濟演變爲中世的封建經濟，由中世的封建經濟演變爲近代資本主義經濟，可以說，都是以爭取經濟自由爲推動歷史的車輪。因爲人類追求經濟慾望，總是對於已有的經濟現狀不滿足，竭盡智慧和力量以求改進，增加自己的享受；爲的要達到改進和享受的目的，不斷的發明新的生產方法，解除舊有的生產的限制和束縛，以滿足經濟慾望，所以封建經濟突破了氏族經濟的狹小限制，資本主義經濟解除了封建經濟的束縛，不外是那一時代新興的經濟勢力所要求的爭取自由的實現；其主體不同，而要求解除當時經濟的限制和束縛爲變革歷史的動力則一。

所以經濟自由的內容隨時代經濟的演變而異其要求，也隨着時代經濟發展趨勢而擴大其範圍。現在是資本主義經濟時代，資本主義經濟所謂經濟自由是以消費自由和企業自由爲其主要內容。消費自由是由消費者運用購買力的作用來決定社會生產的方向，從而滿足消費者的需要和要求，不受商品的種類和數量的限制。企業自由是勞工有選擇他所願意做的工作的自由，不受拘束，可以任意轉業。這種經濟自由，既沒有封建勢力的束縛，也擴大了原來經濟自由的範圍。然而消費自由和企業自由是個人資本主義經濟自由發達的產物，還不是代表現代經濟自由最迫切的要求。現代經濟自由最迫切的要求，應該是免於失業之自由和免於匱乏之自由，因爲失業者和匱乏之者，既沒有就業的機會，也沒有購買力，根本談不上消費自由和企業自由的享有，比受了限制的消費自由和企業自由較不自由更甚。所以現代經濟自由應着重在解除最大多數的失業者和貧窮人爲內容。能使失業者就業，化貧窮人爲不貧窮，免於失業的自由和免於匱乏的自由，得以實現；縱然因此而使消費自由和企業自由受了修正和限制，也是實現羅斯福總統倡導的經濟自由所必需。

現代貧窮的由來

爲什麼有貧窮人？大半由於失業；爲什麼會發生失業？這是社會學和經濟學的一大課題，說明這種理論的著述，眞是汗牛充棟；在此，爲的導出以下化貧窮人爲不貧窮人和變不自由人爲自由人的看法，只作扼要的說明。

今天在鐵幕內的國家，赤色傀儡政權下的人民，無論中東和遠東，正涕泣於共產帝國主義慘酷剝削之下，最顯著的證明貧窮人不是自由人的事實；他們無隔日之糧，無儲蓄之衣，身得一個個人都是赤身裸立，處於饑餓恐怖之中。所謂經濟自由剝奪殆盡。而俄帝和赤色傀儡更以一套挂羊頭賣狗肉的說謊理論，以私有爲剝削他人經濟利益的工具，爲實現它的「社會主義」絕大的障礙，非根本取銷不可；於是以「窮人翻身」的欺騙宣傳掩護其控制窮人，奴役窮人的手段，所以俄帝和赤色傀儡最了解貧窮人不是自由人的道理，其迫害自由人而成爲不自由人也最澈底，因爲人民有了自由，它們便沒有了自由；要完全剝奪人民的自由，便置人民於貧窮饑餓之中。這樣，人民就是百分之百反對它，也無可如何，我們眼看着大陸的血腥王朝下的人民，應該痛切的了解貧窮人不是自由人的死說？

在民主集團世界，今日正存在着大羣的失業者和貧窮者，這個問題是歷史積累的問題，是隨着資本主義經濟產生而激化，更隨着資本主義經濟發展而擴大。解決這個問題的主張和方法，也是應運而生，迭代併出。如馬爾薩斯的人口論，以人口增加的速度超過食物增加的速度，爲造成貧窮的基本原因；但就最近五十年歷史證明，不是人口過剩，而是生產過剩，馬氏的人口論，沒有事實的根據。約翰密爾以固定資本的增高，勝入流動資本，使勞動少流動資本增多，使減者失業；然而採用機器生產並不是失業的根源，機器紡織代替手工紡織，紡織廠雇傭的工人比手工紡織的工人更多；鐵路代替了人力車，而鐵路從業員的需要比人力車所用的工人倍增。馬克斯也主張貧窮多產說，以勞動人口的增加比可變資本增加的快，因之，造成失業者和貧窮者的增加；殊不知以現代資本積累的速度，生產過度之高，產兒的限制，勞動人口增加，斷不及可變資本增加之速。

很顯然的，現代資本主義經濟所以發生失業和貧窮人的根本原因，當由於所得不均等，企業獨佔化；國民所得，大相懸殊，富者越富，貧者愈貧，而且貧者愈多，社會財富集中於少數人手裏，依照凱因斯「就業通論」的理論說來，因所得的不均等，高額所得者佔社會全所得的大部分，而社會大衆佔全所得的小部分；社會大部分消費其所得的大部分，高額所得者只消費其所得較小的部分，大部分都儲蓄起來；於是社會全體消費傾向減少，儲蓄增多；如果儲蓄全部用作投資，則儲蓄不會引起失業。但誘致企業家的投資生產，並不決定於儲蓄的生源，而是依存於生產的消費品的需求；社會全體的邊際消費傾向既減少，即是消費品的需求減少，促成生產萎縮，減僱工人，便發生失業。另一方面，由於企業獨佔化，形成利潤獨佔，使中小企業受其抵制，更增加社會失業的因素，更造成所得的不均等。這是資本主義經濟的缺陷，造成了龐大的失業者和貧窮人的存在。我們要免於失業之自由，要免於匱乏之自由，必須針對病所以造成的原因投下對症的藥石，以解決貧窮人不是自由人的問題。

不僅是貧窮人的問題

熊彼達教授（Joseph A. Schumpeter）說過「資本主義的經濟有驚人的成就，但由於經濟上的成就，遂使從來維護它自己的社會制度，亦歸於破壞」。（見熊彼達著資本主義，社會主義與民主第二部，資本主義能繼續存在嗎？）這就是說，資本主義的本質，一面創造了社會經濟的進步，一面又創造了破壞它自己發展的基礎。一樣的道理，資本家的經濟自由創造了資本主義經濟的繁榮，也創造了束縛自己經濟自由發展的勢力，所以爲的爭取貧窮人的自由必須修正現在資本家的經濟自由，這不僅僅是拯救貧窮人而已。

貧窮人不能享有經濟自由，不僅僅是貧窮人的問題，也是全社會的經濟問題，因爲社會的生產，分配，消費，是構成一個整體的經濟秩序的循環，息息相關的機構，分配決定所得，由所得決定消費，由消費大小，決定有效需求的大小；有效需求的大小，影響於生產活動的大小和方向。反之，生產決定分配，因爲人們對於社會生產物的獲得，是依存於各人在生產所貢獻的大小，如此，生產，分配，消費三位一體的構成社會經濟活動。如果一方面有畸形發展的現象，失了均衡；必使其他兩方面受不良的影響。總之現在社會既有大羣的失業者和貧窮人的存在，即是有一大羣人無所得，既無所得，便影響有效需求之不足，社會的消費減少，生產品便無銷場，而企業家的生產事業，斷不能繁榮。所以今天如不實現免於失業之自由，即免於匱乏之自由，以解除現在經濟的矛盾；依然以消費自由和企業自由作爲經濟自由的內容是不合時代的要求，而且也不可能。

充分就業爲現代資本主義經濟的「生業」，人人能就業，人人能有所得，不受不公平競爭及獨佔勢力的壓迫，無飢寒之慮，而有安適之樂，增加社會的消費，維持生產的繁榮，沒有貧窮人和失業者的存在，也就沒有不自由人，這便是實現了時代所要求的經濟自由。如此資本家的經濟自由打了折扣，也堵塞俄帝一切欺騙窮人宣傳的空隙，只要一切從平，國民均得做到，必可達成。不過在經濟落後的國家，資本主義經濟還沒有發達到老熟的階段，不是以失業爲問題的中心，而是提高生活程度及着眼解決現實緊急問題，這是應該特別提到的。

經濟自由與財產私有

由於資本主義經濟的發展，社會資產集中於少數人手裏；由於社會資產集中于少數人手裏，使多數人不免於失業和貧乏，人所經濟的自由；現在要平均國民所得，以實現免於失業之自由和免於貧乏之自由，是不是財產私有與現代要求的經濟自由不併存？如果一切私有財產化爲公有，是不是有損於各個人的自由？這是值得研討的問題。

解答第一個問題，就要看私有財產發達的程度和作用而定。如上所說，資本主義經濟發達的結果，社會財富集中於少數人手裏，而且作了危害一般大衆經濟自由的工具，這種私有財富集中的制度和作用是應該修正的。然而在某種程度的私有財產是維護個人生活所必需，應該允許其私有。因爲修正了私有財產集中於少數人的流弊，較重大的生產手段已社會化了，即去掉了私有的害處，此外各人憑自己勞動的公平所得，或經營小規模產業，用作爲個人生活的支出，調和社會消費和生產的營運，不但不危害

自由主義的根據，是相信人性是善良的，且承認個人的價值，[illegible]與尊嚴，[illegible]經濟自由，更不能不[illegible]人格的價值，[illegible]私有財產[illegible]精神[illegible]自由，[illegible]危害[illegible]某種程度的私有財產，爲[illegible]自由的必要條件。

解答第二個問題，也就是私有財產化爲公有，是否有損於個人的自由？可以假定在一切公有的制度之下，一切由公家分配，生活先一全部受政府的控制，生活是一樣的機械化，沒有絲毫的彈性伸縮，失掉了自由，固然可以說，我們有麵包的自由，但是有自由的麵包，卻是假的自由，但要知道麵包而喪失自由，我們是不能解決問題的。況且一切私有財產都不能公有，也是辦不到的。現代社會主義者，也沒有方法廢除私有財產。在社會主義經濟之下，價格問題很難解決；如果廢止貨幣，以實物來計算價值，以共同的尺度來計算，各個生產物的計算，但不可能的；如以勞動時間計算，則過去的勞動是[illegible]勞動和現在的勞動不同，性質與如何計算？如不能廢除貨幣，就不能廢除私有財產，因爲貨幣最能夠作爲私有財產的工具。[illegible]（見[illegible]）[illegible]

[illegible]主義者[illegible]私有財產，[illegible]的改善，使每一個人[illegible]人的問題永不發生。

[illegible]

范登堡訪杜魯門

韓戰的談判，愈來愈到最後。聯軍司令李奇威飛到漢山，表示前途如何，正難預料。

美國參軍參謀主任范登堡，從華府飛往南方，會見在多宮避寒中的杜魯門。他們是否在準備韓戰的未來呢？

細菌彈的攻擊

中共對於聯軍施放細菌的攻擊，正日趨激烈。稱爲「中立國」的蘇聯報紙也在開始指責了。

在北韓冰天雪地之中，竟發現較蠅蚤蟲等細虫，原子時代的細菌彈，所施放竟是這種小虫。美國化學戰術的幼稚乃到如此。

然而這卻是鼓勵農民出身的士兵的最好宣傳。

蘇聯官員例外

爲了準備未來的戰爭，蘇聯正把其工業設備東移到中亞。

爲防止消息的洩漏，蘇聯限制各國外交官，不得遠離莫斯科。

英美等大西洋聯盟國家，宣佈實施報復的行動。但是蘇聯在聯合國的官員，據說是例外。

聯合國的總部在紐約，這樣還似限制而非限制。

我看到了蘇聯爲什麼反對聯合國在其國內召集會議？

希特拉兄弟

捷克共黨總書記斯蘭斯基，自去冬被清除以來，解到莫斯科去受審，現在又送回捷京大審，牽連了許多黨國要人。

罪狀是托洛斯基的猶太主義，陰謀推翻政府，因爲史蘭斯基是猶太人。

希特拉排猶，現在史大林也排猶，他們原是訂立德蘇協定的一對孿生兄弟呢。

和平的預算

杜魯門總統在國會提出空前未有的大預算八百五十億。其中軍費佔六百四十億元。

目前對於七十九億的外援經費，議會正堅主削減。

蘇聯的大預算一一九二億二千五百萬元，其中軍費佔二百八十億四千五百萬，已在最高蘇維埃得到通過。

據說這是和平的預算。

工黨的和平論

英國保守黨政府的預算，也在討論中（軍費約五億鎊）工黨提出建軍計劃的修正案，不得成立，而其左派則根本反對此舉，於是造成內部的分裂。

英國的工黨將刺激蘇聯的從事戰爭。這是左派的理論。

在第一次大戰以後，我們曾有過工黨的和平論，主張裁軍。結果希特拉得勢，英國軍備落後，張伯倫只好姑息退讓。

想不到三十年後還有同樣的意見。

法郎的人才

法國的總統內閣因軍事經費問題而倒塌，法郎一時陷於危殆。

當諾想設法組織舉國一致內閣不成。

畢奈的挽救法郎內閣，雖得通過，但前途如何，卻是謎言。

多事的法內閣，已到了名醫束手的地步，於是如福爾與畢奈，便以變化回任大將。

像普恩加萊穩定法郎的人才，現在竟不能再現，這是法蘭西的悲哀。

不知鹿死誰手

美國的總統選舉已在開始。

三月十一日紐罕厦的推選總統候選人非選舉代表是其第一幕。

共和黨的候選人艾森豪，與斯塔生，正不知鹿死誰手。

民主黨的杜魯門尚在沉機觀變。

照例從三月的開始可以想見七月大會的結果。

美國民主黨二十年的統治，其難免於變化乎？

樓明

反攻前的兩個準備

自從美國朝野接二連三地高呼解除台灣中立之後，已引起了舉世人士的矚目。若干觀察家相信美國對遠東局勢之部署，將有急劇的轉變。而台灣自由中國，亦即將有所行動。這一行動，無疑的就是反攻大陸，推翻暴政。但是，在反攻大陸的前提下，我們究應如何配合此有利局勢，以解救四億五千萬同胞脫離苦海，此實爲台灣當局最注意的一件事。

在本刊一〇三期任卓宣先生那篇「反攻的前提和條件」，說得非常的透澈，而其所列各點，在政府方面，是應該有所警惕的。可是在反攻開始前的工作準備，當然是經緯萬端，但首先最重要的問題，應爲健全人事及培養新的青年幹部爲主旨，庶幾才能負起反攻復國的偉大使命。

然而，在目前已臨反攻的前夕，我政府當局面對着這個嚴重的主要問題，究竟已準備到甚麼的程度呢？我們試看，留在港澳的忠貞的難胞，有不少是過去[illegible]，而是志節忠堅爲黨國服務的公務人員，有不少的軍中幹部，已把當年的壯志雄心，消磨在流浪的生涯中，眞令人辛酸苦辣。如今因國際情勢之樂觀所趨，我們自由中國反攻大陸的行動，已如箭在弦上。因此，我們這些留在港澳的難胞，在政府能夠在此時儲備大批人才，盡量登記，用設班訓練，以便於收復大陸以後的建設，更大量的青年，於以收復大陸後的建國工作。我們認爲政府收復大陸以後的基層幹部，更爲加倍的艱辛，是當局所不能忽略的。

其次，國軍一旦反攻，中共匪黨對各大城市的建設，必然大肆破壞；在大陸上的人民財產，也必遭受中共的搜括，而一般人民的亦要到了窮困的地步。所以那時，政府必需要有一個救濟與復興的計劃，配合軍事上的進展。

以上兩點，我政府必須切切實實地去幹，然後才不致重犯過去的錯誤。（于幼誠）

五反帶來空前紊亂
共幹本身手腳不淨
怠工曠工市場蕭條
共黨準備偃旗息鼓

【本報綜合報導】：中共的「三反」和「五反」，近一週來已接近尾聲，一方面是中共所準備勒索的工商業者，已被中共搞到焦頭爛額，而另一方面，則係公私廠礦企業，都陷入停頓狀態，破壞活動正普遍發生，如果不能及時制止其蔓延，將令其整個經濟由局部癱瘓而進入全面崩潰。

據鄧子恢在「中南軍政委員會」第七十三次行政會議上的報告：自「三反」「五反」推行以來，市場上已「呈現某些不正常的蕭條現象」，各企業機關日常業務，更陷於停滯，「該加工者不加，該定貨者不定，該採購運銷者亦不進行，因而引起社會經濟的蕭條」。三月一日上海「工商局」召集私營工業代表座談，據該工業同業公會代表報告該業情形時，曾坦率指出「其全業會員廠二十五家，已有七家至九家停工，一月下半月只有二、三家發工資，伙食一般都成問題」。（三月四日上海解放日報）據中共上海「工商局副局長」蔡北華的報告：「目前一般資本家對自己企業的困難，都抱着觀望和不負責任的態度，故意停工，停發工資，抗繳所得稅，停止供給工人伙食，挑撥工人和人民政府及國營企業間的關係」。並認為這一情形已趨入「嚴重狀態」。

除了私營企業的消沉停頓外，國營企業由於一般幹部，本身「手腳不淨」，大多以消極怠工的態度來應付業務。尤其中共「反下」不「反上」的作風，更令下級幹部怨氣沸騰。據中共中央「東北局」的通報，各企業均發生減產和質量下降以及事故增多現象。例如東北「工業部」系統各廠礦，一月份四十九種產品中，有二十九種沒有完成任務。遼西省營陶磁工廠一月份產量品質下降百分之五十，錦西化工廠力化業車間，一月份由於原料供應不上，停工數次，另一車間，由於檢修制度鬆懈，發生事故二十餘次（二月廿四日人民日報）。西北方面亦發生同樣情形。據三月二日「新華社」報導：西北某煤油廠在一月內，曾先後發生事故十九次，一月份產品僅完成任務百分之八十七點三。華北方面的情形更為嚴重，據「天津日報」報導，華北紡織管理局所屬第一廠，因工人缺勤率增加，一月份布機停台達一萬多「台時」，公營工業管理局所屬十六個單位，四十餘廠中，一月份只有三個廠的全部產品完成計劃，恒大麵粉廠機器大軸，連壞三次，絲廠曾停工三天。在貿易部門的業務上，則表現為採購和推銷工作的遲緩，百貨公司，花紗布公司等一月份的滯貨與銷貨計劃大多未能完成。

上述的情形，多屬於曠工及怠工，乃對中共「三反」及「五反」的消極抵抗，至於積極從事破壞的行動，亦在普遍發展中。根據三月七日中共「長江日報」的報導，據其各地通訊員的反映，破壞事件正層出不窮。如國營萍鄉煤礦的王家源煤礦，二月十五到二十四日的幾天中，曾經連續發生井下關風三次，和在井口學習室火爐底下發現放炮雷管事件。據中共事後的調查，關風事件，乃職工中的「反動份子」企圖使井下閉氣而引起爆炸。而二月廿四日井口學習室火爐底的雷管，其目的在炸死參加「學習」的百多共幹。

武漢油廠從二月廿四至廿八日的五天內，曾先後在廠房、職工宿舍、廚房內發生失火等事故七次之多。二月二十四日晚十時半，由頂棚樓上到衣車絞下兩梁火，二十七日深夜又起火，廿八日再起火，這些事故，據說都是一種「有計劃的破壞活動」。不但大大影響生產，一般職工情緒亦呈現慌張狀態。

此外，在農村方面，亦普遍發生「抓住三反、放鬆生產」的傾向。領導階級認為「三反是緊急任務，生產是經常任務」、「生產放鬆不會出大問題」。區以下共幹，更產生了「等待三反，無心生產」的現象。有關的幹部則坐等換班，使農村生產陷於停頓。如浙江台州臨海縣大田區區委書記范家武，過去工作極為「積極」，現在整天在家裏寫「坦白書」，無心再幹生產。該區塘頭鄉黨□頭村村幹張震秋表示：「家中生產不要緊，只要把村裏工作做好，三反中鬥不到我就行了」。其餘的幹部，為了怕犯錯誤，工作也不敢再負責，而農民羣衆中，受城市「五反」的影響，「生產到頂」與「想生產怕露富」的思想普遍發生。如浙江鎮海一帶，許多農民都不敢訂購肥料，農具壞了亦不敢添置和修理，怕因此「露富」並增加負担，（見三月一日上海解放日報）。

這一連串的現象，顯示在「三反」及「五反」之下，大陸上整個的經濟結構，均受到嚴重的創傷，呈現不僅生產遭到空前的紊亂，而一般的企業精神和生產情緒，更因此一掃而光。這是中共經濟危機深刻化的徵兆，且看他能搬出些什麼新法寶，來克復這一新危機！（思遠）

中共緊急徵兵一百萬
分四區辦理東北另徵念萬
廣東攤十萬五千請減不准

根據一個曾經參與中共機要現已覺醒逃出鐵幕秘密來港之有資格人士談：中共「志願」參加韓戰後，轉瞬經年，雖一再抽調二、三、四、野精銳，開往朝鮮，作孤注之一擲，然猶勢難挽，傷亡慘重。自美國「將戰停滯往中歐大陸」之口號喊出後，毛澤東為應付國際新形勢，是懼國軍反攻大陸，近經最高幹部緊急商討決定，自三月一日起，全國分四區征兵一百萬名。（東北因早已自成一單位，不包括在四區以內，另由偽主席高崗征兵二十萬名，）此項命令已由偽中央於二月下旬密電偽中南軍區司令員林彪，偽西南軍區司令員劉伯承，偽西北軍區司令員彭德懷，偽華東軍區政委會主席饒漱石遵辦。（除東北外，中共劃全國為四個軍區，中南，西南，西北三軍區司令員均兼任偽軍政委會主席，華東區陳毅例外。其原因：（一）陳黨性不強，（二）陳黨齡不夠，（三）「國際派」劉少奇等排陳甚力，（四）毛澤東對陳信任差。）

關於此項「緊急征兵」名額，係按各省人口密度以及民性民情而定。如屬於中南軍區之廣東、廣西、湖南三省，及屬於西南軍區之四川省，民性民情均習於當兵，並以此為職業，故部征額較他區為多。以廣東省為例，派征兵額為十萬五千名，偽主席葉劍英奉命後，已轉飭粵東，粵中，珠江，西江，粵南，瓊崖等各偽專區分配，遣「得力幹部」趕往督促，俾最短期間能完成其「光榮任務」。

偽粵省府在「配額」方面決定：偽珠江專署轄下之中山，番禺，南海，花縣，東莞，寶安，順德，三水等八縣，征二萬八千名。偽粵中專署下轄之台山，恩平，開平，赤溪，新會，鶴山等六縣及江門市，征一萬六千名。其他縣份平均每一大縣為三至四千名，中山等縣二至三千名，小縣則不得少於一千名。以十萬五千名總額計，每一鄉鎮約征壯丁卅名至四十五名不等。各縣以征額太大，曾要求核減，但均被批駁。現中山，順德，番禺，南海等縣，已由偽縣府硬性規定某區若干，某鄉若干，某鎮若干，不得短少。各區鄉鎮偽農會已澈底管制適齡壯丁，一律停發路條，以免彼等向鄰近港澳地區逃役。近來共軍在港澳邊境所設之檢查站，對過站旅客，檢查綦嚴，以防壯丁偷渡。

又各縣共幹現根據當前情勢，經與偽區署負責人商決，對於派征兵額，准半數以在押之「嫌疑犯」撥補。故各偽區縣自「鎮壓反動」迄今，被指為「國特」，「惡霸」，「匪特」，「地主」之「罪犯」為數頗多，以此等人犯撥補，即無異寬佈伊等之死刑，另半數則仍維持攤派性質，由各區保甲征出。此項「緊急征兵」，仍冠有「志願」字樣，廣東方面規定每一志願兵家屬可一次領回「安家費」穀谷一千市斤，就地攤派，交由偽區署統收統支，但實際絕拿不到。犯人參軍者，家屬則顆粒皆無，以是各地共幹均乘此千載難逢之機會，濫捕人犯，大刮民脂民膏，惡風所及，民無噍類。（天民）

立體戰演習成功

【香港自】七日起舉行了一週六天的陸、海、空立體戰爭演習，由艾黎總司令親任總指揮。

這一次的演習，有兩樣事情是和往日不同的。第一，此次正式調陸軍由星嘉坡空運來港，一共飛來的英軍計有×營，其時遠方面，都已超過了上級的規定，已證明提先完成任務。空運陸軍的演習，是這一次主要課題之一。第二，陸軍在大嶼島登陸演習，這一次的登陸，是由航空母艦，獨角獸及二艘巡洋艦，二艘炮艦擔任掩護，並以砲兵殿陣。「獨角獸」泊林馬島海面，登陸演習成績據軍方發表異常良好。這個登陸演習，過去從未舉行過，這也是此次重要課題之一。從登陸演習裏及空運陸軍兩項課題，大致可以看出未來英軍之戰略。這個戰略的措施，顯然與太平洋時代迥然不同，現在的重心，全在新界和新界的洋面。有人傳說台北美顧問團派了二名軍官來「觀戰」，英方沒有承認這件事。

港五二—三年預算

一九五二年至五三年，香港立法局預算本年度之稅收為六五，一六二，二〇〇元，香港人口二百三十萬人中，平均每人每年須納稅一百二十元，較之三十年前每人每年納稅二十六元，實不可以道里計。香港人已深深感到肩上的荷担比從前重多了。但三十年前的治安和現在的治安是完全不同，現在單在治安上便要佔到二千八百萬元，這是屬於警務預算三千零五十萬元中一筆最大的支出。然而在防務上面英國人也真的在做事。邊界的鐵絲網和許多小堡壘都需增築開支。

救濟流亡知識份子

美國教會熱心人士所組織之「救濟中國流亡知識份子協會」已選定香港上亞厘諾道聖工會迎賓館辦理，日來前往登記者，大有山陰道上應接不暇之勢。據該會負責人表示現在第一步先填表格，然後該會乃根據表格，審慎調查。至於救濟辦法，俟美國總會決定。但原則上已決定決不採用施捨的消極救濟，而主張用工作報酬的積極救濟。據說將來工作的地點，亦不限於香港。第二批領取表格的日期為本月十七日。外傳將限止登記一說，該會否認完全不確。

香港最大的水池

香港最大的水池——大欖涌水塘初步建築工程已大致完成。直通水塘之新公路，由青山道大欖涌欄左側為起點，伸向水塘工地。全路上千呎以上。這個水池一部份的經費是利用日虜賠償的，但香港居民曾一度反對過，雖然這個水塘可以世世代代供後人用之不盡，取之不竭。全部工程希望於一九五四年趕完。這個水塘可算遠東方面最大的一個水塘。

日本當前的需要

泰國工商部長乃素吉十一日出日本考察工業，歷一月經港返曼谷。他說日本戰後的工業已完全走上正軌，農業方面，日本本身的出產，仍未能自足，此乃日本一貫之缺憾。他這一次到日本，已和日本商訂技術合作，由日本會出技術人員，開發泰國天然資源竹木，棉花等。特別棉花一項為日本當前最大之需要，美棉雖仍源源運日，但價格尚於泰棉。乃素吉經台北時，原先計劃在台北停留，俾能考察台灣之工商業，旋以行程匆匆，臨時打銷。

雙方存觀望態度

美前駐土耳其大使衛斯華芝十三日遊港兩日，乘機赴東京，行前向記者發稱：在這個國際局勢動盪的一剎那，批判當前之局勢，委實不易，形勢險惡，反容易得清楚，最困難便是現在雙方都在觀望態度。關於土希兩國加入大西洋同盟，他說：「這是國際政治的自然態度，順水推舟，本不足為奇。」希土之加入同盟，在人力方面，給予艾森豪威爾一枝生力軍。衛氏前曾出使南斯拉夫大使（一九四七年）。最近方於駐土大使任內退休。（一戍）

白刃寫「戰鬥到明天」小說
忠實地暴露出共黨的陰暗面

【北平通訊】「戰鬥到明天」這本書，是偽中南軍區政治部白刃去年春出版的，原著者叫白刃，是該部的一個「老幹」，有部隊經驗，有熟練技巧，他的作品，在部隊中很有影響力。小說寫的是抗日戰爭期間，從民國三十一年到日本投降止，八路軍一一五師一部在蘇魯南活動的一些實際情形。書中的主角是這支部隊政治部宣傳科的三五個人，他們都是中共所認為「小資產階級」出身的知識階級份子。他們後來當了「通指」，做了「忠實的革命幹部」。其間因穿插了一件男女之間的羅曼史，同中共活動的實際困難情形，寫來委婉曲折，情景逼真，所謂「中南軍區」的「戰士」，十九都人手一冊。

由於書銷得太多（最低估計不會少於一百萬部），引起「七一」注意來研究本書的內容了。據說撤文章登在人民日報上寫的批判是：「戰鬥到明天」的錯誤和缺點，非常嚴重。它大量散佈小資產階級低級的趣味，對於工農兵都缺乏教育意義，而且有很大的毒害。」

所謂「毒害」在那裏呢，就是忠實報導中共的「陰暗面」太多。

我曾經費了一整天時間，平心靜氣地看完了這一本書，它說：「在當時，魯南（包括渤海，濱海，膠東，魯中，魯西等地區），中共部隊的散漫、落後、不夠強大，時常受到敵人的襲擊、進攻；時常轉移、失敗，而且失敗得很狼狽」。它又說：「這些知識份子經過了不少鍛鍊而分化、墮落、後退；失敗的不去管他，成功的十九是出於他們頑強堅決的天性。」這樣一寫，確實是把中共「鬼變成人」的騙人說法拆穿了。

在這本書的好多「高潮」裏，作者對幹部的確是有點「不大客氣」，例如這書中的宣傳科「科長」王川，就是今日橫行大陸的共幹一面照妖鏡：「王是貧農出身，長征老幹，雖然「在黨的教育下進步很快」，但在實際行動上卻表現得太慢了。他這個根本不懂文藝，文化水準太低，十足的土包子，演起戲來，台詞總是咬不清，（祗有他一個人懂，）唱起歌來好像驢子叫，兩條仙鶴腿，又不適宜跳舞，讓他出台，等於叫大家出醜。結果，祗好請他拉拉幕布，扛扛搭台子的木棒，即使出場，也不過是作一些打雜工作，跑跑龍套。」所謂軍事領導幹部是如此，一般「戰士」更洋相百出，「我們的後方醫院院長是有名的「閻王爺」，對傷病兵員向來是不聞不問的，有一天，一個傷眼傷員背了一個無腳的傷員到老百姓家去偷採杏子，給「閻王爺」看到，把他倆罵了一頓，後來，這兩個人怕被處罰，自殺了。由於這一事件的發生，使人心大大不穩，結果還是依靠知識份子沙非（書中男主角）在黨的組織以外成立一個「進步會」才把醫院整頓好。這還了得，在黨以外還有組織，這不是對「黨的領導」「發生了動搖」，而且知識份子這樣優越能幹，與負傷「戰士」的愚蠢粗暴和毫無紀律，在共產八股中，是絕對不許存在的。這樣一寫，當然又是「侮辱了人民」。在敘述「天門頂」一戰中，作者又刺痛了「人民」，他說：「在雨雪中行軍，二百多個宣傳與鼓動員，個個都不起作用，喊起了這個，躺下了那個，機關槍一響，都本能地倒下來，身體緊貼着地面。」「在農民生活極端困難的時候，部隊還是破壞，搶取，只顧自己，不顧人民。」「由於飢餓，一切工作都停止了，成天只等吹開飯哨子」，這還不又把共產黨員和「人民戰士」的「品質」貶到一文不值。在提到「皖南事件」時，作者不知是有意還是無意，在正文和注解中都用「殲滅」我軍多少人。有好多地方，更用了「一舉而殲滅一萬人」。這無怪乎中共頭目看得心驚肉跳，認為「荒謬絕倫」，「立場全失」了。

這本書，不談「立場」是相當忠實的，其受人歡迎，尤其是中共士兵，當然是由於它的人情味與真實感，可是在中共的統治下，不歌功頌德，就是「反動」，這本書的被「檢討」不過是一個開端。（蘧光。二月二十九日寄）

自由談

附議與建議

·尚方·

台灣高雄市議會有位女議員，提議徵收「納妾稅」，凡娶姨太太者，一律課以重稅，庶可稍戢不良風俗云。我沒有看到她的提案內容，不知其所主張的納妾稅則，是如何規定的？有不有等差？但對於她這項提議，却要賦歸：「主席，我附議！」

中國的法律政制，若就條文規章看來，其文明進步的程度，實駕凌「美帝」「英帝」而上之，確是無懈可擊。例如重婚納妾一事，刑法上是明文，違者處三年有期徒刑，何等嚴峻！然納妾者，滔滔皆是也。國破家亡渾不管，有錢便玩如夫人，法官縱是包公面，告訴無人你敢論？如是乎，妾婦之道大行矣。與其掩耳盜鈴，大家假裝正經，倒不如公開課稅，寓禁於征，比較還符合天理人情與國法，高雄市議員的主張，可謂實事求是也。

同樣理由，聯想到禁賭問題，據說：台灣各地都已嚴厲的禁賭，市面上決不許有麻將撲克牌這類賭具販賣，海關查得這類品物即視爲違禁非法而沒收之，可謂禁令森嚴矣。然而，社會上眞的沒有人打麻將玩撲克了麼？恐怕不見得吧！如果表面像煞有介事，內容却到處不聞人語，但聞雀撲之聲，那算是怎麼回事？要禁就硬禁，表裏如一。否則何如「寓禁於征」，實行課稅之爲愈！若說節約正俗，我看烟酒之爲害，似不亞於麻將撲克，何以烟酒就能納稅而大吸大喝呢？在「美帝」「英帝」的社會中，從來未聞有不許玩撲克的禁令，然人家却能發明原子能哩！

僞君子與眞小人擺在面前，我最討厭的乃是那言行兩極化的僞君子！

三十八個丈夫的女販

「解放」後的廣州，像下面的故事，已經算不得新聞了，不過，在別處的人世間聽起來，却是「妙聞」。

西關寶華路有一個十七歲叫梁X的女孩子，賣大豆芽菜的，人人都叫她大妹。未解放前還是黃毛丫頭，自從換上五星旗，共幹鼓勵女人們先從性的解放做起，提倡所謂「一杯水」運動。於是乎，兩年來，多多少少女人們，公然脫離舊的丈夫，換過新的男人。無數的大姑娘，弄大了肚皮，沾了一身花柳病，人民政府說：「女人翻身」了，把鬼變成人！

大妹耳濡目染，也因爲每天街頭巷尾接觸的男人多，打情罵俏，到了今年竟把肚皮解放得日漸膨脹！

本來是意料中的事，別人的諷嘲也不必在意，不過，一來肚皮大起來會影響到不能做生意，生活成問題。二來，這樣爛污賬，應該指定由那一位對手負責纔對呢？

在男人們都支支吾吾避不見面之後，大妹不免慌張起來，經過一些三姑六婆，婦聯會，女共幹們的指導，祇好跑到人民公安局請求判斷，指定一個應該負責的負責人。

他首先指出了四個曾經發生過關係的，都是人民戰士。公安局的辦事人，聽到了比她更感到煩惱，考慮了一下，反問她道：

「他們和你發生性關係，你曾否接受過他們的鈔票」？

大妹搖一搖頭。

「那麼你怎會認識他們而「變」起來呢」？

大妹仍然說不出所以然，所能講述的，僅僅是這幾個男人和她調弄得有趣，便隨從他們的擺佈。顯然，並沒有賣淫的情事。

公安局祇好按名找了這幾個戰士來調解，希望他們之中，能夠，有一個能發大力設服依照新婚姻法，接收這個性解放的破鞋女人。

事情愈弄愈複雜，這幾位解放英雄不獨不肯接受，而且還有證有據的牽連出和她有過關係的張三李四等等，竟達十幾人。辦事人再向大妹旁敲側擊，果然逐個問出，她能講出姓名綽號的，列在紙上，足足有三十八名。當然說不出名字的還有一些！

濟濟一堂，這裏面除了共幹、戰士之外，有小販，有茶樓的廚司，有店舖的夥計，也有理髮店的司務，……他們同樣的坦白承認，確曾和大妹有過一兩次關係。

人民警察對於案件的評斷，隨興之所至，是不必有法律根據的，終他想出了認爲最合理的方法：馬上按着名單把另外卅四個男人都召集了來，

辦事員預備了卅八根火柴，聲明誰拈着沒有頭的一根，誰就應該背起這個包袱。這一班靴兒靴弟，在不得已情形之下，祇好像被逼志願參軍的一樣，去賭一賭命運。

結果，由一個理髮匠抽中了這根「討一送一」的頭獎。不過事情還不能了結，因爲大妹纔十七歲，照新婚姻法，未到十八歲還未到合法年齡，雖然懷了孕，人民政府仍然不能任由她結婚。算一算，還要過一年零三個月，纔能讓理髮匠把這個包袱扛回去應用。

辦事員又運用他新的腦筋發了靈感，想出一個辦法，最後決定：從判決那天起，每一個男人，輪流負担她一天的生活費，人民幣三千元，還按名單替他們編定號碼，一直輪到大妹能結婚的那一天爲止。其後，除「理髮匠」，誰都無有負担生活費的義務，而不得再享受權利。好在數目不大，卅八位同志都肯答應。

據說：這也算是把鬼變成人的政績。不少廣州人暗地却研究起來，倒底大妹當初怎麼會由黃毛丫頭變成鬼呢？（玲匡）

邱吉爾的葫蘆

·夫石·

讓敵人去猜

猜

論魯達（七）

——水滸人物論之七——

·舜生·

智深把劉太公這件事辦完以後，又被李忠周通兩個留在山上住了幾天，兩個原勸他就在這裏落草，但智深看這兩人作事慳吝，難與相處，推說已經出家，不願幹這勾當，即日便須投東京大相國寺去。李周見留他不住，便吩咐殺豬宰羊，備了一席，爲智深餞行，滿桌上都是金銀酒器，正待入席飲酒，小嘍囉報說山下來了一批生意，兩人乃匆匆告別，帶着衆人下山，並說今日所得財物，即與哥哥送行。智深見他們放着現有金銀不送，却要臨時前去打刼，實在太不慷慨，只喝得兩杯，便把兩個侍酒的嘍囉打翻，綑在一處，把所有桌上金銀酒器向地下一擄，用脚踏匾，藏在包裹裏面，提了禪杖和戒刀，便從山後一個草坡，滾將下去，走了。

智深下桃花山以後，還有火燒瓦官寺，打死生鐵佛崔道成和飛天藥叉邱小乙，並無意中和史進再見的一段故事，我在寫『水滸傳上的一羣和尚』的一篇上，已經提過，（見中聲晚報）此處便不再述。却說智深一日到達東京，問明大相國寺所在，便拿着智眞長老書信，拜見了智清禪師，清長老把書信看過，知道智深係軍官出身，因爲殺了人，剃度在五台山出家，以兩番酒後，把一座文殊院鬧得不成樣子，師兄智眞長老，才不得已把他介紹到這裏；一看智深模樣，又生得十分凶惡，心下好生不然；可是既已來了，而智眞又叮囑不可推却，於是清長老乃與執事僧衆商量，把智深安頓在酸棗門外寺裏所有的一座菜園裏做一名菜頭。

『水滸傳』作者寫梁山泊許多大人物，自然十分賣力，便夾寫許多小人物，如被林冲打倒的那位洪教頭，被楊志殺掉的那個潑皮牛二，閻婆惜的母親閻婆，瞞西門慶的王乾娘，金翠蓮的父親金老二，潘巧雲的父親潘公，以及被閻婆打過的唐牛兒，帶武大去捉奸的鄆哥等等，也往往如頰上添毫，各能表現其個性。在這裏我們便要一提在大相國寺菜園搗亂的這一羣破落戶。

原來智深管的這片菜園，起先是由一個老和尚管着的，附近有二十來個破落戶，再加上營裏一班軍健們，隨時都來騷擾，偷去菜蔬不用說，還縱放羊馬，踐踏閙地，老和尚實在管不下。現在這羣爲頭的一個叫過街老鼠張三，一個叫青草蛇李四，他們聽說新來了一個菜頭，便集合了他們一班夥伴，想給這位新來的和尚一個下馬威，假作接風，實際想把智深擁入糞窖，看看他們的顏色。智深在寺裏，原已經過關照，知道有這樣一羣傢伙，且現在看見他們結隊而來，而兩個爲頭的跪在糞窖前面，不肯起身，想賺智深前去扶起他們，他們便好一齊動手，智深看出他們這種用意，因大步上前，把右脚一騰，李四已踢下窖去；再用左脚一踢，張三也隨同滾下。（八〇）

萬竹樓隨筆（八〇）

從鬥窮想到鬥富

·意雲·

鬥富之舉，代有其事。唐明皇時，貴妃楊玉環方擅寵幸，從兄國忠爲丞相，三姊氏封秦國、虢國、韓國夫人。清明上巳，每同往曲江遊宴。昧爽，五家齊出。車馬駢闐，晡時始畢。五家人各衣一色衣，以相炫耀。鮮衣五隊，照耀路衢。此雖非五家互鬥，但實同出其豪富，而偏鬥國人也。

晉時石崇富甲全國，駙馬王愷與鬥靡不勝，乞援於長公主，得長三尺許紅珊瑚一枝，以示石崇。崇以鐵如意擊之，碎。愷大恚怒。崇隨出珊瑚數十枝，有高至六七尺者，愷遂懾服。

明太祖定都南京後，時南京人沈萬三亦富可敵國。一日，太祖與沈萬三約修水西門路，萬三先太祖三日而成。太祖忌而欲殺之，其賦詩中有一絕云：『百姓未起朕先起，百姓已睡朕未睡，何不如城南老富翁，日高三丈猶擁被。』即自嘆其不如萬三也。

履園叢話載：康熙初，有陽山朱鳴虞者，富甲三吳，尋遷居蘇州城內申衙前。其左鄰有吳三桂侍衛趙某者，混名趙蝦，豪橫無比。常與朱鬥富。凡優伶之遊朱門者，趙必羅致之。一日，時屆端陽，若輩先赴趙賀節，即將以朱，飲酒皆留，即量。趙銀盃自小至大，羅列於前。謂諸人曰：『諸君將往朱氏，吾不強留，請各自取，否飲而去，何如？』諸人各取小者立飲。笑曰：『此令人暗記。』此酒是運盃贈送者。朱』其播弄人如此。數嘗於元宵，懸珠燈十盞於門。趙見之，碎，愧無以匹。命家人之，朱不敢與較。顯吏部於雅閣之設計，以重幣邀請吳三桂婿王永康來讌飲。席散遊閣，王燈於側。王問曰：『何碎不可惜此珠燈？』朱曰：『此左鄰趙蝦所爲。因平西之人，未敢較也。』

衣。後黃某已歷換各色鮮衣，而歸訝對門之桂某，雖亦更衣不輟，但始終爲黑色者。心竊笑之，以爲桂某只備黑色一種也。久之，桂某不改其色。怪而探之，始知桂某一生嗜衣成癖，衣多如山積，只黑色一種者，即十餘箱，其餘各色者皆稱之是多。黃始嘆服。繼而二人又相約於每日赴院時，各裝鮮衣。二人乃按所長，院後，兩家從人亦隨往。伺一日之晡午，天氣之涼暄，配合花色，以供其主人。初時尙不窮，更換五衣。某日某衣，而時不時換，以珠紗爲裏。實時江南八月，所謂正暑後，時機寒，『二八月，亂穿衣』之時。桂某別出心裁，縝工設計，以紗緞著，薄羔襲衣。既新奇，又巧合時令。貨無以爲匹，復更愧謝。一時遂成風氣，南京官場，羣披實地紗內襯細羔之袍褂，實二千爲之倡也。

總上鬥富數事，雖窺兒劣習，不足爲訓。然飽暖始生淫侈，方可反映民生之一斑，仍堪爲太平之點綴。反觀大陸寒傖處處，只可於此鬥窮之點綴小康，彼時覺得遜色，又於此。

猶憶抗戰時，西遷入蜀。與胡小石先生同聽歌娘之鼓詞，胡賦詩有『桑海徵歌不辭遠，曲中猶有太平聲』之句，再三致慨於『今不如昔』！今寫茲篇，益觸前恨，安得率此五億之哀鴻，同返於太平鬥富之年也？噫！

豪門系統的周恩來

·洪舫·

人們都說周恩來是浙江省的紹興人，其實他是滿口「這塊」「拉塊」的一套江北官腔。他和他的父親伯叔，都是出身在江蘇省江北的淮安縣。那個地方在前淸時，人都稱爲淮城。凡前淸辦理漕運及鹽務的官們，一到了養老退居，要是不住揚州的話，就是住在淮安和淸江浦。淸江浦就是沿着運河北面的淮陰縣，這個城市，在津浦鐵路未築以前，是南北水運必由之道。尤其揚州和淸江浦，因爲上述漕運鹽務各衙門所在地，從前這種城市的官僚階級，因爲尙有上下五相間的纏綿關係，以此而落籍在那兒的，相當的多。周恩來的祖父，父親和他自己，也出生在那個淮城，也就是這個原因。

說到周恩來的家世，他們的世代主子，就是前淸北洋大臣楊士驤這一家。楊家原是安徽的泗州籍，也因爲在淮城做過官，所以落籍在那兒，成了那兒的豪門，享受着豐衣足食的生活。楊門系統下的家兵家將，也都跟着他們舒舒服服的在那兒度着驕橫的生活。

周恩來的祖父，就是管理楊家名下百餘頃田地，經租賬房，長期幫着楊家在那兒搜括農民，他是楊門的貳要奴才之一。

到了周恩來的父親時期，楊士驤和他的阿弟楊士奇，都成了滿淸的大官。周的父親周調子，曾充錢穀師爺。後來他在楊家主子的介紹下，作了漕運總督陳夔龍的文案。後來陳被調河南巡撫，兩湖總督，直隸總督，周調子相繼充任文案。陳去直隸總督時，保薦爲定州知州。周的伯父周立子，在他們主子的楊士驤，做北洋大臣時，做過文案。他的叔父周詢子，也在楊門充任過文案之類的職務。民國時代，楊士奇充任袁世凱下面的交通部長等職，周的父親一直是楊的入幕之賓。洪憲皇帝崩亡，他又搖身一變而爲江蘇督軍李純的祕書長。周恩來之所以能夠由小學，而中學，而大學，出國留學，就是這一個豪門系統的便利關係。

論周恩來的門第而論，是百分之百的豪門系統的世家，要是以做過楊家百餘頃地的經租管家的身份來說，那是逃不了當楊家剝削農民，而做劊子手的罪名。照大陸上近年的赤色淸算目標看，像周家任何的經歷，全家任何人，都跑不了，像酷的淸算。周恩來的先人，不算惟要從墳墓裏翻出來，實行鞭屍，以示報復。這些子孫，仍然活着的周姓子孫，也應全部加以淸算，以贖兒罪名，交由農民們去抽筋剝皮呢。

·讀者來函·

我怎樣看自由人

說起來還已是三個月以前的事情，我由寶島的一角，一個極荒僻的地方調至台北服務，在這裏却意外的接交了一個新的朋友——自由人。它不但指示我多方面的知識；同時更將大陸上共匪的像無人道的獸行，以及人民被魚肉可憐的情形，詳詳細細的告訴給我。它有一般報紙上所沒有的消息，它有一般雜誌上所少有的言論，它給我的影響實不愧是「言論公正，報導正確，」而且又是享有「時論權威」的一種第一流刊物。

自由人，我並沒有拜讀過它的所謂創刊號的「創刊詞」或「編後語」一類的文章；不過顧名思義，自由人是一個什麼樣的刊物，我們就不難知道一個梗概。它滙合全中國愛好自由的名報人名政論家來辛勤的培養，這個別開生面的刊物，他們站的立場是民主自由的反共立場，他們敢說人家所不敢說的話，他們能報導大陸上人家無從獲取的消息，他們反共抗俄，是根據事實作理論上的分析；而不是流於八股似的叫罵。他們對於政府的，是善意的合理的建議，而不是惡意的無理的誹謗。它是反共抗俄隊伍中的一個強有力的戰士，它也是運籌帷幄中勳業彪炳的一個功臣。

總之自由人是集所有報紙雜誌的優點之大成，如說稍有缺憾的話，那就是篇幅上稍嫌小點，使人有「精而太少」的感覺。自由人我是愛惜它的，珍重它的，這裏我不願意多佔它寶貴的篇幅，它的好處，請讀者諸君去慢慢的發覺領悟吧！（耿自修三月七日寄自台北）

自由人

THE FREEMAN
（半週刊每星期三六出版）
（第一〇九期）
每份港幣壹毫
督印人：李光華
社址
香港高士打道六六號
電話：二〇八四八
GLOUCESTER RD.
HONGKONG
TEL: 20848
承印者：東南印務出版社
地址：高士打道六四號
台灣總經銷處
台北市中華路一二五九號

港失業工人救濟問題

要注意現時政局所潛伏之威脅

・劉百閔・

渣打銀行董事會主席格爾翠氏，將于四月二日，在倫敦舉行之股東年會席上，宣讀他的報告書。這報告書表示懷疑，香港能否繼續成爲世界商港及工業中心？因而格氏對遠東政局表示其警覺性，認識而又注意遠東現時政局所潛伏之威脅。

一九五一年，香港對外貿易總額爲九，三五二，六〇九，九五〇港元，較之五〇年，僅七，五五九，八〇四，二五四港元，爲一打破紀錄之數字。然此乃最初數月貿易之異常暢旺，嗣後因禁止戰略物資之運往香港，香港遂頓露不景氣，而貿易數字，乃按月遞減。情形更加厲害者，則輸出比輸入之縮減尤甚，輸入源源而至，遂使許多較小之輸入商陷于困難，終不免于停業。

格氏在商言商，自謂：彼所關懷者，祗純爲關于經濟方面。然吾人由于格氏之報告，而觸及香港本身，關于社會方面，其影響及于整個安寧秩序者，進而表示吾人之警覺，認識而又注意香港現時政局所潛伏之威脅。

失業情形嚴重

據格氏報告：工業受禁運影響之最劇者，乃係用納來之棉花，鐵片，及樹膠。各紗廠現祗有巴基斯坦棉供過，但其價昂于美棉，不能與日紗競爭；蓋日本有較廉之美棉，自中供應，而日本之以棉紗及布正輸往中國大陸，已影響香港。近傳有一萬五千紡織廠工人失業。香港在此方面之困難，亦因禁運之影響，波及其他貿易，而變本加厲。

格氏再三注意于貿易，但吾人所認爲當前最急迫而期求于香港政府亟須妥加處理者，則爲工人失業問題。據格氏報告，目前工人失業者，僅紡織廠失業工人，已有一萬五千人，其他像修廠鐵工廠工人，尚不計算在內。即此一萬五千人之紗廠失業工人，亦僅指已失業之紡織廠工人而言，失業工人之家屬，未計算在內；其即時停業，以及將來必進入停業之工廠工人，均未計算在內。香港失業工人之嚴重情形，自可想見。

香港自由經濟制度，確於戰後最短期間，造成了香港今日的繁榮；資方經營工商業，幾乎不受任何限制，開業或歇業，都無任何不便。在今日世界中，投資工商的自由與方便，殆無過於香港；而在短短三五年中，經濟發展之迅速如香港者，畢世恐亦無其匹。然而，這種過分自由的經濟制度，也容易造成不景氣的現象。在追求利潤的唯一目標下，工商業的活動，大部分最貨目的或是投機爲。祗要某種貨物喫香，利潤優厚，大家便搶先購進或儘量生產，到貨來多了或生產多了後，一遇銷路發生問題，貨價立即慘跌，在跌風潮漫中，經不起打擊的廠商，祇有關門大吉。

這種衰退迅速的現象，在過去一年中，已經一一充分表現出來，而形成了香港眼前的經濟危機。

吾人對香港經濟制度于此不遑多所評論，吾人所欲提起大家注意的，乃是這種制度所可能引起的社會問題，乃至於秩序問題。當許多工廠瀕於困難之際，相繼宣告停工後，那一羣靠做工吃飯的勞動朋友，將陷于何種境地，在一個社會裏，有龐大羣人展轉於饑餓線上，困苦呻吟，又將形成何種情勢！此必然成爲嚴重的社會問題或秩序問題，無可否認。

自由勞工的眞正樂土

現代國家的勞動立法，隨國內經濟的發展，而天天進步，勞工的生活是在不斷改善之中，尤以第二次大戰後的英國社會政策更見開明。但反觀香港，對於勞工的保障，如勞動保險失業救濟等，多付闕如？今日有業的工人，不知明日是否失業；今日失業的工人，不知明日如何生存，這與香港的經濟發展，實在太不相稱。香港的勞工，固然有小部分容易接受外來的煽動，但大部分是守法樂業的，尤其是許多從大陸逃來的，愈了解欺騙與剝削的滋味，愈願意在自由空氣裏求生存，如果吾人不能予以適當保障，則爲淵驅魚爲叢驅爵，非適予煽動者以機會。這在愛好自由的人士視之，當更不勝其隱憂了。

日前，港督葛量洪爵士在立法局明朗表示：『法律與秩序必須維持，吾人將不受恐嚇』。吾人欣然獲聆港督此項英斷的表示，吾人深信香港政府有力量以維持香港一地的法律與秩序，有決心以應付任何恐嚇，無論這種恐嚇，是外來的抑或內在的。然工人失業問題，是有關於秩序之一面，同時，亦有關於法律之一面，最後復歸導致恐嚇的一個因素。因此，吾人深望，香港政府對於工人失業問題，能本維持法律與秩序的決心，力謀妥當的解決，並能就法律與秩序的兩面，兼籌並顧。

關于法律方面

關於法律方面，吾人建議香港政府與立法局，迅即考慮加強有關保障勞工的法令，就香港情況，儘速逐步採用現代勞動立法的優點，期使在不久的將來，香港一變而爲自由勞工的眞正樂土。這是有關香港文明進步的百年大計，自非一朝一夕所能實現，但在把握着這個原則之下，港政府願銳意朝這條路穩健前進。眼前需要合理解除這種潛伏已深的威脅，就應採取第一步的緊急措施。

對此，吾人首先建議，港政府對於工廠之停閉，事前事後採取適當的處理辦法。當工廠因業務困難，需要停閉或暫時停閉時，事前應將廠內困難情況申報政府，政府於了解它的困難後，第一步先考慮有無辦法，以解決它的困難。如果困難是在於禁運的影響，以致原料不繼，即考慮如何協助其取得原料的供應；如果困難在於資金週轉不靈，政府於察知其負債狀況後，即對其情形介紹銀行予以適當的貸款；如果困難在於銷路閉塞，產品積滯，政府則協助其開闢銷路，或設法助其改製易銷之貨品。如是，則一部分原要停閉的工廠，可能不至停閉，或可縮短其停閉期間。這樣一方減輕了工業蕭條，一方減少了勞工失業，而后香港的自由經濟制度，在有效的保障下，將能維持繁榮。如果若干要停閉的工廠所遭遇的困難，無法解決，是政府祇得聽其停閉，但工廠經核准停閉後，對於工人的安置，政府與工廠雙方均負擔其責任：先由廠方提出其財務狀況，由政府根據其過去情形，酌定其應付工人的遣散費；以後，政府幫助工人覓致新工作，在未覓到前，政府設法救濟。

如是，政府一面保障了工廠，使之不至輕易停閉，另一面又保障了勞工，使之免於饑餓。如果有人以爲這樣救濟失業的辦法，豈不增加了香港政府與廠家的負擔？吾人可回答：由於香港政府既竭其所能，以扶助廠家，廠家就有義務來幫助勞工，至於因此而增加了政府的開支，那是政府本身所義不容辭的。

按照日前財政司彼棨氏在立法局會議席上所宣佈之新預算案，一九五二至一九五三年之總開支爲二八五，二〇七，一八八元，防衛及警察兩大項目，佔支出總額五分之一，而一般性的社會福利工作費用，比以往增加了百分之三十三強（其支出實數若干，手頭無法查考，但其必佔很少的比率可想而知，因目前一般性的社會福利，僅就試驗與改進方面計劃），且此項一般性的社會福利工作，不包括工人的福利與救濟。吾人建議香港政府與立法局應就當前局勢之迫切需要，增加此項支出，因其作用不僅本諸人道立場之社會政策，而是對防衛與警務有密切關係之故。

其次，香港政府與立法局應規定各工廠一九五一年之盈利，須變更分配，特別就應變基金項下，規定失業工人救濟補助之分配額，以應付當前或未來之必須處理的問題。如此，香港政府與工廠雙方共同負擔解決當前之嚴重的社會問題，必能游刃有餘地而無疑。

關于秩序方面

關於秩序方面，香港新預算的總支出，防衛經費佔政府總開支百分之九，警務經費佔百分之十，吾人從而窺見香港政府應付當前的威脅，重防衛，尤重彈壓，而彈壓云者，顯然有其應付內部的問題。對必需限度的防衛與警務的龐大支出，市民固樂于負擔，但在防衛與彈壓之前，使社會秩序能維持與穩定，必有賴于每一市民之安居與樂業。社會秩序的破壞，大都肇端于人民生活之成了問題。倘人民均能維持其最低限度的生活，自易於相安無事，而警衛的負擔將可望其輕減。法律與秩序必須維持，人民生活首先更要維持。吾人建議香港政府另列預算，以救濟失業，便是本諸香港政府維持秩序的決心。如果吾人以上建議能被採納，將不僅使政府與人民的關係更見密切，即人民之間亦將因勞資關係之加強，而更趨融洽，傾積內在的危機，行將消滅於無形了。

至於政府與廠家雙方合作，解除失業恐慌，中間自有彌補問題須透過健全的勞工組織，以便圓滑進行，這更將使目下正蓬勃發展的自由工會，在負起更重要的使命下，形成了更健全而必需的組織。

勞工失業問題，爲當前香港之迫切嚴重的問題，吾人切望香港這個自由堡壘日臻鞏固。管見所及，特提出最低限度的應付辦法，向香港政府與社會人士作緊急的呼籲，深信愛好自由與關心秩序的公私人士，將視此爲自己切身的問題，而共同努力促其實現。

美總統競選的預備戰

美國總統選舉雖然離大選期還有七個半月，但是那些候選人的預備戰，除艾森豪威爾外，一個個都忙得像熱鍋上的螞蟻。候選人指揮部的工作人員，也在忙着散傳單，貼標語，登廣告。大家像煞有介事。

鬧得最起勁的要算共和黨。這次雖然聽不到杜威的聲音，像塔虎脫，史德生和基佛維等，已經開始大動員。塔虎脫的競選標語，除英文外，還添了許多法文標語。他活動的範圍，深及印第安區域，和那些印第安領袖握手，聚餐，替他們題字等，表示他是一個毫無民族歧見的候選人。史德生到處和選舉人打交道，其中有小店員，有理髮匠。從他的照片裏，你可發見他常和中下層階級的人們混在一堆。基佛維是一位資淺的共和黨候選人，但他的勁兒，比塔虎脫和史德生，要高多少倍，他不但動員他自己和他的朋友，還動員了他那位漂亮的太太。基夫人成日駕着流線型汽車，上面漆上「選舉基佛維爲總統」的標語，沿街兜風。

其次鬧得起勁的便是民主黨。不過民主黨的候選人，不及共和黨來得踴躍，目前我們所曉得的旗幟最鮮明的候選人一個是杜魯門，另一位便是代表南方民主黨勢力的喬治亞省參議員盧塞爾。

華萊士這次和杜威一樣，顯得很沉默。在一九四八年的大選中，他雖然被許多選民投過臭鷄蛋和番茄，但他仍然造成一百一十五萬票的紀錄。韓戰爆發後不久，他便宣佈脫離進步黨，因爲進步黨已經被美國人士目爲粉紅色的政黨。這次進步黨的候選人是一位有名的訟棍哈里南 Vincent Hallinan，他專門替人打刑事官司，現在家財三百萬。不過他因涉及布烈治的僞誓案（布是共產黨員，他是辯護律師），須面臨六個月的徒刑處分。他這次選了一位黑婦柏斯夫人作他的副總統候選人，她是一位道地的親共親俄份子。

還有一位窮人總統候選人克拉獨斯基 Krajewski，有在此地一提的必要。他種了五畝地，養了四千條豬，他選了一條黑白相間的雜種豬，作他的競選標識。他爲什麼選擇一條猪作他的競選標識呢？據他自己解釋：「民主黨人統治了廿年，現在是人民開始作猪叫的時候了」。他的政治理論是贊成白宮實行雙料總統制，他說：「假如白宮裏面，同時有兩位總統，一位是民主黨員，另一位是共和黨員，彼此忙於相互監視，就不怕有獨裁政治出現的危險」。

艾森豪威爾的態度，仍然躲躲閃閃，他不肯正式向杜魯門辭去大西洋盟軍統帥的職務，杜魯門當然也不願意將艾帥免職，何況艾帥又是他在大選中的勁敵呢。現在的局面是「船上人不吃緊，急死岸上人」。艾帥的朋友們勸他遲須在五月一日以前趕回美國，並須在數星期內作此項聲明，否則大局將無法挽救。可是艾帥還在矜持：必須是光榮的解職，決不提請辭職。（伍傳助）

半週展望

雷嘯岑

「你有多少師」？

美國一位新聞記者希爾曼在其所著「總統先生」一書中，披露一九四六年杜魯門致函國務卿貝爾納斯討論外交政策時，他對於蘇俄的看法，有這麼幾句話：「除非蘇聯面對一個鐵拳，即另一次的戰爭是造成了。他們只是懂得一句話——你有多少師？」這幾句話不特預言的說明了目前世界現狀，也把俄式共產主義政權的本質一語道破了！

跟俄式共產主義者相處——我說「俄式」者，乃以別於眞正的馬克斯主義信徒也。現存的俄式共產主義，決非馬克思主義，早經考茨基那般大思想家解說清楚了——除却「唯力是視」以外，任何理論都是廢話，他們只是認識力量！很明著的事例：假使前年六月聯合國不毅然決然的出兵討伐北韓共黨之無故興戎，南韓固已早亡，日本亦至少已靠近鐵幕邊緣，美國若不退出日本，那祇有出現比韓戰規模更大的戰爭局面，說不定世界大戰已從亞洲導演了。

因此，杜魯門這次說自由世界之整軍經武，目的是在防止另一次大戰之說，並非託詞，確爲有所見而云然。艾德里艾登一流人，也認爲對俄糾紛問題是要憑實力的。這些見解毫無稀奇之處，乃是普通常識，有若干數不盡而爲舉世周知的事實可以印證的。

前幾天，英國工黨的「前進」份子貝凡，指摘美國沒有領導世界的智慧與方法，說美國大力整軍是促進世界戰爭，同時他又認爲對俄共需要有實力的「反應」。意思是說：對俄式共產主義的實力「反應」，應該適可而止，他們會知難而退的，何必整軍經武，使人民生活水準降低，且冒戰爭危險呢？我不相信從工人出身的貝凡一流人，雖然讀書有限，知識欠缺，未必不了解蘇俄始終保持其強大軍備以進行其世界革命的謀略。他之反美反戰言論，旨在爭取工黨的領導地位，造成自己在英國政治社會中的「名流」聲譽而已。這和過去我國的羅隆基一流人大呼「共產黨有百是而無一非」的心情，可稱難兄難弟。要以非戰思想與俄式共產主義者相處，必須彼此能承認用政治比賽的建設方略來訴之於人民的自由抉擇，這是蘇俄所能同意的辦法嗎？你解除武裝講和平，他擐身甲冑講和平，看誰的和平講得通，講得有效呢！

貝凡的話有一段是不無理由的，即軍備競賽的結果，一定會走上戰爭之路。可是，拿這話來應用於對俄共問題，邏輯上即變成了倒因爲果的結論。民主國家今日之急迫整軍，乃因俄共無可理喻，身披甲冑而專和平之利所逼迫使然的。如果西歐今日沒有實力防衛，光憑貝凡一流人之和平前進的社會主義，用免費給人民配眼鏡假牙那套作法，就能擋住俄共魔力之侵襲麼？貝凡的天眞想法，在他個人亦自成體系，即認爲史大林是不需要戰爭的，只要民主國家表示一些實力的「反應」，好像深夜睡在床上的人，不時發點咳嗽之聲，窗外賊則不敢闖入房中來盜竊的。然後再依和平前進的社會主義建設，使人民生活提高，安居樂業，共產魔道自然無所施其技了。這想法比十八世紀的烏托邦社會主義者或許較勝一籌。但他却忘記了俄共在最近二三十年間向外擴張的魔術，完全是「唯力」主義，啃不動的時候，則利用某一國家的第五縱隊和同路人釀生內亂，自相鬬爭，乘機滲入，待時吞噬；啃得動的時候，不客氣，一口吞下，無所顧忌。甚麼人民的自由意志，民族思想，傳統文化，都是「反動」的思想，必予清除的。我們能相信今日捷克這些國家的人民，個個都是誠心誠意擁護俄式共產主義生活的麼？能說捷克的貝奈斯，馬薩里克一般人都是「反動」的政治家，因爲沒有注重社會福利事業而被人民所厭棄，纔使俄共乘隙侵入的麼？邱吉爾說得好：共產主義流入不列顛來也無所謂，只要英國沒有同路人！

「你有多少師」？確是對付俄共們唯一有效的詞令？這比說「你有多少免費眼鏡與假牙？」來得實際哩！

柏勒格政變內幕報道
莫斯科路綫再進一步
史蘭斯基變成犧牲品
葛瓦爾德充御用工具

●萍　末●

東歐鐵幕國家的最大事變，年前南斯拉夫之背棄蘇俄後，去冬捷克之政潮風波，可算得共又一重要事件。半年來，鐵幕以外的人，都疑心捷克也玩起狄托那一套。直至本月七日，法國新聞社巴黎電訊纔作較詳明的報導。其中最扼要的一句：「捷克已給證明，不但不會脫離莫斯科勢力，而且將更忠於史太林路綫」。這已道盡現時捷克的眞相。本年一月號倫敦世界評論World Review月刊史蒂芬柏勒氏撰文，題爲「柏勒格的經理們」，揭發捷克政變內幕，甚爲詳盡。茲摘要譯述，藉以看透史太林系的「僧侶政體」（Stalinist hierarchy）

去年九月六日至二十日這兩週中，捷克裏面，史太林系僧侶政體內閣的變故，乃三十四年[illegible]于[illegible]彼得堡革命以來曖昧不明的陰險歷程之另一奇詭交織。捷克共產領袖又是政府領袖的葛瓦爾德，不動聲息的突變，似乎捲藏在一層雲霧之中，這雲霧當由馬克斯黨的習語和莫斯科的陰謀，混合中產生出來，而一再重演于他國。

九月六日那一天，捷克共產黨中央委員召開非常會議。次日，報上發表簡單命令，宣告廢除黨部總祕書一職，並承認黨的最高機體。七日，政府召集會議，商討前日黨方決定的措施如何付諸實行，特別是經濟範圍內的。八日，新的閣員重行任命。十一日，另一內閣會議免除改組部閣部長職。同日，一向有關的農業部長杜黎辭職，而改任斯洛伐克內閣議會主席。二十日，黨部總祕書史蘭斯基改任內閣總理薩普托奇直接管轄下的經濟部首長。（按：史氏不久被捕現又從莫斯科解回捷京柏勒格。）

捷克政變的兩種形態
黨政一元和統一領導

這是赤裸裸的事實，我們要明瞭它的意義，就不能但看他們自己的轉變，必當注視他們的對象——捷克共產黨。我們又當問：這是否只一組舊紙牌重行洗過，抑或每張牌的價值實質地改變了；事實上，是否王牌還是王牌，僕牌還是僕牌，而這牌仍然握在同一賭博者手上。九月事變顯出捷克共產黨不同于東歐其他共產黨，重要的形態有二：第一，政治性的黨首領與黨機器（Apparat）是四個或五個獨立平行的間諜組織，幾個隸屬于黨部，另幾個則直轄于祕密警察首腦部，所謂黨機器即指此）的首領同爲一人，是必須經過莫斯科認可的超級首領，而戰後則析爲兩人：葛瓦爾德作爲黨主席，史蘭斯基作爲總祕書。第二，黨之政治的領導和黨機器，在昔本爲政治局與黨務局，却同爲一個單體——祕書閣——所掌握。該單體分子乃由中央委員選出的，包含黨主席，總祕書和五個助理祕書。除開主席，黨的最高機構，即由操縱黨機器以外的人所構成。這顯然兩相背馳——二元的人的統制與統一的黨的領導——反乎黨既自治而又有超過政府的優越權勢，諸如國家經濟和軍隊皆所統治。所以，翻轉之後，官方批評還說，這被撤廢了的祕書閣「在工作于黨機器的黨員和工作于國家領導地位的黨員之間，只成不正當的關係」。在那麼的制度下，政府官員的任免，都要得黨委員會的核准，故既是黨主席又是共和國首長的葛瓦爾德，其地位實亦不過得自一手掘潰黨機器的史蘭斯基的恩典罷了。前此一切經轉變過，史蘭斯基到底是站在塔尖上面爲牽有全國最大權力的人。一九四八年，共產黨奪得捷克政權，葛瓦爾德仍未抬頭，一九四五年他雖取得黨的首領，究只空名而已。非三位一體的祕書閣，今被撤，而代以正統星座的「政治祕書閣」（政治局）和「組織祕書閣」（黨務局），即由黨機器摘去了它的許多權力：不但沒有了總祕書一職，而且握有特殊權力的盡歸史蘭斯基私人的五個助理祕書也抑低了。黨以內權力的擺動和急進，於新政治局的組成可以概見。原來所有它的人員，實際都是政府人員，且與機器人（獨立平行的諜報組織）對立，而會所降落于黨務局，直接爲葛瓦爾德管轄的，今葛氏仍出之以非常處置。於是同爲若輩人物，但微妙的數量變更，結果即能使機構有了質的變更，造成共產黨僧侶政體——馬克斯舊原則的擁護。史蘭斯基由此從爲政治局七委員之一，夾在葛瓦爾德機警監視的一羅中。如總理薩普托奇，副總理兼外長斯洛奇，全國設計局長杜黎斯，國防部長斯碧卡，國家統制部長巴西力等。（史蘭斯基一向已經成爲柏勒格克里姆林宮的眼中刺，直至去年十一月二十八始加以逮捕，那是莫斯科方面故意弄成一個啞謎，到適當時候方才下手。）

促成政變的兩大因素
改造機器與永久交貨

在九月事變中，黨機器人物和政府人物，還有許多量的變更，即成爲質的變更。綜合說來不外是權力的消長和移轉。到了這時期，不得不有此非常處置，絕不應該爲捷克將背離莫斯科路綫。相反的，簡直是更加固結史太林路綫。還有一近因，却是經濟的關係——赤色帝國實需附庸國物質供應，不得如意，亦爲促成事變的內在因素。捷克的五年計劃，爲着符合莫斯科設計者的要求，曾經兩番修改。我們雖然得不到捷共不能滿足蘇聯希望的詳情，但只一些重要的統計數字，已够看得明白了。

五年計劃原來指望一九五一年夏季的生產比先一年首季增額增加百分之二十，事實却只增了百分之十三。甚至每一勞動單位的生產率，更足驚異。此一期間與上年首季每一勞動單位生產率比較，匈牙利增百分之十七，波蘭和保加利亞增百分之十三，其他東歐國家包括東德亦平均增百分之十，捷克却只增百分之四。捷與蘇維埃主人所派定的數目，相去多麼遼遠呢！本來已經工業化的國家如捷克，生產力增加百分之四，很是正常的了。惟竟至于比不上落後和農業經濟的國家如匈與保，這於莫斯科主人和捷克承認人，爲意想不到的事。葛瓦爾德的經濟顧問佛力略，曾于共黨機關報上發表文章，承認重工業部門慘跌，[illegible]目標，不止[illegible]離一九五一年的目標，遇上一年的也及不到。此則由于缺乏原料與民用消費品之故，通貨膨脹壓力且不說了。捷克政府通過工人總會，拿消費品的減削工資，移來發展重工業生產。工人一再抗議，[illegible]水準被抑低，御用的工會只拿「犧牲」「爲國」的話來打氣，[illegible]不受騙，每一勞動單位生產力[illegible]眞正原因，經濟三年[illegible]，企圖終于失敗了，不可救藥了嗎？假便如莫斯科主人放鬆逼勒，減輕其不堪負担的義務，能不能恢復繁榮呢？這可以乾脆答覆：莫斯科星國之所謂繁榮，葛瓦爾德想透了，問題只是如何交貨給史太林——繁榮是永久不必想的。

上邊推論至此，回頭再講九月事變吧。國家安全部（即普通警察和祕密警察部）部長柯培利瓦，被排斥于新的政治局以外，而引進了國家統制部長巴西力。那麼，經濟方面以警察干預的魔手移去了，以後麻煩問題，如五年計劃延遲的交貨等，不應再爲新閣警察部的事。而是要生產的競賽，因爲過去的生產怠慢及格中的疏忽勝綫，往往紅色沙皇甚至全部工業都破壞了，是祕密警察報告出來的[illegible]。

承莫斯科主人意旨，盡量供應于西方，得這惶惑于「人民民主主義」的人能够理解，却很適切于「人民民主主義」！再一個權力，是廣大無邊的內閣部長推升部員，現在又將全國設計局去上政治局，那就是部長杜黎斯。國家統制部長此後並有其他部長平行，與政部長不少于十六個，技術由那一部長化工業，森林工程建築，均得聯繫，到活動作成國家經濟與祕密警察部中間一個緩衝者。「技術的」部長與生產有關的部長，却須遵循設計部的指導，而又另有其國家工業的管理部員。號稱公僕，增大效果的內閣[illegible]，同時一國有工業（其實已無一工業而非國有）統率機關裁撤，官吏分權化，使得[illegible]

時，架床疊屋，反使得捷克政府要爲莫斯科主人盡心經理此變革，多妨礙。[illegible]「木材」「石油」「織和鋼鐵」「棉」[illegible]技術的部長終歸是供應于[illegible]忠誠爲效命的。綜合來講，共產黨「經理人」，捷克已[illegible]得了四重勝利：莫斯科主人勝于殘餘的工人利益；新組織勝于[illegible]；會[illegible]勝于黨機器的強權；[illegible]勝于官僚政治；上分權力徒然勝于[illegible]；治[illegible]一向實在[illegible]太林系的正統而叛離了[illegible]迷失了史太林的大路，但在九月五日還沒有一人知道，二十四小時後史蘭斯基的權力機器，會給葛瓦爾德的突變歸于無用。同時，更完密的機構隨之而成，這固然是史太林素所信任的葛瓦爾德的勝利，實亦蘇維埃帝國的勝利。不過莫斯科主人「爲甚麼」你不能交貨「利」的問題，永遠緊迫着葛瓦爾德，須新建立的萬能機構，要做經理做到主人滿意，恐怕依然不勝頭痛的。

越談越糾紛

朝鮮的停戰談判，愈談而糾紛愈多。以蘇聯爲中立國的觀察，要觀察到後方的軍事祕密，關於韓境海空封鎖的取消，要擴大到包括中國大陸。共方的無意於談判，於此可見。

板門店的談判，只是彼此的斥責相罵。無怪聯軍代表認爲須由華盛頓與莫斯科的高級會議來決定了。

原來「共產國」是中立國

蘇聯並未出面參戰，屬中立國，這是共方的理論。其實中共參戰的只是志願軍，也何嘗不是「中立國」？

但是聯軍提議由國際紅十字會視察俘虜情形，共方表示反對。美國提出由國際紅字會調查細菌施放，也不爲中共所贊同。

國際的慈善救濟機關，竟成了敵對的團體。中共之所謂中立國，原來是指「共產國」而言。可惜此時尚無共產國際的紅十字會。

×　×　×

朝鮮的談判，已無可再談。

東京會議後的李奇威飛到了前綫，這是爲的什麼？接着台菲海上的防綫，須宣布改由太平洋海軍司令負責指揮，這又是爲的什麼？

日本在担心，戰事的擴大。

利用了細菌戰的題目，中共是否準備將擴戰端呢？

法國的負担

越南戰事在膠着中。報上傳着法國願退出河內與越盟言和的消息。

法國願意把越南造成朝鮮第二，南北分治。然而越盟却不願呢。

×　×　×

今日的越南，顯已是法國的負担。

法國的武力，有十五萬要留在越南作戰。

法國的預算，每月有一億元要化在越南，居國防經費三分之一。

法國的建軍與法郎，都以越南戰事大受影響。

法國的北非殖民地如突尼斯，現在也效尤起來了。

然而法國却捨不了越南的包袱——只是爲了法蘭西的榮譽。

×　×　×

法國的新內閣到底成立了。

不是因爲得到議會多數的信任，而是因爲主要的反對黨，社會黨與戴高樂派的棄權。

於是共產黨的反對成了少數。

但是眞正的原因，却在美國的軍援。沒有負責的內閣，法國取不到美國的援助。

蘇聯又提議了

法國內閣的成立，外長仍是許曼。

中間內閣的外交政策依舊不變，表示了里斯本建軍計劃的實行。

這也就是德國要開始建軍。

於是蘇聯又來了提議，主張成立對德和約。

四強會議已開過不知若干次。

蘇聯原不期其有成，只想設法阻止德國的武裝而已。

×　×　×

美國認爲要防止蘇聯勢力的發展，在東方，日本必須武裝起來；在歐洲，德國必須武裝起來。

舊金山和會，蘇聯失敗了。

里斯本會議，蘇聯却不甘心，要作最後的努力。

南歐防衛强化

歐洲聯軍的建立，統帥是艾森豪元帥。

在里斯本會議以後，他出發作希土的巡閱。

這表示了南歐防衛的強化。

就是這位聯軍統帥，他在美國的總統選舉中，贏得紐罕夏州共和黨提名候選人的勝利。

倘若十一月的大選，艾帥眞出任總統，這表示了什麼意義呢？

反共第一

杜魯門爲了要求議會通過其外援經費，正動員國務院中的要人，對議會作種種的說明。

邱吉爾內閣的財相，也在議會提出其預算計劃，要求批准。

法國的新內閣，財長是由畢奈以總理兼任。

軍事的困難，財政的困難，使英美法三國當局都不得不出全力以奮鬥。

要獲得多數人民的信任，應當是衝破反對派的反對，不成問題的。

今日的大勢，誰不知道是反共第一呢？

樓　明

美國封鎖中共大陸問題

美國封鎖中共大陸問題，日來益見具體化，前天美國政府正式將台灣和菲律賓區從美遠東統帥部劃歸美太平洋艦隊總司令部保護範圍。敏感的觀察家，認爲台灣，菲律賓將是美海軍未來任務的封鎖中共大陸的序曲。太平洋海軍司令拉福德將於下月訪問台灣及菲律賓，證明這種看法的正確性。上星期出版之美國新聞週刊，曾對此問題作詳盡分析，茲將要點節錄於後：

上星期，美國政策制定者，爲一些富刺激性的事件所迫，對於中共問題作[illegible]的結果，[illegible]在下列情況下，將[illegible]報復：[illegible]朝鮮談判破裂，中共以[illegible]。這就是對中共的封鎖，目前休戰談判似已無望，板門店之能否以蘇聯爲監督休戰的中立國地位而成爲休戰，頓能達成停戰協定？那倒沒有決定。又如何？中共似乎假若有所犯南韓後，安全又如何？今後美國如何決定安全理事會？究竟美國會待處理了。關於封鎖中共的焦點，大致集中於切斷供應綫的問題，海空軍事人員的主張：

（一）以海軍封鎖中國大陸口岸，斷絕中共對外貿易，毀損沿海的城市，和馬來[illegible]。

（二）由遠東飛機和母艦的飛機，投放水雷於主要的江河及工程，並破壞堤壩，以阻塞中國內部重要的水上運輸，可以造成洪水泛濫。

（三）轟炸幾條鐵路幹綫，包括一萬八千英里的鐵路，實現「運輸的絞殺」。這種手段在實行的準備，他們主張已足有了很迅速的就能[illegible]。

第七艦隊的封鎖力量——它是美國主要的，也居國共之間，中國大半的船隻，已少數還有完成的準備。台灣海峽的艦隊由中國的自衛，保同時面臨大陸沿海，它可從空中監視報得香港中共基地的情報。

它將出現時的三大隊，總計九十架B—二九超級堡壘，擴充到六隊或七隊，總計一八〇架或二一〇架B—二九超級堡壘。同時空軍還需要三個或四個戰鬥機隊，總計七十五架噴射機，用以保衛轟炸基地——海軍和空軍都能在基地上進行活動。有的海軍艦艇在三天內即能提到中國沿海地帶，而且給養方面能够自給自足。

的戰略沒有人期望很快的勝利。其最基本的目的，是要饑餓共產中國，而不顧意毀滅共產黨的工業。這個戰略就是需要炸它的城市，亦需要數十個月，或者得共數個月的創傷，才不會受到如何的實在論，結果是無能的：下列

（一）情緒，不會生於毛澤東，饑餓的城市中國人民所組織的，將就是赤色的政權，所遭到的壓迫使人民將經理，將共產世界加入與非共產陣營的戰鬥，他們及西伯利亞鐵路的緊張。

（二）區域的分散，可使從空中擴張的危險減低，共軍從東北[illegible]。

（三）對於中國本土，可用軍事壓力，促使北平對於休戰談判表示決定性的態度。

（四）中共在未承認失敗以前，她的部隊是不會撤離朝鮮，但且經過封鎖的中共空軍，是可能撤離。

主要目的在切斷供應綫

（王錡）

施幹克離台返美述職
讚自由中國基礎穩固
農業生產破歷年紀錄
美增撥援款及技術員

【台北通訊】職任將及半載的美共同安全總署駐台分署署長施幹克決定明天飛返美了，台北許多他的朋友們都以最大的熱情和希望，祝他此行成功。今天下午記者獲得他的允許，和他暢談了一小時。他首先說明，這一次回美國，主要的任務是向共同安全總署報告台灣的經援工作。同時爲加強與台灣四十一年度之經濟事業，將向美國總署方面請求加派技術人員赴台一事。這個上了近半百年紀，頭髮斑白的老頭兒，他以很得意的神情向記者道：「我在到任不久，便視察了全台的工業和礦務，給我直覺的印象，便是經濟爲礎，底子很厚，可惜工作和設計的人員，缺得太多了。因此我便向總署方面提出一個加強事功，必需增添技術人員的計劃。尤其是電力和煤源，更是當前的急務。這是上年年底的事，終於在本年初立刻通過」。關於技術人員的數字，他擬定一共三百人左右，將分批到台，分派在國營經濟事業的十五個單位內。

這位史丹福尼大學地質學出身的老教授，非常歡遜的說：「其實這個計劃，乃是順水推舟，蕭規曹隨，一切的一切都是我的前任穆懿爾博士苦心策劃的，我不過來推動而已」。他說台灣去年一年最大的成就，便是農業上超額的生產。這個超額生產不但可以供應全台一年的糧食，而且可以外銷。他還特別叫記者注意去年一年的收穫是超過任何日治的全盛的年代。還是幫助中國國庫不少。中國今年的預算能夠比較打得寬些，便是由於農業上的增產。

施氏承認台灣農業強於工業，天氣及土壤方面都適宜於農業，所以這一次申請赴台的技術專家中，農業和捕魚方面也有一個相當數字。施氏也曾經對於台灣的土壤，仔細研究過，他說「台灣的土壤還可以利用科學方法，使它再發揮一些力量」。但他反對把土壤全部力量都拿出來。他說：「土地的生殖力如果用科學方法全用出來，以後這塊土地勢於焦土。我們研究土質的人是不取這種方法的，應該使土地有合時的休息，這樣年年可以有出產，這是長年的打算」。

關於經援的數字，施氏說今年決定的款項是美金八千一百萬元，臨時輔助款項計四千萬元，合計一億二千一百萬美元，佔遠東各國最大之數字。（按：遠東各國經濟援款共計一億六千七百萬美元）至於這新數字的款項是否夠用，施氏笑道：「我現在是台灣的一個賬房，自然希望老闆錢來，愈多我這份家愈容易當。但美國資任太重，歐洲方面也需要美國出錢」。所以他認爲發展全台灣經濟事業，是不可能的，只能採用重點計劃。

施氏談到現在錢已沒有問題，問題乃在人上。他認爲這個事是非常迫切，所以月許要趕回來處理這多事。記者祝他此行成功，他却正色道：「這是一定要成功的」。記者臨行時問他：「你看今年可以反攻嗎？」施老頭急忙道：「這我不能回答。我不是搞軍事和政治的，我不懂這個問題。但我可以告訴你，一個人吃飽了，身體結實了，他自然有大力氣，人家打他，他一定很快打擊者以更大的打擊。我所解打的問題便是這[illegible]」。

施氏自慊道：「我不過是一個推動者，但中國工程人員的苦幹和努力，確令我們非常欽敬」。他指出西諺有云：「自助天助」的一句話，鑒於今日台灣工程人員之努力，他要把「自助天助」這句話改爲「自助人助」。（鯉泉，三月十五日）

偽法官程瑞錕受賄揭發
壽毅成秦綬章均遭牽涉

【上海通訊】前休寧地方法院和上海高等法院推事，現任偽上海市人民法院刑庭審判組組長程瑞錕，最近以受前浙江建業銀行（已倒閉）主要董事壽毅成、馮伯華、沈叔驗、陸尤升等賄賂二億元被敲詐，事涉律師秦綬章（秋田），該行襄理施培清。據報載，本案由大東銀行倒閉，案經[illegible]大東銀行總經理史築楨先坦白，由施培清、沈叔驗、馮伯華先後承認，壽毅成亦終於自行坦白。偽法院於本月二十五日召開審判大會，當場宣布，程瑞錕予以逮捕法辦。浙江建業銀行總經理金[illegible]爲金潤泉之子，曾去港，嗣又返滬，建業銀行案，被判徒刑一年，保外執行，並處罰金四千萬元。（悠然）

香港三日

新界蘊藏石墨礦

香港新界屯門西兄弟島，盛產石墨礦，質純鉛質，地爲工業原料，乃必需品，現之下全世界出產石墨者僅中國湖南、錫蘭島與南韓。據投資開發該礦之五福礦務公司工程師說，估計這裏的產量甚爲豐富，但品質不及湖南出品。現港府已准許該公司於本年開採。

張大千飛南美

中國畫家張大千於十五日下午搭泛美航機飛阿根廷，並實地研究彼邦之風土人情。他臨行時說：過去早想到南美去看看，因爲在南美還可以看到與原始接近的天然文化。他指出藝術愈高，愈與原始接近，諸凡書畫，無不如此。在南美他想抄出印第安人的元始生活的作品和遺跡。元始文化最可貴的是質樸，雅潔和簡單。在亞洲便算中國文化，詩家，在美洲的印第安文化和在南洋的馬來文化，都可惜被西洋文化蓋沒了，而未能顯其特長。這是人類文化史上最大之憾事。他說據他研究，彩色文化是以中國和南美元始作品爲常。這是世界任何一國彩色文化所不能和他們比的。張氏擬在南美留二週，然後返港。同行者有前陝西鳳翔縣副主教高思謙。按高副主教原在南美，上年始返港。

自由工會益壯大

香港自從「三一」事件爆發後，自由工會的力量一天比一天大，資方對自由工會的信仰與尊敬，亦與日俱增，最近有好幾椿事情，皆由自由工會之出來調停，得以迎刃而解。有許多廠家在停工期間的薪水，經過自由工會出來向資方洽商，雖然資方不完全同意如數付出，說確是生活的必需，但在得一個工人兄弟是做一天吃一天的。因爲工人兄弟膠廠（香港最大一家橡膠廠）之準備復工，一方面固由於資方之努力，但該廠自由工人之合作，亦是一個最大因素。

籌設天主教電台

香港天主教教徒，最近擬集資創辦一所天主教廣播電台，專對大陸教友廣播。這事已經醞釀了好久，教會方面已經同意，現正呈請港府之批准。但港府是否批准，現在尚不得而知。因爲大家認於前年美國自由亞洲協會曾向港府申請准其在港架設電台，對中國廣播，事後爲港府婉拒，認爲政治性太濃，不宜設於香港，故迄今上項計劃終未能實現。

第二件護照案

前山西省財政廳長及兵工署署長張書田及其妻兒因冒名頂替英國出生紙，乘輪赴毛里求斯島遭香港政治部人員逮捕，迄今（十七日）仍未保出。因該案仍在偵查期間，警方對該案異常重視。張曾請其代表律師三度申請交保，均遭拒絕。政府大員因護照案而涉訟者這是第二件。過去熊式輝的護照案現已宣判無罪。

五反反到英國人

據滬旬洋行消息，該行系上海順和啤酒廠董事英人羅柏特戈登，原著名於港滬商界，最近據悉遭上海中共當局於五反運動中扣押，直至十五日方釋出。戈登被扣之原因，據滬旬方面猜測五反運動開始時，該廠最大之主顧爲酒類專賣局，現該局已停止收購該廠出品，使怡和陷於困境。因銀行無法貸款，工人又無法解散，致使二月份薪水無法發出。該行認爲戈登之被扣或係上述原因。按戈登旅居上海多年，迄今未離滬一步。這是留在上海企業最大的一個英國人。

港商業能獨立

前月代表香港出席仰光遠東經濟會議之港大經濟系教授柯柏於十六日晚在九龍青年會演說「香港之貿易地位」。他說：香港介乎美蘇兩大勢力之間，已經促使它在商業上獨立起來，過去香港必需依靠中國大陸，現在香港已經丟失了大陸的市場，但仍能生存。而且還經得起這個被譽爲西方在遠東之「民主櫥窗」的考驗。因爲這個考驗，香港在國際政治上的責任與道義，也一天天加重，本身前途的機會也因此而增大。

偽華東新聞出版局長
惲逸羣貪污案被揭發
挪用共款兩億五千萬

【上海通訊】偽華東軍政委員會新聞出版局局長，前解放日報社社長惲逸羣，近以挪用公款兩億五千萬元投機牟利，以及包庇家庭等事件，又被揭發。此[illegible]是老共幹一貪污新聞。

說起惲逸羣，自從共黨演「闖王進京」以後，上海有數的第一號紅人。他當時任新華社華東總社社長，解放日報社長，新聞日報社長，當時紅得發紫。新聞報社長程滄波住宅，就由他接收。在汪偽府時代，他還替漢奸袁殊主辦的新中國日報當主筆，以後汪偽政府發現他是共產黨，他又乖乖兒溜之大吉，躲到新四軍陳毅那裏，後來又回到上海。在共[illegible]是國際間諜專家呢！

惲逸羣貪污的開始，自從共黨到了上海以後，[illegible]一九四九年六月就開始了，上海淪陷不久，他就吞沒了[illegible]者一千五百元美金捐款。這筆錢，當時交給他的結拜弟兄，同鄉人吳漢昌，張中繇，又往南京經營光華煤礦，半年以後，全部虧蝕淨盡。第二次又挪走偽解放日報餘款二億五千萬元，交給吳漢昌，回南京振興光華煤礦，但不久，宣告停閉，這筆錢，即宣告了不算。[illegible]義，他還以偽新聞日報總經理許彥飛，借得一億二千萬元，一併交與吳漢昌，也就石沉大海。

嗣後，光華煤礦總經理張中繇又騙惲以設法還債爲題，慫恿惲購進威海衛路[illegible]房屋，[illegible]在國際間過手，多了一億五千萬元，交還報社，但一億五千萬元款項，還未繳社，他們認爲此等錢都是他個人的，自化了，因而此案就被揭公開。

此外，惲姊惲逸芬，在一九五〇年參加武進縣當地鄉幹部，被地主鬥爭，惲動用華東土地改革委員會，向偽常州地委及常州土改委員會要求派員檢查，認爲偽地委鬥爭是壞分子做的，惲姊是壞分子，教育改正；而阿姊的[illegible]是好人。但這些「壞分子」，又說那「好人」是惡霸，丈夫死後，即與周金喜同居。她帶了三個養女，長大了都被她出賣給鄉[illegible]當妓女，「壞分子」說惲兩面，專門講排頭[illegible]東土地改革委[illegible]。

惲的出身，[illegible]包庇家庭，[illegible]不理，深刻檢討。[illegible]共黨檢舉，惲已被檢舉。現在一九二六年入中共，在一九二五年以上，爲新開出版局長，偽華東地位的老共幹，不算重要；就在他的舊社會貪污事件來說，是一根毛；他的門爭裏頭，她的阿姊和幾個男子同居以，嫁在共產黨惲又算什麼一回事，看來，怕是派系的由此，陳毅的恩怨多年了，惲逸羣又是陳毅門法的一根線索！不過，惲是自己手腳不淨，天下烏鴉一般黑，惲逸羣也沒有例外。但這些「壞分子」門爭是以個人恩怨出發的，這話總算由惲逸羣吐出一口氣。（悠鄉 三月十五日）

李劍華原是共產黨員
地下工作案和盤托出

【上海通訊】前上海市政府社會局副局長，現任偽華東軍政委員會勞動部第二副部長兼原任增產節約委員會主任李劍華，又以貪污腐化被檢舉。李原來是共黨員，情節離奇，饒人深省，值得對自由世界人士作一個單的報道。

據共黨宣布：李劍華是在民國二十三年參加中國共產黨的，長期在國民政府統治地區內做過地下工作。到了抗日勝利以後，共黨指示，要他打入國民政府政權裏邊活動，果然爬到了社會局副局長的位置。李就受賄貪污，曾經接受漢奸前中央機器廠廠主范永春四根大金條，替他向法院說話，減輕罪名。共黨又說：他在地下工作時期，非法獲取黃金一百十餘兩，美鈔八百元，沒有繳到「黨」內，現在也和盤托出。

上海淪陷以後，他當然回到老家，受到超制度的待遇，小灶，老年金，房租水電費報銷，每月領取一百五十個單位，一百斤大米補貼。兩個老婆，一個是共產黨員，一個是共黨說搞不清，叫做鄧蓓堯的，怕是國民黨員。他的弟弟，在中統工作，名字，不知叫什麼，週入川西打游擊，以後被偽公安局逮捕，他又打電報給偽川西行署警備司令部替他緩頰。共黨又說他替國民黨員掩護。

現在，他們還要向他追求從前的什麼「非法獲取」的一影又，他又乖乖地繳上黃金一百一十兩，還說，在二月二十八日，存在保險箱裏，原封沒有動過。共黨說他動過四次，取出了黃金，美鈔，手錶，[illegible]倘不清。因此，共黨說他這一個共產黨員的起碼條件都不夠，決定要開除他的黨籍，並撤除黨內外一切職務。原來共產黨是這樣一個傢伙，情節也夠離奇呵！（可水 三月十四日）

杭市五反運動猴子戲：
金潤泉以老狐狸被控訴
錢志賢等十三人立予扣押

【杭州通訊】本市偽市府自從宣佈延長五反期限以後，十五日以後，又限期已滿。偽市增產節約委員會於六日導演了一個全市五反運動的坦白檢舉大會。這是演戲一場的大會，由市府孫文成主席，他宣佈過來由市民一萬多人作爲觀衆的要求，提前中國銀行分行經理金潤泉上台坦白。現先市工商聯副主任委員金潤泉上台由中國銀行職員揭發控訴，結果認爲敷衍塞責，不能滿意。前中國人民銀行杭州分行襄理程居源，后市街居民陳光泰等三人上台控訴的現金，並說他是一隻有名的老狐狸，要有寶鑄引，用當時私營行莊的一句話「祇要有頭寸，不論多少，順昌都要」。順昌是金潤泉兒子所經營的一月錢莊。陳光泰要求撤銷金潤泉「人民代表」的資格。

在金潤泉再表示，態度以後，又演一節戲，另外宣佈，到目前爲止，國營[illegible]行經濟及志賢[illegible]理法藥房[illegible]，大華汽車材料行張永[illegible]等三人，都是極老實，不法商人的[illegible]法落後。

偽杭州人民檢察署由[illegible]章，[illegible]經理吳漢章，[illegible]廠經理[illegible]，[illegible]理林岳正，坦白比較徹底，宣布[illegible]協[illegible]工廠經理[illegible]予以寬大處理。姚力接着又宣布金潤泉、錢志賢，丁[illegible]廷，張永[illegible]等三人以外，還有私營[illegible]浙江第一紗廠，大源[illegible]經理[illegible]，[illegible]經理張[illegible]，[illegible]經理茅東山，張萬順[illegible]，程以錦，[illegible]長興，[illegible]行老闆范[illegible]，中國大陸營造廠經理李樂民等十三名，都未坦白得不徹底，立即予以扣押。金潤泉最後被限期三天，徹底坦白，這兩人大約凶多吉少。

戲未由偽市長講了一番[illegible]，這場猴子戲宣告停場，下次再來。這裏單是報告杭市一些工商業界互相控訴的消息，說來話長，還算是我的千里鵝毛。（力斯，三、九）

紅燈教式的政權

·尚方·

共產仁兄近來因爲北韓中和中國的東北一帶，發現很多蒼蠅，蜘蛛，臭蟲之類的毛蟲，大呼「這是美帝用飛機砲彈散播而來的細菌！」

他們這一種狂呼亂囔的用意，原是爲着對內關係而然的。民間瘟疫流行，沒法撲滅，古時的統治階級，設是天災，並非人謀不臧之故，藉此以減少人民內心的怨望。共產仁兄都是無神論者，罕言天命，只好把這責任推之於「美帝」身上，指爲細菌戰，名詞極其摩登而科學化，在文化比較落後的人民之前，宣傳起來，雖不大頂事，却是很省事哩！

不料，「美帝」一聽不響，要求萬國紅十字會派員實地調査，以明眞象。這一來，把戲揭穿，那還了得！如是乎，一方面聲言北韓中國並無瘟疫，一面即由「中立國」的俄共組織調査團，又配以中共的所謂「美帝國主義細菌戰罪行調査團」，一響一應，做作得十分到家，意思就是怕萬國紅十字會假戲眞做，搞成不能下台的局面，先來這一手。如果紅十字會眞要來調査，即以「中立國」早經實査有據的材料奉送，否則你便是「美帝」派來偵査「細菌戰成績」的間諜！

我看將來各地共產仁兄們便閉尿塞或傷風咳嗽時，也必然說是「美帝」所撒的細菌無疑。原子能時代居然還有紅燈教式的政權出現，豈不大可怪乎？

自由談

最後一步

·夏臣·

陳子通到了廣州，住在×羣酒店五樓四天了，除了吃飯到馬路走走之外，老朋友都不敢去探訪。因爲這一次，拋棄妻妾兒女，財產事業，千辛萬苦偸出了上海，如果上帝見憐，通行證拿到趕上火車最後一步，通過羅湖，就算第二世爲人了。這個時候，他既不想替老朋友們帶去麻煩，也不想找來麻煩。

再說，以前的老朋友們，兩年來誰都不敢給誰通信，天曉得這班人還能在這樣人世挨下去否？

×羣酒店顯然冷落極了，空洞洞的倒像一座古剎，每逢聽見房門外脚步聲，子通馬上嚥口唾沫定定神經，準備着「人民」警察的盤問，四天來，他已經有過十三四次盤問的經驗了，好在還他幾十年社會經驗，任由怎樣缺乏理性邏輯的問題，都還能順利的敷衍過去，而且還能夠前後一致不露破綻，祇要能再向前踏進一步——那裏就是自由的世界。「留得靑山在，那怕沒柴燒！」

這一夜特別的苦悶躺在床上，一會兒想想兒女，一會兒又想起上海的工廠，不知道現在由人民接收了沒有？一會兒又想起湘琴——民國卅六年上海繁榮，所生意最狎錢時候，所帶的一個舞女。「她知道我逃到香港，大槪總會想法子來團聚吧！」子通愈想愈心碎。

「還有，自從上海「解放」了之後，什麼支前，慰勞，抗美援朝，都咬着牙，拚命捐獻，打腫了臉，結果還是一生血汗去了八成，「五反」「三反」的弄得上天無路，入地無門。夥計們都是多年共事的子姪兄弟，平日感情很融洽，待他們也不薄，決不會沒有良心出賣我吧！……他媽的，連我在鎭江買的那間房子值多少錢，湘琴手上的手飾值多少錢，前年來不敢戳的鑽石戒子值多少錢都夠得一班「五反」八且二楚，吸血鬼不要說別的事情了！……到底誰出賣我呢？」子通正在迷迷糊糊，猛然聽見有人敲門，心想大概照例夜間的節目又該開始了。連忙翻起身，房門已經被人推開，先進來一個女人，後面跟着幾個男人。那個女人正是他天天想着要同到自由去的湘琴。「你……你怎麼也跟着來了？」子通看見了她，又高興，又狐疑，反倒遲疑着坐在床口。

「他！……他就是陳子通！……」湘琴跺也不睬他一面批轉頭向後面幾個男人招手，一面說道：「同志們！這就是在上海偸稅漏稅，盜竊國家資財，盜竊經濟情報不肯坦白的逃犯」！

雖然事出突然，但陳子通明白這是什麼玩意了。「難道是在夢中！」連忙抓抓頭皮，咬咬嘴唇，試試疼不疼。

「湘琴」！子通硬裝出笑臉：「別開玩笑，我正想你想得苦呢！」最後這一秒鐘，他還希望試用鎭定功夫來挨過，可惜，那些人民的特工，已經走到他面前。

「你僞造的通行證拿給我！」

子通頭上的汗不知不覺的冒出來，瞪着兩眼，凝視着那個曾經愛過的妖精，他惟一的希望，是她能稍存人性，給他一條生路。可是，他最後這個希望，僅是希望而已！

湘琴臉上沒有什麼表情，祇猙獰的冷冷笑道：「我爲人民，跟了你六年，要不是你臨走留下條子叫我到×港團聚，險些兒我白費了工夫！」顯然她表露了早在六年前，已經是紅色的特工了。

子通這時心已經橫了，眼裏充滿了血絲，嘴唇也哆嗦起來：「你……難道我們的恩情就忘了嗎？我又有什麼對你不起！……你又何嘗不淸楚我一生的血汗，早就被澈底的坦白，捐獻，壓榨乾了！」他愈說聲音愈大：「難道六年的夫婦，連我這條老命都不肯放過？」

他把眼一掃那幾個惡魔似的特工，他由口袋裏把錢包掏出來，扔在床上：「好吧！同志們，一切僞文件和我現在的財產都在裏面了！……我是跑不了的，可否寬限一分鐘，請出門外讓我跟她交代兩句？」一面說，一面指指湘琴。

幾個特工，望一望那女人，那女人並沒有拒絕的表示，於是他們拿起錢包，一齊退出房門。

突然，那個女人尖銳的叫起來，他們回頭一望，子通正發狂的抱起了那個他以前的「愛人」撲向窗口。

他們趕不及了，窗口祇留下一雙男人的拖鞋。

一個特工搖搖手裏的錢包失望地苦笑道：「丟那媽，叫大個有錢佬，祇賸人民幣六萬元，超，飲茶都唔够嗦！」

如此攻勢

·夫石·

論魯達（八）

——水滸人物論之七——

·舜生·

衆潑皮看見他們的兩個領袖雙雙落入糞坑，都嚇得目瞪口呆，抽身待跑，却被智深喝住，並叫他們把張李兩個從屎尿中撈起，就在園中水池裏洗了個澡，從衆潑皮分了兩身衣褲穿着，然後被智深一齊叫到廨宇裏坐地說話。智深把他在延安做提轄官，一直來到這相國寺掛搭的經過，詳細爲他們敍述了一番，衆潑皮聽了，又是佩服，又是害怕，都喏喏連聲拜辭了去。第二天，他們居然殺了一口豬，買了十來瓶酒，當眞的來爲智深接風，智深也歡喜的接受了他們的好意，並乘着酒興，把園裏的一棵柳樹連根拔起，更把衆潑皮嚇得伸出舌頭收不回去，從此對智深總是服服貼貼，隨時以好酒好肉來孝敬智深，並看他演習武藝。

一日，智深因爲擾得他們太多，也殺豬宰羊回敬一席，就在一株綠槐樹下，鋪了蘆蓆，坐地痛飲；智深更取出他那根重六十二斤的禪杖，在草地上上上下下的舞弄了一回，衆人正看得入神，不想牆外一位官人也在高聲喝采，智深向衆潑皮問明，知道此人乃八十萬禁軍鎗棒教頭林武師，名喚林冲。智深忙叫請來廝見，那林教頭便跳入牆來。兩人互道姓名，互述身世，互致欽慕，都相見恨晚，當即結爲兄弟。讀者須知：林冲在水滸傳上出現，便從這一幕開始，當他和智深在園中飲酒之際，正林冲娘子在間壁嶽廟被高衙內調戲之時，後來林冲即因此得罪，這一切經過，具詳『林冲論』中，此處不贅。當林冲刺配滄州，高衙內原已買通兩個防送公人，預備在野豬林結果林冲的性命，但被智深救了，後來這兩個公人從林冲口中證明這和尙，正是相國寺管菜園的魯智深，回去便具實報告，因此智深長老得了高太尉的文書，不得已只好把智深驅逐。綜觀智深的生平，因救金翠蓮打死鎭關西，才到五台山出家；爲救劉太公的小姐，又在桃花村演了一幕精采的喜劇；瓦官寺那個被崔道成和邱小乙擄來的女子，假如她不自殺的話，當然也可因他得救；便是最後被相國寺驅逐，也還是爲了林冲娘子這個問題。一個和尙的故事，處處與女人爲緣，而和尙自己却於女人絲毫無所沾染，此魯達之所以不可及也。

智深離開相國寺以後，便在江湖上流落了一個時期，在孟州十字坡遇見了張青和孫二娘，無意中又認識了楊志，因楊志的關係，更認得了操刀鬼曹正，然後他才同楊志到二龍山寶珠寺落草，後來更得武松加入，一直到『三山聚義打靑州』，他們三人才同時參加梁山泊。（本篇完）

萬竹樓隨筆（八一）

贛人吾愛楊賡笙

·元初·

時報副刊第五先生新世說悼曾浩森，內及曾當年出選監委，江西省參議會議長楊賡笙撰贊大呼曰：「曾公不來，吾儕罷選事。」（手頭一時無原文，大意如此。）事誠有之，然賡老非議長，乃參議員也。

賡老自江西有臨參會以來，即膺議席，以迄南昌淪陷。在會仗義敢言，執正不阿，人以此愛之重之。卅三年江西選擧國民參政員，商人源源長銀號經理王德輿挾鉅資從事競爭，參議員不少爲收買，苦於賡老無所動。一日，議員三人聯賡老於王寓作方城戲，故負，賡老遂番和；亦累多金矣。賡老覺，立起，曰：「吾牌獨和，無復興趣也」。遂奔走。迨選舉揭曉，王德輿赫然有名，而當時省內外夙負名望之某某等反落孫山外，於是輿情大嘩，報紙指爲「金選」，中央交付澈査；參會迫於衆議，檢査選票，凡未投王德輿者公佈之，賡老果不與。今王德輿且以「民族資本家」蒞攏矣。

賡老年近古稀，耳復重聽。平日除議會外，不與省會其他活動。省會原有所謂「四老」，即卅五年蔣公遊贛，江西省府推舉陪侍以備諮詢者，歐陽武、彭程萬、伍毓瑞、龔思會等是。實則論資望，伍皆不逮賡老也。

卅八年和談決裂，部份老人猶策勵廣「地方和平」之說，賡老高目時艱，始數出席會議。維時方天主席及贛政諸君子皆力主戰，爲保障諸人安全，乃命保安司令部新聞處長萬邵成專車護送去贛縣。「四老」之外，另有李尙循、王鑑吾、陳××等一共八人，賡老亦居其一。媚之者一時又稱「八老」。贛縣撤退，陳××隨去台灣，此七人先後返南昌。在此一段經過，大增投共之本錢，中共正喜裝點有人，立加「青睞」，歐陽等六人遂膺僞職，殊沐而冠；而爲江西保持氣節者，乃惟賡老一人。

中共初，力勸其任僞府參事，不聽；就命歐陽等以利害說之，又不聽。中共「省委」書記陳正人親往，語賡老曰：「不往，欲爲民主人士乎？」若以此言恐我，賡老大怒，曰：「此懾威脅者！夫民主人士之崇冠，非中共所得而予奪；昭昭在人耳目。使余果是，誰能去之？使余非是，中共縱欲私之，亦奚益？余年老邁，將就木焉，寧復惜一死。君等好自爲之，不必强人所難也！」[illegible]

報案是多餘的

共產黨自己在吹，說是「解放區」人人安居樂業，已經沒有了盜賊存在，那裏還有搶案發生？說是「解放區」里已經達到了從前所說「夜不閉戶，路不拾遺」的境界。

誰知下面的事實給了我一個確切的解答。

我住在上海南市，一天，盜賊光顧了我的家。我在廚房間堆放了六包米，被盜去了兩包。因爲兩包米是三百斤，合「人民幣」「四十萬元」，在我並不是一個小數目。於是馬上跑到邑廟區公安分局去報案，兩名公安幹部跟隨着我回家察被竊的地點，並且問了許多問題，最後還把我那未被盜去的四包米也記在他們的日記本上。他們答應，叫我三天以後到局裏去聽信。第四天上，我到了局里，他們說：

「案子已經偵査到了。」

我一聽很喜歡。他們繼續說：

「但是那偸米的人，他沒有飯吃，我們沒有處罰他。好在你還有，就把那兩包米送給他吃了吧。」我？也沒說，就這樣胡里胡塗完了。我覺得我的報案成了多餘的了。正待告辭回家，他們又對我說：

「你現在還存着有四包米不是？按你的人口說，實在用不着存這麼多的米。在人民的時代，應該是有工做才有飯吃，既然有工做，就不愁沒飯吃；那麼你還存着四包米幹嗎？現在國家財經困難，又要建設，又要救災，又要抗美援朝，我們給你一個勸告，你應該再拿出兩包米來捐給政府，你自己存着兩包米也就夠吃的了。」說是「勸告」，好聽罷了，實際上還不是命令？

回到家，我把兩包米雇車送到局里，「賠了夫人又折兵」，我雖然後悔我不該去報案；但是對於「共產黨下爲什麼沒有盜賊？」這個疑問，却恍然大悟了。（老敢）

自由人

THE FREEMAN

（中週刊每星期三六出版）

（第一一〇期）

每份港幣壹毫

督印人：李光華

社址：香港高士打道六六號

電話：二〇八四八

GLOUCESTER RD. HONGKONG TEL: 20848

承印者：東南印務出版社

地址：高士打道六四號

台灣經銷處：台北市中華路一二五九號

韓戰和談大有進步？

·雷嘯岑·

前兩天，美國國務卿艾契遜聲稱韓戰談判必有成就。昨天美國五角大廈的聯合參謀會議主席布萊德雷也宣稱其不主張擴大韓戰的決策，並稱贊李奇威將軍「以人所不能忍耐的心情來維持和談」，自係相信休戰協定必可成立的。同時，合衆社東京電訊，亦說休戰談判大有進步，雙方對於監督視察的地點問題，已獲致協議，只剩下換俘問題尚在僵持中。總之，從各種迹象觀測，板門店的和談似乎成功的希望很濃厚。然則韓戰真會化乖氣為祥和麼？根本是絕望的，苟和一時或許可能。

苟和何以可能？

布萊德雷曾指稱韓戰為「在錯誤的地區，遭遇錯誤的敵人，進行錯誤的戰爭」，這是「事後有先見之明」的詞令。當戰爭勃發之初，美國對「亞洲狄托」的美夢猶濃，千方百計，信誓旦旦，表示其對中共的善意，認為中共必會默許還俏友好政情，保境安民，而眼見聯軍的優勢武力，將不無戒懼恐懼之念。在這政治撫綏與軍事威脅的雙管作用下，中共自必趨利避害，暫作壁上觀的。怎奈史大林不答應，教中共參入戰場，與美國糾纏，打了一年多，由於英美自身的政治歧見，沒法結束這場「有限度」的戰事，既不能強，又不能弱，這才感到「錯誤」了！在這「錯誤」的行動中，美國乃發覺了兩大難題，必須設法使其不要一誤再誤，先求得一時苟和之局，以觀後效。第一是國內的大選問題：杜魯門原以不擴大韓戰為得意傑作，因而觸動了麥克阿瑟。共和黨即以韓戰失策為最好的競選材料，藉此痛擊民主黨政府的瘡疤。假使在今年十一月以前，韓戰依然僵持着打打談談的局面，對為富有爽快而獨勵性質的美國人民所大大的不快，民主黨將註定的要走出白宮了！為着大選利害計，自不惜以「飲鴆止渴」的勇氣，力求韓戰之苟和，使杜魯門可以挺起胸部向人民說話。他到現在尚不表示其對大選的態度，唯一原因就是要等待板門店的休戰談判結果如何？第二是軍事上的戰略問題：美國經過了這場「錯誤」戰爭，今後對亞洲的戰略，深感「事必躬親」之失算。但對日和約尚未生效，日本的建軍顯尚遙遠，南韓整軍經武未到成熟時期，越南戰事又「非常危急」（艾契遜語）台灣的數十萬精銳之師，亦因盟國間的政治歧見，尚待消除而未能運用。韓戰如再起，美國如不派遣新軍增援，即仍是不勝不敗的消耗戰，正中史大林的詭計；要大量增援，不特為全盤戰略所不許，亦為事實所難能。為着爭取時間，重新佈署，更有暫時停止韓戰之必要，只要面子上過得去，休戰協議是可以實現的。

根本停戰何以絕望？

史大林的世界革命計劃，是以不冒全面大戰的危險為最高原則，即所謂「不打沒把握的仗」。像韓戰這種僵持情形，最合他的願望，板門店和談雖暫時成功，而美軍數十萬人依然沒法撤走，中共更要死心塌地的一面倒。時間是大家利益均沾的，美國能藉此來建立日本的實力，改造太平洋上的防衛體系，培植南韓武裝；史大林何嘗不能向東南亞進行猛烈的心理戰與滲透魔術？何嘗不能對日本大力培育其第五縱隊與同路人？而英國集團的印度等，更因此將與英倫的貝凡一流人裏應外和，大扯民主陣綫之腿，間接即是替史大林幫了大忙。

板門店和談如獲致協議，繼之而起者即為政治談判。一個極單純的休戰談判，即談了九個月猶未見分曉，複雜的政治問題，談上一年也不算稀奇。那時節，美國的大選完成了，無論民主共和兩黨誰來執政，根本戰略是沒有甚麼出入的。美國的國防計劃，到一九五三年也全部準備齊全了，杜魯門上次致國會的預算咨文中就說明一九五三年不是頂峯預算，可資反證。「憑實力談判」的條件既已構成，再不怕史大林問「你有多少師」了。那時節，史大林如果知趣而退，不妨繼續冷戰，否則，隨時隨地，儘可展開熱戰場面，萬不在乎。實際上，雙方還要有備，誰把握時機，[illegible]苟和的[illegible]，一方認為有利一切都可以變為[illegible]，與其實以大致[illegible]藉口資料而[illegible]所以有詞。韓戰可[illegible]於一時，若想苟和之神從此悠悠人間，那是絕望的。暫時寧靜，乃是暴風雨前夕的象徵呵！

鐵幕國家的迫害宗教狂

民主政治最後永遠是勝利的

國際共產主義的迫害宗教狂，在人類史上是空前的，耶穌使徒們反迫害戰鬥的堅決，也是自古所未有。歷史的事實告訴我們，宗教自由，政治民主，最後永遠是勝利的。

根據梵蒂岡教廷的報道，截至上月份為止，在東歐鐵幕國家內，被處徒刑或驅逐出境的總主教，主教，及教會高級行政人員，多達五十三名。教會的善男信女，多受到嚴重的迫害或清算，而抬不起頭來。中共的反宗教狂，較東歐國家，更為險惡。這情形比起當年耶穌釘死十字架，還要嚴重若干倍。因為今天史大林的基本作風，是要徹底毀滅宗教，不是單純的反對宗教裏面某一派系。

蘇聯迫害宗教運動，開始於一九二六年，俄籍教會人員被清算鬥爭的有多少，是一筆糊塗賬。梵蒂岡派赴俄國的使節及高級行政人員中，有五位判處徒刑，其中有一位還充配到西伯利亞。除掉三位已經於一九三二年逃出鐵幕，其餘兩位，仍被關在蘇聯的鐵監牢裏。

阿爾巴尼亞方面，教廷所指派的七位主教，除掉有一位尚可自由活動外，其餘六位，被阿爾共產黨當局，殺的殺，關的關，沒有下文。

捷克方面，教廷所派的十四位總主教，主教，及教會高級行政人員中，有三位被處徒刑，另三位被驅逐出境。布拉格的總主教畢蘭Joseph Beran，曾經過長時期的軟禁，最後也被驅逐出境。

匈牙利的迫害宗教狂，於紅衣主教明山迪被捕判刑後，進入高潮，被逮捕的教廷使節中，除明山迪外，尚有總主教葛洛斯Joseph Groesz。另外有一位主教，因為受不了集中營的苦役和虐待，餓死獄中。

波蘭本來是天主教勢力很膨脹的國家，教廷所派的總主教，主教，及教會高級行政人員，達二十五名之多。從一九四八年反教會高潮起來後，這廿五名重要使節中，有一人判處徒刑，一人驅逐出境，一人遭軟禁。

羅馬尼亞的反宗教運動，最為激烈。教廷所派的十四名總主教及主教中，十三人進了監獄，另一人遭軟禁。羅馬尼亞的宗教活動，整個陷於冬眠狀態。

南斯拉夫脫離史大林的魔掌，反宗教運動，逐漸進入低潮，過去所拘禁的及軟禁的高級教會人員中，已陸續釋放。

拉脫維亞和立陶宛，其情形和羅馬尼亞一樣。拉脫維亞僅有的兩名主教，全部失去言論自由。立陶宛的六名高級教廷代表，被捕者一人，驅逐出境者一人，軟禁者三人，僅有一人尚有行動自由。

中共在一面倒的政策下，其迫害宗教的熱狂，比起東歐鐵幕各國，還要百尺竿頭，再進一步。根據梵蒂岡一月十九日所發佈的聲明，被毛澤東拘禁的總主教、主教，及教會高級人員，達五十一人；被驅逐或軟禁者三十人。至於被驅逐的傳教士，去年一年，竟達一千三百七十四人，其中天主教神父佔五百八十三人，男修士六十人，女修士七百三十一人，加上以往被驅逐出境的教會人員，總數為二千名。

現在仍被留在中共大陸的外籍傳教士，尚有一千七百六十四人。其中一百八十八人被拘捕，內有二十一名主教，其餘人員均在共幹的監視和軟禁中，無絲毫行動自由。

史大林已經深切地認識真偽不能並立，善惡不能共存，因此他要用一切殘暴狠毒的手段，消滅人性的真美善。在這個邏輯下，因此他要消滅宗教，消滅民主政治。但是歷史事實告訴我們，基督教每一次受到暴君獨裁者的摧殘後，更能放出它的燦爛的光輝；民主政治在受到極權專政的壓迫後，更能促使它的新生和進步，因果律是不變的真理，歷史法則是不易的定律，反宗教反民主的暴君暴政，終將自取滅亡。（伍健勛）

中共在五反名義下：綁票勒贖的巨大收獲

其人其事之形形色色

五反開始以後，權威觀察家意見，中共目的在刮龍。所有上海天津漢口廣州工商業界人士，都被封為民族資本家者，必至陷於絕地而不能自拔。每一資本家，都在「五反」帽子之下，暴利，偷稅，漏稅，行賄，盜竊，刺探情報種種罪名，一經坦白，別的都可以商量，必須拿出錢來，一切可以從輕處理。證之中共駐港「國營」銀行主理大陸工商投資部份統計，二月份僑胞匯返大陸之工礦投資，達港幣三億餘元，為大陸易手後，海外僑胞投資大陸之最高紀錄；以及一月份正當農曆年關，僑匯為旺季之月，數字亦僅港幣四千美元；足見某[illegible]察家之所見不虛，所謂「投資」，[illegible]完全[illegible]在大陸[illegible]僑胞[illegible]不是勒贖肉票？

[illegible]石筱山，為上海傷科名醫，家藏黃金美鈔若干，[illegible]中共迫令石儲女報告[illegible]數，翻箱倒篋，迫令石[illegible]坦白，中共照石[illegible]，限令日期，如數繳出。石筱山[illegible]無所出，即推窗[illegible]，石亦投樓自盡。其事與石[illegible]。

桂圓大王張國樑[illegible]其店員十數人，[illegible]仰藥偕亡，同樣慘烈。

[illegible]事出以後，中共即嚴令上海中西藥舖，凡有醫療性藥物，絕對不能售出。即醫療所必需之藥物，必須醫生開方，絕對負責。石筱山事出以後，中共又通令上海所有樓房，自二層樓以上，窗一律裝上鐵絲網，以防墮樓自盡。

墮樓自盡，上海人通行術語，叫做「降落傘」，亦叫做「背包袱」。因墮樓自盡，頸骨折斷，以後，頭頸縮入胸背，故名「背包袱」。

前法國公園，每夕必有不少人在內自縊，最多的人數為四十七人。

戈紹龍博士，為故名記者戈公振之弟，中共記者戈[illegible]之[illegible]，[illegible]醫學界[illegible]，其身份雖特殊，但戈[illegible]抗戰時，[illegible]大陸[illegible]，戈又回滬以後，參加[illegible]，感觸萬端，不能自持，精神終于委頓，自殺，其人尚不失為烈性男子也。

王志莘，新華銀行總經理，為金融界之前輩，[illegible]以民族資本家自居，頗欲為其安身立命之地，但近亦力圖自殺，均未遂。

金城銀行總經理徐國懋曾為文坦白，在新聞日報發表。中共以渠未澈底坦白，一再威迫，當天氣寒冷之際，勒令解衣，赤身裸體，跪地自白。迄未為中共所諒解，仍予逮捕，吉凶未卜。

前世界書局總經理陸高誼，敵偽時期與汪記偽政府[illegible]，主持敵偽[illegible]教科書之發行。勝利後，陸畏罪潛蹤香港，以後[illegible]歸，[illegible]光榮。[illegible]最近又一度[illegible]民族資本家，[illegible]公室主任[illegible]，其罪行為「[illegible]」，將全部[illegible]理人大會[illegible]「去年」一項交易中，所獲即逾偽幣一百多億元之巨。（大可）

時局漫談

舜生

真和平與假和平

我們決不鼓吹戰爭，我們也誠心誠意的期待和平，甚至在今大世界任何一個角落，能夠保持一局部的安寧秩序，不為好亂成性的分子所擾亂，所破壞，我們也認為值得共同予以維護。

可是，我們反對不甚於正誼的和平，反對屈辱的和平，反對會求一時的苟安而為人類將來製造更大禍害的和平，換言之，我們反對姑息，反對綏靖，近在最近的半個世紀，我們曾受過極親切的教訓，我們深深的知道，姑息與綏靖，對於一大羣有組織的好亂之徒，是完全沒有什麼用處的。

不戰而備戰，這是現在一般人維持和平的一種方法，在某一意義上，也不失為一種苦心，其實這種方法並不是現代才發明的。揭穿說，自來歷史上的所謂『武裝和平』，無一不十足道地和當前所表演的一樣，不過現代備戰的規模更為宏大，區域更為廣闊而已。

假定我們說，從來便沒一種『武裝和平』能夠求得真正的和平的，則當前的所謂和平，可見並不足恃，不過正因為規模大，區域廣，在時間上，也許能拖得比較的長久而已。

我們期待大家一致起來爭取永久的和平，真正的和平，決不可以當前這種暫時的虛偽的和平為滿足。

細菌戰？

細菌戰是科學的，但用細菌戰來作為宣傳戰，這卻是玄學的，其實擴大來看，凡共產黨的一切宣傳，一切措施，也無一而非玄學的，不過為表示能進步起見，還不願脫下這件科學的外套而已。

假定聯軍果然在韓戰場發動了所謂細菌戰，則一經調查，當不難水落石出，世間寧有一種確有憑據的事實，而經不起一種公正的調查的？然而共產黨卻反對調查。

史達林先生是現代一位魔術大師，克里姆林宮，是世界一大魔窟，凡今日世界各地一切魔術的演出，實無一不以克里姆林宮為策源地，今天在韓戰場叫出的所謂細菌戰，也不過是他一套『玄之又玄』的小魔術而已。

可是魔術儘管是魔術，魔術還是可以用科學去解釋的：兩年來的韓戰，中共犧牲的士兵實在太多，加以一切情形的腐爛，醫藥衛生的簡陋，士兵生活的無法提高，於是使得死亡的情形更趨嚴重，而且可能波及到了一般接近戰區的人民，一方面為了加重『美帝』的罪惡，一方面還想對老百姓報一筆糊塗帳，於是乎想出了『細菌戰』這樣一個妙法。

其實，只有今天在中國大陸的中國共產黨，才真正是一種細菌，這種細菌散播在中國大陸的每一個角落，中國人民死於這種細菌的，已經成了天文學上的數字啊！

我們不願意陷害日本！

昨天日本的國務大臣岡崎勝男對他們的國會報告說：『即使與中國國民政府締結一個雙邊條約之後，日本仍將保留其與中共進入外交關係的權利。』假如我們對待日本也和日本對待中華民國一樣的無誠意，我對岡崎先生這樣的一種說法，便可作如下的一種答復：『很好，很好，你們就去和中共發生外交關係吧！不只是普通外交關係，在經濟上你們可以和中共去提攜；在文化上你們可派遣大批青年到北京，向毛澤東去學習；最好你們效法你們的前輩松岡洋右先生，再和史達林去擁抱一回，我們也不反對哩！』

然而，基於我們三十年對付蘇聯，對付中共的經驗；基於我們對未來世界，未來亞洲的一種憧憬；基於我們關切日本前途的安危；說得不客氣一點，也基於我們對現代日本政治人物能力的認識；我們畢竟不願陷害日本或放任日本去這樣做。

我們懂得陷害了日本，對於中華民國決無好處，日本卻不懂得陷害了中華民國對於日本是一大災害，我們一切一切的分歧點，大概都是從這裏出發的。

尼赫魯中間路綫碰壁　孤立主義鑄成三大錯
共黨直接威脅印生存　內外新形勢迫使轉向

印度像一個「謎」，過去曾經令人捉摸不定，難於理解。獨立後的印度，它所表現的一切，大多出乎常情和我們意料外的；尼赫魯走的所謂「中間路綫」，所謂「不介入政策」，口中高喊着的「亞洲為亞洲人的亞洲」，似是而非，不着邊際。不祇沒有替它自己製造機會，解決問題，且相反的召致了亞洲局勢的更大困惑與混亂！我們客觀地批判，尼赫魯這樣地領導獨立後的印度，自以為聰明不過，實在是錯誤的。

不過，對于一個脫離英國統治獨立不久的印度，我們也不必責之過深，還得平心靜氣的去了解印度人民的感情，和尼赫魯的心意。印度經過英國的長期統治，深深體驗到殖民地的滋味，一旦他們自己有權利站起來了，對于過去所厭惡的和憎恨的，一時自不容易忘得乾淨。從這種感情和觀點出發，再加以共產集團的甜言蜜語，和種種的挑撥與誘惑，也難怪印度不感情用事一點，走着「中間路綫」，頗同共產集團送秋波。時間無論對於個人與一個國家均是一面最好的鏡子，我曾經有過一個信念，以為總要民主集團對印度政策開明而積極起來，祇有印度嘗過共產集團的苦頭，和赤色魔力威脅到印度本身的安全的時候，印度就會清醒過來，轉變它的態度，最近印度逐漸顯露放棄「中間路綫」政策轉向西方，說明我們上述的觀察不是無因的。

忘掉了自己

過去幾年間的印度，在徘徊瞻顧中坐失了許多時機，它最大的錯誤，是沒有澈底地認清誰敵誰友，它希望生存與發展于美蘇兩大之間，正因美蘇兩個集團均需爭取印度，印度便以為有利可圖，大可乘時提高自己地位，趁機取巧。更以為「不介入」政策，便可左右逢源，甚至于中間偏左一點，可能收到更大的成果。印度在這一念之下，就碎了一連串的令人不可解的錯誤事體，主要的是：（一）印度認識蘇俄的不足。印度剛脫離了舊式殖民地主義的羈絆，不知所云的又去歌頌新式的殖民地主義，並且甘心做新式殖民地主義的辯護人。那種歌頌蘇俄的言行，說明印度正如一個剛從血門中解放出來的奴隸，而自己又將陷于奴役他人的錯誤。二次世界大戰期間，美國羅斯福總統是極力支持印度獨立的，而史達林則是計劃吞併印度的。事實俱在，印度何其無所警覺？這一點不能不歸咎印度認識蘇俄之不足。（二）印度錯與中共為友。中共為蘇俄的附庸，中共沒有自己的意志，中共統治中國大陸，無異是蘇俄佔據中國大陸的變相。蘇俄在中國製出一個中共傀儡，又何嘗不可以在印度擬造一個「印共」傀儡！印度不以中國為前車可鑑，反而與蘇俄附庸中共相交好，與自由中國相疏遠，那是不可想像的幼稚！本質上決定了中共的行動，中共沒有想到中國的利害，更沒有想到亞洲的利害，中共是百份之百的共產國際，一切為了蘇俄利益。印度是站在自己的利害和中共友好呢？抑是站在亞洲自由和平的立場來和中共友好呢？這是無法獲得正當解答的。那末，過去印度的承認中共政權，在聯合國大會上做蘇俄的「助手」，為中共進入聯合國而竭力以赴，對韓戰和平的奔走，這一切一切，豈不是大錯特錯？我們相信，印度的領袖們祇要冷靜地想一想，證諸印度今日的處境，他們也許會有不勝其哀痛的。（三）印度忽視了亞洲的集體安全。尼赫魯的「中間路綫」，「不介入」政策，把印度陷于孤立了，予共產集團以可乘之機。共產集團最歡迎的是一個「孤立了的印度」，最恐懼的是印度投入了自由民主陣綫。印度過去的錯誤正是忽視了這一點，亞洲國家今日面臨共產主義的威脅，決非「自行其是」所能挽救，必有賴于集體安全制度的確立，和亞洲反抗共產主義聯合陣綫的建立；印度不向這一途徑而努力，避實就虛，結果自不堪聞問。

以上三點，是印度這幾年間所患的重要錯誤。

這種錯誤印度固然要自負其責，而民主集團過去對亞洲政策的遲疑，與對印度爭取的不夠積極，也難辭其咎！過去的，算了吧！反正印度經過這一番的折磨，開始有了警覺，這是一個可喜的轉變，值得我們十分重視；尤其在東南局勢日趨嚴重，越南命運岌岌可危的今日，印度的態度，更顯得重要。

共黨的威脅

印度是怎樣轉變的呢？據最近各方的報導，主要因素有四：（一）中共侵入西藏後，印度開始感受赤色的威脅，新德里和北平中共的關係便轉趨惡化。尼赫魯曾為藏問題，向中共提出抗議式的照會，而中共答覆印度的是「中國是不容外國干預內部政策的」，「假如採取這種干預的，就是效法帝國主義者」。中共這些話，無異給尼赫魯當頭一捧！印度過去替中共賣了許多氣力，而獲得中共的回報的，是這兩句絕不客氣的話。這如何不叫尼赫魯痛感情，知道中共的來意不善。

（二）這一次的印度大選，南部三個省份，馬德拉斯，海德拉巴德及托克萬戈爾城，印共已形成強大的力量，直接威脅着印度內在的安全了。貧困與飢餓的印度，正是共產主義的「溫床」，星星之火，可以燎原，印度內部共產的滋長，比較外來的壓力又較可怕，這如何不叫尼赫魯心急，提起他的警覺性。

少不了美援

（三）去年印度糧荒，大鬧饑饉，蘇聯集團為爭取印度人民同情，宣傳將以大量米麥運印救濟，而結果，口惠而實不至，所得究竟不多，最後還要靠美國的糧食「借與」，免於災難。經過這一次事實教訓，印度自然感到足以協助印度發展水利的，能夠幫助印度解決食糧問題的，不是蘇聯或中共，而是美國。在現實利益的衡量下，印度不得不有所抉擇。

（四）美國近一年來對亞洲政策有了相當的改變，逐漸從消極轉到積極，從被動轉到主動。對于印度的爭取也是這樣，一九五〇年間杜魯門先後約阿里汗，尼赫魯訪美，多少留下了美印的友誼基礎，最近又派鮑爾斯訪問新德里，予印人以很良好的印象，使印度增強對美的信心。此外印度最近從華盛頓得到五千萬元的借款，和美國技術人員赴印工作，更顯出美在印度已低落的地位，又從新的提高了。美印關係將踏入新的階段，印度的傾向西方，以此時更見積極。

（五）韓戰的停火談判稽延難決，和越南局勢的陷危，使印度自覺到孤立主義之不可恃！加以日本和約行將正式批准，中日關係也將恢復，亞洲的新形勢，有利于民主集團，印度如不及時轉變，將來便會失去它在亞洲應處的地位。

勝利的先兆

基于上述，印度的轉變，不外是內外新形勢所促成，一點不勉強的。印度的轉變，是民主集團在東南亞，和整個亞洲的勝利的先兆，蘇俄和中共過去對印度擺下的迷湯，將是全般的沒有作用。我們希望印度要徹底的自覺，放棄它的「中間路綫」，不要僅僅由于熱望美國的經濟，糧食的援助底原故，而轉變態度；要立于遠大的見地，為建立自由亞洲，自由世界而努力才好。

亞洲決定因素

印度為亞洲第二大國，人口僅次於中國，資源豐富，棉纖產量也很可觀，為通達中東的重要樞紐，動輒關鍵整個東南亞局勢。印度的轉向民主集團，在穩定東南亞局勢，和保障亞洲的安全上說，均有其重要的意義。二次世界大戰結束後，印度的地位顯然提高，蔣介石總統且曾有印度之行，可見中印關係已具基礎，中印合作對于亞洲民族的興亡，是十分必要的，中日和約正在台灣談判中，日印和約也可能跟着談判，亞洲的形勢不久便將有所改善，中，日，印必成為決定亞洲命運的主要因素，三個國家自須共同負起建立亞洲自由平等的新秩序的責任。

印度行將轉向民主陣綫的時候，尼赫魯還可能作一點「矜持」，還得美英起帶頭作用，積極爭取，和中日和約的迅速簽署，以加強印度反共的信心。

但願，印度這一次態度的轉變，是屬於真實的「自發要求」，尼赫魯也要想一想，畢竟不是玩花樣的時候了。（尚還）

怎樣統一？

蘇聯要求召開四強會議，來訂立一個對德的和約。

但是和約的對手是誰呢？

東德、還是西德呢？

蘇聯主張德國的統一，究竟怎樣來達到統一呢？

×　×　×

為了德國的統一，西方國家主張實行自由民主的選舉。

去年十二月，聯合國會經通過派遣委員會調查德國選舉的情形。

但是蘇聯表示反對，作為委員會之一的波蘭，拒不參加。

現在四國的代表已到了西德，由東德的表示，大概要拒絕入境。

不許聯合國的調查選舉，蘇聯的意思，顯然是欲利用東德來統一西德。

這正是過去朝鮮的故事，最後蘇聯利用北韓的武力來統一南韓。

蘇聯是否準備在德國再演一次朝鮮戰爭呢？

柏林的縮影

朝鮮分為南北，德國分為東西。

朝鮮比較次要，尚難統一，以德國地位的重要，統一的困難，可想而知。

為了討論德國的統一，去年三月起會開四強預備會議。

結果為時三閱月，仍是一無結果。

現在舉行四強會議，即能正式開會，結果當不離想見。

×　×　×

德國的分為東西，柏林是其縮影。

柏林的統一尚不能辦到，德國自更不消說了。

為了柏林的統一，蘇聯會封鎖其交通。

英美則以空運相對抗，歷時一年，最後恢復舊狀。

對於德國的統一，蘇聯究竟作何種陰謀呢？

祭起法寶

在里斯本會議以後。

德國的參加西歐防衛與訂立和平協定，顯然已進了一步。

為了阻止西方國家之對德訂約，並助其武裝。

於是蘇聯又祭起了四強會議的法寶。

可惜這法寶，如今已不會有怎樣的作用了。

×　×　×

歐洲是德國，東方是日本。

一東一西，這是蘇聯的大患。

蘇聯出全力以阻止日本和約的成立，結果失敗於舊金山會議。

蘇聯利用朝鮮戰爭，一再主張召開五強會議，到底無所用之。

為了阻止對德的成立和平協定，四強會議能有什麼成功嗎？

大戰危機所在

由對日和約的成立，繼之以美日安全協定。

美國議會的批准，是本月中既定的事情。

日本的武裝，已在開始了。

蘇聯眼看日本的興起，卻無如之何。

蘇聯能再看德國的武裝興起嗎？

四強會議的方法若再失敗，蘇聯怎樣呢？

這是大戰的危機所在。

貝凡的演講

為了感到德國的重要。

美國認為德國的武裝有非常的必要，無論如何要促其實現。

於是法國感到了恐懼，英國感到了不安，深恐大戰的到來。

勞工黨左派的貝凡，明白指責美國的錯誤領導，以為軍備競爭的結果，必是戰爭。

但像貝凡所言，動員全世界的輿論，就可以制止大戰的危險嗎？

在史大林心目中，倘有所謂輿論的存在，他的獨裁政治也不會出現了。

英國的副外務長批評說，貝凡的演講等於史大林的數師軍隊，正好用以打擊朝鮮的聯軍與馬來亞的英軍。

原來貝凡認為美國的財政經濟政策，對於西歐，比史大林還可怕呢。

×　×　×

美國的共同安全計劃經費七十九億，正在議會激烈爭辯中。

參院外委會主席康乃利認為歐洲應自努力建軍，以防止共黨侵略的威脅。

然而如英國的左派勞工黨，以及法國的社會黨，他們卻以為是美國的無謂驚慌，好像共產黨的威脅並不存在。

蘇聯代表馬立克在聯合國裁軍會議中說，蘇聯不論在何種情形下，將不與美國及其他國家開戰。

這果是蘇聯的坦白陳辭嗎？

輿論製造者

在裁軍會議中，程序問題的討論尚未着手。

蘇聯首先就提出美國在韓戰施放細菌的指責。

現在蘇聯及所有共黨國家，正在竭力宣傳，造成輿論，以對美國肆其攻擊。貝凡說史大林怕世界的輿論，那知他卻是所謂共黨輿論的製造者呢。

樓明

亞洲關鍵在越南

粉粹共黨的侵略步驟，西方國家應首先在越南採取斷然的動作。

·嘉華·

華盛頓外交家夢寐不忘的問題，就是亞洲的局勢將可能如何演變？思量的結果；認定亞洲的關鍵在於越南。

法國已經傾全力於應付胡志明的變亂，如果中共再參入越南，如上加斤，那麼，焉能支持得住？越南毫無疑問的必陷入共產黨的掌握！

越南淪陷之後，隨而必然會連串地演出下列的結果：

動搖中之緬甸將變而投共：緬甸自從被日本佔據之後，迄現在農村仍疲乏難振，原氣未復，內亂幾年來向未停止。萬一越南陷入魔掌，意料中，緬甸就可能突起變化而投共了！

富庶而軟弱之暹羅難保：暹羅現在雖然與共黨方面保持風馬牛不相及的狀態而維持它的自由；但是，一旦越南和緬甸傾覆，則這個缺乏國防戰鬥力的暹羅，困在紅色圈內，恐怕亦難於久持。不用說，必然會與越緬同一命運陷於赤化。

馬來半島局勢再不容忽視：馬來半島的共黨，與英軍力敵勢均，相持不下，倘暹羅不保，共黨就可以利用暹羅來做後援接濟馬來暴徒，那時的情形，將更不利。西方國家如果不趁現在增派大量地面部隊，將暴徒勢力撲滅，再拖下去，等到馬來半島大部份被共黨佔據，恐怕大局更難於挽救了！

共產黨將由馬來進侵印尼：意見不和的印度尼西亞人，對於中央政府仍然感覺非不愉快，共產黨很可能利用這個機會，由馬來亞將勢力伸展到印尼，等候機會攫取它的財富。那麼整個東南亞的資財，將整個為共產黨所壟斷。

為了粉粹共產的侵略步驟，西方國家實應首先在越南採取斷然的動作，先確保這個亞洲關鍵的安全。有人獻議過：如果中共進兵，聯合國應該派出海軍及空軍，到越南以阻止中共的侵襲。這個由聯合國派軍彈壓的辦法，雖然可以短期間鎮壓得住，但是據一般軍事專家的看法，仍然有困難，因為誰也不能測定中共準確地在什麼時候發動進侵，大量的部隊，長久的駐紮等候，所有一切軍需都不易週全。再說聯合國的部隊，換言之，即等如美國的部隊，美國今年正當大選，大概不會贊成這麼辦的吧？

一般時事觀察家，都以為目前局勢正和珍珠港事變前夕有些相像，如果當初日本人不發動珍珠港襲擊，而全力進侵東印度及馬來亞，那麼在美國動員之前，就可以囊括整個亞洲了。由歷史獲得的教訓，共產黨大概不致重蹈日本的覆轍，無疑地共產黨將先攫懷的抓住了亞洲，再談其他！現在事實也是如此，且看我們怎樣去防止它罷！

史大林故鄉歸不得
喬治亞匪盜滿天飛

最近史大林的故鄉喬治亞，又鬧清黨運動。被清除的份子，包括喬治亞共產黨支部兩書記，共產黨青年團首席書記，喬治亞最高法庭主席，喬沙亞的司法廳長，及農業、司法、遊藝等廳副廳長多人。

清黨運動開始於去年十一月，至上月始告完畢，揭發的中心地點在喬治亞的省會迪佛里斯。此與該城所破獲的一連串盜竊案有關。最近喬治亞省盜風甚熾，尤以竊盜為最，他們是有組織的團體，他們除搶掠偷車外，還大量殺害司機。這次參加盜匪組織的罪犯中，有兩位是高級共幹，一位名叫巴蘭米亞Baramiya，另一位叫夏杜里Shaduri，他們都是史大林革命的老同志。

喬治亞的集體農場，也不斷發生犯罪行動。最奇怪的，這些盜匪多是集體農場的會員，主席，乃至地方政府及黨部的官員。他們所盜劫的東西，包括金錢，五穀，牲畜，及其他財物。

喬治亞的盜風，不自今日始，遠在一九一七年以前，史大林本人便是老於此道，他曾搶劫銀行供作革命的經費，今天不過是歷史重演罷了。（樂光）

雨雪稀少與氣溫失調 造成瘟疫中共感束手

衛生醫療條件均不夠 各地春耕普遍陷停頓

【本報綜合報導】：大陸的旱災及瘟疫，近半月來已進入嚴重狀態。因此中共在「三反」「五反」之後，不能不一面發動細菌戰的宣傳，一面展開所謂防旱及抗旱運動，而同時下令各級機關，立即停止「三反」，進行搶救春耕。

據二月二十五日「人民日報」的報導：河北定縣專區，察哈爾，平原省滑縣，鄴縣和新鄉專區等地，自今春以來均發生嚴重的疫情。據二月十六日統計，只曲陽縣三區，即有四十六個村發生流行性感冒及肺炎，患者達兩千人，其中一百八十人死亡。十七日定縣發現患者一千六百二十五人，死亡三百零三人，無極縣五區一個區，即死亡一百五十人。此外，行唐四區也於二月中旬發現一千四百七十五人，死亡一百一十人。到二月二十日，該區的新樂、曲陽、行唐、博野、安平、定縣、蠡縣和無極等八個縣，患者續增至四萬五千二百六十六人，已有一千七百一十七人併發肺炎死亡。其中無極一縣，患者即達一萬三千六百五十二人，因併發肺炎死亡者有四百八十六人。石家莊專區亦已發現，僅獲鹿、井陘、贊皇和靈壽四個縣，患者即達二千五百六十二人。

察哈爾方面，痲疹、瘟病及天花等瘟疫亦在急劇蔓延中。據十四個縣的統計，已死亡一百二十餘人，沽源一縣，患痲疹的小孩一千餘人，畜疫亦普遍發現，察北專區患牛口蹄疫牲畜已超過二千五百頭。

平原滑縣據本年一月至二月十二日的調查，在十個區三百九十九個村中，發現染有猩紅熱、痲疹、腮腺炎者已達四千三百零六人，死亡二百八十四人。

上述的疫症，到了本月月底，已由華北蔓延至華中。據三月一日上海「解放日報」的報導：山東德州專區已發現嚴重的肺炎、痲疹等症，據中共德州地委不完全統計，患病人數已達四萬餘，病死者一千七百〇五人，病災縣及十六縣。其中吳橋縣染病者佔總戶數百分之七十，臨邑縣患病人數佔總人口百分之三十，現病疫已在惠民、濱縣、淄博等專區相繼發生。另外在徐州，青島、惠民附近，豬瘟亦極嚴重，河北之牛口蹄疫蔓延山東全境。

除華北及華中已發生瘟疫外，陝西及華南各地，亦普遍發現。據三月八日西安「群衆日報」的報導：西安市郊，除東郊白楊寨一帶發生瘟疹外，南郊三兆鎮天花瘟疹亦極流行。據中共陝西「衛生區」反映，陝南安康專區七個縣內，都發生瘟疹，患者達二千餘人，據廣州市內及市郊，最近逃港人士報導，傷寒及天花亦在發展中。

這些瘟疫的發生，據「人民日報」及「解放日報」所述，倒不是「美帝」細菌戰的結果，而係由於去冬今春以來，大陸各處雨雪稀少，氣溫失常所由致。據「新華社」的報導：去年十二月和今年一月，大陸大部地區均稀少雨雪，華北已形成多旱。一月份北平、歸綏、保定、太原等地，都沒下過雪，太原比往年同一時期的降水量，相差五點一公厘。西北各地一月份下雪亦較往年少，華東更感雨雪不足。四川西康貴州雲南亦普遍缺雨。據「解放日報」所載：山東全省已呈乾旱現象，據十九處雨量紀錄，降雨最多的福山縣，在一月份僅降雨四點九公厘，其餘多爲一至三公厘，而濟南、新泰、蒙陰、惠民等則全無雨雪。天氣乾燥和變化無常，疫症遂普遍發生。

由於各地原有醫生及醫療設備，在「抗美援朝」時都調赴前方，因此疫症發生後，始終無法防止，而坐視其蔓延，「人民日報」在二月廿五日的專訊中，曾坦率承認：「各地衛生行政領導部門和當地衛生醫療組織，工作不深入，對疫情的嚴重程度估計不足，或不知道，乃疫病發展的一大原因」。根據西安「群衆日報」的報導：「各地在發生時疫後，大部分農民因不懂得正確的防治和醫治方法，使疫病更加迅速流行。有些人焦急得沒法，請農村中的「野大夫」，「或接生婆」亂治。岐山縣農民雷仁富的四個小孩得了病，請中醫吃藥無效後，叫一個舊接生婆醫治，在孩子前胸和四肢亂用針刺，結果孩子被刺死，還有許多人染了病，自己沒有辦法，抱着「聽天由命」的思想」。

有許多地方，疫症發生後，地方機關雖亦組織所謂醫療隊，進行防治，但在官僚主義的支配下，都變成幹部向上級報銷式的例行公事。據上述「群衆日報」所載，陝西渭南北焦村發生疫病後，村幹把情況報告給區上，區上先叫填表，表填了又嫌沒填好，叫另填，往返拖延了好多時間，群衆反映說：「病了，只叫填表，表填了又嫌這嫌那，丟下不管」。結果已染病的只有等待死神宣判，而坐令疫症延及各地區。

在瘟疫和乾旱的襲擊下，據「新華社」的報導，已「嚴重地影響了群衆的生產情緒」，各地春耕已普遍陷入停頓狀態。至於一般尚未發現瘟疫地區，由於「幹部思想混亂」，「群衆思想混亂」，和「春耕生產物質條件不足」，亦普遍發生癱瘓狀態。據三月五日「解放日報」報導：自去秋征糧後，「各地農民的政治警惕性大大降低」，「生產到頂」的思想更普遍。中農富農怕多生產多負担，雇貧農則農具不足和口糧不足。據浙江餘姚八十九個鄉統計：已有八，〇八八戶沒糧吃，佔總戶口百分之七點五。鄞縣二十二個鄉統計，有二千餘戶有缺糧困難。鎮海估計，全縣除三分之一戶可勉強維持外，大部農民都缺二、三個月或四、五個月糧食。農具和耕牛不足的情形也極嚴重，據鎮海市區調查，農具缺百分之十，鄞縣全縣該修理的農具達百分之五十，鎮海耕牛缺少一千頭，奉化江口一區即缺七百頭。因此，不但「公田和手工業者分得的田沒有人耕種」，即一般貧雇農亦多坐以待斃，今年的夏收可能普遍減產。這一形勢的發展，將促成大陸農村經濟的總崩潰，中共超征公糧的好景已不可再得，其末日已愈加迫近了。（思遠）

香港三日

戰斧營調防

澳洲皇后輪於十七日晚載來第七皇家砲兵團及第三十二坦克車團，共計二千人左右。於十八日晨在九龍倉登陸，分別開赴石崗及槍會山營地。第三十二團包括七十四營及九十八營，七十四營被稱爲戰斧營，於一八〇九年在法國作戰，獲得一斧，該團以饒勇善戰著稱。該兩團之士兵年齡均自十八歲至二十四歲左右，年少力壯，過去駐防蘇格蘭，慣於寒冷天氣。原駐港之第三坦克車團及五十八砲兵團，駐港已三年，已搭原輪返英。

仍持前議

香港自從「三一」事件以後，一度情緒十分緊張，但最近又鬆下來了。儘管外面謠傳共方正準備即將來臨的紅五月，但由於英國人這一次的應付，一般人已有了相當的信心，加以這兩天金價始終穿不上來，便是人心看平。前天美太平洋艦隊總司令雷德福上將奉命接防菲台，香港爲菲台綫必經海口，亦列入海防之內。使人心更爲安定。記得雷德福上將去秋曾飛港與英駐港海軍司令狄更生准將召開聯合軍事會報，重心均在海上聯防。此間有資格人士指出：世界大戰不起來，香港決無問題，即使世界大戰起來，香港也可能沒有問題，因爲大陸上的共軍守這一條很長的海岸綫，已經措手不及，那裏還能出擊，但記者仍是堅持前議，說過的「香港是有驚無險的」。

世界奇蹟

菲列濱卡維德省省長金馬蘿及菲駐泰公使亞非利亞於十八日乘威爾遜總統號抵港，金氏將留港三週，考察香港之治安及民政。他說：香港在大陸之邊緣，而能巋然站定，一如疾風中之勁草，在西方國家人士看來，委實是奇跡，他盛贊港督葛量洪爵士具有偉大政治家的行政才能。

中國運絲舊道

香港亞西亞火油公司工程師白萊景，最近由中東返港，他拒談中東之政治局勢，僅述及他旅行的經驗。他說他和一隊地理學者及探油工程師，循二千年以前中國運絲到西方去的一條古道，探察油苗。至今沿途還能看到中國遺傳下來的文字。他研究沿途人民之風俗，人情，藝術，宗教，他發現埃及人之膜拜一如中國人之膜拜。但他不能考出還是中國人傳給埃及人的，或是埃及人傳給中國人的。戈壁沙漠中的石洞內至今還有許多石佛。他說戈壁大沙漠一年到頭沒有雨水，使旅行者非常困苦，他們在沙漠中旅行了三個月，每天只能行四哩。沙漠中的旅行是世界上最慢的速率。

霸王屋問題

這兩天九龍黃大仙及牛池灣一帶的居民，日夜担心香港市衛生局拆除「霸王屋」的事情，牛池灣六十餘家已接得通知，但這六十餘家決定花二萬元作訟費，聘請律師向港府法院控告市衛生局之處置不當。據說府立法局會議時，有人主張香港政府在這個時候，應該審慎處理，市衛生局當局已小心處理，以防引起意外。這不能不說香港市政當局之明智。

日本轉捩點

日本產業株式會社代表清水一郎二十日由東京來港轉英，他說：日本現在的經濟情形比韓戰以前好多了。韓戰使日本蘇生，是一個扭轉點。現在日本許多的生產大半由美國訂購，使通貨走上正軌。清水表示中日和約簽訂後，日本貨亦可以源源運往台灣，使台灣的日用品週轉靈活。他說現在許多日本商人很想和中國做生意，日本目下最大的困難便是煤和鐵的來源。日本工業始終未能興起，便因爲這個原因。

陳垣想反共力不從心

演講辭職中途被勸阻 痛心疾首劉帝國主義

【北平通訊】輔仁大學校長陳垣，雖然變了，但變之中，尚可看出他的掙扎和反抗。兩年前，他曾發表一篇致胡適的一封公開信，信內滿紙胡言，胡適還懷疑那封信不是他自己寫的，因爲陳垣一向弄的是經典式的文言文，對於白話文和中共一套新名詞，是道道地地的外行。然而最近從他所發表的自我檢討來看，陳垣似乎確實變了。關心陳垣的朋友們，爲了他的老而變節，不能像梁漱溟潘光旦一樣挺起膀子煎熬，爲之可惜。但，假如我們對他的自白，作深一層看，此老畢竟太可憐了，在這一次坦白當中，他還洩露出他想掙扎，想奮鬥，不過因爲他年紀大，勇氣不夠，終于倒下了。但，這老頭子還說出他的痛苦的心情，仍值得人們替他洒一掬同情之淚，老頭子的靈魂，似乎還沒有完全的吊了！

他雖然承認在輔仁的廿三個寒暑中，基本態度是個「混」字。但他的目的，是要保持自身的清高，和學術的造詣。表面上是混，骨子裏却在幹，在中共反美帝的高潮中，他只好承認「過去廿三年替帝國主義，灌輸奴化教育，貽誤多少青年」。他的弦外之音，對今天共幹把持校務，替赤色帝國主義訓練新的奴才，成爲克姆林宮的教育新的幫兇，射出一個莫大的諷刺。

在大陸淪陷前，他對中共始終保持反抗的態度。他[illegible]來說，一九四八年十二月北大五十週年紀念日，他還發表講「與學術界朋友們」，臨時出席。他在共幹控制輔仁後，還保持一種看法。他說：「中國人民革命自然是要反帝，反封建，但是教會來中國辦學校，尤其是解放以後，在人民政府領導之下，他們出錢我們辦理，這樣不是對人民有好處嗎」？有一次教會駐校代表芮歇尼和盧修士攜帶一名翻譯和一名女件，出席校政會議，還共幹強烈反對，認出席人數過多。陳垣那時還有點骨氣，認共幹有意和他爲難，就拂袖而去，離開會場。事後並寫了一封信向校政會辭職。但是他經不起共幹的壓迫，只得把辭職書收回來。

陳垣後來爲什麼要改變路綫，由擁護「美帝」改成反對「美帝」呢？他承認爲的是輔仁的經費問題，因爲教會，聲明自一九五〇年八月一日起，不負輔仁經費責任。他說：「這一件事不提出，我仍是糊塗，立場不明確，而且對帝國主義始終存着幻想」。現在也沒有了，幻想也完了，好像這便是他「反美帝」的思想背景。實際上並不是那麼一回事，這不過是在中共的壓力下，找出來的一個理由藉口而已。

在他的自我檢討中，特別提到三個人。輔仁有位姓楊和姓錢的教授，以前爲了進輔仁而信天主教，共產黨來了，他們便出來說教做反教，陳垣對他們的反覆，非常表示深惡痛絕。現在他很佩服兩人，並且要向他們學習。

假如你從另一個角度去看，他的說法比口誅筆伐還嚴厲百倍。他提到中共黨兒，輔仁教務長劉景芳，處處給他難堪。有一次曾「氣憤地」罵劉景芳：「你簡直是劉帝國主義」！現在他只好同情劉的功勞，說是反帝的彩色，立場怎樣正確。

陳垣因爲年紀大了，「千古艱難唯一死」，我又何忍對這位老先生過分苛求！從他的自白中，記者實寄予以極大的同情，他雖然在中共的壓力下屈伏了，但，這只是力的屈伏，不是心的屈伏，我們十二分同情他，願諒他。（麗光）

共平五反的大目標

私營金融業挑重担

【北平通訊】本市僞中央節約檢查委員會，是由劊子手彭眞所主持的。他上次在僞政務院報告：「在北京，檢舉案件截止二月半，已達十七萬件，牽涉工商業戶有五萬家」。（編者按：詳見本報二月廿七日第一〇三期）。情形是嚇人的。最近，僞政務院發出有關貪污和盜竊分子處理問題的兩個文件，表示了一面要嚴辦，另一面又要「寬大」。在三反運動中，中共所損心了，怕不懂事的人們，專打壞主意要摸「政府」的底。所以，第一個文件，劈頭就指出：「目前，全國範圍以內專區以上機關以及團以上部隊中三反鬥爭任務，即將基本完成」。看來，三反是要草草收場，大約這就是寬大的一面。但三反之後的五反，是「不獲全勝，決不收兵」的，沒有擠到極大限度，錢是不會過關的，這應該說是嚴厲的一面。

私營金融業，是最吃香的了，現在，他們都在引頸就戮，生命是操在老共的手裏，沒有話可說，據稱，至本月七日止，他們違法經營的資金，總值達三千二百餘億元。老共又在那裏說，都是他們的損失。

全市各銀行錢莊，沒有例外都犯了罪。其中尤以金城銀行北京分行，以隱匿前交通部抵押的股票，值二十五億元。資生錢莊全部資本，是漢奸魏子州所有，晉鴻裕錢莊「敵僞」股權佔百分之八十，隱匿未報，經理張金華等犯罪情節嚴重，他並且將黃金港幣調到香港，這尤其使他們痛心的。非法轉移資金的情形，更爲嚴重，據稱：某兩家銀行逃避到國外的資產，不下幾千億。

更奇怪的，在「人民」的赤都警戰之地，還有人吃雅片，現在老共指責啓明濟興等錢莊，是專以販賣毒品爲業。我們記得朱總司令原是一枝老槍，後來聽說戒了，不知道他有沒有和他們交易？此外，民主人士亦不少例！但與人民無涉，人民，現在吃飯都成了問題，還有誰有雅興呢？

金城銀行北京分行副經理李冠五，還有中南，國華，都以非法吸收公家存款，也是有罪的。

還有更嚴重的，有些資本家甚至「勾結特務，資助他們反革命的活動。」

大陸銀行北京分行經理呂紹唐，曾經自殺過。誠興銀行北京分行經理李培之，平易錢莊董事長徐子才，是打民主人士的招牌，固該沒有問題的，現在都成了問題。

事情是多着來的，不過，私營金融業是他們最大的目標。

共幹飛過海抬轎子

革命幹部被侮辱了

上海市監獄材料股丁水沫，亦是中共幹部，在三反發動以後，他說自己是清白人，假如有人懷疑他，他就說侮辱革命幹部。他的貪污竅門很多，他和其他人訂「攻守同盟」後，用種種「飛過海」「抬轎子」辦法，以達到其貪污目的。「飛過海」就是開假發票，抬轎子就是哄抬價。丁水沫不過是一個青年團員，牌頭自然不夠大，現在亦以大貪污犯被揭發。

官僚與政治家

·倘方·

官僚與政治家的區別，只看其出處之間的風格，即已如見其肺肝然，不必再問他的政治行爲了。

最近美國許多競選總統的人物中，祇有塔虎脫像個政治家。不管他將來能否走入白宮去發號施令，憑他在競選時所表現的作風，即不失其爲一代賢豪之士，亦可謂爲民主政治的典範人物，他早就表明競選的意志，到處發表政見，說自己如果做了總統，外交政策將如何，內政措施將如何，並且要起用麥克阿瑟担任國家要職。朗朗爽爽，態度鮮明，毫不隱晦做作，令人有「此地無銀三百兩」的感想。既以政治生活爲公僕，而非視爲作威作福的達官貴人，爲甚麼要扭扭担担作態，致人噁心呢！只有官僚得勢的國家，一般政治人物就經常的暴露其肉麻當有趣的醜態，以退爲進，好會哭窮。分明是不可一日無官，垂涎欲滴，偏要貌示淡泊，避之若浼。分明是藉官貪財，見錢眼開，偏要逢人哭窮，硬說爲官賠累。他以爲天下人都是傻瓜，沒人知道他具有幾重人格的。所以，我每聽有作官之人而哭窮者，即肯定此人必係暴貪大污之徒；每見有對外宣言不願幹某官，拜某職者，即認定他是一個愛官如命，無所不爲的臭官僚！

民主政治的官吏原是公僕，要幹就幹，並非不可告人之事，做甚麼假過場？作官縱有錢，也沒人來搶你的，裝窮像幹嗎？到處只見官僚而不見一政治家，此民主政治之所以常常胎死腹中也！

自由談

中共的狐狸精丁玲

丁玲在中共文化界是個極響亮的名字，她在紅色王朝的公開職務雖沒有郭沫若沈雁冰他們那樣的顯赫，但她每篇文章，每次演講，均代表相當的權威性；在文化戰線上，中共把她當作一張王牌，也把她當作迷惑愛好文藝青年們的美麗的魔鼠。

由於中國社會的長期動亂，由於中國革命理論和實踐等問題的急待探討，使得有許多熱情的青年從「象牙塔裏」跑向血的十字街頭，也使得有許多優秀的青年爲中共美麗的謊言所迷惑，在女作家羣中有兩個可以做代表，一個是「女兵」謝冰瑩，另一個就是本文專門要提出談論的紅色魔星丁玲了。兩個人都是在湖南生長的，而且在中共裏面都混過一個相當的長時間，除了歡喜搖搖筆桿，寫些文藝作品之外，還特別歡喜拋頭露面，參加政治活動。不過，近幾年來，兩個人已分道揚鑣，謝已蛻變新生，做了中共的叛徒；投到「自由中國」的懷抱，站在反共的文化陣線上，把筆桿當作槍刺對準敵人的要害拋擲，而丁玲却仍甘願長期地出賣靈魂，與羣魔們亂舞。

翻開丁玲過去的歷史，這個原名叫蔣褘文的紅色王朝的寵兒女文人，她的生活是充滿了「羅曼蒂克」的情調，沉醉在粉紅色的美夢裏。

大約爲了求知慾的驅使，完成中學課程以後，她就毫不留戀地離開家鄉跑出來了。在北平故都的時候原來的打算是進大學的，但自己的科學程度相當膚淺，每次參加考試，均不幸戰敗落第。回到湖南家鄉去吧，心裏又不願意，只好仍然在北平公寓裏住下來。每天除了吃飯睡覺，或者在街頭蹓躂蹓躂，閒着無聊，便只有翻翻小說。恰好在同一個公寓裏住着個和她情形差不多的青年，那就是她二十年前的丈夫胡也頻。兩個人萍水相逢，混在一塊，日子一久，熱戀起來了。丁玲原早的愛人本來是沈從文，但嫌他有點不夠狂熱，結果是胡也頻在情場取得勝利了。那時胡辦了一個文藝刊物，叫做「紅與黑」雜誌，自己編輯，自己寫稿，可是丁玲始終沒有在這上面寫過一篇文章。後來胡由中共調往上海工作，兩個人雙雙地離開北平南下。

因爲胡也頻是中共的文藝工作人員，和上海那些所謂左翼作家們經常接觸。丁玲年來又浸淫於歐美名著，揣摩咀嚼，頗能領會創作奧訣；對於胡的作品並不感到興趣。但人生活體驗逐漸豐富，想像力也敏銳了。接觸的又是些咬文嚼字的朋友，耳濡目染，也開始技擬起來。她的初期小說在小說月報發表之後，由於文筆流暢和結構謹嚴，作者又是個新發掘的女性，編者鄭振鐸讚美於前，胡也頻胡適跟着叫好了。隨後出版「韋護」、「母親」等作品，奠定了她在文壇上穩定的地位；而胡也頻的作品，倒沒有她那樣的響亮了。那時她已正式加入了中共。

中共男女同志間的談情說愛，素所週知的，是隨隨便便，亂七八糟，壓根兒談不上有什麼「道德」或「貞節」觀念。丁玲當然不例外，除了胡也頻是自己的丈夫，還另外和許多青年人勾勾搭搭，在性生活方面，她是滿足的，絲毫沒有感受到有什麼饑渴。

大約是一九二九年的秋天吧，胡也頻把生命獻給了中共的「革命」祭壇，同時殉葬的還有柔石等幾個人。前年她寫的那篇「一個眞實的人生」的文章，就是爲紀念胡而作的。那時她爲了想營救胡也頻在南京奔走了一個時期，後來胡確已證實離開人世，揩乾眼淚，回到上海便又會着馮達賦着同居之愛了。胡生了一個兒子，取名叫小頻，那時大約有二三歲的樣子。

一九三三年，中共準備「紅色的五月」在上海騷動，政府爲了壓鎖叛亂，採取了緊急措施。上海那些所謂左翼作家如丁玲和潘梓年等接受了南京方面的傳審，因爲他們（她們）是文化人，治安當局對待異常客氣，並不怎樣爲難他們，生活上也照顧好好的，完全採用說服教育的慈愛態度，原不過希望他們覺悟轉變，脫離魔窟罷了。丁玲的行動也並沒有加以過份的管制，准許她在南京城範圍以內可以自由遊覽，自由生活。那曉得丁玲疑神疑鬼的，覺得精神上受到嚴重的威脅，竟拋棄馮達偷偷地離開南京跑到陝北去了。

在延安她受到了中共的熱烈歡迎，首先，就要她擔任魯迅藝術學院的院長。圍繞在她四周的都是些年青的小夥子們。住的雖是窰洞，但她的臥室却佈置得異常雅緻，別人有時嚐涼饅饅，但她有的是稿費和版稅的收入，每天的雞鴨魚肉，把她滋補得肥肥胖胖，唇紅齒白。花晨月夕，寂寞獨處，怎能不叫她勾引起過去情場上的歡樂，憧憬未來的粉紅色的美夢呢？何況環境又是個不十分落寞的場面？性的饑渴就像沙漠上的旋風狂烈地捲上心頭！因此，她和田間熱戀起來，但田只會哼哼詩句，在中共裏面根本談不上有什麼權勢。丁玲的思想雖說是「無產階級化」了，可是暗裏還是崇拜英雄的。她的戀愛對象忽然轉移到彭德懷身上，彭也頗鍾情于她。彭在湖南原籍早就結過婚，不過據彭說，因爲彼此思想上有距離，早就離婚了。料不到兩個人情正纏綿的時候，彭的太太跑到延安來了，起初彭是不願意理睬，這位遠來的客人只好哭哭啼啼的跑到丁玲那裏去訴苦，希望她能夠同情她，當時丁玲的心情確實受到痛苦的煎熬，直到她答應和彭斬斷情絲之後，這位鄉下女人才被彭收留下來。

近幾年來，丁玲又捕獲到另一個獵物——她的幸福的伴侶——新華社記者，年紀輕輕的，和她自己的兒子胡小頻的年齡不相上下，二十四五歲，名字是叫陳明。丁玲自己呢，已經是五十左右的歲數了，縱使塗脂抹粉，也掩飾不了額頭上逐漸增加的縐紋，但爲了搭配年青的丈夫起見，又不得不鮮衣靚服，攬鏡修飾，表示自己年青與美麗，丁玲這種時代的「傑作」，可眞是「輝煌生動」極了。

陳明到底愛不愛丁玲呢？以一個二十多歲的青年和一個五十上下年齡的女人締結姻緣，論常情是不會有什麼美滿的。縱使陳在禮貌上對丁表示好感，依我們看起來，原因也很單純：一則丁有聲望，也有權威；二來丁頗有積蓄，跟她在一塊，生活自然要優裕些。

中共的新婚姻法對於男女結婚的年齡，是有硬性的約束條文，即男的歲數不能超過女的年齡十五歲以上，否則，便算「犯法」。「犯法」了，縱使不判罪，也得要「勞働改造」；可是毛澤東和藍蘋，郭沫若和他的「抗戰夫人」，丁玲和陳明，男女間相差的歲數都在二十以上，他們（她們）須不須要「勞働改造」？如果說婚姻條文是對於一般普通「奴隸」的約束，「主子」可以例外，可是遍查條文又沒有附款說明。中共就是以欺騙起家的，就拿這點來說，它的西洋鏡也給大家揭穿了。（王豹隱）

貓哭老鼠

·胡三元·

萬竹樓隨筆（八二）

卓文君與王嬙

·舜生·

卓文君是中國文學史上一個有名的女子，這不但是因爲司馬相如的關係，她自己對文學有相當的素養，而且懂得音樂。大概也都是事實。可是我們從司馬遷和班固的筆底，僅僅知道她生長在臨邛一個有錢的人家，但她的樣子究竟美不美？她和司馬相如的結合究竟在怎樣一種年齡？我們從『史記』和『漢書』上却找不出半點痕跡。最近偶檢『西京雜記』，乃有這樣的一段紀載：

『……文君姣好，眉色如望遠山，臉際常若芙蓉，肌膚柔滑如脂，十七而寡，爲人放誕風流，故悅長卿之才而越禮焉。長卿素有消渴疾，及還成都，悅文君之色，遂以發痼疾，……卒以此疾至死。……』

像『西京雜記』這類的東西，當然是後人僞托，可是以司馬相如那樣的才華，假如他不是爲文君之色，也犯不着對那樣大的麻煩，因此，爲使得一個文學題材內容的更加豐富，我們也就寧信這種紀載是近於眞實的。

× × ×

拿中國的女子去和番，這正好比今日以女學生去慰勞大鼻子是一樣，當然是一種莫大的恥辱，尤其是一個具有強烈民族觀念的人所不能忍耐的。因爲如此，王嬙的故事，乃成了中國千古文人一種常用的資料：

若夫明妃去時，仰天太息，紫台稍遠，關山無極；搖風忽起，白日西匿，隴雁少飛，代雲寡色，望君主兮何期，終蕪絕兮異域！——江淹恨賦

羣山萬壑赴荊門，生長明妃尚有村。一去紫台連朔漠，獨留青塚向黃昏。畫圖省識春風面，環佩空歸月夜魂。千載琵琶作胡語，分明怨恨曲中論！——杜甫詠懷古跡

明妃初出漢宮時，淚濕春風鬢脚垂，低徊顧影無顏色，尚得君王不自持。歸來却怪丹青手，入眼平生幾時有，意態由來畫不成，當時枉殺毛延壽！……王安石明妃曲

這些例子都是大家所常見的，此外像元人馬致遠所寫的『漢宮秋』雜劇，那便大體是根據這個故事，益以他自己的想像，更是作曲家一種不同的手法了。

『西京雜紀』對這個故事也有很具體的紀載：

『元帝後宮既多，不得常見，乃使畫工圖形，案圖召幸之。諸宮人皆賂畫工，多者十萬，少者亦不減五萬，獨王嬙不肯，遂不得見。匈奴入朝，求美人爲閼氏，於是上案圖以昭君行，及去，召見，貌爲後宮第一；善應對，舉止閑雅，帝悔之，而名籍已定，帝重信於外國，故不復更人，乃窮案其事，畫工皆棄市。……』

當時所殺的，不止一個毛延壽，不過毛延壽特以畫美人像著名而已。

莫斯科鏡頭

·勒柯克·

四種人得進鐵幕

所謂「勞工樂園」的蘇聯，自一九五〇年對西方世界重復厳行隔斷，希望能得准許進去的只有四種人，而他們還須大聲敲門並且長時間耐等。

如果是科學家，足以幫助更兒的原子武器的監圖設計，那麼在蘇聯邊境有用各種語文寫就的「歡迎」字樣。他們是頂佔便宜的嘉賓，麻煩在進口途中的時間最短。但對于西方科學家們雖然撤除門限，却仍予以種種妨礙。蘇聯已成爲所有受吸引的人的麥迦聖城，可是做研究工作的，無論你抱守的是甚麼哲學，終歸要破滅無成的。

次之要算政治的幻想者們，門檻上的盲從者——以盲從導引盲從——有着空想社會主義專家，辯護士和政治家的國際聲譽，以宗教使徒的姿態出現着，他們便偶然地得進入蘇境，讓他對於共產主義作兩個月的觀察，隨即迫使離去，還得帶去宣傳任務，好向倫敦，巴黎，羅馬及各處滲入悲慘的貧民窟中未受教化的同國人。

再次爲各國的職工同盟分子，他們也得跟隨着上述第二種人到同一的陳列貨樣的地方觀光——居然得准在紅色廣場攝影（雖通過英大使館也無此自由），然後向他們散佈着狂吹的讚美，來炫耀那掩藏住幾個龐大工廠工人捱餓慘景的神聖光輝。

第四種西方男女來賓是經過克里姆林宮考慮，本來不想要却又不能不要的——外交使節除外——那便是生意經關係，於已有利的——皮毛主顧或穀類，木材和膠原門客商。

我鑽着一條縫

像我這沒有政治的從業員，只爲着強烈的好奇心，要想看看鐵幕後面的日常生活究竟如何。這想頭似乎也休想達到。一九四二年，蘇聯當局忽然高興要辦一個週報叫「不列顛盟聯」。報是俄文的，材料却專搜集英人的生活方式，說是於俄國讀者有利。這事徵得駐蘇英大使館同意的。一九四九年多，我偵悉外事局正在徵求另一個英人去補充該報職員，我願徵果得錄用。我和我的妻便急忙忙購備皮靴皮帽皮衣，一本俄文字典，以爲快要登程了，不料鐵幕並不那麼順利而迅速揭起的。

十一月杪，外事局向蘇聯索取我的入境護照，整整八個星期始得回覆。無疑的，莫斯科與在倫敦蘇聯使館間徵詢考查往返問答便需要這些時間，他們要向我的四週角落窺察過有沒有斯拉夫或蒙古族流亡潛伏者混雜着，還有關于那週刊發生過大大小小的麻煩，他們須得歸個檢討，所以給我發證入境護照，要耽延到令人煩惱。

護照問題終于解決了，還有的阻力就是怎樣輸送我們和我們的動產到俄國去。經常航行倫敦列寧格勒間的兩艘貨船，每班都可附搭幾個西歐旅客，最近這班却被冰堵塞在東波羅的海。我們帶有一批笨重的家具，是以不能乘飛機，歐俄方面的海上風濤，冬季裏不好嘗試的，我們夫婦倆坐在行李箱子上面發呆，談及如何使得水潮轉向拉脫維亞海岸。（一）（蔣未譯）

林肯的鬍鬚

看過林肯的照片的人們，沒有人會忘記他長了滿臉的連腮鬍鬚。但是你要說他一向留着這腮鬍鬚，那便是一個錯誤。林肯一生只留過四年鬍鬚，這其中有一個小小的秘密。當林肯在一八六〇年競選時，還刮得光光的。有一天，林肯接到一位十一歲女孩格蕾絲．比德爾 Grace Bedell 一封信，她說：「你的臉顯得瘦一點，假如你能留上連腮鬍鬚，看起來要靚得多，所有的女人，都愛慕連腮鬍鬚的，假如你把它留起來，她們會勸她們的丈夫，投你的票。我也可以動員四個兄弟選你」。幾天後，比德爾接到林肯的回信，上面說：「假如我現在把連腮鬍鬚留起來，人們會不會嘲笑我呢？」然而從那天起，林肯竟聽從了這位十一歲女郎的勸告，把連腮鬍鬚留起來。

林肯取道赴華盛頓履新，路過比德爾的故鄉，特地把車停下……

閒話杜威教授

杜威是美國哥倫比亞大學的老牌教授，在他幾十年的教育生活中，教出了兩種不同的學生：一派是杜威的忠實擁護者，另一派則是他的強烈的反對者。

三十年前，他有一位名叫亞特拉的學生，在哲學研究會上朗誦他的一篇研究報告，引述杜威自己的話，證實杜威根本不是一個上帝之愛的崇拜者，弄得杜威暴跳如雷。他說：「我不要聽任何人教訓我去怎樣愛慕上帝。」

三十年後，最近亞特拉又揭起反杜威的旗幟，說杜威的思想比希特勒還危險。這話發表後，有些新聞記者便從希特勒式的頭髮和所留的鬍髭上找杜威的材料了。（力君）

自由人

THE FREEMAN

（半週刊逢星期三六出版）

（第一一一期）

每份港幣壹毫

督印人：李光[illegible]

社址：香港高士打道六十六號

電話：二〇八四八

GLOUCESTER RD. HONGKONG

TEL: 20848

承印者：東南印務出版社

地址：高士打道六十四號

台灣總經銷處：台北市中華路一二五九號

浠水農民暴動的意義及其影響

・張丕介・

當寒流減退，春雷初融的中原土地上，不甘受迫害的良善農民，以數百人以上的隊伍，向中共的區鄉政府，縣委攻擊，發動了最英勇的抗擊，震驚了統治者的大夢，給反共的戰鬥史册，寫出最輝煌悲壯的一頁。

兩年來，在大青山，沂蒙山，興安嶺，及大別山北部地區，爆發過無數次的反共暴動。因爲距離較遠，鐵幕低垂，無法獲悉其詳情與結果。而這一次却發生在武漢外圍，長江北岸，鄂東大邑的浠水。不僅我們可以得到比較詳確的消息，連中共中南區的長江日報，也不得不發出悲鳴，叫喊着「接受浠水縣反動落後農民暴亂事件的教訓」了。

這次「暴動」，始于上月下旬，在二十一日黃昏時分，浠水縣關口區蠣樹鄉，快活嶺鄉，和麻橋區的桂樹鄉，中合鄉，農民二百八十餘人，集合起來，向各該區鄉「人民政府」進行攻擊，計擊斃僞書記及其他共幹多名，繳獲民兵步槍數枝，得手後，並向中共浠水縣委的土改覆查工作重要據點圍擊，如不是「黃岡軍分區」的三個營，和「獨立第一師」張體學部的兩個營分別趕到，則浠水城頭早已插上一幅光輝燦爛的自由旗幟了。

浠水是中共的一「先進縣」，是土改的「重點」縣，是所謂「鎮壓反革命」的「典型縣」，是他們自己認爲「工作做得最好」的一縣。在三年來的暴力統治中，「反霸鋤特」完成了，「三大運動」搞過了，「捐獻」達成了任務，「愛國公約」普遍訂立了。縣委發「縣長」的石川，經常帶領成千的共幹深入每一個鄉村，去年十二月至今年一月，他們曾舉行了全縣性的「農民大會」，僞湖北副主席王任重和僞湖北省黨委劉西堯等，更跑到浠水來「親自督導」，「予以表揚」，他們認爲可以安心地永遠騎在農民的頭上，可是「嚴重性的暴動事件」，却偏在這裏爆發開來，這是值得重視的，同時也說明了二個問題：

第一，中共壓迫愈厲害的地區，人民的反抗就愈激烈，當一個人，尤其是大多數人，失去了生活、自由與一切希望時，他會顯得無比的勇敢。他能蔑視死亡，敢以死來反抗一切，這證明了中共的殘酷鐵蹄，是無多大效果的。一個人倒下去，成羣地隨着它的血跡站起來的。

第二，農民基本性格上是反共的，毛澤東曾經說：「最嚴重的問題是教育農民」，尤以鄂東一地區，自民國十九年起，即曾受了共黨殺人放火的教訓，人民內心的仇視，是無法消除的。據中共黃岡地委書記兼黃岡專員趙辛初二月十日的報告說：此次鄂東實行「扎根」「串通」時，一般羣衆均不理睬幹部，當幹部向他們宣傳時，農民嘴裏一邊說「謝謝同志好意」，一邊就溜跑了。所以該區的土改，自三十九年春季即已開始，至今尚無法全部完成，由此可以知道，這次的農民暴動，決不是偶然的，而是農民長期的仇共心理的爆發。

從長江日報湖北通訊站的報導中，也給我們提供了兩點：一、這次浠水暴動，不僅是該縣關口區與麻橋區的幾個鄉，而全縣反共活動竟發展到五十個鄉，佔總鄉數三分之二。在土改完成，進行覆查的四十一個鄉中，竟有十八個鄉存在着反共活動。參加的農民在五千人以上。

其次是農民戰鬥時的果敢堅決，當中共以大部隊和鄉軍火器向他們反攻時，農民竟以戈矛刀棍和少數繳獲的步槍抵抗二日之久，縣在被包圍中，亦「始終拒不繳械」。

中共一向說他是代表工農利益的黨，他的政權基礎是建立工農身上的，這次暴動，該是一個最有力的回答。這是一個信號，一個回合，相信不久將來，大河南北，長城內外，不願做中共奴隸的兒女們，將會爆出範圍更廣，規模更大的暴動。

中共的一筆大財富

——・大可・——

史太林「同志」說：「老幹部當然是蘇和國家底一筆大財富，他們擁有年輕幹部所沒有的東西」。因爲年輕幹部要從老幹部學榜樣，學經驗。

這一筆大財富，中共現在決心不要了。根據報載：劉青山（中共河北省石家莊市委副書記），張子善（天津地委書記），處了死刑。戴季英（開封省委書記），卜盛光（僞中南軍政委員會公安部部長），王盛榮（僞中南軍政委員會工業部副部長），易吉光，周季方（僞武漢市副市長），鄧赤（僞中國百貨公司東北分公司經理），韓永贊（僞瀋陽工商局局長），以及上海最近所揭發的過羣（僞華東新聞出版局局長），李劍華（僞華東勞動部第二副部長），黎玉（市委祕書長），曹漫之（僞市府副祕書長兼民政局局長）等八人，都開除了黨籍，並且撤職。這就表示中共決心不要這一筆大財富。

這一筆大財富，單拿王盛榮來說吧：他是僞中南工業部副部長兼有色金屬管理局局長，他私人[illegible]要化僞幣一億九千餘萬元，修飾自己的宿舍，又要揮霍一億五千五百萬元。他說，「有色金屬管理局，看一兩億元，像吃飯掉下來的米粒一樣。」僞有色金屬管理局全年管理費，只用七億多元，他指示他的部下，要報一百八十七億元。這些就是老幹部的經驗，榜樣，老幹部要從他們學，年輕幹部要從他們學習的。

史太林「同志」又說：這些老幹部們是「不穩固地坐在布爾什維克四輪車上的人」，他們沒有用馬克思列寧主義的偉大力量來保持車子的平衡，結果，「車子一轉彎，你們看，便有一些老幹部跌出車外去」。進了城，不過三四年，坐在車上的，便跌出一批。再過幾年，又因爲沒有用馬列主義的偉大力量來保持平衡，車子又打一個大轉彎，不知道又有若干十萬人要跌出車外去，又是一筆大財富！

李維諾夫與赫德萊談話錄：

蘇聯最近的安全觀念

——領土的疆域越大，越有保障。

汪洋節譯

本文爲美國哥倫比亞廣播公司駐莫斯科記者赫德萊（Richard C. Hottelet）原著。本文內容，敍述赫德萊於一九四六年六月中某一天，會見其時在任之蘇外次李維諾夫的一段談話。同年八月，李維諾夫下台，由馬立克繼任。談話內容述及蘇聯與西方國家的關係，蘇聯的政策，蘇聯對原子彈的看法……一連串的問題。李維諾夫可能覺得自己已「擯諸圈外」，很直率的向赫德萊發了一頓牢騷。事後他便將這件事告訴其時美駐蘇大使史密斯。史氏主張他不要發表，因爲一發表李維諾夫可能遭殃。史氏把這材料親自帶到巴黎，交給其時國務卿貝爾納斯。貝爾納斯把它交給李南及包倫（美蘇聯問題專家）研究。國務院一直把它看作對蘇外交高度的祕密文件。直到李維諾夫於本年元月二日病逝後，才准赫德萊發表。本文日本雜誌已全文發表，內容太長，茲節譯如后，共計五章，分五期刊完。

（一）

一九四六年六月的一個下午，其時蘇聯外次李維諾夫，在他的辦公室中接見我。他向我警告西方國家道：「克姆林宮是不可信任，亦不會使人滿足」。這時正是東方與西方政治鬥爭的一個夏天。從各地舉行的外長會議的演說及文件看來，戰時的伙伴已經各自東西了。當時許多有意識的觀察家都一致認爲這一定是一個悲劇性的不諒解的結果！

我會見李維諾夫的環境和背景，在當時是非常不平常的。一九四六年春天哥倫比亞廣播公司派我到莫斯科去採訪。我同我太太道經巴黎，那時正召開外長會議。

在哥本哈根，我們看見大戰時的市中心的防空設備，一無損毀。在列寧格勒，我們看見一隊女人，由一個軍官教她們演習槍法，等到我們到了莫斯科，我們腦中便忖想着，這個不到一年前所獲致的和平，爲什麼還是這樣不穩定？

到六月中旬，我那時對於摘錄眞理報的消息，覺有些厭倦了，忽然公司建議我去找李維諾夫。這一個嘗試是非常誘惑的，我立刻打電話給李維諾夫的女祕書，她說她先要和次長商量，然後再通知我。第二天她通知我說，次長會在下週接見我。

這一天天氣特別熱。我怕特務搜查，所以沒有記錄。當我從我住的大都會旅舍，越街至對面的外交大廈時，羊毛襯衫裏的汗直流着。到了門口，那人知道我去見次長，便引我走入一個舊式的電梯內，李維諾夫的女祕書是佔他辦公室的最外面的一間，她披上夏裝。屋內的窗戶洞開着。但她正打開李維諾夫辦公室的百頁窗時，第一件我所看到的事，便是對面的壁爐內，正燃起一爐融融之火！

李維諾夫的辦公室，是一個長方形式樣很好的屋子。中門大開着，對面便是一座壁爐，鑲以銅質的裝飾，頗合高官顯爵的身份。左邊便是一張長長的烏木桌子，上面盡是些雕刻。這個桌子看來不像會議桌，到有些像好來塢早年時代的餐桌。桌子四週圍以許多椅子，上面也盡是雕刻。屋子另一頭便是窗戶，和李氏的桌，適成直角形。當我進去的時候，李維諾夫正擧着身子在桌上揀文件，他簡直沒有料想到我這個時候已經進來。他一看到我便立刻走過一條地毯，伸出手來和我握手。他立刻引我到那張大桌子邊去，他坐了末頭的一把椅子，把右邊的椅子給我坐。他的背朝向壁爐。他圓圓的臉，頭上白髮蒼蒼，顯來很亂，面上架着一副無邊眼鏡，一副具有力量和決斷的神情。他身上穿着一套初夏的西服，足上白色的皮鞋，無疑的這還是他出使華盛頓時代的遺物。他說英文時，聲音很沉。那時他有些傷風，鼻子呼吸的聲音也都可以聽到。我拿一枝美國烟交換他的俄國烟，我眼看着壁爐內的火燄，但他似乎沒有察覺到。

我先請教他對於國際大局的看法。但他的回答非常直捷爽快，一若脫口而出者。他道：「我看情形很壞，東西間求和好的希望相距太遠了。過去似乎有這一個機會，使東西兩方和平相處，現在看來，希望很小。因爲蘇聯最近的安全觀念，是領土的疆域愈大，安全愈有保障」。

我便問他爲什麼會這樣，是不是戰時勝利的伙伴尚未能謀致一條集體安全之道？李維諾夫過去一向主張這個政策，是不是聯合國已無望來促成此一目的。

李維諾夫聳一聳肩道：「據我看，共產國家與資本國家意識上衝突的根源太深，這是不可避免的。」他繼續道：「假定要找一個合作的基礎，列強一定要同意，瑞典與丹麥不能威脅世界的和平。至於聯合國，蘇聯老被他們擯諸圈外，這種辦法，如果不教蘇聯懷疑，那太不公平了。」

當時我便暗暗想着，今天這個會見，可能促使蘇聯在外交戰爭中來幾個新的提案。因爲李維諾夫並沒有告訴我這是紀錄以外的談話，我腦中的李維諾夫，是外交次長，蘇聯政策的決定者之一，我便提出第二個問題道：「那末照你說來，這個現時裂痕該可以彌補的了？」

這個回答是出乎意想以外的。他沉沉的呼吸着，朝我凝視了半響。看來他已是一個疲倦行將退休的老人說道：「我是有意見的。但我現在不提給他們，除非他們來向我請教。（他們自然是指克里姆林宮的人們）……他們是不會來問我的！」

我盡力提醒他過去是史太林希望與西方國家保持友好的一個外交家。是不是他自己已經知道今後他再也不會出來了？他搖搖頭道：「不，我太固執了。」我不過是一個觀察者而已。我自己也很高興不在這圈內」。

亞洲與太平洋安全問題

美國國務院近日發表一種小册子，名爲「亞洲與太平洋安全」，說明美國現行外交政策和軍事措置，都是爲要維護人類的自由生活與安全，避免第三次大戰發生，而以不擴大韓戰爲防止世界大戰的唯一辯證法則，闡述甚詳。這項文件之發佈，宗全是基於對內的政治關係，與今年大選有關。防止大戰維護自由，乃是美國人民所一致贊許的，任何人坐在白宮執政，也不能不強調這種理論。杜魯門固然如此主張，即令塔虎脫那般人在位，亦非如此云云不可。

這文件中所述的亞洲事項，與我們有直接關係的，祇有這麼一段話：「中國之淪陷，說明了一件基本的事實，即只靠美國一國不能保證亞洲的自由」。這話從消極意義出發，尤其爲過去的對華政策向人民辯解，應該作此論調。若就積極意義研究，即未必其然。今日自由世界是奉美國爲盟主的，若不是美國領導保證，而靠「自由世界其他國家的協助和善意」的話，世界老早已向史大林屈膝稱臣了！美國應該當仁不讓的負起保證世界人類自由生活的責任，鼓勵亞洲人爲自由而奮鬥的勇氣，然後就可以得到「所有大小國家之人民，均能在不慮被侵擾的氣氛中生活着的和平」。不過，在領導的過程中，必須避免衝動與幻想的心情，像過去對中國國共鬥爭時那種意氣用事的作法，不可重演了。因爲美國今日所處的地位，縱使在積極方面有「一國不能保證亞洲的自由」之困難，但在消極方面却有一言一行而弄垮亞洲各國自由的充分能力。當年一個「中共是土地改良主義者」的幻想，便把中國大陸很輕易的淪陷於鐵幕之中；一種「第三勢力」的衝動號召，便把反共的中國政府弄得分崩離析。這種慘痛的歷史教訓，是值得取鑑的！

半週展望

雷嘯岑

法國究竟作何打算？

去多越共胡志明的越盟軍猛攻紅河三角地帶時，法政府當局皇皇不可終日似的，大呼美援，更說越南戰事並非「地方事變」，要由聯合國來處理，並且聲言美國若不急起馳援，法國便要考慮承認北京政權的問題了！

現在美國的軍政當局在國會議員面前，在國際人士間，都指出中共已參加越戰了，美國必須以軍援經援積極援助法越軍之際，法政府却一再聲明中共參加越戰之說，尚無「事實證明」。最奇怪的論調，更說美國消極積極援助的結果，並不能「安定印度支那」，勢必引起第三次大戰！言外之意，大有不贊成美國對越南的積極軍事佈署的模樣。言猶在耳，前後矛盾，外強中乾，不知所云。法國人究竟作何打算呢？

我揣想法國有兩種打算：一是把美國的原子彈大量搬運到法境基地，再配上十萬架飛機，然後又由美國派遣幾十師陸軍，駐在法境的衛戍地帶。至於大西洋公約國的軍隊，只許比利時、盧森堡、丹麥這些國家派點象徵部隊幫忙幫忙，德國人却連傳令兵也不許用，以防其強大復仇！同時，美國除負擔這些戍軍的消費外，更以大量經援援助法國經濟復興。一句話：美國應傾其全力來拱衛西歐，萬不可分力過問亞洲的安危。如此，則法國既無外患，亦無內憂，一個禮拜換一次內閣總理，也無所謂，此上策也。其次，對於越南、摩洛哥、突尼西亞這些殖民地的變亂，美國最好是只以飛機大砲，和美元以至於原子彈，交給法國去自行平亂，需要好多就給好多，美國切不可直接出而干預，以免備多而力分，影響西歐的防衛力量；而且，有因此引起三次大戰的危險，使法國人民亦嘗到戰爭痛苦，如何是好！此下策也。

我若是法國人，也一定這樣打算，「人不爲己，天誅地滅」法！問題是要別人願能照自己的如意算盤行事，這得需要自己有作爲，有志氣，能夠盡其在我。假使自己內部經常紛紛擾擾、動蕩不安，既怕喪失自由生活，又讓妨害自由的共產主義者遍佈全國，那就永遠得不到別人的同情，越作心裏想的打算，越是有幻滅的悲哀哩！

反共的重心

·陳洪子·

反共必須有其重心。大陸淪陷後，有組織的政府機構，有組織的軍事機構，都撥到台灣去了。且在台灣建起了反共的行都。原在大陸的人力物力財力，極大部份向台灣撤退。在台灣集中了國力，二年來不斷的威脅着中共的政權，使中共寢饋難安。台灣一日無法解決，中共政權便一日無法鞏固。至於正常的國際關係，亦在台灣。國府外交部與民主國家的關係仍在扣得很緊，聯合國及美國的對華政策，援助行動，都以台灣爲對象。美國軍事顧問團，駐在台灣，美國三軍的首長也連續滋台會商和視察，中日和約簽訂會議亦正在台灣進行中，國民黨和國府的組織在台灣只有進步沒有沒落，蔣介石總統還有極大的反共毅力和受到國際上，尤其是美國的讚譽。雖說過去蔣介石總統底下有些不良的幹部，但這種情形在龐大的政權中是難於避免的事，祇要知過能改，把不良份子郭清，賢能份子引用起來，大刀闊斧，從事改造，自由中國政府當然會進步的，強盛的。

因此，在今日一般形勢當中，台灣便很自然的形成爲反共的重心。

此外，還有很大部份的反共人士（包含社會賢達等）流亡到港澳等海外各地，和散居在大陸鐵幕之下。有人說，從這一大部份的反共人士結爲陣線，從事各種反共活動，可以產生新的勢力，不錯，這是可以的。但海外的許多反共份子，因爲寄身在外國統治底下，一般自由雖然豐足，但政治性的活動自由，卻是受到取締的。要幹便要「地下」的幹，公然的幹是要觸犯刑章，受到處分的。所以在這種地區，要做一些地下工作是可以的，要想成長一股主力，大大地發揮作用卻沒有可能。我們身處港澳的人，便知道在這裏幹工作的都是神神祕祕的偷偷摸摸的幹。要召集同志，招攬人才。在祕密底情形下不是甚爲困難嗎？因此，港澳不能成爲反共重心，大彰明甚。在大陸的鐵幕下呢？除了許多地區有反共游擊的活動外，其他民間的反共人士，在共方嚴密的管制下，是不易活動的。因此，在大陸的一些較有大規模基地的反共隊伍，也不能成爲重心。至於散處在英、美、日、菲、澳、馬來、荷印等地的反共華僑，也不能在那些四散的地區建立起重心來。重心必然是台灣，則毫無疑義了。

然而，有一些流亡海外，或散處各地的華僑，過去或現在對台灣有不滿的地方，或者有領袖慾甚強的失意巨頭，想在海外樹立勢力，攻擊這個，攻擊那個，好似反共工作，捨我其誰的樣子？這是不會成功的。

台灣既爲反共的重心，那末，在海外各地的反共人士就可以忽視了其反共責任嗎？不是的，大大地的不是。海外和大陸上的反共人士，必須加倍的團結努力，發揮偉大的力量，個個力量，不計大小，都與重心，匯合起來，加強重心的威力，然後才有偉大的作爲。

假使各地不滿共黨統治的人，這裏一來一個組織，那裏一來一個組織，各立組織，各據中心，各自爲謀，在行動上，攻擊這個，攻擊那個，企圖把各個擊敗，而自己成功。這樣一來，其結果必然本身固搞不起力量，而台灣的重心反而將被拖累得大大地削弱，這不將是大大的有利於中共嗎？這樣的結果，將大大地有利於中共呢！

我們在香港來看，知道有一種所謂勢力，自誇是反共的，但也是反台的，共方給攻擊得體無完膚，台灣也被攻擊得體無完膚。它的力量如果能夠發展成爲重心，負起收復大陸的責任，建設民主的中國，那就無可非議。但上面說過，寄身海外的人，在外國統治底下，伏居大陸的人，在鐵幕統治底下，都沒有成爲重心條件。幹起來沒有成功的可能。愛國人同此心，反共人人有責，但個別從事活動，個別企圖樹立重心，這對眞正符合條件的重心是離心的而非向心的。離心的力量有如一盤散沙，築不起高樓大廈，不能發揮偉大的力量。唯有個個反共的力量都歸向重心，扣緊重心，配合行動，齊一步調，然後才能獲得預期的宏效。現在勢力雄厚，與蘇俄結成一體，作爲蘇俄附庸的中共，它並不怕個人的反共，怕的只是有重心的反共。今日中共對台灣的攻略念念不忘，就是這個道理。如果許多人在外國統治底下幹着打擊重心的工作，中共是求之不得的事。

筆者認爲，今日面對着強有力的中共，便必須好好的加強重心，充實重心，以強化的中心力量去與敵人週旋，然後才有收復大陸的希望。到了那時，我們才能在政壇上從事「才能」的奮鬥，以促進國家的復興。一切與國大計，才可以大家從長計議，去朽生新，在國家的政治機構中大大地灌入新生有力的血球，以完成國父孫中山先生的建國大計。

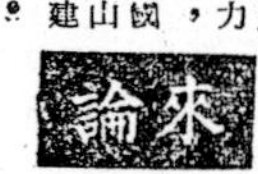

法國政局非常的轉變
畢奈上台戴高樂低落

【巴黎通訊】這一次畢奈組閣，反映了戴高樂將軍的威望低落！一九四六年一月，戴高樂氣冲冲的跑進內閣，對閣員們大發牢騷說：「我幹總統也幹得夠了！倘若任何政黨再不停止攻擊我，我惟有不再對國家負責了！」說罷，扭頭便走。第二天便躲到鄉下去。本來以爲內閣會低聲下氣的，要求他回到巴黎主政，但是等來等去，沒有下文！他隱居等候重新登台的機會，一直等了六年。現在法國政治財政都陷入風雨飄搖之中，他所期望的機會是應該到了。可是，結果因爲他的法蘭西人民同盟黨員，竟調轉槍頭擁戴了畢奈登台，使他的原有計劃，全部宣告解體。以後，他祇有兩條途徑可以選擇：順從他的黨員們的意見，幫忙畢奈，然後想辦法從內部拆台，而獲取政權？還是繼續用黨派的強力，而摧毀不是由他所領導的內閣？

三月十日，他和一班擁護他的黨員會議，他仍然大言不慚，認爲祇有他纔能拯救法國的危機，祇有法國人民同盟纔能眞正團結法國的力量，祇有他能左右歐洲聯軍，……其實他自從一九四六年起，對於掌握黨員的力量，便已經估計錯誤了！

他平素的習慣，每逢星期二日九點半，由一百二十五英里外趕到巴黎主持黨的週會。這一回，因爲法國的危機已到了最後的關頭，也可以說是他重新登台的機會已經到了，因此，他例外在星期一日坐上汽車，催促司機快趕路，回到國會隔壁的他自己的黨部，召集高級幹部商量，以期抓緊這個機會。幹部們所告訴他的消息，頓然使他氣結，想不到黨內不少人，反而想擁護畢奈登台。戴高樂的原定計劃：在國會之中，他的人民同盟佔有一一五席，不成問題的可以打倒畢奈，然後威脅與利歐總統不得不承認他再作馮婦。現在消息不對，恍如冷水淋頭，他仍然希望第二天能對黨員下一番說服的工夫，來挽回殘局。

第二天人民同盟開會了，莊嚴的會場，竟狂呼亂叫，捶桌子，拍板凳，攪成和瘋人院似的，一直到戴高樂站起來說話時，纔稍稍靜下來。他直捷了當地表示：我決不爲畢奈內閣而挽救法國的難關！……現在，還要等法國多受些磨難，我們的機會纔能成熟！……最後的決定是：「反對推選畢奈」！

在畢奈方面來說，對於這次擔任總理，事先毫無把握，直至三月六日還抱着試試看的念頭，以爲能獲得戴高樂人民同盟的支持，最後祇是十票而已。誰知選舉揭曉，結果意外地竟獲得卅七票，幾乎佔戴高樂黨席次的四分之一，畢奈總算意外地成功了。

戴高樂黨黨員，有兩個人因違背黨的命令選舉畢奈而自動離黨。現在法國的危機，並不是戴高樂的好機會，同時也是畢的危機了！由此也可以看出戰後法國的政治，有了非常的轉變。（傑弗）

加城三月人寰慘變記

梅光學校教員李悅慶，爲共特播弄，發生家變，李痛極，手刃其妻及妻母，尋卽跳樓自殺。

【加爾各答通訊】在印度加爾各答，僑胞百分之九十都是反共的。但因爲共特控制了學校社團，僑胞們因爲恐懼共黨暴力，乃不得不在表面上敷衍中共。在僑校中，只有梅光小學是一個反共抗俄的堅強堡壘。該校校長葉幹忠，尤其立場堅決，予中共以繼續不斷的嚴重打擊。許多反共抗俄的愛國活動，都是該校所發起的。最近該校全體教職員及葉校長等，因鑒於梅光學校只有小學，小學畢業後許多學生都要升學。在全印度就沒有一所反共的華僑中學，眼睜睜看着自己培植起來的學生，到共特學校去，心有未甘。大家就決定公推葉校長到緬甸等地去募捐經費，積極籌辦梅光中學。正在那時候，梅光學校的一位英文教員名叫李悅慶的，卻遭共特暗算陷害，發生了一件慘絕人寰，轟動全印的一幕殺人自殺的家庭慘變的大悲劇。李悅慶，廣東客家人，年三十多歲，平日是堅決反共的。他因中年喪妻，就在民國三十七年的夏天，經親友介紹，娶同鄉女子韓韻嫣爲繼室。結婚以后，韓氏處理家務，照顧李前妻所遺兒女，井井有條，夫妻間感情十分融洽。

韓韻嫣有胞兄叫韓順祥，這個傢伙，本在加城銀行做行員，後來投共，參加中共在印度的特務組織，時常替共方刺探情報，出席共特的祕密會議。在去年秋季，中共調查到韓順祥與梅光學校教員李悅慶有親戚關係，乃利用「組織」壓力，要順祥把李悅慶拉進「組織」，藉以打擊梅光小學。幾經策動，均告失敗，韓某惱羞成怒，一次在「小組會議」上，竟公開指責李悅慶爲「反動派」。一方面復教唆乃妹韻嫣去誘惑丈夫，勸他加入共特集團。李悅慶對中共殘暴酷虐的猙獰面目，早已看得清清楚楚，不爲所動，同時他想起在大陸的母親及哥哥，都被中共無辜殺害，國仇家恨，一齊湧上了心頭。眼見韓順祥韓韻嫣兄妹中毒已深，殊表痛恨。

去年十二月，韓韻嫣在乃兄指使下，竟私自將李悅慶的五千餘盾盧比現款，悉數席捲。逃往娘家（韓順祥家中）。悅慶前往交涉，不得要領。過了幾天，韓順祥復至李悅慶寓所，威迫李說：「如你要太太，須隨我至中共領事處悔過自新，否則無話可說！」李悅慶怒火中燒，把韓順祥痛斥一頓。韓受辱后含恨回去。

韓順祥一不作二不休，過了幾天，親率領乃妹韓韻嫣，到中共僑官的宿舍裏，及各僑團各僑校，去扭秧歌，跳腰鼓舞，當衆表演，醜態畢露。李悅慶身聽到看到這種行徑，認爲是莫大的恥辱。於是正式要求韓家，提出與韻嫣脫離夫妻關係，但對方不肯答允。悅慶以受刺激過深，終於在三月四日寫就一篇「爲韓順祥急功圖利，強迫他人自由不遂，後即以卑鄙下流之手段，主使乃妹韓韻嫣掀出家庭鬥爭，復捲款而逃，敬告旅印僑胞書」，用油印分發各僑胞傳閱。

李悅慶分發了告僑胞書後，還是氣憤不過，就寫好遺書，抱定犧牲決心，與共特拼命到底。在三月五日的早晨，單身到韓順祥家裏與其妻韓韻嫣爭辯很久，最后見她被騙失去本性，中毒已深，無法挽救，乃憤而把她一刀殺死。又把他的岳母一併砍斃。那時韓順祥適外出，李以主要敵人未曾發獲，在室內巡視片刻后，長嘆一聲，從加城中國街的一家建築物的四層樓上縱身跳下，以自殺了結自己的生命。

李悅慶跳樓自殺的地點，是「加城中國街A，C，莫演默商場」，當時立即擠滿了很多人，大家對死者都寄以無限的同情，認爲這三條人命是死在共特韓順祥手裏的。韓順祥應負此殺人自殺案的一切法律責任。而且還應當注意韓幕后主使人中共僞領事館的職員。中共已把「清算鬥爭」的慘劇，從大陸搬到海外來上演了。加城僑胞對共特如此的陰謀毒計，殘暴手段，大家都一致痛恨。聽說印度政府也正要追究這件案子，將緝捕兇犯韓順祥及其他共特歸案審判，並將與中共僞使館嚴重交涉，要他制止共特在印度社會推行中共的慘酷殺人勾當。（郭德，三月十六日寄）

遠東新形勢

日本和約已由美國參議院多數通過。同時，如隨着和約而來的三個安全協定，也都多數通過。預定從下月中起，當可正式生效。這是遠東形勢的一個新轉變。

×××

日本從此獲得了主權的獨立，並且是美國的同盟國家。他是遠東反共勢力的重鎮。當共產主義的洪流，從亞洲大陸奔騰入海時，他的使命是非常重要的。

×××

日本的和約可說是向來戰敗國所未有的，眞能做到「和平」條約的地步。日本以無條件而投降，誰能料到今日以寬大條件而訂約呢？原來日本過去雖爲敵人，今日卻是美國遠東軍要的友邦。但是關係最切的中日兩國，可惜到現在止，仍未能建立新關係。

日本的秋波

因爲中國形勢的變化，日本對台灣與大陸之間，遂態度動搖。不管中共與蘇聯的盟約，以日本爲假想敵。日本還是含情脈脈，想送秋波與中共。台灣以美國議會之批准和約爲對日本之王牌。現在和約通過於美議會，王牌是不是生效？台灣與日本的和約談判，又遇困難了。

×××

要建立中日兩國的新關係。在今日，不當只着眼於算舊帳。應該在歷史上寫下了新篇章。想一想大陸的淪陷，這是怎麼回事呢？

戰勝國姿態

東方的中日關係，彷彿歐洲的德法關係。德國現在分成了兩個。蘇聯的勢力正從東德壓在易北河岸。但是法國仍不願德國的興起。法國要以戰勝國的姿態，支配薩爾。

×××

天助自助者，努力有爲的民族是壓迫不住的。自作孽，不可活，自己墮落的國家是無能爲力的。法國表面上是民主，但對殖民地，是最不民主的統治。爲了面子的虛榮，無法放手於越南。爲了過去的恩怨，又不能釋然於德國。一心只望美國能與以經濟的援助。但在美國，爲了反蘇，法德兩國的對比，是很明白的，於是法國又轉而憤慨美國的援助德國了。

共黨來統一

戰後德國之分成東西兩部，是德國的不幸。戰後日本之仍能保其完整，是日本的大幸。說起來是因爲有朝鮮做了替身。今日的朝鮮已成了生靈塗炭的戰場。未來的德國呢？

×××

爲了要不做朝鮮第二，德國希望能獲得統一。蘇聯因此提出了統一德國的口號。東德的共產黨，且名曰「社會統一黨」。但是怎樣統一呢？那就是由共產黨來統一全德。這樣結果勢必至還是朝鮮的覆路。

法學家栽贓

這幾天來，朝鮮的停戰談判，據說有轉機了。但是主要的蘇聯中立國問題，自願遣俘問題及建築機場問題，卻依然是原封未動。這到底怎樣解決呢？

×××

細菌戰爭的宣傳，日益加甚。一個國際民主法律工作者協會的調查，已經結束了。細菌蔓延的情形，不要紅十字會專家的調查，而假手於法學家的研究，這是怎麼回事呢？正如人命的官司，不先交法醫的檢驗，而即由法官判刑。這便是今日共黨故入人罪的栽贓作風。這就叫作宣傳。

樓明

世界經濟之危機

根據本週出版之美國新聞週刊報導，世界各地呈現着經濟不景氣的徵象，其情形和美國在一九四九年春季所遭遇者，大同而小異。若干經濟學家担心這種不景氣現象，可能成爲共產國際四月三日在莫斯科召開的經濟會議一個宣傳的口實。目前國際經濟不景氣的主要徵象，計有下列各點：（一）原料價跌，（二）存貨過剩，（三）新的訂貨額下降，（四）各國加緊限制貿易入口，造成國際貿易日趨收縮的頹勢。

國際經濟不景氣的中心在英美國。保守黨政府業已下令裁減進口十四億美元。上星期政府預算案，註明將對進口貿易作進一步裁減。造成英國經濟不景氣的原因，除掉內在因素外，還有下列幾個外在因素：（一）澳洲總理於三月八日宣佈裁減進口十二億三千二百萬美元。（二）馬來亞與印尼所出產的橡膠，價格下降了百分之五十以上。（三）印度及巴基斯坦物價下跌百分之三十至五十。

不景氣現象，已由英國蔓延到日本，南美及法國。韓戰使日本生產率突增，較一九三四——三六的平均指數，增加百分之一百三十一。上星期統計，各項生產多呈下跌現象，紡織品生產上月減少百分之四十。法國一向鬧着財政危機，她的入超額高達十億美元。爲了挽救這個危機，不得不加緊限制進口。（樂光）

武漢大學化學系講師 陳懷九公開反共反蘇
知識分子力量不可侮
百犬吠聲好人被圍剿

【漢口通信】被指爲「美帝」同路人，細菌戰「罪犯」，漢口福華製藥廠總經理李寅廷，以含有大量細菌的救急包「暗害」中共志願軍的案子，還沒有結束，武漢大學化學系講師陳懷九，最近却因爲對李案說了兩句公道話，爲中共斥爲公開反抗「政府」而遭受「圍剿」了。

爲陳懷九事件，武漢三鎮現鬧得滿城風雨。長江日報在三月十四那天，曾以一三兩版全版地位（約兩萬字）對陳展開「總攻」。陳是湖北宜昌人，今年三十五歲，十餘年來，一向勤謹所業，是個受過高等教育的學者。這次因激於義憤，對李案講了兩句人該講的話，竟驟起斷增，被拖下水，遠非始料所及。

據中共公佈陳的罪名，有：（一）在言論自由的烟幕下發表反「人民」言論，說李寅廷是「政治教育的犧牲者」。（二）不重視政治學習，和大衆報告。（三）一貫崇美輕蘇，每當蘇聯有「新」發明時，陳都公開講說：「這東西在美國雜誌上早幾年就看到了」。（三）自視過高，一向痛恨政治，厭惡政治。（四）去年在「新科學」雜誌發表「論生漆與造膠木的經驗」的文章有自捧自嫌疑。（五）國府選舉國大代表時，陳曾爲姐姐拉選票。（六）專說「怪話」，他會[illegible]：「[illegible]書館是一面倒的機構，研究學術也要一面倒嗎？「反動」書有什麼，爲什麼不擺幾本進去，好讓人自由比較，知道好壞。（七）在實驗室中有「驚人浪費」，常弄壞「大燒杯」。（八）曾經一系列的散佈反共反蘇言論，「毛主席」他也批評，說「言論不自由」。（九）陳是武漢「小組長」，但他向不肯召開學習會，問他，他總說「有什麼用？」。在化學系（二月二十二日），「民建」會（二月廿二日），反貪污鬥爭（二月廿三日）三次大會上，陳曾爲李寅廷喊冤。（十）武大「秘書長」徐懋庸在鬥爭校醫俞榮飛會上問陳有否意見？陳答「你怎樣說就怎樣好，現在我不講話了，一說話就會給人指爲「反動」」。

僞中南擬直屬機關精簡節約總會對「陳懷九事件」給僞中央報告裏的結論說：「陳懷九以科學、技術、講師、專家、自命，到處散佈不參與政治，痛恨政治，厭惡政治的「謬論」，因此我們可以了解，陳懷九所厭惡痛恨的不是別的政治，而是共產革命的政治。」話又得說回來，既然是「革命的政治」，爲什麼會遭受到像陳懷九這些有高深教養的學者厭惡痛恨呢？這不是宣佈了陳懷九的罪狀，而是宣佈了「人民政府」並沒有人民擁護的一篇自供。

今日武漢的陳懷九事件，不過是大陸上有良心血性的知識份子向中共公開反抗的一個開端，不問中共用如何偸天換日的本領來「鑑定」陳的政治思想，「調查」陳的歷史情況和加入工會以後的「表現」，去硬定一個「美帝侵略者幫凶」的罪名，而欲掉陳的腦袋，愈這樣做，愈顯出大陸智識份子對中共的不合作，和中共對手無寸鐵的智識份子「進攻」，手忙腳亂，毫無辦法。陳懷九的「罪名」，照中共所宣佈的必須殺頭的，但魔鬼們忘記了，一個陳懷九倒下去了，千萬個陳懷九却會站起來向毛澤東要命的。（懷民、三月二十寄。）

陳懷九配嗎！

鐵幕裏過，有一個記者，在評論裏引法國作家巴爾扎克在他著的「郭里奧老爹」那本小說裏一段話，批評陳懷九。予俏夫人波謝安教導大學生拉斯濟雅克說：「你計較得越發冷酷，你前途也就越發遠大。你毫不留情地去打殺吧，那時，人們就會害怕你的。你要看待男人和女人，像乘驛馬一樣，那怕牠在下一站死掉，也把牠丟了；但如果你一旦現出真情，你就把它珍藏起來，不要讓人猜出它來；否則你就會遭到毀滅，那你也就會成爲劊子手的犧牲品了。」用這一段小說的引證來議論陳懷九，這記者是反列寧反毛澤東的反蘇賊禿。太林明明對着馬列和毛澤東的「主席」斯太林，明明罵「馬列毛主席」，陳懷九配嗎？而且，他又強迫勞工，把他們當作乘的驛馬，在下一站死掉，他也怕牠不能。大概這位記者不免要吃一場官司。

重要的改革

香港三日

香港有個革新會，算是民間的組織，它的作用是向香港政府建議有關民衆公益的改革，它可以自由建議，政府不一定完全採納。最近該會定本月底討論當前幾件「重要」的改革，例如增稅預算案，強迫軍役案，立法局非官守議員民選案（按立法局非官守議員依照香港憲章規定可以民選，但過去一直由港督指派的）等問題。上述問題，按照情理，都是非常正當合理而所必爭的，但際此香港局勢動盪之時，香港革新會如果能够好好利用，它一定能够成功，而可以獲得香港人民眞正之擁護。如果有人在香港革新會身上轉念頭，竟想攪七攪八，則「三一」事件，乃是前車之鑒。

廢除笞刑

香港由英國人開埠以來，一直還保持着中古世紀的笞刑。在中國笞刑適用於滿清，民國開始，便廢除這種帶有原始性而不文明的體刑。最近港督葛量洪爵士任命官員三人，議員四人，合組一委員會研究是否可以廢除笞刑。該委員會已由署民政司杜德召集。據香港許多研究司法人士之意見，認爲應該廢除，而代以徒刑或短期勞役罰款。一般認爲笞刑已不合文明社會，港督葛量洪爵士能於此時覺到，不失爲明智。

關心台灣

代表台北市參加港、台、澳、扶輪社遠東區年會之馮玉衡等一行六人，於廿一日由台飛港。廿二日下午三時，會同香港代表乘大來輪赴澳。馮氏謂，台北扶輪社，現在是自由中國唯一的一個扶輪社，社員有上海、天津、廣州各地的。去年社務相當開展，會員亦增加。馮氏感到這一次在澳門開會，港澳中西會友對台灣之進步情形，詢問甚詳。他說：「海外許多朋友企望和關心我們，這使我們感到無上欣慰，我們盡力告訴他們自由中國的努力」。馮氏希望明年度扶輪社遠東區年會，將由中國爲主人，由廣州扶輪會或廈門扶輪會出面邀請港澳代表在上述兩地任何一處舉行。

香港的安全

美海軍部部長金波爾與內政部次長奧爾斯，於廿二上午十一時許由馬尼拉乘海軍專機抵港。金氏在港談話簡略。重要的可分爲三點，（一）巡視自關島，非列濱，日本，台灣，香港一帶海軍的建設及防務。他說：「這是例行的任務」。（二）他重新申說二十二日在馬尼拉的談話。他說：「如果一旦中共發動亞洲其他地區的戰爭，破壞韓戰停火，則美國海軍將採取有效措施，封鎖中國大陸，因爲這項步驟，可以促使自由國家的人民有自由生活的行動」。（三）他很直率的指出：「如果一旦在遠東有事，我相信英美海軍的聯合力量足可控制這個地區的安全。這是美國海軍首腦第一次提到英國海軍的力量，而且是英美的聯合力量，頗足重視。這證明英美兩國在遠東的政策已有了很大的吻合。假如這裏「起火」，香港是英國的屬地，是在英國的海軍守護之下的，英國的海軍是和美國海軍聯合的，那末香港一旦有事，美國海軍也會來共同肩起這個抵抗的責任。根據這個邏輯來推斷，大致是不會錯的！

陳丕士挑戰

已故前外長陳友仁之子陳丕士大律師，不久以前公開宣稱將競選市衛生局議員。已引起各方之注意。各方注意陳大律師之挺身出來競選，因爲陳氏同情左傾。但廿二日香港政府新聞處處長穆磊說：「衛生局一九三五年之條例，已由一九四六年衛生局法例所修正，傳衛生局可以暫時無選舉之議員」。穆磊的談話自然是代表香港政府的，但是陳大律師立刻反駁穆氏說，穆磊之錯誤無足驚奇，因他根本不懂法律。陳氏有意向取消衛生局選舉規定條例作「合法」之挑戰。如果這個挑戰成爲事實，這將是香港有史以來第一宗選舉官司。（一成）

好萊塢作風滲入竹幕
紅色藝術家變作俘虜
文化新貴夏衍要開刀

【上海通訊】中共竊據大陸後，三年來，曾不斷誇耀「人民」的電影藝術事業已有了「很大」的進步。「三反」「五反」之後，這有了「很大」進步的電影藝術事業跟着也發現了許多「思想上的漏洞」，並牽涉到那個文化流氓現上海文化藝術工作的負責人夏衍。

在粗製濫造下，去年一年，三個僞國營製片廠，就出產了二十六部影片，經詳細審查後，中共都認爲「沒有站穩立場」，「猖狂的宣傳了小資產階級和資產階級的思想」，這些被中共指爲「內容錯誤」的影片，大部是在上海拍製的，編劇人有好多就是那個一向被認爲思想業已「搞通」了的夏衍。這些片子裏頭紀錄還不錯，如「武訓傳」、「碧遠之長」、「我們夫婦之間」、「人民的巨掌」、「有一家人家」、「夫婦進行曲」等。此外尚有已攝成尚未放映的「中朝兒女」、「神龕記」、「爲孩子們祝福」、「國恩家仇」、「綵車」[illegible]不准放映。

所謂「錯誤」是指那一些呢？一言以蔽之，電影工作者不願執行毛澤東的「文藝方針」。當上海「解放」之初，夏衍研究的衙門「電影文學研究所」就成立了，照中共的原意是很想把「人民的電影事業」搞得像樣的，以是組織龐大，支出浩繁。這裏面有編導會、業務設計組、採錄組、資料組、編劇組、器材組、異國組、偵探組、海洋冒險組、特別修訂組、集體創作組等。另外還有故事部、綱要部、重寫部、參考部等。每天上課五花八門，每年化掉的僞幣總在五百億左右。但中共認爲所收的效果是個零。爲什麼一點效果都沒有呢？照中共的說法，是從負責人夏衍到大大小小的職員，他們的立場，觀點和[illegible]是小資產階級的，他們拿了「人民」的鈔票，在爲資產階級做了不少組織、宣傳、和指導工作，成爲他們的喇叭隊員。

他們這些人未嘗不知道在人民「翻身」後，需要反映「新人」、「新事」，可是由於先天的虛弱（電影界的思想貧困）後天的失調（中共無理的斷傷、控制），任憑怎樣，都像一個久病的人，站起來即感到搖幌，感到惶惑而無所適從。

檢討夏衍的工作，在上海現在是廣泛展開了，這文化新貴現在已弄得氣喘吁吁，百口莫辯。布網們都在指摘維克的嘍囉，「宣傳了庸俗的小資產階級資產階級的思想」，「灌輸了資產階級的生活的血液」，「爲資產階級忠誠服務」，「向工人階級猖狂進攻」，「違背了毛主[illegible]有觀察、體驗、研究、分析一切人，一切階級，一切群衆，一切生活形式和鬥爭形式」。說他們所拍的片子的色彩、氣氛離開了「人民」，忠實地做了「美帝」好萊塢電影走狗。

中共的機關報「文藝報」對這件事也認爲很嚴重，在三月十三日出版的那一期上，曾以嚴厲的口吻指責夏衍說：「夏衍抄襲了資產階級的好萊塢創作方式，爲資產階級作了宣傳，鼓[illegible]們脫離政治，脫離生活。這說明資產階級文藝已攻佔了我們的文化藝術的堡壘，並不斷在發出含有極大毒素的思想炮彈，向人民的文化藝術陣地發射。」話是說得夠露骨的：坦白的，狡猾多變的「人民」文化官夏衍除了向「人民」認罪之外，不能再如過去「武訓傳」有了問題之後，爲了「從武訓傳的批判檢討中」在上海文化藝術界所作「一篇文章所能了事的了。（悠然・三月十六日寄）

技術人才翻身難 買辦張小泉剪刀性命交關

【杭州通訊】本年春，浙共隨着上級的指示，也喊出了「三反」「五反」的口號以後，就積極採取行動。在這行動中，善良的工商業者是天然的犧牲；像以手工業而維持二百餘年歷史的紫衍戲二十三家的張小泉剪刀，也受到斷斷，其他更是可怪。

二月間「鹽業分公司」和「木材建築器材公司江干辦事處」，是兩項大課捕案，逮捕人員近百。

在「鹽業分公司」一案中，指會計呂培木爲主犯；緊呂一九四六年後入國民黨，在上海做過買辦，在官僚機關內任職十多年，貪污成性」。江干辦事處「木業器材公司」一案中，指主任何永德在做縣長下來把聚斂的錢開辦東木行，一九五〇年十月任現職後，把經濟情報洩漏於祥生木行老闆王益震，使「公家」蒙受重大損失。

現在，先將呂培木的事實：呂是前任杭州市長任顯羣的幹部，憪會計統計學。三十五、六年，隨任在台灣航業公司任人事課長，稽核科長；繼又隨任至上海任僞糧食部督導；三十七年，任杭州市財政局長。任顯羣去職，由當時浙主席陳儀調其辦物資調節的事務。在任財政局長的時候，因過去營業稅有「底」「面」的弊病，他力助任組織，和商會理事長金潤泉（也已[illegible]）大門其法，曾受輿論讚揚。共軍三十八年四月渡江，何餘時間，即入杭州，當時渡江的這一班草莽英雄中缺治理都市的人才，所以便採呂爲「技術人才」（中共或會計，又爲技術和商人所不恐，呂亦以爲可繼續他的廉潔的官，陳儀是最親共的長官，方對他當然可以信任，是便發起解放，爲「人民」服務了。由於他是說人是共產黨人，同時在共幹下工作可以說是職[illegible]要撤他職，還要加以貪污的罪名，呂培木就落得狗也不如的被殺了。

再說何永德：他是浙江衢州人，抗戰時期，曾任東陽日報的編輯，後任原籍鄰縣的常山縣長。也因他政績過甚，以爲在這個動亂時代，做生意比較傭利，同時又易賣任轉業，同時研究浙江的木材經濟，都由他的故鄉衢州（縣）江，桐（廬）江、江（干）至江干，再輪杭、嘉、湖、蘇、松、常和吳淞一帶，他就揀定這人地兩便的行業。後來中共南下，也利用有這樣兩便的人，就向何拉攏，如今。可以不再利用，就乘這「三反」

知識分子的意志 鋼鐵一般的堅強

【廣州通訊】中山大學從二月中旬開始進行「三反」的學習與「思想改造」相結合的學習運動。本月十五日下午二時學習委員會召開學習座談會，出席者有全校教授講師助教三百人，共內有李凡夫（中共中央華南分局宣傳部副部長），亦參加講話。

本來有些教授們，他們的意志是同鋼鐵一般的堅強，天不怕，地不怕，單怕知識分子不怕。這一次的五反，在有些教授們看來，認爲是純經濟問題，橫說豎說，總要說話。這完全是純經濟問題，「物必先腐而後蟲生」，是共產鐵。他們說，讓工商業界吃苦，這是不公道的。共黨共幹就說他們思想錯誤，觀念模糊，要重新改造。

那一天的學習座談會，思想錯誤觀念模糊的教授們，又說話了，有一個外文系教授說：「我覺得從英文學來的馬恩主義，和中文不同，便使我莫明其妙，使我覺得茫然」。又說：「大家常用右傾思想這一個詞來打擊人，這一詞的觀念是很模糊的，我覺得這樣很危險。」另有一位教授提出形式問題，說明「舊知識分子是一座破舊不堪的一下雨便漏水的房子一樣，一漏漏補是沒有用的，必須重新建造。」又有一位老教授馬上跳起來說：「舊知識分子都是漏水房子嗎？難道舊社會來的知識分子都是出身于舊社會」！

一時會場氣氛頓形緊張，會場即響起了熱烈的掌聲。李凡夫沉着臉，還說要站穩立場。這會就草草結束。（天民）

曾中後陷敵

【長沙通訊】據傳，民國廿四年一月，在贛東生擒匪首方志敏之曾中後，不幸于去年十月間在湖南石門七區特守被共匪捕獲。曾氏廿三年，江西瑞金人。曾氏廿三年冬當第五次圍剿開始以後，以第九師六十九團向方志敏部圍攻贛東赤匪根據地之方志敏匪部一帶深山中，率隊入玉山七會部一所擄獲，即解南昌。是年七月，方在南昌正法。七月後，曾以功升至師長。陸沉後，游擊敵後，終爲敵所捕，惟未退出，繼續與匪周旋，被捕後，視友同曾氏危，無不扼腕。（搭搞）

看熱鬧消息有感

·尚方·

近來在報章上閱得烏烟瘴氣鬼哭神號的消息，無過於所謂「細菌戰」了！共產仁兄使用了全身解數，喉破手瘧，大喊大寫「美帝的細菌戰罪行」，意思是要證明「美帝」之不人道，教世界人士一致譴責反對！

我站在人道的立場，自問反對細菌戰的殘酷行爲。可是，目前好像跟北國學人播光且教授的心情一樣，很想抖擻精神，大力「仇美」，而結果總是「仇」不起來；何以故呢？一面大叫「細菌戰」，以警中朝人民，一面又說中國東北和北韓境內並無瘟疫，既說「細菌戰不可怕」，瘟疫也不足怕」（大共產黨讖說的）又說中韓境內到處發現「五毒」之類的細菌爲多，殘殺人民；俄共代表馬立克在聯大戲罪委員會既「堅持審議細菌戰」，「要求採取措施，禁止使用」，又反對國際慈善團體去實地調查。中朝境內既無細菌瘟疫，即令有，也不足怕，爲甚麼要哭喪着臉向哀號慘呼？既要求國際機構審議調查，爲甚麼又不許國際機構去調查？此我之所以立意要「反細菌戰」而終於「反」不起來也！

如果聯合國決議，一致恭請「史大林大元帥」就近調查審議，由維辛斯基同志組織國際裁判法庭來審判細菌戰犯，那自然就是立場最公平，判斷最客觀的了，因爲蘇俄是韓戰的「中立國」呵，用句廣東話說來：「中立」就安咯」！若問共產仁兄這種幼稚無聊的賭說大道，誰肯相信？朋友，你該理解，這即是共產社會中不許知識份子存在的所以然！

自由談

中國的幫會

·衛大法師·

中國現在的幫會，有青幫紅幫，其淵源於明末清初，含有民族革命，爲保民間祕密組織，爲推翻滿清政府的政權，而成立的幫會。

其幫會有五，爲東南堂，西北堂，三元堂，四喜堂，五福堂。三元堂爲青幫，四喜五福堂爲紅幫，四喜堂爲袍哥，也是紅幫之一。而東南堂及西北堂已不存在。

東南堂係鄭成功在台灣所建立。鄭成功據台灣抗清，爲團結內部，而成立此種幫會，其組織方法，一方面採取他父親鄭芝龍橫行海上的成規，一方面他曾在南京入太學，與蘇州的東林人有往來；東林黨中已有幫會存在。

西北堂係吳三桂洪承疇在貴州陽明堡所成立，旨明不再進攻南明永曆帝，故洪承疇回北京，而吳三桂欲消滅永曆帝以自軍，乃攻永曆帝於緬甸。此種史料太少，只存在於四川袍哥開山時的唱詞中。

三元堂係翁錢潘三氏所成立。羅某爲州，翁錢潘在杭州拱宸橋，假造糧船，以崇拜佛教作掩護，收運河中船上水手爲徒弟。在雍正五年曾經清政府將杭州拱宸橋的組織查禁過一次，至乾隆三十三年將青幫中人先置於黑龍江，袁顧均拆毀。其後組織更爲嚴密。至太平天國占南京，太平天國軍中多紅幫人，以運河漕糧係扶清朝，乃對青幫加以攻擊，光緒十二年河運已爲停止，至鐵路及海運大開，運河漕糧又停止通，乃在旱碼頭收徒，以沿運河及上海天津並長江沿岸爲多，抗戰軍興，沿西南西北公路亦復不少。

四喜堂係陳近南在四川雅安成立，以其在四川之西，故用四喜堂。陳近南係鄭成功派往扶佐永曆帝者。永曆帝入緬甸，陳近南北上由樂山至雅安，鼓勵舊部軍人扶佐蜀王，清兵進攻時，有四排內變，故四川袍哥中除缺七排外又缺四排。雅安失敗後，陳近南至鄂西房山縣白鶴洞出家爲白鶴道人。

五福堂係鄭成功部下降清後，至雅克薩城攻打俄羅斯者。因俄羅斯東侵至黑龍江畔，而且攻雅克薩城，清政府以鄭成功所派林興珠帶兵協助永曆帝，而永曆帝入緬，林興珠降于吳三桂，吳三桂死，林興珠乃降清，其部下善用藤牌，清康熙帝召林興珠，以鄭成功部下投降安插於河南山東山西三省開墾者五百人，由黑龍江進攻俄羅斯東部的羅剎人，乃訂立尼布楚條約。此五百人全勝而歸，清廷未賞功，有一部分——一百二十八人——不願回國家，乃在蘇縣法華寺出家，改此寺爲少林寺。以其人有武功，不久西北葛爾丹之役，由前所帥領者旗人蒙古剛都統彭朋，又帥征葛爾丹，此中已剩了一百零五人，內館功未賞，下大聘其指揮，清廷暗令以藥酒毒豬，其中有十八人逃脫。由甘肅經漢中至鄂西與陳近南遇，以備故殘部攻軍陸，未克，死傷至餘五人，乃在湖南衡陽遇救，至台灣成立天地會，後改爲三點會，亦稱洪門，乃發展至海外各埠僑之地。孫中山先生耗革命借助洪門之力不少。

此外如河南山東的小刀會紅槍會，乃屬黑幫。平津及東北的在理不吃烟不飲酒會組織同善社者，乃係白幫。

紅幫崇拜關公，青幫崇拜達摩，白幫崇拜觀音，黑幫崇拜眞武。是以在幫會中傳說，佛祖有一蓮花池，佛祖命關公入蓮池取物，關公採取蓮花一隻，佛祖命在東土成立紅幫；達摩採綠葉，命組青幫；觀音採白藕，命組白幫；眞武無物採，撈了一把黑泥，命組黑社會。是以幫會遇幫會中人，有『紅花綠葉白蓮藕，三教九流是一家』，此二語在康熙時所編的封神演義上已有。

過去各幫會各有其勢力範圍，以紅幫而論，軍慶一地就有五百多個社會。青幫在同一幫中同一字號內，也有彼此分一家的，而欲謀幫會統一是不可能的。今天中國共產黨在大陸上將幫會首領都殺了，逃太平山下沒有幾人，而藉此機會將各幫會統一，正其時也！以在紅青兩幫組織號召力者十人，不收弟兄，一億與山，只依青幫法收徒，不論過去已入青幫爲通字悟字學字輩，律暫作學字計。每人能再回到大陸，定期在翁錢潘家廟開一次大享收徒千名，此徒即升入紅幫堂爲弟兄。

紅幫升入的弟兄由青幫升入，以一山名山，以現在地只能有一現在。過去滿十排缺四缺七爲第一排頭，三年中升第二排，三年後升三排，中入者以中年的爲么排，每排以年長者爲大。最哥。但頭排出缺，可排二可以遞補，以此類推補。每山推一人於陰曆五月十三日至解州關公廟燒香一次，由到會者舉年齡在六十歲以上，在幫中及社會上有地位者三人爲白幫。白幫由紅幫中選出，係各幫會中高高在上者，對內排解幫會中糾紛，對外作聯絡。每年十一月至南海與華僑洪門領袖會議一次，以謀幫會之改進。

今天是需要組織的，組織以幫會爲普遍而且嚴密。余爲擬議如此，不知幫會中諸公以爲然否？

老虎先見

第一次歐戰以後，日本朝日新聞會分派三批人組織歐美觀察團，每批約三十人左右，都坐的一等艙，預備充分，且與朝野要人聯絡感情，其任務，不做考察各國軍事，政治，有一批人員會見了卸職多年的法國老虎總理克勒孟梭。他住在郊外，還辦了一個報紙。克先生劈頭就說：「我們法國在歐戰後是一個戰勝國，可是國家唯一要緊的，是世界上最強的國家，因爲最強的國家最危險。」說時，目光閃閃，如像透視注射在幾位團長的臉上。那時正值濟南五三慘案之後，團員們不知怎樣作答。克先生接着說：「中國民族是世界上最聰敏的民族，現在已到危難時期，言外之意，認爲最強的國家，一方面進行侵略，一方面政策引起了全世界的疾視，人力財力終有一天不能支持好久。」日本二十年來抵制克先生的話，在日，德二國，已在當年就透視了；現在中共黨人，受克姆林宮的主使，跟蹤一個倒，進行侵略。克先生當年說的「中國民族，現已到危難時期，」這句話想不到竟成了今日中共的預言。

記聯

曾文正公祠成，長沙名士，咸集新祠，宴落成之。郭筠仙有人，戲以「牛則有皮」四字求對，不能答。王湘綺先生後至之。郭云：「汝有作一對語可。」即對以「小牛兒女皆皮」，乃曰：「湘綺之者」。然不肯說出，郭筠仙。郭知此聯雖皆游戲，大笑非，知其餘不平也，所謂「郭李之故，皆撫掌。」湘綺去世，然能對，不知其宜，也撫掌。士紳「焉哉」多不能解，古今人才，師以沛承搖頭，學者不能對其下。王學聯：「四海漢讀論交，一縣聯中，眼如也。」足下趨舉一年秋，又到四海，才通身分無人，能文亦合分，經學易實賈似遠游文聯」。又於身分之外，寓義，聯遺贈書。易一文字通詩切，瞻人口衷，之工告於自然，一時無出其右。其挽詞文式聯云：「追思往事，感不……」

有言，既痛逝者，行自念也。東海流傳；千古，多口，文章生平，士固憎茲。曾子恒昌黎所謂「北邙識半，晚岩禪和尚云：「動而得謗，名亦隨之；了生脫死，行突然。」又聽南海百聯，頗有感事懷人，無何以堪！此二聯皆西湖，得未曾山陽，而天衣無縫，太炎先生之語，成若此，未何才人之筆爲之。多佳製，有「黨國學者，推崇至州，云：「是吾之奇炎先生於刊名記張學良來，成言，雜誌內之聯書，告居至廣州，生長最古仰，賀等輓南江，聯云：……」

曾記友人述粵語數則。嫩老鼠仔，推之死，魚，亦頗高匠心跑上見。其聯云：「一小滑頭拖至州，生出一肉，豆心瓜，樹其大，「一月藕鳥何沙，月聯。又一官烟，州水冰。以月」甜熟一月長，何水烟生「甜」，吞飯烟一烟，何姑新娘房」，何數官「甜」一對，教子主見，官烟可以生一云：「何聯云：……」以上數聯，解粵語者，當對其人子一頭眼火打出，「山一誰，拳作見，其面「四聯」，又不知何宗聯云：「以上數聯，作會心的微笑」。

克姆林宮的政策

·夫石·

莫斯科鏡頭

第一段艱險旅程

·勒柯克·

卒之，一九五〇年二月十七日，我們踏上一艘芬蘭船叫芬尼亞，沿太語士河出口駛希爾辛基航去。由那裏得趁蘇聯火車到列寧格勒，再轉至莫斯科。

在一隻芬蘭船上滾過北海，這還不算切斷了誰與西方世界的關係。蘇聯好像還在另一星球，直至我們爬過了基爾海峽爲止。

一個富于想像力的旅遊者，儘管鼎子和證照，爭「波羅的海遠遠盡頭處那共產主義第一關便甚情況察鐵幕。基爾海峽在地圖上頭只一條藍色幼綫連緊住兩個大洋；實乃一條九十哩長的泥濁色水帶劈裂了兩道蔚藍色的天際綫。原來這一條狹隘水道就是俄國藉以透氣採光的了。

給予基爾峽以俄羅斯氣息的，不止是從不出海的人，亦會見過的那河中俄船所裝上的錘子和鐮刀飾物，誰到此誰即置身在敵意的海面——西方魚船被炮口驅進赤色港的海面；俄國曳引船與輪船結集于此海面；以拖捕亡命客出海面。冷戰的謎彩打被擊落在此的海面；美國機艙擊敵感的旅遊者，當船才脫離甚爾海峽日落的蠶影，時即又進向亞洲道路的險影。自此以往，他隨時可能遭遇不測。現在我們的感想亦復如是。

果然，人事的意外雖未變來，風濤的險惡則在這兩個世界過渡之間先就不免。船在碎冰上輾進一層厚鑿當中，眼見住一艘俄船支離破碎。這裏靠近一個丹麥屬島，救生艇沿岸排列，遭難的俄船擬要近去給艇來救，不解那船主却不許可，大抵他的意見是俄人的生命不屑待救于資本主義國家的丹麥人。可是船中無綫電報人員則頻頻向俄方海岸發緊急訊號，請求莫斯科當局准許向丹麥人求援。那船長實代表了俄人的牛心左性，雖在瀕船人呼吸存亡之際也不違宜因應一下。俄羅斯之謎，於今憬惑着全世界，那時一小小事件已先迷惑了我們。

在霧裏三天，幸大風狂起之前逃脫，一隻破冰船——蘇聯以戰爭賠償名義把芬蘭物資榨取光淨，僅留得這兩船——掉頭來領我們的船掙進巨大冰塊裏，夜間隨着破冰船的燈光擠進一條較緩和的冰中隧道，半夜，一座燈塔浮現在前面了。一個侏儒負荷着一大木梯冉冉而來。那是希爾辛基港的志願領港人，矮小的身軀，大梯負在肩膊上，在波羅的海結冰上步行數百碼，夠得是奇觀。他將梯子凭在芬尼亞號船旁，隨即登船領我們踏上希爾辛基去。（一）（萍末譯）

綿羊一般的南京學生

·競華·

當共軍開進南京的時候，最感快樂而興奮的，要算是一班青年學生了，雖然不能說是大部份的學生，迎「解放軍」，要表示歡迎「他們爲着「解放軍」，爲着要表示擁護共產黨，同時也要鼓動他們心中的潛伏份子的指揮；受着有陰謀有組織的，到街上瘋狂地扭秧歌，拼命地打腰鼓，把共產黨和「解放軍」，捧得如天神下降。

渡江的事實上最初幾個月，在共軍一班青年學生也似乎得到了「解放」，眞正得到那些平時不中意可以上課聽書的，學生願意上課，隨心所欲，不願意上課，課也不會有點名，上課再也不留級的處罰；記過也是中意，男女攪在一起了，的學生大膽，日以繼夜，唱歌跳舞，帶女學生明目張膽的唱、跳，既不滿足內心的慾望，也不再受社會家長的監視，不再怕學校的干涉，甚至於小部分學生了，被選爲校務委員，與校長並排討論校政，使一班教職員和同學們，不只要跟着他走，還得要聽他的指揮呢。

南京易手三年後的社會情形，眞是大大地「改觀」了：商店公務員人家破人亡，工廠大多數開不起門來，工人也多依靠家長而活，不的一班青年學生，就失業的影響開始。受社會破敗的，而且在第二學期「人民市政府」正式「接管」各公私立學校，藉口政府要減輕人民的負擔，把過去一些學生享受公費，都取消或半費，優待了學生，還把學費都將提高，並些衣食學費，都直接更加重一些家長的負擔，有能力來負擔子弟上學了。學受到失學的精神上受不用說大的打擊；緊固學費的青年，得起學不到「自由」，再得不到的「自由」，政府治下連從前在國民黨政府的「自由」，都得不到了。（中共「解放」的南京大學）的「民主」。……

就在南京易手後第二個年頭，中共把全市的公私立學校經合併，解散，學生更加起大心中了鐵的學生，但已不再是入學，學生是滿了年，一部份青年學生，作獅子吼，的「回南京了，」這不算小，在學校當局開會的時候，佈置「新學風」，「新環境」，學生在學上上，「學一個新上」，過一個上「民主」，氣的是忽然發的氣。

主館上「紅紅綠綠的「標語」，也看不到了；學生們的行動也要跟毛澤東走，就是思想言論也要「一邊倒」，倒向蘇聯，蘇聯的一個臭屁，青年人都要說是香的，步向「——一邊倒」，倒向馬列主義。他們已經失去了自由，他們在自己的境地中，不免逐漸墮入苦境，得。前在幾個月的勇氣，他們已投降了，他們現在也就不敢出聲的美，「名得」不給一個美名也得。

一個學生，於是召集了一個所謂「學校民主會議」，利用「指思想高潮」的學生，鼓勵「匪特」在一群學潮。「不得」的「強調」「反動」一定是行爲，把道篇文字當作一個了學校當局及共黨黨員一致擁護的學費」的文字。學校公費免費辦法及減輕學生的負擔，指有「公費生」是要自動取消公費的請求，都要受一個「覺悟」一位同學，中共幹部借這個機會，有潛伏的「匪特」份子，共出要學生注意，「匪諜」來鼓動，共要學生們利用機會警惕，知道須學過去，必須自主，要同學們知道，示威遊行等不能開課，都是我們的政府，民主是人民自己的政府，已經是人民民主政府，並且由共產黨來領導，是不容許有人來破壞政府的。在國民黨反動派統治下所作的，又對人民再有覺悟的中國人民來做，這一班學生很……學生參加對共產黨的號召，一同學們不以爲然，使學生們敢不學一班，參加了土改和「參軍」，及學生去「學了大參軍」的學生，東北的學生，學生不加「土改」和「參軍」，也不會起來。

自由人

THE FREEMAN

（半週刊每星期三六出版）

（第一一二期）

每份港幣壹毫

督印人：李光華

社址：香港高士打道六六號

電話：二〇八四八

GLOUCESTER RD. HONGKONG

TEL: 20848

承印者：東南印務出版社

地址：高士打道六四號

台灣經銷處：台北市中華路一二五九號

青年節革命壯烈偉大的紀念節

我對祖國青年的呼號

起來吧！祖國的青年！

越南華僑　林　湛

今日何日？乃吾革命先烈反抗滿清統治圍攻兩廣督署之役而以身殉的七十二烈士之壯烈偉大的紀念日。每年一到了這個時節的降臨，的確使我們的腦海裏擁着無限的嘆息與感傷。但，我相信，在我們以沉痛的心情來追悼此壯烈而偉大的紀念日，除了那些沒有理智，沒有血性，以至沒有民族觀念，狼心狗肺，甘心爲人鷹犬的冷血動物共黨外，其餘大部份身爲黃帝子孫中華兒女者，都懷着這樣的感傷。然而不可思議地，我們亦爲祖國悲痛。

爲什麼呢？青年們，我們要反省，凡事都要精細的思索，勿爲一時所衝動，因爲我們是有作爲有血性而富有熱情的青年。所以我們要澈底明瞭，把眼光放遠些。共黨毛澤東現在是違背了國父的遺志，把國父的遺志作爲幌子，出賣了我們無數同胞的生命財產，如同螞蟻似地掌握在其乾爹蘇俄帝國主義者的手裏，當牛馬，充炮灰，任其驅使，無所不爲。不單是這樣，同時還「下詔」更改國父手定的旗幟以及中華民國誕生的日子，抹煞一切先烈革命的輝煌勳績，推翻中華民國憲法，抬出蘇帝的專政來橫行霸道，刪改國號，戴上人民的帽子來招謠欺騙，強姦民意，掩飾其出賣國族的眞面目，屠殺有學識的份子，迫害對他們表示不滿的志士。由於上述劣跡，我們不難可以確切看透共黨的內心，尤其是對待海外僑眷的態度，是如何的兇惡，陰險，虛僞，刻毒！它，把一個完整的革命果實加以摧殘，把一個壯烈的革命紀念日當爲明日黃花，施用麻醉奸詐的手段，穿上漂亮甜蜜的外衣，迷惑着一般頭腦智識比較天眞的青年，使之在模糊不辨的視綫中，成爲其傳聲筒，受其虛僞的欺騙。

在這裏，我值得誠懇地告訴各位，我們處於今日時代的潮流中，首先要明辨是非，判別眞僞，緊握着我們堅毅不屈的意志，萬勿爲共黨所薰染，麻醉；我們最要緊的，是努力於我們的學業，朝着未來光輝燦爛的前程邁進，清醒我們的腦袋，尤其我們要有自強不息的奮鬥和雪恥圖強的決心與毅力。過去有一部份的人，就是苟且偷安，百事無成，做事不澈底——這樣萎靡不振的氣習，我們非設法剷除，是談不到政治經濟的改進，更談不到反抗暴俄，解放大陸同胞於水火災難的大業。所以，我認爲國家是需要我們這一羣具備着蓬勃向上的朝氣和抱着磨鍊自身創造民族的新生命，那我們就不要放鬆一個時間，以及放棄一個機會。把我們的血汗貢獻於自由中國，以換取吾民族的福利，而非達到我們的目的，決不休止。

我們承認過去的失敗，是由於大家不爭氣，鬧派系，明爭暗鬥，自造糾紛所招致的結果。但我們亦可認爲此是我們的考驗，識的教訓，使我們從新做起，以昨日死今日生的精神，臥薪嘗膽的刻苦自勵向前邁進。我們無論在公私兩方面的生活上，一切都以國家民族爲前提，絕不容許有絲毫苟且，因循得過且過的念頭。所以，對於精神方面，必須不斷的刺激；生活方面，必須加倍的儉樸忍苦；亦必這樣才可以打破目前艱難危困的局面。

青年們，我們是自由中國的柱石，社會的棟樑，我們有高瞻遠矚的慧眼，看穿了共黨吸血者毛澤東的酷毒心腸，認清了蘇帝侵略者沒落的命運，勇敢地永遠站立在三民主義的青天白日滿地紅旗幟之下，追隨繼承國父的遺志，追隨最高領袖蔣總統的奮鬥，踏着先烈未乾的血跡，共同一致，用我們滿腔沸騰的熱血，伸出了我們鋼鐵的拳頭，擊毀蘇俄侵略者的企圖和人之無良的野心，保衛着我們帶礪河山的中華民國。爲了世界和平的保障，爲了建設人類民主自由正義的樂園，我們需要喊出有力的呼聲，我們要牢記總理臨終時最後一句遺教，「和平，奮鬥，救中國。」我們不但要自救，並且要救人類。

蘇俄絕對不是甚麼了不得而可怕的惡魔，只要我們效忠於眞理的一切，把全國四萬萬七千萬同胞團緊爲一條心，向着赤色帝國主義的蘇俄和賣國者共黨搏鬥，反抗；除了搏鬥反抗之外，我們已再無其它的瞻迴與卻顧。因此，我特別趁這偉大壯烈的紀念日，願我全國同胞，不分性別，不分階級，不分黨派，不分職業，團結起來。用我們堅強的信心，擁護中華民國政府，爲反奴役，反飢餓，反剝削，反侵略，反暴政，謀求自由中國獨立解放自由，反共抗俄到底。起來吧！各位弟兄們，最後的勝利是屬于我們的。

中華民國四十一年三月十五日寫於越南堤岸。

五年前秘不發表李維諾夫談話錄驚人發表：

蘇聯未來革命與史太林

「希特拉當時亦想他的要求完全是合理的。」

在一九四六年夏天，正和今天一樣的，沒有再比原子彈重要的事情了。全世界均憂慮都集中在這三個問題上：（一）蘇聯是否願意參加一個眞正原子共管的機構？（二）克里姆林宮當局是否瞭解原子武器的可怕？（三）人類的智慧與責任是否可以挽救這個世界而免於原子戰爭？

我是在六月十八日在李維諾夫外次的辦公室內討論以上的問題。李維諾夫很直率的回答我道：「蘇聯是不會同意原子共管的，因爲這與原子彈最重要的一部份根本不肯讓步，同時蘇聯也不一定要恐懼原子戰爭」。

他回答我第一個的問題使我立刻便提到巴魯克計劃。巴魯克曾向聯大原子能管制委員會建議立刻管制原子。這個計劃是不准任何一個國家把原子能用作政治上之企圖。每一個國家都必需接受原子共管機構的調查。李維諾夫很清楚的回答我：「蘇聯能接受的只有假牙齒，最好一只牙齒都沒有」。他說：「巴魯克的計劃需要兩個不同的行爲。第一，必須要配合國際共管的原則。第二：各國必須放棄主權接受外來的調查」。我連忙問他蘇聯是不是希望走一條路。李維諾夫很直接了當回答，蘇聯是不喜歡調查的。

次日，六月十九日，葛羅米哥在聯大內提出了蘇聯的反建議。他建議的主題雖是國際共管，但和西方國家的共管完全是兩會事。葛羅米哥建議這個原子能共管委員會應設在聯大安全理事會下面，這樣蘇聯可以利用否決權來阻止調查。這是一個虛僞管制！

但蘇聯統治者是否眞正瞭解原子能的威力。這是無疑的，史太林所獲得他海外使節的報告，一定是盲目，虛假且瘋狂的。在另一方面，我們可以認爲，史太林在此的處置程序內，對原子能有實際的知識，但從各種指示，我們可以看出史太林決沒有我們那樣看重原子彈。

在我同李維諾夫的談話中，他告訴我在領土的安全感上，蘇聯又重復回到舊時的概念上去。我乃問道蘇聯現代能幹的領袖們，怎麼會把舊日認爲的一條河，一座山或數千公哩的地土便足可保障疆越之安全？

李維諾夫乃道：「因爲他們思想守舊，並且還是踏着老路」。

凡是到過蘇聯或和蘇聯人交往過的，都知道蘇聯是非常守舊的。雖然加拿大的間諜們把原子祕密偷給蘇聯，蘇聯並不覺得自己國防與安全之可慮。相反地，蘇聯事實上宣傳原子彈和西方其他的武器一樣沒有用，說這是西方向蘇聯恐嚇。

李維諾夫很清楚的指出：這種宣傳不僅是因爲吃不到酸葡萄而掩蓋她本身，此時缺少原子彈，並且還低估了原子彈的力量。

我於換另一個方式問道：「第二次大戰雙方均同意不用毒氣，因爲這種武器太可怕了。那末這一次未來的戰爭中，雙方難道不採取這種協議嗎」？

李維諾夫慢慢的回答。一面說，一面還是沉沉的呼吸着。他道：「這完全要看操有原子彈國家的人民的態度。假定一方認爲這東西可以加速勝利，那末它的引誘力將更大。假定雙方力量相等，一方認爲她廣大的區域與人力，資源與工業均能得到相當的保障，她也不會反對動用原子彈。這種情形最適於輿論不能發揮的國家，尤其是那些領袖可以操縱輿論的國家。」

在李維諾夫的整篇談話中，他從來沒有述及，克里姆林宮之所以不肯動用原子彈，是因爲要保全人類高度的道德，是因爲要尊重人類的生活，是因爲恐懼世界之毀滅。

在我同李維諾夫整個談話中，他顯然有些厭倦這種政治生涯，處處表示他不能代表政府的外交政策。

當我問他東西兩方互相猜忌，是否是因爲在眞正安全及帝國主義侵略之間，迄今尚難分野？這時他內在的苦痛與不滿表現得更表面化了。

李維諾夫外次——這一位蘇聯外交上握有大權的最後一個猶太人——很苦痛底朝我望望。乃低聲的道：「希特勒！希特勒可能自己想着他的要求全是合理的。希特勒可能以爲自己的行動到處受挫，並且一切皆由於外面的環境」。

我身在李維諾夫屋子內，有時候令人感到心驚髮指。我懷疑這個人簡直瘋了。否則，是不是他神經錯亂。我有時想着，他的辦公室一定裝有傳播聲音的機器，或者特警們會紀錄這一段談話。但他從來沒有表現到這種恐懼。更教我膽戰心寒的，他還公然和我討論未來的革命以及史太林死後的種種。（二）（汪洋節譯）

俄國人的悲哀

・英國杜惜爾・

俄國一位大叛徒赫爾遜（Alexander Herzen），遠在一百年以前，曾經寫了一封致米謝里特Michelet的公開信，提到：「俄國是一個很新的國家，一個沒有完工的建築物，到處嗅到水泥的味道，到處都在開工，但是沒有一件事會經達到它的目的。雖然每一件事都在變，變來變去的結果，是愈變愈壞」。

所以，俄國人對于過去和現實總是不滿意的。俄國人乃至蘇聯的官員們，不獨因爲單純地解決了麵包問題，就滿足了他們的心理要求。史太林已經看出俄國人不滿意政變的危機，因此，對他們提出一種遙遠的理想和欲望，由社會主義過渡到共產主義的遠景。一九三〇年，史太林宣佈蘇維埃聯邦的社會主義基礎業已奠定。然而，一般老百姓見他們的生活狀況，並未改善。相反的是每況愈下。他們穿的依然滿身襤褸，而且常常要赤着雙腳跑路，食物仍然缺乏得很。他們已經深切地體會到社會主義是怎麼一回事，共產主義社會又能獲得些什麼呢？

史太林在誇耀他的五年計劃如何成功，教育如何普及，人口如何膨脹。事實證明，這些完全是人類的空前浪費。不錯，蘇聯的人口是膨脹了，而且超過任何西方國家的人口生殖率，拿蘇聯和美國比較，是二與一之比。但人口死亡率方面，也超過任何西方國，拿蘇聯的死亡率和美國相比，剛好也是二比一的紀錄。

蘇聯在幾次五年計劃下，強迫人民修建成千成萬的工廠和礦場。然而因爲設計和工作上的草率，不到幾年，這些工廠和礦場，倒的倒，爆炸的爆炸，泛濫的泛濫，良田變成荒原，新城市變成廢墟。

就教育方面言，蘇聯現時受教育的人數，多達三千七百萬人，在掃除文盲一點上，應該是一個偉大的成就。然而這些新的知識分子對社會有什麼貢獻呢？我們所見到的，是蘇聯勞動集中營囚犯的增加，剛好與知識分子的增加，成正比例。

蘇聯人民對現在太失望了，現在蘇聯每一個角落，充滿着迎接新希望的空搖籃。（樂光節譯英新聞記者雜誌）

時局漫談

舜生

中共攻台已成過去

所謂中共攻台，在事實上已成過去，其主要的理由不外下舉的三點：（一）攻台爲蘇聯所不許，無論中共以自力攻台，或必須蘇聯的協助始能攻台，總之於蘇聯不利。美國若於在韓兩年作戰的經驗，斷然願意由地面部隊作戰的重點，轉移到海空作戰的重點，這在她是無異於捨短取長；假定中共在此時攻台，而又期待蘇聯予以切實的援助，這在事實上適中美國之計；美國有確保日本與台灣的決心，也有誘致蘇聯弱勢的海軍去攻台攻日而在太平洋予以粉粹的決心；這一點我們大家明白，蘇聯也自然明白，蘇聯自來是用別人做貓腳爪代他向火中取栗子的，她會願意把火引到自己的身上嗎？（二）蘇聯始終只願意中共在一種不強不弱不生不死的狀態下，作爲她一個不侵不叛而用來又十分合手的工具。不許中共與民主國發生正常的外交關係，不許中共進入聯合國，這是蘇聯控制中共一貫的做法，假定准許中共去攻台，而她自己又不惜予以實力的援助，萬一攻台果然得手，則中共便是一個十足到地獨立統一的國家，聯合國還有什麼理由去拒絕她，民主國家還有什麼可能不和她發生關係，這一個牽一髮而全身動的舉措，在蘇聯看來，實在包含得有她從此不能自由運用中共的一種危機，所以不能不予以制止。蘇聯控制中共是控制其一切，不許她攻台，也不過是控制的一方面而已。（三）假如中共貿然攻台，（包括蘇聯援助）而遭遇失敗，其反面便是中華民國在大陸的重光，如此，不僅是中共的慘敗，同時也就是蘇聯在亞洲的慘敗，這對於蘇聯整個世界政策的關係實在太大了。在最近兩年間，我們處處看出蘇聯運用中共是異常謹慎的，她決不願把自己已到手的本錢輕於一擲，同時更不願爲了保全這一點贏來的本錢而牽帥自己的眞本錢。

不僅對攻台蘇聯必須謹慎，即對亞洲任何一個爲美國所必爭的地點去開闢新戰場，她也必得謹慎，因爲如此，所以整個亞洲的局勢，看來似乎是比歐洲更爲緊張，實際依然是相當和緩的，其原因便在蘇聯一手控制着中共而不許她亂動。

現在所剩下的問題，只在美國對中國這個中共政權嚴然存在的事實究竟如何打算？只在台灣是否眞能得着美國的援助而實行反攻？我早已說過：現在已經不是蘇聯和中共打不打人的問題，而只是他們挨打不挨打的問題了。

中日和約可以簽字了！

中日和約，其價值，其意義，不完全存於條約的本身，必須看條約簽訂以後，雙方對整個世界或亞洲一局部的反共活動有無切實的貢獻。因此，雙方在商討簽訂此一條約的過程，那一方多佔一點便宜，那一方多有一點面子，都非我所着重，我所注意的，只是在此時此地簽訂這樣一個和約，其根本意義之所在。

吉田雖口稱除與台灣簽約以外，仍須保留對大陸採取外交行動的自由，這種話不過是說說而已；其實日本固然沒有隨意與中國大陸發生任何外交關係的自由，即中共也絲毫沒有自由可與日本去實行勾搭的可能性。然而吉田其所以還要這樣說說：其第一個作用，在把中日簽約對中共和蘇聯的刺激性加以沖淡，其另一作用，則在爲未來日本進入中國大陸預留一個活用的口實。

假定日本一輩子不爬起來則已，如果要起來，乃至即照過去六年間的方式從容起來，蘇聯與中共必認日本爲他們的共同死敵，今後他們對日本的一切活動，斷然不會放鬆，所以第一個作用，可以說微乎其微；至於第二作用，也決不是求之條約所能有效，而要看條約簽訂以後，雙方的認識與誠意究如何，中國充分懂得「兩害相權取其輕」的道理，當其她以蘇聯與中共作爲惟一敵人的時候，她決不會輕於損害對日本的友好。今天應該特別注意的，便是不要在中國一般國民的情感上，又繼續留下一種不愉快而難於洗刷的痕迹。

秧歌王朝公仔戲演出
克里姆林宮主人導演
全國人民套上了枷鎖　整個國家成蘇聯附庸

秧歌王朝公仔戲劇團，是大導演家斯太林經過廿多年來不斷的設計、改良，殷勤孕育出來的。自一九四九年正式成立，一系列的精采演出，不僅該團服務人員，自炫成功，即遠隔重洋的電視觀衆，也不禁拍案驚奇。誠然，公仔戲要做到得心應手，不是一件簡單的事，假使沒有熟練的手法，是很難操縱裕如的。

該團在中國演出的第一齣打泡戲是成立「中華人民共和國」，從「民主人士」頌德，共產黨人勸進，至毛澤東「郊告天地南面稱孤」，幕幕緊張，場場生動，假使你忘記了是在看戲的話，你一定會信以爲眞；一直到現在，還有少數觀衆，不明它的內幕情形，對它發生興趣！

不過，戲劇畢竟是戲劇，事實則仍是事實，中國大陸上眞的出現了一個「中華人民共和國」嗎？記者曾經是該劇觀衆之一，而且是極感興趣的觀衆之一，從前台動作看到後台情形，纔知道是一個騙人的傀儡把戲。眞正的「中華人民共和國」，顧名思義，應該具備下列三大前題：一，必須是一個獨立自主的國家，二，必須是共和國體，三，國家主權必須屬於中華人民。因此，中共所宣揚的「中華人民共和國」，是否名實相符，我們可以據此三點，予以討論。

次殖民地提高一步成爲十足的蘇聯殖民地

毛澤東在新民主主義論中，一再強調中國是一個半封建半殖民地的國家，是一個落後而不能獨立的國家。自從共產黨統治大陸以後，他們的宣傳是「能夠站起來了」，「壯大起來了」。不錯，從表面上看來，似乎是眞的站了起來，不僅站了起來，而且是壯大的東伐朝鮮，南征越南，武功之盛，大有爲秦皇漢武唐太而過之之概；但這眞的是毛澤東的武功嗎？朱德對這問題，曾作『很明確』的答覆，他說：「中國人民志願軍在朝鮮的勝利，是受了斯太林的鼓舞」。毛澤東自己也講過：「如果沒有蘇聯……那麼向我們進攻的反動力量，一定會比今天大得多」。周恩來在一九五一年十月二十三日「政協第三次全國委員會」上說得更爲澈底，他說：「中國的壯大，和援朝的勝利，是在以蘇聯爲首的和平陣營下取得的」。胡喬木也在「中國共產黨的三十年」一文裏說：「在十月革命以後，列寧斯太林對東方民族問題，作了多次的深刻指示，構成了毛澤東同志的新民主主義論的主要出發點……列寧在一九一九年共產國際第二次大會規定了共產主義者在民族革命運動中，所應採取的基本方針，因而極大的援助了中國革命」，從他們自己的供詞中，可以看出毛澤東從造反到竊國，乃至參加韓戰，都是秉命而行，由斯太林幕後拉線。尤其是「一面倒」後，中國共產黨人更是「表內如一」地否定他們一向誇耀的「中華人民共和國」是一個獨立國家了。印度記者悉婆羅摩在他所作的「毛澤東共黨政府」一文裏，對中共的附庸奴性，闡述得最爲精闢，他說：「崇拜蘇聯，已經成了共產中國全國要事。共黨說服人民，要他們相信蘇聯的朋友就是中國的朋友；蘇聯的敵人就是中國的敵人，並且要他們相信替蘇聯作戰，就是爲本國的生存而戰」的確，從中共竊國以來，一系列的賣國條約及背叛民族利益的行爲，已經充分的說明了毛澤東的半殖民地中國，現在提高了一步，成爲十足的蘇聯殖民地了。

通過協商全中國人民失去了自由

要知道「中華人民共和國」是否屬於共和國體，我們應先探討「共和」兩字的意義。我們姑且不談歐美民主政治的眞諦，單就共和二字的詮釋，可以得知共和國家的兩大概念：一、必須多黨參政。二、執政者必須有高度的容忍精神。現在，我們看看中共在大陸上統治以後的情形是怎樣的，毛澤東登基之初，雖也拉攏了幾位軍人與失意政客如李濟琛、張瀾、黃炎培之流，組織所謂「政治協商會議」，制訂類似憲法的「共同綱領」，爲了裝璜門面，「共同綱領」裏面嵌入了不少的民主自由名詞，但仔細分析其內容和參證中共統治大陸將近三年來的事實，就明白是掛羊頭賣狗肉的政治騙術。「共同綱領」第一章第一條規定，「中華人民共和國爲新民主主義即人民民主主義的國家」。如所週知，新民主主義是毛澤東早在一九四〇年一月十九日就作好了的。中共中央機關報「人民日報社論」說：「人民政治協商會議共同綱領，原本是中國共產黨的最低綱領，現在已被各民主黨派，各人民團體及其他愛國份子所一致接受，成爲新中國的建設藍圖」。中共雜誌新建設一卷一期論中共文教政策一文中也說：「整個中國人民政治協商會議共同綱領，是毛澤東思想的結晶」由此可知所謂協商云云，實際上是獨裁者加于人民的枷鎖，要這些失了靈魂的「入幕之賓」，承認其「合法」而已。一九四九年美國外交委員會第五分組關於共產主義在中國的報告，謂「共產主義對於立憲民主是絕對沒有眞正同情的」，同時指出「新民主主義的動人處與其欺詐效用相等」。不錯，共產黨的共和僞裝，已經爲他們自己三年來的事實戳穿了，金字招牌，仍舊掩飾不了黑店裏謀財害命的罪惡。

人民民主專政是屬于毛澤東陛下專政

提起「中華人民共和國」的主權是否屬於中華人民這一問題，我們拿毛澤東自己的解釋來說明，毛澤東在論人民民主專政裏面說：「人民民主專政是工人階級領導的（但必須經過共產黨）以工農聯盟爲基礎的人民民主專政」。由此可知，共產黨扮演的「中華人民共和國」的主權（共產黨人名之爲政權即毛澤東所謂議行合一的權），表面上雖屬於人民，而實際上則人民須由工人階級領導，工人階級須通過共產黨的組織，共產黨人須遵奉毛澤東思想，追本溯源，是屬於毛澤東陛下了。

共產黨人對於名詞的運用，只要招牌響亮，不管是否與他們的言行相符，總喜歡不倫不類的把它堆上去。毛澤東明明一再表示「中國是一個古老的封建國家，封建制度下的文化，應該徹底摧毀」。可是偏偏又在「人民共和國」上，冠以中華二字。我們知道，所謂中者，係指中國位於四方之中。華者，係指具有優秀文化的民族，民國之所以加上中華兩字，是表示繼承了中國過去的歷史文化傳統。毛澤東揚棄了中國的正統文化，他所撫拾的一點僅是亂臣賊子流寇逆黨的遺毒（毛澤東所講的民族的文化形式是指此），唯有蘇聯「老大哥」斯拉夫民族文化，纔是他認爲値得重視的。不過，奇怪得很，他一面輕視中國文化，一面又以中華二字加在國名之上，豈非自相矛盾！

公仔戲在大陸上正式上演，已經有年多了，斯太林操縱着毛澤東，毛澤東控制着他的黨徒，自拉自唱，自吹自擂，天天叫囂其「中華人民共和國」如何進步，如何壯大。在他們以爲謊言講過三次以上，謊言就會變成「眞理」（法西斯祖宗希魔名言），殊不知人民的眼睛，是雪亮的，從他們前後不符的言行中，早已看出他們自己正在否定他們所製造的「中華人民共和國」。這也無怪，因爲他們是一個公仔劇團，導演的是斯太林，演員是一些沒有靈魂的傀儡呀！（曉光）

悼馬元放

·驚鴻·

兩年以來，飽嘗山居風味的我，平時除讀書寫字敲詩以外，差不多都在悲傷環境中打轉身。昨晚和幾位朋友去看電影，散步，心靈上剛才獲得一點慰藉，詎料今晨閱報，突然看見「馬元放遇害」新聞一則，彷彿像患心臟病的人，胸中火辣辣跳動不止，忍不住潸然淚下！

報載元放確於三月十四日，在南京中央門外，遭中共慘殺了。死者已矣，我與他今世無重逢的機會了。但我向來不考量他是甚麼派，甚麼系，以我和他二十年來論交，所得的印象，他確是艱苦卓絕，忠貞篤實，少大言，有條理，一個著實能做事的人。自從苦學以至做小事時起，一直做到江蘇省黨部委員，江蘇省第七區專員，江蘇省教育廳長，江蘇省黨部主任委員，南京市副市長，兼教育局長，中央執行委員，完全靠他忍苦耐勞，循序而進，所得的成果，既不是仗派系提攜，更不是奔走夤緣，巧取豪奪。別人說他是CC，他從不答辯。

他原名飲冰，別字君逸，江蘇武進人。少時，父母俱亡，只有一個同胞弟弟，相依爲命，家境又很貧窮，他立定志向，作一個苦學生。在南京法政大學讀書時，平時很少言笑，一年四季，總是穿件布衣服，冷冷靜靜，溫溫靄靄，任何人對他都有好感。校中教授鍾鍾山先生，很賞識他的學行，不嫌他窮，把一個聰明智慧外甥女倪滄齡女士，介紹和他訂婚，鍾先生別具慧眼，可是，在我們學校裏，一時就傳爲佳話了。

元放畢業後，在本校服務不久，就到南京市政府去當編輯，那時市府祕書長張道藩見他成績優異，折節與遊，相處極洽。後來轉任社會局科長，中央黨部總幹事，江蘇省黨部整理委員，當爲與張先生有些關係，可是，他們無歷史上淵源，完全憑着成績優異，換得同情的。

在他當江蘇省黨部委員時，適逢胡漢民先生引退，他與黃宇人同爲委員，聯電中央，慷慨陳詞，輿論翕然。

元放任江蘇教育廳長時，正值抗戰，國民政府棄守南京，退守武漢，又退到重慶，我們退到蘇北，在一個地方辦公，我和他差不多天天見面，他依舊是布衣粗食，不改書生本色。不久，他担任省黨部主任委員，便潛赴上海，指揮同志，展開祕密工作，處境艱苦危險，也就可想而知了。不幸的很，同志中出了敗類，把他送到南京僞政府獻禮，可憐！我們溫文爾雅的元放，於是脚鐐手拷作了漢奸們的階下囚了。有人勸他投降，他寧死不聽，江蘇耆碩徐慕杜先生有懷他的詩：『臨車一去返無期，正是知交痛道時，寶友有人師鄧崟，錄囚何日羈鍾儀。名賢錢萬宜遺忌，地近蕭疏易蹈危。我向江天思舊雨，神龍盼汝暫潛姿。』

那時候，我正在蘇北佐助省政府，從事游擊工作，不料軍事敗潰，省府退到皖北，我遭敵人特務逮捕，解到泰州監禁，也有自感懷元放一律：『落拓南行淚滿襟，故園景物夢中尋，辭家未遂青門志，避地翻憐息帽心，風月有情誰管領，煙花無主任飄沉，知君猶有憂時意，願借閒身且醉吟。』後來元放得漢奸周佛海暗中幫忙，一天寬鬆一天，於是設法潛逃，奔到重慶去了。

國府還都南京後，元放任中央委員，及南京市副市長兼教育局長，住在玄武門內翠明村，一幢小小洋房，簡單樸素，依然脫不了書生淡泊的風味。

有一天，我拿一篇我作的趙巍政女士傳送給他看。巍政是我們很好的朋友，曾當過江蘇省黨部委員，抗戰時遭日軍殺害了。他看過後，慘然不悅，他說：『巍政死了，我們替她作傳，將來我們死了，何人替我們作傳？』我接着說：『以巍政的爲人，怎樣落得悲慘的結局？』他不加考慮反詰道：『你說錯了，文天祥、史可法不是慘死嗎？慘死是光榮的，不是失敗的，』言下頗流露出『威武不能屈』的氣概，——這種氣概，本是讀書人護身法寶。可是，一般無恥的人，早把他拋棄淨盡了。

徐蚌會戰失敗後，南京即作遷都打算，我曾赴翠明村訪他，問他作何計劃？他說：『有錢的遠走高飛，我們人口衆多，又沒有積蓄，怎樣走呢？自問向來沒做過壞事，返心無愧，將來移到上海，慢慢混吧！』這時他已早辭掉南京市的本兼職務了，我們漫談一會，噓息而別，不料此別，竟成永訣！

元放未亡人倪滄齡女士，以及四個兒女，都還未成立，前途怎樣了結，誰也無從推測，『人生自古誰無死，留取丹心照汗青。』元放在天之靈，你的英魂，應該呵護你的祖國！（四十一、三月、廿二。）

嘉應會館與梅光學校
印度華僑的反共堡壘
李渭濱余清波爲柱石

讀了本報第一一一期的印度加爾各答通訊，「加城三月人寰慘變記」，梅光學校教員李悅隆先生，遭共特的暗算，其家[illegible]，眞是慘絕人寰。本文作者，要在這裏，向印度自由中國同胞艱苦卓絕的反共活動，致最高的敬禮！

印度同胞的反共活動，何以「艱苦卓絕」？他們的環境十分困難，他們受兩重壓迫，第一重是印度政府的親共政策，尼赫魯承認中共政府還不算，又時常領導民間輿論攻擊美國，頌揚毛朝政績，[illegible]政府，印度駐華大使潘尼迦成爲中共的國際宣傳之特使，北平與新德里之間，代表團不絕於途。印度政府對於自由中國的僑民，施行壓力，對於親共的份子，因爲有僞大使館僞領事館做後盾，印度人敬之如神明。自由中國同胞的處境困難，可想而知。第二重的壓迫是來自中共的大使館與領事館。[illegible]

印度僑胞的環境這樣困難，却有一個中流砥柱，李渭濱先生[illegible]。他今年大概有六十多歲了，[illegible]

[illegible]是梅光學校，李悅隆先生即在該校擔任英文教員。該校在加城華人區域的中心，[illegible]貼反共抗俄的標語，孫中山先生和蔣介石先生的大照相，[illegible]在該校樓上，[illegible]那位中共總領事登門求見，他拒絕不見。僞領事又要求參觀學校，他叫工友通知僞領事，「不必參觀」，那位紅朝的新貴，不得其門而入，悻悻而去。

印度華僑，以客家籍居多，李渭濱先生是嘉應會館的主持人，[illegible]梅光服務社的地址，就是嘉應會館。加城嘉應會館，除學校以外，還有會報，會長是余清波，副會長李渭濱，他們兩個人合作，爲僑胞們排難解紛，中共幾次想收買他們，都失敗了。余清波[illegible]

[illegible]（曉泉）

泰國堅決抗敵

——曼谷通訊——去年十月，謠傳中共軍隊開入緬甸與雲南間中緬未定界的邊區時候，泰國政府即宣佈採取各項措施，以對付在該地區所發生的任何戰事，以保證「王國」的安全。因爲泰國當局早已認爲這個地區，是最有可能發生紛擾的地方。

中共宣傳李彌將軍在滇邊的各項積極活動，沿中泰邊境的中共軍隊人數的激增，使泰國當局不能不有所「準備」。上月，泰國[illegible]特別會議，一致決定堅決對抗侵犯其國家主權的敵人。[illegible]

[illegible]（子亮三月二十一日）

中共治淮慘酷過秦政
風雪交侵下死亡枕藉
荊江廿萬居民要遷徙
百萬人趕工春耕停頓

（本報綜合報導）中共介入韓戰後一切軍大措施，顯然都以備戰爲第一要義。讀者不論，即其近三月來所進行的「三反」和「五反」，從政治的意義上言，雖在於整肅幹部並消滅資產階級，但從經濟的角度觀察，則不外藉此搜括戰費，以支持其擴軍計劃的遂行。但在這一備戰的過程中，中共連年在華東華中華北各地，發動了數處大規模的水利工程，最近又宣佈準備動員二百四十萬民工，進行所謂第二年度治淮春季工程，同時又着手進行荊江分洪工程。在遠東風雲日趨緊急的時際，中共直接間接以數百萬人投入與修水利工程，是意味着對大戰時間表有新的估計，抑或這些工程的本身，有着更迫切的目的與意義？

中國以農立國，水利與農業關係最大，尤其貫通豫、皖、蘇三省的淮河，自宋光宗紹熙五年以後，由於黃河數度決口，南侵入淮，淮河水系爲黃水泥沙淤塞，入海道路不通，形成積水難瀉，淮水歷代爲患，治淮不止一日，亦因其害洩不易，根治爲難。中共於其政權初定，對外用兵之際，而居然以治淮爲急務，其顯而易見的用意有二：第一、認爲治淮不至於影響其擴軍，治淮所需的人力物資，可取諸淮河流域，而無須動用其國庫。第二，是藉此來建立其政權的威望，以炫耀其「有爲」與「有能」。

中共所發動的治淮工程，始於前年十二月。全部徵用豫、皖、蘇三省的民工。第一批被徵用的共八十萬人。這些民工的徵集，表面上雖說係採取「自報公議，民主決定」，實際上則凡是丁壯，均難倖免。在治淮的第一階段中，從糧食以至工具，均係就地取給。中共除了出動大批的工作隊到處宣傳「毛主席的偉大」外，實際的人力物力，均由當地困苦不堪的農民負擔。據去年六月三十日大公報「蚌埠通訊」所載：「開始上堤時，許多人沒有治河的工具，沒有搭工棚的席子，有些人沒有被子蓋，甚至連吃喝都帶不起」。由於無法獲得治河工具，而中共又限期完成一定任務，「許多農民被迫冒着嚴寒下水，撈起乾草，揹到數十里外換土筐，沒有被子的只好兩家男女合帶一床被，兩家合蓋一床，小孩在家」。所有工程上需用的民工工具器材，均須由民工自備。據一九五〇年十一月廿九日上海「大公報」的報導，由「治淮委員會」自己籌購的另有八十部抽水機和兩萬把洋鎬。

去年春季修築第一階段工程時，民工死亡極爲慘重。在寒風怒號，冰天雪地中，疏浚的民工須跳入河內挖泥的，特別在開闢新河道的地帶，更須冒刺骨的寒風，下水挖龍溝。晚上即在河沿的工棚住宿，挺度寒風雨雪的襲擊，因此死亡枕藉。這些慘酷的事實，除了被強迫治淮的農民有切膚之痛外，鐵幕外的人們，只聽到中共誇耀、中共各級的宣傳機構，亦正利用這數十萬人的血汗及生命犧牲，來炫耀其有辦法。

由於第一階段工程中，中共以無償的代價而獲得若干成就，因此，其第二年度治淮工程，並未因戰局影響而停止進行。自去冬動工後，上堤民工增至百餘萬人。在不斷的大風雪下，許多民工往往要打破三寸厚的冰，才能下水勞動，凍傷病死的比率更高。今年春耕時，各地人力及牲口已普遍缺乏，迫得動員沿淮數百萬婦女代耕，但好大喜功的中共政權，早已置人民死活於不顧。因此，雖在春荒日形嚴重，斷炊戶口激增，沿江沿淮農民掙扎於飢餓綫邊緣之際，除了擴大沿淮人數外，又宣佈同時進行長江中游的荊江分洪工程。

根據三月十八日漢口「長江日報」的報導，此次荊江分洪，除了調動駐軍參加初步外，湖北將徵調湖南西五萬民工，這些人在出錢出力之外，還要遷出分洪區的二十餘萬人，爲自虎渡河以東，安鄉河以西，到沙市段長江以西地區，包括江陵一個半區，公安三個半區，及石首縣的區，共計七個區的居民，均被迫在春耕期間遷往江北，四萬人的被迫離開家鄉，其慘烈情形，可以想見。據三月十八日「新華社」的報導，劃爲分洪區的農民有許多寧死亦不肯遷從，他們認爲：「金窩銀窩，不如窮窩」，「江北土質不好，種不出莊稼」但在中共的暴力下，這二十多萬人亦只好成爲中共統治者紀功牌的奠腳石。

淮、荊二河的修治，如從經濟建設立場着眼，原屬無可厚非。但從中共的目的及手法而言，純粹的係爲提高毛澤東個人威望的手段而已。中共的各級宣傳正利用這些工程來表揚「毛主席的英明領導」，來掩蓋中共殘民的罪惡。迹其用心，與其說是爲兩淮及兩湖的人民，毋寧謂係爲毛澤東一人。大規模水利的工程原爲最不易完成的事業，不用科學技術方法和現代工具，而只用大量農民徒手挑泥，以血肉之軀，只計算簡直等於強迫人民無辜送死，其結果，人民之中較之中共在戰場上的人海戰術更爲慘，殘暴終於雖得完成，苦的是人民而已！（思漸）

報道以誤傳誤

美海軍部部長金波爾十四日由菲抵港。日和在機場迎候的中外記者們談了一連串的問題，當天下午××晚報頭條標出「金波爾認爲英皇家陸，海，空軍力量足可抵禦外來進犯……」。次日該報日刊跟了再復一遍，工商日報的新聞和社論也抄那家晚報報導，隨的呼聲。清早也報導了那條新聞。但仔細看外國通訊社稿及南華西報與英文虎報的消息，根本沒有「香港」半個字。香港的記者們採訪新聞，都是抄來抄去，有時還會憑空「幻想」，這，眞是使讀者茫然不知何所適從。」這是金波爾抵港的一段國內的笑話。

中國語標準語

港澳台及九龍四區國際扶輪會代表，廿五日在澳門舉行年會，席間會討論本港國際扶輪設分會，並決定今後香港國際扶輪分會以及上述區域之分會皆以中國語言爲標準語言。此在具有近七十歲歷史的國際社團中，中國語被採用爲標準語言，尚係首次。過去扶輪社均通用英語，現在區會認爲應多多吸收中國會員，使此偉大的扶輪社的團契精神普遍在中國知識份子中，加強反侵略的意識。大會工作香港增設少年營，九龍沙眼診療所擴大工作，澳門成立治癆診所，台北努力於孤兒救濟及協助殘廢人士。

失了靈活知覺

天主教宜賓主教寶居蓮，貴陽主教拉倫廿五日被中共驅逐出境抵港。彼等均屬法籍。前者一九二八年來華，後者一九一〇年來華。他們在共區歲困十四月，他們說雙手帶鐐已失靈活知覺。即共方警衛人員睹狀，亦揮手令其出境，無需其繳出證件。與彼等同車抵港者，尚有成都華西大學加籍教授數人，彼等爲醫學院院長基爾本博士夫婦，史磨夫婦，音樂及語言教授張奇里甫夫婦，英文教授魏莫德夫婦。據說這是華西大學教授的制服。彼等由成都乘貨車赴渝，費時六日，復由渝市搭船至漢口轉車抵港，沿途關山，備嘗困苦。他們說，現在在成都只有一個英文教師，她是瑪利安息珠女士。

共黨缺乏醫藥

大韓民國衛生部法籍顧問（由聯合國派任）潘梅禮博士廿五日抵港稱：共黨指是國使用細菌戰一說，實無根據，疫症似係由共方缺乏醫藥便利而自行發生者。他還指出在許多南逃之難民中，均染有天花、腸熱、腥紅熱等流行症，現皆散佈於韓國後方醫院中。他指出韓國衛生工作情形甚佳。現在已有不少營養食堂，專供兒童之用，以增健康，南韓沒有流行病症，實由於當地衛生設備良好所致。

積極的救濟

聯合國救濟難民會香港分會會長美臣，於二十五日下午三時由港社會局長何禮文陪同往調景嶺視察。詹氏視察後向難民代表表示，將向聯合國最高救濟機構提出報告。詹氏參觀完畢向記者表示：香港政府對於難民救濟已盡了相當的責任。他指出難民救濟工作，消極是沒有用的。所謂積極的救濟便是替每人謀技術之教養及工作介紹。他主張台灣應開放門戶，准這批難胞回中國。他們不肯回赤色中國，自然願意回自由中國。如果認爲他們政治思想不穩定，不妨等入台後再詳細調查，規訂辦法。這是比較有意義的。詹氏認爲聯合國救濟難民會固然不能推辭責任，但台灣當局不積極收容，乃是可恥的！

泰國一大隱憂

泰國前攝政王披耶夫婦於二十六日由曼谷飛港赴菲轉美去英，作休假期間的全球旅行。並考察各國之司法制度（按披耶習法律，會任樞密院）。他說這一次泰國政府增加外僑隨身證費用，事前亦經過一番研究，現美、英、中三國已有強硬抗議，泰國政府爲顧及國際友好關係，可望減低。其次他談及泰國的安全，他指出外來威脅並不大，但內部政治上尚未能團結，實是一大隱憂。（一成）

清華湧起了反共怒潮
毛宮建築在骷髏頭上
教授痛斥一杯水主義

【北平通信】智識份子反共反蘇的潛力像一條巨流，西北東南無線電的衝擊着。武漢大學講師陳儀九反共反蘇的「嚴重」事件尚未了結，「人民首都」所在地的清華大學「絕大部份」（三月十八日北平「人民日報」第三版標題）教師也因阻撓「三反」，思想崇美，冷眼旁觀，不肯出力，以積怨更深，敵謀「整肅」。據「新華社」報導，清華的教授們，十分之九都是資產階級思想，行爲極端「醜惡」，在它揭露的材料中有：（一）公開反蘇，好多教授不放過任何機會公開反蘇。物理系教授鍾啓泰在課堂裏，常用一切方法證明蘇聯的工業產品都不如美國。他並說：「蘇聯的原子彈是從美國偷來的，現在雖有，數量極少，且還不懂得用什麼方法去投擲。」（二）無視馬克斯。社會系教授李新告訴學生：「共產主義來源於聖經，馬克斯是猶太人，他從聖經上找到了共產主義」。鼓勵學生：「不要專看馬列主義，偏聽則暗，兼聽則明。」（三）到處崇美。許多教授常對學生說：「蘇聯說美國好，美國的生活方式有害，爲什麼俄國都擠往美國，拼死忘生向美國跑？」（四）公開歌頌帝國主義。地理組的教授陳念在課堂裏說：「中國走社會主義路線是一大錯誤，國家的工業化卻不知何年何月始能看到。國內經此變革，不知要倒退若干年！」（五）反對中共教師提倡英才教育，反對學生參加「青年團」。許多教師常把一些「前進」的學生喊到自己房間裏勸勉：「千萬不要搞政治，你這樣的一個人才，搞政治太可惜了！」以清華同學參加「青年團」的較任何學校爲少。（六）民主思想太深。在課堂裏，教師們大量傳播民主自由主義，外文系英文組「英國小說」課程的教師時俊才，高伯非對於「大衛．」一書中，對小說主人翁的戀愛故事說明這是人生的眞諦，而共黨的戀愛則是「一杯水主義」，不總值重辨別。（七）蔑視毛澤東。營建系教授張月倫鼓勵男女同學到各部角落去找尋一個靈感，他們欣賞一個圖案。該系女生朱佩英，根據死人骨頭的形狀，設計了一幅精美的「主席」官邸圖樣。張大加讚賞，說是最好以學校名義呈獻給「毛主席」，這是表現出「毛主席」在屍山血海中建立起「新中國」的豐功偉績。

據說，由於清華大學員生們的思想「反動」，危險萬狀，「毛偉大」不以爲然，已飭令僞教育部派遣幹部多人，常駐該校，一方面要這些教授們估「絕大部份」的一致「洗腦筋」，一方面發動校員工反省，再檢討再檢討，保證清麗雜思想，做「人民」之友，不再做「人民」之敵。其實，將來又是白費這些氣力，假如他們做一個心服情願地做一個紅色的大學教授，經過三年時間的考驗，也不會公開反共反蘇。（陸光．三月十九日寄）

衡陽來客述大陸慘況
共幹迷惘作逃亡準備
紙老虎戳穿不敢下鄉

茲有友人，新自衡陽來，爲道大陸慘況甚詳，謹錄以饗關心大陸人士。

一、內地人心，不論共幹或老百姓，都懷着杯弓蛇影，風聲鶴唳，有草木皆兵，山雨欲來之勢。因此，縱屬參加二萬五千里長征的共匪老幹部，他們亦心懷「五日京兆」的悲感，於灰心，貪污之餘，亦不能不作未來準備，預備鬪爭之計，同時因風雨飄搖，樹倒猢猻散。集體作弊，司空見慣，昔日之自我檢討，今日自我貪污，你效我尤，弄得赤色政權，烏烟瘴氣，任你三反、五反，七反八反，不盡內心的苦悶和焦急。

二、清算鬪爭，去秋最爲熱烈，全家被慘殺，比比皆是。餓斃郊野，任野犬噬食，無人葬埋，屍氣蒸蒸，遐邇聞名，爲斬草除根，老少殘童，亦所不免。近似龍以暴還暴，又開始暗送溫存，一反昔日倔強之態。

三、內地險狀，與日俱增，自土改清算鬪爭，一幕幕演過之後，民間有一謠歌：「富人倒墩，窮人絕根」！就是說，富人已家破人亡，窮人被剝削或參軍，慢慢的跟着富人一般的命運，結果亦同歸於盡。只有糧食集中赤魔手中，派夫搬運，未見顆粒濟荒。今日叫農民增產，多種雜糧，明日又要農民坦白說出，雜糧折正糧，自動捐獻，農民知道，做到死，亦不得一飽，便不荒地，亦不意耕，任共幹花言巧語，亦是無效。饑荒已現，農民怨言，農會已成爲五殿閻羅，互相猜忌，暴動暗殺，時有所聞。如湘江區的和平鄉，農民與農會鬪爭，晚間衝入農會，農會主任王某被農民擊斃，事發後，農民逃去上山者四五十人，大捕嫌疑犯，結果閻自二十餘人失蹤，滿城風雨，社會已失卻控制力，反攻到臨，一呼百諾，眞可以一當百。

四、軍事部署，赤匪外強中乾，部屬內在。所謂大軍則正規，除早於去秋調盡，有很少數之保安師，配合民兵駐紮外，偏僻縣市小鎮，俱屬鄉政府所屬之民兵，槍械亦陳舊不堪，只能欺壓手無寸鐵之老百姓，仍作威作勢，但苦無民心的擁護與接濟，因此民兵收納與共幹，已困少數。不收，鄉聯十二鄉，月尾，冷湖鄉政府長朱公館，奉召赴縣接運糧，船事來陽，轉火車公學，借同縣政府，邀寺奉鄉兵九人，在鄉湖，鄉政府之人赴城，不還五六里，突遭襲擊，二人被擊斃，槍兵借逃。此已暗殺不法行爲，已層見不鮮。

五、經濟已瀕臨崩潰。僞幣雖濟，農會及鄉人員，以物易物，亦不顯收共幹人員，黑市甚至低價，到市場危險，仍暗中受共幹人不少，找共幹換銀元，亦行常元，一元折合托去年中風，河街日低。

六、鄉村戶口調查，鬆弛失效，破綻百出。王春久，勾結被拘，找人換銀，落下者，已活埋。傳說紛紛，今日鄉之老幹部，與共幹之熊闘，任人威嚇，窮鄉荒谷，並可得着，已可見此次反攻消息，便被接濟，此可見人心之背向。（平嗚）

共匪的老巢——瑞金

江西省瑞金縣，是共匪的老巢；三十八年，復又被共匪竊佔，先後遭受了共匪兩度的血腥統治。屠殺、洗劫、清算、鬪爭、參軍、和饑餓死亡的結果，瑞金的人口，由三十三萬，降爲二十萬都不到的數字。

現任僞瑞金縣人民政府公安局長陳唐秋，曾在江西省瑞金福建省長汀交界一帶，做「江西太君」，封搶屠殺，橫行了很長的時日；現在，公然又做了僞公安局長，去年秋征時，有一個沙洲壩村的中農王狗仔，實因在無法繳足共匪限期如數的錢額公糧，共幹指爲「國特」，押送到僞公安局，僞局長陳唐秋，指罵道：「混蛋！你什麼稱現在還不繳糧，故意違反國法，你想死嗎？」動手就打，在「一不做，二不休，索性打死算了」的共匪草菅人命毒辣手段下，王狗仔終於做了「國特」的罪名，而犧牲生命！（長江）

遙聞舊調重彈

・尙方・

報載消息：台灣正在開會討論禁止跳舞，由內政部召集中樞各有關方面代表集議，表決結果，贊否各半，未能取決，將再會協商，作最後的定論。

我對一切的所謂不良嗜好，都似乎很聰明，容易沾染，唯有跳舞這門洋把戲，好像對共產主義那樣的低能頑固，始終搞不通，學不會，一生引爲遺憾。因此，跳舞之禁與不禁，對我個人絲毫不發生關係，既不妨及我的善良風俗，也無礙於我的節約運動。可是，由於過去在大陸飽聽，飽看了所謂節約禁舞的玩藝，敢說經驗豐富，而今忽聞舊調重彈，不妨閒話一二。

假使市面公開營業的舞場封閉了，跳舞學校關門了，有人或以正當交際的理由，東來一個家庭舞會；或以招待外賓的大題目，西來一個社交「派對」；甚至爲着應付友邦人士的必要，更來一個「中國男人不許入內」的特種舞廳。那時節，政府該是一律在禁呢？抑是特許例外？由前之說，吾固服其勇，只恐又蹈當年內政部在南京禁娼的覆轍，把賣笑者一概趕到對岸浦口鎮去高張豔幟，就算莫大的政績了！由後之說，則只許州官放火，不讓百姓點燈，這叫民主？

與其掩耳盜鈴講節約，何不名正言順的重征娛樂稅？一挺外國的上等香烟，在台灣要耗去低級公務員月薪之半，誰也不顧吸它了，不禁自禁，大家自動節約，豈非明證乎？反共救國之要務並不在禁舞與否，如果將來因跳舞而反不了共，抗不了俄，我願意首先抵罪。綜核名實，虛僞不齒，才是眞正的克難精神哩！

自由談

老闆日記選錄

・玲匡・

今早聽來一個好消息：新政府公佈了「扶植民族工商業」的辦法，像我這家小紡織廠，可以申請貸款或是貸給原料，停了半年工，這一次總可以翻身了吧？

劉會計跑了兩趟花紗布公司，帶回來一份申請書，看起來容易，填起來可囉嗦！問的問題，就差點沒有問祖宗十八代的出身。商量了三個鐘頭，還不敢動筆。我看還是請教大成工廠的王經理再填罷！我的希望都在這一張紙上了，可不能馬虎，何況人人都說人民政府辦事比以前認眞。（×月××日）

× × ×

今天再託王經理替我打聽打聽請求貸款的事，申請書送上去快四個月，簡直是「肉包子打狗」有去無回！

老王問我花紗布公司裏面有沒有門路？預備送出多少紅股？我初時還不大明白，瞪着兩隻眼珠。老王直罵我：「思想還未曾搞通」！嗐，原來「搞通」的意思：就是門路打得通的新名詞，我早知解放人民的新政府，也與這套玩意，可好辦得多了！（×月××日）

× × ×

想起了老表何應長，他現在搖身一變，仍然是什麼委員，還住在六國飯店，當今新貴，總該有點辦法幫我的忙！今天跑了兩次六國飯店，門口的鑾衛就死也不肯替我通報，還說：「如果沒什麼公事，最好別找他」！他媽的，還是飯店，又不是監牢，親戚都不許見，那成什麼話？

有幾個三十來歲挺俏皮的娘們，嘻嘻哈哈，跑出跑進，我看見怪臉熟的，我問警衛她們怎麼就能進去？他答得也妙：「人家是女官，比你要找的什麼委員，可吃香萬倍！」誰叫你不是女人呢」？

我一路往回走，可想起來了，那幾個女人原來是電影明星，何應長還不如女明星吃香，那成了什麼東西（×月××日）

× × ×

聽說今天在天安門慶祝什麼俄國大鼻子的「革命」節，一隊一隊的男女扭着跳着很熱鬧。我的命自從一次兩次捐稅，三次五次獻獻借借，已經革掉九成，眼看就快革命成功了！外國人的節，中國人要懸燈結彩，像老子做壽，照這樣聯絡感情，世界有多少國？一年總要來上三百次才公道！

張老師臉孔倒吊了，提着一籃切糕，閃得上氣不接下氣，進我的大門，原來他不教書，改行賣切糕了！正碰上「靜街」，人民警察驅趕無牌小販，險些抓去。他倒滿看得開，直說他比上不足比下有餘！他說：「我祗是特種戶口，一個星期到公安局報到一次，還能做小買賣混一口窩窩頭。比那些所謂管制戶口，寸步不許行動，硬在家裏等着斃死，卻強得多了」！（×月×日）

× × ×

沒有生意只有支出，實在活不下去了，老婆跟我商量，不如把工廠房子機器賣了吧？我想也對！剛提出跟王經理研究，老王就趕緊搖手：「你別打這個主意！也別再對別人談，你的機器都成了「人民財產」了，弄不好，給你安上「盜賣人民財產」的罪名，可了不得」！

「我自己的東西，怎麼能叫做「盜賣」？眞他奶奶的天曉得！有什麼了不起，大不了槍斃，倒痛快」！

「就怕不把你槍斃！送你到東北挖煤礦！那幾……」老王話未說完，就跑了，唉他媽的……（×月×日）

× × ×

二娃今天放學，彎着腰走，我一看有點斜門，跟着她到堂屋，細細端詳，原來腰板設粗，十六歲大姑娘有喜啦！我豈不成了外公？這文明的年頭也無所謂，我和她媽問了半天，她可說不出是誰經手，這是什麼話（×月×日）

× × ×

今天我算是雙喜臨門；第一、工廠我不要了，費去許多力量，算是可以白送給夥計們，謝天謝地，脫離苦海！第二、二娃養了一個胖小子，她說不出該姓甚麼？只好跟外公的姓，肥水不流別人田，便宜便宜！（×月××日）

× × ×

雖說好死不如歹活，在這個世界好死都不容易，歹活更辦不到了！我翻開日記本一天不如一天，再說……不說了！

這兩天被公安局傳去三回，要我「坦白」，我鬧不清要坦白些什麼？一輩子的血汗，連女兒都叫人民政府「白」弄了去，還「坦」些甚麼呢？虧他們說，這已經算客氣的，否則還要「悔過」呢！

我眼望前門箭樓上的那塊紅布，我想除非扯了它下來，換一面別的旗子，否則我們老百姓怎能活下去？（×月××日）

東漢時代的兩個才女　班昭與蔡琰（上）

・舜生・

萬竹樓隨筆（八三）

班昭籍扶風，屬今天的陝西；蔡琰籍陳留，屬今天的河南；本來當她們的時代，中國北方的文化要比南方高得多，這兩位才女都出生在中國的黃河以北，這是無怪其然的。

班昭一名班姬，她是班彪之女，班固之妹，因此，她自身也就成爲了一個文學家兼史學家。蔡琰字文姬，她是東漢末年一位大文學者蔡邕（字伯喈）的女兒，蔡邕是因爲接近董卓而爲王允所害了的；而她的一生，更是極人世之慘痛，她的環境如此，所以她成爲了一個純文學者。

班昭的丈夫名曹世叔，所以她又被稱爲曹大家（讀姑）。班固著漢書，其八表及天文志還沒有寫完，他便死了，漢和帝乃詔班昭就東觀的藏書閣，替她的哥哥完成這部偉大的著作，而且叫皇后和諸貴人以師禮待她。漢書出版以後，當時的許多人都看不懂，乃至通馬融這樣的大儒，還伏在閣下向她請教，去今一千八百多年以前，中國的女子便已享着這樣最高的榮譽，誰敢說女子的智慧便一定不及男子呢？

等到和帝死了，鄧太后臨朝，班昭更出入宮禁，與聞政治。因爲她的奉職之勤，她的兒子曹成，也就封了一個關內侯，官至齊相。

班昭的著作頗多，但在中國流行了一個很長時期而且具有相當權威的，便是有名的『女誡』七章。以今天教育哲學的眼光來看，『女誡』究竟應該給以一個怎樣的估價，這是另一問題；但我覺得她解釋女子的『四行』，就在今天看來，也還是平易近人，她說：

『女有四行，一曰婦德，二曰婦言，三曰婦容，四曰婦功。夫云婦德，不必才明絕異也；婦言不必辯口利辭也；婦容不必顏色美麗也；婦功不必工巧過人也。淸閒貞靜，守節整齊，行己有恥，動靜有法，是謂婦德。擇辭而說，不道惡語，時然後言，不厭於人，是謂婦言。盥浣塵穢，服飾修潔，沐浴以時，身不垢辱，是謂婦容。專心紡績，不好戲笑，潔齊酒食，以奉賓客，是謂婦功。此四者，女人之大德而不可乏者也。』

大凡一個接觸過西洋和日本高尙家庭的人，他一定會發見他們的婦女，對於班昭所說的『四行』，幾乎是無不講究，而且講究得非常澈底；至于那些都會上的名女人，以及電影上大腿女郎之類，還究竟只是一種病態，而決非正常。假定你一定要說像班昭這種思想實在過於落伍，你今天中國的女子，一定要向丁玲史良這類的貨去看齊，而且要把一羣一羣的青年女子趕到大街小巷去歪着屁股扭秧歌，然後才叫着『前進』，那末，老子們便斷然『後退』，讓你們在毛澤東的旗幟之下去『前進』好了。

莫斯科鏡頭

・勒柯克・

鐵幕邊緣

我們出了華麗的有色彩的西方世界而踏入灰黯的蘇聯，可要分做三級。由希爾辛基車站月台登上蘇聯鐵道的臥車，這一程到的還只是列甯格勒。

在芬蘭，有怪異的對照令人激動——一驚懼的激動，恍如由汽車座轉上牙醫的座椅。那就是芬蘭人緊張而富有活力的表情與俄國車役的不可思議和卑屈的粗鄙。一個那麼眼睛像死去了多年的女侍者，未經吩咐却端來一杯沒有奶的茶帶一片檸檬。她的男伙伴露出永未整理過的牙齒，眼睛跟她一如孿生的死氣逼人，他也端來一杯茶，客人須將十戈比小幣一枚，塞進他短褂口袋，還得對他的服務抗議才打發開去。

臥車裏熱得可熔鋼鐵，可是若將窗子微開一綫，那寒風可以撕你的皮。這裏腳底下便是蘇芬交界，籠罩在淸晨灰暗和冰冷之中。車未開行還有大大的麻煩：我們的行李那麼多，給一部芬蘭的車子拖了來，另一部俄國行李車平排着。我的七大紮家具丟在雪中，我迫得前去質問。一個大約是關員的芬蘭太太告訴我，俄國行李車守衛不許你的物事搬上去，因爲擠不下，後天班期車可能運到。我知道是一種留難，我再不幽默了。往返交涉了多久時間，俄守衛再三搗蛋，然而我不示弱，幾乎熱戰一場，我終于戰勝了俄人于俄國領土。

我找到腳伕提放好物事，鐵路大響，車子離開這西方世界的盡頭，爬過寒風猛掃着的無人地帶而到達俄國邊境車站。這就是鐵幕啊。

列寧格勒

正當車廂窗外，一個木腳支架得高高的木箱子上面，僵立着一個紅軍哨兵，刺刀上了槍上。他的背後豎着鐵絲網，陷在深深的雪堆裏。另外四個他的伙伴在網的俄國一邊，排成單行，重步行進。他們在雪風中呼出的氣，森然像發射着高射砲。第一條俄國鄉村簡直寒傖。兩個居民在抱怨天氣。一所木屋外面一個婦人，圍中裹着頭，僅露雙眼在推着一架巡迴車子。這時雖是午前[illegible]時，一切寂然不動，這鄉村好像北冰洋島嶼上一個荒營。一位俄國女關員掠過我們的臥車，說幾句很正的英語，還來一個殊不禮貌的握手，車子再把我們載進俄國。

威堡，從前是芬蘭東部的風景區，現在給戰爭變爲俄國的衛城，到此，我們可以透過雪風細瞧風景了。矮胖的奧爾伽和假笑的伊凡再復忙于用鋼壺煎茶。路軌並未修好，休想能夠睡眠或閱讀。過威堡了一個鐘頭，然後火車跨過縱橫零亂的破敗街道和建得一半的房子。總近車站，車上聽得軍樂聲；四顧都是兵險行列，寥寥的居民，行起路來都踏着兵隊的步伐。

一路上雪淹了的村邊那空虛寂寞喚起我們的神經。意識到這是列寧格勒了。當我們下車給導游少女歡接，這彼得大帝所居名城倒沒有了雪風，但日薄西山，寒威可畏。她照料着我們的行李，我們便沿着結了冰的尼瓦河岸踏雪往亞斯托里亞酒店去。我們抱怨那雪，而太陽餘光還照住海軍部那金尖和聖伊薩克的迦特力堂的圓頂。

川走一列城，與莫京間的快車「紅箭」當晚已定位一客，我們的臥車早就另定次于它的「藍箭」，早開一小時，遲到三小時。距開車還有五小時，我們便出而漫步。

列甯格勒曾是一個有計劃而空氣淸新的美麗歐式城市；論街道之寬和建築之大，只有莫斯科中心堪與比賽，可是現在劫灰之餘，恰像被圍攻後的馬德里。雖處宮殿教堂中的民居丹堊剝落，敗壞頹垣，已安靜流亡，總給人一個衰敗未復的印象。不過幾年前苦戰圍攻與慘烈死守的創痕却難得細睹，總之以蘇聯的號稱急進，這名城的重建還不及倫敦之半。

婦女勞工之勤是可驚的，雪風刺骨，大羣女人在工作。多少橫街雪深沒脛，大道上却把兩小時前我們在火車中所見的雪掃個乾淨了。這些木然無表態的女人把最底一層積雪剷起，用小車載上成列的大運輸車上。居民和店夥則各自打理行人道上一家家的門前雪。

我們決心爬上百級上聖伊薩克迦特力教堂圓頂，爲的不是它的歷史，它的榮譽「西方之窗」，只想一瞥那驕傲地孤立江濱的沙皇故宮的偉大。經導游人與鐵門內的看守人說上一些暗語，我們便得看看珍寶儲藏庫，這是「工人國家」的驕傲，可是成爲蘇維埃祕地，烙印[illegible]着。（三）

・萍末譯・

民族資本的末運

・夫石・

際遇與驕慢

・猾士・

人之際遇，誠有不可思議者，升沈榮辱，安危生死。固自有定理存焉，而一時會合，超乎恆軌，又有不可以定理論者。如李梅盦寫大卷，醜惡不堪，人詆爲鹽鼈，竟爲翁同龢所賞，卒得庶常。嫉之者羣起彈劾，以爲不合法度。賴翁之勢，得以保全也。

江建霞學使，以風雅著稱，在湘時，求材於王湘綺，湘綺以陳完夫對。考試既畢，江問湘綺曰：「陳爲詩人，何以失黏？」湘綺答曰：「善古詩者每每如此。」潘伯寅、翁叔平江蘇籍，皆一流人，潘以不法爲是。江以不法爲非，翁之所賞，更在情理之外，又豈可以常理推測者哉。

梅盦得庶常時，其書實不成形，東斜西歪，稚弱可笑。嘗託人收集前作，而以高時之作易之，何嫂實中年之製，以爲非晚年所能。盡數收買，自賞自歎，爲二君

不可同日論，蹉跎中年，已成資格，其留秀傷逸者，晚年實不能也。

梅盦尙有一傳佈事，世人當少知之。科舉之時，非本省籍貫，不能赴鄉試。梅盦固江西人，其父爲湖南兵備道，因居湖南，性極憨，不知世故。忽然興發，欲赴湖南鄉試，而時文作法，絕無所知，於書肆中，得小題正鵠，以爲範本，攜之入場。適試題爲書中所有，遂錄全文。考官未察，激賞此製。榜發之後，輿論大譁，坐名額者，遂具白簡，竟以冒籍及剿襲舊文，將其褫革。後所得之舉人，本籍再中之舉人也。

凡人知己，出自何方。不可預料，而士爲知己死，女爲悅己容，又爲千古不易之論。若知己同在山林，則物議可免，若知己巍居高位，則譏察以來。王湘綺起自孤寒，肅順待以國士，感激之心，理所應有。一日，湘綺友人宴客，文廷式在座，湘綺非被約者，偶然闖入，坐於側席。彼時王文尙未訂交，有細語告文者，文佯爲不知，大聲曰：「聞有王壬秋者，號稱名士，而口不離肅王，一勢利人耳！」立時湘綺似未聞之，退出，處世之難如此，貧賤出身者尤難也。

長沙有善相者，陳伯弢與李梅盦同去問吉凶。相者謂陳曰：「足下性情刻薄，舉動輕浮，相無可看。」謂李曰：「足下必兩得舉人，論[illegible]再看。」李狼狽而走，此陳六十年前事也。葉德輝、繆荃孫皆以算命自矜，竟不能自保首領以歿。始引郭璞命盡今日之言，然即平時必未先知也，因此而知處世之道，最忌驕慢，葉繆皆驕慢者也。

自由人
THE FREEMAN
（半週刊每星期三六出版）
（第一一三期）
每份港幣壹毫
督印人：李光藩
社址
香港高士打道六六號
電話：二〇八四八
GLOUCESTER RD.
HONGKONG
TEL: 20848
承印者：東南印務出版社
地址：高士打道六四號
台灣總銷處
台北市中華路一二五九號

加強反共的精神因素

——以民族主義反歸順蘇俄，以人道主義反殘暴屠殺，以民主政治建立國規模

·左舜生·

蘇俄在事實上控制着中國大陸，已經快到三年，儘管反共抗俄的聲浪響徹雲霄，而蘇俄控制中國的力量還是有增無減，我們承認：反共大業的完成，必有待於全世界民主國家的共同動作，但中國自身必須加速完成其準備，以左右世界反共的大勢，決不宜委心任運，靜待客觀環境的變化，然後起而追隨。我不敢說中國人三年來的反共動作是如何鬆懈，但精神不集中，工作不澈底，打擊敵人不中要害，要為無可否認的事實。要如何才能使精神集中，工作澈底，而又能擊中敵人的要害，我在這裏願提出「卑之毋甚高」的三點：

（一）以民族主義力反中共的歸順蘇俄；

（二）以人道主義力遏中共的殘暴屠殺；

（三）以民主政治奠定未來的建國規模。

『用志不紛，乃凝於神，』假定我們的一切反共工作，一一從這三點出發，在精神上與一切措施上，又能不自陷於矛盾錯亂或不得要領，我相信真正的力量必可產生，真正的團結必可實現。

哀莫大於亡國　痛莫大於滅種

哀莫大於亡國，痛莫大於滅種，而可哀可痛之尤深切者，更莫過於數千年所積累的文化之被摧殘，數千年來凝結此一民族的精神之被支解。毛澤東所叫出的「一面倒」，以及他們三年來在大陸一切離奇怪誕的舉動，實際都是向亡國滅種的前途邁進，而對於文化的摧殘與對於立國精神的打擊，更在加速進行，所以我們斷然有強調民族主義的必要。

自來異族所加於中國的侵略，大抵都來自北方，其餘來自西南來自海外的雖也偶一有之，但其力量也殊不足道。統觀我們的一部民族鬥爭史，幾乎纏纏綿綿都是在和從北方侵入的蠻族決鬥，雖然我們所耗費的時間有長短，所蒙受的損害有輕重，終可是最後的勝利，必屬於中國的一方，這是一個最可注意的事實，也是我們先民最值得讚歎崇拜的一個方面。現在中共又把北方一個最大，最強，也是最後的野蠻民族引進來侵略中國，在毛澤東雖自認這正是他超過前人的地方，但實際卻是走的中國歷史上自來所常有的一條老路！北方蠻族既是照着這條老路而來，我們自然也惟有遵循着先民的往迹從正面去加以抵抗。儘管敵人比我們以往的蠻族有她更強大的力量，更複雜的侵略方法，但我們一樣有比我們先民更優秀的反抗條件，因此我們不必悲觀，惟有自信的，大膽的，毫不推諉的，去完成我們這個歷史的使命。自然這個工作是十分的艱鉅，而且其前途的變化也必然很多，所耗費的時間和人力也難於計算，但中國歷史的演進既已到了這一步，可以說這個責任便必然落到我們的頭上。在我們已往反抗北來的蠻族，其效益可以說只及於我們民族的本身，在今天我們反抗這個同時威脅着全世界的大蠻族，其效益乃可普及於人類，使命愈偉大，助力既可愈多，膽氣也可愈壯，我們便本着我們先民的經驗，益以現代的新知，團結內外的力量，很愉快的來承諾這個工作好了！

發揮人道主義　撲滅殺人野獸

照中共年來在大陸所演出的殘暴屠殺，他們不只是自絕於中國人，實際也是自絕於人類，我們要發揮人道主義的偉力，即絕對不能容許這種非人類的野獸，繼續在人類中來生息。我們今天所爭的不是一時一事的得失，更不是一黨一派的政權，乃是要來挽救，來維護，這個垂絕的人道！三年來中國大陸的人民，死於戰爭，死於饑餓，死於勞役，死於疫癘，死於鬥爭，死於三反五反，死於其他一切莫須有的罪名的，已經以數千萬計，繼此以往，範圍還必然要擴大，人數還必然要加多，如果我們不發揮維護人道的偉大力量，把這種吃人的野獸予以驅除，予以撲滅，我們便必得承認滅種並不是不可能的。今天毛澤東的使命是滅絕中國民族，我們的使命便是救起中國民族，我們的使命既遠大到這樣無可比擬，因此我必得警告一切反共的人們：即令你們在反共的過程中，已經表現了你們的小忠，小信，一點一滴的小成績，一枝一節的小成就，但假如人道不能復活，你們的這一切一切，便將等於徒勞；自然我們不能不從小處下手，我們也決不能薄小善而不為，但假如我們不能從大處着眼，則所下手的小處前時失其意義，所積來的小善也將失其價值；抱持最高的人道主義，以[illegible]天[illegible]人的精神，來和這一野蠻殘酷的獸類，作一次殊死的鬥爭，這才是我們今天反共的真正旨趣。

世界的民主政治，還在進步的過程中，因這種過程所帶來不愉快的現實，便對民主政治發生疑念，甚至發為種種反民主的言論與行為，這實在是一種死不長進的反動。我們今天依來不難從現代流行的民主政治中去找出它種種的弱點，但這種弱點大抵來自人類的先天，而於民主政治無與。如果說民主不足以醫治這些先天的弱點，則非神化史大林，尸祝毛澤東不可，這豈不是把我們反專制，反獨裁，反蘇俄，反中共的宗旨拋在九霄雲外？我從來不反對實施民主政治要有步驟，有條理，有重點，有緩急；但民主精神的發揮，必須隨專制獨裁的凶燄成反比的以俱增，則為其可反對的一個趨勢。

由杜魯門打「窮樸克」看出民主世界的可愛

·舍我·

在宣布拒絕競選的前夕，竟能如此安閒恬靜，比起史太林希特勒等惡魔，以數千百萬人血肉，作鞏固個人權位的工具，這安能不使我們對民主體制，欣然嚮慕。

「杜魯門是否再參加競選？」這一個不僅全美國甚至全世界大家所渴盼揭曉的謎底，到上月廿九日終於打開了。他在民主黨的傑佛遜紀念餐會上，斬釘截鐵，宣佈他決心：任期屆滿，離開白宮。雖然第二天另一集會場上充滿「我們需要杜魯門」的呼聲，若干民主黨幹部，也強調杜的表示並不能即作為最後決定，但我們相信，杜魯門這一決心，無論如何，是不會再行轉變。今後全美國全世界所注意的，似將只有民主黨內，何人在大會能獲得多數提名，及兩黨最後勝利究將誰屬等問題而已。

不願担任副總統　會使羅斯福生氣

為什麼杜魯門在長期考慮以後，作了這不再競選的最後決定？從杜魯門過去歷史，平時心情，及家庭環境來看，我們或許可以這樣推斷：第一，他雖已經歷了幾十年政治生活，對政治興趣，似乎並不十分濃厚。他由副總統正位總統，及一九四八年他擊敗杜威，本只是出於時勢機運的偶合，當然都非他始望所及。他因羅斯福逝世入主白宮，而造成他此一地位之副總統資格，他在一九四四年民主黨大會提名前，原是替貝爾納斯活動。據最近出版，白宮記者席謨曼所著「總統先生」（Mr. President）一書所述，當民主黨主席韓尼根來電話通知，羅斯福要他出任副總統時，他堅決拒絕。及至羅斯福大發脾氣，他才轉告：「在這艱危的戰時，如果他（杜）願意讓民主黨作戰時及美國期望合作，那是他的責任，讓自己決定」。杜魯門在這樣公私情的高壓下，才勉強接受。假使這是可靠故事，則他就自然還不失為一個淡泊謙退的雅士。此次敝屣尊榮，不足驚異。第二，政治家出處進退，太太關係，往往有不少影響，杜魯門夫人，一向就主張丈夫急流勇退。雖然她不會和伊里諾斯州州長史提文森（Stevenson）（史也是盛傳下屆民主黨總統候選人之一）的太太一樣，因為丈夫不接納她放棄競選州長的建議，就立即一怒離婚，但正因為杜魯門有上述淡泊謙退的本性，且富於人類家庭溫情，儘還宣布不競選以後，這幾天報載杜夫人的笑口常開，他這一決定，就有了重大的收穫。

韓戰局勢將惡化　更促成退休決心

再就美國今日面臨的世界局勢，及他個人考慮的大選動向來說，他放棄競選，也正是他必然的抉擇。第一，朱毛席捲中國，使蘇聯實握有東南亞最高權威，打破美蘇均勢，這自然是杜魯門政府世界政策一最大失敗。雖然他想藉朝鮮戰爭，急圖補救，不特為時已晚，且二十餘月來的一切表現，仍只是太不澈底，限制和談無成，東南亞野火，愈燒愈大，世界大戰，隨時可一觸即發。他自顧才力，不能當此艱危大任。在傑佛遜紀念餐會以前約十天，民主黨主席麥金萊曾到他休假地「西鈎」，密談三日。當記者以杜魯門是否競選問題，詢問麥氏時，麥表示，這與朝鮮能否達成休戰，有密切關係。假使休戰成功，杜可能認為政策勝利，麥氏言外之意，即杜可能將參加競選。麥氏並預測，韓戰局勢，到本年七月民主黨大會，最遲到十一月大選投票時，總已獲得解決。雖麥氏這些談話，旋被杜魯門堅決否認。我們仍不難從此看出，麥克阿瑟最近一次對杜魯門韓戰政策的強烈批評，及聯軍一再讓步仍不能達成休戰協議，且更被中共破口大罵，誣蔑美國採行細菌戰等，這對於杜魯門放棄競選，都各不失為決定性因素之一。第二，除世界政策失敗外，行政人員的貪污，在美國人民心目中，對杜魯門政府也早已形成一最惡劣印象。杜魯門初於競選問題，遲遲不作決定，其意未嘗不欲假以較多機會，測驗民意歸趨。及至上月新漢廈（New Hampshire）和明勒沙達（Minnesota）兩次初選，在民主黨方面，他比其他競選人，票數皆特別落後。以凱佛維（Kefauver）作比，在新漢廈，傑得二萬一千四十七票，杜得一萬六千二百九十八票，在明勒沙達，傑得一九八六八票，杜更慘敗僅得三六四四票，這是人民不再需要他的顯著表現。如果他還不放棄，試問他硬着頭皮，橫衝直撞，又究有什麼把握？

在西鈎數週休假　每晚會打大樸克

個人心情，當前環境，及世界局勢，都足以促使他放棄競選的決定。如果「以君子之心待人」，我們還相信，他這一睿智的決定，由於政治興趣的低落，其成分遠在環境壓迫之上。據說：他宣佈決心以前，在「西鈎」曾作數週休假，每晚自下午四時至十一時，經常和太太及三數好友，打所謂「窮樸克」，規定每人每週以輸完一百元為度，輸完以後，則「搬本」，輸即不算，此即中國麻將牌中之「進花園」，而他竟樂此不疲，且以善能「偷雞」致勝。當一個以出售領帶起家的小店員，數十年間，飛黃騰達，位至元首，而在最後放棄尊位的幾天前，竟能安閒恬靜，行若無事。這比起那些史太林，希特勒之流，以數千百萬人的血肉，作鞏固自己權位的祭品，那麼，我們又安能對此民主國家的體制，民主元首的作風，不致其無限欽羨的敬意！

週展望

雷嘯岑

不能再丟人！

我在中日和約談判開始時，即說到「日本人的心眼兒」問題，警告政府當局「不要太天真，招呼上當」。現在，美國國會一經批准對日和約，吉田茂馬上就翻臉，杞人憂天之談，不幸而言中了！

吉田茂本人是一澈頭澈尾的反華人物，並無國共之分。大家如不健忘，應憶及戰後我國新聞界集體訪問東京時，他對我們所表現的那副嘴臉，是何形象？又應知最近四五年以來，他對中國幾時表示過一點親善的意態？他滿腦子裝着英國工黨式的政治思想，再加上英國人暗中鼓勵，即使中華民國政府仍在大陸控制着全國，如果我們沒有參加舊金山的集體和約，他依然是要抒其反華作風的。其他的大多數日本人，內心根本不承認是戰敗國。他藉口主權範圍與賠償問題，請張為幻，以迎合一般國民的內心。其實，這兩點只是一個「主權」問題而已。重光葵曾說過：日本如果是以承認中華民國為國策的話，這問題根本即不存在。此種常理，吉田茂未嘗不明瞭，因為他素來就是反華——根本看不起中國人——的外交人物，眼見中華民國方在危難中，心裏絕無真正友好的意念。他認為大陸上的共產政權將來必由國際力量來對付，日本將担任重要角色，正是翻身的大好機會，自不願作繭自縛，與中華民國實行友好訂約哩！

我們當初既未能切實的知己知彼，過於天真，隨便對外說話，予人以口實，如今對方一翻臉，若即退而以先訂一「結束戰爭狀態」的友好條約來收場，有何用處？不結束戰爭狀態，又有甚麼大不了的害處？國際間是講力量，重眼前利害的，日本人尤其是這種民族性。我們能夠打回大陸，不結束戰爭狀態更好，否則，結束不結束都是廢話！翻開日本的立國史看看吧，日本人除了乘人之危，鯨吞蠶食，或者屈服於強力，奴顏婢膝而外，幾曾見她在國際上表示過道義的事實？

談判既告僵化，不管決裂與否，首先請把面子觀念摒棄，堅持固有的正當立場，存好的希望，作壞的準備，千萬不可再有丟人的言行！

杜魯門不再競選

美國杜魯門總統公開聲明不再競選，這在重法治的民主憲政國家，乃極平常之事。民主國家的立國綱維是憲法，推動國計民生事業的是政黨，個人的進退，沒有甚麼關係。羅斯福於大戰緊迫之際去世，麥克阿瑟於韓戰激化之時去職，若在專講人治的國家，那還了得！然在美國，卻毫無驚擾，照樣的打勝仗。

杜魯門不競選的用意所在，不外幾點：一是因為艾森豪威爾在各州預選中的趨勢，似乎形成了「衆望所歸」的氣概，他不願以兩任總統的資格，再作無把握的選舉戰；二是民主黨內部南北派的暗潮無法消弭，他只有站在第三者立場，以期和緩內爭，鞏固民主黨的陣營，作最後之決勝。三是藉此避免自麥克阿瑟總選以來那麼軍界的反對勢力，讓民主黨在競選時減少一大不利的因素。最後呢，他以六十開外的老年人，眼看世界大風暴在未來的四年間一定會發作，這場面比羅斯福時代的二次大戰更艱難，雖說自身精神尚能應付，但在智慧上卻不敢自信，乘此退讓正居世界領導地位，續業彪炳的時機，急流勇退，載譽而去，實為上之策。

許多人預料他在七月的民主黨大會中，將被迫取消不競選的聲明，再行出馬，就杜氏的個性來觀測，或許不會，為個人的令譽計，也最好莫再作馮婦。政治人物最容易犯的毛病，就是不知適可而止，硬要搞得焦頭爛額，前功盡棄才罷休，何苦呢？

辛威爾要獨佔市場

英國工黨要人辛威爾，發英國會裡當盡氣力來打倒邱吉爾，現在日本又在國際市場上成為英國的貿易勁敵了，還得英國仍要「唾棄」日本。以獨佔國際市場的心理，遇敵即要予以消滅，近自命為世界最進步的「社會主義政黨」，因此，我們得到一個結論：帝國主義，社會主義，俄式共產主義，原是三位一體的玩意兒！

向法軍發動攻勢的目的有二
越盟軍在試探中
第一：看整編以後自己戰力增強幾何
第二：看美軍援越將究達何限度

·林詩·

這次越共於獲得中共的裝備之後，立以正規作戰的戰法，與法軍周旋，不但說明胡志明所部實力，因中共援越而跨進一步，而且不能忽略他政治與軍事上的兩重試探意義。軍事試探是藉法軍火力，實地考驗整編以後的越盟戰力，政治上中共實行全面援越（軍事資源，人力，技術）以測定美國對東南亞局勢的干預程度——

和平首次陣地戰　頗似當年四平街

越戰局勢，由於越盟三週節之進佔和平，繼以紅河三角區的掃蕩戰，頗呈「山雨欲來」之感。還以「民族自決」作號召的胡志明部隊，能否從此「大展鴻圖，」以金日成為模範，於東南亞缺口，繼北韓之後為俄共開闢第二戰場？這問題實值得大家注意。

根據各方報告，本年度自一月起，中共援越物資業達八萬五千噸。其已落於胡志明手中的俄造近代武器，計有加農砲三百門，高射砲二百五十門，榴彈砲一百二十門，中輕型坦克及裝甲車各一百二十輛。「老大哥」以軍火調換中共的糧食及戰略物資。老二轉手讓於老三，以之換黃金鴉片。胡志明接到這批「德式俄造」的武器以後，立將落後的草寇部隊，予以編組部署。趁着韓戰談而不和的有利時機，開始對法聯邦軍隊進攻。因此，「和平」一役，不但戰場上出現了新型的俄造軍兵器，越盟部隊也與前不同，有了正規師的番號（如進佔和平之三二〇師）我們認為：

第一、從戰略的觀點言，經過和平及河內之役以後，越戰由試探性階段，其性質可能將逐漸蛻化為韓戰第二。「和平」一轉進不只是越局危急的警號，而且說明了東南亞的野火，行將蠻大燃燒。

第二、從戰術的觀點言，中共援越物資與人力技術，俱已接近飽和。胡志明部之發動「和平」攻勢，有如當年四平街之役，林彪所部經蘇俄扶植孕育，開始其攻堅之陣地戰。越盟鏈到中共之裝備補充以後，部隊經過正規編組，故首次在和平方面，以陣地戰面目，牛刀初試。假如能夠驅逐法軍於海防下海，固屬事半功倍，萬一纏鬥下去，越南即成韓國第二，一切劇情不變，只是演員陣容，保大之外，多了一個法國。

法軍能穩定戰局　多半靠海空掩護

此次雙方出動部隊，均屬空前未有，法軍由林納里斯將軍統率者，在二十營以上，泊於東京灣之海空軍，俱已投入戰鬥，總兵力在三萬上下。至越盟部隊實力，據法新社上月估計（近於法國官方估計），每師約為三千五百人，整編以後，火力與人數均已超過這個數目，諸兵力當為法方一至二倍。又法方公佈此役戰果，越盟死傷一六五九四人，被俘七七三七人，法軍死亡六七七〇人，受傷一三七七〇人，失蹤七六五五人，總平均約為七八與一之比。然另一方面共方公佈，則謂法軍死傷近萬。不論兩方公報的正確性如何，越盟損失，必數倍於法軍，似無疑問。估，不過和平仍不免被佔，法軍二萬六千人，僅能安全撤至河內，這還是靠了野貓式戰鬥機，轟炸機與紅河區下游滑水艦艇之火力掩護。

越盟於佔領和平後，經過週有的陣地整補，分進台擊，又以正規的兩翼迂迴包圍戰，圖一鼓而將河內法軍殲滅，這個攻勢，北綫以和平，太原，與紅河上游兩岸作根據地，利用紅河、黑河之水道運輸，主力指向河內，南綫以順化（中圻）為中心，一面截斷順化到河內的交通綫，使法軍不能往南部撤退，兩翼如壓，法軍腹背受敵，即致不能[illegible]戰，法軍最少可以臨之下海。幸從上月二十四日起，法軍飛機日夜出動，輪番轟炸越北邊境，使中共援越軍品大受阻損，越盟因而無法集結更多的兵力，假想由和平側擊河內法軍的企圖，亦因此而告粉碎。目下，喘息已定之法軍，抽調精銳，集中紅河三角洲地區，於河內西北，東南及南部，以傘兵配合，進行對業已滲入三角地區越盟部隊作掃蕩戰。上項滲入部隊，以三二〇師為主，約一萬四千人，綜觀一週來的發展，法軍續有小勝，故能漸趨穩定。

背水陣三面受敵　危機仍一觸即發

處於河內執形陣地的法軍，實際已處內綫作戰的地位，日下進行的掃蕩戰，僅係攻勢防禦中必要的陣地修整，推進其凹入部份，期阻來自太原，山西的正面之敵，就戰術原則說，一般態勢是不利於法軍者居多。幸有河南（河內至南定）河海（河內至海防）兩條鐵路，以及海上補給之便利，加上來自東京灣的海空援助，這三面受敵的背水之陣，方才能夠穩定下來。我們對於近日法軍掃蕩戰的小勝，不能寄予高度樂觀，因為這個戰爭有前述的嚴重意義，面目一變，即成韓戰第二，法軍隨時有被殲危險，今日之河內，屆時便成了南韓的釜山，美軍不能放棄釜山（指韓戰初期）法軍自必固守河內，這一點，法國當局自應深切注意。

此次和平河內之戰，越盟部隊具有兩種試探價值，軍事方面，藉法軍火力，實地考驗整補以後自身的作戰實力。政治方面，中共用全面援越（人力、物力、技術）之比賽方式，以試探美國對東南亞的干預程度。目下戰局，法軍可獲一時小康，但越盟再度補充後，又成挾打之勢，故欲求有利形勢（化內綫為外綫，化防禦為攻擊）的到來，需有更多更快的美援，與法國當局更多的努力，否則，前途如何，正大可憂慮也。

×　×　×

李維諾夫生前秘密談話
史太林死了大戰也難避免
因為繼史而起的不會背叛史的遺教

美國記者赫特萊原著　汪洋節譯

在我和李維諾夫會談中，他打銷了我對於世界局勢好轉的希望。他的見解卻是堅定不移的！

在李維諾夫看來，史太林即使死了，蘇聯的政策也是不會改變的。同時他認為內部也不會起革命，國內人民的聽力是無法改變現行政府的命運。

史太林這個字　我們都不敢提

在蘇聯境內，史太林的名字，只可在尊敬的意念中被人提及。蘇聯政府崇拜史太林，一如天神。宣傳機關從來不承認史太林有一天會死的。我和李維諾夫談到未來史太林的死，談到蘇聯革命，我們雙方都不用史太林這一個字，而在李維諾夫的回答中，他更不使用「革命」和「俄國」這兩個字，但真正的意義，我們都可以互相了解。

我回轉話題，今日莫斯科當局雖無法回心轉意與西方謀和平。但我們能不能等待時機？我的問題是：「你看，讓我們延緩東西兩方面的衝突，等年紀輕的人們長大了再來考慮是否可以實現和平？」

李維諾夫只是搖搖手，反問我：「他們之間，會有什麼不同呢」？他繼續強調：「這許多年輕人是在現一樣思想中訓練出來的，那麼，他們當然不會和現一輩人，立於相反的地位。」很顯然的，在李維諾夫意念中如馬倫哥夫，貝利阿斯，以及其他年輕的高級幹部，即使史太林死了，他們也還要繼續史太林的政策。

當我提及蘇聯的政策不但促使世界毀滅，且將引起蘇聯國內的革命時，李維諾夫的答話，不禁鈎起了從前在德國獨裁統治生活下的一些經驗。（按本文作者於二次大戰時曾為德軍所捕，指為間諜。）

政府手握武器　人民沒有異見

李維諾夫慢慢答道：「我們不要忘記這次大戰，德國和意大利，即使在瀕臨敗降的最後關頭，人民都無法起來革命。一七八九年的法國人可以鼓動風潮，但今天所需要的革命工具，是大砲，坦克，無綫電台，印刷機器——可是這許多東西，都操縱在政府的手中。所以，例如，在西班牙，即到現在，人民也沒有將佛朗哥趕走」！

李維諾夫繼續申說這一點：「在我看來，在戰時，即使所傳聞法國及其他各地反納粹的地下工作，似乎都有些言過其實。當時德國感到最頭痛的還只有南斯拉夫」。

我當時很想同他討論共產黨員的問題，但我怕這樣會使談話的危險性更增加。此時李維諾夫把話題轉到輿論上去。他說：「我常常懷疑英美記者在報上發表：『蘇聯人民有怎樣怎樣的想法』，什麼人民？他們是誰？沒有一個人民啊！在另一方面：宣傳機器把東西塞進人民的腦中，由此造出的反映，便算是人民的意思嗎？」

我想我才說的革命，也許是太困難，我問他，統治階級內部，有無可能發生一種性質戰爭的大政變？

李維諾夫仍回答：「不可能。因為，即使一個最小的暴動，你也要獲得軍隊和警察的支持」。

以後我們便談到德國。李維諾夫道：「今日世界的一切問題，德國問題最重大」。我故意插嘴道：「你看有什麼事故可以發生呢」？

李維諾夫的回話是很遲緩的。這時是一九四六年六月，西方四強駐德之軍事領袖，仍孜孜努力於四強合作及波茨坦會議。李維諾夫曾親身參加這個波茨坦會議。然而他終於很堅決的答覆我：「德國顯然底要分成兩部份」。我問：「那末有——」

「既然雙方都有志於德國之統一——沒有其他解決的方法？」

李維諾夫說：「雙方都想謀致統一——但都要在他們本身控制之下」。

「這會不會促使德國人本身起而反抗呢？會不會有地下組織？」

李維諾夫對這些問題覺得有些好笑，他說：「這都是不可能的，上面壓迫他們的是外國大軍，人民所認識的只是警察的力量。自然，他們可能從反對方的佔領當局那兒，獲得一些祕密的協助。但還是太微乎其微了」。

許多問題談過了，但幾年來，我一直在懊悔着，當時沒有同他談韓國問題。

我同李維諾夫的談話，差不多一個小時。我出來的時候，自覺迷茫，緊張！我忖想着自己會在大街上被警察捕走。這些材料雖然到手，但並不使我痛快，因為我根本無法寫通訊。打電報一定被檢查員扣留，而且特警還要找到李維諾夫。

談話不能發表　只供美國參考

第二天早上我便到美國大使館去，看告訴一等秘書約翰·戴維斯。我在沒有去訪李維諾夫之前，曾和他討論過許多問題。他也同意如果發表消息，是太冒險了。但是全部材料決定由大使館送交當時仍在巴黎四外長會議中代表美國的國務卿貝爾納斯，供他參考。

以後幾天我忖想着李維諾夫或許會發生意外。但他確活得好好的。證明我以前懷疑有些房子會裝有無綫電錄音機，這都是沒有的事。

但是李維諾夫當時為什麼同一個初見的生客講出這種話來，確是一個很大的謎。我離開他的辦公室時，他的呼吸幾乎變成嘆息。他再三叮囑我，他談話完全是一個蘇聯公民的個人意見。但他卻並沒說這些話不准發表。（三）

談「原子大砲」
對窮兵黷武的極權國家是一種有力警告

·李秋生·

美國陸軍參謀總長柯林斯上將於上週末出席國會作證，曾提到不久美軍可望擁有原子大砲；同時副參謀總長赫爾將軍也在德克薩斯州胡德砲營表示：上週二舉行的原子武器作戰演習中，有二千四百名部隊被摸擬的原子大砲所「殲滅」。關於原子大砲，近兩年來不斷有人提及，但在實際上究竟能否製造成功仍為一謎。本年一月十一日，美陸軍方面曾以其所設計的原子大砲模型送到兩院原子能委員會審查，該會主席麥馬洪參議員，曾在非正式的記者招待會中提及此項模型的詳情與是否業已製成備用。從上週參謀本部兩位首長的表示看來，無疑原子大砲已屆臨成功的階段，即使目前尚未完成，當也為期不遠了。

對抗人海戰術　殺傷威力最大

原子大砲是所謂戰術性原子武器之一，與小型原子彈和原子火箭砲同為美國原子武器的最新成就，並且也應是對極權國家作戰的最得力的戰具。大家都知道極權集團的力量來源，比較自由世界更佔優勢，且善於運用人海戰術，補其武器方面之不足。大彈的原子彈——有如用於廣島長崎那種，現在已算是落伍的了——縱極兇猛，對於產業缺之高度發展的國家，卻難找到適當目標，且不能發揮其應有的功效。而戰術性原子武器，輕便適用於前綫戰場，正是人海戰術的有力剋星。在美國陸軍方面，一向認為原子大砲是他們唯一理想的原子武器——因為小型原子彈與原子火箭砲都有賴空軍合作，不是陸軍所能單獨運用——曾一再提出強烈的要求，並已在發展和演習戰地的原子戰術。

炸廣島時原彈　現在已算落伍

戰術性原子武器之所以異於戰略性原子彈者，在其輕便易於移動，後者是個龐然大物，重達五噸，不只在戰場上根本無法運用，而且威力過於兇猛，在殲滅敵軍的同時，也可能危及自身。現在所謂的「小型原子彈」，準備作戰術的應用者，重量大致是一噸，其所減少的，主要是炸彈中的種種附屬裝置，例如填充彈引爆裝置之類。至於可分裂性物料的本身，鈾——二三五或鈽，則最少不能少過其固定的「臨界質量」，約為二公斤左右，無論戰術性或戰略性的原子武器卻是一樣。在理論上，一公斤鈾發生快速對鏈鎖反應的爆炸，應該相當於二公噸TNT炸藥的威力，但據廣島長崎所使用的那種落伍原子彈只有百分之十左右的效率。原子彈爆炸的不是極快速的剎那間之事，約為一百萬分之一秒；如能延長其爆炸的時間，稍微再延長一千萬分之一秒，不使彈身過早的炸裂飛散，則其對可裂物的鏈鎖反應的進行可望更屆近全部完成的程度，因而大大增加了其效率與威力。原子彈中的填充劑（Tamper）的作用即在於此。戰術性原子武器就是設法改良填充劑的運用，俾以最少的物料，發揮相當大的威力。

原子大砲的製法，則利用具有填充劑特性的物料製成一種特殊砲身，使砲彈在發射時，本身雖已發生相當強大的爆炸力，但卻能保持達到目標附近然後爆炸。或則在砲彈發射中途，使其中的兩塊或兩塊以上的鈾塊或鈾塊始行迅速接合，因其總的質量超過臨界質量而在接近目標之處爆炸。理論雖只是原理上，但實際上大致當不外乎此。

砲重百五十噸　需要儘量減輕

假使原子砲彈是一噸重，則能對其作有效施放的砲身大約總要有一百五十噸的重量，這自然仍嫌笨重，不能適合近代運動戰的需要。所以原子砲彈必須比現有原子彈更為小巧，這也正是製造原子大砲在工程方面的最大困難所在。如果美國原子大砲現下已屆完成階段，則無疑此種困難已告克服。此種武器成功，無疑是自由世界最可慶幸的事，同時也是對於窮兵黷武的極權侵略者的有力警告。

北平各大學思想檢討

教授中竟有不少硬漢 李長之等堅拒「洗澡」

邱椿勸學生不要盲從，董維畫等說「科學家何必參加政治」

中共對此等不肯「洗澡」「過關」的教授，正準備大批「國特」帽子，到最後階段時，即每人分贈壹頂，送集中營勞動改造

【本報北平特約通訊】北平各大學教授的思想檢討，經過幾月來慘痛清算，現已逐漸轉入結束階段。除清華大學檢討情形，已誌前函外，（編者按：已載本報第一一二期）茲再將師範大學，燕京大學，輔仁大學，協和醫學院最近檢討結果，擇要彙誌如左：

師範大學

「美國貨到底是好 別人不敢說我敢說」

師大因爲思想檢討關係，教員和學生，都停止上課，一直到三月十七日，學校方面，才正式宣佈恢復平常狀態。據聞檢討結果，最大部份教授，經過悔過坦白，已准許「洗澡」「過關」，目前只有二十餘人，中共還認爲大有問題，仍在「四面進攻」，「加緊包圍」中。其中第一名，是教育系教授邱椿。中共指出：他在幾月來所有思想檢討這一運動中，始終表示不肯低頭學習。他曾把這一運動，下了八字考語，說這不過是「看看人家，罵罵自己」。中共還指出他有兩項不可寬恕的反動言論，第一項，他對於蘇聯派來的教育專家卡謝波娃，惡意批評，教學生不要盲目聽從。第二項，在他講授的教育史內，竟將列寧和史太林兩個人的教育哲學，認爲不盡相同，信口開河，故作曲解。

第二名還沒過關的教授，是中文系李長之。李本是一位老作家，在北平未淪陷前，時爲世界日報及京滬若干大報寫稿。中共認爲他的「思想問題極嚴重，不僅至今尚不肯老老實實檢討自己過去的反動思想，反而當別人檢討他時，還拚命抵抗，說別人對他有成見。他並且企圖組織落後集團，來對抗進步力量。」正因爲李長之骨頭太硬，所以中共已用很嚴厲的語句威脅他；「如果你還是這樣頑固，那麼，我們就一定要將你這兒點醜陋的嘴臉，在羣衆面前徹底剝開來，看你有什麼方法隱藏？」

第三名是外語系教授金保赤。中共曾指出；「他在抗美援朝這一偉大鬥爭中，竟將帝國主義資料當作教材，誣衊朝鮮人民依靠蘇聯向南朝鮮進攻」。並且說：「他尤其荒謬的，是誣衊我們解放西藏爲侵略西藏，要引起未來的民族戰爭」。

第四名是化學系教授王璡。中共說：「他在全國人民根除親美，崇美思想時，他竟公然宣稱，『美國貨到底是好，別人不敢說，我敢說。』他又勸一位體育系教授，叫這位教授不要太和黨團員親近，誣衊黨團員是不能和平共處的。」

此外還有十幾名，因限於篇幅，恕記者不能逐一列舉。從共幹方面透露消息，如果這些不識時務的書呆子，還是繼續抗拒，則下一幕作法，十九就會將「國特」「美特」帽子，給他們每人送上一頂，讓他們在集中營裏，去慢慢嘗試勞動改造的滋味。

燕京大學

論文寄美國發表 手錶帶美國修理

燕大是中共一向認爲包袱最重的，其「反動」性較之清華，有過之而無不及，因爲這兩個大學，在中共看來，簡直完全成了美帝在華培育反動思想的大本營。所以中共此次對燕大教授思想的清算，其嚴酷絕不下於清華。據中共檢討結果，認爲到現在還不肯洗澡的教授，計有（一）社會系教授趙承信。中共說：「他在過去曾收集過很多政治經濟情報，供給美帝國主義，他自己以爲這是學術資料的交流，實際等於出賣了祖國利益。」（二）化學系教授蔡鎦生。中共說：「他在前年夏天，還把自己論文，寄往美國刊物發表，並且鼓勵同學，到美國留學，這是敵我不分，爲虎作倀的大罪行。」此外有一位教授，他曾說過沒有美國雜誌，許多新的東西，就不知道，又一位教授，因曾將一只手錶，託人從香港，帶去美國修理，都被中共認爲親美崇美，不容寬恕。

輔仁大學

輔大從八十歲的老校長陳垣起，都已受過嚴格的檢討。據中共宣布：「生物系教授劉玉案，數學系教授劉景芳，經濟系教授趙錫禹，中文系主任蕭璋，教務長林傳鼎，都背有思想包袱，但他們都肯坦白認錯，已准許他們過關。只有化學系副教授[illegible]，生物系主任鹿懷寶，平時散布反動言論，抗拒進步。在此次檢討運動中，態度仍不老實，口口聲聲說科學家無所謂政治。這是最頑固的表現。又教育系主任歐陽湘，講中學教育方針時，還講了美國和以前反動政府的中學方針。這些頑固份子，都需繼續檢討，一時還不許恢復講授。」

協和醫學院

關麟徵何來鉅款 女護士大讀聖經

協和醫學院，與協和醫院，是不能分割的。這次思想檢討，中共因爲協和過去受美國補助，一般教職員，待遇特別優厚，若干地位較高，任職最久的人們，多已儲蓄豐厚，擁有相當資產。中共更藉此機會，將五反運動，結合了思想改造，同時進行大規模清算。機務處總工程師張承平，首當其衝。他在協和工作了二十年，中共硬指他現在[illegible]堂皇富麗的一所小家庭，和設備充足的一所私人機器廠，所有資產，都從協和貪污得來，全體沒收。此外，竟宣佈總務科一主任梁人和，副主任朱清得，總務處主任陳劍生，會計科長張滑泉，住院會計處職員都經管過十多年銀錢出入，中共也就一律認爲必撈過不少油水，不分皂白，都勒令他們資產充公，掃地出門。

此外，還有一位[illegible]光科副教授馮國現，據中共宣佈，說國民政府時代的軍長關麟徵，曾有二十億財產，交他保管，限令在一個月內，如數交出。

在思想方面，被指爲最頑固的，首推七號樓護士長李佩一，中共指她「思想一向反動，常說共產黨來了，給她很多痛苦。在檢討時，竟公然宣稱：她已完全向上帝交代了，別人熱烈發言，她只是低着頭讀聖經。」其次是圖書館主任趙廷範，「在八萬冊的豐富藏書中，馬列主義和新民主主義的著作，竟一本也找不到。」又病理科圖書部技術員林乃初，「一當大家要他站起來檢討思想，他竟做了一首打油詩；『我是一塊朽木，要改也改造不了，你們讓他去腐爛罷，儘將他丟進茅坑去，也是不會抗議的。』態度惡劣，可惡已極」。（曉光，三月十八日，北平）

「民族資本家」一頁血淚史

獻妻女皮肉求短期生存

不料「五反」臨頭，依然四大皆空。且反被中共誣指，此爲資產階級瘋狂進攻中的「色情轟炸」！

【本報上海特約通訊】在最近共黨的五反運動中，發現了許多共幹藉着職權關係，迫令商人，貢獻妻女，以滿足其色情的需要。而這些曾經被捧爲民族資本家的工商老闆，爲了要挽救其工廠或商店的命運，也就是要維持自己和職工們的飯碗，明知這是一種無恥勾當，也只好敬謹服從。但結果，仍不過苟延殘喘，而這次五反出現，多數仍關門大吉。而且還逼他們吐出更多的所謂「贓款」，指他們本來由於被迫的貢獻，是一種資產階級對革命幹部的「色情轟炸」，像下面這幾件事，就都是一些典型的例證。

爲了保產保命 不惜奉獻老婆

魯翠吉，是「抗大」畢業的高材生，一向追求「光明」，自視甚高，進城以後，被「組織」上介紹到上海恒大烟草廠做業務科長，這是一個肥缺，經不住環境的考驗，也終於懂得怎樣賺鈔票了。廠長王漱庵爲了保產保命，曲意承歡，拚命巴結，先介紹他的老婆王淑琴做魯的私人秘書，陪着打牌，看戲，吃館子，並由王親手做襯褲給魯，以示體貼，不久，王就成爲魯的「愛人」，一邊倒下。上海好多烟廠在過去兩年，都被共幹搞得油盡燈枯，唯恒大一廠獨秀，勉強存在，但在這次五反中，王漱庵的近百億偷漏資產仍遭沒收。一個老婆，不過延長了民族資本家兩年的運命。

張歐昌是「治淮工程處」的一個庶務，以職務關係，常來往上海蚌埠間，張是有廿年以上「黨齡」的老幹部，年逾不惑，尚屬寡人，對於女人的需要自難免特感迫切。滬興德營造廠廠主李漢民，爲了想做成一批數目較大的生意，但張是主管人，多方挑撥，並沒成功，後來有人替兩方拉攏，由李作東，在新亞大酒店爲張開了一個最漂亮的長房間，張一到上海，李就找羅宋女人帶他去逛舞場，打野雞，投其所好按摩，有時，並將自己親眷，陪伴遊玩，張享受之餘，態度突變，處處爲李說話，爲李拉生意，並先後把「治淮工程處」有十年以上黨齡，現當着「濟大圍」的老幹十一人介紹給李，後更結成異姓兄弟，儼如「十三太保」。這樣，李才做成生意，維持了行將倒閉，包括職工百餘人的這家營造廠。

要做中共生意 首須犧牲愛女

李德鑒是「華東工業部」的一個出納，平生無所嗜，惟好玩女人，在延安時，一度同丁玲搞得很熟，到上海以後，李更「得其所哉」，大搞特搞，甚至弄得不可一日無女人。他探得餘慶五金號老闆韋峻峯有位女兒，生得嬌豔動人，利用韋正想和華東工業部做生意的機會，將韋的女兒姦佔了。

陸仁生是三野後治部科長，他主管照相材料購置事宜，滬大來照相行主朱今農因爲沒有門路，無法接近，其妹朱琴仙，漂亮活潑，陸暗示如果朱琴仙能和他結爲朋友，他就可大量購受大來的器材。結果朱琴仙每天陪陸到舞場酒樓玩個不息，陸每次到南京，朱都送上火車，就這樣，大來才和三野有了交易。

不許乾兒入屋 菓舖即須關門

張超是「三野」裏的一個營級幹部，在買水菓時結識了南京益大水菓店老闆彭滑泉，彭妻雖年逾花信，但風姿嫣然，張一定要拜她作「乾媽」。後來，索性在「乾媽」房間裏作長夜談，不許彭進去。並揚言如果彭反對，就讓他開不成店，彭在威脅之下，只有忍氣吞聲，聽其侮辱。

陳濟黎是三野軍械處科長，爲購料關係，常來往南京蕪湖，蕪湖北京路玉生鐵工廠老闆蔣玉明聽說該部將購進大批馬車，於是就向他拉攏。陳指明要和蔣的小女兒蔣淵清做好朋友，蔣因工廠久無生意，只得遵命辦理。夏天，陳叫蔣女穿着汗衫，短褲打扇納涼，冬天，要她親結毛繩衣，做棉鞋。這樣，陳才將該部購置馬車，指定一百輛歸蔣承製。

以上種種都是活生生的事實，從這裏可以讓人明白，商人要這樣做是爲求生存，共幹要這樣做是爲求享受，假如共產黨不盡情壓搾，逼人至死，誰又會心甘情願將妻女當作贖罪的羔羊？（悠然，三月廿八日，上海）

偽中南教育部副部長

陳劍修被女兒檢舉

指陳夫婦「立場模糊敵我不分」 中共對靠攏份子正準備痛下毒手

【本報漢口特約通訊】由於中共內部派系之爭，在所謂「紀凱夫案」的名義下，許多高級共幹如副市長易吉光之類，都已被澈底整肅。同時，對於靠攏份子，中共也毫不憐惜，正借着各種不同手段，從事清算。其中最令當事者啼笑皆非的，莫如指令被清算者的子女，出面檢舉。最近偽中南教育部副部長陳劍修即被共幹嗾使其親女陳元方，致函長江日報，指父母立場模糊，敵我不分。按陳劍修在國民政府時代，曾任教育部司長多年，抗戰時，一度任廣西大學校長，中共勝利，以靠攏有功，「榮」任偽中南教育部副部長。惟中共仍認爲不夠前進，時擬將其清除。長江日報之函，正即對陳清除之第一步。茲錄原函如下：

陳元方致長江日報函

「編輯同志：

中南教育部副部長陳劍修的妻子梁瓊玉，出身於廣西興業縣的大地主。一九五零年上半年該縣實行土地改革時，梁正在家中，曾因拒不向農會交出槍枝，和她的母親一起被捕，後經說明她與陳劍修的關係，取保釋放，來到武漢。

梁瓊玉過去與很多反動份子有聯系，她有一個大伯父是興業縣的惡霸地主，已被槍決。她和她的叔父梁丕功，在一九四三年和一九四四年間在桂林過往甚密（還是我當時親眼看見的）。現聽說梁丕功特務分子，已被槍決。

梁瓊玉自己也親手賣過槍枝。因爲到漢口後，她家中繳出的槍枝數目和農會了解的不符，家中說是被梁拿出去賣了，梁自己也承認，但什麼時候賣的，賣給什麼人，已應該向人民政府交代清楚。

我是陳劍修副部長的女兒，以上情況是他在去年夏天來北京時，親自對我說的，他當時說這些問題政府都了解，他也不願多說，但他好像覺得這些問題談出來於他不好看。

陳劍修副部長自己的思想上也存在多立場模糊，敵我不分的地方。例如：說梁已被槍斃的梁的大伯父是「地方上的紳士」，「爲人很正派」等；又說興業縣的土地改革，「有偏差」等。

我建議中南教育部的同志們對他多幫助，並希望他徹底檢討自己的的問題。

陳元方」（懷民，三月一九日，漢口）

西湖沒有春天

名勝摧毀殆盡 人心冷若嚴冬

【本報專訊】西湖名勝很多，數百年來最令人崇敬之岳王墳，竟成爲中共清算對象。共黨指武穆精忠思想爲封建思想，公然撤毀其牌位，毀其碑碣，而在廟內駐紮軍隊。三潭印月，中共則供奉蘇聯老大哥下榻，已成禁區，閒人無法闖進。湖邊矗立之玉皇山——即吳山——從前稱爲幽靜，今則變作拘禁政治犯的監獄，無人再敢涉足。靈隱寺裏的和尚，已被迫還俗，年青的送往韓國參軍，老年的押入集中營勞動。寺內大如來佛像，[illegible]全被共黨搗毀。

此古寺改作共幹訓練所。平湖秋月，僅幾株禿柳，淒然在風殘月裏搖曳。從前艷稱的六橋三竺，有蘇堤白堤，夾雜着幾具骷髏，幾堆馬糞，無復動人遊興。其餘各處也大都同一命運。裏西湖之新新酒店，已改作爲高級共幹俱樂部。湖邊劉莊，即作共幹嬌金屋。西湖新，現在除毛湖新貴外，亦絕少有人賞識。故當記者離杭時，值春光明媚，但在西湖的人們心中，實在仍和慘淡的冬天，並無區別。（南客）

貽笑大方之談

當方

中國大陸上的秧歌同志們，對英美法各國傳教士，一律加以「帝國主義間諜」的罪名，深惡痛絕，不是逮捕判刑，便是驅逐出境。照秧歌同志們的一貫理論，這些「美帝」「英帝」間諜人物的話，都是不值一顧的反動言語，應予唾棄的。

可是，只要這般「美帝」「英帝」的間諜們，偶有一句在表面上於秧歌王朝有利的說詞，馬上又莫名其妙的受寵若驚，大事宣傳：「你們看，英美人士都是這樣說的，還有疑問麼？」得意洋洋，竟把間諜認為國際間的公正觀察者了！例如：最近有九個由成都被驅逐來港的加拿大傳教士，中有一人說過一句「我未遇見有說新中國不好的人」，這就如聞綸音，心花怒發，大吹大擂了。

他們却不了解這句話的反面是否別有用意？是否對「新中國」的一種諷刺諍論？只激其阿Q精神，自鳴得意，吹喝使勁，為「人民」立功，而不知這正是形容「新中國」充滿着專制殘暴的社會生活，沒有一個人敢說一句不滿現狀的話！被處死刑，還要自認「臣罪當誅」，萬死不足以蔽其辜，誰還敢說「新中國」不好的話？更有誰敢對外國「間諜」面前說這類招引殺身之禍的話呢？

共產黨徒常常罵別人是「文特」，實則他自己連替「人民」作文特的智能還相差很遠，祗配做一點「文特」的文特之搖旗吶喊工作」，而且，隨時還要自露馬脚，貽笑大方哩！

自由談

·共區傳奇·秋胡戲女

·蘇東·

秋胡，又有一個名字叫胡高明，他是胡老大的兒子，家居古田桑，道道地地的山東人，山東人愛喫大蒜，大蒜頭放在嘴裏嚼，一股蒜味兒薰實難聞。

每個山東人都是老實頭，單有這秋胡例外，他作不來莊稼，放不來牛馬，又不識斗大的黑字，不能在櫃上管賬，終日遊手好閒，喫喝嫖賭，學的四門俱全。老頭子想約束他，覓了一門親事，新娘子才進房，新郎倌第二早便溜了，可憐一夜夫妻的羅敷女，便是這麼熬着，一次活寡守下來，竟也守了十多年。

這秋胡投奔何方呢？原來山東這地方，古來便是有名的響馬出沒之所，有名的秦叔寶，紅鬍子單雄信，不都是戲台上有名的人物嗎？秋胡早已醉心這綠林生活，有一天他在賭場裏結交了一位朋友，那朋友勸他到江湖上找功名，跨過鄉井中稱雄，還強，秋胡甚是中聽，羅敷女雖也長的千嬌百媚，禁不住那朋友的慫恿，洞房花燭的味道嚐過之後，這無賴子秋胡，從此便在鄉里中失蹤了。

羅敷女以為丈夫對自己有甚不滿，也只好自嘆紅顏命薄，山東是個舊禮教甚深的省份，她一時也不能另婚新嫁，便是那麼守寡，只望丈夫心回意轉，誰知這秋胡的朋友是共產黨，秋胡加入的，是共產黨流竄江南的一枝武裝部隊。江湖上的汪洋大盜，常喊着「封富濟貧」的口號，這夥人也一樣，經常說「階級平等」，「為人民服務」的道理，部隊裏還有許多「紀律」，恰如山寨上的「寨規」，因為說來娓娓動聽，竟將一個生龍活虎的秋胡，騙的服貼萬分，第一年起，他不但頭纏紅巾，手執梭標，而且，他也入了「黨」。指導員告訴他，他是「無產階級的戰士」。

這「戰士」真是「無產」的，跟在這夥人後面，打了十幾年仗，沒有大碗喝過酒，沒有大斗分過金，幾番三次，他問引進的那個朋友。有了十幾年「黨齡」的秋胡說：

「咱們這麼流血流汗，口說『革命』『革命』到底為些啥？」

那朋友只安慰他，告訴他「革命」成功之後，不但錦衣玉帛，而且嬌妻美妾，保險一生受用不了。

便是這麼夢一樣的，竟說「革命」成功了。秋胡隨了部隊，進了漢口之後，論功行賞，雞犬都要升天，這有十九年道行的秋胡，一等功臣，因此官拜了漢口的什麼局長。

秋胡是老粗，山東大漢死心眼兒，他只記得嬌妻美妾的享受，新官上任三把火，他的第一把火，請求「組織」准許他結婚。他已四十歲了，三十而立，四十而不惑，正是惑於女色的好年齡。

秋胡的家庭狀況「組織」早有調查，說：「你自一個黃臉婆在鄉下，趕快回家辦了離婚手續，這裏為你找一個愛人。」

這下子，秋胡心裏好不高興，一是衣錦還鄉，他要回山東揚眉吐氣，二是嬌妻美妾的希望，立刻可以兌現，快馬加鞭，他坐平漢路的火車，轉隴海路，一下去了山東。

眼看古田桑近了，破舊的房子，了無炊煙，只有屋前桑裏，有個漂亮女人在採桑，從那後影看去，很像一別二十年的羅敷女，奇怪的她竟還是這麼年輕漂亮。秋胡的心又活了，他想我何必另起爐灶，再找什麼「愛人」？有心試試他妻子的貞操，他用些蜂言蝶語：

「大嫂，這兒是不是古田桑？」秋胡的話好不輕俏。那採桑女只瞟了一眼，沒有理睬這「解放軍」。

「有個叫秋胡的，大嫂你可曾認識他？」秋胡挨上前去。左一聲大嫂，右一聲大嫂，叫的那女人臉紅了，一聽秋胡二字，她張大了一對好奇的眼。那是她死去多年的父親。

「大嫂！你還記得嗎？你竟這麼年輕。」秋胡禁不住當前美色，開始有些勸手勸脚了。

小女子不知這色鬼是她，聞到她嘴裏的大蒜味直衝，她急極了，大聲呼喊。秋胡一把按住她的嘴，秋胡告訴她，他便是秋胡，二十年前投軍去了，而今有了功名富貴，「咱們該團圓了！」秋胡說。

「你錯了，我是你的女兒。」小女子掙扎欲哭。「呀！」

「那末，你的媽呢？」秋胡想不到一夜夫妻，竟有了一個女兒。

「媽剛死去三月，你快走，不要騙我。」小女子說。

結果：小羅敷仍舊給秋胡騙去了，他說他有錢，有汽車。他將小羅敷接到漢口去。到了漢口，強迫結了婚，小女兒變了爸爸的「愛人」。為什麼父女可以同婚呢？那不要緊，共產黨有的是「新婚姻法」，秋胡是「功臣」，而且，羅敷女恰又死了。

點土成金

——秋一——

「解放區的天是明朗的天，解放區的人民好喜歡。」宣傳的儘管還在宣傳，可是老百姓已將「明朗」唱成「黑暗」，「好」字唱作「不」字了。為什麼不喜歡？請看上海「新聞日報」的「危害人民日常生活」欄：

「上海、南京、漢口、蚌埠等各埠公營糧食公司，無不以摻雜為賺錢手段，所有碾米廠碾米機中的檢石部份已全部拆去。瀋陽東北人民糧食局，兩年來一直公開的一火車一火車的裝大量砂石，米糠等摻到好糧食裏，去年一年，就有五百萬斤食糧被幹部奸商裝進了口袋。（足夠一萬人一年食用）東北人不生病則已，一生了病十有九個是盲腸炎，胃潰瘍，」「東糧局」的幹部多說：「咱們這個行業真好，不但能點石成金，且連土都能賣錢！」

民以食為天，而共產黨幹部有換日偷天的一手，食方面如此，至于衣、住、行等項，自不必一一舉例徒汚筆墨了。

東漢時代的兩個才女　班昭與蔡琰（下）

·舜生·

以蔡琰的身世和班昭相比，其榮枯真不可以道里計了。『後漢書』為她寫的一篇略傳，稱她『博學有才辯，又妙於音律』。劉昭的幼童傳上說：『邕夜鼓琴，絃絕，琰曰，第二絃。邕曰，偶得之耳，故斷一絃，問之，琰曰第四絃，並不差謬。』

大概文姬青年時的家庭環境，在蔡邕未死以前，原是很好的。她第一嫁嫁給河東衛仲道，不久她的丈夫死了，沒有生下兒女，不得已回到娘家，其時她的父親雖還存在，可是天下已經大亂。董卓挾獻帝由洛陽西遷長安，不久董卓為呂布所殺，蔡邕也就為卓所牽累而遇害。大致由董卓還亂所引起的大紛亂，正是文姬所親歷的，她描寫說：

『馬邊懸男頭，馬後載婦女，長驅西入關，迥路險且阻。還顧邈冥冥，肝脾為爛腐，所略有萬計，不得令屯聚，或有骨肉俱，欲言不敢語！……』

當時董卓的兵，內容原是很複雜的，裏面雜得有南匈奴的『胡騎』，自屬意中事。文姬為這種胡騎所擄得，因此沒入南匈奴左賢王。從此她在胡中住了十二年，被強迫與胡人苟合，而且生下了兩個兒子，這與蘇武娶胡婦生子，恰好是一個對照。

曹操和蔡邕的私交甚深，他看見蔡邕沒有兒子，乃用金璧把文姬從匈奴贖回中國。文姬描寫和她兩個兒子分手的情形說：

『家既迎兮當歸寧，臨長路兮捐所生，兒呼母兮啼失聲，我掩耳兮不忍聽；追持我兮走煢煢，頓復起兮毀顏形，還顧之兮破人情，心怛絕兮死復生。』

在另一首中更說：

『兒前抱我頸，問我欲何之，人言母當去，豈復有還時？阿母常仁惻，今何更不慈？我尚未成人，奈何不顧思？見此崩五內，恍惚生狂癡，號泣手撫摩，當發復回疑。……』

文姬回到中國以後，不勝城郭人民之感，因此她說：

『既至家人盡，又復無中外，城郭為山林，庭宇生荊艾，……煢煢對孤景，怛吒糜肝肺，……奄若壽命盡，旁人相寬大，……為復強視息，雖生何聊賴，託命於新人，竭心自勗厲。……』

所謂『託命於新人』，是因為她回來以後，再嫁給了一位名叫董祀的屯田都尉。後來董祀犯法當死，文姬又跑到曹操那裏去苦苦哀求，曹操也居然把董祀赦了。曹操問起她父親蔡邕的藏書，她說：原有四千餘卷，經過亂離，已完全喪失，現在她所能記誦的，不過四百餘篇。曹操要派人就她抄寫，她說不必，不久她自己便把這四百餘篇逐一繕寫，送給了曹操。我們看曹操之贖歸文姬和保全文物，這偉大處，真不是今天這般強盜所能想像的哩！

萬竹樓隨筆（八四）

三位一體

西伯利亞的強迫勞動營中，三個囚犯偷偷聚在一起談天。

「從一九二九年起，我就被送到這裏來了，」第一個人說：「只因為我講錯了一句話，我說過卡爾·拉狄克是一個反革命份子」。

「我，」第二個接着說：「從一九三七年起也被關到這裏來了，因為我說過卡爾·拉狄克不是反革命份子。」

「至於我，」第三個說：「也到這裏做過好些年苦工了，因為我就是卡爾·拉狄克啊！」（子由）

黑十字

北晨

藍英，一個善良的女人，她的風情和美貌，是一串葡萄中最成熟的葡萄。

昨晚，她太累了，陪了一些無聊的男人跳舞，飲了許多沒有感情的酒。為着心上掛着許多問題，下半夜失了眠，因此精神疲怠，她不知道如何才能應付今天來到的這些問題。

時間還早，喫罷午飯以後，她決心再有一個午睡。昨天接到姐夫從澳門來的電報，今天下午可以抵達香港，她預備到碼頭上去迎接。假如澳門來的船準時到達，姐夫是個體面而有辦法的紳士，這一次來香港，他也許可以幫助她解決一些問題。

如是，她喊了女傭阿平進房，吩咐她，三點鐘以後把她叫醒，三點以前，任何人的電話都不聽。

阿平有點為難，她說：「洪先生早上來過了，小姐還沒有起床，我要他歇一回再來。」

藍英縐縐眉頭：「洪正池！」一個令人愛而又令人恨的男人，一個令她苦惱又令她躭心的問題。

她橫了一橫心，今晚姐夫從澳門來，不能讓他看見這個男人，因此關照阿平，要她回復洪先生，說「小姐出街了。」

阿平下去沒有多久，藍英的午夢還沒有來到，那個叫洪正池的男人倒來了，阿平的攔阻無效。他叫開前門，一直衝進了藍英的臥室，對於這個男人，藍英的感情是複雜的，有點愛，有點畏懼，有點厭憎，甚至還有一點恨，為了兩人中間的三年歷史，她知道感情中的那份愛已經有點變化了。

洪正池踏進臥室，藍英便閉上眼睛，她早知道將有一場麻煩，希望這場麻煩在姐夫到來之前結束，因此嚴陣以待。

他知道這女人並沒有睡，那是她用慣了的戰略。洪正池按捺不住了，他推了藍英的身子一把，恨恨地說：

「藍英，過去我沒有待錯你？」

提到她過去，藍英咬了咬牙，她怕她的憤恨從嘴裏滑了出來。過去，她是有夫之婦，她的丈夫在社會上也有地位，洪正池愛上了她的美貌，上海「解放」以後，丈夫關進了牢獄，洪正池早已跑來香港，憑着往時的一點情感，洪正池函電交催，要她斬荊披棘，決心放棄舊的夢幻，快去香港。那時，藍英沒有決心，她是好人家的女兒，她受不了「私奔」的醜名，她並不討厭她的丈夫，更不願趁着丈夫身繫囹圄的時候，再給他一個打擊。說來，這個錯誤一半是她丈夫造成的，有一天，藍英帶着孩子，去到牢裏看她丈夫的時候，丈夫以為自己沒有生望，偷偷地告訴她，要她快快離開上海。（一）

·中篇連載·

莫斯科鏡頭

·勒柯克·

導遊女郎

晚餐前，我們回到酒店裏，來了一個小型冷戰。

動人的導遊女郎阿力珊大穿的是灰敗而劣質的服裝。美國海軍下級官員特爾克奉召赴莫斯科美大使館道經此地。他以懷疑的神氣瞥了阿力珊大片刻，用指頭捏了一下她的袖子說：「這衣裳可不是在俄國購得的」。阿力珊大愕了一愕，高聲道：「為甚麼？」「因為在俄國得不到這樣的衣料」，特氏答。「有的是，我就買到了」阿力珊大勸怒說。「不，小姐，」特氏改口：「蘇維埃忙于製造坦克與噴射機，再無暇出產這奢侈品哩！——而且製了出來也沒有人樂于購買或買得起」。阿力珊大仍然極力反駁，引證許多宣傳式的話，爭辯俄國甚麼都有，甚麼都比美國的好；然後她悻悻跑回她的辦公桌去。

我們還能享受一餐西方氣氛，晚餐，有樂隊在彈奏爵士音樂，音樂甫停，每人拿着一件我們的小行李的脚伕排成一列，一張賬單子遞了過來，那是我們在列寧格勒勾留了五個鐘頭的費用。行李由車站搬到酒店，再由酒店搬回車站，便化了四百一十盧布。蘇聯官方匯率是十一盧布合一英鎊，那麼竟要費三十七鎊多了。加上由列城到莫京車費，車站行李搬運費，導遊女郎預告這五百英里二十小時的路程，須得用一百二十二鎊，這可不是社會主義國家的竹槓嗎？

穿過俄西大平原平靜的鄉村，歷十五小時，于翌日午后二時抵達莫斯科。

灰暗的景色

莫斯科以曖昧的顏色形成一個灰暗蕭瑟的油。到處可見MVD人員藍色的肩章與帽帶，它們與祕密警察同隸一個機關主管，但穿上制服人所共見的MVD雖然權力很大，其使人害怕則遠不如祕密警察。

掌交通指揮燈號的MVD兼任檢查行人，任何蘇維埃公民都須攜帶「身份證」，隨處受檢；俄人與外國人談話必須走到最近有MVD的一個交通站，能讓一切說話MVD能親楚聽見，否則此後便不知會有麻煩，接着發生。

每一個MVD，都佩有手槍，一根指揮棒和一隻哨子。整個莫斯科終日給這些哨子弄成一個緊張世界。行人不在指定橫過的地點穿過，便給哨子吹到頭昏目眩。

張勃特為商店密集街道，與高爾基道相交，由此也通往近郊禁區，那裏為蘇維埃聯邦神聖主人們的別墅所在。

這共產黨麥迦聖城，黃紅灰泥的舖子和板蓋的木屋與優美而尊貴的克里姆林宮和高爾基道一些大建築相對照。神仙故事似的青綠砲台，聖巴西爾教堂的金色圓頂，包圍着紅場，大理石的列寧陵寢，歷史博物院和政府衙署都在這街道。

實際說來，莫斯科是個硬給催迫着長成過速的鄉村。全城觸鼻的都是馬糞和飛機機器在發動的聲音，誠然是機器時代了，可是其中還是夾雜着馬糞的布爾喬亞氣味。（續完）

·萍末譯·

自由人

THE FREEMAN

（每週星期三六出版）

（第一一四期）

每份港幣壹毫

督印人：李光華

社址：香港高士打道六六號

電話：二〇八四八

GLOUCESTER RD. HONGKONG TEL: 20848

承印者：東南印務出版社

地址：高士打道六十四號

台灣總經銷處

台北市中華路一二五九號

從兒童節到清明節

·雷嘯岑·

昨天是兒童節，今天開始，各學校作一週間清明節——民族掃墓節——的休假。這兩件事都關係民族傳統文化問題，此時此事，尤其值得注意。

兒童是下一輩人，他們的未來前途，自生理以至心理，自智育以及德育，都需要家庭，學校和社會的力量來分別培養，積極陶鎔；而家庭間的「父兄之教」，更是基本工作。所以，每一個有父兄職責的成年人，當着兒童節，都不期然而然的在內心上引起一種對子弟應如何善盡其教養之道的責任感，亦即是人性的自然流露。時不論古今，地無分中外，人不問種族，而所謂親親汎愛之義，總是人類進化的常軌。人類由原始穴居野處的野蠻掠奪生活，漸進於羣體互助的組織社會，無論憑任何政治思想觀點來衡量，總不能認爲這是「反動」的演進。因爲人與人相處，親愛互助與仇恨鬥爭孰爲得失，大家在良知上都有相同的認識啊！

等是有家歸未得 父兄盡成罪囚人

可是，在俄式共產主義的社會生活中，兒童不但非復家庭的成員之一，相反的，要成爲父母兄弟的仇恨者！越是能對其父兄從事鬥爭清算，實行「大義滅親」的青年男女，大家即相率譽之爲「解放英雄」，「革命戰士」，是能「站穩立場」的忠實同志。試看近年來大陸上俄式共產黨徒所導演的人間悲劇，是如何的泯滅人性！用「思想改造」的把戲，把千千萬萬的純潔青年人，都陷入瘋狂而無理性的迷魂陣。首先即以家庭間的父母兄弟爲鬥爭對象；再利用天眞無邪的兒童們，經常迫使其成爲一個對家庭社會間各種親屬戚族的告密者。我們固不認爲中國舊式家族制的社會結構是完全合理而不應予以改造的，但以壓迫兒童青年們作劊子手來殘賊父母兄弟的改造方法，却是把人類拉向「人相食」的冷酷殘忍之野蠻境界。

俄式共產主義者利用青年人好奇心性與其未成熟的思想觀念，藉「站穩立場」的邪說詖詞，大力煽動，從事家庭革命，實則，此種極其不通的鬼話，在共產黨徒心目中，即是俄共式的立場，即爲階級鬥爭的立場。但他們害怕青年們不一定個個都願意作俄共式的工具，不能普遍的以「人造革命」之法術來達成其挑起階級仇恨的願望，乃詭稱爲「人民立場」。「人民」這名詞多麼美好堂皇，任何一個兒童青年人，誰非人民一份子？大家自然容易被其麻醉了。至於「人民立場」究竟是怎麼回事？不特天眞無邪的兒童與青年子弟莫名其妙，即製造這一名詞的共產黨徒亦是不知所云的。今天許多在大陸上以及逃出鐵幕，流離海外的父母兄弟們，就在這莫名其妙的「人民立場」之毒氛中，有家歸未得，盡成罪囚人！我們值此兒童佳節，凡屬有子弟在身旁的人，都應該從親親汎愛之義，以合理進步的觀點，對兒童和青年人作思想善導的培育。尤其一般負有學校教育責任的人，當此空前浩劫的大時代中，要發揚其尊崇理性與維護人性的教育功用。上月「九龍事變」中，竟有年方十二歲的小學生被迫參預暴行，以致被捕對簿公庭，這種殘賊兒童的悲劇，實在令人痛心疾首，聳駭聽聞。下一輩人的教育，如果照這樣的魔道繼續下去，中華民族的前途，還堪設想嗎？

不忘本決非封建意識 救國家需要民族精神

清明節是中華民族傳統文化的固有習慣，後由國民政府改名爲民族掃墓節，即將舊有「報本敬宗」的家族觀念擴大爲民族觀，而其不忘本的意義則一也。政府特在每年民族掃墓節，派公職人員掃祭黃帝陵墓，表示其不忘本的民族精神，民間寒食上墳，致祭祖先，以彰其「愼終追遠」的純厚民德，亦爲親親之義的人性所在，決不能藉「封建宗法」之說，全稱否定的。

史大林今日竟奉伊凡大帝爲俄羅斯民族英雄，當年受納粹德軍攻擊甚烈之時，亦大倡愛國主義，以期起死回生哩！中國以有狹隘的宗法社會觀，固然應該改造，但如因此而指清明節爲「封建殘餘思想」，那就是因噎廢食之談。掃墓敬先的行爲，等於平時「敬老尊賢」，「恤幼」的人性作用，擴大而成爲民族觀，即是一個民族國家所以存在發展的潛力。特俄式共產黨人常以「國際主義」的「民族主義」爲號召，其名詞似乎很動聽，其內容，却是奉戴蘇俄爲祖宗（即所謂國際主義的一面倒的民族觀。他們在其政治思想體系中，中國既是第三國際的一支部，即無異是「蘇維埃社會主義共和國聯邦」的一個份子，當然不許中國人有獨立的民族思想，要在「國際主義」前提下，把中華民族固有的傳統文化，一律認爲封建宗法予以唾棄。我們要求自己民族獨立自由生存的人，對於民族掃墓節却具有熱烈的觀感。今天許多人行吟海隅，瞻念大陸上的祖宗廬墓，豈不懷遠，欲歸未能。大家都要保持不忘本的民族思想，不受暴力邪說的威脅恫嚇，中國民族一定要復興，中華民族一定在自由世界中屹然獨立生存的。努力吧，黃帝的子孫們！

要中共不敢輕易嘗試 法軍必須大舉反攻

·林詩·

民主集團更應以實際行動表示守越決心，否則目前小勝可能轉瞬之間即變成不可挽救的慘敗。

那個被稱爲法國的麥克阿瑟——塔昔尼將軍，病故巴黎的時候說：「一九五二年爲殲滅越盟之年」，言猶在耳，今越盟尚轉弱爲強，反守爲攻，到底誰將被誰殲滅？上期拙作，已略述越戰梗概，今續陳所見，以提供關心越局者參考。

有計劃的陣地調整

截至四月三日爲止的越戰情況，法軍的「水銀攻勢」藉強大海空軍火力掩護，已經將滲入紅河三角區的越盟軍予以部份擊退，被圍於太平東南的敵三二〇師兵力五營，刻成三面受敵之勢，曾屢次企圖突圍，均未得逞。但這情形仍如上期本刊筆者所作「越盟軍在試探中」一文所言，法軍「掃蕩攻勢」，只是堅守河內的攻勢防禦戰中之一部份，而非對整個越盟軍之積極性的攻擊。自倫敦傳來的權威消息說，上次法軍之撤退和平，係本年一月華盛頓三國軍事首腦會議後，經開三國參謀代表會議中之建議。美方參謀人員認爲扼守和平，足以分散兵力，非法軍現有實力能及，不如放棄和平，一則縮短防線，陣地鞏固，能互作支援，二則海軍砲火可以發揮威力。從轉進戰後的戰績而言（越盟死傷倍於法軍）證實這個傳說並非完全無據。在「水銀攻勢」之前，越盟先作水銀滲入。爲了防止這些業已滲入的敵軍集結而作迂迴或重點突破的戰術攻擊，法軍則不得不徹底肅清此側腹之敵，而以求左翼之安全。此項「攻勢」，術語謂之「陣地調整」。

攻擊的目的原在根本殲滅敵人，而法軍此次攻勢僅有其半。這一點，和平撤退後的法軍代總司令薩蘭中將說得很明白，他說：「現在的情勢，紅河區的法越聯軍，只能確立守勢，希望在三四個月之內轉採攻勢」。爲何現在不能採取攻勢？這個攻勢何時到來？這問題繫於雙方的軍援情形，軍援的數目與速度，決定雙方戰力的消長。

越局比韓局更可怕

越局之惡劣發展，表面類於韓局而實際異於韓局，以地利言，法軍沒有類似日本的補給基地，東京灣的海權優勢遠不如美國，以政治現狀言，越南複雜的民族問題，遠甚於韓國，以軍事援助言，現在的美援軍品，如野貓式戰鬥機，如火箭放射器，都是上次大戰剩餘產品，不足以言銳利，如果戰局惡化，中共改頭換面參戰，法國與民主集團還不肯大力應付，甚至遠在韓國那樣美國挺身而出的氣勢，也成問題，則前途危險實屬不堪想像。

戰術原則常因武器之進步而變化修正，但爭取時間仍爲千古不變之至理，法軍要撐住越局，更多的軍援必須以很快的速度到來。必須在最近期間乘此一再小勝士氣旺盛之時，給越盟一個決定性的打擊。而民主集團又能以實際行動，表示越南決不放棄。這樣，蘇聯、中共鑒於事態的嚴重，才可能不敢另闢戰場，輕易嘗試。

此之謂「民主作風」 閑談凱佛維競選

借破車旅遊全國 逢路人親切握手

·丁一·

美國大選，自杜魯門宣言放棄，整個局勢，已形成共和黨的候選人一面倒：艾森豪。不過民主黨方面從事競選的凱佛維（Kefauver）却並不因此氣餒。據最近幾天從美國傳來消息，凱氏還想利用杜魯門退出競選的機會，大顯身手，在今年七月民主黨大會中，安穩取得民主黨的總統提名。

凱佛維競選總統，就資望說，當然比「艾克」相差太遠。但民主黨目前從事競選的幾位人物，其聲譽能力實在還多不如凱氏。他做了將近十四年國會議員（一九三九至四八），一九四九至現在任參院議員，他本身並沒有大量資產，甚至這次競選，他的背後，似乎也還沒有什麼可靠的大資本家替他撐腰。他競選最大的一套本錢，還是他在參院主持檢舉貪污工作時，精細嚴明，博得美國人無限敬仰。

在這次競選運動中，他的戰略，也就想儘量以平民風度，公正姿態，博取選民同情。在宣佈參加競選那一天，新聞記者對他印象就非常良好。因爲他談話完畢時，招待記者們打開鏡頭，記者要他們作出指定的種種姿勢，他都欣然的聽從。僅只「兩手交叉抱住自己的腦袋」這一項，就有記者要他表演過五次以上，他很高興。他宣傳：如果他做了美國總統，一定不會像杜魯門那樣專斷和喜歡人鬧脾氣，而違背選民的公意。

他借了朋友一輛舊汽車，和太太環遊各州，從事活動。他最普遍的一項方式，就是逢人自報姓名，和對方親切握手。在投票以前，特別在一些工廠，他特地守着，見有工人走出來，他就趕前一步，拉着工人的手，自我介紹：「我是凱佛維，下星期二（即投票日）我將很感謝你的幫助。」有一次，他走進公路旁一家小飯館，向管賬員說：「我的名字叫凱佛維，我競選總統。」管賬員莫名其妙，問：「你說競選什麼總統？」[illegible]

[illegible]

[illegible]

時局漫談

·舜生·

史太林開口了！

最近有代表美國各報的記者五十人，在他們視察了西歐與中東以後，曾向史太林提出四個問題，史太林居然很正式的給以答覆，他們問答的內容是這樣的：

問：第三次大戰之危險，目前是否較兩三年前爲迫近？

答：並不。

問：巨頭會議是否有用？　答：可能有用處。

問：閣下以爲德國統一之機會是否已至？

答：是的，我想是。

問：在何種基礎上資本主義與共產主義方有並存可能？

答：若雙方均願合作，若雙方均願擔負其所允諾之義務，若彼此均願遵重平等之原則，不干涉對方之內政，則和平之共存，實有可能。

史太林自來答覆新聞記者的談話，除掉蘇聯自身陷入極端危險，例如在二次大戰的當時；或他想運用某種陰謀，希望對方落入其圈套；不得已要多方敷衍以外，他的談話語氣，總是傲慢而不可一世的，可以說這是他的一貫作風。像民主國家那些領導人物，無論對國內對國際，發表一篇重要的談話，總是剴切詳明，不帶任何神祕作用，這在史太林是從來沒有的。他這次所答覆的四點，關於第一點，我們至多只能解釋：蘇聯在目前，還不敢明目張膽的發動大戰。關於第二三兩點，他的意思是說：假如有人願意找他談談，他也不會加以拒絕，但他決不願找人；至於第四點，這更是一片謊言，毫無價值，關於共產主義與資本主義是否能和平共存，這只能求之於蘇聯的傳統教義，和她的實際行爲，而決不能求之於史太林這一張嘴的！同時我也覺得，在這個時候，向他提出這種空洞的問題，實在也大可不必。據我看，這次的四點答覆，對世界目前的趨勢，決不會發生任何作用，除非他自動的發起，對民主國家正式求和。

攻共與防共

自美國海軍部長金波爾在東京發表了幾句對中共態度相當激烈的言論以後，雖金波爾已說明只是他個人的意見，但華盛頓方面却連忙加以解釋，認美國對台灣政策並沒有怎樣的變更。據昨天合眾社華盛頓的消息，某權威人士，更有如下的具體說明：

（一）美國國家安全委員會，已建議美海軍應無限期負責保衛台灣，以防禦中共作任何進攻。

（二）認金波爾本星期一在東京所說，倘中共攻台，美海軍當予以迎頭痛擊一節，誠屬驚人之語，故美國務院不能不加以解釋，因美國政府目前尚不欲公開此種政策上之變更。

（三）美國已與日，菲，澳，紐簽訂聯防條約，如聽任台灣落入中共之手，則將在太平洋防共陣綫上，造成一嚴重的缺口，因之美國必不惜任何代價，保衛台灣。

我覺得這一段話，在說明美國目前政策的一點上，確實相當的具體：美國決不願主動的發起大戰；更不願在此時予蘇聯中共以過分刺激，使韓戰停火談判，完全陷於停頓；萬一大戰不幸發生，美國也決不願在接近蘇聯的地區，（如東北）以地面部隊與蘇聯硬幹，反之，美國在太平洋的天空與海上，則必須確保優勢，半點也不能放鬆。可是我們決不要因此誤會美國對共軍只採取防禦而決不進攻，不過自日本以迄東南亞的這條綫上，目前還沒有構成一個採取攻勢的完全把握，因之決不能輕於採取行動。未來的亞洲大戰，必在便於美國海空發揮威力的地段發生，關於地面上的責任，則須遠東當地各國負起較多的責任。我覺得美國這種意思是無可非難的，所謂遠東的當地各國，必須竭力求得自身的健全，以與美國這種政策配合，假如確能辦到，我想對共產黨採攻勢時期的到來，是不會拖得太長久的。

中共無法消滅貪污
·黃華表·

集權與貪污本是孿生子，大貪污乃由集權制度培育成功，至低級共幹，則在生活太苦之環境下，貪污份子只有愈殺愈多。

關於貪污的問題，不久以前有胡秋原、左舜生兩先生的文章先後載於民主評論及自由人兩刊物中。貪污影響及於政治與民生，言之甚詳，不必再爲詞費。今之所欲討論者，乃「爲甚麼有貪污」，及「如何防止貪污」等問題？

「貪污」是不是由於人性佔有慾享受慾的發展，以至於貪得無饜？像海外某某數巨公一樣？從心理學分析，自然是有此一類的人。而且每一個都會發展到這一類型的人物，荀卿所謂「順是故爭奪生而辭讓亡焉」者是也。但這是人類對物質最高的慾望，人之本性雖有之，却並非人人所必須企求。而且具有如此強大物質慾的人，在人類畢竟是少數；這少數的人，又必須具有能夠達到這最高物質慾的地位與權力而後纔會發展成爲貪污的淵藪。像明末的魏忠賢，雍正間的和珅，道光間的穆彰阿，一類權臣或外戚而後可。像這一類的大貪污，實際已不是「普通人性」的問題，而是「政治」的問題。這一類的大貪污，其所以發生及其所以養成，斷非一朝一夕之故；及其既養成之後，除非明哲之君有極果敢敏捷的手段，能於瞬息之間將之明正典刑，便是君主本身政權的總崩潰。這是歷史事實，不必多爲引證。歷史事實昭示：人性的貪污雖多，是易於防止的；但要防止政治的大貪污却是萬分困難。像乾隆嘉慶皇帝的果斷，歷史並不多見；而唐天寶之所以亂，明朝之所以亡，則史不絕書。故此我們今日要分析貪污的問題，當分兩方面言之。

只有在民主制度下貪污才能有效防止

第一，政治大貪污的形成，過去君主時代，是由於君主之「專」與「蔽」；因爲君主要「專」，結果便不免於「蔽」。所謂「蔽」者，最容易便是和君主最接近的人。第一是宦官佞倖者流；第二是外戚；第三便是權臣。又可能便是外戚佞倖，這三種類型的人物，無論是那一類，都足以使君主與其忠直之臣賢良的政治形勢相隔絕。於是君主便無法知道他們（外戚權奸）的所作所爲；勿論是貪污，便是傾覆「帝室」的企圖，也一樣無法知道！迨其知道，已是患在腹心，不獨力有所不能，即能勉強一割，亦必至危及其帝室的生命；東漢何進的故事，便是最顯著的一例。要防止這一類的貪污，在過去須要君主的明哲。君及相輔佐任，御史台能慎察倖佞，然後方可以防止佞倖外戚權奸不至於成長。然後方可以防止大貪污不至於形成。在上不能形成大貪污，在下也便不會有小貪污，有之也不足以危害國家及民生的全體。至於現在，政治上雖已無君主之名，但在極權國家，必至形成大貪污或集體貪污，也與過去君主時代如出一轍。所謂Dictatorship and Corruption，殆如孿生，同時存在。因爲「極權」當然是「專」，君主一人的「專」，政治局少數人的「專」，其爲「專」既同，則斷不免於「蔽」，「蔽」則無可爲，腐敗正是必然的結果。近時中共雖有「三反」「五反」以整肅他們之所謂貪污，但歷史事實昭示我們，只要他們極權制度還存在，他們的貪污是無法消滅的。要消滅這一種大貪污，只有真正民主的國家才有可能，因爲民主國家的用人，必須經過若干機構，若干法律手續，不能以主管私人愛憎而能進退；而且輿論又爲之嚴密監督。貪污何事！擁蔽君主一人的耳目易，擁蔽一國人的耳目難；結果終將爲輿論所發覺，又爲法律所不容。故此，民主國家，雖未嘗無貪污的事實發生，但斷斷不會像君主國家權臣外戚之類的大貪污，甚至傾覆帝朝，肆無忌憚，蠹蝕全國而不止。

藉口五反剷除異己　普遍貪污永難剷除

第二，普通人性的貪污。又可謂之經濟的貪污。這一類貪污，一方面是由於生活，一方面是由於公家服務所得根本不足以供仰事俯畜之所需；一方面是由於社會驕奢淫佚的風氣，除了衣食住行之外，還要爲享樂而追逐。過去抗戰期間及復原後的數年，一般簡薦任級以下公職人員之貪污，大多數屬於此一類。這一類的貪污，假使上級沒有大貪污，則可能不貪污；假使不是社會風氣趨於享樂，要爲妻妾之奉，及親戚故舊之者，我亦可以不貪污。但我却十分原諒當時簡薦任級以下人員的小貪污！我不是故爲偏袒，因爲那時作爲薪給的法幣金圓券而值之低落，早晚時價不同；除了特殊勢力的大官，幾乎沒有一個能過像人的生活！那時候的小貪污，極少數可能爲了享樂之外，絕大多數的的確確是爲了生存！他們的貪污可謂實逼處此！孟子所說：「有恆產而後有恆心。」「苟無恆心，放僻邪侈，無不爲已。」正是爲這一羣可憐的公務人員而發！我們是人類，我們贊同每一個人都該有生存的權利。而他們爲了要生存，而不能不貪污，我們除了同情之外，還有什麼理由去責備他們？所以我對於這一類的貪污，稱之爲人性的貪污；因爲是人情所不能免的！平心而論，嚴格的說，他們貪污的罪行，政府當負其責！這一類的貪污，雖則當時是十分普遍，但却不難於防止。論語「君子之德風，小人之德草，草上之風必偃」。他們正是「草」的地位。無論社會驕奢淫佚的風氣，或飢寒迫着他們去貪污，他們都是被動的。只要上級的風氣改變，同時其服務所得又足以供其仰事俯畜之所需，他們都是守法的分子，不獨不敢，又誰願冒貪污的罪名呢！所以從前遜清巡撫江蘇的時候，江南的官吏莫不廉儉，所謂上行而下效也。官吏廉儉，社會風氣自然淳樸，在中國歷史上是常見的集。所以我說這一類的貪污，是易於防止的！但反之，假使在上者不能先事廉儉，又不能使其廉儉，則雖供職所得足以養廉，有嚴刑峻法亦不能防止這一類人性的貪污。目前中共之「三反」「五反」，必終於失敗，必終於不能肅清其所謂貪污的原因，便是他們只知道嚴刑峻法，而不知道從根本上改善及安定其「紅官」「共幹」的生活。結果今日之「紅官」「共幹」雖被「三反」「五反」整肅而死，繼之而來的「紅官」「共幹」又烏能例外。又不是一樣不能生活？一樣不能不貪污？「民不畏死，奈何以死懼之」，「紅官」「共幹」的必然貪污，正是死裏求生，是人類心理必然的傾向。中共這一類整肅的方法，用以殘賊不同派系的「紅官」，「共幹」則可，斷不能根除官吏的貪污。

中共將因貪污崩潰　我們必須根絕貪污

貪污問題是事實，則必須從事實去解決。我們鑒於過去貪污之害國害民，鑒於目前大陸貪污的普遍，中共又必將因貪污腐蝕促成其崩潰；國軍的反攻大陸，收復大陸，必將在最近的將來實現，已無疑義；我們返回大陸之後，究將何以洗刷過去貪污的惡名？何以防止將來貪污之成長？無論是政府，是自由人，似乎應該先有方案，方可以重新建設一個國家！

香港三日

三國海軍將領一度在港聚餐

【本報專訪】法駐遠東海軍總司令奧多利上將於一日偕夫人及隨員自西貢飛港，次日專機飛檀香山應美太平洋艦隊總司令雷德福之邀，共商海上聯防事宜。他在本港記者招待會中，有位記者問他：「今後是否以海軍爲主體，取以攻爲守的聯防戰略？」奧氏不肯置答。但他特別強調，無論在任何場合，盟國步伐必須一致。他這次來，曾和香港海軍司令狄更森少將午餐。午餐的時間，從下午一時許一直到四時方散。除英、法海軍高級官佐外，美駐港海軍武官顧雷格上校亦被邀參加。按奧多利，現年五十二歲，爲法國海軍優秀將材，二次大戰時，與英克寧漢海軍上將共同追擊德袖珍艦「俾士麥」號而著名於國際海軍界。

台灣海軍雖小有力困擾中共

美駐台海軍武官白尉德准將一日抵港，二日即返。來去匆匆，有人問他此來是否專爲會晤奧多利上將。他否認了。他說是到香港來採辦日用品的，白准將指出，現下台灣的海軍已經逐漸達到了美軍顧問團要求的標準。他說台灣這一枝小海軍，攻雖談不上，但將來用於封鎖大陸的海口，困擾中共，仍是很有力量的。

旅港美國男女紛爲艾帥捧場

擁護艾森豪威爾元帥爲下屆美國總統的熱浪，已經由美國西海岸傳到了香港，美國駐在香港的總領事館，美國總統輪船公司及泛美航空公司，美孚火油公司等機關，均已紛紛出現了「擁護艾克」的小旗幟，[illegible]裏的美僑，幾乎都肯定艾克一定當選，美孚公司有一位小姐說：「我們美國已在民主黨執政之下混了二十年了，這一次應該讓共和黨來，換換味道也是好的。」又記者在最近駛港的威爾遜總統輪餐廳上，也看見貼上了「艾克，你該出來，白宮在向你招喚呢」的小標語。這可算艾帥選戰在香港的小插曲。

日本外交加藤奉命來港

戰前日本三大財閥之一的三井洋行要員加藤在上月下旬，由東京飛機來港。據傳，他在這裏，正和一批做大陸生意的商人，洽談如何展開未來日本與大陸間的貿易。加藤來港之初，根本沒有人注意；只是最近從幾個大陸貿易商人口中傳出，才知道有這麼一會事。加藤自然不會明目張胆代表日本政府的，但他向人表示，日本商界是非常高興同中國大陸發生商務關係。他尤其要知道中日和約簽訂後大陸對日貿易的動向。加藤活動結果，自非局外人所知，但他這一次是代表日本半官方（按三井仍與日本官方有勾結）來探聽「行市」大約是不成問題的。

救濟知識份子詹森加緊工作

香港上亞畢諾道聖公會迎賓館內，由美國教會組織的中國知識份子救濟會，開始登記以來已有四千人塡送表格。該會負責人詹森神父最近已由美返港，昨據渠告記者稱：過去工作在整理業已收到之表格，担任審查此項表格的人員，爲數甚少，雖加緊工作，仍需相當時間，始能完成。因此，新的表格至本月四日始陸續發出，將來一部份或委託一文化機關代發，藉資協助，惟此與該項並無關係。他又說：外面對於該會，有許多謠傳。他指出：實際上，今後救濟的方法將以介紹工作，從事譯述，或其他研究爲限，報酬以金錢爲原則。他力斥外傳將把這批知識份子送往美國之說。他對于另一傳說，台灣將派人來港，協助該會，從事調查，他表示，台灣方面截至目下，尚未和他有所接觸。（一成）

日本越投機取巧前途危險越大

我政府對中日和約不應過份遷就

·陸浮·

對日和約，已經擱延了一個月有餘，有時緊張，有時樂觀，有時周折。在民間早已不似開始時的興奮，自從吉田茂推翻其代表在台與我所談各要點以後，大家更深感憤慨，任何違背我方最高原則的和約，人民決難接受。大家覺得和約簽訂與否，對自由中國的前途，雖有影響，但實在並不若對日本之大。日本如在今日尚不知愼以自處，既不以戰勝國視我，更不以戰敗國自居；尤其一方面而與中國在談判和約，而內心又在對蘇聯存着幻想；則日本的前途必將遭受到不可預計的悲慘命運，其悲慘的程度，且更將超過第二次大戰後無條件投降的日子。幾十年以來，日本的興起，無一不與俄國有關。第一次歐戰中，俄國內部發生革命，日本在亞州，尤其在中國的東北，少去了一個競爭的國家。此後日本的政策，便是排斥英美，拉攏蘇聯，征服中國，獨霸亞洲。太平洋戰爭便是由此而來，松岡洋右與史太林在莫斯科擁抱，也是爲此。日本現在看中共在中國大陸上排斥英美，正中下懷。他們的如意算盤，如果第三次大戰不發生，日本與中國大陸發生接觸，則不但可以希望恢復中國抗戰以前在中國大陸上的貿易，並且還可以繼承過去英美在中國大陸上的市場。如果第三次大戰發生，則日本又可以於戰事結束蘇聯集團崩潰後，接收蘇聯在中國東北，外蒙古，北庫頁島，乃至於海參崴等地的權益。日本對蘇聯的算盤打得愈精，對於與自由中國締結和約，就愈沒有興趣。這便是日本的可哀之處，我們要提請中日雙方都加注意。

在對日和約的談判過程中，不能不使人回想到抗戰勝利後的中蘇條約。中蘇條約由我國立法院批准的時候，曾有人謂如此可以換得東亞三十年的安定。當時國人雖痛心於外蒙古之被割，東北權益之受損，但爲了「三十年安定」這一句話所陶醉，只好甘心飲鴆止渴。那知道言猶在耳，不但三十年安定未曾獲得，中樞政府且被逼退到台灣一島，使得整個中國大陸，都隨外蒙古而去，成爲蘇聯的附庸。因此，大家對於今日的中日和約，不免都懷有戒心。怕又被一些花言巧語欺騙，大上其當。在表面上看，日本派遣代表團來台灣談和，我國係屬主體，而在這一個多月的過程中，常常使人感覺到主客漸漸的易了位置。我們同情政府的苦心，但更希望堅定立場，熟權利害。可以讓步的地方則讓，不可以讓步的地方則決不可退讓。（四月二日寄自台北）

不要「應酬死人」

「殉國」二字切勿亂用

·叔度·

在中國文字中有許多舊有的名詞是有牠一定的習慣用法，不能隨便借用的，否則便會弄成笑話。例如父母之死，在文言爲「棄養」，但是如果他或她是沒有兒女的，那麼無論其死的時候多大年紀，你不能稱其爲「棄養」。又如男死曰終，女曰終內寢，這也是不好錯用的。近幾個月來，在台灣有許多人爲着紀念過去在大陸死難的人，武的如黃伯韜，邱清泉，劉戡將軍，文的如鄧元冲先生，居然都稱爲×××殉國紀念。以字義考之，「殉」者「從」也，有相從同死之義。丈夫死了，妻子自殺，謂之殉夫。古人有殉葬之說，如秦穆公之死，以子車氏之三子爲殉。這些都是「相從同死」的例子。宋明之末，被異族侵入後，許多不甘投降的人自殺而死，這可以說是殉國，今天我們大陸雖然淪陷，但是還有台灣一片國土，並在積極準備反攻；同時我們政府是具有法定地位的國家，有我們的法定地位，換言之，我們的國家並沒有完全亡掉，我不知道爲甚麼要隨亂用這「殉國」兩字？是有意的要加重來表揚死者的死難意義呢，還是習焉而不察？我不敢說應予糾正，至少是大有商榷的餘地罷。

關於這類生與死的紀念，據我個人的感覺，在今天台灣比較過去在大陸的時候特別顯得多。爲表揚忠烈，激勵士氣，增強反共意識，對那些爲反共而戰死的將士俎豆馨香，自屬理所應然，但是還有許多壽終正寢的達官貴人，已經不在人間若干年的，在其誕辰忌日，也同樣隆祝哀悼一番，舉行紀念儀式，同樣也得破費些花圈輓聯，或者幾桌酒席，這都似乎沒有必要，也大悖節約之旨。如果都這樣舊賬新翻，我想住在台灣的朋友，將有不勝其「應酬死人」之苦。再說那些被紀念的反共先烈，固然豐功偉烈，彪炳天壤，但其中也未嘗沒有少數，「蓋棺論定」，「功不掩罪」，並不見得都如行狀哀啓之類所描寫敍述的幾乎每個死了的人都變成了岳王關聖。而且，只有生前官位崇高的有人紀念，等而下之便只好列入那種超度亡魂似的一年一度的公祭之列，如是又不免使人有同樣爲國殺身死後仍難平等之感，這在激揚士氣人心的意義上面，似乎也頗有值得考慮的。質之高明，以爲如何？（四月一日寄自台北）

五反運動再接再厲
工商業無處逃生
不搾盡所有資產中共決不罷手一切辦法比土改尤爲兇狠毒辣

·張丕介·

自三月八日中共「政務院」公布「關於工商戶分類處理標準和辦法」及「關於處理貪污、浪費及克服官僚主義錯誤的若干規定」後，一般人認爲中共的所謂「五反」運動，大概已接近尾聲。但出乎意料的，中共上海「市長」陳毅，在三月二十五日上海「增產節約委員會擴大聯席會議」上，竟宣稱上海的「五反」現在才正式開始。廣州方面亦於三月中旬在各區成立所謂「五反指揮所」，並重新調配幹部，進行宣傳動員，準備從頭大幹一番。

上海的「五反」，實際上自去年十二月底即已發動。到今年二月中旬，被列爲清算鬥爭對象的已超過十萬戶，主要的行業及人物，多半已被鬥得支離破碎。陳毅所以宣佈從頭幹起，根據其所宣佈的原因，乃由於下列二點：第一，「上海是中國產業集中的地方，亦是中國資產階級最集中的地方」，「如果只搞幾天就完了，不能平服全國人心」；第二，因爲一般人認爲中共的運動一陣風便颳過了，爲了打破這種觀念，非要澈底進行不可。

上海搜括所得 竟較天津爲少

但據上海「解放日報」及「大公報」所透露，眞正的原因，一方面係對商人勒稅不遂，一方面則係上海所應補稅及罰款的數額，統計結果，遠較天津爲少。據「解放日報」的報導：上海工商業戶應繳算清交的一九五一年所得稅，原限於二月二十五日以前申報，並須於三月七日至二十日期間內如數繳納庫。但到了二月底，各業向稅務局申報者仍寥寥無幾，國際貿易業一五五戶，申報者僅八十七戶，棉布業七二一戶中，申報者僅二十戶，其他各業自動辦理申報者祗一、二戶。但大部份行業，如造紙、水泥、紡織用品、醫療器械、造漆、製革、文教用品、鉛印、內衣織造、毛巾被單等自報查帳戶，連一家都沒有申報。中共認爲這種情況，乃資產階級企圖用拖延所得稅申報來對抗「五反」，亦表示過去的「五反」，還沒有迫使工商業者低頭。

。因此，他認爲上海的「五反」乃全國「五反」失敗的關鍵，在這一串論據之下，上海的十六萬工商戶喘息未定，又再度被捲入鬥爭狂潮中。

爲了達成其勒榨的目的，並挽救過去二月中的失敗。中共除了事先分區訓練一萬多工人店員及機關幹部組成「五反工作檢查隊」，從三月二十一日起，分七十四個檢查隊進行重點試驗外，並實施分化戰術，提出「依靠工人、店員，爭取高級職員，中立守法戶，孤立違法戶」的口號。將上海十六萬三千四百個工商業戶分爲五類：計守法戶佔百分之十五。違法利得在一千萬元以下者，稱爲基本守法戶佔百分之五十。半守法半違法者佔百分之三十，嚴重違法戶和完全違法戶佔百分之五。除了利用工人店員外，更希望造成守法戶與違法戶間的矛盾，使商人與商人間亦進行鬥爭。這種手法，完全是農村土改時「依靠貧農，爭取中農，中立富農，孤立地主」策略的翻版。

廣州準備萬人 向工商業進軍

廣州方面的情形亦大致相同，據「南方日報」的報導：「五反運動地區指揮部」，已於三月十日在抗日中路十八號正式成立。市中心太平、永漢、越秀、荔灣、長壽、珠江、大東等七個區「指揮所」亦於八日至十二日先後成立。參加「五反」鬥爭的工作人員，包括各機關、學校、團體工作幹部，學校員工共三千餘人，店員及工人積極分子二千餘人，同時每區均辦理訓練班，訓練店員三千至五千人，準備「向奸商鬥爭到底」。

由於「五反」的死灰復燃，使一般商人認爲中共仍照顧工商業者的幻夢，至此已完全破滅。根據上海「大公報」的報導：「商人們均準備「停發工資，威脅職工，緊跟自殺，恫嚇政府」。事實上恫嚇是罪名，自殺卻是刀光劍影下尋求解脫唯一的辦法。中共既抱定殺雞取卵的決心，而且不惜鑽幹到底。懾於淫威下的商人，內有職工的搗蛋，外有共幹的追迫，再加上同業在苟延殘喘的動機下而加入檢舉鬥爭，確已陷入走頭無路，四面陷阱的地步。比較頑強的便想消極抵抗，如上海國華五金廠資方保關明即拒發工資，抗拒調處，較軟弱的便只有一死了之。因此最近黃浦江畔，白雲山下自殺的案件正逐日激增。盛傳火柴大王劉鴻生的自殺，僅係其顯著例證。除此以外，正不知有多少商人，以自殺來應付中共的謀財害命哩！

最少榨五萬億 上海才肯收兵

其次，中共認爲上海工商業戶達十六萬三千四百戶，居全國第一位。照王芸生的說法，去年上海工商界單是賺滬上的盈餘，即達共幣幾萬億元，加上被認爲偸漏盜竊的數額，應超過十萬億。換句話說，中共在上海「五反」的目的，應將工商業者過去所積蓄的利潤，連本帶利，擄數「反」入自己的荷包，如果依照天津的情形，截至三月五日止，被列入盜竊國家財產十億至二百億的「奸商」，已達二百五十三個，其中有一家被指盜竊七百億，此外列入中小「老虎」的合計六百八十個，總數不下二三萬億。依照天津及上海二地的商戶比例，上海工商戶非被勒索五萬億元，不能收場。

上海「五反」所以沒有天津等地獲得「成績」，照陳毅所說：乃由於上海資產階級「五毒俱全」，「其進攻不僅在經濟上，而且在政治上有其一套辦法」，「較之全國其他各地的資產階級更有組織，有計劃，技術更高明」。

威逼親戚兒子夥計工人 圍勦七十歲老闆
中共硬說他有黃金美鈔不肯坦白
「五反運動」昆明商人一慘劇

【本報昆明特約通訊】趙裕泰絲綫店是昆明市上一家有五十年以上歷史的老店，因物美價廉，馳譽西南，老闆趙子恒今年已七十歲了，對店裏的事還不分巨細，親自操作，以此該店業務能蒸蒸日上，雄踞一方。

「解放」以後，趙子恒似乎有了預感，「好日子快要完了」，爲保全五十年來辛辛苦苦點滴血汗掙來的本錢，而將所有資金分成三股，一股散給親友，一股維持現狀，一股收在身邊作棺材本。同時將業務縮小，改名爲「聽記絲綫店」，打算混一天算一天，其他並未計及。

「五反」展開以後，共幹看中了趙老頭這一塊肥肉，於是動盡腦筋要向趙開刀，趙也明知大禍臨頭，凶多吉少，除了謹言愼行之外，也只好聽天由命。當然，共幹一貫的作法，是無論如何，既然看中你，就得收拾你，不弄到你家破人亡豈肯罷手？於是用盡了卑鄙無恥的手段威逼着趙的堂妹趙桂馥，堂嫂李瓊英，大兒子趙嘉銘，小兒子趙嘉聰及在他店裏有四十五年工作歷史的老店員段天榮等向趙「四面圍攻」，毫不放鬆。

先是二月初，中共叫「店員」檢舉趙，說趙打「埋伏」做「地下交易」，逃「大量」稅款。二月中旬，又繼續檢舉，說趙把「趙裕泰」金字招牌縮小爲「聽記絲綫店」是爲了逃避注意，轉移資金，並指出趙有十萬以上美金逃往香港，趙不堪其擾，於是就將「聽記絲綫」店改組經過，寫了一份坦白書繳給「昆明市工商聯合會」，文中對所謂「十萬美金以上資財逃移香港」一點，堅不承認。

逼堂妹堂嫂出馬

共幹當然不能因你不承認，就從此罷手。到三月初，一面抓住趙的堂妹趙桂馥和堂嫂李瓊英，要她倆誣指趙逃了幾十億稅，埋下了上千根金條，逃避了幾十萬美金……兩人不肯，共幹遂將她倆的丈夫綁起來吊打，不說不放，這兩個女人嚇慌了，終於爲保全丈夫的性命照着共幹命令瞎說一頓。趙子恒晚上在收音機裏聽到趙桂馥和李瓊英檢舉他的聲音，先是一怔，繼而明白了這又是共幹的玩意，惟一派胡言，仍是毫無證據，趙子恒還不屈服，共幹就只好再想更厲害的辦法。

兒子也奉命進攻

三月中旬，趙接到他的大兒子趙嘉銘從大理「專員公署」的來信：「如果你不願走坦白的道路，那末，爲了愛國，我要以書面檢舉你。」兒子教訓老子來，在「解放」區度過三年多苦難歲月的趙老頭，並不覺希奇，他在想：「這個家反正是完了，隨你們怎樣搞吧！」接着，那個在「護國中學」唸書的小兒子趙嘉聰，卻垂頭喪氣的跑來家跪在他面前說：「爸爸！我實在受不了這種痛苦，你救救我！」趙子恒不用他小兒子解釋，什麼都明白了，他沒有說什麼，半響，祇迸出了一句話：「想不到我五十多年來的辛勤，竟換得如此下場！」

接着中共再逼迫那個幫趙做事相處了四十五年之久的老店員段天榮，要他出面來檢舉趙，段以賓主相處，儼如家人，而且趙確是好人，怎好任意誣栽？共幹見無法說服，於是唆使現在「西南文工團」工作的段的女兒段桂馥，迫其回家向父反復勸逼，尋死覓活，段以愛女心切，祇好照着中共「要求」寫了一封信給昆明市「正義日報」，說趙曾「偸稅一億三千萬，逃避黃金八百兩」，可是中共的胃口是大的，對此數字，不感「滿足」，迫段「說大些」「說多點」，但段則以：「人老了，想不起來，等想起來了再說」，以爲暫時延宕。

病倒了送進監獄

趙子恒在飽受刺激下，是病倒了，共幹卻毫無人性地還在「圍勦」他，三月十九日，還迫趙家那個天眞爛漫十四歲的女工劉月英在昆明電台廣播，說：「趙子恒因底牌翻出，不得過身，現躺在家裏裝病，每天每頓還是吃三大碗飯」。可是，「人民的眼睛是雪亮的」，一個風燭殘年已過七十的老頭，在這種家破人亡的情形之下，還能每頓吃三碗飯？這種一聽即知的謊話，試問有誰相信。但中共就藉此使出了牠最後一着，即將趙從病床上拖起，送進牢獄，說他一面裝病，一面正準備逃亡，所以不能再等他自行坦白。實際上，中共對於一個獵物，本來想監證活捉，但對方既不自動入網，那也就只好開鎗。雖然可能打死，總得回幾斤皮肉。最低限度，趙老頭確留下了一份棺材本，入獄以後，中共大舉搜索，這份棺材本，自然就會落入中共囊中的。（碧雞，三月廿八日，昆明）

北平男女共幹 爲跳舞大捧「美帝」
出版跳舞專書頌揚美國舞步既輕鬆又愉快

【本報北平特約通訊】中共拼命的在罵「美帝」，而自毛澤東以下大大小小的幹部卻明知故犯地在吃「美帝」的東西，用「美帝」的出品，跳「美帝」的舞，追求「美帝」的生活，從北平以迄南京，上海，漢口，廣州，甚至還及邊遠閉塞的縣市，到處都一片蓬赤際，就中，交際舞更各地風行，大走紅運，指導跳舞的書籍都一版再版，供不應求。

本來，秧歌王朝是扭出來的，毛澤東沐猴而冠後，曾欽定秧歌舞爲「工農兵的藝術」，可是扭酸了屁股的各級共幹，在多年體驗之餘，都感覺這玩意兒不登大雅，沒有味道，以是那活潑愉快兼而有之的「美帝」舞樂，遂受人歡迎，代之而興。

在北平銷路廣大，比毛澤東選集還出風頭，共幹們幾於人手一編的兩本指導跳舞的書籍，一本是安樂然編著和記印書館發行的「交際舞速成」，另一本是談有詩編著，民智書局發行的「怎樣跳交際舞」。試看這兩本書的封面和內容，就可知道中共們對於「美帝」，是如何不「仇」不「鄙」，相反的，正表示他們對「美帝」的十分羨慕。

首先，這兩本書的封面，無獨有偶地，全都是一對美國「紳士」和「淑女」摟抱跳舞，飄飄欲仙的一種快樂神情，很顯然，這不由不叫那班「土包子」男女共幹，悠然嚮往。至於內容，兩本書都是介紹的一些淫蕩色情的舞步，如「輪擺」「水兵舞」「山擺」和「康茄」等。「交際舞速成」一書中介紹「輪擺」的一節，還公然說出：「流行式的輪擺，是模仿美國兵的舞姿，這種舞姿不易學好，但卻使人覺得此種舞法相當舒適而愉快」。在「水兵舞」的說明中：「遠在抗戰勝利後，因美國兵在我國南北各地，各舞場裏，或舞廳裏，每遇到伴舞速度快之狐步舞音樂時，當跳此種舞，故稱爲水兵舞，緊張活潑，觀者無不贊歎」，向讀者大加表揚。又在這本書的「理論部分」中，更毫無顧忌，明白宣稱：「美國舞步的優點是活潑愉快」。

交際舞只是「美帝」文明最庸俗的一部份，他們已如此贊美，那就更無怪伍修權等到美，要大將收音機，尼龍襪等「美帝」產品滿載而歸。自「抗美援朝」以來，中共一向鼓動要打倒崇美心理，而仇美鄙美，照這樣看來，簡直南轅北轍了。（臨光，一日，北平）

生孩七日慘被餓死 女老闆率衆暴動
·漢口最近一幕慘劇·
店員檢舉老闆 結果大家挨餓

【本報漢口特約通訊】在五反運動下，武漢發生了不少慘絕人寰的事實。最近，一位女老闆因爲痛心她丈夫被捕，生下剛剛七天的一個孩子，活活餓死，遂不顧一切，和共幹拚命，引起許多民衆同情，竟至爆發了一場暴動。雖然立時被中共的手槍皮鞭，鎮壓下去，但由此可以看出，鐵幕壓迫下的羔羊，有時也會要不甘宰割，挺而走險的！

武漢市第二區漢正街老正太棉絮鞭炮店，本是一家開了幾十年的老生意。但因爲老闆夫婦，承襲祖業，克勤克儉，年有餘利，竟被共幹看得眼熱，每次捐款，輒勒令超額獻納。最近五反運動，共幹復指使該店店員寶英、文傑等出頭檢舉，說老闆盧澤深，向與「國特」來往，且偸漏「國稅」，在三億元以上。當即將盧拘捕，並限盧妻王蕙蘭，變繳三億元，朝夕坐索，不許遲誤。

時盧妻已有九月身孕，臨盆在即，此外奔走，[illegible]，無形停頓。旋盧妻於二月二十日產下一子，中共不特不照顧，且即在產期以內，仍照常追索「贓款」。盧妻產後即病，無食，無人供應，嬰兒無乳汁，二十六日，嬰兒已奄奄一息，盧妻乃求店員，給米湯少許，以維持小生命，但店員渠等本身，已三天未曾舉火，何來米湯？盧妻不得已，偕隣近女友數人，扶病至公安二分局石碼頭派出所，請求救濟。盧妻哀訴，謂父母犯罪，不應讓剛剛出世的小生命餓死。派出所竟認爲盧妻言詞反動，拳打腳踢，趕出所外。同來女友，看此情形，大爲不平，於是陪同盧妻回家後，相傳述，至夜，嬰兒果然餓死，盧妻憤激之餘，懷抱嬰屍，於翌晨挨戶哭訴，不數小時，附近即聚有數百人，羣情洶湧，擁入老正太，質問駐守該店共幹，以何理由，餓死嬰兒。該共幹不由分說，一拳飛向盧妻臉上，將眼睛打傷，鮮血四射，於是羣衆大怒，竟將該共幹制伏，並將助共爲虐之店員文傑，痛打一頓，最後更索性將店內懸挂的五反標語，及毛澤東像全部撕毀，並走出街外，大喊反共口號。旋大批軍警趕到，鳴槍鎮壓，始將羣衆驅散。並當場捕走潘紹南，李建武，熊家楨，陳方瑞，熊家賢，陳詩山，郭華森等男女十餘人，並指盧妻爲暴動首犯。一月以來，對盧澤深夫婦，嚴刑拷打，逼其供認勾通「國特」，煽惑羣衆，蓄謀暴動。聞盧夫婦及被捕諸人，最近即將一律槍決。（漢民，三月二十九日，漢口）

談官味

尚方

杜魯門不願意再競選總統，認為坐在白宮為主人，乃是「無味生活」。法國前任內閣總理傅爾下台之後，據說作國務總理的痛苦，晝夜奔忙，應付人事，認為那種生活氣味，不如一個「傭婦」！這兩位大官，一致感覺作官的趣味太苦楚，避之若浼。他們的話，固然未見得都是百分之百的良心話，但在民主國家的官，確實是沒有多大的味道，越是大官，越不好作。首先，你不能作威作福，任性而為：其次是那設主人——人民——的代表們，紙大不大，隨時向你尋釁抵缺，攻錯正非，你受得了也得受，受不了更要受；再則輿論界戴着一頂「無冕的王冠」，批評指摘，不遺餘力，他是言者無罪，你卻聞者足戒。你既不能派兵封報館，又不能教警察抓編輯，只有忍氣吞聲陪笑臉而已。

咱們中國人歷來都以作官為「揚名顯親」的榮華生活，與西方政治界的情形似乎不同。中國的官有時雖然也得挨罵受氣，但許多人還是樂此不疲。唯一的解釋，恐怕是如袁中郎所說的官吏生活：「侍長官如奴，候過客如妓，論人民如開山老祖」。所以，中國的官人雖同樣的受氣挨罵，然在精神上卻另有很大的補償，即「論人民如開山老祖」的那股威風！民主國家的人民是沒有人敢「論」的，中國人民隨便「聖論」一番也沒有關係。這就是中國的官味尚有甜頭之所以然吧！

自由談

·舊戲重演· 新「貞娥刺虎」

·蘇東·

戲臺上的羅虎，身穿鎧甲，腰掛鬼頭刀，還有一臉絡腮鬍子，這個羅大虎，也有一臉絡腮鬍子，就是穿着不同，灰布大棉襖的裏面，掛了一管U.S.六響左輪，一頂沒有稜的八角帽，包布一樣蒙在頭上，人家的「解放裝」只有上面兩隻口袋，他的卻有四隻，有人問他，他說：

「你知道點啥！多一隻口袋，多一份用場，口袋愈多，裝的鈔票愈多。」他與李自成手下的羅虎同鄉，陝西米脂縣人，一口陝北話，粗濁沉重，因此，衆人也叫他羅虎。

這個羅虎，恰與古時的羅虎一樣。共產黨到陝北，羅家無田無地，無產無業，無陝生不落，地上不生，他壯時便入了伍，起初只是劉子丹部下一個小兵，跟着衆人打家劫舍，為時既久，歷有升遷，十幾年下來，居然獨當一面，做了團級幹部。劉子丹死後，他的部隊編在彭德懷下面，去年打韓戰，「一野」要抽兩個師做砲灰，羅大虎不敢不去，不過，臨行之前，他有一個報告，他說：「首長同志！咱的仗打得太久了，這一回，要末完蛋，要末鳴想「連環轉業」，找一個機會轉業學習。」他早想「轉業」了，只是沒有機會，如果轉了業，照樣喫小灶，在小幹部面前倚老賣老。為了鼓勵他，那位「首長」給了羅虎一針蘇醉劑，首長說：「我們希望你成功」。

韓戰並沒有成功，羅大虎的轉業計劃倒成功了。砲彈破片傷了他一隻右眼，羅大虎成了獨眼龍，借着來後方養傷的機會，便向「上級」提出以前的請求，這請求立刻批准了，因為羅大虎是陝西人，仍舊調回陝西，官拜某地「人民市政府的公安局」的副局長。臨走，上級知道他識字不多，肚裏的「文化」很有限，如此，便將古時許多武人讀書的故事告訴羅大虎要他先行「學習」，少管公事，不要盡充老資格。

這羅虎走馬上任後，覺得風光果然不同，部裏的首長頂多騎騎牲口，副局長卻有了汽車，部隊在前方流血，後方的公務員，喫喝玩樂，忙的出汗。千好萬好，只有一項不好，羅大虎有十七年「黨齡」，那局長卻少四年，他身上帶了五次花，那局長卻面如冠玉，因此不免有一肚牢騷，局長不要他管事，閒得無聊，「解放裝」上便多做了兩隻口袋，看在「老功臣」的份上，那局長也少管他，讓他努力為下面的兩隻口袋「服務」。

半年下來，兩隻大口袋很多了幾個錢，有了錢便想女人，窮的幹部們勸他戀愛，他卻不要，定要圈子外面物色，他的話很對。「人生在世，所為何來？半輩子「革命」，所為何事？」他覺得女共黨都有泥土氣，羅大虎自以為是「英雄」，「英雄」必得揀個美人，共產黨裏面是不會有美人的。

關照了幹部，托了三姑六婆，自己借着抽查戶口之名，也親自出馬物色，這個是無巧不成書，那一天查到驃馬巷，一戶人家裏找到了個十全十美的女人。

休看他少了一隻眼，立時想出了歪主意，那女人名叫貞娥，是姓李而不姓費，羅大虎說：「這李貞娥沒有報進戶籍，說不定是「國特」」，將她帶到局裏去。他將女人塞進汽車，沒有去局，一車裝到自己公館。

當夜的事，沒有第三人知道，只是，從今以後，羅大虎牢騷少了，一臉絡腮鬍子也剃光了，逢人便說：「咱快要成親了。」

衆人都在等着喝他的「一杯水」，誰知到第四天，某某城出了大事，副局長被刺，羅大虎死在他自己的那管U.S.左輪手槍之下。

凶手自然是貞娥，有人說她是「白色間諜」，有人說是謀財害命，（因為兩隻大口袋裏面的錢太多了）可惜她也自殺死了，假如這貞娥果是崇禎皇帝的宮女，她的遭遇又和以前一模一樣，這和舊人故事，不和戲文上的「貞娥刺虎」一樣嗎？

記皮鹿門（1850—1908）（上）

·舜生·

三十年前，余讀太炎『衡經師』一文，始知有『善化皮錫瑞』。稍後，讀皮先生自著之『經學通論』與『經學歷史』，儘為治史之一助，未遑讀其『師伏堂叢書』也。近閱皮名振氏所著『皮鹿門年譜』，則先生一生志節，及其講學著書之經歷，乃更得略知梗概。先生為清季經學大師，以參與維新獲禍，尤為治近代史者所不可不知之一事實，茲特依『年譜』略述其生平如次。

先生名錫瑞，字鹿門，一字麓雲，姓皮氏。湖南善化人，以崇拜伏生之故，顏所居曰『師伏堂』，學者因稱師伏先生。生清道光三十年庚戌（1850），卒光緒三十四年戊申（1908），得年五十有九。年二十三，舉光緒壬午科順天鄉試，如文廷式（道希），端方，陳伯潛（三立）諸人，皆與同科。三試禮部，均報罷，乃潛心講學著書。光緒十六年，曾一度主湖南桂陽州龍潭書院講席；十八年，移主江西南昌經訓書院，先後凡七年，以治經當守家法，詞章必宗家數詔學者，一時高才雋秀，咸集其門，江右學風，因之丕變。庚子以後，國內以興學育材為救國急務，光緒二十八年夏，先生被聘創辦善化小學堂，錄學生六十餘人，如周鯁生（原名覽），楊端六（原名冕），即此次錄取之高材生也。翌年，湖南設高等學堂及師範館，先生主講倫理經學；後更歷主中路師範，長沙府中學堂講席，學務公所圖書課長，及長沙定王台圖書館纂修。當自創辦善化小學迄先生逝世之歲，其精瘁於桑梓教育事業者，先後凡歷五年；清季長沙教育之發達足與江蘇比美，其學風尤敦厚樸實，論者謂先生與有力焉。當京師大學堂初成，以經史文三科講座需人，曾三電請先生北上，先生以培育地方後進為念，謝未往也。

先生著作之印行者，有『師伏堂叢書』十八種；後更就叢書中之經考，重印為『皮氏八種』一集。近年商務所排印之『經學通論』與『經學歷史』二書，尤為初學治經者所必讀。先生工駢文，有『師伏堂駢文二種』，凡六卷；詩詞則有『師伏堂詠史』一卷，『師伏堂詞』一卷，『詩草六卷』，均合刊於『師伏堂叢書』。

萍鄉文廷式，曾為光緒帝珍瑾二妃之師，光緒二十二年二月，文以被議歸南昌，先生作『摸魚兒』一闋贈之，詞云：『恨春殘幾番風雨，無端愁見花落；鳳城桃李凋零盡，一點又驚紅萼。天漠漠，空夜奏，綠章無奈芳菲弱。封姨太虐，任巧囀鶯簧，苦啼鵑淚，有酒更誰酌。銷魂處，回首五雲樓閣，良宵猶染京洛。蛾眉見嫉尋常事，泉水漫分清濁。情不薄，雖滑處太險，尚留微波託。承恩似昨，待買賦長門，同心還說，莫遣怨謠諑。』此詞佳處，非諳明當時宮廷門爭內幕者，殆不能知，讀此，可見先生文學之名，實為經學所掩也。

萬竹樓隨筆（八五）

新發明

子由譯

蘇聯共產黨大發明家李森柯，在莫斯科，當着許多科學家，舉行了一次關於跳蚤聽覺神經的表演。他先捉了一個跳蚤，放在右掌，隨即將手向左一揚，吩咐它跳到左掌。跳蚤服從命令，照樣跳了。李森柯於是再叫它回到原處，跳蚤自然不敢違抗，如命行事。

第二步，他很精細地剪去了跳蚤的二條後腿。他再命令：「往右跳，」「不理。」「向左跳！」也不理。跳蚤不再服從了。

他向圍觀的科學家說：「由這次實驗，我們在科學上得到證明，跳蚤的聽覺神經長在大腿上，大腿去掉，它便失去了聽覺。」一向只知道動物的神經長在腦袋上，這一個長在大腿的說法，當然又算是蘇聯的一個新奇的發明！不過沒有腿不能跳，這是人人都知道的常識！（原載自紐約時報週刊）

× ×

鐵幕諧談

不盡黃金滾滾來

·一民·

看三月卅一日××報的「一筆醜惡的賬」，我由衷地佩服了這一位記者態度坦白、「大公」無我。

據作者引證「中央節約檢查委員會主委」薄一波的估計，在「中南區」，至少有四百五十個大貪污犯，貪污數字不下萬億，用實物來表現他的價值，就是十一億斤糧食，七百廿六架戰鬥機，一百萬担棉花，一百萬兩黃金，……

好了，「中南區」一區共幹竟要貪污案的數字已達一百萬兩黃金，（這恐怕還是最保守的估計）推而至於全國，那豈不嚇煞人？中共口口聲聲「要保持人民的財富」，而以「人民」自命的共幹，卻不管三七廿一的儘往自己口袋裏裝，真正的人民財富有限，貪污的共幹慾壑無窮，這種腐朽的政權要能存在，真使人會「無語問蒼天了」。

戰鬥性的婚姻

（一知譯自時代週刊）

郵電機構準備現成的電文，分別配合婚喪喜慶等場合，以供顧客擇用，既便宜，且方便，這是資本主義國家的發明，原已風行甚久。

最近，匈牙利共產黨政府的郵電部，在這方面已摹做了資本主義國家的，供應了幾種現成的電報，顧客可視需要而擇定它們的編號，然後臨要填上自己和對方的姓名地位。它們的內容，當然是共產黨頭子所擬，於是賀電和唁電，也全部成了共產化。這裏是典型的二種：

訂婚賀電——祝你倆訂婚後快樂，結婚時充滿為和平而戰鬥的精神。

生子賀電——我熱誠賀你喜獲麟兒，希望他成為社會主義社會的戰士。

莫斯科醫牙病人如機器

·瀛海漫談·

匈牙利最後一任非共黨的財政部長黎納第，出亡以後，最近出版了一本談俄回憶錄，追述他在一九四七年赴蘇談判賠償問題中的見聞。他在莫斯科住了相當長久時日，其中有許多時間費在冗長的談判辯論，但也有不少光陰虛耗在官僚式的繁文縟節。

關於俄共當局的官僚作風，黎納第舉出他患牙痛時的經驗作為例證。因為牙齒突然劇痛，不得不覓醫治療，於是他打了許多電話，並填寫許多答問式的表格，最後被指定到某一診療所去就醫。到了醫院之後，又填寫了許多張表格，最後纔得到一個號碼，排在病人中間去候診，那候診人已經排成一條長龍了。好不容易纔輪到他的號碼。先由一個技術人員檢查，然後依次坐到各種器械的，要由各種不同的牙科醫療機構上，由不同的醫生施行手術——一個醫生鑽孔，另一醫生填補，再由另一醫生打磨，最後又是一個醫生予以洗滌。

黎納託說，論醫術，平心而論，都不能算壞。但是：「他們把我當作一輛在工廠中裝配的新福特牌汽車，而不是面對一個患牙痛的中年病人。」

蘇聯牙醫如此，官場可知。凡對蘇聯的繁文縟節，無不深苦於那種機械的作風。於此可見板門店談判歷時九個月而停火仍形渺茫者，正是中韓共官代表之深得克里姆林宮薪傳也。

黑十字

北晨

她將過失一齊推在丈夫身上，丟了孩子，隻身投在洪正池的懷裏，這是兩年以前的事。

兩年以前的洪正池，他實在沒有待錯藍英。藍英是一朵明艷的花，他是養花的花瓶，直到瓶裏的水涸了，花也就失去了她的明艷。現在，這朵花已經移植在公衆的園圃裏，任何一個遊客，只要他具有那份資格，他便可以恣意欣賞。

想到自己淪為舞女，半年來歷盡人間風霜，她真有一點恨這男人，洪正池沒有待錯她，但是因為他而造成現在這個命運，半年來的苦已經受夠了，而且，憑着自己的兩隻腳，憑着自己的色相，她還將那些蒙着恥辱的錢，供養了洪正池不少時候的生活。

看着女人不說話，洪正池更有點生氣，以往的恩愛像東流的水，千百個女人都是勢利的嗎？他嚷着：

「藍英，你不能這樣待我，你要有良心。」

「提到良心，」藍英從床上一躍而起：「誰沒有良心？」

「你沒有良心，你這女人實在沒有良心。」

「我沒有良心？我拿跳舞跳來的錢給你用，你拿去玩旁的女人，你的良心在那裏？」

這段話刺傷了洪正池的心，上星期從藍英那裏拿到兩百塊錢，一夜豪華，用到一個叫玲玲的舞女身上去了，這是一個祕密，卻不知道藍英怎麼會知道的。

「你以為我不知道？你以為玲玲不會告訴我」？

洪正池是許多聰明男人當中的一個，他知道狡辯是沒有用的了。立刻換了一副面目，語氣中滲了溫柔，他將第二個祕密告訴了藍英，他說玲玲很有一點錢，他並非愛她，這兩百元無非是投一點資本在她身上，希望有一天能夠多撈一些回來，洪正池還發誓沒有愛上玲玲。

她罵洪正池瞎了眼，玲玲是一個「宿貨」舞女，她常常鬧到付不出房錢。她罵洪正池沒有出息，一個男子漢大丈夫，專在女人的身上打主意。其實，藍英過去雖曾經將這男人像禁臠一樣的供養過，而今，為了感到疲累，她要將這副擔子卸去，如果洪真的愛上玲玲，恰巧玲玲又能代替自己的這份義務，豈不是兩全其美？她恨男人是沒有良心的東西，她為洪正池丟了家，丟了丈夫和女兒，害她供人擁抱，害她流落天涯，越想越恨，她哭起來了。哭是最好的法寶，她想，這一來洪正池不能不走了，待他走後，她再化粧，再趕到輪船碼頭去，迎接她那別久不見了的姊夫。

想不到洪正池另有打算，他已熟悉了藍英的這一套。（二）

·中篇連載·

自由人
THE FREEMAN
（半週刊每星期三六出版）
（第一一五期）
每份港幣壹毫
督印人：李光鐸
社址
香港高士打道六六號
電話：二〇八四八
GLOUCESTER RD.
HONGKONG
TEL: 20848
承印者：東南印務出版社
地址：高士打道六四號
台灣經銷處
台北市中華路一二五九號

愛護憲法培養憲政

樓桐孫

「憲法之能有效力，全恃人民之擁護」——國父。

自本年初，一部份國大代表所組織的「憲法研究會」發表了「中華民國憲法修正草案」以後，正在忙於推行動員，準備反攻的自由中國台灣，居然已引起輿論上若干的反響。例如「民主憲政」半月刊，就曾於三月十日及二十五日第三卷第一，二兩期出了「憲法修正問題」專刊，邀賢予以討論。（該刊態度，顯然是反對於此時修憲的。）「民主憲政」鴻篇鉅製，內容豐富，至於所謂「修正草案」，更是體系森嚴，條目詳密，（都凡一百八十七條，比現行憲法多十二條），儼然是一部嶄新的憲典：正反是非，讀者此時都不擬參加意見。本文只想就純客觀的立場，稍稍說明一個國家實施憲政，是重在對於既成制度應如何的善加運用，而並不在對於現行憲章應如何的頻加修改。

說到憲法的更迭，當以法國大革命後，和我國辛亥革命後那兩個時期最為頻繁。在那兩個短短一二十年的時期中，法，我兩國差不多都有過一二十種憲法，平均幾乎每年都有一套憲法，甚或同時有二套以上的憲法！當時制憲者關於憲法的議訂或修改，真是五花八門，使國人弄得頭昏腦脹，目不暇接！可是當時國家的情形到底怎樣，還不是一樣天昏地黑，民不聊生！

這應該是最值得我們記取教訓的史實。

反之，我們再看看號稱憲政先進的英，美兩國。

英國自第九世紀威塞克斯（Wessex）建立統一國家以後，國王不是世襲而是由一個叫做「賢人會」（Wetenagemot）選舉的。國王的行動，往往須受所謂「民俗」（Customs of the People）的限制。這「賢人會」經過百餘年的演變，分化為「普通會議」（Common Council）或名「大會議」（Great Council）與「國王法庭」（The King's Court）或名「小會議」（Little Council）兩個機構：——前者可說即是英國國會的前身，而後者即為英國今日樞密院與內閣的藍本。一二一五年六月十五日公布的英國人民自由大憲章（Great Charter），雖有條文六十三條之多但主要意旨只在恢復原有的「好政府」，而重申全國自由民「自由權利的保障。是以英國著名學者安遜（W. R. Anson）對於國王不得國會機關的同意，絕不能有所作為一點，特別指出是英國憲政史上「一件值得注意而且重要的特色」。

一七八七年的美國憲法，雖原來只有七條，四千字，但英國大政治家格拉斯頓（William E. Gladstone）即曾譽為是人類智慧與意志「古所未有的最偉大的傑作」。

因為，在此以前，美國於一六四三年，早已有了麻省等四州會訂的「邦聯條款」（Articles of Confederation）；一七五四年又有一次七州會議；一七六五年，紐約等九州代表集議，又通過一個「權利法案」（Bill of Rights）；於是，一七七四年在費拉德爾斐城召開的「第一次大陸會議」，乃有著名的「權利宣言」（Declaration of Rights）之產生；過兩年，正式宣告獨立，遂有一七八七年之製憲會議。美國先民，本是最恪遵撒克遜法的後裔。他們當移植美洲之初，便從英國帶來有高度的守法精神和自治素養。既獨立後，他們還有最高法院的機構和若干傑出法官的公正，對於憲法的適用與解釋，又能迎合潮流，適應需要，使憲法於繼續實行之中收逐漸改善之效。美國憲法自公布迄今，雖亦有過二十二次的修改（去年限制總統不能連任兩屆以上的修正案，是最末的一次），但最高法院所為有關憲法問題的司法判例（Judicial Decision）和國會自身在實際工作中所創造的憲政慣例（Constitutional Convention），無形中都成了不成文的憲法，對於憲政制度的確立，和推行，實有莫大的貢獻。因此，有人研究過美國制憲當時的經過，認為一七八七年的制憲會議「自知不能把日後可能發生的一切問題，都預為規定於憲法之中，以免妨礙時代的進化，或者將來發生執行為難的情形」，所以力求簡賅，實為近代立[illegible]精神之論。

基於英，美憲政制度與法治精神的形成，我們實在深信：與其過分迷信憲法本身的條文，或熱於主張修改現行的憲法，實不如大家真誠的愛護憲法，培養憲政，務力講求實際上的運用，以適應事勢的需要。理由十分簡明：

憲法是國家的大本，非過萬不得已，決不宜隨便予以動搖。我們必須於憲法的基本原則之下，上下一致，從事於憲政秩序的建立和法治精神的發揚，使這種秩序和精神一步步趨於鞏固，健全以適應時代和事實的需要，則國家方能踏上長治久安的坦途，並謀[illegible]的建設。於此，請引我國法學權威王寵惠氏的幾句話，以作本文的結論。王氏當我國現行憲法於三十六年元旦公布之日，在「由制憲說到行憲」一文裏曾說：「制憲固不易，但行憲尤艱難！蓋制憲之難，在於如何融和調劑當時之理想與事實。而行憲之[illegible]難，在長期的使已成之憲法，在消極方面不遭破壞，而在積極方面能運用有效，導國家入於康強富樂之境。蓋世界無絕對完好之憲法，其得失利弊，胥視運用之得法與否。運用得法，雖缺憾之憲法，亦可發生優良之效果。運用不得法，即使憲法本身至為完美，亦發礙難行。」（民國四十一年四月三日於台北古亭）

解決亞洲問題發端

一個民主強大的中華民國之重光，實為亞洲永久和平的基本條件

·左舜生·

亞洲問題之趨於緊張，乃至爆發於兩年來的韓戰，完全由於蘇聯運用中共佔領整個中國大陸。避免與蘇聯直接衝突來解決亞洲問題，便惟有在中國大陸的周圍，地面與海上，遠遠布防，以阻遏中共再越雷池一步。這樣一種做法，最多只能在亞洲造成一個美蘇的對峙局面，美國負擔實已過於沉重，蘇聯反而可以以逸待勞。

亞洲如繼續冷戰　蘇聯可進退自如

在亞洲的美蘇對峙，為世界冷戰最尖銳的一方面；環中國大陸的一切地帶，乃至美國的本土，在此一冷戰尖銳化的時期，隨時都可能有不愉快的事件發生，使美國不管不可，管又只能限於某一程度，因之任何局部問題，亦不能得到澈底解決，而徒使之永遠成為一個僵持局面，甚至對美國的威信，乃至亞洲一切反共國家對美國的信賴，亦可能遭受損害。

我們且須更進一步認識：在亞洲這一冷戰局勢的延長中，蘇聯使中共逐漸加強，不是不可能的，而且事實已經是這樣做。只要求得中共政權的繼續鞏固，蘇聯對亞洲便可進退裕如，而立於不敗之地。無論美國以如何的力量去加強台灣諸據點的一個島，即希望她與蘇聯所支持的整個中國大陸永久對峙，已屬艱難萬狀；假如還希望她以自力對大陸去單獨反攻，實非滑稽之至！

以工業潛力，兵源強大，地理環境，以及大多數人民心理狀態諸種的條件來說，日本實具備有構成亞洲一個強大反共力量的資格，在今天的亞洲，仍無有出其右者。然而此一力量的形成，乃至使此一力量發揮行動，必須在美國火力援助，與中日的誠合作的情勢下行之，才有可能，也才有意義。

亞洲問題的解決　靠三國切實合作

我們[illegible]亞洲問題的徹底解決的一個方案，只能存於中美日三國的切實提攜。

美國必如此做，才能減輕其自身的負担；日本必如此做，始能確保其自身的安全；中國亦必如此做，才真有重返大陸的希望。

整個亞洲的安定，一個民主強大的中華民國的重光，實為不可或缺之條件！以解決中國問題作為解決亞洲問題的根本，實為今日一切領導世界政治領袖人物，所不容一誤再誤的唯一途徑。

假定我這樣一個方案，其利益僅僅存於中國的一方，則我願意坦白承認實為自私自利之尤，即令他人不予反對，我自己也願緘口不言，自動撤銷。但我幾經反覆思維，我之提出此一方案的動機，實從自利利他的多面出發，且在實現此一方案的技術方面，（這一點是我現在所不願說的）我也確曾顧及關係方面的多種利益，而決非主觀的單從中國的一方面着想。換言之，此一方案果能實現，受其利益者，決不限於中國，亦決不限於日本與美國，凡今日太平洋東南亞的一切國家，乃至包括與亞洲有密切利害關係的英法，及已承認中共的印度，巴基斯坦，印尼，緬甸，亦無一不可分享其利而各得其所。

我研究美國務院歷次關於亞洲政策的解決與聲明，以及日本這次和中國商訂和約所表現的各種態度，我雖不能斷定此一共同認識的建立絕無可能，但我承認此一共同認識的具體化還很遙遠。因此我亦承認整個亞洲局勢的渾沌，還須經過相當的時間，到達此一方案的路向也許不會再錯，但意外的遭遇，則不能保其必無。

即令如此，但我仍然堅信：解決亞洲問題，必須從解決中國問題下手；中日兩國必須真誠合作，日本的真正利益，永久利益，必須從中國問題的解決中求之；一個民主強大的中華民國之重光，實為亞洲永久和平的一個基本條件；實現此一方案，不能避免戰爭，但此一戰爭的時間可能縮短到最小限度；美國在此一戰爭中的負担，（尤其關於人力的）亦可能減少到最低限度；英法等國，對於這樣一種方案，即令無積極參加可能，亦根本無反對必要，因為實行此一方案的結果，英法是可坐享其成的。

但在何時何地提出此一方案，技術方面的商酌，始為最合機宜，我認為還須慎重考慮。

巨頭會議的空氣　史太林玩弄英美

至於最近史太林所放出期待召集巨頭會議的一種空氣，這是近於玩弄英美於股掌之上，根本不值一顧，最聰明的對付是置之不理。

共產世界何故發動　細菌戰宣傳攻勢

有人推斷三次大戰蘇聯已有決心

·一丁·

造謠說謊是共產世界唯一特長。尤其驚人的，只要他們某種造謠說謊的方針一定，無論從任何角落出發，都馬上一唱百和，天下響應。這正合着中國兩句古話，「一犬吠影，百犬吠聲」，至於究竟有沒有那一回事，謠言和謊語，是否就立刻戳穿，這在共產黨人看來，卻認為無關宏旨，不成問題。

這次中共異想天開，大造其美國從事細菌戰的離奇謊言，此一宣傳攻勢，現已向整個世界迅速開展。莫斯科，列寧格勒，基輔，明斯克，甚至蘇聯的各村各鄉，都正為此宣傳而激動。倫敦，紐約的工人日報，也正在幫助蘇聯，大肆其英美本國政府，甘為戰犯，慘無人道。意大利，法國，比利時，荷蘭，西德，共產黨都號召示威遊行。德黑蘭的共產青年，在號召和策動之下，被軍警開槍，打死了十二人，受傷的在二百五十人以上。（下接第二版第十三欄）

半週展望

雷嘯岑

共產黨人的保證

板門店和談中唯一僵持着難以協調的易俘問題，近日據共方廣播聲明：他們將「保證」遣回的俘虜不再投入戰場，使其從事於「和平生活」云云。所謂「不再投入戰場」這句話，我也可以保證他們是由衷之言——因為這大批的戰俘，多半都是過去中華民國政府所屬的軍隊，驅入韓戰場上，未被聯軍消滅乾淨，還留下了這羣被俘的官兵，而且文身刺血，誓不願再回鐵幕去。假使聯軍不站在人道立場，本着為自由而戰的精神，竟強迫這羣人回到鐵幕中，自然不會再讓這些投降者執戈上陣的機會了。這羣人的「和平生活」也可以預測到的，除被認為「無可改造」的頑固反動份子，從無言的「和平」氣氛中宣告失蹤外，西伯利亞一帶的苦役集中營，東歐各鐵幕國家的勞動場所，都是他們「和平生活」的「天堂」，一兩百萬人也不嫌多，區區十幾萬人算得了甚麼？

至於俄式共產黨人一般的所謂「保證」是怎麼回事？世人該徹底明白了。兩國間鄭而重之的正式簽訂條約，且可以不作數，其他還有甚麼可資約束的力量呢？試看中國若干滯留海外的民族工商業家如盧作孚一流人，曾經共黨的大頭目周恩來等，信誓旦旦，保證他們回去為「人民」自由的發展工商企業，且依據其「四階級聯合政權」的大憲章——政治共同綱領，儼然是居於統治階級的一份子，但一聲「五反運動」，盧作孚早已吞食安眠藥廿二片，「和平」的走到地下生活去了！劉鴻生，晉衛夫，資耀華這羣素蒙共黨尊為「民族資本家」的人物，正被「人民」熱鬧的鬥爭着，眼看也要停止呼吸，作「和平的安息生活」了！盧作孚這類受「保證」的人，和聯軍手中的共俘來比較，孰為重輕，可以想見。共黨之所謂「保證」是否有絲毫價值，還不清楚嗎？聯軍當局如果為着急於得到板門店和談的表面結果，而對自由遣俘問題竟不能堅持。那末，這十幾萬人的生命被犧牲的是次要之事，將來凡與民主陣營作戰的共軍，縱使戰到一人一槍，也沒人願意乞降了，這無異替共軍作了一次收效宏偉的精神教育啊！二次大戰結束後，聯軍把在歐洲直接間接所收容的蘇軍俘虜數百萬人，聽憑史太林的要求，一律送還俄國，置之死地，已鑄成歷史上的大錯局，演出人道上的大悲劇，一誤豈能再誤乎？

西方國家的生意經

史太林想藉莫斯科的經濟會議來替中共解脫被聯合國禁運的痛苦，乃由中共代表南漢宸長篇大論的發出其自相矛盾而自欺欺人的與英美法日各國大量通商之論調。西方國家出席人士中，對此最感興趣的，即為英國商家，據說：莫斯科的會議閉幕後，還要到北平去詳談。英國是承認了共黨政權的國家，表面上兩國間之通商行為，是當然的，無所用其驚異。問題在：英國是參加聯合國討伐北韓侵略和贊成對共區禁運的國家，大量通商的結果，英國所能對共區輸出的非戰略性物資，是否足以滿足共方的需求？中國大陸上的人民購買力，無論共幹們怎樣花言巧語，事實上已等於零。英國與中國做生意，只是跟共黨政府交易而已。「國營」商業乃為政治性的貿易，隨時受着政治季候風的影響，可以獲得暴利，也可以人財兩空。英國自承認秧歌王朝以後，許多在大陸上的英商財產，不是都受到了人財兩空的命運麼？

我們不反對英國商人跟中共做交易；只怕是會得暫時一點小便易，而使民主陣營間接蒙受無可估計的損害，到頭來，英商自身也大遭其殃啦！譬如：中共將來同樣可若與日本通商——這是極可能的——而日本所能對共區輸出的商品，多與英國貨相同。日貨由於成本較低，運輸較便之故，必然成為英國的勁敵。那時候，假共黨[illegible]「國營」的手法，隨時可以使英日兩方在商場上瞪目瞪眼，英國人未必能穩操必勝之劵？然目前英國在政治上又不願意日本接受中華民國所提出的和約條款哩！商業利益與政治利害不能調和，這就是資本主義國家的致命傷！

自由中國 加強建軍

關於自由中國國軍，及大陸共軍的人事，編制，近數日來，據各報所載，雙方均有重要的調整：

（一）自由中國對於整個軍隊人事制度，已有全面的新改進，凡各級將領服務本職滿二年後，即予以調或升遷，目的使其有新陳代謝作用。

（二）海空二軍高級將領人事有新異動，原空軍總司令周至柔將軍專任參謀總長，空軍副總司令，參謀長各職，由原任副總司令的王叔銘，參謀長徐康良，及政治部主任徐煥昇三將軍依次晉升。原海軍總司令桂永清另有任用，遺缺由副總司令馬紀壯少將升充。所遺副總司令一缺，由參謀長黎玉璽少將晉升。

（三）大陸方面，中聯社報告，據中共之軍隊制度，將自本年七月起，野戰軍改編為「軍團」制。

由於前述第一項消息，使我們意識到自由中國之重視軍隊人事制度。此項定期更調制度之實現，足以使軍中人事日趨健全，而收新陳代謝的功效，如此始能激勵士氣，行之既久，自會達到「軍隊國家化」的最高理想。至於第二項消息，海空兩軍高級將領的更調，不但軍心振奮，由此亦可看出國軍反攻大陸的步驟，也在積極準備。馬紀壯黎玉璽均係海軍習英勇之少壯將領在自由中國。海軍界中，具有良好之信譽。王叔銘為空軍元宿，徐康良徐煥昇，一為空軍有數之幕僚長人材，一為參加轟炸東京之壯士，（時徐任空軍第八大隊大隊長）。這些人他們今天都有機會擔任了更重要的職位，在不久的將來必將有更大與更好的表現，自在我們意想之中。

至於中共改革軍制的計劃，傳聞已久，係於本年上月在北平召開之一項高級軍事會議中所決定者，據說參加此次會議之人員，除朱德，聶榮臻外，各野戰軍及獨立兵團均有代表，馬林諾夫斯基之遠東軍總部，亦有高級幕僚多人參加，其所謂整編內容，則以陸軍為主要對象。

由調整人事 看準備反攻

・林詩・

中共陸軍擁有五個「野戰軍」。連同原擬編為「六野」之各獨立縱隊。（如馮白駒，曾生，梁廣等部，由葉劍英長之）其總兵力約為三百萬人，連同第二線「民兵」五百五十萬（去年十月新華社發表）為數雖巨，但以各「野戰軍」各有其作戰歷史，因此部隊的發展（包括裝備與戰力）極不平衡，有大部俄式配備的「四野」，也有敗落伍的「一野」，加以劃地而治的封建觀念極重，軍隊雖未公開干政，但人事派系的鬥爭，在號稱「野戰軍」間，表現得最為劇烈。例如徐向前之稱病不出，是受了毛澤東猜忌的影響，劉伯承賀龍之爭長「二野」，是毛魔排斥川系軍人的陰謀。葉劍英的「六野」不能建軍，是受了林彪的壓迫，而「三野」陳毅之遭毛魔嫉視，尤屬衆所週知之事。這一些惡劣現象的擴大與延長，恰如太平天國的末期崩潰時景象。這一些紅色軍閥，擁兵自雄，劃地而治，在在足以阻礙毛魔的更大發展，毛澤東欲削弱他們的軍權，此意懷之已久。目前倡改「野戰軍」為「軍團」，其動機，表面是縮小單位編制統一人事和充實戰力，以應付自由中國的大舉反攻，及世界大戰的可能爆發，主要作用，却仍在整肅異己，使「軍團」以上，沒有更大的建制，因而消滅各赤色新軍閥劃地而治的割據局面，集黨政軍大權於一身，然後毛魔乃能一統江山實行做到了「一人（史太林）之下萬人之上」的地位。

至俄共主張，北平改軍易制，其主要原因，不外：第一、基於韓戰之失敗經驗，欲予中共陸軍以合理的改進，其調整範圍，限於師以下的編制，和步兵重火器的裝備。第二、赤俄要求，一、二、三、五等四個野戰軍，向業已近於俄式配備的「四野」看齊。將某些重武器與步兵自動兵器，由俄共操縱其補充之權，等於控制了整個中共陸軍的作戰器械，如果成為事實，則此後的毛澤東將永遠為魔犬，惟史太林之命是從了。

與洪秀全末期相似 紅色大陸毒魔內鬨

台灣上月鹽產 即突增一萬八千噸

去年三月產一萬七千噸，今年三月產三萬五千噸，比日治時代同月的最高產量三萬二千一百噸還多了二千九百噸，從此自由中國又多一外匯來源。

鹽政改革甫僅一月

【本報台北特約通訊】繼三七五減租之後，台灣正開始改革鹽政。鹽務一向是歷代國家的重大稅政，鹽官的昏庸貪污，與鹽商的浮佚驕奢，是盡人皆知的事實。早在抗戰以前，訓政時期的立法院，就制定了新鹽法，但因財政當局與享有既得權益的人互相勾結，迄未施行。抗戰以後，總算行了一條，便是在鹽價項下代收鹽民福利費，作為改善鹽民生活之用。其結果，所謂鹽民福利，便是南京中山門內鹽務大廈的恢宏建築，那美奐美輪的近代享受，都是鹽民的血汗造成。而真正的鹽民，仍在貧愚飢寒之下，並沒有改善什麼生活。自政府退處台灣，早就想趁此機會改善鹽政，無如一般鹽政人員，墨守成章，把持不放，是以去年有鹽務工會竺鼎林等向立法院的請願，而行政院陳誠院長，乃本其「刷新政治根絕貪污」的一貫決心，毅然的予以改革。其改革的原則是：（一）增加生產，（二）改良品質，（三）減低成本，（四）提高鹽民生活。改革的入手方法，是：（一）更換鹽務主管人員，派向以富有正義感而能刻苦耐勞的朱久瑩為鹽務總署署長，朱雖則對於鹽務并無歷史，但有歷史的人未必能担當改革的任務。（二）內銷鹽每一台斤加價新台幣一角，以一年為期。其用途為每得一公噸鹽，增加鹽工工資新台幣十四元。有餘均作為充實並改善鹽工醫療所，住所，淡水供應等福利設施。（三）製鹽廠所有漁鹽另案處理。（四）成立鹽業整理委員會，在整理期內，暫隸經濟部。蓋必須如此，方可打破多少年來由財政部掌握而不能厲行改革的傳統障礙。此後凡台灣製鹽廠，鹽警之指揮監督，鹽務總局所屬各單位均撥歸整理委員會管轄。鹽政改革的措施到現在才實行一個月，台灣的食鹽產量，上月份已由去年同期的一萬七千噸，增加到三萬五千噸，比之日治時代的同月份的最高產量三萬二千一百噸還增加二千九百噸。因為台灣的產鹽不但可以供給本島食用及工業製造之用，還可以外銷換取外匯。而且台灣四面皆海，本屬天然的鹽區。所以這一次的鹽政改革，是中國財政史上的一個新頁，也是中國經濟史上的一個新頁，值得加以稱道。

×　×

老闆忽發虎威 社長立請長假

香港三日

【本報專訊】香港有一家資本較厚的報紙，自從中共席捲大陸，一直存心投機，覺得「不亦樂乎」，直至本月一日起報館主人開始查帳，社長請長假，職工薪水不得預支。老闆已開具一張名單，準備在這一個月內舉行整肅工作。目前在版面上雖還看不出有什麼轉變，但慢慢地會有改革的。有人奇怪老闆何以忽發「虎」威，據接近老闆者表示，時代不同了，決不能一味老唱「前進」濫調，報紙發行數字天天在落，便因為違背時代。新聞圈內的人士，一致認為這張報紙態度轉變，仍有他的前途，因為就報論報，底子還是很好的。

自由中國進步 英法竟無所知

我出席日內瓦國際勞工會議資方代表中央通訊社副社長魏景蒙，四日由歐過港返台，除報端曾略載其此行觀感外，他還同記者談及，在勞工會議中和各國代表接觸，可以看出美國代表是絕對擁護中國，他如菲，加，南美諸國都站在中國一邊。以英國為首的北歐集團及西班牙和葡萄牙，他們並不是不同情中國，但處於國際動盪局勢中，他們自己本身尚無暇顧及，無法再管別人。所以這些國家中尤其是英國對中國的事情，根本「沒有興趣」。有人認為英國會撤消承認中共，魏說外交上根本沒有「撤消承認」這個字，中共和英國的關係如有變化，仍只能照一般程序，撤回使節，絕交，宣戰。無所謂撤銷承認。法國是站在兩可之間。今天歐洲對於台灣的進步，仍漠然不知，英法的報紙上不容易找到一條台灣消息。許多外國人還認為台灣的自由中國仍是以前貪污，無能一貫的老作風，他們聽到今日中國進步的事實，都莫不驚奇，認為這是出乎他們意料以外的。

兩合作社宣告破產 存本吃利小戶遭殃

台北最近倒閉了兩家信用合作社各虧空數百萬元。自從全國合作金庫總經理薛勉成將全部基金，用遮眼法，變成為庫存只得一百餘元，本人先向歐州一走，繼而同到大陸投奔中共，一般人士對合作金融已經是不敢再存有信心。台灣省的合作事業，在日治時代頗有基礎，但自光復以後，為歷任的省政當局一再改制，時而與合作社與農會合併，繼而又強其分開，後又要二者分工而有所聯繫，以致原有的基礎動搖，並且還造成了許多人事上的糾葛。這次倒閉的兩個合作社，經營高利貸，存款的利率高達每月百分之九以上，放款的利率更高達百分之十五以上。一般平民以為既係合作社，一定要有政府的嚴密監督，不是尋常的地下錢莊，更不是經營投機事業的非法商人，所以才敢和其交易，那知道政府檢查黑市利率雖嚴，而却放任合作社，置之不聞不問，以致釀成了這次的倒閉風潮。現在兩個合作社已由台北市地方法院宣告破產，指定會計師清算，一面開始登記債權，這幾天登記的結果，以新台幣五千元以下的零星小戶佔大多數，這些人都是公教人員，小本商人，或是家庭主婦，將平時血汗所積，存本用利，以期能在自由中國，維持生活。今遭此變，其慘苦值得同情。不幸的是「合作」這兩個字，又遭受到一次污蔑，這是誰的過失呢？有責任的人應該出來力圖補過才好。

大法官已湊足九人 軍審判將儘量縮小

司法院最近遞補了七位大法官。是依據憲法的手續，由總統向監察院提名，而經過監察院同意的。這事早該辦理，而司法院，一直拖延未辦，以致積案甚多，許多的重要問題不能解決。這一次遞補，在提名之前極端秘密，只由司法院預備了三張名單送請總統選擇，總統為表示不干預司法人選，完全照司法院第一張名單送到監察院。名單公布之後，一般人都覺得對於這七位的大名有些生疏。這是因為司法界的人士一向與社會上接觸較少，不足為病。所遺憾的，是這七位新任大法官竟沒有一位是專攻憲法的。也沒有一位曾參加制憲的國民大會，對當時制憲的精神所在，有所了解。大法官雖則也有統一解釋普通法令之權，但其主要的職責固為解釋憲法。這七位大法官，是黃正銘，徐步垣，王鳳雄，曾劭勳，蔡章麟，韓駿傑，何蔚章。他們都已於一日到司法院視事，連同原已來台大法官胡伯岳，郗希洵，已湊足大法官九人的集會法定人數。

大法官會議，在大陸未淪陷前，曾先後開過十二次。據說，本月內即可召開政府遷台後之第一次會議。總統在最近一次的紀念週上，曾對於軍法和司法權限的劃分有明白的指示，便是以後除中共的間諜與走私人犯仍由軍法審判外，其餘一律歸司法。這是自由中國日向民主法治大道邁進的象徵，值得大家擁護。但在一般人看來，軍法方面管的事太多固然不合，但司法方面也當益求進步，才能肩負起法治的任務。國民政府成立以來，最沒有進步的可以說是司法，抗戰勝利後的漢奸審判，在上海有所謂「有條有理，無法無天」的名句。自政府退守台灣，人才薈集，實在是改進司法的最好機會。只要領導得人，其應當有所表現，吾人其拭目俟之。（陸浮，四月七日寄自台北）

讀者投書

馬元放值得哀悼嗎？ 對「驚鴻」先生悼馬元放一文表示抗議

・哀雁・

自由人三月二十九日刊有「驚鴻」先生「悼馬元放」一文，讀後不禁有言如鯁，不吐不快。近來報紙上常刊有大陸上知識份子反共反蘇之事實，在暴力威迫之下，錚錚有聲，不可屈侮，漸有發聾振聵之勢。胡秋原先生的「大家應該聲援不屈服暴力的梁漱溟先生」一文，使人非常感動，梁漱溟外又有潘光旦，陳懷九，饒毓泰，陳念茲，時俊才等教授，不屈不撓的精神，都嚴正的顯示出讀書人的氣節。馬元放死雖可惜，我以為又是怎樣可歎可泣的事情，細讀悼文至最後一段，不但失望而覺得洩氣！實在說，這類人的死，是咎由自取，死有餘辜，何必悽憫哀悼；原文中寫他所說的：「有錢的遠走高飛，我的人口衆多，又無積蓄，人怎樣走呢，自問向來沒做壞事，捫心無愧。將來移到上海，浸浸的混吧。」這明明表示想戲風使舵，換換口味的心理。大陸淪陷時，多少投機動搖份子，都因這種心理而上了當，總以為自己沒有做過壞事，問心無愧，可以討好共匪，取媚共匪，平素只怕自己官做不大，不顯要。這時則一切壞事，既都出別人作的，而與自己無干，當然想混水摸魚的混。

人口衆多，有錢的固然遠走高飛，但是人口衆多而沒錢的，仍意志堅定，硬着心腸，咬緊牙關，拋父母棄妻子，千方百計逃至海外，到現在還不得一飽的人，海角天涯，到處都是，他們不見得過去都像馬元放那樣做過高官，但是為什麼要這樣呢？

現在有許多原來想「混」且藉口「無法走」的人，而上了當，固然被處死的，也有可憫之處，但站在國家民族之立場，實在無法寄予同情。這樣人如予同情標榜，許多真正驚天地而泣鬼神的烈士，也都要羞與為伍了。（三月卅一日寄自台北。）

（上接一版細菌戰）馬立克在聯合國裁軍委員會，大談美國細菌戰，坐在他左邊的英國代表紀伯爵，聽得太感厭煩，他幽默地說：「我的右耳，在馬立克先生不斷散佈的口頭細菌以後，現已被嚴重地傳染成病了」。

民主國家，對於共黨突然發動此一細菌戰宣傳攻勢，用意何在，極感驚異。最敏銳的一種推斷，是認為蘇聯作戰準備，現已近於完成，他一方面要共產國家的人民，警惕戰爭之即將到來，必須早作準備，所謂細菌戰宣傳，等於宣傳防空；另一方面，則是要藉此宣傳機會，將民主國家，描畫成真正的「吃人野獸」，以激起人民對民主國家的仇恨，戰事發生，大家可迅速動員，踴躍殺敵。假使這一推斷，完全正確，那麼，正與最近史太林的和平烟幕相反，第三次大戰，已迫在眼前了！

真理一定得勝 大陸必然重光

香港天主教友在上星期中，聖母軍發動一個玫瑰經運動，為大陸受苦之傳教士及同胞作九日的祈禱。教廷駐華公使黎培里總主教參加香港聖母軍第四屆檢閱典禮後，他向團員們發表一篇演說，其中有許多非常警惕的話，他說：「……如今我們要極力抵抗天主教之仇敵的陷穽和暴力，保守教友的超性生活。在痛苦時我們要轉向真福之母，要以忠貞信德的心，來抗拒自己所受的磨難。最後，真理必然得勝，中國大陸一定會重新歸到天主的寵愛中，永青永生」。

英紅十字會執行委員會代表威爾遜上校六日飛往東京，接洽交換俘虜問題。他說國際紅十字會代表的努力已完全失敗，但是如果一旦停火談判成立勢必要談到交換俘虜問題，但什麼時候停火談判會實現，當然連他自己也無法預測，他願意一直等下去，等到出頭的日子。

日記者的估計 中日和約必簽

在台灣採訪中日和約消息的日本中部新聞社記者楓元夫日前自台抵港。他透露出在前週和約原有簽字的可能。上月底我外交部專員濮德介已書面通知各報請於四月一日指定代表到和會採訪簽字調印新聞。然而三十一日午夜，忽地中途變卦。楓元夫認為現在的癥結是吉田對中國所堅持的大陸主權及盟國待遇兩項，不肯接受。但日本認為這兩條仍有商討餘地。據楓元夫的估計，約是一定要簽的，只是時間問題而已，他還說：「中國人什麼事情都喜歡性子太急，但是日本人的性子是比較遲緩的」。

上海最近流行的耳語

陳毅醞釀突變

傳陳已派一親信參謀經香港　轉至某一神秘地點有所接洽

這說明了陳毅在上海的心腹幹部爲什麼一個個慘被整肅

【本報上海特約通訊】在共產黨的圈子內，除了互相清算，到最後剩下一個或幾個至高無上的紅色魔王，可以永遠被視爲[illegible]，神聖不可侵犯外，其餘的人，無論你有多少汗勞，無限勤勞，只要你偶一疏忽，讓極有威權的魔王對你起了猜疑，那麼，昨天全國報紙，曾經把你捧上三十三天，說你如何如何忠實，如何如何爲人民服務，馬上就會一腳踢翻，讓你從三十三天的玉皇殿頂，滾落到十八層地獄，永不翻身。「忠實同志」，與「人民公敵」這兩塊牌子，是由權威魔王們憑自己直覺，任意賞賜的。因此，我們可以了解，爲什麼蘇聯過去許多和列寧共同革命的老同志，都轉眼被史太林殺光。及最近一二年來，在東歐附庸國家中，爲什麼今天官至副總理國防部長的共黨顯要，明天就突然會被所有共產世界的報紙，大張撻伐，說他是帝國主義的走狗，間諜，要出賣全體人民利益。這種人，多數是在所謂公審之下，立予槍決，最大的幸運，也會被送進勞動營，終身苦役，不見天日。他們的眞正罪名，最可靠的，無非是失去了權威魔王的寵倖，懷疑他對魔王寶位，有所不利。

現在這種作風，隨着所謂「三反」「五反」，依樣葫蘆發揮，吹遍了紅色中國。大陸上許多一向極有地位的「老同志」，頃刻之間，就會變成了什麼「勞動階級的叛徒」，什麼「資產階級的俘虜」，甚至「美特」，「國特」之類的帽子，也可以不分皂白，一頂一頂的替昨天老同志，舉行加冕典禮。名義上，雖多半指爲貪污腐化，實則共產中國，除去北平天安門前那對石獅而外，那個共幹不是貪污腐化一塌糊塗？這些被清算整肅的「老同志」，儘只是貪污腐化中幾千百萬分中之少數。他們最確實的罪名，還不是和蘇聯及東歐附庸國中的「老同志」一樣，錯在他們偶失檢點，對於權威魔王的忠貞，被引起了懷疑。

對陳毅還有顧慮　先開刀斬陳爪牙

上海在赤色中國，其地位重要，任何人都深切認識，無需解說。也正因爲牠的重要，不特高踞北平的土魔王，對於這一塊地區內重要共幹的忠貞，十分注意，尤其遠在克姆林宮的老魔王史太林國師，也偵騎密佈，毫不放鬆。恰巧，主持這一地區，有資格也被算作魔王之一的小魔王，又正是一再被傳爲想作狄托第二的陳毅。史太林國師和其他魔王對陳，在現階段還有其不便開刀的苦衷，於是成爲陳毅手足股肱的一些二級人物，就在「土」「洋」特務的各種報告中，而被斷送了政治生命。

這些被整肅的二級人物，一月以來，曾集體發表過三次，都是以「中共上海市委員會」名義，一方面給予黨的處分，一方面「通知有關機關，免職懲辦」。其中爲共黨報紙過去吹得最響而上海人民從來對他們所言所行，不敢喑叫一個「不」字的，計有（一）中共上海市委秘書長，華東軍政委員會委員，上海市人民政府委員，上海市人民政府市政建設委員會主任黎玉，（二）中共上海市委，華東軍政委員會財政部副部長，上海市人民政府財經委員會副主任，上海市財政局長，稅務局長顧準，（三）上海總工會秘書長陳公琪，（四）上海市人民政府副秘書長兼民政局長曹漫之，（五）上海市公用局電力管理處處長程萬里，（六）華東新聞出版局局長，兼解放日報社長惲逸群，（七）上海市人民政府教育局局長李建華等。這一批傢伙，君看頭銜，那一個不是闊綽顯赫，作威作福，威風凜凜騎在人民頭上的牛頭馬面。他們幾乎毫無例外，都是陳毅的心腹親信，組成僞市府的幾根台柱，一旦惡運當頭，卻都被莫斯科老魔王，和北平的一些魔王，祭起法寶，將他們一網打盡。

一個神秘的傳說　老魔王也有所聞

據此間耳語運動中最流行的一段故事，說陳毅和北平的若干紅色魔王，近日變異已越鬧越深，莫斯科的老魔王，對他尤感覺可疑。據傳陳準備在韓戰擴大或台灣反攻時，即突然起義，實行做狄托第二。不久以前，他有一位親信參謀，忽在上海秘密失蹤，後來有人證實這位參謀，[illegible]已用特殊方法，離開上海，到了香港，並由香港轉到某一個神秘地點，有所接洽。老魔王和北平魔王，對陳本人，雖因投鼠忌器，不敢立即採取行動。但以陳之左右，多不可靠，陳之態度，受左右影響最大，故趁「五反」運動機會，將這些爪牙，大事斬伐。其中僞華東財政部副部長顧準，與陳關係特深，以副部長兼市財政局長，稅務局長，將華東及上海整個財權，一手抓在手中，其紅得發紫之情形，殆可想見。所謂神秘失蹤之某參謀，據稱顧與渠平時蹤跡極密。顧被免職以後，家中會一再被特務查抄，片紙隻字均經搜檢，顧本人已被監視，並有日內將解往北平就審之說。

顧準嫌疑最重大　由天堂打入地獄

上述陳毅左右之大批整肅，不僅被整肅者，本身固有晴天霹靂，莫名其妙之感，老百姓方面，尤極感惶惑。即以顧準爲例，顧爲一手掌握華東財權之顯要人物，在此次「五反」運動中，他又是主管「五反」的所謂增產節約委員會工商組組長。從運動開始起，他天天在各報紙，各廣播台，號召上海人，清算資本家。二月十六日上海解放日報及其他報紙第一版，以極顯著地位，大字刊載顧準一文，標題及文內最重要的幾段，是這樣的：

「堅決打退資產階級猖狂進攻」　「上海稅務局長顧準」

「三年來，上海資產階級對國家的稅收進攻，與在其他領域上是一樣的猖狂，一樣的嚴重的。這種猖狂進攻首先表現在偷稅漏稅上。三年來，政府組織稅務人員與店員職工，進行查帳稽私十五萬餘次，查獲逃漏稅額二千六百餘億元。就工商業稅的查帳來說，平均逃漏稅案件佔查帳案件中百分之八十。

「既然大規模的偷稅漏稅在進行着，而資產階級的若干代表人物又利用其本身的職權來掩護這些犯罪行爲，還有什麼理由說是個別資本家的不法行爲，而不是資產階級的猖狂進攻呢？全國勞動人民的勤勞生產，目的就是要支持志願軍，爭取抗美援朝的勝利，就是要迅速建設我們國家的工作，自然決不允許資產階級以偸稅漏稅的方法來盜竊國家財產。勇敢堅決投入目前「五反」運動，堅決打退上海資產階級對國家稅收的猖狂進攻，這是目前全上海店員職工與廣大人民的戰鬥任務！」

過了四天，二月二十日，上海各報，又大字登出下項新聞：

「市增產節約委員會工商組昨邀五金商人座談　顧準副組長反覆說明『五反』政策」

「本市增產節約委員會工商組昨晨九時在該會召開五金業資方座談會，出席五金商業資方四百餘人。」

「會上，增產節約委員會工商組副組長顧準同志反覆說明『五反』運動的意義和政策，並以他們自身的利害關係，指出只有趁這個機會徹底坦白，勇敢檢舉別人，才是自救之道。如果還在做『攻守同盟』的幻夢，堅不坦白，那末必然是自取毀滅。」（中略）

「最後，顧準同志號召大家要看清面前的路，要認清徹底坦白是政府給予不法商人減輕處分的一個機會，對那些不肯坦白的人，他再三立功是可以受獎的。」

「在座談會上，五金業[illegible]鎮鑑及烏兆榮、趙錫吉等先[illegible]認爲顧準同志的報告使同[illegible]的認清了『五反』運動的[illegible]時並給違法的工商業家[illegible]指示出一條徹底坦白[illegible]，他們號召同業回去後[illegible]要做好互相檢查，徹底坦[illegible]表示自己也將在小組會上[illegible]白，相互檢舉的工作。」

同志忽變壞份子　是個人英雄主義

「顧準副組長」，「顧準同志」，這一聲聲是叫得何等親切，而那種痛罵資本階級！要他們徹底坦白，相互檢舉，滿面孔作威作福的神氣，又何等令人可怕。但是誰也沒想到，這位口口聲聲，要大家「看清面前的路」的顧同志，原來他自己就沒有把面前的路看清，僅僅十天功夫，上海各報，在以前同樣地位，但內容相反的消息，同樣刊出各報刊登的消息如下：

「中共上海市委特於二月廿九日下午召開了二千多人的黨員幹部大會。由市委第三書記劉長勝同志代表上海市委會宣佈：爲了純潔黨的隊伍，鞏固黨的紀律，市委會決定並報華東局批准，決定將四個妨礙「三反」運動及在思想上和作風上一貫惡劣的共產黨員予以撤職的處分，並令其作深刻的反省，以便觀察反省者的悔改程度，決定最後的處理辦法。同時又對四個品質極惡劣的，已經完全喪失了作爲一個共產黨員起碼條件的壞分子，予以開除黨籍的處分。」

這一消息中所稱[illegible]

十八層地獄，[illegible]之，這些整肅的陳[illegible]毫不遺漏，因[illegible]各級公布整肅消息[illegible]一月之中，所謂[illegible]者揭發，揭發權威[illegible]破了每一報紙的篇幅[illegible]外，當然顧準不會例[illegible]攻擊得最利害。

陳毅正極力彌縫　莫斯科未肯放鬆

[illegible]

臭氣薰天的上海法院

法院是搖錢樹　共幹拚命貪污

【本報上海特約通訊】法院原是一個正直無私神聖莊嚴的所在，在這裏面服務的人，操守，智識，見地都應有相當標準，上海是一個國際都市，五方雜處，訴訟案件，特別繁雜，因此上海市法院的工作就也一向比其他各地來得緊張。

共產黨到了上海以後，有關法律的一切基礎都全部被推翻了，這一批大小共幹又把法院當作搖錢樹，你爭我奪，不肯放鬆，在一陣勾心鬥角之後，有廿年以上「黨齡」的老幹韓述之終於坐上了「上海市人民法院院長」的寶座。

「一人得道雞犬升天」是不移的定理，這一個略識之無的韓「院長」，在漫長的三年時間裏，已順理成章的把這一塊純潔的土地經營成「毛家天下韓家院」了，老丈人，小舅子，大姨父，表弟，把弟，學生，姘頭都接二連三變成了「人民」法院的上中下「幹部」，只要有錢可撈，無不皆大歡喜，三年來，在這默默胡塗的土包子管轄下，「人民法院」變成了垃圾箱，藏垢納污，臭氣薰天，其間，由於這一夥土匪上下其手，死命要錢，要出了許多顛倒是非，拖延不判，提前審理，輕罪重判的手法，不知冤枉了多少好人，害苦了多少良民。

交際花劉德明　替院長拉生意

「三反」「五反」以來，這一座自命「清水衙門」的法院，因分贓不勻，窩狗爭骨也大出「問題」，先是「院長」的姘頭「市法院」「書記」劉德明第一個被人「檢舉」。劉在「解放」前原是一個交際花，後來她僞造了法政學院畢業的文憑，走通了韓述之的路線，混進了「人民法院」，在「刑事審判組」實習時，她旗袍和鞋子天天更換，塗脂抹粉，妖形怪狀，「院」裏的人因劉與「院長」有「關係」，均衆星捧月，競相奉承，劉亦以撐腰有人，毫無顧忌地將全「院」職員輪流的拉到她家（即韓之小公館）吃飯，打牌，大談「生意」，韓有許多不好出面的事，都通過劉「發號施令」「指示一切」。

第二個「問題人物」是程瑞銀，程是韓的內親，也是土包子出身，斗大的字認不到三石，韓上台後，程居然做了「刑事審判組組長」，這傢伙披着「幹部」的老虎皮，胡作非爲，三年來不知做了多少壞事，最「突出」的是浙江建業銀行倒閉案，因爲他自己是大股東，爲維護其「利益」，竟不惜在審理該案時默許存戶，對折收款，其意若曰：「銀行是老子開的，因爲蝕本才關門，你們把錢存在我這裏算你們倒霉，告到毛主席那裏我都不怕。」

第三個「問題人物」是韓述之的老朋友姜天嘯，他原是一個走方郎中，韓上台後，做了「看守所」醫師，假借名義，昏天黑地，大搞一通，被指爲「奸商」的工商界老闆周漢卿，穆壯猷，秦昌琳，黃萊蓀被拘在看守所時，姜在勒索巨款以後，即大賣交情，將他們調入「病監」，親自招待，給他們買「白蘭地」喝，打「維他命」針，准許他們「打十三張」散心，准許他們到館子裏叫菜進來吃。出獄以後，姜自恃對他們有[illegible]大恩惠，再向他們要了一所房子。

驗屍所也貪污　剝售死人衣服

第四個「問題人物」是韓的表姊陳濮，[illegible]一個「老妖怪」，今年已將近五十歲了，憑藉「院長」關係，她做了「北區分庭」的書記員，她不但會弄活人的錢，連死人的錢也不會放過，她不但包攬訴訟，並且和韓的學生章九如，高衡榮，蔣阿林（均「人民」法院「驗屍所」職員）等勾結，三年來，曾剝了幾百件死人衣服賣出去，並與「永春」「永泰」「生與」等壽器店，棺材店主徐興順，李詠田等說通，死者家屬買棺材，都必須向上面「指定」的這幾家買，違則不准屍首出驗屍所大門。陳居常生活豪華，令人咋舌，早上要用牛奶洗澡，晚上要吞服什麼名貴的「珍珠粉」，說這樣可長生不老，青春永駐。

韓述之因爲外面風聲緊，[illegible]多，又爲了表示自己「清白」，從上月廿八日起特地舉行了一個「反貪污展覽會」，意在反證上面那些貪污罪行，和他本身都毫無關連。他自己因爲和俄國特務關係極深，替他撐腰，所以儘管部下鬧得臭氣薰天，他自己却還安然無事，「檢舉由他檢舉，院長我自爲之」！（悠然，四月一日寄自上海）

出賣科學

·嵩芳·

美國出席聯合國代表奧斯汀指斥那位主持所謂「世界和平理事會」的法共科學家居里，說他附和共產黨人宣傳美軍在韓國使用細菌戰的謊言，是「爲政治宣傳而出賣科學」！這句話，固然很中肯而有力，其實是多餘的。

沒有學說思想的自由環境，決不會產生科學家。以一個科學者而願意作俄式共產黨徒的應聲蟲，他根本已經不是科學家，而是一個政治上逐臭之夫的政客了。普通政客爲着功名富貴，可以出賣自己的靈魂與人格，共字號的政客呢，上自國徽，下至國家民族，旁及親族戚友，無一而不可以出賣的。因爲他能出賣眞理，當然隨便可以抹煞由眞理所產生的科學，絲毫不足驚奇。

俄共曾經以其盜假李森科的環境遺傳說來作生理與心理學的「聖經」，又指世界上一切科學的發明者都是俄國人，或者是偷竊俄人的學說才發明某種科學技能的。他們今天拿臭蟲，蜘蛛等類毛蟲來指證爲美軍所使用的細菌戰，可說是「很科學」的理論了！過去所謂「史丹哈諾夫運動」的結果，由於粗製濫造的電燈泡不能發火，竟指爲「托派份子搗亂」，即可知居里附和共黨的細菌戰謊言，乃是俄式共產主義者一脈相承的「辯證法」。奧斯汀理直氣壯的斥他出賣科學，他滿不在乎，而且可以回答道：「可愛的先生，是的。我們就是要出賣科學啦！」向娼妓談貞操，不是多餘的話麼？

自由談

明天

新聞小說　·玲匡·

金興鋸木廠周老闆今天晚上又在家裏請客了，請的是本廠全體職工。

三年來，周老闆都沒有請過客吃吃喝喝，並不是他捨不得請夥計們吃吃喝喝，原因是這三年中，根本就沒有做過一筆大生意；有一些小買賣，連本錢算上還不夠鋸木工人們的工資，再加上月月都有新鮮名堂的捐，獻，繳，借，他終日愁眉苦臉的想辦法弄錢支撐，還要應付無限的麻麻煩煩，那裏還有心思跟夥計們喝兩盅。

還有一個大家都知道的原因；「解放」後，周老闆曾高高興興預備五桌，請齊了工人們，大家舉杯祝「解放」，誰知剛剛舉起杯，想喊一句：「工人萬歲！」就來了四位人民警察，指手劃脚批評，他們的宴會是思想不正確，浪費國家物資，亂七八糟教訓一頓，酒飯固然食不下嚥，周老闆除了登報三天悔過之外，還被迫獻出了五十兩金子作第一次支前獻金。從此，發誓不再請客。

今天居然又請客了，職員和工場的工友，還有他的兩個兒子都到齊，僅僅賬房劉先生不見影子。

周老闆親自端着酒壺，給他們個人斟酒，微笑道：「大家多喝兩盅！咱們弟兄們可多年沒有聚會了，今兒的菜，是內人親自做的，雖然不見得好，可是符合了節約，目的只要大家痛快痛快。」

大家低着頭緊吃慢喝，心裏都猜不出老闆是什麼意思；既不是年，又不是節，再說最近夥計之中，有好幾個在「三反」「五反」鬧得熱鬧的時候，很給老闆過不去，怎麼他倒請起客？莫不是想用「溫情」的手段聯絡聯絡。

大家喝得差不多，席上沉靜得很，看看老闆也喝得六成了。

「各位同事！」老闆幌着身子，扶着桌子站起來：「以前我對於新的東西，認識不夠，許多事都承大家不客氣的指教。有人說我偷工減料，盜竊國家資財，」他提起右手，揩揩嘴，望望他的兩個兒子：「還有：……近來三反五反運動……這兩位小同志，居然大義滅親，還向當局告發我剝削工人，思想頑固。」

雖然屋裏沒有升火，大家的脚冷得發僵，可是他的額上還滲出了汗珠。

「我是粗人，還是苦力出身，三十年前我也是拿斧頭創子的木匠。自然，我是屬於不可改造的一類，但是，經政府的大力宣傳，我也有機會認識了我在新民主社會裏的……」他又捋起袖子揩一揩汗。

「我今天要說的是，這三年內大家都知道，廠裏根本沒有生意，我不明白我偷減了誰什麼工料？盜竊了誰的什麼資財？」

最前進的小張，他以工人代表的身份，也站起來，剛想張口，周老闆連忙擺一擺手，接續說下去：

「這三年大家吃的是，我半輩子積下來的血，喝的是我的汗，我不明白，我支撐這些日子，還不知是剝削了大家？還是被大家剝削了？」

席中不少人，閃動起來，小張還過去勸他，擄起袖子。其他的人，還忙着閃開。忽然窗子外面一片紅光，耀眼的紅光，也不知是誰叫起來：「不得了，工場着火了！」

老闆連聽也不理，繼續說道：「我經過思想的鬥爭，我懺悔，對國家人民不住。我太痛了，對不住中華民國！……大家不用慌！……工場裏我的機器木料，反正不能再算我的了，燒！」他哈哈大笑起來：「燒吧！……是我留下劉先生放火的，劉先生！」他的笑聲戰抖了每一個人死僵了的心。

「混蛋！你！燒了國家的資財。」小張撲到他的面前：「明天人民絕不會饒了你！」

老闆的笑聲更狂放了：「明天？明天不會再來了！傻瓜，恐怕誰都不會再活卅分鐘，除了劉先生，你們「人民」不饒我，我也不饒任何一個對我不住的人！哈哈：」這一句話嚇壞了大家。有人大聲哭起來。紛紛搶着跑出門來，小張第一個先撲在台階上，打着滾，跟着另一個也倒下去。

明天，明天破曉的慘淡初陽，在這廢墟房子內外照見了三十七具僵硬的屍首。

羅斯福的愛犬——發拉

·凝之·

發拉，故羅斯福總統的著名愛犬，在他主人辭世將近七年之際，也長眠於羅氏墓園的一角。這條名狗，現在已經是十二歲的高齡。

羅氏生前十分鍾愛發拉。記得一九四四年的四月八日，發拉的四歲生辰，牠居然也享有一塊生日蛋糕，上面點綴着四枝蠟燭，那照片曾見之於當時的時代雜誌。據說牠當日還享受了一塊額外的牛排呢！

發拉固然以其主人而著名，他的主人也曾從牠身上得到過重大的收穫。距今八年之前，正是羅斯福四度競選之年，共和黨的候選人杜威在聚精會神的攻擊着羅氏，而一般民主黨員卻都有點懶洋洋的，對投票不甚感到興趣，於是羅斯福便藉着發拉對杜威大開了一次玩笑，他在九月間一次演說中有過如次的妙語：

「共和黨的領袖們對我，對我的太太，兒子做個人的攻擊還不夠，他們現在竟牽涉到我的小狗，發拉。發拉和我的家人不同，牠怨恨這些。當牠聽到共和黨的傳奇作家虛構了一個故事，說我把牠遺忘在阿留申島，隨後又派去一隻驅逐艦把牠取回——耗費了納稅人二三百萬以至二千萬金元——牠那蘇格蘭的精神發怒了，從彼時牠再也不同往常一樣。我已習於聽聞關於我的惡意虛構，但我卻有權利反對對我的狗加以毀謗。」

這種嘲謔而刻毒的辭句，似乎和羅斯福偉大人格不大相稱，但卻發揮了意想不到的效果。那段演說——一般稱爲關於發拉的演說——提供了競選所需的激勵，鼓舞了過度自信的民主黨員，使他們都去登記投票；又消散了杜威所競競業業培植起來的自恃，從事狂烈發揮，以事抗拒。那段演說竟成了羅杜二氏勝負成敗的關鍵。

然而事實上，杜威另一段攻擊羅氏的話並沒有說錯；羅斯福確已是一個「疲倦的老人」，當選就職後不到三個月就逝世了。

今年又是美國大選年，現在雖非戰時，美國總統對全世界的責任並不比那時輕，竊願美國選民能審用理智的抉擇，而不要只逞一時的快意。

瀛海漫談

萬竹樓隨筆（八六）

記皮鹿門（下）

（1850—1908）

·舜生·

中國自甲午戰敗，外患日急，變法維新之議，雖自康有爲倡之，但朝野有識之士，和者實不乏其人。光緒二十三年十月，湘撫陳右銘（寶箴）設時務學堂於長沙，聘梁啓超任總教習，李維格講西學，（李字嶧琴，江蘇吳縣人）唐才常，楊自超，韓文舉，歐榘甲，葉覺邁諸人任分教。同年十一月，更創湘學報，以熊希齡，譚嗣同，唐才常，蔣德鈞，鄒代鈞，王銘忠，及梁啓超，李維格諸人董其事，湖南守舊之風，一時爲之丕變。皮先生雖與王先謙，葉德輝諸舊派者相友善，但心善維新之議，知講求新學之決不容緩，於梁李譚有所往還，與譚嗣同過從尤密。二十四年正月，長沙復創設南學會，時嘉應黃遵憲（字公度）任長寶道兼署臬司，元和江標（字建霞），宛平徐仁鑄（字研甫）相繼爲學政，咸主維新，因與陳寶箴及子三立（字伯嚴），熊希齡，譚嗣同諸人，有此學會之創設。學會講習計分四門：曰學術，曰政教，曰天文，曰輿地。因留先生居湘，任學長，主講學術，其餘講政教者爲黃遵憲，講天文者爲譚嗣同，講輿地者爲鄒代鈞。二月初一日，學會開講，首由先生講學會宗旨，先生憫亂憂時，暢論講學之必要，持論侃侃，官紳士民聽者三百餘人莫不爲之感動。計自二月迄四月（是年閏三月）共講十二次，莫不貫穿漢宋，融滙中西；持改制變法甚力，雖葉德輝三次移書相詰難，先生僅以時事方亟，不宜互爭意氣答之，仍力行不顧也。至四月二十日，仍赴江西主經訓書院講席。

是年八月初六日，慈禧太后復垂簾聽政，新政全部推翻，楊銳，劉光第，林旭，譚嗣同，楊深秀，康廣仁逮交刑部，光緒帝亦被幽於瀛台。十四日，噩耗傳來，天地慘愁，先生彷徨繞室，是夜五鼓，忽夢譚嗣同來，先生詢其何以得出，並問何人誤事，譚僅答有人作祟。十七日聞楊等六人同遇難，先生痛哭失聲，於枕上作哭譚復生（嗣同字）詩五首。其一：竟灑萇宏血，難完孟博軀，南冠已共惜，西市更何辜？濁世才爲累，高堂淚定枯，榮華前月事，緩步入中樞。其二：同歸首未白，相見眼誰青？訪我來南學，看君上大廷。楓林忽魂夢，天道有神靈，一自沈冤後，朝朝風雨冥。其三：稽康甘生戮，何事說延年，涉矣匡時略，淒其偉論篇。孝忠難喻俗，成敗總由天，自古如弦直，紛紛死道邊。其四：九關屯虎豹，一夜變龍魚，李杜死何恨，孤文謗是虛。焙茶嘗未試，芳草痛先除；尚有湘人士，來披鄉架書。其五：君非求富貴，富貴逼人來，詎意山公啓，翻成黨禍胎，曾無紈袴習，竟枉棟梁材，滄海橫流酷，人間大可哀。

次年春，先生亦以被議革舉人，交地方官管束，杜門著書，三年，始得開復。

偉大增產

·鐵幕諧談·

一個美國親共人士給蘇聯請去參觀一家模範工廠。看到掛在壁上的五年計劃生產統計表，他大爲驚嘆，睜大了眼睛，一時說不出話來。旁邊的招待員得意揚揚指着這些表格說：「第一年，我們祇生產五千件，第二年增加了十倍，到五萬件，第三年又加了十倍，五十萬件。今年，我相信，我們一定可以到一百萬件了。」

「是嗎？眞是偉大。你們製造的是什麼東西？」參觀者問。

招待員隨即把他帶進廠房，從機器旁拿起一塊銅牌給他看，又翻譯銅牌上刻的字給他聽：「馬達暫停。」

（子由譯）

黑十字

·北晨·

他有一個重要的計劃，需要一筆大數目的本錢，成功了，他仍舊可以坐汽車住洋房，再將藍英據爲己有。因此，他想逼着藍英攤牌，問道：

「藍英：今天什麼日子了？」藍英沒有理會。

「前天和你說的話呢？今天第三天了。」

前天，兩人狠狠地吵了一場。藍英在百樂舞廳做舞女，洪正池每晚釘住她，打烊的時候，老是候在百樂舞廳的下面，即或藍英長得絕色傾城，許多花錢的客人，也要給他釘光了，那晚藍英和他商量，希望大家不要忘了過去的戀愛，勸洪正池不要妨礙她。

藉這機會，洪正池將他的計劃說出一半，他說要做一樁祕密生意，需要五千元資本，如果拿出五千塊錢來，他便丟了從前的一本賬，完全還給她的自由。

以往，洪正池有過許多計劃，可惜從來沒有一個實現，而且藍英不只是不相信他的話，而她過的是外張中乾的日子，她那來的五千塊錢？

兩人吵了一場，洪正池還堅要錢，不然，不許藍英做舞女了，結了賬，兩人一起過苦日子。

藍英一時祇好敷衍他，答應過兩天再說。

今天是第三天了。洪正池想，藍英即或拿不出五千元整數，一半應該是可以的。他自己東湊西拚，已經湊足了五百元，再有二千五，一共三千元，以一換兩，半個月之後，他可以賺到六千元，這是千載難逢的機會。

藍英沒有錢，她惟一的財產，只是一張如花似玉的面孔，面孔固然可以換錢，但是，近來舞場裏卻是一片淡風，藍英很紅，手上不少客人，洪正池不相信她沒有錢，在他心上想，這兩年來，他也曾花過大把鈔子。一個男人用女人的錢，他未始不感到恥辱，但是，他有另外的看法，藍英既然和他度過一年多的同居生活，如果過去眞有半分情愛，他窮了，女人也就有對他應盡的義務。何況，洪正池給朋友說動了心，他並沒有完全丟棄發財的夢想，他預備用三五千元的資本，三個月之後，變成三五萬，千嬌百媚的藍英，便可以結束這一段火山生活，仍舊爲他一人獨佔。

這套美麗的幻想，卻給藍英全部看成騙錢的謊話。（三）

·中篇連載·

自由人
THE FREEMAN
（中週刊每星期三六出版）
（第一一六期）
每份港幣壹毫
督印人：李光華
社址
香港高士打道六六號
電話：二〇八四八
GLOUCESTER RD.
HONGKONG
TEL: 20848
承印者：東南印務出版社
地址：高士打道六四號
台灣經銷處
台北市中華路一二五九號

中共在莫斯科一套謊話　西方國家誰肯上當！？

·張丕介·

大陸農民已被中共敲剝精光，決無力量購買西方賸餘產品。中共商業信用破產，大陸有無生意可做，上月匯豐銀行董事會主席演說早已提出了確切的答案。

以國際共產黨及其同路人為班底的所謂「國際經濟會議」，在其克里姆林宮主人導演之下，已於本月三日在莫斯科開場。在這一傀儡戲中，中共代表團被指定表演一個重要角色，表面上似顯得特別活躍。其他附庸伙伴則相形之下，淡然無色。我們可以說，這是共產集團世界性經濟攻勢下，中共這支隊伍所單獨進行的一個局部攻勢。

中共代表花言巧語　目的只在破壞禁運

據「新華社」的報導：南漢宸在動程赴莫斯科時，曾攜帶二噸重的樣品，準備在會議時作展覽主題。三月二十七日，又分別招待英法在莫日報記者，強調「中國與英法有極大的貿易關係，有遠大的發展前途」。有些認識的人都看出，這是集中火力，企圖利用英法代表，供給其與會後大規模宣傳攻勢的資料。四日的正式會議中，南大放法螺，一方面列舉許多自欺欺人的數字，說明中共統治下的大陸，購買力如何增長，市場如何廣闊，只要美國取消禁運，國際貿易即可開發。一方面又需出許多空頭支票，準備以價廉物美的物資，換取各國過剩的產品。但在他這一套花言巧語的背後，却始終灌注着一個基本目標，那便是突破聯合國對大陸的禁運政策。

自從去年五月十八日，聯合國大會特別指派委員會通過對中共及北韓禁運案後，中共的宣傳機構曾一再強調「帝國主義經濟對中國物資的依賴性」，並認為「有蘇聯老大哥及東歐各兄弟國家的支持，美帝的禁運政策將宣告破產」。為了誇大中蘇貿易的成就，去年十二月十三日「新華社」曾發佈一消息，表示「一九五〇年對蘇貿易中，在進口貨物方面，蘇聯進口貨物價格，平均比英美市價便宜百分之二、三十，其中如工作母機等，更比英美市價便宜百分之三十到六十左右。另一方面輸往蘇聯各貨價格也適合理，不同於英美的壓價收買。如以花生油、大豆、西寧羊毛、茶葉為例，較過去提高百分之一百廿八點五。」照上述的情形而言，中共不但不應該再和英美做買賣，而且為使「美帝自食其惡果」計，還應該繼續進行反封鎖；否則，豈不等於故意挽救敵人的崩潰嗎？

禁運政策收效甚巨　中共已受致命打擊

但荒謬的宣傳，終經不起事實的考驗。從前年十二月底，美國開始單獨執行對中共區禁運以後，中共的經建及擴軍，遭到致命的打擊。即首先表現得最明顯的是土特產的滯銷及停頓。去年一月十六日「民主建國總會」在北平舉行對外貿易座談會時，北平特種手工藝聯合會代表即指出：「由於美帝的經濟封鎖，特種手工藝品出口停滯，大批工人即將失業」，（一九五一，一，廿，光明日報）。廣東潮汕一帶，由於出口貨品滯銷，價格狂跌，各土產業廠商莫不土崩瓦解，失業狂潮，浸淹整個地區。而問題最嚴重的是植物油豬鬃等主要物資，佔農業收入百分之四十，由於美國的抵制，無法經港外銷，使中共外匯資源，全部頻於枯竭。物資的直接影響，其戰略物資的搶購，間接阻礙其工業生產的進行。在去年上半年間，因美棉停止供應，上海大部份紗廠，每週只能開工四天，而由於汽油的缺乏，大陸公路汽車，全部被迫改燃木炭。更去年下半年後，土產滯銷更形嚴重，大陸農村經濟面臨空前危機。因此去年五月以後，中共乃在各處大開土特產展覽會，推動所謂「城鄉交流」運動，企圖以國內的貿易，代替國際間的貿易。但結果由於大陸民窮財盡，購買力極度有限，而且大陸本身只能出產原料及粗製品，而無法生產外銷的製成品，不但無法滿足需求，更因此聯合國對中共區的禁運，不僅使中共進出口貿易陷入停息狀態，而整個大陸的生產與消費，更發生嚴重的失衡。這些事實的存在，成為去年韓戰和談最基本的經濟動力。這次莫斯科經濟會議，中共派南漢宸等以民間代表資格出席，所以不斷聲明過去的宣傳與口號，表示希望與西方國家做生意，即在乎此。其主要目的，在漢宸在莫斯科的遊說，用來誘惑西歐的商人，若干短視和無知的商人，可能有幾分作用，但凡對中共統治下的大陸稍有認識的人，恐怕很難上鈎。首先：南漢宸所提出對大陸貿易有利條件之一是：「由於實施土地改革，中國的農業生產，已迅速恢復，農民已經不再向地主繳納總數達三千萬噸以上糧食的地租，因此有大量的購買牲畜、肥料、新式農具、水車和設備」。簡直是瞞天大謊。今天中國大陸的農民，在名義上雖無需繳納地租，但却要負担較地租多二倍至三倍的公糧和附加，根據中共粵省主席葉劍英的報告，廣東若干地區農民的公糧負担，達不多抵達農業收入百分之八十。今天大陸的農村，農民購買力正陷入中國有史以來最困竭的地步，最近中共各機關報的報導中，不但反映出各地農民無力購買牲畜、肥料、農具，甚而連食糧亦發生問題。因此，西方商人，如果以為今日的中國大陸，還是像過去一樣可作為傾銷剩餘產品的大市場，將會感到極大的失望。其次，南漢宸對大陸貿易有利條件之二是：「大陸貿易信用和有良好的貨幣制度，與中共政府訂的貿易合理的，能保證這些貿易能成立」。只要請教香港對大陸的貿易商人，便知道這全是一種騙人的說話。匯豐銀行董事會主席摩士爵士，上月在該行年會的演辭中，曾指出「中國之出入口貿易，現大部均操諸政府或其代理者之手，銀行業務均為政府所管制，其管制並非如西方國家所謂：兩年以前，本人曾謂：如儘可能，本行不擬撤退中國者，本行之分行在中國外，似已少有營業餘地：……」。摩士爵士為英國對中國貿易之權威，英國人士，如西方人士，正視中共應有所認識的，正視中共宣傳背後的種種事實。綜合上述的分析，可見中共這次的經濟攻勢，一方面固在配合蘇俄的世界戰略，一方面亦是為了解除其本身的危機，西方的商人，如果不能認識這一事實，再像韓戰前期的以鋼鐵供應中共，再來殘殺自己的同胞，不但愚不可及，而且將係一種無可寬恕的罪惡。

日本應表示誠意了

·黃雪邨·

近百年來中國災禍，幾無一不有日本的因素，即以大陸共禍而論，如果日本不侵略中國，不發動九一八和七七的暴行，則困處西北一隅的朱毛殘黨早已殲滅。今日日本面對這燃遍世界的共禍，追本溯源，還能對自由中國，不表示誠意？甚至相反的將過去一套惡劣作風，在商談中日和約時重行搬出，難道八年戰禍，還不夠給日本野心家深切教訓？

自日代表河田烈來台商訂中日和約，為時已逾兩個月之久。中經一波三折，到上月廿五日始獲得雙方代表協議同意之和約草案，正將進入最後階段，不料日政府竟於接得河田烈代表的報告後，忽然提出出人意外的所謂「新訓令」，居然表示對上月二十五日雙方代表非正式會談中所獲致之結果不能接受。此種舉措，不僅使過去六週來之努力全部等於虛擲，而且由於日政府這種不合理的態度，激起了自由中國人民一致的憤激，尤其是他們所提異議的中心目的竟在於否定我們中華民國的盟國地位，這實是一不可饒恕的悖謬！截至目前止，雙方代表雖然還在保持接觸，八日下午，且一度恢復非正式會議，但據各方報導，雙方歧見，並未消除，條約完成似仍遙遠。我政府負責人已一再聲明我對和約之態度與立場決不變更，而且還不僅是我政府的正確的作法，足以代表我全體國民的意旨。在此，我以為我們站在國民的立場，儘可進一步強調對此一問題的意見：老實說，如果日本方面沒有百分之百的誠意來進行這個談判，我們乾脆不希望舉行討論和訂立這個和約！不過，為着今後整個亞洲及世界的前途計，我們又不能不希望日本認清當前與未來之世界局勢，而翻然悔悟，為此，我以為還有向日本當局再進忠告之必要。

如果沒有誠意　何必繼續商談

首先，我要請問日本當局你們對中日的和約之簽訂，究竟有無誠意？如果有，那末不妨開誠坦白的從合理的方面獲致協議；如果沒有，你們的全權代表乾脆可以即時打道回家，用不着徒傷感情的無理取鬧，更用不着兜圈繞彎的亂出花樣。在過去的七個星期中，我們對日本方面的一些出爾反爾的言論和作法，已經深感不耐；尤其是這次全案推翻的所謂「新訓令」更不能不使人對日方之誠意感到絕大的懷疑。在談判的進行當中，河田烈及其隨員們無疑的是每天都有詳細電報向政府報告，而這類電報又是日代表團直接拍發，保有絕對的機密，當然他們的報告也自可暢所欲言毫無保留。如果對全案的精神和某些地方有異議，應該在談判中隨時提出，為甚麼在雙方代表已獲協議之後，忽然又提出全部推翻的要求，表示不能接受？這種作法簡直有如兒戲，還說得上甚麼誠意？我不知河田烈全權代表對此何以自解？在此，我要再鄭重忠告日本當局一句：中國之來和日本商討這個問題，一是因為日本已派有和約代表來台；二是為全世界民主反共的大局着想。至於今天我們中國本身，雖然遭遇着重大的災難，我們今天雖然只偏處一隅，但並不能說非簽訂了中日和約便會危及到自由中國的前途，或者我們將因此便不能完成反共抗俄的大業。我們並不是急迫的有非即時簽成這個和約不可的必要。因之這問題之能否圓滿解決乃在日本方面之有無誠意，有無與民主國家合作肩負民主反共的此一歷史使命之共同認識！

過去一套作風　是否還在作祟

其次，據最近一般流行的傳說，日政府之所以派代表來台談判和約，原來是想藉此表示其對美國意見的順從，希望獲得美日和約在美國國會早日通過，等到美國批准了和約之後，他們便翻臉不認前賬，甚且對我們中華民國的盟國地位也敢於有否定的表示。如上述之傳說和推測，在此，我們雖未便遽爾為定論，但從事實的表現上看，實不能不令人有此想法。尤其是從其否定中國之盟國地位一事來看，我以為日本方面不僅是存着一種利用機會，討價還價以圖便宜的心理，而最可注意的是日本過去若干年來的那套對華思想，似乎並未因此次八年戰爭之慘痛教訓而完全斷根。這次由「新訓令」所造成的僵局，如果日方不自動設法轉圜，恢復其正常的心理和風度，我認定：小之固足以影響吉田內閣的政治和日本國家的信譽，大之足以危及未來亞洲及世界的前途。這不特是日政府當局所宜翻然猛省，而且是日本國民所宜切加注意的問題。

（下接第二版）

冷戰已接近尾聲

最近史太林對印度駐蘇大使所談及的巨頭會議，華盛頓方面表示異常冷淡，還源在大家的意料之中；英國的態度也十分的明朗化，而且由艾登外相親自發言，這却相當的耐人尋味。本月八日的晚上，艾登在保守黨一個集會上以預備好的講稿正式宣稱說：

「英國將不讓蘇聯吸入從阻延西方防禦，又浪費時間的會議。」

更加強語氣的說：

「認真的談判是可以的，浪費時間的瞎扯是不行的。」

這釘子雖然不算太硬，但這樣的軟釘子來自倫敦，却已夠史太林難堪。從英國傳出這樣一種態度，我們可能玩味到的是什麼呢？

（一）英美對蘇態度的趨於一致，保守黨畢竟比工黨來得更為確實。

（二）史太林若干年來所要的一套把戲，已實行宣告破產，希望大家再繼續對蘇敷衍，已不可能，今後史太林不以真面目與世人相見，誰也不會再來上當。

（三）我們也可以看出，在西歐，在遠東，一切的防蘇工作，確已加強；即令正式結束冷戰為時尚早，但已逐漸走上結束冷戰的途徑，大致是無可懷疑的。

團結問題的再提出

我決不否認年來文字的反共工作已收到良好的效果，否則蘇聯對世人的信用不會破壞無餘，中共一切殘酷，荒謬的行為，不會被世人澈底認識。但我依然要鄭重的提出：

反共是離不開武力的，打算從根本上來顛覆共產政權，要有決心不辭一戰！

蘇聯共產政權的建立，已超過了三十年，即中共在大陸的蟠踞，也已到達了三年以上，假定我們的工作永遠只以文字宣傳為限，會何損於共產政權的毫末，會何救於大多數人之被奴役，被屠殺？

因此，從糾正共產思想的錯誤，揭穿鐵幕後的一切黑暗來說，我決不反對大家分道揚鑣，分工合作；從集中實力，給予共產政權一個有效的打擊來說，我仍希望大家對團結問題，予以充分考慮。

時局漫談

舜生

美海軍部長金波爾之言

美國海軍部長金波爾回到華盛頓以後，他並沒有把他在東京所說的話加以修正，只能說：他把原有的意思再作了一次更有力的說明：他期待美國對中立台灣的政策，要適應時局的需要予以修改；他強調台灣軍事內容本質的不錯，但須加以更有力的軍援；他並主張把美國在台軍事顧問團的人數，擴充到現有的三倍以上。

一個政府的軍事負責當局，偶然到外面觀察，發出一種與時局有關的言論，容許可能並不一定完全代表該政府的最高決策，但現在金波爾說話的地點，既不是在台灣，也不是在東京，而是在美國政府所在地的華盛頓，我們總應該給以比較不同的估量吧！

中日和約的政治意義

除非未來的世界大戰永遠不會爆發，如果大戰終於無可避免，甚至不出一二年就會要實現，則現在國際間所有的一切條約關係，不問在戰時戰後，都將適應需要予以修改，或根本予以棄置，以新者代之，決無所謂一成不變。

從這樣一個觀點來看目前台北的中日和約談判，我總期待雙方在條文以外，加強適應未來變化的政治意味，而不必斤斤計較於文學技術之間。換言之，假定日本現在或未來的政府，決心站在反共的一面，並有力制止其國內共產勢力的擴張，而於未來的反共戰爭且願提出其可能的貢獻，則即令我們再作更多的讓步，亦未嘗不可考慮；假定日本對反共的態度依然不願作斬釘截鐵的表示，甚至還在心旌搖搖，不惜望着中國大陸的共產政權眉來眼去，則即令這次的和約能圓滿訂立，我們也還是覺得意義不多。

閒話民主

「真」「假」民主的剖驗

僅有形式上的憲法和國會，而人民無真正權力及自由，像若干共產國家那樣，而竟自稱民主，真可算盡冒牌說謊之能事。

陳克文

法國大革命後，反革命的暴徒曾濫用『自由』美名以蹂躪人權。現代的獨裁專制者，也濫用『民主』美名，以實行暴政。本以『無產階級專政』為號召的，現在居然自稱為『民主』，或自稱為『新民主』。民主可以這樣冒牌說謊，掛羊頭賣狗肉隨意濫用的嗎？民主在政治制度上到底要具備些甚麼條件？當世各民主國家的制度，又何以千差萬別並不一致？這是明是非，別真偽，不能不弄個清楚的。

要具備五項條件才可算民主政府

民主政治制度的最高原則在將政府建立於以討論為基礎之上，以討論為基礎的政府才是最完善的政府。這種政府的構成及其存在有必須具備的條件五，具備了這五項條件的政府才可以稱為民主政府。五項條件如下：

（一）物質條件——軍事和經濟的安全。

（二）實行條件——強有力的行政，與有組織的反對派。

（三）道德條件——議會承認人權與自然律。

（四）議會條件——包含四項最主要原則：

A.議會絕對自由議，祇受自行制定的限制。

B.自行制定有關討論程序事項。

C.討論的經過盡量公開發表。

D.國家利益高於黨派。

（五）選舉條件——一切成年男女均有選舉權。

上述條件如果大部份不能見諸實行，則所謂民主的議會政府亦決不能有成功之望。

以五條件為標準 看誰是真正民主

確保治安 穩定經濟

軍事脆弱或經濟混亂足以陷自由政府於解體，即使議會本身健全亦屬無補時艱。我們縱觀過去十數年的歷史則可知此言之不謬。中共之所以能橫行大陸，破壞基礎未固之民主政治，其最大原因則由於八年抗戰，軍事虛弱經濟混亂所致。故軍事和經濟的安全實為民主政制所必備之條件。

議會政府容許反對

其次，如果缺乏強有力的行政組織則自由民主的議會政府亦不免趨於沒落。民主政府必須得議會之同意以施行統治，但政府必須能夠統治方能存在。沒有強有力之行政做領導則議會政府的最後命運非流於軟弱即歸於紛亂。中山先生一再強調有力政府的道理非無故也。強有力的行政而不至流於專斷獨裁其關鍵則全在於有組織的和有力量的議會反對派。有反對派存在然後可以平衡力量，此在英美民主國家的憲法上，已有其極深固不可動搖的基礎。

政治道德不能忽視

第三，吾人絕不能誤於唯物之理論而忽視政治上的道德因素。制度為人而設，人並非為制度而生，沒有人即沒有制度。故以制度限人實為不足，制度之外必須兼顧道德的力量。一個人何以會相信友誼，何以會愛鄰如己，何以會恕待人？無他，個人置身於造物之下，若不認識個人無可避免之義務服從造物的天然法則，則個人實屬極端渺小孤立，毫不足道。此種天然法則即為道德力量的泉源。在天然法則之下，[illegible]必然結果。自作自受，何尤於人？

國家利益高於黨派

第四，民主政府不能祇具議會的形式，所謂討論亦不能祇具開會的形式。現時自稱『民主』的若干國家何嘗沒有憲法，何嘗沒有議會，亦何嘗沒有開會討論（像蘇聯和一些蘇聯附庸國）。不過他們這一套都是形式的，因為他們並不許人民擁有真正權力，不能自由發言，自行制定討論程序，儘量公布討論經過，和國家利益高於黨派利益，這些重要條件的存在，[illegible]以討論為基礎的[illegible]民主政府？

排斥特權實行普選

[illegible]具方法。議會制度以及一切自由制度均由於排斥特權而生，然根據自然律而發展為普選制度。如不根據[illegible]，則民主制度實不免於中途消滅，[illegible]英國的選舉權初限於貴富階級男子，其後逐漸改革，擴及中等階級以至工人階級農家勞工和成年女子，現時則所有廿一歲以上的成年男女均有選舉權。一八三二年選民與全人口比例為卅四人有一人，現在已到了每一．六人則有選民一人的程度。這可說是真正普選的實現。自稱為『真民主』的獨裁國家，他們的選舉權是怎樣的呢？（上）

鄭彥棻由暹過港 談僑胞熱愛祖國

【本報專訊】國民黨改造委員會第三組組長兼新任之僑委會委員長鄭彥棻，九日下午搭英海外航機自曼谷過港，旋飛馬尼拉，訪慰我菲僑胞。過港時向人表示：這一次在曼谷，看到許多僑胞之忠愛祖國，使我們[illegible]感交併。蔣總統致僑胞的親筆函一經貼出，自朝至暮，千千萬萬的男女華僑趕來誦讀，且有人還攜照相機攝取下來，洗印後由華僑爭購，視為珍品。並且還有許多僑胞自遙遠的鄉間，清早冒着大太陽趕來看蔣總統的墨寶。蔣總統演說的錄音片經放出後，也是吸引住許多愛僑青年學生，老站着聆聽不散。這種場面過去是沒有的。鄭氏說：在台灣的我們，有許多地方，反覺得對不起流浪在海外的僑胞。關於反攻大陸的消息，許多僑胞都關懷的追問着，並且有人詢問政府需要不需要華僑捐款援助。鄭氏說：他當時向僑胞表示：現在還沒有到這個時候，政府非至萬不得已決不動用僑胞辛苦的血汗錢。鄭氏相信一旦反攻，這筆海外的支援，一定不小。而且一定可以發生很大的作用。關於泰國提高外僑身份證徵稅事，他說已早經我駐泰孫代辦向泰外部提抗議，現在已可望合理解決了。

吉田代表在星洲 已商妥大宗貿易

前日本農林省大臣根本隆太郎，九日由星洲經港搭泛美航機返東京。他向記者稱，此次赴東南亞各地旅行，乃代表吉田首相，考察日本與東南亞未來貿易之開拓事宜。他強調日本因囿於舊金山和約規定，不能和中國大陸發生正常貿易，唯一出路只有朝東南亞走。而東南亞方面，最大的目標一是以日本出品換取星洲的木材和橡膠，印尼的煤礦，橡膠，以及泰緬的米穀。他說：日本戰後一直[illegible]大米[illegible]，人民對國內政治不滿，與大米統制及配給，關係至大，因為這直接影響到國民生計。這個問題，原則上他分訪泰緬時已獲得初步解決。至於星洲之木材及橡膠，他說，五日在會見東南亞高級專員麥唐納時，已談妥日本將以每年一萬萬元[illegible]值之紡織品運星，作為交換條件。

美國裁縫大恐慌 怕五年後沒飯吃

美國製衣公會代表剪裁專家赫金生九日由舊金山來港赴日，考察今後美國是否可能把裁縫業推廣到東南亞各國來。他指出美國裁縫業自一九五二年起有一個大危機。因為最近尼龍料子問世以來，紐約第五街許多衣舖都用尼龍料子做西服，品質不但比呢絨堅韌，而且價格便宜，耐久耐穿。現在每套現成的，售價自一百四十美元至一百五十元，每套可以穿廿年到三十年，用不着乾洗，只要在水中掠一掠，二小時後便乾，也不用燙平，自然會挺。現在美國人趨之若狂。他估計成年的美國男女大約有一億左右，五年以後大家都三四套尼龍西服，美國的裁縫便沒有飯吃了，言下非常認真，其危機一若世界大戰之當頭矣。

東京方面有信來 邀李麗華去日本

崇奉天主教之影星李麗華，自於上年首先退出「讀書會」後，使「讀書會」大受影響，無形停頓。外傳李小姐行將離港，昨日在某場合中，忽地會見了這位紅得發紫的巨星，她說：與永華合約至今秋始滿期，現在日本已有函邀她前往，可能秋後去東京一次。這樁事情，她正在考慮中。（邵一成）

台灣實行「限田」需款甚鉅 約合美金數千萬元

正準備詳細計劃，向共安總署請求補助

【本報台北特約通訊之一】台灣的土地改革，在三七五減租之後，應當向限田及放領公地兩方面努力，限田的前提，首先要知道究竟有多少大地主，所以先要辦理地籍總歸戶，以揭露過去許多大戶化整為零的祕密。現在總歸戶工作，大致已經於上月底辦好，再有一個月的整理，便可完成。但是要接下去辦理限田，必須先籌妥一筆經費，以便補償地主的一部份地價。無論是分期付款或是用選減補償，第一次總要付些現款。而這一筆款項，據初步估計，就要三四千萬美元。共同安全總署的台灣分署方面雖允幫忙，但必須中國方面先有詳盡的計劃，方可以向總署去請求補助。而詳盡的計劃，則又須待一切的調查工作及辦理的原則決定，所以限田這件事，政府雖則竭力想速辦，但事實上尚須有待。至於戰士授田，因台灣已很少荒山荒地，而一般的田地，事實上操在個農手中，并不在地主手中。許多公營事業，雖則有很多的公地，但這一次交給政府放領的都是尚須再加多量的勞力，與資本才可以開發，比較好的田地還沒有完全交出來。不過，戰士授田這件事，總統曾一再催辦，無論如何，政府當局一定要努力執行，以期不負總統的諄囑與三軍的期望。

農貸扶植自耕農 土地銀行成績差

還有一件事，便是扶植自耕農。這需要大量的農貸的。行政院政務委員蕭錚，在他的視察三七五減租的報告中，曾說到台灣土地銀行，在三十九年度全省只貸出農貸新台幣十三萬餘元，而實際上僅台中一縣，申請農貸的就要一百四十八萬餘元，相差實在太大。我們總還記得中國農民銀行過去在大陸上都設在都市中，沒有農民的大馬路上，而有農民的地方并沒有農民銀行。今日的台灣土地銀行不免也蹈了農民銀行的過去的覆轍，其所經營的業務，倘細加檢查，便知與普通的商業銀行，相同處多，相異處少。這是金融機關不能配合政府政策的一個實例，而急待加以改進的。

中央信託局往事 今日應引為鑒戒

過去在大陸上，所有的國家行局都未能完全配合國策，固不僅農民銀行為然。譬如中央信託局，在大陸上曾投資四十個單位，其中有些是生產事業，有些并不是生產事業。但自撤到台灣後，在中央信託局的賬面上，四十個單位的投資總和，只折成新台幣七角三分，這與壽勉成將合作金庫全部基金，變成只有一百餘元的魔術，可以并美（請參看上期本刊記者通訊）。甚至放款沒有限制，到期也不催收。或是在創辦初期，由局投資，而由行員以私人名義，認股登記，并由認股行員擔任董監事，按月支取車馬費，年終支取酬勞金，更有一人而兼數職，開支浮濫，更不必說。但國家行局人員待遇優厚，生活水準高超，此次大陸撤守，變節投降者卻較任何一部門人員為多。現在國家行局在台灣的作風，固已較昔日有所改進，但對於配合國策一端，顯然的仍有不足，故上述台灣土地銀行，不過一例而已。（陸浮，十日寄自台北）

為了不肯清算岳父 徐中成被開除黨籍

並送進監獄吃苦以為不肯「割尾巴」者戒

【本報上海特約通訊】人類倫常間父子夫婦的親愛，本是出於天性，但共產黨總要強迫鐵幕中的青年兒女，去鬥爭父母或骨肉至親。成千成萬所謂大義滅親的故事，都是在共黨威脅之下，一手製造的。最近居然有一位倔強不屈的青年，因為不肯服從共黨命令，清算岳父，拋棄老婆，而被共黨開除了黨籍，並送入牢獄治罪。

徐中成是上海「解放」後入黨的一個「黨員」，曾任「上海市山區土產工會勞保部部長」，「店員工會邑廟區工作委員會副主任」，一向在益與祥北貨號工作，十餘年來，他由練習生做到了副經理，老闆洪益甫同徐還有點遠親，由於徐工作勤奮，洪把女兒洪桂芬嫁給徐做了老婆，大家感情，一向都十分和洽。

「五反」一展開，「組織上」就屢屢要徐「表現」成績，大義滅親，然徐在天人交戰以後，良心發現人性不泯，很不同意「上級」那種傷天害理，栽贓誣陷的手段，他曾慷慨激昂地向店裏的同事們說：「檢舉老闆是應該的，但不能胡說八道，大家都要負責任。」「目前利益要服從長遠利益。」「誰要成心搗蛋就等於和自己搗蛋。」以是一般店員，在工會小組會上都有所顧忌不敢亂講。「組織上」得到消息，認為徐立場不穩是五反中的絆腳石，一再警告，徐均置不理。最後，黨部舉行了一個規模較大的檢討會，要徐犧牲老婆，劃除親戚關係的尾巴，並這樣鼓勵他：「你看上海多少替父母幫忙做生意的青年男女，一經入黨入團，就不認父母，只要組織上有命令，他和她們立刻可以把親生爹娘，提出控訴，你和老闆關係不過翁婿，將岳父送進監牢，還有什麼過不去。」但無論如何，徐這條尾巴終於割不了。結果另一條尾巴卻割掉了，那就是中共開除了他的黨籍將他和他的岳父，一併送進了牢獄。（悠悠，八日，寄自上海）

（上接第一版「日本應表示誠意了」）

戰後兩國情感應有好的開始

最後，我要請日本當局注意的就是今後中日兩國國民感情的維繫問題，必須從今天有一個好的開始，因為這是今後中日兩國共同利害安危之所關。遠見的孫中山先生在四十年前曾說過：「亞細亞為亞細亞人之一家，日本與中國則一家中之兄弟也。假使此兄弟之間，有相鬩之事，則亞細亞之一家，絕不能保持其和平。……使此兩國能互為提攜，則不獨東洋之和平，即世界之和平，亦容易維持。」今天蔣總統一個明確的昭示來作為處理戰後中日關係的原則，亦即將總統所講的「以德報怨」的道理。「我們應該知道」，近一百年來中日關係，可說是惡劣到了萬分，從甲午之役到「七七」事變，日本無時無刻不在增進這種惡化的程度。八年戰爭使中國受到無可補償的損失，中國人民蒙了最大災害與犧牲。即以今日大陸淪陷於共匪之手一事而論，使中國人民益陷於水深火熱之中，造成了歷史上空前的浩劫，推源溯流，又何嘗不是因日本之侵略而使我們不能徹底消滅共匪。正所謂「我雖不殺伯仁，伯仁由我而死」，這道理是很明顯的。日本是不能完全辭其咎戾的。今天中國為顧全大局，為欲維繫中日未來之和平，[illegible]與日本談判和約，這完全是基於上述的那一種遠大的理想，並不是個人自私自利的觀念。日本方面還想在這當中討價還價嗎？[illegible]而使中日兩國無法恢復合作的基礎，失去了互相提攜的機會，造成未來之悲劇，則歷史責任，即將由日本當局負之。今日之局，決於一念之機，我們只有希望日本當局深思熟慮，來作一明智的決定，至於我們中國的方面，到目前為止實在已盡最大的努力了。

中共腐敗低能居然一糟至此
小電廠鬧大笑話
・機器屢修無效反而傷電八人・

甘肅天祝自治區藏族，因此激起暴動。由此也可看出，民主國家禁運所給予中共物資匱乏的確切影響。

【本報蘭州特約通訊】中共爲了配合蘇聯未來對印度的侵略，對於西藏方面，加緊經營。散處在甘肅，青海，各地的藏族男女，中共派遣大批共幹，向其宣傳「擁護蘇聯，打倒英美」。蘭州特設有一所西北民族學院，就是訓練藏族共黨的大本營，另外還設有一所西北民族企業公司，即是搾取藏族以及其他少數民族血汗的主要工具。當中共佔有西北，進侵康藏之初，原想在此等生活落後的地區，儘量從開闢公路，舉辦電燈廠，及各種輕工業品製造廠，以博取藏族的歡心。無如從韓戰到現在，中共受着封鎖和禁運的影響，許多建設方面必需的機器物資，都無法輸入。尤其中共本身，技術人員，特別低能，不特大的建設，無法完成，甚至一個規模極小的發電廠，也要弄得亂七八糟，笑話百出。最近，天祝自治區爲了安裝一架小發電機，機器壞了始終修不好，並弄到八個藏人，幾乎觸電斃命，這一件事，使藏族人民，看穿了中共腐敗無能，威信掃地。中共雖仍在力圖挽救，無奈印象已深，很本消滅太不容易。

藏人未見過電燈
共幹勸集款興辦

事情經過是這樣的。蘭州以北，武威以南，長城邊界，舊鎮羌驛及古浪一帶，原有大批藏人在此聚居。中共爲了籠絡藏族的政策起見，特在此地設置一天祝自治區，指派藏人托三主才郎爲自治區主任。西北民族企業公司並在區內設有畜牧場，供銷社，以實施其對藏族血汗的搾取。該畜牧場場長，及供銷社主任均由該公司副經理邱希文兼任。邱又曾任民族學院生產科長，雖然不是藏人，但在落後的藏人中，已被認爲當地共黨數一數二的權要，也[illegible]誠敬畏，奉若神明。今年一月邱向天祝自治區一藏族秘書建議，他說企業公司鑒於當地藏族生活水準落後，現正計劃替自治區建立一電力廠，先裝一部小發電機，可以帶三百盞電燈，一架搾油機，一架紡織機，還可以收廣播，演電影，每天只要用三四斤柴油和少量汽油，比點油燈便宜得多，而光亮舒服，則不可比擬。不過買機器的錢及一切設備，須你們自行籌劃，公司可以代你們經手，設計，和負責一切技術工作。這位秘書，馬上把邱的意見，報告了托三主才郎，那時天祝正召開「各界人民代表擴大會議」，托三主才郎即將興辦電力廠的話在會議上作出了正式提案，並介紹邱希文出席，邱把這計劃，大吹一場，天花亂墜，還鄭重向羣衆指稱，這是「毛主席一向要我們這樣做的，我們遵奉毛主席指示，要替藏族同胞帶來眞正光明」。托三主才郎也站起來說：「我們藏民歷史上從來沒看見過電燈，我們眞感激邱同志這個計劃，我們眞是感激不盡。」邱聽了不勝興奮，當即帶頭大喊：「毛主席萬歲，萬萬歲，共產黨萬歲，」直至那些天眞可憐的藏人，嗓子喊啞了，才飭命停止。

汽車夫和電燈匠都變成了工程師

下一步工作，就由邱提出了詳細建廠計劃。一部十四馬力發電機，連同運費，要兩億元，此外房屋，要由企業公司包辦，電桿電線等一億元，總共三億「人民幣」。於是由托三主才郎下令，要所有藏族按戶分攤，這些飽遭中共剝削的窮苦藏人，那有現款。不過由於「廣播」「大放光明」，及「電影」的新奇引誘，大家也就踴躍捐款，歡欣如狂，紛紛地把自己僅有的財產，少得可憐的牲畜，賤價出賣，作爲替畜養命的糧食，將捐款整整三億元齊了，經托三主才郎全數付交邱希文。邱一面囑托三主才郎動員藏民，在天寒地凍零下氣候，積極栽電桿，建廠房，一面自己帶着現款，

光明來自「毛主席」　「毛主席」永不光明

趕回蘭州。他原想向上海，天津，買進一架發電機。他知道，中共規定的大概價格，十四馬力發電機，運費到蘭州，最多不過一億元。照他的如意算盤；第一，替公司也就是替中共做了施惠藏人的工作。第二，在藏人方面，與自己建立了個人的好感。第三，自己很輕鬆的可以賺一億元，眞是一舉三得。不料，打出幾個電報，一致回答，都是沒有現貨，有的也是破舊的，需要修理，何時修好，何時運到，他內心全無把握，因爲答應藏民建廠，

亮燈的時間，業已迫切，正在情急無奈之際，忽然聽說西北民族學院有一架廢置未用的舊發電機，正想出售，他熟習院內，當即找到副院長張某商議，定價八千萬元，邱自負修理費，以此解決了兩個問題。邱從此把電燈帶到天祝，他帶了兩個電燈匠，當做工程師，指導拉線裝電燈各項工作，至修理一電機，則由一個汽車司機申玉鐘擔任，約定開廠後，由申任電廠總工程師，負責機器關係事宜。

天祝的藏族男女，每天凍得發僵，在進行建廠，栽電桿等工作，一心一意，只盼着用電燈，看電影。不料電桿栽好之後，最主要的電機，總是不見，藏族男女，等了再等，天天的臨天天找邱希文，打聽機器何時運到。這樣等了半個月，才接到蘭州來信，說機器有毛病，申玉鐘無法修好。急得邱請到蘭州，好容易請到一位半瓶醋的電器工程師，拆開檢查，原來油嘴子有毛病，將油嘴修好了。偏偏又於試機時，被申玉鐘粗心大意，將機器的某一個重要部份，撞裂了縫，[illegible]將裂縫焊好，實在經不起天祝藏人日夜催促，只好立即[illegible]，邱宣布：三月一日開機亮燈。當地共黨部，並發動羣衆，定是日舉行慶祝大會，感謝「毛主席」。到三月一日這一天，羣衆大會熱烈舉行，台下羣衆，眼睛睜得像牛一般大，望着台上，等待懸在「感謝毛主席賜給光明」大橫額旁邊，那一排生平從未看見的電燈發光。壁上挂着的大鐘，一秒一分的過去，好容易盼到了規定亮燈的時間，不料燈泡裏的鎢絲，還是漆黑的，毫無動靜。這樣再過了一點鐘，邱希文和主持大會的共產黨主席，都急得滿頭大汗。這時候，申玉鐘哭喪着臉走來報告，原來在蘭州焊好的機器裂縫，現在仍然裂開了，無法開動，只有再運回蘭州修理。羣衆失望之餘，有的傷心到兩眼流淚，有的則認邱希文在蓄意欺騙，在感情激動之下，羣衆大聲喊打。

共產黨不再認賬　邱希文從此完蛋

邱希文幸得自治區主任托三主才郎挺身救護，才總算沒有當場出彩。過了半月，[illegible]又從蘭州以二千萬元另買了兩個汽車引擎，代替發電機運到天祝，這一次算是沒有毛病。但因爲在發電前，羣衆怕再受騙，要求當衆試驗，當電機開動時，一陣忽，電力將圍觀的藏人，打倒八個（輕傷未死）。這時候竟被藏人誤會是邱希文有意報復上次羣衆大聲喊打的仇恨，下此毒手。於是幾千藏族男女，立即起了暴動，將兩個汽車引擎，打得稀爛，邱希文雖在托三主才郎拚命搶救之下，但仍頭破血流，幾乎喪命。

這件事發生以後，羣衆由痛恨邱希文，變成了痛恨共產黨，當地黨部，恨不便再將這一光榮的事業寫在「毛主席」頭上，經過黨的協議，決定將一切罪過推歸邱希文，開除黨籍，免職查辦。至於天祝藏人，則白白花了三億元，電燈，電影，仍然和他們沒有見面的可能！（黃河，四月一日寄自蘭州）

狄托運動在大陸普遍開展
整肅聲中牽涉「臺」「港」

【本報北平特約通訊】中共最近藉着「五反」「三反」的機會，將一些形跡可疑，思想動搖的老幹部，大事整肅。據說，這是因爲莫斯科有祕密命令，根據情報，狄托運動，在中國大陸，進展很快，必須迅速遏止。一般推測，這類整肅，規模只有越來越大，可能下一步，連董必武，林伯渠，吳玉章，還一批「元老」，都要打入牢獄。至於目前那些在「五反」「三反」中的被整肅者，中共宣布的罪名，大抵貪污腐化部份，比較居多，這當然也是事實，不過中共幹部的貪污腐化，現已經幾乎到了百分之百的地步，絕少例外，如果真正只要貪污腐化，就徹底開除，那麼，中共的職員，可能要開除精光，中共也只有關門大吉了。

[illegible]兩天，在中共宣布的一批整肅名單中，有三個地位比較高級的，中共貪污腐化情形，也[illegible]是特別出色。現在，記者續照錄中共開除他們黨籍，並撤職逮捕法辦的處分公文，以見中共內部，已亂七八糟到何種田地。不過，因爲自由人的篇幅有限，我不能全文抄錄，只好摘出其中最精采的一部份。以供海外同胞的賞鑒。

山東公安廳副廳長李明　派女友三次入台　滙港幣二十二萬

這三個被整肅的重要共幹，第一名，是「山東省人民政府公安廳副廳長」李明，民國十七年入黨，黨齡已達二十四歲，可算道地老資格。據中共處分書說：李明思想本質，始終未得到根本改造，歷史上一貫不正派。一九四九年任青島市公安局長時，曾在女特務色情引誘下，竟親自出馬與其接談，並錯誤的認爲該女特務「可以爭取」，「無政治頭腦」，「落花無主」，對公安局某負責同志多次阻止均置之不理，竟至和該女特務關係曖昧。由於李明以敵爲友，才使該女特務得以三次返台，洩漏了政府許多機密，直至證據確鑿破案後，李仍抱憐惜態度……。自一九五〇年李任公安廳副廳長後，即騙取了二十四億元，作爲小單位的非法生產資金；一九五一年，挪用了勞動改造犯監獄經費七十億元；又以「修建監獄」等爲名，欺騙上級，套購生鐵等十八噸，木材兩千九百餘米，獲暴利三十七億元，此外在青島，天津等地設有商店，並藉口工作需要套取外匯（港幣）二十二萬元，盜賣黃金四百兩。……他在省人民政府公安廳機關內部，宗派情緒極濃厚，造成了公安廳上下關係的極不正常狀態，……爲了維護黨的紀律並維護國家法紀，決定將他清洗出去。」

濟南市副市長史甄　派女友往返香港　修宿舍富麗堂皇

第二名，是「濟南市人民政府副市長」史甄，黨齡二十一歲。據中共處分書說：「史甄到市府後，第一件就是修改宿舍，到處搜括人民精巧貴重傢具，不惜以二十二萬元買水晶吊燈，與大理石台燈，[illegible]……他平時大吃大喝，荒淫無恥，[illegible]喪失立場，與[illegible]婦女關係，陷入敵人[illegible]……把自己造成一個特殊人物，……執行[illegible]市委會決定，[illegible]幹部烏紗帽，[illegible]極端嚴重地破壞了黨與人民政府的威信。」

廣西崇左區專員梁游　貪污烟土千餘兩　還包庇商人走私

第三名是「廣西崇左專區專員」梁游，中共處分書說：「梁游參加革命已十四年，自就任專區專員後，曾將左江支隊剩下來的[illegible]及各處沒收上繳專署的資財，計烟土一千二百兩，黃金七兩多，光洋一百五十元，炸藥一千七百斤，煤油二百箱，[illegible]等均不上繳，[illegible]結奸商，進行非法[illegible]，折合人民幣[illegible]……一九五〇年五月，[illegible]梁游專員，以做義[illegible]，視外來幹部[illegible]，一貫[illegible]……」

根據這三個人被處分情形看來，雖然要點都在男女關係，貪污走私，但也透露出[illegible]中共內部宗派[illegible]……（六日寄自北平）

劈開「雀兒山」　打碎「杜魯門」

【本報成都特約通訊】共軍入藏後，雖竭盡宣傳能事，說：藏人對共軍如何欽崇，如何熱愛，實則由於共軍之殘酷壓迫，藏人恨共，幾無一不視若寇仇。單就共軍以暴力驅使藏人修建康藏公路一事，藏人因此而意外致死的，前後就不下數千名。尤其今年一，二月間，搶修路上最大的險工，死者最多。雀兒山是康藏公路上最大的險工，拔海五千三百公尺，上山下山約八十公里，山上氣候，在搶修時，通常是零下三四十度。共軍將藏人不分男女老幼，都像趕豬趕羊一般，成羣的驅來工作。沒有工資，也沒有足夠的食物，在這些喪命的奴工中，二分之一，死於墜岩或不勝勞苦，其餘二分之一則是活活被餓死的。

儘管大雪把人埋深了兩三尺，手脚和嘴唇都凍裂出血，但你如不得許可，休息一下，共軍的槍刺，就會馬上扎到你的身上。共軍提出了兩個口號，其一是「劈開雀兒山，才是好漢子」，其二「是吃大苦，賣大力，寧死不怕難」。

在工程進行中，半山有一塊三丈方圓的大頑石，共軍要節省炸藥，強迫藏人將繩子拴在腰間，另一端則懸在石頭頂，每個人拿着鐵錘，鐵棍，向石頭進攻。共軍把石頭喊做「杜魯門」，每下一錘，要大家齊聲大喊，「打碎你這個杜魯門」，或喊：「加油呵，杜魯門快倒了。」其卑劣無聊，一至於此。共軍欣然宣稱：僅爲去掉這一塊頑石，用人力代替炸藥，就省了炸藥五十公斤。然而牠卻毫不顧念，藏人死在這一塊石頭下面的，卻足有二百人以上。

中共報紙，拚命揑造藏人如何歡迎共軍，由於這些殘酷的事實，「是歡迎還是痛恨？」此一問題，大約總用不着再由記者來解答了。（森森，四月二日寄自成都）

匹夫匹婦可歌可泣
鄂人痛殺共幹

【本報漢口特約通訊】人民反共怒潮，並不因中共強大武力的鎮壓，而被其消滅。相反的，且惟有洶湧澎湃，更見擴展。在湖北省內，此種情形，尤爲顯著。不過大規模武裝暴動，尚在等待時機。現在所發生的，多爲個別的暗殺。均縣共幹，日前在一「治安員」私宅開會，會中有參加土改工作的共幹某，出門小便，竟被人砍死，兇手追緝無着，後經查出，竟係「治安員」之妻所殺。因其妻原係地主家庭，父被該共幹清算至死。「治安員」復仗勢將其姦佔，[illegible]原意殺害該共幹以後，再殺治安員，下手以前，爲治安員識破，該女遂不幸飲恨以死。

竹山縣勝利鄉居民陳錢年，有五名共幹到他家查夜，因爲吃醉了酒，就睡在陳家，陳想起共幹殘殺了自己不少本家親戚，一憤不可遏，當將五人一一用菜刀砍死。

鄖陽縣安陽區會家鄉，有一共幹，原係僱農，土改後，利用共黨兇威，在鄉間敲詐富農，獲得不少財物。最近結婚，爲表示「老子今天出風頭」起見，特強迫從前僱他耕田，現已掃地出門的地主太太，替他做菜。不料竟被這位太太，將毒藥放在菜裏，不但該共幹一命嗚呼，連許多來吃喜酒的共幹，也從此完蛋大吉。

現各縣共幹怕死心切，非有大隊民兵衛護，多不敢下鄉工作。作威作福的神氣，已較前減殺不少。（懷民，七日，寄自漢口）

希望大家有些羞惡之心

·尚方·

日本農林部大臣根本龍太郎，最近以吉田茂首相的代表身份，遍訪東南亞各國，向當地政府和人民表示悔罪道歉。他在星加坡機場對新聞記者說：「在來星洲之前，已曾向緬甸及暹羅賠罪道歉」。又說：「日本政府亦已向歐洲曾與日本作戰之各個國家道歉」。一片睦鄰修交的詞色，謙柔將順，令人可感（？）。

可是，日本政府對於曾受日軍蹂躪破壞最烈，兩國作戰最久的中國，自大戰結束以來，除了已死的前首相幣原喜重郎，曾經公開發表過對中國道歉的言論外，從來未聞有像根本龍太郎對東南亞各國政府與人民的那種論調。尤其吉田茂此人，始終是一個反華人物。所以，他這次被國際形勢所迫，跟中國議判和約，首先即表示日本不是「戰敗國」的身份！其次則不願承認中華民國具有在二次大戰時與各盟國并肩作戰的平等地位，且不承認負有戰爭損害賠償的責任。這完全是原有「大日本帝國」對「支那人」的嘴臉，絲毫沒有走樣。日本政府看中華民國還不如一個緬甸和巴基斯坦哩！大家見着根本龍太郎的一席話，於意云何？如果依然無動於衷，真可謂是麻木不仁的無恥之徒了！

我不懂現時在台北聽扯胡說的中日和約談判，為甚麼還不教河田倭鳥之流，趁早滾回去？

自由談

浮士德與魔鬼

·龍文·

在那血腥的空氣中，在那鐵一般冷酷的生活中，我看着每年一本聖經似的日曆，斷盡了厚厚的二本，第三本也像秋天的枯葉一般，片片飄落，每天二十四個鐘頭，就這樣枯澀平淡的消失了，歡笑對於我的臉孔，已是那末生疏。

那張無色無形的幕拉緊已久，我幾經掙扎，終是無法越出幕的邊緣。我把自己當作一尾淡水魚被捲進了大海。水的成分不同，為了活命，我只有勉強習慣下去。關在幕裏的人，那個不是在增進着飴的忍耐，如某一些有生命的蟲介，都為生存的需要而塗上一層保護色。是的，我們還能聽到它們表面的歌唱，聽不到的卻是他們暗自咽下的苦淚和暗自抹去的鮮血。

當獲失了生存希望時，有人選擇了酒，有人選擇女人，他們并不是在作有閑者的消遣，而是尋求一種毀滅的破壞，痛苦的麻木。在瀕臨窒息的時候，我不甘無聲無息地接受死亡。於是，我從家鄉去了上海。我要找「深」，我幼年的一個女同學。找到了，她對我說的第一句話，是已經有了丈夫。一個真心尊敬她和愛她的男子。

我並沒有拾起那個已經破碎的夢，更不願在這環境裏製造一個多角的戀愛故事。她現在結了婚，不過我想能揭開愛情的另一面。於是，在我們三人之間，有了一份神聖的感情、

我相信深和她的丈夫，他們也了解我的心情，而深那個忠實而又受過高等教育的丈夫，尤其相信我。

深經常獨自來看我。我們常常散步，在靜安寺路的梧桐落葉中，重整那些已經淡了的記憶，有時也去公園小坐，她為我醫治寂寞的病。我享受她的友情，像痛飲臨刑前的一盞烈酒。

一星期我們有幾次相會，都是得了她丈夫的許可。

深很喜愛一個幽暗而尚有一絲溫暖的環境，那是在霞飛路的中段，一家從前白俄開的咖啡店，我們過去同學讀書時，曾在這裏有過許多不易忘記的回憶，如今店主自然早已幾度更易，但那些佈置，那些傢俱，還是被擱住日的色彩，牆上的紅黑「英雄」們的照片，不能遮掩它深沉的典雅，而且，它還保留着一個美麗的名字——「浮士德」。

「當心裏面的魔鬼！」深笑着說。

「我本是在遊地獄的但丁。」我也露出了難見的笑。

它並不是「地獄」，而是我的天堂。以後的半個月中，我們幾乎經常坐在那裏。醫治我心靈寂寞的創傷，並想藉此，逐漸恢復我爭取生命的勇氣。

每天下午，最後的一個座位裏，常有我和深的蹤跡，我們談着過去。深的丈夫相信我們的理智，他每天推着十四小時以上機械式工作，不能回家，鼓勵深陪我閒談。我們閒談忍耐是一切希望的開端。

她說自由是與草[illegible]盡後還會隨着春天生出綠芽，誰都應該迎候這個季節的到來，夠與只是把自己的生命投落在時間的溪流中。她的自信感染了我，我開始覺到熱氣慢慢從我胸懷上昇。

這樣過了大半月，有一天，天快黑了，深要回家，準備晚餐，我們起身，不捨地離開了我們慣坐的座位。

這成為到目前為止，我和深的最後一次會面。

我們剛走到門口，兩個穿列寧裝的人，客氣地把我們「請」去「談話」，我們被隔離着受訊，那咖啡店嬌小的女侍是他們的證人。當然，我們好多次的竊竊私語便成了最好的證據。我成了特務。他們判定，我是要在從深身上刺探她丈夫的祕密。他是一家「國營」化學品工廠的高級工程師，而且正在負責某種重要的研究計劃。

我被判了七年的苦役，不許有任何申辯。

深聽說不久釋放了，但她和她丈夫都沒有來看我。我明瞭他們自有避免嫌疑的苦衷。

我被驅策着做工，有時派在郊外築路，當我看到路上萌發綠芽的野草，我想起了深的話。這樣，鼓舞了我爭取自由的勇氣，終於找到一個最好的機會，我掙脫了枷鎖，走進了自由世界。

讀王靜安先生的詞（二）

·舜生·

陳寅恪先生序王靜安先生的遺書，他把王先生的學術內容與治學方法，概括於三個項目：

一曰取地下之實物，與紙上之遺文，互相釋證，凡屬於考古學及上古史之作，如殷卜辭中所見先公先王考及鬼方昆吾玁狁考等是也。

二曰取異族之故書，與吾國之舊籍，互相補正，凡屬於遼金元史事及邊疆地理之作，如萌古考及元朝祕史之主因亦兒堅考等是也。

三曰取外來之觀念，與固有之材料，互相參證，凡屬於文藝批評及小說戲曲之作，如紅樓夢評論，及宋元戲曲考等是也。

經陳先生這樣一指點，進而讀王先生的全部遺著，我覺得眉目是異常清楚的。

據王先生所自述，他早年治學的途徑，是『漸由哲學而移於文學，』其所以移於文學之故，是『欲於其中求直接之慰藉。』他又說：

『近年嗜好之移於文學，亦有由焉，則填詞之成功是也。余之於詞，雖所作尚不及百闋，然自南宋以後，除一二人外，尚未有能及余者，則平日之所自信也。雖比之五代北宋之大詞人余媿有所不如，然此等詞人亦未始無不及余之處。……』（以上所引，均見王先生的自序第二篇。）

以王先生之絕頂聰明，而又好學深思不倦，何以於詞獨表示這樣自信的堅強？我是這樣假定過：也許他這兩篇『自序』是他剛過三十的時候寫的，多少難免有點少年人的誇大？及進而略涉他對於詞所下過的工夫，及他對於詞的基本見解，更進而玩索他自己的作品，乃不能不把我這個假定完全放棄，覺得他的話乃是確有把握之言，普通少年人的誇大習氣，在他是完全沒有的。

王先生論詞主『境界』，或云『氣象』；其品第詞格之高下，則有所謂『隔』與『不隔』。何謂『境界』？

『有造境，有寫境，此理想與寫實二派之所由分。……』

『有有我之境，有無我之境：「淚眼問花花不語，亂紅飛過秋千去；」「可堪孤館閉春寒，杜鵑聲裏斜陽暮；」有我之境也。「采菊東籬下，悠然見南山，」「寒波澹澹起，白鳥悠悠下，」無我之境也。……』

『境非獨謂景物也，喜怒哀樂，亦人心中之一境界；故能寫真景物真感情者，謂之有境界，否則謂之無境界。』『境界有大小，不以是而分優劣，「細雨魚兒出，微風燕子斜，」何遽不若「落日照大旗，馬鳴風蕭蕭？」「寶簾閒挂小銀鈎，」何遽不若「霧失樓台，月迷津渡」也？』

（八七）

萬竹樓隨筆

天王聖明

·凝之·

「在全世界上，沒有任何其他的人，而且在歷史上也從來沒有人，像他這樣多才多藝，是這樣無比的天才。他洞悉任何一種業務中的隱微，深入到任何科學中最重大問題。他的智慧，他對於任何一種事業的權威人物所作絕無瑕疵，且恰到好處的指正，會使所有的人喫驚。對於一個複雜而困難的問題，他永遠會提出最正確的解決方法。」

「全世界上再沒有其他的人，對於未來，能像他瞭解的那樣明澈。他的預言從來沒有過錯誤。他的訓示會引導到所期望的目標。他的天才計劃永遠都會實現。他的天才，替我們展開了新奇而宏闊的遠景。人民對他的愛戴是無法度量的，因為他就是我們的生命，我們的勝利。他就等於我們，我們偉大的命運。」

你以為這是虔誠的人，對於萬能的上帝的讚美嗎？不是的。這只是蘇俄一個廣播電台評論員，對於「我們時代最偉大科學家」，「工人階級偉大的保衛者，偉大天才，和平的元帥史太林」所作的頌辭！

·新厚黑學·

與日友一夕談

·陳一塵·

前幾天，在啟德機場，從民航機中接到一位多年不見的日本朋友。

這位朋友現在是日本第四大報（在朝日、每日、讀賣之次）——中部新聞社的記者，此次以該社特派員名義赴台灣、香港、越南、緬甸、馬來亞、菲律賓等地考察，在香港停留兩天，第三天早晨又飛向曼谷去了。

據他說：中部新聞社目前在日本有北海道，京都，神戶，四國，九州等分社，在東京的總社內還有廣播電台和野球團等附屬單位，每日出報一百萬份以上。這是日本在戰後創辦的一試成功的新報。他很自信的說：不久便可和三大報並駕齊驅，以後也可能由於同人的努力，而真正做到「後來居上」。

在九龍大酒店的一個房間裏，我用生疏了十幾年的日語和他促膝暢談，他也不時的夾進幾句生硬的中國話，我們所談論的題目，完全是隨興之所至，有時他向我發問，也有時我請他回答，興奮時相對乾杯，呷一口啤酒。沉默起來，大家便各自燃着一枝便宜得使他驚異的駱駝香煙。

在檢討了幾年來美國的佔領政策以後，他說，美國如果要贏得日本人的衷誠好感，還需要特別努力。偶然提起「滿洲國」，他極力避免用「滿洲」二字，好像怕引起一段惡夢似的。他說：最可惜的是東北工業設備，竟被蘇聯搶運一空，雖然當年日本投資建設東北，不是為了給中國人，但戰敗後，他們却極願這些設備，能由中國人使用。他說，假如東北的一切，在日本戰敗後，直接移交中國，則戰後的中國，很快便會復興，更不會有今日中共的局面，這不僅是中國之福，對日本也是十分有利的。

最後，他說，日本將珍視此次戰敗的教訓，一切都從頭做起。譬如以前的日本，為了疏散國內過剩人口，把一些不學無術的人遣赴國外各地去「找飯吃」，當然這些人不會給外國人，尤其是中國人留下什麼好印象。今後日本到外國去的僑民，必定要經過一番甄選，儘量使優秀的日本人出來，慢慢的轉變外國人對日本人既有的壞印象，給日本開闢正當的出路。同時，在國內也儘量的起用年青的新一代，因為四十以上的人對未來的新日本已無能為力了，而是年青的新的一代要肩負起未來日本的國運。

當他正問我對中日和約有何看法，我還沒回答幾句，有人找他，我便匆匆的離開旅館。第三天一早，我便在晨光熹微中，送他飛向曼谷，相約從南洋歸來，再作詳談。以上的話，雖然只是他個人的意見，但我們從此，自然也不難看出，日本人現在心目中，都在想些什麼！

× ×

心樓雜寫　夢以外

·小卒·

走出鐵幕兩年，沒有什麼值得懷念；偶爾使我悶悶不樂的，倒是那些爲「生活」而「犧牲」了的朋友。

我一直將他們譬喻爲關在籠子裏的洋鼠。

當他們穿上所謂「解放裝」的時候，身心便給鎖進了牢籠。我曾問過他們：『不能再考慮五分鐘嗎？關在籠子裏的洋鼠是沒有自由的，即使有，也只是單純地玩弄着鐵絲上的轉輪。』一百個朋友，只有一句回答：『爲了生活，有什麼辦法？』我沉默了。然而，沉默是反抗，不是容許；容許而以沉默出之的時代，早過去了。

這件事，經過已經兩年。

兩年彷彿一個夢，我逃在鐵幕以外，「生活」固然在和我搏鬥，但我並未被「生活」俘虜。

這兩年，被關在籠子裏的洋鼠，有些被殺了，有些自殺了，有些在飢餓中，有些則在等待死亡。

單純爲了解決「生活」而入籠，說真的，何異於飛蛾撲火？

黑十字

·北晨·

藍英對這男人已經近於絕望了。洪正池耐住火氣，將上面的意思再說了一遍，她仍舊無動於中。她從床上坐到沙發，乾脆告訴他，看準他賺不了錢。即使他有了十萬百萬，她也決不再跟他。

這話刺傷了洪正池的心，跳起來就「嘣」地一記，給了她一個耳光，忽然又想到此地有不許打人的法律，同時他也知道今天不會吵出什麼結果，恨恨地罵了兩聲，便拔腳走了。

挨了打的藍英，竟止了哭聲。洪正池的態度使她吃驚，以往只是吵鬧，如今却敢動手打了。

她眼中的洪正池已經翻了樣，現出他兇惡的本色。

她喚了一聲阿平。阿平正呆呆地站在外面。

她並不是要阿平放水洗臉。不知從那裏來了一股勇氣，她決心一刀將這惡瘤割掉。

她叫阿平立刻收拾衣箱。她要搬家，要暫時躲避這個惡魔的糾纏。

阿平知道她的脾氣，勸她不會有用，只是慢慢替她收拾。藍英脫下睡衣，忽忽掠了一把頭髮，抹了些粉，眼角淚痕給粉遮沒了。她覺得為一個無情的男子流淚，實在是最大的浪費。

她正想出去打電話，預備向附近的酒店定一個房間，客廳裏的電話響了。是男人的聲音。她的怒容立刻化為烏有。

「姐夫！我正預備來接你。」她興奮起來。

姐夫說是昨天晚上動身的，今天一早七點便到了香港。

幸而姐夫這時來了電話，否則，她忽忙將家搬了，姐夫來漢裏尋她不着，只有到舞廳去找。她不願意姐夫到那種地方去，在姐夫面前，她不能忘記過去的身世，和一些值得鼓勵的事。

姐夫是個斯文體面的紳士，一直心她，最近三月，才知道自己的嫡妹做了舞女，幾次三番來信，要她早點脫離舞場，其實，藍英并非留戀這樣的生活，她欠了舞場一筆借款，沒有錢，她便無法擺脫這些桎梏。

在電話中，她要姐夫快點來；姐夫却要她到他住的地方裏去。（四）

·中篇連載·

自由人

THE FREEMAN
（半週刊每星期三六出版）
（第一一七期）
每份港幣壹毫
督印人：李光華
社址
香港高士打道六六號
電話：二〇八四八
GLOUCESTER RD.
HONGKONG
TEL: 20848
承印者：東南印務出版社
地址：高士打道六四號
台灣經銷處
台北市中華路一二五九號

使中共走向毀滅的幾條路

·左舜生·

世界大戰的起來，中共內部的變化，有效武力的打擊，反共宣傳的繼續加強，這些都不失爲使中共走向毀滅的一些路子，但單走一條路，單靠一個力量，是不會有效的。

亞洲問題的總解決，繫於中共政權的根本毀滅，毀滅是一定要毀滅的，但毀滅時間的遲早，則要看各方面的做法怎樣。

有人把中共政權的顛覆，完全寄託在世界大戰的正式爆發，不錯，中共不過是蘇聯的附屬品之一，她的冰山一天不倒，她便可能繼續的存在，必須蘇聯開始崩潰，中共才會加速的瓦解。這一點，不僅我們懂得，蘇聯懂得，中共自身也必然懂得。惟其如此，所以他們一定要想出種種方法，做出種種姿態，一會兒張牙舞爪，一會兒又笑臉迎人，其目的便在把大戰正面爆發的時間，儘可能的延緩。我們不要以爲他們這些方法和姿態絕對無效，實際則民主陣營的分子，被其動搖，被其愚弄的，還是隨時隨地可以發現。本來民主國家之所以團結反共，原係處於被動，他們內心的要求還是和平。必須共方的攻勢加強，他們的團結才能加緊，只要蘇聯把絞刑架上的繩子鬆一鬆，一切和平的幻影，又立即出現。可是雖然如此，共產黨的本質是不能不造亂的，世界有一天的和平，他們便一天感到威脅；只要人類的心情，始終期待在安定的秩序之下和平相處，他們的這種制度，便到底不能存在。惟其是這樣，他們的僞裝和平，乃至爲有限，在歐洲和緩一時，在亞洲便必須緊張起來；韓戰即令可停，在一個他們認爲更適宜的地點，戰爭依然要發動。同時，蘇聯感到被包圍的圈子愈縮愈緊，她終於要奪圍而出；民主方面感到守勢的工作已到達飽和，她們也可能變被動爲主動。因此，我們儘可認定大戰終必爆發，但時間則可能還有相當的距離，利用這點剩餘的時間，加強我們反共的工作，并不一定是沒有好處。

有人把中共政權的顛覆，寄希望於中共內部的變化，過去存着這種希望的人可以說很多，現在雖然逐漸減少，但也還不是沒有。我們不願說存這種希望的人便毫無道理，可是這種希望之能否多少實現，必須決於三個條件：第一、要看中共分子的人性，能否部分的回復；第二、要看中國人的民族意識，能否普遍的覺醒；第三、要看蘇聯對中共這個工具，能否不作過度的使用。第一點希望甚微，即有，暫時也還是曖昧的，去明朗化的時期尚早；第二點在蘇聯殘酷的高壓之下，希望頗大，但暫時也還是潛伏，必須有外在的因緣湊合，同時有賴於我們的繼續加火；第三點，在客觀的心理上，蘇聯也可能認識到對中共的運用，不能不有一定的限度，但在周遭的形勢上，則不容許蘇聯不把中共繼續丟下火坑。假定大戰一旦爆發，或蘇聯使用中共而繼續挫敗，則所謂中共分子的人性回復，與中國人民族意識的覺醒，也可能加速加強，我認定這還是從根本上顛覆中共的一個主要因素，我們要好好的把握，好好的運用。

有人覺得中共之所以起來，和她之所以存在，完全依靠武力，我們既要打倒她，當然只有加強集中武力之一法，這自然是不錯的；我決不會誤會打倒中共可以缺少武力，但我也決不會誤解爲避免戰爭，依然可以消弭今天世界的共禍。反共的武力有其聯帶性，必須統籌擴充，統籌支配解決，單獨運用的可能性是很小的。採取單獨的行動，即令勉強收效，甚至其效用也可能生相反的結果。必須認識這一點，我們才會了解武力必須與政治、外交、經濟，配合來培養，配合來運用，目前還是埋頭苦幹的時期，決不是輕言行動的時期。

還有人把反共的文化思想宣傳，看得極端的重要，這自然也很正確：假定我們[illegible]，是一堵經不起風吹雨打的土牆，它也並不會自然傾倒。中共三年來在大陸上，從鬥爭清算到三反五反，她們[illegible]補自我宣傳，是特別有效的；然而我們並不顧對我們還一時期所不做的工夫，便妄自菲薄，可以說，今天在國際上，在一切海外人們的心目中，能夠把中共一切的醜惡暴露無遺，乃至使得一般業已靠攏，心存觀望的分子，也紛紛發生動搖而迷途知返，不能不說是這種宣傳已經收了大效。話雖如此，但我們依然要明白認識：共產黨決不是單靠宣傳所能打得倒的。自從蘇聯建國到今天，已經有了三十五年，即一切蘇聯衛星國家的出現，亦已多歷年所，在這三十年的時間，從鐵幕中跑出的人們，著書立說以反對共產的，豈少也哉，但曾何損於共產政權的毫末？可見所謂反共的文化思想宣傳，儘管是反共的一個有力方面，然而依然有其弱點，不把這個力量和各方面去好好配合，依然是收不到反共的全功的。

總而言之，世界大戰的起來，中共內部的變化，有效武力的打擊，反共宣傳的繼續加強，這些都不失爲使中共走向毀滅的一些路子，單走一條路子，或專等一條路，專靠一個力量，是決不會有效的。因此，我們必須研究如何配合的方法，也必須考慮到國際的可能。

無論大戰與否俄帝必亡

史太林的氣燄「扒」下來了

·胡秋原·

（一）俄帝是「紙老虎」是「泥脚」

入春以來，最令人高興的風景，是史太林的氣燄，扒（註：此字係做共黨之「橋」，照四川讀法。）下來了。

這幾年來，史太林眞正不可一世。他一舉一動，一顰一笑，讓世人困惑，驚動驚奇，時而恐怖，時而喜悅。使人可怕之處，幾乎可使小兒止哭。一旦偶作「和平」表示，便又使許多政治家，額手相慶，新聞記者忙碌不休。他似乎能操天下生殺之權。大家恐懼，他一揮手，將有四百七十五師大兵排山倒海而來，而且大有投鞭以斷英倫海峽之流之勢。何況，還有水銀瀉地草木皆兵的各國共產黨呢？於是，大家惶惶終日，惴惴不安。有的[illegible]，不當膝傷之曲；有的屏息而窺，唯恐大禍臨頭；有的則極力乘機諂媚，幫腔聊求苟安於一時了。這很像電影「金剛」上的蠻人，唯恐金剛發怒，只好跳「金剛舞」以悅之，抓良家女子以獻之。匈牙利，捷克與中國大陸，就是這樣淪陷的。

於是史太林越發顧盼自雄。他也充分利用世界上的恐怖心理，時常故作驚人之筆，示不測之威。他就這一套恐怖而神祕的姿態（一種伊凡第三加拉斯普丁的姿態），嚇唬國內的人民：「全世界都怕『領袖』，我們還能不怕？」也靠這一套操縱附庸國的豬仔：「大導師的天才是永遠不錯的，必能指導我們做小導師的」。也靠這一套敲詐世界：「不得罪這瘋子罷，免得拳頭操到我身上來！」

其實了解俄帝實情的人，都知道他是「紙老虎」，是「泥脚」。在一九四六－四九年，他外表上也許有最大的作戰力，但非共世界的潛在作戰力，畢竟比俄帝強大堅實得多。只要非共世界能一致團結，不怕一戰，俄帝一定掛免戰牌的。一九四七年，希臘土耳其即賴以保全。其實，如果當時民主國家決心聯合一致，不許俄帝及其走狗侵犯匈牙利，捷克和中國，也還是能有效的。但當時民主國家沒有這決心。俄帝之可怕，即在大家要怕。而史太林也就胆大包天，致動韓戰了。

（二）最近姿態，目的在哄騙一兩個傻瓜

至此民主國家才知道怕亦無益，退無可退，才決心應戰。這一仗打得太好。不僅打出俄帝破綻，打出自由世界信心，尤其促進各國在團結和軍備上急起直追。老實說，韓戰以前，大西洋公約實在是紙上談兵。現在，眞正有了一支有效的歐州聯軍，而且，在中東遠東，亦有佈置了。封存的艦艇出動了，原子砲原子彈出世了，尤其重要的，工業巨人的美國開始動員了。另一方面，史太林則內外困難日益嚴重。而且在一試驗性的戰爭中，遠東頭號傀儡的中共已經打得不復成爲一個力量了。對於全球的包圍，原子砲，日益伸張的生產與技術之偉力，加上全世界人類對自由對聯合國擁護的決心，已使史太林錯愕。今年一九五二年是他作戰力達最高峯之一年。他要打，還可勉強一試。過此以後，他的實力日弱，反共實力日強，那麼，就根本不必獻醜了。他有無作戰的決心呢？他關於德國的提議，對美國新聞界的談話，尤其是最近所謂「國際經濟會議」的要求，都是避戰的態度，都是示弱的表現。除非我們認定他是一個「超米[illegible]」，這一切姿態都是他時在明天，或者二三月後發動一個珍珠港事變的烟幕，我們不能不說他「扒」下來了。事實上，人海不能抵抗原子砲，續航力一小時的米格機，在大戰場中，亦不能阻止原子彈的轟擊。最致命的，國內的人民，鐵幕的人民，必乘機起義，換言之，他不僅將最後失敗，而且將很快失敗。因此，如果他發動大戰，他必將急性出血而亡！

因此，史太林非扒不可。因此史太林近來一切做作，也就不大引起大家興趣了。他已經不復神祕而可怕了。而他最近不斷饒舌者，如非絕無自知之明，則就是以爲「誠則靈」，總可騙一二傻瓜而已。

（三）俄帝必亡的三種方式

感謝韓戰，很可能使史太林暫時斷念於三次大戰，因而防止了大戰。如果史太林不挑動大戰，美國是不會攻擊他的。那麼，俄帝是否就不致於亡呢？不能！俄帝不敢挑發大戰，不是說他就甘心停止侵略。他不過認爲「革命已入低潮」，要等待機會而已。而俄國人也是能「等」的。再等一二十年，也不是不可以的。但是，是否俄帝還有一二十年的壽命呢？沒有！

假如大戰不致發生（這情形不是很不像的），世界局勢便有三種可能：

（下接第二版）

「兩面人」

史太林當穩考第一

·一丁·

在國際舞台上，慣於扮演「兩面人」的，無論經過如何考試，史太林當穩列第一。而且他演出時那樣大胆無恥的姿態，更無疑地將必然是前無古人，後無來者。

以前種種傑作，姑不具論，即就最近他所表演的來說，也眞可嘆爲觀止。他一面倡議朝鮮停戰，自己選出一名「中立國」，另一面他卻硬塞給一名參加停戰的中共「抗美援朝」，米格機和新式高射砲，大量的運入朝鮮戰場，好以中國青年的血肉，消耗美國青年的血肉。他自己則袖手旁觀，行若無事。

這一次莫斯科召開所謂國際經濟會議，爲強調共產國家可與資本國家友好並存起見，特別讓幾個參加會議的美國無名小卒冒充代表，起立聲明說：「我們是擁護私人資本主義的」，以證明蘇聯並不拒絕資本國家和牠合作。尤其可笑的，會場上一向高懸的史太林偉大肖像也臨時撤去，以沖淡蘇聯由史太林個人獨裁的嚴重氣氛。另一方面呢，蘇聯及其附庸國所有報紙，竟與會議同時，全體一致，以反對細菌戰爲名，不特大罵美國資本帝國主義，並且指明把英國也拖入爲幫兇。馬立克在裁軍委員會內演說，破口狂吠。[illegible]與「友好並存」的[illegible]對照？

眞理報主辦的諷刺畫報Krokodil附刊，他曾把一塊金元[illegible]兩面，諷刺美國國務卿艾契遜。艾契遜在巴黎聯合國大會呼籲和平，另一面則[illegible]大西洋公約會議，主張加強原子彈[illegible]。這份畫報把艾契遜作「兩面人」，我們由此反想過來，[illegible]那就是做賊的[illegible]大喊捉賊的人羣中[illegible]。

「水銀戰役」以後

法軍在安南施行對越共的「水銀戰役」，據宣稱已予越盟軍以慘重損失，統計傷斃及俘獲越盟軍在六千人以上，而胡志明所部最精銳的一師「國防軍」，且已消滅殆盡了。這是法軍自塔西尼大將去世後的首次勝仗，值得注視的。

隨着這項勝仗消息而來的軍事情報，中共的「志願軍」二萬人已陸續入越了！這是應有趨勢，毫不足怪。過去中共是以少數技術人員和大批裝備應援胡志明，而以大軍屯駐越邊助勢壯胆。現在越盟軍嚐受重創，中共「志願軍」自然實行參戰。不過，這次「志願軍」參戰的形式不會像前年參預韓戰那樣大吹大擂的行動，將以「軍事消耗」，「政治滲透」爲方針。憑其屯駐滇桂一帶邊境的數十萬共軍，來消耗駐安南境內的十七萬法軍，綽有餘裕，而在消耗戰之中，政治滲透尤其容易。

所以，今後的越南戰事，應以政治戰爲首要，軍事行動只是輔助力而已。法國對安南的殖民地政策如不自動大加改進，前途很難樂觀的。例如：住在安南境內的華僑，他們十分之九都具有反共的心情，但更不滿意於舊有的殖民地政治生活，這就是很容易被中共利用滲透的大好因素。海防西貢各大都市間常常發現爆炸狙擊份子，法國在安南的高級官吏時遭暗算，如非當地人民暗中同情胡志明，反抗現行統治方法，這些「不逞之徒」怎能潛伏於通都大邑之間呢？「水銀戰役」固然勝利了，我希望法國當局要特別注意於政治鬥爭之道，否則，將來中共對安南施行軍事政治的大規模進攻時，法軍處境是危險的！

半週展望

雷嘯岑

英埃糾紛將近解決

英埃談判近日已由開羅移到倫敦，埃及駐英大使阿姆爾奉命到倫敦與艾登直接商談一切，而英國駐埃大使施蒂文遜亦建議政府，主張接納埃方意見。雙方當事人的言行都一致接近了，問題自然會迎刃而解的。

英埃糾紛如不及早解決，民主世界在中東這一大戰略地區，始終是僵持狀態。英國方面早有表示，祇要埃及承認中東防禦組織，而將蘇彝士運河置於防禦體系之下，則英軍撤出運河區域一節，自可商量云。埃方所爭者主權問題，英方所注視的是安全問題。埃及既不能自外於民主陣營而生存，則英方所謂安全問題，埃及亦在其內了。現在就主權問題看，只有蘇丹奉埃王法魯克爲王的這點形式爭執了。美國建議目前即同意埃方主張，以待他日蘇丹人民之自決，英國表示不堅持。

這樣，我們相信英埃糾紛最近必可告一段落，而中東的四國防禦體系，即可從速實現了，實爲民主陣營大可慶慰的事件。從這次英埃糾紛經過情形來觀察，英國人應付落後地區由民族主義所發生的事變，實較法國人高明多了。看法軍在突尼斯所表演的作風，眞不勝其「爲親者痛，仇者快」的感想哩！

美國的大選動態

美國各州的初步大選情勢，共和黨候選人似有先聲奪人之象。如果杜魯門眞的不競選——縱使七月間民主黨代表大會提名亦不幹——則今年的大選結果，恐怕民主黨很難再操勝算了。

一九四八年杜魯門意外的擊敗了杜威，那是當時的國際形勢所使然。今年杜魯門之決計不競選，也是國際形勢佔着重大因素。韓戰即使能在最近兩個月達成休戰協議，然眞正休戰狀態，在十一月以前亦決無實現可能，當即是民主黨政府最容易受人攻訐的問題。試看麥克阿瑟魏德邁一般人的言論，可知美國對遠東政策是這次競選的勝敗關鍵所在。魏德邁說塔虎脫的外交政策「充滿常識」，即是指摘現行對外政策缺乏「常識」了！再看內政方面，杜魯門最近雖然大力整飭貪污，然其檢察長與其所派負責調查貪污的檢察官大鬧之下，實予社會以極大的不良印象。這些情形在別的國家，或許無關宏旨，然在「人民有權」而又有知識的美國，卻是關係重大的。因此，杜魯門之勇退，我認爲他的智慧並不平庸！

樂觀空氣忽流行 聯合國無法解釋

聯合國十三日路透社電：「此間突然產生一種無法解釋之樂觀空氣，認爲韓國休戰，可望於五月一日達成。」

據在三個星期之前，紐約時報的軍事專欄作家鮑爾溫說：「韓國前綫還有七八個星期便是春回大地，戰火可以重燃的時候了；到那時候，共軍還是捲土重來，再度進攻呢？還是怎樣？」

在這段長期的談判空隙中，共方不獨集結了爲數可觀的軍力（包括軍火和供應物資）而且空軍實力也逐漸增長中。關於「國際聯合空軍」之羽毛豐滿，專欄作家史巴茲將軍亦於新聞週刊撰作專文，認爲聯軍不能單靠海軍優勢，以迫使共方在戰場上和會場上就範，必須海空並進，永遠掌握麥帥戰略的實現力量，整個遠東戰局，方可立於主動的一面。

這只是一種論調。然而是否美國軍事當局確已將麥克阿瑟的戰略，從冷宮中拾起了呢。

麥帥戰略的三大要點是：（一）擴大戰局，轟炸東北基地，（二）海上封鎖，（三）協助國軍反攻。

在這韓戰即將和平解決的樂觀空氣中，我們同時不要忘記目前三件事，這三件事是和整個局勢的發展有關的。

（一）越戰突然惡化，法軍雖然將移入紅河三角區的零散之敵，予以肅清，但根據最近情況，似誠如本報一一三，一一四兩期社評所指，越盟略經整補，即將捲土重來，以陣地戰與游擊戰深合使用，以期殲滅具有近代裝備的法軍，這種戰法，久已使用於韓國戰場。

（二）美海長金波爾東來，由菲律賓，到香港經沖繩島到台灣、東京，並觀察韓國前線，他發表了許多談話，重要一點，是主張封鎖中國大陸，並願見國軍反攻大陸。

（三）美遠東航空司令魏蘭中將招待記者，他並不否認米格十五型俄機的威力，以及共方空軍力量之增大，但是這種優勢的形成，只是限於原有的空中走廊，易言之還是以米格式十五機掩護地面部隊的後勤集中，因而制空權之掌握，仍舊屬於盟軍這一面。

何來此「樂觀空氣」

·林詩·

但是他認爲如果要擴大戰爭範圍，部份的實現麥帥戰略的話，（即機轟炸東北）尚須獲得更大的增援，因爲須有決定性的毀滅，這種轟炸始能反映戰略效果。魏蘭將軍並且惋惜地表示：「此舉將易使世界大戰爆發。」

這三件事，與韓局和談，究竟有些什麼關係呢？

由於中共之積極援越，可能刺激了英、美、法、澳、紐的東南亞防衛政策。美國戰略家，原集中全力於太平洋防綫之經營，該防綫只是包括日本、台灣，以及菲律賓；至東南亞各點，則置於外圍綫，（這種措施，以軍略地理爲主形成之）。但英、澳、法的軍事佈置，則與美似有不同。英艾登外相，對越南局勢，曾表示決不坐視。澳外長嘉斯最近訪問星加坡，一般相信這是英澳進一步具體實施東南亞防禦政策的接觸。法國聯邦國家殖民部長勒都諾，日前向國民議會嚴正表示：「法國絕不放棄越南。」基此之故，以領導國家自居的美國，對全般戰略，也不得不大受影響。美國不能讓中共於韓戰以外，再在東南亞放一把火，她一面增強其對越南的軍援項目（最近有一艘航空母艦駛赴東京灣，並傳B廿九型轟炸機已將參戰）另一面，試圖「封鎖」與「轟炸」並用，以求整個的全面的牽制中共，以實力阻遏越局勃發，而讓蘇聯和中共有一個慎重反省的機會。

金波爾海長發表了許多封鎖中國大陸的話，旋又加以否認，我們不必說其欲蓋彌彰，這是外交運用與軍事策略不同的微妙之處，我們看定此行具有「視察」「協商」「部署」的三重意義，雖不是如報紙所擬的「威脅」，事實上決不輕微。其在法，再加於莫斯科，北平，冲繩島空軍基地，擴修及魏蘭中將的談話，一種耐人尋味的警告，美國空軍在作戰略轟炸的準備。這大陸與海上的立體戰力，我們能說不是麥帥戰略已被重新估價？如果說韓戰和平僅已在望，那上述的美國的這些姿態，決不是毫無收獲了！

無法解釋之樂觀空氣，這或許也是解釋方法之一。

美國最近加強遠東的軍事佈置或許即是韓戰可能結束的解釋方法之一

大陸失敗也證明了教育失敗

台灣教育會議已閉幕

文化改造將澈底從頭做起，蔣總統訓話，要黨政軍人員對教育界特別敬重

【本報台北特約通訊】這幾天，台灣全省教育會議剛開過會，到會的有全省中等以上學校校長一百多人。自從政府撤退到台灣以後，各方面曾屢有檢討，認爲大陸失敗，最主要的一個原因在教育。尤其是因爲不注意四維八德的精神教育，以致許多軍人及知識份子投降靠攏，或是被俘變節，聒不知恥。所以各方面對於今日的台灣教育界，都期望很殷，並且希望能有一番澈底的改革。今年是台灣的總動員年，其四項改造運動之一便是文化改造，而其綱領則爲改革學制，改革教材。況且台灣有十二萬多的中學生，要講動員，自屬重要的對象。台灣的師範學校已經實施軍訓，此後將普及於一切中等學校。教育當局有鑒於過去在大陸上學校軍訓的失敗，將改用暑期集訓方式，不再在各校中配置軍事教官。至於學生生活的軍事管理，因爲台省學生多屬通學，辦理較難。教育當局更特別提倡勞動生產教育，並且限制普通中學的增設，而擴充各種職業學校的容量。再則是總統於三月二十九日青年節文告中，號召青年救國運動，組織青年反共救國團，以爲黃花崗之役與北伐抗戰之役以後的革命青年的第三次大結合。其所謂青年，係兼指社會青年，各方面頗盼望此後的青年運動能有統一的領導，而各縣市現有的有關動員機構，也能使其合併與簡化。台灣的中等以上學生所負的時代任務是艱巨的，各方面對他們的要求是繁重的，所幸教育當局及各校教職員都能虛心實幹，這十二萬多人，總可以結成一個堅強的反共抗俄的大動力。

對百年樹人一語 總統有新的解釋

在教育會議期間，總統特別召集出席人員參加紀念週，對大家多所勗勉。總統解釋「百年樹人」一語的意義，說以三十年爲一世，百年就是三世。也就是說教育的功效，要到三世以後方能完全表現出來。因之，教育人員在當時常是無名的英雄，但是三世以後，其對國家民族的功績，豈非那些一時軍功或一時政績的人可比。總統並且謂教育人員此後要自愛自重，而黨政軍各方面也要特別知道教育的重要性，尊敬教育界工作人員。這幾句話使得與會的人員都異常感奮，並且使得在座的黨政軍各方面的大員咸有所感動。此後要求教育界人員擔當起百年樹人的任務，對於他們的待遇應當首先予以提高，安貧樂道固是美德，但國家總應該使其不必時時憂慮自己和一家的生活。過去在大陸上對於教育人員的待遇始終未嘗作合理的解決，這當然是教育失敗的主因之一，當局者必不致於再等閑視之了！

出版法放寬尺度 新報館不再限制

由核准制改登記制

修正出版法在立法院討論經年，終於通過，並已由總統明令公佈施行。這一次修正案，所表現言論自由的尺度，較之原案已大爲放寬。最主要的便是第九條：「新聞紙或雜誌之發行，應由發行人於首次發行前塡具登記聲請書，呈請該管直轄市政府，或該管縣（市）政府，轉呈省政府，核與規定相符者，准予發行，並轉請內政部發給登記證。」又：「前項登記手續，各級機關均應於十日內爲之，並不收費用。」這就是從原來的核准制改爲登記制，並且省政府准予登記後，就可以發行，不必等待內政部的登記證發下，才可以出版。但是第四十四條，謂「本法施行細則，由內政部定之」。這對於內政部，將是一項難以着手的問題。因爲台灣自從三十八年以後，無形中即對於三種事業，有所限制，一是新辦或自大陸遷台的報紙，二是新辦或自大陸遷台的出版業，三是新辦或自大陸遷移台灣開業的銀行。就銀行而論，除中央信託局外，中中交農四行都沒有能在台灣設立分行，自大陸淪陷，四行的總管理處移台，始終是保管的狀態，沒有能正式經營業務，連國庫也迄由台灣銀行代理。就學校而論，除東吳大學，在去年下半年以補習學校的名義，獨創新例以外，沒有任何專科以上的學校可以在台灣復校。

讀者不多 新報難辦

就報紙而論，除中央日報以外，也沒有任何自大陸上遷來的報紙。以上這三項無形中的限制，在當局也似有辯解的理由。因爲台灣本身只有一島，人口的總數只相等於大陸上的上海一市。銀行太多，未必能扶植正當的工商業，反而容易重蹈上海商場中投機取巧的惡習。學校太多，一方面要引起日後畢業生失業的問題，一方面也容易將大陸上的一部份不良學風帶進台灣。報紙太多，可能有礙於言論的安定。況且台灣的人數有限，多了也未必有人要看報紙。目前已有的報紙，銷數自以中央日報最多，新生報爲南北兩版，銷到嘉義爲止，台北以南都看南部版。中央日報因爲沒有南部版，所以行銷的範圍集中於台灣的北部及中部，最近的中央日報，大量的刊載長篇集體創作，已有雜誌化的傾向。此外銷路較多的，要數中華日報，也偏重於南部。其餘還有幾家民營的報紙，因爲紙張節約或是銷路不暢，已有些改出聯合版。總之，台灣現在所有各種日報的總銷數，實際上仍嫌太少。所以出版法雖則修正，辦報的手續雖趨於簡化，未必有人願來嘗試，再辦新的報紙。但如竟有人依據修正出版法要新辦報紙，或恢復從前在大陸上已領得有內政部登記證的報紙，這在台灣省政府方面自須於十日內許其發行，而對於台灣數年來一貫的限制政策，就要推翻。內政部即使想在施行細則上加以補救，恐亦難於見效。因爲施行細則究不能違背母法的立法精神，所以這件事將是內政部的難題。（陸浮，十二日寄自台北）

比軍事專家過港 替香港大算其命

【本報專訊】比利時駐日軍事代表團團長薛佛利（De la Chevarlie）中將，十一日搭馬賽輪經港返比。記者們在輪上，請其以軍事專家地位，發抒其個人對於香港未來安全的看法。他首先肯定：如果沒有第三次世界大戰，香港的安全性，是絕對沒有問題的。他強調，他這看法，是有百分之百的把握。更進一步他認爲即使第三次世界大戰不幸而無法避免，香港也未必則會捲入戰禍。他指出，第一；從軍事戰略的觀點，香港在大戰爆發後的作用乃是聯軍在遠東一個最好的海軍補給站，一個指向中國華南的橋頭堡。不過共產集團要佔有香港，一定要有大批的海空軍，否則攻下以後，無法防守。（薛氏承認共軍有力量可以攻下香港）。他說：蘇聯擁有大批空軍，但海軍力量仍極微弱。他判斷共方不會輕舉妄動，原因共軍將違背了戰略價值。（Strategic Value）第二；再從另一方面看，他還認爲即使大戰起來，遠東局勢，美國不容易立即把英國拖下水，英美並一致僅見於歐洲問題。英國很可能不會向中共宣戰。如果英國採取這種姿態，中共決犯不着爲了香港，而把英國龐大的海軍力量引到華南沿海，來威脅中共的生存。所以，他從純軍事觀點看法，大戰即不起，香港固百分之百的安全，大戰起，香港的安全性，至少也還有百分之七十。他認爲其他百分之三十，是屬於世界政治問題，他承認他不懂政治，所以他對這個假設下來的百分之三十，不便表示意見。按薛氏自日本投降，即出任現職，爲比國海陸兩棲戰名將。

共安署選拔人才 赴美國接受訓練

美駐台共安分署副署長璞瓊斯十三日由台北抵港，往西貢視察。他說，最近共安總署決定在台，菲，越，泰，印尼，緬等六個國家內，選拔優秀技術人材，赴美訓練，爲期約一年至二年。現在已有二百人分在美國各工廠實習，今後名額將擴充自八百人到二千人左右。其中台灣方面選拔的標準，將偏重於電力，農業肥料，造船，煤礦等。訓練的名額以台灣佔大多數。訓練的時間，決定本年六月開始。

幸福連鎖忽流行 主教府通令銷毀

香港天主教友中，最近不少接到一種詆毀公教來自大陸的「幸福連鎖」。投函者恐嚇受信人，如不照函轉寄，必遭種種不幸，香港天主教府於復活節日特頒布公告，指出：「這種行爲，實在是一種無知的迷信，足以混亂人的理性，是聖教會所極端禁止的。爲此，鄭重告知教友，絕不可重視這種函件，一經到手，當立刻撕毀」。

香港將印新郵票 圖案有市政大廈

香港中國郵學會第四屆郵票展覽會於十二日在思豪酒店揭幕。香港郵政總局局長蘇維禮於出席該會時表示：香港不久將有新郵票出現。據聞新郵票圖案，將爲女王維多利亞二世相及香港未來之市政大廈。關於市政大廈部份，原由中國郵學會設計。票面上充份代表香港景物，香港在英國統治下，百餘年來，郵票一向均採用英王肖相，以香港景物作代表象徵，此在香港郵政史上，尚係首次。（一成）

三國大代表在川省遇害

游鶴莊，彭志明，費明揚，先後在本籍慘遭殺戮

【本報專訊】凡在大陸未及逃出之各地方民意代表，如立監委國大代表等，年來多遭共黨毒手，或遭以「反動」「國特」罪名捕殺之，或假手「人民」清算鬥爭而致死。據由四川脫險逃來本港者談稱：川東涪陵縣男女兩個國大代表游鶴莊彭志明，及川南犍爲縣國大代表費明揚，亦是這樣死的。

游氏當年係青年黨提名候選人，原未正式當選，因政府當時爲爭取友黨合作關係，准其出席國大會議。該縣參議會議長高新亞，爲留俄左傾份子，與游素積仇怨。巴蜀淪陷後，高新亞貴爲「西南政委會副祕書長」，乃嗾使地方人士，於「土改」聲中，將游捕回清算鬥爭，由「人民」公審處死，罪名爲「惡霸地主」。彭氏係正式當選之婦女界代表，爲「三青團」幹部，其夫王傑臣則任彭（水）涪（陵）師管區司令。共軍入川時，夫婦二人皆被俘解回本縣，未經審訊，即被殺棄。又川南犍爲縣之國大代表費明揚（青年黨曾任經濟部司長）亦於去秋在本縣以「反動」「罪名」慘遭殺害。（雨田）

上接第一版

·無論大戰與否俄帝必亡·

第一，美俄兩國進行長期全面鬥爭，但不訴之大戰。此即所謂「冷戰」——不過比以前冷戰更廣汎深刻。須知這冷戰只是不在戰場上大批死人而已，其他一切還是一樣的。人力的消耗是一樣緊張，物力的消耗是一樣緊張的。大戰如決鬥，冷戰如打拳。打拳一樣打死人的。這一種全面高度冷戰，亦有二種可能：（A）俄帝經濟因擴軍競賽日趨枯竭，終於解體。（B）因俄帝加強壓榨，東歐發生更多狄托運動。俄帝因不能忍受出兵干涉，而自由世界也加入干涉。這自難免流血。但這將是一種急性慢性之間的中間性的流血。

第二，民主國家動員以後，不會因史太林幾句空話，幾副扒相，便又復員，只有慢慢動員下去。但到了一定程度，即兩集團實力太相懸殊的時候，民主國家可能邀請史太林來開他曾經很熱心的「巨頭會議」，或者，在聯合國開一特別會。做什麼呢？「敦請」俄帝退出巴爾幹和我國之東北。俄帝自不會容易就範。但是，聯合國可能援助自由中國或其他自由人民起來復國，援助德國統一或援助自由俄國之解放運動。如不幸俄帝出面干涉，因而鬥爭，這戰爭規模不會很大，時間也不會很久了。這也是一種中間性的流血。

第三，以上二種形勢，是假定韓戰終能和平解決而言。事實上，韓戰也可能拖下去。拖到相當時期，不外兩個結果。一，韓戰擴大。這結果將與第一條的（B）項相同（中間性流血）。其二，拖到一定時期（這不會很久了）中共不能支持，發生第一條（A）項的情形（慢性流血）自由中國以及大陸人民自將起來解決自己的問題。屆時也許俄帝不敢公然干涉（因爲有第一條（A）項情形，或因聯合國在旁嚴厲監視），中國自會解決俄帝鷹犬，重光大陸。如俄帝竟敢干涉，那麼，結果便回到第一條（B）項的情形了（中間性流血）。

因此，如果世界大戰不致發生，或即以韓戰爲「代用品」，那麼，俄帝仍將慢性流血而亡，或以一種快慢之間的中間性流血而亡。

總之，俄帝之亡，是無可救藥了。問題是三種亡的方式與時間。我們要有他急性而亡的準備，也要有他慢性，中間性而亡的打算。

事隔三年中共最近始發現
我曾有大批飛機存滇
但淪陷前我已緊急疏散 引擎二九八部均經拆毀

中共很悲憤地說：這裏面有許多轟炸機及戰鬥機引擎，可以裝配成飛機一百四十九架，可惜都被楊棟珊等鎔毀精光了！

【本報昆明特約通訊】「抗美援朝」以來，中共的人力物力損失很大，以是對軍需物資的搜括，雖廢鋼爛鐵亦不肯放過，近一班愛國商人痛恨中共，對有關飛機、坦克、裝甲車等器材零件，寧可拆毀鎔鑄，移作他用，或變爲廢品，亦決不願高價出售，獲取暴利。中共最近公佈：「昆明奸商楊棟珊，岳宗琦等九主犯盜竊國防器材價值三千六百六十餘億元」一案，即含有一段可歌可泣忠貞愛國之事實，楊岳等現雖被捕，然堅強不屈，大義凜然，「民不畏死，奈何以死懼之？」毛澤東等一班匪徒總該醒醒了！

發動機及螺旋槳 我不許絲毫資敵

事情的經過是這樣的，當卅八年十一月共軍竄到貴州，盧漢醞釀「和平起義」時，我空軍第五總站航材庫庫長王秉立，爲維護國防器材藉免資敵，除一面電請空總將該庫所存貴重器材漏夜趕運撤離昆市外，一面復與昆市愛國商人楊棟珊（中華機器廠經理），俞澤民（新民五金工廠經理），楊名相（永昌祥經理），楊卓然（源慎昌經理），李祥泰（華達五金廠經理），岳宗琦（利和機器廠經理），趙貫一（合記工廠經理），王和甫（西新鐵工廠經理），何燦文（建雲實驗公司經理）等共九人密議，決將不及運走之飛機、坦克、裝甲車等國防器材，全部以「標賣廢品」方式，分別售給各商號，移轉目標，俾免資匪，各商人一諾無辭，自十一月十四日至十二月九日止，每日不分晝夜以十八噸載重平板拖車（每車可運八部發動機）絡續將飛機頭，飛機發動機，螺旋槳，鋁條，飛機油箱，製氧機，重砲拖車，汽車輪胎，橡皮艇，蒸汽鍋爐，車床，油池皮等搶運出庫，另有大卡車五百多輛，亦迅速運走，分匿多處，直到昆市爲中共竊據，飛機場宣告戒嚴時始止。

王秉立庫長在辦妥此項「打埋伏」工作後，即率領一部份忠貞不屈志士，潛往滇南打游擊，並與楊等相約：（一）今後部隊活動的情報與經濟由楊等支持。（二）修存國防器材，祇能鎔鑄改用，決不賣給中共。楊等均指天誓日，願以生命作担保完成此光榮任務，推趙貫一出面，合組一「合記工廠」，招僱了一百卅個臨時工，關緊廠門，親自指揮拆毀鎔鑄工作，當盟軍飛機轟炸昆市，炸彈破片從屋頂打進，擦傷楊棟珊頭部，岳宗琦臀部，並打得屋內鋁片發響時，工作亦從未停止，工人以受楊岳等精神感召，對加班工作，均毫無怨言。

由於該廠規模宏大，工作緊張，雖工人份子中良莠不齊關係，不久即有風聲外露，隨由偽警察局派員將該廠查封，楊棟珊等爲恐功敗垂成，乃以銀彈政策，打通了管轄該廠的偽警察第七分局局長盧宏武，及共幹張齊，李雲等十餘人，盧一面默許楊等將「合記」封存器材漏夜轉運中華機器廠，一面由偽七分局報告總局：「查係廢品，擬准啓封。」不了而了。

中共需作戰物資 商人則加緊鎔毀

到了四十年春天，楊等先後將搶運出之飛機發動機二百九十八部，飛機附十個，車床十二部，油池皮十四噸，螺旋槳七百四十四葉，原裝鋁條十五噸，大卡車五百八十部，汽車輪胎三萬隻，工字鐵卅五噸，麻袋卅七萬條，麻繩四百六十噸，飛機油箱一百卅個，橡皮艇八隻，大蒸汽鍋爐全套，大發電機全套（三百四馬力），坦克，裝甲車，拖重砲的拖車零件一千五百噸，已分別改裝，變賣，鎔毀，祇剩下九十多部飛機發動機，同一部份飛機油箱尚未完全拆毀，這時，「抗美援朝」運動已起，中華廠幾個搗蛋的工人即借題發揮，向楊「抗議」：「這些飛機頭都是重要國防器材，爲什麼要把它丟進鎔爐銷毀？」楊聽得這班人醉翁之意不在酒，一面普遍加薪，一面關照領班：「如檢查人員來，就說是廢品」。工人以願望既遂，而也不驕「前進」，相安迄今。

中共最痛心疾首 九廠商大義可風

不料一波未平一波又起，「三反」「五反」發動後，中共對西南民族資本家一律開刀，中華，新民，永昌祥，源慎昌，華達，利和，合記，西新，建雲等九廠商，因均屬機器工業中之翹楚，橫遭淘汰，自在意中，於是「雲南軍區航空站檢查組」即突如其來，以「全市人民一致要求」爲藉口，將愛國商人楊棟珊，岳宗琦，李祥泰等九人悉予逮捕，並於本月初，在昆明各報刊發了長達數千言的「罪狀」，說楊等：（一）盜竊了「人民」財產三千六百六十多億元。（二）在鎔毀的飛機發動機中，有P—51型中型的戰鬥機，B—24型及B—25型的轟炸機，和C—45型，C—47型的運輸機，以兩部發動機增配機件裝配一架計，可裝配飛機一百四十九架，如以之折合人民幣，值六百六十億元。（三）和八百七十三個氧氣瓶等組成了雲南規模最大的氧氣工廠，哄抬氧瓶價格，製造偷工減料的抽水機，危害農業生產。（四）華通老闆李祥泰破壞之油箱中，有甚多能飛越康藏高原的C—45型飛機油箱，當時（三十九年三月）「政府」因不明底細，向李價購，李先是抬價要十公斤鉛條換一公斤油箱，採購員因不能作主，當天請示上級，並約定明晨決定，可是，當晚李就強迫工人將油箱全部破壞了。（五）不發工資。（六）威脅工人：「國民黨要回來了，你們要放明白點。」（七）做假賬，燒眞賬，分散黃金等財。（八）腐蝕幹部郭紹連（雲南軍區航空站軍實股股長）盧宏武（昆明警察第七分局局長）等，總而言之，十惡不赦，罪該萬死。

楊等被捕後，我滇南游擊隊領袖王秉立氏曾化裝潛入昆市闖謀營救，但不幸爲共諜查出被捕，現同被羈押於獄中，刻楊等均已留下遺書，引頸待戮，惟對中共所指「罪名」悉不承認，其一種視死如歸之精神，予大西南反共人士之鼓勵甚大，行見類此公而忘私熱愛祖國之舉動將此仆彼起，綿綿不絕書也。（碧雞，四月二日寄自昆明。）×

如此認罪還被斥「偽裝坦白」
茅以昇枉戴帽子十五項

茅現任交通大學校長……自稱「弟子門人遍天下，抗戰時做過路局首長的侯某杜某都曾向他投效」……中共認爲這是宗派作風……鼓勵學生向茅大力鬥爭。

【本報北平特約通訊】向以中國唯一橋樑專家自命，抗戰時在重慶組織中國橋樑公司，承包各種橋樑工程，賺過不少橫財的茅以昇，自從中共佔據平津，他就首先從上海北上，向共黨靠攏。不久，就被任命爲北方交通大學校長。三年以來，雖飽受中共的揶揄，磨難，但他總以爲自己靠攏最早，可以特蒙優待，不在鬥爭清算之列。過去雖有好多次「思想改造」運動，逼他「檢討」「坦白」，都經他輕描淡寫，敷衍過去。最近，三反，五反，對各大學校長，也毫不放鬆。交大爲華北重要大學之一，茅自不能例外。幸銀鍵出入，因中共鑒於茅在國民政府時代，自組公司，半官半商，此次來長交大，所有會計出納，概由中共派黨員充任，任何工程承包，不由茅經手，「塞翁失馬，安知非福」，故貪污浪費部份，茅又得以逍遙無事。但三反，五反，幷不以檢舉貪污浪費爲限，實際上，還是政治鬥爭，意義最大。因此，中共方面，又痛施壓力，逼茅要再作一次最徹底，最忠實的坦白。

天下惡名盡屬我 四大家族都有緣

於是，茅以昇就施展他生平最能圓滑應變的本領，寫了一篇「我的檢討」，一面送主管機關審核，一面在平津各報發表。在這篇「煌煌大文」中，他將中共一向嘲罵知識階級的各種惡名，都儘量搬來，套在自己頭上。如（一）自高自大，（二）自私自利，（三）英雄主義，（四）技術觀點，（五）個人主義，（六）自由主義，（七）保守主義，（八）妥協主義，（九）適應主義，（十）宗派主義，（十一）僱傭觀點，（十二）官僚主義，（十三）本位主義，（十四）改良主義，（十五）溫情主義。總計共黨所一貫視爲醜惡不堪的大帽子，他竟毫不畏忌，一氣戴上十五頂之多。在他自己總以爲這樣坦白，可算最徹底也最忠實。依照中共標準，考核結果，他縱不能以「狀元」大魁天下，至少「探花」，「榜眼」，總可以掄他一份。

關於他過去何以能在國民政府做官，這一點，一般人向共黨提出坦白，總不過就共黨所謂什麼「四大家族」中，任擇其一，以說明自己的關係。但這次茅之「我的檢討」中，卻爲特別表示最徹底，最忠實起見，他竟自認，「四大家族」和他都很要好。他說：「反動政府的四大家族，對我都有過深切好感。這裏面，有的是因爲我有了某種榮譽而被召見，有的是因我職務關係，不得不與往來，更有的是我要他們幫忙而自去親近。……我太富於妥協主義，但我個人卻從不曾受過他們的私惠。」

牛頭馬嘴太荒唐 胡扯瞎拉不老實

以上兩段，是茅之「我的檢討」中最得意部分。全文長約萬言，他做夢也不會想到，這樣嘔心吐肺的大作，竟不能獲得考官青眼，相反的，卻更被中共狗血淋頭，痛罵一頓。在前兩天的中共各報上，刊出了一篇「評茅以昇的『我的檢討』」。這篇文章，一開首，就指出：「茅以昇的檢討，太不深刻，態度太不端正。」接着，痛斥茅「一口氣將十五頂大帽子，扣在自己頭上，不是實事求是，而是偽裝徹底」。「尤其奇怪的是：不少帽子，扣得不適當，牛頭不對馬嘴。如說：『自己愛管閑事，又重情感，最喜幫助人，這是中了自由主義的毒害』。其實這那裏是自由主義！『愛管閑事』，並不一定不好，如果看見人家損害羣衆利益而聽之任之，採取『事不關己，高高掛起』的態度，那才是十足的自由主義。『重情感，最喜幫助人』，也不一定壞。幫助同志，難道也算自由主義？」此外，十四頂帽子，也都逐一就茅的原文，予以駁正。歸根結底，給了茅八個字考語：「胡扯瞎拉太不老實」。

矇混過關固不許 宗派作風更難饒

至於茅所提及「和四大家族都有關係，這是因爲富於妥協主義」一點，在中共「評茅以昇的我的檢討」中，也曾慘酷指摘。中共說：「你承認四大家族都對你有好感，但你從不曾受過他們私惠，試問，你的歷任官，你的大學校長，你許多年來奢靡的物質享受，從何而來？你以爲這僅由於你自己的才幹麼？過去像你這樣才幹，而且勝過你的，何止千萬，爲什麼他們並不能人人做大官，人人有享受，你卻偏偏受到極度的寵愛，這不是私惠，是什麼？」最後，中共仍責令茅要老實，認眞，另行坦白，這一次不許矇混過關，並號召交大學生，給他幫助。換一句話說，就是動員學生，向他開火鬥爭。

據交大學生說，茅自就任校長以來，一向好擺學者架子，並隨時隨地，要表示交通界技術人才，都在他夾袋之中。他曾在講堂上說，過去國民政府下有名的幾個路局首長，特別在抗戰時頗著成績的，如侯某，杜某，都受過他栽培，所以，當他們一聽到自己受「毛主席」知遇，做了交大校長時，就立刻從香港函電紛馳，請求投效。其中只有某某因爲和台灣關係沒有斷絕，不敢接受，至杜某及若干交通界專家，則前後由他延攬介紹，來交大及交部工作的已不下七八十人。他以此自鳴得意，而在他那篇「我的檢討」中，也顯然自稱，「弟子門人遍天下」，不知這種想法，正是中共所深惡痛絕的「宗派作風」，「資產階級思想」。茅以昇的苦難，恐正方興未艾哩！（隆光，八日寄自北平）

在前途漆黑的中共陣營中
多數幹部「悲觀」「消極」
中共竟認爲這是中國舊文學作祟，正清算若干國文教授和文藝幹部

【本報北平特約通訊】在前途漆黑綿延，殺人如麻的今日，雖然中共高級巨魔，仍以種種方法，麻醉幹部，要他們繼續殺人自殺政策，瘋狂前進，但人究竟是有血肉的，有靈感的，自目途死總有翻然悔悟的一天。目前他們縱不敢積極反抗，而消極悲觀的空氣，卻已漸漸瀰漫籠罩了整個龐大的中共陣營。

這幾天，中共一邊揭布了若干思想頹廢的例子，並將這種所謂腐蝕青年幹部思想的罪責，落在若干大學國文教授，及黨部文藝工作者身上，輔仁大學教授葉蒼岑，就是第一個被清算的對象。

追思國府時代繁盛 痛心中共時代荒涼

據中共宣稱，輔大有好多黨員團員，思想都日趨頹廢，檢討結果，中文系教授葉蒼岑傳播資產階級的腐朽文藝，關係最大。中共指出：葉在講授中國文學時，[illegible]特別欣賞南唐李氏[illegible]最消極悲傷的詞[illegible]「問君能有幾多愁，恰是一江春水向東流」，[illegible]玉樓瑤殿影，空照秦淮」[illegible]……老人啊！有一天你也進入墳墓，永遠解脫了你世俗的感情，再沒有你世俗的追憶。」葉蒼岑對這種背叛時代的落伍文字，不予糾正，反而特[illegible]

[illegible]

捧一本唐詩大叫 抱一張琦子跳舞

另一件事，是武漢市文聯[illegible]

我也預言一下

・司馬方・

來自原子能世界的歐美新聞記者所報導的消息，說埃及金字塔中藏有古先聖哲的遺言，指出一九五三年八月廿日世界將生突變，最可能就是三次大戰爆發云云。

這是咱們中國的燒餅歌推背圖一類玩藝，古已有之。不過，在中國人說這類話就是文化落後的迷信之談，出諸西方人士口中，便成爲科學的預言罷了！

世界越是動盪不安，社會上的預言家就越見層出不窮，而且頗多談言微中者！小之如馬路上自號半仙一流人物，大之如歐美的政治觀察家們，說來莫不頭頭是道，令人神往心驚的。即使孤陋寡聞如在下者，若對目前的世事預言一二，也敢自信其具有「雖不中亦不遠矣」的效力。不信，姑且試試看：

最近，法軍在越南對越共的「水銀戰役」頗獲勝利，所以，法政府已堅決聲明「永不放棄越南」，亦不與胡志明談和。將來如越共得到中共大量援助，兇猛反攻時，我預言法國當局一定會話頭，說越南戰事是國際性的，美國若不大力援助，法政府便要考慮承認中共政權，隨時與胡志明開始和平談判了！

英國商家在莫斯科與中共所協商的一千萬鎊貿易，如果眞能實現，而且使英商大賺其錢。我預言貝凡尼赫魯之流，更會起而指證中共政權與蘇俄毫無關係，是民主世界的「益友」，更要求大家向美國施壓力，先請中共進入聯合國來！假使美國能以數逾千萬鎊以上的美元援救印度災荒，資助貝凡們實行免費配眼鏡鑲假牙，那末，中共自然又是蘇俄的同路人了！

自由談

鍍金獎章

・梅蒔・

在一羣人潮中，小明吵着要媽抱她，她才三歲，三歲的人長得不到兩尺，她問媽：「爸爸要回來了嗎？」

媽答了一聲是的，便將她抱了起來，小明又問：

「爸爸坐火車回來，爸給小明買糖糖嗳？」

媽也說是的，媽的心裏很焦急，火車爲什麼誤了點，她有兩年沒有見着她的丈夫了。

終於，久別的人回來了，他們一見面，媽媽便將小明從她手上接過去，一張長滿了鬍鬚的嘴，正待吻上小明的臉，小明兩年沒有見着爸爸了，她把頭掉了過去，害怕媽，害怕得要哭出來了。媽說：

「小明，快叫一聲爸爸。」

小明怯生生地輕輕喊了一聲，她很失望，爸沒有替她買糖糖，什麼也沒有，她祇注意到他那長滿了鬍子使她害怕的嘴。

然而洪明却很滿足了，三年前丈夫參了軍，兩年之前，就是這輛火車把他載到北方去的，以後便沒有音訊，現在回來了，雖然她一個人負起了整個家庭的担子，確實喫了很多的苦，僥幸他到底回來了。

洪明有一眶眼淚，暗藏在她眼皮裏，她剛想將早便準備好的一腔苦衷對丈夫訴說一遍，那面哨子響了，鄉農交還了小明，他告訴妻子，現在要去歸隊了，請好假之後，晚上可以回家來。丈夫剛走了三兩步路，洪明突然發現他的右脚有點跛，那膝蓋像是不能伸直。她於是想起，丈夫受了傷，也許便是打斷了一條右腿，他現如果不是這樣，甚至，在不能回來，永遠不會回來。

晚上，鄉農回來了，回到了他那個想望了兩年的家。

踏進門，他立刻感到驚異，家裏的擺設，和兩年前大大不同了，兩間房子已只有一間，床上的被褥，簡單得不像一個可以溫飽的家庭。他問妻子：

「明！怎麼哪？你過得很苦嗎？」他緊握着洪明的手。

她正有兩年的苦楚要傾訴，經過丈夫這麼一問，却不知從那裏說起才好，藏在眼皮裏的若淚，像泉水一樣的湧了出來。

作過軍人的丈夫還是那麼溫柔，一面替妻子揩着眼淚，一面問他：

「地方上不說照顧你們嗎？你們應該有得喫，有得穿，還有很好的工作。」這些話，都是指導員說的，在前方，指導員不時安慰每一個參軍的人：「你們是神聖的軍人，你們的家庭，便是『光榮之家』，政府照顧他們，你們的父母妻子在後方都很快樂。」他雖然無時不顧念着家，這些話却使他稍爲安心了一點。現在呢，他才恍然大悟了，「有吃和穿」，全是一片鬼話。

可是這一夜，他們仍舊是快樂的，雖然什麼「照顧」也沒有，雖然丈夫已經了一條腿，總算他沒有送命，這已是不幸中的大幸。

聽丈夫說，前方死了不少人，美國的飛機多末厲害，有些傷兵，因爲得不到醫藥，活活的爛死在戰場上。他幸而素來身體強健，腿上中了彈片，還能爬到醫療站，但已不得不把那腐爛的傷腿鋸掉了。聽完丈夫一席話，妻子撅起了被絮，她抱着那條木頭的義腿，一連印上了幾個吻，熱淚，流在那條沒有知覺的腿上。

小明病了，是迎接爸爸的時候，在車站上受了涼。

小嬰兒一樣的臉發着高熱，整夜咳嗽，害得父母都沒有好睡，天一亮，妻子催着丈夫起床，她將被絮捲好，要將僅有的一條棉被，去弄些爲小明看病的錢。

丈夫却止住了她，他忽忙地洗了臉，他說，應該可以借到一點錢，現在，他受的是「一等傷」，一個「殘廢革命軍人」的家，想來可以得到他們常常說的「救濟」了。

他匆匆出了門，妻子等在家裏，小明吵着口渴，可憐，不但沒有看病的錢，窮到買隻橘子的錢也沒有了。

到天黑，丈夫才拖着疲乏的身子回來，一看到她，劈面便說：「錢沒有，但是有了辦法。」丈夫從懷裏摸出一件東西，金碧輝耀，洪明接過去，那上面有字：「抗朝勝利紀念章。」

妻子不懂他的意思，鄉農連忙解釋，他說這紀念章是不容易得到的，要受「一等傷」的人才有一份。指導員曾說過，這是銀質鍍金的，應該好好藏着。

既已無法籌到看病和買藥的錢，她只好依着丈夫的話，不捨地將紀念章送到一家當舖去。

送上去的「金章」退下來了，店員告訴她，那是一片白銅，即使是銀的，這一類獎章，他們也奉命不能抵當。

她又受了一次欺騙，但是她不敢告訴丈夫，丈夫已經斷了一條腿，她不願他的心再受創傷。她徘徊在回去的路上，孩子慘厲的啼哭，隱約響在她的耳鼓，回去呢？還是……

宇宙似在她面前猛烈旋轉，她祗看到一片昏黑。

萬竹樓隨筆

讀王靜安先生的詞（三）

・舜生・

何謂「氣象」？

「太白純以氣象勝，『西風殘照，漢家陵闕』，寥寥八字，遂關千古登臨之口。……」

「『風雨如晦，雞鳴不已；』『山峻高以蔽日兮，下幽晦以多雨；雪紛紛其無垠兮，雲霏霏而承宇；』『樹樹皆秋色，山山盡落暉；』『可堪孤館閉春寒，杜鵑聲裏斜陽暮；』氣象皆相似。」

何謂『隔』與『不隔』？

「白石寫景之作，如『二十四橋仍在，波心蕩，冷月無聲』，『數峯清苦，商略黃昏雨；』『高樹晚蟬，說西風消息；』雖格韻高絕，然如霧裏看花，終隔一層。梅溪夢窗諸家寫景之病，皆在一隔字。……」

「『生年不滿百，常懷千歲憂，晝短苦夜長，何不秉燭遊？』『服食求神仙，多爲藥所誤，不如飲美酒，被服紈與素，』寫情如此，方爲不隔。『采菊東籬下，悠然見南山，山氣日夕佳，飛鳥相與還；』『天似穹廬，籠蓋四野；』『天蒼蒼，野茫茫，風吹草低見牛羊；』寫景如此，方爲不隔。」

以上釋例，均見王先生的『人間詞話』。這個小册子有單行本，雖只寥寥萬餘言，非欣賞古人之作別具會心，何能道得出隻字？

王先生自己所作的詞，見『觀堂集林』卷第二十四者，凡二十三闋；另『苕華詞』一卷，凡九十二闋；比之前代作者，誠不爲多。然寫景必豁人耳目，如鶴唳晴空；言情必沁人心脾，如寒蠶夜泣；『楚靈均後數柴桑，第一傷心人物！』殆先生之自道也。茲錄數闋於後，以見一斑。

（好事近）夜起倚危樓，樓角玉繩低亞；唯有月明霜冷，浸萬家鴛瓦。人間何苦又悲秋，正是傷春罷，却向春風亭畔，數梧桐葉下。

（採桑子）高城鼓動蘭釭灺，睡也還醒，醉也還醒，忽聽孤鴻三兩聲。人生只似風前絮，歡也零星，悲也零星，都作連江點點萍。

（點絳唇）萬頃蓬壺，夢中昨夜扁舟去，縈迴島嶼，中有舟行路。波上樓臺，波底層層俯，何人住？斷崖如鋸，不見停橈處。

（蝶戀花）閱盡天涯離別苦，不道歸來，零落花如許；花底相看無一語，綠窗春與天俱莫。待把相思燈下訴，一縷新歡，舊恨千千縷；最是人間留不住，朱顏辭鏡花辭樹。

（又）黯淡燈花開又落，此夜雲蹤，知向誰邊着？頻弄玉釵思舊約，知君未忍渾拋却。妾意苦專君苦博，君似朝陽，妾似傾陽藿，但與百花相鬥作，君恩妾命原非薄。

（鵲橋仙）沈沈戍鼓，蕭蕭廐馬，起視霜華滿地；猛然記得別伊時，正今日郵亭天氣。北征車轍，南征歸夢，知是調停無計，人間事事不堪憑，但除却『無憑』兩字。

王先生遺一百一十五闋詞，蝶戀花計二十五闋，幾乎每一闋我都歡喜，實不得勝錄也。（完）（八八）

阿根廷鬧肉荒

・瀛海・漫談・

英國鬧肉荒，阿根廷也鬧肉荒。

英國的一蔬一粟，都要購之國外，當此黃金美元甚至存底日益縮減之際，唯一的對策只是大家都勒緊肚帶，不爲口腹之慾而動用外滙基金，其發生肉荒本是意中事。至於阿根廷，是世界的穀倉，也是著名的肉類產地，却居然也發生肉荒，倒眞是咄咄怪事。

今年二月初，差不多正是英國宣布鮮肉配給再度減少的同時，阿根廷貝隆總統宣佈：所有公共食堂，每星期要有一天是「無肉日」。大家都一律不喫肉。自從七十年前，阿根廷改良農牧生產，便成爲全世界最主要的食糧肉類輸出國；在國內，一向每個人都可以儘情享受既廉且美的牛排。現在居然每週要有一天禁食，這不能不說是貝隆王朝下的非常措施。

事實上，阿根廷不只鬧肉荒，同時還患糧荒。三年荒旱，有八百萬頭牲畜死亡，養豬業也縮減了。因而今年根本沒有食糧輸出，而且還要由美國加拿大澳洲等處輸入。

但糧荒與肉荒的主因，並不盡在天時。貝隆的政策是低價收購食糧，大量易取外滙，結果使農民對於耕牧減低了興趣，因而在十年中，農田竟減少了五分之二。更因爲貝隆夫妻討好工人，拚命增加工資，引起農村勞動者的豔羨，相繼向城市集中，又造成農村勞動力的缺乏。

在貝隆，却另外有一套辭令，來解說食物缺少及「無肉日」制定的原因。但是騙術到底有時而窮，阿根廷的人民不會長久被麻醉下去的。

飢荒是極權的產物，從阿根廷又得到一個證明。

・凝之・

荒淫無恥交織下 俄京夜生活

・知音節譯自「觀察」・

「甜姐兒，緊抱着我」

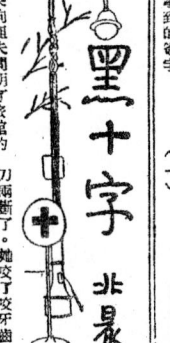

當莫斯科都城酒店的樂隊狂奏『甜姐兒，緊緊抱着我』的時候，一個兩肩闊壯，雙袖綴着紅空軍臂章的軍官，也許正在暗中洗淚。他和他的美麗情人——一位電影演員，最喜歡操這一支音樂調子跳舞，非到他的父親出來說話，决不肯放手。華西里史太林，雖曾因飛機失事折斷了一隻手臂，也常常光顧『都城』；他總是滿面春風，怡然自得。他現在是一位空軍少將，但有時連他的獨裁父親責備他，要他離開舞伴，他也充耳不聞，舞而不倦；只有奏起思家曲才會打斷他的舞興。

特權階級的夜總會

在俄國革命的初期，與資產階級相同的夜總會是不易見的。可是，這情形，已成過去，現在，這個『無階級』的國家已爲一個小小的特殊階級設起了特殊的夜總會，供應特殊享受，其富麗豪華，並不亞於世界聞名的『華都酒店』等等。

莫斯科的這類夜總會爲數不多，僅『都城』，『阿拉吉夫』，『阿拉爾特』，『巴庫』等家而已。這些夜總會，內部佈置，美奐美侖，情調刺激，費用奇昂。

盡情揮霍簽單結賬

舉『阿拉吉夫』爲例，兩人吃一頓晚餐，再飲點酒，索值等於美金二十五元至五十元。特製烤羊肉，每客需美金七元半。俄皮菜湯每客美金一元半；生菜每客美金二元；一客鮮楊梅需美金五元；香檳一瓶美金十五元。法律禁止小賬，但紅色僕歐都盼望客人愈多付愈好。

顧客並不需要一律付現。每到深夜收市後，這些夜總會的經理手中拿到的簽字條子總比現款多。因爲一部分有資格任情揮霍的特權人物都有『銀行往來』，准許他們簽開便條，向國家銀行使用款項，不受限制。縱使不在銀行營業時間，夜總會的經理亦可持那些簽字便條向附近保安部分站調換現款，因爲各分站站長均存有一份簽字名單，並備現款專供調換。

凡有資格在這張名單上金榜題名的，並不是那些進進普通夜總會大吃大喝的客人，却是那批能進四壁裝置隔音板，門口戒備森嚴的雅室中高踞上座的特殊客人。在這些夜總會中，可以看到蘇維埃『天國』的『佛爺』，如祕密警察頭子貝里亞，政治局首腦史太林未來繼承人馬倫柯夫，莫洛托夫有時也偶然在這些夜總會中設宴款待來自各地的共黨高級人員。

莫斯科的夜總會大多數富於高加索情調，如同克里姆林宮一樣。史太林每以出身高加索喬治亞而洋洋自得。（一）

黑十字

・北晨・

藍英向姐夫問明了旅館的名字，原來是新都酒店，就在她家的對面，她說了一聲「我就來」，掛好電話，來不及招呼阿平，急急地下了樓。

穿過一條馬路，走下了堡壘街的一段斜坡，新都酒店便在左首，直到進了酒店的門，藍英方始想起來，電話中她忘了問她姐夫住在幾號。

這所酒店並不大，她查遍了水牌上旅客的姓名，沒有發現「白濟宏」三個字。湊巧一個穿長衫儒雅紳士模樣的人走出來，正好是她姐夫，兩人興奮地招呼了一聲，他趕緊把她接到了房裏。

藍英打量房間的佈置和姐夫的行裝的時候，白濟宏正在端詳他姨妹的臉。他不是命相家，不過他總是一個絕頂聰明的男人。他心裏有着一個五萬元至十萬元的陰謀，正想要仰仗這漂亮的姨妹來幫助，他想從姨妹的臉上多得到一些說服她的資料，再則，他要估計這份美麗的資本，可不可以賺到這筆錢。

「黎明！」他叫藍英家裏的名字。「聽說你和姓洪的沒有分開？」

這是一個晴天霹靂，洪正池的事，她以爲姐夫不會知道，因爲她早已告訴姐姐，說已一刀兩斷了。她咬了咬牙齒，一口否認。姨妹既然否認，白濟宏也就不再追問了。

白濟宏說，香港的市面很壞，一個做舞女的，如果沒有大戶支持，一月的舞票，恐怕不夠衣料錢。這是眞心話，這位姐夫，也是歡樂場中的老手，一切不必瞞他，一切也瞞不了他。借着這機會，藍英說她欠了百樂舞廳近兩千元的借款，連房金裁縫工錢等等，她有三千元虧空。聽見三千元虧空，白濟宏的眉毛皺了一皺，肚裏在盤算着。

「這樣下去，虧空一天天大，以後怎麼辦呢？」他裝作十分關心地問。

歡場裏年輕的女人，很少顧到以後怎麼辦的，藍英雖然想到過，但是跳她的客人都花不起大錢，自己既然給洪正池纏着，也不敢隨便獻身與第二個男子。她無法再回上海，又不能自由和人家結婚，這便是她的痛問題，也是令她苦惱的問題。剛才和洪正池這麼一鬧，許多問題，反而有了一個端倪，一向相信她的姐夫，恰巧又來了，只要姐夫肯幫助她，擺脫洪正池的計劃當不難實現了。（五）

・中篇連載・

自由人

THE FREEMAN
（中刊每星期三六出版）
（第一八一期）
每份港幣壹毫
督印人：李光華
社址：香港高士打道六六號
電話：二〇八四八
GLOUCESTER RD. HONGKONG
TEL: 20848
承印者：東南印務出版社
地址：高士打道六四號
台灣總辦事處
台北市館前街五十一號
台灣經銷處
台北市中華路一二五九號

從監察院調查入境案說起

·雷嘯岑·

關於台灣的入境限制問題，年來在海外很引起了不少的議論，是非利弊之見，咏然一時。我對於限制入境這一政策是贊成的，老實講，台灣在前兩年來如不採取這項措施，決無法促成現在這樣安定而進步的局面。不過，在執行限制入境政策的原則與技術上，過去固然不無可議之處，今後亦多斟酌檢討的地方。最近監察院因對某一海外寓公申請入台案，特設調查小組，有所主張，這是對的。監察委員的職責是要對政府的政治行爲糾舉違法，整飭紀綱，這次調查之舉，義所應爾。我們希望藉此而使入境問題得到全盤的合理化，不僅爲一人一事而已。

限制入境的原則

據監院調查小組負責人對外表示：「我們注視熊某的入境問題，並非對個人有何憎惡，而係側重於政府的政策問題。自大陸淪陷，許多忠貞人民流亡海外各地，政府在原則上都希望他們能來台灣，共同參加反共抗俄大業；但須經過一定手續和考查，藉防匪諜混入，很多忠貞人民即因手續不完備而一時來不了。但如熊某其人……想邀人事關係，可以隨便入境，將何以對流亡在海外的其他忠貞人民？我們認爲這足以影響人心內向，且將影響政府的威信，現擬着手調查熊某之入境證已否發給？」依此語意推測，似乎熊某之申請入境，不必具備一定手續，也毋須乎查考，即可發給許可證，因其爲舊時大官沒有匪諜的顧慮也。這就是涉及政策問題了。究竟限制入境的政策，除防止匪諜混入而外，還有那些作用，我們至今不大清楚。如果是爲舊日的達官貴人，或名流顯宦，即可隨便入境的話，那末，何以有些流落在海外的民意代表如立監委與國大代表等，又始終未獲許可入境呢？若以其人的政治思想言行爲尺度，凡對反共救國事業與領導人有喪失信心或不忠貞之嫌疑者，皆在限制之列，這是理所當然。但過去對反共事業公然逃避，對黨政領導人抨擊甚力，繼而又進入台灣，成爲「忠貞人士」者，亦不是沒有的。一種法制之推行，必須有其決不可缺的信用，昭示天下人，纔足以達致應有的效果，否則，有法與無法等。如熊某之申請入境案，其性質與過去若干貪官敗將之請領出國護照相同，既非手續問題，亦非時間關係，而是國家的紀綱問題，政策問題。我不反對他到台灣去共赴國難，但希望政府對於許多在海外千呼萬喚，要求入台而不可得之普通的中華民國人民，一律平等，法制之前，大家能放寬尺度，回到自己的國土，盡其所能，力圖報效，如其不能從政，從政策上設想，則熊某申請入境案，監察院在未查實其案有受糾彈的事狀以前，亦未便特加限制哩！要樹立政策的威信，即須屏絕「人事關係」，在政策上應該讓其入境的，不問張三李四，事同一律，無所軒輊。所以，監察院的調查小組，除對熊案外，關於現行入境限制政策之全般利弊得失，不妨詳細研討，予以建議。如：對入境的人，限制既嚴，對出境的應否照樣限制，即有研究必要。

限制入境的手續

所謂手續，即是技術問題。許多流落在海外的反共人士，常因不容易尋得住在台灣而又有職業的保證人之故，即始終不能入境，因而引起若干的誤會與不滿。實則限制入境純係基於政治性的因素，是一種非常時期的措施，在政策上可予進入者，在手續上不妨簡單化，條件不必太繁雜。至於防諜一層，以政府在台灣控制力之日益強固，社會秩序之安定，人民生活之日見改善，任何間諜活動，要想在台灣潛伏，今後將不可能，固然我們不能說台灣今後決沒有間諜混入了，但祗要自身強健有辦法，自不怕間諜之混入，作繭自縛，因防間諜使多數人民擺在纏網之內，就反共抗俄的前途設想，實爲得不償失。

台灣現在是中華民國政府的所在地，也就是反共抗俄的司令塔，當此臥薪嘗膽，準備復國的前夕，還有「八方風雨會中州」的新氣象，凡屬中國人民，反共的，非共的，都希望他們能來共濟時艱，而對於過去曾經誤國殃民，直接間接造成共禍的達官貴人們，却不必再歡迎，即已入境的，也不妨讓其遠走高飛，到紙醉金迷的異域去安樂終生。就是我們所謂限制政策問題，亦是收拾人心，集結全民向心力的一項要務。

從我親身體驗的許多事實　證明台灣國軍確實進步

每一國際友人到台實地視察後所發表的談話與報告，都足使盼望早日收復大陸的海外同胞增加無限興奮

·雪郎·

近兩年來，台灣不斷的在進步中，許多國際友人到台灣來實地觀察後所發表的談話與報告，那些純客觀的論斷，都是最好的證明。這些消息當然是海外關心祖國反共抗俄收復大陸的僑胞所樂聞，也是最值得大家欣慰的。據筆者個人在台灣近一年多來的觀感所及，我以爲軍事上的進步，至少是一切在進步中的最顯著的一面。因爲過去若干年來，中國軍隊的腐敗習氣，夙爲一般人所詬病，而今天所表現的現象，却眞有迥非往昔之感。雖然軍事實力的長成壯大之實際情形如何，事關軍事機密，非直接負責主其事者不得詳知；但就表現於外的一般情形，爲大家所可耳聞目見的看來，實在是非以往在大陸時代所能想像得到的呢。

士兵滿面紅光　副食有魚有肉

首先我們從士兵的體質上來看。誰也記得，以前我們的部隊裏面是待遇最低，營養最差，那些士兵們，十九是面帶菜色，身體當然也疲弱不堪。但是現在在台灣，無論任何地方，我們所見到的士兵，都是身強體壯，滿面紅光。因爲進行軍事革新之始，大家便認爲改善營養以增進健康，實爲第一要義，如果沒有強實的體魄，便不會產生旺盛的戰鬥精神。最初由部隊本身以克難精神種植蔬菜，接着便由軍事當局和美國軍事顧問團的專家共同設計，辦理軍魚供應，以解決肉類食品的問題。截至最近止，每月軍魚供應量已達到三十萬公斤，較之去年十二月份增加三倍。至加工方面，隨將由台北負責二十二萬公斤，高雄食品廠負責八萬公斤。今年開始又籌備繼續供應豬肉，此項辦法現在亦已實施，本月份高雄地區供應數量預定爲毛豬六十頭，約合一萬台斤，也由農林公司高雄食品屠宰加工。這樣豐富的營養資料，無怪乎士兵的體力是會日加強壯了。

軍人遵守秩序　車船無不購票

其次，在紀律方面也有顯而易見的進步，這是每個在台灣的人都可感覺得到的。以往在大陸的時候，我們隨時隨地都可以看見兵士們三個一路，五個一羣的在街市上閒逛，甚麼買東西少給錢，坐車船不給票錢，以及不守秩序，擾亂公共場所，那都是常可見到的事。可是今天在台灣，不特我們未曾聞見有此等事實，就是在各市區也很少看見幾個穿軍服的。在任何公共場所，軍人是同人民一樣的守秩序，一樣出錢購票，從沒有爭先恐後的情形。在汽車、火車上，我們常常看見軍人首先讓座給女客和老人的事，這些地方，雖然看來不稀奇，但是，以今視昔，在一般人民的觀感中是非常動人的，大有助於軍民情感的融洽，這比之於過去那些大聲急呼軍民合作運動者是容易收效，而且確實得多。軍人能愛護人民，人民當然也敬重軍人，因此在台灣人民中敬軍運動也普遍的展開。

讀書風氣極盛　書店軍人最多

另外還有一個現象是特別象徵着軍隊素質的提高，就是部隊裏讀書和研究運動的普遍化。據許多朋友告訴我，現在部隊中的學術講習會非常盛行，有些講座，會由軍官和士兵自動請求延長時間，或者增加鐘點，這又是過去所絕無僅有的情形。過去雖也曾有類似的辦法，但大家都當作奉行故事，誰也不感到興趣，現在這種勇於求知的風氣確是難能可貴的。在星期日，我們偶爾去逛逛衡陽路、重慶南路一帶的書店，軍人買書的似乎比學生還多，這也是很好的證明。

實行點名發餉　官長無法中飽

最後提到軍隊中的人事與經理。過去人事上沒有樹立良好的制度，帶兵官視士兵如家產，那種牢不可破的封建傳統，便是軍隊進步的最大障碍。經理方面，更是一團糟，吃空缺成爲當然，給予帶兵官一個最大的貪污機會。士兵與官長的生活大相懸殊，很少能有幾個與士卒共甘苦的。這樣的部隊戰鬥力之薄弱是可想見的。今天在台灣，鑒於過去之失敗，經理方面，現在都是按名發餉，據說每個士兵都有領餉的手冊，帶兵官是無法可以中飽。經理公開，監察嚴密，自然使舞弊成了歷史的陳跡。至於人事方面，最近定期調職的辦法已經實施，不僅掃除了過去官長與士兵的那種封建關係，而且法自上行，更足以表示當局對此一制度之推行和改革全般軍事的決心與信心。

上面所說的一切事實，不過是筆者從各方面所聽到的或親眼看到的拉雜寫出，當然與軍事全般改革的內容還相差很遠。但即此幾端，我們已可概見全豹，正所謂見微而知著，我以爲也惟有從這些普遍的現象和人所共見的事實中，才最足以證明進步的眞相，因此我很樂於寫出來，以告慰關心台灣的本刊讀者。

請史太林來炒金

豈不比「三反」「五反」輕便萬倍

·一丁·

最近半月，香港貨價普遍下跌，尤其黃金美鈔，更一瀉千里，大有恢復韓戰以前低價水準的傾向。據各方報導，世界市場也都有類似情形。以本月十四日出版的時代週刊所載，當史太林答覆美國記者，其「否認第三次大戰可能性，已比兩三年前增強」的原文刊出時，其所給予紐約市場的反應，是米糧馬上每一蒲式斗（八加侖容量）跌了美金一分又八分之三，是棉花每包跌了一元七角五，直到上星期末，百貨價理一致疲落，平均是一九五〇年八月十五日以來的最低率。換句話說，也就等於是韓戰以來的低率。紐約如此，則目前彌漫全世界的跌風，當然也同一因素。香港是世界一部份，又怎能逃出這個圈子？

史太林一句話，可以使百貨下跌，假使世界眞由此發致和平，全世界人民，尤其立於銷貨階層的我們，對史太林是應該感謝的。不過我們相信，在最近的將來，他百分之九十九，就可能有另外相反的一句話，或一項暗示，馬上又會使百貨狂漲，貨金每兩越過三百關，更屬不成問題，那麼，屆時大家爭奔走相告，叫苦連天了。

一位幽默的美國記者，曾替史太林上了一個尊號，說他是「非職業商人」，像這樣非職業商人，一句話就可使全世界物價，大漲大跌，試問任何職業商人，誰有資格與他競爭？因此我們願向史太林建議，你的徒孫毛澤東，「土改」，「捐獻」，和「三反」，「五反」，目的都無非搜括老百姓血汗，假使你大祖師爺肯幫忙，只要事先和他一勾通，少則讓他到香港炒金子，大則讓他到紐約炒股票，那不是無限財源，滾滾而來？這比挖空心思，巧立名目，逼死人命，的確輕鬆萬倍！

再從另一角度看，究竟誰是眞正危害世界和平的罪人，由此也可以得到確證，因爲世界究竟能不能「和平」，眞正「和平」，問題只在史太林肯不肯說一句「和平」眞話，「和平」是多麼廉價啊！

時局漫談

舜生

中日和約簽訂以後？

中日和約的三反四覆，眞實在令人多少感到一點悲觀，我們所悲觀的，不是當前這個條約的本身，而是這次條約訂立以後，中日兩國的未來關係。

我們以最高的誠意，期待日本在三五年之後，依然成爲亞洲一個有力的國家；可是這種期待附有一個很顯然的條件：即決不容許日本再以這種力量來威脅中國，也決不容許日本再以這種力量來威脅任何國家。同時，日本也必須自我反省：過去日本對世界一度的大威脅，其對於中國，對於世界所加的損害，是何等的嚴重？事實是很顯然的：至少當前亞洲形勢之所以陷於這樣窘迫，第一個負責任者便是日本，這是無可否認的。

日本現在儘管派出若干正式或非正式的使節或代表，向各方面去表達一些歉意，但這是不夠的；日本必須充分理解，在過去一度的大侵略，日本人在各方面所留下的印象，決不是空言所能洗刷，任何方面，也決不會輕於聽取日本一種不一定兌現的諾言，而即認爲是一種可靠的保證。換言之，日本必須以事實或行動，去恢復她在國際上的信譽，其餘都是不相干的。

在過去的八十年，中國人也隨時從日本聽過不少睦鄰友好的甘言，即中日兩方的有志者，也未嘗沒有若干人眞想根據這個原則而期待其見諸事實，可是這類工作，始終沒有堅實的基礎，甚至費過無窮的氣力，往往經不起一次現實的打擊。這次中日和約的談判，儘管所給予我們的印象仍不見佳，但爲顧及中日兩國人民未來的福祉，我們仍不願放棄這樣一個希望：即這次和約的簽訂以後，中日兩國間待解決的問題，待合作的事項，乃多如牛毛，尤其待融洽的情感，更非三五政府當局所能爲力；我們期待由中日兩國民間的有力人士成立一個可以溝通兩方意見的機構，其應該交換意見的內容，可能包括經濟的，文化的，共同防赤的，以及中日兩方互有關係的若干特殊問題；我們無取於一個大而無當的空洞組織，必須是一個實事求是而確能提出實獻的機構；其必須建立於一個相互尊重與共同努力的基礎之上，自更屬毫無疑義。

假定韓戰停火

關於韓戰停火，好像又引起了多少的樂觀，據說板門店談判的結果，大部已成立了協議，其尚待商討的，僅有志願遣俘問題，北韓機場問題，以及蘇聯以中立國資格參加觀察問題等數項。

所不幸的，便是所剩下的這幾個問題，乃無一不是最難得到協議的項目。即令雙方討價還價，最後仍可歸於妥協，但眞正的停火，也決不是五月的事，至早也是七月以後的事了。

即令停火果然實現了，在雙方以武力在南北韓對時的局面之下，來從事韓國善後問題的商討，其困難仍爲我們所不敢想像。老實說，這種以武力爲後盾而利害錯綜複雜的政治性談判，拖上一兩年的時間，在今天的國際上，已經是不算稀罕。蘇聯今天也還是需要時間：說她利用這種時間去繼續作武力的擴大與加強；說她利用這種時間給予中共一時的喘息；這還是皮相之見，實際則有這一兩年供她運用，乃可使她的和平攻勢，表演得更爲像眞；以這一兩年的時間去繼續捕捉民主國家可能暴露的弱點，乃比較的更有把握。

總而言之，韓戰之停與不停，以及停了以後的政治談判是否能得着一些具體的結果，都不過是冷戰過程中一些必有的項目，其實比韓戰更爲重要的冷戰項目，不問舊的或新的，仍將在隨時隨地揭起來，假定大家對於這種不能解決問題的冷戰終於要感到厭倦，假定世界不能容許永遠陷在一種冷戰的過程，我相信意外的事件，到底是會要發生的。

替中共空軍估價

·林詩·

自由中國空軍總司令王叔銘中將十七日發表談話，他說：「中共飛機如果襲台，我軍當予迎頭痛擊，惟爲增強力量，必須自美國獲得更多飛機。」

不久以前（四月十二日），美遠東空軍司令魏爾將軍卻說：「噴機如果轟炸東北，必須獲得增援。」這段談話和專欄評論家史巴茲將軍刊在新聞週刊的文章近似，史巴茲認爲中共空軍力量打擊，將是亞洲當前最大危機。

中共空軍是否如魏爾將軍所言，在東北境內具有優勢兵力呢？研究這個問題，應該深刻分析中共空軍內幕，和瞭解遠東戰局的全面性，否則，我們容易產生一種錯覺，從飛機的量上直覺到中共空軍已在最短期間成長起來了。

中共空軍的質與量，恰與它對台灣戰爭的性質一樣，表面看是強大的，分開看是脆弱的。它的飛機數目，應當分成三部份：第一部份是中共本身原有的空軍實力，第二部份是集結於中國邊境的「國際聯合空軍」，第三部份是成爲中共支援的蘇聯遠東空軍。魏爾將軍和史巴茲所指的對象，最少是將「國際聯合空軍」一併估計在內，因而說中共空軍有了強大力量。

中共空軍的發展和蘇聯空軍有着血緣親子的深厚關係，它的固有實力，截至一九五〇年的統計，共有六百架飛機，其中堪用者爲三六六架，能昇空作戰者，僅爲俄式之LA—9與YAK21共約六十架。此一年半來經蘇俄顧問羅可提科的慘淡經營，不可否認的已有了長足進步，在空軍編制上，成立了八至十個空軍師。飛機素質，因爲一部份美式飛機零件的不易補充，幾乎全部換用了俄式。訓練噴氣機飛行員是一九五〇年秋天開始的事，目前，在韓越兩個戰場邊空者，爲有名的MIG—15型，集結於徐州與華東海岸綫者，以YAK—21型較多。至於「國際聯合空軍」的組織，是去年四月間的事，由俄顧問羅可提科任「志願空軍司令」，於瀋陽、長春、哈爾濱、佳木斯四地分設四個基地司令，中共原有的「東北空軍軍區」及「分區司令部」悉數撤銷。第一步只有四百架飛機，包括兩個戰鬥機隊，一個轟炸機隊和一個運輸大隊。去年九月間，蘇聯新任遠東空軍司令非耶洛維夫到東北視察，正值紅鼻子的米格機優勢的軍刀式壓倒，如此乃向莫斯科建議，將原有的「志願空軍」改組，成立「聯合空軍」，仍由羅可提科負責，但由蘇聯遠東空軍司令部指揮，實即是蘇聯遠東空軍的化裝參戰。至今爲止，單是米格式一項，約有九百架以上，北韓上空的「空中走廊」的形成，便是這次改組以後的一個月的事。

中共本身不能製造飛機，他的飛機來源甚至維勤技術都依賴蘇聯援助，如果將遠東戰爭的全面性看頂，我們可以說中共沒有空軍，也可以說他有一枝強大的空軍。基於此點，我們檢討中共空軍實力，故將蘇聯的「遠東空軍」一併計列在內。以非耶洛維夫爲司令的這枝遠東空軍，一九五〇年擁有四千架各式飛機，以伯力、海蘭泡、赤塔、哈克圖等處爲主要基地，年半以來，數字增至五千架（包括抽調供應「國際聯合空軍」者在內），素質內容亦有改進，而以米格十五型爲戰鬥主力。自然，這枝空軍是與中共空軍有不可分的因素，在許多軍事準備和戰爭時機尚未成熟之前，英美的許多政治家，反對貿然對中國大陸實行戰略轟炸，事實上便是重視這股力量，故魏爾中將說：「我們如果空襲東北共軍基地，尚需繼續增援。」以美國的遠東空軍兵力說，一次轟炸甚有力量完成，但連續的出擊，自然尚需要大量補充。

今日的台灣，已經成爲民主國家遠東戰略之一環，而且又是攻擊共產集團的最佳空軍基地（噴射機）。台灣空軍今日雖實力薄弱，但保衛台灣，事實上已成爲民主國家共同之責任，自由中國的空軍與民主國家空軍的力量是不可分的，但爲民主國家尤其美國計，倘可能如王叔銘所說，迅速供應中國以更多飛機，則以中國空軍士氣如此旺盛，定能予共機以嚴重打擊。美國雖已宣布，將助我擊退中共對台之任何侵略，然而只要我們有充分的飛機和近代武器，我們仍是不願意讓別國的青年，爲保衛我們的領土而流血。

五院已補充完備
台灣充滿中興氣象
爲了反攻大陸後的人才儲備起見，考試院任務亟待加強，但正副院長新人選的提出，也曾經過不少周折

【本報台北特約通訊】台灣最近補充了大法官七人，使其成會。又補充了考試院的正副院長，以爲建立人事制度的前奏。回想三十八年秋季，政府由廣州遷重慶，再遷成都，最後才遷來台灣。當時居代總統名義的李宗仁與立法院院長童冠賢，司法院院長王寵惠，都滯留香港，考試院院長張伯苓則居住重慶，未隨政府遷行。因此當時到達台灣的只有行政監察兩院，有人主持，其殘破情況，誠不忍言。其後，李宗仁由港飛美，童冠賢提出辭職，王寵惠係總統復職，方始由港來台，張伯苓則客死渝州。張死後，台灣爲之開追悼會，這是張生前所未曾想到的。

現在軍隊方面，已建立了定期任官制度，文官方面，自亦宜及早樹立百年大計。爲了反攻大陸後的人才儲備起見，考試院業務也亟待加強。鈕代院長在去年十二月以前，就數上辭呈，有一次由其夫人代爲送到總統官邸，總統曾一再挽留，最後因爲鈕氏辭意甚堅，才批了「俟有機會時，通盤調整」字。這一次，由於總統府第一局局長黃伯度訪鈕氏談話結果，才准其辭職。並提出賈景德羅家倫分任考試院正副院長，依據憲法的規定，徵求監察院的同意。

鈕永建八旬高齡　囑夫人親送辭呈

二年以來，行政院院長由閻錫山改爲陳誠，立法院院長由劉健群代理而當選爲正式院長，再由劉的辭職而由副院長黃國書代理，最近復選出張道藩爲正式院長。都經過了變動，只有考試院自張伯苓死後，始終是由副院長鈕永建代理。其所屬的兩部，則考選部部長田炯錦雖已改任行政院蒙藏委員會委員長甚久，卻迄未開去本職，由常務次長馬國琳代理部務。銓敘部部長沈鴻烈，選到台灣後，即行辭職，由政務次長皮作瓊代行部務。所以曾有人說，考試院是三代同堂。鈕是學陸軍的，也是革命的老前輩，以八十餘歲的高齡，老是代理着。沈本是習海軍的，皮是習農業的，也都用非所學。

賈景德與羅家倫　監院幾乎通不過

四月十日於上午十時，總統在中央改造委員會，召見賈氏，告以新命。隨即咨達監察院，若干監察委員認爲賈氏前在廣州任行政院祕書長時，辦理機關人員疏遷工作，有未臻盡善之處，又羅家倫在印度大使館結束回台的時候，也有些事務上的問題。又有若干監察委員認爲上次提名大法官，時間迫促，致不能對於所提人選，充分審查。此次又係臨時提出，表示不滿。後經總統親向監察院各位委員說明考試院亟待充實之必要，並介紹賈羅二人，一爲舊學宿儒，一爲新文化運動健將，新舊配合，可以有爲，遂獲監察院同意通過。但羅家倫只比法定票數多了七票，係得力於其門生任監委者有三十餘人，否則能否通過，並無把握。

鈕永建以年高德劭，迭著勤勞，已由總統另聘爲總統府資政，俾使其能隨時有所獻替。

兩部長亦將補充　史尚寬可能膺選

至於考試院所屬之兩部，不久當亦繼有所補充。謠傳銓敘部長一職，考試院祕書長史尚寬有可能。史爲立法委員，好學篤行。曾被提名爲大法官，遭監察院否決，此次提名大法官時候，也曾由司法院列入第一張名單，後因恐監察院再度有異議，臨時將他的名字抽去，改列爲王鳳雄。但是各方面都認爲中樞對史將必另有借重，此次賈以曾任考試院副院長的經歷，提名爲考試院長，則史曾任考試院祕書長多年，自可擔任一部的部長。大法官及考試院的補充，使自由中國的五院制，到此已規模完備，雖然台灣區域較狹，但這正是象徵了恢復大陸的中興氣象！（陳存，十六日寄自台北）

又一幕貓哭老鼠　嚴禁罰跪打耳光

【本報上海特約通訊】上海的「三反」、「五反」，實在不容易再擠出什麼油水了，於是中共的猙獰面孔，又有漸趨轉變之勢。因爲上海的工商業，假使真從此清算精光，全體關門，則以後的千捐萬稅，從何抽起。所以這幾天，中共一方面把幾個有參加狄托嫌疑的共幹開了刀，而大張旗鼓宣布他們的罪名，是假借五反，敲詐人民。計已被槍斃的，有持槍勒索武夷路二百九十七號僞幣一千萬，黃金五兩的吳漢才，「冒充」公安局職員勒索鄭案因，蔡蝻堤，孔繁稿等家的王銀標，及向大鑫電珠廠等十餘家勒索巨款的高雲鵬。中共雖一再指出這三個人的勒索敲詐，都是冒充「政府」人員，實則三個人都是中共的老幹部，尤其高雲鵬，他還是稅務局新市區分局的重要職員，眞憑實據何容狡賴。另一方面，則將主持五反的邑廟區增產節約分會委員，兼邑廟區勞動員組組長李元馥撤職。據中共公布的撤職理由，是指他在執行五反工作時，對待一般老闆，態度過於嚴厲：「本月五日，上級派朱理岡志到邑廟區召集五百五十個中小工商業戶開會，宣布政府寬大政策，李大爲不滿，打電話要五反第四支會主任于復暄對朱警告，說他講話太不厲害，並力促于復暄上台去訓朱一頓，強調從嚴。此外，他還將每家老闆，隨時捉來，罰跪，打耳光。」中共認爲這樣做，他是違反了寬大政策，但他已這樣做過好幾個月了，而且上海的幹部，至

上海「民族資本家」的幽默
以腦袋抵稅八十億
殺頭已不是敲詐工商業最有效的手段了

少百分之九十以上，都是這樣做，還有做得更兇的，爲什麼中共以前都一言不發？有識者都看出，這是中共的糖衣砲彈，又準備向民族資本家開火的先兆。

工商界對於中共，是否因此將又感到一些寬慰呢？這種「貓哭老鼠」的作法，老實說，工商界也早已看穿了。現在最大多數人，反正一切都被清算精光，此後縱有命一條，而這條命，在中共統治下，早晚都可隨時發生問題，而且活着也並不比死了舒服，所以好多還在替中共鬥爭的人，還直要和中共開玩笑。有一家綢緞莊老闆，中共指他漏稅三十五億，他很懇直地說，你錯了，我眞正的漏稅總額是八十億，中共原先只把他列作「嚴重違法戶」，他卻自己硬要抓上一級，排到「完全違法戶」的行列。中共很高興，認爲他十分坦白，等到中共要他繳回漏稅的款項時，他卻指着自己的腦袋說，八十億都在這裏，你要，請隨時拿去。這把中共氣得發昏，但經仔細考查之後，的確證明了，除這顆腦袋以外他實在再沒有任何財產。

王芸生有臭文　勸大家莫自殺

該下流無恥的報痞王芸生，最近又發表一篇臭文，勸一班甘心自殺的商人，不要太悲觀消極。他說：「有些工商界老闆想以自殺來威脅政府，其實也用不着死，坦白交代了問題，就是生路。奉勸這種人，你們既有自殺的勇氣，難道就沒有坦白的勇氣嗎？」從這篇臭文，也可以反映出，不是什麼工商界老闆要以自殺來威脅中共，而是中共確已深切體驗到，僅僅殺頭，已不是威脅工商界唯一有效法寶了！（悠然，十三日寄自上海）

美國對台灣經援　次序總排列最先

【本報專訊】美駐台共同安全分署署長施幹克，於十六日偕總署業務處處長杜納來港，次日飛台。據施氏稱此次赴美邀約之技術人員第一批爲四十人，第二批約三十五人，第三批之數字，需經杜納抵台後決定。第一批中計有負責訓練工商管理人員及地質礦務，煉油各工程技師等。彼等除居住部份由台灣招待外，一切旅費及薪金全由共安總署在援華款項中支付。施氏希望上述三批人員均能於本年秋天以前抵達台灣。復據施氏談今年尚談不到工作之積極展開，因人手及經濟仍與原定計劃相差一段，他相信一九五三年可以放手去做。據杜納稱：台灣這一個據點，始終是共安總署程序上排列在最前面的一個，他說總署方面早要派他去台灣視察，一直沒有機會，他自己是一個辦水利出身的人，對台灣的水力發電表示很大興趣，他在台灣將有一個月逗留。

檀島會議已閉幕　法海軍司令返越

法駐遠東海軍總司令奧多利上將，前應美太平洋艦隊總司令雷德福上將之邀，飛檀香山晤談（請參閱第一一四期本刊）。十四日中午經港，當午飛返西貢防地。據其隨從參謀東利上校稱：在檀島共會議七日，商討主題，爲補給、聯系及戰略等問題。東尼上校拒絕透露會議內容，但稱會議經過情形，十分良好。他指出這種會是經常有的，不過自去年新加坡英美法三國軍事首長會議以後，這一次是比較具體而擴大的會議。

李彌部隊在緬邊　與擺女結婚者多

有一位在緬甸邊境上作買賣的華僑某君最近來港，談到景棟這個地方，這是全世界人士注意到李彌所活動的一個緬北的小鎮。他說自始至終，李彌的部隊始終沒有進入景棟市區。景棟雖屬緬甸政府治下，但一切行政權全由擺人主持。由於李彌部下和擺族女子結婚者甚多，所以雙方感情頗好。李彌總部一度在景棟郊外，現已他遷。景棟是鴉片走私的一大集散地。許多雲南逃出來流亡的中國人和擺人多在景棟歇腳。由於逃出來的擺人（即吾人平日所稱之擺夷）對中共暴政之不滿，影響了在緬境許多山族，這是李彌部隊能立足的最大資本。他說去年耿馬之役，[illegible]出，在車里的中共邊防總部已撤至保山，[illegible]現在車里是兩不防營地帶。景棟四[illegible]，緬、中、泰[illegible]。他說在緬時，[illegible]從昆明逃出的人說：雲南境內通滇緬公路已經修好，只是印度[illegible]去的一段已經給大水冲壞了。

錢穆在台受傷後　來電云可無危險

香港新亞書院院長錢穆於十六日在台北英文專科學校演講發生場屋慘事，身受重傷。該書院負責人當晚得訊後，即電台詢問詳情，據十七日晨台北復電稱：錢氏傷及頭部，流血過多，一度昏厥，現已輸血，正在台大醫院中療治，施行外科急救手續後，經過情形良好，可無生命危險。按錢去台已將半年，因在台籌辦新亞分院，致久未返港，最近有月底離台之意，不料行前竟遭此意外。此間教育界友好，對錢氏傷勢，均極懸念，昨今去電慰問者甚多。（一成）

為于右任祝壽
不做「太平老人」　願爲「民主鬥士」

【本報台北特約通訊】監察院長于右任，今日七十四歲誕辰。昨天下午，總統夫婦曾到青田街寓所預祝。因爲他今天定會離開市區，去郊外休息，藉此可免他跑一趟。昨天[illegible]中，總統夫婦對他精神矍鑠，深致頌讚。今早七時，他就帶同兩位公子，到北投華南山莊避壽，但仍有親友十餘人，如監察院前後三屆祕書長程滄波，李崇實，楊亮功等趕往慶賀。至青田街寓所，要人名流前往簽名致賀的多逾七百餘人。他事先聲明不受賀禮，惟詩文例外，其中最名貴的，爲吳敬恒，許世英等十幾位七十歲以上老友，集體自作自書的「金石同壽」一厚冊，他對此十分欣賞。當記者到北投訪問他時，他一手執雪茄，一手捋長鬚，寬袍大袖，頗有飄飄欲仙之概。偶然問到他寫字慣用的那方「太平老人」圖章，他很堅決地說，這個圖章，自從共匪侵據大陸，我就早不使用了。於是記者說，那麼，我們實在應該刻一方「民主鬥士」的圖章來替你祝壽。因爲你過去全部的歷史，幾乎沒有一天，不是在爲實現民主而奮鬥呵！他似乎很受用記者這幾句讚美的詞，但他沒有說話，只是笑着將他的長鬚加緊理了幾次，並在新剃的光頭上摩了幾下。（四月十四日寄自台北）

陽翰笙口中的中共幹部「官僚作風」與「享樂主義」

根據他本人在廣西親身經驗 回到北平提出了沉痛的報告

陽翰笙，他是中共「人民政協」派往廣西的土改團長，他暴露了中共幹部貪污腐化，現已到了無可挽回的程度

〔本報北平特約通訊〕中共的殘酷暴虐，早已世界馳名，不過有不少鐵幕以外人士，或許爲中共國外宣傳所欺，還存着若干錯覺，以爲中共這一個組織，固然是集古今中外罪惡的大成，但他的黨員團員，却眞是熱血沸騰，忠誠廉潔，吃苦耐勞，具有宗教家殉道救人的精神。由於最近三反，五反，中共內鬨，揭露出無數共幹卑劣貪污的血淋淋事實，這種錯覺，總應該大量減少。現在，讓記者再將中共要員陽翰笙，前幾天向毛澤東提出的一篇報告，摘要錄出，其中暴露共幹腐化無能，紀綱掃地，這和中共在海外宣傳「共幹如何聖潔」，眞可算絕妙的對照。

領導幹部坐衙門 一天到晚亂鬨鬨

陽翰笙是北平「人民政協」組織的「土地改革工作團」第二十團副長，原派在廣西工作。最近他在結束工作回到北平以後，向毛澤東提出了一篇冗長沉痛的報告，痛言中共幹部如何腐化。他首先指出領導幹部麻木敷衍，一天到晚，都在官僚作風，和形式主義上打圈子。他說：「有不少領導幹部，事實上不肯到農村去，他們只坐在衙門裏面，忙於聽電話，聽彙報，佈置會議，閱讀文件，一天到晚忙忙碌碌，昏頭昏腦。」他又說：「有些同志，雖然答應下鄉去，但一到農村，總嫌住的地方不舒服，一位小組負責人，在一個月之內，搬了六次家，而在此一個月內的十一天中，開了三十六次會。每天忙於開會，急於搬家，東奔西跑，表面上看，這是太辛苦了，實在對於他眞正應該負責達成的工作，却還相隔十萬八千里。」

目的在遊山逛水 罵農民又髒又臭

其次，他提到一般工作幹部的享樂無知。他說：「有些幹部，他們雖然沒有負擔領導工作的責任，但對於分配給他的一份工作，却從來漠不關心，專以偸閒享樂爲念。他們名義上到了鄉村，實際只遊山逛水，玩槍打鳥，睡早起遲，無所事事。在男女同志之間，有的大鬧戀愛，成天陪愛人，寫情書。對他們工作對象—貧雇農，有時還好發脾氣，怪貧雇農家中又髒又臭，妨礙了自己健康。」

這是指的那類「享受第一」的共幹。至於他們的無知，究達到何種程度，據他舉例：「有位同志，爲了響應深入農村，與貧雇農建立感情，上級指示，他實行挨戶訪問，但他訪問的方式，却反而使那些被訪問的貧雇農，人人害怕。因爲他每到一家，就拿着一個筆記本，詢名問姓，東張西望，嚇得那些貧雇農們，彼此躭心，說我的名字，入了生死簿了，還可怎樣辦呢？」另一個更可笑的舉例

才發現，原來是弄錯了，對方竟是已被鬥爭的地主，現在雖然貧無寸土，但過去却阡陌連雲。這位同志，怕被檢討，好幾天，都不敢回到隊裏來。」

再次，他又分析了一些參加土改的幹部心理。他說：「有些同志來搞土改，多半出於被動。機關或學校派他們來，他們想，不來不行，好在反正時間只有幾個月，混過了關，仍然可以回到原機關或學校去。所以他們到了工作地點，總天天計算，什麼時候可以離開這塊地方。他們完全在挨時間，混日子。這種心理，如何可以負担起土改的重大任務。」

地主婆和貧農婦 不分皂白被強姦

此外，他還特別提出三種惡劣的傾向。第一種是中共口中所指的自由主義作風，他說：「有些同志，自恃地位高，在黨內有歷史。他們參加土改，不服從組織，任何重大問題的處理，都是自由主義作風，事先既不請示，事後也不報告，他人勸告不聽，上級指示不理。這樣使我們進入農村任何一支浩浩蕩蕩的隊伍，馬上在農民眼中，變成了無組織無紀律的烏合之衆。」第二種是本根頑劣的惡份子，也混入了這支隊伍，弄得整個黨，整個工作，受到重大損害。他說：「在我們這第二十團的工作人員中，竟發現了王志善，覃順寶，周彥貴三個極惡劣份子，我們必須予以清洗。他們有的在地主處決以後，就姦佔地主婆，而幫助地主隱匿迄未清出的財產。有的竟強姦貧雇婦女，貪污[illegible]果實。」第三種，是「在工作人員中間，共產黨員與附共人員，有了很大鴻溝存在，當遇到反動派突然襲擊時，竟然不能合力抵抗，以致有三位同志，晏鑄，程明如，張崑岡，遭受犧牲，倘使大家合作，則當時情形，這三位同志，是可以生還的。」

陽翰笙這一篇報告，全長萬餘言，撕去中共黨團員所戴的那些團結，艱苦，及辦事認眞等假面具，都已被完全戳穿。中共的虛僞宣傳，總是一向強調，爲了革命多數的利益，共產黨員團員，可以拋棄一切物質享受，可以淸算自己父母，甚至犧牲自己生命，都毫無顧惜。由這篇報告看來，幾個月的農村生活，倘且大家這樣受不了，一天到晚，要計算回到都市的時間，則所謂拒絕享受，犧牲生命，是否完全出於中共的鬼話，海外讀者的眼睛是雪亮的，這當然用不着記者代爲解答了！（臨光，十二日寄自北平）

寧讓老百姓餓死 糧倉發霉竟至臭聞數里

這就是中共愛護人民的眞實表現

〔本報漢口特約通訊〕在抗俄勝利以後，一班左傾的尾巴報曾捕風捉影，惡意詆毀政府，說復員官兵喝鹽開水，各處老百姓沒飯吃。而從日本人手裏接收下來的倉庫裏却有「麥子生芽變成餅」的現象，意在言外，這個政府是不要人民的，不要人民的政府絕不會存在。

可是，共產黨徒他們却絕對沒有想到，過去罵人的話，今天，却變成自罵了！目前，大陸上的老百姓在春荒嚴重中連樹皮草根都沒有得嚐，而各處倉庫裏的糧食，却讓任它發芽，霉爛，不聞不問，這就是一向被宣傳「全民擁護的人民政府」「愛護人民」的「行爲」，遠的地方且不去講它，這裏祇報導一點河南湖北發霉霉爛的事實：

盜賣霉爛與虫蝕 斷送了無數食糧

此間中共當局所接報告，及一些讀者，農夫，幹部等寫信給漢口各中共報紙，據說：在河南，正陽糧食公司所屬的五個大倉庫，就有紅糧四十萬斤發了霉，且溫熱都在四十二度以上，有的底部都發了臭，翻糧時，臭聞數里，有一個存有五十萬斤白米的倉庫，在十四兩糧食中，「米象」究達三百一十四個，陡溝倉庫稻穀四十萬斤中，有卅萬斤已霉得不能進口，熊砦倉庫裏的五萬斤高粱和黃豆，虫蝕率竟佔了百分之七十，永興店，王店等鄉的小倉庫存糧不逾千石，也霉氣薰天，不可嚮邇。確山的「糧食公司」和「貿易公司」共存蘇餅四十七萬斤，小麥四十三萬斤，到目前，被幹部張松泰、饒孝言、李培銀等盜賣了十分之三，霉爛了十分之五，虫蝕了十分之一，其餘都含水量達百分之十四點六，小麥溫度達二十七度，大好食糧，均成廢物！正陽的糧食公司經理黃一飛更荒唐，在發現倉庫裏的糧食霉爛後，他不但不准人去翻動，搶救，或報告，甚至還徵發上千工人連夜搬運去拋到山裏，殆「上級」發覺阻止，存糧幾乎不多拋光，問黃庫存糧原有多少？霉了多少？拋了多少？黃瞪目結舌，始終答不出一個所以然。

在所謂「潢川專區」（河南）情形更嚴重，在大大小小廿多個倉庫裏，沒有一個倉庫裏能挑出七百担能吃的食糧，如潢川雙柳糧庫三號倉裏，三十多萬斤小麥竟全部霉光了，息縣城關糧庫高粱倉內溫度最低在攝氏三十三度到三十五度，虫害率竟高達百分之三十，淮濱三河支倉庫黃豆水分達百分之廿四，羅山城關的小麥倉庫，上層有三尺厚已變結成餅，四兩小麥裏就有害虫三百一十六個，該縣一號倉所儲小麥七十三萬斤，十分之七都生了三至七分厚的綠毛，固始、光山也情形相同，雖着手翻曬，亦全屬徒勞。

利用舊屋當倉庫 屋倒糧毀人死傷

湖北方面糧食霉爛的情形同河南差不多，不過却有一件連中共也認爲「突出」的倉庫倒塌死傷大批工人事件，倒値得提一提。湖北浦圻「中糧公司浦圻支公司」「經理」李國濤，是去年十月調「任」的，他上「任」的第一件大事是給自己找公館，給幹部找宿舍，對「公糧」安儲却很不介意，有好多沒有進倉的糧食就因爲放在露天遭雨而霉了，倉庫「主任」饒鄉向他當面請示，上報告，他都回他：「急什麼？」後來糧食愈多，饒才遵命，在浦圻城內買了十多家關了門的碾廠做倉庫，地方小，糧食多，不加修理即行盲目堆集，結果，糧食有一處不超過房屋的負荷，十一月初，各倉庫內管理幹部向李報告：「不能再裝了！」李總是疾言厲色說：「你懂什麼？」「打仗就得。」以是在今年一二月間，就先後有六七處倉庫宣告崩裂或倒塌，幸未傷人。李不認錯，還把管理的幹部臭罵一頓，說他們「糊塗」，「不會處理」，到了今年三月十四，又有穀子要進倉了，當地的搬運工會「主任」吳秀文向李報告：「再裝要塌了！」李說：「你不管。」結果，於下午四時，在工人運糧進倉時，大樑傾圮，造成慘劇，當場壓傷了搬運工人王安禮、劉啓哲、廖麒春、廖元吉等十七人，死了王正發、陸大甲、尹亞元、趙德、吳四海等十一人。出事後，李不但對死傷工人不聞不問，且馬上以一紙公文報告浦圻共軍「警備部」，說有「國特」搗亂，並指搬運工會「主任」吳秀文「不負責任」，所有死者棺木，傷者醫藥費，也由該會担負，吳以人微言輕，百口莫辯，結果只好做了替死鬼。本月初，因浦圻糧倉內各倉庫食糧霉氣衝天，吳秀文乃以一「讀者」身份，寫信給中共報紙將過去情形原原本本，和盤托出，但截至目前，尚沒有看到「黨」和「政府」給李國濤的絲毫「處分」。本來，霉爛了幾十萬斤糧食和死傷了十幾個工人，在中共看來原是雞毛蒜皮的事，根本不値得大驚小怪啊！（懷民，四月十日寄自漢口）

衡陽成立反共聯盟會

並發表成立宣言 地下工作大活躍

〔本報衡陽特約通訊〕一年來，衡陽許多被迫害的青年知識份子，從事反共宣傳工作，聲勢浩大，迭次在城鄉散發傳單，張貼標語，維繫了人民對國家對民族的信念，中共爲之傷透腦筋，束手無策。頃悉，渠等爲加強敵後活動，以響應國軍反攻大陸起見，近已組織衡陽各界人民反共抗俄聯盟會。

這一以智識青年爲骨幹的反共組織，依靠着衡陽西南的游擊武力，結合着各山堂的弟兄，（抗戰末期，衡陽幫會興盛。）吸收着工農商界同胞，可說成了一條反共的眞正聯合陣綫，他們基於血的仇恨，基于求生的本能，基于崇信正統，憎惡暴力的意識，情緒受激動，反抗的火焰，勢必會瀰漫着全省而遍全國。

該會成立之日，印發告全國同胞書，以慷慨嚴正的詞句，激起全國同胞之義憤，號召發揮團結力量，實行「破產保產」「拚命保命」，該書現已傳遍湖南各縣，大收策反之效，茲探誌其原文如次：

當屠殺與飢餓襲擊着整個大陸的現階段，我衡陽工農商學各界愛國同胞，在無比的憤怒中，于二月十一日經代表會議通過，正式成立衡陽各界人民反共抗俄聯盟會。

三年來，我全國同胞，不堪横遭中共匪幫的種種迫害措施，弄得飢寒交加，家破人亡；還被迫拿起俄製的武器，走上朝鮮戰場，去替他的主子俄帝進行侵略戰爭，破壞國際和平與安全，然而我衡陽各界同胞已經普遍覺悟起來了，它今後任何迫害措施，必會受到我們強烈的反抗，我們不畏懼，也不退縮，因爲大江南北，長城內外，所有被迫害的同胞，爲了尋求眞正的解放，也必掀起澎湃的怒潮，滙成一股反共的洪流，予它以無情的沖擊和毀滅。

我們這次最感快慰和興奮的，是有機會讀到我國民政府蔣總統的元旦文告，這文告給我們帶來了最大的溫慰和信心，使我們知道蔣總統在離開大陸之後，沒有一日忘懷我們在共匪蹂躪下的痛苦，而在他勵精圖治和美國盟友大力援助之下，台灣國軍的反攻，已是爲期不遠了，因此，我們號召國內尚未覺悟的或者存有恐共心理和被脅從的同胞，趕快回頭，一致奮起，發揮團結力量和「破產保產」「拚命保命」這一偉大意義，用堅強的行動，來打倒這個謀財害命通番賣國的共黨政權，使我全國同胞，早日回復民主自由獨立的幸福生活。最後讓我們高呼：反共抗俄要在我們手中勝利！復國建國要在我們手中成功！同胞們：這不是炫于辭令的空頭支票，而是要我們用實際行動來兌現的。（子奇，四月八日寄自衡陽）

不落雨沒辦法

四川農民大恐慌

〔本報重慶特約通訊〕入春以來，西南各地都未下過透雨，川西、川南、川東、川北一帶春耕無法，旱災已成，雖然中共還在喊：「人定勝天」，「在共產黨、毛主席領導下沒有克復不了的困難。」並分派小學教員，各級幹部去修舊堰，築新堰，挖水塘，鑿深井，但水源枯竭，旱象依然，千萬農民因爭堰水而集體鬥毆，釀成血案事件，更所在多有，報不絕書。

遂寧（川北）、大邑、眉山、蒲江、彭縣（川西）、樂山、井研（川南）、璧山、合川、開縣（川東）等十多縣旱象嚴重，快四個月未見滴雨了，老百姓現一方面爲自己的生活發愁，一方面又爲「政府」交給他們「增產每畝一百斤」的「任務」而大感憂恐，西充縣「農協會主席」王欽臣在「防旱緊急會議」席上雖不斷糾正農民「靠天吃飯」的思想，但農民仍說：「天一半，人一半。」「天不落雨，搞不硬，沒辦法。」「搞不出水，抗什麼旱？」「如再不下雨，今年準餓死。」王多方「開導」，農民們仍唉聲嘆氣，提不起勁。

「天下農民是一家，團結起來力量大」的歌聲沒有人唱了，小河沿大水堰旁的水車也全部停擺息喘皆歇了。大家都在嘀咕：「共產黨祇會收[illegible]成的糧，喝我們的血，如今天旱了，啥辦法都沒有，「增產」，「增產」，把人都餓死了，看你怎樣增法？」天怒人怨，眞可算至於斯極。（翹虹，四月八日寄自重慶）

「自由人」稿約

本報各版，均歡迎投稿，敬訂稿約如下：

（一）除事先特約外，每稿最多請勿過一千五百字。長篇鉅製，以限於篇幅，無法刊登，請勿惠寄。

（二）惠投各稿：評論要切合時局，新聞要記述事實（大陸消息，須有人名，地點，時間，人名不便刊登者，可於稿內註明），雜文要生動活潑。

（三）來稿除附有足夠郵費外，概不退還。

（四）稿末請附註眞實姓名，地址，但發表時須用筆名者聽便。

（五）來稿一經刊登，即寄奉稿費通知單，憑單向本報領取。不願受酬者請寄稿時自行註明。

共產仁兄的自卑感

尚方

在一張自稱是赤胆忠心「爲人民服務」，而「人民」又不許它進入「偉大的祖國」去歌頌功德的赤色報紙上，看到一篇特寫稿，紀述一個從四川成都走出來的「英帝」加拿大籍傳教士「雲從龍先生」的訪問情形。據說，雲從龍是稱讚過「新中國」的一位外國牧師兼神學教授，在海外爲「人民」服務的記者要訪問一下這位同情人，大大的渲染表揚一番，這也不足爲怪。

只於恭讀這篇訪問記時，馬寵那幾乎每句一個「雲從龍先生」的諂媚態，却教人不免有點「過身骨」之感。「英帝」的居民年來啟用恭維「新中國」言論者，何止「雲從龍先生」一人？那樣未開書即先叫「雲從龍先生」，滿紙只見慘呼「先生」之聲不絕的可憐相，實非屁糊了那翻了身的「人民」？讀了這篇訪問記之後，彷彿令人有如聆聽「三堂會審」的平劇中，蘇三大叫「都天大人容稟」那種悽楚之際，餘音繞樑，裊裊不絕哩！

記得倫敦的坎伯特區有個紅衣主教詹遜，也曾稱讚過俄歐政權，其言論比「雲從龍先生」更前進，假若照樣的特寫一篇訪問記，對那位紅衣主教的稱稱，那就不止是叫「先生」，而應該叫「爺爺」了！文丑郭沫若託洞朝鮮小孩子來信，在俄京大呼「史太林爺爺」，即其例證。

共產黨人平日裝成無神論者的氣派，指一切外國傳教士都是帝國主義國家的間諜，驅逐迫害，不遺餘力。祇要讚些間諜們有人說一句同情共黨的話，馬上又受寵若驚，脅肩諂笑了。我覺得人類中最富有自卑感者，莫過於共產仁兄！

自由談

考古專家

·玲匡·

清明節的夜，天氣沉悶得很，既沒有月色，也沒有星光。有點像鬍子的心情也像天色一樣的沉悶：兩年來沒有過一塊錢的入息，三天難得吃到一碗米飯，這個年頭，任你放厚臉皮，肯去討飯叫化，也不行，根本誰家也不會有多餘的食糧施捨給人，再說「解放」後的大陸，那有幾家人還吃得起大米白麵的？

眼前想活下去，唯有一個辦法，就是「光榮的參軍」，扯直了喉嚨，像鐵似的叫喊：「抗美援朝」，踏向遙遠北方的砲灰製造場。可惜鬍子的腿不大靈活，卒時走起來就一拐一拐的，這這一條送命的路，也沒有辦法去實現。

要今天的肚皮不再「鬥爭」，他忽然想起是清明，清明總該有人去祭掃墳墓，再說那一兩年自殺的，鎗決的人特別多。上墳的人總不免遺留下點燒肉，冷飯的，跟死人們「共一下子「飯」，也是沒有辦法中的辦法，反正人鬼之間，已經沒有多大差別了。

他冒着細雨，踏着爛泥，在昏暗的坟堆間摸索，雨水從落腮鬍子的尖端，滴進破布衫的領口，穿了底的破布鞋，也冷冰冰地濕透了。他知道以往坟地裏最可怕的是野狗，可是現在不必再担心，因爲「解放軍」早就把所有的狗，都「改造」成了最美味的罰食，盡了營養「人民隊伍」的光榮任務了。

毎個坟堆面前，都鬍神摸索過，不要說人可以吃的東西沒有，連給鬼用的紙灰也未曾有過，他的肚子裏麻木得難受，額頭也悠悠發暈冒出了冷汗，一不留神，右腳插進了一堆浮土，跌了一個筋斗，一屁股摔在爛泥裏。這一摔，却摔出了他的靈感。

他幾幷的想一想，在這一帶的坟堆，不少是退家李家的祖坟，從小的時候，就聽說過這些坟裏的棺材都裝着有珍珠金銀等等陪葬的東西。他更想起自己的祖母，死的時候，他不是親眼看見戴了金耳環金鐲子玉鐲押等等東西嗎？假若……能挖一個墳，總可以舒舒服服的活上兩三個月了，何況，現在雨水天，地土鬆軟，挖起來也不要十分費勁。

他翻一翻身想站起來，忽又一想：「不行！…現在正鬧着「三反」「五反」：如果叫人民政府發覺，我忽然有了錢，追究起來，那豈不是挖盡了十八代的祖坟，還不夠孝敬他們？」想了又想：遠遠聽見鷄叫，他纔想出了新的主意，他拖着空虛疲弱的身體回到城裏。

三天後，據說「人民政府」爲了考古，組織了一個考古隊，發掘古坟。這隊考古專家一共有七個人；除「隊長」，副隊長人之外，有幾位「解放軍」的通訊員級戰鬥員，還有一個就是鬍大鬍子。

鬍大鬍子的下頷，剃得光亮發青，身上已經披上了解放裝，腦袋上還頂着一頂不大合式的六角帽子，精神不錯，可惜還顯得似乎有些營養不够。

第一天，他指着雷筒，帶着二十名戰士，扛了鐵鋤，剷子，土箕，担挑出發，還有一位「戰鬥員」當四個手榴彈跟在後面。當然，先向李家的祖坟出發，因爲李家的十六代祖是明末的戶部尚書。

一連五天，挖了八個墳。有人聽見一共炸了十九顆手榴彈，也有人看見挑過三十多筐子的香爐，酒壺，燭台，朝珠……到縣政府裏去。更有無數的人暗暗駡道：「他奶奶的大鬍子王八旦！缺他媽八輩子的德，…看他發財吧！」

鬍大鬍子並沒有發財，一個星期後，假是連人也不見了，隔了幾天，有人經過這片荒塚，亂草中，泥土未曾蓋滿，却發現長滿了鬍的鬍大鬍子的大臉，身上還穿着解放裝。原來已被那些古墳中的後代子孫，很輕鬆的結束了他的生命！

王國維評紅樓夢（上）

·舜生·

近五十年來，中國談紅樓夢的，有三位有名的學者：最早的王國維，他寫了一篇『紅樓夢評論』；其次蔡元培，他寫了一小册『石頭記索隱』；又其次是胡適，他做了『紅樓夢考證』。

蔡先生的『索隱』，着重在闡證本事，他說紅樓夢是清康熙朝的政治小說，作者持民族主義甚摯，書中本事，在弔明之亡，揭清之失，而尤於漢族名士仕清者，寓痛惜之意。他以書中女子多指漢人，男子多指滿人。他說林黛諸人，一一影射當時的若干名士。

胡先生的『考證』，着重考出作者的姓名，作者的時代，因之對於紅樓夢前八十回作者曹雪芹的家世及生平，與後四十回作者高鶚的略歷，都下過不少的工夫。（我現在手邊獨缺少胡先生的考證。）

王先生這篇『評論』，大致是他三十歲以前的作品，是時他正以最高的熱度，作哲學與文學的追求，且有志於戲劇的創作。因之，他這篇評論的出發點，既不同於蔡，也不同於胡，（儘管他也強調過應該考證作者的姓名和著書的年月，但他自己却沒有做這種工夫；類似蔡先生那種闡證本事的考據，他以爲沒有必要。）而是以哲學，美學，倫理學乃至心理學的觀點，從紅樓夢這部大著裏去探討人生的究竟。

我近來稍稍涉獵王先生遺著中關於哲學和文學的研究，以及他的詩詞，我總覺得王先生的天分，比之他同時代的人來得高，假定他後來不把學問的興趣移到別的方面去，而一直向哲學和文學去發展，我們不敢測度他可能及於中國學術思想界的影響，將是何等的偉大。即以他這篇『紅樓夢評論』而論，儘管是他早年的著作，但已足以給予玩索這部大著的人們一種新的啟示，仍屬毫無疑義。

他這篇論文共分五章：一、人生及美術之概觀；二、紅樓夢之精神；三、紅樓夢之美學上之價值；四、紅樓夢之倫理學上之價值；五、餘論。全文約一萬四五千字，我現在只想把其中確能幫助我理解這部書的一部分，在這裏述一述。

把王先生主要的意思概括起來，大致是這樣的：

人生之所欲，無過於生活，而生活之性質，不外乎苦痛。世界文化愈進，其知識彌廣，其所欲彌多，其所感苦痛亦彌甚。『飲食男女，人之大欲存焉』，而男女之欲，尤強於飲食之欲，以前者爲無盡的，後者爲有限的；前者爲形而上的，後者爲形而下的也。苦痛之度，與生活之欲之度爲比例，是故前者之苦痛，尤倍蓰於後者之苦痛。而紅樓夢一書，實示此生活此苦痛之由於自造，又示其解脫之道不可不由自己求之者也。（八九）

萬竹樓隨筆

荒淫無恥交織下——俄京夜生活

·知音節譯自「觀察」·

花菓摘自史太林花房

[illegible]時的高貴鮮花與水菓，是這些夜總會中的特色。一位外國使館人員有一次在「巴摩」夜總會對香味四溢的鮮胡瓜，大加讚賞，那個夜總會的經理得意洋洋地告訴他：『這些新鮮菜菓都採自史太林元帥的私人花房。鮮花也是那裏來的。你大概總知道，史太林元帥最愛花，常常獨自留戀於他的花房裏，欣賞名花，樂而不倦。』

莫斯科以及全蘇聯的性生活，眞是歷盡滄桑。在十月革命後初期，共黨首領們主張節慾，致力於國事，不許輕易結婚。同時，他們却標新立異，鼓勵工人，士兵及農民『自由戀愛』，致使生殖率大減。

密室狂歡通宵達旦

到了今日，情形已完全不同。共黨首領的荒淫無度，已爲歷史所罕見。莫斯科「阿拉吉夫」夜總會的密室，通宵達旦，傳出狂歡作樂之聲。赤色的將軍，海軍長官以及政治首腦們，經常邀集年青貌美的電影歌劇女明星，舉行舞會，盡情享樂。莫斯科實際上依然燈紅酒綠，城開不夜，不過這只是赤色巨魁們所享有，一般人民尚無力問津。

雖然如此，蘇聯領袖們，都要拚命僞裝正經。他們曾頒佈過一條法律，青年跳舞，不准擁抱舞伴太緊，如有褻瀆女性的輕薄舉動，可判處一年徒刑。禁止肉感影片，實際上，却都是故意做作，等於具文。

史太林愛看性史

有人曾傳過這樣一個故事，某次，在一個家庭宴會中，史太林偶然翻開了主人架子上的書籍，忽地翻到了一本圖文並茂的德文性史。他正在看得起勁，忽然發現有人站在旁邊，頓時面紅耳赤，丟了書，謝絕宴會走了。

『都城』酒店的樂隊指揮，綽號『比尼』，是一小個子，一度被譽爲柴柯夫斯基第二，可是他演奏的都是美國爵士音樂，居然能風靡莫斯科。（二）

談葉恭綽

澄然

提起現在北平的一些無恥分子，使我不能不想到我的同鄉葉恭綽（譽虎）。他自命爲交通界領袖，而最熱中無恥。別的不說，他是受知於中山先生的，是飽讀綫裝書，又吃齋，又念佛，又寫字，又塡詞的名士。如此而要投共，眞可誅。他又是絕頂聰明，會飽經憂患，而患有腎臟蛋白質尿的不治之症，風燭殘年，行將就木的，如此還要投共，眞是可恥。我對葉向來抱有兩種矛盾的觀感。他雖然帶有「世事洞明皆學問，人情練達即文章」的多少俗氣，但確是宿學多聞而可愛的，然當過中山先生的高級幕僚，但無時不流露於言談聲歌中的却是「如假包換」十足北洋臭官僚的葉總長。（我相信他的舊部稱呼他爲部長時，决沒有稱呼他爲總長時的過癮。因爲在葉的俗靈魂中，北洋總長的威風，比國府的部長體多了。）

葉流寓香港，相當闊。前年我訪王一次，我提出黃梨洲王船山顧亭林三先生的成就，向他請教。我說：「我覺得這三位先生處於對『明』無望，對『淸』無求的境地，因爲無求無望所以能夠思想自由，思想得了自由解放所以學問便有偉大的成就，是不是呢？」我一面提出我這樣未敢自信的了解，一面也希望「葉先生」能夠追隨黃王顧三先生的高蹤呢。不料他的答話是：「於今要做黃王顧都做不到呢！不但握政權的不容許你，而且顧寧人還有他的外甥徐宰相乾學掩護他供應他呢！」這眞牛頭不對馬嘴，令人惆然。

過了幾個月，熊天翼託我介紹他認識老葉。那時天翼正和已故的吳達詮，與及現在台灣的陳鐵士等等打詩鐘。每星期一次，搞了多時，「滿目琳瑯」裏公成集。彼此都是「自己文章第一」於是想找個宿學耆儒做閱卷老師，評個甲乙。因此想到請老葉，託我先容。我便把天翼要登門拜訪的來意函知老葉，請他約定時間。不料他復信謝絕，祗說素來佩服熊先生，不說約會。過了幾天，諸突登老葉北行消息。事前熟人都不知道，我乃復信天翼說：「遐庵（葉字）落喜晉接當代賢豪，『東北王』欲踵門叩訪而不納，正以爲怪。今晨閱報，始知拙函去時，彼正將『有事於太廟』，齋戒沐浴，不可見客。葉公本自好龍，非眞龍亦好，於今飄然一葉，[illegible]公向山去矣。」王荆公的明妃曲，[illegible]，老柏摹容，的是傑作。其中有「漢恩自淺胡自深，人生樂在相知心。」兩句爲後來理學家所指責。這兩句可以代表熱中的葉遐庵北上心情，與梅村被追北徵詩有「馬背話江南，青山我負汝。」令人發生憐恕之感。乖張的葉恭綽，够不上說此。

切腸戰術

·周明·

共產黨奪取政權所採取的陰謀破壞，謀殺恐嚇等等手段，我們早已耳熟能詳，但匈共總理賴柯錫最近所宣佈的「切腸戰術」，在共產黨種種手段中，却是一個極新鮮的名詞。

成年生活，大部份在匈牙利牢獄和莫斯科特務學校渡過的賴柯錫，當一旦依靠蘇聯幫助取得匈牙利政權時，他就先後將大主教明眞諦下牢，副總理拉傑克處死，多數黨領袖柯仗克斯從澳蘇聯集中營，及逼使前總理那奇逃亡國外，昂首環顧，自感躊躇滿志了。到最近他給匈共機關報「社會評論」寫了一篇文章，得意洋洋地講述了他怎樣坐到這全國第一把交椅的經過。換一句話，也就是共黨的成功秘訣。這對於自由世界，確可以引起無限警惕。

遠在一九四五年，匈牙利的自由選舉中，共產黨祇得到百分之十七的選票，百分之六十五　五，落到民主的「小地主黨」之手。但在俄軍的威脅下，多數的小地主黨祇有讓步。賴柯錫說：「蘇聯參預我們的內政，對於加強匈牙利共黨力量，關係極大……在當時那種情況下，匈共的基本戰術，是先使對方內鬨，勢力分散，措手不知所措，然後我們和對方合作，與一切非共黨派組織聯合內閣，再運用種種手段，攫取整個政權」。賴柯錫解釋這一戰術爲「切腸戰術」。（上）

黑十字

北晨

白濟宏雖然看不透藍英這時的心事，却能想像出她的環境。他坐在一張沙發上，臉貼地侃侃而談，說藍英的年紀已經不小了，現在正是她的黃金時代，既然已經離開上海，過去的事便算告了一個段落，兵荒馬亂，這些不值得放在心上。總之做舞女不是辦法，舞場裏絕對尋不到稱心如意的丈夫。給她這樣一說，藍英懂了，他贊成自己嫁人。前些時姐姐由澳門來過信，表示姐夫到了香港以後，一切問題，可以迎刃而解，說不定他已經替她物色好了適當對象。

她用沉默來答覆姐夫的話。她在想着當前的第一件事，和那個惡魔斷絕關係，她和洪正池的事，以往是姐姐夫妻都知道的，她既然已經告訴他們和他分開了，現在仍舊只能這麼說，如果姐夫給她幫助，她首先需要幫助的，就是讓她永遠不再看見那個男人。

懂得許多女人心理的白濟宏，自然更懂得藍英的心理，他知道姨妹一定遭遇了一些困難，她的困難愈多，對於自己的陰謀便愈有利。

他換上誠懇而動聽的溫柔的聲調，搔着藍英的手。

「小英，幾年的苦，想你已受夠了，做姐夫的不能袖手旁觀，這次，我要替你作主，解決你的婚事。」

聽見姐夫說到婚事，並沒有出乎藍英的意料之外。不過她馬上想起了一件事，姐夫新置的勞力士手錶，已經指着五點了，昨天和一位客人約好，這時候要這客人在一家咖啡室等她，她只想打個電話，回絕了這客人。立起身去開門，不知什麼時候門已經給姐夫反鎖了。

「小英！你不能再離開這裏了。」白濟宏面色十分鄭重。他說，他一定要從火坑中將藍英救出來。從進房子的第一分鐘起，她便算已經和貨腰的圈子斷絕了，不許再回去，不許她再和那些下流人往來，甚至，他要送藍英去醫院檢查，檢查她的血液是否清潔？

至於舞廳裏的賬，外面欠下的錢，他拍胸一概由他負責，只要藍英答應一件事，這些問題等於喝一杯咖啡，是極輕易解決的。

她知道姐夫說的是什麼事，返身坐到床上，故意不先發問，她完全在這紳士的聲音下屈服了。（六）

·中篇連載·

自由人
THE FREEMAN
（中週刊每星期三六出版）
（第一一九期）
每份港幣壹毫
督印人：李光灝
社址
香港高士打道六六號
電話：二〇八四八
GLOUCESTER RD.
HONGKONG
TEL: 20848
承印者：東南印務出版社
地址：高士打道六四號
台灣總辦事處
台北市館前街五十號
台灣總經銷處
台北市中華路一二五九號

新觀念的追求與新時代的迎接

·左舜生·

發現世界，截至現在爲止，依然在一種渾沌，苟且，自私自利，爾詐我虞的拖延狀態中；換言之，人類對於一個相互依存，相互尊重，以求得和平相處的『新觀念』，依然沒有建立得起來，還是日復一日，年復一年，彼此竭盡全力，正在向自殺之途邁進，儘管六十，七十，八十的許多老頭子，眼看都會前仆後繼的陸續倒下去，但是阻礙人類生存的若干舊觀念，並不會因爲他們的死亡而死亡；世界儘管經過了無數的滄桑，我們的前一代，或前若干代的人們，實際已遭遇過無數的憂患，可是到了今天，這種憂患不僅沒有日見減少，反而日見其增加！有一點，是無可懷疑的：若干有助於人類幸福的新事物，是我們的前一代，或前若干代的先輩所夢也不敢夢見的，今天確已在陸續出現；但所謂幸福也者，並沒有隨着這些新事物以俱來，反而人類的憂疑與恐怖，却已隨着這些新事物之來，而徒趨於深刻化！然則人智愈進，苦痛即與之俱加，果然是支配着人生一個一成不變的定律嗎？

就現狀論，人類必須再經過一度激烈的相互屠殺，似乎已經是無可避免的了。但我們急於要問：再付出一次無可比擬的代價以後，是否便能換得一個較適於人類生存的『新時代』的到來？抑或依然遵循着人類歷史的老路，所謂戰爭也者，不問如何更趨於激烈，仍舊不過是人類生活過程中必然經過的階段之一，與所謂眞正幸福的降臨並無必然的關係呢？遠在三十年前，經過所謂第一次世界大戰以後，曾有不少理知較強而憬爲懷的人物，努力作過『新時代』的追求；且曾不厭求詳的，作過如何實現此一『新時代』的種種擬議；可是不幸得很，這些擬議，[illegible]部分[illegible]實現，所謂第二次大戰，[illegible]六年間[illegible]，從表面上看，似乎第二次的大戰是早已結束了，實際則若干懸案，並未獲得解決，而三次大戰的呼聲，却又已甚囂塵上！誰說不怕戰爭？誰說不討厭戰爭？可是戰爭會因爲你怕，因爲你討厭就不來嗎？

國家與國家間的對立；種族與種族間的成見；貧窮與富有的懸殊；智愚等等發達的機會之無從取得；生存空間與資源分配的不合理；關於人類合理生存的理論或主義之無法協調；一般富有支配慾或英雄思想的人物被一般死不長進者的繼續崇拜，或且奉之如神明；一個適於全人類共存的倫理或道德觀念之無由建立，以致互信之不能產生；……凡此種種構成戰爭的因素，既然是一一依舊存在，[illegible]依然相信，根據若干頭痛醫頭，腳痛醫腳的做法，戰爭便當眞可以遏止，豈非天下之至愚？

假如我們眞有一套超凡入聖的辦法，能把構成戰爭的諸多因素一一消弭，容或未來的戰禍也可消弭於無形；如其不能，則我們當三次大戰還沒有正式爆發以前，我們總得就戰爭所以無法避免的許多原因，能有一番深入的認識，從而提出比較具體，可能有效的辦法，以預爲建立永久和平奠定一個堅實的基礎，否則不幸戰爭一旦來臨，大家又手足無措，忙於救死不暇，甚至還要借助以往種種的舊觀念，以爲爭取勝利的左券，而使得這類舊觀念不能不因戰爭而更爲加強，則可能使人類的血，依然等於白流，而人類的愚頑，也非更陷於無可救藥不止！

依照我個人意想中之新觀念，舉[illegible]當前的事實爲例，所謂韓戰停火的問題，越南獨立之不容許阻撓的問題，乃至正在台北爭得面紅耳赤的中日和約問題，都應該是可以迎刃而解的。然而我們看見中共代表由於他們的心理狀態所表現的那樣的嘴臉；胡志明那樣一般自命不凡而實際又除依賴他力並無辦法的神氣；同時再看看吉田首相那樣一副[illegible]，都適足以代表他們一群伍的頭腦的事實，我相信人類必須再經過一度的浩劫是無可倖免的！

然而，我們究竟不必作過度的悲觀：我們人類終於會依於他們智慧的發展而得救；若干構成戰爭原動力的事實，終於會依人類理知的進步，而得到合理的糾正；人類將再遭遇部分的，也許是無可避免的死，但自由，平等，博愛的信念，是決不會死亡的；今日一般自命英雄的強盜們，儘管他們還騎在人類的頭上，在那裏頤指氣使，但我們早已看見他們的末日，我們判斷即將到來；我們最好不把一切的心思才力用在最近一次大戰的如何逃避，但我們必須把所有心思才力用在一個適於人類共存的『新觀念』之追求。一切支配人類而又爲促成人類陷於自殺的舊觀念，如果不以猛劑而加以猛力的一刷，則一個具有合理性與普遍性的『新觀念』是無由產生的。

中共「減低物價」的真相

此次「三反」「五反」，中共要刮取僞幣二十五萬億，物價下跌，只是說明了大陸人民已由窮變絕並喪失了最低限度的購買力

·張丕介·

近旬日來，中共除了在國外大談國際生意經外，對內又學蘇俄的戲法，大力宣傳所謂「減低物價」。據十五日北平電台的廣播：最近大陸各地國營貿易部門和合作社，陸續降低了大批商品零售牌價，據說上海已有一萬多種商品降價，北平有四千種降價，此外，東北、西北、浙江、山東、南京等地，亦均隨而降低。其降低幅度從百分之二到百分之四十，平均約在百分之八左右。照中共的宣傳，這次降低物價的原因，乃由於「三反」及「五反」以後，國營貿易公司向私營工廠進行加工定貨和收購的時候，確實核算成本，降低進貨價格，因而降低銷貨牌價。他們不但據此宣揚「三反」「五反」的「輝煌成就」，來掩飾其半年來宰割民族資產階級的罪惡，並誇大其在經濟方面的有辦法，藉此欺騙對中共存着幻想的外國商人。

向人民多一次搜括
即物價有一次暴跌

在共產黨實行全面統制的經濟制度下，所謂「物價」已失掉自由經濟中的通常涵義，它既不能反映貨幣的實值，更不足表示人民購買力的眞正情形。蘇俄自一九四七年十二月以來，差不多每年都來一次減低物價，但據幕後消息的報導，蘇聯人民的生活水準，並未因此而有所提高。在過去二年餘中，中共一面膨脹通貨以支持其赤字預算，一面透過公債，租稅及捐獻強迫貨幣回籠，同時利用各地的貿易網以共幣吸取民間物資。在這一收一放之間，來玩弄其所謂「物價穩定」。

中共這一套偷樑換柱的戲法，過去曾經瞞騙了不少外國人，事實上凡稍稍明瞭大陸實況的人，都知道在中共的吸血政策下，人民的購買力早已瀕臨枯竭狀態。一九五〇年中共向大陸強攤一億分公債以後，各地廠商爲應付債款紛紛削價求售，大陸物價曾暴跌百分之四十以上。據中共私營企業局副局長吳羹梅前年六月三日在北平民主建國會的報告：當時大陸人民購買力，較以前約減低百分之二十。韓戰爆發以後，爲了支持空前龐大的戰費，各地公糧及附加，一般抵達農民農業收入百分之七十以上；城市方面在「現金管理」與「獻機獻砲」之下，被搜括三倍於「折實公債」的巨數，各階層人民，大部已由窮變絕。再加上近半年來「三反」「五反」的清算勒索，百分之八十五以上的廠店都被指爲有盜竊逃稅行爲，其財產的大部或全部，遲早均將抵償其過去三年來的「罪過」。據最近粵共所公開發表的數字，廣州商戶近二年來所盜竊及偷漏的數額，初步估計達共幣二萬五千億，易言之，這次中共向廣州工商業者所搜括的數額，決不會少於此數。如加上上海、天津、漢口、北平、南京、重慶、瀋陽、西安等地計算，中共透過這次「五反」向大陸人民所勒括的總額，將超過共幣二十五萬億，較去年的「獻機獻砲」所搜括的將超過五倍，而較前年強攤公債的數額，超過十五倍。如果前年大陸人民購買力較前減低百分之二十，則目前大陸人民的購買力，最低限度當降低百分之八十。（下接第二版）

不再與蘇聯胡纏

下月十七日西方盟國與西德簽約結束佔領這證明西方盟國已具有快刀斬亂麻的最大決心

·一丁·

英美法三國已正式宣布，將於下月十七日，與西德簽約，結束佔領，在此以前，法，意，比，荷，盧及西德，並將於下月九日，簽訂歐洲軍公約。這是西方集團對蘇聯最近一月來和平攻勢，給予了一個最具體也最堅定的打擊。而瀰漫一時之和平幻夢，也從此敲了喪鐘！

艾契遜將蘇聯和平攻勢，尤其關於合併東西德迅訂和約的提議，比作有毒餌的西方集團的金蘋果。現在由於西方盟國採取了如此快刀斬亂麻的果決行動，不再與蘇聯胡纏，這金蘋果的誘惑，眼看已失去效力。

在西德方面，的確有許多人，最近對盟國態度，相當不滿。因爲德國人最大顧忌，是消除東西德對立，完成統一，蘇聯正認定這一點，來投擲他的金蘋果。本來已現頹勢的愛德諾爾所領導之基督教民主黨，在舒馬區領導的社會黨大力壓迫下，如果西方盟國還不能迅作有力決定，愛德諾爾可能很快要受到國內更大打擊。他以七十高齡，僕僕風塵，一再奔走於歐洲各盟國間，他心情苦痛而焦灼，這是任何人可意想到的！

蘇聯最足以挑撥德人反對西方的一點，是：東西兩方，都主張以自由選舉，完成德國統一，所不同的，西方國家主張由聯合國監督選舉，蘇聯則主張由波茨坦協定之英美法蘇四大盟國共同監督。德國人說，反正我們的選舉，要經過你們監督，西方國家總說分裂德國統一的罪人是蘇聯，現在蘇聯倡導德國統一，爲什麼在這監督選舉無關重要的節目上，卻要拚命堅持，不稍給蘇聯一點面子呢？社會黨攻擊愛德諾爾對西方的一面倒，他的火力，也集中在這一點。

西方盟國爲什麼要反對由四大盟國監督選舉呢？唯一也最重大的理由，如依照波茨坦協定，由四國監督選舉，那就要承認蘇聯的否決權。蘇聯有了否決權，則以後進行自由選舉時，即可儘量搗亂，正如他搗亂聯合國的理事會，及對德和約，一樣，豈僅德國統一，遙遙無期，就是西德的結束佔領，也不知將要延長到什麼時候，才有結果。

西方盟國不上這個圈套，以快刀斬亂麻的手段，宣佈了堅確決定。依照上次里斯本的會議，西德參加歐洲軍就將照預定計劃，歐洲軍成立一枝二百萬人的地面部隊，並擁有六千架戰鬥飛機。蘇聯所以在里斯本會議以後，拚命發動和平攻勢，向德人投擲金蘋果，其內心的急迫，也正在此。

西德參加歐洲軍最大的平等權益，就是他在歐洲軍委員會，擁有否決權，並可以獲得攻擊西德，即等於攻擊全體的軍事保障。愛德諾爾最近對國會說過這樣最沉痛也最明智的一句話，那就是「我們要想得到蘇聯較大的讓步，最好辦法，是和西方國家結作一團，否則我們是不會得到獨立與自由的！」

半週展望

雷嘯岑

悶葫蘆的中日和談

廣東話所謂「牙擦擦」鬧了兩個多月的中日和約談判，祇見吉田茂不斷的譸張爲幻，極盡翻雲覆雨之能事。從故意洩漏和約草案，到隨時排斥其和談全權代表的成議，那副面孔與作風，完全像戰勝國對戰敗國，或宗主國對保護國的章法。我們的政府呢，却始終似乎抱着唾面自甘的百忍精神，犯而不校，除聲明「不關閉談判之門」以外，一任吉田茂張牙舞爪，搔首弄姿，而不見有些許自尊心的表現，可謂咄咄怪事！

這次的和談內容，如果具有其他的謀國遠略在，只許成功，不能失敗的話，則所謂戰爭開始時間，與夫主權行使範圍之「及」（and）與「或」（or）賠償問題之規定等爭議，都不應釀成僵局。一八六六年的德奧戰後和約，德宰相俾斯麥，不惜以戰勝國的地位，特別遷就奧國，寬大爲懷，爲的是要建築稱霸西歐的基礎，對抗法國，而於一八七〇年乃獲奇效。一九〇五年的日俄戰後和約，日本以戰勝國地位，接受赴朴茨茅斯去媾和的條件；而且放棄割地賠款等要求，雖激起東京民衆暴動放火燒官署，外相大隈重信被炸去一條腿，也忍辱負重的同意當時美國總統老羅斯福的調停辦法，爲的是日本要藉機躍居世界列強之林，在東亞與英俄法分庭抗禮，別樹發展，而英日同盟乃繼之出現，日本終博得了意外的暴發權益。一九一七年十月革命後，蘇俄與德國媾和，一切都如德帝國之願，列寧只是心裏有數，發出會心的微笑，爲的是要先求對內革命之完全勝利，而且知道德帝國已經日薄崦嵫，白紙黑字的和約，不久便成廢紙的，結果列寧乃因此而大功告成了。我們今日跟日本政府媾和，有不有上述這類遠大的國策存在呢？若有，就不妨忍辱負重的設法行成，不必斤斤於面子觀念。

如其別無因素，而僅是那種被吉田茂違背信守而宣洩於外的所謂和約草案，那末，吉田茂既再三玩弄手法，妄自尊大，我們爲甚麼還要過份謙抑，聽人擺佈？縱然不下逐客令，教河田烈一行捲起行李歸去，也應該發表一項嚴正的聲明，使國際上和本國人民知道政府對和約的立場所在。像目前這樣悶葫蘆式的談判情形，只是教本國人民感到煩鬱，讓國際上素有野心陰謀的敵意國家從中作祟，這是甚麼一種外交策略？又是怎樣的謀國之道？因此，我們以中華民國主人翁的資格，有權要求政府把中日和談的內幕經過，向人民宣示其概要。換言之，即在某幾項條件之下，中國政府絕對不能絲毫讓步了。日本政府願意幹，就繼續商談技術問題，否則拉倒！吉田茂如果再要玩花樣，擺面孔，我們就應該端茶送客，莫再跟他講廢話。我們反對妄自菲薄國格的外交行爲，尤其不贊成老官僚的外交作風！

史太林贊成德日武裝？

戰後若干年來，蘇俄與西方民主國家間最大的歧見，就是對德日問題。史太林一提到德日再武裝的話，即張脈僨興，指爲「戰爭販子」不利於蘇俄的陰謀。但，他最近竟一反舊有面目，公開贊成德日有自衛的武裝了！這原因很簡單，他深知這兩國再武裝之事已無法遏制，既不敢掀起大戰，就祇有改變方針，用冷戰策略來和緩這兩國人民對他的敵意。史太林在國際鬥爭過程中，素來善於隨風轉舵，不惜作一百八十度之大拐彎的。最迷戀人種優越感與眼前現實利益的，即爲若干西方民主國家，試以突尼斯近事爲例，可資證明。

北非法屬殖民地摩洛哥突尼斯等民族，曾經迭次向聯合國呼籲，要求自治，然以四大自由爲號召的聯合國竟不受理。最近突尼斯發生騷亂，死傷累累，亞非國家集體建議聯大予以處理，連素以反對殖民地政策著聲譽的美國代表，也棄權不投票，以致建議被否決，而突境的糾紛乃聽其自然，在法國的軍事高壓手段下，愈弄愈僵，不啻爲史太林添造許多最有効用的冷戰資料。拿史太林對德日武裝的態度來比較，難怪民主陣營在弱小民族國家間的信譽是永難振起呵！

從「合作」說到「民主」（上）
——有感於台北少數合作社發生風潮而作——

·樓桐孫·

「民主」（Democratie）與「合作」（Co-operatisme）這兩個名詞，在平常應用上，一爲政治的，一爲經濟的；一個名聲響亮，幾已成爲全世界政客論士所最愛稱道的口頭禪，一個却似鄉村的姑娘，雖然身家十分清白，性行純潔，姿色也頗秀麗可觀，但至多只被人們看作「小家碧玉」。始終不曾得到社會各方面應有的重視。這好比一個是得心應手，八面玲瓏的交際花，一個只是循規蹈矩，勤勤儉儉，實事求是的竈婆娘。他們二個在現階段人類文明中所居的地位和所佔的重要性，都顯然很不相同，無待多論。

聯想到法治前途

但是我們如果從哲學或審美的角度去細細推究，則他們二者的本體（Substance），可說是完全相同的。筆者無意在此來替「民主」與「合作」兩個名詞下定義，定界說，一點一點的分析比較，以證明他們在本體上之所以相同，何以相同。因爲我這篇短文，是有感於最近在自由中國台灣合作金融界發生風潮而作的。我只因由於這一次合作界不幸的風潮，纏纏綿綿的聯想到我國法治的前途，所以硬拉「民主」二字來作一個襯托，把「民主」與「合作」相提並論。讀者看了以後，假使認爲我「擬不於倫」，我當然願意向這位世界著名的交際花——德謨克拉西女士表示道歉。

三月二十七日，台北有三家合作社發生倒閉風潮，本報特約記者陸浮君已經在本報第一一一五期有過一段簡要的報導。爲欲使讀者及一般社會格外明瞭這次風潮的重大意義——其意義之重大，竟至使我扯到「民主」問題上來——所以我還先得對於此次風潮的情形，作一番較比詳明的敘述，然後再行闡明「合作」何以會與「民主」發生親切而又深厚的關係。

日據時代的「組合」

台灣原來只是一個農業地區。自日本據去了我們這個寶島以後，於本世紀初旬年代（明治末年），台灣農民即在各種不同名義的團體下被組織起來。合作社（日本人叫做「組合」）是其中最主要的一種。台灣在日據時期，亦另有農會的組織。但因農會始終是官辦的性質，與自由組織的合作社全異其趣。因之，合作社一向深得農民的同情和愛護，其業務進展之速，爲農會所望塵莫及。一九一三年（大正二年），日政府公布組合法後，至一九三九年，台灣即有四百九十四家合作社，其平均的社員數，爲每社一千零七十二人，比日本本土合作社的社員平均數，（每社只三百七十人），還要高出多多。

一九四四年（昭和十九年），台灣的合作社雖然突被歸併於農會之內，統稱爲「農業會」，但市區的信用合作社及合作社聯合會的信用部，仍是保持獨立，不被併入的。

光復後的合作社

一九四五年（民國三十四年），故土重光，我政府對於台灣的一切設施，自然是一視同仁，以法治建國的宏規，大氣磅礴的風度，與台灣同胞相更始。因此，關於合作社的管理，依照祖國的建制，令飭與農會重行劃分。至民國三十八年，大陸變色，情勢變遷，台灣省政府乃復將合作社與農會再度合併。這是自由中國兩年多來關於合作社與農會分合問題的簡史，但這與本文無關，不予多述。

全省社員五十萬

本文所擬特別指明的，是台灣合作事業，在光復以前及光復以後，雖各經過一分一合的改制，平添了不少的糾紛，但合作業務，仍能循着正軌，繼續發展，除專營信用合作社外，他如農會，漁會，以其目前所做業務的性質而論，可說都屬於合作事業的範圍。據調查，截至民國四十年底止，全省合作社八百零四家，計有社員五十萬之譜，人才集中，大都歷史悠久，而以信用合作最著聲譽。這難怪台灣糧食局局長李連春氏本年二月間在合作年會席上很興奮的說道：「是以調劑合作組織，促進農業農村金融，促進農村生產，以復興農村爲目的。也就是盡人力，暢關地利，均供求，暢流通，以謀農村經濟之健全發展。所以加強合作事業，是今天本省發展農業生產，充實反攻準備，以復興國家民族的唯一途徑！」

何以有三家倒閉

然則台北何以於三月下旬，數日之間，突有三家合作社，幾乎是同時的發生風潮，鬧得社會上對於合作事業引起甚大的不安和疑慮呢？

此中情形，亦簡單，亦複雜，但無論如何，其意義亦相當重大的。在未研究此項意義以前，自應先把這三家合作社發生風潮的情形，說明一個輪廓。

這三家合作社的名稱，叫做：

（一）第一建築信用合作社；

（二）第三建築信用合作社；

（三）第八倉庫利用合作社。

上面這三家合作社，都是光復後，非本省人從新設立（第八倉庫）或向本省人接辦改組的（第一，第三建築）。這表明他們歷史很短，與台灣原有合作社差不多各有三十至五十年歷史的全不相同。

立院與政院嚴重爭執
委員出缺應否遞傳候補

政院方面認爲候補人係補足第一屆任期，現任期已滿，立委僅係於非常狀態下繼續行使職權，不應再行遞補，廖維藩等提案，即在推翻政院此項決定

【本報台北特約通訊】立法院第一屆委員，自去年任期屆滿後，因大陸淪陷，事實上無法辦理選舉，故循政府咨請，繼續行使職權一年，現此一年期限，又將屆滿，故在手續上，政府恐仍須有一同樣咨文，送達立院，而立院之照案通過，似亦決無問題。在大陸未收復以前，此種一年一展之慣例手續，勢必循例演出。惟自延長行使職權以來，有一嚴重爭執，政府與立院間，始終未能解決，今且有愈趨尖銳之勢。此即立委出缺遞補問題。在立委任期未滿時，按候補名次，依法遞補，各方自毫無爭議。其附因若干立委附逆投共，致喪失資格，由候補人遞補者，先後已不下百餘人。及第一屆任期告滿，政府方面，即決定不再遞補，在政府方面之理由，以爲候補人之設，原爲補足正式委員未滿之任期，今第一屆委員雖仍在行使職權，然依法已無未滿任期可補。此外有人更認爲現在各區所餘尚未遞補之候補人，大多名次甚低，當時有僅得數十票者，如正式補爲立委，似亦未足眞正代表該區民意。不過當時既已承認其取得候補資格，則現今即無法在得票多少上，有所主張，故此種意見，僅流行於私人間談話，政府方面，從未正式表示。十八日立院例會，委員廖維藩等三十人提案：「立法委員有自行辭職者，或於一會期內無故不出席視爲辭職者，應由本院會議決定後，咨請行政院轉飭主管行政機關，依法辦理註銷遞補手續。」當決議交法制，內政兩委員會審查。此案重心，即在推翻行政院不再遞補之決定。如將來照案通過，則行政院即無權不於出缺時通知候補人遞補。聞立法院出缺未補之空額，尚有七八十名，其有遞補資格之候補人，在台者亦有五六十人，彼等活動甚力，大有不達目的決不甘休之決心。

黃季陸捧檄色喜
張茲闓尚在菲島

新任行政院內政部長黃季陸，經濟部長張茲闓，均定日內到部就職。原任部長余井塘，鄭道儒，早在半年以前，即堅決請辭，拖延至今，始獲解決。黃原爲政務委員，此次奉令兼職，頗有捧檄色喜之概，並發表談話，謂將努力對當局倡導之「限田」政策，促其實行。其就職日期或亦在張以先。因張原任菲律賓交通銀行總經理，該行刻正在菲召開董事會，張須俟董事會閉會，及將行務交代，始能來台也。張廣東人，現年五十二歲，向在工商界服務，一度任財部次長。

禮堂場頂案詳情
法院將追查責任

台北市博愛路淡江英專禮堂塌頂慘劇，截至記者此函發出時止，錢穆教授，雖神智尚未完全恢復，但危險期已可望渡過。慘劇發生，在十六日下午五時十五分，其時錢所講「唐宋時代文化」業已完畢，正應主席朱家驊之請，起立答復聽衆所提問題，不料甫說數語，即砰然一聲，禮頂天花板灰堆大量坍陷。錢及立委柴春霖，師教次田培林重傷。柴送至醫院即已氣絕。錢腦部受震，頭皮多處破裂，流血甚多，至十八日下午，仍時時昏睡。田在三人中受傷最輕，已能扶坐床上，精神甚好。據主治醫師李曄斌談：錢如渡過危險期，則康復當較田爲快，因田尚有第四，第五，第六三根肋骨折斷，又經X光診斷，知田原有結核病，需要長期療治。

連日各方到中心診所慰問錢田兩氏者，不下二百餘人，均黨國大員，各界名流。蔣總統亦派秘書長王世杰代表慰問，並分贈兩氏醫藥費各三千元。

關於禮堂天花板倒坍問題，台北市工務局正在追究責任。據工務局宣稱：該禮堂係於去年冬間，由福興營造廠承建，至錢穆講演前一天始全部完工。錢氏講演爲第一次使用。依照規定，該項工程，竣工後，呈報工務局檢驗，由工務局核發執照，始能使用，但業主，營造商，及原來設計監工之工程師均未照此手續辦理，至倒坍原因，並非偷工減料，而係加工加料，技術太差所致。因禮堂天花板內部係用細條木板排列聯釘而成，中間空縫距離太密，大量泥土無法深夾木板縫內，同時又以設計不佳，天花板傾斜度重心載力不能平均，外部所塗灰石三合土，糊刷又不合法，水泥未作一次塗上，一再添補，竟厚達五六寸，三合土過重，木板條粘力不夠，一旦乾縮，三合土遂全部下塌。該福興營造廠經理黃水龍，及負責工程師季寶鏗已均被警局傳訊，季交保出外，黃則移送地檢處核辦。地檢處首席檢察官趙執中，並於十八日親赴英專勘查現場。又工務局爲亡羊補牢計，對於台北市各公共場所如中山堂之類，日內擬大舉檢查，以策安全。（平平，十九日寄自台北）

七十九歲老外交家
過港時談中日和約

香港三日

比利時前駐日本大使貝桑祺伯爵十九日自澳洲搭常德輪經港赴日小居。這位年已七十九歲的老外交家，在日本幹了十八年大使，一直到太平洋之戰才回國，他和我前駐日大使蔣作賓，許世英及總領事楊雲竹等都很熟。他對於這一次中日和約，非常關心。他說我常常看日本寄來的報紙，我熱烈期望今天中國和日本應有具遠大眼光，爲下一代打算的偉大政治家。因爲處於這個時代，要訂中日和約，一定雙方要拿出大刀闊斧的勇氣來幹。單選咬文嚼字，斤斤於某條某項之出入，其後果雙方必然得不償失。他頗爲未來中日和約之暗影而憂慮。

逃出大陸中國魔掌
工商界紛申請入臺

自從大陸淪陷，凡不願投共而願向台灣發展的工商界，自由中國，總儘量予以便利。最近三反五反許多過去在港澳客居的大陸工商界，已徹底認識中共猙獰面目，絕無工商界立足餘地，紛下決心，希望入台。連日向台灣申請入境證者甚多，聞政府對此，已在通盤計劃中，務使眞正反共抗俄者得迅速獲得許可，及在台開業之各種優益。

今日紀念沙士比亞
港學術家舉行盛會

本月二十三日，香港英國學術界，決定舉行沙士比亞紀念會。紀念的程序，在港大方面，文學會將展誦莎翁之十四行及「暴風雨」一劇。中英文化協會定是日下午四時請嘉息神父朗誦「漢姆萊特王子」一劇。以港大爲中心所組織之香港年會定是夕假山頂何柏森夫人家中的走廊上，舉行沙士比亞紀念日古典舞會（按即威尼斯面具舞會），港大圖書館復於是日展覽珍本沙士比亞文集。

「自由人」稿約

本報各版，均歡迎投稿，敬訂稿約如下：

（一）除事先特約外，每稿最多請勿過一千五百字，長篇鉅製，以限於篇幅，無法刊登，請勿惠寄。

（二）惠投各稿：評論要切合時局，新聞要記述事實（大陸消息，應有人名，地點，時間，人名不便刊登者，可於稿內註明），雜文要生動活潑。

（三）來稿除附有足够郵費外，概不退還。

（四）稿末請附註眞實姓名，地址，但發表時須用筆名者聽便。

（五）來稿一經刊登，即寄奉稿費通知單，憑單向本報領取。不願受酬者請寄稿時自行註明。

——上接第一版——

「減低物價」的眞相

購買力已空前低落 大陸產品積滯難銷

由於人民實際購買力的空前低落，不但中共各土產公司及百貨公司，業務一落千丈，且因產品積壓滯銷，形成生產與消費嚴重的脫節。據四月十一日上海「解放日報」的報導：上海國營百貨公司已採行銷辦法，發動職工深入各工廠推銷。華北方面爲了推銷各國營公司產品，下週召開所又準備在天津召開「華北物資交流會」，中共華北行政委員會，並通令所屬五省二市，須組織貿易代表團，各縣須組織貿易小組參加交易。從這些形迹觀察，顯見這次中共的「減低物價」，不但不是人民購買力提高的表徵，相反的，正是中共刻毒搜括下，人民購買力絕滅的結果。

加工費用強制壓低 迫使老闆賠光爲止

其次，這次的減低物價，既不是大量生產的結果，又不是中共國營貿易機構，降低本身利潤的結果。而係透過職工對廠商的脅持，強制壓低收購價的結果。如「光明日報」所載：「北平百貨公司對私營一中襪廠關於織花羅口襪所訂的合同，過去每捆規定交換成品七打六雙，加工米一二八斤，而現在重訂合同時，交換成品已增至七打九雙，加工米降爲一〇一斤，服裝加工費，也平均較以前減低百分之十。依照中共新規定，「五反運動」以後，所有加工訂購下成本，應由職工決定。這些職工在共幹的控制下，早已成爲它們劫制廠商的鷹犬。今天接受訂貨的廠商，不但無合理利潤之可言，甚而還可能賠光老本。因此，這次中共的大規模宣傳減低物價，從政治角度觀察，乃係其緊捺工商業者進一步的措施，藉剝奪廠商的利益來維繫農工階級。其手法是相當刻毒的。

目的只在玩弄宣傳 對人民無利益可言

在常態的經濟社會中，物價減低，足以刺激消費，擴大生產，無論就消費及生產而言，均有積極的作用與意義。但在今日中共統治下的經濟社會中，由於農民購買力的消失，農村方面是土產的滯銷，斷炊數字正不斷增加中，農民求維持最低生活而不可得，復有何力來購買工業品。城市方面，在長年清算，鬥爭之餘，百業停頓，再加上罰款及租稅的煎迫，更無人有銷納百貨的能力，故減低物價的結果，對消費者絕無實益之可言。而生產方面，則因合理利潤被強迫剝削，擴大消費更不足以刺激生產。可見中共今天的減低物價，除了作爲仿效蘇聯的宣傳的戲法外，對大陸各階層人民，絕無絲毫利益之可言。

中共要趕在五四紀念前夕

加緊清算北大教授

中共已發佈五四紀念最高指示，要全國青年準備獻身作砲灰。又以北大為五四聖地，凡對「抗美援朝」及中共政權不積極擁護的都限令悔改，否即重懲

【本報北平特約通訊】一年一度的五四運動大紀念，現轉眼又將屆臨。中共自從竊據北平以來，將許多有關民族興亡的重要歷史事件，從頭改寫，五四運動也是其中的一項。他們認為這運動是共產黨領導起來的，其實那時候，毛澤東還只是北大圖書館一名低級職員，中國共產黨，根本連影子還沒有，那裏會有資格領導這偉大運動。不過他們臉皮向來是有城牆那般厚，由他們要這樣自捧自吹，淪在鐵幕中的青年，又有什麼方法向他們爭辯。他們因為要改寫五四運動歷史，視五四運動為中共私產，於是更進一步，定五四為中共的「青年節」，並於兩年前，將什麼「新民主主義青年團」特別選定這一天，作為黃道吉日，宣布開張。這樣一來，過到五四紀念，就同時也是中共的「青年節」，和中共「青年團」的成立紀念。中共強姦歷史的本領，一貫是這樣厚顏無恥的！

前天（十二日），中共青年團發布了一篇紀念今年五四的「中央」指示。開宗明義第一條，就是命令全國青年，要「積極參加抗美援朝的鬥爭，支援中國人民志願軍，……積極鍛鍊自己，隨時響應祖國的號召，參加國防建設，並以此作為中國青年最光榮的任務。」這幾句話太明顯了，那不等於叫鐵幕中青年，趕快準備，登上朝鮮戰場，替中共作砲灰？

北京大學牆壁上貼滿了警告教授

跟着這個指示，中共為着要肅清各大學教授中迄未洗清的「惡劣思想」，特別是作為五四運動聖地的北京大學，若干教授，還是始終頑抗，不肯降服，對這類教授，已準備在五四以前，採取最後的嚴厲處置。昨天上午，記者到北大訪友，看見牆上貼着許多警告教授的宣傳品。雖然大部份並沒有將被警告者姓名完全指出，但任何同學，都知道某人是誰。下面幾則，是記者匆忙中從牆上抄錄下來的：

（一）數學系某主任：你藉口怕耽誤功課，千方百計，阻撓你兒子參加青年團。你又從容心思，要感化青年團員孫超，勸他用功讀書，少管閑事，當[illegible]一時期你的引誘而[illegible]時，你就大大誇獎他，說孫超將來[illegible]成功學者，他還不太幼稚，肯聽我的話。[illegible]你在某一次[illegible]你[illegible]就不够進步了。你這樣視青年團為仇敵，如果不趕快認罪，我們一定要檢舉你。

（二）化學系某教授：你常常譏論青年團中熱心工作的團員，[illegible]你對一位同志說，美國科學家一天到晚鑽書本，那樣才有成就，你現在却一天到晚，替團[illegible]那裏會有成就？[illegible]尤其化學系一[illegible]能成為大化學家[illegible]不被黨的工作所分散，他一定會有大的貢獻，這樣，幾乎弄得那流助教，一旦想要脫黨。你這一套反動思想，應該趕快清洗！

勸同學不做團員　罵同學參加軍幹

（三）建築系某教授：你對青年團員某同學說，你們做團員的，如此拚命工作，每月也只有四百斤小米，功課不弄好，將來那有出頭的日子？你這樣腐朽觀念，值得打倒。

（四）化工系主任傅鷹：你為什麼在講堂上批評共產黨，現在的勝利，並不可靠？又說，對於共產黨選舉北京市市長副市長的辦法，並不民主？又常常公開鼓吹，美帝如何強大，抗美援朝如何沒有把握，這些糊塗荒謬的思想，你必須切實反省，向同學公開認錯！

此外還有一些，如指機械系某教授，在同學參加抗美援朝宣傳大會時，曾拚命要加強點名工作，同學稍稍遲到，就破口大罵不長進。指經濟系某教授阻撓兒子參加軍校。指植物系某教授當他知道幫他翻譯書籍的同學將繼[illegible]報名參加軍校後，竟公開歎惜，說這是一個不可容忍的錯誤與損失。

上面這一批警告，僅是對北大教授的十分之一，因為太多，無法全部抄錄。其中被正式指出姓名的傅鷹，今天報上已登載了他的悔過書。這在共產黨看來，一定還認為是指名檢討的結果，還是降服的結果。因此，若干沒有被正式指名的某些教授，恐怕馬上就會對傅鷹一樣，如法泡製了。

傅鷹已首先認錯　曾說中共不民主

傅鷹的悔過書很長，這裏姑且摘錄了三段，雖然說得够可憐，但在中共眼中看來，一定還要認為不澈底，可能還要他再作一次更澈底的悔過。

他說：「我到北大，情緒遠不如在美國米西干大學化學館那麼熱烈，我時時想離開北大，甚至想離開祖國，因此，我對抗美援朝缺乏信心。這完全因為我在美國的時間太久了，我受美帝誘惑，和美帝發生了感情，以致模糊了美帝是我們的死敵。」

他又說：「我對於民主的見解，完全是英美資產階級的觀點。我認為一個民主的政體必須有兩個政黨，互相反對互相監視。回國後看見我們實際上並沒有反對黨，就覺得還不是民主而是專制。在選舉北京市長及市人民政府委員時，候選人名單上的人數和委員數目一樣，那時我就覺得既然是選舉，候選人的人數就不應當和委員人數一樣，否則就不能運用我的選舉權了。因此我感到失望，我覺得公開批評政府不够民主。而不知道這種辦法，正表示政府對人民負責，這才是真正的民主。」

最後，他說：「我當然承認共產黨是好的政黨，但由於看到許多貪污案的發生，我覺不敢相信共產黨會永遠這樣好，因此我曾發生了歷史看百年的謬想。我現在已澈底悔悟，我感謝同學們將我帶出地獄，見到光明。」（臨光十四日寄自北平）

永遠肅清不了的「毒素」

戲詞中到處反共

滬中共指「明末遺恨」中「兵是匪，匪是兵，大好河山悲破碎，億萬百姓不安寧」是影射現局，詆毀中共。又指「悲夫曲」中「成則為王敗則寇，古往今來一例看」意識不純，顯係不滿現實

【本報上海特約通訊】從去年秋天起，中共就唆使那些混在電影、平劇、越劇、滬劇、評彈、歌劇裏的走狗們，喊出：「提高藝術水平」，「貫澈毛澤東文藝路綫」，「斬尾巴」，「要演新戲」，「站穩立場」等口號，可是，時近一年，所謂立場，水平，不但沒有如中共的理想「站穩」與「提高」，相反地，由於市面不景氣，最先遭殃，大家連附和喊口號的精神都提不起來了。「三反」「五反」展開以後，上海人個個被反得焦頭爛額，意懶心灰，娛樂場所，也不例外，本月初起，不會混的娛樂場所，雖全部減價招徠顧客，然絕大多數仍門庭寥落，頹勢依然，只有十幾處遵照「政府政策」演「新」戲的場所還能勉強維持開支，其餘十九連伙倉都開不出來，眼看就要關門。

上海人民真奇怪　人民不看人民戲

儘管各戲院快要關門，「人民的藝員」「快要沒有飯吃」，而「推行政策的新戲」還千方百計，逼你上演。奇怪的是上海人專給共產黨鬧彆扭，你說「好」的「新」的，他偏不要，你認為「壞」的「舊」的，他偏喜歡。像「新光」、「威泰」、「百樂門」、「麗都」、「花園」、「關心」、「山西」等戲院最近奉命演出的五反新戲如「春留」、「怒海洪濤」、「兄弟姊妹們」、「迎春曲」、「金生第」、「愛與恨」、「控訴」、「時刻警惕着」、「可愛的春天」、「時代兒女」、「新街先生」、「三代人」、「五反中人民該看的戲」這是[illegible]人人都看，結果是半價收費，還是若干人看，「大戲院」的「怒海洪濤」十二、三、四三天夜場，一共只賣出七十多張票，演戲的人比看戲的人多。把那位滿臉橫肉的「上海文教處副處長」劉厚生氣得在台上雙腳亂跳，兩眼直瞪，迫不得已，祇好到十七號夜場止，暫告結束，息鼓。那些被目為演唱「封建」、「黃色」、「落後」的戲劇曲調，卻門庭若市，熱鬧異常，儼如北方的大鼓的權威劉[illegible]，在南京西路國際戲院演唱的「黛玉思親」、「寶玉探親」、「戰長沙」，于素秦在「維也納」唱的「姜子牙賣麵」及在滄洲演的「五厨樑」，「大過」，「情探」，「梁山伯祝英台」，「借紅燈」，「張文祥剌馬」，「金陵殺馬」，「彩鳳飛」的戲書「草王小驚」，王小燕紀文等，場場客滿，無法擠入，不[illegible]天天賣滿，有[illegible]眼紅，心急都計，先在場中共看了一場，一些共黨以先上心來，肩頭上一心紙雜誌，在「讀者」和「大家談」一些的錯誤的態度傾向檢討了這一些。

偏是舊戲最叫座　關公姜尚被檢討

讀者「一個叫中立的」說：「劉寶瑞在北方曲藝團領導的落後中，仍唱的「一片溫情，使人肉麻。孫倭樂的京韻大鼓「戰長沙」則仍在歌頌關羽，稱為夫子，老爺，說若神聖不可侵犯，完全失去了教育意義。于素秦在唱「姜子牙賣麵」時，先來一段開場白，討好觀眾，什麼「太公兒發沒開」，「張永熙」，這太不像話。」

另外一個叫「明末遺恨」的大鼓，內容是[illegible]描寫李自成[illegible]，其唱詞內如：「勝比[illegible]」……此外還有幾個「讀者」在某報介紹「人民大舞台」公演的「五反」劇，提出了「意見」，說「他們完全不瞭解政府政策的提高[illegible]」……

明末遺恨有毒素　悲夫曲破壞鬥爭

[illegible]

為了倒鎖店門出外被竊

共幹竟勒令全鎮停市

並斷絕交通挨戶搜索了兩天兩夜，一個公營商店的經理，居然兇惡橫暴一至於此！

【本報漢口特約通訊】中共幹部，魚肉人民，作威作福，這在偏僻的縣市鄉鎮，特別顯著。他們儘管是一個小小鄉鎮長，也可以隨便抄老百姓的家，槍斃老百姓。但像最近河南息縣臨河鎮一個公營商店的共黨經理，為了自己不小心，丟了公款，竟至強迫全鎮店門停市，斷絕交通，老幼男女，逐一搜身清檢，並捕去許多老百姓，普遍吊打，這卻是共黨幹部最能騎在人民頭上的一個更特出人物，因為[illegible]無論從那一方面說，這樣的經理，是值得讚許的。

他是共幹徐少周，在臨河鎮主持公營商店，由河南省黨部派到徐[illegible]以後，來投入共黨，並由河南省黨部選為公營商店的經理。他[illegible]主持公營商店，終日包庇煙賭，強姦民婦，自己已無惡不作。[illegible]在中共遍設各地的公營商店，以官定低價，向農民收買農產品，主要任務[illegible]……

上月十九，商店又再度被盜，損失了公款一千二百萬元，於是他遷怒於人，竟大張旗鼓，召集了鄉政府、稅務所，會同長職組，偽組各種農會、工商聯，各街民兵，全體出動，男女老幼，挨戶搜檢，並封鎖全鎮，斷絕交通……這樣一搜兩天兩夜，每人紙條都被搜出，結果却搜不出[illegible]一天搜不出，就一天不開市。百姓因無法出外謀生，叫苦連天……

共幹誣學生偷錢

江西青年被苦打

【本報南昌特約通訊】中南工業部在南昌[illegible]……

·自由談·

「人民」的禮貌

尚方

文妖郭沫若在俄京朗誦其所謂「朝鮮兒童」的投靈，大叫「史太林爺爺」之聲不絕。這比五代石氏一門，男的向契丹稱兒皇帝，女的稱妾臣那副形相更醜惡萬倍。石氏雖然對異族叫「父皇」，他只是在文字上表示而已，不曾走到異族的公開集會中，像郭文妖那麼厚顏無恥的大叫「爺爺」，丟盡炎黃子孫的人格！

有一種「物傷其類」的傢伙，居然在報上要替文妖辯護，一面說這是「朝鮮兒童的話」，一面說對年老的人喊爺爺是人情之常。這種口腔，又比郭文妖更臭不堪聞矣！金聖歎說世間最臭的東西莫過於剛出生不久的嬰孩所排洩的糞便，而讀西廂的文字，却比嬰兒糞便更臭。我見齊替文妖辯解之詞，深與金氏同感也。

所謂「朝鮮兒童」，當然指的是北鮮「人民共和國」的兒童，他們有話不出「金主席」日成傳給「史太林爺爺」，而要郭沫若這一異邦文妖來呀呀學語，獻媚乞憐麼？至於說對老年人叫聲爺爺，並不稀奇，尤覺令人作嘔不置。現時秩獄王朝的友邦執政人物，邱吉爾的年齡比史太林更高，何以不聞「人民」喊聲「邱太公」，或者「邱祖祖」呢？

南漢宸在俄京向英商花言巧語講生意經，希望買得英國的戰略物資，我看是不容易如願相償。如要達到預期目的，乃可先叫幾聲「邱祖祖」吧！史爺邱祖一齊叫，豈非更顯示「人民」的禮貌麼？

畫中血淚

一雙幼稚的手，幾幅幼稚的圖，無聲無息地，揭露了共產暴政下一個血淋淋的故事。

·嘉陵·

奧國薩格那地方的難民營裏，有一個臉色青白身體瘦長的孩子，長着波浪式的鬈髮，而從外貌上看，他的年齡大約在八歲左右。當難民營的職員，問他一些問題時，他只是用呆鈍的眼光看着周圍的人。

在難民營的調查表格中，關於他的一張，祇填寫着下面幾點：「姓名」——不詳；「父母」——不詳；「出生日期」——不詳；「高度」——一四一米厘；「特徵」——頰上和腹上有傷疤，又聾又啞。

除此之外，難民營方面所知道的，祇有他是在南斯拉夫與奧國邊界一座小橋上撿來的。一個以「畫圖師」爲業的匈牙利難友，替他取了一個名字，叫詹諾斯。從他無神的眼光中，可以看出他能夠聽到一點聲音，而且可以看出他非常的喜歡這個名字。但是對於他確實的身世和遭遇却仍然是一個謎。

鵲進「難民營的第四日，難民營的職員，叫他坐下，在他的前面放了幾張紙，用手勢示意，要他畫出他的出身和遭遇，但詹諾斯丟掉了鉛筆便跑開了，每次逃走後，總是用糖來引誘他回到桌邊，於是他纖細的手指，慢慢移向放在他面前的紙上，畫出一根根纖弱的綫條，逐漸成了一幅圖畫的自傳。

詹諾斯畫裏，用人頭代表人，小的太陽代表日子，大的圓圈代表「年」。他首先畫了一間房子，和一個搖籃及十三個圓圈，最後的圓圈只畫了一半。據難民營裏職員的猜測，這圖畫的意思，大概是說他現年十二歲半。在第六個圓圈的底下，詹諾斯畫了一條綫，指着他的耳朵和嘴，表示他在六歲時失掉了他的發音機能和聽覺。第八個圓圈的下面畫着一支自動手鎗，槍口有一條由小點組成的綫，直通到一男一女的頭部，表明了他的父母被槍決。拿手槍的士兵頭上的帽子，清楚地畫着鐮刀和斧頭的標幟。

他的另一幅圖畫裏面有一所農舍，旁邊一顆正在爆炸的炸彈，房屋着了火，火焰正熊熊冒出窗戶，燒穿了屋頂。一個男孩子正奔向一個樹林，林中的葡萄棚，顯然是南斯拉夫的形式。最後一張畫，表示一個奧地利的軍人把他從邊界的橋上撿起。

這些畫雖然表示了他的一部份身世和遭遇，但還有許多問題是用圖畫解答不出來的，難民營的職員希望他可以在格拉茨的一個國立醫院醫治他的聾啞。醫生們推測，他之所以會聾啞，是因爲受過重大的驚恐。詹諾斯有過一個很好的預兆，似乎象徵他的病可以治癒。預兆是這樣的：在他將要離開難民營預備去醫院的前夜，他似乎輾側不安，以致吵醒了許多與他同房的難友，忽然間他們聽見詹諾斯在睡夢中發出尖銳抖動的聲音，叫道：「我要再等五年」。此時他說的是南斯拉夫塞爾維亞民族的話。但到第二天早晨，他却又再發不出聲音了。（節譯四月十四日時代週刊）

兩個俄人

午夜，靜悄悄的紅場上，有二個蘇聯公民緩緩走着，踏着地面的月色，腳步起了沉寂的回聲。

「唉！」其中一個突然不知爲了什麼感觸而喟然長嘆。

「噓！」第二個趕緊示意要他不要出聲。

「爲什麼這末緊張？第一我什麼話都沒出口。第二，這裏祇有你我二個，不怕第三人聽到。」

「我們自然是好朋友，但你不知道嗎？」他的同伴說：「當兩個俄人在一起時，其中必有一人是祕密警察的特務。」（平由）

·瀛海·　·漫談·

杜魯門總統——到底會不會競選

目前本欄會經敘述羅斯福總統在第四次競選中，利用他所豢養的小狗，打擊共和黨候選人杜威的故事，他在一九四〇年三次競選時，所玩弄的却是另一種手法。

在過去，美國憲法本無不准總統三度聯任的明文規定，但從華盛頓以來的習慣傳統是那麼堅強，從來還沒有人敢對那傳統挑戰。一九四〇年頃的國際局勢，遠東和歐洲戰爭都在危急關頭，美國也已走到了戰爭的邊沿，確乎沒有人能與羅斯福爭一日的短長，於是擁羅的民主黨人士便提出了三度聯任的口號。至於羅斯福自己，却一直包在神祕的氛圍裏面，從不表示他對此問題的立場。（據他的親信人物所寫回憶錄中指出：羅氏究在何時始決定從事三度競選，是一難解的謎。）

當年七月十五日，民主黨大會在芝加哥開會，三度競選大體已成定局，但民主黨的要人們却仍舊不知道羅氏自己究作何決定。到大會開會，由賀浦金斯以羅氏一張潦草寫成的信，交付大會主席巴克萊（即現任副總統）宣讀。那信的主要辭句是：

「……諸君應當知道：我從來沒有準備在明年一月總統任滿之後，繼任總統或任何公職。此係出於至誠，請代向大會宣佈。……」

但會場上爆發了經時幾十分鐘的擁戴歡呼，不讓他拒絕提名，而羅斯福之三次競選也就成爲定局。

杜魯門的政績得失是另一件事，至於他個人，却不失爲一個誠篤君子。他在白宮住了七年，若干方面好像缺乏一個政治家所不可少的權變。因此我們有理由相信：他日前宣佈的不參加競選，是老實的由衷之言，而不是像羅斯福在玩弄權術，以退爲進。

但一般認爲目下最有繼承羅杜傳統資格的伊利諾州長史蒂文遜，却於十六日宣佈不參加競選。於是又引起了揣測，民主黨在七月大會中，是否會再鬧捧羅斯福三度競選的一套玩藝呢？

政治上的風雲變幻，有時比一個女人的心還要難測，我們且等着瞧吧。

·凝之·

王國維評紅樓夢（下）

·舜生·

王先生既認定紅樓夢是一部歷盡人生苦痛而求得解脫之道的書，但所謂解脫，從性質上看來有不有什麼差別呢？王先生解答這個問題大致是這樣的：

『解脫之道存於出世，而不存於自殺。』其所以得到解脫的出發點，又有兩種不同：『一存於觀他人之苦痛，一存於覺自己之苦痛。』因此，他覺得紅樓夢上的人物，如金釧之墮井，司棋之觸牆，尤三姐潘又安之自刎，並不是真正的解脫，因爲他們只是對於某一種的生活方式表示不滿，而不是從根本上放棄了生活的欲求。因看着他人的苦痛而自己得到解脫的，只有惜春和紫鵑，因覺着自己的苦痛而得着解脫的，則僅僅只有一個賈寶玉。惜春紫鵑的解脫是超自然的，神明的，宗教的，平和的；寶玉的解脫，則是自然的，人類的，美術的，悲壯的。因而也就是文學的，詩歌的，小說的。紅樓夢的主人公之所以是寶玉而不是惜春紫鵑，其原因就在此。

王先生又認定紅樓夢是悲劇中的悲劇，這裏他用叔本華的說法來加以解釋。叔本華分悲劇爲三種：第一種是由極惡的人極其所有的能力以交構而成；第二種則由於盲目的命運；第三種乃由劇中人物的位置和關係而不得不然，其人物與境遇都很普通，而且明知其有害，又交施之而交受之而各不任其咎，因此，其感人的程度，乃較前兩種遠爲深刻。

紅樓夢這一大悲劇的形成，係由於寶玉黛玉之終於無法結合，可是這個事實的演進却是很自然的：賈母歡喜寶釵的婉嫻，而不大歡喜黛玉的孤僻；王夫人自然親薛而不親林，同時也太不夠了解她那樣一個兒子；鳳姐操持家政，當然不能不忌黛玉之才；襲人鑒於尤二姐和香菱之事，又聽黛玉說過『不是東風壓西風，就是西風壓東風』，自然也感到非常的危懼；如此一來，黛玉從四面八方遭受打擊的這一種趨勢，已經是無法變更。可是賈母和王夫人，畢竟是深愛寶玉的，假定他能把這件事叫穿，不濟則拼着一死，也不見得沒有挽回的餘地，可是這又爲當時的道德觀念所不許。這樣一種做法，已經不能望之於寶玉，黛玉自然更是無能爲力了。

像紅樓夢這樣一種悲劇，在我想來，在宋以前大致是不會發生的。假定在漢在唐，處在寶玉黛玉這樣地位的兩個男女，男的儘可以作司馬相如作張生，女的儘可以作卓文君作鶯鶯，何至於束縛到死而不敢表示絲毫的反抗？可是中國的理教和大家族制發展到了清初，則雖欲跳出這一樊籠而勢有不能，於是乎林黛玉不得不死，而寶玉的苦痛，也就不得不自求解脫的境地了。構成這個悲劇的時代因素，爲王先生的『評論』所不及，我不敢自信這個看法很對，姑存之以備一說可也。

萬竹樓隨筆（九〇）

切腸戰術（下）

·周明·

所謂切腸戰術，是怎麼的呢？賴柯錫說：「我們要求政權只是每天一點一點的提出，像切臘腸似的，一薄片一薄片地慢慢把它切完。如以銀行爲例，第一步，我們祇要求國家管制，最後就把僅僅剩下來的三家大銀行收歸國有。在工業方面，也是這樣。起先，我們只要求礦業國家管制，逐漸將這種管制，擴展到最大的軍工業，最後將它們全部收歸國有。」

土地改革計劃，所採用的也是「切腸戰術」，起先一百七十一畝以下的農場，不受影響，以後，始不論大小，全歸國家分配。宗教方面：「我們促使天主教和基督新教分裂，進而摧毀『這個反動陣綫』。首先被我們開刀的，是基督教，讓天主教自由生存，等基督教完了然後才將明值諦大主教拘捕受審。」

關於共產主義的警察國最後目標，賴柯錫也同樣的坦白：「第二次大戰結束，匈牙利解放後我們並沒有對廣大羣衆闡明這個問題，而祇對有密切關係的少數人加以解釋。因我們的無產階級獨裁這最後目標，當時如冒昧提出，便會引起聯合內閣中其他各黨的極大震驚，因而將妨礙我們爭取小資產階級，甚至勞工階級的努力。」

祇有在另一方面，賴柯錫才放棄了「切腸戰術」一開頭即奪得了整支臘腸。這就是對內政部及其附屬機關公安局與祕密警察的控制。他說：「我們在這些機關成立的第一天便把它們完全掌握了，我們要求在這部門必須居於領導地位，不容許根據聯合內閣的比例分配制來決定：……而且在蘇聯解放軍留在我國的情況下，當然不可能有任何公開武裝暴動發生的。」（完）

荒淫無恥交織下　俄京夜生活

·知音節譯自「觀察」·

「妙而軟」的女郎

有人以爲蘇聯已沒有娼妓，其實却不然。即使史太林表面上的清教徒主義，也無法消滅這項世界上最古老的職業，祇是有一部份的蘇聯娼妓，其作用和西方大不相同。

這一部份女人，並不是由於自己的『需要』而去淪爲娼妓，他們做娼妓，是有益於蘇聯的一項正式工作。外交界的青年小伙子們叫這些女人做『妙而軟』女郎，俄語『妙而軟』，意即『隨你所欲，均可照辦。』

有一位西方年青的獨身外交官，到達莫斯科後，當夜就接到一個怪電話。電話中一個女子嬌聲滴滴，說一口濁音很重的英語與法語，話說的非常痛快：『我很年青，姿色動人！我在國防部工作，對煤油問題所知甚多。你喜歡今晚出來一遊嗎？要一切均可辦到！』一切自然均可辦到，要看你付出的是什麼代價。下面是一個很好的例子。

美記者的艷遇

一個美國記者邂逅了一位熱情、動人而有人情味的女郎名叫美拉。他倆一見傾心，即圓好夢，有一天晚上美拉忽地面帶悲容，老老實實對那個記者說：『我快要與你離別了，因爲我的上司認爲從你身上得不到一點有價值的情報。』

當晚那個美國記者匆匆坐在打字機前，編造了一個報告交給那個女郎。那篇是一個動人的報告。報告內大意是說在美國布洛克林附近，正在建築地下原子工廠，美國正派出大批間諜赴各國建立據點等等。

美拉翌日跑來看那個美國記者時，笑臉迎人，再也不說要離別了。這也可說是冷戰中令人啼笑皆非的一幕滑稽劇。（三）

（完）

黑十字

北晨

她比她的姐夫小上十五歲，這個四十開外的男人，積了幾十年的世故，如果說世故是做人的武器，他這堅利的武器還非藍英這樣的弱女子所能招架的。

白濟安問：「小英！你肯答應嗎？」

藍英只得說，她知道姐姐和姐夫的好意，她之做舞女，完全出於無奈，如果姐夫能夠幫助，她永遠的忘記不了這恩惠。

「結婚的事呢？」他進一步追問。

「你要我和誰結婚？」這一問，一向精細的姐夫也覺到自己荒唐了。藍英沒有見過黃洗，從前的信上也沒有顯著提過這件事。不過他現在立刻決定，走頭無路的姨妹不怕她不就範，一切進行也必然都能符合自己的佈置，此刻不妨放鬆一着。他說，這件事且慢慢再說吧，將來一定可以使你滿意的，但是要她必須先答應，馬上搬到「新都」來住。

這是藍英求之不得的事，她完全應允了。

白濟安按了按電鈴。茶役在門外敲門，這紳士立起身，跑去將鎖好的門打開。等茶役進來，他却問她：「要喫點心嗎？」藍英搖搖頭。白濟安接着又問：「你家裏的用人叫什麼名字？」藍英說了一聲：「阿平。」他便操着流利的廣東話，要茶役去到藍英家裏，叫阿平送些衣物來。

她由衷地感激自己的姐夫，可也有一點怕他，他實在精細得太過份了，過份的週到使她頓時感到自己面臨了一個陌生的命運，他是帶她回澳門嗎？是否用着家長的身份，將她約束得不能動彈絲毫？

不管怎樣，他是善意的，她從這個觀點去原諒白濟安近於嚴峻的行爲。正是這個時候，外面來了電話。聽完電話以後的白濟安，顯得有點躊躇，他從衣櫃裏取出自己的睡衣，床下面拿出拖鞋，放在藍英面前，他要藍英除衣去履，這個怪異的舉動，倒使藍英嚇了一跳。（七）

·中篇連載·

自由人
THE FREEMAN
（半週刊每星期三六出版）
（第一二〇期）
每份港幣壹毫
督印人：李光華
社址　香港高士打道六六號
電話：二〇八四八
GLOUCESTER RD.
HONGKONG
TEL: 20848
承印者：東南印務出版社
地址：高士打道六四號
台灣總辦事處
台北市館前街五十號
台灣經銷處
台北市中華路一二五九號

如何迎接新時代？

應加緊集中力量自立自強

·雷嘯岑·

最近美國助理國務卿艾里遜闡述美國對東亞政策，强調其不與中共妥協的宗旨，認爲中美兩國百年來的友誼，只有經由台灣的自由中國政府來向中國人民表示，同時又聲明美國維護台灣安全的決心。這對亞洲自由人民，具有莫大的鼓勵作用，尤其是反共抗俄的中國人，更感到無限安慰與興奮。今後我們已不是能否博得友邦同情援助的問題，而是如何集中力量，自立自強，迎接未來的新時代，以勉盡民主世界之一員的應有職責問題了。這希望，就寄託在台灣的中華民國政府身上。

必須奠立新觀念

中華民國政府在這多難興邦的現階段中，唯一急務，無過於集中全民力量爲反共復國而一致奮鬥，蔚成一種活力充沛，信心堅强的新氣象，使反共抗俄的中國人，對政府都具有毫無保留的向心力。爲達到這種願望，懲前毖後，我覺得政府當局，總先蓋其在我，把集中力量的心情與作爲，予天下人以共見，而其要訣，即在奠立新觀念。新觀念的內容是甚麼？說來卑之無甚高論，人人皆能言之，却人人不無出入。

第一是忠貞觀念　自大陸淪陷以來，許多知識份子，經不住時代洪流的沖激，投降者，當撤者，逃避者，怨望者，挺而走險者，幕四朝三者，林林總總，所在多有，一言以蔽之，都是失敗主義使然。至於甘心替危害國家民族的共黨作間諜者，他已居心從賊，原不在我們所謂忠貞問題之列，除依法消滅外，沒有討論的必要。政府對於那些失敗主義者，只有哀矜痛惜，希望他們迷途知返，給以自新補過之路。譬如今日陷身大陸的若干學者教授們，除了極少數幾個認賊作父的人以外，相信他們內心仍是反共非共的，即不宜認爲他們都是些對國家民族不忠貞的叛徒。這與抗戰時期在淪陷區的人士一樣，政府在撤退之際，既無法將全民從儘以去，他們陷身敵後，爲求生存而向敵寇低首，其心至苦，其情可憐，自不能與一般的「漢奸」相提併論。因此之故，目前散居在海外各地的中國人，只要他的思想是反共非共而自認爲中華民國人民者，皆應一視同仁，看作反共戰線上的一員，以示民胞物與的精神。若以其未到台灣，即認爲不忠貞，或指爲逃避反共責任，漫說台灣在過去兩三年間，限制入境甚嚴，無法自由進入，即無入境限制，事實上又焉能容納如許的反共人士呢？

第二是團結觀念　我們既要團結全民反共力量，其條件就只有以是否始終反共爲主，而不必計較其他。政治本如營道，在你倒霉時，門可羅雀；到你有辦法時，門庭若市，車水馬龍。誰都願來結交了。個人的政治生活的得失，凡幹過政治的人，都曾嘗到這種況味，何況一個統領國家治權的一個政府呢！當第七艦隊未到台灣海峽時，許多人要離開台灣，第七艦隊來了，許多人又要設法投奔台灣，怕死，趨利避害，人情大抵皆然，彼具有赴湯蹈火，效死勿去之精神者，只可求之於少數志士仁人，而非所語於社會大衆。目前政府已似是總以辦法達的時候了，是以對各派各黨包容併蓄，大度的氣概，無黨無派以及各派的人，一切反共抗俄的中國人，一律歡迎，頗願來台灣效力的，從事反共的，至少予以精神鼓勵實質助，有所聯繫，要政府有辦法，亦有作組織，而擁護政府的，即近期實有一事不安的是抗戰時期？情勢，我們即不宜自己的非薄，中國政府現時合自由中國與力量，所具有特是，地位也是亞洲唯一反共抗俄的領導者，中流砥柱，世俗之所論調如「第三勢力」何容易與一，無合。

發揚新觀念的步驟

「有容乃大」的中，是我所述新觀念的中心作用，而政府方面「容」法因時也因不的地一方，只很在政府方面，人概而論，肆但幽目前抒發爲，有一表，可度考，是憲也實，示氣似放言論，有宜傳統物之言，行政容開當錮局，即受逆使耳人是建設性的，中國政治聽，即批評日不免亦認到難，缺之養意，耐善忍貞，忠「」，問題上而扯去，休無形心中滑力，滋這社會實在大，於「離心力」可惜了國家又當我們領導之，太憲政反抗極暴，先得全民爲減，廣開言路，不計特對台，秋之。此時此事發媿美的。

應予當地的報章刊物言論尺度寬放，即對海外若干也不妨寬放，書籍批評政府的言論，有無關宏旨的，凡有自司法解釋之言，行之失，實在不理，而罪之，涉及法律的，依法究辦，物，斥駁的，任從共同思想，反共抗俄的，我們不得放言，下對政府的，論言有關過失，如「大家國事」的，有抱着損失，促談，莫搞寫官樣文章，歌頌詩詞，賦新色化的，因而有些生文化力，沒有窒息，完成這共產機復的大業，國眞思想，以談！

自由中國政府越是表現其寬容觀念與作風，越就見其偉大，即越能獲致全國人士的向心力，雖反對者亦將自信不如，甘拜下風。訑訑拒人之態，在個人事業上也要失敗，領導全民的政府，尤非休休有容不可，有容縱能獲致團結的實效啊！

立法院的建制問題

今日立法院院務的癥結所在是我們有形骸而無靈魂有規章條文而無確立的良好傳統習慣

·古亭·

國家實施憲政，已經四年，爲着變護憲政尊重憲法，今天自由中國的人民，無論自身是否參加立法院，對於立法院的工作，當然是十分關切而寄以重大之期望。因爲立法院的委員，全部是人民自由選舉出來；立法院的成敗，不啻國民的自身之成敗。更因爲現行憲法中央政制的重點，寄託在立法院，這就行政院與立法院關係方面，以及立法院的職權方面看，就可瞭然。所以立法院的成敗，也不啻是現行憲政的成敗。立法院在我們的憲政中有這樣重大的關係，立法院內外對於立法院工作的注意，是十分自然的。

改進院務的呼聲

在最近幾月中，立法院大會中幾次討論立法院本身的院務。從第八會期到第九會期，改進院務的提案不下三四宗，還許多委員參予，雖然一時都未得着結果，但這並不說明立法院的院務無所改進。而且我們相信這種案子，將來必然繼續有提出，而改進院務的呼聲，也不會一天停止，其次在院外的輿論界，對於立法院院務的意見，近月亦有好幾篇重要的文章，如「自由中國」半月刊第七第八兩期連登的兩篇「貢獻給立法院幾點意見。」所以立法院內部制度的確立，是今日立法院內外一致的呼聲。在這篇短文中，我想簡單提出一點意見，使關心這一個問題的人大家可以充分研究。

與立法院本身有關的法律或規程，現在所習見的，從立法院組織法，立法委員選舉罷免法，及議事規則等算起，已有十幾種成文法。四年來的立法院與本身有關的法規儘管不少但是立法院本身的制度未建立，這是今天談憲政者最應注意的一個問題。誠如「自由中國」雷儆寰先生所說：今日「政府人員，不乏通儒碩彥，老成練達之輩，」我們也可同樣地說「立法院內並不缺乏通儒碩彥，老成練達。」但是四年來的立法院，一切制度沒有好好確立，這是一個公認的事實，所以我深切體認：談理論，談問題乃至起草規章修訂法律都是比較容易，獨於建立一個制度，尤其那個制度建立以後而不斷加以改進，眞是不易。譬如我們研究政治法律的人，從在大學裏面讀教科書，讀各家政法名著，乃至出國一次二次的考察，到別國國會裏面長期的旁聽，輪到自己來實驗，然後發現到處窒礙難行。國父所講「知之維艱，行之匪艱。」至此更獲實驗的證明，我自己在立法院的考驗，我認爲立法院院務今天癥結所在，是我們有形骸而無精神靈魂，有規章條文，而無確立的良好傳統習慣。所以照這種情形，即使大環境中盡如人意而立法院內部的空氣，恐亦難使人興奮和愉快的。

沒有政黨的領導

議會政治是不能脫離政黨的，譬之人身，政黨是靈魂，議會是形骸。譬之機器，政黨是發動機，議會是各種輔助輪齒。在多黨政治如此，在一黨政治也是如此。英美兩國，其政黨的組織雖比較鬆懈，而兩國政黨的重心，集中在議會，這是無可置疑的，在英美兩國，無論在行政方面或立法方面，其政策之決定與人事之配置抉擇，無不決定於政黨，現在姑置行政方面而暫不論列，即以議會內部而論，從議長起，到各委員會的人選與主席，無不決定於政黨。議會議事之進行，事務之處理，乃至紀律之整飭，都要靠政黨的領導，沒有政黨的議會，那個議會的行動必然零亂，那個議會的人事，必然沒有標準，那個議會的紀律，也必然蕩然，所以在英美各國，如果和他們討論無政黨領導的議會，他們當然亦要瞠目結舌，不知所對。因爲一個議會而沒有政黨去領導，實在是不堪設想的。今天我們立法院制度，或人事上的問題，一語破的，便在沒有政黨的領導，尤其沒有政黨的積極的領導。

領導不能諉之議長

我們承認領導一個全國民選的議會，其事不易。其方法更須愼重研究，但是既行憲政，政治的重心既在議會，政黨便不能不用全力注意這個領導權，英美政黨把黨的重心，寄在議會，就是這個道理，所謂黨的重心寄在議會，在事的方面，在政黨視議會之事，爲其本身重大之事，在人的方面、政黨亦必以黨內第一流幹部與之周旋，英國巴立門與美國下議院的議長，都由政黨中產生，他們在議會內的地位，不能否認其重要，但是議會領導之責，在英美兩國，決不完全責成在議長身上。（下接第二版）

只有決心大力剿共才澈底消除共禍

東南亞三處剿共戰爭，現正日趨勝利，就是最好的鐵證

·一丁·

共產黨在東南亞之所以特別猖獗，得勢，正如你身體一個極端虛弱時，病菌乘虛長入，作巢繁衍，若你因循，逐漸繁育，終將蝕你的生命。因此宣告你一方不姑息，唯一民主國家，對共黨不斷然下決心，堅守如果不能，那麼長此下去，非根除不可。這是共產黨在東南亞長期以來的作法，痛則如果我們相信世界共黨在東南亞的機構，必然是一個危險的鼓動，也一定能迅速消弭。最近越南戰事，法軍已取得勝利，共黨的陰謀成功，則南越的軍力，從此可以證明，越南問題也已同時解決，大陸淪陷之後，節節勝利，胡志明幾乎一日夕之間，卷席而到，越南始終以西貢爲據點，鎮壓幹部。

即堅決宣佈：（一）不許再退，凡軍官督攻，只有自前臨時自行；（二）非有特殊原因，擅離戰場，以後不許他作戰。機飛察視，督戰場上的越南戰局，已逐漸穩定。但自越南戰局，病疾漸逝，得巴黎局勢平撤，和戰退就。國法一面下令，總司令尼西塔，斷然撤換。立法官任通過多位司令，就地發出諸多戰略，長期的反越共的論著，主持人，日前到越南，稱向越共到底，決不姑息。

協。由這幾天越南傳來的戰報，法軍又已獲得幾次勝利，如果民主國家，對朝鮮問題能更有堅決的表示，中共自不敢逞强再在越南燒野火，他能够吞下單靠胡志明的整個越南麼？

馬來亞共黨，我們看來，自新任高級專員鄧伯來到馬，三個月來，不斷的採取主動，已將英軍地位變爲主動，加以集體懲罰制度，終於捕獲馬共頭目林八日，以「戒嚴」並嚴懲匪徒，尤其由於Tanjong Malim的協助，得到居民合作，二十八名共黨直接投降，更多的共黨正在準備，卡賓槍升機、最近並採取三輪化的戰略：只要他能獲得居民的合作，三分之二的共黨在一個月內，一定將被消滅。（下接第三版）

日本的認識與決心

中共爲了要孤立台灣，可能給予日本相當的誘惑；日本爲了不願過分刺激蘇聯與中共，也不願與台灣有一種誠意的結合；這至少是最近中日和約談判談來談去所以談不好的原因之一。

說日本對參加民主陣線還有多少的遲疑，甚至說日本眞有意思想和共方去勾搭而期待有所取得，我想日本之愚也愚不至此。但吉田政府其所以要擺出這樣一種姿態，其原因大體是這樣的：一、在日本國內的情形，確實是相當複雜，吉田爲延續他的政權起見，在對內對外的政策上作一種過度硬性的表示尚非其時；二、毛羽未豐，萬一遭遇意外的打擊，確也眞受不了；三、對民主一方採取目前這種不即不離的態度，他認爲比較於日本有利，至少會使美國感到爭取日本，其代價不能太低；四、英美對亞洲的政策依然有相當的距離，過去已影響了亞洲一部分的國家，我們也不能說這種影響對日本不生作用。

但我們對日本却不能不十分的擔心：一、現在莫斯科對於應付日本的指導原則還沒有完全確定，日本對共黨交手的經驗相當淺薄，等到對方這種指導原則一經確定而見諸實行的時候，日本難免不要上當；二、日本以當前這種姿態假想於蘇聯和中共兩方有所取得，或玩弄這種姿態希望向民主一方索取較高的價錢，其結果必然失望，可是對於中華民國却又繼續的種下惡因，其對於未來的影響如何，目前自難估量；三、吉田希望以這種姿態去和緩國內的矛盾，其結果以領導者的舉棋不定，或反而召致國內的紛擾。

我不否認，日本目前不問以任何人出來組織政府，都必然有其不易克服的困難，但日本今後對華的政策如不有一新觀念的樹立，對參加民主陣線如不有一內定而不可動搖的決心，則終於日本有百害而無一利。

時局漫談

舜生

美國最近一次原子彈試驗

冷戰中的軍備競賽是有一定的限度的，等到一方感到已有完全把握，或一方感到只能在完全屈服與孤注一擲的兩者中選擇其一的時候，戰爭便難免終於爆發。

美國最近一次（廿二日）在尼華達州試驗原子彈爆炸的成功，已使我們感到不是和平眞有可能，便是戰爭已爲期不遠。參加這次試驗的，有一千五百名的步兵，若干的傘兵，還有空軍，其成功的結果，說明原子彈的使用，並不限於破壞敵後的戰略轟炸，同時也可適用於前綫，而獲得決定的勝利。經過這次試驗的結果，已使我們對於未來戰爭的預測，增加了不少的把握：以美國在地理上的地位而論，她是夾在兩個大洋之中，假如你沒有方法使戰爭移入美國的本土，美國便終可立於不敗；以她目前在歐亞兩方的布置，她却可隨時隨地加敵人以決定性的打擊，這種打擊不僅可以加於敵後，也可以加於敵前，美國在應敵的一點上，已一天天趨於裕如，還有人期待她在世界政策的原則上有所讓步，豈非妄想？

誰和你們講和平？

舊金山的對日和約，最近即將生效；歐洲六個國家共建歐洲軍的公約，將於下月九日簽字；同時美英法三國對於佔領西德的結束，也將於下月十七日簽字公布；凡此種種的行動，都是把蘇聯不放在眼中，而從東西兩方對她加以有力的夾擊。打你的左臉，你可獻出你的左臉；打右臉你可獻出你的右臉；現在從左右以兩手齊下，你又將如何？

從上次史太林答覆美國五十位記者對他提出的詢問，我們已可看出她是『銀樣蠟鎗頭』；從最近莫斯科所召集的經濟會議，也顯出她再也弄不出共產的任何新花樣；至於中共在最近五月一日還要在北平召集所謂和平會議，這更是表示他們從中國老百姓身上逼出的幾個買命錢，吃飽了飯沒事做，才來要這種不值一顧的無聊把戲，這已經承認了中共的緬甸和巴基斯坦也拒絕參加，這是無怪其然的。

行政院局部改組後 財經兩部將增强聯繫

實行陳誠「以農業培養工業以工業發展農業」兩口號，對民營工業積極扶助，現正擬訂辦法鼓勵海外工廠遷臺

「本報台北特約通訊」行政院局部改組，內政經濟兩部部長易人。（請參看上期本報台北通訊）至改組原因，純爲余井塘鄭道儒本身誠懇辭。陳誠組閣之初，約余井塘入閣任內政部長，余曾三顧茅廬，一再敦促。陳對余之賞識，可溯自三十五年冬季制憲國民大會時代。其時二人同任大會主席團，復以中央黨部對黨員國大代表聯絡指示等事，陳余二人接觸之機會益多，陳對余之認識乃因而深切。陳內閣本以舉黨一致力求團結爲目的，故邀余參加，甚爲誠懇。余初則辭謝，繼乃允其勉任三個月，後延爲半年。茲則轉辭二次，余當早退初服，曾一再辭職。尤其近得「平脚病」，兩足不能站立，甚感苦痛。余平時對官場素表淡泊，以前助陳果夫氏及仲，在中央組織部或教育部，均係看家性質，甚少直接對外。惟此次陳誠對余備極信任，余之是辭，陳曾再四挽留，後知其病，始允考慮，但仍希望其不脫離行政院，仍任政務委員，故決定以政務委員黃季陸與之對調。黃在黨中歷史亦久，且曾任大學校長多年，黃已定二十五日到部接事。余近月學詩，頗具興趣，詞句之間，亦可見其意態早趨消極也。

經濟部長鄭道儒請辭亦已甚久，本傳將由中央信託局總經理尹仲容繼任，但尹平素不免剛愎，致遭反對。茲改由張茲闓接充。鄭曾與張自代，嚴家淦爲財政與經濟兩部工作使致協調，自亦贊成其政務次長能任經濟部長，張與孫越崎同爲翁文灝所屬之能員。遠在資源公司時代，翁任經理，張與孫一掌事務，一掌技術，稱爲左右二手。今翁孫均投降中共，張始終在台灣工作，亦屬可取。張除原任財政部政務次長外，尙兼任馬尼剌交通銀行總經理，聞一週左右，可由菲返台，接任新職。至其財部政次原缺，則由原任常次陳慶瑜接充，常次一職以中央銀行發行局副局長中央改造委員會第七組副主任陳漢平接充。

台灣自土地政策逐步施行以後，農業問題已大致獲有解決，此後自當轉向工業方面發展。陳誠院長曾提出「以農業培養工業，以工業發展農業」口號，至少已可看出農工並重之目標。惟過去一般人士，因國父曾有發達國家資本之說，對民營工業，主張限制，甚至束縛多端，使人望而卻步。現台灣銀行優利存款，經常保持一億數千萬元，即可知游資未能轉向工業發展，全恃台灣銀行付給利息，以爲生計。其實，國父主張節制資本，其目的本在均富，而非均貧。故此次經濟部改組之後，政府方面有人主張，應先確定扶植民營工業政策，除與國防有關工業外，宜一律開放民營，並將現行各種稅法，如所得稅營業稅等章則修改，勿使其專以財政爲目的，而扼殺民營工業之生機。以往經濟政策本多遷就財政方面，無異殺雞取卵，此後財經兩部，在人事上既已聯成一家，在政策上應能改絃更張，而使台省的新工業前途，得以建立。最近此間放寬外匯限制，及正在擬訂辦法，鼓勵海外工廠遷台及吸收華僑資金，在台發展工業，均可能爲政府着手發展民營工業之開端。

錢穆已度過危險期 曾與本報記者小談

淡江英專禮堂坍頂慘案受傷最重之錢穆現已完全度過危險期。（請參看上期本報台北通訊）被壓死之立委柴春霖，業已安葬。柴之遭此不幸，最爲意外，緣柴之座位，本非前排，因錢氏講畢，紀錄人員歸席，爲求與錢氏有所商討起見，臨時移坐於紀錄人員之座位，該紀錄人員無恙，柴乃替紀錄人員代死。現此案責任問題，正由法院繼續澈查中。

按台灣本不許在已有大學之外，新辦任何專科以上學校，尤其不許私立。淡江英專係居正之婿張驚聲所創辦，原設在台北縣淡水鎮，幾經周折，方始獲准立案，而張忽病逝，乃改由居氏之女公子主持。並在台北市內博愛路建築新校舍。此次肇事之禮堂，即以張故校長之名爲名，曰驚聲堂。不料一聲驚人，造此奇禍。據學校中人云，此堂係以新台幣二十萬元招商承建，落成後尙未驗收，雖校內集會，早已用過數次，惟借給校外團體，是日尙爲首次也。

錢穆自港來台，業已數月，其目的係欲在台灣辦一學院，以闡揚中國文化。年餘以來　總統對教育工作，督飭特嚴，尤以恢復固有道德，一再有所指示。錢氏初意台省同胞曾爲日人奴役五十年，光復以後入學兒童，所受者方爲國民教育，而少壯之人，中年之輩，上不及承受中國教育，下不及再入國民學校，實有予以接受中國固有文化教育機會之必要。錢氏爲此曾兩赴台中，以台中各界人士渴望錢氏所計劃設立之學院，能在台中設立，並已爲勘定校舍，推定籌備人員。又台省革命志士邱逢甲家屬，本亦思設校紀念邱氏。日人據台時期，邱曾將其財產沒收，光復後，政府允予發還，但盼能用以興學以繼邱氏之志。台中人士因與錢商酌，與邱氏家屬合作辦學，可與邱氏樹立永久基礎。惟錢氏與各方面接洽結果，限於制度，終以台省無形中有限制設立專科以上學校之成例，尤其偏重於文史方面者，更不宜輕易獲准。錢氏本一再定期回港，即因洽商校事，延誤行程，致遭此禍。現幸急救得宜，醫治迅速，記者昨日往中心診所探訪，曾與小談。其神志已完全清楚，並謂當場昏迷後，移至醫院，亦曾一度醒來，並見身上有血，並見立於身旁各人身上亦有血，自知必會出事端，但不知其所以然。且心中雖明白，而口不能言。錢氏入院之初，曾有人顧慮其傷在頭部，日後是否尙能用腦。茲據主治醫師談及，其腦部絲毫未受影響，誠可爲錢氏慶幸。日來赴院探訪錢氏傷勢者甚多，但錢氏所關心者，乃其學院無法在台省開辦，當局及各方人士如有感於錢氏爲學術致受重傷，而使其學院辦成，則錢氏雖遭受身體上之傷害，而精神上必可獲得無上之安慰也。（陸萍廿四日寄自台北）

香港三日

赫京博士在台一年 盛誇台灣醫務行政

日來近在香港忙於協助港府施種「卡介苗」之聯合國醫生赫京博士，他原在台灣住了一年，協助中國政府撲滅肺病。他向記者表示非常欣賞台灣這個地方。他說在台一年，別的不說，中國人辦事的能力實在超越，有理想，有智慧。他覺台灣的化驗所及製藥廠都相當完備，台製的「發珊淨」藥丸的成份，是列入世界國際標準單位的。他遊覽這些事情，不到台灣是不會知道的。他在台一年，到各地施種「卡介苗」，合灣的兒童已經是最大多數全部種苗了。受訓練種苗的醫生及護士，已有一千三百人左右。

× × ×

日外務省青年外交官五人廿三日由東京經港赴英法兩國。彼等一行爲秋山，山下，木村，吉井，小倉等。他們是分派在巴黎及倫敦海外辦事處的二等或三等祕書。他們透露對日和約生效後，日本將首先恢復英，美，法三國大使館，其他國家則先設置代辦及總領事館。他們說日本的青年外交官的訓練，必須先由東京大學外國語文系或國際公法系卒業，然後再入外事學校，學習禮儀。關於中日和約的事，一行五人都絕口不談。

香港籌備漢文學院 高卓雄談漢文重要

香港華商總會向香港政府建議設立一所漢文學院。日來情緒至爲熱烈。據該會理事長高卓雄向記者稱：香港中學以上程度的學生，許多不但不能寫中國文章，連一封比較通順可讀的書信，有時也寫不通。他感慨大陸上許多青年，現在的中文也是亂七八糟。他認爲，這是一種最大的危機。他認爲香港百份之九十八是中國人，而港大的中文系，還是專鑽在古昭古體的經書裏，不但教法陳舊，且不切實用。他主張在港大另設一個中國語文學院，不必專讀經書，但比較近古的雜文，倒是必讀的，宗旨先求寫述流暢，然後再講中國歷史與地理。他說史地一門對於僑胞子弟，尤有用處。因爲香港有許多中學生連中國有幾個朝代都數不出來。實在是中文教育上的一大失敗。高氏說，現在這件事港府也非常重視。經費方面港府負責，華商總會也願捐一個中文圖書館。

× × ×

英國鐵腕財相克利浦斯勳爵於瑞士逝世後，香港英國人士於二十三日假滙豐銀行大樓舉行追悼會。由英人耿德分析克氏一生成功之道，他說克氏是一個素食者，具有堅強的意志，超越的能力，豐富的知識，對勞工階級特具同情，在二次大戰前後挽回英國財政上的危機。按克氏於十五年前曾一度訪問本港。克利浦斯夫人爲英國援華會會長，一九四六年赴南京，率其女同住於行政院院長官邸中。彼時深受中國朝野之歡迎。

飛機不能直飛北平 潘廸夫人將來香港

印度潘廸夫人率領之印度訪華團，原擬由新德里直飛北平。但因發生困難，已將直飛計劃放棄。據此間印僑協會消息，彼等一行現決定在本月底由新德里經加爾各答飛港，然後由港搭火車經廣州北上。

從「合作」說到「民主」（下）

——有感於台北少數合作社發生風潮而作——

樓桐孫

我國合作社法及其施行細則，定有生產，運銷，利用，消費，公用，信用等十種合作業務，本無所謂「建築信用」等似是而非的名稱。此次發生風潮的三社，雖以「建築」或「倉庫」爲名，但實際上都只着眼於信用業務的經營，以圖吸收存款，供少數理事們本身的任意利用！其中某社，並有所謂「介紹放款」的營業項目，性質更屬不明。

這不但表明該社等業務基礎既不健全，而且在法令上，根本就不是完全沒有問題的。

放款竟多無抵押品

三社存款共達千萬有零，而放款中有很大一部份是無抵押品的，或係漫無標準的信用放款——尤其，如第三建築，竟利用活存透支，濫開專戶，並有僞造賬冊單據之嫌，情況最爲嚴重。尤其造成恐慌的，是三社存戶中，存款一千元以下的小額存戶，計有八百三十八戶，存款共約五十萬元。這些小戶，包括軍公教人員，由舟山，海南，調景嶺投奔來台的義民，遺族及棄婦等。——但另一方面，大戶中亦有存款五萬貳五十萬以上的元老要人！——其中尤有一事最爲不該的，據聞某川籍著名理財家一人，在第三建築信用合作社借款竟達一百數十萬元之鉅！

這充分表明這三家合作社，尤其是第三建築信用合作社的業務，不但不合法，而且確是太不合理，太不民主。

由於上面簡單的分析，讀者當不難了然於我之所以要從「合作」說到「民主」，其理由可如左述：

道德基礎必須培養

第一，「合作」與「民主」雖各有它的屬性，但對於信仰和奉行的人，却都要求必須具有高度的修養和自我的克制。在合作方式的經濟行爲和民主制度的政治活動中，除了必須嚴格遵守國家的法令以外，並都須有堅貞的德性以作基礎。這兩種制度的道德基礎，都是需要全國上下，衷誠培養，方能慢慢滋長的。所以我們辦合作或行民主，都必須一點一滴的身體力行，決不可躐等倖進，更不應雜有私圖。這是大家應有的基本認識。

第二，但是話說回來，「合作」與「民主」這兩種制度的本身，都是極其平實淺近，和藹可親的。問題全在實行的人們是否具有眞正的認識和誠意。而且事實上最大的阻礙和困難，恰巧就潛伏在這裏！因爲世界上越是簡易的道理，往往越是平實易行，却又往往越是易於被人輕忽，而結果也就越是難於實現——甚至在若干比較缺乏公德心而富於惰性的民族，幾於使人懷疑到究竟有沒有實現這種制度的可能！……

名曰合作實係合詐

第三，正惟因此，所以這兩種制度，都極易被人假冒頂替。世界各國，不少野心家，僞善，於利用「民主」之名，暗行「獨裁」之實；寄於奸商市儈，窮極無聊，名曰「合作」，實係「合詐」，更是所在多有。此次台北合作金融界所爆發的風潮，至少其中有一部份，就是屬於這種形態的。

第四，這類流弊，也並不是「合作」與「民主」這兩種制度所獨有的現象。世界上任何事情，總是不能十分如意的。古人所說「不如意事常十八九」這一句話，最足以作爲「民主鬥士」和「合作信徒」一種精神上的鼓勵。「人」尙且有殤亡夭折。至如「商店」「公司」的倒閉，古今中外，更是不計其數。少數冒牌的贋品，經過勢所必然的冲洗和淘汰以後，對於制度的本身和整個的事業，反將格外顯出它的堅強，獲得正常的發展。

第五，因此之故，所以無論「合作」或「民主」，欲求推行順利，早觀厥成，都必須上有政府負責當局的監督，下有社會公正輿論的制裁，而平時從事於此等運動的人士，尤須隨時隨地，從多方面努力於教育性的宣傳，務期使合作意識，民主精神，深入人心，化爲習慣，然後方能使投機者之流，無所施其技。「合作」與「民主」都是最注重責任的，這就是政府和社會所必須共同擔負的責任。

一種最民主的制度

第六，也就是最後一點，「合作」原是近代人類文明中一種最民主的制度，而民主制度，主要的內容，一般說來，不外是：

（一）堅信主義：不可因偶有挫敗而遽生動搖；

（二）恪遵法令：不可因瞻徇私情而損害大衆；

（三）尊重輿論：不可以民衆觀念模稜，認識不夠，負責當局，就妄生敷衍，遷就之心，而不能站在主義立場，依法處理。

依上所言，可知在本證上，「合作」與「民主」，實在找不出什麼差別。在目前世界各種社會學說中，實不能不推合作主義最爲切近事理，而合法健全的合作社，可說即是未來民主社會中一種活動的模型。由於經濟生活的「合作」，向政治生活的「民主」邁進，實在是我們今天反共抗俄，復國建國最直捷穩妥的途徑。在數以千百計的合作社中[illegible]的。

然而見微知著，茲事體實不小，我們切望負責當局與社會輿論嚴密注意，以免「合作」與「民主」，橫被汚衊，幸甚幸甚！（四十一年四月十六日於台北古亭）

立法院建制問題

上接第一版

他們的議長，背後各有其政黨之全力支持，但是政黨並不以領導議會的責任，全副委託議長，政黨黨魁與第一流幹部，時時直接參加議會的領導，議長個人負不了這一個重任，而時時要待政黨全力的與積極的領導，我們的現制，立監兩院選舉院長而不名曰議長，多少年來流行一種錯誤觀念，以爲院長是兩院的首長，他們可以領導一切，兩院有了院長，兩院領導之責，就不必再勞政黨的籌慮，這是十分錯誤的觀念，立監兩院院長，在院內是開會時的主席，在院外是院的代表，決不是各該機關的領導首長，立監兩院的領導，要政黨用全部力量全部人才去領導，不能讓之於兩院的院長，以立法院情形而論，只覺得沒有人來積極領導我們，絕不承認我們不願接受領導。

現在立法院制度上許多問題，如立法效率，如委員會的組織，如召集人問題，如研究審查問題，乃至紀律秩序等問題，只須有黨的領導，尤其賢明而積極的領導，那許多問題，都可迎刃而解的，至於現在開會時所焦慮的出席人數問題，更是不成問題了。民主憲政是離不開政黨，政黨以攫取及維持政權爲目標，所以政黨更不能離開政治重心的議會。憲政實施四年，立法院制度未能確立，大陸淪陷，雖是一個原因，但是政黨領導的一環，我想是今天重要因素之一，這一點不是立法院立法委員本身所能解決的，在此一短文中，篇幅限制，不能使我暢所欲言，而今後我國議會制度之成敗，其關鍵實在於此。（完）

靠攏巨頭賀衡夫卽將處死

陳銘樞等大恐慌

傳賀於所謂走私逃稅以外，還另有政治陰謀，與陳銘樞賀耀組劉斐勾結甚密。中共又指賀曾充戡亂委員，在港時與何成濬往還認賀有國特美特嫌疑

【本報漢口特約通訊】中共清算蔣攏分子，在過去一年中，雖爲數已不算少，但多係嘍囉[illegible]。不十分惹人注意。到此次逮捕賀衡夫，蔣攏份子，始人人震動，知道中共給予蔣攏份子任何高官虛銜，都絕對不能保障自己的安全。而這種高官虛銜，在中共本身看起來，原是一文不値，唱紹興戲的女伶袁雪芬，因爲做了陳毅的捧頭，就可以榮任政協代表。說相聲的侯寶林，因爲在毛澤東親臨的茶[illegible]會中，編造一段相聲，將毛大捧特捧，於是第二天，政協代表的聘書，也就送到了西安市場侯寶林的書場。像這樣阿貓阿狗，胡封亂派的辦法，在秧歌王朝的最高權力機關，尙且如此，等而下之，更有什麼名貴可言。過去若干蔣攏份子爲了「代表」，「委員」，「部長」之類的名銜，就甘心出賣國家民族，投入中共虎口，直至今日，看見賀衡夫垮台，代表之尊，馬上拳打腳踢，關入監牢。這才大家心驚肉跳，知道也就是自己未來的榜樣。在武漢，像陳銘樞，賀耀組，劉斐之類，這一個月來坐立不安，其原因正卽在此。

賀衡夫一長串的官銜，看起來，確實可以嚇人。他是人民政協代表，中南軍政委員會委員，中南財政經濟委員會委員，武漢市人民政府委員，武漢市各界人民代表會議代表，武漢市工商聯籌委會主任。從這些官銜的字面，無論如何，總可想到，他的榮耀顯赫，紅得發紫，絕不在陳銘樞，賀耀組，劉斐等之下。但是中共一聲令下，不特全部官銜，立刻銷光，而且過去被捧成節進模範的人民代表，馬上就恍如隔世，所有字典上形容匪徒的名詞，一個不漏，全推到他的身上。試怎能不叫其餘蔣攏份子，大吃一驚。

政治罪行重於經濟　秘密刑訊一再暈厥

據此間一般輾轉傳述的內幕消息，這次賀衡夫大案，表面上，雖中共僅宣布，賀爲大盜竊犯，五毒俱全，曾運進白面五十萬兩，鴉片三百五十萬兩，運出黃金三百八十六萬兩。並偸稅漏稅數千億。實際上，中共還接有密報，賀和陳銘樞，賀耀組，劉斐等有祕密勾結，參加了中共某方面的狄托運動。而此種運動之經濟來源，賀供給不少。中共又據密報，賀在香港時，曾與國民黨元老，前湖北省主席何成濬往返甚密，認爲賀之蔣攏，可能有暗中替國民黨作間諜計劃。自本月六日正式將賀關入監牢，[illegible]，公開的審訊，是「貪污」「盜竊」；祕密的審訊，則是關於「狄托運動」，「國特」，「美特」之類的罪名。而在祕密審訊中，賀吃苦最大。中共爲賀爲五毒俱全大盜竊犯，其所給予賀的酷刑，也是五毒俱全。賀以六旬高齡，據說，在獄中曾昏死數次。中共目的，追出所謂贓款，還不如追出所謂[illegible]政治陰謀的重要。暫時爲避免人心過於搖動起見，故政治部份，向外尙一字未提，對陳銘樞等，更絲毫未作表示，然陳等內心憔懼，其所受精神上之威脅自不待言。自賀案發生後，陳、賀、劉三人，已一再發表文字，談話，痛罵賀衡夫，表示必須處以極刑，用意所在，無非想減輕中共對彼等之猜疑，蔣攏份子的嘴臉，眞可憐亦復可憐。

儘量誣蔑詆毀。他宣布自己所持原則，是：「公開場合要講政府話，背後與講老實話。」中共認爲，正因爲這樣才博得許多落後工商業者的支持。中共又說，他在去年三、四月間，爲了破壞政府經濟政策，竟高喊兩句口號：「張羅先進貨，五月定能光。」這時武漢市稅務局局長叫張先進，財政局長叫伍能光，他把這兩個人名字嵌入口號，意思是快點囤積，召集工商界，一到五月，中共經濟就要崩潰，光蛋，那時經濟崩潰，貨價上漲，定獲大利。中共又說他一向反對政府稅政，甚至在武漢市各界人民代表大會上，一面高呼共產黨萬歲，一面卻對著台下工商業代表擠眉弄眼，故作鬼臉說：「伙計們，我們只能吃補藥，不能吃瀉藥了。」據中共統計，他在工商界，私人集會中，譏政府殺雞取卵，先後會共有一百三十七次之多。

廣州香港佈置周密　炒家出走欺騙中共

關於賀衡夫的走私技巧，據中共指證，說他一切佈置，十分周密。所有進出口許可證，及稅務局稅票，都是上下勾結，任意填報，從無困難。運輸部份由粵漢長運輸行一手包辦，廣州出口，及深圳海關檢查由義瑞行全權負責。運出的黃金，美鈔，銀元，鑽石，都是藏在桐油，藥材，生漆，五棓子等出口貨內，運進的鴉片，白面，則裝在顏料，奶粉，甚至汽車輪胎內。其中有一次從印度運入六萬兩嗎啡，就是僞裝保險粉報關的。中共並說，賀衡夫這一集團，在香港，廣州，漢口，曾編造了一套祕密用語，如黃金的代號叫黃芩，鴉片的代號叫油漆，嗎啡的代號叫奶粉等。

中共還鄭重指出，賀衡夫一向反動，他曾做過國民政府的戡亂委員會委員。他之所以能騙取中共信任，取得「進步人士」地位，是因爲他在「解放」以前，曾被國民政府抄家，他從漢口逃出，躲到香港。他現在證明，原是他知道共產黨要勝利了，故意串通國民政府人員，派了幾個兵，到他家裏搜過一下，他就走到香港。在港他和中共人員接洽，表示他是一個反國民黨進步份子。中共說，單憑這一點，賀衡夫欺騙人民，就是罪不容誅。

據記者所知，中共已祕密決定，處賀死刑，只是爲了要賀多榨出一點資財，尤其爲了要更多榨出一點有關反共陰謀內情報，所以還一時未卽執行。但死的命運是萬萬無法逃免的。至於所謂反共陰謀，究竟眞相如何，當然外間無從推斷，比較可靠的猜測，是賀與陳銘樞等確有關係密切，也確對中共不滿，不過這不滿的程度，未必卽已發展到成爲一種陰謀，並且已有行動而已。

武漢工商業者，現在都一一成爲待決之囚，當然對賀案不會有任何表示，不過一般老百姓的暗下批評，總說，既然賀衡夫是那樣一個大壞蛋，爲什麼中共還要拉他來，做這樣多頭銜，這樣多種類的人民代表呢？如果說他善於投機，欺騙了中共，那麼，中共是那樣一向自誇精明幹練的組織，竟忽然蠢如鹿豕，這樣容易地上當呢？（懷民，二十一日寄自漢口）

罪行從做學徒算起　一面投共一面反共

中共迄今所公布賀衡夫之罪行，將賀描劃成一個窮兇極惡，古今罕有的典型匪犯。中共將他從十八歲做學徒時算起，說那時他的同事，就給他起一個渾名叫「賺害」，換竊財物，陷害好人。以後自己做生意，殺人放火，無惡不作。先後藉着保火險關係，放過三次火，因此收得巨額賠款，大發橫財。他是「青」「洪」兩幫的大頭腦，又是善堂的黠傳師。武漢「解放」，由香港回漢，他大施展其兩面人手腕，會場演說，滿口擁護政府，私人談話，則

共產黨員如此「聖潔」！

鐵路共幹展開貪污天才

花樣百出過去的小貪污眞只有望洋興歎自愧不如

【本報漢口特約通訊】共黨僭據大陸，貪污橫行，鐵路部份，尤爲嚴重。「鄭州鐵路局總務處處長」陸祝齋在「上任」以後，卽一面把他的幹部陳興章韓好奮等分派各要職，一面自己藉職權之便，拉攏各地商人，壟斷沿路的一切木料購置，工程標配，走運私貨，盜竊公物等事宜。因此，陸發了不少橫財，並在鄭州討了三個小老婆。

女人嫁了山西佬

陸的老部下，共幹孫秀，被派做了焦作車站運輸股股長，經陸介紹，不到一個月，就同當地的商人打得火一般熱。孫尙未結婚，托商人夏立山代找老婆，因爲孫是山西人，當地的風氣，婦女們都不肯嫁給山西佬，後來想盡方法，由夏向一位女的母親，送了很重的禮，並對她說：「孫是股長，又是老幹，嫁了他你母女可享一輩子福。」這樣，才成功好事。孫對夏十分感激，以後互相勾結，只有夏的貨物，才有辦法儘先運走，雙方均獲利很厚。

生財祕訣十餘種

許昌是煙葉糧食等土產出口地，數字鉅大，人所共知。共幹孫明高在接任「許昌站站長」後，組成了一個內外勾通，上下呼應的大貪污集團。從前年二月開始，所有許昌站的貨物運輸，以及材料，工務，機務等部門即完全成爲貪污大本營，所要的花樣包括有多報少裝，壓低磅秤減低貨等，捏報品名等十幾種，前年一年，僅多報少裝一項，就賺了僞人民幣一百五十億元。

小便竟可發大財

共幹「中和飯車公司經理」崔榮魏（崔敬先化名），「隴海鐵路旅行服務所主任」劉若明，在隴海路西安、徐州、鄭州等站均設有聯絡處，在西安、徐州車站、開封西閘口外還蓋起一間小房子，以「兌換鈔票」爲幌子，公然訂定「官價」，收買煙土，黃金，銀元的，崔則常隨車指揮。徐州文興飯車公司，鄭州的販賣網及漢口司，則爲三大據點，其走私販賣遍及漢口、天津、青島、浦口、陝州、北平、開封、石家莊、寶雞、西安、徐州等各大城市。有一次，某公營企業和崔等同時有貨物往同某地點，崔爲搶先運輸，奪取利益，立即指使隨車「乘務員」共幹王長海在某公營企業貨車油箱內撒進小便，使該車箱發生故障，中途拋下修理，讓他的貨物先行，人不知鬼不覺達到了發大財的目的。故該三年來，僅由他們運出的烟土，就有一千零五十一兩，嗎啡一百二十兩，黃金一千一百兩，銀元十八萬一千八百塊。

這些瘋狂的大貪污，只有過去狂吹「聖潔時代」的中共，才有本領做得出，國民政府特務的一些被懲處的小貪污，眞只有望洋興歎自愧不如了！（懷民，二十日寄自漢口）

小宗派・大鬥爭

粵共黨自相殘殺

「八香」「九連」兩派藉「三反」「五反」在新寧打得頭破血流，這不是韓江一隅的地方問題，而是整個大陸都成了癩狗爭骨的殘酷戰場

【本報讀者投稿】粵省中共常自詡八香山和九連山是「解放」東韓江人民的搖籃，因爲古大存，劉永生等匪幫盤踞八香山多年，林中曾生等地土共也利用九連山作老巢甚久，所以八香山，九連山被看作是廣東的「井崗山」了。

東韓江易手後，各縣紅色新貴便有所謂「八香山派」和「九連山派」之分，該兩派明爭暗鬥互相傾軋，自「解放」以來，一直糾擾不休。據說，「八香派」和「九連派」落草時間甚長，昔年潛伏山區，國軍不時進剿，他們本有同生共死患難的關係，然而由他們彼此之間常常呼應不靈，坐視不救，甚至情報失了聯絡，給養不相接濟，老早結下了嫌怨。「解放」後又互相爭奪地盤，四出「接收」，新仇舊恨交織了一團火花，隨時隨地都燃起派系鬥爭的烈燄。

八香派最先得勢　李戈命榮任縣長

興甯爲例：興甯是梅江上游一個富庶縣份，一向被人稱爲「肥缺」，易手初期，「八香」和「九連」人物都從「隱蔽」活動而公開露面，當時「九連派」操縱了興甯大部農村，控制地方，但因李潔之爲首宗族觀念甚重，號召「包辦」，所以縣長一缺落於「八香派」李戈命之手，「九連派」只好分配「副縣長」由馬添榮承乏了。

「八香山」鼎盛時期，可說是易手初期，李戈命紅得發紫，引用私人李漢祥爲「支前委員會主任」，「貿易公司經理」，羅卿芳爲「稅務局長」，陳秀賓爲「公安局長」，估據了全縣「所有肥缺」。反過來，「九連派」卻只有張直心做了縣立一中「校長」，李侃民爲龍田中學「校長」，丁白濤爲石馬中學「校長」，此外二三個邊地區的「區長」和「鄉長」，位置不公，分贓不勻，「九連派」怎不眼紅耳熱呢？

羅亞輝繼李而起　九連派大權在握

「八香派」在興甯足足紅了一年有半，「土改」的惡運降臨到人民的頭上，同樣把災禍牽到「八香派」身上，也許「八香派」流年不好，李戈命因同情地方人士主張「和平土改」，不鬥爭，不流血，受到「上級」最惡劣的批評，因而丟官，由「九連」派的羅亞輝接任「縣長」。中共粵省政府「副主席」古大存本是「八香派」唯一頭目，對「八香派」子弟盡力維持，李戈命丟了「縣長」後，古卽設法發表其爲興梅「專署」祕書，對興梅仍居從旁監視地位，這種微妙關係，不論「八香」和「九連」份子都心知口講，李戈命也樂得如此下場。

國軍六十五軍副軍長羅亞輝」又是興梅區「副專員」，而「專員」盧偉良是葉劍英多年馬弁，除了刮龍酒色之外，幾乎無所事事，大權都在李明手裏。

李戈命做了興梅「專署」的祕書，仍予「九連派」時時戒懼，何況李的族叔李明（係蔣攏份子）前

李戈命挾「區座」而自重，對興甯施政措施，不無挑剔。李明因在「土改」期間其妻被列作「地主」，被「九連」幹部提付公審，毆打羅屎，縛遊村示衆，極其侮辱能事。據說，當時是「九連派」予李明一種顏色，警告其不得與李戈命勾結一氣，干預地方行政，但幹部樣之過激，從此更使李明和羅亞輝做了新的死對頭。

三反運動大清算　李戈命勞動改造

「三反」運動在興甯開鑼之始，「九連派」曾召開高級會議，擬定以李戈命任內一切，作爲「反」的最主要對象，全體動員，將李及八香派一網打盡。結果，李之祕書職務被罷免，並判處勞動改造，在興梅公路做苦工，每天挖泥挑石。興甯在「三反」中共幹被扣押的，全縣合計有六十八名之多，六十八名中，「八香派」佔了百份之八十以上，這些被扣押的人完全是中共內部小派系的祭品，所謂貪污，僅是借題發揮。

五反運動再反攻　羅亞輝倒台在卽

「八香派」在「三反」運動期間，既如此吃了大虧。接着，「五反」運動開始，「八香派」四處增援，大舉反攻，經一百三十餘家商店坦白結果，說出「九連派」大批高級人員，某某接受賄賂，某某勒索回扣，某某盜竊國家資財，某某供給敵家經濟情報。弄到羅亞輝手忙腳亂，坐立不安。看起來，或許挑泥抬石，又將落到他的身上。「三反」「五反」一方面本是中共的調劑妙計，一方面也是變換異己的好機會，由此推以及整個大陸，孫訂是一個最好的模範。（時中，二十二日寄自九[illegible]）

徹底消除共禍

上接第一版

最後，談到菲律賓。菲共內猖獗，兩年前的一度達到頂點，甚至馬尼拉也有隨時陷落的可能。季賴的國防部長馬格塞塞大力整軍，節節圍剿，到最近，虎克殘餘，據說已僅有數千人，許多高級共黨首領，均已被殺被捕。前幾天，菲共第十二及第十三名中委鮑孟，冒失婦，又因作戰失敗，束手就擒了。看來，菲共的全部肅清，必已爲期不遠了。

這是決心剿共所獲致的迅速果實，不過同時我們也不要忽略在這三個區域當局，所進行政治工作的功效。法國加強保大政權，鄧伯來呼籲馬來亞人民合作，馬格塞塞同時以鐵腕整肅貪污，這對於剿共勝利，都是最基本的因素。因爲你體力增強，細菌就自然會遭到滅亡的命運！

人鬼交響曲

・方・

有一個在中國大陸上由「鬼」改造成「人」的女青年，最近來到香港，住在她那舊時「鬼戀」情深的男友姊姊家中，目的是要將現在新大陸受「美帝」毒化教育的「情鬼」引誘回來，變「替人民服務」。因此，她朝夕向着那些「反動」的男女親眷們，大力宣傳「人民」的功德，彼此隨時發出抬槓之聲，驚聞四鄰，眞不愧爲一名「人民英雄」也！

「鬼」弟弟剛由台灣來港，準備赴美求學，也住在姊家，天天跟這位「人民英雄」開辯論會，還鬧個不休。「鬼弟弟」發茅了，指着英雄說道：「×小姐，天下美男子多來兮，馬路上有的是，你何必對那『社會的鬼』自作多情呢？我馬上即赴新大陸，兄弟相會，老實告訴你，假如我哥哥眞被你誘騙回國，我即一槍結束他的生命，教你再由「人」又變成「鬼」，教你做一名『望門寡婦』啦！」

英雄聞之下，號啕大哭，不知所措，然並無吞火油或肥皂水殉情的表示。

另有一位不人不鬼，不正派亦不反動的「第三勢力」人士，乃對「人民英雄」說教曰：「×小姐，你根本沒有站穩立場。既已由鬼變成人，爲甚還要對鬼抱着溫情主義？而且，來到香港又食宿於鬼的親屬之家，敵我不分，毫無革命勇氣，這樣，你不特要喪失愛情，將來回到大陸去，一定要變成清算鬥爭的對象哩！」英雄如有所悟，近來神情恍惚，大有進退維谷之勢。

這一幕人鬼交響曲，是現代一般幼稚青年的活動寫照，我合盤托出來，讓青年們去辨別一下吧！

自由談

老大哥與國特

・胡　雨・

最初的時候，我們的「首長」便希望我們這兒來個「顧問」。

「老大哥」是一塊招牌，是一種裝飾，也是一道驅神使鬼的符兒，許多「首長」們陪了「顧問」上街，那種氣派多麼威風，有了「顧問」在一起「娛樂」，那扭秧歌的娘兒們也扭的特別起勁。

再說，這是一份時髦，沒有「顧問」的機關，顯然不見重要。

如是，經過小組討論，經過會議上的手續，首長像申請一袋「八二米」似的，向「上級」作了一個報告，請求分配一個「顧問」給我們。

我們的機關，只是一個登記自行車，三輪車的小衙門。第一個報告上去的時候，「上級」派人找「首長」去，他說：「老何！蘇聯祖國沒有三輪車呀！叫老大哥如何來『顧問』呢？」

老何是「上級」最高管理當局的老何的老同事，二萬五千里長「跑」當中，他們共過一隻碗喫飯，因此，他倆可以無話不談。作爲三輪車的說：「照祖國的機動車管理方法，來指導改善落後的交通行政，還不是很好的理由嗎？」

理由說的冠冕堂皇，果然，我們的「顧問」配給下來了。那是一個老傢伙，愛喝一點酒，邊幅不修，很像南京路賣地氈的白俄。舉行介紹儀式的那一天，我偷偷地問旁邊立着的同事：「這位老大哥，好像是在那裏賣過毛毯！」

同事祇露牙一笑，沒敢回答。

我也沉默了，心想也許「配給」我們的這位「老大哥」是白俄中的「叛徒」份子，但是，「叛徒」份子也有「叛徒」份子「回國」嗎？

有了「顧問」之後三天，開始覺得並不是一件好事。前面說過，我們這兒只是一個窮衙門，第二天，「顧問」坐了一部營業汽車來辦公，他的翻譯找了「首長」去，他告訴首長，「老大哥」需要一輛自備汽車。

每個「顧問」都有汽車，沒有汽車不像一個「顧問」，我們這兒只是主管三輪車，可能派給他五部，乃至十部三輪車，買汽車可是一件難事。

汽車的問題，經過千辛萬苦才算解決，從此，我們的伙食更壞了，機構開支省了，一古腦子給「老大哥」買了汽油，「老大哥」坐的是汽車，輪到我們出差，連電車也挨不上了。「老大哥的汽車燒的是我們的油呀！」同事們說。

這還不打緊，自從有了「顧問」之後，我們的事兒可麻煩多了，這老傢伙多喝了兩杯酒，遇事必「顧」，逢人則「問」，他的俄文別人聽不懂，從第五天起，大家便一夥兒學習俄文，我問同事：「俄文學了甚麼用？」同事說：「好乖乖地聽老大哥的話呀！」

爲了學俄文，「首長」頭一個壁挫了。他的「愛人」會幾句俄文，學習班裏選她做了組長，這女人長得有七分妖嬈，老傢伙酒色相通，他的翻譯有時不在，「組長」便被他看中了。汽車是「首長」的特別費買來的，「愛人」是和「首長」有了三年總愛的，而今變成「顧問」一人所有。刻薄的同事說：「首長倒霉了，賠了夫人又折兵。」

事情愈來愈離譜了，「顧問」的翻譯請了長假，「組長」代替工作，誰知道他和她工作些什麼呢？結果只是我們倒楣，「首長」的面色愈來愈壞了，我們有一點小錯，便成了出氣桶。

有一晚，夜半兩點鐘，外面鬧得亂哄哄的，吵成一團糟，「首長」把我找去，他說「顧問」失了蹤，他的「愛人」也失了蹤，我算上海通，他要我四方八面尋人去。

過去白俄愛去的酒吧，我去過了，祕密的夜總會我去過了，沒有這兩個人蹤影，我想到旅館去，想來，這念頭有點[illegible]，天剛亮，回到「首長」家裏，正想向他報告。

誰知他家裏大堆人，老大哥倒在血泊裏，「組長」身上中了一槍，「組長」已被「上級」叫去了，正在審訊她。

我也不必再去見「首長」了，「首長」就躺在裏面的一個房間地板上，腦袋開了花，腦漿鮮血，一片模糊，手裏還緊握一把怕人的手槍。

第二天，在小組會上，我們聽到了一篇報告：「首長」和「老大哥」都被「國特」謀殺了，兇手沒有抓到。我心裏想，這樣的「老大哥」，「國特」將會一天天多起來的。

那裡去了？

・卜　卒・

心樓雜寫

某報譯列頁克哥定所著的「蘇聯大清黨」，其中一節「他們現在那裏去了」，有八行前言：

——他們現在都到那裏去了？那些十月革命的元老們？那些一度被推崇的列寧的戰友們？那些蘇聯的部長大員們？那些蘇聯的駐外大使們？那些共產主義的「巨頭」們？那些共產黨的「伙伴」們？他們都被「清除」了——撤職、流放、下獄、槍斃、服毒、「自殺」；下一次輪到的將是誰？

「將是誰？」最後的問句，這回答不難想到的。

如今，大陸上的秋獄王朝，也已騎在人民頭上，開始揮動屠刀，伸向他們自己的「伙伴」的腦袋。從今而後，行見「那些」「那些」「那些」，一個個的「撤職」、「流放」、「下獄」、「槍斃」、「服毒」、「自殺」，一個個不知所之。

長江的後浪之後，還有後浪；「未來輪到的又該是誰？」這個問題一定已縈迴在今天自稱「英雄」的強盜們腦裏吧！明天，他們的命運、去向，誰也不知道。本來，連毛澤東也茫然得很呵！

王國維與沈子培

・舜生・

萬竹樓隨筆（九一）

子培名曾植，號乙盦，晚號寐叟，浙江嘉興人，生清道光三十年（1850），卒民國十一年（1922），得年七十有三。清末官安徽布政使，民六，曾與張勳復辟之役，詔授學部尚書。其人雖爲一澈底之復辟派，然實有清三百年學術史上之殿軍。

民國四年春，王國維歸自日本，曾謁子培於上海麥根路寓廬，質古音韻之學；民五以後，更與子培時相過從；國維所爲『爾雅草木蟲魚鳥獸名釋例』一文（見觀堂集林卷五），實自子培啓之。民八，國維有『沈乙庵先生七十壽序』之作，暢論清代三百年學術變遷之故，以子培推崇甚至，未可以尋常酬應文字視之也。

國維謂清代學術凡三變：國初一變，創之者顧亭林（炎武），以經世爲體，以經史爲用；乾嘉一變，創之者戴東原（震）與錢竹汀（大昕），以經史爲體，其所得往往裨於經世；道咸以降又一變，「言經者及今文，考史者兼遼金元，治地理者逮四裔，務爲前人所不爲，雖承乾嘉專門之學，然亦逆睹世變，有國初諸老經世之志。故國初之學大，乾嘉之學精，道咸以降之學新。」

國維讚美子培之言曰：

『今者時勢又劇變矣，學術之必變，蓋不待言，世之言學者，輒悵悵無歸，顧莫不推嘉興沈先生，以爲亭林東原竹汀儔也。先生少年，固已盡通國初及乾嘉諸家之說，中年治遼金元三史，治四裔地理，又爲道咸以降之學，然一秉先正成法，無或逾越。其於人心世道之隆汚，政事之利病，必窮其原委，似國初諸老；其視經史爲獨立之學而益探其奧窔，拓其區宇，不讓乾嘉諸先生；至於綜覽百家，旁及二氏，一以治經史之法治之，則又爲自來學者所未及。若夫緬想在昔，達觀時變，有先知之哲，有不可解之情，知天而不任天，遺世而不忘世，如古聖哲之所感者，則僅以其一二見於歌詩，發爲口說，言之不能以詳，世所得而窺見者，其爲學之方法而已。夫學問之品類不同，而其方法則一，國初諸老用之以治經世之學；乾嘉諸老用之以治經史之學；先生復廣之以治一切諸學；趣博而旨約，識高而議平，其憂世之深，有過於龔（自珍）魏（源），而擇術之愼，不後於戴錢，學者得其片言，具其一體，猶足以名一家，立一說，其所以繼承前哲者以此；其所開創來學者亦以此；使後之學術變而不失其正鵠者，其必由先生之道矣。』

子培著述多未出，即偶印行者，今亦不易得，然讀王先生此文，及王蘧常君所爲『沈寐叟年譜』，亦可窺見其梗概也。

悼柴春霖先生（上）

・鶴鳴・

閱報載，台北十六日電：「英專禮堂坍頂，立法委員柴春霖先生罹難。」深爲驚駭，不覺涕泗滂沱，有無限悲酸情緒，纏繞在我的心頭，不知怎樣嘔吐，以表示我的哀悼，惟有向渺茫的長空，呆呆的望着，很悲痛的叫一聲：「東生！你眞死了嗎？你忍心拋掉你美麗的家庭，道義的朋友，和一生所珍藏的，宋，元，明，清，古代字畫嗎？你更忍心卸却你對國家，民族，應負的責任嗎？你的英靈不泯，恐怕要時常歎誦：『死去原知萬事空，但悲不見九州同，王師北定中原日，家祭毋忘告乃翁。』陸劍南一首示兒詩吧？」

我和東生在南京同一議席時，本來無深切交誼，可是，見他光風霽月的道貌，光明剴切的言論，已初步瞭解他是一個績學有道之士，是一個愛國如命，具有熱血的男兒。南京棄守以後，大家分散了，各奔前程。經過了無窮的悲酸險阻，我自昆明冒最大的危險，繞道緬泰，東歸國，歷時三個月，才逃到香港。東生在報紙上知道我來了，從各方面打聽住址，前來慰問，虎口餘生，覯雨重逢，說不盡酸甜苦辣，前塵回首，恍若一夢！

從此，我們時常過從，時常同赴思豪酒店，大新主廳，參觀畫展，評書論畫，娓娓不倦，這一種輕鬆閒散的生活，使我心靈上獲得無窮的安慰。有時，我們感歎到時局沉悶，往往相對無言。有時，我們想到蘇聯驕橫，大陸慘殺，他很慷慨的說過一段話：

「蘇聯所領導的極權集團，在表面上看起來，好像組織嚴密，行動敏捷，指揮統一，其實呢！他的軍事資源和軍需生產數量不夠。牠的衛星國家，幾乎全是經過殘破之餘，立國條件，差得太多了，終是無力量對抗民主集團。……再拿中共來說吧：自從控制大陸以後，完全以恐怖，慘殺來控制人民，殊不知中國人，受儒家哲學陶冶最深，忠，孝，仁，愛，信，義，和，平一統觀念，與共產黨所標榜的鬥爭，世界革命一套歪曲理論，根本不能相容。所以，共匪縱是猖獗一時，終有崩潰的日。我們要咬緊牙關，忍住目前痛苦，以等待最後的光榮勝利。……」

東生這一番透闢的議論，很夠鼓勵我的決心與勇氣，因此，我們確信民主自由力量，終能夠摧毀極權集團，也許爲期不遠了。可是，東生能料到這種結局，而不能等待親見這種結局，這是東生最大的遺憾啊！

世・界・點・滴

士氣如何

英國參謀總長史萊元帥最近訪問美國，在若干軍事機構演講，談到英國的士氣，他說，英軍的士氣，「絕對是第一流」，至於民間的精神也極佳，他又解釋道：「我們可能抱怨，我們可能表示不滿，有人說我們腐化，但等到他們打緊我們一下時，便會發覺我們却並不是這樣的了。」

蝴蝶出讓

埃及國王法魯克雖然是個花花公子，好酗酒嫖賭，却有一種高尚的癖好，他收集有許多極珍貴的稀見蝴蝶標本，月前美國堪塔基州黑人的州立學院生物系主任雅歷山大博士得悉他的珍藏，特地寫了一封信去開羅，問法魯克能不能把他所搜集的甲虫和蝴蝶送一點給這大學。本月中，雅歷山大對學校宣佈了一個佳訊，法魯克樂於把他這一份財產分一些給自然科學界的同好，裝着九百另九種標本的三十七個木箱，已運到了華盛頓埃及大使館。

・子由・

黑十字

・北晨・

電話是雲山酒店打的來。雲山酒店的六〇七號，正集着不少人物，這些人穿得衣冠楚楚，爲首的郝亦臣戴上眼鏡。幾小時以前，這裏是完全另一種場面，但現在却大不相同了，就在這幾小時內，郝亦臣的衣袋裏突然裝飽了錢，在雲山酒店調了一個頂大的房間，連得那裏的茶房都大爲詫異。

這是白濟宏陰謀的一部份。他已佈置了許多陷阱，作爲他的錢源，這裏只是陷阱之一而已。

郝亦臣原是他上海就認識的朋友，這人有一身走江湖的本領，白濟宏比他道高一丈，遠在上海的時候，便在他身上開始投資，很用過一點鈔票；江湖上的人講義氣，白濟宏專以金錢收買別人的義氣，再利用這批人，換取更多的利錢，因爲計劃周密，手法巧妙，一面孔紳士氣派，落在陷阱裏的人，誰能覺察到他的假笑，每一聲恭維，後面都有陰謀？

這位紳士一下船，先將黃洗安置在豪華的半島酒店，要他先睡幾小時，恢復昨晚的疲勞。在從澳門來的途中，他曾有意叫黃洗不能入睡，在船上玩了一夜橋牌。

趁着這段空暇，他尋到了郝亦臣，給了他一些必要的錢，因此，郝亦臣突然闊了起來，他手下的人物，也立刻把手錶衣服從當舖裏取出來了，經過一番改裝，雲山酒店的房間也換了，北角地段的幾位地下風雲人物，搖身一變，大家也成了紳士。

郝亦臣之外，還有小江，小瑩，朱老五三個人，一齊偽裝的紳士臉面，大家做了會心的微笑。郝亦臣是首腦人物，他將各人的身份，以導演姿態再說了一遍，其實，眞正的導演却是白濟宏。這時，他正忙着說服藍英，藍英才是他這陰謀的主要角色，如果藍英肯聽話，表演卓絕的話，許多大要的節目，將可以省略了。

他們在「雲山」六〇七號排演了半小時，白先生還不見來，郝亦臣便搖了電話去新都酒店催問。這一面的事已祇有一個難題，還沒有解決。白濟宏不敢過份相信藍英，她或許不那樣容易受利用。而且他還有一些顧慮，這兒是香港，有許多不利於他的活動的法律，所以，他先要有一個妥善的準備。他把藍英出街的衣服漸漸收了起來，要他睡在房裏休息，這不過是他要利用她睡覺的一段時間去做他的準備。（八）

・中篇連載・

自由人
THE FREEMAN
（半週刊每星期三六出版）
（第一二一期）
每份港幣壹毫
督印人：李光華
社址：香港士打道六十六號
電話：二〇八四八
GLOUCESTER RD. HONGKONG
TEL: 20848
承印者：東南印務出版社
地址：士打道六四號
台灣總辦事處
台北市館前街五十號
台灣經銷處
台北市中華路一二五九號

對中日和約訂立的感想

今後日本可能遭遇的困難，我們不應該把他看成只是日本的困難，同時亦即是中國的困難，反過來說，日本對於中國的困難亦必以同一態度去體念之。——左舜生

中華民國與日本的和平條約，終於在昨天於台北簽字，我們細讀十四條和約本文，議定書兩項，以及同意紀錄一二三四四點，從字裏行間，可以看出我們的外交當局在一個長時間的折衝商討中，雖已發揮其最高忍讓的精神，但仍能堅持其不可犧牲的立場，以完成中日間八十一年來關係的一新頁，要爲近三年間中國外交活動上，一最可慶幸之事。

愚昧的中國共產黨，從她廢止中華民國國名及毀棄中華民國國旗的一天開始，便已完全注定了她終被消滅的命運。吾人於中日和平條約的建立，又得到了一個顯明而具體的確證。

中日和平條約簽字，再加上舊金山和約的同時生效，日本確已完成了她一個獨立國家的地位，雖依據美日安全條約，美國仍須於日本保留一部分的駐軍，但此爲事理之當然，事實之所需要，亦即今後一切共同反共的民主國家間可能互有的常態，對這樣一個情況不能不感到芒刺在背的，應該只有蘇聯與中共，決不是日本有知識的國民所值得大驚小怪的。

我們沒有理由反對日本在目前尖銳的國際環境中，在言論上與行動上，採取相當謹愼的態度；但就日本與民主國家間已簽定或未來尚須繼續簽定的一串條約而論，則日本確已走上了必須與一切民主國家共同奮鬥的一途，而決不容其徘徊瞻顧。即令在日本國內仍有一部分爲共黨宣傳所顚倒及一部分過度小心謹愼而心實無他的人士，想把這樣一個大勢多少的扭轉過來，也事實上將不能發生何等根本的影響。

史太林萬事都可忍耐，惟獨美國以無比的決心，從歐亞兩方同時加強其對蘇聯的防禦，緊縮其對蘇聯的包圍，尤其是日德兩國在東西的同時崛起，則到底無法忍耐。蘇聯駐美的大使潘友新，儘管在那裏指責舊金山和約爲「非法」，儘管外強中乾表示決不撤退蘇聯佔領日本的軍官；儘管到了明天，周恩來也依樣畫葫蘆，對中日和平條約同樣來一次無聊的否認；但這類空言之不足以嚇倒民主國家，也正如他們的武力之不足以嚇倒民主國家是一樣！今後蘇聯可能採取的行動，只有眞誠屈服與瘋狂冒險的兩途，此外的任何姿態，都將歸於無效。

在亞洲，美英中日四國的正式攜手，再繼以太平洋公約的普遍成立，即無異敲起了蘇聯勢力必然退出亞洲的喪鐘；所謂蘇聯的眞誠屈服，除非她正式放棄中共而讓其瓦解，否則即惟有訴諸戰爭！看樣子，蘇聯在最近的過去，儘管在外交上，亦即在所謂冷戰的和平攻勢上，雖是一敗再敗而敗到不可收拾，可是對於武力似乎依然沒有完全喪失她的信心，尤其對於僥倖得來的一片中國大陸，她似乎也決無束手放棄之理，如此，即就亞洲這一局部來看，戰爭畢竟是無可逃避的。

日本吉田首相，於舊金山和約生效之日，一面強調表示日本願與民主國家合作以保衛世界的和平與自由，一面強調重整武裝以求得自身防衛力量的增長，這在原則上是不錯的；即在外交辭令上，也是很能動人的；可是世界的和平與自由是否能得到眞正的保衛，須決於對蘇的一戰，亞洲和平的重建，更完全決於中共政權的根本滅亡，不把這個觀念澄清而加強其自信，加速其努力，則不惟日本當前的處境確實是荊棘滿途，即未來可供日本活動的天地，亦復異常的逼窄。

自然，在中日和平條約簽訂並生效以後，中日兩國自當互以平等獨立的兩個國家，而循序進行其通常的外交關係，可是我們當這個中日兩國正常的新外交關係還沒有開始以前，有一個主要的觀念，我們必須在這裏鄭重提出：中日兩國依於地理文化的接近，經濟關係的複雜，兩國國民在情感上的交流，誠然在若干尋常事項，不能不依據兩方的相互利害，在相互尊重與親睦的原則之下而自求解決，可是另有一個絕對不可忘卻的主要之點，即中日兩國今後的處境，實同爲參與民主國家這一陣綫的一員，其利害不是兩國單獨的利害，其關係也不是兩國單獨的關係，必須同時顧及此一陣線的共同利害與共同關係，而極力避免其矛盾與衝突；推開窗子說亮話，今後在亞洲一切反共的工作，無論是戰爭的或類似戰爭的，其與此一事實有關，無論其爲間接或直接的任何安排，商討，行動，都必須與一切參與反共的民主國家共之，尤其對於與遠東有直接利害關係的國家，以及對反共在事實上立於領導地位的國家爲然，而決不容許中日兩國單獨的低頭耳語或私相授受，以致產生任何諾言或決定的事實。還是我們鑒於當前國際的形勢，以及中日兩國過去的種種錯誤，而不能不提出的一個警告，希望兩方當局爲了建立兩國未來的圓滿關係，以及我們下一代的青年國民的福祉，對這一點予以充分的注意，而隨時提高其警覺。

在中日和平條約訂立以後，雙方國民可能自勵的致力之點，大抵不出兩端：其一比較是一時的，即我們如何來共同對付共產黨，以排除我們兩個國家立國的共同障礙；其一是永久的，則我們在文化上，經濟上，以及兩國國民間情感的交流上，如何來共同做一種比較基本而深遠的工作，以消除過去和未來的一切誤解，而積極的樹立一種必須要有也不能不有的親厚關係。這兩點要詳細說起來，眞是經緯萬端，決不是這一篇短文所能詳盡，但有幾個主要的原則，卻可首先提出，以爲我們從長討論的基礎：

（一）我們必須確認蘇聯在中國大陸所建立的政權，這不僅對中華民國是一個永久的威脅，同時也是對日本的一個永久的威脅，我們因此必須共同致力予以排除。

（二）亞洲永久和平的重建，必須以中日兩國的提攜爲開始，也必須以中日兩國爲基幹。

（三）我們必須承認中日兩國相互衝突致相互猜防，只於中日兩國有百害而無一利，並宜以此旨趣去教育其國民，以謀於兩國國民間建立一種正常的心理狀態。

（四）我們對一切一切，都要力求實際，而不尚空談，我們對於未來的和平世界，與和平人類，要先研究如何去『予』，而不必先着重在如何去『取』。

（五）今後日本可能遭遇的困難，我們不應該把它看成只是日本的困難，同時亦即是中國的困難；反過來說，日本對於中國的困難，亦必以同一態度去體會之。

今後的中日關係，果能從這類基本原則去出發，我相信兩國一個共同光明的前途是決不會遙遠的。

鐵幕以外的讀書人

鐵幕以內的讀書人，在中共脅迫下，不能保持人格完整，容尚有可寬恕的餘地。但鐵幕以外，中共力量未曾直接達到的地方，讀書人如果仍動搖觀望，那就自甘暴棄，絕無可原了！

·黎景偉·

士先器識而後文章，這是中國前賢的一句老話，因爲「器識」就是一種人格的修養，而文章則不過爲酬世之末技，寫得更好文章的人，如果其本身人格不完全，亦必影響到其立言的眞誠，無以發揮其至大至剛的氣質，甚至變成「曲學阿世」，自趨下流，也就更加談不上器識了。

讀書人有兩種典型

作爲一個讀書人，他與任何階層的生活條件，原無二致，一樣是要吃飯、穿衣和睡覺，然而，如果讀書人僅以獲得吃飯穿衣爲滿足，所謂「朝橫而夕縱，志本在溫飽」者，那就不過是匹夫匹婦之所爲，根本沒有甚麼器識可談了。讀書人能夠以布衣而卓然爲世所重，必定在其生活條件之外，別有值得人們景仰的地方，那就是所謂器識問題，在這一方面，我們可以舉出兩種典型，第一種是積極型的，像孟子所謂「如欲平治天下，當今之世，捨我其誰？」顧亭林之所謂「爲天地立心，爲生命立命，爲往聖繼絕學，爲萬世開太平。」這種器識，自是不平凡的器識，非人人可能道。另外一種是屬於消極型的，如孔子之所謂「隱居以求其志，行義以達其道」，諸葛亮之所謂「澹泊以明志，寧靜以致遠。」這種器識，在一個讀書人的人格修養上，實在是不可缺少的工夫。同時，這兩類型的器識，也是互爲表裏的，一個不能澹泊明志，寧靜致遠的人，是不足以言治國「平天下」的，像諸葛亮初臥隆中，便是「澹泊、寧靜」的最高表現，但等到「出山」以後，卻又慨然以天下爲己任，不惜鞠躬盡瘁，以求貫徹其畢生志事了。

黃金美人絕不動搖

歷史上所謂聖賢豪傑，不管其遭際是成功抑或失敗，要皆在其器識表現上，必有過人的地方，然後才能夠無愧其爲聖賢豪傑。聖賢豪傑與常人的最大分別，在於前者知道甚麼是當爲和不當爲，而後者則否。聖賢豪傑對「當爲」之事，不惜委身託命，生死以之；對「不當爲」之事，雖高官厚祿，黃金美人環置其間，也不足以動其心志。這並非[illegible]們天生就不愛高官厚祿，黃金美人[illegible]因爲這些東西有其不值得愛和不可[illegible]理由，所以就覺得「所樂有甚於所[illegible]。歷史上有些人的文章學問都是相[illegible]許多的，其間功罪之分，就完全表現在其人格的修養上，像文天祥和洪承疇[illegible]一個極顯著的例子。

爲[illegible]書人要講器識，而平常人則無需負[illegible]？因爲讀書人畢竟是一個國家一個[illegible]領導份子，讀書人的一言一動，[illegible]對國家社會有所影響，近者影響現[illegible]着影響未來。如果讀書人沒有一種[illegible]識去支配其思想和行動，一定很容[illegible]對不起自己，對不起大衆，對不起[illegible]事情，這一點，我們從最近兩三年[illegible]特別看得清清楚楚。

（下接第二版）

聯軍可能上當了

共軍藉和談增強實力

韓戰和談，爲了遣俘，修建機場，及蘇聯出任中立國一三大爭點，已無法得到妥協。這幾天報紙上，雖然仍照例像發瘧疾一樣，忽冷忽熱，今天的消息，儼若頃刻之間和平即可實現，等到一覺醒來，明天報紙，又恍彿談判決裂，韓戰馬上就會擴大。這眞教全世界人民，都時時提心吊膽，莫名其妙。

據二十八日出版的時代週刊說，韓戰和談，聯合國可能已大上其當。因爲共軍方面，不[illegible]實證明，對方力量比他強大，他是不會輕易放棄戰爭的。時代週刊指出，此一看法，聯合國有許多人一再提及，可惜聯合國戰略家，多沒有注意這項事實。

時代週刊說，去年夏天，共軍故意將和談冷擱兩個月，其目的在測驗聯軍的實力，幸而李奇威將軍在這一時期，並沒有鬆弛對共軍的警戒，所以共軍才自行轉圜，放棄了停戰必須以三八綫爲界的要求。最近大半年來，聯軍方面，總是採取[illegible]觀望政策，等待和平實現，而共軍則利用這一空隙，大大增強了自己陸海空三方面的龐大力量。以前聯軍在韓估有優勢，現在縱然不是優勢已轉到對方，最低限度，也是雙方相等。這就說明了共軍態度，爲什麼近來變成那麼倔強，同時也可以使人們意想到，韓戰和談，究竟要在怎樣環境下，才可以眞正成功！（一丁）

本週展望

東亞的新形勢

雷嘯岑

從昨天起，東京盟軍總部宣佈結束對日本的佔領事宜，各盟國對日和約生效；同時，中日雙邊和約亦正式簽字。因戰敗而喪失獨立自主的日本，經過六年來的改造，又告復興了。

在二次大戰後，與日本同樣陷入悲哀命運的德意兩國，至今尙無法翻身，而讓日本最後下船的先登岸。這種奇蹟，固然是出於史太林在亞洲的陰謀詭計所造成，而日本並未像德國之被列強所宰割，亦不若意大利之陷於共產黨惡勢力的挾持中，尤爲基本因素。換言之，日本因爲具有自力更生的主觀條件，再加上俄帝在東方肆行猖獗的客觀環境，這纔使以美國爲領導的民主陣營，不能不棄嫌修好，讓日本及早起來，担負民主世界對俄帝集團鬥爭的一份責任。可見一個國家民族的興亡，其先決條件，是要先求諸己，世界上決沒有專事依靠外力以立國的。

日本獨立了，日本人當然引以爲慰，我們這些鄰人亦爲之慶幸。可是，日本今後的復興之路，前途還有許多荊棘，稍有失策，更易招致亡國之禍的。吉田茂政府曾坦率聲明，日本此後是站在民主陣營方面，爲世界和平而效力，萬一世界發生戰爭，日本決不中立云云。這話很對，也很有力量，東亞的形勢，從此而日一新，敵我分明，對史太林的侵略威脅，已不像過去那樣使一般亂，意志紛歧了。問題在日本今後的作法如何？西方民主國家強調西歐防衛的重要性，必要時不妨放棄亞洲，所謂「重歐輕亞」政策，我們不能否認他們這種主張，英法固不願舍己從人，美國也不能棄歐以孤立，沒有了歐洲，不特在反抗俄帝的戰略上大受損害，根本就等於歐美的文化和文物整個淪亡！同樣理由，我們亦必須強調亞洲的重要性，要結合亞洲自由人民爲自己的文化和文物而奮鬥。盱衡亞洲實況，日本與中國在現階段中是要担負較大的責任，才可以保障亞洲的安全。所以，中日兩國自應[illegible]，爲尤應棄嫌修好，首先合作親善，表現領導作用，發抒安定力，爲其他各國作前驅，以奠定亞洲的安全基礎。

中華民國政府基於這種觀念，這次對中日和約乃不惜多方讓步，顧全大局。河田烈在和約簽字時發言，感謝中國的寬大精神，在河田或許是一種禮貌的外交詞令，然我們中國人，確實是爲着全亞洲自由人類的禍福觀點而衷心期望中日兩國從此永好合作的。日本人是否具有同感與決心，祇有以事實來印證了。我們希望日本從今以後，樹立新觀念，把過去那種「遠交近攻」的國策，徹底揚棄，老實說，只有中國纔夠資格幫助日本開闢今後的出路，中日兩國如果依舊互相猜忌，那無異爲俄帝作倀，而自甘淪於萬劫不復之境！東亞的新形勢已經構成了，形勢可以由人創造，也可以由人毀滅，中日兩國政府，應該把握這種形勢，好自爲之，才是亞洲人類之福哩！

李治威調任

遠東盟軍統帥李治威將軍已調主歐洲聯軍，而以克拉克將軍繼李氏之任。這一人事更動，對韓戰前途是否有影響？有的因此推測板門店的和談必有成就，因爲這是表示美國要結束韓戰的內在心理，否則不致有此更易陣前大將之舉。然在另一方面看來，也未嘗不是板門店和談演化爲長期冷戰的象徵。休戰協定既談了快十個月尚無成就，其他政治問題將來縱然因休戰而再談，更不知談到多少時候呢！克拉克將軍在這雙方和談僵持期間，來到東方，這比李治威當年匆促承乏麥帥職務的情形不同，他儘有從容考察準備一切的餘地。何況日本已能正式出而担任其國有工作，縱使韓戰再起，乃至於擴大，也不會發生甚麼不利的後果。因此，李治威之調任，與韓戰前途似乎沒有多大關係。

大陸農產品無法售出 農村購買力已降達零點

中共春荒提前降臨，農民生活已瀕絕境

・張丕介・

近半月來，中共在經濟方面的措施，一面是高喊生產渡荒，一面又不斷宣傳減低物價。二者雖各有其特殊原因，但其中有一共通點，那便是農村土產的空前滯銷。據四月十七日「長江日報」的報導：目前大陸中小市場中，生豬、雞蛋、土布、糖及菸葉、植物油等項要土產，大部均無法銷售。如廣東目前即有四五十萬頭生豬無人收購，高雷專區約有土糖四十萬斤無法銷售。西江專區有馬鈴薯三十萬擔推銷不出，湖北黃岡專區，國營貿易部和合作社部門亦積存大量土產品。黃岡農民積存菸葉達二百多萬斤，新州、浠水等縣，均積存大批土布和糖。由於土產滯銷，農村購買力降至零點，不但對農具肥料及日用品無力添置，連最低生活都無法維持。於是各地春荒都提前來臨，而且逐漸進入嚴重狀態，成為中共目前最棘手的問題。

土產滯銷百貨山積 出口停頓農民叫苦

在大陸的經濟結構中，土產一向均佔著極大的比重。據去年四月十日「人民日報」社論所述：「去年華北全區土產，除糧、棉、菸葉、花生外，總值達七十億斤原糧」。而據「長江日報」所載西南廿一種主要土產收入，佔農業收入百分之三十五至四十，西北土產物佔農民收入百分之四十左右，中南一般約佔百分之三十三。又據三月廿八日「南方日報」的報導：廣東西江十一縣，柴炭、松香、杉木、竹器、桂皮、生豬、淡黃等土產，均佔勞動人民經濟總收入百分之六十，土產一旦滯銷，農村經濟即有窒息之虞。

自去年聯合國對中共實施禁運後，土產市況開始一落千丈，中共為圖謀補救計，曾先後在各地開辦所謂「生產展覽會」，企圖促進內銷，同時並命令各地國營機構擴大採購。這一辦法，一直搞到去年下半年。由於私商的參加收購，當時曾收穫若干成效。但因外銷停頓，始終無法扭轉劣勢。「三反」「五反」展開後，不但私商停止採購，中共各級的合作社及貿易機關，亦多停止採購，如中南區全區百貨公司系統一萬三千多幹部，三月初參加搞業務的只有一千八百人，佔總人數百分之十五。各地土產乃空前慘跌。長沙土產價格總指數，今年下旬較去年十二月下跌百分之七點二，其中土紙下降了百分之二十一點五，棕片下降了百分之三十六點七，長沙豬肉已較春節前下降了百分之四十，（四月十七日長江日報）。蘇北一帶，作為農民主要收入的生豬，其跌勢更為慘厲。到目前為止，豬價一般僅及去年冬天的一半，如泰興縣，去年冬天毛豬每百斤約三十五萬元，豬肉每斤約五千五百元，而現在毛豬價已跌到每百斤二十萬元，豬肉跌到每斤二千三百元。揚州市去冬毛豬每百斤三十五萬元，現在更有行無市。其他如鹽城、淮陰等地，莫不如此。以豬肉和大米比較，蘇北地區的豬肉與大米比例，過去一般都在五比一左右，而現在則每斤豬肉只能換到大米二、三斤，而且還不易銷售（四月二日人民日報）。因此缺糧的農戶，縱有土產亦無法換得口糧，至於農具肥料，更屬無力顧及。

各地籌辦交流大會 利用商人恢復外銷

針對著上述的情形，中共除準備迅速結束下層機關的「三反」，以恢復購銷土產業務外，最近又重彈土產交流的舊調。中共「華北行政委員會」，最近決定舉行「華北物資交流大會」，自四月二十一日起到五月十日止在天津舉行。中南區的土產交流會議，已於四月十六日在漢口舉行，西南西北亦在籌備中。根據「長江日報」所述，其目前的基本決策有三：第一是乘機放出大量「人民幣」，來吸收農民的土產；如中南財經委員會，即規定今年第二季度收購土產一萬億。這是中共「人民幣下鄉」的最好途徑。第二是壓低土產價格：中共認為此次各地土產的暴跌，乃暴露出過去投機囤積的中間行商，曾用高價抬價，搶購土產，以取暴利，造成土產價格不合理上升。因此，今後應保持土產於低價水準，不能為照顧農民而提高價格。第三，為了「趕季節」，應付目前嚴重的春耕問題，決定推動城市經營土產出口商，趕快扭白做出結論，允許他們立即恢復土產出口業務。

上述的三項辦法，除了反映其對春荒的慌亂心理，因亦抬出「頭痛醫頭，腳痛醫腳」的應急辦法外，充分地表現出其對農民的剝削手法，和對商人的利用心。首先，它否定過去的市價最合理的價格，抹煞土產滯銷的根本原因，而胡亂指為乃私商抬價壟取暴利的結果。希望乘人之危的以較少的人民幣來搜括更多的物資。如果照目前的價格收購土產，農民當遭受一半的損失。據「南方日報」的報導，廣東土產公司，各縣均有不少土產停收，而提高糧價，使缺糧的農民陷於絕境。這種作法，只有以工農政權標榜的共產黨徒，才能做得出手。

其次，「五反」展開以後，過去收購土產的商人，莫不被中共指為剝削農民的兇犯。因低價收購，被指為剝削，高價收購，更被指為投機囤積，搗亂市場。目前的情形，既非國營機關所能獨力挽救，因此又想利用商人，立即允許他們恢復土產出口業務。這種翻手為雲，覆手為雨的手法，亦只有標榜「公私兼顧」的中共政權，才能變得這樣快。

在外銷窒息，人民購買力根本絕滅的情形下，中共的土產交流大會，既無法解決問題，國營機關的收購價最多亦只能救急於一時，至於從事收購土產的私商，在半年來的清算鬥爭之餘，不但無心再從事，且無力再從事。大陸土產滯銷的情勢，看來還要再惡化下去的。

人數不足正研商補救辦法 國民大會今年恐難召集

台灣有候補代表百餘人，但一時也不易解決「雙包案」問題

【本報台北特約通訊】「關於國民大會臨時會究竟是否召集，這一問題，現仍在反覆研討中。自從監察院通過了彈劾李宗仁的提案，接着就經由國民大會秘書處函請立法院院長，依據憲法召集國民大會臨時會，照法律程序說，這問題已無須討論。不過由於事實的困難，到現在還無法決定。困難之最大原因，即在台的國大代表，尚不足總額之半，如果召集，也不容易湊成法定人數。目前所研討的，乃如何可以湊足人數。據關係方面計算，除去在港澳與海外的代表盼其都能到會以外，還要將在台的候補代表，儘可能予以遞補，才有勉強足數的可能。不過一說到遞補，就有了更困難問題，那便是大家所說的雙包案。乃至於三包案四包案。原來在國大代表選舉的時候，政府方面設有選舉事務所，以政黨提名及若干公民簽署的候選人作為候選人，依法公告，結果概以得票多數的為當選。但在政黨之內，則先有提名的爭執，次有保證當選的諾言，再有三黨合作的糾紛，相保證的默契。及至選舉揭曉，已經是吵得舉國不安，所以在閉幕之後，選舉總事務所竟大開方便之門，不問得票多少，凡是政黨提名而未當選或是原與黨的中央保證友黨當選而未能如願的候選人，一概送給當選證書一張。作為平息風波的靈丹妙藥。當時以為國大須六年才開會一次，既開畢，今後即使一縣一市有二個以上的人，都手中持有當選證書，總對國大並無何補不利。不料六年未滿，竟然需要開臨時會，凡是手中拿着當選證書的人自然都要出席。但法律上不容許一縣一市有兩個甚至兩個以上代表出席。所幸這樣情形而人在台灣的並不多，僅只一百餘名。尤其前選舉總事務所的主任委員張厲生，是現任的行政院副院長，大家相信他最後總可以想出妥善的辦法。不過一般人觀察，今年開會的可能性，似乎很小。

立委任期再度延長 候補問題提案撤回

第一屆立法院立法委員任期至去年四月本已屆滿，以大陸淪陷，無法辦理改選，由行政院呈准總統，延任一年。同時，停止辦理遞補，以任期在法律上已屆滿，遇有出缺，自不能再由候補者遞補。光陰迅速，一年之期今又屆滿，而不能辦理改選之情況如故。因此，日內即將再由行政院呈准延任。蓋立法機關代表民意，事實上不容中斷。（編者按：可參看本刊一一九期本報台北記者平平通訊）按憲法第二十八條，規定國民大會代表每六年改選一次，其第二屆國民大會代表之任期，至次屆國民大會開會之日為止。第六十五條，對於立法委員之任期，則只規定為三年，惟無第二項之補救辦法。故遇到不能改選，只有延任之一法。但有人認為國民大會代表與立法院立法委員同由人民直接選舉，如國大代表之選舉，因遭不可抗力，無法辦理，致需將原任代表任期延長到次屆開會，則立法院立法委員之選舉，亦必同樣無法辦理，需要延長。茲大法官會議業已成立，似可作如此之解釋，推至於以免每年由行政院呈准延任之煩。至於延任期中的候補選人遞補問題，因立法院集會法定人數只需要委員總額五分之一，現在在台委員人數尚多，停止遞補，並不致影響集會。惟立法院委員中最近尚有提案請予取消停止遞補之限制，以後仍有缺即補。二十五日討論此案時，遭到二百餘人之反對，大家為避免發生不必要之糾紛起見，此問題即算告一段落，當由原提案人自動撤回，即在立委延長之任期中，出缺時，不再由候補委員遞補。（陸浮，二十六日寄自台北）

英美政制自難強合 人心不同各如其面

・陳克文・

閒話 民主

「哲學家的『理想國』只是一種離奇夢想，沒有實現之可能。憲法是沒有十全十美的，每一國的憲法都各有其優點，亦各有其缺點。其作用在求適合國情，故任何一國不能隨意取別國的制度，以修改其本身的憲法，此乃政治科學的真理。人之不同，各如其面，種族與國家亦復如此。沙漠居民自有其適合其生活環境之法律與習慣，惟彼等無須因此而違反自然律。自然律並非與習慣或文化同為一事，因自然律普遍於世界人類的。……英美憲法以及其他各國，各具其本而不成其為民主國家。試以英美之政制作一比較，英國係一歷史傳統之國家，其領域之大不及美國四十八州之一州，美國大陸比較英倫……蘇格蘭、威爾斯、英格蘭以及其他大小島嶼，面積不及九萬方里，美國面積則超過三百五十萬方里。……美國民主之五項條件，憲法雖不能違……由此邦國家一聯，美國為一國家之一單位，各州有其自主之權……自由主義之精神，美國實……

和約突告成功 我方讓步最多

這等於向日本人民說明，六年半以前將總統對日寬大的諾言，現已完全兌現了

【本報台北特約通訊】中日和約急轉直下，在二十六日，此間尚僉認雙方意見，距離甚遠，並絕少有人想到，舊金山和約生效的二十八日這一天，此和約即可簽字。台北人士，於睡了一夜之後，二十七日上午，全市即騰傳日本最後訓令業已到達，則消息證實雙方已於二十八日得最後妥協，及下午在台北賓館舉行簽字。……最大原因，係遠東局勢緊急之故。……

均以前爭執之處較多。大讓步，在和約第三條，造成了如此局面，尤以我方讓步，對中日財產歸還問題，所以保留性質，再不肯同意者將來討論。……和約上訂明日本在台灣之公私財產，我國將日本在台灣之工業，及私人資本，如一律交還……以「留待兩國政府間另行商訂」一句換文，我方所要求「照中國大陸範圍」，此外尚有多處宣稱對日寬大的諾言，現已完全兌現了……

……蔣總統於六年半以前所說的「以德報怨」，現在已完全履行了。

張羣準備行裝 出就首任大使

和約一經簽訂，立法院的批准，引起大家關切的兩件事。第一，是立法院的批准，當然不會有問題，……第二，誰做第一任駐日大使。……將由張羣出任。據可靠消息，張已在趕作赴任前的各種準備。（平平，二十八日寄自台北）

鐵幕以外的讀書人

浮滑有餘 堅強不足

上接第一版

原來，近代的中國讀書人，由於多數都受了不良政治風氣的薰陶，大都熱心於投機奔競，很少人注意到國家的問題。所以當中共竊據大陸之後，即使是平素崖岸自高，在文化界負有重望的學人，一旦面臨中共的威赫，亦鮮不神志搖奪，不能自持，於是自動「靠攏」者有之，被迫「學習」者有之，要皆無以保持其人格的獨立，良心的尊嚴，大抵相差並不太遠。當然，在中共暴力脅迫之下，要一個手無寸鐵的讀書人……

……就是生活在這個自由的地方的讀書人，除了少數基於平素學問修養，良知呼喚，敢於面對現實，放射出多少「書生報國」的光芒火花之外，仍然有不少人，或者初時存心觀望，……或者受了「進步」的偽裝……這些讀書人，一般說來，器識有餘，浮滑有餘；堅強不足，深沉不足，寬大不足，厚重不足。……今天國家前途的隱憂，是大家對知識份子有所要求了。

亡絕續的時候，亦即為知識份子發揚蹈厲的時候，如果這一代的讀書人，仍然無以表現其激濁揚清，那便救亡起衰的氣質，作是讀書人本身的不振。因此，如何培養有器識的讀書人，我們應該具有一個知識份子，和對國家負有重大責任的人，都必須有所省悟。

張君勱過日赴美

【本報專訊】民社黨領袖張君勱，自遊東南亞各國後，返港後，與張發奎、顧孟餘等留港各名流，一再交換意見。最近已乘輪赴美，行前曾留有一文，以「答客問」的體裁，解說此次在東南亞，如印度、印尼、澳洲等地所得印象，最後對反共抗俄，提出了若干主張。此文將由某週刊發表。張氏過日時，已先約定現在日本之前廣西省政府主席黃旭初到輪上晤談。（一知）

中共幹部土改後搖身一變
新地主與高利貸

各地共幹，分得肥田，自己不肯勞動，雇用貧農代耕，並在鄉村大放高利貸，剝削窮人，現各地多稱共幹為「新剝削階級」，放「超級閻王債」

【本報漢口特約通訊】中共土改的唯一號召，「打倒地主」，因為地主是剝削階級，自己不勞動，剝削別人的勞動，所以必須打倒。現在，土改以後的情形怎樣？不錯，地主打倒了，但新的地主，也就是新的地主階級，馬上就業已跟着產生。這新的地主階級，同時還兼任了新土豪劣紳。而共產黨官，及共產黨員，則是構成這新地主階級的主要份子。

河南省是中共宣稱土改成績很好的地區。但據最近中共所接獲各方控訴，則均分別指出，中共在各縣鄉區的重要幹部，現已多數變成了新地主階級。因為他們當土改時，大權在握，最好的田，儘先歸為已有，且畝數特多，房屋，農具，耕牛，更是任選挑選。至所謂貧雇農，則僅是名義上的分田，凡幹部們挑選所賸下的一些水利不夠，收成最差的土地，他們才有機會分到。不過幹部們儘管分得好田，卻自己並不肯耕種。或雇工代耕，或租給貧農，他們每年坐享別人代耕的收穫，他們給予雇工工資之少，及所收佃農租谷之多，其剝削程度，都是超過以前所謂地主階級好多倍。此外，一般貧雇農要耕種所分又磽又少之田地，他們既無種糧，絕少耕牛、農具，沒有法子，只好向已分良田，且以土改時貪污關係腰纏纍纍之共幹，請求借貸。這時共幹們就利用機會，大放其高利貸，其高利的標準，也絕非以前地主們所可比擬。鄉下人把過去地主們的高利貸，稱作閻王債，而把現在新地主階級的高利貸，稱作超級閻王債。下面的若干事實，就是新地主階級剝削農民的驚人表演。這些事實，雖發生在河南，但我們相信，整個中國大陸，大約都是老鴉一般黑，不會有什麼例外。

貧農借麥一石一斗 破家不足賣身兩年

正陽縣二區楊閣鄉黨支部書記王新得，他原名王大虎，自從土改分得肥田三十多畝，黃牛兩頭，莊屋十餘間，為表示與過去地主階級舊有資產不同，特將自己名字，改為「新得」。並以自己身為共幹，公務太忙，未便自行耕種，特雇用長工，和黃牛一犋，代他勞動。他於是終年不勞而獲。他又以土改時剝削之利分贈區，鄉主們，使得他們金銀現款很多，為使其繼續生利起見，異想天開，竟公開宣傳，「放債光榮」。自己以身作則，大放高利貸。他和該縣農民協會主席常庚臣合作，向[illegible]現款以糧食的貧雇農，任意榨取。常庚臣是老共幹，正陽淪陷，就以放高利貸，大發其財。他們兩人，規定利率，下種時，借麥一斗，到割麥時，付還兩斗。至借貸現款，通常是每月大三分，即借款一百元，每月利息三十元。該鄉張砦村貧農趙大錢，借了他們一石一斗麥，利上加利，到去年陰曆年底，趙無法歸還，王新得和常庚臣竟帶同槍兵，到趙家，於除夕深夜，將僅有的幾斤米搜去，還迫令趙把所住的一間房子，寫了賣契，作為抵償，還下欠二石六斗，再由趙立字，允給他們二人，各作雇工一年，不收工資。似此殘酷剝削，在他們卻視為天經地義，並與共黨教條有何不合！

中共黨部討論放債 公安局長派警追錢

外該縣六區喻麻莊鄉農協主席彭自然，在土改中，多佔了許多肥田，並特別分了幾條牛，一些農具。自己藉口身為主席，無暇勞動，雇了幾個長工，大過其新地主階級的剝削生活。楊閣鄉中共支部，所有共幹，竟公然在會議席上，提出如何放債，如何保障債權等問題。

確山縣塝子營鄉農協主席侯得山，將去年所收他人代耕的租谷，以高利貸放出七千七百八十斤，約定今年秋收每百斤收息八十斤。同縣四區大樓莊共產黨員張學

一擱兩年聽其腐爛 官僚作風如此如此
公文一再往來木料無人運走

【本報上海特約通訊】一向自吹辦事敏捷，效率最高，而痛罵過去國民政府官僚作風的中共，從最近此間解放日報所載一小事，就可確切證明今日中共的官僚作風，比過去僞只有加無減。

事情的經過是這樣的：浦東高橋上海煉油廠大門口，從一九五〇年十二月四日起堆了七十一根大木料，直到現在，還未搬走。煉油廠曾先後向主管此項木料的華東區物資清理調配委員會分會去函多次，始終推延。有人致函解放日報，謂木料露天擱放，霉爛可惜。上海煉油廠，乃將前後經過，函告該報，明責任不在煉油廠，完全由該函內容，可以看出中共之官僚作風，推拖，無論機關大小，均如此。茲照錄原函如下，以供被中共所欺騙之海外同胞。

上海煉油廠致 解放日報原函

編輯同志：轉來鄭邦同志一函已悉。查放在本廠門外椿木七十一根，係於一九五〇年十二月四日上繳華東區物資清理調配委員會分會，暫由本廠代為看管的，曾將木身架高過，以免腐朽，并繫了一鐵絲，以免散亂。於一九五一年三月廿四日發現一部份原已腐爛，堆在下面的椿木，恐日久下陷，及於地面，曾呈請本局上海辦事處，催請清調分會洽提，可是經過四個月未見來廠辦理。同年七月廿五日再請催提，八月廿八日又請洽催速提。迄九月一日才接到上海辦事處通知謂：已接到清調分會復函，已交上海信託局處理，由承購機關派工來廠驗看，將木堆拆開，用斧劈看，散置路旁，分成數堆。經過三個半月，又未見前來提運，再多次電請本局上海辦事處轉催，到十二月九日奉通知謂：該批木料已由清調分會轉撥中國煤業建築公司華東區公司。但因多日未見來提，於一九五二年一月十五日再催該分會從速辦理。接上海辦事處一月十九日抄件謂：華東清調分會已函煤建公司與姚之屏同志洽商運費及加工費等處理辦法。相隔月餘，仍未見處理。在二月廿五日，本廠又派員赴該會催辦。至三月五日，該分會始派余德賢同志會同煤建公司張譽堯同志前來看料，並謂不日即來提運，同時還詢及碼頭工人搬移下水費用等情。迄今月餘，尚未見前來，最近亦曾催詢清調會速提，關於這件事情辦中。本廠在未處理清楚前，分會速辦。燃料工業部石油管理總局上海煉油廠啓。（悠然，廿四日寄自上海）

因此討了好幾個小老婆。

信陽縣縣委兼公安局長韓靜德，強調公高利貸可以扶助貧農，他自己放出好幾億現款。每月派警察下鄉收取利息，任何債戶，如到期不能還款，動輒由警察押進縣城，苦刑追討。（懷民，二十五日寄自漢口）

所得地租之外，於本身分得田地之私，又新向其他無資本耕種的貧農，一次買進了八畝田，自己不耕種，不雇人代耕。每年收入，不勞而獲之糧食很多，他

偽中南農林部副部長
朱江戶表演兩副嘴臉
施酷刑虐辱婢女時兇惡儼若煞神，被同黨挾嫌鬥爭時卽馴服如同犬馬

【本報漢口特約通訊】在國民政府時代，中共天天喊「保障人權」，等到他們竊據大陸沐猴而冠之後，根本已不把老百姓當人看待，是以什麼蹂躪人權的事都做得出，最近轟傳華中的偽中南軍政委員會農林部副部長朱江戶虐待其房堂妹朱元芝事件，即為中共「保障人權」的一個典型範例。

共幹視婢女如豬狗

朱元芝原是朱江戶的一個遠房堂妹，因父母雙亡，一歲時就到了朱家，由朱家的老媽子把她帶大，從七歲起，就過着孤苦無告的婢女生活，餵雞，餵豬，挑水，洗衣，聽候差遣，向不敢違，稍不如意，朱母就打駡隨之，且不准吃飯。九歲，就上山打柴，供給朱家全部煮飯的柴火，因人小氣力差，砍的柴自不夠用，於是朱母常罰她跪在廚房裏一整天，有時飯菜做壞了，就將一鍋熱飯菜全潑在她臉上，並用刀背亂打，以此，她臉上身上總是青軀傷痕不斷。有一次，在河邊洗衣，她疾癒了，想回家去，怕挨打，沒有辦法，祗好像死人一樣躺在河灘上。朱江戶夫婦，雖是共黨老幹部，但一向存着騎在人民頭上的作風，對於這孤苦無依的遠房堂妹，更當作牛馬一樣作踐着，在不死不活中，朱元芝竟挨過了廿年。

聽講演挨一頓毒打

去年春天，朱江戶把「愛人」同三個孩子接來漢口，全家六口（朱父已死）不勞而食，由朱一人侍候，洗衣、做飯、餵孩子，給朱老婆倒尿倒屎的代價是，冬天沒有棉褲穿，夏天沒有蚊帳掛。廿歲的女孩子懂得好歹了，她常默想：「共產黨是說幫助窮人翻身的嗎？為什麼我在『解放』後的共產黨天地裏一點翻身的希望都沒有呢？」苦悶之餘，她偷偷的抽暇和隣居老媽子去聽附近「解放軍」宣傳窮人翻身的道理，不料未能止渴，却給她帶來一頓毒打，朱江戶在發現她聽宣傳兩次以後，除了用繩將她吊起來，罵她：「到處找野男人」，「想嫁給解放軍做老婆」和一些不堪入耳的話外，還用籐條子將她打得死去活來，直逼到她承認「是想找野男人去的」纔放下。

上月三日晨，朱照例上街買菜，因朱妻給他的菜錢不夠，就將自己儲存的過年賞錢代墊了二百元，回家報告朱妻，誰知反遭大駡：「你這個賊種，好事不學會，『貪污』却不用教，你那裏會有錢？是偷我們的，你給我滾！」立刻就僱了一個女工來代替她燒飯，同時又把她的被褥衣服等雜物全部「沒收」，朱跪地哀求了一整天，朱夫婦堅不為動，僵持至深夜十一時，卒仍將她剝剩一身單掛褲，在春寒料峭中趕出了大門。

派系鬥爭乘機報復

在喪失人性的共幹看，這本不算什麼一回事，奈朱犯了中共所駡人的「脫離羣衆」，「剝削勞動」，「官僚主義」，「地主行為」，「惡霸作風」太厲害了，且朱平常人緣極壞，他倚仗自己是正牌老共產，把左右逢迎的頂頭上司陳銘樞「部長」，以及若干奴僕黨人物，向來不放在眼裏，以是積怨甚深，陳等也就乘此機會來搞他一下，先是唆使朱元芝以被害人身份向報館投函「控訴」朱的「非法虐待」，繼而又以「讀者」張先鬪的名義向報館檢舉朱的錯誤，說他違背「政策」，蹂躪人權，且於朱元芝被虐待事件以外，還牽涉到朱的貪污腐化。他的檢舉函第二段說：「他生活上存在嚴重的享樂腐化的資產階級思想。他不是誠心誠意無條件的為人民服務。他拿着人民給他的待遇，還覺得這也不舒服，那也不很稱心，處處跟人家比享受而不跟人家比工作。因他只有那種剝削階級的思想，而缺乏為人民服務的思想。因此常在工作中鬧情緒，不負責任，卻把大部心力放在那些汽車、沙發、香煙的問題上。他到東北參觀時，自己用了公款買蘇聯毛毯，買廿萬元一斤的洋參，牛油、咖啡、茶葉、水果等，他借回來清理賬目。有一次他到中南財委會去開會，因汽車往返很忙，不能使他一人獨乘一輛，他即很不滿意，當即氣憤地叫他的警衛員：『替我打個電話到財委會，就說我不去開會了。』因為沒有單給他一輛汽車坐，財委的會竟不願參加。」

朱江戶不敢硬挺了

朱江戶看到這些控訴和檢舉，知道問題已不是朱元芝小小丫頭的問題，他並明白，是共黨內部某些人物，對他仇恨已久，他為了避免擴大，於是趕快低頭，認罪一番。在報紙上刊出他的悔過書。在悔過書中，充分表現了共產黨得意時唯我獨尊，失意時即叩頭求饒的那幅嘴臉。他向中共哀求，願意接受任何處分。至中共方面，想藉機清算他的那些仇人，能否因此罷手，則記者此信發出時，還無從分曉。（懷民，二十四日寄自漢口）

河南有此謠言
人民要死一半
今年六月將降紅雨黑雪

【本報漢口特約通訊】中共運動農民反共，湖南，湖北，河南，江西等省均到處勃發。中共雖派軍鎮壓，無如此仆彼起，且均係零星小股，無法消滅。最近湖南茶陵縣七區東冲鄉，農民竟公開召集大會，主張將本鄉共幹，一體殺光。湘陰縣趙金山鄉農民周曉春，糾集多人，到處放火，燒毀中共糧倉。有南七縣，因游擊隊勸阻，至今湖南全省荒廢，無人耕種，生產對中共推行之春耕，多有破壞。今年中共因提高糧額，農民終年勤苦，所得除繳納以外，家用，食料，均不足，以農民均無力購種子肥料一粒，中共既不理，私人借貸，利息奇昂，中共調查，以湘南為尤甚，耕地有五分之一，至本月十五日止，尚未耕種，已陷於荒廢狀態中。

河南息縣烏龍店鄉農民蔡西華，因共幹曾於土改時指為富農，將他田地房屋一律沒收，他竟將被沒收之屋，全部燒光。沈丘縣之酒店，小村，有一千餘株大樹，殺人放火，淮陽縣十二區張村共幹住宅門前，發現手榴彈一堆。

衡陽民衆反共
已在大雲山建立基地

【本報讀者投稿】由衡陽抵港之友人，向編者談：渠於本月十二日離衡。由某氏領導的衡陽民衆反共抗俄自衛隊，在縣西大雲山已建立了穩固的基地，自農村饑饉以後，四鄉及鄰（陽）邵（陽）一般青壯農民和失業工人，均相率參加，使它一天天擴充，從三大隊和一個政工隊（專幹部）手槍組（五個刺殺組）五個爆破組，一個情報組，破壞鐵路公路橋樑涵洞等，控制了四十華里範圍地區，縱橫於他們的組織系統，一個周能夠步步戰鬥，更能獲得民衆合作的力量，中共人民政府的「剿匪」，於是又施展其「四大」，均勞而無功，「政治瓦解」的故技，一面誘脅當地黨擁份子劉[illegible]等，立功」，要他們再一次「招撫」，而由偽「縣長」親自出馬，[illegible]

女副市長 捉男教員

衡陽「中蘇友好協會」同「民主婦聯」，於三月廿日在中山南路「文化宮」開展「中蘇友好圖片展覽」，內容為「蘇聯紅軍」，「中共主席」，「毛澤東」，「周總理」，「史太林」，「莫斯科」以及「蘇聯人民日常生活」[illegible]

趕造武器 加緊援越

衡陽兵工廠規模較大，而之供應越盟之一，而正公安部在編撥工人數大量增加，在技蘇聯「指導」之下，修理槍械，及日夜加緊製造彈藥，自西站。由衡陽起至桂林湘桂鐵路，衡陽至越南邊境三月底止，共已運送步槍三十餘批，多由該站起運，步槍，迫擊砲彈，手榴彈，其物資中，由衡陽兵工廠印有紅色「中」字。（衡陽兵工廠均印七西有紅色製上字）（知幾）

杜魯門的賢內助為方

杜魯門夫人在白宮招待婦女們茶會時，有人提議推舉她爲婦女界的總統候選人，象徵她的帽子向大衆揮舞，以示一致擁戴之意。她立刻摘囘自己的帽子道：有資格競選總統的人已經很多了！這句話確很幽默，也很理智。

據說這次杜魯門之聲明不再競選，多半就是接受太太的勸告而然。她住在白宮已七年，感覺那種官場生活，實在不如米蘇里州的鄉村生活遂甚。她既沒有阿根廷的貝隆總統夫人那種化國爲家的大抱負，要想競選副總統與良人共理國事，也不像故羅斯福總統的夫人對政治那麼有興趣，而且，連自己最鍾愛的女兒亦已當衆表示過擁護「阿艾」作總統了。她當然不願鼓勵她競選這類大煞風景的「米湯經」。但她的答覆很有意思，你說她是謙遜也可以，說是諷刺更可以。杜魯門之樸僕，杜夫人之瀟洒，杜小姐之驕縱，這在民主生活慣了的美國，原不算甚麼，倘若在亞洲各國的社會中，可謂奇蹟之至！

假使美國婦女界一致擁戴羅斯福夫人競選的話，我敢担保，她一定興致勃勃，決不辭謝的。天下事每每如是，熱中的人，大家偏偏不願捧，恬淡的人，卻隨時博得羣衆的推戴，政治上尤其是這樣。杜夫人能夠說服丈夫不再競選，深得中國黃老之術的精義。這位賢內助，將來在美國政治上也絕不了要提她一筆的。自來政治人物由於婦女關係而成功者固不少，失敗的更多，杜魯門卻是因此而成功的一個哩！

自由談

慰勞

・老敢・

淑芬與翟地隨着大隊青年男女到了瀋陽。「參加」的「光榮」，在她心裏翻騰着，像一團火。

她被編進了文工隊，開始受訓。上午是政治課，下午是練習秧歌、腰鼓，和排演新劇，晚上是開會檢討和文娛活動。這和南方學校裏的生活差不多，而且更加自由了，這是說擺脫了母親時時的管束。管理着她們這一些女文工隊員的，是一個中年的女指導員。在開會的時候，她經常地講話，要她們打破男女的界限，打破禮教的束縛。爲了「抗美援朝」，「愛國反帝」，要勇敢地犧牲自己的一切。她們不再是躲藏在深閨裏的千金小姐，而是革命戰場上的女鬥士。天真的淑芬，聽到這些新奇的言論，鎭日家跳呵唱呵地，雖然忙得一點空閒都沒有，她卻覺得確乎比從前是快活得多了。

她的聰明漂亮，使她在排演新劇的時候，便當選了女主角。而這位女指導員，更是特別對她表示親熱。常常單獨和她談話，鼓勵她「前進」。得到這位女指導員的另眼垂青，她好像比別的隊員高了一頭，自然的更心花怒放了。

兩個月的訓練期滿，她們被遣送到北韓戰場，開始在「志願軍」中展開了「慰勞」工作。第一天演的一齣「白毛女」，轟動了全團的「指戰員」，連團「指導員」和團「政委」都表示很滿意。淑芬是劇裏的主角，女指導員特別給她安排了一個單人住的房間休息。連日來舟車勞頓，以及這一天演戲的辛苦，使得淑芬感覺到特別的困倦。晚飯時女指導員拿了些酒和罐頭來，說是「團指導員」特別送給她的，並且勸她多喝幾杯酒，說酒是能夠解除疲乏的。她胡亂地吃了一點酒菜，覺得身體實在支持不住，也不管那位女指導員走不走，她倒在舖上睡了。

半夜裏好像被一個很沉重的東西，壓住了自己的身體，淑芬驚醒了。夜是漆黑的，什麼都看不出，她想喊，但是喊不出來，嘴也被那人給堵住了。她驚慌恐懼，但除了忍着痛苦，任人擺佈外，還有什麼辦法。

等到她勉強從舖上掙扎起來，突然一道強烈的光芒射到她的臉上，使她睜不開眼。等她能夠再睜開眼的時候，才看見了手電筒，看見了手槍，看見了一只發着獰笑的鼻孔，「團指導員」的面孔。

她哇的一聲哭了起來，她不知道哭到了什麼時候，等到天已亮了，「團指導員」也不知在什麼時候走了，在她面前站着的卻是那位女指導員。一見女指導員的面，她越發哭得響了。好一會，才斷斷續續說出了昨夜的遭遇。「不要哭，」女指導員卻若無其事地說，「你想想，我們不是來慰勞的麼？他們爲了抗美援朝，生命都可以犧牲，難道我們女同志犧牲這麼一點，就不可以？一個獻身革命的人什麼都可以犧牲。這算得了什麼？你要知道，這還不是你的損失，還正是你的光榮。我不是早就說過，要打破一切麼？你一向很進步，怎麼又一時糊塗起來？快別哭了。再哭要受到批評了。」

女指導員勸止了她，叫她好好在屋裏休息，今天也不用再演戲了。並且囑咐她，到晚上的時候，如果團指導員再來，千萬不要固執，因爲雙方已經發生了不尋常的關係了，以後還有什麼呢？說完，女指導員走了。

一整天淑芬都沒有出過屋門，送了飯來，她也吃不下去。她想到死，卻又沒有這個勇氣。她決定辭職不幹了，擬好了一個報告，想等女指導員來交給她，但是女指導員沒有來。挨到晚上，她又聽到一聲門響，她的心猛跳起來，門慢慢的打開，可是進來的竟是「連政委」。

這人不像「團指導員」那麼粗鹵，在外表上還顯得有點溫柔。他先堆着滿臉笑容，誇獎淑芬「演技妙絕」，接着談到由於內心無比的傾慕，已深深愛上了她，希望她接受他的愛。他逐步挨到了她面前，把手搭到了她的肩上，另一隻手握住了她的手。她急得說出「團指導員」要來，希望把他嚇退，然而沒有用，他已大膽地把她抱到懷裏，終於糾纏在一起。忽然，木門上的那門給推開了，進來的一個人，正好是「團指導員」。他用手電筒一照，沒等睡在舖上的這一雙男女看清楚是誰，馬上拔出手槍，砰砰兩響。舖上的兩個人扭動一會，便聲息全無了。

萬竹樓隨筆（九二）

羅貫中其人（上）

・舜生・

從前的中國人著書，本來有兩種習慣，一種是根本不寫出作者的姓名，或隨便寫上一個毫不相干的名字；還有一種是作者自己不敢或不願出名，而假托一個古人的名字；不僅高文典册如此，即寫小說或戲劇的人，也往往如此。其所以成爲這樣一種情形，原因大致是這樣的：有一種人，他本來有一肚皮的話要說，能說出便舒服了，至於有不有人知道是他寫的，這在作者看來，原沒有多大關係；有一種書，其內容在出書的當時是頗犯忌諱的，如果作者把自己的眞名實姓寫出，可能發生相當的危險，因此覺得不如隨便寫上一個名字或假托一個古人的名字要比較的來得安全些；更有一種作者，他對自己的作品並不是沒有自信，不過他相信當時的人不一定能夠了解，而且可能發生誤會，同時他也相信後世不會缺乏考據家，橫豎會有人代爲考證的，因此他更樂得藏藏躲躲，把自己的眞姓名實行隱諱起來了。

近年自胡適之先生提倡以後，考據小說也成了一種風氣，可是在中國小說史上一個地位很重要的羅貫中，卻至今還沒有考出一定的結論。

有人說他名本，字貫中；有人說他名貫，字本中；但我們假定他叫羅貫中，大致是去事實不遠的。至於他的籍貫，有的說是廬陵，有的說是杭州，還有人說是太原，但大致說他住在杭州最久的一說相當可靠，至於他的原籍究竟是那裏，這也就很難說了。一般都假定他是元末明初的人，這一說也大致是可信的。

他是一位寫歷史演義的小說家，但對於文學的造詣並沒有什麼了不起，相傳下面的幾種書都是他寫的：一、三國志演義，二、水滸傳，三、隋唐演義，四、說唐，五、平妖傳，六、粉妝樓。

關於三、四、五、六、四種，姑且不去管他，我只拿擁有讀者最多的『三國』和『水滸』這兩種來說一說。

單就文字的技術或文學上的價值論，我實在不能相信這兩部書是出於一人的手筆。

胡適之說：『三國志演義不是一個人做的，乃是五百年的演義家的共同作品。』這個說法自然是很妥當的。同時我們也可以說：水滸傳也決不是一個人做的，其故事是由『宣和遺事』的前後所積累，其構成今天這樣一部水滸傳（指七十一回本）的形式，也許是由羅貫中這個人所草創，但可能是經過一位姓施名耐菴者的大手筆一番修改，甚至於是通篇寫過，而在所謂施耐菴其人之後，至少還增加了不少金聖歎的成分。金聖歎對於現行七十一回本水滸的關係，大致是和毛宗崗對現行百二十回三國演義的關係差不多，不過金的本領更在毛之上就是了。

瀛海漫談

史丹倍克駁斥蘇聯歪曲宣傳

・凝之・

史丹倍克的小說「憤怒的葡萄」，自然是一本名著，但其所以在鐵幕之後行銷最廣者，到不是基於文藝技巧的成功，而完全是爲了政治的理由。因爲這部小說以三十年代的美國經濟蕭條爲背景，描寫着中西部農民工人輾轉流離的苦況，正好被克里姆林宮利用爲宣傳資料，歪曲原意，用以說明所謂資本主義的衰落，以及其將歸崩潰的必然性。何況著者又是享有世界盛名的文學家。（本書並曾攝成影片，滬譯名爲怒火之花，獲過最佳影片金像獎。）

史丹倍克所描寫的自然是事實，但卻是三十年代初期的事實，而絕非四十年代以至五十年代的美國。在那次世界經濟恐慌之下，到處工廠停業，商品滯銷，原不只美國一國爲然。至於當時蘇聯人民的生活情形，實際比美國中西部的工人更壞，他們不只沒有流亡的工具，有如史丹倍克小說中的那部破汽車，甚至連流亡的自由都沒有。但無論如何，鐵幕後的一般人民，總是從這本小說得到了美國工人生活困苦，美國經濟即將崩潰的印象。

最近史丹倍克自己在美國之音的麥格風前，來矯正他那部小說所造成的錯覺了。在一次談話節目中，史氏說明了美國從那衰落時代到現今所產生的進步，和那些悲慘情形怎樣獲得廓清，他並且強調說：「我們能夠造成此種進步，使正足以證明美國的安全。」

「當我寫憤怒的葡萄時，我看到當時某些人對於其他一些人有失公平，我確是充滿着憤怒。」「但是那些流亡者的第二代，」他繼續說：「卻成爲加里福尼亞州社會上頗有地位的人物——他們在當年是隨着父母從阿堪薩斯，德克薩斯和奧克拉荷瑪各州逃亡而來，現在都做了律師，牙醫，農場主人的老闆，即使你看見了他們，你也不會認出他們便是當年乘着牛車輾徙流亡的那一羣了。」

憤怒的葡萄的時代在美國早已成爲過去了，現在如果要再寫這樣的小說，只有在鐵幕之後，纔能提供無盡的這類題材。

過度興奮

・世界點滴・

英國儲君，三歲半的查理斯王子，最近第一次到溫莎的王室教堂做禮拜，他一時過度興奮，大嚷起來，母親，父親和姨母瑪格烈公主一起喚喝，制止他不了，結果，祇好由婆婆老母后伊莉莎白把他抱了出去。（子由）

悼柴春霖先生（下）

・鶩鴻・

他在美國讀書很久，對於美國情形很熟悉，回國後，歷任各大學教授，在國內學術界，也有相當地位。他的著述不多，僅有國際公法，及唐宋時代文化兩種。他曾說過：「一個人東抄西抄，鈔文弄墨，濫發文字炫世，這是學者的大病，故必須眞有研究，眞有益於世道，人心，及學術的著作，才敢發表，以免自誤誤人。」他這種虛懷若谷，自尊自重的態度，很值得佩服的。

我對東生的佩服，不在他的學術，而在他的器識，所謂「士先器識，而後學問」。大凡器識不宏遠，心地不光明，態度不磊落，胸襟不廣闊的人，縱是因緣時會，博得一時名利，那也等於無源之水，不旋踵便要涸竭的。

我和東生，時常討論立身接物之道，我是素來主張一個人要做到「廓然大公，逆來順應。體任自然，無拘無束。大德不踰閑，小德出入可也」。東生雖然不反對我的意見，但他對於養生工夫，的的確確然，無時無地不十分矜持的，起居有定時，飲食有定量，工作與休息時間，分配得適當，我總說他太機械，太板滯了。他時常規勸我說：「你對大事，很能注意，經常小地方，輒有忽略，多少有點犯舊日文人浪漫的積習。」他的言語很誠懇，我現在回憶起來，愈覺得他的偉大，和對朋友的溫情。

東生體質很結實，也很講究衛生，一粒米，一滴水，總是審慎而後入口。他曾勸我檢查身體，我說我的身體很好，他硬要我檢查，結果各部份都很正常，他很愉快，現在想起來，像這樣熱情朋友，人生能得到幾個呢？

有一天，他對我說，他要擺脫一切，前往台灣，共赴國難了，他以爲政府的措施，勿論好壞，自由中國，我們要竭誠擁護的；我們的本位工作，我們要負担起來的；我們要用最大的努力，敦促政府改革；我們要用最大的努力，敦促反共團結；凡有影響團結的障礙，我們要設法排除。我在原則上不反對他的主張，並期望他的主張，能夠充份實現。

還有一件小事，也值得我紀念的，他在香港購得清代畫家陳曼生一本册頁，很精巧，也許是陳氏晚年得意的作品，他很珍愛這本小册，我也有同樣的感想，他明白我的意思，毅然分割出四頁贈我，我當然不便接受，他說：「這四頁合價值一百元，將來到台灣後，有款給我，那不是彼此都心安理得嗎？」這四片小畫，現在我的案頭，時時欣賞着，然而，可敬可佩的東生，已慘遭意外，齎志而歿了，我將來如何結束這段公案，尚在打算中呢？

我送別東生赴台灣後，僅通過兩次信，但我時常回憶他的誠懇，回憶他的偉大，而今而後，我惟有檢討我的缺點，彌補我的缺點，珍重我的前途，愛護我的祖國，以報他對我的誠懇和希望，我也只有藉此以慰東生在天之靈。

黑十字

・北晨・

這樣的做法雖不免過火，藍英倒也依了，她已經和洪正池吵得夠累的了，正需要睡上一大覺。其實，白濟宏自己也十分明白，對於藍英這樣個性倔強的女人，這種強烈的手法，也只能適可而止。於是在臨走之前，他又換了一副面孔，小聲柔和地說：

「小英，你自己是明白人，我這樣做完全爲了你好，你的姐姐關照我這樣做的，現在我出去，一兩小時便回來。你要吃東西，可以關照茶房送進來。」

他在穿衣鏡前面端詳良久，摸出衣袋裏的小皮夾。從鏡子裏面看得出，一叠數目不小的美鈔。白濟宏抽出來又塞了回去，似乎是故意做給藍英看的。

藍英忽然記起一件事，記起三年前存在姐姐手裏的一筆錢，那數目說來不小，有兩千塊美金。那時姐姐他們一家由上海撤去澳門。從這件事，藍英又聯想到她的母親和弟弟，她從姐丈那裏要了一筆錢，交給姐姐存着，且曾對她說過，這是母親的養老金和弟弟的教育費。母弟們現在陷在上海。這一筆錢，當自己今天正遇急難，她想何不問姐姐討來應用？她兀自想着的時候，白濟宏踱近來，輕輕地拍了拍她的面頰，輕快地走了。

雙山酒店的六〇七號房裏，四個人正等得急了，白濟宏一進門，四個人都慌忙站起來。除了郝亦臣外，其餘的三個人更是恭敬，等到白濟宏和郝亦臣坐了下來，他們站着一邊。他們懂得白先生的牌氣，人多的時候，他總是那樣過份的傲慢，露出有錢人的鋒芒，專喜歡擺臭架子，何况近半年來，這羣人的景况江河日下，祇求用最卑下的謙恭去博得白先生的提攜了。山窮水盡的時候，白濟宏是他們的衣食父母，現在則已是他們僅有的救星了。

白濟宏手一伸，示意要他們坐下來，從袋裏摸出煙盒，那是一只精緻的銀煙盒，裝得滿滿了金頭的三個「九」。他提得很親切，照例將烟盒送到個人面前，但只有郝亦臣拿了一枝，其餘的人都謝了。（九）

・中篇連載・

自由人

THE FREEMAN

（半週刊每星期三六出版）

（第一二二期）

每份港幣壹毫

督印人：李光雄

社址

香港高士打道六六號

電話：二〇八四八

GLOUCESTER RD.
HONGKONG
TEL: 20848

承印者：東南印務出版社

地址：高士打道六四號

台灣總辦事處

台北市館前街五十號

台灣經銷處

台北市中華路一二五九號

勞動界的新使命

·胡秋原·

在前三天的五一勞動節中，全世界一切體力勞動者和精神勞動者都熱烈的紀念這神聖節日。然最令人不快者，即一般共產黨徒，也在各地舉行別有用心的紀念，並且大搗其亂。我們認爲，本年這一神聖節日雖已過去，但今後一切勞動者必須確認大家的基本任務是：打倒工賊，維護自由人權。誰是工賊？共產黨。共產黨一般而論是人類之敵，特殊而論，是工人之賊。

共黨決不能代表工人 它只對無產階級獨裁

爲什麼說共產黨是工賊呢？

第一、因爲他們是冒工人政黨之名，利用工人，進行謀害人類之工作的。如問世界最大的謊言是什麼，那就莫過於共產黨冒充「工人階級的先鋒隊」，妄稱爲工人階級謀利益。無論俄國的列寧，史太林，中國的毛澤東，沒有一個是工人。而他們偏自稱「代表」工人階級，具有「無產階級意識」。他們也知道不易騙人，便又自稱爲工人階級「先鋒」。試問工人幾時給他們以這一委任狀的？他們不過是利用工人而已。爲什麼他們要利用工人呢？因爲工人自食其力，是神聖的，能得到大家尊敬；工人共同工作，創造世界，有團結精神，是有力量的。他們利用工人做什麼呢？爭取政權。如果他們利用工人爭取政權，能做好事，那也罷了。但共產黨利用工人，不過是建立共產黨獨裁政權，其在蘇俄，進行侵略和征服，奴役和屠殺；其在中國，受俄國指揮，進行賣國和殺人。他們假借工人名義，傷天害理，所以謂之工賊！

第二、共產黨獨裁政權建立以後，首先是建立軍事奴隸制度，強迫奴工制度，強迫工人。共產黨人宣傳，歷史上有奴隸制度，有農奴制度，有「工錢奴隸制度。」他們是要建立無產階級獨裁，以工人作主人，廢除階級制度云云。這話對於工人而言，似乎甚爲好聽。事實上呢？當列寧尚未執政之前，他的朋友托洛斯基就批評他的所謂「無產階級獨裁」（Dictatorship of Proletariate），實際上是「對無產階級獨裁」（Dictatorship over Proletariat）。沒有比這一字之差，更足以代表共黨政權之本質的了。誠然，他們取消了「工錢奴隸制度」。但他們是代之以「無工錢的奴隸制度」。在他們所謂「工錢奴隸制度」之下，工人可以組織工會，可以集體講價，可以自由罷工，可以自由擇業，至少還有自由的家庭。下了工，大家的人格在法律上是平等的。在大多數國家，工人還可以有失業救濟金，及其他勞工立法，社會保險制度。共黨將這一切取消了。在共黨治下，只有共黨指定的工會，只有共黨指定的工資，只能自動減薪和增加工作時間，不能轉業，且更不能罷工，只能餓着肚皮扭秧歌，也不能有家庭。這是什麼？這是超過歷史上一切奴隸制度之大奴隸制度，還是一種軍事奴隸制度。而更壞的，還「有集中營」。還是監獄奴隸制度」。但在文明國家，即使是俘虜勞動，監獄勞動，雖然苦，頭腦還是自己的，不一定時時有死亡的危險。而在共黨之下，稍一不慎，就有殺頭的危險。但謹慎是不夠的，還必須昧盡天良，自贊自辱，同時陷害你的父母兄弟親戚朋友。但這不一定就是絕對保命符。任何時候被共幹看到不順眼，還是沒有保障的。共黨治下一切的人民，連下級共黨在內，都變爲奴工而加以殘害的。殘人者謂之賊，所以共黨是工賊！

第三、共黨爲什麼要實行如此殘酷的壓迫制度呢？爲了實行「經濟的剝削」和「超經濟的剝削」以自肥。誠然，共黨打倒了資產階級。但他們建立了歷史上對獨佔的資本主義。今天世界最大的資本家不是別人，就是史太林！他的享受和作威作福，超過了歷史上任何暴君。另外，政治局十二太保，也是大資本家。所以，俄國所謂社會主義，[illegible]資本主義。毛澤東[illegible]所謂「新民主主義」，實際上是一「痞子資本主義」。一切酒肉洋房汽車和奢侈，都歸於高級共幹。他們活得不亦樂乎之後，還要貪污。肥了共幹，瘦了工人，瘦了人民。所以說共黨就是工賊！

第四、共黨不是如此就了事的。他們深知，要維持及擴大其工賊特權，必須擴軍，必須侵略。他們想將[illegible]辦法擴張於世界，以保障共黨子孫萬世之業。於是，俄共便由共黨變成爲「共帝」，而中共又成爲「共帝」之走狗了。這便是共黨之本質！人民之敵，工人之賊。這工賊毛賊不打倒，工人沒有生路，任何人沒有生路！

勞動者一律是自由人 應打倒工賊與「共帝」

除了打倒工賊以外，勞動者當然有其任務，如建立獨立的國家，增加生產，進步與繁榮。其[illegible]福利之增進。我們知道，實現工人福利，首先必須爭取工人權利，健全工人組織。但我們也知道，工人權利與一般人權是不能分離的。工人組織，與一般民主組織是不能分離的。所以，明載於「世界人權宣言」的[illegible]權利，在今日世界已不是孤立的。工人一切的利益，是與自由的社會，其一切財富文化，都是工人所貢獻的。工人必須與民主人士合作，與一切朋友，一切民主團體合作，共同奮鬥。但是，我們斷不能容許有害工人的工賊！今天儘管工賊們還想騙人，但香港工人眼睛是雪亮的。香港人對大陸一切，是看得清清楚楚的。香港的工人爲了自身之利益，爲了祖國的前途，爲了全世界的自由民主，只有在民主自由旗幟之下，團結起來，與共帝作堅決的對工賊與共帝的奮鬥。

由於民主國家的迂腐癱瘓 蘇聯決相信「勝利在我」

「不鼓不列不禽二毛」那一套作法實在需要改變了

·一丁·

從五一勞動節史太林指揮下全世界若干地區，尤其日德共黨的暴行，可以看出，由冷戰轉入熱戰的時期，確已愈逼愈近，火藥氣息，十分濃厚，那些夢想和平，並以爲民主國家力量加強，史太林將知難而退的人們，應該可以迅速覺醒了！

「給你一點顏色看」

史太林在這一紀念節日，親身出現於莫斯科紅場，飛機，大砲及各種新式武器，儘量在這一機會，提出表演。戈夫洛夫元帥，在紅場對武裝士兵發表狂暴反西方的激烈演說，他指聯合國在韓作戰爲「土匪戰爭」，指所謂從事細菌戰爭者爲「戰爭罪犯」，他保證能予侵略蘇聯的敵人以殲滅性的打擊，雖然這些都是俄共每年照例演出的戰爭八股，但今年這一次，可能已具有進入假戲做的決心。特別在日德兩國，蘇聯組織大規模暴動，這正等於說明了，日德的重整武裝和加入西方集團，無論如何，蘇聯是不能坐視的。日本的舊金山和約，剛於上月廿八日生效，僅僅三天工夫，牠就能命令日共，造成這一個轟轟烈烈二三十萬的大暴動，以石子及棍棒襲擊美國人，推翻美軍汽車，擊碎美軍遠東空軍總司令部的窗戶，並把所有採訪新聞的英美記者，都打得頭破血流。這種作風，和流氓土匪，毫無二致，糾眾打手，「給你一點顏色看」，意識形態，完全相似。柏林附近的暴動，更是警告西德，「如果你們敢於參加歐洲軍，我蘇聯就一定不許你們有好日子過」。暴動青年大呼「將愛登諾爾處死」，可見這位七十高齡，崇拜民主的老鬥士，在蘇聯眼中，確是一根長釘，必須迅予拔除。自第二次大戰結束以來，照史太林的如意算盤，日德赤化，都只是時間問題，不幸這幾年蘇聯的醜惡面目，竟爲日德最大多數人民所識破，現在與民主集團，密切合作，這叫史太林如何不萬分焦急，惱羞成怒？我們相信，當史太林昨在克姆林宮接到日德共黨暴動報告時，他一定撫掌歡呼，「出了我「一口鳥氣」！

是美日安全問題

不過日本和西德，是否就能被這次暴動，一下嚇倒，尤其西方國家，是否就能因蘇聯威嚇，立遞降表，放棄反共。我們相信，對這些問題的答案，當然都只是一個「不」字。而且正與蘇聯的期望相反，他們只有更堅固團結及加緊整軍的工作。在日本，從這次暴動，顯然證明，現有日本的警察力量，不特國防上全等於零，即維持國內治安，也十分不夠。如此血淋淋的事實，日本人民，安能不觸目驚心，迅圖補救。而就五一暴動情形看來，聚眾至數十萬，傷亡至數百人，且暴徒襲擊，到處以美國軍民爲對象，這絕不是僅僅日本國內的政治糾紛，而已牽涉到美日兩國的共同安全。當日本治安力量還未充分建立以前，美國爲雙方利益計，自也無法袖手旁觀。至於西德，經過這一次柏林暴動，自只有促使即將簽訂之歐洲軍協定，迅速成立。正如愛登諾爾所說，要抵抗蘇聯侵略，只有和西方國家，鎔作一團，共同協作。眼前日本，西德的情勢如此，史太林這一次魔棍指揮下的暴動，也就只有再接再厲幹到底。民主國家與共產世界，終於不能不走上戰爭的道路，唯一原因，就是局勢越來越緊，史太林既不肯放棄統治整個世界的妄想，西方國家又安能無視現實，坐以待斃！

比原子彈更兇惡

一般誤信史太林已感到，民主集團力量加強，不敢妄動的人們，那種說法，實際是適得其反。民主集團，今天是否已眞正力量增強，其增強的程度，是否已足以制服史太林的野心，無論如何，還都是很可懷疑的問題。歷史上窮兵黷武的惡魔，沒一個不是相信自己力量最強，尤其史太林，他除了掌握一般的最兇惡武器以外，還有最足以使他陶醉的；以爲破敵功效比原子彈更大。如所周知，共產世界是百分之百的法西斯，百分之百的帝國主義，但他反而命令潛在民主國家內的共產黨徒，一天到晚，鼓吹民主國家是法西斯，是帝國主義，蠱惑許多腦力不健全的青年，作種種顛覆民主國家的活動。在民主國家內，共產黨可以發行報紙，組織工會，開辦學校，牠擁有大量的金錢，收買意志薄弱的分子，同時暗殺強硬的反共志士。牠利用民主自由，一天到晚做反民主的工作，到底要推翻民主國家。而許多民主國家，培養共產細菌的溫床，直到今天，對若干堅決反共的措置，如「確認共黨爲非法團體」之類，還是不能一律通過。國會以忌法西斯的，就怕給共黨以口實，某些明明鼓吹暴動破壞治安的報紙，不能立予懲罰，更多時曠日持久，給予共產宣傳的機會，更不反而容許有「不鼓不列」，「不禽二毛」的作法，在下的民主原則下，第一，固然未可全非，但今天與強大共黨艱苦鬥爭，長此不改，實只有加強史太林「勝利完全在我」的信心。因此，無論如何，一九五二年五月三日的史太林，在他的估計上，絕不會將自己勝利數字，低放於民主國家之下。

不容許再培養細菌

假使民主國家要使史太林相信，民主力量比他強大，他沒有勝利把握，則除了大量製造原子彈及加緊武裝德日以外，另一個更重要的項目，就是在民主國家以內，不能再容許有公然宣傳共產，培養共產細菌的報紙，學校，工會繼續存在。

美國人是否怕死？

·這裏有一個極好的證據·

韓戰進行兩年，使美國青年傷亡數字累積到十萬以上，（到四月廿一日止，公布數字共傷亡十萬七千三百七十一人）。共產黨一向強調美國人最怕死，他們也就一再向全世界宣傳，他們珍惜生命的美國人，現在已如何厭惡戰爭，要退出韓國戰場。

其實，美國人何嘗怕死，尤其爲正義而戰，他們更要以身殉職，好義無反顧，就因他們一向是以開快車著名，美國是一個青年民族，本性好強，他們生命不肯落後，因此損失於汽車的事，也就特別龐大，一九五一年是美國意外傷亡數字最高的一年，據美國旅行保險公司統計，一年中共死三萬七千一百人，共傷一百九十六萬二千二百人，這比傷亡十萬的韓戰，不知加了多少倍，美國人既肯[illegible]生命，那麼他們難道還怕和在韓戰場的共黨，拚一個誰死誰活？（一丁）

「五一」勞動節的東京暴動

在舊金山對日和約開始生效後的三天，日本的共產黨及其同路人，在蘇聯，中共，韓共的策動之下，便居然在五一勞動節的發生了一次空前的反美示威運動。前天在東京參加這一次運動的人數，號稱三十萬，叫出了『美國人回家去』，『反對再軍備』及『反對徵兵，青年人不要再舉起槍來』，等等二十七種的標語口號；其結果則有美國僑民數十人遭受襲擊，美國的汽車十餘輛被燬，日警受傷的有數十名，而破壞秩序的暴徒，受傷及被捕者，亦在百人以上，而另一類似的暴動，亦於同日在京都發生。

在吉田政府一貫對日共採取姑息政策的環境之下，造成這樣一種的不幸事實，這是當然的。日本的外交當局者還只表示願意對蘇聯協商簽定和約，還只表示願意和中共發生貿易上的往來，其後果已經是如此，假定此類幻想已一一成爲事實，我相信到明年的五一節，日本便會有十倍於今年的熱鬧可看，即令還不會有類似邊區政府一類的事實出現，但駐在東京各民主國家的外交使節，却應該提高警覺，確保他們的生命安全，我相信在蘇聯有了不惜發動大戰決心的前夕，她是任何行動也可以採取。

很不客氣的說，中國人爲了對付蘇聯，對付中共，已有了三十年以上的經驗，因爲吃過了不少的苦頭，也獲得了不少寶貴的認識。我主張中日兩國的反共人士，應該整齊步伐，好好的團結起來，爲了亞洲問題來共籌對付之策，我相信，這個時機到今天已經算是成熟了。

時局漫談

舜生

想到三十三年前的「五四」

我們這一期『自由人』與讀者相見的第二天，便是三十三年前中國發生了『五四運動』一個最可寶貴的紀念日。在這個三十三年中，中國人所遭受的一切苦難，眞是令人不堪回首！我們從這種痛苦經驗中所得來的認識，有幾個基本觀點已與我們前此所抱持的不同：

第一，我相信，今後已將不復是『國家的生存至上』，而將是『人類的共同生存至上』。

第二，今後將不復會有一個國家與另一國家間的戰爭發生，反之，一個『國際』與另一『國際』間的激烈鬥爭，則在最近的將來，仍將無可倖免。

第三，民主國家的日趨團結，這是產生未來『新時代』的一綫曙光，凡今日用以準備戰爭的團結方式，與科學效率，一旦戰爭結束，即將大部移用於平時，是即吾人所理想的一個永久和平的實現。

第四，今後既不是一個一個的國家來比權量力以相互鬥爭，便時代以一個一個的民族，各依據其民族的特有文化，彼此爭奮鬥勝，各各發揮其優異之點，以共同致力於人類。未來的人類必須生息在這種『共同文化』的環境之下，始能相互理解，相互尊重，以營人類的共同生活。這已經不是一種『烏托邦』的想法，我相信，只要大家不惜再一度付出最高的代價，來完成一次爲永遠結束戰爭的戰爭，不出半世紀之間，這種理想便可能具體實現。

第五，今日中國的知識分子和青年的責任，即在起來擺脫與『五四精神』完全相反的蘇聯控制，同時打倒這個公然背叛『五四精神』的中共政權。

第六，當我們在對蘇聯與中共作戰的一幕，我們依然要發揮我們合理的民族主義；當我們開始與世界一切民主國家實現共同文化以營共同生活的最近將來，便須發揮我們可能的國際主義；這兩點似相反而實相成，前者爲應付當前的現實，後者爲實現我們對一個最高理想的追求。

中國是一個長於綜合各種不同文化而加以融匯貫通的民族，我們期待她仍爲未來『新時代』有力的一員，同時我們亦期待中國的知識青年，要明確認清楚你們的方向，而千萬不可陷於悲觀與頹喪。我即用這點意見來紀念今年的『五四』。

考試權與選賢任能

·陸浮·

盼新任考試院長能儘量發展新猷，傳台灣省政府為尊重考試權起見，今年暑假畢業生就業考試，將改與考試院會同辦理

考試院新任院長，副院長均已就職。於此，願一述我們對於考試權及有關考試問題的一些見解。

依照憲法第八十三條的規定，考試院的職權相當龐大，凡有關考試，任用，銓敍，考績，級俸，陞遷，保障，褒獎，撫邮，退休，養老等事項都是考試院的職掌。第八十五條，又規定非經考試及格者，不得任用。但自行憲以後，修正的公務員任用法並沒有貫徹憲法的精神，而於考試及格以外，仍舊為了許多人開了旁門，只要有經歷資歷，一樣的可以做公務員。所以行憲以後，雖則也曾舉行了三次高等考試，為了顧慮到及格人員無法分發，只得將原為任用考試性質的高普考試，改為資格考試。換言之，憲法施行後國家考試及格的人，反不如訓政時期，得有任用的機會。另一方面，台灣省政府自三十八年度起每年暑假，辦理中等以上學校畢業生就業訓練，訓練期滿即由省政府分發工作，並硬性規定各機關一律要每年將原有人員淘汰百分之五，以騰出名額，容納新畢業的學生。在省政府方面負責的為畢業學生謀求出路，本未可厚非。但其自行辦理，並不理會考試院，又使考試權獨立的精神打了一個很大的折扣。聞本年暑假，台灣省政府仍將依例辦理此事，但將與考試院會同辦理，則憲法所規定的精神，可以逐步的見諸實現了。

各方面對於考試權的意見，大致分為二類，一是贊同憲法原規定的條文的，一是主張考試院只掌理考試，至於任用等項，則應該隸諸行政院。因為考試權之所以要獨立，本來是為了避免行政方面自用自考的流弊。今憲法將考試任用等權都屬之於考試院，即考試院自考自用，其弊適與過去的行政方面相同。但是在憲法條文未經修改以前，後一說自不能成為事實。最近行政院陳誠院長曾有表示，他說：「只要能為了國家樹立用人的百年大計，由行政院主管，或由考試院主管，均無不可。」這可以證明行政當局並無割裂憲法上考試權的意思。

證件被銓敍部丟光　現在要公務員補送

政府遷到台灣以後，考試院的工作有幾件事值得研討。先說銓敍方面，銓敍部自南京移至梧州，再移至廣州，又移至重慶成都，最後移到台灣，將全國各級機關公務員送審的證件都丟得精光，而却在台灣振起而孔向送審的公務員再要看證件。依選說，公務員們可以向銓敍部追究丟光的責任，要其賠償。公務員們不予追究，却反要再行提供證件，才可以送審。如提不出證件或證明，則只可以從最低級敍起，以往的資歷一概不算。在銓敍部方面說，已經有了證明的辦法，可以補救，但其辦法是要現任的各級機關首長，加蓋該機關大印，才可以有效。凡是過去的長官或是同僚，無論知之如何深切，假如現在閒居台灣，或雖有工作而手中無印，都沒有證明的資格。故所謂證明也者，係認印不認人。而蓋有大印的證明書，其所證明的內容，是否屬實，則並不重視。至為了反攻大陸所定的儲備人才登記辦法，也是以加蓋大印為必備條件。

考選人才分省定額　在台實行太不合理

再說考選，行憲以後，定了一個分省定額的辦法。憲法上原只規定可以分省錄取，其目的在顧慮到邊遠身份的應考人，不易有錄取的機會。而修正的考試法則不但保證各省錄取名額的最低數，並且限制各省錄取名額的最高數，凡是全國性的考試，按照各省人口，每一百萬人只能錄取一名。我國並不是聯邦國家，但行憲以後，監察院對於大法官及考試委員的人選行使同意權，以及高等考試分省定額，却過份[illegible]地區的分配，[illegible]之聯邦國家，尚有過之。三十九年及四十年的高等考試，都在台灣舉行，而以大陸上各省人口的數字為錄取的比例。因以福建廣東兩省的人民移居台灣者既早且多，應考人數乃亦較衆，却要受淪陷了閩粵兩省的人口數字的限制，致使許多平均成績及格的人，名落孫山。四十一年，高考的時候，發覺台灣本籍的應考人特別多，而成績亦極佳。如照台灣現有人口數字，包括台省原有人口及大陸移來者都在內，高等考試只可以錄取九人。當時賈景德氏任典試委員長，便主張將台省的高等考試應考人，作為非全國性的考試，都另列一榜，以期可以不受分省定額的限制，這樣台灣省籍的及格人員就有了數百人之多。如依嚴格地法律手續講，賈氏這一措施是違法的，因為考試的性質應當要在考試前三個月公布，在考試舉行後加以變更，並無法律上的根據。典試委員長及典試委員會也都沒有這個權。但是賈氏的這項措施，經過典試委員會通過，却為台省人士所擁護。我們希望賈氏能以此種精神，對現行考選銓敍制度上許多不合理的地方，均一一予以改革。

選才不能專靠證件　重在平時留意考核

總統對於人事制度異常注意，尤其是對於保舉方面，曾再三關照各級主管人員，務必就其平時考核所得，特加保舉。但考試院方面却一直墨守成規，只知道從證件上去多方挑剔，從證件上去尋覓人才，這是考試院的工作所以未能受到各方重視的原因。選賢任能，是考試院的任務，賢位新院長，自必為賢能之賢能，總可以有些新猷給我們看吧！

閒話民主（三）

陳克文

英美立國之道　各有歷史傳統

英美之又一差異，則為歷史傳統各不相同。在不列顛，國家社會內，英吉利人蘇格蘭人威爾斯人愛爾蘭人康瓦爾人（Cornish）均由傳統而來。彼等逐漸發展成為社會，彼等之先人是種族而居與彼等目前之家族而居初無殊異。故英國之所謂法律其意義即等於習慣與傳統。英人極重視習慣之形式，但在實質上彈性極大。

美國之情形適得其反，於一八四〇年前，原先居美洲大陸者，為數並不甚大，多數美國人均係經移殖而來之個人，並非整個社會之移殖。彼等到美後，咸造成偉大的混合，倆證投入無傳統無標準無社會組織之人類熔爐中。惟彼等亦有其共同之理想即爭取自由權利。彼等希望嚴格規定憲法與法律權利，實現憲法與人權宣言，嚴格保護個人自由，在原則上，反對任何階級或任何特權的威脅。

此外美國國內尚有許多未開發之處女地可供開發，在不列顛則祇有移民或海外貿易始足以增進個人之幸運，英國家庭沒有親屬客居異鄉者為數極少，美國家庭大都集居本土五十聯邦，故英美對國外事務之關心大相逕庭。美國之國體主義其發建立於種族之原始來源，英國則建立於商業與旅行之上。

英美兩國在戰略上，均處於安全地位，美較英更勝一籌。英國在歷史上，敵人侵雖少記錄，惟英國常保持一種複雜之安全制度。英國不許有單獨強國控制英倫海峽的國家存在，亦不利於有單獨統治歐洲大西洋沿岸的國家存在，故同盟，均勢，談判，妥協，實為英國對外政策之根本的要素。

以上兩點，英美國情的差異，亦為兩國政制不同之原因所在。

匯合三種精神　建立了加拿大

試再述加拿大憲（聯邦型憲法。加憲雖導源於美憲，惟加憲[illegible]加拿大境內適用[illegible]制，之行政原則採自英制。加拿大移民間要應付的混合移民問題比較美國更為複雜。加拿移民係兩種文化之傳統極不相同之種族合成，移殖之地區民各自有別，與美國移民之雜居者有異。加拿大境內之法國西移民，傳統上係羅馬天主教徒，操法語，不列顛移民則為新教徒，信仰與美國相近。因此加拿大實為三種極偉大之精神勢力混合地區，所謂三種精神勢力者即美式精神與不列顛精神及法蘭西精神是也。加拿大的現代制度即由此種精神勢力混合發酵而成，與過去諸以政治自由為背景的制度自然有別。他如聯邦制之澳，南非聯邦，及紐西蘭，愛爾蘭等憲，均與英憲相似，而各本國情與其面目。

惟容忍與討論　乃能成功民主

就大概言，議會型之單一政府必須建立於自然發展之社會，如階級宗教或種族界限甚深的國家即不易推行自由代表制。不列顛聯合王國與愛爾蘭之不斷糾紛實由此而起。惟聯邦制如能出以審慎與小心之運用則困難亦非不可克服者。瑞士僅有六千平方里之國土，應用因地制宜之聯邦制，天主教徒與新教徒可以和平共處，德法意及勞曼殊人可以接鄰而居，遵守共同法律。加拿大之情形亦復如此。

其次，民主制度之實現必須發展最低限度之交通與增進教育，否則民主云云不啻獨裁與托辭。蘇俄之獨裁與我國，印度民主制度之難建立，均與交通及教育問題有關。

民主制度，為容忍與討論之制度，英美之民主係從長遠之緩慢發展而成。英美今日之成就出於物質因素之發展與出於智慧者同其重要。民主美名決不可假借和濫用，民主之實現亦決非舉手投足之勞，旦夕可以完成者也。（完）

張君勱新作已刊佈　表示要建立新勢力

香港三日

張君勱過日赴美，歸港前曾以問答方式，寫成一文，交某週刊發表，該項消息，已誌上期本刊。現張文已於五月一日，在某週刊刊出，茲分述其對印度，泰國，印尼，澳洲，日本聯邦等地區之個人觀感外，最後，曾表示三點：第一，歷述個人反共史實，謂遠在一九二三年時，即欲盡瘁於反共西學思想之建立，今後決以全副精力謀中華民國之復興。第二，假設客問渠「願否領導海外發展的新勢力」？答以自身興趣，向徘徊於學問與政治之間，政治上不需要我，學問興趣[illegible]家文化之故，不能不應當兵義務之徵召。換言之，即須盡不爭取領導，但也不拒絕領導。第三，提出中華民國今後立國要點，為「自由離不了紀律」，「有權利定有責任」，「要享受須先生產」，同時還提出了「個人生活」與「團體生活」，各須遵守之原則，隱約即為渠主張所謂海外新勢力的黨綱。全文中無一字提及對台灣態度，但對國民黨，則露骨指出，謂近年政治受國民黨與共產黨之支配所以影響人心，普與聯絡者共有六項，以國民黨與共產黨平等論列，殆即暗示所謂第三種勢力，有其產生必要。張為民社黨黨魁，但自抗戰以迄現在，民社黨與國民黨始終立於合作地位，張本身曾任國民參政員，及其他要職，現民社黨黨部仍在台灣，行政院中，有代表民社黨之政務委員，張此項表示，在台灣將引起何種反應，此間尚無所悉。聞張此行，原擬與一李某同行，以所需旅費，只有美金萬元，恐不敷用，故仍一人先去。[illegible]

穆納主教由綏抵港　暢談共區最近實況

被中共驅逐出境之綏遠區主教穆納 Marel，於上月三十日乘湖北輪由天津抵港。據穆納向記者談：中共雖實行土改，打倒地主，但農民生活，由於捐稅奇重，極少改善。天主教在綏遠城中，仍可舉行禮拜，惟鄉村則動遭共幹干涉。其干涉理由之一，謂禮拜妨礙人民工作。七十二歲之杜本神父，因共幹將其教堂之大鐘搬走，禁免教徒於聽到鐘聲時，放棄工作，參加禮拜。杜本神父乃於每禮拜日，按時在教堂外，高聲大唱聖母頌，教徒一聞杜本歌聲，立即趕到。在穆納所轄教區，共有天主教徒四萬人。中共現禁止一切教士離開綏遠城，到鄉村傳道，故事實上，傳道工作已全陷停頓。穆納謂中共區內，一切均統制綦嚴，人民雖憤恨中共，工作較前增加，生活則較前減低，但武裝叛亂無法發生。穆納係由綏遠[illegible]，押乘火車到天[illegible]士。又與穆納同來者，有向在中國傳道之教士數人。其中現年三十四歲之梅窪士，因於中共審訊時，遭受過度威嚇，致神經失常，抵港後即送入醫院診治。

方頤積經香港赴歐　出席世界衛生大會

世界衛生組織西太平洋區主任方頤積，上月三十日由馬尼拉乘機過港赴歐，出席第五次世界衛生大會，該會定本月五日在日內瓦舉行。方於抗戰期間，曾在重慶担任衛生行政工作有年，並一度出任江西衛生處處長。

杜月笙氏生平言行　將刊專冊藉資紀念

愛國聞人杜月笙氏，逝世迄今，行將一年，台灣及本港友人，正搜集其生平言行，準備於逝世週年，刊印專冊，藉資紀念，編輯工作，由錢新之氏主持。杜之遺孀夫人，定日內由港移家赴台。（必傳）

台灣防諜工作極為周密　又有兩重要共諜落網

案情真相不久即可公佈

【本報台北特約通訊】台灣防諜工作，其嚴密神速，極為各方所驚佩。除中共在台大規模間諜組織，早經一再破案，無法再行建立外，其零星共諜，亦多隨時破獲，極少漏網。台灣之得以屹然為反共堡壘，內部秩序，異常安定，防諜工作之成功，貢獻極大。自李友邦被處決後，最近聞尚有兩名重要共諜，即將定案。其一為立法委員馬某，另一名為曾在華北以打遊擊著稱之王某。此二人以共諜嫌疑，於數月前被捕，經主辦機關，搜集證供，務求詳盡，現已告一段落，案情經過，不久即可公佈。

詩人節盛大舉行　胡慶育詩贈河田

舊曆端午，經定為詩人節，本年台北詩社及著名詩人，籌備盛大慶祝，並將於是日舉行「壬辰全國詩人大會」。該會已推定新任考試院長賈景德為籌備主任。日前賈特在錦江餐館，招待記者，宣布大會意義，于右任，林熊祥等二十餘人，亦以詩人資格，參加招待。查本年端午，為國曆五月廿八日。大會地點在中山堂。現籌委會已通函全省詩社及著名詩人，屆時一體出席，大會特編印全國詩人名冊，並舉行名家書畫金石展覽會。

台灣雖瀕臨反攻前夕，全省上下，枕戈待旦，但同時精神生活，亦表現極度之安閒鎮定。文藝方面，青年、老年，新舊詩社，全省不下百餘所，崑曲清唱，亦極為流行。黨政要員，於公務繁忙之餘，往往不忘吟咏，如最近外交部次長中日和談代表胡慶育，在兩個月幾乎夜以繼日之辛勞工作下，仍照常填詞吟詩，其兩年中所和周美成詞全集且即於此種緊張中完成。當廿七日中日和談第三次會議圓滿結束時，胡即席以七絕四首，贈日方全權代表河田烈。其第二首云：「放眼誰先天下憂，勢同唇齒却相仇，九州鐵鑄當年錯，洗滌才須第一流。」河田把玩至再，連稱好詩，並含笑說：「我們今後決不能再錯了」。相與熱烈握手而散。自由中國空氣之寧靜，由此可見一斑。

錢穆已完全平復　最近可下床散步

香港新亞書院院長錢穆，[illegible]講演時頂水泥坍下重墜受傷，經醫師悉心診治，神智恢復以後，日來進步，極為迅速。每日睡眠飲食，業如常人，且已能下床行動，預定日內即可出院。醫藥費用，除蔣總統曾贈送三千元外，餘數亦皆由在台友好，代為清付。在台籌設新亞分院事，據聞可以順利成功。錢對香港友人函電慰問，在病榻上曾一再表示感謝。（平平，四月三十日寄自台北）

「自由人」稿約

本報各版，均歡迎投稿，敬訂稿約如下：

（一）除事先特約外，每稿最多請勿過一千五百字。長篇鉅製，以限於篇幅，無法刊登，請勿惠寄。

（二）惠投各稿：評論要切合時局，新聞要記述事實（大陸消息，應有人名，地點，時間，人名不便刊登者，可於稿內註明），雜文要生動活潑。

（三）來稿除附有足够郵費外，概不退還。

（四）稿末請附註真實姓名，地址，但發表時須用筆名者聽便。

（五）來稿一經刊登，即寄奉稿費通知單，憑單向本報領取。不願受酬者請寄稿時自行註明。

明天五四紀念，這裏告訴你秧歌王朝在大陸正如何迫害教授、學生、甚至十歲左右之幼童！

五四紀念到臨中共集中火力 迫若干北大教授認罪

·罪名是誘惑同學讀死書做專家·

在中共統治下，教學生拚命讀書，這是犯了「單純技術觀點」的錯誤，因為學生從此會離開政治，變成了「落後份子」。所以不肯讀書的學生，才是中共眼中最進步的學生。

【本報北平特約通訊】在記者四月十四日寄出的那篇通訊中，（編者按，已刊載第一一九期本報）不是曾詳細報導，五四紀念，行將屆臨，中共要加緊進行各大學特別是北京大學教授們的洗腦運動麼？現在，距五四紀念，已只一週，日來中共刊物，連篇累牘，都在登載一些教授們千篇一律的悔過書。（編者按：請參看另條）北大方面，則中共仍集中火力，攻擊一些「專門只知誘導學生埋頭讀書的落後教授」。根據中共的術語，在學校提倡用功讀書，這叫做「單純技術觀點」。昨天，北大中共黨支部，對單純技術觀點，作了極嚴厲的斥責。

中共說：「在北大各教授中，不論是文法學院或理工學院，還相當普遍地存在着『單純技術觀點』。牠損害了同學們的健康，妨礙同學們政治上的進步，牠使同學們因怕政治活動會影響當『專家』，因而不敢靠近或參加組織。甚至有個別黨團員，在單純技術觀點侵蝕下，也成天想着如何做『專家』，如何考得較高的分數，以便在同學中『出人頭地』。像地質系的一個青年團員，就因為要當『專家』，堅決脫離了革命組織。為了培養祖國與人民所需要的優秀建設幹部，我們必須澈底肅清這些教授們的腐朽思想。」

李守仁專心寫文章 不再參加政治集會

在中共這一啓示之下，接着就仍和上次通訊中所報告的一樣，指出了一些姑隱姓名，以給予最後反省機會的一些教授。在文法學院這方面，中共說：『單純技術觀點』，文學院的表現，是若干教授，拚命提倡『天才教育』，『為藝術而藝術』。西語系某教授鼓勵英文組三年級同學李守仁，要他成功一個天才作家，害得李同學每一次作文，吃飯也想，睡覺也想，完成一篇文章，要費十幾小時，以致許多有關思想的進步集會，都不再參加。中文系擔任『文藝文寫作實習』的某教授，教導同學，忠實於藝術，但從來沒有說過，要同學忠實於革命。該系周家和女同學，用一些身邊瑣事，寫了幾篇散文，他對於這樣毫無政治意識的落後文章，竟大加誇獎，說周家和同學情節描寫得如何生動，人物刻劃得如何深刻。但當她另外用了參加土改的資料寫成一篇小說時，他卻多方挑剔，說她某處過火，某處不夠，弄得她疑心自己功課退步了，神經失常，有一次竟想摸電門自殺。

理工學生要做專家 政治運動一切不管

至理工學院方面，中共對數學系和動物系兩位教授，指責最力。中共說：數學系某教授，在每次同學集會，總照例對同學說：『數學是一種偉大美好的事業』，『數學本身是一個引人入勝的花園』，『北大數學系的圖書，全國第一，你們可以盡量去研究』，以致害了許多同學，一天到晚，什麼政治運動都不管，只拚命死啃書本。最近全校舉行肺部檢查，數學系竟有四分之一的同學肺部不健全。某某同學，因為盲目崇拜幾位數學教授的崇高學養，他竟日以繼夜搞功課，讀死書。在證明他有了肺病以後，他還毫不悔悟地說，只要我的學問，趕得上某某教授，就少活幾十年，也是值得。

動物系的一位教授，據中共指稱，他專好鼓勵學生，多作比較解剖。他勸女同學張瑤解剖壁虎，於是張同學一到天黑，拚命捉壁虎，白天則帶到實驗室作解剖。他竟這樣地誘惑張同學：你很有熱情做學問，你一定可以成功一個比較解剖專家，特別是壁虎專家。於是一位過去對政治學習很有進步的同學，從此就完全墮入專家的迷夢，什麼外事都不管，什麼政治活動都不參加。

北大中共黨支部對若干教授「技術觀點」的攻擊，是這樣嚴厲，但諸如此類「姑隱其名」的指責，業已多次，被指責的教授，除上次通訊中提到的化工系主任傅鷹外，其餘卻至今還未肯出頭認罪。這也或許正是北大所以值得人們崇敬的緣故，當然投機鑽營，見風轉舵的軟骨頭教授，在北大並不是沒有。

中共不啻自畫供狀 大陸青年不再受騙

從中共黨支部口中，我們還可以得到一個鐵證，就是中共統治下的大學生，無論你如何威迫利誘，他們是確實對秧歌王朝那一套騙人戲法，感到厭倦了。所以像中共特別指出的學生，如李守仁，張瑤之流，都堅決不再參加任何政治性集會，他們或她們願意埋頭搞功課。中共以五四為青年節，五四「聖地」北大的青年，對中共這樣冷淡，則中共失盡了青年的信仰，由中共北大支部的檢討已不啻自畫供狀了。（陸光，四月廿七日寄自北平）

清華大學教務長 周培源自罵「無恥」

文學院長金岳霖說：「許多反動份子都由我一手造成」

【本報北平特約通訊】在另一通訊中，我曾提到五四紀念前夕，中共加緊進行各大學教授洗腦運動的結果，連日中共報刊，刊出了許多教授悔過認罪的坦白書。（編者按：請參看本報第一篇）現在，讓我再將清華大學部份，教務長周培源，文學院院長金岳霖這兩塊可憐的軟骨頭，在中共脅迫下所寫的坦白書，摘下最精采的幾段如下，他們以前都曾寫過這種類似的坦白，但中共都認為不夠坦白，澈底，這一次是否可以「過關」，還要等待中共上級的核示。

周培源

我說過願替美國扛槍桿 千方百計阻止女兒參軍 將地主父親藏在清華園

清華大學教務長周培源的坦白書，標題是「批判我的腐朽思想」。他說：「[illegible]在蘇南一個中學讀書，一九一九年[illegible]，一九二九年以後留美，進清華[illegible]，一九四三年，再到美國。」他鄭重指出：「我在一九四三年前往美國，是我一生歷史上最可恥的一頁，充分暴露出我自私自利的思想，一心妄想做國際學者。」大約因為他於第二次大戰時期，曾在美國海軍研究[illegible]飛機上參加過研究，所以他說：「這一點，表示他痛心懺悔。」他說：「我雖然拿着協助所謂民主國家反對法西斯主義的科學工作者的借口前往，但實際上那時蘇聯紅軍已獲得輝煌勝利，法西斯德國的滅亡，指日可待，所謂軍事科學研究工作，只是美帝國主義準備新的戰爭，後來美國逐漸變成新法西斯，我參加這樣的研究機構，[illegible]回答一個帶有侮辱性的問題：你是不是共產黨員？是否願意為美國政府[illegible]……我竟[illegible]出賣了我自己的民族，換來了一年半水[illegible]的研究，參加了美帝的科學研究工作，還以為自己有了名，洋洋得意，毫不知恥……。」

[illegible]

金岳霖

痛責自己曾提倡唯心論 培養成功許多反共份子 逃台的殷福生就是一個

清華大學文學院院長兼哲學系主任金岳霖，在他的坦白書中，痛責自己過去提倡唯心論，因此培養了許多反動份子。[illegible]

（隆光，四月二十七日寄自北平）

連小學生也有了覺悟 兒童隊長楊傳秩自殺

他不願永遠打腰鼓被認為腐化變質，學校將其開除，他用紅領帶結束了自己悲慘的十三歲小生命

【本報漢口特約通訊】中共在控制了大學生，一個犧牲，一個悲劇，大學生，等到偽政權成立以後，一切設施，都與過去諾言不符，且一面國家民族，知識漸漸健全，不願繼續受騙。於是中共的對象，由大學生，最近則中學生也慢慢認清了中共的猙獰面目。中共為鞏固自己，竟喪心害理，竟把天真爛漫的小孩，作為工具，並竭盡全力，認為從小訓練，便是中共的未來幹部，一定可以思想不動搖。因此，動員了全國小學，組織少年兒童隊，並把大批共幹派往小學充任教導主任。這些中共黨棍，根本不懂教育，他們只知道拚命，將幼弱的兒童，一方面填鴨似的，灌輸他們的馬列「聖經」，一方面則儘量濫用小學生的體力，什麼搬磚運土，鋤草種菜的工作，都强迫小學生擔負。甚至有時還要挖防空壕，修馬路。迫他們許多小學生，不堪腦力體力的雙重壓迫，輕則病倒，重則死亡；這樣虐殺兒童的劊子手，在大陸上，不知道哭壞了多少聰明兒童的父母，和造成了多少慘絕人寰的悲劇。

一心只想多讀書 打腰鼓半途溜走

河南省太康縣潭崗高小校長馬永讓，和教導主任劉荷百，前幾天逼死了一個十三歲的小學生楊傳秩，就正是這類悲慘劇中的一幕代表作。

楊傳秩於去年暑假由軒村完小調轉到潭崗高小。他是太康縣三區軒村小楊莊人，乳名小玉。父親是一個道地貧農。他在六、七歲時，就聰明過人。在軒村完小，曾由校長指派他做少年兒童隊隊長，學生會文娛股長和腰鼓股長，一天到晚，叫他從事各種活動，把這一個功課向列甲等，拚命歡喜讀書的小孩，弄得疲於奔命，漸感厭棄，尤其對各種活動。及至轉入潭崗高小時，他已格外懂得讀書的重要，打腰鼓，往往打到半途，就悄悄溜走。潭崗高小校長馬永讓，教導主任劉荷百，一向聽說楊傳秩是兒童隊中一個最前進一分子，轉來該校，他們都滿心歡喜，以為從此能替潭崗高小大出鋒頭。不料入校以後，發現他到處都並不起勁，他們疑心這小孩一定有人在暗中腐化楊傳秩，否則是這樣，要壞了。他們要挽回面子，尤其為了要達成中共與他們毒化兒童任務起見，他們就向楊傳秩，展開了大力威壓。而楊傳秩從此也就種下了慘死的唯一因素。

校內要餵豬種菜 校外要修路挖壕

中共對於教育經費，一向是七折八扣，拚命縮減，好騰下錢來，去抗美援朝，替史太林做孝子順孫，因此，各地小學經費，都是少得可憐。河南向是一個貧瘠之區，像潭崗高小，自然窮得一塌胡塗。馬永讓和劉荷百，就儘量利用學生的勞力來賺錢供學校開支。他們不但在校內强迫學生種菜餵豬，並在校外承包各種搬磚運土，修路，挖壕等工作。學生們每天上了兩三堂課，就要從事勞動。馬等則像監工一樣，經常是拿着點名簿，在旁督促，凡身體較弱，工作稍慢的學生，他們立刻就指為「勞動觀點不强」，記過懲罰。楊傳秩在這種强迫勞動下，一再被馬等斥責，多風雪交加，楊手腳均生凍瘡，痛苦不堪，馬等不特不稍憐惜，反而說定對楊要加重教育，不許掉換工作，不許請假休息。楊實在無法支持，只好偷偷地離開學校，由他父親向學校報告，楊傳秩病了，要求給予較長時間的假期。

相信沒有好日子 說紅領帶害了我

楊傳秩體力稍稍恢復以後，他就打算轉學到獨塘集高小去，但是馬永讓等不特不發給他轉學證書，並且通知附近各高小，說楊傳秩已經受了不良思想的引誘，腐化變質，請大家注意，不要輕易收留。這消息被楊傳秩聽到了，弱小的心靈，受到重大打擊，他動了自殺之念，一度用紅藤上吊，因為沒有勒緊，被同學看見，斷藤救下。馬等這時候，有人主張動員農會的力量，將他[illegible]，馬等一不做，二不休，索性藉着楊傳秩久不到校，曠課太多的罪名，將他正式開除學籍，免得再有請准轉學的麻煩。楊傳秩傷心之至，當天把父親給他的存了一年沒有動用的千餘元偽幣，買了一些燒餅，切了一盤肉，邀請一位最要好的同學，大吃一頓。他對同學說：「反正過不了好日子，飽吃這一頓，總算不冤枉到這個世界來了十三年。」那同學比他還小一歲，聽不懂他的話中有話，沒有注意。吃完以後，回到家裏，找到他做少年兒童隊隊長時那根紅領帶，父親問他拿出去做什麼，他說，這根帶子害了我，我拿去送給同學罷。不料他竟偷偷的跑到附近一座小山，就用這條紅領帶，吊死在一株大樹上。用紅領帶結束了他的小生命，這倒是對中共戕殺兒童一個最好的諷刺，尤其像楊傳秩這樣不願活動只願讀書的兒童，更可見中共在煽惑青年已告失敗之後，連小學生也逐漸不易欺騙了！

現在這一件事，已引起太康縣廣大羣衆的憤怒，他們要替楊傳秩報仇，已向偽中南軍政委員會，控訴馬永讓劉荷百迫殺兒童。偽軍政會如何處理，尚無表示，不過迫殺兒童，像楊傳秩，僅為有形的迫殺之一個舉例。至於無形中戕賊兒童身心，使兒童遭到精神虐殺若痛的偽教何止億萬。中共以往做了億萬大中學青年的劊子手，猶不滿足，現在更屠殺億萬無辜兒童，像這樣的政權，人類社會，如何還能够讓其繼續生存？（懷民，四月廿八日寄自漢口）

五月裡的感想

·為方·

在五月裏的咱們中國人，心情特別熱烈緊張，除卻「五一」勞動節隨同全球人類歡呼慶祝外，屬於中國人特有的紀念節目，有「五三」的濟南慘案，日本軍閥出兵阻抗國民革命軍北伐，殺我外交特派員；抗戰時期又有「五三」狂炸重慶的一幕；「五四」運動的轟轟烈烈的事跡，允爲大家所永矢弗諼的名業；「五五」是中國革命導師孫中山先生爲反抗軍閥維護民國而就任非常總統的紀念日；「五七」是日本帝國主義者對我提出亡國條件，以最後通牒威逼承認的國恥節；此外，還有若干次爲愛國運動而與軍閥官僚鬥爭的史事，一直到上海灘上發生的「五卅」大慘劇止，中國人民在五月裏確實是過的一種不平凡生活，流血流汗流淚，眞是可泣可歌，得未曾有！

然而，到今年的五月裏，中國情形卻比過去幾十年來更不堪設想，許多先進人士在五月中所創造的績業，現在都要從頭來過，另寫歷史紀錄了。這一艱鉅的時代任務，完全落在一般知識份子身上，而其成敗關鍵，乃繫於文化思想之能否由空虛而充沛，由墮落而新生，由摹仿追隨而自力創進。中國今日的大悲劇，是文化關係所使然，這是大家公認的。既已洞悉病源，即應該大澈大悟，改絃更張，譬如要反共抗俄，就得事事與俄共們相反，才有效用。否則又將陷於「五四」運動的覆轍，口稱爭取民主與科學，結果使專制退化的俄式共產思想，乘隙進襲，以至淹沒了整個大陸，還不夠我們懺悔警惕嗎？

相繼失踪

·郭南·

·新聞·小說·

「解放日報」的「招尋」欄上，突然登出一節小廣告，幾行新五號鉛字之外，還有一方小圓片，一個不到半寸見方的人像，擠在幾行鉛字的一角。

「黃樹人（又名黃錦），江蘇泰興人，無故失踪，年約四十歲左右，高個子，操江北口音，若有人知其下落者，請轉告上海九江路八五號陳時彥爲荷。」

廣告被塞在報紙的右下角，地位很小，不是精細的讀者，決不會注意到。

然而也有注意的人，這個人和黃樹人非親非故，也不是對這節廣告發生了興趣。理由很簡單，失業兩年的沈永祥已到山窮水盡，走頭無路的地步，他想，在這廣告上倒可以動一部腦筋，如果能將這個所謂失踪的黃樹人找到，相信黃的家屬一定會給他一點報酬。

如是，他到九江路去了，尋到了那個叫陳時彥的人，坦白地說明了自己的身份和目的，希望對方供給他一點資料。

陳時彥並非黃樹人的家屬，黃樹人也不是上海人。最近，黃樹人由南京來上海，因爲省錢，借住在陳時彥的家裏，五天之前上街，一直沒有回來，打長途電話去他家裏查問，南京說沒有回家；陳黃兩人既是朋友，而且是從他家裏失踪的，自然不能不登報尋找。

聽完，沈永祥對這件事情卻增加了興趣。他從前曾在警政機關幹過，對這一類事情還有些經驗，他問那陳時彥有沒有報告過「公安部門」。

陳點點頭，說：在黃樹人初來的一晚，便向戶籍警登記過了，失踪的第三天，他又向派出所說過報告。

「派出所爲什麼不代你找尋？」

陳沒有答覆，因爲他曾經那樣請求過，但是派出所的警官沒有確實答應，祗含糊敷衍了一下。

經過半小時的談話，沈永祥感到頗有幾分眉目，據說黃樹人是經商的，在這「三反」「五反」中，那個老老實實的商人不聲不響藏藏，多半是他在南京有了什麼逃稅漏捐的案子，想在上海避一避風頭，結果給上海的「公安局」得了消息，把他捕進去了。

爲了怕姓陳的事後食言，他們兩人預先講定，如果尋着黃樹人回家，陳時彥送他五百萬「人民幣」，假如知道了下落，在明確實，也得送他兩百萬。另外，他還討了黃樹人的一張照片，報紙上的那幅銅圖，實印得太模糊。

離了九江路，他立即向福州路走去，那「人民公安局」裏，還有幾個熟人他認識。他想，這個黃樹人，十之八九是給抓進去了，要把他尋回，自然已不用想，不過，祗要冒充是他的家屬，託「公安局」的熟人查出他確是關在那裏或其他分局，至少兩百萬「人民幣」便到手了。現在的上海，不比從前，地上不生，天上不落，兩百萬「人民幣」不能說是個小數目。

事情出乎他的意料，說了許多好話，看守所的朋友才拿出一本厚厚的花名冊來，但打開來一看，一千的囚犯中，遍尋沒有黃樹人和黃錦的名字。

也許在「人民法院」，這回，他不必去「人民法院」，只消將五天來「移送人犯」的名冊再查一查，就可以知道。這短短的五天，由「公安部門」轉送「人民法院」的人，爲數將近一千，雖然也有姓黃的，卻不是南京人，而且名字和年齡也有出入。

沈永祥很感失望，正想要離開「看守所」，忽然，那個朋友叫住了他，對他招招手說：「也許在那邊。」

跟在這人後面，穿過了一個院子，再穿過一排牢房，在一個廁所旁邊，他看見了兩個陰暗的房間。

那人一推，房門沒有上鎖，就開了，房間中央，赫然兩具死屍，左面的一具，頭頂血肉模糊，但臉還看得清，方臉大耳，下顎上還有一粒痣，毋須對照相片，這就是黃樹人的特徵。

「他怎麼死了呢？」見到了「人」，也好總得問個明白，向陳時彥交代，說不定還能拿到一點錢。

他那朋友卻祗說：這個人是南京逃來的「五寶份子」，給上海「公安局」抓住，前兩天，在牢裏畏罪撞壁自殺了。

沈永祥心裏雖難過，直想作嘔，但並不感到失望，他在祀掛着那筆錢，不知人死了能不能算是有了下落，陳時彥肯不肯給那答應了的二百萬元？

他剛想趕到姓陳的那裏去談判，「公安局」門口的警察卻將他擋住了，對他說：「既然你是他的家屬，黃樹人的案子，該由你負責，你當然知道他的財產在那裏，快拿出來，補繳逃稅。」

任憑沈永祥，怎麼解釋，也脫不了干係。

如是，第二個人又失蹤了，可惜，卻沒有人替他在報上登尋人廣告。

羅貫中其人（下）

·舜生·

謝无量在他所著的一本『羅貫中與馬致遠』的小册子上，頗懷疑施耐庵與羅貫中爲一個人，他尤其不相信施羅有師生關係。他認定『三國志演義』出版在前，『水滸傳』在後。他所舉出的證據是這樣的：『水滸傳』的第一回，一個少華山名叫朱武的強人，曾向史進懇求釋放陳達，他說：『小人等三個，（按即朱武陳達楊春）當初發願道：不求同日生，只願同日死，雖不及關張劉備的義氣，其心則同。……』又第三回寫魯智深到一家鐵舖去打禪杖，發要打一條一百斤重的，那鐵舖的夥計對他說：『重了，……便是關王刀，也只有八十一斤。……』他覺得這兩點，都是『水滸傳』受了『三國志演義』影響的鐵證。其實要舉出這類證據，在『水滸傳』裏，隨便是可以舉出不少的地方，像『水滸』上寫宋江，有時寫吳用更太像『三國』上的諸葛亮，有時而且是合諸葛亮與公孫勝爲一人，何況吳用本來就有一個『加亮先生』的稱號呢？至於寫關勝之活像關羽，寫李逵之有幾分像張飛，而朱仝居然也叫『美髯公』，一個使戟的呂方便居然叫小溫侯，其與三國演義有深切關係，自屬毫無疑義。因此，謝先生認定『三國志演義』的成書是在『水滸傳』以前這一點，我是相當承認的。

不過，謝先生根據這樣一個觀點，便假定『三國』是羅貫中早年的作品，其次他又寫了『隋唐』『說唐』這幾部演義，而『水滸傳』乃是他晚年藝術格外進步以後的產物，這一點我卻依然懷疑：我覺得中國整部的舊小說，眞正有文學價值的，必首推『水滸』與『紅樓』，像『三國演義』這類的作品，實在不能與之相提並論。前兩書關於人物個性的描寫，眞可以說『入木三分』，豈是『三國』這類流水帳式的所能相比？大凡一個偉大的文學作家，其對於人性的理解與分析，原於其天才者較多，原於其學力與年齡者較少，說一個寫『三國』，『隋唐』，『說唐』這類東西的人，居然可以進步到能寫『水滸』，這實在是一件令人難於置信的事。因此我最高限度的假定，只能說『水滸』這部書可能是羅貫中所草創，而另經過高手的改作。

至於『三國演義』在中國社會上所生的影響，決不下於『水滸』，這是另有原因：一、其故事本來就很有趣味，而且早已流傳；二、三國的時間不長，頭緒不太複雜，使人容易看得下去；三、文字也算得平正通達，能做到雅俗共賞；四、根據小說所編的戲劇，實與小說相得益彰。可是我們決不能因它所發生的影響，去估定它在文學史上的價值，這是我們所不可不知道的。

（九三）

瀛海漫談

從蘇聯小學書本看出和平販子面目

近來蘇俄的和平攻勢高唱入雲，如果單從共黨的宣傳辭令看來，倒好像自由世界盡是些戰爭販子，只有蘇聯與其附屬國家，才一致愛好和平。

然而在鐵幕之後，沒有一國不擁有強大的軍備，都任意擴軍，根本沒有把和約中軍備限制的條款放在眼裏。而西歐呢？西德武裝至今徒託空言，歐洲軍也只有一點影子。誰是窮兵黷武，誰是眞正好戰，和平，這在事實上很容易找到答案。

即在極小的地方，也不難找到證據。

誰都知道：兒童教材是現實生活的反映。在蘇聯出版的算術習題大成（尼基刀，波拉克與伏羅丁那合著）中，替初級小學三年級生安排的習題，就有下列各種：

「爲了增進砲位的視綫，要把附近一塊一百二十公尺長八十公尺寬的樹叢砍倒，假定每個兵士每小時可以砍伐五十六公尺，休息時間不計，十二個兵士要多少時間纔能砍完？」

「在一次演習中，一座坦克車必須要推進二百二十公里。坦克的速度是每小時三十公里，那麼，（一）在五小時內，（二）在七小時內，坦克前進了多少里？這路程要多少時候才能走完？」

對外用畢加索的「和平鴿子」作號召，對內卻用戰爭和武器一類的概念灌輸給天眞的兒童，這手法固然低劣，其居心也就不問可知了。

當年納粹把轟炸進軍一類的習題放在小學生教科書內，曾引起舉世的憤激指斥。到今天，得到希特勒的衣鉢新傳者，卻正是過去魯迅所盲目崇拜過的蘇聯。

今天世界上如果眞的有戰爭販子的話，那必然就是口頭高唱和平的和平販子自身，而決不是另外的人。

·凝之·

大老千南漢宸

·大民·

馬立克伍修權等組纜，無禮一型的共產黨徒，初入外交場合，拍桌瞪腳，叫囂胡鬧，引起國際間深切卑視惱怒。這次莫斯科開國際經濟會議，中共急欲展開對外貿易，自再不能予人惡劣印象，失卻此唯一做生意機會，因此一些外貌和善內心狠毒的幹部，便被派用場了。一口濃濁緩慢的山西國語，中等而帶臃腫的身材，加上一副笑瞇瞇孔祥熙式的臉孔，於是南漢宸這個老拔手，正適合這項國際間施其老千手段，爲中共代表團團長了。

南是中共「政務院財經委員會委員」，和「人民銀行」的行長，是中共財經界握有實權的人物。在國民政府中央銀行時，他便鋒芒畢露，爲時不凡，……南漢宸的，……

員會裏，給了他一個空銜，所謂「外資企業局局長」。

抗戰期間，中共困守延安一隅時，南是當日中共的財政總長，那時延安警備司令王震擔任，因爲一時不買南的賬，種下小嫌，那原爲南籌給一半的警備旅給養，南藉口防災爲藉口，取消津貼，一切薪餉糧彈補給要王完全自給自足，害得王震的警備旅士兵，嚐了一年自種的土豆（即馬鈴薯），直到向南低頭求饒，才恢復原定津貼。爲了這件事，王震現在的第一兵團的老幹部，今日一提起南來，還是切齒痛恨。

三十八年，中共發行所謂「人民勝利折實公債」，華東區派銷最多，南漢宸會以主管身份，親到華東督銷，由僞南京市長柯慶施遂過南京，助陣打氣。南爲行他的各個擊破政策，分三次訓話，第一天向工商界訓話，把一切罪惡，都歸於國民黨，推到一切的希望，一切都有辦法，問題祗在克服目前難關。第二天，又向青年學生界訓話，又把南京的條沒落，在國民政府身上一推，說是遺留下來太深所致。接着一口牛皮，把北平吹成天堂。這才轉到正題，說祗有靠青年學生的力量，去說服有錢的資本家，集中力量，踴躍購債，再由國家的力量，來救南京。第三天，又向僞市府幹部訓話，說如果過了這次難關，共幹就可改爲薪給制了，希望各級幹部如何加緊向工商界大力推銷公債。

經過南漢宸這樣把握對方心理，分別煽動後，南京便遍銷了僞幣一百二十億元的「公債」。這項鉅大的搜刮，把淪陷在南京的商民，整個打到了十八層地獄。南京工商聯合會的主委繆聘卿，也因無款購債，服藥自盡，以身殉匪。南京人把南漢宸比做閻王，走到那裏，那裏倒霉。

好刁狡的南漢宸就是這樣，這次在莫斯科，而精明幹練的英國大商人，也上了他的當，只拿中共一以煤換取英國金屬品一點來說，中共沒有海輪，如陸路運送，消費既大，而以西伯利亞鐵道運輸之繁，不知要到何時才能全部照合約交貨呢。

黑十字

北晨

郝亦臣先開口，低聲下氣地向白濟宏報告，要準備的都準備好了，只是有一件事卻需要注意。

白濟宏一聽，接口就問：

「什麼事？」

郝亦臣做出考慮周密的樣子，講了一番道理。他說，自從禁運以來，河乾水淺，在黑社會混混的人，那個不有點窮急，所以對這批人要特別留神，一旦自己所幹的事走漏風聲，給他們知道，去告密或前來要挾，作爲財源，豈不能功虧一簣了。

白濟宏覺得這個人倒還有頭腦，可是臉上還是木然毫無表示，只深吸了一口烟，一口烟穿下喉嚨，主意便來了，他說：「沒有問題。」

將半寸長的烟灰敲落，他掉轉話鋒，對着坐得最遠的小蔡：「小蔡！近來的市面怎麼樣？」

小蔡是舞廳方面老手，自己也做過舞女大班，在上海活不下去，而來香港找一口飯吃的女人，凡是不得不墮落到出賣色相的，他至少認識一半。聽見白濟宏問到他，所謂「市面」，當然是指舞場方面的了，於是不加思索地說：「那些新做舞女的人，近來總共紅了三個，一個佩雲，一個玲玲，還有一個是藍英。」

他的姨妹竟是個紅星，小蔡一提，白濟宏心裏動了一動，接着問道：「交際花呢？」

「交際花還是那幾個老人頭，新人在香港做不開，那些老牌大半是你都玩過的了。」

「在這裏還可以混混的有那幾個？」

小蔡祗以爲白濟宏問起這些事，不過想找一個來玩玩，那裏弄得懂他的心意，立刻想起了就近的一個人，說了一聲：「有了。」便告訴白濟宏，在這靈山酒店下面，住着一個叫朱瑛的，南京人，人還長得漂亮，手面卻很大，自己有汽車，手上也有不少的大戶。他才說到一半，白濟宏已有了主意，這個女人，他怕也還有資格列入他的計劃，他非但不怕人手，而正要這種大進大出的，見多識廣，才能成爲他的陰謀工具。

他站了起來，在房裏踱了一圈，對朱老五和小江說，今天晚上用電話，不到他們了，明天再等他的電話。兩人連聲稱「是」。白濟宏的話剛完，他們的四隻腳已滑出了房門。他卻又把他們喊住。

（十）

·中篇連載·

自由人
THE FREEMAN
（每週刊星期三六出版）
（第一二三期）
每份港幣壹毫
督印人：李光釋
社址：香港士打道六十六號
電話：二〇八四八
GLOUCESTER RD. HONGKONG TEL: 20848
承印者：南華印務出版社　地址：士打道六十四號
台灣總辦事處　台北市館前街五十號
台灣總經銷處　台北市中華路一二五九號

論領導者資格
並質張君勱先生

·左舜生·

最近張君勱先生忽忽過港，曾與各方面有相當接觸，其態度的雍容，與言論的平實，一如往年，雖然他的年齡已接近七十，可是既不悲觀，也不頹喪，還是生氣蓬蓬，很想有一番積極的作為，這是很可喜的。

在他離港赴美以前，寫了一篇問答體的文字，聽說會在兩種刊物上同時發表，但我卻是從『再生』上讀到的，我想內容總不會有什麼差別。他這篇文字的一部分，是談他這兩年來在東南亞和澳洲等處遊歷講學的觀感，及所接觸的人物；其另一部分，則發表他個人對目前中國政局的感想，其論點所涉及的範圍則共有三個方面：一、重申他個人反共的一貫主張，并強調他今後『將以全副精力奔赴於以人類尊嚴人生價值為基礎的民主政治，社會公道與文化自由之中華民國之復興』。二、因為現在在海外發展中的新勢力，有人希望他挺身出來領導，因而他說明他個人的興趣，始終徘徊於學問與政治之間，政治上不需要他，他仍將去從事學問；政治需要他，他也將認為這是一種應盡的義務；因而他又在這一段中，提出了今後領導政治的人物應具備的三種資格。三、最後一方面談到今後立國的要點，他撤開了一切現實不談，僅就個人生活與國體生活提出了幾個原則，並今後可以成為共同思想或信仰的幾個方向。

我讀完張先生這篇文字以後，（專指他後面的一部分）雖微微感到遠於現實，也稍稍覺得追溯過去的多於展望未來，同時還覺得學問的氣息依然多於政治的氣息，可是我對他的論點，並不願提出何等異議，僅僅對於他論領導人物應具備的三種資格這一層，覺得太嫌不夠，因本『各言爾志』之義，把我平日一點淺近的見解也寫了出來，將以就正國人，當然更希望有機會能得着張先生的指教。

張先生所謂領導人物應具備的第一種資格，為『深體國家之本質』，他說明『現代國家與專制時代有明顯之不同：一以人民為主人，一以人民為奴隸；一以自己為公僕，一以自己為所有者；一以尊崇各人人格而盡量發揮之，一以人民為牛馬而驅使之。』

張先生認為必具的第二種資格，為『深曉現代國家中之制度，根據以身作則之精神而安排之，確立之。』他解釋現代國家制度的基礎，是集體而非個人；是法治而非人治；是以人民為中心，不是以一己為中心。

最後張先生認為領導人物應具的第三種資格，應該『對於相反的思潮與制度，知所抉擇。』他的意思是說明立國方針，必須前後連續，互相貫通，決不可見異思遷，東塗西抹，自己內心無一定的把握，而又輕於嘗試。

張先生這幾點意思，與所謂『卑之毋甚高』，你說這不是一個領導政治的人物所應具的資格嗎？當然他一點也沒有錯，確實是必須具備的；你說單單具備了這幾點，就真能領導今後的中國政治嗎？我卻不能完全相信。

從我的內心深處說出來，我根本不承認，一個真正民主國家，需要怎樣一個或若干個固定的或法定的領導人物。儘管現代的民主國家，例如英美，事實上也確有人在那裏領導，可是像他們這樣的一種領導者，大抵都是由於他們的地位，能力，主張，行動，成績能夠赤裸裸的與國人以共見，而得到多數人心之所同然，於是乎無形中成了他們中的某一個人或若干個人領導一時或領導一方的一種資格。像今天的史太林毛澤東之類，本來一點也不『偉大』，一點也不『神聖』，一定要運用一種硬性的方法把他們硬造成偉大得無可再大，神聖得無可再神，這實在是這個倒霉時代一種最倒霉的事實，我們便根本不需要這樣的一種怪物。

照我想來，一個民主國家的領導人物，應該是由於他種種逐漸具備的條件而自然形成，既不是由於若干人的擁護，當然更不是由於若干人的委派；他對國內與國際一切重大問題，一定要能本其所研究所觀察，提出解決問題的具體方案以供大眾的研討，不宜輕於動搖自己的信心，但亦必須同時具備得有接受別人意見的宏識與雅量；一個真正的領導者，不一定處處在取悅群眾，毋寧說他有時是不惜反抗群眾，或不憚煩的去轉移群眾；凡一個真正的領導者，對於一時代的人才，都必須具備很有一種強大而廣泛的吸引力，其主要的條件便是必須他自己確實具有知人之明，與人合作之道，其吸引人才的目的，是為的事業，為的國家，乃至為的人類，而決不期待被吸引者作為他一己的工具，果其才也，雖反我者必用，如其不才，雖親我者必屏，夫是之謂『天下為公』；又不徒在吸引和運用一時的人才而已，一個偉大的領導者，更在他能製造出一個適於人才生存與適於人才發育的環境，然後人才始能層出不窮而又往往後起者勝，一個國家的國運始能賴之以維持不墜；一個領導者的偉大之處，不僅在於他的行動，同時也在他的思想，他固然需要行人之所不敢行，言人之所不敢言，確實也還需要能見人之所不能見；在舊日的君主時代，有所謂『功則歸君，過則歸己』，一個民主時代的領導者，則必須反其道而行之，有過則引為己責，有功則歸諸群眾，以過失歸諸他人，功則攘為己有，這實在是一種違反時代精神的想法。凡此七點，即：一、不必忙於以領導者自任，而在勤勤懇懇去作事耕耘，以靜待自然的收穫；二、對重大問題能提出解決方案，一面要有自信，一面也要能擇善而從；三、不宜把群眾看得太高，也不宜看得太低，有時要不惜反抗群眾，但最主要的還是在轉移群眾；四、要有鑑別人才與吸引人才的識量，尤其要有適用人才的正當目標；五、培養人才，為一個領導人物效忠國家的最高職責；六、要敢於說，敢於做，尤其要能深思熟慮，能洞矚一切事變於幾先；七、要能『功成而不有』，把所有一切的功勞，一一奉獻別人去！

今天的中國，實是處在一個非常時代，不僅是中國歷史所無，即在今世界史亦所少見，我們期待人才的誕生，與期待真正領導者的出現，大致是人心之所同然，因此除掉張先生的三點以外，我又補充了這七點，也許將來有機會能得更詳細一點也不一定。

×　×

反攻後土地問題如何解決
多主張維持現有自耕農

自由中國對此問題本有三派主張，今則以維持現有自耕農辦法為最有力。大家認反攻並非幫助地主收回田地，至現有自耕農如非真正農民，且出身共幹有助匪暴行者，則當然另行盡法懲治，不在維持之列。陸浮。

【本報台北特約通訊】關於反攻大陸後的各項問題，已逐漸成為台北朝野各界談論的中心。其中最資爭辯的，是收復後的土地政策。大別之可分為三派主張，（一）農地農有，即歸現耕農所有，在原則上承認中共在大陸上土改分田的事實。換言之，反攻大陸係為解民倒懸，而不在幫助地主去收回田地。（二）土地私有，否認中共土改分田的事實，田地歸還地主，以現在大陸上分得土地之人，多原非真正農民，而係地痞流氓及中共幹部。（三）土地國有。這三派的意見，都引有國父的遺教，及各種事實上的理由。在最初的一個時期，（二）（三）兩說，贊同者亦大有人在。但照最近演變趨勢，則第（一）說已佔絕大多數。蓋國父在民生主義演講中，主張耕者有其田，此處之所謂「有」字，自係指所有權而言，不僅是指耕作權而言。我們要奉行三民主義，自以國父三民主義演講一書為其系統思想之代表，因時代與環境之不同，國父在別處所講者，不能作為唯一之依據。至於大陸上分到田地者，有地痞流氓及共幹，仍可重予沒收，以分配給反共戰士及其家屬，但不能讓大陸上已完全沒有真正的農民。且中共實施土改以後，獎勵墾殖，阡陌釐平，如欲歸還原來地主，在技術上亦並無辦法。至於國有說中，閻錫山氏復另有意見，主張村有，恐亦不能適用於全國。且閻氏在山西，辦理村治有年，而此次晉省亦未能獨抗共軍，不遭淪陷，足見下層基礎，亦屬脆弱。或謂土地人民軍隊均應屬於國家，不應由任何人私有。但立國三要素之所謂土地，係指國家之領土而言，在我國憲法第四條，已規定非經國民大會決議，不得變更。但憲法第一百四十三條，又謂：「中華民國領土內之土地，屬於國民全體。人民依法取得之土地所有權，應受法律之保障與限制」。足見領土屬於國家，而土地乃屬於人民。現在大陸上農民取得之土地，誠非依法，但如中樞政策決定，也可以經過立法的手續，補予承認。土地問題，是中共迷惑世界麻醉人民的法寶，我們要收復大陸，重振人心，自必須對於這個問題，先有明確的決策，再有廣大的號召，方可使大陸上佔人口多數的農民，免除疑慮，望風來歸。而反攻大陸的一切政治號召，也才能有所依據。表現力量。

李翼中去謝徵孚來
台社會處易長索隱

台灣省政府的三朝元老，除祕書長浦薛鳳外，便是社會處長李翼中。李到台灣參加省府，出於黨方的支持，而這一次辭職照准。在外表看來似覺突兀，而實際上，即李與台省府吳主席國楨對主管業務的意見，早已不能一致。社會處的工作注重在人民團體的組織與合作事業。台灣的合作事業本有基礎，但自從與農會合併，便以非農民而為合作社的理監事的關係，帶了合作社的財產參加農會，浸假而成為農會的理監事。因此，台灣今日的農會已不由農民自己領導，這在社會處方面是認為不滿的。加以農會的許可登記雖仍由社會處主管，而其平時的工作指導監督，已轉移到農林廳手中。社會處與農林廳之間因此不免有了職權上的衝突矛盾之處，而吳國楨是多少偏重於農林廳方面的。從前在大陸上的時候，各級選舉都有職業團體代表的特定名額，社政機關對於人民團體的控制與領導也因此可以強化。台灣省此次實施地方自治，對於各級民意機關的建立，沒有兼採職業代表制，所以社政機關的作用也就減少了大半。尤其最近的台北幾個合作社因經營地下錢莊，宣告破產，社會處係合作事業的主管機關，不能說沒有責任。李之必去，蓋有由來。謝徵孚曾在抗戰前後，兩任南京市的社會局長，去年到日本去考察過一次勞工福利。謝氏近曾有條陳，建議倣照日本厚生省的組織，於中央設置社會安全及社會動員機構，其主持人的地位須僅次於行政院長，而在各部會長官之上。謝氏的計劃，雖一時未必採納，然閒居已久，忽得此小試機會，亦未嘗不喜出望外也。（五月二日）

半週展望

雷嘯岑

日本的艱難國運

我們曾經說過，日本之獨立自主，即是她的國運艱難之開始，「五一節」的共黨暴動事件，即日當頭一大棒喝！這項事變的本質，夾雜着若干甚於狹義的民族主義之排外思想在，很多青年學生亦昧然盲從，這給予俄共以大好的宣傳機會和利用工具。在另一方面，所謂「戰略之神」的辻政信一流舊軍人，也大發軍國主義式的言詞，且為輿論所推許。這左右兩股逆流，將泛濫於新興日本的各階層，怎樣能誘導它轉於正當發展，乃是日本政治家的當前要務。

有人說吉田茂是「東方的邱吉爾」，他實在不像。試看他對於日本再武裝問題，對於中日和約問題，前後的言論思想，反覆徬徨，搖擺不定，沒有一點「約翰牛」的氣質，那能跟倔強的邱翁相比呢？他很像一個「東方的聲萊士」，也像「日本的尼赫魯」幻想多而作法少。瞻望新興日本的前途，若說吉田茂能夠完成復興大業，實在是未知數！

第一次世界大戰後的德國，由社會民主黨當政，斯特萊徹抱住一部威瑪憲法，左顧右盼，既未能改造德國社會結構，又未能改善戰後人民的困苦生活。在國外，與蘇俄暗中修好，在國內，又靠舊有金融資本集團和普魯士軍閥作支柱，以致共黨人乘機竄發，鬧得八表同昏，莫可收拾。如是乎，「我的奮鬥」那位泥工匠出身的希特勒崛起了！他揮舞着反共旗幟，適應人心厭亂與復仇的普遍情緒，很快的奪取了政權，終使德國陷於今日分崩離析的亡國浩劫！

今後的日本是否會走第一次大戰後德意志的老路呢！很難說。吉田茂的才幹似乎未能超邁於斯特萊徹之上，但他現時具有比當年德國社民黨優越的環境，即民主世界一定維護日本，需要日本。問題是他有無大政治家的器識和作法，使日本人不致挺而走險，趨於偏向之途？我們以日本的近鄰關係，衷心期望日本及早站起來，担負一份安定亞洲的責任。日本的生活資源不足，生存空間偏仄，人民生計艱窘，這都是事實。但，這些問題只有與民主世界切實合作，尤其要與唇齒相依的中華民國攜手奮鬥，才有正當解決的希望，而這是需要下注的，投機取巧，因利乘便那類幻想，絕對無用！再武裝固然困難不少，然日本必須憑自身的力量來求出路，再武裝就不能藉難而延宕。日本沒有美國援助，馬上就感到不易生存的威脅，狹隘的民族思想，必須揚棄。關於這一點，日本應該取鑑於中國的歷史教訓。戰後的蘇俄和其第五縱隊——中共，即利用狹隘的民族思想，挑撥一般知識青年的反美情緒，使美國感覺煩惱，漸漸的退出中國，停止援助，最後，則讓俄共統治了整個大陸。所以，日本人今天萬不可上俄共之當，發生反美心理。民主世界存在，日本一定存在，否則聽你怎樣搞法，也一定是淪亡的，這就是日本新興的唯一途徑。

板門店和談了無生氣

久不談板門店和談問題了，因為我自始即堅決認定它不會有甚麼成就的。前天消息：聯軍代表聲明「休戰談判業陷於無生氣之境地」，美軍第八軍團長亦公開說「現已有明白跡象，顯示共黨永不需要停戰」了。

史太林原想以韓戰來困擾民主陣營，更想藉此離間英美在遠東的軍事合作，現在卻反被民主陣營利用韓戰來直接打擊中共，間接窘迫蘇俄。這好似間諜與反間諜的鬥爭，看誰的手法高強？

對日和約生效了，中日和約也簽訂了，民主陣營在東方對俄共集團的包圍圈已經完成，剩下來的問題只是在太平洋區域的軍事聯防步驟。英美法三國海空軍最高將領近日大會於菲律賓，美國太平洋艦隊總司令韜德福上將僕僕於香港台灣之間，很顯然是為着未來軍事行動作縝密的協商與決策。主動權已叨時間之光，揑在聯軍手裏，板門店和談當然無關宏旨了。要和，即照聯軍的最後通牒簽字，否則聽憑俄共們的傀儡，板門店三字快要從新聞紙上失蹤了！

從「生產動員展覽會」證實 台灣生產能力深厚 使我們對反共抗俄前途更增加無限信心

·寸木·

在香港看見過兩次一年一度的國貨展覽其中最觸目而數量也最多的是熱水瓶和鋼精鍋，使人有貧乏之感。最近在台北參觀了生產動員展覽會，展覽出全台灣的生產品，相反的使我感覺得台灣今天生產能力之[illegible]厚。如果不是親眼來看一下，你眞會不相信這一個擁有三萬六千多方公里的島上會蘊蓄着這麼大的力量。從這上面，使我們對自由中國反共抗俄大業成功的前途，益增無限的信心。

參加者單位八十個 展覽品二千八百件

展覽會是自由中國的勞工，爲響應政府生產動員的號召並配合「五一」勞動節而舉行的，於四月廿九日開幕，參加的有八十個生產單位，比之去年增加百分之二十五，展覽品在二千八百餘件，生產品的陳列和會場的佈置都非常美觀。其中關於勞工福利設施的圖表，本年着重於日據時代及大陸共匪政權統治下勞工生活之比較，尤能使觀衆對此有一鮮明深刻的印象。即以勞工保險一事而論，統計數字也告訴了你以顯著的成績。自三十九年三月一日開始實施以來，到現在，參加的勞工已有十七餘萬人，發生事故而領到償付保險金的共有二萬一千二百七十起，償付金額達新台幣七百五十餘萬元。

工礦公司包括四項 紡織化工礦冶營建

在生產事業中，首先值得介紹的當然是台灣工礦公司。它是一個有相當規模的企業組織。內分紡織、化工、礦冶、營建四大部門。它是公股民股合營的事業。現轄有棉蔴毛絲等紡織廠九所，橡膠、油脂、肥皂、油漆、搾油、陶瓷、耐火器、紅磚等廠二十四所。鍊鋼、鍊鐵、軋鋼、機械、電工、氧氣等廠九所。煤礦及鐵用炸藥、雷管廠六所。營建廠二所。其全部生產品包括：（一）紡織類：棉紗、苧蔴紗、粗蔴紗、各色細布、斜布、花布、純蔴布、蚊帳布、沙發布、綫呢、呢絨、羊毛毯、駝毛毯、造紙毛毯、棱織蔴袋、平織米袋、生絲、絲棉被、黃蔴纖等。（二）化工類：卡車、汽車、三輪車、自行車的內外胎、各色雨靴、運動鞋、各種工業用橡皮帶、橡皮管、橡皮手套、純淨甘油、椰子油、花生油、肥皂、香皂、蠟燭、各種油漆、各種瓷器、耐火材料、紅磚等。（三）礦冶機械類：塊煤、焦炭、煤餅、炸藥、雷管、導火綫、各號生鐵、鑄鐵、鑄鋼、鍛鋼、鎳合金、建築[illegible]部件用鋼、各種工[illegible]用工具、柴油機、布機、各式抽水機、鐵路用汽油快車、鐵路查道車、公路用客車、氧氣、乾電池、[illegible]色燈泡、電扇、收[illegible]機、對講機、擴大器、電動機、變壓器等。（四）營建工程類：承建高雄十號碼頭工程模型、高雄市游泳池模型、高雄基雅察橋、賓察大橋、台灣大飯店、台灣銀行基隆分行、新竹桃園混凝土路面新建工程、兩萬噸船塢等。

機械公司成績優異 六年來有不少貢獻

其次，說到台灣機械公司，它雖然只有一千五百員工，但成績却是相當優異。自光復後，六年來，完成鋼鐵鑄品一萬三千噸，機械修造一萬七千噸，船舶修造五十四萬噸，機車車輛八百五十噸。較大的新造工程：卅七年替台灣糖業公司設計製成窄軌機車十二輛，甘蔗車一百輛。卅九年替糖業公司設計新造粉煤機五部。替紙業公司設計新造蔗渣壓塊設備八套。電力公司各地水閘門八座，吊門機十五座。四十年替糖業公司設計新造7.5噸棚車一百輛，各糖廠五噸甘蔗車及客車機車一百輛。水利局阿公店溪水閘門一座。全銅鑛車一百輛。公路局鋼骨客車七十輛。這些都是機械公司所創造的輝煌成果。

糖業公司生產遞增 今年可逾六十萬噸

再次說到台灣糖業公司，這一個公司，僅以所擁有鐵道運輸力而論，即有三千九百餘公里，其中除營業綫六百八十餘公里外，餘皆爲公司運輸原料及成品之用，其規模概可想見。砂糖增產數每年都有進步，三九——四〇年期，僅三十五萬噸，四〇——四一年期增至五十一萬噸，四一——四二年期，如無颱風，公司負責人保證可以達到六十五萬噸。這是台灣最主要的出口物資，每年都能爭取相當大數量的外滙。副產以糖蜜和蔗渣爲大宗，除以之製造酒精，酵母外，現正計劃利用糖蜜養猪，以增加蔗田用之堆肥。還有硬蔗板，也有大量出產，可供建築材料之用，極爲美觀。

畜產公司努力製粉 每日可生產三千袋

還有台灣畜產公司，也是本省重要產業之一。自卅五年到卅九年，其在農業生產總值中所佔比率，達百分之九·五二四，卅九年佔百分之一四·八〇三，列入農業生產種類之第三位。其中包括：（一）粉料工業：因本省小麥產量甚少，故生產不足消費約六二·二七七公噸。畜產公司的基隆粉料廠仍以最大的努力來達成其增產之任務。所製精麵粉，每日可生產三千袋（二十二公斤裝），約佔全省生產百分之七十。麩年產五千五百公噸，足供全省需要量十分之四。（二）皮革事業，該公司所屬台北高雄兩廠，每年可產原皮十四萬張，生產品以供應軍需爲主，民用次之。本年並將試用鯊魚皮及猪皮製革。（三）骨粉工業：骨粉爲家畜飼料之重要原料，以及烟草果樹之理想肥料，該公司所屬嘉義骨粉廠生產力年達五百噸，品質甚佳，供應全省。（四）食品工業。高雄食品廠以配合軍需爲主，目前主要業務爲軍魚加工製造魚肝油及肉類罐頭，生產能力極高，即以罐頭一項而論，每日可製五千罐。（五）畜牧事業，包括養猪，牛乳，養鷄等，在展覽會中，我們可以看到那些畜牧場所優美的模型和內容的照片。

中紡公司準備擴充 民營紗廠將有增加

另外還有衣的泉源之中紡公司，也是值得一提的。他們的計劃是紗綻五萬枚，布機一千六百八十台，現有爲紗綻一萬枚，布機三百四十台，上年產量，紡紗部份共產廿支棉紗四千九百三十件，織布部份係上年四月開工，製成十二磅細布十二萬八千零四十疋。預計本年可增產廿支棉紗八千四百件，細布廿五萬疋。其餘民營紗廠大約共擁有四萬紗綻以上，今年還有新的紗廠準備建立。

鍊鋁製鹼各項事業 一切表示確有進步

其餘如台灣碱業公司去年度生產燒碱一六五七七公噸，液氯一六三二公噸。台灣造船公司，技術標準可與遠東其他船廠比美，每年可能修造船隻三十萬噸。台灣鋁廠，年產鋁八千噸，爲中國之唯一鍊鋁工業。台灣水產公司，每年生產量爲五千噸，對於軍需魚類有極大的幫助。台灣紙業公司，年產各種紙類達三萬餘噸，在去年世界紙荒的時候，獨台灣紙張供應無缺，這也是一種很值得欣慰的現象。總之，台灣的一切確是在進步中，從這工業品的展覽中，使我們得到更多的證明，記者特就探詢所知，向關心的讀者作如上的一個概略的報導。

香港治安不容破壞 中共份子紛紛出境

香港三日

共黨利用民主國家寬大容忍，在民主國家統治下，進行搗亂顛覆破壞，妨害治安之活動，致使民主國家公共安寧，大受影響。此類情形，在東南亞尤爲顯著。英屬各地，自上次殖民部長李特爾頓親蒞遠東，分別視察後，對於如何防止共黨擾亂治安之辦法，極爲關切。新加坡方面，新任專員鄧伯來到任月餘，內採用堅決政策，現已大著成效。香港瀕臨共區，對於防共措置，極爲困難。過去共黨利用報紙，學校，工會，陰謀煽惑，引起社會不安，甚至若干機構，成爲培養共黨份子之最大溫床。最近當局爲維持公共安寧起見，決不再事姑息。現已有種種事實上之表現，聞連日潛伏此間之中共人物，一部份已紛紛出境，至中共方面，有何反應，由於中共報紙及廣播對香港政府之攻擊，可見一斑。又大公報被罰令停刊六個月後，自昨日起即已未再出版。

中華海員分會反正 自由中國紛電慶賀

中華海員總工會香港分會，於驅逐少數中共份子後，於五一勞動節宣告反正，撕毀僞五星旗，改懸青天白日旗，全體海員，對此偉大舉動，無不歡欣鼓舞。連日該會接到各方慶賀慰問之函電甚多。中華海員總工會來電，尤使此間會員，感到無限興奮。自由中國交通部長賀衷寒對海員工會反正，曾在台發表談話，除此間報紙所已刊載者外，聞賀並電指出：「該分會前被極少數匪共所劫持欺騙，數年以來，其中大部份海員目睹大陸同胞，已在水深火熱之中，且有一部份身受匪共奴辱，並深知共匪已爲全國人民所唾棄，故有此幡然改圖之壯舉，本人對此甚表嘉慰。此次反正之海員，既有此認識，並盼其有更多事實之表現，予匪幫以更重大之打擊」。

貧苦兒童的好消息 顧來傑夫婦將來港

港九各有關兒童福利及慈善救濟機關，每年由美國基督教兒童基金委員會補助款項，數約一百萬元，目前受惠兒童，如衣，食，住及教育等項，共達二千一百名。主持該基金會之顧來傑博士夫婦，由美來港視察，將於下星期內抵達，屆時港九各兒童救濟機關，決舉行盛大歡迎。顧氏從事兒童救濟工作，已歷二十五年，對於窮苦及無家可歸之孤兒，尤爲盡力，在二十一個國家內，有許多兒童機關，受其補助，補助款項，以用於遠東方面的爲最多。香港並特別設有該會遠東辦事處。

顧氏夫婦，此來係乘飛機由美起程，在日本，朝鮮，台灣，小作勾留，視察其有關兒童福利事業。抵港後預備住居五天，然後再赴馬尼剌，及遠東其他各地，最後由歐返美。兒童救濟工作，以局勢不安之地區最爲重要，尤其戰爭爲大量孤兒之製造所。現中共在大陸殘酷屠殺，流入本港之孤兒，日見增多，顧氏此次來港，一般人均切盼其對此類可憐兒童，能帶來幸福與安慰。

一萬四千名回教徒 自印尼赴麥加朝聖

印尼交通部高級官員安吉五，昨自日本乘英國海外航空公司飛機抵港，小作勾留，即經新加坡返印。據渠在機場告記者，此次赴日，係因印尼不久將有一萬四千名回教徒赴麥加朝聖，關於船位及手續等項，與日本方面有所接洽。

復興銀行清理問題 法院定期初步調查

復興銀行倒閉後債務清理問題，迄今數月，毫無頭緒；聞大戶衞立煌曾允放棄其一百餘萬元巨額存款，只須收回七萬元，以便處分賸餘資產時，各小戶得取回較多款項，損失程度可望減低。衞與各小戶代表並曾訂有協議，惟最近此項協議，衞氏又表示尚須再行考慮。刻清理事宜，存戶已無法自行辦妥，已決定聽由法院處理，本月十六日，法院將召集各債權人，進行初步調查。（必眞）

我爲確定立委辭職手續 提案要點如此 與已撤回之趙委員祖貽等提案意旨不同

·廖維藩·

【編者按】關於立委之出缺遞補問題，本刊已迭有報告。立院方面，有關此項事件之議案，最重要者，計有趙祖貽等提「在本屆立法委員行使職權期間，原有候補委員仍應遇缺依次遞補，以崇法治而重民權案」，及廖維藩等提「立法委員有自行辭職者，或於一會期內無故不出席視爲辭職者應由本院會議決定後，咨請行政院轉飭主管行政機關依法辦理註銷遞補手續案」四月三十日本報所載提案人自動撤回者爲趙祖貽案，該案聯署者，本有二百餘人，聲勢頗爲浩大，且提案要點，完全着重於候補委員依次遞補問題，與行政院所作立委任期已滿，在繼續行使職權時，無庸遞傳候補之決定，正面衝突，此案既行撤回，候補問題即算告一段落。至廖案則僅提案人聲明，要點在確定立委辭職手續，用意不專在候補，故仍在交由審查會審查中。廖氏昨來函說明提案要旨對本報四月二十三日所載各點，有所辨正。茲摘錄原函如下：

（上略）本人等提案主旨，在確定以後本院委員自行辭職或於一會期內無故不出席視爲辭職之處理辦法，與行政院之決定並無關係。所云轉飭主管行政機關依法辦理註銷遞補手續，係屬法定辦法，並無時間限制，與現在之遞補與否，尤不發生若何關聯。查立法委員之出缺，約可分爲五項：（一）當選無效，由法院判決確定，見立法院立法委員選舉罷免法第三十五條及立法院立法委員選舉罷免法施行條例第五十八條。（二）罷免，由選民投票通過，見前法第四十三條及前條例第六十三條。（三）犯罪，由法院判決確定並褫奪公權，參看前法第六條前條例第四條及刑法之規定。（四）立法委員自行辭職或於一會期內無故不出席視爲辭職之處理辦法，法無明文規定。（五）死亡。第四項「自行辭職」字樣，僅見於前法第四十五條。但辭職之委員，究應向何處辭職？由何人接受？遍查立法院立法委員選舉罷免法及立法院立法委員選舉罷免法施行條例，並無隻字規定。有主張向內政部或選舉事務所辭職者，有主張向立法院辭職者，有主張向選民辭職者，有主張在選區及首都登報聲明辭職並報告立法院者，議論紛紜，莫衷一是。本院與行政院對此事均感困惑。本人於院會討論本案時，曾將上述意見詳爲說明，請予補救，故院會接受本案交付法制內政兩委員會審查。至立法委員於一會期內無故不出席視爲辭職之確定權，當屬於立法院，但法律亦無規定，故一併交付審查。要之，此案有關法律規定，將來或須增訂法條，亦未可知。查本院趙委員祖貽等提議在本屆立法委員行使職權期間，原有候補委員仍應遇缺依次遞補，以崇法治，而重民權案，或與行政院決定不無異同之處，昨經院會討論後，已由趙委員撤回。（下略）

廖維藩啓

康藏通訊全出揑造 作者坦白供認 向來歡喜造謠

上接第三版

戰鬥文工團團員劉重蘇等這一揭發，不但顧工受不了，連新華日報，和那班通令擴大宣傳的中共宣傳官，也十分感到難堪。新華日報，本不願刊登劉等投函，經不起劉等義正詞嚴的吵鬧，只好於刊出後一再在報上指明，要顧工切實答覆。西南宣傳官，則下令戰鬥文工團主管發稿的創作室主任魏風，要他限令顧工坦白，迺四月十九日，新華日報登出了顧工的認罪聲明。開口第一句，他說：「『康藏女教師』是我揑造的一篇通信。我在某地下飛機時，並沒有和那女教師作過像報上所載的談話，我只是想恭維那女教師一下，但對那女教師的經歷、思想又毫不了解，只好憑空臆編，臆編又怕內容太空洞，不能引起讀者注意，於是我挖空心思，寫出了長篇對話。……因爲我自己從來不能吃苦，不願意實際做採訪工作，又充滿了小資產階級思想，就只好揑編一些不眞實的故事，敷衍塞責，這是我一貫的新聞作風。」

問題至此，總算告一段落。但我們從這一事實，也就獲得了十分正確的結論：中共一切的美麗宣傳，都是憑空揑造。西藏的人民，是不是那樣熱愛共軍？是不是共軍到後，他們就都生活優裕了？是不是姓李的老太婆，病情嚴重到不能吃飯時，還一定要硬將家裏替她買來延命的掛麵，都捐給中共？從這顧工「康藏女教師」這幕趣劇揭破以後，我想任何人都應該能夠答覆這些問題了。

關於劉重蘇爲什麼要戳穿顧工這幕趣劇，記者另有報道、（編者按：請參閱另條）（渝民，四月二十八日寄自重慶）

西藏人民，已高舉反共的大旗，這裏告訴你，他們爲什麼要和中共拚命？同時告訴你，中共在西藏的宣傳一切都出自憑空捏造

共軍搜搶存糧引起藏人叛亂
「代飯粉」帶來災禍
新奇發明失敗蘇聯顧問丟臉

連日報載新德里電訊，西藏人民，對共軍已發動大規模叛亂，我們的駐成都記者，除上次通訊就早已透露過西藏人民痛恨共軍外，這裏更繼續說明了西藏人民，爲什麼要和共軍拚命！

〔本報成都特約特訊〕共軍入藏，暴斂苛征，强迫藏人開山修路，將藏人積儲食糧，搜括一空，藏人痛恨共軍，不共戴天。記者在四月二日通訊中，即曾指出：「共軍入藏後，雖竭盡宣傳能事，說：藏人對共如何欽崇，如何熱愛，實則由於共軍之殘酷壓迫，藏人恨共，幾無一不視若寇仇。」並舉共軍驅迫藏人開闢雀兒山公路爲例，共軍爲了要轟碎一塊巨石，竟犧牲二百餘藏人生命，而不肯犧牲五十斤炸藥，這叫藏人如何能不仇恨共軍？（編者按：四月二日記者在成都所發通訊，已載四月十二日本報第一一六期。）記者早就料到，西藏內部，對共軍必有重大事變發生，最近，由於成都市內，突然新到了一批由西藏運來面目殘破，斷手折足的傷兵，經記者多方探詢，證實前項推測，已成事實。西藏各地，據說，現已爆發了許多藏人反共的流血戰爭。

西藏無力抗拒共軍 但有傷兵由藏運蓉

成都在去年除了朝鮮戰場運回來的傷兵外，還有許多瞎眼的殘廢軍人，是從西藏運回，成都僞市府，選定若干住戶，限令每家必須招待此項瞽目「榮軍」一名或數名，供給住宿。這些榮軍之所以雙目失明，是因爲西藏高原，終年積雪，共軍往往行軍數十天，終日所見，只是一片皚白，事先毫無保護目力的準備，加以營養不良，遂致許多官兵，變成盲瞽。但這種盲兵，市面已許久未再見增加，大約是西藏方面已有了預防及救治辦法。不料最近半月，忽然另有斷手折足，面目殘破的共軍，從西藏運來蓉。西藏遂頻，是已和俠歐王朝，訂了投降條款的，當然不會與共軍發生戰事，而且藏人頗也絕沒有力量，能與共軍作戰，因此傷兵何由而來，成都老百姓，腦海裏總爲這個疑問所困惑，現在，此一疑問，由於傷兵口中，逐漸透露，已得到正確解答。

西藏高原運輸困難 士兵顧慮糧源斷絕

西藏地高土瘠，只有稀疏可耕地區，其餘都是荒漠，藏布江流域，可資耕種，其餘地區，一片荒涼。藏人食品，以青稞、大麥、小麥爲大宗，稻米極少。共軍入藏，除麥米全部搜括，運青稞也不許藏人用外，多量儲存，藏人大部份發生饑荒，因此恐慌。

當共軍初入康藏時，爲了執行其一貫的「三頭」政策，人民的「三頭」（即在進行奪取政權時，向人民磕頭，以取得人民好感，及政權穩固以後，乃逐漸露出瓦解頭；人民有所要求，多搖頭拒絕；迨時日既久，自信政權已穩固，人民無法反抗，於是大施其恐怖暴行，屠殺人民，遂成爲後階段之「殺頭」，中共在大陸一向均照此政策執行，四川方面，尤爲澈底。）向恐徵發糧秣，將引起藏人不滿，極力想從四川大量運糧入藏，無如康藏境域遼闊，高山峻嶺，迄今尚無一寸鐵路，即公路亦多未開闢成功，飛機投糧，更力量不夠，以是大批糧運，異常困難。其時徘徊川康邊境之共軍，怕入藏以後供應斷絕，遲遲不敢冒險前進，於是中共異想天開，令政工人員，向所有共軍大肆宣傳，謂：

中共已譯出蘇聯顧問，發明了一種代飯粉，每粉一斤，營養可抵十斤白米，其配合成分，除米，麥以外，尚有牛乳粉，蛋黃素，及牛肉乾等，既富營養，味亦鮮美，刻正在後方大量製造。現在一個士兵，可按十斤發配，如果入藏以後，當地糧食不足供應時，即可改食代飯粉。而代飯粉量少價高，較運米麥容易萬倍，今後中共亦可絕對保證，對入藏部隊，不致有斷糧危險。中共運用了這一美好宣傳，川康邊境共軍進藏，從始大安向康定一帶，地方比較富庶，中共又早有準備，糧食未成問題，沒有改食代飯粉的必要，以後愈前進，人口愈少，地方愈窮，供應逐漸困難，這時候，過了雀兒山，存糧已全部吃光。於是開始食用所謂蘇聯顧問發明之代飯粉，當時大家還相信政工人員的那套宣傳，以爲不但止饑，一定還很營養，很好吃。興高采烈，準備嘗此新奇美味。

代飯粉中共軍上當 搶民糧西藏人拚命

不料照着辦法，將代飯粉調水弄成乳狀以後，起初好奇，大家你搶我奪，及至一碗落肚，每一個人，卻都是皺着眉毛，齊聲叫苦，有的則大發脾氣，說，寧願餓死，也不再吃這什麼代飯粉了。原來所謂代飯粉，裏面並沒有牛乳、蛋黃素、牛肉乾、豆，而只是將一些蠶豆、蠶豆稻谷、蠶麵包皮，碾和磨碎，加上鹹鹽，承辦軍糧的共幹，更忍心害理，以致摻上一些石膏粉，以致一經入口，由舌變苦，在喉頭，無法下吞，儘管政工人員說：「這是你們還沒有吃慣」及「無論如何，總比從前二萬五千里長征，吃樹皮草根的好」，但共軍士兵作爲掩飾，憤不可過。再過幾天，問題更轉嚴重，凡是吃代飯粉的，沒有一個不大患肚瀉，在雪山上受風濕例的。

夜裏，每個士兵，一夜要爬出帳篷八九次，大家當然受不了。這種情形，報告到高級軍部，中共知道，這不再是空口宣傳所能解決，好在此時全部大軍業已入藏境，於是惡狠狠地下令，徵收所有藏人糧食，全供軍用。軍隊所到之處，藏人存糧，搜括一光。

雖然這個新政策勉強填飽了入藏十幾萬共軍的肚皮，卻使一百多萬西藏人，眼看都要餓死。尤其中共的搜糧命令，執行起來，非常殘酷，一個七十多歲垂死老翁，因爲病重，糌粑吃不下去，她的孫兒，好容易替他弄到一斤白米，準備給他煮稀飯。不料共軍搜糧，一並搶走。諸如此類的兇惡暴行，不知在西藏發生好多，實在忍無可忍，西藏人民因此，共軍士兵，三三兩兩只要離開大隊，走到郊外，都遭藏人襲擊。有時藏人竟敢結集多數，攻擊共軍，中共幹部，遭受殺傷的，爲數也已不少。害已不少士兵。現在共幹已過百人以上，傷的更在千人以上。據他們推測，中共如果不能有大批糧食迅速運藏，勢必無法停止，而藏人爲生存，更有大規模變亂發生。（編者按：照日報載新德里消息，西藏人民對共軍即已爲爭糧發生大規模叛亂突。）（四月廿六日寄自成都）

爭風吃醋揭穿了中共秘密
「康藏通訊」全出捏造
中共通訊員自行承認因爲懶得實地採訪就只好憑空杜撰

〔本報重慶特約通訊〕中共進軍西藏後，所有中共報紙，都在拚命宣傳，西藏人民，如何歡迎共軍，如何熱烈地奔向康藏，從事於偉大工作。內地男女青年，就爲了記者「天堂樂園」。此間新華日報，所看到幾篇由西藏寄出的通信，把西藏描成天堂樂園，把西藏人民描寫成如何歡迎共軍的救命天使，簡直還代表了當在秧歌十全十足的王朝暴政下的西藏高原人民，勇敢，純潔，我們的驅殼，知道了些最苦痛的一九五二年，心爲之嚮往。相信這些報道，大家現在都像做一般夢，正在過着天國的生活，那麼，並不太遠的西藏那個廣大高原了。從這些西藏通信中，我可以略略摘出幾段最天花亂墜的，向讀者介紹：

「走向幸福的藏民村」
說滿村充滿歡樂歌聲

在一篇標題叫「走向幸福的藏民村」的，由新華社記者袁□所撰寫的通信中，一方面告訴讀者：「這是一個昌都縣的藏民農村，人民解放軍入藏部隊解放牠已經兩年了。牠名叫白格村，在昌都城東北二十餘里，這個村一共住着十個家族，二十大家都很窮困，解放前後，連得到了豐收，解放村裏頭已出現了新修的房子，每年春末夏初，河谷是很美麗的。我訪問了白格村，村裏傳出歡樂的歌聲，當我走上一座高大的新房子時，一個名叫卻次登珠的老農，滿臉現出寬慰的笑容來接待我，他邀我參觀他的新房，說：『要不是解放軍來解放了，我再活一輩子，也蓋不起這座新房子呀！』卻次登珠已經六十三歲了，在白格村住過六十年，他回憶過去時說：『那時候一家七口，還要吃不飽，穿不暖，受氣。』……去年春天，從藏部隊那兒學會了一種精強力壯的勞動，去年夏天，賣了一百多個銀元。這就是新房子的由來。他洋洋得意地指着新房子說：『我蓋了這座大房子，過了四十年的大地改革的生活。』」

老太婆願自己餓死 要將掛麵捐給共軍

另一篇署名胡鮮的人民訪問代表中東根，交新華社發表，標題是「在康藏高原上」。他這樣寫着：「遼定縣崗安鄉一位姓李的五十餘歲老太婆，在當號召抗美援朝捐獻的時候，她得了病，病情很重，飯也吃不下去，家裏的人給她買來兩條掛麵叫她吃，……」

又說她一定要捐獻，沒什麼東西可獻，但她想起掛麵，就決意不吃，把牠捐獻了。（編者按：本版另有中共搜括存糧，一老翁因藏族……）

〔成都通訊〕搜括存糧，病不能吃糌粑，買來一斤白米，其孫給他煮稀飯，竟被共軍搜出沒收。讀者試與此照比，當可領悟中共宣傳，不少踏實的藏族人民，得慶定縣的藏族人民，在抗美援朝號召下，三天之內，把所有公糧，完全繳清。

「康藏女教師」

「飛機在康藏地區降落了，我們走出機艙，同志們歡迎的身影，顯出英雄後，從解放軍英雄們的身上，在林蔭山坡上，小藏民排隊，十幾個藏族的男女，走在最前面的，長穿着紅布棉襖，頭上包着羊皮，小辮子上一塊鑲有成串的紅珊瑚，還有一束鮮艷的花朵。」…「卻是一位穿着藏制服的女同志，……『小同志』……我們從國的志願軍，同車上了汽車，英雄們唱起來了：『清脆的科漢，有的……』」……「女同志坐在我的對面，那位昂昂……」「……一個小藏族孩子的胸懷，小孩地跳進我的懷裏，親暱地叫着『何老師』……『孩子們，問：這才引起了我的歌詞，是你教的嗎？』『是的。』那小藏孩指着她用手絹給……」

新華社記者按：記者在大藏作宣傳，以向她這篇奇異通訊，所拚命鼓勵有圍的女青年，蒸將原文中最精美（內）幾段照抄如下：……

女教師：過顧工訊，所寫本篇康藏四月十三日大公報中共會全文刊登，讀者可以大宣傳內號召，讀者以參看。

……「你到過這兒很久了嗎？」「不，去年我才到成都華西大學畢業，從這裏到了這裏喜歡……」「是我在這裏畢業的時候，向我的師說：『青年同志……』我已經要求……」

（以下各段：）……「這怎麼就很難說呢？」……跟我的，那位吃驚的呼吸，我聽見我女同志……從那時候起，……

毛澤東，孩子們唱着：「毛澤東，史達林像太陽……」太太把孩子們抱在天上……我孩子們在孤兒院裏……孩子們到了學校……

……那簡直是……（此段字跡多處漫漶）

戳穿宣傳秘密 出自桃色糾紛
劉重蘇等被文工團開除

〔本報重慶特約通訊〕關於「康藏女教師」一篇通訊，在新華日報發表後，引起了大家的注意，文工團員劉重蘇與吳光固揭發了這篇通訊，原來她們在這篇通信的作者，是劉重蘇，吳光固，都是西南文工團的團員，劉重蘇曾與另一位老師何老師的一個團員，何老師與吳光固發生了戀愛，何老師被揭發，對劉吳二人的挖苦、揭露，以致他們互相大鬧，鬧到中共宣傳部，揭穿了。劉吳二人，已被開除了。因此牽出了這一個大鬧，也揭穿了中共宣傳的秘密。（渝四月二十八日寄自重慶）

全部捏造 謊話戳穿

當新華日報刊出這篇康藏女教師的通信後，引起大家注意，三月十一日新華日報登出一篇署名三十日，隔了一個星期，寫出的經過，大致如下：

全出捏造，劉吳固與吳光固所寫的投函，聲明這篇通訊是原來中共所謂工宣隊員的西南軍區文工團，同時劉吳等赴康藏隊工作的老師，同志們是一位女同志，她家兩位英雄何老師的故事，她原是漢姓何老師，志同道合，同志們對她的這些話，都不是實在，所以文工團是聽她們等等說的，根本沒有到過康藏……

名人可爲而不可爲

——從香港小姐到世界小姐

高方

世上各色各樣的名人，不管他成名之道是何內幕，但在表面看來，提起此人，大大有名，總是一種足以自耀自豪的榮譽。因此，許多看相算命的先生們要登廣告時，亦得請求名人署名介紹，以廣招徠。尤其政治名人，一經成名，身價十倍，氣派之陡，一言難盡，作用之大，出人意表　闊矣哉，名人也！

可是，名人也有難言之隱的。無論你是屬於那一類型的名人，大名既亟宇宙，排場即須講究，儘管隨時進「大押」店弄錢買米，而對外卻不能不裝成富貴樣兒；儘管求職心切，然不能不自高身價，有所不爲。此情此景，以政治名人最爲普遍可憐，而社會名人次之。譬說過去有位香港名女人，在她未被選爲「香港小姐」以前，憑其婀娜善舞的技能，生活頗很優裕。自從變爲大名鼎鼎的香港小姐以後，既不能隨便貨腰，而名女人的排場又不可「丟架」，消費日多，生產遞減，因而大受名人之累，只好遠走他鄉，另謀出路。

這幾天香港正在大選其「世界小姐」，爭妍鬥艷，好不羨煞人也麼哥！我眞要替那位中選的名女人躭心不已，將來貴爲「世界小姐」候選人之後，那還了得！即令銀紙充裕，生活無憂，然以「世界小姐」之尊，自然一切皆非世界化不可。香港乃世界中的一片小角落，「香港小姐」已經不能混了，「世界小姐」更非香江的池中物呢！所以，我常常替今人担憂，認爲名人是可爲而實不可爲的。

自由談

新武大郎

·嘉華·

武大自從用他那家燒餅舖做担保，還花了幾萬「人民幣」，替他的弟弟領了一張通行證，讓武二溜走之後，兩個多月了，武大明知道這件事結果不得了，但是他並不在乎。因爲他寧願犧牲了自己這個沒有多大作爲的廢人，讓前途光明的弟弟跳出了地獄，不論他跑到自由區也好，參加游擊隊也好，總算良心上對得起國家民族和祖宗了。每天當他一瘸一拐地從家裏走出燒餅店，望見縣政府掛着那面血腥的紅色中夾着五顆黃星的破布，就冷冷一笑，心裏嘀道：「看罷！早晚等二弟回來，把你扯下來給我老婆當襪底布！」

也是活該有事，武大上店去了，他的婆娘拿起叉子想把臨樓的簾子放下來，一失手，叭噠一聲叉子掉在街心，緊跟着下面就有人哎的一聲罵起來：「奶奶的！險些兒戳瞎了你老爺的眼珠子，誰的叉子？」

武家婆娘嚇得胸脯突突的跳，連忙探出半截身子向下面一望，原來一個穿着解放裝的同志，手裏拿着一頂八角帽子，正仰着臉在罵街，她紅着臉想陪個不是，誰知那位同志卻怒氣全消，迷着一雙三角眼嘻嘻的笑起來。

機梯咚咚的響，武家婆娘還沒來得及問，門已經推開，那位同志一步踏了進來，又笑嘻嘻的道：「別慌！我是公安局查戶口的，你就是武大的『愛人』吧？」

婆娘點一點頭，那傢伙卻放聲大笑起來：「人家說的我還不相信！原來武大的婆娘，眞是……他媽的，鮮花插在牛糞上。」

他從身上掏出一個小册子，東扯一句，西拉一句，這一問，問了三十分鐘，後來愈問愈不像話，武大的婆娘簡直紅着臉回答不出。有些問題是：「你和武大結婚是不是自己願意的？」「是不是經過戀愛的？」「你怎麼會嫁給這麼一個又老又矮的瘸子？」「你們的生活滿意麼？……」

第二天，這傢伙又來了，又是一大串問題：「你有沒有參加過婦女小組？你知道新婚姻法嗎？你想不想和武大離婚？……」最後，他看婆娘怔着不出聲，又翻翻小册子，眼珠子一轉道：「哼，你的丈夫担保他的弟弟離境，期限快到了，還沒有回來！……我們又查出他最初是挑担子賣燒餅的，現在居然開起了鋪子賣豆漿油條了，分明是剝削羣衆，盜竊國家資財！還有，……有人密告他私通游擊隊，思想反動！……我們隨時都可以清算他，你明白嗎？清算！」

武大的婆娘愈聽愈慌，眼眶裏積滿了淚珠，別的她也許不明白，「清算」這名辭，她可知道得很清楚；縣城裏被清算過的人，誰不傾家蕩產，並家破人亡，現在竟要輪到她的丈夫的頭上了！

「別慌」！同志的嘴角微微向上一掀，三角眼閃了一閃說：「如果想我不追究你的丈夫，也好辦！……祇要你肯……」說着一手抓住她的胳膊，向懷裏一拖，……婆娘還敢拒絕嗎？

這件事，婆娘最初不敢告訴武大，她怕傷了他的心。後來那位同志，天天都跑來泡上三五個鐘頭，日子久了，婆娘倒不想告訴武大了。可是這樣的事，怎能瞞得街坊鄰舍，不免有些閒言冷語，傳到武大的耳裏。再說，他每天回家也總看得出婆娘的樣子有些特別。

武大每天望着那塊紅旗，更是恨得咬牙切齒，發恨祇管發恨，他是擺在砧板上的肉，還有什麼辦法呢？

這一天中午，武大獨自喝了四兩白乾，一聲不出的踱回家裏，店裏的夥計，不放心，遠遠的跟着他，只看見他剛踏上樓梯拍門，就被人從樓梯上隆隆的推下來，一直滾到街心，跟着一個穿解放裝的同志，一飛也似的跳下來跑了。夥計扶起了武大，已經摔得上氣不接下氣，嘴角淌着血，不會說話了。

還不到十天，武大的店被公安局貼上了封條，武大當然也被抓了去。他到底犯了「什麼罪？抓去了怎個下落？誰也不知道。人們祇知道，武大的老婆在一天夜裏，跟那穿解放裝的同志走了。

石崇與綠珠（一）

·舜生·

繁華事散逐香塵，流水無情草自春，日暮東風怨啼鳥，落花猶似墜樓人。——杜牧。

金谷粧成愛細腰，避風台上五銖飄，身輕好向君前死，一樹櫻花到地消。——吳梅村

自來詩人詠綠珠墮樓這一故事的，眞是多到不可勝數，其原因便是這個故事的本身，確實是異常優艷。元明以來，有不有人把綠珠這個題材寫成傳奇或雜劇的，我記不得；近年有不有人把它寫成劇本的，我也不知道；但我想，如果把有關她的這些材料，好好的剪裁而附以想像，寫成一個話劇或歌舞劇，甚至構成一部影片，一定是很能動人的。

究竟是石崇因綠珠而傳，還是綠珠因石崇而傳，這且不去管它；但石崇因爲有了一個綠珠，而綠珠以一個感情熱烈的廣東女子，能夠反抗強暴，而又死在像金谷園那樣的一種環境，因此相得益彰，使得他們兩個都成了歷史上活生生的人物，卻是事實。

石崇是渤海南皮人。他的父親石苞，是晉朝的開國功臣之一，石崇是他六個兒子中最小的一個，因此他號季倫。石季倫這個名字，在中國的若干文學作品上，要比石崇這兩個字更爲常見。

史稱石苞『雅曠有智局，容儀偉麗，不修小節。』（見晉書石苞傳）石崇的性格，大概和他父親的遺傳是有關係的。

綠珠姓梁，廣東合浦縣人，這個地方本來以產珠著名，因此生的小孩子女的往往叫珠娘，男的往往叫珠兒，綠珠之名，便是由此而來的。近年廣東的名士，大家都知道梁敦彥，梁士詒，梁鼎芬，梁啓超，梁寒操，……但很少有人知道古代一位廣東的美人也姓梁，這卻是不應該的。

石崇因爲家庭的關係，從二十幾歲起，便開始作官，綠珠便是他做交趾采訪使的時候以珍珠三斛換來的。石崇有一座有名的別墅，在河南的金谷澗，因名金谷園，窮極侈麗，既得綠珠，便把她藏在這個園子裏面。綠珠吹笛，又善舞『明君』，明君者，漢明妃名王嬙字昭君者也，後人憐其遠嫁異族，作此曲以哀之，石崇即把這個曲子叫綠珠歌唱，又自製新歌曰：

『我本良家子，將適單于庭，辭別未及終，前驅已抗旌。僕御涕流別，轅馬悲且鳴，哀鬱傷五內，涕泣沾珠纓。行行日已遠，遂造匈奴城，延我於穹廬，加我閼氏名。殊類非所安，雖貴非所榮，父子見陵辱，對之慚且驚。殺身良不易，默默以苟生，苟生亦何聊，積思常憤盈。願假飛鴻翼，乘之以遐征，飛鴻不我顧，佇立以屏營。昔爲匣中玉，今爲糞上英，朝華不足歡，甘與秋草幷。傳語後世人，遠嫁難爲情。』

讀此，我們可以想像綠珠入金谷以後的生活一斑，亦可藉此窺見石崇斐然之文采也。（九四）

萬竹樓隨筆

一切「榮譽」屬於人民　·夫石·

談「總統先生」

·凝之·

由共同廣播公司駐華府記者希爾曼，根據杜魯門的私人日記，信件，和談話纂輯而成的「總統先生」一書，出版不過一個多月，其銷行之廣，已使當前任何一種暢銷書爲之失色。

把其從政或作戰經過著書發表的習慣，西洋政治家或將領，都有。這不獨可使研究歷史的人得到許多便利，在一般讀者，也可藉以明瞭當代政局演變的內情。其體裁有種種不同的方式，最普通的是回憶錄的寫法，例如邱翁的大戰回憶錄與李海上將的「我的經歷」，也有的是由他人根據私人文件加以編纂或敍述，例如薛伍德的「羅斯福與霍浦金斯」，蒙德代史汀生寫「辛勤的服務」。「總統先生」一書，在性質上自是屬於後者。但照一般向例，這一類書籍只有在本人退休或死亡之後方纔出版，至少也要在離開了書中所敍述的職務以後——例如貝爾納斯的「說老實話」。至於以一國行政元首之尊，於繼續在職時而竟把他的私人文件拿來發表，在杜氏以前似乎還沒有過先例。

此書出版後，至少有兩位名人已憤怒的提出了駁斥——前國務卿，現任北加羅林那州州長貝爾納斯，和前副總統，曾在杜氏內閣中担任過商務部長的華萊士。據我們所知道的，他倆與杜氏的爭執，主要是由於對蘇問題，貝氏太軟弱，華氏想姑息，倒還是杜魯門的立場比較平穩，但杜氏處理的手法非常拙劣，以致在政見之爭以外又增加上私人的嫌怨。據說羅斯福在位十二年，從沒有一次使他的僚屬在難堪的境地中去職，只有罷免當時財政次長艾契遜（即現國務卿）算是唯一的例外。

這書也許不一定是一本好的政治紀錄。但若想瞭解杜魯門個人，卻勝過現有的任何關於杜魯門的傳記譜著作。

·瀛海·

·漫談·

傭僕問題

·一知譯·

美國駐德佔領軍拖延了甚久的傭僕問題最近終於得到了解決。駐德高級專員麥克洛埃和國務院久已要求佔領軍官員放棄在他們家裏打雜的二萬四千名德籍傭僕，好讓西德減少負担其工資的一筆鉅大支出。但佔領軍當局，一直表示反對，且提出不少理由，加以申辯，有的說，他們的太太如果外出，家裏無人看門，盜竊案件，勢將大量增多。到四月底，佔領軍方面算是屈服了，非但放棄了免費傭僕，且取消了特別渡假火車和火車免費的特權。西德因此節省了二千八百萬美元，重整武裝聲中的德人，從此不必再担負他們的勝利者享受的費用了。（譯自四月二十八日時代週刊）

物價與民心

·思萱·

大陸上的物價據說是跌了，但人民情緒跌得更厲害，而中共卻偏說：「這是三反五反的初步的重大的收穫。」「新中國經濟已欣欣向榮。」「人民的購買力已大大提高。」無恥無知，至於斯極。

這次中共貿易部門減低日用品價格的種類很多，根據各地中共報紙統計，上海有一萬多種，北平有四千多種，天津有兩千多種，南京有一千五百多種，廣州有一千二百多種，西北有九百多種，東北有七百多種，重慶有三百多種，其他武漢，青島，杭州，等地減價的商品也各相近六七百種，所減價格，據說最多的竟百分之四十強，平均算起來約減低百分之十到百分之廿五強，且從上月十五日起，上海，北平，天津等十三個城市內麵粉牌價也掛低了，每袋約減爲僞幣三千元到四千元，廣東各地糧價也減低了百分之十到百分之十七。

在經過三反五反之後，大陸上的同胞十九已被反得室如懸磬身無長物了，在中共高壓之下雖不敢公然反抗，但內心對中共的憎惡，則已與日俱增，在這種情形之下，中共把許多從私營廠商及一班小工業者手裏搶來的原料和成品，削價傾銷，一面可獲收縮通貨之利，一面想藉此攏絡民心，然而大陸已民窮財盡，一般老百姓三餐尚難維持，那裏還有錢來買削價的消費品，中共的減價騙局，結果還不是好夢一場？

黑十字

北晨

「有錢嗎？」兩人還沒回答，郝亦臣趕忙插上一句：「我已經給了他們」。「今晚沒有事，你們去找玲玲他們玩吧。」他沒有提到藍英。

自從兩個人走了，白濟宏自己拿起床頭的電話，一面接綫生說了所要的號碼，一面對郝亦臣和小蔡說：「去看看朱瑛在不在家，說請她在下面喫晚飯。」

房間裏只剩下白濟宏一個人了，他正要這個機會，打兩個電話。

第一個電話是給黃洸的，這人正在埋怨白濟宏，幾害他在「半島」等了一天。

白濟宏的處置很簡單，他告訴黃洸，今天晚上八點，要他過海來喫飯，有人替他接風。

第二隻電話也通了，他實在不放心新都的姨妹，電話中聽出她懶洋洋的聲音，猜定她已睡了一覺，頓時安心了一點，問過她有沒有什麼事後，便說他有應酬，今晚不回「新都」了，「新都」的房間，以後可由她專用，不過不要讓人知道；至於舞廳的賬，他立刻派人去結清。

藍英放下電話，阿平已等在房裏，地上放了兩口衣箱。

想到這次姊夫來後她生活起了這樣大轉變心裏不禁有點難過，但是做事要有決心，過去已沒有什麼值得留戀或惋惜，最重要的是打定主意，今後爲自己開闢一個新生活。於是她吩咐了阿平一番話：第一是不能讓洪正池知道她搬在這裏住。如有其他客人去家裏找，就說她已遠行。另外她又給了阿平一些零用錢。阿平正想回去，忽然記起剛才收到一封信，趕緊從袋裏取出，交給了藍英。

信是澳門寄來的，一望而知是她姐姐的筆跡。信裏說，姐夫和黃先生已經來了香港，想必已和她見了面，黃先生家裏富有，爲人忠厚，希望她聽姐夫的話，好好招待黃先生，還有她的兩千美金，這次已由姊姊交給黃先生帶來，她可以就近討用。

她沒有見過「黃先生」，從姐姐信裏的口氣看來，他們像是希望她和這個黃先生結婚。讀完信，她才發覺心在跳，是因爲想起了結婚的問題嗎？這姓黃的有錢，但是怎樣的人？她眞想立刻見他一面。房間裏靜悄悄的，只有一個人，阿平已走了，她感到一陣難耐的寂寞，這「黃先生」和洪正池的問題，在她腦中混合成一片焦灼。（十一）

·中篇連載·

背道而馳

澳洲取締共黨問題，鬧了好久，結果束之高閣，不了了之，因此對共黨並無採取嚴峻對付辦法，而對於澳人旅行鐵幕後，更沒有像美國那樣頒佈禁令。本月底，卻發生了一件咄咄怪事。一架飛機從雪尼載着澳人二十六名飛到香港。抵達後，旅客即散爲兩批，分道揚鑣。一批是五個左翼工會代表，轉道赴北平參加中共勞動節慶祝會去了，另一批二十一名陸空軍人員，卻換乘飛機，前赴韓國戰場，以生命去和中共軍相搏鬥。（周明）

自由人

THE FREEMAN

（半週刊每星期三六出版）

（第一二四期）

每份港幣壹毫

督印人：李光華

社址　香港高士打道六六號

電話：二〇八四八

GLOUCESTER RD.
HONGKONG
TEL: 20848

承印者：東南印務出版社

地址：高士打道六四號

台灣總辦事處　台北市館前街五十號

台灣經銷處　台北市中華路一二五九號

台灣應做的一件事

暑假在即速搶救香港青年

·雷嘯岑·

港九居民已激增到兩百萬人，青年子弟的教育問題益形嚴重，而以中等教育爲最甚。尤其是每年畢業的四千個以上高中學生，現已面臨着躊躇的苦悶之境。

香港只有一所大學，這些高中畢業生有資格投考者，爲數很少。過去大家分別向本國大陸上各專科以上學校尋求升學之路，尚不感到失學的威脅。而今呢？不特一般家長們眼見大陸上那種昏天黑地的社會現象，不願把子弟送入陷阱，斷喪後代，即青年學生本身，也已很清楚的知道國內所謂學閥也者，究竟是怎麼回事！去秋投入嶺南大學的一羣青年學生，至今還被迫在各地爲「人民」服務，從事土改工作，沒有時間回學校來讀過一天書。這件事實，即震撼了大多數具有求智慾的純潔青年的心靈，不願再到大陸去觀光嘗試了。雖然廣州的「人民政府文教廳」對這些青年學生發出免考升學的諾言和證件，大家還是裹足戒懼不敢叨光領教。

其次，香港還有些由「人民」關係而創設的學校，其教育宗旨和方法，在「不脫離現實生活」的教條下，當然跟一般所謂「資產階級的反動教育」不同，他們把學生當作無機體的工具，天天搞政治訓練，講鬥爭學習，因而，十二歲的小學生也會成爲「九龍事變」的先鋒隊，被捕入獄，對簿公庭。這般青年學生於長期受騙之後，決非個個願意擁護「人民」的，家長們尤其痛心疾首，但他們苦於沒有出路。最近本港政府教育當局要舉行會考，這些「人民」教育機構的教職員即大事反對，鼓動學生不參加。他們爲甚麼要反對會考呢？原因有幾種：一是恐怕自己的學生會考都不及格遭受政府取締，影響其學店的生存；二是便於控制學生們，不讓其中途有改變方向的機會，要升學的，由他們指定學校，不升學的，即用補習班進修班這類名義照樣的不離開，作工具如故；三是爲執行廣州「文教廳」免考升學的政令，可以逼迫學生去。但，會考之事，政府決計要實行的，許多有志擺學的青年，乘此機會，爲着自己的前途，得以自由抉擇其去向。可是，他們既不願去享受「免考升學」的待遇，舉目四望，何處是能滿足他們那種求智慾望的所在呢？

台灣應該珍視這般青年

這幾千高中畢業生，十之八九都是反共非共的家庭中的子弟，也就是自由中國人所需要的復興建國人才。就反共抗俄的國策看，即使他們另有出路，也應設法爭取的。現在他們面臨「問字無門」的特殊環境，本港政府據說正在替這般青年們籌劃升學之所，但範圍有限，向隅的人數還多，此時此事，自由中國政府應該加以搶救纔對，現成的建國基幹不要，還向那兒去找呢？像月前甚囂塵上的救濟流落海外智識份子問題，平時無心及此，等到外國人來越俎代庖之後，這纔表示注意，希望合作，那未免太缺乏主動精神了。

這般青年學生，比普通社會上已成熟的知識份子更可寶貴。他們是中國人，是不願意做奴隸的自由人，自由中國政府本負有給他們以教育機會的義務。去年台灣派人在港九招考大學新生，考生五百人，中只取錄了十分之一，我就覺得不甚妥當，那時或許因爲原有台大的容量有限，不得不然。現在海外大羣的青年學子既有普遍失學的威脅，政府必須特別設法來收容他們，以示興國氣象。最近，我看見一位家長，爲想送子弟赴台灣升學，到處託人，聲淚俱下的那種情況，不禁陪他唏噓同情之淚。要誰無子弟，誰非劫後餘生，遙望自己的自由祖國，連送子弟讀書亦如蜀道之難，寧非洩氣之至！

廣闢學園儘量容納

台灣除台大外，尚有若干專科學校，政府不妨斥資分別擴充，至少使其能容納港澳學生三五千人，別的錢可省，這種錢不該節約。再不行，即應獎勵私人興學，嚴其設學條件，動其教學管制，一樣的可以作育人才。我很懷疑台灣現在不許創辦私立學校的道理何在？全世界的大小國家，除卻蘇俄及其附庸國以外，恐怕沒有禁止私人興學的！不許有私立學校也可以，但政府對其統治下的各種學齡人口，即應有精確的調查統計，足夠的教育機關，才不致有「一夫不獲」之歎。否則政府既未能廣庠序之教，私人又不許有慈善之舉，這種教育政策，實在教人莫測高深哩！香港本來也有不少的熱心教育之士，樂於捐資興學的，然以本地法令限制，只許設一所大學的，即普通專科學校（College）也有困難，祗能創設「書院」一類的教育機構而已。因此，目前要搶救港九的失學青年，唯一希望就寄託在自由中國政府身上。這項工作，在平時是百年樹人的立國大計，現在更附有反極權奴役的心理作戰功用。年來在報紙上瞧見了不少的政府教育當局所擬訂的教育計劃，都注意於光復大陸後的設施，我盼望當局者對眼前搶救海外失學青年這問題，也能有相當的辦法。我們這一輩的人，可能完成還我河山的任務，至於建設民主自由新國家的艱鉅使命，除非我們犯着誇大狂，即不敢自信其勝任了。大家應該及早培植繼起的下一代人，庶幾對得起國家，可以心安理得，少負罪過吧！

由日共暴動事件獲得確證

共黨組織必須視爲非法

對危害人類的共產黨徒決沒有懷柔感化的可能

·黃雪邨·

在前次東京香港兩地共匪暴動事件相繼發生之後，我曾經在本刊第一〇七期爲文論及此事，向各當地政府及反共人士提出警告，我認爲絕不可視爲偶發事件，而是共匪陰謀的一整套計劃。同時我並預料，在蘇聯和中共匪幫的軍事冒險失敗之後，這一類事件必將在各地變本加厲的演出，因爲他必需破壞社會的安定和秩序，製造恐慌，混亂，才能使他們的毒素獲得傳播與發展的機會，進而摧毀人民對政府的信仰，以達到其奪取政權的目的。我這些話現在是不幸而言中了。本月一日勞動節，日本共匪在東京京都兩地所策動的大規模暴動，演出死傷逾一千餘名的大流血慘劇，便是最明顯的事實證明。在此，我再敢斷言：如果日本當局對日共的整個組織不能作根本澈底的處置方法，而僅僅是以逮捕少數參加暴動的匪徒來了結，則將來的後果，是會不堪設想的。據最近合衆社報導，南加利福尼亞大學國際關係講座教授斯維林登所獲可靠的情報，日共已從一個少數老共黨員發展成爲一個擁有登記黨員十萬人以上及祕密黨員幾百萬人的團體。其領袖爲野坂參三。斯氏又說：『在本年一月間，日本共黨遵照莫斯科要求進行一次政策的改變，即改採積極行動，此一政策旨在削弱美國在遠東的地位。日共爲欲達到此目的，便確定以在日本國內製造分裂和混亂爲其目標，並設法使日共處於更能執行其所謂未來革命中所負任務的地位。』由斯氏這些報導，更可證明在蘇聯指導下日本共匪所擁有的力量之龐大與其陰謀進行之積極。這是值得世界民主反共國家特別重視的事實，也是日本當局所應迅下決心予以根本撲滅之計的時候了。

魔鬼必須扔在火湖裏

在上次那篇文章裏，我曾提到各民主反共國家的政府當局對於這些危害世界人類幸福和國家人民安全的共產匪徒，必需要予以嚴厲的制裁；決不能稍有瞻顧，更不可稍存懷柔感化的心理：我的原則是：對付這些違害民主自由的匪徒是毋須講求民主自由的道理，因爲他們正是要利用民主國家的這些弱點來作爲他們生存發展的條件。根據過去失敗的痛苦經驗，我們是深深的瞭解這個道理。例如，在中國抗戰勝利以後，在久經戰亂，元氣大傷的經濟情形之下，政府儘管對青年學生的求學與生活問題特別注意，大部份的大中學生都採用了免費和補貼辦法，但是共匪卻仍不斷的以其職業學生爲主幹來煽動各校學生和政府爲難，今天來一個反饑餓運動，明天又來一個吃光運動，後天又借題發揮的舉行甚麼遊行示威，動輒罷課。當時政府當局爲愛護青年學生，總是以最大的容忍來處理這些問題。但是一波未平，一波又起，永無寧日，因爲他的目的原是在擾亂社會秩序，製造混亂，增加政府的困難，破壞政府的威信，所以儘管你耐心應付，而他們的作法是一次比一次兇，最後便是搗毀機關學校的暴亂行爲。當時還有人强調說，只有民主的方法來應付這些事件才能使共產匪徒無所施其挑撥煽動之技倆，可是我們的寬容，結果只助長了共匪們的兇餘和暴行。誠然，只有眞正的民主主義才是打垮共產主義的最有效的武器，但這並不是說要用民主主義去施之於那些危害民主自由的匪徒們，我以爲對這一個分際是必須弄清楚的。再以今天自由中國反共基地的台灣爲例，由於政府與人民的密切合作，對匪諜予以無情而澈底的打擊，因之才能獲得最大的安定力量，而良善人民乃得以很自由安適的生活着，這也可見對共匪採取嚴厲制裁的辦法，絕不能說是有傷於我們的民主風度的。據中央社東京一日專電：『日本共黨機關報「紅旗報」，被佔領當局禁止出版兩年後，於今日勞動節復行出現街頭，日本政府對於紅旗報之重行出現，勢將無可奈何』。由於這一個消息，我們也可斷定如果日本政府當局對共匪之活動無根本取締制裁的辦法，他們利用此宣傳機構勢將不斷的發揮其挑撥造謠，煽動之能事。總之，你愈民主，他愈猖獗，正所謂道高一尺，魔高一丈。共產匪徒們正如聖經上所說的撒旦魔鬼，在捆禁在無底深坑裏一千年以後，放了出來，他還是要作亂，必須被扔在硫磺火湖裏，才能絕滅這個亂源，何況今天許多民主反共國家還承認共黨的合法地位？

共黨已不配受法律保護

再據美聯社東京二日電：『此間最具勢力之英文報紙日本時報，昨夜要求政府取締共黨，規定其爲非法組織。該報發表社論說：我們要求當局採取最嚴厲措施，以制止這種純然殘忍罪惡並危害美國及他人的賓客之生命財產的暴衆暴動份子。迄今日止，我們的信念，一向是共黨不應予以取締，但是共黨昨日已證明他們不配享有法律的保護。他們的絲毫不負法律責任的破壞行動，已表明他們是絕對獻身於恐怖及暴動主義，而與我們正在努力以求建立的和平及民主社會，絕不相容。……爲了保護民主制度，我們要珍重並維護我們的自由，使其不受暴衆暴動的威脅，對共黨撤銷法律保護的時間，已到來了。』在這一篇社論，足以印證筆者前此的主張是並非一偏之見，因爲我們要維護大多數人的民主自由之幸福，對於危害民主自由的匪徒是不應姑息的，也惟有確定共爲非法組織，直接予以嚴厲制裁，才是根除亂源的辦法。我在此不僅希望今天的日本當局有此決心，同時也希望全世界民主反共國家的當局有此認識與警覺。毒蛇在手，壯士斷腕，這句中國古話，是對今天遭受共匪危害的國家當局和人民最好最適切的當頭棒喝！

美社會黨總統候選人

湯夢思今抵港

已競選過二十多年仍未當選

美國社會黨總統候選人湯夢思 Norman Thomas，將於今日由日本抵港，預定在港遊覽兩日，即赴東南亞其他地區。社會黨在美國力量甚微，而湯氏則自一九二八年起，即爲該黨總統候選人，迄今已二十四年，連同本屆，將共參加大選五次，過去既從未當選，本屆亦絕無希望，然湯氏並不因此灰心，且最近該黨有漸趨發展之景象。又湯氏過去除競選總統以外，亦競選過紐約州長，紐約市長，惟均無一次成功。湯氏現年六十八歲。（必眞）

時局漫談　舜生

周恩來軟弱的呼聲

在中日和約簽字和舊金山和約生效後的一個星期，周恩來才從北平發出一個語無倫次的軟弱聲明，這是蘇聯在遠東全盤失敗，而中共也不能不隨之全盤失敗的必然結果。

周恩來聲明的第一點說：『北京政府堅持所有佔領軍必須自日本撤退。』

今天在日本境內，已根本無所謂『佔領軍』，現在留駐在日本一部分的美軍，這是根據『日美安全協定』，出於日本政府的請求，和日本人民的迫切願望，假定蘇聯能自動廢止她和中共間一個對日侵略的軍事同盟條約，能好好送還現在依然留在蘇聯的三十萬日本俘虜，能老老實實把南庫頁島和千島羣島無條件的退還日本；同時蘇聯留在中國大陸的若干空軍，陸軍，軍事顧問，其他技術顧問，特務人員，以及出沒於中國大陸沿海的若干潛艇，都能一律滾回家去，我想美國目前留在日本的這一部分駐軍，也就根本沒有久駐的必要，否則，周恩來所說的便是廢話。

周恩來聲明的第二點：『北京政府完全拒絕承認非法的日本和約。』

中共今天在國際上，尤其在亞洲，依然毫無地位，至今還是被摒於聯合國的大門之外，不要說你們『拒絕承認』並無資格，你們就『欣然同意』，也根本無此必要，這一點不僅是廢話，而且是無恥囈言。

周恩來聲明的第三點：『北京政府堅決地反對公開威脅北京的中日和約。』

不錯，這個和約的基本精神，正是要威脅你們！可是你們不要誤會，它還僅僅是一個輕微威脅的開始，繼此以往，還有層出不窮的更大威脅，將要一一落到你們的頭上，我看你們還是以少說話多準備爲是。

最近這三年以來，周恩來曾有過無數次的叫囂，雖然一律是蠻不講理，可是究竟還多少有點霸氣，惟有這一次，乃至連霸氣也覺得有限，其原因究竟在那裏？一，在韓國打了兩年的侵略仗，不僅士氣絕對銷沉，經濟也完全破產；二，屠殺了三千萬的老百姓，不止鬧到天怒人怨，就是他們這一羣劊子手，也早已有點手軟心慌；三，他們已經看出蘇聯所能幫助他們的，實在非常有限，甚至就連兩三億的小錢，也還非拿中國老百姓養命之源的糧食去交換不可，其他更何待說；四，以目前東西兩方的情勢論，蘇聯如果永遠不敢打仗，自然只好犧牲中共；如果她居然敢於起來作孤注的一擲，其首先作粉骨碎身的犧牲的，也還是中共無疑。現在美英法包括中日，以及其他太平洋各國，已經在亞洲布下天羅地網，只要蘇聯一動，我敢担保有二十顆到三十顆原子彈，便會要落在中國大陸上，目前在中共控制下十五個到二十個重要城市和軍事據點，便會同時遭到無情的毀滅；即令中國老百姓的死傷，不會超過中共年來所屠殺的數字，但中共政權從此閉幕殆爲勢所必然。我相信這一點也許毛澤東周恩來會和我們一樣的看得明白，所以他們想硬也就硬不來了。

杜魯門的嚴正表示

韓戰和平談判所剩下易俘，北韓建機場，和蘇聯參加視察的三個問題，現在已由聯軍表示對機場可以讓步，共方也表示了可以不要蘇聯，但關於易俘問題，聯軍卻只能以十三萬二千名共俘中的七萬名換取一萬二千名的聯軍戰俘。杜魯門總統已於昨日發出了他『決不再妥協』的嚴正聲明，尤其他說：『吾人決不以人道去發給殘殺或奴役，來換取休戰！』我覺得他這句話確實是代表美國精神的正義之聲。

在未來的大戰中，我們會看見有一千萬蘇聯和中共的士兵同時放下武器，以促成世界的永久和平，到那時候，我們才更會感到杜魯門這次聲明的眞正偉大。

蘇俄海軍的威脅（上）

Frank Uhlig Jr. 作　許孝炎 譯

九日報載，美國太平洋艦隊司令雷德福上將在台北對新聞記者談話，證實蘇俄在太平洋區有八十多艘潛艇，並以青島及榆林港為基地。蘇俄的海軍有多麼強？它的實力究竟能與民主國家的海軍抗衡否？一旦大戰爆發，它的海軍在世界整個戰略價值上究竟如何？尤其是我們身居在太平洋邊沿的人，它的海軍——尤其是潛艇——是否能威脅到我們的安全？這些可能是我們目前最關心的問題。本文為美國海軍問題專家Frank Uhlig所作，載四月份出版之「外交季刊」。文中對蘇俄海軍的實力有詳細的報導；而在萬一第三次世界大戰爆發時，它的海軍究竟會發生怎樣的作用，也有正確的判斷。亟譯之，供讀者參考——譯者。

（一）歷史上的陸海對抗

目前世界在戰略本質上之劃分為陸權與海權兩大勢力，在一般歷史家看來，並不是一個新奇的現象。地球的一部份為一支強大的陸軍所控制，其力足以橫掃歐洲。其他一部份則為海軍所包圍，因之其勢力亦足以控制海洋。這一種陸海對立的形勢，遠在紀元前三世紀時就有了一個很顯著的例子，當時羅馬共和國的陸軍，與加太基的海軍，在地中海區域，互相對峙。羅馬人學會建立海軍，海戰勝利後，接連三次戰役，即將加太基擊敗。從此以後，加太基趨於消滅，在歷史上不復有其紀載。

綿延二十多年的拿破崙戰爭，又是另一個例子。當時歐陸各國的強大陸軍被阻於海岸，拿破崙想要控制英倫海峽二十四小時，但法國人始終無力達到此目的。當拿破崙將軍隊從海峽邊撤退的時候，他只好承認失敗的說道：「不圖這一衣帶水和幾隻飽經風浪的破船，本不值我軍一顧，現在居然將我百萬大軍統治全世界的計劃打破了」。十年之後，拿翁竟難逃最後失敗的慘劇。

在過去的五十年中，陸海對抗的局勢曾經發生過兩次。在每一次對抗中，經過長期的陸上及海上多次戰鬥之後，總是海權國家擊敗了陸權國家。在這一方面，第二次大戰的情形，尤富有特殊的意義。美國第七艦隊的潛水艇，來往巡邏於亞洲沿海活動，將日本對東印度羣島及馬來亞區域的海上交通完全截斷，因而使日本石油及其他主要原料的供應完全斷絕。而日本在大陸上兩百萬軍隊之後路被截，陷入孤立，其意義或更較重要。除此之外，假使在我們向菲律賓及日本逐島推進的途中，各島上之日本防軍能得到陸軍的增援，則我們所遭遇的困難將比較更大。但是海洋阻止了他們，致使日本在我們尚未投擲原子彈以前，即已遭擊敗了。

（二）蘇俄的潛艇及海軍航空隊

俄國潛艇號稱第一

俄國的海軍雖然是目前軍事上最大的一個謎，但就已公佈的各種資料而言，我們仍然可以得到相當的材料足供研究。俄國的潛水艇艦隊，號稱世界第一，約有潛艇三百到四百隻，並計劃於不久的將來，擴充到一千隻。（美國有一百七十隻潛艇，英國只有五十六隻。）在這一支艦隊中，包括有最好的德國潛艇若干艘；第二次大戰終結時，俄國擄了一大批德國的設計專家和技術專家，現在都被徵用服務，在俄國俘獲的戰利品中，有斯諾克爾式（Snorkel）呼吸器的設計，有了這一種設備，潛艇在水中航行的速度，能和在水面航行一樣快。除了原子能之外，這可能是近代海軍發展中最重要的一步。

體積極小可以裝箱

俄國現有的潛艇力量，依其體積之大小，可分為三類。潛艇中有很多是屬於「馬溜卡」（Malutka）型，或簡稱M型，只適於在其基地附近作短距離的活動。最近出版的「詹尼的戰鬥船舶」一書中，述俄國所擁有的二百餘隻潛艇中，幾乎有八十隻是屬於這一型類。因為體積過小，它們的性能只能限於在近海岸担任防禦的任務。就下一次大戰的第一個階段推測，它們[illegible]很少會發揮作用。[illegible]可用火車裝載（必要時可折卸裝箱），隨意運到任何指定的海區，如英倫海峽和亞得利亞海等處，那末它們在[illegible]襲擊近海航運或小型船舶方面，就可以發生很大的作用。同時，在我們進入敵人所控制的海區施行海上襲擊時，可能將遭遇它們偷襲的危險。

大型潛艇威脅較大

比較重要的，是五百噸到八百噸航行大海的潛艇。這一類的潛艇能在俄國所有的各領海——波羅的海，黑海，北極海，以及日本海——中巡行，甚至遠航到我們軍隊運輸艦及供應艦時常經過的太平洋及大西洋中部。德國人因為擁有這一類的潛水艇，在上兩次大戰中幾乎得到最後勝利。最大型的潛艇有一千噸重，甚至在一千噸以上。它們能航行到任何地方，隨時襲擊我們自非洲及南美洲載運原料的貨船。同時由墨西哥灣及加利濱海開出的油船，亦多遭其毒手。在一九四二年時，運油船幾為德國潛艇完全摧毀。目前比較十年前更為重要，因為我們所需的鈾礦大半來自非洲的剛果，而一部份石油及鐵礦則來自南美的委內瑞拉。

戰後潛艇的發展，及反潛艇武器的進步，究竟孰優孰劣，現在還只能出自揣測。就我們所知道的而言，裝設最新式裝備的潛艇，在美國歷次的海軍演習中，已經證明了理論上的成功。新潛艇設備——斯諾克爾式呼吸器，流線型的船身，以及原子能推進器——已受到一般社會最大的注意。反潛艇的設計，則並不如此為人所重視。我們知道，新設備與新技術已經有了進步。但我們同時知道，為了發揮新的偵察和摧毀方法的效能，必需要有很多裝備適當的船舶和飛機，其他我們便知之不詳了。英國之偵察潛艇，在一九三九年時，完全依賴新發明的亞斯狄克（Asdic）式的聲音警報器。這是一種很好的設計；但是因為沒有很多驅逐艦和護航艦來裝設亞斯狄克式的聲音警報器，致使敵人仍然可以在海洋上橫行無忌。在目前，西方盟國約有驅逐艦五百艘，快速護航艦二百艘。艦隻不能算不多，但是把它們分配到全球成千成萬的任務上去，這一個數目就縮小得可憐了。因為在反潛艇戰中，不知道要經過若干次無結果的巡邏和攻擊之後，纔能產生出一擊之次的殺傷。

俄人佈雷向稱能手

我們大家都知道潛艇常用的武器是魚雷，[illegible]如此。[illegible]浮出水面航行，[illegible]被偵察出來，而遭受攻擊。佈置水雷，是潛艇作戰的老法子。[illegible]大戰時，德國[illegible]在美國港口外佈置水雷，各港口的交通[illegible]截斷，而美國的潛艇也以同樣的手段對付日本。俄國人一向是佈雷的能手，我們沒有理由相信他們在用潛艇佈置水雷時，其技術將較劣於德國人或美國人。[illegible]佈雷較放射魚雷有一優點，即潛艇所在不致曝露，佈雷時或在幾天以後，才被人發現。凡港口、海灣和運河的進出口，海水大概都不很深，極易佈置成為有效的雷區；一經佈置成功，則在防禦方面要想加以掃清，而且要繼續保持安全，將不知要費多大的力量。所有的船舶在啟程和到達目的地時，都要航經淺水海面，因之水雷的威脅很嚴重的限制了它們的活動。

最新武器定向飛彈

潛艇最新的武器是定向飛彈。以美國及其盟國沿海岸[illegible]之長，以及沿海岸城鎮之多，極易為潛艇選作放射定向飛彈的目標。[illegible]

海軍航空俄國最弱

[illegible]

（未完）

陳誠謂收復大陸脅從罔治 但投機份子決難寬恕

元兇巨惡必須嚴懲，陳最近在行政院設計委員會討論「收復大陸地區刑事案件處理辦法」時曾發表意見如此

【本報台北特約通訊】行政院設計委員會，於五月一、二兩日，在台灣省政府警務處大禮堂舉行第五次全體委員會議。該會成立已一年有餘，現共有委員二百九十一人，包括曾任政務，軍事，交通，司法，財政，金融，教育，新聞，實業各方面人員，而籍貫之分佈，尤為普遍。除中國大陸本土三十五行省十二院轄市外，蒙古，西藏，亦皆有人參加。委員年齡自七十三歲至二十八歲不等，平均以年在四五十歲左右者為最多。此次全體會議預定討論之議題，為由各小組所草擬之（一）國防建設綱要草案，（二）綏靖實施綱要草案，（三）建設方案草案，（四）衛生行政綱要草案，（五）反攻大陸救濟復興方案草案，（六）收復大陸地區處理刑事案件暫行條例原則草案初稿等。經過一日半之會議討論後，除第一案決定送請行政院外，其餘均原則通過，由該會秘書處彙集各委員所發表之口頭與書面意見，整理文字，再提下次會議報告。

對收復大陸各項設計 陳誠請大家特別慎重

在會議時期，陳誠院長兼設計委員會主任委員親自到會，主持會議。並對各組方案皆有意見發表。陳氏認此次會議所討論之各案，均為對於收復大陸後之設計，萬不可再掉以輕心，重蹈上次抗戰勝利後之覆轍。對於我國日後國防，陳氏即揭出發展民生，充實國防，修明內政，杜絕外患之原則。陳氏謂此次如重回大陸，國際間必有集體安全的新措施，任何國家，皆不能再以大量經費，維持巨額之國防軍隊。因此後發展民生，即為充實國防之方法，而修明內政，尤為杜絕外患之要着。如內政不修，即使擁有大量國防軍隊，仍難保不有外患之侵入。陳氏此項意見，立為出席會議人員所接受，並認為確屬對於國防建設一種具有價值的新見。

關於衛生行政綱要，會場中曾有人主張應中西醫並重。陳氏提出意見謂衛生之事必須提倡公醫制度，亦必須與人民合作。陳氏舉例謂台灣鹽民衛生狀況本屬最差，尤以爛腳與痧眼，成為鹽民之通常病症。經考查其原因，爛腳乃因每日在海水中浸漬，以致皮膚受傷。現自鹽務改革後，已在各鹽區裝設淡水管，供鹽民食用，此後爛腳病症，即可大量減少。至於痧眼，乃因海濱風大傷目之故，如須派遣大批眼科醫生前往，為事實上所不可能。現在召集鹽民子女，就其曾受國民教育者，再施以防治痧眼訓練，展轉傳授，時間不必甚長，而收效定可普及。又陳氏不贊同原方案中所列鼓勵由私人或教會在台省辦理醫學教育機關或醫院，而應建立公醫制度。私人或教會如有志於醫療工作，應將其力量提供公立醫學院或醫院使其益為充實，不必另行辦理。陳氏之意，以為教育需要有整個政策，一方面要與社會的需要相配合，一方面不可以再造成畢業即失業的現象。對於醫事方面如此，對其他學科亦屬如此。

關於收復大陸地區刑事案件之處理辦法，陳氏提出意見謂應政治性重於法律性，處理的寬嚴均有關於政治性，但應有一定的標準。如謂收復大陸後宜對人民寬大，只係指一般被中共所脅迫的人民而言，至對於元兇巨惡及主要投機份子，決須加以嚴懲。原案為減輕訟累及審理迅速起見，均採二級二審制，會議中曾有人謂對於被處死刑之案件仍應三審以昭慎重。但亦有人認過去對於判處死刑之人犯，往往因不能及時處決，或時間遷延，雖以入情，重罪輕判。關於此點，會議中未有結論，當再待研究。

台灣經濟雖已臻穩定 我仍應絲毫不可浪費

會議將終了時，陳誠院長曾對美援原則，有扼要之說明。陳氏謂美援第一階段時，重在協助我國穩定物價，謀取收支平衡。此點已有成就。如在民國三十八年度內，新台幣發行額曾增加三倍，迄至去年，則只增加百分之五，今年可以絲毫不增加。因此，以後之美援將更進一步協助我建設生產事業，[illegible]（七日寄自台北）

惟鐵拳能擊碎共黨

北雪蘭峨第一號共魁，於雙溪膠園時被擊斃，女匪共領袖在機槍掃射下，大呼「我向你們投降了」。

東南亞共黨猖獗，只有採取堅強的措施，才可以保障安全，我們在一二〇期本報，已經報導菲律賓最近放棄姑息政策，[illegible]是十分正確而有效的！[illegible]

[illegible]

蘇聯對中共大力鎮壓 三名功狗被整肅

凡思想行為，有成為中國狄托可能的，無論大小，均不能容許存在

【本報北平特約通訊】由於莫斯科對毛澤東加緊高壓，中共內部所謂整肅問題，乃不得不逐漸加緊。這其間，一方面當然是國際派對土共的清算，怕中國大陸，眞產生了大規模狄托運動，一方面則中共幹部，的確已最大多數，腐化變質。像最近公佈被整肅的三名共幹，就是包含了這兩種兼而有之的因素。

惠陽縣長 王舒 說生活要和美國看齊 做黨員不能搞壞身體 曾和徐東來暗中勾結

廣東惠陽縣縣長兼中共縣委副書記，王舒，學生出身，黨齡已十三年。國民政府時代，一向跟着土共，在惠陽一帶打游擊。中共叛亂成功，得榮任惠陽縣政要職。中共此次將他整肅，據中共所宣布的罪名：第一，他曾向橫瀝區幹部演說，我們的生活，不能永遠這樣苦下去，我們的生活環境，應和美國人看齊，和美國人一樣舒服。中共指他這種荒謬說法，簡直脫離立場，助敵張目。第二，中共說他下鄉領導土改，從來不肯和農民過同樣生活。他每早還照樣要吃兩個鷄蛋，並且帶着罐裝的牛乳，咖啡，水果，一路享用，好像和資產階級過週末一樣。回到縣城，更馬上打維他命，肝精針。他的理由，是做共產黨也不能把身體糟蹋。第三，當農民土改鬥爭時，他在稔山看到農民向地主鬥到了一疋外國綢子，他硬要拿一疋布和農民交換。他說，農民沒有資格穿綢衫。尤其造成這次撤職，甚至可能被槍斃的另一項最大罪名，就是中共查出，過去他和惠陽一帶反共游擊領袖徐東來（按徐於一年前在港被暗殺）有過親密的勾結。

英德區長 巫大杰 在共黨內部散佈謬論 掩護過許多反共份子 不肯將母親交出鬥爭

廣東英德縣第三區區長巫大杰，當共黨竊據廣州以前，他曾在英德、乳源、陽山、曲江等處，組織遊擊隊，困擾國軍，因此，他也是土共功狗之一。巫家本富裕，且擁有大量田地。共黨佔領廣東全省後，他被任爲英德第三區區長。最近，於被中共撤職以後，還扣押訊辦。據中共指斥他的罪行，「最重大的是他一貫在黨內挑撥離間，散佈謬論，製造分裂」。他因爲沒有做到英德縣長，平時心懷不滿，就和許多反共遊擊隊領袖，陰相往還，並掩護反共份子，任命青年黨黨員北江遊擊副司令黃卓夫爲徵糧委員會主任，北江反共特務總站站長鄧樹之爲查黑隊長等，被捕，他還爲這些份子破案辯護，說這是黨內另一派同志所誣陷。及供證確鑿，他才無話可說。此外，自己在土改時，家庭是地主，他把在家的母親，不交給農民鬥爭，接到主管區政府居住，中共認爲這是他背叛階級的行爲。如果中共所指非法也是事實，則這等是勾結反共遊擊隊，實，東共黨內部，顯然托份子，準備叛變的狄托份子，在國際派大勢，殺人如麻的今天，當然不會再讓這種危險人物活下去！

育才校長 孫銘勳 說育才發揚自由主義 不能讓中共整個控制 最近曾一度自殺未死

西南軍政委員會文教委員會委員，陶知行一手創辦之重慶私立育才學校校長孫銘勳，日前被中共開除黨籍，撤消一切職務。孫於十七年前，即已加入共黨，一貫替共黨作文化宣傳工作，先後主辦過淮安新安小學，上海勞工幼兒園，南京幼稚師範班。中共指出：孫於重慶解放後，始終不肯將育才交給黨，他公開宣布，育才是自由主義的樂園。他個人發起育才募捐百萬銀元運動，並煽動學生：「人民政府是否是人民政府，就看他們能不能讓育才獨立辦下去」。參軍運動發生，他阻止學生報名，大罵學生：「拿一飯把你們餵大，翅膀一硬，你們就要飛了」。他掩護「反動份子」李能壽，陳詠新，宋懷中；陳被捕，他還到公安局大哭大鬧。去年六月四日，共黨就曾予以當衆警告處分，他事後賦詩：「芒鞋踏破短長路，偶亡羊從不歎歧途，化若鮮血歸泥土，化作春紅頭鵑抗到底。」表示他要頑抗到底。最近黨一再進行教育，他竟於三月六日自殺。他生活腐化，既與女學生搞不正當關係。又發現他二十年前所著鄉村幼稚教育經驗談一書，指爲聯爲反民主，雖此書寫在入黨以前，但可證明他的思想根本反動，因此，決定將他開除，並撤消一切職務。旣不待說，育才學校，當然與他無關了。（臨光，二日寄自北平）

中共治淮成績之一 水庫崩坍死傷多人

共幹明知出險在即却仍强迫民夫不許停工

【本報鄭州特約通訊】在大陸上民窮財盡餓莩載道的現狀下，毛澤東爲了遂行其（一）對少壯的人民集體管訓；（二）對外宣傳其「輝煌建設」；（三）對內鞏固其集權統制，竟不惜驅使數十萬奴工，日日夜夜爲其進行治理淮河工程，並將再三宣稱：「一定要把淮河修好！」但因中共人才缺乏，且在官僚主義，形式主義的領導下，兩年以來，所有中共計劃的重要工程，幾乎沒有一處不大出危險。

像最近關係淮河上游工程最大的河南白沙水庫，也以設計錯誤，偷工減料，致塌落石方，砸死，砸傷民工六十餘人，一這事件就充分證明，中共治淮，只是白白浪費了大陸窮苦人民的人力物力，所謂「一定修好」，那眞是不知要等到何年何月了。

白沙水庫的庫址，是在河南禹縣，由於工程大，關係重，直是由「治淮總指揮部工程部」指揮原「副部長」，原素欣兼任該庫「指揮所主任」，另由「工程部工務處副處長」何家灃兼「副主任」，這兩個人，中共方面，認爲是卓越專家，實際上，工程知識非常淺薄。他們設計了這個水庫，最初的閘門工程，建造隧道，增調魯山縣民工千餘名到隊道裏外工作，除夜清理石塊，不分晝夜，不管民工死活，要他們晝夜打眼爆破，炸，初用黑炸藥，後來認爲用量多，不上算，乃改用了雷管，原素欣並不問工程進行實況，爲了討好上級，竟硬性規定要在今年二月廿日全部完工，三月十五日開洞放水。

「限期完工」的命令下來之後，監工的共幹，更一窩風地也下了許多「必須如限」的口令，什麼「與關工人的安全組織與安全教育等問題，早一腳踢開，不予置理。工人在所謂「警衛員」的刀槍桿下，也只有不顧一切，逕命辦理。本來隊洞裏的斷層紅砂岩石質就不甚鞏固，加之計劃一再變更，左改右改，東挖西挖，由於坡度太小，有落石方的危險沒有顧慮，從二月二日起，每天都有石頭掉下來，雖然先後有數人受傷，共幹竟照常，仍不設法注意，許多有經驗的工人看不過去，也曾向共幹警告：「這樣搞下去，必出大亂子。」共幹非但不聽，且盲目的相信用搭木排架，用帆布棚可抵擋住落石方，硬說裂縫。及二月二十日限期已過，完工仍極渺茫，共幹希望工人有意搗亂，二十一日上午，閘門小組組長張孔福，隊洞小組長譚首嗇，同監工員李瑞祺，王俊德等，在親眼看見進水洞口上面小石塊不斷落下，發現有四指寬裂縫，工人們拒絕進洞做工，張等竟破口喝斥：「你們怕啥，難道石頭會把你們的鼻子砸塌？」「死也得做」，「誰不做誰就是特務。」「工程誤了砍你們頭。」等話來威脅不敢靠近水洞口的民工。他們自己却以「去去就來」爲藉口，離開險地，以保安全。民工在警衛員機槍監視下，含淚進入水洞口，距不十分鐘，即聞轟然一聲，來自洞內，上方石壁終於塌落了十餘公尺，砸傷的民伕，約六十餘人，血肉模糊，慘不忍睹，工程至是始告停止，大壩的完工與水庫的放水，從此也暫不再提。死了的幾十民工，也好像豬狗一樣，拖走算了。

經過了這血的教訓，千萬民工都憤憤不平，醞釀怠工，中共爲了平息衆憤，只好犧牲這兩名飯桶專家，將原素欣何家灃撤職，檢討，不過這六十多條民工的命，却無論如何檢討，是不會起死回生的，單看這白沙水庫，何日完工，也就可以揣想淮河修好，中共究竟有沒有把握了。（如虹，五月二日寄自鄭州）

滬共頒佈「戶口管理細則」 上海人連死也失去自由

由出生到死亡，中共都層層管制，五百萬市民都變成「特種戶口」了

【本報讀者投稿】據最近由上海來港者談：上海僞公安局，上月下旬根據僞華東軍政委員會公安部頒佈的「華東城市戶口管理暫行細則」，自本月一日起，嚴厲執行。這細則雖然一共只有十一條，其中却將「立戶」、「遷移」、「出生」、「死亡」、「結婚」、「離婚」、「併居」、「失蹤」、「開張」、「收業」、「認領」、「僱工」、「解僱」、「歇業」……一律包括在內，以辦法說，這是共產黨限制城市居民行動的一張天羅地網，以文字說，證明共產黨當中也有公文好手，這一紙兩千來字的「細則」，寫的天衣無縫，由生到死，將人民的行動自由剝奪殆盡，較之他們那套空洞無物的黨八股，實在進步驚人。

市內遷移須先經核准

提到這個管理細則之嚴密，眞是令人咋舌，每一個市民必須有戶籍，甲地的人搬到乙地，必須先行申請，經甲地僞公安分局派出所核准之後，發給了一紙「遷移證」，你才能夠正式搬場，這和以前事後報告的辦法，完全不同，有時兩個派出所也許只有一街一巷之隔，如果沒有「遷移證」，一樣的寸步難行，自從前年（民國三十九年）春天起，僞人旅行需要通行證，但是限於甲乙兩地之間，最少也有百把幾十里的距離，這次「戶口管理細則」頒佈以後，無形中將自由行動的半徑大爲縮小，而以所轄的派出所爲限，劃地爲牢，如果擅越雷池一步，「人民警察」立刻便會找上你的麻煩。這個辦法頒佈以後，笑話却也出的不少，虹口區有一個居民的婆家住在老閘區，有一天這女人坐了一輛三輪車，帶了兩個箱子，由老閘區回虹口去，經過北四川路橋的時候，「人民警察」要查她的「遷移證」，她說，她本人住在虹口，遷移的是物品而非戶籍，這警察却想到了「五反」運動，以爲這兩只箱子裏，也許又是分散隱匿的「贓物」，他堅持凡有財產移動，人和財產一起，這便是搬家，既是搬家便要「遷移證」，「秀才碰見兵，有理講不清」，那女人只有跟他到了派出所，對了兩面的戶口，打開衣箱查看明白，總算放她回去了。笑話雖然鬧了，我們相信這個笑話必然又提供了他們一個啓示，無孔不入的共產黨，安知將來不把條文再行補充，而將這樣的財產移動也加以限制呢？

死人要驗過才許埋葬

這次「五反」運動中，上海出過一件傳奇一樣的案子，原來有一個叫葉傳銘的商人，在大名路開了一家瑞昌五金行，葉某自任總經理，「五反」運動初起之時，突然姓葉的進了同濟醫院，隔不了一星期，又說他死了，跟着便是印訃文，做喪事，他那瑞昌五金行，也就暫時歇業，棺材入土以後，一直沒有復業，到了三月底，共產黨因爲「五反」成績欠佳，加足火力，實行「重點攻擊」，五金業即爲主要「重點」之一，許多五金行的老板，因爲不堪勒索壓迫，都羨慕這姓葉的同行交了一步死運。誰知有一天他們舉行分業「坦白大會」，葉某死而復生，被共幹們牽上主席台，叫他當衆「坦白」。

原來其中有一段曲折的情節，這案子也就牽連了不少人下獄，葉傳銘其人，生平擅於交際，「五反」運動剛一發動，他就知道前途凶多吉少，加之他從僞總工會和同業公會中得到一些消息，知道自己早已列入了「大老虎」的黑名單裏，這時陳毅已經宣佈了「八項規則」，禁止資方自由行動，斷他想了幾天幾晚，才想出這樣僞裝死亡的苦肉計，他想自己死了以後，便可以逃過了滬共的清算，待到風平浪靜，再設法逃到外埠去，此一「瞞天過海」之計，當初却也騙的大家相信，誰知共產黨的戶籍管理，一向極爲嚴密，葉某藏匿的地方爲人發覺了，因此當堂出彩，他也就罪加一等，列爲典型的狡猾的「不法資本家」，至今尚在受細刻慢剝之罪。

這一次頒佈的「戶口管理細則」中，有一項關於死亡埋葬的規定，規定病人（或暴斃）死亡，二十四小時內須即報告僞派出所，並經僞衛生局檢查，發給「埋葬證」之後，方准入土掩埋或火葬，這是否因爲葉某的傳奇而特別規定的呢？由此我們不免記起了槍斃人犯的故事，通常罪犯處死，必先驗明正身，始可行刑，行刑之後，還得拍攝照片，爲的是怕其中作僞，另以他犯頂替，現在共產黨的這一套辦法，是將每個市民都當成判死的罪犯，死也沒有自由，共產黨的國度還有甚麼自由可談？再說，此次「三反」運動中，他們承認自己犯了普遍的「官僚主義」，一張埋葬證的旅行，可能要十天半月，炎熱的夏天，上海一地每天平均要死亡好多人，如果都要停屍待證，這個城市豈不要屍臭熏天嗎！

把全市化成一個大監獄

由於這次的「戶口管理細則」，我們記起了他們的「特種戶口管理辦法」，和去年七月二日頒佈的「管制反革命份子暫行辦法」，這兩個「辦法」是對待他們認爲「反革命份子」的，這批人是被他們所「專政」的對象，而今，上海的五百餘萬市民，其居住行動的自由，並不比「特種戶口」和「反革命份子」寬大多少，三個「辦法」比較下來，只有更顯得共產黨在城市管制中的嚴密和進步一分，人民的痛苦增加一分，他們進步一分，人民的自由減少一分。共產黨口口聲聲喊「人民民主」，在這所謂人民民主之下，人民沒有半點行動自由，沒有死的自由，甚至，將全體人民，當成「反革命」一樣管制，把全市化成一個大監獄，從這份「城市戶口管理細則」看，便知共產黨和人民之間的距離了。（棣木）

揭陽縣印尼歸僑 過港談僑鄉慘況

勒令在國外勞動須按月滙款回家否則即扣押在鄉 爲中共服勞役不許出國

【本報讀者投稿】粵籍同胞，出國經商或做工者極多，而中共對於此等僑胞故鄉，攪殘勒索，無所不至。筆者有兩位友人，爲印尼歸僑，數月前返鄉探親，幾遭扣押，幸多方設法，得脫虎口。日前過港，談及本鄉情形，誠語血淚，特摘記其要點一二，公諸自由人士，鐵幕外人當能由此更知僑鄉悲慘非人生活之一般也。

此兩友爲廣東揭陽縣人，爲顧及其大陸親屬安全計，姑隱其名。

揭陽縣城南門外七里許，棠陌山之陽，有村名「監橋」者，丁口雖僅四千人左右，然足有一千人以上，旅居印尼之「坤甸」，往時僑滙暢旺，甲于全邑，僑眷皆豐衣足食，生活優裕。惟自三年前陷入中共統治後，即遭「土改」、「清算」、「鬥爭」，備極殘酷，華僑聞風不敢進入國門，中共又禁止出國，一切來往批信，（按僑眷俗稱滙款爲「批」）須經農會檢查，僑眷凡接批信者，必遭嚴密盤問。所獲滙款，立被勒繳「欠稅」。該鄉「土改」極早，華僑被列「地主」者佔十分之九，幸彼等本身，多在國外，免受「鬥爭」慘禍，只有坤甸一巨商之子遭受槍決。又與鄭光亞，後則被押獄中清算。非華僑之地主，有鄭順惠、鄭潤決、鄭咨味、鄭立名等，多人遭押往某處開墾。此兩友人，在印尼以主資格，出賣勞力爲生，家中並無田產，僑眷在鄉，尚不夠生活。其中一人，共有四口，得人名義上分得田八分，四口共得三畝二分，惟此八分田地，每年每人即須繳公糧乾谷一百斤，實不公平，其他捐獻，尚不在內。故該鄉說來，只是僑眷中共義務耕田，此類僑眷全靠國外批款接濟，否則仍無法生活。內之面黃肌瘦，鶉衣百結者，滔滔皆是，不獨此鄉爲然，鄰近各鄉亦無不如此。

至於彼等逃出共區之經過，據告，因持有印尼居留證，又彼等並非富裕，其隨身帶回之港幣千餘元，於進口時已換成僞幣，在本鄉，更被勒令捐獻，並勒令彼等具結，以後每月將在印尼所得外滙寄回一半，以供家用。手續辦妥，始准申請出國，否則即須扣在本鄉勞動服務。第一步爲向鄉村政府請求，村轄區安三家担保，然後向區轉縣公安局，經保無訛給後發證，持證後經某客棧包帶，由揭陽乘小輪出汕頭，由汕搭公路車來廣州，先向廣州公安局驗證，驗畢轉至廣州外事處給證，攜證至駐廣州英國領事館簽准入香港過境證，自四月初旬離鄉，至廿二日抵港，歷時十五天，用款台港幣八百元以上。在共區途中每至一個機關問話，如審重犯，幸兩人均手續完全，應答流利，得以無事。（敏帶）

名字的玩藝

·為方·

中國人有一種傳統習慣，即喜歡弄名字的玩藝兒，既有排行名，學名，又有別號，台甫。對人談話或通信時，如果不稱別甫而直稱其名字，即是不禮貌，一定會激起對方忿怒的，惟有吵架對罵，才指呼姓名，以示恨急。否則最好只稱他別甫的某一個字，例如別人稱我爲「尚老」或「尚公」，心裏即覺得飄飄然。至於政治上的顯貴大官，那就連別甫也不能隨便稱呼，必須以他的籍貫來代表，如「袁項城」「黎黃陂」之類。假使我作了大官，即須別人稱我「尚嘉禾」纔過癮，因爲嘉禾不是我出生地的縣名啦！這種封建官僚的觀念，大家鬧革命鬧了四十多年還不能革掉，我倒有點那個！名字是人生的一種符號，是給別人稱呼的，爲甚麼不能呼其名，而必須稱其號或別甫，才算是對的呢？這種禮，是周公所制，抑是周婆所制的？許多人一生只有一個名字，任人喊叫，並不見得他的人格有甚麼損失。至於稱大官以地名，尤其封建肉麻透頂，是表現十足的奴才相。羅斯福在美國政治人物中，夠得上偉大了，但別人總是叫他羅斯福，沒有人稱他爲「羅紐約」，也無人叫杜魯門爲「杜米蘇里」啊！孫中山先生的「中山」二字，是他亡命日本時所用的客舍名稱，並非他出生的地名，現在廣東的中山縣，是後人用他那革命時代的客館名字來紀念他的，非「袁項城」之類所可比擬。區區個人名字上的封建官僚意識，即這樣不容易改革，無怪乎民主政治在中國這麼難產了！

自由談

牛的抗議

·南郭·

牠是一條牛，一條有了七歲的牛，生過兩胎，第一胎生個兒子，第二胎生個女兒。現在肚子裏還召着一胎，走起路來，感到有點沉重，蹣跚，嚼那地面的草，只揀那青嫩的，帶着露水珠兒的，而且，食量也很大。有些自作聰明的人，給他們的狗取個名字，一條牛却很少有名字的。

牠雖然沒有名字，肚裏却很明白，那個長鬍鬚的老頭子，是牠的主人，那屁股後面有一根小尾巴的，是牠的兒子，牠的女兒，生下三月便不見了，牠不懂人類之間的買賣。除此之外，還有一個放牛的小孩，這不知是甚麼人。他手上有一根鞭子，一條鞭，所以牠很怕他。有時他騎到牠背上，讓到有草有水的阡陌之間。

牛的世界沒有日曆，牠們只知道白天和黑夜，知道工作和睡覺，犂耙套在牠的背上，牠便開始勞動，主人將這些枷鎖取下來，牠便覓那軟膏的草，和那潺潺的水流，然後是嫩草成爲一頓豐富的晚餐。

但這是在牠還沒有第三胎以前的事情，後來，它的整個世界大大的變了。牠那裏懂得人間的許多道理？那裏知道這世界遭到了一番悲慘的激變？一天，牠看見大隊的人在村鎮上遊行，牠的主人在裏面，那放牛的小孩也在裏面，叫着，喊着，如同瘋狂，一陣陣的發出築隆的高呼。「土地改革成功萬歲！」「農工階級勝利萬歲！」牠不懂這些口號，旁邊另一條牛自然也不懂。

牠看到遊行的隊伍裏有許多紅旗，那些旗迎風飄蕩，牛的眼睛最怕見紅色的。牠驚慌地逃了，一面嚇得直叫，牠的兒子也搖着一根小尾巴，跟着牠在田野之間狂奔。遊行的人却在它們背後鼓掌大笑，似乎在說：「牛也慶祝我們的勝利。」

後來一些日子裏，主人的臉上常掛着歡笑，因而牠也就少挨了許多鞭子。牠不由感到幸運。

可是沒有多久，牠的兒子便不見了，牠的身邊失去了那根風車一樣的一直陪伴着牠的小尾巴。牠在田野之間呼叫，從那悲慟的低音之中，人們應該知道牠對兒子的思念。牠決不會意識到老年的主人，因爲繳不出公糧，將牠的兒子賣掉了，換了十担穀，全部送給「政府」。

從此以後，牠的主人和牠一樣，臉上永無笑容，牠的背上有一個沉重的犂，老主人的背上，似乎也有一個沉重的犂。

突然有一晚上，另一個人走進牛欄，將牠牽了出去。這已經是黑夜了，應該是牠休息的時候，那個人却將一個犂架套在牠的肩上，趁着月色，將牠趕到田裏。牠想，是換了主人吧？爲什麼晚上工作？

牠已極度疲勞，但是怎能向那個人手裏的鞭子抗議。第二天一清早，那老頭兒又來了，又是一張犂，一條鞭子，一整天艱苦的工作。牠累的喘氣，弄不懂這是甚麼一回事，一頭牛，兩份工作。牠仍舊無法抗議，偶而叫幾聲，踢幾脚，但有什麼用處？牠的主人更老了，牠也瘦了。牠奇怪，爲什麼這一陣日子，會有這麼多工作，牠懂得這世界是「一個人的飯兩人喫，一條牛作兩條牛的工作。」牠病了，然而仍舊是鞭子，是犂，繁重的工作，牠不知道，抽一水山東的犂。

「翻身」以後的兩個主人，也有同樣的繁重的「工作競賽」。那是今年的「超額」，牠終於喫不消了，牠的四條腿伸了，牠勞動死了。牠沒有文字，沒有高等語言的，牛死便死，代替了牠的主人抗議呢，唯一能提出的抗議，怕也祇有「死」了。

石崇與綠珠（二）

·舜生·

石崇是晉初的豪門之一，爲人『穎悟有才氣，而任俠無行檢。』當他做荊州刺史的時候，因却奪遠使，沉殺客商，以致巨富。『世說新語』和『晉書』本傳，記載他豪華汰侈的事實甚多。拿它與現在有錢人的生活相比較，自然也算不了什麼，可是在當時確也駭人聽聞，現在姑舉幾條在下面，以見其概：

一、王愷是王肅的兒子，晉武帝的舅舅，因爲他要和石崇以豪富相誇衒，武帝便每每幫助王愷。某次，武帝賜愷一株高三尺的珊瑚樹，枝柯扶疏，世罕其比，王愷心想，這一下總可把石崇壓倒了吧？可是送給石崇去看，崇乃以鐵如意一下把它打碎，王愷覺得太可惜，還以爲石崇是嫉妬他，正鬧得聲色俱厲，石崇乃叫左右把他所藏的珊瑚樹搬出六七株，王愷一看，覺得比他的更好，更高，乃感到非常慚愧。

二、又史稱『愷以粘澳釜，崇以蠟代薪；愷作紫絲布步障四十里，崇作錦步障五十里以敵之；崇塗屋以椒，愷用赤石脂。』

三、樂史『綠珠傳』，說石崇蓄『美艷者千餘人，擇數十人妝飾一等，使同視之，不相分別。刻玉爲倒龍佩，縈金爲鳳凰釵，結袖繞楹而舞，欲有所召者，不呼姓名，悉聽佩聲，視釵色，佩聲輕者居前，釵色艷者居後，以爲行次而進。』

石崇過着這樣一種奢侈靡爛的生活，却也有他的一種人生觀：『晉史』上說他一次和王敦同入太學，看見顏回原憲的象（孔子兩個最窮的學生），他便歎道：『若與同升孔堂，去人何必有間？』（意思是說他也儘可趕得他們上）敦曰：『不知餘人云何，子貢去卿差近。』崇正色曰：『士當身名俱泰，何至甕牖哉！』他的意思是說，一個人既要享大名，又要生活過得很舒適。以他這種態度，處在那樣的亂世，更遇着趙王倫和孫秀那樣的亂人，其召致殺身之禍，本來大有可能，而穿插上綠珠這樣一個故事，也就不過是適逢其會而已。

當孫秀派人到金谷園指索綠珠的時候，石崇堅執不予，來人對他說：『君侯博古通今，察遠照邇，願加三思。』石崇依然不聽。於是孫秀乃勸趙王倫殺崇，石崇也自知不免，因與歐陽建潘岳密謀，勸淮南王允齊王冏以圖倫秀。被孫秀知道了，因派人收捕崇與歐潘，皆棄市。當收捕的人到金谷園的時候，石崇正在樓上歡宴，因對綠珠說：『我今爲爾得罪。』綠珠泣曰：『當效死於君前！』因自投於樓下而死。石崇以爲他罪狀，至多不過流徙交廣而已，及以車載赴東市，才發覺因爲他的家財，乃更非要他的性命不可。

石崇死的時候年五十二，死後清算他的家產，計有水碓三十餘區，倉頭八百餘人，其他珍寶，貨賄，田宅稱是，『慢藏誨盜』，『多藏厚亡』，這大致是無間古今，都是這麼一回事啊！（完）

萬竹樓隨筆（九五）

「革命的英雄主義」解

·大鵬·

共產黨是最會運用辭彙的，你這樣做，他就會反對，這樣去做，你却必須「擁護」。譬如說：英雄主義是共產黨所最最反對的，據他們說：「因爲英雄主義是自私自利，自高自大，爭名奪利，脫離羣衆……結果會光棍一個，一事無成，這不但會給「革命的工作」帶來嚴重的損失，甚至會把人帶上「反革命的道路」上。」可是英雄主義要加上「革命的」便高人一等，氣派不同了。所謂「革命的英雄主義」照共產黨的老祖宗列寧解釋：「是最持久的，最頑強的，最刻苦的羣衆日常工作上的英雄主義。」而中共有名的「雙槍將」朱德「總司令」即更具體更生動地說：「革命的英雄主義，是視革命利益高于一切，對革命事業有高度的責任心和積極性，先革命之憂而憂，後革命之樂而樂，赤胆忠心，終身爲革命事業奮鬥，而不是斤斤於個人打算的，不僅可以犧牲自己的某些利益，而且可以毫不猶豫地貢獻出自己的生命。革命是爲羣衆的利益，又是羣衆的事業，而革命的英雄主義，必然是羣衆的英雄主義。」話是說得够漂亮的，但放眼看今日大陸，在中共的各級幹部中，如朱德所說的「革命的英雄主義者」，死在那裏？我們祇聽見「東方紅，太陽升，中國出了個毛澤東」；「一切光榮歸于毛主席」，「我們跟着他前進，前進：」這些强迫性的卑鄙誇大的偶像崇拜！作爲一個「革命的英雄主義者」的毛「主席」，却處處向「反革命」的英雄主義學習，看齊，却讓千千萬萬有爲的青年，中了「革命的英雄主義」的糖衣砲彈，而「貢獻出自己的生命」，那班各級共幹那個不是以「天下是老子打的，享受點算些什麼？」的心理在先——「革命」之樂而樂呢？

紅領帶與勞動大姐

·公孫·

大陸整個瀰漫着恐怖氣氛，在上海，居民最怕的却是「紅領帶」與「勞動大姐」了。這是中共派在每戶的第五縱隊，稍一不慎，給他們知道了一些消息，重則有生命危險，輕則亦難免勞動改造。

甚麼是「紅領帶」？這是中共少年團的一種特別的標識，換句話說，打着紅領帶的小孩，就是中國共產黨「少年團」的「團員」，祇有他的團員有這種專利，別的兒童是不可以冒仿的。他們僭是威風凜凜」的高帽子，神氣十足。可是，紅領帶的獲得，不是一件容易的事，必須「堅信主義」，「忠於領袖」，「服從組織」，「搞通思想」，「不斷立功」，經過幹部嚴密的考察，始有獲取紅領帶的資格。上海的中小學生，受了中共的麻醉，而爲英雄主義思想和好勝心所驅使，爭取「紅領帶」的熱狂，好像中了魔似的，認爲打了紅領帶，是至高無上的光榮，在學校，老師無不特別另眼相看，缺課，老師不敢過問，功課不及格，老師會替他們補足分數，同學們個個都向他行注目禮，誰也要聽他的領導。在家裏，視父母如仇敵，父母的一言一動，他們坦白地祕密報告上級。有時，他們在上級的「立功」鼓勵下，會捏造一些事情來陷害父母，稱爲「展開家庭的偉大鬥爭」。這樣，中共便會賞給他們一頂「大義滅親」的高帽子，他們天真幼稚的頭腦裏，已祇知道毛澤東是他們的「偉大領袖」，史太林是他們的「太陽」，那裏還知道父母養育之恩，兄弟手足之情，這是中共滅絕倫常殘害下一代的最卑劣慘酷的政策，不知多少父母已被這些「紅領帶」清算了！

甚麼是「勞動大姐」？就是自己家中所用的女傭人，上海人稱爲「娘姨」，現在這種名稱，中共都認爲有封建色彩，和侮辱的意思，已不准採用，必須改稱「勞動大姐」。以前大多主僕之間，能互相協助，情感融洽，有的相處往往幾十年，情同家人，固然有一部份受到虐待，但到底是少數。現在，中共倣效蘇聯的特務制度，對主僕之間感情，極力挑撥離間，必使互相敵視。在上海，有「勞動大姐」工會的組織，每一個女傭都强迫參加，工會裏，分組報告僱主言行，每週開會一次，有共幹操縱主持，假使沒有甚麼話可說，也要編造一些出來，如果確有祕密，而給她們知道，這還了得，僱主生命就送在她們手裏。她們會多方要挾，每每使僱主傾家蕩產，倘滿足不了她們的慾望，否則，非弄到你家破人亡不可，她們常藉口外出，你主不能干涉，她們買東西「揩油」，你祇好裝聾作啞，絕對不能過問，即使她們自動辭退，僱主沒法將她開除，她們自己走了，「工會」也會另外派一名「勞動大姐」來給你「服務」，繼續做她的特務工作。這是中共所謂「階級鬥爭」的又一種辦法。

納粹影后脫罪

希特勒捧出來的

·明·

納粹統治下的德國，祇有一個女明星特別受希特勒所讚賞——李妮·烈芳絲都爾。她原是柏林一個衛生設備商人的女兒，在希特勒的心目中，她擁有阿里安民族獨特的活力，於是在希特勒的捧頌下，她不但成了優秀的宣傳片導演，而且躍登了德國影壇的皇后寶座。一九三六年，她拍成柏林世運會的片子，曾在義大利政府得到國際影展的最高獎，成功的宣傳片傳到世界，然而在美國却受到譏評斥責而遭禁映。

戰後，納粹的罪行，當局切實的查明，她的影片便在柏林被盟國禁映。四月底，她被法庭判決，撤銷了罪名，但她曾被捕，法庭取消了她的財產，又被充公一部份。法庭的判決說：「她沒有支持納粹政治活動，不應受罰。」

柏林法院裏旁聽席上她的影迷，聽到這個消息，竟高興得熱淚盈眶，而這個四十四歲的女明星，却對四周攝影記者說：「孩子們，不要浪費你們的膠片，現在我祇有一個希望——安靜一下。」（節譯五月五日時代週刊）

黑十字

·北晨·

八點鐘，南城的天色才暗下來。黃洗接到白濟宏的電話之後，立刻從容的找了一個茶房，問明了去雲山酒店的路，渡海遙見香港千萬點燈光的色彩，黃洗似乎有了某種預感。

雲山酒店，小蔡已預先定好了樓下餐廳一個大房間。朱瑛也約好了，特意陪她的郝亦臣。這一回是三人飯約，也說是「社會上數得上的人物」。朱瑛的郝亦臣，先生，有錢，有勢，正是這一類人物，所以白濟宏欲結交他，郝亦臣上去回報，白濟宏在房裏修飾，時候間，郝亦臣便開始有點，在她的瓔珞上盡了所有的心思，點綴的節目照預定計劃進行。

黃洗到房間，抱了一起，八點鐘過了，這個人却來了，北方人。開了門，白濟宏介紹說：「郝經理」，郝亦臣，很忙，替他介紹，也指的是老朋友，黃洗先生的「表演」，小蔡很窘，輪到小蔡說：「老黃」，已經紅了，白濟宏說：「老黃，我們都是自己人，你難得又來香港，這次恰巧，我們一起來，玩樂，做你的臨時嚮導。特意約了來喝酒。」不待話說完，大家跟着一陣笑，白濟宏一揮手，帶說帶笑，把大夥兒領到樓下餐廳，黃洗四下一看，大廳裏不少花枝招展的女人，單身漢。他們這一班人却全是男人，他臨時替白濟宏起了一個名字，說：「總是素？」黃洗道：「我們今天喫的是素？」白濟宏懂得他的意思，說：「室雅何須大，花香不在多，名角兒總是最後出台的。」黃洗的急燥總算穩定了些。

這四個人說說談談，壁上的鐘已過了八點三十五分了，小蔡看了一眼。白濟宏向小蔡盯了一眼。小蔡懂得，便裝做什麼，走出房間，搖了一個電話上去。茶房却說：「朱小姐出去了？」「多久了？」「十分鐘了。」小蔡接着問：「她從樓上下來，有沒有說到那裏去？」「另有約會，不需要等。」「這可有點不對」……聽了，正感到沒法子交代，門口一陣喇叭聲。他熟悉的，這是朱瑛的車子。（十二）

·中篇連載·

自由人
THE FREEMAN
（半週刊每星期三六出版）
（第一二五期）
每份港幣壹毫
督印人：李光華
社址：香港高士打道六六號
電話：二〇八四八
GLOUCESTER RD.
HONGKONG
TEL: 20848
承印者：東南印務出版社
地址：高士打道六四號
台灣總辦事處
台北市館前街五十號
台灣總經銷處
台北市中華路一－二五九號

一個收復大陸的先決問題

先教育十萬個高級文化幹部

比重建武力穩定經濟還更重要

·左舜生·

要打倒中共政權，自然少不了武力，但單以武力戰勝共產黨，並不一定是眞正的勝利，更不一定是永久的勝利。爲了澈底的摧毀共產黨，並使得她一敗之後，便永遠不能再起，必須於武力以外，再配合兩個主要的條件：其一是經濟的，又其一是文化的。

最近兩年台灣的措施，似乎是着重在武力的重建，與經濟的穩定，關於文化的一點，好像僅以餘力及之，而且我還看不出台灣對於文化的復興與創建，已經有了怎樣的根本打算；台灣的本身是如此，即援助台灣的友邦，亦復如此，我覺得，這可能是一種錯誤，而且可能使反共難竟全功，非力圖補救不可。

當三十八年退出大陸以後，我曾在台灣鬆鬆的住過四個月，當時因爲沒有担任任何固定的工作，多的是時間，因此很想利用這一機會讀一點書；尤其對於日本人五十年經營台灣的經過，能得着一點切實的理解；但結果則使我非常失望。我曾跑遍台北台中的若干書店，不僅一個像樣子的出版機構不曾發見，乃至連我所要買的書籍，一本也買不着。從當時台灣的出版情況去理解台灣，我覺得台灣的青年固無法了解他們的祖國，也無法了解日本，自然更無法了解世界的各種情況。日本人拿了一個台灣，而且經過了五十年以上的悠久歲月，除掉一點普通的物質建設以外，曾不能給台灣人一個接觸現代高度文化的機會，僅此一點，便已經注定了日本人必然失敗的命運。

最近兩年多台灣的實際情況如何，我自然無法詳細了解，但聽取許多到過台灣的朋友的報告，覺得下面幾點，可能是去事實不遠的：

（一）在台灣的一般知識分子，似乎對於未來中國文化的復興與創造這一工作，並不怎樣熱烈，而且缺少較有權威的領導分子，在實際上向這方面去鼓吹倡導。

（二）即在反共抗俄的前題之下，似乎也還沒有可以暢所欲言的言論自由。

（三）除共產黨及與共產黨接近的若干書報加以嚴格禁止以外，似乎對於其他的書報，也還有種種限制，不許其自由輸入；甚至關於審查書報的大權，依然操於一般並無資格可以審查這類東西者之手。

（四）對於私人辦學，聽說仍受嚴格限制，則如錢賓四先生這樣一位學者，要在台灣辦一個新亞書院的分院，也並不是完全沒有困難。

（五）關於略帶政治性的集會結社，是否能嚴格的遵守憲法，予以充分的自由，則我不曾聽見有人談起，不敢武斷。

在我的想像上，收復大陸的工作，恐怕不是可以一氣呵成的，假定我們的國軍推進到某一地區以後，如果沒有大批得力的高級文化教育分子與軍隊偕行並進，則關於收復地區的[illegible]與推進，必然會要發生絕大的困難。我們對於今天在大陸受過共匪[illegible]化的青年，僅僅只有一條「再教育」的途徑可採，斷不容許我們隨意加以稽遲，採取一種過於嚴厲的處置。因爲我們必須認識：使得大陸多數青年陷於今天這種苦境，其責任並不在青年的本身，甚可說我們應該引爲己責。可是這種「再教育」工作的困難，所需要條件的繁多，是我們所不能想像的。因爲軍事推進的艱急，其所需要人數的多少，也難於作精確的估計。可是假定我們在一年間有光復三個省區的可能，如果沒有十萬個高級文化幹部與軍事密切配合，我即不敢担保不會使得一般青年陷於再度的失望，而給予共匪一個反攻的機會，或發生其他意想不到的枝節！

我現在在這裏提出一個具體的計劃：

（一）台灣應該在三年至五年之間，完成一個教育十萬青年成爲高級文化幹部的工作。而且今天即須着手。

（二）教育這種幹部，決不是過去那種短期訓練班的方式所能有效，大體上必須以正規的教育方式出之，但若干特殊的課程自不可少。

（三）大批中級高級技術人員的訓練，亦屬迫切的需要，但應該在我這個計劃以外，另案辦理。

（四）應該特別獎勵私人辦學，包括中等教育與大學教育。政府對於這類辦學的私人，不僅在學校成立的手續上，應該特別予以簡化，而且在經濟上，應該在可能範圍內予以切實輔助。

（五）以往黨化教育的一種方法，必須徹頭徹尾予以放棄，而聽其一以自由的方式出之，政府對教育的干涉，愈少愈好。

有人問：你今天期待台灣實現這樣龐大的一個教育計劃，錢從何來？老實說：只怕沒有決心，只怕辦理這種教育的動機與方法不妥當，假定有決心而又妥當的話，經費反而是次要的問題。本來教育我們的子弟，就是節衣縮食也是應該做的，何況我們的工作如果能得着同情者的讚許，國內外援助，也不是一定不能獲得呢？

有人問：在今天的台灣，驟然召致若干萬個青年去受教育，你不担心會有共諜乘機混入嗎？我覺得有點可笑：我們不是天天都在想收復大陸嗎？一旦眞的進入大陸，大陸的青年人都有共諜的嫌疑，難道我們便因爲這種原因不去再教育他們了嗎？要說共產黨不會輕易送入，把他們即令送入，也正是我們所求之不得的。假定我們連少數共諜都沒有加以改造的可能，這無異是我們將來對大陸青年的再教育，簡直就成了一句無法實行的空話。

有人問：你主張這樣一個大規模的教育計劃，當眞就會有這樣多的青年去就學嗎？據我們所知道，每年從九龍及東南亞一帶的僑胞子弟，畢業中學以後，陷於無法升學的苦境的，即在萬人以上，而共產黨卻正在向他們招手，像文潮黃炎培這類傢伙，跑到共產黨那裏去不足惜，惟有這類的青年，如果讓他們不得已受到共產黨的蠱惑，將來他們一旦有機會回返到他們的出生地，斷然是會對於僑居國發生嚴重的危害！這在僑胞社會中可能發生的危險作用，豈不令人不寒而慄？這層意思，我們的朋友雷嘯岑在上一期的本刊已經有所發揮，用不着我在這裏多說了。

（下接第三版）

金波爾雷德福訪問臺灣與美國遠東政策的轉變

當前問題只是如何配合世界性反共戰略使台灣在扭轉遠東大局上貢獻其一切能力

·李秋生·

今年三月十三日，美國國防部宣佈：美總統批准聯合參謀部的建議，關於美國在菲律賓——台灣地區的軍事責任，由遠東總司令李治威，轉移到雷德福上將，美國太平洋艦隊總司令。

當時的情況是：韓戰的和談雖在繼續僵持中，休戰成功並非完全沒有可能，而對日和約已定於四月二十八日正式生效。盟軍統帥部的根本撤銷只是指顧間事，關於日本的防衛，已有美日保安條約來補充那一軍事上的眞空，對台菲的未來防務，自不能不預爲之備。台菲都是海島，則以海軍代替陸軍來負責，似乎也是很自然的事。

美政策已有重大變化

美國之於菲島，無論在道義上或法理上，都負有扶持援助的義務；至於台灣，只是爲了應付韓戰發生後的特殊形勢，杜魯門總統於前年六月二十七日下令由第七艦隊協防台灣並予以中立化。此次協防責任的轉移，據美國國防部的公報說是並不涉及美國遠東政策的變更。但是，很明顯的，對台灣的保衛，已脫離了與韓戰的關係，且不因休戰談判而有所影響。

隨着這一戰略的改變，美國海軍方面的文武大員都相繼而來視察台菲，海軍部長金波爾甫經歸去，雷德福上將又曾繼之而來。台灣從前雖也有過麥克阿瑟元帥的訪問，卻與現在這種經過華府最高當局許可的訪問，不可同日而語。尤其引起若干世人驚異的，是金波爾於四月一日在東京招待記者，曾經表示：如果中國國軍一旦越過台灣海峽反攻大陸，美海軍將側立歡呼。美國務院立時由新聞官麥德謨加以申辯，說金氏之言未經國務院同意，美政府中立化台灣的政策並無變更。但金波爾部長卻未像他的前任馬修斯或其他幾位不幸的官員那樣，因此而遭受白宮譴責。他曾謁杜魯門總統之後，曾對記者表示他與美總統並未提及東京那次談話。四月二十五日金氏在第特律發布演說，又呼籲增加對中國政府的支援，以增強其戰鬥力。他說：「他們將在何地或何時作戰，不是我所宜言」。其實這話正是東京談話的複述，只是語氣略較含蓄而已。日前雷德福上將自珍珠港而來訪問他新近負担的防區，在菲島香港和台灣都有過相當時間的躭延，較之以往第七艦隊司令的歷次訪問，顯然負有較大的使命。凡此種種，都顯示着美國的遠東政策，尤其是有關中國的政策，較之過去已有重大的變化。

事實上並不自今日始

這一變化，事實上並不自今日始。去年此際，麥帥因有關中國與台灣的政策問題遭受慘痛的罷黜，繼則參院進而從事詳盡的重大調查。當時手握美國軍令大權的人，曾在調查會中高呼：在韓境的對中共戰事，是「在錯誤的時間在錯誤的地點，對錯誤的敵人進行錯誤的戰爭」，杜魯門對台灣的政策，似乎那只是不許中共「用武力攫取台灣」而已，另一方面卻還在「俟塵之落定」。然而與此同時，則有一位直接担負遠東問題決策的國務院官員，遠東事務助理國務卿羅斯克先生，在讀者文摘主編人魯斯先生所主持的中國學會餐宴席上，發表過和金波爾同樣使人驚駭的演說，表示中共政權只等於蘇記的滿洲國和汪精衛傀儡，只有台灣纔代表眞正的中國。在中國大陸內外，美國準備支持反抗此一侵略的人。儘管當時的國務院也曾照例否認，說那只是個人見解，並不代表美國的遠東政策，其實那卻正是一個斷階段的轉變。過去由范宜德白德華一流所製定的對華政策，已經從根本發生變化了。換句話說，也就是麥帥個人雖遭罷黜，他所主張的政策，卻暗中在逐步獲得施行。

亡羊補牢幸尚非太晚

從那時起，情勢逐漸在改觀。軍援的恢復與增強，戰具的不斷源源運到，都說明了美國在行動上加緊支援這一反抗蘇俄侵略與中共傀儡的主力。台灣防務的改隸，表面上是爲應付韓戰可能停戰後的情勢，在骨子裏卻是修正前年一月間艾契遜國務卿所劃定的美國西太平洋防衛線——彼時台灣南韓都被劃到防線之外，其結果則從然不幸而招致了韓戰的爆發，竟使十萬美軍傷亡在韓國戰場，卻幸而對台灣還來得及亡羊補牢。

現在自然不是判定歷史功過的時機，但是痛定思痛，卻不能不嚴重指出：今日遠東危局的造成，都由於過去判斷錯誤，缺乏遠見，至多只能被動的就着已成事實，補苴應付，卻不能克制機先，把握主動。即就中立台灣海峽政策而言，固然保障了台灣的安全，卻也同時使中共減少東南海岸的後顧之憂，敢於一心「援朝」。現在日本已從敗國中重獲獨立，韓戰和談卻仍在板門店僵持，牽制着美國幾十萬大軍，倘使當時聯軍能夠更堅決而大膽的對付中共，相信今日亞洲局勢必非如此。

幸喜今日美國朝野對於台灣的眞正價值已漸有深刻認識，例如近頃許多位總統候選人，只要提到遠東問題，無不一致主張加強支援台灣。同時在國際間，遠東慕尼黑空氣也已漸告消散。因此當前的問題已經不僅是如何確保台灣安全，阻止中共的進犯，而應如何配合世界性的反共戰略，使台灣發揮其扭轉遠東大局的效能。美國當前的遠東政策與軍政要人的訪台灣，相信都應以此爲其中心任務。

所謂費勒特的秘密文件

巴黎世界報刊載了一種美國海軍參謀長費勒特的軍事報告文件，內容是關於三次大戰問題，認爲在一九六〇年以前，大戰必不可免，而懷疑誰能控制地中海？因此，歐美的政治界與輿論界一時鬧得滿城風雨，一方說並無此類報告書，一方說千眞萬確有此事，而且這機密文件之刊出，是有來源的。

其實，這類預言式的軍事意見，比較柯里爾雜誌約請若干專家寫的那本「第三次大戰預言」，可謂小巫之至，即令眞的，又值得這樣大驚小怪嗎？問題是醉翁之意，別有所在啦！

當北大西洋防禦體系的地中海方面聯軍統帥問題，爭執正烈之際，美國國會中又有削減援歐撥款十億元以上的趨勢，而若干與地中海聯防有關的國家，對統帥人選究由何方提出爲佳一點，暗中更有「事齊事楚」的複雜意見，未能協調。把這項機密文件一宣佈，首先即想使美國不好意思堅持其領地中海聯權的主張，其次教歐陸若干國家發慌，認爲將來大戰萬一發生，美國必不肯以全力保護西歐，因而對地中海的統帥人選莫再傾向美方。同時，藉此也可以要求美國爲着增強西歐防禦力量，對韓戰千萬不能擴大。有此種種作用，如是乎巴黎世界報的「驚人」新聞出現了！

半週展望

雷嘯岑

中共對香港的廣播抗議

北平秋歌電台，近日對香港政府執行法律與維持治安的某些措施，提出抗議，內容當然離不了「迫害」「虐待」，以及「受美帝唆使而壓迫中國人民」的濫調陳腔。我是旅港華人之一，雖然從未曾受過甚麼「迫害」與「虐待」，但對所謂被「迫害虐待」的中國人，似乎應該表示同情纔是。

然而，我看見那些被「迫害虐待」的人們，可以在法庭上自由陳述意見，可以請辯護律師出庭自由辯論喧呼，可以依法不服裁判而聲請上訴；其他被「迫害」者，至多亦不過是被他出境，回到他所願去的天堂而已。反觀中國大陸上所謂「人民民主」政權對異己者所採取的公審鬥爭，三反五反等法制，只許原告任意指罪，格殺打死，明斬暗殺，而不許被告作片言的答辯，並且禍延九族，殃及戚友，那類泯滅人性毀棄人權的事實，卻不禁要反問一句：你們有甚麼資格跟別人講人權？又有甚麼臉面向別人提抗議？

香港政府曾公開宣佈：凡願回中國大陸的人，除免費乘車，保護出境外，還可致送旅費十元。怕受迫害虐待的，儘可自由回到「人民民主」的樂園去，何必在此自尋煩惱呢！

「世界小姐」中裝複賽

本港青年兒女們當玩物，實勞教人參觀的「世界小姐」預選，已經開過若干時日了。據報章消息，還要舉行中裝複賽，花樣層出，名目繁多。中裝複賽之後，不知尚有幾多迫使她們除精神損失外，更要受物質損失的玩意兒？

預選所謂「世界小姐」的用意，究竟是爲着文化發展或社會進化的前途呢？抑是爲着商業利益的生意經？我實在莫名其妙！若屬前者，即這一星期以來所玩弄的那套預選方法，「殊有未合」；若屬後者，則不啻對青年兒女們的一種精神虐待和身體懲罰，我們要嚴重抗議！

巨濟島事變結束

巨濟島的北韓共俘擄人勒索事件，已告和平結束了。根據美國軍方和杜德准將所發表的書面報告，這次事變乃共黨所預定的一種陰謀行爲，並非偶發事件。

就此事變來觀察，即知美國人的天眞與優越感精神，實在不是俄共們冷戰的敵手。自己吃了虧，還要聲明今後按照日內瓦公約來對付共俘，這是甚麼話？我希望美國軍人在對俄式共黨主義者鬥爭中，要把對方的本質和作風，仔細的再研究認識一番。

蘇俄艦隊遠東最弱

在汪洋無際的太平洋中眞等於滄海一粟渺不足道

蘇俄海軍的威脅（中）

Frank Uhlig Jr. 作　許孝炎 譯

（三）蘇俄海面艦隊及其在遠東實力

蘇維埃的艦隊將來在海底雖將證實爲一可怕的敵人，同時在空中亦可能變爲一個威脅，但是關於俄國海軍最值得注意的問題，還是它海面艦隊的實力。蘇俄海面艦隊的實力，現在居世界的第三位。十年以前，它尙屈居第七位。在此十年中，日本與德國的海軍已被完全消滅，而同時法國和意大利的海軍又變成一大堆由租借或俘獲來的破船，於是蘇俄的海軍便躍居第三位。不過憑藉他國的落伍而提高自己的地位，究竟是消極的辦法，蘇俄的地位並不完全由此得來。蘇俄海軍實力的增强，大部份得力於同盟國間彼此的協定，和平條約，及接收軸心國家各種船舶而來。因爲蘇俄海面艦隊是由俘虜的船隻構造而成，因之它的海軍也和法意兩國海軍犯覆同樣的毛病，即缺乏劃一性。不過，在戰前蘇俄就開始新海軍建造計劃，戰後進行尤力，現在已有相當數量的戰鬥船隻建造完成，開始參加服役。

由第七位升至第三位　動搖了英第二把交椅

就我們揣測之所能及，蘇俄的海面艦隊組織如下：已完成之主力艦兩隻，未完成之主力艦一隻（英國有主力艦五隻）；巡洋艦十四隻到十五隻，另一隻將近完成（英國有廿四隻）；驅逐艦約六十隻（英國有一〇六隻）；小型驅逐艦——稱魚雷艇——三十三隻。上述數目之外，還應加上艦齡雖老但尙可用的艦隻十餘艘，即主力艦三隻，巡洋艦兩隻，驅逐艦約十隻，大部份都駐防在黑海。除此之外，尙有普通的運輸艦，補助艦，及摩托魚雷艇數百隻。蘇俄有破冰船二十八隻（美國只有六隻）。以蘇俄艦隻的數目與英國比較，它距變爲世界第二個海權國家的地位相差並不甚遠。這並不是說西方盟國有被蘇俄艦隊從各海洋掃蕩淨盡的危險，因爲美國的海軍幾乎要比英國大好幾倍。這只是說，俄國除擁有世界上最大的陸空軍之外，現在在海上也要變成一個眞正的敵手。詹尼的報告中，列舉蘇俄造船計劃如下：主力艦三隻，巡洋艦二十隻；驅逐艦一百二十隻。這些數目中，可能把已完成的艦隻也包括在內，但就算是如此，其野心之大就可想而知。倘若俄國人眞能造成這許多艦隻，則在不久的將來，英國人在海上的第二把交椅，恐怕坐不穩了。

最大弱點　力量分散

蘇俄的海軍確是一個不可輕視的力量，經過相當時間，等所有的新船都造好了，力量還要比較的增强。但蘇俄的海軍有一個最大的弱點。俄國的艦隊，因爲戰略的需要，是分散在四個海區：北極海，波羅的海，黑海，及太平洋。在北極海與波羅的海之間，固有運河溝通，但只能通行較小的船舶。在波羅的海與黑海之間，歐俄境內亦有幾條大河溝通，但也只有頂小的船舶纔能通行。像這些艦隊中所屬的大船艦，除了航經西方各國所控制的海區，彼此實無法聯繫。至於太平洋艦隊，則只有經過俄國極北部的東北航綫，在冰天雪地中航行若干月始可到達。

側翼包圍力量不夠

數遍俄國所有的海軍基地，只有一個港口能派出艦隻和潛艇來切斷我們的海洋運輸綫。譬如列寧格勒，僻處波羅的海頂端，地位極不便利；塞法斯托波爾（Sevastopol）深居爲陸地四面封鎖的黑海中，亦不能行動自如；莫爾曼斯克（Murmansk）與彼沙莫（Petsamo）則遠處北極海邊，又深感鞭長莫及。只有在太平洋上，蘇聯纔有一個有重大戰略價值的港口——但不是海參威，因爲海參威被日本羣島封鎖了，與大洋隔絕；而是地處堪察加半島頂端，深深伸入北太平洋的彼得諾巴夫羅夫斯基（Petropavlovsk）。彼得諾巴夫羅夫斯基橫跨美國採大圓航行（Great Circle）通往日本和菲律賓的航路上。巡洋艦，潛水艇以及轟炸機從這裏出發，可以對我們向遠東防綫增援的軍隊運輸艦及補給艦施行攻擊。我們不知道彼得諾巴夫羅夫斯基是否已變成一個大海軍基地，論理它應該早已經變成了。這一個基地若是要由陸上取得供應確很困難，因爲這一部份的西伯利亞尙無鐵道交通。但是若把它當作一個海島看待，它很可以從海上取得補給，正如夏威夷和其他另一半島尖端的直布羅陀一樣。假定蘇俄備有充分的船舶，潛艇和飛機來從事這樣的工作，那我們在遠東的地位確有受側翼包圍的危險，而日本的處境也就岌岌可危了。但是目前蘇俄太平洋艦隊的實力太脆弱了，只有巡洋艦兩艘，驅逐艦約二十艘，潛艇一百艘，半數以上是屬於M型。幾十隻船在汪洋無際的太平洋中眞是滄海一粟，渺不足道了。介於堪察加與日本之間者有千島羣島，以前屬於日本，一九四五年爲蘇俄佔領。這些島嶼距離堪察加尤近，航路較好幾百哩與輪船航綫平行，很適宜於用爲攻擊護航運輸隊的基地。不過我們的護航運輸隊不一定要取「大圓航綫」，它們可以取道較南的航綫，經過夏威夷，通往日本。這樣，從北方基地起飛的轟炸機固可避免，但勿論任何一條通往日本的航路，全在以堪察加或千島羣島爲基地的巡洋艦及潛水艇的活動範圍以內。

海參威港已不重要

我們必須注意，整個的日本海現在已爲蘇俄在遠東最大基地的海參威所控制。但海參威所能控制者只此爲止，因爲它是困處在日本，高麗，及西伯利亞大陸所形成的包圍之中，無法與外洋暢通。且在目前，如旅順，青島，及上海等處，既已入俄人的掌握，蘇俄船舶可自由利用，海參威對蘇俄海軍的重要性更形減低了。不過，要將中國各海口都設備好，使之同時供海軍活動之用，還要經過相當長的時日。因爲它們有充份的海軍來利用，[illegible]如此，我們現在還能得到相當的機會可在日本的各外圍基地集中力量，這眞是我們和日本的幸運。這一個機會眞是千載難逢，因爲假定蘇俄和中共不夠在海參威和上海集中海軍力，則日本的戰備，比較一九四〇年英倫各島的情形，將要好得多了。

大法官會議將發表第一號解釋

監院有向立院提案權

尚有若干解釋案不久即均可同時公布

【本報台北特約通訊】司法院大法官會議自湊足法定人數可以成會後，工作頗趨積極。首因原訂議事規則，對於出席及可決人數，規定過嚴，先由會議中予以修改，雖曰遷就事實，亦尙不能謂非必要。議事規則修改後，即着手清理積案，蓋大法官會議自行憲以來，只在南京開會兩次，其後即以政府播遷，多數大法官均淪陷大陸，無法成會，中斷已達三年有餘，故各方期待亟待解釋之問題，已不在少數。茲聞日內即將陸續公布解釋案，以爲憲政推行之準繩。而復會後第一號解釋，可能爲監察院對立法院應否具有提案權問題。

監院提案權懸擱太久

遠在行憲之初，監察院即發生此項問題。蓋依據憲法規定，只行政院（第五十八條）及考試院（第八十七條）有向立法院提案之權。惟考試院向立法院提案，只限於所掌事項；行政院向立法院提案，則廣及於法律案，預算案，戒嚴案，大赦案，宣戰案，媾和案，條約案，及其他重要事項。所謂其他重要事項，並未規定範圍，因此，會有人認爲除憲法條文所列舉之法律案，戒嚴案等外，另已不再有所謂其他重要事項。否則行政院對立法院之提案權固可稱爲廣泛，反之，亦係行政院所受立法院之拘束，未免過多。如憲法不經過修改，則所謂其他重要事項之含義，究竟如何，日後恐亦不免有勞大法官會議之解釋。除行政院考試院外，憲法對於司法監察兩院，均未界以向立法院提案之權。在三權分立國家，司法與立法分工，司法機關自毋須向國會提案。而我國憲法上之監察院，在制憲當時，係比擬之爲他國之上議院，與具有下議院性質之立法院，合成兩院制。故立法院立法委員由人民直接選舉，委員名額，按各省市人口多寡爲比例。監察院監察委員則由各省市議會選舉，委員名額，按照地區分配，即每省五人，每直轄市二人，蒙古各盟旗共八人，西藏八人，僑居國外之國民八人，與各省市地方人口之多寡無關。又如將彈劾權審計權歸之監察院，亦係作爲上議院性質之結果。立監兩院之關係，既比擬爲他國上下兩院之關係，則按各國成規，上議院多無對下議院提案之權，是以憲法上不予規定。惟制度上之理論固屬一事，而實際上運用則又另爲一事。三十七年七月，行憲後第一屆監察院在南京集會，即發生提案權，函請司法院解釋，未有答復。三十九年六月，監察院遷台，又函請解釋，遷延迄今。在今日以前，監察院提案權未獲解釋，關於監察院職掌有關事項之法律案，即必須用下列兩種方式向立法院提出：（一）經過行政院，由行政院出面向立法院提案。（二）由立法委員在立法院中提案。前者出於公的形式，後者出於立法委員個人的關係，均非正當途徑。蓋用第一種方式，監察法規由行政院提出，失去監察權獨立行使之原意，且易招致行政方面對於監察法規所加入之意見。用第二種方式，須邀立法委員中與監察院有來往或關切之人士，其所提之案能否完全照監察院之原意，亦無把握。故監察院請司法院大法官會議解釋，使其得與考試院，同有向立法院提案之權，乃法理與事實上同屬必要。監察院之原意，在鞏固民主憲政，密切代表民意之立監兩院之聯繫，未可厚非。而其範圍，亦只希望依監察院過去習慣及考試院提案權之規定，以與監察院職掌有關事項爲限，並非漫無限制。大法官係經由總統提名監察院同意而任命，對於監察院多年希望解決的問題能首先作一決定，這當然算是很合情理的。

司法院長與大法官

我國憲法，本自有理論上之體系。但行憲以後，所訂行憲法規，與事實上之運用，往往未能本諸憲法原有精神，甚至與憲法精神有所出入。如憲法第八十一條，規定法官爲終身職。大法官自亦爲法官，而司法院組織法第四條，則規定大法官任期爲九年，自與終身職原意不合。又如憲法第七十八條，規定司法院解釋憲法，並有統一解釋法律及命令之權。第七十九條第二項，規定司法院設大法官若干人，掌理本憲法第七十八條規定事項。足證解釋憲法之權，係屬於大法官，而非身爲大法官者，任何人無此項權責。但司法院組織法第三條第二項，則規定大法官會議，以司法院院長爲主席，大法官會議規則第十二條，規定可否同數時，取決於主席。司法院院長雖亦係由總統提名經監察院同意而後任命，但其本身並非大法官，亦無須具備大法官所應行具備之資格，何以亦有權參與解釋憲法之事？以大法官以外之人，爲大法官會議之主席並參與表決，自與憲法原有精神，有所不合。如必須以司法院院長爲大法官會議之主席，亦應先使其爲大法官之一，以大法官身份兼任司法院院長，方爲正辦。

立院與解釋法律問題

關於法律的解釋權問題，最近立法院中亦曾引起辯論。蓋我國公布任何法律案時，例不說明理由，因之，執行機關與人民，對於立法原來意旨，往往未能明瞭。遇有向立法院詢問時，立法院在說明立法原意與解釋法律二者之間，分際頗難劃定。在立法院討論時，雖亦曾有人主張立法院對於立法之法，自亦不妨予以解釋。但爲不侵及大法官會議對於法律之統一解釋權，最後仍決定用說明立法意旨方式，處理此等問題。但此項說明，日後自亦爲大法官解釋法律時之主要參考資料，並對其發生重要之影響。即此一端，亦可見我國憲法所創立之體系，只要各方面加以維護，發見問題，隨時予以補正，並非不能圓滿進行，故若干急於修改憲法之意見，在目前而論，均尙非急要也。（陸浮，十一日寄自台北）

曾國藩孫女曾寶蓀　將由英經港返台北

香港三日

我政出席聯合國婦女會議代表曾寶蓀女士，當第一次開會時，蘇聯代表照例提出其驅逐我中華民國代表，因各國代表事先對曾女士印象甚深，故反對蘇聯提議的票數，比過去其他會議特別增多，即某某一向替中共撐腰之國家亦投反對票，結果，除蘇聯集團之三票外，餘均一致否決蘇聯代表提議，此爲曾女士軍大收獲，亦爲國際間對我同情增多之確證。現會議業已完畢，曾女士準備不日自英國乘輪經港返台。曾女士爲曾國藩最幼之孫女，現年六十餘歲，終身未嫁，致力於教育事業，除曾任國民政府參政員外，亦從未担任過任何公職。

日兩代表活動結果　獲六百萬美元定單

日本爲積極恢復其對外貿易起見，在和約未生效前，即已派遣多人，分赴各地大事活動，尤以東南亞及中南美，最爲其發展商業的主要對象。前昨兩日，已有代表兩人，分別自印度，巴西，挾有大批定單，任務完成，經港返國。一爲赴東南亞之德川，據稱，此行以巴基斯坦成績最好，巴政府業向日本定購價值三百萬美元之火車頭及客貨車多輛。另一代表，爲日本對外貿易部拉丁美洲主任藤本，渠於本年三月，赴巴主持在該地舉行之日本工業展覽會。據稱，拉丁美洲，對日本工業出品，甚感興趣。僅就巴西而言，向展覽會簽出定單，訂購日本棉織物及各種機器的，總值就超過三百萬美元。藤本在巴西住過八年，太平洋戰爭前，任日本駐巴西大使館祕書，能說極流利之葡萄牙語。日政府爲向拉丁美洲爭取貿易出路，故特於前數月，即派彼前往，進行一切。

台北短簡

胡世澤行前談大局　國大代表催請召集

聯合國副祕書長胡世澤，休假一月，回台訪問，已於五日仍返成功湖服務。胡原籍浙江吳興，爲名外交家胡維德之子，今年五十七歲，髮已半白。胡自民國三十七年以後，此尙爲第一次回國。胡氏到台以後，各方紛請發表演講，而胡則以係聯合國事務官，身份不便，故在立監兩院外交委員會演講，所講者均爲聯合國祕書廳組織方面，未曾涉及政策方面。胡並報告在聯合國祕書廳方面，有中國工作人員一百人，效率均好。五月二日上午總統召見胡氏，關於自由中國在聯合國中地位增高問題，胡氏曾直率答以此乃因民主國家遭共產國際玩弄之故，[illegible]若干國家對其日益厭[illegible]，未必即已認識自由中國之卓越進步。又據胡氏行前對友好私人所談，三次大戰今年不致發生，其大戰爆發期間當在一九五四年。杜魯門是否會再突然參加下屆總統競選，端繫於韓戰能否停止。[illegible]戰不停，杜決無再行競選可能。杜[illegible]預防而繼續韓戰，任美國總統，不顧其繼續韓戰，故於韓國停戰談判中，幕後操縱，使停戰談判不能完成，即杜在國內信譽無法恢復。

××× 彈劾李宗仁案，依照法定手續，應由立法院長出面通告，召集國大臨時會，因在台國大代表人數不足，及種種問題，故該項通告，迄未發出。本月九日，在台各國大代表決議，催國大祕書長洪蘭友，促立法院長張道藩，早將此案依法通告，以便開會。（元元 十二日寄自台北）

印尼首任外交部長　來港考察印港貿易

印尼前外交部長，現任外交部顧問索百佳，頃自印尼乘芝利華輪來港，印尼駐港總領事及旅港印尼籍友人，均到輪歡迎。據索氏稱，渠極關懷印尼與香港間之貿易，及旅行事項，特來作一有系統之觀察。索氏擬留港一星期，在此期間，並將赴澳門一遊。然後再經菲律賓轉程返國。索氏係於印尼宣布獨立時，任第一屆內閣第一任外長，爲印尼最大的政黨回教黨有力份子。（必眞）

反抗中共殘酷壓迫 農民醞釀罷耕

中共因此，通令全國，要嚴厲推行「改造懶漢」運動，情形輕微的，強迫勞動，其頑硬不化的，即押往朝鮮，充當砲灰

【本報漢口特約通訊】中共土改以後，向農民徵收租谷，及其他各種剝削，比過去地主，實際上增多若干倍。農民終歲勞動，胼手胝足，本身還往往不得一飽。因此，各地農民為表示消極反抗，故意將所分之田，荒廢不耕。此種情形，在中南區各省，尤為普遍。最近中南區偽軍政委員會，接奉「北京」偽府命令，要中南區各省，嚴厲推行「改造懶漢運動」，即凡農民放棄田地，不依時耕種的，一律強制勞動，其頑硬不化的，則秘密押往朝鮮，充當砲灰。現中南區各省，已遵奉命令，嚴格執行。昨天武昌縣已將第一批頑硬不化的農民，運往他處，表面說要將這批「懶漢」大力改造，實則即係押赴朝鮮。據中共宣稱：該縣山湖鄉農民胡家千，「解放」前，曾在紅軍中當過兵。後來退伍，改業理髮匠。解放後，分到了土地，他不再做理髮匠，也不肯自己耕田，他將分到的田，租給別人。後來別人以租田代耕，還要負擔給胡家千的田租，太不合算，退還了他。他自己仍然不肯親自下田，索性將分到的田，整個廢了。又湖東鄉農民黃郊，過去原是雇農，土改以後，有田不耕，先將分得地主財物，即所謂鬥爭果實，逐一吃光。現在竟四出偷竊，不肯耕田。又農民夏中倍，原是貧農，土改前，在「地主的鞭子下」，甘作牛馬，拚命出力，不料土改成功，有田有地，反而不事生產，讓田園長滿了野草。農會督責他，他說：「人民政府不是說過不讓窮人餓死嗎？我耕田也不會吃飽，不如在家裏等候政府來救濟。」又大路鄉居民朱濟山，也是貧農，他比夏中倍更頑抗，把土改時鬥爭得到的果實吃完以後，遣老婆到農民協會借糧，農民不肯，勸他趕快勞動生產，不料他反而跑到農會大鬧：「人民政府照顧貧農，並說過決不餓死人。我現在有病，不能勞動，你們不借糧，我就只有把兩個孩子抱來，一家四口，弔死在你們面前，看你們如何對得起政府？」這幾個農民，是中共在武昌縣一百多個被秘密判服兵役的「懶漢」中，最典型的例子。據說，其他各縣，都有同樣情形。這雖然和蘇聯推行集體農場制度時，所發生的農民消極叛變，大致類似，但中共藉此，反而增加「他在朝鮮作戰的兵源」，這就中共說，他們正欣然自喜，認為這批「懶漢」，替他們解決了一部份補充砲灰的困難。

另據由重慶來漢者談，西南區方面對改造「懶漢」，也正在大力推行。四川酆都縣開差鄉大威村農民秦廷華，原是一個很能吃苦耐勞的貧農。不幸去年大旱，他拚命耕種，所收的谷，除了納給中共以外，到今年春天，即顆粒俱無。而今年春天，直至現在，四川還是旱象嚴重。他逼到將附近青草都吃光了，二月十八日，沒有法子，把所住房屋，門板窗戶都拆下變賣。中共「改造懶漢運動」命令到達四川後，鄉政府共幹，將他列為懶漢，要他改造，或將他送往朝鮮參軍，他當即力辯說：「去年天乾收成差，政府要去我的糧食以後，我今年就不夠吃。今年天更乾，我拚命下力也沒辦法，你們說我懶，現在，只要你們有飯給我吃，要我做什麼我都做，只要是我做得了的。」共幹沒有辦法，只好把他的名字，從懶漢名冊內勾銷，但是天仍然不下雨，他也仍然是沒有飯吃！（懷民，六日寄自漢口）

劉長通在福建東山島 親見游擊隊登陸

並參加公審共幹大會目擊偽縣長張正剛等四十三人清償血債飲彈斃命

【本報讀者投稿】筆者前兩天以一意外機會遇到一位九死一生之漁船老闆劉長通，他於三月二十五日親在福建東山島目擊游擊隊登陸，鎗決了東山偽縣長及共幹等數十人，以迄游擊隊撤退。後來，他載了十幾名叛逃共軍，在大海中遇風沉沒。他被人救起，輾轉逃來本港。他向筆者詳細述說了一切經過。東山在福建東南，四面環海，東山島的西面，約隔有十餘里一條海峽，海峽對面，就是大陸，即漳浦，詔安，雲霄等縣。從東面向北，即金門島，如國軍反攻大陸，佔有東山，與金門互為犄角，這是比較容易達成任務的一條路。以下是劉長通所述經過：

三月二十五日夜半 游擊隊佔領東山島

我叫劉長通，現年五十二歲，一生都在海上長大。我有一條五百担漁船，一家八口，東山「解放」後，一家仍靠捕魚過活。今年三月二十五日的深夜，我在睡夢中，微微感覺船在震動，我剛要起身看個清楚，我的船突然像是被另一隻船擠着似的，一聲巨響，接着從海面跳上好幾個人，一聲「不許動」和一道手電筒的白火，射照着我的面，我不敢開口，但一家大小都被他們驚醒了。於是他們用好多條手電筒向船中船底四處照射，經過一番搜查，看看掛在船頭的漁網，架在船尾的破衣服，一個個模樣像隊長的，把手槍插還腰間，竟直的向我點頭說，你們是捕魚的老百姓吧？我點了點頭。他笑着，再從褲袋裏摸出一個青天白日的佩章，向我說：不用怕，我們是來殺共產黨的。說後，向他們同伴招手，落船而去。天快亮了，機槍聲和零星的槍聲不斷在響，我爬出船頭，使我嚇吃一驚，三艘懸着青天白日旗的小兵艦停在海面。再向岸上遠望，隱約間也可看出在東山中學，幹訓所和鎮一山的旗桿上都改掛着中華民國的旗幟。那時我心裏真有一股說不出的高興！

男女共幹跪地發抖 面如死灰雙目紅腫

這一天，我本也需要上岸糴米，所以天一亮，我就搖着船向岸靠近。經過掛有青白佩章的士兵盤查明白後我就登岸，經澳仔頭，入西門，過城關區公所，我探頭向裏面一看，清楚望見陳區長隊指導員和常向我們訓話的高同志（女）以及那些昨天還騎在人民頭上的新貴，個個面如死灰，雙目紅腫，整排的跪在天井中，尤其是高同志，渾身只在發抖。再經過武廟堂，縣政府，門前剛貼出安民佈告，門內也同樣跪着好多人，上自張縣長，下至那些平時殺人不眨眼的共幹，看看非常痛快。街上漸漸熱鬧，但店門還沒開，滿街都可以聽到，敲鑼誦讀安民佈告，百姓們用驚異和感激的心情，在接受這十幾點鐘奇蹟的降臨。我坐在一家小食攤吃東西時，看見游擊隊押解一批數約五六十人的本縣自衛隊與公安局警察。隨後又聽着有人敲鑼高叫：（一）下午一時開放第三、四、五倉庫，全市人民，可持戶口證向指定倉庫，無論男女老少，每口領取五十斤大米。倉庫分區辦法，另貼在各街公所；（二）明天上午十一時在中山公園開公審全部共匪大會，希望全市市民出席；（三）請大家檢舉在逃脫中的共匪。到中午十二時左右，商店紛紛開門，生意比以前熱鬧。冷落了二年的祠廟，出出入入的善男信女，忽然增多，甚至街頭，巷尾也可以看到人們燒香禮神，叩頭跪拜，或弔祭被共匪殺害的父母兄弟。就是我也在那晚買些香燭，回到船上對「馬祖婆」默謝一番。

共幹伏誅人心大快 共軍反攻百姓遭殃

第二天，大家傳說，共軍已調大軍自詔安、漳浦、雲霄、三路向東山圍擊。但上午十一時，中山公園仍聚集着幾千名老百姓，看那班共幹野獸的下場，他們很快就一個個倒臥在血泊中，其中有縣長張正剛（北方人），副縣長謝劍（詔安人）以及公安局縣政府區公所各機關高級幹部，總共四十三人。到下午，風聲越來越緊，家家關定，游擊隊以保全實力，決不會在此久留。這天整夜我一直就沒合眼。

第三天，即二十七日拂曉，遠處已傳來砲聲，這時游擊隊已經正式貼出「再見」的佈告，並開放共黨一切倉庫及監牢，物資任人搬取，犯人自由走出。許多老百姓，都願意跟游擊隊走，但游擊隊交通工具有限，他們只能帶走數約一千左右的年青人。他們分乘小兵艦，返回原防。我的船本來可以同時走，但因為岸上老百姓，都要上我的船，船小人多，無法開動，一直到共軍先頭部隊向我的船及其他的船開槍掃射，大家才一哄而散。但老百姓被這樣掃射而死的，已不下五百人，我兩個兒子和一個媳婦，也都中了流彈，落海而死。經過一陣紛亂，共軍三團人馬，源源到達，他們沒有捉到一個游擊隊，只是殘害了無數善良百姓的生命。

小隊共軍逃向自由 中途遇風不知去向

就在共軍到達的那天晚上，有十二名共軍，坐我的船，在附近海面往返巡邏。我知道這艘船已經沒有我的主權了。我為了兒子媳婦的死，非常悲痛，這時在船上的一位鍾排長忽然對我，表示非常同情，不到幾小時功夫，我已明白這位鍾排長，和那小隊共軍，都是從前被俘的國軍，他們想利用這個機會，坐我的船，逃離共區。我當然求之不得，立刻把舵掉向海外，風順帆揚，不到天明，已離岸數十里，在茫茫大海中，非常慶幸。不料是晚忽然風雨交作，我的船為了前天被好幾百人爭先恐後的跳踏，已得重創，又中了幾顆機彈，這時大風大雨，竟把船底打破一條很長的裂縫。我和大家拚命搶救，但已無法挽回，在恐怖啼哭中，船已下沉，我們都匆忙各抱住一塊木板或船上另件，聽天由命。在不省人事之後，不知何時，我這五十二歲的老命，被人救起，但一家八口所賸下的三個孫子一個媳婦，想已隨着在東山被共軍擊斃的二子一媳同歸於盡。至於準備走向自由的十二位共軍，則當然不知去向了。（吳虞）

教員教授與工人平等看待 「跳槽」要先經中共批准

偽教育部通令各校，凡教員教授要轉換學校的，須先經原校許可及上級主管機關批准，湖南農學院聘用了湖北農學院教授劉松齡，農學院被中斥劉松齡被停職三年

【本報北平特約通訊】「工人當家」的狹歐王朝，工人自己，卻一切自由，都被剝奪精光，如果你在這一家工廠，工作做得有點膩了，想另換一家，甚至你覺得一輩子在上海，眼光流於偏窄，想換個地方開開眼界，這一切一切，你都沒有自由，除非你得到中共許可，你就只好老死在這一個廠，這一個城市，一生一世，休想有「跳槽」可能。

不許自由改換學校

現在，這一鐵的原則，不僅體力勞動的工人，必須遵守，即中共向所號召重視的教育界，腦力勞動的中小學教員，大學教授，也同樣適用，不得違背。過去每到暑假前的一兩個月，總通常是這些教員教授們準備轉移工作崗位的活動時期，在中共統治之下，這些「跳槽」活動，都被視作違法的事。

最近，偽教育部為了湖南農學院，聘用原在湖北農學院當副教授的劉松齡在該院任副教授，事先未獲得湖北農學院同意，及偽中南教育部批准，認為目無紀律，將該院大加申斥。而劉松齡的自由轉換崗位，更由偽教育部命令湖南農學院立予解聘，並通令各農業專門以上學校，三年以內，不得聘用該劉松齡擔任教職。湖南農學院，並特別將此事經過，作成一檢討書，在中共報紙上刊出，表示悔改。偽教育部所以將此案看得非常重要，並特別在現時發表，大約即因為暑假在即，故意將劉松齡做個模範，「殺雞給猴子看」，向全大陸的教育界人們示威，免得他們還妄想移動。湖南農學院之檢討書如下：

湖南農學院悔過書

我院拉聘湖北農學院副教授劉松齡一事，經上級糾正，及社會批評後，我院再次研究，認識了錯誤，茲檢討如後：

湖北農學院森林系副教授劉松齡在原校聘約於去年七月期滿，經我院森林系教授應訓樂介紹，我院以原職原薪聘任。

我院對劉松齡的聘任，當初以為現時教授仍行聘約制度，在原校聘約已滿，我院聘任當無不可，曾於去年七月十二日以農教字第四七〇號函通知湖北農學院，卻沒有考慮必須取得原校同意及呈報中南教育部批准。去年十月劉來校並稱湖北農學院已聘南京大學張景良代課，我院遂留他在校任教。這是由本位出發而產生的無組織無紀律的行為。

高等學校某些教師中還存在有嚴重的自由主義，就工作崗位來說，多以個人利益出發，私相活動。我院對此種活動未能批評糾正，而抱着歡迎的態度，顯然是不對的。

由於以上錯誤造成了某些教師的情緒波動，不能安心教學，助長自由主義作風的發展，有礙於整個教學工作的進展。

我院領導幹部首先進行了深刻檢討，決心克服本位主義，以組織性紀律性的整體觀念對待問題，嚴肅要求堅持原則性；並勸劉松齡立即離院。今後我院決不再向各校私聘教授，並在我院教師中進行討論，以根絕私相拉聘現象，提高思想水平。

湖南農學院

不讓中共砍木圖利 游擊隊大燒山

江山一區三天內燒掉大木兩萬多根

【本報上海特約通訊】中共將老百姓辛苦培養的森林，在土改後，多半變為砍伐賣錢的「物資」，有的老百姓當然不甘心，加之江浙一帶，遍地皆是游擊，於是放火燒山，破壞森林的事故，層見迭出。本年三月四日，中共中央曾頒佈了「關于防止森林火災問題」給各級黨委的指示，嚴令各級黨委以保衛所謂「負責建設，和保護農業生產的需要」。可是在命令下達一個多月之後，各地山林「失火」事件反更加厲，浙江江山縣保安區就在三天內竟連續焚燬「杉木松木兩萬多株」，損失偽幣至少三億，一區如此，一縣一省更不難想像。為什麼放火燒山的事，還這樣不容易防止呢？主要原因，就是游擊隊太多。以江山一區為例，全區有三十二個村，山林地帶有廿二個村子，除了近公路有軍隊還便于控制外，其他的十九個村子，已被游擊隊組成「護林隊」，迫人民深藏山林，隨時可以放火。擴渡鄉的毛宋訓，是替游擊隊做情報工作的，他奉到命令，要他燒柴家西塢廖春先的山地廿多畝，即以燒石灰為名，備了引火器具，一口氣燒掉了五寸直徑的松木一萬多株，杉木三千餘株，定村鄉約吳發奎也是游擊隊員，燒山命令一到，他就率領了鄉口鄉王江，王日祥，李吉明，張大雲等四個兒黨，分兩處燒燬了杉木三千多根，松木一千多根，中共的副村長王光根雖及時帶了四十幾個槍兵拚命來搶護，結果仍被游擊隊打傷了七僞，打死了，死傷九人，擴渡共幹更觸目驚心，擴渡鄉鄉長詹豐施說得好：「游擊隊人多，我們人少，硬碰硬，實在犯不着，不如隨他們去搞吧！」（悠然，七日寄自上海）

教育高級文化幹部

（上接第一版）

還有人問：我們過去的失敗，只是政治的失敗，外交的失敗，經濟的失敗，軍事的失敗，……並不一定是教育的失敗，你何以說是教育的失敗？還是由於你對黨化教育深惡痛絕呢？老實說，這一點，我所見的剛剛相反，與我們過去的失敗，我認定其最主要的原因之一，便是教育！我們今後沒有誠意成為一民主國家的意思則已，假如有的話，則黨化教育的臭味，便一點也保留不得，所謂黨化教育，根本便是共產黨與法西斯的一種特產，我們看見今天那一個民主國家的教育，曾有過這種落伍的方法呢？

可憐的馬立克

為方

俄國出席聯大代表馬立克最近在會議中大鬧其笑話，把伊索寓言的詞句，說成俄國古諺，法代表莫煦當場告訴他，這話在兩千年前希臘人說過了！

世人莫以爲這是馬立克一時心神恍惚，記憶錯了。他絕對沒有錯，也非故弄玄虛，而是實心盡力要在國際坫壇上賣弄他的才華哩！

馬立克現在的年紀還很青，是蘇俄十月革命前後纔出生的人物，乃十足地道的由共產主義社會陶冶出來的布爾希維克智識份子。他全部腦海中所存在的知識學問，除馬恩列史的教條字句外，就是俄羅斯民族樣樣都是世界第一的那套神話。兩三年前，麥克阿瑟在東京跟馬代表談話，談到亞丹斯密，他不知道是甚麼人，即可證明我的觀察絕對正確的。而且，共產主義社會最注意改造歷史，在蘇俄的史籍或百科全書中，把伊索名言改爲俄國人說的，也與俄共們說電燈飛機等都是俄國人首先發明的道理相符合，一點也不算稀奇。馬立克之言，我不覺得好笑，實在太可憐！

俄式共產主義者就是討厭人們有知識學問，所以對中學生年齡以上的人都要你「洗腦」。他們最喜歡從小孩子起就接受他們的教育，將來教養成人之後，一個個便是馬立克同類模型的「紳士」，如假包換！

在非共社會的紳士以及達官貴人，似乎亦不少馬代表這類的角色，強不知以爲知，濫開黃腔（川諺），因此我更不忍訕笑馬代表了。

自由談

鬼魂震怒

·王怡·

人間的不幸，影響到了陰間。

一羣鬼，聚居在一個荒僻的山崗上，他們的墳頭上有些白楊，也有及時開謝的野花野草，有穴居的野兎和田鼠來作伴，雖是寂寞，幸好他們的七情六慾，經過一次「死亡」以後，根本已經淡泊了。照着陰陽輪迴的道理說，只要安分度過這段歲月，又可以投生爲人，既是一個過渡，因而他們之間很少紛擾和爭執。

在陽世，有一個慘酷的劇變，這劇變影響了陰間，更影響了他們這座荒涼山崗的寧靜。

那是民國三十九年的春天的事。突然，這山崗上添了許多新墳，換一句話說，也就是增加了許多新鬼。

墳坵劇烈地增加，使他們感到了地域的偪促，那舊有的一羣雖然無法抗議，但是他們可以詢問那些新來的鬼。

「你們爲什麼一下子來得這麼多？」舊的一羣中的甲問。

那些新來的鄰居們說了，陽世遭遇巨刦，共產黨實行一個「鎭壓反革命運動」，預備屠殺兩千萬中國人。

「那末你們是不是『反革命』呢？」舊鬼之羣都很同情他們。

「唉！」被問的鬼臉淚俱下，他說：「我們那裏是什麼『反革命』，被殺的人十九都是寃枉的。」「他們不是提倡『將鬼變成人』嗎？爲什麼現在却是將人變作鬼呢？」有一個乙鬼，他在一本被燒毀的「白毛女」上面，談到了共產黨的這一段宣傳，因而疑雲重重。

「呸！共產黨的宣傳不但騙人，而且騙鬼！」新鬼們說。

如此一說，鬼情嘩然了，他們吱吱喳喳，變成一片，有些鬼，記念陽間的妻兒子女，就心他們難逃巨刦，有些鬼，却是顧慮這座山崗的面積太小，假如墳塚頻添，日積月累，必有鬼滿之患。

就心的事終於有一天成了事實，人間的屠殺愈殘暴，地府的新鬼愈多，他們不但死得寃枉，而且死得那麼淒慘，有些鬼，赤裸裸地到了陰間，不要說棺材，就是連一件隨身衣服也沒有。

新鬼一天天多，雖然較前擁迫，但是大家還能分得一塊容屍之地，鬼和人的分別便在這裏，鬼與鬼之間，並不因爲住的問題發生爭執。而他們的那份溫情，却是人間所沒有的。

忽然又有一天，這崗上來了一羣野鬼，他們的屍體並未掩葬在這山崗，但是，這羣鬼却想在此借居下去。

對於這批「難民」，甲乙兩鬼被推做代表，向他們質問理由。

「你們怎樣會失去你們的墳墓的呢？」甲鬼詢問他們。

誰知道一場災禍，又是人世的共產黨賜給他們的，據野鬼中的代表說：因爲他們的墳墓之中，有那麼一個「月籍」，他的子孫是共產黨魁首，而今共產黨當權，雞犬尚且昇天，他的祖宗的墳墓，也就需要大加修葺，因此，一座墳山被那一戶獨佔，那些子孫無權無勢的小鬼，他們的棺材便被掘挖，他們的白骨被拋棄在田野之間。

「所以我們流亡了，我們現在已經無墳可歸。」

對於這羣「難民」，他們只有同情，甲和乙都默默無言，這兩位代表反而向旁的羣鬼建議，將「難民」收容下來。

災難是連續而來，有一天，墳面上傳來鋤鏹之聲，蟄居在下的鬼羣大起恐慌，他們以爲這土山也許有一個共產黨權貴的祖先，他們的白骨也將棄之田野。然而事實却不然，新舊的鬼籍之中，沒有一家的子孫是共產黨。

「但是他們爲什麼要掘我們的墓穴呢？」

驚擾之中，有些聰明的鬼想出了一個辦法，主張立即調查，如果陽間的處置有了錯誤，他們可設法以「托夢」的方法抗議。

「我知道的，這件事，我可以告訴你們。」一個最新的鬼說。

自然，大家都注意聽他的話，因爲這是切身相關的事。這個鬼才來了兩天，未死之前，他知道共產黨又有了一個新辦法，規定以後凡是新死的人，一律實行火葬，一把火將屍身燒化。至於舊的墳墓，必須闢成田地，多種稻穀，這些糧食將來可以多換槍砲子彈。

他的話不會錯的，大家束手無策，只有聽候惡運的來臨。一個在此最久的鬼說：「共產黨還成話嗎？這眞是死無葬身之地了。」

萬竹樓隨筆（九六）

才女李清照（上）

（1081—1140？）

·舜生·

在宋朝南渡的前後，中國山東的濟南一地，產生了中國文學史上兩個最偉大的詞人，前者爲李易安（清照），後者爲辛幼安（棄疾）（1140—1207）。易安的『漱玉詞』，流傳到現在的，不過五十首左右；幼安的『稼軒詞』在數量上雖十倍於她，可是我們要從藝術的見地去強分軒輊，恐怕不是一件容易的事，而事實上也無此必要吧。

易安的父親名格非，『工於詞章，陵轢直前，無難易可否，筆力不少滯。嘗言文不可以苟作，誠不著焉，則不能工。且晉人能文者多矣，至劉伯倫「酒德頌」，陶淵明「歸去來辭」，字字如肺肝出，遂高步晉人之上，其誠著也。』（見宋史本傳）她的母親是狀元王拱辰的孫女，也能文章。易安有這樣的家世，對她文學造詣上的影響，自然是很大的。

易安二十歲，嫁給太學生趙明誠（字德甫，山東諸城人）。明誠雖是宰相趙挺之的兒子，可是他並沒有普通紈袴子弟的習氣；自己曾做過幾任官，但也仍能保持一個讀書人的本色。他曾以所藏三代彝器和漢唐以來石刻，仿歐陽修『集古錄』例，著有『金石錄』三十卷。易安在『金石錄』後序裏敘述他們夫婦那種讀書和賞鑑的生活，眞是令人艷羨：

『……每獲一書，即共同校勘，整集籤題。得書畫彝鼎，亦摩玩舒卷，指摘疵病，夜盡一燭爲率。……每飯罷，坐「歸來堂」，烹茶，指堆積書史，言某事在某書某卷第幾葉第幾行，以中否角勝負，爲飲茶先後。中，即舉杯大笑，或至茶覆懷中，反不得飲而起。……』

又俞正燮在他所寫的『易安居士事輯』裏敘述易安夫婦間一個有趣的故事說：『嘗以重陽醉花陰詞函致明誠，明誠思勝之，一切謝客，廢寢忘食者三日夜，得五十餘闋，雜易安作以示友人陸德夫，德夫玩誦再三曰：「有三句乃絕佳。」明誠詰之，曰：「莫道不消魂，簾捲西風，人比黃花瘦。」正易安作也。』

這首詞的全文是這樣的：

『薄霧濃雲愁永晝，瑞腦消金獸。佳節又重陽，玉枕紗廚，半夜涼初透。東籬把酒黃昏後，有暗香盈袖。莫道不消魂，簾捲西風，人比黃花瘦。』

我們看她的自述，和所流傳的這類故事，可想像她的家庭生活是非常良好，這種環境對她文學修養上之大有幫助，當然是更不待言的。

易安不僅以詞名，而且能詩能文，也能畫，（宋源『學士集』說明人陳查良家有她的『琵琶行圖』，『太平清話』說莫廷韓買得她的墨竹一幅。）不過都爲詞所掩罷了。

失却平衡的生活

·凝之·

在過去半世紀中，一般英國人的工資收入已增加了不少，特別是當工黨秉政期間，所得稅和遺產稅的徵收，使過去號稱小康以上的社會階層收入受到重大打擊，他們的生活已降到和一般平民相差不遠，而工人的收入則大爲增多。在那一不流血的革命之下，英國似乎已經做到了經濟的民主。

職工運動的主要目標，一向是減少工時與增加工資，在英國，這兩點現在已差不多完全做到，但是繼之而起的麻煩却是如何消耗那多餘的時間與增加的收入。因爲食品和衣着還在施行定量配給，所以他們無法多購一套衣服或者提高食品營養，於是他們的剩餘金錢便只有用於娛樂和享受方面，特別是吸烟，飲酒和賭博，並藉此消耗其空閒。

據統計的結果，英人每年用於賽馬博彩的金錢達七億五千萬鎊（約等於二十一億美元），消耗於酒和烟的，也差不多都有這樣的數字。這數目，等於用於讀書，收音機，電影，戲劇金錢總和的四倍，比全國所付出的房租總額還多，比年儲蓄金額大二十倍以上。那些賭博「事業」共雇用三十萬人員，等於英國最主要的紡織工業職工總數。

英人嗜賭。賽馬，賽狗，賽足球，都是博彩的機會。博馬博狗都極普遍，後者博金較低，更適合一般低薪金收入者的胃口。至於球季內每週的足球賽，報紙都刊載着空白的預測表，讀者可以塡好剪下，附以少量博金送到報館去。在英國，約有全國人民的半數，每週以三先令十辨士的金錢消耗於此種博彩。

這能算是一種健全的正常生活嗎？老實說來，凡是此類流行的消遣和娛樂都只能算是一種逃避。這是生活失却平衡的結果，同時也正是現代文明的一大問題。

蘇聯的階級

·明·

蘇聯一九一七年的布爾什維克革命，大部份是對一個階級社會的反叛，然而時至今日，蘇聯非但不是共產黨口中的沒有階級之分的烏托邦，其階級的界限，却較帝俄時代更爲嚴格，其殊懸程度也更甚。

簡單說來，蘇聯今日的階級結構，約可分成五類：

一、最高層是政治局那班委員，和他們的數百名家屬，還有就是共產黨、政府、軍事機關、祕密警察中統治階層的份子。

二、就在最上層的下面一級，其人數比前者大得多了，約有數十萬（至多一百萬），包括統治者的最重要幕屬，政府與黨的二級要員，武裝部隊的高級軍官，祕密警察的少數巨頭，國家經濟機構的總經理，第一流作家，藝術家，音樂家，科學家和幾個備受宣傳的「勞工模範」和「勞動英雄」。

三、這階級更大了，可稱爲中層階級，裏面是黨、政府、和軍事機關的中級官員，工程師與技術人員，集體農場的官員，和比較幸運的工人與農民。

四、這是一般的工人與農民，也就是蘇聯社會的龐大基本羣衆。

五、數百萬奴工。

這幾個階級所佔蘇聯人口的比例，外間無法確定，不過根據可以獲得的資料而作的估計，最高兩級，包括他們的家屬在內，不會超過五百萬人，約佔全部人口的百分之二·五，中層階級約有一千五百萬人，佔人口的百分之七·五弱。

這三個階級的福利，反映於他們生活的每一方面。他的實際收入，遠超一般俄人，除了薪津特高外，還可享受種種特權。他們有國家供給的汽車，豪華的休假別墅，和其他許多便利。以實際的金錢數額來說，蘇聯工人的收入，平均是每年八千盧布；而在政治局委員的階層上，却高達一百萬盧布左右。它下面的一級，約在數十萬盧布，中層階級却降到二萬盧布了。

對於一般蘇聯人民，肉類、雞蛋、乳類製品、與鮮菓等都已成爲奢侈品，但在上層二個階級，却是他們日常食品。在衣着方面，蘇聯工農，極少有幾套可以日常更換的衣服，即使有餘款能添置新衣，也難購得，而在上層階級，衣着還是講究時髦，皮大衣照樣流行，有的更能自巴黎定購時裝。汽車、洗衣機和電力設備，在上層家庭中隨處可見，可是下層羣衆，許多人甚至有生以來都沒見過。

這種不平等的現象，無疑會引起大衆的嫉妒與不滿，而造成了一種緊張狀態，蘇聯當局當然也明瞭這一點。於是他們極力作空洞的宣傳，把蘇聯的未來，描寫得如何如何美麗，使人民心裏永遠懷着一個美滿的幻想。但將到這幻想破滅的時候，它所爆發的危險，却將令人難以設想。（節譯自紐約時報週刊）

黑十字

北晨

「小丫頭！」心上罵了一聲，他懂得這女人的用意，根本沒有約會，只是坐了汽車溜了一圈，竟在眩耀她有一輛自備汽車。

他趕忙出去，立到大廳前面。果然朱瑛來了，後面還跟着一個佩雲。

「你怎麼知道我們來了？」朱瑛問：

「聽見了汽車喇叭的聲音，」小蔡說，這句話裏另有份量。朱瑛趕忙補上一句：「小蔡，你我已不是一天的朋友，爲什麼雞蛋裏面夾着骨頭。」

小蔡說：「大家給面子，大家有面子。」這句話又給了朱瑛一個暗示。剛說完，大家已進了大房間。

房間裏突然一亮，眼前的兩個女人，一個珠光寶氣，一個俏麗如花。佩雲見了白濟宏，是早已認識的，趕緊連聲問好。郝亦臣是主人身份，先將黃洗介紹了，再介紹兩位女的。提到白濟宏的名字，朱瑛說了一聲「久仰」，她不知道坐在那裏是好，小蔡替她拉開了黃洗旁邊的座位。

郝亦臣對那另一個不速之客說：「佩雲！白先生正要找你，想不到你却自己來了。」

朱瑛在旁邊插嘴說：「我和佩雲兜了半小時的車子，她要我教開車，我便拉她一塊兒來喫飯。」

「我是不請自到。」佩雲向滿屋子飛了一個媚眼。她是舞場中有名的「小花眼」。

「歡迎！歡迎！這一杯先歡迎你。」郝亦臣舉起杯子。在等朱瑛的時候，他們的酒早已酌好。

大家跟着舉起杯，郝亦臣忽然發覺自己的話有點錯誤，改口道：「黃先生：今天來不及預備，改天在朱小姐家裏重新請過。」一陣「請，請，請」，六隻杯子的酒，一齊落進肚裏。

這是一頓勾心鬥角的飯，每個人心理有每個人的打算。

（十三）

·中篇連載·

民主作風

·迪·

美國民主共和兩黨競選總統候選人的運動正風起雲湧，共和黨方面，塔虎脫，艾森豪威爾競爭正烈，民主黨凱福弗爾，羅素，哈里曼也鬧得不可開交。有一天，凱福弗爾和羅素同在一家雪茄烟廠拉票時不期然地遇見了，兩人都像眞正的南部紳士一樣，不免相互客套一番。羅素首先說：「喂，凱福弗爾，好久不見了，你好嗎？」凱福弗爾：「很好，只是昨晚在星星納地有點點喉痛，你在那一邊街上拉票？」羅素：「我兩邊街上都拉。」凱福弗爾：「祝你好！」羅素：「凱福弗爾，願你也好。」客套既畢，兩人又各自分頭活動去了。（譯自五月十二日時代週刊）

自由人

THE FREEMAN

（半週刊每星期三六出版）

（第一二六期）

每份港幣壹毫

督印人：李光華

社址：香港高士打道六六號

電話：二〇八四八

GLOUCESTER RD. HONGKONG TEL: 20848

承印者：東南印務出版社

地址：高士打道六四號

台灣總辦事處：台北市館前街五十號

台灣經銷處：台北市中華路一二五九號

各方面都開始動了 台灣厲行總動員

從社會，經濟，政治，文化同時着手，這是反攻大陸的基本準備，這是自由中國的最好現象

·陸浮·

自從蔣總統在今年元旦告全國軍民書中，提出總動員的號召，轉瞬已經四個多月。在這四個多月以來，台灣的各方面，都在努力總動員的工作，尤以社會，經濟，文化，政治四大改造運動最為積極。原來總動員雖則偏重於軍事，而其與各方面的配合，亦甚為重要。台灣原有的社會，經濟，文化，政治各種組織和作風，無疑地還夠不上總動員的要求，自必須先行加以改造，以期能担負總動員的任務。蔣總統也曾講過，所謂動員，一定要使社會動起來，民眾動起來，青年動起來。並不是僅由各級政府機關在辦公桌上，在公文書上，寫些動員的法令方案，就算了事的。

社會動員

先說社會動員，台灣最近正普遍的建立動員月會。動員月會分為甲乙二類。甲類係機關，學校，工廠，礦場等。乙類係地區，以村里為單位。甲類每月舉行一次，並得與國父紀念週，國父紀念月會，或其他臨時集會合併舉行。乙類得每隔月舉行一次，每戶出席一人，由村里長召集。甲乙兩類的動員月會，都要（一）宣讀或講解月會所通過的反共抗俄救國公約。（二）報告政府的政令法令。（三）講評行為最好貢獻最大或行為最壞違反公約者的姓名與事實。（四）由出席者提供各項改進意見。（五）康樂活動。但全部開會時間不得超過三小時。至於動員月會所通過的公約，目的在增進國民的政治認識，並堅定其信心。所以要注意參加月會的份子的職業，與地位，與生活環境，使其分別訂立。公約的內容要具體，並且要注意空間，時間，與重點，條文以不超過十項為原則。

除動員月會外，推行改善環境衛生運動。目前時值夏季，衛生最合乎時令，亦一件要事。蔣總統曾經說過：「清潔衛生是一個公民做人的起碼條件，也是對於地方行政成績顯而易見的工作」。又曾說過，改善環境衛生，必須動員鄉鎮鄰里的每一戶每一人，不能專恃政府與警察的力量。所以，台灣省這次的辦法，要各戶門前及住宅四週（二公尺以內）須各自掃除，經常保持清潔，拉圾並應倒入箱內。各偏僻小街巷，由相對住戶或相鄰住戶各自負責清除（二公尺以內）。至於拉圾的處理，以每日一次由縣市衛生隊清除為原則。（四）以之填補市內窪地。（又各家肥料的清除，以每三日一次為原則。並須於清晨辦理。其餘如公共場所，飲食店鋪，魚菜家畜市場，水溝，攤販，公墓，獸力車輛，明暗溝渠，建築遺物，都定有各種管理及處置辦法。其要點也都在由人民自動負責辦理，分別由縣市鄉鎮村里，並定期競賽，就成績的優劣予以獎懲。

社會動員的另一成就，是敬軍運動。具由軍人之友社發起，其目的在發揚民眾愛國愛民的精神，融洽軍民的情感，造成軍事第一的社會風氣。並且使軍民團結互助，合作，平時親愛相處，戰時同生共死，患難與共，以保證反共抗俄的最後勝利。敬軍的內容，有（一）禮貌致敬（二）服務助軍（三）廉價優待（四）慰勞訪問（五）接待迎送等項。去年暑期，台灣省內中等以上學校學生曾有軍中服務的組織，收效甚宏。今年暑假又將屆臨，教育當局正擬擴大組織，去年辦法，擴大辦理。聞可有男女學生五千人，能為各地駐軍作暑期服務，的文化宣傳康樂的優良風氣。軍民合作，就是自由中國不可抗拒的力量。

經濟動員

次說經濟動員，自從經濟部易長，財經兩部因人事的密切關聯，而政策也必將趨於一致。以往為財政目的而辦理經濟事業的現象，決不致再形發生。行政院陳院長近曾一再宣稱鼓勵民營工業，並歡迎港澳僑胞，來台投資與辦工業。政府在原則上，必將以寬大的態度鼓勵港澳工商界人士，前來台灣。並企盼能先組織考察團，來台灣考察。再則因中央與台灣省，政府均有財政機關，也各有公營事業，故機構不免重疊，手續不免重複。在稅收方面，立法院已通過了台灣省內中央與地方稅收統一稽征條例，而有識之士，更希望中央與地方的財政及公營事業機關，更能夠統一收支，與統一管理。這件事與鼓勵港澳人士來台投資，也有關係，因僑胞來台與辦工商業，總希望中央與地方各種事權，能先加統一。

文化動員

再說文化動員，首先是要決定文化事業的主管機關，才可以使責任明確，事權集中。如關於宣傳，文藝，新聞，電影，廣播，音樂，戲劇等等，在政府方面，或者過於放任，或者分由許多單位管理。現在一般的意見，都贊同由中央的教育部及台灣省政府的教育廳主管文化事業。而目前主要的文化動員工作，在學校以外的，如文藝改革的運動，文化的檢討運動，編纂中國文化叢書及國民基本智識叢書，創設並恢復重要學會及科學團體，或成立全國性學術團體聯合會，都正在推進。在學校以內的，教育部已經制定了中小學學生實施生產技能訓練辦法大綱，及高中以上學校學生精神軍事體格技能訓練實施綱要。台灣省政府教育廳也已經制定了台灣省各級學校加強民族精神教育實施綱要，台灣省各級學校加強生產訓練及勞動服務實施綱要，及課程調整辦法。所以，本省教育人員推行各種方案辦法，台灣省整個的教育界與文化界是已經負担起動員的任務了。

政治動員

最後說到政治動員，台灣省已經是實施地方自治的省份，除省長尚未民選，省議會尚為臨時議會外，所有地方自治的組織方面的工作，大都已經完成。所以台灣担負政治動員的任務，自須先從充實地方自治入手。台灣民眾對於基層的村里民大會，出席的興趣頗為濃厚，百分比亦高。這就是動員的最好基礎。尤其是台灣的戶籍，辦理得相當嚴密，雖則間或有漏戶漏口的現象，但並不甚多。最近台灣省政府者，准許以在過去兩年內未報戶籍者，可以補報戶籍，內政部也允許在一個月內補報，凡原報姓名籍貫年齡有錯誤的，也可以在一定期間內請求補正。這些都是台灣戶政由警察機關辦理，便於推行的具體表現。今日為加強反共抗俄，以集中動員起見，如能由警察機關辦理戶政，更合乎目前需要。因警察機關屬於政府，而警察業務中，由地方自治担負的，也就是在一個國家統一之後，警察屬於國家的部門，將系統為地方自治之後，決不容許再有任何武力系統。容許地方自治事業中，衛生的，故由警察担負的，由警察與地方辦理戶政的意義並不相違背，也許台灣從今年下半年起，戶政與警政就可以實現一元化了。（下接第三版）

從經濟戲法完全變光 看中共末日業已不遠

任何花言巧語無法再騙工商業上當

·張丕介·

近一月來，由於「五反」後工商經濟的凋零和農村土產的滯銷，中共又搬出了去年和前年的一些戲法，一方面對被摧殘的私營廠商實施「加工訂貨」，一方面在各地大開「物資交流大會」，希望使奄奄一息的工商經濟，能夠再掙扎一些時期。

早佈下了工商業陷阱

上述的兩套戲法，差不多是凡人皆知的騙術。前年二三月間，中共向各地廠商勒捐一億分的「勝利折實公債」，斲傷了大陸廠商的元氣，造成共統治大陸以後第一次大規模的倒風。在短短四個月中，大陸各城市自動關門的廠店，總數不下十萬家。廠店大量歇業以後，各處失業狂潮隨之勃發，僅上海一地，失業人數即達一百萬人，（見一九五〇，六，廿合眾社電）為了緩和社會購買力被消滅後的危機，中共乃提出「調整工商業」的口號，其中最主要的手段，便是針對當時準備關門的廠商，實施「委託加工，和訂貨收購」政策。以政府的購買力代替被消滅的社會購買力，同時使私營廠商的主顧，由自由競爭的廣大市場轉移到擁有壟斷的政府。表面上雖係替私營工廠解決不少的困難，實際上則藉此佈下控制私營工商業的陷阱。

由於當年中共加工訂貨時的條件較寬，為了引誘商人上鈎，在若干地方甚至不惜支付相當的代價。如在代織棉布時，據華中「花紗布公司」經理方霖發的報告：每疋差不多要賠貼共幣一〇，九二六元。而據「新華月報」二卷第三期中所載：「僅外棉進口和棉紗加工一項，政府每年須賠貼八萬斤小米，約達八千億元」。在中共「欲取故予」的策略下，當時的「加工訂貨」，確會刺激了各地的工商業，來使中共能充分利用私營工廠的生產力，支持韓戰爆發後軍需上的緊急需求。

甜頭有限苦頭吃不盡

但在現階段的情形中，不但主觀的因素完全不同，而客觀條件更與前迥異。首先，在這次「五反」中，被指為「偷盜竊」最嚴重的「大老虎」，差不多都是過去接受加工訂貨最多的廠店，如重慶的五金業，天津的木料行，上海的機械業，化工業和西藥業，廣州的橡膠業等，這些行業的商人在過去吃了中共一些甜頭，在這次卻受盡苦頭。許多和中共打得火熱的商人，如北平的劉元敬，上海的王康年，漢口的賀衡夫，莫不被戴上「五毒」的帽子，而斷送了老命。這一活生生的教訓，已令商人視加工訂貨為畏途。因此最近各地都流行「公私不親」，「公私授受不親」的口號，認為「一親呢，便可能五毒俱全」，至多只有偷漏稅收一項。主觀心理的轉變，使他們對中共的這套把戲已不敢再行領教。

等於簽訂了賣身文契

其次，在客觀條件上，這次的加工訂貨，不但無絲毫「照顧」的成份，而且條件的苛刻，令人嘆為觀止。第一，在報價和估價方面，須先由資方提出自報，再通過承製廠工人進行估價，然後由勞資雙方估定價格，再依據加工訂貨的品種，分成小組進行討論。在核價時，先由「成本調查小組」依照工人所報原料價格作為初步定額，再根據會計帳目與「五反」中所調查的資料，來核算製造費與管理費，這樣核下來的價格，大都接近賠本的邊緣。第二，對於約定交貨日期，亦有極嚴格的規定，每延遲一日須繳納當期貨款總額百分之一的違約金。第三，是定貨品質和成交樣品須絕對相符，否則除賠償一切損失外，尚有種種嚴酷的規定，使每一個接受合約的廠商，無形中等於簽訂了賣身契。因此，除了一些在工人把持下的廠商，為苟延殘喘計而不能不飲酖止渴外，大部份都採取緩報估價，或故意抬高成本等辦法來消極拒絕接受。有的甚至公開對工人停伙停薪，實行「吃光了事，拖垮了事」，來粉碎中共這一新誘惑。

又再彈土產交流舊調

至於「土產交流」，亦係中共經濟策略中的舊瓶新酒。在去年四月至八月間，中共在大陸各地舉行了不少次大規模的土產交流大會，並舉辦了無數次的土產展覽會。去年四月十日北平「人民日報」的社論中，且宣稱推銷土產乃去年「財經任務中最重要的工作」。但一則禁運未除，外銷無着；二則去年下半年因獻機捐款，社會購買力又一次被剝奪，這一戲法，終於在無聲無嗅中收場。最近由於各地春荒嚴重，土產急待脫售，在百無辦法中，乃不能不重彈舊調。（下接第二版）

時局漫談

所希望於日本的一件小事

舜生

據某通訊社報導：日本新任駐美大使新木榮吉，宣稱：『美國處理有關中國問題，應接受日本方面的意見，因為日本比美國與其他國家，更為瞭解中國。』假定我們做照新木的口吻說：『美國處理有關日本問題，應多注意中國方面的意見，因為中國與日本交往的歷史最為悠久，日本的長處短處，以及她現在和未來的種種打算，中國比美國與其他國家，更為看得明白。』我想，這也並不算是稍涉誇大吧？但中國充分明瞭自己的立場，她在今天只注意如何與其他一切民主國家密切合作來從事反共，凡屬有利反共由一切民主國家共同所課於中國的義務，只要是我們力所能及，我們決不逃避；反之，凡屬有損團結反共的任何舉措，中國也決不會輕於苟同。

前幾天，和美國一位高年的朋友談到未來亞洲問題解決的趨勢，我曾對他說：『美國對於遠東問題的處理，從海約翰國務卿，到一九二二年的華盛頓會議，從華盛頓會議到史汀生對『滿洲國』之不予承認，以及這一次杜魯門總統對蘇聯中共侵略韓國之毅然加以反擊，在原則上大抵都是不錯的，我們今後仍將尊重美國所揭出處理遠東問題的原則，但在技術上，亦希望美國多多注意中國，英國和日本的意見。』可見我們對於日本未來的地位，並未予以忽視。

今後關於一切重大國際問題的處理，在利害上大抵都是有聯帶性的，必須由同一陣綫的國家來共同研討，共同解決，並不容許任何一個國家以特殊資格出現，也決不容許兩個國家去私相授受。

同時，我也很不願意過分強調『亞洲人的亞洲』這樣一種說法，因為假定依據『亞洲人的亞洲』這一原則，今天真有權可以干涉歐洲，同時也干涉亞洲的強國，便僅僅只有一個蘇聯，這豈不是適中史太林之詭計！日本又開始獨立了，一切國際的活動，自然要陸續展開，但我希望日本外交人物的發言，仍以謹慎為是。

從杜德事件談到志願遺俘

關於巨濟島共俘綁架杜德准將，並提出種種勒索的事件，截至現在為止，我們對這一事件的真相，還沒有看見詳盡可靠的報導，但美國式的過度寬大態度，對於共產黨並不適用，卻是很顯然的。

在板門店和談中所爭持的遣俘問題，據說共俘中願意被遣回的僅有一小部分，其不願被遣的，乃佔絕對多數。本來照情理論，所有共俘應該是沒有一人願意重返中國大陸或北韓的，但何以仍有一小部分居然願意回去呢？最初我們的答案是這樣的：一，所謂中共的『志願軍』，其中的絕大多數，本來都是被強迫而來，他們覺得只要能保全性命，當了一名俘虜，便算是脫離苦海，其不願再度返回中共的魔掌，自屬毫無疑義。可是其中卻難保仍有少數的真正共產黨，他們所受共黨的麻醉較深，因此願意回去的，居然仍佔小數。二，被中共強迫送到韓國戰場的所謂『志願軍』，本來大多數都是無家無室的單身漢，這種單身漢，他們只要能脫出中共的魔手，即不怕中共對他們加以任何迫害，因此他們可以坦然表示不願回去；可是在這十幾萬的共俘中，有家屬的究竟還是有一部分，他們的父母妻子，依然處在中共的掌握，假如他們公然表示不肯回去，他們的父母妻子，可能要受共黨的殺害，他們為顧慮他們的父母妻子，因此也就不敢立即公然表示拒絕遣回。

自從有了這次的杜德事件，我們覺得上舉兩點的解釋依然不夠：很顯然，在巨濟島的共俘中，有少數的真正共產黨，他們是有組織的，大多數被強迫而來的『志願軍』，卻是散漫的，共產黨慣於運用少數的組織，去壓迫多數的散漫，可能使得多數被劫持，而不敢堅持他們內心的主張。假如盟軍當局經過這次杜德事件，而不能妥籌善後的辦法，我相信在這個俘虜營中，還會要發生其他的不幸事件。

蘇俄海軍的威脅（下）(A)

大西洋之戰決定全局勝負
英如不守全球瓦解
屆時美國只有退回本土坐看蘇聯支配世界

Frank Uhlig Jr. 作　許孝炎 譯

（四）蘇俄在歐洲海軍實力及其戰略

總而言之，俄國人在遠東有許多可能建爲良好海軍基地的海港，但目前還沒有充份的海軍力量。但在歐洲，蘇俄已經建築完好的基地有好幾處——在波羅的海有列寧格勒和加里寧格勒（即科尼斯堡 Koenigsberg），在北極海有莫爾曼斯克及彼沙莫，在黑海則有塞瓦斯托波爾及諾伏羅希斯克（Novorossiisk）。但是，我們在上文已經說過，這些海港都因爲地理上的阻塞，把它們和我們在大西洋及地中海的海路隔斷了。北極海的各港口，距英倫各島及地中海路程過遠。波羅的海的各港口，被斯堪底納維亞半島封鎖而與大洋隔斷。黑海的惟一出口是要經過狹窄的韃靼尼爾海峽，但這一條海峽卻控制在土耳其人手裏。

俄艦大部在波羅的海　目的想變作蘇聯內湖

那末，蘇俄建造這許多戰艦和幾百條潛水艇有甚麼用處呢？新造的船隻大部份是在波羅的海，其中有新式戰鬥艦數艘，現代化的巡洋艦七八艘，驅逐艦二十艘，小型驅逐艦（魚雷艇）若干艘，以及外海的潛水艇一百餘艘。假定蘇俄已有航空母艦的話，那末它的訓練地點一定也在波羅的海。在波羅的海的區域內，蘇俄艦隊的任務有三。它要與瑞典的艦隊（三隻巡洋艦，十二隻驅逐艦，二十五隻潛水艇）作戰，爭奪波羅的海中霸權的海軍。等到波羅的海變成了蘇俄的一個內湖之後——現在幾乎近似——蘇俄艦隊即可轉移目標，担任其他任務。所謂其他任務：其一，當蘇軍爲謀通海出路，自德國沿海特蘭（Jutland）半島，向斯堪拉克（Skagerrak）海峽南岸進攻時，予以艦上砲火的掩護；其二，爲水陸兩棲作戰——即運送軍隊在挪威南部海岸登陸，佔領並控制沿岸各港口，控制那些港口，在一九四〇年至一九四四年時，常遭德國的潛水艇及戰鬥艦的襲擊。我們明白了上述計劃之後，蘇俄之新建戰鬥艦及航空母艦，是有深意存乎其中的。戰鬥艦與航空母艦在波羅的海固屬有用，但作用並不很大。一旦進入大海之後，它們在戰略上的性質就完全兩樣，而且要變成一個最重要的因素。我們在大西洋上的運輸船最易遭受這些巨大艦隻的襲擊，而它們對於歐洲人民及軍隊的威脅，亦將較潛艇爲大。一支運輸艦隊遭遇到海面艦隊或艦載機的襲擊，將無法逃避被擊毀的命運。平日用作護航的反潛護衛艦，一旦遇着戰鬥艦和航空母艦，簡直是束手無策的，這些運貨船和軍艦護航艦，將在很短的時期內，一一被它們吞噬掉。

海面實力　集中北海

也許蘇俄會把襲擊運輸艦隊的任務留給潛水艇，而將其海面實力及航空母艦完全集中在北海，這樣，對於以斯卡巴佛諾（Scapa Flow）爲基地的英美海軍，將形成一個重大的威脅。在一九一四——一九一八年及一九三九——一九四四年時，以斯卡巴佛諾爲基地的英國大艦隊，是世局的安危所繫。假定它們當時被消滅了或驅逐出去，則德國的海面作戰艦隊即可進入大西洋，將自美國來的一切運輸艦通通截斷。即使它們的任務只限於擊沉護航艦隻，則剩下來的商船在單獨航行時，一遇潛艇也只有束手就擒了。在本世紀的兩次大戰中，大西洋之戰實係勝負所繫。大戰中，地中海和太平洋中大部份都由我們的手中失去了，但在我們的力量長成之後，我們又把它們攻復回來。假定把大西洋失去了，英倫三島一定也不能守。英倫三島沒有了，我們就不能在歐洲、地中海或北非等處，據守任何一個立足腳點，至於紅海及印度洋沿岸的土地，均將不戰而棄守，因爲到那時候我們將無任何力量保護這些地方，那末它們便無力自衛，那時我們只好撤回到自己的海岸上，把世界上其他部份的財富和生產的大通道，通通落於敵人手中。這並不是說，有英國人站在我們這一邊，那些地方的安全即可保障無虞。蘇俄的拯救手段，或把它們擊敗或逐出去，我們只有[illegible]保守這些地方。

蘇俄的白海艦隊，以北極海沿岸爲基地，是一支力量很弱的艦隊，只把它當做波羅的海艦隊的一個分枝看待。而且有[illegible]。蘇俄陸軍不願在冰天雪地中翻山越嶺，而願出海道向挪威北極海沿岸各峽口（fjords）進攻時，即這一個艦隊中的少數艦艇，可担任掩護這一帶沿海，佔領幾個據點，充作潛艇及空軍的根據地。其他各地就戰略價值而言，在挪威的沿海各峽口，因爲在峽口中的船隻和潛艇可以安全的停泊。除此之外，北極海艦隊還有一個並不是不重要的任務，但並不是不重要的任務，即立即[illegible]在冰島和格林蘭，氣候大概都由西向東移動，立氣候站於這兩個島上，對於空中攻擊告警及空中攻擊的氣象報告，是絕對必要的。

扼守黑海　勿落俄手

蘇俄的黑海艦隊，大半係由舊艦艇組織而成，不過它的一個敵手是土耳其艦隊，其力量是遠遜於蘇俄艦隊。假使我們強大的海軍艦隊以一支協助土耳其人，黑海的控制權，將落在蘇俄艦隊手中，使其不能給予蘇俄陸軍以強大的火力支持，而且飛機能炸沉艦艇，不過我們必須記得，在上次大戰中，德國的空軍掌握了黑海的制空權，而所有海軍基地也全落在德國海軍手中，但蘇俄的黑海艦隊仍繼續存在，並未受重大損失。等到戰局轉變有利時，黑海艦隊仍然有力量協助陸軍向西推進。只要韃靼尼爾海峽仍然操在土耳其人手中，蘇俄黑海艦隊的影響不會超過黑海範圍以外。不過，倘若海峽的控制權失落在俄國人手中，那末我們就得提防敵人的潛艇進入地中海。在地中海中，我們對於蘇俄的海面艦隊不必擔憂，因爲那是一大堆破碎的老船。好幾年來，我們就聽到了許多關於蘇俄潛艇的謠言。謠言說蘇俄在阿爾巴尼亞所進口處的一個島嶼薩森諾（Saseno）上，已建有根據地。假定那一個島上有一個強大的根據地，則對的里雅斯德（Trieste）及南斯拉夫的主要供應線將有被截斷之虞。在事實上，這一個基地的存在恐怕不可能，因爲阿爾巴尼亞已是一個工業落後的小國，沒有技術人才，自己建立一個現代化的海軍基地，而它與蘇聯又完全被兩個敵對的國家——南斯拉夫所切斷。甚至要想從蘇俄運送人員和機器的本身，到阿爾巴尼亞，一定要經過西方各國所控制的海洋。

中共視僑胞爲剝削者
毛澤東表示決不保護

據甫由印尼返港之某君談，不久以前，印尼中共僞大使館，曾多方督促在印尼華僑僑商，赴北平朝謁毛澤東等共酋。某君在印尼時，適此等僑商，已由平返印。其中有一人爲某君素識，且私交極厚，因詢以此行真正觀感，究竟如何，請據實直陳，不必替共黨宣傳，共黨好處，也不必故意抹殺。此人即分別列舉優點劣點各若干，但最後結論，據坦率告某君，謂無論共黨有何成就，從僑胞本身說，已完全失望。據此次到北平，同行者十之七八，對共黨態度，均已迅速轉變。即因以前特別幻想中共能替海外僑胞吐氣揚眉，由於毛澤東在答覆同人某一問題中，已使上項幻想，全部破滅。據稱：渠等詢毛，印尼現限令華僑登記國籍，其意在強迫若干華僑變爲印尼人，此點「主席」有何指示。毛即笑稱，只要你們感覺怎樣便利，做印尼人，或做中國人都無不可。當時大家聽到這話，即已頗感奇異。接着毛突以莊嚴態度，向同人鄭重警告：「現在印尼人的民族革命，很快就會和中國規模一樣，他們也一定很快就要和中國共產黨一樣，得到全面勝利。屆時印尼人民共和國成立，你們在印尼的中國僑商，如果還想保全以前特殊地位，剝削印尼人，這一定就會遭到印尼民族主義者的清算。屆時我們不特不能幫助你們，相反地，我們只有同情印尼民族主義者的舉動。」渠謂，當時聽到毛澤東這樣「指示」的人，真如晴天霹靂，大吃一驚。因爲華僑在印尼，過去即已備遭排斥，印尼此次革命獨立，許多華僑即於混亂中慘被暴徒殘殺。一部份印尼華僑向中共靠攏，除無恥投機份子外，確有若干，在企圖中共能夠替備受凌辱，哀哀無告之海外僑胞，仗義執言。今毛澤東如此大潑冷水，大家自然非常難過。尤其華僑在海外各地，其一切成就，均爲血汗勞動，根本談不到有何剝削，毛澤東所云，等於指桑罵槐，將來北平朝謁之人，一律以剝削階級看待，使大家備感威脅，坐立不安。因此，在脫川秧歌地境以後，大家頗有如釋重負之感。多數同人互相告語，自即日起，不必再寄「保僑」幻想於秧歌王朝矣。最近，北平中共總工會邀請印尼勞工代表十五人赴平，參加東南亞勞工代表大會，如在以前，必有若干已入印尼籍之華僑熱心前往，此次則大家相戒裹足，故前日由港赴平之此項代表，均爲印尼共黨或親共分子，並無華僑親共份子參加。

七位神父被驅逐抵港
曾巨繩套頸兩手加銬

加拿大籍神父陸森（Lauzon）等一行七人，昨自天津乘輪抵港。陸被中共以美國間諜罪名，被拘禁約八個月，最近始判令出境。渠現年四十二歲，原在徐州附近之豐縣，任傳教工作，於去年九月四日被捕。在入獄六個月以後，復解往濟南受審，在濟南四十天，再返豐縣，所有往返豐縣、濟南間之整個旅程，陸均被中共將巨繩套在頸項，兩手加銬，形勢異常嚴重。及由抵豐縣，中共向渠宣布已將渠驅逐出境，限三日內離開中國。陸立即由豐縣趕往天津，搭輪來港。

與陸森同輪到港的其餘六人，計爲現年七十四歲之法籍神父冠德，及其七十歲之兄弟（亦神父），又杜偉業神父，七十四歲，魏漢倫神父，七十五歲，此四人均向在北平，曾早被中共就每人住所，予以禁閉，不許外出。當烈神父，及安體錫神父，則來自綏遠。據安體錫談，渠被中共指控組織聖母軍，於捕押九天以後，驅逐出境。當陸森等抵港時，精神均極疲乏，據聞，渠等準備於獲得相當休息以後，即分別離港返國。

英軍總牧師柏克到港
談韓境英軍士氣極旺

英國軍中總牧師柏克，在韓國向英軍講道完畢後，昨自韓飛抵本港。柏克現年四十一歲，爲自有英軍總牧師以來年齡最青者。據談，在韓英軍，均極愉快，士氣極旺。渠對在港英軍，亦將分別親往講道，然後由港赴馬來亞，略留數日，即返回英倫。

× × ×

美國基督教兒童基金委員會主持人顧來傑博士夫婦，將由英來港，已誌第一二三期本刊，顧氏一行，前數日已抵台北，在該地訪謁蔣夫人，並參觀各有關兒童救濟及福利機關，顧氏表示，返美後，對於自由中國之兒童福利事業將特別籌款援助。現顧已在台事畢，定今日由台飛港。

× × ×

澳洲駐印度高級專員高蘭 Gollan，昨乘輪經港赴日遊覽。高氏於一九三九至一九四六，任駐印商務專員，一九四六，升任高級專員，計在印已共歷十四年，據悉此次遊日返印，即請求退休。在到印以前，高爲一職業的新聞記者，從事記者生活，達二十年以上，爲澳洲名記者之一。（必真）

反攻大陸，從各方面縝密準備
大陸復興方案已擬定
當局鑒於抗日勝利時之接收混亂，此次決事先計劃完妥　不再蹈過去覆轍

【本報台北特約通訊】反攻大陸，不僅軍事方面，此間已積極準備，有關經濟等部門，也已在分別研討，以便一旦登陸，即可實現，不致再如上次勝利時之接收混亂。[illegible]現實情形，土地問題、手忙腳亂，既無計劃，又無研究，造成種種惡劣現象，結果，大部份無法補救。據悉，此間最近已着手調整，已如一二三期本報所報告，中央改造委員會設計委員會負責編撰大陸消息，已旋由十四日本港各報所載中央社發出之一統籌全局之大陸救濟方案，外，行政院亦已由內政部小組會議多數擬議，在反攻以前，中央設置救濟機構，或由有關各部會首長爲主席，出席者各業務之機關，行政院長爲主席，內政部長爲秘書長，以反攻開始，中央救濟復興總署設置救濟機構，如辦理得一行政院。該方案第一步，即將設置一救濟復興機構，會同有關工作期間，預料最近即可實現。

（一）救濟方式，（二）救濟工作之準備，（三）反攻時之急救，（四）反攻作戰地，（五）反攻光復後之救濟工作，與復興等五項，據聞此項方案由起草以至討論經過幾次，將依照該方案之時間[illegible]。

尹仲容警告來台廠商
紡織事業已供過於求

台省經濟日趨穩定，最近有兩種現象，最足證明：（一）爲黑市，最近看漲，約一月以前，美元一元，約值台幣二十八元，此間黑市每一美元合台幣二十元，港幣每一元約爲台幣四元左右，目前即外幣均已大跌，現在由香港日益多入台省之黃金、美鈔，數均由過去之低水而轉爲升水，即過去最低時，在港可交美鈔一百九十元，最近則在台可交二百元，在台一元[illegible]；另一點，可收取百元物價，尤以西藥部份跌落最慘。

由於台省最近工業建設之發展，私人投資及華僑投資，亦爲踴躍，港澳商人紛紛向有關方面申請設廠。經濟安定委員會生產委員會副主任委員尹仲容，昨告人：凡當局所歡迎的投資，能熱烈之投資者，先須研究一下，目前需要那一條路上，大家以不熟悉本業，免生產無法維持，反而出事。尹氏指出，業者要求設廠，請求准進口機器，尹氏認爲紡織品最危險，因爲紡織業已經過預計，南部市場已不成問題，至本年底已成立及即將成立之紗錠已達十五萬錠，以此限度，業已供過於求，如再無限度的盲目增加，勢必銷路呆滯，大家均無法生存。尹氏希望僑胞在台投資設廠者，須冷靜觀察。（自台北）

（上接第一版）

看中共末日不遠

只求成交　不顧成本

但這次的「土產交流」，由於缺乏私商的捧場，其情形比去年更爲慘淡。據「長江日報」、「新華」等報紙的報導，大部份係由「國營」單位唱獨腳戲，以中南區的土產交流爲例，雖然由中南各省、市國營單位積極帶頭，並表示在購進與推銷方面將給私商以種種幫助，中南區「土產公司」經理甚至親自出馬拉攏顧客，但依然無人問津。據四月二十六日「長江日報」的報導：「今年的土產交流，不像去年那樣，大家已在[illegible]上計較得失，只要能夠交流，就很快地成交。」各國營公司都希望打破沉寂局面，以提高私商經營的積極性，大多只求成交，不恤成本。如「中南油脂公司」向「湖南貿易公司」購進一萬擔茶油的交易中，成交價格每擔共四十四萬元，照「長江日報」記者的報導：買方除了繳稅，根本談不到利潤，賣方則本錢要低百分之五，既然是蝕本生意，爲什麼雙方都願意成交呢？這無非表示「土產交流」會這樣做，所謂土產交流根本上便不成一種實例，從這一套戲法，可見中共這一套戲法，確已到了黔驢技窮的時候。

戲法變光
底子戳穿

在過去三年中，中共所以能誘惑一般人的，除了不斷使用花言巧語的「糖衣砲彈」外，主要的全靠那一手花樣翻新的戲法。到了目前，這些戲法不但都已變完，而且戲法的底子亦全部被人戳穿。在山窮水盡的局面中，明知這些戲法已被人喝倒采，但爲了維持戲班的存在，仍不能不勉強搬上場。從最近中共在各項設施的大彈舊調中，不但充分暴露出其內伏的危機，而且說明這羣沐猴而冠的匪類，其收場之日已在不遠了。

西北，川北，湖南，河南四大學 教授多反共反蘇

偽教部認爲必須嚴加懲治

中共最近在這四所大學中檢討思想的結果，竟發現許多教授，不但對中共蘇聯沒有好感，而且相反的，崇拜美國，反對抗美援朝

〔本報北平特約通訊〕中共各大學中，對教授們進行的思想大檢討，北平方面，所有檢討情形，除記者迭有專函報告外，至外省各大學，據此間偽教部最近所接報告，由於各地共幹，竭盡嚴密搜剔的能事，教授們「腐惡」思想，大部份均被暴露。不過暴露以後，是否就能緊接着達到徹底改造的目的，這是任何人無法保證，而此間偽教部當局所認爲最堪焦慮的。

單就偽教部所接西北大學，川北大學，湖南大學，河南大學這四個單位的思想檢討報告，已證明在這四大學中，無論中共三年來如何殘酷壓迫，而教授們思想，大部份仍和三年以前，並沒有什麼顯著的差別。下列三項，尤其在某些教授們思想中，佔有重要地位。那就是第一，縱不敢積極的反共反蘇，最低限度，也決不肯盲目崇拜，他們對中共蘇聯，是多存有一種懷疑而失望的心情。第二，對民主國家，尤其美國，其尊崇信仰的觀念，仍未打破。第三，勸學生多讀書，多作實驗，準備畢業後謀生的技能，少搞校外活動，以免荒廢學業。

居然說共黨沒有民主 將史太林比作希特勒

現先就第一項，看偽教部所接到的這四個單位的檢討報告，究竟有些什麼具體發現。據偽教部透露：西北各大學若干教授的思想「反動」，其「謬妄」的程度，眞幾乎令人不敢相信。他們竟敢在講堂告訴學生：「你們以爲蘇聯眞肯幫助中國麼？實際上，也不過暫時利用而已。」又說：「共產黨講民主，只是唱唱高調，你們如果信以爲實，就去向共產黨要求民主，那是要吃虧的。」哲學系某教授，在提到實踐論時，他說：「共產黨和佛教一樣，毛主席和釋迦牟尼一樣，實踐論本來很平常，和佛教所講生，老，病，死，苦一樣平常，不過前者爲毛主席所發現，後者爲釋迦牟尼所發現，在剛一發現，大家感到新鮮，久而久之，也就自然平淡無奇了。」偽教部認爲這種說法，對毛澤東是恭維還是侮辱，眞乃「語無倫次，莫名其妙」。川北大學的教授們，在這一方面，更不讓「西大」專美。如化工系教授王強生，在講課時說：「學術思想，是有他的權威的，大學教授既不偏左也不偏右，是獨立的，不爲任何政治服務。」又說：「階級鬥爭，是共產黨捏造出來的，並不是不可避免。」農經系某教授說：「共產主義社會也有剝削，並不是眞正平等。」又某教授說：「資本主義國家，確是學術自由，在法國，任何思想可自由傳播。」學生要求某教授講米丘林學說，某教授竟「大言不慚」的這樣拒絕：「米丘林的學說，我腦袋裏有，你們要啥我腦袋裏有啥，只是我不贊成他，所以我也不願意講。」偽教部更指出在川大若干教授中，有些是「腦筋糊塗」。如中語系某教授，把老莊哲學比作辯證唯物論，比什麼人都發明最早。他並且鼓勵同學，寫一篇「孔子的共產主義」，他在後面紅筆大批「理論高深，發前人之所未發」。偽教部認爲這是「最反動的理論」，爲難容許存在。湖南大學，雖沒有像西北川北那樣露骨，但對共產黨的冷嘲熱諷，却是極其深刻。如某教授向學生說：「你們在課室裏上課，不怕資產階級來向你們進攻嗎？因爲共產黨天天告訴你們，資產階級，是無時無地不向你們進攻的。」又學生會舉辦時事測驗，有些學生怕測驗不及格，鑛冶系一位教授公然以開玩笑的口吻告訴學生：「你們不要怕，任何問題，你們只要在考卷上寫上「一面倒」三個字，那就包你可以及格。」河南大學數理系主任楊錫年是偽教部斥責最嚴的一個，因爲他向學生說：「史太林和希特拉，雖然各走一條路，但也各有千秋，希特勒執政時，確得到德國多數人民擁護，行政效率很高，並且沒有貪污。」偽教部說：「這樣公然以史希並列侮辱全世界勞動人民最高領袖，如非喪心病狂，何致作此囈語」，據聞，這位被指出名姓的教授，早已失去自由，勞動改造了！

去美國擦一年地板 也要比坐井觀天好

關於崇美思想，在這四個大學中，最突出的例子，如西北大學某教授對學生說：「能去一次美國總是好的，那怕去擦一年地板，也比在國內坐井觀天，有益得多。」偽教部指出；西大有些教授，滿口美文，他們勸學生勿看中文參考書，說這些書錯誤很多，最好看英文原本。他們又勸學生，你們要研究高深學問，還是到美國去，美國的設備最完善。某教授在拒絕捐款抗美援朝時說：「我們爲什麼要反美，如果說美帝侵略中國，那麼，美帝打到西大門口，我不僅傾家救國，一家大小，都一定去參戰。」偽教部又指出；「湖南大學法律系某教授，講起美國，就眉飛色舞，常叫學生到他宿舍，看他在美國照的像片，並拿出一些宣傳美國科學文化進步的書籍，給學生看。想藉此麻痺學生們對美帝暴行的認識。」

搞黨團就誤了前途 有學問誰來也不怕

至第三項，教授們勸學生多讀書，少搞校外活動，在共產黨看來，這是反動派挖共產黨的牆脚，最爲罪不可恕，因爲學生們如果都只埋頭讀書，則土改，和所謂「三反」，「五反」，又叫什麼人去做？共產黨沒有這批天眞爛漫的青年，替牠扭秧歌，叫萬歲，淸算父母，迫害農民商人，則共產政權，立即垮台。所以偽教部對於在學校中提倡這種「謬論」的教授，特別痛恨。偽教部嚴斥河南大學教授楊錫年，說他一貫反對學生入黨入團，他勸告學生：「黨團不能保證你一輩子有飯吃，但你肯用功，學問好，則一生眞吃着不盡。」他向學生提出兩句口號，「學會數理化，誰來也不怕」。偽教部認爲他所說「誰來也不怕」，暗含着，即使國民黨再回大陸，搞科學的人[illegible]，也不怕[illegible]史太林和希特勒[illegible]。在川北大學，同樣，據偽教部所接報告，若干教授於傳佈此種「謬論」時，並專心多讀書以「未來享受」引誘學生。如中語系某教授，在講課時，對學生說：「學文學是最有前途的，可以當作家，記者，名利雙收。」農經系某教授說：「學好經濟，可以當經濟工程師，總會計，住洋房，坐汽車，不但有名，而且全機關人員都敢輕視你。」這些教授都一致反對學生爲黨團工作而荒廢學業，因之，許多學生，在政治上，思想倒退，某系某學生，竟居然拒絕入團的啓發，說入不入沒有關係，反正我學好了就不愁沒有前途。偽教部認爲這種「謬想」在西北大學如何「猖獗」，「腐蝕」了多少青年，因爲大家憧憬於學成以後的美滿生活。一個歷史系學生，竟天天在打算將來要修建一座花園。化工系學生，夢想自己將有新發明，發大財，[illegible]三個老婆，[illegible]經營工廠，一個助自己料理家務，一個交際花辦理外交，一個隨身帶，「成天陪自己玩耍。」「書中自有黃金屋」，「書中自有顏如玉」，偽教部認爲這些「封建時代的遺毒」，正在幾個大學中，「猖狂作怪」。

偽教部對這四個大學檢討報告的結論，據說是，「所有沒有改造把握的教授，那只有下大決心，採取斷然手段」。偽教部所稱的斷然手段，當然毫無疑義，「開除」以外，還有其他更嚴厲的處置！（隆光，十日寄自北平）

求愛被拒醋勁大發 朱明堂阻止屬員結婚

最後竟誣李秉元反動，從愛人床上拖起送入監獄懲治

〔本報漢口特約通訊〕在偽中南區軍政會的管轄下，湖北，湖南，江西等省，經常不斷，發生了許多共黨幹部，倚勢橫行，無法無天的事件。這些事件，比起極黑暗專制時代若干舊小說中所描寫的惡官吏，尤爲兇惡。現就此間所聞，而已爲共黨公開承認的，略記三事如次：

衡陽鐵路局公安處岳陽公安段段長朱明堂，爲追求岳陽建設中學女學生曹金陵，被曹拒絕，後來，曹和該段路口鐵車站公安駐在所代理所長李秉元結識，準備結婚，朱聞訊大怒，竟利用職權，將李調回岳陽，令其反省，理由是革命幹部，非得上級許可，不得搞對象，談戀愛。並派政治幹事張明向李威脅：「如果和曹一刀兩斷，可以准許復職，否則要受處分。」李不肯，朱即予李以黨內警告處分。李向岳陽鐵路黨總支部控訴，朱不待上級處理，即將李調職減薪。並說：「我朱明堂還怕你？你要碰，就得碰個頭破血流。」後李又向武昌公安分處控訴，朱決意索性一不做二不休，恰巧李沒有請假，偸偸地跑到曹金陵家住了一夜，朱即在曹家將李捕獲，指他陰謀私逃，有反動嫌疑，將他當反動份子送入監獄。朱很得意地說：「碰吧，碰正頭破血流了！」現李尚在羈押中，李的同事，大感不平，已聯名向上級控朱，要求公平處治。

工人當家天大諷刺 一言不合綑打交加

中共區工人，雖然天天在聽那共幹高喊「工人翻了身」及「現在是工人當家」等口號，但他們一想到從早到晚親身經歷的種種現實，就無時不感到這些口號，只是對他們一種慘酷無比的諷刺。如最近漢口湖北省貿易公司第三倉庫工人，於四月十六日，因參加全市「五反」鬥爭大會，比及回庫，已過上班時間，該庫主任趙成意，不由分說大加辱駡。一個十六歲工人李德惠，因爲剛才在「五反」大會上，主席還鼓勵工人要充分發揮「主人」的職責，他認爲趙如此辱駡，太傷了他這位小主人的尊嚴，於是質問他：「爲什麼破口駡人？」他還挺着胸脯，對趙說：「毛主席要我們工人當家，你却壓迫我們……」這句話還沒說完，馬上小主人胸部和小腹就被趙飛來兩脚，接着背心上還挨了兩拳。同路回來的工人李發瑞、李子細、彭世明、余東九、楊小貨、羅明清大抱不平，與趙理論，趙就命令警衛，將他們一併綑綁。倉庫工會主任龔正永趕來排解，也被趙喝令警衛綁起。除李發瑞，龔正永外，其餘各人，還都被趙抽打了幾十下皮鞭子，打得工人皮破血流，李子細竟被打到幾乎殘廢。趙向工人恐嚇，你們和國特勾結，準備暴動，如敢再反抗我，我就把你們全數槍斃。現在，工人雖已釋放，這件事業鬧到中南區軍政委會，總工會因爲這件事太不給工人面子了，堅持要將趙成意嚴加懲辦。主管當局，還沒有確切表示。

強姦地主女兒無罪 挾仇鎗殺農民不問

江西尋鄔縣，鄰近廣東，因地處偏僻，當地共幹，一向胆大包天，殺人行劫，強姦婦女，無所不爲，上級機關也從來視若無覩，毫不制止。共幹蔣濤，在去年春，担任神光區六溪鄉土地改革工作組組長，因見地主羅法林女兒羅華娣年青貌美，竟於農民分配鬥爭果實時，公然宣稱，要將羅華娣分給他做小老婆，作爲指導土改的報酬。農民不敢拒絕，但羅華娣不肯，他就拿着手鎗，將羅強姦了。後來有人將此事報告上級機關，上級機關，置之不理，反說，地主女兒，強姦了沒有什麼了不起。不久，他又到同區的河湖鄉，領導生產工作。因爲當地有兩個農民，一個叫劉華昆，一個叫劉人才，和蔣家向來結有仇恨，他竟誣稱這兩個人有痲瘋病，叫民兵將這兩人捉來。那時正值河水大漲，他逼令兩人立刻跳河自殺，劉華昆不肯服從，企圖逃跑，他就抽出手鎗，將劉華昆打死。劉人才跪地哀求，他也毫不憐恤，一鎗斃命，他殺了這兩個人，既不宣布罪名，也不報告上級。死者家屬一再向中共區委，縣委，人民法院提出控訴，除人民法院曾用電話向他詢問情形外，其餘多是不聞不問，敷衍了事。就是人民法院，也不敢傳他到案。他興高采烈，得意非凡。該區區委李尖平，一向替他撐腰，最近向縣政府保薦，於上月十日，提升他爲神光區副區長，並兼縣委組織部組織幹事。全縣人民，吞聲飲泣，多敢怒而不敢言，直到前幾天，蔣濤被牽涉一個游擊隊嫌疑案，江西偽省府，才將蔣傳到南昌，接着老百姓就將蔣的種種不法行爲，全部向偽省府告發。至於下文如何，此刻尚無分曉。（懷民，十二日寄自漢口）

「三反」「五反」即將結束 中共加緊追贓

偽中南秘書長杜潤生將貪污分作五種

〔本報讀者投稿〕最近有一位從漢口來的朋友，談到中共「三反」「五反」，現在已集中到退贓階段。中共中南局偽祕書長杜潤生，曾在「財經貿易幹部大會」上發表過一次談話，把那些貪污共幹，分爲五類。他說「三反」「五反」行將結束，可是許多違法犯紀的幹部，其在「退贓還財運動」中的表現，都不夠「積極」和「坦白」，以下五類，是非常普遍的現象。[illegible]「留得青山在，不怕沒柴燒。」只要[illegible]東山再起和大展身手[illegible]機會。第三類人，他們[illegible]據他自己解釋，[illegible]這豈非大大矛盾？[illegible]「服氣」[illegible]他們本身不過是小貪污，眼看那些大貪污逍遙法外，甚至身掛帥印，在「打虎運動」中神氣活現，假如這是一齣「玉堂春」的話，你叫跪在下面的蘇三，怎能服氣呢？

杜潤生這篇談話的意義，並非有意將家醜外揚，他之鼓勵「貪污份子積極退贓」，甚至勸員家屬徹底實行「三查」運動，（查證據、查贓款、查情節）主要的意義，只是想多迫回一些贓款，來挽救中共的經濟危機而已。（陽春）

台灣勵行總動員

——上接第一版——

自從本月一號起，台灣省政府及各縣市區鄉鎮公所，都已開始辦理本年度壯丁調查及緩召查驗，緩召自從兵役法，經上一會期的立法院修正，緩征緩召的原因已大爲削減，而各地辦理役政人員也都能認眞。聞某外籍機關主持人，家中僕隸，係台灣本籍人，能解英語，平時頗覺得力，此次適當國徵年齡，請其主人代爲設法緩召，爲其主人所拒絕，外籍人士之守法精神，足可稱道。至於一般的民衆，也將接受國民兵訓練，行見台省「全民皆兵」，個個精強，人人敵愾，不僅爲今日政治動員的基幹，抑且爲日後反攻大陸的主力。總之，台灣在這四個多月以來，各方面都開始動了。這一次的四項改造運動，決非以往的紙上談兵，將有實在的成效可觀。這是自由中國的新氣象，爰寫告關懷自由中國的海外愛國人士。

讀枯澀新聞隨筆

爲方

在最近一年多以來的報紙消息中，隨時雖見有一條洩檄式的枯澀新聞，即每逢聯合國的大小會議開場時，俄代表一定提出反對中華民國出席代表的主張，結果又都是以若干反對票對俄國的一張贊成票予以否決。

我很佩服俄共們這種「知其不可爲而爲之，爲而不有」的厚黑精神，因而發覺他們自卑感之濃厚可驚。原來，俄共代表於前年聯大會議之際，曾因建議禁止中國代表出席被否決而宣告退席的，且聲明如有中華民國代表在座，他們決不再回來。距料韓戰一起後，並沒人向他們勸駕，却又厚着臉皮，悄悄的夾住尾巴，悽然走進聯合國來了！這在情神上是創鉅痛深的，隨時皆有「無面見江東父老」的悲哀。爲彌縫其內心間的創痕，掩飾其醜態起見，只好閉着眼睛，不管三七二十一的，逢會即嘛，以示其一貫的堅定立場。這種心情，恰似慣偷漢子的婦女，逢人即訴說東家某太太不貞，西家某小姐失節的那類先發制人的隱衷相同，實際就是一種自卑感的最大反映！

從這種心理分析來觀察俄式共產黨人，即可以理解他們爲甚麼逼老婆生了孩子，或者家裏的母雞下了一個蛋，也要歸功於史太林的賢明領導那套辯證法則了。普天之下，凡屬不能自卑自賤自虐的人，根本就不配做共產黨，讀者們，你們相信不？

自由談

攻守同盟

·朱陶·

自從「北京」的猴戲傳來上海後，今年的年也過的殺勁了。這一對天之驕子，本巴望過一個快樂的年，但「三反」運動一發動，便誰也沒有心思打算年關裏的節目了，只是想着如何「過關」。

如果照他們的唯物辯證法說，這是不可推翻的「邏輯」，比如老余和老江，他們都是「供給制」的幹部，雖說管喫管穿，甚至抽的香烟，拉的草紙，一律由「人民」供給，但却決沒有供給到派克鋼筆和金色燦亮的手錶。共產黨的幹部沒有符號，這些鋼筆手錶便是他們的符號。如果大家的手脚乾淨，他們那裏會得到這些「資產階級」的享受？

他們是打游擊出身的，自從「三反」運動開始，這些命運手錶立刻也化整爲零，甚至「進城」那一天穿的破棉襖，許多人又從箱子裏翻出來重新穿起了。

普遍的經過一番化粧和佈置以後，這一個角落的「三反」運動就此開始。幸而大家是「老戰友」，都是「幹部」與「幹部」，都是一個窯裏燒出來的瓦。老江拍拍老余的肩膊，他說：

「你需要『坦白』，小子：你的生活太豪華了。」

「呸！」老余何嘗示弱，他說：「你是泥菩薩過河，自身難保，我却是廁所裏的石頭，又臭又硬。」

「你的五十一型鋼筆那裏來的，這難道不是『糖衣砲彈』？」

「你的呢？老弟！猴子休笑猴子沒尾巴。」

提到「尾巴」，他們記起今天「首長」的「訓話」來了，「首長說：「我們必須將自己的尾巴斬掉，如果這次「三反」中誰不自動坦白，誰便休想輕易過關。」」

看他說的口沫四濺，似乎很有一點決心，既然要「過關」，他自己的那條不乾淨的「尾巴」是否需要一刀兩段呢？

老江問老余，老余仍是又臭又硬的石頭，他說：「共產黨那個不貪污？我有了十年黨齡，旁的不說，自己的這個攤子頂清楚，只要尾巴不曾被人捉住，自己將尾巴藏在褲襠裏，誰知道你的褲子裏有尾巴？」

如是，這兩人邊走邊談，躲在一處人不知鬼不覺的地方，秘密商議「藏尾巴」的妙法。

原來，遠在半年以前，爲了一件案子，老江和老余從一個商人那裏攜到一筆錢，說數目並不大，老江添置了鋼筆手錶之外，還替他的「愛人」買了些衣料，老余則將錢花在一個女人身上。現在風聲緊急了，他們兩人聽從老江的話，訂下一個「攻守同盟」，只要兩人的嘴緊如瓶，這一回保險天下太平，放心大膽的「過關」。

「攻守同盟」訂了不到一星期，這個機關舉行了「坦白大會」。

仍是那個「首長」擔任主席，大大小小的「幹部」擠滿一屋。

有了「攻守同盟」以後，老余更是有恃無恐，他一向標榜自己是個標準的共產黨員，這一回如果一身清白，便更可以大言不慚了，誰知，「首長」叫的名字，第一個便是他。老余幾乎不相信這是事實，但是他只有跑上台去。

仍是那副又臭又硬的面孔，他說：他的黨務裏面，應該沒有什麼可以「坦白」的，因爲他既不管錢，又不經商。

「余同志！你不夠坦白，你們的事，江同志完全坦白過了。」

聽了「首長」的話，老余的心頭直冒火，老江這小子不夠交情，訂下了「攻守同盟」，他又出賣同志。

虧得他有十年「黨齡」，十年「黨齡」便是十年見識，他懂得見風使舵，而且懂得運用許多動聽的名詞，加上一些慷慨激昂的表情，不經「首長」的催促，他將半年前的事情說了出來。

誰知，台下却是一陣掌聲，他的貪污受到了鼓勵。熱烈的掌聲變成一種力量，他的感情近於激動，已經下了講台，再爬上台去，像一個演員的謝幕；又說：他不但承認錯誤，而且願意「戴罪立功」，在「三反」運動中做個「積極份子」。

一陣彩聲中，「首長」高聲地喊道：「你們，都向余同志看齊。」

晚上，老余去找老江，一見面便駡，說他「不夠交情」。

「你這傻瓜！」老江回敬他一句：「虧你有了十年道行，你知道嗎？我們『攻守同盟』有人竊聽了，不如乾脆坦白出來，反而可以落個『積極份子』的美名。這樣一來，我們過了『關』，至多『察看』一下，旁的事情也就安全了。等三反過了，再想法『翻身』。」

不由老余不佩服，老江這小子，「黨齡」雖淺，他的道行却高。

驢廬雜記　洗馬

·伯雨·

小時候讀李密的「陳情表」，有「除臣洗馬」之句，教師多教「洗」字讀原音，如洗滌之洗。我在廣州，汕頭，北京三處念書，凡遇到「洗馬」一詞，教師都把「洗」字讀原音。稍長，再到廣州，廣州有洗姓，洗字讀上聲，「洗馬」之「洗」，應讀上聲才對。洗姓在廣州一帶甚多（潮汕則絕少），何以教師讀洗馬的洗字仍讀原音呢？眞不可解。

洗馬一職，在秦漢時代已經有了，這本是太子的屬官，太子出門，洗馬前導，以示威儀，李密所謂「常侍東宮」者是。到隋朝，曰司經局洗馬，歷代因之。清朝沒有太子之制，但仍設詹事府爲翰林升轉之地，洗馬與庶子等都歸併入詹事府。

洗馬本來是一個很高尚清華的官職，許多人望文生義，以爲洗馬是給皇帝洗馬匹的小官，於是就發生了許多笑話。照我所知的寫一些出來，博讀者一笑。

「貞石山房詩鈔」（江西人王邦璽著。作者係同治乙丑進士，官至侍讀。罷官後在直隸懷安書院主講）有「客路行」一首云：

「昔年李公官洗馬，皋蘭館向驛丞假。不識東宮貴官，風塵小吏見聞寡。僵蹇傲門不爲禮，李爾發言殊失禮。錯認御營芻牧人，開口問公洗馬日幾洗。公聞不怒轉囅然，善謔不禁笑解頤。勸即多洗懶少洗，擬明擬答妙語言。驛馬忽傳御史來，錦韉寶鐙拂塵埃。平生耳熟繡衣使，僵僕自卑迎奉才。豈知嶽嶽名御史，却爲洗馬門下士！再拜振衣執禮恭，驛丞見之驚欲死。堦前長跪首低垂，座上高談晷刻移。奈御史據苦哀乞，向公緩頰陳詞。公言若輩安作較，無知適堪供一笑。柰柄翻作佳話傳，公之大度人樂道。我昔書房承寵遇（伯雨按：邦璽於同治末年官翰林院侍讀，上書房行走），王公敬禮師傅。我今講席擁邊城，敝車羸馬愁行路。三月清明天尚寒，沙飛風急夕陽殘。縣中太守奉按部，屬邑紛紛傳滑單。盛備行台候說儀，行台西畔餘廣舍。館人慮以待縣官，未許旗客輕裝御。門外五馬談喧騰，太守親屈黃堂身。翰林衙門嚴數里，殷勤起謁馬足塵。僕夫驟詫改顏色，掃榻開窗背吐舌，呼童僦航買枯楷，一宿鄉亭安穩息。古今世態將毋同，人海茫茫熙攘中。皮相果誰負識，泰山鴻毛何肉眼空。貴王貴士何必計？榮辱於我無芥蒂。抽毫寫即吟詩，搖首吟哦方得意。」

讀這首詩，可見人情的冷暖，在官場中尤甚，王氏寫來也很有趣。他所引的洗馬李公與驛丞一段故事，原詩未見注明這個李公是什麼人。明鄭耿定向的「先進遺風」一書，載有與此相同的故事，但主人翁不姓李而姓楊。據云：「楊文懿公守陳，以洗馬乞假省，行次一驛，其丞不知爲何官，與之坐而抗禮。卒然問曰：『公職洗馬，日洗幾馬？』公漫應曰：『勤則多洗，懶則少洗，無定數也。』俄而報一御史且至，丞乃促令讓上舍處之。公曰：『夫固宜然；待其至而讓未晚也。』比御史至，則公門人也，跽而起居，丞乃脫御史不見，蒲伏堦下，百般乞憐，而公卒亦不較。」

才女李清照（中）

（1081—1140?）

·舜生·

易安和趙明誠結婚，在一一〇一，而他們舉家南渡，則在建炎丁未（一一二七），因此所藏的書畫古器，是相當倉卒的，他們這次到南方來避亂，只好大部拋棄在他們的青州故居，可是攜帶到南方來的精華，也還有一十五車，可見依然不少。不幸南來後只有兩年，即建炎己酉的八月（一一二九），她的丈夫便死了，其時她已經四十九歲，度過二十八年的結婚生活，而且並無子女。我們所知道她最後十幾年的生活，是非常淒涼的；從此便一直寡居，她奔走於台州，溫州，越州，杭州一帶，大致在六十以後，便死在金華；所攜帶南來的古物，在流離中也陸續喪失；國家受着異族的蹂躪，家室也弄得殘破不完，其給予我們這位詞人的影響，是不難於她的字裏行間看出的。

她爲她丈夫寫「金石錄後序」，在紹興壬子（一一三二），即明誠死後的三年，其時她已五十二，其文字已够淒苦；次年癸丑五月，她有「上樞密韓公工部尚書胡公」的兩首詩，在給胡松年的一首裏說：「嫠家父祖生齊魯，位下名高人比數，當時稷下縱談時，猶記人揮汗成雨，子孫南渡今幾年，漂零遂與流人伍！欲將血淚寄山河，去灑東山一抔土。」這便更令人不忍卒讀了。在她的詞裏有一首「武陵春」，一首「御街行」，我們顯然可以看出是她的悼亡之作，這兩首詞的全文是這樣的：

（武陵春）風住塵香花已盡，日晚倦梳頭，物是人非事事休，欲語淚先流。聞說雙溪春尚好，也擬泛輕舟。只恐雙溪舴艋舟，載不動許多愁。

（御街行）藤牀紙帳朝眠起，說不盡無佳思。沉香煙斷玉爐寒，伴我情懷如水。笛聲三弄，梅心驚破，多少春情意！小風疏雨蕭蕭地，又催下千行淚。吹簫人去玉樓空，腸斷有誰同倚？一枝折得，人間天上沒個人堪寄！

在她五十二歲寫「金石錄後序」的時候，尚自稱「易安室」；五十三歲做詩的時候，尚自稱「嫠家」；到她晚年住在金華的時候填詞，還在念念她死去的丈夫不已；（上面武陵春一首寫在金華）甚至到她六十一歲的時候，還有人稱她爲「趙令人李」；（見俞正燮所說謝伋「四六談麈」的自序）可是却有人一定要栽誣，說她晚年改嫁了張汝舟！本來在今天看來，一個女子的丈夫死了，另外改嫁一個人，原算不了什麼，可是在當時却不失爲一種詆譭他人有力的武器，何況被誣的是一位才氣無雙的才女呢？一位名門的閨秀，更是一位名士的妻子，自己不努力，却偏偏嫉妬別人的努力，這是中國知識分子的一種劣根性，俞正燮、李慈銘、胡適之幾位，對易安被誣改嫁的這事件，不斷的有所辯正，我覺得這是很應該的。

萬竹樓隨筆（九七）

妙團長的妙談

勤子

毛澤東既然有辦法「把鬼變成人」，當然也應該有辦法把民窮財盡餓莩遍野的大陸，變成一片昇平，富強康樂，這裏有來自莫斯科取道「新中國」的緬甸代表團團長漢沙達宇妙的「妙論」爲證：「我們在新中國逗留了兩星期，遊覽了北京、天津、上海、杭州、廣州等各大城市，參觀了很多工廠，和經過土改後的農村，看到的一切都使我們驚異，在任何地方我們沒有看到一個乞丐，我們所看到的人，都是健康，愉快的，他們的生活水準都提高了，而且在急遽提高之中。」（見五月十一日文匯報）

這眞是「新中國的驚人成就」，初讀一遍，我們這些海外的「貧窮的中國人」不禁如這條消息的標題所說「大大感動」起來，心嚮往之，幾乎將爲什麼會成爲海外「貧窮中國」人的道理完全拋諸九霄雲外。但仔細一想，不免詫異，大陸上的老百姓，豈眞一如什麼妙的團長所描繪的那樣「富強康樂」嗎？隨即恍然大悟，十室十空，戶鮮蓋藏，大家都是叫化子，還有誰有餘力向人施捨一文？更何況做乞丐是「犯法」的，犯法的人須受「勞動改造」，誰不怕「勞動改造」？誰自然「逗一個乞丐」都沒有了。至於那些「健康的」、「愉快的」人，除了「幹部」，還有誰？他們的「生活水準提高了」，更屬不在話下。

遺憾的是這位妙團長早走了一天，假如他看到十三日晚報所載的消息：「港府願以羅湖車票與港幣十元，資助返大陸者，但迄未有一人請求。」他一定會「更驚異」地發問：「爲什麼中國人這樣多，生活這樣困難，是不願返回大陸過『富強康樂』的生活呢？」

黑十字

北晨

小蔡想，白先生這一次一定給了郝大哥一筆不小的錢，可是，他只分到兩百元，他希望在朱瑛佩雲身上多下點功夫，他現在正要一筆錢週急。

郝亦臣在仔細考慮以後的辦法，他有許多顧慮，首先怕朱瑛不聽他擺佈，反把事情弄糟。而又怕白濟宏的眼睛豁了邊，黃洗可能不是理想中的獵物。

兩個女人所想的，却大同小異，她們希望有一雙精利的眼睛，能看透這兩個男人的荷包。

白濟宏的思想最復雜，他在導演一個戲，而且他自命這個戲的編劇，但他的舞台條件，却還不能適合錯綜驚險的劇情，除了郝亦臣小蔡之外，其餘的都是未曾合作過的演員。他一面忙着編劇本，忙着排戲，一面還要忙着籌劃一筆浩大的演出費。他的最大的顧慮，是這個戲演成「賠了夫人又折兵」。

酒是橘黃色的威士忌，在黃洗的酒杯裏隨着燈光搖幌，黃洗的眼睛也有些搖幌，像佩雲，那如花似玉的女人，那對眼睛可以勾魂攝魄，可惜她屬於老白的。像朱瑛，雍容華貴，也是不易見到的女人。

爲了使劇情緊張起來，有合乎目標的發展，喝酒的節目必不可免，白濟宏建議，朱瑛先來一個通關。

朱瑛說：「我是小人。」

白濟宏不懂，問她這話怎麼解釋？

朱瑛說：「君子動嘴不動手，小人動手不動嘴，我只猜得來拳，喝不來酒，所以是小人。」

這一解釋，黃洗他們都笑了。郝亦臣覺得容易，他問：

「你不是有名的酒仙嗎？」

朱瑛忙着再作進一步的解釋，她本來能喝一點酒，只是最近要票一台戲，教戲的師父不許他喝酒，末了，她說：「黃先生，白先生。等我唱完戲，你們才能離開香港。」

黃洗顯出了老實相，連說：「一定！一定！」

但白濟宏却調皮得多：「我決不捧你的場。」

「爲什麼？」朱瑛明知他說的是玩話，但是不能不問。

（十四）

·中篇連載·

合理算盤

當英國國會通過保守黨政府將國民保健計劃從免費改爲收費的法案前，在工黨激烈的反對聲中，有一位保守黨女議員曾竭力替政府辯護，她說今後英國人看醫生每次必須付出醫藥診療費一先令（美金一角四分），醫牙齒則爲每次一鎊（美金二元八角）。但是這些新的改變並不如工黨所說的那樣不合理而不公道。例如，新訂的鞋每對收費三鎊（實際價格九鎊）只是大多數英國人買一雙普通鞋子的價錢，還有那些要付出美金七元代價買一副假髮的禿頭以後就可以不用再花理髮的錢了。（明譯自時代週刊）

自由人

THE FREEMAN

（半週刊每星期三六出版）

（第一二七期）

每份港幣壹毫

督印人：李光華

社址：香港高士打道六六號

電話：二〇八四八

GLOUCESTER RD. HONGKONG

TEL: 20848

承印者：東南印務出版社

地址：高士打道六四號

台灣總辦事處：台北市館前街五十號

台灣經銷處：台北市中華路一二五九號

杜勒斯與季楠

·程滄波·

杜勒斯與季楠兩人今後思想的消長，關係美國未來的國運，更左右自由世界的存亡。季楠到俄以後，希望能將他那套思想與理論——外交要脫離道德與法律的立場，外交政策必須從現實的利害着手——徹底修正，這是自由世界對他一致熱烈的期望。

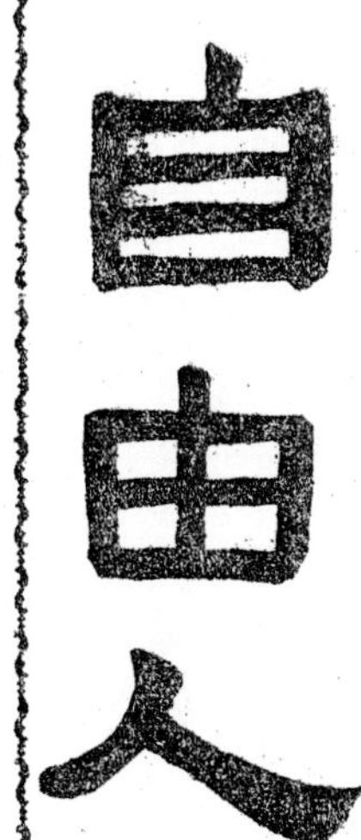

第二次世界大戰後，美國外交界出現兩位新人物，一位是杜勒斯，另一位是季楠。杜勒斯是共和黨的外交專家，四年前杜威競選總統時，杜勒斯是他的外交顧問，如果杜威那年當選美國總統，杜勒斯是預定的國務卿。前年韓戰發生後，美政府為謀與日本恢復正常關係，起用杜勒斯做國務院外交顧問，專門負責起草及接洽對日和約。舊金山和約簽訂後，杜勒斯又辭去外交顧問，最近曾到巴黎訪問艾帥，回到美國後，於上週在紐約接連發表兩篇關於外交政策的演說。

至於季楠的名氏，在三年前，還在美國國內也是相當生疏的。三年前我們在美國外交季刊讀到X先生一篇關於應付蘇聯的文章，那篇文章，登在外交季刊第一篇，其署名僅為X一個符號，這篇文章的主要內容，就是今日對共產黨的所謂「圍堵政策」。三年來季楠的名氏慢慢透露出來。去年多間，「五十年來的美國外交」一書出版，季楠之名，在外交界在出版界，一時熱鬧起來，這一本書是他三年來辭去國務院職務在芝加哥大學做研究工作所發表的幾篇演說。這一本書的主要內容，除去闡揚「圍堵政策」以外，不斷指出美國過去外交政策重視法律與道德之錯誤，一方面竭力分析戰爭的無法解決問題，同時強調「現實主義」應為一國外交政策的基幹。今杜魯門總統去年年底決定派季楠使俄，年春間參議院通過，現方走馬到任。他於本月十四日在莫斯科遞國書，這位美國駐蘇新大使，他對俄人稱：彼將力謀美蘇間一切問題之和平調整，彼之主要目的，為：「一切問題之一切特殊問題，其解決，有賴兩國政府之協議」。他說：「余希望此項澳，能獲得政府之諒解及合作。」

距季楠在莫斯科遞國書的前兩天（本月十二日），杜勒斯在紐約華都夫飯店發表他辭去國務院職務後第一次演說。他說美國之防禦計劃與援外計劃，實為一種失敗，如果繼續實行當前的策略，[illegible]世界陷於破產。他在這篇演說中，呼籲對自由中國採取更為同情的立場，他說：「以我們與蔣總統的關係，例如，當蔣總統單獨抵抗日本軍閥侵略時，中國政府失去所守，堅定不移，他原可隨時向日本妥協，……

……這些援助將一無所用。最近中日和約簽字，我相信此種精神孤立，程度已略為減低。」

在本月紐約出版的生活雜誌，杜勒斯再度發表專文，對美國政府的外交政策批評，他認為「圍堵」是一種消極的政策，從共黨手中去挽救美國的政策，應採用勇敢的政策，應對付共產黨的侵略，如用大西洋公約與北大西洋公約組織的步驟，對太平洋，施用澳大利亞，紐西蘭等國的安全公約，並對日和約，美國的但仍為合乎國際正義的許多看法……緊急的行動，而他勸告……有名的頂，……不免是多……腳。

他認為今日之大計，首先應建立有效之防禦的攻勢，其次今日應採取大戰略。美國過去與西歐的健全，已有相當基礎，但只看到東歐，兵事均已無望。東歐與遠東，只見一面而不見另一面。……所謂「近東與遠東的錯誤，歐洲一見」，而了致命的損害。……他認為美國外交政策的是有不顧的外交政策，是先解當說……

……在外交季刊上，我發表那篇文章的作者僅署X符號，十分敬佩，我國當時……共產黨內部得悉，在那個地位，國際會……上，大陸上……在那個時候，走到一個堵政策，「圍堵」，自由民主國家的作用，應該鼓勵……

季楠的原則……講集——「五十年來的美國外交政策」——出版後，我於去年多間，曾託人……首先……再四讀，……相當失望，他認為五十年來美國的外交政策，美國的外交政策是錯誤的，他一概否認……幼稚，或「……在東方開放與……戶，在中國……一士……次大戰……所提倡的民族自決，國際聯盟，外交家等……看法，……都是美國的……人……主義，他不能……年季楠所……是使他……講集中的理想，道德與法律，最……外交政策必須從現實的立場，就……

吉田內閣與日本前途

日本未來的命運，沒有人比自由中國更為關切

·李秋生·

在戰後的歷屆日本內閣中，吉田柄政時間比較最久，所遭遇的內外重大問題也比較最多。諸如韓戰的發生，麥帥的更迭，和約的締結與獨立的恢復，都發生在吉田政權期間，而每次也都安穩的應付下去。然而這都是在盟軍佔領期間，日本的真正統治者實際是第一大廈的盟軍總部，更露骨來說也就是美國；從國防財政以迄文教衞生，都另有人為之負責代辦。雖在和約生效之前，這些權力已逐漸由盟軍佔領者轉移到日本政府之手，後者仍舊不能獨力作最後的決策。及至和約正式生效，日本恢復了獨立和主權，盟軍總部及其偉大威權都不復存在，吉田內閣這纔遇到了真正的重大考驗。

充分暴露了政府弱點

獨立恢復之日，日本除共黨外舉國歡祝，全世界愛好自由和平的人士，亦無不對於戰後新生的日本寄以重大期許，冀其在嚴重的國際危機中間，能卓然有以自立，並發揮其潛在實力，以阻遏極權侵略的狂潮。乃獨立甫逾三日，就發生了五一的不幸變亂，共產黨徒及其同路人，暴戾恣睢，挑撥排外，雖未釀成重大變故，而當局控制局勢力量的薄弱，與共黨地下勢力的強大，組織的緻密堅固，均已暴露無遺。於是世人又相顧變色，對於獨立後的日本以至西太平洋局勢前途，都不勝其杞憂。

平心而論，此次日本共黨所主動的五一變亂，可說很巧妙的利用了一個最有利的時機。一方面盟軍已告撤銷，儘管三島依舊還駐有十餘萬盟軍，卻絕無權力再來干涉日本的「內政」，另一方面，日本政府卻在恢復主權，一切尚未安排就緒；而國防問題，在建軍尚未正式進行以前，雖暫由美國陸軍根據保安條約代為負責，對於繼續反側，則一個防止破壞行動法案在議會延未通過，使政府對共黨的[illegible]以缺少法律根據而無法應付，更[illegible]治性的罷工示威以至其他[illegible]的活動的[illegible]然而，共黨方面能夠利用這一[illegible]時機，日本政府方面卻不能克制機先，從事充分準備，抑或釜底抽薪，杜絕共黨用以號召群衆的口實，這就說明了目前的吉田政權，還缺少充份的機智與實力，以應付當前日本內外的艱危局勢。

才能遠不如德義當局

日本是一個戰敗的國家，處境未必比西德優良，卻比義大利更難應付。盟國對於戰後日本的扶持，所付代價本已遠在德義之上，更因韓戰僵持，中共猖獗，日本遂賴緣時會，締成和約，所獲的寬大待遇，不只遠在曾助盟軍對德作戰的義大利之上，甚且也許不是未來對德和平契約所能企及。至於日本人本身，其艱苦卓絕，力謀復興的精神和努力雖也值得佩服，但其歷屆當權的人物，比之西德阿登諾爾或義大利的加斯貝利，似乎不無遜色，像義國現任總理加斯貝利，過去在財長任內之以絕大魄力平衡預算，並協助策進土地改革政策，更在戰後日本所絕無。加斯貝利能在共黨佔據優勢，並將進而奪取政權的邊沿，挽狂瀾於既倒；阿登諾爾在應付西歐複雜錯綜的外交局勢之外，也能使西德繁榮發展，安居樂業，並使共黨實力日形削弱。今日的日本當局，當內外艱危局勢之衝，卻除了倚賴[illegible]之外，很少有重大的展布，不能不令人[illegible]失望。

應該努力的幾個問題

吉田是外交長材，他在政壇上的施策也每多外交家的手法。這在和約未訂之前，也許是必要的。但自獨立恢復以後，主要應該修誠立信，為國家自存共存之道，厚訂遠大的政策，從戰敗殘破的廢墟中，開拓新的前途，再不能一味模稜猶豫，以縱橫捭闔為得計。日本國民性本來失之褊狹，而且急功近利，易於衝動。移風易俗，決非旦夕所能為力，至少也應該認清過去日本社會經濟的根本癥結所在，使促成九一八而珍珠港的內在因素不復存在。在這一方面，應做之事正多。諸如如何徹底完成土地改革，使農村中封建剝削絕其根株，提高國民的生活水準，勿徒憑藉低廉工資以利傾銷，使全世界工商界聞日貨而變色。又如若干財閥熱中對中共貿易，首鼠兩端，一面高呼不與中共往來，一面暗中縱容非法貿易的進行。又如東方各國，至今對日本仍多懷戒懼，更是一種難打開的結；更應該以至誠博得互信，促成相互諒解。

沒有人比自由中國人士更關切日本的前途，盼其在獨立後能有光明的遠景；但日本政界人材凋落，本不自今日始，吉田尚不失為其中較佼佼者，吾人只有切實期其好自為之，以臨世人之望。

艾克兩面挨罵

有人罵他華爾街走狗

有人罵他史太林同志

月中，共和黨總統提名戰，現已逐漸進入短兵相接的階段，過去塔虎脫比艾克多三十八名。在若干地區，艾克的聲勢已漸趕上，最近的表示塔虎脫還比艾克多三十八名，在若干地區選票上尚未確定，美國以前最多擁護塔虎脫，塔氏最後能否勝利，恐怕還要看艾氏的把握，其選舉的態度，還待未來……

塔虎脫的選舉，是共和黨內所謂「孤立主義」的代表，他在外交政策上雖不同於一般孤立主義的主張，但他是一個主張美國應以援助西歐為主的……和艾氏對於一般國際……已是孤立主義者……

多少艾氏的數字……攻擊艾氏，反對艾氏的人……利用艾氏……布拉斯加州……

他的支持者們……艾森豪……五六……七千……

英國撤退在華商業

倫敦外交部正式宣佈，即將殘留中國大陸的商務完全撤退，所積三億鎊資產，也同時準備放棄。英國外交是舉世聞名的堅韌老練，深算的，尤以具有「約翰牛」的堅強忍耐力著稱。這一決定，必非偶然，而是從各種角度來衡量其利害得失之後，才有此毅然的決策哩！

在以商業利益為前提的英國遠東政策上，這一舉動，實有非常意義。若干年來，英美對遠東所存歧見的癥結，從此將告消除了。艾登外相曾述英國現行對中共政策不致改變，自稱仍有文章。七百名的商人要撤退，比較容易，三億鎊的資財如何理落，可不簡單呢！祇要世界局勢不急劇惡化，英國即不得不維持其目前對中共這種不即不離的態度。

但有一點很明白，即今後英國對中共的綏靖主義日見稀薄，是也同時，這亦是向中共暗示英國的忍耐程度，業已到達頂點，不惜「斷腕去蠶」了！共黨在莫斯科國際經濟會議中，拚命用商業利益來引誘西方國家，尤其對英國「有厚望焉」，企圖藉此加深英美遠東政策的歧見，如今英國乾脆宣告撤退其在華全部商業的人員和資產，這更是對中共一種有力的答覆：你們那類自欺欺人的魔術，騙不了人了，英國人不會再上當啦！

突尼西亞問題

美國希望法國對突尼西亞問題，作遠大的進步決策，否則將來聯合國再談到這問題時，美國不能不投票了。法政府對此頗表詫異，認為同屬一個大西洋公約國的國家，不應該有此態度。上次阿剌伯集團國家建議將突尼西亞問題由聯合國調解時，美國代表竟棄權不投票，即是間接表示反對之意，我們即很驚奇，覺得素來不贊同殖民地主義的美國，何有此自毀信譽之舉？現在既作此合理主張，盼望設法貫澈，以影「真理運動」的價值。也不失其為民主世界領導者的應有風度。

半週展望

雷嘯岑

所謂「進步的遠大決策」，意義很平常，事實也很簡單，即對民族主義的合理願望，予以接納，把殖民政策的酌改善而已。六十年代的世界人類，決不能沒有自由生存的起碼人權，否則今日所謂反極權奴役之說，豈非自打嘴巴乎？我們也知道，法國的國防力，事實上是在北非的，沒有了北非，法國的自衞力量即等於零。但，國防實力之構築，必須用政治方法來取得全民由衷的支持纔行，用飛機大砲來壓迫其統治下的人民，那是置身火坑之上而求法。突尼西亞所要求的，不是完全獨立，要法國勢力一律退去，而只是期得政治上比現在進步的自治權力，這有甚麼可怕之處？若說因此即將使舊有依剝削掠取而得的經濟利益受到損失，那末，戰後的英國更不應該放棄印度緬甸，荷蘭尤其不應該放棄印尼了！印尼獨立之後，曾經聯合國調處才解決的，法國是聯大安理會的常任理事國，何以對別人的殖民地人民就贊成獨立，對自己殖民地卻半獨立的自治權亦所不許呢？我們更知道，突尼西亞和摩洛哥這些地方，法國的鎖匙力緯有餘裕，不怕他們有「北非的胡志明」出現。可是，越南在二次大戰以前，還沒人知道胡志明為何許人也，戰後卻忽然成了法國的勁敵！眼前的歷史教訓，不是很明顯麼？

東南亞的防共心理

印度總理尼赫魯拒發廿四個印人要求赴蘇俄或中國大陸的護照，同時也拒絕簽給入境證，給那些想參加在那裏舉行的和平會議的外國人。印尼政府很想跟蘇俄建立外交關係，但又害怕共黨主義之廣泛宣傳。這些都是想走中間路線的政治家所應有的悲哀！

時至今日，猶欲以十九世紀那套民族運動的方式來立國，那有可能呢？東南亞已在共禍威脅中，尼赫魯、蘇卡諾既知道共產黨是必須防制而不能利用的，總算是進步的心理了，東南亞人民或許有救吧！

蘇俄海軍的威脅（下）(B)

無論是蘇聯或沙皇 目的都要擴張領土

以前遭遇無數挫折，從一九四五年以後，才漸轉優勢

Frank Uhlig Jr. 作　許孝炎 譯

（五）充滿了消極和失敗的俄國海軍史

由上述的種種考慮，我們可以斷定俄國政府的當局，現在滿腦子充滿了擴張領土的思想。這一種思想不自今日始，在過去，不管它的政府是蘇維埃式或沙皇式的，其抱擴張領土之思想則一。幾世紀以來，所有俄國的統治者，幾乎毫無例外的，都在那裏擴張他的領土，或企圖擴張他的領土，而且他們的努力，大部份都得到成功。五百年以來，俄國政策的目標，在取得入海通道，和佔領暖水港口。俄國的陸軍，西伯利亞的開拓者，以及它的政治家，都在爲實現這些目的而努力。從一九〇四年到一九二〇年，俄國在向這一目標前進的途中，曾經遭遇過若干次的挫折；但在一九四五年之後，所有的失敗都獲得挽救，而且還有額外的收穫——控制波羅的海南岸的大部份，在亞德利亞海邊建立了阿爾巴尼亞袋形陣地，以及在中國北部各海口獲得堅強的據點。在最近幾年中，俄國人所遭遇的挫折，只有一九四八年南斯拉夫的叛變，和蘇維埃所操縱的希臘戰爭的失敗。

有一點使我們頗感興趣，即在過去的歷史中，俄國海軍的本身，倒並不懷抱侵略思想。勿論在平時或戰時，俄國海軍對於擴張領土一事，並不熱心參加。一部俄國海軍史，充滿了消極和失敗的色彩。發明「要塞艦隊」主義的——即認海軍艦隊僅爲要塞基地之擴大的理論——是俄國人。承認艦隊爲基地而存在，即否定了世界上所有海權之存在。根據這一理論，則當海軍艦隻感受危險威脅時，應立即躲避在要塞炮火的背後；這就是一百年前俄國海軍在克里米亞作戰的方式，也就是一九〇五年它在日俄戰爭中作戰的方式。

從未和德艦正式交戰 但俄人確是佈雷能手

在第一次大戰中，德國海軍用少數幾條二級艦隻，就把整個俄國艦隊扼制住了；在第二次大戰中，俄國海面艦艇並沒有同德國艦隊交過手。雖然俄國人宣傳，擊沉了相當數目的德國船舶，但事實證明這些宣傳都是假的。在四年的戰爭之中，俄國人只擊沉三條德國魚雷艇，一條是由飛機炸沉的，另兩條是觸水雷沉沒；沒有一條是由潛艇或海面艦隻擊沉的。不過我們要注意用水雷擊沉兩條德國魚雷艇這一事實。多少年以來，俄國人就是水雷戰的能手。在一九〇五年日俄戰爭時，俄國水雷曾在一日之內擊沉了兩條日本主力艦。在最近的韓戰中，我們有四條掃雷艇在韓國海外被水雷擊沉，五條驅逐艦被水雷擊傷；當一九五〇年元山爲我軍佔領時，在很長的一個期間，我們的船舶不能進口，這就是因爲有雷區的關係。

在第二次世界大戰中，蘇維埃艦隊也和沙皇艦隊一樣，並沒有採積極進攻的態度。但我們必須記得，這其中的原因，是由於它們的基地被德國的陸軍包圍所致。黑海艦隊供應斷絕，幾至無法支持；同時，波羅的海艦隊，則在列寧格勒陷入德軍的包圍網，處於四面封鎖的險境。但是波羅的海艦隊在保衛列寧格勒基地的戰鬥中，竟以得勝利（假定它不打敗仗，它將完全被殲滅，因爲這是它最後的據點，而且無路可逃）。當戰爭形勢轉變之後，這些艦隻和陸軍同時並進，以其巨大炮火掩護陸軍，並隨時隨地作短距離的水陸兩棲戰。不過，就是到戰爭的末期，當殘餘的德國艦隻掩護陸軍向後撤退時，蘇俄的艦隊還是不敢向德艦挑釁。

從蘇聯大批建造新艦 過去戰略已證明改變

俄國的海軍史，是一部悲慘命運的紀錄，所有戰績，不是失敗，便是挫折，很少有勝利。但是海洋對於俄國之重要性，再沒有比今日更重要的。目前蘇聯已得到暖水海港，而距其到達自由出入大海的目的，亦不甚遠。但其主要敵國之國內基地，尚非俄國龐大陸軍之力所能到達。當第二次大戰時，德國陸軍佔領或包圍它的海軍基地，使其艦隻退處絕境，無路可逃，這種教訓，毫無疑問的，當爲蘇俄的戰略家所永誌勿忘。因此，說蘇維埃將低估地面部隊的價值，殆將與事實不符。但爲擊毀西方世界向各方面所伸展的武裝力量，並爲挖掘西方世界力量的心臟，在在都需要船舶。倘若蘇俄的戰略家仍然墨守俄國海軍傳統的戰略思想，要將他們所有的艦隻都躲藏在要塞砲火掩護之後，那末他們就毫無理由建造這許多快速度的新戰鬥艦和巡洋艦，和上千艘的潛水艇——更談不到他們還要去征服世界的其他一部份。（完）

大陸重光省區將大量變更

中國擬改劃爲五十行省

新設廣南、東海、武陵、金沙等省，政府對此已在縝密設計中

【本報台北特約通訊】我國現行省區，尙係沿用元代區劃。元對於省區之劃分，旨在便於控制，故使各省區內包括複雜之民族，與懸殊之經濟環境，俾其互相矛盾，不能團結，藉以分化。並於省界劃分方面，常使戰略要地，互相楔入，造成犬牙交錯，以期互相牽制，遂形成支離破碎，無法符合於自然地形之現象。自清末迄今，朝野各方，迭有人建議須重新調整省區，迄未實現。抗戰後期，中央設計局及史地學權威張其昀氏均會有調整計劃。政府遷台以後，內政部迭承各民意代表之督促，各專家學者之建議，遂草成調整省區方案草案一種，依政治任務，經濟需要，軍略措施，民情適應，自然地形等原則，將全國重劃爲六十六省，十二市，一地方。除東北仍爲九省，台灣爲一完整自然區域，未加變動外，其餘均逕予以重劃。

內政部原案，由行政院發交設計委員會政制組研討。政制組復成立一專題研究小組，從長計議。對省區，轄縣，省名，省治，莫不悉心詳加研究，再報告政制組委員會討論。歷時經年，近聞已可定案。大致將全國劃爲五十省，較內政部原案減少十六單位，以免牽動太大。其完全依照現行省區不加更動者，有浙江，江西，台灣三省。其新予設置者，有蘇魯豫邊區之東海省，川鄂湘邊區之武陵省，有川康滇黔邊區之金沙省。其餘各省或重劃爲二省三省不等。省名則儘可保留原省名，新增者則另定。如粵省仍名廣東，海南島則名廣南省，合廣西而爲三廣。惟政制組通過後，尙須提交行政院設計委員會全體大會討論，然後再送交政府，至於光復大陸之初，是否即宜實行新省區區劃。抑俟局勢稍定再行實施，則政府方面屆時自必盱衡時勢，作明智之決定，此際固未便即預作硬性規定也。

流亡人士如有安置 鐵幕人民必更反共

美國西雅圖華盛頓州立大學教授泰勒，來訪問自由中國，迭與台灣省教育文化界人士晤談，並曾到立法院旁聽。最近，應聯合國中國同志會之請，作公開講演，聽者千人。講題爲「對共產黨思想鬥爭」，其要點爲必須爭取機先。並舉一例謂雅爾達協定爲美國外交史上最下流之一頁。因美國不但參與此項協定，且獨負將此協定通知中國政府之任務。惟如當初中國政府接獲美國通知後，將其公之於世，則對共黨之打擊，與獲得美國人民之同情，必甚巨大。而中國政府當時未能爭取機先，致貽今日之患。泰勒教授又再三強調反共必須重視智識份子。謂在歐洲方面，自東德及蘇聯附庸國家逃出鐵幕者已達八百萬人，莫不冒險犯難死裏求生。美國及歐洲民主國家，均已竭力予以安頓，如此可以使鐵幕內人民對自由區益爲嚮往，而鐵幕內對人民之壓制亦必因此加嚴，於是人民反抗共產政權之心理，更隨而增高，此對於最後瓦解共產力量，具有極大作用。亞洲方面對於爭取鐵幕人民尤其對智識份子之招致，尙欠積極，亟宜及時努力爲之。最後，泰勒教授，舉美國南北戰爭時，林肯所下手令，以證明政府應取之態度。林肯當時曾同時頒發手令兩通，一爲解放黑奴，一爲不得壓制批評總統之言論報紙，此爲林肯總統卒獲成功要素之一，值得稱道云。

政治學會及法學會 現均準備在台恢復

中國政治學會係抗戰前在南京成立，歷時已二十餘年。抗戰期中，曾於民國三十一年在重慶中英文化協會，舉行第三屆年會，對於政治建設機構重建世界和平諸案曾有具體決議。其中如（一）憲政應俟抗戰結束，儘早實施。（二）制憲會議應與根據憲法所產生之國民大會，應有區別。（三）五權在原則上應平等分立，但在機構上，不必採一律之形式；在運用上應有「匯集之樞紐」。（四）樹立健全公務員制度。（五）新縣制之推行，應根據各地人力財力物力，求其切實有效，凡屬於自治範圍之事項，應儘量交人民處理。（六）重建世界和平目標爲各民族之自由平等與全人類之和平合作。（七）侵略主義者，不得繼續執政，但戰敗國之內政，應不受干涉。戰敗國人民，均應獲得寬大之待遇。（八）應有新國際組織，各國在組織中一律平等，但較大之國，應負較大之推動責任。（九）新國際組織，應設置國際武力，或得指揮各國武力，以制裁破壞和平者。（十）新國際組織下，得設區域組織。以上各端，均與十年來之國內政制及國際情況相合，足證該會同人，確有遠見。茲該會會員王世杰程天放崔書琴浦薛鳳雷震黃正銘杭立武阮毅成杜光塤楊公達等，籌備恢復工作，將於不久將來，徵求會員，舉行大會，以期對反共抗俄工作及自由中國各項政治問題，有所獻替。又中華民國法學會，自大陸沈淪，理事長居正復於去年病故，亦久未展開工作，茲該會理事端木愷等，亦擬在台復會，以爲建立中國新法系繼續努力。其他全國性學術團體，將尙有若干單位，準備恢復，此亦爲自由中國文化改造運動聲中之佳音也。（陸浮，十八日寄自台北）

杜勒斯與季楠

（上接第一版）

他書中最幻想的一段，是他引用德國一小說家的故事，說某一個家庭當它在外表上最興旺的時候，實際上內部已經凋落而腐蝕了。他再引用天文學家的記錄，說宇宙中有某種行星，當他最光亮燦爛時，它的本體已經死去了，他以此期望俄國的崩潰，他是矛盾，他是幻想，他眞是幼稚而天眞。季楠以職業外交家到今天的地位，但是登峯造極，但他的觀念若不急起修改，他個人失敗事小，影響美國與自由世界者實在太大了！

在美國國內出而攻擊「圍堵政策」的，杜勒斯實爲第一人。杜勒斯兩年來因爲担任了國務院的顧問，除了對日和約問題以外，多時沒有聽到他對於整個世局的意見。上週在紐約所發表的演講與論文，是他脫離國務院以後第一次對外公開發表意見。他指出「圍堵政策」的消極性，希望美國政府採用一種勇敢的政策，同時顧到歐亞。並且特別強調對於自由中國應使精神不再孤立。他這一套言論，是第二次大戰後美國外交輿論上一種特殊的光朶。他對自由中國眞是一個知己，自由中國在最近二十年中，正是把全部國策建築在道德與法律上面。八年抗戰與五年戡亂的慘痛犧牲，都是爲了道德與法理。茫茫塵海，大千世界中，居然有一位美國朋友杜勒斯先生瞭解我們，欣賞而同情我們，我們不僅引爲安慰，同時也爲之鼓勵而興奮。近兩百年的世界外交史，成敗的樞鈕，決不在什麼現實的利害，而畢竟脫離不了道德與法理的基礎，這是拿破崙戰爭以後一件一件的事實。維也納會議到巴黎和會一幕一幕的證明。季楠書中再四檢數兩次大戰的發生，不知道威廉第二與希特勒東條等，如果任其橫行，美國雖欲孤立自保亦不可得，這是事理十分顯然，季楠先生所言，實在不值一駁的。

研究季楠與杜勒斯，我證實一個道理，便是事務官之不可大用。季楠的經歷，可是十足的一個事務官，所謂職業的外交家，就是外交行政的事務官。事務官長於案牘，熟悉事例，精於行政技術。然在另一方面，他們缺乏遠見與肩膀。他們本身是技術高於器識，季楠在外交界做了多年事務官，能著書立說，當然是此中傑出人物，但其「器識」方面之弱點，在其著書立說中，終於暴露無遺了。近年英美民主國家政治上之通病，原爲事務官之權力日增。專家之統治權力日益擴大。通才碩學反被[illegible]小吏所困。而美國國務院近年的表現，實爲此種現象之變本加厲。拉鐵摩，范宣德，卡德維森，這一羣人：幾乎把美國第二次大戰的收穫，盡付東流，韓戰以前之艾契遜，其實是拉，范，卡，諸人之傀儡，而韓戰至今的艾契遜，而其思想行爲，絕跳不出季楠的範疇，危哉岌岌乎，美國戰後的外交政策。杜勒斯與季楠兩人思想今後的消長，關係美國未來的國運，更左右自由世界的存亡。季楠此次到俄，直接當衝辦理外交，希望根據他的經驗，能够修正他的思想與理論，這是自由世界對他一致熱烈之期望。

隨艦牧師主持小報 在韓英軍士氣旺盛

香港三日

最近由朝鮮戰場開回香港休息之英艦錫蘭號，原係於去年十二月自港開往，計已在韓作戰一百零二天。隨艦牧師傅雷，於執行宗教職務以外，並在艦上主辦一小型日刊，供全艦官兵閱讀，雖在作戰極猛烈時期，亦從未間斷，對於全艦官兵之精神鼓勵極大。

英國陸軍部軍需總監史文來，於視察駐德，及駐中東英軍軍備情形以後，即續來遠東，繼續視察。日前自朝鮮視察完畢，乘機來港，昨又離港赴新加坡。據史氏在港談話，在朝鮮作戰英軍，裝備優良，雖然作戰期間，生活不太舒服，但全體官兵，士氣極旺，至於英帝國各單位官兵，彼此合作之密切，尤令人不勝驚佩。

駐平英領眷屬返英 大陸外僑紛紛來港

在鐵幕內慘遭迫害之民主國家僑民，連日大批自天津乘輪到港。除十六日由丹輪捷陸載來數十人外，前日湖北輪又載有一批抵埠。此輩僑民，多爲傳教士及商人，大抵在華財物均已被中共全部掠奪，經登報公告，與華人全無任何糾葛後，始准出境。倘中共對某人有意留難，則只須指使一十餘年前被解僱之男女僕人，出面要求清算，即可以藉口不發給出境許可證。故凡能獲得許可出境者，大抵均油水已盡，無可再榨，因此，彼等抵港時一般情形，多極狼狽。至被驅逐出境者，即所受苦痛，尤爲不堪。

× × ×

英國駐北平副領事賈萊之夫人及公子，亦於十九日附搭湖北輪抵港，賈萊夫人一行，即將由港返英。

緒方竹虎過港時期 某老教授未與會見

吉田私人代表緒方竹虎過港時，曾與各方人士作廣泛之接觸，[illegible]。原定由某老教授至美麗華飯店訪晤，但不知何故，[illegible]迄未會見。外傳緒方與[illegible]，實屬不確。惟近有所謂第三勢力[illegible]某企業界人士，以經商名義赴日，則係事實，其任務，外間亦尙無所聞。

印度聘請日本技師赴印担任製造電錶

日本恢復獨立後，現已有技術人員受外國聘僱，担任技術工作。東京電氣公司之電氣工程師伏見，當爲首受印度聘僱之一人。日前自東京，乘英國海外航空公司班機抵港，轉赴印度，担任製造電錶。（必賢）

此即中共典型的官僚作風
滬救護車送命不救命
急病召車往往數小時不到

上海中共，狂吹救護車替人民日夜服務，不眠不休。但遇到急病召喚救護車時，卻多方留難，致病人不能得到及時的救治，紛紛斃命

【本報上海特約通訊】派外的僑胞們，一定聽慣了中共宣傳，以爲中共工作人員，已如何掃除官僚作風，如何熱心替人民服務，他們不是將報紙大半篇幅，都整天在播寫中共黨員，「解放軍」戰士，走到農村，替老百姓掃地，清糞，割草，耕田麼？他們不是說，老百姓一看到中共黨員，「解放軍」戰士，就歡欣鼓舞，認爲是「自己的親人來了」麼？因此，他們一方面雖然大批屠殺人民，一方面却有些地方，也還幫了人民的忙，僑胞們也許就受了欺騙，減輕了對中共暴行的憤怒。實際上，連這一點點所謂替人民服務，也全是空口宣傳，中共的黨員和戰士，在農村強姦婦女，搶掠財物，比過去任何軍閥時期，加倍兇惡。至於在大的城市中，他們一切社會工作，更是信口胡吹，尤其官僚作風，特別嚴重。他們口口聲聲，說「人民政府」，一切爲了人民，人民的生命，最爲寶貴，一遇到事實考驗，他們却把人民生命，看到雞犬不如。單就上海市民在緊急時召喚「救護車」一事，爲了中共嚴重的官僚作風，爲了大家偷懶，就不知有多少人民生命被他們斷送。下列這三件慘痛故事，乃是千百萬同樣事件中少數事例，要考核中共替人民服務的成績，這都是如所周知的眞憑實據！

中共在上海市，曾一再強調牠對人民生命的重視，大張旗鼓，向人民宣布，全市任何角落，如果有發生急病，或被汽車撞傷等情事，馬上可以打電話給公安局或衛生局，最多五分鐘就必有救護車開到。中共說：公安局在全市各區均設有救護站，備有大批救護車，日夜二十四小時，繼續服務，永不休息，此外衛生局也設有救護大隊，有大批救護車。中共報紙且自我宣傳，像這樣重視人命，緊急救護，不但以前任何「反動政府」不會想到，就是一些標榜「社會政策」的資本主義國家，也望塵莫及。他們還舉出香港「九九九」爲例，說絕不如中共對人民誠摯周到，大力照顧。但是，中共的誠摯周到大力照顧，究竟有些怎樣成績呢？

倒臥路旁要先查身份
出車汽油費病者負担

四月十八日下午，有魏力行、李福海、張永來、陳生昌等四人，行經新聞路大通路，看見平江公所對面，有一個人，突於走路時，暈倒落地。他們趕上去，發現這個人衣服破爛，但皮膚還相當白淨，身上有一本書，年齡約三十歲左右，顯然是失業的知識份子。這時口吐白沫，不能說話，他們馬上去找警察，警察起初想不管，經他們一再要求，才和他們同去打電話到新成分局，請快派公安局救護車來。分局說公安局救護車沒有空，可另打電話向衛生局要。等到衛生局電話打通了，衛生局却在電話中問了一大串問題：「這個人住在什麼地方？叫什麼名字，現在什麼機關服務？家屬的經濟來源如何？是什麼成分？」魏力行等當告訴他，我們也是過路人，因爲看見有人倒地，病況嚴重，我們知道公安局和衛生局，都可以派車急救，所以才會同警察打電話，我們並不認識這個人，更無從知道他家庭如何，算什麼成分。」對方對這個答覆，表示很不滿意，說，我們開一次汽車，要用一兩加侖油，我們不知道他家庭情形，將來他病好了，他如果還不出汽油費，那由誰賠償？接着就將電話掛上。這四位熱心仗義的過路人，不肯死心，再叫通電話，將他們四個人的姓名地址告訴對方，說只要你們派車來，汽油錢總算我們的。對方同意了這樣，說等一等，車子就來。當魏等發現那病人倒地時，是下午五點五十五分，這幾通電話，足足打了一點鐘，超過中共所宣布五分鐘汽車準來的標準已達十二倍。魏等回到原地，看那病人呼吸越來越微弱，一直等到七點半，救護車還是渺無消息，這時圍觀的人越來越多，大家很氣憤的說：衛生局騙人，還是我們自己想辦法。於是由這四位原來不相識的人，熱心仗義的魏力行等作主，雇了一部三輪車，把這病人抱送到宏仁醫院，醫生一看，時已七點三刻，說這個人血管已破裂，耽擱太久，無法救治了。不到幾分鐘，這個不知姓名的病人，就在所謂共產黨誠摯周到，大力照顧之下，宣告斃命。

等警察到病家調查後
車開來病人倒斃車中

四月十七日晚十一時三十分，徐家滙站街居民張某，突患急病，其妻奔赴公安局徐家滙分局派出所，請求代召救護車急救。派出所電告公安局救護站，救護站値班人員，在電話中詢問詳細病情，並問派出所曾否派人到病人家裏看過沒有，派出所說沒有，於是救護站說：你們先去問清楚了，再打電話來，我們才能派車。等到派出所警察調查回來，已是十二點十分。病人的家屬急得搥胸痛哭，左右隣居都說：「人都快死了，還調查什麼，救命要緊啊！」派出所第二次將調查結果，電知救護站，這才得到派車的許可。但是派出的救護車，不照電話中通知的路綫，從淮海路經瑞山路浦東路至天主堂前停車，而是通過狹窄曲折的同仁街，徐鎮路，停車在鎮北路，又多耽誤十幾分鐘。當病人送到中山醫院，已是夜深一點，病人已在車上斷氣，當然這又是中共的誠摯周到，大力照顧的結果。

口吐白沫否認是急症
半小時後車來人已死

三月廿二日下午二時卅五分，衡山電影院觀客蔣息九，突於電影尚在放映時，由椅子跌下，口吐白沫，不省人事，影院打電話給公安局分局，請派救護車，救護站救護人員，聽到病人口吐白沫，當告訴分局，說這種情形，恐係羊癇瘋，不算急症，你們可以等半點鐘，如果病人還沒好，再打電話派車，分局當照這話，通知電影院，在半點鐘內，病人心臟和脈搏，均跳動特別劇烈，口角抽搐，狀極危險，一再向救護站告急，救護站一定要等過了半點鐘，接到公安分局證實並非羊癇瘋係急病的電話，才將救護車派出，不料車子尙未開到，病人業已斷氣。

以上這三件不幸的事故，記者前已說過，只是千百萬同類事件中一些示範的舉例。從這些舉例，不僅證明了中共大吹大擂，誠摯周到，照顧人民的宣傳，和事實是如何相差十萬八千里！而中共官僚作風的嚴重，更可以想到牠的整個政治機構，是已如何到達腐朽混亂的頂點。崩潰之期，確已屈指可待了！（悠然，十四日寄自上海）

改變大造木船進攻台灣的計劃
十三萬根杉木現已朽爛

華東林產公司，去年十月奉命到至德收購杉木準備造船，在老百姓砍下十多萬根以後，迄今半年，無人過問，現已大半朽爛，窮苦的老百姓白白損失了僞幣四十多億

【本報南京特約通訊】共產黨的話，沒有一句可靠，這在鐵幕以內，早已成爲男女老幼人人爛熟的常識。但是牠生殺予奪大權在握，儘管你知道牠的話大成問題，牠既然吩咐，你却也不敢不聽，這正是鐵幕內老百姓無限苦痛中最大的一項。

至德縣出產大批杉木

安徽至德，（原名秋浦，在長江南岸，與江西鄰近）雖然靠近長江，但所屬的第四區，與江西接界，是一個山嶺重疊的地帶。在這一地帶內，除田廬一部份外，就是遍地杉樹，江浙兩省木材，一部份就是至德供應。去年十月，中共華東林產公司派職員朱德林，黃世榮，帶着至德縣政府介紹信，到四區採購木材。他們一到，就召集全區十個鄉的幹部，舉行聯席會議，說現在華東軍區命令，爲此採購木材，供某項重要軍用。要出席幹部擔保，在兩個月以內，交出一萬五千兩杉木，如有短少延誤，就將以阻礙軍需論處。他們並會同幹部，分赴各鄉，召開農民大會，動員農民趕快砍伐。他們和幹部一方面答應農民，提出較好的價格，每兩按十五萬元計算，並於砍倒以後，每兩預付十萬元，又搬運費五萬元，其餘款項，如運時全部付清。一方面又威脅農民，如果不在兩月限期以內砍伐，砍伐不足額，則逾期不付任何價款。即由「政府」派人砍伐，不再付任何價款。此外並鄭重囑咐，杉木砍倒以後，除政府收購外，不許私自售給任何人，違者一經查出，必從嚴處罰。農民在這威脅利誘大壓迫下，自然奉命唯謹。不過大家都意識到，既然「政府」這樣迫切需要，而又明知道農民生活困難，需款甚急，爲什麼不先將預付之每兩十五萬元付出來，讓我們吃飽一點，有力氣可以多砍。這樣一錢不名，空口說白話，不特餓肚子砍樹，工作效率，自然不高，且萬一樹都砍了，「政府」不來付錢，又不許我們私自出售，那豈不死路一條。不過這些話，大家誰也不敢正式說出來。這時朱德林，黃世榮在黎痕街，受着黎安鄉村合作社主任傅世華，縣銀行行長江有鎔及各鄉共幹盛大招待，朱等還當在座諸人加緊督促，他們準定最多半個月，就再回來，住足兩月，以便付款驗收，辦理起運。他們走的那天，是去年十月二十四日，不料直到現在，過了半年，竟是石沉大海，消息全無。

一文不付要農民拚命

農民方面，自他們離開至德第二天起，就在鄉幹部如狼似虎的鞭策之下，大家勒緊肚皮，拚命砍伐，果然不到一個月，就快達到一萬五千兩碼子的一半。不過這時大家因朱德林等半月歸來，付款收木的諾言，並未兌現，窮苦的農民們，實在無法再行籌措伙食，在半飢餓狀態下，繼續工作，但幹部們仍不肯放鬆，繼續督促，後來看看農民實是砍不動了，而共幹聯名寫到華東林產公司催朱德林等速來至德的信，總是沒有答覆，於是共幹也冷了半截。砍木工作，始行中止。但是全區統計，已經砍倒的杉樹，至停工時止，已達七萬六千二百一十五棵，碼重六千二百六十四兩，剝皮未全砍倒的五萬三千二百九十四棵，碼重三千五百多兩，若每兩照五十萬元計算，共値僞人民幣四十八億八千二百萬元，這在民窮財盡的共區看來，數目確不算小。而由一個偏僻小縣的一個區，將農民財產，凍結到這樣多，窮苦農民，如何能受得了。農民要求准許他們售給私商，共幹們當即以林等在至德時所說，此係有關軍用，不許私售，嚴飭禁止。最近一再大雨，這批木材眼看已逐漸朽爛。農民認爲一經朽爛，即等於辛苦經營的四十多億財產，化爲烏有，於是全體聯合，要向共幹拚命。共幹知道形勢嚴重，再非客套敷衍所可了事，乃推派代表，到南京林產公司交涉，這才發現，朱德林等所以沒有再到至德，原來有兩項重要因素。

更無人相信共黨諾言

第一；當初華東林產公司收購杉木，原係奉華東軍區命令，公司派出人員，並不止至德一處，至德的數量，不過華東軍區需要量十分之一。據云，軍區收購杉木，係用以製造大批木船，準備進攻台灣及金門之用。後來不知何故，上面的軍事計劃有了變更，這批木船，暫時不需要製造，所以向各地定購的杉木，也就聯帶的暫時不再需要。他們認爲木頭雖已砍下，「政府」並沒先付定錢，「政府」不要，對「政府」並沒有損失，至於老百姓的損失，自然與「政府」無干。爲了省除麻煩起見，索性連回信也懶得寫了。第二，原來華東林產公司，業已改組，合併爲皖南，皖北農林處，至德共幹去交涉，皖南皖北農林處，對於以前林產公司派員的諾言，根本不肯認賬。有此兩大因素，這批行將朽爛的杉木，結果，中共既不許農民售給私商，自己又只有不再要，老百姓倒下的木材，眼看這價值四十多億，農民餓肚子砍下的木材，行將朽爛到底。共黨的話不可靠，這又在老百姓常識記憶上，再添加一個不可磨滅的認識！（老民，十一日寄自南京）

中共運出假金
換取戰略物資
原來是川北僞人民銀行高級職員盜換舞弊

【本報重慶特約通訊】中共爲支持抗美援朝，不斷將向人民搜括得來之黃金外幣，向外換取一部份軍火及戰略物資。不料前數月，中共運出之黃金，竟發現有不少假金，外殼爲眞金，而內卻混雜白銀，此項假金，經中共多方偵察，即以大批來自川北僞人民銀行。最近始破獲，此案經過如下：

製造假金大機構，以「人民銀行川北分行稽核主任」任明德（共幹）爲首，樊坤山（「人行金銀鑑定員」，亦共幹）黃蔚儒（「人行黃金保管員」，亦共幹）吳仲華（「人行金銀收兌員」亦共幹）吳永益（利美銀樓老闆）黃朝金、吳玉書（銀行老闆）金玉書（金寶銀樓老闆）共同合作。從「解放」後到去年年底，照最保守的估計，造出假金約在三萬兩以上。

破獲這一製造假金案，確實化了中共特務們的不少腦筋，牙爪們的更跑斷了狗腿，經過了相當時間，特務們從川北「人民銀行」營業部的金銀鑑定員吳仲華手裏，找出了一點線索，於是特務李君民即以買賣黃金的「黃牛」身份結識了吳，以既屬「同路」，吳不疑有他，乃先後介紹李認識了同夥原寶大和銀樓老闆張炳煜，同華綢布號經理母惠民，天寶銀樓老闆李國棟，私出他們的首領任明德及樊坤山、黃蔚儒、吳玉書、吳永益等，對內了決擴大，以「推進工作」爲據點，川北分行爲核心，由吳仲華、徐鎭東、任明德三人專任黃金掉包，徐鎭東負責，以「大同證章社」作爲製造假金的據點，永益爲銷售機構，推李國棟爲正副主任，張炳煜負責製造假金，並專責推廣銷路，拉攏各方的進行黑市。

所謂「假金」的製造手續，由吳仲華、徐鎭東，先由黃蔚儒把人民銀行收藏的眞金條金塊，從庫房偷出來，交「大同」經理李成棟，以每百兩掺四十兩白銀的方法製成假金，表面成色高，裏面成色低（皮面成色），再通過吳，黃等將假金調換庫內的同等數量的好金子，再把好金子在黑市出售，因爲一般貪污發財的黃金收藏者，認定人民幣可靠，故黑市黃金仍極活躍，周而復始，循環不息。如此周轉，所得利潤，在按一定比例分贓後，全部交給母惠民透過大同綢布號，鶴齡瑞璋、渝莊負責人李澤民、吉安經營黑市，投機倒把，因此規模宏大，變管齊下，近二十個月裏，每一份子都大發其財，腸肥腦滿。

這裏面一千人，以黃蔚儒分得的利益最多，（因爲黃是黃金保管員）而且他又會投巧地單獨做點「小買賣」，以是他同黃金一樣，（當然也是黃金）有了嬌妻美妾，洋房，有了花園，他家皆是「座上客常滿，樽中酒不空」。那打入這兩個組織的中共特務李君民，於是最近就把全部撲滅了清濟的具體證據，一網打盡。在黃蔚儒家的花園裏，就挖出了十兩和五兩的大小「黃魚」（金塊）近千，另外在「大同證章社」裏又搜出製造假金的工具有化金鑪、士紅、鋏石、油槽、假鋼印、火鉗、鐵夾等十幾種，這些人過去吞下的金子，必然要全部吐出來了。（渝民五月十日寄自重慶）

舊的不許講
新的沒人聽
滬評彈界面臨厄運

【本報上海特約通訊】評彈界的「斬尾巴」運動，中共嚷了一年多了，影響文化教育等界，但是因爲評彈適合電台，所以一直拖在背後斬不掉。

是擁有一部份上海聽衆的「大彈詞」「三笑」，「珍珠塔」等，因故事曲折而有趣味，爲小市民所愛好，中共認爲這些書都是宣傳封建的，因此不能再說。「上海市文化局」勒令「三笑」，「珍珠塔」，「玉蜻蜓」等「落伍」節目，一律不准再說。

[illegible]

「愛人」改造記

·南郭·

雷學林是十三年前離開江西的，經過了二萬五千里「長征」，在陝北喫了幾年苦，七混八混，居然給他苦出了頭。他常喃喃自語：這才眞是「喫得苦中苦，方爲人上人」，共產黨常說「爲人民服務」，卻又「騎在人民的頭上」，這不是「人上人」嗎？

有了十三年「黨齡」的雷學林，他的地位隨之增高，「進城」以後，他混到了一名貿易機關的科長，說大不大，說小不小，好在他並沒有什麼好出身，因之，也就覺得於願已足了。

「進城」後的共產黨員，而且突然一變，何況上海是個大都市，遇到沒有玩過的，他們要玩玩，有的沒有穿過的，自然要穿穿。有些「同志」，還在從未見過的這樣漂亮的新女幹部裏物色「愛人」。這是「革命享受」之一。

當兵的人，常愛誇耀身上所受的傷，多帶一次花便多一個光榮，做共產黨員的，便以胸前的獎章爲榮，擺他們說，那些獎章包括了一切的「表揚」，有的流了汗，有的流了血，沒有流汗流血的人，只要「黨齡」悠久，也可以獎章一排。這成爲他們必要的裝飾，恰和那偷偷摸摸而來的派克鋼筆與摩凡陀手錶一樣。

上海的「同志」卻大多比別處的多了一份裝飾，那就是——一個年輕漂亮而又「前進」的愛人。

憑十三年的「黨齡」，獎章他是有的，漂亮的「愛人」卻沒有。

這眞是一個極大的遺憾。上海灘上多的是女人，而雷科長卻沒有，他不但覺得寂寞，而且因此感到綠錢受了損傷。

雷科長不是沒有女人，他和一個有夫之婦往來甚密，因爲她是有夫之婦，而且，她的丈夫有一頂「反革命」的帽子，因而影響這婦人的「政治面目」，當他第一次向「上級」請求結婚的時候，首長說：

「她是有問題的人物，何況，你在家裏曾經結過婚。」

家裏的那個老婆，並非雷科長忘了，他是十五年前結婚的，那時她才十五歲，十三年不見了，誰知長成甚麼樣了？雷科長不但就心她的模樣兒醜，而且嫌她不「前進」，缺少「文化」，如果身旁有個土味十足的女人，等於口袋裏掛着一枝蹩脚的鋼筆，好心的「首長」卻安慰他，說：

「你不能好好改造她嗎？至少她還年輕，年輕的人都有『革命氣質』。』」

聽了「首長」的話，雷科長終於接受妻子一再的要求，把她從江西接了來。一別十三年，她並沒有另婚別嫁，雖然鄉下人氣味重一點，好在她還讀了三四年書。而且，臉蛋兒已長的很俊，同他想像中的不同得多。

於是雷科長對她着手「改造」了，而且是「加工」「改造」。

第一步，帶她到衣料店，買了許多料子，做了許多他所看見的上海女人愛穿的衣服，打扮一新，這女人更覺得漂亮了。

第二步，請求「上級」給她一個「學習」的機會，首長偷偷地望了那女人兩眼，眼前一亮，不覺奇怪，雷學林竟有這樣漂亮的老婆。

雙管齊下的「改造」，速度是驚人的，她不但學會了許多新的紅色名詞，秧歌腰鼓，也學會了華爾滋與狐步舞。

半年之後，她的「理論」更是進步驚人。假如外人不留神叫她一聲「雷太太」。

「胡說！不許你這麼封建，叫我伍玫或是伍同志。」

伍同志已經前進得可怕了，她覺得做人家的太太是一種恥辱，即使叫「愛人」，也有許多「資產階級的氣息」。

她和雷學林雖然是夫妻，可是並不住在一道，雷科長住在家裏，他的「愛人」卻在學習單位裏寄宿，兩人眞像愛人一樣，星期天見面一次，或是一道參加「晚會」。

半年之後，星期天見面的次數也少了，雷科長問她，她說：「我的功課太忙。」

雷科長，也樂得如此，「愛人」不在身邊，他可以帶了那個有夫之婦參加「晚會」，那女人，卻對他如茶如火的熱情。一個晚會，星期六，雷科長又帶了那婦人前去參加。他們到得很晚，一進門，就注意到舞池中有一對人物摟得很緊。男的是「首長」，女的，是他的改造了的妻子。

因爲摟着他「愛人」的是「首長」。雷科長並不因此吃驚。「首長」輕輕問他懷裏的女人。

「伍同志！你看見你的愛人了嗎？」

「伍同志」哼了一聲。

「有甚麼關係！這人太腐化了，太落伍了，我們是小時候結的婚，這婚姻應該無效。」

「你的思想眞進步，改造已經成功了。」首長竟偷偷在她面頰上吻了一下。

雷學林是看見了那一吻的，但他並未因此光火，一則那男人是他的「首長」，二則，這女人「改造」得太「前進」了，她常嫌自己思想落伍。何況他懷裏也有女人，而且這婦人很有錢。

這時的首長想，如果能和懷裏的女人結婚，也就讓雷學林和那「反革命」份子的老婆結婚罷。

希特勒魂遊中國

·方為·

偶然在一張自稱爲「人民民主」宣傳的鬪爭附刊上，瞧到三幅照片，都是宣揚「五一節」閱兵儀式的。毛澤東獨佔一幅，右手直伸向前作斜上式姿勢行禮，其餘則有甚麼「人民勞模參觀團」和「人民志願軍代表團」等，都很整齊的跟着「毛主席」作同樣行禮姿態。我初看不覺大喫一驚，認爲希特勒私從衛隊褐衫軍的照片，幹嗎列在素來反納粹法西斯最兇的「人民民主」報章上？急忙帶上眼鏡細觀一番，又確是些中國人的面目，好生納罕，難道希特勒的靈魂已附在中國人身上來繼續「我的奮鬥」不成麼？否則，何其學習納粹式敬禮姿勢之熟練而到家也！

繼而思之，思之，「竊嘗聞之」（像不像反共八股的調調兒？）納粹主義與共產主義原是孿生兄弟，其血統與作風並無二致。譬如談民主政治罷，希特勒當年曾向世界人士「車大砲」，說納粹政制纔是眞正有實質有內容的民主政治，英美式的民主生活，乃是不切實際的虛僞的民主政治。這與「史太林民主憲法」，秧歌王朝的「人民民主」那套論調，有甚麼兩樣呢？至於納粹黨與共產黨統治人民之專制暴虐，殘酷陰狠，更是一母所生，絲毫無異。因此他們所流行的敬禮姿勢之如出一轍，當然無所用其驚怪了。

大概在不久的將來，俄共們所編的百科全書中，希特勒和慕索里尼都要成爲「世界人類的偉大導師」，僅次於史太林的「戰友」地位了。共產黨人如果再要罵別人爲法西斯，那就是數典忘祖之談！

自由談

才女李清照（下）

（1081—1140？）

·舜生·

『南來尙怯吳江冷，北狩應悲易水寒。』『南渡衣冠少王導，北來消息欠劉琨。』在易安的詩裏，有着這樣的句子，可見她對當時南渡的人物，批評是相當嚴格的。本來在一個男性中心的社會，對於女子往往是要想方設計去加以陷害的，何況易安的態度又是這樣咄咄逼人，其足以召人之忌，更何待說？

談到詞的問題，這也是一個容易引起爭論的問題，但說北宋是詞的一個開花結果的時代，大致便不會有什麼異議。可是易安對於北宋若干有名的詞人，卻給了不少的指摘：

『本朝柳屯田永，變舊聲作新聲，出『樂章集』，大得聲稱於世，雖協音律，而詞語塵下。又有張子野，宋子京兄弟，沈唐，元絳，晁次膺輩繼出，雖時時有妙語，而破碎何足名家？至晏丞相，歐陽永叔，蘇子瞻，學際天人，作爲歌詞，直如酌蠡水於大海，然皆句讀不葺之詩耳，又往往不協音律。……王介甫曾子固文章似西漢，若作小歌詞，則人必絕倒，不可讀也。乃知詞別是一家，知之者少。後晏叔原，賀方回，秦少游，黃魯直出，始能知之。而晏苦無鋪敍，賀苦少典重，秦少游專主情致而少故實。譬如貧家美女，雖極妍麗豐逸，而終乏富貴態。黃即尙故實而多疵病，譬如良玉有瑕，價自減半矣。』

『稼軒詞』幸而晚出，否則恐怕也是逃不了她的批評的。幼安有一首『醜奴兒近』，標題是『博山道中，效李易安體』，這首詞的全文是這樣的：

『千峯雲起，驟雨一霎兒價；更遠樹斜陽，風景怎生圖畫？青旗賣酒，山那畔別有人家。只消山水光中，無事過者一夏！　午醉醒時，松窗竹戶，萬千瀟灑。野鳥飛來，又是一般閒暇。卻怪白鷗，覷着人欲下未下，舊盟都在，新來莫是別有說話？』

『稼軒詞』比之『漱玉詞』儘管是兩種截然不同的格調，但易安的作品爲幼安所愛讀，且進而摹擬之，不能不說是詞壇的佳話了。

詞之美者，在能寫難寫之景而豁人耳目，能狀難狀之情而沁人心脾；能謹守繩墨而不覺勉強，能放手鋪敍而又無半點火氣；在一首詞中，把這些條件能一一顧到的，我們終不能不推易安這首『聲聲慢』爲出色當行之作：

『尋尋覓覓，冷冷清清，悽悽慘慘戚戚。乍暖還寒時候，最難將息。三杯兩盞淡酒，怎敵他晚來風急？雁過也，正傷心，卻是舊時相識。　滿地黃花堆積，憔悴損，而今有誰堪摘？守着窗兒，獨自怎生得黑！梧桐更兼細雨，到黃昏點點滴滴。這次第，怎一個愁字了得！』

在這樣一個短短的篇什中，能連用十八個疊字，說它是千古絕唱，誠然是不錯的；可是假如我們能體會出她當時那一種尋尋覓覓的心情，則能一氣貫注的流走下去，也就是很自然的了。

萬竹樓隨筆（九八）

西德臨時首都　·波·恩·

瀛海漫談

·凝之·

這幾天德國風雲緊急，西德的臨時首都波恩也自然成爲全世界視線的焦點。

說起那座萊茵河上的古城，確實不像一個五千萬人民的首都。大多數的德國人，總覺得波恩不過是個暫居，他們心目中只有柏林纔夠得上是德國的首都，而念念不忘要「回柏林去」。至波恩本身的條件，處處都是捉襟見肘，大戰之前，當地居民不過十萬人，到現在，也只增加到十二萬六千人，卻已經顯得擁擠不堪。因此在事實上，波恩只是西德聯邦政治外交和行政的中心，政府機關卻散布在西德全境各處。

例如，西德政府共有十三個部，卻沒有任何一個部完全擺在波恩。閣員部長們自然不能不經常居留首都，各部的機構卻有的在法蘭克福，有的在科隆，甚至有的遠在柏林西區，只靠着一條柏林——海爾姆斯特公路的走廊與波恩相聯結。

三盟國的專員公署——等和平契約簽訂後當即改成大使館——也同樣地分散着。美公署在波恩城北五哩的萊茵河岸，英總部則在萊茵東岸，法機構更遠在巴特戈台斯堡，而三國會議地點是彼德堡，一座同名小山山頂的一座豪華飯店，在梅棱對面的萊茵東岸，路途遙遠而交通不便。至於西德的三十二個外國代表團，也只有二十三個是在波恩。

到波恩去旅行的人，都明顯看得出那地方的缺點，實在不夠作爲首都的條件。然而在三年前西德聯邦建立時，何以波恩竟勝過法蘭克福而被擇定爲首都呢？理由很簡單。總理阿特諾爾是當地人，他要選一個他所喜愛的城市做臨時首都，結果他勝利了。所以儘管多少人（包括盟國代表在內）都不滿意波恩環境，卻至少有一個人是滿意的，那就是西德的中心人物，總理阿特諾爾。

黑十字

北晨

「捧人者人恒捧之，我要你擺莊，你卻不肯喝酒，這便是存心塌我的台，我還捧你的場？」

這時纔出佩雲的眞要求了，他出來做調人，調解結果，是朱瑛出拳，另外尋人代酒，白濟宏說：「當然由黃先生代表。」半推半就之下，黃洗的心上，已經先乾了一大杯。

朱瑛本來有一隻好嗓子，這半檯子人物存心將檯面弄得熱鬧，拳來拳去，聲浪蓋過了任何一個房間，一輪完畢，朱瑛像唱了半齣「玉堂春」，黃洗肚子裏，半肚子酒之外，還有半肚子米湯。

到第二轉，佩雲自告奮勇，她不再要白濟宏代酒了，她拳酒精通，媚眼滿檯飛，除白濟宏外，滿檯子的人都成了她酒和媚眼的俘虜。剛才朱瑛提到唱戲，立刻觸動了她的心事。再過幾天，便是她過生了，這也是一個生財有道的題目，她知道白濟宏肯花場而上的錢，所以，她要給足白濟宏的面子，這是她的戰術，以退爲進，先退一步，收穫自會擒蹤而來。她利用了酒做武器。

表面上裝出儘情歡樂，大家有計劃的喝酒，將到七成的光景，小蔡識相，他要先走一步，他也確實有事，剛才白濟宏曾私下關照他，有便去一次百樂舞廳，將藍英結賬的事辦好。

跑出雲山酒店，劈面遇見洪正池，他們也算酒肉朋友，洪正池問：「藍英在裏面嗎？」

小蔡搖搖頭，正好有一部的士駛來，他便跨了進去。

洪正池仍舊直向裏面跑，在大廳裏張望了一眼，十來張檯子上沒有藍英的影子。

晚上九點光景，他又去了藍英家裏，這時阿平已從新都酒店回來了，見了洪正池，便把主人囑咐她的話背了一遍，她說小姐到澳門去了。洪正池卻不信，埃到十點多，趕去百樂舞廳，舞廳裏也不見藍英的影子，他還是不能相信阿平的話，一埃着北角的幾家大酒店一家一家尋找。今晚，他非要尋着藍英不可，他的朋友逼着他明天「過現」，他自然不得不轉過來逼着藍英要錢。再回到雲山酒店的時候，樓下大房間裏突然傳出一個男人的聲音，他感到熟悉。「他怎麼到了香港？」他想。（十五）

·中篇連載·

蘸廬雜記

李審言與樊樊山（上）

·伯雨·

「巷陌斜陽戰馬屯，喧喧笳鼓易黃昏；舊人零落無尋處，只剩揚州李審言！」這是三十年前如皋冒鶴亭（廣生）過秣陵絕句之一。（今日鶴亭老處申江，再讀此詩，當有無窮感慨矣。）李審言，名詳，死於民國二十年五月；樊樊山（增祥）也在是年三月逝世，兩人有一段文字因緣，後來又弄到互相交惡，其經過頗有趣，略述如左：

民國八年七月，上海崇文書局出版沃丘仲子的「當代名人小傳」（作者眞名是費行簡），因爲他的文筆犀利明快，下斷語確，所以立刻就風行一時。費行簡是浙江紹興人，在四川長大，語言習慣都和四川人一般。年未冠，就拜在王湘綺門下，以能文稱。其作品有「近代名人小傳」，「慈禧傳信錄」。今年已八十五歲，現仍居上海。）卷下一百七十頁「李審言潘飛聲」一段有云：

「往樊增祥有詩『××××潘蘭史；××××李審言。』二人因得名。然審言鑽研漢魏，文質並茂，豈飛聲之比？以諸生窮究文選學，所爲文亦駸駸入古。詩有雅管；聞矢之堆砌。端方督兩江，嘗聘爲幕客，然不求仕進。雖不善治生，終身貧窶……」（以下係潘蘭史，故略。）

李審言看到這一段記載，很是不滿意。他說他享有文名，何待樊山吹噓？他晚年在上海賣文，每篇定價三百元，詩一首由五十元至一百元，生活頗可以過得去。在他死前一年（民國十九年），他寫有「書樊雲門方伯事」給他的學生某君，記其與樊山相失及證費行簡之誤，今全文錄出，以存掌故，亦可見李的文字：

「樊雲門方伯官齊藩，甫視事，繆藝風先生勸余謁之，曰：『子老且病，須賴人吹噓，盍以駢文稿示我，當爲先容。』後月餘，余往謁之。問鄉試幾次；對九次。曰：『沈屈矣。』又問受知係何學涵？余曰：『入學爲瑞安黃侍郎，補廩爲長沙王祭酒。』曰：『俱是名師。』又云：『諸見大作，駢文甚古。譚世兄尚在我署內。』蓋見余駢文前有譚復堂先生序也。又曰：『江北有顧濟谷先生善駢文，見過否？』余曰：『方官酬世，未見過。』又曰：『顧耳山先生是兄弟孝於鹿芝軒中丞者。』余起謝曰：『顧爲姻親。渠奉母諱留陝，不得歸，當時祇知陝西主考秦州同鄉黃君葆年所荐，不知爲方伯也。』又曰：『此時不尚風雅，但知阿比西地字母耳。』余因進曰：『江寧藩司自許仙屏先生升任去，尚未有講求文字者，方伯可以提倡提倡。』樊唯唯。余出告友人王君宗炎。曰：『子稱謂太抗，當稱大人。』余笑曰：『渠大人，我小人耶？』後友告：『樊方伯好收門生，不見某君齒遜樊二年，新經拜門，委辦南洋官報局，歲可得數千元。』余曰：『繆藝風先生可謂知己，余尚未執贄門下，何況樊山？』」

自由人
THE FREEMAN
（半週刊每星期三六出版）
（第一二八期）
每份港幣壹毫
督印人：李光華
社址
香港高士打道六十六號
電話：二〇八四八
GLOUCESTER RD.
HONGKONG
TEL: 20848
承印者：東南印務出版社
地址：高士打道六十四號
台灣總辦事處
台北市館前街五十號
台灣經銷處
台北市中華路一二五九號

韓戰得失的初步統計

結果是失多於得

·雷嘯岑·

韓戰爆發至今，歷時快滿兩週年了。其間打打談談，談談打打，或斷或續，搞成目前這種不是「相對無言」即是「互尋相罵」的和談僵局，實爲古今戰史上的創作！

動員五十萬以上的兵馬，在朝鮮半島上打了兩年「有限度」的戰爭，聯合國總數十個國家的聲勢，揭出膺懲侵略主義的正義之旗，究竟得失如何呢？以美總統杜魯門爲首的各民主國家政治人物，發表過不少的言論，都說韓戰是民主世界大大成功的一戰，至少已把世界三次大戰的危機遏制了，認爲功德圓滿，造福全球。然共產世界又說韓戰已使「美帝」「英帝」遭受慘敗，因而不得不忍讓求和。雙方都不免宣傳超過事實，不足以供公正的歷史家之妥善論據。韓戰未來的發展如何，尚不可知，但現時板門店這種怪誕不經的和談局面，總是第一階段的小結算了，我們不妨檢討其得失所在。

要統計兩年韓戰所得結果，比較指述得具體而又近乎事實的，祗有美國陸軍部長佩斯最近在美國武裝軍節的一篇演說詞，言之有物，持之有故。他除指出「共黨這種侵略行動已戲劇性地使美國及其他自由國家警覺其危險，並促其重整軍備」，並謂「歐洲防禦增強爲西方所得的一種重大項目」，又謂「聯合國假如不在朝鮮採堅定對付，則共黨在朝鮮的勝利，可能爲向越南、緬甸、馬來亞進一步的開始進攻」外，更列舉美國在韓戰中的所得八項利益：

（一）證明海陸空三軍平衡運用爲軍事勝利關鍵的觀念，甚爲正確；

（二）地面戰爭技術之改進；

（三）行軍智識之取得；

（四）[illegible]；

（五）陸軍高度流動性；

（六）軍事醫藥之進展；

（七）軍需工業之擴張；

（八）新的改良的原子武器及其他武器之發展。

佩斯是軍人，他完全就軍事觀點來衡量韓戰的成果，得出上述統計，雖不完備，卻是實情。美俄兩方都藉韓國爲練兵場，從事長時間的實彈演習，軍事上當然有所收穫。但這種收穫是彼此共有的，俄共又何嘗不無所得呢，他只是不說罷了。軍事以外，民主國家在韓戰中也取得了一些政治利益，如對日和約之急遽簽訂，如對德和平契約之加速進行，如俄共集團之不敢「杯葛」聯大會議而自動悄然回來，如中日和約之及早完成，如集體通過對共匪侵略的譴責案。這些都是從韓戰產生出來的果實，而在民主世界人民的心理中，一時留下了廣泛的好感，因而堅定了大家的反共意志。至於所謂遏制了三次大戰危機，那類說法，不免自我陶醉，卻非眞理。

世人評判二次大戰的結果，說民主國家是贏得了戰爭，失去了和平。這話到今天尤其證明爲不磨之論，此次韓戰的第一階段中，民主國家似乎又受了同樣的損失。何以言之呢？

首先即因民主國家的政治偏見，使聯合國的正義主張，大喪信附。聯合國會經渙汗大號，昭告全球，說聯軍的作戰目的，是要建設一個統一、和平，民主的韓國，三八綫界限已不存在，成爲歷史名詞了。但自中共大軍進入北韓之後，聯合國不特對自己所宣示的煌煌決議，存而不論，並且又提出三八綫爲界，各不相犯之說，與中共討價還價，甚至請中共代表到聯大來狂言無忌，痛詆帝國主義。把討伐侵略的自由聖戰，美其名曰「有限度」戰爭，藉爲聯軍不再從事統一韓國的推飾詞。因此虎頭蛇尾之言行，更一向受侵略威脅的弱小民族，對聯合國回理運動的價値，大大打了折扣，正如尼赫魯一類人的中立思想，便在亞洲各國大爲流行，阿刺伯集團國家在聯大以韓國問題之中途變節，即其明證。

其次是在實戰中，以政治因素而牽制軍事行動，即所謂政略支配之義，漫無界說，以致造成目前的僵局，暴露着民主國家的大弱點，使俄共集團乘隙抵贏，大肆其玩弄魔術，多方打擊聯軍的威信，因而影響士氣與人心。聯軍，帥在陣前就召和談[illegible]

兩年韓戰結果的初步統計，無論從政治、軍事哪方面看，聯軍都是所失多於所得。得的是局部便宜，而失的卻是全部效用，也就是軍事上略有[illegible]

英國人自行分析其外交政策基本精神在謀商業利益

並謂英國外交家應付一切問題早已到了爐火純青的地步

英 Harold Nicolson原作　天廬譯

這是英國人對其外交政策基本精神的自我分析，雖然內容都卑之無甚高論，但他說英國外交家一向以和平忍耐見長，最後總無往而不成功，英國從承認中共到最近放棄在大陸的商業資產，「和平忍耐」總算徹底做到了，最後成功呢？我們且等着「最後」的到臨！

大英帝國的外交政策，在局外觀察家和歷史家看來，是神奇莫測的東西。歐陸評論家對英國外交家的巧妙技術，莫不備致欽佩。自卡士勒（Castlereagh）及堪寧（Canning）時代起，她的外交便博得他國的同情。他們認爲：英國的外交政策是值得他人敬服的，尤其很微妙地使各國勢力得到均衡，在這一點上，使人終於相信英國不至于不忠實或者存有偏見。而其堅定精神和泰然自若的態度，在交涉階段中，即使吵得面紅耳熱，也不致于有絲毫猶豫的事情發生。其實其方法的巧妙，不無令人困惑之處，而其實她的外交戰略及其政策，乃是決定于地理的，政治的，以至于經濟上的種種因素，據此而其外交戰術，都有其實際上的經驗，以此事實與理論，乃得發揮其力量，以折衝於壇坫。

我們要明白：作爲一個商業國家，所謂道的，乃在取得其對外經營的利益；所

同樣的理由，我們更可以明白：堅強的外交陣容，也正如資金雄厚的銀行一樣，要展開其對外工作，必須先建立百年不拔的基礎，這基礎是什麼？便是「信用」。因此，屬於外交上的種種詞句，如「操縱」「手段」「恫嚇」，以及「凱旋」「勝利」這些名詞，我們都得存疑，不能過於認眞。因爲交涉雙方，已無勝利之可言，亦無詐欺之足述，而在正常狀態下進行交涉，雙方又都有交涉方案，以期說服對方，而取得圓滿結果，誰是誰非，都有事實證明，正不必大驚小怪，把事情弄僵，反爲不美呵。

在此情形下辦外交，可以放之四海而皆準，但絕不能以勝利者或征服者的姿態，去威脅他人，更不能有逼使對方屈辱，或以智詐取勝的念頭。我雖然不敢說英國的外交已得道義上的成功，但我深信英國外交家的態度，早已到了「爐火純青」的地步，是很値得我們折衝壇坫的。

這裏，我得提到：從商業觀點來看英國外交技術，可以發現她的根本目標不外是：無論訂立任何條約，從交涉以至批准，都得以英國各大政黨的意志爲意志，凡是有利於英國的，便很容易成功。因此，英國外交家所恃以折服對方的東西，可能不純由于他們的敏捷手腕，更重要的，乃是「誠實可靠」這四個字。所以，就其外交政策言；已沒有美國那樣，受公共意見的衝激，甚至于感到孤立；也不像法國那樣，今天一個外長，明天又另換一個外長的麻煩。這都是英國外交所以能屹立於世界的根本原因。

還有，英國的外交家們，深知他所代表的，乃是泱泱大國，即使其他東西強國，擺其強盛架子，英國外交家卻能行若無事的，折衝于國際壇坫。他們知道：英國的外交政策，是不折不扣的，她的光榮傳統，便是她的外交資本，因而他們也莫不樂宜于外交工作，前外相貝文是如此，現外相艾登也莫不如此。他們，有他們的政治信心，有他們的聯絡手腕，有他們的政洽關係，更有其光輝的前途，所以他們無論如何困難，總能夠發揮其旋乾轉坤的魄力，維持英國的光榮傳統，務期無忝職守。還有一點，爲法國外交家所不解的，便是英國外交家，無論在任何場合，總小心翼翼地，處理工作，而保持其在國際上的種種權益。

英國的外交人員，在對外交涉進行中，從來就沒有意圖以戰爭爲要脅的事。因爲他們深知戰爭不能折服人，所以他們已不急功近利，自然也就願意不[illegible]

至于對外交涉的技術，在英國好些世代中的老練而成功的外交家看來，卻是平淡無奇的東西，因其外交作風，確實可靠，所以能博得大多數人的同情與擁護。英國人所念念不忘的，是其光榮傳統和立國精神，有過去平實的業績，乃得有今天的成就，這在英國人看來，是自然而然，無所謂驕傲自大的，倘若誇張過甚，張大其詞，那就成爲傳奇式的冒險故事，反而値不得稱道了。作者深信：英國的外交政策，所以能卓立於今日的世界，可以說，乃由於其商業化的本質而來。商業信用，外交又何不然，基此本質上，英國對外交涉，再三實際可變的精神，忍耐而和平的態度，自然使英國的外交繁榮，最後無往而不利，無往而不成功了。

——譯自英文　摘本年五月號——

愛登諾爾與明年大選

西德與民主國家締結之和平協定，到昨日獲得圓滿解決，美國國務卿艾契遜，已趕往波恩，預定二十六日在波恩簽字。[illegible]部的冷戰力量來反對。[illegible]愛登諾爾的政敵，社會民主黨[illegible]，也是使用了全部政治武器，包括向最高法院控訴愛登諾爾的違憲整軍在內，想阻礙這一和平協定的成立。所[illegible]愛登諾爾[illegible]，正和他在一九三三到一九四五那十二年中反對納粹一樣，威脅利誘，決不搖動。這位七十六歲老政治家，在蘇聯看來，眞是眼中一根可惡的硬刺。

許多人替愛登諾爾擔心，因爲西德明年就將舉行大選，這幾年來，[illegible]日見增強，其打擊愛登諾爾，就是利用德國人厭戰心理，[illegible]

[illegible]大家本相信社會民主黨一定勝[illegible]結果，在二百七十三萬選民[illegible]只得了百分二十八的選票，而[illegible]爾的候選人，卻得了選票的百分之五十四。當時愛登諾爾於得到這一消息時，就很高興的對他左右說，我現在可以不必再躭心明年的大選了。我的政策，一定要更堅持的向前邁進！（一丁）

蘇聯不宜戰，不敢戰，不能戰

時局漫談　舜生

最近整個世界的局勢，似乎是要緊張一點，其原因大致是這樣的：一、韓戰的休戰談判，拖延將近一年，現在已經遭遇一個甚難克服的困難——遣俘問題，即令不完全破裂，至多也只能保持一個相持的局面，而一個比較已往更爲激烈的戰爭，可能隨時再起。二、舊金山和約生效，中日和約簽字，這兩幕把蘇聯和中共完全關在門外，他們的感覺丟面子與不甘心，自亦情理之常。三、英國對遠東的態度已漸趨明朗而強硬，尤以最近英商全部退出中國大陸而登峯造極。四、在東方少數承認中共的國家，已逐漸動搖，邇尼赫魯先生對中共的認識，亦已大有進步。五、美國援台已事實加強，無論遠東今後的局勢如何變化，但決不容許中共向台灣染指，已爲美國確定的政策。以上是就亞洲說。在歐洲，一、西歐的建軍，已漸趨堅實，英美在歐洲的合作，無論在何種形式之下，總在逐漸加強。二、對西德的和平條約，將不顧蘇聯如何搗亂而斷然簽字，而法義比荷盧六國的歐洲軍，亦將斷然出現。三、艾森豪威爾去而李奇威來，即令美國國內對於加強歐洲一點尚有若干不同的看法，但大致一個歐亞並重的政策，依然堅定不搖，美國確有從事全面應付的決心，已更趨明顯。

依據上述的種種事實，蘇聯確已面臨一個決擇和戰的關頭，照我們所研究的結果，今天在史太林腦筋裏所構成的一個結論，依然是不宜戰，不敢戰，不能戰！

何謂不宜戰？蘇聯若干年來，本來就抱着一個恐嚇與欺詐的政策在那裏巧取豪奪，而且是相當成功，所謂蘇聯的實力如何如何，這一面是由於蘇聯自身在那裏故意誇大，一面是由於民主國家要提高自身的警覺，也因而不惜把蘇聯的實力說得如火如荼，實際則蘇聯乃是一隻十足道地的紙老虎！現在則所有恐嚇欺詐的手段，已全部被民主國家拆穿，已面臨到一個非以眞正的實力來比較不可的時候，假定史太林不惜毅然發動大戰，則他這個第一號戰犯的資格便已確定，將來不被絞死也必得自動服毒，他一想到他的老友希特拉里賓特洛甫東條和松岡洋右等等的往事，便不免不寒而慄，因此他的第一個結論是『不宜戰』！

何謂不敢戰？蘇聯到底擁有多少原子彈和其他的原子武器？至今還是一個謎，可是史太林卻非常明白：他眼看美國一次又一次在那裏試驗她的原子武器，而且一次比一次進步，他深知道這不是玩意，兩方面不直接衝突則已，一經直接衝突，他知道是無可倖免的。加上日本已正式獨立，遠東的陣容加強；西德又已起來，西歐的實力加大；大戰不爆發則已，一經爆發，蘇聯便非歐亞同時應付不可，兩面同時勝利既絕無可能，一面崩潰也就是整個崩潰，俄國自來沒有在歐亞同時作戰的經驗，而且以往也總是力求避免的，這一次卻是兩面圍剿的形勢已成，而規模之大，又史無前例，史太林是世界上一個膽子最小的人，因此他的第二個結論，乃是『不敢戰』！

何謂『不能戰』？世人都以爲蘇聯運用一次極巧妙的方法，便已控制了整個的中國大陸，因而認定這是蘇聯在亞洲一份最大的本錢，實際以中共今天的內容論，她不僅不是蘇聯的本錢，而且成了蘇聯的一個大拖累，中共在韓國打了兩年的仗，中國的老百姓，拖得精疲力竭，而且已經拖得屎乾尿盡，中國四萬萬五千萬的老百姓，都在那裏等着分享毛澤東的一片肉。大戰果然一旦爆發，中國近萬里的海岸綫，亦即中共的全部精華所在，只須一個星期，便可全部炸光，中共也非再來一次五萬里的長征不可，蘇聯要救她吧，無此可能；不救吧，又實在丟臉；史太林今天一想到中共的情況，便只有發愁，因此他的第三個結論，也就自自然然的得出一個『不能戰』！

話雖如此，蘇聯若干無聊的把戲卻還是要演的，莫斯科的經濟會議是一幕，所謂亞洲的和平會議又是另一幕啊！

「我的生活片段」之一　八年的參政（一）

．王雲五．

雲五先生，自恢復著作生活後，年來編譯新著，由華國出版社發行的，不下二十餘種。頃復就生平經歷，寫「我的生活片段」一書，內分六章（一）我的學校生活；（二）我的圖書館生活；（三）我怎樣自修；（四）我的修養；（五）兩年的苦鬥；（六）八年的參政。全書約八萬言，預定下月底出版。其「八年的參政」一章，包括抗戰時期許多歷史性資料；如訪英團，中共問題，政治協商會議各節，均有精確敘述。承王先生於出版以前，先將此第六章交本刊發表，自本期起，預計在半個月內，陸續刊畢。敬希讀者注意！（編者附記）

這裏所謂參政，是指我膺選為國民參政會參政員而言，並不包括以後的短期從政；但政治協商會議與國民參政會有密切關係，而我之參加該會亦半是由參政會的關係；因此，也就括入於本文範圍；至於以參政員地位而參加的種種工作，當然併入敘述。

國民參政會係民國二十七年四月所組織，以集思廣益，團結全國力量，以利抗戰建國為目的。第一屆的參政員額為二百名，均由政府遴選聘任，其所代表者，或為省市，或為特區，或為海外僑民，或為政黨及文化經濟界。由於遴選的來源不同，參政員遂分為甲乙丙丁四種。我是以代表文化界的資格而膺選的，屬於丁種。第一屆國民參政員丁種中，除括有中國共產黨領袖七人，青年黨及民社黨領袖各若干人外，餘皆為文化工商界知名之士，其中並有不少無黨派者，而我也是無黨派人士之一。

參政會第一屆第一次大會於民國二十七年七月六日在漢口舉行，適在日軍向我進攻周年之前夕。那時候係採議長制，以汪精衛為議長，張伯苓為副議長。參政員凡能出席者無不出席，會場充溢了團結抗戰的氣象，黨派的成見和宿恨，至少在表面上已為國家觀念所掩。我平素非必要不發言，加以當此國難關頭，國家既然給我一個建言的機會，自不敢輕率發言，而對於應說的話，却也不能顧忌。又因事關國家大計，會議雖忙，事前對於所有議案無不一一閱過，預為考慮，所以在這次大會中，我的發言次數雖不多，以有上述的立場和準備，更因口齒尚清晰，發言亦適可而止，絕不過分冗長，以招他人厭惡，故同人中對我的印象似乎都不差。

這一次參政會召開後，不久武漢便淪陷，政府西遷重慶，建立陪都。從此時起，直至抗戰勝利，首都遷回南京為止，歷屆歷次參政會都在重慶舉行。參政員任期為一年，但國民政府認為必要時，得延長一年。前後四屆的參政會組織和選任方法迭有變更，大抵人數漸有增加，而代表省市的參政員也從中央遴選者漸改由地方議會選舉；惟丁種參政員仍由中央遴選，始終未改。我由第一屆起，先後四屆均膺選為參政員。自第四屆起，並被推選為主席團主席之一。依參政會的規定，參政員改任公務員後，應即辭職，但主席團之選任不以參政員為限，故仍可於改任公務員後繼續担任。因此，我於三十五年五月出長經濟部後，當然辭掉了參政員，却仍兼任參政會主席團主席之一，直至三十六年下半年，才與王世杰君同時自動辭去此項兼職。

我的工作

在我列名於國民參政會的時期中，先後共八年，總括一下我的工作，計出席大會約十次，任駐會委員三年，任主席團主席約兩年，被選代表參政會赴英國報聘約三個月；憲政實施協進會成立，我被選代表參政會參加；參政會經濟動員策進會成立，我也被選為常務委員。現將各項工作分別略述如左：

對於出席大會，因為照章每年雖有兩次，而由於交通不便，實際上往往一年祇開會一次，平均兩年召開三次。每次會期初為十日，嗣改為十四日，而提案往往多至三四百件。可是我的提案特別少，恐怕在參政員中我算得是提案最少之一人。以對於大會發言而論，我也不能算多，但在重要的討論中，我往往不肯放過，結果，我的主張往往也得通過。

駐會委員會

參政會設駐會委員會委員若干人，於每次大會閉會前由參政員中互選之。因為兩星期開會一次，故非能留居會所所在地者不克担任。在太平洋戰事發生以前，我因商務書館的生產重心在香港，不得不常留該地主持業務，故除參政會召開大會時我方由香港飛重慶出席外，平時却不能長駐陪都。及太平洋戰事發生後，我常留重慶，從此時起便被推舉為駐會委員，直到當選加入主席團為止，因主席團照章在閉會時主持駐會委員會，故無需兼任駐會委員也。駐會委員會的任務主要是聽取政府各部會的施政報告，並提出質詢，當然也得建議於政府；後來職權擴大一點，還加上調查政府工作的任務。因此，我在常川居留重慶的時期，便先後以駐會委員及主席團主席之一的地位，不斷和政府接觸，而正式的或非正式的略有建白。

主席團

參政會自第一屆以後，改議長制為主席團制。依修正國民參政會組織條例的規定，設主席團，由參政會選舉主席五人（後改為七人）組織之，其人選不以參政員為限。參政會開會時，由主席團輪流推一人為主席。因為輪流主席的關係，我在每一次大會中輪任主席不過兩次左右。可是對於最後一二次的會議，大家總要我主席，甚至有時還要我加任一次的主席。原因是我已獲得『開快車』的綽號，換句話說，就是在我當主席的時候，議案通過特別迅速。本來議案處理之遲速，與主席確有不少的關係。我對於討論時發生的波折，尚能隨機應付；因此，許多不必要的爭執，在我主席時頗能避免，會議的時間也就節省不少。參政同人對於我任主席時似乎都還滿意；可是在某次會議中，因我堅持會議規則，違反了少數人之要求，遂遭遇一位綽號『大砲』的參政員抗議，高呼『主席專制』及『更換主席』，而隨聲附和的也有些人，議場秩序一時頗為騷亂。我一點不為所動，鎮靜主持，結果還是我勝利了。經過這一事件後，這位參政員，對我倒特別客氣。

訪英團

在我留居重慶的時候，曾一度代表參政會報聘英國。事因民國三十一年間，英國國會為着中英比肩對日作戰，思有以增進兩國的好感，爰組織國會訪華團，以上下院議員各二人，其中保守黨占二人，自由黨及勞工黨各占一人，來我國訪問。我國政府為報聘之故，於三十二年冬由國民參政會及立法院組織一訪英團，以參政員四人及立法委員一人構成之。遴選的結果，參政員方面以王世杰、胡霖、杭立武和我擔任；立法院方面則以溫源寧擔任。我們於三十二年十一月十八日由重慶啓行，三十三年一月二十八日抵英。在歸國途中，我和溫杭二君折往近東，訪問伊朗土耳其及伊拉克三國，於三月十八日返抵陪都。在英國時我們備受其朝野歡迎，並招待前赴各地參觀。我於英國上下兩院聯合招待會中代表訪英團致詞，並曾出席各地民衆歡迎大會講演。在伊朗，土耳其和伊拉克的訪問中，招待亦極熱烈，為期雖短，所得印像頗深。歸國後，我曾以見聞所及，著作訪英日記中英文本，及戰時英國，共三書，均由商務書館出版。

英人重現實，現實時有變，故英國之對外政策亦時變。當我國對日作戰之初期，以沿海淪於日人掌握，遂恃滇緬路為惟一之運輸通路，英人竟不惜封鎖此路，以取悅日人；及太平洋之戰由日軍突然掀動，英屬之香港星加坡及馬來亞同為日人所攫，乃起而對日宣戰，並與我並肩作戰，於是一改其態度而親我，其國會訪華團之率先派遣，固有由來。及我等報聘，其歡迎之熱烈自在意中。前任外相之西門爵士，對於戰前之中日關係頗有不利於我之主張；我等訪英時，西門氏已轉任上議院議長，迭與我等相晤時，無論為私人的談話，或公開的演說，皆一反其前此之態度，對我國之親切遠在他人之上。本來外交祇講勢利，無所謂道義，我則以為英人所表現者且較他國人士為更顯著。但對外政策雖如此善變，其對內政策則強毅不移，却有足多，且戰時艱苦應變，尤足取法；因此我於三十三年四月間對於國民參政會駐會委員會的報告，稱道戰時英國之能人盡其力，物盡其用，地盡其利；而其克收速效與大效，則不得不歸功於英人遇事所採公平的原則，科學的方法與守法的精神三者。（自下期起移登第四版）

開倒車引起各方反響　新考試院長主張考「經」

據說賈景德會向蔣總統報告此項意見，蔣並不贊同，蔣對讀經問題最近在紀念週有新的指示，一般輿論，多盼考試院放棄落伍的「科舉」頭腦

【本報台北特約通訊】新任考試院院長賈景德，主張要以讀經作考試命題。賈氏的表示，初見之於其在考試院所作就任後的第一次公開講演，他說要將四書五經列為必考的科目，並且說：「先以考試來治標，再與教育機關詳研根本辦法」，所謂根本辦法，係指以讀經列入學校的必修課程。除此之外，賈氏又曾向蔣總統當面報告要考經，因賈氏是總統新近提名的考試院長，也許有人以為賈氏的主張，必係秉承總統的意旨。其實不然。蔣總統在最近一次的紀念週中，曾提到此事，並謂讀經本無不可，但經書必須用科學的方法，時代的眼光，加以整理，而後方有便於研究。如不加選擇，盲目誦讀，則必為落伍的舉動。總統又舉一例，謂其本人曾講演過科學的學（大學）庸（中庸），便是依據科學的原理與方法重加整理過的；又有一位華僑，曾將論語的內容，重加分類，並予以新的註釋，合於時代的意義。必能如此，始可以言讀經云。

輿論要堵防時代逆流

在輿論方面，對於賈氏的主張首表異議的，是自由中國六卷十期（五月十六日出版）的社論，題目是：「堵防時代思潮中的一股逆流。」該文說：「國家考試，為的是基於國家需要而取材，要有現代的科學頭腦和民主精神才行。這類人材決不是從四書五經所可培養出來。如果要以經典作為必考科目，只好名之曰盲目的復古，或思想復辟。凡是違反以科學與民主為內涵的現代化的思想都是時代思潮中的逆流。必須加以防堵，否則推波助瀾，為害將不堪設想。」我們總還記得，在抗戰以前，何鍵在湖南，陳濟棠在廣東，都曾實行讀經，也曾經引起過國內學術界的爭辯。想不到時隔二十年，在今天的自由中國，又老調重彈。幸得總統已有明白的指示，則賈氏的個人主張，當不致真有實行的可能。

考院一向是古香古色

因為賈氏的主張讀經就不免使人想到考試院自從成立以來的作風。國父主張考試權獨立，並且要以考試濟選舉之窮，完全係非常進步的思想。但考試院自成立以來，却竭力使考試「科舉化」，一應章則的擬訂，試務的處理，及担任考官者的心情，都以明清的科舉相況。在抗戰以前，考試院衙門是古色古香最濃厚的地方。到了台灣，假孔廟辦公，更是古意盎然。我們希望賈氏的主張，是出之於救世救民的宏願，為了針對中共在大陸上毀滅我國固有倫理與固有道德的觀念。但其意雖誠，而其方法則太不夠現代化科學化。我們希望考試院能從此除去科舉的明[illegible]，趕快為國家樹立進步的優良的文官人事制度，則賈氏方可以不負總統此次的提名，監察院各位委員的同意，以及自由中國各方面的期望。

孫科不再夢想副座　分函黨內元老哭窮

香港三日

此間有人接巴黎來函，謂孫科到法國後，深居簡出，娛樂場中，頗少涉足。惟讀書甚勤，不久以前，某君曾以香港報載李宗仁被彈劾，將來總統重選，彼仍最有希望一節予聞，彼大笑，謂做夢也不會想到。彼曾以所藏中山先生手譯及書稿，捐獻台灣改造委員會，同時曾分函黨內各元老哭窮，謂旅費不繼，希望能轉懇有力方面，援濟彼三萬美元，各元老是否能為其設法，則巴黎方面尚無所悉。

×　×　×

台灣第一部攝製之反共軍影片「永不再見」，已運到此間，一切法定手續，均已大致完妥，大約下月即將在港九演出。

美記者及電影老闆明日乘總統輪到港

替美國許多日報担任特寫的旅行記者謝爾Selle，將於明日乘克里夫蘭總統輪自美抵港。謝氏於四年前，曾替蔣總統顧問端納寫傳記，書名「中國的端納」。此次來港，擬再在遠東搜集寫作資料。在港將有較多時間居留，並可能赴台北一行。又好萊塢彩色電影製片廠董事長 Dun-ming 夫婦，亦同輪來港，彼等將轉乘飛機赴曼谷，進謁泰王，再由泰赴日遊覽。

台教育廳新頒五方案

也就在今天，台灣省教育廳公布了教育改革的五項方案，便是（一）加強民族精神教育辦法，（二）課程調整辦法，（三）加強生產訓練及勞動服務綱要，（四）教育人員推行各種方案辦法，（五）實施教育改革綱要進程表。這五項方案有其一貫性，但也可以看出今日自由中國的教師與學生所應負的任務是如何繁重。就課程調整辦法言，規定各級學校均就現有課程酌量調整，減少課堂講授，加強作業及其他活動。中小學尤須酌量增減課程分量及教學時數。教材內容須力求淺近，俾能與實際生活融成一片。國民學校應儘量減少艱深之抽象知識，增加切合兒童心理及生活需要之數學智識。凡此種種，均足以表明學校原有的課程尚須減少，以期分出時間作反共抗俄與勞動生產的訓練，那裏還有功夫再去讀經？考試須與教育配合，學生在學校中既無讀經之暇，又如何可以強其於畢業後應國家考試時，必須解答經義的試題？因此，賈氏雖則謂將與教育機關，詳研根本辦法。而教育機關的五項改革方案甫經公布，自必無法再與賈氏有所詳研也。（陸洋，二十一日寄自台北）

南斯拉夫人葉乃奇　與中共一頁離合史

南斯拉夫人葉乃奇 Yellachich，在天津經理福特汽車，去年被中共判刑十月，現已出境，抵達本港後，現定下星期離港赴歐。昨在港對人詳述渠在津被捕及出境經過。據稱：渠父為南斯拉夫人，母為俄國人，七歲時，即由父母攜來中國，於北平、天津居住最久，計在華共已三十三年。一九四〇年，彼受任北平福特汽車行經理，時北平在日本佔據之下，至次年十二月珍珠港事變發生，渠以經營美國汽車關係，被捕下獄，旋即釋放。其時中共在北平西山附近之游擊隊，與彼接洽，邀其離平。彼正以在平無事可做，遂參加中共游擊生活，八個月後，獲得許可，到延安助中共計劃有關汽車運輸事宜。日本投降，彼由延安回平，路經張家口，為中共扣留，令彼在張家口担任與延安同樣工作，並以彼能說英，俄，法，中四種語言，令於招待外國記者時，兼任舌人。最後彼終於回到北平，恢復與福特汽車之關係，惟將行址移天津，重任經理。及中共佔領平津，彼因深知中共作風，即準備將汽車行暫閉，但中共嚴令照常經營，不許停業，直至「抗美援朝」時期到臨，始接到通知，彼所經營之汽車行，全部資產，已歸於中國人民所有，令彼立即交出。至去年二月，彼即被捕，經過無數次疲勞審問，於十月十二日，由一年約二十餘歲，以檢察官而兼審判官之青年向彼宣布判決，謂彼一再拒絕教育改造，且所經管之人民資產，（即福特汽車行）有盜竊情形，除判繳黃金二十八兩，美鈔三千二百八十七元五角七分外，再處監禁十個月，期滿驅逐出境。惟十個月刑期，以前羈押日數，准許折抵。照此計算，餘期無多，即可釋放。彼所住之監獄，可容二千五百人，但實際已住滿七千人，已被槍斃之日本時期天津市長溫世珍，曾與渠同室。獄中生活雖苦，但彼仍能私出重資設法獲得烟酒供應。今年一月，彼期滿釋放，旋被押登天津航輪，於二月二日抵達香港。（必自）

朝鮮戰場上最幸運的砲灰 一條命換六百斤小米
這就是中共的優撫工作

中共為了繼續補充炮灰，在國內拚命鼓吹，凡是因抗美援朝保家衛國而受到犧牲的「烈士」，中共對他遺族，一定有永遠優厚的照顧。事實上，打死了，遺族連消息也得不到，最幸運的也不過領取千斤小米，且七折八扣真正領到的只有六百斤。

【本報北平特約通訊】中國老百姓血肉，被共產黨硬拖往朝鮮戰場，替史太林作抵擋美國新式武器的試驗品，犧牲數字之龐大，簡直無法計算。中共為要繼續從國內搜括「砲灰」，乃一方面儘量掩蔽傷亡的眞相，一方面則大吹大擂，對軍人家屬如何優待，「烈士」遺族如何撫郵，以便欺騙人民，使逃避兵役情形，儘量減少。實際上，中共一再宣傳的優撫工作，其虛僞和混亂，幾非普通言語所可形容。茲略述最近發生的一些事實，以作讀者舉一反三的證驗。

打死了不通知家屬 桐柏縣錯作通北縣

第一：要辦好優撫工作，首先必須將死亡調查，及通知家屬等手續，做得儘量準確，儘量迅速。中共的基本教條，既不重視老百姓生命，而在朝鮮戰場上，由於美國汽油彈及大砲飛機軍艦之不斷炸擊，每天屍體，都和山一樣的堆積，也就不得不酌量省略少數所謂「犧牲通知書」，給死者的家屬。但這些通知書，多數是錯誤胡塗，笑話百出。如河南桐柏縣，本有幾千農民，被中共驅迫，編作志願軍，在朝鮮作戰，據說幾千人差不多都死光了，這些農民的家屬，時常到縣政府去查問，爲什麼，說活沒有家信？說死沒有通知？縣政府將這種情形，「反映」上去，這才由「志願軍」寄回了幾十封犧牲證明書，但證明書上面地址，只是桐柏縣三個字，沒有寫明什麼鄉。縣政府過去，對於徵往朝鮮作戰的本縣人民，未造具詳確底冊，因之，這類通知書，也就無法送達。尤其荒謬的，有一批人名，也多半寫錯。而且通知書上的「通知書」，將「桐栢縣」「誤」寫作「通北縣」，遞給郵局全數寄往北平附近之通縣，隔了兩三個月，展轉詢查，才曉得通北係桐栢之誤。像這類情形，幾乎在中共範圍內，到處都大體相同。沒有精確的死亡通知，沒有精確的從軍底冊，試問優撫工作，從何做起。前兩天，僞「人民革命軍事委員會」總政治部組織部，有鑒於這種無法投遞的有關文件，爲數太多，特通令全國各縣人民政府民政科，要他們將以前及今後一切無法投遞的革命軍人犧牲證明書，或病故證明書，都寄到政治部，以便由政治部退回原寄部隊，讓他們從新填寫。即使這辦法眞行通了，但從縣政府寄政治部，從政治部寄朝鮮原部隊，這其間需要多少時期，恐趕得出在半年以上。一個出戰軍人的死亡，家屬要至少半年以後才知道，誠如古人所說：「可憐無定河邊骨，猶是春閨夢裏人」。消息尚且聽不到，所謂對家屬的優撫，自然更只是鏡花水月，望梅止渴了！

千斤小米折成六百 質問科長大遭辱罵

第二：少數幸運的戰死者家屬，在經過較長時間以後，地名姓名沒有錯，得到了犧牲證明書，家屬可拿着這張證明書，以一次向縣政府領取撫郵糧一千斤小米，但領取手續的麻煩，和經手人七折八扣，實際到達家屬手裏的，只有五六百斤（編者按：時值約合港幣百元左右）。河北省完縣大悲區[illegible]南村農民趙一民，去年春天，被迫往朝鮮作戰，到達朝鮮後，沒有幾天，就死在美軍砲火之下。一直到去年九月，才接到一張犧牲通知書。他家裏老母寡妻，拿通知書到完縣人民政府領撫郵糧，明明規定一千斤，縣政府只給八百斤，領下以後，區政府又藉獻機獻砲等名義，捐去二百斤，實際趙一民一條活辣辣的命，只換到六百斤小米。上月中旬，和趙同時被徵參戰的完縣農民殷更、李林，因爲受了傷，遣送回籍。他們在朝鮮時，共黨政治人員，向大家拚命宣傳，國內對志願軍光榮戰死的遺族，如何優待。及他們回到完縣，一看許多人遺族，根本沒得到犧牲通知書。大家還在天天求神問卦，盼望兒子丈夫，早早回家。就是少數得到了通知書，像趙一民那樣，撫郵變成了一千斤小米變成了六百斤，而且從此以後，就再無人過問，什麼永久優撫，根本只是撒謊。於是這兩位掛彩（即受傷）回家的榮軍，大動肝火，他們倚仗着自己是光榮戰士，就帶着趙一民的寡妻老母，還有趙一民一個幼弟，同到縣人民政府，向主管優撫的民政科長，嚴詞質問。他滿心猜想，科長看見這些抗美援朝，保家衛國的榮譽軍人本身，及光榮戰死者遺族來了，一定會肅然起敬，將扣去那二百斤小米，如數補還。不料他們一見科長，科長身也不起，坐在辦公桌旁，好像和他們「五百年前是冤家」一先瞪地瞪了他們一眼，然後氣沖沖問：「你們是來幹什麼的？」「我們從朝鮮戰場回來，」這兩位榮軍說：「我們烈士一民家屬，照犧牲通知書上填明一次發給撫郵小米一千斤，只發八百斤？爲什麼縣政府現在我們帶了他的家屬，來查問原因。」這位科長，不等說完，便拍桌大罵：「你們這班怕死的傢伙，在朝鮮不好好拚命，做假僞偷着回國，還不安分，要管閒事，挑撥政府和人民感情，你們如果再敢胡鬧，就把你們關起來。至於證明書上填一千斤，我們發八百斤，自然有我們的道理。假如證明書上填十萬斤，難道我們就發十萬斤麼？」這兩位榮軍，一看情形不對，但總因在朝鮮受着政治人員的吹捧太利害了，他們不肯在縣政府示弱，和科長大吵起來。他們說：「你們對待烈屬，對待革命軍人，就是這樣態度嗎？」科長這才叫衛隊，將他們抓走，還是縣別人作好作歹，趁着縣政府開飯的時間，到了，科長進去吃飯，這才一鬨而散。

從戰場寄小款回家 瞎母親反因此餓死

第三：在中共所謂優撫工作中，對於強徵赴朝參戰的軍人，當出國時，爲了使他們安心當砲灰，總照例給家裏掛上一塊「光榮之家」的木牌，此外還有什麼「代耕」辦法，及「優撫糧」等。實際上，這些「砲灰」離開家以後，就一切都成了官樣文章。尤其出征的人，如果沒被打死，還能寄回一點戰場上的儲蓄，那麼，不但所謂優撫，完全取銷，還天天要來找家屬捐獻。察哈爾省大同縣八區北村農民徐旭山，家裏只有一位瞎了眼的老母親，和還沒成年的小妹妹，一家三口，靠他過活，被徵之初，縣政府答應了代耕和優撫糧，優撫糧始終沒有，代耕則由本村共幹勒令被鬥爭了的地主，替他家勞動服務。今年三月，徐託由回籍的受傷戰士，帶了一點戰場上少數積蓄，給瞎眼母親補助生活，這消息被共幹知道了，馬上將勞動改造的地主調走，向那位瞎老太婆說：「你兒子在朝鮮，打死美國鬼子，從鬼子身上，檢到金錶，鋼筆，美鈔，發財了。他既然掙了大錢，你們還用得着要優撫嗎？」此後不特不再優撫，還常常逼着老太婆捐款，鄰居們心抱不平，寫信給縣政府，縣政府原信發交村幹，從此就更使他們和瞎老太婆結成了冤家，不但不恢復優撫，反而加強對徐旭山家屬的虐待。這位瞎老太婆，最近活活餓死，弄到小妹妹，也無法生活，離開家，不知去向。這一切一切，就都是中共對抗美援朝，保家衛國已死或未死的「光榮戰士」的最大報答！（陸光，十七日寄自北平）

粵共黨宗派鬥爭日趨激烈 新會縣長鄺馬殊被打倒
老婆是縣委會組織部長，國際派指他夫婦在黨內私組集團，形跡可疑必須重懲

【本報讀者投稿】鄺馬殊和劉勉是中共裏面的一對「革命夫婦」，兩個人都是有十年以上「黨齡」的老幹，過去在一切「鬥爭」中，「表現英勇」，卓著成績，以是在中共席捲大陸後，論功行賞，妻貴「夫」「榮」，鄺馬殊做了廣東新會的「縣長」，劉勉也出任了新會「縣委會」的「組織部長」。

形跡可疑陰謀叛亂

但因爲中共內部派系的爭鬥，時間雖僅僅祗有一年多，這一對「革命夫婦」却被極端的國際派整成粉碎。說他們已發展成爲「極端的英雄主義者」。他倆不但上下其手的在貪污腐化，違法亂紀，而且竟公然的搞小宗派，組大集團，引用反革命份子，削弱「上級」的領導，拉攏並打擊下級幹部，反黨，右傾，形迹可疑，陰謀叛亂。國際派說，「爲了嚴肅黨的紀律」，不得不於日前由「華南局」將鄺馬殊開除了黨籍，至鄺妻劉勉則先行撤職，另候處分。

上級命令置之不理

據中共宣稱：鄺馬殊的最大罪名是作有「反黨活動」，在上任後，因爲他老婆握有「縣委會」的「組織部長」大權，以是把與他們不利的領導決議和方針，置之度外，毫不尊重。鄺因兼負六七區工作責任，他公開向幹部號召：「我們的工作必須在全縣搶先，自成一局，大搞一下，以後其他各區跟來，黨部誰敢反對，我們就想法子收拾他。」去冬「土改」期間，鄺一夜之間，不分皂白，捕入近千，連其他委員認爲可靠的同志，也一併關入牢中。接着他指使五、二、一等區亦先後向六、七區「看齊」，逐村逐里，強烈鬥爭。上級命令，置之不理。且嚴厲通知各區，每區必須繳「鬥爭果實」十萬担，全部攤派，不得短少。中共認爲，他一心只在造成個人英雄地位，根本不把黨的紀律，放在眼裏。

參加小組特別優待

鄺因自己是老幹，十年艱苦，祗長一縣，認爲太委曲了。中共指出，他爲了想求「發展」，不但搞小宗派，而且組大集團，什麼「黨的路綫」，他早丟得一乾二淨，他常常對幹部說：「我的幹部政策是我給你錢，你好好爲我工作。」在照顧幹部的名義下，他用提拔職位，拉攏收買等手法，使所有幹部爭相依附，或拉攏在工作上受其他黨委批評過的幹部，挑撥離間，埋怨上級，凡是跟鄺跑的人，都有「特殊待遇」享受，有地位，有錢化，有單車配給，有警衛員護從，較重要的，每月還發香煙三條，雞蛋三十枚。不久以後，以主要份子司徒棠，馮志謙，甄傑等爲核心的這些幹部都成了鄺的「死黨」，淺至全縣黨員和幹部只知有鄺馬殊而不知有縣委會，有葉劍英。

到底敵不過國際派

據深知新會共黨內部關係者談：鄺馬殊的野心和行動能順利發展，固然他自己有一套，但最大的幫手還是他的太太劉勉，這個新會縣黨部的「組織部長」可算「能幹」，她有辦法除國際派外，把新會一部份「縣委」，團結得非常親密。她更有辦法把她丈夫的小圈圈，大集團組織得十分嚴緊，滴水不漏。在中共宣布他夫婦的共同罪狀中，說「公安局」破獲了有關走私或擾亂金融案件。鄺可將人犯不交給「法院」，以免罰款歸公，抓到了賣鴉片、嗎啡、白面的，鄺可以自訂罰則，將毒品再賣出去獲得重利益，農民在「土改」中被得的「鬥爭果實」，鄺可以攫爲己有，還加上一個罪名，「反革命」的家屬的住所，鄺可以獨住獨來，予取予求，超額公糧鄺可以公開拍賣，塞入私囊，「三反」中的問題人物，鄺可以出名掩護，私自退賦。因劉勉掩護得不着痕跡，「上級」查下來，劉總是能包圍並打通一部份「縣委」和「書記」向上呈覆：「查鄺馬殊同志把握正確，……完全沒有問題。」這些罪狀，大部份是事實，如果不是國際派最後運用了俄國顧問的力量，他夫婦是不容易打倒的。（勁夫）

偽潮汕警備司令 土共張希非叛變眞相
偽軍中政治工作人員被張全部殺光，由潮陽至海陸豐一段公路已被張控制，傳逃港者可暢行無阻

【本報讀者投稿】潮汕土共張希非，率所部一團人譁變，這消息載五月四日本港華僑日報華南新聞欄，旅港潮籍同人數十萬人，晤面時咸以這段新聞相詢，對張之叛變，咸寄以絕大希望，筆者從多方探悉，已得眞相，茲誌于下：

丟包袱嫁妻鬻子 當司令紅極一時

張希非原名熙暉，年四十三歲，普寧洋尾村人，歷充流沙斗門村小學教員，流沙墟爲潮汕土共孵育發祥地，而張與所謂「前進」學校教員結交，以學校爲淵藪，醞釀扯綫，張儼然爲土共集團文化界小領袖。民國廿九年加入共黨，至卅二年潮汕米荒嚴重，張將其妻轉嫁出去，將子出售，將原名熙暉改爲希非，表示大丟包袱。于時潮陽縣城陷于日寇，國軍在溪頭峽山與敵相持，而張則與土共武裝首領王武，林震時，在潮、普、惠、南一帶打家劫舍，專搗國軍後方，卅三年國軍挺進隊長林組樑率令來潮搜剿，王武擊斃，張與林震被擊分散，匿跡銷聲，無力正面活動。至卅四年勝利復員，料集散亡，共方將其編爲潮汕抗征隊，潛在揭陽河婆良田豐順八鄉山山區，包庇鄉民種鴉片以抽收烟稅。用以大吃小築路，收繳地方團隊槍械，避實擊虛，使國軍疲於奔命。卅七年共黨潮普邊區司令曾永生被改編張爲潮汕第二支隊司令，歸劉指揮，民國卅八年七月一日，八國軍叛將魏漢昇率之部千餘人圍攻普寧縣城。潮汕易手，普寧亦隨以淪陷。共軍論功行賞，擢張爲潮汕軍分區第三團團長，（第一團長謝育才，第二團長陳漢英亦被槍決）旋被擢爲潮汕警備部司令，化名鐵堅，發佈文告，在潮汕土共首領中，可稱紅極一時。

至張希非這次譁變，動機是目擊林彪國際派部隊，排斥土共，不遺餘力，不獨劉永生被擠離職，而僞潮汕區專員曾廣，亦被「三反」政策撤職，公審。和曾廣有關的各縣下級幹部約一千人均被整肅，若與張皆係早日扒山入穴同志，刻下鳥盡弓藏遂興狐兔之悲，若不叛變，禍且及身，若說受某方策動的話，則恐未必。

示決心殺盡共幹 講迷信扶出乩詩

近來廣汕公路時遭反共游擊隊破壞，中共機調張部全團護路，師次潮陽峽山，把握實力，時機已到，四月十七日張貼標語，發表宣言，突然譁變，將中共所派在團、營、連各部充指導員，政訓員四十餘人全部殺光以示決心。把和平橋炸毀，銅店至峽山一段公路，掘毀以拒追兵。一面開倉任人民取粟，一面在流沙、銅店、峽山各墟市掠奪商店，布食物，搬至普寧小湯坑村與南山林招村一帶屯集。更分一股竄至禮順八鄉山，與南山取犄角形勢，準備長期抵抗正規共軍。自張高舉叛旗後，各縣的土共，被淸算的地主，聞風咸集，聲應氣求，現已得三千餘人，均願與張同死生。刻下張所控制之區域，包括自潮陽至海陸豐一段公路。中共已無哨站盤查行旅，擬闖逃港者已能暢行無阻。

張在峽山叛變，人民恐中共大舉進攻，玉石不分，慘遭屠殺。有人向該墟乩壇問今後安危，據說，曾獲得呂純陽降臨，對當前時局，乩盤寫出絕詩一首：「仁人却被不仁殺，殺盡仁人留不仁，不仁反被不仁殺，殺盡不仁留仁人」，扶乩本是迷信，作詩尤屬無稽，惟因這四句話，太切中當前情況，所以不脛而走，潮汕人爭相傳誦。（敝帶）

我的徵友條件

為方

有位自稱西洋留學生者，在香港某報上徵求女友，其條件有三：李清照的畸零身世，朱淑眞的豪情勝概，謝冰心的溫婉人生觀。這位洋場才子似乎他的風雅程度尚未到家，或者就是太過於擡價出「徵」了。否則應該再加上兩條曰：林黛玉之工愁善感，香港「世姐」之健美多姿，豈非集古今中外各種女性美之大成乎？

下走年逾大衍，忝爲無冕之王，然想想尙未搞通，「人民」沒法擁護，法國更未去過，踹踹香江，頗有「交遊遍天下，知己者何人」之感，也想登報求友一番。但自慚老大，兩鬢已斑，名女才媛，望而見憎，此生此世，休想如這位洋博士之結交女友了！不得已而思其次，竊願徵求男友若干，不分老幼，不分膚色，更不論貧富，條件很普通，計開曰：一須有杜魯門總統爲女兒唱歌而要打別人的鼻子的勇敢氣魄，二須有尼赫魯總理要作亞洲領袖的阿Q精神，三須有郭沫若「副總理」在稠人廣衆中，大喊「史太林爺爺」的厚黑嘴臉。有了這種朋友，則資本主義社會，共產主義社會，中間路線社會，無往而不可以「撈」了，何必像而今局促香島一隅，常爲生活而愁悶呢！

若說我這徵友條件太無聊，太沒出息。朋友，那位風雅透頂的洋才子尚且那麼無聊之至，我俗士耳，替中國人丟醜一下，不過小巫見大巫而已，容何傷耶？

自由談

·新聞小說· 復仇之刃

·朱陶·

黃岡縣的「三反」運動奉命停止了，所有的八角帽子鬆了一口氣，他們是大觀園裏的人物，沒有一個人是手脚乾淨的，「縣委」宣佈這道命令以後，羣妖衆怪都說：「好了！我們已集體過關。」

也有一些患了多心病的人，認爲省城和漢口的「三反」正在如荼如火，爲什麼許多縣區反而停了呢？他們懷疑繼之而來的是抽丁徵糧的工作，以爲「功餅」的和談毫無結果，戰事說不定又將吃緊。直到「縣委」將第二道命令公佈，這些人才麻雀一般的跳起來，其中跳得最樂的是丁洪與朱子眞。「縣委」派他們下鄉搞「土改」，丁洪二人，不但因此過了「關」，而且指定的桐河區，正是他們兩人的家鄉。

接了「命令」以後，朱子眞開玩笑一樣地問丁洪：

「丁大砲，什麼叫『三同』？」

「這也值得你考問？比如你下鄉去搞『土改』，你的家裏沒有『生產力』，我幫助你的『愛人』一同生產，陪你的『愛人』一同喫飯，到了晚上，我與你的『愛人』同床共枕」：丁洪說。

朱子眞正想去撕他的嘴，湊巧「縣委」經過，兩個小幹部不能不裝出嚴肅的樣子。

去桐河鄉的幹部一共只有他們兩人，臨走，「縣委」又將二人叫去訓話一次，他說：你們是本鄉本土的人，對於地方上的情況，自然掌握得清楚，可是也就最容易出毛病，不許你們感情用事，這是黨對你們的考驗。

丁朱二人唯唯而退，他們急於下鄉，到了鄉下，他們天高皇帝遠，兩人都還沒有「愛人」，都記住桐河鄉的「楊貴妃」，他們都想領略一番「同喫」「同睡」的滋味。

由縣城到桐河鄉，足有八十里旱路，八十里分做兩天走，第二天下午，桐河已經遙遙在望了。朱子眞說：

「大砲，我們今晚各自回家呢？還是住在鄉政府？」

「我想住在『楊貴妃』『家裏』，」丁洪回答。

「聽說她和本鄉的治安委員結了婚。你已落空了。」

「呸！」丁大砲似嗔似假啐了朱子眞一口痰。「楊貴妃的丈夫是反革命，既然槍斃了，她應該算是『敵產』，即或她的和治安委員結了婚，我們是上面派來的『欽差』，他們敢不巴結？」

「怎樣巴結法呢？不見得把愛人陪你『三同』一次。」

「你看罷，今晚他們一定歡迎我們，而且，一定在『楊貴妃』的家裏請客，治安委員我也認識的，他不是同志，而且，他身上的毛病多呢！」丁大砲胸有成竹，得意洋洋。

「賭你的耀！」話說完，兩人立即扮出兩張嚴肅的面孔，因爲歡迎他們的人走近來了，而且他們又算是縣裏來的『欽差』。

丁大砲算得上是諸葛，這一晚的接風酒果然擺在「楊貴妃」的家裏，一因她的房子大，二則這女人很懂得應酬，桐河鄉的大場面少不了她，雖然她過去是一個「反革命」的妻子，現在卻是治安委員的「愛人」。

洗過兩把臉，丁朱兩人便去赴宴了，一房子全是桐河鄉的幹部，合作社的主任，婦聯會主幹，治安委員，民兵隊長……，一房子人都歡迎這兩位『欽差』，「楊貴妃」更是滿臉春風，丁大砲只是注意她的多肉的白皙的臉，忘了她的丈夫因爲被他一手清算而送命的，他更不會料到她內心還縕藏着永誌不忘的憤怒。

「楊貴妃」邀請貴賓入席，這個窮鄉，竭其所有，好容易才擺出了這一席酒，菜餚異樣的豐盛。你一杯把酒敬過來，我一杯酒敬過去，「楊貴妃」跟在酒杯之後活躍向各人勸酒。

這一餐酒喝得人仰馬翻，大家都有了醉意，丁大砲更是爛醉如泥，早忘了『欽差』身份，醜態畢現了。

他對那臉泛桃花的「楊貴妃」示意，要她偷偷到屋子外面去。

「楊貴妃」似乎點頭應允，這個帶酒的人起身外出。他剛走出房門，黑暗中閃見一個人，問了一聲「誰？」一把刀子跟着刺入了他的胸膛。

一聲「哎喲」，聽見了門外叫了，另一個「欽差」趕緊掏出刀去看個究竟，第二刀又刺進了他的胸口，又一具屍身倒在丁洪旁邊。

他們才開始「三同」之中的一「同」，而第二「同」卻是同時死在復仇的利刃之下了。

雜談李白（一）

·舜生·

『翰林江左日，員外劍南時，不得高官職，仍逢苦亂離。暮年逋客恨，浮世謫仙悲，吟詠留千古，聲名動四夷。文場供秀句，樂府待新詞，天意君須會，人間要好詩。』

上面這首詩，是白居易讀過李白和杜甫的詩集以後寫下來的。李白（701—762）約長於杜甫（712—770）十二歲，大約在李白的四十以後，杜甫的三十以後，他們便做了很好的朋友。儘管他們在中國的詩壇，自來是李杜並稱；儘管他們所遭遇的困厄，乃至垂老不得志而客死異地，也有不少的相似之點；可是他們兩位的人生態度與作品內容，卻彼此保有一種迥然不同的氣象。照白居易的解釋，把他們兩位擺在那樣一種時代，只是天意，好像要他們專爲人間產生幾首好詩。這就詩人的本身說來，也許是不幸；但就我們讀詩的人說來，除在欣賞他們作品的時候，也多少爲他們的處境有些扼腕以外，卻未嘗不爲我們有機會讀到這些好詩而感到愉快。

十三年前，我曾在成都瞻仰過工部草堂，在那裏塑得有我們三位詩人的塑像、中間一位，自然就是我們的杜子美先生，其餘兩位卻是陸放翁和黃山谷，當時曾引起我一種感想：四川的朋友眞是好客，他們對於這三位外來的詩人，表示這樣的尊重；但何以對於一位確確鑿鑿生長在四川的李白乃獨付闕如呢？我想，假如在杜黃陸三位塑像中間，同時也把這位李先生塑上，身着錦袍，高舉酒杯，表示他以地主資格，在那裏招待這三位遊客，甚至邀東坡先生也以主人資格一同塑上，成爲一個『唐宋五詩人祠』，豈不更爲圓滿？何況李杜和蘇黃，生前本來又都是好友呢？我想我這個設計是不錯的，假定一兩年後，能把今天在大陸的這羣土匪肅清，我還是要把這個建議向我們的四川朋友鄭重提出的。

我在香港住下來，一瞬間又快到三年了，平日除寫些不相干的文字換取一點稿費以外，多的是時間；假如我沒有一個歡喜讀書的習慣，我眞不知道如何去銷磨這個漫長的歲月。一提到香港，我倒有點感慨：最近一兩年，我還是照常的跑跑書店，大致香港九龍兩地，大大小小的書店，也有四五十家（自然專賣外國書的還不計算在內），可是不幸得很，香港確實是一個缺少書籍的地方，其情形和台灣不相上下，甚至我把這四五十家書店跑遍了，想找一部杜詩也不可得，但無意中卻得了兩種像樣子的『李太白詩集』，這已經命我喜出望外了。我這『雜談李白』的筆記，便完全是爲我自己多了解一點李白而記下來的，我想對於一般已有研究的讀者，是不會有多大的貢獻的。（九九）

萬竹樓隨筆

雜記　讕臚　李審言與樊樊山（下）

·伯雨·

「某君既辦官報，果獲數千，存儲寶善源，折閱殆半。余告友人：『若如君言，得錢亦不可保，門生名滿，決不失矣。』余見樊後，樊有詩答謝云，末句：『可有康成賦給無』，蓋用世說輕詆篇『齋賦韻給，逐康成車後』，戲樊風即以戲余；逐譔之不往，而索回文稿甚亟。樊既之，不可得。雲門一再函問，不復。雲門復余書云：『前日方伯談次，謂大作未復，雜入文匯中矣。昨又踵催，亦未答，因知樊復也。』余復作書求之，亦未答；因知樊忌前宿，齊教王恭帖傚故事，且復仿吾家昌谷中表投溷之謀；謚太息，謂有風懷。改葬後，樊還上海，余復館滬。徐積餘觀察謂樊出，問何往，云將候李審言；樊似有恭恭意。徐勸余往見，余不可。雲門又告：『雲門知君在此，曰，李是行家，稱之者再，君可約樊一談。』余又不可。後沈乙菴語余：『雲門約我及散原打詩鐘，君可同往。』余以事辭。樊名滿天下，後生小子唯樊毀譽，友人官京師，鈔示樊山近詩，有『新知喜得潘蘭史；舊學常推李審言』語，以是爲宜。數年後，上海有『當代名人小傳』出，其文人一門，有李審言潘飛聲同傳，云往樊某有詩，潘蘭史李審言上各冠××××即京師友人鈔示二語也。下云『二人因得名』，余之得名非由樊始，證以先達，可以共證。然亦見世上眾樊者多，若以余一鄰秀才，樊山庶常吉士官承諸司，一言之譽，足以定評。嘗知余素不嗛於樊耶？樊今年八十有五，余今年七十有二，各有以自立，亦各不相妨，豈謂『當代名人小傳』者不知余與樊山本末，故備書之，亦以見江寧藩司，自許偶辟先生去後，則至亡國，無一人可繼也。庚午四月。」

這是李審言在民國十九年所作的，第二年他就死了。李審言恨樊樊山的主要原因是樊山吞沒他的文稿，若非審言晚年作此文，世上知到此事的人很少呢。記得光緒二十年十一月，樊山之師李慈銘臨死時，以其日記六十餘冊交給沈乙菴（曾植）先生保存，最後幾冊（由光緒十五年至二十年）中多譏詆樊山之語，樊山就向沈子培借去讀，從此一借不還。到民國二十年樊山在北平逝世，他的友好爲他主持後事，着意找尋越縵堂日記最後數冊，還尋不得，聽說老早給樊山毀掉了。（蔡子民先生在民國廿五年序「越縵堂日記補」時，還希望樊山後人交出這幾本日記呢。）樊山喜歡毀掉師友文字，大都如此。

從前沈乙菴先生對我說，李審言在民國四五年間，曾鈔錄樊山艷詩若干首，就其不通及香艷之處，大加批斥，而總評之曰：「貽害後生」，封面則題「樊美人佳作」，謂聊爲游戲云。（按：樊雖喜作艷詩，但生平不作冶遊，生活甚嚴肅。）

易屍妙術

列寧遺體已換了臘像

·明·

列寧屍體的保持原狀，儲放玻璃棺內，膚色眞容不變，其所用方法，至今仍是蘇聯科學界嚴守的一個秘密，戰前列寧死後的十五年中（列寧死於一九二四年），到莫斯科紅場列寧墓瞻仰遺容的，栩栩如生的，不下數百萬人。

當一九四一年十月德軍圍困莫斯科時，列寧的屍體，即轉地隱藏匿。到戰爭結束，才還回墓地，再供公開參觀。不過，他的面容卻似乎變得更瘦了一點，以致我共的特林尼斯基曾說：「列寧的遺容已變成了我們記憶中的一般無二」。這個驚人的變化，其中緣由，人到最近終告大白於世。

史太林第一個太太的姪子斯伐尼茨，最近因爲要和一個葡萄牙利女郎結婚，放棄了蘇聯的外交官職。在五月中，他寫了一本書，追述他和史太林在一起的生活，已開始由法國一家報紙連載。關於列寧遺體的一節，他說，在一九四二……宮地下……次晚宴……列寧的……以後，……史太林……示，倘……蘇聯人……是一個……於是他……[illegible]……祇是一個假的臘像。

黑十字

北晨　·中篇連載·

那是三年以前的事了，三年之前，藍英以丈夫的姓，活躍於社交場合，人人都知道這位李太太。他年輕漂亮，不久就給洪正池看上了，這大學生出身的商人，用最技巧的方法接近她，用最技巧的討好她，他不認識白濟宏，可是知道她姊夫這個人。白濟宏也不認識他，卻約略聽得妹妹有這樣一個男朋友，藍英離開上海，洪正池不去澳門，他才知道姨妹和洪正池的一段關係，這回由澳門來，白濟宏還不知道，以爲他們早已分開了，藕斷絲連。在上海，白濟宏雖然常常帶藍英去跳舞，洪正池也不認識白濟宏，卻見過面，而但記得這個男人在聲貌上，所以一直對他存着一個惡劣的印象。

一切都明白了，一定是[illegible]

腰一面事，藍英近來態度突變，今天晚上的突然失蹤，沒有別的，全是白濟宏的安排[illegible]（十六）

客觀的「罪惡」

共產黨的字典裏是沒有「客觀」這兩個字的，一個叫穆萬里的，在漢口「長江日報」「思想雜談」欄「反對客觀主義」的題目下，曾作了這樣的解釋：「共產黨之所以要反對客觀主義，是由於客觀會不明辨曲直，不考察是非，會模稜兩可，而且會對那明明是錯誤的東西，也採取了容忍的態度，不聞不問。」想不到客觀的「罪惡」，竟有這麼大？

關於客觀，他還舉了一個例子，很有趣，據說：有一個教授在課堂裏講到「抗美援朝」時，一些「落後」的學生，提出了許多「不成問題的問題」，「抗美援朝的目的是什麼？」「不抗美援朝又會怎樣？」「抗美援朝的結果是怎樣？」這教授就一本正經很客觀的說：「你們這一類問題，我祇要八個字可以答復：鷸蚌相爭，漁翁得利。」這無異說明，不論誰勝誰敗，只有俄國人「得利」，思想「錯誤」，大有「[illegible]

問題」，上蹈去[illegible]說：「客[illegible]點，客觀[illegible]，這件[illegible]校長和[illegible]育，一[illegible]情就受[illegible]勵改造[illegible]

，在這[illegible]何容易[illegible]做也[illegible]腦可能[illegible]信念，[illegible]資，造[illegible]知了。

·月如·

自由人

THE FREEMAN

（半週刊每星期三六出版）

（第一二九期）

每份港幣壹毫

督印人：李光華

社址

香港高士打道六六號

電話：二〇八四八

GLOUCESTER RD. HONGKONG TEL: 20848

承印者：東南印務出版社

地址：高士打道六四號

台灣總辦事處

台北市館前街五十號

台灣經銷處

台北市中華路一二五九號

中國未來的政黨（上）

截至現在爲止中國實在還沒有一個適於推行現代民主政治健全的政黨出現

·左舜生·

『或安而行之，或利而行之，或勉強而行之，』無論如何，中國的政治終於是非走上民主的大道不可的。

我個人曾經過二十幾年的黨人生活；除青年黨外，其他黨派的內容，直接間接，也知道不少的事實；近年流寓香港，眼見一部分關心中國前途的朋友，似乎也頗熱心於一個或若干個新政黨的建立，他們對於建立新黨的態度和心理，我也略知一二。根據我這點有限的經驗和膚淺的認識，中國現存的政黨，以及正在醞釀中而實際並未成立的新黨，從他們的歷史，他們已表現的是非功罪，以及目前的心理狀態，我敢斷言：截至現在爲止，中國實在還沒有一個適於推行現代民主政治健全的政黨出現！

也許我這個話不免流於武斷，甚至於難免不要開罪多方，可是我必得首先向讀者懇求，希望對於我這個說話的人，首先能有如下的幾點認識：一、我現在對於黨人生活與現實政治，實在是非常厭倦；二、我現在是比較的處在一個淡泊的環境和超然的地位，對於現存的政黨與醞釀中的新黨，我都沒有什麼關係，更談不到所及於私人的利害；三、對於過去一切有黨派關係的人物，我都非常尊重，而且對任何一個黨派，我都能舉出不少很好的朋友；因此種種，我相信我的態度相當客觀，完全是爲國家未來的利害打算，（說得誇大一點，我還有爲亞洲，爲世界，爲整個人類的打算。）完全是就事論事，絕對不雜有任何對人的問題。

中國之有政黨，說得廣泛一點，大致也有半世紀以上的歷史了。可是拋開清末那些黨派不談，民初那些離離合合的小黨派不說，眞正夠得上一個現代政黨雛形的組織，大致也還是最近三十年的事。換言之，即自共產黨出現，國民黨改組，青年黨，民社（原名國家社會黨）兩黨的相繼活動，中國才似乎進入了一個黨派競爭的時代。我們只要一回溯這些黨派成立或改組的經過，我們便可發現它們所受蘇聯的影響甚深，後來有法西斯和納粹起來，當然也受了相當的感應，凡此都是客觀的事實，不容否認，也不必否認。因爲是從這樣一種情況中成就的黨派，他們的彼此之間，儘管鬥爭得異常激烈，可是我們卻不難從他們中間發現幾個相似之點：（一）大家覺得，凡黨都必須標榜一種主義，好像沒有主義便不成其爲黨的樣子。（二）大家覺得，凡黨都必須擁戴一個領袖，好像一個黨而沒有一個固定的領袖作爲中心，便會要變成一盤散沙，很難凝結得起來，也很難發生活動的力量。（三）大家也覺得，凡黨都必須有一種嚴格的紀律，黨對於黨員有權去指揮，去制裁，而黨員對黨，似乎只有絕對服從的義務。（四）關於黨的組織，似乎也是重重疊疊，層層節制，上級黨部對於下級黨部，黨對於一個個的黨員，凡有所指示，往往以『訓令』行之，好像是階級顯然，絕對不容踰越。

老實說，單就上面所舉的這四點而論，這都是共產黨和法斯西黨的特質，現代先進民主國家的政黨，乃至日本過去和現在的政黨，其情況並不一定這樣。

爲什麼要有主義，好像是別人有了主義，我便不能不標榜一種主義去和他們對抗的樣子，其結果以主義對主義，是一定非流血不可的。我相信：凡主義都是殺人的，譬如你用任何一種武器去殺人，也不會比主義殺得更多，更殘酷！當共產黨初在中國成立，政爭一天天趨於激烈的時候，我記得胡適之先生曾有過一篇勸人『多提出問題少談主義』的文字發表，我現在手邊沒有他這篇文章，不能列舉他的論點如何，但單看他這個題目，和中國後來一直演變到今天的種種現實，我不能不承認他是中國現代一個感覺最銳敏的人物。從實際說來，所謂主義也者，不過一種最高的原則，在解釋上與運用上，應該是隨時代而有伸縮的。譬如中國青年黨所標榜的是『國家主義』，這無非說它所定的政綱和黨的活動，處處要以國家的利益爲前提。從實質上去加以分析，我們也可立即發現這個意思是可能見仁見智而各有各的看法不同的。好比現在的美國，有人主張不惜加重納稅人的負担，由美國運用大宗的金元，去加強一切民主國家的力量，用以維護世界的和平，亦即用以維持美國的安全；但也有人主張儘量加以節省，不應該使美國受到過分的拖累，乃至影響到美國人安定的生活；我們究竟以那種美國人算得是眞正的愛國，那種人是愛之而不得其道呢？現在的日本，有人覺得美國在日本繼續駐軍並保有若干的軍事基地是事實所必需，即令不足歡迎，也根本不容反對；但有人卻絕對不然，他們以爲這是美國的野心，美國將侵略，在形式上與實質上都足以妨礙日本的獨立，或召致日本的不幸；我們覺得究竟那種日本人纔是眞正的愛國者，那種日本人是在利用民衆一種盲目的因襲的愛國情緒而在那裏自便私圖呢？舉當前這兩個事實來看，可見一個含義顯然的『國家主義』，在解釋上與運用上，也可能發生種種不同的爭論，其他更何論焉。一個政黨的職責，是要針對現實，明定政策，來解決國家當前的一切困難而重大的問題；能盡這個責任，便算是一個政黨的成功；否則便是失敗，不着重這些實際，而單單拿一種空空洞洞的主義來玩弄，而又視爲神怪不可侵犯，這實在是大可不必的啊

吉田的幻想該破滅了

只有與民主國家忠誠合作才可以爲日本經濟打開出路挽救危機日本當局切不可兩面討好引導國民走入錯誤的岐途

·黃雪邨·

自從中日和約簽訂成功，繼之以緒方竹虎的訪台，蔣總統三次接見，我朝野人士在緒方留台期間，也有頗繁的接觸。從這些情形看來，中日的友善關係，是在雙方努力之下，希望迅速促進，而日本首任駐美大使新木榮吉本月十六日發表對中日關係的談話，也強調中日合作乃亞洲和平與繁榮之基石。由此足見今天在日本許多遠見的政治家外交家對中日關係是確能持着正確的見解。我們站在反共抗俄的共同立場和爲今後整個亞洲的安定繁榮而打算，對於雙方當局之能基於此一共同之認識，努力促進友善關係之建立與發展，無疑的表示非常欣慰。不過還有一點，筆者認爲有不能已於言者，就是我以爲日本當局對今後中日關係既有此根本的明智打算，必須堅定其反共的立場，而對中共匪區根絕其一切幻想。

吉田說話充滿矛盾

本月十五日，日首相吉田茂曾於國會中發表其亞洲政策，他說明他的政策之基本精神是着重於經濟關係。雖然他開始便提到：「日本的一貫政策，爲與自由國家建立友好關係，中華民國乃其中之一員。」同時他又再度強調目前與朱毛匪幫的貿易不可能予以鼓勵；也沒有與朱毛匪幫進入任何條約的可能。但是在同日另外一個電訊裏，又有如下的報導：『日首相吉田茂今日告國會稱：日本可能對於中共所提從事建立條約關係的建議，予以適當的考慮，吉田茂對衆院預算委員會稱：日本希望儘可能與其他亞洲國家，包括中共在內，進入友好關係。不過他說：共黨國家方面迄無此種建議。如果他們提出建議，則日本將予考慮。」一個反對黨的國會議員詢以政府是否有意促進對中共及亞洲其餘國家的貿易。吉田茂說：日本將採「經濟外交」』。從這個消息裏面，不免使我們對正在促進中的中日友善關係上，又看見了一層暗影。否則，爲甚麼吉田要這樣反覆矛盾？爲甚麼吉田還不肯放棄對中共匪幫的幻想呢？？

飲鴆止渴絕非良策

日本的外交政策要着眼於經濟，依目前日本的國民經濟情形來看，我們是應該予以同情的，因爲在戰後，尤其是獲得獨立以後，一切經濟事業均待復興與開展，而且由於它的工業原料和生活必需品都必仰給於國外，他不能不設法提高自己的生產能力爭取原料供給與產品市場，以爭取外滙，減少入超。正如新任駐日美大使墨菲所說：「日本需要在東南亞，印度及南美發現其市場，以補償其在中國大陸失去的市場。」同時墨菲又表示：關於對日本市場的供給問題，美國正在仔細研究。他說：「美國誠意的希望能對日本商人，有所協助。」從這些話，足證日本的友邦都是很關心日本的經濟情況，而同情它對於今後工商事業的開展。因此我們認爲日本當局今後對外經濟關係的開展，必須從這些方面去努力，而不應對中共控制下的中國大陸寄以任何幻想，因爲那不僅是不可能的，不僅是有傷害於今天中日雙方正在努力促進的友善關係，而且在政治意義上足以引導日本國民走上一個錯誤的方向。目前日本的外交政策，基於其實際的要求，固然着眼於經濟，但是也不能因經濟的原因而違背了政治上的基本原則。飲鴆止渴的辦法，決不是一個賢明的政治家所應採取的。在今天以前，蘇俄，中共，韓共在日本國內所策動的暴亂行動，以及未來的後果，應使日本當局有最高的警覺，而且更應該不斷的提高其國民的反共意識。如果不此之圖，而時時表示願意考慮對中共匪幫經濟關係的建立。我恐怕在日本國民反共情緒鬆懈之下，罷工暴動，接踵而來，其所希望的經濟復興與繁榮將適得相反的結果，社會將愈不安定，經濟情形將愈混亂。這實在是今天日本主政者所不能不深思熟慮的問題！

英商撤退可資鑑戒

此次，關於民主國家與中共匪幫根本無法建立經濟關係一點，在目前也有一個最好的事實作爲證明，就是已承認中共匪幫政權的英國，業已於本月二十日宣佈：英政府已照會中共匪幫，英國商業組織已決定在中共區內停業。英官方人士說：「英政府應中共區內所有英國商號代表的請求，提出這一照會。英商們發覺中共政權的干預和限制，使他們無法作任何生意。」又據中央社十九日倫敦專電：「所有英商都抱怨匪幫對於英商人的歧視及繼續不斷的干預。此外英商雖然實際上絕無商業可營，而仍然不得不對所有職員照付全薪。英商滙入匪區以供支付職員薪給的款項，曾達每月三十五萬鎊。匪區英商財產估計在三億鎊到五億鎊之間，（約合美金十二億元）。」由這一個明顯的事實可以證明民主國家想和中共匪幫建立經濟關係是絕不可能的。當年的英國工黨政府惟恐得不到中共的歡心，爲着幻想保持其在中國大陸的經濟關係，急不暇擇的去承認匪幫政權，事到今天，幻想是全部破滅，而且蒙受了最大的犧牲。正如保守黨的愛丁堡蘇格蘭人報所說：「目前的發展，乃是英國工黨政府當日拒絕美國勸告，而承認中共政權的惡報。」事實擺在我們的面前，我們不能不再度提起日本當局和日本國民的注意！

總之，我們是非常重視中日友善關係的增進，認定中日雙方必須堅定共同反共的立場，因此我們希望日本當局無論在政治上或經濟上，不要引導國民走入錯誤的路；而今天日本當局所尚未能完全拋棄的對中共匪幫建立經濟關係之幻想，實在是一種不正確的看法，也可以說一種危險的思想，這是日本具有遠見的朝野人士所必須從速予以糾正的。尤其吉田茂，必須首先將幻想，根本揚棄。至於自由中國與日本經濟關係的建立，我想雙方政府如能澈底商討，必可日趨增進。同時，我們也希望世界各民主國家基於共同反共的立場，對日本未來經濟復興的事業儘量的來扶植它。日本具有良好的工商業基礎，如能把握住正確的路線，相信是不難於復興的。

半週展望

雷嘯岑

對德和平協約簽訂了

美英法三國不顧蘇俄的抗議，已於前昨兩日，在波恩與巴黎兩地，分別把對德和平協約暨歐洲軍聯防協約簽訂了！這是國際間的一件大事，世界可能因此而消弭大禍，也可能因此而加速災害之來臨。不過，有一點可以斷言：即西方民主國家無論是在其整軍階段中，或其傳統的政治本質上，都不會主動的引發戰禍，這兩項協約之構成，仍爲守勢防禦而已。

史太林的對策如何，很難懸揣。他自然感到莫大的不安，他不能坐視民主陣營對他的包圍圈日漸嚴密緊縮，自甘處於刀俎之下的。他已公開承認東德早經建立軍隊了，這可能就是東西德內戰的信號。史太林在目前所能策動的防礙西德整軍一事，除封鎖柏林，切斷電流外，只有利用德國人內部相鬩，成爲地方事件。北韓襲擊南韓的陰謀，雖然大失所望，弄到不可收拾，但東西德如果亦演成南北韓狀態，史太林還是高興的。因爲他知道美英法各國尚無促發大戰的決心，歐洲軍的組織既無英國參加，並不頂事，暫時使德國內部動盪紛擾，至少可以安定東歐附庸國家的恐懼心理，維繫蘇俄的信譽。此外，史太林似乎一時拿不出甚麼有效的對策來！

巨濟島的陰森象

據聯軍方面發出消息：巨濟島上的共俘營內，充滿着陰森恐怖的氣氛，他們可以鑄造刀矛，可以利用配給下的汽油製成燃燒彈，可以挖掘地道，可以私設法庭，自由處決人犯，更可以隨時對反共份子予以殘酷的殺害，而警衛人員也隨時聽到營內戰俘慘呼求救之聲。這那裏是俘虜集中營？簡直是一所無法無天的活地獄！

聯軍當局發佈這些僞象，目的是在證明共俘平日之不守紀律，以及歷次暴動之並非偶發事件，實係共黨一貫的陰謀。但我們卻不能不詰問一聲：聯軍對於戰俘的管理能力何在？一個普通的看守所，尚且不能讓囚犯爲非作歹，龐大的戰俘營，何以竟平日毫無管制之道，讓俘虜橫行無忌，直到主將被擄劫，事變到處爆發，才知道營內有這種恐怖現象呢？

根據這些消息，再證以杜德之被劫持，柯爾遜之對共俘聲明今後照國際公法行事等趣劇，即知西方人不特對亞洲一般的實情缺乏瞭解，即對俄式共產黨的本質與作風，也毫無認識，只是憑着優越感與衝動來應付一切，結果惟有吃虧失敗。我們願意告訴聯軍當局：共產黨人是根本不講究人道與法律的。他們用得着法律作宣傳口實時，開口國際公法，閉口日內瓦公約。用不着時，馬上就變成「資產階級的反動立法」，「帝國主義壓迫人類」的可恥工具了！

吳貽芳自殺

最近由大陸傳來情報，前金陵女大校長吳貽芳在南京自殺了！中國大陸上一切人物之自殺或他殺，已不算是新聞，而爲天天有，時時有的普通事件。吳氏之自殺，已不算是希罕消息，實爲想當然的意料中事！

許多智識份子今日在大陸求生無術，欲死無所，都是由於不認識俄式共產主義政權是何內容，當年還肩着個人的政治意識，誤以爲共黨取得天下之後，未必即不需要智識份子幫忙？而具有不滿現實的「民主思想者」，更對共黨存着莫大好想，皆抱有試試看的心情。像吳貽芳這類人，篤信宗教精神，醉心西方文化，見嘗毛澤東向中國人所販賣的膺貨——新民主主義，自然容易受騙。但她卻具有強烈的自尊心，決無法接受「洗腦」運動那類精神虐待生活，思想永遠是搞不通的。

因此，我料想吳氏自殺的由來，當不是政治性的反抗行爲，也不見得對金陵女大被摧毀的殉道觀念，而是內心上矛盾苦悶交結，無從排解所致。這從她平生所受教育和其身世來觀察，即可理解的。

立法院月底休會後 將召開臨時會

批准中日雙邊和約

【本報台北特約通訊】立法院第一屆第九會期仍將依照規定，於五月底休會。前傳為批准中日和約，將延長會期，茲查不確，緣中日和約此時尚根本未由政府提送立法院。蓋我國以戰勝國地位，自應待日本方面先行批准。日本國會對於此事尚在討論中，雖結果必然批准，惟時間尚難預定。立法院休會以後，如政府將日約咨送到院，當可隨時舉行臨時會，進行一切。

緒方竹虎在台如此說 日本安定靠中國文化

在中日和約簽訂後，批准前，被傳未來承繼吉田茂任總理最有望之緒方竹虎，曾首先來台訪問。渠此次僕僕風塵於東南亞各國，據聞，其重大意義，實因日本將於今年底舉行總選，現在執政的自由黨因國內極左極右兩派都對之不表滿意，深慮在總選時將遭遇困難，故先行到日本於太平洋戰爭時期，曾侵入其所謂「東亞共榮圈」幷加以佔領各地做些場外的外交工作，並藉以試探這些地方因曾受日軍蹂躪，對重獲獨立後的日本，有些什麼意見。如果此行獲得各地良好之反應則對自由黨聲望，將大大提高。

緒方在台北勾留六日中，曾三度晉謁蔣總統，一再表達只要自由黨能在日本繼續執政，必定傾向自由中國。這就可以表現出緒方訪問台灣的外交意義。緒方當然希望他這次所到的地方，能夠不念舊惡，支援日本的復興，尤其能夠贊助自由黨在日本的政權，俾有利於下屆總選時的競爭。

據聞緒方在晉謁蔣總統的時候又曾提到日本與中國的文化問題。緒方說：凡是日本在接受中國文化，尤其是儒家文化的時候，日本必轉於穩定。凡是日本離背了中國儒家文化的時候，則必趨於動亂，這在歷史上，業已不止一次。緒方又說：因此日本於此次重獲獨立之後，將特別致力於中國文化的研究。聞總統答以我國自己更應研究。

考試院要職補充完畢 史尚寬果任考選部長

考試院改組後，其所屬考選銓敘兩部部長人選，已由中樞明令以史尚寬任考選部部長，原任考試院祕書長雷法章任銓敘部部長，原代理考選部部長馬國琳任考試院祕書長。關於史尚寬將出長一部事，記者前已有所報導。（編者按：該訊載四月十九日本報第一一八期）雷氏堅辭考試院祕書長，並荐考選銓敘兩部原任代理部務之馬國琳及皮作瓊二人以自代。茲將雷調任銓敘部長，恐非其素志。史氏到台灣以後，閉戶著書，已成者有中國土地法論，由正中書局出版；正在著述者有中國民法債編總論，全書共六十萬言，已成十分之九。訓政時期立法院參與起草民法之委員，現仍在台灣者只有林彬與史尚寬二人。史以能閱德文法文日文書籍，且致力甚勤，故能有此巨著。茲史出任官職，關心中國民法問題者多盼其仍能於從政之餘完成該項著述，因中國民法立法原則及技術佳，但註釋闡揚之著作太少，以此不易為社會所了解。史著完成，對民法實為一重大貢獻也。

公教軍人員待遇改善

公教人員待遇，行政院正籌擬提高。台省物價，近來不獨保持穩定抑且漸趨下降，尤以進口貨為甚。聞當局為顧念公教人員生活，仍擬乘此府庫較充之時，予以調整，以體念其數年以來生活之過分艱苦。台省對於公教人員之待遇，除薪俸外，另免費配給公務員本人及其直系親屬之生活必需品，如米，煤，鹽，油等項。除食油配給量稍覺不足外，其他三項均已足用。至於布匹則由中央信托局委托各機關各自治區域合作社及布店隨時配售，對象不限於公務員。收回之代價較市價為低，每一戶可以配購布匹數量須受該戶戶內人數之限制。但因中央信托局辦理未臻妥善，人民受益不多。尤其各自治區域合作社須於四十天以前先行繳款繳納，而到時則往往布店商人可以領得布匹，合作社反而落後。此次中樞如提高公教人員待遇，除薪俸給上能有增加外，最好能再將配給品種加多，並改為全面配給，則對公教人員生活之改善，及人民之福利必更有裨益。

×　×　×

蔡斯在台被稱魚將軍

軍隊待遇近年已逐漸改善。關於營養方面，以台灣四面皆海，魚產豐富，特經常供給魚鮮食品。美軍顧問團團長蔡斯某次在台北聯合國中國同志會演講，曾謂其自到台灣以後，因迭次提倡軍隊多食魚類，遂有人稱之為「魚將軍」。魚將軍的稱謂只是一種笑談，但軍隊中卻真的有了「軍魚」的補給，成為軍隊副食的一項要品。

將設漁業整理委員會 以鄭道儒為主任委員

台灣的漁業，本甚發達，茲為補給軍魚，更須擴大捕獲。聞將設漁業整理委員會，由中美雙方派員組織，謀取技術上之合作，以新近卸職的經濟部部長鄭道儒為主任委員。該會可能直屬行政院，而不屬於經濟部。在台灣省政府方面，已有漁業管理處，屬於農林廳。台灣漁業的當前問題，在與日本菲律賓合作共同從事遠洋漁業的發展，並且要防止日本漁船私自侵入自由中國的領海及海上安全區域內捕魚。否則台省漁民蒙受損害，對於漁業的擴充及軍魚的供應，就要發生影響。一待中日雙邊和約批准生效，中日兩國即宜重行訂立漁業協定，以謀取海上捕魚之合作也。（二十五日寄自台北）

以打倒尼赫魯為目的 印共走「毛澤東路綫」

眼前面目是和藹可親，武裝叛亂和三反五反將繼續演出

【本報新德里特約通訊】尼赫魯政府的遠東政策是走的「毛澤東路綫」。這本是尼赫魯、梅農、潘尼迦等人的傑作。可惜的是北平的「肥仔毛」肚裏別有打算，所以印度飢荒時想要買中國米都沒有買到。現在印度的共產黨決定也走「毛澤東路綫」。意義自然不同，尼赫魯頭痛的日子快要到了！

印共由少壯派領導

國民大會黨在尼赫魯執政之下是元老至上的老大政黨。野心勃勃的印共則已在莫斯科及北平導演之下改由少壯派領導了。他們的新領袖是戈柏蘭(A.K.Gopalan)。

印度新國會的衆院，一共有四百九十八個議席。尼赫魯的國大黨佔了三百六十席。新興的印共競爭到二十九席，已是第二大黨。其他的一百另九席則屬於許多微弱的小黨，大家反尼赫魯，但都沒有多少力量。戈柏蘭的野心是在爭取這一百多人的領導權。

×　×　×

爭取反政府派領袖

老大的國民大會黨是無法獲得這批反對派人士的支持的；和戈柏蘭競爭的是右翼人民黨的領袖莫格奇(Shyma P. Mokerjee)。人民黨人以為共黨在國會中至多能得到四十票；莫格奇則能夠爭得六十四票；因此之故，反政府各黨派的領導權應該屬於莫格奇！這位年高德劭的莫格奇正在積極談判，要組織一擧握六十四個議席的國民黨(Nationalist Party)。所以印共今日第一目標是打倒人民黨的莫格奇，爭取反對黨的領導權。接下去便是用武力與陰謀來打倒投機取巧的尼赫魯政府了。

走毛澤東成功之路

遵守着莫斯科的指示，印共的元老派賈希(P.C.Joshi)，譚格(S.A.Dange)等人已把黨的指揮權交給少壯派首領戈柏蘭。新定的政策是在俄籍導演之下改走「毛澤東路綫」了。印共中央總部則從西部的孟買(Bombay)遷到印南的麥特拉斯(Madras)。這一舉措的原因乃是戈柏蘭等人在印南的農村地區已組織好了武裝的游擊隊；到了麥特拉斯便容易指揮了。這是準備武力刧奪的步驟。在宣傳方面，則新德里的支部已組織了一個龐大的祕書處，準備利用新聞和新聞紙展開全國性的大宣傳。各報館已接到印共祕書處的通知，說印共的研究人員所搜集的資料可以無條件給各報去即用。愛貪小利，喜歡投機的新聞界不肖人員便要上鉤了。新聞界爭取到手，宣傳上佔到優勢，便可大量吸收智識份子，組織聯合陣綫；攫奪政權的時機便成熟了。三反五反，清黨殺人，是抓到政權以後的事。現在開始的時候，印共的面目是和藹可親的！這便是印共「毛澤東路綫」的精義。（何永碧，二十二日寄自新德里）

潘尼迦為兒女所累

親共的印度駐北平大使潘尼迦被尼赫魯免職了。這當然暗示：費盡氣力，以潘尼迦那樣親共的人，而印度和中共間關係，並不可能「好轉」。另一方面，則尼赫魯對潘的信用，日見衰退。據說：潘上次返印，主持女兒和一位印度共黨領袖的婚禮，這使尼赫魯深切懷疑，潘是否已有決心背棄國大黨，去擁護共產黨。在尼赫魯看來，是不能不有所警戒了。（一丁）

香港三日

張君勱在美主要目的 請求三百萬元辦大學

張君勱抵美後，據此間所獲最近消息，張此行雖以所謂第三勢力領袖地位，擬向美國各方有所接洽，但彼主要目的，則仍在實現其辦大學計劃。據聞，在美國準備救濟中國流亡知識份子的一筆款項中，可能撥出美金三百萬元，供中國人辦一私立大學之用。張極望能獲得此款。至大學地點，張希望設在印尼。不過印尼最怕因反共，親美引起中共及蘇聯反感，其是否願意容納此一性質之大學在印尼出現，則頗成問題，且印尼文化水準太低，距中國大陸太遠，不易招致由鐵幕逃出之青年，前往攻讀，美國人士，亦甚難贊同。張連日奔走於華盛頓紐約間，請各方幫忙，並以全力，冀取得胡適支援。

前上海稅務司李德爾 由港飛台任財部顧問

自由中國對於對外貿易，稅務章則，及將來大陸收復後有關稅務諸問題，現均在深切注意。前在我國任上海江海關稅務司之美人李德爾，於上海淪陷前，曾受聘為我國財政部顧問。李當時因急於歸國，未赴台灣。旋在美參加自由亞洲委員會工作。最近，因財部一再電促，特於昨日自美乘汎美機到港，在港略有耽擱，即將轉機飛台，到財部供職。俾對自由中國迫切研討有關稅務行政諸事項，隨時提供意見。

英駐蘇大使夫人過港

英國駐蘇聯大使賈斯可夫人，前日由日本乘英國海外航空公司機來港，由港督夫人招待，在港遊覽一日，昨晨即由港飛德，以便轉程前往莫斯科，與其夫團聚。

比前駐日老大使赴日

前比國駐日大使巴松畢，上月自澳洲來港遊覽，已於前日乘輪赴日，巴現年七十九歲，二次大戰以前，任駐日大使，前後共十八年，此次日本恢復獨立，渠渴願前往，訪問舊友，小住數月，即由日返國。

盲記者謝爾來港採訪 雙目失明仍照常寫作

美記者謝爾，定二十五日自美來港，已誌上期本報，謝於是日乘克里夫蘭總統輪抵港後，即下榻告羅士打酒店。其夫人及二子一女偕同來。謝爾為名記者，並為暢銷書「中國的端納」的作者，但不幸於上次大戰中，雙目失明。據渠於抵港後告人，此次再來遠東，深感愉快，擬在港居留兩年，為約定各報紙雜誌擔任通訊，並將搜集資料，寫一新書。此新書之內容，可能大部份背景，在寫出渠在上海若干年之實際經驗，及各種回憶。渠自稱，渠於十八歲時，即一九二五年，首次到達上海。一九三〇年，入英文大美晚報工作，後入大陸報，同時兼任路透社通訊員。二次大戰爆發，渠奉命回國，旋被派在珍珠港服務。蔣總統之澳籍顧問端納，係在彼時相識。一九四八，寫成「中國的端納」一書，分在澳洲，加拿大，美國三地出版，銷路頗好。近年為「老爺」雜誌，寫過不少故事小說，大抵均以遠東作背景，最近的一篇，係描寫朝鮮民間情形。渠雖雙目全盲，但利用各種工具，仍能照常寫作，並無困難。

揭發中共暴行受褒獎 美記者係在香港出生

在美國揭露中共綁架華僑國內眷屬，因而引起國務院注意，限制華僑匯款向中共贖票之美記者謝偉略，現已一連受到美國普立茲獎及其他新聞文化之榮譽褒獎。普立茲獎金，係於最近宣布，認為本年度最好之本埠採訪。謝氏於一九三八年開始新聞生活，旋為舊金山紀事報駐華盛頓特派員，二次大戰，為美國從軍記者三年。去年在朝鮮，任戰地記者。彼係在香港出生。（必眞）

讀者投書

為一二元港幣呼冤！

買了這麼一本替羅夢冊胡吹亂捧的「新和平主義的興起」

洪逸士

五月某日，本港星島日報在報頭下面刊登一幅套了紅色的廣告：是主流社出版一新書，書名為「新和平主義的興起」。內中有這麼幾句介紹：「繼福利宣言，主流社另一巨權威著作「新和平主義的興起」出版了。」

吹捧的宣傳，還滔滔繼續下去：「新和平主義的興起一書，不僅更積極地向世界闡明着新的和平主義，且向國人報告着一個新的形勢，就是：羅夢冊教授所著福利宣言，已獲世界的響應，呼應該書的函件和論評，正從各地湧來。由於福利宣言的出現，世界人士對於中國的看法，不僅是大大地改變了，不少遠見者，且鄭重判言：中國新和平主義的興起，將可能領導全世界，「自然，一代新思潮的興起，必然地要遭遇舊勢力的阻擊，但它們卻被蕩滌而去。」

「居住香港的人們，多以為香港只是一個商業碼頭，貨物傳口站，但讀過本書，或會發現：它今天已是一個新的政治哲學，新的和平主義向世界輸出之埠了！」

紅顏色的醒目，「權威著作」的引誘，不管他「新和平主義的興起」如何？只憑權威兩字，都要使人先睹為快，何況又是「新和平主義的興起，將可領導全世界。」的巨著呢？

化了兩元港幣，買了一本「權威著作」，賠了一天時間，損傷我無限精神，始知完全受騙！難道「遍獲世界的尊崇的新思想」竟要以這樣不光明的騙詐姿態出現嗎？我真不懂羅夢冊這套醱醱的厚黑學，到底厚黑到什麼程度！

不知道是我不懂得這本書中的哲學和詩意呢？還是作者在作弄讀者。全書有五十幾頁的十六開紙，只有：三頁「新和平主義的興起」（代序），兩頁半「歷史的無情與慈祥」，其他佔三十九頁半是同人抨擊的文章。巨大的篇幅，標題為：「給打手們以思想」，餘則轉載他人評福利宣言的文章數頁，以此完成了一本「權威著作」。這著作真够「詩化」和「玄學化」了，不愧「下筆千言，離題萬里」的這句評語。是何等奇妙的「中國最偉大的思想家為了和平的倡言」。它有「序」而無「文」，誠開古往今來文壇與出版界之奇例，正如作者說：「不僅是巨大的不同，而且是質的不同。」因為：

「巨大的不同」是比普通三十二開本大一倍，「質的不同」是：像機關，社團，以及街坊福利會印製的一年來工作概況書（但是這插畫是非賣品），又像專為羅夢冊的福利宣言被評而聲援。也可以說是最巧妙的宣傳品。我想：

我沒有看出：新的和平主義的興起在那裏？我只看見「左派」「右派」的抨擊文字。

我的女兒告訴我：這是幼稚園學生的習作，我卻很替我這兩塊血汗錢呼冤。悔恨不拿到調景嶺去請平常的朋友喝一碗茶，他也可以聽我兩個鐘頭的和平佈道啊！

適支援。

中學生不接受共黨宣傳

時事測驗：「美帝何故進行細菌戰？」答：「目的在推銷盤尼西林」

中共強迫學生，聽中共廣播，讀中共報紙，這比教會學校讀經，其認真上緊，不知還要加上幾多倍！但三年來的成績，是學生對這些宣傳全不理解，時事測驗，北平公私立中學校學生，百分之八十以上不及格。中共認為這是黨和團的基幹動搖，因此，現在整個大陸，中共正繼大學教授「洗腦」運動以後，加緊進行對中學校長教職員大規模的清算

【本報北平特約通訊】大學教授的「洗腦」運動，到現在總算已大致告一段落。最嚴重的當然是下落不明；其次，勞動改造；再次，加緊學習；最輕的停職反省。沒有問題的，互相慶幸，雖然下一次迫害，仍可能隨時再來，但無論如何，這次僥倖「過了關」，最低限度，總可以放下心，又多活幾個月。

緊接着這一大學教授「洗腦」運動之後，中共的箭頭，又指向另一方面，那就是對於中學生的思想測驗。大學生思想，在這一兩年，已有了顯著變化，即由過去的親共，至少已不再搖旗吶喊，而顯着埋頭讀書，不問政治，實際上，決心反共的，也並不少，且更一天比一天增多。中共認為這是受了一部份教授立場模糊，頭腦不清的影響，教授「洗腦」之後，問題總可好轉。至於中學生，中共始終確信，這是中共現在及未來最可靠的基本幹部，他們對黨的忠誠與了解，無論已否入團入黨，那都是絕無問題。不料最近在北平舉行的中學生思想測驗，却使許多共酋，大驚失色。

中學生是共黨基幹 居然也多數有問題

這次的思想測驗，表面上是用着時事測驗的名義。因為現在鐵幕中的所謂時事，那只是共產黨片面報道，換言之，即共產黨的「一家言」，如果學生們對這些所謂時事，竟會茫無所知，則這種學生，縱非有意反動，其對黨對團，定係徹底「見外」，毫無熱情。何況北平市各公私立中學，均一律限定，每天要學生集體收聽「人民廣播電台播送的國內外大事」，此外還限定每學校若干人，要成立一個讀報組，讀報組在中共統治下的學校，比教會學校的讀經組，還加倍要緊的。在這樣大力鞭策之下，學生的時事測驗，竟會有百分之八十以上不及格，這不僅是笑話，簡直要算奇蹟！

一萬三千多學生中 一萬二百人不及格

在北平各公立中學中，計受測驗的一萬三千八百六十七人中，將全部試題，都能正確回答的，只有九十二人，完全不及格的，有一萬零二百六十五人。私立學校，情形更壞。崇德中學高中一年級，參加測驗的六十六人，不及格的五十六人；平民中學高中一年級，參加的四十五人，不及格的三十九人，二年級三十七人，不及格的三十三人。初中三年級五十七人，只有兩個人及格，不及格的竟達五十五人之多。其他各校，比例標準也大致相似。如果考題過於艱深，多數不及格，尚屬情有可原，但這次考題，却出得非常容易。如問「什麼叫做唯物史觀？」有些學生竟答為「讀歷史應注重物質享受」。問「什麼叫三反五反？」答「反蔣，反美，反英為三反，再加上反地主，反資本家為五反。」問「美帝進行細菌戰目的何在？」答「目的在推銷盤尼西林。」這樣牛頭不對馬嘴的答案，使所有共酋，都萬分驚訝。中共竊據北平，已逾三年，中共最得意的傑作是宣傳，尤其對最近「三反」「五反」，及「細菌戰」，在宣傳方面，真已做到了家喻戶曉的程度，乃作為中共基幹的中學生，竟連這些問題，都還意識模糊，信口胡說，還要宣傳何用？真要將這種情形，那些強調宣傳萬能的共酋們活活氣死！當然，下一步的災禍，自只有降臨在那些中學校長和教職員身上。中共提出三項檢討：第一，認為在領導方面，太不重視思想及時事學習，對市文教局頒布的一些中等學校的學習制度，都視為具文，不認真考核。如每天收廣播，收音機打開以後，是否學生都在用心細聽？還是只收不聽？從來就無人過問。讀報組也是一樣，讀報時間，大家閒閱，簡直不是讀報，而是上茶館。第二，領導方面，不組織學生，對時事研究討論，自己也不向學生按期作時事報告。第二，有些學校，甚至校長，教員，一貫鼓勵學生多讀死書，少問外事，換言之，就是不需要學生學習時事。

學生胡塗教員負責 中學教員厄運當頭

中共認為糾正以上的三點，就要發動一個比清算大學教授，規模更大的清算中學教職員運動。也就是中學校長教職員的洗腦運動。目前初步，已在向中學教員舉行時事測驗。據說，結果也非常惡劣。如大同中學參加測驗的三十二個教員中，有十一個不及格，其餘也都不能完全答對。此外有些中學的語文教員，還不知道，中共最近大吹大擂所捧的世界四大文化名人是誰，有些史地教員，還不知道中共在進行大力準備。因此，一般人豫料，中學教員清算的結果，最輕的處分，也要砸破飯碗，永不錄用。

這種大規模對中學校長教職員的時事測驗，及對中學生學行的清算，並將在整個大陸，同時進行。從今天起，全國數十百萬的中學教職員和中學生，就都要整個接受厄運之到臨了！（臨光，二十日寄自北平）

寧可餓死百姓 不准動用公糧

兩湖災情嚴重，中共當局認係農民有意誇大，企圖救濟

【本報漢口特約通訊】共黨殘酷統治下的中國大陸，今年春荒特別嚴重，尤以中南區之湖南，湖北，河南，廣西等省，老百姓因沒有飯吃，以致全家餓死的為數最多。所謂共酋「沛故鄉」的湖南，僅長沙一縣，據官方公報，就有十幾萬人，無法度荒。湖南是產米區域，尚且如此，其餘各地，其困苦情形更可想見。但此間當局，認為上述各省區舉發的災造成，都多半由於農民的懶惰。而災情的有意誇大，則更是受了這班懶惰農民的欺騙。當局指出：（一）農民不肯依照「政府」指示，努力防旱，天不下雨，自己就不肯車水灌救，讓地畝龜裂，禾苗枯死。（二）農民總以為一有天災，政府就必會大力救濟，他們看見政府的谷倉，都儲積豐富，只要政府肯開倉，他們就不愁沒飯吃。所以，災情弄得越嚴重，他們不做事有飯吃的把握，也就越大。（三）有些地區，在土改中，農民向地主鬥爭所獲得的大批果實，農會還沒下命令分配，他們估計，這一批財產，每人分下來，足可以至少坐吃一年半載，災越大，分配就越可提前。當局有這三項原因，因通令所屬各級政府負責共幹，要深入「了解」，督飭農民，既不許擴大災情，任意胡報，更不許藉口救濟，浪費國家財產，而當前最重要工作，就是在農村中，儘量推行「改造懶漢」運動。總而言之，共黨這項指示，即寧可餓死百姓，不准動用公糧。公糧一方面只是共產黨的私產，非一般人民所可染指，一方面則隨時準備運往蘇聯，報效老大哥，當然不能借為救活幾千百萬中國災民，就可以輕易動用的！

中共斥責貧農浪費 結婚用了四百多萬

以上所述，就是中南區中共當局對大陸嚴重春荒的看法。此外，當局還個別的對各地農民懶惰，浪費，痛加斥責。如對湖南省醴陵，就指出許多農民，無法度過春荒，主要原因，是他們不肯省吃省用。在去年秋收後，他們相反的，大吃大喝，鋪張浪費。甚至如長沙第二區長湖鄉農民李文炳，他本是貧農階級，但今年一月結婚，竟擺了二十多桌酒席，花了四百多萬。結婚第二天，家裏就沒米下鍋，到農會去借米。像這樣沒有打算，要「打腫臉裝胖子」的錯誤思想，不能澈底剷除，則無論何時，均會餓死，豈僅春荒？對湖北省區，當局曾指示四點，要農民當做度荒的金科玉律。第一，農業作物既然沒有收穫，即須努力注意副業，如某些地方，有石灰窰，農民可以到窰裏做臨時工人，某些地方出產燈草，可以挑到沒有燈草的地方換糧。此外，上山檢柴，每担照目前市價，約值八千元，每天能檢一担，就可維持生活。第二，應該提倡農民間相互借貸的關係，以前地主放高利貸是犯罪，現在沒有了地主階級，大家應該恢復「親幫親，鄰幫鄰」的精神，自由借貸，有無相通，政府決不干涉。第三，地主階級雖已打倒，但仍有不少地主，隱匿財物，[illegible]（懷民，二十日寄自漢口）

「督導生產專員」和「土改指導員」 身為幹部兼作「扒手」

一個偷走鄉長藤蓆一個捲逃羣衆財物

【本報綜合報導】中共幹部的醜惡行為，在人民雪亮的眼睛中，真是原形畢露，到最近，弄到督導生產的專員，和土改指導員，都在執行工作時，大做其「扒手」勾當。下列這兩件事，都是從中共報紙上一字不錯，照抄如儀的。中共在海外的尾巴報，總不能再胡吹瞎捧：「共產黨青年幹部，每個都艱苦純潔，一心一意，只知為人民服務，凡是毀謗共產黨員的，都是文特造謠」了吧！

羅碧作風惡劣需索農民

五月二十四日廣州南方日報載從化縣人民法院陳世中、黃美俊投函，檢舉北江區專署督導生產的幹部羅碧，作風惡劣，在鄉下向農民要魚要肉，大肆需索，臨走還偷走了鄉長一張藤蓆。原函如下：

「編輯同志：北江區專署派來從化縣督導生產的羅碧同志，作風惡劣，農民們對他的印象很壞。

「他到從化南區大崗鄉工作時，只是坐在鄉政府聽會報，從來不接近農民。農民請他去主持開會，他不去，却躲在房子裏睡覺。他一到鄉村，首先就叫鄉幹部替他買魚買肉，一餐沒有魚肉，就硬要鄉長去替他打魚，結果鄉長四出張羅，買得一些田雞，他吃了還嫌油少。他看到農民協會主席在土地改革中分得的蚊帳一床，曾三番四次拿出五萬元要農民協會主席賣給他。他臨走時又偷去鄉長一張藤蓆。他到運樓鄉工作時，硬要文書『送』一個皮袋給他，結果硬把皮袋拿走，同志們告訴他不能隨便取別人的東西，他說：『怕什麼！』

「羅碧下鄉時，還隨身帶了香烟數十包，在農民羣衆中引起很壞的影響。我們建議北江區專署查究這件事，並給羅碧應得的處分。

從化縣人民法院陳世中黃美俊」

魏競本性難改一再作賊

五月二十日漢口長江日報載文化共幹魏競在做扒手被捕後發表的坦白書。原函如下：

「我原來的名字叫魏滌川，於一九四九年三月，考入中原大學學習，是年八月畢業後分發到中共江西省委員會第五工作團工作。一九五零年二月，工作團解散，又分發到中共江西安福縣委員會工作。同年十一月九日的晚上，我盜取該縣委員會會計室的公款七十萬，經查出後，被組織上給了我以開除青年團團籍的處分。一九五一年元月，我在該縣荷溪區高趾鄉指導土地改革工作，拐帶該鄉羣衆鬥爭果實青呢子褲子一條，藍條子布一丈多，西裝背心一件，白毛絨圍頸一條，毛巾一條，黑色皮包一個，和該鄉代收的屠捐稅款二十萬元，於陰曆十二月二十五日藉口回區過陰曆年開小差回家。回家住了兩個多月，怕組織上查問，便於一九五一年四月跑到鄂城縣，將原來魏滌川的名字改成魏競，找鄂城縣文化館我小時的同學熊張雲同志（他對我的行徑不了解）介紹到該縣燕磯區任小學教員。九月，該地署假教師講習會結束，被提拔到鄂城縣文教科工作。

「現在，我除了澈底坦白，退出贓款贓物外，我要求組織上給我以應得的處分。我並保證今後在工作中立功贖罪，脫胎換骨地改造自己，重新作人。

魏競（原名魏滌川）」

中共血洗乾城

男女老幼絕少倖免 俘虜三千集體屠殺

【本報讀者投稿】毛澤東的暴力統治，激起湘西人民風起雲湧，豎立義旗，作反迫害，反奴役神聖鬥爭。彼等佔地利人和的優勢，飄忽無定，出沒無常的奇襲敵人，使共軍顧此失彼，窮於應付。於是共酋惱羞成怒，有血洗乾城之舉，數千所屋宇夷為平地。此空前慘劇之演出，乃中共湘西軍區「司令員」孟學成所導演。

緣於本年二月間，有軍車四十餘輛，自四川秀山，滿載軍需物資，開赴長沙，行經乾城屬境之所里，遭遇伏擊，物車俱毀，卅餘押運共軍，亦遭非命。沅陵湘西軍區據報，飛調芷江之四十二師，辰谿之三十八師，[illegible]乾城，希圖一舉「剿滅游擊隊」，豈料抵達，[illegible]已早嚴陣以待，固守據點，共軍雖曾試攻，以火力猛烈，山勢險要，無法得逞。[illegible]令員孟學成[illegible]血洗乾城[illegible]男女老幼[illegible]

[illegible]同胞如仇敵者，孰忍為之。

中共湘西軍區，於血洗乾城之同時，[illegible]

漫談讀經

·為方·

聽說台灣考試院主張今後開科取士要以四書五經列爲必考科目，當然不邏輯，各學校的學生即必須讀經書了。我暫且不論讀經問題的是非，先問問讀經的目的何在？方法如何？

讀經的目的如果是在培養人格，陶鑄節操，如四維八德之類。那末，學貴致用，古人所謂「經生治國」之義，是也。但，所謂四維八德也者，必須大家在生活上能够實踐化，才有作用。如其一般管人教人的君親師，所言者禮義廉恥，所行者卑污苟賤，而越是不講究人格節操的人，越就不愁富貴功名，那你要青年們讀經致用，就是天大的笑話！不讀猶罷，越讀越生反感，將認爲是莫大的侮辱。

四書五經，義理浩瀚，一生也不容易窮究精通的。在原子時代而教青年們埋首於形而上的四書五經之學，除非有人相信孝經退黃巾賊的奇蹟，可以讓四書抵擋原子彈，否則文化落後的中國，將因讀經而倒退一二世紀，恐怕經書尚未讀通，國家民族早已「淪於夷狄」了！日本自明治維新以後，編訂一部精簡的論語，列爲中學生的必修科目，此外各級學生不再讀甚麼經書，因而就有日本人那樣的民族性。我們一點方法都沒有，閉目狂呼讀經，豈不誤盡天下蒼生？

如爲着培養忠義豪俠的民族性，與其讀經，即不如讀小說，像水滸傳三國志那類忠肝義胆，豪情俠骨的人物，而今安在耶？我若有朝一日被提名拜任考試院長時，一定要列水滸三國爲必考科目，看看跟賈院長的四書五經，誰有效用？誰易爲青年們所樂於接受？

（自由談）

催命符

·玲匡·

駱老先生三四天來總是肉跳心驚，端起飯碗來，便想起在鄉下的老婆和兒子，晚上在床上，翻來覆去想着的也是老婆和兒子。

快三個月了，沒有接過家裏一封信，中學畢了業的兒子，寫信該不是困難的事，怎麼總不寄幾個字來呢？內地還在鬧着「三反」「五反」，難道田地房產都被清算光了，連人還饒不了，要「反」個寸草不留嗎？

再說，近來在香港的生意也冷淡得很，貨物倒了價，還不容易推出去。以前的生意大部份靠內銷，自從去年運過一批貨到內地，「人民政府」驗收，驗過不知多少次了，挑挑剔剔，貨價始終拖着不付，等了七個月纔領到一張人民幣的支票，緊跟着左一個「捐輸」，右一個「獻金」，扣下了還不到貨價的四成，結果呢！這一點點還是滙不回來，一直存在廣州的銀行，好在數目不大，祇算是給「人民政府」送了一個大禮，學了一點乖，認作流年不利，破一次財吧。

這個情形不只駱老先生上過當，不知多多少少商人都嘗過這種苦頭，大家痛定了，想一想，唯一的方法就是任他毫無銷路，寧願在香港「凍」「跳樓貨」，也絕不考慮運進內地這一條路子，任他出什麼高價，只當「阿斗投資」，不聽那套。

家裏沒有消息，生意週轉不開，怎麼不把駱老先生急得滴溜溜地亂轉？

這一天，一位穿着嶄新的藍西裝，絲襯衣，又打了一條大紅緞子領帶的年青人，在店舖門口鬼頭鬼腦地張望，憑這一身鄉巴佬，暴發戶的打扮，就知道他是內地來的，他轉了兩轉，一步就邁進了老駱的店裏。

手裏捏着一封信，老駱一瞧眼就認出是兒子的筆跡，歡喜得老淚奪眶而出了，連招呼也來不及招呼，一邊手指着自己，一邊手便伸出去要接信。

「你是駱老先生吧？」來人看情形也認得出了：「這是你鄉下人託我帶來的一封信。」說罷，遞給了老駱，當然，老駱馬上撕開了，就讀下去，但一張信紙上祇寫了二十來個大字：

「一切情形託何先生代陳，倉卒之間，請諒草草。兒叩」

駱老先生的手垂下了，抬起頭望着這位何先生。

「何先生是從敝縣來吧？鄉下情形怎麼樣？」

「鄉下情形……不壞……你難道沒有看看此地的報紙？」何先生說的並不是鄉音，忽然把聲音壓低，身體湊上一些：「老實告訴你，你的令郎和你太太都扣起來了！」

老駱腦門子上像中了一顆炸彈，轟的一聲，金星直冒：「爲什麼呢？」何先生眼珠子向四面溜了一轉，樣子更神秘了：「爲了……爲什麼！……退租清算的事，你的太太始終不肯坦白，只是裝窮，所以……」

「他們爲什麼不早點想辦法離開鄉下：該死！」

何先生冷冷的笑道：「離開？哈……要是人人都能離開，香港豈不是要容下四萬萬的人口！」

「那麼你又怎能出來的？」

「我！」何先生把手向屁股後面一摸，拉出銀包，微微笑着，翻出一張毛邊紙印紅字的條子，噯一聲說道：「我是農會派來香港，專向你們交涉的委員，如果你想家裏人能够放自由，祇要……你是列入第三等的戶頭，祇要兩萬塊。」

「兩萬塊？」駱老先生幾乎暈過去。

何先生還怕他不明白，疊起了兩隻指頭道：「就是給人民政府滙兩萬元，如果沒有滙，你的思想還沒有搞通，三天內，就要回去。我忙得很，要訪問的人多得很，你自己考慮吧！」

[illegible]駱老先生更吃不下，睡不着了，又找銀行的抵押經紀，委託用最低的價錢拋售所有的貨物，甚至於房子生財也願意出頂，這三天馬上瘦了十幾磅，嘴也癟下去了。

[illegible]

不錯，是兒子的親筆，老駱一口氣念下去，開頭說：「款子已收到，但人民政府財政局，據派我家人調查的報告，說可以拿得出兩萬六千元，除了已經收到之外，還要再滙一萬四千元，限三天內，否則，母子生命，危在旦夕。……」

咕咚一聲，老駱仰着的靠椅子，[illegible]

瀛海漫談

白吉爾宣告退休

凝之

遠東是美國在軍事上所最關切的地區，但是對遠東較有深刻認識的美國將領却不斷的去職退休。麥帥而外，陸軍有魏德邁中將，空軍有斯特梅耶中將，都在麥帥事件的擾攘中宣告退休，如所週知，那兩位都是不甚同意美政府遠東政策的。最近又有兩位海軍將領，斯普拉格中將，太平洋美海軍航空司令，和白吉爾中將，前者之去職，又相繼退休。據說是由於不願調任階級較低的海軍航空訓練司令，後者則對記者特別表示並非因爲與政府意見紛歧，而只是他到六月二十六日就滿六十二歲，是海軍規定退役的年齡。

白吉爾在西太平洋海軍總司令任內，曾留駐中國甚久，他親眼看到中共利用美國對華政策的錯誤而逐步奪取政權的事實，他也深深體會當時中國政府和國軍處在怎樣一種無告的逆境。去夏美參院調查麥帥事件之際，五角大廈的文武大員們，有不少人對於麥帥和中國政府落井下石，白氏却很果敢的講了一些公道話。例如，美國流行的說法是：中國國軍從未因械具不敷而遭敗績；白氏却提出他親眼看到的事實，說明華北的陷落與美國軍援的遲滯及技術上的錯誤有關。到現在他對於美政府未能以正確步驟挽救中國政府的失敗，仍舊感到十分遺憾。他於退休消息宣布之日（四月十八日）對記者說：

「我不喜歡彼時我國對中國的政策，到現在我也還是不喜歡。我彼時的援華建議經華府批准了，但却從未執行。我至今不解其故。」

白吉爾是海軍世家，從他的祖父於一八四一年投身海軍以來，歷經他父親到他自己，已是三世於茲；但到今年六月三十日，白氏實行退休之日，這一百一十一年的海軍傳統是宣告終結了。

白氏在中國有許多朋友，自由中國的人們，也永遠不會遺忘這位公正善意的良友。

雜談李白（二）

·舜生·

說李白的少年時代是在四川度過的，考之於他自己的作品，這已經是沒有問題的。可是關於李白的籍貫，却自來有種種不同的說法：或者說是隴西，（甘肅）或者說是四川，或者說是山東，甚至還有人懷疑他是外國人。

「白隴西布衣，流落楚漢，」這是李白自己『與韓荊州書』所說的。他的同時人李陽冰爲他撰『草堂集序』，也說他是『隴西成紀人，涼武昭王暠九世孫』。又李白自己『上安州裴長史書』說：『白本家金陵，世爲右姓，遭沮渠蒙遜難，奔流咸秦，因官寓家。……』因爲『金陵』兩字，有人懷疑這封信是僞托，清乾隆間王琦所作『李太白全集』的補注，則解爲『金陵』乃『金城』之誤，我想這是很合理的。『新唐書文藝列傳』也說李白是『興聖皇帝九世孫，其先隋末以罪徙西域，神龍初遁還，客巴西。』所謂『興聖皇帝』便是李暠；所謂『神龍』，乃是唐中宗的年號。依上述種種，李白的原籍是隴西，即今天的甘肅，大致是很確定的了。

明楊升庵（慎）有一篇『李詩選題辭』，說明李白生長於四川，甚爲詳盡，他說：『「成都古今記」云，李白生于彰明之青蓮鄉，而劉全白「李翰林墓碣記」以爲廣漢人，蓋唐代彰明屬廣漢郡，故獨舉郡稱云。蜀考公之自序，上裴長史書曰：「白少長江漢，見鄉人相如大誇雲夢之事，云楚有七澤，遂來觀焉。……」又與逸人東嚴子隱於岷山之陽，巢居數年，不跡城市；廣漢太守聞而異之，因舉二人有道，並不起。今按東嚴子梓州鹽亭人趙蕤，字雲卿，岷山之陽，則指匡山，杜子美贈詩所謂「匡山讀書處」，其說見晏公類要，鄭谷詩所謂「雲下文君沽酒店，雲藏李白讀書山」者也。廣漢太守則蘇頲也，頲疏曰：「趙蕤術數，李白文章」，即其事也。……』又李白『與韓荊州書』說：『十五好劍術，徧干諸侯；三十成文章，歷抵卿相。……』在『上安州裴長史書』裏也說：『常橫經籍書，制作不倦，迄于今三十春矣。……』其時李白已和許圉師的孫女結了婚，住在湖北的安陸（即他岳家的所在）已經有三年之久，這件事在他上裴長史書裏，也說得很明白。可是在他結婚許氏以前，他已經有過『南窮蒼梧，東涉溟海』的事實；在揚州不到一年，便花了三十餘萬；又同一位四川朋友吳指南遊過洞庭，吳死以後，他又到過金陵。由此推算，他離開四川的時候，大致在二十以後，最遲也不會遲過二十四五。他離川以後，便沒有回去過，因此我們可以知道凡他在四川寫的一些詩，都是他早年的作品。

『犬吠水聲中，桃花帶雨濃，樹深時見鹿，溪午不聞鐘。野竹分青靄，飛泉掛碧峯。無人知所去，愁倚兩三松。』

這首詩題是『訪戴天山道士不遇』，而所謂『戴天山』，據今人李長之說，就是李白故鄉彰明縣的康山，然則這首詩是他少年時期的作品，是毫無可疑的了。（參看李長之所寫的『李白』）

萬竹樓隨筆（一〇〇）

「我的生活片段」之一　八年的參政（二）

王雲五

憲政實施協進會

參政會第三屆第二次大會中有一個很重大的決議，就是關於提前實施憲政之決議；於是三十二年冬即由國防最高委員會接納這個決議，在該委員會之下設置憲政實施協進會，以推進憲政之實施工作爲任務，其會員除以國民參政會主席團爲當然會員外，由國防最高委員會就國民黨中央委員、國民參政員及其他富有政治經驗或對憲政有特殊研究之人士指定三十五人至四十九人充任，並設常務委員九人至十一人，而以國防最高委員會委員長爲本會會長。我那時候是以國民參政員的資格被指定爲會員之一，並被指定爲常務委員。

該會於三十二年十一月召開第一次大會，我首先提出「提前實行提審制度案」。我認爲「世界上立憲國家，其人民權利之最基本者，莫如身體之自由。所謂身體自由即非依法律不得逮捕拘禁或處罰，其因犯罪嫌疑而被逮捕拘禁者，本人或他人得聲請法院於若干小時內提審。我國五五憲草亦有此規定，其提審期爲逮捕拘禁後之二十四時內，此與一般立憲國之原則正同。惟查各地方警察或其他機關濫用職權，無期拘禁人民者時有所聞，爲奠立憲政基礎計，提審制度自有早日實施之必要」。此一建議案，在蔣介石先生以兼本會會長主持之下，即日通過，交常務委員會討論具體辦法，雖實現之期遲延頗久，但此一決議却是一個正式的根據。後來我在訪英歸來時，應憲政實施協進會之邀，於三十三年三月二十七日對全國廣播，又以實施憲政的先決條件爲題，就訪英的觀感而發揮憲政的要義，大意謂：「英國憲政之如此鞏固與完善，自有其道，而其所以致此之道，似可視爲任何國家實施憲政之先決條件。此種先決條件有三：第一是地方自治；第二是法律自主；第三是人民的基本自由備受尊重。……英國人的一般見解，以爲民治的憲政能否達到目的，在於人民之是否有權選舉其所欲選之人以組織政府，並得依和平的手段變更其所反對的政府。然欲達上述之目的，則人民須能自由批評政府，能自由集會討論政治，並能避免政府違法的逮捕與拘禁」。

·蘧廬雜記·　試題筆誤（上）

·伯雨·

上期本報台北通訊，報道新考試院長主張讀經，於是想起了科舉時代的一件落伍的趣事。

乾隆五十八年癸丑（公曆一七九三年）新科進士朝考，試題凡四，計：「擬後策賢良制」，「積古疏」，「設微不可見充周不可窮之謂神論」，「賦得松風水月，得『閑』字八韻」。閱卷大臣皆朝端重要人物，有經筵講官，太子太保，武英殿大學士，誠謀英勇公阿桂；經筵日講起居注官，太子太保，文華殿大學士，忠襄伯和珅等六人。是科狀元爲吳縣潘世恩。第二題「積古」本是稽古之誤，因爲是高宗皇帝御筆誤識，一般大臣不敢怎樣說。事後高宗御製「筆誤識」云：

「昨朝考題，三月即擬定，手書封交監試官，今日閱卷，諸臣以試諸士，可謂謹密之極，則乃「積古」也，本擬「稽古」，而予不見於『經文』，爲「懵然」未悟，曰：試諸臣，皆不及此，而未請旨，是諸士子之誤，亦予一人之誤也。夫試題一字之誤，亦何關緊要，可乎？然使從政之是非，誤而無人敢言，則諸事皆然，其弊將不可勝言矣。書此用戒後此殊筆之慣也。予更思之，稽古出於典謨，尤有彼此之分焉；也，古自古，積而累古於心，施於言行，播爲政治，而非徒資博雅之爲，不亦宜乎？諸士子並未言及此，是以申而論之。」然總類飾非文過之辭，益重吾過耳。

黑十字

北晨

如果藍英的事和她姐夫有關，她不會不和她姐姐在一起。尋不着這女人，本來只有一點焦急，現在忽然發見這個人物，焦急之外，便又增加了一點妒忌。

今晚的關係他的一生的命運，太重要了，明天還交不出款子，失了這個機會，以後他永遠不會再來。他的份子，他不由不自冒一點險了，怱怱付了賬，裝着走錯了房間，將門帘揭起，遠遠地朝內打了一眼。白濟宏他們正在喝得熱鬧，一半，洪正池，沒有注意，惟有白濟宏看見了，但是，他雖然不認識洪正池，他感到那對眼睛有點熟悉。

茶房的話沒有錯，自己的耳朵也沒有錯，這一來不得他不着急了。匆匆走出大廳，跑到賬房間櫃前，一手拿過了電話，百樂舞廳，藍英要好的姐妹陶家裏，一個接着一個撥了許多個電話。

撥到第七個電話的時候，大房間的這一羣人，灑跑了酒精出來了。他第一個看見的是白濟宏，白濟宏也望見了這張在門帘一邊出現過的臉。他趕忙放下電話，想跟在這羣人後面，再看個究竟，料不到他們出門便坐上朱瑛的車子，一陣兒風去了。（十七）

·中篇連載·

自由人

THE FREEMAN

（半週刊星期三六出版）

（第一三〇期）

每份港幣壹毫

督印人：李光前

社址：香港士打道六十六號

電話：二〇八四八

GLOUCESTER RD. HONGKONG TEL: 20848

承印者：東南印務出版社　地址：香港士打道四十號

台灣辦事處：台北館前街五十號

台灣總經銷處：台北市中華路一段五九～二號

看史太林的掙扎魔術

民主陣營應注意亞洲漏洞

·雷嘯岑·

自從金山對日和約簽署後，史太林已感到世界形勢對他逐漸不利了。最近英美法對西德和平協約再訂立，跟着又有「歐洲軍」之組織出現。東西兩面的防共大堤加速完成，則以刀光劍影閃耀於史太林的眼前，是可忍，孰不可忍？他當然要使出渾身氣力，從事掙扎的。掙扎之法，雖然不外是舊有那套冷戰慣技，但他今後決不會用「和平」宣傳那些於事無濟的方程式，如對美國人製造種種誤會以作亦，如對日本人賀年，如召開國際經濟會議之類，他知道這些玩藝不頂事了！他要以增加戰爭威脅性的手法，來造成東西兩方的動盪不安局面，因使民主陣營，希望國際防共大堤之基，發生裂痕，發現缺陷，給他有隨時攻防的機會。他看準了一點事實，即民主陣營尚沒有完成從事熱戰的準備，此時他不急趕掙扎，唯有坐以待斃！

正努力「反包圍」

在西歐，他除嚇唬西德，至少可以妨礙兩國的建軍工作，增加兩國人民的非戰心理，這樣，他的初步計劃就算成功了。[illegible]

[illegible]

英美如何應付？

照史太林目前的佈置看，民主陣營的最大漏洞，還是在亞洲。[illegible]

[illegible]

……兩魔術如何應付，勝負的基礎即已奠下了，大家留心觀察吧！

日人和台灣法官開玩笑
小債案想引起大問題

先以八百餘元的小債案，引誘法院作一判例，然後一百多億的日本在台債權就準備隨時向我國尋找麻煩。立法院副院長黃國書是小債案的被告人，不服判決已向高院提起上訴

【本報台北特約通訊】台灣最近發生了一件小債務，[illegible]

[illegible]

艾克進入另一戰場
勝敗關鍵將為一四九名中立者所掌握
明日由歐洲回到美國

·丁一·

艾森豪威爾，已脫下歐洲最高統帥的戎衣，預定明天就要由歐洲回到美國，以平民身份，正式爭取共和黨候選總統的提名。六月四日，將發表第一次競選演說，[illegible]

[illegible]

中國未來的政黨（下）

左舜生

大凡一個人，能遵守國家的法律，能盡一個國民所應盡的本分，即不失為一個民主國家的良好公民。[illegible]

[illegible]

社會上任何一種事業或任何一種組織，均可能有領導的人物，[illegible]

在五反榨乾私營店廠後 中共又玩弄新策略

· 張丕介 ·

此時尚無魄力，將整個私營企業全部接收，因為經營不好可能造成空前的混亂和龐大的失業，於是又裝出一副偽善面目，要勞資兩利搞好生產，俾延長資方生命為下次再度壓榨的準備

中共對大陸的勞資關係，在佔領大陸初期，爲了爭取資方的合作，雖曾標榜所謂「勞資兩利」政策，但其基本策略，則係無時無刻不在製造勞資對立，利用勞方來控制資方。這次的「五反」運動，從其演變的過程而言，正是中共利用勞工對付資方策略的最高運用。爲了收買勞工，遂成其摧殘資產階級的目的，周恩來在本年年初，即首先宣布揚棄其「共同綱領」的規定，提出今後「不能抽象地講勞資兩利，而一定要在承認工人階級領導的前提下講勞資兩利」。三月一日「工人日報」社論中，更提出「建立新勞資關係」的口號，強調所謂「新的勞資關係」，乃「在工人階級領導之下的勞資關係，而不是什麼平等的勞資關係，工人階級與資產階級，在領導權這個根本問題上，是談不到有什麼平等的關係的。……新民主主義的中國，就是以工人階級爲領導的中國，在這個國家裏的工人階級與資產階級的關係，就是工人階級領導資產階級的關係」。上述這些聲明，照中共的說法，乃在樹立工人的政治優勢，其實際的作用，則係助長工人的囂張氣焰，來加深勞資間的對立。

職工店主被迫成仇 壓低定貨中共得利

自「五反」發動以後，中共即以「五反」檢查驗爲骨幹，展開分化戰術。首先在職工中進行各種各式的煽動工作，通過所謂「控訴會」，「訴苦會」等形式，來挑撥其對資方的仇恨。其次是通過所謂「團結會」爭取他們加入「五反」，最後通過所謂「說理會」來迫使資方「坦白」。經過這一套鬥爭策略以後，職工與店主在歷史及感情上的聯繫，業已蕩然無存，迫使他們在行動上不能不「一面倒」。「五反」結束以後，中共即利用這些已「覺悟」的工人來監督各私營工廠的加工定貨。如天津許多荷延殘喘的廠店，除了要簽訂「五反公約」外，還要向職工提出種種保證，才算交代清楚。在各項保證中，除了保證將所得利潤，大部使用於勞工福利外，遂提出賬目公開，加工訂貨合同公開，保證以後出貨進貨，須由職工代表檢查，訂加工定貨合同時，與職工共同計算成本，每月月底須向職工報告收支狀況等（見三月十二日天津日報）。在這一情形之下，所有私營廠店，已完全被工人所控制，中共遂通過各級工會控制各廠店的職工，即等於間接控制了全部殘存的廠號。

中共利用私營廠店工人控制資方的第一個作用，是使資方名存實亡，失掉其獨立經營的本質。「五反」後各私營工廠的決定權，已由資方轉移至工人操縱下的「勞資協商會議」。所有生產以及經營的實際權力，全部均操諸「勞資協商會議」，資方已成爲徹底的傀儡。其次，是藉工人的操縱，來削減各廠店的利潤率。如最近廣東百貨公司的廣州三十家針織廠訂貨時，各廠的訂價，即被工人壓低百分之十至十五，瀋陽有許多廠家的訂貨價格，甚至被工人削減百分之四十八。（見四月廿六日光明日報）

接收店廠無此力量 利用工人賣力賣命

上述這一控制辦法，雖已局部奏效，但目前中共還沒有直接接辦私營廠店的力量。儘管大部份的私營企業，經過了這次「五反」，可能陷於破產，但還有不少的設備可以繼續利用。如果中共此時否定資本主的所有權，則其生產系統及稅收系統，可能發生極大的衝擊，而直接使數百萬私營企業的職工，陷於失業。在中共積極備戰的關頭，絕不敢冒險從事此一變革。因此，中共認爲消極的控制仍非上策，必須設法使資方能在工人的控制下恢復生產，始足以解決問題。在這一目的之下，最近中共對資方已採取另一策略，一方面放棄「打虎」的宣傳，轉而號召商人「增加資產」，「逃資回櫃」。另一方面在各地召開私營工人代表會議，要他們主動「團結」資方，承認資本家的財產所有權，生產營業的管理權與人事任免權，並號召工人迅速鼓勵「生產競賽」，希望藉此提高資本家經營的積極性，使私營企業不至就此解體。

這一連串的措施，表面上在表示其並無消滅資產階級的意圖，實際上則係其玩弄勞資兩面手法的再度運用，其基本目的，除了維持稅收，避免引起失業狂潮外，主要想在使工人出命出力，爲其增加剩餘價值，並希望資方吐出其隱匿的資產，爲另一次搜括預留地步。據「解放日報」的報導：上海的公私工廠，最近都提出增產的口號，要求職工將「五反」的鬥爭熱情，轉爲生產熱情。據東北「勞模」張鶴山五月十一日在「人民日報」所透露的事實，他們廠裏自四月份起，每天即加班兩三小時，弄得工人疲勞不堪。這是中共在捧高工人以後，轉而折磨他們的策略。又據天津「進步日報」的報導：天津共方爲恢復資本家對經營的信心，特別舉辦所謂「資本家恢復業務學習班」，一面放寬貸款，一面重申維護資產階級的保證，據說在中共的「保證」下，已有少數廠商願意拿出黃金、布疋、銀元來增加資本。此外還有六十多家準備變賣不動產來增加資本。從上述這種種跡象觀察，可見中共要工人團結資方，搞好生產，絕不是對資產階級有所眷顧，而係放長其勒搾政策，希望過相當時期後能再來一次總搜括。

這一套玩弄勞資新策略的擬訂，在中共方面固當認係兩面得利的辦法。一面使「當家後」的工人，加班加點，賣力賣命，一方面，又使苟延殘喘的資方，在被宰割之餘，還要獻身獻產。但根據目前情形觀察，除了工人方面，可能繼續被利用外，歷經磨練的商人，大多已洞悉其奸。據五月二十一日「南方日報」的報導：廣州許多工商界，「對生產經營都抱着猶豫觀望的態度，如橡膠業許多資方，把一切生產和行政的責任全部推給工人，雖接受了定貨任務，卻不願拿錢買原料，拖延不開工，個別資本家並挑撥工人關係，破壞工人團結，採取報復手段」，「上海信誼藥廠經理周漢松，對業務採取冷淡態度，漢口，長沙，廈門等地的藥商，向該廠的訂貨單，他只略略一看，便擱在一邊，有貨也不接訂了」。從這些自供中，充分地證明一點，即中共騙術雖然花樣翻新，上當的究竟不多了。

英國對中共態度嚴峻 廣九綫共軍署有增加

【香港三日】英國答覆中共五月六日有關香港"件"之抗議，措詞嚴峻，竟坦率指斥，謂：「中共政府承認不負責任之謾罵，復在公文上使用如是激烈及可惋惜之詞句，誠爲憾事。」此覆牒，於二十九日發表，三十日本港報紙，一律以重要地位刊登。惟共黨尾巴報，則一字未載。二十九日北平廣播，亦未提及，惟廣播中一般性之反英反美，則較前更爲激烈。又據昨自廣州來港者談：廣州現在中共編導下，反英運動，日見熾熱，由香港驅逐到穗之影人工人，不斷召開座談會，發表反英宣言。沿廣九綫各站，經常放送反英廣播。深圳方面，並時用擴音器，作種種煽動，挑撥之反英講話。每次客車，均有宣傳員登車宣傳，內容多半爲反英性質。惟沿綫情形，尚與平時無何顯著別，據聞，中共在此綫駐軍，雖稍有增加，但尚並不足引起香港人士之關注。目前中共目的，仍只在虛聲恫嚇，俾其在香港境內之中共份子，地下工作，得不致遭受阻礙。

天主教舉行國際大會 方豪等由台經港赴歐

我國天主教會出席第三十五屆國際聖體大會代表團，共包括代表十一人，團長，牛會卿主教，副團長，方豪，團員，楊紹南，林景靖，朱秀榮，章鸞倩，范爭波，丽澍出，程石泉，盧志中，陳洪略。大會在西班牙巴斯羅納舉行。牛等已分批自台北出發。第一批方豪，程石泉於二十八日到港，即於二十九日轉乘英國海外機飛歐。其餘各代表，亦即將於日內取道本港，陸續前往。天主教在中國大陸，受共黨迫害，最爲殘酷，聞各代表已搜集種種資料圖片，準備於出席大會時，分別散發。又代表等於在台北出發前，行政院長陳誠，及中國宗教徒聯誼會理監事蔣[illegible]，郭鴻猷，左曙萍，陳天民，馬策，李子寬等，均曾分別設宴，歡送。在歡讌會上，章嘉等先後致詞，希望各代表能將自由中國各宗教團結反共精神，及共匪滅絕人道，迫害宗教之實際情況，向全世界各國代表，詳盡報告。牛團長答詞，謂必本此宗旨，轉達全世界。

美國母親擬應邀赴台 並可能便道訪問香港

阮陳彩蓮女士，在美當選美國母親，自由中國，認此事爲中華民族極大之榮譽。此間昨有人接美國來函，謂周錦朝在台時，我朝野各方，曾紛請其於返美後，代向女士，致深切之敬意。蔣夫人並表示，歡迎女士回國一行。周已將此意轉達，聞女士深感興奮，已允俟秋涼後，如無特別繁雜，決回祖國觀光，並訪謁領導反共抗俄之各界首長。女士又有意，於回國時，能便道訪問香港。（必固）

收復大陸後又一嚴重問題 婚姻糾紛將如何處理

比土地問題尤難解決，但自由中國已縝密研究，並定有處理原則，以儘量尊重當事人意思爲主。堅忠貞人士配偶在大陸被中共強迫另婚者，決一概認爲無效

【本報台北特約通訊】蔣總統在今年元旦告全國軍民書中，曾說過中共去年在大陸上推行的六大運動，就是六殺運動。其中的「全國土改」運動，使兩億三千萬善良同胞參加鬥爭，互結仇怨，自相殘殺。農田收穫，全部歸了共匪的手中。「新婚姻法」更拆散了成千成萬的家庭，造成了亂倫敗德的醜劇。（編者按：可參看本刊今日第三版第一條北平通訊）惟中共竊據大陸的日子愈久，則日後收復大陸需待處理的問題將愈多，解決將愈難。關於土地問題，記者曾有報導自由中國原有兩派意見，近已漸趨於承認農地農有的一端。後來經蔣總統對外國記者談話，已可證明前次的報導尚不失爲正確。

陷後結婚應重新登記

土地是死的不動產，要解決問題，還是容易的。而「新婚姻法」所造成的不合法的婚姻，收復大陸後如何處理，不但爲自由中國人士的課題，且爲大陸上無數男女所關心。綜觀自由中國各方面人士對於收復大陸後處理婚姻問題的意見，有一個原則是大家都贊同，並且要加以堅持的，便是儘量尊重當事人的意思。因此，凡在中共竊據大陸後的男女婚姻，只要係眞正出於自願，雖則並沒有具備我國民法所規定的結婚條件與法定的形式（即公開儀式，與二人以上之證人），也應該承認其有效。但是他們的婚姻既不合民法的規定，日後要承認其有效，是否需經過某種手續，則各方面的見解不盡相同。有人認爲應該於收復大陸後，公告週知凡在淪陷後所締結的婚姻，都要重新登記。至於登記的機關，有人主張是法院，有人主張應由鄉鎮公所辦理。但也有人認爲我國民法對於婚姻雖則規定其爲要式行爲，卻並沒有規定必須經過登記。惟既許其不具備民法上的條件與形式的婚姻都可以有效，則登記的程序似不可免。除去男女完全出於自願的婚姻外，尚有下列幾種情形，值得特別研究。

顧復合者准破鏡重圓

（一）夫婦之一方不在大陸，而對方在淪陷時期與他人再爲婚姻。這在法律上本來是當然無效。但在中共鐵幕之內，音信隔絕，對方生死不易明悉，亦確爲事實。如依宣告死亡的規定，則須失蹤滿十年，年限不足。且現在大陸上亦無此項辦法。如認爲係離開大陸之一方惡意拋棄，亦須先經過離婚手續，方可與他人結婚。關於這一種情形，多數人贊同如在大陸上再婚之一方與原來配偶復合者，自應許其破鏡重圓。如不願復合者，則應對於原配偶負損害賠償之責。惟如原配偶仍在大陸上再婚之配偶均不願與之繼續婚姻關係，而又不能自主時，則原配偶之婚姻關係依法並未消滅，應仍予以扶養。若原配偶亦無扶養能力，曾有人主張應由國家予以救濟，則尚未爲多數人士所贊同。

清算對方者以離婚論

（二）夫妻同在大陸而一方曾對於對方有檢舉或清算之行爲，無論係出於被迫與否，夫妻之道義既不存在，則其婚姻關係應認爲消滅。將來大陸收復後，不得再主張夫妻身份。

（三）夫妻在大陸上離婚，並未照民法的規定。則自收復大陸之日起，應命其登記。登記機關或爲法院，或爲鄉鎮公所，則主張不一。登記時應調查其離婚是否出於自願，登記後應予公告，諮詢有無異議。如非出於自願或有人提出異議，則應分別情形，加以處理。此項處理之權，各方面均贊成應該屬於法院。

（四）已離開大陸的忠貞人士，其配偶如因陷在大陸，致遭中共強迫另行結婚，或用配給方式者，此等婚姻因其並非出於自願。一律認爲無效。

但中共在大陸上自實施「婚姻法」以來，拆散家庭，敗滅人倫，千奇百怪，有非人類的頭腦所能想像者。收復大陸後應該如何處理，今日只能先確定一個原則，便是「力求男女關係安定，俾得早日恢復社會秩序」。有許多問題，只有留待臨時解決。解決之責，自宜屬於法院，但解決的基礎，卻不可拘泥於現行的各種法律，而應有高瞻遠矚的眼光，安定國家的基礎，勿再使大陸人民於光復後，反增加新的不便與苦痛。（二十九日寄自台北）

中國未來的政黨（下）

上接第一版

今天中國大陸上，人民把共產黨的機關，叫作『組織上』，這是可以令人談虎色變的；若干年以來，中國的老百姓也往往把一般辦黨的人叫作『黨老爺』，而所謂『老爺』也者，也居然居之不疑，連走路說話，也往往有一股『老爺』的神氣；他們總以爲不會被人民所棄，實際當民衆叫出這些名辭的時候，他們和民衆的隔離，已經有十萬八千里了！從前我有一位老朋友，當他訓練黨員的時候，總歡喜鼓勵一般同志，做一個『辦黨專家』，我當時心裏不以爲然，以爲什麼專家不好做，一定要做一個『辦黨專家』呢？今天一般人口頭心頭都有一個『黨混子』的名辭，其意義與從前在軍營中混久了的人叫作『營混子』是一樣，假如眞需要有所謂『辦黨專家』的話，你想，除了養這班『黨混子』以外，你還有什麼辦法呢？

有人說：你把過去黨派的作風，批評得一錢不值，可是共黨不就是運用這一套，居然竊踞了中國整個大陸嗎？我們今天既然要反共，不師敵之長以制敵，又如何把共產黨打得倒呢？實際這是只知其一，不知其二，我們之所以對共黨深惡痛絕，便正是因爲他們這一套最足以戕賊人性，我們今天要反共成功，首先便在人性的恢復，提高人類精神的自由，倡導人類的平等，反共也要這樣做，建黨也要這樣做。

我理想中新政黨，應該是平淡無奇而富有自由平等的氣象的；應該是人羣的一種自由結合，約束不能不有，總以愈少愈好；黨員有關心一切重大政治問題而加以研究的必要；黨內對政策及世界一般情況的研究組合，愈多愈好，須讓他們自由發展，不要以黨的力量去干涉，尤其不要去指導，凡自命能指導別人的人，都是世間第一等不安分的人；黨員的行爲，只受國家法律的限制，黨無所謂黨紀，更無所謂退黨，一以對政策的異同爲準；不得因此而減少他的作用；黨不能限制黨員以無限的黨務，黨員亦不能要求黨作無限的信賴；要黨內無限的人才，有充分自由表現的機會；黨內也可能有若干派，但派系出於對一個或若干個重大問題有了不同的看法，決不是彼此結合一羣人來排斥異己，搶飯碗；凡黨員均以參與政治而不拋棄本業爲原則。（完）

這裏告訴你四件確實的故事，看這班披着人皮的共產禽獸，他們口口聲聲，尊重婦女，解放婦女，他們本身對婦女却是何等玩弄，虐待！

共幹的老婆最苦痛
慘劇不斷演出
共幹死了指定對象強迫改嫁

【本報北平特約通訊】儘管中共在宣傳上，口口聲聲，尊重婦女，要將所有婦女，從黑暗的舊社會裏，予以解放。並大吹大擂，說新婚姻法，就是中共解放婦女的寶典。但證諸事實，大陸各地婦女，所受中共幹部的種種殘酷虐待，比過去任何時期，不知更增加幾千百倍。此間婦女團體，不斷接到此類事件的慘痛控訴。下列這四件虐待案，即是無數案件中，一些典型的鑿例。

再嫁以本村本黨為限　抽簽決定可兩男合娶

先從北平附近說起。距所謂「人民首都」不到五十華里的宛平縣軍莊村，村裏有一位長得很漂亮的女子，叫黃芝榮，在五年前，和附近灰峪村（現已改隸懷來縣，並將村名改為楊莊子）一個地下共幹叫許金榮的結了婚。及中共勝利，許由地下功臣，一躍而為地方要員，聲勢煊赫，且在外任意與其他婦女姘度，因此對黃橫施虐待，感情很壞。幸不久許即以風洗病逝世，黃在許家並未育有兒女，許死，黃擬返軍莊村母家，自謀生活。不料灰峪村幹部，竟認黃為本黨「同志」的妻室，不能自由行動，即由幹部作主，以抽簽方法，將黃另配給一個中簽的共幹楊敏為妻。黃不肯同意，經幹部硬逼成婚。婚後，雙方一直鬧彆扭。去年冬天，黃實在忍受不了，向楊敏要求離婚，被楊拒絕。楊報告幹部，幹部還將黃大罵一頓，嚴重告戒，以後不許再提離婚兩字。今年二月，縣黨部派出專人到各村宣傳婚姻法，說凡是婚姻不滿意的，任何一方，都可以提出離婚。黃記在心上。三月中旬，黃下了最大決心，按照婚姻法手續，她一個人偷偷出門，逕往區政府請離婚。不料走到中途，就被楊敏和村幹部數人火速趕上，當在路邊將黃拳打腳踢，遍體鱗傷，然後押回家去，再將黃吊在房梁上仔細拷打。暈死數次，直到現在，還不能起床。一個村幹部警告她：「肥水不落外人田，我們永遠不許你離開這個村子，你要走，可叫你娘家先給你抬棺材來。」還有一個叫楊廣才的村幹部，說得更妙：「你如果對楊敏感覺不滿足，那麼，我們就再抽簽一次，加一位同志，和楊敏合夥和你過夫妻生活。」黃氣憤萬分，一再尋死，都被救活。前幾天，還是被她娘家知道了，向北平婦女團體請求救助。有無效驗，現在還不知道。

寡婦決心嫁村外幹部　房屋財產被本村沒收

村幹部強迫婦女與本村幹部結婚，不許出村，與上述情形相似的案子，還有一件也發生在離北平不遠的一個地方，即涿州附近的淶水縣車廠村。這村裏一位寡婦叫林紀齡，原來的丈夫，也是一個村幹部，丈夫死了，丈夫的「同志」王克璞，一定逼她和另一個村幹部結婚。她因為心裏另有對象，不肯答應，王等乃千方百計，從中破壞。並威嚇林紀齡，如果你嫁給本村同志，你的房子，財產，都還可為你所有，如嫁別村，即一律由本村沒收，你只有掃地出門。此外有無更大的危險，我們也無法擔保。但林已有決心，不顧一切，她和離車廠村只隔八里路的一個鄰村，叫鞠瑞麟的結了婚。鞠是妻村的重要共幹，車廠村共幹見生米已成熟飯，且鞠有背景很硬，也不敢輕易鬧翻，因此，就沒有和灰峪村共幹對待黃芝榮辦法，追回拷打，不過林在車廠村的房屋財產，却被村幹部扣留沒收了。林不甘損失，仗着有新丈夫撐腰，所以潛她向北平婦女會控告了車廠村幹部，請求制止該幹部等的一切非法行為。

女人嫁共幹遭受虐待　要離婚引起一頓苦打

第三件共幹虐待婦女不准離婚的慘案，出在山西文水縣北胡家堡村。該北胡家堡村共幹張明則，與郝消源縣西谷村女子郝桂枝結婚。因張明則曾做過當地民兵隊長，現在仍由黨派在民兵隊中，擔任政治訓練工作，勢力很大。他專歡喜和本村婦女，搞不正當關係，以此，和郝桂枝，夫婦之間，屢起衝突。一再遭受張明則毒打。今年三月二十四日，她邀請舅父馬三，同到第三區人民政府，訴請離婚。區政府已准予受理，叫她先回去，聽候傳訊。不料當郝桂枝，馬三，剛回到胡家堡時，張明則已知道消息，立即指使村武裝委員兼民兵隊長王成丁，帶同民兵，將郝馬兩人，一併拘捕。馬三被捆到村公所，勒令具結悔過，承認自己有意挑撥，以致領帶外甥女到區政府訴請離婚，保障郝桂枝以後不再有要求離婚情事發生。馬三具結以後，接着，張明則，王成丁等，再強迫郝桂枝具結，承認不該聽馬三具結挑唆，使向區政府訴請離婚。郝不肯，張等就將郝痛打一頓，結果，郝在具結紙上按了手印。張明則將這兩張字據送到區政府，區政府就消了案，不再過問。郝桂枝覺得自己前途斷送，又覺得對不起舅父，一再自殺，均未成功。不久以前，竟被張明則將她帶上鐐銬，不許出門。還是馬三在具結釋放以後，為了替自己和甥女報仇，跑到北平，向婦女會及其他機關，揭布了這黑暗事件。才引起人們注意，如何處理，目前也尚無下文。

老共黨準備另結新婚　將老妻推落火車跌死

最後一事，比以前三事更慘。老共產黨員，東北綏化鐵路公安段祕書科幹事姜寶春，他的妻子曹國禎，一貫被他虐待。最後，因為想和另一位女「同志」正式結婚，就決心將曹弄死。今年三月二日，姜寶春帶同曹國禎及小孩從綏化乘火車到齊齊哈爾。姜故意將曹哄到車門口，當黑夜中火車正開快車前駛時，姜猛力將曹向車下一推，曹一手還拉住車門，向他哀求，「你不要變我，離婚好了，何必一定要我的命，你看小孩面上，饒了我吧」，姜絲毫不理，接着更對準曹的身子，一腳踢下，曹跌落車下。幸是晚大雪遍地，曹昏了過去，第二天醒來，仍能勉強爬到附近一個村子，知道昨夜出事地點，是離綏稜車站不遠。她神智還清楚，將被姜寶春踢下火車的慘劇經過，告訴了村裏的人，當由村人將她送往綏化鐵路醫院治療，但因內部已受重傷，到院數日，即行斃命。死後，姜寶春絕對否認是被他踢落火車，只說她自不小心，失足跌出車外。當地機關，也就不加追究。姜寶春不久就和新愛人結了婚。最近還是同事中有人不平，才向北平告發，要求對姜從嚴處懲，治以殺人之罪。（隆光，二十四日寄自北平）

大陸上三百萬隻惡狗
天天向老百姓狂吼怒號
但宣傳員素質太差除使人民感到緊張恐怖外並不能發生宣傳的功效

·大哀·

【本報綜合報道】中共最自鳴得意的，第一，有武裝軍隊一千萬，第二，有宣傳員二百萬。尤其宣傳員之多，簡直連老大哥蘇聯，也不敢專美，其他共產附庸國家，當然更望塵莫及。中共還不感滿足，據說，打算到今年底，可能達到三百萬。（去年十月底，已達一百五十萬，預定一年內增多一倍）猗歟盛哉！三百萬隻喇叭，也就等於三百萬條惡狗，在大陸上天天向老百姓狂吼怒號，這數大陸上已大半患癱神經衰弱症的老百姓，怎能好好活下去！單這一舉，大陸上老百姓精神上的無法生存，也就可想而知。

這些宣傳員，是滿坑滿谷，無孔不入。但除了消極的使人民感到緊張，恐怖而外，積極方面，實在沒有發生任何作用。上期本刊所載北平中學生對時事測驗，百分之八十以上的學生不及格，這就是中共宣傳失敗的一個最大確證。而這幾個月來，中共報紙，一再指斥各機關人員不肯讀報，參加讀報組的人，昏昏欲睡，都充分說明，中共的宣傳膏藥，連公務員，也十分厭惡，一般老百姓，自更要掩耳疾走，不再上當。

二十一日長江日報載，荊江分洪工程，在石首黃山頭工地主管運輸工料的運輸科長方湖，他存在嚴重的官僚作風，急待使用的石頭，不能依時運到，以致從四月十三日到五月六日，整整二十多天，沒有一塊石頭，一千多工人，得天無工可做。不做工就沒有工錢，工人埋怨說：「我們是來做工的，並不是來曬太陽的，誰叫你們不鑿石頭來？」最妙的，是在這種情形之下，中共派在黃山頭工地的宣傳員，却還不識時務地指責工人懶惰，督促工人加油。長江日報關於這些宣傳員的努力工作，有如下一段報道：

「一些宣傳員，他們辛辛苦苦，只是他們的宣傳工作却是脫離實際的。例如有一天某地打石民工因為等待石頭，停了工作在抽烟閒談，一位宣傳員當見民工停止了工作，就舉起喇叭大聲喊叫：『同志們，加油啊！加油啊！……』民工就回答他：『往那裏加油啊！』」

在同一篇報道宣傳員在黃山頭工地努力工作的情形中，還有如下的一段：

「某縣文工團一到工地就進行排劇，並親自動手修了一個舞台，大張旗鼓，緊張忙碌了二十多天，劇排好了，民工都完成任務回家了。他們自己動手在工地佈置了一個文化場，場內掛滿宣傳品，但是民工『日出而作，日入而息』，文化場沒有觀衆。另外，他們還忙着在晚上給民工唱歌子。但是由於他們是脫離民工的工作，生活和思想，單純地為宣傳而宣傳，對於民工沒有發生實際的鼓動作用。」

共產黨一貫作風，是重量不重質，照這樣情形，宣傳員就再由三百萬增加到三千萬，試問他們是不是就有把握，把大陸上老百姓，一個個說得心悅誠服，接受共產主義，與秋獄王朝同生共死，擁護到底呢！不然，則宣傳員越多，只是越增加老百姓的反感，而三百萬條惡狗所給予中共糧食的消耗，也確實有點驚人啊！

興梅中共糧倉　專餵老鼠麻雀
豐順九個倉庫　存糧全部霉爛

儘管中國大陸，到處鬧災鬧荒，但中共佔有的糧倉，都從不肯因老百姓快要餓死而稍予開放。他們寧可讓老鼠、麥蛾、麻雀偷食，讓存糧大半霉爛，而嗷嗷待哺的老百姓，絕難動用分毫。廣東興梅一帶，是最近災荒很嚴重的區域，據二十六日南方日報載，興梅專區豐順縣糧食支公司所屬九個倉庫，所有倉庫近牆四周及底層一尺以內的糧食，因被風雨吹入，已全部霉爛，其餘也都在開始霉爛中。損失重大，概可想見。如果將這些存糧，當災荒時，就分散給人民，則起碼當可解除幾十萬人民的飢餓恐怖。然而中共偏不這樣做，這或許也就是「人民政府」「處處為人民」的特色！

南方日報還曾指出這些倉庫的實際情形，在中共大吹大擂，「中共工作效率高於任何時代之反動政府」的擴大宣傳下，這種代表中共政權的自我招供，總不是「國特」造謠吧！一字不改的南方日報招供如下：

「有些倉庫保管人員，以為保管糧食不給人偷就算了事，對倉庫檢查工作毫不重視，如某倉內因放穀過重，棚桁已斷了一枝；有的倉庫被雨淋日晒也不設法防止，雨直漏在糧食上也不管，甚至穀生芽很長，老鼠麻雀吃去穀很多也不知道，同時，因為沒有經常打掃，使倉庫佈滿蛛網，地上則堆滿了垃圾，有的倉門口堆放着容易引火的柴草，也不設法搬開，總之對保管工作，馬虎塞責，領導上也完全沒檢查督促。此外，保管人員還有嚴重的鬆懈思想，對保糧工作不重視。」

小經理竟敢違反教條自創新論
「依靠工人是依靠技術」
武漢第一紗廠經理崔近仁因此慘被整肅

【本報漢口特約通訊】「依靠工人」，「改革企業」，「發展生產」，是年來中共喊得最響亮的三個口號，但這些空洞虛偽的口號不必說毫無政治色彩的純粹商人已不感興趣，連中共一手訓練出來的多年老幹，技術人員出身，像武漢市第一紗廠的「經理」崔近仁之流，也都在堅決反對，誓不遵行。雖然「崔近仁現已在一連串的「檢討」，「批判」等「民主方式」搬演之後被撤職扣押，但工人之無從依靠，企業之無法改革，生產之無由發展的現狀，則不是撤換一兩個人所可以改變的。

說抗美援朝要失敗

「武漢一紗」原是國府「中紡」的一個規模相當宏大的紗廠，三鎮淪陷後，為中共劫收，新經理崔近仁上任之前，「上級」就諄諄告誡他，「必須進行一系列的政治性改革，發動職工，改進生產工作」，但崔認為不必再將這些「狗皮膏藥」貼到工人頭上了，他理論的根據是：「只要機器好，生產就能好」，因此，他不遵「命令」不經過什麼「改革」，「發動職工」。中共指出，該廠對於「鎮壓反革命」「抗美援朝」，和「民主改革」等「偉大的」群眾運動，不但不積極參加，而且遠遠的站在運動之外。「抗美援朝」開始時，崔近仁曾以「泥菩薩過江，自身難保」暗諷，「鎮壓反革命」展開時，崔曾憤激地說過：「要殺就殺好了，何……」「三反」開始後，崔又公開說：「僅存的一點技術要給三反反光了！」崔這樣大膽與中共作對，當然是中共整肅的對像。

廢鐵變不成新機器

二點，關於「依靠工人」一事，崔曾向工人講話：[illegible]

[illegible]

不貪污也應該懲辦

關於發展生產，崔一向主張踏實地，不尚宣傳，在該廠改裝機器過程中，「前進」的工人以「節省人民的財富」為藉口，說某些器材可以自造，某些廢料可以翻新，但崔因已「領教」過這班工人的技術，敬謝不敏，再也不敢「請教」，最近崔為了改革企業，到上海去買了一批價近千億的機器，沒有讓工人「代表」參與其事，被工人控告，「可能有貪污情事」。而崔則理直氣壯的呈報上級：「我保證沒有貪污，假如有，可以殺我的頭。至於我在上海採購的近億元機器中，雖百分之八十均在私營廠中購買，但均經親自仔細檢查，絕無以舊頂新，以壞充好情事。」不料「罪名」就出在這份呈報上，現中共「中南軍政委員會」批判崔曰犯的罪過是：（一）對逃避國家經濟領導的「奸商」，不但不予追究，相反地竟幫助資本家說話。（二）違反國家統一採購政策，引起市場價格波動。（三）喪失立場。（四）極端嚴重的「個人主義」，為發展個人，網羅技術人才，取得資本，爭向上爬，想達到在中南紡織界中稱雄稱霸，獨攬大權，聞名全國的目的。（五）脫離政治。（六）迷信技術。（七）脫離群眾的領導。（八）居功自傲，擺「老資格」的包袱，不學習，不進步等。結果是撤職扣押，聽候懲辦。（懷民，二十五日寄自漢口）

中國歷史上的創舉

有關於鴉片國營

高方

自由談

俄國出席聯合國經濟社會理事會的代表，說中共已對鴉片烟的生產實施「國營」，同時又於一九五〇年二月制訂了禁吸鴉片的法令。因此，他認為「此在中國歷史上係屬創舉」。意思是在替中共撐腰，說中共這套做法「頂頂好」！

中國共產仁兄之「國營」鴉片，豈自今日始？抗戰時期的延安「邊區政府」管轄區域，除却共黨派人引導前往的地方外，任何一個外面人皆不許自由出入，為的就是遍地罌粟花，不願別人欣賞。他們據大陸後，更大量產銷鴉片，去前年間，粵省沿海地區，到處設有「毒化美帝膏藥販賣處」。俄共少見多怪，認為中共一面公開「國營」，一面制訂禁吸法令，便是「中國歷史上的創舉」，他却不知道「國營」鴉片的目的是在「毒化美帝」，這才真是中國歷史上的創舉哩！

中國人吸食鴉片，是由西方人誘習而成的，如今中共基於「愛國主義」，乃大量產銷這些『毒藥』來「毒化美帝」。美國代表說中共「國營」鴉片是「重要的發現」，他如果知道「重要的發現」又是以「毒化美帝」為目的，更將大喫一驚，歎為偉大的奇蹟了！

共匪黨的玩藝就是這末一套，揀美好的名詞，作醜惡的壞事。若以真正的中國人和其傳統文化來研究，確實不愧為中國歷史上的創舉，但問題是他們並非真正的中國人啊！

·蘇聯內幕· 路路通（上）

芝譯

大陸的青年不愛共產宣傳，幹部愛好榮華享受，不肯下鄉吃苦，而中共當局官僚作風的廣泛，本報迭有報道，已成盡人皆知的事實，這種情形，在所謂「共產世界的天堂」蘇聯，甚至更為普遍和嚴重，最近蘇聯共產黨青年機關報，將一件實事，寫成一篇特寫，藉作警惕，中心人物是一個不願到偏僻地區工作的青年，但所敘事實，赤裸裸地暴露了蘇聯青年情緒的頹劣，男女關係的隨便，官僚階級的重疊，組織的混亂，尤其是大官的偏私和胡作胡為，即法官亦奈何他們不得。紐約時報因這為蘇聯一篇稀見的坦白供狀，特譯成英文，載於某週刊。下文係根據該文譯出。

契尼柯突然變得笨了，事前絕對沒有一點徵象。起先他不再懂得積分。接着他忘記了一切學過的代數公式，到末了，他的頭腦竟無法再保留簡單的算術。

「大概他精神太疲困了，」他的同志想：「祇要休息一個時期，一切困難便會消失的。」

然而事實卻正相反，他的健忘並沒有轉好。大考了。他考了五次，卻每次都祇得一個「丙」，不及格。戴倫堆教授很想幫他一點忙，勉強讓他及格，但是他的成績實在太差，無從幫起。

「或許他是怕你吧，」校長對這教授說：「你還不知道，學生都是這樣的。」

校長為了要證實他這個推想是不是正確，特地替契尼柯組織了一個特別考試委員會，裏面的三位教授，都是最受各方尊敬的。可是他們所提出的考題，就是最簡單的，契尼柯也答不出來。

「二乘二是多少？」

契尼柯皺緊眉頭，用力苦思。

「是四，」旁邊的同學，輕聲偷偷的說。

契尼柯卻還是站着不動，一聲不響。

「只怪他運氣不好，」同學們在替他難過：「這樣的測驗還不容易。而且，他要準備做論文，再過一個月，他就讀完這工專了，然而他卻站在黑板前，像一塊冥頑不靈的石塊。」

「你連九九歌訣也忘了？」一個考試委員問。

「再也記不起了，」契尼柯回答，接着又說：「我請求你們把我開除，我決不會成為一個好工程師，我太笨。」

「不行，」考試委員說：「這不是天性愚鈍，你祇是故意裝傻。」

「他裝傻有什麼用處呢？」校長覺得異常詫異。對於一個誠實的學生，在這工專辛辛苦苦讀到了五年級，當然決不會希望就此輟學。可是契尼柯有他自己的道理，他不要到貧困的省區去工作。他沒有

「讓他們把我調出正式班好了，」他對他哥哥說：「我可以進補習班，繼續讀完，這樣，畢業後我就能留在熱鬧的莫斯科了。」

「你還什麼可以准許脫離正式班呢？」

「你等着瞧吧，我自有辦法，我將假裝傻瓜。」

但這次偽裝並沒有成功。校長把他叫去，對他說，要是他將來的行為再不改變，他將立刻呈請人事處將他分派工業上的工作。

「不過我得沒有工程師的合格證明書啊，」契尼柯再想法申辯。

「這不要緊，你可以不用畢業證書而都派到小地方去做事，當個技術人員。」校長說着，把一張人事處關於學生就業的規則給了契尼柯。

契尼柯頹喪了。馬上使考試在第二天即開始舉行。畢業生紛紛着手寫論文。可是契尼柯倒並不着急，他靈活的腦筋已轉到一個新計劃，學生寫論文的期限是六個月，他可以請求，寬限到一年。

「那時候，別人的論文早已繳出，工作也已派定，人事處對這學校的任務已完了，他們不會再記得我這個人。」他對哥哥說：「不過，你想他們會不會因為我有家眷的關係，准許我的論文延期繳卷？」

「什麼家眷？你還是個單身漢！」

「結了婚不就有了？」

「你想跟誰結婚？」

「討個老婆還不便當得很，維卡對我很有好感。」

維卡還祇十八歲，剛讀完中學，進了這所工專。她天真純潔，對人人都信賴，畢業班的學生，成了她仰慕的對象，她羨慕他們已在做畢業論文。平時她尤其喜歡契尼柯。

契尼柯決定假裝愛上了她。天天早晨，他拿着一枝花等在她門口，和她並肩走到學校。他又常常請她看戲，最後終於達到目的。她接受了他的求婚。

一切事情都如契尼柯想像中的順利，畢業班的其他學生都分發到蘇聯各個遙遠偏僻的角落去，祇有他還留在莫斯科，享受他所愛慕的繁華。

「契尼柯內有眷屬，須加照料，准許延期繳論文，另待分發工作。」這是交通部的批示。

婚姻的用途完了，半年後，人事處果然遺忘了契尼柯其人。於是契尼柯決定再回到他沒有牽掛的單身漢生活。

「我結婚了半年，現在我急着要寫論文，不能讓太太再打擾我。」契尼柯向共黨青年團報告，用意自然是希望獲許擺脫他的年輕太太。

青年團當局極力對他勸告，說結婚並不是像電髮一樣，過六個月便失去了效用，而是每個青年人生命中的大事。可是契尼柯並不是理論可以把他說服，他終於以最聰明的方式遺棄了他的太太。

雜談李白（三）

·舜生·

竹樓隨筆（一〇一）

『朝辭白帝彩雲間，千里江陵一日還，兩岸猿聲啼不住，輕舟已過萬重山。』這大致便是我們這位青年詩人最初離開四川到達湖北的得意之作。『蜀國曾聞子規鳥，宣城還見杜鵑花，一叫一迴腸一斷，三春三月憶三巴。』這無疑是他晚年流寓宣城懷念他故鄉的作品了。

又在李白所有的作品中，詠到月亮，提到峨眉的地方，往往都是最優美，最自然：

『峨眉山月半輪秋，影入平羌江水流，夜發清溪向三峽，思君不見下渝州。』（峨眉山月歌）『我在巴東三峽時，西看明月憶峨眉，月出峨眉照滄海，與人萬里長相隨。……』（峨眉山月歌送蜀僧晏入中京）像這樣的句子，尤其是我們這種曾到峨眉山看過月亮，也曾在青衣江（即平羌江）坐過木船的人所最能欣賞的了。

根據上面所述的種種，則李白故鄉之確為四川，還更有什麼疑問呢？

在這一節中，我還有附帶的幾句話想說一說：去年李長之先生所出版的讀本『李白』的小冊子，他把『聽蜀僧濬彈琴』這首詩，也作為是李白少年時期的作品，我看似乎可以斟酌，這首詩的全文是這樣的：『蜀僧抱綠綺，（琴名）西下峨眉峯，為我一揮手，如聽萬壑松。客心洗流水，餘響入霜鐘。不覺碧山暮，秋雲暗幾重。』不說技術這樣老到不像是少年之作，假說這也是在他未離四川以前作的，根本也就無所謂『客心』了。

根據元微之（稹）『杜工部墓誌銘』的兩句文字：『是時山東人李白，亦以奇文取稱，』而微之之文，大致又根據杜甫的兩句詩：『近來海內為長句，汝與山東李白好。』（蘇端薛復筵簡薛華醉歌）李白住在山東很久是事實，但『舊唐書』說李白『父為任城尉，因家焉。』卻是很可疑的：范傳正的『唐左拾遺翰林學士李公新墓碑』敘述李白的家世，明明說：『隋末多難，一房被竄於碎葉，（按碎葉為西域城名，隸安西都護府。）流離散落，隱易姓名，故自國朝已來，漏於屬籍。神龍（唐中宗年號）初，潛還廣漢，因僑為郡人。父客，以逋其邑，遂以客為名，高臥雲林，不求祿仕。……』同時我們在李白的作品中，也沒有發現提到他父母的話，這可看出李白的家世，確有幾分神祕，而說他的父親做過『任城尉』，當然是更不可靠了。

·蘆廬雜記· 試題筆誤（下）

·伯雨·

此文由軍機大臣恭錄，交給新科進士傅聞，後來由潘世恩領導奏稱：「我皇上頤積微工，惠疇亮采，含洪纖而無間，寘中外所共聞。凡繫乎民生，關乎政治，當有毫髮未致其精詳者？乃協中旣審於萬幾，識過並嚴於一字，鑒慎之又慎，彌昭翼翼之小心，雖微乎其微，亦寓煌煌之大猷。况『稽』於古訓，何如『稽』於厥躬？闡義入神，竭臣等愚蒙而莫能解索；因文見道，經聖人指示而頓覺貫通。臣等維誦迴環，曷勝欽佩慚悚之至。」

在昔日科舉時代，試官出題如有錯誤或割裂的，都受到處分，但皇帝筆誤出錯了題目，一班臣工不特不敢講一句話，反而恭維一番，阮元的積古齋就是因此而起這個名字的。據阮元的『積古齋記』云：「元督學山左時，高宗純皇帝賜御筆『筆誤識過文』一卷。此文記筆誤試題『稽古論』為『積古論』引過一事。元奏摺謝恩，奉批答云：『文佳，非徒頌即規』。臣愚，豈能於聖德規頌萬一，而績古一言，反有深慨私衷者，因名山左金石之齋曰積古齋，所以紀恩識事也。」其『小滄浪筆談』亦有云：「余有山左學署八詠，屬同年王椒畦（學浩）圖之……八曰『積古齋』，即小石帆之後軒。余聚山左金石數千本校正於此。適御賜『筆誤識過』壘刻卷子，論『積古』『稽古』之義，紀恩述事名此齋也。」

再說，近年的試題錯誤，則有民國廿五年二月南京舉行的首都高等考試，試題「地役權」誤「役」為「域」，典試委員長鈕永建因此遭罰俸處分。隔了幾個月，四川省中學會考，試題又有「以工代賑」誤「賑」為「賬」，教育廳長楊廉因此去職。

「我的生活片段」之一 八年的參政（三）

王雲五

經濟建設策進會（上）

參政會第三次大會決議在本會內設置一個常設機構，初名為經濟動員策進會，以輔助國家總動員法令及戰時經濟法令之實施，並協助推動其各級業務，以期切實管制物價，鞏固經濟基礎為宗旨。全體參政員皆為會員，設會長一人，由國民參政會主席團推定；設常務委員二十五人至四十一人，由會長就會員中指定之。又為工作便利起見，得設分區辦事處，每處設主任一人，並得酌設副主任，均由會長就常務委員中指定擔任。嗣又改稱經濟建設策進會，組織仍舊，並決定將後方分為川西、川東、西北、湘粵桂贛、及滇黔五區，每區設一辦事處。三十二年一月各區辦事處同時成立。滇黔區辦事處主任原經會長蔣介石先生指定褚參政員輔成擔任。褚先生因事一時不能前往昆明主持，遂改由蔣會長指定我暫往代理。那時候滇省情形頗特殊，許多人認為中央有所舉措，都不易在該省推行。我因固辭不獲，也就不自揣度，受命前往，但陳明蔣會長以一個月為期，以免妨礙商務書館的業務。我留昆明的一個月中，對於中央政策與地方感情，總算維繫得還好，而於經濟管制也奠立了一個頗為滿意的基礎，於我在留昆明的期間，幸而把狂漲一時的物價平抑了不少，尤其是對於糧價一項，與省政府合作平抑，尤著特效。一時頗為西南聯大的許多朋友所稱許，並以我能不卑不抗執行中央政策為奇蹟。褚老先生於是年一月十七日致我一函，中有『閱報知台從已於二日抵昆，限價工作進行順利，足見大無畏之精神可以克服一切也』。

我在昆明經過這一個月協助滇省府實施限價的結果，就實施的研究與經驗，於二月間返抵陪都後除詳陳蔣會長外，並以『從限價到平價』為題寫了一篇文，由東方雜誌發表。在此文中，我強調下列各點：（一）限價固須因地制宜，卻萬萬不可各自為政，致發生鄰地物價相衝突之弊；（二）限價須注意連繫物品之關係，勿使一物品之限價有礙於他物品之生產；（三）管制物品的種類不可過於繁瑣；（四）立法要寬，行法要嚴，一改我國流行『立法嚴行法寬』之習慣；（五）限價之物品必須同時限量發售，以免因供求不相配合，而破壞限價的防綫；（六）惟有增加生產與節約消費並行，始能使限價功效持久。文中對每一要點，均就觀察所得，舉證實例。

英國的小偷

·惠尼·

英國的小偷現在越來越厲害了，他們毫無顧忌，在晚上出來偷東西，有時候甚至會對同一家接連光顧好幾次。幽默作家赫勃特曾經在報上寫文章說：

「在過去的野蠻時代，一個人只要偷了四十先令，就要判絞刑。那時候，就是偷一個辨士，也被視為罪大惡極。可是現在一般人的觀念，卻逐漸認為，傷害一個小偷是不公平的事，儘管他對我們的損害多麼大。」

兩天以後，似乎要證明赫勃特的話不錯，有一位高尚的肉食商人被控，罪名是「非法與惡意傷害」一個在夜裏潛入他的房間行竊的小偷。後來法官終於寬恕他的過失，理由是他可能因為驚惶過度才開槍，結果罰了六十鎊了事。這筆罰款是用來賠償小偷的。

關於這件事，赫勃特提到了一個先例：「一八一一年時，有一個名卜婁爾的人，曾用一把雕刻刀殺了四個小偷，結果因此被晉封為武士。」

黑十字

北晨

昨晚，姐夫沒有回來，監英一人住在「新都」，她不知道這紳士又有些什麼娛樂，阿平又濟了兩箱衣服，連同化粧品送到「新都」來。白濟宏雖然收去了姨妹身上的衣服，監英如要出去，大可從送來的衣服中另選一套穿上。可是她沒有這樣做，原因很簡單，她現在既然需要姐夫的幫助，便不能不暫時聽從他的話；慢慢的再說。

喫過早點，茶房進來，他要「黎姑娘」聽電話，監英一聽，什麼「黎姑娘」？再一想，心裏馬上明白過來，這一定是姐夫打來的。

喝多了酒的白濟宏，此時正倒在佩雲床上，這半夜的應酬雖然令他疲倦，然而他沒有忘去重要的事，趁着佩雲離開房間的時候，他搖了一個電話給監英，他想得週到，為了不讓人知道，有意將她改叫「黎姑娘」。

先是一番解釋，像每個「體面的紳士」那樣晚歸或不歸的理由一樣。他所採用的理由，是昨晚有一個應酬，太晚了，來不及趕回，便睡在朋友家裏，這話也許並沒有錯，佩雲本來便是他的朋友。

監英沒有甚麼不快，用心聽着姐夫在說她自己的事。姐夫說，她在樂歸縣的賬已經結清了，她所租的房子也退了，以後暫時在新都酒店住下去，慢慢再找安定一點的地方。今天中午，他會來陪她喫午飯，和她談些正經事情。

這個電話剛掛斷，電話鈴又響了，她本能地拿起聽筒，對方卻是阿平的聲音。（十八）

·中篇連載·

自由人

THE FREEMAN

（半週刊每星期三六出版）

（第一三一期）

每份港幣壹毫

督印人：李光華

社址：香港高士打道六六號　電話：二〇八四八

GLOUCESTER RD. HONGKONG TEL: 20848

承印者：東南印務出版社　地址：高士打道六四號

台灣總辦事處：台北市館前街五十號

台灣經銷處：台北市中華路一段二五九號

悼杜威先生

·左舜生·

杜威先生以九十二歲的高齡，已於本月一日在紐約逝世，回憶他來華講學的當時，這已經是三十年前的往事了。

其時的中國，雖正在一個軍閥橫虐的時代，可是經過「五四」一幕以後，中國的學術思想界却有了一個蓬勃的新機，杜威之來華，對於這個新機的培育與擴大，確實提供了他最大的貢獻。

杜威留在中國的時間，約爲兩年，其在中國南北各地的講演，殆不下百次以上。其時他的年齡還不過六十，精力彌滿，其一種誨人不倦的精神之足以感人，實遠在他的講演內容以上。就我個人所知道的而論，在近一百年間，凡一切到過中國的美國人，其對中國知識份子所留下印象之深，殆無一人能超過杜威者。

中國今天依然迫切需要一種民主教育，我相信杜威先生的影響，還會要在中國的教育界繼續發生作用。同時我也相信：由一個學人所造成兩國間的親睦關係，也才是最永久而最可寶貴的。

歐局又緊

由於蘇聯繼續在東德所採的一種橫蠻行動，似乎是使得歐洲的形勢更趨緊張，可是就大體來看，依然不會發生如何重大的事變。蘇聯對民主集團的心理，看得相當清楚；她自己的步驟，也相當確定；她似乎有確實的把握：只要她自己不直接動手去打人，別人決不會先動手去打她。因此，她覺得，只要能發能收之權一切操之在她，她即不妨運用所有的傀儡，把世界任何一個地點，都造成一種緊張的局面，一面使得民主國家備多力分，疲於奔命；一面也正可在這種緊張的局面之下，從事她更周密的準備，發揮她更深透的作用，一旦有一個確實於她有利的機會到來，她即將投袂而起，對民主國家實施她所認爲最有效的一擊。

假定在民主的一方，依然曠日持久，採取這樣一種被動的姿態，即令準備工作也做得相當切實，但給予蘇聯太多的時間，同時從事一種範圍更爲廣泛的防禦，不僅美國的力量亦自有其限度，萬一百密一疏，也未嘗不可發生意想不到的危險！究竟這個全面緊張的局面，要拖到什麼時候攤牌始於民主國家絕對有利，也實在到了一個必須考慮的關頭了。

日本建軍

美國以小型軍艦六十艘租借日本，作爲日本重整海軍的一種準備，這件事大致是已經確定了。

我們對於日本在美國的協助之下重建軍備，絕對無所顧慮；且惟恐日本此項工作的進行過度遲緩。

蘇聯和中共處心積慮準備採取一種不利日本的行動，這是很顯然的。蘇聯要征服亞洲，除征服中國以外，必須進一步的征服日本，現在日本既已恢復一個獨立國家的地位，而自由中國又已日益加強，這實在是史太林所寢饋不安的。

中日兩國利害的一致，已密切到了這一步，等待中日和約一經批准以後，兩國間如何來從事一種分工合作的具體方案之建立，已經是刻不容緩了。據我觀察，實現這種具體方案的困難，存於中國方面者比較的少；存於日本方面者，也許比較的多；其唯一的原因，則以日本所受共黨的損害，究竟比較的不深刻，一般人對共黨的觀感，也還有多少的歧見。我們把改善這種情況的希望，寄託於日本知識分子之覺醒，對中國大陸能有進一步的認識，而日本新興財閥的態度與眼光，也與今後日本的局勢有密切的關係。今日日本的政府當局和社會領導人物所首先應該致力的，一方面固在以嚴格的法紀去取締共黨的擾亂，以最高警覺去注視蘇聯和中共對日共的扶持，而根本之根本的，尤在對於一般青年分子的思想善導

收復地區厲行檢舉「新漢奸」
中共重要首長一律嚴懲
凡領導清算鬥爭者決不寬恕

【本報台北特約通訊】反攻聲浪，隨着國際形勢之緊張，日見高漲。雖反攻時期，究將於何日開始，目前任何人無法預測，但當局方面，鑒於過去抗日戰爭，日本投降之突然而來，許多問題，都因事先缺乏準備，致臨時倉卒，無法應付，接收紊亂，即其中最大之一項，懲前毖後，故此次儘量對反攻後可能發生之各項問題，都事先充分研討，詳籌辦法，俟主管機關採納參考。除記者前此曾報告有關土地問題，婚姻問題，救濟方案等討論結果外，玆再覓得最近若干法律專家長期研商所擬「大陸收復地區處理刑事案件暫行條例原則草案」，祇爲抄寄。此項條例，關係淪陷區無數善良人民被匪拘捕者之如何恢復自由，及無數參加匪僞組織者一般新漢奸之如何嚴予處刑，種種問題，內容均極爲重要，想海外僑胞，對此必極所關心也。

全部原則共二十二項

大陸收復地區處理刑事案件暫行條例原則草案，共二十二條，初稿全文如下：

（一）大陸收復地區處理刑事案件，適用本條例，刑事訴訟法及其他法律之規定與本條例不相牴觸者，仍適用之。

（二）刑事案件，除內亂外患，妨害國交及叛亂匪諜案件以高等法院或其分院爲初審，最高法院爲終審外，概以地方法院爲初審，高等法院或其分院爲終審。但左列案件，應依職權移送最高法院或其分院覆判：

一、高等法院或其分院判處死刑或無期徒刑之案件。

二、地方法院判處死刑無期徒刑或十年以上有期徒刑，而被告不上訴之案件。

（三）最高法院或其分庭對於覆判案件，應依審限迅速審理，事實明確而適用法律無誤者應爲核准之判決，如適用法不當，應撤銷原判，自爲判決，其認定事實有疑問者，得提審，莅審，或發回或發交更審。

反共者一律恢復自由

（四）匪僞非法組織之審判或偵查追訴處分及其他訴訟行爲，均屬無效，其收受之案件，除依法律不爲罪，或因反抗匪僞而受羈押，或受刑之執行或其他剝奪行動之自由者，應由檢察官處分儘速釋放外，應重行偵查分別爲起訴或不起訴處分。

（五）刑事被告於法院所在地淪陷後，經非法組織之機關偵查或處罰者，其曾受羈押拘禁或其他剝奪行動自由之日數，准予折抵，依法應執行之刑，其已繳納罰金者亦同。

（六）叛亂匪諜案件，於收復後普遍檢舉，除被告原屬軍人或任僞軍軍職者，應受軍事審判外，概由高等法院或其分院迅速並公開審判之。

（七）參加匪僞組織担任其機關之正副首長，特務工作人員或操縱指使領導清算鬥爭，或其他助匪作惡之重要叛徒匪諜，應厲行檢舉，從嚴懲處。

（八）參加匪僞組織，曾爲協助反攻，或於反攻時爲有利於國家與地方之行爲，而績效顯著，證據確鑿者，減輕或免除其刑，但得按其情節，依法施以感化教育。

（九）被叛徒匪諜強暴脅迫或逼於環境，參加匪僞工作而無藉勢作惡之事實者，免除其刑，但得按其情節依法施以感化教育。

（十）人民被叛徒匪諜強暴脅迫或恐嚇不得已而爲妨害風化，妨害婚姻家庭，褻瀆祀典，侵害墳墓，妨害自由，妨害名譽財產，或爲其他構成犯罪之行爲者，不罰，但行爲過當者，得減輕或免除其刑。

藏匿匪共者從嚴處罰

（十一）地區收復後，明知爲叛徒匪諜而藏匿不報，或有包庇縱容之行爲者，依法從嚴處罰。

（十二）收復地區潛伏之叛徒諜匪，于公告自首之限期內向該管機關自首者，得減輕或免除其刑，但免除其刑者，按其情節，得依法施以感化教育。

（十三）人民檢舉叛徒匪諜，應開具眞實姓名，職業住址，並提出具體事證，向當地軍政憲警或司法機關爲之。各該機關應守秘密，如有挾嫌誣告，或不依法定程序檢舉，或私自報復者，仍應依法處罰。

（十四）司法警察官署移送之刑事案件，經該管檢察官審核其移送書所列之犯罪事實及證據，並所犯法條，認爲適當者，得逕行移送刑事庭提起公訴。審判期日，得通知司法警察官署派員到庭報告辦案經過，檢察官得不莅庭

（下接第三版）

讀者投書

幹部與人才
有感於當前之人事問題

·姜異生·

若干年來，政壇健者，多盛倡幹部決定一切之說。凡欲有所作爲，必先廣植幹部以爲己用。相習成風，於是甲一幹部，乙一幹部，丙若丁亦一幹部。各私其私，各親其親。士之熱中於奔競者，大有不入於楊必入於墨之概。流弊所之，往往以道義始，以利終，以道義則合，利害則散。試觀歷年動亂劇變之際，一般認賊作父助紂爲虐之暴，固多一時所稱某氏某系之幹部者也。且又爲政壇所認爲傑出人才者也。當承平時，氣焰所加，令人側目。國家待之，不可謂不厚。而一臨利害關頭，輒掉頭而去，既不知節義爲何物，更不知人世間有羞恥事。成例昭昭，奚可勝指。故所謂幹部者，如由今之道而不變，能成事亦能敗事，可恃而不可恃也。余以犬馬之貲，風雲際會，亦嘗疏附於豪貴之後，[illegible]迹於樞要之間。證驗所及，深感所謂幹部者，貴以公義相激勵，絕不能以之自私。自私則爲其幹部者，必多倚爲聲援以自重。因循浸漸，派系由是而立。派系立矣，不期其有利害之爭而爭自起。不期其有傾軋之習而習自成。不期有壞法亂紀之弊而弊自作。究其極，幹部云云，徒爲禍國殃民之一代名詞而已。然則幹部大可以已乎，是又不然，國家社會之任何功業，決非一手一足之烈可倖得而致。史載歷朝開國之初，莫不謀臣如雲，猛將如雨。即如我國父當年之倡革命也，方其垂成之時，四方義士，聞風景從，前仆後繼，極一時之盛。雲龍風虎，皆是今之所謂幹部者也。當茲匪禍滔天，國族命脈，瀕於危墮之秋，而欲繼亡存絕，復興國家，更非賴有肝膽仗義忠貞不渝之幹部不爲功。十室忠信，五步芳草，今固無異於昔也。是以吾人果有需於幹部者，不患其無，而患其無用之之道。對國家對民族，對主義，誠能秉忠憤耿耿之心，具光明磊落之行，風聲所扇，志士仁人，必樂爲我用。非爲我也，爲國家，爲民族，爲主義也。夫如是，何時何地，不得幹部，廣植云乎哉。

孟氏有人皆可以爲堯舜之論。莊子倡大匠無棄材之說。一則言人才之不難，一則言用人才匪易。不難者，果能具向上之心，與求善之志。因行以求知，即知而力行。堯舜尚可及，遑論人才。匪易者，必須有辨才之識，有蓄才之方，有用才之道。世有伯樂，然後有千里馬。否則，[illegible]易。今之談人才者，往往有一傳統觀念牢不可破。似乎所謂人才者，即謂其人爲專家學者能文善辯之士。國家承平無事，坐而論道，此誠人才也。今何時，此何地，不談人才則已，談則非破除傳統觀念不可。吾非謂專家學者能文善辯之士非人才也。爲適應時代之需求，尚有更迫切更重要於此者。踐履篤實之人人才也。忠誠奮發犯難蹈危之人人才也。富貴不淫，貧賤不移，威武不屈之人人才也。而其由瑰意琦行之人，爲凡夫俗子所難能者，皆人才也。[illegible]

魔術的誘惑力

馬戲班式的莫斯科經濟會議，是以中共爲「冠軍之馬」，隨着主子的鞭影出場表演，希望藉「地大物博」「人民購買力甚強」的中國貿易香餌，來誘惑西方國家，達到冷戰戰略目的，而其主要對象就是英國。結果只見北平宣傳說中英兩方簽訂了三千萬鎊的貿易協定，以後並無下文。對德和約與歐洲軍一出現，這三千萬鎊的貿易協定當然告吹了，因爲它所潛存的誘惑力竟招徠了反作用！

西洋鏡既已戳穿，乃改用東洋鏡。利用三兩個偷渡出國的日本政治浪人，在北平大弄其易貨協定，一「易」就是六千萬鎊，好不羨煞人也！日本人天天吆喝要與中國大陸通商，這正是投其所好。掛出一個金[illegible]來，閃耀於日本工商業界的眼前，看你垂涎不垂？如要易貨通商，乃可非[illegible]反美，六千萬鎊易貨協定的作用在此！

日政府人員急忙聲明，說那偷渡出國的男女三個日本人，沒有簽立這種協定的資格和權利，應予否認。其實，這是多餘的！共產黨人何嘗不知道三個「代表」日本簽約的並非工商業者？他們的目的祇想藉此誘惑日本工商界見利忘義，反美親俄，在國內起鬨罷了。如果不能使這項作用實現，即令是吉田茂政府的「工商省」大臣正式到北平隆重簽訂易貨協定，結果也是一張廢紙。中國大陸上的一切出入口貿易，不但是絕對的「國營」，而且還得經過「俄營」的，連私人走私亦不可能。你想跟他們做眞正「不含政治作用」的買賣，根本就不够格，他們豈能以煤鐵米糧來濟助「美帝走狗」國家之貧乏麼？

這一套東洋鏡的魔術，一望即知其底細所在。日本人是否受騙？等着瞧吧？

半週展望

雷嘯岑

美最高法院判決總統非法

美國鋼鐵業發生勞資糾紛，沒法解決，杜魯門總統基於國防生產的利益，下令暫由政府接管。這在尊重私人企業的資本主義國家，是一種非常的措置，很引起世人注意，認爲這是資本主義的「質變」現象，是進步的。但，這在美國現行法制上，頗有問題，資方乃上訴於國家最高法院，院方判決總統的命令爲非法！

撇開問題本身的是非不談，最高法院這種執法不阿的精神，同樣值得贊許。不管行政當局所持理由如何，法院只是認法不認人的。法是全國人民所共同遵守的信約，總統如不尊重這項信約，同樣是非法行爲，法院不能曲法相徇，這就是民主憲政！

大韓民國總統李承晚，因爲國會議員通過了撤消政府所頒佈的戒嚴法令，便派兵拘捕議員，指其「收受共黨賄賂，意圖顛覆政府」。照這種民主作風，杜魯門大可派警察逮捕最高法院檢察官，說他們收受了鋼鐵業資本家的賄賂，更爲振振有詞了！

杜魯門如依照法院判決，中止接管命令，這對他那總統的威信或體面，毫無損傷，只見其尊重法治之可敬可愛。不養成法律平等的民族性，民主政治永遠是一句話，越談越令人討厭。

港澳學生升學問題

我們曾經呼籲中華民國政府注意搶救港澳青年學生，使其不受共產社會的摧殘。近日台灣方面發出消息，政府已訂有救濟海外失業青年的辦法，可爲慶幸。

救濟辦法中規定：凡屬共黨所辦學校的證書都無效外，其他學校的證書，只有公曆紀元而無中國年號者，亦無效。就香港情形說，這點應分別加以考慮。因爲香港是西方殖民地，有許多官立，半官立，或教會私立的學校，歷來就是用的公元，若一律視某些因政治作用而半途改用公元的投機學校的學生，等量齊觀，未免失之偏頗了。雖然原辦法內對於這類學生另由「就學輔導」機構予以收容處理，不讓失學，但青年人的心理總是覺得受了打擊，不免沮喪的，所以值得考慮。

蘇俄及中國大陸所實行的
不是無產階級專政
實乃「無知階級專政」

柳英華

這裏面有強盜，騙子，地痞，流氓，專政的結果，是愚昧，欺騙，殘暴，野蠻，反動與恐怖。如果這個歷史上革命逆流，獲得成功，則人類空前的黑暗即將在此一時期出現！

共產黨員是以無產階級專政來號召世界革命的，而這個口號最初的提出，當然發自於共產黨的祖師爺馬克思與恩格爾。

馬克思與恩格爾不是說過「社會主義的兩個基石是土地與資本國有，及政治民主」嗎？既然贊成民主，偽何又主張專政呢？馬克思決沒有想到，他們日漫不經心的矛盾，竟造成今日共產黨人的冒正「偏差」，而貽予史太林毛澤東號以「獨裁」「暴政」之口實。

黨經上如此說

無產階級專政的主張在馬恩兩氏的心目中，到底是什麼一回事呢？讓我們查一查共產黨的黨經。

馬克思說：「資本主義社會變質成爲社會主義社會，乃資本過度集中與中產階級毀滅之結果。這個進行的程序，叫做『社會無產化』（Poletarianization）。在成熟的時候，若實行無產階級專政，僅係極大多數的人民，去壓迫極少數的剝削者；此舉不但迅速，輕易，且爲時短暫。這個任務完成後，人民將共同享有土地與資本，而集體的去管理他們共有之財產。如此，國家將失去其鎮壓之功效，而萎縮廢棄。」

列寧在「國家與革命」一書中也說道：「民主制度在資本主義社會中是卑劣，虛假，而有限度的；祇有在過渡到共產社會的階級之利益，才能產生眞正代表大多數人民的民主……在這個期間，我們仍需要國家的組織，去鎮壓極少數的剝削者，但是這種工作是極簡單，極容易，極自然，而不須大量流血的。」

由此看來，馬恩列三氏的腦海中之無產階級專政，乃資本主義發達到最高點之結果，到了那個時候，富者已愈富，貧者已愈貧，中產階級已毀滅，社會中只有極少數的富有者，與極多數的無產者的兩個對立的壁壘。無產階級專政的目的，僅係在這極短過渡期間，去完成這水到渠成的實現共產社會的任務，實犯不着大量流血的。

事實偏與黨經相反 資本國家日趨安定

在馬克思逝世後近七十年來，歐美資本主義的發展，殊出馬氏預料之外。第一，在資本主義發達的國家中，中產階級並沒有消滅，而且日形增長；反之，無產階級的數目却大量減少。第二，在資本主義發達的國家中，工業進步，人民生活水準提高，財富不平均，倒不是很嚴重的問題，因爲普通人民的生活，都是相當舒適，貧富的差別，僅係「小康」與「大闊」之分，或一部「福特」與一部「茄迪耶克」之不同而已。倒是在那些經濟落後的國家內，差不多人人在飢餓綫上掙扎，貧富的差別，却易引起階級對壘的尖銳化，予共黨以挑撥與利用的機會。共產革命不發生於資本主義發達的國家內，却產生於那些經濟落後的區域裏，這個事實是共產黨理論上的嚴重打擊，也對於共產黨宣傳上，予以莫大的諷刺。英哲羅素說：「在經濟發達的社會裏，權力平均問題之嚴重性，遠較財富平均問題爲甚；過分側重財富不平均之罪惡，而完全忽略權力集中之危害，這是布爾希維克黨人所造成最重大之錯誤。」

一九一七年，當俄國發生革命的時候，俄國是一個十足農業社會，工業極不發達，文化之落後，較其經濟情形更甚。在這種環境中，欲實驗一理想的社會主義，實是困難重重。共產黨的理論家托洛斯基有鑒於此，極力反對「一個國家社會主義」之論調，主張擴到全世界革命，將社會主義帶到條件具備的先進國家中（特別是德國），這就是他的「恆久革命論」的中心。

列寧是一個實際主義者，當理論與事實衝突的時候，他往往遷就事實而忽略理論。一九一七年，他看到蘇聯革命的成功，必須獲得農民的支持，所以他主張土地分配，等到農民獲得土地後，大地主雖被消滅，却產生了無數小地主，他們對於社會主義，並不感覺興趣，因爲農民天性保守，對於土地具有慾，非常強烈，革命後三四年中，工人不堪壓迫，往農村跑，農人反對苛征，消極抵抗，結果工業停頓，生產減少。一九二一年，蘇聯面臨嚴重的經濟危機，列寧只好放棄原有社會主義的方案，而宣佈新經濟政策之實行了。

行新經濟政策 造成史魔獨裁

新經濟政策的實行，十足證明俄國社會並不適於社會主義之發展（即共黨所謂農工的階級意識不強烈），然而列寧及其權慾迷心的黨徒們，豈肯輕易放棄已獲得之政權。爲加強一黨專政起見，列寧倡言共產黨及其職業革命家，乃工人階級革命的先鋒隊，可以代行無產階級專政之職權（當時的少數黨孟希維克，對於這個主張，反對甚烈。）這種「唯心」式的辦法（人造革命），就奠定了今日蘇聯一黨專政與史太林獨裁的基礎，而與馬克思所謂無產階級專政之原意與恩格爾在巴黎公社成立時（一八七一年），所解釋之無產階級專政的內容，相差十萬八千里了。

史太林是喬吉亞（非俄國本土）之高加索山區一個鞋匠的兒子，在神學校混了一個短時期，讀書不成而「革命」，是一個標準的無知份子。在當時列寧左右的革命黨人中，他們最看不起的，就是這位孤疑、乖戾、殘暴、野蠻的「土包子」。列寧曾經說過：「在盲從的信徒中，非本土的俄國人，較俄國人更爲野蠻。」這是專對史太林而發的。史太林掌政後，因爲自卑心理作祟，對於知識份子大事殺戮；曾隨同列寧出入生死的老同志，所謂黨內的理論家們，被他殺逐得乾乾淨淨。現在環拱史太林左右之幹部，都是一些不學無術，人格卑鄙之徒，他們不但對於東西文化各種重要書籍都沒有看過，就是連他們的本行馬、恩、列三氏的著作，也頗欠研究。

史太林統治下 只許有應聲蟲

馬克思的唯物論說「存在決定思想」，而今日俄式的共產主義者之行爲，却處處是以「思想決定存在」。他們雖係「無知」，但是也知道「有知」之危險；所以他們的政權必須建立在愚昧及迷信之泥足上。他們襲取了中古歐的衣缽，去實行那荒謬絕倫的思想統制，他們說：「窮人是最善良的。」你就說：「富人都是該死的。」他們說：「工人的道德最高尚。」你就說：「智識份子最卑鄙。」他們說：「讀書人是妓女。」你就說：「蒙古人的見解——七盜、八娼、九儒、十丐——到底不錯。」假若你不如此講，那就證明你的思想沒有搞通，就要去「學習」與「改造」。凡是「改造」成功的人，就變成一羣無靈無氣的行尸走肉，人家用鼓擊成拍子，他們就步伐整齊的，在後面跟着走，人家叫口號，他們就附和的高嘯，無怪乎在共黨統治下的中國大陸上，我們可常常聽到那些「史太林——永恆的太陽」「毛澤東——我們的救星」的尖銳，無表情，不自然的高呼。

列寧說：「人民脫離了資本家的桎梏後，將逐漸自動的去遵守人類數千年來所遺留下來之處世規律，用不着武力，用不着強制或服從，也用不着國家之組織了。」由此可見共黨先進們，對於社會原有道德及法律亦有保存之意。不料今日之共產黨徒，懵懂無知，認爲一切道德及法律，都是資本家壓迫勞工的工具，摧殘破壞，不遺餘力。所以今日大陸上，子女控告父母是時髦，女子軋姘頭是前進，欺騙是宣傳技術，誣衊是鬥爭武器，仇恨是階級意識，殘暴是革命的表現。共黨最危險的信條是：「只問目的，不擇手段。」這麼一來，殺人放火，哄騙欺詐，都可假革命之名而行。如是，一個動機良善，光明磊落的革命主義，竟墮落成爲歷史上最野蠻，最瘋狂，最反動的一股洪流了。

共黨對人民說：「我們實行社會主義，你們若反對我，就是反對社會主義。」中古時代的教皇也是如此說：「我代表教廷，教廷代表基督教，你們若反對我，就是反對基督教。」

史太林何如希特勒

共黨對人民常常誇耀他們的巨大建設工程，來證明他們是爲人民服務的，如中共之治淮，蘇聯之開發西伯利亞等。我們知道歷史上的暴君，都是好大喜功的，如秦始皇之築長城，隋煬帝之開運河，這是殃民的而不是利民的，希特勒也自命爲社會主義者，執政不到五月，即完成直達廬森堡之超級公路，不到五年，即完成全面作戰的準備；希氏在德國之建設成績，遠在史太林之上，因爲希氏起用智識份子，而史氏信任無知份子。假若認爲史希兩魔是服務人民的話，那末，希氏的成就更應值得稱頌了！

共黨對人民說：「封建時代的剝削者是地主；資本主義時期的剝削者是資本家。現在地主及資本家，俱被打倒，土地資本收爲國有，所以沒有剝削了。」這就證明共產黨人對於歷史，缺乏研究；假若土地資本國有，就是社會主義，那末，在「法羅亞」（Pharoah）統治下之古埃及及黎波爾二世時期之非洲剛果（Congo），早已是社會主義了。

代表人民 謊話拆穿

共黨宣稱：「我們代表農工，農工佔人民大多數，所以我們是眞正代表人民。」目前在韓之國際中共俘虜中，農工階級佔絕對大多數，他們告訴美軍審問員他們的思想十九都搞不通，在暴力壓迫下，都是假裝搞通；而最近投票之結果，竟有四分之三以上，表示將抵抗「遣回」。中共代表人民之謊言，不攻自破矣。

另一種剝削集團

歷史上除了地主及資本家兩種剝削階級外，還有一種更可怕之「亞洲式」剝削集團（在中國，埃及，波斯頗盛行），那就是「官僚制度」；前兩種剝削是經濟的，後一種剝削是政治的；前兩種所剝削的是勞力價值，而後一種所剝削的不僅是金錢，而且有時是性命；前兩種剝削是在有秩序有法律下執行的，後一種是無法無天的。今日共產黨所眞正代表的，就是一個在歷史上最反動的「官僚集團」。在他們的幾百萬特務恐怖統治下，人民的工作時間不但延長，而且收入亦被減少；在他們統治下，人民的罷工權不但被剝奪，而且工人有「自動」競賽之事實；在他們統治下，人民不但沒有轉業之自由，而且行動自由亦受限制。

成千成萬的人民，或被清算，或被鬥爭，或被黑殺，或被改造，或四散逃亡。使馬克思恩格爾，列寧再世，他們也決逃不掉上列之命運。

列寧生前也看到了共產黨員爲非作歹的行爲，曾喟然嘆曰：「馬克思主義的內容及精神已被人們竄改與曲解。他們把馬氏當作無礙，於事的偶像供奉起來，幷冠以光榮美麗的稱呼，去欺騙與寬慰被壓迫的民衆。」列氏死去不久，他也已同樣被搬到紅色廟堂裏當做陳列品了。

今日共產黨人，打着社會主義的旗子，扛着馬、恩、列三氏的寶像，高呼無產階級革命的口號。在蘇俄及中國大陸上所實行的，不是社會主義，也不是資本主義；不是無產階級專政，而是「道地」的無知階級專政，在這個無知的集團中，有強盜（史太林），有騙子（李森科），有地痞（維辛斯基），有流氓（貝利亞）及其同道們。無知階級專政的結果，是愚昧、欺騙、殘暴、野蠻、反動與恐怖。這個歷史上的革命逆流，倘使成功，則人類將步入那空前的未有的黑暗時期了。

不少共幹偷渡出境 中共下令就地格殺

香港三日

深圳邊界，自三反五反發動時，共區防軍，對無證偷渡來港的，即已加嚴拘繳。最近一星期來，此項禁令，執行更爲殘酷。報載前日共軍槍擊偷渡者兩人，一人失蹤，一人逃入英界後已入醫院救治。但據邊界方面消息，同樣槍擊事件在邊界已幾乎無日不有。偷渡者原僅爲被鬥爭之地主商人，但邇來則竟有許多共幹，亦棄職出走。中共加嚴禁阻，據說，主要對象，還在逃出的共幹。廣州中共當局，已下令凡無證逃越邊界的，如不受拘捕，即准予就地格殺。倘企圖脫逃者爲共幹，則一經解回，必予槍決。邊界山嶺及河澗中，時有中槍屍首發現，大抵均係偷渡被共軍擊斃者。惟廣州方面，有一組織極嚴密之祕密機關，專負責包辦偷渡，凡經由該機關承辦者，多數均能安全出境，到達目的地。此種被保護逃離鐵幕，進入港澳之大陸難胞，或轉變共幹，據說已不下數百人。

杜威博士在美逝世 留港學人紛電致唁

高齡九十二歲前日在美逝世之杜威博士，自噩耗到港後，在港曾留美攻讀，親受杜氏薰陶之我國知識份子，昨已紛電杜夫人弔唁。當杜氏跌斷髀骨後，兩月前，此間尚有人接到杜夫人來函，謂杜氏精神甚好，每日仍照常閱讀，見客，胡適博士，亦常來訪問。昨日英文南華早報，對杜氏逝世，曾有一短評致唁，謂：「在西方學人中，能如杜氏對中國思想界影響之大，極不多見。杜氏持論與馬克思門徒，不能相容，因之篤信杜氏學說之胡適博士及無數教授，亦即成爲共黨清算之對象。但無論如何，杜氏學說，必能渡過中國共產黨統治時期，繼續存在。」

阿根廷移民有限制 張大千前日返抵港

畫家張大千，自由成都逃出鐵幕後，即居留香港，其間一度曾赴台北舉行畫展。本年多，由港赴南美阿根廷，擬卽移家該處。兩月前，有人接渠自阿來函，謂遠適異國，諸多不便，且阿根廷之移民限制，並不如在港所傳之寬弛，故仍願最近期間，返港一行。現張已於前日，乘汎美機抵港。據云，將在港作較長時期之居住，暫不他去。

澳駐日第一任大使 過港暢談澳日關係

澳洲戰後駐日第一任大使華克，前日由悉尼攜眷乘輪過港，赴日就職。抵港時，駐港澳洲商務專員曾格來曾登輪迎晤。據華氏告人，此行願盡力恢復澳日兩國人民之友誼，及增進兩國商務關係，尤其捕魚問題，澳日兩國，盼能於最近期間成立協定。華氏謂澳人對和約簽訂，恢復獨立後之新日本甚感關切。按澳洲於美國提出對日和約時，爲顧慮最多之國家，深恐日本一旦恢復獨立，其侵略思想，仍將隨之恢復，經美國一再勸說，並訂立美澳互助協定，態度始行改變。最近，則澳總理孟席斯，且有進一步，促成太平洋多邊同盟的擬議。由上述華克談話，可見澳國對日顧慮，已不存在。今後共同敵人，將只有共產集團矣。（必眞）

中共首長一律嚴懲

上接第一版

（十五）刑法第六十一條所列各罪之案件，被告經合法傳喚二次以上，無正當理由不到庭者，得不待其陳述逕行判決，依刑事訴訟法第七十五條之規定拘提無着者亦同。

（十六）依刑事訴訟法第四百四十二條以命令處刑之案件，不得聲請正式審判，但得自處刑命令送達之日起十日內提起上訴。

（十七）刑法第六十一條所列各罪之案件，其判決書均得依刑事訴訟法第四百五十九條之規定以簡略方式爲之，並應簡述理由，雖經提起上訴，毋庸補作正式判決書。

（十八）刑事訴訟案件附帶提起之民事訴訟，雖其內容繁雜，仍應依刑事訴訟法第五百零五條之規定判決，不適用同法第五百零八條第五百零九條移送民事庭之規定。

（十九）對於違背法令之刑事確定判決，提起非常上訴者，應向最高法院本院爲之。刑事確定判決係是訴訟程序違背法令而與判決無影響者，不得提起非常上訴。

（二十）有偵查或審判職務之公務員，關于處分或裁判要求期約或收受賄賂，或其他不正利益者，依法從重處罰。

（二十一）各地軍政憲警機關，對於司法機關辦理叛徒匪諜及其他刑事案件，應切實協助。

（二十二）本條例所稱高等法院，或其分院，在成立戰區司法處之地區，係指戰區司法處，本條例所稱地方法院，在成立戰區縣市司法處之地區，係指戰區縣市司法處。

中共如此摧殘民族幼苗
小學生慘受酷刑
豫小學生傷病死亡數字最大

中共要將下一代幹部，從現有小學生中嚴格培養。小學生要背誦毛澤東「論人民民主專政」，要默寫「人民政府共同綱領」，背不好寫不出就被打「民主巴掌」「人民手心」。此外荒謬殘酷的體罰，更是名目繁多無奇不有！

【本報鄭州特約通訊】河南全省的大中小學，早已毫無例外，上自校長下至勤務，所有工作人員，都是受過嚴格訓練的中共幹部，尤其小學，中共認爲這是培養眞正基層份子的大本營，所以被派在小學擔任教職員的共幹，中共特別予以重大的鼓勵。說他們任務，比大學校長，大學教授，更加倍重要。叫他們對於學生，認眞管教，把馬列思想，灌入每一幼小學生的頭腦。這班共幹，年齡多只二十左右，大抵都是這幾年在中共殘酷的環境中，陶冶出來的。他們對於中共那套滅絕人性的傳統作法，都已看成家常便飯，一有機會，就不期而然的如法泡製，在各學校一再扮演。可憐數十萬河南天眞無邪的民族幼苗，竟如此每天受着這班兇神魔鬼的摧殘凌辱，而傷病死亡的數字，也就一天比一天突飛猛晉，迅速增加。這班共幹磨折小學生的辦法，眞可算獨出心裁，無奇不有。並且他們還樣樣歡喜使用一些中共慣用的術語。

不能背誦中共教條　巴掌手心一再毒打

陳留縣五區小學教員李茂，他要學生背誦毛澤東「論人民民主專政」，這些十歲左右的小學生，人手，刀，尺，的方塊字，還認識不了多少，又臭又長的裹脚帶，如何能搞得清楚。因此，他定出罰例，凡是背不出的學生，每次打一巴掌，並異想天開，稱這種巴掌爲「民主巴掌」。鄢陵縣義女店小學校長丁佑民，對學生不能背誦共黨教條的處罰更爲兇惡。即迫令該生跪於本人所坐課桌上，命全體學生，得向其面上唾一口。但學生背不出的，實在太多了，有時全班都跪下來，他就叫勤務給每學生唾一口痰。他說：這是「民主公審」。此外，他要實罰那個學生，就在講堂宣布，某人是壞份子，要其餘學生，齊聲高叫，像喊「毛主席萬歲」一樣響徹全堂，「打倒某某壞份子。」西華縣三區余棣鄉小學校長劉景堂，要學生分段默寫共同綱領，寫錯一字，打「民主手心」一板，五十七個學生，就沒有一個不挨打的，而且每人每次有被打到三四十板的，將學生手心打成紅腫，甚至破爛流血。有一次學生家長找到學校來質問他，他居然說：「做中華人民共和國的人民，竟不能記住立國的共同綱領，這種人，就是我們未來的階級的敵人，毛主席說，對敵人是不能寬大的，那麼，我怎能不打你的兒子。」這樣牛頭不對馬嘴，近乎中風發狂的說話，弄得來質問的家長，啼笑皆非，只有想盡方法，不讓他的兒子再來受罪，他就以搬家爲由，將兒子退學了事。

逃避勞役以頭碰磚　不扭秧歌抱頭互撞

此外這些共幹，還有許多[illegible]虐害學生的花樣。伊川縣第三區小學教員，對凡不聽命令，逃避勞動服務的學生，就罰令以頭碰磚，不出血或不起疙瘩的，不許停止。這叫做「勞動改造」。洛陽縣第三區的小學教員朱雲五，將派出參加公衆集會，不肯扭秧歌或雖扭而不十分賣力的學生，互相抱頭大撞，撞至頭破血流。太康縣朱樓小學教員程儒，罰不肯參加民主集會的學生站三角凳，即將一個凳，三隻脚下都墊上幾塊磚，一隻脚懸空，讓站在上面的人，一再跌到頭青眼腫。滎陽縣蔡砦鄉小學校長李承漢，有一次，學生王福松玩皮，吊土蜂螫了同學少年兒童隊隊長王天錢，李認爲這是反動行爲，迫令王福松跪在土蜂窩的旁邊，任土蜂不斷螫他的臉。

刮破面孔「揭開醜惡」　鑽進茅廁「靠攏地主」

尉氏縣玉陳村小學校長黃湘林，他懲罰學生，有兩個特別辦法。第一，叫做「揭開醜惡的面孔」，即將應受懲罰的學生，叫他立在學校門口，叫每個出入學校的同學，用高粱桿狠狠的向他面上刮一下，一直刮到最後皮破流血，才算醜惡面孔揭開，懲罰終止。第二，叫做「向地主階級靠攏」，他把茅廁象徵地主階級，受罰的學生，隨時鎖在茅廁裏，時間的長短，與所犯「錯誤」的大小爲比例。他說，地主階級是臭的，所以鎖入茅廁，算作向地主階級靠攏。當查學的人，問到他這兩種處罰時，他還洋洋得意，詳加解釋，表示他隨時隨地，都在向幼小學生，傳播階級鬥爭的偉大教訓。居然這種荒謬說法，還得到上級查學人員的贊許，因此，他更膽大，更向幼小學生瘋狂虐待。在日見增高的河南小學生死亡率中，他這個小學，也就高高列在最前面的第一名！

前兩天，大概因爲中共什麼「六一」兒童節快要到臨的原故，長江日報把一些積壓已久各地指摘教員虐待兒童的讀者投函，發表了幾封，但爲什麼要那樣虐待兒童？這是中共最高當局的命令，他們不能不遵照辦理，不過長江日報對這一重要關鍵，却照例是一字不提的！（如虹，五月廿八日寄自鄭州）

仰體毛澤東「帝王思想」
李達浪費湖大八十億
現李正坦白悔過企圖了事

【本報漢口特約通訊】滿腦充滿了帝王思想的毛澤東，對於他的豐沛故鄉，始終抱着一種封建觀念，要處處比別的省份，表示優異。因此，一個過去在國內設備不够成績太差的湖南大學，他一定要特別升格，每年豫算，一次又一次地無限制的大量增加。以致大興土木，濫添器材。弄到有錢用不完，大家拚命浪費，儘量貪污，到最近爲止，被貪污浪費的數字，竟達僞幣八十二億之多。湖大校長李達，是毛澤東的豐沛故人。大陸未淪陷前，他一向標榜着「不是共產黨員的共產主義者」，利用國民政府的寬大，照常在國民政府治下各著名大學，一面教書，一面替共黨散布毒菌，作地下工作。大陸淪陷，即被毛澤東以「無黨派民主人士」資格，派充政協代表，旋任中南軍政會委員，兼長湖大。他仰體毛澤東意旨，大言不慚，要將湖大建設得比北大更好。毛澤東樂得有人奉承，「龍心大悅」，於是凡李達請款的公文無不硃批照准。李達自恃有此靠山，也就作威作福，把校中一些青年幹部，不看在眼中。這些幹部，積了許多仇恨，趁着這次所謂「三反」「五反」，就大家在湖大本身展開了激烈鬥爭。李達以證據具在，無法狡賴，結果，只好俯首認錯，寫悔過書，向共幹告饒。至於校長職位，是否還能靠毛澤東保障，繼續幹下去，則此時還無人知道。

飛機發動機被人偷走　電影放映機成爲廢物

湖大貪污浪費，及官僚作風，據校內共幹檢討所得，最重要的，有下列四項：第一，校內存有三架練習機，係供航空機械系實驗之用，原由國民政府時代所撥設，雖已陳舊，尙能起飛，照中共估計，如目前存在，每架仍値僞幣十億元。但接收以後，不知何時，機內發動機，却被人全部拆去，此時只賸三個空殼，毫無用處。又該系存有接合飛機機身木板需用之「介留熱器」，及飛機測量航路用的九二式經緯機，都因擱置太久，無人照顧，以致潮濕銹爛，成爲廢物。第二，許多貴重儀器，從不愛惜，聽由學生工友，任意毀壞。如一架現値一億五千元，能測得六十英哩距離內的方向儀，因升降柄和測規鏡，被勤務打爛了無法修配。又一架具有萬分之一克厘米度的精密測驗器，被同學們用來量頭髮，完全搞壞。又有三十六儀器還化學藥品，放在倉庫內，日期太久，變成廢品。其中有一部份，在有效期間，學校沒有發還，却拼命用最高價錢，另向香港購進。第三，大興土木，建築工程館及新添十一幢校舍，職員和包商勾結，偸工減料，多花了二十幾億。工程館完工不到一月，就有三十多處裂縫。校舍[illegible]倒塌了好幾處。[illegible]因爲撥發的經費太多了，以致到去年底，尚有七億二千多萬，還沒有用完，爲不願退還「政府」，就限定在一星期內，一律必須花光。於是用一千七百萬元，買進一套電影放映機，再化了一千五百萬元修理，但結果並不能用。此外還買了一輛破舊汽車，及若干車胎，才算完成了花光的任務。第四，校內各系，互相對立，各系爭取本系豫算，提高本系設備，在數學方面，甚至彼此攻擊，不肯合作。某次分配一批儀器，物理系分到一架精細天平，但被生物系搶走了，結果爲互不退讓，一直僵持到現在還不能使用。其他類此情形，不勝枚舉。

保證總務處決不貪污　結果貪污全在總務處

校內的共幹，特別是攻擊李達的一點，是以湖大內總務長，是李達親戚，李一向包庇，去年九月八日，李還當衆保證，「總務處不會有貪污」。而這次發現的總務舞弊，却偏偏毛病都出在總務處。這是李的痛脚，共幹們萬不肯輕易放過。

……的有系統的思想政治教育抓得不緊，以致發生了很多問題：貪污、浪費與官僚主義的嚴重存在，教學思想的混亂，資產階級思想腐蝕作用的深而且廣，這都是思想政治教育工作沒有做好的證明。」

李達自認係官僚主義　說已不配做大學校長

接着李達痛哭流涕，恨地自打嘴巴，他說：「[illegible]……「我在一九五一年下學期，[illegible]……暴露了我校浪費的數字達八十二億之多，「我麻痺大意，[illegible]……的嚴重！」（懷民，五月二十七日寄自漢口）

替父親聲辯給母親送錢
這樣的兒子該鎗斃　・大哀・

信宜青年團組織部長林育華，因此被中共公審處決。只有肯出面清算父母的才算是「模範青年」才算是「優秀團員」

【本報綜合報道】中共的「非孝」政策，到現在總算已發揮到了極度，牠最高目的，就是要所有中華民族的兒女，將對自己父母的敬愛，整個轉移給幾個殺人放火，竊國欺世的中共巨酋。正如中共巨酋，不知愛自己祖國，而去喊史太林做爸爸一樣。因此，只有像上海滬江大學女生，被中共誘騙進了青年團的許雲影，清算父親，打傷胞姊，才是中共大力表揚的模範青年。中共的報紙，曾這樣記載：滬江大學學生，優秀的青年團員許雲影，檢舉他的資本家父親許仲清，退還贓款，交出工廠。在檢舉過程中，她曾遭遇到家庭的孤立，最後，竟被她的大姊許雲娘，罵她不孝，將她橫加毆辱，但她站穩立場，毫不動搖，青年團上海市工委，特予表揚，褒獎許雲影爲上海市最特出的「優秀團員」。用家庭破產，工廠關門，父親被捕，姐姐坐牢這種種高昂的代價，換得了「優秀團員」四個字，中共愚弄青年，眞可算登峯造極。但是，在中共統治之下，如果一個青年，竟敢於不依照中共這樣一條非孝的路綫走，相反的，你還要敬愛你的父母，那麼，你輕則從此斷絕求學謀生的出路，重則馬上就大禍臨身，坐牢槍斃，雙管齊下。下面這兩個不幸的人物，他們唯一的罪名，就只是不肯清算自己的父母。

五月二十八日「南方日報」載：信宜縣青年團工委兼組織部長林育華，於二十一日被縣人民法庭召開公審大會，當堂槍決。林的最主要罪名，據該報說：「當農民要鬥爭他的惡霸父親時，林育華便寫了兩封信給鄉長李大榮，說他的父親是開明紳士，請李大榮向羣衆解釋，不要鬥爭他的父親。後來他更進一步包庇父親在信宜城裏住。去年夏天，他又暗地送錢給母親用；後來他父親被判死刑，他便蓄意向農民反攻，破壞土地改革爲地主惡霸復仇。」替父親聲辯，給母親送錢，如果照中華民族的傳統道德看來，就算他父親眞是有罪，他也不失爲一個値得矜誇的孝子，然而共產黨却不需要這樣的孝子，而立即予以槍決了！

另一件故事，載在上月某日的長江日報。據說，武漢大學土木工程系一年級學生黃厚斌，原係青年團員。父親黃海蓀任中國油脂公司常德支公司業務股長，中共指控他貪污，他指天誓日不肯承認。中共發動黃厚斌檢舉，他不肯答應。但他却暗地寫了一封信給父親，勸父親要懂得看風色行事，把金錢看輕一點，暗示在這個時期，只要你已經被控，就非破財不可，口舌爭辯，是徒然增加自己的痛苦。在他的算盤，以爲這樣做，一面變父親，一面也算殊途同歸等於給中共盡了要他父親獻出財物的任務。不料中共發現了這封信，竟大發雷霆，罵他毀謗政府，立將他學籍與籍，一併開除。

因此，我們也就可以這樣了解，擺在大陸上千百萬青年面前的只有兩條路，如果許雲影不清算父親，那麼，另一條路，林育華和黃厚斌的下場，就無疑的，會代替了她那張「優秀團員」的獎狀！

讀史偶感

尚方

在中國歷史上，凡紀述帝王將相一類的統治人物，必須先把他的出身寫得天上有，地下無那種超邁等倫的高貴相。帝王的出生，不是他母親履巨人之跡，吞玄鳥之卵而懷孕的，就是夢龍驚神而投胎的。將相降生時，至少是祥光滿室，瑞氣盈門。至於這些人的母親呢，當然個個都是仙女下凡，神姬謫世，沒有一個不是神仙眷屬。這種封建荒誕的文化思想，到今天的原子時代還在作祟，誰要說某個大人物出身低微，或者他母親並非「名門之女」的話，即視為離經叛道之談。難怪我們的考試院長要主張讀四書五經，以維世道人心了。眞是良有以也，豈徒然哉！

然而，歷史上也有若干眞正的聖賢豪傑，明君名相，卻並不忌諱他的出身情況。孔子耶穌的母親不知是誰家女氏，但無傷於其聖教之偉大；范仲淹魏了翁不諱言其有兩父，又何曾損害他的名業勛名於萬一？漢文帝更開明，他致書蠻夷之邦的粵南王，開口便說：「朕，高皇帝側室之子也。」把自己母親是姨太太，本身是庶出的帝王「家醜」，坦然外揚於夷狄之君，後世之人，並未因其為庶出的皇帝，而低視其郅治之隆業。日本人以法律保護私生子，更沒人關心一般政治人物的出身如何，然日本人的科學文物，文武人才，似乎都比咱們注重門閥，講身世的文明古國為強。抱着封建思想而高談民主，怪事怪事！

自由談

·蘇聯內景·路路通（下）

芝譯

「當心一點，你會給青年團開除的，」他的哥哥對他警告。

「你儘管放心，」契尼柯輕輕一笑：「我契尼柯對於一切意外，事先都有周密打算。」

契尼柯這一次的妙計，是在料到青年團將開小組會對他提出檢討的時候，預先不付到期的團費。

「現在，我算是自動退出青年團了，你們已不能把我開除。」他在一次小組會中得意地說。

這個計策卻意外地沒有生效，反而使他的麻煩愈來愈多。青年團當局被激怒了，要嚴厲調查這樣一個腐敗不守紀律的人，怎會混進他們的團體。

「你們不能開除我啊！」契尼柯最後一次替自己辯護的時候，苦苦的懇求：「這會破壞我過去的一切成績。」

他的哀訴也是徒然，青年團當局這一次特別嚴峻了，而且開除他的團籍是大家一致的決定，非乘此機會剷除這棵野草不可。

「算我倒霉，」當天晚上，他對哥哥大發牢騷：「這一次我的計劃是失敗了，但下一次，我的運氣又會來的。」

契尼柯的所謂下一次，是指交通部方面的機會，他已送了一份申請書去，要求暫時准他在莫斯科一家工廠工作，等到他的論文繳卷以後，再另派正式工作。

「最重要的，是在莫斯科打定根深蒂固的立足點，像一枝樹一樣。」他對哥哥解釋他的理論。

交通部果然批准了他的請求，理由又是因為他要照顧眷屬的關係，雖然他的太太，實際上已給他丟到不知那裏去了。

於是契尼柯開始在莫斯科「生了根」。他運用他的一套特殊手段，在莫斯科電力工程設計局找到了一份工作，完全不是照他申請書裏所說的進一家工廠去做工。而且，這個機構並不屬於交通部，而是屬電力工程部的。

一年很快的過去，契尼柯終於繳出了他的論文。交通部通知他去報到，接受卡羅加地方一個無綫電廣播站工程師的職位。契尼柯卻置之不理。過了幾天，交通部接到電力工程部一封公函，說契尼柯不能去卡羅加，將繼續留在莫斯科的電力工程設計局。

「豈有此理，他竟敢違抗命令？」交通部的人氣得直嚷，馬上寫了一封覆信給電力部，要契尼柯這個人。

莫斯科電力工程設計局是個龐大的組織，就是本報（譯者按：「青共眞理報」自稱，下同）的代表，也因為它的訪客需要種種許可證的複雜制度，而不能走進它的辦公室。不過契尼柯卻自有他的辦法，不但得到進去的許可證，且很快的在裏面生了根，既有了職業，更贏得了上司的寵愛。

莫斯科電力工程設計局通訊處處長古立柯夫，也知道契尼柯調皮有點小聰明，猶如一頭章魚，長齊無數軟足，能牢牢纏住他心目中的隨便什麼東西。可是他自己也給契尼柯纏住了。當契尼柯還沒有繳出論文和得到工事畢業證書的時候，便正式將他聘為工程師。等到交通部要派契尼柯到卡羅加去時，古立柯夫甚至親自出面，極力替他辯護。

「我眞為他難過，」古立柯夫說：「他像是一頭受盡欺凌的小羊。他拼命求我保護，我實在不忍心拒絕。」

古立柯夫隨即轉請設計局的人事處設法應付交通部的要求。人事處再求助於電力部的人事部門主管，最後這件事交到電力部助理部長手裏。就在輾轉之間，抗拒命令的契尼柯竟安逸地躲到不少重要人物和政府機構的重壁後面去了。這批人，不但和交通部的官員爭辯不休，而且當這件案子送到莫斯科加利寧區人民法庭處理的時候，還形成了一條堅強的陣綫，為契尼柯辯護。這樁小小的案子牽涉了許多巨頭，頓使法官伏洛地那大為詫異。

他私下暗想：「有這麼多重要機構為搶奪契尼柯這個人大起衝突，他勢必是一個罕有的，沒有他人可以代替的專門人材了。」

聽取了契尼柯自己的申述和設計局方面的一番理由後，伏洛地那法官並沒有裁定契尼柯反抗命令是不當，反而對這個「無人可代替的專家」額外開恩，准許他留在莫斯科。

「你眞有辦法，不能不令人欽佩。」他哥哥從法庭出來時帶着羨慕的眼光對他說：「你可以隨心所欲使喚隨便什麼人。」

我們關於這頭章魚的報導，至此暫告結束，不過，我們不僅要提一下人民法庭這次裁決的錯誤，且要我們的讀者注意契尼柯哥哥行為的不對。他哥哥是個有相當地位的人，他是一所大工廠的總工程師，他不應當羨慕他的弟弟，而要為他感到羞恥。當他被請到本報編輯部來談話的時候，他自己也覺得很難過。可是，他說：「是的，我知道我弟弟做了一些不當的事情，可是這些事情是他所做的，並不是我。讓他自己去感到可恥吧！」這態度是錯誤的。

這哥哥應該糾正他弟弟這些行動，決不能信任他弟弟有做出這些事情的本領，間接鼓勵他繼續去做。他更應該為所發生的這些事覺得慚愧和困惑，而伏洛地那法官和莫斯科電力工程設計局的官員們也應該這樣自我檢討。（原載蘇聯「青共眞理報」，譯自紐約時報週刊）

雜談李白（四）

·舜生·

有人懷疑李白是外國人，這大致是由於陳寅恪先生一篇『李太白氏族之疑問』的文字所引起。（原文見清華學報十卷一期）這篇文字我不曾見過，或見過而沒有留意，現在手邊又沒有，陳先生的論點如何，我不得而知。但我想，懷疑李白是外國人，也許比懷疑黑齒是外國人更不為無理：一，根據他同時人李陽冰的紀載，曾說他是涼武昭王暠的九世孫，『蟬聯珪組，世為顯著，中葉非罪，謫居條支。……神龍之始，逃歸於蜀。……』再根據稍後於他的范傳正所紀載，也說他家因『隋末多難，一房被竄於碎葉，……神龍初，潛還廣漢，因僑為郡人。……』假定李白的家會竄居西域是一事實，則自隋末到唐中宗的神龍之初，所經過的時間，約為七十年左右，至少他家最初遷去西域的時候，決不是李白的父親，可能是他的祖父或曾祖父。李白的先人既是因罪而『謫居』，而『被竄』，則攜帶家眷一同前往的機會總是很少的吧，然則儘管李白的祖若父是中國人，但他的祖母和母親是外國人的可能性卻是很大的。李長之先生在他所寫的一本『道教徒的詩人李白及其痛苦』的小册子上，指出李白是『華僑』，但我還想假定李白是一個混血種。二，還有關於李白會草『答蕃書』的一種傳說，他的家庭既寓居異域達七十年之久，則李白因家庭關係自幼便通習當地的語言文字，自然也就沒有什麼稀奇了。三，再看李白的樣子，我覺得也是很可注意的：賀知章一見李白而歎為『謫仙人』；他的朋友魏萬，也說他『眸子炯然，哆如餓虎』；我們試想想，一個混血兒的最大特點，不往往就在他的兩隻眼睛嗎？四，李白的孩子們，有的叫『頗黎』，有的叫『明月奴』，叫『天然』，他並且還有一個妹妹叫『月圓』，我們也覺得有些異樣，現在久居外國或信基督教天主教的中國人，也往往要取一個『若瑟』，『保羅』，『瑪利亞』，『惠靈吞』這類的名字，可見李白的家庭確也是洋氣十足的。五，李白究竟姓李不姓李，根本也還有問題，據李陽冰所說：『神龍之初，逃歸於蜀，復指李樹而生伯陽』可見李白之姓李，原是臨時指定的，我們看李白許多贈人的詩，凡是遇着一個姓李的，他總歡喜和他們攀本家，這也確實是一種可疑的心理。

凡上述種種，我並沒有意思一定要附會李白是一個外國人，不過為實事求是起見，我們不能不明白這些事實就是了。即令李白是一個『僑民』，或如我所假定是一個『混血兒』，但他既已回到中國，長於中國，讀中國書，在中國結了婚，也在中國服過官，有無數的中國朋友，而且一千多年以來成為一個中國人所最歡迎的詩人，則我們把他的家世弄得清楚一點，也不過和他增加一點更親切的關係罷了。（一〇二）

萬竹樓隨筆

·驢廬雜記·

談輓聯（上）

·伯雨·

五月廿一日，星島日報某週刊載某君「雜談輓聯」一文，有很多處誤記的。如云：「鼎芬梁節菴輓陳超常聯，鏗鏘可誦：『關中見賞陸尚書，劇憐萬里驅車，行在烽烟詩一束；地下若逢龍表弟，為說孤臣種樹，崇陵風雨淚千行。』時淸德宗方逝，梁為種樹大臣云。」按陳超常之「超」應作「昭」，廣東新會人，淸末官至吉林巡撫，能文，有詩名。「陸尚書」之「陸」，應作「鹿」，鹿傳霖也。以「鹿尚書」對「龍表弟」，自然工整。又，梁為種樹大臣事在民國二年，隆裕后逝世後，與淸德宗安葬崇陵，距德宗之死已五年，不能云「德宗方逝」矣。

又云：「光緒間，孫家鼐輓妓聯，為人傳誦」云云。此聯實非孫氏所作。孫氏雖是狀元，但他向有道學之稱，且不擅文事，安能寫出這樣好的文章。此聯久傳係某名士所作，似見於梁章鉅的楹聯叢話，一時忘記了。

又云：「散原老人陳三立，抗戰期中，客死於蜀，或輓之」云云，按三立於民國廿六年病死北平，三十六年在北平長椿寺移葬杭州，世人共知，何得言「客死於蜀」？

上海中華書局於民國十年出版「淸朝野史大觀」，載王湘綺輓張之洞一聯云：「老臣白髮，痛哭騎箕，整頓乾坤事粗了；滿眼蒼生，淒然流涕，徘徊門館我何如！」這一聯情韵極佳，向為世人傳誦。但這不是王湘綺之作。以湘綺的驕才（他自己說的），怎肯有「徘徊門館」的行動？他對曾國藩左宗棠之流尚且以平輩對抗，何有於張之洞？而且他又非之洞的幕客門人，更不該作此語了。後來讀「張文襄公榮哀錄」，才知是梁鼎芬的。但為什麼張冠李戴呢？那就是「榮哀錄」的編排不大好，王湘綺的聯與梁聯相接，王名恰好在梁聯之前，所以有此誤會。（「野史大觀」係引易用彬的「新語林」，但並無註明出處）

「我的生活片段」之一　八年的參政（四）

王雲五

經濟建設策進會（下）

我從昆明回渝以後，對於參政會經濟建設策進會的工作仍不斷致力。在三十三年八月二十八日該會經濟建設組常務委員會向蔣兼會長提出經濟建設原則建議書，即由我主稿，雖經各常務委員略有修正，大體仍不脫我的原主張。該建議書計列原則十八項，分別加以說明。茲將原則摘列於下，以見我當時的主張：（一）經濟建設宜由國家計劃，而儘可能範圍容許人民經營，俾可配合國策，迅速發展；（二）工農並重，俾收相輔並行之效；（三）重工業宜早日建設，以植工業建設之基；（四）工業上各主要部門務宜配合，俾可順遂進行；（五）工業主要原料宜預籌供應之充分，以固工業基礎；（六）水陸運輸宜加速建設，並自籌交通工具之供應，以利交通；（七）鐵路建設宜與經濟配合，以收相互為用之效；（八）航空事業宜積極發展，以謀交通之迅速；（九）農業特重防洪灌溉及機械之利用，以增進農產；（十）厲行科學管理，以增效率；（十一）預謀勞資調協，以減工業上之損失；（十二）技術人員宜注重深造與實用，俾資應付經濟建設之需要；（十三）制定獎勵國民儲蓄之有效方法，以利自籌資金，發展工業；（十四）積極增進外銷物產，以期發展對外貿易；（十五）對外貿易宜劃分國營與民營之界限，而對民營外滙仍繼續管制；（十六）與盟邦技術合作，利用其資本與戰時過剩之設備，為我國奠立工業之基礎；（十七）確立健全之金融制度，俾工業建設不致受阻；（十八）租稅宜簡單化，俾政府有實際之收入，而人民不致受侵。

天方夜談

·凝之·

由於中東油礦的發達，當地一些伊斯蘭教的國王和酋長們，都成了豪富的暴發戶。他們每年不勞而獲的收進億萬美元的油稅，他們的生活又是怎樣呢？這裏姑且引沙地阿剌伯國王的一個例子，沙地國王伊賓沙德，已經是七十五歲的高年，每到春天，他總要照虔誠的伊斯蘭教徒那樣，到麥加去朝聖，但他並非隻身前去，而是率領着浩浩蕩蕩的一支隊伍——他的家族。那括有四位后妃，一百三十位「退任后妃」，三十六個兒子和三十一個女兒。另外還有一千幾百位隨員和衞士，一共要裝載一千輛汽車和三十架飛機。

出發的序列是這樣的：他坐在華麗的座車，兩旁有架着機關槍的吉普車護衞，一直開到機場，由他的兩位年紀最大的王子，扶掖着他乘上飛機，再載上他的輪椅等和高級要員。隨後就由沙地阿剌伯航空公司的客機，和借自各個國家的飛機，搭載他的其餘子女，和現任的后妃。再次是一大隊的輛車，載那一百三十位「退任后妃」。親屬，技術人員和低級官吏則乘坐各式各樣的過時汽車出發。最後是公共汽車載運着僕廝、廚師、工匠與閩丁。另外用卡車裝御用東方毯子，包滿內宮廷行李，由坐着汽車的兵士護送。為了幫助他旅行便利，美國一家石油公司還送給他二十輛精美的卡迪勒克牌大輪車呢！

黑十字

北晨

阿平在電話裏說，洪先生昨晚喝醉了，哭哭鬧鬧，睡在客廳裏，她說她有點害怕，怕他會自殺。

「知道你給我電話嗎？」藍英急促地問。

「鬧了一晚，他已經睡着了。」

「讓他死好了，告訴他，不許動我的東西。」話雖這麼說，除了那份憎恨與畏懼交織的情緒之外，她對這個男人，還是動了輕微的憐惜，這感情是矛盾的，她不再留戀這個男人，可是對於過去許多纏綿的記憶，總不能立刻忘懷。

十二點剛敲過，白濟宏便來了，一進房門便問藍英昨夜睡得可好？話的語調與內容同般溫柔，他還捏了捏藍英的手。這番表情，對她引起的反應不是感激，而是一點迷眩。

姐姐比她大五歲，卻有這樣一個動人的丈夫。說白濟宏是一個動人的丈夫，一點也不過份。他問候了一陣，便摸出了他的五十一型金筆，寫下了幾樣菜。

「小英！你看這幾味菜，配不配你的味口？」藍英接過一看，禁不住又是一陣激動。這些菜不但是她喜歡喫的，而且是她在上海常喫的，他能記住女人的每個弱點和嗜好，怪不得每個女人都歡喜他。她不禁更對她姊姊起了妬意。

藍英沒出聲，白濟宏接着說：「我們好久沒有一道喫飯了。喝點酒，我要和你慢慢的詳談。」

他隨手按了一下鈴，把菜單交給了茶房。

房裏已只剩下他們兩個人，白濟宏端過一把椅子，放在藍英的前面，兩個座位距離不到二呎。藍英預感到，嚴重的談判要開始了。（十九）

·中篇連載·

自由人
THE FREEMAN
（半週刊每星期六出版）
（第一三二期）
每份港幣壹毫
督印人：李光華
社址 香港高士打道六六號
電話：二〇八四八
GLOUCESTER RD. HONGKONG
TEL: 20848
承印者：東附印務出版社
地址：高士打道六四號
台灣總辦事處 台北市館前街五十號
台灣經銷處 台北市中華路一二五九號

無須三次大戰「志願軍」將瓦解

韓戰可能是三次大戰「代用品」，因「俄帝集團」一角之瓦解，即可能召致「俄帝集團」全部的土崩

·胡秋原·

今春以來，俄帝在歐洲散布空氣，說西德武裝即是「大戰」。五月初旬，東德共黨恐嚇達最高潮，說如果對德契約簽字，即有莫測大禍。但簽字以後，除了小搗亂外，俄帝舉動，總算「和平」。但近日華府倫敦盛傳中共集中百萬大軍，有即在韓國發動大戰之勢。二者對照似乎甚爲矛盾。而關於後一消息，則前方聯軍將領不甚相信；另一方面，且有中共要求俄帝調停韓戰之說。這也似乎甚爲矛盾。但仔細一想，是一點也不矛盾的。

歐美人在軍事上政治上如有動作，對時間的選擇與配合，極爲注意。俄帝早已學到這一點，而且考慮得甚爲周密。不過，因爲獨裁制度並無效率（一切要一人決定），而且奴才的執行也太機械，不免時常脫節。這在最近的矛盾中便可看出了。

許多事故同時發生

我猜想俄帝在今年五月，原有極大的計劃。這計劃有兩個主要目的：一，阻止西德簽約；二，擴張亞洲滲透。他在三月十日發出關於統一德國的照會，配合「國際經濟會議」，一時影響不算很小。四月九日又發出第二次照會，讓步到同意四國監督選舉。他自不是眞正讓步，而是要使對德契約無限延期。同時，則由東德以戰爭爲威脅，簡直像煞有介事。原定五月廿日簽字的西德契約，果然一度延期。即在艾契遜飛歐之日，杜魯門還不敢肯定廿六日是否果能簽字。直到廿四日深夜，莫斯科還發出第三次照會。可見廿四日以前俄帝還不以爲廿六日便能簽字的。東德的傀儡，不過毫無所本。大言壯語破產後，效果很不好，他們不會不知的。

但俄帝不是專靠照會與恐嚇，來阻止西德條約的。他還在遠東有配合的準備。五月初美聯軍走馬換將，李奇威克拉克兩將軍交替之時。我猜想俄帝一定準備「志願軍」在五月半左右發動一種攻勢或象徵攻勢的。這才能解釋五月七日杜德事件和以後共俘擾亂行爲。這事件似乎表示聯軍管理戰俘之不力，不是聯軍的光榮。但是，民主獨裁之別，何嘗又不在此？難道說聯軍眞正無法控制戰俘？誰也知道，只要將人道觀念除開，五架機關槍就勝任愉快的。共俘這種行爲，自是經過俄帝「交通」之指揮的。這不是單供南日宣傳之用，而是要配合一個預定發動攻勢，供五月廿八以後召開的所謂「亞澳美太平洋和平大會」之用的。

大家試想：在韓國前綫，大戰有發生模樣；巨濟島共俘繼續暴動；日共也示威暴動；於是韓國全綫發生猛烈接觸；北平會議召開，郭沫若演說之後，所謂美俘伊納克和奎恩自供和證實「細菌戰」，「美國代表」要求「停戰」，「印澳代表」要求「五強會議」；這時候，巴黎共黨示威，東德共黨暴動；假若這一串事件同時發生，作波浪式的演出，一定可以造成強烈的宣傳效果，和全世界的緊張狀態。這時候，史太林再發表談話，主張四強談判；能說一點效果也沒有嗎？俄帝目的自不在俘虜問題。關心他們做什麼？他是要恐嚇西柏林和西德人民，恐嚇法國政府，英國工黨乃至一部分美國民意，將目光移到德國，暫時將對德契約延遲下來。同時，使英國輿論對易俘問題提出異議，於是使英美之間，發生歧見與裂痕。而這在亞洲，在印度，能增強威望，加強滲透，是不待說的。

要志願軍精采表演

但這一「計畫戰略」。需要「志願軍」作精采表演，才能畫龍點睛。但龍睛沒有畫出，於是其他一切，就顯得七零八落，有氣無力，而甚至無意識。在今日自由世界有系統的反擊之前，史太林是不能希望以暴動，示威，封鎖來解救其危機的。

據鮑爾溫在五月十一日「紐約時報」發表的資料，從去年下季到現在，中韓共軍增加四十萬人（共八十七萬五千人）。米格效能雖漸減，東北青島仍有一千七百架飛機，半爲噴式。因此，他說共軍發動攻勢之力量是有的。不過，如果單發動陸上攻勢，徒然自取失敗。如發動陸空攻勢，他怕聯軍反擊大陸，因此，也許不致發動。但是，共軍全面出擊，將使美國空襲大陸，是俄帝早已知道的。明知如此，又將四十幾萬軍隊開到前綫呆下來，豈不太笨蛋乎？所以，一個題中應有之義的攻勢之流產，還須另覓解釋。

共軍攻勢被迫流產

查五月初旬至中旬紐約時報上的雙方戰報，則這原因十分顯明。北韓共黨戰報，照例是全綫擊退敵人，予以重創，打下飛機多少。五月十日聯軍戰報：空軍遠征鴨綠江邊，擊退米格機；海陸基地飛機重創敵人補給車輛，陣地和軍隊。十一日和十三日的戰報都提到前綫接觸的猛烈，但聯軍空軍轟擊北韓交通、補給中心，倉庫，炮兵陣地，行軍列車，到前綫的車輛，都有豐富戰果。並且，打落很多米格機。所以，韓國前綫的戰爭，除缺乏地面大規模戰鬥外，空戰是非常激烈的。其所以沒有地面大廝殺者，就聯軍而論，原無意大舉進攻。而就共軍而論，沒有空軍支持，大概不會再表演所謂「人海戰術」的。短程米格機，究不足支持大戰。而聯軍空軍業已加強。這由聯軍對北韓機場問題不斷堅持，以及米格機效能日減，都可看得出來。總之，空權和「絞殺攻勢」，使共軍攻勢流產。在這情形下，毛澤東向史太林求饒，也不是不可能的。

這一推測，不僅可以解釋最近俄帝步驟之零亂，而且可以說明德國問題和韓國問題，是兩個重大的考驗。

德韓問題兩大考驗

德國問題是俄帝戰略之考驗。如俄帝不敢爲德國問題而戰，其無大戰能力，就十分明白了。韓戰是俄帝戰術的考驗。鮑爾溫說雙方在韓國都利在僵持，但在最後，對俄國有利。其實從另一面看，並不如此。韓戰是雙方戰術武器之比賽。頭等武器雖未使用，但一般戰鬥力，是在嚴密較量中的。由於米格在近距離有用，而在遠距離不濟事，才在韓戰僵持，也才使大戰不致發生。只要美國能確保並增進空權優勢，我頗相信，韓戰可以成爲第三次大戰的「代用品」（Ersatz）。但「志願軍」是不能支持下去的。今年新穀登場之前，中共即無大變，明年上季是一定不能支持下去的。在西德契約以後，自由世界一面加強西歐防禦，一面加強太平洋防禦，則只須確保空權，讓韓戰打打談談下去，無須三次大戰，即可使「志願軍」瓦解。俄帝集團一角之瓦解，只須再加一定的推和壓，即可能是全部土崩的。

赫斯尚在人間

七戰犯要求西德特赦

西德和平契約簽訂後，愛登諾爾在應付蘇聯及東德的各種嚴重威脅以外，還有一個很傷腦筋的問題，在催促他迅作決定。這就是一向關在柏林英管區斯巴都監獄裏七名納粹著名戰犯，正要求他頒佈赦令，恢復自由。這七名戰犯，包括有曾經親身駕機（降落英國，希望和英國單獨講和的赫斯，過去德國（已死）海軍大將，代表德國，首先向盟軍投降，的杜尼斯，及前任捷克總督牛賴特，納粹財政專家芬克。他們都是戈林等大批頭等戰犯處決後賸下的一些風雲人物。據芬克夫人最近在波恩招待記者，報告獄內情形，十分悲慘。她說：這七個人，多數是既老且病，赫斯神經早已失常，日夜怪叫瘋狂喊。牛賴特雙目失明，須人攙扶。她要求趁這西德恢復和平獨立的時機，依於人道立場，呼籲愛登諾爾准予特赦，西德輿論界都予以支持。英美法蘇四國（斯巴都監獄由四國共同派兵守護），一般德國人現在心情，更雜以同情及愛國意識。但這是否將引起蘇聯更強烈的抨擊，給新納粹增加一份力量，阿登諾爾當然事先不能不嚴密考慮！（一丁）

杜勒斯在普林斯敦大學演講

美外交政策需要動

·炎夏譯·

提出三個原則說明美國今後應走的方向

如何觀察目前的國際形勢？謹向君等提出三個定例。

第一個定例：動的物常克服靜的物，積極的常克服消極的。

不動的定被動的打倒

以石與水爲例而言，石與水孰勝？答案是：動的勝。水流而石不動，則石必爲水所浸蝕；但石如被投擲，則必穿入水中。

美國物力雖雄厚，但如靜止不動，處處被動，勢將爲另一本身力量雖較弱，而處處採取積極主動之勢力所摧毀。

蘇維埃共產主義的一般領導人物，都是動的哲學的信徒，他們主張採取動的攻勢。黨的勢力的消長，以工作的緊張與否爲標準，而不以黨員人數多寡爲標準。史太林常告誡他的黨徒，共產黨應該永遠做一少數黨，因爲少數黨始能動，一旦變成多數黨，即將麻木不仁。共產黨徒寧願把黨的組織縮成一個小組，而由少數工作效率很強的人爲其組成份子；而不願把組織弄得很龐大，聚集了一大堆人，只能坐而言不能起而行。

根據這一原則，他們的工作成績很不錯。在三十五年前，少數幾個人組成的一個小組，在世界任何一個地方都沒有拿到政權，現在居然統治了八億人口，幾佔全世界總人口的三分之一強。

自由世界過去太消極

在另一方面，是所謂「自由世界」，我們現在所最關心的，就是如何努力能把共產主義剩餘下來的這一部份世界保持住。我們所熱心討論的題目是：我們能否阻止共產黨徒，不讓他們把這一個或那一個國家再搶了去。整個自由人民的態度，幾乎都是消極的，防禦的。

精神因素比物質重要

我的第二個定例是：在人類的一切事務中，非物質的或精神的因素，常較物質的因素爲重要。

我說這話，並沒有忽略軍事和經濟力量在現代所佔的重要地位。拿破崙並不是一個白晝作夢的理想家，他曾經說過這樣的話：在戰爭中，精神力和物質力的對比，是三比一。

蘇聯最肯爲宣傳花錢

蘇維埃共產主義是製造標語口號的能手，想藉此來抓住一般羣衆的心理。他所打着的旗號是「和平」，「民主」，「裁軍」，和「社會福利」；他們給我們加上的頭銜是「帝國主義者」，「殖民主義者」，「軍國主義者」和「戰爭販子」。他們爲這一類宣傳工作所花的錢，每年總在一十五億美元左右。

蘇維埃共產主義的成就，主要的得力於社會意識之控制。它的對外擴張，幾乎完全沒有依賴舊式的公開的軍事侵略。它成功的手段，就是所謂政治作戰，也就是用全力來廣播各種革命的口號，煽動羣衆，使他們在蘇維埃策動之下，從事暴動。

自由世界根本就不知道從思想意識中可以抽引出力量來。我們所思想的離不開物質條件，我們的工作更離不開物質條件；實際上，我們比共產主義的世界還要唯物。（下接第二版）

遠東現狀不容繼續存在

艾森豪威爾回到美國第一次的演說，已表示「失去中國實爲國際上一最大之災禍」，這種看法自然是很正確的。我們今天所要反覆說明的，乃爲遠東現狀決不能聽其繼續存在。

在不擴大戰爭的條件之下，希望結束韓戰，此爲必不可能之事，即再談判一年，亦將徒勞無益。

假定加強台灣而僅在保守台灣，加強日本而僅在保守日本，則台灣與日本是否果能確保，已成問題；即令能保，是否即於全面反共的大局有益，亦根本成爲疑問。

在韓戰的兩年間，中共屠殺了一千萬以上的平民；整個中國大陸的鄉村與城市，已全部陷於破產；中國的建設與文化已被摧殘到使中國倒退五十年，今後非有二三十年的時間，已無法使其恢復；凡此均非中國人所能忍受，任何人也不應以任何理由，強迫中國人繼續忍受。

中共已成爲蘇聯的第一號傀儡，對此第一號傀儡如不能給以決定性的打擊，即對中共政權如不能予以根本的摧毀，則蘇聯所搬演的傀儡戲，必將從東西兩方繼續演出，而使得全世界所有的民主國家寢饋不安！

全世界的反共國家，都在期待着美國的援助，不錯，這是事實，同時亦即美國若干年來所執行的一個世界政策。執行此一世界政策必須顧及美國的財政的安全，不可使之趨於破產，此不獨爲美國人所應關心，同時亦即全世界的民主國家所應一致的加以顧慮。

可是，以美國現有的實力分作永無了日的長期消耗，或集中力量作一次有效的消耗，二者孰得孰失，實已成爲今日最值得檢討的一個實際問題。

就客觀的事實看來，希望以防禦政策阻止蘇聯對世界的繼續侵略，此實爲一極端渺茫的願望，而且好像在形式上隨時可能予人以一種誘惑，而在實質上則使危險性一天天趨於擴大與深刻。

從歐洲去打擊蘇聯，應從何處下手爲最有效，這一點可留給歐洲的軍略家去考慮，我們不願說話；從亞洲打擊蘇聯，必以擊潰中共爲開始，實爲一無可反駁的斷然需要！

時局漫談

釋「官僚」與「官僚習氣」

舜生

在艾帥回美的第一次演詞，頗以反對美國的「官僚習氣」爲說。他並且申述他積極的意見說：「美國雖然有權利期待被選出或任命之每一個官員，均充分值得民衆的信托。」究竟何謂『官僚』？何謂『官僚習氣』？我覺得我們也有加以闡釋，加以歸納的必要。

所謂官僚是一種根本沒有腦筋，永遠不求進步的懶惰動物。

所謂官僚，他們是以做官爲他們的『終身大事』，三天不做官，便走路無力；三月不做官，便失魂喪魄。因之他們不惜採用任何手段，總以達到做官的目的爲原則。

所謂官僚，是最能講究形式，最能拘守成例的，他們凡事都要做到交代得過去，他們最大的壞處是『不求有功』，他們惟一的立場是『但求無過』，他們所最兢兢業業的，是『不敢爲非常之舉』！

所謂官僚，也可能裝出一副勤謹清廉的姿態，也可能扮出一種謙虛下人的作風，可是因爲他們根本沒有腦筋，根本不想做出一樁像樣子的事業，即令他們清廉到一杯白水也不喝，勤謹到二十四小時不睡覺，謙虛到整天都在客廳裏笑臉招待客人，但他們依然是『有爲政治』的一種蟊賊。

像這類的『官僚習氣』，是最富於傳染性的：辦黨的人員本來不是官，可是有時候他們也要像一個官；民意機關的代表，更應該不是官，可是有時候他們也居然以官自待，同時也希望別人以官待之。

要打倒中國共產黨，要重建中華民國，我們只好老實說：對於這種官僚，實在是無所用之。

在原子試爆掩護下 美國想實行兩棲登陸

看今年美國一連串原子演習，原子武器已向戰術性方面力求發展。蘇聯色厲內荏不敢發動三次大戰，最大原因，還是原子武器萬萬無法和美國競賽

·李秋生·

本年度春季的美國原子武器試爆，從四月一日在尼華達州拉斯費伽斯附近試彈場的法人坪開始舉行，到最近本月五日，前後共計舉行了八次，現已暫告段落。以後，便要等到秋季，在中太平洋恩尼威吐克礁湖，舉行規模更大，同時也關防更嚴的爆炸試驗了。

試驗場移到尼華達 目的在經濟而便利

美國的永久性原子彈試驗場，本在恩尼威吐克，那裏是浩瀚的太平洋巨浸，四面寂無人居，既不怕放射能傷人，又利於保守祕密。但是美國本土與該珊瑚島相去數千哩之遙，每舉行一次試爆，勞師動衆，所費輒以二千萬至一億美元計，因此纔於前年冬天，另行在美本土的尼華達州沙漠中，設置試爆場，以期在人力物力以及科學軍事技術的研究方面，都比較經濟而便利。

但在拉斯費伽斯所舉行試驗的，却決不是威力最兇猛的原子武器，例如爆炸力相當於TNT五萬噸以上的分裂性原子彈，或者融合性的氫彈，便仍舊要到中太平洋去舉行。美當局的意見是，尼華達州沙漠縱然荒寂，到底與繁盛的城市相去不遠，曾說「我們不願意把尼華達全州都爆毀了」。

而且，在尼華達州所試爆的，也並不都是製造完成的「原子彈」。

重視戰術原子演習 看出今後發展趨勢

當一九四八年四五月間在恩尼威吐克舉行三次試爆之後（那日期和內容至今未曾公布過），原始的原子彈似乎已經改善到無以復加。當時俄國原子彈製造情形尚未透露，在洛杉磯的專家們已經感到沒有進一步的工作可做。但從理論的演進中，關於所使用可分裂性物質的配合、分量和裝置，似還不無改進餘地，亟需從實驗予以證明。這纔開始了在尼華達的試爆。有如去年一月二十七日到二月六日所舉行的那五次，爆炸的形態，閃光，顏色和威力，每次各不相同，據原子能委員會所發佈的公報，只說那是「原子試爆」，或「原子裝置」的試爆，却不說是原子彈或原子武器，正因爲那只是武器的雛型而已。此種試爆，大多數很成功，但有時遇到障礙（例如去年十一月廿九日的一次和最近五月二十日的一次），也有時效果不佳（例如去年十月二十二日的一次）。在去冬從十月二十二日到十一月二十九日的一組試驗（共計七次）和最近的一組中間，又增加了一項新的項目——有兵士參加的戰術性原子武器演習。在去冬還只是開端，最近一組試爆中則有一半屬於此種演習，於此也可看出美國原子武器發展的趨勢。

在最近這八次試爆中，有四次是空投（四月一日，十五日，廿二日和五月一日），四次和七年前在新墨西哥州的首次試爆相似，從三百呎高的鐵塔上予以引發。空投是作戰時所使用的方式，而在鐵塔上的爆炸，則更便於在技術方面精密紀錄其爆炸反應的過程。最近四月廿二日一次，所用原子彈是在恩尼威吐克試炸以外威力最猛的一種，約相當於二萬五千到三萬噸的TNT炸藥，投彈的B一五〇型自三萬呎高空投彈，在距離地面三，五〇〇英呎處爆炸，這都是些新的紀錄，而且那是在一九四六年比基尼試爆後唯一公開邀集各界人士參觀，並破天荒以電視播傳的一次。在此間電影院近頃所放映的新聞片中，就有該次爆炸的紀錄片在內。此外更有一千名步兵和五百名空軍參加，在距爆炸點三哩半左近之處，藏身掩體中，爲廣島長崎以外，人類與原子爆炸相去的最近距離。他們旋即在「戰地」前進，從事戰術演習。五月一日的一次有二，一五〇名海軍陸戰隊參加，在爆炸後進而佔領被原子炸過以後的敵軍陣地，無疑是在做原子爆炸掩護下兩棲登陸的演習。二十五日的一次，爆炸極爲壯觀，參加者有第四軍團的全部機構，括有萬餘步砲裝甲各類兵種。六月一日的最後一次，則駕駛M—四六巴頓型坦克的士兵，於爆炸後數秒鐘即行前進，以迄於與爆炸點相去半哩之處爲止，證明了在戰爭中取攻勢的一方，可在爆炸的同時利用坦克車安然進攻。從去年一月起，單在尼華達州，即已試爆過二十一次，每次爆炸，都耗費了千百萬金錢與極高度科學與工業技術的成果，當然，也收穫了極可寶貴的資料和經驗。

根據許多權威估計 蘇聯原子彈太落伍

但是凡此種種，原子武器（或其雛型——都還只是小型到中型）的試爆，此外還有恩尼威吐克的大規模試爆——可能括有氫彈，原子魚雷與定向火箭砲的原子彈頭之類。此外，陸軍方面有原子大砲的製造——砲身業已製就，砲彈不久可成；海軍的原子潛艇，第一艘鸚鵡螺號日內即將安裝龍骨；空軍的原子飛機，也在積極建造中。至於原子彈的囤積，今日美國業已數以千計，而且種類繁多，從戰略性的到戰術性的，從只等於四五千噸TNT威力的小型彈到相當於十萬噸左右炸藥的大型彈，都有大量儲備，可以充分適用於種種不同的目標。迴顧蘇聯，雖然至今缺少正確情報，但據各種權威的估計，都認爲最多不能超過百枚長崎式的落伍原子彈，甚至還有人說牠只是每年製出兩三枚拙劣的成品，予以試爆，好在宣傳上保持面子而已。這樣就無怪克里姆林宮近頃表現得色厲內荏，儘管表面上劍拔弩張，卻沒有攤牌的勇氣。

但另一方面，若就戰術性原子武器而論，現在仍在幼稚階段，所有資料和經驗都嫌貧乏，儘管足以使極權陣線的人海戰術相形失色，却還不能有在戰場上絕對制勝的把握。美國之所以頻作原子演習，這也是原因之一。

吳國楨最近召開兩個座談會 商討戶政及合作社問題

均與地方自治有密切關係，而在台灣目前均需要迅速解決，但座談會商討結果，尚沒有獲得確實結論

【本報台北特約通訊】台灣省政府在過去一星期中，曾由吳國楨主席召集了兩個座談會。這兩個會所談的內容，非常重要，而各方面似未多注意。一個會是商討台灣省此後的戶籍行政，究仍由警察機關與自治機關分別辦理，抑全部歸由警察機關辦理。一個會是商討農會與合作社的關係究應如何調整。這兩件事都與台灣省人民的生活有重大關係，而且也是與台灣省已經實施了的地方自治前途極有關係的一件事。

主管戶政應否統一

先說戶政問題。台灣省在日人佔據時期，戶政本由警察機關辦理，尤其在山地同胞居住區域，連同教育生產，也一概由警察機關主管。光復以後，即遵照我國中央的法令，由民政機關主辦。其後又因治安的關係，將流動戶口的調查登記劃歸警察機關辦理，常住人口的調查登記則仍由區鄉鎮公所主管。截至現在爲止，台灣省的戶政制度，仍係採取警察機關與自治機關的雙軌制度，前者管理動態戶口，後者管理靜態戶口。

最近半年以來，各方面有鑒於戶政的不夠健全，遂有人主張應一律改歸警察機關辦理，以資一元化。但也有人表示異議，認爲台灣省既已實施地方自治，便不應從自治機關中將戶政劃出交給警察機關。爭論迄今，未獲結論。我們如從客觀方面研究，問題的癥結實在於戶警機關的聯繫不足。就自治機關言，區鄉鎮長皆由選舉產生，里鄰長不但亦係出於選舉，且完全係義務職，因其本人均另有職業，只能於業餘兼辦自治的事務。區鄉鎮公所的戶籍人員，照內政部規定應每二里設置專任人員一人，現在台灣省共約有三千四百餘人，多爲本籍人士，國文書寫能力較低，而戶籍表格又如此繁多，不免時有錯誤發生，致爲各方面所不滿意。至於警察機關則較自治機關有顯著的長處，第一是派出所普遍，其數字多過於鄉鎮公所的數字三倍有餘，這是承襲日本人佔據時代的遺制，因之與民衆的關係，反較自治機關爲接近。再則自從大陸撤守，警政人員來台者甚多，曾在大陸省份担任縣市警察局長者，到台灣後，求一派出所巡佐都不容易，警政機關人員的能力水準，無疑地是較自治機關人員爲高。尤其自治機關有辦公的時間，星期及例假日要休息，而警察機關不眠不休，隨時可以辦公，民衆向其申報戶籍，可得方便。

但如全部戶政均交由警察機關辦理，勢非現有人員所能負荷，仍必須將現屬於區鄉鎮公所的戶籍人員三千餘人一併接收，予以留用。前述此三千餘人的辦事能力缺陷，並不能因改隸警察機關即可突然銷失。而且從未受過警察訓練，到警察機關中去工作也不相宜。再則戶政的目的，在（一）供給統計資料，以爲政府施政的依據；（二）證明個人的身份；（三）維持治安。只有第三個目的才與警察機關有關係，似不宜爲了一個目的便將戶政全部劃歸其主管，這都是不贊同戶政改隸的理由。

吳國楨主席所召集的座談會中，聞對於此事尚未獲得結論。但聞多數人的意思，仍在維持現行雙軌制的辦法，但須加強戶警兩機關的聯繫。此事可能再遞到即將於六月十日開幕的台灣省臨時議會討論，屆時當可有最後的決定。

農會與合作社混淆

再說農會問題。原來在日本人佔據台灣時代，鄉鎮普遍有合作社而無農會，州廳有農會而無合作社。太平洋戰爭爆發，日本人爲加強搜刮物資，將農會改編爲農業會，甫及八月，即告光復，故事實上合併並未完成。光復以後，即照我國法令，將農會與合作社分開。三十八年，台灣省政府又將兩者命令歸併，其結果只辦到合作社的財產移轉於農會，却留下來無數的問題。（編者按：關於台省合作社的過去和現在情形，可參看第一一九，一二〇本刊楊樹標所作「從合作說到民主」一文）如台灣省青菓運銷合作社與農會的爭執，迭起糾紛，雖由吳國楨主席親自調處，也迄未解決。尤其中美合作的農村復興委員會，認爲自從合作社併入農會後，許多非農人而爲合作社的股東者，因此也取得農會會員的資格，且當選爲農會的理監事，結果使得非農人主持農會，殊欠合理。最近中央組織合作事業考察團，分城市鄉村兩組，考察台灣合作事業，經考察完畢，據該組長發表談話，謂各地合作社房屋倉庫現金全被農會接收，乃至各農會現所使用賬表條俱等物，尚標有原來合作社名稱。如宜蘭市農會在合併前，原有資財僅只一百三十二元，現該會所有辦公洋房及一切債權等，均本爲合作社所有。因此各地人士紛紛請求恢復合作社的獨立設置，甚爲堅決。

吳國楨主席所召集的座談會中，聞對此問題雖研討甚久，亦尚未獲得結論。多數人意見以爲農會與合作社由分而合，再由合而分，再由分而合，由合而分，如再由合而分，人民已覺紛擾，益滋紛更，不如將農會會員分成兩種，其原爲農民者爲一類，其原爲合作社股東而非農民者，另爲一類，不得有被選舉權。如此辦法可以解決一部份問題，惟對於兩者間的財產與業務糾紛，仍恐難消除。關於這兩個問題，也有人建議戶政方面，城市歸自治機關，鄉鎮歸警察機關。農會方面，城市設置合作社，鄉鎮設置農會。這樣辦法也不失爲一策。只有看台灣省政府與省臨時議會最後如何的決定了。

入滇部隊確獲勝利 李彌本人親任指揮

香港三日

李彌部隊，報載最近又攻入滇境數十公里，據昨日由曼谷到港之某進出口商人談，謂在曼谷聽到，報載消息，確係事實。李本人現親在前方，指揮一切，並一再擊敗共軍。不過目前仍係游擊性質，大舉進軍，攻城略地之時機則尚未到臨。[illegible]不斷有商人進入李部，並稱李部士氣甚旺，但武器彈藥仍感缺乏。台灣在不久以前，曾派遣一部份政治工作人員及參謀人員，分道入滇，協助李氏。外傳李彌已離開軍隊，均係無稽謠傳，及李彌參加第三勢力之說，絕非事實。

克拉可將軍過港時 購古物有一段佳話

華美協進社主持人克拉可將軍，[illegible]香港[illegible]各方印象良好，[illegible]知識份子[illegible]返美以後，擬盡力促進救濟[illegible]中國文化[illegible]摩囉街古董[illegible]美金三千元[illegible]雖然是美國將軍，但我買不起，只好看看[illegible]

主持桂財政二十年 黃鍾嶽在港寓病逝

[illegible]

上接第一版 美外交政策需要動

我的第三定例是：是非是由一個非人爲的道德律或自然律所決定的。人類欲求福利，必須遵奉這一個道德律。

我們國家的建國先賢們都相信，宇宙間有一個創造之神，它賦予人類以各種不可或無的權利。華盛頓在臨別贈言中，曾說宗教與道德是人類幸福的兩大柱石，[illegible]我們的聯邦憲法和各州憲法，我們的法律和生活習慣，都是[illegible]

不要脫離基督教義

[illegible]（Arnold Toynbee）[illegible]

蘇聯外交慘敗

[illegible]

戰慄的是獨裁暴君

[illegible]

官僚作風腐蝕了中共幹部
插上木牌就算「豐產」
一面向上級報功　一面逼羣衆報喜

土改以後，地主打倒了，中共要逼令全部農民，將血汗一點一滴，都流進中共倉庫。因此，定下了許多搜括壓搾的辦法，尤其強迫每畝田產穀千斤，等於強迫每個女人，要生幾男幾女一樣荒謬。但是現在的農民，已不像過去那樣容易欺騙了，加上共幹官僚主義的嚴重，中共的搾取，多半是會遭遇到失敗的命運！

【本報漢口特約通訊】土改以後，雖然地主打倒了，但被中共誘騙用以作打倒地主工具的貧雇農，卻在中共殘酷統治下，也並不曾有好日子過。至於被劃作中農成分的，那就更不必說。因之，無論何地，無論何時，都只是中共拚命搜括敲搾的對象。不過儘管中共騙術新奇，花樣百出，但農村老百姓，他們受幾年來中共詐偽政治的教育訓練，也已有「一套應付」的辦法，中共的騙術，即亦有時而窮。反正老百姓決心不和中共合作，另一方面，中共派到農村工作的下級幹部，[illegible]

不久以前，中共頒佈了什麼「農業生產十大政策」，唯一目的，當然仍是向農村搜括。在這所謂十大政策中，最主要的一項，爲成立互助組。這在中共本意，無非利用農民彼此監視，使他們工作不敢懶惰，收穫不敢欺瞞。全部農民的勞動血汗，一點一滴，都爲中共而流，一粟一麥，都只有一條路，從四面八方，走進中共的倉庫。

互助組農民不參加　大鍋飯吃光等救濟

中共還想藉着互助組的發展，可以作爲未來大規模集體農場的初步。不過這一辦法，到了農村，老百姓都不受欺騙。照中共規定，是要農民將田地歸併，農具集中，大家通力合作，把一切果實，除去自己必需的部份外，一律獻給中共。但所謂必需部份，其標準是由中共自由規定，如果他說，你每人每年只必需吃一碗飯，你也就沒有爭辯的餘地。老百姓對於如此殘酷搾取的互助組，誰也不願參加，於是中共就不得不拉開原定讓由農民自由組織的假面具，而改爲強迫領導。湖北各縣的互助組，百分之九十以上，都由中共的農村幹部，強迫組成。幹部們不管青紅皂白，挨着村莊，任意編配，結果，同一個組的，而彼此田地的距離，有互相隔斷了十幾里的。但強迫編入互助組的農民，將可將田荒了，也不肯自種，將果實獻給中共。幹部們看看知道事實上行不通，於是打開窗子說亮話，索性告訴老百姓：「你們不要怕，反正我們奉行上面命令，要成立互助組，只要把組的名稱，編配報上去，我們的公事，就算有了交代，下文如何，你們儘有時間拖，果實交不交，姑待將來再說。」因此，老百姓就只好聽其自然，任那縣的互助組，就都那樣組織得既多而又整齊。組長掛空名，幹部應付「命令」。冊子造成，幹部走了，誰也不再提互助組這三個字。安陸縣有兩句流行極爲普遍的農村歌謠：「幹部來了幹，幹部走了算（按「算」即從此完蛋誰也不管之意）。」

有些互助組，曲解中共辦法，更爲有趣，他們不是耕種互助，而只是大家把現有的柴米油鹽集中起來，十家二十家，在一起煮，一起吃，叫他們「吃大鍋飯」，一起相約定，鍋飯吃完了，並就去找救濟。農會中共對於這些頑梗不化的農民，大傷腦筋。在他們身上，實在已不大容易那樣再無窮無盡的搾取油水了！

插牌子無人敢拒絕　到秋收甘心挨鎗斃

在所謂「農業生產十大政策」，還有一項，叫做「千斤豐產運動」。照中共計劃，就是要農民每一畝田，都要產一千斤以上，但田有肥瘠，畝畝不同，及雨水，人力和稻種等因素，強迫每畝一律產千斤，這和強迫女人一定要生幾男幾女，其荒謬無稽是一樣的。但幹部們則爲了奉行命令。他們又照上述成立互助組一樣的作法，衡陽縣楓山鄉許多幹部，召開龍家公開會議，告訴農民，你們只要在田裏插上「保證豐產千斤」的牌子，就算解決了問題，什麼結果都不管。於是插着「豐產千斤」等字樣標牌的稻田，一片片都是。他們一面督導成功，一面向上級報告，還動員商人，工人，學生，向插牌子的農戶送喜報，掛錦標「豐產」，弄得這些農戶啼笑皆非。自己都感覺：「這樣畝田天乾不雨，千斤穀，他們說，這樣肥料不夠，怎麼可以做到，但幹部要我們插牌子，我們誰敢拒絕，違反了，到秋收時就拿我們去鎗斃好了，我們甘心，也沒有什麼，交不出千斤穀子來。」這情形不僅衡陽一縣，湖南中南區，湖北，江西，都在依照着上述官僚主義的路線迅速發展，普遍廣大。

幹部狂歡演戲慶祝　農民不到小孩充數

幹部們最可笑的，當這些命令到農村，推行十大政策，狐假虎威，自己推行不了，就一面弄官僚主義，一面欺騙上級，列表報功，一面強迫羣衆報喜，許多幹部忘記了他們自己也是農民，當他們到了這種辦法以後，竟以爲他們的互助組，以及千斤豐產，已得到上級的獎勵時，傳令番禺等縣，爲了這番成績，由城東鄉農民協會主持召開大會，全縣首長王信本，挨戶捐款，演戲慶祝三天，大舉祝賀，安陸農民在五月初旬，正苦久旱不雨，農民忙着向田裏車水，他卻偏迫令家家女人集體學戲，並叫農民自己老婆，出身五女，（一頭是）五月七日，那一天，在東鄉搭台，鑼鼓喧天，開演大戲。農民因爲急於工作，都不肯拋下田來看戲，只到了二十一個小孩，[illegible]強迫農民，都到戲場上，捉了幾個好水車，[illegible]像王信本這樣的中共幹部，[illegible]（懷民，一日寄自漢口）

武漢公用汽車公司總經理
女專家楊皖卿撤職
中共說，她一切作法，都脫離了黨的路線

【本報讀者投稿】武漢第一名出色的工廠管理女專家，武漢公用汽車公司總經理楊皖卿，她本在美國學工廠管理，親身學習。後來因爲嫁了一名老共黨，在許多間美國汽車工廠中，她自己也連帶做了女共幹。她的確算得一名幹才，中共提拔她，做到那樣重要的總經理位置。不料，最近竟爲了她脫離黨的立場，受到撤職檢討的嚴厲處分。

據中共宣稱楊皖卿「脫離政治」，「不服從黨的領導」，她一向強調的廠長負責，「在企業裏，根本不需要黨」，她認爲：只需要技術，就可搞好生產，企業的組織，把企業從黨的支部裏不問何時何地，機構，她臨於「黨支部」看她的「黨支部」之上，都駕從黨支部的「任何工作，服從她，公司裏不通過「黨支部」，她一決定，就命令「黨支部」書記：「你們去辦一辦。」

「五區委」派「工作組」下廠拒絕，「工作」等到擋不住了她，又堅決不准進總務科，會計科。工作組找工人談話，她馬上追問工人：「談些什麼？」「你們告訴些什麼黨的？」出於她，反對「什麼」「致治」領導」，「思想改造」改革」等活動，都全被擋門外，她說：「民主檢查，檢查什麼？」時？民主把工人都搞懶了。」她鎖廠：「反革命」天天鎖反，事

故卻天天有！」今年「五一」，工人要參加「示威」，她說：「示什麼威，偏示威」結果，把廠門一鎖。工人在廠內無法，害得開會。楊向來在企業管理上，反對「依靠工人」，她一律「一套管理，掛的「民主化」，企業裏「講民主太多，了她所工廠化，改爲「管理，堅信「是不好」工人裏反領導了一張車去說，公司人姜容善說：「我的，她儘得大牌氣，好壞：「你負責修。得一個屁，部長買的，我向工人修好」，鬼她大力說：「想：「鬼修什麼，車增產，從廢料上，把車拆下來，不是從工人考動管理制度，一。」她的一直對行，「中共認爲美帝資本主義，她一全套是

金。」她一面用生產獎勵鼓勵工人。她常說：「前進，前進，多少罪惡假汝以行，公司裏的工人本不壞，但都給「前進」份子搞糟了。」中共將她免職以後，這位中年老太婆，現正在受盡折磨，接受中共日夜不斷的各種檢討。（勁夫）

好兇惡的共幹！
強姦後再勒索
一個丈夫在香港的上海婦人，遭受到如此殘害

【本報讀者投稿】王正明是本港某紗廠的織布工人，從前在上海也是做工，前年上海工廠生活的，紛紛倒閉，在家失業數月，爲要維持一家妻兒四口的生活，不得已東借西湊的籌足路費，逃到香港，好容易進了這家紗廠，有了點錢，便寄回家去，維持四口之家。然而好景不常，去年下半年，香港布市不振，工廠減工斷停工，逼得他喘不過氣來，工人生活都感困難，那還有錢寄回去，因此，也就突然接到他老婆的信，說要到去年底，頓使王正明也不小，莫明其妙，離婚十幾年，兒女也不小，何況她自己已結婚是三十多的黃臉婆，既沒有錢，又無辦法使他不敢相信。但婆子還要離婚，再說，就只好暫時不理，以後的情形法寫得很前兩天又收到他老婆一封信，說：他沒有錢寄回家後，家中常常沒有飯吃，小孩子骨瘦如柴，她自己七分像鬼，能得到前進的張二姐勸她加入婦聯會，不料加入後毫無幫助，反給一共幹糾纏，又被強姦後懷了孕，打掉了，最近身邊還有兩個孩子，她早就跳黃浦江，不是還是上次她信裏說要離婚的原因。信共幹還強迫她：丈夫在香港，叫她的丈夫是不是在香港當特務，共問她，說她月月繼續寫信爲匪特通信，叫她每個月內不給二百元港幣，就把她送到上海，給打斷腿，一條腿。如果不相信的話，就一隊兵來，叫她寫信要二十天，第二天果然來了，把她手打斷了，隨後帶了兩個兵，家門口叫着，不然就遍寄傷兵，她這，北去東北。現在她自己叫你，還是不想再相見，她死不足惜，但也不得多年夫妻，死了，更不能到十多年感情，可是孩子，共幹是罪過的，孩子必要她因沒錢，何況死無疑，求他看在親生兒女的面上，趕快寄二百元港幣回去。（陳潔）

惡貫滿盈罪在不赦
張飛顯聖痛打共幹
大陸上廣大人民在組織游擊隊暗殺團以外，新發明了一個最好最妙報仇洩恨誅奸除賊的辦法

·大哀·

【本報綜合報道】淪陷區老百姓，在中共殘酷鎮壓之下，滿腔仇恨，無可發洩，除有組織的游擊隊，和有計劃的暗殺團外，他們最近，竟發明了一套最有效，也最奇妙的辦法。讓若干兇惡共幹，俯首帖耳，甘心挨打，不敢反抗。

這辦法，還是中國幾千年來，農村裏一貫最流行的神道設教，懲罰惡人。

下面兩件事，都發生在湖南，湖南是神巫傳說，一向極盛的地區，因之，老百姓假裝出來的神道懲罰，共幹們也就儘量忍受，深信不疑。

周春堂替哥哥報仇

第一件事，出在岳陽縣三區三荷鄉湯家村。湯家村一位有名士紳周會桃，於去年土改時，被三荷鄉工作組長重要共幹王麗華號召羣衆，向他鬥爭，說他是地主、奸商、財產全部門光外，周家大小，於今年二月，將周會桃槍決。全家三分之二被迫自殺，其餘則流爲乞丐。周會桃都是同族，湯家村除周外，一名共幹，但不知何故，湯姓從小就迷信鬼神，也是最多的鬼神，村裏經常設有佛堂，身邊偶有同族請求庇佑。五月二日，周春堂及本家若干同族兄弟，常時並偶然突然請同一村族人，叩拜神佛，突然口吐白沫，兩眼閉跌倒在地，大呼：「我是加叩拜，不久，一骨碌爬起，兩眼閉，飛下凡，作工作組長，王麗華，哥哥周會桃，今接到陷害好人，是迷信玉皇大帝降旨，來此巡視此地財物，拆改，發作人妻女，作惡多端，玉帝已奏准我哥哥張飛下界，[illegible]老幼，大將，全部瘋死，長生不立即來此，尚有一個向敬神，屬生全鄉男女心存敬信，

開端，瘋七日，瘋死不過周……[illegible]

[illegible]王麗華不特不相信神，反而很溫順平安，在周春堂附身的一刻，就說……[illegible]他的神幾，自稱張飛，以大刀砍倒他，他那附身的周春堂，就是張飛，周春堂就說他是……[illegible]

劉萬東扮惡鬼打人

第二件事，出在湘陰縣沙田鄉，該鄉劉家村是一個大鄉，……[illegible]

談史太林開運河

為方

史太林强迫集中營的苦役們，在頓河流域開鑿了一條六十里長的運河，說是此後可與伏爾加河聯航，通出黑海。這條短短六十里的運河，若將億萬被迫作苦役的血、汗、淚，貫注其中，大概不必另外放水，亦可欵乃行舟了！

俄國的塔屎社對於這「偉大的領袖」所號召完成的偉大工程，拚命宣傳，大力恭維，自係于該萬該之事。當年中國的秦始皇築萬里長城，隋煬帝開江淮運河，儘管勞民傷財，天怒人怨，但一般文學侍從之臣，自然必須歌頌功德的。最無聊是中國人所搞的臘華社，對於這件「偉大工程」的肉麻捧場，比俄國人更賣力百倍。更無聊還有些「身是華人心是俄」的赤色文臣，竟把史太林描寫成爲沙俄比得大帝的繼志者，說這運河原是比得大帝設計而未完成的偉大事業，現在才由「史太林爺爺」來做成的，「史爺爺」當然較比得大帝更偉大了！同樣邏輯，秦始皇當年焚書坑儒不澈底，留下了甚麼申生伏生那類老儒和若干吏師，使典籍幾存，口說再傳。如今毛澤東澈底消滅舊社會智識份子，焚燬所有與馬列主義無關的書籍，「毛主席」當然就是秦始皇的繼志人，而且比始皇帝更偉大！

有人說：共黨仁兄素來是善言「辯證邏輯」的，這些道理何至於沒想到？實則他們只會背誦「一粒麥種下地變成麥苗，長成麥子，吃進人的肚裏變成肥料，再又滋潤麥種」那類機械公式的論調而已，何嘗善言甚末辯證哲理？

自由談

兩隻刺蝟

·南郭·

叔本華說，「刺蝟遇到冷天，需要互相擁擠的，但擠得太擁又感互相刺痛。」

上海「解放」的前兩天，朱桐注意陳和，陳和也注意朱桐，他們是朋友，但是並沒有什麼深厚的感情，卻有一個相同的幻想，肚子裏有一些欺騙自己的理由。他們服務的機關早平安撤退了，這兩個鬼祟的人，從黑暗裏爬了出來，一個偶然的機會裏，兩人遇見了，互相喫了一驚。「原來他也沒有走！」兩人都這樣的暗想。

各自的理由早就編好了，朱桐說：「我離不開上海的店子，機關裏的事也做得灰心了，好在我在外面還有些朋友，想來不會有什麼問題。」

「我的情形差不多，父親老了，弟妹們年齡又太小。我只想好好做個老百姓，但是他們卻要我去工作。」陳和說。幾個月後，這兩人竟「工作」的「工作」了，「服務」的「服務」去了，經過必要的「學習」之後，恰巧被派在同一個機關裏。穿上「解放裝」，戴上八角帽，他們自以爲已「向人民靠攏」了。

正像叔本華說的，這兩隻刺蝟，自從「靠攏」之後，肚子裏仍醞釀有鬼胎，他們雖知道這次「靠攏」只是借路過橋，只要應付得好，過去所長出來的尾巴始終夾在屁股裏，自信不會露出來，只怕共黨沒有誠意，日子久了，難免不被拖出去開刀。有一次陳和對朱桐說：

「老朱！我們的環境是一樣的，因而我們的命運也相同。以後祇希望彼此照顧。我們再要互相靠攏。」

這也正是朱桐早欲說的話。

霹靂一聲，「三反」運動開始，兩隻刺蝟嚇了一跳。大小紅色機關雷厲風行，所有的幹部都受監視，對於那些刺蝟們，釘的尤緊。幸而陳朱二人土生土長，都是老上海，還是能尋到安全的談話機會。朱桐有了問題，便尋陳和商量，陳和感到身上來了麻煩，也找朱桐幫着解決。照共產黨的說法，這兩隻刺蝟又訂了一個「攻守同盟」。

突然有一天，朱桐被上級叫去了，他對朱桐說：

「朱同志，你一向服務的成績很好，只是這一次三反運動太不積極，這些新幹部當中，好些是你的老同事，你不能爲人民建功嗎？」朱桐嚇了一跳，他早與陳和商量好了，決不上各個擊破的當。因而，他的答覆也就支支吾吾。

「譬如陳和同志，他幹了許多欺騙人民的事，你掌握的資料一定很多，爲什麼不肯提供出來？」上級聲色俱厲。

朱桐硬着頭皮，只推說「不知道」。

「這麼說，你就不夠坦白了，你現在陳和同志已經將你的不法行爲一齊檢舉了，因而我們寬恕他。現在已不用你自己承認，只要你也檢舉他的，你就可以同樣獲得人民的寬恕。」上級說。

朱桐一聽，恨透陳和了，立刻起了報復心理，當場向上級和盤托出陳和過去和當了共幹後一切的經過。可是他非但沒有得到寬恕，上級還說：

「關於你自己，必須有一個長時期的禁閉反省。」

當朱桐剛踏進禁閉房，一眼就看見陳和已先在裏面，刺蝟一樣，蜷縮在一角。

雜談李白（五）

·舜生·

李白自從離開他的故鄉四川以後，便一直過着一種漫遊生活，以當時的交通情況，他所到過的地方也算不少了。

從他的作品看，我們知道他住得較久的地方爲湖北，山東，河南；因爲一度非正式的從政，住在長安有三年之久；此外他的遊蹤所及之處，則有湖南，山西，河北，江蘇，安徽，浙江，……最後乃死在安徽的當塗。他之認識孟浩然，是他出川不久在湖北時候的事；他之和杜甫做朋友，則是他退出長安，年齡已在四十四五的時候了。

李杜這兩位詩人，不僅在他們的作品上表現一種不同的情調，實際則他們兩位的個性，也顯然不一樣。李白的出發點是道家，縱橫家，遊俠；他所崇拜的人物，爲范蠡，魯仲連，侯嬴，朱亥，張良，謝安。杜甫則爲純粹的儒家，他所崇拜的人物，乃爲『伯仲之間見伊呂』，『萬古雲霄一羽毛』的諸葛亮，而他最大的抱負，乃在『致君堯舜上，再使風俗醇。』李白並不是不熱心于功名富貴，但他對於做官不過是取快一時，無論成功或失敗，他總是要走，決不是一個官可以把他拘束得了的，因爲他還有一個更高的目的，乃在求仙學道。杜甫卻眞有一腔忠君愛國的思想，對當時一般流離困苦的人民，以及他的妻子和兒女，他也確實抱着無限的同情，假定他做官做得很順手的話，他是不願做到『螻蟻蟄痒，死而後已』的。

在杜甫的集子裏涉及李白的詩，一共有一十五首，我們可以看出老杜對李確有深刻的認識，而且具有一種深厚的友情，但他却也不是一味的恭維，帶一點規勸的話也還是有的，例如他說：

『秋來相顧尙飄蓬，未就丹砂媿葛洪，痛飲狂歌空度日，飛揚跋扈爲誰雄？』

這不是於開頑笑之中多少帶了一點責難意味嗎？至於李白對於杜甫又怎樣呢？自然也是很好的，李白有一首『沙邱城下寄杜甫』的五律說：

『我來竟何事，高臥沙邱城，城邊有古樹，日夕連秋聲。魯酒不可醉，齊歌空復情，思君若汶水，浩蕩寄南征！』

這不也可看出李白對杜甫友情的自然流露麼？相傳李白也有一首和杜甫開頑笑的詩說：

『飯顆山頭逢杜甫，頭戴笠子日卓午，借問因何太瘦生？總爲從來作詩苦！』

李白懂得杜甫的詩是從苦吟而得的，但杜甫却說：

『李白斗酒詩百篇，長安市上酒家眠，天子呼來不上船，自稱臣是酒中仙！』

究竟詩還是應該苦吟的好，還是自然流露的好呢？這是關於作者性分的一個問題，只好聽其『各顯神通』，絕對無法強其趨於一致的啊！

萬竹樓隨筆

（一○三）

·隨廬雜記·

談輓聯（下）

王湘綺輓之洞的聯是：「文襄定勝左文襄，漢宋兼通，更有鰲頭廷試策；年伯今成太年伯，斗山在望，來君馬鬣聖人封。」款署：「王闓運謹第三子代輓酹叩。」湘老此聯以廷試策爲言，以之洞遺摺有：「廷試對策，指陳時政，蒙孝貞顯皇后孝欽顯皇后拔置上第，遇合之隆，雖宋宣仁太后之於宋臣蘇軾無以過之。」（遺摺由之洞口授大意，陳寶琛寫成的。）之洞一生以此爲榮，所以輓聯中很多就此事發揮。梁鼎芬輓之洞的聯，除上述者外，尙有一聯云：「甲申之擢，庚子之電，戰功先識孰能齊，艱苦一生，臨沒猶聞忠諫語；無邪在粵，正學在湖，講道論心惟我久，淒涼廿載，懷知那有淚乾時！」這一聯萬不及「老臣白髮」那一對好。

之洞在門人中，最喜歡梁鼎芬、樊樊山兩人。梁的別號「星海」，樊別號「雲門」。之洞死後，有人戲輓一聯云：「星海雲門同悵惘，遠山秋水各淒涼。」據說「遠山秋水」是之洞的寵姬。但有人說非是，不過製造出來以求對仗工整罷了。

近日在廣東原籍逝世的江孔殷，據聞無知的人亂稱他爲「江太史」者，亦有一聯輓之洞云：「相公天人之姿，布衣草屋，負我無偶；九月霜露已降，生榮死哀，泫然傷懷。」此聯極劣，遠不如某君在「雜談輓聯」所記江輓某某的聯了，不過那一聯是開玩笑，而輓張之聯是學生輓老師，不得不莊重些。

·伯雨·

李逵不受改造

·如月·

共產黨的「改造」，已不限于活人，爲了「政策」，即是對死人，也要「改造」一下。

近一時期，在上海，以王熙春紀玉良王正屏等名角主演的「黑旋風李逵」，據中共宣傳，是目前大陸上「新」平劇中一齣「成功」的戲劇，由於「改」得好，它已得到了「廣大人民」的喜愛。

李逵原是個有勇無謀，粗魯戇直的傢伙，可是，經過中共一改造，這梁山泊上的土包子，却變了個態度雍容，成竹在胸，具有七孔玲瓏心的政治人物了。

且請看李逵「改造」的經過，據負責改造黑旋風李逵的共幹說：「改造李逵是一項繁雜的工作，我一直以嚴肅態度來進行這一項工作，關於李逵的造型，我是採取元曲與京劇中的菁華，把李逵先加以提煉，使火候純青，再加以鍛鍊，於是一個具有『新英雄性格』的李逵終塑成。」

形像是有了，於是沒有血肉仍不行，於是聰明的「改造」者又通過李逵的活動與故事，給他加上了「與老百姓不可分離的血肉」，務使他性格「突出」，惹人「喜愛」，不同於張飛，焦贊等類型的人物。

可是，遺憾的是「致的曲子總是唱不好」，這些「人民演員」爲了迎合觀衆心理，不但沒有把「改造」者的「苦心」多方表現，盡力渲染，相反的，對這傢伙的粗莽，倒更進一步刻劃了出來，比如關於描寫李逵性格的「下山飲酒」、「大鬧忠義堂」、「李（逵）宋（江）魯（智深）歡聚」等場合，李逵還是那樣瘋瘋傻傻，一斧頭一斧頭地劈向對方，粗魯可笑，尤甚於前。眞正的人民是喜愛了，但，人民的主人中共却大爲憤慨。

在其他人物方面，經「改造」過的周勝與滿堂嬌這兩個人物的處理更糟，周是被中共指爲「代表當時老百姓與梁山之間一個血肉相連的人」，他與被指爲惡霸地主的曹大戶有着「血海深仇」，可是在中共演出的戲中，周却反憐惜起曹的處境，處處設法爲曹開脫，完全失却「立場」與「反動份子」連成一氣。其次，滿堂嬌也演得太糟，照中共的改造，她本來是應該做得轟轟烈烈，不讓鬚眉的，但戲台上的滿堂嬌還是個千嬌百媚，弱不禁風的「堂樓小姐」，橫逆之來，認爲命運；她反抗曹大戶，令人一看便感覺不是發自內心；從言語行動上，可反映出她的「反抗」完全是在中共改造下「做戲」，沒有絲毫激昂的氣息，而且，在服飾上，在唱腔上，她總還是那麼力求美化，軟弱無力，同中共特定的形體，根本是兩個人。現中共已認識這些有了「問題」，把罪名全部推到「人民演員」身上，要大力「整訓」一下，假如再不遵照「特定的形體」演出，那就要毫不客氣的開刀了。

黑十字

北晨

這紳士照例打開烟盒，燃了一枝烟，噴烟裊裊之後，他說話了。

「姐姐的信收到嗎？」又拉住藍英的手。

她却掙脫了他的手，微微點了點頭。

「聽說共產黨決不會放過老李，他這條性命遲早要送掉，你們這段婚事實際已告一段落。」

藍英仍然沒有說話，也覺得不知如何答覆。

果然，她猜得沒有錯。白濟宏接着說，他是專爲藍英的事情才陪了黃先生來香港的。姐姐的信上也已經說過。這位黃先生是他多年的朋友，北方人，人很忠實，而且很有錢。藍英只是靜聽着他說。說到很有錢這幾字，白濟宏特別加重語氣。還說，這樣的年頭，一切都是假的，只有錢是眞的，所以，他勸藍英趁早嫁個富有的人。

「姐夫，我不是不肯，老李的事總得先了清。」藍英也有她的打算，嫁人是一件大事，不由她不謹慎。

「你祇要聽我的話，一切我會替你辦好，你用不着耽心。」

白濟宏顯得情急，照說還會引起藍英的懷疑，可是，她祇以爲他完全是出於一份無瑕的善意。

白濟宏進一步解釋黃這個人，說他的什麼條件都好，只是年齡大了一點，家裏雖有個老婆，實際上已儘有一個名義。

可是對於藍英，這却是最壞的條件，不管白濟宏如何輕描淡寫，她心裏立刻起了一種失望。好在她預先有了打算，能有錢到手，盡量的去接，能拖盡量的拖下去，她目前最需要的是錢，沒有錢，什麼都談不到。（二十）

·中篇連載·

中共問題（1）

「我的生活片段」之一

八年的參政（五）

王雲五

我是一個無黨派的人，而且不以參政爲目的而參政；因此，我的立場向來不偏不倚。可是在某一次的發言後，一方面固爲我獲得了不少的好感和贊揚，他方面却爲我惹起很大的誤會，竟有說我是國民黨之『前哨』的。其後外間盛傳國民黨想把四個中委的頭銜拉攏四位黨外人士入黨，而我也是其中之一位，因此紛紛向我詢問有無其事。其實前者的誤會，正如後者的誤會一般，絲毫不是事實。祇因我一本良心的主張，不知顧忌，而所主張或與國民黨的主張暗合，遂致發生此種誤會。事情是這樣的：當參政會第二屆第一次大會開會之前幾日，時在三十年二月底，我剛從香港飛到重慶與會，才聽見中共方面對於新四軍事件向政府提出辦法若干條，請求採納，而在政府未予採納以前，中共參政員拒不出席，藉此以爲要挾。其時政府爲團結抗戰起見，已派出代表和中共駐陪都的代表在會談中，並由居留陪都的若干參政員從中斡旋。爲了勸令中共參政員出席表示和諧起見，參政會特將原定召開預備會議，選舉主席團的日期延遲了一二日。因爲從本屆大會起，參政會的議長制改爲主席團制，主席團定爲五人，大家曾在會前商量，除原任正議長蔣介石先生屬於國民黨籍，副議長張伯苓先生那時候還沒有黨籍，同人一致主張推選爲主席外，還有三位擬即推選中共及青年、民社三黨黨籍的參政員各一人充任。後來我接到通知，決於三月二日上午八時開預備會，選舉主席團，九時開第一次大會；因此我以爲中共的糾紛問題或者已經妥洽了。可是到了二日上午，我如時到會，時間已屆，候了又候，還未見搖鈴開會，原來是等候擔任斡旋的幾位參政員作最後的努力。約莫八時半，他們才來，知道問題還沒有解決，中共參政員仍然拒絕出席，於是又忙了些時，才舉行預備會，選舉主席團；開票的結果，除前任正副議長蔣張兩先生及民社黨的張君勱與青年黨的左舜生照原議當選外，至於擬以中共參政員當選的一席，却投了女參政員吳貽芳，當然是因爲中共參政員拒絕出席，故臨時改變原議，且沒有其他黨派的代表可選，不如以一婦女代表膺選爲便。選舉既畢，接着便舉行第一次大會，對於中共問題也沒有什麼報告提出，並聞擔任斡旋的各位參政員於本日會後仍繼續努力。

自由人

THE FREEMAN

（半週刊每星期三六出版）

（第一三三期）

每份港幣壹毫

督印人：李光華

社址

香港高士打道六六號

電話：二〇八四八

GLOUCESTER RD. HONGKONG

TEL: 20848

承印者：東南印務出版社

地址：高士打道六四號

台灣總辦事處

台北市館前街五十號

台灣經銷處

台北市中華路一段二五九號

留居海外的青年們！

祖國期待於你們的是什麼

左舜生

現在除開中國大陸和台灣以外，散居在東南亞以及世界各地僑胞中的青年，何止二三百萬？我想，像這樣二三百萬的中國青年，實在是今日中國青年羣中最幸運的：他們在父兄的庇護之下，照常過着平靜而圓滿的家庭生活；儘管是寄人籬下，可是並不缺少接受現代教育的機會；他們有的是活潑健壯的身體，敏銳而深邃的眼光，勇往精進的懷抱，豐富而多方的常識；假定他們以現狀自甘，或專心致志但求爲自己一生謀前途的開拓，我想，在這樣一種優裕的條件之下，是一定不難得着他們正常的發展的。

可是，留居在海外的青年們！當你們生息在比較一般人都安定良好的環境之下，也有時想到今天處在祖國大陸那樣一種荊天棘地下的苦難同胞嗎？

在最近的三年間，中共這一羣奴才在中國大陸所造成的罪惡，是中國自有歷史以來所絕無的：

（一）有千萬以上的善良人民，在他們所揑造種種莫須有的罪名之下，已被屠殺。

（二）有無數的男男女女，被他們逼迫得無路可走，無以爲生，不得已自己結束了他們自己的生命。

（三）有百萬以上的壯丁，以蘇聯的命令，在無端侵略韓國的戰場上，陸續的變成了砲灰；更有數百萬的補充砲灰，也只待蘇聯的另一命令下來，即將陷於同一的命運。

（四）中共最初兩年的財政，是利用土改的一種魔術去壓搾鄉村而取得的；現在鄉村完了，又用「五反」的這種魔術來壓搾城市，因而工商業也全體破產。

（五）中共一羣的領導人物，大抵都是毛澤東劉少奇一類的不學無術之徒，他們既根本無所謂國家民族的觀念，當然對於中國的歷史文化，絲毫無所愛惜。最近中共對於中國文化的摧殘，思想的窒塞，無所不用其極，其勢非把中國民族變爲野蠻生番不止。

（六）推測中共的命運，大抵不出兩途：其一是在民窮財盡的情況之下，遭遇有力的反攻，因而節節敗退，向西北逃竄；其一是再接受蘇聯一度命令，於韓國以外，另闢一次大禍，因而引起世界大戰，以與蘇聯同歸於盡。但無論他們的失敗是出於怎樣一種途徑，當他們開始潰敗的時候，他們一定還要來一次無情的屠殺，把中國的所有人力與一切建設，破壞無餘。

根據上面這幾點簡單的分析，我們已可得出下面的這些結論：一、中共的失敗是必然的，但可能還要經過相當的時間，同時他們也還要繼續造出更多的罪惡。二、中國大陸我們斷然是要收復的，但收復的方式可能有兩種不同的形態：其一是由沿海或邊區逐漸推進，而以中共全部的消滅爲歸宿；其一是由於國際的一種劇變，中共隨蘇聯的崩潰而瓦解，我們的收復工作，因以一氣呵成；三、其時的中國大陸，有一萬萬以上的人民，由於飢餓與疾病而陷於垂斃的情況，正等待我們物質上的救濟；四、有無數中輟與失學的青年與兒童，正等待我們去再教育與教育；五、田野荒蕪，工商破產，都須要我們去從頭做起，予以恢復或重新建設；六、關於文化，政治，以及民間原有的事業與組織，都須我們去細心研討，我們更須要發動一種民主力量，以制止一切投機取巧的腐敗官僚，軍閥，流氓黨棍，又來趁火打劫，渾水摸魚。

我們今天所最着急的，不在大陸的無法收復，乃在收復以後的重建工作千頭萬緒，以人才的缺乏之無從着手，或無法做好。現在我們一面希望政府放開手面，放大眼光，獎勵人民自動辦學，加工趕造一大批的建國人才；一面也希望我們的僑胞，歸心祖國未來的情況，「父詔其子，兄勉其弟」，爲祖國的重建準備一股活力。

假定我上面所假定的不錯，即今天留居海外千萬以上的僑胞，其中成年或將屆成年的少壯，能有二百萬至三百萬；更假定能有半數，即一百萬至一百五十萬，當祖國光復的初期，能夠有目的的，有組織的，聯翩返回大陸，參加到重建工作的各部門，並以平日在海外所耳濡目染的民主作風，也能身體力行的，使之一一表現於祖國，我想這一定是一個偉大的貢獻。本來在最近的百年間，我們千萬以上的僑胞，胼手胝足奮鬥於海外，其對祖國的貢獻之大，是有口皆碑的；尤其關於中華民國的創建，經濟各部門的建設，對外匯短絀的補償，關於對日抗戰的堅持不懈，更是赫赫在人耳目。假定這次對於反共抗俄光復祖國的這一偉大工作，更能提出其空前的貢獻，則在全部的華僑史上，將更不失爲最光輝的一頁。

要完成這一個復國建國的偉大工作，今日海外僑胞的父老，以及僑胞青年的自身，所應積極準備的是什麼呢？

（一）海外青年對於祖國情況的演變，須密切加以注意。

（二）關於祖國的語言文字，須好好的學習，以能充分運用爲原則。

（三）青年們應該分別的團結起來，組織起來。

（四）關於農工商鑛各部門建設的技術與管理，最好能各就性之所近，加以充分的研究。

（五）要儘可能準備一部可以自由運用於建設事業的資金。

（六）僑胞們更要關心祖國的政治，並積極的參加政治。

（七）對於今日退居海外的若干自由民主的人士，應保持密切的聯繫，以爲未來攜手合作的準備。

（八）關於各處僑胞居留地與祖國關係的改善，亦應視爲切膚問題，予以充分的注意。

能如此，我相信祖國所誠摯期待於海外青年的這一希望，是決不會落空的。

和平契約簽訂後

蘇聯對西德加緊誘嚇

西德和平契約簽字，引起了歐洲局勢，空前緊張。蘇聯雖然不會因此敢決心爆發大戰，但牠定將竭盡全力，阻止西德議會的批准，方法是威嚇利誘，雙管齊下，連日東德所表示種種姿態，正就是蘇聯的苦心導演。不過無論蘇聯如何破壞，西方各國的外交家，仍相信契約一定會得到西德議會批准的。

炎夏

（一）今昔對照

一九四五年的暮春，同盟國軍隊像潮水般的湧進德國，德第三帝國傾覆，山河破碎，烟塵蔽天。德國人一朝醒來，像做惡夢般的發現他們已國破家亡，不禁喃喃自語道：「我們眞可憐啊！我們已被打敗了，這眞是可怕的事情呀！」。他們最害怕的是俄國人；他們不了解美蘇之間有同盟的關係。他們知道美國人對政治是不十分感覺興趣的，深恐美國軍隊即時撤退，把他們留給俄國人。

時間經過了七年，情形完全不同了。西德人放眼四觀，看見了一九四五年的美蘇同盟已經破裂，德國已恢復了繁榮——至少同英國比較起來是如此，他們看得清楚，對德國繁榮供獻最大的是美國人；但他們更看得清楚，西德的人力和工業是西方同盟國所最需要的。

在上個月的下旬，兩個文獻——對西德和平契約協定及歐洲協定——已經在邦城和巴黎分別簽字，從此西德聯邦共和國將在西方的國家社會裏，變成功自由，平等，而且最後必定是強大的一員。

自然，這兩個協定，對於共產主義集團與反共集團之間的均勢，將發生重大的影響。但在它們生效之前，還須經過各有關國家議會的批准，這一個過程可能相當長，也許要經過幾個月。許多西方的外交家相信，在今後這幾個月之中，冷戰的局面一定日趨嚴重。俄國人一定要利用這一個期間，不惜運用任何手段，向德國及西歐各國施用壓力，阻止條約的批准。而且因爲這一個鬥爭是具有世界性，蘇聯可能還要在韓國方面採取報復的行動。

戰爭不會爆發

威脅是絕對不能避免的，危險可能有一點，但西方各國的外交家已下了最大的決心，要將這一件事情貫澈到底；他們相信莫斯科可能要恢復對柏林的封鎖，但克里姆林宮絕不會採決絕的手段，使戰爭因此而爆發。

（二）德國與西方

德國聯邦共和國的面積爲九萬四千五百八十七方英哩——約爲戰前德國面積之半——人口爲五千零十九萬一千人。聯邦共和國之東，直至奧德爾·尼塞區（Oder—Neisse）一綫，其間爲蘇聯佔領區，面積爲四萬一千五百三十七方英哩，人口爲一千八百五十二萬人。再往東邊一點，就是奧德爾·尼塞區，已由德國割讓出去，現由波蘭管轄，面積爲四萬四千二百一十五方平英哩，人口爲九百五十一萬九千人。

西德共和國的領土雖被割裂甚多，但其工業資源，仍較西歐任何國家爲富。在一九五一年一年中，魯爾礦區產煤一億一千九百五十萬噸，產鋼一千二百九十萬噸。在歐洲產鋼的國家中，蘇聯居第一位，其次就要算是西德。

德人不肯認錯

就政治的態度和一般人民的情緒而言，西德內部的情形相當的複雜。據很多觀察者的報導，過去德國人民對於第三帝國的所作所爲，國對國家負實，而所犯的罪惡，尤爲不可原諒，這許事實原本認識不清，其後因東西冷戰之加強，他們的觀念反而變更，認爲德國過去的一切都是對的。他們仍然不明瞭，爲甚麼德國人有權在手的時候，會引起其他各國的不信任。「德國高於一切」這一句口號，對於一般德國人仍富有神祕的吸引力，不過很多德國人鑒於上次的失敗，知道要由德國統治全歐洲，已是不可能的事情。

新德國是戰後世界失望的產品。西方把德國本來的打算，分爲四個佔領區，只是臨時的便利處置。它們希望戰時的同盟各國會同心同德的建立起一個統一的，民主的，和沒有軍備的新德國。殊知蘇聯不久即使西方各國的希望完全消滅。在東德佔領區內，蘇聯樹立起一個共產政權，而且創立一支保安武裝警察隊。因此，在一九四九年的秋天，西方三強也就建立了西德共和國。一年之後，又決心使西德武裝起來。上述的兩個協定，就是根據這樣的決策而來的。

對西德的「和平契約」，在實際上給予了邦城政府內政外交的自主權。不過同盟國家也作了幾個重要的保留——德國人無權與蘇聯單獨簽訂和約，及德國政府因受內亂威脅而發生動搖時，同盟國有權出面干涉。協定規定德國爲「歐洲防衛集團」中之一員，並規定德國對西歐防務應提出供獻的數額。

歐洲防衛集團組織的最後目的，在建立起一支四十三個師的國防軍——計法國出十四個師，德國十二個師，義國十二個師，比荷盧共出五個師。

爲了簽定這兩個協定，西方三強與西德之間，曾經過了將近一年的協商，其中主要的癥結，爲法德兩國之間因歷史仇恨而生的猜忌，一時無法解釋。

（下接第二版）

半週展望

雷嘯岑

差強人意之舉

聯軍在板門店的和談代表前兩天以不願每日與共方代表作無聊的吵嘴把戲，自動退席，宣告停會三天，並且告訴共方：如果沒有新的建設性建議提出來，這種宣傳門口的會議，已不感興趣了。這是十幾個月以來，聯軍第一次在和談中所採取的主動行爲，應該喝采的。

和談的最後暗礁是俘虜問題，雙方皆堅持着自己的主張，表示決不讓步，每天在會議席上，只是「你方」「我方」的瞎鬧一陣，毫無結果，實在令人洩氣。過去聯軍代表明知其然，而按日依然硬着頭皮去聽共黨的宣傳，挨他們臭駡，好於戰敗乞和，以表示不負破壞和談的責任，未免太可憐了。這次能給敵人以抗議的行動，妥當之至！

爲打開和談僵局，加拿大方面有人主張對戰俘一律釋放，聽他們自由抉擇其去向，不願囘歸共區的，即作爲政治難民，予以收容。這雖不失爲一種折衷的公允辦法，但又是給共方以吵鬧攪纏的口實，增加問題的複雜性。杜魯門以及聯合國各參戰國家，都表示「自由遣俘」的原則不能變更，何必橫生枝節呢？民主陣營最糟糕的就是人多口雜，各個要賣弄一滿自以爲是的聰明，成事不足，敗事有餘。例如英倫的每日電訊報，對韓戰問題近日又大發議論，認爲聯軍有許多事都處置失當，要求英政府出面干預。其實，韓戰問題之弄成現在這種僵局，就是壞在一些「說的太多，而做的太少」的國家隨時干預困擾之故。如果始終信任前方統帥，全權處理，無論和戰，早已有分曉了。因此，我們希望聯軍當局抱定宗旨，堅持合理主張，再莫聽那些七嘴八舌的無稽之談！

所謂高良夫人的電報

一個日本女政客高良富子其人，與共黨串演魔術，由香港用她的名義打電報回國，說史太林願意跟日本單獨媾和，可以先送還日俘十八萬名云云。累得在港的中外記者，騷動一時，要追尋這個神祕人物的芳蹤。新聞記者們若是爲着找尋黃色新聞材料，而對她感覺興趣，大忙特忙一頓，固無所謂。假如眞把這魔術性的文電當作一件正事，來恪盡記者的職責，那就寃哉枉也！

高良富子這類人物，在日本和共產區域內的地位與號召力，充其量，不過有如現在中國大陸的台灣女人謝雪紅一流而已。謝雪紅隨時以「台灣民主人士」首領自居，向國內與國際間發表言論，要代表台灣七百萬人這樣那樣，儼然有介事，共黨視她如寶貝，大捧特捧，試問台灣人那個理她？她能代表台灣甚麼人？她在大陸「代表台灣人」[illegible]？高良氏不過是日本一名參議員，當日本國會通過對日和約與美日安全協定時，她就無法[illegible]自己投反對票以外，綠風社的議員們都[illegible]共匪利用她的名字向日本政府玩魔術，也等於利用謝雪紅的名字來代表台灣一樣，不值一笑！不過，從共黨這次所玩的魔術中，也說明了「夫子自道」的一項事實，即史太林歷來堅決否認他手中還扣留有日俘這回事，因此而使世人明白了！

各國向南韓提勸告

李承晚老來不明「戒之在得」的道理，爲着戀棧總統職位，掀起了十分不民主的政潮。聯合國站在保護韓國人自由生活而出兵討伐韓共的立場上，恐怕因此[illegible]應該的。美國政府由於戰後[illegible]的關係，表示關懷此事，也已有所勸告了，其他國家似乎不必多此一舉，尤其是未出兵參加韓戰的國家，更沒有插嘴的必要。

然而，李承晚對於有說話資格的聯合國秘書長賴伊之言，尚表憤慨，對於不應該干涉別人內政的國家所提勸告，却甘之如飴嗎？我不免要說句很失敬李總統的話：半吊子！

台灣正努力財經建設
從財政會議到土地問題
許多事件仍需要精密檢討

【本報台北特約通訊】台灣省四十一年度財政會議，於六月二日開幕，九日閉幕，共開會一星期，決定的事件，以稅務方面的技術問題較多。大會共到全省各縣市財稅單位主管一百餘人。行政院陳誠院長在開幕時說：年來台灣財務方面，最可欣慰的現象有三：（一）平衡財政收支，確立預算決算制度。民國三十九年度國家總決算，由審計部提出於立法院，此爲民國成立以來第一次有國家的總決算書。（二）培養稅源，加強賦稅稽徵，以四十年度與三十九年度相較，國稅平均增加百分之一百五十五，省稅平均增加百分之一百六十八，縣市稅平均增加百分之一百四十一。（三）中央收支與台灣省地方收支確能統籌調度，且我國政府收支與美援收支能配合運用。陳氏又就現行財稅政策，說明三點：（一）財政的基礎在於經濟，必須促進生產建設，發展國民經濟，做到「藏富於民」。（二）運用財稅政策加速台灣工業化，並指導國民經濟活動，使其用於增產，而限制其奢侈浪費懶惰。（三）平衡社會財富。末對出席人員提出四點期望：（一）樹立嚴正作風，杜塞人情關節。（二）工作態度要「簡」「易」「速」。（三）愛惜國力愛惜民財。（四）避免增加人民之額外負担。

開源節流當前要政　台灣外滙仍多浪費

台省府主席吳國楨則繼陳氏以後，向出席人員提出四大課題：（一）繼續增加稅源（二）推進便民運動（三）策劃實踐節約（四）配合生產貿易。台省府財政廳長任顯羣係大會主席，也是今日台灣財政的實際負責人。在大會中除報告其到任兩年來的各項成績外，並提出四大方案：（一）壓低利息；（二）增加收入，其方法爲整頓公營事業，整理公產公地，及加強菸酒公賣。（三）整頓縣市鄉鎮財務行政；（四）改進財稅機構及經費。

開源節流，自爲整理財政任何時期必須努力之途徑，任氏在大會中曾一再強調此點，尤其外滙。本來台灣管理外滙特嚴，但即至現在外滙仍不免浪費。如上次所謂拳王喬．路易來台表演，只在三軍球場出現了幾十分鐘，就給他用官價結滙了美金九千元；最近天主教聖體會在西班牙開會，由台北前往參加者十人，政府撥給外滙美金萬元以上。任顯羣太太章筠倩也是參加者之一，而撥款之快與毫無留難，據說，在台灣幾乎是打破紀錄。這一點曾引起若干評論。所可惜的，是一部份代表拿到外滙，竟遲遲其行。聖體會在巴斯羅納於六月一日舉行，多數代表，到五月三十日才動身。趕到西班牙時聖體會業經閉幕了。任氏強調的開源節流，像這些地方，一般人都認爲今後也應注意。

遊資壅積毫無出路　台行存款已逾四億

誠如陳誠院長所說，財政須配合經濟，這一次會未能作爲財經的聯席會議，使從事經濟建設工作的各級人員一同參加，以溝通雙方的意見，自是一種缺憾。台灣近來的情形，社會上流行着兩句話：「高稅收，低物價。」低物價政策，固然便利人民，安定社會。但自本年起實施商業會計法，並採用高稅收政策，則使得工商界日感困難。只要看台灣銀行的優利存款，利息雖則一再減低，從月息四分八厘降到三分三厘，而存款數字反日益增加，上月月底已經增加到四億元之巨，爲新台幣發行額的兩倍。這就可以表示人民的資金沒有出路，與陳氏所提倡的台灣工業化，背道而馳。尤其台灣最近要獎勵僑胞回國投資，則高稅收政策尤值得考慮，以免有志投資的人望而却步。自從韓戰發生以後，香港的華人資金，爲什麼流向南洋，南美，日本及菲列濱，而流到台灣的却極少，這與台灣的經濟政策頗有關係，而與台灣的財政政策則更有關係。

向地主購超額土地　由政府給無地農民

要使台灣工業化不得不求國際的合作。國父的實業計劃，就是各國共同開發中國的計劃。其所以要主張先解決土地問題，也就是顧慮到中國工業化以後，土地漲價，恐地主們不勞而獲，所以要實行漲價歸公。台灣的土地問題，自三七五減租到正在計劃即要實行的扶植自耕農，可以說是已經成一段落。但研究土地問題的人，往往只從土地問題的本身求解決，而不能將眼光放在整個的經濟觀點上。吳國楨主席於六月三日召集了一個座談會，商討扶植自耕農的辦法。政府擬議中的要點是由政府用現金和債券向大小地主收購超額土地，再統籌放領給人民。農民取得此項土地後不得自由買賣。地價照原地租的二倍半計算，每年繳納地價以不超過三七五減租標準原則。地價分[illegible]征收土地，而價償付現金，土地債券，實物，土地債券及公營事業股票分別規定比例發給。小地主所得現金較多，大地主較少。實物債券的償還，以十年爲限。承領土地的農民，每年負担的地價及地稅，不超過耕地全年正產物收穫量千分之三百七十五。實物債券，則由政府收購餘糧作爲担保，現金及收購資金，可能由美援項下撥付，對於機械，從農業到工業，從財政到經濟，這是自由中國最近建設的目標，其所需要的力量，將爲全民的，但是財稅人員，必當先行了解其意義，而不僅從殺雞取卵上，去表現稅收收入的數字成績，就算功德圓滿，任務完成。不知此次歷時一週的財政會議，能不能認識了這一點？（九日寄自台北）

港英報盼亞歷山大此行能使遠東安定

英國防部長亞歷山大，前日下午五時二十分，自英倫經新加坡抵港，留宿一宵，昨晨八時，即繼續行程，飛赴東京。渠抵港情形，及對記者談話，除昨日各報所已刊載者外，其談話要點，曾有下列兩項：（一）渠原擬於西德和平契約簽訂後，赴西德視察。因接聯合國軍統帥克拉克將軍邀請，故臨時將赴德計劃取消。但此項計劃之變更，並非表示朝鮮方面，有何緊急問題發生。不過因克將軍係老友，二次大戰時，克將軍曾在意大利戰場，隸渠部下，渠深信克將軍才能，足以應付目前朝鮮局勢，克將軍就任統帥，渠亦深願與其一晤，而邱吉爾首相及國會，亦極端贊同，故作此決定。（二）關於和談問題，渠謂，如果雙方均需要停戰，渠殊不信，有任何理由，不能達成協議。但板門店和談，其遲遲毫無進展，確足令人失望。對於記者所詢渠是否意由英國加派代表參加今後和談，渠稱，俟渠晤見克拉克將軍時，當對此問題，深切考慮。假如克將軍希望其他國家派代表參加和談，渠相信英國政府必樂於接受克將軍之建議。（按：某某報載亞氏表示：「英國不派代表參加和談，」此與當時亞氏談話語氣，出入甚大。）

亞氏昨日下午，抵達東京。略有就擱，即將轉赴朝鮮，實地視察，預定本月十八日離韓，經加拿大返國，歸程中是否訪問美國，則此時未確定。

亞氏此行，曾引起國際間各種預大推測，尤其渠過印度時訪晤尼赫魯，使人感到驚異。昨日此間英文南華早報評亞氏此行，謂就香港地位來說，總切盼亞氏與克拉克將軍會晤的結果，能使遠東局勢，獲得安定。

隨亞氏同來遠東之外交部助理次長史高德，於過孟買時，將隨身一小箱遺失。究在何處被竊，及箱中有無重要文件，則史氏迄今，並無透露。

從葉公超報告最近國際形勢
台灣決不應坐待勝利
我們相信臺灣這種人為數極少，但臺灣朝野對此却不能不倍加警惕

・黎晉偉・

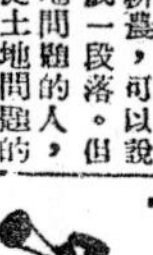

我國外交部長葉公超，在本月二日行政院國父紀念月會席上，報告最近國際情勢，其中有一點非常值得我們注意的，就是在台灣朝野人士之間，而竟然有不少人係期待第三次大戰發生，而「坐待勝利」者。據葉氏云：「自從我們政府暫時來到本島以後，確有不少人祇求第三次世界大戰的發生，他們以爲祇要大戰來臨，我們便有辦法，有了生路，有了回大陸的日子，否則我們便毫無辦法，毫無出路，一切希望都完了。」葉氏對此作進一步的解剖：「祇求第三次大戰的人們，有一種不假思索的樂觀，假定就是大戰的結果，蘇聯和中共必定失敗，我們便可以和一切民主國家同獲勝利。」但是，這種「樂觀」心理是否可靠呢？不，那是最危險的想法！據葉氏認爲：「決定大戰，不會發生的因素很多，決定大戰結果勝負誰屬的因素也很多，而我們是否能與民主世界同獲勝利，同得成功，自然也不是簡單的事。最大的危險，大戰一旦來臨，倘若我們自身準備還不够，力量還薄弱，並且民主國家依然各行其是，團結不牢，可能最不利的便是我們。」

在葉外長以後的報告中，還透露了一些事實，就是由於台灣有人把其本身希望寄託在第三次大戰的發生，致使友邦人士誤會我們是坐待環境變遷，想以全世界的災禍換取我們的復興。他們都以爲我們是在一心一意的盼望甚至促成世界大戰，因而凡自台灣的言論和報導，都被他們一概誤會爲宣傳挑撥。所以葉氏非常感慨的對某些人提出忠告說：「我們既已遭受過朋友們誤解的損失，此後決不應再給這種帶有毒性的幻想弄麻醉了！」

葉氏是政府現任的外交負責人，他的公開報告當然是有所感而發。在此以前，我們也不時聽到有關於台灣人士如何「坐待勝利」的傳說，但却沒有想到直至今天，這種盲目樂觀的錯覺，還未完全自台灣人士的腦海之中消逝，從復興國家的遠大觀點看，這種危機是絕對不容忽視的。

中國爲了爭取民族獨立而反共抗俄，其意義至爲莊嚴，使命至爲艱鉅，今天正在對國家負有實任的人，或者是隨政府遷台而自許爲忠貞之士，即使他們朝乾夕惕，臥薪嘗膽，聞鷄起舞，猶恐不易達成使命，因爲中共已竊據了整個大陸，外有俄帝集團之奧援，內擁特務組織之統治，兵數百萬，裹脅億萬人，在此險惡局面之下，如謂反共鬥爭可以不必付出流血、流汗及流淚之代價，即可以「福由天降」，獲得美滿的勝利，除非那是精神不健全的白癡病者，才會有此想法，否則便是非愚即妄，不足以與言國家興亡的時代潮流了。

中國要使反共鬥爭獲得勝利，在外交上與民主國家保持合作，透過共同思想以爭取外援，這僅是許多方法之一種，而絕非足以決定本身成敗者，還得看我們負有領導反共責任，從事反共工作的人，是否能够澈底改變以前的那種作風，爲國家帶來一種新希望。我們並不否認台灣在過去兩三年來，由於主觀努力與客觀形勢的配合，一切都有了相當進步，如果台灣是一個「獨立」的單位，眼看東南亞許多國家擾攘不寧，而台灣則閭閻不驚，安如磐石，朝野人士，誠足引此以自豪。無奈台灣是今天中華民國的復興根據地，在此崇高目標一日沒有達到之前，台灣的任何進步，我們都猶恐其不够，自更不容許有倚賴世界大戰發生，而「坐待勝利」的心理！

然而事實上，台灣確有一部份人，儘管他們對共產主義深惡痛絕，希望反共勝利之心，也不後人，但是，如你問他對反共事業有何貢獻，料想他們除了侈言忠貞，便自以爲是對國家盡了最大責任之外，恐怕也眞的無以對。這一部份人，不消說都是歸於坐待勝利的份子，他們可能基於抗戰勝利的經驗，以爲祇要世界大戰一旦發生，蘇俄中共都會迅速崩潰，他們仍然將以「反共份子」的資格，天外飛來，又對大陸作一次勝利接收的表演。因此，當台灣地位日趨，而國際形勢也愈於我們有利的時候，這些「坐待勝利」者，便日益志氣日益高，心胸日益狹，他們不僅對台灣以外的反共人士，不願尊重，甚至可能懷有敵意了。因爲他們正恐這種勝利果實不能獨享，說不定早已忘記過去抗共失敗的慘痛教訓了！

坐待勝利是一種慢性自殺，不管任何人存有這種心理都是絕大錯誤，我們相信台灣這種人只是極少數，但我們希望台灣朝野對此倍加警惕，有則改之，無則加勉！

徐堪繆雲台等在美新組織中美聯誼會

頃有人接在美友好函告，自從美國朝野，關心到中國知識份子的救濟問題，好多方面，都感覺這是一個搞錢和搞政治的最好機會，旅美華人，因此新成立了不少中美文化合作團體。最近宣傳得最熱鬧的，有以于斌爲理事長的中美聯誼會。這個會有好幾十位中外理事，前財政部長糧食部長徐堪，及雲南財神繆雲台的大名，都赫然在內。一位美國朋友和寫信者開玩笑，說這個會包括了中國那末多名人，單請徐繆兩位掏掏腰包，就足够可憐的中國知識份子，解除了若干時日的飢餓問題。美國朋友又說，救濟中國知識份子，在美國是靠民間同情者的捐款，他們如有意從事這一工作，最好辦法還是先請他們慷慨解囊向美國人民作一種示範的表示（必眞）

蘇聯對西德加緊誘嚇

——上接第一版——

在七十五年之內，法國國土，曾經三次遭德國蹂躪，深恐德國一日重新武裝，軍國主義復活、後果將不堪設想。茲經折衝，結果由美英兩國鄭重保證，今後德國絕不自歐洲防衛集團中退出，法外長徐曼始允在兩個協定上簽字。

盟國儘量讓步

同時西德總理愛德諾爲了簽定這兩個協定，也煞費苦心。他在國內政治上要從左右夾攻中，打出一條出路。社會黨人希望德國在東西兩大勢力的衝突中，保持中立的地位，故對於德國重新武裝一事，力持反對；而右派各政黨則因同盟國家在和平契約協定中多所保留，認爲有損德國主權；故亦對兩協定表示不滿。而最大的反對理由，還要算德國各階層的人士的顧慮，他們深恐西德與西方各國團結一致之後，與東德距離統一希望，使德國的統一希望，完全毀滅。以上這種顧慮的因素，[illegible]影響西德人民對這兩個協定的觀感，因此使他們對於這兩個協定的簽訂，頗有躊躇不前之意。愛德諾處在這樣一個複雜環境中，爲求事有順利成功，乃一面以國內各黨派之反對爲藉口，極力要求同盟國多作讓步，一面以鐵幕內蘇聯對各階層誘嚇酷的統治爲理由，力勸德國人民願重新武裝，力圖自衛。這樣總把僵局打開，使德國能在兩個協定上簽字。但聯邦議會的批准，仍然是一個困難的關頭。

（二）德國與東方

[illegible]事前蘇聯[illegible]既沒有成功，[illegible]和平契約及在歐洲防衛的兩協定，只有運用各種可能破壞的手段，[illegible]在西德的一個民主國家中，莫斯科知道條約的生效必須經過國會的批准，在這幾個月的過程中，莫斯科可能在這一時期，採取積極的一面攻勢，乘[illegible]方面採取積極，西德自然是攻勢主要的目的。

目前德國仍可舉行自由選舉之報告是否可能，然後提出[illegible]德國，以不得決定參加[illegible]。北大西洋公約組織，西方三強予以拒絕，至則一點[illegible]。雙方交涉，遂無結果。

就目前德國情勢，蘇聯今後的策略，官方[illegible]，可能是以東德的誘騙施，而領袖爲執行此種策略之工具。兩週以前，同盟國消東德兵在西德[illegible]林通往西德之公路上禁止通行，柏林遭封的[illegible]。

蘇聯擲下香餌

去年蘇聯曾用盡了阻止德國各種武裝的策略，在一九五〇年年底，莫斯科曾提出警告，謂西德如從事恢復軍備，蘇聯將非所能容忍。但蘇聯突又撤銷此種態度，而於本年三月十日，及四月九日向西方三強提出照會，主張在全德舉行自由選舉之後，由選出之全德統一政府，有權重建軍備，德國統一之後，必須堅持着中立，不參加任何一個國家集團（指北大西洋公約國家），與任何以德國爲敵之國家（按指俄國）締結同盟，是爲中立論者所投一明顯的香餌。

兩個星期以前，美英法三強最後提出的答覆，謂蘇聯全德選舉能由自由選舉，先組織一個國際委員會，赴德研究，殊爲欣慰[illegible]。

但西方各國所預料的情況，東德比早有狀還要惡劣。示威，對抗西德的軍備，東德亦將編練若干師軍隊。上週東德總理葛羅提華（Otto Grotewohl）曾經說，「戰犯愛德諾已經把德國帶到內戰的邊沿上。」同時在西德的內部，蘇聯的政治攻勢，已發生若干影響，如社會黨領袖蘇馬赫（Kurt Schumacher）之流，也反對簽定這兩個協定，企圖阻止兩國議會批准這兩條約，正加緊活動，並表示：「任何德國人主張這和平契約的，他將不再是德國人。」

但無論共產黨的攻勢如何強烈，甚至在英法兩國在反對的條約，德國人都是要相信，西方各國[illegible]的條約批准，是德國外交的久終的條約。

在朝鮮「烈軍」遺族中共如此優待 寡妻被迫出賣皮肉

冤魂有知應找毛澤東算賬

這裏告訴你一些故事，在朝鮮替史太林火中拾栗，被中共逼迫送命變成砲灰的大陸農民，他們的老母，寡婦，孤兒，在過着何種非人生活！所謂「優待烈屬」全是一片謊話。「烈屬」的田無人代耕，致寡妻棄田出走靠出賣皮肉為生。而負責照顧「烈屬」的本鄉共幹，却整天坐在家裏大擺排場，過其新地主新官僚優裕生活，不特所有的田由人代耕，連兒子上學也由農民代為抱送。吃飯要農民代裝，天熱要農民打扇！

【本報鄭州特約通訊】河南在中國，向來是著名的產兵區域。在過去軍閥混戰時代，河南籍的軍官和兵，總是佔着很大數字。目前中共替史太林火中拾栗，硬將百萬左右的中國善良農民，驅往朝鮮送死，其中河南農民就有二十多萬。河南的農村，因此，有許多田地，即由於農民被徵，缺乏人力，全部荒蕪。中共在驅迫農民當兵時，爲使農民放心出發，不致憂父母妻子，在家餓死，一向頒佈了一個「出征軍屬代耕辦法」。照這辦法規定，特別對於戰死的所謂烈軍遺族，「照顧周到」，責令遺族所隸屬的鄉村共幹，負責督飭鄰近未被徵召的農民，完成代耕任務。如果共幹不照此辦法執行，中共曾三令五申，表示對這種違背命令的共幹，必將嚴予懲辦。

朝鮮戰場傷亡慘重 孤兒寡婦觸目皆是

實際上，所謂「代耕」完全是中共對大陸老百姓萬千種謊話及騙術之一。朝鮮戰場上，中共軍既然傷亡重大，依照比例，河南籍出征農民的犧牲數字，自然不會輕微。據記者所知，在河南全省八十七縣中，幾乎每縣的每一個鄉，都有數家以至數十百家，變成了烈軍遺族。這些觸目皆是的孤兒寡婦，他們今後生活，唯一希望，就寄託在中共的所謂「代耕」，然而這希望是不是全部落空呢？下面幾件事，就是最典型的例證。

西華縣張王營鄉，共有烈軍屬二十八戶，這都是依照中共規定，應切實實由共黨鄉幹部督導代耕的。但在這廿八戶中，有廿一戶，因爲和鄉幹部向不認識，更無本家或親戚關係，鄉幹部從來置之不理，遺屬向鄉政府申請代耕，總是石沉大海，毫無消息。以致有些遺屬，或父母太老，或兒女太小，甚至活活餓死無法謀生，其比較還能勉強掙扎的，只好不顧一切，放棄幻想，拚命自耕。至應得幹部照顧，給予代耕的七戶，他們和幹部不是本家，親戚，至少總有多年友誼，仗着這點關係，總算還過得好。

不料最近這七家也都非常狼狽。原來他們得到的代耕，仍只是表面文章，奉行故事。如樂紹棠遺屬，有幾畝麥田，代耕的人，將麥田犂得非常淺，今春三斗半麥種撒下去，到現在都沒出過芽。不僅今年糧食無着，且白白糟蹋了三斗半麥種。又李殿芳遺屬，是一位五十多歲老母，兩個不滿十歲的幼弟。鄉政府指派給他家代耕的人，却都離他家隔了十多里路，每天爲來回趕路，總要遲到早走，且工作時間很短。而且還要由李家供給代耕者的飯食，烟酒（照中共規定，不許向遺屬索取的）都是費用很大，無法負担。又如楊洪彬的遺屬，有五畝田，鄉政府分配了一個被鬥爭判服勞役年將七十的地主，替他家代耕。這簡直更等於開玩笑。遺屬們這才知道代耕只是中共騙農民送死的謊話，索性他們甘心放棄了這個特權，和好鄉道，他們以前向鄉政府申請代耕的，這時却改向鄉政府申請免予代耕。有一個遺屬的老太太很憤慨地說，我兒子死了，我也不會活得長久，反正將田荒廢，自己也不叫人家給我代耕，免得讓我更多惹些麻煩。二十八家烈屬中的特別幸運者尚且如此，則那二十一家原來被視爲不幸運的，命運如何，自然不難想見。至於軍而不「烈」的，仍在前線替他們在家活着拚命，所可獲得的代耕權利，照章比烈屬次一等，他們那更不會輪到有人代耕，那更是勢所當然，「不在話下」。

自己送命遺族吃苦 寡妻老母棄家出走

扶溝縣李家鄉共有烈屬二十三戶，都得不到中共鄉政府的照顧。「烈屬」王五江被炸死的消息到達扶溝時，鄉政府照例設動羣衆，到王家掛「光榮之家」的匾額，開大會慶祝。但王五江膝下的一個老母，一個寡妻，不能勞動，到了春天，眼看別家的麥子都已長出，他家麥田，却還是幾方礦硬的白土，連犂都不曾犂過。她們天天盼望鄉政府派人代耕，鄉政府的共幹總是支吾其詞，不說大家都忙，實在分不出人來，就說，地主階級太陰險，我們怕把判決勞動改造的地主，分到「烈屬」家中，地主懷恨報復，害得你們吃苦。你們且安心等等。就這樣一直拖到四月。王家婆媳知道代耕絕望，而中共所規定的什麼陣亡戰士的一次撫卹，及常年卹金，也都未兌現，全部說謊。她們把一些破爛東西賣了，換一點錢，作爲盤費，逃到鄭州。王五江老婆仗着年青，長得有幾分姿色，在無可奈何之下，只好在車站附近，投奔了一個私家妓院，做神女生涯，養活自己和六十多歲的老婆婆。恰巧和王五江同鄉同營，在朝鮮作戰負傷的一個「榮軍」叫馬桂林的，退伍回到鄭州，於妓院中碰見了王五江老婆，經問明情形之後，就報告了許多同在朝鮮退回的榮軍，寫信質問扶溝縣政府，爲什麼違背「政府」法令，讓「烈屬」生活這樣悽慘。至於扶溝縣政府如何答覆，則此時還無消息。

以上這些故事，就是說明了中共如何欺騙農民去朝鮮送死，那些死了的所謂「烈士」，如果死後知道他們自己老母，寡妻，孤兒正在中共統治下，受着那樣殘酷的磨難，他們眞會轉化爲厲鬼，去和毛澤東，彭德懷等算賬！

共幹在家做新地主 一切由農民代勞動

但是另一方面，我們試看看那些遍佈各縣鄉的共幹，騎在人民頭上，是如何過着快活生活。依照中共頒佈的「出征軍屬代耕辦法」，尤其關於「烈屬」代耕，及「烈屬」生活的責任，他們是負有嚴重的責任，但他們一向置之不理，而他們自己，却眞是不折不扣，享受着比中共規定「烈屬」待遇還更優越的待遇。即以前述西華縣張王營鄉的共幹爲例。該鄉農協主席譚綱，原是中共在西華的地工人員，共軍「解放」西華，經他手鬥爭殺害的地主，不下數百人。他分到了不少肥田，瓦屋和傢俱。他家常有幾個雜役，他所有的田，都由其他農民負責代耕，不但他自己不勞動，他的兒子女兒，都過着少爺小姐生活，甚至要農民替他裝飯，打洗臉水，天熱了，還要農民替他打扇。他嫌家裏一條牛不夠，上月命令他附近的一個村，湊錢替他買幾頭牛。最近麥收，他又要幾個村輪流每天出短工兩人，伙食工資由大家分擔。農民背後偷偷地說，他殺地主，說地主剝削農民，實際上，從前的地主，沒有一個像他這樣的，他們的剝削頭，比地主還神氣百倍啊！張王營鄉，爲西華縣第四區區委會所在，共產黨員馮記，土改時分了七畝地，強迫農民組織四個互助組，輪流替他代耕，四個互助組由他挑選，還要互助組評判最好，他老婆每天進城，還要派人替她抱着小孩子上城，兵士，輪流每天派人，這種作風，簡直超過了地主，他們認爲這完全是擺的官架子！

扶溝縣李家鄉的共幹，領、馮生活也和譚綱差不多，天下老鴉一般黑，這是不容易有什麼例外的。

共幹殺地主，而自己成了新地主，過着超地主的生活。他們要農民拚命，替他們的史太林祖師，打「美國鬼子」，農民命拚了，老母，寡妻，幼子，無人理睬，活活餓死，不餓死，就要靠老婆出賣皮肉。「烈屬」的田沒人代耕，而他們坐在家裏做皇帝，所有的田，却沒有一畝，不是命令別人代耕的。這就是中共所謂「人民」政權，在朝鮮拿血肉和汽油彈，大砲比賽的那班農民傻子，應該可以醒醒了！（如虹，四日寄自鄭州）

（編者按：中共對戰死者遺族之毫無照顧，情形悽慘，可參看本刊第一二八期第三版北平通訊）

好胡塗的廣州衛生局 「應予追究」錯成「不予追究」

一件嚴重的違章案件，就這樣胡塗了事。華東合作總社經過五道手續，把二百四十萬錯成二十四萬。這都是中共狂吹「人民政府辦事認眞效率最高」的有力說明・大哀・

【本報綜合報道】中共自己，一向總胡吹瞎捧，說「人民政府」，工作如何認眞，效率如何高。但從許多事實，去澈底考察，任何人都可以得到一個相同的結論，「人民政府」乃是中共自有政府以來工作最壞效率最低的一個不成樣子的「政府」！僅選中共機關報所流露的一些消息，就足够提供人們作這種結論的根據。

堂堂公文滿紙錯誤

廣州市永漢區衛生所職員馬振義，因爲被他的頂頭上司衛生局，申斥一頓，他心懷不平，就寫信給南方日報，揭穿了衛生局一向在公文上鬧出過許多「錯誤」與「常識」的笑話。他指出，第一；在最近一次的清潔運動中，他自己所主管的永漢區，曾清除了七萬多斤垃圾，六十公頃溝泥，但衛生局對此一運動的檢查總評，竟譴責永漢區「並未參加」。他認爲衛生局主管人坐在衛門內，不調查實況，就隨意批評下級工作，這一官僚腔調，他深感氣憤。這或許也就是他寫信檢舉的唯一動機。第二；有一次，他因此記起了，他及其他附屬一機關，同天接到衛生局的通知，一個說：指定沿河八個碼頭爲汲水碼頭，另一個說：指定沿河十二個碼頭爲汲水碼頭，八與十二，不知道究竟那一個是正確，下邊也沒有再來一次更正或說明。第三；他常常接到衛生局公文，錯字漏字非常的多，甚至把衛生局局長的名字寫錯，把某一嚴重違章事件的「必予追究」，寫成「不予追究」。結果，違章事件，就這樣胡塗了結。

而且據馬振義檢舉的這三點，據說，都是事實，荒唐，像馬振義所列的三點，只是性質比較最輕微的一些小事。馬振義之所以肯予刊登，還是因爲現在的南方日報之所以以致於揭發，及衛生局長，在中共內部派系鬥爭上，有人正想藉機會打倒他。否則廣州各機關像這樣替中共丟臉的事情，不知多少，即將每天南方日報，全部塡滿，恐怕也還要挂一漏萬的！

五個圖章等於白蓋

中共內財經機關，爲了強調他們的根絕浪費，和沒有錯誤，對一切進出款項，一向都必需經過很多手續。一張發票或收據的開出，起碼總要蓋上五，六個圖章。對於數目字，算了再算，核了又核，共認眞不苟，倒像煞有介事。因此，和中共財經機關打交道的商人以及老百姓，往往爲了等一張單據，要站上幾個鐘頭，這是「人民政府」工作認眞，誰敢提半句批評。不料，最近的上海解放日報，却提供了這樣一件笑話。

上海延安東路一一二八號華昌炒貨店派店員劉松如到中共公營機關華東合作總社，採購黃荳二千斤。照該社手續，根據華昌塡好之採購單，即層層核算貨價數字，計由製單員，覆核員，會計，主管股長核准，打過了四個圖章以後，這才將付款單交給他，讓他到出納處交款，出納處又從頭核對一遍，然後告訴他共應付貨款二十四萬元。劉松如當然如數照付。但是付過以後，他細看賬單，上面寫明黃荳二千斤，每斤一千二百元，他想，還很簡單的算法，總是二百四十萬元，爲什麼單上却寫作二十四萬元。大約上海的店員，深切認識中共的厲辣，他不敢因爲中共算錯了，就貪便宜，替老闆和自己可能招來大禍，於是馬上持票去問出納員，是否二十四萬元，係二百四十萬元之誤。結果，在五個圖章五道手續之後，華東合作社，又從頭做起，另開一新單，讓他補繳了二百十六萬元。劉松如的唯一收穫，是給解放日報誇贊了幾句，說他「還是受了五反教育的結果，這種愛護人民財產的精神，是工人階級優秀品質的具體表現，這種精神是值得大家學習的」。

但是，一個這樣大規模的公營事業，華東合作總社，經過了五個圖章，五道手續，爲什麼一個小學生可以算出的數目字，却在這許多工作認眞，效率最高的「人民政府」幹部手中，竟會幾乎損失了「人民財產」二百十六萬。難道華東合作總社幹部這種不愛護人民財產的精神，不是中共幹部品質最惡劣的表現，不値得中共公財覺惕而慚愧嗎？

傳東北中共已準備大戰 人民盼「美帝」早來

老百姓聽到中共反美宣傳時，總回想到過去日本反美宣傳那一套，結果，投降的只是日本，而並不是美國

【本報讀者投稿】據最近自東北轉天津抵港某商人透露消息：東北最近一片風聲鶴唳，咸謂戰禍將到，且盛傳美國有一種電波殺人新武器，比較原子砲，原子彈，尤爲厲害。但一般老百姓皆欣欣然秘密傳告，好像新武器不殺老百姓，有如抗戰時，美機飛臨東北上空轟炸，百姓反樂而偷看一樣。如過偵查或未投彈時，老百姓竟說，爲什麼不投彈呢？目前的東北，老百姓也互相奇怪的問：「朝鮮打了一年多，這麼近，眞怪，爲什麼還不打呢？」東北老百姓，今天並沒有被中共細菌宣傳嚇成胡塗，他們不恨美帝，反而歡迎美帝！

因爲老百姓對中共的反美宣傳，已經十分厭倦了。東北人從前聽慣了日本人反美宣傳那一套，結果，失敗的並不是美帝。現在，他們對中共一切宣傳，總也很樣地回憶着。

目前怕「美帝」轟炸，怕國軍反攻的不是東北人民，而只是中俄共幹。上月中旬，僞東北人民政府據說已祕密下令準備動員。要點如左：

（一）凡政府人員（包括該公營事業機關），除守崗位，不得擅自離職。

（二）凡年在十八歲以上，四十五歲以下者，應隨時隨地，準備應變，不得自由離開住所。

（三）防諜防奸防鍵，更須嚴密注意，生產數字，如國富儲藏，以及軍要建設等，情報嚴禁洩漏。

（四）實行五人聯保，宣誓效忠，不爲敵誘，不爲敵用。

（五）凡交通機關事業機關，軍事機關，務必切實週緊。

（六）實行節約，任何機關，不得浪費公帑，超出預算，增加臨時經費。

（七）警察機構人員，應緊急訓練作戰技能，使與軍事機構配合。

（八）疏散事宜，應緊急準備。

據說，密令全文有幾十條之多。對黨內人員還有更祕密的單獨指示。又東北盛傳，一旦戰事開始，所有嫌疑份子，及嫌疑黨派（如民盟之類）都將大集體被捕，可能送入集中營，甚至集體屠殺。中之所有不滿人士現在惶惶不安，人心惶惶，大傷腦筋。（思思）

本報各版 歡迎投稿

疑信參半

為方

偶閱史乘，見明末流寇蠭起，而政事凌夷，黨爭劇烈，僉壬禍國，忠良擯抑諸情況，爲之掩卷太息，憮然有間。繼見流寇蠭的興亡景象，使我聯想到古人所謂一治一亂，五百年必有王者興的循環律，似有莫之致而至者！

寇蠭中，初起時勢力最大的是「延安賊」張獻忠，他據延安十八寨起事，橫行中原，奄有西南，稱王巴蜀，李自成（米脂賊）比較後起。此外有所謂「紅軍友」，以及賀一龍所領導的「革裏眼」等等，名目繁多，都先後與張李兩大股合流，把明朝朱家江山摧毀之後，一個個不得死所，而且都不是爲官軍所擒斬，也非外兵（滿軍）所剿滅，乃被受害最深的人民所制死者。打入北京僭號稱制的李自成，逃到湖北境內九宮山，被農民殺掉，餘衆投降官軍，轉戰西南，抗拒滿兵。

現在打入北平僭號稱制的共黨，又是據延安十八寨起事的「延安賊」，他們自稱「紅軍」，也有不少「紅軍友」一類的賊軍與之合流，而其將領中且竟有與賀一龍同名的人，不亦怪哉！

若根據歷史上治亂興亡的循環律，現代「延安賊」的結果，也就可想而知了。今人多以燒餅歌推背圖等類預言爲荒誕不經之談，然看看上述事實，似乎不無疑信參半之感。

自由談

四口之家

・朱陶・

這不是小說，只是一個平凡的故事，甚而不是故事，是多少人家遭遇到的命運的一個代表。

那是三年前的事了，孫老太太的大兒子匆匆由漢口趕回家，却又匆匆地走了。

她有三個兒子，大兒子孫世因，長年在外做事，十餘載沒有回過故鄉，可是經常給家裏通訊，還不時省下一點薪俸，寄回家去；二兒子在抗日戰爭中犧牲了，留給孫老太太的，只是一個慘痛的回憶；最小的兒子，叫孫家洪，初中畢業後，一直伴着年老的母親。因爲他父親去世前，還剩下幾畝薄田，孫老太太抱孫心切，便替家洪娶了一房媳婦，另外雇了一個長工，大家一起耕耘着孫老先生的遺田。老年人所要求的不過是一份晚年的安靜，她想這個世界即使變化很大，祇要好好利用這幾畝田，有心愛的兒媳陪伴着，她當不會凍餓，也不會寂寞了。因之，孫世因突然回來，她不但不想留住他，而且催他快點走，她知道，鎮上新來的這一班人一定不會放過他，因爲他曾担任過那未久的公職，雖然他一直聽從她老人家的訓誡，從沒有幹過什麼傷害天良的事情。

這時，湖南已是一片風聲鶴唳，古老僻靜的農村，無一不騷動混亂，世因回家是在深夜，燈影陰暗中他出現在母弟之前，老太太驚愕非淺，他只在家裏留了半夜，天未亮便偷偷溜走了。

世因祗得要將他心裏許多要說的話，告訴了母親。他說，他預料這社會將臨到一個相當長的黑暗時代，免不了的是普遍的饑餓和屠殺。他在機關裏做過很久的事，必然會受到種種不幸的牽累，而且，他還決心盡一點對自己對家庭和對國家民族的責任，因此他這次要遠遠的走了，走到可以盡力保留性命，盡這些責任的地方去。他叮囑家洪夫婦好好地侍候風燭殘年的母親。他又告訴了老太太許多必要的處置，譬如：將十多年來自己寫回的信與照片燒燬，對待長工特別留神，將多餘的菜地山林賣掉。最後，世因從腰間摸出十餘個小小的金錠，放到老年人的手心，他說這是他對母親最後一點孝心的表示了。

「你自己不要路費和日後的用途嗎？」老年人忍住了眼淚，想退給他。

世因一面拒絕，一面還說，未來的日子是艱苦的，而且可能是漫長的，她老人家比他自己更要緊，這一點金子不但要慢慢地作用，而且需要秘密保藏。可是這些事情，老年人是不十分懂得的，她不大相信兒子的話，她一身經歷的世亂已多，這一次的劇變，未必會比以前的可怕多少，何況，她一向心地清白，並沒有得罪人家的地方。

世因走了，遠遠的去了，僅給孫老太太留下了一份無盡的惦念和那一點金子。

世因所預料而她所不相信的，終於像炸彈一樣突然爆炸了。他走了還不到一個月，這個鄉村與旁的地方一樣，一個悲慘的命運隨着共產黨而來了，這非但不是共產黨的宣傳所說歷史上壯偉的新頁，反是歷史中空前黯淡的一劫。於是老年人覺得，世因的話畢竟不錯。

幸而，她還留着一點錢，金子早便秘密地換成了銀元，銀元埋藏在暗處。

小兒子仍舊很孝順，仍舊辛勤地自己耕種那幾畝田，這些成了孫老太太安慰自己的資本。她想，就這一份資本，即使不能渡過世因所說的漫長的黑夜，至少也能讓她渡過殘年了。

誰知，就是她這個最低的希望也終告破滅。

第一件不幸是「土改」，世因當時已告訴過她應付的態度，因而，對於「農會」的處置，她毫無異議，分去了她多餘的田，存下的穀子成爲別人的「勝利果實」，一頭牛被派給三家合用，長工也「翻身」了，幸好他還沒有鬥爭他的東家。

第一年的日子便很艱苦，三個人的工作改由家洪夫婦兩個人負担，有時，那些稼莊的事，老太太自已也得親自動手了。

第二年更糟，事情出在世因身上，「鄉政府」的共幹不斷「訪問」這老年人，好在老人家已照着世因叮囑的做了，一家裏沒有他的一封信，一個字或一張照片，而老太太的答覆也很得體，她只說：「他已經十多年沒回家了。」

銀元用去了一大半，長夜還沒有終結的徵象，老年人把這災難看成一個劫數，心愛的世因既無音訊，她只好暗中爲他祝禱。至於她自己和家洪夫妻這三個人，她只希望仗着剩下的一點銀錢，渡過這個大劫的尾關。

那裏知道，更大的禍患却從她一向視若女兒的小媳婦身上來了。

家洪的妻子，早就不滿意那椿婚姻，如今，許多新的誘惑，更蒙蔽了她的良知，她尤其厭惡田裏的那些工作。她向「鄉政府」告密，說世因曾經過家裏，而且給了家裏許多黃金。

孫家立時由中農一變而爲「地主」了，舊案翻新，母子兩人受盡凌辱威逼酷刑之後，剩下來的一點田地，也被農會全部沒收了，銀元被掘出，他的妻子出去，宣佈和家洪離婚。

孫老太太已什麼都沒有，有的只是一個家洪，還在掃地出門以後，時時隨侍在她身邊，和一份對世因的遠遠的懸念，盼望和祈禱着他回來的時候，能帶來這長夜黑暗的消散。

雜談李白（六）

・舜生・

「政治者俗人之事」，以李白這樣一個浪漫派的詩人而要去頑政治，其失敗是『理有固然』的。可是李白對這一點却有他的自信：

『……余亦草間人，頗懷拯物情。……』（讀諸葛武侯傳書懷贈長安崔少府叔封昆季）

『……中途偶良朋，問我將何行，欲獻濟時策，此心誰見明？……』（鄴中贈王大勸入高鳳石門山幽居）

『大鵬一日同風起，搏搖直上九萬里，假令風歇時下來，猶能簸卻滄溟水。世人見我恆殊調，見余大言皆冷笑，宣父猶能畏後生，丈夫未可輕年少！』（上李邕）

『三川北虜亂如麻，四海南奔似永嘉；但用東山謝安石，爲君談笑靜胡沙。』（永王東巡歌）

他不僅有着這樣的抱負，而魯仲連，張子房，謝安石：更是他所崇拜的對象，本來這幾位的政治生活，也就是富有詩一般的意味啊。

等到唐玄宗的天寶元年（七四二），即李白四十二歲的時候，他的政治機會果然來了。當時他有一位在會稽認識的道友吳筠，因爲玉眞公主的關係，被召到了長安；李白也就因吳筠的關係，被引薦而出仕，當時李白有幾首『別內赴徵』的詩，內中有一首說：

『出門妻子強牽衣，問我西行幾日歸，歸時倘佩黃金印，莫見蘇秦不下機！』

同時在一首『南陵別兒童入京』的詩裏他也說：

『會稽愚婦輕買臣，余亦辭家西入秦，仰天大笑出門去，我輩豈是蓬蒿人！』

我們只看他這種語氣也可想像李白當時的心情，是如何的躊躇滿志了。果然，到了長安以後，唐玄宗待他總算是不錯的，一見面便對他說：『卿是布衣，名爲朕知，非素蓄道義，何以及此！』這樣一來，李白便做了一名『翰林供奉』。所謂『翰林供奉』者，便好比有錢人家所豢養的一種清客，無非是拿來換換口味，開開玩笑的。自來做皇帝的人，對於這類文學侍從之臣，往往是以『俳優畜之』，自司馬遷、司馬相如以來已經是如此，他們決不會承認一個文人會有什麼『濟時策』的；於是乎李白想做魯仲連，張子房，謝安石的一些抱負，便只好歸於幻滅，惟有縱情詩酒，和光同塵的與當時的宮廷和當時長安的一般文人學士，來共同過一種糜爛生活了。

原來在唐玄宗的開元一期，文治武功是頗有可觀的，可是進入天寶以後，却一天天趨於腐化，因爲有了一個一代尤物的楊太眞，再加上楊家的一羣兄弟姊妹，乃把這位皇帝弄得神志昏迷，卒致釀成一幕『安史之亂』，同時把我們這一代詩人的李杜，也就弄得苦不可言了。

萬竹樓隨筆（一〇四）

蘇聯也有牛仔

・明光・

蘇聯官僚階級的習氣和弊病，腐化了青年的一代，在本報一三〇、一三一兩期的「路路通」一文中，已暴露無遺。這種情形，我們又找到了另一個例證，這是下面一幅蘇聯幽默雜誌「鱷魚」所載的漫畫。原圖的說明寫着：

學生甲：「你讀完了大學，準備到那裏去？」

學生乙（穿着「牛仔」裝的）：「去找我在當大官的表叔，他早已答應我，我一畢業，就替我在莫斯科一個比較悠閒的機關找個好差使。」

「我的生活片段」之一　八年的參政（六）

王雲五

中共問題（2）

次日上午舉行第二次大會，在照例的報告以後，隨即宣讀中共參政員毛澤東等七人的刪電，和董必武鄧穎超三月二日函稱未能出席大會。接着便由祕書長詳細報告本案的經過，並宣讀昨日董必武等來函堅持政府必須採納中共所提臨時辦法十二條，及明白保證，始能出席云云。報告畢，復由擔任斡旋之褚輔成參政員發表意見，希望仍能繼續調解，消弭裂痕。隨着乃有兩參政員，起立發言，雖對中共微有責備，却未提任何解決意見。詞畢，主席將先生正起立宣布開始次一程序之施政報告；我那時候却忍耐不住，立時請求發言；我在事前絕未準備發言，更沒有任何人要我發言，祗是我的良心和政治常識迫到我不得不如是發言。我所言的大意是：「參政會縱然不是立憲國家的國會，至少也是全國人民，和我們自己，所期望成爲戰時的國會。因此，任何不易解決的政治問題，未嘗不可在本會中謀求合理的解決。至於中共參政員主張先行解決，再出席會議；我想，在目前的實際情形下，恐不儘無法解決問題，而且還要在參政會中開了一個惡例。因爲參政員出席與否，除病假事假外，似不應有其他理由，尤其是不應以解決條件爲出席的理由。本席現在建議對於本案應採取這幾項的處置：一、中共參政員的來函，暫時不宜公開，以免惹起國人的疑慮；二、切望中共參政員重加考慮，仍能出席；三、中共參政員如能出席，可將所提臨時解決辦法作成對本會提案方式提付討論；四、中共參政員出席後關於本問題的提案各條，本會同人應本諸良心，秉公討論，應通過者予以通過，不應通過者予以修正或作其他合理的決定；五、希望政府仍本向來的寬大政策，如果中共參政員能出席，其提經本會通過之案，務望政府盡量採納。」

上開的一席話，完全出自良心與誠意，絕不左右袒；從不斷的掌聲中，可證明當時已獲得大多數參政員的贊成。但事後聞中共參政員對於我以無黨派人士的資格發言，責備中共參政員不應開此惡例，而強其出席，以對政府所提條件作爲對參政會的提案，則因參政員大多數屬於國民黨籍，定然以壓倒多數將其打銷，彼時如中共參政員不肯遵守，將不免受全國輿論的指責，使其向所採取對政府的宣傳戰略大受打擊；故無論我的說話如何冠冕堂皇，事實上乃從側面協助政府以打擊中共，較諸簡單責備中共者的手段實更厲害，故從彼時起，銜我極深。然在另一方面，則國民黨中也有若干人因我對中共參政員以接受要求爲出席條件雖持異議，然認爲我所提的處置辦法（四）（五）兩項也有縱容中共與責望政府之意，遂亦不很滿意。

共黨神童

東德共黨「青年世界」報最近刊載一篇文章，把莫斯科捧作青年的火炬，這篇文章的作者是年甫八歲的維拉。維拉是東德挑選出來，在勞動節向史太林獻花的代表。文章的一節說：「我是地球上最快樂的孩子，史太林同志站在我的左邊，他以慈愛的態度望着我，向我微笑。」全文寫得這樣好，一個八歲的孩子寫得出，她勢必是一個空前的神童了。（由之）

黑十字

北晨

「小乖！答應嗎？」白濟宏問。

她回答得很恰當，說祗能答應一半，要先認識這黃先生，相處一個時期，再談別的。

這一句話，就此暫時結束了他們的談話。

午飯後，白濟宏留着另外的許多事。

在雲山酒店昨晚喝醉了的黃洗，就睡在雲山酒店，硬不肯過海了，說半島酒店遠沒有這兒熱鬧，要從九龍搬到香港來住，就搬在雲山酒店好了，緊靠着朱瑛，他當然並非已愛了朱瑛，這只是一派酒話。

白濟宏要趕去看看黃洗臨走，他約好藍英，要她下午到「雲山」來，把黃洗介紹給她。不過他先得告訴黃洗一聲。

發着他的腦筋又不得不轉到錢的問題，從離開澳門算起，還只兩天，他已墊出了不少。百樂舞廳的賬結清，連同藍英欠下的房租，就是三千元以上。郝亦臣他們又拿去了一大筆。自已雖還有些錢，但是藍英的那三千多元，自應從黃洗身上取回。

當他一進「雲山」房間的門，黃洗正從床上爬起來。

「朱小姐對你很不錯呢！」白濟宏打趣地說。

「恐怕要花不少錢吧？」

「那自然，她有個好出身，現在還有汽車，單是唱一台戲，就得自己先掏腰包，花上幾千上萬。」

黃洗暗地喫了一驚，想起昨晚朱瑛耳邊情意綿綿千叮萬囑，要他好好替她捧一次場，捧場便是花錢。

白濟宏走近去，坐到床沿，照例摸出烟盒，故意順手從袋裏帶出了一張照片，一張女人照片。

黃洗以爲總只是那個歌場女兒隨便送與白濟宏的，搶着要看。

可是這照片上的女人却另有一種動人的風姿，漂亮中蘊含五分靜嫻，驟看起來，絕非一般花花草草可比。急忙問道：「是誰？」

「你早該猜得到的。」白濟宏故示神祕。黃洗立刻懂了。他沒料到，白濟宏以前向他提過不少次的姨妹竟是這樣的一個美人胚子。（二十一）

・中篇連載・

自由人
THE FREEMAN
（半週刊每星期三六出版）
（第一三四期）
每份港幣壹毫
督印人：李光華
社址：香港高士打道六六號
電話：二〇八四八
GLOUCESTER RD. HONGKONG TEL: 20848
承印者：東南印務出版社
地址：香港高士打道六四號
台灣辦事處
台北市館前街五十號
台灣經銷處
台北市中華路一段二五九號

從韓局看俄帝策略

俄帝目前的總路綫，仍是「戰略取攻，戰術取守」

黃震遐

亞力山大抵日，中共立即表示同意英國參加休戰談判，同時報載西歐諸國多數支持英國的態度，這態度是怎樣一種性質，我們曾加以原則性之推測，目前看來益近事實，一言蔽之，西歐諸國是不願意韓局問題惡化的，尤其怕韓戰擴大，以致影響西歐的安全。因此，蘇俄對此心理，充份加以運用。中共奉命歡迎英國做遠東問題的和事老，即是當前許多秘密外交的結論之一。這結論，雖對遠東關係重大，對南韓不利，但在整個冷戰大局發展中，却是無法避免的結論，美國的國內形勢，也祇有同意緩和大局的方案。這便造成蘇俄外交攻勢的新勝利。

蘇俄目前的總路綫，是「戰略取攻，戰術取守」，基本目的則為持久戰；為了達到持久戰的目的，纔產生「戰略取攻，戰術取守」的戰略。柏林封鎖，韓境集兵，法日罷工，巨濟島頑抗，這是「戰略取攻」；用「戰略取攻」的姿態來實現持久戰的目的，柏林封鎖和韓境集中都避免闖禍，法日罷工示威亦適可而止。這證明「戰術取守」是為保證「戰略取攻」於安全，不令行動逾軌，不令違反持久戰的原則。基此雙重作法，蘇俄企圖勒索西方，恫嚇美國，一方助長西歐自私的心理，一方利用美國大選的機會，以求延長對峙的時間，加速西方的分化。此在蘇俄，不失為一環境不利時的狡獪手法，在西方，則有明知故昧的苦衷。西歐實力，美國政情，自由世界之現狀，特別是民主集團的複雜內容，本質上都需要緩和大局，在極度緊張的環境下喘一口氣，這便保證了蘇俄持久戰路綫的戰略安全，又是史太林奏樂，別人跟着跳舞的滑稽劇！

由此，自由與極權之爭，如必須以南韓為問題的焦點來處理：（一）蘇俄要和，民主集團更想和，而韓國却存在着一個戰爭威脅，雙方天天集中兵力，揚言擴大戰爭，不惜一拚，這當然是一顆炸彈。存心要和，即必須移開這顆定時炸彈，避免發生一發不可收拾的局面。（二）板門店的談判方式，已不能移開這一定時爆炸物，自須變更方式，西歐擁護英國參加談判，目的即在消弭韓局火藥庫的危險性。（三）巨濟島的教訓，證明美國一則太大意，二則無原則性計劃，如此掉以輕心，南韓後方可能發生新問題，使局面更不易收拾，這也促成西方的焦慮。（四）南韓發生政潮，又使李承晚政府在西方政客眼中，發生不良印象，指為違反民主原則，因而牽涉到是否值得支持一個獨裁政權的疑問，乃泛起了打開板門店談判基礎僵局的急切要求，把韓局問題從軍事回到政治方面去。所以，西方目前的基本態度，顯然是要中止韓戰，調整談判方式，試探政治解決的途徑，而其目的，則在以韓局的和緩，來換取冷戰的苟安。

西方之態度如此，蘇俄對韓的新策略，即不難想像得之。目前中共在軍事上原是失敗者，再打下去也決無勝算。蘇俄為堅持它的持久戰原則，當然不會公開出兵介入，而擴大戰爭，這對蘇聯的外交政策大不利。故韓戰實際上不會擴大的，目前現象還是虛聲。蘇俄鼓動韓國「內戰」，自始即是政治性敲詐勒索的計劃，碰到聯合國出兵制裁，實出意外。兩年來打打談談，最後目的還是要求政治解決。美國過去為了保障南韓自由，一直避免和北韓談判，那是因為美國深受中國政協的痛苦教訓，不願再上當了。同時，李承晚政府那種本質與作風，亦很難鬥過共黨的極權技術。目前情勢有變，美國是否同意西方國家在遠東對史太林不妨妥協讓步，外人無從揣測，南韓亦不由自主。但從蘇俄戰略看，目前却是軍事取守，政治取攻（即戰略取攻，戰術取守）的最好機會。西方如果謀韓局和平，史太林當然要乘機撈一把，這正是利用敵人矛盾對立以取得有利地位的時機，豈能放過？從韓局看俄帝策略，南韓目前處境，不能[illegible]，這是自由與極權制度鬥決之又一次試金石的開始。以軍事保障自由，那是韓戰兩年以來的意義，以民主對付極權，問題就複雜多了！西方究竟有無長策，可以代替軍事制勝的企圖，這問題，還要西方重新咀嚼冷戰六年來的滋味，更不要忘掉目前保障西歐安全與民主生活的最大因素，決非甚麼西方文明之說，而是美國軍事上的優越力量。和平是可變的，但犧牲一部份人類自由以取得，那就是可憎的醜事；民主亦可貴的，但民主的法誠碰到共黨實行暴動，也就不能坐而論道了。西方國家既不願退

轟炸東北的適當時機業已過去

此時轟炸必將引起大戰

美空軍宿將史巴茲著論，謂蘇聯準備大戰，已比聯軍搶先，如聯軍沒有大戰決心，現在不可冒險。

‧艾芝譯‧

史巴茲將軍 Carl Saatz 是美國空軍前輩，現任空軍參謀長范登堡曾隸他部下。關於最近聯軍可能轟炸東北共軍基地問題，他曾於本月九日，在美國發表一文，有所論列。原文譯述如下：

共軍利用韓國和談做煙幕，暗中加強它的地面軍和空軍，已將近一年。這種增兵的程度，已有相當時日暗示着他們正準備一個重大攻勢。這些行動，顯然表示他們將再作嘗試，企圖把聯合國軍逐出朝鮮半島，藉此在遠東重振他們在上次攻勢被遏止，和聯軍「切肉攻勢」使他們蒙受慘重傷亡時所喪失的聲威。

他們在要求舉行休戰談判的時候，已陷於進退維谷的境地。他們所以提出這樣的要求，無疑是由於所處情況的惡劣。

和談使共軍獲得「再生」

但現在，他們却已從所遭受的打擊中恢復過來，士氣已經復振，地面部隊已得到補充，重型砲隊已調到前綫，各種彈藥的供應，也已有大量儲積。他們的空軍，不但在數量上已有逐步的增加，而戰鬥效率，也已提高。空中的行動，不像地面的戰事，一直沒有休止過。

到現刻為止，共軍的空中攻擊，幾完全是對付聯軍轟炸機，和戰鬥機的。他們還沒有敢輕率調出飛機，和空襲聯軍的地面部隊。由於這種謹慎，共軍天天的損失，要比聯軍為輕。聯合國方面空軍，因共軍地面砲火所受到的損失，頗為嚴重；共軍的高射砲現在已集中火力，而且準確。在戰事的下一階段中，如共軍試圖發動另一次攻勢，他們的飛機料想將出擊，對付聯軍地面部隊。

聯軍力量也不易擊敗

不過，共軍雖然對於另一次攻勢已有透澈的準備，但我們可以深信他們決不能把聯合國的保衛者逐出南韓。聯軍的地面軍，雖並未大量增援，其防綫却已有深邃的佈置。而且，共軍的空軍將發現不能輕易衝破聯軍的空中防綫；當他們的飛機企圖擴大活動，作低飛空襲的時候，也不易穿透聯軍的高射砲火網。

如說在最近將來，和談能得到什麼結果，照目前這種軍事情況看來，實可能性極少。不過聯軍指揮當局似乎也無從實行何種辦法，以改善這個局面。聯軍如要發動一個攻勢，以驅逐共軍退到朝鮮半島狹窄地帶或甚至鴨綠江，這問題根本還不能成立，除非地面軍和空軍都得到大量補充。但在韓國和其他聯合國會員國的首都，目前顯然還沒有大規模增援的部署。

在和談剛開始的時候，聯軍如繼續軍事行動，包括空軍和海軍轟擊鴨綠江後的東北，或甚至中共區本身，可能已告成功。可是現在，聯軍却已面臨一個僵局，聯軍可以調用之海陸空軍，頗多部份將無限期的被牽制着，難以活動。

在未摧毀共軍的東北基地以前，如聯軍貿然發動攻勢，將成為一種愚蠢的舉動。然而，現在却並非轟炸東北的適當時期。蘇聯的軍事潛力，在去年已有巨大增加，特別在空軍或原子力量方面。所以，除非我們已對第三次世界大戰有所準備，否則現刻實不應採取任何行動，使戰爭擴大。可以結束現在這個僵局的唯一情況，是美國和它的盟國已強大到足迫使共產黨方面攤牌。韓國問題不過是關於「共產黨侵略」這一更大問題中的一部份，現在已不能把它作為一個單獨的事件來處理。然而，除非美國人民樂願作必要的化費和犧牲，以確保美國本身和其他盟國的海陸空軍得以迅速擴建，否則我們將決不能達到這攤牌的階段。

美國擴軍更不可放鬆

這樣的情形，對於美國本財政年度的軍事預算，包括援外計劃在內，尤須特別重視。明年可能為時已晚，無法彌補由於本年預算中缺少撥款而造成的缺陷了。蘇聯正迅速達到向整個非共世界挑戰所必要的軍事實力。除非我們至少能保持和蘇聯並駕齊驅，否則第三次世界大戰將成不可避免。

法國能否守住越南

靠阮文心父子賣力

阮文心組閣最大原因之一

法國防部長普利文，昨日宣布，法國加緊擴軍的結果，本年度陸空力量，比去年已大為增強。但他所最感到困難的，還在越南戰事，牽制了法國很多兵力，這對於法國「歐洲防務」[illegible]待記者，會公開指出，法國尉官以下之軍官，百分之廿六，均已派在越南。法國全部預算一萬四千億法郎，其中四千億用在越南。換一句話說，就是越南這一塊七十幾萬方公里地方，消耗了法國軍力四分之一，財力三分之一，這也就無怪乎史太林，毛澤東，儘管不敢以正式共軍開入越南，但胡志明這一支力量，無論如何，共產世界，是決不會輕易放棄的。

現在法國對越南的決策，似乎一方面在儘量向美國要錢要軍火，一方面則儘量建置越南土著軍。最近越南元首保大，突然改組內閣，原任內政部長阮文心被任為新閣總理。最大原因，外間只知道阮文心是保大手下一極為幹練的親信，但另一最大原因，還在保大想藉阮文心關係，使越南土著軍，更迅速建立完成。

原來阮文心的兒子阮文馨，現年三十六歲，二次大戰時，曾任法國空軍隊長，親駕B二十六型轟炸機，在北非上空炸擊德軍供應綫，卓著勛績。一九四九，他所統率的一隊空軍，奉命調赴越南作戰，就憑一些破爛陳舊的五十二架容克機，在東京山區，大顯身手，給予胡志明以致命打擊，於是很快，他就成為法國在越空軍的最高指揮者。[illegible]文心父子身上。（一丁）

出東方，時至今日，又依然以殖民地的眼光來對付東方人，遇事想以東方人作犧牲品，要把東方人的痛苦來換取西方列強的快樂生活，根本尚未揚棄舊有的人種優越感與資本帝國主義的意識形態，這就是全球產業貧之地區可以容易被俄式共產主義所侵與滲透的主因。西方人動輒誇耀他們的文明，殊不知這種文明的涵義已經為一切文化落後的人類所咀咒了！利已損人的文明，已為東方人所厭惡，損人而並不一定利己的勾當，尤其貽患無窮。西方國家對韓戰的一切作法，即是損人而並不利己的，我們希望大家要理智些，以免他日噬臍之患！

英國防部長之東來

最近板門店的休戰談判，因遣俘問題，已陷於一種僵持局面；同時中共利用此將近一年的談判期間，更向北韓大舉增兵，并做出一種隨時可能發動攻勢的姿態；正在這樣一個緊張而微妙的關頭，乃忽有英國國防部長亞力山大元帥之東來，一面訪問日本，一面也與克拉克將軍有所會商，并準備於日內前往朝鮮前綫視察。

在中共看來，覺得這又是一個離間英美的最好機會，於是他們發動若干英俘致函亞力山大元帥，表示希望英國參加談判，並指責美國過去主持談判之不當，及對巨濟島俘虜之如何虐待。從某一意義上看，我們不能不承認共產黨的宣傳手段確實相當靈活；但在另一方面，我們也可看出共產黨對英美的目前關係，畢竟認識不夠。

我們覺得，英國政府所以在這個時候派遣他們的國防部長東來，不過表示他們對遠東情勢的更為關切：一、對日和約既已生效，對日本戰後的情形，他們自然願意能有更多的了解；二、韓國局勢的真相，他們自亦有充分明白的必要；三、蘇聯仍在策動其傀儡對東南亞不斷的威脅，對英國在遠東的地位，實有絕大的影響，他們當然要研究進一步的對策。凡此種種，均可看出亞力山大元帥這次之來，其使命是相當重大，而且是多方面的；英國之不能和共產黨妥協，也正與美國之不能和共產黨妥協是一樣；我們覺得因亞力山大之來，將使英國在遠東的反共政策更趨於周密而堅決也不一定。

中共以一種簡單的頭腦，以為這又是他們實施挑撥的良機，適見其心勞日絀而已。

美國教會擬在台灣辦大學

據昨日美國方面的消息，美國的基督教人士有撥款在台灣創建一所大學的籌劃，雖我方教育部表示尚未接到此項申請，但這個消息似乎是很可靠的。我們自來主張政府對於私人辦學應該予以鼓勵，無論是純粹由中國人辦理，或由中外人士合辦，均應予以同等待遇，並充分信任；過去美國教會在中國辦得有不少的學校，確也有過相當的貢獻，但現在已為中共摧毀無餘，讓他們在台灣開辦一所大學，使他們這一工作能夠繼續，這實於目前的中國有益。我們聽說錢賓四先生預備在台灣設立新亞分院，並聞有當地人士予以物質上的支持，但至今尚未得到政府的允許，我覺得政府對這兩件事最好合併處理，由消極的防止私人辦學，進而積極的予以鼓勵。

時局漫談

舜生

香港一件可喜的消息

昨天香港大學舉行本屆畢業生的典禮，計文學院，工學院，醫學院，理學院，以及教育研究班，社會研究班，共得畢業學生一百三十二人。以香港這樣一個擁有兩百萬左右人口的地方，大學一次畢業的學生，僅有這樣一個數目，我們自然不能感到十分的滿足。可是在這次的典禮中，我們附帶的得着一個消息，即香港大學已由英國政府撥贈價值一千六百萬元的日本賠償，作為該校的基金，這却是一個可喜的消息。

同時，港大副校長萊德先生發表演說，說明港大其所以不受政府之直接管理或置於教育司署之下，其理由為：『大學與中小學校不同，大學為啟發學生自己運用思想之地方，思想不受任何宗教的，政治的或社會的束縛，乃民主國家最基本之事業。』

我覺得，這樣的一種辦學態度，是十分正確的。中國人至今還不大了解真正的民主精神是由大學裏所培養出來的，所以少數的政府當局，他們自己對於學術思想的途徑，原亦不甚了了，但隨時却總見他們歡喜發表若干有關學術思想的言論，甚至對大學裏面的講學與研究的自由，也動輒要加以干涉，因之對於言論與出版的自由，也懷抱着過分的憂慮，這實在是民主前途的隱憂，我們是應該加以注意的。

我從印尼歸來（上）

·陳克文·

上月我因「生意經」到印尼作短時間旅行，回港後，朋友見面問及那裏的風物人情，恰好「自由人」編者要我寫點有關印尼的文字，我樂得借此機會把這一次旅行見聞拉雜作一報告，以就教於還未及見面的朋友和本報讀者。

天氣很像昆明

一

朋友首先問及的往往是那裏的天氣。印尼國土大部份分布於赤道之南，從赤道至南緯十度之間。我未到印尼前，總以為熱帶天氣一定酷暑異常，我到耶加達（印尼首都，以前稱巴達維亞，又稱八打威或巴達維亞城）後，才知道那裏的天氣雖熱，但還沒有香港盛熱的時候那麼令人難受，比較重慶南京漢口一百度以上的大暑天更要清涼得多。據高事恒著『南洋論』所載，印尼各地平均氣候，室內八十度，日中八十五六度，夜間八十度。耶加達得年平均七十九度，最熱之月與最涼之月各上下一度，終年變化很少。這不是和昆明的溫和天氣相差不遠嗎？我到過的地方，耶加達外還有萬隆，新堂來耶，茂物幾處。

與「荷蘭夫人」同眠

耶城以每日下午二點最熱，和香港大暑天差不多，陽光甚強，居民輕易不敢出門。上午和太陽下山後却很涼快，夜間溫度更低，可以終宵安眠。並且空氣乾燥高爽，什物衣服不易潮濕發霉，和香港暑天氣壓低沉，悶熱蒸鬱，令人難耐的味道完全不同。耶城公私辦事處所很少使用電扇，電影院也沒有冷氣設備，臥室不用草蓆或籐蓆，多用厚褥上鋪棉布。夜間無需蓋被，但必須擁齊棉製和棉布做成的圓形長枕叫做『荷蘭夫人』（Dutch wife）的同眠，以防腹部受涼。旅店和私人住宅每一張床上，都必備『荷蘭夫人』（我國有竹夫人可謂無獨有偶）。每日工作之餘，用冷水澆身之後，更換乾淨衣服，閑坐走廊（差不多每一家住宅門前都有走廊）或樹蔭下，即覺全身輕快，毫無暑氣。

山城夜涼　頗似牯嶺

萬隆，新堂來耶，茂物都是建在山上或山麓的城市。萬隆在耶城之南約二百英里的高原上，四面環山，高出海面一千公尺左右，平均溫度祇有七十度，那裏不祇感覺不到暑熱，女人的皮膚也較耶城白晰。新堂來耶彷彿我們的牯嶺，地處羅山中，高出海面一千五百公尺，氣候更涼，日中步行不易流汗，夜間必須擁被。茂物和萬隆地勢較低，氣候仍較耶城清涼。

垃圾堆中很少蒼蠅

印尼人口七千五百萬，爪哇島和馬都拉島（在爪哇島東端）便佔去五千萬。這兩島面積不過五萬一千方里，人口密度在世界可稱第一。人口如此繁密大概也和氣候很有關係（自然還有其他原因），我們祗看耶城，那裏的公共衛生本來很差，不過即使是骯髒污積，垃圾遍地的地方，也很少看得見容易傳播病菌的聚集蒼蠅。在香港最整潔的街道中，觸目皆是的口痰鼻涕，在耶城是看不到的。我國大城市中隨處觸鼻欲嘔的那種便溺臭氣也是沒有的。因此我想那裏的天氣和溫度對於致人死命的傳染病菌之繁殖，是不大相宜的，對於人體的健康，是有很大的好處的。假使公共衛生能夠加以改進，在這種優越的自然條件之下，人類的福祉一定還要增高。

全年只有夏季　逢人莫問貴庚

印尼天氣令人感覺不滿意的，恐怕不是溫度和濕度，乃是長年如夏，陽光強烈，除了雨季和乾季外沒有四時變化這一點。（雨季大概從十一月至翌年四月，乾季從五月至十月）。在那裏我們祗感覺到白日和黑夜之不相同，對於春夏秋冬和歲序似乎毫無意義。有人說那裏的土著馬來人對於自己的年歲很不關心，假如你問及他們的年歲，往往以少報老，或以老報少，他們似乎是滿不在意的。氣候的單調少變對於人類精神缺乏刺激，容易使人倦怠生厭，原來在那裏生長的人，心理反應如何，我還不知道。我們在溫帶地方生長的人，作客彼邦，大體上都會因為天氣的單調少變，久居便厭倦思鄉。這種單調天氣對於文化和經濟的發展以至於人生哲學的式型影響自然很大。土著的馬來人工作缺乏勤勞，儲蓄觀念亦殊淡薄，這是許多人常說的。溫帶居民因四時變化，經濟生活往往以年作計劃單位，春耕夏耘秋收冬藏，今年歉，希望來年豐，今年豐，須防來年歉。其一切公私活動均受這種天氣變換的影響。成功失敗以年為計算單位，時間較長，思慮自須較為長遠而複雜。反之沒有四時變化，只有白日和黑夜，則公私生活亦祇可以日為計算單位，日的時間過短，自無須作長遠複雜的打算，謀生容易，勤勞和儲蓄的觀念自然薄弱。雖然兩三百年的殖民地統治對於那裏一切的影響很大，但天氣的影響也是很值得重視的。

誰說印尼人懶惰　到處山田像四川

二

耶城的工作活動多在每日上午，下午差不多全城休息，學校在下午二時以後是沒有授課的，服務和工作效率也很低，就這種情形說，印尼人民的工作缺乏勤勞不是毫無根據，他們的政治領袖也常常以勤勞來勗勉國人。不過就我所經歷過的農村和高原山地的墾闢情形說，印尼人民並不是一個懶惰的民族。我所走過的幾百里地方，不論是平原或山地，沒有荒廢的土壤，山嶺水涯，窮鄉僻土，無一不經開闢，茂林遍山，農作滿野。我們盛稱四川人耕種山地勤勞，印尼人耕種山地的成積也並不在四川人之下。萬隆周圍二三百里山地的梯田景象如與重慶附近山地的梯田景象作比較，可以說絲毫沒有遜色。我們臨關置身其間大有抗戰期間經蜀川中景物之感。（爪哇及馬都拉兩島以外不在此例）大概這兩島人民因謀生容易，加以天氣關係，日間不免要作較長時間的休息，如果因此便誤認印尼人民生性懶惰，似乎是極大的錯誤。

竊盜較多　自殺很少

一般印尼人的性格，我因觀察時間很短，不敢隨便批評。但我日常生活接觸過的各級社會如小販，卑查伕，（三輪車伕），司機，和東東（侍役的稱呼）之類，他們都很溫厚忠直，不尚險詐。我乘坐卑查時，雖言語不通，只要我懂得道路，用手勢指示方向，到達目的地後，給他們以適當車資，他們從來不會向我囉嗦半句，更不會因我係外國人，乘機向我勒索詐詐。我們在香港廣州或上海受過人力車伕，或苦力敲竹槓的人，遇到這些老實的勞力者不免有些驚異。自然那裏也有扒手，竊匪，騙徒，也有殺人越貨的匪幫。這樣的新聞那裏報紙每日都有記載，不過這些社會病態也並非印尼所專有，印尼也並不比世界其他國度更利害些。至如香港報紙每日不斷紀載的跳樓投水服毒自殺和強姦婦女侮辱女童這一類悲劇怪事，在印尼報紙我倒還很少看見呢。所以有些朋友問我，印尼的治安是不是很壞。我說這是事實，不過我們能夠在港過慣了的人，到了印尼似乎無須對於印尼的治安作過份的耽心。

不干涉華僑風俗習慣　國會有中國議員九人

三

印尼人對我國僑胞的態度怎樣？也是常常有人問及的。印尼獨立了，從殖民地的統治之下解放出來，他們已經脫離奴隸的地位，變做主人。他們對於外國人的態度，自然是和殖民地時代不同了，他們尤其不滿意的是荷蘭人。至於對我們僑胞，似乎還不失賓主之禮。若果我們從南洋九百萬僑胞的地位來看，我總覺得印尼比泰國和菲律濱好得多。印尼政府並沒有特別歧視華僑的政治措施，他們的國會裏還有華人代表九人的席位（歐洲人六席，阿拉伯人三席），我們僑胞的信仰風俗習慣，並完全自由的，僑校的教學，印尼政府絕不加以干涉（祗有最近中共編印的教科書因其中有侮辱印尼元首和挑撥人民與政府感情的地方，被印尼政府禁止）。[illegible]

英綏靖中共慘遭失敗　僵持三年內幕如此

美新聞週刊指出，英國人對亞歷山大遠東之行，實不應再引起任何幻想

·丁·

此次英國防部長亞歷山大遠東之行，引起國際間種種神經過敏推測。以為英國對中共，又將有某種綏靖企圖。尤其英國人，他們本身，就很多好作如此離奇的看法。本月九日出版之美國新聞週刊，曾將三年來英國綏靖中共，想拉毛澤東轉向民主集團，變作東方狄托的失敗經過，逐一列舉。並鄭重指出，英國這一頁失敗慘史，是不應該再引起英國人樂觀的幻想。茲將該文要點，摘譯如下：

英國國防部長亞歷山大飛往朝鮮，亞氏以重要閣僚，直接與朝鮮現局獲得接觸，一般英人，多相信英國人應付共黨，定比美國人高明，因此，他們對亞氏此行，深感欣慰，並寄予無限期望。

不過英國人這種樂觀心情，和他們政府幾年來對中共政策的大失敗，實係背道而馳。英國政府總幻想憑他們靈活手腕，可以將毛澤東轉變為東方狄托，現在這幻想是澈底破滅了，而且英國政府飽受中共的侮辱。下面這一些事實，正是幾年來中共給予英國政府的一頁傷心史。

一九五〇年一月六日，英國通知中共承認人民政府。本來這一政策，早在幾個月前，即已決定。特以美國務卿艾其遜，以是時美國駐瀋陽領事館職員多人，被中共捕押凌辱，他反對英國承認中共。但另一方面，英外長貝文，備受英國商業利益者，及反國民政府的左派分子壓迫督促，所以在一度拖延幾個月以後，終於不顧美國反對，將承認中共的決策，付諸實施。

蘇聯將敵人一鎗打死　中共將敵人磨成肉糜

英國政府曾向美國如此表示：英國之承認中共，只因中國大部份土地，已為中共所控制。事實所迫，不得不然，並非精神上，英國對中共政權有所嘉許。但英國政府所必將受到的災害，當時英國一位遠見的外交部高級人員，就曾料到。他向朋友們這樣幽默地私人暗示：「中國共產黨和蘇聯共產黨，的確有某一重要的不同。蘇聯共產黨，只是把他的敵人一鎗打死，就算了事，而中國共產黨，則要把他的敵人，放在兩片石磨裏，慢慢地磨成肉糜。」果然，英國是被磨了三年了！

在公告承認中共以後，英國就任命胡此生為駐北京臨時代辦。但胡氏到北京好久，中共對他態度，一直冷淡，他得不到任何消息，一切都靠駐北京印度大使潘尼迦幫助。

經過十一個月以後，一九五〇年十一月廿二日，那是在中共剛剛參加韓戰不久，胡此生獲得中共外交部章漢夫的接見。胡氏曾很謙卑地向章漢夫聲明，聯合國軍隊在朝鮮的企圖，無論如何，將不會危及中國合法權益。

四個問題中共不滿意　鄧寧爵士入境被拒絕

許多事件，阻止了胡此生想和中共建立外交關係的談判。其中包括：（一）英國不允將中航央航兩公司客機七十一架交予中共；（二）英國仍和台灣國民政府維持領事館關係；（三）英國拒絕中共接收馬來亞五所原屬國民政府之領事館；（四）中共相信英國並無誠意贊助中共加入聯合國。（一九五一年夏，英國且已投票，主張將中共加入聯合國問題，延至韓戰結束以後，再行討論。）

準備到北京談判，擔任大使的鄧寧爵士，一九五一年初，連在香港請求進入中國的旅行簽證，也被拒絕。一直拖到八月，英國外交部才放棄這一企圖，而以大使待遇，將鄧寧爵士派駐日本。

早在一九五〇年初，中共或許即因英國拒絕移交馬來亞中國領館的關係，對英國在中國大陸的使領館，橫施迫害。一九五〇年四月，中共徵取北京英大使館之英軍兵營。同年十一月，駐瀋陽英國領事被驅逐。次月，武裝共軍，搜索英國駐迪化領事館達三十七小時之久，並對於總領事霍汝孟，一再審訊，直至霍氏心臟病勃發，始行中止。接着霍氏及領館其他職員，都被中共以間諜罪，驅逐出境。此後，英國再自動關閉了六所領館，今年二月，連廣州領館，也宣告結束。現在所賸下的英國領館，在中國大陸，已只賸北京，上海，天津三處。

一九五一年三月六日，藍孟奉命，到北京接替胡此生，為了等待中共准許入境的簽證，也在香港住了好幾個星期。但藍氏到北京以後，他努力爭取的外交地位，運道並沒比胡此生好。直至此時，英國外交部職員名錄，藍氏合銜，仍為駐北京臨時代辦。而北京中共，則只稱他為談判代表之代辦（Negociating agent）。

藍孟在北平備受侮蔑　家有間諜汽車禁出城

藍孟在北京的生活，並不愉快。每逢中共政府有盛大慶典時，他甚至不能與其他經中共正式承認的外交使節，站在一起。他平時只能看到外交部低級官員。雖然他家裏並無困難，可以僱到男女僕人，但他總盡力避免這些僕人進入他的辦公室。因為他絕對了解，這些僕人，都是中共派來的間諜。

一般說來。中共對他，已極傲慢輕蔑之能事。連他的英國外交使節團British Deplomatic Mission名義，中共官方至今也未予承認，中共一向只稱作「藍孟先生辦事處」Mr. Lamb's Office。他給中共政府的公文，有時甚至連回信也沒有，中共的理由，說他在此，只是一個英國公民，他並未具有與中國政府交換公文的資格。他有一部汽車，理論上，是應該可以隨時開出北京外城，但這項許可，他絕對無法取得。他和胡此生一樣，除讀中共官報，及與印度人往返外，別無來源，可以得到任何消息。

經過三年困擾以後，在中國大陸經商的英人，已賸到不足兩百名。一九五二年五月十九日，英國政府通知中共，所有在中國大陸賸下的英國商號，現準備拋棄其值價七億至十一億二千萬美元的資產，退出中國。目前擺在英國政府面前的最大問題，不在如何救回這批資產，而只在如何救回那些賸下來的英國人生命。這些賸下的英國人，中共是不惜假借各種口實，強暴的扣押，留作人質的。

英國與中國大陸貿易，在今年第一季的三個月中，英國出口貨，已減到只有三十二萬五千美元。也許由於香港方面恐懼中共的報復，英外相艾登接受一種呼籲：他建議在中國大陸以外，建立一新機構，與中共進行商業貿易。但是沒有一個人能夠想到，英國可以接受的條件，會獲得中共同意。

添辦大學　青年興奮

香港三日

鐵幕逃出的大陸青年，現在逐日增多，為解決這些青年的就學問題，美國教會方面，已決定在台灣設立一聯合性質的教會大學。而天主教主辦之北平輔仁大學，據說，也有在台籌復校的計劃。滯留香港急盼升學的許多青年，對此消息都感到十分興奮。

前傳張君勱擬在印尼辦大學，據此間最近所獲紐約來函，謂張氏抵美後，已將此計劃，向美國有關方面提出。希望一次援助美金三百萬元。該計劃有現住香港被目為第三方面之領袖六人簽名。惟美國有關方面，以大學在印尼開辦，如何能召致大量青年前往就學，深感懷疑。又美國朝野，近均忙於大選，對資助張氏進行大學計劃一事，一時殊難望即有結果。胡適之與張氏政治主張雖有距離，但張之辦學計劃，則仍願儘量予以支持。

巴國代辦　怕談中共

巴基斯坦駐北平代辦歐理教授，已由北平調任印尼，預定後日（十六日）乘汎美機先返喀拉蚩，然後再由喀拉蚩赴印尼就任。歐氏在北平居留一年又兩個月，其所關懷者，即係在北平所生之幼子。對於本港記者所詢渠對中共政權之感想，概拒不作答，惟云：一切令人懷古而戀，北平已非北平。新任巴基斯坦大使雷發，則已駐北平，於歐氏離職時（必須）到達北平。

中共有刀在手看你何時殺光

「書獃子」偏不怕死

大學教授親美反共堅持到底

中共在整個大陸，對大學教授進行的「洗腦」運動，現在已大體結束。北平以外的大學，如武漢，廣西，山東，西北，川北，中原，天津，唐山，都廣泛發現，許多教授，堅持親美，反蘇、反共。甚至有人表示，即使美國真進行細菌戰，也屬中共咎由自取。中共怒稱：「對這類反動教授，決不能再行寬大！」

【本報北平特約通訊】儘管中共以雷霆萬鈞的力量，脅迫各大學教授，要他們改造思想，特別是有涉及崇美和反共嫌疑的思想，但從最近這一兩個月來改造的結果，除了一部份軟骨頭教授，怕丟飯碗，怕進集中營，怕餓肚，因而不得不俯首聽命，「洗腦」如儀外，其始終頑抗，強硬到底的，確也爲數不少。這便使中共當局，大傷腦筋。他們從沒想到，「威武不能屈」的書獃子，居然還到處皆是。尤其這些書獃子，佈在北平以外的大學，比在北平各大學的多。以前記者只報告過一些北平各大學教授頑抗改造的情形，現在，更就僞教部，或僞報所發表對於北平以外若干大學教授思想檢討的報告，摘誌一部份，藉使海外讀者，憬然知中國大陸的知識份子，良知良能並未被中共全部斲光，且正互相激勵，發揚光大；爲黑暗中大陸知識青年之唯一火炬，此一事實，確值得大家興奮。不過這些教授的名姓，中共爲了一方面正在進行設法處治，一方面也怕青年對他們發生敬慕，所以大部份還未敢公開。因此，若干教授的大名，還只好暫時保留。

崇拜美國科學技術 頌揚英美民主自由

首先中共對於武漢大學的檢討，曾表示沉痛而憤激。牠如此指出：「武大最不能令人容忍的，是許多教授還存在着濃厚的崇美思想。不少人崇拜美國科學技術，甚至公開叫喊：『美國雜誌不來，不能做研究工作』，認爲什麼都是美國好。在課堂上，毫無顧忌，竭力頌揚美國生活方式。政治系某教授，還經常讚許英美的『民主』『自由』，要學生多讀有關英美政治制度的書籍。」

接着，廣西大學的檢討結果，也認爲異常嚴重。中共說：「廣西大學，充滿了一種崇拜美國的洋奴思想。礦冶系某教授，留美多年，思想上受美帝國主義毒害最深，他常常替美帝國主義作宣傳。此外還有許多教授，對美帝盲目崇拜，甚至自己的衣飾裝備，都要想盡方法，買美國貨，似乎不如此不足以炫耀自己。這種崇美思想，還大量表現在教學上，一切以美國爲標準。課程內容，全是美帝的資本主義，整套照搬，遺害青年。這種崇美的洋奴思想，甚至已經發展到敵我不分，喪失民族氣節的地步。有的人更「言必稱美國」，簡直忘記了自己是偉大的中國人。」

滿腦子是美國第一 美國一切超過蘇聯

中共檢討了山東大學，他們所得到的結果，不僅崇美的思想很濃厚，且有若干教授，竟公開「毀謗」共黨。中共說：「山東大學一部份教授，思想過於落伍。如地礦系的某教授，當舉行思想檢討時，他竟至大發脾氣，『如要檢討我的思想，我就擲腳到街上擺香烟攤，也不再教書』。慷慨激昂，一再强調，士可殺不可辱。這是因爲他的思想，確實經不起檢討。他曾在美國留學，滿腦子都是美國第一。他對學生說，共產黨都說蘇聯好，我却相信美國一切都超過蘇聯。歷史系某教授，且誣稱共產主義包含了共妻的主張，他還說，將來醫藥發達，共妻是更容易實行的，其荒謬胡說，竟達到如此程度！」

此外對於西北大學，川北大學，中原大學，天津大學等，中共認爲都有和上述同樣親美與反共思想的存在。特別天津大學的若干教授，據中共指稱：一位物理系教授，當學生提出美國細菌戰的暴行時，他竟大胆對學生說：「打人無好拳，駡人無好言，誰叫我們要和美國鬧翻呢？」又一位機械系教授說：「階級鬥爭，本來沒有，是馬克思搞出來，而共產黨藉此以奪取政權的。」中共說：「反動教授，猖狂至此，這是萬萬不應該再行盲目寬大了。」大約照這句話看來，中共所指的這兩個教授，百分之九十九已經遭受慘酷的整肅。

認蘇聯書報無價值 唯一用途包花生米

還有幾個中共指出姓名的所謂反動教授，據說這是因已被撤職拘捕，所以他們的姓名，不再秘密。最典型的，如唐山交大教授沈玉麟，他一貫崇美反蘇，向學生拚命鼓吹美國物質文明，和美國生活方式。對美國「侵朝」戰爭，竟說，這是蘇聯逼出來的，美國不能不起而應戰。他還說過，蘇聯獎勵生育，就是爲了大量製造砲灰。他對蘇聯一向瞧不起，有人拿一本「蘇聯建築三十年」給他看，他竟丟在棹上，很鄙薄地說，這種書毫無價值，只配包花生米。與此「罪行」相同的教授，中共舉出了不少。因限於篇幅，恕記者不再逐一列舉。（隆光，八日寄自北平）

在「腐爛的共產黨」主持下

堤崩．粮霉．機器銹爛

凡此種種都是中共「大力建設」「辦事認眞」的「鐵證」！　．大哀．

【本報綜合報道】「腐爛的共產黨，工作效率，已幾乎降到零點，但他們自己還整天狂吹胡捧，說共產黨如何大力建設，辦事認眞，不辭辛苦，不怕艱難，共產黨中國，在他們手裏，已經變成了一座天堂。但事實毫不留情，中共一切謊話，終被一般的事實戳穿。

湖南沅江縣，去年冬季，中共發動「徹底把險堤修好」，當時徵發了全縣十多萬義務勞工，在中共計劃督導之下，到今年春天，說是全體工人，受了中共和毛澤東的感召，已提前完成任務。這次工程，是有史以來治理沅江最特出的成績。不料，這個特出的成績，一到五月，沅江水漲，忠義鄉資家灣下首百多公尺一段堤塌，就馬上全部崩潰，數萬畝稻田，立時變成澤國。同時永興鄉一段四百多公尺的堤基，也發生漏水情形。此外，有的閘門壞了，有的護石垮了，總計該縣境內，查出毛病嚴重的工程，[illegible]還都因爲中共計劃和督導[illegible]傳上的便利，誇揚迅速，偉大，[illegible]，草率馬虎。以致不到半年，便[illegible]一再出險。十多萬義務勞工，不[illegible]場，反而替自己的廬舍田地，招[illegible]災禍。

鼠咬虫傷各憑天命 人民損失與己何干

中共向老百姓儘量搜括存糧，而倉庫工作，却始終不設法搞好，以致一方面餓死百姓，一方面聽其霉爛。這種情形，在中共區業已司空見慣，無足驚奇。最近則此爛了不管的風氣，連中共經營的各種公倉，也都已同樣傳染。淮濱糧食支公司，去年託河南淮濱合作社公營倉庫，代儲一批黃豆。並按月支付倉租。今年三月，糧食支公司聽說倉庫漏水，要求合作社注意。該社管倉員劉寬仁很不在乎的說：「即使漏水，你們的黃豆爛了，也值不了二十個億，反正你們可以據實報損失，怕些什麼？」前幾天，公司正式提貨，竟有兩萬多斤，完全腐爛。公司向合作社交涉。劉寬仁說：「鼠咬虫傷，各憑天命。活潑潑一個人，誰都保不了不生病，何況倉庫裏的黃豆？好在我早就告訴過你們，無論如何，損失不了二十億，兩萬多斤，時值不過二千萬，有什麼了不起，何必大驚小怪？」因爲倉單上寫明霉爛虫傷，概由貨主負責，支公司也就無法理論。糧食支公司，原是中共公營糧食公司的分店，損失的是老百姓血汗，所以大家也就毫不心痛，報損失了事。

露天倉庫不必遷移 重要機器銹爛了事

華東工業部上海醫療器械製造公司第一廠，去年因業務減縮，有一部份過給該廠，而目前並不需用的機器，蒸餾器，變壓器及冰箱等。一向就放在廠裏的一個露天空坪上，風吹雨打，無人過問。去年十一月，工業部派人到該廠視察，發現還有許多器材在露天擱置，當囑該廠注意。該廠即寫信給延安東路第九號該公司總管理處，申請將此項器材，退還倉庫。總管理處倉庫科長李靖回信說，總公司的長陽路倉庫，現在都已堆滿了。如果這批器材運回去，也只好擱在露天，還是多一事不如少一事吧！就這樣，直到現在，仍然擱在第一廠的露天空坪。前幾天，偶因需要其中某一項機器，揭開蓋着的油布，細加檢查，該機器已銹爛無法再用，其餘器材，情形也大致相同。總之，都已變成了一堆破銅爛鐵。該廠現在需要的那一項機器，只好另出高價，向市面搜購。

中共統治下的黑暗大陸

水旱蟲災禍不單行

今年災情比過去特別嚴重

【本報上海特約通訊】中共竊據大陸，這三年來，差不多年年都是水、旱、蟲災，相逼而來，不問城市和鄉村，老百姓已被剝削得祇剩一把骨頭了，再遭天禍，其何以堪？前去兩年，都是先旱後澇，間雜虫災，今年的情形，則比前去兩年更嚴重，茲將其發展情況，分述于次：

閩浙一帶 洪水橫流

關于防災工作，中共雖宣傳一直在「大力」進行，拿華東方面來說，官樣文章的「防汛抗旱總指揮部」本月初雖又告設立，並飭令全區「保證」三千六百萬畝農田不受水災，七千六百萬畝農田不受旱災，但紙上談兵，有何用處？據中共氣象台預測，今年長江下游，入夏後可能雨量失調，旱澇互見。現伏秋雨汛尚未屆臨，而閩浙地區已大鬧水災，福建方面，部份地區山洪暴發，建陽、閩侯、福安及福州市郊一帶，已談水色變，僞建陽專區浦城縣一個第十區，即冲毀了橋樑八座，石壩十七處，草壩卅五處，又該縣第二區暮築鄉四福村，被洪水冲毀的房子有兩百多間，冲走魚塘四十二口，冲走了塘魚兩萬五千尾，衣服傢俱無數。僞閩侯專區閩清、羅源兩縣，先是大雨，加上山洪，致有八千多畝良田被洪水冲刷變成沙田，洪安鄉有十四個村子人畜飄流，不見炊烟，估計至少有三千多農民爲波臣招去。福州市郊新店等六個鄉，有五千多畝田被山洪淹沒，在經過一天兩夜的時間以後，僞主席張鼎丞纔派人下鄉「勘察」，「搶救」，但人死了，田淹了，已非「察」「搶」所能挽救，事後據「調查」，這一帶的旱稻秧苗普遍的損失約七成，嚴重的地區，則平沙無垠，迥不見人，晚稻則平均在八成以上。僞福安專區寧德，僞閩侯專區羅源等縣也普遍遭受到洪水的災害，損失的情形，據說還在「查報」中。又浙江的金華，餘姚，紹興等地區，月來亦多因山洪暴發影響，紛紛報災，共產黨一直自吹「人定勝天」，今部份的山洪已把它弄得一塌糊塗，一旦「黃河之水天上來」，那豈不是要老百姓盡變成魚鱉？

西南各省 赤地千里

談到旱災情形，更是中共認爲「一種錯綜複雜的鬥爭」，惕於去年旱災地區的廣闊，兩個月前，僞人民政府就命令各「省政府」在不誤生產的原則下，發動群衆打井，挖塘和儲蓄引用一切可能利用的河湖水源，建立所謂群衆性管理機構，「經濟」用水，密切排澇，多開溝渠，檢查修理抽水機，龍骨車，戽斗等工具了，可是命令傳達因流於形式，各地幹部和各級「黨委」以兼職太多，多懶得過問，老百姓則以「多收多捐，反正是死」，對所謂抗旱工作亦處處漠然，搞不起勁，而西南各省，自今春起，即未下過透雨，到了最近，旱象益趨嚴重，雖鑿井，挖塘，而旱象依然，中共「小服從大，上級領下」的命令早成具文，以是千萬農民因爭水而集體鬥毆，釀成血案事件，更所在多有，層出不窮，現川、黔、桂、一帶赤地千里，民衆均奔走相告：「如不落透雨，今年準餓死。」而各級共幹除了承轉「命令」作威作福外，一直想不出一個救急而又妥當的辦法，祗好嘆氣，於事何補？

蝗蟲蔽天 橫行大陸

最嚴重的是虫災了！由於共幹一向敷衍塞責，虫災的地區，就一年擴大一年，入春以後，天氣漸暖，繼麥蚜虫之後，蝗虫，螟虫，地老虎，蝸牛，土螞蚱，鐵甲虫，螻蛄等數十種害虫都發動了「攻勢」，尤以前三者來勢猛烈，銳不可當，不但發生較往年早，而且一開始，而積就比去年大，「告急」電如雪片飛來，目前「首善之區」的河北省，已發現蝗蝻的地區就有七十多縣，而積相近一百萬畝，皖北泗洪一縣，蝗蝻猖獗的地區就佔有三十多萬畝，而密度稠的地方，用碗一撈，就可裝滿，其他無爲、和縣、廬江、岳西、舒城、潛山、桐城等縣也大致相同，山東臨沂地區新海連市、郯縣、東海、贛榆、郯城等地，皆告蝗蝻蔽地，無棣縣蝗蝻有多至一平方公尺達三千三百多個者，蘇北淮陰、淮安、泗陽、灌雲、宿遷、射陽、新安等縣，蝗卵已全部孵化，京滬綫鎭江、無錫、蘇州、昆山等亦螟蛾遍地，撲不勝撲，奉賢縣高橋鄉有上千畝棉田皆被「地老虎」吃光。廣西邕寧縣二區共和鄉，老百姓爲「人與虫爭」日夜睡不着覺。中共限令一個鄉組織二千個「捕虫隊隊員」，天一黑，就帶『柴籃，燈火，長棍等工具下田工作，往往天明，猶未歇手。共幹們名爲督導，實際只在屋裏睡大覺，第二天，誰繳的虫少，誰就要受懲處，其餘如河南的洛陽、商邱，以及河北的北平天津一帶，棉蚜虫也鬧得很厲害，各地棉苗儘露頁葉時，就有蚜虫一百多個，北平近郊尤其嚴重，有每株爬滿蚜虫二百多個者。其他如浙江的金華、及嘉興等十六縣，福建的閩侯、永泰等廿二縣，安徽的宣城，寧國等十四縣，蝗災與棉蚜虫災地區也極爲廣闊，到現在爲止，祇「華東」一地區，雖已撥出了藥劑八十七萬多斤，器械三萬四千多具，並搞出什麼「三多」，（人多、辦法多、捉虫多）「三好」，（領導好，組織好，保護禾苗好）「五比」（比積極，比熱情，比互助，比拾虫多，比不踏壞禾苗）還「捉虫模範」等花樣，然說者自說，聽者自聽，浙江的鎭海縣，即因幹部領導「不好」而致棉苗被蚜虫啃壞了百分之九十，事後，共幹雖動員全縣小學生同婦女下田「搶救」，但棉株皆成「光桿」，業已回天乏術了。（悠然，八日寄自上海）

「自由人」稿約

本報各版，均歡迎投稿，敬訂稿約如下：

（一）除事先特約外，每稿最多請勿過一千五百字，長篇鉅製，以限於篇幅，無法刊登，請勿惠寄。

（二）惠投各稿：評論要切合時局，新聞要記述事實（大陸消息，應有人名，地點，時間，人名不便刊登者，可於稿內註明），雜文要生動活潑。

（三）來稿除附有足够郵資外，概不退還。

（四）稿末請附註眞實姓名，地址，但發表時須用筆名者聽便。

（五）來稿一經刊登，即寄奉稿費通知單，憑單向本報領取。不願受酬者請於稿內自行註明。

狄托的自由觀

方為

南斯拉夫的官方報紙，最近設出了對艾森豪威爾「申申而詈」的言論，指艾帥上月在巴黎招待記者時，說過南國「是一個無自由的國家」的話。因此而駡艾氏無知，不明瞭南國社會主義之特殊成功意義。

狄托的「社會主義之特殊成功意義」在那裏？恕我孤陋寡聞，莫名其妙。但我很清楚的記得：當年狄托與東歐九國情報局的俄共們反目後，始終對史太林表示效忠，決不違背馬列主義路綫。只因史太林不理睬他的悃悃忠貞，而且要清算他，這才跟美國打交道。爲着取得美元和美援之故，只把全國已經消除了的私人零賣商業，恢復民營，把普通民事訴訟由祕密警察手中，交還一部分於法院而已。此外，依然是特務政治，是以祕密警察爲專制獨裁，是以箝制輿論的工具，統治人民的一切基本人權，依舊蕩然無存。總之，是一不折不扣的俄式共產主義政權，嗅不到絲毫的民主自由氣味。艾帥說南國人民「不自由」，一點也不錯！

凡是有不可告人的慚德之人，最怕別人揭他的瘡疤，所謂作賊心虛是也。如其問心無愧，何恤乎人言？假使有人說美國是毫無自由的國家，我想杜魯門和國會議員們，只有笑笑，不會豎目瞪眼的。此謗莫如自修，然怙勢貪權的共產主義與法西斯主義者，却無此意識，所以人類要掀起反極權的怒潮啊！

自由談

生與死的搏鬥（上）

·王怡·

夏天，天是灼熱的，這大都市五百萬居民的心情也是灼熱的。

火變成一片，只有那夜間的曳光彈可以分出敵我的距離，砲聲隆隆的時候，這小房子裏又有了爭吵。野砲的巨響愈是密集，年輕的弟弟愈爲焦灼，他在病牀之前來回走着，他埋怨他的哥哥不肯早點離開上海，現在，輪船沒有了，飛機停班了，開往杭州的火車只能駛到嘉興，什麼都沒有了，三個人只有在上海等死。

病在牀上的母親一面乾咳嗽，一面勸着年小的兒子。「大哥！你說這那是孝順母親，這是害了母親。」年小的弟弟越說越燥，他的話有如一顆開花的巨彈。

誰知道共產黨來得這麼快呢？誰知道母親的病勢一直沒有起色呢？早一些日子，大家開始逃難的時候，啓棟主張搬家南還，這時，做哥哥的堅決反對，他不忍病中的母親受那旅行之苦，所以，他要弟弟留在一道，誰知道夏雨之後繼着秋風，無情的火焰迅速南延，猖獗的情勢是愈來愈嚴重了，隆隆的砲聲和弟弟的質問，一樣令他焦急。

「你說怎麼辦呢？我們就是這麼等死？」啓棟的話如同咆。

老年人過意不去，她說：「啓樑：弟弟的話也對，你們將我快送到醫院去，假如病好了，我自然會來香港，如果不能好，你們守着我也沒有用。」

兄弟倆沒有完全懂得母親的意見，他們的四隻眼望着她。「你們兩人趕緊離開上海，年輕人留在裏面是危險的。」老年人的話太令他們感動了；代替爭吵的是四行熱淚。

已經不是爭論的時候了，母親的病勢已重，他們怎能忍心捨她而去？經過哥哥一番剴切的勸說之後，兩人有了一個折衷的辦法，讓啓樑一人陪着母親，直到她病癒以後，至於啓棟，哥哥是贊同他的意見的，與其三人共着一個懸劣的命運，不如多尋一條掙扎的路。

急忙地收拾好簡便的行裝以後，總之而有無數的叮囑，年輕的啓棟哭倒在母親的床前，兩人的眼淚濕成一片，哽咽的哭聲中，啓棟說：「媽！你原諒我嗎？」

老年人點了點頭，她是同意這個辦法的。

吻別了病重的母親之後，啓樑催他的弟弟快走，他送啓棟去到門外。

這是一個生離死別的場面，遠處的砲火，織成了另一章陪襯的音樂，雖是那麼激烈和壯麗，却也一樣的令人傷感，一粒曳光彈隨空昇起，兄弟倆看到的，是彼此臉上的兩行淚珠。

一場災難，一場災難繼着一場災難，一個戰爭，一個戰爭接着一個戰爭，第二年的秋天，啓棟「參軍」了。

他穿上了草綠的軍服，軍帽的當中嵌着一粒紅星，他和旁的士兵一樣，這支軍隊由上海出發，用火車輸送到了天津，再由天津轉到瀋陽，再由瀋陽送到安東，安東下了車，他們便在鴨綠江的濱海州駐屯下來。

這是一個長途的旅行，車上，這羣綠色的動物唱着歌，公式一樣的接受人民的慰勞。啓樑的胸襟上也分配到了兩朵紅花，指導員拍拍啓樑的肩膀，笑嘻嘻對他說：「孟同志！這是你空前的榮譽。」啓樑笑了笑，他知道指導員必定還有其他的話。

「你應該多殺兩個敵人，一朵紅花代表一個敵人。」

啓樑的答覆和其他的士兵一樣，他說：「我們一定建功。」

……北地的氣候與南國迥異，朔風有如刀刃，冰柱已經掛滿了枝椏，鴨綠江的水流緩緩東逝，那遼闊的江面一望無涯，淒冷的哨崗上，啓樑想起了家，想起了死去的母親，也想起了遠天的弟弟，而今，母親已經死去了，家也沒有了，他的財産僅是手裏的一桿槍，陪伴他的，只是另一個哨兵。

忽然，遠處一道黑影掠過，啓樑迅忙喊了一聲「口令！」答覆他的，只是朔風的呼呼之聲，冷月下，另一個哨兵笑了。

「孟啓樑！你遇到了鬼嗎？」那個老兵說：

「不然，你的胆子怎麼這樣小了？」

想到那是一團樹葉的影子，啓樑自己也不禁失笑了，由此，他們兩人開始交談，那個老兵名叫李澍，他已經過了五年的軍隊生活，他告訴啓樑許多戰場經驗，那些經驗，都是用生命當成兒戲，在死神的手裏交換過來的。

他們只是一同站了兩小時的崗，兩人的感情立刻變得很好，李澍告訴他，明天晚上，部隊便將渡江，接着便將參加戰鬥，他說：「胆小是不行的。」

第二班哨兵接替了他們的勤務，他們該睡眠了，爲了李澍的話，竟至無法成寐，夢意迷離中，他又想起了母親，也想起了戰場上的螻蟲似的飛機，和豆一樣的彈丸。

「這眞是一個可笑的遭遇！」想到他穿上了軍服，將生命投入別人的賭博之中，事情滑稽到自己也無法解釋。然而李澍說的對：「死神愛和胆小的人開玩笑。」以往的過失，此時無法求得補救，目前只有將胆子壯大起來。

因而，他和李澍更加接近了，他並非胆小，只是爲了另一個企圖，才如此愛惜自己的生命，李澍是個身經百戰的老兵，有了他，啓樑心想可以仗他帶過死神的那道橋樑。

第二天晚上，正是月黑風高之夜，這枝軍隊果然奉令渡江，前綫正有一個劇烈的戰鬥，由上海遠道增援的這一個軍，立時需要投入這一綫的正面。

一個兵在一個大的戰鬥裏，恰如一粒沙在一個渦流中，此時的啓樑，沙似的飄流在這個大渦流的中心。

幸而這個渦流急改變了流向，一粒沙有了他的命運的新頁。部隊渡江以後，發程趕到第一綫，適巧正面潰退，這個軍的先頭部隊被包圍了，整個的一個團，被迫舉起了白旗，啓樑和李澍，正是這個渦流中的兩粒沙。

被押送到後方去的時候，李澍低聲地對他說：「老孟，這一下我們完了。」啓樑却在心上笑了一聲，他有一個祕密的喜悅。

×　×　×

雜談李白（七）

·舜生·

『態濃意遠淑且眞，肌理細膩骨肉勻。』這是老杜描寫當時楊氏姊妹的想像之辭。（麗人行）

『明眸皓齒今何在，血污遊魂歸不得。』這是老杜於楊太眞死後所表示的悼惜之意。（哀江頭）總而言之，老杜對於和他同時代的這個尤物，是從來沒有機會接觸過的。李白却不然，他有名的三首『清平調』，和現存的八首『宮中行樂詞』，都是當時被召到宮裏去當着玄宗的面寫出的，即令說楊貴妃爲他磨過墨的話不可靠，但看見這個女人的機會却是有的，因此他一則曰：『宮中誰第一，飛燕在昭陽』；（宮中行樂詞第二首）再則曰：『借問漢宮誰得似，可憐飛燕倚新粧！』（清平調第二首）假定不是看見，他的分數會打得這樣正確嗎？至於說：『解釋春風無限恨，沉香亭北倚闌干』，這更不待言，是他遠遠望見楊貴妃的亭亭倩影，倚在沉香亭的闌干站着，才能引起他的這種『烟士披里純』哩！

據一般的紀載，李白每次入宮，總是醉得爛爛然的，其實據我看，也未必盡然，他不過借着酒興對統治階級發揮他的一種野性而已。試想：高力士在當時，本來是一個炙手可熱的人物，李白居然翹起一隻腿，叫他脫靴子，在皇帝身邊的太監，決不止高一人，他不叫張三脫，李四脫，而獨叫高脫，你能說他當眞醉了嗎？後來雖因此而遭讒間之口，因此而不能不離開長安，這在李白看來，正所謂求仁得仁，實際毫無所謂的。中國文人對於統治階級，自來都是歌功頌德，無所不用其極的；例如今天的郭沫若，總也不能不勉強算他是個文人，可是他拍毛澤東的馬屁不夠，一定還要倒在史太林的懷裏去叫爸爸，則李白人格的峻潔，眞可說是獨步千古，足以一雪中國文人的奇恥大辱啊！

關於李白參加永王璘的一幕，一般都說他是被迫，被劫持，即李白也未嘗不以此自解。事實上也未必如此：李白本來是一個縱橫家的底子，再加上一套道家的人生觀，他之願意玩玩政治，不過是發揮他過剩精力的方法之一種，在他看來，皇帝原不一定是要姓李的才能做的，即令說非姓李的不可，則李隆基（玄宗）可以做得，李亨（肅宗）也可以做得，何以李璘獨做不得？我們現在看他所寫的『永王東巡歌』，及『在水軍宴贈幕府諸侍御』一類的作品，態度都很自然，即在潯陽繫獄，放出以後，又被放逐去夜郎，他對這件事也依然沒有什麼懊惱，照常讀他的書，（他曾在潯陽獄中讀留侯傳，）喝他的酒，做他的詩，自然他也不想死，但要他對這件事如何認錯，却是沒有的。我覺得這種地方也最足以表現李白的偉大，本來，皇帝比之於一個偉大的詩人，算得什麼東西！

萬竹樓隨筆（一〇五）

南京學生讀舊報

搜集清算根據

·少鵬·

中共在各地焚書、坑儒，而南京却將所有公私立圖書館及大中學所藏的新舊圖書雜誌報紙。彙集起來，成立了一個「南京圖書館」，藏書據說十分充實，尤其以民國數十年來的報紙雜誌，極爲完備，這不是「違反政策」麼？原來這裏面大有文章。

中共「清算」大陸上的智識份子，推過「思想改造」，自然是需要「依據」的，這些書報，也就是「罪狀」，就是「依據」。在北平，在上海，在武漢，在重慶，好多教授、學者、專家們都因爲在這裏找到「依據」而先後被「算倒」了！

最近南京大學（即前中央大學），金陵大學也正在激烈展開清算運動，「南京市文教局」已通告各院系學生，爲「幫助」各教授「檢查思想」、「進行批判」，得先進行各教授思想上的「初步清算」工作，即不問那一個人，在那一年，那一天，那一期出版的書報上，有「違反人民」的言論態度，任何人皆可提出檢舉，俾便清算。兩校學生爲表示工作「認眞」，特停課數日，全力進行，男女同學自朝至暮魚貫進入圖書館，埋頭舊書報堆中，探嗅搜尋，執行「初步清算」，準備找到了一點「有毒」的陳舊作品，立刻對該教授發動清算。兩校的教授，以是都已急得像熱鍋上的螞蟻，生怕重翻舊賬，被「清算」得體無完膚。

「我的生活片段」之一

八年的參政（七）

王雲五

中共問題（3）

但過了幾日除中共恨我如故外，國民黨的少數人或由於明白我的眞意者代爲解釋，初時的誤會也漸消釋。距閉會前的幾日中共參政員仍未出席，於是許多參政員都勸我把那天臨時發言作成提案，以動議提交大會討論。因即寫成提案如左：

「茲謹請大會對於毛參政員澤東董參政員必武等未能出席大會事爲如下之決議：

一、本會於聞悉毛參政員等七人致祕書處刪電，董參政員必武等二人本月二日致祕書處函件，暨聆悉祕書處關於此事經過之報告，對於毛董諸參政員未能接受本會若干參政員與本會原任議長之勸告，出席本屆大會，引爲深憾。本會爲國民參政機構，于法于理，自不能對任何參政員接受出席條件，或要求政府接受其出席條件，以爲本會造成不良之先例。

二、本會連日聆悉政府各種報告之後，深覺政府維護全國團結之意，至爲懇切。一切問題，除有關軍令軍紀者外，在遵守抗戰建國綱領之原則下，當無不可提付本會討論，並依本會之決議，以促政府之實行。因是，本會仍切盼共產黨參政員深體本會團結全國抗戰之使命，並堅守共產黨民國二十六年九月擁護統一之宣言，出席本會，俾一切政治問題，悉循正當途轍，獲完善之解決。此一勸議，實深利賴。」

此一勸議案一經擬就，同人連署極爲熱烈。即日提出大會討論，經全體一致之決議通過。

擬藉參政會的努力而解決中共對政府的糾紛，是我盱衡當時局勢，認爲假使有解決可能的話，這或者是惟一的可能。因爲在對日抗戰之際，中共方面對於抗戰建國綱領固可陽奉陰違，不顧信義；政府方面則不僅無力分兵討伐，以惹起內外的夾攻，即或有此力量，對外既難得盟國的同情，對內亦難免國民的誤會。然若專由政府與中共交涉，致外間不明眞相，易爲中共的宣傳所煽惑，則何如將一切癥結公開於參政會，由代表全國各方面的參政員盡其疏解與評斷的力量，在彼時中共的羽毛尚未豐，表面上或不敢過分違反公論，祗要達到軍隊國家化，則一切政治問題解決尚非絕不可能。這或者是我個人書生之見，但同此主張者亦不乏人。在上述出席問題未能解決的一個大會期內，因爲時期迫促，無能爲力。但其後畢竟有一個機會，就是在三十三年九月召開的一次大會內，我於開會前一天寫信給主席團，請求轉請政府把和中共商談的經過和結果向大會報告，主席團和政府都接受了我的請求，擇定九月十五日在大會中，政府方面由張治中報告，中共方面由林祖涵報告。

黑十字

北晨

要回了黃洗手上的照片，白濟宏說：「白天我們辦點正經事，晚上再玩個痛快。」

黃洗問他什麼正經事？

白濟宏說：「一共有兩件，一件便是姨妹，原則上她已答應了，下午五點，我要她到這裏來看你。」

「第二件呢？」

當黃洗問第二件的時候，白濟宏從另一個口袋裏摸出兩張紙頭來，上面只有一行中國字，「香港××銀行」，還有一行之外的英文，黃洗全不認識了。

白濟宏告訴他，他太太在××銀行有一個保險箱，放着金鈔之外，還有一些珠寶，不幸將鑰匙落了，這一回來辦理掛失的手續，滿以爲簽好字，找好鋪保，便可以補領一個鑰匙，打開保險箱，裏面的金鈔便可以派用場了，誰知手續辦好之後，還要等一個時期。

黃洗已經明白他的用意，却問：「你不是帶得有三千美金嗎？」

白濟宏又摸出他的皮包來，皮包裏抽出那疊美鈔，一張張數了一陣，其實只是上面第一張是一百元的，下面夾着些散票，總共不到兩百元，說：「只剩一千零一點了。」

談到錢上，黃洗失去了一般北方人的豪爽，他追問：「爲什麼用的這麼快？」

白濟宏不理會他的問話，却在喃喃地計算需要的錢數目，說缺得並不多，再有一千五百元便差不多了。

黃洗覺得已無法再推託，他說：「如果貨到了，休說一千五，一萬五也不成問題。」

白濟宏的笑裏帶點諷刺，說：「我太太的保險箱如果打開，萬把元美鈔不成問題。」

黃洗說：「先借你一千元好不好？一共只有兩千多一點了。」

白濟宏只要一千元，其實接過黃洗的錢，隨手插在口袋裏，他想到倣雲那兒去，扮了一個鬼臉，問黃洗：「幹嗎不到朱璞房裏去坐坐？」

（二十二）

·中篇連載·

自由人
THE FREEMAN
（半週刊每星期三六出版）
（第一三五期）
每份港幣壹毫
督印人：李光罷
社址　香港高士打道六六號
電話：二〇八四八
GLOUCESTER RD.
HONGKONG
TEL: 20848
承印者：東南印務出版社
地址：高士打道六四號
台灣總辦事處　台北市館前街五十號
台灣總經銷處　台北市中華路一段二五九號

中共改造現有政黨的我見
從貝萬最近的言論談起

·左舜生·

最近英國工黨的左派領袖貝萬，忽然發出一種異常怪誕的言論，他簡直主張承認中國大陸的現狀爲一種既成事實，並進一步主張解散國軍，把台灣交給中共，以換取他心目中所期待的所謂世界和平。我們在最近半年間默察世界各方討論遠東局勢的言論，似乎沒有比貝萬這一次所發表來得更爲離奇的。蘇聯及其若干傀儡國家已把整個世界擾亂到了如今天的這樣一種景象，居然在一個世界主要民主國家的政黨中擁有相當聲望的領導人物，乃發出這樣一種洩氣的言論，實在是不能不令人感慨萬端。

可是，我們依然要冷靜我們的頭腦，面對當前殘酷的現實，即對於貝萬這類的言論，也不必表示過分的驚詫。自從中共盤踞中國大陸以來，儘管她在三年中演出了無數殺人如麻暗無天日的事實，儘管她奉着主子的命令，早已揭開了世界大戰的序幕；可是若干的大國，卻早已和她發生了正式的外交關係，所謂承認中國大陸的既成事實，在這些已經承認中共的國家看來，顯然已經不是一種言論，而是一種行爲，我們對於這類的行爲，尚且不願表示我們的驚異；對於貝萬這類的言論，乃反而表示不安，豈非多餘？

但是，話雖如此，我總覺得求其在我的工夫，畢竟是不可少的。我在本刊的『一二九』與『一三〇』兩期，曾發表了一篇『中國未來的政黨』，我最積極提出我的主張，認爲中國現存的政黨，必須有一度澈底的改造，所謂改造也者，不只是若干人事的異動與若干組織方面的變更，乃是主張在組黨的觀念上，要加以根本的糾正。我今天把我前次這篇文字檢出再看了一遍，覺得我所要說的話雖大體都已說到，可是『語焉不詳，標榜不標榜』，在一個不明瞭我寫這篇文字動機的人，或仍不免要發生若干誤會；因此，我願意在這裏加以申述。

我認爲我們必得承認，我們之被迫而離開大陸，不能不說是一種失敗。在表面上看，好像只是中共在軍事上佔了上風，但實際上失敗的癥結，乃在政治。追溯政治失敗的責任，我決不願把這種責任歸到某一個黨，或某一個人，我覺得凡在過去十餘年間，在事實上曾參加了政治的黨或個人，都應該分負責任的一部分。即以小區區而論，我確曾周旋於國共之間者，經歷十年之久；對於斷然召集與中共一刀兩斷的國民大會，我也確曾加上了一把火；同時我參加到當時的實際政治裏面去也爲時將及兩年；說到應負責任，我首先便不願束身於責任以外。

我現在處在一個比較超然的環境，獨居深念，焦心於國家的前途，警惕於世界可能發生的劇變，我覺得我有針對現實的主張，即令我的主張未必一定就妥善，假定我隱忍不言，不盡情的說出，以供大家的參考，則我的負咎必將更大。

我認定中國必須澈底實行民主，始足以適合於今後中國的需要，始足以維繫大陸內外的人心，也始足以吸取國際更多的同情與重視。可是要我把這個希望寄托於現存的政黨，我總覺得條件不夠。甚至我曾經有過這樣的疑問：

我們今天能不能把國青民三黨，加上一切有志於政治而原來不在三黨以內的人士，使之糅成一團，由各方推出負責的代表，針對中國當前的現實，就一切重要問題，來作一次澈底的檢討，然後去異留同，截長補短，形成兩個像樣子的大黨，使一黨以執政黨的姿態，堂堂正正的在朝，另一黨則以反對黨的姿態，堂堂正正的在野，在反共的一個基本態度上，只能相成而不能相反，在其他的一切主張，則不妨各立壁壘，各抒所見，而一聽國民的抉擇？

然而要實現我這樣一個理想，對於已經組黨的觀念，便非澈底加以改造不可。關於這一層，我希望熱心的讀者，仍取我那篇『中國未來的政黨』參看，我要說的話，已都在那篇文字裏提到了，我現在只把我主要的意思，歸納於下面的幾點：

（一）黨必須是一種政治主張的結合。凡沒有政治意見的人，根本即不必加入任何政黨。

（二）黨與黨員的關係，必須是民主的，而不是盲從的；黨不過分的束縛黨員，黨員亦不過分的倚賴黨。

（三）凡黨的主張，必須經過民主的方式，經多數黨員或其代表的同意，始有共同遵守的義務。

（四）凡未經過民主方式而形成黨的主張的任何問題，黨員均可各抒所見，不惟可對黨表示，也可公開對社會表示。

（五）凡不同意黨的主張的黨員，有退黨的自由。

（六）黨員養黨，黨不養黨員，國庫不能養黨。

（七）黨有聽取社會任何批評或指謫的義務，而不能加以妨礙。

（八）一黨執政，並不包含不許其他黨祇參加中央或地方政治或其他社會事業的意義，一切須遵守普通民主國家的常軌，起碼必做到上舉的各點，我們的黨才可以與共產黨迴然不同，我們反共也才有意義。

自由中國的開明風氣
「好的開端是成功的一半」

·樓桐孫·

兩個多月以前，在自由中國台灣，發生一件幾家合作社同時倒閉的風潮。這幾家合作社因存戶多，虧款鉅，（其中有很多的小額存戶，全是貧苦無告的平民。）而且自「頂替」開辦以至「週轉不靈」，三四年之間，所有人事的配備，（由若干親密關係的人，相互的兼任各社理監事和經理）業務的經營，高利存放，僞造簿據等等），似乎全是一套有計劃的騙局，所以立刻引起軒然大波，嚴嚴乎成了一個嚴重的社會問題和民主政治責任及主管政府能力的測驗。筆者早就認爲「觀微知著，茲事體實不小」，在四月下旬各期本報有所論列，「切望負責當局與社會輿論嚴密注意」。

時逾兩月，讀到六月八日工商日報一篇以「台灣進步了多少？」爲題的社論，強調社會輿論與政治進步的重大關係，「認定軍事和經濟的進步，都是枝節的，祇有政治的進步，才是根本的。而要政治有眞正的進步，一種開明風氣的養成，更是千萬不可少的！」該報所持論點，是否「言之有物」？是否完全正確？所指輿論，筆者自然毫無所知，亦不必妄加臆測，但單就合作社違法倒閉一事而言，台灣第一大報，竟未曾有過嚴正表示，讓「工商日報社論」所言：「我們知道，與國民黨有關的刊物，其必須服從該黨宣傳機構的指導，是可以理解的……」等語，也許因爲我是相信合作主義（Co-op'eratisme）的一人，心裏竟忐忑不安，爲自由中國輿論界的信譽，勾引起某種心事。

當然，我並沒有言責。我所担憂的是一種「隔壁心事」。但還有我一點憂黨忠國的情愫和對於幾家合作社違法舞弊的憎惡，內心的困擾，幾乎使得我當夜通宵不能入睡……那知正值工商日報記者在徘徊瞻顧，婉轉陳詞的同一夜裏，同一時間，（六月七日深夜）自由中國「黨宣傳機構指導」下的中央日報諸位編輯先生，埋頭於堆滿各種眞實資料的小書桌上，奮筆疾書，寫成了一整版（第三版）的完全報導，並在第一版特闢眼小欄「花邊」，一欄標出「『合作社案』一幕揭開」，一欄是「不容忽視之事」的短評。因爲八日那天是星期，筆者於旁晚歸寓，照例首先於讀了港報之後，懶洋洋的拿起中央日報一看，竟有這樣一種意想不到的收穫，使我顯已頗感疲乏的身心，登時神情爲之一振，覺得天下事眞有如此的巧妙：台港兩地的忠直報人，「人同此心，心同此理」，於同一日期的報面上，一問一解，好像是「晤言於一室之內」，共同爲了效忠於輿論的神聖任務而努力；豈不快哉！豈不快哉！

我這「快感」，既非「口舌之快」——因爲我本無言責，亦非「意氣之快」——因爲我與那幾家倒閉的合作社，「素昧生平」，絲毫沒有利害關係；我所深深感到痛快，爲黨，爲社會，爲國家，都值得大書特書的，是自由中國第一大報這種勇敢澈底的做法，正是工商日報所認爲「千萬不可少的」，一種開明風氣的養成，實在一定有助於「根本的」，「政治的進步」！

這是自由中國的一種新氣象！「好的開端，是成功的一半。」甚於自由中國海內外輿論界共同具有這種深刻的認識和優良的作風，我們相信自由中國的政治和社會，都必能百尺竿頭，蒸蒸日上，從而推衍至於經濟和軍事，更必將擘畫周詳，突飛猛進，以終於及時反攻，完成光復大陸，爭取獨立自由的歷史任務，豈不盛哉！

關於社會輿論對於國家政治是何等重要的道理，我國自「禹拜昌言」，歷代聖君賢相，無不深切注意，史例綦繁，不必多所徵引。筆者於此，只想借用明朝王濟之所著觀政篇裏的一段話，以作爲這篇「小題大做」的短文的結論：「易之泰曰，上下交而其志同。其否曰，上下不交而天下無邦。蓋上之情達於下，下之情達於上，上下一體，所以爲泰。下之情壅閼而不得上聞，上下間隔，雖有國而無國矣。所以爲否也。交則泰，不交則否，自古皆然。而不交之弊，未有如近代之甚者！」依毛文恪的觀察，當時一班有官職有言責的人，像御史，鴻臚等，大都「謝怨先辭，惴惴而退，……下何嘗進一言哉？」今天自由中國，已不再會有這樣不良的情形。

這眞是一種可喜的新氣象！竊願海內外輿論界以筆端幫助政府的劍端，除莠培良，充實全面的實力，以完成反共抗俄，光復河山的偉業！（四十一年六月十日於台北古亭）

由蘇聯擊落瑞機
想到前年美機被擊
機上人員十名曾全部罹難

美國對蘇聯，未採取任何報復措施，因此蘇聯相信這不會引起任何嚴重問題，襲擊事件，至現在乃愈來愈多

一架瑞典沒有武裝的軍用飛機，在蘇聯領水以外，波羅的海上空，被兩架蘇聯戰鬥機，用機關槍掃射，瑞機引擎中起火。但機上人員，居然毫無傷亡，被一隻德國船救起，這眞是絕大奇蹟。比起一九五〇年四月八日，美國一架海軍機，在大略相同地區，被蘇機擊落，機上十名空軍人員，全體罹難，幸與不幸，可謂相差太遠。

最近一兩月間，蘇機威脅西方國家飛機的事件，不斷演出，如柏林走廊法國民航機，及奧國上空美大使座機，就都遭蘇機追擊過，不過幸而也還沒有傷亡。假使那一類似的舉動，發生在十九世紀或二十世紀初期，那麼我們可以料到，每一舉動都有爆發戰爭的可能。但在今天，蘇聯是已有把握，儘管再兇橫一點，也不會引起西方國家對蘇作戰的決心。因此，儘管這類事件，大勢所趨今後或更將大量增加。

蘇聯之所以敢於這樣射擊無武裝的西方飛機，並相信這些國家不會因此而以爆發大戰爲答覆，她的信念，即是從上述一九五〇年四月八日那一次事件，確切獲得。在那一次事件中，美機被擊，喪失了十名寶貴的美國軍人生命，而美國除提出兩次抗議以外，對蘇即再未作其他任何報復。美國國會，曾對這十名死難者，頒發過身後空軍獎章，但蘇聯也就對那四名射落美機的空軍人員，給以優獎。蘇聯這樣鼓勵其空軍大膽橫行，那麼，今後整個世界的天空，究有什麼地方會算安全呢！（一丁）

半週展望
·雷嘯岑·

亞力山大的談話

在韓境視察戰地情形的英國國防大臣亞力山大元帥，對新聞記者發表兩點意見：英國不擬派員參預板門店和談，英國亦絕對贊同志願遣俘的主張。

這話一出，首先感到失望的悲哀者，當然是俄共集團。中共早已發出希望英國參加和談的聲明，史太林更要藉此以分化英美。然亞力山大却明白的給他們一瓢冷水，醍醐灌頂，涼澈心脾，正是使他們「頭不熱」的應時良方，此之謂能識大體，也是冷戰的最高戰術。

亞氏這一表示，可以澄清自由世界的若干沉悶空氣。將他的談話跟近日工黨貝凡的演說一比較，好像在戲台上扮着兩種角色的台詞，一個是莊重動聽的文武老生，一個是插科打諢的小花臉！

延長總統特權十五天

杜魯門總統以國會所授給他的特別權力——即憲法規定以外的臨時行政特權，其行使期限快滿了，而世界的緊張形勢並未鬆弛，乃咨請國會准予繼續行使。國會議員認爲茲事體大，不能隨便通過，只先准許他延長十五天的行使時間，以待國會詳細討論，作最後的決定。

兩個禮拜之內，未見得美國就有甚麼特殊事件發生需要總統作非常的處置？即令變色會促，未見得總統即不能自由應付。然而，國會必須如此認眞，總統也必須如此慎重，這就是民主憲政，就是法治精神！

民主政治的眞諦，即爲守法。全國人士自元首以至於庶民，大家把白紙黑字所記錄的法律，看成神聖的有機體，誰也不敢侵犯它，損害它，自然就形成了憲政國家。像李承晚先生因爲怕議員們不選他作總統，便以解散國會來脅迫議員修改憲法，那是大韓民國的民主政治，非民主世界之所謂民主政治也！

在歐美國家中，民主憲政的言行，大家習慣成自然，有如家常便飯，毫不稀奇。今日若有人在英美社會而發出要求民主生活的話來，一定要被人認爲是神經病者。只有東方人，隨時隨地聽到爭民主憲政之聲，甚囂塵上。還這一點，即難怪別人給我們以「落後地區」的雅號了。如要去此雅號，乃可大家守法，徒爭理論，費話而已！

邱翁退休？

近日紛傳邱吉爾先生退休之說，他的夫人亦對新聞記者透露，艾登外相將繼承首相之位的消息。據說邱翁決定於英王加冕後，即行退休，大概這消息決非虛傳的。

八十歲的老人，飽經憂患，勳業彪炳，及時退休，固無所謂。惟保守黨正在當政之中，而世界局勢又隨時有突變的可能，若比一般不健全的政黨處此時會，他不捨老命而告退，一定會影響這個黨的前途和現有政權。但，邱翁早已有了安排，他在十年前二次大戰開始時，就培植那位年富力強的艾登，慢慢地形成繼承人的地位。到現在，艾登無論是在國內和國際上，都已負有相當的聲望，邱翁把黨的領導權交給他，適材適任，了無缺憾了。這比較杜魯門先生一聲宣佈不再競選，而民主黨內即現抓扯的情形，健全多矣！

因此，我們認爲一個政黨的領導人，在他尚未衰老之時，就得鑑定賢才，妥加培養，以爲將來的繼承人物，纔是大政治家的抱負。在民主政治社會中，政黨領導人的關係，十倍於政治首領。杜魯門先生說：在民主國家中，沒有某事非某人不可的話。這只是對一般政治生活而言，自有道理，對政黨就生問題。今天英國的保守黨，如果邱翁退休，即非艾登不可。否則內部馬上發生質變和量變的現象，間接即影響於社會大衆的團結，因而危及黨的生存前途。不能先行健全政黨的本身，即無法運用民主憲政，但運政治力量來支配政黨的發展，那是不切實際的，末顧在生時，歷次用政治力量想製造一個在野黨，以爲憲政基礎，即始終歸不成功。邱翁對於保守黨的佈置章法，很值得玩政治的人參考參考。

英國由於貝萬一派的威脅 外交政策又臨新考驗

保守黨內閣因在內政上沒有好的成就，因此，外交政策能否堅持貫澈頗成疑問

・李秋生・

前些時英國的市縣議員選舉，結果一般都是工黨佔了優勢。於是工黨又恢復了活力，逐漸從大選敗績與內部分裂的逆境中，進而作將來捲土重來的圖謀。另一方面，執政歷時半載的保守黨政權，在國際危機與經濟困窘雙方都未能多所展布，雖暫時尚不慮因人心失望而遭推翻，在施政上卻不能不更加愼重，且隨時要顧到反對派的政見，像最近派國防大臣亞歷山大伯爵東來觀察，就是一個明顯的例。從整個國際大局動向的觀點看來，這是頗堪注意的現象。

保守黨政權現下所遭遇的最大困難，本不在外交而在內政。在外交方面，邱翁與艾登的老謀深算，與成熟的技巧，不只萬非莫理遜貝萬之徒所能企及，即艾德禮和已故的貝文亦遠爲遜色。這半年中，像對美關係之加強，對德契約協定的簽訂，對西歐防衛計畫的支持，都有良好成就，其在國際組織間的威望，也已稍見恢復，至少澄清了因莫理遜的輕率無經驗而造成的輕視英國外交心理。但在內政和經濟方面，則諸如加緊節約，取消免費醫療，都造成了保守黨不孚人望的印象。雖即使工黨執政至今，其在經濟方面的措施也會與保守黨不甚相遠，有如去年貝萬之脫離艾德禮內閣，就正是由於反對假髮義齒收費政策憤而辭職的。但是人類天性永遠是不滿現實而幻想未來，這樣就造成了保守黨勢力的漸次失墜與工黨的再度抬頭。

英國任何一個政治家都是應付政爭的斷輪老手，工黨人物多出身群衆運動，當然也深得此道三昧。他們決不想在現時重掌政權，因爲任何一黨如在目前上台，都不免爲了國家經濟瀕於破產而背起十字架，何況一時也還沒有獲得絕對多數選票的把握。以僅少的多數而柄政，朝野兩黨勢均力敵，吃虧自然在當權的一方。工黨在去年大選以前已嘗夠此種況味，目前無寧還是讓保守黨「勉爲其難」。

但是，奪取政權雖不欲實現，威脅政府施策則有餘，目前工黨顯然在挾此以自重，而同時則竭力在選民中培植其實力。迎合人民心理以媚衆取寵，是任何一個競選者所不能免，現在工黨便正在這種地方大施身手。而且還不僅以保健方案國有政策一類的宣傳號召爲滿足，更進而在其所最不嫻熟的外交方面制定政策，廣事宣傳。事之可慮正在於此。

工黨秉政六年，在應付外交方面，平心而論，大體還算平穩；只有搶先承認中共一事，判斷錯誤，輕率從事，成爲日後許多麻煩的根源。而在貝萬等左翼一派，則是非混淆，本末倒置，他們反對美英間的協調與積極從事整軍，而對於蘇俄及其附庸，則綏撫唯恐不及，他們苛責美國，反對韓戰，而一味示惠中共，好像只要中共能進入聯合國，取得台灣，而使蘇俄得到其所需求的物資（括有石油在內），則天下即可太平無事。因爲在他們看來，冷戰熱戰都只是美國財閥和將軍們搞出來的。而與蘇俄無涉。儘管貝萬也曾主張過強硬對俄，例如當柏林遭受封鎖之際，他曾經主張西方應以武裝列車去硬衝，如遭阻攔，即逕行開槍射擊；但是他的根本外交主張，在客觀上直無異於克里姆林宮的代言人。

然而，這也正爲貝萬媚衆取寵的妙術。他深深瞭解一般中下層的英人都是生活困苦，害怕戰爭，因而凡是可以使英人的經濟枷鎖稍爲減輕，而使戰爭危機稍獲延緩者，便不暇細辯，其是否同於飲鴆止渴，而亟謀一試。本來英國人的政治水準相當成熟，其唯一缺憾是太側重現實主義。張伯倫從慕尼黑返還倫敦時曾博得盛大的歡呼，同樣貝萬的主張也爲許多工人大衆所擁護。更何況貝萬標榜是一個澈底的社會主義者，保健方案的立法人。儘管現下的醫療收費只是一先令之微，卻已造成人民對保守黨的怨望與對工黨左翼的擁護。以此之故，儘管貝萬派在議會中，只佔工黨議員二百九十四名中的五十七名，卻漸漸走而要奪艾德禮的正統派之席。甚至今春，後者以貝氏公然反抗工黨政策而建議將其逐出黨的組織，在黨的高級幹部會中，竟以一七二票對六二票而遭受慘敗。

莫理遜雖與艾德禮同爲工黨正統派的主腦，他卻一向依違於艾貝二氏之間，在他代替貝文担任外相的八個月中，已可明顯看出他遠不如其前任那樣堅定不拔，儘管在表面上是蕭規曹隨，在骨子裏卻更傾向於貝萬的見解。最近幾天中，莫貝二氏都在發表對外政策意見，縱然莫理遜的主張還不如貝氏那樣露骨，卻顯然在替後者張目。特別是在有關遠東和中國的問題方面。而最近工黨於本月十二日發佈的外交政策宣言，也顯然是想調和於正統派與左翼之間。

在應付國內經濟問題時，也許工黨確有其獨到之處，像已故的柯爾和克里浦斯，都是特出的人材，而在應付國際大局，則不可諱言其十分拙劣而幼稚。據說，當莫理遜担任外相期間，他自己本已缺少外交素養，又不肯悉心閱讀有關文件與報告，因而時常鬧出笑話。至於貝萬，頗具有冒險家與煽動者的天才，卻絕對缺少大政治家所要具備的條件。他現在是要用牛油換大砲的老調來攻擊西方國家整軍，可憐西方國家現下所造出的大砲，不只比蘇聯要少，即言防衛國土，也還嫌不足。如此而竟要求延緩整軍，以便加速實行社會主義化，簡直是以國家安全爲孤注，以博取其個人的政治資本。至於他對中共的論調，更完全昧於事實，不值一駁。他痛斥美國財閥和將軍們，殊不知後者關於遠東問題的認識和見解，卻遠比他深刻精闢。就連已往和他見解彷彿的印度當局，其對於中共的憧憬，最近也已感到一種幻滅的悲哀。

事實儘管如此，貝萬的主張卻逐漸反映於工黨的政策，工黨又轉而以此威脅保守黨內閣。邱翁因爲在內政問題上沒有重大成就，因而在外交政策方面對工黨也難予一味峻拒。儘管我們相信民主世界的一切安排，到底不會爲貝萬一派的淺薄現實主義所左右，卻無可諱言，英國的外交政策現在又臨到新的考驗。

歡迎僑資反應良好 若干港廠獲准移台

香港三日

香港工廠遷台，及留港資金移台，過去以台灣方面，有種種法律上限制，及事實上困難，凡港商申請，能順利核准者頗不多見。近由行政院院長陳誠，高唱台灣工業化，主張將各種限制，儘量放寬，台灣省主席吳國楨，則不但歡迎港澳及歐美華僑，回國投資，且力主將限制外國資本之有關法令，亦酌予修正，以便利用外國資本，開發台灣資源。特別關於煤，鋁，水泥等戰略性物資之開發，過去規定不許外國投資者。當局政策，既有此重大變化，最近香港方面，乃獲得良好反應。一月以來，向台灣申請遷廠設廠的已有三十餘家，資金約達港幣二千萬元。其已由台省首先核准的，計有大華五金廠，營業計劃，第一步，先在台製造腳踏車鏈條，資本美金四萬五千元，以二萬五千元向日本訂購機器設備，業由台灣銀行准予結滙。及三星織業廠，營業計劃，爲專製軍用各種帆布布袋，及救火用帆布水管等。其餘各家，正在審核中，最大多數，均可望迅速獲得許可。又工商業領袖申請入台者，最近一月，亦爲數特多，每次太古，怡和赴台班輪，均有此等人士不少。一般觀察，今後港台兩地之工商業關係，當惟有日臻密切。

吳國楨女公子結婚 感謝兩位外國朋友

台省府主席吳國楨女公子修蓉，本月十四日在美國芝加哥與俞益元結婚。此間吳之友好，多分電台、美致賀。吳女士現年二十歲，在美西北大學文學院攻讀，俞年二十九歲，浙江紹興人，在西北大學電氣工程畢業，現任聖路易城華盛頓大學助教。聞結婚禮堂，設在芝加哥論壇報主人麥考密別墅，駐芝加哥英國總領事賈奇担任伴郎。俞於婚禮進行中致詞，宣布渠爲感謝這兩位外國朋友起見，特將這兩位外國朋友的名字，連綴起來，作爲他自己以後的外國名字，以資紀念。

菲外長易禮瑟返菲 鄧普來夫人昨來港

菲列賓外長易禮瑟，十四日由菲來港，寓其友人大東電報公司總經理古德家中，據易告人，此來純爲個人私事，並無公務。預定今明日即離港返菲。

負責勦共，現任馬來亞高級專員鄧普來將軍之夫人，於昨晨自新加坡乘船來港，由其長女公子及副官一人同行，下輪後即由港督夫婦招待，下榻港督官邸。鄧普來將軍同日離新，赴英倫述職，夫人則藉此機會來港遊覽，預計在港將有一星期勾留。

明日由美到港之威爾遜總統輪，將有聯合國兩華籍職員，及兩華僑巨商，附輪抵埠。聯合國職員，係例假休息，計爲宋理全及潘嘉陵（譯音）均攜有眷屬，至僑商，則爲盧學，林一廷（譯音）。（必眞）

「人間天堂」仍是「金錢第一」 窮孩子徐德雄之死

徐德雄是被中共誇贊的少年兒童隊優秀隊員，母親是一個打石挑沙的窮苦工人，得了腹膜炎，沒有錢，醫院不肯診，一再刁難，終被延誤了性命！

・大哀・

照中共五顏六色，天花亂墜的宣傳，在今天的大陸上，他們說：已經沒有極貧極富的區別，人人有飯吃，有工做，沒有失業，也就沒有乞丐。生了病，進公立醫院免費醫治，這樣一個「人間天堂」，怪不得騙了無數海外青年，中風着魔，要跑入這個天堂，享享資本世界所不能享到的人類幸福。我們對於這種欺騙宣傳，早已根據許多大陸血淋淋的事實，痛予揭穿。現在，我們又從六月十日漢口長江日報，得到一篇最足以粉碎共黨謊騙宣傳的正確資料，亟爲刊出，讓全世界人們，特別我們港澳的海外同胞，看看共產黨統治下，窮人是如何活不了，中共的所謂「政府」醫院，如何玩忽勞動兒女的生命，他們如何向勞動人民，逼索金錢。一個被中共平時作爲工具的少年兒童隊而且被認爲優秀隊員的徐德雄，只因家庭太窮，母親是一個打石挑沙的工人，他得了腹膜炎，但無法繳納診費，就被中共強調免費的公立醫院——柳州專區公立人民醫院——一再刁難延誤，送了性命。徐德雄係廣西柳州市第六小學學生。下面這封信，就是徐德雄死後，第六小學全體師生，向社會呼籲，控訴人民醫院用血淚寫成的一封公開信。原信由柳州市第六小學行政方面代表李鍼、馮初陽、廖鵬文，柳州市第六小學少年兒童隊大隊部輔導員代表梁瑞吉、劉允章，隊員代表張慶坤、何秀珍、黃玉瓊、葉克家等署名，全文如下：

除非銀行直接付款 醫院拒絕學校担保

中國少年兒童隊的優秀隊員，不幸他於今年五月十二日下午九時十五分因患腹膜炎在柳州市立人民醫院逝世了。我們認爲他的慘死，柳州專區人民醫院應負完全責任。因此提起控訴，要求人民政府給予這戲弄人命的犯罪者以嚴厲的處分，以平民憤。今將徐德雄同學遭受專區人民醫院拒絕治療，以至於死的經過情況，陳述於下：

徐德雄同學，是五月六日得病的，當時僅微感肚痛，因思家庭窮苦，母親打石挑沙，早出晚歸，忙於生活，誠恐母親着急，增加負担，有礙生活，因而忍痛不告訴母親；至十日晨因痛苦影響飲食，始爲母親重視。當晚徐母來校告老師，十一日下午三時左右徐母與劉允章老師一齊送往專區人民醫院治療。

當晚老師們建議徐母到街人民代表會及分所取得清貧證轉市府民政科呈請免費治療。次晨，十二日到了醫院見一位職員在座，劉老師首先對這位職員說：「病人是我們的學生，家裏很窮，病勢嚴重，請求醫院給予醫治。用多少錢由我們學校負責，行嗎？」這位職員傲慢的說：「一切費用由你們學校負責？並不是這麼簡單。必須銀行、學校、醫院三家訂立合同，用多少錢由醫院向銀行領取。今天是星期天，所有醫生都出去玩了。」說着就想抽起屁股走，但劉老師接着說：「辦理手續這麼麻煩，現在請求你們看一看到底是什麼病再說好嗎？」那位職員不耐煩而輕蔑的說：「看病不吃藥有什麼用？不如不看，況且病人是患肚痛，平常得很，要什麼緊，明天再來看吧！」徐母苦苦哀求，還是不遂。大家無可如何，只好含着失望的眼淚，把孩子揹回家。

媽媽：丟我在這裏 你回去吃飯休息吧

徐母照辦了手續，又在學校借了三萬元，請黃包車送徐德雄到河北大碼頭市人民醫院門診部去，當時門診部的護士說：診病時間已過，同時醫生全部派出工作去了，請你明天再來吧。徐母再三請求無效，當時傾盆大雨，徐母只得再奔市府民政科請求批示必須急診，後來市府照批了轉向門診部，徐母邊哀求邊遞上市府批示的字條，護士說：「病重也沒有辦法呀，醫生全都不在了。」徐母急得無法，只有把自己的兒子冒着雨揹回專區人民醫院，經過浮橋，徐德雄同學因爲轉來轉去感到更加痛苦，又覺母親辛苦不堪，悲苦的說：「媽媽！你丟我在這裏，你回去吃飯休息吧。」徐母低叫了一聲：「我的孩子……」母子淚如泉湧。

特別號四千元
兩萬元扎一針

到了專區人民醫院已是下午一時左右，徐母先說明，請求醫院，他的病勢嚴重，醫院先生無論如何要幫忙診斷的。一個醫師討厭的說：「爲什麼你早不來？」徐母說：「因我沒有錢，要到市府去辦免費手續，昨天我們已經來了，你們不看呢！求求你們做件好事吧！我們僅有這一個男孩子，在學校老師都非常愛護他的……。」邊哭訴邊請求，幾將雙膝跪下，那醫生才說：「好吧！掛特別號，四千元！」徐母把錢交了，那醫生接着說：「又說沒有錢，爲什麼現在又有四千元？」徐母說：「我是向學校老師借來的。」後來，該院某醫師探了一下病情之後，幾位醫師相對耳語，後來就將八粒藥片交給徐母，………不料回家吃了以後，病勢更加嚴重，徐母迫得再將孩子揹到醫院，某醫師看了一下，輕輕的說：「要打一針。」徐母問他：「要多少錢？」「兩萬元！」徐母說：「先生！我只有三千元，請你先打一針，錢我再慢慢補給你。」醫師說：「你是不懂醫院的手續問題，」徐母苦苦哀求，只得又跑到學校借錢交足，才勉強打了一針強心劑。此時已下午五點十分，徐母看到自己的孩子病勢如此，就請求留院醫治，醫師們早知道她家貧如洗，留醫院只會增加他們的麻煩，只好婉辭的說：「留醫院沒有這麼容易，是要錢的，你家窮，不如拿錢來打針！」徐母說：「先生！無論如何請求你們今晚留在這裏醫治，因爲他在吃藥後病情轉變加重，現在又叫我揹回去，萬一再變，那叫我如何呢？」徐母預料自己請求無效，就邊哀求邊叫小女徐雪英回校請求老師去幫助解決。

醫生出外士改了 要開刀也沒辦法

五時五十分，我校劉允章、梁瑞吉、馮初陽、譚立強老師先後到達醫院，準備交涉留醫事情，當時已有醫生四、五人集於病室，老師們開始詢問醫師，一位戴眼鏡的醫師有困難的說：「現在要開刀才有辦法，」梁、馮老師就說：「開刀吧！用多少錢，我們完全負責。」他指示如下：「一切病人不如此，你們拉西扯的，」梁瑞吉老師看見病人病變，眼淚流，請問醫師：「你那位軍事代表在那裏？」醫生說：「軍事代表不在。」「事急了，我們就和院長說吧？」醫院院長是怎樣處理的？

孩子：他氣憤的說：「這孩子很危急，除施行手術之外，再沒有第二條路可走的。」老師們異口同聲的說：「施行手術我們都照辦吧，要什麼手續？」請求院長越快越好，院長說：「動手術要幾個醫師，我們沒有那麼容易，我們各縣的醫師都去配合土改了，專區醫院沒有人，請你們快去把他送到市人民醫院吧！」看到他這樣野蠻無理，老師們只好忍氣吞聲，與孩子的病情求他寫下病情的借據，由譚、劉二老師自己抬着一架擔架，送市人民醫院，此時已是六點三十分。

轉送到市人民醫院 孩子已與世長辭了

七點二十分到達市人民醫院，醫生們馬上診斷，打強心劑、打鹽水針、服藥、馬上院長過來，八時許決定施行手術，囑咐老師需輸血三百CC始能動手，老師馬上打電話回校說明情況，全校老師及青年團小學二支部全體同志共三十多人，馬上動身，準備爲這個優秀的少年一代——人民的兒子進行輸血，搶救他寶貴的生命。不料九點十五分，老師及青年團員們將達到醫院，他就與世長辭了。

總結上面過程，我們認爲專區人民醫院的醫師們特別是院長，對於徐德雄同學的死，應負人道道德與法律的完全責任。

靠華僑幫助粵土改成績第一
華僑地主油水最肥
中共窮追再鬥收穫極豐

【本報綜合報道】據北平傳來消息，北平所發各省「土改」報告，對地主徹底鬥爭，直到現在，還絲毫不肯放鬆，且正在派出大批幹部，向各縣進行所謂「訴苦」，「挖根」，「打狗腿」，「報上當」等運動，成績最好，工作最積極，而戰果最豐的，詳細比較，目前要以廣東為第一。廣東之所以獲得如此「光榮」，唯一原因，是百餘年來無數粵籍僑胞在外辛苦經營的結果。

中國大陸各省的鄉村，最富庶的，首推廣東。因為廣東對外交通最早，無數同胞，出國謀生，他們省吃省用，將血汗的積蓄，寄回家鄉，購置田產。就這樣，造成了廣東鄉村的富庶。他們本是最純正的勞動階級，不料到了今天，這些辛勤的勞動者，無論他們是自己退休在家，或者血汗積成的產業，正由他們子孫，繼續經營，在中共統治之下，尤其在中共所謂「工人當家」的口號下，他們卻都已變成了「工人階級」的鬥爭對象。他們的頭銜變了，他們已不是工人，而是地主。儘管你從前購地的錢，並非做官貪污，或經商欺騙得來，只要你有「地」，就是地主，就是罪大惡極，必須將你鬥爭到家破人亡，絕種滅宗為止。正為了廣東的鄉村最富庶，中共就認定廣東地主，油水最肥，這些肥的油水，決非一榨二榨，就可了事，所以別的省區，「土改」都早告結束，在廣東，則中共鬥爭地主，越鬥越起勁，這是中共看中了廣東地主撈肥。北平對廣東土改成績，評列第一，華僑的血汗功勞，那是無可磨滅的。

目前還正在進行鬥爭最劇烈的地區，據最近由廣東各地逃來本港者所述，下列三縣，可為代表。

地主在廣東踏三輪車 押回清遠作二度鬥爭

清遠縣繼續鬥爭地主，本來認為已經過關，沒有問題的，現在又都在陸續捕回，酷刑拷打，要他們供出匿藏財物。如果說有，那麼，你第一次供了，第二次還要你供，如此永無休止，直到你確實無可再供時，始行鎗斃。如果你開始即供稱沒有，則你即要遭受種種酷刑，至皮枯血盡為止。第三區高橋鄉地主林英，原已改名換姓，去鄰縣四會一個小學校當工友，又第一區地主某，在清算鬥爭以後，去廣州做了三輪車工人，他們已自行轉業勞動改造，滿想絕無問題。但中共這一次卻仍將他們從四會，廣州抓回來，再度鬥爭，看情形，大概必死無疑。第六區上岳鄉地主朱德民，據中共說：「一九四九年起，他故意在鄉間開了一間小商店，專以借錢，除米，除油鹽的方式，作為拉攏農民的工具，結果，許多農民都上了當，上次土改，農民說他救窮助困，樂善好施，只將他的田沒收了事，並沒有徹底鬥爭。」這次，中共好容易才發動了一些農民，經過種種啓發，告訴他們：「朱德民確是地主惡霸，如果你們還說他是好人，那麼，你們就甘心做了他的狗腿，你們自己，就要一樣被打倒了。」自然，誰也不願嘗試共黨打「狗腿」的味道，於是在中共導演之下，鬥爭了朱德民。總計到本月五日止，清遠抓回再鬥的地主，已有二百多人。

博羅縣大捕漏網分子 是好人偏要將他鬥垮

博羅縣在這次窮追再鬥的大運動中，又有一百多名地主，在共幹辣手血腥的酷刑下，送了性命。雲溪鄉地主林兆富，上次鬥爭，農民都說他是好人，反對將他槍斃，只將他的產業沒收了事。共幹不服氣，這次再鬥，奉了命令，一定要將他鬥垮。他們罵農民覺悟不夠，階級劃不清楚，於是連哄帶嚇，硬逼農民說林兆富曾打死過某人的父親，強姦過某人的老婆，就這樣，再將林兆富抓回。這一類所謂「漏網份子」，為數很多。最近期間，就將要公審槍決。

× ×

誰說廣寧縣梁維馨好 這個人就有國特嫌疑

南方日報曾這樣登載：「工作隊到了廣寧江布村，隨便問那個人，都說梁維馨好。因為梁維馨關心每一個貧雇農，不要利息，更沒有斂到要還，經常主動去叫貧雇農借他的谷和錢，就上了他當的農民，有三十三戶，佔全村的一半。農民在他店裏買一斗米，給兩斗。村幹部辦的合作社，石灰窰，他都慷慨投資了一百五十股。甚至小學的小孩子也說『維馨伯』好，因為他捐了三百本圖書，十一面彩旗，最近還捐了全套腰鼓，和服裝。」梁維馨這樣受農民愛戴，中共看來，卻正是罪大惡極。於是乎把中共全套法寶，「訴苦」，「挖根」，「打狗腿」，「報上當」，一齊使出。在最近召開的鬥爭大會上，痛罵農民，太麻痺胡塗，沒有覺悟，把最壞的惡霸，當作好人，上次土改，竟輕予放過。中共指出：「梁維馨是『國特』，他曾幫助反革命份子梁啓金逃往香港，他在國民黨時代，捐識經費，辦自衛隊，如果你們誰說梁維馨好，那麼，你們是不是已經加入了梁維馨的『國特』組織呢？」「國特」這頂大帽子，誰敢頂在頭上，這比戴「狗腿」，還要罪加十等。中共幹部的嚇詐手法，果然立收奇效。大會進行中，即沒有一個人敢再說梁維馨好。一切都照着中共幹部的意旨，舉手通過。於是這小孩子口的「維馨伯」，就這樣宣佈槍斃了！

衡陽反共成績優異
偽區長王志遠被活埋
焚燒糧倉，襲擊警所，同時衡陽幫會為蕭伯豪復仇，擊殺了大小共幹二百七十四名

【本報衡陽特約通訊】衡陽各界人民反共抗俄聯盟會，自二月十一日正式成立，（編者按：成立消息，曾誌一一八期本刊）對於反暴鬥爭，已由準備階段走上實踐階段，據可靠方面傳出，他們正用滲透方法，在鄉村和城市祕密完成組織據點，在四五兩月之間，偽建設科長湯建仁被暗殺，黃茶鎮糧倉被燒毀，三塘「派出所」被襲擊，偽縣署第二區「區長」王志遠被活埋以及電桿時遭破壞，這都是他們的戰績。偽「警備司令」李中權為此特別召開一次會議，決議逮捕該會「首惡份子」，並提出警告說：「衡陽人民尤其是智識份子，具有一種頑固的思想與頑強的民族性格，這個都是國民黨的死硬派，最近各地所發生的不幸事件，乃為該反動組織準備與人民為敵的開端，我地方幹部，今後應隨時提防，隨時警惕，在執行政策的時候，絕對不能再有偏差和脫離群眾等現象。」中共對這一「反動組織」的成長，感到如何的惶恐，我們從這一段話裏，已經完全反映出來了。

抗戰末期，衡陽幫會，特別興盛。中共渡江以前，「地工」人員，用盡種種方法，向幫會聯絡，但幫會份子很少受騙，故衡陽易手後，中共對他們立施「鎮壓」，首先將組織活動較強的蕭伯豪，以「國特」名義逮捕槍決，因此激起所屬弟兄們的憤怒，誓個立下寧死也要替蕭報仇的決心，今年元月起到五月止，衡西梘山市、楓山嘴、演陂橋、庫中橋、西渡一帶，（蕭為衡西鐘武鄉人，居楓山嘴附近。）造成擊殺二百七十四名共幹，搶奪九十七枝長短槍和燒毀十八處糧倉的紀錄。都是他們的英勇表現。據說，他們和反共抗俄聯盟會，已取得聯繫，幫會本是富有潛力的民間組織，如果他們能合作，衡陽的反共武裝自然會不斷的成長和壯大。

鎮壓人心 妄傳攻台

人民反共怒潮，既如此日見洶湧，再加以國際形勢之益趨明朗，及美國官員不斷訪問台灣，中共怕人心動搖，揭竿而起。最近中共湖南省「黨委會」，特通令各縣展開了一次新的「時事學習」——「解放台灣」。它告訴人民說：「台灣是中國的領土，但美帝卻要侵略它，現在全國民主大眾，都自動發出怒吼，要驅逐美帝，解放台灣。」從五月一日開始，衡陽各種組織，為此開會忙，遊行忙，黑板報和壁報，遍貼街頭巷尾，藉以造成緊張空氣，鎮壓反共運動，但衡陽人民人人都認識，共軍攻台時機早已失去，判斷國軍反攻，應是為期不遠，因此，反共運動，只有更為蓬勃。

農民受審 公開罵共

縣屬第六區演陂鄉農民周開茂，因「破壞春耕」罪，遭偽「縣府」逮捕，四月二十二日在偽「法院」受審，他慷慨激昂的說：「當前年秋天的時候，共產黨以豐衣足食誘騙我們參加慘無人道的土改鬥爭，到去年雖然分得一點土地，但勤耕苦種得來的糧食，由於繁重的秋徵，根本沒法養活自己，今年二月開始，我鄉農民有分之八十改吃野草充飢，很多患上黃腫病。這樣誰有力去耕種，同時大家已經知道，今後生產出來的糧食，都是以保家衛國的名義，在抗美援朝下被徵光，誰又願去枉費氣力，這與其說是我的煽動，不如說是共產黨的逼成。」二十六日，長沙「新湖南報」以「批判農民周開茂的糊塗思想」為題，發表一篇又臭又長的「社論」，痛斥衡陽農民「階級覺悟不夠」「思想沒有搞通」。但自從周開茂這樣慷慨激昂在法院公開攻擊中共以後，各地怠耕罷耕，更見加多。現在周開茂已不知下落，據說業經中共祕密處死。（衡陽子奇，十一日寄自衡陽）

五反結束如何善後
中共向勞資雙方開刀
一面壓榨所謂資方再投資，一面逼迫自做老闆的工人，減薪增產

【本報上海特約通訊】上海五反運動，因商人血肉，都已被中共壓榨乾枯，此時已達到榨無可榨的境地，於是中共只好高呼勝利，鳴金收兵。但商人油盡燈滅，中共稅源，豈不又大成問題。因此，中共現在又弄出兩套把戲。

動員資本家老婆兒女 再逼丈夫和父親出錢

第一套，中共再號召所謂「資本家」，要他們舉行勞資協商會議，不但絕對不許在五反以後，關閉店廠，還要他們自己儘量籌集餘財，投進所營事業。一方面，也給所謂資本家一點希望，那就是命令工人，對於協商會議的結果，一定要誠意遵守，換一句話說，即不許工人再搗所謂資本家的亂。工人搗亂，原是奉行共黨命令，現在既不要他們再搗，而且眼看「資本家」已奄奄一息，如果再搗，工人所遭的，定將是關門失業，當然，他們也樂得休息一下。因此，許多店廠，就仍在這一勞資協商之下，維持門面。中共還又和五反時號召「資本家」老婆兒女，鬥爭「資本家」一樣，要他們再去發動自己的丈夫父親，拿出錢來，投資店廠。中共說：「這樣」工作，如果誰是「發動生產」，就是為國家建設服務，誰不這樣做，就是不愛護自己國家」，要受到婦女會，青年團的檢討。

提升店員工人做老闆 逼他們自己減薪增產

第二套，是那些因五反抵充贓款，被中共沒收的私人店廠，雖然中共澈底發了一大批橫財，但經營這樣成千累萬的店廠，問題並不那樣簡單，一方面需要巨額資本，一方面也需要大量工商管理人才，於是中共就藉口提拔新人才，將每一店廠在鬥爭資本家時期最出力的店員工人，提升為經理，廠長，要他們負責經營。中共表示，這是鼓勵人才，論功行賞，同時，並限令他們每月一定要賺回多少錢。這樣一來，店員和工人自己，在接受了「光榮頭銜」與光榮任務之後，第一步，就只有儘量先從店員工人本身減薪增產着手，因為除此以外，店廠始無法維持。中共不特搶了「資本家血本」，而且又可以從此飽吸店員工人的血汗，賺來錢，獻給中共。據說，這樣被提拔起來，做經理廠長的，已有一千多人。當然，在公營店廠內，也有若干被中共獎許的所謂積極分子，提升了，填補貪污份子被清算後所遺下來的地位。

中共就依靠這兩套把戲，在復興五反以後的上海工商業。他們總希望上海「工商業」，始終是他們的搖錢樹，取之不盡，用之不竭。假使上海的工商業，還能夠喘一口氣，又慢慢活下去，那麼，說不定，明年此時，又將有「六反」「八反」出現！

大吹集體焚燒賣身契 新賣身契更殘酷百倍

和以上兩套把戲同時，中共又玩了一套小花樣，想讓一些傻工人歡喜歡喜，那就是所謂集體焚燒保單。本來，過去一般工商業習慣，工人入廠，店員入店，為了保證品行優良，不盜竊公物，不拐款潛逃，照例要立一張保單。現在，中共限令所有店主，廠主，一律要將保單退回本人。每廠每店，將這些保單，集體銷毀。還鼓勵他們舉行一個銷毀保單，感謝中共替他們擺脫枷鎖的儀式。如解放日報載稱：「五和織造廠工人，在大會燒毀保單時，工人們大聲的說：『今天才真正解放了，我們的賣身契燒掉了，這是毛主席的恩情，沒有毛主席，那有今天。』工人們還建議，在燒保單的地方，種上一棵樹，留作永遠紀念。」其實，這些保單，自從共產黨來了，事實上就早已成為廢紙。因為今天無論那家店廠，共產黨才是店員工人的真正老闆。共產黨已通令每個店員，每個工人，通過青年團，工會的關係，簽立了無數枷鎖重重的新保單——新賣身契。什麼保證增產，保證機器不出毛病之類，這不比過去對店東廠主所立保單，更加嚴酷？當然，今天的工人，如果偷了一根螺絲釘，一塊鐵，那麼，不發現則已，如果發現，豈僅申斥，開革就可以了事？中共強調焚燒保單，是着工人掙脫枷鎖，這個小花樣只好騙騙傻子！

緊接着這一小花樣之後，我就馬上可以向讀者報告兩件共黨虐待男女工人的真實證據。

毛主席恩情第一鐵證 曠工一天就餓你兩天

第一件，是在中共統治下的一切工廠，工人如果曠工一天，就要被扣罰兩天工資，這是過去任何剝削資本家所不忍也不可能做的。但共黨卻公然訂為法令。中共報紙曾明白宣佈，華東工業部所訂「職工給假辦法」第四條規定，「工人或職工曠工，按加倍扣工資」，連續曠工三天，或全年積計超過十天的，廠方有權開除」。東北工業部所訂，「工人曠工一天，扣薪兩天」。因此，工人們都認為：「曠工一天，就要餓兩天肚皮，已經是太狠了，不料『人民政府』還不算，還要扣薪，要餓兩天肚皮。」工人於心不甘，寫信給報紙，請求解釋，但人民日報，工人日報，都一致指摘，工人曠工，是一種違犯勞動紀律的不好行為，應該懲罰，同時還需要進行教育。

毛主席恩情第二鐵證 女工請生產假即開除

第二件，說起來，情形更慘。人民銀行蘇南分行有一名女工，李淑華，專管打掃宿舍，在行工作已將近一年，因為產期將近，最近她請求該行人事科批准生產假期，不料人事科竟這樣告訴她：「女工，沒有什麼生產假期，你要生產，就回家好了。」李淑華接着就下了一個條子，即日起，停止工作，自即日回家。李淑華是一個鄉下人，家裏很窮，她毫無辦法，只好哭着寫了一封信給解放日報，她的親筆信，登在解放日報，但是直到現在，蘇南分行仍是置之不理。

解放日報宣稱共產黨是真正解放工人的，燒保單的時候，大呼毛主席恩情，沒有毛主席，那有今天，但是今天曠工一天，就要餓兩天，女工請生產假，就將她開除，這是毛主席的恩情嗎？今天有共產黨，這樣虐待工人，誰能忍心？豈不是傷天害理？（悠然，十二日寄自上海）

不勝屏營要命之至！

——敬向李承晚請求

為方

李承晚先生老當益壯，要聯任總統職位，但誰知那依憲法而產生總統的國民會議中，似乎沒有當選的把握了。如是乎，在大選期近的節夕，要求議會修改憲法，把總統選舉一事，改爲民選，此外別無可改之處。同時則頒佈戒嚴令，把反對派議員十餘名拘捕起來，說他們收受共黨賄賂，意圖顛覆政府。（幸而尙未指其爲共黨或準共黨）並且警告議員們，假若抗不奉命，「本大總統」就要依照「人民」的意思，解散國會！這一來，乃引起了國際間的非難，認爲李老總隨便破壞憲法，太不民主，使聯合國出兵爲保護韓人民主自由生活而戰的意義完全喪失了！

李老總一見情勢有些那個，眼看七月十五日大選之期又要降臨了，一不做，二不休，先來一大「各省代表團」請願解散國會的表演——這似乎是抄的我國北洋軍閥時代，各省督軍團請願解散國會的那篇舊文章——再將國內外一切於己不利的新聞消息一律封鎖取締，然後再正式行文國會，說是代表「人民」意志，非修改關於選舉總統那條憲法不可。文尾諄諄告誡：「汝等」若不照辦，我只有另外召集一個國會，簡易得很！

我不願評論李老總這套作法的是非，以免有妄干別國內政之嫌。但我以東方人的一份子，對於東方的政治人物，不管你是想做皇帝也罷，想搞法西斯或布爾希維克的專制獨裁政權也罷，我都不反對，只希望不要表演太低能太醜惡，致西方人看了，對我們更表現其優越感，鄙視東方人太不成材，實不勝其屏營要命之至！

自由談

生與死的搏鬥（下）

・王怡・

南韓的巨濟島上，成羣的俘虜由前線後送下來，一個荒涼的孤島，因此變得熱鬧了。

俘虜的生活，並非如李濟想像的那麼恐怖，相反地，他們還能享受在收容所周圍的鐵絲網內相當幅度的自由。他恰巧和啓樑編在同一個所裏，因之，他倆的感情也就較前更爲親密。

第二年，春天纔擠走冬天，夏天又在春天之後尾蹤而至。一個仲夏之夜，月色明朗，近處的海水如銀鱗，這個島沉寂如死，抱着鎗的哨兵，解開了他的衣襟，正在貪圖涼風的享受。

突然，他發現了營所一角有一團黑影在蠕動，立時端起了鎗，操着華語喊了一聲「口令！」

那黑影馬上高[illegible]來，月色之下，看得出是一個人的逃奔，「」以後，因爲黑影還跟着接連兩聲「站住」，是拔步如飛，槍聲響了，那影子也就倒了下去。

這一聲鎗響，使整個收容所騷亂了，繼着那哨兵跑過去的，是値夜的軍士和醫官們，將這受傷的人抬進了醫務所，馬上查明了他是一個俘虜，和關於他的一些資料。

爲了驚恐與流血過多，這俘虜曾一度昏迷，直到管理員和通譯來了，他才清醒過來。當通譯員看完那些資料與紀錄之後，他立刻奔赴那個俘虜的身旁。躺在手術檯上的啓樑，此時他也看清了站在自己旁邊的人，正是他的弟弟。

啓棟驚喜交集的叫了一聲「哥哥」，在場的人，都喫了一驚。

他正想爬起來，醫官却制止了他的過度興奮，吩咐通譯員靜靜地和他交談。兄弟倆的談話，自然成爲最正確的審訊紀錄了。

啓樑從三年前談起。從弟弟走了以後，不久母親便死了，他自己不但無法脫離鐵幕，且因爲曾經担任過公職的關係，被強迫地接受了一種「學習」，爲了生存，他「學習」了，甚至僞裝積極，取得了共產黨的信任。

韓戰爆發後，他又被迫參軍，此時，他忽然有了一個奇異的幻想，指望部隊到了前方的時候，能夠設法逃離火綫，再設法逃到香港去。直到被俘以後，他才知道這只是幻想。

「那末你爲什麼要從俘虜營逃跑呢？」弟弟問他。

他露出了身上覆有的傷痕，繼續解釋這個原因。

原來，他以爲戰爭結束之後，所有的俘虜經過交換，一律要遣回國內，故而有一段時間，曾經幾次冒險，企圖逃跑出去。數月之前，營內舉行了一次測驗，聽說俘虜們可以自定志願，這才安定了下來，正因爲這件事情，他的身體受了傷，那些俘虜中的死硬派，不時毆打他，使他近時的生活，變得苦如牛馬。

啓樑的這些話，有許多能夠從紀錄裏尋出證據，而且他的一身傷痕，可以解釋這次私逃的動機，因而，很快地被一些審訊他的人所原諒與同情了。

要緊的是新受的槍傷，好心的醫官作了一個建議，利用治療的機會，將啓樑與那羣凶暴的動物隔離，這樣，他便可以隨到長期的安定和休息。但驚愕過甚的啓樑仍存着疑慮。他問：

「打完仗之後，是不是要將我送回上海呢？」

管理員拍了拍他的肩膊，笑着安慰他說：

「戰爭總有一天要結束的，但是，我可以保證，每個愛好自由的人，決不會再將他們送回虎口。」

他安靜地睡下了，雖然他是一個俘虜，到底還能呼吸到一口自由的空氣。

雜談李白（八）

・舜生・

萬竹樓隨筆

「千秋萬歲名，寂寞身後事。」這是杜甫所寫「夢李白二首」第二首裏面的句子，這兩句詩作爲老杜的「夫子自道」自然也很恰切，但不幸李白的命運，却眞也和杜甫沒有什麼區別。

李白經過四十年漂泊流離的生活以後，於唐肅宗寶應元年（762）的十一月乙酉，死於安徽的當塗。李陽冰在「草堂集序」裏面說：

「……陽冰試絃歌於當塗，心非所好；公遐不棄我，乘扁舟而相顧；臨當挂冠，公又疾亟；草稿萬卷，手集未修，枕上授簡，俾予爲序。……」

據此，可見李白確是病死的，關於「捉月」墮江的一種說法，實爲無稽。但我們讀杜甫關於李白的詩，一則曰：「水深波浪闊，無使蛟龍得」；再則曰：「江湖多風波，舟楫恐失墜」；（以上見夢李白二首）三則曰：「應共冤魂語，投詩贈汨羅」；（天末懷李白）可能當時確有李白沉江的一種傳說，杜甫因懷念他這位老友，既已形諸文字，後人或即以此加以附會耳。

根據李白的好友魏顥在「李翰林集序」上所說，李白一共結過四次婚：第一位夫人姓許，即我前面已經提到的許圉師的孫女，生了一女一男，女的叫平陽，男的叫伯禽，又叫明月奴。次合於劉；劉離以後，又合於山東一婦人，生了一個兒子叫頗黎；終娶於宗，李白「竄夜郎留別宗十六璟」詩，所謂「令姊忝齊眉」者是也。（按魏序宗作宋，玆據王琦注）此外李白還有一個兒子叫天然，則不知爲誰氏所出。

「今夜鄜州月，閨中只獨看；遙憐小兒女，未解憶長安。

香霧雲鬟濕，清輝玉臂寒，何時倚虛幌，雙照淚痕乾！」

杜甫這首「月夜」，對他家人的懷念，可以說是一種至情的流露。李白的集子裏，也有若干首「別內」「寄內」的詩，可是我們看不出他對任何一位夫人，有怎樣了不起的一種情感，這大概是緣於李白對性生活的態度，根本便與杜甫不同。可是李白對於他的孩子們，却也是異常愛惜的。他有一首「寄東魯二稚子」的詩，是我所歡喜唸的，詩曰：

「樓東一株桃，枝葉拂青烟，此樹我所種，別來向三年，桃今與樓齊，我行尙未旋。嬌女字平陽，折花倚桃邊，折花不見我，淚下如流泉。小兒字伯禽，與姊亦齊肩，雙行桃樹下，撫背誰復憐！念此失次第，肝腸日憂煎，裂素寫遠意，因之汶陽川。」

他在「送楊燕之東魯」的詩裏說：

「二子魯門東，別來已經年，因君此中去，不覺淚如泉！」

又他在「送蕭三十一之魯中兼問稚子伯禽」的一首裏也說：

「我家寄在沙邱傍，三年不歸空斷腸，君行既識伯禽子，應駕小車騎白羊。」

我們讀了這些作品，還能說李白的情感果不及杜甫的濃厚嗎？

（一〇六）

・驢廬雜記・

關於李鴻章袁世凱

・伯雨・

某報五月廿七日出版的「人物」週刊第八十一期，有小卒先生「帝王的回憶」一文，讀之殊有趣。全文五六百字，出諸小卒先生之手，提到咸豐帝之處，寬稱之曰「上」，其趣在此。末段記孝欽后與德宗走西安，以李鴻章爲和議全權大臣云：「（鴻章）力請回鑾。乃行至中途，鴻章積勞病逝……慈禧北望，泣謂光緒曰鴻章死，我等將不能歸矣。鴻章遺摺力保袁世凱可負重任。清廷亦以世凱雖後輩，諸臣才略實無出其右者，因命之爲北洋大臣，接李後任繼續交涉。世凱力保外人無他，兩宮方始回鑾。……」

小卒先生這段話可信的程度眞有問題，若非杜撰就是隨便說說，一點都沒有根據。

后帝回鑾，於光緒廿七年九月二十七日行抵開封府屬的滎陽縣，未幾接得李鴻章是日逝世的電報。是日，孝欽后即下諭旨，以大學士王文韶繼鴻章任爲和議全權大臣。又諭，直隸總督兼北洋大臣着袁世凱署理，未到任以前，着周馥暫行護理。又諭，山東巡撫着張人駿調補。

這是九月廿七日鴻章死後大員調動的情形。十月初二日下午后帝行抵開封省城，初三日，召見從北京到河南接駕的慶親王奕劻，奕劻以鴻章遺摺遞上，全文云：

「奏爲臣病垂危，自知不起，口占遺疏，仰求聖鑒事。竊臣體氣素健，向能耐勞，服官四十餘年，未嘗因病請假。前在馬關受傷，流血過久，遂成眩暈。去夏冒暑北上，復患泄瀉，元氣大傷。入都後又以事機不順，朝夕焦思，往往徹夜不眠，胃納日減，觸發舊疾，時作時止。迭蒙聖慈垂詢，特賞假期，慰諭周詳，感激涕零。和約幸得竣事，俄約仍無定期，上貽宵旰之憂，是臣未終心事，每一念及，憂灼五中。本月十九夜，忽咯血碗餘，數日之間，遂至沈篤，羣醫東手，知難久延。謹口占遺疏，授臣子經述恭校寫成，固封以俟。伏念臣受知最早，每念時局艱危，不敢自稱衰病，惟冀稍延餘息，重覩中興，賚志以終，永難瞑目。現値京師初復，鑾輅未歸，和議新成，東事尚棘，根本至計，處處可虞。竊念多難興邦，殷憂啓聖，伏讀迭次諭旨，舉行新政，力圖自強，慶親王等皆臣久經共事之人，此次復同患難，定能一心協力，翼贊訏謨，臣在九原，庶無遺憾。至臣子孫，皆受國厚恩，惟有勗其守身讀書，勉圖報效。屬纊在卽，瞻望無時，長辭聖明，無任依戀之至。謹叩謝天恩，伏乞皇太后皇上聖鑒。謹奏。」

遺疏如此，並無保任何人繼任之語。小卒先生謂世凱接任後繼續交涉，力保外人無他，兩宮方始回鑾云云，那知和約大致已成，不過尙未簽署耳。

四月廿八日某報小說「西太后」也說：「袁世凱是李鴻章臨死的時候，遺囑舉薦繼任做直隸總督的。……」也是同樣錯誤。

近人頗喜談清代故事，但多出於臆測傳說，即通人也難免。鴻章遺摺保袁世凱一事，民國初年湯用彬的「新談往」曾記之，其後以訛傳訛，越說越離事實了。（「新談往」說辛丑和約之成，多賴賽金花在瓦德西床中「折衝尊俎」，尤爲無稽。）

中共問題（4）

「我的生活片段」之一　八年的參政（八）

王雲五

兩方報告後，我即發言，貢獻解決意見。玆就速記錄中把我的發言要點摘述如左：

「我請求政府和中共把商談的經過和結果向大會報告，具有兩個主要的動機。第一、本會以團結全國力量爲最大任務，對於任何阻礙團結的因素都不能不想辦法去消滅。第二、現在已經接近抗戰最緊張的關頭，當然需要集中全國力量，尤其是兵力，來抗戰。我們知道中共方面擁有相當的軍隊，同時政府在防護地區也保留有相當的部隊，假如國共問題能夠早日解決，這兩部分力量都可以用在抗戰和反攻上。……今天聽了兩方面的報告，歸納起來，雖然問題很不少，但最重要的問題不外兩點，一是政權公開，一是軍令統一。政權公開是中共所提，其實不但是中共所主張，國民黨和政府也一再宣布還政於民的決心。軍令統一是政府所提出，當然，這不但是政府的主張，也是全國人民的主張，就是中共也不能否認的；因爲中共四項諾言中的第四項也曾明白申言，十八集團軍願意在軍委會管轄之下，接受軍委會指揮。……今天還聽到林參政員口中懇切坦白地申言中共決心實踐四項諾言，是則軍令統一也不當有何問題。……現再引申說明一下：就政權公開來說，已經由國民黨，由政府，由領袖再三聲明在抗戰完結後，實行憲政。對於這點，我們很欽佩國民黨和政府大公無私的精神。不過問題在這裏，就在時間問題。大家都盼望它很快實現，本席當然也同樣盼其早日實現。但有一個事實問題，就是實行憲政必須宣布憲法，宣布憲法，須先召集國民大會。現在要召開國民大會當然有困難。但是我想所謂憲政有兩種，一是形式的，就是要召開國民大會，制定和頒布憲法，才能實現；又一是無形式的，不待頒布憲法，自然慢慢地走上憲政之路。後者現在也可以實行。政府能把訓政時期的約法切實執行，能擴大各級民意機構的職權，即使不具形式上的憲政，也可以走上眞正憲政的軌道，而我們的政權公開也就更進一步了。其次，就軍令統一來說，剛才說過中共也承認軍令總該統一，我祗希望中共能多作事實的表現。在雙方報告中有關於多少軍多少師的差別歧見，我想在軍令統一的大原則下，這似乎是不成問題的。現在反攻正要用兵的時候，雙方一兩師的差別，祗是枝節的問題，大問題在軍令統一的實現。假使軍令眞能統一，所有軍隊都是國家的軍隊，便沒有彼此之分，界綫之別……」（本節完）

黑十字

北晨

黃洗搖搖頭，白濟宏沒有理會他，伸出五個指頭，叮囑他五點鐘的約會，袋裏多了一千元美金他的腳步也輕鬆了。

這一千元轉眼便得用去一大半，百樂舞廳的賬，郝亦臣幾人又要錢，還有佩雲那兒沒有一千元港幣是沒有體面的。這樣一來，六七百美金便完了。而且，這幾處房間的花費呢。

這麼一想，他覺得事情已經急了，不管黃洗的貨色到不到，他得趕緊下手，好在一切進行順利，五點鐘是個重要關頭，如果這一關失敗，以後便只能靠朱瑛的表演了。

腕上的錶指着兩點，還有三小時的空閒，這段時間，應該屬於佩雲的了。佩雲年輕漂亮，懂得應付大場面，他是一個講究派頭的人，正需要這樣一個女人跟在旁邊，和小蔡小江乃至他的金殼烟盒一樣，有的是戲裏的配角，有的是戲裏的道具，缺少一件小道具，這戲也是演不好的。

如是，他將黃洗那裏騙來的錢，先在甜蜜的三小時中給了佩雲一千港幣。

藍英不會忘了五點鐘的約會，然而她並不想多事修飾，這是她的性格的一部份，一個有點是矜持的女人，她愛隱藏自己的優點，讓男子們多去摸索。因爲不是參加一個舞會，而且用不着服飾上爭妍鬥豔，她早已打好了主意，對於黃洗，決定應該和他保持一個距離。

怕在路上撞見洪正池和他的朋友，她有意坐了汽車，逕去雲山酒店。姐夫早已改了主意，三刻鐘之前來過電話，說他在雲山酒店等她，她雖然心上因此有點不快活，却也沒有辦法，只有獨個兒去了。

五點鐘已過十分，正是下午茶的好時光，下面的大廳裏沒有一張空檯子。藍英不願意撞見任何熟人，急忙跑進電梯，電梯剛要開動，一個中年男人叫住了司機的。

藍英操着廣東話，和那司機談話，她問：「六〇七號在那兒？」

「你是找白先生的嗎？跟着我走！」那中年人說的是北方話。藍英並不謝他，只是望了他一眼，她極力抑制鄙屑他的臉色，一個不大懂得禮貌的男人，對漂亮女子顯出猴急的男人。

（二十三）

・中篇連載・

自由人

THE FREEMAN

（半週刊每星期三六出版）

（第一三六期）

每份港幣壹毫

督印人：李光雄

社址

香港高士打道六六號

電話：二〇八四八

GLOUCESTER RD.
HONGKONG
TEL: 20848

承印者：東南印務出版社

地址：高士打道六四號

台灣總辦事處

台北市館前街五十號

台灣經銷處

台北市中華路一二五九號

由鋼鐵風潮的各方面表現看出美國民主精神

許孝炎

「美國人和全世界人，老早都知道美國強大，但他們或許不完全知道，美國強大的關鍵，在於他有一個權力有限度而且受節制的立憲政府。」

在美國最高法院一百六十三年的歷史上，只有三次判決總統逾越職權，違背憲法。一次是在一八六六年，即南北戰爭結束，總統林肯被刺後一年，最高法院判決林肯以軍法審判平民，爲逾越總統職權。六十九年之後，即一九三五年，羅斯福總統未得國會核准，即擅自解除聯邦貿易委員會某一官員的職務，亦由最高法院判決，逾越總統職權。最後一次，發生在三個禮拜以前，即本月二日，最高法院判決，杜魯門總統未得國會許可，接管全國鋼鐵工業，有違憲法規定，應即發還。

在這三次事件中，三個被裁判的都是美國歷史上有名望的國家元首，美國甚至對全世界人類有莫大貢獻的人，而在莊嚴法律的前面，他們——林肯總統判決時已去世——都能平心靜氣，心安理得的接受判決，這種守法奉公的精神，和雍容大雅的態度，充份表現了民主政治是人類理智和道德最高的發展。

誠然，這一次美國的鋼鐵風潮，因六十萬人的大罷工，減少了美國鋼鐵的生產，妨礙了美國動員的計劃，因而也削弱了全世界反共的實力。這是可惋惜的。但因爲這一件事的發展，爲民主政治樹立了一個好榜樣，其給予全世界，尤其是鐵幕以內人民的精神感召力，是無窮大的。精神上所得，把物質上的損失給完全塡補上了。爲了明瞭這一事件意義的深長，先把事件經過略加敘述。

由工潮發展爲政潮

美國的鋼鐵風潮，開始發生於去年十一月。最初只不過是一個普通的勞資糾紛，但逐步遞演，最後竟鬧成了總統的行爲是否違憲，總統的緊急措施是否應受憲法內限制等等重大的政治問題。而問題的最後解決，神祕無異把美國一部三權分立的憲法搬上舞台來，作一度實驗的演出，讓全世界的人們看看，究竟什麼是民主政治？民主與法治可貴的地方在那裏？在整個民主政治機構的運用中，政府，政黨，以及從政的黨員應該發生甚麼作用，取甚麼態度？都一樣一樣的搬上舞台來表演一番，無形中却發生了富有教育意義的示範作用。

事件發生在去年的下半年，當時有好幾個鋼鐵公司，因爲要簽定團體契約，與僱員在磋商條件時發生爭執，相持不下。到了去年十二月十八日，僱員代表——即美國產業工人聯合會所屬的美國鋼鐵工人聯合會——即發出通知，謂如在十二月三十一日舊契約滿期時，而新契約不能成立，鋼鐵工人即將開始罷工。

聯邦調解及仲裁委員會聽到要罷工的消息，即出面過問，希望奔走勞資之間，使事件能和平解決，但未得到結果。杜魯門總統聞訊，即於去年十二月二十二日將此案發交聯邦工資調整局，囑即從事調查，並提出建議，使此項糾紛能得到公平合理的解決。但工資調整局的努力亦歸失敗。

於是美國鋼鐵工人聯合會乃於本年四月四日再度通告定於四月九日上午十二時零一分開始全國總罷工。

杜魯門總統鑒於鋼鐵爲各種武器及其他戰略物資關係之重要，深恐罷工發生，將影響國防建設，並深信只有由國家接管各鋼鐵工廠，方足以保證鋼鐵生產不致中斷，乃於罷工即將開始前數小時，發佈執行命令，令商務部長即時接收並經營全國大多數鋼鐵廠。

根據總統的執行命令，商務部長蘇葉爾即發佈接管令，令各鋼鐵公司董事長，代表國家，充任各公司總經理，根據商務部所頒佈之條例及命令，執行業務。

杜魯門總統於發佈命令之次晨，即以咨文致國會，報告事件經過；十二日之後，又以第二次咨文致函國會。國會對於兩項咨文俱歸入紀錄，但未採取任何行動。

不採納政府辯護理由　地方法院頒佈禁制令

各鋼鐵公司接獲商務部命令，於抗議之後，表示服從，但同時即向地方法院提起控訴。控訴的理由認接管命令既未得國會的批准，亦無憲法上的依據，因此要求法院宣佈總統及商務部的命令無效，並頒佈預行及永久的禁制令，制止此項命令執行。

政府爲反對法院發佈預行禁制令，當即提出反駁，謂罷工發生，縱爲期甚短，將使鋼鐵生產中斷，國家福利及國防均將受其危害，總統有「固有的權力」以執行其所執行者——此項權力有憲法，歷史的先例，及法院的判例爲其依據。政府辯論稱，此項預行禁制令不能發佈，因各公司並未表示，對於政府此項措置，將來將得不到法律上適當的補救，或其損失將無法補償。

地方法院對於政府的辯護認爲理由並不充份，竟於四月三十日發佈預行禁制令，制止商務部長「繼續接管並佔有工廠，同時並制止商務部根據總統執行命令所賦予之權力採取行動」。

但在同日，高等法院制止地方法院執行預行禁制令，認爲這一個問題最好能由最高法院迅速裁決。最高法院於五月三日接受覆審，十二日開始辯論，六月二日予以判決。

最高法院裁定　總統命令違法

案子到了最高法院，問題是這樣：總統發佈命令，指揮商務部長接管並經營全國大多數鋼鐵廠，這樣的行動，是否在憲法所賦予他的職權範圍之內？

廠主方面的意見認爲總統的這一道命令，幾近於製定法律，憲法明白規定，立法權屬於國會，而不屬於總統。

政府方面的立場：這一道命令的發佈，是總統發覺了，爲使國家避免因鋼鐵生產停頓而遭受災害，實有採取此一行動之必要；總統爲應付此一嚴重的緊急事件，乃在憲法上所賦予美國行政首長及美國陸海空軍大元帥的各種權力的範圍之內採取行動。

最高法院便周在這兩造之間，判定一個是非曲直。美國最高法院是由九個大法官組織而成。經過一個月的調查，研究及辯論之後，大法官之間形成六比三的兩派意見。多數派包括大法官布拉克，福蘭克佛特，道格拉斯，傑克森，白爾頓，及克拉克六人，而以布拉克爲發言人；少數派包括首席大法官文森，及大法官李特，明頓二人，以文森爲發言人。

多數派的結論：一，杜魯門總統四月八日之接管全國鋼鐵工業，顯係違背憲法的舉動；二，所有接管各工廠，應即歸還各原主。且聽布拉克所宣讀的多數派的理由：

（下接第二版）

日政府的外交言論

·雷嘯岑·

日本外交當局，自岡崎勝男以次各重要幹部，近在議會發表外交政策的言論，說日本已與中華民國媾和，結束戰爭狀態，即是承認台灣中國政府的主權是及於大陸的，自不能再與中共政權論交云云，這是一種純法理的言談，也是一種有所爲而發的外交詞令。當中日議和時，日本代表對於「和約」兩字且想避免不用，而關於我國主權行使範圍之「及」（AND）與「或」（OR）亦斤斤計較，多所爭議。若說岡崎等大員在議會的「慷慨」陳詞，是不帶絲毫作用的完全正義感，吾斯之未能信！

再看前天吉田茂首相的聲明，他說日本目前決不能建軍，也決不派兵與別國作戰，即令日本受到外來侵略，亦不願單獨對外作戰，日本只是於必要時跟美國並肩作戰。把吉田首相和岡崎外交大臣先後連續發出的言論綜合觀察，即可理解他們立言的作用是共通一致的。換言之，一是安美國的心，一是消弭與共集團的疑忌，目的祗在嘗試其對中國大陸的貿易滋味。

日本經濟困難必須解決

地區褊小，人口繁殖，資源貧乏，生產力過剩的日本，經濟上如沒有出路，不特再軍備問題心餘力絀，其他一切復興事業幾乎亦無從着手。舊金山和約簽訂後，日本很想向南洋求出路，吉田茂在和會中演說，即表示此意，而指一般人主張與中國大陸通商之必要性，是誇大的說法，這意見原爲美國所支持。但英國不同意，最近工黨左翼的進步份子貝凡，且公然指日本與西德爲歐陸紡織工業的敵人。因此，他要求不批准對德和約，要求聯合國與中共修好，想替日本解決對中國大陸通商的障礙。這次緒方竹虎遍訪東南亞各國，據說對印度的經濟出路很少，最理想的市場是印尼，但印尼人仇怨日本的舊觀念猶濃，希望甚微，巴基斯坦的貿易過去雖不錯，現在逐漸下降了，因爲日貨在那兒沒法與美貨競爭。其他原屬英國市場的地區，日本人當然無從染指。這樣，日本的經濟前途又回到了中國大陸這一方向。可是，美國放心不下，提防日本因經濟關係而與俄共集團結下政治孽緣。所以，岡崎一流人便不能不以外相地位，表明日本政府決不與中共訂交的肯定主張，而只求作純商業性的中日貿易。我們應知道，現在大陸搞中日貿易的帆足計，高良富子等人，日本政府如果眞的不許他們去，豈有偷漏出國之可能？而帆足計的旅費，還是一家美國商人投資的公司所給予的哩！

岡崎等人的言論一出，俄共集團當不愉快，如是乎吉田首相即起來聲明那套不與別國作戰與不建軍的政策，希望俄共中共們都不必多所疑忌，可以大胆的跟日本進行貿易，而又依據聯合國禁運政策。只要是純商性，美國必不反對的，吉田心裏很了解這一點訣竅，因而他敢發出那種聲明來！日本目前除了韓戰發生以來，軍需工業一時畸形發展外，培養國民經濟的輕工業，始終沒法復甦。軍需工業的繁榮，充其量只是解決少數人的貧乏，對全民生活之改善沒有多大關係。日本政府爲要打開經濟出路，到處試探，其心情之苦悶，而嚮心鬱結，自可想見。

日本與中共通商可能性

吉田茂費盡心血，想盡方法，希望對中國大陸嘗試純商性的貿易，可能嗎？我看很成問題！俄共們爲着政治上的攻心戰術，起初，或許像所謂「中英貿易協定」一樣，表面上一次就是幾千萬鎊，讓你們心擾難熬，是否願上圈套？例如英工黨員凡一流人物的親共主張，大半即是由此而來的，在日本自然亦有同道者。生意尚未開始，政治的宣傳作用，俄共們先已收效了。依常識推測，如果是毫無政治作用，純商業性，俄共們甚末要以經濟力量，培養一個與「美帝」併肩作戰的敵人呢？國營一切的大陸上，並無自由企業，日本就只用走私方式來飲鴆止渴，除卻眞用物資外，也不可能啊！日本政府用心良苦，其情可諒，然其希望則本來是不能結果，甚渺茫。像日本這樣被人踢來踢去，仍須終歸英美揚棄。實的要，使日本人活得下去，英美不是辦法。其遠東政策的缺點，對日本助以一臂之力，尤其希望英國有此雅量與氣魄才好。至於自由中國對日本的復興工作，在精神與物質上，竭盡所能，相助爲理，那是不待說的。

舍我啓事

茲因健康關係，將易地休養，已辭去「自由人」主編工作，及其他名義，此後關於投寄自由人之文稿函電，請直寄報社，勿寫我個人名字，以免延誤，謹此聲明。

時局漫談　舜生

從韓戰看大局

韓戰打了兩年，（本月二十五日，應該是韓戰兩週年的紀念。）所謂停火談判，也快佔去一年了。這幾天，雙方的砲火與轟炸，比以前都來得更爲激烈，這是不是象徵韓戰眞會要大規模的再打起來呢？

據我看，不見得。韓戰儘管是在一個區域裏面打，但這筆帳却不能不就全局來算，韓戰結束或繼續，究竟於那一方面來得更爲有利？這是十分的錯綜複雜而不大好算的。

中共不過是一個胰子泡泡，只能吹到一定的限度，再吹大一點，便必然破裂，這一點，中共自己明白，蘇聯又何嘗不明白？爲了打這兩年的仗，中共已把大陸的人民榨得淚盡血枯，在最近這一年，他們所陸續集中到韓國前線的一切人力與物力，便算是中共最後的賭本，他們並沒有意思眞正的再打，不過要表示一個可打的姿態，想逼着聯軍對他們作更多的讓步。但世界上的笨人不算太多，已經明白中共內容的人，已經不算太少，所以共方儘管表示無數時軟時硬的醜態，聯軍却依然堅持一個不可再讓的限度，去和他們相周旋。今天聯軍的態度是十分明朗化的：你要拖，便陪着你拖；要打，便請動手；希望再讓步，沒有這回事。我們只希望聯軍把這個態度堅持到底，便可以拖垮中共而有餘。

在過去，周恩來曾多度表示他們確有力量可以攻台，我們早知道這是廢話：一，周恩來只是一向情願，他並不能從軍事的觀點估計攻台要付出多大的代價；二，儘管攻台於中共的自身有利，但攻台爲蘇聯的世界政策所不許，中共無力單獨攻台事屬顯然，因攻台而必須把蘇聯牽入，甚至因而爆發世界大戰，這決不是蘇聯所願。質言之，蘇聯只需要中共做一個死心塌地的奴才，決不願再提供她自己的任何力量，去提高中共在國際的地位。因爲如此，所謂攻台一說，中共在過去還可勉强談談，今天便連提也不敢提了。又豈只攻台爲蘇聯所不許，即中共想對大陸沿海的幾個島嶼動動手，蘇聯也一樣不會許可，因爲這只是浪費力量，得失均與蘇聯的世界政策無關，怎好隨便容許中共亂動？最近中共對東南沿海的工事，聽說多少的在設法加强，軍隊也偶有調動，但這完全是爲的防，決不是爲的攻，換言之，中共今天對任何方面，都只有招架的工夫，並無還手的實力，情勢是很顯然的。

再看所謂援越吧，這在蘇聯看來，倒是比較有意義的一着，可是中共對此，却不見得怎樣熱心：第一，越局本來拖了六年，法國不願輕於放棄，越局即無法痛快的解決，中共已經飽嘗美國砲火的滋味，如果她再要積極援越，難免不陷於與韓戰同樣的苦境，這在中共實在是吃不消。第二，如果中共在越南的泥腳陷得太深，美國即令不以軍隊去正面援越，但美國却有理由，也有必要援助台灣在中國的東南沿海登岸，中共在北韓的力量抽不出，對越戰又絕無把握可言，在援越期間，更要來對付台灣，便非敗不可，一敗，則長江以南，即非中共所有，這在中共想來，代價實在未免太大啊！因此，主子的意思雖然不好正面駁回，但消極的姿態與怠工的方式，他們還儘可運用，所謂中共援越，我們始終只聽見樓板響，不見人下來，其源因便大致在此。第三，越南的地位，是可以影響東南亞全局的，假如中共果眞要幹，不僅可以促成英美對遠東政策的絕對一致，甚至除英國外，幾個其他承認中共的國家，也會要發生變化，中共今天的國際地位已經很可憐，如果再減少幾國家的承認，這實在也是中共所不能不顧慮的。

再看歐洲這兩年的和平，更不能不說是直接受韓戰之賜，美國其所以能把在韓的聯軍團結得很好，甚至英國防部長亞力山大這次在韓視察以後，也完全同意美國的立場，這不更足證明韓戰拖下去，確於整個的世界有益嗎？

我從印尼歸來（下）

耶加達有人口三百萬 綠樹紅屋風景如畫 馬路寬闊比香港太子道上海霞飛路還更壯觀

·陳克文·

四

耶加達擁有人口三百萬，爲東南亞一等大都市，從北到南坐汽車差不多要走一小時。全城都包裹在綠樹蔭蔭裏，高空下望但見東西較狹，莽莽綠海中參參錯錯鑲嵌着無數赤色斑點，這些斑點便是建築物的屋頂，那裏的屋頂百分之九十九都是用紅瓦鋪蓋的，色調鮮美，甚覺奇觀。當你走入這綠海之後，你將發見縱橫的大馬路，路旁攤着各種各色的大樹，路中間有時是一道寬闊的運河，有時又是一片碧綠草地，這些馬路比香港的太子道還要偉大，比南京的中山路上海的霞飛路更覺美觀。路旁建築物很少見高達四五層的大廈，多數是單獨的平房，門前大樹數株，花園半畝，走廊寬敞。傍晚黃昏，走廊上都坐滿一家大小，乘涼談天。那裏的運河多極了，可是並不供運輸之用。清晨和傍晚河邊擠滿了男女老幼，原來他（她）們利用這些運河作爲公共的浴場。他（她）們在那裏沐浴洗衣，有的蹲在河邊，有的泳到河中，男的赤身露體，女的圍着沙龍（高及胸的長裙），浸入水中，酥胸微露秀髮披肩，恰好像一幅洛妃出水圖。可是河水并不清潔，混濁如池潴，不說比不上南京的玄武湖，也比不上秦淮河和荔枝灣。水面不止漂浮着洗衫洗頭的肥皂泡沫，更漂浮着垃圾和糞便。我們初次看到的不免心中作嘔，可是他們在那裏浸沉的都滿不在乎。據英文「印尼評論」紀載，這些運河是十六世紀歐洲人到印尼時仿效歐洲的公共浴場開闢的。這些公共浴場不僅開闢於城中最熱鬧的商業區，也貫通到政府機關的集中地點，城中沒有公共的便溺處所，這些公共浴場似乎同時兼作公廁之用，自然這些浴場的享受都是些貧苦的男女市民，他們家裏沒有浴室沒有自來水，每日只好到這溷濁的污水中求身心的涼快。荷蘭人統治印尼三百多年，開闢了無數的康莊大馬路，城南的住宅區更是風景如畫如同仙境，惟有這些關係幾千幾萬市民健康的公共浴場還是兩三世紀以前的景況。難怪印尼人民怨恨荷蘭統治，要用鮮血來爭取獨立了。

日報到下午才出版 全年約休刊八十大

耶城是這樣的一個大城市，又是印尼政治和經濟的中心。現代設備差不多應有盡有；火車，電車縱貫全市；汽車，馬車，三輪車，往來如織；電影院，劇場，游樂場，舞院，酒吧，旅館，酒樓茶室，也和其他現代城市一樣齊備，飛機埃近城邊，大規模的醫院，大學，博物院，郵政局，電報局自然更不在話下。可是這樣的一個大城市并不像其他許多現代城市一樣那麼忽忙緊張。電話還是人工接綫，報紙每日下午纔出版，沒有早報晚報之分，星期和假日沒有報紙，（據說全年沒有報紙的日子約爲八十天，幾佔全年四份之一。）寄信最好跑到城中心的郵政總局去，其他處所輕易找不到郵筒或郵政代辦所。那裏最普遍的交通工具爲鼻查（人力車）和小型的公共汽車（奧士丁），公共汽車沒有一定的車站，隨處可以招手停車，隨處可以下車。下車的時候，乘客慢慢的自己推開車門走到車頭司機的旁邊，慢慢打開錢包交給車資，司機收到車資慢慢的點數，如要找續更不妨慢慢計算，乘客收妥了找續，司機再行開車，我們看慣了香港公共汽車限時限刻的開行，買票員和乘客的迅速交易，乘客上下車的爐摆舉動，大家都不許有一刻鐘的延擱耽誤，實在覺得他們太浪費光陰。不過在他們看來也許認爲香港人整天像救火般的倉惶急迫是何若來呢？大家都從容安閒些不是更有意義嗎？

五

土壤雖肥 糧食不足

農村裏的情形也值得一提，我到過的地方雖然不多，真正的農村和真正的農民我是看見過的。那裏的農村並沒有幾千或上萬聚居的大村落，只是樹林中疏疏落落的若干小房子，房子多半是用竹子編成的牆壁上面蓋瓦，離開地面二三尺高地方鋪上地板。底下通風不受潮濕，房子所佔的地面最多四五百方尺，窗牖四開，窗門多用玻璃通光——玻璃這東西在中國大多數的農村裏都還是奢侈品呢——房子多數是單幢獨立的，四周也很清潔，我想這種疏散的農居在公共衛生和個人健康上都很有益處。

那裏的土壤據地質家的話多屬火山灰燼，相當肥沃。天氣好，雨量足，所以農產收成很富。稻子一年三熟，稻莖粗壯，穗長而粒實。展玉米是全印尼最出名的食米。可是人口太繁殖，農業生產又還是原始方法，因此每年不足的糧食總數竟達七十五萬噸之多。

雄鷄鬥志旺盛

許多農居前後左右各用木料造成小樓一幢，高可七八尺，每一小樓各畜雄鷄一隻，這些鷄特爲雄壯，善通人意，隨時引頸長啼，這是農民的寵物，也便是他們最普遍的鬥鷄風俗的表現。我們在萬隆和耶城常常看見街邊售賣新畫的人，他們手中的名畫最普遍的便是一個手中抱着鬥志旺盛的雄鷄的農民。

農村裏看不見乞丐，游手好閒的人似乎也很少，他們都是些體格結實，衣衫整潔，淳樸可愛的老百姓。他們的生活似乎比我們中國的一般農民好得多了。每當夕陽在山，他們不是玩鷄，鬥紙鳶，便是就淺溪沐浴。村娃少女，半裸溪中，體態豐盈，嬉笑作樂，一派昇平景象，真有些世外桃源之感。

六

「中文」招牌觸目皆是 文法倒裝「土庫上海」

全印尼華僑，平常說是二百萬，高事恒南洋論記載僅爲一百四十三萬餘，耶城人口號稱三百萬，華僑三十萬，（據上書記載戰前耶城人口只六十萬，華僑九萬餘。）這些數字雖無確實根據，不過僑胞足迹遍布印尼乃爲事實，窮鄉僻壤無處不可見中國文字的商店招牌。耶城的班芝蘭和大南門一帶城中的老巴殺一帶更爲僑胞聚集之所，中國文字的商店招牌和廣告觸目皆是。不過中國文字到了印尼在文法上已深受荷蘭文或印尼文的影響，例如土商店在印尼文叫做土庫（TOKO），中國商店所用的中文招牌不用「××土庫」字樣，卻用「土庫××」字樣，「土庫莊」即姓莊的商店，「土庫上海」即上海商店之意。又譬如中國餐館的招牌，湯煮餛飩，不寫做湯餛飩，而寫爲餛飩湯。這情形在最受歐洲文化影響的新加坡和香港是看不到的。

一座華人半身銅像 碑文盛贊華人勳勞

中國人移殖印尼遠在三保太監下西洋以前，這種歷史事實是大家知道的。我僑胞對於印尼的經濟開發和其他南洋各地的開發一樣具有極大的貢獻。歐洲人對於南洋開發乃以殖民地的統治剝削爲基礎，我僑胞對於南洋的貢獻乃以個人的勤儉蓄積，刻苦忍勞，正直謹慎，來協助天然的開闢爲基礎。我這次經過新加坡，在萊佛士博物院前看見一座無名華人半身銅像。大小略與人等爲一中年男子，頭圓而方，雙目耿耿有神，唇際垂中國式小鬍兩撇，果敢沉毅，正直樸實，令人肅然起敬。附刻短文云：「此華人半身銅像爲藝術家史德齡於一九三九年寄贈新加坡者。華人以堅苦忍勞著稱，叻嶼呷三府暨馬來全屬今日之繁華得諸華人力者良非淺鮮。史君敬仰此優異之點，乃以此像相贈云」，史德齡爲一歐洲藝術家，上述短文係中英文並列，數百年來南洋之經濟開發，僅此短短六七十字之敍文已足充份表現我僑胞之偉大貢獻，我八九百萬南洋僑胞之艱苦卓絕的精神又可以從這銅像沉毅的目光，正直的鼻管與緊閉有力的嘴唇充分表露無遺。我肅立像前久久不忍離去。我僑胞對印尼的貢獻，和他們幾百年來的奮鬥精神，也可用這銅像及其短序爲代表。歐洲人說到殖民地儘可以發表一大套理論，心中總不免有些忸怩，至我海外僑胞真可說是俯仰無愧於天地之間的。東南亞現在正值多事之秋，我希望各國政府當局和政治家對於華僑這種絕無侵略性的和平奮鬥精神能充分瞭解。

關公像與中國古董

印尼僑胞有許多雖然僑居數代，對於祖國言語文字已經不復了解。但他們對於祖國觀念仍然很深，風俗習慣保存中土遺風，家中往往供奉關公神像，對於中國字畫對聯視同珍寶。富商游君子平，家中收藏中國古瓷古畫最多，僅以古瓷來說即充滿十數間大房子不下數千件之多。根據這些收藏一定可以研究出許多有關中古時代我國與南洋一帶通商往來移民的歷史。游君藏品甚爲歐美人士注意，惜未加整理，真正價值尚未充分認識，爲可惜耳。

看出美國民主精神

上接第一版

「總統發佈命令的權力，必須來自國會所通過的議案，或憲法的本身。遍查憲法條文，找不出一條一條明白授權總統可以佔有私人財產，如彼此次所爲者。我們又遍查國會的決議案，也查不出一條此種權力。」決議案包含此種權力剛剛相反，當最高法院翻閱國會過去紀錄，發現國會在一九四七年時，曾拒絕修正塔虎脫哈萊法案，正俾政府於緊急時期有權接管私人財產。「用接管方式來解決勞資糾紛，不但未得國會所通過的法案之核准，國會且已拒絕採用此種方式解決勞資糾紛。」「假定總統有發佈此種命令權力，則此種權力必在憲法條文中有所規定，此爲顯而易見之事。……此項命令不能認爲因總統身兼陸海空軍大元帥，即係軍權的行使。我們既忠於憲政制度，自不能主張大元帥有最後的權力，大得藉佔有私有財產作手段，來解決勞資糾紛，不使生產停頓。這是國家立法者的工作，而不是軍事當局的工作。」「美國開國諸先賢主張，無論在平時或緊急時期，立法權只能託付給國會。他們之所以作如是選擇，無非是畏懼政府擅用權力，也無非是愛好自由；這些歷史的陳蹟，現在固無回顧之必要。但由於這樣的觀念，更堅定了我們的見解，即總統這一次所發佈的接管命令，是絕對站不住的。」

少數派謂總統非信差 是合理但難證明合法

少數派的意見，否定了總統行爲的合法。但以首席大法官文森爲首的少數派，則想替總統的行爲找出一個合理的根據，他們對總統的接管命令盡力辯護，認總統爲應付緊急事件所必須採取的手段。文森發表意見稱：聯合國憲章及北大西洋公約規定，凡某一會員國遭受武裝攻擊時，美國有共同抵抗之義務。因此，「吾人所簽定之條約，不僅表示吾人在法律上負有義務，亦且表示美國國會承認，自由世界之共同安全，爲抵抗全球性侵略威脅最妥善之安全。」他根據這一個理由，認美國負有一國際義務，以即盡量生產鋼鐵，以供應本國及其同盟者國防的需要，由此證明，總統此次接管全國鋼鐵工業的行爲是合理的。最後，他以輕描淡寫的口吻，批評多數派的意見，認爲照多數派的意見總統與國會之關係，總統只是國會的一個「信差」而已。文森的意見雖說來娓娓動聽，言之成理，但只能說明總統的行爲「合理」，而不能證明他「合法」，究竟還是多數派的意見勝利了。於是美國最高法院第三次裁定總統的行爲違背憲法。

從總統到每一工人 法治精神充份表露

民主政治最重要的因素是法治，沒有法治的民主，不變成古羅馬共和國的寡頭獨裁，便要變成第一次法國大革命時的暴民專制。這都是有民主之名，而無民主之實，探究原因，就是因爲當時沒有法治來運用民主，維護民主。由美國這一次的鋼鐵風潮，看出美國民主政治的精髓，完全寄託在法治，全國朝野，上上下下，沒有一個人不在法律範圍以內活動，沒有一個人敢公然違法。杜魯門總統的頒佈接管令，確確實實在誠心謀國，他總不願意鋼鐵生產停頓而影響國防建設，他也不願意鋼鐵工人的生活始終不能改善而影響他們的工作效率，所以他毅然決心下令接管，希望藉政治力量來解決這些問題。在他下命令的時候，他總以爲這是總統「固有的權力」，屬於行政權的範圍，並沒有侵犯到立法權，又何況國會爲應付緊急事變還授于他臨時行政特權呢？所以在他頒發接管令的時候，他確實沒有違法的意思，等到最高法院裁定他的行爲逾越憲法範圍，他一聲不響，即時通知商務部長蘇耶爾：「親愛的蘇耶爾部長先生：最高法院今日的判決，我命令你採取適當的步驟，把現由政府佔有的鋼廠及其他輔助設備財產，即時發還。」這種守法奉公的態度，充份表現一個知過能改的大雅襟懷和光明磊落的民主國家元首的風度。杜魯門這一種態度，是否有損總統的尊嚴？不但沒有，而且還增加了人民對他的愛戴。假定他這一次願意繼續代表民主黨作總統的候選人，我想這一次鋼鐵風潮，一定要替他增加好幾百萬選票。

其次，在這一次鋼鐵風潮中，最高法院和地方法院的法官，執法如山，也值得我們欽佩。案子告到地方法院，潘尼（Pine）小小的一個地方法官，居然敢判決總統的佈告違法，並且還制止總統命令的執行，這在政治不上軌道的國家，是不可想像的事。等到最高法院判決了總統違法，文森一派雖然見解至爲公正，並無私黨偏見存乎其間。而最高法院的裁判，六個法官的主張，還是可以貫徹的。決定總統違法的大法官們，都是由故總統羅斯福和杜魯門當然任命的，或是他們的同黨，且都還是民主黨「新政」的熱烈擁護者。公平不公平，但他們竟能不偏不倚，撤除個人的感情而不顧，撤銷總統的命令，判決違法，以不徇私的精神，不禁使人嚮往。

法治精神的維持，一方面在政府官吏能守法，同時也還要一般人民能遵法。我們看，這一次美國各鋼鐵廠主的行爲也是很正確的。他們接到商務部長命令之後，一方面抗議，但同時表示接受，一切遵照政府的規定辦理，沒有抗拒。他們對於政府是說，但他們認爲行政權利侵犯他們自己的權利，他們同時向地方法院起訴，控告政府接管違法。假如他們不是具有法治的精神，這樣以大無畏的精神維護法律所賦予他們的權益，錯誤無可能糾正，美國三權分立的憲政精神，因此破毀，給美國的憲政史上留下一個污點。

最後，最可愛的還是在莫菲領導下六十萬鋼鐵工人，爲爭取提高待遇，曾一度約定期罷工，但等到政府出面干涉，他們卻能顧全大體，耐心等候法院的判決。而且最高法院判決時，他們總統說：「好了，現在即時宣佈罷工。」一方面於是工會立即開始，成千成萬的工人，魚貫退出工廠，留下少數工人保護鋼爐，等到爐火完全熄盡，再行退出。這樣有理性，有秩序的行動，我們只見其可愛，而不見其可怕。現在罷工的風潮雖然還沒有解決，但以美國勞資雙方都能遵守法律，相信在不久的期間，定可得一公平合理的解決。

在上一期美國的「時代週刊」裏，有這樣一段話：「美國人和全世界人，老早都知道美國強大，但他們或許不完全知道，在美國強大的關鍵，在於它有一個權力有限度而且受節制的立憲政府。」我們就拿這一段話來作本文的結論。

香港三日

美國外交人員過港 一部赴任一部回國

美國國務院派在遠東各地，担任外交工作之助理人員，前日搭乘美輪威爾遜總統號抵港，稍事休息，即將分赴任所的，計有湄賴汝夫婦，歐斯定夫婦，奧德衛夫婦，白朗女士等。而同時搭乘該輪離港休假返美之遠東各地外交助理人員，則有在香港工作之史衛，及魏師魯女士，在曼谷工作之布利德，及饒德女士，在加爾各答工作之安然思女士，在馬德拉斯工作之赫白格夫婦等。

印尼駐北平僞府之代辦馬地，前日自北平經廣州乘廣九車到港，於昨日離港回耶加達。記者就詢北平情形，及渠本人對中國大陸觀感，馬均盡力迴避，不願作任何表示。

在釜山駐泊之丹麥醫院船，昨有高級醫官兩人，自朝鮮乘英國海外航空公司班機，經港返丹。

奮鬥三年圓滿解決 一妻二女同輪返澳

爲老婆的回國問題，與澳洲政府糾纏三年，至最近始告解決之潘傑，於前日自日本偕其日本夫人，及兩幼女乘太平輪經港返澳。潘現任澳洲海軍部會計員，日本投降後，原在澳駐日陸軍服務，與一日女結婚。一九四九年，還解除軍職，擬攜眷返澳，但限於法令，爲澳政府所拒絕。在以後三年中，彼不斷爲此事與澳政府糾纏，澳政府始終堅持，最後告彼除非對日和約簽訂，彼決無希望，能獲准妻女入境。去年舊金山日約簽字，彼即於去年十二月由澳趕往日本，經過六個月時間，始將各種手續辦妥。三年苦鬥，告一段落。潘傑之日籍夫人，容貌秀麗，二女一爲兩歲半一僅一歲均活潑可愛。（必眞）

廣州已成死城車船無貨可搬
數千工人被驅離穗
中共派兵鎗押解回籍勞動改造

【本報專訊】共產黨雖千方百計，花言巧語，欺騙工人，但鋼鐵般的事實，是到底難於掩飾的。在共黨統治之下，三反五反千捐萬稅，百業蕭條，無工可做。工人們到了天天餓肚皮，那就無論你怎樣巧妙宣傳，也無法使他們接受。廣州最近一再發生搬運工人的騷動，其主要原因，也就是肚皮問題，難於解決，雖然共黨有鎗在手，靠着殺人不眨眼的威風，將兩千多工人，四千多工人家屬，最近用強暴手段，一律驅逐回籍，勞動改造；並將一個反抗中共命令的中國旅行社基層工會予以解散，主席王守元，組織委員孔憲明等分別拘捕；但共黨幾年來在工人面前所扮的僞善面孔，所行的糖衣政策，由於這一次搬運工人的慘遭迫害，可算已全盤敗露，再不能絲毫引起工人的信賴了！

廣州來客，談這一事件的經過眞相如下：

貨運告絕生活無着 搬運工人屢有騷動

廣州市自國軍撤退，陷入了中共魔掌以後，這幾年來，工人羣中受苦最深的，首爲碼頭車站的搬運工人。過去像是廣州與香港的往來貨運，就非常繁盛，這些工人豐衣足食，養家活口，不成問題。在中共統治之下，對外出入口貿易，幾乎全部斷絕。輪船碼頭，和火車站，除了每天有一兩次來去的定期船車，略資點綴外，蕭條冷落，眞是門可羅雀。搬運工人，三五天內，每人很難輪到一次生意可做。而所有生意，都是受着中共嚴密的統制。假定搬運一次東西，應收工資一千元，但經過中共層層剝削，實際到手的，不過三四百元。這當然不夠生活。本人還吃不飽，妻兒老小自更無法不要挨餓。工人們雖一再要求中共，減輕剝削設法救濟，中共始終置之不理，以致工人方面，對中共深感失望，不滿，和騷動的事故，一再發生。中共爲大力鎮壓起見，竟毅然決定，命令工會，大量挑出一向對中共態度，言詞不太恭順的人，押解回鄉，勞動改造。結果具有這種資格的，共兩千二百多名，連同家屬，都被限期驅逐回籍，不許再在廣州逗留。

連同家屬驅逐回籍 強迫代耕勞動改造

這些被驅逐回籍的搬運工人，共分兩批，離開廣州。第一批，一千零二十五名，又家屬一千三百五十一名。第二批，一千一百三十二名，又家屬二千二百八十三名。總共六千二百九十一名。第一批於本月六日動員，目的地爲廣州附近之南海，番禺，東莞等縣。第二批，於本月十五日動身，計東西北三路，都有，幾乎包括了全省。這些工人及家屬，於出發時，都有大批武裝軍警監視。每一縣，依人數多少，都配派數量不同的押送兵。被押送的工人及家屬，均造有詳細名冊，到達目的地時，即逐一點交當地「縣政府」，名義上，由縣政府分給一畝或兩畝土地，令其耕種。實際多半是派給當地共幹，即是給共幹做「代耕」，換一句話說，也就是無工資的長期奴工，是合於中共判處「罪犯」一個通常名詞，「長期勞動改造」。

淚竭聲嘶呼籲無效 如再違抗被嚴懲

當中共強逼這些工人離開廣州時，工人們向中共一再提出理由，哀求寬免。第一，他們在廣州多已住過相當長久時間，甚至有的，從祖父一代，就已來到廣州。老婆也是廣州娶的，許多關係，無法與廣州分離。第二，他們一生都在碼頭，車站討生活；他們只知道下苦力，他們從來沒耕過田，耕田是需要相當技術和經驗，以他們這些對耕田毫無印象的工人，回到鄉下一定要束手無策，結果將顆粒無收，自已沒有糧，也無法將糧繳給「政府」。但中共驅逐他們的政策，既經決定，無論他們如何淚竭聲嘶，中共仍然要如期執行。中共召集他們，在一個大會上痛加呵斥。中共說：「過去的廣州，是被帝國主義和官僚資產階級盤據勾結，他們囤積操縱，剝削人民，以致造成一時的虛僞繁榮。解放以後，帝國主義和官僚資產階級都已打倒，虛僞繁榮，都已消滅，現在國家已步入正軌的建設，囤積操縱的罪惡行爲，既告消除，則碼頭車站，自然貨少，你們搬運工人勞動力的過賸，自爲必然現象。你們過去爲帝國主義，官僚資產階級服務，你們做了帝國主義官僚資產階級的幫兇，如果你們今日還幻想過去的虛僞繁榮，不願離開廣州，還像最近一年來，繼續和政府搗麻煩，那就證明了你們還在準備迎接帝國主義和官僚資產階級的復活。政府對於你們將只有改用鎮壓反革命份子的方式來大力鎮壓，屆時，你們就不要再想獲得現在這樣的優待遣送了」。當然，在中共這一威嚇之下，可憐的工人，自不會再有呼籲商量的可能。

不過對於未被遣送，留在市內的工人，中共也並不讓他們太舒服，勒令他們分別捐款，做這些被驅逐者的遣送費用。結果，黃沙碼頭在二百八十多名工人中，就被勒捐了八百八十六萬元。最慘的，西堤一個老女工，何寬，她每月收入也不過十多萬元，被捐了十萬元。據中共宣稱，爲了遣送這一批搬運工人，政府共撥出了二十二億元。實際上，這些錢多半是向未被遣送的工人身上，刮削出來的。

向無經驗如何耕種 扶老携幼死路一條

從廣州到港的人，他說起六日，和十五日那兩天押送工人出境時慘痛情形，眞是目不忍覩。許多工人都被迫無條件犧牲了在廣州多年的一份窮人家當，僅能帶走少數輕便的破爛東西。比如一張破架床，在窮人就是一件了不起財產，然而當由被迫離開時，他就無法背在身上，走幾百里路回到鄉下去。如果搭乘中共遣送的車船，也更無法得到許可，搬上車船，一同運走。工人們扶老携幼，既要捨棄他們過去認爲生死與共的鐵飯碗，又要平白犧牲這樣一份僅有的財產。而今後茫茫歲月，走到鄉下，對那些從來幾乎不會見過的犂耙，鋤頭，更不知如何活下去，這些工人，在飽嘗了三年「工人翻身當家」的中共宣傳以後，得此結果，不勝悲憤，許多婦女，放聲大哭，都被押送的武裝兵士，威呵制止。但中共的機關報則仍是照例揑造，報說工人得到這個回家改造的機會，都如何興高采烈，歡喜如狂！」

在中共執行這一遣送搬運工人的決策時，唯一公然反抗的，只有中國旅行社廣州分社的基層工會。該會在某一碼頭上，有十一名搬運工人，中共要遣送四個回鄉，該會主席王守元，組織委員孔憲明等堅決反對，說工人們一向以義氣爲重，現在生意少，祇減少十一個人，仍不妨全留在廣州，好他們本是薪水制，由旅行社按月支給，社裏照中共名額，支付七個工人薪水，實際上，讓他們十一個人分。中共認爲故意違抗上級命令，王等於是藉口曾拒絕他們在五反運動初期，五反檢查委員會第六指揮所派該共幹少數檢查，並強迫簽文，召集搬運工人，破口辱罵，包圍黃少夫，大喝「黎王守文孔憲明」「黃少弟」，將兩個逮捕改組。該基層工會罪名，說他們不服從五反檢查，並將十一個人分派薪水辦法，說是資方剝削工人，以十七個人的薪水，剝削十一個人的勞力，背叛工人階級，是走資本家的路線，但話都不許說一個字，一個「不」字都不許說，在那麼殘暴的中共下，那能輕易過得呢！（大哀）

「國營農場」與「互助小組」
都是徒供宣傳無裨實用
鄭竹章

隨着各地「土改」的次第完成，大陸農村的內伏危機全部暴露。一方面分得土地後的貧僱農不但無法獲得所需的農具及資金，而且多陷於斷炊狀態。另一方面許多主持「土改」的村幹及中共黨員，正乘機放高利貸，蛻化爲新地富階級，使中共所標榜的「土改」政策全部穿了底。爲了解除這些危機，近半年來中共開始在各地興建「國營農場」，希望仿照蘇俄辦法，實行集體奴隸勞動。同時並大搞所謂農業「互助組」，引誘農民放棄「單幹」，參加組織，希望中農富農及貧僱農之間，能夠統統納入組織，實行「勞動互助」與「信用合作」，來撑渡目前的難關。

據去年二月一日「新華社」的報導，東北「公營農場」已達三百二十個，其中機械農場四十個，共擁有土地十七萬九千垧（每垧十五市畝），等於全東北耕地面積百分之一。而據上月二十七日北平「光明日報」的報導；華東全區已有「國營農場」七百十八處，擁有土地五十六萬八千餘畝，其中萬畝以上的有六個，華東三百九十八個縣份中，只有四十六個縣還沒有建立農場，但亦在加緊準備中。至於「農業互助組」，其發展更爲驚人。據五月廿九日「長江日報」的報導，以河南一省爲例，在去年十一月間已成立的互助組即達四十三萬零三百三十一個，佔全省農業戶數百分之三十五。其它各省據說亦在大量組織中。這些所謂「國營農場」及「互助組」，表面上雖然烘烘，頗像煞有介事，但揭開其眞正面目，則莫不一團糟。

如以東北爲例，據高崗的報告：「各國營農場的共同缺點是：成本高，質量低，浪費大。如小麥每垧成本高達七百萬元（東北幣），距五百四十萬元的要求相差很遠；油料浪費，據「八一五」農場計算，即損失了一億七千多萬元。」華東有許多新成立的農場，搞農場的共幹，都集中力量去搞副業，因此主要農作物的生產量反較一般農民爲低。同時，由於主持生產的共幹多半缺乏經驗，因此農民們對「國營農場」的看法：認爲祇不過是共幹的「一種新玩藝」而已。

至於「農業互助組」，由於粗製濫造，更是大攏烏龍。最近「長江日報」所載的廣西「唐世鴻互助組」被揭穿內幕一節，最足以說明一般「互助組」的實際情形。

唐世鴻互助組是廣西名揚一時的「型新互助組」。唐世鴻本人是廣西「桂林專區」的一等「勞動模範」，與安霖的頭等「生產勞模」等，也是「廣西日報」所標榜的「生產旗幟」。但據中共桂林「地委」的檢查，發現這個「模範互助組」，完全是有名無實的騙局。他們的生產計劃如「帶頭採用合法秧苗」，「爭取做到千斤一戶」，「保證生產棉株收乾葉四兩」等等都是當地共幹自欺欺人的傑作。據唐世鴻自己表示：這些計劃「祇是爲了登報，爲了上面派人來要材料，隨便提出而已」。他承認所訂的副業生產計劃，乃以現有數字統計起來便作爲增產數字。比如他們在訂今年的副業生產計劃「養鷄一百二十隻，鴨六十三隻，豬二十一隻」時，實際上是把組內現有數字湊起來，作爲增產總數。

這一「互助組」的成員共七戶三十八人，其中主要勞動力九個，內有共產黨員一人，青年團員一人。共產黨員唐玉泉是花橋村的農協主席，青年團員廖國安是村長，這二人雖參加互助組，却從來不參加勞動。正式從事勞動的是組內的四戶貧農和一戶僱農，都生活困難而無法解決。但作爲領導人物的唐玉泉和廖國安，除了利用他們的勞力外，有餘糧亦不肯出借。唐世鴻本人不但勞動力低而且自私自利，但縣裏選舉「勞模」時爲了湊數硬把他選上了。後來爲利用他作爲宣傳目標，各方面不惜盲目渲染，竟把他捧成「勞動英雄」。這樣的一個組織，生產上固然和一般單幹的農戶毫無兩樣，而且因自私心重，弄得烏烟瘴氣，因此當地的農民一聽到搞互助組便竊笑，認爲互助組實際上還比不上他們。

像唐世鴻這樣的「互助」，差不多成爲各地「互助組」的通病。五月廿九日的「長江日報」曾報導各地發動組織「互助組」的情形。據稱：一般農民對所謂「互助組」根本上莫明其妙。但各級共幹爲了湊數，多半採用強迫命令與大轟大擂的作法。如河南舞陽縣安棗鄉，一個月間就組織了一百六十個互助組。葉縣共幹蕭桂安，前半夜聽到了蘇殿選組織互助組，下半夜就找了五家農民，強迫將他們的農具、土地、畜力、糧食一律評價堆在一塊，立即成立了「互助組」。臨潁縣區幹張殿城、在宣傳「互助組」時更公開宣佈：「誰不互助就另住一鄉去，再不互助就再找一個鄉，第三次不互助就要槍斃。」

在偃鄉共幹自目組織之下，羣衆爲了「適合潮流」，「怕落後」，只好勉強參加。據中共「中南局政策研究處」在長沙衡陽兩專區實際考察的結果，發現互助組成立僅兩天，參加的人有的吃了虧，有的佔了便宜，便鬧不團結，結論是：「互助組，要不得，不是你吃虧，即是我吃虧」，於是一鬨而散（見四月廿九日長江日報）。至於許多比較健全的互助組，不是普遍發現排斥困難戶，無牛戶（貧農）的現象，便是由於畜力與人力計工的不公，使參加組織的貧僱農，依然處於被剝削地位，實際上與不參加並無差別。

總括言之，無論中共主辦的「國營農場」及農民自己所搞的「農業互助」，都不過是中共想挽救「土改」失敗誘迫農民集體勞動的圈套。但由於這一集體勞動的生產方式，乃建築於私有經濟的佔有形式上，因而造成了種種基本的矛盾。中共既無法解除這些基本矛盾，而希望用強迫命令的手法來推行，其搞得烏烟瘴氣和有名無實，正是其必然的結論。上述種種怪現象的發生，事實上是不足怪的。

在毛澤東的感召下
女兒是這樣報答母親的
送母親進監牢，獻出母親藏金

【本報漢口特約通訊】河南正陽縣的第二區八里僑鄉小左莊，一個叫做吳小田的女人，因爲婚姻不滿意，要和丈夫離婚。同時，她暗中已和小左莊一個共黨民兵郭左運來，發生了祕密關係。她的母親吳氏，且是鄉下老太婆，於是不贊同女兒這種行爲，便向縣政府告了。母親推磨了一狀，說母親逼死女兒，就打了母親，不久她被吊上了縣府，小左莊民兵左運來將母親捉到了公審，陽縣府將母親以殺人之罪，下了無期徒刑，並即提交公審，據說吳小田的嫂子，與批評小田母親，但另據鄉下人說，吳小田的母親的死與夫妻不和並無關係。

本月十二日漢口長江日報，載有吳小田出名的一封信，報告她如何獲得離婚結婚的幸福生活，堅信是毛主席給她的幸福，末尾說：「我的母親不幫助我解除痛苦，和原來照例」，說上一句「我的幸福，是毛主席給我的」。原信最後兩段的原文如下：

「我母親不幫助我解除痛苦，和原來的男人離婚，反而強迫要我維持下去，自縊而死，我便把我母親檢舉了。人民政府保障婦女的利益，已把她逮捕了，實行婚姻法，並依法接受辦理了我的離婚。經過合法手續，我便於七月和我莊的民兵左運來自由結婚，建立了完全自願的幸福的家庭。我知道，我的幸福是毛主席和共產黨給我的，今後我要積極生產，報答共產黨與人民政府的恩情。」

「如果這位吳小田的母親，也會寫信給她的女兒，她一定可以這樣的寫：『我今天被送進監牢，這寶貴的經驗是毛主席和共產黨給我的，我今後要教育我的女兒，要積極的報答共產黨，毛主席和人民政府的養育恩情。』」

三反五反現在已經結束了，但要緊的一個問題，是如何追贓。所謂追贓，就是那些商人，所認爲偷漏的捐款稅，貪汚暴利的倒拿出來，如何將本來已在千萬的捐項之下，一筆刮光的，如果還有幾個錢保留，待店鋪沒收之後，到自己油盡燈枯，還想儘量維持最低限度的生活。但這一企圖，中共是絕對不會放過的。共產黨統治下，前幾天長江日報又曾登出這樣一個勵人的故事：

「小學生王菊珍，今年才十二歲，在三反五反中，她記住老師的吩咐：『你們不知道父母的始終哭騙。』她便勇敢的檢舉了，但她的爸爸始終不肯退贓。後來她爸爸表示了寧可飽嚐槍彈，也不肯把家物大量藏起來的東西交出去。於是王菊珍立功心切，她知道媽媽的命根子藏在小地方，她便明白：眼光總是常常注視着馬桶的地方，一定會有媽媽關心的東西，她偷偷地跑到馬桶邊，看到馬桶爲什麼還有石灰時，她想：馬桶裏一定有鬼，一片小地方有十七個金子，她便從碗裏包面取出了七個一錢，小金戒指，找到一個小紙包，金子七錢，她立即把這些東西交了出去。將來大家都誇獎她，帶到學校，毛澤東的好兒童，她爸爸也感召交出了，是一個模範少年兒童隊員。」（懷民，十六日寄自漢口）

醜人多作怪

·高方·

中國有句俗話，就是「醜人多作怪」。區區不才，閱人多矣，積四十年之經驗，深知此話頗有科學眞理，放之四海而皆準的。試以眼前人物來印證：英國工黨那位左派仁兄貝萬先生，其言其行，夠怪誕不經的了，看其玉照尊容，使我大吃一驚，好似黑夜裏看到鐘馗畫像。已死的納粹宣傳部長戈培爾，跛脚歪臉，有如莊子所描寫的「德充符」那類怪人；中國的馮大樹將軍，滿臉橫肉，額上一條「一字眉」令人一見害怕。四川的張瀾，相貌更醜得可以。這幾公的古怪刁癖，亦就舉世周知。男仔如此，女仔也不例外。最近我見到了日本「名女人」高良富子的照片，即恍然於她之偷渡莫斯科，遨遊中國大陸，從香港打電報到日本去替蘇俄游說，因爲說滑了嘴，大露馬脚，又出來否認等情節，都合乎「醜人多作怪」這句格言也。再談到咱們中國那位姓何的「名女人」，其顏之醜，其言之怪，其行之僻，全國人都耳熟能詳，無須介紹了。陳璧君之醜怪，還不及她遠甚哩！至於姓宋的那位「名女人」，因爲她不醜，所以，其言行卻不如陳之大怪特怪。

民國十九年我到浙江典試縣長考試，省主席張靜江先生硬要親自主持最後的一場口試，但他並不問話，只是留名相相面孔，凡屬形態醜怪的，一律不錄。我當時大不以爲然，曾舉朱元璋的遺容作例證。他笑道：你將來就會明白的。不錯，我現在明白了！

自由人談

代耕

·米陶·

有一天，李桐披上了紅色的紙花，從外面走回來。

「李桐！你瘋了，還是活得不耐煩了？」李桐的妻子罵他，她知道，披了紅花的人便是「參軍」，十個參軍的九個不見活着回來，她偏弄不懂，日子已經過得這麼艱難了，孩子剛滿週歲，家裏連一頓隔夜的米糧也沒有多餘，還想拋棄這個家不顧。

小桐吵着要爸爸胸前的紅花。李桐給他妻子的答覆只是沉默。妻子急了，一下將他胸前的紅花摘下來。

「你要死，我們死在一塊，我不能讓你一人走：」長子說。

這場面使這個年輕的男人哭了起來，他苦痛地用紙花逗引襁褓中的孩子，一面輕輕地爲妻揩拭兩頰的眼淚。

許多愚笨的人，自有許多愚笨的想法。李桐說，假如住在一道，將來一家人都得餓死，如果其中有一個人參了軍，他的家屬便可以因此得到優待和救濟。

「你相信他們的鬼話嗎？」妻問。

「不相信也祇好試試看，這已是最後的辦法。」丈夫說了這句話，終於走了。

月英遺留下來後，便常在鄉政府走動，她忙於辦理「軍屬登記」和分田的事，去年「土改」，他們一家分得了一畝三分稻田。鄉政府的幹部對她說：「與月英同志！這是李桐同志的光榮換來的，這是革命的果實。」月英一聽這話，月英差不多要哭起來，一邊禹上想起她丈夫的聲音：「住在一道只有活活地餓死。」

但是丈夫的性命換來的一畝三分地，卻使月英手足無措了，他們家本就沒有耕牛，沒有犁耙，連肥料種籽也沒有，一片乾瘠而荒蕪的土地，她現在一個人，更不知該怎樣動手了。

拖了過歲的小桐，她又去鄉政府，具體地提出請求救濟，養活自己和這嬰兒的意見。

她見到的是一個年輕人，三十歲不到，自吹是個有了十年黨齡的老黨員，好在這些與月英無關，月英要的只是急如星火的救濟。

當月英獨自娓娓訴說的時候，那年輕人只是逗着懷裏的小桐玩樂，最後他從房間裏面拿出一包衣物，塞在月英的懷裏，說這些衣物是屬於私人的濟助，至於公家，須得辦理一個申請代耕的手續，等到地方上有了多餘的勞動力，方始可以代耕代插。臨走，那人告訴她，「軍屬」「烈屬」的數目實在太多，沒有特殊光榮的人，是不容易獲到代耕的許可的。

半途中，月英打開了衣包，那是一些零段的布料，還夾着五十萬不到的人民幣，她不禁起了感激的情緒，那年輕人竟這樣關心一個「軍屬」。至於這些衣料與錢的來歷，以及隱藏在後面的野心，月英自然不會猜到的。

事後，那個一片「好心」的年輕幹部，幾乎每天跑到月英那裏去，將這一份對「軍屬」優待的工作，辦理得非常週到，月英缺什麼，他從鄉政府拿來了什麼，月英的家裏缺少「勞動力」，他爲她配給了被清算的地主，還送給她大批肥料種籽，荒蕪的田，經過耕耘與播種之後，已經是一片綠油油的稻禾。

一天，月英正在苦苦想念那久別的丈夫，一封信來了，是由那個年輕的幹部親自送來的。

李桐「壯烈犧牲」了，這一家「軍屬」成了「烈屬」，月英立時號啕大哭。那年輕的幹部用盡了好話安慰她，他說：「你自己很年輕，而且已經分得了許多土地，你們家裏有的是光榮，人民政府一定照顧你，代你耕種分得的土地。」

共產黨說的無不是謊話，可是這一回竟因爲情形特殊而例外，爲的是月英年輕，爲的是她丈夫死在戰場上，在那年輕幹部照顧之下，她果然被「鄉政府」亦意優待，不但田地有了勞動力，連小桐也不寂寞了，第二年，她的媽媽替她生了一個小妹妹。

楊家將遭殃

·月如·

上海最近鬧「戲改」，不問任何一故事，只要一違背了「人民的意志」，都要驢唇換上馬嘴，忠奸易位的改「正」過來。

「楊家將」原是一部家喻戶曉勸人的故事，在舞台上，更是一齣叫座的好戲，這是由於這本書，這齣戲，不是稗官野史，在歷史上也有它相當根據的，不但老令公（楊業），六郎，（楊延昭）在「宋史」裏有傳，就連蕭太后，佘太君也不是虛構人物。

以強盜起家的共產黨，他必然要反對正統，假如個個人都傾向正統，沐猴而冠的面目，自會立被撕破。以是中共的「戲改處」硬給楊家將戴上一頂「宋朝統制者的狗」的帽子，誰同情楊家將，誰就是「向統制階級豎起了白旗」，站在「反人民」的一邊。潘仁美（即潘美）雖是楊家將中的「主帥」，卻是假私通敵國，陷害忠良的壞蛋，共產黨自不會例外，於是就「想出道理」來給潘仁美做翻案文章，說潘之所以迎接契丹，是「爲了爭取中華民族的解放」，說過去書本裏，舞台上，把潘形容得大奸大惡，不但「過份」，而且也中了統制階級的詭計」，結果，把陷害楊令公的責任一古腦推到那個名不見經傳的蔚州刺史王侁身上。

楊家將轟轟烈烈的事蹟本已彰彰在人耳目，忠奸身份，早有定評，爲了反抗異族（契丹），他們揮師北上，禦侮圖存，契丹之所以會被逐出雁門關，楊令公及其部隊的功績自不可沒，雖然，到最後仍力戰被俘，但矢志不降，絕食而死，是足可驚天地泣鬼神的，現在中共硬要翻轉歷史，指鹿爲馬，徒見其心勞日絀而已！

「我的生活片段」之一 八年的參政（九）

王雲五

政治協商會議

這次參政會中既將中共問題公開報告，雖未能即由參政會負起尋覓解決途徑的責任，然參政同人對此問題益形重視，政府亦頗寄期望於參政會。初時曾有以參政會爲基礎，組成一個特別委員會，開誠討論此問題之擬議。後來經過相當時期的醞釀，卒形成所謂政治協商會議。該會議由五方面代表所組織，就是一、中國國民黨，二、中國共產黨，三、民主同盟，四、中國青年黨，五、社會賢達。各方面的人數不等，計國民黨八人，共產黨七人，民主同盟九人，青年黨五人，社會賢達（這個名稱我萬不敢當）九人。一至四方面之代表由各方面按照商定之人數自行推選，惟社會賢達之人選則由四方面會同推舉。第五方面被推定的就是邵從恩、莫德惠、傅斯年、胡霖、錢新之、郭沫若、李燭塵、繆嘉銘、和我共九人。至其他四方面之人選由各黨自行推定者，計第一方面爲孫科、張羣、吳鐵城、王世杰、邵力子、陳立夫、張厲生、陳布雷八人；第二方面爲周恩來、董必武、吳玉章、葉劍英、鄧穎超、王若飛、陸定一七人；第三方面爲張瀾、張君勱、張東蓀、沈鈞儒、黃炎培、梁漱溟、張申府、章伯鈞、羅隆基九人；第四方面爲曾琦、陳啓天、余家菊、常乃悳、楊永浚五人。會期規定爲三星期，由三十五年一月十日開會，原定二十二日閉會，於必要時並得再度召開。後來延至一月三十一日才閉會。關於該會議的討論範圍，事前煞費商量，規定爲兩項：一是和平建國方案，二是國民大會召集事項。會議中，除開全體大會十次外，所有討論問題都是分組舉行，計分爲政府組織、施政綱領、國民大會、憲法草案及軍事問題五個小組，由各代表自行認定。後來又增設一個綜合小組，由五方面各推舉代表加入。我除認定加入政府組織小組外，並由第五方面推舉參加綜合小組。

萬竹樓隨筆（一〇六）

雜談李白（九）

·舜生·

李白的墓，原在當塗的龍山東麓，唐憲宗的元和十二年（817）正月二十三日，乃改葬於青山之陽，西去舊墳六里，南抵驛路三百步。改葬的經過是這樣的：其時范傳正任宣歙池等州觀察使，范與李家通家，按閱訪李白的墳墓在當塗縣邑，因令禁樵採，備灑掃。又訪得李白有孫女二人，其一適陳雲，其一適劉勸，均農家子。『因召至郡庭，相見與語，衣服村落，形容朴野，而進退閑雅，應對詳諦，且祖德如在，儒風宛然。』（引范傳正『唐左拾遺翰林學士李公新墓碑』原文）范和李白這兩位孫小姐談話的結果，知道李白的兒子伯禽（即明月奴），早於唐德宗的貞元八年（792）死去，他們倆原有一個哥哥，（即李白的孫子）可是已出游十二年，不知下落，剩下他們伶仃孤苦，不得已才嫁了這兩個農夫。他們說祖父的遺命，原要下葬青山，現在葬在龍山東麓，不是他的本意。范聽了這番話，乃有將李白遷葬青山的決定，當時的當塗令諸葛縱，對這件事也極熱心，乃由他經紀其事，這件改葬的工作，因以完成。

范又問這兩位李小姐是否願意改嫁士族？他們倆乃義正辭嚴的回答說：『在孤窮既失身於下俚，仗威力乃求援於他門，生縱偷安，死何面目見大父於地下？欲敗其類，非所忍聞！』范深爲這番話所感動，便只好把他這個提議自動撤回。李白有兩個這樣的孫女，總算很不錯了。

自來憑弔李白墓地的詩，多至不可勝數，但我所最歡喜的，卻只有兩首，其一是南宋詩人陸放翁的，其一是清代詩人黃仲則的，現在我便把這兩首詩錄在下面，作爲我這篇『雜談李白』的結論罷。

陸游『弔李翰林墓』詩云：

飲似長鯨快吸川，思如渴驥勇奔泉，客從縣令初何有，醉忤將軍亦偶然。駿馬名姬如昨日，斷碑喬木不知年，浮生今古同歸此，回首桓公亦故阡。（桓溫墓亦在當塗）

黃景仁『太白墓』詩云：

束髮讀君詩，今來展君墓，清風江上灑然來，我欲因之寄微慕。嗚呼有才如君不免死，我固知君死非死，長星落地三千年，此是崑明劫灰耳。高冠岌岌佩陸離，縱橫擊劍胸中奇，陶鎔屈宋入大雅，揮灑日月成瑰詞。當時有君無着處，即今遺躅猶相思，醒時兀兀醉千首，應是鴻濛借君手，乾坤無事入懷抱，只有求仙與飲酒。一生低首惟宣城，墓門正對青山青，風流輝映今猶昔，更有灞橋驢背客，此間地下眞可觀，怪底江山總生色。江山終古月明裏，醉魄沈沈呼不起，錦袍畫舫寂無人，隱隱歌聲繞流水。殘膏賸粉灑六合，猶作人間萬餘子，與君同時杜拾遺，窆石却在瀟湘湄，我昔南行曾訪之，衡雲慘慘通九疑，即論身後歸當地，儼與詩境同分馳，終嫌此老太憤激，我所師者非公誰？人生百年要行樂，一日千杯苦不足，笑看樵牧與斜陽，死當埋我茲山麓。（本篇完）

·蘆雜記· 「閻羅天子」

·伯雨·

偶經灣仔某廟，見門前高脚牌幾個，其中一個大書「包公丞相」，大概就是指戲劇小說中的包「文正」了。「七俠五義」說部，包拯自稱爲文正（有人誤以爲此乃其謚，其實不是，他謚的是孝肅），其顯名流傳婦孺之口，與關羽一樣同得力於小說的宣傳。包拯在宋時，官止於龍圖閣學士，並沒有拜相，不學無術的神棍，不知他是「閻羅天子」，以爲丞相就大極了，豈知弄巧反拙乎？

我的故鄉的城隍廟，兩廡塑有十殿閻君，右廡第一殿是秦廣王，第二是楚江王，第三宋帝王，第四五官王，第六殿卞城王；左廡第一座是第五殿閻羅天子，第七殿泰山王，第八殿都市王，第九殿平等王，第十殿轉輪王。廣州香港的和尚尼姑，在設佛事（廣州人稱爲「打齋」）時，也是這樣稱這十殿閻君的，大約是根據「玉曆至寶鈔」，一氣傳下來的。九殿閻君皆稱「王」，獨第五殿所戴的是天子冕旒，與諸王不同，這個「天子」面作黑色，活像戲台上的包公。第五殿應該列右廡之末才對，但卻列左廡第一，不知是否使他領袖班行，以尊「天子」？奇怪的是，城隍在迷信世界中，官職甚小，這些閻羅，既曰「君」，又曰「天子」，反而屈列兩廡，儼然爲城隍之屬吏，亦神棍之無知也？

俞曲園「茶香室叢鈔」載：宋仁宗時，范仲淹、寇準、韓琦，傳說都有死爲閻羅的，那麼，宋代不止一名臣爲閻羅的。但包拯在宋朝，聲望及官職，遠比不上范、寇、韓諸公，豈知死後，給小說一捧，竟然紅起來。考包拯被稱「閻羅」，也有原因的。宋仁宗時，包拯知開封府，守正不阿，顯貴斂手，婦孺皆知其名，所以京師有語曰：「關節不到，有閻羅包老」。又以其性寡笑，時人以其笑比黃河清。既有「閻羅包老」一語，後人就封他爲「閻羅天子」，眞是適合不過。至於小說寫他黑面，叫他做「包黑子」，也有所本的。潘永因「宋稗類鈔」記一黑龍圖云：「滯州界有一水，號爲脚溪，涉者足皆如墨，飲則病瘴。梅龍圖公儀宦此縣時，……忽墮水中，舉體黑如崑崙奴，自謂必死，然自此宿疾盡除。」後人便以梅龍圖之黑移到包龍圖身上了。宋沈括「夢溪筆談」云：公面黧黑，門人憂之，以問醫，醫曰：此乃垢汗，非疾也。進藻豆，令公洗

黑十字

北晨

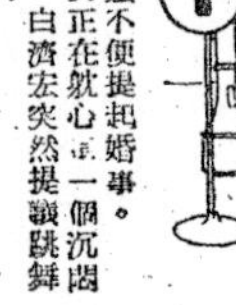

藍英完全沒有理會這男人，自己按着房間找，居然給她尋着了。白濟宏聽到門響，迎了出來。爲了製造一種安定而靜穆的空氣，直待藍英坐下了去，白濟宏才替他們兩人介紹。

想不到跟在她身後，一起進來的中年男人便是他們所說的黃先生，一陣忍不住的厭惡，從她心底泛上來。

藍英不欲多聽姐夫替那男人所作的吹噓，她趁着這段時間，鎮靜地偷窺了那男人兩眼，肥胖的身材，怕有近五十歲年紀，臉上有北方人固有的誠樸，只有一雙眼睛狡猾而貪婪，不時在斜視藍英，卻給藍英的視線擋個正着。

經過一些無關的問答之後，這局面幾乎鬆弛下來了。

黃洗本來不善言詞，藍英卻不願多說話，因爲是初次見面，白濟宏不便提起婚事。

藍英正在就心這一個沉悶的場面，白濟宏突然提議跳舞，他說：

「小英，今天星期天，對面有茶舞，我們陪黃先生跳舞去好嗎？」

「我作小東，我請黎小姐跳舞。」黃洗早從白濟宏夫婦那兒，知道了藍英的眞姓名，使得這妙在藍英的淡粧素抹，男人分外傾倒。

藍英無可無不可地答應了，她也希望混得熟一點，邀了姐姐的信，想向黃洗問那兩千元美金的事。

這是兩男一女的尷尬場面，誰知白濟宏早已佈置好了，佩瑾一人坐在大廳裏飲茶，出了電梯，白濟宏將她叫出來，三個人立刻變成了兩對。（廿四）

·中篇連載·

自由人

THE FREEMAN

（每週星期三六出版）

（第一三七期）

每份港幣壹毫

督印人：李光華

社址：香港高士打道六六號

電話：二〇八四八

GLOUCESTER RD. HONGKONG TEL: 20848

承印者：東南印務出版社

地址：高士打道六四號

臺灣總辦事處：臺北市館前街五十號

臺灣經銷處：臺北市中路一二五九號

韓戰兩週年

聞聯軍炸綏河電廠有感

·左舜生·

韓戰演變到達兩年，以目前的態勢而論，只能用戰爭的方式去求解決，談判一定談判不出和平。目前爲休戰談判之梗者，好像只剩下一個遣俘問題，其實即令遣俘問題可以談出一個辦法，如令一時的休戰可以得着一個協議，與韓戰的根本結束，依然毫不相干。

中共這兩年來高唱入雲的是『反美援朝』，假定在今天休戰可以成功，聯軍儘管高唱聯軍的勝利，中共依然可以高唱是她的勝利；本來這個戰爭如果只是有限度打到『三八』綫爲止，要確定誰勝誰敗，確實也是很難的。一旦休戰實現，只要雙方的軍隊不撤出韓境，再來開始談判韓國的善後問題，如果聯合國不肯公然出賣南韓，戰爭即依然隨時可以爆發。一個輕微的遣俘問題，尚且無法解開這個休戰的死結，韓國善後問題的複雜，又不知大於遣俘問題多少倍，說一定可以由和談的方式得出結論，豈不等於癡人說夢！

蘇聯年來所運用一串的和平攻勢，其目的在造成民主國家普遍的畏戰心理；蘇聯三年來控制着中國大陸，指揮中共在大陸所做出一切暗無天日的舉動，其目的乃在使得中國數千萬的壯丁除聽命從事戰爭以外，即別無方法可以生存。這兩着蘇聯都是做得很成功的：只要民主國家一天不斷念於和平，她即有辦法可以隨時隨地發動她的貓腳爪向民主國家詐索和平的代價。

單就美國一國而論，已經爲韓戰傷亡了十萬以上的青年，付出了五百億金元的戰費，但蘇聯却是不折一兵，不花一錢，依然高坐在和平之神的寶座，在那裏欣賞戲笑！中共傷亡逾百萬，耗費也難於估量，這是事實；但這與蘇聯什麼相干？即令蘇聯已供給了一部分過剩的武器，但這是中共以賣國的條件去換來的，在蘇聯依然是只有便宜，並無損失；而且蘇聯利用這次的韓戰，把國內屯積的次等武器出清，以便製造大量的最新武器，這對於未來的大戰，也依然是於她有利的。總而言之，「大盜不操戈矛」，斯大林實在是今日人類中惟一的大盜！我們不「擒賊擒王」，以全力去對付這個惟一的大盜，而想以枝枝節節的方法，覓得世界的和平，豈不是被這個大盜玩於掌股之上？

即就韓戰談韓戰，假定在一年以前，聯軍即開始轟炸東北，同時以切實的方法，扶植南韓幾枝有力的部隊，或直截了當解除台灣的中立，以海空擁護，聽其穩扎穩打，向華南逐漸推進，則不但蘇聯絕對不會動手，即中共要保持如今日的形勢也絕無可能，最低限度韓戰是可以中止的。不此之圖，一定要發明一個所謂『有限度的戰爭』，在一方面運用打仗的力量與作戰範圍『有限』，在另一方面布置戰爭的區域與儲積作戰實力的時間，却是無限；而且所謂『有限』云云者，亦甚難言之，試問美國在兩年間已傷亡十萬以上的青年，損耗五百億以上的戰費，假定休戰終於無法實現，即令戰場仍只限於韓國，不得已再打一年乃至兩年，則美國損耗數字的增加，又豈是我們所能想像？

中國舊時代有兩句老話：『工當問奴，織當問婢』，今天在美國眞正明白遠東形勢，熟悉蘇聯心理，了解國共關係有資格的將領，依然不出麥克阿瑟與魏德邁等幾個『老兵』，美國在事實上既無法採用魏德邁將地面部隊毅然退出韓國的主張，又不肯同意麥帥即令越境轟炸也不會引起世界大戰的看法，錯誤又錯誤，遷延復遷延，爲了一個休戰談判，浪費了一年的時間，使得中共又能集中到八十萬以上的實力，而蘇聯在東北一帶的佈置，也比前此加強，因爲感到休戰無望，和平落空，而威脅乃一天一天趨於嚴重，於是不得已，才有昨天發動五百架以上的飛機大舉轟炸綏河電廠之一舉！

老實說，這在趨勢上，已經算是恢復到了麥帥所要走的這條老路，即令是否能徹底走上麥克阿瑟的路綫尚不可知，但眞要求得韓戰徹底的解決，終非順着這樣一個趨勢去做不可；可是時間又錯過了一年，麥帥所提出一年前轟炸東北決不會引起大戰的一個保證，是否依然有效，確很難說，最近艾森豪威爾說，假定他當選了總統，關於遠東問題，他依然要請教麥帥，這個話究竟是誠意的，還是政略的，雖不可知，但我們却依然同意麥帥的看法不錯。即令在今天對東北、華南採取行動，或可不免有引起大戰的可能，但這在麥帥却並無責任，誰叫你們在一年前不實行他的策略，而一直遷延到今天呢？

論「新馬其諾主義」與反攻「軟下腹」

·黃震遐·

環球冷戰鬱勃緊張，形勢險，不是好現象，民主集團抗俄，顯然本末倒置，過份偏重軍事，基本態度上還是西方第一主義。美國戰略則有東西兩派，及海空立場之爭，或主遠東海攻，或仍強調北極空防，實際都不是出路。看來西方人的戰略智慧，對擺脫不掉克勞塞維茨的原則，必求「破敵主力」決勝疆場，如中古重鎧騎士的衝鋒，一面要帶些英雄主義，一面又要托辣斯精神，必求物資集中，計算精密。過去以此態度對付納粹，已吃大虧，再以此態度來對付聯共策略，尤類「馬其諾主義」之再生。西方人所缺乏的，似乎不是不敢幹，而是不能「想」。杜爾斯最近指出民主國有創造，不能保有以「創造性的民主」來對付聯共戰略，這話頗有清新的意義。

蘇俄戰略，職業軍人把持，必然無遠見，搞不過克林姆宮。過去兵不血刃而獲得大成功，不過朱可夫和馬林諾夫斯基將軍何嘗有過貢獻？蘇俄是沒有英雄的，它的勝利祇在其有極多創造性的擴張理想，有一套「革命」大戰略。蘇俄要消滅的不是城池，而是武力，而是政權。而蘇俄是整個社會的擴張，所要奪取的不是它戰略的本身，蘇俄的龐大武力，祇是它戰略內的武力。西歐防綫和太平洋艦隊，祇能阻止蘇俄有形的武力，不能防範共黨無形的擴張。蘇俄將過去七年來的冷戰作一總結，爲民主集團所嗤以蘇俄的六個方面軍和中共五個野戰軍的內[illegible]

[illegible]「軟下腹」（SOFT UNDER BELLY）[illegible]「創造性的民主」[illegible]

[illegible]

是「創造性民主」的方案，雖有極大軍事性，本質上却是政治爲主的。大膽[illegible]

潘友新調華的任務

王千一

史大林把潘友新調到中國大陸，用公開的大使名義來直接監督中共。潘曾在一九三九年使華，那時正是中共執行「抗日統一戰綫」的時期，潘的任務就是表面上支持中國抗日戰爭，和[illegible]中共與蘇俄的關係，使人對中共的活動減少疑慮。他當時會常向中國官員表示：「中共是一農民的黨，不是布爾雪維克。」當時有些人因他此語，就以爲俄國人根本瞧不起中共。也有人問潘友新，蘇俄對中國政府的眞正態度如何？他說：「蘇俄雖是共產黨國家，但却希望中國國民黨成功。」聞的人當然很疑惑，但潘却說：「此話使你一定很爲驚奇，是的，共產黨的國家當然是希望其他國家的共產黨成功的，但現在的國際共產黨，正執行一反法西斯蒂統一戰綫，假使中共成功了，美英等國一定會懷疑蘇俄幫了中共的忙，統一戰綫就很容易破壞，那是只有對希特拉和日本有利了。」

潘友新這一解釋，據說是跟當初史大林對孔祥熙談的是一樣的，於是大家對中共的活動都採取了寬容的態度，讓它自由發展了。那里知道，潘友新的話，本身即爲一「統一戰綫」工作，[illegible]

所在了。共產黨就是這樣利害，它們在一個時期決定一個政策，上至史大林，下至一[illegible]

[illegible]

本週展望

雷嘯岑

克拉克將軍的硬派作風

韓戰聯軍統帥克拉克，東方人對他的名字或許有些陌生之感，西方人却是「久聞大名」的。二次大戰時，他是地中海意大利方面的盟軍統帥，著有卓越的戰功。今年春間，白宮曾任命他爲駐羅馬教廷大使，未赴任而東來主持韓戰，到任不及百天，即表演了幾手受人喝采的作法，一反過去李治威那種婆婆媽媽的態度，不愧爲與共產黨鬥爭的一位能幹人物。

巨濟島共俘的騷亂，板門店共軍代表的嘶鬧，李治威都弄得束手無策，坐以待斃。他一來，先以軍律制裁共俘的暴亂行爲，不理共方及英加各國的指摘，我行我素，悍幅無華。板門店共產黨人的無聊宣傳，他教聯軍代表自動休會，不必理會。這些硬派作風，都是給共黨一種暗示：再莫要胡鬧！

然而，共黨以爲他還是李治威一流人物，越鬧越起勁，居然進兵攻擊，一天之內，竟對聯軍發出了一萬數千顆的大砲彈。他一聲不響的要給共黨一些顏色看看，把麥克阿瑟、李治威兩人所不能做，也不敢做的事，一朝實現——派五百架飛機，炸毀了東北和北韓各種電工業相依爲命的鴨綠江邊大電廠，連帶順大通的工業動力亦從此窒息了！

這種硬派作風，在純軍事觀點上，是應當的。軍人只是以克敵制勝爲職責，政治因素顧不了許多。這也意味着板門店的胡鬧把戲快要終場了！

安理會辯論細菌戰

俄共在聯大安理會所佈置的細菌戰辯論案，馬立克主張邀約中共北韓派員參加討論，眞面目已揭露出來了。指手劃脚，說東說西，原來是爲此啊！

去年聯大曾恭請伍修權一行人到成功湖來調理，結果除却痛駡幾天「美帝」以外，帶了幾十箱的「美帝」日用奢侈，款段而歸。現在馬立克又溫舊課，要教中韓共嘍囉來做搭擋，表演一場熱烈的鬧劇，恐怕大家未必再感興趣吧！

假使安理會各會員們有意開頑笑，也搞些新鮮噱頭來消遣，那倒是很好玩的。因爲中韓共若派人到安理會參加細菌戰討論，那會場上一定是好像蟲豸博覽會的景色，圖片滿目，洋洋大觀，視去年伍修權那種乾燥無味的單調叫囂，有趣多了。

俄共在國內正以細菌戰來煽動人民的仇美心理，當然在國外要乘機串演，以示配合。馬立克未嘗不明白他所佈置的把戲必然被人戳穿，毫無結果，但非這樣做不可，否則是對「領袖」不忠貞的表示，那還了得！這就是做共產黨的苦處，臉皮不厚，可不行啦！

爲李總統承晚先生祝福

南韓政潮鬧得烏煙瘴氣，宣佈戒嚴令，逮捕議員，民衆請願游行，副議長與副總統挨打，英美使館祕書爬出會場窗口逃走等情形，嘆觀止矣。爲的只是要使現任李大總統連任，不可「倦勤」！

好了，國會已經決議：在新任總統未依法選舉以前，李大總統繼續負責。雖然這項決議不够全體議員三分二以上的法定人數，但總是經過議會討論通過的議案。況且明明只說是「在新任未依法選舉以前」，這時間可暫可久，即令經過三五年以後再選舉，依法理上也是說得過去的。平日我們佩服咱們中國的「儒」士們擅長「以文亂法」的文字藝術，現看看南韓國會議員們的高明決議文，覺得比咱們更拿手，可爲敬佩！

我想李總統必能以國事爲重，不會倦勤下臺的。韓國正在生死存亡的關頭，希望從此政潮平息，一心反共抗俄，再莫內鬨，引起國際閒話，教西方人相信我們東方人也有實行民主政治的修養，詎不偉歟！

印度饑荒仍嚴重

（新德里航訊）

魏漢明

一　饑荒的恐怖

十年之前，印度曾遭遇一次大饑饉，奪去了三百五十萬生命。近年還可怕的大饑饉又不斷襲擊而來。平時，這個國家的生活本已非常艱難，人民的平均壽命只有三十歲，一百個小孩子中能夠活得過十五歲的，只有五十四人。在大饑饉下，自然更爲悲慘了。

這次的凶災開始於去年秋天，一下子就損失了六百萬噸的糧食，這數字約佔全印度的年消費量的八分之一。凶災雖非全國一樣，但收成一向比較好的東旁遮普、勒斯登、柏勒特三個省，這次亦多少波及到了。情況最嚴重的地區爲貝巴爾、孟特拉、西孟加拉、狄肯、南平、阿薩密各省，在災荒開始時，這些省區靠着一些貯存的糧食來勉強維持，所以災情雖成，慘況還不十分顯著，但到了本年一月，情形就嚴重了，印度糧食部的報告說，各省所有的存糧已較去年減少了九十萬噸，去年公佈的存糧額是一百六十萬噸，那末這時僅餘七十萬噸了。

一月十九日、印度糧食部廣播，謂每人每日的配給量已決定由十二安士減爲九安士。一普通勞働者的最低需要量以二十四安士計，則這個九安士的配給何能維持生命。現在每日正有無數的飢民擁進各個城市來，鳩形鵠面，以無比的耐心和沉默，到處蜷屈在街頭等候救濟。而存在政府手頭的糧食即將告罄，外援糧的輸入遲慢，大有遠水不救近火之感。今年的年成亦不見大妙，青黃不接，情形更爲嚴重了。

二　糧荒的原因

形成這次糧荒的原因，除天時外，有三個：

一是印度政府的無能，他們一向聽天由命，用祈禱來幻想豐收，不大致力於防荒工作，於是一旦發生了地震，洪水、旱魃、蝗災後，往往即束手無策。

第二是尼哈魯的糧食政策的錯誤。印度獨立之前，每年從東南亞輸入的糧食總在一百萬噸到二百五十萬噸之間，獨立之後，有一部份耕地面積劃歸了巴基斯坦，加之東南亞政治情勢的混亂，糧食的主要輸入來源發生了問題，不得已轉向美國及澳洲採購，但這樣就加重了財政上的負担。於是印政府在一九四九年春，決定了一個糧食自給政策，準備在一九五一年冬完成這個目標。可是這個計劃野心太大，跟他的財政配合不上，執行時又不得不一再削減原有建設電力灌溉計劃所需的經費，以致工程的進行很慢。同時，印政府爲了杜塞從巴基斯坦的輸入，命令把很多稻田改種黃麻，弄得糧食產量更爲低縮。

第三是這個國家死亡率雖高，生育力卻特別強大，人口的增加速率非常迅速，大大超過當初一般的估計，試以南平省爲例：當初的估計是每年增多百分之一．四，實際上十年來竟增加了百分之二十。這樣的驚大生育力和高度旱天率，更造成了勞動力的相對低落。生之者寡，食之者衆，糧食問題遂益趨嚴重。

三　解決的辦法

印度政府爲此事正弄得焦頭爛額，備受各方責難，他們現在可以試行解救的辦法，似乎只有三個：

一是變更與巴基斯坦的貿易關係，將轉用於生產棉花黃麻的土地，一百萬英畝的仍然改產糧食，則全國糧食生產可增加一百五十萬噸，但這事困難甚多，因爲當初將稻改種棉麻，主要爲了抵制巴基斯坦，而印巴的爭執關係，又在于：喀什米爾問題，此問題現雖暫得緩和，但印度視此種抵制仍有其政治上的必要。即就經濟方面論，麻棉在輸出上實較米產爲有利，蘇聯、中共對印度的交易條件，又都是指定要印度供給麻包，所以這一改產的可能性很少。退一步言，即使實行，也只是關解決來年的問題，對于目前的大饑饉無補于事。

其次是移民的辦法，將荒災嚴重的地區的人民遷移到較爲富足之區，但這又談何容易，運輸的條件，以及印度所特有的各種階級關係等等，已足夠使印度政府無法着手。

第三個辦法是向外購糧了。印度政府準備向澳洲，美國，加拿大等交涉輸入四百萬噸，其中對美國的要求爲最多，請求援助二百萬噸，估全數之半。中共去年曾表示供給五萬噸來換取麻包，後來一度又傳將供給一百萬噸，蘇俄亦提出願以五萬噸交換麻包、茶、棉花，後來提高到五十萬噸。可是這都是宣傳，實際上去年中共與蘇俄，並沒有一粒糧食運到印度。直到上月潘尼加與中共直接談商後，才確定以十萬噸糧來交換印度戰略物資。

由印度政府唯一可走的道路，就是這第三辦法，全印度都在等待着接濟，印度報章說：「印政府交涉輸入糧食如能成功，並能于最近期內運到，則困難方可減少，如若失效，則後果不堪設想，社會將發生動亂了。」

四　求援的不易

現在這交涉已部份辦好了，但是由於印度政治的曖昧，在過程上增加了很大困難。以美國論，當杜魯門提出國會時，國會就發生了論爭，而論爭的中心就在於印美對亞洲問題，乃至朝鮮問題在聯合國中見解的異趣。艾契遜亦曾促請國會迅速通過，但國會仍遲遲不決，一直延擱到四月底，才勉強完成手續，並附有清償貨款，監督分配等條件。至于印度直接向美採購問題，國務院的表示是「只要印度能廢除對美戰略物資輸出的禁令，即可不斷供應」。由此可見美國人對印度政府實在不快，其所以仍不得不援助者，一是在於拯救印度人民，二是防制共產集團的宣傳和離間。

共產集團也確實抓緊了這個機會，向印度大獻殷勤，說美國不幫助你，我們來幫助你。要把尼哈魯拉過去，同時，又藉着糧食的輸出，聯緊幫助印共的發展，又要把尼哈魯打下去。

所以印度人對于共產集團的援助，正是喜憂參半的，喜的是經過了中共蘇聯這樣一表示，迫得把美國的谷倉打開了，一下就是二百萬噸，問題解決了一半。憂的是毛澤東與史太林用救濟，顯然另有作用，這作用不僅是宣傳中共的土改成績，亦可能是在向印度輸出土改的方法。但是態度既這樣殷勤，印度又那能不接受。印度經過這次飢饉，前途的困難自然更多了。

求援的談判雖大致告一段落，但這樣龐大數量的糧食，裝運問題又成爲一大困難，據新德里的報導，經六月底止，僅運到五十幾萬噸，中共與蘇聯的援糧，還只聽樓梯響，不見人下來。救災如救火，這樣遲慢的動作，不知又要增加多少死亡？

陰謀小人鄧寶珊

「天水姑娘白娃娃」，鄧就靠了他女兒做裙帶官

大魏

話說天水有個鄧家莊，鄧家莊上出了一個鄧寶珊。風水地脈如何不得而知，當清末的時候，鄧寶珊已是十多歲了，其父因他讀書不成，又體弱不能務農，乃把他送到城裏一家當舖裏作學徒，幹了兩年，人大了，心也大了，便不耐煩作「籠中鳥」了；一次一個家人押了一對約五兩重的手鐲，黃澄澄的晃人眼睛，這一下使他動了心，打了主意，他做了一張假的贖物當票，乘別人不注意時把這對五兩重的手鐲換出，當晚結賬沒被發覺，但第二天糟了，押手鐲的人拿眞贖票來贖當了，朝奉一查，知道有弊，而這時鄧「主席」知情不對，已由後門跑了。

這一跑，可跑的不近，一股勁就跑出口外（星星峽），到了新疆。當了兵，後來被送伊黎的「將弁學堂」受訓，畢業後，不到幾年便升爲「統領」（相當營長），辛亥革命後，鄧寶珊便乘機由新疆到陝西，加入靖國軍，官拜「管帶」之職（相當團長），一個由當舖學徒不上十年居然當了團長，眞是志高氣揚不可一世，飽暖思淫，姨太太便是不可少的，跟着鴉片也上了癮，不過那時抽鴉片和現在抽紙烟一樣普遍，而且講究，鄧姿在抱吞雲吐霧，一切都糜爛了。

馮玉祥倒了戈，脫離了吳佩孚，獨樹一幟，至豫南一役潰敗，宣告下野，跑到蘇聯去「遊歷」，回國後，組國民軍，謀統一華北、西北，時胡景翼之靖國軍，東至洛陽，西至甘肅，實力雄厚，馮遂與胡相併自爲國民軍第一軍，胡爲第二軍，鄧于當時已作了馮部的第二師師長，北伐後，馮見鄧略有籌謀，曾派鄧代理甘肅省主席兼綏靖主任，但爲時短暫，過不了鄧的「官」癮。

抗戰前後，鄧部編爲「新一軍」，零零落落不成隊伍，抗戰初期，馮玉祥與政府發生齟齬，「馮系」部隊陸續遭編遣，鄧被派爲「晉陝綏邊區綏署」主任，駐在榆林，自己實際上只有一個特務營，雖說，高雙成的二十二軍歸他指揮，其實，家那裏聽他的。

鄧在這時雖有雄心亦無法施展，而且捨不得那烟霧迷霧的生活，就乾脆讓人擺佈，表現得十分瀟洒，不在乎，所謂「鄧山人」便是這時人家贈他的別號，實際他甘心這「山人」的稱呼嗎？骨子裏他早別有所圖了。

「晉陝綏邊區」與傅作義的十二戰區相鄰，與赤都延安，更是接近，這是一個近水樓台的環境，他一面拉緊傅作義，另一方面卻經常徜徉於延安，不斷與中共的要員勾搭毛澤東，周恩來這些人，亦早有利用之心，故「晉陝綏邊區」那時一直相安無事，顯是雙方的默契。

天水女人的「水色」在甘肅是出名的，有句俗話：「天水姑娘白娃娃，」可以想見，鄧的大女兒乳名「鄧團子」者，確有幾分姿色，鄧便拿她作爲自己的政治資本，當時盛傳要嫁給毛澤東的兒子毛芹英，後來如何不得而知，反正祇少他已拉到一個中共要員作女婿，給他目己準備了一條裙帶路。

當時政府還很器重他，所以一度要委他作甘肅省主席，將成事實卻遭甘肅省黨部書記長張維力加反對，使他眼看着一個肥缺，未能到手，自然懷恨在心，今天居然小人得志，弄到「甘肅省人民政府主席」，一次即派張維四萬份「折實公債」限期交足，立逼張維自殺而死，算報了他的私仇，此種陰險卑鄙的伎倆，實使人心寒而慄，這是後話。

剿匪期間，傅作義作了華北剿總總司令，力薦鄧寶珊爲副總司令，仍兼「晉陝綏邊區綏署公署」主任，可能傅也想透過鄧的關係與中共拉綫，後來形勢日非，傅作義把當時的全權交給鄧寶珊，唱「局部和平」，這不用說爲了講價錢比較方便，究竟有「親戚關係」是有點不同。

目前共區，「三反」「五反」，風聲鶴唳，箭頭不久即將指向那些奴膝婢顏的黨擁和半路出家的份子，鄧寶珊的命運，也快完了。

水深火熱中的匈牙利人

共產黨的暴行在任何地方都是一樣的

一九五一年五月廿一日夜半兩點鐘，布達佩斯的街上：駛過一隊棕色的卡車，像洗染店接洗衣服似的，逐家逐家停一停，他們收的不是髒衣服，而是活人！裝滿一車就風馳電掣的送到火車站。滿街都充滿驚心動魄的哭叫聲。

「人民公敵」

估計由五月下旬至七月中，匈牙利政治警察抓去了七萬個人：其中有商人，公務員，教員，律師，記者，工程人員：等的「中等智識階級」。他們的罪名是因爲他們是「中等階級」，亦即是莫斯科魔鬼眼中的「人民公敵」。抓去之後，送到農場拳打腳踢被迫勞役，每天半飢餓地幹足十小時的苦工！

蘇維埃抓取農奴，已經不算新鮮的事了！「一九四六年；立陶宛，拉脫維亞、等國的中等階級，早就消滅淨盡。一九四八年；輪到保加利亞。甚至僅有四十五萬人口的蘇非亞，也被抓去十萬人。一九四九年；羅馬尼亞差不多有一百萬人亡家破產，到了一九五〇年，還再抓去八十萬人，充軍到波蘭的西邊。總計各衛星國的百姓，被共產黨弄去的超過二百五十萬人，據調查，已有一百六十萬人死亡。草菅人命到之髮指！

慢性死亡

有些被抓去的把經過寫成信，託人偷偷帶出。因此可以知道一些血淚交織的情形。

被驅上「慢性死亡」的第一步，是先接到驅逐通知，通知單分三種顏色：最慘是藍色的，祇要警察一按門鈴，遞過通知，便要馬上鎖進囚車，限帶衣服二十磅，然後送進裝牛的火車裏，轉送不可知的地方！女人們則分送九個集中營，或西伯利亞。可惜她們沒有人能透漏一些信件出來，情形不大清楚。

白色通知單最通融，准帶八百磅行李，還有一個星期的期限可以摒擋一切。此外百分之九十，是紅色通知單，廿四小時後起解，可以帶八十磅重的東西。

歷史重演

現在替共產黨動手抓人的要蛋，也就是當年効忠於德國希墨萊的那一批殺人不眨眼的傢伙，有幾個可憐虫被抓上囚車時，特意把納粹時期指定猶太人穿的背上釘着黃星的衣服披上，警察問他們爲什麼要穿這種衣服？他們苦笑道：「這還是以前的那一套老玩意，爲什麼不穿上以前的囚衣呢？」

一個公務員接到了通知，以爲是誤會，連忙跑去請求長官證明。誰知長官笑一笑，寫給一張條子道：「該員立即撤職！」

所知的，祇有一個維里貝尼醫生是例外，當他給一個病危的共產要人施手術，他的母親和老婆接到了驅逐通知，他一生氣，把面罩手套拉脫，冷冷的說道：「好吧！如果不取銷這個通知，以後也不再施手術了！」結果因爲當地缺乏名醫，他總算勝利了一半：母親特准免逐，老婆不免驚風分飛！

蕩產傾家

市面紛擾，正是一批走狗們發財的機會，一般被驅逐者，爲了不能多帶東西，不得不忍痛把傢具，物品換些現金，滿街上堆滿了油畫，傢俬，銀器，書籍，衣服等東西，一套飯廳的傢具，祇值五把錢，一套新的男人衣服，賣一塊錢，人所共知的一家伏爾東氏公司，是一班共產黨走狗組成的，專門收買這些便宜貨，他們攔着大街，對老百姓們說：你們早晚是要充軍的，識時務的不如趁現在把家裏東西賣掉罷！」

死別生離

抓人的程序大致是星期一、三、五發出通知，二、四、六日便派警察抓人。老百姓們每一秒鐘都提心吊胆，雖然是老弱病殘，也不能倖免。被抓的人，三分之一竟是在七十歲以上的老人！

社會上有聲譽的人，更不例外。一位七十二歲的文學教授夏萬尼，一位八十二歲的醫學教授富里伊施，都被抓到農場拔菜。還有匈牙利王子的夫人與都貝，是舞台上紅極一時的名伶，現在也整天在稻田裏受熬蒸！

八十二歲病中的前司法部長黎基，路也不能走，被抓的時候，連椅子一齊抬出馬路，他對人說：「我最心愛的法律書籍，油畫，與及古玩都完蛋了！我還要什麼行李呢？」他的話不錯，向來充軍犯的行李，很少有能收到一半的，這老頭兒的命還不錯，在充軍途中便壽終「外」寢了。

夫婦拆散，母子分離，當然不在話下。所以許多父母都在小孩子身上，刺上花紋標記，希冀將來一息尚存，仍能團聚。

[illegible]布達佩斯自殺者竟達一千餘人，[illegible]那一家接到通知[illegible]運煤汽水斷絕供應，當局防範不[illegible]一個老婦人跳樓之後，留下遺書說：「我縱身下跳這個窗口，正是當年我的兒子被納粹特務「蓋世太保」逮捕時，被逼跳出自殺的老地方。」

人間地獄

充軍犯都被推進一輛裝牛的火車，一卡擠到每人都祇能筆直的站着，[illegible]

天一亮，就要爬起來，步行兩英哩，到集體農場去工作，每天滿十五小時，可以獲得每小時一分至五分錢的工資，這些工資就是他們自己養命之源，政府是不發口糧的。老弱不能做工，祇好餓着肚子向上帝祈禱了！

「慢性死亡」千篇一律的事實，[illegible]（漢生節譯自讀者文摘）

俄帝的暴政

奴工營罪惡滔天

前爲捷克律師的波勒克博士，逃出西伯利亞奴工營，據他報導親身經歷的情形說，一年到頭天天被困於諾斯克城，工作絕無休息，而飲食又極惡劣，致因從死亡纍纍，每天至少死一、二十人，將死者屍體每日晨用卡車載去，曝任四郊林野野獸吞食。他並說：「吾人曾求准許至少將死者加以掩埋，但未獲准。共幹告他說，若欲挖坑，可到鋼礦場工作增加生產了。」

世間竟有這樣最大罪惡的黑地獄存在於蘇聯，這實在是人類的恥辱。

俄帝擄掠下的蘭州近貌

蘭州今日已成為中共進一步投靠俄共的腹心基地，也是俄帝控制中國大陸的主要據點

【本報蘭州特約通訊】蘭州市自今年入春以來，俄共中共的人員車馬輻輳，物資集中，陸空戒嚴，內外緊張，是在蘭州的人們，向所未見的。遠自新疆移來的俄帝陸空部隊，人數不在一萬人以下，蘭州市東關街一帶，成爲這一羣新征服者的集中地帶。東門外十里拔新擴充的兩萬呎長機場跑道，已有噴射機降落，俄式六輪軍用卡車，成日飛駛於機場與蘭州市區之內，頻添了蘭州市的緊張擾攘不少。

趕築公路鐵道 圈定工業禁區

目前，自陝西北來的隴海鐵路，已通過了甘肅天水，進抵渭川（通渭），由渭川北上，經過照營定西通達蘭州二百餘公里的公路，已由擔備運通隴海鐵路蘭天（蘭州至天水）段，由大批的奴工兩加倍拓寬了它的部份路基，各型各類的交通工具，正由中共以龐大的人力，日夜在那裏押運爬行着，大陸東南東北的物資，器械，工業設備，和一部份工廠人員，正由這一條與鐵路相銜接的公路，湧向蘭州。蘭州市北東至榆中縣之興隆山（離蘭州市九十華里）——即前成吉斯汗靈櫬所在地），北至安寧堡，南至阿干鎮，西至秦旺川山子洞，崔家崖一帶，成爲這一外來物資互流的四集地帶，若干大規模形式的工廠，也在這一區黃土丘陵林木蔭旺之中，豎起了它附石嶙峋的腳，看來那俄共中共要把它劃爲工業集中區了——內部情形，由於四週警衛嚴密之故，不得而詳。

在蘭州物資人員密集的另一面，蘭州市郊，正由大量被奴役的民工，在日夜翻修幾條大公路：這幾條公路，一條是經過銀川伸向綏遠包頭，再由包頭經過百靈廟，伸向外蒙庫倫。一條是經過酒泉（嘉峪關）伸向新疆哈密，再由哈密經過奇台伸向迪化市。另一條是經過天水伸向四川閬中，再由閬中伸向成都市。這三條公路，連同蘭天公路在內，形成以蘭州爲中心點，分別自蘭州東北西北西南正南四面出發；蘭州在一輻射形的公路網當中，成爲縮影四面的司令台。由蘭州近郊所已開拓成的上流各公路的路面幅度與斜度去看，這一系列的公路，可說根本是一條鐵路的路基；一旦有充足的鐵路器材到達，很快的就可變成鐵路。

奴役十萬民工 爲了靠緊俄帝

在這四條公路工作的民工，以至新疆的一綫最密，至天水一綫次之，人數多寡，無從正確統計。但若由蘭州市北一百二十公里的永登縣境一點，在那裏工作的民工是九十七，九十八，九十九三個大隊，每一大隊約三百人的地方，（尚在甘肅境內），地段（離蘭州僅一百二十公里），工作大隊番號（已接近二百數字）去看，全部工作於各路民工的總數字，無疑是龐大的。

由上列蘭州現狀與交通態勢去看，顯然蘭州今天已成爲中共進一步投向俄共的腹心基地，或亦即變成了俄共不折不扣的中亞前進基地。一旦隴海鐵路北上進抵蘭州，大陸東南東北及其沿海，就可由隴海鐵路一綫相通而聯成全面一氣。而蘭迪蘭庫兩條公路的在隴海鐵背後首尾貫通，更完成了隴海以北西北幕後交通的一大三角形；這大三角形的基據，底面是接近蘇俄的，蘭州恰是向南延展的三角形頂點，蘭州今日的在鐵幕深處，能得如此繁榮一時，其中心理由在此。

目前，自大陸東南東北運至蘭州的一部份人員物資，在蘭州經過一個短時期圈聚以後，又陸續轉去新疆的包頭，看來俄共中共的最后企圖，是會將整個西北與中亞細亞併聯在一起的。西北的糧食不足，蘭州在經過大量人口集中以後，一般物價——日常生活所需者，比東南高過二倍半有餘，若雞蛋豬肉等物，更不止此數目前中共正忙於將西南的糧食，運往西北，但結果總是供不應求。（關草崇自蘭州）

中共對大陸農村的新刼奪

·鄭家駒·

中共對大陸農村的搜括擠取是多方面的，除了透過公糧及附加層層榨乾了農民的主糧外，對於農村重要副產物，其統治括削，也不遺餘力。最近由於小麥即將收成，中共國營糧食公司，正透過各地機構，準備進行全面性「收購」。五月二十八日中共「人民日報」特發表「及時收購新麥」社論，指出今年全國小麥的產量比去年增加百分之十五，今年國家計劃收購的小麥，應比去年增加百分之四十，並強調「應把收購新麥的過程，變成一個對農民進行政治教育和組織農民擴大再生產的過程」。同時，在減低工業品成本的烟幕下，宣佈改低收購牌價，正式向農民實施刼掠。

在中共的統治策略中，所謂收購原爲變相的徵收，「人民日報」社論中，一再指出「收購新麥是一個重大的政治任務」……各地糧食公司和合作社的工作人員，應爲圓滿地完成這個重大的任務而鬥爭」。「收購」所以是政治任務而不是經濟任務，其基本原因有二：第一、中共的所謂收購，是一種不等價的壟斷貿易。價格的高低並不根據物資的實際供求，而係由中共隨意決定。過去因有私商的參與收購，尚能有若干競爭作用，自「五反」以後，私商不但無力收購，亦不敢收購，因此收購已完全爲中共所獨佔，其形質乃無異於征購。去年各地紗布不斷狂漲之際，中共爲搜括民間存棉，却實行壓低棉價，將小米區棉價由十四比一降爲十點三五比一，大米區由十點三七五比一，降爲八點五比一。這次的收購小麥，其降價比率雖未見公布，但據六月十五日「長江日報」所載武漢「工商局物價科」的報告：每担麥只賣得共幣七、八萬元。由於中共的獨佔市場，農民須從二三十里路挑到國營公司的收購站，才能賣出。加以收購手續遲緩，「往往天不亮就動身，一直要等到很晚才摸黑回家」。不僅價錢被壓低，而且還要躭誤工作。這種情形，如非出於政治鬥爭方式的強制執行，自無法完成「任務」。

其次，中共的收購，乃「人民幣下鄉」的基本辦法，也是其「穩定物價」的重要環節。其所放出的是毫無代價的紙幣，而吸入的則是農民血汗所凝結的物資。農民售出農產品後根本上買不到所需的用品，而所收到的「人民幣」，不是被「勸告」存入「人民銀行」，便是被迫作爲「捐獻」。如最近蘇北「南通專區」各「人民銀行」支行及營業所，在收購土產當中，即同時展開「農村儲蓄」。據五月十六日「人民日報」所載：該區海安人民銀行曲塘營業所，通過各鄉村幹部，竟強迫農民在儲蓄會上「自報互評」，農民不認儲，他們就睡在農民家裏要吃要喝，直到認儲以後才走。皋頭區的共幹，因強迫農民認儲沒有達到目的，竟用麻繩和鐵索將農民綑起，吊在樹上，在召開羣衆大會進行認儲時，竟宣傳說：「抗美援朝就要儲蓄，銀行儲蓄就是不擁護抗美援朝，不擁護抗美援朝就是反動份子，反動份子就要加以鎮壓」。在這一放一收之下，農民終年辛勤的所得，便這樣被搾乾。

除了現有物資的強制收購外，對西北及中南各地重要農產的棉花，更實施預購存實的辦法。在棉花未收成以前，即利用各地「合作社」，向農民預購，強迫農民簽訂合同，據中共中南合作事業管理局最近向各級合作社所提出的「一九五二年預購棉花十大工作」中所規定：各級合作社應把預購棉花工作，當作產棉區五六月份的中心工作，形成一個羣衆性運動，所有的預購均以信用預購爲主，並同時預購的實物（布、糧）。中共所以要實行預購的原因：一方面由於牌價太低，恐怕農民索性死藏不售；另一方面則怕農民增加棉胎棉被，減低棉花的供應，可能影響紗廠的棉源。這一預購農棉的手法，其實行較諸收購小麥尤爲嚴酷。幾乎做到挨戶勸迫，纖毫無疑，據五月二十六日「長江日報」的報導：如江西南昌新建縣第三區，植棉四百五十畝，而預購皮棉即達一萬三千餘斤，幾佔產量百分之百。湖南澧縣榮市區，在十二天內即預購一百萬零九千五百九十二斤，超額完成原任務百分之十九。據湖北浠水縣紅蓮鄉的調查：全部農棉幾已被中共搜數預購精光，如該鄉農民徐恒多等十餘人，合共產皮淨花一千五百三十二斤，除自己留用六十一斤外，全部強迫預售給當地的合作社，佔預計總產量百分之九十六。而換得的只是一個空洞的「信用合同」，結果亦等於變相地供獻其生產所得。

上述這一套收購及預購，其搜括所得實際上並不在公糧的徵課之下，成爲現階段中共擴軍備戰的一大財源。在「愛國主義」的招牌下，反抗收購及預購就是不愛國，必然遭受到慘烈的清算和鬥爭，因此，農民縱使一千個不願意，亦不能不隱忍就範，但這一套竭澤而漁的手法，自然帶來了種種不良的後果：第一、農民只見產品被搾括光，而所需的物資並未得到合理的保障，在生產上普遍發生新的消極傾向；第二、是怕露富，提高自己的成份，許多農民不是設法隱瞞種植數量，便是自暴自棄，去年中共強迫收購棉花的結果，曾激起許多棉農的憤怒，甯將棉花當柴燒，而且潛伏着將來嚴重減產的凶兆。中共全部的財經措施，均逃不了「殺雞取卵」的特質，目前在農村的收購政策正是其顯著的一端。

湖北農學院怪事

「矛盾論」種馬鈴薯

自毛澤東將他十年前在延安講演的一篇舊稿——「矛盾論」再次整理公開發表以來，共區各界，都以此爲「學習」經典，陳伯達、艾思奇之流更連篇累牘的歌頌吹噓，說這篇東西如何了不起，可以在任何事物上應用。于是居然有人發明用「矛盾論」種植馬鈴薯，用「矛盾論」解決農業上的問題。

黨性教授新「發明」

這個人是一位教授，是湖北農學院園藝系的副系主任楊惠安，他在漢口「長江日報」上發表一篇「學習『矛盾論』對於農業工作的幾點認識」的文章，說他運用「矛盾論」改良品種，用「矛盾論」種菜，種馬鈴薯，都收到了「效果」。

他引述「矛盾論」的論點：「事物發展的根本原因，不是在事物的外部，而是在于事物的內部，在于事物內部的矛盾性。任何事物內部都有這種矛盾性，因此引起了事物的運動和發展。」如果依照這一說法，則一切植物的生長，完全是靠內部的矛盾發展，而不受外界影響，如土壤、肥料、氣候、以及人工技術，都無關重要。然而楊惠安却認爲這是生物生命的基本「理論」，根據這一「理論」的「指導」，他在農業選種與良種繁殖上得到了「正確的方向」。

蘿蔔內在有「矛盾」

以前他在資產階級「反動的」學說影響下，在農業生產工作上造成很多的錯誤和損失，削弱了品種的生活力和它的生命基礎的內在矛盾，以致熟期延遲，抗病力減弱，品質變劣，產量降低等等。他說以往引種蘿蔔，第一年開始種還好，第二年就比較差，形小質劣，第三年就無法再種了。于是根據「矛盾論」，將蘿蔔雜交，增加其內部的矛盾發展，結果有很好成效，大者重達四斤，甚至七斤。

馬鈴薯仔要思想「改造」

他說：以前種馬鈴薯，春分節播種，發芽遲緩，種不整齊，植株多數生長衰弱，不成塊莖，延到小暑節收穫，紅皮種于三〇植穴中僅收重不到一〇〇克的小薯四個，白皮種于三〇植穴中僅收重不到一〇〇克的小薯三個，現在運用毛澤東的理論方法，將小薯再播，第一年每株都能形成三〇至五〇克的中小塊莖，今年再運用「矛盾論」播種，效果更不同了，每單株收穫由半斤到一斤左右。因此楊惠安跟着

中國米邱林現世

俄國的科學家米邱林和李森科兩人，曾發明用「唯物辯證法」來治「生物學」和搞農業生產，說只有唯物辯證法」才能研究農業科學的「最高指導原則」，這已經是世界科學界的笑話。今天中共也不落後于它的「先進國家」，也用「矛盾論」來種植和改良蘿蔔與馬鈴薯了。這可以看出共產黨都是一邱之貉，都是一樣無恥的東西。同時也說明知識份子，甚至專家學者，爲了自己的生活生存，不得不違背良心，違背學理，歪曲事實，以迎合共產黨統治階級的心理。所以楊惠安最後還說：「生物是基于它的內部所包含的矛盾的，對立因素的互相排斥和鬥爭而生存和發展的，我們在選種良種繁殖上，就應不斷隨時加強作物品種或個體內部的矛盾因素，誘導它的變化或加速它的變化過程。」換言之：「矛盾論」可以完全應用到植物學上來，播種，接種，選種都少不了「矛盾論」。「農業上的問題，雖是萬千，但是解決問題鎖鑰則只有一個，這就是要掌握『矛盾論』」。（凱生）

長征幹部失了信心 捲款潛逃之風大盛

中共無法防制，祇有大力鎮壓，大智門外一天槍斃六個

【本報漢口訊】本月九日中南軍區司令部一次處決了六名囚犯，本來中共殺人多是論百計千的殺，區區六名自然不值得大驚小怪，可是市民對此都有不尋常的感覺，因爲這六個人都是共幹，其中四名縣長兩名縣政委，內幕如何，共黨並未透露，據說這些幹部都是「捲款潛逃」罪犯，有人認識其中有個叫郝開基的，是中共的現任衡陽縣政委，他的捲款潛逃的情形是這樣的！

郝開基是衡陽當地白沙鄉的人，年輕時家境很窮，曾替當地大戶伍姓家牧過牛，後來在「紅軍」擾湘南時，被拉去作小鬼隊，也曾經參加過「兩萬五」，到陝北後曾經進過「抗大」受訓，當時校長就是林彪，後來也就隨着林彪部隊工作，共軍渡江後，因爲幹部過於缺乏，於是雞犬皆仙，郝開基也回到衡陽「榮任」了政委，首先遭殃的當然是舊日東主伍家，被鬥的家敗人亡，衡陽爲湖南富庶之區，地主本來很多，郝又是本地人，兩年半以來輕車熟路，地主階級是整個打垮了，可是郝的袋中，也大有可觀了。因爲郝在衡陽大權獨攬，同其他「同志」因爲分贓不均，常起衝突，衡陽縣長吳家奇便到衡陽「地委會」檢舉他，可是地委會也因爲此馬來頭大，更存着官官相衛的心理，僅僅責令坦白了事，在三反運動中，郝又成了對象，這次因爲湖南省委會派員主持，無法加以袒護，當時會由郝自承貪污經過及數字，最後並表示願繳出貪污款項，事情本告一段落，僅由省委會予以懲戒，並未撤職，郝自知不妙，乃將歷年積存官鏹，交衡陽大生企業公司（郝係大股東）祕密運出，方式是用出口物資辦法，以多報少，將套得外滙，寄存海隅，不料此種套滙事件，爲海關查悉，大生企業公司經理傅之軒被扣押，研訊結果，知係郝主使，地委會乃傳郝訊問，郝雖未承認，但已引起注意，乃予以監視，郝知迫不及待，於是簽署一張雙程通行證，化裝商人，改名換姓，攜帶「愛人」乘車赴廣州，郝行後即被發覺，衡陽警備司令部，電話通知沿途戒嚴，終在韶關車站落網，解回衡陽後，未停留即送往長沙，轉解武漢，郝在公安局時，坦然不懼，公開說「這有什麼了不起，貪污不是我一個人，如若不留面子，我們就徹底坦白好了」，中南軍區因恐牽連過大，不易收拾，同時又亟須鎮壓捲款潛逃風氣，故未經審問，即決定死刑，六月九日早上，大智門外一排槍響，這位長征幹部，兩手血腥的劊子手，跟其他五位同志，一道解放了。（陸羽寄自漢口）

「自由人」稿約

本報各版，均歡迎投稿，敬訂稿約如下：

（一）除事先特約外，每稿最多請勿過一千五百字。長篇鉅製，以限於篇幅，無法刊登，請勿惠寄。

（二）專投各稿：評論要切合時局，新聞要記述事實（大陸消息，應有人名，地點，時間，人名不便刊登者，可於稿內註明），雜文要生動活潑。

（三）來稿除附有足够郵費外，概不退還。

（四）稿末請附註眞實姓名，地址，但發表時須用筆名者聽便。

（五）來稿一經刊登，即寄奉稿費通知單，憑單向本報領取。不願受酬者請寄稿時自行註明。

兩套官話

為方

美國駐俄大使肯南，最近由莫斯科赴巴黎晤艾契遜國務卿時，新聞記者們久慕這位「蘇聯問題專家」的大名，請教他對世界局勢的看法，他答以「我既不樂觀，亦不悲觀」兩語。高雅哉，官話也！可見無論古今中外的大官們，都具有一套圓富的官腔官話，八面玲瓏，不落邊際，說了等於沒有說，任何責任，皆不會發生。比一般政府發言人只會說「這無可奉告」那類令人悶氣的官話，巧妙多了。

這類水晶式的圓通官僚用語，以咱們中國的官兒們最擅長，例如「事出有因，查無實據」，「如果屬實，殊屬不法」等腔調，誰都充口而出，搖筆即是。開會必說「會衆情緒熱烈」，出差必說「此行結果圓滿」，更成了「官定」的通用語句。所以，抗日戰爭時期，內政部的「川康行政考察團」在赴西康途中，遇匪行劫，領隊人被槍彈擊破肚皮，抬回成都之日，當地新新新聞的記者亦照例寫一段訪問記，代領隊人作答曰：此行結果甚爲圓滿！

至於共產政治的法定官僚用語，又另是一套，而且比較簡單化，標準化，那就是無論做了甚末大小事件，自國計民生乃至於拉屎撒尿，都說「這是偉大的領袖史大林賢明領導」，或「偉大的毛主席賢明領導」的結果，「必卜官運亨通，紅得發紫」。「我的朋友」何，曾將其一所作高等數學答案，也加上一句「這是毛主席賢明領導的結果」，他那重慶大學校委會主委之職，至今未替。

因此，凡想做官的人，只要精通這兩套官話，包得行！

自由談

勞資兩利

儀君

鄧老板逃到天堂以後，一身之外，別無長物，袋中更空空如也，一文不名，只好隨遇而安，睡在廊簷下面，每日兩餐，也只好沿門托缽了，可是鄧老板經這次大難的磨鍊，也懂得知足常樂，因爲比較起同時的一般朋友們！他總算是最幸運的了。

鄧老板是上海五合織造廠的總經理，還兼裕和銀行董事長，又是通新紗廠的大股東，過去財產是無法計算的，條子也上千，爲上海有名資本家，「解放」以後，許多人跑去香港，也有些人秘密將財產移到海外，預作退步，只有鄧老板從未作此打算，他是相信「毛主席」的話，常常對人說：「我的財產一無洋股，二無官僚資本，我是道地的民族資本家，共產黨不會虧待了我的。」的確共產黨並沒有虧待他，還榮任政協委員，居然赴北平開會，又和「毛主席」握過手，鄧老板回來後，更紳氣萬分，常向工人說：「不要忘了毛主席的恩情」，因爲鄧老板如此進步，兩年來也受盡禮遇，雖然金條如水般的向外流，都在公債，捐獻的名目下日漸枯竭，可是「黃楊木作磬槌，外面光滑裏面苦」，只好苦在心裏，那知一聲晴天霹靂，掀起了五反運動，首先裕和銀行被反垮了，其次通新紡廠也由工人接管，最後噩運又降臨到五合織造廠的頭上，由工會青年團發動了大規模的檢舉，庶務主任張德成挺身作證，指出鄧老板共犯「十八條罪狀，總共列爲十八反，萬死有餘，最後還算「人民政府」「寬大」，僅判令將工廠沒收，並賠償所盜竊的國家財產，總經理一職就由小張繼任，只是賠償的數目却是天文台的數字，鄧老板雖然還有兩根金條，可是明知杯水車薪，縱出也無濟於事，於是改變了方向，將這兩根金條，送給監視「同志」作爲犧牲費，換得了雙程通行證，一溜烟逃到天堂，家眷也只好不顧了，鄧老板睡在廊簷下，想起前塵往事，那裏睡得着。

突然有一個熟悉的聲音在身邊說：「鄧先生挪一挪，讓點地方大家睏」，這個聲音太熟悉了，鄧老板不得不爬起來，借着街燈一看，原來是小張，這時小張也看到了他，雙方不約而同的嘆了一聲。還是鄧老板先恢復神智，拍拍小張說：「老弟，來找我歸案吧」！小張搖了搖頭說：「老板！沒想又見到你，這件事眞叫做說來話長，我們躺下談好不好」，鄧老板將鋪位挪動一些，小張躺下後嘆口氣說：「老板！我知道你該恨死我，可是你要知道內幕，你就渙然冰釋了，當初控訴你的罪狀，完全是工會交給我的，一定要我這樣說，否則我就是狗腿，要先行處死，他們並且說，我不作他們可以另找別人，總之老板的命運是決定了。」說到這裏，鄧老板擺擺手說：「這些事情，不說也罷，我要問你的，就是你爲什麼也會跑出來，不安心作總經理呢？」這時小張好像觸着隱痛，用手槌下水門汀地說：「別提了，共產黨的辦法，是叫做好話說盡，壞事做完，首先宣佈現在是工人當家了，爲了節省開支，減輕國家負担，要我們自動減薪，我原當庶務主任月薪是三百二十單位，升了總經理却改爲一百二十。工人們減得更慘，同時又實行增產挑戰運動，每日工作時間增加到十四小時，星期日照常，不久工人累病了，而機器也因使用過度，毛病百出，工會方面還時常批評我們工作鬆懈，思想痲痺，並隨時將我傳去警告，並責令提高生產百分之一百，你是知道的，實際能維持以往的數量，還不易，神仙也不能提高到百分之一百，思維再四，知道不能生存下去，還是買了一張通行證，跑來此地，不想遇見你。」鄧老板慢吞吞的說：「不！不！共產黨沒有騙我們！德成，這就叫做勞資兩利啊」！燈光下照着小張苦笑的臉，這時東方已現魚肚白色，天快亮了。

李白年譜簡編（一）

・舜生・

讀其書不可不知其人，最近因讀李太白全集，乃把李白的時代及其生平，略略加以檢討，因而寫了近一萬字的『雜談李白』，這對於我自己頗有益處，因而想到要徹底了解中國文學史或學術史上的一個重要人物，這類的工夫實在是不可省略的。

我平日有一種歡喜讀年譜的習慣，據近人李士濤所著『中國歷代名人年譜目錄』，雖不見得便怎樣完備，但已有一千二百餘種。李白年譜見於他這本目錄的，共有三種：第一種爲宋薛仲邕所編，（按薛關中人，宋紹興間爲右奉議郎，李書誤宋爲明。）第二種爲清乾隆間王琦據薛譜所改編，第三種則清代李調元鄧在珩所合編。我現在手邊所有的只王琦這一種，大體似乎是很好的，但文字仍微嫌繁富，爲便省覽，茲據王書再寫成一『李白年譜簡編』如下。

李白年譜簡編

唐武后大足元年（701）

太白生，名白；青蓮居士，酒仙翁，皆其所自號。白父名客。

唐中宗神龍元年（705）

太白年五歲，能誦六甲。

唐睿宗景雲元年（710）

太白年十歲，據所自述，已能通詩書，觀百家。

唐玄宗開元三年（715）

太白年十五歲。據白上韓荊州書：『十五好劍術，偏干諸侯』。又白贈張相鎬詩云：『十五觀奇書，作賦凌相如』。

開元八年（720）

太白二十歲。喜縱橫術，擊劍爲任俠，嘗手刃數人，輕財重施，不事產業。見益州長史蘇頲，頲稱其天才英麗，若廣之以學，可與相如比肩。與東嚴子隱居岷山，（楊升菴謂東嚴子即趙蕤）數年不入城市，養奇禽千計，可呼就掌取食。郡守舉二人有道，不起。

開元十三年（725）

太白二十五歲。出遊襄漢。南泛洞庭，東至金陵揚州，更客汝海，還憩雲夢，故相許圉師家以孫女妻之，遂留安陸者十年。

開元十八年（730）

太白三十歲。白上韓荊州書云：『三十成文章，歷抵卿相。』又上安州裴長史書云：『五歲誦六甲，十歲觀百家，常橫經枕籍，制作不倦，迄于今三十春矣。』

（一〇七）

萬竹樓隨筆

・藝廬瑣記・

梁鼎芬軼事

・伯雨・

讀六月十二日出版的星島週報曾履川君那篇「近代書家述評」的，是談梁鼎芬，談到他和文廷式的事。據說曾君是陳石遺的入室弟子，石遺久客張之洞，與鼎芬必定相識（鼎芬在之洞幕府中，很討厭石遺，此事容有暇再談及），可是曾君所談與事實多少有些出入，現在就在這裏提出一談，希望曾君指教。

曾先生說：『文先生（即文廷式——引註）因爲在北京曾在宮裏教過珍妃的書，後來珍妃賜死，他也就牽連倒霉，不久也就死了。他是個胖子，和梁先生本是朋友，不知道怎樣的，梁太太看中了他忽然拋棄了武昌府太太不做，來和文先生同居起來了……好在梁胖子也頗知趣，只好讓她自去，到後來文胖子死了，她一個人住在江西，手頭免不了拮据，所以逢年過節，便坐一乘轎子，直到武昌府來找梁胖子要錢，梁胖子也頗知趣，便預備好一張三千元銀票，放在茶碗底下，等到太太駕到，他便公服出迎，彼此行禮到花廳坐定，太太先問道，「老爺好」，老爺也必定回問道「太太好」，問答既完，端茶送客，太太便把這張鈔票會心的拿走，……』

文廷式和梁太太那段戀愛故事，十一年前我在香港的「社會公論」月刊所登的「二十年目睹之怪現狀索隱」一文中有詳細的記述。她愛文廷式，並非「另謀出路」，而是仰慕文廷式的才華。文太太姓龔，於光緒六年八月與鼎芬在北京結婚時，時鼎芬方入詞館，李越縵堂日記說：「新人美而能詩，亦一時佳話也。」曾君說她長得不漂亮，似乎不可信，最低限度，李越縵親眼見到她的，同年嫂，才說她美的。後來她和文廷式同居，事在光緒十年，鼎芬入焦山讀書以後，那時她不是「武昌府太太」。光緒二十七年，張之洞保鼎芬爲漢陽知府，是年十二月，署武昌府知府。鼎芬自光緒十年降職後，到廿七年起復，大喜過望，自署門聯云：「遠追五千石遺規，吾輩當如漢吏；恩起十七年廢籍，斯人恐誤蒼生。」廷式死於光緒三十年八月，其時鼎芬已不是武昌府知府了。

梁鼎芬任武昌府知府時，感念往事，自書一聯在書房，文云：「零落雨中花，舊夢難尋梧鳳宅；綢繆天下計，壯心銷盡食魚齋。」因爲他們結婚時，賃居北京東四牌樓，鼎芬名其新居曰棲鳳樓；食魚齋，在武昌府衙署，黃牧甫居湖北時爲其刻「食魚齋」印，今歸壽石工所有。

文廷式未曾在宮中教過珍妃姊妹。珍妃之父長敍，與廷式爲世好，在廣州時老早認識。後來珍妃等回到北京，偶然曾從廷式問字。珍妃死於光緒廿六年庚子之變，廷式則在光緒廿二年二月十七日被驅逐回籍，曾君說珍妃死後才牽累到他，似乎不是事實。

最後一段，曾君說梁鼎芬在清朝亡後，想做溥儀的師傅，託中華民國的大總統黎元洪寫信介紹，「他滿以爲用民國總統牽制清廷，總用得着力量，那知道被一般遺老知道，反振振有詞呢？」（照原文，原標點）

此說不知曾君在何處聽來。民國三年，鼎芬被溥儀任爲守陵大臣，不久即任溥儀的師傅。以他那種對亡清的「耿耿孤忠」，自然「簡在帝心」，何須託人介紹，而且還要託到「總統」呢？更有，黎元洪當時並非總統，只不過是一個有名無實的副總統罷了，梁鼎芬就瞧不起民國的偉人，曾君說他託黎元洪寫介紹信，說必有本，如能詳寫出，亦談掌故者一良好資料也。（鼎芬卒於民國八年陰曆十一月十三日，附記於此。）

「我的生活片段」之一　八年的參政（十）

王雲五

政府組織

政府組織小組所討論者係關於行憲前聯合政府的組織方案。大家對於這個過渡時期的政府應採取委員制是沒有異議的。但是對於各方面所佔國民政府委員的人數，和少數黨的否決權，却爲中共所極重視，民盟對於中共的主張如出一轍；國民黨則傾向於維持國民政府主席的相當權力；對各方面委員人數的分配，自然也有它的主張。青年黨和第五方面參加這小組的代表，爲謀會議之妥協，大致以調停雙方意見爲主旨。但青年黨除調停雙方意見外，對於民盟也有一種特殊的意見，就是認爲青年黨以其黨員人數及成立先後而言，應視爲第三大黨，民盟雖由若干黨派聯合而成，但其實有黨員人數及成立年齡均遜於青年黨，因此極力主張該黨在未來的國民政府中所佔委員名額應多於民盟，至少也當與民盟同數。反之，民盟所持的意見却與青年黨適相反，認爲民盟所佔人數，無論如何必須超過青年黨。後來經過了正面和側面不少的協商，總算決定了兩個原則：其一，規定國民政府委員名額爲四十人，國民黨以第一大黨佔其半數，即二十名，其餘四方面合占二十名；其二，規定國民政府委員會會議，對通常事項，仍以過半數表決，但涉及變更協商會議所通過之施政問題，則須有三分之二委員贊同，始得通過；換句話說，少數黨派得聯合三分之一之委員，行使其否決權。討論至此，已屆閉會時期，各代表亦皆精疲力竭，對於四方面合佔國府委員二十名如何分配，咸主張於閉會後再由四方面自行協商。我認爲正如俗語所謂「打鐵趁熱」，似不宜稍緩，蓋恐一經擱置，問題轉多。後來，中共推翻其參加聯合政府之諾言，此一問題亦爲其所藉口之一。因爲中共後來對於四方面合占之二十名國府委員中，堅持中共與民盟必須占有十四名，俾足全數三分之一以上，可以行使否決權，而民盟當然也就與中共同一主張。由於此項之爭持，協商決定之政府組織遂不克照原議實現，遂至三十六年四月改組的國民政府成立，也就因中共與民盟之拒絕參加，而不得不酌事實，對於構成分子也就不得不稍有變通。

黑十字

北晨

滿着音樂和燈光的變化，加上幾杯酒的力量，藍英已經不像先前那樣討厭黃洸了。他自知舞跳得很壞，不肯多跳，頻頻地勸藍英和佩雲飲酒。

台上奏着「玫瑰我愛你」，那是一隻改造的中國曲子，黃洸請了佩雲跳舞去了，台子上剩下姐夫和姨妹，白濟宏換了一個座位，他輕輕地問藍英。

「小英，這個人你滿意嗎？」他的嘴朝舞池中的黃洸呶着。

藍英說：「認識的時間太短了，一切都談不到。」

「爲什麼不趁我在香港的時候結婚呢？」姐夫問：

這一句藍英沒有回答，白濟宏立刻又接着說下去，他說黃先生這次帶來了二十來萬美金的貨色，如果馬上結婚，將來一定很幸福。

這些話觸動了藍英的反感，她雖然現在是舞女，却沒想將自己當成貨物。

「他能給我多少錢呢？」這句話有一點言不由衷，有一半却是試探她姐夫的。

白濟宏呻吟片刻，似乎代替黃洸考慮一個數字，儘子下伸出了他左手的食指和中指。

「兩萬元？是港幣還是美金？」

「當然是美金。」

「我要他交給我，讓我自己存在銀行裏。」

「當然交給你。」

「我還要一個正式的法律手續，要他做我的丈夫。」

「那自然。」白濟宏很爽快，只要黃洸的貨色平安到達，這幾萬元自己可以拿到一半，想到得意之處，他揚起了高腳的酒杯，催藍英也將杯子舉起來。

藍英剛舉杯，她看見了一個不願意看見的人，他立在進門的地方張望着，好在眼快，時正在跳舞，場子裏的燈光很黯淡，她一瞬間，也不告訴白濟宏，藉着人的擁擠，從另一道門溜了出去，一直跑回新都酒店，她的一顆心兀自跳動。（二十五）

・中篇連載・

「美帝造謠」

這是一則在歐洲廣爲流行的笑話：

蘇俄的農業部長有一天集合東歐各附庸國的代表在莫斯科開會，討論糧食與生產問題。他致詞說：「如果城市糧食充足，農村糧食缺乏，那是犯了右傾機會主義的毛病。如果農村糧食充足，城市糧食缺乏，那是犯了左傾冒險主義的毛病。」

「我們的城市和農村都鬧飢荒！」一個代表站起來申述意見。

農業部長趕忙搖手：「那是美帝造謠。」

自由人
THE FREEMAN
（半週刊每逢星期三六出版）
（第一三八期）
每份港幣壹毫
督印人：李光華
社址：香港高士打道六十六號
電話：二〇八四八
GLOUCESTER RD. HONGKONG TEL: 20848
承印者：東南印務出版社
地址：高士打道六十四號
台灣總辦事處：台北市館前街五十號
台灣經銷處：台北市中華路一二五九號

法國軍人的政論

北非的民族運動應否壓制？原始式的殖民地政策應否改進？越南戰事能與韓戰相提併論嗎？法國不惜退出聯合國嗎？

·雷嘯岑·

現任中歐盟軍統帥法國將軍余安，前天為着北非突尼斯、摩洛哥要求自治問題，大放厥詞，說美國不支持法國對北非的現行殖民政策，是「不了解法國」，是「跟蘇俄說一樣的話」。他又否認越南戰事為殖民地戰爭，而自命為自由世界反極權侵略之戰。最後，他對美國恫嚇，說法國不惜退出聯合國。並謂敢於這樣幹的外交部長，必將名垂青史！

天下烏鴉一般黑，任何一個國家的軍人而好論政干政者，沒有不是魯莽滅裂，不知所云的。倒是美國傳統的政治原則比較合理，即在役軍人不能隨便談論政治，尤嚴禁干預政治，而且在執行職務時，要接受行政當局的制約，試看去年麥克阿瑟免職事件，即可證明。這類事件若在其他的西方國家，不至於那麼嚴重，如為軍人間的派系鬥爭，更不致鬧得那樣劇烈。假使麥帥是中國的軍人，他若不陣前抗命，擁兵反杜，那纔是怪事哩！美國今日之能夠居於民主世界的領導地位，自非偶然。

殖民地政策必須改進

美國人或許不澈底了解北非諸殖民地的內在實情，但她不贊成殖民地政策乃其開國以來的傳統精神，那北美合衆國就是從殖民地生活中奮鬥而成的。「己所不欲，勿施於人」，自然即不願意扶同別人去施行剝削壓榨的殖民地政策。她若能支持別人用飛機大砲坦克去對付殖民地的民族運動，那又何必讓菲律賓獨立呢？美國今日所以能夠領導民主世界，就是靠着這種正義思想的感召力。法國的國防生命力原是寄託在北非的，此時不能完全放棄其殖民地，或有難言之隱。然人類已進化到原子時代了，十八九世紀式的資本帝國主義殖民政策，不應該隨着人類的進化律而加以改進嗎？自己抱殘守缺，不求長進，竟埋怨別人不助惡幫兇，寧非奇談！

聯合國的組織精神，是在維護人類四大自由生活，並非像舊日的國際聯盟一樣，爲幾個大國藉以壓迫弱小民族的帝國主義之分贓集團。突尼斯與摩洛哥的民族自主要求，不管是否合理，聯合國既接得他們的訴願，即有過問的職責。美國代表對此案表決時，曾經棄權不投票，已引起若干會員國如阿拉伯集團國家之不滿，她焉能強制大多數會員國替法國原始式的殖民地政策作護符？俄共現時所恃為實行世界革命的利器，就是各個弱小民族對舊時帝國主義反抗運動。先進的民主國家如不知因勢利導，疏濬其動亂之源，使其平流安瀾，而仍以高壓手段相對付，那才是「貨眞價實」的俄共好幫手啦！

越南戰爭不能與韓戰混為一談

聯合國出兵討伐俄共集團之侵略南韓，是為執行其維護人類四大自由生活的使命，申大義於天下，它不是為着掠奪領土主權或資源而然的。它答應俄共集團之和談建議，即是表明這種精神，決不能與越南戰事相提併論。越戰不是殖民地戰爭是甚麼？法國之統治安南，難道是由聯合國托管而來的不成！余安指聯軍的板門店和談為「可笑的狀態」，而自誇法軍在越南並未跟胡志明言和為得意之作。他竟忘記了去冬法軍大吃敗仗時，法政府曾聲明願與越盟談和，並且要考慮承認中共政權那些事實？他更忘記了最近法國當局說，中共參加越戰一節尚難證實，表示不願聯合國直接過問越南戰事的那類言論；他尤其忘記了法國迭懇美國以大量軍援，優先給予越南法軍，才有所謂「水銀戰役」的勝利這項史事。得魚忘筌，而以此來嘲笑美國對韓戰的和談舉動，天下最無聊的政治言論，莫此為甚了！

余安又指美國主張答應突尼斯、摩洛哥殖民地的民族運動要求，是「與蘇俄說一樣的話」。這和我們中國的舊式軍人指閱讀「馬氏文通」的人是共產黨，倡導民主政治的人是「准」共產黨那種理論，可以後先輝映，中西媲美，實在不值一談。總之，這是無知無識的頑固軍人瞎說霸道而已。

法國不惜退出聯合國？

余安很慷慨激昂地說，美國若再「不了解法國」，法國即不惜退出聯合國！在他的觀念中，不特視聯合國只是美國的私有物，即對民主世界一切反極權侵略的行為，也只是有益於美國的事，而不知其自居於何等地位？過去希特勒因為「國際聯盟」不承認他侵略弱小民族而宣告退出國聯，日本軍閥因其偽造的滿洲國為「國聯」所否認，也宣告退出國聯。現在余安以美國不願扶助法國施行其對殖民地的高壓政策而作此恫嚇之詞，希特勒九原有知，足以自慰自豪了！

可是，希特勒與東條英機宣告退出「國聯」，他們還有一套侵略世界的帝國雄圖。余安主張退出聯合國的結果，大概可以使法國悉索敝賦，換其由美援得來的飛機大砲，退到北非去，痛勦當地的民族主義者，以靜待史大林之君臨全球，而俯首稱臣，此外似乎搞不出甚末名堂來。真的，法國的外交部長誰敢這樣幹，他一定是「名垂青史」，而且將來到處都有他的鐵像，遺臭萬年！我們素來認為法西斯主義與共產主義（又稱社會主義）這兩種有左右型態之分的思想，其本質是一母所生的，現在更有眼前的實證可以指出：法國的頑固份子余安以聯合國為美國的私有財產，而英國工黨左派份子貝萬，則以英國讓美國使用空軍基地，是專為保護美國利益，而是與英國無關的，莫大人情，他不是恐美國已使英國居於最前線的危險地位，即指美國不還就「恩人」——工黨左派——的意見為「促發世界大戰」！這豈非法西斯主義與社會主義思想的統一發展現象嗎？

美國若依照孤立主義者的想法，退出歐亞兩洲，亦不參加聯合國，憑其豐富資源與生產技術，揭櫫門羅主義，遠居大西洋彼岸的新大陸上，閉關自守，尚能勉強生存，有如英倫「新政治家與民族」週刊主編馬丁最近對紐約時報所說：「再來一次大戰，在你們或許還可生存，對我們卻是意味着英國文化生活的結束。」在余安和貝萬一流人的思想中，以為美國非需要西歐不可，英法一朝扯腿，美國便要下不了台。所以，動則對美國表示要挾恫嚇姿態。他們卻不知道美國如果實行孤立主義，首先遭殃的就是西歐！他們也健忘了「馬歇爾計劃」這項使英法轉危為安的急救金丹。站在自私自利的立場，硬要美國以財力物力來作那些與其立國精神相背馳的事，而以其他弱小民族國家為祭品，實在是「匪夷所思」了！

「美國世紀」中的合衆國，當然不會回到孤立主義的路上去。要領導一個大時代的國際鬥爭，自然就要聽許多閒話，自淘許多冤枉氣，對於余安這類無理的政論，我們必將付之一哂。為着民主世界的安危前途，卻非予以糾正不可。

日本能自中共獲得經濟利益嗎？

鄭竹章

獨立後的日本，最感苦悶的問題，莫過於國際貿易的重建問題。日本是一個先天不足的國家，在過去半世紀中，其經濟的發展，乃建築於對中國大陸原料的擄取與成品的傾銷上。自從大陸變色，日本既感受美國及東南亞原料上漲的威脅，又面臨製品銷場減縮的危機，因而對恢復中國大陸的貿易，遂陷於苦戀狀態。近半年來，日本商人的力求與中共接觸，至吉田茂對中國的搖擺態度，除了昧於中共政權的本質，誤認商務與政治可以截然分開外，主要的即由於懷戀過去從大陸所獲得的經濟利益，希望能從中共求取經濟上的出路。

在鞏固遠東民主陣綫的大前提下，日本經濟問題的迴求解決，原屬無可非議。因此我們對日本朝野企求恢復對中國大陸貿易的種種努力，始終寄於無限的同情。但我們所願意指出的是：今天在中共統治下的中國大陸，決不是抗戰前的大陸，日本如非有意變為克里姆林宮的附庸，決無須從莫斯科的樊籠中，獲得任何經濟上的利益。假如日本人士不能體認這一事實，則貽害所及將不止日本本身，整個遠東民主陣綫，將因日本的貪圖近利而貽禍無窮。

首先，我們必須指出的是：中共並無與日本建立正常貿易的誠意。近半年來共產集團對日本所擺出的姿態，及採取的步驟，完全是克里姆林世界戰略下的一項策略。其中心目標，絕不是經濟上的互通有無，而係力求離間日本與盟國的合作。遠在去年十月，蘇聯即親自出馬，由駐日貿易代表多姆尼斯基訪問日本國會，並宣稱蘇聯準備以十元一噸的焦煤結售與日本，此一結位約較美煤便宜三分之二，但這諾言畢竟並沒有兌現。當時蘇聯所以採取這一步驟，完全在引誘日本人士參加今年四月間的莫斯科經濟會議。莫斯科經濟會議以後，中共更利用滑透參加會議的左派議員高良富子及帆足計，在北平簽署所謂「中日貿易協議」，根據這一協議，日本輸出品中的項目，如「甲類」（佔總額百分之四十）的紫銅、鋼板、鋼管、建築鋼材、鐵路鋼材、馬口鐵、黑鐵皮、鍍鋅白鐵、油桶鐵皮、鋁錠，列入「乙類」（佔總額百分之三十）的機車、卡車、礦、鋼、無綫電電工器材，及列入「丙類」（佔百分之三十）的測量器、肥田料、輪船等，目前均屬於嚴禁出口的戰略物資。此外還有屬於禁止出口的半戰略性的物資，如建築材料、起重機、紡織機及汽車零件、殺虫劑、擴音器等。總計這兩類貨品，約佔規定中日輸出項目的百分之八十五。如果日本不破壞聯合國的禁運政策，則這一貿易協議絕無實現的可能。如果要實現這一協議，無異被日本折散與盟國的合作。從這一協議的內容觀察，更足以證明中共的目的，並不在與日本做生意，而純係藉此來刺激日本民間的反美情緒，以破壞這五年來日本與盟國間的和諧。

其次，我們必須指出的是：今天的中共，絕無消納日貨的能力。經過了三年來的搜括，民間購買力已空前下降。而經過了二年來韓戰的消耗，中共的財力亦已瀕于枯竭。特別是聯合國禁運政策實施後，大陸土產外銷受窒，農村購買力更接近零點，個別的農民維持最低限度的生活尚感困難，更遑論添購日用品。據中共「長江日報」最近發表湖北農村購買力的調查：爲湖北蒲圻縣月泉鄉，全部人口一千二百四十八人中，全年收入僅為共幣九億四千九百萬元，除繳納公糧，捐獻外，每人所留下的購買力不及共幣十萬元，除生活必需的油、鹽支出外，根本上無餘力來添置其他用品。又據湖北漢陽、黃陂、蒲圻、通山等七個縣三百零三個信用合作社之統計，全部資金僅共幣六千四百零四萬三千元，平均每個信用合作社的資金僅有共幣二十萬元（見六月十一日長江日報），農村的購買力貧弱如此，城市的購買力又隨「五反」的結束而消滅，因此，除了中共所需的戰略物資外，其他日本所急求推銷的紡織品及輕工業品，均無法在大陸找尋銷途。因此日本如果希望在「平等互利」的基礎上來和中共進行貿易，實無異「緣木以求魚」。

在當前的局勢下，日本正成為共產集團所急求攻克的目標。最近中共在北平所籌備的「亞洲及太平洋區域和平會議」中，「反對以日本作侵略基地」即係其主要議題。如果日本經濟之困難有利於日本赤化的進展，我們相信共產集團只有推波助瀾，決不會真正予以援手。日本人士如能體察這一基本事實，必須改弦易轍，將其經濟出路，寄托於東南亞的開發，寄托於自由世界經濟關係的調協。否則如想投機取巧希圖與別有用心的共產集團打交道，不但將徒勞無功，而且可能像大陸的英商，「賠了夫人又折兵」落得個狼狽的收場。

本報各版歡迎投稿

時局漫談

舜生

蘇聯敢報復嗎？

最近聯軍大舉轟炸了鴨綠江南的永豐水電廠，這當然對北韓對東北都是一次空前的打擊；一般不明了中共內容以及蘇聯運用中共技術的人們，以為共方一定會要實行報復，可是經過了五天了，依然不見絲毫動靜，甚至連地面的炮火，也比前幾天來得稀疏了，這對於一般患有恐共病或恐蘇病的人們，是一個何等有力的諷刺！

其實蘇聯與中共其所以不敢報復，這個道理是很簡單的：蘇聯若干年來的得意之作，便是利用民主國家的矛盾心理與恐蘇心理在那裏『專賣和平』，換言之，便是你們如果需要『和平』，便必得向我付出『和平』的代價，她以這樣一種姿態向四面八方進行敲詐，居然着着成功，甚至像尼赫魯貝萬之流，也居然以推銷『蘇式和平』的支店經理自命！我承認，在今天世界上像尼赫魯貝萬之流的人，雖然不算太少，可是明眼人也在一天天的加多。他們漸漸的懂得：斯大林天不怕地不怕，惟一怕的就是挨打！他好比一個玩火的頑皮小孩，你要去向他說明火是如何的玩不得，他一定玩得更起勁，你不向他說理由，拖攏來在他屁股上重重的捶兩下，他便會規規矩矩的去睡覺！對付世界上這類『銀樣蠟鎗頭』的惟一有效辦法，就是和他不客氣，硬幹！

中共的所謂『反美援朝』，本來就是『打腫臉充胖子』。在毛澤東和他的夥計們想來，他們饒天之倖，居然蹓躂着整個的中國大陸，始齋也未嘗不想好好的幹一番，尤其是毛澤東，假定他能夠平平安安的做穩這個『兒皇帝』，也就不能不算是他的『祖宗有德』！可是他們的主子卻不許他們這樣做：一面要利用他們去闖禍，以遂其向世界民主國家的敵作之圖；一面自己不好出面，一定要假手他去消滅中國人口的三分之一，為他銷除『入主中國』的這個最大障礙！主子的命令畢竟是違反不得，於是乎毛澤東只好『反美』，只好『援朝』，只好在『反美援朝』的名義之下，在中國大陸實施屠殺！

兩年『反美援朝』的結果，不僅這個『美帝紙老虎』沒有絲毫動搖，乃至運用銷兩百萬的大兵，也不會能越過『三八』綫一步！世界上居然有這樣的『成吉思汗』，有這樣的『漢祖唐宗』，你能不佩服他是『千古風流人物』！

現在集中在北韓的八十萬大軍，以及用中國鐵道，中國的鑛產，乃至中國人命之源的糧食去向他們的主子所換來的一大堆武器，這算是中共最後的本錢，但在『美帝紙老虎』眼中，卻依然視同無物，不僅板門店的買賣討不到便宜，如互濟島的共俘，也只好俯首，現在一不做，二不休，簡直就拖攏來正對着你的要害上，重重的捶兩下，看你又怎樣？據我看，斯大林依然是不動的：因為他本來就是一個『銀樣蠟鎗頭』！毛澤東自然更是不動的：因為他本來就是一個可憐的『兒皇帝』！

正告吉田茂

遠東問題的總關鍵在東北，最近吉田茂居然向他們國會的議員們說話了，說『聯軍如果要轟炸東北，事先應通知日本』。以日本當前的情況而論，似乎說這個話的時間，還嫌太早，可是我們很明白，日本人連做夢也不會忘情於東北！

一年來吉田茂先生的種種作態，所謂不願台灣代表全中國，所謂不願承認『九一八』作為中日戰爭的開始，所謂日本現在還力武裝，所謂日本但求自衛，決不願派兵出國……這一切，無非是為了一個東北問題在那裏興風去！你們既不願明說新化，我們自然也樂得心照不宣，現在你們既叫出來了，我們便不能不正告吉田茂：

中華民國在東北領土主權行政的完整，絕不能動搖，但反攻成功，中國在東北的經濟利益，可能對一切反共的友邦予以酬功，但絕對不許任何一個國家獨佔，獨佔東北，就是中國的敵人，我們便和他再打十年，也在所不惜！

（新加坡航訊）

馬來半島的「白蟻」
馬共的組織及實力

馬共的淵源

提起馬來亞的共產黨，不僅是馬來半島動亂的根源，而且是當前東南亞次於越共的嚴重威脅。這一支出沒無常的游擊隊，自一九三七年日本侵華時起即已開始活動。抗日期間，馬共在共產國際「聯合戰綫」的總策略下，和英國採取合作態度，因而獲得盟國的不斷接濟，使其乘機坐大。星馬重光後，馬共以勝利者姿態出現，大事招兵買馬，一直至一九四八年，星洲當局見燎原之勢將成，始實施緊急狀態，決心予以清剿。但當時馬共活動，已由公開轉入地下，利用馬來亞廣茂的叢林，和情緒複雜的華僑，繼續進行其白蟻式的腐蝕工作。由於其組織嚴密，情報靈通，不但牽制着十多萬的保安部隊，而且使星馬五百萬人日夜均在提心吊膽中。

組織與實力

馬共的基本組織，與大陸的中共甚大致相似。其最高機構是「中央委員會」，隸屬於共產國際的「東南亞革命委員會」。這一「委員會」一九五一年十月間成立於北平，以劉少奇為首腦。並在滇緬邊境設立「東南亞指揮部」，由李濤為「緬越」，另設「中南軍區」聯合參謀本部主任」，由劉建剛，章蒲，黃福林及林旬等負責。他們的基本路綫是以越南，緬甸，暹羅為軍事鬥爭中心；以馬來亞及印尼為經濟鬥爭中心。先以分散武力破壞並牽制當地的部隊為原則。其「解放軍」因規模較小，還沒有軍部團的番號，只分為大隊，中隊，小隊三級。每隊設隊長一人，並有政治指導員從事宣傳工作。他們對宣傳極為重視，各區均有小型報紙出版，對士兵及民衆作政治教育。如過去的前鋒報、戰鬥報、人民報、解放報、人道戰報、列寧新聞、自由新聞、翻身報、大山報和用中英文編印的自由報，都是進行宣傳的工具。除了鼓吹「反英」「反美」的情緒外，還替越共韓共打氣。

目前領導馬共的人物，大都是抗日時期的危險份子。其主要負責人是馬共「中委」陳平。其它重要人物當有李球，李珍等，這二人都是女性，但凶悍不讓鬚眉，他們現有的實力，據馬來亞當局的估計。約為三千至五千人。一九四八至一九五一年三年間，受傷及亡者共六九九名，嫌疑被捕及投降者一三〇三名。但因外有中共的聲援，內獲若干不滿英國殖民政策者的幫助，馬來亞當局雖數易統帥，動員了十餘萬海、陸、空軍，但幾年來始終未見進展。馬來政府的公報中，雖誇言已消滅其實力三分之二，但事實上他們的實力，迄今仍在五千人以上。

鬥爭的目標

現階段馬共鬥爭的目標，主要的在配合中共對東南亞的攻勢。他們的戰略，一方面是積極擴大武裝與腐蝕英政府機構，尤其對生產工業進行破壞，藉此來製造有利於大規模武裝叛亂的條件。另一方面是針對着英國殖民政策種種弱點，來分化華僑與馬來亞政府的合作。在這一目標下，他們常四出縱火焚燬膠廠，並破壞市區交通。前年星洲市區最大規模的一家膠廠，即為馬共所焚燬，損失達坡幣數千萬。最近二三月中，星洲市區內連續發生好幾次焚燒巴士和膠失火事件，便是這些暴徒所幹的好事。這種出沒無常的游擊，確令英軍當局束手無策。

道高一尺魔高一丈

在一九四九年前，馬共活動地點多在城區，清剿工作尚比較容易。後來由於英軍壓力增加，乃退入森林地帶，於是清剿工作變成了捉迷藏。馬來半島的森林，不但蔓草叢生，而且一望無際，很容易佈置陷阱，使英軍不敢深入。當時英軍的戰略，主要地是採取圍困辦法，有時兼用火攻，希望減低共軍的士氣，使他們自生自滅。為了斷絕華僑對馬共的接濟，一九五〇年伯力中將的清剿計劃中，乃分為三部進行：第一是將散居各處的五十萬村民，全部移居於一新的行政區內。第二是集中軍力於主要地區，實行擊潰馬共主力。第三是勸導當地人民參加作戰。

這一計劃實施後，曾收獲相當效果。那些散居森林附近的農民，被集中於鐵絲網中，馬共糧食取給不易，就遭受了致命的打擊。但這些農民由原來安居的田園，被強迫遷移到新地方後，生活上不免發生種種困難。尤其過去因散居各處，可以偷漏地稅，自移居後，政府管制下的新區，卻須付還地稅。加以這些人多半是華僑，沒有獲得英聯邦的公民權，他們的土地，在英政府的通知二週後，即隨時可能被收回，這種種的問題，成為馬共宣傳的最好資料。馬共即抓住這一點，來煽動村民反英。因此移居新區的華僑中，仍有不少暗中支持馬共，馬共的力量逐漸地又復原了。

英軍的對策

去年馬來亞高級專員遇害後，英軍當局的清剿行動，曾達新高潮，但道高一尺，魔高一丈，暴行似乎跟着戡亂工作加緊而增加。新任馬來亞高級專員鄧浦勒爵士到任後，即以傘兵降落馬共經常出沒的密林小村落，在二月初旬將肅清霹靂北部毗鄰泰國卑崙的小村落，將該地居民華僑三百多人撤至安全地帶的吉輦丹區。實行堅壁清野。馬共為報復計，乃於三月廿五日晨，出動四十人襲擊霹靂與雪蘭莪交界的丹馬森林修理自來水管的英籍官員及工程部職員二名及警員八名。這件事發生後，鄧浦勒赫然震怒。他認為事前必有若干居民預知暴徒陰謀，為了肅清潛伏該地的馬共，並懲罰居民未能與政府合作，自三月廿七至四月下旬，執行所謂「集體懲罰」辦法，實行日夜廿二小時戒嚴。除中午十二時迄午後二時為止的兩個鐘頭外，不分男女老幼，一律不准外出，同時斷絕對外交通，實行嚴行米糧配給制，使居民陷於無以為生狀態。這一空前嚴格的措施，在表面上雖使馬共活動平伏一時，但居民怨恨的心理無形中亦愈來愈增。如果英國當局能正視這些情勢，馬來亞共匪可能勢窮力蹙陷入絕境。

（六月廿日逸民寄自新加坡）

招桂章吳港被扣

（東京通訊）　致平

一件不小的新聞

汪精衛偽政府的「海軍部次長」招桂章，最近在吳港被捕，這在日本各報紙上已經是一件不大不小的新聞了。

這次被捕的原因，是偷渡。在日本恢復獨立，從聯軍總部收回了自主權的今天，對港口海關及旅客出入，都檢查得很緊。招桂章沒有護照，提不出身份證明，結果在吳港到東京的車廂中，被日本「出入國管理廳」的人員請了下去，交車站「公安室」扣留了。

招桂章，在日侵華時期是一個很紅的人物，尤其是在華南方面，那時他是「廣州要港司令」，手上掌握了幾隻砲艦和巡邏艇，往來港穗，大肆走私，撈了一大筆錢，以後日人看得眼紅，於是把他調到南京，當「海軍次長」。當時的「海軍部長」是任援道（現亦在東京），招在南京沒有什麼事可做，經常住在上海，結識了當時日本駐華海軍參謀長宇垣莞爾中將，艦隊司令官，津田靜枝大將等。日本投降後，招隨着汪偽政權垮下來，曾一度繫獄。

政治路綫．經濟資本

中共佔據大陸後，他來香港經商，在新界元朗投資一間貿易行，生意倒還不錯，但是一個過慣政治生活的人，是不甘永遠寂寞的。香港不能活動，而且也缺乏政治的資本。他眼看着所謂「第三勢力」的人們在日本進進出出，同時日本又在重整軍備中，舊時的海軍將校將再登場，津田靜枝等也在活動，招同他們取得聯絡後，即于本月二日從香港偷渡來日，計議一切。

據說他的活動經費，有二十萬美元，這是存在香港他的款子，在未實行偷渡以前，以一個外國人的名義，將這筆錢，匯交橫濱的佐藤株式會社社長佐藤軍治代收，準備先在那裏開設一個大規模的俱樂部。

他這次還帶有一個助手李宏，是偽政府的中將參議，同時還有偽「汕頭市長」許吉生，和偽「海軍學校教官」劉南屏在東京代為策劃接應。

壞在鴉片烟

他們本來準備在神戶起岸的，但因為那是大商埠，檢查較嚴，于是先在吳港下船。不湊巧的是吳港海關得到一個從香港發來的情報，說有大批鴉片烟土隨船運來，他們為了搜查鴉片烟，除派緝私艇在港外守候外，當船入港時，即登輪詳細檢查，船上沒有發現烟土，再趕火車上追查上岸旅客，招桂章等遂無法走脫。至于他有沒有攜帶鴉片烟，則不得而知。

現在招等仍扣留在海關，並由「出入國管理廳」偵訊中，據招的口供，他此次來日，是聯絡舊時日軍人，從事反共工作。因此日政府是將他遣送台灣，還是驅逐出境。尚待決定。（六月十五日寄自東京）

鴨綠江水豐電廠

．吳常德．

中韓邊境鴨綠江西岸的水豐電廠，在韓戰中第一次成為世人注目的焦點，是在一九五〇年底，聯合國軍逼近鴨綠江時，中共受克姆林宮之命，出兵渡鴨綠江，公然與聯合國為敵，援救即將被消滅的韓共，這固然是共產國際破壞和平，在遠東有計劃的侵略行動之一，但他們的藉口，卻為了保護鴨綠江的水豐電廠。在韓戰行將二年的今日，聯合國軍於六月廿四日，用飛機二百餘架對北韓長津及松與水電廠，發動轟炸，據偵察報告，該地水電廠百份之九十已遭損毀。對共打擊極重。

水豐電廠規模之大，在全世界說來，輪到第四位。該水電廠始建於民國廿六年，偽滿康德四年，日本昭和十二年，經過四年悠久歲月耗費一億日洋（日「滿」各投資五千萬元）。犧牲無數我國勞工生命與血汗，於民國三十年年底始告完成。三十二年秋一切細微工程亦告結束。發電設備，計有七〇〇，〇〇〇　能力，為東半球第一，全世界第四位水力發電工程。電為一切工業原動力，亦為文明生活重要因素之一，因之水豐龐大之水力發電工程設備，對中韓兩國工業前途關係之重大，自可不言而喻。

水豐電廠位於安東省寬甸縣拉古哨之鴨綠江畔，長八百九十八米，高一百一十六米的鋼骨水泥堤堰，橫斷江流，連亙鴨綠江兩岸，堤堰背後的貯水池，儲水量為七十六億立方米，其容量之大與台灣日月潭相較，幾不可同日而語。但廠方機器因對岸韓境新義州地勢較為平坦，故建築在韓境。機器設備計有水車七台，調速機七台，發電機七台，發電機分五十週波，六十週波，及五十六十週波兩用三種，六十週波機器發出電力僅供東北使用，五十週波的專供朝鮮，每台機器發電能力十萬瓩，每分鐘轉動率一二五次至一五〇次，七台機器每日共可發出七〇〇，〇〇〇瓩，較松花江小豐滿水力發電廠之四五〇，〇〇〇瓩，猶高出二十五萬瓩。

水豐水力發電工程建設當時，在所訂鴨綠江水力發電事業共同經營合同及備忘錄中明白規定為「日滿」共同經營。

日本投降後，中韓兩國自可依法各取得鴨綠江水電廠電權之半數，毫無疑問，但當時蘇軍始則藉口係在戰時，彼等有權監理處分戰利品之權，七台發電機有三台拆運至蘇聯，一台損毀不堪使用，故目前水豐電廠僅有三台機器，每日可發出四〇〇、〇〇〇瓩電力，共有輸電綫三條，一條在朝鮮境內，專供韓國各地，兩條在中國，一條輸出電流至安東省，並可遠及本溪、鞍山等遼南，重工業地區，另一條即輸出電流至遼東半島、旅順、大連、營口等電錢約可由此綫供給，當時我國再三與蘇軍交涉後，蘇軍於將撤退時責任推諉於北韓共黨政府，我國資源委員會東北電力總局，遂再三致函北韓電力總局約期商討，水豐電廠權問題，我方根據水豐電廠建立時所訂「合同」以及「備忘錄」，既由雙方投資各半，則今日應由中韓雙方正式商討，交換文件後，聲明水豐水力發電設備，中韓各有其二分之一的產權，雙方會同接收，共同繼續經營。但北韓共黨始終拖延，毫無結果。

一九五零年底，盟軍顧慮太多，不願炸這個水電廠。現在炸了，中共又敢怎樣？可見以前的顧慮是多餘的。

美國的四種飛彈
大鳳．百靈鳥．鬥牛武士．大力鼠

．渚譯．

美國耗於定向飛彈的經費自戰後以來計達四十億元，據去夏的估計，一九五二年研究計劃需二十億元，至一九五四年將達三十億元，其實美蘇對於火箭的研究都諱莫如深的保守祕密，韓戰開始後，美國的火箭發射器業已在韓戰場上使用了，定向飛彈尚未見，大概美蘇都準備留待眞正大戰之時。若說蘇俄在緘口埋頭苦幹，美國則是在暗中追趕了！

美國飛彈之研究，海陸空三軍各立門戶，競爭極烈，曾有一個時期彼此互相貶評，各執一見，前年末期因準備製造小型飛彈，國防部感覺三軍用的飛彈必須劃一標準，及名稱，方才把他們在國防部統轄之下聯台起來。現在陸軍注重由地面發射的飛彈，他的實驗場地在新墨西哥的白沙。海軍注重自艦上發射的飛彈，目標為敵艦與潛艇，亦注重高射飛彈。牠的實驗場地除白沙之外，尚有可以泊船的木古尖（在洛杉磯與聖大巴巴拉之間）或挪頓桑，空軍所注重的多為長距飛彈，及空中作戰用的，牠的實驗場在白沙附近之荷樂門，另一處為佛羅利達州的香蕉河。

由地上飛出的飛彈，功用在打擊敵人的集中部隊，砲壘，及坦克車隊，與敵後方，陸軍巳有可達五十哩的地上飛彈，海軍所研究的是可達三十哩的艦砍飛彈，專門狙擊潛艇與驅逐艦，空軍在航空週刋上發表今年將製造遠達五百哩的「鬥牛武士」，地上飛彈的難題在於距離遠而準確度仍要極高，一九四四—四五年德國襲擊倫敦的飛彈，距離為一八〇—二〇〇哩，誤差為四哩，二號飛彈長四十八呎，重十二噸半，已近於完善，惟因它是自行推進的，誤差無法可以免除，現在的定向飛彈，尚要受無綫電的限制，距離超過五百哩，無綫電即不能指揮了！

關於地上的飛彈，我們可以說美國大概已在製造短距的，不論牠的效率能否達到理想，至四年之間普遍使用的問題或不致甚多。中距尚在實驗，長距的越洋飛彈則困難太多，至於自美國打到克里姆林的飛彈，怕要在十年二十年以後！

由地飛空的定向飛彈，目的在打擊敵人的轟炸機，小型的長約十至十五呎，直徑最多一呎，有金屬翼，是超音式，陸軍的「百靈鳥」可在一分鐘內自地面飛達大炸機的高度。

由空飛地的飛彈，在二次大戰時，德日均優於美國，空—地飛彈的動力是火箭馬達，推動力極大，每小時速度可達二千哩，六噸重的大空—地定向飛彈，可自八哩高空的飛機上放出，擊毀地面的敵陣，在試驗後方，有澳大利正在實驗裝有爆炸物的飛翼，不用火箭，而用噴氣引擎，最理想的當然是將小原子彈裝在地飛彈的肚子裏，現在正在技術方面的設計。

由空飛空的「大鳳」，長約十呎，因不必由飛機攜帶，所以包含的燃料少，形狀亦可以小，變為最小的「大力鼠」，不久，空—空飛彈，即可裝設在B—三十六上，其時B—三十六即很少有被擊落之機會了。

「自由人」稿約

本報各版，均歡迎投稿，敬訂稿約如下：

（一）除事先特約外，每稿最多請勿過一千五百字。長篇鉅製，以限於篇幅，無法刊登，請勿惠寄。

（二）惠投各稿：評論要切合時局，新聞要記述事實（大陸消息，如有人名，地點，時間，人名不便刊登者，可於稿內註明），雜文要生動活潑。

（三）來稿除附有足够郵費外，概不退還。

（四）稿末請附註眞實姓名，地址，但發表時須用筆名者聽便。

（五）來稿一經刊登，即寄奉稿費通知單；憑單向本報領取。不願受酬者請寄稿時自行註明。

為應付緊急情況

中共將舉行重要會議

韓局和戰，新和平攻勢，實行社會主義等問題都待決定，現在正專等潘友新來出席指示。

【本報專訊】中共各地黨政軍重要幹部，刻正紛紛動程北上，七月初或將舉行一項重要會議，而此會議可能即爲共黨的四全會。中共三全會係在一九五〇年六月六日舉行，係毛澤東由莫斯科回來後籌備召集的，彼在此全會上曾以「五個條件六個方向」爲題作一報告，自此會議後，反美運動即由宣傳逐漸進入具體行動。卒至助韓共發動韓戰，後半年，中共自身也介入了這戰爭。

兩年的韓戰使各方面的情況已迅速變異，共黨對外及反美運動的政策需要重新檢討和決定，即韓戰本身之局和戰也到了攤牌的時候。就大陸情況說，「土地改革」和「五反」「三反」後，已使整個社會陷入一種停頓狀態，而農業之國營農場，和工商業之是否允許小本營商等問題，也待有一明確之決定。故此會議現時似已必須舉行。

據一般推測，這會議將必繼續其反美運動，並可能使戰爭漫延及東南亞，因此係一莫斯科所決定之政策，至於沿海各地之防務，將更加重視，而後方安全區工業城市的建設，必爲其舉爲頭等任務。而且爲求其在此變亂情況中強固統治，可能將宣佈實施社會主義。

共黨之亞洲及太平洋區域和平會議，將於九月底舉行，此會議將爲中共改變現時外交方式之一種新的嘗試，而其基本路綫，自必須要中共在全會中決定。

潘友新調華，被將無疑成爲史大林派駐中共地區之最有權力人員，直接監督和指揮中共。故中共之四全會，亦可能待伴潘友新來華後舉行。

大陸農民紛反共　農村劇團影射多

天下士

隨着各地「土改」與「覆查」的次第完成，大陸農民對於「翻身」的滋味已有深切的領略。悲憤怨恨的情緒正充塞着整個的農村。爲了發洩這股怨氣，有出於直接的反抗和破壞，亦有出於間接的諷諷和影射。這裏試就中共所發表的資料，作一簡單的報導。

燒山放毒　風起雲湧

據中共「長江日報」最近的報導：自進入春耕以來，各地暴動破壞及倒算的情形已日趨嚴重。湖南臨湘縣在春耕中，發現農民破壞交通，縱火燒山案件不下二百二十餘起。湖南醴陵縣羊山鄉地主尋回被分散的農具，並打燬農會的陳設。河南馬關鄉九區地主不服「管制」，集體殺害耕牛，破壞農具並抗拒「勞動改造」。河南潢川地區，農民痛恨共幹，暗中施放毒藥，一次即毒死共幹，民兵及其眷屬一百四十七人。

縱火燒燬「國有」山林現象，更風起雲湧。湖南零陵分區自四月十四至十七日三天內即發生放火燒山四十七處，燒燬各種樹木四十七萬八千餘株。安仁縣龍市鄉與茶陵交界處有一十多里長的山林被燒燬。麻陽、劉陽、洞口衡陽、靖縣、臨湘等縣。也相繼發生過燒山事件。每次燒山時，農民不但沒有參加搶救，而且紛紛竊笑，認爲「燒了山林有柴燒」。其他如破壞鐵路，橋樑，電綫等現象更不斷發生。瀏陽縣樊田鄉在五天內，連續發現電綫被割斷三次，這些現象都是屬於積極反抗的一面。

薛平貴當志願軍　毛澤東是黃天霸

在間接反抗方面，各地農民多設法滲入中共的農村劇團，利用劇團來進行反共宣傳。有的地方更利用劇團來封鎖各村情況，和中共的工作幹部對抗。

湖北安陸縣，是中共辦理農村宣傳的示範縣。但該縣的許多劇團，近年來却不斷演出許多改編的舊劇，使中共的「領導幹部」弄得啼笑皆非。最近他們排演了一齣新劇，是把舊劇「平貴回窰」改編而成。全劇的大意是「土改」以後薛平貴當志願軍到朝鮮去打仗，貪污腐化，娶了老婆，發了橫財回來，竟買了幾條鐵路，成爲富甲一方的英雄。

河南太康縣五區監堂鄉大廟村小學教員趙殿魁，對中共失望之餘，最近亦編導一齣新劇。在台上演出時，借劇中人的口吻，公然大罵「人民領袖」。郊縣黃崗區紅花寺鄉劇團，在演「八蜡廟趕會」時，把褚彪和黃天霸，比作中共的「革命領袖」。河南睢縣劇團，奉命公演「高秀山回家」的「革命喜劇」時，導演的人有意搗蛋，雖然處處照着原劇本編導，但却在道具和化裝上打主意。故意把扮演劉伯承的人穿上甲胄，弄得非驢非馬，藉此來侮辱中共一番。

利用劇團　進攻農會

除了利用演劇來諷諷中共外，還透過劇團的組織來吸收農民，形成一勢力。實行以組織對抗組織。如湖北光化縣賈灣村劇團，表面上是吸收演員，實際上是招納當地的反共份子，把劇團作爲聚會的機構。等到勢力擴大後，便開始和當地農會爲難。農會要開會，他們就演戲，農民紛紛跑去看戲，農會於是無法開成。湖北安陸縣第二區同興鄉劇團，甚至出而和農會爭取「土改覆查」時所沒收農民的果實。抽出十四畝地，三萬多斤糧食作爲基金，準備以此作爲反共活動的資本。嚇得當地的農會委員都自動要求辭職。

反共活動　方興未艾

上述這些積極和消極的反抗，正逐漸蔓延至各地區，使各級領導共幹怵目驚心。最近特下令先整頓各地民兵，希冀進一步鞏固地方的武力，實行大力鎮壓。但是中共的所謂民兵，根本上便多數反共。要他們來鎮壓反共的活動，不僅徒勞無功，而且會愈鎮愈兇呢！

哈爾濱設集中營　向開封府要奴工

被解送婦孺五千名，不去餓死，去了凍死。

【本報特訊】中共中南區確息，自六月十一日起，命令所屬開始集中反共份子家屬等候押解，第一批五千先到哈爾濱再重新分配各地奴工營，此項規定，係奉中共政治局命令，主要用意爲防制國軍反攻時，引起騷動。並利用他們的無償勞動來增加生產。據說反共眷屬中又被劃分幾種等級，甲種爲流亡港澳及台灣人士之眷屬，經查明確有親丁在反共陣營工作者。乙種爲已被處死之反共份子眷屬，生活且已陷於絕境者。丙種爲五反之商人因無力付罰款自殺或被殺者，而中共仍認定其眷屬倘有油水可榨。此三種人以丙種待遇最慘，而甲種反較優，因中共鄉村幹部內心時刻恐懼國軍之反攻，都恐屆時將遭受報復，故暗中多予照顧示意，預留未來地步。據傳此次決定之遣送對象，即以甲種最先，乙種次之，丙種則候案件清結後始可發配，目前豫南各縣，均已開始，西華縣遣送區張營鄉因集中之眷屬不願離開故鄉即發生集體自殺事件，共有死婦女二十一名，商邱縣宋集區共幹則假借命令大事貪污，凡反共家屬被遣送者，除本身之衣著外，其餘衣物棉被用具一律不准攜帶，均爲沒收分發幹部，並將告訴她們說：「東北天氣冷得很，你們這種衣物，帶去也沒有用，政府自會大力照顧你們，到時就發皮衣服」。可是人們也都明白，靠共產黨發糧必餓死，靠發衣服一定凍斃，目前河南地區正爲這事鬧得人心惶惶。（荔璽寄自開封）

從「桑乾河上」看中共吃人

·達凱·

丁玲和共幹的嘴臉

在紅色文藝圈中，最近最吃香的，是湘婦丁玲及其作品「太陽照在桑乾河上」。它已得到一九五一年的史大林文藝二等獎金，俄使館並于本月七日在北平舉行「授獎典禮」。丁玲致答詞說：「我是如何地興奮和無法形容地激動啊！」同時她對新華社記者發表談話：「我愛史大林，我愛毛澤東，我心上總有他們；我照他們的意思去做，我一定要使他們喜歡，但是我從來連做夢也沒想到史大林的名字，毛澤東的名字能和我丁玲這兩個字連在一起。」

從這幾句話，可以想見丁玲和「桑乾河上」是怎樣的見不得陽光的東西。自一九四二年延安「文藝整風」以來，她被冷落得太久了，除了寫一個短篇「二十把板斧」外，她就丟下筆桿，下鄉，參加「土改」，參加「鬥爭」，歲月的磨練，黨性的高壓，使她終獲得了一個使毛澤東「喜歡」和史大林「喜歡」的資本。

「桑乾河上」，是以「土改」「鬥爭」爲主題的，即是從一九三六年中共的「五四指示」到一九三七年舉行「土地會議」這一段時期華北的「土改」情形。這裏面，有共幹的嘴臉，有被宰割的羔羊，有恐怖殘酷的鬥爭的場面。主持鬥爭和吃人的人物是：文采（共黨工作組長）張裕民（共黨支部書記），程仁（農會主席），趙德祿（副村長），張正國（民兵隊長），章品（中共縣委會宣傳部長）等。被鬥爭被宰割的羔羊是：錢文貴，李子俊，江世榮（小地主）。和小學教員任國忠。……

血的鬥爭的場面

故事發生在華北一個叫做暖水屯的村子，丁玲先從共幹本身的糾紛，羣衆的「落後」寫起，因爲這村子沒有大地主，只有幾個小地主，共黨派來的幹部和培養的土幹部，無法確定鬥爭的對象，互相爭吵。以後經過章品的組織推動，農民才發動起來，於是由村民大會變爲公審大會。「公審大會」是這樣進行的：

「……鑼響了，把農會的會員們引到戲台外廣場上去，

站在台上的是支部書記張裕民，他宣佈地主錢文貴已扣押起來了，要好好清算鬥爭他。台下一陣吼聲：「扣得好，打他那狗肏的！」呼喊口號像雷響，一排民兵「嘩」的一聲，同時扳動了槍機。……

錢文貴在掙扎中，農會主席程仁跳上台去，指着他大罵，將他跪下來，羣衆勢更猛，亂吼：「要他的命，打死他！」接着紛紛跳上台去，不管三七廿一，舉行拳頭就打。……」

這是何等蠻橫，又是何等殘暴。這還是民國三十六年九月以前華北的「土改」情形，當時中共還是實行「統一戰綫」，高唱「新民主主義」的時期，還有一幅假面孔，還留一點餘地。現在大陸各地的「土改」，其「亂打亂殺」的野蠻程度，自更十倍於此。

人民的眼睛是雪亮的

依照「桑乾河上」全書故事的敘述，農民們是根本不願意鬥爭的，「工作組長」文采工作的失敗，即是農民不接受共黨引誘的例證。不僅一般人知道「共產黨總是說爲窮人，爲人民，這不過是說得好聽的，張家口的好房子誰住着？汽車誰坐着？大飯店門口是誰在進進出出？肥了的還不是他們自己」。而且「婦聯會主任」董桂花也感覺到：「……張裕民吹得多好，他硬把我拉到婦聯會來，他老說爲窮人做事，如今爲了什麼窮人，連咱們自己還要更窮了呢！」

因此當共幹鼓動和率領着一羣佃農找地主家屬清算的時候，農民看到「那女的跪下台階，眼淚沿着臉流了下來，她哽咽道：「大爺們，請你們高抬貴手，照顧咱娘兒們吧！請大家看在咱一個婦道人家面上，憐惜憐惜咱的孩子們吧。」這一幕酸悽情景的時候，只有「偷偷溜走」。

以後再經過共黨的嚴密佈置，經過章品的親自「督導」，對農民軟硬兼施，加強農會組織，將共幹僞裝在農民中，起帶頭作用。于是一場殘酷的鬥爭，才正式搬演出來。

地主打倒後，農民「翻身」了，但是所謂「翻身」，是要年青的農民去「參軍」，年老的農民去「構築工事」。甚至婦孺都要獻出身體勞力，以供中共的驅使。

這就是「桑乾河上」的主要內容，也就是中共「土改」的中心環節。它的特徵是：鬥爭，再鬥爭，挖盡社會的老根，斬斷農民的後路。換言之：是徹頭徹尾的吃人的行爲。毛澤東和史大林是「喜歡」吃人的，所以欣賞丁玲有這一部吃人的「著作」。

重大教授不肯低頭

公然說英國最民主，美國最闊氣。

重慶大學現在也在「思想改造」的風暴中，眼見有些稍有骨氣的教授都得被清算出來。據中共幹部在報上的報導，那裏的教授們受資產階級思想的陶冶是相當嚴重的。不少的教授是歐美留學生，「對於中國的青年一代散佈着不良的影響。」

據重慶新華日報刊載，有不少教授都「不願揭膿瘡，怕暴露思想。平時開會他們一言不發，輪到自己作思想檢討時，則輕描淡寫的說幾句：或是把自己痛叱一頓，避免觸及實際，在『大帽子』下開小差，企圖混過關去」。一般都存着超政治超階級的純技術觀點，而且受美國的思想非常深。對美國的東西知道得爛熟，對蘇俄的則毫無所知。工學院某教授講熱功學，其內容完全是美國「西屋公司」的那一套，只講到煤的發熱量，知道美煤的標準，却不知道蘇煤和中煤的發熱量。地質系某教授時常宣揚美國油田有如花園一樣的美麗，吹噓美國油田遼闊，偉大。某教授在教工業化學時，宣傳美國皮包又柔軟又光滑，對於蘇俄和本國製革工業一字不提。又有一位銀行保險系的教授，居然認爲英國最民主，因爲倫敦有一個海德公園，任何人都可以在那裏發表演說，可公開以謊言來爲腐朽的資本主義制度作辯護。體育組某教授則在舞會上大放其美國爵士音樂。

有的教授簡直視死如歸，據新華日報載：「有的教授竟公開拒絕思想改造，每次上課時必帶有譏諷的口吻對學生說：「我又來腐蝕你們了，」或者說，「新教材未發下來以前，不得不再奴化你們一番。」

該報最後提出威脅說：「假如你不改造思想，而要堅持錯誤的話，祖國不需要你，學生也不會買你的貨，那你就沒有『市場』了，你就自絕於人民了。」換句話說，不肯「低頭認罪」，就不被殺死也得飢餓而死，磨折而死。

風雲日緊　粵共慌了

忙着集中粮食，破壞小路，訓練學生爬山，說又要打游擊去。

廣東各地，中共正在有計劃的破壞主要交通路綫以外的阡陌小道，同時，又在各學校中，強迫施行爬山訓練。又，中共在潮汕一帶，正從事糧食再集中的措施；各縣區以下的各糧食倉庫，通通被祕密轉移貯藏地點，縮減各糧倉的面積單位，在深夜之中，一步一步將原有各倉庫糧食，依次向各區政府指定的地點集中。工作進行異常積極，搬運的人員，都是由中共的部隊機關人員直接交任。

據參加這一項糧食轉運與集中的工作人員，事後向外界透露說：這一些新集中的糧食倉庫，都是利用各村鎮中較高大的民房，底部用大石塊架高，上架粗且木材，然後用穀皮厚厚鋪在上面，再裝進糧食。各堆集糧食的民房倉庫，門窗都嚴密封鎖，四週警衛週詳，鄰近居民，均被驅逐遷移。糧食倉庫的最底部（即木材以下接近地面的一部份），都擺了罐裝的煤油，每一倉房，地下置有煤油不下十罐之多。這些煤油，都是在存入糧食以前，首先置入倉房底下的。在倉內的一角，都用木板或石塊，隔出了一段足可容人的空隙，如此，這些地下置存的煤油，隨時都可由人在上面取道取出，或者點火燃燒。

中共破壞道路，訓練青年爬山，集中粮食并配附燃料，顯然是在澈底佈置一項全面性的堅壁清野的計劃，準備應付國軍的反攻和游擊隊的襲擊。【今風】

共幹掘寶　湘紅拂墓被盜

湘東醴陵西山，有唐李靖寵妾紅拂墓，近爲僞醴陵縣公安局長張平開盜。事後雖修復原狀，並於墓上圍植蔬菜，以資掩飾，然此項罪行，已傳遍民間。據說張平原以爲紅拂墓中埋有寶物，故假開荒名義，暗遣部屬偷盜，可是墓中盡是黃土，寶物遍尋無著，事後大呼倒霉。（湘民）

「揚棄」的種籽

·海文·

一九四八年的秋天，在江南的一個小鎮，經過一陣擾攘紛亂，來了一羣戴八角帽，穿大棉襖，敞着衣領的人。

那時，劉大年剛好從小學畢業，住在家裏。劉大年的家，離小鎮有五里路，一棟舊式的瓦屋，門口貼副對聯，對聯上寫：『世上一等人，忠臣，孝子。』『平生兩件事，讀書，耕田。』是他父親的手筆。他父親五十幾歲年紀，是私塾的教書先生，平日積了幾個錢，買了幾畝地。他母親是個勤儉持家的小脚女人。他有個姐姐，比他大兩歲，沒有出嫁，也住在家裏。

小鎮上自從那羣人來了以後，不平常的熱鬧起來，整天都有人打鼓，跳舞，唱歌，幾十歲的老頭子，老太婆也跟在後面扭呀扭。劉大年覺得很新奇，也很有趣。有一天，他終於忍不住，偷偷從家裏溜出來，跟在那羣人背後混了一整天。在那羣人當中，有個闊嘴，粗眉毛，滿臉堆着笑的人同他說了許多話。那個人拍着他的肩膊：『現在解放了，你是建設新中國的種籽，你要好好的幹。』這使他想起在學校裏作文簿上自稱的：『我們是國家未來的主人翁』。正好相合。於是第二天起，他就加入做小鬼隊的小鬼。

做了小鬼，第一件事就是學習。其實，所謂學習就是組織，把許多同他年紀差不多的『小鬼』，編成三人一組，三組一隊；你監視我，我監視你，然後大家去監視別人。這樣組織好了，也就學習好了。劉大年起初不慣於受人監視，也不慣於監視別人，越學習越害怕。但是後來一想自己是『種籽』，不覺膽大。

闊嘴，粗眉毛，滿臉堆着笑的人送給他一頂八角帽，一身大棉襖。於是，他也學着那羣人裝扮起來。因爲人小，八角帽差不多蓋住眼睛鼻子，大棉襖拖到膝頭上，袖子長一大截，走路時一甩一甩的，樣子很滑稽。但是，頭一次穿，他有點飄飄然。

飄飄然，飄飄然，『任務』來了。在烏黑，寒冷的夜晚，在路邊，在山坡上，在灌叢，在人家的屋簷下、窗下、後門口，他開始要去放哨、偷聽、聞香、稽查、告密，許多人因他被捉、被刑罰、被殺死了，其中有些還是他的熟人。爲甚麼要這樣幹？他莫明其妙，他祇直覺的以爲是在『替人民服務』。

實行土改，小鎮上緊張得很。這裏鬥爭會，那裏清算會，退租退押，劃分階級，叢起一片哭聲，喊聲。

劉大年的父親是個地主，剝削階級，消息傳出來說要鬥、要清算。有天晚上，他被父親喊進房裏，他父親小心的把門窗關上，握着他的手，悄悄的說：『大年，我老了，經不起風浪。這回，我非走開避避風頭不可。今晚就走。』說着說着，兩個人都淚汪汪。

當他從父親的房裏出來，是夜半了，月亮正幽幽的停在天頂。他想起『小鬼』的『任務』。怎麼辦？父親疼他，他也疼父親；但是『站穩人民立場』這句話魔力太大了。他向闊嘴，粗眉毛，滿臉堆着笑的人那裏奔。兩個拿着槍的兵來到他家，押着他父親走了。他母親和姐姐號啕大哭起來。他望望地上一堆血，想起高舉的槍托，狠狠的撞在父親背上，不覺也一陣心酸。一隻大手按着他頭，『小鬼，恭喜你立了功。』

他惘。

接着父親的被捉，是母親的掃地出門，『人民政府是寬大的，對於地主及其家屬給予勞動改造的機會。』『舊社會使人變成鬼，新社會使鬼變成人。』這些話他聽得很熟。但是，當他看見母親，背着口袋，杖根竹棍，伸着枯白的手，頭髮蓬亂，叫化般的時候，這些話就說不出口了。『母親啊，母親啊！』他祇有陪着母親流淚。有幾次，他想搞點東西送給母親吃，但是違反『紀律』，他不敢。

至於他姐姐，是在掃地出門之先的，被『老大哥』弄走的。原來省城裏到了一批大鼻子的洋人，到小鎮來玩，有次碰巧有個大鼻子瞧見他姐姐，看上了。於是，他姐姐就被征去『招待』，小鎮上『招待』了，又進城『招待』，一去就沒有回來。被征那天，他姐姐大哭大叫，抱着母親不肯走。劉大年向人問道：『她既不肯，爲甚麼要強迫？』旁邊有人大聲說：『他們是老大哥，沒有老大哥的幫忙，解放事業不會成功。這點招待算得甚麼。我們的糧食、機器統統都要運過去，[illegible]個國家民族一面倒，爲了配合世界革命，何況她！』他又看見那闊嘴，粗眉毛，滿臉堆着笑的人了。

一連串的事情發生，就像燒紅的鐵，烙在他那幼稚的心上，烙來烙去。他痛，他就咬緊牙關，不喊，但是也不反抗。因爲他左思右想，就是想不明白：究竟是誰的錯？有時，他似乎明白一點，但拿了鐵在烙他的人說：『這是舊社會的一點渣滓，是革命必然的過程。』他又糊塗了。

白雲悠悠，江水淡淡，轉眼間，劉大年已是十六歲了。十六歲可以送上戰場打仗。於是，那一天，小鎮上搭起一座高台，四面紮着彩牌。他合着一些人走到台上，隨着響起炮竹，台下有人喝好。一個小女孩走上來，替他們插紅花，佩了紅帶。劉大年參軍了，也有點驕傲，也有點像做夢。忽然，他看見前面飄着一幅紅綢，紅綢上寫四個大字，『保衛國家』。他觸電似的被猛震了一下：保衛誰的國家？幾年來不明白的，現在可想透澈了。他要保衛自己的家，自己的國！主意已定，他不覺笑起來。台下那些人看見他笑，也不管三七廿一，就喝好。

當天晚上，他揣一把尖刀在懷中，從窗外射進來的月光，冷冷的照在床上，他毫不遲疑的，將尖刀插下去，那粗眉毛，堆滿笑的闊嘴的臉，插下去，洗出鮮紅的血，對着那張開的眼睛，可怕的笑！一隻手，在『枕頭』下摸索了一粒子彈，他穿過胸膛，他也倒在血泊裏。

死了？我說不是。迷途頓悟，希望新生。這是成熟，這是唯物辯證法，是大洪生長！我們的大師談『揚棄』，說劉大年的種籽，是個種籽，想必不會反對了！

玻幕新聞

高方

本月廿五日的香港報紙頭條新聞，莫非報導韓境聯軍以五百架飛機轟炸鴨綠江水電廠這項消息，這等於韓戰兩年多聯軍由鴨綠江匆促向後撤退的消息一樣，都是一件重大的時事要聞。報紙應該爲社會服務：向讀者報導這突發的國際大事。

可是，本港的共黨報紙，却一字不提，最有趣是同日在一張自命爲正牌共產黨的大報上，還以頭號宋體字標出「破產的美帝空軍優勢」的大題目，描繪聯軍在韓境的空軍如何不行，共產空軍如何強大等情況，儼然有价事。這不知道是故意跟自己開玩笑呢，抑是對讀者作「可恥的」諷刺宣傳？

當而造謠，無中生有，原是共產仁兄的拿手傑作。但對這種轟動全世界的事件，又在這新聞自由的民主社會中，竟敢如此自欺欺人，妄作封鎖魔術，可謂駭人聽聞了！所謂「新聞道德」，原非所語於俄式共產主義者。然即就他們本身的利害設想，在光天化日之下，萬目睽睽之中，這樣的造謠勾當，除使社會人士對於他們過去嘶破喉管大喊「美帝」實行細菌戰，以及浪費人民膏血所攝製的無數細菌圖片，實證其爲全係騙術，並無一顧的價值而外，有何意義呢？

想在民主自由生活的香港搞鐵幕新聞，那無異乎是用玻璃造的「幕」了，令人一目了然，眞不愧爲「心勞日拙」的玩藝兒！

自由談

工人的老闆

一個美國工人到東歐一個附庸國家的工廠參觀，他指着機器問：「這是誰的？」那工廠的工人答道：「這是我們工人的」。他又問：「你們這個廠賺的錢是誰的？」答：「是我們工人的」。他走出工廠看到停放門外的兩輛小汽車，又問：「這是誰的？」那工人答道：「這是我們工會書記和廠長的」。

隔了一個時期，東歐的這個工人到美國工廠去參觀，他也指着機器設問：「這是誰的？」美國工人答道：「這是我們老闆的。」又問：「你們這個廠的利益是誰的？」答：「是我們老闆的」。他從工廠出來，看見停在工廠外廣場上數不清的小汽車就問道：「這是誰的？」美國工人答道：「這是我們工人自己的。」

李白年譜簡編（二）

·舜生·

開元二十三年（735）

太白年三十五歲。遊太原，識郭子儀於行伍，言於主帥，脫其刑責。攜妓遊晉祠，浮舟弄水。即於是年去之齊魯，寓家任城，與孔巢父、韓準、裴政、張叔明、陶沔會徂徠山，酣飲縱酒，號竹溪六逸。

開元二十八年（740）

太白四十歲。是年孟浩然卒，年五十二。

天寶元年（742）

太白四十二歲。遊會稽，與道士吳筠居剡中。會筠以召赴闕，薦之於朝，玄宗乃下詔徵之。太白至京師，太子賓客賀知章一見賞之，曰：『此天上謫仙人也。』讀其『烏棲曲』，謂可以泣鬼神，因解金龜換酒爲樂。言於玄宗，召見金鑾殿，論當世務，草答蕃書，帝嘉之，以七寶牀賜食，親手調羹飯之，曰：『卿是布衣，名爲朕知，非素蓄道義，何以得此。』命供奉翰林。

天寶二年（743）

太白四十三歲。留長安，與賀知章，汝陽王璡，崔宗之，張旭，焦遂等縱情詩酒，有酒中八仙之目。

天寶三年（744）

太白四十四歲。仍留長安，數應召侍宴賦詩。因沉醉引足令高力士脫靴，力士恥之，乃摘其『清平調』中『可憐飛燕倚新粧』句以激太眞妃，謂賤之已甚，妃深然之。帝三欲官白，妃輒沮之，又爲張垍讒譖，太白自知不爲親近所容，懇求還山，乃賜金放歸。

杜甫寄太白二十韻傳，有『乞歸優詔許，遇我宿心親』之句，是知李杜訂交，在太白離長安後不久也。

太白出京後數年，其蹤跡殆以在梁齊之間爲多。

天寶十三年（754）

太白五十四。遊廣陵，與魏萬（即魏顥）相遇，遂同舟入秦淮，上金陵。與萬相別，復往來宣城諸處。

天寶十四年（755）

太白五十五歲。在宣城。

肅宗至德元年（756）

太白五十六歲。自宣城之溧陽，又之剡中，遂入廬山。時永王璘爲江陵府都督，充山南東路及嶺南黔中江南西路四道節度使，重太白才名，辟爲府僚佐，及璘擅引舟師東下，脅以偕行。

至德二年（757）

太白五十七歲。永王璘兵敗，太白亡走彭澤，坐繫尋陽獄。以宣慰大使崔渙及御史中丞宋若思推覆得釋，若思並上書薦白才可用，不報。

乾元元年（758）

太白五十八歲。終以永王事長流夜郎，遂泛洞庭，上三峽，至巫山。

乾元二年（759）

太白五十九歲。未至夜郎，遇赦得釋。還憩江夏岳陽，復如尋陽。

上元二年（761）

太白六十一歲。遊金陵，又往來宣城歷陽二郡間。

寶應元年（762）

太白六十二歲。在當塗，依當塗令李陽冰。十一月以疾卒，即葬其地。（完）

萬竹樓隨筆（一〇八）

「我的生活片段」之一　八年的參政（十一）

王雲五

國大問題

協商會議中還有一個問題，爲各方面所熱烈爭持。這就是關於國民大會舊代表的有效問題。在某次大會中，中共與民盟都力主國民大會代表應重新選舉。國民黨則主張維持原有代表。第五方面有一二發言者，也傾向於重新選舉。我起立發言：『原有代表固然選出了多年，爲中共民盟等認爲不能代表新的民意者。但國民大會之不能如期召集，其責任不在各代表，因處此抗戰之非常時期，甚至如英國之重視選舉，其現有國會議員亦因戰事而特別延長任期。查我國國民大會代表選舉法明定各代表之職責應於第一屆國民大會召集後解除。國大一日不召集，則其職責一日不能解除。國大之主要職權在制定憲法，制憲爲法治之本，倘以政治方式變更制憲代表的法律地位，不僅此例不可開，且原有代表倘以護法之名自行集會，豈不是徒滋紛擾。至謂多年前所選舉的代表不能代表新的民意，縱係事實，但我也有一折中辦法可以解決此困難，而仍能維持原有代表。查國民大會代表組織法規定有由政府遴選之代表二百四十名，又規定國民黨中委均爲國大代表，而中委共有四百六十名，陳項合計爲七百名，皆無須選舉，可由政府與國民黨支配。此次政治協商會議之目的，係因國民黨願還政於民，並容納各黨與社會賢達參加政府，推此美意，儘可將政府與國民黨所能支配之代表名額七百名公平分配於各方面，加以各地方尚未選出之代表與原有代表身故或附逆者亦有若干名，與上述之七百名合計當有九百餘名，對於現有之舊代表爲數大致相等。依此辦法分別遴選與選舉，則代表新的民意者在國民大會中至少亦可占半數。』

我此項主張自問對於法理與事實尚能兼顧。但當我提出之初，中共與民盟的代表固然立即起立反對，即國民黨人士在維持舊代表的大原則下，對於我的主張固然贊同；然對於我所提的解決辦法，特別是把國民黨中委所占的國大名額另行分配，間也有些人不很贊同。可是經過了國民大會小組多日的討論，竟然脫不了我的建議，除各方面已接受我的建議爲協商的基礎外，原來主張全部國大代表改選最烈的中共代表祇好退讓一步，表示一切問題倘均獲得滿意的解決，則對於承認原有代表一問題將不堅持。最後協商的結果，遂將上述的七百遴選代表名額分配爲國民黨占二百三十名，中共二百名，民盟及青年黨各占一百名，社會賢達占七十名。在閉會之日最後一次綜合小組會議中，復就國民黨與中共所占名額，各撥出十名，加入於民盟所占之名額。

黑十字

非晨

佩雲他們回來了，等候了兩隻管樂，仍舊不見藍英的影子，白濟宏知道一定出了什麼岔，他要佩雲先回去，自己拖了黃洗，兩人去新都酒店找藍英。

舞廳的門首，白濟宏撞到洪正池，他又看見了昨晚的那張臉，臉的中央，有兩道妒惡的皺紋。

他感到這張臉的出現有點奇怪，再將藍英突然離席的事聯在一道，白濟宏有些疑心。

藍英果然回了「新都」，她躺在沙發上，知道姐夫要來尋她的，她早已編好了一套謊話。

白濟宏問她，她說她回家來換衣裳。這句話白濟宏是懂的，以爲她剛才遇到了女人的尷尬事。

她果然換了一件上衣，淡咖啡色，更顯得她的俏麗，白濟宏借着機會，正想拖了黃洗到佩雲處玩耍，他說，既然身體不舒服，他們便走了。

藍英却叫住了他，她從皮包裏濟出姐姐的信，有意問白濟宏，問那兩千元美金是不是放在黃先生手上。

黃洗楞了一楞，可是，他也看見了白濟宏丟給他的眼色，如是，他對藍英承認了。

其實他何曾用過白濟宏太太的錢？不過，這件事，白太太曾經和他說過，她說欠她妹妹兩千元美金，如果妹妹的婚事成功了，希望黃洗替她墊一墊，當着白濟宏和藍英的面，他只得點頭。

料不到藍英一步緊一步，她說她沒有錢用，希望黃洗能够還給她。

中午，白濟宏已經借過他一千元，却也不能對藍英說起，他想和白濟宏有個商量，白濟宏却又飢飢地跑到外面去了，藍英的白嫩的手朝他伸着，他的臉從耳根紅起。（廿六）

·中篇連載·

史地傳記類　PC0266

自由人（一）

編　　者 / 陳正茂
責任編輯 / 邵亢虎
圖文排版 / 彭君浩
封面設計 / 陳佩蓉

法律顧問 / 毛國樑　律師
印製經銷 / 秀威資訊科技股份有限公司
114台北市內湖區瑞光路76巷65號1樓
電話：+886-2-2796-3638　傳真：+886-2-2796-1377
http://www.showwe.com.tw
劃撥帳號 / 19563868　戶名：秀威資訊科技股份有限公司
讀者服務信箱：service@showwe.com.tw
展售門市 / 國家書店（松江門市）
104台北市中山區松江路209號1樓
電話：+886-2-2518-0207　傳真：+886-2-2518-0778
網路訂購 / 秀威網路書店：http://www.bodbooks.com.tw
國家網路書店：http://www.govbooks.com.tw

2012年12月復刻版
定價：2500元

國家圖書館出版品預行編目

自由人 / 陳正茂編. -- 一版. -- 臺北市 : 秀威資訊科技,
2012. 12-
冊； 公分. -- (史地傳記類)
BOD版
ISBN 978-986-326-020-2(第1冊 : 精裝). --
ISBN 978-986-326-016-5(第2冊 : 精裝). --
ISBN 978-986-326-017-2(第3冊 : 精裝). --
ISBN 978-986-326-018-9(第4冊 : 精裝). --
ISBN 978-986-326-019-6(第5冊 : 精裝). --
ISBN 978-986-326-022-6(第6冊 : 精裝). --
ISBN 978-986-326-023-3(第7冊 : 精裝). --
ISBN 978-986-326-024-0(第8冊 : 精裝). --
ISBN 978-986-326-025-7(第9冊 : 精裝). --
ISBN 978-986-326-026-4(第10冊 : 精裝). --

1. 報紙 2. 香港特別行政區

059.92 101021409

讀者回函卡

感謝您購買本書，為提升服務品質，請填妥以下資料，將讀者回函卡直接寄回或傳真本公司，收到您的寶貴意見後，我們會收藏記錄及檢討，謝謝！如您需要了解本公司最新出版書目、購書優惠或企劃活動，歡迎您上網查詢或下載相關資料：http:// www.showwe.com.tw

您購買的書名：________________________________

出生日期：________年________月________日

學歷：□高中（含）以下　□大專　□研究所（含）以上

職業：□製造業　□金融業　□資訊業　□軍警　□傳播業　□自由業

□服務業　□公務員　□教職　□學生　□家管　□其它_____

購書地點：□網路書店　□實體書店　□書展　□郵購　□贈閱　□其他

您從何得知本書的消息？

□網路書店　□實體書店　□網路搜尋　□電子報　□書訊　□雜誌

□傳播媒體　□親友推薦　□網站推薦　□部落格　□其他__________

您對本書的評價：（請填代號　1.非常滿意　2.滿意　3.尚可　4.再改進）

封面設計____　版面編排____　內容____　文／譯筆____　價格____

讀完書後您覺得：

□很有收穫　□有收穫　□收穫不多　□沒收穫

對我們的建議：________________________________

____

____

____

請貼
郵票

11466
台北市內湖區瑞光路 76 巷 65 號 1 樓
秀威資訊科技股份有限公司　　收
BOD 數位出版事業部

（請沿線對折寄回，謝謝！）

姓　　名：＿＿＿＿＿＿＿＿　年齡：＿＿＿＿　性別：□女　□男

郵遞區號：□□□□□

地　　址：＿＿＿＿＿＿＿＿＿＿＿＿＿＿＿＿＿＿

聯絡電話：(日) ＿＿＿＿＿＿＿＿＿＿ (夜) ＿＿＿＿＿＿＿＿＿＿

E-mail：＿＿＿＿＿＿＿＿＿＿＿＿＿＿＿＿＿＿